105 目 44
106 田 44
107 罒 45
108 皿 45
109 生 45
110 矢 45
111 禾 45
112 白 46
113 瓜 46
114 鸟 46
115 疒 46
116 立 47
117 穴 47
118 疋(⺪) 48
119 皮 48
120 癶 48
121 矛 48
[142] (衤) 52
[145] (⺻) 53
[146] (⺄) 53
[176] (钅) 61

六畫

122 耒 48
123 老 48
124 耳 48
125 臣 48
126 覀(西) 48
127 而 48
128 页 48
129 至 49
130 虍 49
131 虫 49
132 肉 50
133 缶 50
134 舌 50
135 竹(⺮) 50
136 臼
137 自
138 血
139 舟
140 色
141 齐
142 衣 52
143 羊(⺷⺶) 52
144 米 52
145 聿(⺻) 52
146 艮 53
147 羽 53
148 糸 53
[148] (糹) 54

七畫

[68] (車) 30
[76] (貝) 33
[78] (見) 35
[83] (镸) 38
[136] (臼) 51
149 麦 55
150 走 55
151 赤 55
152 豆 55
153 酉 55
154 辰 55
155 豕 55
156 卤 56
157 里 56
158 足(⻊) 56
159 邑 56
160 身 56
161 釆 57
162 谷 57
163 豸 57
164 龟 57

[83] (長) 38
[130] (虎) 49
168 青 59
169 卓 59
170 雨(⻗) 59
171 非 59
172 齿 59
173 黾 59
174 隹 59
175 阜 60
176 金 60
177 鱼 62
178 隶 62
[185] (飠) 63

九畫

[57] (飛) 26
[63] (韋) 27
[91] (風) 40
[128] (頁) 49
179 革 62
180 面 62
181 韭 62
182 骨 63
183 香 63
184 鬼 63
185 食 63
186 音 63
187 首 63

十畫

十一畫

[114] (鳥) 46
[149] (麥) 55
[156] (鹵) 56
[177] (魚) 62
192 黄 64
193 麻 64
194 鹿 64

十二畫

195 鼎 64
196 黑 64
197 黍 64

十三畫

[173] (黽) 59
198 鼓 64
199 鼠 64

十四畫

[141] (齊) 52
200 鼻 64

十五畫

[172] (齒) 59

十六畫

[103] (龍) 44

十七畫

[164] (龜) 57

MINJUNG'S

POCKET

CHINESE-KOREAN KOREAN-CHINESE DICTIONARY

포켓

中韓·韓中辭典

민중서림 편집국 편

민중서림

머 리 말

급속한 경제 성장과 함께 점차 세계 속의 입지를 높여 가고 있는 중국은 이미 우리와는 떼려야 뗄 수 없는 밀접한 관계에 놓여 있다. 수많은 사람들이 지금도 여행 · 사업 · 학습 · 문화 교류 등 갖가지 목적과 이유로 끊임없이 중국을 찾고 있고, 청년층이 주를 이루었던 과거와 달리 그 연령대 또한 매우 다양해졌다.

중국과의 왕래가 활발해지면서 중국어에 대한 관심도 꾸준히 높아지고 있으며, 중국어 교재와 중국어 사전을 찾는 사람들 또한 하루가 다르게 늘고 있다. 그러나 수많은 종류의 중국어 교재가 쏟아져 나오는 것에 비해, 중국어 사전의 변화는 실로 미미하여 독자의 다양한 요구를 충족시켜 주지 못하고 있는 실정이다.

기존의 중국어 사전들은 최대 수요층인 중국어 전공자들을 주요 대상으로 하여 출판되어 왔고, 들고 다니는 사전의 크기만 봐도 전공을 알 수 있다는 말이 있었을 정도로 크고 무거웠다. 그러나 이제는 이미 수많은 독자들이 자신의 용도에 맞는 가볍고 휴대가 용이한 사전을 찾고 있고, 이에 따라 여러 독자층이 모두 편리하게 사용할 수 있는 사전의 필요성이 대두되었다.

이 사전은 이러한 독자들의 요구를 충족시키고자 기획된 것으로, 막 중국어에 입문한 초급 학습자부터 웬만한 단어는 구사할 줄 아는 고급 학습자까지 간편하게 휴대하며 언제 어디서나 쉽게 활용할 수 있도록 포켓판으로 제작되었다.

비록 크기는 작지만 필수 어휘와 신조어를 포함하여 표제자 6,490여 개(간체자 4,890여 개, 번체자 1,590여 개), 표제어 30,000여 개에 달하는 어휘가 수록되어 있고, 생활에 꼭 필요한 내용들로 꾸며진 알찬 부록으로 실용성을 최대한 높였다.

아무쪼록 이 사전이 독자들의 다양한 요구를 최대한 만족시켜, 많은 사람들이 중국어와 가까워질 수 있는 좋은 수단으로 활용될 수 있기를 바란다.

앞으로도 끊임없는 수정과 개정을 통해 실생활에 유용한 학습 도구로 자리 잡을 것임을 약속하는 바이다.

민중서림 편집국

일러두기

1. 어휘(語彙)

일상생활에서 자주 쓰이는 실용적인 어휘를 위주로, 6,490여 개의 표제자(標題字)(간체자 4,890여 개, 번체자 1,590여 개)와 30,000여 개의 표제어(標題語)를 수록했다.

2. 자형(字形)

1986년 '中国国家语言文字工作委员会' 가 재공포한 〈简化字总表〉에 의거한 간체자(簡體字)를 기본으로 했으며, 표제자에 한해 번체자(繁體字)를 밝혀 두었다.

3. 표제자(標題字)와 표제어(標題語)

간체(簡體)를 원칙으로 하며, 발음을 한어병음자모(漢語拼音字母)로 표기하여 알파벳순으로 배열했다.

1) 표제자

ㄱ) 음이 같은 것은 성조(聲調)순으로 배열했으며, 경성(輕聲)을 가장 나중에 배열했다.

ㄴ) 음과 성조가 모두 같은 경우에는 획수(劃數)순으로 배열했으며, 같은 획수 안에서는 부수(部首)순으로 배열했고, 단 성부(聲部)가 동일한 경우는 한데 모아 배열했다.

ㄷ) 번체자는 간체자 뒤에 '( )' 로 표시했으며, 번체자가 두 개 이상인 경우에는 ',' 로 구분했으며, 번체자가 개별적인 뜻에만 적용될 경우에는 해당 번체자의 우측에 해당되는 항의 번호를 붙였다.

보기 爱(愛) ài (애)
① 동 사랑하다…

摆(擺, 襬⑧) bǎi (파)
① 동 놓다. 두다…

2) 표제어

동일한 표제자에 속하는 표제어는 제2음절의 자모(字母), 성조(聲調), 획수(劃數)순으로 배열하고, 제2음절까지 동일한 경우는 제3음절에 따르는 식으로 배열했다. 단, 경성(輕聲)인 글자가 있는 경우는 원래 성조로 발음되는 표제어 바로 다음에 배열했다.

4. 발음 표기(發音表記)

1) 1959년 중화인민공화국에서 제정한 〈汉语拼音方案〉을 기준으로 하여 한어병음자모(漢語拼音字母)로 표기했으며, 〈普通话异读词审音表〉에 근거하여 베이징(北京)식의 보통화(普通話) 발음을 채택했다.

2) 사성(四聲)은 성조 부호(聲調符號)로 표시했으며, 경성(輕聲)의 경우는 다음과 같이 표시했다.

ㄱ) 항상 경성으로 발음하는 경우.

보기 [凉快] liáng·kuai　[巴不得] bā·bu·de

ㄴ) 주로 경성으로 발음하나, 간혹 제 성조로 발음하기도 하는 경우.

보기 [答复] dá·fù　[翻腾] fān·téng　[知道] zhī·dào

3) 표제자나 표제어에 다른 음이나 성조가 있는 경우는 뜻풀이 뒤에 '⇒' 를 써서 명시했고, 위아래로 수록된 경우는 생략했으며, 표제자가 다

른 표제자의 번체자로 쓰여 다른 음이나 성조를 가질 경우는 '⇒' 뒤에 해당 글자를 함께 기재했다.

보기 啊 ā (아)
감 아. 이야. 와… ⇒ á ǎ à ·a

干(乾)**B)** gān (간)
… ⇒ gàn, '乾' qián

4) 표제어의 발음은 붙여 쓰는 것을 원칙으로 했으나, 속담 · 헐후어(歇後語) · 복합어 따위는 의미에 따라 띄어 주었다.

보기 [做买卖] zuò mǎi·mai [铁杵磨成针] tiěchǔ móchéng zhēn

5) 성어(成語)의 경우는 중국의 〈汉语拼音正写法〉를 선별 적용하여, 의미가 두 글자씩 나뉘는 사자성어(四字成語)는 병음 표기의 가운데에 하이픈을 그었고, 그 외에는 모두 붙였으며, 네 글자가 넘는 성어는 모두 띄었다.

보기 [应有尽有] yīngyǒu-jìnyǒu [话不投机] huàbùtóujī
[无所不用其极] wú suǒ bù yòng qí jí

6) 두 글자로 이루어진 표제어 가운데 사이에 다른 성분이 들어갈 수 있는 것은 음절 사이에 '//'를 넣어 표시했다. 단, 다른 성분이 들어갈 수 없는 쓰임도 있을 때에는 발음을 괄호에 묶어 품사 앞에 별도로 표기하여 구분했다.

보기 [帮工] bāng//gōng 동… (bānggōng) 명…

7) 다음절어(多音節語)의 발음 표기에서 혼동될 염려가 있는 경우에는 격음 부호 ' ' '를 써서 앞뒤 음절을 구분했다.

ㄱ) 이어진 두 개의 모음(母音)이 같은 음절에 속하지 않을 경우.

보기 [法案] fǎ'àn [偶尔] ǒu'ěr [可爱] kě'ài

ㄴ) 앞 음절의 끝이 'n' 이나 'ng' 이면서 뒤 음절이 모음으로 시작되는 경우.

보기 [从而] cóng'ér [平安] píng'ān [限额] xiàn'é

8) 고유 명사와 성(姓)은 첫 자모를 대문자로 표기했으며, 그 외의 뜻도 있는 경우는 뜻풀이 앞에 해당 발음을 괄호에 넣어 구분했다.

보기 [贝尔] bèi'ěr 명〈音〉 ①〖物〗 음량의… ② (Bèi'ěr) 〖人〗 벨…

9) 성조가 앞뒤 성조에 의해 변화되는 경우라도 〈汉语拼音正写法〉에 의거하여 원래의 성조대로 표기했다.

보기 [一把手] yībǎshǒu [不见] bùjiàn [过意不去] guòyìbùqù

10) '儿化音' 은 앞 음절 운모(韻母)의 변화를 보여 주지 않고 'r'만 붙여 표기했다.

보기 [顶门儿] dǐngménr [儿媳妇儿] érxí·fur

5. 뜻풀이 방식

1) 뜻풀이에 쓰인 우리말 표기는 〈한글 맞춤법〉을 따랐으며, 외래어는 〈외래어 표기법〉을 따랐다.

2) 가능한 한 일대일로 대응 가능한 우리말을 찾아 설명했다.

3) 표제자와 표제어가 둘 이상의 현저한 다른 의미를 가질 때에는 뜻풀이를 '**A)B)C)**…' 등으로 크게 나누고, 다시 각각 그 어의(語義)를 '①②③…' 으로 표시하여 나누었으며, 그보다 더 세분화될 경우에는 다

시 '㉠㉡㉢…' 로 나누어 표시했다.

4) 표제자가 단독으로 쓰이지 못하는 경우는 '→' 를 써서 해당 표제어를 참조하도록 했으며, 표제어가 많을 경우는 '표제어 참조' 라고 기재했다.

5) 경우에 따라 '儿, 的' 가 붙기도 하는 표제자와 표제어는 해당 글자 뒤에 '(儿), (的)' 의 꼴로 나타냈으며, '儿, 的' 가 붙을 수 있는 경우와 붙을 수 없는 경우를 모두 포함하는 경우는 각각 항을 나누어 해당되는 항의 앞에만 '(~儿), (~的)' 의 꼴로 나타냈다.

6) 동의어는 해당 뜻풀이 뒤에 '=' 를 써서 나타냈고, 일부 동의어는 설명의 중복을 피하기 위해 '⇨' 를 써서 대표적 표제어를 보도록 하였으며, 참조를 권하는 표제어는 '→' 를 써서 해당 뜻풀이 뒤에 놓았다.

7) 표제자의 용례 부분에서 해당 표제어가 용례로 쓰인 경우에는 중복을 피하기 위해 '~' 를 써서 생략하였다.

8) 중국의 인명 · 지명 및 고유 명사는 〈외래어 표기법〉에 따라 중국어 발음 그대로 표기하되, 신해혁명(辛亥革命)을 기준으로 그 이전의 것은 한자음(漢字音) 그대로 표기하였으며, 두 가지가 모두 허용되는 경우는 이해를 돕기 위해 두 가지를 모두 명시하였다.

   보기 诸葛亮; 제갈량　鲁讯; 루쉰　万里长城; 완리창청/만리장성

9) 표제자의 뜻풀이는 번호순으로 나열했고, 표제어의 뜻풀이는 가능한 한 품사별로 나누었다.

6. 색인(索引)

1) 부수색인(部首索引)은 본문 앞에 수록했으며, 중국의 〈汉字统一部首表〉에 의거한 부수를 채택하여 실용성을 최대한 높였다.

2) 자음색인(字音索引)은 본문 뒤에 'ㄱㄴㄷ' 순으로 수록했으며, 간체자와 번체자가 모두 있는 글자는 간체자를 앞에 놓고 해당 번체자는 괄호에 넣어 함께 표기함으로써 본문을 찾지 않아도 각 글자의 간체자와 번체자를 함께 볼 수 있게 했다.

3) 두 가지 색인 모두 각 글자마다 발음을 병기하여, 발음만을 알고자 할 경우에도 편리하게 이용할 수 있도록 하였으며, 부수목록(部首目錄)을 앞 면지(面紙)에 수록하여 검자(檢字)의 불편함을 최소화했다.

7. 약어표(略語表)

〈품　사〉

[명] 명사	[동] 동사	[부] 부사	[조동] 조동사
[감] 감탄사	[형] 형용사	[접] 접속사	[대] 대명사
[조] 조사	[수] 수사	[개] 개사	[양] 양사
[접두] 접두사	[접미] 접미사	[수량] 수량사	[의] 의성어 · 의태어

〈약　호〉

〈公〉 공문서 용어	〈歇〉 헐후어	〈舊〉 구어(舊語)
〈轉〉 전용어	[ ] 우음	〈謙〉 겸칭·겸양어
〈方〉 방언	〈罵〉 욕	〈比〉 비유
〈翰〉 서한문 용어	〈簡〉 약칭	〈書〉 서면어
〈套〉 상투어	〈俗〉 속어·속칭	〈音〉 음역어
〈口〉 구어(口語)	〈義〉 의역어	〈諺〉 속담
〈音義〉 음의역어	〈成〉 성어	〈貶〉 폄의
〈敬〉 경칭·경어	〈婉〉 완사	〈梵〉 범어

〈전 문 어〉

〔建〕 건축	〔物〕 물리	〔史〕 역사	〔中醫〕 중의학
〔經〕 경제	〔美〕 미술	〔魚〕 어류	〔地理〕 지리
〔考古〕 고고학	〔民〕 민족	〔言〕 언어학	〔地〕 지명
〔蟲〕 곤충	〔紡〕 방직·섬유	〔劇〕 연극	〔地質〕 지질
〔工〕 공업·공학	〔法〕 법률	〔染〕 염색	〔天〕 천문
〔鑛〕 광업·광물	〔佛〕 불교	〔映〕 영화	〔哲〕 철학
〔軍〕 군사	〔商〕 상업	〔樂〕 음악	〔體〕 체육
〔機〕 기계	〔色〕 색명	〔醫〕 의학	〔撮〕 촬영
〔氣〕 기상	〔生〕 생물	〔人〕 인명	〔測〕 측량
〔論〕 논리학	〔生理〕 생리	〔印〕 인쇄	〔컴〕 컴퓨터
〔農〕 농업	〔書〕 서명	〔林〕 임업	〔土〕 토목
〔度〕 도량형	〔數〕 수학	〔電〕 전기	〔貝〕 패류
〔動〕 동물	〔植〕 식물	〔政〕 정치	〔航〕 항공
〔貿〕 무역	〔心〕 심리학	〔鳥〕 조류	〔化〕 화학
〔舞〕 무용	〔藥〕 약학	〔宗〕 종교	〔貨〕 화폐

〈외래어 및 외국어〉

그 …… 그리스어	독 …… 독일어	몽 …… 몽골어
이 …… 이탈리아어	터 …… 터키어	프 …… 프랑스어
네 …… 네덜란드어	라 …… 라틴어	에 …… 에스파냐어
노 …… 노르웨이어	러 …… 러시아어	범 …… 범어

〈기 호〉

【 】	표제어
[ ]	대체 가능한 말, 동의어 · 참조어
❏	용례 시작
/	용례와 용례 사이
;	용례와 해석 사이
:	화학 기호 앞에 사용
⟪ ⟫	용법이나 의미의 부연 설명
( )	① 뜻풀이의 한정 설명 및 생략 가능한 말. ② 한자(漢字). 원어(原語).
〘 〙	전문어
～	해당 표제자 · 표제어 생략
’	격음 부호
‘ ’	뜻풀이 중의 중국어
A)B)C)	표제자 · 표제어의 의미 영역
①②③	의항 구분
㉠㉡㉢	세부 의항 구분
ⓐⓑⓒ	용례의 세부 사항 구분
=	동의어
⇨	대표적 표제어
⇒	이음(異音)
→	(의미 · 용법상의) 참조어
…	말줄임
//	기타 성분 삽입 가능 표시
注	주의 · 주(註)
‖	동의어 · 참조어 따위가 앞에 나열한 모든 의항에 해당되는 경우
⇩	아래 표제어 참조

부수 검자 색인(部首檢字索引)

1
一

一 yī 804
《1획~2획》
二 èr 197
丁 dīng 172
七 qī 550
与 yǔ 837
yù 839
才 cái 70
三 sān 601
干 gān 235
gàn 239
于 yú 835
亏 kuī 423
下 xià 739
上 shàng 611
丈 zhàng 863
万 wàn 709
《3획》
丰 fēng 219
王 wáng 710
天 tiān 679
夫 fū 224
开 kāi 400
井 jǐng 384
元 yuán 842
无 wú 725
韦 wéi 714
云 yún 846
专 zhuān 895
丐 gài 234
廿 niàn 517
五 wǔ 729
不 bù 58
卅 sà 600
友 yǒu 832
丑 chǒu 110
屯 tún 701
互 hù 310
牙 yá 786
《4획》
平 píng 543
击 jī 334
本 běn 33
未 wèi 718
末 mò 501
正 zhēng 872
zhèng 874
甘 gān 236
世 shì 634
卌 xì 737
且 qiě 567
可 kě 409
kè 411
丙 bǐng 51
左 zuǒ 916
右 yòu 835
布 bù 68
丘 qiū 577
丛 cóng 128
册 cè 77
东 dōng 176
丝 sī 655
《5획》
夹 gā 233
jiā 345
jiá 347
考 kǎo 406
老 lǎo 433
共 gòng 256
亚 yà 787
再 zài 850
吏 lì 445
在 zài 850
百 bǎi 15
有 yǒu 832
而 ér 196
死 sǐ 656
尧 yáo 798
夷 yí 811
至 zhì 882
丞 chéng 96
《6획》
来 lái 427
严 yán 789
巫 wū 725
丽 lí 441
lì 445
甫 fǔ 227
更 gēng 250
gèng 251
束 shù 647
两 liǎng 451
(夾)gā 233
jiā 345
jiá 347
求 qiú 578
《7획》
奉 fèng 223
武 wǔ 730
表 biǎo 47
(長)cháng 85
zhǎng 862
(亞)yà 787
其 qí 552
(來)lái 427
(東)dōng 176
画 huà 315
事 shì 636
枣 zǎo 853
亟 jí 338
(兩)liǎng 451
《8획~9획》
奏 zòu 911
毒 dú 182
韭 jiǔ 388
甚 shèn 622
巷 hàng 288
xiàng 752
柬 jiǎn 352
歪 wāi 704
甭 béng 35
面 miàn 494
昼 zhòu 890
艳 yàn 793
泰 tài 669
秦 qín 570
恭 gōng 255
哥 gē 245
夏 xià 742
孬 nāo 511

《10획 이상》
焉 yān 788
堇 jǐn 378
爽 shuǎng 650
(棗)zǎo 853
棘 jí 339
赖 lài 429
(賴)lài 429
(壽)shòu 642
(爾)ěr 196
(憂)yōu 829
噩 è 195
暨 jì 343
整 zhěng 873
臻 zhēn 870
囊 náng 511

2
丨

《2획~3획》
上 shàng 611
丰 fēng 219
韦 wéi 714
中 zhōng 885
zhòng 888
内 nèi 513
书 shū 644
《4획》
半 bàn 20
卡 kǎ 400
qiǎ 558
北 běi 30
凸 tū 695
旧 jiù 388
归 guī 274
甲 jiǎ 347
申 shēn 618
电 diàn 167
由 yóu 830
且 qiě 567
冉 rǎn 586
史 shǐ 633
央 yāng 794
凹 āo 7
出 chū 111
《5획~7획》
师 shī 628
曳 yè 803
曲 qū 579
qǔ 580
肉 ròu 595
县 xiàn 746
串 chuàn 120
非 fēi 212
果 guǒ 278
畅 chàng 88
肃 sù 661
《8획 이상》
韭 jiǔ 388
临 lín 456
幽 yōu 829
将 jiāng 358
jiàng 360
艳 yàn 793
(暢)chàng 88
(畢)bì 39
鼎 dǐng 174
(肅)sù 661
冀 jì 344

3
丿

《1획~2획》
入 rù 597
九 jiǔ 387
乃 nǎi 509
匕 bǐ 36
乂 yì 814
千 qiān 558
乞 qǐ 553
川 chuān 117
么 ·me 484
久 jiǔ 387
丸 wán 707
及 jí 336
《3획》
乏 fá 200
午 wǔ 729
壬 rén 591
夭 yāo 797
升 shēng 622
长 cháng 85
zhǎng 862
币 bì 38
反 fǎn 204
丹 dān 147
氏 shì 634
乌 wū 724
《4획》
乎 hū 307
生 shēng 623
矢 shǐ 633
失 shī 627
乍 zhà 857
丘 qiū 577
用 yòng 828
甩 shuǎi 649
乐 lè 437
yuè 845
册 cè 77
处 chǔ 116
chù 116
冬 dōng 177
务 wù 731
《5획》
兆 zhào 866
年 nián 516
朱 zhū 890
丢 diū 176
乔 qiáo 565
乓 pāng 529
乒 pīng 542
向 xiàng 752
囟 xìn 765
后 hòu 304
杀 shā 605
氽 cuān 130
危 wēi 712
各 gè 247
色 sè 604
shǎi 606
《6획~7획》
我 wǒ 724
每 měi 486
兵 bīng 51
囱 cōng 127
卵 luǎn 470
希 xī 733
龟 guī 275
jūn 399
系 jì 342
xì 737
垂 chuí 122
乖 guāi 266
秉 bǐng 51
臾 yú 836
卑 bēi 29
质 zhì 884
肴 yáo 798
周 zhōu 889
《8획~9획》
拜 bái 15
bài 17
重 chóng 107
zhòng 888
复 fù 230
禹 yǔ 838
(帥)shuài 649
盾 dùn 190
乘 chéng 100

(烏)wū 724
(師)shī 628
(芻)chú 115
《10획 이상》
够 gòu 259
弒 shì 636
甥 shēng 625
(喬)qiáo 565
(衆)zhòng 888
粵 yuè 846
舞 wǔ 730
睾 gāo 243
孵 fū 224
疑 yí 812
靠 kào 407
(舉)jǔ 392
(龜)guī 275
jūn 399
(歸)guī 274
衅 xìn 766

4
丶

《2획~4획》
义 yì 814
丫 yā 785
丸 wán 707
之 zhī 876
丹 dān 147
为 wéi 714
wèi 718
头 tóu 693
主 zhǔ 892
半 bàn 20
必 bì 38
永 yǒng 827
《5획 이상》
州 zhōu 889
农 nóng 520
良 liáng 450
卷 juǎn 395
juàn 395
亲 qīn 568
qìng 576
举 jǔ 392
叛 pàn 528
(為)wéi 714
wèi 718
益 yì 816

5
乙(𠃌乁乚乛)

乙 yǐ 813
《1획~3획》
九 jiǔ 387
刁 diāo 170
了 ·le 437
liǎo 453
乃 nǎi 509
乜 miē 495
习 xí 735
也 yě 802
飞 fēi 211
乞 qǐ 553
己 jǐ 340
已 yǐ 813
巳 sì 657
孓 jué 396
孑 jié 370
乡 xiāng 748
幺 yāo 797
以 yǐ 813
予 yú 836
yǔ 838
尹 yǐn 820
尺 chǐ 104
丑 chǒu 110
巴 bā 9
孔 kǒng 414
书 shū 644
《4획~5획》
司 sī 655
民 mín 496
电 diàn 167
出 chū 111
丝 sī 655
发 fā 198
fà 201
买 mǎi 477
尽 jǐn 377
jìn 378
丞 chéng 96
《6획~9획》
乱 luàn 470
君 jūn 399
即 jí 337
畅 chàng 88
乳 rǔ 596
肃 sù 661
隶 lì 446
承 chéng 97
亟 jí 338
函 hán 285
虱 shī 629
昼 zhòu 890
咫 zhǐ 881
(飛)fēi 211
既 jì 342
《10획 이상》
乾 qián 561
(乾)gān 235
登 dēng 159
(發)fā 198
(肅)sù 661
(亂)luàn 470
暨 jì 343
豫 yù 841
(嚮)xiàng 752

6
十

十 shí 629
《2획~6획》
千 qiān 558
支 zhī 877
午 wǔ 729
卉 huì 324
古 gǔ 261
考 kǎo 406
毕 bì 39
华 huá 312
协 xié 759
克 kè 411
卒 cù 130
zú 912
丧 sāng 602
sàng 603
卓 zhuó 902
直 zhí 879
卑 bēi 29
卖 mài 478
(協)xié 759
《7획~10획》
哉 zāi 849
南 nán 510
栽 zāi 849
载 zǎi 850
zài 851
真 zhēn 870
索 suǒ 666
隼 sǔn 665
啬 sè 604
乾 qián 561
(乾)gān 235
章 zhāng 861
博 bó 56
(喪)sāng 602
sàng 603
裁 cái 71

韩 hán 286
辜 gū 260
《11획 이상》
(載)zǎi 850
zài 851
(準)zhǔn 901
(幹)gàn 239
献 xiàn 747
(嗇)sè 604
截 jié 372
斡 wò 724
兢 jīng 384
睾 gāo 243
翰 hàn 287
戴 dài 147
(韓)hán 286
矗 chù 117

7
厂(⺁)

厂 chǎng 87
《2획~6획》
厅 tīng 686
仄 zè 855
历 lì 444
厄 è 193
斤 jīn 376
反 fǎn 204
厉 lì 444
压 yā 785
yà 787
厌 yàn 793
后 hòu 304
励 lì 444
厕 cè 77
质 zhì 884
《7획~10획》
厘 lí 441
厚 hòu 306
盾 dùn 190
原 yuán 843
厢 xiāng 749
(厠)cè 77
厩 jiù 389
厥 jué 398
厨 chú 115
厦 shà 606
xià 742
雁 yàn 794
《11획 이상》
厮 sī 656
(厲)lì 444
(厭)yàn 793
愿 yuàn 844
靥 yè 804
魇 yǎn 791
(勵)lì 444
(歷)lì 444
(曆)lì 444
赝 yàn 794
(壓)yā 785
yà 787
(贋)yàn 794
(靨)yè 804
(魘)yǎn 791

8
匚

区 qū 579
匹 pǐ 537
巨 jù 393
叵 pǒ 546
匝 zā 849
匡 kuāng 421
匠 jiàng 360
匣 xiá 739
医 yī 810
匿 nì 516
匪 fěi 214
匮 kuì 424
(區)qū 579
匾 biǎn 43
(匱)kuì 424

9
卜(⺊)

卜 bǔ 57
·bo 57
《1획~4획》
上 shàng 611
下 xià 739
卡 kǎ 400
qiǎ 558
占 zhān 858
zhàn 859
外 wài 705
处 chǔ 116
chù 116
卢 lú 466
贞 zhēn 869
《5획 이상》
卤 lǔ 466
卦 guà 265
卧 wò 724
卓 zhuó 902
(貞)zhēn 869
点 diǎn 166
桌 zhuō 901
睿 ruì 599

10
冂(⺆)

冈 gāng 239
内 nèi 513
丹 dān 147
用 yòng 828
甩 shuǎi 649
册 cè 77
冉 rǎn 586
再 zài 850
同 tóng 690
tòng 692
网 wǎng 710
肉 ròu 595
罔 wǎng 711
(岡)gāng 239
周 zhōu 889

11
八(丷)

八 bā 9
《1획~5획》
丫 yā 785
公 gōng 253
六 liù 463
分 fēn 215
fèn 219
兰 lán 429
半 bàn 20
只 zhī 878
zhǐ 880
兴 xīng 766
xìng 770
关 guān 268
并 bìng 52
共 gòng 256
兑 duì 188
兵 bīng 51
谷 gǔ 262
岔 chà 81
弟 dì 165
《6획~8획》
其 qí 552
卷 juǎn 395
juàn 395
具 jù 393
单 dān 147
典 diǎn 166
养 yǎng 796
贫 pín 541

忿 fèn 219
瓮 wèng 723
盆 pén 533
差 chā 79
chà 81
chāi 82
cī 125
叛 pàn 528
总 zǒng 909
前 qián 560
酋 qiú 579
首 shǒu 642
真 zhēn 870
翁 wēng 723
益 yì 816
兼 jiān 351
《9획 이상》
黄 huáng 320
(貧)pín 541
剪 jiǎn 353
兽 shòu 643
普 pǔ 549
奠 diàn 169
尊 zūn 915
孳 zī 903
曾 céng 78
zēng 856
(義)yì 814
煎 jiān 351
慈 cí 125
(與)yǔ 837
yù 839
(養)yǎng 796
舆 yú 837
冀 jì 344
(興)xīng 766
xìng 770
(輿)yú 837

12 人(入)

人 rén 589
入 rù 597
《1획~3획》
个 gè 247
仄 zè 855
今 jīn 375
从 cóng 127
介 jiè 373
仑 lún 471
以 yǐ 813
仓 cāng 75
令 lǐng 459
lìng 460
丛 cóng 128
《4획~5획》
伞 sǎn 602
全 quán 582
会 huì 325
kuài 419
合 hé 294
企 qǐ 555
众 zhòng 888
氽 cuān 130
含 hán 284
余 yú 836
巫 wū 725
(夾)jiā 345
jiá 347
《6획 이상》
舍 shě 616
shè 617
(侖)lún 471
命 mìng 499
贪 tān 669
臾 yú 836
俞 yú 837
俎 zǔ 913
衾 qīn 570
(倉)cāng 75
拿 ná 507
龛 kān 404
盒 hé 295
(貪)tān 669
禽 qín 570
舒 shū 644
翕 xī 735
(傘)sǎn 602
(會)huì 325
kuài 419
(龕)kān 404

[12] (亻)

《1획~2획》
亿 yì 815
仁 rén 590
什 shén 620
shí 630
仃 dīng 173
仆 pū 547
pú 548
仇 chóu 109
仍 réng 592
化 huà 313
仅 jǐn 377
仂 lè 437
《3획》
们 ·men 488
仨 sā 600
仕 shì 634
仗 zhàng 863
付 fù 228
代 dài 145
仙 xiān 742
仪 yí 811
仟 qiān 559
他 tā 667
仔 zǎi 850
zǐ 905
《4획》
伫 zhù 893
仿 fǎng 209
伉 kàng 406
伙 huǒ 331
伪 wěi 716
传 chuán 118
zhuàn 897
伟 wěi 716
休 xiū 772
伎 jì 342
伍 wǔ 730
伏 fú 225
优 yōu 828
伐 fá 200
仲 zhòng 888
价 jià 348
伦 lún 471
份 fèn 219
华 huá 312
件 jiàn 355
任 rén 591
rèn 592
伥 chāng 84
伤 shāng 610
仰 yǎng 796
似 shì 636
sì 658
伊 yī 809
《5획》
位 wèi 719
住 zhù 893
伴 bàn 21
佞 nìng 519
估 gū 259
体 tī 677
tǐ 678
何 hé 295
佐 zuǒ 916

佑 yòu 835
但 dàn 149
伸 shēn 618
佃 diàn 169
伶 líng 457
你 nǐ 515
佚 yì 816
作 zuō 915
zuò 916
伯 bó 55
佣 yōng 826
yòng 828
低 dī 160
佝 gōu 257
伺 cì 127
sì 658
佛 fó 224
fú 225
伽 gā 233
jiā 345
《6획》
佼 jiǎo 364
依 yī 810
佯 yáng 795
侠 xiá 739
佳 jiā 345
侍 shì 636
佶 jí 337
佬 lǎo 436
供 gōng 255
gòng 256
使 shǐ 633
佰 bǎi 16
例 lì 446
侄 zhí 880
侥 jiǎo 365
侦 zhēn 869
侣 lǚ 468
侃 kǎn 404
侧 cè 77
侩 kuài 420
佻 tiāo 682
侏 zhū 890
侨 qiáo 566
侈 chǐ 104
佩 pèi 532
《7획》
信 xìn 765
俨 yǎn 791
俪 lì 445
便 biàn 44
pián 539
俩 liǎ 446
liǎng 451
(俠)xiá 739
俏 qiào 567
修 xiū 773
俚 lǐ 443
保 bǎo 25
促 cù 130
侶 lǚ 468
俘 fú 225
俭 jiǎn 352
俗 sú 660
俐 lì 446
俄 é 193
侮 wǔ 730
(係)xì 737
俑 yǒng 827
俊 jùn 399
侵 qīn 569
侯 hóu 304
《8획》
倌 guān 270
倍 bèi 32
俯 fǔ 228
倦 juàn 395
俸 fèng 224
倩 qiàn 563
qìng 576
债 zhài 858
(倀)chāng 84
倻 yē 801
借 jiè 374
值 zhí 879
(倆)liǎ 446
liǎng 451
倚 yǐ 814
倒 dǎo 154
dào 155
倾 qīng 574
倘 tǎng 673
(條)tiáo 682
倏 shū 645
俱 jù 393
倡 chàng 88
(們)·men 488
(個)gè 247
候 hòu 306
㑩 luó 473
(倫)lún 471
倭 wō 723
倪 ní 515
健 jiàn 356
倔 jué 397
juè 398
《9획》
停 tíng 687
偻 lóu 465
lǚ 469
(偽)wěi 716
偏 piān 538
做 zuò 919
偃 yǎn 791
偕 xié 760
偿 cháng 86
(偵)zhēn 869
(側)cè 77
偶 ǒu 524
偷 tōu 693
傀 kuǐ 424
假 jiǎ 347
jià 349
(偉)wěi 716
《10획~11획》
(傢)jiā 346
傧 bīn 49
傍 bàng 22
储 chǔ 116
傲 ào 8
(備)bèi 31
傅 fù 232
(傭)yōng 826
(債)zhài 858
(僅)jǐn 377
(傳)chuán 118
zhuàn 897
(僂)lóu 465
lǚ 469
催 cuī 131
(傷)shāng 610
傻 shǎ 606
像 xiàng 752
(傾)qīng 574
《12획~13획》
僧 sēng 604
(僥)jiǎo 365
儆 jǐng 384
僚 liáo 453
(僕)pú 548
(僞)wěi 716
(僑)qiáo 566
(億)yì 815
(儀)yí 811
僵 jiāng 358
(價)jià 348
(儉)jiǎn 352
(儈)kuài 420
僻 pì 538
《14획 이상》

(儐)bīn 49
儒 rú 596
(優)yōu 828
(償)cháng 86
(儘)jǐn 377
(儲)chǔ 116
(儷)lì 445
(儼)yǎn 791
(儸)luó 473

13 勹

勺 sháo 615
匀 yún 847
勿 wù 731
勾 gōu 257
gòu 258
句 jù 393
匆 cōng 127
包 bāo 22
旬 xún 782
匈 xiōng 771
匍 pú 548
(芻)chú 115
匐 fú 227
够 gòu 259

14 儿

儿 ér 195
兀 wù 731
元 yuán 842
允 yǔn 847
兄 xiōng 772
充 chōng 106
光 guāng 272
尧 yáo 798
先 xiān 742
兆 zhào 866
兑 duì 188
克 kè 411
(兒)ér 195
党 dǎng 152
竞 jìng 386
兜 dōu 179
竟 jìng 386
(競)jìng 386

15 匕

匕 bǐ 36
北 běi 30
死 sǐ 656
此 cǐ 126
旨 zhǐ 881
顷 qǐng 576
些 xiē 758
(頃)qǐng 576
匙 chí 104
·shi 639
疑 yí 812

16 几(⺇)

几 jī 333
凡 fán 203
风 fēng 220
凤 fèng 223
夙 sù 661
凫 fú 225
壳 ké 409
qiào 566
秃 tū 696
咒 zhòu 890
凯 kǎi 403
凭 píng 545
亮 liàng 451
凰 huáng 319
(凱)kǎi 403
(鳳)fèng 223
凳 dèng 160
(鳧)fú 225

17 亠

《1획~5획》
亡 wáng 710
六 liù 463
亢 kàng 406
市 shì 634
玄 xuán 778
产 chǎn 83
交 jiāo 360
齐 qí 551
亦 yì 815
充 chōng 106
亥 hài 284
妄 wàng 712
亩 mǔ 504
亨 hēng 300
弃 qì 557
《6획~7획》
变 biàn 43
京 jīng 382
享 xiǎng 751
卒 cù 130
zú 912
夜 yè 803
育 yù 840
氓 máng 481
峦 luán 470
弯 wān 706
孪 luán 470
帝 dì 165
亭 tíng 687
亮 liàng 451
哀 āi 1
弈 yì 815
奕 yì 815
《8획~9획》
挛 luán 470
恋 liàn 449
旁 páng 529
衰 shuāi 649
(畝)mǔ 504
衷 zhōng 887
高 gāo 241
畜 chù 117
xù 776
衮 gǔn 276
离 lí 441
鸾 luán 470
(產)chǎn 83
商 shāng 610
毫 háo 288
烹 pēng 533
孰 shú 646
率 lǜ 469
shuài 649
(牽)qiān 559
《10획~14획》
亵 xiè 761
蛮 mán 479
就 jiù 389
(裏)lǐ 442
禀 bǐng 52
雍 yōng 827
(齊)qí 551
豪 háo 289
膏 gāo 243
gào 244
裹 guǒ 279
褒 bāo 24
壅 yōng 827
《15획 이상》
(齋) zhāi 858
(褻) xiè 761
襄 xiāng 750
赢 yíng 824
羸 léi 438

(嬴)yíng 824
(齏)jī 336

18
冫

《1획~8획》
习 xí 735
冲 chōng 106
chòng 108
次 cì 126
决 jué 396
冰 bīng 50
冻 dòng 178
况 kuàng 422
冷 lěng 439
冶 yě 802
冽 liè 455
净 jìng 385
凉 liáng 450
liàng 452
凌 líng 459
(凍)dòng 178
凄 qī 550
准 zhǔn 901
《9획 이상》
凑 còu 129
减 jiǎn 352
凛 lǐn 457
凝 níng 519

19
冖

冗 rǒng 594
写 xiě 760
农 nóng 520
罕 hǎn 286
冠 guān 270
guàn 271
(軍)jūn 398
冢 zhǒng 888
冥 míng 499
冤 yuān 841
幂 mì 492

20
凵

凶 xiōng 771
击 jī 334
出 chū 111
凸 tū 695
凹 āo 7
画 huà 315
函 hán 285
幽 yōu 829
凿 záo 853

21
卩(㔾)

卫 wèi 717
叩 kòu 416
印 yìn 821
卯 mǎo 483
危 wēi 712
却 què 584
即 jí 337
卷 juǎn 395
juàn 395
卸 xiè 761
卿 qīng 575

22
刀(⺈)

刀 dāo 153
《1획~6획》
刃 rèn 591
切 qiē 567
qiè 567
分 fēn 215
fèn 219
召 zhào 865
刍 chú 115
危 wēi 712
负 fù 229
争 zhēng 873
色 sè 604
shǎi 606
初 chū 114
龟 guī 275
jūn 399
免 miǎn 493
券 quàn 584
兔 tù 698
《7획 이상》
(負)fù 229
急 jí 338
剪 jiǎn 353
象 xiàng 752
赖 lài 429
豫 yù 841
(賴)lài 429
劈 pī 536
pǐ 537
(釁)xìn 766

[22]
(刂)

《2획~5획》
刈 yì 814
刊 kān 404
刘 liú 461
刑 xíng 768
列 liè 455
划 huá 313
huà 314
刚 gāng 239
则 zé 854
创 chuāng 120
chuàng 121
判 pàn 528
别 bié 48
biè 49
利 lì 445
删 shān 607
刨 bào 27
páo 530
《6획》
剂 jì 342
刻 kè 411
刺 cī 124
cì 127
到 dào 154
刽 guì 276
刹 chà 81
shā 605
制 zhì 883
刮 guā 265
剁 duò 192
刷 shuā 648
shuà 649
《7획~8획》
前 qián 560
剃 tì 679
荆 jīng 383
(剋)kè 411
剌 là 427
削 xiāo 753
xuē 779
(則)zé 854
剐 guǎ 265
剑 jiàn 357
剜 wān 706
剖 pōu 547
(剛)gāng 239
(剮)guǎ 265
剔 tī 677
剥 bāo 24
bō 54
剧 jù 393
《9획~12획》
副 fù 231

부수

割 gē 245
(創)chuāng 120
chuàng 121
剩 shèng 627
剽 piāo 539
剿 jiǎo 366
(劃)huá 313
huà 314
《13획 이상》
劐 huō 328
(劇)jù 393
(劍)jiàn 357
(劊)guì 276
(劉)liú 461
(劑)jì 342

23
力

力 lì 443
《2획~6획》
办 bàn 19
劝 quàn 583
功 gōng 252
夯 hāng 287
加 jiā 344
幼 yòu 834
务 wù 731
动 dòng 177
劣 liè 455
劫 jié 370
劳 láo 433
励 lì 444
助 zhù 894
男 nán 509
劲 jìn 379
jìng 385
劭 shào 615
努 nǔ 522
劾 hé 296
势 shì 636
《7획~9획》
勃 bó 55
(勁)jìn 379
jìng 385
勋 xūn 782
勉 miǎn 493
勇 yǒng 828
(脅)xié 759
(務)wù 731
勘 kān 404
(動)dòng 177
《10획 이상》
(勞)láo 433
募 mù 506
(勛)xūn 782
甥 shēng 625
(勢)shì 636
勤 qín 570
(勵)lì 444
(勸)quàn 583

24
又

又 yòu 834
《1획~6획》
叉 chā 79
chá 80
chǎ 81
支 zhī 877
友 yǒu 832
反 fǎn 204
双 shuāng 650
邓 dèng 160
劝 quàn 583
圣 shèng 626
对 duì 187
发 fā 198
fà 201
戏 xì 737
观 guān 269
guàn 271
欢 huān 316
变 biàn 43
鸡 jī 334
取 qǔ 580
叔 shū 644
受 shòu 642
艰 jiān 350
《7획~10획》
竖 shù 648
叙 xù 776
叛 pàn 528
难 nán 510
nàn 511
(隻)zhī 878
桑 sāng 602
曼 màn 480
《11획 이상》
(豎)shù 648
叠 dié 172
聚 jù 394
(叢)cóng 128
(雙)shuāng 650
矍 jué 398

25
厶

么 ·me 484
幺 yāo 797
云 yún 846
允 yǔn 847
去 qù 581
弁 biàn 43
台 tái 668
牟 móu 503
县 xiàn 746
矣 yǐ 814
叁 sān 602
参 cān 73
cēn 78
shēn 619
怠 dài 146
垒 lěi 438
畚 běn 34
能 néng 514
(參)cān 73
cēn 78
shēn 619

26
廴

廷 tíng 686
延 yán 788
建 jiàn 356

27
干

干 gān 235
gàn 239
刊 kān 404

28
工

工 gōng 251
左 zuǒ 916
巧 qiǎo 566
功 gōng 252
式 shì 635
巩 gǒng 255
贡 gòng 256
(貢)gòng 256
巫 wū 725
攻 gōng 252
汞 gǒng 255
差 chā 79
chà 81
chāi 82
cī 125
项 xiàng 752
(項)xiàng 752

29
土

土 tǔ 697
《2획~3획》
去 qù 581
圣 shèng 626
圩 wéi 715
在 zài 850
寺 sì 658
考 kǎo 406
至 zhì 882
尘 chén 93
老 lǎo 433
圾 jī 334
地 ·de 158
dì 163
场 cháng 86
chǎng 87
《4획》
坟 fén 218
坊 fāng 208
fáng 209
坑 kēng 413
坛 tán 670
坏 huài 315
址 zhǐ 880
坝 bà 12
坚 jiān 350
坐 zuò 918
坍 tān 669
均 jūn 399
坎 kǎn 404
坞 wù 731
块 kuài 420
坠 zhuì 900
《5획》
坨 tuó 703
垃 lā 426
幸 xìng 770
坪 píng 545
坩 gān 237
坷 kē 408
kě 410
坯 pī 535
垄 lǒng 464
坦 tǎn 670
坤 kūn 424
坼 chè 92
坡 pō 545
《6획》
型 xíng 768
垩 è 194
垮 kuǎ 419
城 chéng 99
垫 diàn 169
垢 gòu 258
垛 duǒ 192
duò 192
垒 lěi 438
垠 yín 819
垦 kěn 412
《7획~8획》
埂 gěng 250
埋 mái 477
mán 479
埚 guō 277
袁 yuán 843
埃 āi 2
培 péi 531
(執)zhí 879
堵 dǔ 183
(堊)è 194
基 jī 335
域 yù 840
(堅)jiān 350
堑 qiàn 563
堂 táng 672
(堝)guō 277
堆 duī 186
埠 bù 69
堕 duò 192
《9획~10획》
(報)bào 26
(堯)yáo 798
堪 kān 404
塔 tǎ 667
堰 yàn 793
堤 dī 161
(場)cháng 86
chǎng 87
堡 bǎo 26
(塊)kuài 420
(塗)tú 696
塞 sāi 600
sài 601
sè 604
塘 táng 672
塑 sù 662
填 tián 681
塌 tā 667
《11획~12획》
(墊)diàn 169
境 jìng 386
墒 shāng 611
(塵)chén 93
墙 qiáng 564
(塹)qiàn 563
墟 xū 775
墅 shù 648
(墜)zhuì 900
(墮)duò 192
墩 dūn 189
增 zēng 856
(墳)fén 218
墨 mò 503
《13획 이상》
(壇)tán 670
壅 yōng 827
(墻)qiáng 564
臻 zhēn 870
(墾)kěn 412
壁 bì 41
壕 háo 289
壑 hè 298
(壓)yā 785
yà 787
(壘)lěi 438
(壟)lǒng 464
(壞)huài 315
疆 jiāng 359
壤 rǎng 586
(壩)bà 12

[29]
(士)

士 shì 634
《1획~9획》
壬 rén 591
壮 zhuàng 899
吉 jí 337
志 zhì 883
壳 ké 409
qiào 566
声 shēng 625
(壯)zhuàng 899
壶 hú 309
壹 yī 811
(壺)hú 309
喜 xǐ 737
《10획 이상》
鼓 gǔ 263
(臺)tái 668
嘉 jiā 345
(壽)shòu 642
(賣)mài 478
熹 xī 735
(鼕)dōng 177

30
艹

《1획~2획》
艺 yì 815
艾 ài 3
yì 814
节 jiē 368
jié 370
《3획》
芒 máng 481
芝 zhī 877
芋 yù 839
芍 sháo 615
《4획》
苎 zhù 893
芳 fāng 208
芯 xīn 764
xìn 765
芦 lú 466
劳 láo 433
芙 fú 225
芫 yán 789
yuán 842
芜 wú 728
芸 yún 847
苇 wěi 716
苣 jù 393
芽 yá 786
苋 xiàn 746
芥 jiè 374
芬 fēn 217
苍 cāng 75
花 huā 311
芹 qín 570
芟 shān 608
苡 yǐ 814
芭 bā 10
苏 sū 660
《5획》
范 fàn 206
茕 qióng 577
茉 mò 502
苦 kǔ 418
苯 běn 34
苛 kē 408
若 ruò 599
茂 mào 483
苹 píng 545
苫 shān 608
shàn 609
苜 mù 505
苗 miáo 495
苒 rǎn 586
英 yīng 822
茁 zhuó 902
苑 yuàn 844
苟 gǒu 257
苞 bāo 24
茎 jīng 381
苔 tāi 667
tái 668
茅 máo 483
茄 jiā 345
qié 567
《6획》
茫 máng 481
荡 dàng 153
荠 jì 342
茨 cí 125
荒 huāng 318
荧 yíng 823
荣 róng 593
荤 hūn 327
荦 luò 474
荚 jiá 347
荆 jīng 383
茸 róng 593
茬 chá 80
荐 jiàn 357
草 cǎo 76
茧 jiǎn 352
茼 tóng 691
茵 yīn 819
茴 huí 324
荟 huì 325
茶 chá 80
荞 qiáo 566
荏 rěn 591
茗 míng 498
荫 yīn 818
yìn 822
茹 rú 596
荔 lì 446
药 yào 799
《7획》
莞 wǎn 708
莹 yíng 823
莺 yīng 823
莱 lái 429
(華)huá 312
莽 mǎng 481
(莢)jiá 347
莲 lián 448
(莖)jīng 381
莫 mò 502
荽 suī 663
莉 lì 446
莠 yǒu 834
莓 méi 485
莅 lì 445
荷 hé 296
hè 297
莜 yóu 831
获 huò 332
(莊)zhuāng 898
莼 chún 123
《8획》
萍 píng 545
菠 bō 54
菩 pú 549
萃 cuì 131
萤 yíng 823
营 yíng 823
萦 yíng 824
菁 jīng 383
菱 líng 459
堇 jǐn 378
黄 huáng 320
(萊)lái 429
萋 qī 550
著 zhù 895
菲 fēi 213
fěi 214
菖 chāng 84
萝 luó 473
菌 jūn 399
jùn 399
(萵)wō 723
菜 cài 72
萎 wěi 717
菊 jú 392
萄 táo 674
萧 xiāo 754
萨 sà 600
菇 gū 260
《9획》
落 là 427
lào 436
luò 473
萱 xuān 777
蒂 dì 165
(葷)hūn 327
葚 shèn 622
(葉)yè 803
葫 hú 309
惹 rě 587
葬 zàng 852
募 mù 506
(萬)wàn 709
葛 gé 247

gě 247
萼 è 194
董 dǒng 177
葡 pú 548
葱 cōng 127
葵 kuí 424
(葦)wěi 716
《10획》
蒲 pú 548
蓑 suō 665
蒿 hāo 288
蓄 xù 776
蒴 shuò 655
蒙 mēng 488
méng 489
měng 490
蒜 suàn 662
(蓋)gài 234
(蓮)lián 448
蓐 rù 598
蓝 lán 430
墓 mù 506
幕 mù 506
蓦 mò 502
(夢)mèng 490
(蒼)cāng 75
蓓 bèi 32
蓖 bì 40
蓬 péng 534
蓟 jì 344
(蔭)yīn 818
yìn 822
蒸 zhēng 873
(蒓)chún 123
《11획》
蓿 ·xu 777
蔗 zhè 869
蔽 bì 40
蔼 ǎi 3
彗 huì 326
蔷 qiáng 564
蔫 niān 516
暮 mù 506
摹 mó 500
慕 mù 506
蔓 mán 479
màn 481
wàn 710
蔑 miè 496
(蔔)·bo 57
蓼 liǎo 454
蔚 wèi 719
《12획》
(蕩)dàng 153
蕊 ruǐ 598
(蕓)yún 847
蕈 xùn 784
蕨 jué 398
蕃 fán 203
(蕪)wú 728
(蕎)qiáo 566
蕉 jiāo 364
蔬 shū 646
蕴 yùn 848
《13획》
薄 báo 24
bó 56
bò 57
薪 xīn 765
薏 yì 817
(薦)jiàn 357
蕹 wèng 723
蕾 lěi 439
(薔)qiáng 564
薯 shǔ 647
(薈)huì 325
薛 xuē 780
薇 wēi 714
(薊)jì 344
(蕭)xiāo 754
(薩)sà 600
《14획》
(薺)jì 342
藉 jí 339
(藉)jiè 374
(藍)lán 430
藏 cáng 75
zàng 852
藐 miǎo 495
薰 xūn 782
(舊)jiù 388
藓 xiǎn 746
《15획》
藩 fān 202
(蘊)yùn 848
藕 ǒu 524
(藝)yì 815
(繭)jiǎn 352
藜 lí 442
(藥)yào 799
藤 téng 677
《16획 이상》
藻 zǎo 854
(藹)ǎi 3
蘑 mó 501
(躉)dǔn 189
(蘋)píng 545
(蘆)lú 466
孽 niè 519
(蘇)sū 660
(蘭)lán 429
(驀)mò 502
(蘚)xiǎn 746
(蘿)luó 473

31
寸

寸 cùn 133
《2획~6획》
对 duì 187
寺 sì 658
寻 xún 783
导 dǎo 153
寿 shòu 642
将 jiāng 358
jiàng 360
封 fēng 222
耐 nài 509
《7획 이상》
辱 rǔ 597
射 shè 617
(專)zhuān 895
尉 wèi 719
(將)jiāng 358
jiàng 360
尊 zūn 915
(尋)xún 783
(壽)shòu 642
(對)duì 187
(導)dǎo 153
爵 jué 398

32
廾

开 kāi 400
卉 huì 324
弁 biàn 43
异 yì 815
弃 qì 557
弄 lòng 465
nòng 521
弈 yì 815
葬 zàng 852
弊 bì 40
彝 yí 813

33
大

大 dà 139
dài 145

《1획~4획》
天 tiān 679
夫 fū 224
夭 yāo 797
太 tài 668
头 tóu 693
央 yāng 794
失 shī 627
夯 hāng 287
夹 gā 233
jiā 345
jiá 347
夸 kuā 419
夺 duó 191
尖 jiān 349
买 mǎi 477
夷 yí 811
奁 lián 448
(夾)gā 233
jiā 345
jiá 347
《5획》
奉 fèng 223
奈 nài 509
奔 bēn 33
bèn 34
卖 mài 478
奇 jī 334
qí 552
奄 yǎn 791
奋 fèn 219
《6획》
奖 jiǎng 359
奕 yì 815
美 měi 486
牵 qiān 559
契 qì 557
奏 zòu 911
奎 kuí 423
耷 dā 135
类 lèi 439
《7획 이상》
套 tào 675
奚 xī 735
奢 shē 616
爽 shuǎng 650
奠 diàn 169
奥 ào 8
(奩)lián 448
(奪)duó 191
(奬)jiǎng 359
樊 fán 203
(奮)fèn 219

34
尢(兀)
兀 wù 731
元 yuán 842
尤 yóu 829
龙 lóng 463
尥 liào 454
尧 yáo 798
光 guāng 272
尬 gà 233
(堯)yáo 798
就 jiù 389
尴 gān 237
(尷)gān 237

35
弋
弋 yì 815
式 shì 635
忒 tuī 698
鸢 yuān 841
(鳶)yuān 841
贰 èr 197
(貳)èr 197
弑 shì 636

36
小(⺌)
小 xiǎo 755
《1획~4획》
少 shǎo 615
shào 615
尔 ěr 196
尘 chén 93
尖 jiān 349
光 guāng 272
劣 liè 455
当 dāng 151
dàng 152
肖 xiào 757
《5획~8획》
尚 shàng 614
京 jīng 382
尝 cháng 86
省 shěng 625
xǐng 769
党 dǎng 152
堂 táng 672
常 cháng 86
雀 qiāo 565
qiǎo 566
què 585
《9획 이상》
棠 táng 673
赏 shǎng 611
掌 zhǎng 862
辉 huī 322
(當)dāng 151
dàng 152
(輝)huī 322
裳 ·shang 614
(嘗)cháng 86
(賞)shǎng 611
(黨)dǎng 152
耀 yào 801

37
口
口 kǒu 415
《2획》
叶 xié 759
yè 803
古 gǔ 261
右 yòu 835
叮 dīng 173
可 kě 409
kè 411
叵 pǒ 546
号 háo 288
hào 291
占 zhān 858
zhàn 859
只 zhī 878
zhǐ 880
史 shǐ 633
兄 xiōng 772
叱 chì 104
句 jù 393
叽 jī 333
叹 tàn 671
台 tái 668
司 sī 655
叼 diāo 170
叫 jiào 366
叩 kòu 416
叨 dāo 153
tāo 673
召 zhào 865
另 lìng 460
加 jiā 344
《3획》
吁 xū 774
yū 835
yù 839
吓 hè 297
xià 742

字	拼音	页
吐	tǔ	697
	tù	698
吉	jí	337
吏	lì	445
吕	lǚ	468
吊	diào	170
合	hé	294
吃	chī	101
向	xiàng	752
后	hòu	304
名	míng	497
各	gè	247
吸	xī	733
吆	yāo	797
吗	má	475
	mǎ	476
	·ma	477
《4획》		
吝	lìn	457
吭	háng	288
	kēng	413
启	qǐ	555
呈	chéng	99
吴	wú	729
吞	tūn	700
呓	yì	815
呆	dāi	145
吱	zhī	878
	zī	903
吾	wú	729
吠	fèi	214
呕	ǒu	524
否	fǒu	224
	pǐ	537
呃	è	194
吨	dūn	189
呀	yā	785
	·ya	787
吵	chāo	89
	chǎo	91
呗	·bei	32
员	yuán	842
呐	nà	508
吟	yín	819
吩	fēn	218
呛	qiāng	563
	qiàng	565
告	gào	244
谷	gǔ	262
听	tīng	686
吹	chuī	121
吻	wěn	722
呜	wū	725
吮	shǔn	652
君	jūn	399
吧	bā	10
	·ba	13
邑	yì	816
吼	hǒu	304
《5획》		
咛	níng	519
咏	yǒng	827
味	wèi	718
哎	āi	2
咕	gū	259
呵	hē	293
咂	zā	849
呸	pēi	531
咙	lóng	464
咔	kǎ	400
咀	jǔ	392
呻	shēn	619
呷	xiā	738
咒	zhòu	890
咄	duō	191
呼	hū	307
知	zhī	878
咋	zǎ	849
	zé	855
	zhā	857
和	hé	293
	hè	297
	huó	328
	huò	331
咐	fù	229
命	mìng	499
呱	gū	260
	guā	265
咚	dōng	177
咎	jiù	389
周	zhōu	889
鸣	míng	498
咆	páo	530
呢	·ne	513
	ní	515
咖	gā	233
	kā	400
呦	yōu	829
呣	ḿ	475
	m̀	475
亟	jí	338
咝	sī	656
《6획》		
咤	zhà	857
咬	yǎo	799
哀	āi	1
咨	zī	903
咳	hāi	282
	ké	409
咩	miē	496
咪	mī	490
哐	kuāng	422
哇	wā	704
	·wa	704
哉	zāi	849
哄	hōng	301
	hǒng	304
	hòng	304
哂	shěn	622
咸	xián	745
咧	liē	454
	liě	455
	·lie	456
咦	yí	811
哓	xiāo	754
呲	cī	125
虽	suī	663
品	pǐn	542
咽	yān	787
	yàn	793
	yè	804
骂	mà	477
哕	yuě	845
哈	hā	282
	hǎ	282
哗	huā	312
	huá	313
咱	zán	851
响	xiǎng	751
哑	yǎ	786
咯	gē	245
	kǎ	400
哆	duō	191
哞	mōu	503
哏	gén	250
哪	nǎ	507
	·na	509
哟	yō	826
	·yo	826
《7획》		
唁	yàn	793
哼	hēng	300
	hng	301
唐	táng	672
哥	gē	245
哮	xiào	757
唠	láo	433
	lào	437
哽	gěng	250
唇	chún	123

哲 zhé 868
哨 shào 616
(唄)·bei 32
哩 lī 441
·li 446
哭 kū 417
哦 ó ò 524
唤 huàn 318
唆 suō 665
唉 āi 2
ài 3
唧 jī 336
啊 ā á ǎ 1
à ·a 1
《8 획》
商 shāng 610
啐 cuì 131
唷 yō 826
啖 dàn 150
啷 lāng 431
啧 zé 855
(啞)yǎ 786
营 yíng 823
喵 miāo 494
啄 zhuó 902
啦 lā 426
·la 427
啡 fēi 213
啃 kěn 412
啮 niè 519
唬 hǔ 310
唱 chàng 88
啰 luō 472
(喎)wāi 704
啥 shá 606
唾 tuò 703
唯 wéi 715
售 shòu 643
兽 shòu 643
啤 pí 537
(啓)qǐ 555
啜 chuò 124
啸 xiào 758
《9 획》
喧 xuān 777
喀 kā 400
善 shàn 609
喽 lóu 465
·lou 466
喷 pēn 533
pèn 533
喜 xǐ 737
喋 dié 172
嗒 tà 667
喃 nán 510
(喪)sāng 602
sàng 603
喳 chā 80
zhā 857
喇 lǎ 427
喊 hǎn 286
喱 lí 441
喁 yóng 827
喝 hē 293
hè 297
喂 wéi 716
wèi 719
(單)dān 147
喘 chuǎn 119
喻 yù 840
(喬)qiáo 565
嗖 sōu 660
喉 hóu 304
喔 wō 724
喙 huì 326
(喲)yō 826
《10 획》
嗨 hāi 282
嗷 áo 8
嗉 sù 662
嗦 suō 665
嘟 dū 181
嗜 shì 638
嗑 kè 412
(嘩)huā 312
huá 313
嗬 hē 293
嗔 chēn 93
嗝 gé 247
(嗎)má 475
mǎ 476
·ma 477
(號)háo 288
hào 291
嗣 sì 658
嗤 chī 102
嗳 ǎi 2
ài 3
(嗆)qiāng 563
qiàng 565
嗡 wēng 723
嗅 xiù 774
(嗚)wū 725
嗵 tōng 689
嗓 sǎng 603
辔 pèi 533
《11 획》
嘛 ·ma 477
嘀 dī 161
dí 162
嗾 sǒu 660
(嘖)zé 855
嘉 jiā 345
嘈 cáo 76
嗽 sòu 660
(嘔)ǒu 524
嘁 qī 550
嘎 gā 233
嘘 shī 629
xū 775
(嘍)lóu 465
·lou 466
嘣 bēng 35
嘤 yīng 823
(鳴)míng 498
《12 획》
(嘮)láo 433
lào 437
噎 yē 801
(嘵)xiāo 754
(噴)pēn 533
pèn 533
嘶 sī 656
嘲 cháo 91
嘹 liáo 453
噗 pū 548
嘿 hēi 299
嘬 zuō 916
噙 qín 570
噔 dēng 159
嘱 zhǔ 893
(噝)sī 656
(嘰)jī 333
《13 획》
噢 ō 524
(罵)mà 477
噩 è 195
噤 jìn 381
(噸)dūn 189
(噦)yuě 845
嘴 zuǐ 914
噱 xué 781
器 qì 557
噪 zào 854
(噯)ǎi 2
ài 3
噬 shì 638
(嘯)xiào 758
噼 pī 536
(營)yíng 823

《14획》
(嚀)níng 519
(嚮)xiàng 752
嚓 cā 70
嚎 háo 289
嚏 tì 679
(嚇)hè 297
xià 742
《15획 이상》
(囁)niè 519
嚣 xiāo 755
(嚨)lóng 464
嚷 rāng 586
rǎng 587
橐 tuó 703
嚼 jiáo 364
jiào 368
jué 398
(嚶)yīng 823
(囈)yì 815
(囂)xiāo 755
囊 náng 511
(轡)pèi 533
(囉)luō 472
(鼉)tuó 703
(囑)zhǔ 893
囔 nāng 511

38
囗

〇 líng 457
《1획~4획》
囚 qiú 578
四 sì 657
团 tuán 698
因 yīn 818
回 huí 322
囟 xìn 765
园 yuán 842
围 wéi 715
困 kùn 425
囤 dùn 189
tún 701
囵 lún 471
囱 cōng 127
囫 hú 308
《5획~7획》
国 guó 277
固 gù 263
囹 líng 458
图 tú 696
囿 yòu 835
圃 pǔ 549
圄 yǔ 839
圆 yuán 842
《8획 이상》
圈 juān 395
juàn 395
quān 582
啬 sè 604
(國)guó 277
(圇)lún 471
(圍)wéi 715
(園)yuán 842
(嗇)sè 604
(圓)yuán 842
(團)tuán 698
(圖)tú 696

39
山

山 shān 607
《3획~4획》
屿 yǔ 838
屹 yì 815
岁 suì 664
岌 jí 337
岂 qǐ 553
岖 qū 579
岗 gǎng 240
岔 chà 81
岛 dǎo 154
岚 lán 430
《5획》
岸 àn 6
岩 yán 790
岿 kuī 423
(岡)gāng 239
岭 lǐng 459
岳 yuè 846
《6획》
峦 luán 470
峡 xiá 739
峙 zhì 884
炭 tàn 671
峋 xún 782
峥 zhēng 873
幽 yōu 829
《7획》
(豈)qǐ 553
(峽)xiá 739
峭 qiào 567
峪 yù 839
(島)dǎo 154
峰 fēng 222
峻 jùn 399
《8획~9획》
崇 chóng 108
崎 qí 552
崖 yá 786
崭 zhǎn 859
(崗)gǎng 240
崔 cuī 131
崩 bēng 35
崛 jué 398
嵘 róng 593
嵌 qiàn 562
嵴 ·da 145
崽 zǎi 850
(嵐)lán 430
《10획 이상》
嶂 zhàng 863
(嶄)zhǎn 859
(嶇)qū 579
嶙 lín 457
(嶼)yǔ 838
(嶸)rǒng 593
(嶺)lǐng 459
巅 diān 166
巍 wēi 713
巉 chán 83
(巋)kuī 423
(巔)diān 166
(巒)luán 470

40
巾

巾 jīn 375
《1획~4획》
币 bì 38
市 shì 634
布 bù 68
匝 zā 849
帅 shuài 649
师 shī 628
吊 diào 170
帆 fān 201
帏 wéi 716
希 xī 733
帐 zhàng 863
《5획~7획》
帘 lián 448
帖 tiē 684
tiě 685
tiè 686
帜 zhì 883
帙 zhì 884
帕 pà 525
帛 bó 55
帚 zhǒu 890

부수

帝 dì 165
帮 bāng 21
带 dài 146
(帥)shuài 649
(師)shī 628
席 xí 736
《8획~10획》
(帳)zhàng 863
(帶)dài 146
常 cháng 86
帼 guó 278
帷 wéi 716
幅 fú 227
帽 mào 484
幕 mù 506
幌 huǎng 321
《11획 이상》
幛 zhàng 863
(幣)bì 38
幔 màn 481
(幗)guó 278
幢 chuáng 121
zhuàng 900
(幟)zhì 883
幡 fān 202
(幫)bāng 21
(歸)guī 274

41
彳

《3획~5획》
行 háng 287
xíng 768
彷 páng 529
彻 chè 92
役 yì 816
往 wǎng 711
征 zhēng 872
径 jìng 385
彼 bǐ 37
《6획~7획》
衍 yǎn 791
待 dāi 145
dài 147
徊 huái 315
徇 xùn 784
律 lǜ 469
很 hěn 299
(後)hòu 304
徕 lái 429
徒 tú 697
(徑)jìng 385
徐 xú 775
《8획~9획》
(術)shù 647
(徠)lái 429
徘 pái 526
徙 xǐ 737
得 dé 157
·de 158
děi 158
(從)cóng 127
衔 xián 745
街 jiē 370
御 yù 841
(復)fù 230
循 xún 783
《10획 이상》
衙 yá 786
微 wēi 713
徭 yáo 799
(銜)xián 745
(徹)chè 92
德 dé 158
(徵)zhēng 872
(衝)chōng 106
chòng 108
(衛)wèi 717
衡 héng 300
徽 huī 322
(禦)yù 841
(黴)méi 486

42
彡

形 xíng 768
杉 shā 606
shān 608
彤 tóng 691
衫 shān 608
参 cān 73
cēn 78
shēn 619
须 xū 774
彬 bīn 49
彪 biāo 46
彩 cǎi 72
(參)cān 73
cēn 78
shēn 619
(須)xū 774
彰 zhāng 862
影 yǐng 824
膨 péng 534
(鬱)yù 839

43
夕

夕 xī 733
外 wài 705
舛 chuǎn 119
名 míng 497
岁 suì 664
多 duō 190
罗 luó 472
夜 yè 803
够 gòu 259
梦 mèng 490
(夢)mèng 490
舞 wǔ 730

44
夂

冬 dōng 177
处 chǔ 116
chù 116
务 wù 731
各 gè 247
条 tiáo 682
咎 jiù 389
备 bèi 31
复 fù 230
夏 xià 742
惫 bèi 32
(愛)ài 3
(憂)yōu 829
螽 zhōng 887

45
丬

壮 zhuàng 899
妆 zhuāng 898
状 zhuàng 899
将 jiāng 358
jiàng 360

[45]
(爿)

(壯)zhuàng 899
(妝)zhuāng 898
(狀)zhuàng 899
戕 qiāng 563
(將)jiāng 358
jiàng 360

46
广

广 guǎng 273
《3획~4획》
庄 zhuāng 898
庆 qìng 576

应 yīng 822
yìng 825
庐 lú 466
床 chuáng 120
库 kù 418
庇 bì 40
序 xù 766
《5획》
庞 páng 529
店 diàn 169
庙 miào 495
府 fǔ 228
底 dǐ 162
庚 gēng 250
废 fèi 215
《6획~7획》
度 dù 184
duó 191
庭 tíng 686
席 xí 736
(庫)kù 418
座 zuò 918
唐 táng 672
《8획~10획》
廊 láng 431
庶 shù 648
麻 má 475
庵 ān 6
庸 yōng 827
康 kāng 405
廉 lián 448
廓 kuò 425
《11획 이상》
(廣)guǎng 273
腐 fǔ 228
(廟)miào 495
(廠)chǎng 87
(廢)fèi 215
(慶)qìng 576
(應)yīng 822
yìng 825
膺 yīng 823
鹰 yīng 823
(龐)páng 529
(廬)lú 466
(鷹)yīng 823
(廳)tīng 686

47 门

门 mén 487
《1획~5획》
闩 shuān 650
闪 shǎn 608
闭 bì 39
问 wèn 722
闯 chuǎng 121
闷 mēn 487
mèn 488
闰 rùn 599
闲 xián 744
间 jiān 350
jiàn 356
闹 nào 512
闸 zhá 857
《6획~7획》
阂 hé 296
闺 guī 275
闻 wén 722
闽 mǐn 497
阀 fá 200
阁 gé 246
阄 jiū 387
阅 yuè 846
《8획 이상》
阐 chǎn 84
阉 yān 787
阎 yán 790
阔 kuò 425
阑 lán 430
阒 qù 581
阙 quē 584
què 585
阖 hé 297

[47] (門)

(門)mén 487
《1획~3획》
(閂)shuān 650
(閃)shǎn 608
(閉)bì 39
(問)wèn 722
《4획~5획》
(閏)rùn 599
(開)kāi 400
(閑)xián 744
(間)jiān 350
jiàn 356
(悶)mēn 487
mèn 488
(閘)zhá 857
《6획~8획》
(閨)guī 275
(聞)wén 722
(閩)mǐn 497
(閥)fá 200
(閣)gé 246
(閡)hé 296
(閱)yuè 846
(閹)yān 787
(閻)yàn 790
《9획 이상》
(闌)lán 430
(闃)qù 581
(闊)kuò 425
(闖)chuǎng 121
(闔)hé 297
(闕)quē 584
què 585
(關)guān 268
(闡)chǎn 84
(闢)pì 538

48 宀

《2획~4획》
宁 níng 519
nìng 519
穴 xué 780
它 tā 667
宇 yǔ 838
守 shǒu 641
宅 zhái 858
安 ān 4
字 zì 905
灾 zāi 849
完 wán 707
宋 sòng 659
宏 hóng 303
牢 láo 432
《5획》
实 shí 631
宝 bǎo 24
宗 zōng 908
定 dìng 175
宠 chǒng 108
宜 yí 811
审 shěn 622
宙 zhòu 890
官 guān 269
宛 wǎn 708
《6획》
宣 xuān 777
宦 huàn 318
室 shì 637
宫 gōng 255
宪 xiàn 747
客 kè 411
《7획》

宰 zǎi 850
害 hài 284
宽 kuān 420
家 jiā 346
宵 xiāo 754
宴 yàn 793
宾 bīn 49
容 róng 593
案 àn 6
《8획~9획》
密 mì 492
寇 kòu 417
寅 yín 820
寄 jì 343
寂 jì 343
宿 sù 662
xiù 774
寒 hán 285
富 fù 231
寓 yù 841
寐 mèi 487
《10획~11획》
寝 qǐn 570
塞 sāi 600
sài 601
sè 604
寞 mò 502
(寧)níng 519
nìng 519
蜜 mì 492
寨 zhài 858
赛 sài 601
(寬)kuān 420
(賓)bīn 49
寡 guǎ 265
察 chá 81
寥 liáo 453
寤 wù 732
(寢)qǐn 570
(實)shí 631
《12획 이상》
寮 liáo 453
(審)shěn 622
(憲)xiàn 747
寰 huán 317
(賽)sài 601
(寵)chǒng 108
(寶)bǎo 24

49
辶

《2획~3획》
边 biān 41
辽 liáo 452
迂 yū 835
达 dá 135
迈 mài 478
过 guò 279
迅 xùn 784
迁 qiān 559
迄 qì 557
巡 xún 782
《4획》
这 zhè 868
zhèi 869
进 jìn 379
远 yuǎn 844
运 yùn 847
违 wéi 714
还 hái 282
huán 316
连 lián 446
近 jìn 380
返 fǎn 205
迎 yíng 823
迟 chí 103
《5획》
述 shù 647
迪 dí 161
迥 jiǒng 386
迭 dié 172
迤 yí 811
迫 pǎi 527
pò 546
迢 tiáo 683
《6획》
迹 jì 342
送 sòng 659
迸 bèng 35
迷 mí 490
逆 nì 516
逃 táo 674
选 xuǎn 779
(迴)huí 322
适 shì 637
追 zhuī 900
逅 hòu 306
退 tuì 700
逊 xùn 784
《7획》
(這)zhè 868
zhèi 869
递 dì 165
逗 dòu 180
(連)lián 446
逋 bū 57
速 sù 661
逐 zhú 891
逝 shì 638
逍 xiāo 754
逞 chěng 100
途 tú 697
造 zào 854
透 tòu 695
逢 féng 223
逛 guàng 274
通 tōng 688
tòng 692
逡 qūn 585
《8획》
逻 luó 473
(過)guò 279
逶 wēi 713
(進)jìn 379
逸 yì 817
逮 dǎi 145
dài 147
《9획》
遒 qiú 579
道 dào 156
遂 suí 664
suì 664
(運)yùn 847
遍 biàn 45
(達)dá 135
逼 bī 36
遇 yù 841
遏 è 195
遗 yí 812
逾 yú 837
遁 dùn 190
遐 xiá 739
(違)wéi 714
《10획》
遨 áo 8
(遠)yuǎn 844
遢 tā 667
遣 qiǎn 562
(遞)dì 165
遛 liú 463
liù 463
(遜)xùn 784
《11획~12획》
(適)shì 637
遮 zhē 867
遭 zāo 852
遴 lín 457
遵 zūn 915
(邁)mài 478
(遷)qiān 559

(遼)liáo 452
(遺)yí 812
(遲)chí 103
(選)xuǎn 779
《13획 이상》
遽 jù 394
(還)hái 282
huán 316
邀 yāo 798
邂 xiè 761
避 bì 40
(邊)biān 41
邋 lā 426
(邏)luó 473

50
彐(彐 彑)

互 hù 310
归 guī 274
刍 chú 115
寻 xún 783
当 dāng 151
dàng 152
灵 líng 458
帚 zhǒu 890
录 lù 467
彗 huì 326
(尋)xún 783
(彙)huì 324
彝 yí 813
(歸)guī 274
蠡 lí 442

51
尸

尸 shī 627
《1획~4획》
尺 chǐ 104
尼 ní 514
尽 jǐn 377
jìn 378
层 céng 78
屁 pì 537
尾 wěi 716
yǐ 814
局 jú 391
尿 niào 518
suī 663
《5획~6획》
屉 tì 679
居 jū 391
届 jiè 374
屈 qū 579
昼 zhòu 890
咫 zhǐ 881
屏 bǐng 52
píng 545
屎 shǐ 634
屋 wū 725
《7획~9획》
展 zhǎn 859
屑 xiè 761
屐 jī 336
屠 tú 697
屡 lǚ 469
犀 xī 735
属 shǔ 646
zhǔ 893
孱 chán 83
《11획 이상》
(屢)lǚ 469
(層)céng 78
履 lǚ 469
(屬)shǔ 646
zhǔ 893

52
己(已 巳)

己 jǐ 340
已 yǐ 813
巳 sì 657
巴 bā 9
包 bāo 22
异 yì 815
导 dǎo 153
岂 qǐ 553
改 gǎi 233
忌 jì 341
巷 hàng 288
xiàng 752

53
弓

弓 gōng 253
《1획~5획》
引 yǐn 820
弘 hóng 302
弛 chí 103
弟 dì 165
张 zhāng 861
弦 xián 744
弧 hú 308
弥 mí 490
《6획~10획》
弯 wān 706
弭 mǐ 491
弱 ruò 599
弹 dàn 150
tán 670
(張)zhāng 861
粥 zhōu 890
强 jiàng 360
qiáng 563
qiǎng 565
(發)fā 198
《11획 이상》
(彆)biè 49
(彈)dàn 150
tán 670
(彌)mí 490
疆 jiāng 359
(彎)wān 706
鬻 yù 841

54
子

子 zǐ 904
孓 jué 396
孑 jié 370
《1획~4획》
孔 kǒng 414
孕 yùn 847
存 cún 132
孙 sūn 664
孝 xiào 757
孜 zī 903
《5획~8획》
学 xué 780
享 xiǎng 751
孟 mèng 490
孤 gū 260
孢 bāo 24
孪 luán 470
孩 hái 282
(孫)sūn 664
孰 shú 646
《9획 이상》
孳 zī 903
(學)xué 780
孵 fū 224
孺 rú 596
(孿)luán 470

55
屮(屮)

屯 tún 701
出 chū 111
(芻)chú 115

56 女

女 nǚ 522
《2획~3획》
奶 nǎi 509
奴 nú 521
妆 zhuāng 898
妄 wàng 712
奸 jiān 349
如 rú 595
妇 fù 230
她 tā 667
好 hǎo 289
hào 292
妈 mā 475
《4획》
妨 fáng 209
妒 dù 184
妍 yán 789
妩 wǔ 730
妓 jì 342
妪 yù 839
妣 bǐ 37
妙 miào 495
妥 tuǒ 703
妊 rèn 592
妖 yāo 797
姊 zǐ 905
(妝)zhuāng 898
《5획》
妾 qiè 568
妹 mèi 487
姑 gū 260
妻 qī 550
姐 jiě 372
妯 zhóu 890
姗 shān 608
姓 xìng 770
委 wěi 717
始 shǐ 633
姆 mǔ 504
《6획》
姹 chà 81
姿 zī 904
姜 jiāng 358
姘 pīn 541
娄 lóu 465
娃 wá 704
姥 lǎo 436
娅 yà 787
要 yāo 798
yào 800
威 wēi 713
耍 shuǎ 648
姨 yí 811
姻 yīn 819
娇 jiāo 363
娜 nà 508
nuó 523
《7획》
孬 nāo 511
娴 xián 744
娘 niáng 518
娠 shēn 620
娌 lǐ 443
娱 yú 837
娉 pīng 542
娟 juān 395
娩 miǎn 493
娓 wěi 717
婀 ē 193
《8획》
婆 pó 546
婶 shěn 622
婉 wǎn 708
婵 chán 83
婊 biǎo 48
(婭)yà 787
娶 qǔ 580
婪 lán 430
娼 chāng 85
(婁)lóu 465
婴 yīng 823
婢 bì 40
婚 hūn 327
(婦)fù 230
《9획~10획》
婷 tíng 687
媒 méi 486
嫂 sǎo 603
婿 xù 777
媚 mèi 487
嫁 jià 349
嫉 jí 339
嫌 xián 745
媾 gòu 258
(媽)mā 475
媳 xí 736
媲 pì 537
《11획 이상》
嫡 dí 162
嫣 yān 788
嫩 nèn 514
(嫗)yù 839
嫖 piáo 540
嫦 cháng 87
(嬋)chán 83
(嫵)wǔ 730
(嬌)jiāo 363
(嫻)xián 744
嬗 shàn 610
(嬰)yīng 823
(嬸)shěn 622
孀 shuāng 650

57 飞

飞 fēi 211

[57] (飛)

(飛)fēi 211

58 马

马 mǎ 475
《2획~4획》
驭 yù 839
闯 chuǎng 121
驮 duò 192
tuó 702
驯 xùn 784
驰 chí 103
驴 lǘ 468
驱 qū 579
驳 bó 56
《5획》
驼 tuó 703
驻 zhù 894
驶 shǐ 633
驷 sì 658
驸 fù 229
驹 jū 391
驿 yì 815
骀 tái 668
驽 nú 521
驾 jià 348
《6획~9획》
骇 hài 284
骁 xiāo 754
骂 mà 477
骄 jiāo 363
骆 luò 473
骋 chěng 101
验 yàn 793
骏 jùn 399
骑 qí 552
骗 piàn 539
骚 sāo 603

骛 wù 732
《10획 이상》
骟 shàn 609
腾 téng 676
蓦 mò 502
骡 luó 473
骤 zhòu 890
骥 jì 344

[58]
(馬)

(馬)mǎ 475
《2획~4획》
(馭)yù 839
(馱)duò 192
(馴)xùn 784
(馳)chí 103
(駁)bó 56
《5획》
(駛)shǐ 633
(駟)sì 658
(駝)tuó 703
(駙)fù 229
(駒)jū 391
(駐)zhù 894
(駘)tái 668
(駑)nú 521
(駕)jià 348
《6획~9획》
(駱)luò 473
(駭)hài 284
(罵)mà 477
(騁)chěng 101
(駿)jùn 399
(騎)qí 552
(闖)chuǎng 121
(騙)piàn 539
(騷)sāo 603
(騖)wù 732
《10획 이상》
(騸)shàn 609
(驀)mò 502
(騰)téng 676
(驅)qū 579
(騾)luó 473
(驍)xiāo 754
(驕)jiāo 363
(驚)jīng 382
(驛)yì 815
(驗)yàn 793
(驥)jì 344
(驢)lú 468

59
幺

幺 yāo 797
幻 huàn 317
幽 yōu 829
(幾)jī 333
jǐ 339
(樂)lè 437
yuè 845

60
巛

甾 zāi 849
巢 cháo 90

61
王

王 wáng 710
《1획~3획》
主 zhǔ 892
玉 yù 839
全 quán 582
弄 lòng 465
nòng 521
玖 jiǔ 388
玛 mǎ 476
《4획~5획》
玩 wán 707
环 huán 317
现 xiàn 746
玫 méi 485
玷 diàn 169
玲 líng 458
珍 zhēn 869
珀 pò 546
皇 huáng 319
珊 shān 608
玻 bō 54
《6획~7획》
班 bān 18
珠 zhū 891
珞 luò 473
琉 liú 462
望 wàng 712
琅 láng 432
球 qiú 578
琐 suǒ 665
理 lǐ 443
(現)xiàn 746
《8획》
琼 qióng 577
斑 bān 18
琵 pí 537
琴 qín 570
琶 pá 525
琳 lín 456
琢 zhuó 902
zuó 916
琥 hǔ 310
《9획》
瑟 sè 604
(聖)shèng 626
瑚 hú 309
瑞 ruì 598
瑜 yú 837
瑰 guī 275
瑕 xiá 739
瑙 nǎo 512
《10획~11획》
璃 lí 441
(瑪)mǎ 476
(瑣)suǒ 665
瑶 yáo 799
璀 cuǐ 131
《12획 이상》
噩 è 195
(環)huán 317
(瓊)qióng 577

[61]
(玉)

玉 yù 839
莹 yíng 823
玺 xǐ 737
(瑩)yíng 823
璧 bì 41
璺 wèn 723

62
无(旡)

无 wú 725
既 jì 342
(蠶)cán 74

63
韦

韦 wéi 714
韧 rèn 591
韩 hán 286
韬 tāo 673

[63]
(韋)

(韋)wéi 714
(韌)rèn 591
(韓)hán 286
(韜)tāo 673

64
木(朩)

木 mù 504
《1획~2획》
术 shù 647
本 běn 33
未 wèi 718
末 mò 501
札 zhá 857
朽 xiǔ 773
朴 piáo 540
pǔ 549
杀 shā 605
朱 zhū 890
机 jī 333
乐 lè 437
yuè 845
朵 duǒ 192
杂 zá 849
权 quán 583
《3획》
床 chuáng 120
杆 gān 236
gǎn 237
杠 gàng 241
杜 dù 183
杖 zhàng 863
村 cūn 132
材 cái 71
杏 xìng 770
束 shù 647
呆 dāi 145
杉 shā 606
shān 608
条 tiáo 682
极 jí 337
杈 chā 79
chà 81
杞 qǐ 553
杨 yáng 794
李 lǐ 442
《4획》
杰 jié 372
杭 háng 288
枕 zhěn 871
枉 wǎng 711
林 lín 456
枝 zhī 878
枢 shū 645
杯 bēi 29
枥 lì 444
柜 guì 276
枇 pí 537
枣 zǎo 853
杳 yǎo 799
果 guǒ 278
(東) dōng 176
采 cǎi 71
松 sōng 658
枪 qiāng 563
杵 chǔ 116
枚 méi 485
析 xī 734
板 bǎn 19
枭 xiāo 754
枫 fēng 222
构 gòu 258
杼 zhù 894
杷 pá 525
《5획》
柒 qī 550
染 rǎn 586
柠 níng 519
亲 qīn 568
qìng 576
柱 zhù 894
柿 shì 635
栏 lán 430
栈 zhàn 861
标 biāo 46
荣 róng 593
柑 gān 237
某 mǒu 504
枯 kū 417
栉 zhì 884
柄 bǐng 51
柘 zhè 869
柩 jiù 389
栋 dòng 178
柬 jiǎn 352
查 chá 80
相 xiāng 748
xiàng 752
柚 yóu 831
yòu 835
柏 bǎi 16
bó 55
栀 zhī 878
枸 gǒu 258
栅 shān 608
zhà 858
柳 liǔ 463
栎 lì 446
树 shù 647
柔 róu 594
枷 jiā 345
架 jià 348
《6획》
桉 ān 5
案 àn 6
桨 jiǎng 360
校 jiào 366
xiào 757
桩 zhuāng 898
核 hé 296
hú 309
样 yàng 797
框 kuàng 423
梆 bāng 22
桂 guì 276
桔 jié 372
jú 392
栽 zāi 849
桠 yā 786
栖 qī 550
栗 lì 446
桎 zhì 882
桄 guàng 274
档 dàng 153
柴 chái 82
桌 zhuō 901
桐 tóng 691
栓 shuān 650
桃 táo 674
株 zhū 891
桥 qiáo 566
臬 niè 518
桦 huà 314
桁 héng 300
格 gé 246
桅 wéi 715
栩 xǔ 776
桑 sāng 602
根 gēn 249
(條) tiáo 682
(殺) shā 605
《7획》
渠 qú 580
梁 liáng 450
梓 zǐ 905
梳 shū 645
梯 tī 677
彬 bīn 49
梵 fàn 207
梗 gěng 251
梧 wú 729
梢 shāo 614
检 jiǎn 352
梏 gù 265
梨 lí 441

梅 méi 485
(梟)xiāo 754
桶 tǒng 692
梭 suō 665
《8 획》
棕 zōng 908
棺 guān 270
(葉)yè 803
榔 láng 431
棒 bàng 22
棱 lēng 439
léng 439
(椏)yā 786
棋 qí 553
椰 yē 801
植 zhí 880
森 sēn 604
焚 fén 218
(棟)dòng 178
(極)jí 337
椅 yǐ 814
(棧)zhàn 861
椒 jiāo 364
棵 kē 408
棍 gùn 277
棘 jí 339
(棗)zǎo 853
弑 shì 636
椎 zhuī 900
集 jí 339
棉 mián 493
棚 péng 534
椭 tuǒ 703
《9 획》
楦 xuàn 779
榈 lǘ 468
楼 lóu 465
楔 xiē 759
椿 chūn 123
楂 chá 81
禁 jīn 377
jìn 380
楚 chǔ 116
楝 liàn 450
楷 kǎi 403
(業)yè 803
榄 lǎn 431
(楊)yáng 794
楫 jí 339
榆 yú 837
槐 huái 315
槌 chuí 122
(楓)fēng 222
楹 yíng 824
概 gài 234
楣 méi 485
楹 yíng 824
椽 chuán 119
《10 획》
寨 zhài 858
榕 róng 594
榨 zhà 857
榜 bǎng 22
(榮)róng 593
榷 què 585
榛 zhēn 870
(構)gòu 258
(樺)huà 314
模 mó 500
mú 504
槛 kǎn 404
榻 tà 667
(槍)qiāng 563
榫 sǔn 665
榴 liú 463
《11 획》
樟 zhāng 862
(樣)yàng 797
(樁)zhuāng 898
樯 qiáng 564
槿 jǐn 378
横 héng 300
hèng 301
槽 cáo 76
(樞)shū 645
(標)biāo 46
(樓)lóu 465
樱 yīng 823
(樂)lè 437
yuè 845
樊 fán 203
橡 xiàng 753
橄 gǎn 238
(橢)tuǒ 703
(槳)jiǎng 360
《12 획》
(樹)shù 647
橱 chú 115
(樸)pǔ 548
檎 qín 570
橇 qiāo 565
(橋)qiáo 566
樵 qiáo 566
橹 lǔ 467
橙 chéng 100
橘 jú 392
(機)jī 333
《13 획》
檩 lǐn 457
檀 tán 670
(隸)lì 446
檬 méng 489
(檣)qiáng 564
(檔)dàng 153
(櫛)zhì 884
(檢)jiǎn 352
檄 xí 736
檐 yán 790
《14획～16획》
(檸)níng 519
(櫚)lǘ 468
(檯)tái 668
(櫃)guì 276
(檻)kǎn 404
(櫟)lì 446
(櫓)lǔ 467
(櫪)lì 444
《17획 이상》
(權)quán 583
(櫻)yīng 823
(欄)lán 430
(欖)lǎn 431
(鬱)yù 839

65
支

支 zhī 877
翅 chì 105

66
犬

犬 quǎn 583
状 zhuàng 899
戾 lì 446
(狀)zhuàng 899
哭 kū 417
臭 chòu 111
xiù 774
献 xiàn 747
(獸)shòu 643
(獻)xiàn 747

[66]
(犭)

《2획～5획》
犯 fàn 205
犷 guǎng 274
犸 mǎ 476
狂 kuáng 422
犹 yóu 830

狈 bèi 30
狞 níng 519
狙 jū 391
狎 xiá 739
狐 hú 308
狗 gǒu 258
《6획》
狩 shòu 643
狡 jiǎo 364
狱 yù 840
狭 xiá 739
狮 shī 629
独 dú 181
狰 zhēng 873
狠 hěn 299
狲 sūn 665
《7획》
获 huò 332
狼 láng 431
(狹)xiá 739
(狽)bèi 30
狸 lí 441
《8획》
猝 cù 130
猜 cāi 70
猪 zhū 891
猎 liè 455
猫 māo 482
猖 chāng 84
猞 shē 616
猛 měng 489
《9획》
猢 hú 309
猩 xīng 767
猥 wěi 717
猬 wèi 719
猾 huá 313
(猶)yóu 830
猴 hóu 304
《10획~12획》
猿 yuán 843
(獁)mǎ 476
(獅)shī 629
(猻)sūn 665
獐 zhāng 862
(獄)yù 840
獠 liáo 453
獗 jué 398
《13획 이상》
(獲)huò 332
獭 tǎ 667
(獨)dú 181
(獰)níng 519
(獷)guǎng 274
(獵)liè 455
(獺)tǎ 667
獾 huān 316
(獼)mí 490

67
歹

歹 dǎi 145
《2획~5획》
列 liè 455
死 sǐ 656
夙 sù 661
歼 jiān 350
残 cán 74
殃 yāng 794
殆 dài 146
《6획~8획》
毙 bì 40
殊 shū 645
殉 xùn 784
殒 yǔn 847
殓 liàn 449
殚 dān 149
殖 zhí 880
(殘)cán 74
《9획 이상》
殡 bìn 50
(殞)yǔn 847
(殫)dān 149
(斃)bì 40
(殮)liàn 449
(殯)bìn 50
(殲)jiān 350

[67]
(歺)

餐 cān 73

68
车(车)

车 chē 91
jū 390
《1획~3획》
轧 yà 786
zhá 857
军 jūn 398
轨 guǐ 275
轩 xuān 777
《4획~5획》
转 zhuǎi 895
zhuǎn 896
zhuàn 897
轮 lún 471
斩 zhǎn 859
软 ruǎn 598
轰 hōng 301
轱 gū 260
轳 lú 466
轴 zhóu 890
轸 zhěn 871
轶 yì 816
轻 qīng 573
《6획~8획》
较 jiào 367
载 zǎi 850
zài 851
轿 jiào 366
晕 yūn 846
yùn 848
辄 zhé 868
辅 fǔ 227
辆 liàng 452
辈 bèi 32
辉 huī 322
辊 gǔn 277
辍 chuò 124
《9획 이상》
毂 gǔ 262
辐 fú 227
辑 jí 339
输 shū 645
辔 pèi 533
辕 yuán 843
舆 yú 837
辗 zhǎn 859
辘 lù 467
辙 zhé 868

[68]
(車)

(車)chē 91
jū 390
《1획~3획》
(軋)yà 786
zhá 857
(軌)guǐ 275
(軍)jūn 398
《4획~5획》
(斬)zhǎn 859
(軟)ruǎn 598
(軲)gū 260
(軸)zhóu 890
(軼)yì 816
(軫)zhěn 871
《6획~8획》
(載)zǎi 850

zài 851
(較)jiào 367
(暈)yūn 846
yùn 848
(輒)zhé 868
(輔)fǔ 227
(輕)qīng 573
(輛)liàng 452
(輥)gǔn 277
(輝)huī 322
(輪)lún 471
(輟)chuò 124
(輩)bèi 32
《9획 이상》
(輻)fú 227
(輯)jí 339
(輸)shū 645
(轂)gǔ 262
(轄)xiá 739
(輾)zhǎn 859
(輿)yú 837
(轉)zhuǎi 895
zhuǎn 896
zhuàn 897
(轆)lù 467
(轎)jiào 366
(轍)zhé 868
(轟)hōng 301
(轡)pèi 533
(轤)lú 466

69
牙

牙 yá 786
邪 xié 759
鸦 yā 785
雅 yǎ 786
(鴉)yā 785

70
戈

戈 gē 244
《1획~3획》
戊 wù 731
划 huá 313
huà 314
戎 róng 593
戍 shù 647
戌 xū 774
成 chéng 97
戏 xì 737
戒 jiè 374
我 wǒ 724
《4획~5획》
或 huò 331
戗 qiāng 563
戕 qiāng 563
哉 zāi 849
战 zhàn 860
咸 xián 745
威 wēi 713
《6획~8획》
盏 zhǎn 859
栽 zāi 849
载 zǎi 850
zài 851
戛 jiá 347
戚 qī 550
盛 chéng 99
shèng 626
裁 cái 71
惑 huò 331
(幾)jī 333
jǐ 339
《9획 이상》
戡 kān 404
(載)zǎi 850
zài 851
(盞)zhǎn 859
戥 děng 160
截 jié 372
(戧)qiāng 563
臧 zāng 852
戮 lù 467
(戰)zhàn 860
戴 dài 147
(戲)xì 737
戳 chuō 124

71
比

比 bǐ 36
毕 bì 39
昆 kūn 424
毙 bì 40
琵 pí 537
皆 jiē 368
毗 pí 537

72
瓦

瓦 wǎ 704
wà 704
瓮 wèng 723
瓷 cí 125
瓶 píng 545
甄 zhēn 870
甑 zèng 856

73
止

止 zhǐ 880
正 zhēng 872
zhèng 874
此 cǐ 126
步 bù 68
武 wǔ 730
歧 qí 552
肯 kěn 412
齿 chǐ 104
些 xiē 758
歪 wāi 704
耻 chǐ 104
(歲)suì 664
雌 cí 125
(齒)chǐ 104
(歷)lì 444
(歸)guī 274

74
攴

敲 qiāo 565

[74]
(攵)

《2획~5획》
收 shōu 639
攻 gōng 252
改 gǎi 233
孜 zī 903
放 fàng 210
败 bài 17
牧 mù 505
政 zhèng 876
故 gù 264
《6획~7획》
效 xiào 758
致 zhì 882
敌 dí 162
敝 bì 40
赦 shè 618
教 jiāo 363
jiào 367
敕 chì 105
(敗)bài 17
救 jiù 389
敛 liǎn 449
敏 mǐn 497
(啓)qǐ 555

敢 gǎn 238
《8획~9획》
敦 dūn 189
散 sǎn 602
sàn 602
敬 jìng 386
敞 chǎng 87
数 shǔ 647
shù 648
shuò 655
《11획 이상》
(敵)dí 162
敷 fū 224
(數)shǔ 647
shù 648
shuò 655
整 zhěng 873
辙 zhé 868
(斂)liǎn 449
(斃)bì 40
徽 huī 322
(變)biàn 43
(黴)méi 486

75
日(曰曰)

日 rì 592
曰 yuē 845
《1획~3획》
旦 dàn 149
旧 jiù 388
早 zǎo 853
旬 xún 782
旨 zhǐ 881
旯 lá 427
曳 yè 427
曲 qū 579
qǔ 580
旮 gā 233
旭 xù 776
更 gēng 250
gèng 251
旷 kuàng 422
旱 hàn 287
时 shí 630
《4획》
沓 dá 136
tà 667
旺 wàng 711
昙 tán 670
者 zhě 868
昔 xī 734
杳 yǎo 799
昆 kūn 424
昌 chāng 84
明 míng 498
昏 hūn 326
易 yì 816
昂 áng 7
《5획~6획》
昡 xuàn 779
春 chūn 122
昧 mèi 487
是 shì 638
显 xiǎn 745
映 yìng 825
星 xīng 767
昨 zuó 916
香 xiāng 749
昵 nì 515
昭 zhāo 864
晕 yūn 846
yùn 848
(時)shí 630
晋 jìn 380
晒 shài 607
晓 xiǎo 757
晃 huǎng 321
huàng 321
晌 shǎng 611
(書)shū 644
《7획》
匙 chí 104
·shi 639
晤 wù 732
晨 chén 95
曹 cáo 76
曼 màn 480
晦 huì 326
晚 wǎn 708
(晝)zhòu 890
《8획》
晾 liàng 452
普 pǔ 549
曾 céng 78
zēng 856
景 jǐng 384
晴 qíng 576
暑 shǔ 646
最 zuì 914
晰 xī 734
替 tì 679
量 liáng 451
liàng 452
暂 zàn 851
晶 jīng 384
智 zhì 884
《9획~11획》
暄 xuān 778
暗 àn 6
(暈)yūn 846
yùn 848
暖 nuǎn 522
暌 kuí 424
(會)huì 325
kuài 419
暇 xiá 739
暝 míng 499
(暢)chàng 88
暮 mù 506
(嘗)cháng 86
暧 ài 3
(暫)zàn 851
题 tí 678
暴 bào 28
《12획 이상》
(曇)tán 670
(曉)xiǎo 757
(曆)lì 444
曙 shǔ 647
(曖)ài 3
(題)tí 678
曜 yào 801
(曠)kuàng 422
曝 bào 29
pù 549
曦 xī 735
(曬)shài 607

76
贝

贝 bèi 30
《2획~4획》
贞 zhēn 869
则 zé 854
负 fù 229
贡 gòng 256
财 cái 71
员 yuán 842
贮 zhù 893
责 zé 855
贤 xián 744
贪 tān 669
贬 biǎn 43
购 gòu 258
贫 pín 541
败 bài 17
账 zhàng 863
货 huò 331
质 zhì 884

贩 fàn 206
贯 guàn 271
《5획》
贰 èr 197
贱 jiàn 355
贴 tiē 684
贵 guì 276
贷 dài 146
贸 mào 484
贻 yí 811
费 fèi 215
贺 hè 297
《6획~7획》
资 zī 904
贼 zéi 855
贾 gǔ 262
贿 huì 326
赁 lìn 457
赂 lù 467
赃 zāng 852
赈 zhèn 871
赊 shē 616
《8획 이상》
赔 péi 532
赌 dǔ 183
赎 shú 646
赏 shǎng 611
赐 cì 127
赖 lài 429
赛 sài 601
赚 zhuàn 898
赘 zhuì 901
赝 yàn 794
赠 zèng 856
赞 zàn 852
赡 shàn 610
赢 yíng 824

[76]
(貝)

(貝)bèi 30
《2획~4획》
(貞)zhēn 869
(則)zé 854
(負)fù 229
(貢)gòng 256
(財)cái 71
(員)yuán 842
(責)zé 855
(敗)bài 17
(販)fàn 206
(貶)biǎn 43
(貨)huò 331
(貪)tān 669
(貧)pín 541
(貫)guàn 271
《5획》
(貳)èr 197
(貼)tiē 684
(貯)zhù 893
(貽)yí 811
(貴)guì 276
(買)mǎi 477
(貸)dài 146
(貿)mào 484
(費)fèi 215
(賀)hè 297
《6획~8획》
(賈)gǔ 262
(賊)zéi 855
(賄)huì 326
(賂)lù 467
(賃)lìn 457
(資)zī 904
(賑)zhèn 871
(賒)shē 616
(賓)bīn 49
(實)shí 631

(賣)mài 478
(賢)xián 744
(賞)shǎng 611
(賬)zhàng 863
(賭)dǔ 183
(賤)jiàn 355
(賜)cì 127
(賠)péi 532
(質)zhì 884
《9획 이상》
(賴)lài 429
(贅)zhuì 901
(購)gòu 258
(賺)zhuàn 898
(賽)sài 601
(贋)yàn 794
(贈)zèng 856
(贊)zàn 852
(贍)shàn 610
(贏)yíng 824
(贖)shú 646
(贜)zāng 852

77
水

水 shuǐ 651
永 yǒng 827
氽 cuān 130
汞 gǒng 255
尿 niào 518
suī 663
沓 dá 136
tà 667
泵 bèng 35
泉 quán 583
浆 jiāng 358
(漿)jiāng 358

[77]
(氵)

《2획~3획》
汁 zhī 878
汀 tīng 686
汇 huì 324
汉 hàn 286
汗 hàn 286
污 wū 725
江 jiāng 357
汛 xùn 784
汲 jí 337
池 chí 103
汝 rǔ 596
汤 tāng 672
《4획》
沆 hàng 288
沁 qìn 570
沪 hù 310
沉 chén 93
沈 shěn 622
汪 wāng 710
沐 mù 505
沛 pèi 532
汰 tài 669
沤 òu 524
沥 lì 444
沌 dùn 189
沏 qī 550
沙 shā 605
汩 gǔ 261
泛 fàn 206
汹 xiōng 771
沦 lún 471
沧 cāng 75
汽 qì 557
沃 wò 724
沟 gōu 257
没 méi 484
mò 502

《5 획》
泞 nìng 519
沱 tuó 702
泣 qì 557
注 zhù 893
泌 mì 492
泻 xiè 760
泳 yǒng 827
沫 mò 502
浅 qiǎn 562
法 fǎ 200
泔 gān 237
泄 xiè 761
沽 gū 259
河 hé 296
沾 zhān 858
泪 lèi 439
沮 jǔ 392
油 yóu 830
泱 yāng 794
泅 qiú 578
泊 bó 55
pō 545
沿 yán 790
泡 pāo 530
pào 530
泽 zé 854
泾 jīng 381
治 zhì 883
泥 ní 515
nì 515
泯 mǐn 496
沸 fèi 214
泓 hóng 302
波 bō 53
沼 zhǎo 865
泼 pō 545
《6 획》
浏 liú 461
济 jǐ 340
jì 342
洲 zhōu 889
洋 yáng 795
浑 hún 327
浓 nóng 521
洼 wā 704
洁 jié 371
洪 hóng 303
洒 sǎ 600
浇 jiāo 363
浊 zhuó 902
洞 dòng 179
洇 yīn 819
洄 huí 324
测 cè 77
洽 qià 558
洗 xǐ 736
活 huó 328
涎 xián 745
派 pài 527
洛 luò 473
津 jīn 376
《7 획》
浣 huàn 318
流 liú 461
润 rùn 599
涕 tì 679
浪 làng 432
涛 tāo 673
涝 lào 437
浦 pǔ 549
酒 jiǔ 388
涟 lián 448
浙 zhè 869
(涇)jīng 381
消 xiāo 753
涉 shè 617
涅 niè 518
涓 juān 394
涡 wō 723
浮 fú 225
涂 tú 696
浴 yù 839
浩 hào 292
海 hǎi 283
涤 dí 162
涣 huàn 318
涌 yǒng 827
浚 jùn 399
浸 jìn 380
涨 zhǎng 862
zhàng 863
涩 sè 604
《8 획》
淙 cóng 128
淀 diàn 169
淳 chún 124
淬 cuì 131
液 yè 804
淤 yū 835
淡 dàn 150
深 shēn 620
清 qīng 571
渍 zì 908
添 tiān 681
鸿 hóng 303
淋 lín 456
lìn 457
淅 xī 734
渎 dú 183
淹 yān 787
涯 yá 786
渐 jiàn 357
渠 qú 580
(淺)qiǎn 562
淌 tǎng 673
淑 shū 645
淖 nào 513
混 hún 327
hùn 328
涸 hé 297
(渦)wō 723
淫 yín 820
(淪)lún 471
淆 xiáo 755
渊 yuān 841
渔 yú 837
淘 táo 674
渗 shèn 622
涮 shuàn 650
涵 hán 285
《9 획》
渲 xuàn 779
湾 wān 706
渡 dù 184
游 yóu 831
滋 zī 903
(渾)hún 327
港 gǎng 241
滞 zhì 884
湖 hú 309
湘 xiāng 749
渣 zhā 857
湎 miǎn 493
(測)cè 77
渺 miǎo 495
(湯)tāng 672
湿 shī 629
温 wēn 720
渴 kě 410
溃 huì 326
kuì 424
湍 tuān 698
溅 jiàn 355
滑 huá 313
渝 yú 837
湃 pài 527
(淵)yuān 841
溲 sōu 660
溉 gài 234

渥 wò 724
《10 획》
滓 zǐ 905
溶 róng 594
滨 bīn 49
滂 pāng 529
滚 gǔn 277
漓 lí 441
溏 táng 672
溢 yì 816
溯 sù 662
(溝)gōu 257
满 mǎn 479
漠 mò 502
(漣)lián 448
(滅)miè 496
源 yuán 843
滤 lǜ 469
滥 làn 431
滔 tāo 673
溪 xī 735
(滄)cāng 75
(滌)dí 162
(準)zhǔn 901
溴 xiù 774
溜 liū 460
liù 463
滩 tān 669
溺 nì 516
《11 획》
演 yǎn 792
滴 dī 161
漉 lù 467
漩 xuán 778
漾 yàng 797
(漬)zì 908
潆 yíng 824
(漢)hàn 286
(滿)mǎn 479
(滯)zhì 884
潇 xiāo 755
漆 qī 550
(漸)jiàn 357
漱 shù 648
(漚)òu 524
漂 piāo 539
piǎo 540
piào 541
(滬)hù 310
(滷)lǔ 466
漫 màn 480
潋 liàn 449
(漁)yú 837
(滲)shèn 622
漏 lòu 465
(漲)zhǎng 862
zhàng 863
《12 획》
澈 chè 93
澜 lán 430
(澇)lào 437
(潔)jié 371
潜 qián 562
(澆)jiāo 363
澎 péng 534
潮 cháo 90
潸 shān 608
潭 tán 670
潦 liáo 453
(潰)huì 326
kuì 424
(潤)rùn 599
潘 pān 527
潲 shào 616
澳 ào 8
澄 chéng 100
dèng 160
(潑)pō 545
潺 chán 83
《13 획》
濒 bīn 49
(濃)nóng 521
澡 zǎo 853
(澤)zé 854
(濁)zhuó 902
激 jī 336
《14 획》
(濱)bīn 49
(濟)jǐ 340
jì 342
濡 rú 596
(濤)tāo 673
(鴻)hóng 303
(濫)làn 431
(濕)shī 629
(澀)sè 604
《15 획》
(瀋)shěn 622
(瀉)xiè 760
(瀆)dú 183
(濾)lǜ 469
瀑 pù 549
(濺)jiàn 355
(瀏)liú 461
《16획 이상》
(瀠)yíng 824
(瀟)xiāo 755
(瀝)lì 444
(瀕)bīn 49
灌 guàn 272
(瀾)lán 430
(瀲)liàn 449
(瀰)mí 490
(灕)lí 441
(灘)tān 669
(灑)sǎ 600
(灣)wān 706

[77]
(氺)

求 qiú 578
录 lù 467
隶 lì 446
泰 tài 669
黍 shǔ 647
黎 lí 442

78
见

见 jiàn 354
观 guān 269
guàn 271
视 shì 637
规 guī 275
觅 mì 492
觉 jiào 366
jué 397
览 lǎn 430
觍 tiǎn 682
觎 yú 837
觐 jìn 381
觑 qù 581

[78]
(見)

(見)jiàn 354
(規)guī 275
(覓)mì 492
(視)shì 637
(覥)tiǎn 682
(覦)yú 837
(親)qīn 568
qìng 576
(覲)jìn 381
(覷)qù 581
(覺)jiào 366
jué 397
(覽)lǎn 430

(觀)guān 269
guàn 271

79
牛(牜 ⺧)

牛 niú 520
《2획~4획》
牝 pìn 542
牟 móu 503
牡 mǔ 504
告 gào 244
牦 máo 483
物 wù 731
《5획~6획》
荦 luò 474
牯 gǔ 261
牵 qiān 559
牲 shēng 625
特 tè 675
牺 xī 733
《7획~8획》
(牽)qiān 559
牾 wǔ 730
犁 lí 441
犊 dú 183
犄 jī 335
犍 jiān 352
犀 xī 735
《9획 이상》
犒 kào 407
(犖)luò 474
靠 kào 407
犟 jiàng 360
(犢)dú 183
(犧)xī 733

80
手(龵)

手 shǒu 640
《5획~8획》
拜 bài 17
看 kān 404
kàn 404
挛 luán 470
拳 quán 583
挈 qiè 568
挚 zhì 884
拿 ná 507
挲 suō 665
掌 zhǎng 862
掰 bāi 13
掣 chè 92
《9획 이상》
摹 mó 500
摩 mó 500
(摯)zhì 884
擎 qíng 576
(擊)jī 334
攀 pān 527
(攣)luán 470

[80]
(扌)

《1획~2획》
扎 zā 849
zhā 856
zhá 857
打 dá 135
dǎ 136
扑 pū 547
扒 bā 9
pá 525
扔 rēng 592
《3획》
扩 kuò 425
扪 mén 488
扛 gāng 240
káng 406
扣 kòu 417
扦 qiān 559
托 tuō 701
执 zhí 879
扫 sǎo 603
sào 604
扬 yáng 794
《4획》
抖 dǒu 180
抗 kàng 406
护 hù 310
扶 fú 225
抚 fǔ 227
技 jì 342
抠 kōu 415
扰 rǎo 587
扼 è 193
拒 jù 393
找 zhǎo 865
批 pī 535
扯 chě 92
抄 chāo 88
抡 lūn 471
lún 471
扮 bàn 21
抢 qiāng 563
qiǎng 564
折 shé 616
zhē 867
zhé 867
抓 zhuā 895
扳 bān 17
投 tóu 694
抑 yì 816
抛 pāo 529
拟 nǐ 515
抒 shū 644
抉 jué 396
扭 niǔ 520
把 bǎ 11
bà 12
报 bào 26
《5획》
拧 níng 519
nǐng 519
拉 lā 426
lá 427
拄 zhǔ 893
拦 lán 429
拌 bàn 21
抨 pēng 533
抹 mā 475
mǒ 501
mò 502
拓 tà 667
tuò 703
拔 bá 10
拢 lǒng 464
拣 jiǎn 352
拈 niān 516
担 dān 149
dàn 150
押 yā 785
抻 chēn 93
抽 chōu 108
拐 guǎi 267
拙 zhuō 901
拎 līn 456
拃 zhǎ 857
拖 tuō 701
拍 pāi 525
拆 chāi 82
拥 yōng 826
抵 dǐ 163
拘 jū 391
抱 bào 27
择 zé 855
zhái 858
抬 tái 668
抿 mǐn 496
拂 fú 225
披 pī 535

招 zhāo 863
拨 bō 54
拗 ào 8
niù 520
拇 mǔ 504
《6획》
挖 wā 704
按 àn 6
挤 jǐ 340
拼 pīn 541
挥 huī 322
挟 xié 759
拭 shì 636
挂 guà 265
持 chí 103
拮 jié 371
拷 kǎo 407
拱 gǒng 256
挞 tà 667
挝 wō 723
挠 náo 511
挡 dǎng 152
拽 zhuāi 895
zhuài 895
拴 shuān 650
拾 shí 632
挑 tiāo 682
tiǎo 683
挺 tǐng 687
括 kuò 425
指 zhǐ 881
挣 zhēng 873
zhèng 876
挪 nuó 523
拯 zhěng 874
《7획》
捞 lāo 432
捕 bǔ 58
捂 wǔ 730
(挾)xié 759
振 zhèn 871
捎 shāo 614
捍 hàn 287
捏 niē 518
捉 zhuō 902
捆 kǔn 424
捐 juān 394
损 sǔn 665
捌 bā 10
捋 lǚ 468
luō 472
捡 jiǎn 352
挫 cuò 133
捣 dǎo 154
换 huàn 318
挽 wǎn 708
捅 tǒng 692
挨 āi 2
ái 2
《8획》
控 kòng 415
接 jiē 368
掠 lüè 470
掂 diān 166
掖 yē 801
yè 804
掷 zhì 884
(捲)juǎn 395
掸 dǎn 149
掮 qián 562
探 tàn 671
捧 pěng 534
揶 yé 802
措 cuò 134
描 miáo 495
捺 nà 509
掩 yǎn 791
捷 jié 370
排 pái 526
pǎi 527
掉 diào 171
掳 lǔ 467
掴 guāi 267
(捫)mén 488
授 shòu 643
捻 niǎn 517
(捨)shě 616
(掄)lūn 471
lún 471
捶 chuí 122
推 tuī 698
掀 xiān 743
掬 jū 391
掏 tāo 673
掐 qiā 557
掺 chān 82
掇 duō 191
(掃)sǎo 603
sào 604
据 jū 391
jù 394
掘 jué 398
掼 guàn 271
《9획》
搅 jiǎo 365
揞 ǎn 6
搁 gē 245
gé 246
搓 cuō 133
搂 lōu 465
lǒu 465
(揮)huī 322
揍 zòu 911
搽 chá 80
搭 dā 135
(揀)jiǎn 352
揠 yà 787
揩 kāi 403
揽 lǎn 430
提 dī 161
tí 677
(揚)yáng 794
揖 yī 811
揭 jiē 369
揣 chuāi 117
chuǎi 117
援 yuán 843
揪 jiū 387
插 chā 79
搜 sōu 660
搀 chān 83
搔 sāo 603
揆 kuí 424
揉 róu 595
摒 bìng 53
握 wò 724
《10획》
摈 bìn 50
搞 gǎo 243
搪 táng 672
搐 chù 117
摄 shè 618
摸 mō 500
搏 bó 56
(損)sǔn 665
摁 èn 195
摆 bǎi 16
摇 yáo 798
(搶)qiāng 563
qiǎng 564
携 xié 760
(搗)dǎo 154
搋 chuāi 117
搬 bān 18
摊 tān 669
搌 zhǎn 859
《11획》
摘 zhāi 858
摔 shuāi 649
撇 piē 541

piě 541
(摳)kōu 415
(摟)lōu 465
lǒu 465
撂 liào 454
摞 luò 474
(摑)guāi 267
摧 cuī 131
(撾)wō 723
(摻)chān 82
(摜)guàn 271

《12획》

撞 zhuàng 899
撤 chè 93
(撈)lāo 432
撵 niǎn 517
(撻)tà 667
(撓)náo 511
撕 sī 656
撒 sā 600
sǎ 600
撅 juē 395
撩 liāo 452
liáo 453
撑 chēng 96
(撲)pū 547
撮 cuō 133
zuǒ 916
(撣)dǎn 149
擒 qín 570
播 bō 55
撬 qiào 567
(撫)fǔ 227
(撥)bō 54
撰 zhuàn 898

《13획》

擅 shàn 609
(擁)yōng 826
擞 sǒu 660
擂 léi 438
lèi 439
擀 gǎn 238
撼 hàn 287
(擋)dǎng 152
(據)jù 394
(擄)lǔ 467
操 cāo 76
(擇)zé 855
zhái 858
(撿)jiǎn 352
(擔)dān 149
dàn 150

《14획》

(擰)níng 519
nǐng 519
(擯)bìn 50
擦 cā 70
(擠)jǐ 340
(擱)gē 245
gé 246
(擲)zhì 884
擤 xǐng 770
(擬)nǐ 515
(擴)kuò 425
擢 zhuó 903

《15획~17획》

(攆)niǎn 517
(擾)rǎo 587
(擻)sǒu 660
(擺)bǎi 16
(攏)lǒng 464
攒 cuán 131
zǎn 851
攘 rǎng 586
(攙)chān 83
(攔)lán 429

《18획 이상》

(攝)shè 618
(攤)tān 669
(攢)cuán 131
zǎn 851
攫 jué 398
攥 zuàn 913
(攪)jiǎo 365
(攬)lǎn 430

81
气

气 qì 556
氖 nǎi 509
氛 fēn 218
氢 qīng 574
氟 fú 225
氨 ān 5
氦 hài 284
氧 yǎng 796
(氣)qì 556
(氫)qīng 574
氮 dàn 150
氰 qíng 576
氯 lǜ 470

82
毛

毛 máo 482
尾 wěi 716
yǐ 814
毡 zhān 859
耄 mào 483
毫 háo 288
毯 tǎn 671
毽 jiàn 357
麾 huī 322
氅 chǎng 88
(氈)zhān 859

83
长

长 cháng 85
zhǎng 862

[83]
(镸)

肆 sì 658

[83]
(長)

(長)cháng 85
zhǎng 862

84
片

片 piān 538
piàn 539
版 bǎn 19
牍 dú 183
牒 dié 172
牌 pái 527
(牘)dú 183

85
斤

斤 jīn 376
斥 chì 104
斧 fǔ 227
所 suǒ 666
欣 xīn 764
断 duàn 186
斯 sī 656
新 xīn 764
(斷)duàn 186

86
爪(爫)

爪 zhǎo 865
zhuǎ 895
妥 tuǒ 703
受 shòu 642
采 cǎi 71
觅 mì 492

爬 pá 525
乳 rǔ 596
爱 ài 3
舀 yǎo 799
奚 xī 735
彩 cǎi 72
(覓)mì 492
(爲)wéi 714
wèi 718
(愛)ài 3
(亂)luàn 470
孵 fū 224
爵 jué 398

87
父

父 fù 228
爷 yé 801
斧 fǔ 227
爸 bà 12
爹 diē 172
(爺)yé 801

88
月(⺝)

月 yuè 845
《2획~3획》
有 yǒu 832
肌 jī 334
肋 lèi 439
肝 gān 236
肛 gāng 240
肚 dǔ 183
dù 183
肘 zhǒu 890
肖 xiào 757
肠 cháng 86
《4획》
肪 fáng 209
肮 āng 7
育 yù 840
肩 jiān 351
肤 fū 224
肢 zhī 878
肺 fèi 215
肽 tài 669
肱 gōng 255
青 qīng 570
肯 kěn 412
肾 shèn 622
肿 zhǒng 887
肴 yáo 798
胀 zhàng 863
朋 péng 534
股 gǔ 262
肥 féi 213
服 fú 226
fù 230
胁 xié 759
《5획》
胖 pán 527
pàng 529
脉 mài 478
mò 502
胡 hú 308
胚 pēi 531
胧 lóng 464
背 bēi 29
bèi 31
胪 lú 466
胆 dǎn 149
胛 jiǎ 347
胃 wèi 719
胗 zhēn 870
胜 shèng 626
胝 zhī 877
胞 bāo 24
胫 jìng 385
胎 tāi 667
《6획》
脐 qí 551
胶 jiāo 362
脊 jǐ 340
脑 nǎo 512
脏 zāng 852
zàng 852
朕 zhèn 872
胼 pián 539
朔 shuò 655
朗 lǎng 432
脓 nóng 521
胯 kuà 419
胰 yí 811
胱 guāng 273
胭 yān 788
脍 kuài 420
gā 233
胳 gē 245
gé 246
脆 cuì 132
胸 xiōng 771
脂 zhī 878
能 néng 514
《7획》
望 wàng 712
脱 tuō 702
脖 bó 55
脚 jiǎo 365
脯 fǔ 227
pú 548
豚 tún 701
(脛)jìng 385
脶 luó 473
脸 liǎn 449
《8획》
腕 wàn 710
腋 yè 804
(勝)shèng 626
(脹)zhàng 863
期 qī 551
腊 là 427
朝 cháo 90
zhāo 865
(腎)shèn 622
腌 yān 787
腓 féi 214
腆 tiǎn 682
(腡)luó 473
腴 yú 836
脾 pí 537
腱 jiàn 357
《9획》
腾 téng 676
腻 nì 516
腰 yāo 798
腼 miǎn 494
(腸)cháng 86
腽 wà 704
腥 xīng 767
腮 sāi 600
腭 è 194
(腫)zhǒng 887
腹 fù 231
腺 xiàn 748
鹏 péng 534
腿 tuǐ 699
(腦)nǎo 512
《10획~12획》
膀 bǎng 22
páng 529
膏 gāo 243
gào 244
膂 lǚ 469
膜 mó 500
膊 bó 56
膈 gé 247
膝 xī 735
膘 biāo 47
膛 táng 673
(膚)fū 224

(膠)jiāo 362
膳 shàn 609
滕 téng 676
(膩)nì 516
膨 péng 534
《13획 이상》
臆 yì 817
臃 yōng 827
朦 méng 489
(膿)nóng 521
臊 sāo 603
sào 604
(謄)téng 677
(膾)kuài 420
(臉)liǎn 449
(膽)dǎn 149
臀 tún 701
赢 yíng 824
(臍)qí 551
(鵬)péng 534
(臘)là 427
羸 léi 438
(朧)lóng 464
(臚)lú 466
(騰)téng 676
(贏)yíng 824
(臟)zàng 852

89 氏

氏 shì 634
昏 hūn 326

90 欠

欠 qiàn 562
《2획~8획》
次 cì 126
欢 huān 316
欧 ōu 524
软 ruǎn 598
欣 xīn 764
炊 chuī 122
(軟)ruǎn 598
欲 yù 839
欸 ē 195
ế 195
ě 195
è 195
款 kuǎn 421
欺 qī 551
砍 kǎn 404
《9획 이상》
歇 xiē 759
歉 qiàn 563
歌 gē 245
(歐)ōu 524
(歡)huān 316

91 风

风 fēng 220
飏 yáng 795
飒 sà 600
飓 jù 393
飘 piāo 540
飙 biāo 46

[91] (風)

(風)fēng 220
(颯)sà 600
(颳)guā 265
(颶)jù 393
(颺)yáng 795
(飄)piāo 540
(飆)biāo 46

92 殳

殴 ōu 524
段 duàn 185
般 bān 18
殷 yān 788
yīn 819
(殼)qiào 566
(殺)shā 605
(發)fā 198
毂 gǔ 262
骰 tóu 695
毁 huǐ 324
殿 diàn 170
毅 yì 816
(穀)gǔ 262
(毆)ōu 524
(轂)gǔ 262

93 文

文 wén 720
刘 liú 461
齐 qí 551
吝 lìn 457
斋 zhāi 858
虔 qián 561
紊 wěn 722
斑 bān 18
斐 fěi 214
齑 jī 336

94 方

方 fāng 207
房 fáng 209
放 fàng 210
施 shī 629
旁 páng 529
旅 lǚ 469
旌 jīng 384
族 zú 912
旋 xuán 778
xuàn 779
旗 qí 553

95 火

火 huǒ 329
《1획~3획》
灭 miè 496
灰 huī 321
灯 dēng 159
灾 zāi 849
灶 zào 854
灿 càn 75
灸 jiǔ 388
灼 zhuó 902
灵 líng 458
《4획》
炕 kàng 406
炎 yán 790
炉 lú 466
炬 jù 393
炖 dùn 189
炒 chǎo 91
炙 zhì 884
炊 chuī 122
炔 quē 584
《5획》
炫 xuàn 779
烂 làn 431
荧 yíng 823
炭 tàn 671
炳 bǐng 51
炼 liàn 449
炽 chì 105
炯 jiǒng 387
炸 zhá 857
zhà 857

炮 bāo 24
páo 530
pào 531
烁 shuò 655
烃 tīng 686
《6 획》
烫 tàng 673
烤 kǎo 407
耿 gěng 251
烘 hōng 302
烜 xuǎn 779
烦 fán 203
烧 shāo 614
烛 zhú 891
烟 yān 787
烩 huì 326
烙 lào 436
烬 jìn 379
《7 획》
烷 wán 708
焖 mèn 488
(烴)tīng 686
焊 hàn 287
烽 fēng 222
焕 huàn 318
焌 qū 580
《8 획》
焙 bèi 32
焚 fén 218
焯 chāo 90
焰 yàn 794
(勞)láo 433
《9 획》
(煢)qióng 577
煤 méi 486
煳 hú 309
(煉)liàn 449
(煩)fán 203
煨 wēi 713
煅 duàn 185
煲 bāo 24
煌 huáng 320
《10획~11획》
熔 róng 594
(熒)yíng 823
(犖)luò 474
(榮)róng 593
煽 shān 608
熄 xī 734
熘 liū 461
(瑩)yíng 823
熨 yù 841
yùn 848
《12 획》
(燙)tàng 673
(熾)chì 105
燧 suì 664
(縈)yíng 824
(燒)shāo 614
燎 liáo 453
liǎo 454
(燜)mèn 488
燃 rán 586
(燈)dēng 159
(螢)yíng 823
营 yíng 823
《13획 이상》
(燦)càn 75
燥 zào 854
(燭)zhú 891
(燴)huì 326
(燼)jìn 379
爆 bào 29
(爍)shuò 655
(爐)lú 466
(鶯)yīng 823
(爛)làn 431

[95]
(灬)
《4획~7획》
杰 jié 372
点 diǎn 166
(為)wéi 714
wèi 718
羔 gāo 243
烈 liè 455
热 rè 588
(烏)wū 724
烹 pēng 533
焉 yān 788
《8획~9획》
煮 zhǔ 893
(無)wú 725
焦 jiāo 363
(爲)wéi 714
wèi 718
然 rán 586
煎 jiān 351
蒸 zhēng 873
煦 xù 776
照 zhào 866
煞 shā 606
shà 606
《10획 이상》
熬 āo 8
áo 8
熙 xī 735
熏 xūn 782
xùn 784
熊 xióng 772
熟 shóu 640
shú 646
(熱)rè 588
熹 xī 735
燕 yān 788
yàn 794

96
斗
斗 dǒu 179
dòu 180
料 liào 454
斜 xié 760
斟 zhēn 870
斡 wò 724

97
户
户 hù 310
启 qǐ 555
房 fáng 209
戾 lì 446
肩 jiān 351
扁 biǎn 43
piān 538
扇 shān 608
shàn 609
扈 hù 311
扉 fēi 213
雇 gù 265

98
心(⺗)
心 xīn 761
《1획~3획》
必 bì 38
忘 wàng 712
忑 tè 675
志 zhì 883
忒 tuī 698
忐 tǎn 670
忌 jì 341
忍 rěn 591
《4 획》
态 tài 669
忠 zhōng 886
怂 sǒng 659

念 niàn 517
忿 fèn 219
忽 hū 307
《5획》
总 zǒng 909
思 sī 656
怎 zěn 855
怨 yuàn 844
急 jí 338
怠 dài 146
怒 nù 522
《6획》
恋 liàn 449
恣 zì 908
恙 yàng 797
恐 kǒng 414
恶 ě 193
è 194
wù 732
虑 lǜ 469
恩 ēn 195
息 xī 734
恳 kěn 413
恕 shù 648
恭 gōng 255
《7획~8획》
悬 xuán 778
患 huàn 318
悉 xī 735
悠 yōu 829
您 nín 519
恿 yǒng 827
(惡)ě 193
è 194
wù 732
惹 rě 588
惠 huì 326
惑 huò 331
悲 bēi 30
崽 zǎi 850
惩 chéng 100
惫 bèi 32
《9획》
意 yì 817
慈 cí 125
想 xiǎng 751
感 gǎn 238
愚 yú 837
(愛)ài 3
愈 yù 840
愁 chóu 110
《10획~11획》
愿 yuàn 844
(態)tài 669
慕 mù 506
(慶)qìng 576
憋 biē 48
慧 huì 326
(憂)yōu 829
(慮)lǜ 469
(慫)sǒng 659
憨 hān 284
慰 wèi 719
《12획 이상》
(憑)píng 545
憩 qì 557
(憊)bèi 32
(應)yīng 822
yìng 825
(懇)kěn 413
(懲)chéng 100
(懸)xuán 778
(聽)tīng 686
(戀)liàn 449

[98]
(忄)

《1획~3획》
忆 yì 815
忙 máng 481
忖 cǔn 133
忏 chàn 84
《4획》
忱 chén 94
怃 wǔ 730
怄 òu 524
怀 huái 315
忧 yōu 829
怅 chàng 88
忡 chōng 106
忪 sōng 658
zhōng 887
怆 chuàng 121
忤 wǔ 729
忾 kài 404
快 kuài 420
忸 niǔ 520
《5획》
怦 pēng 533
怔 zhēng 872
zhèng 876
怯 qiè 568
怙 hù 311
怵 chù 116
怖 bù 68
怏 yàng 797
怜 lián 448
性 xìng 770
怕 pà 525
怪 guài 267
怡 yí 811
怩 ní 515
《6획》
恼 nǎo 511
恸 tòng 692
恒 héng 300
恢 huī 321
恹 yān 787
恍 huǎng 320
恫 dòng 179
恻 cè 77
恰 qià 558
恬 tián 681
恤 xù 776
恪 kè 411
恨 hèn 299
《7획》
悯 mǐn 496
悦 yuè 846
悖 bèi 31
悚 sǒng 659
悟 wù 732
悄 qiāo 565
qiǎo 566
悭 qiān 560
悍 hàn 287
悔 huǐ 324
悛 quān 581
《8획》
惋 wǎn 708
惊 jīng 382
悴 cuì 131
惦 diàn 169
惮 dàn 150
惬 qiè 568
(悵)chàng 88
情 qíng 575
悻 xìng 771
惜 xī 734
惭 cán 74
悼 dào 156
惘 wǎng 711
惧 jù 393
惕 tì 679
悸 jì 342
惟 wéi 715
惆 chóu 110
惚 hū 308
惨 cǎn 74
惯 guàn 271

《9획》

(愜)qiè 568
愤 fèn 219
慌 huāng 319
·huang 319
惰 duò 192
愠 yùn 848
惺 xīng 767
愦 kuì 424
愕 è 194
惴 zhuì 901
(惻)cè 77
愣 lèng 440
愉 yú 837
愧 kuì 424
慨 kǎi 403
(惱)nǎo 511

《10획~11획》

慑 shè 618
慎 shèn 622
(愴)chuàng 121
(愾)kài 404
慵 yōng 827
慷 kāng 406
(慚)cán 74
(慪)òu 524
(慳)qiān 560
慢 màn 480
(慟)tòng 692
(慘)cǎn 74
(慣)guàn 271

《12획》

憧 chōng 107
(憐)lián 448
憎 zēng 856
(憤)fèn 219
懂 dǒng 177
(憫)mǐn 496
(憒)kuì 424
(憚)dàn 150
(憮)wǔ 730
憔 qiáo 566
懊 ào 8

《13획 이상》

(憶)yì 815
懒 lǎn 431
憾 hàn 287
懈 xiè 761
懦 nuò 523
(懨)yān 787
懵 měng 490
(懶)lǎn 431
(懷)huái 315
(懺)chàn 84
(懾)shè 618
(懼)jù 393

99
毋

毋 wú 728
贯 guàn 271
(貫)guàn 271

[99]
(毋)

母 mǔ 504
每 měi 486
毒 dú 182

100
示

示 shì 635
奈 nài 509
祟 suì 664
票 piào 540
祭 jì 344
禀 bǐng 52
禁 jīn 377
jìn 380
(禦)yù 841

[100]
(礻)

《1획~5획》

礼 lǐ 442
社 shè 617
祀 sì 657
视 shì 637
祈 qí 551
祛 qū 580
祖 zǔ 913
神 shén 621
祝 zhù 894
祠 cí 125

《6획~8획》

祥 xiáng 750
祷 dǎo 154
(視)shì 637
祸 huò 332
禅 chán 83
shàn 609
(禍)huò 332
禄 lù 467

《9획 이상》

福 fú 227
禧 xǐ 737
(禪)chán 83
shàn 609
(禮)lǐ 442
(禱)dǎo 154

101
甘

甘 gān 236
某 mǒu 504

102
石

石 dàn 149
shí 630

《3획~4획》

矿 kuàng 422
矾 fán 203
码 mǎ 476
岩 yán 790
研 yán 789
砖 zhuān 896
砒 pī 535
砌 qì 557
砑 yà 787
砂 shā 606
砚 yàn 793
砍 kǎn 404

《5획》

砰 pēng 533
砝 fǎ 201
砸 zá 849
砧 zhēn 870
砷 shēn 619
础 chǔ 116
砾 lì 446
破 pò 546

《6획~7획》

硅 guī 275
硕 shuò 655
(硃)zhū 890
硫 liú 462
硬 yìng 825
硝 xiāo 754
(硯)yàn 793
确 què 584

《8획》

碇 dìng 176
碗 wǎn 708
碎 suì 664
碰 pèng 534
碍 ài 4
碘 diǎn 166
碑 bēi 29
硼 péng 534

碉 diāo 170
碌 liù 463
lù 467
《9획》
碟 dié 172
碴 chá 81
碱 jiǎn 353
(碩)shuò 655
磋 cuō 133
磁 cí 125
碧 bì 41
碳 tàn 671
《10획》
磅 bàng 22
páng 529
磙 gǔn 277
(確)què 584
磕 kē 409
磊 lěi 438
(碼)mǎ 476
磐 pán 528
碾 niǎn 517
《11획》
磨 mó 500
mò 503
磬 qìng 576
磺 huáng 320
(磚)zhuān 896
《12획 이상》
礤 cǎ 70
磷 lín 457
礁 jiāo 364
(礎)chǔ 116
(礦)kuàng 422
(礬)fán 203
(礫)lì 446

103
龙

龙 lóng 463
袭 xí 736
聋 lóng 464
龛 kān 404
垄 lǒng 464

[103]
(龍)

(龍)lóng 463
(襲)xí 736
(聾)lóng 464
(龕)kān 404
(壟)lǒng 464

104
业

业 yè 803
亚 yà 787
(亞)yà 787
凿 záo 853
(業)yè 803
(叢)cóng 128

105
目

目 mù 505
《2획~5획》
盯 dīng 173
盲 máng 481
相 xiāng 748
xiàng 752
眍 kōu 415
盹 dǔn 189
省 shěng 625
xǐng 769
眨 zhǎ 857
盼 pàn 529
看 kān 404
kàn 404
盾 dùn 190
眉 méi 485
眩 xuàn 779
眬 lóng 464
眠 mián 492
《6획》
眷 juàn 395
眯 mī 490
mí 491
眶 kuàng 423
眺 tiào 684
睁 zhēng 873
眸 móu 503
眼 yǎn 791
着 zhāo 865
zháo 865
·zhe 869
zhuó 902
《7획~8획》
睐 lài 429
睒 shǎn 609
睑 jiǎn 352
鼎 dǐng 174
睛 jīng 383
睦 mù 505
睖 lèng 440
睹 dǔ 183
瞄 miáo 495
(睞)lài 429
睚 yá 786
睫 jié 371
督 dū 181
睬 cǎi 72
睡 shuì 652
《9획~10획》
睿 ruì 599
瞅 chǒu 111
睽 kuí 424
瞎 xiā 738
瞑 míng 499
瞌 kē 409
瞒 mán 479
瞋 chēn 93
《11획》
瞥 piē 541
(瞞)mán 479
(瞘)kōu 415
(縣)xiàn 746
瞟 piǎo 540
瞠 chēng 96
瞰 kàn 405
《12획 이상》
瞳 tóng 691
瞭 liào 454
(瞭)liǎo 454
瞬 shùn 653
瞧 qiáo 566
瞪 dèng 160
瞩 zhǔ 893
(矇)mēng 488
(瞼)jiǎn 352
瞻 zhān 859
(矓)lóng 464
(矚)zhǔ 893

106
田

田 tián 681
甲 jiǎ 347
申 shēn 618
由 yóu 830
电 diàn 167
《2획~3획》
亩 mǔ 504
男 nán 509
龟 guī 275
jūn 399
画 huà 315
备 bèi 31
甾 zāi 849
奋 fèn 219
《4획》

思 sī 656
畏 wèi 719
毗 pí 537
胃 wèi 719
界 jiè 374
《5획~6획》
(畝)mǔ 504
畜 chù 117
xù 776
畔 pàn 528
(畢)bì 39
留 liú 462
畚 běn 34
畦 qí 553
略 lüè 471
累 léi 437
lěi 438
lèi 439
《7획 이상》
富 fù 231
畴 chóu 109
番 fān 201
(畫)huà 315
(當)dāng 151
dàng 152
(奮)fèn 219
(壘)lěi 438
(疇)chóu 109
(纍)léi 437
lěi 438

107
罒

四 sì 657
罗 luó 472
罚 fá 200
罢 bà 12
(買)mǎi 477
署 shǔ 646
置 zhì 885
罪 zuì 915
罩 zhào 866
蜀 shǔ 647
罱 lǎn 431
(罰)fá 200
(罷)bà 12
(羅)luó 472

108
皿

皿 mǐn 496
《3획~5획》
盂 yú 836
孟 mèng 490
盅 zhōng 886
盆 pén 533
盈 yíng 824
益 yì 816
盏 zhǎn 859
盐 yán 790
监 jiān 351
jiàn 357
盎 àng 7
《6획》
盗 dào 156
盖 gài 234
盔 kuī 423
盛 chéng 99
shèng 626
蛊 gǔ 263
盒 hé 295
盘 pán 527
《7획 이상》
(盞)zhǎn 859
盟 méng 489
(監)jiān 351
jiàn 357
(盡)jìn 378
(盤)pán 527
(盧)lú 466
盥 guàn 272
(蠱)gǔ 263
(鹽)yán 790

109
生

生 shēng 623
(產)chǎn 83
甥 shēng 625

110
矢

矢 shǐ 633
矣 yǐ 814
知 zhī 878
矩 jǔ 392
矫 jiǎo 365
短 duǎn 185
矮 ǎi 2
雉 zhì 885
疑 yí 812
(矯)jiǎo 365

111
禾

禾 hé 293
《2획~3획》
利 lì 445
秃 tū 696
秀 xiù 774
私 sī 655
秆 gǎn 237
和 hé 293
hè 297
huó 328
huò 331
秉 bǐng 51
委 wěi 717
季 jì 342
《4획》
科 kē 408
秋 qiū 577
秕 bǐ 37
秒 miǎo 495
香 xiāng 749
种 zhǒng 887
zhòng 888
秭 zǐ 905
《5획》
秘 bì 39
mì 492
秤 chèng 101
秦 qín 570
秣 mò 502
乘 chéng 100
租 zū 911
秧 yāng 794
积 jī 335
秩 zhì 884
称 chèn 95
chēng 96
《6획~7획》
秸 jiē 368
秽 huì 326
移 yí 811
税 shuì 652
稍 shāo 614
shào 616
程 chéng 99
稀 xī 734
黍 shǔ 647
《8획》
稚 zhì 885
稗 bài 17
稠 chóu 110
颓 tuí 699
颖 yǐng 824
《9획~10획》
(稱)chèn 95
chēng 96

(種)zhǒng 887
zhòng 888
稳 wěn 722
稼 jià 349
稿 gǎo 243
(穀)gǔ 262
稽 jī 336
稷 jì 344
稻 dào 157
黎 lí 442
《11획 이상》
臻 zhēn 870
(積)jī 335
穆 mù 506
(穎)yǐng 824
(頹)tuí 699
穗 suì 664
黏 nián 517
(穫)huò 332
(穢)huì 326
(穩)wěn 722

112
白
白 bái 13
百 bǎi 15
皂 zào 854
帛 bó 55
的 ·de 158
dī 161
dí 162
dì 165
皇 huáng 319
皆 jiē 368
泉 quán 583
皎 jiǎo 365
(習)xí 735
皑 ái 2
皓 hào 293
魄 pò 546
(樂)lè 437
yuè 845
(皚)ái 2

113
瓜
瓜 guā 265
瓢 piáo 540
瓣 bàn 21
瓤 ráng 586

114
鸟
鸟 niǎo 518
《2획～4획》
凫 fú 225
鸠 jiū 387
鸡 jī 334
鸢 yuān 841
鸣 míng 498
鸩 zhèn 871
鸥 ōu 524
鸦 yā 785
鸨 bǎo 26
《5획》
鸵 tuó 703
莺 yīng 823
鸪 gū 260
鸬 lú 466
鸭 yā 785
鸯 yāng 794
鸳 yuān 841
鸶 sī 656
《6획～10획》
鸿 hóng 303
鸾 luán 470
鸽 gē 245
鸹 guā 265
鹁 bó 55
鹃 juān 395
鹄 hú 309
鹅 é 193
鹑 chún 124
鹉 wǔ 730
鹊 què 585
鹌 ān 6
鹏 péng 534
鹜 wù 732
鹤 hè 298
鹞 yào 801
《11획 이상》
鹧 zhè 869
鹦 yīng 823
鹫 jiù 390
鹬 yù 841
鹰 yīng 823
鹭 lù 468
鹳 guàn 272

[114]
(鳥)
(鳥)niǎo 518
《2획～4획》
(鳧)fú 225
(鳩)jiū 387
(鳶)yuān 841
(鳴)míng 498
(鳳)fèng 223
(鴉)yā 785
(鴇)bǎo 26
(鴆)zhèn 871
《5획》
(鴣)gū 260
(鴨)yā 785
(鴦)yāng 794
(鴕)tuó 703
(鴛)yuān 841
《6획～7획》
(鴰)guā 265
(鴿)gē 245
(鴻)hóng 303
(鵓)bó 55
(鵑)juān 395
(鵠)hú 309
(鵝)é 193
《8획～10획》
(鵡)wǔ 730
(鵲)què 585
(鵪)ān 6
(鵬)péng 534
(鶉)chún 124
(鶩)wù 732
(鷂)yào 801
(鷄)jī 334
(鶯)yīng 823
(鶴)hè 298
《11획 이상》
(鷗)ōu 524
(鷓)zhè 869
(鷲)jiù 390
(鷸)yù 841
(鷥)sī 656
(鷺)lù 468
(鷹)yīng 823
(鸕)lú 466
(鸛)guàn 272
(鸚)yīng 823
(鸞)luán 470

115
疒
《2획～3획》
疖 jiē 368
疗 liáo 453
疟 nüè 523
yào 799

疝 shàn 609
疙 gē 244
疚 jiù 389
疡 yáng 795
《4 획》
疣 yóu 830
疬 lì 444
疥 jiè 374
疮 chuāng 120
疯 fēng 222
疫 yì 816
疤 bā 10
《5 획》
疰 zhù 894
症 zhēng 873
zhèng 876
疳 gān 237
病 bìng 53
疸 dǎn 149
疽 jū 391
疹 zhěn 871
疾 jí 339
疼 téng 676
疱 pào 531
痉 jìng 385
疲 pí 537
痂 jiā 345
《6 획》
痒 yǎng 797
痔 zhì 884
痍 yí 811
疵 cī 125
痊 quán 583
痕 hén 299
《7 획》
痧 shā 605
痫 xián 744
痣 zhì 883
痘 dòu 181
痦 wù 732
痨 láo 433
痞 pǐ 537
(痙)jìng 385
痤 cuó 133
痢 lì 446
痪 huàn 318
痛 tòng 692
《8 획》
瘁 cuì 132
痰 tán 670
痳 má 475
痱 fèi 215
痹 bì 40
痼 gù 264
痴 chī 102
痿 wěi 717
《9 획》
瘘 lòu 465
瘩 ·da 145
瘌 là 427
(瘧)nüè 523
yào 799
(瘍)yáng 795
瘟 wēn 720
瘦 shòu 643
(瘋)fēng 222
瘙 sào 604
《10획~11획》
瘠 jí 339
(瘡)chuāng 120
瘪 biē 48
biě 49
瘢 bān 19
瘤 liú 463
瘫 tān 670
瘴 zhàng 863
(瘻)lòu 465
瘰 luǒ 473
瘾 yǐn 821
瘸 qué 584
《12획~13획》
(癆)láo 433
(療)liáo 453
癌 ái 2
癔 yì 817
癞 lài 429
(癤)jiē 368
癖 pǐ 537
《14획 이상》
(癢)yǎng 797
(癟)biē 48
biě 49
癣 xuǎn 779
(癥)zhēng 873
癫 diān 166
(癩)lài 429
(癮)yǐn 821
(癬)xuǎn 779
(癱)tān 670
(癲)diān 166

116 立

立 lì 444
《1획~6획》
产 chǎn 83
妾 qiè 568
亲 qīn 568
qìng 576
竖 shù 648
飒 sà 600
站 zhàn 860
竞 jìng 386
章 zhāng 861
竟 jìng 386
(産)chǎn 83
翌 yì 816
《7획 이상》
童 tóng 691
竣 jùn 399
靖 jìng 386
(竪)shù 648
意 yì 817
竭 jié 372
端 duān 184
(颯)sà 600
(競)jìng 386

117 穴

穴 xué 780
《2획~5획》
穷 qióng 577
究 jiū 387
空 kōng 413
kòng 414
帘 lián 448
穹 qióng 577
突 tū 696
窃 qiè 568
穿 chuān 118
窍 qiào 567
窄 zhǎi 858
窈 yǎo 799
《6획~7획》
窒 zhì 883
窕 tiǎo 684
窑 yáo 798
窜 cuàn 131
窝 wō 723
窖 jiào 367
窗 chuāng 120
窘 jiǒng 387
《8획~9획》
窣 sū 660
窥 kuī 423

窦 dòu 181
窠 kē 408
窟 kū 418
(窪)wā 704
(窩)wō 723
窬 yú 839
《10획 이상》
(窮)qióng 577
窳 yǔ 839
(窺)kuī 423
窸 xī 735
窿 lóng 464
(竅)qiào 567
(竄)cuàn 131
(竈)zào 854
(竇)dòu 181
(竊)qiè 568

118
疋(⺪)
蛋 dàn 150
疏 shū 645
楚 chǔ 116
疑 yí 812

119
皮
皮 pí 536
皱 zhòu 890
皲 jūn 399
颇 pō 545
皴 cūn 132
(皸)jūn 399
(頗)pō 545
(皺)zhòu 890

120
癶
登 dēng 159
(發)fā 198
凳 dèng 160

121
矛
矛 máo 483
柔 róu 594
矜 jīn 375
(務)wù 731
蟊 máo 483

122
耒
耒 lěi 438
耕 gēng 250
耘 yún 847
耖 chào 91
耗 hào 292
耙 bà 12
pá 525
耧 lóu 465
耦 ǒu 524
耪 pǎng 529
耩 jiǎng 360
(耬)lóu 465

123
老
老 lǎo 433
耄 mào 483

[123]
(耂)
考 kǎo 406
老 lǎo 433
孝 xiào 757
者 zhě 868
煮 zhǔ 893

124
耳
耳 ěr 196
《2획~4획》
耵 dīng 173
取 qǔ 580
耶 yē 801
闻 wén 722
耷 dā 135
耿 gěng 251
耽 dān 149
耻 chǐ 104
耸 sǒng 659
《5획~10획》
聍 níng 519
聋 lóng 464
职 zhí 880
聆 líng 458
聊 liáo 453
联 lián 448
聒 guō 277
(聖)shèng 626
聘 pìn 542
聚 jù 394
聪 cōng 127
聩 kuì 424
《11획 이상》
(聲)shēng 625
(聰)cōng 127
(聳)sǒng 659
(聯)lián 448
(職)zhí 880
(聵)kuì 424
(聹)níng 519
(聾)lóng 464
(聽)tīng 686

125
臣
臣 chén 93
卧 wò 724
臧 zāng 852
(竪)shù 648
(臨)lín 456
(鹽)yán 790

126
覀(西)
西 xī 733
要 yāo 798
yào 800
栗 lì 446
贾 gǔ 262
票 piào 540
粟 sù 662
(賈)gǔ 262
覆 fù 231

127
而
而 ér 196
耐 nài 509
耍 shuǎ 648

128
页
页 yè 803
《2획~3획》
顶 dǐng 173
顷 qǐng 576
项 xiàng 752
顺 shùn 653
须 xū 774
《4획~6획》
烦 fán 203
顽 wán 707

顾 gù 264
顿 dùn 189
颂 sòng 659
颁 bān 18
颀 qí 552
预 yù 840
硕 shuò 655
颅 lú 466
领 lǐng 459
颈 gěng 251
jǐng 384
颇 pō 545
颊 jiá 347
颌 hé 295

《7획 이상》

颐 yí 811
频 pín 542
颔 hàn 287
颓 tuí 699
颖 yǐng 824
颗 kē 408
额 é 193
颜 yán 790
题 tí 678
颚 è 194
颠 diān 166
嚣 xiāo 755
颤 chàn 84
zhàn 861
颧 quán 583

[128]
(頁)

(頁)yè 803

《2획~5획》

(頂)dǐng 173
(頃)qǐng 576
(項)xiàng 752
(順)shùn 653
(須)xū 774
(頑)wán 707
(頓)dùn 189
(頎)qí 552
(頒)bān 18
(頌)sòng 659
(煩)fán 203
(預)yù 840
(碩)shuò 655
(領)lǐng 459
(頗)pō 545

《6획~7획》

(頜)hé 295
(頤)yí 811
(頭)tóu 693
(頰)jiá 347
(頸)gěng 251
jǐng 384
(頻)pín 542
(頹)tuí 699
(頷)hàn 287
(穎)yǐng 824

《8획 이상》

(顆)kē 408
(題)tí 678
(顎)è 194
(顔)yán 790
(額)é 193
(顛)diān 166
(願)yuàn 844
(類)lèi 439
(囂)xiāo 755
(顧)gù 264
(顫)chàn 84
zhàn 861
(顯)xiǎn 745
(顱)lú 466
(顴)quán 583
(籲)yù 839

129
至

至 zhì 882
到 dào 154
致 zhì 882
臻 zhēn 870

130
虍

虎 hǔ 309
虏 lǔ 467
虐 nüè 523
虔 qián 561
虑 lǜ 469
虚 xū 774
(處)chǔ 116
chù 116
虞 yú 837
(虜)lǔ 467
(慮)lǜ 469
觑 qù 581
(膚)fū 224
(盧)lú 466
(戲)xì 737
(虧)kuī 423
(覷)qù 581
(獻)xiàn 747

[130]
(虎)

虎 hǔ 309
(號)háo 288
hào 291

131
虫

虫 chóng 107

《2획~3획》

虮 jǐ 340
虱 shī 629
虻 méng 489
闽 mǐn 497
虾 xiā 738
虹 hóng 303
虽 suī 663
蚁 yǐ 814
蚤 zǎo 853
蚂 mā 475
mǎ 477
mà 477

《4획》

蚪 dǒu 180
蚊 wén 722
蚌 bàng 22
蚕 cán 74
蚜 yá 786
蚣 gōng 255
蚝 háo 288
蚓 yǐn 821

《5획》

蛇 shé 616
蛀 zhù 894
萤 yíng 823
蛄 gū 260
蛎 lì 444
蛆 qū 580
蚰 yóu 831
蛊 gǔ 263
蚱 zhà 857
蚯 qiū 577
蛋 dàn 150

《6획》

蛮 mán 479
蛙 wā 704
蛭 zhì 883
蛰 zhé 868
蛲 náo 511

螄 sī 656
蛐 qū 579
蛤 gé 247
há 282
蛛 zhū 891
蜓 tíng 687
蜒 yán 788

《7 획》

蜣 qiāng 563
蜕 tuì 699
蜃 shèn 622
蜇 zhē 867
zhé 868
蜈 wú 729
蜗 wō 724
蜉 fú 226
蜊 lí 441
蛾 é 193
蜂 fēng 223
蛹 yǒng 827
蜀 shǔ 647

《8 획》

蜜 mì 492
蜿 wān 706
蝉 chán 83
螂 láng 431
蜻 qīng 573
蜡 là 427
蜥 xī 734
蜮 yù 840
蜚 fēi 213
fěi 214
(閩)mǐn 497
(蝸)wō 724
蝈 guō 277
蜴 yì 816
蝇 yíng 824
蜘 zhī 878
蜢 měng 490

《9 획》

蝣 yóu 832
蝼 lóu 465
蝤 yóu 832
蝙 biān 42
蝶 dié 172
蝻 nǎn 511
蝴 hú 309
蝠 fú 227
蝎 xiē 759
(蝸)wō 724
蝌 kē 408
蝮 fù 231
蝗 huáng 320
(蝦)xiā 738

《10 획》

螃 páng 529
(螢)yíng 823
螟 míng 499
螯 áo 8
螨 mǎn 480
蟒 mǎng 482
蟆 má 475
融 róng 594
(螞)mā 475
mǎ 477
mà 477
(螄)sī 656

《11 획》

蟑 zhāng 862
蟀 shuài 649
(蟄)zhé 868
蟥 huáng 320
(蟎)mǎn 480
螳 táng 673
(螻)lóu 465
螺 luó 473
(蟈)guō 277
蟋 xī 735

螽 zhōng 887
蟊 máo 483

《12 획～13획》

蟮 shàn 609
(蟯)náo 511
(蟲)chóng 107
(蟬)chán 83
(蟣)jǐ 340
(蟻)yǐ 814
蠋 zhú 892
(蠅)yíng 824
蟾 chán 83

《14획 이상》

蠕 rú 596
(蠣)lì 444
蠢 chǔn 124
蠡 lí 442
(蠟)là 427
蠹 dù 184
(蠱)gǔ 263
(蠶)cán 74
(蠻)mán 479

132 肉

肉 ròu 595

133 缶

缸 gāng 240
缺 quē 584
罂 yīng 823
罄 qìng 576
(罌)yīng 823
(罈)tán 670
罐 guàn 272

134 舌

舌 shé 616
乱 luàn 470
刮 guā 265
敌 dí 162
舍 shě 616
shè 617
舐 shì 634
甜 tián 681
鸹 guā 265
舒 shū 644
辞 cí 126
舔 tiǎn 682
(鴰)guā 265

135 竹(⺮)

竹 zhú 891

《3획～4획》

竿 gān 236
竽 yú 836
笃 dǔ 183
笔 bǐ 37
笑 xiào 758
笊 zhào 866
笏 hù 311
笋 sǔn 665
笆 bā 10

《5 획》

笠 lì 445
笺 jiān 349
笨 bèn 34
笼 lóng 464
lǒng 464
笛 dí 162
笙 shēng 625
符 fú 226
笱 gǒu 257

笞 chī 102
第 dì 165
笤 tiáo 683
《6 획》
筐 kuāng 422
等 děng 159
筑 zhù 895
策 cè 78
筘 kòu 417
筚 bì 40
筛 shāi 606
筒 tǒng 691
答 dā 135
dá 136
筏 fá 200
筵 yán 788
筋 jīn 376
筝 zhēng 873
(筆)bǐ 37
《7 획》
筷 kuài 420
简 jiǎn 353
筹 chóu 109
签 qiān 559
(節)jiē 368
jié 370
《8 획》
管 guǎn 270
箕 jī 335
箍 gū 261
(箋)jiān 349
算 suàn 662
箩 luó 473
箫 xiāo 755
《9 획》
篓 lǒu 465
箭 jiàn 357
篇 piān 539
箱 xiāng 749
(範)fàn 206
箴 zhēn 870
篑 kuì 424
篆 zhuàn 898
《10 획》
篙 gāo 243
篱 lí 441
(篤)dǔ 183
(築)zhù 895
篮 lán 430
篡 cuàn 131
(篳)bì 40
(篩)shāi 606
篦 bì 40
篷 péng 534
《11 획》
簇 cù 130
簧 huáng 320
簌 sù 662
(簍)lǒu 465
篾 miè 496
《12획~13획》
簪 zān 851
(簡)jiǎn 353
(簣)kuì 424
簿 bù 69
(簫)xiāo 755
(簾)lián 448
簸 bǒ 57
bò 57
籁 lài 429
籀 zhòu 890
(簽)qiān 559
《14획 이상》
籍 jí 339
(籌)chóu 109
(籃)lán 430
纂 zuǎn 913
(籠)lóng 464
lǒng 464
(籟)lài 429
(籤)qiān 559
(籬)lí 441
(籮)luó 473
(籲)yù 839

136
臼
臼 jiù 389
臾 yú 836
(兒)ér 195
舀 yǎo 799
舂 chōng 107
舅 jiù 389
(舊)jiù 388

[136]
(臼)
(與)yǔ 837
yù 839
(舉)jǔ 392
舆 yú 837

137
自
自 zì 905
息 xī 734
臬 niè 518
臭 chòu 111
xiù 774
鼻 bí 36

138
血
血 xiě 760
xuè 781
衅 xìn 766
(衆)zhòng 888

139
舟
舟 zhōu 889
《3획~4획》
舢 shān 607
舫 fǎng 210
航 háng 288
舰 jiàn 355
舱 cāng 75
般 bān 18
《5 획》
舵 duò 192
舷 xián 744
盘 pán 527
舶 bó 55
船 chuán 119
《6획 이상》
艄 shāo 614
艇 tǐng 688
艘 sōu 660
(盤)pán 527
(艙)cāng 75
(艦)jiàn 355

140
色
色 sè 604
shǎi 606
艳 yàn 793
(艷)yàn 793

141
齐
齐 qí 551
剂 jì 342
齑 jī 336

[141]
(齊)

(齊)qí 551
(劑)jì 342
(齋)zhāi 858
(齏)jī 336

142
衣

衣 yī 810
哀 āi 1
衰 shuāi 649
衷 zhōng 887
衮 gǔn 276
衾 qīn 570
袅 niǎo 518
袭 xí 736
袋 dài 146
袈 jiā 345
装 zhuāng 898
裁 cái 71
裂 liě 455
liè 455
亵 xiè 761
裟 shā 606
裘 qiú 578
(裏)lǐ 442
裔 yì 816
(裝)zhuāng 898
(裊)niǎo 518
裳 ·shang 614
裴 péi 532
裹 guǒ 279
(製)zhì 883
褒 bāo 24
(褻)xiè 761
襄 xiāng 750
(襲)xí 736

[142]
(衤)

《2획~4획》

补 bǔ 57
初 chū 114
衬 chèn 95
衫 shān 608
衩 chǎ 81
chà 81
袄 ǎo 8
(衹)zhǐ 880

《5획~6획》

袜 wà 704
袪 qū 580
袒 tǎn 671
袖 xiù 774
袍 páo 530
被 bèi 32
裆 dāng 152
袱 fú 225

《7획~8획》

裤 kù 418
(補)bǔ 57
裢 lián 448
裕 yù 839
裙 qún 585
裱 biǎo 48
褂 guà 266
裸 luǒ 473
裨 bì 40

《9획》

褛 lǚ 469
褊 biǎn 43
褡 dā 135
褙 bèi 31
褐 hè 297
(複)fù 230
褪 tuì 700
tùn 701

《10획 이상》

(褲)kù 418
(褳)lián 448
褥 rù 598
褴 lán 430
褫 chǐ 104
(褸)lǚ 469
(襖)ǎo 8
襟 jīn 377
(襠)dāng 152
(襪)wà 704
(襤)lán 430
(襯)chèn 95
襻 pàn 529

143
羊(⺷⺶)

羊 yáng 795

《3획~4획》

养 yǎng 796
差 chā 79
chà 81
chāi 82
cī 125
美 měi 486
姜 jiāng 358
羔 gāo 243
恙 yàng 797
羞 xiū 773

《5획~6획》

着 zhāo 865
zháo 865
·zhe 869
zhuó 902
盖 gài 234
羚 líng 458
羡 xiàn 747
善 shàn 609
翔 xiáng 750

《7획 이상》

(義)yì 814
群 qún 585
(養)yǎng 796
羹 gēng 250
羸 léi 438

144
米

米 mǐ 491

《3획~6획》

类 lèi 439
籼 xiān 742
娄 lóu 465
屎 shǐ 634
籽 zǐ 905
料 liào 454
粉 fěn 218
粒 lì 455
粘 nián 517
zhān 859
粗 cū 129
粪 fèn 219
粟 sù 662
粤 yuè 846
粥 zhōu 890

《7획~10획》

粮 liáng 450
粽 zòng 910
粹 cuì 132
精 jīng 383
粼 lín 457
糍 cí 126
糊 hū 308
hú 309
hù 311
糌 zān 851
糅 róu 595
糖 táng 672

糕 gāo 243
糙 cāo 76
《11획 이상》
縻 mí 491
糠 kāng 406
糟 zāo 853
(糞)fèn 219
(糧)liáng 450
糨 jiàng 360
糯 nuò 523
(糰)tuán 698
鬻 yù 841

145
聿(⺻)

(書)shū 644
(晝)zhòu 890
(畫)huà 315
肆 sì 658
肄 yì 817
肇 zhào 867

[145]
(⺻)

肃 sù 661
(肅)sù 661

[145]
(⺻)

(盡)jìn 378

146
艮

良 liáng 450
艰 jiān 350
垦 kěn 412
恳 kěn 413
(艱)jiān 350

[146]
(⺜)

即 jí 337
既 jì 342
暨 jì 343

147
羽

羽 yǔ 838
《4획~8획》
扇 shān 608
shàn 609
翅 chì 105
翁 wēng 723
翌 yì 816
翎 líng 458
(習)xí 735
翔 xiáng 750
翘 qiáo 566
qiào 567
翕 xī 735
翠 cuì 132
翡 fěi 214
《9획 이상》
翩 piān 539
翰 hàn 287
翱 áo 8
翳 yì 817
翼 yì 817
(翹)qiáo 566
qiào 567
翻 fān 202
耀 yào 801

148
糸

《1획~6획》
系 jì 342
xì 737
紊 wěn 722
素 sù 661
索 suǒ 666
紧 jǐn 377
萦 yíng 824
累 léi 437
lěi 438
lèi 439
紫 zǐ 905
絮 xù 777
《8획 이상》
(緊)jǐn 377
(縈)yíng 824
(縣)xiàn 746
繁 fán 204
(繭)jiǎn 352
(繫)jì 342
xì 737
(辮)biàn 46
纂 zuǎn 913
(纍)léi 437
lěi 438

[148]
(纟)

《2획~3획》
纠 jiū 387
丝 sī 655
红 hóng 302
纤 qiàn 563
xiān 743
约 yuē 845
纨 wán 707
级 jí 337
纪 jì 341
纫 rèn 591
《4 획》
纹 wén 721
纺 fǎng 210
纬 wěi 716
纯 chún 123
纰 pī 535
纱 shā 606
纲 gāng 240
纳 nà 508
纵 zòng 909
纶 lún 471
纷 fēn 218
纸 zhǐ 882
纽 niǔ 520
《5 획》
绊 bàn 21
线 xiàn 747
绀 gàn 239
练 liàn 449
组 zǔ 912
绅 shēn 619
细 xì 738
织 zhī 878
绌 chù 117
终 zhōng 887
绉 zhòu 890
绎 yì 815
经 jīng 381
jìng 385
绍 shào 615
《6 획》
绞 jiǎo 364
统 tǒng 692
绑 bǎng 22
绒 róng 593
结 jiē 368
jié 371
绕 rào 587
绘 huì 325
给 gěi 248
jǐ 340
绗 háng 288

绛 jiàng 360
络 lào 436
luò 473
绚 xuàn 779
绝 jué 396
《7 획》
继 jì 343
绢 juàn 395
绥 suí 663
绣 xiù 774
绦 tāo 673
《8 획》
综 zōng 908
绽 zhàn 861
绾 wǎn 709
绩 jì 344
绫 líng 459
绪 xù 777
续 xù 777
绮 qǐ 556
绯 fēi 213
绰 chāo 90
chuò 124
绳 shéng 625
维 wéi 716
绵 mián 492
绺 liǔ 463
绷 bēng 35
běng 35
bèng 35
绸 chóu 110
缀 zhuì 901
绿 lù 467
lǜ 469
《9 획》
缔 dì 165
缕 lǚ 469
编 biān 42
缄 jiān 351
缅 miǎn 493
缆 lǎn 430
缉 jī 336
qī 551
缓 huǎn 317
缎 duàn 185
缘 yuán 844
《10 획》
缤 bīn 49
缠 chán 83
缢 yì 816
缜 zhěn 871
缚 fù 232
缛 rù 598
辔 pèi 533
缝 féng 223
fèng 224
《11획 이상》
缩 suō 665
缥 piāo 540
缨 yīng 823
缫 sāo 603
缮 shàn 609
缭 liáo 453
缰 jiāng 359
缴 jiǎo 366

[148]
(糹)

《2획~4획》
(糾)jiū 387
(紅)hóng 302
(約)yuē 845
(紈)wán 707
(級)jí 337
(紀)jì 341
(紉)rèn 591
(純)chún 123
(紕)pī 535
(紗)shā 606
(納)nà 508
(紛)fēn 218
(紙)zhǐ 882
(紋)wén 721
(紡)fǎng 210
(紐)niǔ 520
《5 획》
(紺)gàn 239
(組)zǔ 912
(紳)shēn 619
(細)xì 738
(終)zhōng 887
(絆)bàn 21
(絀)chù 117
(紹)shào 615
《6 획》
(綁)bǎng 22
(絨)róng 593
(結)jiē 368
jié 371
(絎)háng 288
(給)gěi 248
jǐ 340
(絢)xuàn 779
(絳)jiàng 360
(絡)lào 436
luò 473
(絕)jué 396
(絞)jiǎo 364
(統)tǒng 692
(絲)sī 655
《7 획》
(經)jīng 381
jìng 385
(絹)juàn 395
(綉)xiù 774
(綏)suí 663
《8 획》
(緒)xù 777
(綾)líng 459
(綺)qǐ 556
(綫)xiàn 747
(緋)fēi 213
(綽)chāo 90
chuò 124
(綱)gāng 240
(網)wǎng 710
(維)wéi 716
(綿)mián 492
(綸)lún 471
(綳)bēng 35
běng 35
bèng 35
(綢)chóu 110
(綹)liǔ 463
(綜)zōng 908
(綻)zhàn 861
(綰)wǎn 709
(緑)lù 467
lǜ 469
(綴)zhuì 901
《9 획》
(練)liàn 449
(緘)jiān 351
(緬)miǎn 493
(緝)jī 336
qī 551
(緞)duàn 185
(緩)huǎn 317
(締)dì 165
(編)biān 42
(緯)wěi 716
(緣)yuán 844
《10 획》
(縝)zhěn 871
(縛)fù 232
(縟)rù 598

(緻)zhì 882
(縧)tāo 673
(縫)féng 223
fèng 224
(縐)zhòu 890
(縊)yì 816

《11획》

(績)jì 344
(縹)piāo 540
(縷)lǚ 469
(總)zǒng 909
(縱)zòng 909
(縴)qiàn 563
suō 665
(繅)sāo 603

《12획》

(繭)jiǎn 352
(繞)rào 587
(繚)liáo 453
(織)zhī 878
(繕)shàn 609

《13획》

(繮)jiāng 359
(繩)shéng 625
(繹)yì 815
(繳)jiǎo 366
(繪)huì 325

《14획 이상》

(繽)bīn 49
(繼)jì 343
(續)xù 777
(纏)chán 83
(轡)pèi 533
(變)biàn 43
(纓)yīng 823
(纖)xiān 743
(纔)cái 70
(纜)lǎn 430

149 麦

麦 mài 478
麸 fū 224

[149] (麥)

(麥)mài 478
(麩)fū 224
(麴)qū 579
(麵)miàn 494

150 走

走 zǒu 910

《2획~5획》

赴 fù 228
赵 zhào 866
赳 jiū 387
赶 gǎn 237
起 qǐ 553
越 yuè 846
趁 chèn 95
趋 qū 580
超 chāo 89

《6획 이상》

趔 liè 455
(趙)zhào 866
(趕)gǎn 237
趣 qù 581
趟 tàng 673
(趨)qū 580

151 赤

赤 chì 105
赦 shè 618
赧 nǎn 511
赫 hè 297
赭 zhě 868

152 豆

豆 dòu 180
豇 jiāng 358
(豈)qǐ 553
壹 yī 811
逗 dòu 180
短 duǎn 185
登 dēng 159
豌 wān 707
(頭)tóu 693
(豐)fēng 219
(豔)yàn 793

153 酉

酉 yǒu 834

《2획~5획》

酋 qiú 579
酊 dīng 173
酌 zhuó 902
配 pèi 532
酝 yùn 848
酗 xù 777
酚 fēn 218
酣 hān 284
酢 zuò 918
酥 sū 660

《6획~7획》

酱 jiàng 360
酬 chóu 110
酩 mǐng 499
酪 lào 436
酯 zhǐ 882
酿 niàng 518
酵 jiào 367
酽 yàn 794
酷 kù 419
酶 méi 486
酸 suān 662

《8획~10획》

醇 chún 124
醉 zuì 914
醋 cù 130
醛 quán 583
醒 xǐng 769
(醜)chǒu 110
醑 xǔ 776
(醞)yùn 848

《11획 이상》

(醫)yī 810
(醬)jiàng 360
醴 lǐ 443
醺 xūn 782
(釀)niàng 518
(釅)yàn 794
(釁)xìn 766

154 辰

辰 chén 95
辱 rǔ 597
唇 chún 123
晨 chén 95
蜃 shèn 622
(農)nóng 520

155 豕

豕 shǐ 633
家 jiā 346
·jia 346
象 xiàng 752
豪 háo 289
豫 yù 841

156
卤

卤 lǔ 466

[156]
(鹵)

(鹵)lǔ 466
(鹹)xián 745
(鹽)yán 790

157
里

里 lǐ 442
厘 lí 441
重 chóng 107
zhòng 888
野 yě 802
量 liáng 451
liàng 452
童 tóng 691

158
足(⻊)

足 zú 911
《2획~4획》
趴 pā 525
趸 dǔn 189
趼 jiǎn 353
距 jù 393
趾 zhǐ 880
跄 qiàng 565
跃 yuè 846
《5획》
跎 tuó 703
践 jiàn 355
跖 zhí 880
跋 bá 11
跚 shān 608
跌 diē 172
跑 pǎo 530
跞 lì 446
跛 bǒ 57
跆 tái 668
《6획》
跤 jiāo 363
跻 jī 334
跹 jiǎn 353
跨 kuà 419
跷 qiāo 565
跳 tiào 684
路 lù 468
跺 duò 192
跪 guì 276
跟 gēn 249
《7획~8획》
踉 liàng 452
踌 chóu 110
踅 xué 781
踊 yǒng 827
踪 zōng 908
踯 zhí 880
踔 chuò 124
(踐)jiàn 355
踝 huái 315
踢 tī 677
踩 cǎi 72
踞 jù 394
踏 tā 667
tà 667
《9획~10획》
蹄 tí 677
踱 duó 191
蹉 cuō 133
蹀 dié 172
踹 chuài 117
踵 zhǒng 888
(踴)yǒng 827
蹂 róu 595
蹑 niè 518
蹒 pán 528
蹋 tà 667
蹈 dǎo 154
蹊 qī 551
xī 735
(蹌)qiàng 565
《11획》
蹩 bié 49
蹰 chú 116
(蹣)pán 528
蹙 cù 130
蹚 tāng 672
蹦 bèng 35
《12획》
蹿 cuān 131
蹴 cù 130
蹲 dūn 189
蹭 cèng 78
(蹺)qiāo 565
(躉)dǔn 189
蹶 jué 398
蹰 chú 116
蹼 pǔ 549
蹬 dēng 159
《13획 이상》
躁 zào 854
躅 zhú 892
(躋)jī 334
(躑)zhí 880
(躊)chóu 110
躏 lìn 457
(躍)yuè 846
(躒)lì 446
(躥)cuān 131
(躡)niè 518
(躪)lìn 457

159
邑

邑 yì 816
扈 hù 311

[159]
(阝右)

《2획~4획》
邓 dèng 160
邦 bāng 21
邢 xíng 768
邪 xié 759
那 nà 508
哪 nǎ 507
·na 509
《5획~7획》
邮 yóu 830
邻 lín 456
邸 dǐ 162
郊 jiāo 362
郑 zhèng 876
郎 láng 431
耶 yē 801
郁 yù 839
郡 jùn 399
《8획 이상》
部 bù 69
郭 guō 277
都 dōu 179
dū 181
(郵)yóu 830
(鄉)xiāng 748
(鄰)lín 456
(鄭)zhèng 876
(鄧)dèng 160

160
身

身 shēn 619

射 shè 617
躬 gōng 253
躯 qū 579
躲 duǒ 192
躺 tǎng 673
(軀)qū 579

161
釆

悉 xī 735
番 fān 201
釉 yòu 835
释 shì 638
(釋)shì 638

162
谷

谷 gǔ 262
欲 yù 839
豁 huō 328
huò 332

163
豸

豺 chái 82
豹 bào 28
貂 diāo 170
貉 háo 289
hé 297
貌 mào 484

164
龟

龟 guī 275
jūn 399

[164]
(龜)

(龜)guī 275
jūn 399

165
角

角 jiǎo 364
jué 396
触 chù 117
解 jiě 372
jiè 375
xiè 761
(觸)chù 117

166
言

言 yán 789
《2획~4획》
(計)jì 340
(訂)dìng 174
(訃)fù 228
(訌)hòng 304
(討)tǎo 674
(訕)shàn 609
(訖)qì 557
(訓)xùn 783
(這)zhè 868
zhèi 869
(訊)xùn 784
(記)jì 341
(訝)yà 787
(訥)nè 513
(許)xǔ 776
(訟)sòng 659
(設)shè 617
(訪)fǎng 209
(訣)jué 396
《5획》
(詁)gǔ 261
(訶)hē 293
(評)píng 544
(詛)zǔ 912
(詐)zhà 857
(訴)sù 661
(診)zhěn 871
(詆)dǐ 162
(詞)cí 125
(詔)zhào 865
《6획》
(誆)kuāng 422
(試)shì 635
(詩)shī 629
(詰)jié 371
(誇)kuā 419
(詼)huī 321
(誠)chéng 99
(誅)zhū 890
(話)huà 314
(誕)dàn 150
(詬)gòu 258
(詮)quán 582
(詭)guǐ 275
(詢)xún 782
(詣)yì 816
(諍)zhèng 876
(該)gāi 233
(詳)xiáng 750
(詫)chà 81
(詡)xǔ 776
誊 téng 677
誉 yù 841
《7획》
誓 shì 638
(誡)jiè 374
(誣)wū 725
(語)yǔ 838
(誤)wù 731
(誘)yòu 835
(誨)huì 326
(誑)kuáng 422
(說)shuì 652
shuō 654
(認)rèn 591
(誦)sòng 659
《8획》
(請)qǐng 576
(諸)zhū 891
(諾)nuò 523
(誹)fěi 214
(課)kè 412
(諉)wěi 717
(諛)yú 836
(誰)shéi 618
(論)lún 471
lùn 472
(諗)shěn 622
(調)diào 171
tiáo 683
(諒)liàng 452
(諄)zhūn 901
(談)tán 670
(誼)yì 816
《9획》
(謀)móu 503
(諜)dié 172
(謊)huǎng 321
(諧)xié 760
(謔)xuè 782
(謁)yè 804
(謂)wèi 719
(諭)yù 840
(諷)fěng 223
(諺)yàn 793
(諦)dì 165
(謎)mí 491
(諢)hùn 327
(諱)huì 324
《10획》
(謄)téng 677

(講)jiǎng 359
(謝)xiè 761
(謠)yáo 798
(謅)zhōu 889
(謗)bàng 22
(謙)qiān 560

《11획~12획》

(謹)jǐn 378
(謳)ōu 524
(謾)màn 480
(謫)zhé 868
(謬)miù 500
警 jǐng 384
(譖)zèn 856
(識)shí 630
zhì 883
(譜)pǔ 549
(證)zhèng 876
(譎)jué 398
(譏)jī 333

《13획 이상》

(譽)yù 841
(護)hù 310
(譴)qiǎn 562
(譯)yì 815
(譫)zhān 859
(議)yì 814
譬 pì 538
(讀)dú 182
(讕)lán 430
(讒)chán 83
(讓)ràng 587

[166]
(讠)

《2획》

计 jì 340
订 dìng 174
讣 fù 228
认 rèn 591
讥 jī 333

《3획》

讧 hòng 304
讨 tǎo 674
让 ràng 587
讯 xùn 784
讪 shàn 609
议 yì 814
讫 qì 557
训 xùn 783
记 jì 341

《4획》

访 fǎng 209
讲 jiǎng 359
讳 huì 324
讴 ōu 524
讶 yà 787
讷 nè 513
论 lún 471
lùn 472
讼 sòng 659
许 xǔ 776
讽 fěng 223
设 shè 617
诀 jué 396

《5획》

评 píng 544
证 zhèng 876
诂 gǔ 261
诃 hē 293
诅 zǔ 912
识 shí 630
zhì 883
诊 zhěn 871
诈 zhà 857
诉 sù 661
诋 dǐ 162
诌 zhōu 889
译 yì 815
词 cí 125
诏 zhào 865

《6획》

诧 chà 81
该 gāi 233
详 xiáng 750
诨 hùn 327
诓 kuāng 422
试 shì 635
诗 shī 629
诘 jié 371
诙 huī 321
诚 chéng 99
诠 quán 582
诛 zhū 890
话 huà 314
诞 dàn 150
诟 gòu 258
诡 guǐ 275
询 xún 782
诣 yì 816
诤 zhèng 876
诩 xǔ 776

《7획》

说 shuì 652
shuō 654
诫 jiè 374
诬 wū 725
语 yǔ 838
误 wù 731
诱 yòu 835
诲 huì 326
诳 kuáng 422
诵 sòng 659

《8획》

谊 yì 816
谅 liàng 452
谆 zhūn 901
谈 tán 670
请 qǐng 576
诸 zhū 891
诺 nuò 523
读 dú 182
诽 fěi 214
课 kè 412
谂 shěn 622
诿 wěi 717
谁 shéi 618
谀 yú 836
调 diào 171
tiáo 683

《9획》

谛 dì 165
谚 yàn 793
谜 mí 491
谎 huǎng 321
谋 móu 503
谍 dié 172
谐 xié 760
谑 xuè 782
谒 yè 804
谓 wèi 719
谕 yù 840
谗 chán 83

《10획 이상》

谤 bàng 22
谦 qiān 560
谣 yáo 798
谢 xiè 761
谪 zhé 868
谨 jǐn 378
谩 màn 480
谬 miù 500
谰 lán 430
谱 pǔ 549
谮 zèn 856
谲 jué 398

谴 qiǎn 562
谵 zhān 859

167 辛

辛 xīn 764
辜 gū 260
辞 cí 126
辟 bì 40
pī 538
辣 là 427
辨 biàn 46
辩 biàn 45
(辦)bàn 19
辫 biàn 46
(辭)cí 126
瓣 bàn 21
(辮)biàn 46
(辯)biàn 45

168 青

青 qīng 570
靖 jìng 386
静 jìng 385
靛 diàn 169

169 卓

乾 qián 561
(乾)gān 235
韩 hán 286
朝 cháo 90
zhāo 865
(幹)gàn 239
斡 wò 724
翰 hàn 287
(韓)hán 286

170 雨(⻗)

雨 yǔ 838
《3획~7획》
雪 xuě 781
(雲)yún 846
雳 lì 444
(電)diàn 167
雷 léi 438
零 líng 458
雾 wù 731
雹 báo 24
霁 jì 342
需 xū 775
霆 tíng 687
震 zhèn 871
霄 xiāo 754
霉 méi 486
《8획~12획》
霎 shà 606
霖 lín 456
霏 fēi 213
霍 huò 332
霓 ní 515
霜 shuāng 650
霞 xiá 739
霭 ǎi 3
(霧)wù 731
霰 xiàn 748
《13획 이상》
霸 bà 13
露 lòu 466
lù 468
霹 pī 536
(霽)jì 342
霾 mái 477
(靄)ǎi 3
(靂)lì 444
(靈)líng 458

171 非

非 fēi 212
韭 jiǔ 388
辈 bèi 32
斐 fěi 214
悲 bēi 30
蜚 fēi 213
fěi 214
裴 péi 532
翡 fěi 214
(輩)bèi 32
靠 kào 407
靡 mí 491
mǐ 491

172 齿

齿 chǐ 104
啮 niè 519
龃 jǔ 392
龄 líng 458
龅 bāo 24
龇 zī 904
龈 yín 820
龉 yǔ 839
龊 chuò 124
龋 qǔ 581
龌 wò 724

[172] (齒)

(齒)chǐ 104
(齟)jǔ 392
(齡)líng 458
(齣)chū 111
(齙)bāo 24
(齜)zī 904
(齦)yín 820
(齬)yǔ 839
(齪)chuò 124
(齲)qǔ 581
(齷)wò 724

173 黾

鼋 yuán 842
鼍 tuó 703

[173] (黽)

(黿)yuán 842
(竈)zào 854
(鼉)tuó 703

174 隹

《2획~6획》
隼 sǔn 665
隽 juàn 395
难 nán 510
nàn 511
(隻)zhī 878
雀 qiāo 565
qiǎo 566
què 585
售 shòu 643
焦 jiāo 363
雇 gù 265
集 jí 339
雁 yàn 794
雄 xióng 772
雅 yǎ 786
雍 yōng 827
截 jié 372
雉 zhì 885
雏 chú 115
雌 cí 125

《8획 이상》
雕 diāo 170
(虧)kuī 423
(雖)suī 663
(雜)zá 849
(離)lí 441
(雙)shuāng 650
(雛)chú 115
(難)nán 510
nàn 511
耀 yào 801

175
阜

阜 fù 230

[175]
(阝左)

《2획~4획》
队 duì 186
阡 qiān 559
防 fáng 208
阱 jǐng 384
阵 zhèn 871
阳 yáng 795
阶 jiē 368
阴 yīn 818
《5획》
陀 tuó 702
陆 liù 463
lù 467
际 jì 342
阿 ā 1
ē 193
陈 chén 94
阻 zǔ 912
附 fù 229
《6획》
陕 shǎn 609
陋 lòu 465
陌 mò 502
降 jiàng 360
xiáng 750
限 xiàn 746
《7획》
院 yuàn 844
陡 dǒu 180
(陝)shǎn 609
陛 bì 40
(陣)zhèn 871
陨 yǔn 847
险 xiǎn 745
除 chú 115
《8획》
陪 péi 531
(陸)liù 463
lù 467
陵 líng 459
(陳)chén 94
(陰)yīn 818
陲 chuí 122
陶 táo 673
陷 xiàn 747
《9획》
堕 duò 192
随 suí 663
(階)jiē 368
(陽)yáng 795
隅 yú 837
隍 huáng 319
(隊)duì 186
隆 lōng 463
lóng 464
隐 yǐn 821
《10획 이상》
隘 ài 3
隔 gé 246
隙 xì 738
(隕)yǔn 847
障 zhàng 863
(際)jì 342
(墮)duò 192
隧 suì 664
(隨)suí 663
(險)xiǎn 745
(隱)yǐn 821

176
金

金 jīn 376
《2획~3획》
(針)zhēn 869
(釘)dīng 173
dìng 175
(釣)diào 171
(釵)chāi 82
《4획》
(鈣)gài 234
(鈈)bù 68
(鈦)tài 669
(鈍)dùn 189
(鈔)chāo 89
(鈉)nà 509
(欽)qīn 570
(鈞)jūn 399
(鈎)gōu 257
(鈕)niǔ 520
《5획》
鉴 jiàn 357
(鉗)qián 561
(鈷)gǔ 261
(鉢)bō 54
(鉀)jiǎ 347
(鈿)diàn 169
tián 681
(鈾)yóu 831
(鉑)bó 55
(鈴)líng 458
(鉛)qiān 560
(鉚)mǎo 483
《6획》
(銬)kào 407
(鋁)lǚ 468
(銅)tóng 691
(銖)zhū 891
(銑)xǐ 736
(鋌)tǐng 688
(銘)míng 498
(鉻)gè 248
(錚)zhēng 873
zhèng 876
(鉸)jiǎo 365
(銥)yī 810
(銨)ǎn 6
(銀)yín 819
《7획》
(鋪)pū 548
pù 549
(銷)xiāo 754
(鋥)zèng 856
(鋇)bèi 31
(鋤)chú 115
(鋰)lǐ 443
(銹)xiù 774
(銼)cuò 134
(鋒)fēng 222
(鋅)xīn 764
(鋭)ruì 598
(鋃)láng 432
《8획》
(錶)biǎo 47
(鍺)zhě 868
(錯)cuò 134
(錨)máo 483
(錛)bēn 33
(錢)qián 561

(錫)xī 735
(錮)gù 264
(鋼)gāng 240
gàng 241
(鍋)guō 277
(錘)chuí 122
(錐)zhuī 900
(錦)jǐn 378
(鍁)xiān 743
(錠)dìng 176
(鍵)jiàn 357
(録)lù 467
(鋸)jù 394
(錳)měng 490
(錙)zī 904
《9획》
(鍥)qiè 568
(鍘)zhá 857
(鍬)qiāo 565
(鍾)zhōng 886
(鍛)duàn 185
(鍍)dù 184
(鎂)měi 487
《10획》
(鏵)huá 313
(鎮)zhèn 872
(鏈)liàn 450
(鎘)gé 247
(鎖)suǒ 665
(鎧)kǎi 403
(鎸)juān 395
(鎳)niè 518
(鎢)wū 725
(鎦)liú 463
(鎬)gǎo 243
(鎊)bàng 22
《11획~12획》
(鏗)kēng 413
(鏢)biāo 47
(鏤)lòu 466
(鏡)jìng 386
(鏟)chǎn 84
(鏃)zú 912
(鏘)qiāng 563
鏖 áo 8
(鐐)liào 454
(鐘)zhōng 886
(鐙)dèng 160
《13획~14획》
(鐵)tiě 685
(鐳)léi 438
(鐺)dāng 152
(鐲)zhuó 903
(鐮)lián 449
(鑒)jiàn 357
(鑄)zhù 895
《15획 이상》
(鑠)shuò 655
(鑞)là 427
(鑰)yào 801
yuè 845
(鑲)xiāng 750
(鑷)niè 518
(鑹)cuān 131
(鑼)luó 473
(鑽)zuān 913
zuàn 913
(鑿)záo 853

[176]
(钅)

《2획~3획》
针 zhēn 869
钉 dīng 173
dìng 175
钓 diào 171
钗 chāi 82
《4획》
钙 gài 234
钚 bù 68
钛 tài 669
钝 dùn 189
钞 chāo 89
钟 zhōng 886
钡 bèi 31
钢 gāng 240
gàng 241
钠 nà 509
钧 jūn 399
钥 yào 801
yuè 845
钦 qīn 570
钩 gōu 257
钨 wū 725
钮 niǔ 520
《5획》
钱 qián 561
钳 qián 561
钴 gǔ 261
钵 bō 54
钻 zuān 913
zuàn 913
钾 jiǎ 347
钿 diàn 169
tián 681
铀 yóu 831
铃 líng 458
铁 tiě 685
铂 bó 55
铅 qiān 560
铆 mǎo 483
铄 shuò 655
《6획》
铵 ǎn 6
铲 chǎn 84
铰 jiǎo 365
铱 yī 810
铐 kào 407
铛 dāng 152
铝 lǚ 468
铜 tóng 691
铠 kǎi 403
铡 zhá 857
铢 zhū 891
铣 xǐ 736
铤 tǐng 688
铧 huá 313
铭 míng 498
铬 gè 248
铮 zhēng 873
zhèng 876
银 yín 819
《7획》
锌 xīn 764
锐 ruì 598
锒 láng 432
铸 zhù 895
铺 pū 548
pù 549
链 liàn 450
销 xiāo 754
锁 suǒ 665
铿 kēng 413
锃 zèng 856
锂 lǐ 443
锄 chú 115
锅 guō 277
锉 cuò 134
锈 xiù 774
锋 fēng 222
《8획》
锭 dìng 176
锗 zhě 868
错 cuò 134
锚 máo 483
锛 bēn 33

锡 xī 735
锢 gù 264
锣 luó 473
锤 chuí 122
锥 zhuī 900
锦 jǐn 378
锨 xiān 743
键 jiàn 357
锯 jù 394
锰 měng 490
锱 zī 904
《9획》
锵 qiāng 563
镀 dù 184
镁 měi 487
镂 lòu 466
锲 qiè 568
锹 qiāo 565
锻 duàn 185
《10획》
镑 bàng 22
镐 gǎo 243
镊 niè 518
镇 zhèn 872
镉 gé 247
镌 juān 395
镍 niè 519
镏 liú 463
《11획~12획》
镜 jìng 386
镞 zú 912
镖 biāo 47
镩 cuān 131
镣 liào 454
镫 dèng 160
《13획 이상》
镰 lián 449
镭 léi 438
镯 zhuó 903
镴 là 427
镶 xiāng 750

177
鱼

鱼 yú 836
《4획~5획》
鱿 yóu 830
鲁 lǔ 467
鲅 bà 13
鲇 nián 517
鲈 lú 466
鲍 bào 28
鲐 tái 668
《6획~7획》
鮟 ān 5
鲜 xiān 743
xiǎn 746
鲑 guī 275
鲟 xún 783
鲨 shā 606
鲡 lí 441
鲠 gěng 251
鲢 lián 448
鲤 lǐ 443
鲫 jì 344
《8획 이상》
鲸 jīng 383
鲱 fēi 213
鲳 chāng 85
鲵 ní 515
鳃 sāi 600
鳄 è 194
鳅 qiū 578
鳍 qí 553
鳏 guān 270
鱇 kāng 406
鳖 biē 48
鳕 xuě 781
鳔 biào 48
鳗 mán 479
鳞 lín 457

[177]
(魚)

(魚)yú 836
《4획~5획》
(魷)yóu 830
(魯)lǔ 467
(鮁)bà 13
(鮎)nián 517
(鮑)bào 28
(鮐)tái 668
《6획~7획》
(鮭)guī 275
(鮮)xiān 743
xiǎn 746
(鮟)ān 5
(鯁)gěng 251
(鯉)lǐ 443
(鯽)jì 344
(鯊)shā 606
《8획 이상》
(鯡)fēi 213
(鯧)chāng 85
(鯢)ní 515
(鯨)jīng 383
(鰓)sāi 900
(鰐)è 194
(鰍)qiū 578
(鰭)qí 553
(鰱)lián 448
(鰥)guān 270
(鰾)biào 48
(鱈)xuě 781
(鰻)mán 479
(鱇)kāng 406
(鱉)biē 48
(鱗)lín 457
(鱘)xún 783
(鱸)lú 466
(鱺)lí 441

178
隶

隶 lì 446
(隸)lì 446

179
革

革 gé 246
《2획~6획》
勒 lè 437
lēi 437
靴 xuē 780
靶 bǎ 12
靿 yào 801
鞍 ān 5
鞋 xié 760
(鞏)gǒng 255
《7획 이상》
鞘 qiào 567
shāo 614
鞠 jū 391
鞭 biān 42
鞣 róu 595

180
面

面 miàn 494

181
韭

韭 jiǔ 388
齑 jī 336
(齏)jī 336

182
骨

骨 gū 261
gǔ 262
(骯)āng 7
骰 tóu 695
骷 kū 417
骸 hái 283
骼 gé 246
髅 lóu 465
髋 kuān 421
(髏)lóu 465
(髒)zāng 852
髓 suǐ 664
(體)tī 677
tǐ 678
(髖)kuān 421

183
香

香 xiāng 749
馥 fù 231
馨 xīn 765

184
鬼

鬼 guǐ 275
魁 kuí 424
魅 mèi 487
魂 hún 327
魄 pò 546
魇 yǎn 791
魏 wèi 720
魔 mó 510
(魘)yǎn 791

185
食

食 shí 632
餐 cān 73

[185]
(饣)

《2획~4획》
饥 jī 333
饧 xíng 769
饨 tún 701
饪 rèn 592
饬 chì 105
饭 fàn 206
饮 yǐn 821
yìn 822
《5획~6획》
饯 jiàn 355
饰 shì 637
饱 bǎo 24
饴 yí 811
饲 sì 658
饵 ěr 197
饶 ráo 587
蚀 shí 633
饷 xiǎng 751
饺 jiǎo 364
饼 bǐng 52
《7획~8획》
馁 něi 513
饿 è 194
馆 guǎn 270
馄 hún 327
馅 xiàn 747
《9획 이상》
馈 kuì 424
馊 sōu 660
馋 chán 83
馏 liú 463
liù 463
馑 jǐn 378
馒 mán 479

[185]
(飠)

《2획~4획》
(飢)jī 333
(飩)tún 701
(飪)rèn 592
(飭)chì 105
(飯)fàn 206
(飲)yǐn 821
yìn 822
《5획~6획》
(飾)shì 637
(飽)bǎo 24
(飼)sì 658
(飴)yí 811
(餌)ěr 197
(蝕)shí 633
(餉)xiǎng 751
(餃)jiǎo 364
(餅)bǐng 52
《7획~8획》
(餓)è 194
(餒)něi 513
(餞)jiàn 355
(餛)hún 327
(餡)xiàn 747
(館)guǎn 270
《9획 이상》
(餳)xíng 769
(餿)sōu 660
(餾)liú 463
liù 463
(饉)jǐn 378
(饅)mán 479
(饒)ráo 587
(饋)kuì 424
(饑)jī 333
(饞)chán 83

186
音

音 yīn 819
章 zhāng 861
竟 jìng 386
韵 yùn 848
意 yì 817
韶 sháo 615
(響)xiǎng 751

187
首

首 shǒu 642

188
髟

(髮)fà 201
髯 rán 586
髻 jì 344
髭 zī 904
鬃 zōng 908
鬈 quán 583
(鬆)sōng 658
(鬍)hú 308
鬓 bìn 50
(鬚)xū 774
(鬢)bìn 50
鬣 liè 456

189
鬲

融 róng 594
鬻 yù 841

190
鬥

(鬥)dòu 180
(鬮)jiū 387

191 高

高 gāo 241
敲 qiāo 565
膏 gāo 243
gào 244

192 黄

黄 huáng 320

193 麻

麻 mā 475
má 475
(麼)·me 484
麾 huī 322
摩 mó 500
磨 mó 500
mò 503
糜 mí 491
靡 mí 491
mǐ 491
魔 mó 501

194 鹿

鹿 lù 467
(塵)chén 93
麒 qí 553
麓 lù 467
(麗)lí 441
lì 445
麝 shè 618
麟 lín 457

195 鼎

鼎 dǐng 174

196 黑

黑 hēi 298
墨 mò 503
默 mò 503
黔 qián 561
(點)diǎn 166
黜 chù 117
黠 xiá 739
黢 qū 580
黩 dú 183
(黨)dǎng 152
黯 àn 7
(黴)méi 486
(黷)dú 183

197 黍

黍 shǔ 647
黏 nián 517

198 鼓

鼓 gǔ 263
(鼕)dōng 177

199 鼠

鼠 shǔ 647
鼬 yòu 835
鼯 wú 729
鼹 yǎn 793

200 鼻

鼻 bí 36
鼾 hān 284
齆 wèng 723

※본 부수 검자 색인은 〈汉字统一部首表(草案)〉에 의거함.

A

a ㄚ

阿 ā (아)
접두〈方〉① 호칭의 앞에 붙여 친근감을 나타내는 말. ❑ ~洪! 홍군아! ② 일부 친척의 호칭에 붙이는 말. ❑ ~爹; 아버지. ⇒ē

[阿尔卑斯] Ā'ěrbēisī 명〖地〗〈音〉 알프스(Alps). ❑ ~山脉; 알프스 산맥.

[阿尔茨海默病] ā'ěrcíhǎimòbìng 명〖醫〗〈音〉 알츠하이머병(Alzheimer病).

[阿尔法] ā'ěrfǎ 명〈音〉 알파(α).

[阿飞] āfēi 명〈方〉 불량 청소년.

[阿富汗] Āfùhàn 명〖地〗〈音〉 아프가니스탄(Afghanistan).

[阿根廷] Āgēntíng 명〖地〗〈音〉 아르헨티나(Argentina).

[阿拉伯] Ālābó 명〖地〗〈音〉 아랍(Arab). 아라비아(Arabia). ❑ ~国家; 아랍 국가 / ~人; 아랍인 / ~数字; 아라비아 숫자.

[阿拉斯加] Ālāsījiā 명〖地〗〈音〉 알래스카(Alaska).

[阿门] āmén 감〖宗〗〈音〉 아멘(amen).

[阿米巴] āmǐbā 명 ⇨[变形虫]

[阿片] āpiàn 명〈音〉 ⇨[鸦yā片]

[阿司匹林] āsīpǐlín 명〖藥〗〈音〉 아스피린(aspirin).

[阿姨] āyí 명 ①〈方〉 이모. ② 아줌마. 아주머니(어머니 연배의 여자에 대한 호칭). ③ 아이들이 보모(保姆)나 식모를 부를 때의 호칭.

啊 ā (아)
감 아. 이야. 와(놀람 · 감탄 따위를 나타냄). ❑ ~, 他来了! 아, 그가 왔다! ⇒á ǎ à ·a

啊 á (아)
감 캐묻거나 추궁하거나 대답을 재촉하는 어기를 나타냄. ❑ 你小心拿去吧! ~? 조심해서 가지고 가거라! 알았지? ⇒ā ǎ à ·a

啊 ǎ (아)
감 어. 아니. 어라(의혹 · 의외 · 당혹스러움 따위를 나타냄). ❑ ~? 他怎么在这儿? 어? 그가 어떻게 여기에 있지? ⇒ā á à ·a

啊 à (아)
감 ① 아. 네. 그래. 응(짧게 발음하여 승낙 · 동의의 뜻을 나타냄). ❑ ~, 那就去吧; 그래, 그럼 바로 가자. ② 아아(길게 발음하여 명백하게 알았음을 나타냄). ❑ ~, 原来是你呀! 아아, 너였구나! ③ 아아(길게 발음하여 경이 · 찬탄 따위를 나타냄). ⇒ā á ǎ ·a

啊 ·a (아)
조 ① 서술문의 끝에 쓰여 설명 · 긍정 · 강조 및 상대방의 주의를 환기시키는 역할을 함. ❑ 你这个办法不错~; 너의 이 방법은 괜찮은 것 같구나. ② 명령문의 끝에 쓰여 부탁 · 재촉 · 명령 · 경고 따위의 의미를 나타냄. ❑ 快走~; 빨리 가거라. ③ 의문문의 문말에 쓰여 어기를 부드럽게 함. ❑ 是谁~? 누구세요? ④ 감탄문의 끝에 쓰여 감탄의 어기를 강조함. ❑ 任务完成得多好~! 임무를 이 얼마나 훌륭히 완성해 냈는가! ⑤ 문장 속에서 잠시 멈추는 곳에 쓰여 상대의 주의를 환기시킴. ❑ 他~, 一年到头不回家; 그는 말이야, 일년 내내 집에 안 갔어. ⑥ 열거하는 사항 뒤에 쓰임. ❑ 书~, 报~, 杂志~, 摆了一大堆; 책이니, 신문이니, 잡지니 잔뜩 늘어놓았다. ⑦ 중복되는 동사 뒤에 쓰여 과정이나 시간이 긴 것을 나타냄. ❑ 他等~, 等~, 等了一天也没见个人影; 그는 기다리고, 또 기다리고, 하루를 꼬박 기다렸지만 사람 그림자도 볼 수 없었다.
⇒ā á ǎ à

ai ㄞ

哀 āi (애)
① 형 슬프다. 구슬프다. 애통하다. ❑ 哭声甚~; 울음소리가 매우 구슬프다. ② 동 애도하다. ❑ 默~; 묵도하다. ③ 동 불쌍히 여기다. ❑ ~怜; ⇩

[哀愁] āichóu 형 슬퍼하고 근심하다.

[哀悼] āidào 동 애도하다. ❑ ~烈士; 열사를 애도하다.

[哀告] āigào 동 탄원하다. 애원하다. ❑ 我怎么~, 他也不听; 내가 아무리 애원해도 그는 듣지 않는다.

[哀歌] āigē 동 슬피 노래하다. 명 ① 애가. 슬픈 노래. ②〖樂〗 엘레지(프 élégie).

[哀号] āiháo 동 슬프게 부르짖다.

[哀鸿遍野] āihóng-biànyě 〈成〉 도처에 신음 소리와 이재민이 가득하다.
[哀怜] āilián 동 애처롭고 가엽게 여기다. 불쌍히 여기다. ❑ ~孤儿; 고아를 불쌍히 여기다.
[哀鸣] āimíng 동 슬프게 우짖다.
[哀求] āiqiú 동 애원하다. 애걸하다. ❑ ~援助; 원조를 애원하다.
[哀伤] āishāng 형 슬퍼하고 가슴 아파하다. 애상하다.
[哀思] āisī 명 애사. 애도의 마음.
[哀叹] āitàn 동 슬피 탄식하다. 애탄하다.
[哀痛] āitòng 형 애통하다. ❑ ~之情; 애통한 심정.
[哀怨] āiyuàn 형 슬프고 서럽다. 애절하고 한스럽다.
[哀乐] āiyuè 명 슬픈 음악. 애절한 음악. 〈轉〉 장송곡. 추도곡.

哎 āi (애)
감 ① 어라. 어. 이런. 아이고《놀라거나 불만스러운 기분을 나타냄》. ❑ ~, 你又来晚了; 이런, 너 또 늦었구나. ② 어. 야. 어이. 이봐《주의를 환기시킴》. ❑ ~, 别忘了明晚八点来我这儿; 어이, 내일 저녁 8시에 여기로 오는 거 잊지 마. ③ 어. 야. 어이. 응《부르거나 대답할 때 쓰임》. ❑ ~, 我在这儿呢! 응, 나 여기 있어!
[哎呀] āiyā 감 ① 아. 아이고. 이런《원망이나 불만을 나타냄》. ❑ ~, 又输了; 이런, 또 졌네. ② 어머나. 와. 세상에《놀라움을 나타냄》. ❑ ~, 多漂亮的花呀! 어머나, 너무 예쁜 꽃이네!
[哎哟] āiyō 감 아. 아야. 아이고《고통·놀라움·애석함 따위를 나타냄》. ❑ ~! 好疼! 아이고, 아파라!

埃 āi (애)
명 먼지. 티끌.
[埃尔尼诺] āi'ěrnínuò 명〔氣〕 엘니뇨(El Niño).
[埃菲尔铁塔] Āifēi'ěr Tiětǎ 명〔建〕〈音〉 에펠탑(Eiffel塔).
[埃及] Āijí 명〔地〕〈音〉 이집트(Egypt).
[埃塞俄比亚] Āisài'ébǐyà 명〔地〕〈音〉 에티오피아(Ethiopia).

挨 āi (애)
① 개 순서대로. 차례차례. ❑ ~人通知; 차례대로 사람들에게 통지하다. ② 동 가까이 가다. 접근하다. 바싹 붙다. ❑ 他们两家~得很近; 그들 두 집은 매우 가까이 붙어 있다. ⇒ ái
[挨次] āicì 부 차례대로. 순서대로. ❑ ~入场; 차례대로 입장하다.
[挨个儿] āi//gèr 부〈口〉 하나하나. 한 사람씩. 차례대로. ❑ ~上车; 한 사람씩 차에 오르다.
[挨肩儿] āijiānr 동〈口〉 형제자매의 나이 차가 적다. 잇따라 태어나다. ❑ 四个孩子~, 一个比一个大两岁; 네 아이는 나이 차가 적어서 서로 두 살씩밖에 차이가 안 난다.
[挨近] āi//jìn 동 접근하다. 가까이하다. ❑ 我们村挨火车站很近; 우리 마을은 기차역에서 매우 가깝다.

唉 āi (애)
감 ① 어. 응. 예《대답·승낙을 나타냄》. ❑ ~, 我知道了; 예, 알았습니다. ② 아. 아이《탄식을 나타냄》. ❑ ~, 我真倒霉! 아, 나는 참 재수가 없구나! ⇒ ài
[唉声叹气] āishēng-tànqì 〈成〉 (상심·번뇌·고통·우울함 따위로 인해) 한숨을 쉬다. 탄식하다.

挨 ái (애)
동 ① …을 당하다. …을 받다. …을 겪다. ❑ ~饿; 배를 곯다 / ~批评; 야단맞다. ② 지연하다. 시간을 끌다. ❑ 他这是故意在~时间; 이것은 그가 고의로 시간을 끌고 있는 것이다. ③ 힘든 세월을 견뎌 내다. 힘들게 지내다. ❑ 又~了三年, 总算把债还清了; 다시 3년만 참아 내면 드디어 빚을 다 청산하게 된다. ⇒ āi
[挨打] ái//dǎ 동 ① 얻어맞다. 매맞다. ② 〈比〉 비난받다. 공격받다.

皑(皚) ái (애)
형〈書〉 새하얗다.
[皑皑] ái'ái 형 (서리·눈 따위가) 새하얗다.

癌 ái (암)
명〔醫〕 암(癌).
[癌细胞] áixìbāo 명〔醫〕 암세포.
[癌症] áizhèng 명〔醫〕 암.

嗳(噯) ǎi (애)
감 아이. 아니《반대·부정의 어기》. ❑ ~, 不能这样做; 아니, 이렇게는 할 수 없어. ⇒ ài
[嗳气] ǎiqì 동 트림하다. =[〈口〉 打嗝儿②]

矮 ǎi (왜)
형 ① (키가) 작다. ❑ 他个子

~; 그는 키가 작다. ② (높이가) 낮다. 나지막하다. ❏ 桌子做~了; 탁자를 낮게 만들었다. ③ (등급 · 지위가) 아래이다. 낮다. ❏ 他比我~一级; 그는 나보다 한 학년 아래이다.

[矮墩墩(的)] ǎidūndūn(·de) 형 땅딸한 모양.

[矮个儿] ǎigèr 명 키 작은 사람. =[矮个子]

[矮小] ǎixiǎo 형 몸집이 작다. 왜소하다. ❏ ~症; 〔醫〕 왜소증.

[矮子] ǎi·zi 명 키 작은 사람. 난쟁이.

蔼(藹) ǎi (애) 형 상냥하다. 친절하다.

[蔼然] ǎirán 형 부드럽다. 상냥하다. 온화하다.

霭(靄) ǎi (애) 명〈書〉 엷은 안개[구름].

艾 ài (애) ① 명 〔植〕 쑥. =[艾蒿] ② 동〈書〉 멈추다. 정지하다. 그치다. ③ 형〈書〉 아름답다. ⇒yì

[艾蒿] àihāo 명 ⇒[艾①]

[艾灸] àijiǔ 명 〔中醫〕 뜸. 쑥뜸.

[艾滋病] àizībìng 명 〔醫〕〈音〉 에이즈(AIDS).

唉 ài (애) 감 아아. 에이《슬픔 · 애석함 따위의 어기를 나타냄》. ❏ ~, 真可惜; 에이, 정말 아깝다. ⇒āi

爱(愛) ài (애) ① 동 사랑하다. 예뻐하다. ❏ 他早就~着她; 그는 진작부터 그녀를 사랑하고 있었다. ② 명 사랑. 애정. ③ 동 좋아하다. ❏ ~游泳; 수영을 좋아하다. ④ 조동 …하기를 좋아하다[즐기다]. ❏ ~吃辣的; 매운 것을 즐겨 먹다. ⑤ 동 소중히 하다. 아끼다. 중시하다. ❏ ~名誉; 명예를 소중히 하다. ⑥ 조동 곧잘 …하다. 걸핏하면 …하다. ❏ ~哭; 걸핏하면 울다.

[爱不释手] àibùshìshǒu 〈成〉 잠시도 손에서 못 놓을 만큼 좋아하다.

[爱财如命] àicái-rúmìng 〈成〉 재물을 목숨처럼 아끼다.

[爱称] àichēng 명 애칭.

[爱戴] àidài 동 받들어 모시다. 경애하고 지지하다. ❏ ~领袖; 지도자를 받들어 모시다.

[爱迪生] Àidíshēng 명 〔人〕〈音〉 에디슨(Thomas Alva Edison) 《미국의 발명가, 1847-1931》.

[爱尔兰] Ài'ěrlán 명 〔地〕〈音〉 아일랜드(Ireland).

[爱国] ài//guó 동 애국하다. ❏ ~心; 애국심 / ~者; 애국자.

[爱好] àihào 동 좋아하다. 애호하다. ❏ ~文学; 문학을 좋아하다 / ~者; 애호가. 명 취미. 기호.

[爱护] àihù 동 애호(愛護)하다. 아끼고 보호하다. ❏ ~公物; 공공물을 아끼고 보호하다.

[爱克斯射线] àikèsī shèxiàn 〔物〕〈音〉 엑스레이(X-ray). 뢴트겐선. =[X射线]

[爱怜] àilián 동 귀여워하다. 몹시 사랑하다.

[爱恋] àiliàn 동 사랑하다《주로, 남녀간의 사랑을 가리킴》.

[爱面子] ài miàn·zi 체면을 중시하다. 체면을 차리다. ❏ 他非常~; 그는 매우 체면을 중시한다. =[要yào面子]

[爱慕] àimù 동 ① 사모하다. 연모하다. 애모하다. ❏ 相互~; 서로 연모하다. ② 좋아하고 부러워하다.

[爱情] àiqíng 명 (주로, 남녀 간의) 사랑. 애정. ❏ ~深厚; 애정이 깊다 / ~故事; 러브 스토리 / ~剧; 멜로드라마 / ~片; 멜로 영화.

[爱人] ài·ren 명 ① 남편, 또는 아내. ② 애인.

[爱神] àishén 명 사랑의 신. 큐피드(Cupid). 에로스(Eros).

[爱斯基摩人] Àisījīmórén 명〈音〉 에스키모(Eskimo).

[爱惜] àixī 동 아끼다. 소중히 하다. ❏ ~时间; 시간을 아끼다.

[爱因斯坦] Àiyīnsītǎn 명 〔人〕〈音〉 아인슈타인(Albert Einstein)《물리학자, 1879-1955》.

嗳(噯) ài (애) 감 아이. 에이. 아이고. 아아《회한 · 번뇌 · 탄식 따위의 어기를 나타냄》. ❏ ~, 太可惜了; 아이고, 너무 아깝다. ⇒ǎi

暧(曖) ài (애) 형〈書〉 (날이) 어둑어둑하다. 어두컴컴하다.

[暧昧] àimèi 형 ① (태도 · 의도가) 애매하다. ❏ ~的态度; 애매한 태도. ② (행위 · 관계가) 떳떳하지 못하다. 미심쩍다. 수상하다. ❏ 关系~; 관계가 수상하다.

隘 ài (애) ① 형 좁다. 협소하다. ❏ 林深路~; 숲은 깊고 길은 좁다. ② 명

A

험요한 곳. 요해처(要害處).
[隘路] àilù 명 ① 좁고 험한 길. ② 애로. 장애. 곤란. 난관.

碍(礙) ài (애)
동 방해하다. 저해하다. 지장을 주다. ❏有~交通; 교통에 방해가 되다.
[碍口] ài//kǒu 형 입이 안 떨어지다. 말을 꺼내기가 민망하다. ❏这话说出来真有点儿~; 이 말을 꺼내자니 정말 입이 안 떨어진다.
[碍面子] ài miàn·zi 의리를 따지다. 정에 이끌리다. 관계를 생각하다. ❏不必~, 错了就要批评; 의리를 따질 것 없이 잘못했으면 바로 비판을 해야 한다.
[碍事] ài//shì 동 (어떤 일에) 방해가 되다. 불편을 끼치다. 거치적거리다. ❏快躲开, 别~; 빨리 비켜라, 방해하지 말고. 형 큰일이 나다. 심각하다. 큰 문제가 되다《주로, 부정형으로 쓰임》. ❏他的病不~; 그의 병은 심각하지 않다.
[碍手碍脚] àishǒu-àijiǎo 〈成〉 방해가 되다. 거치적거리다.
[碍眼] ài//yǎn 형 ① 눈에 거슬리다. 보기 싫다. ❏在阳台上晒内裤, 有点儿~; 베란다에 팬티를 너는 것은 보기에 좀 안 좋다. ②(눈앞에 있어서) 방해가 되다. 신경 쓰이다. 불편하다. ❏我在这里是不是碍你的眼? 내가 여기 있어서 불편하니?

an ㄢ

安 ān (안)
① 형 안정되다. 평안하다. 평온하다. ❏心神不~; 마음이 안정되지 않다. ② 동 안심시키다. 안정시키다. 진정시키다 ❏~神; ⇩ ③ 동 (생활 · 일 따위에 대해) 만족해하다. 편안히 여기다. ❏~之若素; ⇩ ④ 형 편안하다. 안전하다. ❏治~; 치안. ⑤ 동 (적당한 위치에) 배치하다. 자리 잡게 하다. ❏~插; ⇩ ⑥ 동 설치하다. 가설하다. 놓다. 달다. ❏~门铃; 초인종을 달다 / ~电话; 전화를 놓다. ⑦ 동 (죄명 · 별명 따위를) 씌우다. 붙이다. ❏~罪名; 죄명을 씌우다. ⑧ 동 (주로, 나쁜 생각을) 갖다. 품다. ❏他对我没~过好心; 그는 나에게 호의를 가져 본 적이 없다.

[安瓿] ānbù 명〖醫〗〈音〉 앰풀(ampoule).
[安插] ānchā 동 (인원 · 이야기 · 프로그램 따위를) 배치하다. 짜 넣다. ❏~亲信; 측근을 배치하다 / 晚会上~了一段相声; 파티에 만담을 한 토막 편성해 넣었다.
[安打] āndǎ 명〖體〗 안타.
[安定] āndìng 형 (마음 · 질서 · 생활 · 형세 따위가) 안정되다. ❏~的工作; 안정된 일자리. 동 안정시키다. 진정시키다. ❏~~他的情绪; 그의 마음을 진정시키다.
[安顿] āndùn 동 (사람이나 사물을) 적절하게 배치하다. 잘 챙겨 놓다. ❏她把孩子都~好了, 才去吃饭; 그녀는 아이를 잘 챙겨 놓고 나서야 밥을 먹으러 간다. 형 안정되다. 평온하다. ❏睡得~多了; 아주 평온하게 자다.
[安放] ānfàng 동 (일정한 장소에) 잘 두다[놓다]. 놓아 두다. ❏把家具~好; 가구를 제자리에 잘 두다.
[安分] ānfèn 형 본분을 지키다. 분수를 지키다. ❏~守己; 〈成〉 분수에 만족하고 본분을 지키다.
[安抚] ānfǔ 동 위로하다. 위무하다. ❏~人心; 인심을 위무하다.
[安好] ānhǎo 형 평안하다. 평온무사하다. ❏全家~; 온 가족이 평안하다.
[安家] ān//jiā 동 ① 가정을 정착시키다. ❏~落户; 〈成〉 가정을 이루어 정착하다 / ~费; 정착금. ② 가정을 이루다. 결혼하다.
[安静] ānjìng 형 ① (마음 · 상황 · 생활 따위가) 편안하다. 안정되다. 평온하다. ❏心情总~不下来; 마음이 좀처럼 안정되지 않다. ② 조용하다. 고요하다. ❏图书馆里很~; 도서관 안이 매우 조용하다.
[安居] ānjū 동 안거하다. 안정적으로 살다. ❏~乐业; 〈成〉 안정적으로 지내며 즐겁게 일하다.
[安康] ānkāng 형 평안하고 건강하다. 안강하다
[安乐] ānlè 형 안락하다. ❏~窝; 안락하고 즐거운 보금자리 / ~椅; 안락의자.
[安乐死] ānlèsǐ 동〖法〗 안락사하다.
[安理会] Ānlǐhuì 명〈簡〉 ⇨[安全理事会]
[安眠] ānmián 동 안면하다. 편히 자다. ❏~药; 수면제.

[安宁] ānníng 형 ① 안전하고 평화롭다. 안녕하다. ❑社会~; 사회가 안녕하다. ② (기분 · 마음이) 편안하다. 안정되다. ❑心境~; 마음이 안정되다.

[安排] ānpái 동 안배하다. 배치하다. 편성하다. 마련하다. ❑~日程; 일정을 짜다 / 给他~一个好工作; 그에게 좋은 일자리 하나를 마련해 주다.

[安培] ānpéi 양〔電〕〈音〉 암페어(ampere).

[安贫乐道] ānpín-lèdào 〈成〉 가난 속에서도 편안한 마음으로 지내다. 안빈낙도.

[安全] ānquán 형 안전하다. ❑~带; 안전벨트 / ~地带; 안전지대 / ~检查; 안전 검사 / 交通~; 교통안전 / ~帽; 안전모. 헬멧. 명〔體〕 세이프(safe).

[安全理事会] Ānquán Lǐshìhuì 명〔政〕 안전 보장 이사회. 안보리. =[〈簡〉 安理会]

[安全门] ānquánmén 명 ⇨[太平门]

[安全套] ānquántào 명 ⇨[避孕套]

[安然] ānrán 형 ① 평안하다. 무사하다. ❑~无恙; 〈成〉 평안무사하다. ② 걱정이 없다. 편하다. ❑~入睡; 편히 잠들다.

[安如泰山] ānrútàishān 〈成〉 태산처럼 공고하여 흔들림이 없다. =[稳如泰山]

[安设] ānshè 동 설치하다. 설비하다. ❑~报警装置; 경보 장치를 설치하다.

[安身] ān//shēn 동 몸을 두다. 몸을 의탁하다《주로, 어려운 처지에 쓰임》. ❑~立命; 〈成〉 생활이 안정되고 마음 둘 곳이 있다.

[安神] ān//shén 동 정신을 안정시키다. 신경을 안정시키다. ❑~药; 신경 안정제.

[安生] ān·shēng 형 ① (생활이) 안정되다. 평온하다. 평화롭다. ❑过~日子; 평화롭게 지내다. ② (주로, 아이가) 가만히 있다. 조용히 있다. 얌전히 굴다.

[安适] ānshì 형 안정되고 쾌적하다. 조용하고 편안하다. ❑~的生活; 조용하고 편안한 생활.

[安危] ānwēi 명 안위(安危).

[安慰] ānwèi 형 마음이 편하다. 동 위로하다. 위안하다. ❑~病人; 환자를 위로하다 / ~奖; 위로상. 아차상.

[安慰赛] ānwèisài 명〔體〕 패자부활전.

[安稳] ānwěn 형 ① 안정되다. 평온하다. ❑飞机安安稳稳地着陆; 비행기가 부드럽게 착륙하다. ② 평화롭다. 평안하다. ③ (행동거지가) 듬직하다. 무게 있다.

[安息] ānxī 동 ① 편히 쉬다. 안식하다. ❑请你早点~; 일찌감치 쉬십시오 / ~日; 〔宗〕 안식일. ② 편히 잠들다《애도를 나타냄》.

[安闲] ānxián 형 편안하고 한가롭다.

[安详] ānxiáng 형 점잖다. 얌전하다. ❑举止~; 행동거지가 점잖다.

[安歇] ānxiē 동 ① 잠을 자다. ② 쉬다. 휴식하다.

[安心] ānxīn 형 안심하다. 마음 놓다. 동 (ān//xīn) 마음을 품다. 저의를 갖다. 고의로 하다. ❑你这是安的什么心? 너는 무슨 마음을 먹고 그런 것이냐?

[安逸] ānyì 형 안일하다.

[安于] ānyú 동 …에 만족하다. ❑~现状; 〈成〉 현 상태에 만족하다.

[安葬] ānzàng 동 안장하다. ❑~遗骨; 유골을 안장하다.

[安之若素] ānzhī-ruòsù 〈成〉 (위급한 경우에도) 평상시처럼 태연자약하다.

[安置] ānzhì 동 (사람·사물을) 제자리에 놓다. 제대로 배치하다. ❑家具都~好了; 가구를 모두 제자리에 배치했다 / ~失业人员; 실업자에게 일자리를 마련해 주다.

[安装] ānzhuāng 동 ① 가설하다. 설치하다. ❑~电话; 전화를 설치하다. ②〔컴〕 셋업(setup)하다. ❑~程序; 셋업 프로그램.

桉 ān (안)
명〔植〕 유칼립투스(eucalyptus). =[桉树]

氨 ān (안)
명〔化〕 암모니아(ammonia).

[氨基酸] ānjīsuān 명〔化〕 아미노산(amino酸).

[氨水] ānshuǐ 명〔化〕 암모니아수.

鮟(鮟) ān (안)
→[鮟鱇]

[鮟鱇] ānkāng 명〔魚〕 아귀.

鞍 ān (안)
명 안장. ❑马~; 말안장.

[鞍马] ānmǎ 명 ①〔體〕 안마. ②

안장과 말. 〈轉〉 말타기나 전투 생활.
[鞍子] ān·zi 명 안장.

谙(諳) ān (암)
동〈書〉 익숙하다. 숙달하다. 정통하다.
[谙练] ānliàn 〈書〉 동 익숙하다. 잘 알다. 형 숙련되다. 숙달하다.

庵 ān (암)
명 ①〈書〉 (작은) 초가집. ② (주로, 비구니가 거주하는) 암자.

鹌(鵪) ān (암)
→[鹌鹑]
[鹌鹑] ān·chún 명〖鳥〗 메추라기.

铵(銨) ǎn (안)
명〖化〗 암모늄(ammonium). ❏ 硫酸~; 황산암모늄.

揞 ǎn (암)
동 (가루약을 상처에) 바르다. ❏ 用点药把伤口~上吧; 상처에 약을 좀 발라라.

岸 àn (안)
① 명 기슭. 물가. ❏ 上~; 상륙하다 / 海~; 해안. ② 형〈書〉 높고 크다. ③ 형〈書〉 오만하다.
[岸然] ànrán 형〈書〉 엄숙한 모양. 오만한 모양.

按 àn (안)
A) ① 동 (손 · 손가락으로) 누르다. 밀다. ❏ ~电钮; 버튼을 누르다. ② 동 묵살하다. 제쳐 놓다. ❏ ~兵不动; ⇩ ③ 동 억제하다. 억누르다. ❏ ~不住激动的心情; 흥분된 마음을 가라앉힐 수 없다. ④ 개 …에 맞춰. …에 따라. …대로. ❏ ~规定的格式写; 정해진 격식대로 쓰다. B) 동 ①〈書〉 고찰하다. 대조하다. ❏ 有原文可~; 대조할 만한 원문이 있다. ② (작가나 편자(編者)가) 주를 달다.
[按兵不动] ànbīng-bùdòng 〈成〉 ① 군대가 행동을 잠시 멈추고 시기를 기다리다. ②〈轉〉 임무를 맡고도 행동하지 않다.
[按部就班] ànbù-jiùbān 〈成〉 일정한 규칙[순서]대로 일을 진행하다.
[按理] àn//lǐ 부 도리에 따르자면. 이치대로 따진다면. ❏ ~我们应该先去; 이치대로라면, 우리가 먼저 가야 한다.
[按脉] àn//mài 동 ⇨[诊zhěn脉]
[按摩] ànmó 동 안마하다. 마사지하다. ❏ ~器; 안마기.
[按捺] ànnà 동 (감정 따위를) 참다. 억누르다. 억제하다. ❏ ~不住自己的感情; 자신의 감정을 억제하지 못하다. =[按纳]
[按钮(儿)] ànniǔ(r) 명 누름단추. 버튼(button).
[按期] ànqī 부 기한대로. 기한에 맞춰. ❏ ~归还; 기한대로 되돌려 주다.
[按时] ànshí 부 제시간에. 제때에. 제날짜에. ❏ ~吃药; 제때에 약을 먹다 / ~起床; 제시간에 일어나다.
[按说] ànshuō 부 도리로 말하면. 이치대로라면. ❏ ~青年人应该是最时尚; 이치대로라면 젊은이는 시대적 흐름에 가장 잘 맞아야 한다.
[按图索骥] àntú-suǒjì 〈成〉 ① 단서에 의해 찾다. ② 융통성 없이 기계적으로 일을 처리하다.
[按语] ànyǔ 명 작자 · 편자의 말《주해 · 설명 따위》. =[案语]
[按照] ànzhào 개 …에 따라. …대로. ❏ ~音序排列; 발음에 따라 배열하다.

案 àn (안)
명 ① (폭이 좁고 긴) 탁자. ② 사건. ❏ 杀人~; 살인 사건. ③ (사건 따위의) 기록. 문서. ❏ 有~可查; 뒤져볼 만한 기록이 있다. ④ 안건. 제안서. 건의서. 의안. ❏ 提~; 안건을 제시하다.
[案板] ànbǎn 명 도마.
[案秤] ànchèng 명 탁상용 저울. =[〈方〉 台秤②]
[案犯] ànfàn 명〖法〗 범인.
[案件] ànjiàn 명 (소송 · 위법(違法)에 관계된) 사건. ❏ 刑事~; 형사 사건. =[案子②]
[案卷] ànjuàn 명 (참고를 위한) 문서 자료. 보존된 공문서.
[案情] ànqíng 명 사건의 정황.
[案头] àntóu 명 책상 위. 탁상. ❏ ~日历; 탁상 캘린더.
[案语] ànyǔ 명 ⇨[按语]
[案子] àn·zi 명 ① (폭이 좁고 긴) 탁자. ② ⇨[案件]

暗 àn (암)
형 ① 어둡다. 캄캄하다. ❏ 这间屋子光线太~; 이 집은 너무 어둡다. ② 비밀의. 숨겨진. ❏ ~号(儿); ⇩ ③ 어리석다. 도리에 어둡다. ❏ ~昧; 우매하다.
[暗暗] àn'àn 부 암암리에. 남몰래. 속으로. ❏ 心里~地想; 속으로 혼자 생각하다.
[暗藏] àncáng 동 몰래 숨기다. ❏

身上~凶器; 몸에 흉기를 몰래 숨기다.
[暗娼] ànchāng 명 사창(私娼).
[暗潮] àncháo 명〈比〉 암조. 표면에 나타나지 않은 풍조나 세력.
[暗淡] àndàn 형 ① (빛 · 색깔이) 어둡다. ❏光线~; 빛이 어둡다. ② (앞날이) 어둡다. 암담하다. 희망이 없다. ❏前途~; 앞날이 암담하다.
[暗地里] àndì·lǐ 부 남모르게. 암암리에. ❏~搞阴谋; 남몰래 음모를 꾸미다. =[暗地dì]
[暗沟] àngōu 명 암거(暗渠). =[阴沟]
[暗害] ànhài 동 ① 음해하다. ② 암살하다.
[暗含] ànhán 동 (의미 따위를) 은근히 내포하다. ❏话里~着歉意; 말 속에 유감의 뜻이 담겨 있다.
[暗号(儿)] ànhào(r) 명 암호.
[暗盒(儿)] ànhé(r) 명〖撮〗 원통형의 필름 보호 용기. 필름통.
[暗箭] ànjiàn 명 ① 몰래 쏜 화살. ②〈比〉 암중 모략. 음해. ❏~难防;〈成〉 암중 모략은 막아 내기 어렵다 / ~伤人;〈成〉 몰래 남을 중상하다.
[暗礁] ànjiāo 명 ① 암초. ❏触~; 암초에 부딪치다. ②〈比〉 (일의 진행을 가로막는) 숨겨진 장애물. 드러나지 않은 위험.
[暗杀] ànshā 동 암살하다. ❏~者; 암살자.
[暗射] ànshè 동 ⇨[影射]
[暗示] ànshì 동 ① 암시하다. 암시를 주다. ❏用眼神~他快过来; 눈짓으로 그에게 빨리 오라고 암시를 주다. ②〖心〗 (최면술 따위에서) 암시를 주다.
[暗室] ànshì 명 ①〖撮〗 암실. ②〈書〉 비밀 장소.
[暗算] ànsuàn 동 몰래 음모[흉계]를 꾸미다.
[暗锁] ànsuǒ 명 내장 자물쇠.
[暗探] àntàn 명 스파이. 밀정. 동 몰래 탐색하다.
[暗无天日] ànwú-tiānrì〈成〉 사회가 극도로 암담하다.
[暗箱] ànxiāng 명〖撮〗 어둠상자. 암상자.
[暗笑] ànxiào 동 ① 몰래 기뻐하다. 내심 흐뭇해하다. ② 속으로 비웃다.
[暗影] ànyǐng 명 ⇨[阴影(儿)]
[暗语] ànyǔ 명 암어. 은어. 변말.
[暗喻] ànyù 명 ⇨[隐喻]
[暗中] ànzhōng 명 어둠 속. 부 몰래. 은밀히. 암암리. 남모르게. ❏~摸索;〈成〉 암중모색하다.
[暗自] ànzì 부 내심. 남몰래. 속으로. ❏~讥笑; 속으로 비웃다.

黯 àn (암)
형 어둡다. 어두침침하다.
[黯然] ànrán 형 ① 어두운 모양. ② 풀이 죽은 모양. 침울한 모양.

ang 九

肮(骯) āng (항)
→[肮脏]
[肮脏] āngzāng 형 ① 더럽다. 지저분하다. 불결하다. ❏~的街道; 지저분한 거리. ②〈比〉 비열하다. 추악하다. 더럽다. ❏~的灵魂; 추악한 영혼.

昂 áng (앙)
동 ① (머리를) 들다. 우러러보다. ❏~首; ⇓ ② 오르다. 높아지다. 고조되다. ❏~贵; ⇓
[昂昂] áng'áng 형 (기세가) 당당하다. 양양하다. 드높다. ❏气势~; 기세가 드높다.
[昂贵] ángguì 형 값이 매우 비싸다. ❏~的代价; 값비싼 대가.
[昂然] ángrán 형 의기양양하다. 자신에 넘치다. 당당하다. ❏气概~; 기개가 당당하다.
[昂首] ángshǒu 동 머리를 들다. 고개를 들다. ❏~阔步;〈成〉 고개를 들고 활보하다.
[昂扬] ángyáng 형 ① (사기 · 의욕 따위가) 드높다. 양양하다. ❏情绪~; 사기가 드높다. ② (소리가) 높아지다.

盎 àng (앙)
① 명 아가리가 좁고 배가 불룩한 그릇. ② 형 넘쳐흐르다.
[盎然] àngrán 형 (어떤 기운 따위가) 넘쳐흐르는 모양. 왕성한 모양. ❏春意~; 봄기운이 넘쳐흐르다.
[盎司] àngsī 양〖度〗〈音〉 온스(ounce). =[英两]

ao 幺

凹 āo (요)
형 오목하다. 움푹 들어가다.

❏ ~地; 움푹한 지대.
[凹面镜] āomiànjìng 명 오목 거울. =[凹镜]
[凹透镜] āotòujìng 명〔物〕오목 렌즈.
[凹凸] āotū 형 울퉁불퉁하다. ❏ ~不平; 〈成〉 울퉁불퉁하여 평평하지 않다.
[凹陷] āoxiàn 동 움푹 들어가다. ❏ 眼眶~; 눈가가 쑥 들어가다.

A

熬 āo (오)
동 (야채 따위를) 삶다. ❏ ~茄子; 가지를 삶다. ⇒ áo

遨 áo (오)
동 노닐다. 유람하다.
[遨游] áoyóu 동 노닐다. 돌아다니다. 유람하다.

嗷 áo (오)
→[嗷嗷]
[嗷嗷] áo'áo 의 슬피 울부짖는 소리. ❏ ~待哺; 〈成〉 굶주려서 급히 음식을 구하는 모양.

熬 áo (오)
동 ① (죽 따위를) 끓이다. 쑤다. ❏ ~粥; 죽을 쑤다. ② 달이다. 고다. 조리다. ❏ ~药; 약을 달이다. ③ (고통 따위를) 견뎌 내다. 이겨 내다. ❏ ~苦日子; 힘든 생활을 견뎌 내다. ⇒ āo
[熬煎] áojiān 동〈比〉 힘들게 하다. 못살게 굴다. 괴롭히다.
[熬夜] áo//yè 동 밤샘하다. 밤을 새우다. ❏ 他几乎天天~; 그는 거의 매일 밤샘한다.

螯 áo (오)
명〔動〕(절지동물의) 집게발.

翱 áo (고)
동 날개를 펼치고 날다.
[翱翔] áoxiáng 동 선회하며 날다. 빙빙 날아다니다. ❏ 展翅~; 날개를 펴고 빙빙 날아다니다.

鏖 áo (오)
동〈書〉 격렬하게 전투하다. 격전을 벌이다.
[鏖战] áozhàn 동〈書〉 악전고투하다. 고전하다. 격전하다. ❏ 与敌军~; 적군과 격전하다.

袄(襖) ǎo (오) 명 안을 댄 저고리.

拗 ào (요)
형 순조롭지 않다. 거스르다. 어색하다. ⇒ niù
[拗口] àokǒu 형 입에 붙지 않다. ❏ ~的台词; 입에 붙지 않는 대사.

傲 ào (오)
형 오만하다. 교만하다. ❏ 说话太~; 말하는 것이 너무 오만하다.
[傲骨] àogǔ 명〈比〉 오만하고 도도한 성격.
[傲慢] àomàn 형 오만하다. 오만불손하다. 도도하다. ❏ 口气~; 말투가 오만하다.
[傲气] àoqì 명 오만한 태도[기색]. 형 오만하다.
[傲然] àorán 형 강직한 모양. 꿋꿋한 모양.
[傲视] àoshì 동 오만하게 대하다. 우습게 보다. 깔보다.

奥 ào (오)
형 뜻이 깊다. 심오하다. ❏ ~妙; ⇓
[奥地利] Àodìlì 명〔地〕〈音〉 오스트리아(Austria).
[奥林匹克运动会] Àolínpǐkè Yùndònghuì 〔體〕〈音〉 올림픽 대회. =[〈簡〉 奥运会]
[奥秘] àomì 명 심오한 비밀.
[奥妙] àomiào 형 오묘하다. ❏ ~的道理; 오묘한 이치.
[奥斯卡金像奖] Àosīkǎ Jīnxiàngjiǎng 〈音〉 오스카상(Oscar賞). 아카데미상.
[奥委会] Àowěihuì 명〔體〕〈簡〉 올림픽 위원회. =[奥林匹克委员会]
[奥运会] Àoyùnhuì 명〈簡〉 ⇨[奥林匹克运动会]

澳 ào (오)
명 해안이 만곡하여 배가 정박할 수 있는 곳(《주로 지명에 쓰임》).
[澳大利亚] Àodàlìyà 명〔地〕〈音〉 오스트레일리아(Australia). 호주. =[澳洲②]
[澳门] Àomén 명〔地〕 마카오(Macao).
[澳洲] Àozhōu 명〔地〕〈音〉 ① 오세아니아(Oceania). 대양주. =[大洋洲] ② ⇨[澳大利亚]

懊 ào (오)
동 후회하다. 뉘우치다.
[懊悔] àohuǐ 동 후회하다. 뉘우치다. ❏ ~也来不及了; 후회해도 이미 늦었다.
[懊恼] àonǎo 형 마음에 걸리다.
[懊丧] àosàng 형 (뜻대로 되지 않아) 시무룩하다.

B

ba ㄅㄚ

八 bā (팔)
㊅ 8. 여덟. ❑~个; 8개/~天; 8일. ㊟ 4성 앞에서는 2성으로 발음함.

[八宝] bābǎo ㊔ 중국요리 따위에서 많은 종류·재료로 만든 것을 가리키는 말. ❑~菜; 팔보채/~饭; 팔보반.

[八宝山] Bābǎoshān ㊔〖地〗 베이징 서쪽 교외에 있는 공동묘지. ❑去~;〈婉〉 저세상으로 가다. 죽다.

[八成] bāchéng ㊂ 8할. 80%. ❑~新; 거의 새 것이다. (~儿) ㊘ 십중팔구. 대개. 대체로. ❑好几天没见他的面, ~是回国了; 벌써 며칠째 그가 안 보이는 것을 보니 십중팔구 귀국한 것일 것이다.

[八度] bādù ㊔〖樂〗 옥타브(octave).

[八方] bāfāng ㊔ ① 팔방《동·서·남·북·동남·서남·동북·서북》. ②〈比〉 각지. 각처. 여기저기. 사방팔방.

[八竿子打不着] bā gān·zi dǎ bù zháo 〈比〉 매우 먼 관계이다. 서로 아무 관계가 없다. ❑~的亲戚; 매우 먼 친척. =[八杆子打不着]

[八哥(儿)] bā·ge(r) ㊔〖鳥〗 구관조(九官鳥).

[八股] bāgǔ ㊔ ①〖文〗 팔고문(八股文). ②〈比〉 형식적이고 내용이 없는 무미건조한 문장이나 연설.

[八卦] bāguà ㊔ 팔괘《옛날 중국에서 점술(占術)에 사용한 8개의 기호》.

[八九不离十] bā jiǔ bù lí shí 〈口〉 실제에 가깝다. 실제에 매우 근접하다.

[八路军] Bālùjūn ㊔〖史〗 팔로군《항일 전쟁(抗日戰爭) 때에 중국 공산당이 이끌던 군대》.

[八面光] bāmiànguāng 〈成〉〈貶〉 세상사에 밝고 처세에 능하다.

[八面玲珑] bāmiàn-línglóng 〈成〉 ① 창이 넓게 트이고 매우 밝다. ②〈貶〉 처세에 능하여 어느 한쪽의 미움도 받지 않다. 팔방미인.

[八仙过海] bāxiān-guòhǎi 〈諺〉 ① 제각기 독자적인 방법을 가지고 있다. ② 제각기 능력을 발휘하며 서로 경쟁하다. ‖ =[八仙过海, 各显神通][八仙过海, 各显其能]

[八仙桌(儿)] bāxiānzhuō(r) ㊔ 8인용의 정사각형 탁자.

[八音盒] bāyīnhé ㊔〖樂〗 음악상자. 뮤직 박스(music box). 오르골(네 orgel). =[八音匣子]

[八字] bāzì ㊔ ① '八'자. ❑~步(儿); 팔자걸음. ② (~儿) 팔자. 운세. 운명. ❑批~; 운세를 점치다.

[八字没一撇] bā zì méi yī piě 〈口〉〈比〉 어떤 일이 아직 윤곽도 잡히지 않다.

[八字帖(儿)] bāzìtiě(r) ㊔ 사주단자(四柱單子). =[庚帖]

扒 bā (배)
㊍ ① 붙들다. 붙잡다. 매달리다. ❑~着楼梯的栏杆; 계단 난간을 붙들고 있다. ② 긁어내다. 후벼파다. 파다. 캐다. ❑老鼠~洞; 쥐가 굴을 파다. ③ 부수다. 헐다. ❑~房子; 집을 헐다. ④ 밀어 움직이다. 밀어 헤치다. ❑~开草棵; 풀을 헤치다. ⑤ 벗기다. 벗다. ❑把衣服~下来; 옷을 벗다. ⇒pá

[扒车] bā∥chē ㊍ (달리는) 기차나 자동차에 뛰어오르다.

[扒拉] bā·la ㊍〈口〉 ① (손으로) 밀어제치다. 튀기다. 헤치다. ❑~算盘子儿; 주판알을 튀기다. ② 없애다. 빼 버리다.

巴 bā (파)
① ㊍〈方〉 바라다. 갈망하다. 기다리다. ❑~不得; ⇓ ② ㊍ 바싹 들러붙다. 꼭 달라붙다. ❑~着栏杆; 난간에 바싹 붙어 있다. ③ ㊍ 달라붙다. 단단히 붙다. ❑粥~了锅了; 죽이 솥에 눌어붙었다. ④ ㊔ 다른 사물에 달라붙은 것. ❑锅~; (솥에 붙은) 누룽지. ⑤ ㊍〈方〉 다가가다. 접근하다. ⑥ ㊍〈方〉 열다. 벌리다. 갈라지다. ❑~着眼瞧; 눈을 뜨고 보다. ⑦ ㊐〖物〗 바(bar)《기압·압력의 단위》 ❑毫~; 밀리바(millibar). ⑧ ㊔〈簡〉 '巴士' (버스)의 약칭. ❑大~; 대형 버스.

[巴巴] bābā ㊇ 형용사 뒤에 붙어 정도가 심함을 나타내는 말. ❑急~; 매우 급하다/可怜~; 매우 불쌍하다.

[巴比伦] Bābǐlún ㊔〖史〗〈音〉 바

빌론(Babylon).

[巴别塔] Bābiétǎ 명〈音〉 바벨탑(Babel塔).

[巴不得] bā·bu·dé 동〈口〉 갈망하다. 간절히 바라다. 애타게 기다리다. ❏我~有人来帮帮忙; 나는 누가 좀 와서 도와주기를 애타게 기다리고 있다.

[巴旦杏] bādànxìng 명〖植〗 아몬드(almond). =[扁桃]

B

[巴尔干] Bā'ěrgàn 명〖地〗〈音〉 발칸(Balkan). ❏~半岛; 발칸 반도.

[巴格达] Bāgédá 명〖地〗〈音〉 바그다드(Baghdad).

[巴赫] Bāhè 명〖人〗〈音〉 바흐(Johann Sebastian Bach)《독일의 작곡가, 1685-1750》.

[巴基斯坦] Bājīsītǎn 명〖地〗〈音〉 파키스탄(Pakistan).

[巴结] bā·jie 동 아첨하고 빌붙다. 알랑대다. ❏~老板; 사장에게 알랑대다. 형〈方〉 노력하다. 애쓰다. 열심이다. ❏他工作很~; 그는 일을 매우 열심히 한다.

[巴拉圭] Bālāguī 명〖地〗〈音〉 파라과이(Paraguay).

[巴勒斯坦] Bālèsītǎn 명〖地〗〈音〉 팔레스타인(Palestine).

[巴厘岛] Bālí Dǎo 명〖地〗〈音〉 발리 섬(Bali-)《인도네시아의 섬》.

[巴黎] Bālí 명〖地〗〈音〉 파리(Paris). ❏~公社; 파리 코뮌(프 Commune de Paris).

[巴拿马] Bānámǎ 명〖地〗〈音〉 파나마(Panama). ❏~运河; 파나마 운하.

[巴儿狗] bārgǒu 명 ⇨[哈hǎ巴狗(儿)①]

[巴塞罗那] Bāsàiluónà 명〖地〗〈音〉 바르셀로나(Barcelona).

[巴士] bāshì 명〈方〉〈音〉 버스(bus). ❏~驾驶员; 버스 기사 =[公共汽车]

[巴松] bāsōng 명〖樂〗〈音〉 바순(bassoon). =[大管]

[巴望] bāwàng 〈方〉 동 바라다. 기대하다. 열망하다. 명 희망. 가망.

[巴西] Bāxī 명〖地〗〈音〉 브라질(Brazil).

[巴西利亚] Bāxīlìyà 명〖地〗〈音〉 브라질리아(Brasilia).

[巴掌] bā·zhang 명 손바닥. 손뼉. ❏拍~; 손뼉을 치다.

芭 bā (파)
명 고서(古書)에 나오는 향초(香草)의 일종.

[芭蕉] bājiāo 명〖植〗 파초. =[大蕉]

[芭蕉扇] bājiāoshàn 명〈俗〉 ⇨[葵kuí扇]

[芭蕾舞] bālěiwǔ 명〖舞〗〈音〉 발레(프 ballet). =[芭蕾]

吧 bā (파)
①의 뚝. 딱. 탕. 짝. ❏~的一声打了一个嘴巴; 따귀를 한 대 짝 하고 때렸다. ②동〈方〉 (담배를) 피우다. 빨다. ③명〈音〉 술집. 바(bar). ❏网~; 인터넷 카페(internet cafe). PC방. ⇒ ·ba

[吧嗒] bādā 의 ①탁. 쾅. 쿵《물체가 가볍게 부딪히는 소리》. ❏~一声, 门锁上了; 탁 하는 소리와 함께 문이 잠겼다. ②뚝뚝. 똑똑《액체 따위가 떨어지는 소리》. ❏眼泪~地往下掉; 눈물이 아래로 뚝뚝 떨어지다.

[吧嗒] bā·da 동 ①입술을 붙였다 떼었다 하며 소리를 내다. 쩝쩝 소리를 내다. ❏他~了一下嘴, 好像要说点什么; 그가 입을 붙였다 떼었다 하는 것을 보니, 무슨 할 말이라도 있는 것 같다. ②〈方〉 (담배를) 빠끔대다. ❏他~了一口烟袋, 就进来了; 그는 담배를 한 모금 빠끔대고서는 곧 들어왔다.

疤 bā (파)
명 ①흉터. ❏脸上有一个~; 얼굴에 흉터가 하나 있다. ②흠집. ❏壶盖儿上的~; 주전자 뚜껑 위의 흠집.

[疤痕] bāhén 명 ①상처 자국. 흉터. ②흠집.

[疤瘌] bā·la 명 상처 자국. 흉터. =[疤拉]

笆 bā (파)
명 대나무나 버들가지로 결은 것. ❏~门; 대로 결은 문.

[笆斗] bādǒu 명 버들가지를 결어 만든 곡식 담는 둥근 채그릇.

捌 bā (별)
수 '八'의 갖은자.

拔 bá (발)
동 ①뽑다. 빼다. ❏~草; 풀을 뽑다 / ~剑; 검을 뽑다. ②(독기 따위를) 빨아내다. ③선발하다. 발탁하다. ❏选~人材; 인재를 선발하다. ④(소리 따위를) 높이다. ❏~号音; 나팔 소리를 높이다. ⑤

빼어나다. 뛰어나다. ❏～萃; 출중하다. ⑥(거점을) 탈취하다. 점령하다. ❏一个晚上～了敌人三个据点; 하룻밤에 적의 거점 3개를 탈취했다. ⑦〈方〉(찬물에 넣어) 차게 하다. ❏把汽水放在冰水里～一～; 사이다를 얼음물에 넣어 차게 해라.

[拔除] báchú 동 ①뽑아 버리다. 뽑아서 없애다. ❏～杂草; 잡초를 뽑아 버리다. ②〈比〉없애다. 제거하다. ❏～祸根; 화근을 제거하다.

[拔钉] bá//dīng 동 못을 뽑다. ❏～器 ＝[～钳]; 못뽑이. 장도리.

[拔高] bá//gāo 동 ①높이다. 높이 끌어 올리다. ❏～嗓子喊叫; 목청 높여 소리를 지르다. ②(어떤 사람이나 작품 따위를) 일부러 높이 평가하다[치켜세우다].

[拔罐子] bá guàn·zi 〖中醫〗 부항을 뜨다. ＝[〈方〉拔火罐儿]

[拔河] bá//hé 동〖體〗줄다리기하다.

[拔火罐儿] bá huǒguànr 〈方〉 ⇨[拔罐子] (báhuǒguànr) 명 풍로에 불을 피울 때 화력을 키우기 위해 위에 얹는 작은 연통. ＝[拔火筒]

[拔尖儿] bá//jiānr 형〈口〉뛰어나다. 출중하다. ❏他儿子门门功课都～; 그의 아들은 과목 과목마다 모두 뛰어나다. 동〈貶〉남 앞에 나서다. 잘난 척하다. ❏他这个人处处想～; 그는 어디든지 나서려고 한다.

[拔脚] bá//jiǎo 동 ⇨[拔腿]

[拔苗助长] bámiáo-zhùzhǎng 〈成〉 ⇨[揠yà苗助长]

[拔丝] bá//sī 동 바쓰 요리를 하다《튀긴 고구마·사과 따위에 엿·꿀·설탕을 넣고 졸임》.

[拔腿] bá//tuǐ 동 ①걸음을 성큼성큼 내딛다. ❏二话没说, ～就走; 몇 마디 하지도 않고 성큼성큼 가 버리다. ②빠져나오다. 발을 빼다. ❏工作太忙, 我拔不开腿; 일이 너무 바빠서 나는 빠져나올 수 없다. ‖＝[拔脚]

[拔牙] bá//yá 동 이를 뽑다. 발치하다. ❏～钳; 발치용 집게.

跋 bá (발)

①동 산을 넘다. ❏～山涉水; ⇩ ②명 발문.

[跋扈] báhù 형 발호하다. 설치다. 횡포하게 굴다.

[跋山涉水] báshān-shèshuǐ 〈成〉 산을 넘고 강을 건너다《고생스러운 여행을 거듭하다》.

[跋涉] báshè 동 산을 오르고 물을 건너다《힘들고 긴 여정을 거치다》.

[跋文] báwén 명 발문.

把 bǎ (파)

①동 (손으로) 잡다. 쥐다. ❏他两手紧紧～着枪; 그는 양손으로 총을 꽉 쥐었다. ②동 (어린아이를 뒤에서 안고) 대소변을 뉘다. ❏～尿; 오줌을 뉘다. ③동 장악하다. 틀어쥐다. ❏～着权力不放; 권력을 틀어쥐고 놓지 않다. ④동 지키다. 망보다. ❏～守; ⇩ ⑤동〈口〉가깝게 있다. 바싹 붙다. ❏～墙角儿站着; 담장 모퉁이에 바싹 붙어서 있다. ⑥동 (벌어지지 않게) 죄다. 조이다. ❏用一根钉子把裂缝～住; 갈라진 데를 못으로 박아서 조이다. ⑦명 끌채. 손잡이. 운전대. ❏车～; (수레·자전거 따위의) 채. 핸들. ⑧(～儿) 명 (손으로 쥘 수 있는) 묶음. 다발. ❏草～儿; 짚단. ⑨개 ㉠…을. …를《동사의 동작·영향이 미치는 대상과 결합하여 동사 앞으로 전치되어서 사람이나 사물에 대한 처분을 나타냄》. ❏他～房间收拾好了; 그는 방을 다 청소했다. ㉡결과 보어를 가진 동사나 형용사가 서술어로 쓰여 사역(使役)의 의미를 나타냄. ❏这几天～他忙坏了; 요 며칠 동안 그는 바빠서 죽을 지경이였다. ㉢여의치 않음을 나타냄《'把'의 바로 뒤에 오는 단어가 주어가 됨》. ❏他一进门～我吓了一跳; 그가 문으로 들어오자 나는 깜짝 놀랐다. ⑩조 …쯤. …가량《'百'·'千'·'万'이나 양사 뒤에 쓰여 그 수량에 가까움을 나타냄. 앞에 다시 숫자를 붙일 수 없음》. ❏个～月; 한 달 정도. ⑪양 ㉠손잡이가 있는 물건을 세는 말. ❏一～刀; 칼 한 자루. ㉡(～儿) 줌. 움큼. 다발. 묶음. ❏一～儿鲜花; 생화 한 다발 / 抓一～米; 쌀을 한 움큼 쥐다. ㉢추상적인 사물에 쓰임. ❏他是一～好手; 그는 정말 능력이 뛰어난 사람이다. ㉣손과 관계있는 동작이나 일에 쓰임. ❏帮我一～; 나를 한 번 도와다오. ⑫명 의로 맺은 관계. ❏～兄; 의형. ⇒bà

[把柄] bǎbǐng 명 ①자루. 손잡

B

이. ②〈比〉 꼬투리. 약점. ❏抓住别人的~; 다른 사람의 약점을 쥐다.

[把持] bǎchí 동 ①〈貶〉(지위·권력 따위를) 쥐고 흔들다. 움켜쥐다. ❏~权力; 권력을 쥐고 흔들다. ②(감정 따위를) 억누르다. 제어하다. 조절하다. ❏~不住内心的激愤; 마음속의 격분을 억누르지 못하다.

[把关] bǎ//guān 동 ①관문을 지키다. ②〈比〉(일정한 기준에 의해) 엄격히 검사하다. 꼼꼼히 체크하다. ❏对产品品质严格~; 제품의 질에 대해 엄격하게 체크하다.

[把式] bǎ·shi 명 ①〈口〉 무술. ❏练~; 무술을 연마하다. ②〈口〉 어떤 기예에 정통한 사람. ③〈方〉 기술. 솜씨. 기능. ‖ =[把势]

[把守] bǎshǒu 동 파수 보다. 감시하다. 지키다.

[把手] bǎ·shou 명 ①⇒[拉手 lā·shou] ②손잡이. 자루.

[把头] bǎ·tóu 명 십장(什長). 직장(職長).

[把稳] bǎwěn 형〈方〉 틀림없다. 신뢰할 수 있다. 믿음직하다.

[把握] bǎwò 동 ①쥐다. 들다. 잡다. ❏他~着机关枪; 그는 기관총을 들고 있다. ②(추상적인 것을) 잡다. 포착하다. 파악하다. ❏~要领; 요령을 파악하다. 명 성공 가능성. 가망. 자신. ❏干这件事他很有~; 그는 이 일에 매우 자신이 있다.

[把戏] bǎxì 명 ①곡예. ❏耍~; 곡예를 하다. ②술수. 수작. 농간. 속임수. ❏鬼~; 못된 수작.

[把兄弟] bǎxiōngdì 명 의형제. 결의형제. =[盟兄弟]

[把子] bǎ·zi 명 ①다발. 뭉치. ❏秫秸~; 수숫대 다발. ②〖劇〗(중국 전통극에서의) 무기, 또는 무기로 싸우는 동작. ❏练~; 격투 연습을 하다. 양 ①〈貶〉 무리. 떼. ❏一~强盗; 강도 한 무리. ②다발. 단《주로, 긴 것을 세는 데에 쓰임》. ❏一~韭菜; 부추 한 단. ③추상적 사물을 세는 말. ❏我还能出~力气; 나는 아직 힘을 낼 수 있다. ⇒ bà·zi

靶 bǎ (파) 명 ①표적. 과녁. ②〈比〉(비판 따위의) 대상.

[靶场] bǎchǎng 명 사격장. =[打靶场]

[靶心] bǎxīn 명 과녁의 중심.

[靶子] bǎ·zi 명 ①과녁. 표적. ②〈比〉(비판 따위의) 대상.

坝(壩) bà (패) 명 ①댐(dam). ②제방을 보호하는 역할을 하는 구조물.

把 bà (파) (~儿) 명 ①손잡이. 자루. ❏刀~儿; 칼자루 / 扇子~儿; 부채 손잡이. ②(꽃·잎·과일의) 자루. 꼭지. ❏花~儿; 꽃자루. ⇒ bǎ

[把子] bà·zi 명 자루. 손잡이. ⇒ bǎ·zi

爸 bà (파) 명〈口〉 아빠.

[爸爸] bà·ba 명〈口〉 아빠.

耙 bà (파) ①명〖農〗 써레. ②동 써레질하다. ⇒ pá

罢(罷) bà (파) 동 ①그만두다. 멈추다. 그치다. ❏~工; ⇩ ②파면하다. 그만두게 하다. ❏~职; ⇩ ③마치다. 끝내다. 다하다. ❏她说~, 便哭起来; 그녀는 말을 마치자마자 울기 시작했다.

[罢工] bà//gōng 동 (동맹) 파업하다. ❏发动~; 파업을 일으키다.

[罢官] bà//guān 동 관리를 면직시키다. 관직을 해제하다.

[罢教] bà//jiào 동 교원(教員)이 파업하다.

[罢考] bà//kǎo 동 (단체로) 시험을 거부하다.

[罢课] bà//kè 동 (학생이) 수업을 거부하다. 동맹 휴교하다.

[罢了] bà·le 조 …할[일] 뿐이다. …할[일] 따름이다《'不过'·'无非'·'只是' 따위와 호응함》. ❏我无非吓唬吓唬你~; 나는 그저 너를 겁준 것 뿐이다.

[罢了] bàliǎo 동 관두다. 그냥 넘어가다. ❏他不同意也就~; 그가 동의하지 않으면 관두자.

[罢免] bàmiǎn 동 파면하다. ❏~权; 파면권.

[罢市] bà//shì 동 (상인이) 파시(罷市)를 하다. 동맹 휴업하다.

[罢手] bà//shǒu 동 (하던 일에서) 손을 떼다. 그만두다.

[罢休] bàxiū 동 (어떤 일을) 그만두다. 중지하다《주로, 부정형으로 쓰임》. ❏不达目的决不~; 목적을

이루기 전에는 절대 그만두지 않겠다.
[罢职] bà//zhí 동 파직하다.
鲅(鮁) bà (발) 명〔魚〕삼치. =[鲅鱼]
霸 bà (패) ① 명 제후의 맹주(盟主). ❏ 春秋五~; 춘추 오패. ② 명 권세를 믿고 횡포를 일삼는 사람. 깡패 두목. ③ 동 (권세나 폭력으로) 독점하다. 차지하다. 군림하다.
[霸道] bàdào 명 패도. 형 난폭하고 멋대로이다. 횡포(橫暴)하다.
[霸道] bà·dao 형〈方〉독하다. 강하다. ❏ 药性~; 약성이 강하다.
[霸权] bàquán 명 패권. ❏ ~主义; 패권주의.
[霸王] bàwáng 명 ① (Bàwáng) 패왕《초(楚)왕 항우(項羽)의 존호》. ②〈比〉폭군. 횡포한 사람.
[霸占] bàzhàn 동 권세를 이용해 차지하다. 강제로 점령하다. ❏ ~土地; 토지를 강제 점령하다.
吧 ·ba (파) 조 ① 명령문의 끝에 쓰여 재촉·명령·제의의 뜻을 나타냄. ❏ 咱们回去~; 우리 돌아가자. ② 평서문의 끝에 쓰여 어기를 더욱 분명하게 함. ❏ 你不认识这个人~; 너 이 사람을 모르는구나. ③ 의문문의 끝에 쓰여 추측·짐작의 어기를 더함. ❏ 那个同学大概是新来的~? 그 학생은 아마도 새로 왔나 보지? ④ 문장 끝에 쓰여 동의를 나타냄. ❏ 就这样~; 그래, 그렇게 하자. ⑤ 문장 가운데 쓰여 양보나 가정을 나타냄. ❏ 告诉他~, 怕他不高兴, 不告诉他~, 他又一个劲儿地问, 真不好办; 그에게 말하면 그가 기분 나빠할까 봐 겁나고, 말 안 하면 그가 또 계속 물어 볼 텐데, 정말 어렵구나. ⇒ bā

bai ㄅㄞ

掰 bāi (배) 동 손으로 쪼개다. 잡아떼다. ❏ 把面包~开; 빵을 둘로 쪼개다.
[掰腕子] bāi wàn·zi 팔씨름하다.
白 bái (백) ① 형 희다. 하얗다. ❏ 她的皮肤真~; 그녀의 피부는 정말 하얗다. ② 형 밝다. 환하다. ❏ 大天~日; 백주대낮. ③ 형동 명백(히)하다. 분명히 밝히다. ❏ 真相大~; 진상이 밝혀지다. ④ 형 아무것도 없다. 아무것도 가해 있지 않다. ❏ ~卷(儿); ⇓ ⑤ 부 헛되이. 쓸데없이. 공연히. ❏ 我~忙了一天; 나는 하루 종일 쓸데없이 바빴다. ⑥ 부 거저. 무료로. 공짜로. ❏ 这钱不能~要; 이 돈을 거저 달라고 할 수는 없다. ⑦ 형 반동(反動)의. 반(反)공산주의적인. ❏ ~区; 제2차 국공 내전 때의 국민당 통치 지역. ⑧ 명 장례에 관한 것. ❏ 穿~; 상복을 입다. ⑨ 동 흘겨보다. 백안시하다. 경시하다. ❏ ~眼; ⇓ ⑩ 형 (글자의 음이나 모양이) 잘못되다. 틀리다. ❏ 这个字念~了; 이 글자는 틀리게 읽었다. ⑪ 동 설명하다. 진술하다. 말하다. ❏ 表~; 고백하다. ⑫ 명 대사(臺詞). ❏ 独~; 독백. ⑬ 명 방언. ⑭ 명 구어(口語). ❏ 文~对译; 문어와 구어의 대역.
[白白] báibái 부 ① 헛되이. 공연히. 쓸데없이. ❏ 连一分一秒也不~放过; 일분일초도 헛되이 보내지 않다. ② 공짜로. 거저.
[白班(儿)] báibān(r) 명〈口〉낮근무. 주간 근무반.
[白报纸] báibàozhǐ 명 신문용지.
[白璧微瑕] báibì-wēixiá〈成〉백옥(白玉)의 작은 반점《완벽한 사람[사물]의 사소한 결점. 옥에 티》.
[白璧无瑕] báibì-wúxiá〈成〉백옥에 조금의 흠도 없다《완전무결하다》.
[白菜] báicài 명〔植〕① 배추《'大白菜'·'小白菜' 따위가 있음》. ② '大白菜'를 지칭함.
[白痴] báichī 명 백치. 바보.
[白炽灯] báichìdēng 명 백열등.
[白醋] báicù 명 무색투명한 식초.
[白搭] báidā 동〈口〉소용없다. 헛수고하다. 괜한 짓이다. ❏ 你再说也~了; 네가 아무리 얘기해도 소용없다.
[白大褂] báidàguà 명 ① (의사가 입는) 흰 가운. ②〈轉〉의사.
[白带] báidài 명〔醫〕대하. 냉.
[白垩] bái'è 명〔鑛〕백악. ❏ ~纪;〔地質〕백악기.
[白发] báifà 명 백발. ❏ ~苍苍; 백발이 성성하다.
[白矾] báifán 명 ⇨[明矾]
[白饭] báifàn 명 ① 맨밥. ② 공기밥.

B

[白费] báifèi 동 헛되이 쓰다. 쓸데없이 낭비하다. ❑ ~口舌; 쓸데없이 입만 아프게 하다 / ~时间; 시간 낭비하다.
[白粉] báifěn 명 ① (화장에 쓰는) 흰 분. ② 〈方〉 백악(百堊). 백토(白土). ③ 〈方〉 헤로인(heroin).
[白宫] Báigōng 명 백악관.
[白骨] báigǔ 명 백골.
[白果] báiguǒ 명 ⇨[银杏]
[白鹤] báihè 명〔鳥〕두루미. 백학.
[白狐] báihú 명〔動〕북극여우. 흰여우.
[白话] báihuà 명 ① 허튼소리. 빈말. ② 백화. 구어(口語). ❑ ~文; 백화문.
[白金] báijīn 명〔化〕백금. =[铂bó]
[白净] bái·jing 형 (살결이) 희고 깨끗하다. 해말갛다.
[白酒] báijiǔ 명 백주. 배갈. 소주. =[烧酒][白干儿gānr]
[白卷(儿)] báijuàn(r) 명 백지 답안. ❑ 交~; ⓐ백지 답안을 내다. ⓑ성과 없는 보고를 하다.
[白开水] báikāishuǐ 명 백비탕(白沸湯). 맹탕으로 끓인 물.
[白蜡] báilà 명 백랍.
[白兰地] báilándì 명〈音〉 브랜디(brandy).
[白痢] báilì 명〔中醫〕백리.
[白鲢] báilián 명 ⇨[鲢]
[白领] báilǐng 명 화이트칼라(white collar). 〈比〉 사무직 노동자.
[白鹭] báilù 명〔鳥〕백로. =[鹭鸶]
[白马王子] báimǎ wángzǐ 명 백마 탄 왕자. 〈比〉 흠모하는 이상형의 남자.
[白茫茫(的)] báimángmáng(·de) 형 온통 흰빛 일색인 모양. 끝없이 하얗게 펼쳐진 모양《주로, 구름·안개·눈밭·물 따위를 형용》.
[白茅] báimáo 명〔植〕띠. 백모. =[茅草]
[白米] báimǐ 명 백미.
[白面] báimiàn 명 밀가루. =[面粉]
[白面书生] báimiàn-shūshēng 〈成〉 백면서생《젊고 잘생겼으나 글만 읽고 세상 물정에는 어두운 사람》.
[白描] báimiáo 명 ①〔美〕백묘. ② 미문(美文)에 치중하지 않고 수식이 없는 사작(寫作) 수법.
[白内障] báinèizhàng 명〔醫〕백내장.
[白皮书] báipíshū 명 백서(白書). ❑ 教育~; 교육 백서.
[白旗] báiqí 명 백기.
[白热] báirè 명〔物〕백열. 백열 상태.
[白热化] báirèhuà 동 (사태·감정 따위가) 백열화(白熱化)하다.
[白人] Báirén 명 ⇨[白种人]
[白刃] báirèn 명 예리한 칼날.
[白日梦] báirìmèng 명 백일몽. 〈比〉 실현될 수 없는 환상.
[白日做梦] báirì-zuòmèng 〈成〉 실현 가능성이 전혀 없는 일을 꿈꾸다.
[白肉] báiròu 명 돼지 수육.
[白色] báisè 명〔色〕흰색. 백색. 형 반혁명의. 반동적인. ❑ ~恐怖; 백색 테러. 백색 공포 / ~政权; 반혁명 정권.
[白色人种] Báisè Rénzhǒng ⇨[白种]
[白食] báishí 명 공짜밥. 공밥.
[白事] báishì 명 ⇨[丧sāng事] ❑ 办~; 장례를 치르다.
[白手] báishǒu 부 빈손으로. 무일푼으로. ❑ ~起家 =[~成家]; 〈成〉 자수성가하다.
[白薯] báishǔ 명 ⇨[甘薯]
[白苏] báisū 명〔植〕들깨. =[荏rěn①]
[白糖] báitáng 명 백설탕.
[白天] báitiān 명 낮. 대낮. 낮시간. 주간. 백주. =[白昼]
[白头] báitóu 명 백발. 노인. 형 날인하지 않은. 서명이 없는. ❑ ~帖子; 익명의 대자보.
[白头偕老] báitóu-xiélǎo 〈成〉 백년해로하다.
[白细胞] báixìbāo 명〔生理〕백혈구. =[白血球]
[白熊] báixióng 명〔動〕백곰. 북극곰. =[北极熊]
[白雪] báixuě 명 백설. 흰 눈. ❑ ~公主; 백설 공주.
[白血病] báixuèbìng 명〔醫〕백혈병. =[〈俗〉 血癌]
[白血球] báixuèqiú 명 ⇨[白细胞]
[白眼] báiyǎn 명 백안. 냉대나 무시하는 눈초리. ❑ ~看人; 사람을 백안시하다.
[白眼珠(儿)] báiyǎnzhū(r) 명 (눈의) 흰자위. =[〈方〉 眼白]
[白杨] báiyáng 명〔植〕백양. 은

백야.
[白夜] báiyè 명 백야.
[白衣] báiyī 명 백의. 흰옷. 흰 가운. ❏ ~天使; 백의의 천사《간호사에 대한 미칭》/ ~战士; 백의의 전사《의료 종사자들을 일컫는 말》.
[白蚁] báiyǐ 명〔蟲〕흰개미.
[白银] báiyín 명 은(銀)의 통칭.
[白玉] báiyù 명 백옥.
[白纸] báizhǐ 명 백지. ❏ 脸如~; 얼굴빛이 백지장 같다.
[白纸黑字] báizhǐ-hēizì 〈成〉 백지 위의 검은 글자《서면상 기록되어진 확실한 증거나 근거》.
[白种] Báizhǒng 명 백인종. =[白色人种]
[白种人] Báizhǒngrén 명 백인. =[白人]
[白昼] báizhòu 명 ⇨[白天]
[白字] báizì 명 틀리게 쓰거나 읽은 글자. 틀린 글자. ❏ 念~; 글자를 잘못 읽다 / 写~; 글자를 잘못 쓰다. =[别字①]

拜 bái (배)
동 바이(bye)《헤어질 때의 인사》. ⇒ bài
[拜拜] báibái 동〈音〉①〈套〉바이바이(byebye)《헤어질 때의 인사》. ②〈婉〉(어떤 관계를) 끝내다. 헤어지다. ❏ 跟香烟~了; 담배와 헤어졌다《담배를 끊었다》.

百 bǎi (백)
①수 백. ②형 수많은. 온갖. 여러. ❏ ~草; 온갖 풀.
[百般] bǎibān 부 백방으로. 온갖 방법으로. ❏ ~阻挠; 온갖 방법으로 방해하다. 수량 온갖. 갖은. 갖가지. ❏ ~痛苦; 온갖 고통.
[百倍] bǎibèi 수량 백배《수량이 많거나 정도가 깊음》. ❏ ~努力; 백배로 노력하다.
[百尺竿头, 更进一步] bǎichǐ-gāntóu, gèngjìn-yībù 〈成〉 백척간두에서 진일보하다《이미 높은 수준에 이르렀음에도 계속 노력하다》.
[百出] bǎichū 동〈貶〉백출하다. ❏ 错误~; 실수가 백출하다.
[百发百中] bǎifā-bǎizhòng 〈成〉 백발백중.
[百废俱兴] bǎifèi-jùxīng 〈成〉 방치되었던 많은 일들이 다시 시작되려 하다. =[百废俱举jǔ]
[百分比] bǎifēnbǐ 명〔數〕백분비.
[百分点] bǎifēndiǎn 명 퍼센트(percent). ❏ 下降五个~; 5퍼센트 하락하다.
[百分号] bǎifēnhào 명〔數〕백분부(百分符). 백분표《%》.
[百分率] bǎifēnlǜ 명〔數〕백분율. 퍼센티지(percentage).
[百分之百] bǎi fēn zhī bǎi 전부. 완전히. 백 퍼센트. ❏ 他是个~的骗子; 그는 완전히 사기꾼이다 / ~合格; 백 퍼센트 합격.
[百感] bǎigǎn 명 만감(萬感). ❏ ~交集; 〈成〉 만감이 교차하다.
[百合] bǎihé 명〔植〕백합.
[百花] bǎihuā 명 온갖 꽃. 백화. ❏ ~争妍; 〈成〉 온갖 꽃들이 아름다움을 다투다.
[百花齐放] bǎihuā-qífàng 〈成〉 백화제방《① 번영하는 모습. ② 형식과 품격이 다른 예술 작품이 자유롭게 발전하다》.
[百花齐放, 百家争鸣] bǎihuā qífàng, bǎijiā zhēngmíng〔政〕백화제방, 백가쟁명《1956년 중국 공산당이 내놓은 예술 발전·과학 진보·사회 문화 번영을 함께 촉진시키는 방침》.
[百货] bǎihuò 명 백화. 각종 상품.
[百货大楼] bǎihuò dàlóu 백화점. =[百货公司][百货商店]
[百科] bǎikē 명 각종 학과. 온갖 분야. ❏ ~全书; 백과전서. 백과사전 / ~知识; 온갖 분야의 지식.
[百孔千疮] bǎikǒng-qiānchuāng 〈成〉 만신창이. =[千疮百孔]
[百老汇] Bǎilǎohuì 명〔地〕〈音〉브로드웨이(Broadway).
[百炼成钢] bǎiliàn-chénggāng 〈成〉 백번의 단련으로 강철이 되다《오랜 단련을 거쳐 강해지다》.
[百灵] bǎilíng 명〔鳥〕종다리.
[百米赛跑] bǎimǐ sàipǎo〔體〕100미터 경주.
[百年] bǎinián 수량 백 년. ① 백 주년. ❏ ~纪念; 백 주년 기념. ②〈比〉여러 해. 오랜 세월. ❏ ~大计; 〈成〉 백년대계. ③〈比〉평생. ❏ ~好合; 평생 동안 화목하십시오《결혼 축사》.
[百日咳] bǎirìké 명〔醫〕백일해.
[百事可乐] Bǎishì Kělè 〈音〉 펩시콜라(Pepsi Cola).
[百事通] bǎishìtōng 명 ⇨[万事通]
[百兽之王] bǎishòuzhīwáng 명 백수의 제왕《사자를 가리킴》.
[百万] bǎiwàn 수 백만. ❏ ~富

翁; 백만장자 / ~雄师; 〈成〉 백만 대군(막강한 군사력).

[百万吨] bǎiwàndūn 명〖物〗 메가톤(megaton). ❏ ~级; 메가톤 급(級).

[百闻不如一见] bǎi wén bùrú yī jiàn 〈諺〉 백문이 불여일견.

[百无聊赖] bǎiwú-liáolài 〈成〉 마음을 의탁할 곳이 없어 지루하다. 따분하다.

B

[百姓] bǎixìng 명 백성. 일반 국민. 일반인.

[百叶] bǎiyè 명〈方〉 ① 얇은 말린 두부 조각(식품의 일종). ② (요리의 재료로서의) 소·양 따위의 위(胃).

[百叶窗] bǎiyèchuāng 명 ① 블라인드(blind). ② 셔터(shutter).

[百依百顺] bǎiyī-bǎishùn 〈成〉 모든 일에 무조건 순종하다.

[百战百胜] bǎizhàn-bǎishèng 〈成〉 백전백승하다.

[百折不挠] bǎizhé-bùnáo 〈成〉 수없이 좌절해도 굴하지 않다(의지가 매우 강하다). =[百折不回]

佰 bǎi (백)
수 '百'의 갖은자.

柏 bǎi (백)
명〖植〗 편백나무. =[柏树] ⇒bó

[柏油] bǎiyóu 명〖化〗 아스팔트(asphalt). 피치(pitch). 타르(tar). ❏ ~路; 아스팔트 도로.

摆(擺, 襬⑧) bǎi (파)
① 동 놓다. 두다. ❏ 墙角原来~过衣架; 벽 구석에 원래는 옷걸이가 놓여 있었다. ② 동 늘어놓다. 진열하다. 배치하다. ❏ 东西~得很整齐; 물건들의 배치가 매우 잘 되어 있다. ③ 동 나열하다. 열거하다. ❏ ~出事实来证明; 사실을 나열하여 증명하다. ④ 동 드러내다. 보이다. 뽐내다. ❏ ~架子; ⇩ ⑤ 동 왔다갔다 흔들다. 젓다. ❏ ~尾巴; 꼬리를 흔들다. ⑥ 명 진자(振子). 추. ❏ 钟~; 시계추. ⑦ 동 말하다. 이야기하다. ❏ 把意见~出来; 의견을 말하다. ⑧ 명 자락. 옷자락. ❏ 下~; 아랫자락.

[摆布] bǎi·bù 동 ① 배열하다. 진열하다. 배치하다. ② 계획하다. 마련하다. 처리하다. ❏ 事情太多, ~不开; 일이 너무 많아서 다 처리해 낼 수가 없다. ③ 좌지우지하다. 조종하다. ❏ 任意~工人; 마음대로 일꾼들을 조종하다. =[摆弄③]

[摆动] bǎidòng 동 왔다갔다 움직이다. 이리저리 흔들리다. ❏ 芦苇随风~; 갈대가 바람에 이리저리 흔들리다.

[摆渡] bǎidù 동 ① (나룻)배로 나르다. ② (나룻)배로 건너다. 명 나룻배.

[摆架子] bǎi jià·zi 잘난 척하다. 거드름 피우다. 허세 부리다. ❏ 你不要给我~; 너 나한테 잘난 척하지 마라. =[〈方〉 搭架子②][拿架子]

[摆阔] bǎi∥kuò 동 화려하게 차리다. 겉치레하다. ❏ 为了~, 他欠下了一万多块钱的账; 겉치레를 하기 위해 그는 1만여 위안의 빚을 냈다.

[摆门面] bǎi mén·mian 허세 부리다. 겉을 꾸미다. 겉치레하다.

[摆弄] bǎinòng 동 ① 만지작거리다. 가지고 놀다. ❏ ~玩具; 장난감을 가지고 놀다. ② 조작하다. 다루다. 만지다. ❏ 他没有事就~机器; 그는 일이 없으면 기계를 만진다. ③ ⇨[摆布③]

[摆设] bǎishè 동 (주로, 예술품을) 진열하다. 장식하다. ❏ 屋子里~得很漂亮; 방 안은 아주 멋지게 장식되어 있다.

[摆设(儿)] bǎi·she(r) 명 ① 장식품. 장식물. ② 〈比〉 보기에는 좋지만 쓸모없는 물건.

[摆手] bǎi∥shǒu 동 ① 손을 내젓다. ❏ 他向我摆了摆手说…; 그가 나에게 손을 내저으며 말하길…. ② 손을 흔들다. ❏ 他向我摆了一下手就走了; 그는 나에게 손을 한번 흔들고는 가 버렸다.

[摆摊子] bǎi tān·zi ① 노점(露店)을 벌이다. 좌판을 깔다. ② (전람회 준비를 위해) 물건을 벌여 놓다. ③ 〈比〉〈貶〉 허세를 부리다. 야단스럽게 하다. ‖ =[摆摊儿]

[摆脱] bǎituō 동 (불리·곤란한 상황에서) 빠져나가다. 벗어나다. 헤어나다. ❏ ~危险; 위험에서 벗어나다.

[摆尾] bǎi∥wěi 동 ① 꼬리 치다. ② 〈比〉 교태 부리다. ‖ =[摆尾巴]

[摆样子] bǎi yàng·zi 하는 척하다. 형식적으로 하다. ❏ 他摆了一副干活儿的样子, 其实什么也没干; 그는 일하는 척했지만, 사실은 아무

것도 하지 않았다.

败(敗) bài (패) ①동 패하다. 지다. ❑客队~了; 원정팀이 패했다. ②동 패배시키다. 쳐부수다. ❑大~了敌军; 적군을 대패시켰다. ③동 실패하다. ❑成~论人; 성패만 가지고 그 사람의 가치를 정하다. ④동 망치다. 그르치다. 파괴하다. ❑~家; ⇩ ⑤동 제거하다. 없애다. ❑~毒; 해독하다. ⑥동 시들다. 영락하다. ❑花已经~了; 꽃은 이미 시들었다. ⑦형 시든. 낡은. 부서진. ❑~叶; 낙엽. ⑧동 몰락하다. 쇠락하다.

[败北] bàiběi 동 패배하다.

[败坏] bàihuài 동 (풍속·명예 따위를) 손상시키다. 해치다. 형 (도덕·규율 따위가) 손상되다. 훼손되다. 어지러워지다. ❑道德~; 도덕이 훼손되다.

[败家] bài//jiā 동 패가하다. 집안을 말아먹다.

[败家子(儿)] bàijiāzǐ(r) 명 집안을 말아먹는 자식. 탕자. 망나니 자식. =[败子]

[败局] bàijú 명 실패한 국면. 패국. 파국. ❑挽回~; 파국을 만회하다.

[败类] bàilèi 명 배반자. 변절자.

[败露] bàilù 동 탄로나다. 발각되다. 폭로되다. ❑阴谋~; 음모가 발각되다.

[败落] bàiluò 동 몰락하다. 쇠퇴하다. 쇠락하다. ❑家道~; 가운이 쇠퇴하다.

[败诉] bàisù 동〖法〗패소하다.

[败兴] bài//xìng 형 ①흥이 깨지다. ❑乘兴而来, ~而归; 〈成〉 즐거운 마음으로 왔다가 흥이 깨져 돌아가다. ②〈方〉 운이 나쁘다. 재수가 없다.

[败血症] bàixuèzhèng 명〖醫〗패혈증.

[败因] bàiyīn 명 패인. 실패[패배]의 원인.

[败仗] bàizhàng 명 패한 싸움. 패전(敗戰).

[败阵] bài//zhèn 동 패전하다. 패하다.

[败子] bàizǐ 명 ⇨[败家子(儿)]

拜 bài (배) 동 ①예를 갖춰 경의를 표하다. 절하다. ②(서로 만나서) 예를 갖춰 축의를 표하다. ❑~年; ⇩ ③찾아뵙다. 인사차 방문하다. ❑~街坊; 이웃에 인사차 방문하다. ④일정한 예절에 따라 어떤 명의나 관직을 수여하다. ❑~将; 장수로 임명하다. ⑤어떤 관계를 맺다. ❑~把子; ⇩ ⑥〈敬〉 삼가 …하다. ❑~读; ⇩ ⇒ bái

[拜把子] bài bǎ·zi (친구 간에) 의형제를 맺다.

[拜倒] bàidǎo 동 ①엎드려 절하다. ②〈比〉〈貶〉 떠받들다. 숭배하다. 잡혀 살다.

[拜读] bàidú 동〈敬〉 배독하다.

[拜访] bàifǎng 동〈敬〉 방문하다. 찾아뵙다. ❑~名人; 명사를 찾아뵙다. =[〈書〉 造访]

[拜会] bàihuì 동 예방하다. 방문하다《주로, 외교상의 정식 방문에 쓰임》.

[拜见] bàijiàn 동〈敬〉 만나 뵙다. 찾아뵙다. ❑~恩师; 은사를 찾아뵙다.

[拜金] bàijīn 동 금전을 숭배하다. 배금하다. ❑~主义; 배금주의.

[拜年] bài//nián 동 새해 인사를 드리다.

[拜寿] bài//shòu 동 생신을 축하드리다.

[拜托] bàituō 동〈敬〉〈套〉 부탁합니다. ❑这件事就~您了; 이 일을 잘 좀 부탁드리겠습니다.

[拜谒] bàiyè 동〈敬〉 ①배알하다. 만나 뵙다. ②(능묘·비석 따위를) 참배하다. 배관(拜觀)하다.

稗 bài (패) ①명〖植〗 피. ②형〈書〉 사소한. 작은. 자잘한. ❑~史; 패사《사소한 일을 기록한 야사》.

[稗官野史] bàiguān-yěshǐ 〈成〉 패관야사《일화(逸話)나 사소한 일들을 적은 기록》.

[稗子] bài·zi 명〖植〗 피.

ban ㄅㄢ

扳 bān (반) 동 ①(한쪽 끝이 고정되어 있던 것을) 당기다. 잡아당기다. 잡아 젖히다. 비틀다. ❑~弓; 활을 당기다. ②(불리한 상황을) 되돌리다. 만회하다. ❑~成平局; 무승부로 되돌리다.

[扳不倒儿] bānbùdǎor 명〈口〉 ⇨[不倒翁]

[扳倒] bān//dǎo 동 ①쓰러뜨리

다. 거꾸러뜨리다. ②〈比〉(강한 상대를) 무찌르다. 쓰러뜨리다.

[扳机] bānjī 명 (총의) 방아쇠. ❑ 扣~; 방아쇠를 당기다.

[扳平] bānpíng 동 (운동 경기에서) 승부를 원점으로 되돌리다. 동점으로 만들다.

[扳手] bān·shou 명 ①〖機〗 스패너(spanner). =[扳子] ②(기구의) 손잡이. 자루.

B

[扳子] bān·zi 명 ⇨[扳手①]

颁(頒) bān (반)
동 공포하다. 반포하다.

[颁布] bānbù 동 반포하다. 공포하다.

[颁发] bānfā 동 ①(명령·지시·정책 따위를) 반포하다. 공포하다. ②(상장·훈장 따위를) 수여하다. ❑ ~奖状; 상장을 수여하다.

[颁奖] bān∥jiǎng 동 상(賞)을 수여하다.

[颁行] bānxíng 동 (법령 따위를) 공포하고 시행하다.

班 bān (반)
①명 반. 조(組). 그룹. 클래스(class). ❑ 短期训练~; 단기 훈련반 / ~干部; 학급 임원. ②명〖軍〗 분대. ❑ 三排二~; 제3소대 제2분대 ③(~儿) 명 근무. 근무 시간. ❑ 上~; 출근하다 / 下~; 퇴근하다. ④(~儿) 명 극단(劇團). ⑤양 ㉠사람의 무리를 가리키는 말. ❑ 一~学生; 학생 한 무리. ㉡정기적으로 운행하는 교통수단에 쓰이는 말. ❑ 头~车; 첫차. ⑥형 정기적으로 운행하는. ❑ ~车; ⇩ ⑦동 (군대를) 귀환·이동시키다. ❑ ~兵; 군사를 회군시키다.

[班车] bānchē 명 정기 운행 차량. 통근차. 셔틀버스(shuttle bus).

[班次] bāncì 명 ① 학급[학년]의 순서. ❑ 他比我高一个~; 그는 나보다 한 학년 높다. ②(정기적으로 운행하는 교통수단의) 운행 횟수.

[班底(儿)] bāndǐ(r) 명 ①〖劇〗 옛날, 극단의 평단원(平團員). ②(한 조직의) 기본 성원. 주요 멤버.

[班房] bānfáng 명〈俗〉 감옥. 구치소. ❑ 蹲~; 감옥살이를 하다.

[班费] bānfèi 명 학급비.

[班会] bānhuì 명 학급 회의.

[班机] bānjī 명 정기 운항 항공기.

[班级] bānjí 명 학급. 반. 학년.

[班轮] bānlún 명 정기선(定期船). 정기 운항선.

[班门弄斧] bānmén-nòngfǔ〈成〉 공자 앞에서 문자 쓰다. 번데기 앞에서 주름 잡다.

[班长] bānzhǎng 명 ① 반장. 급장. 조장. ②〖軍〗 분대장.

[班主任] bānzhǔrèn 명 학급 담임.

[班子] bān·zi 명 ①〈舊〉 극단(劇團). ② 팀(team). 그룹(group).

斑 bān (반)
①명 반점. 얼룩무늬. ❑ 红~; 붉은 반점. ②형 얼룩무늬가 있는. 얼룩얼룩한. ❑ ~马; ⇩

[斑白] bānbái 형〈書〉 (머리털·수염 따위가) 반백이다. 희끗희끗하다. ❑ 须眉~; 수염과 눈썹이 희끗희끗하다.

[斑斑] bānbān 형 얼룩얼룩하다. 얼룩덜룩하다. ❑ 油迹~; 기름 자국이 얼룩얼룩하다.

[斑驳] bānbó 형 (한 가지 색 속에) 여러 색이 뒤섞여 있는 모양. 얼룩덜룩한 모양. ❑ ~陆离;〈成〉 여러 빛깔이 뒤섞인 모양.

[斑点] bāndiǎn 명 반점.

[斑鸠] bānjiū 명〖鳥〗 호도새. 산비둘기.

[斑马] bānmǎ 명〖動〗 얼룩말. ❑ ~纹; 얼룩말 무늬.

[斑马线] bānmǎxiàn 명 횡단보도 표시선.

[斑纹] bānwén 명 반문. 얼룩무늬. 줄무늬.

般 bān (반)
①양 종류. 가지. 형태. ❑ 这~人; 이런 유(類)의 사람. ②조 …와 같은[마찬가지의]. ❑ 兄弟~的友谊; 형제 같은 우정.

[般配] bānpèi 형 ①(혼인 관계의 쌍방이) 서로 걸맞다. 서로 잘 어울리다. ❑ 他俩是挺~的一对儿; 그들 둘은 매우 잘 어울리는 한쌍이다. ②(차림새 따위가 신분에) 걸맞다. 어울리다. 제격이다. ❑ 这身打扮同她的身份不~; 이런 차림새는 그녀의 신분에 걸맞지 않는다.

搬 bān (반)
동 ①(주로, 무겁거나 큰 것을) 옮기다. 나르다. 움직이다. ❑ 把椅子往前~~; 의자를 앞으로 옮겨라. ② 이사하다. 옮겨 가다. ❑ 他们~到乡下去了; 그들은 시골로 이사 갔다. ③(기존의 것을) 그대로 인용하다. 답습해 사용하다. ❑ 照~别人的话; 다른 사람의 말을 그대로 인용하다.
[搬家] bān//jiā 동 ① 이사하다. ❏ ~公司; 이삿짐 센터. ② 장소[위치]를 옮기다. 이전하다.
[搬弄] bānnòng 동 ① (손으로) 움직이다. 만지작거리다. ❏ 别~电动钮; 전동 스위치를 만지지 마라. ② 뽐내다. 자랑하다. 과시하다. ③ 부추기다. 건드리다. 도발하다. ❏ ~是非; 〈成〉 남의 말을 옮기거나 뒷공론을 해서 분란을 일으키다.
[搬迁] bānqiān 동 (장소를) 옮기다. 이전하다.
[搬运] bānyùn 동 운반하다. 옮기다. ❏ ~行李; 짐을 옮기다 / ~费; 운반비.

瘢 bān (반)
명 반흔. 흉터.
[瘢痕] bānhén 명 반흔. 흉터.

板 bǎn (판)
① (~儿) 명 판. 판자. 널. ❏ 钢~; 강판 / 木~; 목판. ② (~儿) 명 (가게의) 빈지. 널빈지. ❏ 饭馆都上~儿了; 식당이 모두 문을 닫았다. ③ 명 칠판. ④ 명 〔樂〕 박판(拍板)《중국 음악에서 박자를 맞추는 데 쓰는 악기》. ⑤ (~儿) 명 〔樂〕 곡조. 박자. ❏ 快~儿; 빠른 박자. ⑥ 형 융통성이 없다. 무뚝뚝하다. 딱딱하다. ❏ 那个人太~; 저 사람은 너무 무뚝뚝하다. ⑦ 형 딱딱하다. 단단하다. 굳다. ❏ 脖子有点发~; 목이 좀 뻐근하다. ⑧ 동 표정이 굳어지다. 정색하다. ⑨ →[老板]
[板壁] bǎnbì 명 (방과 방 사이의) 판벽. 판자벽.
[板材] bǎncái 명 판재. 패널(panel). 플레이트(plate).
[板凳(儿)] bǎndèng(r) 명 (등받이 없는) 긴 나무 벤치(bench).
[板栗] bǎnlì 명 왕밤.
[板球] bǎnqiú 명 〔體〕 ① 크리켓(cricket). ② 크리켓 볼(ball)
[板上钉钉] bǎnshàng-dìngdīng 〈比〉 이미 정해져서 바꿀 수 없는 일. 확실히 정해진 것. 따 놓은 당상.
[板刷] bǎnshuā 명 (넓적하고 자루 없는) 솔《옷·신발 따위를 세척할 때 씀》.
[板眼] bǎnyǎn 명 ① 〔樂〕 중국 전통극이나 음악의 박자. ② 〈比〉 (일의) 조리. 순서. ③ 〈方〉〈比〉 요령. 방법. 눈치. ❏ ~不错; 요령이 좋다.
[板纸] bǎnzhǐ 명 판지.
[板子] bǎn·zi 명 ① 널빤지. 판자. ② 곤장.

版 bǎn (판)
① 명 (인쇄용의) 판. ❏ 出~; 출판하다. ② 양 (인쇄·출판의) 판. ❏ 第一~; 제1판. ③ 양 (신문의) 면(面). ❏ 头~新闻; 1면 뉴스.
[版本] bǎnběn 명 ① 판본. ② 버전(version). ❏ 这个故事有三种~; 이 이야기는 세 가지 버전이 있다.
[版次] bǎncì 명 출판 횟수.
[版画] bǎnhuà 명 〔美〕 판화.
[版刻] bǎnkè 명 판각.
[版面] bǎnmiàn 명 ① (신문·잡지 따위의) 전체 지면. 전면(全面). ② 레이아웃(layout). 편집 배정.
[版权] bǎnquán 명 ① 판권. ❏ ~页; 판권장(版權張). ② 저작권.
[版式] bǎnshì 명 〔印〕 판형.
[版税] bǎnshuì 명 인세(印稅).
[版图] bǎntú 명 〈轉〉 국가의 영역(領域). 나라의 판도.
[版主] bǎnzhǔ 명 〔컴〕 웹 마스터(web master).

办(辦) bàn (판)
동 ① (일 따위를) 하다. 처리하다. 취급하다. ❏ ~手续; 수속을 하다. ② 경영하다. 운영하다. ❏ ~工厂; 공장을 경영하다. ③ 준비하다. 마련하다. ❏ ~酒席; 연회를 준비하다. ④ 구입하다. 사들이다. ❏ ~货; 상품을 구입하다. ⑤ 처벌하다. ❏ 这次一定得děi狠狠~他了; 이번에는 반드시 그를 엄중히 처벌할 것이다.
[办案] bàn//àn 동 사건을 처리하다.
[办法] bànfǎ 명 (일을 처리하거나 해결하는) 방법. ❏ 好~; 좋은 방법.
[办公] bàn//gōng 동 업무를 처리하다. 근무하다. 집무하다. ❏ ~费; 판공비 / ~楼 =[~大楼]; 오피스 빌딩(office building) / ~自动化; 사무 자동화. 오에이(OA).
[办公室] bàngōngshì 명 ① 사무실. ② (기업·학교 따위의) 행정 부서.
[办理] bànlǐ 동 처리하다. 수속하다. 취급하다. ❏ ~公务; 공무를 처리하다 / ~手续; 수속하다.
[办事] bàn//shì 동 일을 처리하다. 일을 하다. ❏ ~处; 사무소. 사무국 / ~员; 사무원.

B

半 bàn (반)
① 수 반《정수(整數)가 없을 때는 양사 앞에, 있을 때는 양사 뒤에 쓰임》. ❏ ~斤; 반 근 / 一斤~; 한 근 반. ② 형 가운데의. 중간의. ❏ ~途; ⇩ ③ 수 수량이 매우 적음을 나타냄. ❏ ~句话; 일언반구. ④ 부 반쯤. 반만. 반은. ❏ ~新的衣服; 반은 새것인 옷.

B

[半百] bànbǎi 수 반백. 오십《주로, 나이를 가리킴》. ❏ 年过~; 나이 50이 넘다.

[半…半…] bàn…bàn… 반대의 뜻을 갖는 두 개의 말 앞에 각각 쓰여 상대되는 성질·상태가 함께 존재함을 나타냄. ❏ 半昏半睡; 비몽사몽 / 半明半暗; 어둑어둑하다.

[半辈子] bànbèi·zi 명 반평생. 반생. =[半生][半世]

[半边(儿)] bànbiān(r) 명 반쪽. 절반.

[半…不…] bàn…bù… 〈貶〉 '–도 아니고 –도 아니다' 의 뜻인 성어(成語) 형식의 말을 만듦. ❏ 半新不旧; 새것고 아니고 헌것도 아니다 / 半痴不颠; 바보스럽다. 맹하다.

[半场] bànchǎng 명〔體〕 ① 시합[경기]의 절반. ❏ 上~; 전반전 / 下~; 후반전 / ~休息; 하프 타임(half time). ② 경기장의 절반. 하프 코트(half court).

[半成品] bànchéngpǐn 명 반제품(半製品). =[半制品]

[半导体] bàndǎotǐ 명〔物〕 반도체.

[半岛] bàndǎo 명〔地理〕 반도.

[半道儿] bàndàor 명 ⇨[半路(儿)]

[半地下] bàndìxià 명 반지하. ❏ ~室; 반지하실.

[半点儿] bàndiǎnr 수량 극히 적은 수. 매우 사소한 것. ❏ ~私心也没有; 조금의 사심도 없다.

[半吊子] bàndiào·zi 명 ① 덜렁이. 촐랑이. ② 얼치기. 반거들충이. ③ 매사에 건성이고 끝까지 해내지 못하는 사람.

[半封建] bànfēngjiàn 형 반봉건적이다.

[半疯儿] bànfēngr 명〈口〉〈貶〉 반미치광이. =[半疯子]

[半工半读] bàngōng-bàndú 〈成〉 일하며 공부하다.

[半价] bànjià 명 반값. ❏ ~出售; 반값에 판매하다.

[半截儿] bànjiér 수량 반절. 절반. 반. ❏ ~铅笔; 반절 남은 연필.

[半斤八两] bànjīn-bāliǎng 〈成〉〈貶〉 피장파장. 피차일반. 도토리 키 재기.

[半径] bànjìng 명〔數〕 반지름. 반경. ❏ 活动~; 활동 반경.

[半决赛] bànjuésài 명〔體〕 준결승(準決勝).

[半空] bànkōng 명 공중.

[半路(儿)] bànlù(r) 명 ① (길의) 도중. 중도. ❏ ~下车; 도중에 차에서 내리다. ② (진행되고 있는) 중간. 도중. 중도. ❏ ~出家; 〈成〉 중년이 된 후에 출가하다《중간에 직업을 바꾸다》. ‖ =[半道儿][半途]

[半票] bànpiào 명 반표. 반액표.

[半瓶醋] bànpíngcù 명〈口〉〈比〉 수박 겉핥기 식으로 아는 사람. 얼치기. 반거들충이. =[半瓶子醋][〈方〉 二百五②]

[半旗] bànqí 명 반기.

[半球] bànqiú 명〔地理〕 반구. ❏ 北~; 북반구.

[半山腰] bànshānyāo 명 ⇨[山腰]

[半晌(儿)] bànshǎng(r) 수량〈方〉 ① 한나절. ❏ 前~; 오전 / 后~; 오후. ② 긴 시간. 한참.

[半身] bànshēn 명 반신. ❏ ~浴; 반신욕.

[半身不遂] bànshēn bùsuí ⇨[偏瘫]

[半身像] bànshēnxiàng 명 ① 상반신 사진. ② 흉상(胸像).

[半生] bànshēng 명 ⇨[半辈子]

[半生不熟] bànshēng-bùshú 〈成〉 ① 덜 익다. 설익다. ② (~的) 미숙하다. 어설프다.

[半世] bànshì 명 ⇨[半辈子]

[半数(儿)] bànshù(r) 명 반수. 절반.

[半死] bànsǐ 동 ① 반죽음 상태가 되다. 초주검이 되다. ❏ 打个~; 다 죽도록 때리다. ② 반은 죽다. 다 죽어가다. 죽기 일보 직전이다.

[半天] bàntiān 명 ① (~儿) 한나절. ② 오랜 시간. 한참.

[半透明] bàntòumíng 형 반투명하다.

[半途] bàntú 명 ⇨[半路(儿)]

[半途而废] bàntú'érfèi 〈成〉 중도에 그만두다.

[半文盲] bànwénmáng 명 까막눈이나 다름없는 사람. 반 문맹.

[半信半疑] bànxìn-bànyí 〈成〉 반신반의하다.

[半袖] bànxiù 명 반소매.
[半夜] bànyè 명 ① 반야. 하룻밤의 반. ② 한밤중. 심야. ❑ ~三更; 〈成〉 한밤중.
[半圆] bànyuán 명〖數〗반원.
[半月] bànyuè 명 ① 반달. ② 반원형. ❑ ~切; 반달 썰기 / ~形; 반달형.
[半支莲] bànzhīlián 명〖植〗채송화.
[半殖民地] bànzhímíndì 명 반식민지.
[半制品] bànzhìpǐn 명 ⇨[半成品]
[半自动] bànzìdòng 형 반자동의. ❑ ~洗衣机; 반자동 세탁기.

伴 bàn (반)
① (~儿) 명 동반자. 동료. ② 동 동반하다. 모시다. ❑ ~他一起去; 그와 함께 가다.
[伴唱] bànchàng 동 연기(演技)나 연주에 맞추어 노래하다.
[伴侣] bànlǚ 명 반려. 반려자.
[伴娘] bànniáng 명 신부 들러리.
[伴随] bànsuí 동 따르다. 동반하다. 수반하다. ❑ 大雨~着雷声倾盆而下; 큰비가 천둥소리와 함께 억수같이 쏟아져 내렸다.
[伴同] bàntóng 동 동행하다. 함께 하다. 동반하다. ❑ ~出现; 동반 출현 하다.
[伴舞] bànwǔ 동 ① 춤 상대[파트너]가 되다. ② 노래에 맞춰 옆에서 춤추다.
[伴奏] bànzòu 동 반주하다.

拌 bàn (반)
동 한데 섞다. 뒤섞다. 무치다. ❑ 把盐~进去; 소금을 섞어 넣다.
[拌和] bàn·huò 동 버무리다. 반죽하다. 무치다. ❑ 把沙子和水泥~匀了; 모래와 시멘트를 골고루 섞었다.
[拌面] bànmiàn 명 비빔면.
[拌嘴] bàn//zuǐ 동 ⇨[吵嘴]

绊(絆) bàn (반)
동 (발을) 걸다. 방해하다. 거치적거리다. ❑ 他故意~了我一下; 그가 일부러 내 발을 걸었다.
[绊脚石] bànjiǎoshí 명〈比〉 걸림돌.
[绊子] bàn·zi 명 다리 걸기. ❑ 暗暗使了个~; 몰래 다리를 걸었다.

扮 bàn (분)
동 ① (…으로) 분하다. 분장하다. ❑ 女~男装; 여자가 남장을 하다. ② 어떤 표정을 짓다. ❑ ~鬼脸; ⇩
[扮鬼脸] bàn guǐliǎn 괴상하고 익살스러운 표정을 지어 보이다.
[扮相] bànxiàng 명 ① (배우의) 분장한 모습. ② 〈轉〉 차림새.
[扮演] bànyǎn 동 …로 출연하다. …역을 맡다. ❑ 在剧中~反面人物; 극중에서 악역을 맡다.

瓣 bàn (판)
① (~儿) 명 꽃잎. ② (~儿) 명 (식물의 종자나 과실 · 구근(球根)의) 쪽. ❑ 蒜~儿; 마늘 쪽. ③ (~儿) 양 조각《갈라지거나 부서져서 생긴 조각을 세는 말》. ❑ 一个碗摔成两~儿; 그릇 하나가 두 조각으로 깨졌다. ④ (~儿) 양 조각. 쪽《종자 · 과실 따위의 조각을 세는 말》. ❑ 一~儿蒜; 마늘 한 쪽. ⑤ 명〈簡〉 ⇨[瓣膜]
[瓣膜] bànmó 명〖生理〗판막. ＝ [〈簡〉瓣⑤]

bang ㄅㄤ

邦 bāng (방)
명 나라. 국가. ❑ 友~; 우방.
[邦交] bāngjiāo 명 국교. 외교 관계. ❑ 断绝~; 국교를 단절하다.
[邦联] bānglián 명 연방.

帮(幫) bāng (방)
① 동 돕다. 거들다. ❑ 请你~我一下; 저 좀 도와주세요. ② 동 삯일을 하다. ❑ ~短工; 날품팔이를 하다. ③ (~儿) 명 (물체의) 양측. 둘레. ❑ 鞋~儿; 신발의 양측 부분. ④ (~儿) 명 (채소의) 겉대. ❑ 白菜~儿; 배추 겉대. ⑤ 명 단체. 무리. 집단. 패거리. ❑ 匪~; 비적 집단. ⑥ 양 무리. 집단. 패거리. ❑ 一~流氓; 불량배 한 패거리.
[帮办] bāngbàn 동 도와서 처리하다. 보좌하다. 명 조수. 보조자.
[帮倒忙] bāng dàománg 돕는다는 것이 오히려 번거롭게 만들다.
[帮工] bāng//gōng 동 (고용되어) 일을 거들다. 일손을 돕다. (bānggōng) 명 일꾼. 품꾼.
[帮忙(儿)] bāng//máng(r) 동 거들어 주다. 도와주다. 원조하다. ❑ 他帮了我不少忙; 그는 나를 많이 도와주었다 / 我需要你的~; 나는

B

네 도움이 필요하다.
[帮腔] bāng//qiāng 동 ①〔劇〕한 사람이 무대에서 노래를 부르고 여러 사람이 무대 뒤에서 창화(唱和)하다. ②〈比〉맞장구치다. ❏～助势; 맞장구치며 가세하다.
[帮手] bāng·shou 명 보조원. 조수.
[帮凶] bāngxiōng 동 악행을 돕다. 나쁜 일을 도와주다. 명 (나쁜 짓의) 공범자. 동조자. 하수인.
[帮助] bāngzhù 동 (정신적·물질적으로) 돕다. 원조하다. ❏互相～; 서로 돕다 / 这对你们很有～; 이것은 너희에게 매우 도움이 된다.
[帮子] bāng·zi 명 ①(채소의) 겉대. ❏白菜～; 배추 겉대. ②(신발의) 양측 부분. 양 무리. 떼《무리를 이룬 사람을 세는 말》.

梆 bāng (방)
①명 딱따기《야경에 쓰이는 기구》. ②동〈方〉(방망이 따위로) 치다. 두드리다. ③의 탁. 딱《나무 두드리는 소리》.
[梆子] bāng·zi 명 ①(야경용) 딱따기. ②중국 전통극의 반주에 쓰이는 타악기.

绑(綁) bǎng (방)
동 ①(끈 따위로) 동여매다. 감다. 묶다. ❏～架子; 선반을 매다. ②(일에) 매이다. ❏让那件事给～住了; 그 일에 매여 있다.
[绑匪] bǎngfěi 명 유괴범. 납치범.
[绑架] bǎngjià 동 납치하다. ❏把他～到一个偏辟的地方; 그를 외진 곳으로 납치해 갔다.
[绑票(儿)] bǎng//piào(r) 동 유괴하다. 납치하다. 인질로 잡다. ❏绑他的票; 그를 납치하다.
[绑腿] bǎng·tuǐ 명 각반(脚絆). 대님.

榜 bǎng (방)
명 ①게시. 방. ❏～上有名; 합격하다. ②편액(扁額).
[榜额] bǎng'é 명 ⇨[匾biǎn额]
[榜样] bǎngyàng 명 모범. 본보기. 귀감. ❏做～; 모범을 보이다.

膀 bǎng (방)
명 ①어깨. ❏两～; 양 어깨. ②(～儿) 새의 날개. ❏鸡～; 닭날개. ⇒páng
[膀臂] bǎngbì 명 ①〈方〉팔. ②〈比〉든든한 조수. 오른팔.
[膀大腰圆] bǎngdà-yāoyuán〈成〉떡 벌어져 단단한 체격.
[膀子] bǎng·zi 명 ①상박(上膊). 팔. ②날개. 날갯죽지.

蚌 bàng (방)
명〔貝〕마합(馬蛤). 말조개.

傍 bàng (방)
동 ①접근하다. 바싹 붙다. ❏～着爱人散步; 아내에게 바싹 붙어 산책하다. ②(시간이) 임박하다. ❏～晚; ⇩ ③뒤따르다. 따라가다. ❏～上他, 别让他跑了; 그가 도망가지 못하게 그를 따라가라.
[傍晚] bàngwǎn 명 저녁 무렵. 해질 녘. =[〈方〉傍黑儿]

谤(謗) bàng (방)
동〈書〉헐뜯다.

磅 bàng (방)
①양〔度〕〈音〉파운드(pound). ②명 앉은뱅이저울. ③동 (앉은뱅이저울로) 달다. ❏～体重; 체중을 달다. ⇒páng
[磅秤] bàngchèng 명 앉은뱅이저울. =[台tái秤①]

镑(鎊) bàng (방)
명〈音〉파운드(pound)《영국의 화폐 단위》. =[英镑]

棒 bàng (방)
①명 막대기. 몽둥이. 방망이. ❏球～; (야구의) 배트(bat). ②형〈口〉(체력·능력·성적·수준 따위가) 뛰어나다. 대단하다. 좋다. 훌륭하다. ❏乒乓球打得可真～; 탁구를 정말 잘 친다.
[棒槌] bàng·chui 명 ①방망이. 빨랫방망이. ②문외한《주로, 연극계에서 쓰이는 말》.
[棒球] bàngqiú 명〔體〕①야구. ❏打～; 야구를 하다 / ～场; 야구장. ②야구공.
[棒糖] bàngtáng 명 막대 사탕.
[棒子] bàng·zi 명 ①(짧고 굵은) 방망이. 몽둥이. ②〈方〉⇨[玉米]

bao ㄅㄠ

包 bāo (포)
①동 (얇은 것으로) 싸다. 포장하다. ❏～包子; 만두를 빚다 / 他～了几件衣服; 그는 옷을 몇 벌 쌌다. ②(～儿) 명 보따리. 꾸러미. 봉지. ❏打了个～; 보따리를 하나 싸다. ③(～儿) 명 (물건 담는) 주머니. 봉지. 자루. 가방. ❏书～; 책가방. ④양 포. 봉지. 자루《싼

것을 세는 말》. ❏ 一~茶叶; 찻잎 한 봉지. ⑤ (~儿) 어떤 특징을 가진 사람. ❏ 淘气~儿 장난꾸러기. ⑥ 명 (물체나 신체의) 돌기. 혹. 종기. ❏ 胳膊上起了个~; 팔에 종기가 났다. ⑦ 명 파오《둥근 이동식 천막》. ⑧ 동 둘러싸다. 에워싸다. 포위하다. ❏ 火焰~住了整个村庄; 화염이 온 마을을 에워쌌다. ⑨ 동 포함하다. 포괄하다. ❏ 无所不~; 〈成〉 포함하지 않은 것이 없다. ⑩ 동 책임지고 맡아 하다. 청부 맡다. 떠맡다. ❏ 我们一人~了一个; 우리는 한 사람이 하나씩 떠맡았다. ⑪ 동 보증하다. 보장하다. ❏ ~在我身上; 내가 보증한다. ⑫ 동 전세 내다. 대절하다.

[包办] bāobàn 동 ① (어떤 일을) 도맡아 치르다[처리하다]. 도급 맡다. ❏ 这件事你一个人~得了liǎo吗? 이 일을 너 혼자 도맡아 할 수 있겠느냐? ② (의논 없이) 독단적으로 처리하다. ❏ ~婚姻; 부모가 정해 주는 혼인.

[包庇] bāobì 동 (나쁜 사람이나 나쁜 일을) 감싸 주다. 비호하다.

[包藏] bāocáng 동 속으로 감추다. 몰래 품다. ❏ ~祸心; 〈成〉 속으로 남을 해칠 생각을 품다.

[包产] bāo//chǎn 동 책임 생산을 하다. ❏ ~到户; 가족 단위의 책임 생산.

[包场] bāo//chǎng 동 (극장 따위를) 전세 내다. 예약하다.

[包抄] bāochāo 동〔軍〕 포위 공격 하다.

[包车] bāo//chē 동 차를 대절하다[전세 내다]. (bāochē) 명 전세차. 대절차.

[包饭] bāo//fàn 동 식사를 도급 맡다. 급식하다. (bāofàn) 명 매달 식대를 지불하는 식사. 급식. ‖ =[包伙]

[包房] bāo//fáng 동 (호텔 따위에서) 장기 투숙하다. (bāofáng) 명 (호텔 따위의) 장기 투숙용 방.

[包袱] bāo·fu 명 ① 보자기. 보. ② 보따리. ③ (정신적) 부담. ❏ 思想~; 정신적 부담. ④ ('相声' 따위의) 웃길 만한 소재. ❏ 抖~; 익살을 부리다.

[包袱皮儿] bāo·fupír 명 보자기.

[包干儿] bāogānr 동 (일정한 범위 안의) 일을 책임지고 맡다.

[包工] bāogōng 동 (생산 · 공사 따위를) 도급 맡다. 수주하다. 명 하청업자. 청부업자.

[包管] bāoguǎn 동 (확실히) 보증하다. 장담하다. ❏ ~退还; 반품 교환을 보증하다 / 他~不会推辞的; 그는 틀림없이 사퇴하지 않을 것이다.

[包裹] bāoguǒ 명 소포. 보따리. ❏ 寄~; 소포를 보내다. 동 싸다. 싸매다. ❏ ~伤口; 상처를 싸매다.

[包含] bāohán 동 포함하다. ❏ 这个字~许多意思; 이 글자에는 여러 가지 뜻이 포함되어 있다.

[包涵] bāo·hán 동〈套〉 (너그럽게) 용서하다. 양해하다.

[包伙] bāo//huǒ 명동 ⇨[包饭]

[包机] bāojī 동 비행기를 전세 내다. 명 전세기.

[包价] bāojià 명 패키지(package) 요금.

[包价旅游] bāojià lǚyóu 패키지(package) 여행. =[〈簡〉 包游]

[包括] bāokuò 동 포함하다. 포괄하다. ❏ 水电费~在内; 물세와 전기세는 안에 포함된다.

[包揽] bāolǎn 동 도맡아 하다. 책임지고 맡아 하다. ❏ ~家务; 집안일을 도맡아 하다.

[包罗] bāoluó 동 포괄하다. 망라하다. ❏ ~万象; 〈成〉 모든 것을 망라하다《내용이 풍부하고 없는 것이 없다》.

[包皮] bāopí 명 ① 포장용품. 커버. ②〔生理〕 포피.

[包票] bāopiào 명 보증서. =[保票]

[包容] bāoróng 동 ① 포용하다. 용납하다. 관용하다. ② 수용하다.

[包围] bāowéi 동 ① 둘러싸다. 에워싸다. 포위하다. ❏ 他被记者~住了; 그는 기자들에게 완전히 포위되었다. ②〔軍〕 포위 공격하다. ❏ 陷于~之中; 포위망에 걸리다.

[包围圈] bāowéiquān 명〔軍〕 포위망. 포위권. ❏ 缩小~; 포위망을 좁히다 / 冲出~; 포위망을 뚫다.

[包席] bāo//xí 동 테이블을 예약하다. 요리를 상으로 주문하다. (bāoxí) 명 풀코스의 요리상. ‖ =[包桌]

[包厢] bāoxiāng 명 극장의 특별석 《무대 근처의 2층 예약석》.

[包游] bāoyóu 명〈簡〉 ⇨[包价旅游]

[包圆儿] bāo//yuánr 동〈口〉 ①

B

통거리로 사다. 떨이로 사다. ② 전부 맡아 하다. 모두 책임지다. ❑ 这儿的工作由你们~; 여기 작업은 너희가 모두 책임지거라.

[包扎] bāozā 동 감다. 묶다. 싸매다. ❑ ~伤口; 상처를 싸매다.

[包装] bāozhuāng 명동 포장(하다). ❑ ~纸; 포장지.

[包桌] bāo∥zhuō 명동 ⇨[包席]

[包子] bāo·zi 명 (소를 넣은) 찐빵. 만두. 왕만두.

苞 bāo (포) ① 명 꽃봉오리. 꽃망울. ② 형 〈書〉 우거지다. 무성하다.

孢 bāo (포) →[孢子]

[孢子] bāozǐ 명〔植〕 포자. ❑ ~植物; 포자식물. =[胞子]

炮 bāo (포) 동 ① (센 불에서) 볶다. ② 불에 쪼이다. ❑ 把湿衣服搁在热炕上~干; 젖은 옷을 온돌 위에서 말리다. ⇒ páo pào

胞 bāo (포) 명 ①〔生理〕 포의. ② 친형제자매. 동복(同腹). ③ 나라가 같거나 민족이 같은 사람.

[胞衣] bāoyī 명 ⇨[胎衣]

[胞子] bāozǐ 명 ⇨[孢子]

龅(齙) bāo (포) →[龅牙]

[龅牙] bāoyá 명 뻐드렁니.

剥 bāo (박) 동 (껍질을) 벗기다. 까다. ❑ ~了皮再吃; 껍질을 벗기고 먹다. ⇒ bō

煲 bāo (보) 〈方〉 ① 명 (바닥이 깊은) 냄비. 솥. ❑ 沙~; 질냄비. ② 동 (냄비로) 끓이다. ❑ ~饭; 밥을 짓다.

褒 bāo (포) 동 칭찬하다. 찬양하다.

[褒贬] bāobiǎn 동 좋고 나쁨을 평(評)하다. 비평하다. ❑ ~人物; 인물을 평하다.

[褒贬] bāo·bian 동 결점을 지적하다. 헐뜯다. 비난하다. ❑ 背地里~人; 남을 뒤에서 헐뜯다.

[褒词] bāocí 명 ⇨[褒义词]

[褒奖] bāojiǎng 동 포상하다.

[褒扬] bāoyáng 동 표창하다. ❑ ~先进; 선진 모범을 표창하다.

[褒义] bāoyì 명 포의《칭찬 따위의 긍정적인 의미》.

[褒义词] bāoyìcí 명〔言〕 포의어《긍정적 의미를 가진 단어》. =[褒词]

雹 báo (박) 명 ⇨[冰雹]

[雹子] báo·zi 명 ⇨[冰雹]

薄 báo (박) 형 ① 얇다. ❑ 穿得~; 얇게 입다 / ~片; 박편. ② 야박하다. 박정하다. 냉담하다. ❑ 他待我们不~; 그는 우리에게 야박하지 않다. ③ (맛·향이) 약하다. 싱겁다. ❑ 酒味太~; 술맛이 너무 약하다. ④ (토지가) 척박하다. ❑ ~地; 척박한 땅. ⇒ bó bò

[薄板] báobǎn 명 박판.

宝(寶) bǎo (보) ① 명 보물. 보배. ❑ 国~; 국보. ② 형 진귀한. 귀중한. ❑ ~石; ⇓ ③ 접두 〈敬〉 상대의 가족·회사 따위를 높이는 말. ❑ ~行; 귀사(貴社).

[宝宝] bǎo·bao 명 예쁜 아기·아가《어린아이에 대한 애칭》.

[宝贝] bǎo·bèi 명 ① 보물. 보배. ② (~儿) 보물 덩어리. 보배 덩어리. 귀염둥이《어린아이에 대한 애칭》. ③ 〈貶〉 쓸모없는 놈. 이상한 자식. 웃기는 놈. ④ 자기. 베이비(baby)《사랑하는 사람에 대한 애칭》. ❑ 我的~; 우리 자기.

[宝贵] bǎoguì 형 귀중하다. 소중하다. 귀하다. ❑ ~的意见; 소중한 의견. 동 귀중히 여기다. ❑ 中国人民最可~的文物; 중국 국민들이 가장 귀중히 여기는 문물.

[宝剑] bǎojiàn 명 보검.

[宝库] bǎokù 명 보고《주로, 비유에 쓰임》. ❑ 知识~; 지식의 보고.

[宝石] bǎoshí 명 보석. ❑ ~商; 보석상 / ~琢磨; 보석 세공.

[宝塔] bǎotǎ 명 보탑. 탑.

[宝物] bǎowù 명 보물.

[宝藏] bǎozàng 명 묻혀 있는 보물《주로, 지하자원을 지칭함》.

[宝座] bǎozuò 명 ① 보좌. 옥좌(玉座). ② 〈比〉 최고의 자리.

饱(飽) bǎo (포) ① 형 배부르다. ❑ 吃得太~; 너무 배불리 먹다. ② 형 속이 꽉 차다. 옹골차다. ❑ 麦粒儿很~; 보리 낟알이 매우 옹골차다. ③ 부 충분히. 족히. 실컷. ❑ ~经风霜; ⇓ ④ 동 만족시키다. ❑ ~耳福; 귀를 즐겁게 하다 / ~眼福;

눈요기를 하다. ⑤동 착복하다. 떼어먹다. ❏以～私囊;〈成〉사복을 채우다.

[饱餐] bǎocān 동 포식하다. ❏～了一顿; 한 끼를 포식했다.

[饱尝] bǎocháng 동 ① 충분히 맛보다. ❏～美味; 맛있는 것을 충분히 맛보다. ② 오랫동안 겪다. 경험하다. ❏～艰苦; 온갖 고초를 실컷 겪다.

[饱嗝儿] bǎogér 명 배부른 트림. ❏打～; 배부른 트림을 하다.

[饱汉不知饿汉饥] bǎohàn bù zhī èhàn jī 〈諺〉풍족한 사람은 가난한 사람의 고통을 모른다.

[饱和] bǎohé 동 ①〖化〗포화하다. ❏～状态; 포화 상태. ②(사물이) 포화 상태에 이르다.

[饱经风霜] bǎojīng-fēngshuāng 〈成〉세상의 만고풍상을 다 겪다.

[饱满] bǎomǎn 형 ① 풍만하다. 옹골지다. ❏籽粒～; 낟알이 옹골지다. ②(원기가) 충만하다. 왕성하다. ❏精神～; 원기가 왕성하다.

[饱食] bǎoshí 동 포식하다. ❏～终日;〈成〉종일 배불리 먹다《(주로, '无所用心' 과 연용하여) 무위도식하다》.

[饱学] bǎoxué 형 박학하다. ❏～之士;〈成〉박학한 인사.

保 bǎo (보)
① 동 보호하다. 보위하다. ❏～家卫国;〈成〉국가를 방위하다. ② 동 지키다. 유지하다. 보존하다. ❏～温; ⇓ ③ 동 책임지다. 보증하다. ❏可～三年不出毛病; 3년간 고장 나지 않는다고 보증할 수 있다. ④ 동〖法〗보증하다. ❏～释; ⇓ ⑤ 명 보증인. ❏作～; 보증을 서다. ⑥ 명동 보험(에 들다). ❏～了一百万元; 100만 위안짜리 보험에 들었다.

[保安] bǎo'ān 동 보안하다. ① 치안을 유지하다. ❏～服务公司; 경비업체. ② 안전을 유지하다. ❏～制度; 보안 제도. 명 ⇨[保安员]

[保安员] bǎo'ānyuán 명 보안 요원. =[保安]

[保镖] bǎobiāo 동 재물을 호송하거나 사람을 경호하다. 명 ①(무기를 소지한) 호송원. ② 경호원. 보디가드.

[保不住] bǎo·buzhù 부 어쩌면[혹시] (…일지도 모른다). ❏飞机～会被击落; 비행기는 어쩌면 격추되었을지도 모른다. =[保不定] 동 보증할 수 없다. 장담할 수 없다. ❏无论什么买卖也～准赚钱; 어떤 장사라도 꼭 돈을 번다고 장담할 수는 없다.

[保藏] bǎocáng 동 (유실 · 훼손을 막기 위해) 보존하다. 간수하다.

[保持] bǎochí 동 (현 상태를) 유지하다. 지키다. ❏～距离; 거리를 유지하다.

[保存] bǎocún 동 보존하다《훼손이나 변화가 생기지 않도록 함》. ❏～期限; 유통 기한.

[保单] bǎodān 명 ① 보증 계약서. ②(상품의) 보증서. ③ ⇨[保险单]

[保费] bǎofèi 명 ⇨[保险费]

[保管] bǎoguǎn 동 ① 보관하다. ❏～费; 보관료 / ～室; 보관실. ② 틀림없이 …하다. 보증하다. ❏你穿上这件羊毛衫～好看; 네가 이 양모 스웨터를 입으면 틀림없이 예쁠 것이다. 명 보관인. 관리인.

[保护] bǎohù 동 보호하다. ❏～视力; 시력을 보호하다 / ～关税; 보호 관세 / ～膜; 보호막 / ～色; 보호색.

[保加利亚] Bǎojiālìyà 명〖地〗〈音〉불가리아(Bulgaria).

[保驾] bǎo∥jià 동 ① 황제를 호위하다. ②〈轉〉(어떤 사람이나 사물을) 보호하다. 뒤에서 보살펴 주다.

[保健] bǎojiàn 동 건강을 지키다. ❏～操; 보건 체조 / ～站; 보건 센터 / ～室; 양호실.

[保洁] bǎojié 동 청결을 유지하다. ❏～车; 청소차 / ～箱; (거리에 설치된) 쓰레기통.

[保龄球] bǎolíngqiú 명〖體〗〈音〉① 볼링(bowling). ② 볼링공.

[保留] bǎoliú 동 ①(원래의 상태를) 유지하다. 간직하다. 보존하다. ❏～原貌; 원래의 모습을 유지하다. ②(의견 · 권리 따위를) 보류하다. ❏～意见; 의견을 보류하다. ③ 두다. 남겨 두다. ❏他至今仍～着你的信; 그는 지금까지도 네 편지를 갖고 있다.

[保密] bǎo∥mì 동 비밀을 지키다. 비밀로 하다. ❏绝对～; 절대 비밀로 하다 / ～文件; 비밀문서.

[保姆] bǎomǔ 명 ①(가정 내의) 보모. 유모. =[保母] ② ⇨[保育员]

[保票] bǎopiào 명 ⇨[包票]

B

[保期] bǎoqī 명 ① 보험 기간. ② (제품의) 보증 기간.
[保全] bǎoquán 동 ① 보전하다. ❑ ~名誉; 명예를 보전하다. ② (기계 설비를) 정비하다. ❑ ~工; 정비공.
[保人] bǎo·ren 명 ⇨[保证人]
[保湿] bǎoshī 동 보습하다. ❑ 水分~霜; 수분 보습 크림.
[保释] bǎoshì 동〖法〗 보석하다. ❑ ~出狱; 보석으로 출옥하다.
[保守] bǎoshǒu 동 (잃거나 새어 나가지 않도록) 지키다. ❑ ~中立; 중립을 지키다. 형 보수적이다. ❑ ~主义; 보수주의.
[保税] bǎoshuì 동〖貿〗 보세 창고에 유치하다. ❑ ~仓库; 보세 창고 / ~区; 보세 구역.
[保送] bǎosòng 동 보증 추천하여 보내다. ❑ ~入学; 추천 입학.
[保卫] bǎowèi 동 보위하다. ❑ ~祖国; 조국을 보위하다.
[保温] bǎo∥wēn 동 온도를 유지하다. 보온하다. ❑ ~杯; 보온컵 / ~瓶; 보온병.
[保鲜] bǎoxiān 동 신선도를 유지하다. ❑ ~膜; (식품용) 랩(wrap) / ~期间; (식품의) 유통 기한.
[保险] bǎoxiǎn 명 보험. ❑ ~公司; 보험 회사. 형 안전하다. 확실하다. ❑ ~的办法; 안전한 방법. 동 보증하다. 틀림없다. ❑ 这样办, ~没问题; 이렇게 하면 틀림없다.
[保险单] bǎoxiǎndān 명 보험 증권. =[保单③]
[保险费] bǎoxiǎnfèi 명 보험료. =[保费]
[保险杠] bǎoxiǎngàng 명 (자동차의) 범퍼(bumper).
[保险柜] bǎoxiǎnguì 명 금고.
[保险丝] bǎoxiǎnsī 명〖電〗 (두꺼비집의) 퓨즈(fuse).
[保修] bǎoxiū 동 ① 보증 수리하다. 에이에스(AS)를 하다. ② 보수하다. 정비하다.
[保养] bǎoyǎng 동 ① 보양하다. ❑ ~身体; 몸을 보양하다. ② 보수하다. 정비하다. ❑ ~公路; 도로를 보수하다.
[保有] bǎoyǒu 동 보유하다. ❑ ~外汇; 외화를 보유하다.
[保佑] bǎoyòu 동 보우하다. 가호하다.
[保育] bǎoyù 동 보육하다. ❑ ~院; 보육원.
[保育箱] bǎoyùxiāng 명〖醫〗 인큐베이터(incubator). 보육기. =[保育器]
[保育员] bǎoyùyuán 명 (탁아소 따위의) 보모. 보육 교사. =[保姆②]
[保障] bǎozhàng 동 (재산 · 권리 따위를) 보장하다. ❑ ~自由; 자유를 보장하다. 명 보장해 주는 것.
[保真] bǎozhēn 동 ① 정품임을 보증하고 복제를 방지하다. ❑ ~标签; 정품 표시 라벨. ②〖電〗 원음 그대로 재생하다. ❑ 高~; 하이파이(hifi).
[保证] bǎozhèng 동 ① 틀림없이 …라고 보증하다. ❑ 你穿上这条裙子~好看; 네가 이 치마를 입으면 틀림없이 예쁠 것이라고 보증한다. ② 보증하다. ❑ ~书; 보증서. 명 보증. 담보. 확보.
[保证金] bǎozhèngjīn 명 ① 보증금. ②〖法〗 보석금.
[保证人] bǎozhèngrén 명 보증인. =[保人]
[保重] bǎozhòng 동 몸조심하다. 건강에 유의하다《남에게 건강에 유의하기를 바란다는 뜻으로 쓰임》. ❑ 请你多多~! 몸조심하십시오!

堡 bǎo (보)
명 보루. ❑ 桥头~; 교두보.
[堡垒] bǎolěi 명 ①〖軍〗 보루. ② 〈比〉 무너뜨릴 수 없이 견고한 것. ③ 〈比〉 보수적인 사람.

鸨(鴇) bǎo (보)
명 ①〖鳥〗 능에. 느시. ② 기생 어미.
[鸨母] bǎomǔ 명 기생 어미. =[鸨儿ér]

报(報) bào (보)
① 동 알리다. ❑ ~告; ⇩ ② 동 회답하다. 응답하다. ❑ ~以微笑; 미소로 답하다. ③ 동 보답하다. 갚다. ❑ ~恩; ⇩ ④ 동 보복하다. ❑ ~仇; ⇩ ⑤ 명 응보. ⑥ 명 신문. ❑ 看~; 신문을 보다. ⑦ 명 간행물. ❑ 画~; 화보. ⑧ 명 (문자를 통한) 알림. 보고. ❑ 情~; 정보. ⑨ 명 전보. ❑ 发~; 전보를 보내다.
[报案] bào∥àn 동 (경찰 · 사법 기관에) 사건을 보고하다.
[报表] bàobiǎo 명 (상급 기관에 알리는) 보고표. 보고서.
[报偿] bàocháng 동 보상하다. ❑

精神上的～; 정신적인 보상.
[报仇] bào//chóu 동 복수하다. 원수를 갚다. ❑～雪恨; 〈成〉 원수를 갚고 원한을 풀다 / 向他～; 그에게 복수하다.
[报酬] bào·chou 명 사례. 보수.
[报答] bàodá 동 보답하다. ❑～父母的养育之恩; 부모님의 길러 주신 은혜에 보답하다.
[报单] bàodān 명 ① 통관(通關) 신고서. ❑出国～; 수출 신고서. ② 승진 · 출세의 길보(吉報).
[报导] bàodǎo 명동 ⇨[报道]
[报到] bào//dào 동 도착을 보고하다.
[报道] bàodào 동 보도하다. ❑～奥运会; 올림픽을 보도하다 / 现场～; 현장 보도. 명 (뉴스) 기사. ❑写～; 기사를 쓰다 ‖ ＝[报导]
[报恩] bào//ēn 동 은혜를 갚다. 보은하다.
[报废] bào//fèi 동 폐기 처분 하다. ❑将旧车～; 낡은 차를 폐기 처분하다.
[报复] bào·fù 동 보복하다. 앙갚음하다. ❑～措施; 보복 조치 / ～关税; 보복 관세.
[报告] bàogào 동 보고하다. 알리다. ❑～情况; 상황을 보고하다. 명 보고. 보고서. 리포트. ❑打～; 보고서를 쓰다 / ～会; 발표회. 세미나.
[报关] bào//guān 동 세관 신고를 하다. 통관 수속을 하다. ❑～单; 세관 신고서 / ～手续; 통관 수속.
[报国] bào//guó 동 국은(國恩)에 보답하다.
[报户口] bào hùkǒu 호적에 올리다. 주민 등록을 하다.
[报价] bàojià 〔經〕 명 견적. 제시 가격. 오퍼(offer). ❑～单; 견적서 / ～商; 오퍼상. (bào//jià) 동 오퍼를 내다. 가격을 제시하다.
[报捷] bào//jié 동 승리를 보고하다.
[报警] bào//jǐng 동 위급 상황을 알리다. 긴급 신호를 보내다. ❑～器; 경보기.
[报刊] bàokān 명 (신문 · 잡지 따위의) 간행물. ❑～费; 구독료.
[报考] bàokǎo 동 응시하다. ❑～师范大学; 사범 대학에 응시하다.
[报名] bào//míng 동 신청하다. 응모하다. 지원하다. ❑～表; 신청서.
[报丧] bào//sāng 동 사망을 통지하다. 부고를 알리다.
[报社] bàoshè 명 신문사.
[报失] bàoshī 동 분실 신고 하다.
[报时] bào//shí 동 시간을 알리다. ❑～服务; (전화의) 시간 안내 서비스.
[报数] bào//shù 동 (인원 확인을 위해) 번호를 붙이다.
[报税] bàoshuì 동 세금 신고를 하다. ❑～单; 세금 신고서.
[报亭] bàotíng 명 신문 가판소.
[报童] bàotóng 명 신문팔이 소년[소녀].
[报头] bàotóu 명 (신문의) 발행인란(欄).
[报喜] bào//xǐ 동 길보(吉報)를[희소식을] 알리다. ❑～不报忧; 길보는 알리되 흉보는 알리지 않는다. 무소식이 희소식.
[报销] bàoxiāo 동 ① (공적(公的)으로 쓴 돈을) 정산해서 받다. 청구하여 환불받다. ❑～车费; 차비를 정산해서 받다. ② (못 쓰게 된 것을) 폐기 처분 하다. ③ 〈比〉 (사람 · 물건 따위를) 처치하다. 해치우다. 없애다.
[报晓] bàoxiǎo 동 새벽을 알리다. ❑晨鸡～; 새벽닭이 여명을 알리다.
[报信] bào//xìn 동 소식을 알리다. ❑通风～; 소식을 은밀히 알리다.
[报应] bào·yìng 동 보응하다. 응보하다. ❑因果～; 〈成〉 인과응보.
[报站] bào//zhàn 동 (승무원이) 정류장을 안내하다.
[报账] bào//zhàng 동 (비용이나 경비에 관한 정황을) 영수증을 첨부하여 보고하다.
[报纸] bàozhǐ 명 ① 신문. ② 신문지. ❑拿～包上; 신문지로 싸다.

刨 bào (포)
① 명 대패. ② 동 대패질하다. ❑～平; 판판하게 깎다. ⇒ páo
[刨冰] bàobīng 명 빙수. ❑～机; 빙수기.
[刨床] bàochuáng 명 ①〔機〕 평삭반(平削盤). ② 대팻집.
[刨花] bàohuā 명〔建〕 대팻밥.
[刨子] bào·zi 명 대패.

抱 bào (포)
① 동 (품에) 안다. ❑你来～～孩子; 네가 아이를 좀 안아라. ② 동 껴안다. 끌어안다. ❑紧紧地～

在一起；한데 꼭 끌어안다. ③동 (생각·의견을) 품다. 갖다. ❏他～着远大理想；그는 원대한 이상을 품고 있다. ④동 (자식이나 손자를) 처음으로 보다. ❏～孙子；첫 손자를 보다. ⑤동 (동물 새끼나 어린아이를) 입양하다. 데려다 키우다. ❏他们没有孩子，只好～了一个；그들은 아이가 없어서 할 수 없이 한 명 입양했다. ⑥동 한데 뭉치다. 굳게 결합하다. ❏大家～在一齐；여러 사람이 하나로 뭉치다. ⑦동 (알을) 품다. 까다. ❏～窝；⇓ ⑧양 아름. ❏一～柴火；장작 한 아름.

B

[抱病] bàobìng 동 (몸에) 병을 지니다. 병이 들다. ❏长期～；장기간 병을 앓다.

[抱不平] bào bùpíng 의분을 느끼다. 불의를 참지 못하다.

[抱残守缺] bàocán-shǒuquē 〈成〉 보수적이고 개선을 모르다.

[抱持] bàochí 동 (생각·의견을) 품다.

[抱佛脚] bào fójiǎo ①(평소에 소원했던 사이였어도) 급해지면 도움을 청한다. ②(아무 준비도 없다가) 다급하게 임시방편을 취하다.

[抱负] bàofù 명 포부.

[抱恨] bàohèn 동 원망을 품다. 한스러워하다. ❏～终天；〈成〉 평생 한스러워하다.

[抱歉] bàoqiàn 형 미안하다. 미안하게 생각하다. ❏对这件事，我十分～；이 일에 대해 나는 매우 미안하게 생각한다.

[抱屈] bào∥qū 동 원통해하다. 억울해하다. ＝[抱委屈]

[抱头鼠窜] bàotóu-shǔcuàn 〈成〉 허둥지둥 급히 도망치다.

[抱团儿] bào∥tuánr 동 한데 뭉치다. 똘똘 뭉치다.

[抱委屈] bào wěi·qu ⇨[抱屈]

[抱窝] bào∥wō 동 알을 품다.

[抱养] bàoyǎng 동 양자[양녀]로 들이다. 입양하다. ❏他们～了一个孩子；그들은 아이를 하나 입양했다.

[抱怨] bào·yuàn 동 원망하다. 불만스러워하다. ❏～别人；남을 원망하다 / ～命运；운명을 탓하다.

鲍(鮑) bào (포)

명〔貝〕 전복.

[鲍鱼] bàoyú 명 ①〔貝〕〈俗〉 전복. ②〈書〉 소금에 절인 생선. 자반.

豹 bào (표)

명〔動〕 표범.

[豹猫] bàomāo 명〔動〕 살쾡이. ＝[山猫][狸猫]

暴 bào (포)

①형 (갑작스럽고) 세차다. 급격하다. ❏～风；⇓ ②형 흉포하다. 난폭하다. 잔악하다. ❏凶～；흉포하다. ③형 조급하다. ❏这人脾气真～；이 사람은 성질이 정말 급하다. ④동〈書〉 손상하다. ⑤동 돌출하다. 불거지다. 부풀어 오르다. ❏他腿上的青筋都～出来了；그의 다리 핏줄이 모두 불거져 올랐다.

[暴病] bàobìng 명 급병(急病).

[暴跌] bàodiē 동 (물가·명성 따위가) 큰 폭으로 떨어지다. 폭락하다. ❏支持率～；지지율이 곤두박질하다.

[暴动] bàodòng 명동 폭동(을 일으키다). ❏武装～；무장 폭동.

[暴发] bàofā 동 ①〈貶〉 벼락부자가 되다. 갑자기 득세하다. ❏～户；벼락부자. 졸부. ②갑자기 일어나다. ❏山洪～；산사태가 갑자기 일어나다.

[暴风] bàofēng 명 폭풍. ❏～骤雨；〈成〉 사나운 바람과 모진 비《(주로, 민중 운동이) 기세가 장대하고 발전이 빠른 모양》/ ～雪；폭풍설 / ～雨；폭풍우.

[暴富] bàofù 동〈貶〉 졸부가 되다. 벼락부자가 되다. ❏一夜～；하룻밤 새에 벼락부자가 되다.

[暴光] bào∥guāng 동 ⇨[曝光]

[暴君] bàojūn 명 폭군.

[暴力] bàolì 명 ①폭력. 무력(武力). ❏～行为；폭력 행위. ②(국가의) 강제력.

[暴利] bàolì 명 폭리.

[暴烈] bàoliè 형 ①성격이 불같다. 거칠고 사납다. ❏这匹马性子～；이 말은 성질이 거칠고 사납다. ②사납고 맹렬하다. 거칠다. ❏～的行动；거친 행동.

[暴露] bàolù 동 (은폐되었던 것·결함 따위가) 드러나다. 드러내다. 폭로되다. ❏他的弱点都～出来了；그의 약점이 모두 폭로되었다.

[暴乱] bàoluàn 명 무장 폭동. 폭동.

[暴虐] bàonüè 형 포학하다.

[暴食] bàoshí 동 폭식하다.

[暴跳] bàotiào 동 세차게 발을 구르다. 펄쩍 뛰다《매우 화내는 모

양). ❑ ~如雷; 〈成〉 발을 동동 구르며 불같이 화를 내다.
[暴突] bàotū 동 튀어나오다. 돌출되다. 불거지다. ❑ 气得两眼~; 두 눈이 튀어나올 정도로 화를 내다.
[暴徒] bàotú 명 폭도. 폭력배.
[暴行] bàoxíng 명 흉포한 행위.
[暴饮] bàoyǐn 동 폭음하다. ❑ ~暴食; 폭음 폭식을 하다.
[暴雨] bàoyǔ 명 폭우.
[暴躁] bàozào 형 거칠고 급하다. ❑ 性情~; 성미가 거칠고 급하다.
[暴增] bàozēng 동 폭증하다. ❑ 销量~; 판매량이 폭증하다.
[暴政] bàozhèng 명 폭정.

爆 bào (폭)
동 ① 폭발하다. 터지다. ❑ ~起火星儿; 불꽃이 튀다. ② 돌연 발생하다. ❑ ~冷门(儿); ⇩ ③ 끓는 물[기름]에 살짝 데치다[튀기다].
[爆发] bàofā 동 ① (화산이) 폭발하다. ❑ 火山~; 화산이 폭발하다. ② (사건 따위가) 터지다. 발발하다. ❑ ~战争; 전쟁이 터지다.
[爆发力] bàofālì 명 〖體〗 순발력.
[爆冷门(儿)] bào lěngmén(r) 예상치 못한 일이 발생하다. 뜻밖의 결과가 나오다.
[爆裂] bàoliè 동 (갑자기) 파열하다. 터지다. ❑ 水管~; 수도관이 터지다.
[爆满] bàomǎn 동 (좌석이) 꽉 차다. 대만원을 이루다. ❑ 全场~; 매회 대만원을 이루다.
[爆米花] bàomǐhuā 명 팝콘(popcorn).
[爆破] bàopò 동 폭파하다. ❑ ~炸弹; 폭탄을 터뜨리다.
[爆胎] bào//tāi 동 타이어가 터지다[펑크 나다].
[爆笑] bàoxiào 동 폭소하다.
[爆药] bàoyào 명 폭약.
[爆音] bàoyīn 명 폭음.
[爆炸] bàozhà 동 ① 폭발하다. ❑ ~事故; 폭발 사고 / ~物; 폭발물. ② 급증하다. ❑ 人口~; 인구 급증.
[爆炸性] bàozhàxìng 명 쇼킹(shocking)함. 충격적인 것. ❑ ~新闻; 쇼킹한 소식.
[爆仗] bào·zhang 명 ⇒[爆竹]
[爆竹] bàozhú 명 폭죽. ❑ 放~; 폭죽을 터뜨리다. =[爆仗]

曝 bào (폭)
→[曝光] ⇒ pù
[曝光] bào//guāng 동 ① 〖撮〗 노출하다. 감광되다. ② 〈比〉 (비밀이) 드러나다. 공개되다. ‖ =[暴光]

bei ㄅㄟ

卑 bēi (비)
형 ① 〈書〉 (위치·지대가) 낮다. ② 미천하다. 비천하다. ❑ 男尊女~; 남존여비. ③ (질이) 낮다. 저열하다. 천하다. ❑ ~鄙; ⇩
[卑鄙] bēibǐ 형 ① (말·행동이) 비열하다. 야비하다. ❑ ~无耻; 〈成〉 비열하고 파렴치하다. ② 〈書〉 비천하다. 미천하다.
[卑躬屈膝] bēigōng-qūxī 〈成〉 비굴하게 굽실거리다. =[卑躬屈节]
[卑贱] bēijiàn 형 ① 비천하다. ❑ 出身~; 출신이 비천하다. ② 비열하고 천박하다. ❑ 品质~; 됨됨이가 비열하다.
[卑劣] bēiliè 형 비열하다.
[卑怯] bēiqiè 형 비겁하다.
[卑俗] bēisú 형 비속하다.
[卑微] bēiwēi 형 지위가 낮다. 비천하다. ❑ 官职~; 관직이 낮다.
[卑下] bēixià 형 ① 품위가 없다. 품격이 낮다. ② (신분 따위가) 낮다. 비천하다.

碑 bēi (비)
명 비. 비석. ❑ 一块~; 비석 한 기(基) / 纪念~; 기념비.
[碑铭] bēimíng 명 비명. 비문.
[碑帖] bēitiè 명 비첩. 탑본.
[碑文] bēiwén 명 비문.

杯 bēi (배)
① 명 잔. ❑ 茶~; 찻잔 / 酒~; 술잔. ② 양 잔. ❑ 一~酒; 술 한 잔. ③ 명 우승컵.
[杯弓蛇影] bēigōng-shéyǐng 〈成〉 공연히 이것저것 의심하여 어쩔 줄 몰라하다.
[杯赛] bēisài 명 우승컵[우승배] 경기. 챔피언 컵 경기.
[杯子] bēi·zi 명 잔. 컵(cup).

背 bēi (배)
① 동 (사람이) 등에 지다. 메다. 업다. ❑ ~孩子; 아이를 업다 / ~书包; 책가방을 메다. ② 동 (책임·빚·부담 따위를) 지다. (누명·죄를) 쓰다. ❑ ~责任; 책임을 지다. ③ 양 〈方〉 한 사람이 한 번에 질 수 있는 양. ⇒ bèi

[背包] bēibāo 명 ① 백팩(backpack). 배낭. ②〖軍〗행군용 배낭.
[背包袱] bēi bāo·fu ① 보따리를 지다. ②〈比〉부담을 지다[느끼다]. ❑ 输了一场球, 别~; 한 경기 졌다고 부담 갖지 마라.
[背带] bēidài 명 ① 멜빵. ② (배낭 · 총 따위의) 어깨끈. 멜빵.
[背负] bēifù 동 ① 지다. 짊어지다. ❑ ~衣包; 옷 보따리를 짊어지다. ② 맡다. 지다. 부담하다. ❑ ~重任; 중임을 짊어지다.
[背黑锅] bēi hēiguō〈口〉〈比〉누명을 쓰다. 죄를 뒤집어쓰다.
[背头] bēitóu 명 (머리의) 올백.
[背债] bēi//zhài 동 빚을 지다.

悲 bēi (비)
① 형 슬프다. ❑ ~剧; ⇓ ② 동 가엾게 여기다. 연민하다. ❑ ~天悯人; ⇓
[悲哀] bēi'āi 형 비애를 느끼다. 슬프다. ❑ 她的样子非常~; 그녀의 모습은 무척 슬퍼 보인다.
[悲惨] bēicǎn 형 비참하다. ❑ 她死得很~; 그녀는 매우 비참하게 죽었다.
[悲悼] bēidào 동 애도하다.
[悲愤] bēifèn 형 비분하다.
[悲歌] bēigē 동 비장하게 노래하다. 명〖樂〗비가. 엘레지(elegy).
[悲观] bēiguān 형 비관적이다. ❑ ~主义; 비관주의.
[悲欢离合] bēihuān-líhé〈成〉슬픔과 기쁨, 이별과 만남《세상살이의 갖가지 일을 가리킴》.
[悲剧] bēijù 명 ①〖劇〗비극. ②〈比〉불행한 일.
[悲凉] bēiliáng 형 슬프고 처량하다.
[悲鸣] bēimíng 동 슬피 울다.
[悲伤] bēishāng 형 비탄에 잠기다. 슬프고 가슴이 아프다.
[悲叹] bēitàn 동 비탄하다.
[悲天悯人] bēitiān-mǐnrén〈成〉세상을 한탄하고 국민의 고통을 슬퍼하다.
[悲痛] bēitòng 형 비통하다. 가슴 아프다. ❑ 大家非常~; 모두 매우 비통해하다.
[悲喜交集] bēixǐ-jiāojí〈成〉희비가 갈마들다. 희비가 교차하다.
[悲喜剧] bēixǐjù 명〖劇〗희비극.
[悲壮] bēizhuàng 형 비장하다.

北 běi (북)
① 명형 북(의). 북쪽(의). ② 동〈書〉지다. 패배하다. ❑ 连战皆~; 연전연패하다.
[北半球] běibànqiú 명〖地理〗북반구.
[北边] běi·bian 명 ① (~儿) 북쪽. 북측. =[北面(儿)] ②〈口〉⇨[北方②]
[北大西洋公约组织] Běidàxīyáng Gōngyuē Zǔzhī 북대서양 조약 기구. 나토(NATO). =[〈簡〉北约]
[北斗星] Běidǒuxīng 명〖天〗북두성. 북두칠성.
[北方] běifāng 명 ① 북쪽. 북방. ② (중국의) 북부. 화북 지방. ❑ ~话; 북방어. =[〈口〉北边②]
[北非] Běi Fēi 명〖地〗북아프리카(北Africa).
[北海] Běihǎi 명〖地〗북해.
[北回归线] běihuíguīxiàn 명〖地理〗북회귀선.
[北极] běijí 명 ①〖地理〗북극. ❑ ~光; 북극광. 오로라(aurora) / ~星; 북극성. ②〖物〗북극. 엔 극.
[北极熊] běijíxióng 명〖動〗북극곰. 백곰. =[白熊]
[北京] Běijīng 명〖地〗베이징. ❑ ~时间; 베이징 시간《중국 표준시》.
[北美洲] Běi Měizhōu 명〖地〗북미주. 북아메리카. =[〈簡〉北美]
[北面(儿)] běimiàn(r) 명 ⇨[北边①]
[北欧] Běi Ōu 명〖地〗북유럽.
[北纬] běiwěi 명〖地理〗북위.
[北约] Běiyuē 명〈簡〉⇨[北大西洋公约组织]

贝(貝) bèi (패)
① 명〖貝〗조개류. ② 양〈簡〉⇨[贝尔]
[贝多芬] Bèiduōfēn 명〖人〗〈音〉베토벤(Ludwig van Beethoven)《독일의 작곡가, 1770–1827》.
[贝尔] bèi'ěr〈音〉양〖物〗벨(bel)《음량의 단위》. =[贝②] 명 (Bèi'ěr)〖人〗벨(Alexander Graham Bell)《미국의 발명가, 1847–1922》.
[贝壳(儿)] bèiké(r) 명 조가비.
[贝雷帽] bèiléimào 명〈音〉베레모(프 béret帽).
[贝类] bèilèi 명 패류.
[贝塔] bèitǎ 명〈音〉베타(β). ❑ ~粒子; 베타 입자.

狈(狽) bèi (패)
→[狼狈]

钡(鋇) **bèi** (패) 명〖化〗 바륨(Ba: barium).

背 **bèi** (배) ① 명〖生理〗 등. ② (~儿) 명 (물체의) 배면. 뒷면. ❑ 刀~儿; 칼등 / 手~; 손등. ③ 동 …을 뒤에 두다. 등지다. ❑ ~着太阳; 태양을 등지다. ④ 동 떠나다. ❑ ~井离乡; ⇓ ⑤ 동 피하다. 숨기다. 몰래 …하다. ❑ 什么事我都没~过他; 나는 그에게 아무것도 숨긴 적이 없다. ⑥ 동 암기하다. 외우다. ❑ ~单词; 단어를 외우다. ⑦ 동 위반하다. 어긋나다. 배반하다. ❑ ~信; ⇓ ⑧ 동 반대 방향을 향하게 하다. ❑ 把脸~过去; 얼굴을 돌리다[외면하다]. ⑨ 형 외지다. 후미지다. ❑ 那条小路很~; 그 오솔길은 매우 후미지다. ⑩ 형 운이 나쁘다. 재수 없다. ❑ ~运; ⇓ ⑪ 형 (귀가) 어둡다. ❑ 年纪大了, 耳朵也~了; 나이가 많아지니, 귀도 어두워졌다. ⇒bēi

[背道而驰] bèidào'érchí 〈成〉 반대 방향으로 가다《방향이나 목표가 완전히 상반되다》.

[背地里] bèidì·lǐ 명 배후. 암중. 암암리. ❑ ~有人在操纵; 배후에서 누군가가 조종하고 있다. =[背地]

[背光] bèiguāng 동 광선이 직접 닿지 않다.

[背后] bèihòu 명 ① 뒤. 뒤쪽. ② 배후. 암암리. 뒤. ❑ ~议论; 뒤에서 이러쿵저러쿵하다.

[背脊] bèijǐ 명〖生理〗 등.

[背剪] bèijiǎn 동 ⇨[反剪] ❑ ~双手; 양손을 뒷짐 지다.

[背井离乡] bèijǐng-líxiāng 〈成〉 고향을 등지다. =[离乡背井]

[背景] bèijǐng 명 ① (무대 · 영화 · 그림 따위의) 배경. ❑ ~音乐; 배경 음악. ② (역사적 · 현실적) 배경. ❑ 社会~; 사회적 배경. ③ 백(back). 믿는 구석. 배경.

[背静] bèi·jing 형〈口〉 외지다. 호젓하다. ❑ 那个地方很~; 그곳은 매우 호젓하다.

[背离] bèilí 동 ① 떠나다. 등지다. ❑ ~故乡; 고향을 등지다. ② (원칙에) 위배되다. ❑ ~基本原则; 기본 원칙에 위배되다.

[背面] bèimiàn 명 ① (~儿) 배면. 후면. 이면. ❑ ~签字; 배서(背書)를 하다. ② (동물의) 등.

[背叛] bèipàn 동 배반하다. ❑ ~祖国; 조국을 배반하다.

[背鳍] bèiqí 명〖魚〗 등지느러미. =[脊jǐ鳍]

[背弃] bèiqì 동 저버리다. 어기다. 파기하다. ❑ ~诺言; 약속을 어기다.

[背人] bèi//rén 동 ① 꺼리어 숨기다. 다른 사람에게 말할 수 없다. ❑ ~的病; 남에게 알릴 수 없는 병. ② (보는 사람이) 아무도 없다. ❑ ~的地方; 아무도 없는 곳.

[背书] bèi//shū 동 ① 책을 외다. ② (bèishū) 〖經〗 배서하다.

[背水一战] bèishuǐ-yīzhàn 〈成〉 배수진(背水陣)을 치고 싸우다.

[背水阵] bèishuǐzhèn 명 배수진.

[背诵] bèisòng 동 외우다. 암송하다. ❑ ~课文; 본문을 외우다.

[背心(儿)] bèixīn(r) 명 조끼. =[〈方〉 马甲]

[背信] bèixìn 동 배신하다. ❑ ~弃义; 〈成〉 신의를 저버리고 도리를 지키지 않다.

[背阴(儿)] bèiyīn(r) 동 햇볕이 닿지 않다. 명 그늘. 응달.

[背影(儿)] bèiyǐng(r) 명 (사람의) 뒷모습.

[背约] bèi//yuē 동 약속을 어기다. 계약을 어기다.

[背运] bèiyùn 명 불운. 악운. ❑ 走~; 악운을 만나다. 형 운이 나쁘다. 재수가 없다.

褙 **bèi** (배) 동 배접하다. ❑ 裱~; 표장하다. 표구하다.

悖 **bèi** (패) 동 ① 어긋나다. 위배되다. ❑ ~逆; 패역하다. ② 충돌하다. 모순되다. ❑ 并行不~; 병행하여 충돌하지 않는다.

[悖论] bèilùn 명〖論〗 패러독스(paradox). 역설.

[悖谬] bèimiù 형〈書〉 도리에 어긋나다. 터무니없다.

备(備) **bèi** (비) ① 동 갖추다. 구비하다. ❑ 无一不~; 갖추지 않은 것이 하나도 없다. ② 동 준비하다. 마련하다. ❑ 自~盘费; 여비는 자기 부담. ③ 동 대비하다. 방비하다. ❑ ~于万一; 〈成〉 만일에 대비하다. ④ 명 설비. ❑ 装~; 장비. ⑤ 부 〈書〉 빠짐없이. 충분히. ❑ ~加小

心; 충분히 주의하다.
[备案] bèi//àn 동 (관련 기관의) 기록에 올리다. 등록하다.
[备办] bèibàn 동 (필요한 것을) 마련하다. 준비하다. ❏~嫁妆; 혼수를 준비하다.
[备查] bèichá 동 참고[참조]를 위해 제공하다《주로, 공문에 쓰임》.
[备份] bèifèn 명 예비용. 예비분. ❏~伞; 예비 낙하산. 동〖컴〗백업(backup)하다. ❏~文件 =[后备文件]; 백업 파일.
[备荒] bèi//huāng 동 흉년에 대비하다. ❏~米; 흉년 대비용 쌀.
[备件] bèijiàn 명〖機〗예비 부품. 스페어(spare).
[备考] bèikǎo 동 ① 참고 자료로 쓰다. ② 시험에 대비하다. 시험 준비하다. 명 비고.
[备课] bèi//kè 동 (교사가) 수업[강의] 준비를 하다.
[备取] bèiqǔ 동 보결로 뽑다. 예비 합격 시키다. ❏~生; 보결생.
[备忘录] bèiwànglù 명 ① (외교상의) 각서. 비망록. ② 비망록.
[备用] bèiyòng 동 수시로 쓸 수 있도록 준비해 두다. 예비하다. ❏~物资; 예비 물자.
[备战] bèi//zhàn 동 ① 전쟁을 준비하다. ② 시합을 준비하다.
[备至] bèizhì 형 더할 나위 없이 극진하다. ❏关怀~; 보살핌이 극진하다.
[备注] bèizhù 명 ① 비고(備考). ② 비고란.

惫(憊) bèi (비)
형 (매우) 피곤하다. 피로하다. ❏疲~; 피로하다.

倍 bèi (배)
① 양 배. 곱절. ② 동〈書〉 배가(倍加)되다. 갑절이 되다.
[倍加] bèijiā 부 더욱더. 훨씬. 곱절로. ❏~亲密; 훨씬 친밀해지다.
[倍率] bèilǜ 명〖物〗배율.
[倍数] bèishù 명〖數〗배수.
[倍增] bèizēng 동 배증하다. 배로 늘다. ❏生产~; 생산이 배로 늘다 / 信心~; 자신감이 배로 늘다.

焙 bèi (배)
동 (약한 불에) 쬐다. 굽다.
[焙粉] bèifěn 명 베이킹파우더(baking powder). =[发粉][〈方〉起子③]

蓓 bèi (배)
→[蓓蕾]
[蓓蕾] bèilěi 명 꽃봉오리.

被 bèi (피)
① 명 이불. ② 동 덮다. ❏~覆; ⇩ ③ 동 받다. 입다. 당하다. ❏~灾; 재해를 입다. ④ 개 …에 의해. …에게《피동을 나타냄》. ❏~大家推选为代表; 모두에 의해 대표로 선발되다. ⑤ 조 동사 앞에 쓰여 피동의 동작을 나타냄. ❏~捕; 체포되다 / ~保护国; 피보호국.
[被单(儿)] bèidān(r) 명 ① 이불잇. 침대 시트. ② 홑이불. ‖ =[被单子]
[被动] bèidòng 형 피동적이다. 수동적이다. ❏态度~; 태도가 수동적이다 / ~式; 피동태 / ~吸烟; 간접흡연.
[被服] bèifú 명 피복. ❏~厂; 피복 공장.
[被覆] bèifù 동 덮다. 씌우다. 가리다. ❏~线; 피복선(被覆線).
[被告] bèigào 명〖法〗피고. ❏~人; 피고인.
[被害人] bèihàirén 명〖法〗피해자.
[被难] bèinàn 동 ① (재앙이나 사고로) 목숨을 잃다. 사망하다. ② 조난당하다. 재난을 입다.
[被迫] bèipò 동 강요에 못 이기다. 피치 못하다. 어쩔 수 없이 하다. ❏~还击; 어쩔 수 없이 반격하다.
[被褥] bèirù 명 이불과 요.
[被套] bèitào 명 ① (여행용의) 침낭. ② 이불잇. ③ 이불솜.
[被头] bèitóu 명 이불깃.
[被卧] bèi·wo 명〈口〉 침구. 이불.
[被罩] bèizhào 명 이불보. 홑청.
[被子] bèi·zi 명 이불.

辈(輩) bèi (배)
① 명 항렬. 서열. 순서. ❏晚~; 아랫사람. ②〈書〉 사람의 복수(複數)를 나타내는 말. ❏我~; 우리들. ③ (~儿) 명 생애. 한평생. ❏后半~儿; 후반생.
[辈出] bèichū 동 (인재가) 배출되다. ❏人材~; 인재가 배출되다.
[辈分] bèi·fen 명 ① (친족간의) 서열. 항렬. 촌수. ② (친구·선후배간의) 순서. 서열. ‖ =[辈行háng]
[辈子] bèi·zi 명 일생. 한평생.

呗(唄) ·bei (패)
조 ① 사실이나 이치가 분명하여 이해하기 쉬움을 나타냄. ❏这就行了~! 이만하면 되겠지! ② 본심은 그렇지 않으나 한 걸음 양보한 동의를 나타냄. ❑要去, 就去~! 가고 싶거든 가거라!

ben ㄅㄣ

奔 bēn (분)
동 ① 빨리 달리다. ❑~驰; ⇓ ② 급하게 하다. 분주히 뛰다. ❑~命; ⇓ ③ 도주하다. 달아나다. ❑~逃; ⇓ ⇒bèn

[奔波] bēnbō 동 분주하게 다니다. 바쁘게 뛰어다니다. ❑四处~; 여기저기 바쁘게 돌아다니다.

[奔驰] bēnchí 동 (차·말 따위가) 질주하다. ❑汽车~在公路上; 자동차가 도로를 질주하다. (Bēnchí) 명〈音〉 벤츠(Benz).

[奔放] bēnfàng 형 (감정·문장의 기세 따위가) 약동하다. 분방하다. 힘차게 내달리다. ❑文笔~; 문필이 분방하다.

[奔流] bēnliú 동 (물이) 세차게 흐르다. ❑大河~; 큰 강이 세차게 흐르다.

[奔忙] bēnmáng 동 바쁘게 돌아다니다. ❑成天为工作~; 하루 종일 일 관계로 바쁘게 돌아다니다.

[奔命] bēnmìng 동 명(命)을 받고 분주히 돌아다니다. ⇒bèn∥mìng

[奔跑] bēnpǎo 동 매우 빨리 뛰다. ❑~如飞; 나는 듯이 달리다.

[奔丧] bēn∥sāng 동 (손위 친척의) 상(喪)에 급히 달려가다.

[奔驶] bēnshǐ 동 (차량 등을) 매우 빨리 몰다. 질주하다. ❑列车~在平原上; 열차가 평원을 질주하다.

[奔逃] bēntáo 동 도망치다. 달아나다. ❑四散~; 사방으로 흩어져 도망치다.

[奔腾] bēnténg 동 ① (수많은 말들이) 내달리다. ❑万马~; 〈成〉 만 마리 말이 내달리다《기세가 드높다》. ② (물이) 세차게 흐르다. 용솟음치다. 명〖컴〗〈音〉 펜티엄(pentium).

[奔泻] bēnxiè 동 (물이 세차게) 빨리 흐르다.

[奔走] bēnzǒu 동 ① 급히 가다. 달리다. ② (어떤 목적을 위해) 이리저리 활동하다. ❑~呼号; 〈成〉 지지와 공감을 얻기 위해 여기저기 선전하다.

锛(錛) bēn (분)
① 명 자귀. ② 동 (자귀로) 깎다. ❑~木头; (자귀로) 나무를 깎다. ③ 동 (날이) 이지러지다. 이가 빠지다. ❑刀使~了; 칼날이 오래 써서 이지러졌다.

本 běn (본)
① 명 줄기. 뿌리. ② 명 근원. 근본. ❑翻身不忘~; 신세가 바뀌어도 근본은 잊지 않다. ③ (~儿) 명 본전. 원금. 밑천. ❑赔~; 밑지다. ④ 형 주요한. 중심적인. 기초적인. ❑~部; ⇓ ⑤ 형 원래의. 본디의. ❑~色; ⇓ ⑥ 부 원래. 본디. ❑他~是个农民; 그는 원래 농민이었다. ⑦ 대 자기 쪽의. 자신의. 본. ❑~刊记者; 본지 기자. ⑧ 대 현재의. ❑~日; 금일. 오늘 / ~月; 금월. 본월. ⑨ 개 …에 의거하여. …에 따라. …대로《주로, '~着'의 형식으로 쓰임》. ❑~着指示去做; 지시에 따라 행하다. ⑩ 동 근거하다. ❑这句话是有所~的; 이 말은 근거가 있다. ⑪ (~儿) 명 ⇨[本子①] ❑笔记~; 노트. ⑫ 명 판본(版本). ❑抄~; 사본(寫本). ⑬ (~儿) 명 대본. 각본. ❑剧~儿; 연극의 각본. ⑭ (~儿) 양 ㉠권《책·잡지·노트를 세는 말》. ❑一~书; 책 한 권. ㉡릴(reel). 권《영화 필름을 세는 말》. ❑这部电影是十~; 이 영화는 10권이다. ㉢막《희곡을 세는 말》 ❑头~'西游记'; 서유기 제1막. ⑮ 양〈書〉 그루《관상용 꽃나무를 세는 말》. ❑牡丹十~; 모란 10 그루.

[本部] běnbù 명 본부.

[本草] běncǎo 명〖中醫〗 본초. ❑~纲目; 본초강목.

[本地] běndì 명 본지. 당지. 현지. ❑~的特产; 현지 특산물 / ~人; 현지인.

[本分] běnfèn 명 본분. ❑守~; 본분을 지키다. 형 분수를 알다. 분수를 지키다. ❑~人; 분수를 아는 사람.

[本国] běnguó 명 본국. ❑~政府; 본국 정부.

[本行] běnháng 명 ① 본 점포. 폐점. ② 현재의 직업. 본업.

[本家] běnjiā 명 일가붙이. 종친.

[本届] běnjiè 명 금회(今回). 이번 회. ❑~大会; 이번 대회.

[本金] běnjīn 명 ① (예금의) 원금(元金). ② 자본금. 본전.

[本科] běnkē 명 (대학의) 본과. ❑~生; 본과생.

[本来] běnlái 형 원래의. 본래의. ❏ ~的颜色; 원래의 색깔 / ~面目; 본래의 모습. 부 ① 원래. 본래. 이전에. ❏ 那个地方~是一片荒地; 그곳은 원래 황무지였다. ② 당연히. 응당. ❏ ~就该这样办; 당연히 이렇게 해야 한다.

[本垒] běnlěi 명〖體〗(야구의) 본루. 홈(home). ❏ ~打; 홈런.

[本领] běnlǐng 명 실력. 재주. 기술. 솜씨. ❏ 硬~; 탄탄한 실력.

[本名] běnmíng 명 ① 본명. ② (외국인 이름 중에서) 본인에게 지어 준 이름.

[本末] běnmò 명 본말. ① 나무의 아래와 위. ②〈比〉(일의) 처음부터 끝까지의 경과. 자세한 사정. ③〈比〉주요한 것과 부차적인 것. 근본과 말초. ❏ ~倒dào置; 〈成〉본말이 전도되다.

[本能] běnnéng 명 본능. ❏ ~行为; 본능적 행위. 부 본능적으로. ❏ 他~地闭上了眼睛; 그는 본능적으로 눈을 감았다.

[本钱] běnqián 명 ① 본전. 원금. ②〈比〉(능력·조건 따위의) 기본 재산. 밑천.

[本人] běnrén 대 ① 나. 저. ❏ ~姓王; 나는 왕 씨입니다. ② 본인. 당사자. ❏ 他~的意见; 당사자인 그의 의견.

[本色] běnsè 명 본색. 본래의 면모. 본모습. ❏ 英雄~; 영웅본색.

[本色(儿)] běnshǎi(r) 명 물건의 본래[원래] 색깔.

[本身] běnshēn 대 자신. 자체《단체·기관·사물 따위에 쓰임》. ❏ 这文章~没什么问题; 이 문장 자체에는 아무 문제가 없다.

[本事] běnshì 명 (문학 작품 주제의) 근거가 되는 이야기. 원전(原典).

[本事] běn·shi 명 실력. 재능. 재주. 솜씨《비교적 격식을 갖춰야 할 상황에서는 '本领'을 씀》. ❏ 你可真有~! 너 정말 재주가 좋구나!

[本题] běntí 명 주제. 본제(本題).

[本土] běntǔ 명 ① 태어나 자란 곳. 향토. ② 본국. 본토.

[本位] běnwèi 명 ① (화폐) 본위. ❏ 金~; 금 본위. ② 자신이 속해 있는 단위[위치]. 제자리. ❏ ~号; 제자리표 / ~主义; 본위주의.

[本位货币] běnwèi huòbì〖經〗본위 화폐. =[〈簡〉本币]

[本文] běnwén 명 ① 이 문장. 본문장. ② 본문. 원문(原文)《번역문이나 주석과 구별하여 말함》.

[本心] běnxīn 명 본심.

[本性] běnxìng 명 본성.

[本义] běnyì 명 본의. 본래의 의미.

[本意] běnyì 명 본의. 본래의 생각. 본래의 의도.

[本源] běnyuán 명 본원. 근원.

[本职] běnzhí 명 본인의 직무. 본직.

[本质] běnzhì 명 본질.

[本子] běn·zi 명 ① 종이를 제본하여 만든 것《공책·수첩·책자 따위》. =[本⑪] ② 판본(版本). ③ (학력·자격 따위의) 증명서.

苯 běn (분)
명〖化〗벤젠(benzene). 벤졸.

畚 běn (분)
① 명 삼태기·키·쓰레받기 따위의 그릇. ② 동〈方〉삼태기·키·쓰레받기 따위로 긁어모으다.

[畚箕] běnjī 명〈方〉키. 삼태기.

奔 bèn (분)
① 동 (목표를 향해) 곧장 나아가다. 바로 향해 가다. ❏ 直~工地; 곧장 현장으로 가다. ② 개 …을 향하여《동작의 방향이나 목표를 나타냄》. ❏ ~南走五百米就到了; 남쪽으로 500m만 가면 된다. ③ 동 (나이가 40·50세 등을) 바라보다. …세가 되다. ❏ 快~四十的人; 40이 다 된 사람. ④ 동 (어떤 일을 위하여) 힘쓰다. 뛰어다니다. ❏ 缺什么东西, 你说话, 我去~; 부족한 게 있으면 말해라, 내가 구해 줄 테니. ⇒ bēn

[奔命] bèn∥mìng 동〈口〉필사적으로 가다[하다]. 죽을 힘을 다해 하다. ❏ 为生活去~; 생활을 위해 죽을 힘을 다하다. ⇒ bēnmìng

[奔头儿] bèn·tour 명 노력한 보람. ❏ 有~; 노력한 보람이 있다.

笨 bèn (분)
형 ① 멍청하다. 어리석다. 아둔하다. ❏ 这孩子太~; 이 아이는 너무 아둔하다. ② 어색하다. 서툴다. 솜씨가 없다. ❏ ~手~脚; ⇩ ③ 육중하다. 무겁다. 힘이 들다. ❏ 箱子太~; 트렁크가 너무 무겁다.

[笨蛋] bèndàn 명 바보. 멍청이.

[笨鸟先飞] bènniǎo-xiānfēi〈成〉〈謙〉어리석은 새가 먼저 날아간다《능력이 떨어지는 사람이 뒤처질까

봐 먼저 시작하다》.
[笨手笨脚] bènshǒu-bènjiǎo 〈成〉 ① 동작이 굼뜨다. ② 솜씨가 서툴다. 솜씨가 없다.
[笨头笨脑] bèntóu-bènnǎo 〈成〉 ① 미련하고 둔하다. 아둔하다. ② (모양이나 스타일이) 촌스럽다. 투박하다.
[笨重] bènzhòng 형 ① 크고 무겁다. 둔중하다. ❏ ~家具; 크고 무거운 가구. ② 번거롭고 힘들다. ❏ ~的劳动; 번거롭고 힘든 노동.
[笨拙] bènzhuō 형 아둔하다. 멍청하다. 미련하다. 답답하다. ❏ 口齿~; 말하는 것이 멍청하다.

beng ㄅㄥ

崩 bēng (붕)
동 ① 무너지다. 붕괴되다. ❏ 雪~; 눈사태가 나다. ② 터지다. 파열하다. ❏ 伤口~开了; 상처가 터졌다. ③ (터져서) 명중되다. 맞히다. ❏ 玩弹弓别~着人; 새총을 가지고 놀다가 사람을 맞히지 않게 해라. ④ 〈口〉 총살하다. 총으로 쏴 죽이다. ❏ 今天~了那个杀人犯; 오늘 그 살인범을 총살했다. ⑤ 일이 틀어지다. 사이가 나빠지다. ❏ 他们俩早就~了; 그들 두 사람은 진작부터 사이가 틀어졌다. ⑥ 천자(天子)가 죽다.
[崩溃] bēngkuì 동 와해되다. 붕괴되다《주로, 정치·경제·군사 방면에 쓰임》. ❏ 经济处于~的边缘; 경제가 붕괴될 위기에 처하다.
[崩裂] bēngliè 동 터져서 갈라지다. 파열하다. 산산조각나다.

绷(繃) bēng (붕)
① 동 팽팽하게 당기다. ❏ 把绳子~直; 줄을 곧게 잡아당기다. ② 동 (옷·천 따위가) 팽팽하게 당겨지다[조이다]. ❏ 裤子~在腿上不舒服; 바지가 다리를 팽팽히 조여서 불편하다. ③ 동 (물체가) 튀어오르다. ④ 동 시침질하다. ❏ 先~几针, 然后再细缝; 우선 시침한 다음 촘촘히 꿰매다. ⑤ 명 등나무 껍질이나 종려승(棕榈繩) 등으로 짠 침대의 요를 지탱하는 그물 같은 것. =[绷子②] ⑥ 명 ⇨[绷子①] ⇒ běng bèng
[绷带] bēngdài 명 붕대.
[绷子] bēng·zi 명 ① 자수대(刺繡臺). 자수틀. =[绷⑥] ② ⇨[绷⑤]

嘣 bēng (붕)
의 쿵. 펑《튀거나 터지는 소리》. ❏ 心里~~直跳; 가슴이 계속 쿵쿵거린다.

甭 béng (붕)
부 〈方〉 …할 필요 없다《'不用'의 합체자(合體字)》. ❏ ~提了! 말도 마라!

绷(繃) běng (붕)
동〈口〉 ① 표정이 굳어지다. 정색하다. 무뚝뚝한 표정을 하다. ② 억지로 참다. 버티다. ⇒ bēng bèng
[绷劲(儿)] běng//jìn(r) 동 (숨을 참고) 힘을 팍 주다. ❏ 一~, 把土墙推倒了; 힘을 한번 팍 주면서 흙담을 넘어뜨렸다.
[绷脸] běng//liǎn 동〈口〉 굳은 얼굴을 하다. 부루퉁한 얼굴을 하다.

迸 bèng (병)
동 ① 내뿜다. 튀다. 솟다. ❏ 火星儿乱~; 불똥이 사방으로 튀다. ② (말을) 내뱉다. ❏ 他突然~出一句话来; 그가 갑자기 한 마디 내뱉었다. ③ (갑자기) 깨지다. 갈라지다.
[迸发] bèngfā 동 터져 나오다. 내뿜다. 불쑥 나오다. ❏ 火星儿乱~; 불똥이 사방에 튀다.
[迸裂] bèngliè 동 파열하다. 터져 나오다. 분출하다. ❏ 脑浆~; 뇌장(腦漿)이 터져 나오다.

泵 bèng (붕)
① 명〘機〙 펌프(pump). ② 동 펌프질하다.

绷(繃) bèng (붕)
① 동 벌어지다. 터지다. 깨지다. ❏ 豆荚~开了缝儿; 콩꼬투리가 터져서 금이 갔다. ② 부 〈口〉 매우. 대단히《'硬'·'直'·'亮' 따위의 형용사 앞에 놓임》. ❏ ~亮; 매우 밝다 / ~直; 매우 곧다. ⇒ bēng běng

蹦 bèng (붕)
동 깡충깡충 뛰다. ❏ 从台上~下来; 무대 위에서 뛰어 내려오다.
[蹦床] bèngchuáng 명〘體〙 ① 뜀틀. ② 뜀틀 경기.
[蹦极] bèngjí 명〘體〙〈音〉 번지점프(bungee jump). =[蹦极跳]
[蹦极跳] bèngjítiào 명〈音〉 ⇨[蹦极]
[蹦跳] bèngtiào 동 펄쩍 뛰어오르다. 깡충 뛰다.

bi ㄅㄧ

逼 bī (핍)
동 ① 다그치다. 위협하다. 압박하다. ❏父亲~着孩子做作业; 아버지가 아이에게 숙제를 하라고 다그친다. ② 독촉하여 받아내다. 무리하게 징수하다. ❏~债; ⇩ ③ 가까이 가다. 접근하다. ❏敌军已~到城下; 적군이 이미 성 아래까지 접근해 왔다.

[逼供] bīgòng 동 (고문과 협박으로) 자백을 강요하다.

[逼近] bījìn 동 임박하다. 접근하다. 가까워지다. ❏考期~了; 시험 날짜가 임박했다.

[逼迫] bīpò 동 핍박하다. 압력을 가하다. 몰아세우다. ❏不能~人家承认错误; 잘못을 시인하도록 몰아세우지 마라.

[逼上梁山] bīshàng-liángshān 〈成〉 막다른 곳에 몰려 하는 수 없이 반항하다. 어쩔 수 없이 어떤 행동을 취하다.

[逼债] bī//zhài 동 빚을 독촉하다.

[逼真] bīzhēn 형 ① 핍진하다. 진짜 같다. 사실적이다. 실감 나다. ❏十分~的场面; 매우 실감 나는 장면. ② 분명하다. 똑똑하다. ❏看得~; 똑똑히 보이다.

荸 bí (발)
→[荸荠]

[荸荠] bí·qi 명〖植〗① 올방개. ② 올방개 뿌리. ‖ =[〈方〉 马蹄②]

鼻 bí (비)
명 ① 코. ② 〈書〉 시초. 처음. ❏~祖; ⇩

[鼻骨] bígǔ 명〖生理〗코뼈.

[鼻孔] bíkǒng 명 콧구멍.

[鼻梁(儿)] bíliáng(r) 명 콧등. 콧마루. 콧대. ❏高~儿; 높은 콧대 / 塌~; 납작코. =[鼻梁子]

[鼻腔] bíqiāng 명〖生理〗비강.

[鼻青脸肿] bíqīng-liǎnzhǒng 〈成〉 코는 멍들고 얼굴은 부어오르다《① 얼굴이 심하게 부딪히거나 맞은 상태. ② 심각한 타격이나 좌절을 겪어 어쩔 줄 몰라하는 모습》.

[鼻儿] bír 명 ① 사물의 돌출한 부분으로 물건을 꿸 수 있는 작은 구멍. ❏针~; 바늘구멍. ② 〈方〉 호루라기같이 생긴 물건.

[鼻塞] bísè 동 코가 막히다.

[鼻酸] bísuān 형 코가 찡하다《마음이 아프다》.

[鼻涕] bítì 명 콧물. ❏流~; 콧물이 흐르다.

[鼻息] bíxī 명 ① 콧숨. 잠잘 때의 콧소리. ❏~均匀; 숨소리가 고르다. ② 코 고는 소리.

[鼻炎] bíyán 명〖醫〗비염.

[鼻翼] bíyì 명 비익. 콧방울.

[鼻音] bíyīn 명〖言〗비음.

[鼻子] bí·zi 명 코. ❏掏~; 코를 후비다 / 擤~; 코를 풀다 / 捏住~ =[捂住~]; 코를 막다.

[鼻祖] bízǔ 명〈書〉 비조. 시조.

匕 bǐ (비)
명 ① 옛날, 숟가락·국자 따위를 가리키던 말. ② 〈書〉 비수.

[匕首] bǐshǒu 명 비수.

比 bǐ (비)
A) ① 동 비교하다. 겨루다. 경쟁하다. ❏~力气; 힘을 겨루다. ② 동 …와 비교되다. …로 간주하다. …에 비할 수 있다. ❏你~不上他; 너는 그와는 비교가 안 된다. ③ 동 손짓하다. 손으로 설명하다. ❏他用两个手指~了个'八'字; 그는 손가락 두 개로 '八'자를 그려 보였다. ④ 동〈方〉 향하다. 겨누다. ❏别拿枪~着人; 총으로 사람을 겨누지 마라. ⑤ 동 본뜨다. 모방하다. ❏~着猫画虎; 고양이를 본떠 호랑이를 그리다. ⑥ 동 비유하다. ❏把他~猴子最恰当不过了; 그를 원숭이에 비유하는 것이 가장 적당하다. ⑦ 명 (시합의) 득점의 대비. 대. ❏以八~四得胜; 8대 4로 이기다. ⑧ 명 비례. 비율. 비. ❏一与四之~; 1대 4의 비율. ⑨ 개 …보다. …에 비하여. ❏他的生活~过去提高了; 그의 생활은 예전보다 향상되었다 / 他家的日子一年~一年好; 그의 집안 형편은 해가 갈수록 나아지고 있다. **B)** 동〈書〉 ① 인접하다. 가까이 붙다. ❏~肩; ⇩ ② 결탁하다. 한패가 되다. ❏朋~为奸; 한패가 되어서 나쁜 짓을 하다.

[比比] bǐbǐ 부〈書〉 ① 자주. 여러 번. 누차. 끊임없이. ② 어느 곳이나. 모두. 어디에나. ❏~皆是; 〈成〉 어느 곳이나 모두 그렇다.

[比对] bǐduì 동 비교하고 대조하다. 대조하다. ❏~笔迹; 필적을 대조하다.

[比方] bǐ·fang 명동 비유(하다).

예(를 들다). ❑ 打个~; 비유하다. 접 가령. 만일. 만약. ❑ ~删去这个句子, 是否会更好? 만약 이 문장을 삭제하면 더 나아질 수 있겠느냐? 동 ⇨[比如]

[比分] **bǐfēn** 명〖體〗득점. 점수.

[比画] **bǐ·hua** 동 손짓하다. 손으로 설명하다. ❑ 比比画画地说着话; 손짓을 하면서 이야기하다. =[比划bǐ·hua]

[比基尼] **bǐjīní** 명〈音〉비키니(bikini) 수영복. =[三点式游泳衣]

[比肩] **bǐjiān** 부동〈書〉⇨[并肩] ❑ ~作战; 〈成〉함께 싸우다. 동 비견하다. 대등하다. 필적하다.

[比较] **bǐjiào** 동 비교하다. ❑ ~产品质量; 제품의 품질을 비교하다. 개 …에 비해《정도나 상태의 차이를 비교함》. ❑ 他的作文~上学期有了很大提高; 그의 작문은 지난 학기에 비해 크게 향상되었다. 부 비교적. ❑ 这条路~近; 이 길은 비교적 가깝다.

[比利时] **Bǐlìshí** 명〖地〗〈音〉벨기에(België).

[比例] **bǐlì** 명 ① 비례. ❑ 正~; 정비례. ② 비율. ③ 비중.

[比量] **bǐ·liang** 동 ① (자를 쓰지 않고) 대강 재다. ❑ 他用胳膊一~, 那棵树有两围粗; 그가 팔로 대강 재 보니, 그 나무는 둘레가 두 아름쯤 된다. ② ⇨[比试②]

[比邻] **bǐlín** 명〈書〉이웃. 이웃 사람. 동 가깝게 있다. 이웃하다. ❑ ~星; 태양과 가장 가까운 행성.

[比率] **bǐlǜ** 명 ⇨[比值]

[比拟] **bǐnǐ** 동 비교하다. 견주다. 명〖言〗(사물의) 의인화. (사람의) 사물화.

[比丘尼] **bǐqiūní** 명〖佛〗〈梵〉비구니.

[比如] **bǐrú** 동 예를 들면 …이다. 예컨대 …이다. ❑ 我非常喜欢体育运动, ~乒乓球、足球、棒球我都喜欢; 나는 운동을 매우 좋아하는데, 예를 들자면, 탁구, 축구, 야구 등을 다 좋아한다. =[比方][譬pì如]

[比萨饼] **bǐsàbǐng** 명〈音〉피자(pizza).

[比赛] **bǐsài** 동 시합하다. 겨루다. 경쟁하다. ❑ ~足球; 축구 시합을 하다. 명 시합. 경기. 대회. ❑ 足球~; 축구 시합.

[比试] **bǐ·shi** 동 ① (기량·실력 따위를) 겨루다. 경쟁하다. ❑ 我可不敢跟你~; 나는 너와 감히 경쟁할 수 없다. ② (어떤 동작의) 자세를 취하다. ❑ 老师拿起棍子对着他一~, 他就吓哭了; 선생님이 몽둥이로 그를 때리려고 하자, 그는 그만 놀라서 울어 버리고 말았다. =[比量②]

[比特] **bǐtè** 양〖컴〗〈音〉비트(bit).

[比翼] **bǐyì** 동 날개를 나란히 하다. ❑ ~齐飞; 〈成〉날개를 나란히 하고 날다《서로 도우며 나아가다》.

[比翼鸟] **bǐyìniǎo** 명 비익조.

[比喻] **bǐyù** 명동 비유(하다). ❑ ~义; 비유적 의미. =[譬pì喻]

[比照] **bǐzhào** 동 ① 비교 대조 하다. ❑ ~着实物绘图; 실물을 비교해 가며 제도하다. ② (기존의 기준·방법에) 의거하다. 비추어 보다.

[比值] **bǐzhí** 명 비율. =[比率]

[比重] **bǐzhòng** 명 ①〖物〗비중. ② 비중. ❑ 加大~; 비중을 늘리다.

妣 bǐ (비)

명〈書〉돌아가신 어머니.

秕 bǐ (비)

① 명 쭉정이. ② 형 속이 꽉 차지 않은. 쭉정이의. ❑ ~谷; 쭉정이.

[秕糠] **bǐkāng** 명 ① 겉겨와 속겨. ②〈比〉가치 없는 것.

[秕子] **bǐ·zi** 명 쭉정이.

彼 bǐ (피)

대 ① 저것. 그것. 저. 그. ❑ ~一时, 此一时; 그때는 그때이고 지금은 지금이다《시대가 달라져서 상황이 변했음》. ② 그 사람. 상대방. ❑ 知~知己; 〈成〉지피지기.

[彼岸] **bǐ'àn** 명 ①〈書〉(강·호수·바다 따위의) 대안(對岸). ②〖佛〗피안《번뇌를 해탈한 경지》. ③〈比〉이루고자 하는 경지.

[彼此] **bǐcǐ** 대 ① 피차. 서로. ❑ ~了解; 서로를 잘 알다. ②〈套〉피차일반《주로, 중첩해서 사용함》. ❑ 要论功劳, 大家~~; 공로에 대해 논하자면 모두가 피차일반이다.

笔(筆) bǐ (필)

① 명 붓. 펜. 필기구. ❑ 一支~; 펜 한 자루 / 铅~; 연필. ② 명 (서화(書畫)·문장을) 쓰는 능력. 필법(筆法). ❑ 败~; 문장·서화를 잘못 쓴 것. ③ 동 (글자를) 쓰다. 기술하다. ❑ 直~; 사실

대로 쓰다. ④ 명 필적(筆跡). ❏ 遗~; 유필. ⑤ 명 필획. ⑥ 양 ㉠ 장부의 항목이나 큰 금액의 돈·거래 따위를 세는 말. ❏ 我在银行存了一~钱; 나는 은행에 얼마간의 돈을 저금해 놓았다. ㉡서화(書畫)의 솜씨·능력을 나타내는 데 쓰임. ❏ 你这~字写得不错呀! 너의 이 글씨는 매우 잘 썼구나! ㉢획수를 세는 말. ❏ 这个汉字少了一~; 이 한자는 한 획이 부족하다.

[笔触] bǐchù 명 (서화·글 따위의) 필치(筆致). 필법. ❏ 简练的~; 간결한 필치.

[笔答] bǐdá 동 필답하다. 서면으로 답하다. ❏ ~试题; 필답 문제.

[笔调] bǐdiào 명 문장의 격조(格調). 글의 풍격.

[笔法] bǐfǎ 명 필법. 서법(書法).

[笔锋] bǐfēng 명 ① 붓의 끝. ② 필봉. 필세(筆勢). 필력(筆力).

[笔杆儿] bǐgǎnr 명 ⇨[笔杆子①②]

[笔杆子] bǐgǎn·zi 명 ① 붓대. 펜대. ② 문장력. 글 솜씨. ❏ 耍~; 붓대를 놀리다. 글을 쓰다. ‖ = [笔杆儿] ③ 글재주가 있는 사람.

[笔画] bǐhuà 명 (한자의) 획. 필획. ❏ 这个字有十个~; 이 글자는 10획이다. =[笔划]

[笔会] bǐhuì 명 ① 문예 교류회. ② 펜클럽(P.E.N. club).

[笔记] bǐjì 동 (필기도구로) 받아쓰다. 필기하다. 명 (수업·강의 따위의) 필기. ❏ 作~; 필기하다.

[笔记本] bǐjìběn 명 ① 필기장. 노트(note). 공책. ② ⇨[笔记本电脑]

[笔记本电脑] bǐjìběn diànnǎo 명 〖컴〗 노트북 컴퓨터(notebook computer). 노트북. =[笔记本②][笔记本式计算机]

[笔迹] bǐjì 명 필적. ❏ 对~; 필적을 대조하다.

[笔架(儿)] bǐjià(r) 명 붓걸이.

[笔尖(儿)] bǐjiān(r) 명 ① 연필 끝. 펜 끝. 붓 끝. ② 펜촉.

[笔力] bǐlì 명 필력.

[笔录] bǐlù 동 (필기도구로) 기록하다. 필기하다. 명 기록. 기록된 문장.

[笔帽(儿)] bǐmào(r) 명 ① 붓두겁. ② 펜 뚜껑. ‖ =[笔套(儿)]

[笔名] bǐmíng 명 필명.

[笔墨] bǐmò 명 필묵. ❏ ~官司; 〈成〉 필전(筆戰).

[笔势] bǐshì 명 ① 필세. ② 시문의 기세.

[笔试] bǐshì 동 필기시험을 보다.

[笔顺] bǐshùn 명 필순.

[笔算] bǐsuàn 동 필산하다. 쓰면서 계산하다.

[笔谈] bǐtán 동 ① 필담하다. ② (자신의 의견을) 서면으로 나타내다.

[笔体] bǐtǐ 명 필체.

[笔挺] bǐtǐng 형 ① 꼿꼿하다. 똑바르다. ② 반듯하게 다림질되어 있다.

[笔筒] bǐtǒng 명 붓통. 필통.

[笔头(儿)] bǐtóu(r) 명 ① 펜 끝. 붓 끝《글자를 쓰는 데 사용되는 부분》. ② 글자나 문장을 쓰는 솜씨 [기교]. =[笔头子]

[笔误] bǐwù 동 글자를 잘못 쓰다. 명 잘못 쓴 글자.

[笔芯] bǐxīn 명 (연필·볼펜 따위의) 심. =[笔心]

[笔译] bǐyì 동 번역하다.

[笔友] bǐyǒu 명 펜팔(penpal) 친구.

[笔战] bǐzhàn 동 필전하다. 문장으로 논쟁하다.

[笔者] bǐzhě 명 필자. 집필자.

[笔直] bǐzhí 형 매우 곧다. 똑바르다. ❏ ~的马路; 곧은 길.

鄙 bǐ (비)

① 형 천하다. 천박하다. 비루하다. ② 동〈書〉 천대하다. 멸시하다. ❏ 人皆~之; 사람들이 모두 이를 멸시하다. ③ 대〈謙〉 저. 저의. ❏ ~见; 저의 견해. ④ 명〈書〉 궁벽한 곳. ❏ 边~; 벽지.

[鄙薄] bǐbó 동 깔보다. 경시하다. 형〈書〉〈謙〉 비천하다. 비루하다.

[鄙陋] bǐlòu 형 견식이 얕다. 비루하다. ❏ ~无知; 비루하고 무지하다.

[鄙弃] bǐqì 동 경멸하다. 깔보다. 싫어하다.

[鄙人] bǐrén 명 ① 〈書〉 견식이 얕은 사람. ② 〈謙〉 저. 소생.

[鄙视] bǐshì 동 경시하다. 깔보다. 얕보다. 우습게 알다.

币(幣) bì (폐)

명 화폐. ❏ 纸~; 지폐.

[币值] bìzhí 명 화폐 가치.

必 bì (필)

부 ① 틀림없이. 필연적으로. 분명히. 꼭. ❏ 你放心, 他说来~

来; 안심해라, 그는 온다면 꼭 온다. ② 반드시. 꼭. ❑ 每天～学一个小时汉语; 매일 1시간씩 꼭 중국어 공부를 해야 한다.

[必得] bìděi 부 반드시 (…해야[이어야] 한다). ❑ 此事～你办; 이 일은 반드시 네가 해야 한다.

[必定] bìdìng 부 ① 틀림없이. 분명히《판단·추론이 정확하거나 필연적임》. ❑ 你见了～喜欢; 네가 보면 틀림없이 좋아할 것이다. ② 반드시. 꼭《의지가 결연함》. ❑ 这本书我明天～带来; 이 책은 내가 내일 반드시 가져오겠다.

[必恭必敬] bìgōng-bìjìng 〈成〉 ⇨[毕恭毕敬]

[必然] bìrán 명〖哲〗 필연. ❑ ～性; 필연성. 형 필연적이다. ❑ ～结果; 필연적 결과.

[必修] bìxiū 형 반드시 학습[이수]해야 하는. 필수의. ❑ ～课; 필수과목.

[必须] bìxū 부 반드시 (…해야 한다)《부정형은 '不必'·'无须'·'不须'》. ❑ 这件事～做到; 이 일은 반드시 해내야 한다.

[必需] bìxū 동 반드시 필요하다. 꼭 필요로 하다. ❑ ～品; 필수품.

[必要] bìyào 형 (반드시) 필요하다. 필수적이다. ❑ ～的措施; 필수적인 조치. 명 필요. ❑ 还有进一步研究的～; 아직 더 연구할 필요가 있다.

[必由之路] bìyóuzhīlù 〈成〉 반드시 거쳐야만 하는 길.

秘 bì (비)

음역용 자(字). ⇒ mì

[秘鲁] Bìlǔ 명〖地〗〈音〉 페루(Peru).

闭(閉) bì (폐)

동 ① 닫다. 다물다. 감다. ❑ ～门; ⇩ ② 막혀서 통하지 않다. ❑ ～气; ⇩ ③ 마치다. 끝내다. 그만두다. ❑ ～会; ⇩

[闭关] bìguān 동 관문(關門)을 닫다. 〈比〉 외부와의 왕래를 끊다. ❑ ～锁国; 〈成〉 관문을 닫고 쇄국하다 / ～自守; 〈成〉; 관문을 닫고 외부와 왕래를 끊다 / ～政策; 쇄국정책.

[闭合] bìhé 동 닫다. 폐쇄되다. 차단되다. ❑ 他轻轻地～上双眼; 그는 살며시 두 눈을 감았다.

[闭会] bìhuì 동 폐회하다.

[闭架] bìjià 동 (도서관에서) 폐가식(閉架式)으로 하다. ❑ ～式图书馆; 폐가식 도서관.

[闭经] bìjīng 명동〖醫〗 폐경(하다). ❑ ～期; 폐경기.

[闭口] bìkǒu 동 입을 닫다[다물다]. ❑ ～无言; 입을 닫고 아무 말도 하지 않다.

[闭路电视] bìlù diànshì 〖電〗 폐회로 텔레비전. 시시 티브이(CCTV).

[闭门] bì//mén 동 문을 닫다. 〈比〉 외부와 접촉을 끊다. ❑ ～思过; 〈成〉 문을 닫아 걸고 홀로 지난 일을 반성하다 / ～谢客; 〈成〉 문을 닫아 걸고 방문객을 사절하다.

[闭门羹] bìméngēng 명 문전박대《주로, '吃～'의 형태로 쓰임》. ❑ 给他吃～; 그를 문전박대하다. →[吃闭门羹]

[闭目] bìmù 동 눈을 감다. ❑ ～塞sè听; 〈成〉 눈을 가리고 귀를 막다《바깥세상에 대해 관심을 갖지 않아 아무것도 모르다》.

[闭幕] bì//mù 동 폐막하다. 폐회하다. ❑ ～词; 폐회사 / ～式; 폐막식.

[闭气] bì//qì 동 ① 숨이 막히다. 기절하다. ❑ 痛得差点闭了气; 아파서 기절할 뻔했다. ② 숨을 죽이다. 숨을 멈추다. ❑ ～凝神; 숨을 죽이고 정신을 집중하다.

[闭塞] bìsè 동 막히다. 뚫리지 않다. ❑ 鼻孔～; 콧구멍이 막히다. 형 ① 외지다. 교통이 불편하다. ② 소식에 어둡다. 정보가 느리다. ❑ 消息～; 소식에 어둡다.

[闭嘴] bì//zuǐ 동 입을 다물다. 입닥치다.

毕(畢) bì (필)

① 동 끝나다. 마치다. 완료하다. ❑ 话犹未～; 이야기가 아직 끝나지 않았다. ② 부〈書〉 완전히. 전부. ❑ ～生; ⇩

[毕恭毕敬] bìgōng-bìjìng 〈成〉 매우 공손하고 예의 바르다. ＝[必恭必敬]

[毕加索] Bìjiāsuǒ 명〖人〗〈音〉 피카소(Pablo Picasso)《스페인의 화가, 1881-1973》.

[毕竟] bìjìng 부 필경. 결국은. 마침내는. 어쨌든. ❑ 一个人的能力～有限; 한 사람의 능력은 필경 한계가 있는 것이다.

[毕露] bìlù 동 전부 드러나다. 완전히 탄로 나다. ❑ 凶相～; 〈成〉 흉악한 몰골이 여지없이 드러나다.

[毕生] bìshēng 명 필생. 평생. 일생.

[毕业] bì//yè 동 졸업하다. ❏ ~典礼; 졸업식 / ~生; 졸업생 / ~证书; 졸업 증서. =[〈書〉卒zú业]

庇 bì (비)
동 ① 덮어 가리다. ② 감싸다.

[庇护] bìhù 동 비호하다. ❏ ~权; 〖法〗비호권 / ~所; 보호소.

[庇荫] bìyìn 동〈書〉① (나무가) 햇빛을 가리다. ②〈比〉웃어른이 보살피시다. 조상이 보우하시다.

陛 bì (폐)
명〈書〉궁전(宮殿)의 계단.

[陛下] bìxià 명〈敬〉폐하.

筚(篳) bì (필)
명〈書〉대나무 가지로 엉성하게 엮어 만든 울타리.

[筚路蓝缕] bìlù-lánlǚ〈成〉섶나무로 만든 허술한 수레를 끌고 누더기를 걸치고 산림을 개척하다《창업(創業)의 어려움을 비유함》.

毙(斃) bì (폐)
동 ①〈貶〉죽다. ②〈口〉총살하다. ❏ 昨天~了一个杀人犯; 어제 살인범 한 사람을 총살했다. ③〈書〉고꾸라지다. 자빠지다. 쓰러지다.

[毙命] bìmìng 동〈貶〉죽다. 목숨을 잃다. ❏ 当场~; 그 자리에서 목숨을 잃다.

痹 bì (비)
명〖中醫〗마비.

婢 bì (비)
명 하녀. ❏ 奴~; 노비.

裨 bì (비)
명〈書〉도움. 이익.

[裨益] bìyì 명동〈書〉이익(을 주다). 도움(을 주다). ❏ ~于世; 세상 사람들에게 이익을 주다.

敝 bì (폐)
① 동〈書〉해지다. 낡다. 헐다. ② 대〈謙〉저의. 제. ❏ ~姓; 저의 성(姓).

[敝屣] bìxǐ 명〈書〉헌신.〈比〉가치 없는 것. ❏ 弃之如~; 헌신짝처럼 버리다.

[敝帚自珍] bìzhǒu-zìzhēn〈成〉좋지 않은 물건이라도 스스로 소중히 여기다. =[敝帚千金]

蔽 bì (폐)
동 덮어 가리다. ❏ 黄沙~天; 황진(黃塵)이 하늘을 덮다.

弊 bì (폐)
명 ① 부정. 부정행위. ❏ 营私舞~;〈成〉사리를 꾀하여 부정행위를 하다. ② 폐해. 해. ❏ 有利无~; 이익은 있고 해는 없다.

[弊病] bìbìng 명 ① 폐해. 병폐. 폐단. ② (어떤 일에 있어서의) 결함. 문제점.

[弊端] bìduān 명 폐단. 폐해. ❏ 消除~; 폐단을 없애다.

蓖 bì (비)
→[蓖麻]

[蓖麻] bìmá 명〖植〗피마자. 아주까리. ❏ ~油; 피마자유(油). =[大麻子②]

篦 bì (비)
동 (참빗으로) 머리를 빗다.

[篦子] bì·zi 명 참빗.

辟 bì (벽)
〈書〉① 명 천자(天子). 군주. ② 동 ⇨[避] ⇒pì

[辟邪] bì//xié 동 악귀를 물리치다. 액막이를 하다.

避 bì (피)
동 ① 피하다. 비키다. ❏ ~雨; 비를 피하다 ② 방지하다. ❏ ~孕; ⇩ ‖ =[〈書〉辟bì②]

[避风] bì//fēng 동 ① 바람을 피하다. ②〈比〉예봉(銳鋒)을 피하다. 비난이나 공격을 피하다. =[避风头]

[避风港] bìfēnggǎng 명 ① 피난항(避難港). ②〈比〉피난처. 대피소. 안전지대.

[避风头] bì fēng·tou ⇨[避风②]

[避讳] bì//huì 동 휘자(諱字)를 꺼리다.

[避讳] bì·hui 동 ① (불쾌감을 주는 단어를 말하거나 듣는 것을) 꺼리다. 삼가다. ② 회피하다. 피하다. ‖ =[避忌jì]

[避雷针] bìléizhēn 명〖電〗피뢰침.

[避免] bìmiǎn 동 …하는 것을 피하다. …하지 않게 하다. ❏ 开车要小心, ~发生意外; 사고가 안 나도록 운전에 조심해야 한다.

[避难] bì//nàn 동 피난하다. ❏ ~所; 피난소. 피난처 / 政治~; 정치적 망명.

[避暑] bì//shǔ 동 ① 더위를 피하다. 피서하다. ❏ ~胜地; 유명 피서지. ② 더위 먹는 것을 예방하다.

[避税] bì//shuì 동 납세를 회피하다. 세금을 포탈하다.

[避嫌] bì//xián 동 혐의를 피하다.

[避孕] bì//yùn 동 피임하다. ❏ ~

药; 피임약 / ~用品; 피임용품.
[避孕套] bìyùntào 명 콘돔(condom). =[安全套][阴茎套]
[避重就轻] bìzhòng-jiùqīng 〈成〉 ① 중요한 것은 피하고 부차적인 것을 맡아 하다. ② 중요한 문제는 회피하고 중요하지 않은 이야기만 하다.

壁 bì (벽)
명 ① 벽. 담. ② 벽의 역할을 하는 부분. ❑ 细胞~; 세포벽. ③ 절벽. 낭떠러지. ④ 성채(城砦). 보루(堡壘).
[壁报] bìbào 명 벽보. =[墙报]
[壁橱] bìchú 명 벽장. =[壁柜]
[壁灯] bìdēng 명 벽에 설치하는 등. 벽등.
[壁挂] bìguà 명 벽에 거는 장식물. 벽걸이. 형 벽걸이형의. ❑ ~空调; 벽걸이 에어컨.
[壁柜] bìguì 명 ⇨[壁橱]
[壁画] bìhuà 명〖美〗 벽화.
[壁垒] bìlěi 명 ① 벽루. 보루. ② 〈比〉 장벽. 대립된 사물과 한계. ❑ ~森严; 〈成〉 ⓐ경계가 삼엄하다. ⓑ한계를 분명히 지키다 / 关税~; 관세 장벽.
[壁立] bìlì 동 벽처럼 곧추서 있다. ❑ ~的山峰; 우뚝 솟은 산봉우리.
[壁炉] bìlú 명 벽난로.
[壁球] bìqiú 명〖體〗 ① 스쿼시(squash). =[壁式网球] ② 스쿼시 공.
[壁扇] bìshàn 명 벽걸이 선풍기.
[壁毯] bìtǎn 명 벽걸이 융단. 태피스트리(tapestry). =[挂毯]
[壁障] bìzhàng 명 장벽. ❑ 思想~; 사상의 장벽.
[壁纸] bìzhǐ 명 벽지. =[墙纸]
[壁钟] bìzhōng 명 ⇨[挂钟]

臂 bì (비)
명 팔. ❑ 右~; 오른팔.
[臂膀] bìbǎng 명 ① ⇨[胳gē膊] ② 〈比〉 조수. 오른팔.
[臂章] bìzhāng 명 완장.

璧 bì (벽)
명 둥글넓적하고 가운데에 구멍이 있는 고대(古代)의 옥기(玉器).
[璧还] bìhuán 동〈書〉〈敬〉 ① 빌린 것을 돌려주다. ② 선물을 사절하다.

碧 bì (벽)
① 명〈書〉 청록색 옥(玉). ② 형 청록색의. 푸른색의. ❑ ~空; 푸른 하늘.
[碧波] bìbō 명 푸른 파도. 창파(蒼波). ❑ ~万顷; 〈成〉 만경창파.
[碧蓝] bìlán 형 짙은 남색빛을 띠다.
[碧绿] bìlǜ 형 청록색을 띠다.
[碧玉] bìyù 명〖鑛〗 벽옥.

bian ㄅㄧㄢ

边(邊) biān (변)
① 명〖數〗 변. ② (~儿) 명 가장자리. 가. 변. ❑ 河~儿; 강가 / 桌子~儿; 책상의 모서리. ③ (~儿) 명 가장자리 장식. 테. 테두리. ❑ 镶金~儿; 금테를 두르다. ④ 명 변경. 경계. ⑤ 명 끝. 한계. ❑ 宽大无~; 한량없이 관대하다. ⑥ 명 근처. 옆. 곁. ❑ 身~; 신변. ⑦ 명 방면. …측. …쪽. ❑ 两~儿; 양쪽. ⑧ 명 쯤. 정도. 무렵. 가량. ❑ 冬至~; 동지 무렵. ⑨ 부 …하면서 …하다《중첩해서 씀》. ❑ 她~打毛衣~听音乐; 그녀는 스웨터를 뜨면서 음악을 듣는다.

边(邊) ·bian (변)
(~儿) 접 …쪽. …측 《위치·방향을 나타내며 방위사(方位詞) 뒤에 붙음》. ❑ 东~; 동쪽 / 里~; 안쪽 / 前~; 앞쪽.
[边陲] biānchuí 명 ⇨[边境]
[边地] biāndì 명 변경 지역. 국경 지역.
[边防] biānfáng 명 국경의 관리. 변경 수비. ❑ ~部队; 국경 수비대.
[边锋] biānfēng 명〖體〗 (축구의) 윙(wing).
[边际] biānjì 명 ① (주로, 공간적인) 끝. 가장자리. 한계. ❑ 茫无~的草原; 끝없이 망망한 초원. ②〖經〗 한계. ❑ ~成本; 한계 비용.
[边疆] biānjiāng 명 변경의 영토.
[边界] biānjiè 명 지역과 지역의 경계(선). 변경《국경·성(省) 경계·현(縣) 경계 따위》. ❑ ~标志; 경계 표지 / ~线; 경계선. 국경선.
[边境] biānjìng 명 국경 지대. 변경. 변방. =[边陲]
[边门] biānmén 명 ⇨[旁门(儿)]
[边卡] biānqiǎ 명 국경[변경] 초소.
[边塞] biānsài 명 국경의 요새.
[边线] biānxiàn 명〖體〗 ① (축구·배구·테니스 따위의) 사이드라

인(sideline). ②(미식축구 따위의) 터치라인(touchline). ③(야구의) 파울 라인(poul line).
[边沿] biānyán 명 ⇨[边缘]
[边缘] biānyuán 명 ①가. 가장자리. 변두리. ②아슬아슬한 가. 고빗사위. ❏在生死~上挣扎; 생사의 고빗사위에서 몸부림치다. ‖=[边沿] 형 양쪽이나 여러 방면에 관계가 있는. 가장자리에 가까운. 변두리의. 주변의. ❏~科学; 주변과학. 학제(學際) 과학 / ~人; 주변인. 한계인.
[边远] biānyuǎn 형 멀리 국경과 가까운. 중심에서 멀리 떨어진 곳의. ❏~地区; 먼 국경 지대.

编(編) biān (편)
①동 엮다. 짜다. ❏~辫子; 머리를 땋다. ②동 배열하다. 편성하다. 조직하다. ❏~目录; 목록을 만들다. ③동 편집하다. ❏~杂志; 잡지를 편집하다. ④동 (노래·각본 따위를) 만들다. 창작하다. ❏~了一个歌儿; 노래 하나를 지었다. ⑤동 꾸며 내다. 지어내다. 날조하다. ❏~瞎话; 터무니없는 말을 지어내다. ⑥명 (서적의) 편. ❏续~; 속편. ⑦양 편. 권《서적을 내용에 따라 나누는 단위》. ❏上~; 상편 / 下~; 하편.
[编程] biānchéng 동〖컴〗프로그래밍(programming)하다.
[编创] biānchuàng 동 ①(극본·시나리오 따위를) 쓰다. 각색하다. ②(연극·영화·드라마 따위를) 구성하다. 만들다. 제작하다. ❏~舞蹈; 안무하다 / ~人员; 스태프(staff). 제작진.
[编导] biāndǎo 동 각색하여 연출하다. 명 각색 연출자.
[编队] biān//duì 동 ①팀(team)을 짜다. ②〖軍〗부대를 편성하다.
[编号] biān//hào 동 번호를 매기다. (biānhào) 명 일련번호.
[编辑] biānjí 동 편집하다. ❏~部; 편집부. 명 편집인. 편집자. ❏总~; 편집장.
[编剧] biān//jù 동 시나리오를 쓰다. 각본을 짜다. (biānjù) 명 시나리오 작가. 극작가.
[编码] biān//mǎ〖컴〗동 코딩(coding)하다. (biānmǎ) 명 코드(code).
[编目] biān//mù 동 항목으로 나누다. 목록을 짜다[만들다]. (biānmù) 명 목록.
[编年] biānnián 동 편년하다. ❏~史; 편년사. 연대기 / ~体; 편년체.
[编排] biānpái 동 ①(일정한 순서에 따라) 배열하다. 편성하다. 짜넣다. ❏~目录; 목록을 편성하다. ②극본을 쓰고 무대 연습을 하다.
[编舞] biān//wǔ 동 안무(按舞)하다. (biānwǔ) 명 안무가.
[编写] biānxiě 동 ①편집하여 쓰다. 글로 써서 만들다. ❏~讲议; 강의용 프린트를 만들다. ②(작품을) 쓰다. 창작하다. ❏~剧本; 시나리오를 쓰다.
[编译] biānyì 동 편집 번역 하다. 역편하다. 명 ①역편자. ②〖컴〗컴파일(compile). ❏~器; 컴파일러(compiler).
[编造] biānzào 동 ①짜다. 편성하다. 작성하다. ❏~统计表; 통계표를 짜다 / ~预算; 예산을 짜다. ②날조하다. 조작하다. ❏~谎言; 거짓말을 꾸며 대다. ③(이야기를) 상상으로 만들다.
[编者] biānzhě 명 편자. 엮은이. ❏~按 =[~案]; 편자의 말. 엮은이의 말. 편자주(註).
[编织] biānzhī 동 엮어 짜다. 편직하다. ❏~毛衣; 스웨터를 짜다 / ~机; 편직기. 편물기.
[编制] biānzhì 동 ①(기물을) 짜서 만들다. 겯다. 엮다. ❏用藤条~了一把藤椅; 등나무 가지로 등나무 의자를 하나 만들었다. ②(계획·프로그램 따위를) 짜다. 편성하다. ❏~程序; 프로그램을 짜다. 명 (조직이나 기구의) 편제.
[编著] biānzhù 동 편저하다.
[编纂] biānzuǎn 동 편찬하다. ❏~词典; 사전을 편찬하다.

蝙 biān (편)
→[蝙蝠]
[蝙蝠] biānfú 명〖動〗박쥐. ❏吸血~; 흡혈 박쥐.

鞭 biān (편)
①명 채찍. 회초리. ②명 옛날 병기의 일종. ❏竹节~; 죽절 채찍. ③명 채찍 모양의 가늘고 긴 물건. ❏教~; 교편. ④명 (식용이나 약용의) 동물의 음경. ❏海狗~; 해구신. ⑤명 연발 폭죽. ❏一挂~; 연발 폭죽 한 묶음. ⑥동〈書〉채찍질하다. ❏~马; 말을 채찍질하다.

[鞭策] biāncè 동 (말에게) 채찍질하다. 〈比〉 편달(鞭撻)하다.
[鞭长莫及] biāncháng-mòjí 〈成〉 힘이 미치지 못하다.
[鞭笞] biānchī 동〈書〉 채찍이나 판자로 치다[때리다].
[鞭打] biāndǎ 동 채찍질하다. ❑ ~快牛; 〈成〉 잘 달리는 소에 채찍질하다《우수한 개인이나 단체에게 더 높은 요구를 하거나 더 중요한 임무를 주다》.
[鞭炮] biānpào 명 ① 크고 작은 폭죽의 총칭. ② 연발 폭죽《여러 개의 작은 폭죽을 꿰어서 만든 것》.
[鞭子] biān·zi 명 채찍. 회초리.

贬(貶) biǎn (폄)
동 ① (지위·가치를) 내리다. 떨어뜨리다. ❑ ~值; ⇓ ② 헐뜯다. 깎아내리다. 폄하하다. ❑ 我从没~过别人; 나는 다른 사람을 헐뜯어 본 적이 없다.
[贬斥] biǎnchì 동 ①〈書〉 관직을 떨어뜨리다. ② 헐뜯고 배척하다.
[贬词] biǎncí 명 ⇨[贬义词]
[贬低] biǎndī 동 (고의로) 깎아내리다. 폄하하다. ❑ 互相~; 서로를 깎아내리다 / ~价值; 가치를 폄하하다.
[贬义] biǎnyì 명 (단어 속에 포함된) 부정적인 뜻. 비난의 뜻. 폄의.
[贬义词] biǎnyìcí 명〖言〗 부정적인 의미의 말. 폄의어. =[贬词]
[贬责] biǎnzé 동 헐뜯고 나무라다. 깎아내리고 꾸짖다.
[贬值] biǎn//zhí 동〖經〗 ① 화폐 가치가 내리다[떨어지다]. ❑ 美元贬了值了; 달러 가치가 하락했다. ② 평가 절하 하다. ③ 가치가 떨어지다. ❑ 商品~; 상품 가치가 떨어지다.

扁 biǎn (편)
형 ① 납작하다. 넓고 얇다. ❑ 提包~~的; 핸드백이 납작하다. ② 우습다. 하찮다. 얕보이다. ❑ 别把人看~了; 남을 우습게 여기면 안 된다. ⇒piān
[扁担] biǎn·dan 명 멜대.
[扁豆] biǎndòu 명〖植〗 편두. 까치콩.
[扁平足] biǎnpíngzú 명 평발. =[平足]
[扁桃] biǎntáo 명〖植〗 아몬드(almond). =[巴旦杏]
[扁桃体] biǎntáotǐ 명〖生理〗 편도선. ❑ ~炎; 편도선염. =[扁桃腺]
[扁形动物] biǎnxíng dòngwù〖動〗 편형동물.

匾 biǎn (편)
명 ① 액(額). 편액. ② 대나무로 바닥이 평평하게 엮은 바구니.
[匾额] biǎn'é 명 편액. =[榜额]

褊 biǎn (편)
형〈書〉 좁다. 협소하다.
[褊急] biǎnjí 형〈書〉 도량이 좁고 성격이 급하다. 성급하고 좀스럽다.
[褊狭] biǎnxiá 형〈書〉 좁다. 협소하다. ❑ 气量~; 도량이 좁다.

弁 biàn (변)
명 ① 옛날, 남자가 쓰던 관. ② 옛날의 하급 무관(武官).
[弁言] biànyán 명〈書〉 ⇨[序言]

变(變) biàn (변)
① 동 달라지다. 변하다. 바뀌다. ❑ 他的脾气我看~不了liǎo了; 내가 보기에 그의 성질은 바뀔 수 없다. ② 동 (성질·상태가) …로 바뀌다. …로 변하다. ❑ 后进~先进; 후진에서 선진으로 바뀌다. ③ 동 변화시키다. 바꾸다. ❑ ~沙漠为良田; 사막을 기름진 밭으로 바꾸다. ④ 형 변할 수 있는. 변화된. ❑ ~种; ⇓ ⑤ 명 이변. 전란. ❑ ~乱; ⇓ ⑥ 동 변통하다. 임기응변하다. ⑦ 동 (마술·요술 따위를) 부리다. ❑ 他会~魔术; 그는 마술을 부릴 줄 안다. ⑧ 동 팔아서 (돈으로) 바꾸다.
[变本加厉] biànběn-jiālì 〈成〉 원래보다 더 심해지다.
[变成] biànchéng 동 …로 변하다. …로 바꾸다. ❑ 把沙漠~绿洲; 사막을 오아시스로 바꾸다.
[变电站] biàndiànzhàn 명〖電〗 변전소(變電所).
[变调] biàn//diào 동 ①〖言〗 성조(聲調)가 변하다《제3성이 연속해서 발음될 경우에 앞의 제3성이 제2성으로 변화하는 따위》. ② ⇨[转zhuǎn调]
[变动] biàndòng 동 ① (사회 현상이) 변화하다. 달라지다. 변동하다. ❑ 人事~; 인사이동. ② 바꾸다. 바뀌다. 변경되다. 변경하다. ❑ 计划又~了; 계획이 또 변경되었다.
[变法] biàn//fǎ 동〖史〗 변법하다. ❑ ~自强; 변법자강.
[变革] biàngé 동 변혁하다. ❑ 社会~; 사회 변혁.
[变更] biàngēng 동 변경하다. 바

꾸다. ❑～考试方式; 시험 방식을 변경하다.

[变故] biàngù 명 뜻밖의 사고. 변고. ❑突遭～; 갑자기 뜻밖의 사고를 당하다.

[变卦] biàn//guà 동〈貶〉(이미 정해진 것을) 갑자기 바꾸다[변경하다]. ❑刚说好的, 怎么就～? 방금 다 이야기된 것인데 어째서 갑자기 바꾸는 거냐?

[变化] biànhuà 명동 변화(하다). ❑发生～; 변화가 생기다 / ～无常; 〈成〉변화무쌍하다.

[变幻] biànhuàn 동 불규칙하게 변하다. ❑政局～; 정국이 불규칙하게 변하다 / ～莫测; 〈成〉변화막측하다.

[变换] biànhuàn 동 (다른 것으로) 바꾸다. 변환하다. ❑～手法; 수법을 바꾸다 / ～食谱; 식단을 바꾸다.

[变节] biàn//jié 동 변절하다. ❑～分子; 변절자.

[变脸] biàn//liǎn 동 ① 태도를 바꾸다. 안면을 바꾸다. ❑他们怎么突然就～了? 그들은 왜 갑자기 태도가 바뀐 것이냐? ②〔劇〕(중국 전통극에서) 배우가 매우 빠른 동작으로 표정이나 얼굴 모양을 바꾸다. 변검을 하다. ❑～术; 변검술.

[变乱] biànluàn 명 변란. 전란.

[变卖] biànmài 동 물건을 팔아 돈으로 바꾸다. 환금하다. ❑～戒指; 반지를 팔아 돈으로 바꾸다.

[变频] biànpín 동〔物〕주파수를 변환하다. ❑～器; 주파수 변환기.

[变迁] biànqiān 동 변천하다. ❑时代～; 시대 변천.

[变色] biànsè 동 ① 변색되다. 변색하다. ❑～镜; 변광(變光) 보안경. ② 안색을 바꾸다. 안색이 변하다. ❑勃然～; 발끈하며 안색을 바꾸다.

[变色龙] biànsèlóng 명 ①〔動〕카멜레온(chameleon). ②〈比〉(정치상의) 기회주의자.

[变声] biàn//shēng 동 (사춘기에) 목소리가 변하다. 변성하다.

[变数] biànshù 명 ①〔數〕변수. ② 변할 수 있는 요소. ❑新的～; 새로운 변수.

[变速] biànsù 동 변속하다. ❑～器; 변속기 / ～运动; 변속 운동.

[变态] biàntài 동 ①〔動·植〕변태하다. ② (생리적·심리적으로) 변태 성향을 보이다. ❑～心理; 변태 심리 / ～行为; 변태 행위. 명 정상이 아닌 상태. 변태.

[变天] biàn//tiān 동 ① 날씨에 변화가 생기다. 날씨가 변하다. ②〈比〉정치 세력에 변화가 생기다. 세상이 바뀌다.

[变通] biàntōng 동 변통하다. 융통성 있게 처리하다. 임기응변하다. ❑～处理; 변통하여 처리하다.

[变温动物] biànwēn dòngwù〔動〕변온 동물. 냉혈 동물. ＝[冷血动物①]

[变戏法(儿)] biàn xìfǎ(r) 마술을 부리다. ❑～的; 마술사.

[变相] biànxiàng 형 (속은 그대로인 채) 형식만 바꾼. 형태만 바꾼《주로, 나쁜 일에 쓰임》. ❑～体罚; 형태만 바꾼 체벌.

[变心] biàn//xīn 동 변심하다.

[变形] biàn//xíng 동 변형하다. 변형되다. 모양이 변하다.

[变形虫] biànxíngchóng 명〔動〕아메바(amoeba). ＝[阿ā米巴]

[变性] biànxìng 동 ①〔化〕변성하다. ② 성전환을 하다. ❑～手术; 성전환 수술 / ～人; 성전환자.

[变压器] biànyāqì 명〔電〕변압기.

[变异] biànyì 동〔生〕변이하다.

[变质] biàn//zhì 동 변질되다《주로, 나쁜 의미로 쓰임》. ❑蜕化～; 타락하여 변질되다 / 牛奶已经～了; 우유가 이미 변질되었다.

[变种] biànzhǒng 명〔生〕변종.

[变奏] biànzòu 동〔樂〕변주하다. ❑～曲; 변주곡.

便 biàn (변, 편)

① 형 편리하다. 편하다. ❑旅客称～; 여행객이 편리하게 여기다. ② 명 편한 때. 하는 김. 계제. 좋은 기회. ❑～车; ⇩ ③ 형 정식이 아닌. 간편한. 일상의. ❑～饭; ⇩ ④ 명동 대소변(을 보다). ❑大～; 대변(을 보다) / 小～; 소변(을 보다). ⑤ 부 이미. 벌써《동작이 이미 발생했음을 강조함》. ❑他从小～爱画画; 그는 어렸을 때부터 이미 그림 그리기를 좋아했다. ⑥ 부 …하자마자《두 가지 상황이나 동작이 잇따라 발생함을 나타냄》. ❑他一躺下～睡着zháo了; 그는 눕자마자 잠이 들었다. ⑦ 부 즉. 곧. 바로《사실이 바로 이러함을 나타냄》. ❑他～是王先生; 그가 바로

왕 선생이다. ⑧ 접 비록 …하더라도. 설사 …일지라도. ❏ ~去请他, 他也未必来; 그를 청한다 하더라도 그가 반드시 온다고는 할 수 없다. 注 '便⑤⑥⑦⑧'은 구어(口語)의 '就'에 상당함. ⇒pián

[便车] biànchē 명 마침 가는 차(車). ❏ 找~把他送到学校去; 같은 방향으로 가는 차를 찾아 그를 학교까지 데려다 주다.

[便当] biàndāng 명 도시락.

[便当] biàn·dang 형 간단하다. 쉽다. 수월하다. 편리하다. ❏ 这里买什么都很~; 여기에서는 무엇을 사든지 매우 편리하다.

[便道] biàndào 명 ① 가깝고 편한 길. 지름길. ② 인도. 보도. ③ 임시 도로.

[便饭] biànfàn 명 일상적인 식사. ❏ 家常~; 집에서 늘 먹는 일상적인 음식.

[便服] biànfú 명 ① 평상복. 평복. =[便装] ② 중국식 옷.

[便函] biànhán 명 간단한 형식의 비공식적인 편지.

[便壶] biànhú 명 (남자용의) 요강. 소변기《병실에서 사용하거나 야간에 잠자리에서 사용함》.

[便笺] biànjiān 명 ① ⇨[便条(儿)] ② 메모 용지.

[便览] biànlǎn 명 편람. 핸드북(handbook). ❏ 交通~; 교통 편람.

[便利] biànlì 형 편리하다. 편하다. ❏ ~的条件; 편리한 조건. 동 편리하게 하다. ❏ ~公众; 대중을 편리하게 하다.

[便利店] biànlìdiàn 명 편의점.

[便秘] biànmì 명동〖醫〗 변비(에 걸리다).

[便盆(儿)] biànpén(r) 명 변기. 요강.

[便桥] biànqiáo 명 가교(假橋). 임시 다리.

[便人] biànrén 명 인편(人便). ❏ 你要的书, 我将托~带去; 네가 원한 책은 내가 인편에 가져가도록 부탁하겠다.

[便条(儿)] biàntiáo(r) 명 쪽지 편지. 쪽지. =[便笺①][条子②]

[便桶] biàntǒng 명 변기. 변기통.

[便鞋] biànxié 명 간편한 신발.

[便血] biàn//xiě 동 피똥[피오줌]을 싸다.

[便宴] biànyàn 명 간단한 파티.

[便衣] biànyī 명 ① (제복에 대한) 평복. 사복. ② 사복 군인. 사복 경찰.

[便宜] biànyí 형 편하고 적당하다. 편리하다. ❏ ~行xíng事 =[~从事]; 〈成〉 편하고 적당하게 처리하다. ⇒pián·yi

[便于] biànyú 동 …에 편리하다. …하기 수월하다. ❏ 穿上这双运动鞋~长跑; 이 운동화를 신으면 장거리 경주에 편리하다.

[便中] biànzhōng 명 편리한 때. 계제가[형편이] 좋을 때. ❏ 书已购到, 望~来取; 책은 이미 사 놓았으니 편리한 때에 와서 가져가세요.

[便装] biànzhuāng 명 ⇨[便服①]

遍 biàn (편)

① 동 전면적이다. 보편적이다. 전체에 걸치다. ❏ 那个消息, 传~了全村; 그 소식은 온 마을에 퍼졌다. ② 양 번. 회《횟수를 나타내는 말》. ❏ 念一~; 한 번 읽다.

[遍布] biànbù 동 도처에 널리 분포하다. 두루 퍼져 있다. ❏ 我的朋友~全世界; 내 친구는 전 세계에 두루 퍼져 있다.

[遍地] biàndì 동 여기저기에 퍼져 있다. ❏ 黄花~; 국화꽃이 여기저기에 퍼져 있다. 부 여기저기. 도처. ❏ 黄叶~都是; 도처에 온통 노란 낙엽투성이다.

[遍及] biànjí 동 두루 미치다. 널리 퍼지다. ❏ ~全球; 전 세계에 두루 미치다.

[遍体] biàntǐ 명 온몸. 전신(全身). ❏ ~鳞伤; 〈成〉 온몸이 상처투성이다《부상이 매우 심각하다》.

辩(辯) biàn (변)

동 논쟁하다. 변론하다. ❏ 我~不过他; 나는 논쟁으로는 그를 당하지 못한다.

[辩白] biànbái 동 (오해를 풀거나 진상을 밝히기 위해) 설명하다. 변명하다. 해명하다. ❏ 不必~了; 해명할 필요 없다.

[辩驳] biànbó 동 논쟁하여 따지다. 변박하다. 논박하다.

[辩才] biàncái 명 변재. 말재주.

[辩护] biànhù 동 ① 변호하다. ❏ ~士; 〈貶〉 대변자. ②〖法〗 변호하다. ❏ ~律师; 피고측 변호사 / ~人; 변호인.

[辩解] biànjiě 동 (비판받는 견해나 행동을) 변해하다. 변명하다. 해명하다. ❏ 你不必为自己~; 네 자신

을 위해 해명할 필요 없다.
[辩论] biànlùn 동 변론하다. 토론하다. ❑~会; 토론회.
[辩证] biànzhèng 동 변증하다. 형〖哲〗변증법적인. ❑~法; 변증법/~逻辑; 변증법적 논리.

辨 biàn (변)
동 구별하다. 분별하다. 판별하다. 식별하다. 분간하다.
[辨别] biànbié 동 변별하다. 판별하다. 분별하다. 가리다. ❑~是非; 시비를 가리다/~真伪; 진위를 분별하다.
[辨认] biànrèn 동 식별하다. 분간하다. 인식하다. ❑~指纹; 지문을 인식하다.
[辨析] biànxī 동 판별하여 분석하다. 분석하여 분간하다. ❑~同义词; 동의어를 분석하여 알아내다.
[辨正] biànzhèng 동 시비를 따져 잘못을 바로잡다.

辫(辮) biàn (변)
(~儿) ① 명 변발. 땋아 늘인 머리. ② 명 변발 모양으로 생긴 것. ③ 양〈方〉타래. 두름. 줄《땋은 머리 모양의 물건을 세는 말》. ❑一~蒜; 마늘 한 타래.
[辫子] biàn·zi 명 ① 땋은 머리. 변발. ❑留~; 변발을 하다. ② 땋은 머리 모양으로 된 물건. ❑蒜~; 마늘 타래. ③〈比〉약점. 결점. 꼬투리. ❑抓~; 꼬투리를 잡다.

biao ㄅㄧㄠ

彪 biāo (표)
명〈書〉① 새끼 호랑이. 〈比〉체격이 큼. ② 호랑이의 얼룩무늬. 〈比〉화려한 색채. 아름다운 모양.
[彪炳] biāobǐng 동〈書〉찬란하게 빛나다. 눈부시게 빛나다. ❑~千古;〈成〉위대한 업적이 천추만대까지 전해지다.

飙(飆) biāo (표)
명〈書〉폭풍.

标(標) biāo (표)
① 명〈書〉(나무의) 우듬지. ② 명 (사물의) 말단. 지엽. 표면. ③ 명 표지. 기호. 부호. ❑路~; 도로 표지. ④ 명 표준. 지표. ❑超~; 표준을 초과하다. ⑤ 동 표시하다. 나타내다. ❑~明; ⇓ ⑥ 명 (우승자에게 주는) 상품. ❑夺~; 우승을 차지하다. ⑦ 명 입찰. ❑投~; 입찰하다. ⑧ 양 대오·대열을 세는 말《양사로는 오직 '一'만 가능함》❑一~人马; 병마 한 무리.
[标榜] biāobǎng 동 ① 표방하다. ❑~自由; 자유를 표방하다. ② 칭찬하다. 치켜세우다. 찬양하다. ❑自我~; 자화자찬하다.
[标本] biāoběn 명 ① 지엽적인 것과 근본적인 것. ② 표본. ❑~虫; 표본벌레/昆虫~; 곤충 표본. ③〖醫〗샘플(sample). 시료(試料). ❑血液~; 혈액 샘플. ④ 대표적인 것[곳].
[标兵] biāobīng 명 ① 열병식(閱兵式) 때 경계선을 표시하기 위해 세워 두는 초병. ②〈轉〉군중집회에서 경계선을 표시하기 위해 세워 두는 사람. ③〈比〉모범으로 삼을 만한 사람이나 단체.
[标尺] biāochǐ 명 ①〖測〗표척. ②⇨[表尺]
[标灯] biāodēng 명 표지등.
[标点] biāodiǎn 명 ⇨[标点符号] 동 문장 부호를 붙이다.
[标点符号] biāodiǎn fúhào〖言〗문장 부호. =[标点]
[标定] biāodìng 동 ① (가격·규격 따위의) 기준치를 정하다. ❑~边界线; 경계선을 정하다. ② (일정한 기준에 의해) 측정하다. 재다. ❑~位置; 위치를 측정하다. 형 기준에 맞는. 표준적인. ❑~数据; 표준 데이터.
[标号] biāohào 명 ① (제품의 성능을 나타내는) 등급. ❑高~水泥; 고급 시멘트. ② 표지. 부호.
[标记] biāojì 동 표기하다. 표시하다. 명 ① 표시. 표기. 표지. 마크(mark). ②〖컴〗태그(tag).
[标价] biāo∥jià 동 가격을 표시하다. ❑明码~; 숫자로 가격을 표시하다. (biāojià) 명 표시 가격.
[标明] biāomíng 동 명기하다. 명시하다. ❑~价格; 가격을 명시하다.
[标签(儿)] biāoqiān(r) 명 라벨(label). 태그(tag). 꼬리표. ❑价目~; 가격 라벨/行李~; 수하물 꼬리표.
[标枪] biāoqiāng 명 ①〖體〗창던지기. 투창 경기. ② (투창 경기용) 창. ③ (고대 무기의) 표창.
[标题] biāotí 명 표제. 제목. 타이틀(title). 헤드라인(headline).

❑ ~新闻; 헤드라인 뉴스(headline news) / ~音乐; 표제 음악.

[标新立异] biāoxīn-lìyì 〈成〉 남과 다르다는 것을 보이기 위해 특별한 주장을 펼치다.

[标语] biāoyǔ 명 표어. 슬로건(slogan).

[标志] biāozhì 명 표지. 표시. 상징. 지표. ❑ 交通~; 교통 표지. 동 (어떠한 특징을) 나타내다. 보여주다. 상징하다.

[标致] biāo·zhì 형 (용모·자태가) 아름답다《주로, 여성에 대해 씀》. ❑ 没想到她长得这么~; 그녀가 이토록 아름다울 줄은 몰랐다.

[标准] biāozhǔn 명 ① 기준. ❑ 不合乎~; 기준에 맞지 않다. ② 표준. 형 표준적이다. ❑ ~的东方美人; 표준적인 동양 미인 / ~化; 표준화하다 / ~件; 표준 부품. 규격 부품 / ~时; 표준시 / ~音; 표준음 / ~语; 표준어.

膘 biāo (표)
(~儿) 명 (주로, 가축의) 기름진 고기. 비계. ❑ 这匹马上了~了; 이 말은 살이 오르기 시작했다.

镖(鏢) biāo (표)
명 표창(鏢槍).

表(錶)⑧ biǎo (표)
① 명 겉. 외관. 표면. ❑ ~面; ⇩ ② 명 고종·외종·이종사촌. 내외종 사촌《조부·부친의 자매나 조모·모친의 형제자매의 자녀와의 관계》. ③ 동 나타내다. 표현하다. ❑ ~决心; 결심을 나타내다. ④ 동〖中醫〗약물을 써서 체내의 풍한(風寒)을 발산시키다. ⑤ 명 모범. ❑ 为人师~; 남의 모범이 되다. ⑥ 명 표. ❑ 列车时刻~; 열차 시간표. ⑦ 명 계기. 계량기. ❑ 温度~; 온도계. ⑧ 명 시계《손목시계 또는 회중시계》. ❑ 手~; 손목시계.

[表白] biǎobái 동 ① 말로 나타내다. 표명하다. ❑ ~自己的观点; 자기의 관점을 표명하다. ② (감정·사랑을) 고백하다. 대시(dash)하다. ❑ 我向他~了; 나는 그에게 (사랑을) 고백했다.

[表册] biǎocè 명 책자로 묶여 있는 표(表).

[表层] biǎocéng 명 표층. 형 표면적인. 외재된. ❑ ~原因; 표면적인 원인.

[表尺] biǎochǐ 명〖軍〗가늠자. 조척(照尺). =[标尺②]

[表达] biǎodá 동 (생각·감정 따위를) 표현하다. 전달하다. 나타내다. ❑ ~感情; 감정을 표현하다.

[表弟] biǎodì 명 (내외종) 사촌 남동생.

[表哥] biǎogē 명 ⇨[表兄]

[表格] biǎogé 명 ① 도표. 표. ② 서식(書式). 양식.

[表姐] biǎojiě 명 (내외종) 사촌 언니[누나].

[表决] biǎojué 동 표결하다. ❑ ~权; 표결권.

[表里] biǎolǐ 명 겉과 속. 태도와 속마음. ❑ ~不一; 〈成〉 표리부동하다 / ~如一; 〈成〉 생각과 언행이 일치하다.

[表链(儿)] biǎoliàn(r) 명 시곗줄. 시계 체인.

[表露] biǎolù 동 나타내다. 드러내다. ❑ 脸上~出喜悦之情; 얼굴에 기쁜 표정을 드러내다.

[表妹] biǎomèi 명 (내외종) 사촌 누이동생.

[表面] biǎomiàn 명 ① (물체의) 표면. ❑ ~张力; 표면 장력. ② 겉. 겉보기. 외관. 표면. ❑ ~上装作不知道; 겉으로는 모르는 척하다 / ~光; 겉만 번지르르하다.

[表面化] biǎomiànhuà 동 (모순 따위가) 표면화되다. 수면 위로 떠오르다. ❑ 他们之间的矛盾~了; 그들 간의 모순이 표면화되었다.

[表明] biǎomíng 동 확실하게 보이다[나타내다]. 표명하다. ❑ ~立场; 입장을 표명하다.

[表盘] biǎopán 명 (시계·계기 따위의) 눈금판. 숫자판.

[表皮] biǎopí 명〖生〗(동식물의) 표피. ❑ ~层; 표피층.

[表亲] biǎoqīn 명 내외종 친척.

[表情] biǎoqíng 명 표정. ❑ ~自然; 표정이 자연스럽다. 동 표정을 짓다. ❑ ~达意; 표정으로 의사를 나타내다.

[表示] biǎoshì 동 ① (말이나 행동으로 감정·생각 따위를) 표현하다. 드러내다. 나타내다. 표시하다. ❑ 向他~歉意; 그에게 미안함을 표현하다. ② 의미를 나타내다. 의미하다. 가리키다. ❑ 点头~同意; 머리를 끄덕이는 것은 동의를 의미한다.

[表态] biǎo//tài 동 태도를 표명하다. 태도를 분명히 하다.

[表现] biǎoxiàn 동 ① 표현하다. ❏～手法; 표현 수법 / ～主义; 표현주의. ② (일부러 자신을) 드러내다. ❏好～自己; 자신을 드러내기를 좋아하다. 명 행동. 처신. 성과. 태도. ❏他的～一贯很好; 그의 태도는 한결같이 매우 좋다.

[表兄] biǎoxiōng 명 (내외종) 사촌형[오빠]. ＝[表哥]

[表演] biǎoyǎn 동 ① 연출하다. 연기하다. 공연하다. ❏杂技～; 서커스 공연. ② 모범 동작을 실연(實演)하다. ❏～赛; 시범 경기 / ～项目; 시범 종목.

[表扬] biǎoyáng 동 (공개적으로) 칭찬하다. 표창하다. 표양하다. ❏～优秀人物; 우수한 인물을 표창하다.

[表意文字] biǎoyì wénzì 〖言〗 표의 문자.

[表音文字] biǎoyīn wénzì 〖言〗 표음 문자.

[表彰] biǎozhāng 동 (선행·공로 따위를) 표창하다. ❏～优秀的学生; 우수한 학생을 표창하다.

[表侄] biǎozhí 명 내외종 형제의 아들.

[表侄女] biǎozhí·nǚ 명 내외종 형제의 딸.

婊 biǎo (표)
→[婊子]

[婊子] biǎo·zi 명 창녀《주로, 사람을 욕할 때 씀》. ❏～养的; 〈罵〉 후레자식. 호래자식.

裱 biǎo (표)
동 ① 표장(表裝)하다. 표구하다. ② 도배하다.

[裱褙] biǎobèi 동 (서화를) 표구하다.

[裱糊] biǎohú 동 도배하다.

鳔(鰾) biào (표)
① 명 (물고기의) 부레. ＝[鱼鳔] ② 명 부레풀. ③ 동〈方〉 부레풀로 붙이다.

[鳔胶] biàojiāo 명 부레풀. 어교.

bie ㄅㄧㄝ

憋 biē (별)
① 동 (말·화·숨·소변 따위를) 참다. 억누르다. 삭이다. ❏～气; ⇓ ② 형 우울하다. 숨막히다. 답답하다. ❏真～得人透不过气来; 정말 숨도 못 쉴 만큼 답답하다.

[憋气] biēqì 동 ① 호흡이 곤란하다. 숨이 막히다. ❏这会开得真～; 이 회의는 정말로 숨이 막힐 정도로 지겹다. ② (화가 나거나 억울해서) 숨이 막힐 듯하다. 속이 터지다. ❏这种事有口难辨, 真～; 이 일은 해명할 길이 없으니, 정말 속이 터질 노릇이다. ③ (biē∥qì) 숨을 참다. ❏憋足了一口气进行潜水; 있는 대로 숨을 참고 잠수하다.

鳖(鱉) biē (별)
명〖動〗 자라. ＝[甲鱼][团鱼][〈俗〉 王八①]

瘪(癟) biē (별)
→[瘪三] ⇒biě

[瘪三] biēsān 명〈方〉 (구걸이나 도둑질 따위로 생활하는) 부랑자. 뜨내기.

别 bié (별)
① 동 헤어지다. 이별하다. 떨어지다. ❏久～; 오랫동안 떨어져 있다. ② 형 다른. 딴. 별도의. ❏～的办法; 다른 방법. ③ 동〈方〉 방향을 바꾸다. 돌리다. ❏～过脸来不看他; 고개를 돌려 그를 외면하다. ④ 동 나누다. 구별하다. 구분하다. ❏～为三种; 세 종류로 구별하다. ⑤ 명 차별. 차이. ❏新旧有～; 새것과 헌것은 차이가 있다. ⑥ 명 분류. 종류. ❏性～; 성별. ⑦ 동 (핀으로) 꽂다. 달다. ❏发夹～在头发上; 핀을 머리에 꽂다. ⑧ 동 질러 넣다. 꽂다. ❏腰间～着一支手枪; 허리춤에 권총이 한 자루 꽂혀 있다. ⑨ 부 …하지 마라《금지·제지를 나타냄》. ❏～担心; 걱정하지 마라. ⑩ 부 …인 것 같다. …인지도 모른다《추측을 나타내며, 주로 '～是'의 형식으로 씀》. ❏这么长时间没见他, ～是回国了吧; 이렇게 오랫동안 그가 안 보이는 걸 보니, 귀국한 게 아닌가 싶다. ⇒biè

[别称] biéchēng 명 별칭.

[别出心裁] biéchū-xīncái 〈成〉 구상[생각]이 남다르게 독창적이다.

[别处] biéchù 명 다른 곳[장소].

[别的] bié·de 대 다른 것. 다른 사람.

[别动队] biédòngduì 명〖軍〗 별동대.

[别管] biéguǎn 접 ⇨[无论]

[别号(儿)] biéhào(r) 명 별호(別號). ＝[别字②]

[别具一格] biéjù-yīgé 〈成〉 독특

한 풍격(風格)을 지니고 있다.

[别开生面] biékāi-shēngmiàn 〈成〉 새로운 경지를 열다. 독창적인 형식을 만들어 내다.

[别看] biékàn 접 …지만. …이긴 해도. ❑ ~他个子小, 力气可不小; 그는 키는 작아도 기운은 세다.

[别离] biélí 동 이별하다. 작별하다. 헤어지다.

[别名(儿)] biémíng(r) 명 다른 이름. 별명. 별칭.

[别人] biérén 명 (그 밖의) 다른 사람. 딴 사람. ❑ 去问问~; 다른 사람에게 물어보다.

[别人] bié·rén 대 타인. 남. ❑ 关心~的事; 남의 일에 관심을 갖다.

[别树一帜] biéshù-yīzhì 〈成〉 독창적으로 한 파(派)를 이루다.

[别墅] biéshù 명 별장(別莊).

[别说] biéshuō 접 …은 물론이고. …은 말할 필요도 없고. ❑ 这个字, ~小孩不认识, 即使大人也不一定认识; 이 글자는 아이는 물론이거니와 어른이라 해도 반드시 다 알지는 못한다. =[别说是]

[别提] biétí 동 말도 마라. 말도 못하게 …하다. ❑ 这座楼盖得~多结实了; 이 건물 구조는 말도 못하게 단단하다.

[别样] biéyàng 형 다른. 다른 모양[스타일]의. ❑ 这毛衣不好看, 换个~的; 이 스웨터는 안 예쁘니, 다른 스타일로 바꿔 주세요.

[别有用心] biéyǒu-yòngxīn 〈成〉 마음속에 딴생각을 품다. 꿍꿍이가 있다.

[别针(儿)] biézhēn(r) 명 ① 안전핀. 옷핀. ② 브로치(brooch).

[别致] biézhì 형 색다르다. 특이하다. 독특하다. ❑ 房间的布置很~; 방 배치가 매우 색다르다.

[别字] biézì 명 ① ⇒[白字] ② ⇒[别号(儿)]

蹩 bié (별) 동〈方〉 (손목·발목을) 삐다. 접질리다. ❑ 他不小心~了脚; 그는 부주의해서 발을 삐었다.

[蹩脚] biéjiǎo 형〈方〉 (질·수준 따위가) 떨어지다. 처지다. 신통치 않다. ❑ 戏演得太~了; 연극이 영 신통치 않다.

瘪(癟) biě (별) 형 푹 꺼지다. 쭈그러들다. 오그라들다. ❑ 气球~了; 풍선이 오그라들었다. ⇒ biē

别(彆) biè (별) 동〈方〉 (주장·성격 따위를) 바꾸게 하다. 말리다. 돌려세우다《주로, '~不过'의 형식으로 쓰임》. ❑ 他真的要去, 你也~不过他; 그가 정말 가겠다면 너도 그를 말릴 수 없다. ⇒ bié

[别扭] biè·niu 형 ① 성격이 뒤틀리다. 괴팍하다. ❑ 他的脾气挺~; 그의 성격은 매우 괴팍하다. ② 의견이 맞지 않다. 사이가 틀어지다. ❑ 弟兄俩经常闹~; 두 형제는 늘 상 티격태격한다. ③ (말·글 따위가) 매끄럽지 못하다. 유창하지 않다. ❑ 这段文章很~; 이 문장은 매우 매끄럽지 못하다.

bin ㄅㄧㄣ

宾(賓) bīn (빈) 명 손님.

[宾戈] bīngē 명〈音〉 빙고(bingo) 《서양 게임의 하나》.

[宾馆] bīnguǎn 명 ① 영빈관(迎賓館). ② 〈轉〉 (규모 있고 시설 좋은) 고급 여관. 호텔.

[宾客] bīnkè 명 손님. 빈객.

[宾语] bīnyǔ 명〔言〕 목적어.

[宾至如归] bīnzhì-rúguī 〈成〉 마치 내 집에 돌아온 것 같다《여관·호텔 따위의 서비스가 매우 훌륭하다》.

[宾主] bīnzhǔ 명 손님과 주인. 주객(主客).

傧(儐) bīn (빈) →[傧相]

[傧相] bīnxiàng 명 ① 옛날, 빈객을 안내하던 사람. 의식의 사회자. ② (혼례식 때 신랑 신부의) 들러리.

滨(濱) bīn (빈) ① 명 물가. ❑ 海~; 해변 / 湖~; 호숫가. ② 동 (물가에) 접하다. ❑ ~海公路; 해안 도로.

缤(繽) bīn (빈) →[缤纷]

[缤纷] bīnfēn 형〈書〉 복잡하고 어지럽다.

彬 bīn (빈) →[彬彬]

[彬彬] bīnbīn 형〈書〉 점잖은 모양. ❑ ~有礼; 〈成〉 점잖고 예의 바르다.

濒(瀕) bīn (빈) 동 ① (물가에) 인접하

다. ❑～湖; 호숫가에 접하다. ② 접근하다. 임박하다. ❑～危; ⇓
[濒绝] bīnjué 동 멸종 위기에 처하다. ❑～动物; 멸종 위기 동물.
[濒临] bīnlín 동 인접하다. 임박하다. ❑～大海; 바다에 인접하다 / ～灭绝; 멸망의 위기에 처하다.
[濒死] bīnsǐ 동 빈사 상태가 되다. 다 죽게 되다. ❑～状态; 빈사 상태.
[濒危] bīnwēi 동 위험에 처하다. 위험한 지경에 이르다. ❑～病人; 위험한 상태의 환자.
[濒于] bīnyú 동 …의 직전에 있다. …할 위기에 처하다. ❑～破产; 파산 직전에 놓이다.

摈(擯) bìn (빈)
동〈書〉 배척하다. 물리치다. 배제하다.
[摈斥] bìnchì 동 물리치다. 배척하다. ❑～异己; 자기와 의견이 다른 사람을 배척하다.
[摈弃] bìnqì 동 버리다. 내버리다. ❑～陋习; 낡은 관습을 버리다.

殡(殯) bìn (빈)
동 (시신을) 납관(納棺)하다. 장지(葬地)로 발인(發靷)하다. ❑出～; 출관하다.
[殡车] bìnchē 명 영구차(靈柩車).
[殡仪馆] bìnyíguǎn 명 장의사.
[殡葬] bìnzàng 동 출관하여 매장하다. 장사를 지내다.

鬓(鬢) bìn (빈)
명 관자놀이. 살쩍.
[鬓发] bìnfà 명 빈모. 살쩍. 귀밑털.
[鬓角(儿)] bìnjiǎo(r) 명 살쩍이 늘어져 있는 곳. 관자놀이 부분. ＝[鬓脚(儿)]

bing ㄅㄧㄥ

冰 bīng (빙)
①명 얼음. ❑结～; 얼음이 얼다. ②동 시리게 하다. 차갑게 하다. ❑河水有些～腿了; 강물에 발이 좀 시리다. ③동 (얼음으로) 차게 하다. 식히다. ❑把汽水～上; 사이다를 차갑게 하다. ④명 얼음과 같은 결정체. ❑～糖; ⇓
[冰棒] bīngbàng 명〈方〉 ⇨[冰棍儿]
[冰雹] bīngbáo 명 우박. ＝[雹][雹子]
[冰茶] bīngchá 명 아이스티(ice-tea).
[冰川] bīngchuān 명〖地質〗 빙하. ❑～时代 ＝[冰河时代]; 빙하 시대. ＝[冰河]
[冰川期] bīngchuánqī 명 ⇨[冰期]
[冰醋酸] bīngcùsuān 명〖化〗 빙초산.
[冰袋] bīngdài 명 얼음주머니.
[冰刀] bīngdāo 명 스케이트 날.
[冰岛] Bīngdǎo 명〖地〗〈義〉 아이슬란드(Iceland).
[冰灯] bīngdēng 명 얼음등. 빙등.
[冰点] bīngdiǎn 명〖物〗빙점.
[冰雕] bīngdiāo 명〖美〗 얼음 조각.
[冰冻] bīngdòng 동 얼음이 얼다. 냉동하다. ❑～三尺, 非一日之寒; 〈諺〉 어느 정도까지 변화가 진행되려면 하루아침에 이루어질 수 없다.
[冰棍儿] bīnggùnr 명 아이스바. 아이스캔디. 아이스케이크. ＝[〈方〉冰棒]
[冰河] bīnghé 명 ⇨[冰川]
[冰花] bīnghuā 명 ① 성에. ② 빙화.
[冰激凌] bīngjīlíng 명 아이스크림(ice cream). ＝[冰淇qí淋][〈方〉雪糕②]
[冰窖] bīngjiào 명 얼음 창고.
[冰冷] bīnglěng 형 ① 얼음처럼 차다. 차디차다. ② 매우 냉담하다.
[冰凉] bīngliáng 형 얼음처럼 차다. 얼음장 같다. ❑手脚～; 손발이 얼음장 같다.
[冰品] bīngpǐn 명 빙과류.
[冰期] bīngqī 명〖地質〗 빙하기. 빙기. ＝[冰川期]
[冰淇淋] bīngqílín 명 ⇨[冰激凌]
[冰橇] bīngqiāo 명 ⇨[雪橇]
[冰球] bīngqiú 명〖體〗 ① 아이스하키(ice hockey). ② 퍽(puck).
[冰山] bīngshān 명 ① 쌓인 눈과 얼음이 오래도록 녹지 않는 큰 산. ②〖地質〗 빙산. ❑～一角; 〈比〉 빙산의 일각. ③〈比〉 오래도록 의지할 것이 못 되는 배경[후원자].
[冰上运动] bīngshàng yùndòng〖體〗 빙상 운동. 빙상 경기.
[冰释] bīngshì 동 얼음 녹듯이 녹다. 〈比〉 (의혹·의심·오해 따위가) 완전히 풀리다. ❑涣然～; 의혹이 얼음 녹듯 깨끗이 풀리다.
[冰霜] bīngshuāng 명 ① 얼음과

서리. ②〈書〉〈比〉 굳은 절조(節操). ③〈書〉〈比〉 엄숙한 얼굴[표정].
[冰糖] bīngtáng 명 얼음사탕.
[冰天雪地] bīngtiān-xuědì 〈成〉 빙설이 온통 뒤덮여 몹시 추운 곳.
[冰箱] bīngxiāng 명 ① 아이스박스(icebox). ②〈簡〉 ⇨[电冰箱]
[冰消瓦解] bīngxiāo-wǎjiě 〈成〉 ① (의혹·원망 따위가) 완전히 해소되다. 깨끗이 풀리다. ② 완전히 붕괴되다. 와해되다.
[冰鞋] bīngxié 명 스케이트 신발.
[冰镇] bīngzhèn 동 얼음을 채워 차게 하다. 냉장고에 넣어 차갑게 하다. ❑ 把啤酒~起来; 맥주를 얼음에 넣어 차갑게 하다.
[冰柱] bīngzhù 명 ⇨[冰锥(儿)]
[冰锥(儿)] bīngzhuī(r) 명 고드름. =[冰锥子][冰柱]

兵 bīng (병)
명 ① 무기. 병기. ② 군인. 군대. ❑ 当~; 군대에 가다. ③ 병사. 병졸. ④ 군사·전쟁에 관한 일. ❑ ~法; ⇩
[兵变] bīngbiàn 명 군대 내부의 반란.
[兵不血刃] bīngbùxuèrèn 〈成〉 칼에 피 한 방울 묻히지 않다(《맞붙어 싸우지 않고도 승리를 거두다》).
[兵不厌诈] bīngbùyànzhà 〈成〉 전쟁에서는 속임수를 써서 적을 미혹시켜도 무관하다.
[兵法] bīngfǎ 명 병법. 용병술.
[兵工厂] bīnggōngchǎng 명 병기 공장. 조병창(造兵廠).
[兵贵神速] bīngguìshénsù 〈成〉 용병(用兵)은 신속을 가장 중요한 것으로 삼는다.
[兵荒马乱] bīnghuāng-mǎluàn 〈成〉 전쟁이 일어나 사회의 질서가 어지러워지다.
[兵家] bīngjiā 명 ① (Bīngjiā) 병가(《제자백가의 하나》). ② 전술가. 용병가.
[兵舰] bīngjiàn 명 ⇨[军舰]
[兵力] bīnglì 명〔軍〕 병력. ❑ 集中~; 병력을 집중시키다.
[兵乱] bīngluàn 명 병란. 전란.
[兵马] bīngmǎ 명 병사와 군마. 병마. 〈轉〉 군대.
[兵马俑] bīngmǎyǒng 명 병마용(《권력자의 순장(殉葬)에 쓰인 병마(兵馬) 형상의 토용(土俑)》).
[兵器] bīngqì 명 ⇨[武器①]
[兵强马壮] bīngqiáng-mǎzhuàng 〈成〉 군대가 강하고 용맹스럽다.
[兵权] bīngquán 명 병권. 통수권. ❑ ~旁落; 통수권을 잃다.
[兵士] bīngshì 명 병사. 사병.
[兵团] bīngtuán 명〔軍〕 ① 병단. 군단(軍團). ② (연대 이상의) 부대. ❑ 主力~; 주력 부대.
[兵役] bīngyì 명 병역. ❑ 服~; 군에 복무하다 / ~法; 병역법.
[兵营] bīngyíng 명 병영.
[兵站] bīngzhàn 명〔軍〕 병참.
[兵种] bīngzhǒng 명〔軍〕 병과(兵科)의 종별(種別). 병종. ❑ 技术~; 기술 병과.
[兵卒] bīngzú 명 병졸.

槟(檳) bīng (빈)
→[槟榔]
[槟榔] bīng·láng 명 ①〔植〕 빈랑나무. ② 빈랑.

丙 bǐng (병)
명 ① 십간(十干)의 세째. ② 배열 순서의 세 번째. ❑ ~等; 3등. ③〈書〉 불. ❑ 付~; 태워 버리다.
[丙纶] bǐnglún 명〔紡〕 폴리프로필렌(polypropylene) 섬유.
[丙酮] bǐngtóng 명〔化〕 아세톤(acetone).
[丙烷] bǐngwán 명〔化〕 프로판(propane). ❑ ~气; 프로판가스.
[丙种射线] bǐngzhǒng shèxiàn 명〔物〕 감마선. =[伽gā马射线]
[丙种维生素] bǐngzhǒng wéishēngsù〔化〕 비타민 C.

炳 bǐng (병)
형〈書〉 밝다. 환하다.

柄 bǐng (병)
① 명 (기물의) 손잡이. 자루. ❑ 刀~; 칼자루. ② 명 (꽃·잎·과일의) 자루. ❑ 叶~; 잎자루. ③ 명 〈比〉 (웃음·이야기의) 재료. 거리. ❑ 笑~; 웃음거리. ④ 명〈書〉 권력. ❑ 国~; 국권. ⑤ 양〈方〉 자루. ❑ 一~斧头; 도끼 한 자루.

秉 bǐng (병)
동〈書〉 ① 쥐다. 잡다. ❑ ~笔; 붓을 쥐다. 집필하다. ② 장악하다. 주관하다. ❑ ~政; ⇩
[秉承] bǐngchéng 동 (뜻·지시를) 이어받다. 받들다. =[禀承]
[秉公] bǐnggōng 부 공정성을 견지하여. 공정하게. ❑ ~执法; 공정하게 법을 집행하다.
[秉性] bǐngxìng 명 성격. 천성. ❑ ~各异; 성격이 각기 다르다.

[秉政] bǐngzhèng 동〈書〉 정권을 장악하다. 집정하다.

饼(餅) bǐng (병)
명 ① 밀가루나 쌀가루로 둥글넓적하게 만들어 굽거나 찐 것. ❑月~; 월병. ②(~儿) 둥글넓적한 모양의 것. ❑柿~儿; 곶감.

[饼干] bǐnggān 명 과자. 비스킷(biscuit). 크래커(cracker).

屏 bǐng (병)
동 ① 숨을 죽이다. ❑~气; ⇓ ② 배제하다. 물리치다. ⇒píng

[屏除] bǐngchú 동 ⇨[摒bìng除]

[屏气] bǐng∥qì 동 숨을 죽이다. ❑~凝神; 숨을 죽이고 주의를 집중하다. =[屏息]

[屏弃] bǐngqì 동 ⇨[摒弃]

[屏息] bǐngxī 동 ⇨[屏气]

禀 bǐng (품, 름)
① 동 (상급자나 윗사람에게) 보고하다. 품신하다. 상신(上申)하다. ② 명 상신서. ③ 동 받다. 받아들이다. ❑~命; 명령을 받들다.

[禀报] bǐngbào 동 (상급자나 윗사람에게) 보고하다. 품신하다.

[禀承] bǐngchéng 동 ⇨[秉承]

[禀赋] bǐngfù 명 타고난 것. 천부적인 것. ❑~聪明; 천부적으로 총명하다.

[禀告] bǐnggào 동 (상관이나 윗사람에게) 말씀드리다. 알리다.

[禀性] bǐngxìng 명 본성. 품성. 천성. 타고난 성격. ❑~难移; 〈成〉 사람의 본성은 고치기 어렵다.

并 bìng (병)
① 동 합치다. 합병하다. 통합하다. ❑~了两个班; 두 반을 합쳤다. ② 동 나란히 하다. 가지런히 하다. ❑把桌子往前~一~; 탁자를 앞을 향해 가지런히 놓아라. ③ 부 같이. 함께《다른 사물·상황이 동시에 존재함》. ❑相提~论; 〈成〉 (성질이 다른 것을) 함께 논하다. ④ 부 결코. 전혀. 그다지. 별로. 조금도《부정의 뜻을 강조함》. ❑我~不想难为你; 나는 결코 너를 난처하게 하고 싶지 않다. ⑤ 접 그리고. 또한. 아울러. ❑他参观了工厂, ~和工人进行了座谈; 그는 공장을 참관하고, 아울러 노동자들과 좌담을 가졌다.

[并存] bìngcún 동 병존하다. 공존(共存)하다.

[并发] bìngfā 동 (질환이) 병발하다. 합병증을 일으키다.

[并发症] bìngfāzhèng 명〖醫〗합병증. =[合并症]

[并购] bìnggòu 동〖經〗기업 인수 합병하다. 엠앤드에이(M&A)하다. =[购并]

[并轨] bìngguǐ 동 〈比〉 (체제·조치·제도 따위를) 일원화하다.

[并驾齐驱] bìngjià-qíqū 〈成〉 ① 어깨를 나란히 하다. ② 지위나 정도가 동등하다. 막상막하이다.

[并肩] bìng∥jiān 동 어깨를 나란히 하다. ❑他俩并着肩走了路; 그들 둘은 어깨를 나란히 하고 길을 갔다. (bìngjiān) 부 협력하여. 함께. 공동으로. ❑~作战; 공동 작전을 펴다. ‖ =[〈書〉 比肩]

[并进] bìngjìn 동 함께 나아가다. ❑齐头~; 〈成〉 나란히 함께 나아가다.

[并举] bìngjǔ 동 동시에 거행하다. 병행하다.

[并立] bìnglì 동 동시에 존재하다. 병립하다. 공존하다. ❑两雄不相~; 〈成〉 두 영웅은 공존할 수 없다.

[并列] bìngliè 동 병렬하다. ❑~结构; 병렬 구조 / ~句; 병렬문.

[并排] bìngpái 동 나란하게 한 줄로 서다. 나란히 하다. ❑两个人~走来; 두 사람이 나란히 걸어오다.

[并且] bìngqiě 접 ① …하고. 그리고《두 개의 동사나 형용사를 연결하여 두 동작이나 상황이 동시에 진행·존재함을 나타냄》. ❑他终于理解~支持我们了; 그는 마침내 우리를 이해하고 지지해 주었다. ② 게다가. …할 뿐 아니라. …까지 하다《두 문장을 연결하여 한층 더 나아감을 나타냄》. ❑这种产品不但行销全国, ~远销欧美; 이 종류의 상품은 전국적으로 판매될 뿐 아니라, 멀리 구미에까지 판매된다.

[并吞] bìngtūn 동 (남의 것을) 병탄하다. 집어삼키다. ❑~别国领土; 남의 나라 영토를 집어삼키다. =[吞并]

[并行] bìngxíng 동 ① 나란히 가다. 함께 걷다. ❑携手~; 손을 잡고 함께 걷다. ② 병행하다. 동시에 행하다. ❑~不悖; 〈成〉 동시에 실시해도 상충(相衝)하지 않다.

[并用] bìngyòng 동 동시에 사용하다. 병용하다.

[并重] bìngzhòng 동 다 같이 중히 여기다. 동등하게 중시하다.

摒 bìng (병)
동 제거하다. 버리다.

[摒除] bìngchú 동 없애다. 제거하다. 배제하다. ❑ ~杂念; 잡념을 없애다. =[屏bǐng除]

[摒弃] bìngqì 동 버리다. 제거하다. 포기하다. =[屏弃]

病 bìng (병)
① 명 병. ❑ 生~; 병이 나다. ② 동 앓다. 병에 걸리다. ❑ 他~了; 그는 병이 났다. ③ 명 흠. 결점. 과실. ❑ 语~; 어폐. ④ 명 폐해. 나쁜 점. 부정한 행동. 떳떳하지 못한 일. ❑ 弊~; 병폐. ⑤ 동 〈書〉 해를 끼치다. 해치다. ❑ 祸国~民; 〈成〉 나라와 백성에게 해를 끼치다. ⑥ 동〈書〉 질책하다. 불만을 품다.

[病变] bìngbiàn 동〈簡〉 ⇨[病理变化]

[病虫害] bìngchónghài 명 (농작물의) 병충해.

[病床] bìngchuáng 명 (주로 병원·요양원 따위의) 병상. 침대.

[病毒] bìngdú 명 ①〔醫〕 병독. 바이러스(virus). ❑ ~携带者; 바이러스 보균자. ②〔컴〕 바이러스(virus). ❑ 计算机~; 컴퓨터 바이러스.

[病房] bìngfáng 명 병실.

[病夫] bìngfū 명 병약한 사람.

[病根(儿)] bìnggēn(r) 명 ① 지병(持病). 고질(痼疾). ②〈比〉 실패나 화(禍)의 근원. 화근(禍根).

[病故] bìnggù 동 병으로 죽다. 병사(病死)하다.

[病害] bìnghài 명 병해.

[病号(儿)] bìnghào(r) 명 (부대·학교·관청 따위의) 환자.

[病假] bìngjià 명 병가(病暇). ❑ 请~; 병가를 청하다.

[病句] bìngjù 명 어법·논리상으로 문제가 있는 문장. 병문(病文).

[病菌] bìngjūn 명〔醫〕 병균. 병원균.

[病况] bìngkuàng 명 ⇨[病情]

[病理] bìnglǐ 명〔醫〕 병리. ❑ ~学; 병리학.

[病理变化] bìnglǐ biànhuà 〔醫〕 병리 변화를 일으키다. 병변을 나타내다. =[〈簡〉 病变]

[病历] bìnglì 명〔醫〕 진료 기록. 진료 차트. 진료부(診療簿).

[病例] bìnglì 명〔醫〕 병례. 증례(症例).

[病魔] bìngmó 명 병마. ❑ ~缠身; 병마에 시달리다.

[病情] bìngqíng 명 병세. 증상이 변하는 상황. ❑ ~恶化; 병세가 악화되다 / ~好转; 병세가 호전되다. =[病况]

[病人] bìngrén 명 병자. 환자.

[病容] bìngróng 명 병색(病色). ❑ 面带~; 얼굴에 병색을 띠다.

[病入膏肓] bìngrùgāohuāng 〈成〉 ① 병이 치료할 수 없는 지경에까지 이르다. ② 회복될 수 없을 정도로 심각한 상태에 이르다.

[病弱] bìngruò 형 병약하다.

[病势] bìngshì 명 병세. ❑ ~减轻; 병세가 가벼워지다.

[病榻] bìngtà 명 병석(病席). ❑ 缠绵~; 오랫동안 병석에서 일어나지 못하다.

[病态] bìngtài 명 병적 상태. 이상 상태. 병태. ❑ 社会~; 사회의 병태.

[病危] bìngwēi 동 위독하다.

[病象] bìngxiàng 명 (겉으로 드러난) 증상. 증후《발열·기침·구토 따위》. =[病状]

[病因] bìngyīn 명 병의 원인. 병인. =[病原①]

[病原] bìngyuán 명 ① ⇨[病因] ② ⇨[病原体]

[病原体] bìngyuántǐ 명〔醫〕 병원체. =[病原②]

[病院] bìngyuàn 명 병원. 전문 의원. ❑ 精神~; 정신 병원.

[病征] bìngzhēng 명 (몸의 표면에 드러나는) 증세. 증상. 병증.

[病状] bìngzhuàng 명 ⇨[病象]

bo ㄅㄛ

波 bō (파)
명 ① 물결. 파도. ❑ ~浪; ⇩ ②〔物〕 파. ❑ 电~; 전파. ③〈比〉 뜻밖의 변화. 풍파. 파란. ❑ 风~; 풍파.

[波长] bōcháng 명〔物〕 파장.

[波动] bōdòng 동 동요하다. 안정되지 않다. 가라앉지 않다. ❑ 情绪~; 마음이 가라앉지 않다 / 物价~; 물가가 안정되지 않다. 명〔物〕 파동.

[波段] bōduàn 명〔物〕 주파수대.

[波尔卡] bō'ěrkǎ 명〖樂·舞〗〈音〉 폴카(Polka).

[波及] bōjí 동 영향을 끼치다. 파급하다. ❏ 这件事～整个文艺界; 이 일은 전 문화계에 영향을 끼쳤다.

[波兰] Bōlán 명〖地〗〈音〉 폴란드(Poland).

[波澜] bōlán 명 ① 물결. 파도. ② 〈比〉 소란. 파란. 동요. ❏ ～壮阔; 〈成〉 위세[기세]가 웅장하고 거대하다.

[波浪] bōlàng 명 파랑. 물결. 파도. ❏ ～滔天; 파도가 하늘을 찌르다.

[波谱] bōpǔ 명〖物〗 스펙트럼(spectrum).

[波士顿] Bōshìdùn 명〖地〗〈音〉 보스턴(Boston).

[波斯] Bōsī 명〖地〗〈音〉 페르시아(Persia). ❏ ～猫; 페르시아고양이 / ～湾; 페르시아만.

[波斯尼亚] Bōsīníyà 명〖地〗〈音〉 보스니아(Bosnia).

[波涛] bōtāo 명 파도.

[波纹] bōwén 명 ① 파문. 잔물결. ② 물결무늬. ❏ ～瓦; 물결무늬 타일(tile).

[波折] bōzhé 명 (일의) 곡절. 우여곡절. 풍파. ❏ 他一生遇到了许多～; 그는 일생 동안 수차례의 우여곡절을 겪었다.

玻 bō (파)

→[玻利维亚][玻璃]

[玻利维亚] Bōlìwéiyà 명〖地〗〈音〉 볼리비아(Bolivia).

[玻璃] bō·li 명 ① 유리. ❏ ～杯; 유리컵 / ～窗; 유리창 / ～瓶; 유리병. ② 유리 같은 플라스틱(plastic)류. ❏ ～丝; 유리 섬유.

[玻璃纸] bō·lizhǐ 명 셀로판지(cellophane紙). ＝[〈音〉 赛璐玢]

菠 bō (파)

→[菠菜][菠萝]

[菠菜] bōcài 명〖植〗 시금치.

[菠萝] bōluó 명〖植〗 파인애플(pineapple). ＝[凤梨]

拨(撥) bō (발, 벌)

동 ① (손·발·막대기 따위를) 퉁기다. 튀기다. 밀어 움직이다. ❏ ～下来两个算盘珠儿; 주판알 두 개를 튕겨 내리다. ② (일부분을) 갈라내다. 떼어 주다. 배치하다. ❏ ～经费; 경비를 지급하다. ③ 바꾸다. 돌리다. ❏ ～转船头; 뱃머리를 돌리다.

[拨打] bōdǎ 동 (전화를) 걸다. ❏ ～投诉电话; 신고 전화를 걸다.

[拨号] bō//hào 동 (전화의) 다이얼을 돌리다. ❏ ～盘; 다이얼.

[拨款] bō//kuǎn 동 (정부·상급 기관에서) 돈을 지급하다. (bōkuǎn) 명 (정부·상급 기관에서) 지급하는 비용. 지출금. ❏ 军事～; 군사 지출금.

[拨浪鼓(儿)] bō·langgǔ(r) 명 땡땡이(《소고(小鼓)처럼 생긴 장난감의 일종》).

[拨乱反正] bōluàn-fǎnzhèng 〈成〉 혼란한 국면을 바로잡아 정상으로 되돌려 놓다.

[拨弄] bō·nòng 동 ① (손·발·막대기 따위로) 왔다갔다 움직이다. 여러 차례 퉁기다[튀기다]. ❏ 小猫用前爪～毛线球儿; 새끼 고양이가 앞발로 털실 뭉치를 이리저리 굴리다. ② 좌지우지하다. 조종하다. ❏ 我知道, 是他在后面～你; 나는 그가 뒤에서 너를 조종하고 있다는 것을 알고 있다. ＝[播弄①] ③ 도발하다. 일으키다. 부추기다. ❏ ～是非; 시비를 일으키다. ＝[播弄②]

[拨子] bō·zi 명〖樂〗 발목(撥木). 픽(pick).

剥 bō (박)

'剥bāo' 와 뜻이 같으며, 복합어나 성어(成語)에서 이렇게 발음함. ⇒bāo

[剥夺] bōduó 동 ① (강제로) 빼앗다. 수탈하다. 갈취하다. ❏ 他～了我的钱财; 그가 나의 돈을 갈취했다. ② (법률에 의거하여) 박탈하다. ❏ ～公民权; 공민권을 박탈하다.

[剥离] bōlí 동 (조직·피부·덮개 따위가) 벗겨지다. 떨어져 나가다. 박리되다. ❏ 表皮～; 표피가 벗겨지다.

[剥落] bōluò 동 (조각조각) 떨어져 나가다. 벗겨져 떨어지다. ❏ 树皮一层层地～下来; 나무껍질이 한겹 한겹 떨어져 나가다.

[剥削] bōxuē 동 착취하다. ❏ ～阶级; 착취 계급 / ～者; 착취자.

钵(鉢) bō (발)

명 ① 사발. ＝[〈方〉 钵头][〈方〉 钵子] ②〖佛〗 바리때.

[钵头] bōtóu 명 〈方〉 ⇨[钵①]

[钵盂] bōyú 명〖佛〗 바리때.

[钵子] bō·zi 명 〈方〉 ⇨[钵①]

播 bō (파)
동 ① 널리 퍼뜨리다. 전하다. ❑ 传~; 전파하다. ② 방송하다. 방영하다. ❑ 这个电视剧计划在五月份~出; 이 드라마는 5월쯤에 방영될 예정이다. ③ 씨를 뿌리다. 파종하다. ❑ ~种子; 파종하다. ④ 〈書〉 이동하다. 유랑하다.

[播发] bōfā 동 (중요한 뉴스 따위를) 방송으로 알리다[발표하다]. ❑ ~新闻; 뉴스를 발표하다.

[播放] bōfàng 동 ① 방송하다. ❑ ~音乐; 음악을 방송하다. ② (TV에서) 방영하다. ❑ ~足球比赛实况; 축구 경기 실황을 방영하다.

[播弄] bō·nòng 동 ① ⇨[拨弄②] ② ⇨[拨弄③]

[播送] bōsòng 동 방송하다. ❑ ~新闻; 뉴스를 방송하다 / ~音乐; 음악을 방송하다.

[播音] bō//yīn 동 (프로그램 따위를) 방송하다. ❑ ~节目; 방송 프로그램 / ~室; 방송실 / ~员; 아나운서(announcer).

[播种] bō//zhǒng 동 씨를 뿌리다. 파종하다《씨 뿌리는 것 자체를 가리킴》. ❑ ~机; 파종기(播種機).

[播种] bōzhòng 동〖農〗파종하다《직접 심는 것에 대해서 말함》. ❑ ~期; 파종기.

勃 bó (발)
형〈書〉 성한 모양. 왕성한 모양.

[勃勃] bóbó 형 (정신이) 왕성한 모양. (욕망이) 강렬한 모양. ❑ 野心~; 야심만만하다.

[勃发] bófā 동〈書〉 ① 왕성하게 일어나다. 발산하다. 흘러넘치다. ❑ 生机~; 생기가 흘러넘치다. ② 갑자기 발생하다. 발발하다. ❑ 战争~; 전쟁이 발발하다.

[勃起] bóqǐ 동〖生理〗발기하다.

[勃然] bórán 형 ① 왕성하게 일어나는 모양. ❑ ~而兴; 발흥하다. ② (화·놀람 따위로 인해) 갑자기 안색이 변하는 모양. 발끈하는 모양. ❑ ~大怒; 발끈하며 크게 화내다.

[勃兴] bóxīng 동〈書〉 발흥하다.

脖 bó (발)
(~儿) 명 ① 목. ② (물건의) 목 비슷한 부분. ❑ 瓶子~儿; 병목.

[脖颈儿] bógěngr 명〈口〉 목덜미. =[脖梗gěng儿]

[脖子] bó·zi 명 목. ❑ 卡qiǎ~; (손으로) 목을 조르다.

鹁(鵓) bó (발)
→[鹁鸽][鹁鸪]

[鹁鸽] bógē 명 ⇨[家鸽]

[鹁鸪] bógū 명〖鳥〗산비둘기.

伯 bó (백)
명 ① 백부. 큰아버지. ② 맏형. 맏이. ③ 백작.

[伯伯] bó·bo 명〈口〉 ⇨[伯父]

[伯父] bófù 명 ① 백부. 큰아버지. =[大伯①][〈口〉 大爷dà·ye①] ② 아저씨《아버지와 비슷한 연령대의 나이 많은 남자에 대한 호칭》. ‖ =[〈口〉 伯伯]

[伯爵] bójué 명 백작. ❑ ~夫人; 백작 부인.

[伯母] bómǔ 명 백모. 큰어머니. =[大妈①][〈方〉 大娘①]

[伯仲] bózhòng 명〈書〉 형제의 순서. 〈比〉 (사람·사물의) 우열이 없음. 백중. ❑ ~之间; 백중지간.

[伯仲叔季] bó-zhòng-shū-jì 〈成〉 백중숙계. 형제장유(兄弟長幼)의 차례.

泊 bó (박)
① 동 배를 물가에 대다. 정박하다. ❑ ~船; 배를 정박시키다. ② 동 머무르다. 멈추게 하다. ❑ 漂~; 유랑하다. ③ 동〈方〉 (차량을) 세워 두다. 주차하다. ❑ ~车; 차를 주차하다. ④ 형 조용하다. 평안하다. ⇒pō

[泊位] bówèi 명 정박 지점. 접안 위치.

帛 bó (백)
명〈書〉 견직물. 비단. ❑ ~画; 비단에 그린 그림 / ~书; 비단에 쓴 글.

柏 bó (백)
음역용 자(字). ⇒bǎi

[柏林] Bólín 명〖地〗〈音〉 베를린(Berlin).

铂(鉑) bó (박)
명〖化〗 플래티나(Pt: platinum). 백금. =[白金]

舶 bó (박)
명 (바다를 항행하는) 큰 배.

[舶来品] bóláipǐn 명 외래품. 박래품.

箔 bó (박)
명 ① 발《갈대나 수수깡으로 엮은 것》. ② 잠박(蠶箔). ③ 박《금속을 얇게 두드려 편 것》. ❑ 金~; 금박. ④ 금속의 박편(薄片)이나 분말을 종이 위에 붙이거나 바른 것. ❑

锡～; 석박(錫箔).

驳(駁) bó (박)
A) ① 통 반박하다. 논박하다. ❏ 写文章～～他的谬论; 글을 써서 그의 황당무계한 논리를 반박하다. ② 형〈書〉얼룩덜룩하다. 잡색이다. ❏ ～杂; ⇓ B) ① 통 거룻배로 실어 나르다. ❏ 起～; 외지로 출하하다. ② 명 거룻배. ③ 통〈方〉제방 따위를 넓히다.

[驳斥] bóchì 통 반론하다. 반박하다. 논박하다. ❏ ～错误观点; 잘못된 관점을 반박하다.

[驳船] bóchuán 명 거룻배. 바지선. 바지(barge).

[驳倒] bó∥dǎo 통 반박하여 지게 하다. 논박하여 꺾다. ❏ 驳了半天, 也没～他; 한참을 논박했지만, 그를 꺾지 못했다.

[驳回] bóhuí 통 허가하지 않다. 기각하다. 받아들이지 않다. ❏ ～上诉; 상소를 기각하다.

[驳面子] bó miàn·zi (반대·거절하여) 체면을 손상시키다. 면박을 주다.

[驳运] bóyùn 통 (여객이나 화물을) 거룻배에 실어 나르다. 거룻배로 운반하다.

[驳杂] bózá 형 이것저것 마구 뒤섞이다. 어지럽다. 잡박하다. ❏ 意见～; 의견이 잡박하다.

博 bó (박)
① 형 많다. 풍부하다. ❏ 地大物～; 〈成〉 땅이 넓고 산물이 많다. ② 형 지식이 많다. 박식하다. ❏ ～而不精; 〈成〉 아는 것은 많으나 자세하지 못하다. ③ 형〈書〉크다. ❏ 宽衣～带; 폭 넓은 옷과 큰 띠. ④ 통 취득하다. 얻다. 받다. ⑤ 명 노름. 도박.

[博爱] bó'ài 통 박애하다.

[博大] bódà 형 (주로, 추상적인 것이) 넓다. 크다. 풍부하다. ❏ ～精深; 〈成〉 학식이 풍부하고 사상이 깊다.

[博得] bódé 통 (호감·신뢰·공감 따위를) 얻다. 받다. ❏ ～群众的信任; 대중의 신임을 얻다.

[博古] bógǔ 통 고사(古事)에 통달하다. ❏ ～通今; 〈成〉 고금(古今)의 일에 널리 통하다. 명 오래된 기물(器物)이나, 그것을 제재로 하여 그린 중국화.

[博览] bólǎn 통〈書〉널리 서책을 읽다. 박람하다. ❏ ～群书; 〈成〉 널리 많은 서책을 읽다.

[博览会] bólǎnhuì 명 박람회. ❏ 国际～; 국제 박람회.

[博取] bóqǔ 통 (신임·존중·공감 따위를) 얻다. 받다. ❏ ～欢心; 환심을 얻다.

[博识] bóshí 형 박식하다.

[博士] bóshì 명 박사. ① 학위 명칭의 하나. ❏ 文学～; 문학 박사 / ～学位; 박사 학위. ② 학문 또는 어떤 분야에 널리 통하는 사람. ③ 진대(秦代)에 고금의 사물을 관장케 했던 벼슬.

[博闻强识] bówén-qiángzhì 〈成〉 견문이 매우 넓고 기억력이 좋다. ＝[博闻强记]

[博物] bówù 명 박물《동물·식물·광물·생리 따위의 학문 분야의 총칭》. ❏ ～馆 ＝[～院]; 박물관.

[博学] bóxué 형 박학하다. ❏ ～多才; 〈成〉 박학다재하다.

搏 bó (박)
통 ① 치다. 때리다. 맞붙어 싸우다. ❏ 肉～; 육박전을 하다. ② 덮치다. 덮쳐서 잡다. ③ 뛰다. 고동치다. ❏ 脉～; 맥박.

[搏动] bódòng 통 (심장이나 혈맥이) 뛰다. 박동하다.

[搏斗] bódòu 통 ① 격투하다. ② 〈比〉 악전고투하다. 혈투를 벌이다.

[搏击] bójī 통 힘을 다해 투쟁하고 돌진하다. 힘을 내어 싸우다. ❏ 奋力～; 힘을 내어 싸우다.

膊 bó (박)
명 팔.

薄 bó (박)
① 형 얇다. 엷다. ❏ ～雾; ⇓ ② 형 사소하다. 하찮다. 박하다. ❏ ～酬; 적은 보수. ③ 형 약하다. 강하지 못하다. ❏ ～弱; ⇓ ④ 형 척박하다. ❏ ～地; 척박한 땅. ⑤ 형 너그럽지 못하다. 인정미가 없다. ❏ 刻～; 박정하다. ⑥ 통 멸시하다. 경시하다. ❏ 厚古～今; 〈成〉 옛것을 중히 여기고 지금 것을 경시하다. ⑦ 통〈書〉박두하다. 접근하다. ❏ 日～西山; 태양이 서산에 지려고 하다. ⇒ báo bò

[薄技] bójì 명 하찮은 기술《주로, 자신의 기술에 대한 겸양어로 쓰임》.

[薄酒] bójiǔ 명 박주《주로, 손님을 대접할 때의 겸양어로 쓰임》.

[薄利] bólì 명 박리. ❏ ~多销; 〈成〉 박리다매.
[薄命] bómìng 형 팔자가 사납다. 박복하다. 박명하다《주로 여성에 대해 쓰임》. ❏ 红颜~; 〈成〉 미인박명.
[薄暮] bómù 명〈書〉 땅거미가 질 무렵. 저녁 무렵.
[薄情] bóqíng 형 박정하다. 무정하다. 매정하다. 야박하다《주로, 남녀 간의 애정에 대해 쓰임》.
[薄弱] bóruò 형 박약하다. 취약하다. ❏ 意志~; 의지가 박약하다.
[薄雾] bówù 명 엷은 안개. 박무.

跛 bǒ (파, 피)
동 절룩거리다. 다리를 절다.
[跛脚] bǒ//jiǎo 동 절룩거리다. 절름거리다.
[跛子] bǒ·zi 명 절름발이.

簸 bǒ (파)
동 ① 까부르다. 키질하다. ② 흔들리다. 요동하다. ⇒bò
[簸荡] bǒdàng 동 이리저리 흔들리다. 요동하다. ❏ 船在水面上~; 배가 수면에서 이리저리 흔들리다.
[簸动] bǒdòng 동 (위아래로) 흔들리다. 흔들다. 요동하다. ❏ 道路不平, 车去~得很厉害; 길이 울퉁불퉁해서 차가 심하게 흔들린다.

薄 bò (박)
→[薄荷] ⇒báo bó
[薄荷] bò·he 명〖植〗 박하. ❏ ~糖; 박하사탕.

簸 bò (파)
→[簸箕] ⇒bǒ
[簸箕] bò·ji 명 ① (곡식을 까부르는) 키. ② 쓰레받기. ③ 소용돌이 모양의 지문(指紋).

卜(蔔) ·bo (복)
→[萝luó卜] ⇒bǔ

bu ㄅㄨ

逋 bū (포)
동〈書〉 ① 도망하다. 달아나다. ② 연체하다. 기일을 끌다.

卜 bǔ (복)
① 명 점. ❏ ~卦; ⇩ ② 동〈書〉 예측하다. ❏ 吉凶未~; 길흉을 예측할 수 없다. ③ 동〈書〉 (장소를) 고르다. 선택하다. ❏ ~居; 거처를 고르다. ⇒·bo
[卜辞] bǔcí 명 귀갑(龜甲) 문자.
[卜卦] bǔguà 명 점괘.

补(補) bǔ (보)
① 동 채우다. 보태다. 보충하다. ❏ 缺多少, 我们给你~多少; 부족한 만큼 우리가 너에게 보태 주겠다. ② 동 보수하다. 때우다. 깁다. ❏ ~锅; 솥을 때우다 / ~衣服; 옷을 깁다. ③ 동 보양하다. ❏ 把身体~好; 몸을 잘 보양하다. ④ 명〈書〉 이익. 도움. 쓸모. ❏ 不无小~; 조금은 쓸모가 있다.
[补白] bǔbái 동 보충 설명 하다. 명 (신문·잡지의) 여백을 메우는 짧은 기사(記事).
[补偿] bǔcháng 동 ① (손실·손해·결손을) 보상하다. ❏ ~损失; 손실을 보상하다. ② (차액·부족분을) 보충하다. ❏ ~贸易; 〖經〗 보상 무역. 구상 무역.
[补充] bǔchōng 동 ① (부족분이나 손실분을) 보충하다. 보완하다. ❏ 再~一些内容; 내용을 좀 더 보충하다. ② (주요한 사물 외에) 추가하다. 추가 보충 하다. ❏ ~教材; 보충 교재.
[补丁] bǔ·ding 명 (깁기 위해) 덧대는 물건. 헝겊 조각. ❏ 打~; 헝겊 조각을 덧대어 깁다. =[补钉ding]
[补发] bǔfā 동 추가 발행 하다. 추가 지급 하다.
[补过] bǔ//guò 동 잘못을 메우다. 과오를 보완하다. ❏ 给他~的机会; 그에게 잘못을 만회할 기회를 주다.
[补给] bǔjǐ 동 보급하다. ❏ ~线; 보급선.
[补给舰] bǔjǐjiàn 명 ⇨[供应舰]
[补剂] bǔjì 명 ⇨[补药]
[补救] bǔjiù 동 (결함·과실 따위를) 고치다. 보충하다. 만회하다. ❏ ~缺点; 결점을 보완하다.
[补考] bǔkǎo 동 추가 시험을 보다. 재시험을 치다.
[补课] bǔ//kè 동 ① 보강(補講)하다. 보충 수업을 하다. ② 〈比〉 (업무상의) 깔끔하게 처리되지 못한 부분을 다시 하다.
[补票] bǔ//piào 동 (먼저 입장하거나 승차하고) 나중에 표를 사다. 추가표를 사다. 보조 티켓을 끊다.
[补品] bǔpǐn 명 보신용 식품이나 약품. 강장제.
[补缺] bǔ//quē 동 ① 부족액을 채우다[보충하다]. ② 보결하다. 보궐하다. ❏ ~选举; 보궐 선거. ③ 결함을 보충하다.

[补色] bǔsè 명〖美〗 보색. =[余色]
[补时] bǔshí 동〖體〗 로스 타임(loss time)을 주다. ❏ ~三分钟; 로스 타임으로 3분을 주다.
[补贴] bǔtiē 동 (재정(財政)적으로) 보조하다. ❏ ~粮价; 쌀값을 보조하다. 명 보조. 보조금.
[补习] bǔxí 동 보습하다. ❏ ~班; 보습 학원 / ~学校; (규모가 큰) 학원.
[补选] bǔxuǎn 동 보궐 선거를 하다.
[补牙] bǔ//yá 동 충치를 때우다.
[补养] bǔyǎng 동 보양하다.
[补药] bǔyào 명 자양제. 보약. =[补剂]
[补液] bǔ//yè 동 체액(體液)을 보충하다. (bǔyè) 명 자양 음료.
[补遗] bǔyí 동 (책의 본문이나 옛 사람의 저작의) 빠진 부분을 보충하다.
[补益] bǔyì 명동〈書〉 이익(이 되다). 도움(이 되다). 이점(이 되다).
[补语] bǔyǔ 명〖言〗 보어(補語).
[补助] bǔzhù 동 보조하다. ❏ ~存储器; 보조 기억 장치 / ~金; 보조금. 명 보조금. 보조 물자.
[补妆] bǔ//zhuāng 동 화장을 고치다. 화장을 수정하다.
[补缀] bǔzhuì 동 (주로, 의복을) 수선하다.
[补足] bǔ//zú 동 보충하여 수를 채우다. ❏ ~缺额; 부족한 액수를 채우다.

捕 bǔ (포)
동 체포하다. 붙잡다. 잡다. ❏ ~老鼠; 쥐를 잡다 / ~鱼; 물고기를 잡다.
[捕风捉影] bǔfēng-zhuōyǐng 〈成〉 (말을 하거나 무언가를 할 때) 근거 없이 하다. 뜬구름 잡다.
[捕获] bǔhuò 동 포획하다. 체포하다. ❏ ~猎物; 사냥감을 포획하다.
[捕鲸船] bǔjīngchuán 명 포경선.
[捕捞] bǔlāo 동 (수산물을) 포획하고 채취하다. 어로하다. ❏ 近海~; 근해 어로.
[捕食] bǔ//shí 동 ① (동물이) 먹이를 잡다. ❏ 蜻蜓在水面上~; 잠자리가 수면에서 먹이를 잡다. ② (bǔshí) (동물이 다른 동물을) 잡아먹다.
[捕手] bǔshǒu 명〖體〗 포수.
[捕鼠器] bǔshǔqì 명 쥐덫.
[捕捉] bǔzhuō 동 ① 잡다. 붙잡다. ❏ ~逃犯; 도주범을 붙잡다. ② 포착하다. ❏ ~战机; 전쟁의 유리한 기회를 포착하다.

哺 bǔ (포)
① 동 (유아에게 음식을) 먹이다. ② 명〈書〉 입속에 든 음식. 씹고 있던 음식. ❏ 吐~; 입속의 음식을 내뱉다.
[哺乳] bǔrǔ 동 젖을 먹이다. 포유하다. 수유하다. ❏ ~动物; 포유동물 / ~类; 포유류 / ~瓶; 젖병 / ~期; 수유기 / ~室; 수유실.
[哺养] bǔyǎng 동 ⇨[喂wèi养]
[哺育] bǔyù 동 ① ⇨[喂养] ② 〈比〉 육성하다. 배양하다.

不 bù (부, 불)
부 ① 동사·조동사·형용사·다른 부사 앞에서 부정을 나타냄. ❏ ~走; 안 간다 / ~太亮; 그다지 밝지 않다 / 今天我~能参加; 오늘 나는 참가할 수 없다 / 答案~正确; 답안이 정확하지 않다. ② 대화에서 단독으로 쓰여 부정의 대답을 나타냄. ❏ ~! 我不同意! 아니! 나는 동의하지는 않아! ③ 명사 앞에 놓여 형용사를 만듦. ❏ ~法; ⇓ ④ 제지(制止)·금지의 뜻으로 '别'·'不要' 대신 쓰임. ❏ 好了, ~哭了; 자, 울지 마. ⑤ 동사와 보어 사이에 쓰여, 어떤 일이 불가능함을 나타냄. ❏ 拿~动; 들어 움직일 수가 없다. ⑥ (앞뒤에 같은 명사·동사·형용사를 두어) 개의하지 않거나 관계없음을 나타냄《주로, 앞에 '什么'가 옴》. ❏ 什么钱~钱的, 我倒不在乎; 돈 따위는 나는 거들떠보지도 않는다. ⑦ 〈方〉 문장의 끝에 놓여 의문문을 만듦. ❏ 好~? 좋으냐 나쁘냐? ⑧ '不…就…'의 형식으로 쓰여 선택을 나타냄. ❏ 我~爱他, 就爱你; 나는 그가 아니라 너를 사랑한다. ⑨ (수량사나 시간을 나타내는 말 앞에서) 수량이 많지 않거나 시간이 길지 않음을 나타냄. ❏ ~几天就是春节了; 며칠 안 있으면 설날이다. ‖ 注 제4성 앞에서는 제2성(聲)으로 발음함.
[不安] bù'ān 형 ① 불안하다. ❏ 坐立~; 안절부절못하다. ② 〈套〉 면목 없다. 미안하다. ❏ 我打扰这么久, 实在~; 이렇게 오래 귀찮게 해 드려서 정말 죄송합니다.
[不白之冤] bùbáizhīyuān 〈成〉 하소연할 곳 없는 억울한 누명.
[不饱和] bùbǎohé 명〖化〗 불포

화. ❑ ~脂肪; 불포화 지방.

[不卑不亢] bùbēi-bùkàng 〈成〉 남을 대하는 태도가 거만하지도 비굴하지도 않다. =[不亢不卑]

[不备] bùbèi 동 무방비하다. ❑ 乘其~…; 그 무방비함을 틈타서….

[不比] bùbǐ 동 ① …과는 비교가 안 되다. …만 못하다. ❑ 他~你; 그는 너만 못하다. ② …과 같지 않다. ❑ 入秋以后~夏天了; 가을로 접어든 후는 여름과는 같지 않다.

[不必] bùbì 부 …할 필요 없다. ❑ ~再争论了; 더 이상 논쟁할 필요 없다.

[不变价格] bùbiàn jiàgé 〔經〕 불변 가격. =[比较价格][可比价格][固定价格]

[不便] bùbiàn 형 ① 불편하다. 편리하지 않다. ❑ 这儿的交通十分~; 이곳의 교통은 매우 불편하다. ② 돈이 부족하다. 경제적으로 달리다. ❑ 手头~; 수중에 돈이 부족하다. 동 …가 곤란하다. …하기가 좀 무엇하다. ❑ 他不出来, 我也~进去; 그가 나오지 않으면, 나도 들어가기가 좀 무엇하다.

[不…不…] bù…bù… ① 뜻이 같거나 비슷한 말 앞에 쓰여 부정을 나타냄. →[不干不净][不伦不类] ② 동류(同類)로서 반대의 뜻을 나타내는 말 앞에 쓰여 '…도 아니고, …도 아니다' 의 뜻을 나타냄. ㉠꼭 알맞다. 딱 좋다. ❑ 不大不小; 크지도 작지도 않다 / 不多不少; 많지도 적지도 않다. ㉡이도저도 아니다. →[不即不离] ③ 동류(同類)로서 뜻이 대립되는 말 앞에 쓰여 '만약 …이 아니면 …하지 않는다' 의 뜻을 나타냄. ❑ 不去不行; 가지 않으면 안 된다 / 不破不立; 낡은 것을 부수지 않으면 새로운 것을 세울 수 없다.

[不测] bùcè 형 예측할 수 없는. 예상치 못한. 불의의. ❑ ~之祸; 〈成〉 예상치 못한 불행[재난]. 명 불의의 사고. 예상치 못한 재난[불행]. ❑ 险遭~; 불의의 사고를 당하다.

[不成] bùchéng 동 ⇒[不行①] 형 ⇒[不行①] 조 (설마) …은 아니겠지(《문장 끝에 붙어 추측이나 반문을 나타내며, 주로 '难道'·'莫非' 따위와 호응함》). ❑ 他莫非生病了~? 설마 그가 병이 난 건 아니겠지?

[不成话] bùchénghuà ⇒[不像话]

[不成文] bùchéngwén 형 성문화되지 않은. 불성문의. ❑ ~的规矩; 성문화되지 않은 규칙 / ~法; 불문법. 관습법.

[不逞之徒] bùchěngzhītú 〈成〉 뜻을 이루지 못해 못된 짓을 하며 막 나가는 사람.

[不齿] bùchǐ 동〈書〉 끼워 주지 않다. 무시하다. 경시하다. ❑ 人所~; 사람들에게 무시를 당하다.

[不耻下问] bùchǐ-xiàwèn 〈成〉 아랫사람에게 물어보는 것을 부끄럽게 생각하지 않다.

[不出所料] bùchū-suǒliào 〈成〉 예상한 바와 같다. 예상대로이다.

[不辞] bùcí 동 ① 작별 인사도 하지 않다. ❑ ~而别; 〈成〉 인사도 없이 헤어지다. ② 마다하지 않다. ❑ ~辛苦; 〈成〉 고생을 마다하지 않다.

[不错] bùcuò 형 ① 틀리지 않다. 맞다. 그렇다. ❑ ~, 他是那样的人; 맞아, 그는 그런 사람이야. ② 좋다. 괜찮다. ❑ 他长得~; 그는 괜찮게 생겼다.

[不打不成器] bùdǎ bùchéngqì 〈俗〉 두드리지 않으면 그릇이 될 수 없다(《귀한 자식일수록 고생을 시켜라》).

[不打自招] bùdǎ-zìzhāo 〈成〉 고문(拷問)하지 않아도 스스로 자백하다(《무심결에 스스로 실토하다》).

[不大] bùdà 〈口〉 ① 그다지 …하지 않다. ❑ ~好; 그다지 좋지 않다. ② 그렇게 자주 …하지는 않다. ❑ 他星期天~待在家里; 그는 일요일에 그다지 집에 있는 편이 아니다.

[不待] bùdài 부 ① …하기도 전에. ❑ ~我到家, 他就走了; 내가 집에 도착하기도 전에 그는 가버렸다. ② (…할) 필요가 없다. ❑ ~说; 말할 필요도 없다.

[不单] bùdān 접 ⇒[不但] 부 ⇒[不仅]

[不但] bùdàn 접 …뿐만 아니라. ① '还'·'而且'·'并且'·'也' 따위와 호응함. ❑ 他~聪明, 学习也很努力; 그는 똑똑할 뿐 아니라 공부도 매우 열심히 한다. ② '反而'·'反倒' 따위와 대응함. ❑ 吃了药~不见好, 反倒重了; 약을 먹고 호전되지 않았을 뿐 아니라, 오히려 심해졌다. ‖ =[不单]

[不当] bùdàng 형 부당하다. 부적

당하다. ❏措辞~; 어휘 선택이 부적당하다.

[不倒翁] bùdǎowēng 명 오뚝이. =[〈口〉扳不倒儿]

[不道德] bùdàodé 형 부도덕하다.

[不得] bùdé 조동 …하면 안 되다. ❏~随处吐痰! 함부로 가래를 뱉지 마시오!

[不得] ·bu·de 조 …할 수 없다. …해서는 안 되다《불가능하거나 해서는 안 됨을 나타냄》. ❏哭笑~; 울 수도 웃을 수도 없다 / 马虎~; 대충대충 해서는 안 된다.

[不得不] bùdébù 부득불 …해야 하다. ❏我~同意了; 나는 어쩔 수 없이 동의하였다.

[不得劲(儿)] bù déjìn(r) ①〈口〉 쓰기에 불편하다. ❏一开始开车总觉得~; 처음 차를 운전하면 쉽지 않기 마련이다. ②〈口〉 (마음이나 몸이) 불편하다. 안 좋다. ❏我浑身~; 나는 온몸이 다 안 좋다. ③〈方〉 쑥스럽다. 부끄럽다. 몸둘 바를 모르다.

[不得了] bùdéliǎo 형 ① 큰일이다. 야단나다. ❏真~, 东西都被人偷光了! 큰일 났다, 물건을 몽땅 도둑 맞았어! ②('得~'의 형으로) 매우 …하다. …해서 견딜 수 없다. ❏他兴奋得~; 그는 매우 흥분했다. ③⇨[了不得①]

[不得人心] bùdé-rénxīn 〈成〉 인심을 얻지 못하다.

[不得要领] bùdé-yàolǐng 〈成〉 요령부득이다. 요령이 없다.

[不得已] bùdéyǐ 형 부득이하다. 하는 수 없다. 어쩔 수 없다. ❏他那样做也是~的; 그가 그렇게 한 것도 다 어쩔 수 없어서 그런 것이다.

[不等] bùděng 형 같지 않다. 일정하지 않다. ❏大小~; 크기가 일정하지 않다 / ~式; 〔數〕 부등식.

[不等号] bùděnghào 명〔數〕 부등호.

[不迭] bùdié 동 ①(동사 뒤에 쓰여) 서둘러 …하다. …하는 데 대지 못하다. ❏后悔~; 후회막급이다. ② 끊임없이 …하다. ❏称谢~; 거듭 감사의 말을 하다.

[不定] bùdìng 형 일정하지 않다. 안정되지 않다. ❏局势动荡~; 정세가 동요하며 안정되지 않다 / ~冠词; 부정 관사. 부 …지 모르다. ❏别等他了, ~来不来呢; 올지 안 올지 모르니 그를 기다리지 마라.

[不动产] bùdòngchǎn 명〔經〕 부동산.

[不动声色] bùdòng-shēngsè 〈成〉 말과 표정에 변화가 없다《태도가 매우 침착하고 차분한 모양》. =[不露声色]

[不冻港] bùdònggǎng 명 부동항.

[不端] bùduān 형 (품행이) 단정치 않다. 바르지 않다. ❏行为~; 하는 짓이 불량하다.

[不断] bùduàn 동 끊임없다. 끊이지 않다. ❏事故~; 사고가 끊이지 않다. 부 끊임없이. 부단히. ❏经济~增长; 경제가 부단히 성장하다.

[不对] bùduì 형 ① 틀리다. 옳지 않다. 잘못되다. ② 정상이 아니다. 이상하다. ❏他的神色有点儿~; 그의 안색이 좀 이상하다. ③ 사이가 안 좋다. ❏他们俩素来~; 그들은 본래 사이가 안 좋다.

[不对劲(儿)] bù duìjìn(r) 〈口〉 ① 적당하지 않다. 마음에 안 들다. ❏这把剪刀使起来~; 이 가위는 사용하기가 안 좋다. ② 마음이 맞지 않다. 사이가 안 좋다. ❏他俩老是~; 그들 둘은 항상 마음이 맞지 않는다. ③ 이상하다. 심상치 않다. 뭔가 잘못되다. ❏气氛有点~; 분위기가 약간 이상하다.

[不…而…] bù…ér… …하지 않고도 …하다. …하지 않는데도 …하다《조건이나 원인을 갖추지 않고도 어떤 결과가 발생함을 나타내는 말》. →[不约而同]

[不二法门] bù'èr-fǎmén 〈成〉 유일한 방법.

[不二价] bù'èrjià 정찰[정가] 판매하다.

[不发达国家] bùfādá guójiā 후진국.

[不乏] bùfá 동 적지 않다. 얼마든지 있다. ❏~其人; 〈成〉 그런 사람이 적지 않다.

[不法] bùfǎ 형 불법의. 범법의. ❏~行为; 불법 행위.

[不凡] bùfán 형 비범하다. 범상치 않다. ❏自命~; 〈成〉 스스로 비범하다고 생각하다.

[不妨] bùfáng 부 …해도 무방하다[괜찮다]. ❏你~试一试; 네가 한번 시험해 봐도 괜찮다.

[不费吹灰之力] bù fèi chuī huī zhī lì 〈成〉 매우 수월하다.

[不分青红皂白] bùfēn qīnghóng-zàobái 〈成〉 시비곡직을 따지지 않고. 다짜고짜로.

[不分胜负] bùfēn-shèngfù 〈成〉 승부가 나지 않다. 비기다.

[不服] bùfú 동 ① 인정하지 않다. 승복하지 않다. 불복하다. ❏ ~裁判; 판정에 불복하다. ② 적응하지 못하다. ❏ ~水土; 〈成〉 음식과 환경에 적응하지 못하다.

[不服气(儿)] bùfúqì(r) 동 인정하지 않다. 받아들이지 못하다.

[不符] bùfú 동 부합하지 않다. 맞지 않다. ❏ 账目~; 계산이 맞지 않다.

[不干不净] bùgān-bùjìng 〈成〉 더럽다. 불결하다.

[不甘] bùgān 동 (…을) 달가워하지 않다. 원하지 않다. ❏ ~寂寞; 〈成〉 어떤 일에서 배제되고 싶어하지 않다 / ~落后; 〈成〉 뒤처지고 싶어하지 않다 / ~示弱; 〈成〉 남에게 지고 싶어하지 않다.

[不甘心] bùgānxīn 동 달가워하지 않다. 원하지 않다.

[不敢] bùgǎn ① 감히 …하지 못하다. …할 엄두도 못 내다. ❏ ~说话; 말할 엄두도 못 내다. ②〈謙〉 ⇨[不敢当]

[不敢当] bùgǎndāng 〈謙〉 몸둘 바를 모르겠습니다《초대나 칭찬을 받았을 때 쓰는 말》. =[不敢②]

[不共戴天] bùgòngdàitiān 〈成〉 같은 하늘 아래에서 살 수 없다《원한이 매우 깊음》. ❏ ~之仇; 불공대천의 원수.

[不苟] bùgǒu 형 함부로 하지 않다. 경솔하게 하지 않다. ❏ ~言笑; 〈成〉 태도가 엄숙하고 무게있다.

[不够] bùgòu 동 부족하다. 미달되다. ❏ 人手~; 일손이 부족하다 / ~资格; 자격 미달이다. 부 …라고 하기에는 부족하다. ❏ ~漂亮; 예쁘다고 하기에는 부족하다.

[不顾] bùgù 동 ① 관심 갖지 않다. 내버려 두다. ❏ 只顾自己, ~别人; 자기 일에만 열심이고, 남의 일에는 관심을 갖지 않다. ② 신경 쓰지 않다. 염두에 두지 않다. ❏ ~死活; 생사를 염두에 두지 않다.

[不关] bùguān 동 관련되지 않다. 관계가 없다. ❏ ~你的事; 너와는 관련이 없는 일이다.

[不管] bùguǎn 접 …에 관계없이. …하든 간에. ❏ ~他来不来, 我们都准时动身; 그가 오든 안 오든, 우리는 모두 정시에 출발한다. =[不拘]

[不管三七二十一] bùguǎn sān qī èrshíyī 〈成〉 앞뒤 가리지 않고 무턱대고. 다짜고짜로.

[不光] bùguāng 〈口〉 접 …뿐 아니라. ❏ 他~是那么聪明而且挺认真; 그는 매우 총명할 뿐 아니라 매우 성실하다. 부 …만은 아니다. ❏ 人人如此, ~你是这样; 누구나 다 그렇지, 너만 그런 것은 아니다.

[不轨] bùguǐ 형 법도에서 벗어나다《주로, 반란 행위를 가리킴》. ❏ ~行为; 반란 행위.

[不过] bùguò 부 ① 그저 …일 뿐이다. …에 지나지 않다. …에 불과하다. ❏ 我~做了应该做的事罢了; 나는 그저 마땅히 해야 할 일을 했을 뿐이다. ② 매우. 몹시. 무척. ❏ 你这么打扮再漂亮~了; 네가 이렇게 치장을 하니 무척이나 예쁘구나. 접 그러나. 하지만. 그렇지만. 그런데. ❏ 我倒赞成你的提议, ~有一个条件; 나는 너의 제안에 찬성하기는 하지만, 한 가지 조건이 있다.

[不过意] bùguòyì 동 ⇨[过意不去]

[不含糊] bù hán·hu 〈口〉 ① 흐리멍덩하지 않다. 트릿하지 않다. ❏ 他做事一点也~; 그는 일하는 것이 조금도 트릿하지 않다. ② 만만치 않다. 장난이 아니다. 대단하다. ❏ 门票一点~; 입장료가 만만치 않다. ③ 주눅 들지 않다. 기죽지 않다.

[不寒而栗] bùhán'érlì 〈成〉 춥지 않은데도 떨다《몹시 두려워하다》.

[不好意思] bù hǎoyì·si ① 부끄럽다. 창피하다. 쑥스럽다. ② 미안하게 생각하다. 낯뜨겁다. 곤란하다. ❏ 真~再问; 다시 물어보기가 정말 낯뜨겁다.

[不合] bùhé 동 부합하지 않다. 맞지 않다. ❏ ~时宜; 〈成〉 시의(時宜)에 맞지 않다 / ~条件; 조건에 맞지 않다. 형 성격이 맞지 않다. 사이가 안 좋다. ❏ 性格~; 성격이 맞지 않다.

[不和] bùhé 형 불화하다. 사이가 나쁘다. ❏ 父子~; 부자가 불화하다.

[不慌不忙] bùhuāng-bùmáng 〈成〉

당황하지 않고 서두르지 않다.

[不会] bùhuì ① (방법·기능을 터득하지 못해서) 못하다. 할 줄 모르다. ❏ 我～开车; 나는 운전을 못한다. ②…할 리 없다. ❏ ～吧! 그럴 리가! / ～有事; 아무 일 없을 것이다.

[不婚族] bùhūnzú 명 독신주의자.

[不羁] bùjī 동〈書〉 구속받지 않다. ❏ ～之才; 〈成〉 상식의 벽을 넘어선 특별한 재주[인재].

[不及] bùjí 동 ① 미치지 못하다. 필적할 수 없다. ❏ 在学习方面我～他; 공부 쪽에 있어서는 나는 그를 당할 수 없다. ② 시간에 대지 못하다. …할 겨를도 없다. ❏ 后悔～; 후회해도 늦었다.

[不即不离] bùjí-bùlí 〈成〉 친하지도 않고 소원하지도 않다.

[不急之务] bùjízhīwù 〈成〉 급하지 않은 일.

[不计] bùjì 동 따지지 않다. 문제 삼지 않다. ❏ ～成本; 원가를 따지지 않다 / ～其数; 〈成〉 부지기수이다《셀 수 없이 많다》.

[不记名] bùjìmíng 명 무기명. ❏ ～投票; 무기명 투표.

[不简单] bù jiǎndān ① 간단하지 않다. 단순하지 않다. ❏ 那件案子～; 그 사건은 간단하지 않다. ② 굉장하다. 대단하다. ❏ 他的本领真～! 그의 솜씨는 참으로 대단하다!

[不见] bùjiàn 동 ① 만나지 않다. ❏ 好久～; 오랜만입니다. ② (～了) 안 보이다. 없어지다. ❏ 我的钱包～了; 내 지갑이 없어졌다.

[不见不散] bùjiàn-bùsàn 〈成〉 (남과 만나기로 했을 때) 못 만나도 가지 않다. 만날 때까지 기다리다.

[不见得] bùjiàn·dé 부 꼭 …일 것이라고는 할 수 없다. 반드시 …라고는 생각되지 않다. ❏ 我看他～会来; 내가 보기엔 그가 꼭 올 것 같지는 않다.

[不解] bùjiě 동 ① 모르다. 이해하지 못하다. ❏ ～之谜; 풀 수 없는 수수께끼. ② 뗄 수 없다. 가를 수 없다. ❏ ～之缘; 〈成〉 (주로, 남녀 간의) 떼려야 뗄 수 없는 연분.

[不禁] bùjīn 부 참지 못하고. 참을 수 없어. 저절로. ❏ ～失声痛哭; 참지 못하고 목 놓아 통곡하다.

[不仅] bùjǐn 부 …만은 아니다. ❏ 这部书我看过～一回了; 이 책을 나는 한 번만 본 것이 아니다. ＝[不单] 접 …뿐만 아니라. ❏ 这～是你的事, 也是我的事; 이것은 네 일일 뿐 아니라 내 일이기도 하다.

[不近人情] bùjìn-rénqíng 〈成〉 인지상정에 맞지 않다《성격이나 행동이 상궤(常軌)를 벗어나다》.

[不景气] bùjǐngqì 명형 불경기(이다). 불황(이다). ❏ 经济～; 경제가 좋지 않다.

[不胫而走] bùjìng'érzǒu 〈成〉 다리가 없어도 달리다《소식 따위가 순식간에 전파되다[퍼지다]》.

[不久] bùjiǔ 형 오래지 않다. 머지않다. ❏ ～就要完成了; 머지않아 완성될 것이다 / ～前; 얼마 전.

[不咎既往] bùjiù-jìwǎng 〈成〉 ⇨[既往不咎]

[不拘] bùjū 동 상관없다. 구애되지 않다. ❏ ～小节; 〈成〉 사소한 예절에 구애받지 않다 / ～一格; 〈成〉 격식에 구애받지 않다. 접 ⇨[不管]

[不堪] bùkān 동 ① 참을 수 없다. 견딜 수 없다. ❏ ～一击; 〈成〉 일격을 견디지 못하다. ② (차마) 할 수 없다. ❏ ～回首; 차마 회상할 수 없다 / ～设想; 〈成〉 차마 상상할 수 없다《예견된 결과가 좋지 않음》. 형 ① 매우 …하다. 심하게 …하다. ❏ 狼狈～; 매우 낭패이다. ② 나쁘다. 싹수가 노랗다.

[不亢不卑] bùkàng-bùbēi 〈成〉 ⇨[不卑不亢]

[不可] bùkě 조동 …해서는 안 된다. …할 수 없다. ❏ ～告人; 〈成〉 남에게 떳떳하게 이야기할 수 없다 / ～救药; 〈成〉 ⓐ(병을) 치료할 방법이 없다. ⓑ(상황 따위가) 손 쓸 수 없이 나빠지다/～名状; 〈成〉 이루 말로 다 형용할 수가 없다 / ～胜数; 〈成〉 너무 많아서 셀 수가 없다 / ～收拾; 〈成〉 수습할 길이 없다 / ～同日而语; 〈成〉 같은 날에 논할 수 없다《비교가 되지 않다》. 조 (非…～) …하지 않으면 안 된다. …해야만 한다. …이어야만 한다. ❏ 这份合同非他签字～; 이 계약서는 그가 서명하지 않으면 안 된다.

[不可开交] bùkě-kāijiāo 〈成〉 해결할 수 없다. 끝을 맺을 수 없다《'得' 뒤의 보어로만 쓰임》. ❏ 两人打得简直～; 두 사람은 떼어 놓을 수 없을 만큼 심하게 싸웠다.

[不可抗力] bùkěkànglì 명〖法〗

불가항력.

[不可侵犯权] bùkě qīnfànquán 〖政〗 불가침권.

[不可思议] bùkě-sīyì 〈成〉 불가사의하다.

[不客气] bùkè·qi ① 스스럼없다. 무례하다. 버릇없다. ②〈套〉 천만에요. 별말씀을요. 고맙긴요《감사의 인사에 대한 대답》. ③〈套〉 괜찮습니다. 아닙니다《정중히 사양할 때 쓰는 말》.

[不快] bùkuài 형 ① 불쾌하다. 기분이 나쁘다. ② (몸이) 불편하다. 안 좋다.

[不愧] bùkuì 부 …에 부끄럽지 않다. …에 손색이 없다. ❑ ~为人民英雄; 국민 영웅으로 손색이 없다.

[不劳而获] bùláo'érhuò 〈成〉 일하지 않고 거저 얻다.

[不理] bùlǐ 동 상대하지 않다. 무시하다. 모른 척하다. ❑ 他故意~我; 그는 일부러 나를 무시했다.

[不力] bùlì 형 무능하다. 무력하다.

[不利] bùlì 형 ① 이롭지 않다. ❑ 对健康~; 건강에 이롭지 않다. ② (형세나 상황이) 불리하다. ❑ 这里的环境对我队~; 이곳의 환경은 우리 팀에게 불리하다.

[不良] bùliáng 형 불량하다. 바람직하지 않다. ❑ ~现象; 바람직하지 못한 현상 / 消化~; 소화 불량.

[不了了之] bùliǎo-liǎozhī 〈成〉 질질 끌다가 끝나 버리다. 흐지부지하게 끝내다.

[不料] bùliào 접 예상치도 않게. 생각지도 않게. 뜻밖에. ❑ 我正要去找他, ~他倒先来了; 내가 막 그를 찾아가려고 하는데 생각지도 않게 그가 먼저 왔다.

[不灵] bùlíng 형 ① 제대로 돌아가지 않다. 말을 안 듣다. ❑ 脑子~; 머리가 잘 돌아가지 않다. ② 성능[효력]을 발휘하지 못하다. 통하지 않다. ❑ 这法子~了; 이 방법은 잘 안 통한다.

[不露声色] bùlù-shēngsè 〈成〉 ⇒[不动声色]

[不伦不类] bùlún-bùlèi 〈成〉 이도 저도 아니다. 어느 쪽도 아니다.

[不论] bùlùn 접 …을 막론하고. …든 간에. …을 불문하고《'谁'·'什么'·'怎么'·'怎样' 따위와 함께 쓰이거나, '都'·'也'·'总' 따위와 호응함》. ❑ ~下多大雨, 我也要去; 비가 얼마나 오든 간에 나는 갈 것이다.

[不满] bùmǎn 형 불만이다. ❑ 他对判决很~; 그는 판결에 대해 매우 불만이다.

[不毛之地] bùmáozhīdì 〈成〉 불모(不毛)의 땅. 척박한 땅.

[不免] bùmiǎn 부 …을 면할 수 없다. …은 어쩔 수 없다. ❑ 第一次上台, ~有些紧张; 처음 무대에 오르면 다소 긴장하는 것은 어쩔 수 없다. =[未免②]

[不妙] bùmiào 형 (상황이) 좋지 않다. 심상치 않다. ❑ 我看这事儿有点~; 내가 보기에 이 일은 조금 심상치 않은 것 같다.

[不名一文] bùmíng-yīwén 〈成〉 땡전 한 푼도 없다. 무일푼이다《극도로 가난하다》. =[不名一钱]

[不名誉] bùmíngyù 형 불명예스럽다.

[不明] bùmíng 형 ① 밝지 않다. 어둡다. ❑ 月色~; 달빛이 어둡다. ② 알 수 없다. 확실하지 않다. ❑ 下落~; 행방불명. 동 잘 알지 못하다. 분간하지 못하다. ❑ ~是非; 옳고 그름을 잘 알지 못하다.

[不明不白] bùmíng-bùbái 〈成〉 확실하지 않다. 애매하다. 찜찜하다. 막연하다.

[不明飞行物] bù míng fēixíngwù 〖物〗 유에프오(UFO). 미확인 비행 물체.

[不谋而合] bùmóu'érhé 〈成〉 서로 의논하지 않았는데도 의견이나 행동이 일치하다.

[不耐烦] bùnàifán 형 참기 힘들다. 귀찮다. 싫증 나다. 짜증 나다. ❑ 等得~; 기다리기 힘들다.

[不能] bùnéng ① 불가능하다. 할 수 없다. ❑ ~自已; 〈成〉 스스로를 주체하지 못하다 / 今天他~来上课了; 오늘 그는 수업에 올 수 없다. ② …일 리가 없다. …될 수 없다. ③ …해서는 안 된다. …하지 마라. ❑ 你~走! 가지 마!

[不偏不倚] bùpiān-bùyǐ 〈成〉 ① 치우치지 않다. 편들지 않다. ② 빗나가지 않고 정확히 명중하다.

[不平] bùpíng 형 ① 평평하지 않다. 고르지 않다. ❑ 表面~; 표면이 고르지 않다. ② 불공평하다. 불공정하다. ❑ ~的事; 불공정한 일. ③ (불공평한 일로) 분개하다. 불만스럽다. 부아가 치밀다. ❑ 愤愤~; (불공평한 일 때문에) 속에서 부아

가 치밀다. 명 ① 불공평[불공정]한 일. ② (불공평한 일로 인한) 불만. 부아. ❏ 消除心中的~; 마음속의 불만을 해소하다.

[不平等条约] bù píngděng tiáoyuē 〔政〕 불평등 조약.

[不期而然] bùqī'érrán 〈成〉 예상치 않게 이렇게 되다. 뜻밖의 결과가 나오다. =[不期然而然]

[不期而遇] bùqī'éryù 〈成〉 생각지도 않게 마주치다.

[不起眼(儿)] bù qǐyǎn(r) 〈方〉 하찮다. 시시하다. 별 볼일 없다.

[不巧] bùqiǎo 형 때가 좋지 않다. 공교롭다. ❏ 你来得真~, 他刚走了; 너 참 때도 못 맞춰 오는구나. 그는 방금 갔어. 부 하필이면. 공교롭게도. ❏ 刚要出门, ~下雨了; 막 문을 나서려는데 하필이면 비가 내렸다.

[不切实际] bùqiè shíjì 실정에 맞지 않다. 실제와 맞지 않다.

[不求甚解] bùqiú-shènjiě 〈成〉 대강 알고 넘어갈 뿐 깊이 파고들어 이해하려고 하지 않다.

[不屈] bùqū 동 굴복하지 않다. ❏ ~不挠; 〈成〉 불요불굴하다.

[不然] bùrán 형 ① 그렇지 않다. ❏ 这件事对你说很容易, 对我就~了; 이 일은 너에게는 쉬워도 나에게는 그렇지 않다. ② 아니다. 그렇지 않다《대화의 첫머리에 쓰여 상대방의 말을 부정함》. ❏ ~, 事情没那么简单; 아니야, 일이 그렇게 간단하지는 않아. 접 ① 그렇지 않았다면. 안 그랬으면. ❏ 可惜来晚了, ~可以买到那本书; 아쉽게도 늦게 왔구나, 안 그랬으면 그 책을 살 수 있었을 텐데. ② 그렇지 않으면. 그렇게 하지 않으면. ❏ 要好好复习, ~就考不好; 열심히 복습해야지, 그렇지 않으면 시험을 망친다. ③ 아니면. ❏ 这个会你去参加, ~, 让他去也可以; 이 회의는 네가 가는 것이지만 안 되면 그가 가도록 해도 된다. =[不然的话]

[不人道] bùréndào 형 비인도적이다.

[不仁] bùrén 형 ① 어질지 않다. 인자하지 않다. ② 마비되다. 감각이 없다. ❏ 麻木~; 〈成〉 감각이 없다.

[不忍] bùrěn 동 참고 …하지 못하다. ❏ ~卒读; 〈成〉 (글의 내용이 비참하여) 끝까지 다 읽을 수 없다.

[不日] bùrì 부 불일간. 머지않아. ❏ ~抵京; 머지않아 베이징에 도착한다.

[不容] bùróng 동 용납[허용]하지 않다. ❏ ~置疑; 〈成〉 어떠한 의심[의문]도 허용치 않다《의심할 여지가 없는 진실이다》.

[不如] bùrú 동 …만 못하다. ❏ 汉堡~三明治好吃; 햄버거는 샌드위치만큼 맛있지 않다 / 一天~一天; 하루하루 나빠지다.

[不入虎穴, 焉得虎子] bù rù hǔxué, yān dé hǔzǐ 〈諺〉 호랑이 굴에 들어가지 않고 호랑이 새끼를 잡을 수 있으랴《험난한 과정을 거치지 않고는 큰일을 이룰 수 없다》.

[不三不四] bùsān-bùsì 〈成〉 ① 품행이 안 좋다. 껄렁껄렁하다. ② 형편없다. 꼴사납다.

[不善] bùshàn 형 ① 좋지 않다. ❏ 来意~; (여기에) 온 의도가 좋지 않다. ② 〈方〉 만만치 않다. 무시할 수 없다. 대단하다. ❏ 别看他个子不高, 打起球来可~; 그는 키는 크지 않아도 공 다루는 실력은 무시할 수 없다. =[不善乎·hu] 동 …에 능하지 못하다. ❏ ~言辞; 언사에 능하지 못하다. =[不善于]

[不胜] bùshèng 동 ① …을 견디어 내지 못하다. ❏ ~其烦; 〈成〉 일이 너무 많고 번잡하여 견디지 못할 지경이다. ② 할 수 없다《앞뒤에 같은 동사를 씀》. ❏ 防~防; 막을 수 없다. ③ 〈方〉 …보다 못하다. …만 못하다. ❏ 一年~一年; 한 해 한 해 나빠지다. 부 매우. 대단히 《심정을 나타냄》. ❏ ~欣喜; 기쁘기 그지없다.

[不胜枚举] bùshèng-méijǔ 〈成〉 (너무 많아) 일일이 다 셀 수 없다.

[不识] bùshí 동 알지 못하다. 모르다. ❏ ~时务; 〈成〉 세상 물정에 어둡다 / ~抬举; 〈成〉 남의 호의를 무시하다.

[不时] bùshí 명 불시. ❏ ~之需; 〈成〉 불시의 필요. 부 ① 줄곧. 내내. 끊임없이. ❏ 招生广告刊登后, ~有人来询问; 신입생 모집 광고가 나간 후로 끊임없이 문의가 들어온다. ② 불시에. ❏ 夏天~有台风袭来; 여름에는 태풍이 불시에 습격해 온다.

[不适] bùshì 형 (몸이) 편치 않다. 불편하다. 거북하다. ❏ 身上~; 몸이 불편하다.

[不是东西] bù shì dōng·xi 〈口〉〈罵〉 사람도 아니다. 돼먹지 않다.
[不是省油(的)灯] bù shì shěng yóu(·de) dēng 〈口〉〈貶〉 여간 골칫거리가 아니다. 쉽게 다룰 상대가 아니다.
[不是时候] bù shì shí·hou 〈口〉 시기적으로 적당하지 않다. 때가 아니다.
[不是玩儿的] bù shì wánr·de 〈口〉 장난이 아니다. 우습게 볼 수 없다.
[不是] bù·shi 명 잘못. 과실. 죄. ❏都是我的～; 모두 내 잘못이다.
[不爽] bùshuǎng 형 ① 상쾌하지 않다. 불편하다. 후련하지 않다. 찝찝하다. ❏心情～; 마음이 불편하다. ② 차이가 없다. ❏丝毫～; 조금도 차이가 없다.
[不送] bùsòng 〈套〉 ① 안 나가겠습니다《손님이 돌아갈 때 주인의 인사》. ② 나오지 마십시오《손님이 떠나며 주인에게 하는 인사》.
[不速之客] bùsùzhīkè 〈成〉 불청객(不請客).
[不算] bùsuàn 동 ① …축에는 끼지 못하다. …라고는 할 수 없다. ❏～什么; 별거 아니다. ② 그렇게 …한 편은 아니다. ❏今年冬天～太冷; 금년 겨울은 그렇게 추운 편은 아니다.
[不遂] bùsuì 동 ① 마음대로 되지 않다. ② 성공하지 못하다.
[不停] bùtíng 동 멈추지 않다. 〈轉〉 쉴 새 없이. 쉬지 않고. ❏风刮个～; 바람이 쉴 새 없이 분다.
[不通] bùtōng 동 ① 통하지 않다. 막히다. ❏鼻子～; 코가 막히다 / 文理～; 문맥이 통하지 않다. ② 이해하지 못하다. 모르다. ❏～情理; 도리를 알지 못하다.
[不同] bùtóng 형 같지 않다. 다르다. ❏～凡响; 〈成〉 (주로, 문학작품 따위가) 평범하지 않다 / 他们俩性格完全～; 그 둘은 성격이 완전히 다르다.
[不透明] bùtòumíng 형 불투명하다. ❏～体; 불투명체.
[不妥] bùtuǒ 형 타당하지 않다. 부적당하다. ＝[不妥当]
[不外] bùwài 동 …을 벗어나지 않다. ❏～两种情况; 두 가지 상황에서 벗어나지 않는다. ＝[不外乎]
[不闻不问] bùwén-bùwèn 〈成〉 듣지도 않고 묻지도 않다《전혀 관심을 두지 않다》.
[不问] bùwèn 접 …을 막론하고. …을 불문하고. ❏～社会地位高低; 사회 지위 고하를 막론하고.
[不惜] bùxī 동 ① 아끼지 않다. ❏～工本; 〈成〉 아무리 많은 돈이 든다 해도 아까워하지 않는다. ② 아랑곳하지 않다. ❏～多大牺牲; 어떠한 희생도 아랑곳하지 않다.
[不暇] bùxiá 동 겨를이 없다. ❏应接～; 〈成〉 응대하느라 눈코 뜰 겨를이 없다.
[不相干] bùxiānggān 동 상관없다. 관계없다. ❏这事跟我～; 이 일은 나와 상관없다.
[不相上下] bùxiāng-shàngxià 〈成〉 (수량이나 정도가) 비금비금하다. 비슷비슷하다.
[不详] bùxiáng 형 자세하지 않다. 불분명하다. ❏地址～; 주소가 불분명하다.
[不祥] bùxiáng 형 불길하다. 재수 없다. ❏～之消息; 불길한 소식.
[不像话] bùxiànghuà 형 ① 말도 안 되다. 같잖다. 개판이다. 돼먹지 않다. ❏他的态度真～; 그의 태도는 정말 돼먹지 않았다. ② 말도 못하게 …하다. 심하다. ❏脏得～; 말도 못하게 더럽다. ‖ ＝[不成话]
[不像样(儿)] bùxiàngyàng(r) 형 ① 형편없다. 꼴사납다. 꼴불견이다. ❏实在～; 정말 꼴불견이다. ② ('…得～' 의 형식으로) 말도 못하게 …하다. ❏瘦得～; 말도 못하게 말랐다.
[不消] bùxiāo 동 …만큼도 걸리지 않다. ❏～两天就可以到达; 이틀도 안 걸려서 도착할 수 있다. 부 …할 필요 없다. ❏～这么客气; 그렇게 예의 차릴 필요 없다.
[不孝] bùxiào 동 불효하다.
[不肖] bùxiào 형 불초하다. ❏～子孙; 〈成〉 불초한 자손.
[不屑] bùxiè 동 ① …할 가치가 없다고 여기다. ❏～一顾; 〈成〉 한 번 볼 가치도 없다고 여기다. ＝[不屑于] ② 경시하다. 무시하다.
[不谢] bùxiè 동 〈套〉 천만에요. 별말씀을요《감사의 인사에 대한 대답》.
[不懈] bùxiè 형 게을리하지 않다. 늦추지 않다. ❏～地努力; 쉬지 않고 노력하다.
[不兴] bùxīng 동 ① 조류에 맞지 않다. 시대에 뒤떨어지다. ❏这种

式样现在～了; 이런 스타일은 지금은 유행에 안 맞는다. ② …하면 안 된다. ❑ ～抽烟; 담배를 피면 안 된다. ③ 할 수 없다《반어문에만 쓸 수 있음》. ❑ 长着两条腿的人, 哪儿～去? 두 발 가진 사람이 어딘들 못 가겠느냐?
[不行] bùxíng 동 ① 안 된다《허가할 수 없음을 나타냄》. ❑ 你看看可以, 借走～; 보는 건 괜찮지만 빌려 가는 건 안 된다. =[不成] ② 살 가망이 없다. 죽음에 가까워지다. ❑ 他已经～了, 准备后事吧; 그는 이미 힘들게 되었으니 사후(死後)를 준비하도록 해라. ③ 못 견디게 …하다. ❑ 我可困得～了; 나는 못 견디게 졸리다. 형 ① 쓸모 없다. 형편없다. =[不成] ② 나쁘다. 안 좋다. ❑ 内容～; 내용이 안 좋다.
[不省人事] bùxǐng-rénshì 〈成〉 ① 인사불성이다. ② 세상 물정을 모르다.
[不幸] bùxìng 형 ① 불행하다. ❑ ～的消息; 불행한 소식. ② 불행하게도 …하다. ❑ ～去世; 불행하게도 세상을 떠나다. 명 불행. ❑ 遭到～; 불행을 당하다.
[不休] bùxiū 동 쉬지 않다. 멈추지 않다. 그치지 않다《주로, 보어(補語)로 쓰임》. ❑ 雨下个～; 비가 쉬지 않고 내리다.
[不修边幅] bùxiū-biānfú 〈成〉 차림새에 신경을 쓰지 않다.
[不朽] bùxiǔ 동 불후하다. ❑ ～的作品; 불후의 작품.
[不锈钢] bùxiùgāng 명〖工〗 스테인리스(stainless). 스테인레스강.
[不许] bùxǔ 동 ① …해서는 안 되다. …을 금지하다《주로, 명령문에 쓰임》. ❑ ～吸烟; 흡연을 금지하다. ② 〈口〉 …할 수 없다《반어문에 쓰임》. ❑ 你就～干好点? 너 좀 제대로 할 수 없겠니?
[不学无术] bùxué-wúshù 〈成〉 무식하고 능력도 없다.
[不雅观] bùyǎguān 형 보기 흉하다. 눈에 거슬리다.
[不言不语] bùyán-bùyǔ 〈成〉 아무 말도 하지 않다.
[不言而喻] bùyán'éryù 〈成〉 설명하지 않아도 알다.
[不厌其烦] bùyàn-qífán 〈成〉 번거로운 것을 싫어하지 않다.
[不要] bùyào 부 …하지 마라. …하면 안 된다. ❑ 晚上～一个人出去; 밤에 혼자 나가지 마라.
[不要紧] bùyàojǐn 형 ① 대단치 않다. 별거 아니다. 문제없다. ❑ 他的病～, 你不必担心; 그의 병은 대단치 않으니 걱정할 필요 없다. ② 상관없다. 괜찮다《표면상으로는 괜찮지만 사실은 영향이 있음을 나타냄》. ❑ 他一说话～, 把孩子吵醒了; 그가 말하는 건 상관없지만, 아이가 시끄러워서 깨지 않았니.
[不要脸] bùyàoliǎn 형 부끄러움을 모르다. 뻔뻔하다. 얼굴이 두껍다.
[不一] bùyī 형 같지 않다. 다르다. 일정하지 않다《서술어로만 쓰임》. ❑ 心口～; 말과 생각이 같지 않다.
[不一定] bùyīdìng ① 반드시 …인 것은 아니다. 꼭 …라고는 할 수 없다. ❑ 今晚～回来了, 你先睡吧! 오늘 밤에 꼭 돌아온다고 할 수 없으니까, 먼저 자거라! ② 반드시 …해야 하는 것은 아니다. 꼭 …하지 않아도 된다. ❑ 你们先吃, ～等我; 너희 먼저 먹어. 반드시 나를 기다려야 되는 것은 아니야.
[不一样] bù yīyàng 같지 않다. 다르다.
[不宜] bùyí 동 좋지 않다. 적합하지 않다. ❑ 年高～远行; 고령인 사람에게는 장거리 여행이 좋지 않다.
[不遗余力] bùyí-yúlì 〈成〉 모든 힘을 다 기울이다.
[不已] bùyǐ 동 그치지 않다. 마지 않다. ❑ 后悔～; 후회해 마지않다.
[不以为然] bùyǐwéirán 〈成〉 그렇게는 생각하지 않는다. 동의할 수 없다《경시(輕視)의 어감》.
[不义之财] bùyìzhīcái 〈成〉 부정한 수단으로 얻은 재물.
[不亦乐乎] bùyìlèhū 〈成〉 ① 어찌 기쁘지 않겠는가. ② 정도가 심하다. 몹시 …하다. ❑ 忙得个～; 눈코 뜰 새 없이 바쁘다.
[不翼而飞] bùyì'érfēi 〈成〉 ① 물건이 갑자기 없어져 버리다. ② 소식이나 말이 매우 빨리 퍼지다.
[不用] bùyòng 부 …할 필요 없다. ❑ 你～接我; 나를 마중 나올 필요는 없다.
[不由得] bùyóu·de 부 자기도 모르게. 엉겁결에. 무의식적으로. ❑ 看见了照片, ～想起我的母亲; 사진을 보자, 나도 모르게 어머니가 생각났다. 동 …할 수 없다《이중부정의 형식으로 쓰임》. ❑ 大会的

决议, ~他不服从; 총회의 결의에 그는 복종하지 않을 수 없었다.

[不由自主] bùyóuzìzhǔ 〈成〉 스스로 조절하지 못하다.

[不远千里] bùyuǎn-qiānlǐ 〈成〉 천 리 길도 멀다 하지 않다. 불원천리.

[不约而同] bùyuē'értóng 〈成〉 약속이나 한 듯이 일치하다.

[不孕] bùyùn 형〔醫〕 불임이다. ❏ ~手术; 불임 수술.

[不在] bùzài 동 ① (어떤 장소에) 있지 않다. 없다. 부재하다. ❏ 他~家里; 그는 집에 없다. ② (~了) 〈婉〉 죽다.

[不在乎] bùzài·hu 동 마음에 두지 않다. 신경 쓰지 않다. ❏ 别人说什么我才~呢; 남이 뭐라고 하든 나는 신경 쓰지 않는다.

[不在话下] bùzài-huàxià 〈成〉 ① 사소하여 말할 가치도 없다. ② 더 말할 것도 없다. 두말하면 잔소리이다.

[不在现场] bùzài xiànchǎng〔法〕 현장에 있지 않았음. ❏ ~的证据; 알리바이(alibi).

[不在意] bùzàiyì 동 ① 신경 쓰지 않다. 개의치 않다. ② 주의하지 않다. 염두에 두지 않다.

[不择手段] bùzé-shǒuduàn 〈成〉 수단과 방법을 가리지 않다.

[不怎么] bù zěn·me 그다지[그렇게] …하지 않다. ❏ 天还~黑; 날이 아직 그렇게 어둡지는 않다.

[不怎么样] bù zěn·meyàng 별로 이렇다 할 것이 없다. 그저 그렇다.

[不折不扣] bùzhé-bùkòu 〈成〉 완전하다. 틀림없다. 진짜이다. ❏ ~的骗子; 완전한 사기꾼.

[不振] bùzhèn 형 부진하다. ❏ 食欲~; 식욕이 부진하다.

[不正] bùzhèng 형 ① 비뚤다. ❏ 桌子摆得~; 탁자가 비뚜로 놓여져 있다. ② (기풍 따위가) 바르지 않다. 정파가 아니다. ❏ ~之风; 〈成〉 바르지 않은 기풍. ③ (색·맛 따위가) 깨끗하지 않다. 순수하지 않다. ❏ 这种酒味~; 이런 술은 맛이 순수하지 않다.

[不正当] bùzhèngdàng 형 부정당하다. 부당하다. ❏ ~交易; 부당거래 / ~竞争; 부당 경쟁.

[不正派] bùzhèngpài 형 (품행·태도 따위가) 바르지 않다.

[不知不觉] bùzhī-bùjué 〈成〉 부지불식간. 자기도 모르는 사이에.

[不知好歹] bùzhī-hǎodǎi 〈成〉 사리를 분간하지 못하다. 지각없다.

[不知死活] bùzhī-sǐhuó 〈成〉 물불을 가리지 않다《무모하게 덤벼들다》.

[不知所措] bùzhī-suǒcuò 〈成〉 어찌할 바를 모르다.

[不知所以] bùzhī-suǒyǐ 〈成〉 영문을 모르다.

[不知所云] bùzhī-suǒyún 〈成〉 무슨 말을 하는 것인지 알 수가 없다.

[不织布] bùzhībù 명 ⇨[无纺布]

[不值] bùzhí 동 가치가 없다. ❏ ~一驳; 반박할 가치조차 없다.

[不值得] bùzhí·de …할 가치가 없다. ❏ 这件事~商榷; 이 일은 더불어 검토할 만한 가치가 없다.

[不止] bùzhǐ 동 ① 멈추지 않다. 그치지 않다. ❏ 整天咳嗽~; 하루 종일 기침이 멎지 않다. ② …만이 아니다《어떤 숫자나 범위를 넘어섬》. ❏ 提意见的~我们; 의견을 제기한 것은 우리만이 아니다.

[不只] bùzhǐ 접 …뿐만 아니라. ❏ 他~精通英语, 而且还懂日语; 그는 영어에 정통할 뿐만 아니라 일어도 할 줄 안다.

[不治] bùzhì 동 치료해도 낫지 않다. 불치이다. ❏ ~之症; 〈成〉 불치병.

[不置可否] bùzhì-kěfǒu 〈成〉 가타부타 말이 없다.

[不中用] bù zhōngyòng 좋지 않다. 쓸모없다. 소용없다. ❏ 这个法子~; 이 방법은 좋지 않다.

[不周] bùzhōu 형 주의가 두루 미치지 않다. 소홀하다. ❏ 招待~; 접대가 소홀하다.

[不准] bùzhǔn 동 불허하다. 금지하다. ❏ ~停车; 주차 금지.

[不着边际] bùzhuó-biānjì 〈成〉 말이 실제와 동떨어지다. 주제에서 벗어나다. 뜬구름 잡는 말을 하다.

[不自量] bù zìliàng 주제넘다.

[不足] bùzú 형 모자라다. 부족하다. ❏ 力量~; 역량이 부족하다. 동 ① (어떤 수에) 미치지 못하다. 모자라다. ❏ ~三千人; 삼천 명이 안 되다. ② …할 만하지 못하다. …할 것이 못 되다. ❏ ~道; 말할 만한 것이 못 되다 / ~挂齿; 〈成〉 거론할 만한 것이 못 되다 / ~为奇; 〈成〉 이상하게[신기하게] 여길 만

한 것이 못 되다.
[不作为] bùzuòwéi 명〖法〗직무 유기. ❏~罪; 직무 유기죄.

钚(鈈) bù (부, 비) 명〖化〗플루토늄(Pu: plutonium).

布 bù (포) A) 명 ①(면·마 따위로 짠) 천. 보. ❏麻~; 삼베. ②(가위바위보의) 보. B) 동 ①선포하다. 선언하다. 포고하다. ❏~告; ⇓ ②분포하다. 산재하다. ❏额角上满~皱纹; 이마가 주름투성이다. ③배치하다. 늘어놓다. ❏~下圈套; 덫을 놓다.
[布帛] bùbó 명 직물의 총칭.
[布菜] bù//cài 동 (손님의 접시에) 요리를 덜어 주다.
[布达拉宫] Bùdálāgōng 명〈音〉포탈라 궁(Potala宮).
[布道] bù//dào 동〖宗〗(기독교를) 포교(布教)하다. 전도하다.
[布碟] bùdié 명 노느매기 접시. 앞접시.
[布丁] bùdīng 명〈音〉푸딩(pudding).
[布防] bù//fáng 동〖軍〗방어 병력을 배치하다.
[布告] bùgào 명동 포고(하다). 게시(하다). 공지(하다). ❏~栏; 게시란. 공지란.
[布谷] bùgǔ 명 ⇨[杜鹃①]
[布景(儿)] bùjǐng(r) 명 ①〖劇·映〗무대 장치. 세트(set). ②〖美〗그림의 풍경의 배치.
[布局] bùjú 동 ①(바둑·장기 따위에서) 포석(布石)을 두다. ②(그림·문장 따위에서) 구도를 잡다. 구성하다. ③(어떤 일의) 포석을 두다. 전반적으로 안배하다.
[布雷] bù//léi 동〖軍〗지뢰[기뢰]를 매설[부설]하다.
[布鲁士] bùlǔshì 명〖樂〗〈音〉블루스(blues).
[布鲁氏菌] bùlǔshìjūn 명〖醫〗〈音〉브루셀라(brucella)균.
[布施] bùshī 동〈書〉①희사하다. ②〖佛〗보시하다.
[布头(儿)] bùtóu(r) 명 ①헝겊 조각. 천 조각. ②자투리. 자투리천.
[布网] bù//wǎng 동 ①그물을 치다. 투망하다. ❏~船; 투망선. ②〈比〉포위망을 치다.
[布鞋] bùxié 명 헝겊신.
[布衣] bùyī 명 ①무명옷. ❏~蔬食; 〈成〉생활이 검소하고 소박하다. ②서민(庶民). 평민.
[布置] bùzhì 동 ①배치하다. 꾸미다. 장식하다《필요에 맞게 배열하고 꾸미는 것》. ❏~新房; 신방을 꾸미다 / ~展品; 전시품을 배치하다. ②(일이나 인원을) 안배하다. 배치하다. 준비하다. ❏给大家~任务; 모두에게 임무를 안배해 주다.

怖 bù (포) 동 무서워하다. 겁내다. ❏情景可~; 광경이 가공할 만하다.

步 bù (보) ①명 걸음. 보폭. ❏阔~; 활보하다. ②명 (추상적인) 걸음. 단계. ❏迈入社会的第一~; 사회로 내딛는 첫걸음. ③양 보. 수《바둑이나 장기의 수를 세는 말》. ❏你这一~棋走得不错; 너의 이 한 수는 참 잘 두었구나. ④명 정도. 지경. 상태. 처지. ❏你怎么会落到这一~? 너는 어쩌다가 이 지경까지 떨어지게 되었느냐? ⑤동 걷다. ❏~入; ⇓ ⑥동〈書〉밟다. ❏~人后尘; ⇓ ⑦동〈方〉보측(步測)하다.
[步兵] bùbīng 명〖軍〗보병.
[步步] bùbù 부 한 걸음 한 걸음. ❏~为营; 〈成〉ⓐ매우 조심스럽고 신중하게 진군하다. ⓑ일처리가 신중하고 확실하다.
[步道] bùdào 명 보도. 인도.
[步调] bùdiào 명 보조. 페이스(pace).
[步伐] bùfá 명 ①보조. ❏~整齐; 보조가 맞다. ②걸음. 발걸음. ③〈比〉진행 속도.
[步幅] bùfú 명 보폭. 걸음나비.
[步话机] bùhuàjī 명 ⇨[步谈机]
[步枪] bùqiāng 명〖軍〗보총. 보병총.
[步人后尘] bùrénhòuchén 〈成〉남의 발자국을 밟고 걷다《남을 따라 모방하다》.
[步入] bùrù 동 걸어 들어가다. 들어가다. ❏~会场; 회장으로 걸어 들어가다.
[步谈机] bùtánjī 명 워키토키(walkie-talkie). =[步话机]
[步行] bùxíng 동 보행하다. 걸어가다. 도보로 가다. ❏没有车, 只好~; 차가 없으니 도보로 가는 수밖에 없다 / ~机; 보행기 / ~赛; 걷기 대회 / ~街; 보행자 전용 도로.

[步行虫] bùxíngchóng 명〔蟲〕 딱정벌레.
[步骤] bùzhòu 명 (어떤 일의) 진행 순서. 절차. 단계. ❑按~行事; 절차에 따라 일을 하다.
[步子] bù·zi 명 걸음. 보조. ❑放慢~; 걸음을 늦추다.

部 bù (부)
①명 부분. 부위. ❑胸~; 흉부. ②명 (중앙 정부의) 부. ❑财政~; 재정부. ③명 (공공 기관·회사·단체 따위의) 부문. 부서. ❑编辑~; 편집부. ④명 군대 따위의 명령 기관. ❑司令~; 사령부. ⑤명 군대. 부대. ❑率~出征; 부대를 인솔하여 출정하다. ⑥동〈書〉 통솔하다. 거느리다. ⑦양 ㉠서적이나 영화를 세는 말. ❑一~电影; 영화 한 편. ㉡차량이나 기계를 세는 말. ❑一~机器; 기계 한 대.
[部队] bùduì 명〔軍〕 부대.
[部分] bù·fen 명 부분. ❑主要~; 주요 부분.
[部件] bùjiàn 명〔機〕 부품《몇 개의 '零件'으로 이루어져 있는 것》.
[部类] bùlèi 명 부류.
[部落] bùluò 명 부락.
[部门] bùmén 명 부문. 부처. 기관. 부서. ❑有关~; 관련 기관/政府各~; 정부의 각 부처.
[部首] bùshǒu 명〔言〕 부수.
[部属] bùshǔ 명 부하. 수하. ❑~机构; 부속 기구.
[部署] bùshǔ 동 (인력·임무 따위를) 배치하다. 안배하다. ❑~兵力; 병력을 배치하다.
[部位] bùwèi 명 (주로, 인체의) 부위. ❑发音~; 발음 부위.
[部下] bùxià 명 부하. 부하 직원.
[部长] bùzhǎng 명 장관. ❑财政~; 재정 장관.

簿 bù (부)
명 장부. 기입장. 노트(note). 책자. ❑电话~; 전화번호부.
[簿记] bùjì 명 ① 부기. ② (영업용의) 장부. 회계 장부.
[簿子] bù·zi 명 장부. 기입장. 노트(note). 책자.

埠 bù (부)
명 ① 부두. 선착장. 나루터. ② 개항장(開港場).
[埠头] bùtóu 명〈方〉 ⇨[码头①]

C

ca ㄘㄚ

擦 cā (찰)
동 ① 비비다. 마찰하다. ❑～火柴; 성냥을 긋다. ② (천·수건·걸레 따위로) 닦다. 문지르다. 훔치다. ❑～黑板; 칠판을 닦다 / ～皮鞋; 구두를 닦다. ③ 바르다. 도포하다. 칠하다. ❑～油; 기름을 바르다. ④ 스치다. ❑微风～着海面吹来; 미풍이 해수면을 스치며 불어오다. ⑤ (오이·무 따위를) 채를 썰다. 채치다. ❑把萝卜～成丝儿; 무를 채치다.

[擦边球] cābiānqiú 명〖體〗(탁구의) 에지볼(edge ball).

[擦黑儿] cāhēir 동〈方〉 해가 지다. 어두워지기 시작하다.

[擦痕] cāhén 명 마찰 흔적. 찰흔.

[擦屁股] cā pì·gu 〈比〉 남의 뒤치다꺼리를 하다.

[擦伤] cāshāng 명동 찰과상(을 입다). ❑身上有好几处～; 몸에 찰과상이 잔뜩 나 있다.

[擦音] cāyīn 명〖言〗마찰음.

[擦澡] cā∥zǎo 동 물수건 따위로 몸을 닦다《목욕 대신으로 하는 것》.

[擦子] cā·zi 명 닦는 것. 지우개. ❑黑板～; 칠판지우개.

嚓 cā (찰)
의 ① 착착. 저벅저벅《발소리》. ❑～～的脚步声; 착착 하는 발소리. ② 끽《급정거하는 소리》. ❑～的一声, 汽车停住了; 끽 하는 소리와 함께 차가 멈춰 섰다.

礤 cǎ (찰)
명〈書〉 거친 돌.

[礤床儿] cǎchuángr 명 채칼.

cai ㄘㄞ

猜 cāi (시)
동 ① 추측하다. 추측하여 맞히다. ❑你～～我手里有什么; 내 손안에 무엇이 있는지 알아맞혀 보아라. ② 의심하다. ❑～疑; ⇩

[猜测] cāicè 동 추측하다. ❑请你不要胡乱～; 함부로 추측하지 말아주세요.

[猜忌] cāijì 동 공연히 의심하고 미워하다. ❑互相～; 서로 괜히 의심하고 미워하다.

[猜谜] cāi∥mí 동 ① 수수께끼를 풀다[알아맞히다]. ②〈比〉(말의 참뜻이나 일의 진상을) 추측하다. ‖＝[〈方〉猜谜儿mèir]

[猜拳] cāi∥quán 동 ⇨[划huá拳①]

[猜想] cāixiǎng 동 추측하다. 짐작하다. ❑我～过你们之间的关系; 나는 너희들의 관계를 짐작했었다.

[猜疑] cāiyí 동 의심하다. ❑不要暗中～; 몰래 의심하지 마라.

[猜中] cāi∥zhòng 동 추측이 들어맞다. 알아맞히다. ❑～谜语; 수수께끼를 알아맞히다.

才(纔)^B) cái (재)
A) 명 ① 재주. 재능. 능력. ❑他很有～; 그는 매우 재능이 있다. ② 재주 있는 사람. 인재. ❑人～; 인재 / 天～; 천재. B) 부 ① 이제 막. 방금《동작·상황이 이제 막 발생했음을 나타냄》. ❑他～走, 你能追上他; 그는 이제 막 갔으니, 너는 그를 따라잡을 수 있다. ② …하자마자《'…～…就…'의 형식으로 쓰여 두 가지 동작이나 상황이 근접하여 발생함을 나타냄》. ❑他～进门, 电话铃就响了; 그가 문에 들어서자마자 전화벨이 울렸다. ③ …에서야 (비로소). …하고 나서야 (겨우). ❑已经上课了, 怎么～来? 이미 수업이 시작됐는데, 어떻게 이제서야 오느냐? ④ 고작. 겨우. 근근히. 간신히《수량이 적거나 능력이 부족하거나 정도가 낮음을 나타냄》. ❑现在～七点钟, 急什么呢! 이제 겨우 7시밖에 안 됐는데 뭘 서두르니! ⑤ …야말로. ❑他～是英雄好汉; 그야말로 영웅호한이다. ⑥ 특정한 조건 아래, 혹은 어떤 원인으로 인해 생겨난 결과를 나타냄《주로, '必须'·'只有' 따위와 호응하여 쓰임》. ❑只有你说话他～听; 그는 네가 얘기해야만 듣는다. ⑦ 강조의 어기를 나타냄《주로, 문장 끝에 '呢'가 옴》. ❑那么远的路, 我～不去呢; 나는 그렇게 먼 길은 안 간다.

[才干] cáigàn 명 (일을 해내는) 능력. 재간. 수완.

[才华] cáihuá 명 (주로, 문예 방면의) 겉으로 드러난 뛰어난 재능[재주]. ❑～出众; 재능이 출중하다.

[才能] cáinéng 명 재능. 재간. 솜

씨. 능력. ❑ 发挥~; 재능을 발휘하다.
[才气] cáiqì 명 재기《주로, 문예 방면에 대해서 말함》. ❑ ~过人; 〈成〉 재기가 남보다 뛰어나다.
[才疏学浅] cáishū-xuéqiǎn 〈成〉 〈謙〉 식견도 좁고 학문도 깊지 못하다.
[才思] cáisī 명 (시문을 쓰는) 재기(才氣)와 사상. 창작력.
[才智] cáizhì 명 재능과 지혜. 재지. ❑ 发挥~; 재지를 발휘하다.
[才子] cáizǐ 명 재능이 뛰어난 사람. ❑ ~佳人; 〈成〉 재능 있는 남자와 아름다운 여자. 재자가인.

材 cái (재)
명 ① 재목. 재료. 원료. ② 관(棺). ❑ 一口~; 관 하나. ③ 자료. ❑ 取~; 취재하다. ④ 인재(人材). ❑ 成不了~; 인재가 될 수 없다.
[材料] cáiliào 명 ① 재료. 자재. ❑ 建筑~; 건축 자재. ② (참고할) 자료. ❑ 学习~; 학습 자료. ③ (작품의) 소재. 제재. ④ 〈比〉 인재. 재목. ❑ 她是一个当教师的好~; 그녀는 교사가 될 훌륭한 재목이다.

财(財) cái (재)
명 돈과 물자. 재물. ❑ 发~; 큰돈을 벌다.
[财宝] cáibǎo 명 재보. 재화와 진귀한 보배.
[财产] cáichǎn 명 재산. 자산. ❑ 国家~; 국가 재산 / ~目录; 재산 목록 / ~权; 재산권 / ~税; 재산세.
[财阀] cáifá 명 재벌.
[财富] cáifù 명 재산. 자원. 부(富). ❑ 物质~; 물질적 재산.
[财界] cáijiè 명 재계. ❑ ~巨头; 재계 거물.
[财力] cáilì 명 재력.
[财路] cáilù 명 돈줄. 돈벌이 방법.
[财迷] cáimí 명 돈에 미친 사람. 돈벌이에 혈안이 된 사람.
[财气] cáiqì 명 금전운. 돈복. ❑ 你的~来了! 너 돈복이 터졌구나!
[财神] cáishén 명 재복(財福)의 신. 재신(財神). =[财神爷yé]
[财团] cáituán 명 ① 재단. ❑ ~法人; 재단 법인. ② 재벌 그룹. ❑ 三星~; 삼성 그룹.
[财务] cáiwù 명 재무. ❑ ~报告; 재무 보고 / ~结构; 재무 구조.
[财物] cáiwù 명 재물. 재산. 재화와 물자.
[财源] cáiyuán 명 재원. ❑ ~枯竭; 재원이 고갈되다.
[财运] cáiyùn 명 재물운. 재운. ❑ ~亨通; 재운이 형통하다.
[财政] cáizhèng 명〔經〕 재정. ❑ ~赤字 =[预算赤字]; 재정 적자 / ~收入; 재정 수입.
[财主] cái·zhu 명 부자. 재산가.

裁 cái (재)
① 동 자르다. 재단하다. 마르다. ❑ ~衣服; 옷을 재단하다. ② 양 절《종이를 등분한 분량을 재는 말》. ❑ 八~纸; 8절지. ③ 동 (쓸모없거나 남아도는 것을) 감하다. 덜다. 줄이다. 해고하다. ❑ 他们~了一百名工人; 그들은 백 명의 노동자를 해고했다. ④ 동 취사 결정하다. ❑ ~其取舍; 〈成〉 그 취사(取捨)를 결정하다. ⑤ 명 문장의 체재. 문체. ❑ 体~; 체재. ⑥ 동 판단하다. 헤아리다. 결단하다. ❑ ~决; ⇩ ⑦ 동 제압하다. 억제하다. ❑ 独~; 독재하다.
[裁并] cáibìng 동 (기구(機構)를) 정리 합병하다. 축소 통폐합하다.
[裁定] cáidìng 동〔法〕 재정하다. ❑ 听从法院~; 법원의 재정을 따르다.
[裁断] cáiduàn 동 판단하여 결정하다. 판단하다. ❑ 慎作~; 신중하게 판단하다.
[裁缝] cáféng 동 재봉하다.
[裁缝] cái·feng 명 재봉사.
[裁减] cáijiǎn 동 (기구·인원·장비 따위를) 감축하다. 삭감하다. ❑ ~人员; 인원을 감축하다.
[裁剪] cáijiǎn 동 (천을) 재단하다. ❑ ~师; 재단사.
[裁决] cáijué 동 결재하다. 재결하다. ❑ 听候上级机关~; 상급 기관의 결재를 기다리다.
[裁军] cáijūn 동 군축(軍縮)하다. ❑ ~会议; 군축 회의.
[裁判] cáipàn 동 ①〔法〕 재판하다《판결과 판정을 모두 가리킴》. ❑ ~权; 재판권. ②〔體〕 심판하다. 명 ⇨[裁判员]
[裁判员] cáipànyuán 명〔體〕 심판. 심판원. ❑ 国际~; 국제 심판. =[裁判]
[裁员] cáiyuán 동 감원하다. ❑ 大量~; 대량 감원하다.

采 cǎi (채)
A) 동 ① 따다. 뜯다. 채취하다. ❑ ~茶; 차(茶)를 따다. ② 캐

내다. 채굴하다. ❑~矿; ⇩ ③ 가려 뽑다. 채택하다. ❑~坟地; 묘지를 선정하다. ④ 찾다. 수집하다. 채집하다. ❑~集; ⇩ B) 명 기분. 풍채. 풍모. 표정. ❑无精打~; 의기소침하다. C) ⇨[彩]

[采办] cǎibàn 동 ⇨[采购]

[采伐] cǎifá 동 벌채하다.

[采访] cǎifǎng 동 취재하다. 탐방하다. 인터뷰하다. ❑~记者; 취재기자 / 现场~; 현장 취재.

[采购] cǎigòu 동 (주로, 기관이나 기업에서) 선택하여 구매하다. ❑~大批货物; 물건을 대량으로 구매하다. =[采办] 명 구매 담당.

[采光] cǎiguāng 동〖建〗 채광하다. ❑卧室的~不错; 침실 채광이 매우 좋다.

[采集] cǎijí 동 찾아 모으다. 채집하다. ❑~标本; 표본을 채집하다.

[采掘] cǎijué 동〖鑛〗 채굴하다. ❑~煤炭; 석탄을 채굴하다.

[采矿] cǎi//kuàng 동 광산을 채굴하다. 채광하다.

[采纳] cǎinà 동 (의견·건의·요구 따위를) 받아들이다. 채택하다. ❑~意见; 의견을 받아들이다.

[采取] cǎiqǔ 동 ① (방침·정책·조치·태도 따위를) 취하다. 채택하다. ❑迅速~行动; 신속히 행동을 취하다. ② 채취하다. ❑~指纹; 지문을 채취하다.

[采石] cǎishí 동 채석하다. ❑~场; 채석장 / ~工; 채석공.

[采血] cǎi//xiě 동 혈액을 채취하다. 채혈하다.

[采样] cǎiyàng 동 견본을 채집하다. 샘플링하다. ❑~检查; 샘플검사.

[采用] cǎiyòng 동 (기술·방법·의견 따위를) 채택하다. 채용하다. ❑~新教学法; 새로운 교수법을 채택하다.

[采摘] cǎizhāi 동 (꽃·과일·잎 따위를) 따다. ❑~棉花; 목화를 따다.

彩 cǎi (채)

명 ① 채색. 색깔. ❑五~; 천연색. ② 채색 비단《주로, 축제 때 문이나 막을 장식하는 데 쓰임》. ❑剪~; (축전 때) 테이프를 끊다. ③ 갈채(의 소리). ❑喝~; 갈채하다. ④ 여러 종류. 여러 모양. 다채로움. ❑多~; 다채롭다. ⑤ 경품. 상품. ❑中zhòng~; 당첨되다. ⑥ 부상당해 흘리는 피. ❑他挂~了; 그는 부상당했다. ‖ =[采C)]

[彩笔] cǎibǐ 명 ① 컬러 펜(color pen). ② 크레용(crayon).

[彩电] cǎidiàn 명〈簡〉 ⇨[彩色电视]

[彩号(儿)] cǎihào(r) 명 부상병.

[彩虹] cǎihóng 명〖氣〗 무지개. =[虹]

[彩绘] cǎihuì 동 (기물·건축물 따위에) 채색 그림을 그리다. 명 채색화. ❑~磁器; 채색 자기.

[彩轿] cǎijiào 명 ⇨[花轿]

[彩礼] cǎilǐ 명 납채(納采). 납폐.

[彩排] cǎipái 동 ①〖劇〗 리허설(rehearsal)하다. 무대 연습을 하다. ② (여행·행사 따위의 대규모 단체 활동의) 예행연습을 하다.

[彩喷] cǎipēn 동 ① 색깔을 뿌려서 그림을 그리다. 그래피티(graffiti)하다. ② 컬러 프린트(color print)하다.

[彩票] cǎipiào 명 복권. =[彩券]

[彩旗] cǎiqí 명 채색 깃발.

[彩券] cǎiquàn 명 ⇨[彩票]

[彩色] cǎisè 명 채색. 천연색. 컬러(color). ❑~粉笔; 파스텔(pastel) / ~铅笔; 색연필.

[彩色电视] cǎisè diànshì 컬러텔레비전. =[〈簡〉彩电]

[彩色片] cǎisèpiàn 명 컬러 영화. =[〈口〉彩色片儿piānr]

[彩色印刷] cǎisè yìnshuā 컬러 인쇄를 하다. =[彩印①]

[彩色照片] cǎisè zhàopiàn 컬러 사진. =[彩照]

[彩声] cǎishēng 명 갈채 소리.

[彩霞] cǎixiá 명 채색 노을.

[彩印] cǎiyìn 동 ①〈簡〉 ⇨[彩色印刷] ② 컬러 사진을 인화하다.

[彩云] cǎiyún 명 채색 구름.

[彩照] cǎizhào 명〈簡〉 ⇨[彩色照片]

[彩纸] cǎizhǐ 명 ① 색종이. ② 컬러 사진 인화지.

睬 cǎi (채)

동 상관하다. 상대하다. ❑不~他; 그를 상대하지 않다.

踩 cǎi (채)

동 밟다. 밟아 누르다. 짓밟다. ❑他~了我的脚; 그가 내 발을 밟았다.

菜 cài (채)

명 ① 채소. 야채. ② 안주. 반찬. ❑当~吃; 반찬으로 먹다. ③

요리. ❑ 中国~; 중국요리. ④ 〖植〗 유채. 평지.
[菜场] càichǎng 명 ⇨[菜市]
[菜单(儿)] càidān(r) 명 ① 메뉴. 차림표. =[菜谱①] ②〈俗〉 ⇨ [选单]
[菜刀] càidāo 명 식칼.
[菜豆] càidòu 명〖植〗 강낭콩. = [芸yún豆]
[菜花(儿)] càihuā(r) 명〖植〗 ① 유채꽃. 평지꽃. ② ⇨[花椰菜]
[菜篮子] càilán·zi 명 ① 시장바구니. 장바구니. ②〈轉〉 야채·부식품의 공급.
[菜圃] càipǔ 명 채소밭. 채마밭. 야채밭.
[菜谱] càipǔ 명 ① ⇨[菜单①] ② 요리책《주로, 책 이름으로 쓰임》.
[菜色] càisè 명 (채소로만 끼니를 때워) 영양 상태가 좋지 않은 얼굴. 못 먹어서 까칠한 얼굴.
[菜市] càishì 명 (주로, 야채와 육류를 파는) 식료품 시장. =[菜场]
[菜蔬] càishū 명 ① 채소. 야채. ② 일상의 식사. 각종 요리.
[菜肴] càiyáo 명 반찬이나 술안주용의 요리《생선·고기·계란·오리알·야채 따위》.
[菜油] càiyóu 명 채종유. 유채유. 카놀라유. =[菜子油][菜籽zǐ油]
[菜园] càiyuán 명 (대규모의) 채소밭. 채소 농원. =[菜园子]
[菜子] càizǐ 명 ⇨[菜籽]
[菜子油] càizǐyóu 명 ⇨[菜油]
[菜籽] càizǐ 명 ①(~儿) 채소의 씨앗. ② 유채씨. ‖ =[菜子]
[菜籽油] càizǐyóu 명 ⇨[菜油]

can ㄘㄢ

参(參) cān (참)
동 ① 참여하다. 참가하다. ❑ ~与; ⇩ ② 배알하다. 알현하다. ❑ ~拜; ⇩ ③ 참고하다. ❑ ~看; ⇩ ④ (봉건 시대에) 탄핵하다. ❑ ~劾hé; 탄핵하다. ⑤ (도리·의미 따위를) 탐구하여 깨닫다. ⇒cēn shēn
[参拜] cānbài 동 참배하다. 배알하다. ❑ ~孔庙; 공자의 묘를 참배하다.
[参半] cānbàn 동 절반을 차지하다. 반수(半數)를 점하다.
[参观] cānguān 동 참관하다. 견학하다. 관람하다. ❑ ~工厂; 공장 견학 / ~团; 관람단.
[参加] cānjiā 동 ① (어떤 조직·활동 따위에) 참가하다. 가입하다. ❑ ~考试; 시험에 참가하다. ② (의견을) 내놓다. 제시하다. ❑ 请你~意见; 의견을 제시해 주세요.
[参见] cānjiàn 동 ① ⇨[参看②] ② 뵙다. 알현(謁見)하다.
[参军] cān∥jūn 동 입대하다. 종군하다. ❑ 他在两年前参了军; 그는 2년 전에 종군했다.
[参看] cānkàn 동 ① 다른 글을 참고해 가면서 보다. ② 참고하여 보다《주석(注釋)에 쓰이는 말》. = [参见①][参考②]
[参考] cānkǎo 동 ① 참고하다. 참조하다. ❑ ~书; 참고서 / ~资料; 참고 자료. ② ⇨[参看②]
[参谋] cānmóu 동 지혜를 내다. 조언하다. ❑ 大家一~, 问题就解决了; 모두가 지혜를 내면 문제는 해결된다. 명 ①〖軍〗 참모(參謀). ② 상담역. 조언자.
[参赛] cānsài 동 경기[대회]에 참가하다. ❑ ~资格; 경기 참가 자격 / ~作品; 참가작.
[参天] cāntiān 동 (나무 따위가) 하늘 높이 솟아 있다. ❑ 古树~; 고목이 높이 솟아 있다.
[参选] cānxuǎn 동 ① 선발 대회에 참가하다. 경선에 출전하다. ② 선거에 출마하다.
[参议院] cānyìyuàn 명〖政〗 참의원.
[参与] cānyù 동 참여하다. 참가하다. 가담하다. 개입하다《주로, 업무·대화·단체 활동 따위에 쓰임》. ❑ ~政变; 정변에 가담하다.
[参赞] cānzàn 명 참사관(參事官).
[参展] cānzhǎn 동 전시회[전람회]에 참가[출품]하다. ❑ ~作品; 전람회 출품작.
[参战] cānzhàn 동 참전하다. ❑ ~国; 참전국.
[参照] cānzhào 동 참고하여 따르다. 참조하다. ❑ ~执行; 참조하여 집행하다.
[参政] cān∥zhèng 동 정치에 참여하다. 참정하다. ❑ ~权; 참정권.
[参酌] cānzhuó 동 참작하다. ❑ ~处理; 참작하여 처리하다.

餐 cān (찬)
① 동 (음식을) 먹다. ❑ 饱~一顿; 한 끼 배부르게 먹다. ② 양 끼.

C

끼니《식사의 횟수를 세는 말》. ❏ 一日三~; 하루 세 끼. ③ 명 요리. 식사. ❏ 西~; 서양 요리.
[餐车] cānchē 명 식당차.
[餐馆(儿)] cānguǎn(r) 명 ⇨[饭馆]
[餐巾] cānjīn 명 냅킨(napkin).
[餐巾纸] cānjīnzhǐ 명 종이 냅킨. =[餐纸]
[餐具] cānjù 명 식기(食器).
[餐厅] cāntīng 명 ① (주로 호텔·역·공항 따위에 있는 공용의) 식당. 음식점. ② (집 안의) 식당.
[餐纸] cānzhǐ 명 ⇨[餐巾纸]
[餐桌(儿)] cānzhuō(r) 명 ⇨[饭桌(儿)]

C

残(殘) cán (잔)
① 동 불완전하다. 빠져 있다. ❏ 这部书~了; 이 책은 빠진 데가 있다. ② 동 해치다. 상해를 입히다. ❏ 同类相~; 〈成〉 같은 무리끼리 서로 해치다. ③ 형 잔인하다. 흉포하다. 흉악하다. ❏ ~忍; ⇩ ④ 형 남은. 나머지의. ❏ ~雪; ⇩
[残暴] cánbào 형 잔인하고 흉포하다. 잔학하다. ❏ ~行为; 잔학 행위.
[残存] cáncún 동 잔존하다. ❏ ~的封建思想; 잔존한 봉건 사상.
[残敌] cándí 명 잔적.
[残废] cánfèi 동 불구가 되다. 장애를 입다. ❏ ~军人; 상이군인. 명 불구자. 장애인. ❏ ~证; 장애인증.
[残羹剩饭] cángēng-shèngfàn 〈成〉 먹다 남은 국과 음식.
[残骸] cánhái 명 ① (사람이나 동물의) 시체. 유해. ② (건축물·기계·차량 따위의) 잔해. ❏ 失事飞机的~; 사고 비행기의 잔해.
[残害] cánhài 동 해치다. 살해하다. ❏ ~生命; 목숨을 해치다.
[残货] cánhuò 명 불량품.
[残疾] cán·jí 명 불구. 장애. ❏ 落下~; 불구가 되다 / ~人; 장애인.
[残局] cánjú 명 ① (바둑·장기의) 막판. ② (일이 실패한 후나 사회 변란 후의) 남은 국면. ❏ 收拾~; 뒷수습하다.
[残酷] cánkù 형 잔혹하다. 끔찍하다. 무자비하다. ❏ ~地杀害; 잔혹하게 살해하다.
[残留] cánliú 동 잔류하다. 부분적으로 남다. ❏ ~量; 잔류량 / ~农药; 잔류 농약.
[残年] cánnián 명 ① 만년(晚年). 여생. =[残生①] ② 연말(年末).
[残缺] cánquē 동 온전하지 못하다. 결하여 불완전하다. ❏ ~不全; 〈成〉 파손되어 온전한 것이 없다.
[残忍] cánrěn 형 잔인하다. 잔혹하다. ❏ 本性~; 본성이 잔인하다.
[残杀] cánshā 동 죽이다. 살해하다. ❏ 互相~; 서로 죽고 죽이다.
[残生] cánshēng 명 ① ⇨[残年①] ② 운 좋게 건진 목숨.
[残雪] cánxuě 명 잔설.
[残余] cányú 동 남아 있다. 잔여하다. 잔존하다. ❏ ~电流; 잔여 전류 / ~势力; 잔존 세력. 명 잔여. 잔재. ❏ 封建~; 봉건 잔재.
[残渣] cánzhā 명 남은 찌꺼기. 잔재.

蚕(蠶) cán (잠)
명〔蟲〕 누에.
[蚕豆] cándòu 명〔植〕 잠두. 누에콩
[蚕蛾] cán'é 명〔蟲〕 누에나방.
[蚕茧] cánjiǎn 명 누에고치.
[蚕农] cánnóng 명 양잠 농가.
[蚕食] cánshí 동 〈比〉 잠식하다. ❏ ~邻国; 이웃 나라를 잠식하다.
[蚕丝] cánsī 명 견사(繭絲). 잠사. ❏ ~绸缎; 견직물.

惭(慚) cán (참)
형 부끄럽다. 면목 없다. ❏ 自~落后; 스스로 뒤떨어진 것을 부끄럽게 생각하다.
[惭愧] cánkuì 형 (자신의 결점·실수 따위가) 부끄럽다. 면목 없다. 송구하다. ❏ 他带着~的心情向大家表示歉意; 그는 부끄러운 마음으로 모두에게 유감의 뜻을 표했다.

惨(慘) cǎn (참)
형 ① 잔인하다. 악독하다. ❏ ~无人道; ⇩ ② 처참하다. 참담하다. 비참하다. ❏ 他死得太~了; 그는 너무나 처참하게 죽었다. ③ 심하다. 지독하다. 엄중하다. ❏ ~败; ⇩
[惨案] cǎn'àn 명 참사. ① (대규모) 학살 사건. ❏ 流血~; 유혈 참사. ② (대규모) 사상자 발생 사건.
[惨白] cǎnbái 형 ① (경치가) 어둡다. 암담하다. 어스름하다. ② 핏기가 없다. 창백하다. ❏ 脸色~; 얼굴이 창백하다.
[惨败] cǎnbài 동 참패하다. ❏ 我们队以零比七~; 우리 팀은 0대 7

로 참패했다.
[惨不忍睹] cǎnbùrěndǔ 〈成〉 처참해서 차마 볼 수 없다.
[惨淡] cǎndàn 형 ① 어둠침침하다. ❑ 天色~; 하늘이 어둠침침하다. ② 스산하다. 쓸쓸하다. ❑ 秋风~; 가을바람이 스산하다. ③ 부진하다. 불황이다. ❑ 生意~; 장사가 부진하다. ④ 고심하다. ❑ ~经营; 〈成〉 고심 끝에 계획하여 고안하다. ‖ =[惨澹dàn]
[惨祸] cǎnhuò 명 참화.
[惨剧] cǎnjù 명 참극. 참사.
[惨绝人寰] cǎnjuérénhuán 〈成〉 이 세상에 아직 없었던 엄청난 비극.
[惨苦] cǎnkǔ 형 비참하고 괴롭다. ❑ ~的岁月; 비참하고 고통스러운 세월.
[惨杀] cǎnshā 동 참살하다. 잔인하게 살해하다. ❑ ~人质; 인질을 잔인하게 살해하다.
[惨痛] cǎntòng 형 침통하다.
[惨无人道] cǎnwúréndào 〈成〉 잔인무도하다.
[惨重] cǎnzhòng 형 (손실 따위가) 매우 크다. 매우 심각하다. 막심하다. ❑ 损失~; 손실이 매우 크다.
[惨状] cǎnzhuàng 명 참상.

灿(燦) càn (찬) 형 눈부시다. 찬란하다.
[灿烂] cànlàn 형 눈부시다. 찬란하다. ❑ 星光~; 별빛이 찬란하다.

cang ㄘㄤ

仓(倉) cāng (창) 명 창고. 곳간. ❑ 米~; 쌀 창고. 쌀광.
[仓储] cāngchǔ 동 창고에 저장하다. ❑ ~超市; 창고식 슈퍼마켓.
[仓促] cāngcù 형 총망하다. 창망하다. 매우 바쁘다. ❑ ~应战; 총망히 응전하다. =[仓猝cù]
[仓房] cāngfáng 명 창고. 곳간.
[仓皇] cānghuáng 형 창황하다. 황망하고 당황스럽다. ❑ ~失措; 〈成〉 당황하여 어찌할 바를 모르다. =[仓黄][仓惶][苍黄②]
[仓库] cāngkù 명 창고.
[仓鼠] cāngshǔ 명〔動〕 햄스터(hamster).

沧(滄) cāng (창) 형 (물이) 검푸르다.
[沧海] cānghǎi 명 (깊고 검푸른) 대해. 창해. ❑ ~一粟; 〈成〉 큰 바다 속의 한 알의 좁쌀《큰 것 속의 지극히 작은 것》.
[沧海桑田] cānghǎi-sāngtián 〈成〉 대해(大海)가 변하여 뽕나무밭이 되다《세상의 변화가 격심하다》. =[桑田沧海][〈簡〉 沧桑]

苍(蒼) cāng (창) ① 형 짙푸른 색의. ❑ ~天; ⇓ ② 형 회백색의. ❑ ~白; ⇓ ③ 명 〈書〉 하늘.
[苍白] cāngbái 형 ① 희끗희끗하다. 회백색을 띠다. 창백하다. ❑ ~的头发; 희끗희끗한 머리. ② (주로, 작품 속 인물이) 생기가 없다. ❑ ~无力; 생기와 활력이 없다.
[苍苍] cāngcāng 형 ① (머리카락이) 희끗희끗한 모양. ❑ 白发~; 백발이 성성하다. ② 짙푸른 모양. ❑ 天~; 하늘이 짙푸르다. ③ 창창한[망망한] 모양. ❑ ~的大海; 망망한 바다.
[苍翠] cāngcuì 형 (초목이) 짙푸르다. ❑ ~的竹林; 짙푸른 대숲.
[苍黄] cānghuáng 형 ① 누렇고 푸르다. ❑ 面色~; 얼굴이 누렇게 뜨다. ② ⇨[仓皇]
[苍老] cānglǎo 형 ① (외모·목소리가) 늙어 보이다. 늙은 티가 나다. ❑ 他显得~了; 그는 늙어 보인다. ② (서화의 필력이) 웅건하다. 힘차다.
[苍凉] cāngliáng 형 쓸쓸하다. 스산하다. ❑ ~的原野; 쓸쓸한 들판.
[苍茫] cāngmáng 형 창망하다. 끝없이 넓다. ❑ ~大地; 창망한 대지 / 暮色~; 모색이 창연하다.
[苍天] cāngtiān 명 푸른 하늘. 창공. =[上苍]
[苍蝇] cāng·ying 명〔蟲〕 파리. ❑ ~拍子; 파리채. =[〈口〉 蝇yíng子]

舱(艙) cāng (창) 명 (배·비행기의) 선실. 객실. ❑ 前~; 뱃머리의 선실.
[舱室] cāngshì 명 (선박이나 비행기의) 객실(客室). 선실(船室).
[舱位] cāngwèi 명 (배·비행기 따위의) 객석. 좌석. ❑ 预订~; 좌석을 예약하다.

藏 cáng (장) 동 ① 숨다. 숨기다. ❑ ~在箱子里; 상자 안에 숨기다. ② 저장하다. 간수하다. 보관하다. ❑ 夏天一定要把粮食~好; 여름에는 곡식을

잘 저장해 두어야 한다. ⇒zàng
[藏龙卧虎] cánglóng-wòhǔ 〈成〉 숨어 있는 용과 누워 있는 호랑이 《숨은 인재》.
[藏匿] cángnì 동 숨기다. 은닉하다. 감추다. ❑～犯人; 범인을 은닉하다 / ～赃物; 장물을 숨기다.
[藏品] cángpǐn 명 수장품. 소장품. ❑私人～; 개인 소장품.
[藏身] cángshēn 동 몸을 숨기다. 은신하다. ❑～之所; 은신처.
[藏书] cáng∥shū 동 서적을 소장하다. 장서하다. ❑～家; 장서가. (cángshū) 명 장서. 소장한 서적.
[藏拙] cángzhuō 동 (창피를 당할까 봐) 자기의 의견·재주·기술을 나타내지 않다.

cao ㄘㄠ

操 cāo (조)
① 동 (손으로) 잡다. 다루다. ❑～刀; ⇓ ② 동 장악하다. 조종하다. 좌우하다. ❑～必胜之券; 승리를 확보하다. 승리가 확실시되다. ③ 동 (어떤 일을) 하다. ❑～作; ⇓ ④ 동 훈련하다. 연습하다. ❑～练; ⇓ ⑤ 명 체조. 운동. ❑早～; 아침 체조. ⑥ 동 (외국어·방언 따위를) 말하다. 구사하다. ❑～英语; 영어로 말하다. ⑦ 명 절조. 품행. 행실. ❑～行xíng; ⇓
[操办] cāobàn 동 준비하여 치르다. ❑～婚事; 혼사를 치르다.
[操场] cāochǎng 명 ① 운동장. ② 연병장.
[操持] cāochí 동 ① 처리하다. 맡아서 하다. 꾸려 나가다. ❑～家务; 가사를 꾸려 나가다. ② 기획하다. 준비하다. 계획하다. ❑这次活动让委员会去～; 이번 행사는 위원회에서 준비하게 하자.
[操刀] cāodāo 동 칼자루를 쥐다. 〈比〉 어떤 일을 주관하다.
[操舵] cāoduò 동 (배의) 키를 잡다. 조타하다. ❑～室; 조타실 / ～员; 조타수.
[操劳] cāoláo 동 힘들게 일하다. 노고하다. 애쓰다. ❑日夜～; 밤낮으로 힘들게 일하다.
[操练] cāoliàn 동 연습하다. 훈련하다. ❑新兵～; 신병 훈련.
[操心] cāo∥xīn 동 마음을 쓰다. 걱정하다. 애태우다. 마음을 졸이다. ❑为儿子～了一辈子; 아들 때문에 평생 마음을 졸였다.
[操行] cāoxíng 명 (주로, 학교에서 학생의) 품행. 몸가짐.
[操之过急] cāozhī-guòjí 〈成〉 일처리가 지나치게 성급하다.
[操纵] cāozòng 동 ① (기계 따위를) 조종하다. 제어하다. ❑～舱; 조종실 / ～杆; 조종간. ② (부당한 수단으로) 조종하다. 조작하다. ❑背后～; 배후에서 조종하다 / ～物价; 물가를 조작하다.
[操作] cāozuò 동 조작하다. 운영하다. 다루다. ❑～自如; 자유자재로 다루다 / ～人员; 오퍼레이터(operator) / ～系统; 〖컴〗 운영 체계.

糙 cāo (조)
형 거칠다. 조잡하다. 엉성하다. ❑这张图画得很～; 이 그림은 아주 조잡하게 그려졌다.
[糙米] cāomǐ 명 현미(玄米).

曹 cáo (조)
명 ① 〈書〉 …들. 무리. ❑吾～; 우리들. ② 옛날, 관직의 직분. ③ (Cáo) 〖史〗 조《주대(周代)의 나라 이름》.

嘈 cáo (조)
형 떠들썩하다. 시끄럽다.
[嘈杂] cáozá 형 떠들썩하다. 왁자지껄하다. 소란스럽다. 시끄럽다. ❑市场里～不堪; 시장 안은 시끄럽기가 이루 말할 수 없다.

槽 cáo (조)
① 명 (가축의) 먹이통. 구유. ❑马～; 말구유. ② 명 물통. 수조. ❑水～; 물탱크. ③ (～儿) 명 홈. 고랑. 홈 모양으로 팬 곳. ❑挖一个～儿; 홈을 하나 파다. ‖ =[槽子] ④ 양 〈方〉 창문 또는 실내의 칸막이를 세는 말. ❑一～隔扇; 방의 칸막이 하나.
[槽车] cáochē 명 탱크로리(tank lorry).
[槽坊] cáo·fang 명 양조장.
[槽头] cáotóu 명 축사[우리]의 여물통이 있는 곳. 〈轉〉 우리. 축사.
[槽牙] cáoyá 명 ⇨[臼齿]
[槽子] cáo·zi 명 ⇨[槽①②③]

草 cǎo (초)
① 명 (식물로서의) 풀. ❑一棵～; 풀 한 포기. ② 명 (연료·사료로서의) 풀. 짚. ❑～料; ⇓ ③ 명 초야. 민간. ④ 형 거칠다. 조잡하다. 엉성하다. ❑字写得很～; 글씨가 아주 조잡하다. ⑤ 명 글자체

의 하나. ㉠한자의 초서체. ㉡알파벳의 필기체. ⑥ 형 초보의. 비정식의. ❑ ~稿(儿); ⇓ ⑦ 동〈書〉 기초하다. ❑ ~拟; ⇓
[草案] cǎo'àn 명 초안.
[草包] cǎobāo 명 ① 멱서리. 가마니. ② 풀이나 짚 따위를 담는 자루. ③〈比〉 등신. 머저리. 무능한 놈.
[草本] cǎoběn 형〔植〕 초본의. ❑ ~植物; 초본 식물. 명 (문서의) 초본.
[草草] cǎocǎo 부 대강대강. 대충대충. 급하게. ❑ ~了事;〈成〉 대강대강 일을 처리하다 / ~收场; 대충 서둘러 마무리하다.
[草创] cǎochuàng 동 최초로 시작하다. 창시하다. ❑ ~阶段; 시작 단계 / ~时期; 초창기.
[草底儿] cǎodǐr 명〈口〉 ⇨[草稿(儿)]
[草地] cǎodì 명 ① 풀밭. 잔디밭. ② 초원. 목초지.
[草稿(儿)] cǎogǎo(r) 명 초고. ❑ 打~; 초고를 쓰다. =[草底儿]
[草菅人命] cǎojiān-rénmìng 〈成〉 사람의 목숨을 풀처럼 여기다《마음대로 사람을 죽이다》.
[草料] cǎoliào 명 (가축의) 먹이. 꼴. 여물.
[草莽] cǎomǎng 명 ①〈書〉 풀숲. ② 초야. 민간.
[草帽(儿)] cǎomào(r) 명 밀짚모자.
[草帽辫(儿)] cǎomàobiàn(r) 명 밀짚 따위를 납작하게 짜서 만든 새끼《모자·광주리·부채 따위를 만드는 데 쓰임》. =[草帽缏biàn]
[草莓] cǎoméi 명〔植〕 딸기.
[草木] cǎomù 명 초목. 풀과 나무. ❑ ~皆兵;〈成〉 놀라 허둥대며 이것저것 의심하다.
[草拟] cǎonǐ 동 기초하다. 초안을 잡다. ❑ ~方案; 방안의 초안을 잡다.
[草皮] cǎopí 명 떼. 뗏장. 잔디층. 잔디. ❑ 剪~; 잔디를 깎다.
[草坪] cǎopíng 명 잔디밭. 풀밭.
[草裙舞] cǎoqúnwǔ 명 ⇨[呼拉舞]
[草食] cǎoshí 형 초식의. ❑ ~动物; 초식 동물.
[草书] cǎoshū 명 초서. =[草体①]
[草率] cǎoshuài 형 건성이다. 대충대충 하다. 대강대강 하다. ❑ ~从事; 건성으로 일을 해치우다.
[草体] cǎotǐ 명 ① ⇨[草书] ② (알파벳의) 필기체.
[草图] cǎotú 명 초도. 도면 스케치.
[草屋] cǎowū 명 초가. 초가집.
[草席] cǎoxí 명 짚방석. 돗자리. 멍석. ❑ 编~; 돗자리를 엮다.
[草鞋] cǎoxié 명 짚신.
[草药] cǎoyào 명〔中醫〕 약초.
[草野] cǎoyě 명 초야. 민간.
[草原] cǎoyuán 명 초원.
[草约] cǎoyuē 명 가계약. 가조약.

ce ㄘㄜ

C

册 cè (책)
① 명 책. 책자. ❑ 画~; 화첩. ② 양 책. 권《책자를 세는 말》.
[册子] cè·zi 명 책자. 철한 책.

厕(廁) cè (측)
명 변소. 화장실. ❑ 公~; 공중변소 / 女~; 여자 화장실.
[厕所] cèsuǒ 명 변소. 화장실. =[〈方〉 茅厕][〈口〉 茅房]

侧(側) cè (측)
① 명 측면. 곁. 옆. ② 동 (한쪽으로) 치우치다. 비스듬히 하다. 기울이다. ❑ ~着身子可以进去; 몸을 비스듬히 해야 들어갈 수 있다.
[侧耳] cè'ěr 동 귀를 기울이다. ❑ ~倾听; 귀를 기울이고 듣다.
[侧记] cèjì 명 측면 기술(記述). 측면에서의 설명. 방청(傍聽) 기록《신문 표제에 쓰임》.
[侧近] cèjìn 명 부근. 곁.
[侧门] cèmén 명 ⇨[旁门(儿)]
[侧面] cèmiàn 명 측면. 옆면. ❑ 从~攻击; 측면에서 공격하다.
[侧身] cè//shēn 동 몸을 비스듬히 하다. 몸을 옆으로 하다. ❑ ~而过; 몸을 옆으로 기울여 지나가다.
[侧翼] cèyì 명〔軍〕 (전쟁 시 부대의) 양익. 측면. =[翼侧]
[侧影] cèyǐng 명 (사진의) 옆모습. 측면상. 프로필(profile).
[侧重] cèzhòng 동 편중(偏重)하다. 치중하다. 중점을 두다. ❑ ~于实务; 실무에 중점을 두다.

测(測) cè (측)
동 ① 측정하다. 측량하다. ❑ 你~一下水的深浅; 네가 물의 깊이를 측량해 보아라. ② 짐작하다. 헤아리다. 예측하다. ❏ 居心叵~; 〈成〉 마음이 음흉해서 본심을 헤아리기 어렵다.

[测查] cèchá 동 측정 검사하다. 테스트하다. ❏ 心理~; 심리 테스트.

[测定] cèdìng 동 측정하다. ❏ ~气温; 기온을 측정하다.

[测度] cèduó 동 추측하다. 예측하다. ❏ 根据天上的云彩~气象的变化; 하늘의 구름 모양으로 기상 변화를 예측하다.

[测谎器] cèhuǎngqì 명 거짓말 탐지기.

C

[测绘] cèhuì 동 측량하여 제도(製圖)하다. ❏ ~员; 측량사.

[测量] cèliáng 동 측량하다. ❏ ~地形; 지형을 측량하다.

[测试] cèshì 동 (사람의 지식·능력이나 기계의 성능·정밀도 따위를) 테스트하다. 시험하다. 측정하다. ❏ ~机器; 기계를 시험하다 / 外语~; 외국어 능력 테스트.

[测验] cèyàn 동 시험하다. 테스트하다. 측정하다. ❏ 智力~; 아이큐 테스트.

[测字] cè//zì 동 문자점(文字占)을 치다.

[测醉器] cèzuìqì 명 음주 측정기.

恻(惻) cè (측) 형 애통하다. 슬프다.

[恻隐] cèyǐn 형 측은해하다. ❏ ~之心; 측은지심.

策 cè (책) ① 명 책략. 계략. 방법. ❏ 上~; 상책 / 政~; 정책. ② 명 채찍. ③ 동〈書〉 채찍질하다.

[策动] cèdòng 동 책동하다. 획책하다.

[策划] cèhuà 동 획책하다.

[策略] cèlüè 명 책략. 전략. 형 전략적이다. ❏ 做事要~一点; 일처리는 좀 더 전략적이어야 한다.

[策士] cèshì 명 책사. 책략가.

[策应] cèyìng 동〔軍〕 (우군(友軍)과) 호응하여 싸우다.

[策源地] cèyuándì 명 (전쟁·혁명·운동 따위의) 발원지. ❏ 革命的~; 혁명의 발원지.

cen ㄘㄣ

参(參) cēn (참) →[参差] ⇒ cān shēn

[参差] cēncī 형 고르지 않다. 들쭉날쭉하다. ❏ ~不齐; 〈成〉 들쭉날쭉 고르지 않다.

ceng ㄘㄥ

层(層) céng (층) ① 형 겹쳐 있다. 중첩해 있다. ❏ ~出不穷; ⇩ ② 명 층. ❏ 青年~; 청년층 / 云~; 구름층. ③ 양 ㉠층. 겹《겹치거나 쌓여 있는 것을 세는 말》. ❏ 五十~大楼; 50층짜리 빌딩. ㉡가지. 부분《항목으로 나눌 수 있는 것을 세는 말》. ❏ 两~意思; 두 가지의 의미. ㉢겹《물체의 표면을 덮고 있는 것을 세는 말》. ❏ 冻了一~冰; 얼음이 한 겹 얼었다.

[层层] céngcéng 부 층층이. 겹겹이. ❏ ~包围; 겹겹이 포위하다.

[层出不穷] céngchū-bùqióng 〈成〉 끝없이 연달아 나타나다.

[层次] céngcì 명 ① (말·작문 따위의) 내용의 순서[단계]. ❏ ~清楚; 내용의 순서가 분명하다. ② 각급 기구. ❏ 高~的技术人员; 상급 기구의 기술 요원. ③ 층. 계층. 등급. 층수. ❏ 楼房的~; 건물의 층수 / 年龄~; 연령층.

[层叠] céngdié 동 겹쳐지다. ❏ 层层叠叠的白云; 층층이 겹쳐진 흰 구름.

[层峦叠嶂] céngluán-diézhàng 〈成〉 여러 산이 첩첩이 겹쳐 있는 모양.

曾 céng (증) 부 전에. 이전에. 일찍이. ❏ 在历史上不~有过的事件; 역사상 일어난 적이 없었던 사건. ⇒ zēng

[曾几何时] céngjǐhéshí 〈成〉 얼마 되지 않아. 오래지 않아.

[曾经] céngjīng 부 이전에. 일찍이. ❏ 我~听过他的课; 나는 전에 그의 수업을 들은 적이 있다.

[曾经沧海] céngjīng-cānghǎi 〈成〉 경험이 풍부하고 세상사에 밝다.

蹭 cèng (층) 동 ① 비비다. 쓸리다. 문지르다. ❏ 把鞋磨~破了; 신발이 닳았다. ② (기름 따위를) 묻히다. 스쳐 묻다. ❏ ~了一身机油; 온몸에 기계유가 묻었다. ③ 느릿느릿 행동하다. 꾸물거리다. 질질 끌다. ❏ 他

还在道上一步一步地～呢! 그는 아직도 중도에서 꾸물대고 있구나!

cha 彳丫

叉 chā (차)
① (～儿) 명 끝이 갈퀴 모양으로 갈라진 것. 포크(fork). ❑钢～; 쇠스랑. ② 동 (포크·작살 따위로) 찍다. 찍어 올리다. ❑～鱼; 작살로 물고기를 찌르다. ③ (～儿) 명 ×표. 가위표. ❑打～; ×표를 하다. ⇒chá chǎ

[叉车] chāchē 명 지게차. 포크리프트(forklift). =[铲车]

[叉腰] chā//yāo 동 (엄지와 나머지 네 손가락을 벌려서) 손을 허리에 대다.

[叉子] chā·zi 명 ① 포크(fork). ② 가위표. ×표.

杈 chā (차)
명〔農〕 쇠스랑. ⇒chà

差 chā (차)
① 명 차이. 다름. ❑时～; 시차. ② 명〔數〕 차. =[差数] ③ 부〈書〉 다소. 비교적. ❑～轻; 비교적 가볍다. ⇒chà chāi cī

[差别] chābié 명 차별. 차. 차이. 격차. ❑生活水平的～; 생활 수준의 격차 / 年龄～; 연령 차.

[差错] chācuò 명 ① 착오. 차질. 실수. 잘못. ❑计算上的～; 계산상의 착오. ② 의외의 일. 뜻하지 않은 사고. ③〔컴〕 에러(error).

[差额] chā'é 명 차액.

[差距] chājù 명 차이. 격차. 갭(gap). ❑缩小～; 격차를 줄이다.

[差强人意] chāqiáng-rényì 〈成〉 그런대로 만족할 만하다.

[差数] chāshù 명 ⇒[差chā②]

[差异] chāyì 명 차이. ❑意见～很大; 의견 차이가 매우 크다.

[差之毫厘, 谬以千里] chāzhī-háolí, miùyǐqiānlǐ 〈成〉 처음에는 사소했던 착오도 후에 커다란 잘못을 초래할 수 있다. =[差以毫厘, 失之千里]

插 chā (삽)
동 ① 꽂다. 끼우다. 삽입하다. ❑～上插头; 플러그를 꽂다. ② 끼어들다. 개입하다. ❑他～上了几句话; 그가 몇 마디 끼어들었다.

[插班] chābān 동 편입하다. 보결 입학하다. ❑～生; 편입생.

[插翅难飞] chāchì-nánfēi 〈成〉 포위당하거나 곤경에 빠져 헤어날 수 없다. =[插翅难逃]

[插队] chā//duì 동 줄에 끼어들다. 새치기하다.

[插花] chā//huā 동 ① 꽃꽂이하다. ② 〈方〉 수놓다. (chāhuā) 부 섞어서. 뒤섞어서. ❑别把两件事情～着做; 두 가지 일을 뒤섞어서 하지 마라.

[插话] chā//huà 동 말참견하다. (chāhuà) 명 ① 말참견. ② 에피소드(episode). 일화.

[插脚] chā//jiǎo 동 ① 발을 디밀다. 안에 들어서다((주로, 부정형(否定形)으로 쓰임)). ❑地铁里人很多, 简直没法～; 지하철 안에 사람이 꽉 차서 정말이지 발 디딜 틈도 없다. ②〈比〉 (어떤 활동에) 발을 들이다. 참여하다. 개입하다. ‖ =[插足①]

[插口] chā//kǒu 동 ⇒[插嘴] (chākǒu) 명 콘센트. 소켓(socket). 플러그 소켓(plug socket).

[插曲] chāqǔ 명 ①〔樂〕 삽입곡. ②〈比〉 (어떤 일의 진행 과정 중의) 에피소드(episode).

[插入] chārù 동 ① 삽입하다. 꽂다. 끼워 넣다. ②〔電〕 플러그 인(plug in)하다.

[插身] chā//shēn 동 ① 몸을 밀어 넣다. 비집고 들어가다. ②〈比〉 관계하다. 개입하다. 참여하다.

[插手] chā//shǒu 동 ① 개입하다. 끼어들다. ❑这件事, 他从来没插过手; 이 일에 그는 개입한 적이 없다. ②〈比〉 (어떤 활동에) 참여하다. 관여하다.

[插头] chātóu 명〔電〕 플러그(plug). =[插销②]

[插图] chātú 명 삽도. 삽화(揷畫).

[插销] chāxiāo 명 ① (문·창문 따위의) 빗장. ② ⇒[插头]

[插秧] chā//yāng 동 모내기하다. 이앙하다. ❑～机; 이앙기.

[插足] chā//zú 동 ① ⇒[插脚] ② 〈比〉〈俗〉 (유부남이나 유부녀와) 애정 관계를 맺다. 바람이 나다. 바람 피우다.

[插嘴] chā//zuǐ 동 말참견하다. 끼어들다. ❑你别～, 先听我说完! 말참견하지 말고 먼저 내 말을 끝까지 들어라! =[插口]

[插座] chāzuò 명〔電〕 콘센트. 소켓. 플러그 소켓.

喳 chā (사)
→[喳喳] ⇒ zhā
[喳喳] chāchā 의 속닥속닥. 소곤소곤《작은 소리로 말하는 소리》.
[喳喳] chā·cha 동 소곤거리다. 속닥거리다. 속삭이다. ❑在耳边~了几句; 귀에 대고 몇 마디 속삭였다.

叉 chá (차)
동 〈方〉 막히다. 가로막다. 차단하다. ❑路口让车辆~住了; 길목이 차량으로 꽉 막혔다. ⇒ chā chǎ

茶 chá (다, 차)
명 ①〔植〕 차나무. ② (음료로서의) 차. ❑倒~; 차를 따르다. ③ 음료. ❑可可~; 코코아 음료.
[茶杯] chábēi 명 찻잔.
[茶匙(儿)] cháchí(r) 명 찻숟가락. 티스푼(teaspoon).
[茶点] chádiǎn 명 차와 과자(菓子). 다과(茶菓).
[茶房] chá·fáng 명 (여관·찻집·극장 따위의) 심부름꾼. 급사. 사환.
[茶馆(儿)] cháguǎn(r) 명 다방. 찻집.
[茶褐色] cháhèsè 명〔色〕 다갈색. =[茶色]
[茶壶] cháhú 명 찻주전자.
[茶话会] cháhuàhuì 명 다과회. 티파티(tea party).
[茶几(儿)] chájī(r) 명 티 테이블 (tea table).
[茶具] chájù 명 다기(茶器). 차제구.
[茶盘(儿)] chápán(r) 명 찻쟁반. =[茶盘子]
[茶钱] cháqián 명 ① 찻값. ② ⇨ [小费]
[茶色] chásè 명 ⇨[茶褐色]
[茶树] cháshù 명〔植〕 차나무.
[茶水] cháshuǐ 명 ① 찻물. 차. ② (차를 우리기 위한) 뜨거운 물.
[茶托(儿)] chátuō(r) 명 찻잔을 받치는 접시.
[茶碗] cháwǎn 명 찻잔. 찻종.
[茶叶] cháyè 명 찻잎.
[茶艺] cháyì 명 다도(茶道).
[茶余饭后] cháyú-fànhòu 〈成〉 (차를 마시거나 식사를 한 후의) 잠깐의 휴식 시간. =[茶余酒后]
[茶座(儿)] cházuò(r) 명 ① 노천 찻집. ② 찻집의 좌석.

搽 chá (차)
동 (가루나 기름을 얼굴이나 손에) 바르다. ❑~粉; 분을 바르다.

茬 chá (치)
(~儿) ① 명 (농작물의) 그루터기. ❑稻~儿; 벼 그루터기. ② 양 그루《한 해에 동일한 땅에 농사짓는 횟수를 세는 말》. ❑换~; 그루갈이하다. ‖ =[楂chá②]

查 chá (사)
동 ① 검사하다. ❑~质量; 품질을 검사하다. ② 조사하다. 찾다. ❑~原因; 원인을 조사하다. ③ 들추어 보다. 찾아보다. ❑~词典; 사전을 찾아보다.
[查办] chábàn 동 조사한 후 처벌하다.
[查抄] cháchāo 동 (죄인의 재산을) 조사하여 몰수하다. ❑~逆产; 반역자의 재산을 몰수하다.
[查点] chádiǎn 동 점검하다. 하나하나 조사하다. ❑~人数; 인원을 점검하다.
[查对] cháduì 동 대조하며 조사하다. 맞춰 보며 점검하다. ❑~账目; 장부를 맞춰 보다.
[查房] chá//fáng 동 (의사가) 회진하다.
[查访] cháfǎng 동 찾아다니며 알아보다. 탐문 수사 하다. ❑~他的下落; 그의 행방에 대해 탐문 수사하다.
[查封] cháfēng 동 차압하다. 압류하다. ❑~赃物; 장물을 압류하다.
[查获] cháhuò 동 압수하다. ❑~走私品; 밀수품을 압수하다.
[查检] chájiǎn 동 ① (서류·서적 따위를) 뒤져 가며 찾아보다. 검색하다. ❑按音序~; 발음순으로 검색하다. ②검사하다. ❑~随带的物品; 소지품 검사를 하다.
[查禁] chájìn 동 (조사하여) 금지하다. ❑~走私; 밀수를 금지하다.
[查究] chájiū 동 문초하다. 추궁하다.
[查看] chákàn 동 (상황·내용 따위를) 조사하다. 살피다. ❑~身份证; 신분증을 조사하다.
[查明] chámíng 동 조사하여 밝히다. ❑~原因; 원인을 밝히다.
[查问] cháwèn 동 ① 찾아보고 문의하다. 조회하다. ❑~电话号码; 전화번호를 조회하다. =[查询] ② 조사하고 따져 묻다. 조사하고 심문하다. ❑~证人; 증인을 조사하고 심문하다.
[查寻] cháxún 동 검색하여 찾다.

❏～网上医学情报; 인터넷상의 의학 정보를 검색하여 찾다.

[查询] cháxún 동 ⇨[查问①]

[查阅] cháyuè 동 (서적·서류 따위를) 찾아서 열람하다. 찾아보다. ❏～记录; 기록을 찾아 열람하다.

[查账] chá//zhàng 동 장부를 조사하다. 회계 감사를 하다.

[查找] cházhǎo 동 조사하다. 찾다. ❏～原因; 원인을 조사하다.

楂 chá (차) (～儿) ① 명 짧고 까칠까칠한 수염이나 머리털. ❏胡子～儿长黑了; 수염이 시커멓게 자랐다. ② ⇨[茬]

碴 chá (차) 동〈方〉(깨진 조각에) 다치다. 베이다. ❏碎玻璃把手～一个口子; 깨진 유리에 손을 한 군데 베였다.

[碴儿] chár 명 ① 조각. 파편. ❏骨头～; 뼛조각. ②(기물의) 깨진 곳. 이가 빠진 부분. ❏碗上还有个破～; 그릇에 이 빠진 부분이 있다. ③ 다툼의 이유. 싸울 구실. 불화(不和). ❏找～; 싸울 구실을 찾다.

察 chá (찰) 동 조사하다. 자세히 보다. 관찰하다. ❏观～; 관찰하다.

[察访] cháfǎng 동 탐방하다.

[察觉] chájué 동 알아차리다. ❏我没～出他的心思; 나는 그의 마음을 알아차리지 못했다.

[察看] chákàn 동 살펴보다. 살피다. 관찰하다. ❏～伤情; 상처를 살피다.

[察言观色] cháyán-guānsè〈成〉 말이나 표정을 잘 살펴 상대방의 기분이나 생각을 알아차리다.

叉 chǎ (차) 동 ×자가 되게 벌리다. ❏～着腿站着; 다리를 ×자로 벌리고 서 있다. ⇒chā chá

衩 chǎ (차) →[裤kù衩儿] ⇒chà

杈 chà (차) (～儿) 명 가장귀. ❏打～; 가지를 치다. ⇒chā

[杈子] chà·zi 명 가장귀.

衩 chà (차, 채) 명 옷의 양쪽 아랫단의 터져 있는 부분. ⇒chǎ

岔 chà (차) ① 명 갈림길. 분기점. ❏三～路; 세 갈래길. ② 동 방향을 전환하다. 길을 바꾸다. 다른 길로 빠지다. ❏一些人～上了小道; 몇몇 사람이 샛길로 빠졌다. ③ 동 말을 딴 데로 돌리다. 화제를 돌리다. ❏打～; 화제를 딴 데로 돌리다. ④ 동 시간적으로 겹치지 않게 하다. 시간을 피해서 잡다. ❏要把两个展览会的时间～开; 두 전람회의 시간은 겹치지 않게 잡아야 한다. ⑤(～儿) 명 착오. 말썽. 사고. ❏出～; 말썽이 생기다.

[岔道儿] chàdàor 명 ⇨[岔路]

[岔口] chàkǒu 명 (길의) 갈림목.

[岔路] chàlù 명 갈라진 길. 갈림길. ＝[岔道儿][岔子①]

[岔子] chà·zi 명 ① ⇨[岔路] ② 착오. 사고. 실수. 말썽.

诧(詫) chà (타) 동 의아하게 생각하다. 놀라다.

[诧异] chàyì 형 이상하게 생각하다. 의아하게 여기다. ❏他～地瞪着我; 그는 의아해하는 눈으로 나를 쳐다보았다.

姹 chà (차) 형〈書〉 아름답다.

[姹紫嫣红] chàzǐ-yānhóng〈成〉 꽃이 곱게 피어 있는 모양.

刹 chà (찰) 명 불사(佛寺). 불교 사찰. 절. ❏名～; 유명한 사찰. ⇒shā

[刹那] chànà 명〈梵〉 찰나. 순간.

差 chà (차) ① 형 같지 않다. 맞지 않다. 다르다. ❏～得远; 매우 다르다. ② 형 틀리다. 잘못하다. 실수하다. ❏他从没～过账; 그는 장부를 틀려본 적이 없다. ③ 동 모자라다. 부족하다. 빠지다. ❏还～一个人; 아직 한 사람이 부족하다. ④ 형 표준보다 떨어지다. 나쁘다. ❏成绩太～; 성적이 너무 나쁘다. ⇒chā chāi cī

[差不多] chà·buduō 형 ① 거의 비슷하다. 큰 차이가 없다. ❏今年的产量跟去年～; 올해 생산량은 작년과 거의 비슷하다. ② 거의 다 되다. 그럭저럭 되다. ❏我看～了, 别再煮了; 내가 보기엔 거의 다 된 것 같으니 그만 끓여라. ③ 일반적인. 웬만한. 어지간한. ❏～的外语他都会说; 그는 어지간한 외국어는 다 할 줄 안다. 부 거의. 근. ❏他们俩长得～一样高; 그들 둘은 키가 거의 비슷하다. ‖ ＝[差不离(儿)

chà·bulí(r)]

[差点儿] chà//diǎnr 형 (질·수준 따위가) 다소 떨어지다. 좀 처지다. ❑我的汉语水平还~; 나의 중국어 실력은 아직도 좀 처진다. 부 자칫 하면. 하마터면. ❑他~出车祸; 그는 하마터면 교통사고가 날 뻔했다. ‖ =[差一点儿]

[差劲(儿)] chàjìn(r) 형 정도가 낮다. 뒤떨어지다. 차이가 있다. ❑我唱得还很~; 나는 노래가 아직 서툴다.

chai ㄔㄞ

拆 chāi (탁) 동 ① 뜯다. 풀다. ❑~邮包; 소포를 풀다. ② 분해하다. 헐다. 부수다. ❑~房子; 집을 헐다.

[拆除] chāichú 동 (건물 따위를) 헐어 없애다. 철거하다. ❑~违章建筑; 무허가 건물을 철거하다.

[拆穿] chāichuān 동 (음모·비밀 따위를) 파헤치다. 밝히다. 들추어 내다. ❑~阴谋; 음모를 파헤치다.

[拆毁] chāihuǐ 동 헐다. 철거하다. ❑把房子~; 가옥을 헐다.

[拆伙] chāi//huǒ 동 (단체나 조직을) 해산하다. 해체하다.

[拆解] chāijiě 동 ① 분해하다. 해체하다. ❑~车辆; 폐차하다. ② (비밀 따위를) 분석하다. 알아내다. ❑~魔术; 마술의 비밀을 캐다.

[拆零] chāilíng 동 (묶음으로 된 것을) 낱개 판매 하다. ❑卖针可以~; 바늘은 낱개 판매가 가능하다.

[拆墙脚] chāi qiángjiǎo 〈比〉 토대를 무너뜨리다. 기반을 흔들어 놓다. 송두리째 뒤흔들다.

[拆散] chāi//sǎn 동 (짝·벌로 된 것을) 떼다. 해체하다. 분해하다. 헐다.

[拆散] chāi//sàn 동 (가정이나 단체를) 파괴하다. 깨다. 와해하다. ❑~和睦的家庭; 화목한 가정을 파괴하다.

[拆台] chāi//tái 동〈比〉(개인이나 단체의) 발목을 잡다. 앞길을 방해하다. 실각시키다. 실패하게 만들다.

[拆洗] chāixǐ 동 (옷·이불 따위를) 뜯어서 빨다. ❑~被褥; 이불과 요를 뜯어서 빨다.

[拆卸] chāixiè 동 (기계 따위를) 분해하다. 해체하다. ❑~引擎; 엔진을 분해하다.

钗(釵) chāi (차) 명 비녀.

差 chāi (차) ① 동 파견하다. 보내다. ❑~人去问; 사람을 보내어 묻다. ② 명 직무. 파견시켜 하는 일. ❑出~; 출장 가다. ⇒chā chà cī

[差遣] chāiqiǎn 동 임명하여 파견하다. ❑听候~; 파견을 기다리다.

[差使] chāishǐ 동 보내다. 파견하다. 시키다. ❑~人去送信; 사람을 보내 편지를 전달하다.

[差使] chāi·shi 명 임시로 위임된 직무. 임시의 관직. =[差chāi事②]

[差事] chāi·shi 명 ① 파견되어 하는 일. 출장 용건. ②⇨[差使chāi·shi]

[差役] chāiyì 명 ① 부역. 노역. ② 〈舊〉 말단 관리.

柴 chái (시) 명 장작. 땔나무. ❑砍~; 장작을 패다.

[柴草] cháicǎo 명 땔감용 풀과 나무. 땔감.

[柴火] chái·huo 명 장작. 땔감. ❑烧~; 장작을 때다.

[柴米] cháimǐ 명 장작과 쌀. 〈轉〉 생활필수품. ❑~油盐; 〈成〉 생활필수품. 생필품.

[柴油] cháiyóu 명 디젤유(diesel 油). ❑~机; 디젤 엔진.

豺 chái (시) 명〔動〕승냥이. =[豺狗]

[豺狗] cháigǒu 명 ⇨[豺]

[豺狼] cháiláng 명 승냥이와 이리. 〈比〉 흉악하고 잔인한 인간. ❑~当道; 〈成〉 악인이 권력을 잡다.

chan ㄔㄢ

掺(摻) chān (삼) 동 섞다. 타다. 혼합하다. ❑牛奶里~了一些糖; 우유에 설탕을 좀 탔다. =[搀②]

[掺兑] chānduì 동 (성분이 다른 것을) 한데 섞다. 혼합하다. ❑把酒精跟水~起来; 알코올을 물과 혼합하다. ‖ =[搀兑]

[掺和] chān·huo 동 ① 혼합하다. 섞다. 뒤섞다. ② 상관하다. 끼어들다. ❑这事你少~; 너는 이 일에 끼어들지 마라. ‖ =[搀和]

[掺假] chān∥jiǎ 동 가짜를 진짜에 섞다. 질 나쁜 것을 질 좋은 것에 섞어 넣다. =[搀假]
[掺杂] chānzá 동 뒤섞다. 뒤섞이다. ❏ 雨点儿~着雪花飘洒了下来; 빗방울에 눈송이가 뒤섞여 흩날려 내렸다. =[搀杂]

搀(攙) chān (참) 동 ① 부축하다. ② ⇨[掺]
[搀兑] chānduì 동 ⇨[掺兑]
[搀扶] chānfú 동 잡아 주다. 부축하다. ❏ 他~病人上楼; 그는 환자를 부축하고 위층으로 올라갔다.
[搀和] chān·huo 동 ⇨[掺和]
[搀假] chān∥jiǎ 동 ⇨[掺假]
[搀杂] chānzá 동 ⇨[掺杂]

婵(嬋) chán (선) →[婵娟]
[婵娟] chánjuān 〈書〉 형 (주로, 여성의 자태가) 아름답다. 곱다. 명 달의 별칭.

禅(禪) chán (선) 명〖佛〗① 좌선(坐禪). ② 불교에 관한 사물. ⇒shàn
[禅房] chánfáng 명〖佛〗① 참선하는 방. 선방. ② 사원(寺院).
[禅师] chánshī 명〖佛〗〈敬〉 선사《승려에 대한 존칭》.
[禅堂] chántáng 명〖佛〗 선당. 좌선당(坐禪堂).
[禅宗] chánzōng 명〖佛〗 선종.

蝉(蟬) chán (선) 명〖蟲〗 매미. =[知了]
[蝉联] chánlián 동 (어떤 직무나 칭호가) 연속되다. 계속되다. 연임하다. ❏ ~世界冠军; 연속으로 세계 챔피언 자리를 차지하다.

谗(讒) chán (참) 동 험담하다. 헐뜯다.
[谗害] chánhài 동 참언으로 남을 해하다.
[谗言] chányán 명 참언. 헐뜯는 말. 비방하는 말.

馋(饞) chán (참) ① 형 식탐이 많다. 게걸스럽다. ❏ 嘴~; 게걸스럽다. ② 형 갖고자 하는 욕구가 일다. 욕심이 생기다. ❏ 眼~; 눈독 들이다. ③ 동 먹고 싶어 하다.
[馋鬼] chánguǐ 명 게걸스러운 사람. 식탐이 많은 사람.
[馋涎欲滴] chánxián-yùdī 〈成〉 먹고 싶어서 침을 질질 흘리다《① 식탐이 매우 많다. ② 매우 탐내다. 매우 갈망하다》.
[馋嘴] chánzuǐ 형 게걸스럽다. 식탐이 많다. 명 식탐이 많은 사람.

孱 chán (잔) 형 〈書〉 약하다. 허약하다.
[孱弱] chánruò 형〈書〉 ① (몸이) 약하다. 허약하다. ② 연약하고 무능하다. 나약하다. ③ (힘이) 약하다. 쇠약하다.

潺 chán (잔) →[潺潺]
[潺潺] chánchán 의 졸졸《시냇물·샘물 따위가 흐르는 소리》.

缠(纏) chán (전) 동 ① 둘둘 감다. 휘감다. ❏ ~绷带; 붕대를 감다. ② 달라붙다. 귀찮게 굴다. 얽매다. 힘들게 하다. ❏ 被孩子~住, 不能走了; 아이에게 매여서 갈 수가 없다. ③ 〈方〉 대하다. 상대하다. 다루다. ❏ 他可真是个难~的人; 그는 정말 상대하기 어려운 사람이다.
[缠绵] chánmián 형 ① (감정·병 따위에) 사로잡히다. 얽매이다. 헤어나지 못하다. ❏ ~悱恻; 〈成〉 슬프고 괴로운 마음에서 헤어나지 못하다. ② (소리가) 구성지다. 심금을 울리다. ❏ ~的箫声; 심금을 울리는 퉁소 소리.
[缠绕] chánrào 동 ① 둘둘 말다[감다]. 휘감다. ❏ 手臂上~着绷带; 팔에 붕대를 감고 있다. ② 귀찮게 하다. 괴롭히다. 들볶다. ❏ 有很多事情~着他; 많은 일들이 그를 괴롭히고 있다.
[缠手] chánshǒu 형 ① (일이나 병이) 처치 곤란이다. 해결하기 힘들다. 애를 먹이다. 까다롭다. ② (chán∥shǒu) 손이 많이 가다.

巉 chán (참) 형〈書〉 산세가 매우 험준하다.
[巉峻] chánjùn 형〈書〉 산세가 높고 험한 모양.

蟾 chán (섬) 명〖動〗 두꺼비.
[蟾蜍] chánchú 명 ①〖動〗 두꺼비. =[癞lài蛤蟆] ② (전설에 나오는) 달 속의 두꺼비. 〈轉〉 달.

产(産) chǎn (산) ① 동 출산하다. 분만하다. 낳다. ❏ 母鸡~了三个蛋; 암탉이 알을 세 개 낳았다. ② 동 생산하다. 제조하다. 만들다. ❏ 国~; 국산. ③ 동 산출하다. 나다. ❏ 广东~香蕉; 광둥산(産) 바나나. ④

C

명 생산품. 산출품. ⑤ 명 재산. ❏破~; 파산하다.
[产地] chǎndì 명 산지. 생산지. ❏原料~; 원료 생산지.
[产儿] chǎn'ér 명 ① 갓난아이. ②〈比〉산물(産物). 부산물.
[产房] chǎnfáng 명 분만실.
[产妇] chǎnfù 명 산모.
[产假] chǎnjià 명 출산 휴가.
[产科] chǎnkē 명〔醫〕산부인과. ❏~医生; 산부인과 의사.
[产量] chǎnliàng 명 생산량. 산출량.
[产卵] chǎnluǎn 동 알을 낳다. 산란하다. ❏~期; 산란기.
[产品] chǎnpǐn 명 생산물. 제품. 상품. ❏~成本; 제품 원가.
[产婆] chǎnpó 명 산파. 조산원.
[产权] chǎnquán 명〔法〕재산권.
[产褥期] chǎnrùqī 명 산욕기.
[产生] chǎnshēng 동 (새로운 것이) 나타나다. 생기다. 출현하다. ❏~矛盾; 모순이 생기다 / ~效果; 효과가 나타나다.
[产物] chǎnwù 명 산물. ❏时代的~; 시대의 산물.
[产销] chǎnxiāo 명 생산과 판매.
[产业] chǎnyè 명 ① 산업. ❏支柱~; 지주 산업. ② 공업. 공업 생산. ③(주로, 사유의) 자산. 재산. 부동산.
[产业革命] chǎnyè gémìng 산업혁명. =[工业革命]
[产值] chǎnzhí 명〔經〕생산고.

铲(鏟) chǎn (산)
①(~儿) 명 삽. 주걱. ❏饭~儿; 밥주걱. ② 동 (삽 따위로) 깎아 내다. 쳐내다. ❏~平地面; 지면을 평평하게 깎아 내다.
[铲车] chǎnchē 명 ⇒[叉chā车]
[铲除] chǎnchú 동 깨끗이 제거하다. 뿌리 뽑다. ❏~旧习俗; 낡은 풍습을 뿌리 뽑다.
[铲子] chǎn·zi 명 삽. 주걱.

谄(諂) chǎn (첨)
동 아첨하다. 알랑대다.
[谄媚] chǎnmèi 동 아첨하다. 간살부리다. 알랑거리다. ❏~上司; 상사에게 아첨하다.
[谄笑] chǎnxiào 동 아첨하는 웃음을 웃다.
[谄谀] chǎnyú 동 아부하다. 아첨하며 떠받들다.

阐(闡) chǎn (천)
동 사리(事理)를 설명하여 밝히다. 명확히 설명하다.
[阐明] chǎnmíng 동 명확히 밝히다. 천명하다. ❏~态度; 태도를 명확히 밝히다.
[阐释] chǎnshì 동 상세하게 설명하다. ❏问题~得很清楚了; 문제가 매우 분명히 설명되었다.
[阐述] chǎnshù 동 서술하여 밝히다. 분명히 말하다. ❏~自己的立场; 자기의 입장을 분명히 밝히다.

忏(懺) chàn (참)
① 동 참회하다. ② 명〔宗〕(불교·도교에서) 참회를 위해 암송하는 경문(經文).
[忏悔] chànhuǐ 동 참회하다. 회개하다. ❏~录; 참회록.

颤(顫) chàn (전)
동 떨다. 흔들리다. 진동하다. ❏~抖; ⇓ ⇒zhàn
[颤动] chàndòng 동 (짧게 여러 번) 진동하다. 파르르 떨리다. 마구 흔들리다. ❏他的声音~得厉害; 그의 목소리가 심하게 떨렸다.
[颤抖] chàndǒu 동 부들부들 떨다. 덜덜 떨다. ❏冻得全身~; 추워서 온몸을 덜덜 떨다.
[颤音] chànyīn 명 ①〔言〕전동음. 설전음. ②〔樂〕트릴(trill).

chang ㄔㄤ

伥(倀) chāng (창)
명 창귀(倀鬼).
[伥鬼] chāngguǐ 명 창귀.

昌 chāng (창)
형 번창하다. 흥성하다. 번영하다. ❏万物得~; 만물이 번영하다.
[昌明] chāngmíng 형 (정치·문화가) 융성하다. 발달하다. ❏科学~; 과학이 발달하다. 동 번영시키다. 발전시키다. ❏~文化; 문화를 발전시키다.
[昌盛] chāngshèng 형 창성하다. 번성하다. 번창하다. ❏繁荣~的国家; 번영하고 창성한 국가.

菖 chāng (창)
→[菖蒲]
[菖蒲] chāngpú 명〔植〕창포.

猖 chāng (창)
형 사납다. 분별없이 날뛰다.
[猖獗] chāngjué 형 ① 흉포하다. 횡포하다. ❏~的敌人; 흉포한 적. ② 창궐하다. 사납게 날뛰다. 맹위를 떨치다. ❏最近感冒非常~; 최

근 감기가 매우 창궐하고 있다. 동 〈書〉 기울다. 넘어지다.
[猖狂] chāngkuáng 형 횡포(横暴)하다. 광폭하다. 난폭하다.
娼 chāng (창) 명 창기(娼妓). 창녀.
[娼妇] chāngfù 명 ① 창녀. 매춘부. ② 〈罵〉 화냥년.
[娼妓] chāngjì 명 창기.
鲳(鯧) chāng (창) 명〔魚〕 병어.
[鲳鱼] chāngyú 명〔魚〕 병어. ＝[平鱼]
长(長) cháng (장) ① 형 길다. ㉠시간적. ❏ 人的寿命比较~; 사람의 수명은 비교적 길다. ㉡공간적. ❏ 她有~~的头发; 그녀는 아주 긴 머리카락을 갖고 있다. ② 명 길이. ❏ ~一米五; 길이 1.5m. ③ 명 장점(長點). ❏ 一技之~; 장기. ④ 형 뛰어나다. 잘하다. ❏ ~于; ⇓ ⑤ 형 잉여의. 여분의. 나머지의. ❏ ~物; 여분의 물건. ⇒zhǎng
[长波] chángbō 명〔物〕 장파.
[长城] Chángchéng 명 ①〔地〕 창청. 완리창청. 만리장성(萬里長城). ＝[万里长城] ② (chángchéng) 〈比〉 꺾기 힘든 굳센 힘. 단단한 국방(國防). 넘을 수 없는 장벽.
[长程] chángchéng 형 ① 장거리의. 장도(長途)의. ❏ ~车票; 장거리 차표. ② 장기(長期)의. ❏ ~计划; 장기 계획.
[长虫] cháng·chong 명〈口〉 ⇨[蛇shé]
[长处] chángchù 명 장점. 뛰어난 점.
[长此以往] chángcǐ-yǐwǎng 〈成〉 (주로, 안 좋은 상황이) 이런 식으로 계속되다.
[长凳] chángdèng 명 긴 의자. 벤치(bench).
[长笛] chángdí 명〔樂〕 플루트(flute).
[长度] chángdù 명 길이. 치수.
[长短] chángduǎn 명 ① (~儿) 길이. 치수. ❏ 你来量量布料的~; 네가 천의 길이를 좀 재 보아라. ② (생명에 관계된) 변고. 뜻밖의 사고. ❏ 他万一有个~怎么办? 그에게 만일 변고라도 생기면 어떻게 하지? ③ 장단점. ❏ 互补~; 서로 장단점을 보완하다. ④ 시비. 옳고 그름. ❏ 背后说别人~; 뒤에서 남에 대해 이러쿵저러쿵하다. 부〈方〉 어쨌든 간에. ❏ 今天的会议你~要参加; 오늘 회의에 너는 어쨌든 참가해야 한다.
[长方体] chángfāngtǐ 명〔數〕 직육면체. 직방체.
[长方形] chángfāngxíng 명 ⇨[矩jǔ形]
[长工] chánggōng 명 상용(常傭) 머슴. 장기 계약 머슴. ❏ 打~; 머슴살이를 하다.
[长鼓] chánggǔ 명〔樂〕 장구.
[长号] chánghào 명〔樂〕 트롬본(trombone). ＝[〈俗〉 拉管]
[长河] chánghé 명 긴 강. 〈比〉 긴 과정. 긴 흐름. ❏ 历史的~; 역사의 긴 흐름.
[长江] Chángjiāng 명〔地〕 창장강(長江). 양쯔 강(揚子江). ＝[扬Yáng子江]
[长颈鹿] chángjǐnglù 명〔動〕 기린.
[长久] chángjiǔ 형 장구하다. 오래 지속하다. ❏ ~之计; 〈成〉 장기적인 계획[방법].
[长距离赛跑] chángjùlí sàipǎo 〔體〕 장거리 경주. ＝[〈簡〉 长跑]
[长空] chángkōng 명 가없이 넓은 하늘.
[长龙] chánglóng 명〈比〉 길게 늘어선 줄. 장사진. ❏ 排着一条~; 장사진을 치다.
[长眠] chángmián 동 영면하다. 〈婉〉 죽다. ❏ ~地下; 땅속에서 영원히 잠들다.
[长年] chángnián 부 일 년 내내. ❏ ~累月; 〈成〉 아주 오랫동안. 장기간.
[长袍(儿)] chángpáo(r) 명 두루마기 모양의 긴 중국 옷《남자용》.
[长跑] chángpǎo 명 〈簡〉 ⇨[长距离赛跑]
[长篇] chángpiān 형 장편의. ❏ ~大论; 〈成〉 일장 연설. 장광설(長廣舌) / ~小说; 장편 소설.
[长期] chángqī 명 장기. 장기간. ❏ ~执政; 장기 집권.
[长驱直入] chángqū-zhírù 〈成〉 (군대가) 멀리 있는 목적지까지 거침없이 행군해 들어가다.
[长裙] chángqún 명 긴 치마.
[长衫] chángshān 명 남자가 입는 홑겹으로 된 긴 두루마기. 긴 가운(gown).
[长生不老] chángshēng-bùlǎo

C

〈成〉장생불로. 불로장생.
[长寿] chángshòu 형 장수하다. ❏～老人; 장수 노인.
[长叹] chángtàn 동 장탄식하다. 긴 한숨을 쉬다. ❏他～了一声; 그는 긴 한숨을 내쉬었다.
[长统皮靴] chángtǒng píxuē 롱부츠(long boots).
[长统袜] chángtǒngwà 명 스타킹(stocking).
[长途] chángtú 형 장거리의. ❏～电话; 장거리 전화 / ～旅行; 장거리 여행 / ～汽车; 장거리 버스. 명〈簡〉① '长途汽车'(장거리 버스)의 약칭. ② '长途电话'(장거리 전화)의 약칭.
[长项] chángxiàng 명 주종목. 주특기.
[长销] chángxiāo 동 장기간 판매가 잘되다. ❏～产品; 장기간 판매가 좋은 상품.
[长于] chángyú 동 …에 뛰어나다. …에 소질이 있다. ❏～音乐; 음악에 소질이 있다.
[长远] chángyuǎn 형 (미래의 시간이) 길다. 장구하다. 장기적이다. 원대하다. ❏～利益; 장기적인 이익 / ～目标; 원대한 목표.
[长征] chángzhēng 동 장거리 여행을 하다. 멀리 가다. 명 장정.
[长足] chángzú 형 장족의. ❏～的发展; 장족의 발전.

场(場) **cháng** (장) ① 명 마당. ② 명〈方〉장. 시장. ❏赶～; 장에 가다. ③ 양 한차례. 한바탕《자연 현상이나 일의 경과를 세는 말》. ❏下了一～大雨; 한바탕 큰비가 내렸다. ⇒chǎng
[场院] chángyuàn 명 (타작이나 곡식을 말리는 데 쓰이는) 마당.

肠(腸) **cháng** (장) 명 ①〖生理〗장. ②〈轉〉마음. ③(～儿) 소시지. 순대.
[肠断] chángduàn 동〈書〉창자가 끊어질 듯 비통함이 극에 이르다.
[肠胃] chángwèi 명〖生理〗장과 위. 위장. 〈轉〉소화기 계통. ❏～病; 위장병 / ～炎; 위장염.
[肠炎] chángyán 명〖醫〗장염.
[肠子] cháng·zi 명 ①〖生理〗장. 창자. ②〈轉〉마음. 성품.

尝(嘗) **cháng** (상) A) 동 ① 맛보다. ❏～咸淡; 간을 보다. ② 경험하다. 체험하다. 겪다. ❏饱～艰苦; 온갖 어려움을 잔뜩 경험하다. B) 부〈書〉일찍이. 이제껏. 여태껏. ❏未～见过这种场面; 이런 장면은 이제껏 본 적이 없다.
[尝试] chángshì 동 시험 삼아 해보다. 시험해 보다. ❏他已～过各种方法; 그는 이미 여러 가지 방법을 시험해 보았다.
[尝鲜] cháng∥xiān 동 신선한 제철 음식을 맛보다.
[尝新] cháng∥xīn 동 햇것을 맛보다.

偿(償) **cháng** (상) 동 ① 변상하다. 배상하다. 보상하다. ② 채우다. 만족시키다. 실현되다.
[偿付] chángfù 동 (부채 따위를) 지불하다. 갚다. 상환하다. ❏如期～; 기한 내에 상환하다.
[偿还] chánghuán 동 변제하다. 상환하다. ❏～债务; 채무를 상환하다.
[偿命] cháng∥mìng 동 (살인죄를) 목숨으로 속죄하다. 죽음으로 갚다.

常 **cháng** (상) ① 형 보통의. 일반적인. 평소의. ❏～识; ⇩ ② 형 영구적인. 고정적인. 불변의. ❏～数; ⇩ ③ 부 늘. 언제나. 자주. ❏我～碰到他; 나는 그와 자주 마주친다. ④ 명 사람이 지켜야 할 도리. ❏三纲五～; 삼강오륜.
[常备] chángbèi 동 항상 준비하다. 상비하다. ❏～不懈; 〈成〉항상 준비를 게을리하지 않다 / ～军; 상비군 / ～药物; 상비 약품.
[常常] chángcháng 부 종종. 자주. 늘상. 빈번히. ❏我们～见面; 우리는 자주 만난다.
[常服] chángfú 명 평상복. 평복.
[常规] chángguī 명 ① 상규(常規). 종래의 규칙. 통상적인 방법. ❏打破～; 상규를 깨다. ②〖醫〗통상적인 의학상의 조치. 형 일반적인. 통상적인. 재래식의. ❏～武器; 재래식 무기 / ～战争; 재래식 전쟁.
[常轨] chángguǐ 명 상궤. 정상적 방법. ❏越出～; 상궤를 벗어나다.
[常会] chánghuì 명 정례회(定例會). 정기 회의. 정기 모임.
[常见] chángjiàn 형 흔히 볼 수 있다. 자주 접하다. 흔하다. ❏～的小故障; 흔히 있는 작은 고장.

C

[常客] chángkè 명 단골손님. 단골.
[常例] chánglì 명 상례. 관례.
[常年] chángnián 부 일 년 내내. 장기간. 오랜 기간. ❑~积雪; 일 년 내내 눈이 쌓여 있다. 명 평년(平年). 예년. ❑今年的产量比~多; 금년 생산량은 예년에 비해 많다.
[常情] chángqíng 명 통상적인 마음[이치]. 상정. ❑人之~; 〈成〉 인지상정.
[常人] chángrén 명 보통 사람. 일반인.
[常任] chángrèn 형 상임의. ❑~理事; 상임 이사.
[常设] chángshè 동 상설하다. ❑~咨询机构; 자문 가구를 상설하다.
[常识] chángshí 명 상식. ❑法律~; 법률 상식.
[常事] chángshì 명 일상적인 일. 일상사.
[常数] chángshù 명〔數〕 상수.
[常态] chángtài 명 정상적인 상태. 상태(常態). ❑恢复~; 정상 상태를 회복하다.
[常温] chángwēn 명 상온.
[常务] chángwù 형 상무의. ❑~委员; 상무위원 / ~委员会; 상무위원회.
[常言] chángyán 명 습관적으로 자주 하는 말《속담·격언 따위》.
[常用] chángyòng 동 늘 쓰다. 상용하다. ❑~词语; 상용어.
[常住] chángzhù 동 상주하다. 항상 거주하다. ❑~人口; 상주인구.

嫦 cháng (상)
→[嫦娥]
[嫦娥] Cháng'é 명 상아《달 속에 있다는 신화 속의 선녀》.

厂(廠) chǎng (창)
명 ① 공장. ❑造船~; 조선소. ② 상품을 가공하고 쌓아 둘 수 있는 장소가 있는 상점.
[厂房] chǎngfáng 명 공장 건물《대개는 작업장을 말함》.
[厂家] chǎngjiā 명 공장.
[厂价] chǎngjià 명 공장 출고 가격. 공장도 가격.
[厂商] chǎngshāng 명 제조 회사. 제조업자.
[厂长] chǎngzhǎng 명 공장장.
[厂子] chǎng·zi 명 ① 공장. ② 상품을 쌓아 두거나 가공하는 장소가 있는 가게. ❑木~; 목재상.

场(場) chǎng (장)
① 명 (어떤 활동을 하기 위해 필요한) 넓은 장소. ❑广~; 광장 / 足球~; 축구장. ② 명 무대. ❑上~; 등장하다. ③ 명 어떤 활동의 범위. ❑官~; 관리 사회. ④ 명 일이 발생한 곳[지점]. ❑在~; 그 자리[현장]에 있다. ⑤ 명 공연·경기·대회 따위의 전체. ❑终~; 연극·경기 따위가 끝나다. ⑥ 양 (연극의) 장. ❑三幕七~; 3막 7장. ⑦ 양 (문예·오락·체육 활동 따위의) 부. 회. 번. ❑演出了十二~; 12회 공연했다. ⑧ 명〔物〕 장. ❑电~; 전기장. 전기 마당. ⇒cháng
[场地] chǎngdì 명 장소. 공간. 자리. 터. 부지. ❑比赛~; 경기 장소 / 施工~; 시공 부지.
[场合] chǎnghé 명 경우. 상황. 장소. 자리. ❑说话要分~; 말은 때와 장소를 가려서 해야 한다 / 公开~; 공개적인 상황.
[场面] chǎngmiàn 명 ①〔劇·映〕 장면. 신(scene). ❑惊险的~; 아슬아슬한 장면 / 武打~; 격투 장면. ② (서사성이 있는 문학 작품 속에서의) 장면. 광경. ③〔劇〕 경극(京劇)의 반주자와 반주 악기. ④ 광경. 정경. 모습. ❑~壮观; 광경이 장관이다. ⑤ 외관. 외면. 겉모양. 겉치레. ❑~话; 인사치레의 말. 예의상 하는 말 / ~人; ⓐ사교성 있는 사람. ⓑ어느 정도 사회적 지위가 있는 사람.
[场所] chǎngsuǒ 명 장소. 자리. ❑公共~; 공공장소 / 幽静的~; 조용한 장소.
[场子] chǎng·zi 명 (어떤 수요에 적합한 비교적 넓은) 장소.

敞 chǎng (창)
① 형 널찍하다. 탁 트이다. ❑~亮; ⇩ ② 동 트다. 열다. 벌리다. ❑怎么还~着大门? 어째서 아직도 대문이 열려 있지?
[敞车] chǎngchē 명 ① 무개차(無蓋車). 오픈카(open car). =[敞篷车] ② 무개화차(無蓋貨車).
[敞开] chǎngkāi 동 ① 활짝 열다. 열어젖히다. 툭 터놓다. ❑~窗子; 창문을 활짝 열다 / ~思想; 생각을 툭 터놓다. ② 제한을 두지 않다. 풀어 주다. 개방하다. ❑~价格; 가격 제한을 풀어 주다. (~儿) 부

C

제한 없이. 마음껏. 자유롭게. ❑有什么想法请~说; 어떤 생각이든 자유롭게 말씀해 주세요.

[敞亮] chǎngliàng 형 ① 널찍하고 밝다. 넓고 환하다. ❑这间客厅很~; 이 응접실은 매우 넓고 환하다. ②(생각·마음이) 트이다. 밝다. ❑心里~多了; 마음이 훨씬 밝아졌다.

[敞篷车] chǎngpéngchē 명 ⇨[敞车①]

氅 chǎng (창)
명 외투. ❑大~; 외투.

怅(悵) chàng (창)
형 낙심하다. 낙담하다.

[怅然] chàngrán 형 낙담한 모양. ❑~而返; 낙담하고 돌아가다.

[怅惘] chàngwǎng 형 실의에 빠져 어찌할 바를 모르다.

畅(暢) chàng (창)
형 ① 거침없다. 막힘없다. 순조롭다. ❑~行xíng; 순조롭게 통행하다. ② 후련하다. 통쾌하다. ❑~饮; 유쾌하게 마시다. 통음(痛飮)하다.

[畅达] chàngdá 형 (말·문장·교통 따위가) 매끄럽다. 유창하다. 원활하다. 순조롭다. ❑译文比较~; 번역문이 비교적 매끄럽다/ 车辆往来~; 차량 소통이 원활하다.

[畅快] chàngkuài 형 상쾌하고 즐겁다. 마음이 편하고 유쾌하다. ❑这顿饭吃得~; 이번 식사는 매우 편하고 즐거웠다.

[畅所欲言] chàngsuǒyùyán 〈成〉 하고 싶은 말을 마음껏 하다.

[畅谈] chàngtán 동 마음껏 이야기하다. ❑大家坐下来~吧! 모두 앉아서 마음껏 이야기합시다!

[畅通] chàngtōng 형 막힘없이 통하다. ❑~无阻; 막힘없이 통하다.

[畅销] chàngxiāo 동 잘 팔리다. 팔림새가 좋다. ❑~货; 잘 팔리는 물건 / ~书; 베스트셀러(best seller).

[畅叙] chàngxù 동 마음을 터놓고 이야기하다. 마음껏 이야기를 나누다. ❑~往事; 지난 일에 대해 마음껏 이야기를 나누다.

[畅游] chàngyóu 동 ① 마음껏 유람하다. 실컷 구경 다니다. ❑~颐和园; 이허위안을 마음껏 유람하다. ② 마음껏 수영하다. 즐겁게 헤엄치다. ❑~于大海之中; 바다에서 마음껏 수영하다.

倡 chàng (창)
동 제창하다. 앞장서서 이끌다. ❑提~; 제창하다.

[倡导] chàngdǎo 동 주도하여 제창하다. 주창하다. 창도하다.

[倡议] chàngyì 동 주창하여 제의[제안]하다. 창의하다. 명 제안. 발의. 제의. 발기.

唱 chàng (창)
동 ① (노래를) 부르다. 노래하다. ❑合~; 합창하다. ② 큰 소리로 외치다. ❑~数; 숫자를 큰 소리로 외치다.

[唱碟] chàngdié 명〈方〉 ⇨[唱片]

[唱高调(儿)] chàng gāodiào(r) 허울 좋은 말만 하다. 입에 발린 말만 늘어놓다.

[唱歌] chàng//gē 동 노래를 부르다. ❑唱几首歌; 노래를 몇 곡 부르다.

[唱功(儿)] chànggōng(r) 명〖劇〗 (극중의) 노래 솜씨. 노래 기교. 노래 실력. ❑这位演员的~很好; 이 배우의 노래 솜씨는 매우 좋다. =[唱工(儿)]

[唱和] chànghè 동 ① 시사(詩詞)를 서로 주고받다. 창화하다. ② 노래를 주고받다.

[唱名] chàng//míng 동 (큰 소리로) 점호하다. (chàngmíng) 명〖樂〗 계명. 계이름.

[唱盘] chàngpán 명 ⇨[唱片]

[唱片] chàngpiàn 명 음반. 레코드(record). ❑灌~; 음반을 취입하다. =[〈方〉 唱碟][唱盘][〈口〉 唱片儿piānr]

[唱票] chàng//piào 동 (선거 개표에서) 표를 소리 높여 읽다.

[唱腔] chàngqiāng 명〖劇〗 (중국 전통극에서의) 곡조.

[唱诗] chàngshī 동 ①〖宗〗 (기독교에서) 성가를 부르다. ❑~班; 성가대. ②〈書〉 시를 읊다.

[唱主角] chàng zhǔjué 〈比〉 중요한 역할을 하다.

chao ㄔㄠ

抄 chāo (초)
동 ① 베끼다. 옮겨 적다. 옮겨 쓰다. ❑~稿子; 원고를 옮겨 적다. ② 표절하다. 남의 것을 베끼다. ❑你的作业让我~~吧; 네 숙제 좀 베끼자. ③ 수사해서 몰수하다. 압류하다. 압수하다. ❏～家; ⇓ ④ 질러가다. ❏他～过一条小路; 그는 지름길로 질러갔다. ⑤ 두 손을 가슴 앞에서 양 소매에 넣다. ❏～手; ⇓ ⑥ 잡다. 쥐다. 갖다. ❏谁～走了我的球拍? 누가 내 라켓을 가져갔느냐?

[抄本] chāoběn 명 사본. 초본. ❏手～; 필사본.

[抄道(儿)] chāo//dào(r) 동 지름길로 가다. (chāodào(r)) 명 가까운 길. 지름길.

[抄后路] chāo hòulù (등 뒤로 돌아가) 퇴로를 막고 습격하다.

[抄获] chāohuò 동 수색하여 압수[압류]하다. ❏～赃物; 장물을 수색하여 압수하다.

[抄家] chāo//jiā 동 수사하여 가산을 몰수하다. ❏～灭门; 재산을 몰수하고 멸족시키다.

[抄件] chāojiàn 명 (관련 기관에 참고용으로 보내는 문서의) 사본.

[抄录] chāolù 동 베끼다. 옮겨 쓰다. 초록하다. ❏～名句; 유명한 구절을 옮겨 쓰다.

[抄身] chāo//shēn 동 몸수색하다.

[抄手] chāo//shǒu 동 양손을 교차시켜 소매 속에 넣다. 팔짱을 끼다. ❏抄着手在一旁看热闹; 팔짱을 끼고 한쪽 옆에 서서 구경하다.

[抄袭] chāoxí 동 ① 표절하다. ❏～他人的作品; 남의 작품을 표절하다. ② (다른 사람의 경험·방법을) 답습하다. ③ 적의 측면이나 후면에서 기습하다. ❏从背面～敌人; 적을 후면에서 기습하다.

[抄写] chāoxiě 동 베껴 쓰다. 옮겨 쓰다. 필사하다. ❏～课文; 본문을 옮겨 쓰다 / ～纸; 트레이싱 페이퍼. 투사지.

吵 chāo (초)
→[吵吵] ⇒chǎo

[吵吵] chāo·chao 동〈方〉 (많은 사람들이) 왁자지껄 떠들다. ❏大家别～了; 모두 왁자지껄하게 떠들지 마세요.

钞(鈔) chāo (초)
명 지폐(紙幣). 돈.

[钞票] chāopiào 명 지폐(紙幣).

超 chāo (초)
① 동 넘다. 초과하다. ❏～额; ⇓ ② 동 추월하다. 앞지르다. ❏黑马把白马～过去了; 흑마가 백마를 앞질러 갔다. ③ 형 초《일반적인 정도나 범위를 넘어선》. ❏～级; ⇓ ④ 형 초《어떤 범위를 넘거나 어떠한 제약도 받지 않는》. ❏～自然; ⇓ ⑤ 동〈書〉 뛰어넘다.

[超薄] chāobáo 형 초박형의. ❏～液晶显示; 초박형 엘시디(LCD).

[超产] chāochǎn 동 초과 생산 하다.

[超常] chāocháng 형 보통을 뛰어넘다. ❏～儿童; 영재 아동.

[超车] chāo//chē 동 (차가) 추월하다. ❏路太窄超不了车; 길이 너무 좁아 추월할 수가 없다.

[超出] chāochū 동 (일정한 수량·범위를) 넘다. 뛰어넘다. ❏～限度; 한도를 넘다.

[超大型] chāodàxíng 형 초대형의.

[超等] chāoděng 형 최상의. 특등의. ❏～质量; 최상급 품질.

[超短波] chāoduǎnbō 명〔電〕 초단파. ＝[米波]

[超短裙] chāoduǎnqún 명 ⇒[迷你裙]

[超额] chāo'é 동 정액을 넘다. 초과하다. ❏～完成任务; 임무를 초과 달성하다.

[超负荷] chāofùhè 동 ①〔電〕 과부하되다. ②〈比〉 감당해야 할 몫이 능력 범위를 넘어서다.

[超过] chāoguò 동 ① 추월하다. 앞지르다. ❏在两分钟之内我就～了他; 2분 만에 나는 그를 앞질렀다. ② 넘다. 상회하다. ❏～先进水平; 선진 수준을 상회하다.

[超豪华] chāoháohuà 형 초호화의. ❏～宾馆; 초호화 호텔.

[超级] chāojí 형 슈퍼(super). 초(超). ❏～大国; 초강대국 / ～明星; 슈퍼스타.

[超级市场] chāojí shìchǎng 슈퍼마켓. ＝[〈簡〉 超市][自选商场]

[超龄] chāolíng 동 규정된 연령을 초과하다. ❏～工人; 규정된 연령이 넘은 노동자.

[超前] chāoqián 형 현재의 것을 뛰어넘다. 시대를 앞서다. ❏～教育; 조기 교육. 동 옛사람을 뛰어넘다. ❏～绝后; 〈成〉 선인을 뛰어넘고 후세에도 비할 사람이 없다.

[超轻] chāoqīng 형 초경량의. ❏～笔记本; 초경량 노트북.

[超群] chāoqún 동 발군하다. 출중하다. 뛰어나다. ❏～的技艺; 뛰어난 기예.

[超然] chāorán 형 초연하다. ❏～

物外; 〈成〉 ⓐ세상의 논쟁이나 대립에서 초연하다. ⓑ어떤 일에서 초연하다.

[超人] chāorén 형 (능력이나 지능이) 보통 사람을 뛰어넘다. 초인적이다. ❑ 他的记忆力~; 그의 기억력은 보통 사람을 뛰어넘는다. 명 초인. 슈퍼맨(superman).

[超声波] chāoshēngbō 명〖物〗초음파. ❑ ~疗法; 초음파 요법.

[超时] chāoshí 동 시간을 초과하다. 시간을 넘기다. ❑ ~加价; 시간을 초과하면 추가 요금이 붙는다.

[超市] chāoshì 명〈簡〉 ⇨[超级市场]

C

[超速] chāosù 동 과속하다. 속도위반 하다. ❑ ~行车; 과속 운전 하다.

[超脱] chāotuō 형 (형식·규범·전통 따위에) 얽매이지 않다. 자유롭다. ❑ 性格~; 성격이 자유분방하다. 동 ① 벗어나다. 초월하다. ❑ ~尘世; 속세를 초월하다. ② 해탈하다.

[超现实] chāoxiànshí 형 초현실의. ❑ ~主义; 〖哲〗초현실주의.

[超小型] chāoxiǎoxíng 형 초소형의. ❑ ~汽车; 초소형 자동차.

[超越] chāoyuè 동 넘다. 넘어서다. 초월하다. ❑ ~时空; 시공을 초월하다.

[超载] chāozài 동 과적(過積)하다.

[超支] chāozhī 동 초과 지출 하다.

[超重] chāo//zhòng 동 ① 적재량을 초과하다. 과적하다. ❑ ~的卡车; 과적 트럭. ② 중량을 초과하다. ❑ 你的包裹已经~了; 네 소포는 이미 중량을 초과했다.

[超自然] chāozìrán 형 초자연적인. 초자연의. ❑ ~的力量; 초자연적인 힘 / ~主义; 초자연주의.

绰(綽) chāo (작) 동 ① 움켜잡다. ② ⇨[焯] ⇒chuò

焯 chāo (작) 동 살짝 데치다. ❑ ~菠菜; 시금치를 살짝 데치다. =[绰②]

巢 cháo (소) 명 ① (새나 곤충의) 집. 둥지. 보금자리. ❑ 蜂~; 벌집. ② (도둑의) 소굴.

[巢穴] cháoxué 명 ① (새나 짐승의) 집. 둥지. ② 〈比〉 (도적 따위의) 소굴.

朝 cháo (조) ① 명 조정(朝廷). ② 명 한 왕조가 통치하는 연대(年代). 왕조. ❑ 改~换代; 왕조의 교체. ③ 명 군주의 제위(在位) 기간. ④ 동 알현하다. 배례하다. ❑ ~见; ⇩ ⑤ 동 …를 향하다. …을 마주 보다. ❑ 屋子坐北~南; 집이 북쪽에 있으면서 남쪽을 바라보고 있다. ⑥ 개 …을 향해. …쪽으로. ❑ 一直~南走; 남쪽으로 쭉 걸어가다. ⇒zhāo

[朝拜] cháobài 동 ① 신하들이 조정에서 군주에게 배례하다. ② 〖宗〗 (신불에) 참배하다. 예배하다.

[朝代] cháodài 명 한 왕조가 통치하는 연대. 왕조. ❑ 封建~; 봉건왕조.

[朝贡] cháogòng 동 조공하다.

[朝见] cháojiàn 동 입궐하여 군주를 알현하다. 조현하다. =[〈書〉朝觐①]

[朝觐] cháojìn 동 ①〈書〉 ⇨[朝见] ②〖宗〗참배하다.

[朝圣] cháoshèng 동 ①〖宗〗성지에 참예하다. 성지 순례 하다. ② 공자의 탄생지를 순례하다.

[朝廷] cháotíng 명 조정.

[朝鲜] Cháoxiǎn 명〖地〗① 조선. ② 북한을 지칭하는 말. ③ 한국을 지칭하는 말. ❑ ~半岛; 한반도.

[朝鲜族] Cháoxiǎnzú 명〖民〗조선족.

[朝阳] cháoyáng 동 해를 향하다. 남쪽을 향하다. ❑ ~的窗户; 남향인 창문. ⇒zhāoyáng

[朝阳花] cháoyánghuā 명 ⇨[向日葵]

[朝野] cháoyě 명 ① 조야. 조정과 민간. ② 정부와 민간. 여당과 야당. 여야.

[朝政] cháozhèng 명 조정의 정사. 국정.

潮 cháo (조) ① 명 조수. 조류. ❑ 满~; 만조. ② 명 시류. 추세. ❑ 思~; 사조. ③ 명〈比〉 물결. 바람. 붐(boom). ❑ 婴儿ér~; 베이비 붐(baby boom). ④ 명 습기. ❑ 药品怕受~; 약품은 습기에 약하다. ⑤ 형 습하다. 누지다. ❑ 屋里很~; 방이 매우 누지다. ⑥ 형〈方〉 순도가 낮다. ❑ 银子成分~; 은의 순도가 낮다. ⑦ 형〈方〉 (기술·솜씨가) 낮다. 없다. ❑ 手艺~; 솜씨

가 없다.
[潮乎乎(的)] cháohūhū(·de) 형 축축한 모양. 눅눅한 모양. =[潮呼呼(的)]
[潮流] cháoliú 명 ① 조류. ②〈比〉 시대적 흐름[조류]. 풍조. 추세. ❏ 追随~; 시류(時流)에 따르다.
[潮气] cháoqì 명 습기.
[潮润] cháorùn 형 ① (토양·공기 따위가) 습윤하다. 축축하다. ② (눈이) 촉촉이 젖다. ❏ 她两眼~了; 그녀의 두 눈이 촉촉해졌다.
[潮湿] cháoshī 형 눅눅하다. 축축하다. ❏ 屋子里~得很; 집안이 매우 눅눅하다.
[潮水] cháoshuǐ 명 조수.
[潮汐] cháoxī 명 ① 조석. ❏ ~发电; 조력 발전. ② 해조(海潮).

嘲 cháo (조)
동 조소하다. 비웃다.
[嘲讽] cháofěng 동 조소하고 풍자하다. 빈정대다. ❏ ~的口气; 빈정대는 말투.
[嘲弄] cháonòng 동 조롱하다. ❏ 你对他~得太过分了; 너는 그를 너무 지나치게 조롱했다.
[嘲笑] cháoxiào 동 비웃다. 조소하다.

吵 chǎo (초)
① 형 시끄럽다. 떠들썩하다. ❏ 这地方很~; 이곳은 매우 시끄럽다. ② 동 떠들다. 시끄럽게 굴다. ❏ 别把他~醒了; 그가 (시끄러워서) 깨게 하지 마라. ③ 동 말다툼하다. ❏ 你们别~了; 너희들 싸우지 좀 마라.⇒chāo
[吵架] chǎo//jià 동 말다툼하다. 다투다. 싸우다. ❏ 跟他吵了一架; 그와 한바탕 싸웠다.
[吵闹] chǎonào 동 ① 큰 소리로 말다툼하다. ❏ 请你们不要~; 싸우지들 마세요. ② 떠들면서 방해하다. 소란을 피우다. 시끄럽게 굴다. ❏ 他在学习, 不要去~他; 그는 공부 중이니까 가서 시끄럽게 방해하지 마라. 형 시끄럽다. ❏ 周围~得很; 주위가 매우 시끄럽다.
[吵嚷] chǎorǎng 동 큰 소리로 떠들어 대다. ❏ 请保持会场安静, 别~; 장내 정숙을 유지해 주시고 떠들지 마세요.
[吵人] chǎorén 형 (성가시게) 시끄럽다. ❏ 实在太~了; 정말이지 너무 시끄럽구나.
[吵嘴] chǎo//zuǐ 동 말다툼하다. 입씨름하다. 언쟁하다. =[拌嘴]

炒 chǎo (초)
동 ① (기름에) 볶다. ❏ ~菜; 채소를 볶다. 요리하다. ② 투기하다. ❏ ~股; ⇓ ③ 과장해서 선전하다. ④〈方〉 해고하다. ❏ ~鱿鱼; ⇓
[炒饭] chǎo//fàn 동 밥을 볶다. (chǎofàn) 명 볶음밥.
[炒房] chǎo//fáng 동 주택[건물]을 투기 매매 하다. 부동산 투기 하다.
[炒股] chǎo//gǔ 동 주식 투기 하다. =[炒股票]
[炒货] chǎohuò 명 말려서 볶은 식품의 총칭《호박씨·땅콩 따위》.
[炒家] chǎojiā 명 투기꾼.
[炒冷饭] chǎo lěngfàn 〈比〉 이미 한 말이나 일을 되풀이하여 새로운 것이 없다. 재탕(再湯)하다.
[炒买炒卖] chǎomǎi-chǎomài 〔經〕 투기 매매 하다. 투기하다.
[炒面] chǎomiàn 명 ① 볶음국수. 볶음면. ② 미숫가루.
[炒勺] chǎosháo 명 자루 달린 중국식 볶음용 프라이팬.
[炒鱿鱼] chǎo yóuyú 〈比〉 파면하다. 해고하다.
[炒作] chǎozuò 동 ① 투기하다. 투기 매매 하다. ② (매체를 통해) 과장해서 선전하다. 포장해서 홍보하다. 과대광고를 하다.

耖 chào (초)
① 명 써레. ② 동 써레질하다.

che ㄔㄜ

车(車) chē (거, 차)
① 명 차. 수레. ❏ 一辆~; 차 한 대. ② 명 바퀴가 도는 힘을 이용하는 기구. ❏ 滑~; 활차. ③ 명 기계. 기기. ❏ 试~; 기계를 시운전하다. ④ 동 선반으로 세공하다. ⑤ 동 수차(水車)로 퍼 올리다. ❏ ~水; 수차로 물을 퍼 올리다 ⑥ 동〈方〉 (주로, 몸을) 움직이다. 옮기다. ❏ ~身; ⇓ ⇒jū
[车把] chēbǎ 명 (자전거·수레·인력거 따위의) 손잡이. 채. 핸들.
[车把式] chēbǎ·shi 명 〈口〉 수레 끄는 사람. 마부. =[车把势]
[车把势] chēbǎ·shi 명 ⇒[车把式]
[车床] chēchuáng 명〔機〕 선반(旋盤). ❏ ~工; 선반공.
[车次] chēcì 명 (열차나 장거리 버

스의) 운행 순서.
[车道] chēdào 명 ① 차도. 찻길. ❑ ~线; 차선. =[车行道] ② 차로. ❑ 三~; 3차로.
[车灯] chēdēng 명 차량의 등(燈). 라이트(light).
[车费] chēfèi 명 찻삯. 차비. 운임. =[车钱]
[车夫] chēfū 명 마부. 인력거꾼.
[车工] chēgōng 명 ①〖工〗 선반 작업. ② 선반공.
[车轱辘] chēgū·lu 명〈口〉 차바퀴.
[车轱辘话] chēgū·luhuà 명 횡설수설해 대는 말. 수다스럽게 되뇌는 말. 곱씹는 말. 중언부언.
[车号] chēhào 명 차량 번호.
[车祸] chēhuò 명 교통사고. 자동차 사고. 윤화(輪禍).
[车间] chējiān 명 작업 현장. 직장. 작업장.
[车库] chēkù 명 차고.
[车辆] chēliàng 명 차량.
[车铃] chēlíng 명 자전거의 벨.
[车轮] chēlún 명 (차량의) 바퀴. 차바퀴. =[车轮子]
[车马费] chēmǎfèi 명 (공무(公務)로 인한) 교통비.
[车模] chēmó 명 ① 자동차 모형. ② 모터쇼(motor show)의 내레이터 모델(narrator model).
[车牌] chēpái 명 자동차 번호판.
[车棚] chēpéng 명 자전거 보관소. 자전거용 차고.
[车票] chēpiào 명 차표. 승차권.
[车钱] chēqián 명 ⇨[车费]
[车身] chēshēn 명 차체(車體). (chē//shēn) 동〈方〉 몸을 돌리다. 돌아서다. ❑ 她车过身来看了看我; 그녀는 몸을 돌려 나를 보았다.
[车手] chēshǒu 명 (자동차 따위의) 경주 선수. 레이서(racer).
[车速] chēsù 명 ① 차의 속도. ② 선반의 회전 속도.
[车胎] chētāi 명 (차의) 타이어(tire). ❑ 给~打气; 타이어에 공기를 넣다. =[轮胎]
[车条] chētiáo 명 ⇨[辐fú条]
[车厢] chēxiāng 명 ① 여객이나 화물을 싣는 곳. 객실. 객차. 화물칸. ❑ 行李~; 수화물차. ② 차량. ❑ 三号~; 3호차.
[车行道] chēxíngdào 명 ⇨[车道 ①]
[车站] chēzhàn 명 역. 정거장. 정류장.
[车照] chēzhào 명 ① (자동차) 운전 면허증. ② 차량증.
[车辙] chēzhé 명 (차량의) 바퀴 자국.
[车主] chēzhǔ 명 차주.
[车子] chē·zi 명 ① (소형의) 차. ② 자전거.

扯 chě (차)

동 ① 당기다. 끌다. ❑ 他把孩子~进屋去了; 그는 아이를 잡아 끌고 집으로 들어갔다. ② 찢다. 째다. 뜯다. 떼다. ❑ ~下一张日历; 일력을 한 장 떼어 내다. ③ 수다 떨다. 떠들어 대다. 잡담하다. ❑ ~了半天没到正题; 한참을 떠들어 댔는데도 본제로 들어가지 못했다.
[扯淡] chě//dàn 동〈方〉 쓸데없는 말을 하다. 허튼소리를 지껄이다. ❑ 不要瞎~! 허튼소리 하지 마라!
[扯后腿] chě hòutuǐ 〈比〉 ⇨[拖后腿]
[扯谎] chě//huǎng 동 거짓말하다.
[扯皮] chě//pí 동 ① 입씨름하다. 옥신각신하다. ❑ 你们不要再~了; 너희 더 이상 옥신각신하지 마라. ② 서로 떠넘기다. 서로 미루다.
[扯腿] chě//tuǐ 동 ⇨[拖后腿]
[扯闲篇(儿)] chě xiánpiān(r) 이런저런 잡담을 하다. =[扯闲天儿]

彻(徹) chè (철)

동 꿰뚫다. 통하다.
[彻底] chèdǐ 형 철저하다. ❑ 两个人的关系~决裂了; 두 사람의 관계는 완전히 깨져 버렸다 / ~的调查; 철저한 조사. =[澈底]
[彻骨] chègǔ 동 뼈에 스미다. 뼈에 사무치다《정도가 심함》. ❑ ~痛恨; 뼈에 사무치게 미워하다.
[彻头彻尾] chètóu-chèwěi 〈成〉 철두철미하다. 철저하다.
[彻夜] chèyè 부 밤새. 밤새도록. ❑ ~不眠; 밤새 못 자다.

坼 chè (탁)

동〈書〉 쪼개지다. 갈라지다.
[坼裂] chèliè 동〈書〉 터지다. 갈라지다. 쪼개지다.

掣 chè (체, 철)

동 ① 끌어당기다. 잡아당기다. ❑ ~肘; ⇩ ② 뽑다. 빼다. ❑ ~签; 제비를 뽑다. ③ 번쩍하고 지나가다. ❑ 风驰电~; 〈成〉 번개같이 빠르다.
[掣肘] chèzhǒu 동 팔꿈치를 잡아당기다. 〈比〉 (남의 행동을) 방해

하다. 견제하다. ❏他老是掣我的肘; 그는 늘 나를 견제한다.

澈 chè (철)
형 물이 맑다.

[澈底] chèdǐ 형 ⇨[彻底]

撤 chè (철)
동 ① 치우다. 없애다. ❏天气暖和了, ～炉子吧; 날씨가 따뜻해졌으니 난로를 치워라. ② 면직하다. 자르다. ❏他严重失职, 应该～了他; 업무상 중대한 과실을 범했으니 그를 면직시켜야 한다. ③ 물러나다. 철수하다. ❏～兵; ⇩ ④〈方〉(맛·양 따위를) 덜다. 줄이다. ❏～分量; 양을 줄이다.

[撤兵] chè∥bīng 동 철병하다.

[撤除] chèchú 동 제거하다. 철거하다. 취소하다. ❏～工事; 공사를 취소하다 / ～障碍; 장애를 제거하다.

[撤换] chèhuàn 동 (사람·물건을) 교체하다. 바꾸다. 경질하다. ❏～零件; 부품을 교체하다 / ～一批干部; 간부들을 경질하다.

[撤回] chèhuí 동 ①(외부 주재 인원을) 철수시키다. 불러들이다. 소환하다. ❏～外交人员; 외교관을 소환하다. ② 철회하다. 취하하다. ❏～命令; 명령을 철회하다.

[撤军] chè∥jūn 동 철군하다.

[撤离] chèlí 동 철수하여 떠나다. 철퇴하다. ❏～现场; 현장에서 철수하다.

[撤诉] chèsù 동〔法〕소송을 취하하다.

[撤退] chètuì 동〔軍〕(진지·거점 따위를 버리고) 철수하다. 철퇴하다.

[撤销] chèxiāo 동 취소하다. 폐지하다. 해지하다. 철회하다. ❏～合同; 계약을 해지하다 / ～机构; 기구를 폐지하다. ＝[撤消]

[撤职] chè∥zhí 동 직위를 해제하다. 해직하다.

chen ㄔㄣ

抻 chēn (신)
동〈口〉잡아당기다. ❏～着脖子看; 목을 길게 빼고 보다.

[抻面] chēnmiàn 명 손으로 잡아당겨서 뽑은 국수. 수타국수.

嗔 chēn (진)
동 ① 화나다. 노하다. ❏～他来晚了; 그가 늦게 와서 화가 났다. ② 야단치다. 꾸짖다. 불평하다.

[嗔怪] chēnguài 동 (다른 사람의 언행을) 질책하다. 비난하다. 책망하다. ❏请不要～我无情; 제가 무정하다고 비난하지 말아 주세요.

[嗔怒] chēnnù 동 진노하다.

瞋 chēn (진)
동〈書〉(화가 나서) 눈을 부라리다. ❏～目而视; 눈을 부라리고 보다.

尘(塵) chén (진)
명 ① 먼지. 티끌. ❏灰～; 먼지. ② 속세. ❏红～; 속세.

[尘埃] chén'āi 명 진애. 먼지. ❏～落定; 〈成〉일에는 결과나 끝이 있는 법이다.

[尘肺] chénfèi 명〔醫〕진폐.

[尘封] chénfēng 동 (오래 두어서) 먼지가 잔뜩 끼다. 먼지투성이다. ❏这些藏书日久～; 이 장서들은 오랫동안 먼지에 파묻힌 채로 있다.

[尘垢] chéngòu 명 먼지와 때. ❏沾满～; 먼지와 때가 잔뜩 끼다.

[尘世] chénshì 명 속세. 뜬세상.

[尘事] chénshì 명 속세의 일.

[尘俗] chénsú 명 ① ⇨[世俗①] ②〈書〉인간 세상.

[尘土] chéntǔ 명 먼지. 흙먼지. ❏拂去～; 먼지를 털어내다.

臣 chén (신)
명 ① 신하. ❏功～; 공신. ② 신《신하의 자칭》.

[臣服] chénfú 동〈書〉① 굴복하여 신하라 칭하다. ② 신하로서 섬기다.

[臣子] chénzǐ 명 신하. 신.

沉 chén (침)
① 동 가라앉다. 침몰하다. 잠기다. (해·달이) 지다. ❏船往下～得很快; 배가 매우 빠르게 아래로 가라앉았다. ② 동 함몰하다. 침하하다. 꺼지다. ❏房基往下～; 가옥의 토대가 침하하다. ③ 동 가라앉히다. 누르다. 진정시키다. ❏～下心来; 마음을 가라앉히다. ④ 형 (정도가) 심하다. 깊다. ❏睡得很～; 푹 자다. ⑤ 형 (무게가) 무겁다. ❏这筐水果没多～; 이 광주리의 과일은 그리 무겁지 않다. ⑥ 형 (감각이) 무겁다. ❏头～腿软; 머리는 무겁고 다리는 풀리다.

[沉沉] chénchén 형 ① 무거운 모양. ❏高梁穗～地垂下头来; 수수

이삭이 무겁게 머리를 늘어뜨렸다. ② 정도가 깊은 모양. ❑黑色～; 밤이 매우 깊다.

[沉甸甸(的)] chéndiàndiàn(·de) 형 무거운 모양. ❑听了这话, 她心里变得～的; 이 말을 듣고 그녀는 마음이 무거워졌다.

[沉淀] chéndiàn 명 침전물. 동 ① 침전하다. ②〈比〉 응집되다. 누적하다. 축적하다. ❑～情感; 감정을 응집시키다.

[沉积] chénjī 동 ①〖地質〗 퇴적하다. ❑～盆地; 퇴적 분지 / ～岩; 퇴적암. ② 침적하다. ❑河里～的泥沙; 강에 침적된 진흙 모래. ③〈比〉 (추상적인 것이) 응집하다. 축적하다. ❑文化～; 문화가 응집되다.

[沉寂] chénjì 형 ① 매우 조용하다. 깊고 고요하다. ❑～的山村; 고요한 산골 마을. ② 감감무소식이다. ❑消息～; 소식이 감감하다.

[沉降] chénjiàng 동 내려앉다. 침강하다. ❑地面～; 지면이 침강하다.

[沉浸] chénjìn 동 ① (물속에) 빠지다. ②〈比〉 빠져들다. 잠기다. ❑大家都～在胜利的欢乐之中; 모두가 승리의 기쁨에 빠져들었다.

[沉静] chénjìng 형 ① 고요하다. ❑入夜, 四周格外～; 밤이 되니 사방이 유난히 고요하다. ② 침착하다. 차분하다. ❑性情比较～; 성격이 비교적 차분하다.

[沉闷] chénmèn 형 ① (날씨·분위기가) 무겁다. 찌무룩하다. 가라앉다. ❑这样的雨天很～; 이렇게 비가 오는 날은 매우 찌무룩하다. ② (기분이) 울적하다. 우울하다. ❑心情～; 기분이 우울하다. ③ 내성적이다. ❑性情～; 성격이 내성적이다.

[沉迷] chénmí 동 깊이 빠지다. 열중하다. 사로잡히다. ❑～在幻想里; 환상에 사로잡히다.

[沉湎] chénmiǎn 동〈書〉 (주색 따위에) 빠지다. 탐닉하다.

[沉没] chénmò 동 침몰하다. 가라앉다. ❑太阳～在地平线下; 태양이 지평선 아래로 가라앉다.

[沉默] chénmò 형 말수가 적다. 과묵하다. ❑～寡言;〈成〉 과묵하다. 동 침묵하다. ❑保持～; 침묵을 지키다.

[沉溺] chénnì 동 (주로, 안 좋은 쪽으로) 탐닉하다. 빠지다. ❑～于声色; 가무와 여색에 빠지다.

[沉睡] chénshuì 동 푹 자다. 깊은 잠에 빠지다.

[沉思] chénsī 동 깊이 생각하다. 깊은 생각에 잠기다.

[沉痛] chéntòng 형 ① 침통하다. ❑心情～; 마음이 침통하다. ② 엄하다. 엄중하다. 깊다. ❑～的教训; 엄한 교훈.

[沉陷] chénxiàn 동 ① (지면·건물 기초 따위가) 침하하다. ❑地基～; 지반이 침하하다. ② 깊이 빠지다. ❑车子～在泥泞中; 차가 진흙탕에 깊이 빠지다. ③ (생각 따위에) 깊이 빠지다. ❑～于往事的回忆里; 과거의 기억 속에 깊이 빠지다.

[沉吟] chényín 동 ① (시구(詩句) 따위를) 나즈막이 읊조리다. ② (복잡하거나 어려운 일을 만나) 망설이며 중얼거리다. ❑他～了好一会, 终于作出决定; 그는 한참을 망설인 끝에 마침내 결정을 내렸다.

[沉郁] chényù 형 침울하다. 우울하다.

[沉重] chénzhòng 형 ① (무게·마음·부담 따위가) 무겁다. ❑～的负担; 무거운 부담. ② (병·타격 따위가) 심각하다. 막심하다. ❑～的损害; 막심한 손해.

[沉住气] chén zhù qì 진정하다. 평정을 유지하다. ❑考场上一定要～; 시험장에서는 평정을 유지해야 한다.

[沉着] chénzhuó 형 (언동이) 침착하다. 차분하다. ❑～应付; 침착하게 대처하다. 동〖醫〗 (색소 따위가) 침착하다.

[沉醉] chénzuì 동 ① 매우 취하다. ②〈比〉 푹 빠지다. 심취하다. ❑他被孩子们的歌声～了; 그는 아이들의 노랫소리에 푹 빠졌다.

忱 chén (침)

명〈書〉 감정. 마음. 성의.

陈(陳) chén (진)

A) ① 동 늘어놓다. 벌이다. 진열하다. ❑～列; ⇩ ② 동 서술하다. 진술하다. ❑详～; 상술하다. ③ 형 오래되다. 묵다. ❑～酒; ⇩ B) (Chén) 명〖史〗 ① 진《주대(周代)의 제후국》. ② 진《남조(南朝)의 하나》.

[陈兵] chénbīng 동 병력을 배치하다.

[陈词滥调] chéncí-làndiào〈成〉

진부하고 실제와 맞지 않는 논조.
[陈腐] chénfǔ 형 진부하다. 고리타분하다. ❏~观念; 진부한 관념.
[陈规] chénguī 명 케케묵은 규칙. 낡은 규칙. ❏打破~; 낡은 규칙을 깨다.
[陈货] chénhuò 명 오래된 물건.
[陈迹] chénjì 명 지나간 자취. 과거의 일.
[陈酒] chénjiǔ 명 ① 오래 묵은 술《상등품》. ②〈方〉 황주(黃酒).
[陈旧] chénjiù 형 케케묵다. 진부하다. 낡다. 노후하다. ❏那套设备~了; 그 설비는 낡았다 / 观点~; 관점이 진부하다.
[陈列] chénliè 동 진열하다. ❏~品; 진열품 / ~室; 진열실.
[陈年] chénnián 형 해묵은. ❏~老账; 해묵은 빚《오래된 은혜·원한》.
[陈设] chénshè 동 진열하다. 배치하다. ❏很多物品都~在这里; 많은 물품이 여기에 진열되어 있다. 명 장식품. 진열된 물건.
[陈述] chénshù 동 진술하다. 조리있게 말하다. ❏~意见; 의견을 진술하다 / ~句; 〖言〗 평서문.
[陈说] chénshuō 동 진술하다. 설명하다. ❏~事件的经过; 사건의 경과를 진술하다.
[陈诉] chénsù 동 (고통·억울함 따위를) 호소하다. ❏~委屈; 억울함을 호소하다.

辰 chén (진)
명 ① 십이지(十二支)의 다섯째. ② 해·달·별의 총칭. ❏星~; 별. ③ 진시(辰時). ④ 시간. 때. 날. 시절. ❏生不逢~; 〈成〉 좋은 시절에 태어나지 못하다.
[辰砂] chénshā 명 〖鑛〗 진사. 주사. 단사. =[朱zhū砂][丹砂]
[辰时] chénshí 명 진시(辰時)《오전 7시에서 9시 사이》.

晨 chén (신)
명 (이른) 아침.
[晨报] chénbào 명 조간신문.
[晨操] chéncāo 명 아침 체조.
[晨光] chénguāng 명 아침 햇살.
[晨星] chénxīng 명 ① (드문드문한) 새벽별. ②〖天〗 신성《해 뜨기 전 동쪽에 나타나는 금성 또는 수성》.

衬(襯) chèn (츤)
① 동 안을 대다. 안에 받치다. ❏领子里~了一层麻布; 옷깃 안에 삼베를 한 겹 댔다. ② 명 안에 대는 것. ❏~布; ⇩ / ~衫; ⇩ ③ (~儿) 명 (옷·모자 따위에 대는) 심. 안감. ❏袖~儿; 소매심. ④ 동 (다른 것에 대하여) 두드러지게 하다. 돋보이게 하다. ❏绿叶~红花; 푸른 잎이 붉은 꽃을 돋보이게 해 주다.
[衬布] chènbù 명 (옷깃·어깨·바지의 허리 따위에 대는) 안감.
[衬裤] chènkù 명 속바지.
[衬里(儿)] chènlǐ(r) 명 안감. 라이닝(lining).
[衬裙] chènqún 명 속치마. 페티코트(petticoat).
[衬衫] chènshān 명 셔츠(shirt). ❏男~; 와이셔츠 / 女~; 블라우스.
[衬托] chèntuō 동 (다른 것에 의해) 두드러지게 하다. 부각시키다. 돋보이게 하다. ❏穿上这件衣服, 更~出她的身材; 이 옷을 입으면 그녀의 몸매가 더욱 돋보인다.
[衬衣] chènyī 명 속에 입는 홑겹으로 된 옷. 속옷. 셔츠.

称(稱) chèn (칭)
동 적합하다. 들어맞다. 어울리다. ⇒chēng
[称身] chèn//shēn 형 (옷이) 몸에 꼭 맞다.
[称心] chèn//xīn 형 마음에 들다. 만족스럽다. ❏~如意 =[~遂意]; 〈成〉 마음에 쏙 들다.
[称愿] chèn//yuàn 동 바라던 대로 되다. 고소하다. 쌤통이다. ❏他被免了职, 我们都~; 그가 면직을 당하자 우리는 모두 고소해했다.
[称职] chènzhí 형 (지적 수준·업무 능력 따위가) 직무를 감당할 만하다. 직무에 적합하다.

趁 chèn (진)
① 개 (조건·시간·기회 따위를) 틈타다. 이용하다. ❏~着人少赶快多照几张相; 사람이 적을 때 사진을 많이 찍어 두어라. ② 동〈方〉 소유하다. 많이 가지고 있다. ❏~钱; ⇩
[趁便] chèn//biàn 부 …하는 김에. ❏来北京开会, ~看望几位老同学; 베이징에 회의하러 온 김에 동창 몇 명을 만났다.
[趁火打劫] chènhuǒ-dǎjié 〈成〉 불난 틈을 타서 약탈하다《남이 위급할 때를 틈타 이익을 얻다》.
[趁机] chènjī 부 기회를 이용하여. 기회를 틈타. ❏~溜走; 기회를 틈

타 줄행랑을 치다.
[趁钱] chèn//qián 동〈方〉 돈이 있다. 돈이 많다.
[趁热(儿)] chèn//rè(r) 부 뜨거울 때를 이용하여. 식기 전에. ❏～儿赶快吃吧; 식기 전에 어서 먹어라 / ～打铁;〈成〉 쇠는 달았을 때 쳐라《일은 때를 놓쳐서는 안 된다》.
[趁势] chènshì 부 유리한 형세를 이용해. 여세를 몰아. ❏守门员摔倒了, 他～把球踢进了球门; 골키퍼가 넘어지자, 그는 유리한 형세를 이용해 골을 넣었다. ＝[乘势]
[趁早(儿)] chènzǎo(r) 부 일찌감치. 서둘러서. 속히. ❏打雷了, 我们～走吧; 천둥이 치기 시작하니, 우리 서둘러 떠납시다.

cheng ㄔㄥ

称(稱) chēng (칭)
① 동 …이라 일컫다. …이라 부르다. …이라 칭하다. ❏人们～他活字典; 사람들은 그를 걸어다니는 사전이라고 부른다 / 她～得起我公司的秀才; 그녀는 우리 회사의 인재라고 불릴 만하다. ② 명 명칭. 칭호. ❏简～; 약칭. ③ 동 말하다. ❏～快; ⇓ ④ 동 칭찬하다. 찬양하다. ❏～赞; ⇓ ⑤ 동 무게를 달다. ❏～一～这个邮包有多重; 이 소포가 얼마나 나가는지 무게를 좀 달아 보자. ⇒ chèn
[称霸] chēngbà 동 세도를 부리다.
[称道] chēngdào 동 칭찬하다. ❏人人～; 사람마다 칭찬하다.
[称号] chēnghào 명 칭호.
[称呼] chēng·hu 동 부르다. 호칭하다. ❏孩子们都～她大婶; 아이들은 모두 그녀를 아주머니라고 부른다. 명 호칭.
[称快] chēngkuài 동 쾌재를 부르다. ❏拍手～; 손뼉 치며 쾌재를 부르다.
[称颂] chēngsòng 동 칭송하다.
[称叹] chēngtàn 동 찬탄하다. ❏连声～; 찬탄이 끊이지 않다.
[称王称霸] chēngwáng-chēngbà〈成〉 ① 제멋대로 날뛰고 횡포를 부리다. ② 못살게 굴며 그 위에 군림하려 들다.
[称羡] chēngxiàn 동 칭찬하며 부러워하다.
[称兄道弟] chēngxiōng-dàodì〈成〉 호형호제(呼兄呼弟)하다.
[称雄] chēngxióng 동 (무력·세력 따위를 등에 업고) 군림하다. 장악하다. ❏这支足球队在绿茵场上～多年; 이 축구팀은 수년간 그라운드를 장악했다.
[称许] chēngxǔ 동 자자하게 칭찬하다.
[称赞] chēngzàn 동 칭찬하다. ❏大家都～他勤快; 모두들 그가 부지런하다고 칭찬한다.

撑 chēng (탱)
동 ① 받치다. 괴다. 버티다. ❏用木头～着大墙; 나무토막으로 담을 받쳐 놓다 / 两手～着下巴沉思; 양손으로 턱을 괴고 생각에 잠기다. ② (상앗대로) 배를 젓다. ❏船上的人太多了, ～不动; 배 위에 사람이 너무 많아서 배를 저을 수 없다. ③ 견디다. 참다. 버티다. ❏听了他的话, 我～不住笑了; 그의 말을 듣고 나는 웃음을 참을 수 없었다. ④ 열다. 펴다. 벌리다. ❏把伞～起来; 우산을 펼치다. ⑤ (터질 정도로) 잔뜩 쑤셔 넣다. 꽉 채우다. ❏把口袋～开线了; 자루를 너무 꽉 채워서 실밥이 터졌다.
[撑场面] chēng chǎngmiàn〈比〉 허세를 부리다. 겉치레하다. ＝[撑门面]
[撑持] chēngchí 동 간신히 버티다. 힘들게 견디다. ❏她在痛苦中～了20多年; 그녀는 고통 속에 20여 년을 버텨 왔다.
[撑竿] chēnggān 명〖體〗(장대높이뛰기의) 장대. ❏～跳高; 장대높이뛰기.
[撑门面] chēng mén·mian〈比〉 ⇒[撑场面]
[撑腰] chēng//yāo 동〈比〉 뒷받침하다. 후원하다. 지지하다. ❏～打气; 지지하여 기운을 북돋아 주다.

瞠 chēng (당)
동〈書〉 눈을 크게 뜨고 보다.
[瞠乎其后] chēnghūqíhòu〈成〉 뒤에서 눈만 크게 뜨고 있을 뿐 따라잡지 못하다.
[瞠目] chēngmù 동〈書〉 눈을 크게 뜨다. 눈을 부릅뜨다《놀라거나 난처하거나 당황한 모양》. ❏～结舌;〈成〉 눈만 크게 뜬 채 말을 하지 못하다.

丞 chéng (승)
명 보좌관. 차관(次官).
[丞相] chéngxiàng 명 승상.

承 chéng (승)
동 ① 받다. 받치다. ❑ ~重; ⇓ ② 담당하다. 맡다. ❑ ~担; ⇓ ③〈套〉…을 받다. …을 입다. ❑ ~您过奖; 과찬이십니다. ④ 계속하다. 잇다. ❑ ~上启下; ⇓ ⑤ (명령·분부를) 받다. 받들다. ❑ ~命; 명령을 받다.

[承办] chéngbàn 동 도급[청부] 맡아 처리하다. ❑ 这事由他~; 이 일은 그가 청부 맡아 처리한다.

[承包] chéngbāo 동 도급 맡다. 청부 맡다. ❑ ~商; 하청업자.

[承担] chéngdān 동 부담하다. 맡다. 책임지다. ❑ ~风险; 위험 부담을 안다 / ~责任; 책임을 지다.

[承当] chéngdāng 동 ① 담당하다. 책임지다. 맡다. ❑ 责任由我~; 책임은 내가 진다. ②〈方〉승낙하다. 허락하다.

[承兑] chéngduì 동〖商〗(어음 따위를) 지급 인수 하다. ❑ ~人; 지급 인수인.

[承继] chéngjì 동 ① (자식이 없는 백부[숙부]의) 양자가 되다. ② (형제의 아들을) 양자로 삼다. ③ 상속하다. ❑ ~人; 상속인.

[承接] chéngjiē 동 ① (용기로 액체를) 받다. ❑ 用脸盆~雨水; 세숫대야로 빗물을 받다. ② 맡다. 담당하다. 책임지다. ❑ ~来料加工; 위탁 가공을 맡다. ③ 이어받다. 잇다. ❑ ~上文; 앞글을 이어받다.

[承蒙] chéngméng 동〈套〉(…을) 받다. 입다. ❑ ~热情招待; 환대를 받다.

[承诺] chéngnuò 동 승낙하다. 수락하다. ❑ 慨然~; 흔쾌히 승낙하다.

[承情] chéng//qíng 동〈套〉호의를 받다.

[承认] chéngrèn 동 ① 인정하다. 시인하다. ❑ ~错误; 잘못을 시인하다. ② (국제 사회에서 국가·정권의 존재를) 인정하다.

[承上启下] chéngshàng-qǐxià〈成〉윗글을 받아 아랫글에 연결시키다. =[承上起下]

[承受] chéngshòu 동 ① (고난·압력 따위를) 감당하다. 견디다. 이기다. ❑ ~各种各样的考验; 온갖 시련을 이겨내다. ② (재산·권리 따위를) 계승하다. 물려받다. ❑ ~遗产; 유산을 물려받다.

[承袭] chéngxí 동 ① 답습하다. ❑ ~旧制; 구제도를 답습하다. ② (작위나 유업을) 계승하다.

[承先启后] chéngxiān-qǐhòu〈成〉(학문·사업 따위에서) 전대(前代)의 것을 계승하여 후대(後代)의 것을 개발시키다.

[承销] chéngxiāo 동 위탁 판매 하다. ❑ ~人; 위탁 판매인.

[承重] chéngzhòng 동〖建〗(건축물·구조물 따위의) 하중을 견디다. ❑ ~柱; 하중 기둥.

成 chéng (성)
① 동 성공하다. 이루다. 완성하다. ❑ 事情已经~了; 일은 이미 이루어졌다. ② 동 완성시키다. 성사시키다. ❑ ~人之美; ⇓ ③ 동 …이 되다. …으로 되다. ❑ 冰一加热就~了水; 얼음은 가열하기만 하면 물로 변하다. ④ 명 성과. 성취. ❑ 坐享其~; 앉아서 성과를 얻다. ⑤ 동 성숙하다. 충분히 성장하다. ❑ ~人; ⇓ ⑥ 형 기성(既成)의. 기존의. 기정(既定)의. ❑ ~品; ⇓ ⑦ 동 어떤 단위에 도달함을 나타냄《수량이 많거나 시간이 긴 것을 강조함》. ❑ ~年; ⇓ ⑧ 동 좋다. 되다. 상관없다《동의나 허가를 나타냄》. ❑ 这么办~不~? 이렇게 하면 됩니까? ⑨ 형 훌륭하다. 장하다《능력을 칭찬하는 말》. ❑ 那个人真~! 저 사람 참 장하구나! ⑩ 양 10분의 1. 1할. ❑ 八~; 8할.

[成败] chéngbài 명 성패.

[成本] chéngběn 명〖經〗원가. ❑ ~核算; 원가 계산 / 生产~; 생산 원가 / 制作~; 제작비.

[成材] chéng//cái 동 ① 재목(材木)이 되다. ②〈比〉쓸모 있는 사람이 되다. 인재가 되다.

[成虫] chéngchóng 명 성충.

[成堆] chéng//duī 동 산적(山積)하다. 매우 많다. ❑ 问题成了堆了; 문제가 산적하였다.

[成法] chéngfǎ 명 ① 이미 제정된 법규. ② 기존의 방법.

[成分] chéngfèn 명 ① 구성 요소. 성분. ❑ 化学~; 화학 성분. ② 출신 성분. ❑ 个人~; 개인의 출신 성분. ‖ =[成份]

[成风] chéngfēng 동 풍조를 이루다. 붐이 일다. ❑ 某些地区赌博~; 일부 지역에서 도박 붐이 일다.

[成功] chénggōng 동 성공하다. ❑ 试验终于~了; 실험이 마침내 성공하였다. 형 성공적이다. ❑ 这

次演出很～; 이번 공연은 매우 성공적이다.
[成规] chéngguī 명 상규(常規). 기존의 규칙[방법]. ❏打破～; 기존의 규칙을 깨다.
[成果] chéngguǒ 명 성과. 수확.
[成婚] chénghūn 동 성혼하다. 결혼하다.
[成吉思汗] Chéngjísī Hán 〖人〗 칭기즈 칸(Chingiz Khan).
[成绩] chéngjì 명 (학업·업무상의) 성적. ❏～单; 성적표 / 优秀～; 우수한 성적.
[成家] chéng//jiā 동 ① (남자가) 가정을 갖다. 결혼하다. ❏～立业; 〈成〉 결혼하여 (경제적으로) 독립하다. ② 전문가가 되다.
[成见] chéngjiàn 명 ① 선입관. 선입견. 고정관념. ❏消除～; 선입견을 없애다. ② 개인적인 견해. 일정한 주견.
[成交] chéng//jiāo 동 거래가 성사되다. 매매가 이루어지다. ❏今天他～了一笔生意; 오늘 그는 거래한 건을 성사시켰다.
[成就] chéngjiù 명 성과. 업적. 공적. ❏获得了新的～; 새로운 성과를 거두었다. 동 완성되다. 성취하다. 완수하다. ❏～任务; 임무를 완수하다 / ～感; 성취감.
[成立] chénglì 동 ① (조직·기관 따위를) 세우다. 성립하다. 설립하다. ❏宣布中华人民共和国～; 중화 인민 공화국 성립을 선포하다. ② (이론·의견 따위가) 성립되다. ❏这个论点, 不能～; 이 논점은 성립될 수 없다.
[成龙] chéng//lóng 동 ① 용이 되다. 〈比〉 훌륭한 인물이 되다. ② 하나로 조합하다. ❏～配套; 〈成〉 각각의 설비를 조합하여 완전한 시스템을 갖추다.
[成名] chéng//míng 동 이름이 나다. 유명해지다. ❏～曲; 히트곡 / ～作; 출세작.
[成年] chéngnián 동 다 자라다. 성년이 되다. ❏～期; 성년기 / ～树; 다 자란 나무. 부〈口〉 일 년 내내. ❏～在外奔忙; 일 년 내내 밖으로 분주히 다니다 / ～累月 〈成〉 긴 세월. 오랜 세월.
[成品] chéngpǐn 명 완제품.
[成器] chéngqì 동 〈比〉 쓸모 있는 인물이 되다. 인재가 되다.
[成千上万] chéngqiān-shàngwàn 〈成〉 수천수만《수가 대단히 많음》 =[成千成万][成千累lěi万]
[成亲] chéng//qīn 동 결혼하다.
[成全] chéngquán 동 (남을 도와) 일을 성사시켜 주다. ❏～好事; 좋은 일을 성사시켜 주다. =[圆成]
[成人] chéngrén 명 성인. 어른. (chéng//rén) 동 성인[어른]이 되다. ❏长大～; 어른이 되다.
[成人之美] chéngrénzhīměi 〈成〉 남의 좋은 일을 이루도록 돕다.
[成日] chéngrì 부 ⇨[整天]
[成色] chéngsè 명 ① 품위《금화나 은화가 함유하고 있는 금이나 은의 비례》. ② 질. 품질.
[成事] chéngshì 명〈書〉 지난 일. ❏～不说; 지난 일은 말하지 않는다. (chéng//shì) 동 일을 이루다. 성사하다. ❏～不足, 败事有余; 〈諺〉 매우 무능하여 일을 제대로 못하고 망치기만 하다.
[成熟] chéngshú 동 ① (과일·곡식 따위가) 여물다. 익다. 무르익다. ❏谷物～; 곡식이 무르익다. ② 〈轉〉 (발육 상태가) 성숙해지다. ❏他已发育得很～了; 그는 이미 발육 상태가 매우 성숙해졌다. 형 완전한 정도에 이르다. 무르익다. 성숙하다. ❏时机～; 시기가 무르익다.
[成算] chéngsuàn 명 성산. 미리 해 놓은 계산. ❏心有～; 마음속에 이미 계산이 서 있다.
[成套] chéng//tào 동 한 세트를 이루다. ❏这些家具是～的; 이 가구들은 한 세트이다 / ～餐具; 식기 세트.
[成天] chéngtiān 부〈口〉 하루 종일. 종일. 온종일. ❏他～不着家; 그는 종일 집에 붙어 있지를 않는다. =[成日][整天]
[成为] chéngwéi 동 …이 되다. ❏他已经～一个很有名的演员; 그는 이미 매우 유명한 배우가 되었다.
[成文法] chéngwénfǎ 명 〖法〗 성문법.
[成问题] chéng wèntí 〈口〉 문제가 되다. 골칫거리이다.
[成效] chéngxiào 명 효과. 효능. 성과. ❏大见～; 효과가 크게 나타나다.
[成心] chéngxīn 부 고의로. 일부러. ❏～捣乱; 고의로 소란을 피우다.
[成形] chéngxíng 동 ① 형체를 이

루다. 모양을 갖추다. ②〔醫〕(손상된 조직 따위를) 성형하다. ❏ 骨~术; 뼈 성형술. ③〔醫〕정상적인 형상을 갖추다.

[成性] chéngxìng 동 (주로, 좋지 않은 것이) 버릇[습관]이 되다. ❏ 懒惰~; 게으른 버릇이 들다.

[成药] chéngyào 명 기성약. 기성 약품. 매약(賣藥).

[成衣] chéngyī 명 기성복.

[成因] chéngyīn 명 형성[생성]된 원인[요인]. ❏ 地震的~; 지진의 생성 원인.

[成语] chéngyǔ 명 성어(成語). ❏ ~词典; 성어 사전.

[成员] chéngyuán 명 성원. 구성원. 멤버. ❏ ~国; 회원국 / 家庭~; 가족 구성원.

[成长] chéngzhǎng 동 자라다. 성장하다. 발전하다. ❏ 他已~为出色的工程师; 그는 이미 훌륭한 기술자로 성장하였다 / 经济~率; 경제 성장률 / ~股; 성장주(成長株).

[成竹在胸] chéngzhú-zàixiōng 〈成〉 ⇨[胸有成竹]

诚(誠) chéng (성) ① 형 진실하다. 진심이다. ② 부〈書〉 실로. 실제로. ❏ ~有此事; 실제로 이런 일이 있다.

[诚恳] chéngkěn 형 진심이 넘치고 간절하다. 진실되다. ❏ 表示~的感谢; 진심으로 감사의 뜻을 나타내다.

[诚朴] chéngpǔ 형 성실하고 소박하다.

[诚然] chéngrán 부 정말. 실로. 참으로. 확실히. ❏ 他~是个讲信用的人; 그는 참으로 신용을 중시하는 사람이다. 접 물론 …지만《뒷 문장의 역접을 이끌어 내는 말》. ❏ 背诵~重要, 但理解更重要; 외우는 것도 물론 중요하지만 이해하는 것이 훨씬 더 중요하다.

[诚实] chéng·shí 형 성실하다.

[诚心] chéngxīn 명 진심. 성심성의. 형 진실하다. 진심이다.

[诚心诚意] chéngxīn-chéngyì 〈成〉 진심으로 대하다. 성심성의.

[诚意] chéngyì 명 진심. 성의.

[诚挚] chéngzhì 형 성실하고 진지하다. ❏ 他的态度十分~; 그의 태도는 매우 성실하고 진지하다.

城 chéng (성) 명 ① 성. 성벽(城壁). ② 도시. 시(市). ❏ ~乡; ⇩

[城堡] chéngbǎo 명 성보. 성루.

[城池] chéngchí 명 ① 성벽과 해자. ②〈轉〉 도시(都市).

[城防] chéngfáng 명 도시의 방비. ❏ ~工事; 도시 방비 공사.

[城郭] chéngguō 명 ① 성곽. 성벽. ②〈轉〉 도시.

[城隍] chénghuáng 명 성황신. 서낭신. ❏ ~庙; 성황당. 서낭당.

[城郊] chéngjiāo 명 도시의 변두리. 교외(郊外).

[城楼] chénglóu 명 성루.

[城门] chéngmén 명 성문.

[城墙] chéngqiáng 명 성벽.

[城区] chéngqū 명 시구(市區). 시가 구역.

[城市] chéngshì 명 도시. ❏ ~重建; 도시 재개발 / 工业~; 공업 도시 / ~铁路; 도시 철도.

[城乡] chéngxiāng 명 도시와 농촌. ❏ ~交流; 도시와 농촌의 교류.

[城镇] chéngzhèn 명 도시와 소읍.

盛 chéng (성) 동 ① (용기에) 담다. ❏ ~饭; 밥을 담다. 밥을 푸다. ② 수용하다. 넣다. ❏ 这间屋子至少也能~30个人; 이 집은 적어도 서른 명은 수용할 수 있다. ⇒shèng

[盛器] chéngqì 명 용기. 그릇.

呈 chéng (정) 동 ① (색깔·상태·모양을) 띠다. 나타내다. ❏ 柿子~橘黄色; 감이 오렌지색을 띠고 있다. ② 드리다. 올리다. 바치다. ❏ ~报告; 보고를 올리다.

[呈报] chéngbào 동〈公〉 (상급 기관에) 공문으로 보고하다. 보고서를 올리다.

[呈递] chéngdì 동 봉정(捧呈)하다. 삼가 제출하다. ❏ ~公文; 공문을 봉정하다.

[呈请] chéngqǐng 동 (공문으로 상급 기관에) 지시를 청하다[신청하다]. ❏ ~上级批准; 상급 기관의 허가를 신청하다.

[呈文] chéngwén 명 상급 기관에 제출하는 문서. 상신서.

[呈现] chéngxiàn 동 (상태·현상 따위가) 나타나다. 드러나다. ❏ ~怪现象; 괴현상이 나타나다.

程 chéng (정) 명 ① 규칙. 법칙. ❏ 规~; 규정. ② 순서. 과정. ❏ 日~; 일정. ③ 한 구간의 길. ❏ 送你一~; 조

금만 배웅하겠습니다. ④ 노정(路程). 거리. ❑ 里~; 이정.
[程度] chéngdù 명 ① (문화·교육·지식·능력 따위의) 수준. ❑ 文化~; 문화적 수준. ② 정도. 지경. ❑ 他的病已发展到不可救药的~; 그의 병은 이미 손 쓸 수 없을 정도로 진행되었다.
[程式] chéngshì 명 (일정한) 격식. 형식. 법식(法式). ❑ 表演的~; 연기의 형식.
[程序] chéngxù 명 ① 순서. 절차. 단계. ❑ 工作~; 작업 순서. ② 〖컴〗 프로그램(program). ❑ ~设计; 프로그래밍(programming) / ~设计员; 프로그래머(programmer).

乘 chéng (승)
① 동 (교통수단이나 동물을) 타다. ❑ ~马; 말에 타다 / ~车; 승차하다. ② 개 …를 타고. …를 이용하여. ❑ ~其不备而攻之; 그 무방비한 틈을 타서 공격하다. ③ 동 〖數〗 곱하다. ❑ 二~八等于十六; 2 곱하기 8은 16이다.
[乘便] chéngbiàn 부 …하는 김에. ❑ 你出去~替我捎块肥皂; 나가는 김에 내 대신 비누 좀 가져다 줘.
[乘法] chéngfǎ 명 〖數〗 곱셈.
[乘风破浪] chéngfēng-pòlàng 〈成〉 ① 어려움을 두려워하지 않고 용감히 나아가다. ② 사업이 급속도로 발전하다.
[乘机] chéngjī 부 기회를 틈타. 기회를 이용하여. ❑ ~报复; 기회를 틈타 보복하다.
[乘客] chéngkè 명 승객.
[乘凉] chéng//liáng 동 (시원한 곳에서) 더위를 식히다. ❑ 大树底下好~; 큰 나무 밑은 더위를 식히기에 좋다. =[歇xiē凉]
[乘人之危] chéngrénzhīwēi 〈成〉 남의 위기를 틈타다.
[乘胜] chéngshèng 동 승세(勝勢)를 타다.
[乘势] chéngshì 부 ⇨[趁chèn势] 동 〈書〉 권세를 등에 업다.
[乘务] chéngwù 명 승무. ❑ ~员; 승무원.
[乘兴] chéngxìng 부 흥에 겨워. 신이 나서. 신나게. ❑ ~而来, 兴尽而返; 〈成〉 흥에 겨워 왔다가, 흥이 깨져서 돌아가다.
[乘虚] chéngxū 부 허를 틈타. 허를 찌르고. ❑ ~而入; 〈成〉 허를 타고 들어오다.
[乘坐] chéngzuò 동 (탈것에) 타다. ❑ ~飞机; 비행기에 타다.

惩(懲) chéng (징)
동 ① 벌하다. 징계하다. ❑ 严~; 엄히 벌하다. ② 경계하다.
[惩办] chéngbàn 동 징벌하다. 처벌하다. ❑ 严加~; 엄중히 처벌하다.
[惩处] chéngchǔ 동 처벌하다. ❑ 依法~; 법에 따라 처벌하다.
[惩罚] chéngfá 동 징벌하다. 처벌하다. ❑ 受到应有的~; 마땅한 처벌을 받다.
[惩戒] chéngjiè 동 징계하다.
[惩前毖后] chéngqián-bìhòu 〈成〉 과거의 잘못을[실패를] 후일의 거울로 삼다.
[惩一儆百] chéngyī-jǐngbǎi 〈成〉 일벌백계(一罰百戒). =[惩一警百][惩一戒百]
[惩治] chéngzhì 동 징벌하다. 처벌하다. ❑ ~腐败官吏; 부패한 관리를 처벌하다.

澄 chéng (징)
형 (물이) 매우 맑다. ⇒dèng
[澄澈] chéngchè 형 맑고 투명하다. 맑디맑다. =[澄彻]
[澄清] chéngqīng 형 (물이) 맑다. ❑ 湖水~; 호수가 맑다. 동 ① (혼란한 국면을) 깨끗이 하다. 평정하다. ❑ ~天下; 천하를 평정하다. ② (인식·문제 따위를) 명확히 하다. 분명히 하다. ❑ ~观念; 관념을분명히 하다. ⇒dèng//qīng

橙 chéng (등)
명 ① 〖植〗 등자나무. 오렌지(orange) 나무. ② 등자. 오렌지. ③ 〖色〗 오렌지색.
[橙黄] chénghuáng 형 등황색(橙黃色)을 띠다.
[橙子] chéng·zi 명 〖植〗 등자. 오렌지.

逞 chěng (령, 정)
동 ① 과시하다. 우쭐대다. ❑ ~威风; 위풍을 떨다. ② (나쁜 의도를) 성취하다. 성공하다. ❑ 得~; 계획이 성공하다. ③ 마음대로 하게 하다. 방임하다. ❑ 不要~着孩子淘气; 아이들의 장난을 방임해서는 안 된다.
[逞能] chěng//néng 동 (능력 따위를) 과시하다. 잘난 체하다. 뽐내다. ❑ 他很虚心, 从不~; 그는 매

우 겸손해서 여태껏 자기를 과시해 본 일이 없다.

[逞强] chěng//qiáng 동 센 척하다. 호기 부리다. 강한 체하다. ❑ 他经常在别人面前~; 그는 항상 남 앞에서 센 척한다.

[逞性子] chěng xìng·zi 제멋대로 굴다. 멋대로 행동하다. ❑ 在长辈面前~; 어른 앞에서 제멋대로 굴다.

[逞凶] chěngxiōng 동 흉포한 짓을 하다.

骋(騁) chěng (빙) 동 ① (말이) 내달리다. ② 활짝 열다. 펼치다.

[骋怀] chěnghuái 동〈書〉 흉금을 터놓다.

[骋目] chěngmù 동〈書〉 눈을 크게 뜨고 먼 곳을 바라보다.

秤 chèng (칭) 명 저울.

[秤锤] chèngchuí 명 저울추. =[〈口〉秤砣]

[秤杆(儿)] chènggǎn(r) 명 (대저울의) 저울대.

[秤钩] chènggōu 명 대저울 끝의 고리(무게를 달 물건을 걸음).

[秤盘子] chèngpán·zi 명 저울판.

[秤砣] chèngtuó 명〈口〉⇨[秤锤]

[秤星(儿)] chèngxīng(r) 명 저울눈.

chi 彳

吃 chī (흘) 동 ① 먹다. 마시다. ❑ ~饱; 배불리 먹다 / ~药; 약을 먹다. ② …에 의지하여 생활하다. ❑ ~父母; 부모에게 의지하여 생활하다. ③ (액체를) 빨아들이다. 흡수하다. 먹다. ❑ ~墨; 잉크를 흡수하다. ④ (바둑알·장기알 따위를) 따먹다. (적을) 전멸시키다. ❑ 让他~了一个车jū; 그에게 차 하나를 따먹혔다. ⑤ 지탱하다. 견디다. ❑ ~不住; ⇩ ⑥ 당하다. 입다. 받다. ❑ 连~了三次败仗; 연달아 세 번 패했다. ⑦ 소모하다. 쓰다. 닳다. ❑ ~力; ⇩

[吃白饭] chī báifàn ① (반찬 없이) 맨밥만 먹다. ② 돈 안 내고 밥을 먹다. 무전취식하다. ③ 무위도식하다. 식객(食客) 노릇을 하다.

[吃闭门羹] chī bìméngēng 〈口〉 문전박대를 당하다.

[吃不开] chī·bukāi 형 통하지 않다. 환영받지 못하다. ❑ 过去的那一套现在已经~了; 과거의 그런 방법은 지금은 이미 통하지 않는다.

[吃不来] chī·bulái 동 (싫어해서) 못 먹는다. ❑ 牛肉我还吃得来, 猪肉就~; 나는 쇠고기는 먹을 수 있어도 돼지고기는 못 먹는다.

[吃不了, 兜着走] chī·buliǎo, dōu·zhe zǒu 〈口〉 다 먹을 수 없으면 싸 간다(문제가 생기면 모든 결과를 끝까지 책임져야 한다).

[吃不消] chī·buxiāo 동 견뎌 내지 못하다. 참을 수 없다. ❑ 一天干这么多活儿, 你的身体怕~; 하루에 이렇게 많은 일을 하면 네 몸이 견뎌 내지 못할 것이다.

[吃不住] chī·buzhù 동 지탱할 수 없다. 버틸 수 없다. ❑ 箱子太重, 我有点~了; 상자가 너무 무거워서, 내가 버티기엔 좀 역부족이다.

[吃吃喝喝] chīchīhēhē 동 먹고 마시다. 부어라 마셔라 하다(주로, 어울려서 즐기는 경우를 말함).

[吃醋] chī//cù 동 (주로, 남녀 관계에서) 질투하다. ❑ 我和她只是普通朋友, 你没必要~; 나랑 그녀는 그냥 친구 사이일 뿐이니까 질투할 필요 없어.

[吃大锅饭] chī dàguōfàn 〈比〉 기여도에 상관없이 대우·보수 따위를 똑같이 지급하다.

[吃得开] chī·dekāi 형 통하다. 환영받다. 인기 있다. ❑ 现在有技术的人很~; 요즘은 기술 있는 사람이 환영받는다.

[吃得来] chī·delái 동 (기호와 상관없이) 먹을 수 있다. ❑ 什么肉我都~; 나는 어떤 고기라도 다 먹을 수 있다.

[吃得消] chī·dexiāo 동 감당할 수 있다. 견딜 수 있다. 참을 수 있다. ❑ 就是再加三个夜班我也~; 야근을 3번 더 한다 해도 나는 견뎌 낼 수 있다.

[吃得住] chī·dezhù 동 버틸 수 있다. 지탱해 낼 수 있다. ❑ 盖上屋顶后, 这根房梁能~吗? 지붕을 올리고 나서도 이 대들보가 지탱할 수 있겠느냐?

[吃饭] chī//fàn 동 ① 식사를 하다. 밥을 먹다. ❑ 已经吃过饭了; 밥은 이미 먹었다. ② 살다. 생활하다. 먹고살다. 생계를 유지하다. ❑ 靠

种田～; 농사를 지어서 먹고살다.
[吃干饭] chī gānfàn 밥만 축내다. 〈比〉 무능하다. 쓸모없다.
[吃官司] chī guān·si 고소당하다. 소송에 휘말리다.
[吃后悔药] chī hòuhuǐyào (뒤늦게) 후회하다. ❏ 别答应了又～; 승낙하고 후회하지 마라.
[吃紧] chījǐn 형 ①(정세·상황 따위가) 긴박하다. 긴장되다. 급박하다. 절박하다. ❏ 金融市场行情～; 금융 시장 상황이 긴장되다. ② 중요하다. 긴요하다. 요긴하다.
[吃劲] chījìn 형 ①(～儿) 힘들다. 힘에 부치다. 힘겹다. ②〈方〉 중요하다. 상관있다. 대수롭다《주로, 부정형으로 쓰임》. ❏ 你去不去不～; 네가 가고 안 가고는 중요치 않다. (chī∥jìn) (～儿) 동 견디다. 버티다. 감당하다.
[吃惊] chī∥jīng 동 놀라다. ❏ 吃了一惊; 깜짝 놀라다.
[吃口] chīkǒu 명 ① 식구. ❏ 我家里～多; 우리 집은 식구가 많다. ② 먹을 때의 느낌. 씹는 맛. ③(가축의) 먹성. 식성. ❏ 这头牛～好; 이 소는 먹성이 좋다.
[吃苦] chī∥kǔ 동 ① 어려움을 겪다. 고생하다. ❏ 他吃了一辈子苦; 그는 평생 고생을 했다. ② 어려움을 견디다. 고통을 참다. ❏ 这些年轻人很能～; 이 젊은이들은 어려움을 잘 견딘다.
[吃亏] chī∥kuī 동 ① 손해 보다. 밑지다. ❏ 做了生意吃了大亏; 장사를 해서 크게 손해를 보았다. ② 조건이 불리하게 되다. 불리한 조건으로 작용하다. ❏ 我队在身高上太～了; 우리 팀은 신장 면에서 무척 불리하다.
[吃老本(儿)] chī lǎoběn(r) ① 밑천을 까먹다. ❏ ～买卖; 밑지는 장사. ②(성취하거나 나아갈 생각은 안 하고) 기존의 경력·공로·실력 따위에만 의존하여 살다. 밑천만 까먹다.
[吃里爬外] chīlǐ-páwài 〈成〉 이쪽의 혜택을 받으면서 뒤로는 저쪽을 위해 힘쓰다. ＝[吃里扒pá外]
[吃力] chīlì 형 ① 힘겹다. 힘들다. 고생스럽다. ❏ 干这活儿不太～; 이 일은 그다지 힘들지 않다. ②〈方〉 피곤하다. 피로하다. 지치다.
[吃奶] chī∥nǎi 동 젖을 먹다. ❏ ～的婴儿; 젖먹이 아기.
[吃食] chī·shi 명〈口〉 음식물.
[吃水] chīshuǐ 명 ①〈方〉 식수. 마실 물. ② 배의 흘수. ❏ ～线; 흘수선. 동 ① 수분을 흡수하다. 물을 빨아들이다. 물먹다. ❏ 吃过水的木头不能用作房梁; 물먹은 나무토막은 대들보로 쓸 수 없다. ② 물을 마시다.
[吃素] chīsù 동 ①(육식을 금하고) 채식을 하다. ②〈比〉 살상(殺傷)하지 않다.
[吃闲饭] chī xiánfàn 벌이도 없이 놀고먹다. 백수 생활을 하다.
[吃香] chīxiāng 형〈口〉 잘 나가다. 잘 팔리다. 인기 있다. ❏ 这种花布在群众中很～; 이런 꽃무늬 천은 대중에게 아주 인기가 좋다.
[吃鸭蛋] chī yādàn 〈比〉 ① 시험에서 영점(零點)을 받다. ② 시합에서 영패(零敗)하다.
[吃哑巴亏] chī yǎ·bakuī 손해를 보고도 하소연하지 못하다. 벙어리 냉가슴 앓다. 속으로 끙끙 앓다.
[吃一堑, 长一智] chī yī qiàn, zhǎng yī zhì 〈諺〉 좌절하는 만큼 현명해진다《실패는 성공의 어머니이다》.
[吃重] chīzhòng 형 ① 책임이 무겁다. 책임이 막중하다. ② 힘겹다. 어렵다. ❏ 孩子干不了这么～的活儿; 아이들은 이렇게 힘든 일은 못한다. 동 적재(積載)하다.

嗤 chī (치)
동〈書〉 조소하다. 비웃다.
[嗤笑] chīxiào 동 조소하다. 비웃다. ❏ 遭人～; 비웃음을 당하다.
[嗤之以鼻] chīzhī-yǐbí 〈成〉 콧방귀 뀌다《무시하다. 우습게 여기다》.

笞 chī (태)
동〈書〉 매질하다. 대쪽으로 때리다.

痴 chī (치)
① 형 멍청하다. 어리석다. 바보스럽다. ❏ ～呆; ⇩ ② 형 (어떤 사물이나 사람에게) 푹 빠지다. 미치다. 매혹되다. ❏ ～情; ⇩ ③ 명 (어떤 사물이나 사람에게) 푹 빠진 사람. ❏ 书～; 책벌레. ④ 형〈方〉 정신이 나가다. 미치다. ❏ ～子; ⇩
[痴呆] chīdāi 형 ① 멍하다. 멍청하다. 바보스럽다. ❏ ～的眼睛; 멍한 눈. ② 모자라다. 저능하다. 정신이 나가다.
[痴呆症] chīdāizhèng 명〔醫〕 치

매. 치매증. ❏ 老年性~; 노인성 치매.

[痴恋] chīliàn 동 지나치게 좋아하다. 푹 빠지다. 미치다. ❏ 她~了他近十年了; 그녀는 10년 가까이 그에게 미쳐 있었다.

[痴情] chīqíng 명 치정. 형 (어떤 대상에) 푹 빠지다.

[痴人说梦] chīrén-shuōmèng 〈成〉 바보가 꿈 이야기를 하다《실현 불가능한 황당무계한 이야기를 하다》.

[痴想] chīxiǎng 동 망상하다. 멍하니 생각하다. 멍청히 생각에 잠기다. 명 어리석은 생각. 망상.

[痴笑] chīxiào 동 ⇨[傻笑]

[痴心] chīxīn 명 심취한[매혹된] 마음. 형 (어떤 대상에) 깊이 빠지다. 심취하다. ❏ ~妄想; 〈成〉 망상에 깊이 빠지다.

[痴子] chī·zi 명 ① 바보. ②〈方〉 미치광이.

池 chí (지)
명 ① 물웅덩이. 못. 풀(pool). ❏ 游泳~; 수영장. ② 주위보다 낮게 패어 들어간 곳. ❏ 乐~; 오케스트라의 연주석. ③ (옛날식 극장의) 일층 중앙의 앞부분. ④〈書〉 해자(垓字).

[池汤] chítāng 명 (대중목욕탕의) 욕조(浴槽). 탕(湯). ＝[池堂][池塘②]

[池塘] chítáng 명 ① 못. 연못. 물웅덩이. ② ⇨[池汤]

[池沼] chízhǎo 명 (비교적 큰) 못. 저수지.

[池子] chí·zi 명〈口〉 ① 못. 연못. ② 욕조.

弛 chí (이)
동 ①〈書〉 풀다. 늦추다. 해제하다. ② 풀어지다. 느슨해지다. ❏ 绳索松~; 밧줄이 느슨해지다.

[弛缓] chíhuǎn 형 ① (분위기·마음·정세 따위가) 풀어지다. 완화되다. 느슨해지다. ❏ 局势日渐~; 정세가 날로 완화되다. ② 해이해지다. 느슨해지다. ❏ 纪律~; 기율이 해이해지다.

驰(馳) chí (치)
동 ① 질주하다. 빨리 달리다. ❏ 马~甚速; 말이 매우 빨리 달리다. ② 널리 알려지다. 널리 퍼지다. ❏ ~名; ⇩ ③〈書〉 마음이 향하다. 마음이 쏠리다. ❏ 神~; 생각이 간절하다.

[驰骋] chíchěng 동 ① (말을 타고) 질주하다. 누비다. ❏ ~在草原上; 초원을 누비다. ②〈比〉 능력을 펼치다. 활약하다. ❏ ~体坛; 체육계에서 활약하다.

[驰名] chímíng 동 명성을 떨치다. 이름을 날리다. ❏ ~中外; 〈成〉 국내외에 이름을 떨치다.

[驰驱] chíqū 동 ① (말을 타고) 질주하다. 내달리다. ②〈書〉 남을 위해 분주히 애쓰다.

迟(遲) chí (지)
형 ① 느리다. 굼뜨다. ❏ ~缓; ⇩ ② 늦다. ❏ 对不起, 我来~了; 늦게 와서 죄송합니다.

[迟迟] chíchí 부 한참 동안. 꾸물대며. 느릿느릿. ❏ ~不决; 꾸물거리며 결정하지 못하다.

[迟到] chídào 동 지각하다. 늦다. ❏ ~五分种; 5분 지각하다.

[迟钝] chídùn 형 (감각·생각·행동 따위가) 둔하다. 둔감하다. 느리다. ❏ 反应~; 반응이 느리다.

[迟缓] chíhuǎn 형 느리다. 더디다. ❏ 动作~; 동작이 느리다.

[迟误] chíwù 동 늦게 하다. 지체하다. 늦어서 지장을 주다. ❏ 抓紧办理, 不得~; 서둘러 처리해라, 지체하지 말고.

[迟延] chíyán 동 늦어지다. 지연시키다. 오래 끌다.

[迟疑] chíyí 형 주저하다. 망설이다. 머뭇거리다. ❏ 毫不~地跳下水去; 조금의 망설임도 없이 물속으로 뛰어들다.

[迟早] chízǎo 부 조만간. 머지않아. ❏ 她~会结婚; 그녀는 조만간 결혼할 것이다.

持 chí (지)
동 ① 잡다. 쥐다. ❏ ~刀; 칼을 잡다. ② (의견·견해·입장을) 가지다. 지니다. ❏ 对于这个事件, 你~什么观点? 이 사건에 대해 어떤 관점을 갖고 계십니까? ③ 유지하다. 견지하다. ❏ ~久; ⇩ ④ 주관하다. 관리하다. 다스리다. ❏ ~家; ⇩ ⑤ 통제하다. 제어하다. ❏ 自~; 자제하다. ⑥ 대치하다. 대항하다. ❏ 相~不下; 〈成〉 서로 대치하여 물러서지 않다.

[持家] chíjiā 동 가사를 관리하다. 집안 살림을 하다. ❏ 她很会~; 그녀는 살림을 잘한다.

[持久] chíjiǔ 형 오래 유지하다. 오래 지속하다. 영속적이다. ❏ ~性;

영속성 / ～战; 장기전(長期戰). 지구전(持久戰).
[持平] chípíng 형 공정하다. 공평하다. ❑ ～之论; 〈成〉 공정한 의론. 동 (수량·가격이) 같은 수준을 유지하다. ❑ 今年的收入跟去年大体～; 금년 수입은 대체로 작년과 같은 수준을 유지했다.
[持续] chíxù 동 지속하다. 계속되다. ❑ 这种状况～不了多久; 이런 상황은 오래 지속되지 못한다.
[持有] chíyǒu 동 ① 가지고 있다. 소지하다. 보유하다. ❑ ～债券; 채권을 보유하다. ② (어떤 생각·견해를) 지니다. 품다. 가지다. ❑ ～偏见; 편견을 가지다.
[持之以恒] chízhī-yǐhéng 〈成〉 오랫동안 유지하다. 지속하다.
[持之有故] chízhī-yǒugù 〈成〉 주장·의견에 일정한 근거가 있다.
[持重] chízhòng 형 신중하다. 진중하다. ❑ 他为人极为～; 그는 사람됨이 매우 진중하다.

匙 chí (시)
명 숟가락. 스푼(spoon). ❑ 茶～; 티스푼. ⇒·shi
[匙子] chí·zi 명 숟가락. 스푼.

踟 chí (지)
→[踟蹰][踟躕]
[踟蹰] chíchú 형 ⇨[踟躕]
[踟躕] chíchú 형 주저하다. 망설이다. ❑ ～不前; 〈成〉 주저하며 나아가지 못하다. =[踟蹰]

尺 chǐ (척)
① 양 척. 자《길이를 재는 단위로 1/3미터에 해당함》. ② 명 (길이를 잴 때 쓰는) 자. ❑ 卷～; (말린) 줄자 / 折～; 접자. ③ 명 자처럼 생긴 것. ❑ 镇～; 문진(文鎭).
[尺寸] chǐ·cùn 명 ① 치수. 길이. 사이즈(size). ❑ 量liáng～; 치수를 재다. ②〈口〉 절도(節度). 분별. ❑ 他办事很有～; 그는 일처리를 매우 분별 있게 한다.
[尺度] chǐdù 명 척도. 표준. ❑ 价值的～; 가치의 척도.
[尺码(儿)] chǐmǎ(r) 명 ① (모자나 신발의) 치수. 사이즈(size). ② (재거나 가늠하는) 기준. 잣대.
[尺子] chǐ·zi 명 자.

侈 chǐ (치)
형〈書〉 ① 사치스럽다. 낭비가 심하다. ② 과장하다. 지나치다.
[侈谈] chǐtán 〈書〉 동 과장해서 말하다. 명 과장된 말.

齿(齒) chǐ (치)
① 명 이. 치아. ❑ 犬～; 송곳니. ② (～儿) 명 물체의 이 모양의 부분. ❑ 锯～儿; 톱니. ③ 동〈書〉 병렬하다. 동류로 여기다. ④ 명〈書〉 연령. ⑤ 동〈書〉 언급하다. 문제 삼다. ❑ 行为恶劣, 人所不～; 행동이 악랄하여 남이 상대하지 않다.
[齿冷] chǐlěng 동〈書〉 무시하며 비웃다. ❑ 令人～; 비웃음을 사다.
[齿轮] chǐlún 명〖機〗 톱니바퀴. 기어(gear). ❑ 头挡～; 1단 기어 / 二挡～; 2단 기어.

耻 chǐ (치)
① 형 부끄럽다. 수치스럽다. ❑ 可～的事; 수치스러운 일. ② 동 창피를 주다. 모욕을 주다. ❑ ～笑; ⇩ ③ 명 수치. 모욕. ❑ 雪～; 설욕하다.
[耻辱] chǐrǔ 명 치욕. 수치. ❑ 洗刷～; 치욕을 씻어 내다.
[耻笑] chǐxiào 동 멸시하고 비웃다. ❑ 背后～别人; 등 뒤에서 남을 멸시하고 비웃다.

褫 chǐ (치)
동〈書〉 ① 뜯어내다. 떼어 내다. ② 탈취하다. 박탈하다. ❑ ～职; 직위를 박탈하다.
[褫夺] chǐduó 동〈書〉 박탈하다. ❑ ～权利; 권리를 박탈하다.

叱 chì (질)
동 큰 소리로 꾸짖다.
[叱呵] chìhē 동 큰 소리로 화를 내다. 크게 호통 치다. =[叱喝hè]
[叱骂] chìmà 동 큰 소리로 꾸짖고 욕하다.
[叱责] chìzé 동 꾸짖으며 나무라다. 큰 소리로 질책하다.
[叱咤] chìzhà 동〈書〉 질타하다. ❑ ～风云; 〈成〉 일갈(一喝)로 풍운을 일으키다《세력·위세가 크다》.

斥 chì (척)
동 ① 꾸짖다. 질책하다. 나무라다. ❑ 申～; 꾸짖다. ② 물리치다. 배척하다. ❑ 排～; 배척하다. ③〈書〉 개척(開拓)하다. 확장하다. ❑ ～地; 영토를 개척하다. ④〈書〉 상황을 살피다. 정찰하다. ❑ ～候; ⇩
[斥候] chìhòu 〈書〉 동〖軍〗 척후하다. 명 척후병.
[斥退] chìtuì 동 ①〈舊〉 (학생을) 제적시키다. ②〈舊〉 (관리를) 파면시키다. ③ (주위 사람들에게) 물러

나 있도록 호령하다.

[斥责] chìzé 동 꾸짖고 책망하다. 규탄하다. 호되게 꾸짖다.

[斥逐] chìzhú 동〈書〉 쫓아내다. 내쫓다. 추방하다.

饬(飭) chì (칙) 〈書〉 ① 동 정리하다. 정돈하다. 바로잡다. ② 동〈公〉 명하다. 명령하다《상급 기관으로부터 소속 하급 기관에 내리는 데에 쓰임》. ❑ ～遵; 준수하도록 명령하다. ③ 형 신중하다. ❑ 谨～; 신중하고 조심스럽다.

[饬令] chìlìng 동〈書〉〈公〉 (상부에서 하부로) 명령을 내리다.

赤 chì (적) ① 명 적색. 붉은색. ② 형 붉다. 빨갛다. ❑ 面红耳～; 수줍어서 얼굴이 빨개지다. ③ 형 적색의. 붉은《혁명을 상징함》. ❑ ～旗; 붉은 깃발《혁명의 깃발》. ④ 형 진실하다. ❑ ～心; ⇩ ⑤ 형 알몸의. 벌거벗은. ❑ ～身; ⇩ ⑥ 형 텅 빈. 아무것도 없는. ❑ ～手空拳; ⇩ ⑦ 명 순금.

[赤膊] chì//bó 동 웃통을 벗다. ❑ 大家干脆赤了膊干活儿吧; 모두 아예 웃통을 벗고 일을 합시다. ＝[赤背]

[赤潮] chìcháo 명 적조. ＝[红潮③]

[赤诚] chìchéng 형 매우 진실하다. 충심에서 우러나다. ❑ ～待人; 진심으로 사람을 대하다.

[赤胆忠心] chìdǎn-zhōngxīn 〈成〉 대단한 충성심.

[赤道] chìdào 명〔地理·天〕 적도.

[赤豆] chìdòu 명〔植〕 붉은팥. ＝[赤小豆][红小豆][小豆]

[赤脚] chì//jiǎo 동 맨발이 되다. 아무것도 신지 않다. ❑ 赤着穿皮鞋; 맨발로 구두를 신다. (chìjiǎo) 명 맨발. ❑ 一双～; 양쪽 맨발.

[赤金] chìjīn 명 순금. ❑ ～的戒指; 순금 반지. ＝[纯金]

[赤裸] chìluǒ 동 ① 벌거벗다. 홀딱 벗다. 알몸을 하다. ❑ 全身～, 一丝不挂; 실오라기 하나 걸치지 않고 홀딱 벗다. ②〈比〉 전부를 드러내다. 모두 노출되다. 훤히 트이다. ❑ ～的大地; 훤히 트인 대지.

[赤裸裸(的)] chìluǒluǒ(·de) 형 ① 홀딱 벗은 모양. ②〈貶〉 숨김없이 다 드러낸 모양. 적나라한 모양.

[赤贫] chìpín 형 극빈하다. 몹시 가난하다. ❑ ～阶层; 극빈 계층.

[赤身] chìshēn 동 홀딱 벗다. 벌거벗다. 알몸이 되다. ❑ ～露体; 〈成〉 홀딱 벗다 / ～游泳; 알몸으로 수영하다.

[赤手空拳] chìshǒu-kōngquán 〈成〉 적수공권. 손에 아무런 무기도 들지 않다《의지하여 기반으로 삼을 만한 것이 아무것도 없다》.

[赤条条(的)] chìtiáotiáo(·de) 형 홀딱 벗은 모양. 벌거벗은 모양. ❑ 他～地躺在床上; 그는 홀딱 벗고 침대에 누웠다.

[赤小豆] chìxiǎodòu 명 ⇨[赤豆]

[赤心] chìxīn 명 적심. 진심. 충심. ❑ ～相待; 〈成〉 서로 진심으로 대하다.

[赤子] chìzǐ 명 ① 갓난아기. 〈比〉 천진난만한 사람. ❑ ～之心; 〈成〉 천진난만한 마음. ②〈比〉 고향이나 고국에 진실된 마음을 가진 백성[국민]. ❑ 海外～; 해외 동포.

[赤字] chìzì 명 적자. 결손액. ❑ 弥补～; 적자를 메우다.

炽(熾) chì (치) 형 ①〈書〉 (불길이) 세다. 왕성하다. ② (기세가) 세차다. 맹렬하다. 거세다.

[炽烈] chìliè 형 ① 불길이 세다. ② 열렬하다. 치열하다. 뜨겁다. ❑ 热爱祖国的～感情; 조국을 사랑하는 뜨거운 감정.

[炽热] chìrè 형 매우 뜨겁다. 열렬하다. 작렬하다. 이글대다. ❑ 他在～的阳光下干活儿; 그는 뜨거운 뙤약볕 아래에서 일한다.

翅 chì (시) 명 ① 날개. ② (상어의) 지느러미. ③ (～儿) 물체 양쪽의 날개 같이 나온 부분. ❑ 香炉～; 향로 양쪽의 날개 부분.

[翅膀] chìbǎng 명 ① (새나 곤충의) 날개. ❑ 张开～; 날개를 펴다. ② 물체의 모양이나 작용이 날개와 같은 부분. ❑ 飞机～; 비행기의 날개.

[翅子] chì·zi 명 ① ⇨[鱼翅] ② 〈方〉 날개.

敕 chì (칙) 명 임금의 칙령(勅令).

[敕封] chìfēng 동 칙령으로 봉하다.

[敕令] chìlìng 명동 칙령(을 내리다).

[敕书] chìshū 명 칙서(勅書).

chong ㄔㄨㄥ

充 chōng (충) ① 형 충분하다. 가득 차다. ❏ ~满; ⇓ ② 동 (가득) 채우다. 보충하다. ❏ ~电; ⇓ ③ 동 맡다. 담당하다. 담임하다. ❏ 曾~校长; 전에 교장직을 맡았었다. ④ 동 …인 척하다. 속이다. 사칭하다. ❏ ~内行; 전문가인 척하다.

[充斥] chōngchì 동〈貶〉 넘쳐 나다. 범람하다. ❏ 决不能让次货~市场; 절대로 저질 제품이 시장에 넘쳐 나게 해서는 안 된다.

[充当] chōngdāng 동 직무를 담당하다. 임무를 수행하다. 역할을 맡다. ❏ 这部电影的主角由他~; 이 영화의 주연은 그가 맡는다.

[充电] chōng//diàn 동 ①〔電〕 충전하다. ❏ ~器; 충전기. ②〈比〉 (학습이나 수련을 통해) 지식을 보충하다. 기술을 향상시키다.

[充耳不闻] chōng'ěr-bùwén 〈成〉 다른 사람의 의견을 들으려고 하지 않다.

[充分] chōngfèn 형 충분하다. ❏ 理由很~; 이유가 충분하다 / ~休息; 충분히 쉬다. 부 가능한 한. 충분히. 십분. ❏ ~发挥自己的力量; 자기의 능력을 십분 발휘하다.

[充公] chōng//gōng 동〔法〕 몰수[압수]하여 공용(公用)에 충당하다.

[充饥] chōng//jī 동 요기하다. 허기를 채우다.

[充满] chōngmǎn 동 ① 잔뜩 있다. 가득히 퍼지다. 꽉 차다. ❏ 整个剧场~了笑声; 온 극장에 웃음소리가 가득히 퍼졌다. ② 충분히 갖고 있다. 충만하다. 가득 차다. ❏ 对前途~信心; 앞날에 대해 자신감이 충만하다.

[充沛] chōngpèi 형 넘쳐흐르다. 가득 차다. 왕성하다. ❏ 精力~; 활기가 넘치다.

[充其量] chōngqíliàng 부 고작해야. 기껏해야. 잘해야.

[充任] chōngrèn 동 담임하다. 담당하다. 맡다. ❏ 他~了这所小学的校长; 그는 이 초등학교의 교장직을 맡았다.

[充实] chōngshí 형 충실하다. 풍부하다. ❏ 文章的内容~; 문장의 내용이 충실하다. 동 충실하게 하다. 강화하다. ❏ ~基层; 하부 조직을 강화하다.

[充数] chōng//shù 동 숫자만 채우다. 머릿수나 채우다. ❏ 他球艺不精, 只是充个数罢了; 그는 공을 다루는 실력이 별로라 그저 머릿수나 채우는 정도일 뿐이다.

[充溢] chōngyì 동 가득 넘치다. 충만하다. 가득하다. 넘쳐흐르다. ❏ 大地~春天的气息; 대지에 봄 내음이 넘쳐흐르다.

[充裕] chōngyù 형 여유 있다. 풍부하다. 풍족하다. 넉넉하다. ❏ 他家的经济很~; 그의 집은 형편이 매우 넉넉하다.

[充值] chōng//zhí 동 (카드에) 돈을 채워 넣다. 충전하다.

[充足] chōngzú 형 충분하다. 충족하다. ❏ 供应~; 공급이 충분하다 / 光线~; 빛이 충분하다.

冲(衝) chōng (충) ① 명 요로(要路). 요충(要衝). ❏ 要~; 요충. ② 동 뚫고 가다. 돌진하다. 돌파하다. ❏ 从敌人的包围中~出来了; 적들의 포위 속을 뚫고 나왔다. ③ 동 충돌하다. 부딪치다. ❏ ~犯; ⇓ ④ 동 액막이하다. ⑤ 명〔天〕 충(衝)《행성·달 따위가 지구에 대해 태양과 정반대의 방향에 있는 상태》. ⑥ 동 (끓는) 물을 붓다. 물에 타다. ❏ ~茶; 차를 우리다. ⑦ 동 세찬 물로 씻다. ❏ 身上的泥用水~干净了; 몸의 진흙을 물로 깨끗이 씻어 냈다. ⑧ 동〔撮〕 (사진을) 현상하다. ❏ ~胶卷; 필름을 현상하다. ⑨ 동 상쇄하다. ⇒ chòng

[冲冲] chōngchōng 형 감정이 격한 모양. ❏ 怒气~; 잔뜩 화가 나다.

[冲刺] chōngcì 동 ①〔體〕 스퍼트(spurt)하다. ❏ 最后的~; 라스트 스퍼트(last spurt). ②〈比〉 (목표 달성이나 성공을 눈앞에 두고) 전력투구하다.

[冲淡] chōngdàn 동 ① 묽게 하다. 희석하다. ❏ 汤太浓, 可以用水~一些; 국이 너무 걸쭉하니, 물로 좀 묽게 해도 된다. ② (분위기·효과·감정 따위를) 부드럽게 하다. 반감시키다. ❏ 戏拉得太长, 会~戏剧的效果; 극을 너무 길게 끌면 극적 효과를 반감시킬 수 있다.

[冲动] chōngdòng 형 충동적이다. ❏ 克制~的感情; 충동적인 감정을

자제하다. 명 충동. 격한 감정.

[冲犯] chōngfàn 동 (언행이) 상대방을 거슬리게 하다. 불쾌감을 사다. 심사를 건드리다. ❑他说话不检点, ~了你, 请多原谅; 그가 말을 함부로 해서 불쾌하게 해 드렸군요, 용서하십시오. =[冲撞②]

[冲锋] chōngfēng 동〖軍〗(적진으로) 돌격하다. ❑~队员; 돌격대원 / ~号; 돌격 나팔. =[冲击②]

[冲击] chōngjī 동 ①(물 따위가) 심하게 부딪치다. ❑大浪~着岩石; 파도가 암석에 부딪치다. ②⇨[冲锋] ③〈比〉 영향을 끼치다. 타격을 입히다. 방해하다. 명〖物〗충격. 쇼크(shock).

[冲积] chōngjī 동〖地質〗(토사(土砂)가) 충적되다. ❑~层; 충적층 / ~土; 충적토.

[冲浪] chōnglàng 동〖體〗파도를 타다. 서핑(surfing)하다. ❑~板; 서핑 보드.

[冲破] chōngpò 동 뚫다. 돌파하다. 타파하다. ❑~封锁; 봉쇄를 뚫다 / ~难关; 난관을 돌파하다.

[冲晒] chōngshài 동 ⇨[冲洗②]

[冲刷] chōngshuā 동 ①물을 끼얹고 문질러서 씻어 내다. ❑~汽车; 물을 끼얹어 세차하다. ②(물결이 돌진하여) 침식하다.

[冲天] chōngtiān 동 하늘을 찌르다. 충천하다. ❑怒气~;〈成〉노기충천하다.

[冲突] chōngtū 동 ①충돌하다. 상충하다. ❑武装~; 무장 충돌. ②(서로) 겹치다. 부딪치다. 모순되다. ❑这两个会议的时间~了; 이 두 회의 시간이 서로 겹쳤다.

[冲洗] chōngxǐ 동 ①물을 부어 씻다. ❑一场大雨把马路~得干干净净; 한바탕 큰비가 내려 길거리를 깨끗하게 씻어 냈다. ②〖撮〗(사진을) 현상하다. ❑~照片; 사진을 현상하다. =[冲晒]

[冲要] chōngyào 형 중요한 위치에 있다. 요충지이다. ❑这里是十分~的地方; 이곳은 위치상 매우 중요한 곳이다.

[冲撞] chōngzhuàng 동 ①부딪치다. 충돌하다. ❑巨浪不停地~着江堤; 거센 물결이 쉴 새 없이 강둑에 부딪치고 있다. ②⇨[冲犯]

忡 chōng (충)
형〈書〉걱정스럽고 불안하다.

[忡忡] chōngchōng 형〈書〉걱정하는 모양. 근심스러운 모양. ❑忧心~; 걱정 근심에 싸이다.

舂 chōng (용)
동 (절구에) 찧다. 빻다. ❑~米; 쌀을 찧다 / ~药; 약을 빻다.

憧 chōng (동)
→[憧憧][憧憬]

[憧憧] chōngchōng 형 왔다갔다 하는 모양. 흔들리는 모양. ❑人影~; 사람 그림자가 어른거리다.

[憧憬] chōngjǐng 동 동경하다. ❑~着美好的未来; 아름다운 미래를 동경하다.

虫(蟲) chóng (충)
명 ①(~儿) 벌레. 곤충. ❑生~儿; 벌레가 생기다. ②〈比〉〈貶〉어떤 특징을 가진 사람을 얕잡아 이르는 말. ❑糊涂~; 멍텅구리 / 书~; 책벌레. ③〖컴〗버그(bug).

[虫草] chóngcǎo 명〈簡〉⇨[冬虫夏草]

[虫害] chónghài 명 충해.

[虫牙] chóngyá 명〈俗〉⇨[龋qǔ齿]

[虫眼(儿)] chóngyǎn(r) 명 (과일·수목 따위의) 벌레 먹은 구멍.

[虫灾] chóngzāi 명 충재(《해충에 의한 피해의 규모가 큰 것》).

[虫子] chóng·zi 명 벌레. 곤충.

重 chóng (중)
①동 중복하다. 중복되다. ❑书买~了; 책을 중복해서 샀다. ②동 한데 겹치다. ③부 거듭. 되풀이하여. 또. 다시. ❑把房子推倒了~建; 집을 부수고 다시 지었다. ④양 층(層). 겹. ❑双~人格; 이중인격. ⇒zhòng

[重版] chóngbǎn 동 (책·간행물 따위를) 중판하다. 재판하다.

[重播] chóngbō 동 ①(이미 파종한 곳에) 다시 파종하다. ②재방송하다.

[重唱] chóngchàng 명〖樂〗중창. ❑~歌曲; 중창곡 / 四~; 사중창.

[重重] chóngchóng 형 겹친 모양. 거듭된 모양. ❑忧虑~; 걱정이 태산이다.

[重蹈覆辙] chóngdǎo-fùzhé〈成〉전철을 밟다(《실패의 교훈을 내 것으로 만들지 못하고 잘못을 되풀이하다》).

[重叠] chóngdié 동 (서로 같은 것들이) 겹쳐지다. 중첩되다. 겹겹이 쌓다. ❑这两个音节~起来, 表示

一个意义; 이 두 음절을 중첩시키면 하나의 의미를 나타낸다.
[重读] chóngdú 동 유급하다. ❑ ~生; 유급생. ⇒zhòngdú
[重返] chóngfǎn 동 다시 돌아오다[가다]. 복귀하다. ❑ ~母校执教; 모교로 돌아가 교편을 잡다.
[重逢] chóngféng 동 (오래 헤어져 있다가) 재회하다. 다시 만나다.
[重复] chóngfù 동 ① 중복되다. 겹치다. ❑ 内容~; 내용이 중복되다. ② 되풀이하다. 반복하다. ❑ ~自己说过的话; 자기가 했던 말을 되풀이하다.
[重婚] chónghūn 동〔法〕 중혼하다. 이중 결혼 하다.
[重见天日] chóngjiàn-tiānrì 〈成〉 암흑 세계에서 벗어나 다시 밝은 빛을 보게 되다.
[重拍] chóngpāi 명동〔映〕(영화의) 리메이크(하다).
[重申] chóngshēn 동 재차 천명하다. 거듭 표명하다. ❑ ~我们的主张; 우리의 주장을 거듭 표명하다.
[重围] chóngwéi 명 겹겹의 포위. ❑ 杀出~; 겹겹의 포위망을 뚫고 나가다.
[重温旧梦] chóngwēn-jiùmèng 〈成〉 과거의 좋았던 일을 다시 경험하다[떠올리다].
[重现] chóngxiàn 동 재현하다[되다].
[重新] chóngxīn 부 ① 재차. 다시. 다시 한 번. ❑ ~开始; 다시 시작하다. ② (방식이나 내용을 바꿔서 처음부터) 새로이. 다시. ❑ ~做人; (뉘우치고) 새사람이 되다.
[重演] chóngyǎn 동 ①〔劇〕(연극 따위를) 재연하다. 리바이벌(revival)하다. ②〈比〉 같은 일을 되풀이하다. 같은 일이 되풀이되다. ❑ 悲剧~; 비극이 되풀이되다.
[重阳] Chóngyáng 명 중양절(重陽節)《음력 9월 9일》.
[重译] chóngyì 동 ① 여러 차례 번역[통역]을 거치다. ② 이중 번역하다. 중역하다. ③ 다시 번역하다.
[重整旗鼓] chóngzhěng-qígǔ 〈成〉(실패 후에) 진용을 재정비하다. 새로이 태세를 갖추다. =[重振旗鼓]
[重奏] chóngzòu 명〔樂〕 중주. ❑ 二~; 이중주 / 三~; 삼중주.

崇 chóng (숭) ① 형 높다. ② 동 중시하다. 존경하다.
[崇拜] chóngbài 동 숭배하다. ❑ ~偶像; 우상을 숭배하다.
[崇高] chónggāo 형 숭고하다. ❑ ~精神; 숭고한 정신 / ~理想; 숭고한 이상.
[崇敬] chóngjìng 동 숭경하다. 추앙하고 존경하다.
[崇山峻岭] chóngshān-jùnlǐng 〈成〉 험산준령《높고 험준한 산과 고개》.
[崇尚] chóngshàng 동 숭상하다. ❑ ~正义; 정의를 숭상하다.

宠(寵) chǒng (총) 동 총애하다. 사랑하다. ❑ 得~; 총애를 받다.
[宠爱] chǒng'ài 동 총애하다. 예뻐하다. ❑ 他对子女~得太过分了; 그는 자식을 지나치게 예뻐한다.
[宠儿] chǒng'ér 명〈比〉 총애 받는 사람. 총아. ❑ 时代的~; 시대의 총아.
[宠物] chǒngwù 명 애완동물.
[宠信] chǒngxìn 동〈貶〉 총애하고 신임하다. ❑ ~奸佞; 아첨꾼을 총애하고 신임하다.

冲(衝) chòng (충) A) 〈口〉 ① 형 (힘·기세 따위가) 세차다. 힘차다. 맹렬하다. ❑ 年轻人有一股~劲儿; 젊은이에게는 패기가 있다. ② 형 (냄새·향이) 코를 찌르다. 독하다. 알싸하다. ❑ 这酒真~; 이 술은 정말 독하다. ③ 동 …을 향하다. …을 마주하다. ❑ 他~着大门坐着; 그는 대문을 마주하고 앉아 있다. ④ 개 …향하여. …대하여. ❑ 他~我招了招手; 그는 나를 향해 손을 흔들었다. ⑤ 개 …하기 때문에. …한 이유로. ❑ ~你这么聪明, 考大学没问题; 넌 이렇게 똑똑하니까, 대학 시험은 문제없다. B) 동〔機〕 프레스(press)로 구멍을 뚫다. ⇒chōng
[冲床] chòngchuáng 명〔機〕 펀칭 머신(punching machine). 펀치 프레스(punch press).

chou ㄔㄡ

抽 chōu (추) 동 ① 뽑다. 빼다. 꺼내다. ❑ ~刀; 칼을 뽑다. ② (일부분을) 뽑아내다. 추출하다. ❑ ~时间; 시간을 내다. ③(싹이나 가지가) 나오다. 돋다. ❏新笋初~; 죽순이 나오기 시작하다. ④오그라들다. 수축하다. 줄다. ❏许多纺织品一下水就~; 많은 방직물이 물에 닿으면 바로 줄어든다. ⑤(가늘고 긴 것으로) 두들기다. 두드리다. 치다. ❏~陀螺; 팽이를 치다. ⑥빨다. 피우다. ❏一包烟只~了一天; 담배 한 갑을 하루에 다 피웠다. ⑦〖體〗(공을 라켓 따위로) 강하게 치다. ❏~球; ⇩

[抽查] chōuchá 동 추출 검사하다. 추출 조사하다. 샘플링(sampling)하다. ❏~了几个班, 出勤率都比较好; 몇 개 부서를 추출 조사한 결과 출근율이 모두 비교적 높았다.

[抽搐] chōuchù 동〖醫〗경련을 일으키다.

[抽打] chōudǎ 동 (채찍·회초리 따위의 길쭉한 것으로) 때리다. 매질하다. 갈기다. 치다. ❏用鞭子~孩子; 회초리로 아이를 때리다.

[抽打] chōu·da 동 (먼지떨이·수건 따위로 가볍게) 털다. ❏~身上的尘土; 몸의 먼지를 털다.

[抽调] chōudiào 동 (물자·인원 따위의 일부분을) 뽑아서 이동시키다. 다른 곳에 배치시키다.

[抽筋(儿)] chōu∥jīn(r) 동〈口〉근육 경련을 일으키다. 쥐가 나다.

[抽空(儿)] chōu∥kòng(r) 동 시간을 내다. 짬을 내다. ❏请~儿到我家来一趟; 시간 좀 내셔서 우리 집에 한번 오세요.

[抽泣] chōuqì 동 흐느끼다. ❏低声~; 소리 죽여 흐느끼다.

[抽签(儿)] chōu∥qiān(r) 동 제비를 뽑다. 제비뽑기하다. 추첨하다. ❏用~的方法来决定; 제비뽑기로 결정하다.

[抽球] chōuqiú 명동〖體〗(테니스·탁구 따위의) 드라이브(drive)(하다).

[抽身] chōu∥shēn 동 몸을 빼내다. 빠져나오다. ❏他工作实在忙, 一直抽不出身来; 그는 일이 너무도 바빠서 내내 몸을 뺄 수가 없다.

[抽屉] chōu·ti 명 서랍. ❏拉开~; 서랍을 열다 / 有四只~; 서랍이 네 개 있다.

[抽象] chōuxiàng 명형 추상(적이다). ❏~概念; 추상적 개념 / ~名词; 추상 명사.

[抽烟] chōu∥yān 동 담배를 피우다. ❏抽一根儿烟; 담배를 한 개비 피우다.

[抽样] chōu∥yàng 동 (검사를 위해) 견본을 뽑다. 견본을 추출하다. ❏~调查; 표본 추출 조사. 샘플링(sampling).

仇 chóu (구)

명 ①원수. 적. ②원한. ❏有~报~; 원한이 있으면 보복한다.

[仇敌] chóudí 명 원수. 구적.

[仇恨] chóuhèn 동 원한을 품다. 증오하다. ❏~卖国贼; 매국노를 증오하다. 명 원한. 증오.

[仇人] chóurén 명 원수.

[仇杀] chóushā 동 원한 때문에 살해하다. ❏~案; 원한에 의한 살인 사건.

[仇视] chóushì 동 원수 보듯 하다. 원수처럼 여기다. 적대시하다. ❏两人互相~; 두 사람은 서로 원수처럼 대한다.

畴(疇) chóu (주)

명〈書〉①논밭. ②종류. 부류. ❏物各有~; 사물에는 각기 그 부류가 있다.

筹(籌) chóu (주)

①명 (대·나무·상아 따위로 만든) 산가지《수를 세거나 물품 수령의 증거로 씀》. ❏酒~; 마신 술잔을 세는 산가지. ②동 기획하다. 계획하다. 마련하다. ❏统~; 종합적으로 계획하다. ③명 계책. 방법. ❏一~莫展; 〈成〉한 가지 계책도 펼 수 없다.

[筹办] chóubàn 동 맡아 처리하다. 기획하여 처리하다. ❏~婚事; 혼사를 맡아 처리하다.

[筹备] chóubèi 동 준비 기획 하다. 기획 준비 하다. ❏~建立电化教育中心; 시청각 교육 센터의 건립을 기획 준비 하다.

[筹措] chóucuò 동 조달하다. 마련하다. 융통하다. ❏~旅费; 여비를 마련하다.

[筹划] chóuhuà 동 ①궁리하다. 계획하다. 기획하다. ❏~建立; 건립을 기획하다. ②조달하다. 마련하다. ❏~资金; 자금을 마련하다.

[筹集] chóují 동 융통하여 모으다. 모아서 마련하다.

[筹建] chóujiàn 동 건설을 계획하다. 설립(設立)을 계획하다. 건립을 추진하다. ❏~水电站; 수력 발전소의 건립을 추진하다.

[筹码(儿)] chóumǎ(r) 명 ①(수를

세거나 계산할 때 쓰이는) 산가지. ②〈比〉(경쟁·대항의 상황에서) 의지할 만한 조건. ③〖經〗(주식 시장에서) 투자가가 보유한 일정량의 증권. 보유 주식. ‖ ＝[筹马]

踌(躊) chóu (주) →[踌躇]

[踌躇] chóuchú 동 ① 주저하다. 망설이다. 주춤거리다. ❑ ~不前; 주저하고 앞으로 나아가지 않다. ②〈書〉머물다. 멈추다. 형〈書〉만족하다. 득의양양하다. ❑ ~满志;〈成〉자기의 현재 상태나 성과에 매우 만족하다.

惆 chóu (추) 동〈書〉실의하다. 비통해하다.

[惆怅] chóuchàng 형 실의하다. 상심하다. 낙담하다.

绸(綢) chóu (주) 명〖紡〗견직물의 총칭. 비단.

[绸缎] chóuduàn 명 주단(綢緞). 비단 옷감.

[绸缪] chóumóu〈書〉형 (어떤 감정에) 사로잡히다. 벗어나지 못하다. ❑ 情意~; 정에 사로잡히다. 동 사전에 대비하다.

[绸子] chóu·zi 명 얇고 부드러운 견직물.

稠 chóu (조) 형 ①(농도가) 짙다. 되다. 걸쭉하다. ❑ 粥太~了; 죽이 너무 되다. ② 조밀하다. 빽빽하다. ❑ 地里的稻子非常~; 논의 벼가 매우 빽빽하게 들어차 있다.

[稠密] chóumì 형 조밀하다. 많고 빽빽하다. ❑ 人口~; 인구가 조밀하다 / ~的绿叶; 빽빽하게 들어찬 푸른 잎.

愁 chóu (수) ①동 근심하다. 걱정하다. ❑ 我从来没~过钱; 나는 여태껏 돈 걱정을 해 본 적이 없다. ②명 슬픔. 아픔. ❑ 离~; 이별의 아픔.

[愁肠] chóucháng 명 울적하고 답답한 마음. 슬픔과 걱정에 가득찬 마음. ❑ ~百结;〈成〉마음속의 슬픔과 걱정.

[愁眉] chóuméi 명 근심으로 찌푸리고 있는 눈썹. 걱정스러운 표정. ❑ ~苦脸〈成〉근심에 잠긴 표정. 수심에 찬 얼굴 / ~锁眼;〈成〉걱정되고 고민스러운 얼굴.

[愁闷] chóumèn 형 걱정스럽고 고민스럽다. 명 근심 걱정. 시름. ❑ 排解~; 시름을 놓다.

[愁容] chóuróng 명 근심스러운 얼굴. 수심에 가득 찬 얼굴. ❑ ~满面; 얼굴에 수심이 가득하다.

酬 chóu (수) ① 동〈書〉(주인이 손님에게) 술을 권하다. ② 동 보답하다. ❑ ~谢; ⇓ ③ 명 보수. 사례. ❑ 稿~; 원고료. ④ 동 상대하다. 교제하다. ❑ ~答; ⇓ ⑤ 동 실현되다. ❑ 壮志未~;〈成〉웅대한 뜻이 실현되지 않다.

[酬报] chóubào 동 사례하다. 보답하다. ❑ 他常常帮助我, 我一定要~他; 그가 나를 자주 도와주니 반드시 그에게 사례를 할 것이다.

[酬答] chóudá 동 ① 사례하다. 보답하다. ❑ 事情办完后, 好好~你; 일을 마친 후에 너에게 충분한 사례를 하겠다. ② 말이나 시문(詩文)으로 응답하다. ❑ 写诗~; 시를 써서 대화하다.

[酬金] chóujīn 명 사례금. 보수금.

[酬劳] chóuláo 동 (금품이나 음식으로) 노고에 보답하다. 수고를 위로하다. ❑ 这笔钱是老板~大家的; 이 돈은 사장님이 모두의 노고를 위로하는 의미에서 주신 것이다. 명 위로금. 사례금.

[酬谢] chóuxiè 동 (금전·선물 따위로) 사례하다.

丑(醜) B) chǒu (축) (추) A) 명 ① 십이지(十二支)의 둘째. ② 연극의 어릿광대역. ＝[小花脸][三花脸] B) ① 형 (용모가) 보기 흉하다. 추하다. 못생기다. ❑ 他长得特别~; 그는 무척 추하게 생겼다. ② 형 보기 싫은. 역겨운. 추한. ❑ ~态; ⇓ ③ 명 안 좋은 것. 불미스러운 것. 망신. 추태. ❑ 出~; 망신하다. ④ 형〈方〉나쁘다. 좋지 않다. 못되다. ❑ 脾气~; 성질이 못되다.

[丑八怪] chǒubāguài 명 용모가 매우 추한 사람.

[丑恶] chǒu'è 형 추악하다. ❑ ~行为; 추악한 행위.

[丑化] chǒuhuà 동 (추하지 않은 것을) 추하게 나타내다. 희화(戲化)하다. ❑ 他的形象被~了; 그의 이미지가 추하게 묘사되었다.

[丑剧] chǒujù 명 추악한 연극. 추잡한 일.

[丑角(儿)] chǒujué(r) 명 ①〖劇〗(중국 전통극의) 익살의 배우. 희극

배우. 어릿광대 역. ② (어떤 일에 있어) 영예롭지 못한 역할. 악역.

[丑陋] chǒulòu 형 (용모나 모양이) 보기 흉하다. 못생기다. 추하다. ❏ 长相~; 얼굴이 추하다.

[丑时] chǒushí 명 축시《오전 1시에서 3시까지》.

[丑态] chǒutài 명 추한 모습[행동]. 추태. ❏ ~百出; 〈成〉 온갖 추태를 다 부리다.

[丑闻] chǒuwén 명 추문. 스캔들(scandal).

[丑小鸭] chǒuxiǎoyā 명 미운 오리 새끼. ① 〈比〉 찬밥 취급을 받는 아이나 젊은이. 관심 밖의 대상. 찬밥. ② 〈比〉 막 등장했지만 주목을 끌지 못하는 것.

瞅 chǒu (추)
동 〈方〉 보다. ❏ ~也不~; 거들떠보지도 않다.

[瞅见] chǒu//jiàn 동 〈方〉 보다. 목격하다. ❏ 他来过了, 你没~; 그가 왔었는데, 너는 못 봤구나.

臭 chòu (취)
① 형 악취가 나다. 구리다. ❏ 衣服都~了; 옷에서 악취가 난다. ② 형 꼴불견이다. 평판이 나쁘다. 역겹다. ❏ 这人名声太~; 이 사람은 평판이 너무 나쁘다. ③ 부 호되게. 된통. 심하게. ❏ ~骂; ⇩ ⇒ xiù

[臭虫] chòu·chong 명 〖蟲〗 빈대.

[臭豆腐] chòudòu·fu 명 소금에 절인 두부를 발효시켜 석회 속에 넣어 보존한 식품.

[臭骂] chòumà 동 호되게 꾸짖다. 심하게 욕하다. ❏ 他无缘无故地被人~了一顿; 그는 이유도 없이 남한테 한바탕 욕을 먹었다.

[臭美] chòuměi 동 (주제도 모르고) 잘난 척하다. 깝죽거리다. 저 잘났다고 나대다《비꼬는 말》.

[臭名] chòumíng 명 나쁜 평판. 악명(惡名). ❏ ~昭著; 〈成〉 악명이 높다.

[臭气] chòuqì 명 구린[나쁜] 냄새. 악취.

[臭味相投] chòuwèi-xiāngtóu 〈成〉 (사상·방법·취미 따위에서) 죽이 잘 맞다. 의기투합하다《나쁜 방면에 대해서만 쓰임》.

[臭氧] chòuyǎng 명 〖化〗 오존(ozone). ❏ ~层; 오존층.

[臭鼬] chòuyòu 명 〖動〗 스컹크(skunk).

chu ㄔㄨ

出(齣)[B)] chū (출) (착)
A) ① 동 (안에서 밖으로) 나가다. 나오다. ❏ ~城; 성 밖으로 나가다. ② 동 오다. 출석하다. 참석하다. ❏ ~场; ⇩ ③ 동 넘다. 벗어나다. 초과하다. ❏ 考试题~不了规定的范围; 시험 문제는 규정된 범위를 넘지 않는다. ④ 동 (밖으로) 내놓다. 발표하다. ❏ ~主意; 아이디어를 내놓다. ⑤ 동 생산하다. 산출하다. 내다. ❏ ~成果; 성과를 내다. ⑥ 동 발생하다. 일어나다. 생기다. ❏ ~事故; 사고가 발생하다. ⑦ 동 출판하다. 출간하다. ❏ 这家出版社~了不少好书; 이 출판사는 좋은 책을 많이 출간했다. ⑧ 동 내다. 발하다. 나오다. ❏ ~声; 소리를 내다. ⑨ 동 드러내다. 드러나다. 나타나다. ❏ ~名; ⇩ ⑩ 동 양이 많아지다. 양이 붇다. ⑪ 명동 지출(하다). ❏ 量入为~; 수입에 걸맞게 지출하다. ⑫ 부 〈方〉 ('往'과 결합해서) 행동이나 동작이 밖으로 향함을 나타냄. ❏ 这批货交给你, 你就往~卖吧! 이 물건을 자네한테 줄 테니, 자네가 외부에 팔아 주게! B) 양 전기(傳奇)의 단락. 연극 따위의 막(幕). ❏ 三~戏; 3막극.

出 //·chū (출)
동 동사의 뒤에 붙어서 동작이 안에서 밖으로 나옴을 뜻하거나, 사물의 출현·발생·탄로·완성·실현 따위의 뜻을 나타냄. ❏ 走~教室; 교실에서 걸어 나가다 / 腿上流~了血; 다리에 피가 났다.

[出版] chūbǎn 동 출판하다. ❏ ~社; 출판사 / ~物; 출판물.

[出殡] chū//bìn 동 출관(出棺)하다. 발인(發靷)하다.

[出兵] chū//bīng 동 출병하다.

[出岔子] chū chà·zi 문제가 생기다. 말썽이 생기다.

[出差] chū//chāi 동 (공무로) 출장가다. ❏ 出了十天差; 열흘간 출장을 갔다 / ~费; 출장비.

[出产] chūchǎn 동 산출하다. 생산하다. ❏ 当地~的手工艺品; 현지에서 생산되는 수공예품. 명 산물. 산출물.

[出场] chū//chǎng 동 ① 〖劇〗

(배우가) 무대에 나가다. 출연하다. ❑ ~演员; 출연 배우. ② (운동선수가) 경기장에 나가다. 출장하다.

[出场费] chūchǎngfèi 명 ① (배우의) 출연료. 개런티(guarantee). ② (운동선수의) 출전료.

[出超] chūchāo 동〖貿〗수출이 수입을 초과하다.

[出车] chū//chē 동 발차하다. 차량을 출발시키다.

[出丑] chū//chǒu 동 망신하다. 추한 꼴을 보이다. 추태를 부리다.

[出处] chūchù 명 (인용문 따위의) 출처. 유래. 근거.

[出错] chū//cuò 동 잘못이 생기다. 실수를 하다.

[出典] chūdiǎn 명 출전. 전고(典故)의 출처. 동 저당 잡히다.

[出动] chūdòng 동 출동하다. ① (대오가) 행동하기 위해 출발하다. ② (군대를) 파견시키다. 출동시키다. ❑ ~骑兵; 기병을 출동시키다. ③ (여러 사람이 어떤 일을 위해) 행동을 시작하다. 나서다. ❑ 为了这件事, 我们全部~了; 이 일을 위해 우리 모두가 출동했다.

[出尔反尔] chū'ěr-fǎn'ěr 〈成〉 ① 어떻게 하느냐에 따라 그 결과가 돌아온다. ② 말을 수시로 번복하다. 이랬다저랬다 하다.

[出发] chūfā 동 ① 출발하다. ❑ 他们从北京~; 그들은 베이징에서 출발한다. ② …을 근거로 하다. …를 기초로 하다. ❑ 从实际~; 실제를 기초로 하다.

[出发点] chūfādiǎn 명 ① 출발점. 기점. ②〈轉〉동기. 착안. 착안점.

[出格] chūgé 형 남다르다. 특별나다. 출중하다. (chu//gé) 동 상궤를 벗어나다. 도를 넘어서다. ❑ 这孩子淘得出了格; 이 아이는 도가 지나치게 장난이 심하다.

[出轨] chū//guǐ 동 ① (기차 따위가) 탈선하다. ❑ ~事故; 탈선 사고. ②〈比〉(언행이) 상궤(常軌)를 벗어나다. 탈선하다. ❑ ~行为; 탈선행위.

[出国] chū//guó 동 출국하다. 외국에 가다. ❑ ~进修; 해외 연수.

[出海] chū//hǎi 동 ① (배가) 바다로 나가다. ② (어민이) 고기잡이하러 나가다.

[出汗] chū//hàn 동 땀이 나다.

[出乎] chūhū 동 …에서 나가다. (범위를) 넘다. ❑ ~意料; 〈成〉 예상을 벗어나다. 뜻밖이다.

[出活(儿)] chū//huó(r) 동 일을 해내다. 일을 완성하다. (chūhuó(r)) 형 단위 시간 내에 비교적 많은 일을 해내다. 능률적이다.

[出击] chūjī 동 ① 출격하다. ② (투쟁·경쟁·시합 따위에서) 공격 개시하다.

[出家] chū//jiā 동 출가하다. 출가하여 중·도사가 되다. ❑ ~人; 출가한 사람. 승려.

[出嫁] chū//jià 동 시집가다. 출가하다.

[出界] chū//jiè 동〖體〗사이드 아웃(side out)되다.

[出借] chūjiè 동 (주로, 물건을) 대출(貸出)하다. 빌려 가다.

[出境] chū//jìng 동 ① 국경을 떠나다. 출국하다. ❑ ~手续; 출국 수속. ② 어떤 지역을 떠나다[벗어나다]. ❑ 过了河就~了; 강을 건너면 이 지역을 벗어나게 된다.

[出口] chū//kǒu 동 ① (입 밖에 내어) 말하다. ❑ ~伤人; 〈成〉 입만 열면 남을 다치게 하다. ② 항구를 나가다. 출항하다. ③ 수출하다. ❑ ~货; 수출품 / ~商; 수출업자. (chūkǒu) (~儿) 명 출구. ❑ ~在哪里? 출구는 어느 쪽입니까?

[出来] chū//·lái 동 ① (안에서 밖으로) 나오다《사이에 '得'나 '不'를 삽입하여 가능이나 불가능을 나타낼 수 있음》. ❑ 你~一下儿, 有人找你! 좀 나와 봐라, 누가 너를 찾는구나! ② 나타나다. 발생하다. 나오다. ❑ 统计结果~了; 통계 결과가 나왔다.

[出来] //·chū//·lái 동 동사 뒤에 붙어 동작의 뜻을 보충하여 명확하게 함. ① 동작이 안에서 밖으로 향함을 나타냄. ❑ 走~; 걸어 나오다 / 拿不出东西来; 물건을 꺼낼 수 없다. ② 동작의 완성·실현을 나타냄. ❑ 新产品已经试制~了; 신상품은 이미 시험 제작 되었다. ③ 사물의 발견·식별·구분·노출 또는 명백하게 됨을 나타냄. ❑ 他终于猜~了; 그는 마침내 추측해 냈다.

[出类拔萃] chūlèi-bácuì 〈成〉 같은 무리 가운데서 특별히 뛰어나다. =[出类拔群][出群拔萃]

[出冷门] chū lěngmén 〈比〉 예상을 벗어나다. 예상치도 못하다.

[出力] chū//lì 동 힘을 쓰다. 진력하다. 힘을 다하다.

[出笼] chū//lóng 동 ① (만두 따위의 찐 음식을) 찜통에서 꺼내다. ②〖商〗〈比〉 (매점매석했던 물건을) 대량으로 매출(賣出)하다. ③〖經〗〈比〉 (주식 거래에서) 시세 하락을 예상하고 매물로 내놓다. ④〈比〉 저질 작품을 발표하다. ⑤〈比〉 저질 상품을 시장에 내놓다.

[出路] chūlù 명 ① 나가는 길. 출로. ②〈比〉 사회로의 출로. 진로(進路). 나아갈 길. 활로(活路). ❑ ~问题; 진로 문제. ③〈比〉 (상품의) 판로(販路).

[出马] chū//mǎ 동 ① 전쟁에 나가다. ② 나아가 어떤 일을 하다. 출마하다. ③〈方〉 ⇨[出诊]

[出卖] chūmài 동 ① 팔다. 내다 팔다. ②〈貶〉 (나라·민족·친구·동료를) 배신하다. 팔아먹다. ❑ ~自己人; 자기편을 배신하다.

[出毛病] chū máo·bìng 문제가 생기다. 고장이 나다.

[出门(儿)] chū//mén(r) 동 ① 외출하다. ② 집을 떠나 먼 곳으로 가다.

[出面] chū//miàn 동 직접 나서다. 얼굴을 내놓다.

[出名] chū//míng 형 이름나다. 평판이 높다. 유명하다. 동 (~儿) 어떤 명의로 나서서 하다. ❑ 由公司~儿解决问题; 회사의 명의로 문제를 해결하다.

[出没] chūmò 동 출몰하다. ❑ 野兽~; 야수가 출몰하다.

[出谋划策] chūmóu-huàcè 〈成〉 의견을 내어 획책하다. 이리저리 궁리하여 일을 꾸미다.

[出纳] chūnà 명 ① 출납 (업무). 경리 (업무). ❑ ~科; 경리과. ② 출납원. 경리. ③ 내주거나 빌려 주고 수거하는 업무《도서관의 도서 대출 업무 따위》. ❑ ~台; ⓐ(은행의) 출납 데스크. ⓑ(도서관의) 대출 데스크.

[出品] chūpǐn 동 제품을 생산하다. 명 제조품. 생산된 제품.

[出奇] chūqí 형 예사롭지 않다. 유난하다. 유다르다. 보통이 아니다. ❑ ~制胜; 〈成〉 기계(奇計)를 써서 승리하다《상대방이 생각하지 못한 방법으로 승리하다》.

[出其不意] chūqíbùyì 〈成〉 의표를 찌르다. 예상 밖의 행동을 하다.

[出气] chū//qì 동 화풀이하다.

[出勤] chū//qín 동 ① 출근하다. ❑ ~率; 출근율. ② 외출해서 공무를 처리하다. 외근하다.

[出去] chū//·qù 동 (안에서 밖으로) 나가다《사이에 '得' 나 '不' 를 삽입하여 가능이나 불가능을 나타낼 수 있음》. ❑ 他刚~了; 그는 방금 나갔다.

[出去] //·chū//·qù 동 동사 뒤에 붙어 동작이 안에서 밖으로 향함을 나타냄. ❑ 跑~; 뛰어 나가다 / 说~; 입 밖으로 내다.

[出让] chūràng 동 (이익과 상관없이 개인의 물건을) 양도하다. 내놓다. ❑ 廉价~; 염가로 내놓다.

[出人头地] chūréntóudì 〈成〉 보통 사람보다 뛰어나다.

[出人意料] chūrényìliào 〈成〉 의표를 찌르다. 예상을 뛰어넘다. = [出人意表]

[出入] chūrù 동 출입하다. 드나들다. ❑ 不准~; 출입 금지 / ~证; 출입증. 명 (수량·금액·내용 따위의) 차이. 오차. 불일치.

[出色] chūsè 형 특별히 훌륭하다. 두드러지다. 뛰어나다.

[出身] chūshēn 명 (이력·집안 따위의) 출신. 동 (~于) …출신이다. ❑ 他~于贫农; 그는 가난한 농민 출신이다.

[出神] chū//shén 동 넋이 나가다. 정신이 나가다. 멍해지다.

[出生] chūshēng 동 태어나다. 출생하다. ❑ ~登记; 출생 신고 / ~地; 출생지 / ~率; 출생률.

[出生入死] chūshēng-rùsǐ 〈成〉 생명의 위험을 무릅쓰다.

[出师] chūshī 동 ① (chū//shī) (도제·제자가) 수습 기간이 끝나다. ②〈書〉 출병(出兵)하여 적을 치다.

[出使] chūshǐ 동 사절로서 외국에 나가다. ❑ ~各国; 외교 사절로 각국에 나가다.

[出世] chūshì 동 ① 출생하다. 태어나다. ② 세상에 나오다. 생겨나다. ③〖佛〗 탈속(脫俗)하다. 속세(俗世)를 초월하다.

[出事] chū//shì 동 일이 나다. 불상사가 일어나다. 사고가 발생하다. 문제가 터지다. ❑ 出了大事; 큰일이 생기다.

[出手] chū//shǒu 동 ① (물건을) 내다 팔다. 매각하다. ② (수중에서) 내놓다. 내주다. 꺼내다. (chūshǒu) 명 기량. 실력. 솜씨.

[出售] chūshòu 동 팔다. 매도하다. 매각하다. ❑ 高价～; 고가로 매각하다 / ～证书; 매도 증서.

[出庭] chū//tíng 동 법정에 나가다. 법원에 출두하다. ❑ ～作证; 법정에 나가 증언을 하다.

[出头] chū//tóu 동 ① 곤경[고통]에서 벗어나다. ② (물체가) 끝을 내밀다. ❑ ～的椽子先烂; 〈諺〉 튀어나온 서까래가 먼저 썩는다《모난 돌이 정 맞는다》. ③ 얼굴을 내밀다. 나서서 하다. ❑ 这件事, 请你替我～; 이 일은 네가 나를 대신해서 나서 다오. ④ (～儿) …이상이 되다. …남짓하다. ❑ 四十～的年纪; 40 남짓한 나이.

[出头露面] chūtóu-lòumiàn 〈成〉 ① 공개적인 장소에 나타나다. 대중 앞에 모습을 드러내다. ② 표면에 얼굴을 내밀다. 앞에 나서서 하다.

[出土] chū//tǔ 동 ① (옛 기물(器物) 따위를) 출토하다. ② (새싹이) 땅속에서 나오다.

[出席] chūxí 동 (회의에) 참석하다. 출석하다.

[出息] chū·xi 명 전도(前途). 장래성. 발전성. ❑ 他是个有～的青年; 그는 전도유망한 청년이다. 동〈方〉 ① 향상하다. 진보하다. ❑ 他比前几年～多了; 그는 몇 년 전보다 많이 향상되었다. ② 장래성 있게 양성하다. 인재로 키우다.

[出现] chūxiàn 동 출현하다. 나타나다. ❑ ～新的局面; 새로운 국면이 나타나다.

[出洋相] chū yángxiàng 추태를 드러내다. 웃음거리가 되다. ❑ 他今天出尽了洋相; 그는 오늘 온갖 추태를 다 부렸다.

[出游] chūyóu 동 여행하러 나가다. 여행을 떠나다.

[出院] chū//yuàn 동 퇴원하다. ❑ ～手续; 퇴원 수속.

[出诊] chū//zhěn 동 왕진하다. ＝[〈方〉 出马③]

[出征] chūzhēng 동 출정하다. 원정(遠征)하다. ❑ 率兵～; 군대를 이끌고 출정하다.

[出众] chūzhòng 형 출중하다. ❑ 他特别～; 그는 매우 출중하다.

[出资] chū//zī 동 출자하다.

[出走] chūzǒu 동 떠나다. 도망가다. ❑ 离家～; 가출하다.

[出租] chūzū 동 대여하다. 세놓다. 임대하다. ❑ ～人; 임대인.

[出租车] chūzūchē 명 택시(taxi). ＝[出租汽车]

[出租汽车] chūzū qìchē ⇨[出租车]

初 chū (초)
① 형 처음의. 시작의. ❑ ～冬; 초겨울. ② 명 처음. 시작 단계. 초기. ❑ 月～; 월초. ③ 형 제1의. 최초의. 첫 번째의. ❑ ～诊; ⇩ ④ 부 처음으로. 이제 막. 방금. ⑤ 형 초급(初級)의. 기초적인. ❑ ～等; ⇩ ⑥ 형 원래의. 본디의. ❑ ～心; 초심 / ～衷zhōng; ⇩ ⑦ 명 처음의 상황. 원래의 상태. ❑ 和好如～; 〈成〉 처음처럼 사이가 다시 좋아지다.

[初版] chūbǎn 명 (서적의) 초판. 동 초판을 내다.

[初步] chūbù 형 초보적인. 시작 단계인. ❑ ～成果; 초보적인 성과.

[初出茅庐] chūchū-máolú 〈成〉 신출내기이다. 풋내기이다.

[初创] chūchuàng 동 처음[막] 창립하다. ❑ ～阶段; 시작 단계.

[初次] chūcì 명 처음. 첫 번. ❑ ～见面! 처음 뵙겠습니다!

[初等] chūděng 형 초급의. 초등의. ❑ ～教育; 초등 교육.

[初伏] chūfú 명 ① 초복. ② 초복에서 중복 하루 전날까지의 기간.

[初稿] chūgǎo 명 ① 초고. ② 미정고(未定稿).

[初婚] chūhūn 동 ① 처음 결혼하다. 초혼을 하다. ② 이제 막 결혼하다. 결혼한 지 얼마 안 되다. 신혼(新婚)이다.

[初级] chūjí 형 초급의. 일 단계의. 일차의. ❑ ～班; 초급반 / ～阶段; 초급 단계.

[初级小学] chūjí xiǎoxué 초급 소학교. 초등학교. ＝[〈簡〉 初小]

[初级中学] chūjí zhōngxué 중학교. ＝[〈簡〉 初中]

[初交] chūjiāo 명 사귄 지 얼마 안 된 사이[사람].

[初恋] chūliàn 동 ① 첫사랑을 하다. 첫 연애를 하다. ② 막 연애하기 시작하다.

[初露头角] chūlù-tóujiǎo 〈成〉 막 두각을 나타내기 시작하다.

[初期] chūqī 명 초기. ❑ 战争～; 전쟁 초기.

[初赛] chūsài 동〖體〗 첫 경기를 하다. 일차전을 벌이다.

[初生之犊] chūshēngzhīdú 〈成〉

갓 태어난 송아지. 하룻강아지. ❏ ~不畏虎; 〈諺〉 하룻강아지 범 무서운 줄 모른다.

[初试] chūshì 동 ① 첫 실험을 하다. 일차 테스트를 하다. ② 일차 시험을 보다.

[初小] chūxiǎo 명〈簡〉 ⇨[初级小学]

[初学] chūxué 동 막 배우기 시작하다. 처음 배우다. 초학하다.

[初雪] chūxuě 명 첫눈.

[初旬] chūxún 명 초순.

[初诊] chūzhěn 동〔醫〕 초진하다.

[初中] chūzhōng 명〈簡〉 ⇨[初级中学]

[初衷] chūzhōng 명 맨 처음 생각. 맨 처음 바람.

刍(芻) chú (추) 〈書〉 ① 동 풀을 베다. ② 명 꼴. 마초. ③ 형〈謙〉 저의 보잘것없는. ❏ ~见; 저의 보잘것없는 의견.

[刍议] chúyì 명〈書〉〈謙〉 (저의) 보잘것없는 의견.

雏(雛) chú (추) ① 명 (~儿) 새끼 새. 어린 새. ② 형 (조류의) 어린. 갓난. ❏ ~鸡; 갓 태어난 병아리.

[雏儿] chúr 명〈口〉〈比〉 나이가 어리고 경험이 적은 사람. 세상을 모르는 풋내기.

[雏形] chúxíng 명 ① 초기 형태. 기본 형태. ② 모형. 미니어처(miniature).

除 chú (제) ① 동 없애다. 제거하다. ❏ 根~; 뿌리 뽑다. ② 개 …외에는. …외에도. …빼고는. ❏ 这里~小王外, 都是外地人; 여기는 왕 군 빼고는 모두 외지인이다. ③ 동〔數〕 나누다. ❏ 十~以二得五; 10 나누기 2는 5. ④ 명〈書〉 계단. 섬돌. ⑤ 동〈書〉 관직을 내려 주다.

[除草] chúcǎo 동 제초하다. ❏ ~机; 제초기 / ~剂; 제초제.

[除法] chúfǎ 명〔數〕 나눗셈.

[除非] chúfēi 접 다만[오직] …하여야. …함으로써 비로소(‘才’·‘否则’·‘不然’ 따위와 호응하여 유일한 조건을 나타냄). ❏ ~大家都去, 否则我不去; 모두 함께 가야지 그렇지 않으면 나는 안 간다. 개 …가 아니고서는. …말고는. ❏ ~小王, 谁也不知道这件事情; 왕 군 말고는 아무도 이 일을 모른다.

[除根(儿)] chú//gēn(r) 동 근원을 제거하다. 철저하게 없애다.

[除旧布新] chújiù-bùxīn 〈成〉 낡은 것을 제거하고 새로운 것을 발전시키다.

[除了] chú·le 개 ① …말고는. …빼고는. …외에는(주로, ‘外’·‘之外’·‘以外’·‘而外’ 따위와 호응함). ❏ ~他, 所有的人都出去了; 그 사람 빼고는 모두 나갔다. ② …외에도. …말고도. …빼고도(‘也’·‘还’·‘只’ 따위와 호응하여 어떤 것 외에 또 다른 것이 있음을 나타냄). ❏ ~写小说, 他有时也写诗; 소설 쓰는 것 말고도 그는 때때로 시도 쓴다. ③ …아니면 …하다(‘就是’와 연용하여 쓰임). ❏ 刚生下来的孩子, ~吃就是睡; 갓 태어난 아이는 먹지 않으면 잔다.

[除名] chú//míng 동 제명하다. 퇴출하다.

[除去] chúqù 동 제거하다. 없애다. ❏ ~杂草; 잡초를 제거하다.

[除外] chúwài 동 제외하다. 빼다. 계산에 넣지 않다. ❏ 图书馆天天开放, 星期一~; 월요일을 제외하고 도서관은 매일 문을 연다.

[除夕] chúxī 명 ① 섣달 그믐밤. 제야. =[除夜] ② 섣달 그믐날.

锄(鋤) chú (서) ① 명 호미. ② 동 호미로 김매다. ❏ ~草; 김매다. ③ 동 제거하다. 없애다. ❏ ~奸; ⇩

[锄奸] chújiān 동 적과 내통하는 자를 제거하다. 배신자를 처단하다.

[锄头] chú·tou 명 ① (중국 남방(南方)에서 쓰는) 괭이처럼 생긴 농기구. ②〈方〉 호미.

厨 chú (주) 명 ① 주방. 부엌. ② 요리사. 조리사. ❏ 名~; 명(名)요리사.

[厨房] chúfáng 명 부엌. 주방. 조리실. 취사장.

[厨具] chújù 명 주방 기구. 요리[조리] 도구.

[厨师] chúshī 명 요리사. 조리사. =[〈口〉 厨子]

[厨子] chú·zi 명 ⇨[〈口〉 厨师]

橱 chú (주) (~儿) 명 농. 장롱. 궤. 수납함. ❏ 碗~; 찬장 / 衣~; 옷장.

[橱窗] chúchuāng 명 진열창. 쇼윈도(show window).

[橱柜] chúguì 명 ① (~儿) 찬장. 그릇장. ② (탁자로도 쓸 수 있는)

앉은뱅이 장(欌).

蹰 chú (주)
→[踟chí蹰]

躇 chú (저)
→[踟chí躇][踌chóu躇]

处(處) chǔ (처)
동 ①〈書〉 살다. 거주하다. ❏穴居野~; 동굴이나 들판에서 살다. ② 함께 생활하다. 더불어 지내다. 사귀다. ❏~不来; 더불어 지내지 못하다. ③ (어떤 상황이나 위치에) 있다. 처하다. ❏~在创业阶段; 창업 단계에 있다. ④ 조처를 취하다. 처리하다. 처분하다. ❏~得公平; 공평하게 처리하다. ⑤ 처벌하다. ❏~以徒刑; 징역에 처하다. ⇒chù

[处罚] chǔfá 동 처벌하다. ❏~学生; 학생을 처벌하다.

[处方] chǔfāng 동 처방하다. 명 처방. 처방전(處方箋). ❏~药; 처방전이 필요한 약품.

[处分] chǔfèn 명동 (잘못이나 잘못한 사람을) 처분(하다). 처벌(하다). ❏~主谋者; 주모자를 처벌하다. 동〈書〉 처치하다. 처리하다.

[处境] chǔjìng 명 처한 상황[환경]. 처지. 입장《주로, 곤란하거나 불리한 상황을 가리킴》. ❏~困难; 처지가 곤란하다.

[处决] chǔjué 동 ① 사형을 집행하다. 처단하다. ❏~犯人; 범인을 처단하다. ② 처결하다. 처리 결정하다.

[处理] chǔlǐ 동 ① 처리하다. 해결하다. ❏~家务; 가사를 처리하다. ② 처벌하다. ❏从严~; 엄중히 처벌하다. ③ (가격을 내려서) 처분하다. 처리하다. ❏~品; 처리 상품. ④ (특정 방식으로) 가공하다. 처리하다. ❏热~; 열처리.

[处女] chǔnǚ 명 처녀. 숫처녀. 형〈比〉 맨 처음의. 첫 번째의. ❏~地; 처녀지 / ~作; 처녀작.

[处世] chǔshì 동 처세하다. ❏~之道; 처세 방법. 처세술.

[处事] chǔshì 동 일을 처리하다. ❏他~非常果断; 그는 일처리가 매우 과감하다.

[处死] chǔsǐ 동 사형에 처하다.

[处心积虑] chǔxīn-jīlǜ 〈成〉〈貶〉 이 궁리 저 궁리 하다.

[处置] chǔzhì 동 ① 처치하다. 처분하다. 처리하다. ❏~得宜; 처리가 적절하다. ② 처벌하다. 징벌하다. ❏依法~; 법에 따라 처벌하다.

杵 chǔ (저)
① 명 공이. 절굿공이. ② 명 빨랫방망이. ③ 동 (가늘고 긴 것으로) 찌르다. 쑤시다. ❏他拿了根小竹竿向里~; 그는 작은 대나무 막대기를 하나 들고 안을 쑤셨다.

础(礎) chǔ (초)
명 주춧돌. 초석.

[础石] chǔshí 명 ① 주춧돌. 초석. ② 기초. 토대.

储(儲) chǔ (저)
① 동 저축하다. 저장하다. ❏~金; 저금하다. ② 명 황태자. 왕세자.

[储备] chǔbèi 동 (물자를) 비축하다. 저장하다. 준비해 두다. ❏~粮食; 식량을 비축하다. 명 저축. 비축품. 예비품.

[储藏] chǔcáng 동 ① 저장하다. 보관하다. ❏~室; 저장실. ② 매장(埋藏)하다.

[储存] chǔcún 동 모아 두다. 저장하다. 비축하다. ❏~能源; 에너지를 비축하다.

[储户] chǔhù 명 예금자. 예금주.

[储量] chǔliàng 명 (천연자원의) 매장량.

[储蓄] chǔxù 동 저축하다. 저금하다. 예금하다. ❏他~了不少钱; 그는 꽤 많은 돈을 저축했다.

楚 chǔ (초)
A) 형 ① 고통스럽다. 괴롭다. ❏苦~; 고초. ② 선명하다. 깨끗하다. 분명하다. ❏清~; 분명하다. B) (Chǔ) 명 초《춘추(春秋) 시대의 나라 이름》.

[楚楚] chǔchǔ 형 ① 선명한 모양. 산뜻한 모양. 깔끔한 모양. ❏衣冠~; 옷차림이 깔끔하다. ② (자태가) 가냘프고 어여쁜 모양. ❏~可怜; 〈成〉 가냘프고 어여쁘다.

处(處) chù (처)
명 ① 곳. 장소. 부분. 점. ❏长cháng~; 장점 / 停车~; 주차장. ② (기관·조직의) 부. 처. ❏办事~; 사무소 / 总务~; 총무부. ⇒chǔ

[处处] chùchù 부 도처. 두루두루. 각 방면. ❏~都有; 도처에 있다.

[处所] chùsuǒ 명 곳. 장소.

怵 chù (출)
동 무서워하다. 겁을 먹다. 주눅 들다. ❏心里打~; 흠칫흠칫 놀라다.

[怵目惊心] chùmù-jīngxīn 〈成〉 ⇨[触目惊心]

绌(絀) chù (출) 형〈書〉 부족하다. 결핍하다. ❏ 支～; 지출이 부족하다.

黜 chù (출) 동〈書〉 파면하다. 면직시키다.

[黜免] chùmiǎn 동〈書〉 파면시키다. 면직시키다.

畜 chù (축) 명 가축. ⇒xù

[畜力] chùlì 명 축력. ❏ ～农具; 축력 농기구.

[畜生] chù·sheng 명 ① 짐승. 금수. ②〈罵〉 짐승 같은 놈. ❏ 你这个～! 이 짐승만도 못한 놈! ‖ =[畜牲]

[畜牲] chù·sheng 명 ⇨[畜生]

搐 chù (축) 동 경련이 일다. 쥐가 나다.

触(觸) chù (촉) 동 ① 닿다. 부딪다. 부딪치다. ❏ 一～即发; 〈成〉 일촉즉발. ② 느끼다. 마음에 닿다. 마음을 건드리다. ❏ 感～; 감동하다.

[触电] chù//diàn 동 감전되다. ❏ 小心别触了电! 감전되지 않게 조심해!

[触动] chùdòng 동 ① 건드리다. 부딪치다. ❏ 无意中～开关; 무의식중에 스위치를 건드리다. ② 저촉하다. 범하다. 충돌하다. ❏ ～个人的利益; 개인의 이익과 충돌하다. ③ (감정 변화·기억 따위를) 건드리다. 자극하다. 자아내다. ❏ ～他的心事; 그의 심사를 건드리다.

[触发] chùfā 동 촉발하다. 유발하다. 일으키다. ❏ ～灵感; 영감을 불러일으키다.

[触犯] chùfàn 동 저촉되다. 위반하다. 거스르다. ❏ ～刑律; 형법을 위반하다.

[触礁] chù//jiāo 동 ① 좌초하다. 암초에 부딪치다. ②〈比〉 난관에 부닥치다.

[触角] chùjiǎo 명〖動〗 촉각. 더듬이. =[触须]

[触景生情] chùjǐng-shēngqíng 〈成〉 눈앞의 정경에 감흥이 일다.

[触觉] chùjué 명〖生理〗 촉각.

[触摸屏] chùmōpíng 명〖컴〗 터치스크린(touchscreen). =[触屏]

[触目] chùmù 동 눈이 닿다. 눈에 들어오다. ❏ ～皆是; 〈成〉 눈에 들어오는 것이 다 그렇다. 형 두드러지다. 시선을 끌다.

[触目惊心] chùmù-jīngxīn 〈成〉 보기만 해도 몹시 놀라다《눈에 보이는 상황이 매우 심각하다》. =[怵目惊心]

[触怒] chùnù 동 진노케 하다. 노여움을 사다. 화나게 하다.

[触屏] chùpíng 명 ⇨[触摸屏]

[触手] chùshǒu 명〖動〗 촉수.

[触须] chùxū 명 ⇨[触角]

矗 chù (촉) 동 우뚝 서다. 높이 솟다.

[矗立] chùlì 동 우뚝 서다[솟다].

chuai ㄔㄨㄞ

揣 chuāi (췌) 동 ① 옷 안에 감추다. 간직하다. ❏ ～在口袋里; 주머니에 감추다. ②〈方〉 (가축이) 새끼를 배다. ❏ 骒马～上驹了; 암말이 망아지를 뱄다. ⇒chuǎi

[揣手儿] chuāi//shǒur 동 양손을 소매에 질러 넣다. 팔짱을 지르다.

搋 chuāi (차) 동 ① 주무르다. 반죽하다. 비비다. ❏ ～面; 밀가루를 반죽하다. ② 하수도를 뚫다.

[搋子] chuāi·zi 명 하수구나 변기를 뚫는 공구(工具).

揣 chuǎi (췌) 동 헤아리다. 짐작하다. 추측하다. 어림잡다. ⇒chuāi

[揣测] chuǎicè 동 추측하다. 짐작하다. 헤아리다. ❏ ～别人的心思; 남의 마음을 헤아리다.

[揣度] chuǎiduó 동〈書〉 어림하다. 추측하다. 짐작하다.

[揣摩] chuǎimó 동 반복적으로 생각하다. 진지하게 따져 보다. 궁리하다. ❏ 细心～; 면밀히 궁리하다.

踹 chuài (천) 동 ① 발로 차다. 발길질하다. ❏ 用脚乱～; 마구 발길질해 대다. ② 발을 딛다. 발로 밟다. ❏ 不小心一脚～在泥里; 조심하지 않아서 한쪽 발이 진흙을 딛어 버렸다.

chuan ㄔㄨㄢ

川 chuān (천) 명 ① 내. 하천. 하류. ❏ 山～;

산천. ② 평지. 평원. ❑米粮~; 곡창 지대.

[川流不息] chuānliú-bùxī 〈成〉 (사람이나 차량의 행렬이) 물 흐르듯 쉴 새 없이 이어지다.

[川资] chuānzī 명 여비. 노자.

穿 chuān (천) 동 ① 뚫다. 구멍 내다. 구멍 나다. ❑子弹~透了水泥墙; 총알이 시멘트 벽을 관통했다. ② (일부 동사 뒤에 붙어) 완전히 …하다. 철저히 …하다. 꿰뚫다. ❑看~; 간파하다 / 说~; 설파(說破)하다. ③ (구멍·틈새 따위를) 통과하다. 관통하다. ❑~过; 통과하다. ④ (실·끈 따위로) 한데 꿰다. 엮다. ⑤ (옷·신발·양말 따위를) 입다. 신다. ❑~皮鞋; 구두를 신다 / ~衣服; 옷을 입다.

[穿插] chuānchā 동 ① 섞다. 교차하다. 번갈아 하다. ❑他田间工作也~进行; 그는 농사일도 번갈아 한다. ② 삽입하다. 집어넣다. ❑~一些小故事; 짧은 이야기를 집어넣다. 명 (소설·극·강의 따위의) 에피소드(episode).

[穿戴] chuāndài 명 옷과 장신구. 옷차림. 치장. 동 치장하다. 단장하다. 꾸미다.

[穿孔] chuān//kǒng 동 ① 천공하다. 구멍을 뚫다. ❑~机; 천공기. ②〖醫〗(위나 장벽에) 구멍이 꿇리다. 천공되다.

[穿梭] chuānsuō 동 베틀 북이 왔다 갔다 하다. 〈比〉 쉴 새 없이 드나들다. 빈번하게 왕래하다. ❑游人~来往; 여행객들이 쉴 새 없이 오고 가다.

[穿衣镜] chuānyījìng 명 체경(體鏡). 전신 거울.

[穿越] chuānyuè 동 지나가다. 넘다. 통과하다. ❑飞机~云层; 비행기가 구름층을 통과하다.

[穿凿] chuānzáo 동 억지로 끌어다 붙이다. 견강부회(牽強附會)하다. ❑~附会; 〈成〉 견강부회하다.

[穿针引线] chuānzhēn-yǐnxiàn 〈成〉 다리를 놓다. 주선하다.

[穿着] chuānzhuó 명 복장. 옷차림. 차림새. 옷매무새.

传(傳) chuán (전) 동 ① 전하다. 전달하다. 전해지다. ❑他把话~错了; 그가 말을 잘못 전달했다. ② 가르쳐 전하다. 전수하다. ❑秘方已经~了几代了; 비방은 이미 몇 대에 걸쳐서 전해졌다. ③ 널리 알리다. 퍼뜨리다. 전파하다. ❑~闲话; 남의 험담을 퍼뜨리다. ④ (전기·열 따위가) 통하다. 전도하다. ❑非导体~不了电; 절연체는 전기가 통하지 않는다. ⑤ (생각·감정 따위를) 표현하다. 나타내다. 전하다. ❑~情; ⇩ ⑥ 불러오다. 소환하다. 호출하다. ❑~证人; 증인을 소환하다. ⑦ 옮다. 전염되다. ❑流感~起来很快; 유행성 감기는 전염이 매우 빠르다. ⇒ zhuàn

[传播] chuánbō 동 널리 뿌리다. 전하다. 전파하다. 퍼뜨리다. ❑~病菌; 병균을 퍼뜨리다.

[传布] chuánbù 동 전파하다. 퍼뜨리다. 전하다. ❑苍蝇~瘟疫; 파리는 전염병을 퍼뜨린다.

[传达] chuándá 동 (의사·지시·명령 따위를) 전하다. 전달하다. ❑~命令; 명령을 전하다. 명 ① (관청·학교·공장 따위의) 접수. ② 접수원. 수위.

[传单] chuándān 명 전단. ❑撒~; 전단을 뿌리다.

[传导] chuándǎo 동 ①〖物〗전도(傳導)하다. ❑热~; 열전도. ②〖生理〗(지각이) 전도하다.

[传递] chuándì 동 건네주다. 전달하다. 전해 주다. 넘겨주다. ❑~接力棒; 바통을 넘겨주다 / ~消息; 소식을 전달하다.

[传告] chuángào 동 (소식·말 따위를) 전하다. 전하여 알리다. ❑~喜讯; 희소식을 전하다.

[传呼] chuánhū 동 ① (전화국에서) 전화를 받으라고 알리다. 전화를 받으라는 통지를 하다. ② (무선 통신 수단으로) 호출(呼出)하다. ❑夜间~; 야간 호출.

[传呼机] chuánhūjī 명 ⇒[寻呼机]

[传话] chuán//huà 동 말을 전하다. 전언하다. =[〈書〉 传言]

[传唤] chuánhuàn 동 ① 부르다. 호출하다. ②〖法〗소환하다. ❑~单; 소환장.

[传家] chuánjiā 동 집안 대대로 전하다. ❑~宝; ⓐ대대로 전하는 가보. ⓑ〈比〉 아름다운 전통.

[传教] chuán//jiào 동〖宗〗선교하다. 포교하다. ❑~士; 선교사.

[传媒] chuánméi 명 ① 미디어

(media). 매스컴. 대중 매체. 매스미디어(mass media). ② 질병 전염의 매개.

[传票] chuánpiào 명 ①〔法〕 영장. 소환장. ②〔商〕 전표.

[传奇] chuánqí 명 전기(傳奇). ① 당(唐)·송(宋) 시대에 문어(文語)로 쓰여진 단편 소설. ② 기이하여 세상에 전할 만한 이야기.

[传情] chuán//qíng 동 (주로, 남녀 간에) 마음을 전하다. 사랑을 전하다.

[传染] chuánrǎn 동 ① (질병이) 전염하다[되다]. ❏ ~病; 전염병 / ~性; 전염성. ②〈比〉 (정서·감정 따위가) 전염하다[되다]. ❏ ~了坏习气; 나쁜 버릇이 전염됐다.

[传人] chuán//rén 동 ① (기술·기능 따위를) 남에게 전해 주다. 남에게 전수하다. ② (질병이) 남에게 전염되다. (chuánrén) 명 (기술·기능 따위의) 계승자.

[传神] chuánshén 형 (예술 작품이) 진짜와 똑같다. 생생하다. 생동하다. ❏ ~之笔; 생동감 넘치는 필치.

[传声器] chuánshēngqì 명 마이크로폰(microphone). 마이크. =[话筒②][麦克风]

[传声筒] chuánshēngtǒng 명 ① ⇨[话筒③] ②〈比〉 주견 없이 남의 말을 그대로 따라 하기만 하는 사람.

[传授] chuánshòu 동 전수하다. 가르쳐 전하다. ❏ ~技术; 기술을 전수하다.

[传输] chuánshū 동〔電·컴〕 전송하다. 송신하다. ❏ ~线; 전송선.

[传说] chuánshuō 동 (말로) 전해지다. ❏ 现在仍然~着; 지금까지도 여전히 전해 내려오고 있다. 명 ① 전설. ② 소문. 풍설.

[传送] chuánsòng 동 (물건·소식·정보 따위를) 보내다. 전송하다. ❏ ~消息; 정보를 전송하다.

[传统] chuántǒng 명 전통. 형 ① 전통의. 전통적인. ❏ ~观念; 전통적 관념. ② 보수적이다. 고루하다.

[传闻] chuánwén 동 전문하다. 전하여 듣다. 명 뜬소문. 풍문. ❏ ~失实; 〈成〉 전해 들은 이야기는 사실과 일치하지 않는다.

[传销] chuánxiāo 동〔商〕 다단계 판매하다. 피라미드식 판매하다.

[传讯] chuánxùn 동〔法〕 소환하여 신문(訊問)하다.

[传言] chuányán 동〈書〉 ⇨[传话] 명 풍문. 뜬소문.

[传扬] chuányáng 동 (일·명성 따위를) 널리 퍼뜨리다. 전파하다. 널리 퍼지다. ❏ ~四方; 사방으로 전파하다.

[传阅] chuányuè 동 회람하다. 돌려 보다.

[传真] chuánzhēn 명동 ① 초상화(를 그리다). ② 팩스(fax)(를 보내다). 사진 전송(하다). ❏ 发~; 팩스를 보내다 / ~机; 팩스 머신(fax machine).

船 chuán (선)
명 배. 선박. ❏ 一只~; 배 한 척.

[船舶] chuánbó 명 선박. ❏ ~公司; 선박 회사.

[船埠] chuánbù 명 선착장.

[船舱] chuáncāng 명 ① 선실(船室). ② 선창(船倉).

[船夫] chuánfū 명 선원. 뱃사람.

[船家] chuánjiā 명 뱃사공.

[船钱] chuánqián 명 뱃삯. 선임(船賃).

[船位] chuánwèi 명 선위.

[船坞] chuánwù 명 독(dock). 선거(船渠). ❏ ~费; 입거료(入渠料).

[船舷] chuánxián 명 선현. 뱃전.

[船员] chuányuán 명 선원.

[船长] chuánzhǎng 명 선장.

[船只] chuánzhī 명 선박(船舶).

[船主] chuánzhǔ 명 선주.

椽 chuán (연)
명〔建〕 서까래.

[椽子] chuán·zi 명〔建〕 서까래.

舛 chuǎn (천)
〈書〉 ① 명 착오. 잘못. ② 동 반(叛)하다. 위배하다. ❏ ~令; 명령을 따르지 않다. ③ 형 순탄하지 않다. 불길하다. 불행하다. ❏ 命途多~; 〈成〉 시운이 불길하다.

[舛误] chuǎnwù 명 착오. 잘못.

喘 chuǎn (천)
동 ① 숨을 가쁘게 몰아쉬다. 헐떡거리다. ❏ ~得很厉害; 숨을 매우 가쁘게 몰아쉬다. ② 천식이 심해지다. 천식이 도지다. ❏ 这几天不太~了; 요 며칠은 천식이 심하지 않았다.

[喘气] chuǎn//qì 동 ① 헐떡이다. 숨을 몰아쉬다. ❏ 喘不过气来; 숨

을 헐떡이다. ② 한숨 돌리다. 잠깐 쉬다.

[喘息] chuǎnxī 동 ① (숨을) 헐떡이다. 몰아쉬다. ② 한숨 돌리다. 잠깐 쉬다. ❑ 不给敌人~的机会; 적에게 숨 돌릴 틈을 주지 않다.

[喘吁吁(的)] chuǎnxūxū(·de) 형 숨을 헐떡이는 모양. 헉헉거리는 모양. =[喘嘘xūxū(的)]

串 chuàn (천)

① 동 꿰다. 이어져 통하다. ② (~儿) 명 한데 꿴 것. 꿰미. 꼬치. ❑ 羊肉~儿; 양고기 꼬치. ③ (~儿) 양 송이. 꼬치. 꿰미《한데 이어 꿴 것을 세는 말》. ❑ 一~葡萄; 포도 한 송이. ④ 동 결탁하다. 작당하다. 한패가 되다. ⑤ 동 어긋나다. 잘못 연결되다. ❑ 电话~线; 전화가 혼선되다. ⑥ 동 돌아다니다. 쏘다니다. ❑ 一上午~了三家; 오전에만 세 집을 돌아다녔다. ⑦ 동 (본업이 아니거나 분야가 다른 사람이 극에서) 배역을 맡다. 출연하다. ❑ ~演; ⇩ ⑧ 동 다른 것들끼리 섞여 본래의 특징이 변질되다. ❑ ~味儿; 향이 뒤섞이다.

[串连] chuànlián 동 ⇨[串联]

[串联] chuànlián 동 ① (함께 행동하기 위해) 하나하나 연락하다. 순차적으로 연계하다. 하나하나 끌어들이다. ❑ 他~了几个朋友; 그는 친구 몇 명을 하나하나 포섭했다. =[串通②] ② 〖電〗 직렬(直列) 연결하다. ❑ ~电池组; 전지를 직렬 연결하다. ‖ =[串连]

[串门(儿)] chuàn//mén(r) 동 이웃에 놀러 가다. 마실 가다. =[串门子]

[串通] chuàntōng 동 ① 한통속이 되다. 결탁하다. 내통하다. 작당하다. ❑ ~一气; 〈成〉 한패가 되다. 한통속이 되다. ② ⇨[串联①]

[串戏] chuàn//xì 동 아마추어 배우가 전문 극단에 참가하여 극을 공연하다.

[串演] chuànyǎn 동 (비전문 배우가) 배역을 맡다. 출연하다.

[串子] chuàn·zi 명 한데 꿴 것. 꼬치. 꾸러미. ❑ 钱~; 돈 꾸러미.

chuang ㄔㄨㄤ

创(創) chuāng (창)

① 명 창상(創傷). 상처. ② 동 상처를 입히다. 손상을 주다. ⇒ chuàng

[创痕] chuānghén 명 상처 자국. 흉터.

[创口] chuāngkǒu 명 ⇨[伤口]

[创伤] chuāngshāng 명 ① 창상. 상처. 외상. ② 〈比〉 (물질적·정신적의) 상처. 큰 타격. ❑ 战争的~; 전쟁으로 인한 상처.

疮(瘡) chuāng (창)

명 ① 종기. 부스럼. ❑ 长zhǎng~; 부스럼이 생기다. ② 외상(外傷). 상처. ❑ 刀~; 도상.

[疮疤] chuāngbā 명 ① 흉터. 상처 자국. ② 〈比〉 아픈 곳. 약점. 허물. ❑ 揭~; 아픈 곳을 들추다.

[疮痂] chuāngjiā 명 (부스럼·상처의) 딱지.

[疮口] chuāngkǒu 명 종기·상처 따위의 터진 자리.

窗 chuāng (창)

명 창. 창문. ❑ 玻璃~; 유리창 / ~外; 창밖.

[窗格子] chuānggé·zi 명 창살.

[窗户] chuāng·hu 명 창. 창문. ❑ 打开~; 창문을 열다. =[窗子][窗口(儿)①]

[窗口(儿)] chuāngkǒu(r) 명 ① ⇨[窗户] ② 창가. 창문 옆. ③ (매표소·접수처 따위의) 창구. ❑ 在这个~挂号; 이 창구에서 접수한다. ④ 〈比〉 정신적·물질적인 부분에서 각종 현상이나 상황을 반영하거나 보여 주는 곳. ❑ 眼睛是心灵的~; 눈은 마음의 창이다. ⑤ 〖컴〗 윈도(windows).

[窗帘(儿)] chuānglián(r) 동 커튼. 블라인드. ❑ 拉开~; 커튼을 열다.

[窗明几净] chuāngmíng-jījìng 〈成〉 창은 밝고 탁자는 깨끗하다 《실내가 매우 단정하고 깨끗하다》.

[窗台(儿)] chuāngtái(r) 명 창문턱. 창턱. 창문받이.

[窗子] chuāng·zi 명 ⇨[窗户]

床 chuáng (상)

① 명 침대. ② 명 침대 모양의 기구. ❑ 机~; 선반 공작 기계. ③ 명 침대 모양의 넓은 평면을 가진 바닥. ❑ 苗~; 못자리. ④ 양 채 《침구를 세는 말》. ❑ 一~铺盖; 이불 한 채.

[床单(儿)] chuángdān(r) 명 (침대의) 시트(sheet). =[床单子]

[床垫] chuángdiàn 명 (침대의)

매트리스(mattress).
[床铺] chuángpù 명 침대와 이불. 잠자리.
[床位] chuángwèi 명 (병원·기숙사·숙박업소 따위의) 침대.
[床罩(儿)] chuángzhào(r) 명 침대 커버.
[床子] chuáng·zi 명 ① ⇨[机床] ② 〈方〉 노점용의 가판대. 매대.

幢 chuáng (당)
명 ① 기드림에 쓰이는 기(旗). ② 〖佛〗 불명(佛名)이나 경문(經文)이 새겨져 있는 석주(石柱). ⇒ zhuàng
[幢幢] chuángchuáng 형〈書〉 그림자가 흔들려 어른거리는 모양. ❏ 人影~; 사람의 그림자가 흔들흔들 어른거리다.

闯(闖) chuǎng (틈)
동 ① 돌입하다. 돌진하다. 갑자기 뛰어들다. 충돌하다. ❏ ~进来; 뛰어들어오다. ② 세상과 부딪치며 단련하다. 경험을 쌓다. 수련하다. ❏ 他在外面~出来了; 그는 밖에서 세상과 부딪치며 경험을 쌓았다. ③ (일정한 목적을 위해) 도처에서 활동하다. ❏ ~江湖; ⇩ ④ 화(禍)를 부르다. 문제를 만들다. 말썽을 일으키다. ❏ ~祸; ⇩
[闯荡] chuǎngdàng 동 외지에서 생계를 유지하다. 타지에서 생활하며 스스로를 단련시키다.
[闯祸] chuǎng//huò 동 말썽을 일으키다. 사고를 치다. 사달을 내다. ❏ 他家孩子又~了; 그의 집 아이가 또 사고를 쳤다.
[闯江湖] chuǎng jiānghú (옛날, 점쟁이·곡예사·약장수·돌팔이 의사 따위로 생계를 이으며) 세상을 떠돌아다니다. 떠돌이 생활을 하다.
[闯将] chuǎngjiàng 명 용장(勇將). 투장(鬪將)《주로, 비유적으로 쓰임》.

创(創) chuàng (창)
동 처음으로 하다. 창조하다. 창출하다. ❏ ~办; ⇩ ⇒ chuāng
[创办] chuàngbàn 동 창립하다. 창업하다. 창설하다. 창간하다. ❏ ~杂志; 잡지를 창간하다.
[创见] chuàngjiàn 명 독창적인 견해. 새로운 생각.
[创建] chuàngjiàn 동 창립하다. 창건하다.
[创举] chuàngjǔ 명 최초의 거행(擧行)[시도]. 첫 번째 기획.
[创刊] chuàngkān 동 (정기 출판물을) 창간하다. ❏ ~号; 창간호.
[创立] chuànglì 동 창립하다. ❏ ~大会; 창립 총회.
[创设] chuàngshè 동 ① 창립하다. 창설하다. ❏ ~研究所; 연구소를 창설하다. ② (조건을) 조성하다. 만들다. ❏ ~有利的条件; 유리한 조건을 만들다.
[创始] chuàngshǐ 동 창시하다. 창립하다. ❏ ~人; 창시자.
[创业] chuàngyè 동 사업을 시작하다. 창업하다. ❏ ~精神; 창업 정신 / ~资金; 창업 자금.
[创意] chuàngyì 명 창의. 새로운 아이디어. 동 새로운 생각을 내놓다. 창의하다.
[创造] chuàngzào 동 창조하다. 만들다. ❏ ~精神; 창조 정신 / ~性; 창조성 / ~者; 창조자.
[创作] chuàngzuò 동 (문학·예술 작품 따위를) 창작하다. 명 창작. 창작품.

怆(愴) chuàng (창)
동〈書〉 슬퍼하다.
[怆然] chuàngrán 형〈書〉 슬퍼하는 모양. ❏ ~泪下; 슬퍼하며 눈물을 흘리다.

chui ㄔㄨㄟ

吹 chuī (취)
동 ① (입으로) 불다. 입김을 불다. ❏ 把气球~崩了; 풍선을 불어서 터뜨리다. ② (악기 따위를) 불다. ❏ ~笛子; 피리를 불다. ③ (바람이) 불다. ❏ 风~得真舒服; 바람이 참 상쾌하게 분다. ④ 허풍치다. ❏ 光凭嘴~不行; 입으로만 허풍 쳐서는 안 된다. ⑤ 치켜세우다. 추어올리다. ❏ 自~自擂; 〈成〉 스스로를 치켜세우다. ⑥ 〈口〉 (일·사이가) 틀어지다. 깨지다. ❏ 婚事告~; 혼사가 깨지다.
[吹风] chuī//fēng 동 ① (머리를) 드라이어로 말리다. ❏ ~机; 헤어 드라이어(hair drier). ② 바람을 쐬다. 바람을 맞다. ③ (~儿) 넌지시 비추다. ④ (~儿) 헛소문을 퍼뜨리다. 낭설을 퍼뜨리다.
[吹鼓手] chuīgǔshǒu 명 ① 옛날, 혼례(婚禮)나 장례식 때의 악사(樂

師). ②〈比〉〈貶〉 남에게 빌붙는 사람. 간살 부리는 사람.
[吹灰之力] chuīhuīzhīlì 〈比〉 매우 작은 힘《주로, 부정형으로 쓰임》. ❏不费~; 아주 작은 힘도 들이지 않다.
[吹冷风] chuī lěngfēng 〈比〉 찬물을 끼얹다. 초를 치다.
[吹毛求疵] chuīmáo-qiúcī 〈成〉 털을 불어 흉터를 찾다《일부러 남의 흠을 잡다》.
[吹牛] chuī∥niú 통 큰소리 치다. 허풍 떨다. ❏~拍马; 〈成〉 허풍 떨고 아부하다. =[吹牛皮]
[吹捧] chuīpěng 통 치켜세우다. 추어올리다. 띄어 주다. ❏相互~; 서로 치켜세우다.
[吹嘘] chuīxū 통 선전하다. 과장해서 말하다. 치켜세우다. ❏自我~; 스스로 치켜세우다.
[吹奏] chuīzòu 통〖樂〗 취주하다. ❏~乐; 취주악.

炊 chuī (취)
통 밥을 짓다.
[炊具] chuījù 명 취사도구. 조리 도구.
[炊事] chuīshì 명 취사. ❏~员; 취사원.
[炊烟] chuīyān 명 아궁이의 연기. 밥 짓는 연기.
[炊帚] chuī·zhou 명 설거지솔. 수세미.

垂 chuí (수)
통 ① 늘어지다. 드리우다. ❏~钓; ⇓ ②〈敬〉〈書〉 …을 내려 주시다《상급자에 대한 겸양어》. ❏~青; ⇓ ③〈書〉 후세로 전하다. ❏名~千古; 〈成〉 이름을 만고에 드리우다. ④〈書〉 가까워지다. 거의 다 되다. ❏功败~成; 〈成〉 마지막 고비에서 실패하다.
[垂钓] chuídiào 통 낚시하다.
[垂柳] chuíliǔ 명〖植〗 수양버들.
[垂青] chuíqīng 통〈書〉〈翰〉 특별히 호의를 보이시다.
[垂死] chuísǐ 통 죽음에 가까이 가다. 죽어 가다. ❏~挣扎; 〈成〉 죽음에 가까이 갔을 때의 최후의 발작《멸망을 눈앞에 두고 최후의 발악을 하다》.
[垂头丧气] chuítóu-sàngqì 〈成〉 풀이 죽은 모양. 기가 죽은 모양. 의기소침한 모양.
[垂危] chuíwēi 통 ① 빈사(瀕死) 상태이다. 위독하다. ❏生命~; 생명이 위독하다. ② (국가·민족이 멸망의 위기에 처하다. 망해 가다.
[垂涎] chuíxián 통 (먹고 싶어) 침을 흘리다. 〈比〉 (남이 가진 좋은 것을 보고) 부러워하다. 탐내다. ❏~三尺; 〈成〉 먹고 싶어서 침을 석 자나 흘리다《매우 탐내는 모양》/ ~欲滴; 〈成〉 군침이 뚝뚝 떨어지려 하다《ⓐ몹시 먹고 싶어하다. ⓑ몹시 부러워하며 탐내다》.
[垂直] chuízhí 통 수직을 이루다. ❏~起落; 수직 이착륙.

陲 chuí (수)
명〈書〉 변경. 국경. ❏边~ 변경.

捶 chuí (추)
통 (주먹이나 방망이로) 치다. 두드리다. 때리다. ❏~了他一拳; 그를 한 대 쳤다.
[捶打] chuídǎ 통 (주먹이나 물건으로) 치다. 두드리다. 때리다. ❏用力~桌子; 탁자를 세게 두드리다.
[捶胸顿足] chuíxiōng-dùnzú 〈成〉 주먹으로 가슴을 치고 발을 구르다《매우 분하거나 몹시 비통해하는 모양》.

锤(鍾) chuí (추)
① 명 (저울 따위의) 추. ❏秤~; 저울추. ② (~儿) 명 물건을 두드리는 도구. 망치. 해머(hammer). ❏铁~; 쇠망치. ③ 통 (망치로) 두드리다. 단련하다. ❏经历~而成长起来; 단련을 거쳐 성장해 가다.
[锤炼] chuíliàn 통 ① 연마하다. 단련하다. ❏~意志和信念; 의지와 신념을 단련하다. ② 갈고닦다. 다듬다. ❏~语言; 언어를 다듬다.
[锤子] chuí·zi 명 망치. 장도리.

槌 chuí (추)
(~儿) 명 두드리는 막대기. 채. 방망이《주로, 한쪽 끝이 크거나 둥근 것》. ❏棒~; 몽둥이 / 鼓~儿; 북채.

chun ㄔㄨㄣ

春 chūn (춘)
명 ① 봄. ❏初~; 초봄. ②〈書〉 일 년의 시간. ③ 연정. 색정(色情). 욕정. ❏怀~; 연정을 품다. ④〈比〉 생기(生氣).
[春分] chūnfēn 명 춘분《24절기의 하나》. ❏~点; 〖天〗 춘분점.

[春风] chūnfēng 명 ① 춘풍. 봄바람. ❏ ~化雨; 〈成〉 초목이 자라기에 적당한 바람과 비《좋은 교육》. ② 〈書〉〈比〉 은혜. ③ 〈比〉 기쁜 표정. 희색.

[春风满面] chūnfēng-mǎnmiàn 〈成〉 ⇨[满面春风]

[春宫] chūngōng 명 ① 춘궁. 동궁. 황태자의 주거(住居). ② 춘화(春畫). 춘화도(春畫圖). 음란한 그림. =[春画(儿)]

[春光] chūnguāng 명 춘광. 봄 경치. ❏ ~明媚; 〈成〉 봄의 경치가 아름다운 모양.

[春画(儿)] chūnhuà(r) 명 ⇨[春宫②]

[春季] chūnjì 명 춘계. 봄철. 봄. ❏ ~运动会; 춘계 체육 대회. 봄 운동회.

[春假] chūnjià 명 봄 방학. ❏ 放~; 봄 방학이 되다.

[春节] Chūnjié 명 음력설. 춘절《음력 정월 초하루를 가리키며, 정월 초하루 이후의 며칠간을 지칭하기도 함》. =[大年③]

[春卷(儿)] chūnjuǎn(r) 명 춘권. 스프링 롤(spring roll).

[春联(儿)] chūnlián(r) 명 춘련《음력설에 문이나 기둥 따위에 써 붙이는 대련(對聯)》.

[春令] chūnlìng 명 ① 봄철. ② 봄 기후[날씨].

[春梦] chūnmèng 명 〈比〉 순식간에 지나가 버리는 좋은 시절. 덧없는 꿈. ❏ 一场~; 〈成〉 일장춘몽.

[春情] chūnqíng 명 춘심(春心). 춘기(春機). 청춘의 정욕. =[春心][春意②]

[春秋] chūnqiū 명 춘추. ① 봄과 가을. 〈轉〉 해. 세월. ❏ ~衫; 봄 가을용 셔츠. ② 〈比〉 나이. ❏~正富; 한창나이이다. ③ (Chūnqiū) 〔史〕 춘추 시대.

[春色] chūnsè 명 ① 봄의 경치. 춘색. ② 〈比〉 기쁨의 표정. ③ 〈比〉 술 마신 후의 발그레해진 얼굴.

[春天] chūntiān 명 봄. 봄철.

[春心] chūnxīn 명 ⇨[春情]

[春意] chūnyì 명 ① 봄기운. 춘기. ❏ ~正浓; 봄기운이 한창이다. ② ⇨[春情]

[春游] chūnyóu 명 봄놀이. 봄소풍. 춘계 야유회.

[春运] chūnyùn 명 음력설 전후 기간의 여객·화물 수송.

[春装] chūnzhuāng 명 봄옷.

椿 chūn (춘)
명〔植〕 참죽나무. =[椿树]

纯(純) chún (순)
① 형 (성분이) 깨끗하다. 섞임이 없다. ❏ 水质很~; 수질이 매우 깨끗하다. ② 형 단순하다. 순수하다. 티 없다. 순결하다. ❏ 动机不~; 동기가 불순하다. ③ 형 숙련되다. 정통하다. ❏ 技艺不~; 기예가 미숙하다. ④ 부 ⇨[纯粹]

[纯粹] chúncuì 형 순수하다. 깨끗하다. ❏ ~的普通话; 순수한 표준어. 부 단순히. 전적으로. 순전히《주로, '是' 와 함께 쓰임》. ❏ 他的话~是跟你开玩笑的; 그의 말은 순전히 너랑 웃자고 한 농담이다. =[纯④]

[纯度] chúndù 명 순도.

[纯碱] chúnjiǎn 명 ⇨[苏打]

[纯洁] chúnjié 형 순결하다. 깨끗하다. 사심 없다. ❏ ~的心灵; 순결한 심령. 동 깨끗하게 하다. 순화하다. 정화하다. ❏ ~组织; 조직을 정화하다.

[纯金] chúnjīn 명 ⇨[赤金]

[纯净] chúnjìng 형 (성분이) 순수하다. 깨끗하다. 청정하다. ❏ ~水; 청정한 물 / ~物; 순수 물질. 순물질. 동 깨끗하게 하다. 순수하게 하다.

[纯利] chúnlì 명 순이익.

[纯朴] chúnpǔ 형 순박하다.

[纯情] chúnqíng 명 (여자의) 순정. 형 (감정·사랑이) 순수하고 진지하다.

[纯熟] chúnshú 형 매우 숙련되다. 매우 능숙하다. 능수능란하다. ❏ 技术~; 기술이 매우 숙련되다.

[纯真] chúnzhēn 형 순진하다. 순수하고 진실되다. ❏ ~无邪; 〈成〉 순진하여 사악한 점이 없다.

[纯正] chúnzhèng 형 ① 순수하다. 순정(純正)하다. 섞이지 않다. ❏ ~的北京话; 순수한 베이징어. ② 순수하고 올바르다[정당하다]. ❏ 目的~; 목적이 순수하다.

莼(蓴) chún (순)
→[莼菜]

[莼菜] chúncài 명〔植〕 순채.

唇 chún (순)
명 입술.

[唇齿] chúnchǐ 명 〈比〉 밀접한 이해관계를 맺고 있는 사이. ❏ ~相

依;〈成〉 관계가 밀접하여 서로 의존하다.
[唇膏] chúngāo 동 립스틱(lipstick). 루주(프 rouge). ❑抹~; 립스틱을 바르다. =[口红]
[唇裂] chúnliè 명〔醫〕언청이. =[〈口〉豁huō嘴①][兔唇]
[唇枪舌剑] chúnqiāng-shéjiàn 〈成〉 논쟁이 격렬하고 논조가 매우 예리하다. =[舌剑唇枪]
[唇舌] chúnshé 명 〈轉〉 말. 언사.
[唇亡齿寒] chúnwáng-chǐhán 〈成〉 순망치한. 입술이 없으면 이가 시리다《서로 이해가 얽혀 있는 밀접한 관계》.

淳 chún (순)
형 순박하다.
[淳厚] chúnhòu 형 순후하다. 순박하고 인정이 두텁다. ❑性格~; 성격이 순후하다. =[醇厚②]
[淳朴] chúnpǔ 형 순박하다. ❑~的农夫; 순박한 농부.

鹑(鶉) chún (순)
명〔鳥〕메추라기.

醇 chún (순)
①명〈書〉 (주정(酒精)이 많이 함유된) 진한 술. ②형〈書〉 순수하다. ③명〔化〕주정(酒精). 알코올(alcohol).
[醇厚] chúnhòu 형 ①(맛·향기가) 순수하고 진하다. ❑~的味道; 순수하고 진한 맛. ②⇒[淳厚]
[醇美] chúnměi 형 순수하고 달콤하다. 깨끗하고 달콤하다. ❑~的嗓音; 순수하고 달콤한 목소리.

蠢 chǔn (준)
①동〈書〉 꿈틀거리다. 준동하다. ❑~动; ⇓ ②형 멍청하다. 미련하다. 어리석다. ❑~材; ⇓ ③형 굼뜨다. 둔하다. ❑~笨; ⇓
[蠢笨] chǔnbèn 형 ①우둔하다. 아둔하다. ❑头脑~; 머리가 아둔하다. ②굼뜨다. 둔하다. ❑动作~; 동작이 둔하다.
[蠢材] chǔncái 명〈罵〉 바보. 얼간이. 멍청한 자식. 쪼다. =[蠢货]
[蠢蠢欲动] chǔnchǔn-yùdòng 〈成〉 벌레가 꿈틀거리기 시작하다《적 또는 악인이 나쁜 짓[공격]을 하려고 하다》.
[蠢动] chǔndòng 동 ①(벌레가) 기어가다. 꿈틀꿈틀 움직이다. ②〈比〉 적 또는 악인이 행동하기 시작하다.
[蠢人] chǔnrén 명 어리석은 사람. 미련한 사람.

chuo ㄔㄨㄛ

戳 chuō (착)
①동 찌르다. 찔러서 뚫다. ❑把手指~到他脸上; 손가락으로 그의 얼굴을 쿡 찌르다. ②동〈方〉 다치다. 삐다. 접질리다. ❑打排球~了手; 배구하다가 손을 삐었다. ③동〈方〉 곧게 세우다. 서다. ❑把棍子~起来; 막대기를 똑바로 세우다. ④(~儿) 명 도장. 스탬프(stamp). ❑盖~儿; 날인하다.
[戳穿] chuōchuān 동 ①찔러서 뚫다. ❑~窗户纸; 창호지를 찔러서 뚫다. ②폭로하다. 들추어내다. ❑~假面具; 가면을 벗기다.
[戳记] chuōjì 명 (조직·단체의) 인(印). 도장.
[戳子] chuō·zi 명〈口〉 도장.

啜 chuò (철)
동 ①〈書〉 마시다. 홀짝이다. ②흐느껴 울다.
[啜泣] chuòqì 동 흐느껴 울다. ❑传来了她的~声; 그녀의 흐느껴 우는 소리가 들려왔다.

辍(輟) chuò (철)
동 멈추다. 중지하다.
[辍学] chuòxué 동 학업을 중도에 그만두다. 중퇴하다.

绰(綽) chuò (작)
형 ①여유가 있다. 풍부하다. 넉넉하다. ②〈書〉 (모습·자태가) 아름답다. 우아하다. ⇒chāo
[绰绰有余] chuòchuò-yǒuyú 〈成〉 여유작작하다. 매우 넉넉하다.
[绰号(儿)] chuòhào(r) 명 별명.

龊(齪) chuò (착)
→[龌wò龊]

ci ㄘ

刺 cī (자)
의 죽. 칙. 착. 지익. 탁. 톡. 지직《찢어지거나 마찰하는 소리》. ❑~的一声, 火柴划着了; 칙 하는 소리와 함께 성냥이 그어졌다. ⇒cì
[刺棱] cīlēng 의 휙《동작이 재빠른 소리》.
[刺溜] cīliū 의 ①주르르. 쭉《미끄

러지는 소리》. ② 휙. 쌩. 피융. 핑《빠르게 지나가는 소리》.

呲 cī (차) (～儿) 동〈口〉 나무라다. 야단치다. 꾸중하다. 질책하다. ❏ 狠～了他一顿; 그를 호되게 야단쳤다.

疵 cī (자) 명 잘못. 결점. 흠.

[疵点] cīdiǎn 명 흠. 결점. 결함.

[疵品] cīpǐn 명 결함이 있는 상품. 흠 있는 물건.

差 cī (차) →[参cēn差] ⇒chā chà chāi

词(詞) cí (사) 명 ① (～儿) 말. 어구(語句). 문구(文句). ❏ 歌～; 가사. ② 사(詞)《중국 운문의 한 형식》. ③ 낱말. 단어.

[词典] cídiǎn 명 사전《주로, 어학 사전을 지칭함》. ❏ 查～; 사전을 찾다[살피다] / 袖珍～; 포켓 사전.

[词汇] cíhuì 명〔言〕 어휘. 사휘. ❏ 基本～; 기본 어휘.

[词句] cíjù 명〔言〕 문장. 어구. 자구. 문구.

[词类] cílèi 명〔言〕 품사.

[词令] cílìng 명 ⇨[辞令]

[词素] císù 명〔言〕 어소(語素). 형태소(形態素).

[词头] cítóu 명 ⇨[前缀]

[词尾] cíwěi 명 ⇨[后缀]

[词序] cíxù 명〔言〕 어순(語順). =[语序]

[词义] cíyì 명〔言〕 단어의 뜻. 어의.

[词语] cíyǔ 명〔言〕 단어와 단어 조합. 단어. 용어. 말. 표현. ❏ ～解释; 단어 풀이.

[词源] cíyuán 명〔言〕 어원(語源).

[词藻] cízǎo 명 ⇨[辞藻]

[词组] cízǔ 명〔言〕 두 개 이상의 단어의 조합. 구(句). =[短语][仂lè语]

祠 cí (사) 명 사당.

[祠堂] cítáng 명 사당.

茨 cí (자) 〈書〉 ① 동 띠풀이나 갈대로 지붕을 이다. ② 명〔植〕 남가새.

[茨菰] cí·gu 명 ⇨[慈姑]

瓷 cí (자) 명 ① 사기(沙器). 자기(磁器). ❏ ～碗; 사기그릇. ② 사기그릇. 사기. 자기. ‖ =[磁②]

[瓷器] cíqì 명 자기. 사기그릇.

[瓷土] cítǔ 명 자토. 도토(陶土).

[瓷窑] cíyáo 명 자기를 굽는 가마.

[瓷砖] cízhuān 명〔建〕 타일(tile).

雌 cí (자) 형 암컷의. 자성(雌性)의.

[雌花] cíhuā 명〔植〕 암꽃. 자성화(雌性花).

[雌蕊] círuǐ 명〔植〕 암술. 암꽃술.

[雌性] cíxìng 명 암컷의 성질. 자성. ❏ ～动物; 자성 동물.

[雌雄] cíxióng 명 자웅. ① 암컷과 수컷. 자성(雌性)과 웅성(雄性). ❏ ～同体; 〔動〕 자웅 동체. 암수한몸 / ～同株; 〔植〕 자웅 동주. 암수한그루 / ～异体; 〔動〕 자웅 이체. 암수딴몸 / ～异株; 〔植〕 자웅 이주. 암수딴그루 ② 〈比〉 승부(勝負). 우열. ❏ 决一～; 〈成〉 자웅을 가리다. 승부를 내다.

慈 cí (자) ① 형 온화하다. 인자하다. 자애롭다. ❏ 心～面软; 〈成〉 마음이 인자하고 얼굴이 온화하다. ② 동 〈書〉 (윗사람이 아랫사람을) 예뻐하다. 귀여워하다. 사랑하다. ❏ 敬老～幼; 〈成〉 노인을 공경하고 어린이를 사랑하다. ③ 명 모친. 어머니. ❏ ～母; 자모.

[慈爱] cí'ài 형 자애롭다. ❏ ～的母亲; 자애로운 어머니.

[慈悲] cíbēi 형 자비롭다. ❏ 他的心肠～得很; 그는 마음이 매우 자비롭다.

[慈姑] cí·gu 명〔植〕 자고. 쇠귀나물. =[茨菰]

[慈善] císhàn 형 자비심이 많다. 동정심이 많다. 자비롭다. ❏ ～心肠; 자비로운 마음.

[慈祥] cíxiáng 형 (주로, 나이 많은 사람의 태도·표정이) 자상하다. 인자하다. ❏ 他～地望着大家; 그는 인자하게 모두를 바라보고 있다.

磁 cí (자) 명 ①〔物〕 자성. ② ⇨[瓷]

[磁场] cíchǎng 명〔物〕 자장. 자기장.

[磁带] cídài 명〔電〕 자기 테이프. ❏ 录像～; 비디오테이프.

[磁浮列车] cífú lièchē 자기 부상 열차. =[磁悬xuán浮列车]

[磁卡] cíkǎ 명〔電〕 자기 카드. 마그네틱 카드(magnetic card). ❏ 电话～; 전화 카드.

[磁力] cílì 명〔物〕 자력. 자기력.

[磁盘] cípán 명〔컴〕 자기 디스크.

디스켓(diskette). ❏ ~驱动器; 디스크 드라이브(disk drive).
[磁石] císhí 명 ⇨[磁铁]
[磁铁] cítiě 명〖物〗 자석. =[磁石][吸铁石]
[磁性] cíxìng 명〖物〗 자성.
[磁悬浮列车] cíxuánfú lièchē ⇨ [磁浮列车]

糍 cí (자) →[糍粑]
[糍粑] cíbā 명 찐 찹쌀을 으깨서 빚어 만든 식품.

辞(辭) cí (사) A) 명 ① 말. 언사. ❏ 修~; 수사. ② 사《고전 문학의 문체(文體)의 일종》. ❏ 楚~; 초사. ③ 사《고체시(古體詩)의 일종》. B) 동 ① 작별 인사를 하다. 고별하다. 이별하다. ❏ 告~; 작별 인사를 하다. ② 사퇴하다. 그만두다. ❏ ~职; ⇩ ③ 해고하다. 그만두게 하다. ❏ 被老板~了; 사장에게 해고 당했다. ④ 피하다. 마다하다. 거부하다. 거절하다. ❏ 万死不~; 〈成〉 죽음도 마다하지 않다.
[辞别] cíbié 동 작별 인사를 하다. 고별하다.
[辞呈] cíchéng 명 사표. 사직서.
[辞典] cídiǎn 명 사전《주로, 백과사전이나 전공과목 따위의 사전을 지칭함》.
[辞令] cílìng 명 (사교적 상황과 장소에서) 남에게 응대하는 말. 사교적인 언사. 사령. ❏ 外交~; 외교 사령. =[词令]
[辞让] círàng 동 사양하다.
[辞书] císhū 명 사서. 사전.
[辞退] cítuì 동 ① 해고하다. 사직시키다. ❏ ~工人; 노동자를 해고하다. ② 사절하다. 사양하다. ❏ ~礼物; 선물을 사양하다.
[辞谢] cíxiè 동 사절하다. 사양하고 받지 않다.
[辞行] cí//xíng 동 (먼 길을 떠나기 전에) 작별 인사를 하다.
[辞藻] cízǎo 명 사조《시문(詩文)의 문채(文彩)나 말의 수식》. =[词藻]
[辞职] cí//zhí 동 사직하다. ❏ ~书; 사표. 사직서.

此 cǐ (차) 대 ① 이. 이것. ❏ 如~; 이와 같다 / ~人; 이 사람. ② 여기. 이곳. 이때. ❏ 谈话到~结束; 여기까지 이야기하고 끝내다. ③ 이렇게. ❏ 事已至~; 일이 이미 이렇게 되어 버렸다.
[此地] cǐdì 명 이곳. 여기. ❏ ~无银三百两; 〈比〉 내세운 명목이 도리어 숨기려던 내용을 폭로하는 꼴이 되다.
[此后] cǐhòu 명 이후. 그 이후. ❏ 他1990年回到上海去, ~一直在那儿工作; 그는 1990년에 상하이로 돌아간 이후 그곳에서 줄곧 일하고 있다.
[此刻] cǐkè 명 이 시각. 지금.
[此起彼伏] cǐqǐ-bǐfú 〈成〉 한쪽이 올라가면 다른 쪽이 내려간다《끊임없이 이어지다》. =[此起彼落][此伏彼起]
[此时] cǐshí 명 이때. 지금. ❏ 他~正在吃饭; 그는 지금 식사 중이다.
[此外] cǐwài 접 이 외에. 이 밖에. ❏ 他一生就写过这两部书, ~没有别的著作了; 그는 일생 동안 이 두 권의 책을 썼고, 이 외에 다른 저작은 없다.
[此一时, 彼一时] cǐ yīshí, bǐ yīshí 지금은 지금이고, 그때는 그때이다《지금은 전과 사정이 다르다》.

次 cì (차) ① 명 차례. 순서. ❏ 依~入场; 순서대로 입장하다. ② 형 제2의. 두 번째의. ❏ 其~; 그 다음. ③ 형 (질이) 떨어지다. 나쁘다. ❏ 质量很~; 품질이 매우 떨어지다. ④ 양 회. 번. 차례. ❏ 我去过两~上海了; 나는 상하이에 두 번 가 봤다. ⑤ 명〈書〉 먼 길을 갈 때 도중에 머무는 장소. ❏ 旅~; 여행 중 잠시 머무는 곳.
[次大陆] cìdàlù 명〖地理〗 아대륙(亞大陸). 준(準)대륙.
[次等] cìděng 형 2등의. 두 번째 등급의. ❏ ~货; 2급품.
[次第] cìdì 명 순서. 차례. 석차. ❏ 排~; 석차를 정하다. 부 차례로. 차례차례. ❏ ~进场; 차례로 들어가다.
[次品] cìpǐn 명 품질이 기준에 미달되는 물건. 불량품.
[次日] cìrì 명 다음 날. 이튿날.
[次数] cìshù 명 횟수(回數).
[次序] cìxù 명 순서. 차례. 랭크. ❏ 按~进场; 차례대로 입장하다.
[次要] cìyào 형 이차적인. 부차적인. 두 번째로 중요한. ❏ ~问题; 이차적인 문제.

刺 cì (자)
① 동 (바늘·가시·침 따위로) 찌르다. 쏘다. ❏ 蜜蜂~了我; 꿀벌이 나를 쏘았다. ② 동 자극하다. ❏ ~鼻子; (냄새가) 코를 찌르다. ③ 동 암살하다. ❏ 被~; 암살당하다. ④ 동 정찰하다. 염탐하다. ❏ ~探; ⇩ ⑤ 동 비꼬다. 풍자하다. 빈정거리다. ❏ 讥~; 비꼬다. ⑥ (~儿) 명 가시. ❏ 鱼~; 생선 가시. ⑦ 명〈書〉 명함. ⇒cī

[刺刀] cìdāo 명 ⇨[枪刺]

[刺耳] cì'ěr 형 귀가 따갑다. 귀를 자극하다. 귀에 거슬리다. ❏ 别人提这件事就觉得~; 남이 이 일에 대해 언급하면 듣기 거북하다.

[刺骨] cìgǔ 동 (추위가) 뼈에 스미다. ❏ 寒风~; 찬 바람이 뼈에 스미다.

[刺槐] cìhuái 명〘植〙 아카시아(acacia). ＝[洋槐]

[刺激] cìjī 동 ① (감각 기관을) 자극하다. ❏ ~神经; 신경을 자극하다 / 对皮肤很有~; 피부에 매우 자극적이다. ② 촉진하다. 자극하다. ❏ ~食欲; 식욕을 자극하다 / ~景气; 경기를 촉진하다. ③ (정신적으로) 자극하다. 흥분시키다. 충격을 주다. ❏ 他这一席话~了不少人; 그의 이 말은 많은 사람에게 충격을 주었다.

[刺客] cìkè 명 자객.

[刺杀] cìshā 동 ① 척살(刺殺)하다. 찔러 죽이다. ②〘軍〙 총검으로 찔러 죽이다.

[刺探] cìtàn 동 정탐하다. 밀탐하다. ❏ ~军情; 군정을 밀탐하다.

[刺猬] cì·wei 명〘動〙 고슴도치.

[刺绣] cìxiù 동 수놓다. 자수하다. ❏ ~品; 자수품 / ~针; 수바늘. 명 자수 공예품. 자수품.

[刺眼] cìyǎn 형 ① (광선 따위가) 눈을 자극하다. 눈이 부시다. ❏ 光线太强, 亮得~; 빛이 너무 강해서 눈이 부시다. ② 눈에 거슬리다. 눈꼴시다. 보기 싫다. ❏ 她打扮得太~啦; 그녀는 치장을 너무 보기 싫게 했구나. ＝[扎zhā眼]

伺 cì (사)
→[伺候] ⇒sì

[伺候] cì·hou 동 시중들다. 돌보다. 모시다. ❏ ~老人; 노인의 시중을 들다.

赐(賜) cì (사)
동 (윗사람이) 주다. 하사하다. ❏ 赏~; 상을 주다.

[赐教] cìjiào 동〈敬〉 가르침을 주시다.

[赐予] cìyǔ 동 하사하다. 내려 주다. 수여하다. ❏ ~爵位; 작위를 수여하다. ＝[赐与yǔ]

cong ㄘㄨㄥ

匆 cōng (총)
형 급하다. 바쁘다.

[匆匆] cōngcōng 형 총총하다. 분주하다. 황급하다. 바쁘다. ❏ 行色~; 행색이 분주하다 / ~而去; 총총히 가 버리다.

[匆促] cōngcù 형 바쁘다. 총망하다. 다급하다. ❏ 我走得~, 没有向你们辞行; 제가 급히 가느라 당신들께 작별 인사도 못했군요.

[匆忙] cōngmáng 형 총망하다. 매우 바쁘다. ❏ 看他那~的样子, 准有急事儿; 그의 그 서두르는 모습을 보니 틀림없이 급한 일이 있는 것 같다.

葱 cōng (총)
① 명〘植〙 파. ② 형 푸르다. ❏ ~绿; ⇩

[葱翠] cōngcuì 형 (초목이) 짙푸르다. ❏ ~的松林; 짙푸른 소나무 숲.

[葱花(儿)] cōnghuā(r) 명 다진 파.

[葱茏] cōnglóng 형 (초목이) 짙푸르고 무성하다. 푸르고 울창하다. ❏ 山林~; 산림이 푸르고 울창하다. ＝[葱郁]

[葱绿] cōnglǜ 형 ① 노르스름한 연둣빛을 띠다. ② (초목이) 짙푸르다.

[葱头] cōngtóu 명 ⇨[洋葱]

[葱郁] cōngyù 형 ⇨[葱茏]

囱 cōng (총)
→[烟yān囱]

聪(聰) cōng (총)
① 명〈書〉 청각(聽覺). ❏ 失~; 귀가 멀다. ② 형 귀가 밝다. ③ 형 영리하다. 총명하다.

[聪慧] cōnghuì 형 총명하다. 슬기롭다. 지혜롭다. ❏ 他是个~的孩子; 그는 슬기로운 아이이다.

[聪明] cōng·míng 형 총명하다. 똑똑하다. 영리하다. ❏ ~反被~误; 〈諺〉 제 꾀에 제가 넘어가다.

从(從) cóng (종)
① 동 (…을) 뒤따르다. 따르다. ❏ ~风而靡; 바람 부는 대

로 나부끼다. ② 동 복종하다. 순종하다. ❑ 服～; 복종하다. ③ 동 종사하다. 참가하다. ❑ ～军; ⇓ ④ 동 (어떤 방침·태도를) 취하다. 따르다. ❑ ～简; ⇓ ⑤ 개 …부터. …에서. ㉠공간적·시간적 기점(起點)을 나타냄. ❑ ～今以后; 오늘 이후로 / ～东到西; 동쪽에서 서쪽까지. ㉡범위(範圍)를 나타냄. ❑ ～里到外; 안에서부터 밖까지. ⑥ 개 …에서. …을《경유하는 곳을 가리킴》. ❑ 你不要～门缝里看人; 문틈으로 사람을 보지 마라《사람을 얕보지 마라》. ⑦ 개 …로부터《근거·구실 따위를 나타냄》. ❑ ～声音就能听出来是你; 목소리를 듣고 너인 줄 알았다. ⑧ 부 이제까지. 여태껏. ❑ ～没见过; 지금까지 본 적이 없다. ⑨ 명 수행원. 따르는 사람. ❑ ～者如云; 〈成〉 따르는 자가 구름처럼 많다. ⑩ 명 부차적인 것. ❑ 主～; 주종. ⑪ 명 같은 조부(祖父)·증조부(曾祖父) 밑의 친족 관계를 나타내는 말. ❑ ～叔; 종숙. 당숙 / ～兄弟; 종형제.

[从此] cóngcǐ 부 이제부터. 지금부터. 이때부터. ❑ 铁路通到山区, 交通～就方便了; 철로가 산간 지역까지 개통되었고, 교통은 이때부터 편리해졌다.

[从…到…] cóng…dào… …에서…까지. …부터 …까지. ❑ 从生到死; 태어나서 죽을 때까지.

[从而] cóng'ér 접 따라서. 이에 따라. 그리하여. ❑ 由于广泛采用新技术, ～大大提高了生产率; 신기술을 광범위하게 채용함에 따라 생산율도 크게 향상되었다.

[从犯] cóngfàn 명〔法〕종범.

[从简] cóngjiǎn 동 간략하게 하다. 간소화하다. ❑ 手续～; 수속을 간소화하다.

[从军] cóngjūn 동 종군하다. 군대에 참가하다. ❑ ～慰安妇; 종군 위안부.

[从来] cónglái 부 여태껏. 이제까지. 지금까지. ❑ ～没说过谎; 여태껏 거짓말을 해 본 적이 없다.

[从略] cónglüè 동 생략하다. 간략히 하고 언급하지 않다. ❑ 以下因时间关系～; 이하는 시간 관계로 생략한다.

[从命] cóngmìng 동 명령에 복종하다. 분부에 따르다.

[从前] cóngqián 명 이전. 종전. ❑ 他跟～一样, 还是那么乐观; 그는 종전과 마찬가지로 여전히 그렇게 낙관적이다.

[从容] cóngróng 형 ① 침착하다. 차분하다. 태연하다. ❑ ～不迫; 〈成〉 침착하다 / ～就义; 〈成〉 정의를 위해 두려움 없이 희생하다. ② (시간적·경제적으로) 여유가 있다. 넉넉하다. ❑ 时间很～; 시간적으로 여유가 있다.

[从事] cóngshì 동 ① 종사하다. ❑ ～铁路工作; 철도 업무에 종사하다. ② (어떤 방법에 따라) 처리하다. ❑ 军法～; 군법에 따라 처리하다.

[从属] cóngshǔ 동 종속하다. 부속하다. ❑ ～关系; 종속 관계.

[从速] cóngsù 동 시간을 다그치다. 서둘러 하다. ❑ ～处理; 빨리 처리하다.

[从头(儿)] cóngtóu(r) 부 ① 처음부터. ❑ 我～看到最后; 나는 처음부터 끝까지 다 보았다. ② 다시. 새로이. ❑ ～儿再来; 다시 하다.

[从小(儿)] cóngxiǎo(r) 부 어려서부터. ❑ 他～就住在这个地方; 그는 어려서부터 이곳에 살았다.

[从中] cóngzhōng 부 중간에서. 가운데에서. ❑ ～取利; 중간에서 이익을 취하다.

丛(叢) cóng (총)

① 동 군집하다. 모이다. ❑ ～生; ⇓ ② 명 숲. 덤불. ❑ 草～; 풀숲. ③ 명 (사람·물건의) 무리. 모음. 무더기. ❑ ～书; ⇓ ④ 양 수풀·덤불 따위를 세는 말. ❑ 一～杂草; 잡초 한 무더기.

[丛集] cóngjí 동 (많은 사물이) 떼지어 모이다. 한데 모이다. ❑ 诸事～; 〈成〉 많은 일이 산적되다. 명 총집.

[丛林] cónglín 명 ① 무성한 숲. 밀림. 정글(jungle). ②〔佛〕승려들이 모여 있는 곳. 사원. 절.

[丛生] cóngshēng 동 ① (풀·나무가) 무더기로 나다. 한데 모여서 자라다. ❑ 杂草～; 잡초가 무더기로 나다. ② (병 따위가) 한꺼번에 발생하다. ❑ 百弊～; 〈成〉 폐해가 많이 생기다.

[丛书] cóngshū 명 총서. ❑ 历史知识～; 역사 지식 총서.

淙 cóng (종)

→[淙淙]

[淙淙] cóngcóng 의 졸졸《물이 흐

르는 소리》. ❏溪水~; 개울물이 졸졸 흐르다.

cou ㄘㄡ

凑 còu (주) 동 ① 모으다. 모이다. ❏~钱; ⇩ ② 마주치다. 부닥치다. (기회를) 타다. ❏~热闹(儿); ⇩ ③ 접근하다. 가까이 가다. ❏不要~得太近了; 너무 가까이 오지 마라.

[凑合] còu·he 동 ① (한곳에) 모이다. 한데 모이다. ❏他们几个~在一起讨论; 그들 몇 명이 한데 모여 토론을 한다. ② 그러모으다. 임시변통하다. ❏这个合唱队是临时~的; 이 합창단은 임시로 그러모아 만들어진 것이다. ③ 아쉬운 대로 소용에 닿다. 그런대로 쓰다. 그럭저럭 지내다. ❏衣服小了点儿, 但还可以~着穿; 옷이 좀 작긴 하지만 그런대로 입을 만은 하다.

[凑钱] còu//qián 동 돈을 추렴하다. 돈을 모으다.

[凑巧] còuqiǎo 형 공교롭다. 때맞춰 …하다. ❏你来得很~; 너 때맞춰 잘 왔다.

[凑趣(儿)] còu//qù(r) 동 ① 다른 사람의 비위를 맞추며 즐겁게 해 주다. ② 장난치다. 장난삼아 하다. ❏别拿我~了! 나 갖고 장난치지 마라!

[凑热闹(儿)] còu rè·nao(r) ① 함께 모여 떠들썩하게 즐기다. ❏他们也凑起热闹儿来了; 그들도 함께 모여 떠들썩하게 즐기기 시작했다. ② 방해가 되는 짓을 하다. ❏这里够乱的了, 你就别来~了! 여기는 아주 정신 없으니까 와서 방해하지 마라!

[凑数(儿)] còu//shù(r) 동 ① 일정한 수를 채우다. ② 머릿수를 채우다. 인원수를 채우다.

cu ㄘㄨ

粗 cū (조) ① 형 (기다란 모양의 것이) 굵다. 두껍다. ❏这根木棍太~; 이 몽둥이는 너무 굵다. ② 형 (입자가) 크다. 굵다. ❏~沙; 굵은 모래. ③ 형 (목소리가) 굵다. ❏嗓音很~; 목소리가 굵다. ④ 형 조잡하다. 거칠다. 엉성하다. ❏这个瓷器太~; 이 도자기는 (결이) 너무 거칠다. ⑤ 형 소홀하다. 세심하지 않다. 건성이다. ❏你考虑问题太~了; 너는 문제를 너무 소홀하게 여긴다. ⑥ 형 경솔하다. 상스럽다. 버릇없다. 거칠다. ❏话不能太~; 말을 너무 거칠게 하면 안 된다. ⑦ 부 대강. 약간. 대체로. ❏~有头绪; 대강 실마리가 잡히다.

[粗暴] cūbào 형 거칠다. 난폭하다. ❏性情~; 성격이 거칠다.

[粗笨] cūbèn 형 ① (몸이나 행동이) 둔하다. 우둔하다. ② (물건이) 육중하다. ❏这张桌子太~了; 이 책상은 너무 육중하다.

[粗糙] cūcāo 형 ① (결이) 거칠다. ❏~的皮肤; 거친 피부. ② (만듦새·일하는 것이) 조잡하다. 겉날리다. 서투르다. 어설프다. ❏针脚十分~; 바느질이 매우 조잡하다.

[粗茶淡饭] cūchá-dànfàn 〈成〉 변변찮은 음식《검소한 생활》.

[粗大] cūdà 형 ① 굵다. 굵직하다. ② (소리가) 굵다. 크다.

[粗犷] cūguǎng 형 ① 거칠고 난폭하다. ❏~无理; 거칠고 억지스럽다. ② 호방(豪放)하다. 걸걸하고 소탈하다.

[粗豪] cūháo 형 ① 호방하다. 호탕하다. ❏性格~; 성격이 호탕하다. ② 늠름하고 힘차다. ❏歌声~有力; 노랫소리가 늠름하고 힘차다.

[粗话] cūhuà 명 비속(卑俗)한 말. 저속한 말. 저질스러운 이야기.

[粗活(儿)] cūhuó(r) 명 막일. 막노동. ❏干~; 막노동을 하다.

[粗粮] cūliáng 명 잡곡.

[粗劣] cūliè 형 거칠고 나쁘다. 조악하다. ❏~的商品; 조악한 상품.

[粗陋] cūlòu 형 ① 허술하다. 정교하지 못하다. 조잡하다. ❏家具做得很~; 가구의 만듦새가 매우 조잡하다. ② 볼품없다. 거칠고 추하다. ❏面貌~; 외모가 볼품없다.

[粗鲁] cū·lǔ 형 (성격이나 행동이) 우악스럽다. 거칠다. ❏行动很~; 행동이 매우 우악스럽다.

[粗略] cūlüè 형 대략적인. 대충의. ❏这个数子只是~估计; 이 숫자는 대략적인 추측에 불과하다.

[粗浅] cūqiǎn 형 얕고 대략적이다. 천박(淺薄)하다. 조잡하다. ❏~的见解; 얕은 견해.

[粗人] cūrén 명 ① 거칠고 예의 없

는 사람. ②〈謙〉 무식한 놈. 무식쟁이.

[粗疏] cūshū 형 ① 건성이다. 날림이다. 꼼꼼하지 않다. ② (모발·실 따위가) 굵고 듬성듬성하다.

[粗率] cūshuài 형 경솔하다. 꼼꼼하지 못하다. 허술하다. ❑ ~的决定; 경솔한 결정.

[粗俗] cūsú 형 속되다. 저속하다. 저질이다. 천박하다.

[粗细] cūxì 명 ① 굵기. 굵은 정도. ② (일이나 세공·만듦새의) 꼼꼼한 정도. 세밀한 정도. 세심한 정도.

[粗心] cūxīn 형 소홀하다. 부주의하다. 경솔하다. 세심하지 못하다. ❑ ~大意; 〈成〉 조심성 없다.

[粗野] cūyě 형 거칠고 몰상식하다. 조야하다. ❑ 这个人很~; 이 사람은 매우 거칠고 몰상식하다.

[粗枝大叶] cūzhī-dàyè 〈成〉 (일 처리 따위가) 조잡하다. 날림이다. 건성건성이다.

[粗制滥造] cūzhì-lànzào 〈成〉 ① 조잡하게 되는대로 마구 만들다. ② 무책임하게 일을 대충 해치우다.

[粗重] cūzhòng 형 ① (목소리가) 굵고 거칠다. 낮고 힘차다. ② (손발이) 크고 힘이 있다. 투박하다. ③ (물체가) 육중하다. 묵직하다. ④ 굵고 색깔이 짙다. ⑤ (일이) 어렵고 힘들다.

[粗壮] cūzhuàng 형 ① (몸이) 크고 건장하다. 늠름하다. ❑ 身材~; 체격이 늠름하다. ② (물체가) 굵고 튼튼하다. ③ (목소리가) 크고 우렁차다.

卒 cù (졸)

부〈書〉 ⇨[猝] ⇒ zú

[卒中] cùzhòng 명동〖中醫〗 중풍(에 걸리다). 뇌졸중(에 걸리다). =[中风]

猝 cù (졸)

부〈書〉 돌연. 갑자기. 별안간. =[卒]

[猝然] cùrán 부 별안간. 돌연. 갑자기. 느닷없이. ❑ 狗~从屋里窜了出来; 개가 별안간 집 안에서 뛰어나왔다.

[猝死] cùsǐ 동〖醫〗 돌연사하다.

促 cù (촉)

① 형 (시간이) 짧다. 절박하다. 촉박하다. ❑ 短~; 촉박하다. ② 동 재촉하다. 독촉하다. ❑ 督~; 독촉하다. ③ 동 가까이하다. 접근하다. ❑ ~膝; ⇩

[促成] cùchéng 동 독촉하여 완성시키다. 재촉하여 이루게 하다. 다그쳐 성공시키다.

[促进] cùjìn 동 촉진하다. ❑ ~科技的发展; 과학 기술의 발전을 촉진시키다 / ~剂; 〖化〗 촉진제.

[促使] cùshǐ 동 …하게 만들다. …하게 재촉하다. ❑ 规模经营~了农业大发展; 규모 경영은 농업이 큰 발전을 이루게 만들었다.

[促膝] cùxī 동 무릎을 맞대다. 마주 앉다. ❑ ~谈心; 〈成〉 무릎을 맞대고 마음을 터놓다.

[促销] cùxiāo 동 판매를 촉진하다. 판촉하다. ❑ ~品; 판촉물.

蹙 cù (축)

〈書〉 ① 형 급박하다. 긴박하다. ❑ 形势迫~; 형세가 급박하다. ② 동 찌푸리다. 찡그리다. ❑ 眉头紧~; 눈살을 찌푸리다.

醋 cù (초)

명 ① 초. 식초. ② 〈比〉 질투. 샘. ❑ 吃~; 샘내다.

[醋罐子] cùguàn·zi 명 ⇨[醋坛子]

[醋酸] cùsuān 명〖化〗 아세트산. ❑ 冰~; 빙초산. =[乙酸]

[醋坛子] cùtán·zi 명 식초 항아리. 〈比〉 (주로, 남녀 관계에서) 질투가 심한 사람. =[醋罐子]

[醋心] cùxīn 동〈口〉 속이 쓰리다.

[醋意] cùyì 명 (주로, 남녀 관계에서의) 질투심. ❑ 闹~; 질투하다.

簇 cù (족)

① 동 떼지어 모이다. 무리를 이루다. ❑ ~拥; ⇩ ② 명 무리. 떼. 무더기. ③ 양 무리. 무더기. 떼. ❑ 一~人; 한 무리의 사람.

[簇新] cùxīn 형 매우 새롭다. 참신하다. ❑ 穿一身~的西服; 참신한 양복을 차려입다.

[簇拥] cùyōng 동 무리 지어 둘러싸다. 여럿이서 에워싸다. ❑ 他一走下舞台, 许多人就~上去; 그가 무대에서 내려오자, 수많은 사람들이 그를 바로 에워쌌다.

蹴 cù (축)

동〈書〉 밟다. 딛다.

cuan ㄘㄨㄢ

汆 cuān (탄)

동 ① (끓는 물에 넣고) 살짝 익히다. 데치다. ② 〈方〉 강한 화력으로 빨리 물을 끓이다.

蹿(躥) cuān (찬) 동 ① 훌쩍 뛰어오르다. ❑ 猫~到房上去了; 고양이가 집 위로 훌쩍 뛰어올랐다. ②〈方〉 내뿜다. ❑ 鼻子~血; 코피가 터지다.
[蹿个儿] cuān//gèr 동 (키가 짧은 기간 내에) 훌쩍 자라다.
[蹿红] cuānhóng 동 순식간에 유명해지다. 일약 스타덤에 오르다.
[蹿升] cuānshēng 동 급격히 상승하다. 빠르게 오르다. 급등하다. ❑ 地价~; 땅값이 급등하다.

攒(攢) cuán (찬) 동 ① 그러모으다. 모이다. ❑ ~钱; 돈을 모으다. ② 조립하다. ❑ 他~了一辆自行车; 그는 자전거 한 대를 조립했다. ⇒ zǎn
[攒集] cuánjí 동 ⇒[攒聚]
[攒聚] cuánjù 동 한곳에 오밀조밀 모이다. ❑ 许多人~在一起讨论; 수많은 사람들이 한곳에 오밀조밀 모여 토론을 벌이다. =[攒集]
[攒三聚五] cuánsān-jùwǔ 〈成〉 삼삼오오 한곳에 모이다.

窜(竄) cuàn (찬) 동 ① (적군·도적·짐승 따위가) 마구 날뛰다. 도망쳐 다니다. ❑ 抱头鼠~; 머리를 감싸 쥐고 쥐처럼 도망가다. ② (자구(字句)를) 수정하다. 고치다.
[窜犯] cuànfàn 동 (소수의 적이) 침범하다. (소규모로) 침입하다.
[窜改] cuàngǎi 동 (성어·문서·고서 따위의 문자를) 고쳐 쓰다. 개찬(改竄)하다. ❑ 随便~古书; 마음대로 고서를 개찬하다.
[窜逃] cuàntáo 동 (난을 피해) 도망하다. 도망치다.

篡 cuàn (찬) 동 (군주의 지위를) 빼앗다. 찬탈하다. ❑ ~位; 군주의 자리를 찬탈하다.
[篡夺] cuànduó 동 (지위·권력 따위를) 찬탈하다. 탈취하다. 빼앗다. ❑ ~帝位; 제위를 찬탈하다.
[篡改] cuàngǎi 동 (이론·정책·경전 따위를) 허위로 고치다. 왜곡하다. 곡해하다. ❑ ~历史; 역사를 왜곡하다.

cui ㄘㄨㄟ

崔 cuī (최) 형〈書〉 (산이) 높고 크다.
[崔巍] cuīwēi 형〈書〉 (산·건축물 따위가) 높고 웅대하다.

催 cuī (최) 동 ① 재촉하다. 다그치다. 독촉하다. ❑ 别~我了; 나 좀 재촉하지 마라. ② 촉진하다. 서두르게 하다. ❑ ~产; ⇩
[催产] cuī//chǎn 동 ①〖醫〗 분만을 촉진시키다. ② (사물의) 발생[형성]을 촉진시키다. ‖ =[催生]
[催促] cuīcù 동 재촉하다. 독촉하다. ❑ 妈妈~女儿快做作业; 엄마가 딸에게 빨리 숙제하라고 재촉을 한다.
[催泪弹] cuīlèidàn 명 최루탄.
[催眠] cuīmián 동 최면을 걸다. 잠들게 하다. ❑ ~术; 최면술 / ~药; 수면제.
[催眠曲] cuīmiánqǔ 명 자장가.
[催命] cuī//mìng 동 ① 죽음으로 몰아넣다. ②〈比〉 심하게 재촉하다. 닥달하다. ❑ ~鬼; 심하게 재촉해 대는 사람.
[催生] cuī//shēng 동 ⇒[催产]

摧 cuī (최) 동 절단하다. 꺾다. 파괴하다.
[摧残] cuīcán 동 심한 손상을 주다. 심각한 타격을 가하다. 파괴하다. ❑ 有害气体~着我们的身体健康; 유해 가스가 우리의 건강에 심각한 해를 가하고 있다.
[摧毁] cuīhuǐ 동 쳐부수다. 파괴하다. 괴멸시키다. ❑ ~敌人的阵地; 적의 진지를 파괴하다.
[摧枯拉朽] cuīkū-lāxiǔ 〈成〉 마르거나 썩은 나뭇가지를 부러뜨리다 ((부패한 세력을 쉽게 무너뜨리다)).

璀 cuǐ (최) →[璀璨]
[璀璨] cuǐcàn 형〈書〉 (구슬 따위의) 광채가 찬란하고 선명한 모양.

淬 cuì (쉬) 동 담금질하다.
[淬火] cuì//huǒ 동〖工〗 담금질하다. ❑ ~钢; 담금질한 강철. =[〈口〉 蘸zhàn火]

悴 cuì (췌) →[憔qiáo悴]

萃 cuì (췌) ① 동 모으다. 모이다. ② 명 (사람·사물의) 무리. ❑ 出类拔~; 〈成〉 무리 중에서 빼어나다.

啐 cuì (췌) ① 동 (입에서) 힘차게 뱉다. 뱉어 내다. 퉤하다. ❑ 他~了一口

痰; 그는 가래를 한 번 퉤하고 뱉었다. ② 감 쳇. 퉤(경멸·질책·매도하는 뜻을 나타냄). ❑~, 别胡说八道! 쳇, 헛소리하지 마라!

瘁 cuì (췌)
형 지치다. 피로하다.

粹 cuì (수)
① 형 순수하다. ❑~而不杂; 〈成〉 순수해서 섞임이 없다. ② 명 정화(精華). 정수(精粹).

翠 cuì (취)
명 ① 청녹색. 비취색. ②〔鳥〕 물총새. ③〔鑛〕 비취.

[翠绿] cuìlǜ 형 청록색을 띠다. 비취색을 띠다.

[翠鸟] cuìniǎo 명〔鳥〕 물총새.

脆 cuì (취)
형 ① 무르다. 부서지기 쉽다. ❑这纸太~; 이 종이는 잘 찢어진다. ② 아삭아삭하다. 바삭바삭하다. ❑这西瓜又甜又~; 이 수박은 달고 아삭아삭하다. ③ (목소리 따위가) 시원시원하고 또렷하다. 낭랑하다. ❑嗓音挺~; 목소리가 매우 낭랑하다. ④〈方〉 (말이나 일하는 것이) 시원시원하다. 똑 부러지다. ❑办事很~; 일처리가 매우 시원스럽다.

[脆快] cuì·kuài 형〈方〉 (말이나 일처리가) 시원스럽다. 똑 부러지다. 깔끔하다. 야무지다.

[脆弱] cuìruò 형 나약하다. 물러터지다. 연약하다. ❑意志~; 의지가 약하다.

[脆生] cuì·sheng 형〈口〉 ① 사각사각하다. 아삭아삭하다. ❑你炒的土豆丝真~; 네가 볶은 감자채는 정말 아삭아삭하다. ② (소리 따위가) 또렷하다. 낭랑하다.

cun ㄘㄨㄣ

村 cūn (촌)
① (~儿) 명 마을. 시골. 동네. ② 형 촌스럽다. 상스럽다. 천하다. ❑~话; 상스러운 말.

[村落] cūnluò 명 ⇨[村庄]

[村民] cūnmín 명 촌민. 시골 사람.

[村镇] cūnzhèn 명 촌과 읍내. 시골과 소도시.

[村庄] cūnzhuāng 명 마을. 부락. 촌락. =[村落]

[村子] cūn·zi 명 촌. 마을.

皴 cūn (준)
동 (살이) 트다. ❑一到冬天, 我的手就~; 겨울만 되면 내 손은 살이 튼다.

[皴裂] cūnliè 동 (살갗이) 터서 갈라지다. 트다.

存 cún (존)
① 동 생존하다. 존재하다. 있다. ❑~亡; ⇩ ② 동 보존하다. 저장하다. ❑冰箱里~了不少牛肉; 냉장고 안에 적지 않은 쇠고기를 저장해 두었다. ③ 동 축적하다. 한곳에 모으다. ④ 동 저금하다. 저축하다. ❑~钱; ⇩ ⑤ 동 맡겨 두다. 보관하다. ❑~一会就取; 잠깐 맡겼다가 바로 찾다. ⑥ 동 보류하다. 남겨 놓다. ❑去伪~真; 〈成〉 거짓을 버리고 진실을 남기다. ⑦ 명 잔고. 잔액. ❑库~; 재고. ⑧ 동 마음에 품다. 마음을 먹다. ❑他对你~着戒心; 그는 너에게 경계심을 갖고 있다.

[存储] cúnchǔ 동 저장하다. ❑~量; 저장량 / ~器; 〔컴〕 기억 장치.

[存单] cúndān 명 예금 증서.

[存底] cúndǐ 명 (상점의) 판매 대기 상품. 재고품. 재고. =[存货]

[存放] cúnfàng 동 ① 맡기다. 보관해 두다. ❑~行李; 짐을 맡기다. ② 저금해 두다. 예금해 두다.

[存户] cúnhù 명 예금자(預金者).

[存货] cúnhuò 명 ⇨[存底] (cún//huò) 동 상품을 남겨 두다. 물건을 보관해 두다. ❑仓库里存了很多货; 창고에 많은 물건을 보관해 두었다.

[存款] cúnkuǎn 명 예금. ❑提取~; 예금을 인출하다. (cún//kuǎn) 동 예금하다. 은행에 돈을 맡기다. ❑这个月我存了不少款; 이번 달에 나는 적잖은 돈을 예금했다.

[存盘] cún//pán 동〔컴〕 (컴퓨터 안의 데이터를) 디스켓에 저장하다.

[存钱] cún//qián 동 저금하다. 예금하다.

[存亡] cúnwáng 명 존망. 생사. ❑关系到国家~的战争; 국가의 존망이 걸린 전쟁.

[存息] cúnxī 명 예금의 이자.

[存心] cúnxīn 부 고의로. 일부러. 계획적으로. ❑他~跟你过不去; 그는 일부러 너를 난처하게 하고 있다. (cún//xīn) 동 (어떤) 마음을 먹다. 마음으로 계획하다. 마음에 두다. ❑谁知道他存的什么心! 그

가 무슨 마음을 먹고 있는지·누가 알겠느냐!

[存疑] cúnyí 동 의문으로 남겨 두다. 숙제로 남겨 두다.

[存在] cúnzài 동 존재하다. 있다. ❏ 不～任何问题; 아무런 문제도 존재하지 않다. 명〔哲〕 존재. ❏ ～主义; 실존주의.

[存折] cúnzhé 명 예금 통장.

忖 cǔn (촌)
동 미루어 생각하다. 가늠하다. 짐작하다. 헤아리다.

[忖度] cǔnduó 동 추측하다. 예측하다. 짐작하다. ❏ ～他的想法; 그의 생각을 짐작해 보다.

[忖量] cǔnliàng 동 ① 추측하다. 짐작하다. 미루어 생각하다. ② 생각하다. 사고하다. ❏ 他～了一阵子才下定了决心; 그는 한참 생각한 후에야 결심을 했다.

寸 cùn (촌)
① 양〔度〕 촌(寸). 치《길이의 단위》. ② 형〈比〉 짧은. 약간의. ❏ ～步; ⇓ ③ 형〈方〉 공교롭다. 제때에 맞추다. ❏ 你来得真～; 때마침 잘 왔다.

[寸步] cùnbù 명 촌보. 조금 걷는 걸음. 아주 가까운 거리. ❏ ～不离; 〈成〉 촌보도 떨어지지 않다《조금도 곁을 떠나지 않다》/ ～不让; 〈成〉 한 발짝도 양보하지 않다 / ～难行 ＝[～难移]; 〈成〉 걷기가 매우 곤란하다《어떤 일을 하는 데에 어려움이 겹겹이 쌓이다》.

[寸草不留] cùncǎo-bùliú 〈成〉 모조리 전멸되다.

[寸心] cùnxīn 명〈書〉 ① 속. 마음속. ② 촌지(寸志). 작은 성의. ❏ 略表～; 작은 성의를 나타내다.

[寸阴] cùnyīn 명〈書〉 촌음(寸陰). 아주 짧은 시간.

cuo ㄘㄨㄛ

搓 cuō (차)
동 ① (손으로) 비비다. 문지르다. 치대다. ② (손으로) 꼬다. ❏ ～绳子; 새끼를 꼬다.

[搓板(儿)] cuōbǎn(r) 명 빨래판.

[搓麻] cuō∥má 동 ⇒[搓麻将]

[搓麻将] cuō májiàng 마작을 하다. ＝[搓麻]

[搓洗] cuōxǐ 동 (옷을) 문질러 빨다. 비벼서 빨다. 치대다.

[搓澡] cuō∥zǎo 동 (목욕탕에서) 때를 밀다. ❏ ～工; 때밀이.

磋 cuō (차)
동 상의하다. 토론하다. 의논하다.

[磋商] cuōshāng 동 (반복적으로) 상의하다. 협의하다. 교섭하다. ❏ 这个问题我们俩再好好～一下; 이 문제는 우리 둘이서 다시 잘 협의해 보자.

蹉 cuō (차)
〈書〉 ① 명 실수. 착오. 오류. ② 동 지나가다. 통과하다.

[蹉跎] cuōtuó 동 시기를 놓치다. 시간을 헛되이 보내다. ❏ ～岁月; 세월을 헛되이 보내다.

撮 cuō (촬)
① 동 모으다. 오므리다. ② 동 (물건 따위로) 한데 모으다. 쓸어 담다. ❏ 垃圾～成一堆; 쓰레기를 한 무더기 쓸어 모으다. ③ 동〈方〉 손가락 끝으로 집다. ❏ ～了一把盐放进锅里; 소금을 한 자밤 집어 솥 안에 넣었다. ④ 동 (요점을) 간추리다. 추려 내다. ❏ ～要; ⇓ ⑤ 양 ㉠〈方〉 자밤《손가락으로 집은 양을 세는 말》. ❏ 一～胡椒; 후추 한 자밤. ㉡극소수의 악인이나 사물을 가리키는 말. ❏ 一小～反动分子; 극소수의 반동 분자. ⇒ zuǒ

[撮合] cuō·he 동 (중간에서) 소개해 주다. 중매하다. 다리를 놓다. 만남을 주선하다.

[撮弄] cuō·nòng 동 ① 희롱하다. 우롱하다. 가지고 놀다. 농락하다. ❏ 这样精明的人也被～了; 이렇게 똑똑한 사람도 농락을 당하는군. ② 부추기다. 꾀다. 바람을 넣다. ❏ 他～孩子做坏事; 그는 아이를 꾀어서 나쁜 짓을 하게 한다.

[撮要] cuōyào 동 요점을 간추리다. 발췌하다. ❏ ～报告; 요점을 간추려서 보고하다. 명 요지(要旨). 적요.

痤 cuó (좌)
→[痤疮]

[痤疮] cuóchuāng 명〔醫〕 좌창. 여드름. ❏ 长～; 여드름이 나다. ＝[粉刺]

挫 cuò (좌)
동 ① 실패하다. 좌절하다. ❏ 受～; 좌절당하다. ② 누르다. 꺾다. 떨어뜨리다. 낮게 하다. ❏ ～锐气; 예기를 꺾다.

[挫败] cuòbài 동 ① 좌절하고 실패

하다. ②눌러서 꺾다. 좌절시키다. ❑～敌人的进攻; 적의 진공을 좌절시키다.

[挫伤] cuòshāng 명〖醫〗타박상. 좌상. 동 ①타박상을 입다. 다치다. ❑你的腿是在哪儿～的? 네 다리는 어디에서 다친 거냐? ②(의기·적극성 따위를) 꺾다. 누르다. ❑老师的批评～学生的积极性; 선생님의 꾸중은 학생의 적극성을 꺾는다.

[挫折] cuòzhé 동 ①좌절하다. 실패하다. ❑害怕～; 실패를 두려워하다. ②좌절시키다. 꺾다.

锉(銼) cuò (좌, 촤) ①명 줄. 줄칼. ❑一把～; 줄 한 자루. ②동 줄로 쓸다. 줄질하다. ❑把这块木板～平了; 이 판자를 평평하게 쓸어라.

[锉刀] cuòdāo 명 줄. 줄칼.

措 cuò (조) 동 ①처리하다. 조처하다. 조치하다. 안배하다. ❑惊慌失～; 〈成〉놀라고 당황하여 어찌할 바를 모르다. ②기획하다. 계획하다. 획책하다.

[措词] cuò//cí 동 ⇨[措辞]

[措辞] cuò//cí 동 자구(字句)의 배치를 하다. 어휘를 취사선택하다. ❑～不当; 어휘 선택이 부적당하다. =[措词]

[措施] cuòshī 명 처치. 조치. 대책. ❑采取～; 조치를 취하다.

[措手] cuòshǒu 동 처리하다. 손을 쓰다. ❑～不及; 〈成〉미처 손을 쓸 새가 없다.

[措置] cuòzhì 동 처리하다. 처치하다. ❑～裕如; 〈成〉여유있게 처리하다.

错(錯) cuò (착) ①동 교착하다. 엇갈려 뒤섞이다. 들쭉날쭉하다. ❑～落; ⇩ ②동 (두 물체가 서로) 마찰하다. 부딪치다. 갈다. ❑上下牙～得咯咯响; 이를 박박 갈다. ③동 엇갈리다. 비껴 지나가다. ❑镜框往左～得太多了; 액자를 왼쪽으로 너무 많이 틀어 놓았다. ④동 시간이 겹치지 않도록 하다. 시간을 조정하다. ❑上课时间往后～半小时; 수업 시간을 30분 뒤로 늦추다. ⑤형 틀리다. 잘못하다. ❑这道题～得不应该; 이 문제는 틀리면 안 되는 거였다. ⑥(～儿) 명 착오. 실수. 잘못. ❑认～; 잘못을 인정하다. ⑦형 나쁘다. 좋지 않다. 처지다《주로, 부정형으로 쓰임》. ❑他很用功, 将来准～不了; 그는 열심히 노력하니, 장래에 좋게 되지 않을 리가 없다. ⑧동 (글자·무늬에 금·은 따위를) 상감(象嵌)하거나 바르다. ❑～金; 금을 상감하다. ⑨명〈書〉숫돌. ⑩동〈書〉(옥이나 돌을) 갈다.

[错层] cuòcéng 명〖建〗(주택의) 복층. 복층 구조. ❑～住宅; 복층식 주택.

[错处] cuòchù 명 틀린 점. 잘못된 곳. 과오. 과실.

[错怪] cuòguài 동 잘못 알고 남을 원망하다. 오해하여 책망하다. ❑不是他的事情, 你～他了; 그의 일이 아닌데 네가 잘못 알고 그를 책망한 것이다.

[错过] cuòguò 동 (기회·시기·대상 따위를) 놓치다. 잃다. 지나가다. ❑机会难得, 不可～! 기회는 얻기 어려우니 놓쳐서는 안 된다!

[错觉] cuòjué 명 착각. ❑产生～; 착각이 일다.

[错开] cuò//kāi 동 (약속·시간·위치 따위가) 겹치지 않게 하다. 충돌을 피하다. 맞스쳐 지나가다. ❑那两部车总算～了; 저 두 대의 차는 겨우 스쳐 지나갔다.

[错乱] cuòluàn 형 어수선하다. 혼란스럽다. 착란하다. ❑精神～; 정신이 착란되다 / 秩序～; 질서가 혼란하다.

[错落] cuòluò 동 어수선하게 뒤엉키다. 들쭉날쭉하다. ❑～不齐; 들쭉날쭉하고 가지런하지 않다.

[错失] cuòshī 명동 과오(를 범하다). 실책(을 하다). ❑～时机; 시기를 놓치다.

[错误] cuòwù 형 잘못되다. 틀리다. ❑这种说法是～的; 이런 견해는 잘못된 것이다. 명 실수. 잘못. ❑犯～; 잘못을 저지르다.

[错杂] cuòzá 동 (두 가지 이상의 것이) 뒤섞이다.

[错字] cuòzì 동 오자(誤字). 오식(誤植).

[错综] cuòzōng 동 (가로세로로) 뒤섞이다. ❑～复杂; 〈成〉두서없이 뒤섞여서 복잡하다.

D

da ㄉㄚ

奁 dā (답)
명〈書〉 큰 귀.
[奁拉] dā·la 동 축 늘어지다. 늘어뜨리다. 푹 숙이다. 드리우다. ❏～着脑袋; 머리를 푹 숙이다. ＝[搭拉]

搭 dā (탑)
동 ①(막·다리 따위를) 세우다. 만들다. 치다. 놓다. ❏～天棚; 차양을 치다. ② 걸다. 널다. 매달다. ❏把床单～在绳子上; 침대보를 줄에 널다. ③ 겹치다. 연결되다. 맞닿다. ❏这两句话～不上; 이 두 말은 연결되지 않는다. ④ 짝이 되다. 함께 …하다. ❏大小苹果～着卖; 크고 작은 사과를 함께 팔다. ⑤ 더하다. 보태다. 채우다. ❏再～一天时间也不够; 하루를 더 보태도 부족하다. ⑥(함께) 옮기다. 맞들다. ❏帮我～一下儿床吧; 나랑 침대 좀 옮기자. ⑦(탈것에) 타다. 태우다. ❏你也～起飞机来了; 너도 비행기 타고 왔구나.
[搭伴(儿)] dā∥bàn(r) 동 하는 김에 함께 …하다. 동반하여 하다. ❏路这么远, 大家～走吧; 길이 머니 모두 함께 가자.
[搭车] dā∥chē 동 ① 차를 타다. ❏搭过一次他的车; 그의 차를 한 번 타 봤다. ②〈比〉 기회를 틈타다. 편승하다.
[搭乘] dāchéng 동 (자동차·배·비행기 따위에) 타다. 탑승하다. ❏～客轮; 여객선을 타다.
[搭档] dādàng 동 협력하다. 협동하다. 명 짝. 단짝. 콤비.
[搭话] dā∥huà 동 ① 이야기하다. 말을 주고받다. ❏和他, 只搭过一次话; 그와는 딱 한 번 이야기를 나눠 봤을 뿐이다. ②〈方〉 인편에 말을 전하다. 전갈을 보내다.
[搭伙] dā∥huǒ 동 ① 한패가 되다. 한무리가 되다. 함께하다. ❏成群～; 한패가 되다. ② 취사를 공동으로 하다.
[搭架子] dā jià·zi ① 뼈대를 만들다. 틀을 세우다. ②〈方〉 ⇨[摆架子]
[搭脚儿] dā∥jiǎor 동〈方〉 (공짜로) 얻어 타다. 히치하이크(hitchhike)하다.
[搭救] dājiù 동 (위험·재난으로부터) 구조하다. 도움의 손을 뻗다. ❏～落水儿童; 물에 빠진 아이를 구조하다.
[搭拉] dā·la 동 ⇨[奁拉]
[搭理] dā·li 동 거들떠보다. 대꾸하다. 아랑곳하다《주로, 부정형으로 쓰임》. ❏他们谁也没有～谁; 그들은 서로를 거들떠보려 하지 않는다. ＝[答dā理]
[搭配] dāpèi 동 ① 배합하다. 편성하다. 조합하다. ❏词语～不当; 단어의 조합이 적절하지 않다. ② 조화를 이루다. 호흡을 맞추다. 보조를 맞추다. ❏两人～得十分合拍; 두 사람은 손발이 매우 잘 맞는다. 형 잘 어울리다. 서로 잘 맞다. ❏两人站在一起不～; 두 사람은 같이 서면 잘 어울리지 않는다.
[搭桥] dā∥qiáo 동 ① 다리를 놓다. 교량을 가설하다. ②〈轉〉 다리를 놓아 주다. 알선하다.
[搭讪] dā·shàn 동 멋쩍은[겸연쩍은] 듯한 행동을 하다. 멋쩍은 듯이 말을 걸다. ❏他～地说了一句; 그는 멋쩍어하며 말을 한 마디 걸었다.
[搭手] dā∥shǒu 동 돕다. 거들다.
[搭售] dāshòu 동 끼워 팔다.
[搭头(儿)] dā·tou(r) 명 부속물. 덤. 딸린 것.

答 dā (답)
뜻은 '答dá'와 같고, 아래의 경우에만 이렇게 발음함. ⇒dá
[答理] dā·li 동 ⇨[搭理]
[答应] dā·ying 동 ① 대답하다. 응답하다. ❏你为什么不～? 너는 왜 대답을 안 하니? ② 승낙하다. 허락하다. 수락하다. ❏他～了我们的要求; 그는 우리의 요구를 수락했다.

褡 dā (답)
→[褡裢]
[褡裢] dā·lian 명 ①(～儿) 전대. ② 도복 상의.

打 dá (타)
양〈音〉 다스. 타(打). ❏一～圆珠笔; 볼펜 한 다스. ⇒dǎ

达(達) dá (달)
동 ①(길이) 통하다. 연결되다. ❏四通八～;〈成〉 사통팔달. ② 달하다. 이르다. ❏伤亡人数～数万; 사상자 수가 수만 명에 이르다. ③ 달성하다. 이루다.

❏ 不～目的，决不罢休；목적을 달성하기 전까지는 절대로 그만두지 않겠다. ④ 통달하다. 정통하다. ❏ 知书～礼；〈成〉 학식과 교양이 있고 예절에 밝다. ⑤ 표현하다. 나타내다. ❏ ～意 ⇓

[达成] dáchéng 동 (어떤 결과에) 이르다. 달성하다. 도달하다. ❏ ～协议；합의를 보다.

[达旦] dádàn 동〈書〉 이튿날 아침까지 계속하다. ❏ ～不寐；밤을 새우다.

[达到] dá∥dào 동 (주로, 추상적인 것에) 이르다. 달성하다. 도달하다. ❏ ～相当高的水平；꽤 높은 수준에 이르다.

[达·芬奇] Dá Fēnqí 명〖人〗〈音〉 레오나르도 다빈치(Leonardo da Vinci)《이탈리아의 미술가, 1452–1519》.

[达观] dáguān 형 달관하다.

[达赖喇嘛] Dálài Lǎ·ma 명〖宗〗〈音〉 달라이라마《티베트의 종교·정치상의 최고 지배자》.

[达意] dáyì 동 (말·글로) 뜻을 전하다. 생각을 나타내다.

沓 dá (답)
(～儿) 양 묶음. 뭉치《겹친 종이나 얇은 것을 세는 말》. ❏ 一～报纸；신문지 한 묶음. ＝[沓子] ⇒ tà

答 dá (답)
동 ① 대답하다. 응답하다. ¶他～不对；그의 대답은 틀렸다. ② 보답하다. ❏ 报～；보답하다. ⇒ dā

[答案] dá'àn 명 답안. 해답. 답. ❏ ～正确；답이 정확하다.

[答辩] dábiàn 동 답변하다. ❏ 被告～；피고가 답변하다.

[答词] dácí 명 답사(答辭). ❏ 致～；답사를 하다. ＝[答辞]

[答对] dáduì 동 대답하다. 응답하다. ❏ 这个问题没人能～出来；이 문제는 대답해 낼 수 있는 사람이 없다.

[答非所问] dáfēisuǒwèn 〈成〉 엉뚱한 대답을 하다. 동문서답하다.

[答复] dá·fù 동 회답하다. ❏ 赶紧给我～吧；서둘러 내게 회답해 주세요.

[答卷] dájuàn 명 답안(答案). 답안지. (dá∥juàn) 동 답안을 쓰다.

[答数] dáshù 명〖數〗 (산술 계산의) 답. 몫. ＝[得dé数]

[答题] dá∥tí 동 문제[질문]에 답하다.

[答谢] dáxiè 동 고마움을 나타내다. 사례하다. ❏ 我简直不知道应该怎样～；정말이지 어떻게 고마움을 표현해야 할지 모르겠다.

[答疑] dáyí 동 질의에 응답하다.

打 dǎ (타)
① 동 치다. 두드리다. ❏ ～门；문을 두드리다. ② 동 싸우다. 때리다. 공격하다. ❏ ～架；⇓ ③ 동 깨뜨리다. 깨지다. 부수다. 부서지다. ❏ 杯子～了；컵이 깨졌다. ④ 동 교섭·교류와 관계된 행위를 하다. ❏ ～交道；⇓ ⑤ 동 (기물·음식 따위를) 만들다. 제조하다. ❏ ～首饰；장신구를 만들다. ⑥ 동 축조하다. 쌓다. ❏ ～墙；담을 쌓다. ⑦ 동 (저어서) 섞다. 타다. ❏ ～奶粉；분유를 타다. ⑧ 동 묶다. 꾸리다. ❏ ～行李；짐을 꾸리다. ⑨ 동 (동물·물고기 따위를) 잡다. 포획하다. ❏ ～虫子；벌레를 잡다 / ～鱼；물고기를 잡다. ⑩ 동 짜다. 삼다. ❏ ～毛衣；스웨터를 짜다 / ～草鞋；짚신을 삼다. ⑪ 동 그리다. 칠하다. 긋다. 찍다. ❏ 线～歪了；선이 비뚜로 그어졌다 / ～圈；동그라미를 치다. ⑫ 동 뚫다. 개착하다. 파다. ❏ ～眼；⇓ ⑬ 동 들다. 올리다. 걸다. ❏ ～招牌；간판을 걸다 / ～伞；우산을 쓰다. ⑭ 동 사다. ❏ ～酒；술을 사다 / ～票；표를 사다. ⑮ 동 푸다. 퍼 올리다. ❏ ～水；물을 푸다[긷다]. ⑯ 동 보내다. 쏘다. 치다. 걸다. 내다. ❏ ～电话；전화를 걸다 / ～报告；보고서를 제출하다. ⑰ 동 계산하다. ❏ 精～精算；잘 계산하다. ⑱ 동 (베거나 잘라서) 거두어들이다. 수확하다. ❏ ～草；풀을 베다. ⑲ 동 (계획 따위를) 세우다. 정하다. ❏ ～主意；⇓ ⑳ 동 (신체상의 어떤 동작을) 하다. ❏ ～哈欠；⇓ ㉑ 동〈方〉 (서류 따위를) 발급하다. 발급받다. ❏ ～个介绍信；소개장을 써 주다. ㉒ 동 제거하다. 벗기다. ❏ ～旁枝；곁가지를 치다. ㉓ 동 (어떤 방식을) 취하다. ❏ ～比方；비유해서 말하다. ㉔ 동 가지고 놀다. 놀이를 하다. ❏ ～扑克；포커를 치다 / ～棒球；야구를 하다. ㉕ 동 (일을) 하다. 담당하다. 종사하다. ❏ ～短工；날품팔이하다. ㉖ 개 …부터. …에서《장소·시간의 기점을 나타내는 말》. ❏ 我～北京来；나는 베이징에서 왔다 / ～

今天以后; 오늘 이후부터. ⇒dá
【打靶】dǎ//bǎ 동 사격하다.
【打靶场】dǎbǎchǎng 명 ⇒[靶场]
【打败】dǎ//bài 동 ① 패배시키다. 쳐서 물리치다. ❏~敌人; 적을 쳐서 패배시키다. ②(전쟁·시합 따위에서) 싸워서 지다. 패하다. ❏我们队~了; 우리 팀이 졌다.
【打扮】dǎ·ban 동 단장하다. 치장하다. 꾸미다. ❏她~得很漂亮; 그녀는 아주 예쁘게 치장했다. 명 단장. 옷차림. 차림새. 치장.
【打包】dǎ//bāo 동 ① 포장하다. 짐을 꾸리다. ❏~纸; 포장지. ② 포장된 것을 풀다[끄르다].
【打抱不平】dǎbàobùpíng 〈成〉 학대받는 사람을 돕다. 약한 사람을 두둔하다.
【打比】dǎbǐ 동 ① 비유하다. 예를 들다. ❏抽象的道理拿具体的东西来~; 추상적인 이치를 구체적인 것으로 비유하다. ②〈方〉비교하다.
【打草惊蛇】dǎcǎo-jīngshé 〈成〉 기밀 행동을 할 때 사전에 누설되어 상대방이 눈치채고 놀라 대비하게 하다.
【打叉(儿)】dǎ//chā(r) 동 가위표를 하다. 무효로 하다. 틀린 것으로 하다.
【打岔】dǎ//chà 동 (남의 말이나 하는 일을) 끊다. 가로막다. ❏好好听，别~; 말 끊지 말고 잘 들어라.
【打场】dǎ//cháng 동 마당질하다. 타작하다.
【打车】dǎ//chē 동 택시를 타다. 택시를 잡다. =[〈口〉打的dī]
【打成一片】dǎchéng-yīpiàn 〈成〉 (생각·감정 따위가) 한덩어리가 되다. 한데 융합되다.
【打倒】dǎ//dǎo 동 ① 때려눕히다. ❏我一拳就把他~了; 나는 주먹으로 한 방에 그를 때려눕혔다. ② 타도하다. 때려부수다. 쳐부수다. ❏~敌人; 적을 쳐부수다.
【打的】dǎ//dī 동〈口〉⇒[打车]
【打动】dǎdòng 동 마음을 움직이다. 감동시키다. ❏他的一句话~了我的心; 그의 말 한 마디가 나의 마음을 움직였다.
【打赌】dǎ//dǔ 동 내기를 걸다. 내기를 하다. ❏打个赌; 내기하다.
【打断】dǎduàn 동 ① 자르다. 부러뜨리다. 끊다. ❏~了两根棍子; 몽둥이 두 개를 부러뜨렸다. ② 중단시키다. 멎게 하다. ❏一阵笑声~了他的回忆; 한바탕 웃음소리가 그의 회상을 중단시켰다.
【打盹儿】dǎ//dǔnr 동〈口〉 졸다. ❏开车打不得盹儿; 운전할 때는 졸면 안 된다. =[打瞌kē睡]
【打趸儿】dǎdǔnr 부〈口〉 ①(구입·판매 따위를) 대량으로. ❏~买价钱便宜; 대량 구입하면 값이 싸다. ② 한꺼번에. 총괄하여. ❏把一年的工资~领去; 일 년치 월급을 한꺼번에 받아 가다.
【打发】dǎ·fa 동 ① 보내다. 파견하다. ❏我已经~人去找他了; 나는 벌써 그를 찾으려고 사람을 보냈다. ② 가게 하다. 떠나게 하다. 내쫓다. ❏把他们俩~走了; 그들 두 사람을 가게 했다. ③(시간·날을) 보내다. 지내다. 허비하다. ❏看书~日子; 책을 읽으며 시간을 보내다.
【打翻】dǎfān 동 때려눕히다. 뒤집어엎다. 전복시키다.
【打嗝儿】dǎ//gér 동 ① ⇒[呃è逆] ② ⇒[嗳ǎi气]
【打工】dǎ//gōng 동 ①(주로, 임시의) 육체노동을 하다. ② 아르바이트(Arbeit)하다.
【打躬作揖】dǎgōng-zuòyī 〈成〉 공손하게 간청하다.
【打鼓】dǎ//gǔ 동 ① 북을 치다. ②〈比〉(자신이 없어) 가슴이 두근거리다.
【打官腔】dǎ guānqiāng 〈比〉 관리의 말투를 쓰다. 관리티를 내다.
【打官司】dǎ guān·si 소송을 일으키다. 법정 싸움을 하다. 고소하다.
【打光棍儿】dǎ guānggùnr 〈比〉 (주로, 남자가) 독신으로 지내다. 홀아비 생활을 하다.
【打滚儿】dǎ//gǔnr 동 ①(데굴데굴) 구르다. (뒹굴뒹굴) 뒹굴다. ❏在草地~; 풀밭에서 뒹굴다. ②〈比〉 장기간 어떤 환경에서 살다. ❏他从小在农村~长大的; 그는 어려서부터 농촌에서 뒹굴며 컸다.
【打哈欠】dǎ hā·qian 하품하다.
【打鼾】dǎ//hān 동 코를 골다. =[〈口〉打呼噜]
【打寒战】dǎ hánzhàn (춥거나 깜짝 놀라서) 부들부들 떨다. 덜덜 떨다. =[打寒颤zhàn]
【打夯】dǎ//hāng 동 달구질하다.
【打呼噜】dǎ hū·lu 〈口〉⇒[打鼾]
【打火】dǎ//huǒ 동 (부싯돌로) 불을 붙이다. ❏~石; 부싯돌.

D

[打火机] dǎhuǒjī 명 라이터. ＝[自来火]

[打伙儿] dǎ//huǒr 동〈口〉 무리를 짓다. 한패가 되다.

[打击] dǎjī 동 ①(악기 따위를) 치다. 두드리다. ❑～乐器; 타악기. ②타격을 주다. 공격하다. ❑～别人; 남에게 타격을 주다.

[打价(儿)] dǎ//jià(r) 동〈口〉 값을 깎다《주로, 부정형으로 쓰임》.

[打架] dǎ//jià 동 (치고받고) 싸우다. ❑他从没有和谁打过架; 그는 여태껏 누구하고 싸워 본 일이 없다.

[打交道] dǎ jiāo·dao〈口〉①교제하다. 왕래하다. 사귀다. ②거래하다. 교섭하다. ③〈比〉 접촉하다. 상대하다. ❑他成天和炸药～; 그는 하루 종일 폭약을 상대한다.

D

[打搅] dǎjiǎo 동 ①방해하다. 훼방을 놓다. 지장을 주다. 교란시키다. ❑存心～他们; 일부러 그들을 교란시키다. ②〈套〉 (주로, 초대를 받아) 폐를 끼치다. 대접을 받다. ❑～您了; 실례 많았습니다. ‖ ＝[打扰rǎo]

[打劫] dǎjié 동 (재물을) 약탈하다. 강도질하다. ❑趁火～; 〈成〉 남의 위급함을 틈타 한몫 잡다.

[打进] dǎ//jìn ①박다. ❑～楔子; 쐐기를 박다. ②진격하다. 진출하다. ❑～市场; 시장에 진출하다.

[打开] dǎ//kāi 동 ①열다. 풀다. 벌리다. 펼치다. ❑～箱子; 상자를 열다 / 请你们把书本～; 책을 펴 주세요 / ～天窗说亮话 ＝[～窗子说亮话]; 툭 털어놓고 말하다. 숨김없이 이야기하다. ②타개하다. ❑～局面; 국면을 타개하다.

[打瞌睡] dǎ kēshuì ⇨[〈口〉 打盹儿]

[打捞] dǎlāo 동 (물속 깊이 있는 것을) 건져 내다. 인양하다. ❑～沉船; 침몰선을 인양하다.

[打雷] dǎ//léi 동 천둥 치다.

[打冷战] dǎ lěng·zhan (춥거나 무서워서) 파르르 떨다. 진저리 치다. 몸서리치다. 전율하다. ＝[打冷颤·zhan]

[打量] dǎ·liang 동 ①(외모·차림새·표정 따위를) 살피다. 관찰하다. 훑어보다. ❑那人从头到脚把她～了一番; 그는 머리부터 발끝까지 그녀를 한 번 훑어보았다. ②생각하다. 여기다. 예측하다. ❑这件事, 你～我不知道? 이 일을 내가 모를 거라고 생각했느냐?

[打猎] dǎ//liè 동 사냥하다.

[打乱] dǎluàn 동 어지럽히다. 혼란시키다. 교란시키다. ❑～顺序; 순서를 어지럽히다.

[打落水狗] dǎ luòshuǐgǒu〈比〉 (주로, 나쁜 사람을) 재기하지 못하도록 철저하게 해치우다.

[打马虎眼] dǎ mǎ·huyǎn〈口〉 어수룩한 척하여 남을 속이다.

[打埋伏] dǎ mái·fu 동 ①매복하다. ②〈比〉 (물자·인력·문제 따위를) 숨기다. 덮어 두다.

[打牌] dǎ//pái 동 카드놀이나 마작을 하다.

[打泡] dǎ//pào 동 (손발에) 물집이 생기다. ❑他脚上打了泡; 그의 발에 물집이 생겼다.

[打喷嚏] dǎ pēntì 재채기를 하다.

[打屁股] dǎ pì·gu ①볼기를 때리다. ②〈比〉 엄하게 비판하다[야단치다]《해학적 의미로 많이 쓰임》.

[打平手(儿)] dǎ píngshǒu(r) (시합에서) 비기다.

[打破] dǎ//pò 동 ①부수다. 깨뜨리다. ②(제한·한계 따위를) 깨다. 타파하다. ❑～记录; 기록을 깨다 / ～沉默; 침묵을 깨다 / ～沙锅问到底; 〈比〉 끝까지 따져 밝히다. 철저하게 추궁하여 밝히다.

[打气] dǎ//qì 동 ①(타이어 따위에) 바람을 넣다. 공기를 넣다. ②〈比〉 고무하다. 기운을 북돋우다. 격려하다. ❑～壮胆; 힘을 돋우다.

[打枪] dǎ//qiāng 동 ①총을 쏘다. ②(dǎqiāng) ⇨[枪替]

[打趣] dǎ//qù 동 놀리다. 조롱하다. 비꼬다. 야유하다.

[打圈子] dǎ quān·zi (같은 곳을) 맴돌다. ❑老鹰在空中～; 매가 공중에서 맴돌다 / 他说话～; 그의 말은 같은 곳에서 맴돌고 있다. ＝[打圈圈quān·quan]

[打扰] dǎrǎo 동 ⇨[打搅]

[打扫] dǎsǎo 동 청소하다. 치우다. ❑～房间; 방을 치우다 / ～院子; 마당을 청소하다.

[打闪] dǎ//shǎn 동 번개가 치다.

[打手] dǎ·shou 명 대신 사람을 괴롭히고 때리는 일을 하는 깡패.

[打算盘] dǎ suàn·pán ①주판을 놓다. ②〈轉〉 손익을 계산하다. 타산하다. 득실을 따지다.

[打算] dǎ·suàn 동 계획하다. 생각

하다. ❏你~考哪个学校? 너는 어느 학교에 시험을 칠 계획이냐? 명 작정. 생각. 계획. ❏这就是我的第一个~; 이것이 바로 나의 첫 번째 계획이다.

[打胎] dǎ∥tāi 동 낙태하다. 임신 중절을 하다.

[打探] dǎtàn 동 탐문하다. 문의하다. 알아보다. ❏~情况; 상황을 알아보다.

[打铁] dǎ∥tiě 동 쇠를 두들기다. 강철을 주조하다.

[打听] dǎ·ting 동 문의하다. 알아보다. 물어보다. 수소문하다. ❏你去~一下他家发生了什么事; 그의 집에 무슨 일이 생긴 건지 네가 가서 좀 알아보아라.

[打通] dǎ∥tōng 동 트다. 통하게 하다. 소통시키다. 관통시키다. ❏把这两个房间~; 이 두 방을 통하게 하다.

[打退堂鼓] dǎ tuìtánggǔ 〈比〉 ① 퇴청(退廳)의 북을 치다. ② 중도에 위축되다[주춤하다].

[打消] dǎxiāo 동 (추상적인 것을) 없애다. 그만두다. 포기하다. 버리다. ❏~顾虑; 근심을 없애다.

[打小报告] dǎ xiǎobàogào (상사에게) 고자질하다. 밀고하다.

[打雪仗] dǎ xuězhàng 눈싸움하다.

[打掩护] dǎ yǎnhù ①〖軍〗 엄호하다. ② 〈比〉 (나쁜 일·악인을) 감싸다. 두둔하다. 비호하다. ❏替犯罪分子~; 범죄자를 두둔하다.

[打眼] dǎ∥yǎn 동 ① (~儿) 구멍을 파다[뚫다]. ② (물건을) 잘못 보고 속아 사다. 형 〈方〉 남의 주의를 [이목을] 끌다. 눈에 뜨이다. ❏她的装束太~了; 그녀의 옷차림은 너무 눈에 띈다.

[打印] dǎyìn 동 ① (dǎ∥yìn) 도장을 찍다. 날인하다. ② 등사 인쇄하다. 유인(油印)하다. ❏~件; 유인물. ③〖컴〗 프린트(print)하다. 인쇄하다.

[打印机] dǎyìnjī 명 프린터(printer). ❏喷墨~; 잉크젯(inkjet) 프린터 / 激光~; 레이저(laser) 프린터.

[打圆场] dǎ yuánchǎng (갈등·분규 따위를) 원만히 수습하다. 원만한 해결을 보다. 화해하다.

[打杂儿] dǎ∥zár 동 〈口〉 잡일[잡역]을 하다. ❏~的; 잡역부.

[打战] dǎzhàn 동 떨다. ❏他牙齿打着战说; 그는 이를 덜덜 떨며 말했다. ＝[打颤zhàn]

[打仗] dǎ∥zhàng 동 전쟁하다. 싸우다. ❏打败仗; 전쟁에 지다.

[打招呼] dǎ zhāo·hu ① (가볍게) 인사하다. ❏他向我打了个招呼; 그가 나에게 인사를 했다. ② 통지하다. 알리다. 주의를 촉구하다.

[打折] dǎ∥zhé 동 할인하다. 에누리하다. ❏打八折; 20% 할인. ＝[打折扣①]

[打折扣] dǎ zhékòu ① ⇨[打折] ② 〈比〉 약속[규정]대로 하지 않다.

[打针] dǎ∥zhēn 동 주사 놓다. ❏打了两针; 주사 두 대를 놓다.

[打主意] dǎ zhǔ·yi ① 생각을 정하다. 작정하다. 결정하다. ② 방법을 생각하다. 방법을 찾다. 방도를 세우다. ❏这事还得děi另~; 이 일은 아무래도 따로 방도를 세워야겠다.

[打转(儿)] dǎzhuàn(r) 동 같은 곳을 빙빙 돌다. 왔다 갔다 하다. 맴돌다. ＝[打转转zhuàn·zhuan]

[打字] dǎ∥zì 동 타이프[타자]를 치다. ❏~机; 타자기.

大 dà (대, 태)

① 형 (체적·면적이) 넓다. 크다. ❏屋子~; 집이 크다. ② 형 수량이 많다. ❏年纪~; 나이가 많다. ③ 형 정도가 깊다. 심하다. ❏雨下得真~; 비가 정말 많이 온다. ④ 형 (강도·힘이) 세다. 크다. ❏声音很~; 목소리가 크다. ⑤ 명 크기. ❏他今年多~了? 그는 올해 몇 살이냐? ⑥ 부 매우. 완전히. 철저하게《정도가 심함을 나타냄》. ❏~红; ⇩ ⑦ 부 그리. 그다지《'不' 뒤에 놓여 정도가 약하거나 횟수가 적음을 나타냄》. ❏情况不~好; 상황이 그리 좋지 않다. ⑧ 형 연상이다. 손위이다. ❏比我~一岁; 나보다 한 살 연상이다. ⑨ 명 나이 든 사람. 어른. ❏一家~小; 가족 모두. ⑩ 형 기후·계절·명절·시간을 나타내는 말 앞에 붙여 강조를 나타냄. ❏~冬天; 한겨울 / ~清早; 이른 아침. ⑪ 형 〈敬〉 상대방 또는 상대방에 관한 말의 앞에 붙여 경의를 나타냄. ❏~名; ⇩ ⇒ dài

[大巴] dàbā 명 대형 버스.

[大白] dàbái 동 (진상이) 완전히 밝혀지다. 명백히 드러나다. ❏真

相~; 진상이 명백히 드러나다.
[大白菜] dàbáicài 명〔植〕 호배추.
[大白天] dàbáitiān 명 대낮.
[大伯子] dàbǎi·zi 명〈口〉 시아주버니.
[大阪] Dàbǎn 명〔地〕 오사카(Osaka).
[大板车] dàbǎnchē 명 ⇒[排pǎi子车]
[大半] dàbàn 명 반 이상. 과반수. 대부분. 태반. ❏我们班有一~是女生; 우리 반은 과반수가 여학생이다. 부 아마. 십중팔구. ❏他~会坐火车去; 그는 십중팔구 기차를 타고 갈 것이다.
[大暴雨] dàbàoyǔ 명〔氣〕 집중호우.
[大本营] dàběnyíng 명 ①〔軍〕 대본영. 전시의 최고 사령부. ②〈轉〉 (활동의) 근거지. 본거.
[大便] dàbiàn 명동 대변(을 보다).
[大伯] dàbó 명 ①⇒[伯父①] ②〈敬〉 나이 지긋한 남자에 대한 존칭. 아저씨.
[大不了] dà·buliǎo 형 대단하다. 매우 중대하다《주로, 부정형으로 씀》. ❏一点小病有什么~的? 이런 작은 병이 뭐가 대단하냐? 부 기껏해야. 고작. 아무리 심해도. ❏~挨批评; 기껏해야 비판을 받을 정도의 일이다.
[大部分] dàbù·fen 명 대부분. 거의. ❏他的著作~是散文; 그의 작품은 대부분 산문이다.
[大材小用] dàcái-xiǎoyòng 〈成〉 유능한 인재를 하찮은 데에 쓰다.
[大菜] dàcài 명 ①(중국 요리의 연회석에서) 큰 그릇에 담은 중심이 되는 요리. 메인디시(maindish). ②양식. 서양 요리. =[大餐②]
[大餐] dàcān 명 ①특별한 요리. 성찬(盛饌). ②⇒[大菜②]
[大肠] dàcháng 명〔生理〕 대장(大腸). ❏~杆菌; 대장균.
[大臣] dàchén 명 대신(大臣).
[大吃一惊] dàchī-yījīng 〈成〉 몹시 놀라다.
[大处落墨] dàchù-luòmò 〈成〉 대국에 착안하다. 큰일부터 착수하다.
[大吹大擂] dàchuī-dàléi 〈成〉 요란스럽게 떠들어 대다. 과장되게 선전하다.
[大慈大悲] dàcí-dàbēi 〈成〉 대자대비《주로, 자비로운 마음을 칭송하는 말로 쓰임》.
[大葱] dàcōng 명〔植〕 대파.
[大…大…] dà…dà… 단음절의 명사·동사·형용사 앞에 붙어 규모가 크거나 정도가 심함을 나타냄. ❏大吃大喝; 진탕 먹고 마시다 / 大鱼大肉; 진수성찬.
[大大] dàdà 부 대대적으로. 크게. 대단히. ❏~加强; 크게 강화하다 / ~促进; 대대적으로 촉진시키다.
[大大咧咧(的)] dà·dalieliē(·de) 형 아무것도 개의치 않고 제멋대로인 모양.
[大胆] dàdǎn 형 대담하다. 겁이 없다. ❏~的行动; 대담한 행동.
[大刀阔斧] dàdāo-kuòfǔ 〈成〉 과감하게 처리하다.
[大道] dàdào 명 ①⇒[大路] ②〈書〉 올바른 길. 정도(正道). 대도.
[大抵] dàdǐ 부 대체로. 대강. 거의. ❏情况~如此; 상황은 대체로 이와 같다.
[大地] dàdì 명 ①대지. ❏~回春; 〈成〉 대지에 봄이 오다. ②지구. 지상(地上). 토지. ❏~测量; 토지 측량.
[大典] dàdiǎn 명 (주로, 국가가 거행하는) 큰 식전. 성전(盛典). 대전.
[大殿] dàdiàn 명 대전(大殿).
[大动脉] dàdòngmài 명 ①〔生理〕 대동맥. =[主动脉] ②〈比〉 (교통의) 대동맥. 큰 간선(幹線).
[大豆] dàdòu 명〔植〕 대두. 콩. ❏~油; 콩기름.
[大都] dàdū 부 ⇒[大多]
[大肚子] dàdù·zi 명〈口〉 ①임산부. ②대식가. ③살쪄서 배가 툭 튀어나온 사람.
[大度] dàdù 형〈書〉 도량이 크다. 너그럽다. 관대하다. ❏~包容; 〈成〉 관대하고 포용력이 있다.
[大多] dàduō 부 대부분. 대다수. 거의 다. ❏植物~春天开花; 식물은 대부분 봄에 꽃이 핀다. =[大都]
[大多数] dàduōshù 명 대다수. ❏持这种意见的人占~; 이런 의견을 가진 사람이 대다수를 차지한다.
[大而无当] dà'érwúdàng 〈成〉 크기만 하고 쓸모가 없다.
[大发雷霆] dàfā-léitíng 〈成〉 격노하여 호통 치다. 노발대발하다.
[大凡] dàfán 부 대개. 대체로. ❏~跟他一起工作过的人, 都称赞

他做事干练; 대체로 그와 함께 일한 사람들은 모두 그가 유능하다고 칭찬한다.

[大方] dà·fang 형 ①(재물을 쓰는 데에) 인색하지 않다. 시원스럽다. ❏花钱～; 돈 쓰는 데 인색하지 않다. ②(언행이) 시원시원하다. 거침없다. 대범하다. ❏举止很～; 행동이 매우 시원시원하다. ③(스타일·색깔 따위가) 고상하다. 점잖다. ❏这件衣服款式很～; 이 옷은 스타일이 매우 고상하다.

[大放厥词] dàfàng-juécí 〈成〉〈貶〉 마음대로 지껄이며 공론(空論)을 펴다.

[大风] dàfēng 명 ① 대풍. ②〖氣〗큰바람《풍력 8의 바람》.

[大幅] dàfú 형 큰 폭의. 폭이 넓은. 부 대폭. 큰 폭으로. ❏～增产; 대폭 증산하다.

[大腹便便] dàfù-piánpián 〈成〉〈貶〉 올챙이처럼 배가 볼록한 모양《착취자·부자·임산부의 형용》.

[大概] dàgài 형 대강의. 대충의. ❏当时的～情况; 당시의 대체적인 정황. 명 개요. 대강. 개략. 부 대개. 대략. 아마도. ❏他～不会来了; 그는 아마도 오지 않을 것이다.

[大纲] dàgāng 명 대강. 개요. 요강. 아우트라인(outline).

[大钢琴] dàgāngqín 명〖樂〗그랜드 피아노(grand piano).

[大哥] dàgē 명 ①큰형. 맏형. ②형《친한 연장자에 대한 호칭》.

[大哥大] dàgēdà 명 ① 두목. 거물. ②〈俗〉〈口〉 휴대 전화. 휴대폰.

[大公无私] dàgōng-wúsī 〈成〉 ①국민의 이익만 생각할 뿐 사사로운 욕심이 없다. ②공평무사하다.

[大功] dàgōng 명 큰 공훈. 큰 공적. ❏～告成; 〈成〉 큰일이나 중대한 임무를 완성하다.

[大姑娘] dàgū·niang 명 ①장녀. ②과년한 처녀. 노처녀.

[大姑子] dà·gū·zi 명〈口〉 손위 시누이.

[大关] dàguān 명 ①큰 관문. 중요한 관문. ②(금액 따위의) 큰 단위. 선(線). 대(臺). ❏产量已经超过一万吨～; 생산량은 이미 만 톤대를 넘어섰다.

[大观] dàguān 명 장관(壯觀).

[大管] dàguǎn 명〖樂〗바순(bassoon). =[〈音〉巴松]

[大规模] dàguīmó 형 대규모의. ❏～生产; 대규모 생산.

[大锅饭] dàguōfàn 명 (많은 사람에게 제공하는) 보통의 식사. 공동 취사. ❏吃～; 〈比〉 모두 똑같은 대우를 받다.

[大国] dàguó 명 대국. ❏经济～; 경제 대국.

[大海] dàhǎi 명 큰 바다. 대해.

[大海捞针] dàhǎi-lāozhēn 〈成〉 ⇒[海底捞针]

[大寒] dàhán 명 대한《24절기의 하나》.

[大韩民国] Dàhán Mínguó 〖地〗 대한민국. →[韩国]

[大汉] dàhàn 명 체격이 큰 남자. 덩치 큰 남자.

[大好] dàhǎo 형 ①매우 좋다. 절호하다. 더없이 좋다. ❏～时机; 절호의 기회. ②(병이) 완전히 낫다. 완쾌되다. ❏他的病已～了; 그의 병은 이미 완쾌되었다.

[大号] dàhào 명 ①〈敬〉 존함(尊銜). 존명(尊名). ②〖樂〗 튜바(tuba). 형 (～儿) 큰 치수의. 라지 사이즈(large size)의. ❏～夹克; 라지 사이즈 재킷.

[大红] dàhóng 형 매우 붉다. 새빨갛다. 〈轉〉 매우 인기 있다. ❏～大紫; 〈成〉 매우 총애받다. 매우 인기 있다.

[大后年] dàhòunián 명 내후년.

[大后天] dàhòutiān 명 글피. =[〈口〉大后儿]

[大话] dàhuà 명 큰소리. 호언장담. 흰소리. ❏说～; 큰소리 치다.

[大会] dàhuì 명 대회. 총회.

[大伙儿] dàhuǒr 대〈口〉 모두. 모두들. 여러분《'大家'와 뜻은 같으나, 오직 구어(口語)에서만 쓰임》. ❏我非常想听听～的意见; 나는 여러분의 의견을 무척 듣고 싶다. =[〈口〉大家伙儿]

[大吉] dàjí 형 대길하다. ❏万事～; 〈成〉 모든 일이 대길하다.

[大计] dàjì 명 대계. 큰 계획.

[大蓟] dàjì 명 ⇒[蓟jì]

[大家] dàjiā 명 ①대가. 권위자. ②대가. 대갓집. 명문 집안. ❏～闺秀; 〈成〉 대갓집 규수. 대 모두. 모두들. 여러분. ❏请你告诉～; 모두에게 알려 주세요.

[大家庭] dàjiātíng 명 ①대가족. 대가정. ②〈比〉 (구성원이 많고 화목한) 공동체.

[大奖] dàjiǎng 명 대상(大賞). 그랑프리(프 grand prix). ❑ ~赛; 그랑프리 대회.
[大将] dàjiàng 명 ①〖軍〗 대장. ②〈轉〉 고위 장성. 고급 장교. ③〈比〉 우두머리. 대장.
[大蕉] dàjiāo 명 ⇨[芭蕉]
[大街] dàjiē 명 큰 거리. 번화가.
[大姐] dàjiě 명 ① 큰누나. 큰언니. =[大姐姐] ② 친한 여성을 공손히 부르는 말.
[大惊小怪] dàjīng-xiǎoguài 〈成〉 하찮은 일에 호들갑스럽게 놀라거나 이상하게 생각하다.
[大静脉] dàjìngmài 명〖生理〗 대정맥.
[大局] dàjú 명 대국. 대세. ❑ ~已定; 대세는 이미 정해졌다.
[大举] dàjǔ 부 대거. 대대적으로. ❑ ~进攻; 대대적으로 진격하다.
[大军] dàjūn 명 ① 대군. ❑ 百万~; 백만 대군. ②〈比〉 어떤 일에 종사하는 다수의 사람.
[大楷] dàkǎi 명 ① 해서(楷書)의 큰 글씨. ② (로마자 인쇄체의) 대문자.
[大快人心] dàkuài-rénxīn 〈成〉 사람들로 하여금 통쾌하게 하다. 속시원하게 하다.
[大款] dàkuǎn 명 대부호. 큰 부자. 큰손.
[大括弧] dàkuòhú 명〖言〗 대괄호.
[大老婆] dàlǎo·po 명 본처. 본마누라.
[大理石] dàlǐshí 명〖鑛〗 대리석.
[大力] dàlì 명 큰 힘. ❑ 下~; 큰 힘을 들이다. 부 힘껏. 강력하게. 극력. ❑ ~支持; 극력 지지하다.
[大量] dàliàng 형 ① 대량의. ❑ ~生产; 대량 생산. ② 도량이 크다. ❑ 宽宏~; 도량이 크다.
[大楼] dàlóu 명 빌딩. 고층 건물. ❑ 百货~; 백화점 / 办公~; 오피스 빌딩.
[大陆] dàlù 명 ①〖地理〗 대륙. ❑ ~性气候; 대륙성 기후. ② 중국 대륙.
[大陆架] dàlùjià 명〖地質〗 대륙붕(大陸棚).
[大路] dàlù 명 대로. 큰길. 한길. =[大道①] 형 (상품의 수준이) 보통인. 일반적인. 대중적인. 보편적인. ❑ ~货; 대중적인 상품.
[大略] dàlüè 부 대강. 대략. 대충. ❑ 请你~介绍一下; 대략적으로 설명해 주십시오. 명 ① 대략. 대개. 대요. ❑ 我只知道个~; 나는 대략적인 것만 알고 있을 뿐이다. ② 큰 책략. 큰 방책. ❑ 雄才~; 걸출한 재능과 위대한 모략.
[大妈] dàmā 명 ① ⇨[伯bó母] ②〈敬〉 중년 부인에 대한 존칭.
[大麻] dàmá 명 ①〖植〗 삼. 대마. ②〖藥〗 마리화나.
[大麻子] dàmázǐ 명〖植〗 ① 대마씨. ② ⇨[蓖麻] ③ 피마자 씨. ❑ ~油; 피마자유.
[大麦] dàmài 명〖植〗 보리.
[大猫熊] dàmāoxióng 명 ⇨[大熊猫]
[大门] dàmén 명 대문. 정문.
[大米] dàmǐ 명 쌀.
[大名] dàmíng 명 ① 정식 이름. ② 명망. 명성. ❑ ~鼎鼎; 〈成〉 명성이 높다. ③〈敬〉 고명하신 이름. 존함. ❑ 久仰~ 전부터 존함을 익히 들어 왔습니다.
[大模大样] dàmú-dàyàng 〈成〉 오만하고 거리낌없는 모양. 거들먹거리는 모양. 거만한 모양.
[大拇指] dàmǔzhǐ 명〈口〉 ⇨[拇指]
[大男大女] dànán-dànǚ (혼기를 놓친) 노총각과 노처녀.
[大男子主义] dànánzǐ zhǔyì 남성 우월주의. 대남아 사상.
[大脑] dànǎo 명〖生理〗 대뇌.
[大脑皮质] dànǎo pízhì 〖生理〗 대뇌 피질. =[大脑皮层]
[大鲵] dàní 명〖動〗 도롱뇽. =[〈俗〉 娃娃鱼]
[大逆不道] dànì-bùdào 〈成〉 대역무도(大逆無道).
[大年] dànián 명 ① 풍년. ② 음력 12월이 30일인 해. ③ ⇨[春节]
[大娘] dàniáng 명〈方〉 ① ⇨[伯bó母] ②〈敬〉 아주머님《연장의 부인에 대한 존칭》.
[大炮] dàpào 명 ① 대포. ②〈比〉 큰소리를 잘 치는 사람. ③〈比〉 열변을 토하는 사람.
[大批] dàpī 형 다수의. 대량의. 수많은. ❑ ~裁员; 대량 감원 / ~生产; 대량 생산.
[大片] dàpiàn 명 대작 영화. 블록버스터(blockbuster). =[〈口〉 大片儿piānr]
[大屏幕] dàpíngmù 명 대형 화면. 대형 스크린. ❑ ~电视; 대형 스크린 텔레비전.

[大气] dàqì 명 ①〔氣〕 대기. ❑ ~层 =[~圈]; 대기층. 대기권 / ~污染; 대기 오염 / ~压; 대기압. ② 큰 기세. ③ (~儿) 거친 숨. 큰 숨. ❑ 紧张得连~都不敢出一下; 긴장해서 숨조차 제대로 쉬지 못하다.
[大气] dà·qi 형 ① 기세가 크다. ❑ 开阔~; 기세가 커지다. ② (모양·색깔 따위가) 고상하다. 우아하다. ❑ ~得体; 우아하여 신분에 걸맞다.
[大器] dàqì 명〈比〉 대기. 큰 인물. 큰 재능. ❑ ~晚成; 〈成〉 대기만성.
[大前年] dàqiánnián 명 재재작년. 그끄러께.
[大前天] dàqiántiān 명 그끄저께. =[〈口〉 大前儿]
[大钱] dàqián 명 많은 돈. 큰돈. ❑ 赚~; 큰돈을 벌다.
[大权] dàquán 명 대권. 주요 권력. 정권. 통치권. ❑ ~旁落; 〈成〉 대권이 남의 손에 넘어가다.
[大人] dàrén 명〈敬〉 연장자·부모에 대한 존칭《주로, 서신에서 쓰임》. ❑ 父亲~; 아버님.
[大人] dà·ren 명 ① 대인. 어른. 성인. ②〈舊〉 각하. 대인《옛날, 고관의 존칭》.
[大人物] dàrénwù 명 큰 인물. 거물(巨物).
[大肉] dàròu 명 ⇨[猪肉]
[大赛] dàsài 명 규모가 큰 경기[대회]. 대규모 시합.
[大扫除] dàsǎochú 동 대청소하다.
[大嫂] dàsǎo 명 ① 큰형수. 맏형수. ②〈敬〉 자기와 연배가 비슷한 부인에 대한 존칭.
[大厦] dàshà 명 큰 빌딩. 대형 건물《주로, 건물 이름에 쓰임》.
[大赦] dàshè 동〔法〕 대사하다. 대사면하다.
[大婶儿] dàshěnr 명〈口〉〈敬〉 아주머니《어머니와 연배가 비슷한 부인에 대한 존칭》.
[大声疾呼] dàshēng-jíhū 〈成〉 대성질호하다.
[大失所望] dàshī-suǒwàng 〈成〉 크게 실망하다.
[大师] dàshī 명 ① (학문·예술 상의) 거장. 대가. ❑ 戏剧~; 연극계의 거장. ② 바둑·장기 따위의 등급의 하나. ③〔佛〕 대사.
[大师傅] dàshī·fu 명〔佛〕〈口〉 대사.
[大师傅] dà·shi·fu 명〈口〉 요리사. 주방장.
[大使] dàshǐ 명 대사. ❑ ~馆; 대사관.
[大事] dàshì 명 대사. 거사. 큰일. 중대한 일. ❑ 终身~; 〈成〉 일생의 대사《결혼을 일컬음》. 부 크게. 대규모로. 대대적으로. ❑ ~铺张; 크게 과장하다.
[大势] dàshì 명 대세. ❑ ~所趋; 〈成〉 대세의 흐름 / ~已去; 〈成〉 대세는 이미 기울어졌다.
[大手大脚] dàshǒu-dàjiǎo 〈成〉 씀씀이가 헤프다.
[大叔] dàshū 명〈口〉〈敬〉 아저씨《아버지와 동년배이거나 나이가 약간 적은 남자에 대한 존칭》.
[大暑] dàshǔ 명 대서《24절기의 하나》.
[大水] dàshuǐ 명 큰물. 홍수.
[大肆] dàsì 부 마구. 거리낌없이 제멋대로《주로, 나쁜 일을 말함》. ❑ ~吹嘘; 멋대로 허풍을 떨다.
[大蒜] dàsuàn 명 ⇨[蒜]
[大…特…] dà…tè… 대대적으로. 크게. 실컷. 엄청《각각 동일한 동사 앞에 쓰여, 규모가 크거나 정도가 심함을 나타냄》. ❑ 大吃特吃; 실컷 먹다 / 大改特改; 대대적으로 고치다 / 大书特书; 대서특필하다.
[大提琴] dàtíqín 명〔樂〕 첼로(cello).
[大体] dàtǐ 부 대체로. 대강. ❑ 他说的情况~与实际相符; 그가 말한 상황은 대체로 실제와 부합한다. 명 대체. 중요한 도리. ❑ 不识~; 중요한 도리를 모르다.
[大天白日] dàtiān-báirì 〈口〉 벌건 대낮. 백주 대낮.
[大厅] dàtīng 명 대청. 홀(hall).
[大庭广众] dàtíng-guǎngzhòng 〈成〉 많은 사람이 모여 있는 공개적인 장소. 대중의 앞.
[大同小异] dàtóng-xiǎoyì 〈成〉 대동소이하다.
[大头] dàtóu 명 ① 큰 머리. 대두. ② (~儿) 큰 것. 큰 쪽. 주요 부분. ③ 봉. 바가지 쓴 사람. 돈을 헛되게 쓰는 사람. ❑ 拿~; 봉으로 여기다. =[冤大头]
[大团圆] dàtuányuán 동 ① 온 가족이 함께 모이다. ② 대단원의 막을 내리다. ❑ 以~告终; 대단원의 막을 내리다.

[大腿] dàtuǐ 명 넓적다리. 허벅지.
[大王] dàwáng 명 ① 대왕. 군주. ② (경제 활동에서 어느 한 부분을 독점하고 있는) 재벌. 왕. ❑ 石油~; 석유왕. ③ (어떤 기술·기능에서의) 최강자. 왕. 대왕. 황제. ❑ 足球~; 축구왕.
[大为] dàwéi 부 크게. 매우《뒤에 2음절어가 옴》. ❑ ~加强; 크게 강화하다 / ~失望; 크게 실망하다.
[大西洋] Dàxīyáng 명〖地〗대서양.
[大喜] dàxǐ 동 ①〈套〉매우 경사스럽다. 대단히 축하할 만하다《주로, 결혼하는 사람에게 쓰는 말》. ❑ ~的日子; 매우 경사스러운 날《결혼하는 날》. ② 매우 기쁘다. ❑ ~过望;〈成〉결과가 기대 이상이여서 매우 기쁘다.
[大虾] dàxiā 명〖動〗왕새우. 대하.
[大峡谷] Dàxiágǔ 명〖地〗〈義〉그랜드 캐니언(Grand Canyon).
[大显身手] dàxiǎn-shēnshǒu〈成〉솜씨를 크게 발휘하다[보이다].
[大显神通] dàxiǎn-shéntōng〈成〉신통력을 크게 발휘하다.
[大小] dàxiǎo 명 ① (~儿) 크기. 규모. ❑ ~正合适; 크기가 딱 맞다. ② (서열의) 상하. 장유(長幼). ❑ 不分~; 위아래를 몰라보다. ③ 어른과 아이. ❑ 全家~四口人; 전 가족이 어른 아이 모두 네 식구이다. 부 크던 작던. 다소간에. 어쨌든. ❑ ~要搭配公平; 어쨌든 안배가 공평해야 한다.
[大校] dàxiào 명〖軍〗대령.
[大写] dàxiě 명 ① (한자(漢字)의) 갖은자. ② (로마자의) 대문자. 동 대문자로 쓰다.
[大猩猩] dàxīng·xing 명〖動〗고릴라(gorilla).
[大型] dàxíng 형 대형의. 대규모의. ❑ ~演唱会; 대형 콘서트 / ~油轮; 대형 유조선.
[大熊猫] dàxióngmāo 명〖動〗자이언트 판다(giant panda). = [熊猫][猫熊][大猫熊]
[大选] dàxuǎn 동 ① 대통령 선거를 하다. 대선을 치르다. ② 총선거를 하다. 총선하다.
[大学] dàxué 명 대학. ❑ ~生; 대학생 / ~医院; 대학 병원.
[大雪] dàxuě 명 ① 대설. 큰 눈. ② 대설《24절기의 하나》.
[大牙] dàyá 명 ① ⇨[臼牙] ② ⇨[门牙]
[大烟] dàyān 명 ⇨[鸦片]
[大言不惭] dàyán-bùcán〈成〉뻔뻔스럽게 흰소리하다.
[大盐] dàyán 명 굵은 소금.
[大雁] dàyàn 명 ① ⇨[鸿雁①] ② 널리, 기러기류를 가리키는 말.
[大洋洲] Dàyángzhōu 명 ⇨[澳Ào洲①]
[大要] dàyào 명 대요. 개요.
[大爷] dàyé 명 놀고먹으면서 오만방자한 남자.
[大爷] dà·ye 명〈口〉① ⇨[伯父①] ②〈敬〉연장의 남자에 대한 존칭.
[大业] dàyè 명 대업.
[大衣] dàyī 명 코트. 외투.
[大姨] dàyí 명 ① (~儿) 큰이모. ②〈敬〉어머니와 연배가 비슷한 부인에 대한 존칭.
[大义] dàyì 명 대의(大義). ❑ ~凛然;〈成〉정의롭고 늠름하다 / ~灭亲;〈成〉정의를 위해서 사사로운 정을 버리다.
[大意] dàyì 명 대의. 주요한 뜻.
[大意] dà·yi 형 부주의하다. 방심하다. 소홀하다. ❑ 别~, 要不然会撞车的! 방심하지 마라, 그렇지 않으면 자동차와 부딪히겠다!
[大有可为] dàyǒu-kěwéi〈成〉전도가 매우 유망하다.
[大有作为] dàyǒu-zuòwéi〈成〉충분히 능력을 발휘할 여지가 있다.
[大雨] dàyǔ 명 호우. 큰비.
[大约] dàyuē 부 ① 대략. 대강. 약. …정도. ❑ 他~有十六七岁了; 그는 대략 16, 7 세쯤일 것이다. ② 아마. 다분히. 필시. ❑ ~很快会下雨; 아마 곧 비가 올 것이다. 형 대략적인. 대강의 ❑ ~的数量; 대략적인 수량.
[大战] dàzhàn 명 ① 큰 전쟁. 대전. ❑ 世界~; 세계 대전. ②〈比〉큰 시합. 대형 경기. ❑ 足球~; 축구 대전. 동 대규모 전투를 벌이다. 격전하다.
[大站] dàzhàn 명 ① 큰 역. 대규모 역. ② (버스 따위의) 터미널.
[大张旗鼓] dàzhāng-qígǔ〈成〉대대적으로 하다.
[大丈夫] dàzhàng·fu 명 대장부.
[大指] dàzhǐ 명 ⇨[拇指]
[大志] dàzhì 명 대지. 큰 뜻.
[大致] dàzhì 형 기본적인. 대체적

인. ❏ ~情况如此; 기본적인 상황은 이러하다. 부 대략. 대강. 대체로. ❏ 他每天早上~五点来钟就起床了; 그는 매일 아침 대략 5시쯤 기상한다.

[大智若愚] dàzhì-ruòyú 〈成〉 지혜와 재능을 가지고 있는 사람이 자신을 과시하지 않아 겉으로 보기에는 어리석은 사람같이 보이다.

[大众] dàzhòng 명 대중. ❏ ~化; 대중화하다 / ~媒体; 대중 매체.

[大篆] dàzhuàn 명 대전(大篆)《전서체의 하나》.

[大自然] dàzìrán 명 대자연.

[大宗] dàzōng 명 수량이 가장 많은 주요 생산물이나 상품. 형 대량의. 거액의. 큰 뭉의. ❏ ~货物; 대량 화물.

瘩 ·da (답)
→[疙gē瘩]

dai ㄉㄞ

呆 dāi (태)
① 형 우둔하다. 멍청하다. 미련하다. ❏ 他有点儿~; 그는 좀 멍청하다. ② 형 멍하다. 무표정하다. 넋이 나가다. ❏ 发~; 멍하다. ③ 동 ⇨[〈口〉 待dāi]

[呆板] dāibǎn 형 딱딱하다. 판에 박은 듯하다. 융통성 없다. 단조롭다. ❏ 他是~人, 不会应酬; 그는 융통성이 없어서 교제가 서투르다.

[呆若木鸡] dāiruòmùjī 〈成〉 놀라거나 두려워서 넋이 나간 모양.

[呆头呆脑] dāitóu-dāinǎo 〈成〉 멍청한 모양. 멍한 모양.

[呆滞] dāizhì 형 ① 생기가 없다. ❏ 目光~; 눈빛이 멍하다. ② 원활하지 않다. 막히다. 정체하다. ❏ 销路~; 판로(販路)가 막히다.

[呆子] dāi·zi 명 바보. 멍청이.

待 dāi (대)
동〈口〉 체재하다. 체류하다. 머무르다. ❏ 在那儿~了三年; 그곳에서 3년간 머물렀다. =[呆③] ⇒dài

歹 dǎi (대)
형 (사람이나 일이) 좋지 않다. 나쁘다.

[歹人] dǎirén 명 나쁜 사람. 악인.

[歹徒] dǎitú 명 악인. 악당.

[歹心] dǎixīn 명 나쁜 마음. 못된 마음. =[歹意]

逮 dǎi (체)
동 잡다. 붙잡다. 체포하다. ❏ ~小偷儿; 도둑을 잡다. ⇒dài

大 dài (대)
뜻은 '大dà'와 같으나, 아래의 경우에만 이렇게 발음함. ⇒dà

[大夫] dài·fu 명〈口〉 의사(醫師). ❏ 请~; 의사를 부르다.

代 dài (대)
① 동 대신하다. ❏ 工资由别人~领; 임금을 다른 사람이 대신 수령하다. ② 동 대리하다. ❏ 我~不了这个职务; 나는 이 직무를 대리할 수 없다. ③ 명 대. 시대. 조대(朝代). ❏ 近~; 근대 / 清~; 청대. ④ 명 세대. ❏ 培养下一~; 다음 세대를 양성하다. ⑤ 명〖地質〗대. ❏ 新生~; 신생대.

[代办] dàibàn 동 대신 처리하다. 대행하다. ❏ ~出口; 수출을 대행하다 / ~所; 대행업소. 명 ① 대리 공사(公使). ❏ 临时~; 임시 대리 공사. ② 변리 공사.

[代笔] dàibǐ 동 대필하다.

[代表] dàibiǎo 명 ① 대표. 대표자. ❏ 学生~; 학생 대표. ② 대리. 대리인. ③ 공통적인 특징을 대표하는 사람이나 사물. ❏ ~作; 대표작. 동 ① (개인·단체의 업무·의견 따위를) 대표하다. ❏ 我~全家感谢您; 제가 온 가족을 대표해서 당신께 감사드립니다. ② (의미·개념 따위를) 나타내다. 대표하다. 상징하다. ❏ 这样的形象~今天的女性; 이러한 이미지는 오늘날의 여성을 상징한다.

[代词] dàicí 명〖言〗대명사. ❏ 指示~; 지시 대명사. =[代名词②]

[代沟] dàigōu 명 세대 차(世代差). 세대 차이.

[代号] dàihào 명 (기관·상품·도량형 따위에서 정식 명칭 대신 쓰는) 부호. 코드 네임(code name).

[代价] dàijià 명 ① 물건 값. 대금(代金). ② 대가(代價). ❏ 付出昂贵的~; 값비싼 대가를 치르다.

[代金] dàijīn 명 대금.

[代劳] dàiláo 동 ① 대신 일하다. ❏ 这件事我可以~; 이 일은 내가 대신 할 수 있다. ② 대신 수고하다《남에게 부탁할 때 쓰는 말》. ❏ 我今天身体不适, 这件事只好由你~了; 내가 오늘 몸이 안 좋으니, 이 일은 네가 대신 수고해 줘야겠다.

[代理] dàilǐ 동 ① 대리하다. 대행

하다. ❑～商; 대리점. 대리상. ② (직무를) 대신하다.
[代理人] dàilǐrén 명 ① 대리인. 에이전트(agent). ②〖法〗(법정) 대리인.
[代码] dàimǎ 명〖컴〗코드. 부호.
[代名词] dàimíngcí 명 ① 대명사. ❑智慧的～; 지혜의 대명사. ② ⇨ [代词]
[代替] dàitì 동 대신하다. 대체하다. 바꾸다. ❑这两个词可以互相～; 이 두 단어는 서로 대체할 수 있다. =[替代]
[代谢] dàixiè 동 교체하다. 바꾸다. ❑新旧事物的～; 새로운 것과 낡은 사물을 교체하다 / 新陈～; 신진대사.
[代言人] dàiyánrén 명 대변인.
[代用] dàiyòng 동 대용하다. ❑～品; 대용품.

贷(貸) dài (대) 동 ① (돈을) 빌리다. 빌려 주다. 대출하다. 대부하다. ❑信～; 신용 대출 / ～款; ⇩ ② 용서하다. 너그러이 봐주다. ❑决不宽～; 〈成〉 결코 눈감아 주지 않다. ③ (죄·책임 따위를) 전가하다.
[贷款] dài//kuǎn 동 대출하다. 대부하다. ❑银行贷给工厂一笔款; 은행이 공장에 얼마간의 돈을 대부해 주었다. (dàikuǎn) 명 대부금. 대출금. 차관. ❑信用～; 신용 대부.

袋 dài (대) ① (～儿) 명 자루. 포대. 주머니. ② 양 대《담배에 쓰이는 말》. ❑一～烟; 담배 한 대.
[袋茶] dàichá 명 티백(tea bag).
[袋鼠] dàishǔ 명〖動〗캥거루.
[袋装] dàizhuāng 형 봉지 포장의. ❑～方便面; 봉지 라면.
[袋子] dài·zi 명 자루. 주머니. 포대. ❑面～; 밀가루 포대

怠 dài (태) 동 ① 태만하다. 게으르다. ❑～惰; ⇩ ② 얕보다. 경시하다. ❑～慢; ⇩
[怠惰] dàiduò 형 나태하다. 게으르다. ❑～成性; 나태함이 습관이 되다.
[怠工] dài//gōng 동 태업하다. 사보타주(프 sabotage)하다.
[怠慢] dàimàn 동 ① 냉대하다. 푸대접하다. ❑～客人; 손님을 푸대접하다. ②〈套〉 소홀히 대접하다. ❑真对不起, 太～了; 너무 소홀히 대접해서 정말 죄송합니다.

殆 dài (태) 〈書〉 ① 형 위험하다. 위태롭다. ❑危～; 위태롭다. ② 부 거의. 아마도. 대체로.

带(帶) dài (대) ① (～儿) 명 띠. 밴드. 벨트. 끈. 리본. ❑腰～; 허리띠. ② 명 타이어. ❑车～; 타이어. ③ 명 지역. 지대. ❑温～; 온대. ④ 동 함유하다. 지니다. 가지고 있다. ❑这黄瓜～点儿苦味; 이 오이는 약간의 쓴맛을 가지고 있다. ⑤ 동 몸에 지니다. 휴대하다. ❑钥匙没～来; 열쇠를 안 가져왔다. ⑥ 동 달리다. 붙어 있다. 곁들여 있다. ❑菠菜～了不少泥; 시금치에 적지 않은 흙이 붙어 있다. ⑦ 동 기르다. 돌보다. 보살피다. ❑孩子由姥姥～着; 아이는 외할머니가 돌보고 있다. ⑧ 동 데려오다. 데려가다. 거느리다. 인솔하다. ❑他～了很多人来; 그는 많은 사람들을 데리고 왔다. ⑨ 동 계제에 …하다. 하는 김에 하다. ❑麻烦你把我的作文～给老师; 죄송하지만, 제 작문 좀 선생님께 전해 주세요. ⑩ 동 나타나다. 머금다. 띠다. ❑他总～着微笑; 그는 항상 미소를 띠고 있다. ⑪ 동 이끌다. 선도하다. ❑先进～后进; 선진이 후진을 이끌다.
[带操] dàicāo 명〖體〗리본 체조.
[带刺儿] dài//cìr 동 (말에) 가시가 돋치다. ❑他话里～; 그의 말에는 가시가 돋쳐 있다.
[带动] dàidòng 동 ① (동력을 전달하여) 움직이게 하다. ❑用水电～机器; 수력 발전을 이용하여 기계를 움직이게 하다. ② 선도(先導)하다. 유도하다. 이끌다. 촉진하다. ❑～群众; 군중을 선도하다.
[带话(儿)] dài//huà(r) 동 말을 전하다. 전언하다.
[带劲(儿)] dàijìn(r) 형 ① 힘이 있다. 원기가 좋다. ❑他工作起来真～; 그는 일하는 게 정말 힘이 있다. ② 흥미를 끌다. 재미있다. ❑玩牌不～, 还是打球吧! 카드놀이는 재미없으니 공놀이를 하자!
[带领] dàilǐng 동 ① 안내하다. 데리고 가다. ❑～新生办理入学手续; 신입생을 안내하여 입학 수속을 하다. ② 인솔하다. 지도하다. 지휘하다. ❑老师～大家去春游; 선생

님이 모두를 인솔해서 봄소풍을 가다.

[带路] dài//lù 동 길 안내를 하다. 길잡이 하다. ❏～人; 길 안내자. =[向导]

[带头] dài//tóu 동 솔선수범하다. 앞장서다. 선도하다. ❏～人; 선도자 / ～羊; 길잡이 양.

[带下] dàixià 명〖中醫〗대하.

[带鱼] dàiyú 명〖魚〗갈치. =[〈方〉刀鱼]

[带状疱疹] dàizhuàng pàozhěn〖醫〗대상 포진.

[带子] dài·zi 명 ① 띠·벨트·끈·리본 따위의 총칭. ②〈俗〉녹음[녹화] 테이프.

待 dài (대)

① 동 대하다. 대접하다. 대우하다. ❏后母～我像亲生女儿一样; 새엄마는 나를 친딸처럼 대해 주신다. ② 동 대접하다. ❏～客; 손님을 대접하다. ③ 동 기다리다. ❏～事情弄清楚后再下结论; 일이 분명히 밝혀진 후에 다시 결론을 내리다. ④ 동 필요로 하다. ❏尚～说明; 아직 설명할 필요가 있다. ⑤ 조동 …하려 하다. ❏～说不说; 말하려 했으나 말하지 않다. ⇒ dāi

[待理不理] dàilǐ-bùlǐ〈成〉냉담하게 대하다. 본체만체하다.

[待命] dàimìng 동 명령을 기다리다. ❏集结～; 집결하여 명령을 기다리다.

[待人] dài//rén 동 사람을 대하다. ❏～接物;〈成〉사람을 대하는 태도.

[待续] dàixù 동 (연재물이 다음 회에) 계속되다. 이어지다.

[待业] dàiyè 동 취직을 기다리다. 취업 대기 중이다. ❏～青年; 미취업 젊은이. 취업 준비생.

[待遇] dàiyù 동〈書〉상대하다. 대하다. ❏平等～; 평등하게 대하다. 명 ① 사람을 대하는 태도·방법 따위. ❏他们是客人, 不应该受这种～; 그들은 손님이니 이런 대접을 받으면 안 된다. ② (사회·정치적인) 대우. ❏政治～; 정치상의 대우. ③ (봉급·급료 따위의) 대우. ❏那个公司的～比较好; 그 회사의 대우는 비교적 괜찮다.

逮 dài (체, 태)

① 동〈書〉(…에) 이르다. 미치다. ② 뜻은 '逮dǎi'와 같고 아래의 경우에만 이렇게 읽음. ⇒ dǎi

[逮捕] dàibǔ 동 체포하다. 구속하다. ❏～证; 구속 영장. 체포 영장.

戴 dài (대)

동 ① (몸에) 쓰다. 끼다. 달다. 착용하다. ❏～项链; 목걸이를 하다 / ～眼镜; 안경을 쓰다. ② 존경하여 모시다. 공경하다. ❏拥～; 추대하여 모시다.

[戴高帽子] dài gāomào·zi〈比〉추켜세우다. 비행기 태우다. =[戴高帽儿]

[戴帽子] dài mào·zi ① 모자를 쓰다. ②〈口〉〈比〉죄명을 붙이다. 낙인 찍다.

dan ㄉㄢ

丹 dān (단)

① 형 붉은색의. ② 명〖中醫〗단. 단약.

[丹顶鹤] dāndǐnghè 명〖鳥〗두루미. =[仙xiān鹤]

[丹凤眼] dānfèngyǎn 명 눈꼬리가 치켜 올라간 눈. 봉안(鳳眼). =[凤眼]

[丹麦] Dānmài 명〖地〗〈音〉덴마크(Denmark).

[丹青] dānqīng 명〈書〉① 단청. 〈轉〉회화. 그림. ② 역사책.

[丹砂] dānshā 명 ⇨[辰砂]

[丹心] dānxīn 명 단심. 적심. 진심. 충성심. ❏一片～; 일편단심.

单(單) dān (단)

① 형 홑의. 하나의. 외짝의. ❏～扇窗户; 외짝 창문. ② 형 홀수의. ❏～号; ⇩ / ～数; ⇩ ③ 형 혼자의. 단독의. ❏～身; ⇩ ④ 부 단지. 오로지. 오직. ❏～为取照片就跑了两趟; 오로지 사진을 찾기 위해서 두 번이나 뛰어다녔다. ⑤ 형 간단하다. 단순하다. ❏简～; 간단하다. ⑥ 형 약하다. 박약하다. ❏～薄; ⇩ ⑦ 형 홑겹의. ❏～被; 홑이불 / ～裤; 홑바지. ⑧ (～儿) 명 시트류의 총칭. ❏床～; 침대보. ⑨ (～儿) 명 목록이나 사실을 항목을 나눠 기재한 쪽지나 인쇄물. ❏菜～; 메뉴 / 传～; 전단.

[单边] dānbiān 형 일방적인. 단독의. 한쪽만의. ❏～贸易; 편무역(片貿易).

[单本剧] dānběnjù 명〖劇〗단막극 (드라마).

[单薄] dānbó 형 ①(추운 날씨에 입은 옷이나 덮은 이불이) 얇다. 얇게 입다[덮다]. ❑~的衬衣; 얇은 셔츠. ②(몸이) 약하다. 허약하다. ❑身子挺~; 몸이 매우 약하다. ③(힘·논거·내용 따위가) 미흡하다. 부족하다. 빈약하다. ❑论据~; 논거가 불충분하다 / 内容~; 내용이 빈약하다.

[单车] dānchē 명〈方〉⇨[自行车]

[单程] dānchéng 명 편도(片道). ❑~车票; 편도 차표.

[单纯] dānchún 형 ①단순하다. ❑想法~; 생각이 단순하다. ②단순히[단지] …이다. ❑~骨折; 단순 골절.

[单词] dāncí 명〔言〕단어(單語).

[单打] dāndǎ 명〔體〕단식(單式). ❑女子~; 여자 단식.

[单打一] dāndǎyī 동 ①한 가지 일이나 한쪽으로만 전념하다. ②오로지 한 가지 일만 밀고 나가다.

[单单] dāndān 부 유독 …만. 오직 …만. ❑大家都喜欢吃米饭, ~她爱吃面条; 모두들 밥 먹는 것을 좋아하는데, 유독 그녀만 국수 먹는 것을 좋아한다.

[单刀直入] dāndāo-zhírù 〈成〉(말이) 단도직입적이다.

[单调] dāndiào 형 단조롭다. ❑图案~; 도안이 단조롭다 / ~的生活; 단조로운 생활.

[单独] dāndú 부 단독으로. 혼자서. 홀로. ❑~开车; 혼자서 운전하다 / ~使用; 단독 사용하다.

[单峰驼] dānfēngtuó 명〔動〕단봉 낙타.

[单杠] dāngàng 명〔體〕①(운동용) 철봉. ②(체조 종목의) 철봉.

[单个儿] dāngèr 부 단독으로. 혼자. 홀로. ❑~进山; 혼자 산에 들어가다. 형 (세트나 쌍으로 된 것 중) 한쪽의. 한짝의. 낱개의. ❑这套家具不~卖; 이 가구는 한짝씩은 팔지 않는다.

[单轨] dānguǐ 명 ①(철도의) 단궤. 단선 궤도. ❑~铁路; 단선 철로. ②모노레일(monorail).

[单号] dānhào 명 (표·좌석 따위의) 홀수 번호.

[单簧管] dānhuángguǎn 명〔樂〕클라리넷(clarinet). =[黑管]

[单价] dānjià 명 ①〔商〕단위 가격. 단가(單價). 낱값. ②〔化〕일가(一價).

[单脚跳] dānjiǎotiào 명〔體〕한 발로 뛰기. 앙감질.

[单据] dānjù 명 증표. 증거 서류《계약서·영수증 따위》.

[单利] dānlì 명〔經〕단리.

[单恋] dānliàn 동 ⇨[单相思]

[单枪匹马] dānqiāng-pǐmǎ 〈成〉남의 도움 없이 혼자의 힘으로만 하다.

[单亲] dānqīn 형 편모(偏母)의. 편부(偏父)의. 한 부모의. ❑~家庭; 한 부모 가정. 결손 가정.

[单人] dānrén 형 한 사람의. 혼자의. 일인의. ❑~床; 일인용 침대 / ~房; (호텔 따위의) 일인실 / ~剧; 모노드라마.

[单人舞] dānrénwǔ 명 ⇨[独舞]

[单身] dānshēn 명 독신자. 단신. 홀몸. ❑~汉; 독신남 / ~宿舍; 독신자 기숙사.

[单数] dānshù 명 ①기수(奇數). 홀수. ②〔言〕(영어 따위의) 단수.

[单位] dānwèi 명 ①단위. ❑~面积; 단위 면적. ②(정부 기관·단체 따위의) 단위. 부문. ❑工作~; 근무처 / ~奖; 단체상.

[单细胞] dānxìbāo 명〔生〕단세포. ❑~动物; 단세포 동물.

[单线] dānxiàn 명 ①외줄. 외가닥. ②(철도의) 단선. ❑~铁路; 단선 철로.

[单相思] dānxiāngsī 동 짝사랑하다. =[单恋]

[单向] dānxiàng 형 한 방향의. 일방의. ❑~交通; 일방통행.

[单行本] dānxíngběn 명 단행본.

[单行线] dānxíngxiàn 명 (차의) 일방통행로. =[单行道]

[单眼皮(儿)] dānyǎnpí(r) 명 홑눈꺼풀.

[单一] dānyī 형 단일하다. ❑~货币; 단일 화폐.

[单衣] dānyī 명 홑옷.

[单元] dānyuán 명 ①단원. 유닛(unit). ②아파트 따위에서, 입구를 공유하는 구획을 세는 말. 라인(line). ❑六号楼二~八号; 6동 2라인 8호.

[单子] dān·zi 명 ①(침대·이불 따위를 덮는) 보. 시트(sheet). ❑床~; 침대보 / 褥~; 이불보. ②쪽지. 인쇄물. 계산서. 청구서. 전표. 명세서. 메모. ❑开~; 전표를 떼다.

殚(殫) dān (탄) 동〈書〉 다하다. 다 없어지다.
[殚精竭虑] dānjīng-jiélǜ 〈成〉 전심전력을 다하다.

担(擔) dān (담) 동 ① (어깨에) 메다. 짊어지다. ❑ ~行李; 짐을 짊어지다. ② (책임을) 지다. 담당하다. 맡다. ❑ ~任务; 임무를 맡다 / ~责任; 책임을 지다. ⇒dàn
[担保] dānbǎo 동 보증하다. 담보하다. ❑ ~期; 보증 기간 / ~人; 보증인.
[担当] dāndāng 동 맡아서 책임지다. 맡다. 담당하다. ❑ ~重任; 중요한 임무를 맡다.
[担负] dānfù 동 (책임·비용 따위를) 부담하다. 지다. 맡다. ❑ ~损失; 손실을 부담하다.
[担搁] dān·ge 동 ⇒[耽dān搁]
[担架] dānjià 명〔醫〕 담가. 들것.
[担任] dānrèn 동 (직무·업무를) 담임하다. 담당하다. 맡다. ❑ ~运输工作; 운송 업무를 담당하다.
[担心] dān//xīn 동 걱정하다. 염려하다. ❑ 不必~; 걱정할 필요 없다 / 他没让我担过心; 그는 나를 걱정시킨 적이 없었다.

耽 dān (탐) 동 ① 지연하다. 끌다. ②〈書〉 빠지다. 탐닉하다. ❑ ~于酒色; 주색에 빠지다.
[耽搁] dān·ge 동 ① 체류하다. 머무르다. 묵다. ❑ 在北京~了几天; 베이징에서 며칠 묵었다. ② 지연시키다. 끌다. ❑ ~时间; 시간을 끌다. ③ 시간이 걸리다. 지연되다. 시간을 뺏기다. ❑ 上邮局只~了半小时; 우체국에 가서 30분 밖에 걸리지 않았다. ‖ =[担搁]
[耽误] dān·wu 동 지체하여 일을 그르치다. 시간을 허비하다. 시간을 뺏기다. ❑ 这件事很重要, 可别~了! 이 일은 매우 중요하니 지체하면 안 돼!

胆(膽) dǎn (담) 명 ①〔生理〕 담. 담낭. ② (~儿) 배짱. 담력. ③ 물 따위를 담을 수 있도록 기물의 내부에 장착한 용기. ❑ 热水瓶的~; 보온병 속의 유리그릇.
[胆大] dǎndà 형 담대하다. 대담하다. ❑ ~包天; 〈成〉 대담하기 이를 데 없다 / ~妄为; 〈成〉 겁 없이 날뛰다.
[胆敢] dǎngǎn 동 대담하게도 …하다. 감히 겁도 없이 …하다. ❑ 敌人~来侵犯; 적이 대담하게도 침범해 오다.
[胆固醇] dǎngùchún 명〔生〕 콜레스테롤(cholesterol).
[胆寒] dǎnhán 형 간담이 서늘하다. 오싹하다.
[胆力] dǎnlì 명 담력.
[胆量] dǎnliàng 명 담력. 뱃심. 배짱. 용기.
[胆略] dǎnlüè 명 담력과 지모(智謨). 지용(智勇).
[胆囊] dǎnnáng 명〔生理〕 담낭. 쓸개.
[胆怯] dǎnqiè 형 겁이 많다. 겁내다. 겁먹다. ❑ 大胆地干, 别~; 겁먹지 말고 대담하게 해라.
[胆石] dǎnshí 명〔醫〕 담석. ❑ ~病; 담석증.
[胆小] dǎnxiǎo 형 담이 작다. 배짱이 없다. 겁이 많다. 소심하다. ❑ ~鬼; 겁쟁이.
[胆战心惊] dǎnzhàn-xīnjīng 〈成〉 놀라고 무서워 벌벌 떨다. =[心惊胆战]
[胆子] dǎn·zi 명 담력. 배짱. 용기. ❑ ~不小; 대담하다.

疸 dǎn (달) →[黄疸]

掸(撣) dǎn (탄) 동 (먼지떨이로) 떨다. ❑ 拿掸子~一~土; 먼지떨이로 흙을 떨다.
[掸子] dǎn·zi 명 먼지떨이.

石 dàn (석) 양 섬. 석(《용량 단위》). ⇒shí

旦 dàn (단) 명 ① 아침. ❑ 清~; 이른 아침. ② 날. ❑ 元~; 원단. ③〔劇〕 중국 전통극의 여자 배역. ❑ ~角; 여자 배역.
[旦夕] dànxī 명〈書〉 아침저녁. 〈比〉 짧은 시간. 단시간. ❑ 危在~; 〈成〉 위기가 목전에 임박하다.

但 dàn (단) ① 부 다만. 단지. ❑ ~愿; ⇩ ② 접 그러나. 그렇지만. ❑ 试验虽然失败了, ~我一点也不灰心; 실험은 비록 실패했지만, 그러나 나는 조금도 실망하지 않는다.
[但是] dànshì 접 그러나. 그렇지만. 하지만(《종종 '虽然'·'尽管' 따위와 호응함》). ❑ 虽然成绩很好,

~你也不能自满; 비록 성적은 좋지만 자만해서는 안 된다.

[但愿] dànyuàn 동 오로지 …일 것을 원하다. 오직 …이기만을 바라다. ❑~他平安归来; 오로지 그가 무사히 돌아오기만을 바란다 / ~如此; 오로지 그랬으면 하고 바라다.

担(擔) dàn (담) ① 명 (멜대 양쪽의) 짐. ② 명〈比〉 책임. ❑重~; 중책. ③ 양 중량 단위(1'担'은 100근(斤)에 상당함). ④ 양 짐(멜대로 메는 짐을 세는 말). ❑三~青菜; 야채 세 짐. ⇒dān

[担子] dàn·zi 명 ① (멜대로 멘) 짐. ❑挑~; 짐을 지다. ②〈比〉 부담.

诞(誕) dàn (탄) ① 동 태어나다. 탄생하다. ② 명 탄생일. 생일. ❑寿~; 생신. ③ 형 황당하다. 엉터리이다. ❑放~; 허튼소리만 하다.

[诞辰] dànchén 명〈敬〉 생신. 탄신일.

[诞生] dànshēng 동 태어나다. 탄생하다. ❑~地; 탄생지 / ~石; 탄생석.

惮(憚) dàn (탄) 동〈書〉 꺼리다. 두려워하다. 기탄하다.

弹(彈) dàn (탄) 명 ①(~儿) 둥근 덩어리. ❑泥~儿; 진흙 덩어리. ② 탄환. 총알. ❑原子~; 원자탄. ⇒tán

[弹道] dàndào 명〖物〗 탄도. ❑~(式)导弹; 탄도 미사일.

[弹弓] dàngōng 명 탄궁(彈弓).

[弹头] dàntóu 명 탄두. ❑核hé~; 핵탄두.

[弹丸] dànwán 명 ① 탄궁의 탄환. ② 탄알. 탄환.

[弹药] dànyào 명 탄약. ❑~库; 탄약고.

[弹子] dàn·zǐ 명 ① 탄환. ②〈方〉 당구. ❑~房; 당구장 / ~台; 당구대.

淡 dàn (담) 형 ① (농도가) 엷다. 묽다. ❑墨汁太~了; 먹물이 너무 묽다. ② (맛이) 싱겁다. 심심하다. 단백하다. ❑菜做得太~了; 요리가 너무 싱겁게 됐다. ③ (색이) 엷다. 연하다. ❑~色的衣服; 연한 색 옷. ④ 냉담하다. 차갑다. ❑他~~地哼了一声; 그는 차갑게 콧방귀를 뀌었다. ⑤ (장사가) 불경기이다. 한산하다. ❑生意很~; 장사가 한산하다 ⑥ 쓸데없다. 시시하다. ❑扯~; 쓸데없는 말을 하다.

[淡泊] dànbó 동〈書〉 (마음이) 담담하여 욕심이 없다. 담박하게 대하다. ❑~名利; 명예와 이익에 담담하여 욕심이 없다.

[淡薄] dànbó 형 ① (운무 따위가) 엷다. ❑浓雾渐渐地~了; 짙은 안개가 점차 걷혔다. ② (맛이) 싱겁다. 담백하다. ❑味道~; 맛이 싱겁다. ③ (감정 따위가) 담담하다. 시들하다. ❑感情日渐~; 감정이 날로 시들해지다. ④ (인상·관념이) 희미하다. 어렴풋하다. ❑彼此的印象越来越~了; 서로의 인상이 점차 희미해졌다.

[淡季] dànjì 명 비수기. 오프시즌(off season). ❑旅游~; 여행 비수기.

[淡漠] dànmò 형 ① 열의가 없다. 냉담하다. ❑态度~; 태도가 냉담하다. ② (기억·인상이) 흐리다. 흐릿하다. ❑记忆~; 기억이 흐릿하다.

[淡水] dànshuǐ 명 담수. ❑~湖; 담수호 / ~鱼; 담수어.

[淡雅] dànyǎ 형 (색깔·모양 따위가) 산뜻하고 우아하다. ❑色彩~; 색채가 산뜻하고 우아하다.

[淡妆] dànzhuāng 명 엷은 화장. 동 연한 화장을 하다.

啖 dàn (담) 동〈書〉 ① 먹다. 먹이다. ❑健~; 밥을 잘 먹다. ② (이익으로) 사람을 꾀다.

氮 dàn (담) 명〖化〗 질소(窒素)(N: nitrogenium). ❑~肥; 질소 비료.

蛋 dàn (단) 명 ① (동물의) 알. ❑下~; 알을 낳다 / 鸭~; 오리알. ② (~儿) 알 모양의 것. ❑脸~儿; 뺨. ③ 〈罵〉 놈. 새끼. ❑坏~; 나쁜 놈.

[蛋白] dànbái 명 ① 난백(卵白). 알의 흰자위. =[卵白][蛋清qīng] ② 단백질. ❑动物~; 동물성 단백질. =[蛋白质]

[蛋白质] dànbáizhì 명 단백질. =[蛋白②]

[蛋糕] dàngāo 명 케이크(cake). ❑生日~; 생일 케이크.

[蛋羹] dàngēng 명 계란찜.

[蛋黄(儿)] dànhuáng(r) 명 노른자위. 노른자. 난황(卵黄). ❑ ~油; 난황유. =[卵黄]
[蛋黄酱] dànhuángjiàng 명 마요네즈(프 mayonnaise).
[蛋品] dànpǐn 명 난제품.
[蛋子] dàn·zi 명 알 모양의 것. ❑ 脸~; 뺨. 볼.

dang ㄉㄤ

当(當, 噹⑩) dāng (당) ① 동 상응하다. 걸맞다. 필적하다. ❑ 门~户对; 〈成〉 (혼담 따위에서) 가문이 서로 엇비슷하다. ② 조동 당연히 …해야 된다. ❑ 不~说; 말하면 안 된다. ③ 개 …을 향해. …을 마주 대하고. ❑ ~着女生说些不三不四的话; 여학생에게 너저분한 말을 하다. ④ 개 …에 임해서. …할 때에. ❑ 正~大家急得没办法的时候, 他来了; 모두가 급해서 어찌할 줄 몰라 하고 있을 때 그가 왔다. ⑤ 동 맡다. 담당하다. …이 되다. ❑ ~老师; 선생님을 하다 / ~下手; 부하가 되다. ⑥ 동 감당하다. 받아들이다. ❑ 不敢~; 천만의 말씀입니다. ⑦ 동 주관하다. 관리하다. ❑ ~家; ⇩ ⑧ 동〈書〉 막다. 저지하다. ❑ 螳臂~车; 〈成〉 사마귀가 앞발을 들어 수레를 막다《분수를 모르다》. ⑨ 명〈書〉 꼭대기. 끝. ❑ 瓜~; 오이·참외 따위의 꼭지. ⑩ 의 탕. 땅. 땡《금속 기물이 부딪치는 소리》. ⇒ dàng
[当兵] dāng∥bīng 동 군인이 되다. 군대에 가다. 입대하다.
[当场] dāngchǎng 부 그 자리에서. 즉석에서. 현장에서. ❑ ~出丑; 〈成〉 그 자리의 사람들에게 창피를 당하다 / ~演讲; 즉석 연설.
[当初] dāngchū 명 당초. 애초. 애당초. ❑ 你~就不该去; 너는 애당초 가지 말아야 했다.
[当代] dāngdài 명 당대. ❑ ~英雄; 당대의 영웅.
[当道] dāngdào 명 (~儿) 길 복판. 길 한가운데. 동〈貶〉 정권을 잡다. ❑ 奸臣~; 간신이 정권을 잡다.
[当地] dāngdì 명 (사람·사물이 있거나 일이 발생한) 당지. 그 지방. 현지. 현장. ❑ ~调查; 현지 조사 / ~人; 현지인.
[当机立断] dāngjī-lìduàn 〈成〉 때를 놓치지 않고 즉시 결단하다.
[当即] dāngjí 부 즉시. 바로. ❑ 受伤后, ~被送往医院; 부상을 당한 후 즉시 병원으로 이송되다.
[当家] dāng∥jiā 동 집안을 맡아보다. 살림을 꾸려 나가다. ❑ ~作主; 〈成〉 주인 노릇을 하다. (dāngjiā) 형 주요한. 주된. 대표적인. 가장 자신있는. ¶~菜; ⓐ 일반적인 채소. ⓑ(음식점의) 인기 요리. 대표 메뉴.
[当家的] dāngjiā·de 명〈口〉 ① 집안일을 책임지는 사람. 가장. ② (절의) 주지(住持). ③ 남편.
[当今] dāngjīn 명 ① 현재. 지금. ② 재위에 있는 황제.
[当局] dāngjú 명 당국. ❑ 政府~; 정부 당국.
[当局者迷, 旁观者清] dāngjúzhě mí, pángguānzhě qīng 〈諺〉 당사자보다 곁에서 보는 사람이 더 잘 안다.
[当啷] dānglāng 의 땡땡. 땡그랑 《금속 따위가 부딪치는 소리》.
[当面(儿)] dāng∥miàn(r) 부 얼굴을 맞대고. 마주 보고. 면전에서. ❑ ~撒谎; 면전에서 거짓말을 하다.
[当年] dāngnián 명 (과거의) 그 당시. 그해. ❑ 回想~; 그 당시를 회상하다. 동 한창때이다. 한창나이이다. 황금기이다. ❑ 他正在~; 그는 지금 한창때이다. ⇒ dàngnián
[当前] dāngqián 명 목전. 눈앞. 현재. ❑ ~形势; 눈앞의 형세. 동 직면하다. 눈앞에 닥치다.
[当权] dāng∥quán 동 권력을 장악하다. 집권하다. ❑ ~派; 집권파.
[当然] dāngrán 형 당연하다. 물론이다. 지당하다. ❑ 挨了批评, 心里难过是~的; 비판을 받고 마음이 괴로운 것은 당연하다. 부 당연히. 물론. ❑ 你没学~就不会; 네가 안 배웠으니 당연히 못하는 것이다.
[当日] dāngrì 명 그 당시. 그때. 그 날. ⇒ dàngrì
[当时] dāngshí 명 (과거의 어떤 일이 발생했던) 당시. 그때. ❑ ~的情况; 당시의 상황. ⇒ dàngshí
[当事人] dāngshìrén 명 ① 당사

자. ②〖法〗 소송 당사자.

[当头棒喝] dāngtóu-bànghè 〈成〉 일침을 가하다. 따끔하게 경고[충고]하다.

[当务之急] dāngwùzhījí 〈成〉 당장의 급선무.

[当心] dāngxīn 동 조심하다. 주의하다. ❏～火车; 기차를 조심해라. 명〈方〉① 가슴 한복판. ②〈比〉 한가운데. 한복판. ❏场院～; 마당 한복판.

[当选] dāngxuǎn 동 당선하다. ❏他～为总统; 그는 대통령에 당선되었다.

[当政] dāngzhèng 동 정권을 장악하다. 집정(執政)하다.

[当中] dāngzhōng 명 ① 한가운데. 한복판. ❏～放着饭桌; 한가운데에 식탁이 놓여 있다. ②(시간·범위·길이 따위의) 중간. 가운데. 사이. ❏教师～他最年轻; 교사 중에서 그가 제일 젊다.

[当众] dāngzhòng 부 여러 사람 앞에서. 대중 앞에서. ❏～出丑; 사람들 앞에서 추태를 부리다.

裆(襠) dāng (당) 명 ① 바짓가랑이. ② 가랑이 사이.

铛(鐺) dāng (당) 의 당. 탕. 쨍《금속이 부딪치는 소리》. ❏听见～的一声; 쨍하는 소리를 듣다.

挡(擋) dǎng (당) ① 동 가로막다. 막다. 차단하다. ❏～道; 길을 막다 / ～风; 바람을 막다. ② 동 덮다. 가리다. ❏高楼～了窗户; 빌딩이 창문을 가렸다. ③(～儿) 명 ⇒[挡子] ④ 명〖機〗〈簡〉 기어. ❏高速～; 고속 기어. ＝[排pái挡]

[挡驾] dǎng//jià 동〈婉〉 방문을 사절하다.

[挡箭牌] dǎngjiànpái 명 ①(화살막이) 방패. ②〈比〉 책임 회피의 구실. 숨기거나 속이기 위한 핑계.

[挡子] dǎng·zi 명 가리개. 덮개. ＝[挡子③]

党(黨) dǎng (당) ① 명 당. 정당《중국에서는 주로, 공산당을 말함》. ❏入～; 입당하다. ② 명 (이해관계로 결성된) 집단. 도당. ❏结～营私; 〈成〉 도당을 짜고 사리(私利)를 꾀하다. ③ 동〈書〉 치우치다. 편들다. ❏～同伐异; ⇩

[党报] dǎngbào 명 당 기관지. 당보.

[党籍] dǎngjí 명 당적. ❏开除～; 당적을 박탈하다.

[党纪] dǎngjì 명 당의 기율.

[党派] dǎngpài 명 당파. ❏～争斗; 당파 싸움.

[党同伐异] dǎngtóng-fáyì 〈成〉 자신과 견해가 같으면 비호하고 다르면 배척한다.

[党徒] dǎngtú 명〈貶〉 어떤 집단이나 당파에 참여한 사람.

[党委] dǎngwěi 명 당위원회.

[党羽] dǎngyǔ 명〈貶〉(집단·파벌의) 구성원.

[党员] dǎngyuán 명 당원.

[党证] dǎngzhèng 명 당원증.

当(當) dàng (당) ① 형 적당하다. 타당하다. ❏处理不～; 처리가 부당하다. ② 동 …에 필적하다. …에 상당하다. ❏一个～俩; 하나가 둘에 필적하다. ③ 동 …라고 간주하다. …로 삼다. …인 셈 치다. ❏把真～假; 진실을 거짓으로 간주하다 / 把面包～午饭吃; 식빵을 점심으로 먹다. ④ 동 …라고 생각하다. …라고 여기다. ❏我～你回国了呢; 나는 네가 귀국한 줄 알았어. ⑤ 명 바로 그때(에). ❏～天; ⇩ ⑥ 형 같은. 동일한. 자기 쪽의. ❏～家子; 동성(同姓)의 친족. 본가(本家). ⑦ 동 저당 잡히다. ❏～铺; ⇩ ⇒ dāng

[当成] dàngchéng 동 ⇒[当dàng作]

[当年] dàngnián 명 당년. 그 해. 같은 해. ❏～的活儿就应～干完; 그 해의 일은 그 해에 끝마쳐야 한다. ⇒ dāngnián

[当票] dàngpiào 명 전당표.

[当铺] dàng·pù 명 전당포.

[当日] dàngrì 명 ⇒[当dàng天] ⇒ dāngrì

[当时] dàngshí 부 바로. 즉시. 즉각. ❏明天去了, ～就能买到票; 내일 가면 바로 표를 살 수 있다. ⇒ dāngshí

[当天] dàngtiān 명 당일. 같은 날. 그 날. ❏～去～回来; 당일치기로 갔다 오다. ＝[当dàng日]

[当头] dàng·tou 명〈口〉 전당품(典當品).

[当真] dàngzhēn 동 정말로 받아들이다. 곧이듣다. ❏他随便说一

句, 你就~了? 그가 아무렇게나 한 말인데, 너는 그걸 곧이들었느냐? 부 정말. 진짜. ❏他说来, ~就来了; 그가 오겠다고 하더니 정말로 왔다.

[当作] dàngzuò 동 …으로 간주하다. …으로 생각하다. …으로 여기다. ❏她把这孤儿~亲闺女看待; 그녀는 이 고아를 친딸처럼 대한다. =[当dàng成][当做]

档(檔) dàng (당) 명 ①(격자로 짠) 선반. 장((주로, 서류를 보관하는 데 쓰임)). ②(각 기관에 보관하는) 서류. 문서. ❏查~; 서류를 조사하다. ③(~儿) (가구 따위의) 가로대. 가로장. ④(상품·생산품의) 등급. ❏高~; 고급.

[档案] dàng'àn 명 (분류하여 보관해 놓은) 문서. 서류. 파일. ❏人事~; 인사 파일.

[档次] dàngcì 명 (품질 따위의) 등급. 등차. ❏不同~的商品; 서로 다른 등급의 상품.

荡(蕩) dàng (탕) ①동 흔들리다. 흔들려 움직이다. 흔들다. ❏~秋千; 그네를 뛰다. ②동 어슬렁거리다. 빈둥거리다. ❏游~; 어슬렁거리다. ③동 씻다. ❏冲~; 물을 끼얹어 씻다. ④동 모두 없애다. 일소(一掃)하다. ❏倾家~产; 〈成〉 재산을 모두 탕진하다. ⑤형 방탕하다. 방종하다. ❏淫~; 음탕하다. ⑥명 늪. 얕은 호수.

[荡涤] dàngdí 동 씻어 내다. 세척하다.

[荡漾] dàngyàng 동 (물·파도·공기·노랫소리 따위가) 넘실거리다. 물결치다. 출렁이다. 울리다. ❏~着他的歌声; 그의 노랫소리가 울려 퍼지고 있다.

dao ㄉㄠ

刀 dāo (도) ①명 칼. ❏一把~; 칼 한 자루. ②명 칼 모양의 것. ❏瓦~; 기와를 이을 때 쓰는 흙손. ③양 종이를 세는 말((보통 100장을 '一~'라고 함)). ❏三~纸; 종이 300장.

[刀把儿] dāobàr 명 ①칼자루. ②〈比〉 권력. 힘. ③〈比〉 약점. 꼬투리. ‖ =[刀把子]

[刀背(儿)] dāobèi(r) 명 칼등.

[刀锋] dāofēng 명 칼끝. =[刀尖]

[刀具] dāojù 명〖機〗 절삭 공구. =[刃rèn具]

[刀口] dāokǒu 명 ①칼날. ❏~锋利; 칼날이 예리하다. ②〈比〉 가장 요긴[중요]한 곳. ❏人才要用在~上; 인재는 가장 중요한 일에 써야 한다. ‖ =[刀刃(儿)] ③수술한 자리. 칼에 벤 자리.

[刀鞘] dāoqiào 명 칼집.

[刀刃(儿)] dāorèn(r) 명 ⇨[刀口①②]

[刀山火海] dāoshān-huǒhǎi 〈成〉 칼을 꽂은 산과 불바다((몹시 험난한 곳)).

[刀削面] dāoxiāomiàn 명 칼국수. =[削面]

[刀鱼] dāoyú 명〈方〉 ⇨[带鱼]

[刀子] dāo·zi 명 작은 칼.

叨 dāo (도) →[叨叨][叨唠] ⇒tāo

[叨叨] dāo·dao 동〈口〉 재잘재잘 지껄이다. 쉴 새 없이 떠들어 대다.

[叨唠] dāo·lao 동〈口〉 쉴 새 없이 지껄여 대다. 이러쿵저러쿵 끝도 없이 떠들어 대다.

导(導) dǎo (도) 동 ①이끌다. 인도하다. ❏~向胜利; 승리로 이끌다. ②〖物〗 전도(傳道)하다. ❏~电; ⇩ ③가르쳐 지도하다. ❏指~; 지도하다. ④연출(演出)하다. 감독하다. ❏~戏; 연극을 연출하다.

[导弹] dǎodàn 명〖軍〗 유도탄. 미사일.

[导电] dǎodiàn 동〖物〗 전기를 전도하다. 전기가 통하다. ❏木头不~; 나무는 전기가 통하지 않는다.

[导航] dǎoháng 동 비행기·기선의 항행을 유도하다. ❏~台; 관제탑.

[导火线] dǎohuǒxiàn 명 ①도화선. ②〈比〉 사건 발생의 직접 원인. ‖ =[导火索suǒ]

[导师] dǎoshī 명 ①지도 교사. ②지도자. 선각자.

[导体] dǎotǐ 명〖物〗 도체.

[导向] dǎoxiàng 동 ①(어떤 방면으로) 나아가다. 발전하다. ❏这次会谈~两国关系的正常化; 이번 회담은 양국 관계의 정상화 방향으로 나가고 있다. ②(방향을) 인도하다. 유도하다. ❏火箭的~性能; 로켓의 방향 유도 성능. 명 유도하

는 방향. 이끄는 방향.

[导言] dǎoyán 명 ⇨[绪xùlùn]

[导演] dǎoyǎn 〔劇〕 명 (영화) 감독. (극의) 연출가. 동 감독하다. 연출하다.

[导游] dǎoyóu 동 여행자를 안내하다. 가이드하다. ❏ ~小册; 관광 가이드북. 명 관광 가이드.

[导致] dǎozhì 동 (안 좋은 결과를) 야기하다. 불러일으키다. 초래하다. ❏ ~灭亡; 멸망을 야기하다.

岛(島) dǎo (도)
명 섬.

[岛国] dǎoguó 명 섬나라.

[岛屿] dǎoyǔ 명 도서(島嶼). 섬.

捣(搗) dǎo (도)
동 ① (절굿공이로) 찧다. 빻다. ❏ ~米; 쌀을 찧다. ② (막대·주먹으로) 치다. 두들기다. ❏ ~衣; (빨랫방망이로) 옷을 두들기다. ③ 괴롭히다. 귀찮게 굴다.

[捣蛋] dǎo∥dàn 동 소란을 피우다. 귀찮게 굴다. 말썽을 피우다. ❏ 调皮~; 짓궂게 장난치다.

[捣鬼] dǎo∥guǐ 동 몰래 못된 짓을 하다. 음모를 꾸미다. ❏ 都是他在背后~; 모두 그가 뒤에서 음모를 꾸민 것이다.

[捣毁] dǎohuǐ 동 쳐부수다. 파괴하다. 때려 부수다. ❏ ~匪巢; 비적의 소굴을 쳐부수다.

[捣乱] dǎo∥luàn 동 ① 교란하다. 소란을 피우다. 말썽을 피우다. ❏ 谁在会场~; 누군가가 회의장에서 소란을 피우고 있다. ② (일부러) 귀찮게 하다. 성가시게 하다.

倒 dǎo (도)
동 ① 쓰러지다. 넘어지다. 자빠지다. ❏ 他喝醉了~在地上; 그는 술에 취해 바닥에 쓰러졌다. ② 파산하다. 망하다. ❏ 这家旅馆已~了十几年了; 이 여관은 망한 지 벌써 십여 년이 되었다. ③ (정부·주요 인물 따위를) 쓰러뜨리다. 타도하다. 붕괴시키다. ❏ ~阁; 내각을 무너뜨리다. ④ 바꾸다. 변경하다. ❏ ~车; ⇓ ⑤ 움직이다. 옮기다. ❏ 这些家具已~过一次了; 이 가구들은 이미 한 번 옮겼었다. ⑥ 넘기다. 양도하다. ❏ 此铺出~; 이 점포를 양도합니다《게시문》. ⑦ 저가로 사들이고 고가로 팔아 이익을 취하다. ❏ ~汇; ⇓ ⇒ dào

[倒把] dǎobǎ 동〔經〕 공거래하다. 차금 매매 하다.

[倒班(儿)] dǎo∥bān(r) 동 교대하다. 당직을 바꾸다.

[倒闭] dǎobì 동 (상점·회사·기업체 따위가) 파산하다. 도산하다. ❏ 银行~了; 은행이 파산했다.

[倒茬] dǎochá 동 ⇨[轮作]

[倒车] dǎo∥chē 동 차를 갈아타다. ❏ 这是直达列车, 中间不用~; 이것은 직통 열차니 중간에 갈아탈 필요가 없다. ⇒ dào∥chē

[倒戈] dǎo∥gē 동 적에게 투항하여 도리어 자기편을 공격하다.

[倒汇] dǎo∥huì 동〔經〕 환(換)투기를 하다.

[倒嚼] dǎojiào 동〈口〉 ⇨[反刍①]

[倒买倒卖] dǎomǎi-dǎomài 〈成〉 저가로 사들이고 고가로 팔아 이익을 취하다. 투기 활동을 하다.

[倒霉] dǎo∥méi 형 ① 운 나쁘다. 운수 사납다. 재수 없다. ❏ 真~, 又错过机会了! 정말로 재수 없게도 또 기회를 놓치고 말았네! ② 〈俗〉 생리하다.

[倒手] dǎo∥shǒu 동 ① 손을 바꿔 쥐다. ❏ 烤白薯烫得她直~; 군고구마가 뜨거워서 그녀는 계속 손을 바꿔 쥐었다. ② 이 사람 손에서 저 사람 손으로 넘기다. ❏ ~转卖; 전매(轉賣)하다.

[倒塌] dǎotā 동 (건물이) 붕괴하다. 무너지다.

[倒台] dǎo∥tái 동 ⇨[垮kuǎ台]

[倒胃口] dǎo wèi·kou ① 많이 먹어서 물리다. ②〈比〉 진절머리가 나다. 신물이 나다. 질리다.

[倒账] dǎozhàng 명 떼인 외상값. 동 외상값을 떼어먹다.

祷(禱) dǎo (도)
동 빌다. 기도하다.

[祷告] dǎogào 동 (보우해 주실 것을) 신께 빌다. 기도하다. ❏ ~上帝; 하나님께 기도하다.

[祷文] dǎowén 명 기도문. ❏ 主~; 주기도문.

蹈 dǎo (도)
동 ① (발로) 밟다. 디디다. ② 껑충껑충 뛰다. ❏ 手舞足~; 〈成〉 손발을 움직이며 춤추다《크게 기뻐하다》.

到 dào (도)
① 동 (어떤 장소·지점에) 도착하다. 닿다. 출석하다. ❏ 火车~北京了; 기차가 베이징에 도착했다 / ~! 네!《출석 부를 때의 대답》. ② 동 (어떤 정도·단계·시간에) 도

달하다. 이르다. 되다. ❑ ~了一个新阶段; 새로운 단계에 이르렀다 / ~现在还没消息; 지금까지 아직 소식이 없다. ③ 동 …로 가다. ❑ 今晚~饭店去住吧; 오늘 밤은 호텔에 가서 묵자. ④ 동 동사 뒤에 쓰여 동작의 결과를 나타냄. ❑ 接~了他的来信; 그의 편지를 받았다. ⑤ 형 빈틈없다. 주도(周到)하다. ❑ 不~之处; 미흡한 부분.

[到场] dào//chǎng 동 (어떤 활동이 있는 장소에) 참석하다.

[到处] dàochù 부 도처. 곳곳마다. 어디나. 여기저기. ❑ ~受欢迎; 어디에서나 환영받다.

[到达] dàodá 동 ① (어떤 장소·지점에) 도착하다. ❑ ~目的地; 목적지에 도착하다. ② (어떤 단계에) 도달하다. 이르다. ❑ ~炉火纯青的境界; 최고의 경지에 이르다.

[到底] dàodǐ 부 ① 도대체. 대체. 대관절. ❑ 你~同意不同意? 대관절 너는 찬성하는 거냐 반대하는 거냐? ② 결국. 드디어. ❑ 用了两天的时间, 他~把自行车修理好了; 이틀 걸려서 그는 드디어 자전거를 다 고쳤다. ③ 아무래도. 역시. 과연. ❑ ~还是小孩子, 嘴里没有轻重; 아무래도 아직 어린애라, 말에 분별력이 없다. (dào//dǐ) 동 마지막까지 …하다. 끝까지 …하다. 철저하게 하다. ❑ 抗战~; 끝까지 항전하다.

[到家] dào//jiā 형 수준이 높다. 뛰어나다. ❑ 这菜做得很~; 이 요리는 정말 잘 만들었다.

[到来] dàolái 동 닥쳐오다. 도래하다. ❑ 统一祖国的日子是一定会~的; 조국이 통일될 날은 반드시 올 것이다.

[到期] dào//qī 동 기한이 되다. ❑ ~债务; 만기 도래 채무.

[到手] dào//shǒu 동 손에 넣다. 손에 들어오다. 입수하다. 획득하다.

[到头(儿)] dào//tóu(r) 동 끝에 이르다. 끝까지 가다. 한계점에 이르다. ❑ 物价贵~; 물가가 최고점에 다다르다 / 一年~; 일 년 내내.

[到头来] dàotóulái 부 결국은. 마침내(《주로, 안 좋은 방면에 쓰임》). ❑ ~都是一句空话; 결국 모두 빈 말이다.

倒

dào (도)
A) ① 동 (위치가) 반대로 되다. 뒤집다. 뒤집히다. 거꾸로 되다[하다]. ❑ 顺序弄~了; 순서를 뒤바꿨다. ② 형 (위치·순서·방향 따위가) 반대이다. 거꾸로이다. ③ 동 반대 방향으로 이동시키다. 후진시키다. ❑ ~车; ⇩ ④ 동 (액체 모양의 것을) 붓다. 따르다. 쏟다. ❑ ~茶; 차를 따르다 / 我把心里话都~给他了; 나는 마음속의 말을 그에게 다 털어놓았다. B) 부 ① 도리어. 오히려(《예측이나 일반 상식에 반대되는 뜻을 나타냄》). ❑ 春天到了, 天气~冷起来了; 봄이 되었는데 날씨는 도리어 추워졌다. ② 오히려. 어쩌면(《역설적인 어기》). ❑ 这么办~好; 이렇게 하는 것이 오히려 좋다. ③ 양보를 나타냄. ❑ 穿上~合适, 但颜色深了点; 입으면 어울리기는 한데, 색이 좀 진하다. ④ 재촉이나 힐문을 나타냄. ❑ 你~快点吃呀; 빨리 좀 먹어라. ⑤ 어기를 완화시키는 역할을 함. ❑ 他说这话~不是有意伤害你; 그가 이 말을 하는 것은 고의로 너에게 상처를 주려는 것이 아니다. ‖ =[倒是] ⇒ dǎo

[倒彩] dàocǎi 명 ⇨[倒dào好儿]

[倒车] dào//chē 동 차를 후진시키다. ❑ 车倒了五米; 차가 5미터 후진했다. ⇒ dǎo//chē

[倒刺] dàocì 명 ① 손거스러미. ② (낚싯바늘의) 미늘.

[倒打一耙] dàodǎ-yīpá 〈成〉 잘못을 시인하지 않을 뿐 아니라, 도리어 상대방에게 되받아 쏘아붙이다.

[倒好儿] dàohǎor 명 관중이 던지는 야유. ❑ 喊~; 야유를 던지다. =[倒彩]

[倒计时] dàojìshí 동 초읽기하다. 카운트다운(countdown)하다. ❑ 进入~阶段 ; 초읽기 단계에 들어가다.

[倒立] dàolì 동 ① 거꾸로 서다. ② ⇨[拿顶]

[倒是] dàoshì 부 ⇨[倒B)]

[倒数] dàoshǔ 동 거꾸로 세다. 뒤에서부터 세다. ❑ ~第三行; 뒤에서 셋째 줄.

[倒退] dàotuì 동 거슬러 올라가다. 뒤로 물러나다. ❑ ~十几年; 10여 년 전으로 거슬러 올라가다 / ~几步; 몇 발자국 뒤로 물러서다.

[倒行逆施] dàoxíng-nìshī 〈成〉 시류에 역행하다.

[倒序] dàoxù 명 역순. ❑ ~词典;

D

역순 사전. =[逆序]

[倒影(儿)] dàoyǐng(r) 명 거꾸로 비치는 그림자.

[倒栽葱] dàozāicōng 명 곤두박이. 곤두박질. ❏摔个~; 곤두박질하다.

[倒置] dàozhì 동 거꾸로 놓이다. 전도되다. ❏本末~; 〈成〉 본말이 전도되다.

[倒座儿] dàozuòr 명 (기차나 배의) 진행 방향과 반대가 되는 좌석.

悼 dào (도)
동 애도하다.

[悼词] dàocí 명 조사(弔辭). 추도사. =[悼辞]

[悼念] dàoniàn 동 애도하다. 추모하다. ❏~死者; 죽은 자를 추모하다.

盗 dào (도)
동 ① 훔치다. 도둑질하다. ② (재물을) 약탈하다. 강탈하다.

[盗版] dàobǎn 명 해적판. 불법 복제물. (dào//bǎn) 동 해적판을 내다. 불법 복제물을 만들다.

[盗匪] dàofěi 명 무법자. 강도. 도적. 깡패《폭력으로 재물을 빼앗고 사회 치안을 어지럽히는 사람》.

[盗汗] dào//hàn 동 〖中醫〗 잠잘 때 식은땀을 흘리다.

[盗掘] dàojué 동 도굴하다. ❏~古墓; 고분을 도굴하다.

[盗猎] dàoliè 동 밀렵하다.

[盗卖] dàomài 동 (공공물을) 훔쳐서 팔아먹다. ❏~公物; 공공물을 훔쳐서 팔아먹다.

[盗墓] dào//mù 동 무덤을 도굴하다. ❏~贼; 도굴범.

[盗窃] dàoqiè 동 절도하다. ❏~案; 절도 사건 / ~犯; 절도범 / ~癖; 도벽. =[偷窃]

[盗用] dàoyòng 동 도용하다. ❏ ~他人名义; 남의 명의를 도용하다.

[盗贼] dàozéi 명 도적.

道 dào (도)
① (~儿) 명 길. 도로. ❏这条~直通北京站; 이 길은 베이징역으로 바로 통한다. ② 명 수로(水路). 흐름. ❏水~; 수로. ③ 명 방향. 방법. 이치. ❏养生之~; 양생법. ④ 명 도덕. ❏~义; ⇩ ⑤ 명 기예. 기술. ❏医~; 의술. ⑥ 명 학술이나 종교의 사상 체계. ❏传~; 전도하다. ⑦ 명 도교(道教)에 관한 것. ⑧ (~儿) 명 줄. 선(線). ❏红~儿; 붉은 줄. ⑨ 양 ㉠ 가느다란 선상(線狀)의 것을 세는 말. ❏一~白线; 흰 줄 하나. ㉡ 문·벽·관문 따위를 세는 말. ❏一~围墙; 담 하나. ㉢ 명령·표제·문제 따위를 세는 말. ❏错一~题; 한 문제 틀리다. ㉣ 횟수를 세는 말. ❏经过好几~手续; 여러 차례의 수속을 거치다. ⑩ 동 말하다. 말로 나타내다. ❏~出实情; 실정을 말하다. ⑪ 동 …라고 생각하다. ❏我~是谁呢, 原来是你; 누군가 했더니 너였구나.

[道不拾遗] dàobùshíyí 〈成〉 ⇨[路不拾遗]

[道德] dàodé 명 도덕. 윤리. ❏~松懈; 도덕적 해이. 형 도덕적이다. 윤리적이다. ❏不~的行为; 부도덕한 행위.

[道地] dàodì 형 ⇨[地道dì·dao① ②]

[道观] dàoguàn 명 도교(道教)의 사원. =[道院①]

[道贺] dàohè 동 ⇨[道喜]

[道家] Dàojiā 명〖哲〗도가.

[道教] Dàojiào 명〖宗〗도교.

[道具] dàojù 명〖劇〗 도구. 소도구.

[道理] dào·lǐ 명 ① (사물의) 이치. 규칙. ② 일리. 이치. 사리. ❏他的话很有~; 그의 말은 매우 일리가 있다. ③ 방법. 대책. 생각. 계획.

[道路] dàolù 명 ① 도로. 길. ❏~两旁; 길 양쪽. ② 통로. ③ (추상적인 의미의) 길. 노선. 진로. ❏人生~; 인생길.

[道貌岸然] dàomào-ànrán 〈成〉 범하기 어려운 용모《주로, 야유·풍자의 어감으로 쓰임》.

[道歉] dào//qiàn 동 사과하다. 사죄하다. 미안함을 표시하다. ❏他已~; 그가 이미 사과했다.

[道琼斯股票指数] Dào-Qióngsī gǔpiào zhǐshù 명〖經〗〈音〉 다우존스(Dow Jones) 주가 지수.

[道士] dào·shi 명 도사(道士).

[道听途说] dàotīng-túshuō 〈成〉 항간에 들리는 소리. 떠도는 소문.

[道喜] dào//xǐ 동 축하하다. =[道贺]

[道谢] dào//xiè 동 감사의 말을 하다. 감사 인사를 하다.

[道义] dàoyì 명 도덕과 정의. 도의.

[道院] dàoyuàn 명 ① ⇨[道观] ② 수도원.

稻 dào (도)
명〔植〕벼.

[稻草] dàocǎo 명 짚. 볏짚.

[稻草人] dàocǎorén 명 ① 허수아비. ②〈比〉실제적인 능력이나 힘이 없는 사람.

[稻田] dàotián 명 논. 무논.

[稻子] dào·zi 명〔植〕벼.

de ㄉㄜ

得 dé (득)
① 동 얻다. 획득하다. ❏ 取~; 획득하다. ② 동 (계산의 결과로) …이 되다. ❏ 四乘四~十六; 4 곱하기 4는 16이다. ③ 형 잘 어울리다. 적합하다. 알맞다. ❏ 他们俩很相~; 그들 두 사람은 마음이 잘 맞는다. ④ 동 득의하다. 만족하다. ❏ 扬扬自~;〈成〉의기양양하다. ⑤ 동〈口〉완성되다. 다 되다. ❏ 饭~了; 밥이 다 됐다. ⑥ 동〈口〉좋다. 됐다《말을 일단락 지을 때 동의나 금지를 나타냄》. ❏ ~, 就这么决定了; 좋다, 그렇게 결정하자. ⑦ 동〈口〉큰일이다《상황이 뜻과는 다르게 진행될 때 쓰는 말》. ❏ ~, 又迟到了; 큰일이다, 또 늦었다. ⑧ 조동 …해도 좋다. …하는 것이 허용되다《다른 동사 앞에서 허가를 나타냄》. ❏ 不~吸烟; 담배를 피워서는 안 된다. ⑨ 조동〈方〉…할 수 있다《동사 앞에서 가능성·타당성을 나타냄》. ❏ 令人哭笑不~; 울 수도 웃을 수도 없게 만들다. ⇒ ·de děi

[得病] dé//bìng 동 병에 걸리다.

[得不偿失] débùchángshī〈成〉득보다 실이 많다.

[得逞] déchěng 동 (음모 따위가) 실현되다. 달성하다. ❏ 阴谋未能~; 음모는 실현될 수 없다.

[得宠] dé//chǒng 동〈貶〉총애를 얻다.

[得寸进尺] décùn-jìnchǐ〈成〉한도 끝도 없이 욕심을 내다.

[得当] dédàng 형 합당하다. 타당하다. ❏ 分配~; 분배가 타당하다.

[得到] dé//dào 동 얻다. 받다. 손에 넣다. ❏ ~奖状; 표창장을 받다 / ~好机会; 좋은 기회를 얻다.

[得法] défǎ 형 방법이 알맞다. 알맞은 방법을 쓰다. ❏ 你学习不~; 너의 학습 방법은 잘못되었다.

[得分] dé//fēn 동 득점하다. 점수를 따다[얻다]. (défēn) 명 득점. 점수.

[得过且过] déguò-qiěguò〈成〉① 그날그날 지내다. 되는대로 지내다. ② (업무 따위를) 되는대로 처리하다. 대강대강 하다.

[得奖] dé//jiǎng 동 상을 받다. 입상하다. ❏ 得了一等奖; 일등상을 받았다 / ~人; 수상자.

[得了] dé·le 조 다 되다. 끝내다. ❏ 做~; 다 됐다. 동 좋다. 됐다《상대의 말에 동의하거나 저지할 때 쓰임》. ❏ 那就~; 그렇다면 됐다.

[得力] dé//lì 동 도움을 받다. 힘을 얻다. ❏ 此行~于汽车不少; 이번 여행은 자동차의 도움을 꽤 많이 받았다. (délì) 형 ① 쓸모 있다. 능력 있다. 유능하다. ❏ ~助手; 능력 있는 조수. ② 강력하다. 영향력 있다. ❏ ~的领导; 강력한 지도.

[得胜] dé//shèng 동 승리를 얻다. 이기다.

[得失] déshī 명 ① 득실. ② 이해(利害). 좋은 점과 나쁜 점.

[得势] dé//shì 동〈貶〉득세하다.

[得手] dé//shǒu 동 순조롭게 되다. 뜻대로 이루어지다. (déshǒu) 형 쓰기 편리하다. 쓰기 좋다.

[得数] déshù 명 ⇨[答dá数]

[得体] détǐ 형 (말이나 행동이) 격식에 맞다. 신분에 적합하다.

[得天独厚] détiāndúhòu〈成〉특수하고 월등한 조건을 가지다. 남달리 좋은 조건을 가지다.

[得心应手] déxīn-yìngshǒu〈成〉자유자재로 일을 해내다.

[得宜] déyí 형 적절하다. 적당하다. ❏ 措置~; 조치가 적절하다.

[得益] déyì 동 이익을 얻다. 덕을 보다.

[得意] déyì 형 ① 마음에 들다. 만족하다. ❏ 我最~这个; 나는 이것이 제일 마음에 든다. ② 득의양양하다. ❏ ~扬扬 =[~洋洋];〈成〉의기양양하다. 득의양양하다 / ~忘形;〈成〉득의양양하여 자기의 처지를 망각하다.

[得用] déyòng 형 쓸모 있다. 쓸만하다. 능력 있다. 솜씨 있다.

[得志] dé//zhì 동 뜻을 이루다.

[得主] dézhǔ 명 수상자.

[得罪] dé·zuì 동 실례가 되다. 기

분을 상하게 하다. ❑他坚持原则, ~了一些人; 그는 끝까지 원칙을 고수하여 몇몇 사람들의 기분을 상하게 했다.

德 **dé** (덕)
명 ① 도덕. 덕. ② 은혜. 혜택. ❑以~报怨; 〈成〉 덕으로 원한을 갚다. ③ 마음. ❑离心离~; 〈成〉 마음이 제각기 흩어지다.

[德才兼备] décái-jiānbèi 〈成〉 재능과 덕을 함께 갖추다.

[德高望重] dégāo-wàngzhòng 〈成〉 덕이 높고 성망이 있다.

[德国] Déguó 명〔地〕 독일.

[德望] déwàng 명 덕망.

[德行] déxíng 명 덕행.

[德育] déyù 명 덕육. 도덕 교육.

地 **·de** (지)
조 어떤 단어나 절의 뒤에 붙어 그것이 동사와 형용사를 수식하는 부사어임을 나타냄(쌍음절 형용사의 뒤에 붙는 경우는 생략 가능함). ❑得意洋洋~回家; 의기양양하게 집으로 돌아가다 / 鸟突~飞了; 새가 푸드득 하고 날았다. ⇒ dì

的 **·de** (적)
조 ① 한정어의 뒤에 붙이는 말. ㉠한정어와 중심어의 관계가 보통의 수식 관계에 있음. ❑聪明~姑娘; 똑똑한 아가씨. ㉡한정어와 중심어의 관계가 영속 관계에 있음. ❑他~照相机; 그의 사진기. ㉢한정어가 인명 또는 인칭 대명사로 중심어가 직무 또는 신분을 가리키는 명사일 때 그 사람의 직무·신분을 나타냄. ❑明天举行集体婚礼, 是王厂长~证婚人; 내일 합동 결혼식이 있는데 왕 공장장이 주례이다. ㉣한정어가 사람을 가리키는 명사 또는 인칭 대명사로 중심어가 앞의 동사와 합쳐서 하나의 뜻을 나타낼 때, 그 사람이 그 동작의 대상임을 나타냄. ❑明天我一定去帮你~忙; 내일 내가 꼭 가서 너를 도와주마. ② 중심어를 취하지 않고 '的'로 끝내어 체언화하는 조사. ㉠사람이나 사물을 생략할 경우. ❑他爱吃甜~; 그는 단것을 잘 먹는다. ㉡직업·신분이나 일상의 생활용품을 가리킴. ❑穿~; 입을 것 / 卖菜~; 채소 장수. ㉢'是'와 호응하여 사람·사건·장소·방법 따위를 강조함. ❑他是坐飞机来~; 그는 비행기를 타고 왔다. ㉣상황을 강조함. ❑无缘无故~, 你发什么愁~? 너는 아무 이유도 없이 뭘 그렇게 걱정하느냐? ㉤주어와 일치되는 인칭 대명사에 붙여서 동사 뒤에 놓아 그 사람과 어떤 일이 관계가 없음을 나타냄. ❑今天的会你不用参加, 你只管玩儿你~去; 오늘 모임에 너는 참석할 필요 없으니 네 볼일이나 봐라. ㉥같은 동사·형용사 사이에 끼워 두 개 이상을 이어서 각각의 동작이나 상태를 나타냄. ❑说~说, 笑~笑; 이야기하는 사람은 이야기하고 웃는 사람은 웃는다. ③ 술부의 동사의 뒤 또는 문말에 사용하여 그 동작을 행하는 사람·시간·장소·방법 따위를 강조함(과거의 일에 한함). ❑昨天你什么时候找~我? 어제 언제 나를 찾았었니? ④ 평서문의 문말에 붙여 긍정·확인의 뜻을 더함. ❑他会来~; 그는 올 것이다. ⇒ dī dí dì

[的话] ·dehuà 조 …하다면. …이면(문장 첫머리에 '如果'·'要是' 따위의 접속사가 붙어 호응하기도 함). ❑明天有空~, 我就去; 내일 시간 있으면 내가 가겠다.

得 **·de** (득)
조 ① 단음절 동사 뒤에 붙어서 가능을 나타냄. ❑她去~, 我也去~; 그녀가 갈 수 있으면, 나도 갈 수 있다. ② 동사와 보어의 중간에 붙어서 가능을 나타냄(부정을 할 때는 '得' 대신 '不'를 사용함). ❑拿~动; 들어서 옮길 수 있다. ③ 동사·형용사의 뒤에 붙어서, 그 결과나 정도를 나타내는 보어를 유도함. ❑汉语说~很流利; 중국어를 매우 유창하게 한다. ④ 일정한 동사 뒤에 붙어서 동작이 이미 완료됨을 나타냄. ❑他坐~楼上看街上的热闹; 그는 2층에 앉아서 거리의 북적거리는 모습을 보고 있다. ⑤ '동사+목적어' 구조의 뒤에 붙어서 결과나 정도를 나타냄(반드시 동사를 중복하여 사용해야 함). ❑他弹琴弹~好极了; 그는 거문고 연주를 매우 잘한다. ⇒ dé děi

dei ㄉㄟ

得 **děi** (득)
① 조동 〈口〉 (시간이나 돈이) 들다. 걸리다. 필요하다. ❑至少~一千块钱; 적어도 천 위안은 든다. ② 조동 〈口〉 …해야 한다. …하지

않으면 안 된다. ❑ 遇事～跟大家商量; 일이 생기면 다 함께 의논해야 한다. ③ 조동〈口〉 …임에 틀림없다. ❑ 准～修沟; 수로를 만들 것임이 틀림없다. ④ 형〈方〉 극히 만족하다. 지극히 좋다. 흡족하다. ❑ 家里的饭吃着～呀; 집의 밥이 맛이 있다. ⇒ dé·de

deng ㄉㄥ

灯(燈) dēng (등) 명 ① 등. 등불. 전등. ❑ 开～; 전등을 켜다 / 关～; 전등을 끄다. ② 가열용 연소기. 버너. 램프. ❑ 酒精～; 알코올 램프.
[灯光] dēngguāng 명 ① 등불. 불빛. ②〖劇〗 (무대의) 조명. ❑ ～师; 조명 기사.
[灯火] dēnghuǒ 명 등화. 등불.
[灯节] Dēngjié 명 ⇨[元宵节]
[灯具] dēngjù 명 조명 기구.
[灯亮儿] dēngliàngr 명〈口〉 등불. 불빛.
[灯笼] dēng·long 명 초롱. 등롱.
[灯谜] dēngmí 명 초롱에 써 붙인 수수께끼《정월 대보름날 밤에 구경꾼이 이것을 풀면서 놂》.
[灯泡(儿)] dēngpào(r) 명〈口〉 ⇨[电灯泡(儿)]
[灯丝] dēngsī 명〖電〗 필라멘트(filament).
[灯塔] dēngtǎ 명 등대(燈臺).
[灯台] dēngtái 명 등잔대.
[灯芯] dēngxīn 명 등심. 심지. =[灯心]
[灯芯草] dēngxīncǎo 명〖植〗 골풀. 등심초. =[灯心草]
[灯芯绒] dēngxīnróng 명〖紡〗 코듀로이(corduroy). 코르덴. 골덴. =[灯心绒][条绒]
[灯油] dēngyóu 명 등유.
[灯盏] dēngzhǎn 명 등잔.
[灯罩(儿)] dēngzhào(r) 명 (램프·전등 따위의) 등피. 전등갓. =[灯罩子]

登 dēng (등) 동 ① 오르다. 올라가다《주로, 보행을 말함》. ❑ 我～上了长城; 나는 완리창청에 올랐다 / ～车; 차에 오르다. ② 기재하다. 게재하다. 올리다. ❑ ～广告; 광고를 게재하다. ③ (곡물이) 익다. 열매 맺다. ❑ 五谷丰～; 〈成〉 오곡이 풍요하게 무르익다. ④ ⇨[蹬]
[登报] dēng//bào 동 신문에 게재하다[싣다].
[登场] dēng//chǎng 동 (무대에) 등장하다. ❑ ～人物; 등장 인물.
[登顶] dēng//dǐng 동 정상에 오르다. 등정하다.
[登峰造极] dēngfēng-zàojí 〈成〉 ① 최고봉[산정]에 다다르다. ② 최고 수준에 이르다.
[登高] dēnggāo 동 높은 곳에 오르다.
[登机] dēng//jī 동 비행기에 탑승하다. ❑ ～手续; 탑승 수속.
[登记] dēng//jì 동 (법률상의) 등기하다. 등록하다. ❑ ～财产; 재산을 등록하다 / ～簿; 등기부. =[登录①]
[登陆] dēng//lù 동 상륙하다. ❑ 台风～; 태풍이 상륙하다 / ～作战; 상륙 작전.
[登录] dēnglù 동 ① ⇨[登记] ② ⇨[注册②]
[登门] dēng//mén 동 (상대방의 집을) 찾아가다. 방문하다. ❑ ～拜师; 〈成〉 찾아가서 제자가 되다.
[登山] dēng//shān 동 등산하다. ❑ ～服; 등산복 / ～家; 등산가.
[登台] dēng//tái 동 ① 무대[연단]에 오르다. ❑ ～表演; 무대에 올라 공연하다. ② 〈比〉 정치 무대를 밟다. 정계에 입문하다.
[登载] dēngzǎi 동 (신문 따위에) 싣다. 게재하다. 등재하다. ❑ ～论文; 논문을 싣다.

噔 dēng (등) 의 둥. 쿵. 쾅《무거운 물건이 땅에 떨어지거나 부딪치는 소리》.

蹬 dēng (등) 동 ① (페달 따위를) 밟다. 발로 누르다. ❑ ～水车; 수차를 밟다. ② 밟다. 디디다. 발을 걸치다. ❑ 脚～在凳子上; 발로 걸상을 디디다. ‖ =[登④]
[蹬腿] dēng//tuǐ 동 ① 다리를 뻗다. ② (～儿) 〈方〉 죽다.

等 děng (등) ① 명 등급(等級). 등. ❑ 一～品; 일등품. ② 양 류(類). 종류. ❑ 他是何～人? 그는 어떤 류의 사람이니? ③ 형 (정도·수량이) 동등하다. 같다. ❑ 相～; 대등하다 / ～于; ⇩ ④ 동 기다리다. ❑ 他在家～着你; 그는 집에서 너를 기다리고 있다. ⑤ 접 …때가 되면. …까지 기다려서. ❏ 现在走太早，～黑了再走；지금 가기는 너무 이르니 날이 저물면 가자. ⑥ 조 〈書〉 (인칭 대명사나 사람을 지칭하는 명사 뒤에 쓰여) 복수를 나타내는 말. ❏ 彼～；그들 / 我～；우리들. ⑦ 조 …등. …따위. ㉠ 열거하고 그 외에 아직도 있다는 뜻을 나타냄. ❏ 砖、瓦、石灰～都预备好了；벽돌 · 기왓장 · 석회 등 모두 다 준비되었다. ㉡ 열거한 낱말의 마지막에 붙임. ❏ 北京、上海、广州～三个大城市；베이징 · 상하이 · 광저우 등 세 곳의 대도시.

[等次] děngcì 명 등급. 등차.

[等待] děngdài 동 (바라는 사람 · 사물 · 상황을) 기다리다. ❏ ～消息；소식을 기다리다.

[等到] děngdào 접 …때가 되어서. …까지 기다려서. …때가 되면. ❏ ～饭后再说；밥 먹고 나서 다시 이야기하자.

[等等] děngděng 조 기타. 등등.

[等分] děngfēn 동 〔數〕 등분하다.

[等高线] děnggāoxiàn 명 〔地理〕 등고선.

[等号] děnghào 명 〔數〕 등호.

[等候] děnghòu 동 (구체적인 대상을) 기다리다. ❏ ～客人；손님을 기다리다 / ～室；대합실.

[等级] děngjí 명 ① 등급. ② 계급.

[等价] děngjià 형 등가이다. 가격이 같다. ❏ ～交换；등가 교환.

[等量齐观] děngliàng-qíguān 〈成〉 동등하게 보다.

[等式] děngshì 명 〔數〕 등식.

[等同] děngtóng 동 같다고 간주하다. 같이 취급하다.

[等外] děngwài 형 등외의. 등급 외의. ❏ ～品；등외품.

[等闲] děngxián 〈書〉 형 평범하다. 예사롭다. ❏ ～视之；〈成〉 등한시하다. 부 쉽게. 가볍게. ❏ ～错过良机；좋은 기회를 쉽게 놓쳐 버리다.

[等于] děngyú 동 ① (수량이) …와 같다. 맞먹다. ❏ 一加二～三；1 더하기 2는 3이다. ② …와 같다. …와 마찬가지이다. ❏ 你不说话就～默认；네가 말을 하지 않는 것은 묵인하는 것과 같다.

戥

děng (등)
동 '戥子'로 달다.

[戥子] děng·zi 명 (금 · 은 · 약품을 다는) 작은 저울.

邓(鄧)

Dèng (등)
명 성(姓)의 하나.

凳

dèng (등)
(～儿) 명 등받이 없는 의자[걸상]의 총칭. ❏ 方～；네모난 걸상.

[凳子] dèng·zi 명 등받이 없는 의자. 걸상. 스툴(stool).

澄

dèng (징)
동 ① 불순물을 침전시키다. 가라앉혀 맑게 하다. ② 〈方〉 (건더기나 침전물이 있는 것의) 액체를[물을] 따라 내다. ❏ 把汤～出来；국물을 따라 내다. ⇒chéng

[澄清] dèng//qīng 동 침전시켜 맑게 하다. ⇒chéngqīng

瞪

dèng (징)
동 ① (눈을) 크게 뜨다. ❏ 眼睛～得大大的；눈을 크게 뜨다. ② 눈을 부릅뜨고 보다. 부라리다. 노려보다. ❏ 你～着我作什么? 나를 노려보면 어쩔 테냐?

[瞪眼] dèng//yǎn 동 ① 눈을 크게 뜨다. ❏ ～看着，别让他跑了；그가 도망가지 못하게 눈을 크게 뜨고 봐라. ② 노려보다. 부라리다. ❏ 这么点儿小事也值得～吗? 이렇게 작은 일이 눈을 부라릴 만한 가치가 있느냐? / ～比赛；눈싸움.

镫(鐙)

dèng (등)
명 등자(鐙子).

[镫子] dèng·zi 명 등자.

di ㄉㄧ

低

dī (저)
① 형 (높이 · 소리 따위가) 낮다. ❏ 飞机飞得很～；비행기가 낮게 날다 / ～声；⇓ ② 형 (정도가) 떨어지다. 낮다. ❏ 我的汉语水平很～；내 중국어 실력은 아주 낮다. ③ 형 등급이 아래이다. ❏ ～年级；저학년. ④ 형 값이 싸다. ❏ 最～的价钱；최저 가격. ⑤ 동 (고개를) 숙이다. ❏ ～头；⇓

[低层] dīcéng 명 낮은 층. 저층. 형 ① 층수가 낮은. 저층의. ❏ ～住宅；저층 주택. ② 등급[직급]이 낮은. ❏ ～职员；직급이 낮은 직원.

[低沉] dīchén 형 ① (날씨가) 잔뜩 흐리다. 우중충하다. ❏ 天空～；하늘이 우중충하다. ② (목소리가) 낮다. 가라앉아 있다. ❏ ～的嗓音；낮은 목소리. ③ (마음이) 침울하다. 의기소침하다. ❏ 士气～；사기

가 떨어지다.

[低档] dīdàng 형 저급의. 저질의. ❑～商品; 저급품.

[低估] dīgū 동 과소평가하다. 무시하다. 얕보다. ❑这件事的影响不能～; 이 일의 영향을 과소평가할 수 없다.

[低级] dījí 형 ① 초보의. 낮은 단계의. ❑～读物; 초급 단계의 도서. ② 저급하다. 수준 낮다. 천하다. ❑格调～; 격조가 낮다.

[低价] dījià 명 저가(低價). ❑～货; 저가품.

[低贱] dījiàn 형 ① (신분이) 낮다. 비천하다. ❑出身～; 출신이 비천하다. ② (가격이) 낮다. ❑谷价～; 곡물 가격이 낮다.

[低廉] dīlián 형 저렴하다. ❑价格～; 가격이 저렴하다.

[低劣] dīliè 형 (질·수준이) 낮다. 저열하다. ❑技术～; 기술이 낮다 / ～产品; 저열한 상품.

[低落] dīluò 동 (수위·물가 따위가) 내려가다. 하락하다. ❑物价～; 물가가 하락하다. 형 (사기 따위가) 꺾이다. 떨어지다. ❑士气～; 사기가 떨어지다.

[低能] dīnéng 형 저능하다. ❑～儿ér; 저능아.

[低气压] dīqìyā 명〔氣〕 저기압. ❑～区; 저기압권.

[低人一等] dīrényīděng 〈成〉 남보다 열등하다.

[低三下四] dīsān-xiàsì 〈成〉 비천하고 기개가 없는 모양.

[低声] dīshēng 명 낮은 목소리. (dī//shēng) 동 목소리를 낮추다. ❑～下气; 〈成〉 목소리를 낮추어 겸손히 말하다《공손하고 조심하는 모양》.

[低首] dī//shǒu 동 ⇨[低头]

[低俗] dīsú 형 저속하다. ❑言语～; 말이 저속하다.

[低头] dī//tóu 동 ① 머리를 숙이다. ❑～认罪; 머리를 숙이고 죄를 인정하다. ② 〈比〉 굴복하다. ❑向权贵～; 권세가에게 머리를 숙이다. ‖ =[低首]

[低洼] dīwā 형 움푹 패다. 지대가 낮다. ❑～地区; 저지대.

[低微] dīwēi 형 ① (소리가) 낮고 작다. 희미하다. ② 적다. 미약하다. ❑收入～; 수입이 적다. ③ (신분이) 낮다.

[低温] dīwēn 명 저온. ❑～消毒; 저온 소독.

[低下] dīxià 형 ① (능력·수준·지위 따위가) 낮다. ❑地位～; 지위가 낮다. ② (품격·격조 따위가) 떨어지다. 저속하다.

[低血压] dīxuèyā 명〔醫〕 저혈압.

[低压] dīyā 명 저압. ①〔物〕 낮은 압력. ❑～计; 저압계. ②〔電〕 낮은 전압. ❑～线; 저압선. ③〔氣〕 저기압. ❑～槽; 기압골.

[低音] dīyīn 명〔樂〕 베이스(bass). 저음. ❑～吉他; 베이스 기타(bass guitar) / ～提琴; 콘트라베이스(contrabass).

的 dī (적)

명 택시(taxi). ❑打～; 택시를 잡다. ⇒·de dí dì

[的士] dīshì 명 택시(taxi).

堤 dī (제)

명 제방. 둑.

[堤岸] dī'àn 명 제방. 둑.

[堤坝] dībà 명 제방. 댐. 둑. =[堤堰yàn]

提 dī (제)

→[提防] ⇒tí

[提防] dī·fang 동 조심하고 경계하다. ❑～隔墙有耳; 벽에도 귀가 있으니 조심하고 경계해라.

滴 dī (적)

① 동 (액체가) 한 방울씩 떨어지다. ❑烛泪～在手上; 촛농이 손으로 떨어지다. ② 동 (액체를) 한 방울씩 떨어뜨리다. ❑～眼药; 안약을 넣다. ③ 명 한 방울씩 떨어지는 액체 방울. ❑汗～; 땀방울. ④ 양 방울《떨어지는 액체를 세는 말》. ❑两～眼泪; 눈물 두 방울.

[滴答] dīdā 의 ① 뚝뚝. 똑똑《물이 떨어지는 소리》. ② 똑딱똑딱《시계추가 흔들리는 소리》. ‖ =[嘀嗒dā]

[滴答] dī·da 동 (물방울이) 똑똑 떨어지다. ❑融化的雪水从房顶上～下来; 눈 녹은 물이 지붕에서 똑똑 떨어지다. =[嘀嗒·da]

[滴水穿石] dīshuǐ-chuānshí 〈成〉 ⇨[水滴石穿]

嘀 dī (저)

→[嘀嗒] ⇒dí

[嘀嗒] dīdā 의 ⇨[滴答dā]

[嘀嗒] dī·da 동 ⇨[滴答·da]

迪 dí (적)

동〈書〉 개도하다. 인도하다.

[迪斯科] dísīkē 명〔舞·樂〕〈音〉 디스코(disco).

[迪斯尼] Dísīní 명〖人〗〈音〉 디즈니(Walt Disney)《미국 만화 영화 제작자, 1901-1966》. ❑ ~乐园; 디즈니랜드(Disneyland).

笛 dí (적)
명 ①〖樂〗피리. 횡적. 저. =[横笛] ② 호각. 사이렌. ❑ 汽~; 기적.

[笛子] dí·zi 명〖樂〗피리. 저.

的 dí (적)
형 진실의. 실제의. 확실한. ⇒ ·de dī dì

[的当] dídàng 형 적절하다. 알맞다. ❑ 用词~; 단어 사용이 적절하다.

[的确] díquè 부 확실히. 참으로. 실로. ❑ 我~没有什么不满意的; 나는 확실히 어떠한 불만도 없다.

涤(滌) dí (척)
동 씻다. 세척하다.

[涤除] díchú 동 깨끗이 제거하다. 없애 버리다. ❑ ~旧习; 구습을 깨끗이 제거하다.

[涤荡] dídàng 동 씻어 버리다. 씻어 없애다. ❑ ~污泥浊水; 낙후하고 부패된 것을 씻어 없애다.

敌(敵) dí (적)
① 형 적대 관계의. ❑ ~军; ⇩ ② 명 적. 적수. ③ 동 저항하다. 대항하다. ❑ 寡不~众; 〈成〉 중과부적이다. ④ 동 (역량이) 백중하다. 필적하다. ❑ 势均力~; 〈成〉 세력이 백중하다.

[敌对] díduì 동 적대하다. ❑ ~态度; 적대적 태도.

[敌国] díguó 명 적국.

[敌害] díhài 명 천적.

[敌机] díjī 명 적기. 적의 비행기.

[敌军] díjūn 명 적군.

[敌忾] díkài 동〈書〉 적개심을 품다. ❑ ~同仇 =[同仇~]; 〈成〉 공동의 적에게 적개심을 품다.

[敌情] díqíng 명 적정.

[敌人] dírén 명 적.

[敌视] díshì 동 적대시하다.

[敌手] díshǒu 명 적수. 맞수.

[敌意] díyì 명 적의. 적대하는 마음. ❑ 露出~; 적의를 드러내다.

[敌阵] dízhèn 명 적진.

嘀 dí (저)
→[嘀咕] ⇒ dī

[嘀咕] dí·gu 동 ① 소곤거리다. 속닥거리다. ❑ 她就爱嘀嘀咕咕; 그녀는 소곤거리는 것을 좋아한다. ② 의심하다. 의아해하다. ❑ 我心里一直~这件事; 나는 줄곧 이 일을 의아하게 생각했다.

嫡 dí (적)
형 ① 본처가 낳은. 정실(正室) 소생의. ❑ ~出; ⇩ ② 혈통이 가장 가까운. 직계의. ❑ ~亲; ⇩ ③ 정통의. 정종의. ❑ ~派; ⇩

[嫡出] díchū 명 적출. 본처 소생.

[嫡派] dípài 명 ① ⇨[嫡系①] ② (기술·무예 따위의) 정통파.

[嫡亲] díqīn 형 혈통이 가장 가까운. 직계 혈족의.

[嫡系] díxì 명 ① 정실의 자손들로 이루어진 계통. 적파. =[嫡派①] ② 직속. 직할. ❑ ~部队; 직할 부대.

[嫡长子] dízhǎngzǐ 명 적장자.

[嫡子] dízǐ 명 적자. 본처의 아들.

诋(詆) dǐ (저)
동 욕하다. 헐뜯다.

[诋毁] dǐhuǐ 동 비방하다. 헐뜯다. ❑ ~别人; 남을 비방하다.

邸 dǐ (저)
명 고급 관리의 저택.

底 dǐ (저)
명 ① (~儿) 밑. 바닥. ❑ 海~; 해저. ② (~儿) 기초. 토대. ❑ 打~; 기초를 만들다. ③ (~儿) 일의 전말. 내막. 속사정. 저의. ❑ 一句话全露了~; 한 마디 말로 내막이 모두 드러났다. ④ (~儿) 초안. 초고. 원고. 원본. ❑ ~本; ⇩ ⑤ (한 해나 달의) 말(末). 끝. ❑ 月~; 월말. ⑥ (~儿) (도안의) 바탕. 밑바탕. ❑ 这块布的~儿是红的; 이 천의 바탕은 붉은색이다.

[底本] dǐběn 명 ① 저본. ② (복사·인쇄·초록 따위의) 원본.

[底层] dǐcéng 명 ① (건물의) 맨 아래층. 1층. ② (사회·조직 따위의) 말단. 밑바닥. 최하층. ❑ 社会的~; 사회의 최하층.

[底肥] dǐféi 명 ⇨[基肥]

[底稿(儿)] dǐgǎo(r) 명 (공문·편지·작품 따위의) 원고. 초고.

[底功] dǐgōng 명 기본기《주로, 연기(演技)에 대해 이름》. =[底工]

[底片] dǐpiàn 명〖撮〗① 네거티브 필름(negative film). =[负片] ② 아직 찍지 않은 필름.

[底色] dǐsè 명 바탕색.

[底数] dǐshù 명 ①〖數〗밑수. ② 심산. 계획. 생각. ❑ 我心里已有了~; 나는 이미 마음속에 심산이 섰다.

[底细] dǐxì 명 (사람이나 일의) 내막. 진상. 정체. 속사정. 속내.

[底下] dǐ·xia 명 ① 밑. 아래. ❑ 桌子~; 책상 아래. ② 다음. 다음번. ❑ ~该干什么了? 다음에 뭘 해야 하니?

[底薪] dǐxīn 명 기본급.

[底子] dǐ·zi 명 ① 밑. 바닥. ❑ 鞋~; 신발 바닥. ② 내막. 내정. 경위. ❑ 把~摸清了; 일의 경위를 살펴서 밝혔다. ③ 기초. 소양. ❑ 有古文的~; 고문에 소양이 있다. ④ 초고. 원고. ⑤ 나머지. ❑ 粮食~; 나머지 식량. ⑥ (도안 따위의) 바탕. 밑바탕. 밑그림. ❑ 打个~; 밑그림을 그리다.

[底座(儿)] dǐzuò(r) 명 밑받침. 받침대.

抵 dǐ (저)
동 ① 받치다. 괴다. 지탱하다. ❑ 以棍~门; 막대기로 문을 받쳐 놓다. ② 저항하다. 버티다. 견디다. ❑ ~挡; ⇩ ③ 보상하다. 변상하다. ❑ ~偿; ⇩ ④ 저당 잡히다. ❑ ~押; ⇩ ⑤ 균형 잡다. 상쇄하다. ❑ 出入相~; 수입과 지출의 균형이 잡히다. ⑥ 필적하다. 맞먹다. ❑ 一个~两个; 한 사람이 두 사람에 필적하다. ⑦ 다다르다. 도착하다. ❑ 安~; 안착하다.

[抵偿] dǐcháng 동 (가치가 같은 것으로) 배상하다. 보상하다. 변상하다. ❑ ~损失; 손실을 배상하다.

[抵触] dǐchù 동 저촉하다. 충돌하다. 모순되다. ❑ ~情绪; 위화감 / 相互~; 상호 모순.

[抵达] dǐdá 동 도착하다. ❑ ~目的地; 목적지에 도착하다.

[抵挡] dǐdǎng 동 방지하여 막다. 저항하다. 버티어 내다. ❑ ~严寒; 혹한을 버티어 내다.

[抵抗] dǐkàng 동 저항하다. 대항하다. 맞서다. ❑ ~疾病; 질병과 맞서다 / ~运动; 저항 운동.

[抵赖] dǐlài 동 (과실이나 범죄를) 발뺌하다. 잡아떼다. ❑ 面对物证, 你还想~! 물증을 앞에 두고도 발뺌하려 드느냐!

[抵消] dǐxiāo 동 (작용이나 역할이 상반되어 서로) 반작용을 일으키다. 상쇄하다. 효과 따위를 없애다. 중화시키다. ❑ ~药物的副作用; 약물의 부작용을 중화시키다.

[抵押] dǐyā 동 저당 잡히다. 담보로 빌리다. ❑ ~放款; 담보부 대출 / ~品; 담보 물품.

[抵御] dǐyù 동 막다. 저항하다. ❑ ~外来侵略; 외래의 침략을 막다.

[抵制] dǐzhì 동 배척하다. 불매 운동을 하다. ❑ ~外货; 외국 상품을 배척하다.

[抵罪] dǐzuì 동 (죄에 상응하는) 벌을 받다.

地 dì (지)
명 ① 지구(地球). 지각(地殼). ❑ ~质; ⇩ ② 땅. 육지. ❑ 山~; 산지. ③ 토지. 밭. 논. ❑ 荒~; 황무지. ④ (건물 내부의) 바닥. ❑ 水泥~; 시멘트 바닥. ⑤ 지방. 지역. 지구. ❑ 殖民~; 식민지. ⑥ 장소. 지점. ❑ 所在~; 소재지. ⑦ 지위. 입장. 형편. ❑ 易~则皆然; 입장을 바꾸어 보면 모두 같다. ⑧ (~儿) (도안 따위의) 바탕. ❑ 白~墨字; 흰 바탕에 검은 글자. ⑨ 지경. 상태. ❑ 境~; 경지. ⑩ 노정(路程). ❑ 一百多里~; 백여 리의 길. ⇒ ·de

[地板] dìbǎn 명 (건축물 내부의) 바닥. ❑ 铺~; 바닥을 깔다 / ~革; 바닥 장식재 / ~砖; (실내용) 바닥 타일.

[地表] dìbiǎo 명〔地質〕지표. ❑ ~温度; 지표 온도.

[地鳖] dìbiē 명〔蟲〕쥐며느리. =[土鳖]

[地步] dìbù 명 ① (주로, 좋지 않은) 처지. 지경. 상태. 상황. 형편. ❑ 怎么会弄到这种~? 어떻게 이런 지경까지 가게 할 수가 있는 거니? ② (도달한) 정도. ❑ 事情不知会发展到什么样的~; 일이 어떤 정도로까지 발전될지 모르겠다. ③ 여지. ❑ 留~; 여지를 남기다.

[地产] dìchǎn 명 토지 재산. 부동산.

[地秤] dìchèng 명 앉은뱅이저울. =[地磅bàng]

[地磁] dìcí 명〔物〕지구 자기. 지자기(地磁氣).

[地大物博] dìdà-wùbó 〈成〉 토지가 넓고 산물·자원이 풍부하다.

[地带] dìdài 명 지대. 지구. ❑ 安全~; 안전지대 / 火山~; 화산 지대.

[地道] dìdào 명 지하도.

[地道] dì·dao 형 ① 진짜 명산지의. 본고장의. ❑ ~货; 틀림없는 유명 산지 제품. ② 순수하다. 진정하다. ❑ ~的英国口音; 순수한 영

국식 억양. ‖＝[道地] ③(일 처리나 재료가) 질이 좋다. 튼튼하다. 똑소리 나다. ❏这个东西真～; 이 물건은 정말 질이 좋다.

[地点] dìdiǎn 명 지점. 장소. 위치. ❏指定～; 지정된 장소.

[地段] dìduàn 명 지역. 구역. 지구. ❏商业～; 상업 지구.

[地方] dìfāng 명 ① 지방. ❏～税＝[〈簡〉地税]; 지방세 / ～自治; 지방 자치. ② 당지(當地). 그 지방.

[地方] dì·fang 명 ①(～儿) 장소. 곳. 부위. ❏你家在什么～? 너희 집은 어디냐? ② 부분. 곳. 점. ❏这出戏最精彩的～我没看到; 나는 이 연극의 하이라이트를 못 봤다.

[地滚球] dìgǔnqiú 명〖體〗(야구에서의) 땅볼.

[地基] dìjī 명 ①(건축물의) 지반. 기초. ② ⇨[地皮②]

[地籍] dìjí 명〖地質〗지적. ❏～图; 지적도.

[地价] dìjià 명 ① 지가(地價). 토지 가격. ② 바닥을 치는 가격. 형편없이 낮은 가격.

[地窖] dìjiào 명 (곡류·채소 따위의 저장용) 움. 땅광.

[地界] dìjiè 명 ① 지계·지경(地境). ② 지구. 지역. 관내.

[地牢] dìláo 명 지하 감옥.

[地雷] dìléi 명〖軍〗지뢰. ❏埋～＝[布～]; 지뢰를 매설하다.

[地理] dìlǐ 명 ① 지리. ❏～学; 지리학 / 自然～; 자연 지리. ② 지리학.

[地幔] dìmàn 명〖地質〗맨틀(mantle).

[地面] dìmiàn 명 ① 지면. 지표. 지표면. 지상. ❏～沉降; 지면 침강. ②(가옥 내부의) 바닥. 마루. ❏混凝土～; 콘크리트 바닥.

[地名] dìmíng 명 지명.

[地盘] dìpán 명 ①(～儿) 세력 범위. 세력권. 지반. ❏扩大自己的～; 자신의 지반을 확대하다. ②〈方〉 건물의 토대. 지반.

[地皮] dìpí 명 ①(～儿) 지면. 지표면. 땅. ②(건축용의) 토지. 부지. 땅. ＝[地基②]

[地痞] dìpǐ 명 지역 깡패. 지방 건달.

[地平线] dìpíngxiàn 명〖地理〗지평선.

[地契] dìqì 명 토지 매매 계약.

[地壳] dìqiào 명〖地質〗지각. ❏～运动; 지각 운동.

[地勤] dìqín 명 (항공 관계에서의) 지상 근무.

[地球] dìqiú 명〖天〗지구. ❏～变暖; 지구 온난화 / ～村; 지구촌 / ～科学; 지구 과학 / ～卫星; 지구 위성 / ～仪; 지구의.

[地区] dìqū 명 지구. 지역. ❏华北～; 화베이 지구.

[地权] dìquán 명〖法〗토지 소유권.

[地热] dìrè 명〖地質〗지열.

[地上] dìshàng 명 지상.

[地上] dì·shang 명 지면(地面). 땅바닥. 바닥. 바닥 위. ❏眼镜掉在了～; 안경이 바닥에 떨어졌다.

[地势] dìshì 명 지세.

[地摊(儿)] dìtān(r) 명 노점.

[地毯] dìtǎn 명 양탄자. 카펫(carpet). 융단.

[地毯式] dìtǎnshì 형 융단식의《전면적이고 철저함을 나타냄》. ❏～轰炸; 융단 폭격.

[地铁] dìtiě 명〈簡〉 지하철. ❏～站; 지하철역. ＝[地下铁道]

[地图] dìtú 명 지도.

[地位] dìwèi 명 ①(사회에서의) 위치. 지위. ❏占重要～; 중요한 위치를 차지하다 / 社会～; 사회적 지위. ②(차지하고 있는) 자리. 장소. 위치.

[地下] dìxià 명 지하. 땅속. ❏～商场; 지하상가 / ～室; 지하실 / ～水; 지하수 / ～通道; 지하도. 형 지하의. 비밀스러운. ❏～工作; 지하 활동 / ～组织; 지하 조직.

[地下] dì·xia 명 지면. 땅바닥. 바닥. ❏不要放在～; 바닥에 놓지 마라.

[地下茎] dìxiàjīng 명〖植〗땅속줄기. 지하경.

[地下铁道] dìxià tiědào ⇨[〈簡〉地铁]

[地心] dìxīn 명〖地質〗지심. 지구의 중심. ❏～说; 지구 중심설. 천동설(天動說).

[地心引力] dìxīn yǐnlì ⇨[重zhòng力]

[地形] dìxíng 명 지형. ❏～图; 지형도 / ～学; 지형학.

[地学] dìxué 명 지학.

[地狱] dìyù 명 ①〖宗〗지옥. ②〈比〉 암담하고 비참한 환경.

[地域] dìyù 명 ① 지역. ② 향토. 지방. ③〖體〗(농구 따위의) 지역.

❏ ~防御; 지역 방어.
【地震】 dìzhèn 명동〔地質〕 지진(이 발생하다). ❏ 里氏7.1级~; 리히터 규모 7.1의 지진 / ~波; 지진파 / ~仪; 지진계.
【地支】 dìzhī 명 지지. 십이지. =[十二支]
【地址】 dìzhǐ 명 주소. 소재지. ❏ ~簿; 주소록.
【地质】 dìzhì 명〔地質〕 지질. ❏ ~学; 지질학.
【地中海】 Dìzhōnghǎi 명〔地〕 지중해.
【地主】 dìzhǔ 명 ① 지주. ② 본지방 사람. 본토인.
【地租】 dìzū 명 토지 사용료. 토지세.

弟 dì (제)
① 명 남동생. ② 명 같은 세대(世代)의 친척에서 손아래 남자. ③ 대〈謙〉 소생(小生). 저《친구 사이의 겸칭. 주로, 서신에 쓰임》.
【弟弟】 dì·di 명 아우. 남동생.
【弟妇】 dìfù 명 ⇨[弟妹②]
【地妹】 dìmèi 명 ① 남동생과 여동생. ② 제수. 올케《남동생의 아내》. =[弟妇]
【弟兄】 dì·xiong 명 형제. ❏ 我没有~; 나는 형제가 없다 / 我们是亲~; 우리는 친형제 간이다.
【弟子】 dìzǐ 명 제자.

递(遞) dì (체)
① 동 건네 주다. 넘겨주다. ❏ ~条子; 쪽지를 건네다 / ~眼色; 눈빛을 보내다. ② 부 차례로. 점차로.
【递加】 dìjiā 동 ⇨[递增]
【递减】 dìjiǎn 동 체감하다. 점차 줄이다[줄다].
【递交】 dìjiāo 동 (직접) 건네 주다. ❏ ~申请书; 신청서를 건내 주다.
【递升】 dìshēng 동 점차 상승하다[오르다]. ❏ 气温~; 기온이 점차 오르다.
【递送】 dìsòng 동 (공문·우편물 따위를) 전달하다. 배달하다. ❏ ~信件; 편지를 배달하다.
【递增】 dìzēng 동 체증하다. 점점 늘다. 차츰 증가하다. ❏ 税利~; 세금과 이윤이 차츰 증가하다. =[递加]

第 dì (제)
① 접두 수사(數詞) 앞에 쓰여 순서를 나타냄. ❏ ~一学期; 1학기 / 翻到~十页; 10페이지를 펴다. ② 명〈書〉 과거 급제. ❏ 落~; 낙제하다. ③ 명 (봉건 사회 관료의) 저택. ❏ 门~; 가문.
【第二】 dì'èr 수 ① 제2. ❏ ~产业; 제2차 산업 / ~次世界大战; 제2차 세계 대전 / ~职业; 부업(副業). ② 다음. ❏ ~天; 다음 날. 이튿날. ③ 이세(二世). ❏ 麦克阿瑟~; 맥아더 2세.
【第二审】 dì'èrshěn 명〔法〕 제이심. 상소심. =[〈簡〉二审]
【第三世界】 dìsān shìjiè 제삼 세계.
【第三者】 dìsānzhě 명 ①〔法〕 제삼자. ②〈婉〉 (부부 이외의) 제삼자. 애인.
【第一】 dìyī 수 제1. 첫째. 첫 번째. 제일. ❏ ~把手; (직장에서의) 최고 책임자 / ~产业; 제1차 산업 / ~次世界大战; 제1차 세계 대전 / 倒数~; 꼴찌에서 첫째 / ~夫人; 퍼스트 레이디. 영부인 / ~句; 첫마디 / ~课; 제1과 / ~名; 일 위. 일등 / ~人称; 일인칭 / ~线; 제일선. 형 제일이다. ❏ 健康~; 건강이 제일이다.
【第一审】 dìyīshěn 명〔法〕 제일심. 일심. =[〈簡〉一审]

的 dì (적)
명 과녁(의 중심). ❏ 目~; 목적. ⇒ ·de dī dí

帝 dì (제)
명 ① 우주의 창조자. 만물의 주재자(主宰者). ❏ 上~; 하느님. ② 황제. 천자. ③ 제국주의.
【帝国】 dìguó 명 제국. ❏ 罗马~; 로마 제국 / ~主义; 제국주의.
【帝王】 dìwáng 명 제왕.
【帝制】 dìzhì 명〔政〕 군주제.

谛(諦) dì (체)
① 부〈書〉 자세히. 찬찬히. 꼼꼼히. ❏ ~视; 자세히 보다 / ~听; 자세히 듣다. ② 명〔佛〕 의의. 도리. ❏ 真~; 참뜻.

蒂 dì (체)
명 (과실의) 꼭지. ❏ 根深~固; 〈成〉 기초가 단단하다.

缔(締) dì (체)
동 결합하다. 정립하다.
【缔交】 dìjiāo 동 ①〈書〉 교제를 맺다. ② 국교를 맺다. 수교하다.
【缔结】 dìjié 동 체결하다. ❏ ~条约; 조약을 체결하다.
【缔约】 dìyuē 동 조약을 맺다. ❏ ~国; 조약국.

[缔造] dìzào 동 (위대한 사업을) 창립하다. 창건하다. 창설하다.

dian ㄉㄧㄢ

掂 diān (점) 동 손바닥에 놓고 무게를 재다. 손대중하다. ❏ ~一~它有多重; 그것의 무게가 얼마나 나가는지 손으로 재 보아라.

[掂量] diān·liang 동 ① 손바닥에 놓고 무게를 재다. 손대중하다. ❏ 你~~, 这条鱼有多重; 이 생선 무게가 얼마나 나가는지 손대중을 좀 해 봐라. ② 따져 보다. 가늠하다. 헤아리다. ❏ 听到什么话要~~; 무슨 말이든지 들으면 잘 따져 봐야 한다.

颠(顛) diān (전) ① 명〈書〉 정수리. 머리꼭지. ② 명 (우뚝 솟은 물체의) 꼭대기. 정상. ❏ 山~; 산 정상. ③ 동 아래위로 흔들리다. ❏ 车在山路行驶~得厉害; 차가 산길에서 몹시 심하게 흔들리며 달린다. ④ 동 넘어지다. 뒤집히다. ❏ ~覆; ⇩

[颠簸] diānbǒ 동 (위아래로) 흔들리다. 요동치다. ❏ 船只在浪涛里~着; 배가 파도에 흔들리고 있다.

[颠倒] diāndǎo 동 ① (위아래·앞뒤가) 뒤집히다. 뒤바뀌다. 거꾸로 되다. ❏ 墙上的画挂~了; 벽에 있는 그림은 거꾸로 걸려 있다. ② 뒤집다. 뒤바꾸다. 거꾸로 하다. 전도하다. ❏ ~黑白; 〈成〉 흑백을 전도하다 / ~是非; 〈成〉 옳고 그름을 전도하다. ③ 착란하다. 뒤범벅이 되다. ❏ 神魂~; 정신이 착란되다.

[颠覆] diānfù 동 ① 전복하다. ❏ ~列车; 열차가 전복되다. ② (정권·국가·정부 따위를) 전복하다. 뒤집어엎다. ❏ ~政权; 정권을 전복하다.

[颠来倒去] diānlái-dǎoqù 〈成〉 ① 엎치락뒤치락하다. ② 여러 번 반복하다.

[颠沛流离] diānpèi-liúlí 〈成〉 빈곤하여 떠돌아다니다.

[颠扑不破] diānpū-bùpò 〈成〉 (이론 따위를) 절대 뒤집을 수 없다.

[颠三倒四] diānsān-dǎosì 〈成〉 (말이나 일의) 순서가 뒤죽박죽이다. 종잡을 수 없다.

巅(巔) diān (전) 명 산꼭대기.

[巅峰] diānfēng 명 최고봉. ❏ ~状态; 최상의 컨디션[상태].

癫(癲) diān (전) 동 돌다. 발광(發狂)하다. 정신 착란을 일으키다.

[癫狂] diānkuáng 형 ① 정신 이상 증세를 보이다. 정신 착란을 일으키다. ❏ ~的行为; 정신 이상적인 행동. ② (언행이) 경솔하다. 경박하다.

[癫痫] diānxián 명〔醫〕 간질. 지랄병. =[羊痫风][羊角风]

典 diǎn (전) ① 명 법칙. 기준. ❏ ~范; ⇩ ② 명 기준이 되는 서적. ❏ 词~; 사전 / 经~; 경전. ③ 명 전고(典故). ❏ 出~; 출전. ④ 명 식. 의식. 예식. ❏ 盛~; 성대한 의식. ⑤ 동 (토지·부동산을) 저당 잡히다. 저당 잡다. ❏ 出~房子; 집을 저당 잡히다.

[典当] diǎndàng 동 전당 잡히다.

[典范] diǎnfàn 명 전범. 모범. 본보기.

[典故] diǎngù 명 전고.

[典籍] diǎnjí 명 전적.

[典礼] diǎnlǐ 명 식. 의식. 예식. ❏ 举行~; 식을 거행하다 / 毕业~; 졸업식 / 结婚~; 결혼식.

[典型] diǎnxíng 형 전형적이다. ❏ ~人物; 전형적인 인물 / ~形象; 전형적인 이미지. 명 대표적인 인물[사례]. 전형적인 유형. 전형.

[典雅] diǎnyǎ 형 전아하다. ❏ 文笔~; 문필이 전아하다.

碘 diǎn (전) 명〔化〕 요오드(I: iodine).

[碘酊] diǎndīng 명〔藥〕 요오드팅크. 옥도정기. =[碘酒]

点(點) diǎn (점) ① (~儿) 명 (액체의) 방울. ❏ 雨~儿; 빗방울. ② (~儿) 명 작은 얼룩. 반점. ❏ 斑~; 반점. ③ (~儿) 명 점《한자 획의 하나. "、"》. ④ 명〔數〕 점. ⑤ (~儿) 명 소수점. ⑥ 양 (~儿) 소량. 조금. ❏ 我没有一~把握; 나는 조금도 자신이 없다. ⑦ 양 사항. 가지. ❏ 还有两~要商讨; 아직 두 가지 협의해야 할 점이 있다. ⑧ 명 (일정한) 위치. 지점. 정도. ❏ 起~; 기점. ⑨ 명 (사물의) 방면. 부분. ❏ 要~; 요점 / 优~; 장점. ⑩ 동 점을 찍다. ❏ ~一个点儿; 점

한 개를 찍다. ⑪ 동 (가볍게) 닿다. 건드리다. ❑ 蜻蜓~水; 잠자리가 수면을 건드리다. ⑫ 동 (머리나 손을) 상하로 움직이다. 끄덕이다. ❑ ~头(儿); ⇩ ⑬ 동 (액체를) 한 방울씩 떨어뜨리다. ❑ ~眼药; 안약을 넣다. ⑭ 동 점파(點播)하다. ❑ ~花生; 땅콩을 점파하다. ⑮ 동 하나하나 조사하다. 일일이 확인하다. ❑ ~钱; 돈을 세다. ⑯ 동 지정하다. 주문하다. ❑ 观众~她唱一首歌; 관중들이 그녀에게 노래를 한 곡 주문했다 / ~菜; ⇩ ⑰ 동 지적하다. 깨우치다. ❑ 文章中的缺点他都~到了; 문장 중의 결점을 그가 모두 지적해 냈다. ⑱ 동 불을 붙이다[켜다]. ❑ ~瓦斯; 가스를 켜다 / ~灯; 등불을 켜다. ⑲ 동 장식하다. 꾸미다. ❑ 装~; 장식하다. ⑳ 양 시《시간의 단위》. ❑ 五~三刻; 5시 45분. ㉑ 명 (일정한) 시간. ❑ 正~到达; 정각에 도착하다. ㉒ 명 간식. 가벼운 식사.

[点播] diǎnbō 동 ①〘農〙 점뿌림하다. 점파하다. ②(TV나 라디오 따위에서) 신청하다. 리퀘스트(request)하다. ❑ ~节目; 리퀘스트 프로그램.

[点菜] diǎn//cài 동 요리를 선택하다. 요리를 주문하다.

[点滴] diǎndī 형 작다. 사소하다. 소소하다. 자질구레하다. ❑ 满足于~成就; 작은 성과에 만족하다. 명 ① 자질구레한 것. 사소한 기록. 소소한 이야깃거리《주로, 글의 표제로 쓰임》. ②〘醫〙 점적 주사. ❑ 打~; 점적 주사를 놓다.

[点火] diǎn//huǒ 동 ① 점화하다. 불을 켜다[붙이다]. ❑ 用火柴~; 성냥으로 불을 붙이다 / ~装置; 점화 장치. ②〈比〉 선동하여 사단을 일으키다. ❑ 煽风~; 〈成〉 선동하여 문제를 일으키다.

[点击] diǎnjī 동〘컴〙 클릭(click)하다.

[点饥] diǎn//jī 동 요기하다.

[点卯] diǎn//mǎo 동 출근 도장을 찍다. 출근을 확인하다. ❑ 点个卯就走; 출근 도장만 찍고 가다.

[点名] diǎn//míng 동 ① 출석을 부르다. ❑ ~簿 =[~册]; 출석부. ② 지명하다. ❑ 教练~让她参加比赛; 코치는 그녀를 지명하며 시합에 참가하게 했다.

[点破] diǎnpò 동 (한두 마디 말로) 파헤치다. 폭로하다. 들추어 내다.

[点球] diǎnqiú 명〘體〙 페널티 킥(penalty kick). 페널티 슛(penalty shoot)

[点燃] diǎnrán 동 불태우다. 불을 붙이다. 점화하다. ❑ ~一枝香烟; 담배 한 개비에 불을 붙이다.

[点染] diǎnrǎn 동 ①〘美〙 그림에 색칠을 하다. ②〈比〉 문장을 윤색하다.

[点头(儿)] diǎn//tóu(r) 동 고개를 끄덕이다《수긍·동의 따위의 뜻을 나타내거나 인사하는 동작》. ❑ ~哈腰; 〈成〉〈口〉 매우 공손하거나 지나치게 예의를 차리다 / 他点了头就答应了; 그는 고개를 끄덕이고 승낙하였다.

[点心] diǎn//xīn 동〈方〉 요기하다.

[点心] diǎn·xin 명 과자류 식품. 간식. ❑ ~铺; 과자점.

[点缀] diǎn·zhuì 동 ① 꾸며서 돋보이게 하다. 꾸미다. 장식하다. ❑ 层层的叶子中间, 零星地~着一些白花; 겹겹의 잎들 가운데 흰 꽃들이 드문드문 장식되어 있다. ② 구색을 맞추다. 숫자를 채우다. 대충 꾸미다.

[点子] diǎn·zi 명 ① (작은) 방울. ❑ 雨~; 빗방울. ② 작은 흔적. 얼룩. ❑ 油~; 기름 얼룩. ③ 타악기의 박자. 리듬. ④ 요점. 급소. 정곡. ❑ 他的话说到~上; 그의 말이 정곡을 찌르다. ⑤ 생각. 방법. ❑ 这是谁出的~? 이것은 누가 생각해 낸 방법이냐? 양〈方〉 소량. 조금. 약간.

踮 diǎn (점)

동 발끝으로 서다. 발돋움을 하다. 까치발을 하다. ❑ ~着脚尖跳舞; 발끝으로 서서 춤을 추다.

电(電) diàn (전)

① 명 전기. ❑ 走了~了; 누전되었다. ② 명 번개. ❑ 雷~; 천둥 번개. ③ 동 전기가 흐르다. 감전하다. ④ 명 전보. ❑ 通~致贺; 전보를 쳐서 축하하다. ⑤ 동 타전(打電)하다. 전보 치다.

[电报] diànbào 명 전보. 전신. ❑ 打~; 전보를 치다 / ~挂号; 전신약호.

[电表] diànbiǎo 명〘電〙 ① 전기 테스터(tester). ②〈簡〉 ⇨[电能表]

[电冰箱] diànbīngxiāng 명 냉장고. =[〈簡〉 冰箱②]

[电波] diànbō 명〔電〕 전파.
[电场] diànchǎng 명〔電〕 전기장(電氣場). 전기 마당. 전장.
[电唱机] diànchàngjī 명 전기 축음기. 전축.
[电车] diànchē 명 전차.
[电池] diànchí 명 전지. ❏ 干gān~; 건전지.
[电磁] diàncí 명〔電〕 전자. 전자기(電磁氣). ❏ ~波; 전자파 / ~场; 전자기장 / ~炉 =[~灶]; 전자레인지.
[电灯] diàndēng 명 전등. ❏ 开~; 전등을 켜다 / 关~; 전등을 끄다.
[电灯泡(儿)] diàndēngpào(r) 명 전구. =[〈口〉 灯泡]
[电动] diàndòng 형 전기로 움직이는. 전동의. ❏ ~车; 전동차.
[电动机] diàndòngjī 명 전동기. 모터(motor). =[〈音〉 马达]
[电镀] diàndù 동 전기로 도금하다.
[电饭锅] diànfànguō 명 전기밥솥. 전기솥. =[〈方〉 电饭煲bāo]
[电费] diànfèi 명 전기 요금.
[电风扇] diànfēngshàn 명 ⇨[电扇]
[电工] diàngōng 명 ① 전기 설비 업무[작업]. ② 전기공.
[电光] diànguāng 명 ① 전광(電光). ② 번갯불. ❏ ~石火; 〈成〉 전광석화《몹시 짧은 시간. 재빠른 움직임》.
[电焊] diànhàn 동 전기 용접 하다. ❏ ~机 =[~枪]; 전기 용접기.
[电贺] diànhè 동 전보를 보내 축하하다.
[电化教育] diànhuà jiàoyù 시청각 교육.
[电话] diànhuà 명 전화. ❏ 打~; 전화를 걸다 / 接~; 전화를 받다 / 挂~; 전화를 끊다 / ~串线; 전화가 혼선되다 / ~占线; 전화가 통화 중이다 / ~簿; 전화번호부 / 长途~; 장거리 전화 / 公用~; 공중전화 / 国际~; 국제 전화 / ~号码; 전화번호 / ~机; 전화기 / ~卡; 전화 카드 / ~铃; 전화벨 / ~亭; 전화박스.
[电荒] diànhuāng 명 전력난.
[电汇] diànhuì 동 전신환으로 보내다.
[电吉他] diànjítā 명〔樂〕 전기 기타. 전자 기타.
[电极] diànjí 명〔電〕 전극.
[电解] diànjiě 동〔化〕 전기 분해하다. 전해하다. ❏ ~质; 전해질.
[电缆] diànlǎn 명〔電〕 (전기) 케이블(cable).
[电力] diànlì 명 전력. ❏ ~供应; 전력 공급 / ~消耗; 전력 소모.
[电疗] diànliáo 동 전기 치료 하다. ❏ ~法; 전기 치료법.
[电铃] diànlíng 명 전자벨. ❏ 按~; 벨을 누르다.
[电流] diànliú 명〔電〕 전류.
[电炉] diànlú 명 전기난로.
[电路] diànlù 명〔電〕 전기 회로.
[电码] diànmǎ 명 전신 부호.
[电鳗] diànmán 명〔魚〕 전기뱀장어.
[电门] diànmén 명 스위치. =[开关]
[电脑] diànnǎo 명〔컴〕 컴퓨터. ❏ ~病毒; 컴퓨터 바이러스 / 个人~; 퍼스널 컴퓨터 / ~盲; 컴맹 / ~游戏; 컴퓨터 게임. =[计算机][电子计算机]
[电能] diànnéng 명 전기 에너지.
[电能表] diànnéngbiǎo 명 전기 계량기. =[〈簡〉电表②]
[电钮] diànniǔ 명 전자 버튼.
[电气] diànqì 명 전기.
[电器] diànqì 명 ① 전기 기기. ② 전기 기구. ❏ 家用~; 가전제품.
[电热] diànrè 형〔物〕 전열의. ❏ ~产品; 전열 제품 / ~毯; 전기장판. 전기요.
[电容] diànróng 명〔電〕 전기 용량. ❏ ~器; 콘덴서. 축전기.
[电扇] diànshàn 명 (전기) 선풍기. =[电风扇][风扇]
[电石气] diànshíqì 명 ⇨[乙炔]
[电视] diànshì 명 ① 텔레비전. 티브이(TV). ❏ 看~; 텔레비전을 보다 / 闭路~; 폐회로 텔레비전. 시시티브이(CCTV) / 彩色~; 컬러텔레비전 / ~购物; 텔레비전 홈쇼핑 / ~机 =[~接收机]; 텔레비전 수상기 / ~剧; 텔레비전 드라마 / ~台; 텔레비전 방송국 / ~演员; 탤런트. ② ⇨[电视机]
[电视机] diànshìjī 명 텔레비전 수상기. 텔레비전. 티브이. ❏ 一台~; 텔레비전 한 대. =[电视②]
[电台] diàntái 명 ① 무선 전신국. ②〈簡〉 ⇨[广播电台]
[电梯] diàntī 명 승강기. 엘리베이터(elevator). =[升降机]
[电筒] diàntǒng 명 ⇨[手电筒]
[电线] diànxiàn 명 전선. 전깃줄.
[电信] diànxìn 명 전신(電信). ❏

~局; 전신국. =[电讯②]
[电讯] diànxùn 명 ① 전기 통신. 전신(電訊). ② ⇨[电信]
[电压] diànyā 명〔電〕 전압. ❑~表; 전압계.
[电唁] diànyàn 동 조전(弔電)을 치다.
[电椅] diànyǐ 명 전기의자.
[电影(儿)] diànyǐng(r) 명 영화. ❑放映~; 영화를 상영하다 / ~插曲; 영화 삽입곡 / ~导演; 영화감독 / ~发行公司; 영화 배급 회사 / ~放映机; 영사기 / ~剧本; 시나리오 / ~迷; 영화광. 영화팬 / ~演员; 영화배우 / ~院; 영화관 / ~制片厂; 영화 제작소 / ~制片人; 영화 제작자.
[电源] diànyuán 명〔電〕 전원. ❑切断~; 전원을 끊다 / 接上~; 전원을 연결하다.
[电子] diànzǐ 명〔物〕 전자. ❑~表; 전자시계 / ~出版; 전자 출판 / ~词典; 전자사전 / ~货币; 전자 화폐 / ~记事本; 전자수첩 / ~琴; 전자 오르간 / ~人; 사이보그 / ~邮件; 전자 우편. 이메일 / ~游戏; 전자오락 / ~乐器; 전자 악기.
[电子计算机] diànzǐ jìsuànjī ⇨[电脑]
[电阻] diànzǔ 명〔電〕 전기 저항.
[电钻] diànzuàn 명〔機〕 전기 드릴(drill).

佃 diàn (전)
동 소작하다.
[佃户] diànhù 명 소작인.
[佃农] diànnóng 명 소작농.
[佃租] diànzū 명 소작료.

钿(鈿) diàn (전)
명 금 조각이나 자개를 박아 넣은 장식. ❑螺~; 나전. ⇒tián

店 diàn (점)
명 ① 여관. 여인숙. ② 가게. 상점. ❑开~; 개점하다.
[店铺] diànpù 명 점포. 가게.
[店员] diànyuán 명 점원. 종업원.
[店主] diànzhǔ 명 상점 주인. 점주.

玷 diàn (점)
① 명〈書〉 옥(玉)의 티. ② 동 흠을 내다. 더럽히다.
[玷辱] diànrǔ 동 욕되게 하다. 모욕을 주다. 명예를 더럽히다. ❑~门户; 가문을 욕되게 하다.
[玷污] diànwū 동 욕되게 하다. 더럽히다. ❑~名誉; 명예를 더럽히다.

惦 diàn (점)
동 생각하다. 걱정하다. 염려하다. ❑心里一直~着这件事; 마음속으로 줄곧 이 일을 염려하다.
[惦记] diàn·jì 동 (잊지 않고) 걱정하다. 염려하다. ❑父母很~着你; 부모님은 너를 무척 걱정하고 계신다. =[惦念]
[惦念] diànniàn 동 ⇨[惦记]

垫(墊) diàn (점)
① 동 (밑에) 깔다. 대다. 괴다. ❑桌子的一个腿儿~着一块小木片儿呢; 탁자의 한쪽 다리에 작은 나뭇조각이 괴어져 있다. ② 동 틈을 메우다. 공백을 메우다. ❑这里缺一个人, 你来~上; 여기에 한 사람이 부족하니 네가 자리를 채워라. ③ 동 잠깐 돈을 대신 지불하다. ❑他替我~过钱了; 그가 나를 대신해서 돈을 지불해 준 적이 있다. ④(~儿) 명 깔개. 까는 물건. ❑鞋~儿; 신발 깔창.
[垫肩] diànjiān 명 ① 어깨 받침《짐을 멜 때 어깨에 대는 헝겊》. ② (상의의) 어깨 패드.
[垫脚石] diànjiǎoshí 명 ① 발판. 디딤돌. ②〈比〉 (출세의) 발판.
[垫子] diàn·zi 명 방석. 깔개. 매트. 쿠션(cushion). ❑茶杯~; 찻잔 받침 / 体操~; 체조용 매트.

淀(澱) diàn (전)
동 침전하다.
[淀粉] diànfěn 명 녹말. 전분.

靛 diàn (전)
명 ①〔染〕 청람. ②〔色〕 쪽빛. 남빛.
[靛蓝] diànlán 명〔染〕 청람(青藍). =[蓝靛]
[靛青] diànqīng 형 짙은 남색빛을 띠다.

奠 diàn (전)
동 ① 정하다. 건립하다. ② 죽은 사람을 제사 지내다.
[奠定] diàndìng 동 기초를 정하다. 안정시키다. ❑~基础; 기초를 정하다.
[奠基] diànjī 동 ①〔建〕 (건축물의) 기초를 세우다. 정초하다. ❑~典礼; 정초식. ② 초석을 세우다. 기초를 만들다. ❑~人; 설립자. 창립자.
[奠基石] diànjīshí 명〔建〕 머릿돌.

殿 diàn (전)
①명 높고 큰 가옥. ②명 궁전. 신전(神殿). ❏宫~; 궁전. ③동 제일 끝에 놓이다. ❏~军; ⇩
[殿军] diànjūn 명 ① 후미 부대. ②(운동 경기 따위의) 꼴찌. ③(경기 따위에서) 꼴찌로 통과한 사람. 턱걸이로 붙은 사람.
[殿下] diànxià 명 전하.

癜 diàn (전)
명〖醫〗어루러기.

diao ㄉㄧㄠ

刁 diāo (조)
형 교활하다. 간교하다. ❏这个人真~; 이 사람은 참으로 교활하다.
[刁悍] diāohàn 형 교활하고 흉포하다.
[刁滑] diāohuá 형 교활하다. ❏好~的东西; 참으로 교활한 놈.
[刁难] diāonàn 동 고의로 난처하게 하다. 애를 먹이다. 힘들게 하다. ❏百般~; 온갖 수단을 다 동원해서 애를 먹이다.

叼 diāo (조)
동 입에 물다. ❏鱼让猫~走了; 물고기는 고양이가 물고 갔다.

凋 diāo (조)
동 (초목이) 시들다. 영락하다.
[凋零] diāolíng 동 ①(초목이) 시들다. ②쇠락하다. 쇠패하다. ❏家道~; 집안 살림이 쇠락하다.
[凋落] diāoluò 동 ⇨[凋谢]
[凋谢] diāoxiè 동 ①(초목이) 시들어서 지다. ❏花~了; 꽃이 시들었다. ②〈比〉(늙어서) 죽다. ❏老成~; 긴 일생을 마치다. ‖ =[凋落]

碉 diāo (조)
명 보루. 토치카.
[碉堡] diāobǎo 명 군사상의 방어용 건축물. 토치카(러 tochka).

雕 diāo (조)
A) ①동 (나무·돌 따위에) 조각하다. 새기다. ❏~塑; ⇩ ②명 조각품. ❏石~; 석조. ③형 채색 따위로 장식한. ❏~梁画栋; ⇩ B) 명〖鳥〗수리.
[雕虫小技] diāochóng-xiǎojì 〈成〉 보잘것없는 하찮은 재주.
[雕花] diāohuā 동 무늬나 그림을 조각하다. ❏~匠; 조각가. 명 조각한 무늬.
[雕刻] diāokè 동 조각하다. ❏~石像; 석상을 조각하다. 명 조각. 조각품.
[雕梁画栋] diāoliáng-huàdòng 〈成〉 건물의 화려한 색채와 장식.
[雕塑] diāosù 명동〖美〗조소(하다).
[雕像] diāoxiàng 명〖美〗조각상.
[雕琢] diāozhuó 동 ①(옥석을) 조각하다. 갈다. ②〈比〉(자구를) 지나치게 수식하다.

貂 diāo (초)
명〖動〗담비.

吊 diào (조)
동 ①달아매다. 매달다. ❏灯笼~在哪儿更好看呢? 등을 어디에 달아야 더 보기 좋을까? ②끈 따위로 묶어서 올리거나 내리다. ③〖體〗그물 위로 공을 가볍게 쳐서 넘기다. ④옷의 겉감·안감에 모피를 대다. ❏~面子; 겉감을 대다. ⑤(발행한 증서 따위를) 거두어들이다. 무효로 하다. ❏~销; ⇩ ⑥조문(弔問)하다. ❏~丧; ⇩
[吊车] diàochē 명 ⇨[起重机]
[吊窗] diàochuāng 명 들창.
[吊床] diàochuáng 명 그물 침대. 해먹(hammock).
[吊带] diàodài 명 ① 가터(garter). 양말대님. =[吊袜带] ②(여성복 상의의) 얇은 어깨끈. ❏~连衣裙; 끈 원피스. ③물체를 매달 수 있도록 붙어 있는 끈.
[吊灯] diàodēng 명 천장에 매다는 등. 펜던트(pendant)등.
[吊儿郎当] diào·erlángdāng 형 〈口〉(용모·품행 따위가) 건들건들하다.
[吊环] diàohuán 명〖體〗①(체조의) 링(ring). ②링 운동.
[吊桥] diàoqiáo 명 ①조교(弔橋). 현수교(懸垂橋). =[悬索桥] ②(성의 해자(垓字)에 놓은) 개폐교.
[吊丧] diào//sāng 동 문상하다. 조문하다. =[吊孝]
[吊嗓子] diào sǎng·zi (반주에 맞추어) 발성 연습을 하다.
[吊扇] diàoshàn 명 천장 선풍기.
[吊死] diàosǐ 동 목매달아 죽다. ❏~鬼(儿); 목매달아 죽은 귀신.
[吊塔] diàotǎ 명 타워 크레인(tower crane).
[吊桶] diàotǒng 명 두레박.
[吊袜带] diàowàdài 명 ⇨[吊带①]
[吊销] diàoxiāo 동 (허가증 따위

를) 압수하여 취소하다. ❑ ~营业执照; 영업 허가증을 취소하다.
[吊孝] diào//xiào 동 ⇨[吊丧]
[吊唁] diàoyàn 동 조문하다.

钓(釣) diào (조) 동 ① 낚시하다. ②〈比〉 수단을 부려 손에 넣다.
[钓饵] diào'ěr 명 ① 낚싯밥. ②〈比〉 (사람을 꾀어내는) 미끼. ❑ 以利为~; 이익을 미끼로 삼다.
[钓竿(儿)] diàogān(r) 명 낚싯대.
[钓钩(儿)] diàogōu(r) 명 ① 낚시 바늘. ②〈比〉 사람을 꾀는 것.
[钓具] diàojù 명 낚시 도구.
[钓手] diàoshǒu 명 낚시꾼.
[钓丝] diàosī 명 낚싯줄.
[钓鱼] diào//yú 동 물고기를 낚다. 낚시질하다. ❑ 钓了几条鱼; 물고기를 몇 마리 낚았다.

调(調) diào (조) ① 동 전근하다. 인사이동하다. 파견하다. ❑ 我们老师~走了; 우리 선생님은 전근 가셨다. ② 동 조사하다. ❑ 内查外~; 안팎으로 조사하다. ③ 동 서로 바꾸다. 교환하다. ❑ 你和她~~座位吧; 네가 그녀와 자리를 바꿔라. =[掉⑧] ④ (~儿) 명 어조. 억양. 악센트(accent). ❑ 东北~儿; 동북 억양. ⑤ (~儿) 명 논조(論調). ⑥ 명〔樂〕 조. ❑ C~; 시장조. 다장조. ⑦ (~儿) 명 가락. 멜로디. ❑ 这首歌的~很好听; 이 노래의 멜로디는 매우 듣기 좋다. ⑧ 명〔言〕 성조(聲調). ⇒ tiáo
[调包(儿)] diào//bāo(r) 동 (좋은 것과 나쁜 것, 가짜와 진짜를) 바꿔치기 하다. ❑ 他的东西叫人调了包; 그의 물건이 바꿔치기 되었다. =[掉包]
[调兵] diào//bīng 동 군대를 이동시키다. ❑ ~遣将; 〈成〉 ⓐ 군대를 이동시키고 장수를 파견하다. ⓑ 〈比〉 인원을 이동 배치하다.
[调拨] diàobō 동 (인원·자금·물자 따위를) 배분하다. 할당하다. 조달하다. ❑ ~劳动力; 노동력을 배분하다 / ~款项; 자금을 조달하다.
[调查] diàochá 명동 조사(하다). ❑ ~事实真相; 사실과 진상을 조사하다 / ~户口; 호구 조사.
[调茬] diàochá 동 ⇨[轮作]
[调动] diàodòng 동 ① (위치·용도·인원을) 이동하다. 옮기다. 전환 배치하다. ❑ ~队伍; 대오를 이동하다. ② 동원하다. 움직여 발휘하게 하다.
[调度] diàodù 동 (업무·인력·차량 따위를) 관리하고 안배하다. 관제하다. 명 관리하고 안배하는 사람. 관리원.
[调换] diàohuàn 동 ① (서로) 바꾸다. 맞바꾸다. ❑ ~位置; 서로 위치를 바꾸다. ② 교체하다. 변경하다. 바꾸다. ❑ ~工作; 업무를 변경하다. ‖ =[掉换]
[调回] diàohuí 동 (군대 따위를) 소환하다. 귀환시키다.
[调集] diàojí 동 소집하다. 집중시키다. ❑ ~军队; 군대를 소집하다 / ~资金; 자금을 모으다.
[调配] diàopèi 동 이동 배치 하다. 할당하다. ❑ ~人力; 인력을 이동 배치 하다. ⇒ tiáopèi
[调遣] diàoqiǎn 동 파견하다.
[调用] diàoyòng 동 (물자·인원을) 조달하고 사용하다.
[调转] diàozhuǎn 동 ⇨[掉转]
[调子] diào·zi 명 ①〔樂〕 가락. 멜로디. ② 논조. ③ 어조.

掉 diào (도) 동 ① 떨어지다. 떨어뜨리다. ❑ ~眼泪; 눈물을 흘리다 / 飞机~在海里了; 비행기가 바다에 추락했다. ② 뒤떨어지다. 뒤처지다. ❑ ~队; ⇩ ③ 분실하다. 유실하다. 빠뜨리다. ❑ 把帽子~了; 모자를 잃어버렸다. ④ (중량·가격 따위가) 하락하다. 감소하다. ❑ 体重~了三公斤; 체중이 3kg 줄었다. ⑤ 동사 뒤에 쓰여 동작의 결과를 나타냄. ❑ 把机票退~吧; 비행기표를 물러 버려라. ⑥ 흔들다. 흔들리다. ❑ 尾大不~; 〈成〉 꼬리가 커서 흔들지 못하다《아랫사람의 세력이 강해서 조종하지 못하다》. ⑦ 방향을 바꾸다. 돌다. 돌리다. ❑ 他正~着车; 그는 지금 차를 돌리고 있다 / 把床~了个方向; 침대의 방향을 바꿨다. ⑧ ⇨[调diào③]
[掉包(儿)] diào//bāo(r) 동 ⇨[调diào包(儿)]
[掉点儿] diào//diǎnr 동〈口〉 빗방울이 떨어지다. ❑ ~了, 赶快回去吧! 빗방울이 떨어지니, 빨리 돌아가자!
[掉队] diào//duì 동 ① (대열에서) 뒤처지다. 낙오하다. ②〈比〉 (객관적 형세에서) 낙오하다. 뒤처지다. ❑ 只要努力, 各方面掉不了队; 노

력을 해야만 각 방면에서 낙오하지 않는다.

[掉换] diàohuàn 통 ⇨[调换]

[掉价(儿)] diào//jià(r) 통 ① 값이 내리다. ❑ 菠菜~了; 시금치 값이 내렸다. ② 〈比〉 신분·위신 따위가 떨어지다.

[掉色] diào//shǎi 통 퇴색하다. 빛이 바래다. 탈색되다. ❑ 这块布不~; 이 천은 색이 바래지 않는다.

[掉头] diào//tóu 통 ① 고개를 돌리다. 돌아보다. ❑ 他一听这话~就走了; 그는 이 말을 듣고는 고개를 돌려 가 버렸다. ② (배·차 따위가) 방향을 바꾸다. 돌리다. ❑ 胡同太窄, 车子掉不了头; 골목이 너무 좁아서 차를 돌릴 수 없다.

[掉以轻心] diàoyǐqīngxīn 〈成〉 대수롭지 않게 여기다.

[掉转] diàozhuǎn 통 방향을 바꾸다[돌리다]. ❑ ~船头; 뱃머리를 돌리다 / ~话头; 화제를 바꾸다. =[调转]

die ㄉㄧㄝ

爹 diē (다) 명〈口〉 아버지. 아빠.

[爹爹] diē·die 명〈方〉 ① 아버지. 아빠. ② 할아버지.

[爹娘] diēniáng 명 아빠 엄마. 부모. =[爹妈]

跌 diē (질) 통 ① 엎어지다. 넘어지다. ❑ ~了一下儿, 把脚脖子扭了; 넘어져서 발목을 삐었다. ② (물체가) 떨어지다. 낙하하다. ③ (물가가) 내리다. ❑ 价格再~~就可以买了; 가격이 좀더 내리면 살 수 있다.

[跌跌撞撞(的)] diēdiēzhuàngzhuàng(·de) 형 비틀거려 곧 넘어질 것 같은 모양. ❑ ~走进一个人来; 비틀거리면서 한 사람이 걸어 들어왔다.

[跌幅] diēfú 명 낙폭. 내림폭. 하락폭.

[跌价(儿)] diē//jià(r) 통 (상품의) 가격이 떨어지다[내리다].

[跌跤] diē//jiāo 통 ① 넘어지다. 자빠지다. ❑ 他不小心跌了一跤; 그는 부주의하여 넘어지고 말았다. ② 〈比〉 실수하다. 실패하다. 좌절하다. ‖ =[跌交]

[跌落] diēluò 통 ① (물체가) 떨어지다. ❑ 树叶纷纷~; 나뭇잎이 우수수 떨어지다. ② (생산고·가격 따위가) 하락하다. 떨어지다. ❑ 币值~; 화폐 가치가 하락하다.

[跌势] diēshì 명 하락세.

迭 dié (질) ① 통 번갈다. 교대하다. ❑ ~为组长; 번갈아 가며 조장을 하다. ② 부〈書〉 자주. 누차. 여러 번. ❑ ~有发现; 자주 발견되다.

[迭出] diéchū 통 속출하다. 잇따라 나오다. ❑ 名家~; 명인이 속출하다.

[迭起] diéqǐ 통 잇따라 일어나다. 차례로 나타나다. ❑ 惨案~; 학살 사건이 잇따라 일어나다.

谍(諜) dié (첩) 명 ① 첩보 활동. ② 스파이. 간첩. ❑ 间~; 간첩.

[谍报] diébào 명〖軍〗 첩보. ❑ 收到~; 첩보를 입수하다 / ~机关; 첩보 기관 / ~员; 첩보원.

喋 dié (첩) →[喋喋][喋血]

[喋喋] diédié 형 말이 많다. 수다스럽다. ❑ ~不休; 〈成〉 쉬지 않고 재잘거리다.

[喋血] diéxuè 통〈書〉 피바다가 되다. 유혈(流血)이 낭자하다. ❑ 边城~; 변경 도시가 피바다가 되다.

牒 dié (첩) 명 문서. 증명서. ❑ 通~; 통첩.

碟 dié (접) ① (~儿) 명 접시. ② 양 접시 《접시에 담긴 것을 세는 말》. ❑ 一~菜; 요리 한 접시.

[碟子] dié·zi 명 접시.

蝶 dié (접) 명〈簡〉 ⇨[蝴蝶]

[蝶泳] diéyǒng 명〖體〗 접영.

叠 dié (첩) 통 ① 쌓아 올리다. 포개다. 겹치다. ❑ 堆~; 쌓아 올리다. ② (옷·종이 따위를) 접다. 개다. ❑ ~手绢儿; 손수건을 접다.

ding ㄉㄧㄥ

丁 dīng (정) 명 ① 성년 남자. ❑ 成~; 성년이 되다. ② 인구. 가족 수. ❑ 添~; 아들을 낳다. ③ 천간(天干)의 넷째. ④ 어떤 직업에 종사하는 사람. ❑ 门~; 문지기. ⑤ (~儿)

(채소나 고기 따위를) 깍둑썰기 한 것. 주사위 모양으로 자른 것. ❑切成~; 깍둑썰기로 자르다.
【丁当】 dīngdāng 의 ⇨[叮当]
【丁东】 dīngdōng 의 ⇨[叮咚]
【丁冬】 dīngdōng 의 ⇨[叮咚]
【丁零】 dīnglíng 의 딸랑딸랑. 찌르릉《작은 금속 물체가 부딪치는 소리》. ❑~~的自行车铃声; 찌르릉 찌르릉하는 자전거 벨소리.
【丁零当郞】 dīng·lingdānglāng 의 땡그랑땡그랑《금속이나 사기 따위가 계속해서 부딪치는 소리》.
【丁宁】 dīngníng 동 ⇨[叮咛]
【丁烷】 dīngwán 명〖化〗부탄(butane). ❑~气; 부탄가스.
【丁香】 dīngxiāng 명〖植〗① 라일락(lilac). ❑~花; 라일락꽃. =[紫丁香] ② 정향나무. ❑~花; 정향나무의 꽃.
【丁字】 dīngzì 명 정자(丁字). 티자(T字). ❑~尺; T자형 자 / ~街; 정자로(丁字路). 삼거리.

仃 dīng (정)
→[伶língí仃]

叮 dīng (정)
동 ① (모기 따위가) 빨다. 물다. ❑蚊子~人; 모기가 사람을 물다. ② 캐묻다. 추궁하다. ❑一连~了几句, 他才说了真话; 연이어 몇 마디 추궁하자 그는 비로소 진실을 털어놓았다.
【叮当】 dīngdāng 의 딸그랑. 댕그랑《금속·사기 따위가 부딪치는 소리》. =[丁当]
【叮咚】 dīngdōng 의 딸그랑. 똑똑《옥석·금속 따위가 부딪치거나 물방울이 떨어지는 소리》. =[丁冬][丁东]
【叮咛】 dīngníng 동 거듭 당부하다. 신신당부하다. ❑妈妈再三~, 到了那儿一定要写信来; 어머니는 그곳에 가면 꼭 편지하라고 재삼 당부하셨다. =[丁宁]
【叮咬】 dīngyǎo 동 (모기 따위가) 물다.
【叮嘱】 dīngzhǔ 동 간곡히 부탁하다. 거듭 당부하다. 신신당부하다. ❑父亲~我要好好学习; 아버지는 내게 공부를 열심히 하라고 신신당부를 하셨다.

盯 dīng (정)
동 주시하다. 응시하다. ❑他两只大眼直~着我; 그는 큰 두 눈으로 나를 줄곧 응시하고 있다. =[钉B)④]
【盯梢】 dīng∥shāo 동 뒤를 밟다. 미행하다. ❑他天天对那女子~; 그는 매일 저 여자를 따라다닌다. =[钉梢]

钉(釘) dīng (정)
A) (~儿) 명 못. ❑螺丝~儿; 나사못 / 鞋~; 구두못. B) 동 ① 바짝 뒤쫓다. 바싹 따라붙다. ❑~着他, 别让他跑了; 그를 바짝 뒤쫓아서 도망가지 못하게 해라. ② 독촉하다. 재촉하다. ❑你还得děi~办签证的事儿; 아무래도 네가 비자 처리 문제를 좀 재촉해야겠다. ③〖體〗마크하다. ❑紧紧地~了他四十五分钟; 그를 45분 동안 단단히 마크했다. ④ ⇨[盯] ⇒dìng
【钉帽】 dīngmào 명 못대가리.
【钉人】 dīng∥rén 동〖體〗(상대를) 마크하다. ❑~防守; (농구·축구 따위의) 대인(對人) 방어.
【钉梢】 dīng∥shāo 동 ⇨[盯梢]
【钉鞋】 dīngxié 명〖體〗스파이크 슈즈(spike shoes).
【钉子】 dīng·zi 명 ① 못. ❑钉dìng~; 못을 박다 / 拔~; 못을 뽑다. ②〈比〉방해물. 장해물. ③〈比〉(심어 놓은) 첩자. 끄나풀.

耵 dīng (정)
→[耵聍níng]
【耵聍】 dīngníng 명 귀지. =[耳垢][〈俗〉耳屎]

酊 dīng (정)
명〖藥〗정기(丁幾).
【酊剂】 dīngjì 명〖藥〗정기(丁幾).

顶(頂) dǐng (정)
① (~儿) 명 (인체·물체의) 정상. ❑山~; 산꼭대기 / 头~; 정수리. ② 동 머리에 이다. 머리에 얹다. ❑她~着一个罐子去打水; 그녀는 항아리 하나를 이고 물을 길러 간다. ③ 동 (아래에서 위로) 밀어 움직이다. 들어 올리다. ❑树根把土~起来; 나무뿌리가 흙을 밀어 올리다. ④ 동 머리로 부딪치다. 머리로 받다. ❑昨天他被牛~伤了; 어제 그는 소에 받혀서 다쳤다. ⑤ 동 버티다. 받쳐 대다. 지탱하다. ❑用棍子~门; 막대기를 문에 받쳐 놓다. ⑥ 동 무릅쓰다. 마주 대하다. ❑~着火热的太阳迈步前进; 이글거리는 태양을 무릅쓰고 앞으로 전진하다. ⑦ 동 반항하다. 대들다. ❑她又和顾客~起来了; 그녀는 또 손님한테 대들기 시

작했다. ⑧ 동 담당하다. 감당하다. 견뎌 내다. ❑ ~班; ⇩ ⑨ 동 상당하다. 필적하다. ❑ 他一天干的活儿, ~别人三天干的; 그가 하루에 하는 일은 다른 사람의 사흘치에 맞먹는다. ⑩ 동 대용하다. 대체하다. 대신하다. ❑ 我~了她的工作; 내가 그녀의 일을 대신 맡았다. ⑪ 양 꼭대기 부분이 있는 것을 세는 말. ❑ 一~帽子; 모자 한 개. ⑫ 부 가장. 제일. ❑ ~好的办法; 가장 좋은 방법.

[顶班] dǐng//bān 동 ① (~儿) 대신 담당하다. 책임을 대신 맡다. ❑ 我给他~; 내가 그의 업무를 대신 맡아 주었다. ② (dǐngbān) (규정된 시간 내에) 맡은 업무를 해내다.

[顶点] dǐngdiǎn 명 정점. ①〖數〗 꼭짓점. ② 클라이맥스(climax). 절정. 최고조.

[顶端] dǐngduān 명 ① 꼭대기. 정상. ② 끝. 끝 부분. ❑ 桥的~; 다리 끝.

[顶风] dǐngfēng 명 (진행 방향과 반대 반향으로 부는) 맞바람. 역풍. (dǐng//fēng) 동 ① 바람에 거스르다. 바람을 안다. ❑ ~冒雨; 비바람을 무릅쓰다. ②〈比〉 (법규·정책 따위를) 공공연히 위반하다. 대놓고 거스르다. ❑ ~作案; 공공연히 범죄를 저지르다.

[顶峰] dǐngfēng 명 ① (산의) 정상. ②〈比〉 (사물 발전 과정 중의) 최절정. 최고조.

[顶级] dǐngjí 형 정상급의. 최고급의. ❑ ~球员; 정상급 (구기) 선수 / ~餐厅; 최고급 식당.

[顶梁柱] dǐngliángzhù 명 〈比〉 중추. 중심 인물. 대들보.

[顶楼] dǐnglóu 명 ① 다락방. ② 펜트하우스(penthouse).

[顶门儿] dǐngménr 명 정수리. 정문(頂門).

[顶牛儿] dǐng//niúr 동〈比〉 고집을 부리다. (말로) 남에게 대들다. 고의로 남의 비위를 거스르다. 정면 충돌하다.

[顶球] dǐngqiú 명동〖體〗 헤딩(heading)(하다).

[顶事(儿)] dǐng//shì(r) 형 쓸모가 있다. 유용하다. 효력이[효과가] 있다. ❑ 这辆自行车很~; 이 자전거는 매우 쓸모가 있다.

[顶替] dǐngtì 동 (다른 사람·사물 따위를) 대신하다. ❑ 他没来, 我临时~; 그가 안 와서 내가 임시로 대신한다.

[顶天立地] dǐngtiān-lìdì 〈成〉 의연히 대지를 밟고 있는 모양《영웅적 기개를 형용하는 말》.

[顶头] dǐngtóu 명 맨 끝. 막다른 곳. 동 얼굴을 향하다. ❑ 遇上~风; 얼굴을 향해 부는 바람을 만나다.

[顶头上司] dǐngtóu shàng·si 〈口〉 직속상관.

[顶用] dǐng//yòng 형 쓸모가 있다. 소용되다. ❑ 这种说法, 顶什么用? 이렇게 말하는 것이 무슨 소용이 있느냐?

[顶针(儿)] dǐng·zhen(r) 명 골무.

[顶撞] dǐngzhuàng 동 거역하다. 대들다. 말대꾸하다. 맞서다. ❑ 当面~领导; 얼굴을 맞대고 상사에게 대들다.

[顶子] dǐng·zi 명 ① (탑·가마 따위의) 맨 꼭대기의 장식 부분. ② 지붕.

[顶嘴] dǐng//zuǐ 동〈口〉 (어른에게) 말대답하다. 대들다. ❑ 小孩子不许跟大人~; 아이는 어른에게 말대답하면 안 된다.

鼎 dǐng (정)
① 명 귀가 두 개 달린 세발솥. ② 명〈方〉 솥. ③ 동 삼자(三者)가 병립(竝立)하다. ❑ ~立; ⇩

[鼎鼎] dǐngdǐng 형 성대한 모양. ❑ ~大名;〈成〉 대단한 명성.

[鼎沸] dǐngfèi 동〈書〉 의론이 들끓다[분분하다]. 시끌시끌하다. ❑ 人声~; 사람 소리가 시끄럽다.

[鼎立] dǐnglì 동 세 세력이 상대하여 병립하다. 정립하다.

订(訂) dìng (정)
동 ① (조약·계약·계획 따위를) 정하다. 체결하다. ❑ ~条约; 조약을 맺다 / ~婚; ⇩ ② (미리) 주문하다. 예약하다. 신청하다. ❑ 预~; 예약하다. ③ (문자상의 잘못을) 교정하다. 정정하다. ❑ 修~; 수정하다. ④ 철(綴)하다. 장정(裝幀)하다.

[订单] dìngdān 명 주문서. =[定单]

[订购] dìnggòu 동 예약 주문 하다. ❑ ~机票; 비행기 표를 예약 주문 하다. =[定购②]

[订户] dìnghù 명 정기 구매자. 정기 구독자. ❑ 报纸~; 신문 구독자. =[定户]

[订婚] dìng//hūn 동 약혼하다. 정혼하다. ❏ ~戒指; 약혼 반지. =[定婚]
[订货] dìng//huò 동 (물품을) 주문하다. 발주하다. ❏ 提前~; 미리 주문하다 / ~量; 주문량. (dìnghuò) 명 주문품. 주문 상품. ‖ =[定货]
[订立] dìnglì 동 (조약·계약 따위를) 체결하다. 맺다. ❏ ~合同; 계약을 맺다 / ~条约; 조약을 맺다.
[订书机] dìngshūjī 명 ① 스테이플러(stapler). 호치키스(hotchkiss). ② 제본기(製本機).
[订阅] dìngyuè 동 (신문·잡지 따위를) 주문[예약]하여 구독하다. ❏ ~报章; 신문을 구독하다 / ~费; 구독료. =[定阅]
[订正] dìngzhèng 동 (글자나 글의 오류를) 정정하다. 수정하다. ❏ ~了原稿中的错误; 원고의 잘못을 정정했다.

钉(釘) dìng (정) 동 ① 못을 박다. (못이나 나사로) 고정시키다. ❏ ~钉dīng子; 못을 박다 / 把地图~在墙上; 지도를 벽에 박아 달다. ② (끈·단추 따위를) 꿰매다. 달다. ❏ ~扣子; 단추를 달다. ⇒dīng

定 dìng (정) ① 동 안정되다. 진정되다. ❏ ~神; ⇩ ② 동 고정되다. 고정하다. ❏ ~眼睛; 뚫어지게 바라보다. ③ 동 정하다. 확정하다. 책정하다. ❏ 价格~得太高了; 가격이 너무 높게 정해졌다. ④ 형 확정된. 변하지 않는. ❏ ~理; ⇩ / ~论; ⇩ ⑤ 형 규정된. 정해진. ❏ ~期; ⇩ ⑥ 동 예약하다. ⑦ 부〈書〉 반드시. 꼭. 틀림없이. ❏ ~能成功; 틀림없이 성공할 수 있다.
[定案] dìng'àn 명 결정이 난 안건. 정안. (dìng//àn) 동 안건을 정하다. 최종 결정을 내리다. ❏ 证据不足, 不可~; 증거가 부족해서 최종 결정을 내릴 수가가 없다.
[定单] dìngdān 명 ⇨[订单]
[定夺] dìngduó 동 가부(可否)를 결정하다. 취사를 선택하다.
[定额] dìng'é 동 수량을 규정하다. 명 정액. 정원. 정량(定量). 노르마(norma). ❏ 生产~; 생산 노르마. 책임 생산량.
[定稿] dìng//gǎo 동 (원고를) 탈고하다. (dìnggǎo) 명 최종 원고.
[定购] dìnggòu 동 ① (국가가) 계획수매하다. ② ⇨[订购]
[定规] dìngguī 명 일정한 법규. 규정. 부〈方〉 반드시. 기어코. ❏ 他~要去; 그는 기어코 가려고 한다.
[定户] dìnghù 명 ⇨[订户]
[定婚] dìng//hūn 동 ⇨[订婚]
[定货] dìng//huò 명동 ⇨[订货]
[定价] dìngjià 명 정가. ❏ ~单 =[~表]; 정가표. (dìng//jià) 동 값을 정하다.
[定见] dìngjiàn 명 정견. 일정한 견해[주장].
[定居] dìng//jū 동 거처를 정하다. 정주하다. 정착하다. ❏ ~农村; 농촌에 정주하다 / ~点; 정착 지구.
[定局] dìngjú 동 최종적으로 결정하다. 최종 결정을 내리다. ❏ 请从速~; 속히 결정을 내려 주십시오. 명 정해진 형세. 확정적인 국면.
[定理] dìnglǐ 명 ① 불변의 진리. ②〔數〕 정리.
[定例] dìnglì 명 정례.
[定量] dìngliàng 동 ①〔化〕 정량하다. ② 양을 정하다. ❏ ~供应; 정해진 양을 공급하다. 명 정해진 양. 정량.
[定律] dìnglǜ 명 (과학상의) 일정한 규칙. 법칙. 원리. ❏ 阿基米德~; 아르키메데스(Archimedes)의 법칙.
[定论] dìnglùn 명 정설. 정론.
[定评] dìngpíng 명 정평. ❏ 这部作品早有~; 이 작품은 일찍부터 정평이 나 있다.
[定期] dìngqī 동 기일[기한]을 정하다. ❏ 会议尚未~; 회의는 아직 기일이 정해지지 않았다. 형 정기의. ❏ ~存款; 정기 예금 / ~刊物; 정기 간행물 / ~票 =[~券]; 정기권. 패스.
[定然] dìngrán 부 반드시. 기필코. 틀림없이. 꼭. ❏ ~会成功的; 반드시 성공할 것이다.
[定神] dìng//shén 동 ① 마음을 안정시키다. 마음[정신]을 가다듬다. ❏ 他先定了定神才开始讲话; 그는 우선 마음을 가다듬은 다음에야 연설을 시작했다 / ~药; 진정제. ② 주의력을 집중하다. 시선을 집중시키다. ❏ ~细看; 눈여겨보다.
[定时] dìngshí 명 정시. 정해진 시간. ❏ ~器; 타이머(timer) / ~炸弹; 시한폭탄. 동 정해진 시간에

맞추다. ❑ ~吃药; 정해진 시간에 맞춰 약을 먹다.
[定说] dìngshuō 명 정설.
[定心] dìng//xīn 동 마음을 안정시키다. 마음을 가라앉히다.
[定心丸(儿)] dìngxīnwán(r) 명 ①〔藥〕진정제. ②〈比〉생각이나 마음을 안정시키는 사상이나 언론.
[定型] dìng//xíng 동 형태가 고정되다. 정형화되다. ❑ 产品已经~; 제품은 이미 정형화되었다.
[定义] dìngyì 명동 정의(를 내리다).
[定语] dìngyǔ 명〔言〕수식어. 꾸밈말.
[定员] dìngyuán 동 인원수를 정하다. 명 정해진 인원. 정원.
[定阅] dìngyuè 동 ⇨[订阅]
[定准] dìngzhǔn 명 (~儿) 정해진 표준. 일정한 기준. ❑ 他的话没有~; 그의 말은 일정한 기준이 없다. 부 반드시. 꼭. 틀림없이. ❑ 我想,他明天~来找你; 내 생각에는 그는 내일 틀림없이 너를 찾아올 것이다. 동 확정하다. ❑ 上场队员还没有~; 출장할 선수가 아직 확정되지 않았다.
[定罪] dìng//zuì 동〔法〕죄를 언도하다. 유죄 판결을 하다.
[定做] dìngzuò 동 주문 제작 하다. 맞추다. ❑ ~西装; 양복을 맞추다.

碇 dìng (정)
명 돌로 만든 닻.

锭(錠) dìng (정)
① 명 방추. 북. ② 명 주괴(鑄塊). ❑ 金~; 금괴. ③ 양 덩어리를 세는 말. ❑ 一~墨; 먹 한 개.
[锭剂] dìngjì 명〔藥〕정제. 알약.
[锭子] dìng·zi 명 ⇨[纱锭]

diu ㄉㄧㄡ

丢 diū (주)
동 ① 잃다. 분실하다. ❑ 一夜之间~了三辆自行车; 하룻밤 사이에 3대의 자전거를 잃어버렸다. ② 내던지다. 버리다. ❑ 在街上~烟头; 길거리에 담배꽁초를 버리다. ③ 내버려 두다. 방치하다. 그냥 두다. ❑ ~了手艺, 多可惜; 솜씨를 그냥 썩히면 너무 아깝다.
[丢丑] diū//chǒu 동 창피당하다. 망신당하다. ❑ 在众人面前~; 사람들 앞에서 망신당하다.
[丢掉] diūdiào 동 ① 잃어버리다. ❑ 我把钱包~了; 나는 지갑을 잃어버렸다. ② 떨쳐 버리다. 내버리다. ❑ ~幻想; 환상을 버리다.
[丢脸] diū//liǎn 동 면목 없게 되다. 체면이 깎이다. 체면을 구기다. 망신당하다. ❑ 这点事都办不好,太~了; 일이 모두 잘 안 되어서, 너무 면목이 없다. =[丢面子]
[丢面子] diū miàn·zi ⇨[丢脸]
[丢人] diū//rén 동 면목 없게 되다. 체면을 잃다. 망신당하다.
[丢三落四] diūsān-làsì 〈成〉잘 잊어버리다. 잘 빠뜨리다. 실수가 많다.
[丢失] diūshī 동 분실하다. 잃어버리다. ❑ ~文件; 서류를 분실하다.

dong ㄉㄨㄥ

东(東) dōng (동)
명 ① 동쪽. ② 주인. ❑ 房~; 집주인. ③ (~儿) 초대자. 주인역(主人役). ❑ 今天上餐馆,我做~; 오늘 식당에 가서 내가 한 턱 내마.
[东奔西跑] dōngbēn-xīpǎo 〈成〉동분서주하다. =[东奔西走]
[东边(儿)] dōng·bian(r) 명 동쪽. =[东面(儿)]
[东道] dōngdào 명 ① ⇨[东道主] ② 주인역. 주인 노릇.
[东道国] dōngdàoguó 명 주최국. 개최국.
[东道主] dōngdàozhǔ 명 (손님을 맞는) 주인. =[东道①]
[东方] dōngfāng 명 동방. ① 동쪽. ② (Dōngfāng) 동양. 아시아. ❑ ~学; 동양학.
[东风] dōngfēng 명 ① 동풍. 봄바람. ❑ ~吹马耳; 〈成〉마이동풍. ②〈比〉혁명의 역량이나 기세.
[东家] dōng·jia 명 고용인이 주인을 이르던 말. 소작인이 지주(地主)를 이르던 말.
[东经] Dōngjīng 명〔地理〕동경.
[东拉西扯] dōnglā-xīchě 〈成〉되는대로 지껄이다. 생각 없이 아무 말이나 막 하다.
[东面(儿)] dōngmiàn(r) 명 ⇨[东边(儿)]

[东南亚] Dōngnán Yà 명〖地〗동남아시아. 동남아.
[东欧] Dōng Ōu 명〖地〗동유럽.
[东拼西凑] dōngpīn-xīcòu 〈成〉(돈이나 물건을) 여기저기에서 끌어 모으다.
[东三省] Dōngsānshěng 명〖地〗동북 삼성(중국 동부의 '辽宁(랴오닝)'·'吉林(지린)'·'黑龙江(헤이룽장)' 성(省)을 말함).
[东山再起] dōngshān-zàiqǐ 〈成〉재기하다. 세력을 만회하다.
[东西] dōngxī 명 동서. 동쪽과 서쪽.
[东…西…] dōng…xī… 여기저기. 이리저리. ❑东张西望; 〈成〉이리저리 두리번거리다.
[东西] dōng·xi 명 ① 각종 사물. 물건. ❑吃点儿~; 뭘 좀 먹다 / 零碎~; 자질구레한 물건. ② (지식 따위의) 추상적인 것. ❑学到了很多~; 많은 것을 배웠다. ③ 새끼. 놈. 자식(혐오 또는 친근하게 이르는 말). ❑你这个~; 너 이놈.
[东亚] Dōng Yà 명〖地〗동아시아.

冬(鼕)② dōng (동)
① 명 겨울. ② 의 ⇨[咚]
[冬虫夏草] dōngchóng-xiàcǎo 〖植〗동충하초. =[〈簡〉虫草]
[冬季] dōngjì 명 겨울철. 동계. ❑~训练 =[冬训]; 동계 훈련. =[冬令①]
[冬令] dōnglìng 명 ① ⇨[冬季] ② 겨울의 기후.
[冬眠] dōngmián 동〖生〗동면하다. 겨울잠을 자다. =[冬蛰]
[冬天] dōngtiān 명 겨울.
[冬闲] dōngxián 명 겨울철 농한기.
[冬衣] dōngyī 명 겨울옷. 동복.
[冬月] dōngyuè 명 동짓달.
[冬蛰] dōngzhé 동 ⇨[冬眠]
[冬至] dōngzhì 명 동지. ❑~点; 동지점.
[冬装] dōngzhuāng 명 겨울 복장.

咚 dōng (동)
의 쿵쿵. 둥둥. 쿵쿵(북이나 문을 두드리는 소리). =[冬②]

董 dǒng (동)
① 동〈書〉단속하다. 감독하다. 관리하다. ② 명 이사(理事). 중역(重役). ❑校~; 학교의 이사.
[董事] dǒngshì 명 이사. 중역. ❑~会; 이사회 / ~长; 이사장.

懂 dǒng (동)
동 알다. 이해하다. ❑你说得太快，我听不~; 네 말이 너무 빨라서 나는 못 알아듣겠다 / 他~法语; 그는 불어를 할 줄 안다.
[懂得] dǒng·de 동 (뜻·방법 따위를) 알다. 이해하다. ❑~那个意思; 그 뜻을 이해하다.
[懂事] dǒng//shì 형 세상 물정을 알다. 사리를 분별하다. 철이 들다. ❑你怎么这样不~? 너는 어쩌면 이렇게 철이 없느냐?

动(動) dòng (동)
① 동 움직이다. 움직이게 하다. ❑站住，别~! 거기 서서 움직이지 마! ② 동 활동하다. 행동하다. ❑上面不~，下面也~不了; 위에서 솔선하여 행동하지 않으면 밑에서도 행동할 리 없다. ③ 동 옮기다. 바꾸다. ❑挪~; 옮기다 / ~用; ⇩ ④ 동 사용하다. 쓰다. ❑~脑筋; ⇩ ⑤ 동 (사상·감정 따위를) 불러일으키다. 건드리다. ❑~怒; 화를 내다. ⑥ 동 감동시키다. 감동하다. ❑~人; ⇩ ⑦ 동〈方〉먹다. 마시다(주로, 부정형으로 쓰임). ❑他向来不~牛肉; 그는 전부터 쇠고기를 먹지 않는다. ⑧ 부〈書〉언제나. 걸핏하면. ❑~辄; ⇩ ⑨ 동 동사 뒤에 놓여, 그 동작에 의해 움직일 수 있거나 효과가 미침을 나타냄. ❑他的一句话打~了我; 그의 한 마디가 나의 마음을 움직였다.
[动不动] dòng·budòng 부 툭하면. 걸핏하면('就'를 수반함). ❑她性情急躁，~就发火; 그녀는 성미가 급해서 툭하면 화를 낸다.
[动产] dòngchǎn 명〖經〗동산.
[动词] dòngcí 명〖言〗동사.
[动荡] dòngdàng 동 (물결이) 출렁이다. 일렁이다. ❑湖水~; 호수가 출렁이다. 형〈比〉(국면·상황 따위가) 흔들리다. 동요하다. ❑整个世界激烈~; 온 세계가 심하게 동요되다.
[动肝火] dòng gānhuǒ 발끈하다. 화를 내다. 성을 내다.
[动工] dòng//gōng 동 ① 공사를 시작하다. 착공하다. ② 시공(施工)하다. 공사하다.
[动画片] dònghuàpiàn 명 만화 영화. =[〈口〉动画片儿piānr]
[动火(儿)] dòng//huǒ(r) 동〈口〉노하다. 화내다. 성내다.
[动机] dòngjī 명 동기. ❑~不纯;

동기가 불순하다.

[动静] dòng·jing 명 ① 기척. 인기척. ❑ 没有听到任何~; 아무런 기척도 들리지 않는다. ② 동정. 동태. ❑ 观察~; 동정을 살피다.

[动力] dònglì 명 ①〔物〕동력. ❑ ~装置; 동력 장치. ②〈比〉원동력. 사물을 전진시키는 힘.

[动乱] dòngluàn 명동 동란(이 나다). 난리(가 나다). ❑ 发生了一场~; 한바탕 동란이 발생했다.

[动脉] dòngmài 명 ①〔生理〕동맥. ❑ ~硬化; 동맥 경화. ②〈比〉중요한 교통의 간선(幹線).

[动脑筋] dòng nǎojīn 머리를 쓰다. 머리를 굴리다. 궁리하다. 연구하다. 생각하다.

[动能] dòngnéng 명〔物〕운동 에너지.

[动气] dòng∥qì 동 화내다. 성내다. ❑ 别~, 听我说下去; 화내지 말고 내 말을 계속 들어 봐라.

[动情] dòng∥qíng 동 ① 흥분하다. 감정이 동하다. 감정이 격해지다. ❑ 越说越~; 말할수록 감정이 격해지다. ② 연정을 느끼다. 사랑의 감정이 생기다.

[动人] dòngrén 형 마음을 움직이다. 감동적이다. ❑ ~心弦 =[~心魄];〈成〉심금을 울리다 / 他的讲演非常~; 그의 강연은 매우 감동적이다.

[动身] dòng∥shēn 동 출발하다. 떠나다. ❑ 要去北京半夜就得děi~; 베이징에 가려면 밤에는 출발해야 한다. =[起身①]

[动手] dòng∥shǒu 동 ① 착수하다. 시작하다. ❑ 没有原料, 动不了手; 원료가 없어서 착수하지 못한다. ② 손을 대다. 만지다. ❑ 请勿~; 손대지 마시오. ③ 손찌검하다. 때리다. ❑ 有话好说, 不要~; 싸우지 말고 말로 하세요.

[动手术] dòng shǒushù 수술을 하다[받다].

[动态] dòngtài 명 움직이는[변화하는] 상태. 동태. 움직임. ❑ 舆论~; 여론 동태.

[动听] dòngtīng 형 (듣기에) 감동적이다. 솔깃하다. 경청할 만하다.

[动武] dòng∥wǔ 동 완력[무력]을 사용하다. 주먹다짐을 하다.

[动物] dòngwù 명 동물. ❑ ~纤维; 동물성 섬유 / ~油; 동물성 기름 / ~园; 동물원.

[动向] dòngxiàng 명 동향. ❑ 市场~; 시장 동향.

[动心] dòng∥xīn 동 마음이 동하다. 마음이 끌리다. ❑ 对于这些高档商品, 我一点也不~; 나는 이 고급품들에 조금도 마음이 끌리지 않는다.

[动摇] dòngyáo 동 ① 동요하다. 흔들리다. ❑ 毫不~地朝着目标前进; 조금도 흔들리지 않고 목표를 향해 전진하다. ② 동요하게 하다. 흔들다. ❑ ~不了他坚定的立场; 그의 확고한 입장을 흔들 수 없다.

[动用] dòngyòng 동 쓰다. 사용하다. ❑ ~武力; 무력을 쓰다 / 随意~公款; 공금을 마음대로 쓰다.

[动员] dòngyuán 동 ① (민중·군대 따위를) 동원하다. ❑ 下~令; 동원령을 내리다. ② 부추기다. 설득하다. …하게 하다. ❑ ~舆论; 여론을 움직이다.

[动辄] dòngzhé 부〈書〉툭하면. 걸핏하면. ❑ ~得咎jiù;〈成〉걸핏하면 책망 받는다.

[动作] dòngzuò 명 동작. 움직임. 행동. ❑ ~敏捷; 동작이 민첩하다 / 入水~; (수영의) 입수 동작. 동 행동하다. 움직이다. 동작하다.

[动作片] dòngzuòpiàn 명〔映〕액션 영화. =[〈口〉动作片儿piānr]

冻(凍) dòng (동)

① 동 얼다. 응고되다. ❑ ~冰; ⇩ ② 동 추위를 느끼다. 몸이 얼다. ❑ 我的脚~了; 내 발이 얼었다. ③ (~儿) 명 액체가 응고된 것. 끓여서 굳힌 것《젤리·묵 따위》.

[冻冰] dòng∥bīng 동 얼음이 얼다. 결빙하다. ❑ 湖面~; 호수면이 얼다.

[冻害] dònghài 명〔農〕동해.

[冻僵] dòngjiāng 동 (얼어서 손발이) 곱다. ❑ 我手~了; 내 손이 곱았다.

[冻结] dòngjié 동 ① (액체가) 얼다. 동결하다. ❑ 河水~了; 강물이 얼었다. ②〈比〉(자금·인원 따위를) 동결하다. ❑ ~工资; 임금을 동결하다. ③〈比〉(집행·발전 따위가) 잠시 중단되다. ❑ 协议~; 협의가 잠시 중단되다.

[冻伤] dòngshāng 명〔醫〕동상.

栋(棟) dòng (동)

① 명 마룻대. ② 양 동《가옥을 세는 말》. ❑ 一~房屋; 가

옥 한 동.
[栋梁] dòngliáng 명 ① (가옥의) 대들보. ②〈比〉 (국가나 집안의) 기둥이 되는 사람. ❑ ~之材; 〈成〉 한 나라의 기둥이 될 만한 인재.

洞 dòng (동, 통)
① (~儿) 명 동굴. 구멍. ❑ 山~; 산의 동굴. ② 동〈書〉 꿰뚫다. 관통하다. ❑ 弹~其腹; 탄환이 배를 관통하다. ③ 형 (의미가) 심원하다. 깊다. 투철하다. 확실하다.
[洞察] dòngchá 동 통찰하다. 훤하게 내다보다. ❑ ~一切; 〈成〉 모든 것을 통찰하다 / ~力; 통찰력.
[洞房] dòngfáng 명 신혼부부의 방. 신방. 동방. ❑ ~花烛; 동방화촉.
[洞若观火] dòngruòguānhuǒ 〈成〉 불을 보듯 분명하다.
[洞悉] dòngxī 동 환히 알다. 훤하다. 속속들이 꿰뚫다. ❑ ~内情; 내정에 훤하다.
[洞穴] dòngxué 명 (땅이나 산의) 동굴. 동혈.

恫 dòng (통)
동 ①〈書〉 두려워하다. 무서워하다. ② 위협하다. 놀라게 하다.
[恫吓] dònghè 동 위협하다. 으르다. 으름장을 놓다. ❑ 用原子武器~世界人民; 핵무기로 전 세계 사람들을 위협하다.

dou ㄉㄡ

都 dōu (도)
부 ① 모두. 전부. 다. ❑ 这儿座楼~是新建的; 이 몇몇 건물들은 모두 새로 지은 것들이다. ② …도. …라도. …든지《앞에 의문 대명사를 수반함》. ❑ 什么工作~应该认真做; 어떤 일이든지 열심히 해야 한다. ③ …까지도. …조차도《'连…~'의 형태로 쓰이며, '连'은 생략 가능함》. ❑ 连小孩子~知道; 아이들조차도 알고 있다. ④ 이미. 벌써《문말(文末)에 '了'를 수반함》. ❑ 已经~十二点了; 벌써 12시가 되었다. ⑤ ('是'와 연용하여) 이유를 설명함. ❑ 这~是我不好; 이것은 다 내 탓이다. ⇒dū

兜 dōu (두)
① (~儿) 명 주머니. 자루. ❑ 裤~儿; 바지 주머니. ② 동 (봉긋하게) 싸다. ❑ 把西红柿~在衣襟里; 토마토를 옷섶에 싸다. ③ 동 둘러싸다. 맴돌다. 돌다. ❑ 乘车在市区~了一圈; 차를 타고 시내를 한 바퀴 돌다. ④ 동 (거래나 주문을) 독점하다. ❑ ~生意; 장사를 독점하다. ⑤ 동 감당하다. 책임지다. 떠맡다. ❑ 你试试吧, 有错儿我~着; 네가 한번 해 봐라, 틀리게 되면 내가 책임질 테니. ⑥ 동 (비밀을) 폭로하다. 들추어내다. ❑ 把内情全~出去; 내정을 모조리 폭로하다.
[兜风] dōu∥fēng 동 ① (배의 돛·차의 포장 따위가) 바람을 안다[받다]. ② (배·차·자전거 따위를 타고 돌아다니며) 바람을 쐬다. 드라이브하다. ❑ 开汽车~; 자동차로 드라이브하다.
[兜揽] dōulǎn 동 ① (손님을) 끌다. 끌어 모으다. 유혹하다. ❑ 站在门口~顾客; 입구에 서서 손님을 끌어 모으다. ② 도맡아 하다. 책임을 떠맡다. 책임지다. ❑ 他把别人不愿干的活儿全~了; 그는 남들이 하기 싫어하는 일을 전부 떠맡았다.
[兜圈子] dōu quān·zi ① 빙빙 돌다. 선회하다. 맴돌다. ②〈比〉 에둘러 말하다. 빙빙 돌려 말하다. ❑ 有话直说, 不要~; 빙빙 돌려 말하지 말고 할 말 있으면 바로 얘기해라.
[兜售] dōushòu 동 ① 물건을 팔러 다니다. 행상하다. =[兜销] ②〈比〉 (관점·주장 따위를) 강요하다. 종용하다.
[兜销] dōuxiāo 동 ⇨[兜售①]
[兜子] dōu·zi 명 주머니. 자루. ❑ 裤~; 바지 주머니.

斗 dǒu (두)
① 양〔度〕 말. 되《곡물의 계량 단위》. ② 명 되. ❑ ~量米; 되로 쌀을 되다. ③ (~儿) 명 되 모양의 것. ❑ 风~儿; 환기구. ④ 명 소용돌이 모양의 지문(指紋). ⑤ 명 〔天〕 두성(斗星)《28수(宿)의 하나》. ⇒dòu
[斗胆] dǒudǎn 부〈謙〉 대담하게. 뻔뻔하게. 감히. ❑ ~向你进一言; 감히 한 말씀 올리겠습니다.
[斗笠] dǒulì 명 삿갓.
[斗篷] dǒu·peng 명 소매 없는 외투. 망토. ❑ 披上~; 망토를 걸치다. =[披pī风]
[斗室] dǒushì 명〈書〉 매우 작은 방.

抖 dǒu (두)
동 ① 후들거리다. 떨리다. ❏还没上台, 腿就~了; 아직 무대에 오르지도 않았는데 다리가 후들거린다. ②(탁탁) 털다. 흔들다. ❏衣服上的土都~下去了; 옷 위의 흙이 다 털려 나갔다. ③ 들춰내다. 폭로하다. 밝히다(('~出来'의 형식으로 쓰임)). ❏把他们的罪恶全~出来了; 그들의 죄악을 모두 폭로했다. ④ 정신을 차리다. 분발하다. ❏他的精神突然~起来了; 그가 갑자기 분발하기 시작했다. ⑤(돈을 벌거나 출세해서) 우쭐대다. 거들먹거리다. ❏这小子可~起来了; (돈 좀 번다고) 이 녀석 거들먹거리는구나.

[抖动] dǒudòng 동 ① 떨리다. 떨다. ❏两手不住地~; 두 손이 계속 덜덜 떨리다. ②(손으로 물체를) 흔들다. 떨게 하다. ❏他轻轻地~着筛子; 그는 가볍게 체를 흔들고 있다.

[抖擞] dǒusǒu 동 분발하다. 정신을 가다듬다. 기운을 내다. ❏~精神; 정신을 차리다.

蚪 dǒu (두)
→[蝌kē蚪]

陡 dǒu (두)
① 형 가파르다. ❏斜坡很~; 경사가 매우 가파르다. ② 부 갑자기. 돌연. 별안간. 문득. ❏~的转了弯; 별안간 모퉁이를 돌았다.

[陡峻] dǒujùn 형 (지세가) 높고 가파르다.

[陡坡] dǒupō 명 가파른 언덕.

[陡峭] dǒuqiào 형 가파르다. 깎아지르다. ❏~的绝壁; 깎아지른 듯한 절벽.

[陡然] dǒurán 부 돌연. 갑자기. 문득. ❏情况~发生了变化; 상황에 갑자기 변화가 생겼다.

斗(鬥) dòu (투)
동 ① 다투다. 싸우다. ❏这人生性好~; 이 사람은 천성적으로 싸움을 좋아한다. ② 투쟁하다. 싸우다. ❏~地主; 지주와 싸우다. ③(동물을) 싸움 붙이다. ❏~鸡; ⇩ ④ 승패를 겨루다. 경쟁하다. ❏~智; ⇩ ⑤ 한데 모으다[합치다]. ⇒dǒu

[斗鸡] dòu∥jī 동 ① 투계하다. 닭싸움을 붙이다. ②(한쪽 다리를 붙잡고 하는) 닭싸움을 하다.

[斗牛] dòu∥niú 동 ① 소를 싸움 붙이다. ② 투우하다. ❏~场; 투우장 / ~士; 투우사.

[斗牌] dòu∥pái 동 (마작·트럼프·도미노 따위의) 게임으로 승부를 겨루다.

[斗士] dòushì 명 투사.

[斗争] dòuzhēng 명동 ① 투쟁(하다). ❏展开~; 투쟁을 전개하다. ②성토(하다). 규탄(하다). ③ 노력분투(하다).

[斗志] dòuzhì 명 투지. ❏丧失~; 투지를 상실하다.

[斗智] dòu∥zhì 동 지모를 겨루다.

[斗嘴(儿)] dòu∥zuǐ(r) 동 ① 말다툼하다. 입씨름하다. ② 농담따먹기를 하다.

豆 dòu (두)
명 (~儿) ①〖植〗콩. ② 콩 모양의 작은 알갱이. ❏玉米~儿; 옥수수 알맹이.

[豆瓣儿酱] dòubànrjiàng 명 콩짜개 된장. 두반장.

[豆豉] dòuchǐ 명 메주.

[豆腐] dòu·fu 명 두부. ❏臭~; 발효한 두부를 소금에 절인 것 / ~干(儿); 간두부 / 炸~; 유부(油腐).

[豆腐浆] dòu·fujiāng 명 ⇨[豆浆]

[豆腐脑儿] dòu·funǎor 명 순두부.

[豆腐皮(儿)] dòu·fupí(r) 명 두부껍질. 두부피.

[豆腐渣] dòu·fuzhā 명 비지. ❏~工程; 〈比〉 날림 공사. =[豆渣]

[豆荚] dòujiá 명 콩꼬투리.

[豆浆] dòujiāng 명 두유. 콩국. =[豆乳][豆腐浆]

[豆蓉] dòuróng 명 콩고물.

[豆乳] dòurǔ 명 ⇨[豆浆]

[豆沙] dòushā 명 팥소. ❏~包(子); 팥소를 넣은 만두.

[豆芽儿] dòuyár 명 콩나물. =[豆芽菜]

[豆油] dòuyóu 명 콩기름.

[豆渣] dòuzhā 명 ⇨[豆腐渣]

[豆制品] dòuzhìpǐn 명 두부 및 콩으로 만든 식품.

[豆子] dòu·zi 명 ①〖植〗콩. ② 콩알. ③ 콩알 모양의 작은 물건.

逗 dòu (두)
① 동 집적대다. 희롱하다. 데리고 장난치다. 가지고 놀다. ❏拿着个布娃娃~孩子玩; 헝겊 인형을 가지고 아이와 놀다 / ~小狗; 강아지를 데리고 놀다. ② 동 유발하

다. 자아내다. ❏ 你把孩子~哭了, 去哄哄吧; 네가 아이를 울게 만들었으니, 가서 얼러 주어라. ③ 동 머무르다. 체류하다. ❏ ~留; ⇓ ④ 형 재미있다. 우습다. ❏ 他这个人可真~; 그 사람은 정말 재미있다. ⑤ 동 재미있는 말로 웃기다. ❏ 他们一家人爱说爱~; 그 집 사람들은 말하기도 좋아하고 우스개도 잘한다.

[逗点] dòudiǎn 명 ⇒[逗号hào]

[逗号] dòuhào 명〖言〗쉼표. =[逗点]

[逗留] dòuliú 동 잠시 머물다. 잠깐 체류하다. ❏ 在老家~的时间太短了; 고향집에 머문 시간이 너무 짧았다. =[逗遛]

[逗弄] dòu·nong 동 ① 놀아 주다. 데리고 놀다. ❏ 老人在~孙子玩; 노인이 손자와 놀아 주고 있다. ② 놀리다. 희롱하다. ❏ 你别~他了; 그를 놀리지 마라.

[逗趣(儿)] dòu∥qù(r) 동 (우스운 말이나 동작을 해서) 웃기다.

[逗人] dòurén 형 웃기다. 흥미롭다. 재미있다. 동 (호감·웃음 따위를) 자아내다. 불러일으키다. 유발하다. ❏ ~发笑; 웃음을 자아내다.

痘 dòu (두) 명〖醫〗① 천연두. ② 두묘(痘苗).

[痘苗] dòumiáo 명〖醫〗두묘. 우두. 천연두 백신. =[牛痘苗]

窦(竇) dòu (두) 명 ①〈書〉구멍. ❏ 狗~; 개구멍. ② 인체의 일부 기관이나 조직 내부의 움푹 들어간 곳. ❏ 额~; 전두동(前頭洞).

du ㄉㄨ

都 dū (도) 명 ① 수도(首都). ② 도회지. 도시. 대도시. ⇒dōu

[都城] dūchéng 명 도성. 수도.

[都会] dūhuì 명 도시. 도회지.

[都市] dūshì 명 도시. 대도시. ❏ ~化; 도시화하다.

嘟 dū (도) ① 의 뚜뚜. 빵빵《나팔이나 경적 소리》. ② 동〈方〉(입을) 삐쭉거리다. 뾰로통하다. ❏ 他气得~着嘴; 그는 화가 나서 입을 삐쭉거린다.

[嘟噜] dū·lu〈口〉양 송이. 꾸러미. ❏ 一~钥匙; 열쇠 한 꾸러미. (~儿) 명 혀나 목젖을 떨면서 내는 소리. ❏ 打~儿; 혀를 떨면서 소리를 내다. 동 축 늘어지다.

[嘟囔] dū·nang 동 중얼거리다. 투덜거리다. ❏ 你在~什么呀? 너는 무얼 그렇게 중얼거리고 있는 거니? =[嘟哝dū·nong]

督 dū (독) 동 감독하다. 단속하다.

[督察] dūchá 동 감독하다. 감찰하다. 명 감독인. 감찰인.

[督促] dūcù 동 독촉하다. 감독하고 재촉하다. ❏ ~提早完成; 앞당겨 완성하도록 독촉하다.

[督导] dūdǎo 동 감독하고 지도하다. 감시하다. 감독하다.

独(獨) dú (독) ① 명 하나. 단독. 혼자. ❏ ~子; ⇓ ② 부 혼자. 홀로. ❏ 他~坐在屋子里; 그 사람 혼자 집 안에 앉아 있다. ③ 명 의지할 데 없는 노인. ④ 부 단지. 유독. 오직. ❏ 作文本都交了, ~有你没交; 다들 작문 노트를 냈는데, 너만 안 냈다. ⑤ 형〈口〉이기적이다. ❏ 这孩子真~; 이 아이는 정말 이기적이다.

[独霸] dúbà 동 독점하다. 제패하다. 군림하다. ❏ ~电器市场; 전자 제품 시장을 독점하다.

[独白] dúbái 명〖劇〗독백. 모놀로그(monologue).

[独裁] dúcái 동 독재하다. ❏ ~者; 독재자 / ~政权; 독재 정권.

[独唱] dúchàng 동 독창하다. 솔로로 노래하다.

[独出心裁] dúchū-xīncái〈成〉독창적인 생각을 내놓다.

[独创] dúchuàng 동 독창적으로 하다. ❏ ~精神; 독창 정신 / ~性; 독창성.

[独当一面] dúdāng-yīmiàn〈成〉어느 한 분야의 임무를 혼자서 감당해 내다.

[独到] dúdào 형 독특하게 뛰어나다. 독자적이다. ❏ ~的见解; 독특하게 뛰어난 견해.

[独断] dúduàn 동 독단하다. ❏ ~独行 =[~专行];〈成〉남의 의견을 고려하지 않고 독단하다.

[独夫] dúfū 명 폭군(暴君). 포악한 독재자.

[独家] dújiā 명 유일한 집. 한 집뿐임. 독점. ❏ ~经售; 독점 판매 / ~新闻; 독점 뉴스.
[独角兽] dújiǎoshòu 명 일각수. 유니콘(unicorn).
[独角戏] dújiǎoxì 명 ①〔劇〕 일인극. 모노드라마(monodrama). 원맨쇼(one-man show). ②〈轉〉 혼자 모든 일을 도맡아 처리하는 것. ❏ 唱~; 원맨쇼를 하다. 일을 혼자서 처리하다. ‖ =[独脚戏]
[独具匠心] dújù-jiàngxīn 〈成〉 독창성을 갖추다. 독보적인 경지에 이르다.
[独揽] dúlǎn 동 혼자 틀어쥐다. 독점하다. 독차지하다. ❏ ~大权; 대권을 독점하다.
[独力] dúlì 부 혼자의 힘으로. 자력으로. 혼자서. ❏ ~完成任务; 혼자서 임무를 완성하다.
[独立] dúlì 동 ① 홀로 서다. ❏ ~旷野的大树; 넓은 들판에 홀로 서 있는 큰 나무. ② (국가·정권 따위가) 독립하다. ❏ ~国; 독립국 / ~运动; 독립 운동 / ~自主; 자주독립. ③ (속해 있던 곳으로부터) 독립하다. ④ (남에게 의지하지 않고) 독립하다. 독자적으로 하다. ❏ 经济~; 경제적으로 독립하다.
[独木桥] dúmùqiáo 명 ① 독목교. 외나무다리. ②〈比〉 험난한 여정.
[独幕剧] dúmùjù 명〔劇〕 단막극.
[独身] dúshēn 부 혼자. 홀로. 동 독신으로 지내다. ❏ ~女子; 독신녀 / ~主义; 독신주의.
[独生女] dúshēngnǚ 명 외동딸.
[独生子] dúshēngzǐ 명 외아들. 독자. =[独子]
[独生子女] dúshēng zǐnǚ 한자녀. 일인 자녀. ❏ ~家庭; 한자녀 가정.
[独树一帜] dúshù-yīzhì 〈成〉 독자적으로 한 파(派)를 세우다. 일가를 이루다.
[独特] dútè 형 독특하다. 특별하다. 기발하다. ❏ ~的民族色彩; 독특한 민족 색채.
[独舞] dúwǔ 명〔舞〕 독무. 솔로 댄스. =[单人舞]
[独眼龙] dúyǎnlóng 명〈貶〉 애꾸눈. 외눈박이.
[独一无二] dúyī-wú'èr 〈成〉 유일무이(唯一無二)하다.
[独占] dúzhàn 동 독점하다. ❏ ~资本; 독점 자본.
[独子] dúzǐ 명 ⇨[独生子]
[独自] dúzì 부 혼자. 단독으로.
[独奏] dúzòu 동〔樂〕 독주하다. ❏ 钢琴~; 피아노 독주 / ~会; 독주회.

毒 dú (독)
① 명 독. ❏ 中zhòng~; 중독되다. ② 명 폐해. 악영향. ❏ 你中他的~太深了; 너는 그에게 악영향을 너무 많이 받았다. ③ 명 마약. 독극물. ❏ 吸~; 아편을 피우다. ④ 동 독으로 죽이다. 독살하다. ❏ 在咖啡里放毒, ~了他们; 커피에 독을 타서 그들을 독살했다. ⑤ 형 악랄하다. 모질다. 독하다. 호되다. ❏ ~女人; 독한 여자.
[毒草] dúcǎo 명 ① 독초. ②〈比〉 국민이나 사회 발전에 유해한 언론이나 작품.
[毒刺] dúcì 명 독침.
[毒蛾] dú'é 명〔蟲〕 독나방.
[毒犯] dúfàn 명〔法〕 마약 사범.
[毒贩] dúfàn 명 마약 판매상.
[毒害] dúhài 동 해독을 끼치다. 해치다. ❏ 黄色录像~了不少青少年; 음란 비디오가 많은 청소년에게 해독을 끼쳤다. 명 해독(을 끼치는 것).
[毒计] dújì 명 악랄한 계책.
[毒辣] dúlà 형 잔학하다. 악랄하다. 잔인하다. ❏ 使出~的手段; 악랄한 수단을 사용하다.
[毒品] dúpǐn 명 (아편·코카인 따위의) 독물. 마약.
[毒气] dúqì 명 ① 독가스. ❏ 神经~; 신경가스. ② 유독 기체.
[毒杀] dúshā 동 독살하다.
[毒蛇] dúshé 명〔動〕 독사.
[毒手] dúshǒu 명 악랄한 수단. 독수. ❏ 下~; 독수를 쓰다.
[毒素] dúsù 명 ①〔藥〕 독소. 톡신(toxin). ②〈比〉 (말·저작 따위의) 유해한 요소. 독소.
[毒物] dúwù 명 독물. 유독 물질.
[毒性] dúxìng 명 독성.
[毒蕈] dúxùn 명〔植〕 독버섯.
[毒牙] dúyá 명 독아. 독사의 엄니.
[毒药] dúyào 명 독약.

读(讀) dú (독)
① 동 (소리 내어) 읽다. ❏ 把报~给大家听; 모두에게 신문을 읽어 주다. ② 동 읽다. 열독하다. ❏ 他~了不少历史书; 그는 역사책을 꽤 많이 읽었다. ③ 동 공부하다. 학교에 다니다. ❏ 兄弟俩全

~过大学; 두 형제가 다 대학을 나왔다. ④ 명 독음(讀音). ❏这个字有两~; 이 글자는 독음이 두 가지이다.
[读本] dúběn 명 독본. 교재.
[读后感] dúhòugǎn 명 독후감.
[读秒] dú∥miǎo 동 ① (바둑에서) 초읽기 하다. ②〈比〉 초읽기 단계에 접어들다.
[读书] dú∥shū 동 ① 독서하다. 책을 읽다. ❏~班; 독서반 / ~人; 지식인. ② 공부하다. ③ 학교에 다니다. ❏我还在~时她就已结婚了; 내가 아직 학교에 다니고 있을 때, 그녀는 이미 결혼했다.
[读物] dúwù 명 읽을거리. 도서(圖書). ❏儿童~; 아동 도서.
[读音] dúyīn 명 글자의 발음. 독음.
[读者] dúzhě 명 독자. ❏~来信栏; 독자 투고란.

渎(瀆) dú (독)
동〈書〉 더럽히다. 모독하다. ❏~神; 신을 모독하다.
[渎职] dúzhí 동 독직하다. ❏~行为; 독직 행위 / ~罪; 독직죄.

犊(犢) dú (독)
명 송아지.
[犊子] dú·zi 명 송아지.

牍(牘) dú (독)
명 ① 목간(木簡)《글자를 새기던 나뭇조각》. ② 문서. 편지.

黩(黷) dú (독)
동〈書〉 ① 욕되게 하다. 더럽히다. ② 방자하게 굴다. 경솔하게 굴다. 경거망동하다.
[黩武] dúwǔ 동〈書〉 무력을 남용하다. ❏穷兵~;〈成〉 병력을 남용하여 전쟁을 일삼다.

肚 dǔ (두)
(~儿) 명 가축의 위(胃)《요리용》. ❏羊~; 양의 위. ⇒dù
[肚子] dǔ·zi 명 가축의 위(胃). ⇒ dù·zi

笃(篤) dǔ (독)
형 ① 성실하다. 진실하다. 도탑다. ② (병이) 위중하다. ❏病~; 병이 위중하다.
[笃实] dǔshí 형 ① 독실하다. ❏~敦厚; 독실하고 정이 두텁다. ② 충실하다. 견실하다. ❏学问~; 학문이 견실하다.
[笃信] dǔxìn 동 깊고 확실하게 믿다. 독신하다.
[笃学] dǔxué 동 열심히 학문에 힘쓰다.

堵 dǔ (도)
① 동 막다. 차단하다. 틀어막다. ❏下水道~了; 하수도가 막혔다. ② 형 우울하다. 답답하다. ❏最近心里~得慌; 요즘 마음이 몹시 답답하다. ③ 양 담을 세는 말. ❏建了一~墙; 담을 하나 세웠다.
[堵车] dǔ∥chē 동 차가 막히다. ❏前边路口~了; 앞쪽 길목에서 차가 막힌다.
[堵塞] dǔsè 동 (구멍이나 통로를) 막다. 가로막다. ❏垃圾~了下水道; 쓰레기가 하수도를 막았다.
[堵嘴] dǔ∥zuǐ 동 입막음하다.

赌(賭) dǔ (도)
동 ① (어떤 것을) 걸다. 노름하다. 도박하다. ② 승패를 겨루다. 내기하다. ❏打~; 내기하다.
[赌博] dǔbó 동 노름하다. 도박하다. ❏严禁~; 도박을 엄금하다.
[赌场] dǔchǎng 명 도박장.
[赌棍] dǔgùn 명 노름꾼.
[赌局] dǔjú 명 노름판. 도박판.
[赌具] dǔjù 명 도박 도구.
[赌气] dǔ∥qì 동 화를 벌컥 내다. 발끈하다. 울컥하다.
[赌钱] dǔ∥qián 동 돈을 걸다. 돈을 걸고 도박하다.
[赌窝] dǔwō 명 도박의 소굴.
[赌咒] dǔ∥zhòu 동 (어떤 것을 걸고) 맹세하다. ❏凭天~; 하늘에 맹세하다.
[赌资] dǔzī 명 도박 자금. 노름돈.

睹 dǔ (도)
동 보다. ❏目~; 목도하다.

杜 dù (두)
① 명〔植〕 팥배나무. ② 동 막다. 근절하다.
[杜鹃] dùjuān 명 ①〔鳥〕 두견새. =[布谷][杜宇yǔ][子规] ②〔植〕 진달래. =[映山红]
[杜绝] dùjué 동 (좋지 않은 일을) 뿌리 뽑다. 철저히 막다. 근절하다. ❏~毒品; 마약을 근절하다.
[杜梨] dùlí 명〔植〕 돌배나무. =[棠梨]
[杜撰] dùzhuàn 동 근거 없이 조작[날조]하다. 허구로 꾸며 내다.

肚 dù (두)
(~儿) 명 배. 복부. ⇒dǔ
[肚皮] dùpí 명〈方〉 복부. 배.
[肚脐(儿)] dùqí(r) 명 배꼽. =[肚脐眼儿]
[肚子] dù·zi 명 ① 배. 복부. ❏~

痛; 복통 / 小~; 아랫배. ② 둥글고 불룩하게 돌출된 부분. ❑ 腿~; 장딴지. ⇒ dǔ·zi

妒 dù (투)
동 시기하다. 질투하다.

[妒忌] dùjì 동 ⇒[忌妒]

度 dù (도)
① 명 길이를 재는 기준. ❑ ~量衡; ⇓ ② 명 (각도·경도·위도·온도 따위의) 도. ❑ 角~; 각도 / 浓~; 농도. ③ 양 도. ㉠〖數〗 호·각의 계산 단위. ㉡경도·위도의 단위. ❑ 北纬三十八~; 북위 38도. ㉢안경의 도수. ㉣온도·밀도·농도 따위의 단위. ❑ 零下五~; 영하 5도. ④ 명 정도. 한도. ❑ 过~; 지나치다. 과도하다. ⑤ 명 행위 준칙. ❑ 法~; 법도 / 制~; 제도. ⑥ 명 도량. 배짱. ❑ 大~; 큰 도량. ⑦ 명 기질. 자태. ❑ 风~; 풍격. ⑧ 명 일정한 범위 내의 시간[공간]. ❑ 年~; 연도. ⑨ 명 마음에 두는 범위. 헤아림. ❑ 置之~外; 〈成〉 도외시하다. ⑩ 양 회(回). 차(次). 번. ❑ 那部电影曾几~获奖; 그 영화는 몇 번 상을 탔었다. ⑪ 동 지내다. 보내다. ❑ ~假; ⇓ ⇒ duó

[度过] dùguò 동 보내다. 지내다. ❑ 他在农村~了童年; 그는 농촌에서 유년기를 보냈다.

[度假] dù∥jià 동 휴가를 지내다[보내다]. ❑ 我刚度了一周假; 나는 막 일주일 간의 휴가를 보냈다 / ~村; 리조트(resort). 휴양지.

[度量] dùliàng 명 도량. ❑ ~大; 그는 도량이 크다.

[度量衡] dùliànghéng 명 도량형.

[度日] dùrì 동 (어렵게) 날을 보내다. 지내다. ❑ ~如年; 〈成〉 하루가 일 년 같다《지내기가 힘든 것을 형용함》.

[度数] dù·shu 명 도수.

渡 dù (도)
동 ① (물을) 건너다. 건너가다. ② 〈轉〉 (어떤 날이나 시기를) 지나다. 보내다. 겪다. 넘기다.

[渡船] dùchuán 명 나룻배. 도선.

[渡过] dùguò 동 ① (강 따위를) 건너가다. ② 〈轉〉 극복하다. 헤쳐나가다. 넘기다. ❑ ~难关; 난관을 극복하다 / ~危机; 위기를 넘기다.

[渡口] dùkǒu 명 나루터. =[渡头]

[渡轮] dùlún 명 페리(ferry). 카페리(car ferry).

镀(鍍) dù (도)
동 도금하다.

[镀金] dù∥jīn 동 ① 금도금하다. ❑ ~器皿; 그릇에 금도금을 하다. ② 〈比〉 관록을 붙이다. 간판을 따다. ❑ 去美国~; 미국에 가서 간판을 따다.

蠹 dù (두)
① 명 〖蟲〗 좀. 반대좀. ② 동 좀먹다. 벌레 먹다.

[蠹虫] dùchóng 명 ① 〖蟲〗 좀. 반대좀. ② 〈比〉 집단 이익을 해치는 인간. 사회를 좀먹는 인간.

duan ㄉㄨㄢ

端 duān (단)
① 명 (사물의) 끝. ❑ 你抓住棍子的那~; 네가 몽둥이의 그쪽 끝을 잡아라. ② 명 (일의) 시초. 발단. ❑ 开~; 발단. 시작. ③ 명 원인. 까닭. ❑ 无~; 아무 까닭도 없이. ④ 명 사항. 항목. ❑ 变化多~; 〈成〉 변화가 다양하다. ⑤ 형 바르다. 단정하다. ❑ 品行不~; 품행 불량. ⑥ 동 (손바닥으로) 받쳐서 들다[나르다]. ❑ 你帮我~~菜吧; 음식 좀 날라 다오. ⑦ 동 (문제·어려움 따위를) 드러내다. ❑ 这些事我没往外~过; 나는 이 일들을 밖으로 드러낸 적이 없다.

[端节] Duānjié 명 ⇒[端午]

[端口] duānkǒu 명 〖電〗 단자. 포트(port). =[端子]

[端量] duān·liang 동 자세히 보다. 살펴보다. 훑어보다. ❑ 他把我浑身上下~了一番; 그는 내 온몸을 아래위로 훑어보았다.

[端倪] duānní 〈書〉 명 단서. 실마리. 두서. ❑ 毫无~; 단서가 조금도 없다. 동 (일의 경위를) 추측하다. 종잡다.

[端午] Duānwǔ 명 단오. 단오절《음력 5월 5일》. =[端节][端五][端午节][端阳]

[端详] duānxiáng 명 일의 경위. 자세한 사정. 자초지종. 형 언행이 조용하고 침착하다. 점잖다.

[端详] duān·xiang 동 자세히 보다. ❑ 由头到脚反复~; 머리부터 발끝까지 반복해서 자세히 보다.

[端绪] duānxù 명 (사건의) 실마리. 단서.

[端阳] Duānyáng 명 ⇨[端午]
[端正] duānzhèng 형 ① 단정하다. 깔끔하다. ❑ 五官~; 오관이 단정하다. ② 바르다. 방정하다. ❑ 品行~; 품행이 방정하다. 동 바르게 하다. 바로잡다. ❑ 把错误的态度~过去; 잘못된 태도를 바로잡다.
[端庄] duānzhuāng 형 (언행·표정이) 단정하고 장중하다.
[端子] duānzǐ 명 ⇨[端口]
[端坐] duānzuò 동 바르게 앉다. 단좌하다.

短 duǎn (단)
① 형 짧다. ㉠공간적. ❑ ~大衣; 짧은 코트 / ~刀; 단도. ㉡시간적. ❑ 时间太~; 시간이 너무 짧다. ② 동 결핍되다. 모자라다. ❑ 还~一个酒杯; 아직 술잔이 하나 모자란다. ③ 동 빚지다. ❑ 我~他一百块钱; 나는 그에게 백 위안을 빚졌다. ④ (~儿) 명 단점. 결점. ❑ 护~; 결점을 감싸 주다.
[短兵相接] duǎnbīng-xiāngjiē 〈成〉 짧은 병기로 격투하다《백병전을 벌이다. 격렬한 투쟁을 하다》.
[短波] duǎnbō 명〖電〗단파.
[短不了] duǎn·buliǎo 동 없어서는 안 되다. 꼭 필요하다. ❑ 搞建设~科学技术; 건설을 하려면 과학 기술이 꼭 필요하다. 부 면할 수 없다. …하기 마련이다. ❑ 在一起过日子, ~磕磕碰碰的; 함께 생활하면 옥신각신하기 마련이다.
[短处] duǎnchù 명 부족한 점. 단점. 약점. 결점.
[短促] duǎncù 형 (시간이) 촉박하다. 급박하다. ❑ 时间~; 시간이 촉박하다.
[短笛] duǎndí 명〖樂〗피콜로(piccolo).
[短发] duǎnfà 명 짧은 머리. 단발머리.
[短工] duǎngōng 명 날품팔이 노동자. 임시 고용의 일꾼.
[短见] duǎnjiàn 명 ① 얕은 견해. 짧은 생각. ② 자살. ❑ 寻~; 자살하다.
[短裤] duǎnkù 명 반바지.
[短命] duǎnmìng 형 단명하다.
[短跑] duǎnpǎo 명〖體〗단거리 경주. =[短距离赛跑]
[短篇] duǎnpiān 명 단편. ❑ ~小说; 단편 소설.
[短片] duǎnpiàn 명〖映〗단편 영화.
[短期] duǎnqī 명 단기. 단기간. ❑ ~贷款; 단기 대출.
[短浅] duǎnqiǎn 형 (견식이) 좁다. (생각이) 짧고 얕다. 근시안적이다. ❑ 目光~; 안목이 짧고 얕다.
[短缺] duǎnquē 동 결핍하다. 부족하다. 달리다. ❑ 人手~; 일손이 달리다 / 资金~; 자금이 부족하다.
[短裙] duǎnqún 명 짧은 치마.
[短少] duǎnshǎo 동 부족하다. 모자라다.
[短视] duǎnshì 형 ① 근시(近視)이다. ② 근시안적이다. ❑ ~的政策; 근시안적인 정책.
[短统靴] duǎntǒngxuē 명 앵클부츠(ankle boots).
[短小] duǎnxiǎo 형 ① 짧고 간단하다. ❑ 篇幅~; 편폭이 짧고 간단하다. ②(몸집이) 작다. 왜소하다. ❑ 身材~; 몸집이 작다.
[短小精悍] duǎnxiǎo-jīnghàn 〈成〉 ① 몸집은 작지만 날쌔고 용감하다. ②(문장이나 연극 따위가) 짧지만 힘이 있다.
[短信] duǎnxìn 명 ① 짧은 편지. ② ⇨[短信息]
[短信息] duǎnxìnxī 명 (휴대 전화 따위의) 문자 메시지. =[短信②]
[短语] duǎnyǔ 명 ⇨[词组]
[短暂] duǎnzàn 형 (시간적으로) 짧다. ❑ 作~停留; 짧게 체류하다.

段 duàn (단)
① 양 ㉠긴 것을 몇 개로 나눈 부분을 세는 말. ❑ 一~衣料; 옷감 한 조각. ㉡시간이나 노정의 길이를 나타내는 말. ❑ 一~路程; 한동안의 여정. ㉢음악·희곡·글·말의 한 부분. ❑ 一~文章; 한 단락의 문장. ② 명 (바둑의) 단. ❑ 九~棋手; 9단 바둑 기사.
[段落] duànluò 명 단락. 구획. ❑ 文章~; 문장 단락.

缎(緞) duàn (단)
명 단자(緞子).
[缎子] duàn·zi 명 단자.

煅 duàn (단)
동 ① 구워서 약의 극성(劇性)을 약화시키다. ② ⇨[锻]

锻(鍛) duàn (단)
동 단조(鍛造)하다. =[煅②]
[锻工] duàngōng 명 ① 단조(鍛造). 대장일. ❑ ~车间; 대장간.

② 단조공. 대장장이.

[锻炼] duànliàn 동 ①(쇠붙이를) 단련하다. ②〈轉〉(몸이나 정신을) 단련하다. ❏～身体; 몸을 단련하다.

[锻铁] duàntiě 명 ⇨[熟铁]

[锻造] duànzào 동〖工〗단조하다. ❏～合金; 합금을 단조하다.

断(斷) duàn (단) ①동 (긴 것이) 끊기다. 잘리다. 끊다. 자르다. ❏电线～了; 전선이 끊겼다. ②동 끊어지다. 단절하다. 끊다. 중단되다. ❏～了联系了; 연락을 끊었다 / ～电; 전기 공급을 끊다 / ～水; 단수하다. ③동 (담배·술 따위를) 끊다. ❏～酒; 술을 끊다 / ～烟; 담배를 끊다. ④동 판단하다. 판정하다. 결정하다. ❏～定; ⇩ ⑤부 〈書〉 결코. 단연코. 절대로《주로, 부정형으로 쓰임》. ❏～不同意; 절대 동의하지 않다.

[断案] duàn∥àn 동〖法〗안건을 판결하다. 판정을 내리다.

[断层] duàncéng 명〖地質〗단층.

[断肠] duàncháng 동〈比〉애끊다. 애간장이 녹다. 비통하다.

[断炊] duàn∥chuī 동 (너무 가난해서) 끊여 먹을 것이 없다. 끼니를 거르다.

[断定] duàndìng 동 단정하다. ❏结果如何, 很难～; 결과가 어떻게 될지 단정하기 어렵다.

[断断] duànduàn 부 결코. 절대로. 절대. 단연코《주로, 부정형으로 씀》. ❏～信不得; 절대로 믿을 수 없다.

[断断续续] duànduànxùxù 형 끊어졌다 이어졌다 하다. 단속적이다. ❏雨～地下着; 비가 끊어졌다 이어졌다 하면서 내린다.

[断根(儿)] duàn∥gēn(r) 동 ①⇨[断后] ②〈比〉철저히 없애다. 뿌리를 뽑다.

[断后] duàn∥hòu 동 자손이 끊어지다. 대가 끊기다. =[断根(儿)①]

[断交] duàn∥jiāo 동 단교하다. 절교하다.

[断绝] duànjué 동 단절하다. 끊다. ❏～交通; 교통이 단절되다 / ～来往; 왕래를 끊다.

[断奶] duàn∥nǎi 동 젖을 떼다. 이유하다.

[断片] duànpiàn 명 단편. ❏生活～; 생활의 단편.

[断气] duàn∥qì 동 숨이 끊어지다. 죽다. ❏刚送到医院就～了; 병원에 이송되자마자 숨이 끊어졌다.

[断然] duànrán 부 단연코. 결코. 절대로《주로, 부정형으로 쓰임》. ❏～没有这个道理; 이런 이치는 절대로 없다. 형 단호하다. ❏～反对; 단호하게 반대하다.

[断送] duànsòng 동 (목숨·장래 따위를) 망치다. 잃게 하다. 빼앗다. ❏～前程; 앞길을 망치다.

[断头台] duàntóutái 명 단두대.

[断言] duànyán 명동 단언(하다).

[断语] duànyǔ 명 단정적인 말. 단언. ❏下～; 단정을 내리다.

[断章取义] duànzhāng-qǔyì 〈成〉 문장의 일부를 끊어서 저자의 본의(本義)와 다르게 멋대로 사용하다.

[断种] duàn∥zhǒng 동 단종하다. 단종되다.

[断奏] duànzòu 명〖樂〗스타카토(이 staccato).

dui ㄉㄨㄟ

堆 duī (퇴) ①동 (더미로) 쌓다. ❏把东西～起来了; 물건을 쌓아 올렸다. ②동 쌓이다. ❏仓库里～了好多东西; 창고 안에 많은 물건이 쌓여 있다. ③(～儿) 명 더미. 무더기. ❏土～; 흙더미. ④양 더미. 무리. 무더기. ❏一～果子; 과실 한 무더기.

[堆叠] duīdié 동 차곡차곡 쌓다. 포개어 쌓다. ❏桌子上～着考卷; 책상 위에 시험 답안지가 쌓여 있다.

[堆放] duīfàng 동 쌓아 두다. 쟁이다. ❏门口不准～垃圾; 입구에 쓰레기를 쌓아 두어서는 안 된다.

[堆肥] duīféi 명〖農〗퇴비.

[堆积] duījī 동 잔뜩 포개어 쌓다[쌓이다]. ❏～如山; 산더미처럼 잔뜩 쌓여 있다.

[堆砌] duīqì 동 ①(벽돌 따위를) 차곡차곡 쌓다. ②〈比〉문장에 불필요한 수식어를 늘어놓다.

队(隊) duì (대) ①명 대열. 행렬. 대오. ❏排着～走; 대열을 지어 걷다. ②명 팀. 단(團). 단체. ❏球～; 구기 팀. ③양 무리. 대. 종대. ❏一～士兵; 1대의 사병.

[队列] duìliè 명 대열.

[队伍] duì·wu 명 ① 군대. 부대. ② (조직적인) 단체. 집단. ③ (조직적인 군중의) 대오. 행렬. 대열.

[队形] duìxíng 명 대형. ❏ 整顿~; 대형을 정돈하다.

[队员] duìyuán 명 대원. 팀원.

[队长] duìzhǎng 명 ① 대장. ② 〖體〗(팀의) 주장.

对(對) duì (대)
① 동 대답하다. 응답하다. ❏ 无言可~; 대답할 말이 없다. ② 동 대처하다. 상대하다. 대하다. ❏ 你怎么可以这样~她? 네가 어떻게 이렇게 그녀를 대할 수 있니? ③ 동 서로 마주 향하다[맞서다]. ❏ ~立; ⇩ ④ 동 향하다《항상 '着'를 수반함》. ❏ 大门~着马路; 대문은 길을 향해 있다. ⑤ 동 두 개를 맞추다. 접촉시키다. ❏ ~对子; 대구(對句)를 만들다. ⑥ 형 적수의. 상대의. 맞은편의. ❏ 为仇作~; 적대하다. ⑦ 동 대조하다. 맞추어 보다. ❏ ~笔迹; 필적을 대조하다. ⑧ 동 기분이 맞다. 사이가 좋다. 어울리다. ❏ 他们俩向来不~; 그들 두 사람은 원래 잘 맞지 않는다. ⑨ 형 옳다. 맞다. 정확하다. ❏ 他说得很~; 그의 말은 매우 옳다. ⑩ 동 (주로, 액체를) 섞다. 혼합하다. 타다. ❏ 咖啡里~牛奶; 커피에 우유를 섞다. ⑪ 동 조절하다. 맞추다. ❏ 炮手正~着距离呢; 포수는 지금 거리를 조준하고 있다. ⑫ 동 반으로 나누다. 이등분하다. ❏ 打~折; 반액으로 할인하다. ⑬ (~儿) 양 쌍《쌍으로 된 것을 세는 말》. ❏ 一~夫妇; 한 쌍의 부부. ⑭ 명 쌍을 이루는 족자. 대련(對聯). ⑮ 개 …에게. …을 향하여. …에 대하여. ❏ 你为什么~我发火? 너 왜 나한테 화를 내니? / 我们~这次活动很满意; 우리는 이번 행사에 매우 만족한다.

[对岸] duì'àn 명 맞은편 기슭.

[对白] duìbái 명 〖劇〗(극중 인물 간의) 대화.

[对半(儿)] duìbàn(r) 동 절반씩 차지하다. 반반씩 나누다. ❏ 切成~; 반으로 자르다.

[对比] duìbǐ 동 대비하다. 대조하다. ❏ ~色; 보색. 반대색 / 鲜明的~; 선명한 대비.

[对不起] duì·buqǐ 동 ① 미안하다. ❏ ~父母; 부모에게 대할 낯이 없다. ② 〈套〉 미안합니다. ❏ ~, 我现在没有时间; 미안하지만 저는 지금 시간이 없습니다. ‖ =[对不住]

[对策] duìcè 명 대책. ❏ 提出~; 대책을 제시하다.

[对称] duìchèn 형 대칭을 이루다. ❏ ~形; 대칭형.

[对答] duìdá 동 응답하다. 대답하다. ❏ ~如流; 〈成〉 거침없이 술술 대답하다.

[对待] duìdài 동 ① 상대적 상황에 처하다. 상대적 관계에 놓이다. ② (사람이나 사물을) 대하다. ❏ ~问题的态度; 문제를 대하는 태도.

[对得起] duì·deqǐ 동 명분이 서다. 면목이 서다. 떳떳하다. ❏ 你这样做也就~他了; 네가 이렇게 해도 그에게 떳떳하다. =[对得住]

[对等] duìděng 형 (지위·등급 따위가) 대등하다. 동등하다. ❏ ~地位; 대등한 지위.

[对调] duìdiào 동 (위치·일 따위를) 서로 바꾸다. 맞바꾸다. ❏ ~座位; 좌석을 맞바꾸다.

[对方] duìfāng 명 상대방. 상대측. ❏ ~付款电话 =[~付费电话]; 수신자 부담 전화. 콜렉트 콜(collect call).

[对付] duì·fu 동 ① 대처하다. 맞서다. 다루다. 상대하다. ❏ ~敌人; 적을 상대하다 / ~挑战; 도전에 맞서다. ② 아쉬운 대로 …하다. 그런대로 …하다. 그럭저럭 지내다. ❏ 录像不太清楚, 可是对对付付也能看; 녹화가 그렇게 깨끗이 되지는 않았지만 그런대로 볼 수는 있다.

[对号(儿)] duì∥hào(r) 동 ① 번호에 맞추다. ❏ ~入座; 〈成〉 번호에 맞춰 자리에 앉다《ⓐ관계있는 사람이나 사물을 자신과 비교하여 연관시키다. ⓑ어떤 사람이 한 일을 규칙이나 제도와 비교하여 연관시키다》. ② (사물이나 상황에) 부합하다. 들어맞다. (duìhào(r)) 명 (맞았음을 표시하는) 체크 마크《숙제·답안지 따위를 점검할 때 쓰이는 기호》.

[对话] duìhuà 명동 ① 대화(하다). 이야기(하다). ② 회담(하다).

[对换] duìhuàn 동 서로 교환하다. 맞바꾸다. ❏ ~座位; 자리를 맞바꾸다.

[对火(儿)] duì∥huǒ(r) 동 (담배끼리) 불을 옮기다. ❏ 对不起, 对个火儿; 미안하지만, 담뱃불 좀 빌

려 주세요.
[对讲机] duìjiǎngjī 명 인터폰(interphone).
[对角] duìjiǎo 명〖數〗대각. ❏~线; 대각선.
[对劲(儿)] duìjìn(r) 형 ① 마음에 들다. 적합하다. 알맞다. ② 마음이 통하다. 서로 잘 맞다. 의기투합하다.
[对局] duìjú 동 대국하다. 대전(對戰)하다. 대항하다《바둑·장기·스포츠 따위》.
[对决] duìjué 동 대결하다.
[对开] duìkāi 동 ① 쌍방에서 동시에 발차(發車)하다. ② 절반씩 나누다. 형〖印〗용지(用紙)를 둘로 접은 것의. 이절(二折)의. ❏~报纸; 타블로이드판 신문.
[对抗] duìkàng 동 ① 대항하다. 대립하다. ❏~赛; 대항전. ② 저항하다. 반항하다. ❏武装~; 무장 저항.
[对口] duìkǒu 형 ① (만담·민간 가곡에서) 둘이서 주고받는 연기나 노래 형식의. ❏~相声; 두 사람이 서로 주고받으며 하는 만담. ② (음식이) 입에 맞다. ③ (~儿) (업무상의 내용이나 성질이) 일치하다.
[对立] duìlì 동 ① 대립하다. ❏完全~的两种意见; 완전히 대립되는 두 가지 의견 / ~面; 대립면. 대조면. ② 서로 저촉하다. 적대하다.
[对联(儿)] duìlián(r) 명 대련《문이나 기둥에 써 붙이는 대구(對句)》. =[对子②]
[对门(儿)] duìmén(r) 동 대문이 마주 보고 있다. 명 대문이 마주 보고 있는 집. 건넛집. 맞은편 집.
[对面] duìmiàn 명 ① (~儿) 맞은편. ② 바로 앞. 정면. (~儿) 부 얼굴을 맞대고. 직접 만나서. ❏这事儿得děi他本人~谈; 이 일은 본인과 직접 만나서 얘기해야 한다.
[对牛弹琴] duìniú-tánqín 〈成〉 쇠귀에 경 읽기.
[对手] duìshǒu 명 ① (경쟁의) 상대. ② 맞수. 맞적수. 적수. 라이벌. 호적수.
[对头] duìtóu 형 ① 알맞다. 적합하다. 들어맞다. ❏解释得不~; 해석이 빗나가다. ② 정상적(正常的)이다《주로, 부정형으로 쓰임》. ❏脸色不~; 안색이 안 좋다. ③ 마음이 맞다. 사이가 좋다《주로, 부정형으로 쓰임》.
[对头] duì·tou 명 ① 원수. 적. ❏死~; 불구대천의 원수. ② 맞수. 적수. 호적수. 라이벌.
[对外] duìwài 형 대외의. 대외적인. ❏~开放; 대외 개방.
[对外贸易] duìwài màoyì 〖貿〗대외 무역. =[外贸]
[对虾] duìxiā 명〖動〗참새우. 보리새우.
[对象] duìxiàng 명 ① 대상《행동·관찰 따위의 목표가 되는 사람이나 사물》. ❏调查~; 조사 대상. ② (결혼·연애의) 상대. 애인. ❏找~; 애인을 구하다.
[对眼] duì//yǎn 형〈口〉 눈에 들다. 마음에 들다. ❏这货不~; 이 물건은 마음에 들지 않는다.
[对应] duìyìng 동 대응하다. 상응하다. ❏~词; 대응어. 형 (어떤 상황에) 대응하는. ❏~方式; 대응 방식.
[对于] duìyú 개 …에 대해. …에 있어서. …에는. ❏~这次失火的原因, 必须调查清楚; 이번 화재의 원인에 대해 반드시 정확한 조사를 해야 한다.
[对照] duìzhào 동 ① 대조하다. 비교해 보다. ❏~底稿; 초고와 대조하다 / ~表; 대조표. ② 대조되다. 대조를 이루다. ❏形成鲜明的~; 선명한 대조를 이루다.
[对折] duìzhé 명 50% 할인. 반액 할인. ❏打~; 반액 할인 하다.
[对症] duì//zhèng 동 (병의) 증세에 맞추다. ❏~下药; 〈成〉 증세에 따라 투약하다《상황에 따라 적절히 처리하다》.
[对质] duìzhì 동〖法〗대질하다.
[对峙] duìzhì 동 대치하다. 서로 맞서다. ❏武装~; 무장 대치하다.
[对准] duìzhǔn 동 목표를 겨누다. 조준하다. ❏~靶子; 과녁을 겨누다.
[对子] duì·zi 명 ① 대구(對句). 짝을 이루고 있는 구. ② ⇒[对联(儿)] ③ 상대. 짝. ❏结成~; 짝을 짓다.

兑 duì (태)
동 ① (오래된 금·은제의 장식품 따위를) 새것으로 바꾸다. ②〖經〗환전(換錢)하다. 수표 따위를 현금으로 바꾸다. ❏汇~; 환(換).
[兑付] duìfù 동 (어음·태환권을) 현금으로 바꾸다. 지불하다.
[兑换] duìhuàn 동 태환하다. 현금

과 바꾸다. 환전하다. ❏用美圆~人民币; 달러를 인민폐로 환전하다 / ~率; 환율.

[兑现] duìxiàn 동 ① (환·어음 따위를) 현금으로 바꾸다. ② 〈比〉 (말한 것을) 실행하다. 약속을 지키다. ❏~若言; 약속을 지키다.

dun ㄉㄨㄣ

吨(噸) dūn (돈) 양〖度〗〈音〉 톤(ton). ❏一~; 1톤.

[吨位] dūnwèi 명 ① 총톤수《상선의 전체 체적 단위》. ② 용적 톤수《선적(船積) 화물의 용적 단위》.

敦 dūn (돈) 형 돈독하다. 진실하다. 성실하다.

[敦促] dūncù 동 간곡히 촉구하다. 정중히 독촉하다. ❏请~各地代表按时出席; 정해진 시간대로 출석하실 것을 각지 대표에게 간곡히 촉구하는 바입니다.

[敦厚] dūnhòu 형 돈후하다.

[敦聘] dūnpìn 동 정중히 초빙하다.

[敦请] dūnqǐng 동 간청하다.

[敦实] dūn·shi 형 튼실하다. 다부지다. 옹골지다. ❏这人长得很~; 이 사람은 매우 다부지게 생겼다.

墩 dūn (돈) ① 명 흙더미. 작은 언덕. ② (~儿) 명 두툼하고 낮은 돌이나 나무토막. ❏树~; 나무의 그루터기. ③ 양 떨기. 무더기《무더기로 나 있는 식물을 세는 말》. ④ 동 (대걸레로) 바닥을 닦다. ❏地面每天都要~一遍; 바닥은 매일 한 번씩 닦아야 한다.

[墩布] dūnbù 명 ⇨[拖把]

[墩子] dūn·zi 명 두툼하고 낮은 돌이나 나무토막. ❏菜~; 그루터기를 그대로 사용하여 만든 도마.

蹲 dūn (준) 동 ① 쪼그려 앉다. ❏~着吃饭; 쪼그려 앉아 밥을 먹다. ② 빈둥거리다. ❏整天在家~着; 하루 종일 집에서 빈둥거리다. ③ 머무르다. ❏他在我们饭店~了一个多月; 그는 우리 호텔에서 한 달 넘게 머물렀다.

[蹲点(儿)] dūn//diǎn(r) 동 (지도 간부가 생산대나 공장의 현장, 또는 기타 부문의) 기층부에 머물며 조사 연구 또는 사업을 지도하다.

[蹲伏] dūnfú 동 ① 상체를 앞으로 숙이고 낮게 웅크리다. ② ⇨[蹲守]

[蹲守] dūnshǒu 동 (형사가) 잠복하다. =[蹲伏②]

盹 dǔn (순) (~儿) 명 선잠. 쪽잠. 한잠. 얕은 잠. ❏午饭后打个~儿; 점심 식사 후 잠깐 눈을 붙이다.

趸(躉) dǔn (돈) ① 부 도거리로. 도매로. ❏~批; ⇓ ② 동 (팔기 위해) 도매로 상품을 사들이다. ❏~货; 도매로 물건을 사들이다.

[趸批] dǔnpī 동 도매하다. 부 도매로. 도거리로. ❏~出卖; 도매로 팔다 / ~买进; 도매로 사들이다.

沌 dùn (돈) →[混hùn沌]

囤 dùn (돈) 명 통(桶)가리. ❏米~; 쌀통가리. ⇒tún

炖 dùn (돈) 동 ① (주로, 고기류를) 뭉근한 불로 푹 삶다. 고다. ② 중탕(重湯)하다. ❏~药; 약을 중탕하다.

钝(鈍) dùn (둔) 형 ① (날붙이가) 무디다. ❏这把刀真~; 이 칼은 정말 무디다. ② 둔하다. 우둔하다.

[钝器] dùnqì 명 둔기.

顿(頓) dùn (돈) ① 동 잠깐 멈추다. 좀 쉬다. ❏念到这个地方应该~一下; 여기까지 읽고 잠깐 멈춰야 한다. ② 동 머리를 땅에 대어 절을 하다. 머리를 조아리다. ❏~首; ⇓ ③ 동 처리하다. 처치하다. 안치하다. ❏把人员安~好了; 인원 배치를 다 마쳤다. ④ 부 돌연히. 문득. 퍼뜩. 갑자기. ❏~感羞愧; 돌연히 부끄러움을 느끼다. ⑤ 양 차례. 번. 끼니《식사·질책·욕 따위의 횟수를 세는 말》. ❏吃两~饭; 두 끼 식사를 하다 / 说了他一~; 한차례 그를 꾸짖었다.

[顿挫] dùncuò 동 (어조·음률 따위가) 멈추고 바뀌다.

[顿号] dùnhào 명〖言〗 모점《문장 부호의 '、'를 말하며, 문장 내에서 병렬 관계에 있는 낱말이나 짧은 구 사이의 휴지(休止)를 나타냄》.

[顿开茅塞] dùnkāi-máosè 〈成〉 ⇨[茅塞顿开]

[顿时] dùnshí 부 바로. 곧. 즉시.

금새《주로, 과거의 일을 서술하는 데에 쓰임》. ❑ 大家~安静下来; 모든 사람이 금새 조용해졌다.

[顿首] dùnshǒu 동 〈書〉 머리를 조아리다. 돈수하다.

盾 dùn (순)
명 ① 방패. ② 방패 모양의 것.

[盾牌] dùnpái 명 ① 방패. ② 〈比〉 핑계. 변명. 구실.

遁 dùn (둔)
동 ① 달아나다. ❑ 远~; 멀리 달아나다. ② 숨기다. 감추다.

[遁词] dùncí 명 발뺌의 말. 회피하는 말. 둔사.

duo ㄉㄨㄛ

多 duō (다)
① 형 (수량이) 많다《명사를 수식할 경우 명사 앞에 '的'를 붙이지 않음》. ❑ 今天来了很~客人; 오늘 많은 손님이 왔다. ② 동 이상이다. 많다《원래의 수량보다 초과하거나 증가함을 나타냄》. ❑ 收入比去年~了一万元; 수입이 지난해보다 만 위안 늘었다. ③ 수 …여. …남짓《수량사(數量詞)의 뒤에 쓰임》. ❑ 十~个小时; 십여 시간. ④ 형 과다하다. 지나치다. 불필요하다. ❑ ~嘴; ⇩ ⑤ 형 많이 …하다. 더 …하다《원래의 수량이나 상응하는 수량을 초과함》. ❑ 今天酒喝~了, 头有点晕; 오늘 술을 많이 마셔서 머리가 좀 어지럽다. ⑥ 형 훨씬 …하다《차이가 큼을 나타냄》. ❑ 坐飞机比坐火车快得~; 비행기 타는 것이 기차 타는 것보다 훨씬 빠르다. ⑦ 부 얼마나《의문문에 쓰여 정도·수량을 물음》. ❑ 你有~重? 너의 체중은 얼마나 되느냐? ⑧ 부 아무리. 얼마나《감탄문에 쓰여 정도가 매우 높음을 나타냄》. ❑ 要是给他穿上~好! 만약 그에게 입힌다면 얼마나 좋을까! ⑨ 부 아무리 …하더라도《정도를 나타냄》 ❑ 不管这个任务~困难, 我也要完成; 아무리 이 임무가 어렵다 하더라도 나는 완수할 것이다.

[多半(儿)] duōbàn(r) 수 대다수. 대부분. 과반. ❑ ~代表表示同意; 대부분의 대표가 동의했다. 부 아마. 아마도. ❑ 他好久没有来信, ~已出国了; 그가 오랫동안 소식이 없는 것을 보니 아마도 이미 출국했나 보다. ‖ =[多一半(儿)]

[多边] duōbiān 형 다변적인. 다각적의. 다방면의. 다자간의. ❑ ~谈判; 다자간 협상 / ~贸易; 다자간 무역 / ~形; 다각형. 다변형.

[多才多艺] duōcái-duōyì 〈成〉 다재다능하다.

[多层] duōcéng 형 다층의. 여러 층의. ❑ ~住宅; 다층주택.

[多重人格] duōchóng réngé 다중인격.

[多愁善感] duōchóu-shàngǎn 〈成〉 감상적이고 정에 약하다.

[多此一举] duōcǐyījǔ 〈成〉 필요 이상의 쓸데없는 짓을 하다.

[多次] duōcì 수량 수차례. 몇 번이나. 여러 번. 여러 차례. ❑ ~提出忠告; 여러 차례 충고하다.

[多动症] duōdòngzhèng 명〖醫〗 주의력 결핍 과잉 행동 장애. 에이디에이치디(ADHD). 다동증.

[多端] duōduān 형 다양하다. 가지각색이다. 다단하다.

[多多益善] duōduō-yìshàn 〈成〉 다다익선. 많으면 많을수록 좋다.

[多发] duōfā 형 발생률이 높은. 다발적인. ❑ ~病; 다발성 질병 / 事故~地段; 사고 다발 지역.

[多方] duōfāng 부 다방면으로. 여러 가지 방법으로. ❑ ~限制他们的行动; 다방면에 걸쳐서 그들의 행동을 제한하다. 형 다변적인. 다방면의. 다자간의.

[多功能] duōgōngnéng 형 다기능의. 다목적의. ❑ ~水坝; 다목적 댐.

[多国部队] duōguó bùduì 다국적군.

[多国公司] duōguó gōngsī ⇨[跨国公司]

[多亏] duōkuī 동 덕을 입다. 덕분이다. ❑ 这几年日子过得满好, ~闺女出力呀! 요 몇 년 동안 잘 지낸 것은 딸이 수고해 준 덕분이다!

[多伦多] Duōlúnduō 명〖地〗〈音〉 토론토(Toronto).

[多么] duō·me 대 ① 얼마만큼. 얼마나《의문문에 쓰여 정도나 수량을 묻는 말》. ❑ 从这里到北京有~远? 여기에서 베이징은 얼마나 멉니까? ② 제아무리. 아무리 ❑ ~难的题都会做; 아무리 어려운 문제도 다 풀 수 있다. 부 얼마나. 어쩌면. 너무나도. 참으로《감탄문에 쓰여 정도가 높음을 나타냄》. ❑ ~好

看! 얼마나 보기 좋으냐!

[多媒体] duōméitǐ 명〖電〗 다중 매체. 멀티미디어(multimedia).

[多米诺骨牌] duōmǐnuò gǔpái 명〈音〉 도미노(domino). ❑ ~理论 =[骨牌理论]; 도미노 이론 / ~现象 =[骨牌现象]; 도미노 현상.

[多面] duōmiàn 형 다면의. 다방면의. ❑ ~角; 다면각 / ~手; 다재다능한 사람 / ~体; 다면체.

[多谋善断] duōmóu-shànduàn 〈成〉 지모가 뛰어나고 판단이 정확하다.

[多年] duōnián 명 다년. 여러 해. ❑他~没有消息; 그는 여러 해 동안 소식이 없다.

[多情] duōqíng 형 정이 많다. 다정하다.

[多少] duōshǎo 명 많고 적음. 수량. 분량. ❑ ~不等; 분량이 다르다. 부 얼마간. 약간. 다소. 다소간. ❑病情比过去~好一点; 병세가 과거보다 다소 호전되었다.

[多少] duō·shao 대 ① 몇. 얼마. ❑今天来了~人? 오늘은 몇 사람이나 왔느냐? ② 불특정한 수량을 나타냄. ❑要~, 给~; 원하는 만큼 주다.

[多事] duō∥shì 동 ① 쓸데없는 짓을 하다. ② 오지랖 넓게 굴다. 아무데나 나서다. 형 다사하다. 다사다난하다. ❑ ~之秋; 〈成〉 다사다난한 때[시기]《주로, 불안정한 정국(政局)을 형용함》.

[多数] duōshù 명 다수. ❑绝大~; 절대다수.

[多谢] duōxiè 동〈套〉 대단히 고맙습니다. 매우 감사합니다. ❑ ~关照; 보살펴 주셔서 대단히 고맙습니다.

[多心] duō∥xīn 동 쓸데없이 신경 쓰다. 괜한 의심을[오해를] 하다. 공연히 마음 쓰다. ❑你别~, 我没有什么用意; 나는 아무런 의도도 없으니 괜한 의심을 하지 마라.

[多样] duōyàng 형 다양하다. ❑款式~; 스타일이 다양하다.

[多一半(儿)] duōyībàn(r) 수부 ⇨[多半(儿)]

[多疑] duōyí 동 지나치게 의심하다. 의심이 많다.

[多余] duōyú 동 필요한 양을 초과하다. 남아돌다. 남다. ❑把~的粮食卖给国家; 남는 식량을 국가에 팔다. 형 필요 없는. 군더더기의. 쓸데없는. ❑ ~的话; 군소리.

[多元] duōyuán 형 다원의. ❑ ~化; 다원화하다 / ~论; 다원론.

[多云] duōyún 명〖氣〗 (일기 예보에서) 구름이 많이 낀 날씨. ❑ ~转晴; 구름이 많이 낀 후에 갬.

[多灾多难] duōzāi-duōnàn 〈成〉 재난이 매우 많다.

[多嘴] duō∥zuǐ 동 쓸데없는 말을 지껄이다. ❑ ~多舌; 〈成〉 쓸데없이 말이 많다. 수다스럽다.

哆 duō (차, 치) →[哆嗦]

[哆嗦] duō·suo 동 덜덜 떨다. 부들부들 떨다. ❑冻得浑身直~; 추워서 온몸이 자꾸 부들부들 떨리다.

咄 duō (돌) ① 동〈書〉 꾸짖다. 혼내다. ② 감 아. 저런《놀라는 소리》.

[咄咄] duōduō 감 놀람이나 감탄을 나타내는 말. ❑ ~逼人; 〈成〉 기세등등하여 사람을 업신여기다 / ~怪事; 〈成〉 대단히 이상한 일.

掇 duō (철) 동 ① 줍다. 채취하다. 따다. ②〈方〉 (두 손으로) 들어 옮기다.

[掇弄] duōnòng 동〈方〉 ① 수리하다. 고치다. 치우다. 정리하다. ② 꼬드기다. 부추기다.

夺(奪) duó (탈) 동 ① 탈취하다. 빼앗다. ❑ ~权; ⇓ ② 쟁취하다. 획득하다. ❑ ~冠; ⇓ ③ 뚫고 나가다. 밀고 나가다. ❑ ~门而出; 〈成〉 제지를 뚫고 문밖으로 나가다.

[夺标] duó∥biāo 동 ① 우승 트로피를 쟁취하다. 〈轉〉 우승하다. ② (입찰에) 낙찰되다.

[夺冠] duó∥guàn 동 우승을 쟁취하다. 우승하다.

[夺目] duómù 형 (빛·색이) 눈부시다. ❑灿烂~; 눈부시게 찬란하다.

[夺取] duóqǔ 동 ① (무력으로) 탈취하다. 빼앗다. ❑ ~政权; 정권을 탈취하다. ② 노력하여 거두다. 쟁취하다. ❑ ~胜利; 승리를 쟁취하다.

[夺权] duó∥quán 동 권력을 탈취하다. 정권을 빼앗다.

度 duó (탁) 동 헤아리다. 추측하다. ⇒dù

[度德量力] duódé-liànglì 〈成〉 자신의 덕과 역량을 헤아리다.

踱 duó (탁) 동 천천히 걷다. 거닐다. ❑ ~

方步；점잖게 느릿느릿 걷다.

朵 duǒ (타)
양 송이《꽃·구름 또는 무더기를 이룬 것을 세는 말》. ❏ 一~花；꽃 한 송이.

[朵儿] duǒr 명 꽃. 꽃송이. 양 송이《꽃·구름을 세는 말》.

垛 duǒ (타)
명 성벽의 밖이나 위로 튀어나온 부분. ⇒ duò

[垛口] duǒkǒu 명 성가퀴. =[垛堞dié]

[垛子] duǒ·zi 명 성벽이 밖이나 위로 툭 튀어나온 부분.

躲 duǒ (타)
동 숨다. 피하다. 비키다. ❏ 你快~起来；너 빨리 숨어라 / 等~过这阵雨再走吧；이 비를 피한 다음에 갑시다.

[躲避] duǒbì 동 ① 달아나다. 피하다. ❏ ~困难；곤란한 일을 피하다. ② 빠져나가다. ❏ ~国法；국법을 피하여 빠져나가다.

[躲藏] duǒcáng 동 도망쳐 숨다. 피하다. ❏ ~在家里；집에 숨다.

[躲懒(儿)] duǒ//lǎn(r) 동 태만히 하다. 게으름 피우다. ❏ 大家都在忙，我怎么能~呢；다들 바쁜데 내가 어떻게 게으름을 피우겠느냐.

[躲闪] duǒshǎn 동 몸을 홱 피하다. 살짝 비키다.

驮(馱) duò (태)
→[驮子] ⇒ tuó

[驮子] duò·zi 명 가축에 지운 짐. 짐바리. 양 바리《가축에 지운 짐을 세는 말》. ❏ 四~货；네 바리의 짐.

剁 duò (타)
동 ① 내리쳐서 자르다. ❏ 他把柳条~成了三段；그는 버드나무 가지를 셋으로 잘랐다. ② 다지다. 잘게 썰다. ❏ ~饺子馅；만두소를 다지다.

垛 duò (타)
① 동 차곡차곡 쌓다. ❏ 柴火~得比房还高；장작이 집보다 높이 쌓여 있다. ② 명양 더미. 가리. ❏ 柴火~；장작더미 / 两~砖；벽돌 두 더미. ⇒ duǒ

跺 duò (타)
동 발을 구르다. ❏ 急得直~脚；애가 타서 발을 동동 구르다.

舵 duò (타)
명 방향 제어 장치. 키. ❏ 把~ =[拿~]；키를 조종하다.

[舵轮] duòlún 명 타륜. 조타륜.

[舵手] duòshǒu 명 ① 키잡이. 조타수. ②〈比〉 지도자.

堕(墮) duò (타)
동 떨어지다. 낙하하다. ❏ 敌机~入海中；적기가 바닷속으로 떨어지다.

[堕落] duòluò 동 ① (사상이나 행위가) 타락하다. ② 영락(零落)하다. 쇠락하다.

[堕胎] duò//tāi 동 아이를 지우다. 낙태하다.

惰 duò (타)
형 게으르다. 태만하다.

[惰性] duòxìng 명 ①〔化〕 불활성(不活性). ② 타성.

E

e ㄜ

阿 ē (아)
동 아첨하다. 영합하다. 한쪽으로 치우치다. ⇒ā
[阿房宫] Ēfánggōng[Ēpánggōng] 명〔史〕 아방궁《진시황(秦始皇)이 세운 궁전》.
[阿附] ēfù 동〈書〉 아부하다.
[阿胶] ējiāo 명〔藥〕 아교. 갖풀. =[驴lǘ皮胶]
[阿弥陀佛] Ēmítuófó 명〔佛〕〈梵〉 아미타불.
[阿谀] ēyú 동〈貶〉 알랑거리다. 아첨하다. ❏～奉承; 〈成〉 아첨하며 떠받들다.

婀 ē (아)
→[婀娜]
[婀娜] ēnuó 형 (자태가) 부드럽고 아름답다. ❏～多姿; 〈成〉 매우 아름답고 매력적이다.

讹(訛) é (와)
① 명 잘못. 틀림. ❏以～传～; 〈成〉 잘못을 잘못된 채로 전하다. ② 동 (돈 따위를) 편취하다. 사취하다. 등치다. ❏他～过我一笔钱; 그가 내 돈을 사취한 적이 있다.
[讹传] échuán 동 와전하다. 와전되다
[讹误] éwù 명 (글자·기록의) 오류. 착오.
[讹诈] ézhà 동 ① (재물을) 우려내다. 편취하다. ❏被他～去了很多钱财; 그에게 많은 금전을 빼앗겼다. ② 협박하다. 위협하다. ❏政治～; 정치적 협박.

俄 é (아)
① 부〈書〉 느닷없이. 갑자기. ❏～顷; 순식간에. ② (É) 명〔地〕〈簡〉 '俄罗斯' (러시아)의 약칭.
[俄国] Éguó 명 ⇨[俄罗斯]
[俄罗斯] Éluósī 명〔地〕〈音〉 러시아(Russia). =[俄国]
[俄语] Éyǔ 명 러시아어.

娥 é (아)
명 미녀(美女). ❏宫～; 궁녀.
[娥眉] éméi 명 ⇨[蛾眉]

鹅(鵝) é (아)
명〔鳥〕 거위.
[鹅卵石] éluǎnshí 명 굵은 자갈. 알돌.
[鹅毛] émáo 명 ① 거위의 깃털. ②〈比〉 가볍고 미세한 것.
[鹅绒] éróng 명 거위 솜털. 구스다운(goose down)《방한용 의류나 이불에 쓰임》.

蛾 é (아)
명〔蟲〕 나방.
[蛾眉] éméi 명 ① (가늘고 긴) 미인의 눈썹. ❏皓齿～; 〈成〉 아름다운 눈썹과 흰 치아《여자의 아름다움. 아름다운 여자》. ②〈轉〉 미인. ‖ =[娥眉]
[蛾子] é·zi 명〔蟲〕 나방.

额(額) é (액)
명 ① 이마. ② 액자. 편액. ③ 일정한 수량. 정액. 정수. ❏超～; 정수를 초과하다.
[额定] édìng 형 정액(定額)의. 규정된. ❏～工资; 규정된 임금 / ～人数; 정해진 인원.
[额面] émiàn 명〔經〕 액면. ❏～价格; 액면 가격.
[额数] éshù 명 일정 수. 정액(定額).
[额头] é·tóu 명 이마.
[额外] éwài 형 가외(加外)의. 액외(額外)의. 일정한 수량을 초과하는. ❏～开支; 초과 지출 / ～津贴; 가외 수당.

恶(惡) ě (악)
→[恶心] ⇒è wù
[恶心] ě·xin 형 구역질 나다. 메스껍다. 느글거리다. ❏他见了血就～; 그는 피를 보면 메스꺼움을 느낀다. 동 역겨워지다. 불쾌해지다. 혐오감이 일다. ❏一见到他我就～; 나는 그를 보기만 하면 역겨워진다.

厄 è (액)
〈書〉 ① 명 험요한 곳. ② 명 액. 재난. 어려움. ❏～运; ⇩ ③ 동 어려움을 당하다. 곤란을 겪다. ❏登山队～于风暴; 등산대가 폭풍을 만나다.
[厄尔尼诺] è'ěrnínuò 명〔氣〕〈音〉 엘니뇨(에 El Niño). ❏～现象; 엘니뇨 현상.
[厄瓜多尔] Èguāduō'ěr 명〔地〕〈音〉 에콰도르(Ecuador).
[厄运] èyùn 명 액운. ❏～当头; 액운이 닥치다.

扼 è (액)
동 ① 힘껏 조르다. ❏～杀; ⇩ ② 지키다. 제어하다. ❏～关; 관문을 지키다.
[扼杀] èshā 동 ① 목 졸라 죽이다. 액살하다. ❑ ~敌人; 적을 목 졸라 죽이다. ②〈比〉 억눌러서 존재하거나 발전하지 못하게 하다.
[扼守] èshǒu 동 요충지를 지키다.
[扼要] èyào 형 요점을 잡다. ❑ ~说明; 요점을 잡아 설명하다.
[扼制] èzhì 동 억제하다. 제어하다. ❑ ~怒火; 분노를 억제하다 / ~航道; 항로를 제어하다.

呃 è (악)
감 어. 어이《감탄이나 주의를 환기시키는 말》. ❑ ~, 别忘了带钥匙; 어이, 열쇠 가져가는 거 잊지 마.
[呃逆] ènì 동 딸꾹질하다. =[打嗝儿①]

垩(堊) è (악)
명 백토(白土).

恶(惡) è (악)
① 명 악. 악행. ❑ 善~; 선악. ② 형 흉악하다. 심하다. 지독하다. ❑ ~骂; 심하게 욕하다. ③ 형 나쁘다. 악하다. ❑ ~意; ⇩ ⇒ě wù
[恶霸] èbà 명 악질 토호(土豪).
[恶臭] èchòu 명 악취. 나쁜 냄새.
[恶毒] èdú 형 (심성·수법·말 따위가) 악독하다. 악랄하다. 독하다. ❑ 他们的手段非常~; 그들의 수법은 매우 악랄하다.
[恶感] ègǎn 명 싫은 느낌. 나쁜 감정. 악감정.
[恶贯满盈] èguàn-mǎnyíng〈成〉 온갖 나쁜 짓을 다하여 마침내 그 업보를 받다.
[恶鬼] èguǐ 명 ①〔佛〕 악귀. 악마. ②〈罵〉 악마 같은 놈.
[恶棍] ègùn 명 악당. 무뢰한. 불한당. 깡패.
[恶果] èguǒ 명 나쁜 결과[결말].
[恶狠狠(的)] èhěnhěn(·de) 형 표독스럽다. 독살스럽다. ❑ 他~地瞪着我; 그가 독살스럽게 나를 쏘아본다.
[恶化] èhuà 동 ① 악화되다. ❑ 病情不断~; 병세가 끊임없이 악화되다. ② 악화시키다. ❑ ~局势; 정세를 악화시키다.
[恶劣] èliè 형 열악하다. 매우 나쁘다. 불량하다. ❑ 环境~; 환경이 열악하다 / ~气候; 악천후.
[恶梦] èmèng 명 악몽. 나쁜 꿈.
[恶名] èmíng 명 악명. ❑ ~昭著; 〈成〉 악명이 자자하다.
[恶魔] èmó 명 ① 악마. 악귀. ② 〈比〉 흉악한 사람. 악독한 인간.
[恶气] èqì 명 ① 악취(惡臭). ② 업신여김. 모욕. 구박. 괴롭힘. ③ (마음속의) 분노. 불만. 원망. ❑ 出~; 분노를 터뜨리다.
[恶人] èrén 명 악인.
[恶习] èxí 명 못된 습관. 나쁜 습관. ❑ 染上~; 나쁜 습관에 물들다.
[恶性] èxìng 형 악성의. ❑ ~贫血; 악성 빈혈 / ~循环; 악순환 / ~肿瘤; 악성 종양.
[恶意] èyì 명 악의. ❑ ~攻击; 악의적 공격.
[恶语] èyǔ 명 악담. 못된 말. 독한 말. ❑ ~中伤; 〈成〉 악담으로 중상하다.
[恶作剧] èzuòjù 명 못된 장난. ❑ 做~; 못된 장난을 하다 / 命运的~; 운명의 장난.

饿(餓) è (아)
① 형 배고프다. ❑ 我有点儿~; 나는 배가 조금 고프다. ② 동 배고프게 하다. 굶기다. ❑ 你干吗总~着孩子? 너는 왜 허구한 날 아이를 굶기니?
[饿饭] è//fàn 동〈方〉 굶다. 배를 곯다.
[饿鬼] èguǐ 명〈罵〉 아귀. =[饿死鬼]
[饿虎扑食] èhǔ-pūshí 〈成〉 동작이 매우 빠르고 맹렬한 모양. =[饿虎扑羊]
[饿死鬼] èsǐguǐ 명 ⇒[饿鬼]

愕 è (악)
동 놀라다. 얼이 빠지다.
[愕然] èrán 형 놀라는 모양. ❑ 他~地瞪大了眼睛; 그는 놀라서 눈을 크게 떴다.

萼 è (악)
명〔植〕 꽃받침.
[萼片] èpiàn 명〔植〕 꽃받침.

腭 è (악)
명〔生理〕 구개(口蓋). =[颚è②]
[腭裂] èliè 명〔醫〕 구개 파열.

颚(顎) è (악)
명 ① 턱. 악각(顎脚). ❑ 下~; 아래턱. ② ⇒[腭è]

鳄(鰐) è (악)
명〔動〕 악어.
[鳄鱼] èyú 명〔動〕 악어. ❑ ~眼泪; 악어의 눈물. 〈比〉 악인의 가

장된 자비.

遏 è (알)
동 저지하다. 막다.

[遏抑] èyì 동 억누르다. 자제하다. ❏ 激动的心情无法~; 흥분된 마음을 억누를 수 없다.

[遏止] èzhǐ 동 저지하다. 막다. ❏ ~改革的潮流; 개혁의 물결을 저지하다.

[遏制] èzhì 동 억제하다. 제지하다. ❏ ~感情; 감정을 억제하다.

噩 è (악)
형 흉한. 불길한.

[噩耗] èhào 명 부보(訃報). 흉보. 부고(訃告).

[噩梦] èmèng 명 무서운 꿈. 악몽.

ê ㄝ

欸 ē[ēi] (애)
감 어이《부르는 소리》. ❏ ~, 快来看! 어이, 빨리 와서 봐 봐! ⇒ é ě è

欸 é[éi] (애)
감 어《의아함·놀람 따위를 나타냄》. ❏ ~, 怎么人都走了? 어, 사람들이 왜 다 가 버렸지? ⇒ ē ě è

欸 ě[ěi] (애)
감 에이《그렇지 않다는 어기》. ❏ ~, 你说得不对呀! 에이, 네 말은 틀려! ⇒ ē é è

欸 è[èi] (애)
감 응. 그래. 어《대답·찬성의 어기》. ❏ ~, 好吧; 응, 그러자. ⇒ ē é ě

en ㄣ

恩 ēn (은)
명 은혜. ❏ 报~; 은혜에 보답하다.

[恩爱] ēn'ài 형 (부부가) 정답다. 정이 깊다. ❏ 小两口十分~; 젊은 부부가 매우 정답다.

[恩宠] ēnchǒng 명〈書〉 은총.

[恩赐] ēncì 동 ① (제왕이) 상을 내리다. 하사하다. ②〈貶〉 (불쌍해서) 베풀다. 주다.

[恩德] ēndé 명 은덕.

[恩典] ēndiǎn 명 은전. 은혜. 동 은혜를 베풀다.

[恩格尔系数] Ēngé'ěr xìshù 〔經〕 엥겔(Engel) 계수.

[恩惠] ēnhuì 명 은혜. ❏ 施以~; 은혜를 베풀다.

[恩将仇报] ēnjiāngchóubào 〈成〉 은혜를 원수로 갚다.

[恩情] ēnqíng 명 은혜. 은정.

[恩人] ēnrén 명 은인. ❏ 救命~; 생명의 은인.

[恩师] ēnshī 명 은사.

[恩怨] ēnyuàn 명 은혜와 원한.

[恩泽] ēnzé 명 은택.

摁 èn (은)
동 (손·손가락으로) 누르다. ❏ ~电铃; 벨을 누르다.

[摁钉儿] èndīngr 명〈口〉 ⇒[图钉(儿)]

[摁扣儿] ènkòur 명〈口〉 ⇒[子母扣儿]

er 儿

儿(兒) ér (아)
A) ① 명 어린이. 아이. ❏ 幼~; 유아. ② 명 젊은이. 젊은 남자. ③ 명 사내아이. 아들. ❏ 无~无女; 아들도 딸도 없다《자식이 없다》. ④ 형 수컷의. ❏ ~马; 수말. **B)** 접미 ① 명사 뒤에 쓰여, 작은 것을 나타냄. ❏ 棍~; 몽둥이 / 小孩~; 어린아이. ② 동사·형용사 뒤에 쓰여 명사화함. ❏ 吃~; 먹을 것 / 拐弯~; 길모퉁이. ③ 구체적인 사물을 추상화(抽象化)함. ❏ 门~; 방법. ④ 사물의 차이를 나타냄《'白面' 은 밀가루, '白面儿' 은 헤로인인 것 따위》. ⑤ 몇몇 동사의 접미사로 쓰임. ❏ 玩~; 놀다.

[儿歌] érgē 명 동요.

[儿化] érhuà 동〔言〕 권설음화(捲舌音化)하다《앞 음절에 붙어서 어미(語尾)를 권설 운모(捲舌韻母)로 만듦》.

[儿科] érkē 명〔醫〕 소아과.

[儿麻] érmá 명 〈簡〉 ⇒[小儿麻痹症]

[儿女] érnǚ 명 ① 아들딸. 자녀. 자식. ② 남녀. ❏ ~之情; 남녀 간의 정.

[儿孙] érsūn 명 자식과 손자. 〈轉〉 자손. 후손.

[儿童] értóng 명 아동. 어린이. ❏ ~读物; 아동 도서 / ~节; 어린이날 / ~文学; 아동 문학.

E

[儿媳妇(儿)] érxí·fu(r) 명 며느리.

[儿戏] érxì 명 어린이 장난. 애들 장난. 〈比〉 장난 같은 일. 대수롭지 않은 일. ❏视同~; 애들 장난처럼 여기다.

[儿子] ér·zi 명 아들. ❏大~; 장남.

而 ér (이)

접 ① 동사·형용사·문장 따위를 잇는 말. ㉠ …하고. …해서. 또한. 그리고(《의미가 서로 이어지는 성분을 연결시킴》). ❏强~有力; 강하고 힘이 있다. ㉡ 긍정과 부정으로 서로 보충하는 성분을 연결시킴. ❏忙~不乱; 〈成〉 바빠도 흐트러짐이 없다. ㉢ 그러나. …지만(《역접을 나타냄》). ❏华~不实; 겉은 그럴듯하지만 알맹이가 없다. ㉣ 전후 인과 관계가 있는 성분을 연결시킴. ❏因病~辞职; 병 때문에 사직하다. ② …까지. ❏由春~夏; 봄부터 여름까지. ③ 시간·방식·목적·원인·근거를 나타내는 성분을 동사에 연결시킴. ❏匆匆~来, 又匆匆~去; 총총히 왔다가 총총히 가다. ④ 주어와 서술어의 중간에 쓰여 '만약'의 의미를 나타냄. ❏作为教练~不严格要求队员, 则很难出好成绩; 감독이 팀원들에게 엄격하지 않으면 좋은 성적을 내기 어렵다.

[而后] érhòu 접 그런 뒤에. 그런 후에. ❏你先摸清情况~行动; 우선 상황을 분명히 파악한 후에 행동해라.

[而今] érjīn 명 현재. 지금. 요즘. 오늘날. ❏到~, 你后悔也晚了; 지금 와서 네가 후회한다 해도 늦었다. =[如今]

[而况] érkuàng 접 하물며(《'更'·'又' 따위가 앞에 올 수 없음》). ❏平时街上人就很多, ~是节日里呢! 평소에도 거리에 사람들이 많은데 하물며 명절에는 어떻겠는가!

[而且] érqiě 접 또한. 더욱이. 게다가. 뿐만 아니라(《'不但'·'不仅' 따위와 호응하기도 함》). ❏他不仅会开汽车~会修理汽车; 그는 차를 몰 줄 알 뿐 아니라, 차를 고칠 줄도 안다.

[而已] éryǐ 조 (한정의 뜻을 나타내어) 그저 …일 뿐이다. …일[할] 따름이다. 단지 …에 불과하다. ❏他无非是吓唬吓唬你~; 그는 그저 너를 놀래 준 것일 뿐이다.

尔(爾) ěr (이)

대〈書〉 ① 너. 당신 ❏~父; 너의 아버지. ② 이러하다 ③ 그. 저. 이. ❏~后; ⇓

[尔后] ěrhòu 접 그 후. 이 후.

[尔虞我诈] ěryú-wǒzhà 〈成〉 서로 의심하고 속이다. =[尔诈我虞]

耳 ěr (이)

① 명〖生理〗 귀. ② 명 귀처럼 생긴 것. ❏木~; 목이버섯. ③ 형 양쪽에 위치하는. ❏~门; ⇓

[耳背] ěrbèi 형 귀가 어둡다. 가는 귀먹다. ❏他有点儿~; 그는 귀가 좀 어둡다.

[耳鼻喉科] ěr-bí-hóukē 〖醫〗 이비인후과(耳鼻咽喉科).

[耳边风] ěrbiānfēng 명 건성으로 듣는 말. 한 귀로 듣고 한 귀로 흘리는 말. 마이동풍. =[耳旁风]

[耳垂(儿)] ěrchuí(r) 명〖生理〗 귓불.

[耳聪目明] ěrcōng-mùmíng 〈成〉 머리가 좋고 눈이 예리하다.

[耳朵] ěr·duo 명 귀. ❏在~上说; 귓전에 대고 말하다.

[耳朵软] ěr·duo ruǎn 귀가 얇다. 남의 말을 쉽게 곧이듣다.

[耳朵眼儿] ěr·duoyǎnr 명〈口〉 ① 귓구멍. ② 귓불에 뚫은 귀걸이 구멍.

[耳垢] ěrgòu 명 ⇨[耵dīng聍]

[耳鼓] ěrgǔ 명 ⇨[鼓膜]

[耳刮子] ěrguā·zi 명 ⇨[耳光]

[耳光] ěrguāng 명 따귀 때리는 것. ❏打~; 따귀를 때리다. =[耳刮子][耳光子]

[耳环] ěrhuán 명 귀걸이.

[耳机] ěrjī 명 ① ⇨[受话器] ② 이어폰(earphone). 리시버(receiver). 헤드폰(headphone).

[耳尖] ěrjiān 형 귀가 밝다.

[耳聋] ěrlóng 형 귀가 먹다.

[耳轮] ěrlún 명〖生理〗 귓바퀴.

[耳麦] ěrmài 명 헤드세트(headset)(《헤드폰과 마이크가 하나로 되어 있는 통신 장치》).

[耳门] ěrmén 명 곁문. 협문.

[耳鸣] ěrmíng 동〖醫〗 이명을 앓다. 귀울음을 앓다.

[耳膜] ěrmó 명 ⇨[鼓膜]

[耳目] ěrmù 명 ① 귀와 눈. 〈轉〉 (남의) 이목. ❏遮掩~; 남의 이목을 가리다. ② 식견. 견문. ❏~一新; 〈成〉 보고 듣는 것이 새롭고 신선하다. ③ 남을 대신해서 정보를

캐는 사람. 스파이.
[耳旁风] ěrpángfēng 명 ⇨[耳边风]
[耳塞] ěrsāi 명 ① 이어폰(earphone). ②(방수용·방음용의) 귀마개.
[耳生] ěrshēng 형 귀에 설다.
[耳屎] ěrshǐ 명〈俗〉 ⇨[耵dīng聍]
[耳熟] ěrshú 형 귀에 익다. ❏ ~能详; 〈成〉 귀에 익어서 자세히 이야기할 수 있다.
[耳挖子] ěrwā·zi 명 귀이개. =[〈方〉 耳挖勺儿sháor]
[耳闻] ěrwén 동 귀로 듣다. ❏ ~不如目见; 〈諺〉 백문이 불여일견 / ~目睹 〈成〉 직접 보고 듣다.
[耳蜗] ěrwō 명〔生理〕 달팽이관.
[耳语] ěryǔ 동 귀엣말하다. 귓속말하다.
[耳针] ěrzhēn 명〔中醫〕 귀침. 이침. ❏ ~疗法; 이침 요법.
[耳坠(儿)] ěrzhuì(r) 명 (펜던트가 달린) 귀걸이. =[耳坠子]
[耳子] ěr·zi 명 기물(器物) 양쪽의 손잡이.

饵(餌) ěr (이)
① 명 과자. 떡. 케이크. ② 명 낚싯밥. 미끼. ❏ 钓~; 낚싯밥. ③ 동〈書〉 미끼로 유인하다. ❏ ~敌; 적을 유인하다.
[饵子] ěr·zi 명 낚싯밥. 미끼.

二 èr (이)
① 수 2. 둘. ❏ ~哥; 둘째 형 / 零点~; 0.2. ② 형 두 가지의. 다른. ❏ 不~法门; 〈成〉 더없이 좋은 방법.
[二八] èrbā 명〈書〉 16세. ❏ ~佳人; 〈成〉 16세 꽃다운 나이의 소녀.
[二把刀] èrbǎdāo 〈口〉 형 (지식·기술이) 미숙하다. 어설프다. 명 미숙한 사람. 얼치기. 풋내기.
[二百五] èrbǎiwǔ 명 ①〈口〉 멍청이. 바보. ②〈方〉 ⇨[半瓶醋]
[二重] èrchóng 형 이중의. ❏ ~唱; 이중창 / ~奏; 이중주.
[二重性] èrchóngxìng 명 이중성. =[两重性]
[二传] èrchuán 명〔體〕 (배구의) 토스(toss).
[二传手] èrchuánshǒu 명 ①〔體〕 세터(setter). ②〈比〉 중간 역할자.
[二道贩子] èrdào fàn·zi 〈貶〉 (투기 전매 전문의) 브로커.
[二等] èrděng 형 이등의. 이류의. ❏ ~兵; 이등병.
[二伏] èrfú 명 중복(中伏). =[中zhōng伏]
[二锅头] èrguōtóu 명 얼궈터우《증류할 때 맨 처음 나온 것과 마지막에 나온 것을 제거한 소주》.
[二胡] èrhú 명〔樂〕 얼후《호궁(胡弓)보다 약간 크고 자루를 나무로 만든 악기》. =[南胡]
[二话] èrhuà 명 두말. 딴말. 딴소리《주로 부정문에 쓰임》. ❏ 为了工作再苦再累, ~不说; 일을 위해서라면 아무리 힘들고 피곤해도 두말하지 않는다.
[二婚] èrhūn 동〈口〉 (주로, 여자가) 재혼하다. ❏ ~头 =[二婚儿]; 〈貶〉 재혼한 여자. 재혼녀.
[二进制] èrjìnzhì 명〔數〕 이진법.
[二郎腿] èrlángtuǐ 명 다리를 꼬고 앉은 자세.
[二愣子] èrlèng·zi 명 덜렁쇠. 분별없이 행동하는 사람. 경망한 사람.
[二流] èrliú 형 이류의. ❏ ~货; 이류품.
[二流子] èrliú·zi 명 백수. 백수건달.
[二拇指] èrmǔzhǐ 명〈口〉 ⇨[食指]
[二审] èrshěn 명〈簡〉 ⇨[第二审]
[二十八宿] èrshíbā xiù 〔天〕 이십팔수.
[二十四节气] èrshísì jiéqì 이십사절기.
[二手(儿)] èrshǒu(r) 형 간접적인. 여러 사람을[장소를] 거친. ❏ ~车; 중고차 / ~货; 중고품 / ~烟; 간접흡연.
[二心] èrxīn 명 딴마음. 이심(異心). 형 마음이 산란하다. 열의가 없다. ‖ =[贰心]
[二氧化] èryǎnghuà 형〔化〕 이산화(二酸化)의. ❏ ~碳; 이산화탄소 / ~物; 이산화 화합물.
[二元论] èryuánlùn 명〔哲〕 이원론.

贰(貳) èr (이)
① 수 '二'의 갖은자. ② 동〈書〉 배신하다. 변절하다. ❏ ~臣; 두 임금을 섬기는 절조 없는 신하.
[贰心] èrxīn 명형 ⇨[二心]

E

F

fa ㄈㄚ

发(發) fā (발) ① 동 발생하다. 나오다. 생기다. ❏～光; ⇩ ② 동 보내다. 발급하다. 지급하다. 발송하다. ❏给他～封信; 그에게 편지를 보내다 / ～行李; 수화물을 보내다. ③ 동 표현하다. 말하다. 공표하다. ❏～命令; 명령을 내리다 / ～言; ⇩ ④ 동 (갑자기) 부자가 되다. 풍부해지다. ❏他一下子就～了; 그는 벼락부자가 되었다. ⑤ 동 발사하다. 쏘다. ❏～枪; 총을 쏘다. ⑥ 동 발전하다. 확대하다. 커지다. ❏～展; ⇩ ⑦ 동 발산하다. 방출하다. ❏蒸～; 증발하다. ⑧ 동 …을 띠다. …되다. ❏花的叶子～了黄; 꽃의 잎사귀가 누렇게 되었다. ⑨ 동 발효하다. 부풀리다. 불리다. ❏温度低, 面～不了; 온도가 낮으면 밀가루는 발효가 안 된다. ⑩ 동 폭로하다. 들춰내다. 발견하다. 열어젖히다. ❏～冢; 무덤을 파헤치다. ⑪ 동 (감정을) 드러내다. 나타내다. ❏～笑; 웃음을 터뜨리다. ⑫ 동 떠나다. 출발하다. ❏出～; 출발하다. ⑬ 동 (안 좋은 상황을) 느끼다. ❏～烧; ⇩ ⑭ 동 (행동을) 시작하다. 개시하다. ❏～动; ⇩ ⑮ 양 발《총탄·포탄을 세는 데 쓰임》. ❏一～子弹; 탄알 한 발. ⇒fà

[发榜] fā//bǎng 동 합격자를 발표하다.

[发报] fā//bào 동 전신을 발신하다. 전보를 보내다.

[发表] fābiǎo 동 ① 발표하다. 공표하다. ❏～意见; 의견을 발표하다. ② 게재하다. 등재하다. ❏报纸上～了他的论文; 그의 논문이 신문에 게재되었다.

[发病] fā//bìng 동 발병하다. ❏～率; 발병률.

[发布] fābù 동 발포하다. 공포하다. 공표하다. ❏～新闻; 뉴스를 공표하다.

[发财] fā//cái 동 돈을 많이 벌다. 부자가 되다. ❏祝你～; 돈 많이 버세요.

[发车] fā//chē 동 차가 출발하다. 발차하다. ❏～时间; 발차 시간.

[发愁] fā//chóu 동 골치를 썩다. 걱정하다. 골머리를 앓다. ❏你不必为钱～; 너는 돈 걱정은 할 필요 없다. =[犯愁]

[发出] fāchū 동 ① (소리·냄새 따위가) 나다. ❏～声音; 소리가 나다. ② (명령·지시를) 내다. 발표하다. ❏～指示; 지시를 내다. ③ (화물·편지 따위를) 발송하다. 부치다. ❏～函件; 편지를 부치다. ④ (차량을) 출발시키다.

[发达] fādá 형 발달하다. 발전하다. 번성하다. ❏经济～; 경제가 발전하다 / ～国家; 선진국. 동 발달시키다. 발전시키다. ❏～经济; 경제를 발전시키다.

[发呆] fā//dāi 동 멍하다. 넋이 나가다. ❏他坐在那儿～; 그는 그곳에 멍하니 앉아 있다.

[发电] fā//diàn 동 ① 발전하다. ❏原子能～; 원자력 발전 / ～机; 발전기. ② 전보를 발신하다.

[发动] fādòng 동 ① 개시하다. 발동하다. 시작하다. ❏～进攻; 진공을 개시하다. ② 일어서게 하다. 행동을 일으키다. 동원하다. ❏～群众; 군중을 동원하다. ③ (엔진 따위를) 발동시키다. 시동을 걸다. ❏～汽车; 자동차의 시동을 걸다/～机; 발동기. 엔진. 모터.

[发抖] fādǒu 동 덜덜 떨다. 부들부들 떨다. 전율하다. ❏气得他全身～; 화가 나서 그의 온몸이 떨렸다.

[发放] fāfàng 동 ① (금전·물자 따위를) 방출하다. ❏～赈米; 구호미를 방출하다. ② 급여하다. 지불하다. 지급하다. ❏～信贷; 차관을 제공하다. 융자하다.

[发粉] fāfěn 명 ⇒[焙bèi粉]

[发奋] fāfèn 동 ① 발분하다. 분발하다. 분기하다. ❏～努力; 분발하며 노력하다. ② ⇒[发愤]

[发愤] fāfèn 동 발분하다. 열심히 노력하다. ❏～忘食; 〈成〉 열심히 일하느라 끼니까지 잊다. =[发奋②]

[发疯] fā//fēng 동 ① 머리가 돌다. 정신이 나가다. 미치다. 발광하다. =[发狂] ② 〈比〉 (행동 따위가) 상도(常道)를 벗어나다. 미친 사람처럼 행동하다. =[发神经]

[发福] fā//fú 동 〈套〉 (몸이) 좋아지셨네요《주로, 중년 이상의 사람에게 쓰는 말》. ❏你～了; 몸이 좋아지셨습니다.

[发光] fā//guāng 동 빛나다. 번쩍이다. 빛을 내다. 발광하다. ❏ 两眼~; 두 눈이 빛나다 / ~体; 발광체.

[发汗] fā//hàn 동 (약물 따위로) 땀을 내다. 발한시키다.

[发号施令] fāhào-shīlìng 〈成〉 명령을 내리다. 호령하다.

[发花] fā//huā 동 눈이 침침해지다. ❏ 他的眼睛开始~了; 그는 눈이 침침해지기 시작했다.

[发话器] fāhuàqì 명 송화기. =[话筒①]

[发慌] fā//huāng 동 당황하다. 허둥대다. 갈팡질팡하다. ❏ 心里~; 속으로 당황하다.

[发挥] fāhuī 동 ① (능력 따위를) 발휘하다. 나타내다. ❏ 充分~潜力; 잠재력을 마음껏 발휘하다. ② (의견 따위를) 발표하다. 표현하다. ❏ ~高见; 고견을 발표하다.

[发昏] fā//hūn 동 아찔해지다. 현기증이 나다. 멍해지다. ❏ 突然感到~; 갑자기 현기증이 나다.

[发火] fā//huǒ 동 ① (탄환을) 발사하다. 폭발하다. ② 발화하다. 불이 붙다. ❏ ~点; 발화점. ③〈方〉 불이 나다. ④ (~儿) 발끈하다. 성질을 내다. ❏ 他有几分~地说; 그는 약간 발끈해서 말했다. 형〈方〉 (아궁이의) 불이 잘 붙다.

[发家] fā//jiā 동 집안을 일으키다. ❏ ~致富; 집안을 일으켜 부유하게 만들다.

[发酵] fā//jiào 동 발효하다. 발효시키다. ❏ ~剂; 발효제 / ~食品; 발효 식품.

[发酵酒] fājiàojiǔ 명 발효주. 양조주. =[酿niàng造酒]

[发酒疯] fā jiǔfēng ⇨[撒sā酒疯(儿)]

[发觉] fājué 동 알게 되다. 깨닫다. 알아차리다. ❏ 我~他话里有话; 나는 그의 말 속에 숨은 뜻이 있다는 것을 알아차렸다.

[发掘] fājué 동 발굴하다. ❏ ~古物; 옛 유물을 발굴하다.

[发狂] fā//kuáng 동 ⇨[发疯①]

[发困] fākùn 동 졸리다. 졸음이 오다.

[发愣] fā//lèng 동〈口〉 얼이 빠지다. 넋이 나가다. 멍해지다.

[发亮] fā//liàng 동 밝아지다. 윤기가 나다. 번쩍번쩍 빛나다. ❏ 皮肤~; 피부에 윤기가 돌다.

[发令] fālìng 동 명령을 내리다.

[发霉] fā//méi 동 곰팡이가 피다.

[发面] fāmiàn 명 발효된 밀가루 반죽. (fā//miàn) 동 밀가루를 발효시키다.

[发明] fāmíng 명동 발명(하다). ❏ ~家; 발명가 / ~专利; 발명 특허. 동〈書〉 (독창적으로) 설명하다. 해설하다.

[发难] fā//nàn 동 ① 소동·반항·반란을 일으키다. ②〈書〉 어려운 질문을 던지다. 곤란한 질문을 하다.

[发怒] fā//nù 동 성내다. 화내다.

[发胖] fāpàng 동 살이 찌다. 뚱뚱해지다.

[发脾气] fā pí·qi 화를 내다. 짜증을 내다. 성질을 내다. 발끈하다.

[发票] fāpiào 명 (상점이 고객에게 떼어 주는) 영수증. 수령증.

[发起] fāqǐ 동 ① 발기하다. ❏ ~人; 발기인. ② (전쟁·진격 따위를) 개시하다. 발동하다. ❏ ~反攻; 반격을 개시하다.

[发情] fāqíng 동 (동물이) 발정하다. ❏ ~期; 발정기.

[发球] fā//qiú 동〖體〗 (탁구·테니스 따위에서) 서브(serve)하다.

[发热] fā//rè 동 ① 발열하다. 열을 발산하다. ② ⇨[发烧] ③〈比〉 냉정을 잃다. 열을 내다. 흥분하다.

[发人深省] fārénshēnxǐng 〈成〉 사람을 깊이 각성시키다. 사람을 깊이 깨닫게 하다. =[发人深醒]

[发散] fāsàn 동 ① 발산하다. ❏ 气体~; 기체가 발산하다. ②〖中醫〗(체내의 열을) 발산시키다.

[发烧] fā//shāo 동 (몸에) 신열이 나다. 열이 나다. =[发热②]

[发射] fāshè 동 발사하다. ❏ ~导弹; 미사일을 발사하다.

[发神经] fā shénjīng ⇨[发疯②]

[发生] fāshēng 동 발생하다. 일어나다. 생기다. ❏ ~地震; 지진이 발생하다 / ~意外; 뜻밖의 사고가 나다 / ~率; 발생률.

[发声] fāshēng 동 발성하다. ❏ ~练习; 발성 연습.

[发誓] fā//shì 동 맹세하다. =[起誓]

[发售] fāshòu 동 발매(發賣)하다.

[发送] fāsòng 동 ① 발신(發信)하다. ❏ ~电报; 전보를 발신하다. ② (편지 따위를) 띄우다. 보내다. ❏ ~消息; 소식을 띄우다.

[发酸] fāsuān 동 ① (음식물이) 시

큼해지다. ②(눈물로 코나 눈이) 시큰거리다. ❏鼻子~; 코가 시큰거리다. ③(몸이) 쑤시다. ❏浑身~; 온몸이 쑤시다.

[发问] fāwèn 동 (구두(口頭)로) 묻다. 질문하다.

[发现] fāxiàn 동 ①발견하다. ❏这个油田~一年多了; 이 유전은 발견된 지 1년이 넘었다. ②알아차리다. ❏他的秘密被我~了; 나는 그의 비밀을 알아차렸다.

[发祥] fāxiáng 동 ①〈書〉 길조가 나타나다. 상서로운 일이 발생하다. ②발생하다. 발상(發祥)하다. ❏~地; 발상지.

[发泄] fāxiè 동 (불만·욕구 따위를) 쏟아 내다. 발산(發散)시키다. 터뜨리다.

[发行] fāxíng 동 (서적·화폐·채권·영화 따위를) 발행하다. 배급하다. ❏~债券; 채권을 발행하다 / ~影片; 영화를 배급하다.

[发芽] fā∥yá 동 싹이 트다. 발아하다. 움트다.

[发言] fā∥yán 동 발언하다. 입을 열다. ❏~权; 발언권. (fāyán) 명 발언. 발표된 의견.

[发言人] fāyánrén 명 대변인. ❏官方~; 정부측 대변인.

[发炎] fāyán 동 염증이 생기다.

[发扬] fāyáng 동 ①발양하다. 확대 강화하다. ❏~踔厉 =[~蹈厉]; 〈成〉 의기가 왕성하다 / ~光大; 〈成〉 크게 발양시키다. ②(힘·기운 따위를) 발휘하다. 쏟아붓다. ❏~英雄气概; 영웅적 기개를 발휘하다.

[发音] fā∥yīn 동 발음하다. (fāyīn) 명 발음.

[发育] fāyù 동 발육하다. ❏~不全; 발육 부전.

[发源] fāyuán 동 발원하다. 기원(起源)하다. ❏~地; 발원지.

[发愿] fā∥yuàn 동 소원[소망]을 빌다. 발원하다.

[发展] fāzhǎn 동 ①발전하다. 성장하다. 발달하다. ❏~经济; 경제가 발전하다 / ~中国家; 개발 도상국. ②확대되다. 증가하다. ❏~组织; 조직이 확대되다.

[发作] fāzuò 동 ①발작하다. ❏他的喘病又~了; 그의 천식이 또 발작했다. ②성질내다. 화내다.

乏 fá (핍)
형 ①부족하다. 모자라다. ❏不~其人; 〈成〉 그런 사람은 부족하지 않다. ②지치다. 피곤하다. ❏疲~; 피로하다. ③〈方〉 힘이 없다. 효력이 없다. ❏贴~了的膏药; 붙여서 효력이 없어진 고약.

[乏力] fálì 형 힘이 없다. 기력이 없다. 기운이 없다. ❏浑身~; 온몸에 기운이 없다. 동 능력이 없다. 능력이 부족하다.

[乏味] fáwèi 형 재미없다. 무미건조하다. 무료하다. ❏生活~; 생활이 무료하다.

伐 fá (벌)
동 ①(나무를) 베다. 벌목하다. ❏~木; 벌목하다. ②공격하다. 치다. ❏讨~; 토벌하다. ③〈書〉 자랑하다. 뽐내다. ❏自~其功; 〈成〉 스스로 그 공을 자랑하다.

阀(閥) fá (벌)
명 ①특수한 세력, 또는 권력을 가진 개인이나 집단. 파벌. ❏财~; 재벌 / 门~; 문벌. ②〖機〗 판(瓣). 밸브(valve). ❏排气~; 배기판(排氣瓣). =[阀门][〈口〉 活门]

[阀门] fámén 명 ⇒[阀②]

筏 fá (벌)
명 뗏목.

[筏子] fá·zi 명 뗏목.

罚(罰) fá (벌)
동 처벌하다. 벌하다. 벌금을 과하다. ❏惩~; 징벌하다.

[罚单] fádān 명 벌금 통지서. 범칙금 고지서.

[罚金] fájīn 명 ⇒[罚款]

[罚款] fá∥kuǎn 동 ①(행정 기관이) 벌금을 물리다. 과태료를 부과하다. ②위약금을 물리다. 과태료를 부과하다. (fákuǎn) 명 과태료. 범칙금. 벌금. =[罚金]

[罚球] fá∥qiú 동〖體〗(축구 따위에서) 페널티 킥(penalty kick)을 하다. (농구 따위에서) 자유투를 하다. ❏~得分; 페널티 골.

[罚则] fázé 명 벌칙.

法 fǎ (법)
명 ①법. 법률. ❏守~; 법을 지키다. ②(~儿) 방법. 수단. 방식. ❏没~; 방법이 없다. ③모범. 표준. ❏~书; 글씨본. ④불법(佛法). ❏说~; 설법하다. ⑤(도교(道教)의) 법술(法術). ❏作起~来; 법술을 쓰다. ⑥(Fǎ) 〖地〗〈簡〉 '法国' (프랑스)의 약칭.

[法案] fǎ'àn 명 법률안. 법안.

[法办] fǎbàn 동 법에 의해 처벌하다.
[法宝] fǎbǎo 명 ①〖佛〗법보. ② 요괴를 물리치거나 없앨 수 있다는 신화 속의 보물. ③〈比〉매우 쓸모있는 도구·방법·경험 따위.
[法典] fǎdiǎn 명 법전(法典).
[法定] fǎdìng 형〖法〗법정의. ❑ ~假日 =[~休假日]; 법정 공휴일 / ~年龄; 법정 연령 / ~人数; 법정 인원수. 정족수.
[法度] fǎdù 명 법도. ① 법률과 제도. ② 생활상의 예법과 제도. ❑不合~; 법도에 어긋나다.
[法官] fǎguān 명〖法〗법관.
[法规] fǎguī 명〖法〗법규.
[法国] Fǎguó 명〖地〗프랑스(France).
[法国白兰地] Fǎguó báilándì 코냑(프 cognac).
[法纪] fǎjì 명 법률과 규율.
[法郎] fǎláng 명〈音〉프랑《프랑스·스위스 따위의 국가의 옛 화폐단위》.
[法力] fǎlì 명 ① 법력. 불법의 힘. ②〈轉〉신통력(神通力).
[法令] fǎlìng 명〖法〗법령(法令).
[法律] fǎlǜ 명〖法〗법률. ❑ ~规定; 법률 규정.
[法盲] fǎmáng 명 법맹《법률 지식이 없는 사람》.
[法人] fǎrén 명〖法〗법인. ❑集体~; 단체 법인 / ~税; 법인세.
[法术] fǎshù 명 법술. 방술(方術).
[法庭] fǎtíng 명〖法〗법정(法廷). 재판소. ❑军事~; 군사 재판소.
[法网] fǎwǎng 명 법망. ❑ ~难逃; 법망을 벗어나기가 어렵다.
[法学] fǎxué 명 법학. ❑ ~家; 법학자.
[法医] fǎyī 명 법의. 법의학. ❑ ~学; 법의학 / ~学家; 법의학자.
[法语] Fǎyǔ 명〖言〗프랑스어. 불어.
[法院] fǎyuàn 명〖法〗법원. ❑高级~; 고등 법원.
[法则] fǎzé 명 법칙. 규칙. ❑自然~; 자연법칙.
[法制] fǎzhì 명〖法〗법제. 법률제도.
[法治] fǎzhì 명동 법치(하다)《법에 따라 나라를 다스림》. ❑ ~国家; 법치 국가.
[法子] fǎ·zi[〈口〉fá·zi] 명 방법. 수단.

砝 fǎ (법)
→[砝码]
[砝码] fǎmǎ 명 분동(分銅). 저울추.

发(髮) fà (발)
명 머리카락. ❑白~; 백발. ⇒fā
[发髻] fàjì 명 상투. 쪽.
[发胶] fàjiāo 명 헤어젤. 헤어스프레이.
[发蜡] fàlà 명 포마드(pomade).
[发廊] fàláng 명 (소규모의) 미용실.
[发卡] fàqiǎ 명 (집게형) 헤어핀. 머리핀.
[发式] fàshì 명 ⇨[发型]
[发型] fàxíng 명 머리 모양. 헤어스타일(hairstyle). ❑ ~设计师; 헤어 디자이너. =[发式]
[发指] fàzhǐ 동 머리카락이 곤두서다.〈比〉분노하다. 노발대발하다.

珐 fà (법)
→[珐琅]
[珐琅] fàláng 명 에나멜(enamel). 법랑. ❑ ~质; 에나멜질. 법랑질.

fan ㄈㄢ

帆 fān (범)
명 돛. ❑ ~杆; 돛대.
[帆板] fānbǎn 명〖體〗① 윈드서핑(windsurfing). =[帆板运动] ② 윈드서핑 보드(board).
[帆布] fānbù 명 범포. 돛천. 캔버스(canvas). ❑ ~鞋; 캔버스화(canvas靴).
[帆船] fānchuán 명 ① 돛단배. 범선. ② 요트(yacht). ❑ ~比赛; 요트 경기.
[帆樯] fānqiáng 명〈書〉① 돛대. ②〈轉〉배. 선박.

番 fān (번)
① 명 외국. 이민족. 오랑캐. ❑ ~书; 외국 서적. ② 양 종류. 종. 가지. ❑别有一~风味; 별다른 아주 독특한 맛이 있다. ③ 양 회. 번. 차례. ❑思考一~; 한 차례 생각하다.
[番瓜] fānguā 명〈方〉⇨[南瓜]
[番木瓜] fānmùguā 명〖植〗파파야(papaya).
[番茄] fānqié 명〖植〗토마토(to-

mato). ❏ ~酱; 토마토케첩 / ~汁; 토마토 주스. ＝[西红柿]

[番薯] fānshǔ 명〈方〉 ⇨[甘薯]

幡 fān (번)
명 (수직으로 거는 좁고 긴) 깃발.

[幡然] fānrán 부 번연히. 불현듯. 갑자기. ❏ ~悔悟; 〈成〉 번연히 잘못을 뉘우치고 깨닫다. ＝[翻然]

藩 fān (번)
명 ① 울타리. ② 봉건 시대 제후(諸侯)의 속국. 속지. ③〈書〉〈轉〉 변방 지역.

[藩篱] fānlí 명 ① 울타리. 울짱. 바자울. ②〈比〉 문호. ③〈比〉 가로막는 것. 장애. 장애물.

[藩属] fānshǔ 명 (봉건 시대의) 속국. 속지.

翻 fān (번)
동 ① 뒤집다. 뒤집히다. 전복하다. 전복시키다. ❏ ~地; 밭을 갈아엎다 / ~身; ⇓ ② (물건을 찾기 위해) 뒤지다. 헤집다. ❏ ~箱倒柜; ⇓ ③ 번복하다. 뒤엎다. ❏ ~案; ⇓ ④ 건너다. 넘다. ❏ ~了三个山头; 세 개의 산봉우리를 넘었다. ⑤ (수량이) 배가 되다. 배로 늘다. ❏ 生产~一番; 생산이 배가 되다. ⑥ 번역하다. 통역하다. ❏ 把英文~成中文; 영문을 중문으로 번역하다. ⑦ (~儿)〈口〉 (사이가) 틀어지다. 반목하다. ❏ 闹~了; 사이가 틀어졌다.

[翻案] fān//àn 동 ①〖法〗 판결을 번복하다[뒤집다]. ② 정설(定說)[정론]을 뒤집다.

[翻版] fānbǎn 명 ① 복각본(復刻本). 복각판(復刻版). ②〈比〉 재판(再版).

[翻车] fān//chē 동 ① 차가 뒤집어지다. 차가 전복되다. ❏ 河沟里翻了一辆车; 개천에서 차 한 대가 전복되었다. ②〈比〉 일이 도중에 틀어지다. 중도에 실패하다. ③〈方〉 사이가 틀어지다. 다투다. ❏ 我跟他~了; 나는 그와 다퉜다.

[翻斗] fāndǒu 명 (주로, 트럭에 달린) 뒤집거나 기울일 수 있는 짐칸. ❏ ~车; 덤프트럭.

[翻覆] fānfù 동 ① 뒤집히다. 전복되다. ❏ 车辆~; 차량이 전복되다. ② (몸을) 뒤척이다. ③〈書〉 번복하다. ④ 거대하고 현저한 변화가 일어나다. ❏ 天地~; 천지가 뒤집히다.

[翻盖] fāngài 동 (집을) 재건축하다. 헐어 버리고 다시 짓다. ❏ 这所旧房子需要~了; 이 오래된 집은 재건축이 필요하다.

[翻跟头] fān gēn·tou 공중제비하다.

[翻供] fān//gòng 동〖法〗 진술을 번복하다. 자백을 부인하다.

[翻滚] fāngǔn 동 ① (물체가) 위아래로 회전하다. 상하 운동을 하며 돌다. 소용돌이치다. ② 데굴데굴 구르다. 마구 뒹굴다. ❏ 他肚子疼得在床上乱~; 그는 배가 아파서 침대에서 데굴데굴 굴렀다.

[翻悔] fānhuǐ 동 후회하며 전에 한 말을 번복하다. ＝[反悔]

[翻江倒海] fānjiāng-dǎohǎi 〈成〉 물이 대단한 기세로 밀려오는 모양《세력이나 힘이 몹시 성한 모양》. ＝[倒dǎo海翻江]

[翻来覆去] fānlái-fùqù 〈成〉 ① 몇 번이고 반복하다. 여러 번 되풀이하다. ② 몸을 뒤척이다.

[翻脸] fān//liǎn 동 얼굴을 바꾸다. 태도를 바꾸다. 태도가 돌변하다. ❏ ~不认人; 얼굴을 싹 바꾸고 외면하다 / ~无情; 〈成〉 갑자기 태도를 바꾸고 차갑게 대하다.

[翻然] fānrán 부 ⇨[幡然]

[翻身] fān//shēn 동 ① 몸을 뒤척이다. 엎치락뒤치락하다. ❏ 他翻了一个身, 又睡着了; 그는 한 번 뒤척이더니 다시 잠들었다. ②〈方〉 몸의 방향을 바꾸다. 몸을 돌리다. ❏ ~下马; 몸을 돌려 말에서 내리다. ③〈比〉 (억압에서) 해방되다. ❏ ~农奴; 농노가 해방되다. ④〈比〉 낙후된 것을 변화시키다. 불리한 처지를 탈피하다. ❏ 大打工业~之仗; 공업 발전을 위해 크게 힘쓰다.

[翻腾] fānténg 동 ① 소용돌이치다. ❏ 波浪~; 물결이 소용돌이치다. ② 공중회전하다.

[翻腾] fān·teng 동 ①〈比〉 (생각 따위가) 머릿속을 어지럽히다. 머릿속을 휘젓다. ❏ 往事在脑海里~; 지난 일들이 머릿속을 어지럽히다. ② 휘젓다. 뒤집다. 어지럽히다. ❏ 他已经把屋子~遍了, 那本书仍然没有找到; 그가 이미 집안을 샅샅이 뒤졌지만, 그 책은 찾지 못했다.

[翻天] fān//tiān 동 ① 소란을 피우다. ②〈比〉 모반하다. 반역하다.

[翻天覆地] fāntiān-fùdì 〈成〉 ① 변화가 매우 크고 심하다. ② 큰 소동이 일어나다. 매우 요란하게 굴다.
[翻箱倒柜] fānxiāng-dǎoguì 〈成〉 이 잡듯이 뒤지다. 철저히 수사[검사]하다. =[翻箱倒箧qiè]
[翻修] fānxiū 동 (건물·도로 따위를) 새롭게 고치다. 개수하다. 보수하다. ❏ ~房子; 건물을 보수하다.
[翻译] fānyì 동 번역하다. 통역하다. ❏ ~成韩文; 한국어로 번역하다 / ~机; 통역기. 명 통역사. 통역. 번역사. ❏ 当~; 통역사가 되다.
[翻阅] fānyuè 동 (책·문서 따위를) 뒤져 가며 찾아보다. 넘겨 가며 살피다. ❏ ~图书目录; 도서 목록을 뒤지며 찾아보다.
[翻云覆雨] fānyún-fùyǔ 〈成〉 ① 변덕을 부리다. ② 온갖 수단을 교묘하게 부리다.

凡 fán (범)
① 형 평범하다. 보통이다. ❏ 平~; 평범하다. ② 부 대체로. 무릇. 대저. ❏ ~事要小心; 매사에 조심해야 한다. ③ 부〈書〉 모두. 전부. 도합. ④ 명 속세(俗世). 인간 세상.
[凡例] fánlì 명 범례.
[凡人] fánrén 명 ① 범인. 평범한 사람. 보통 사람. ② 속인(俗人).
[凡事] fánshì 명 범사. 만사(萬事). ❏ ~开头难; 〈俗〉 모든 일은 시작이 어렵다.
[凡是] fánshì 부 무릇. 대체로. 대저. ❏ ~错误的思想都应该受到批评; 무릇 잘못된 생각은 모두 비판을 받아야 한다.
[凡俗] fánsú 형 범속하다.
[凡庸] fányōng 형 범용하다. 평범하다.

矾(礬) fán (반)
명〖化〗 명반(明礬)·녹반(綠礬) 따위의 총칭. 금속의 유산염. ❏ 明~; 명반.

烦(煩) fán (번)
① 형 귀찮다. 싫증 나다. 질리다. ❏ 腻~; 질리다. ② 형 답답하다. 고민스럽다. 심란하다. ❏ 心~意乱; 〈成〉 번민으로 마음이 어지러워지다. ③ 동 귀찮게 하다. 싫증 나게 하다. ❏ 你别~我了; 나를 귀찮게 하지 마라. ④ 형 번잡하다. 장황하다. ❏ 要言不~; 〈成〉 말이 간결하고 장황하지 않다. ⑤ 동 〈敬〉 수고를 끼치다. 폐를 끼치다. ❏ 这件事要~你给办一下; 이 일은 번거롭지만 당신이 좀 해 주셨으면 합니다.
[烦劳] fánláo 동〈敬〉 남에게 폐[수고]를 끼치다. 번거롭게 하다《남에게 무언가를 정중히 부탁할 때 쓰는 말》. ❏ ~您把这些东西带给小王; 수고로우시겠지만, 이 물건들을 왕 군에게 가져다 주십시오.
[烦乱] fánluàn 형 마음이 어수선하다. 심란하다. ❏ 我心里很~; 나는 마음이 매우 심란하다.
[烦闷] fánmèn 형 번민하다. 고민스럽다. 괴롭다.
[烦难] fánnán 형 ⇒[繁难]
[烦恼] fánnǎo 형 번뇌하다. 번민하다. 걱정하다. 고민하다. ❏ 家庭纠纷使她很~; 가정의 분쟁은 그녀를 매우 번민하게 한다.
[烦扰] fánrǎo 동 방해하다. 귀찮게 [성가시게] 굴다. 괴롭히다. ❏ 刚才~您了, 非常抱歉; 방금 당신을 귀찮게 해 드려서 정말 죄송합니다. 형 성가시다. 귀찮다.
[烦人] fánrén 형 성가시다. 귀찮다. 번거롭다. ❏ 天天的洗衣服真~; 매일 하는 빨래는 정말 귀찮다.
[烦冗] fánrǒng 형 ① (사무가) 번잡하다. ❏ 每日忙于~的事务; 매일 번잡한 사무로 바쁘다. ② (문장이) 장황하다. ‖ =[繁冗]
[烦琐] fánsuǒ 형 (문장·말 따위가) 너무 자세해서 번거롭다. 번쇄하다. 자질구레하다. 장황하다. ❏ ~哲学; 〖哲〗 스콜라 철학. 번쇄철학. =[繁琐]
[烦心] fánxīn 형 귀찮다. 짜증 나다. ❏ 如此久等真叫人~; 이렇게 오래 기다리는 것은 정말 짜증난다. 동〈方〉 걱정하다. 신경 쓰다. ❏ 这孩子淘气, 让奶奶~; 이 아이는 장난이 너무 심해서 할머니를 걱정시킨다.
[烦杂] fánzá 형 ⇒[繁杂]
[烦躁] fánzào 형 마음이 답답하고 조급하다. 걱정스럽고 초조하다. ❏ ~不安; 마음 졸이며 불안해하다.

蕃 fán (번)
〈書〉 ① 형 우거지다. 무성하다. ❏ 草木~盛; 초목이 우거지다. ② 동 번식하다.

樊 fán (번)
명〈書〉 울타리. 바자울.
[樊篱] fánlí 명 ① 울타리. ② 〈比〉

제한. 속박. 억압.

[樊笼] fánlóng 명 ① 새장. 우리. ②〈比〉자유롭지 못한 처지.

繁 fán (번)

① 형 복잡하다. 번잡하다. ② 동 (가축이) 번식하다.

[繁多] fánduō 형 (종류가) 번다하다. 매우 많다. 엄청나다. ❏种类~; 종류가 매우 많다.

[繁华] fánhuá 형 (도시나 거리가) 번화하다. ❏整个城市非常~热闹; 온 도시가 매우 번화하고 북적거린다 / ~街; 번화가.

[繁忙] fánmáng 형 번망하다. 번거롭고 바쁘다. 일이 많아 짬이 안 나다. ❏工作~; 일이 번거롭고 바쁘다.

[繁茂] fánmào 형 (초목이) 무성하다. 우거지다.

[繁密] fánmì 형 꽉 들어차 있다. 많고 빽빽하다. ❏~的树林; 빽빽한 숲.

[繁难] fánnán 형 번잡하고 어렵다. ❏~的问题; 번잡하고 어려운 문제. =[烦难]

[繁荣] fánróng 형 (경제·사업이) 번영하다. 번창하다. 동 번영시키다. 번창시키다. ❏~文化艺术事业; 문화 예술 사업을 번영시키다.

[繁冗] fánrǒng 형 ⇨[烦冗]

[繁盛] fánshèng 형 ① 번창하다. 번성하다. ❏经济~; 경제가 번성하다. ② 잔뜩 우거지다. 무성하다. ❏花草~; 화초가 무성하다.

[繁琐] fánsuǒ 형 ⇨[烦琐]

[繁体字] fántǐzì 명〔言〕번체자.

[繁育] fányù 동 번식시켜 사육하다. ❏~熊猫; 판다를 번식시켜 사육하다.

[繁杂] fánzá 형 번잡하다. =[烦杂]

[繁殖] fánzhí 동〔生〕번식하다. ❏~力; 번식력.

[繁重] fánzhòng 형 (노동·부담 따위가) 성가시고 무겁다. 힘들고 중하다. ❏~的任务; 힘들고 중한 임무.

反 fǎn (반)

① 형 반대의. 거꾸로의. 뒤집은. ❏放~了; 반대로 놓았다. ② 동 뒤집다. 바꾸다. 역으로 하다. ❏~守为攻; 수세에서 공세로 전환하다. ③ 동 돌아가다. 되돌리다. ④ 동 반대하다. 반항하다. ❏~封建; 반봉건. ⑤ 동 배반하다. 반역하다. ❏官逼民~;〈成〉관에서 백성에게 핍박을 가해 반역하게 하다. ⑥ 명 반혁명파. 반동파. ⑦ 동 유추하다. ❏举一~三;〈成〉하나로써 셋을 유추하다. ⑧ 부 반대로. 오히려. 거꾸로. ❏将耻辱~以为荣; 치욕을 도리어 영광으로 여기다.

[反比] fǎnbǐ 명 ① 반비례 관계. ②〔數〕반비. 역비.

[反比例] fǎnbǐlì 명〔數〕반비례.

[反驳] fǎnbó 동 반박하다. ❏~无理的攻击; 억지스러운 공격에 반박하다.

[反常] fǎncháng 형 보통과 다르다. 이상하다. ❏态度~; 태도가 이상하다 / ~现象; 이상 현상.

[反衬] fǎnchèn 동 다른 것과 대비하여 상대적으로 돋보이게 하다. 대조를 이루며 돋보이다.

[反刍] fǎnchú 동 ①(초식 동물이) 반추하다. 되새김하다. ❏~动物;〔動〕반추 동물. =[〈口〉倒dǎo嚼] ②〈比〉(과거의 일을) 드러내다. 반추하다.

[反倒] fǎndào 부 ⇨[反而]

[反动] fǎndòng 형 반동적이다. ❏~势力; 반동 세력. 명 반발. 반동. 반작용.

[反对] fǎnduì 동 반대하다. ❏~票; 반대표 / ~意见; 반대 의견.

[反对党] fǎnduìdǎng 명〔政〕야당(野党). =[在野党]

[反而] fǎn'ér 부 오히려. 도리어. 반대로. ❏退休后~更忙了; 퇴직 후 오히려 더 바빠졌다. =[反倒]

[反复] fǎnfù 부 반복해서. 반복적으로. ❏~修改; 반복해서 개정하다. 동 ① 번복하다. ❏决定了的事, 决不~; 결정한 일은 절대로 번복할 수 없다. ②(불리한 상황이) 반복되다. 거듭되다. 되풀이되다. 명 반복되는 상황. 거듭되는 상황.

[反感] fǎngǎn 명형 반감(을 갖다).

[反攻] fǎngōng 동 반격하다. 역습하다. ❏我军开始~了; 아군이 반격을 시작했다.

[反躬自问] fǎngōng-zìwèn〈成〉자신을 돌이켜 보다. 스스로 묻다[반성하다]. =[抚fǔ躬自问]

[反光] fǎnguāng 동 빛을 반사시키다. 명〔物〕반사 광선. ❏~灯; 반사등 / ~镜; 반사경.

[反话] fǎnhuà 명 자신의 본뜻과

반대로 하는 말. 반어(주로, 비꼬거나 풍자하기 위해 씀). =[反语]

反悔] fǎnhuǐ 동 ⇨[翻悔]

反击] fǎnjī 동 반격하다. ❏~战; 반격전. =[回击]

反剪] fǎnjiǎn 동 뒷짐을 지다. =[背剪]

反抗] fǎnkàng 동 반항하다. 저항하다. ❏~侵略; 침략에 저항하다 / ~精神; 저항 정신.

反馈] fǎnkuì 동 (정보·반응 따위가) 피드백(feedback)하다. 되돌아오다.

反面] fǎnmiàn 명 ①(~儿) 반대면. 이면(裏面). 반대쪽. ❏这纸看不出~正面; 이 종이는 앞뒤쪽을 구별할 수 없다. ② 나쁜[부정적인] 일면. 소극적인 면. ❏~角色; 부정적인 역할. ③(문제의) 다른 면. 반면(反面).

反目] fǎnmù 동 반목하다. ❏~成仇; 〈成〉 반목하여 원수가 되다.

反叛] fǎnpàn 동 모반을 일으키다. 반역하다.

反扑] fǎnpū 동 (맹수나 적이) 물러났다가 다시 공격하다. 반격하다.

反切] fǎnqiè 명〖言〗반절(한자(漢字)의 음을 나타낼 때 두 글자의 음을 반씩 따서 합치는 방법).

反倾销] fǎnqīngxiāo 동〖經〗반덤핑 하다.

反射] fǎnshè 동〖物·生〗반사하다. ❏条件~; 조건 반사.

反手] fǎn//shǒu 동 ① 손을 뒤집다. ②〈比〉 일이 쉽다. ❏~可得; 〈成〉 얻기가 쉽다.

反问] fǎnwèn 동 반문하다. ❏~他一句; 그에게 한 마디 반문하다. 명〖言〗반어법. ❏~句; 반어문.

反响] fǎnxiǎng 명 반향(反響). ❏引起~; 반향을 일으키다.

反向] fǎnxiàng 동 역방향으로 하다. ❏~行驶; 역주행하다.

反省] fǎnxǐng 동 반성하다. ❏~自己的行动; 자신의 행동을 반성하다.

反咬] fǎnyǎo 동 피고가 원고·고발인·증인을 무고하다. ❏~一口; 〈成〉 죄지은 사람이 도리어 허위를 날조하여 상대방을 무고하다.

反义词] fǎnyìcí 명〖言〗반의어. 반대어(反對語).

反应] fǎnyìng 명 ①(자극에 대한) 반응. ❏~迟钝; 반응이 느리고 둔하다. ②(주사·약의) 반응. 알레르기. ❏过敏~; 알레르기. ③ 반향(反響). 반응. ❏他的苦心却不起什么~; 그의 고심에도 불구하고 아무런 반향이 없다. 동 ①(어떤 자극에 대해) 반응하다. 반응을 보이다. ②〖化〗(화학적으로) 반응하다. ③〖物〗(물리적으로) 반응하다. ❏热核~; 열핵 반응.

[反映] fǎnyìng 동 ① 반영하다. ❏~人民的愿望; 국민의 염원을 반영하다 / ~论; 반영론. ②(상급 기관에) 전달하다. 전하다. 보고하다. ❏~群众的意见; 대중의 생각을 전달하다.

[反语] fǎnyǔ 명 ⇨[反话]

[反掌] fǎnzhǎng 동 손바닥을 뒤집다. ❏易如~; 〈成〉 손바닥 뒤집듯이 쉽다.

[反正] fǎn·zhèng 부 어쨌든. 어차피. 아무튼. ❏信不信由你, ~我不信; 믿거나 말거나 네 마음이지만, 어쨌든 나는 믿지 않는다.

[反证] fǎnzhèng 명 반증. ①〖論〗원래의 논증을 반박할 수 있는 증거. ②〖法〗사실이나 본증을 뒤집는 증거. 동〖論〗간접 증명 하다. 귀류하다. ❏~法; 귀류법(歸謬法).

[反之] fǎnzhī 접 반대로. 이에 반해서. 바꿔 말해서. ❏不施肥当然不好, ~, 施肥过了头也不好; 비료를 안 주는 것은 당연히 안 좋지만, 반대로 비료를 지나치게 많이 줘도 안 좋다.

[反作用] fǎnzuòyòng 명 ①〖物〗반동(反動). 반작용. ② 반작용. 역효과. ❏起~; 역효과가 나다.

返 fǎn (반)

동 (되)돌아오다. (되)돌아가다. ❏重chóng~故乡; 고향으로 되돌아가다.

[返潮] fǎn//cháo 동 습기가 차다. 축축해지다.

[返岗] fǎn//gǎng 동 복직하다.

[返工] fǎn//gōng 동 (제품이 불량하여) 재가공하다. 다시 만들다.

[返归] fǎnguī 동 돌아가다. 회귀하다. ❏~自然; 자연으로 돌아가다.

[返航] fǎnháng 동 (배·비행기 따위가) 귀항(歸航)하다.

[返回] fǎnhuí 동 돌아오다[가다].

[返老还童] fǎnlǎo-huántóng 〈成〉 젊음을 되찾다. 청춘을 되찾다.

犯 fàn (범)

① 동 어기다. 위반하다. 저촉

하다. ❏ ~法; ⇓ ② 통 침범하다. 건드리다. ❏ 进~; 침범하다. ③ 명 죄인. 범인. ❏ 政治~; 정치범. ④ 통 (좋지 않은 일이) 일어나다. 발생하다. 나타나다. ❏ 病又~了; 병이 또 도졌다.
[犯案] fàn∥àn 통 (범죄 행위가) 발각되다.
[犯病] fàn∥bìng 통 병이 재발하다. ❏ 冬天一到, 她就常~; 겨울만 되면 그녀는 늘 병이 재발한다.
[犯不着] fàn·buzháo 통 …할 가치가 없다. …할 만한 것이 못 된다. …할 필요가 없다. ❏ ~这么着急; 이렇게까지 서두를 필요는 없다. =[犯不上]
[犯愁] fàn∥chóu 통 ⇨[发fā愁]
[犯得着] fàn·dezháo 통 …할 가치가 있다. …할 필요가 있다. …할 만하다《주로, 반어·의문문에 쓰임》. ❏ 为这点事~你亲自跑一趟吗? 이까짓 일로 네가 직접 뛰어다닐 필요가 있겠느냐? =[犯得上]
[犯法] fàn∥fǎ 통 범법하다. 법률을 어기다. 법을 위반하다.
[犯规] fàn∥guī 통 범칙하다. 규칙을 위반하다. 반칙하다.
[犯忌] fàn∥jì 통 비위를 건드리다. 금기를 건드리다. ❏ 你说的话犯了他的忌; 너의 말이 그의 비위를 건드렸다.
[犯人] fànrén 명 범인.
[犯罪] fàn∥zuì 통 죄를 범하다.

范(範) fàn (범) 명 ①〈書〉 모형. 주형. ❏ 铁~; 철로 된 거푸집. ② 본보기. 모범. ❏ 示~; 모범을 보이다. ③ 구분. 범위.
[范本] fànběn 명 (글씨·그림 따위의) 본. ❏ 习字~; 습자본.
[范畴] fànchóu 명 ①〖哲〗 범주. ② 범위. 유형.
[范例] fànlì 명 범례.
[范围] fànwéi 명 범위. ❏ 活动~; 활동 범위.
[范文] fànwén 명 모범적인 문장.

泛 fàn (범) ① 통〈書〉 뜨다. 띄우다. ❏ ~舟; ⇓ ② 통 표면에 나타나다. 배어 나다. ❏ 树叶~黄了; 나뭇잎이 노래졌다. ③ 형 일반적이다. 광범위하다. ❏ ~指; 일반적으로 가리키다. ④ 형 알맹이가 없다. 내용이 없다. ❏ 空~; 공허하다. ⑤ 통 범람하다. ❏ ~滥; ⇓
[泛泛] fànfàn 형 ① 깊지 못하다. 형식적이다. ❏ ~之交; 〈成〉 형식상의 교제. ② 평범하다. 보통이다. ❏ ~之才; 보통의 인재.
[泛滥] fànlàn 통 ① (물이) 범람하다. ②〈比〉 (안 좋은 사물이) 범람하다. ❏ 黄色书刊~; 음란 서적이 범람하다.
[泛舟] fànzhōu 통〈書〉 뱃놀이를 하다.

饭(飯) fàn (반) ① 명 밥《주로, 쌀밥을 가리킴》. ❏ 一碗~; 밥 한 그릇. ② 명 식사. 밥. ❏ 吃~; 식사를 하다/ 早~; 아침밥. ③ 통 식사를 하다. ❏ ~后; 식후/ ~前; 식전.
[饭菜] fàncài 명 ① 밥과 반찬. 음식. 식사. ② 밥반찬《'酒菜(안주)'와 상대적인 개념으로 쓰임》.
[饭店] fàndiàn 명 ① 호텔. ② 식당. 레스토랑. 음식점.
[饭馆(儿)] fànguǎn(r) 명 (보통의) 음식점. 식당. =[餐馆(儿)]
[饭锅] fànguō 명 ① 밥솥. ②〈比〉 ⇨[饭碗②]
[饭盒(儿)] fànhé(r) 명 반합(飯盒). 도시락.
[饭粒(儿)] fànlì(r) 명 밥알. 밥풀.
[饭量] fàn·liàng 명 밥량. 식사량. ❏ ~很大; 식사량이 매우 많다. =[食量]
[饭铺(儿)] fànpù(r) 명 소규모의 음식점. 밥집.
[饭食(儿)] fàn·shi(r) 명 식사. 밥과 반찬. 음식《주로, 질(質)에 대해 얘기할 때 씀》. ❏ 这里~不错; 이곳은 음식이 괜찮다.
[饭厅] fàntīng 명 (비교적 넓은) 식사 장소. (공공의) 식당.
[饭桶] fàntǒng 명 ① 밥을 담는 통. 밥통. ②〈比〉 식충이. 밥벌레. 무능한 인간. 머저리.
[饭碗] fànwǎn 명 ① 밥그릇. 밥공기. ②〈比〉 밥벌이. 직업. 일자리. ❏ 丢~; 일자리를 잃다/ 找~; 일자리를 찾다. =[饭锅②]
[饭桌(儿)] fànzhuō(r) 명 식탁. 밥상. =[餐桌(儿)]

贩(販) fàn (판) ① 통 (상인이 판매 목적으로) 물건을 사다. 판매하다. ❏ ~粮食; 식량을 사다. ② 명 상인. 행상인. ❏ 菜~; 야채 상인.
[贩卖] fànmài 통 사들여 팔다. 판매하다. 매매하다. ❏ ~人口; 인신

매매하다 / ~牲口; 가축을 판매하다.

[贩私] fànsī 동 밀수품을 매매[판매]하다.

[贩运] fànyùn 동 (상인이 판매를 목적으로) 구입하여 운반하다. ❑ ~私货; 밀수품을 반입하다.

[贩子] fàn·zi 명〈貶〉 상인. 장수. 장사꾼. ❑ 鱼~; 생선 장수.

梵 fàn (범)

명 ① 옛날, 인도(印度)의 별칭. ② 불교에 관한 것.

[梵蒂冈] Fàndìgāng 명〖地〗〈音〉 바티칸(Vatican).

[梵文] Fànwén 명〖言〗 산스크리트(Sanskrit). 범문(梵文). 범어. =[梵语]

fang ㄈㄤ

方 fāng (방)

① 형 네모진. 모난. 사각형의. ❑ ~形; ⇩ ② 명〖數〗 제곱. 자승. ❑ 立~; 입방. ③ 명 …편. …쪽. …측. ❑ 东~; 동쪽 / 双~; 쌍방 / 我~; 우리 측. ④ 명 방식. 방법. ❑ 指导有~; 지도법이 합당하다. ⑤ 명 지역. 지방. ❑ ~言; ⇩ ⑥ (~儿) 명 약의 처방. ❑ 开~; 처방하다. ⑦ 형 정직하다. 바르다. 방정하다. ❑ 品行端~; 품행이 단정하다. ⑧ 부〈書〉 바로. 바야흐로. 한창. ❑ ~兴未艾; ⇩ ⑨ 부 비로소. 겨우. 갓. ❑ 年~十八; 이제 갓 18세이다. ⑩ 양 네모진 것을 세는 데 쓰임. ❑ 一~手帕; 손수건 한 장. ⑪ 양〈簡〉 '平方'(제곱)·'立方'(세제곱)의 약칭《일반적으로 제곱미터·세제곱미터를 가리킴》. ❑ 铺地板十五~; 15제곱미터의 바닥 널을 깔다.

[方案] fāng'àn 명 ① 방안. 초안. 계획. ❑ 施工~; 시공 방안. ② 제정된 법칙. 규칙. ❑ 汉语拼音~; 한어 병음 방안.

[方便] fāngbiàn 형 ① 편리하다. ❑ 交通~; 교통이 편리하다. ② 형편이 좋다. 적당하다. ❑ 这里很安静, 咱俩说说悄悄话挺~; 이곳은 매우 조용해서 비밀 이야기를 하기에 적당하다. ③〈婉〉 (금전적인) 여유가 있다. 넉넉하다. ❑ 手头儿~; 주머니 사정이 넉넉하다. 동 ① 편리하게 하다. 편의를 도모하다. ❑ ~顾客; 고객의 편의를 도모하다. ②〈婉〉 용변(用便)하다. 대소변을 보다. ❑ 我要~! 나 화장실 가고 싶어!

[方便面] fāngbiànmiàn 명 인스턴트 라면. 즉석 라면. =[〈方〉 速食面]

[方便食品] fāngbiàn shípǐn 인스턴트 식품.

[方步] fāngbù 명 점잖게 천천히 걷는 걸음. 양반걸음.

[方才] fāngcái 명 방금. 이제 막. 방금 전. ❑ ~的事, 你别对外人说; 방금 전의 일은 외부 사람에게 말하지 마라. 부 …해서야 비로소. ❑ 等了半个月, ~收到回信; 보름을 기다린 후에야 비로소 답장을 받았다.

[方程] fāngchéng 명〖數〗 방정식. =[方程式]

[方法] fāngfǎ 명 방법. 방식. 법식. ❑ 教学~; 교습 방법 / ~论; 방법론 / ~论者; 방법론자.

[方格] fānggé 명 ① 네모난 격자. ② 체크무늬. 모눈. ❑ ~布; 체크무늬 천 / ~纸; 모눈종이.

[方根] fānggēn 명〖數〗 제곱근. 루트(root). =[〈簡〉 根⑧]

[方块] fāngkuài 명 ① 네모진 덩어리. ❑ ~舞;〖舞〗 스퀘어 댄스 / ~字; 한자(漢字). ② (카드놀이의) 다이아몬드(diamond).

[方括号] fāngkuòhào 명〖言〗 각괄호《[ ]》.

[方面] fāngmiàn 명 ① 방면. 쪽. 측(側). 방향. ❑ 中国~的要求; 중국 측의 요구. ② 분야. 영역. ❑ 他在数学~有重大贡献; 그는 수학 분야에 큰 공헌을 했다.

[方式] fāngshì 명 방식. 방법. 패턴. 모드. ❑ 生活~; 생활 방식.

[方位] fāngwèi 명 방위. ❑ ~词; 방위사《방향이나 위치를 나타내는 말》/ ~角; 방위각.

[方向] fāngxiàng 명 ① 방향. ❑ 朝邮局的~走; 우체국 방향으로 걸어가다 / ~舵; 방향키. ② 나아갈 방향. 목표.

[方向盘] fāngxiàngpán 명 (자동차·선박 따위의) 핸들. 타륜.

[方兴未艾] fāngxīng-wèi'ài〈成〉 이제 막 한창이다. 바야흐로 발전해 가고 있다.

[方形] fāngxíng 명〖數〗 사각형.

[方言] fāngyán 명〖言〗 방언. 사

투리.

[方圆] fāngyuán 명 ① 주위. 둘레. 부근. ② 둘레의 길이. ③ 방원. 사각과 원.

[方针] fāngzhēn 명 방침. ❑ 制定~; 방침을 세우다 / 教育~; 교육 방침.

[方正] fāngzhèng 형 ① 정사각형이다. 네모반듯하다. ② 정직하다.

[方桌] fāngzhuō 명 사각형의 테이블. 네모난 탁자.

[方子] fāng·zi 명 ① 각재(角材). 각목. ② 〈口〉 ⇨[药方②] ③ 〈口〉 ⇨[配方]

坊 fāng (방)
명 ① 거리. 항간. 골목《주로, 거리나 골목의 이름으로 많이 쓰임》. ② 점포. 가게. ③ 패방(牌坊). ❑ 贞节~; 열녀문. ⇒ fáng

芳 fāng (방)
① 형 향기롭다. ② 명 화초. ❑ 群~; 뭇 향기로운 꽃. ③ 형 (명성·덕행이) 훌륭하다. 아름답다. ❑ 流~百世; 아름다운 이름을 길이 후세에 전하다.

[芳草] fāngcǎo 명 향기로운 풀.

[芳龄] fānglíng 명 방년(芳年). 방령《젊은 여자의 나이》. ❑ 二八~; 방년 16세.

[芳香] fāngxiāng 명 (화초 따위의) 향기. 방향(芳香). ❑ ~剂; 방향제. 형 (화초가) 향기롭다.

防 fáng (방)
① 동 경계하다. 조심하다. 방비하다. ❑ 预~; 예방하다. ② 동 지키다. 방어하다. ③ 명 둑. 제방. ❑ 堤~; 제방.

[防备] fángbèi 동 방비하다. 대비하다. 조심하다. ❑ ~洪水; 홍수에 대비하다.

[防不胜防] fángbùshèngfáng 〈成〉 막을래야 막을 수가 없다.

[防潮] fángcháo 동 ① 습기를 방지하다. 방습(防濕)하다. ❑ ~剂; 방습제 / ~纸; 방습지. ② 조수(潮水)를 막다. ❑ ~堤; 방조제.

[防尘] fángchén 동 먼지를 막다. 방진하다. ❑ ~罩; 방진 덮개.

[防除] fángchú 동 방제하다. ❑ ~蟑螂; 바퀴벌레를 방제하다.

[防弹] fángdàn 동 방탄하다. ❑ ~背心; 방탄조끼 / ~玻璃; 방탄유리/ ~车; 방탄차 / ~服; 방탄복.

[防盗] fángdào 동 도난을 방지하다. ❑ ~警报器; 도난 방지 경보기 / ~门; 도난 방지문.

[防冻] fángdòng 동 ① 동해(凍害)를 방지하다. 동상을 방지하다. ② 결빙(結氷)을 방지하다. ❑ ~液; 부동액.

[防毒] fángdú 동 방독하다. ❑ ~面具; 방독 마스크. 방독면.

[防范] fángfàn 동 방비하다. 경비하다. ❑ 严加~; 엄중히 방비하다.

[防风林] fángfēnglín 명 방풍림.

[防腐] fángfǔ 동 부패를 방지하다 ❑ ~剂; 〖藥〗 방부제.

[防寒] fánghán 동 추위를 막다 방한하다. ❑ ~服; 방한복.

[防洪] fánghóng 동 홍수를 방지하다.

[防护] fánghù 동 방어하여 지키다. 방호하다. ❑ ~林; 방호림.

[防滑] fánghuá 동 미끄럼을 방지하다. ❑ ~链; (자동차의) 타이어 체인(tire chain) / ~轮胎; 미끄럼 방지 타이어. 스노타이어(snow tire).

[防患未然] fánghuàn-wèirán 〈成〉 사고나 재해를 미연에 방지하다.

[防火] fánghuǒ 동 방화하다. ❑ ~布; 방화포 / ~墙; 방화벽.

[防空] fángkōng 동 공중 공격을 방어하다. 방공하다. ❑ ~洞; ⓐ방공호. ⓑ〈比〉 나쁜 사람이나 사상의 은신처 / ~演习; 방공 연습.

[防老] fánglǎo 동 ① 노후를 대비하다. ❑ 养儿~; 〈成〉 자식을 양육하여 노후를 대비하다. ② 노화를 방지하다. ❑ ~剂; 노화 방지제.

[防身] fángshēn 동 호신(護身)하다. ❑ ~术; 호신술.

[防守] fángshǒu 동 ① 지키다. 막다. ❑ ~阵地; 진지를 지키다. ② 〖體〗 수비하다.

[防水] fángshuǐ 동 방수하다. ❑ ~表; 방수 시계.

[防特] fángtè 동 간첩 활동을 막다. 방첩하다.

[防伪] fángwěi 동 위조를 방지하다. ❑ ~标志; 위조 방지 표지.

[防卫] fángwèi 동 방위하다. ❑ ~过当; 과잉 방어 / 正当~; 정당방위.

[防线] fángxiàn 명 방어선. ❑ 突破~; 방어선을 돌파하다.

[防锈] fángxiù 동 녹막이하다. 방수(防銹)하다. ❑ ~剂; 방수제 / ~涂料; 방수 도료.

[防汛] fángxùn 동 강의 범람을 방

지하다.
[防疫] fángyì 동 전염병을 예방하다. 방역하다. ❑~措施; 방역 조치 / ~针; 방역 주사.
[防御] fángyù 동 방어하다. ❑~力; 방어력 / ~战; 방어전.
[防震] fángzhèn 동 ① 지진에 대비하다. ❑~措施; 지진 대비 조치. ② 방진하다. 내진하다. ❑~建筑; 내진 건축.
[防止] fángzhǐ 동 방지하다. ❑~交通事故; 교통사고를 방지하다.
[防治] fángzhì 동 예방 치료 하다. 예방 퇴치 하다. ❑~传染病; 전염병을 예방 퇴치 하다.
[防皱] fángzhòu 동 ① 구김을 방지하다. ② 주름을 방지하다. ❑~霜; 주름 방지 크림.

坊 fáng (방)
명 (소규모의) 작업장. 작업장을 갖춘 가게. ❑染~; 염색 공장. ⇒fāng

妨 fáng (방)
동 방해하다. 훼방 놓다. 지장을 주다. ❑无~; 무방하다.
[妨碍] fáng'ài 동 방해하다. 지장을 주다. ❑~营业; 영업을 방해하다 / ~上课; 수업에 지장을 주다.
[妨害] fánghài 동 해를 끼치다. 저해하다. 지장을 주다. ❑杂草~庄稼生长; 잡초는 농작물의 성장을 저해한다.

房 fáng (방)
① 명 집. 가옥. ❑瓦~; 기와집. ② 명 방. ❑病~; 병실 / 客~; 응접실. ③ 명 (구조나 작용이) 집이나 방과 같은 모양의 것. ❑蜂~; 벌집. ④ 명 가족의 갈래. 분가한 가족. ❑长~; 장남의 가정. ⑤ 양 처첩을 세는 말. ❑三~媳妇儿; 세 명의 아내.
[房本(儿)] fángběn(r) 명 집문서. =[房产证]
[房补] fángbǔ 명 주택 보조금. =[房贴]
[房产] fángchǎn 명 가옥. 집. 주택. ❑~税; 가옥세.
[房产主] fángchǎnzhǔ 명 ⇨[房主]
[房车] fángchē 명 ① 캠핑카(camping car). ② (고급) 세단(sedan).
[房地产] fángdìchǎn 명 부동산. ❑~经纪人; 공인 중개사 / ~市场; 부동산 시장.
[房东] fángdōng 명 집주인.
[房费] fángfèi 명 ① ⇨[房租] ② 숙박료.
[房荒] fánghuāng 명 주택난.
[房间] fángjiān 명 방. ❑~服务; 룸서비스 / ~号码; 방 번호. 룸 넘버 / 空~; 빈방. =[屋子]
[房客] fángkè 명 세입자.
[房契] fángqì 명 주택 매매 계약서.
[房钱] fángqián 명 ⇨[房租]
[房事] fángshì 명〈婉〉 방사. 성교.
[房贴] fángtiē 명 ⇨[房补]
[房屋] fángwū 명 가옥. 주택. 집. 건물.
[房檐(儿)] fángyán(r) 명 처마.
[房主] fángzhǔ 명 건물 소유주. 건물주. =[房产主]
[房子] fáng·zi 명 집. 주택. 가옥. ❑租~; 집을 세 얻다 / 出租~; 집을 세놓다.
[房租] fángzū 명 집세. 방세. =[房费①]

肪 fáng (방)
→[脂zhī肪]

访(訪) fǎng (방)
동 ① 방문하다. ❑回~; 답방(答訪)하다. ② 탐방하다. 탐문하다. ❑寻~; 탐방하다.
[访查] fǎngchá 동 탐문 조사 하다. 수소문하다. ❑~战友的下落; 전우의 행방을 수소문하다.
[访求] fǎngqiú 동 (목적하는 장소·사람을) 탐방하여 찾다[구하다].
[访问] fǎngwèn 동 ① 방문하다. ❑代表团~了欧洲各国; 대표단은 유럽 각국을 방문했다 / ~团; 방문단. ②〖컴〗(사이트에) 접속하다. 방문하다.
[访销] fǎngxiāo 동 방문 판매 하다.

仿 fǎng (방)
① 동 본뜨다. 흉내 내다. 모방하다. ❑~着原样做了一个; 원형을 본떠서 하나를 만들었다. ② 형 비슷하다. 닮다. ❑相xiāng~; 대체로 비슷하다.
[仿单] fǎngdān 명 상품 포장 내부에 들어 있는 설명서(《제품의 성격·용도·사용법 따위를 설명함》).
[仿佛] fǎngfú 부 마치 …와 같다. 마치 …인 것 같다. 흡사 …같다. ❑他俩~是兄弟; 그 두 사람은 마치 형제 같다. 동 비슷하다. 닮다. 같다. ❑我没有什么变化, 情况与几年前~; 나에게는 아무런 변화도

일어나지 않았고, 상황은 몇 년 전과 같다.

[仿效] fǎngxiào 동 (남의 방법·스타일 따위를) 그대로 따라하다. 흉내 내다. 모방하다. ❑ ~他的做法; 그의 방법을 그대로 따라하다.

[仿造] fǎngzào 동 모방하여 제조하다. 모조하다. ❑ ~珍珠; 모조 진주. =[仿制]

[仿照] fǎngzhào 동 (기존의 방법·양식에) 따르다. 본뜨다. ❑ ~惯例; 관례에 따르다.

[仿真] fǎngzhēn 동〖컴〗모의실험을 하다. 시뮬레이션(simulation)으로 하다. 형 외형을 실물과 똑같이 모방한. ❑ ~手枪; (진짜처럼 만든) 모형 권총.

[仿制] fǎngzhì 동 ⇨[仿造]

[仿制品] fǎngzhìpǐn 명 모조품.

纺(紡) fǎng (방)
① 동 실을 뽑다[잣다]. ❑ ~纱; 실을 잣다. ② 명 얇은 견직물.

[纺车] fǎngchē 명 물레. ❑ 摇~; 물레를 돌리다.

[纺锤] fǎngchuí 명〖紡〗북. 방추.

[纺锭] fǎngdìng 명 ⇨[纱锭]

[纺织] fǎngzhī 동 방직하다. ❑ ~厂; 방직 공장 / ~品; 방직품.

舫 fǎng (방)
명 배. ❑ 画~; 칠을 해서 아름답게 꾸민 배.

放 fàng (방)
동 ① (구속을) 풀다. 풀어 주다. 놓아주다. ❑ ~风筝; 연을 날리다 / 你快~我吧; 나를 어서 놓아다오. ② (학교·직장 따위가) 끝나다. 쉬다. ❑ ~工; ⇩ ③ 멋대로 하다. 마음껏 하다. ❑ ~任; ⇩ ④ 상영하다. 방송하다. 틀다. ❑ ~电影; 영화를 상영하다. ⑤ (소·양 따위를) 방목하다. 놓아먹이다. ❑ ~牛; 소를 방목하다. ⑥ (먼 곳으로) 쫓아 보내다. 추방하다. ❑ ~逐; 죄인을 추방하다. ⑦ 쏘다. 발사하다. 내뿜다. ❑ ~枪; 총을 쏘다 / 氨水~着刺鼻的气味; 암모니아수가 코를 자극하는 향을 내뿜고 있다. ⑧ 불을 지르다. 방화하다. ❑ ~火; ⇩ ⑨ 빌려 주다. 대출하다. ❑ ~债; ⇩ ⑩ 확대하다. 크게 하다. 늘리다. ❑ 把照片~成八寸的; 사진을 8치짜리로 확대하다. ⑪ (꽃이) 피다. ❑ 鲜花怒~; 꽃이 활짝 피다. ⑫ 그대로 두다. 방치하다. 제쳐 두다. ❑ 这事~了一年; 이 일은 일 년간 방치되었다. ⑬ 쓰러뜨리다. 넘어뜨리다. ❑ 一拳把他~到; 그를 한 대 쳐서 쓰러뜨리다. ⑭ 놓다. 두다. ❑ 花盆~在窗台上了; 화분을 창문턱에 놓았다. ⑮ 넣다. 섞다. ❑ 往菜里~点盐; 요리에 소금을 좀 넣다. ⑯ (행동을) 억제하다. 제어하다. ❑ 你要把态度~老实点儿; 태도를 좀 성실히 해라.

[放大] fàngdà 동 (사진·소리·기능·작용 따위를) 확대하다. 증폭하다. ❑ ~照片; 사진을 확대하다 / ~器; 증폭기.

[放大镜] fàngdàjìng 명 ⇨[凸透镜]

[放胆] fàngdǎn 동 마음껏 하다. 대담하게 하다. 용기 내어 하다. ❑ 你尽管~试验, 大家支持你; 모두네 편이니 얼마든지 대담하게 시험해 보거라.

[放荡] fàngdàng 형 방탕하다. 방종하다. ❑ 生活~; 생활이 방탕하다.

[放电] fàng//diàn 동〖電〗① 방전하다. ❑ 火花~; 불꽃 방전. ② (배터리 따위가) 방전되다.

[放毒] fàng//dú 동 ① 독극물·독가스 따위를 방출하다. ② 〈比〉 악선전 따위를 마구 퍼뜨리다.

[放风] fàng//fēng 동 ① 공기가 통하게 하다. ② 감옥의 죄수를 옥외에서 운동시키거나 변소에 보내 주다. ③ 소문을 퍼뜨리다. ④ 〈方〉 망을 보다. 정찰하다.

[放工] fàng//gōng 동 (노동자가) 퇴근하다. 일이 끝나다.

[放过] fàngguò 동 놓아주다. 풀어주다. 봐주다. ❑ 切莫~这个好机会; 이 좋은 기회를 절대로 놓치지 마라.

[放虎归山] fànghǔ-guīshān 〈成〉 ⇨[纵zòng虎归山]

[放还] fànghuán 동 ① (구금되었던 사람·짐승 따위를) 풀어 주다. ❑ ~人质; 인질을 풀어 주다. ② 원래 자리에 갖다 놓다. 제자리에 두다. ❑ 物品用后请及时~; 물건을 사용한 후에는 즉시 제자리에 놓아 주십시오.

[放火] fàng//huǒ 동 ① 불을 지르다. 방화하다. ❑ ~犯; 방화범. ② 〈比〉 선동하다. 부추기다.

[放假] fàng//jià 동 ① (학교가) 방

학하다. ② 휴가로 쉬다.
[放空炮] fàng kōngpào 〈比〉 책임지지 못할 말을 하다. 공수표를 날리다. 빈말을 하다.
[放宽] fàngkuān 동 (요구·기준·규칙 따위를) 완화시키다. ❑ ~管制; 규제를 완화시키다.
[放款] fàng//kuǎn 동 ① 대부하다. 대출하다. ❑ ~利率; 대출 이율. ② ⇨[放债]
[放浪] fànglàng 형〈書〉 방탕하다. 방종하다. 제멋대로 하다. ❑ ~形骸; 〈成〉 행동이 방종하여 예의범절의 구속을 받지 않다.
[放冷箭] fàng lěngjiàn 〈比〉 몰래 남을 모함하다.
[放量] fàng//liàng 동 (먹고 마시는 것을) 양껏 하다. ❑ ~吃吧! 양껏 먹어라!
[放疗] fàngliáo 동〔醫〕 방사선 치료를 하다. 명〈簡〉 ⇨[放射疗法]
[放牧] fàngmù 동 방목하다. ❑ ~羊群; 양떼를 방목하다 / ~地; 방목지. =[牧放]
[放炮] fàng//pào 동 ① 총이나 포를 쏘다. 발포하다. ② 폭죽을 터뜨리다. ③ (화약으로 암석·광석 따위를) 발파하다. ④ 파열하다. 펑크나다. ❑ 轮胎~了; 타이어가 펑크났다. ⑤ 〈比〉 맹렬히 비난하다. 말로 거세게 공격하다.
[放屁] fàng//pì 동 ① 방귀를 뀌다. ② 〈比〉〈罵〉 같잖은 말을 하다. 헛소리하다. 개소리하다. ❑ 別~啦! 헛소리하지 마라!
[放弃] fàngqì 동 (권력·권리·주장·의견·희망 따위를) 버리다. 단념하다. 포기하다. ❑ ~机会; 기회를 포기하다.
[放情] fàngqíng 동 마음대로 하다. 내키는 대로 하다.
[放晴] fàng//qíng 동 (흐리거나 비온 뒤에 하늘이) 개다. 맑아지다.
[放任] fàngrèn 동 방임하다. 내버려 두다. ❑ ~自流; 〈成〉 되어 가는 대로 내버려 두다 / ~主义; 방임주의.
[放射] fàngshè 동 방사하다. ❑ ~病; 방사능증. 방사선 장애 / ~能; 방사능 / ~线; 방사선.
[放射疗法] fàngshè liáofǎ 〔醫〕 방사선 요법. 방사선 치료. =[〈簡〉放疗]
[放射形] fàngshèxíng 명 방사형. ❑ ~道路; 방사형 도로.
[放射性] fàngshèxìng 명〔物〕 방사성. ❑ ~污染; 방사성 오염 / ~元素; 방사성 원소.
[放手] fàng//shǒu 동 ① 손을 놓다. 손을 떼다. ❑ 我一~, 风筝就飞起来了; 내가 손을 놓자 연은 이내 날아 올랐다. ② 〈比〉 손을 떼다. 신경[관심]을 끊다. ③ 과감히 하다. 제한을 두지 않다.
[放肆] fàngsì 형 (언행이) 제멋대로이다. 방자하다. 버릇없다. ❑ 这个孩子~得很; 이 아이는 무척 버릇이 없다.
[放松] fàngsōng 동 (경계·주의·규제·긴장 따위를) 늦추다. 풀다. 느슨하게 하다. ❑ ~警惕; 경계를 늦추다.
[放心] fàng//xīn 동 안심하다. 마음 놓다. ❑ 放不下心; 안심하지 못하다.
[放行] fàngxíng 동 (초소·세관 따위에서) 통행을[통과를] 허가하다. 통과시키다. ❑ 免税~; 면세로 통과시키다.
[放学] fàng//xué 동 ① 수업이 끝나다. 학교가 파하다. ② 〈方〉 방학이 되다.
[放映] fàngyìng 동 상영하다. 영사하다. ❑ ~机; 〔機〕 영사기 / ~室; 영사실 / ~员; 영사 기사.
[放债] fàng//zhài 동 돈놀이하다. 변놀이하다. 변돈을 놓다. ❑ ~人; 돈놀이꾼. 사채업자. =[放款②]
[放置] fàngzhì 동 방치하다. 놓아두다. ❑ 把药品~在阴凉的地方; 약품을 그늘지고 시원한 곳에 놓아두다.
[放纵] fàngzòng 동 멋대로 굴도록 내버려 두다. 형 버릇없다. 방종하다.

fei ㄈㄟ

飞(飛) fēi (비) ① 동 (새·날벌레 따위가) 날다. ❑ 一群大雁~过来了; 한 무리의 기러기 떼가 날아왔다. ② 동 (비행기가) 날다. 비행하다. ❑ 飞机~远了; 비행기가 멀리 날아갔다. ③ 동 (공중에) 떠돌다. 흩날리다. 나부끼다. ❑ ~雪花; 눈발이 흩날리다. ④ 형 (나는 듯이) 빠르다. ❑ ~快; ⇩ ⑤ 동 휘발하다. 날아가다. ❑ 香味儿~了; 향이 날아갔다. ⑥ 형 뜻밖의. 의외의. 근거 없는. ❑ ~灾; 뜻밖의 재난.

[飞奔] fēibēn 동 나는 듯이 달리다. 쏜살같이 달리다. ❑ 汽车~; 차가 나는 듯이 달리다.

[飞镖] fēibiāo 명 ① 표창(鏢槍). ② 다트(dart).

[飞车] fēichē 동 차[자전거]를 나는 듯 빠르게 몰다. 폭주하다. 명 과속 차량. 폭주 차량.

[飞驰] fēichí 동 (차량·말 따위가) 나는 듯이 달리다. 질주하다. ❑ 汽车在公路上~进前; 자동차가 도로에서 질주하며 나아가다.

[飞船] fēichuán 명 ① 우주 비행선. ② ⇒[飞艇]

[飞弹] fēidàn 명〖軍〗① 유도탄. 미사일. ② ⇒[流弹]

[飞碟] fēidié 명 ① 비행접시. 유에프오(UFO). ②〖體〗(클레이 사격의) 클레이 피전(clay pigeon). ❑ ~射击; 클레이 사격.

[飞蛾投火] fēi'é-tóuhuǒ 〈成〉 나방이 불 속으로 날아들다《멸망·파멸을 자초하다》. =[飞蛾扑pū火]

[飞黄腾达] fēihuáng-téngdá 〈成〉 관직이나 지위가 급상승하다. 급속도로 출세하다. 벼락출세하다.

[飞机] fēijī 명 비행기. ❑ 坐~; 비행기를 타다 / ~失事; 비행기 사고.

[飞溅] fēijiàn 동 사방으로 흩날리다. 사방으로 튀다.

[飞快] fēikuài 형 ① 나는 듯이 빠르다. 매우 빠르다. ❑ 这辆汽车开得~; 이 자동차는 나는 듯이 빠르게 달린다. ② (칼 따위가) 매우 잘 들다. 매우 예리하다. ❑ 这把宝剑~; 이 보검은 매우 잘 든다.

[飞轮] fēilún 명〖機〗① 플라이휠(flywheel)《회전 속도를 조절하는 바퀴》. ② (자전거의) 자유륜(自由輪). 프리휠(free wheel).

[飞禽] fēiqín 명 날짐승. 조류. ❑ ~走兽; 조수(鳥獸). 금수.

[飞沙走石] fēishā-zǒushí 〈成〉 모래가 날리고 돌이 굴러다니다《바람이 사납게 부는 모양》.

[飞身] fēishēn 동 가볍게 뛰어오르다. 몸을 날리다. ❑ ~上马; 가볍게 뛰어 말에 오르다.

[飞速] fēisù 부 매우 빠르게. 급속도로. 쏜살같이. ❑ 列车~驶过; 열차가 쏜살같이 지나가다.

[飞腾] fēiténg 동 매우 빠르게 날아오르다. 치솟다. ❑ 黑烟~; 검은 연기가 치솟다.

[飞艇] fēitǐng 명 비행선. =[飞船②]

[飞舞] fēiwǔ 동 춤추듯이 공중을 날다[흩날리다]. ❑ 美丽的彩蝶~起来了; 아름다운 채색 나비가 춤추듯 하늘을 날기 시작했다.

[飞翔] fēixiáng 동 비상하다. 빙빙 돌며 하늘을 날다. ❑ 鸟儿~在蓝蓝的天空; 새가 파란 하늘을 날고 있다.

[飞行] fēixíng 동 비행하다. ❑ ~服; 비행복 / 高空~; 고공비행 / ~器; 하늘을 나는 기계의 총칭 / ~训练; 비행 훈련 / ~员; 비행사. 파일럿.

[飞扬] fēiyáng 동 비양하다. ① 공중으로 높이 떠오르다. 흩날리며 위로 솟다. ❑ 尘土~; 먼지가 공중으로 날리다. ② 잘난 체하고 거드럭거리다. 거들먹거리다. ❑ ~跋扈; 〈成〉 거들먹거리며 제멋대로 날뛰다.

[飞鱼] fēiyú 명〖魚〗날치.

[飞语] fēiyǔ 명 근거 없는 소문. 비어. 뜬소문. ❑ ~流言; 유언비어. =[蜚fēi语]

[飞跃] fēiyuè 동 ① (새가) 폴짝폴짝 날아다니다. ② 나는 듯이 높이 뛰어오르다. 점프하다. ❑ 摩托车~过了几米宽的沟渠; 오토바이가 몇 미터 폭의 도랑을 뛰어넘어 갔다. ③ 〈比〉 급속도로 발전하다. 비약하다. ❑ 经济~发展; 경제가 급속도로 발전하다. ④〖哲〗(논리나 사고 방식이) 단계를 뛰어넘다. 비약하다.

[飞涨] fēizhǎng 동 (물가·수위 따위가) 급등하다. ❑ 物价~; 물가가 급등하다.

妃 fēi (비)

명 황제의 첩. 태자·왕·제후(諸侯)의 아내.

[妃嫔] fēipín 명 비빈.

[妃子] fēi·zi 명 황제의 첩. 비(妃).

非 fēi (비)

① 명 잘못. 과오. ❑ 是~; 시비. 잘잘못. ② 동 (…에) 맞지 않다. 위배되다. ❑ ~法; ⇩ ③ 동 비난하다. 반대하다. ❑ ~难; ⇩ ④ 접두 비…《어떤 범위에 속하지 않음을 나타냄》. ❑ ~导电物体; 비전도 물체. ⑤ 동 …이 아니다. ❑ 这事~你我所能解决; 이 일은 너와 내가 해결할 수 있는 것이 아니

다. ⑥ 부 ('不'와 결합하여) …하지 않으면 안 된다. 꼭 …해야 한다. ❑ ~你去不成; 네가 가지 않으면 안 된다. ⑦ 부 반드시. 꼭. 기어이. ❑ 不让他来, 他~要来; 그를 못 오게 하는데도, 그는 기어이 오려고 한다.

[非…不可] fēi…bùkě …하지 않으면 안 된다. 꼭 …해야 한다. ❑ 非胜利不可; 꼭 이겨야 한다 / 非此不可; 이것이 아니면 안 된다.

[非常] fēicháng 형 비상한. 비상의. 예사롭지 않은. 특별한. ❑ ~会议; 비상 회의 / ~时期; 비상 시기. 부 매우. 아주. 대단히. ❑ ~感谢; 대단히 감사합니다 / ~勇敢; 매우 용감하다.

[非但] fēidàn 접 비단 …뿐만 아니라. …일 뿐만 아니라. ❑ ~达不到目的, 反而生了弊病了; 비단 목적을 달성하지 못했을 뿐만 아니라, 오히려 폐해를 낳았다.

[非得] fēiděi 부 …하지 않으면 안 된다. 반드시 …해야만 한다(주로, 뒤에 '不可'·'不成'·'不行'을 수반하며, 단독으로도 쓰임). ❑ ~动手术不可; 수술하지 않으면 안 된다.

[非典型肺炎] fēidiǎnxíng fèiyán 〖醫〗 중증 급성 호흡기 증후군. 사스(SARS). =[〈簡〉非典]

[非法] fēifǎ 형 비합법적인. 불법적인. ❑ ~监禁; 불법 감금 / ~交易; 부당 거래 / ~利润; 부당 이득 / ~手段; 비합법적 수단.

[非凡] fēifán 형 비범하다. 보통이 아니다. 범상치 않다. ❑ ~人物; 비범한 인물.

[非…非…] fēi…fēi… …도 아니고 또한 …도 아니다(성어(成語)나 성어 형식의 말에 쓰임). ❑ 非亲非故; 〈成〉 친척도 지기(知己)도 아니다.

[非关税壁垒] fēiguānshuì bìlěi 〖經〗 비관세 장벽.

[非…即…] fēi…jí… …이 아니면 …이다(성어(成語)나 성어 형식의 말에 쓰임). ❑ 非此即彼; 이것이 아니면 저것이다 / 非嫖即赌; 계집질을 하지 않으면 도박을 한다.

[非军事区] fēijūnshìqū 명 〖軍〗 비무장 지대. 디엠제트(DMZ).

[非礼] fēilǐ 형 예의에 어긋나다. 무례하다. 동 〈方〉 (부녀자를) 희롱하다.

[非驴非马] fēilǘ-fēimǎ 〈成〉 제모양을 잃어 버려 이도저도 아니다.

[非卖品] fēimàipǐn 명 비매품.

[非命] fēimìng 명 비명(천수를 다하지 못함). ❑ 死于~; 비명에 가다.

[非难] fēinàn 동 비난하다. 힐책하다.

[非人] fēirén 형 비인간적인. ❑ ~待遇; 비인간적인 대우.

[非条件反射] fēitiáojiàn fǎnshè 〖心〗 무조건 반사. =[无条件反射]

[非同小可] fēitóngxiǎokě 〈成〉 예삿일이 아니다. 가볍게 볼 일이 아니다.

[非议] fēiyì 동 비난하다. 꾸짖다.

[非洲] Fēizhōu 명 〖地〗 아프리카(Africa).

菲 fēi (비)
형 (화초가) 아름답고 향기가 진하다. ⇒fěi

[菲律宾] Fēilǜbīn 명 〖地〗〈音〉 필리핀(Philippines).

啡 fēi (비)
→[咖kā啡][吗啡]

绯(緋) fēi (비)
형 붉다. 빨갛다.

[绯红] fēihóng 형 새빨갛다.

[绯闻] fēiwén 명 (섹스) 스캔들.

扉 fēi (비)
명 ① 문짝. ❑ 柴~; ⓐ사립문. ⓑ〈轉〉 허술한 집. ② 〈比〉 문과 같은 것. ❑ 心~; 마음의 문.

[扉画] fēihuà 명 (서적의) 본문 앞의 삽화.

[扉页] fēiyè 명 (책의) 속표지.

蜚 fēi (비)
동 〈書〉 날다('飞'와 통용함). ⇒fěi

[蜚语] fēiyǔ 명 ⇒[飞语]

霏 fēi (비)
〈書〉 ① 형 눈·비가 마구 날리다. ② 동 나부끼다. 흩날리다.

[霏霏] fēifēi 형 〈書〉 눈·비가 날리는 모양. 연기·구름이 무성한 모양. ❑ ~细雨; 부슬부슬 내리는 이슬비.

鲱(鯡) fēi (비)
명 〖魚〗 청어.

肥 féi (비)
① 형 지방분이 많다. 살지다(보통, 사람을 형용할 때는 '胖'을 씀). ❑ 你把猪养得~~的; 너 돼지를 토실토실하게 키웠구나. ② 형

(땅이) 비옥하다. 기름지다. ❏ 这片地很~; 이 토지는 매우 비옥하다. ③ 동 땅을 비옥하게 하다. 비료를 주다. ❏ ~田; ⇩ ④ 명 비료. ❏ 化~; 화학 비료. ⑤ 형 (옷 따위가) 헐렁헐렁하다. 크다. ❏ 裤腰太~; 바지 허리가 너무 크다. ⑥ 명 이득. 이익. ❏ 分~; 이익을 나누어 갖다.

[肥大] féidà 형 ① (옷 따위가) 크다. 헐렁하다. ❏ 这条裤子~; 이 바지는 헐렁하다. ② 비대하다. 살지다. ③〖醫〗 비대하다. ❏ 扁桃体~; 편도선 비대. =[肥厚④]

[肥厚] féihòu 형 ① 살찌고 두툼하다. ❏ ~的手掌; 살찌고 두툼한 손바닥. ② (토층(土層)이) 비옥하고 두툼하다. ③ 많다. 후하다. 두둑하다. ❏ 奖金~; 상금이 후하다. ④ ⇨[肥大③]

[肥活(儿)] féihuó(r) 명 보수가 두둑한 일. 수입이 짭짤한 일. 힘은 적게 들고 수입이 좋은 일.

[肥料] féiliào 명 비료. ❏ 化学~; 화학 비료 / 有机~; 유기 비료.

[肥美] féiměi 형 ① (토양이) 비옥하다. ❏ ~的土地; 비옥한 땅. ② (가축 따위가) 토실토실하다. 발육 상태가 좋다. ③ 기름지고 맛있다.

[肥胖] féipàng 형 뚱뚱하다. 살찌다. ❏ ~症; 비만증.

[肥肉] féiròu 명 비계. 기름진 고기 《주로, 돼지고기》.

[肥实] féi·shi 형〈口〉 ① 토실토실하다. 튼실하다. ② 지방이 많다. 기름기가 많다. ❏ 这块肉真~; 이 고기는 기름기가 많다. ③ 풍족하다. 유복하다. 여유 있다.

[肥瘦儿] féishòur 명 (의복 따위의) 품. ❏ 这身衣服~合身; 이 옷은 품이 딱 맞다.

[肥硕] féishuò 형 ① (과실이) 크고 여물다. ② (팔다리가) 크고 토실토실하다. 두툼하다.

[肥田] féi//tián 동 (비료 따위를 주어) 땅을 비옥하게 만들다. ❏ ~草; 비료가 되는 풀. (féitián) 명 비옥한 논밭.

[肥沃] féiwò 형 비옥하다. ❏ 土壤~; 토양이 비옥하다.

[肥皂] féizào 명 비누. ❏ ~粉; 가루비누 / ~盒; 비눗갑 / ~泡(儿); 비누 거품. =[〈口〉 胰子②]

[肥壮] féizhuàng 형 실하고 단단하다. 크고 옹골차다. ❏ 禾苗~; 볏모가 크고 옹골차다.

腓 féi (비)
명 장딴지. =[腿肚子]

[腓骨] féigǔ 명〖生理〗 비골. 종아리뼈.

诽(誹) fěi (비)
동 헐뜯다. 비방하다.

[诽谤] fěibàng 동 비방하다. ❏ 造谣~; 헛소문을 퍼뜨려 비방하다 / ~罪; 명예 훼손죄. =[毁huǐ谤]

匪 fěi (비)
① 명 비적. 강도. ❏ 剿~; 비적을 토벌하다. ② 부〈書〉 …이 아니다. ❏ 获益~浅; 이익되는 바가 적지 않다.

[匪帮] fěibāng 명 ① 비적의 일당. ② 반동적인 정치 집단.

[匪巢] fěicháo 명 비적의 소굴.

[匪徒] fěitú 명 ① 악당. 불량배. ② 도적. 도둑. 강도.

菲 fěi (비)
형〈書〉〈謙〉 변변치 않다. 보잘것없다. ❏ ~礼; 보잘것없는 선물. ⇒fēi

[菲薄] fěibó 형 (수량·질 따위가) 보잘것없다. 미약하다. 변변치 못하다. ❏ ~的礼物; 보잘것없는 선물. 동 경시하다. 얕보다.

斐 fěi (비)
형〈書〉 문재(文才)가 있다.

[斐然] fěirán 형〈書〉 ① 문재(文才)가 뛰어나다. ❏ ~成章; 〈成〉 글에 나타난 문재가 매우 뛰어나다. ② 현저하다. 두드러지다.

蜚 fěi (비)
명 고서(古書)상의 누리의 일종인 곤충. ⇒fēi

[蜚蠊] fěilián 명 ⇨[蟑zhāng螂]

翡 fěi (비)
→[翡翠]

[翡翠] fěicuì 명 ①〖鑛〗 비취. ❏ ~绿; 비취색. ②〖鳥〗 물총새.

吠 fèi (폐)
동 (개가) 짖다. ❏ 狂~; 미친 듯 짖어 대다.

沸 fèi (비)
동 펄펄 끓다[끓이다]. ❏ ~油; 펄펄 끓는 기름.

[沸点] fèidiǎn 명〖物〗 비등점. 끓는점.

[沸沸扬扬] fèifèiyángyáng 〈成〉 물 끓듯이 떠들썩하다《의론이 분분한 모양》.

[沸腾] fèiténg 동 ①〖物〗 비등하다. 펄펄 끓다. 끓어오르다. ❏ ~的

钢水; 펄펄 끓는 쇳물. ②〈比〉(감정 따위가) 끓어오르다. 뜨거워지다. 격해지다. ③〈比〉시끄럽게 떠들다. 떠들썩하다.

费(費) fèi (비) ① 명 요금. 비용. 대금. ❏ 保险~; 보험료 / 学~; 학비 / 注册~; 등록비. ② 동 쓰다. 소비하다. 소모하다. ❏ ~工夫; 시간을 들이다 / ~力气; 애쓰다.

[费工] fèi∥gōng 동 품을 들이다. 노동력을 쓰다.

[费解] fèijiě 형 이해하기 힘들다. 난해하다.

[费劲(儿)] fèi∥jìn(r) 동 힘을 들이다. 애쓰다. ❏ ~很大, 效果很小; 힘을 많이 들였지만 효과는 작다.

[费力] fèi∥lì 동 정력을 소모하다. 애쓰다. ❏ ~不讨好;〈諺〉고생만 하고 애쓴 보람이 없다.

[费神] fèi∥shén 동〈套〉신경을 쓰다. 마음을 쓰다.

[费事] fèi∥shì 동 번거롭게 하다. 힘을 들이다. 수고하다. 형 하기 힘들다. 하기에 번거롭다.

[费心] fèi∥xīn 동〈套〉마음을 쓰다. 수고하다. 애쓰다(무언가를 부탁하거나 감사의 말을 할 때 쓰는 말). ❏ 下次您见到他时, ~把这本书交给他; 다음에 그를 만날 때, 수고스러우시겠지만 이 책을 좀 전해 주십시오. =[分fēn心①]

[费用] fèi·yong 명 비용. ❏ 生活~; 생활비.

废(廢) fèi (폐) ① 동 폐지하다. 그만두다. 폐기하다. ❏ ~了二十张票; 20장의 표를 못 쓰게 되었다. ② 형 황폐하다. 쇠퇴하다. ❏ ~墟; ⇩ ③ 형 무용의. 쓸모없는. 못 쓰는. ❏ ~钢铁; 못 쓰는 강철. ④ 형 불구의. ❏ 残~; ⓐ불구가 되다. ⓑ 불구자.

[废除] fèichú 동 (법령·제도·조약 따위를) 폐기하다. 취소하다. 폐지하다. 철폐하다. ❏ ~不合理的制度; 불합리한 제도를 폐지하다.

[废话] fèihuà 명동 쓸데없는 말(을 하다). 허튼소리(를 하다). ❏ ~连篇;〈成〉쓸데없는 말만 늘어놓다.

[废料] fèiliào 명 (제조 생산 과정에서 발생한) 폐기물. ❏ ~处理; 폐기물 처리.

[废品] fèipǐn 명 ① 불합격품. 불량품. ❏ ~率; 불량품 비율. ② 폐물. 폐품.

[废气] fèiqì 명 배기가스. 폐가스. ❏ 汽车~; 자동차 배기가스.

[废弃] fèiqì 동 폐기하다. 방치하고 쓰지 않다.

[废寝忘食] fèiqǐn-wàngshí〈成〉바쁘거나 열중하여 침식을 잊다(매우 열심히 하다). =[废寝忘餐]

[废人] fèirén 명 ① 폐인. 불구자. ② 쓸모없는 사람. 변변치 못한 사람.

[废水] fèishuǐ 명 폐수. ❏ ~处理场; 폐수 처리장.

[废铁] fèitiě 명 파쇠. 고철.

[废物] fèiwù 명 폐물. 폐품. ❏ ~商; 고물상.

[废物] fèi·wu 명〈比〉〈罵〉쓸모없는 인간.

[废墟] fèixū 명 폐허.

[废止] fèizhǐ 동 (법령·제도 따위를) 폐지하다.

[废纸] fèizhǐ 명 쓸모없는 종이. 휴지. 폐지. ❏ ~篓lǒu; 휴지통.

[废置] fèizhì 동 무용지물로 버려두다. 쓰지 않고 방치해 두다.

肺 fèi (폐) 명〔生理〕폐. 허파.

[肺病] fèibìng 명〔醫〕폐병.

[肺腑] fèifǔ 명 폐부. ①〔生理〕폐. 허파. ②〈比〉내심. 속마음. ❏ ~之言; 속에 있는 말. 진심.

[肺活量] fèihuóliàng 명 폐활량.

[肺结核] fèijiéhé 명〔醫〕폐결핵.

[肺炎] fèiyán 명〔醫〕폐렴.

[肺脏] fèizàng 명〔生理〕폐. 폐장.

痱 fèi (비) →[痱子]

[痱子] fèi·zi 명〔醫〕땀띠. ❏ ~粉; 땀띠약.

fen ㄈㄣ

分 fēn (분) ① 동 나누다. 분할하다. 분류하다. ❏ 他把一个梨~成了五瓣; 그는 배 하나를 다섯 조각으로 나누었다. ② 동 분배하다. 배당하다. 배치하다. ❏ 厂里~他管推销; 공장은 그를 영업 담당으로 배치시켰다. ③ 동 구별하다. 판별하다. 가리다. ❏ ~清; ⇩ ④ 형 부분의. 분리된. 파생한. ❏ ~公司; ⇩ ⑤ 명〔數〕분수. ❏ 约~; 약분하다.

⑥ 수 〔數〕 분《분수를 표시함》. ❏ 三~之一; 3분의 1. ⑦ 양 10분의 1. 분. 할. ❏ 他已经八~醉了; 그는 이미 많이 취했다. ⑧ 양 ㉠(시간의) 분《1시간의 60분의 1》. ❏ 三点十~; 3시 10분. ㉡(각도의) 분《1도(度)의 60분의 1》. ㉢(길이의) 푼《1척(尺)의 100분의 1》. ㉣(중량의) 푼《1냥(兩)의 100분의 1》. ㉤(중국 화폐의) 푼《1위안의 100분의 1》. ㉥(면적의) 분《1묘(畝)의 10분의 1》. ㉦(이율의) 푼《월(月) 계산의 경우》. 할《연(年) 계산의 경우》. ⑨ (~儿) 명 점《점수. 득점》. ❏ 得~; 득점하다. ⇒ fèn

[分贝] fēnbèi 양〔物〕〈音〉 데시벨(decibel)《기호는 dB》.

[分崩离析] fēnbēng-líxī 〈成〉 (집단·국가 따위가) 분열·와해하다.

[分辨] fēnbiàn 동 구별하다. 분별하다. 변별하다. 가리다. ❏ ~是非; 시비를 가리다.

[分辩] fēnbiàn 동 변명하다. 해명하다.

[分别] fēnbié 동 ① 헤어지다. 이별하다. ② 구별하다. 분별하다. 가리다. ❏ ~轻重缓急; 경중 완급을 가리다. 명 구별. 차이. ❏ 没有太大~; 그다지 큰 차이가 없다. 부 따로따로. 제각기. 각자. ❏ ~处理; 따로따로 처리하다.

[分布] fēnbù 동 분포하다. ❏ 人口~; 인구 분포 / ~图; 분포도.

[分寸] fēn·cun 명 (말이나 행위의) 적당한 한도. 적절한 선. 분별. ❏ 做事不知~; 일처리의 적당한 선을 알지 못하다.

[分担] fēndān 동 분담하다. ❏ ~家务; 가사를 분담하다.

[分店] fēndiàn 명 분점. 지점. = [分号①]

[分发] fēnfā 동 ① 나누어 지급하다. 나누어 주다. 도르다. ❏ ~奖品; 상품을 나누어 지급하다. ② 각 부서에 나누어 배치하다[파견하다].

[分肥] fēn//féi 동 (부정(不正)하게 얻은) 이익을 똑같이 나누다. 나누어 갖다.

[分付] fēn·fù 동 ⇒[吩咐]

[分割] fēngē 동 분할하다. ❏ ~领土; 영토를 분할하다.

[分隔] fēngé 동 분할하여 갈라놓다. 가운데를 막아서 나누다.

[分工] fēn//gōng 동 분업하다. 분담하다.

[分公司] fēngōngsī 명 지사(支社).

[分毫] fēnháo 명〈比〉 극히 적은 분량. 아주 미세한 양. ❏ ~不错; 조금도 틀리지 않다.

[分号] fēnhào 명 ① ⇒[分店] ② 〔言〕 세미콜론(;).

[分红] fēn//hóng 동 ① 이익 배당을 받다. ② 이익을 배당하다.

[分化] fēnhuà 동 ① 분열하다. 갈라지다. ❏ 执政党~为三大派; 집권당이 세 파로 갈라지다. ② 분열시키다. ❏ ~瓦解; 〈成〉 분열하고 와해시키다. ③〔生〕 분화하다.

[分会] fēnhuì 명 분회.

[分机] fēnjī 명 (전화의) 내선(內線). 내선 전화.

[分家] fēn//jiā 동 ① 분가하다. ② (하나로 되어 있던 것이) 갈라지다. 나뉘다. 분리되다.

[分解] fēnjiě 동 ①〔物〕 분해하다. ②〔數〕 분해하다. ❏ 因式~; 인수분해. ③〔化〕 분해하다. ❏ ~反应; 분해 반응 / ~热; 분해열. ④ (기계 따위를) 분해하다. ❏ ~手表; 시계를 분해하다. ⑤ (분쟁을) 해결하다. 중재하다. 화해시키다. ❏ 难以~; 중재하기 어렵다. ⑥ 와해하다. 붕괴하다. ❏ 从内部~; 내부부터 와해하다. ⑦ 분별하다. 이해하다. ⑧ 해설하다. 설명하다.

[分界] fēn//jiè 동 경계를 나누다. 경계로 하다. 분계로 하다. ❏ ~线; 분계선. (fēnjiè) 명 분계. 분계선.

[分居] fēn//jū 동 별거하다. 따로 살다.

[分开] fēn//kāi 동 ① 헤어지다. 갈라지다. 떨어지다. ❏ 我和他一出门就~了; 나와 그는 집을 나서자마자 헤어졌다. ② 가르다. 구별하다. 나누다. 분리하다. ❏ 请你把中文书和英文书~; 중국어책과 영어책을 분리해 주십시오.

[分类] fēn//lèi 동 분류하다. ❏ 按题材~; 제재에 따라 분류하다 / ~法; 분류법.

[分离] fēnlí 동 ① 나누다. 분리하다. ❏ 连体婴儿~成功; 샴쌍둥이 분리에 성공하다. ② 헤어지다. 이별하다.

[分裂] fēnliè 동 ① 분열하다. ❏ 核~; 핵분열 / 细胞~; 세포 분열. ② 분열시키다. ❏ ~组织; 조직을 분열시키다.

[分米] fēnmǐ 양 〔度〕 데시미터

(decimeter)《기호는 dm》.

[分泌] fēnmì 동〔生理〕분비하다. ❑ ~胃液; 위액을 분비하다 / ~物; 분비물.

[分娩] fēnmiǎn 동 ① 분만하다. 출산하다. ② (동물이) 새끼를 낳다.

[分秒] fēnmiǎo 명 분초. 〈比〉 매우 짧은 시간. ❑ ~必争; 〈成〉 분초를 다투다.

[分明] fēnmíng 형 분명하다. 명확하다. 확실하다. ❑ 黑白~; 흑백이 분명하다. 부 분명히. 확실히. ❑ 老师~讲过, 你怎么忘了? 선생님이 분명히 말씀하셨는데 너는 어떻게 잊어버릴 수가 있니?

[分母] fēnmǔ 명〔數〕분모.

[分派] fēnpài 동 ① 분견(分遣)하다. 따로 파견하다. ② (비용 따위를) 분담하다. 나누어 부담하다. 할당하다. ❑ 按人头~; 머릿수대로 나누어 부담하다.

[分配] fēnpèi 동 ① (일정한 기준에 따라) 분배하다. 배정하다. 할당하다. ❑ ~时间; 시간을 할당하다. ② 배치하다. 배속하다. ❑ 他被~到第六区; 그는 제6 구역에 배치됐다. ③ 분배하다. 배급하다. ❑ ~花红; 상여금을 분배하다.

[分期] fēnqī 동 시기를[기간을] 나누다. 분기하다. ❑ ~偿还; 분할 상환 / ~付款; 분할 지불.

[分歧] fēnqí 형 어긋나다. 일치하지 않다. 다르다. ❑ 意见很~了; 의견이 매우 어긋나다. 명 상위(相違). 다름. 차이. 어긋남. ❑ 协调~; 의견의 차이를 조정하다.

[分清] fēn//qīng 동 확실하게 구별하다. 분명하게 구분 짓다. ❑ ~是非; 시비를 분명히 가리다.

[分散] fēnsàn 형 분산되다. 흩어지다. ❑ 居住~; 거주가 분산되다. 동 ① 분산시키다. ❑ ~注意力; 주의력을 분산시키다. ② 배포하다. 배부하다. ❑ ~传单; 전단을 뿌리다.

[分身] fēn//shēn 동 몸을 빼다《주로, 부정형으로 쓰임》. ❑ 事情太忙分不开身; 일이 너무 바빠서 몸을 뺄 수가 없다.

[分神] fēn//shén 동 ⇨[分心]

[分手] fēn//shǒu 동 헤어지다. 이별하다. ❑ 咱们就此~吧; 우리 이쯤에서 헤어지자.

[分数] fēnshù 명 ① (성적·승부 따위의) 득점. 점수. ❑ 平均~; 평균 점수. ②〔數〕분수. ❑ 假~; 가분수 / ~式; 분수식.

[分数线] fēnshùxiàn 명 ①〔數〕분자와 분모를 가르는 선. ② (시험 따위의) 커트라인(cut line). 합격선.

[分水岭] fēnshuǐlǐng 명 ①〔地質〕분수령. ② 〈比〉 사물[사태] 발전의 전환점. 서로 다른 사물의 주요 경계선.

[分摊] fēntān 동 (비용 따위를) 나누어 부담하다. 분담하다.

[分头] fēntóu 부 몇 부분씩 나누어 맡아서. 각자 분담하여. ❑ 明天开会, 咱们~通知; 내일 회의가 있으니, 우리가 각자 나누어 통지하자. 명 가르마를 탄 머리.

[分文] fēnwén 명〈比〉한 푼. 적은 돈. ❑ 身无~; 한 푼도 없다. 빈곤하다.

[分析] fēnxī 동 분석하다. ❑ ~问题; 문제를 분석하다.

[分享] fēnxiǎng 동 (행복 · 기쁨 따위를) 나누어 누리다. 함께 나누다. ❑ ~快乐; 즐거움을 함께 나누다.

[分晓] fēnxiǎo 명 ① (일의) 결과. 결론. 낙착. 사실. 진상《주로, '见'의 뒤에 쓰임》. ❑ 此事还未见~; 이 일은 아직 결론이 나지 않았다. ② 이치. 일리. 도리《주로, 부정형으로 쓰임》. ❑ 没~; 일리가 없다. 동 이해하다. 납득하다. 확실히 알다. ❑ 一定要说个~; 이해가 갈 수 있도록 말해야 한다.

[分校] fēnxiào 명 분교.

[分心] fēn//xīn 동 ① ⇨[费心] ② 마음을 흩뜨리다. 정신을 팔다. 한눈팔다. ❑ 听课时不能~; 수업을 들을 때는 한눈팔면 안 된다. ‖ =[分神]

[分野] fēnyě 명 분야.

[分赃] fēn//zāng 동 ① 훔친 돈이나 장물을 나누어 갖다. ② 〈比〉 부당한 권리[이익]를 나누어 갖다.

[分针] fēnzhēn 명 (시계의) 분침.

[分钟] fēnzhōng 명 (시간의) 분. ❑ 还要十~; 10분이 더 걸리다.

[分子] fēnzǐ 명 ①〔數〕분자. ②〔化〕분자. ❑ ~量; 분자량 / ~式; 분자식. ⇒fènzǐ

芬 fēn (분)

명 향기. ❑ 清~; 맑은 향기.

[芬芳] fēnfāng 형 향기롭다. 명

F

좋은 냄새. 향기.

[芬兰] Fēnlán 명〔地〕〈音〉 핀란드(Finland).

吩 fēn (분)
→[吩附]

[吩咐] fēn·fù 동〈口〉 (구두로) 명하다. 분부하다. ❏主人~听差的拿茶来; 주인이 하인에게 차를 가져오도록 분부하다. =[分付]

纷(紛) fēn (분)
① 형 많다. 난잡하다. 복잡하다. ② 명 분규. 다툼. 분쟁. ❏纠~; 분쟁.

[纷繁] fēnfán 형 번잡하다. 복잡하다. ❏手续~; 수속이 번잡하다.

[纷飞] fēnfēi 동 (꽃잎·눈 따위가) 어지러이 날다. 흩날리다. ❏大雪~; 많은 눈이 흩날리다.

[纷纷] fēnfēn 형 ① (의견 따위가) 분분하다. ❏议论~; 의론이 분분하다. ② 어수선하다. 어지럽다. ❏落叶~; 낙엽이 어지럽게 떨어지다. 부 (많은 사람이나 사물이) 자꾸. 끊임없이. 잇따라. ❏~提出问题; 잇따라 문제를 제기하다.

[纷乱] fēnluàn 형 뒤섞여 어지럽다. 혼잡하고 어수선하다.

[纷纭] fēnyún 형 (말이나 일이) 혼란하다. 뒤얽히다. 분분하다.

[纷争] fēnzhēng 명동 분쟁(하다). 분규(하다). ❏国际~; 국제 분쟁.

[纷至沓来] fēnzhì-tàlái 〈成〉 잇따라 오다. 계속해서 오다.

氛 fēn (분)
명 기(氣). 분위기. 기분. 기미. ❏气~; 분위기.

[氛围] fēnwéi 명 분위기.

酚 fēn (분)
명〔化〕 페놀(phenol).

坟(墳) fén (분)
명 무덤. 분묘.

[坟地] féndì 명 묘지.

[坟墓] fénmù 명 무덤. 분묘.

焚 fén (분)
동 불태우다. 사르다.

[焚风] fénfēng 명〔氣〕 푄(독 Föhn). ❏~现象; 푄 현상.

[焚化] fénhuà 동 (시체·신상(神像)·지전(紙錢) 따위를) 태우다. 소각하다. 사르다. ❏~尸体; 시체를 태우다 / ~炉; 소각로.

[焚毁] fénhuǐ 동 태워서 없애다. 태워 버리다. 태워서 훼손시키다.

[焚烧] fénshāo 동 태우다. 불태우다. 불사르다.

[焚书坑儒] fénshū-kēngrú 〈成〉 분서갱유(《진시황이 시행했던 사상 탄압 행위》).

[焚香] fén//xiāng 동 ① ⇒[烧香] ② 선향(線香)을 피우다.

粉 fěn (분)
① 명 가루. 분말. ❏花~; 꽃가루. ② 명 화장분. 분. ❏抹~, 분을 바르다. ③ 명 전분으로 만든 식품. 당면. ❏~条(儿); ⇓ ④ 동 가루가 되다. ❏石灰放久了, 就要~了; 석회는 오래 내버려 두면 가루가 된다. ⑤ 동〈方〉 (벽 따위를) 하얗게 바르다. ❏这墙是才~的; 이 벽은 칠한 지 얼마 안 됐다. ⑥ 형 흰빛의. 흰 가루의. ❏~蝶; ⇓ ⑦ 형 분홍빛의. ❏~色; ⇓

[粉笔] fěnbǐ 명 분필. 백묵.

[粉肠(儿)] fěncháng(r) 명 녹말에 유지(油脂)·소금·조미료를 섞은 것을 '肠衣(순대용 창자)'에 넣어서 찐 부식물. 순대.

[粉尘] fěnchén 명 분진(粉塵).

[粉刺] fěncì 명 ⇒[痤cuó疮]

[粉底霜] fěndǐshuāng 명 파운데이션(foundation).

[粉蝶] fěndié 명〔蟲〕 흰나비.

[粉坊] fěnfáng 명 제분소(製粉所).

[粉红] fěnhóng 형 분홍빛을 띠다. 핑크빛을 띠다. ❏~色; 분홍색.

[粉末(儿)] fěnmò(r) 명 분말. 가루.

[粉墨登场] fěnmò-dēngchǎng 〈成〉 ① (배우가) 분장하고 무대에 나오다. ② 〈貶〉 (악인이) 정치 무대에 나오다.

[粉扑儿] fěnpūr 명 퍼프(puff). 분첩.

[粉色] fěnsè 명〔色〕 분홍색.

[粉身碎骨] fěnshēn-suìgǔ 〈成〉 분골쇄신. 분신쇄골(《어떤 목적을 위해 있는 힘을 다하다》).

[粉饰] fěnshì 동 분식하다. (외관을) 꾸미다. 호도(糊塗)하다. ❏~太平; 〈成〉 천하태평을 가장하다.

[粉刷] fěnshuā 동 (석회 따위로 벽이나 담을) 하얗게 바르다. 하얗게 칠하다.

[粉碎] fěnsuì 동 ① 가루로 만들다. 분쇄하다. ❏~黄豆; 콩을 가루로 만들다 / ~机; 분쇄기. ② (음모·계획 따위를) 분쇄하다. ❏敌人的阴谋被~了; 적의 음모는 분쇄되었다. 형 부서져 가루가 되다. 분쇄되다. ❏茶杯摔得~; 찻잔이 떨어져 산산조각 났다.

[粉条(儿)] fěntiáo(r) 명 당면《녹두·고구마 따위의 녹말로 만듦》.

分 fèn (분)
① 명 성분(成分). ❑水~; 수분. ② 명 (직책·권리 따위의) 한도. 한계. 범위. ❑过~; 과분하다. ③ (~儿) 명 정. 인정. 정의(情誼). ④ ⇨[份] ⇒fēn

[分量] fèn·liàng 명 ① 무게. 중량. 분량. ❑给足~; 분량을 넉넉히 달아 주다 / 很有~; 매우 무게가 있다. ② 〈比〉 가치나 중요성의 정도. 비중. 무게. ❑他的发言很有~; 그의 발언에는 꽤 무게가 있다.

[分内] fènnèi 형 본분 내의. 본분으로서 당연히[마땅히] 해야 할. ❑这是我~的事; 이것은 내 본분으로서 해야할 일이다.

[分外] fènwài 형 본분 밖의. 부 특히. 각별히. 유난히. ❑~寒冷; 유난히 춥다.

[分子] fènzǐ 명 분자《계급·계층·단체에 속하거나 어떤 특징을 지닌 사람》. ❑骨干~; 골수분자 / 知识~; 지식인. ⇒fēnzǐ

份 fèn (분)
① 명 전체의 일부분. ❑股~; 주식. 출자본. ② (~儿) 양 ㉠조(組)로 되어 있는 것을 세는 말. ❑一~儿礼; 선물 한 세트. ㉡신문·문서 따위를 세는 말. ❑一~报纸; 신문 한 부. ③ 명 '省'·'县'·'年'·'月' 따위의 뒤에 붙여 구분한 단위를 나타내는 말. ❑省~; 성(省)의 범위 / 月~; 개월분. ‖=[分fèn④]

[份额] fèn'é 명 몫. 배당.

[份儿] fènr 명〈口〉 정도. 지경. 상태. ❑苦到什么~上呢? 어느 정도로 괴로운 것이냐?

[份儿饭] fènrfàn 명 정식(定食). 세트 음식.

[份子] fèn·zi 명 ① (단체로 선물할 때) 각자가 낼 몫. ② (부조금·축의금 따위의) 선물로 주는 현금.

忿 fèn (분)
동 ⇨[愤fèn]

[忿忿] fènfèn 형 ⇨[愤愤]

奋(奮) fèn (분)
동 ① 분기하다. 분발하다. 진작하다. ❑振~; 분발하다. ② 치켜들다. 흔들다. ❑~臂bì一呼; 팔을 쳐들고 부르다.

[奋不顾身] fènbùgùshēn 〈成〉 목숨을 돌보지 않고 용감하게 전진하다.

[奋斗] fèndòu 동 분투하다. ❑~到底; 끝까지 분투하다.

[奋发] fènfā 동 분발하다. 발분하다. 분기하다. ❑~图强; 〈成〉 분발하여 강성함을 꾀하다.

[奋力] fènlì 부 힘을 다해. 분력하여. 힘껏. ❑~抢救; 힘을 다해 구해 내다.

[奋起] fènqǐ 동 ① 분기하다. 분발하여 일어서다. ❑~直追; 〈成〉 떨치고 일어나 앞선 것을 따라잡다. ② 힘을 주어 들어 올리다.

[奋勇] fènyǒng 동 용감히 떨쳐 일어나다. 용기를 떨쳐 일으키다. ❑~前进; 용감히 전진하다.

[奋战] fènzhàn 동 힘껏 싸우다. 분전하다.

愤(憤) fèn (분)
동 분노하다. 화내다. =[忿fèn①]

[愤愤] fènfèn 형 분노하는 모양. 분개하는 모양. ❑~不平; 〈成〉 분노 때문에 마음이 편하지 않다. =[忿忿]

[愤恨] fènhèn 동 분개하고 통한해하다. 분한해하다.

[愤慨] fènkǎi 형 분개하다.

[愤懑] fènmèn 형〈書〉 분한 마음이 일어나 답답하다. 분울하다.

[愤怒] fènnù 형 분노하다. ❑他听了这话非常~; 그는 이 말을 듣고 몹시 분노했다.

粪(糞) fèn (분)
명 똥. 대변. ❑牛~; 쇠똥.

[粪便] fènbiàn 명 분변. 똥오줌.

[粪肥] fènféi 명 분뇨 비료. 똥거름.

[粪坑] fènkēng 명 ① 분뇨 구덩이. 똥구덩이. ② (땅을 파서 만든) 변소. ‖=[粪坑子]

[粪桶] fèntǒng 명 똥통. 분뇨통.

[粪土] fèntǔ 명 분뇨와 진흙. 〈比〉 하찮은 것. 가치 없는 것.

[粪蝇] fènyíng 명〔蟲〕 똥파리.

feng ㄈㄥ

丰(豐)A) fēng (풍)
A) 형 ① 풍부하다. 많다. 왕성하다. ❑~盛; ⇩ ② 크다. 위대하다. ❑~功伟绩; ⇩ B) 명 아름다운 용모와 자태.

[丰产] fēngchǎn 동 (농작물이) 풍부하게 산출되다. 풍작이다.
[丰富] fēngfù 형 풍부하다. ❏～多彩; 〈成〉 풍부하고 다채롭다 / 资源～; 자원이 풍부하다. 동 풍부하게 하다. ❏读书可以～我们的知识; 독서는 우리의 지식을 풍부하게 할 수 있다.
[丰功伟绩] fēnggōng-wěijì 〈成〉 위대한 공적. =[丰功伟业]
[丰厚] fēnghòu 형 ① 풍성하고 두껍다. ② 푸짐하다. 풍성하다.
[丰满] fēngmǎn 형 ① 풍족하여 그득하다. 풍부하다. 가득하다. ② 풍만하다. 포동포동하다. ❏她比从前～得多了; 그녀는 전보다 훨씬 포동포동해졌다.
[丰年] fēngnián 명 풍년.
[丰沛] fēngpèi 형 (강우량이) 많고 넉넉하다. 풍부하다. ❏～的雨水; 풍부한 강우량.
[丰饶] fēngráo 형 풍요하다. ❏～的鱼米之乡; 풍요롭고 살기 좋은 땅.
[丰盛] fēngshèng 형 풍성하다. 성대하다. ❏～的酒宴; 성대한 술자리.
[丰实] fēngshí 형 풍부하고 알차다. 풍부하고 충실하다. ❏内容～; 내용이 풍부하고 알차다.
[丰收] fēngshōu 동 ① 풍작을 이루다. ② 〈比〉 좋은 성적을 거두다.
[丰硕] fēngshuò 형 ① (과일이) 크고 많다. ② (주로, 추상적인 것이) 풍부하고 결실이 많다. ❏取得～成果; 풍성한 성과를 올리다.
[丰衣足食] fēngyī-zúshí 〈成〉 의식이 풍족하다. 살림이 윤택하다.
[丰盈] fēngyíng 형 ① (몸이) 풍만하다. ② 풍족하다. 넉넉하다. ❏衣食～; 생활이 풍족하다.
[丰裕] fēngyù 형 풍족하고 여유 있다. 넉넉하다. 부유하다.
[丰足] fēngzú 형 풍족하다. ❏衣食～; 의식이 풍족하다.

风(風) fēng (풍)
① 명 바람. ❏刮～; 바람이 불다. ② 동 바람으로 …하다. ❏～干; ⇩ ③ 형 바람처럼 빠르다. ❏～发; ⇩ ④ 명 풍조. 풍속. 풍습. ❏相沿成～; 〈成〉 점차 풍속이 되다. ⑤ 명 정경(情景). 풍경. 경치. ❏～光; ⇩ ⑥ 명 태도. 자세. ❏歪～; 바르지 않은 태도. ⑦ (～儿) 명 소식. 소문. ⑧ 형 들려 오는. 근거가 없는. ❏～闻; ⇩
[风暴] fēngbào 명 ① 폭풍. ② 〈比〉 규모가 크고 기세가 맹렬한 사건이나 현상.
[风波] fēngbō 명 풍파. 〈比〉 분란. 난리. ❏一场～; 한바탕의 분란.
[风采] fēngcǎi 명 풍채. 모습.
[风餐露宿] fēngcān-lùsù 〈成〉 여행길의 고난. =[露宿风餐]
[风潮] fēngcháo 명〈比〉 소동. 쟁의. 분쟁. ❏政治～; 정치 분쟁.
[风车] fēngchē 명 ① 풍차. ② 바람개비. 팔랑개비.
[风尘] fēngchén 명 풍진. ① 〈比〉 여행 중의 고생. ❏～仆仆; 〈成〉 (객지 혹은 세상에서) 고생을 겪다. ② 〈比〉 어지러운 사회. 떠도는 처지.
[风驰电掣] fēngchí-diànchè 〈成〉 매우 빠른 모양. 신속한 모양.
[风传] fēngchuán 명동 소문(이 돌다).
[风吹草动] fēngchuī-cǎodòng 〈成〉 바람이 불어 풀잎이 움직이다 《작은 변고》.
[风笛] fēngdí 명〔樂〕 백파이프 (bagpipe).
[风电] fēngdiàn 명 ① 〈簡〉 ⇨[风力发电] ② 풍력 에너지.
[风度] fēngdù 명 풍격. 자태. 태도.
[风发] fēngfā 형 기운차게 일어나다. 위세 좋다. 득의양양하다. ❏谈论～; 이야기나 토론이 활발히 행해지다.
[风干] fēnggān 동 바람으로 말리다. ❏～腊肉; 절인 돼지고기 포.
[风格] fēnggé 명 ① 품격. ② 풍격.
[风骨] fēnggǔ 명 ① 기골(氣骨). ② (시·글·그림 따위의) 풍격.
[风光] fēngguāng 명 풍광. 풍경. 경치. ❏南国～; 남국의 풍광.
[风害] fēnghài 명 풍해.
[风寒] fēnghán 명 추위. 냉기. 한기(寒氣). ❏驱～; 추위를 쫓다.
[风和日丽] fēnghé-rìlì 〈成〉 날씨가 화창하고 따뜻하다.
[风化] fēnghuà 명 풍속(風俗). 동〔地質〕 풍화하다.
[风级] fēngjí 명〔氣〕 풍력 계급.
[风纪] fēngjì 명 풍기. 규율.
[风景] fēngjǐng 명 풍경. 경치. ❏

~画; 풍경화 / ~区; 풍경구.
[风镜] fēngjìng 명 풍안(風眼).
[风口] fēngkǒu 명 바람을 몹시 받는 곳. 바람받이.
[风浪] fēnglàng 명 ① 풍랑. ② 〈比〉 힘들고 위험한 상황.
[风力] fēnglì 명 풍력. ① 바람의 힘. ② 바람의 세기.
[风力发电] fēnglì fādiàn 풍력 발전. =[〈簡〉风电①]
[风凉] fēngliáng 형 바람이 불어서 시원하다.
[风凉话] fēngliánghuà 명 무책임하게 비아냥대는 말.
[风铃] fēnglíng 명 풍경(風磬).
[风流] fēngliú 형 ① 공적이 있고 문재(文才)가 걸출하다. ❏ ~人物; 걸출한 인물. ② 풍류스럽다. ③ 남녀 간의 애정과 관계있는. ❏ ~案件; 치정 사건. ④ 방탕하다.
[风马牛不相及] fēng mǎ niú bù xiāng jí 〈成〉 서로 아무런 관계가 없다.
[风帽] fēngmào 명 웃옷에 다는 후드(hood).
[风貌] fēngmào 명 ① 풍격과 면모. ② 풍채와 용모. 풍모. ③ 상황. 현상.
[风靡] fēngmǐ 동 풍미하다. ❏ ~一时; 〈成〉 한 시대를 풍미하다.
[风能] fēngnéng 명 풍력 에너지.
[风平浪静] fēngpíng-làngjìng 〈成〉 바람이 고요하고 물결이 잔잔하다《평온무사하다》.
[风起云涌] fēngqǐ-yúnyǒng 〈成〉 ① 바람이 불고 구름이 일다. ② 폭풍과 같은 기세로 발전하다.
[风气] fēngqì 명 풍기. 풍조. 풍속. ❏ 看书的~; 책 읽는 풍조.
[风琴] fēngqín 명〔樂〕 풍금. 오르간(organ).
[风情] fēngqíng 명 ① 바람의 상황[상태]. ② 〈書〉 기분. 감흥. ③ 〈貶〉 (남녀의) 연애 감정.
[风趣] fēngqù 명 풍취. 정취. 형 (말이나 글이) 유머가 넘치다. 해학이 넘치다.
[风沙] fēngshā 명 모래바람. 풍사.
[风扇] fēngshàn 명 ⇨[电扇]
[风尚] fēngshàng 명 풍조. 기풍. 기호. ❏ 年轻人中流行的~; 젊은이들 사이에 유행하는 기풍.
[风声] fēngshēng 명 ① 바람 소리. ❏ ~鹤唳; 〈成〉 겁에 질려 조그마한 일에도 놀라다. ② 소문. 풍문. 풍설.
[风湿病] fēngshībìng 명〔醫〕 류머티즘(rheumatism).
[风霜] fēngshuāng 명 ① 풍상. ② 신고(辛苦). 고생. ❏ 饱经~; 〈成〉 온갖 풍상을 겪다. ③ 해와 달이 가고 바뀜. 세월의 변천.
[风水] fēng·shuǐ 명 풍수. ❏ 看~; 풍수를 보다.
[风俗] fēngsú 명 풍속. ❏ ~画; 풍속화.
[风速] fēngsù 명 풍속. ❏ ~表; 풍속계.
[风瘫] fēngtān 동 ⇨[瘫痪]
[风调雨顺] fēngtiáo-yǔshùn 〈成〉 농사 짓기 알맞게 바람이 불고 비가 내리다.
[风头] fēng·tou 명〈比〉 ① 정세. 형세. 동향. ❏ 看清~再说; 정세를 확실히 살피고 다시 얘기하자. ② 〈貶〉 자기선전. 주제넘게 나서는 것. ❏ 出~; 주제넘게 나서다.
[风土] fēngtǔ 명 풍토.
[风味] fēngwèi 명 (주로, 어떤 지방의) 풍미. 특색. 맛. 지방색. ❏ ~小吃; 지방색이 짙은 먹거리.
[风闻] fēngwén 동 소문을 통해서 듣다[알게 되다].
[风物] fēngwù 명 풍물.
[风险] fēngxiǎn 명 위험. ❏ 冒~; 위험을 무릅쓰다 / ~企业; 벤처 기업.
[风箱] fēngxiāng 명 풀무.
[风向] fēngxiàng 명 ① 풍향. 바람의 방향. ② 〈比〉 정세. 동정.
[风行] fēngxíng 동〈比〉 널리 번지다. 널리 쓰이다. 유행하다. ❏ ~一时; 〈成〉 한때 유행하다.
[风雅] fēngyǎ 형〈書〉 풍아(風雅)하다. 고상하고 멋지다.
[风言风语] fēngyán-fēngyǔ 〈成〉 근거 없는 풍설. 중상적인 소문.
[风雨] fēngyǔ 명 ① 풍우. 비바람. ② 〈比〉 고난. 고통. 시련. ❏ ~飘摇; 〈成〉 비바람에 나부끼다《정세가 대단히 불안정하다》 / ~同舟; 〈成〉 고난을 같이하다.
[风月] fēngyuè 명 ① 바람과 달. 〈比〉 풍광. 경치. 풍류. ② 남녀 간의 정사(情事).
[风云] fēngyún 명 ① 바람과 구름. 풍운. ② 〈轉〉 사회 변동. 급변하는 정세. ❏ ~人物; 〈成〉 풍운아 / ~突变; 〈成〉 날씨가 갑자기 변하다《상황이 급변하다》.

[风疹] fēngzhěn 명〔醫〕풍진.
[风筝] fēng·zheng 명 연. ❏放~; 연을 날리다.
[风致] fēngzhì 명〈書〉① 고상한 외모와 거동. ② 풍치. 풍취.
[风中之烛] fēngzhōngzhīzhú 〈成〉풍전등화.
[风烛残年] fēngzhú-cánnián 〈成〉얼마 남지 않은 여생.
[风姿] fēngzī 명 풍채.

枫(楓) fēng (풍) 명〔植〕단풍나무.
[枫树] fēngshù 명〔植〕단풍나무. =[枫香]

疯(瘋) fēng (풍) 동 ① (머리가) 돌다. 정신 이상이다. 미치다. ❏这个人~了; 이 사람은 미쳤다. ② 제멋대로 놀다. 거리낌 없이 놀다. ③ 식물이 웃자라고 열매를 맺지 않다.
[疯癫] fēngdiān 동 실성하다. 정신 이상이다. 미치다.
[疯疯癫癫(的)] fēng·fengdiāndiān(·de) 형 실성한 모양. 미친 사람처럼 구는 모양.
[疯狗] fēnggǒu 명 미친개. 광견.
[疯狂] fēngkuáng 형 미치다. 실성하다. 광적이다. ❏~的大屠杀; 광적인 대학살.
[疯牛病] fēngniúbìng 명〔醫〕광우병.
[疯人] fēngrén 명 ⇨[疯子]
[疯人院] fēngrényuàn 명 정신 병원.
[疯子] fēng·zi 명 미친 사람. 정신병자. =[疯人]

封 fēng (봉) ① 동 (작위(爵位)에) 봉하다. ❏~侯; 제후로 봉하다. ② 동 봉하다. 봉쇄하다. ❏~住井口; 우물 입구를 봉하다. ③ (~儿) 명 봉한 종이 꾸러미나 봉투. ❏信~; 편지 봉투. ④ 양 통. 꾸러미《편지 따위의 봉한 것을 세는 말》. ❏一~信; 편지 한 통.
[封闭] fēngbì 동 ① 봉하다. 밀봉하다. 밀폐하다. ❏~瓶口; 병 아가리를 밀봉하다. ② 봉쇄하다. ❏~机场; 비행장을 봉쇄하다.
[封存] fēngcún 동 ① 봉하여 보관하다. ② 압류하여 보관하다.
[封底] fēngdǐ 명 (서적 따위의) 뒤표지.
[封堵] fēngdǔ 동 ① (도로 따위를) 봉쇄하여 막다. ❏~路口; 길목을 봉쇄하다. ②〔體〕수비수가 공격수를 차단하다.
[封官许愿] fēngguān-xǔyuàn 〈成〉명리(名利)로 사람을 낚아 포섭하다.
[封建] fēngjiàn 명 ① 봉건. ❏~社会; 봉건 사회 / ~主; 영주(領主) / ~主义; 봉건주의. ② 봉건제. 형 봉건적이다. ❏思想太~; 사상이 너무 봉건적이다.
[封口(儿)] fēng//kǒu(r) 동 ① (편지 봉투·병 아가리 따위를) 봉하다. ❏这些酒瓶都要封严口; 이 술병들은 모두 아가리를 단단히 봉해야 한다. ② (상처가) 아물다. ❏患处还没有~; 상처가 아직 아물지 않았다. ③ 입을 봉하고 말하지 않다. =[封嘴①] (fēngkǒu(r)) 명 봉투의 봉한 부분.
[封蜡] fēnglà 명 봉랍.
[封面] fēngmiàn 명 ① (서적 따위의) 표지. 앞표지. ❏~人物; 표지 모델 / ~文章; 커버스토리. =[封皮③] ② 양장본(洋裝本)의 커버. ③ 속표지. 판권장.
[封皮] fēngpí 명 ① (편지) 봉투. =[信封(儿)] ②〈方〉⇨[封条] ③ ⇨[封面①]
[封锁] fēngsuǒ 동 ① 닫고 자물쇠로 잠그다. ② 봉쇄하다. ❏~禁运; 봉쇄하여 수출입을 금지하다.
[封套] fēngtào 명 (서류 따위를 넣는) 대형 봉투.
[封条] fēngtiáo 명 봉인용 종이. 압류 딱지. =[〈方〉封皮②]
[封嘴] fēng//zuǐ 동 ① ⇨[封口(儿)③] ② 입을 막다. 말을 못하게 하다.

峰 fēng (봉) ① 명 산봉우리. ❏顶~; 산 정상. ② 명 산봉우리처럼 생긴 것. ❏单~骆驼; 단봉낙타. ③ 양 마리《낙타를 세는 말》. ❏两~骆驼; 낙타 두 마리.
[峰峦] fēngluán 명 연봉(連峰).
[峰值] fēngzhí 명 최고치.

烽 fēng (봉) 명 봉화.
[烽火] fēnghuǒ 명 ① 봉화. ❏~台; 봉화대. ②〈比〉전화(戰火). 전쟁. ❏~连天; 〈成〉전화가 도처에 미치다. ‖ =[烽烟]

锋(鋒) fēng (봉) 명 ① (칼·검 따위의) 끝. ❏笔~; 필봉. ② (주로, 군대

의) 선두. ❏ 先~; 선봉. ③〔氣〕전선. ❏ 冷~; 한랭 전선.

[锋利] fēnglì 형 ①(날붙이가) 날카롭다. ❏ 这把刀很~; 이 칼은 매우 날카롭다. ②(언론·문장 따위가) 날카롭다. 예리하다. ❏ 谈吐~; 말이 예리하다.

[锋芒] fēngmáng 명 ① 창끝. 칼끝. ②〈比〉 재기(才氣). 예기. ❏ ~毕露; 〈成〉 재기를 밖으로 드러내다. ‖ =[锋铓]

蜂 fēng (봉) ① 명〔蟲〕 벌. ❏ 蜜~; 꿀벌. ② 명〔蟲〕 꿀벌. ❏ ~蜜; ⇓ ③ 부〈比〉 떼를 지어. ❏ ~拥; ⇓

[蜂巢] fēngcháo 명 벌집.

[蜂刺] fēngcì 명 벌침.

[蜂房] fēngfáng 명 벌집 안의 육각형의 방. 봉방.

[蜂糕] fēnggāo 명 스펀지케이크(sponge cake).

[蜂蜡] fēnglà 명 밀랍.

[蜂蜜] fēngmì 명 꿀. 벌꿀.

[蜂鸟] fēngniǎo 명〔鳥〕 벌새.

[蜂起] fēngqǐ 동 벌떼처럼 일어나다. 봉기하다.

[蜂王] fēngwáng 명〔蟲〕 여왕벌.

[蜂王浆] fēngwángjiāng 명 로열젤리(royal jelly). =[〈簡〉 王浆]

[蜂窝] fēngwō 명 ① 벌집. ② 벌집처럼 구멍이 많이 뚫린 것. ❏ ~煤; (구멍이 뚫린) 연탄.

[蜂箱] fēngxiāng 명 (양봉용) 벌통.

[蜂拥] fēngyōng 동 벌떼처럼 몰려들다. 쇄도하다. ❏ 人群~前来; 군중이 벌떼처럼 몰려오다.

逢 féng (봉) 동 만나다. ❏ 相~; 상봉하다.

[逢场作戏] féngchǎng-zuòxì 〈成〉 기회가 생긴 김에 끼어들어 놀다.

缝(縫) féng (봉) 동 꿰매다. 바느질하다. 깁다. ❏ 口袋~在上边; 주머니를 위에다 꿰매 달다. ⇒fèng

[缝补] féngbǔ 동 꿰매어 수선하다. 깁다.

[缝合] fénghé 동〔醫〕(상처를) 꿰매다. 봉합하다. ❏ ~伤口; 상처를 봉합하다.

[缝纫] féngrèn 동 재봉하다. 바느질하다. ❏ ~机; 재봉틀.

讽(諷) fěng (풍) 동 풍자하다. 비꼬다. ❏ 嘲~; 조롱하다.

[讽刺] fěngcì 동 풍자하다. 비꼬다. 빗대어 빈정대다.

[讽刺画] fěngcìhuà 명〔美〕 풍자화. 캐리커처(caricature).

[讽喻] fěngyù 동〔文〕 풍유하다. ❏ ~法; 풍유법.

凤(鳳) fèng (봉) 명 봉황.

[凤凰] fènghuáng 명 봉황.

[凤梨] fènglí 명 ⇨[菠bō萝]

[凤毛麟角] fèngmáo-línjiǎo 〈成〉 매우 드물고 귀한 인재나 사물.

[凤仙花] fèngxiānhuā 명〔植〕 봉선화. =[〈俗〉 指甲花]

[凤眼] fèngyǎn 명 ⇨[丹凤眼]

奉 fèng (봉) ① 동 (상급자나 연장자에게) 드리다. 올리다. 바치다. ❏ ~上报告一份; 보고서 한 부를 올리다. ② 동 (상급자나 연장자로부터) 받다. ❏ ~到命令; 명령을 받다. ③ 동 준수하다. 받들다. ❏ ~为指针; 우러러 지침으로 삼다. ④ 동 (종교 따위를) 믿다. 신봉하다. ❏ ~基督教; 기독교를 신봉하다. ⑤ 부〈敬〉 삼가. 공손히. ❏ ~陪; ⇓ ⑥ 동 섬기다. 받들어 모시다. ❏ 侍~; 시중들다.

[奉承] fèng·cheng 동 비위를 맞추다. 알랑거리다. 환심을 사다. ❏ ~话; 아첨하는 말.

[奉告] fènggào 동〈敬〉 삼가 여쭙겠습니다. ❏ 谨此~; 삼가 통지해 드립니다.

[奉还] fènghuán 동〈敬〉 돌려보내 드리다. ❏ 如数~; 그대로 다 돌려보내 드리다.

[奉命] fèng//mìng 동 명령을 받들다.

[奉陪] fèngpéi 동〈敬〉 모시다. 동반하다. ❏ 恕不~; 모시고 갈 수 없음을 용서해 주십시오.

[奉劝] fèngquàn 동〈敬〉 삼가 권고드립니다. ❏ ~你把这些问题好好考虑一下; 이 문제들을 잘 고려해 보시기를 삼가 권고드립니다.

[奉送] fèngsòng 동〈敬〉 삼가 드립니다. 삼가 선사합니다.

[奉献] fèngxiàn 동 정중히 드리다. 봉헌하다. 바치다. ❏ 把青春~给祖国; 청춘을 조국에 바치다.

[奉行] fèngxíng 동 받들어 행하다. ❏ ~故事; 〈成〉 종래의 관례대로 일을 행하다.

[奉养] fèngyǎng 동 섬기고 부양하다. 봉양하다. 모시다. ❏ 子女~父

母；자녀가 부모를 봉양하다.

俸 fèng (봉) 명 (관리의) 급료. 봉급.

缝(縫) fèng (봉) (～儿) 명 ① 솔기. 이음매. ② 틈. 틈새. 벌어진 곳. ❏门～；문틈. ⇒féng

[缝隙] fèngxì 명 벌어진 곳. 틈. 틈새. ❏家具裂开了～；가구에 틈새가 벌어졌다.

fo ㄈㄛ

佛 fó (불) 명〖佛〗① (Fó) 부처. ② 불도를 터득한 사람. ③ 불교. ④ 불상. ⑤ 불경. ❏念～；불경을 외다. ⇒fú

[佛教] Fójiào 명〖宗〗불교. ❏～徒；불교도.

[佛经] fójīng 명 불경.

[佛龛] fókān 명 불단(佛壇).

[佛门] fómén 명 불문. 불가(佛家). ❏～弟子；불자(佛者).

[佛寺] fósì 명 절. 불사.

[佛堂] fótáng 명 불당.

[佛陀] Fótuó 명〈梵〉불타. 부처.

[佛像] fóxiàng 명 불상.

[佛爷] Fó·ye 명〈敬〉부처님.

fou ㄈㄡ

否 fǒu (부) ① 동 부정하다. 부인하다. ❏～认；⇓ ② '是否'·'能否'·'可否' 따위로 쓰여 '是不是'·'能不能'·'可不可'의 뜻을 나타냄. ❏可～查验；검사해도 좋을지 어떨지. ⇒pǐ

[否定] fǒudìng 동 ① (존재나 사실을) 부정하다. ❏～他们的功劳；그들의 공로를 부정하다. ② (제의·건의 따위를) 거부하다. ❏他的主张被大家～了；그의 주장은 모두에게 거부당했다. 형 부정적이다. ❏～态度；부정적인 태도.

[否决] fǒujué 동 (의안 따위를) 부결하다. 거부하다. ❏提案被大会～；제안이 총회에서 거부당하다 / ～权；ⓐ거부권. ⓑ부결권.

[否认] fǒurèn 동 부인하다. ❏～事实；사실을 부인하다.

[否则] fǒuzé 접 (만약) 그렇지 않다면. ❏他一定有要紧事，～不会来找你；그에게 급한 일이 생긴 것이 분명하다, 그렇지 않다면 너를 찾아올 리가 없다.

fu ㄈㄨ

夫 fū (부) 명 ① 남편. ❏姐～；형부. ② 성년 남자. ③ 육체노동에 종사하는 사람. ❏渔～；어부. ④ 부역꾼. ❏拉～；부역꾼으로 끌고 가다.

[夫唱妇随] fūchàng-fùsuí 〈成〉 부창부수《부부가 서로 잘 맞는다. 부부가 화목하다》. =[夫倡妇随]

[夫妇] fūfù 명 부부. ❏新婚～；신혼부부. =[夫妻]

[夫妻] fūqī 명 부부. ❏～店；부부가 운영하는 가게. =[夫妇]

[夫人] fū·rén 명 ① 제후(諸侯)의 아내. ②〈轉〉부인. 마담(Madam). 미시즈(Mrs.).

肤(膚) fū (부) ① 명 피부. ② 형 표면의. 피상적인. ❏～泛；⇓

[肤泛] fūfàn 형 피상적(皮相的)이다. 형식적이다. ❏他的意见很～；그의 의견은 매우 피상적이다.

[肤皮潦草] fūpí-liáocǎo ⇨[浮fú皮潦草]

[肤浅] fūqiǎn 형 (학식·이해가) 얕다. 천박하다. ❏认识很～；인식이 얕다.

[肤色] fūsè 명 피부색.

麸(麩) fū (부) 명 밀기울.

[麸皮] fūpí 명 ⇨[麸子]

[麸子] fū·zi 명 밀기울. =[麸皮]

孵 fū (부) 동 부화하다. 알을 까다. ❏～小鸡；병아리가 부화하다.

[孵化] fūhuà 동 부화하다. ❏～场；부화장 / ～器；부화기.

[孵卵] fūluǎn 동 알을 까다. 부화하다. ❏人工～；인공 부화.

敷 fū (부) ① 동 바르다. 칠하다. ❏～粉；분을 바르다 / ～药；약을 바르다. ② 동 깔다. 부설하다. ❏～设；⇓ ③ 형 족하다. 충분하다. ❏不～应用；필요한 만큼 충분하지 않다.

[敷设] fūshè 동 ① (철로·파이프 따위를) 깔다. 부설하다. ❏～路轨；레일을 부설하다. ② (지뢰 따위를) 부설하다. ❏～地雷；지뢰를

부설하다.

[敷衍] fūyǎn 동〈書〉 부연하다. 부연 설명을 하다. ❑ ~要旨; 요지를 부연하다.

[敷衍] fū·yǎn 동 ① (사물·사람을) 무성의하게 대하다. 대충대충 처리하다. ❑ ~了事; 〈成〉 일을 대강대강 처리하다 / ~塞责; 〈成〉 대충 얼버무려서 책임을 회피하다. ② 간신히 버티다. 가까스로 유지하다. ❑ 这笔钱, 也只够~几天而已; 이 돈으로는 며칠밖에 버틸 수 없다.

芙 fú (부)
→[芙蓉]

[芙蓉] fúróng 명〖植〗 연꽃. 부용.

扶 fú (부)
동 ① (손으로) 버티다. 기대다. 부축하다. ❑ 他~着一位老人过马路; 그는 노인 한 분을 부축하고 길을 건넌다. ② (누워 있거나 쓰러진 것을 손으로) 일으켜 세우다. 일으켜 앉히다. ❑ 把他~起来; 그를 일으켜 세우다. ③ 돕다. 보좌하다. 원조하다. ❑ ~危济困; ⇩

[扶手] fúshǒu 명 ① (의자 따위의) 팔걸이. ❑ ~椅; 팔걸이 의자. ② 기댈 수 있는 난간·단장 따위.

[扶梯] fútī 명 ① (난간이 있는) 계단. ② 〈方〉 ⇨[梯子]

[扶危济困] fúwēi-jìkùn 〈成〉 위험에 빠지거나 곤궁에 처한 사람을 돕다. =[扶危济急][扶危救困]

[扶养] fúyǎng 동 부양하다. ❑ 把孩子~成人; 아이를 성인이 될 때까지 부양하다.

[扶植] fúzhí 동 키우다. 육성시키다. ❑ ~势力; 세력을 키우다.

[扶助] fúzhù 동 돕다. 원조하다. ❑ 请他~你工作; 그에게 네 일을 도와달라고 부탁해라.

佛 fú (불)
→[仿佛] ⇒fó

拂 fú (불)
동 ① (바람 따위가) 스쳐 가다. ❑ 暖风~面; 따뜻한 바람이 얼굴을 스치다. ② 털다. 떨다. ❑ ~尘; ⇩ ③ 〈書〉 거스르다. 반대하다. ❑ ~舆情; 민의를 거스르다.

[拂尘] fúchén 명 총채. 파리채. 먼지떨이.

[拂拂] fúfú 형 바람이 살랑살랑 부는 모양.

[拂拭] fúshì 동 (먼지 따위를) 털어 내다. 닦아 내다.

[拂晓] fúxiǎo 명 동틀 무렵. 새벽.

[拂袖] fúxiù 동〈書〉 (화나서) 옷소매를 뿌리치다. ❑ ~而去; 〈成〉 분연히 소매를 떨치고 가다.

氟 fú (불)
명〖化〗 불소(弗素). 플루오르 (F: fluor).

[氟利昂] fúlì'áng 명 ⇨[氟氯烷]

[氟氯烷] fúlǜwán 명〖化〗〈音〉 프레온(Freon). =[氟利昂]

伏 fú (복)
① 동 엎드리다. ❑ ~在地上; 바닥에 엎드리다. ② 동 숨다. 잠복하다. ❑ 埋~; 매복하다. ③ 명 (절기상의) 복. ❑ ~暑; ⇩ ④ 동 굴하다. 굴복하다. (잘못을) 인정하다. 항복하다. ❑ ~罪; ⇩ ⑤ 동 복종시키다. 굴복시키다. ⑥ 양〖電〗〈簡〉 ⇨[伏特]

[伏笔] fúbǐ 명 (글의) 복선.

[伏兵] fúbīng 명 복병.

[伏法] fúfǎ 동 사형에 처해지다.

[伏击] fújī 동 매복해서 공격하다. ❑ ~战; 매복 기습전.

[伏侍] fú·shi 동 ⇨[服侍]

[伏输] fú//shū 동 ⇨[服输]

[伏暑] fúshǔ 명 복더위.

[伏特] fútè 양〖電〗〈音〉 볼트(volt). =[〈簡〉 伏⑥]

[伏特加] fútèjiā 명〈音〉 보드카 (vodka).

[伏天] fútiān 명 복날.

[伏帖] fútiē 형 ① 기분이 좋다. 쾌적하다. ② ⇨[服帖①]

[伏羲] Fúxī 명〖人〗 복희. 복희씨 《전설상의 중국 황제》.

[伏罪] fú//zuì 동 ⇨[服罪]

袱 fú (복)
명 (물건을 싸는) 작은 보자기.

凫(鳧) fú (부)
① 명〖鳥〗 청둥오리. 물오리. =[野鸭] ② 동 ⇨[浮②]

俘 fú (부)
① 동 포로를 잡다. ② 명 포로. ❑ 战~; 전쟁 포로.

[俘获] fúhuò 동 포로를 잡고 전리품을 포획하다.

[俘虏] fúlǔ 동 포로로 잡다. 명 포로.

浮 fú (부)
① 동 뜨다. 띄우다. ❑ 树叶~在水面上; 나뭇잎이 수면에 떠 있다. ② 동〈方〉 헤엄치다. ❑ ~到对岸; 건너편 기슭까지 헤엄쳐 가다. =[凫②] ③ 형 표면에 드러

난. 표면상의. ❏～雕; ⇓ ④ 형 유동의. ❏～财; ⇓ ⑤ 형 (성격이) 가볍다. 경박하다. 방정맞다. ❏这孩子心太～; 이 아이는 너무 방정맞다. ⑥ 형 공허하다. ❏～华; ⇓ ⑦ 동 남다. 남아돌다. 초과하다. ❏～额; 초과액.

[浮标] fúbiāo 명 부표.

[浮财] fúcái 명 동산(動産)《금전·귀금속·의복·가재도구 따위》.

[浮尘] fúchén 명 ① 먼지. 티끌. ② (대기 중의) 부유 먼지.

[浮沉] fúchén 동 부침하다. 〈轉〉 흥망성쇠하다.

[浮出水面] fúchū-shuǐmiàn 수면 위로 떠오르다. 〈比〉 드러나다. 표면화되다. 「새김.

[浮雕] fúdiāo 명〔美〕 부조. 돋을

[浮动] fúdòng 동 ① 떠돌다. 움직여 돌아다니다. 유동하다. ❏湖上～着大小鱼群; 호수에 크고 작은 물고기 떼가 돌아다니고 있다. ② 고정적이지 않다. 변동되다. ❏～汇率; 변동 환율. ③ 안정되지 않다. ❏人心～; 민심이 불안정하다.

[浮光掠影] fúguāng-lüèyǐng 〈成〉 그림자가 스쳐 지나가듯 인상이 희미하다.

[浮华] fúhuá 형 겉만 화려하고 실속 없다. ❏～的生活; 겉만 화려한 생활.

[浮夸] fúkuā 형 현실적이지 않고 과장되다. ❏语言～; 말이 현실적이지 않고 과장되다.

[浮力] fúlì 명〔物〕 부력.

[浮面(儿)] fúmiàn(r) 명 표면(表面). 겉.

[浮名] fúmíng 명 ⇨[虚名]

[浮皮(儿)] fúpí(r) 명 ① (생물체의) 표피. ② (물체의) 표면.

[浮皮潦草] fúpí-liáocǎo 대충대충 건성인 모양. =[肤皮潦草]

[浮萍] fúpíng 명〔植〕 부평초. 개구리밥.

[浮浅] fúqiǎn 형 (내용·인식 따위가) 얕다. 천박하다. ❏内容～; 내용이 얕다.

[浮桥] fúqiáo 명 부교. 배다리.

[浮现] fúxiàn 동 ① (지난 일이) 떠오르다. 아른거리다. ❏他的身影又～在我的眼前; 그의 모습이 또 내 눈앞에 아른거린다. ② 드러나다. 겉으로 나타나다.

[浮游] fúyóu 동 ① (수면 위를) 떠다니다. 부유하다. ❏～生物; 부유생물. 플랑크톤. ② 만유(漫遊)하다. 이리저리 돌아다니다.

[浮云] fúyún 명 떠다니는 구름.

[浮躁] fúzào 형 경솔하고 급하다. ❏他办事很～; 그는 매사에 매우 경솔하고 급하다.

[浮肿] fúzhǒng 명동 ⇨[水肿]

[浮子] fú·zi 명 ⇨[鱼漂(儿)]

蜉 fú (부)

→[蜉蝣]

[蜉蝣] fúyóu 명〔蟲〕 하루살이.

符 fú (부)

① 명 부절(符節). 증표. ❏兵～; 병부. ② 명 기호. 부호. ❏音～; 음표. ③ 동 부합하다. 들어맞다. 일치하다《주로, '相' 이나 '不'와 함께 쓰임》. ❏与事实不～; 사실과 어긋나다. ④ 명 부적.

[符号] fúhào 명 ① 기호. 부호. ❏标点～; 문장 부호. ② 몸에 붙이고 있는 신분·직무를 나타내는 표지.

[符合] fúhé 동 부합하다. 들어맞다. ❏～现实的需要; 현실의 수요에 부합하다.

服 fú (복)

① 명 옷. 의상. ❏校～; 교복. ② 명 상복. ❏有～在身; 상중(喪中)이다. ③ 동 (옷을) 입다. ❏～丧; ⇓ ④ 동 (약을) 먹다. 복용하다. ❏～药; ⇓ ⑤ 동 (직무·의무·형벌 따위를) 맡다. 지다. ❏～刑; ⇓ ⑥ 동 복종하다. 심복하다. 따르다. ❏不～指导; 가르침에 따르지 않다. ⑦ 동 심복(心服)시키다. 설득하다. ❏以理～人; 도리로 남을 설득하다. ⑧ 동 익숙해지다. 적응하다. ⇒fù

[服从] fúcóng 동 따르다. 복종하다. ❏～命令; 명령에 복종하다.

[服毒] fú∥dú 동 음독하다. ❏～自尽; 음독 자살 하다.

[服判] fúpàn 동 판결에 따르다.

[服气] fúqì 동 진심으로 복종하다. 기꺼이 져 주다. 굽히고 들어가다. ❏这个人谁都不～; 이 사람은 누구에게도 굽히려 하지 않는다.

[服丧] fúsāng 동 복상하다.

[服饰] fúshì 명 복식《옷과 장신구》.

[服侍] fú·shi 동 시중들다. 모시다. 돌봐 주다. ❏～病人; 환자를 돌봐 주다. =[伏侍]

[服输] fú∥shū 동 실패를 인정하다. =[伏输]

[服帖] fútiē 형 ① 고분고분하다. 온순하다. =[伏帖②] ② 온당하

다. 타당하다. ❏ 他把事情办得很~; 그는 일을 매우 타당하게 처리한다.

[服务] fúwù 동 ① 복무하다. 근무하다. ❏ ~年限; 근무 연한. ② 봉사하다. 서비스하다. ❏ ~台; (호텔 따위의) 프런트(front). 안내 데스크 / ~业; 서비스업 / ~员; 종업원 / ~中心; 서비스 센터.

[服务器] fúwùqì 명〔컴〕 서버(server).

[服刑] fú∥xíng 동〔法〕 징역을 살다. 복역하다.

[服药] fú∥yào 동 약을 먹다.

[服役] fú∥yì 동 ① 병역에 복무하다. ② 옛날, 부역(賦役)을 하다.

[服用] fúyòng 동 (약을) 복용하다.

[服装] fúzhuāng 명 복장. 의상. ❏ ~表演; 패션쇼 / ~模特儿; 패션모델 / ~设计; 의상 디자인 / ~师; 의상 디자이너.

[服罪] fú∥zuì 동 죄를 인정하다. 복죄하다. =[伏罪]

匐 fú (복)
→[匍pú匐]

幅 fú (폭)
① (~儿) 명 천[피륙]의 폭. ② 명 폭. 넓이. ③ (~儿) 양 폭《천·그림 따위를 세는 말》. ❏ 一~布; 천 한 폭.

[幅度] fúdù 명 정도. 폭. ❏ 增长~很大; 증가폭이 매우 크다.

[幅面] fúmiàn 명 (천의) 폭. 너비.

[幅员] fúyuán 명 영토(領土)의 면적. ❏ ~广大; 영토가 넓다.

福 fú (복)
① 명 복. 행복. ❏ 享~; 복을 누리다. ② 동 옛날, 부녀자가 절을 하다.

[福尔马林] fú'ěrmǎlín 명〔化〕〈音〉 포르말린(formalin).

[福分] fú·fen 명〈口〉 타고난 복.

[福利] fúlì 명동 복리(를 도모하다). 복지(를 행하다). ❏ ~事业; 복지 사업 / ~院; 복지 시설.

[福气] fú·qi 명 복. ❏ 有~; 복이 있다 / ~大; 복이 많다.

[福相] fúxiàng 명 복스러운 얼굴. 복상.

[福星] fúxīng 명 행운의 별. 복의 신(神). 〈比〉 마스코트(mascot).

[福音] fúyīn 명 ①〔宗〕 복음. ❏ ~书; 복음서. ② 좋은 소식.

辐(輻) fú (복)
명 바퀴살.

[辐射] fúshè 동 ① 방사(放射)하다. ❏ ~形; 방사형. ②〔物〕 복사(輻射)하다. ❏ ~热; 복사열.

[辐条] fútiáo 명 바퀴살. =[车条]

蝠 fú (복)
명〔動〕 박쥐.

斧 fǔ (부)
명 도끼.

[斧头] fǔ·tóu 명 ⇨[斧子]

[斧子] fǔ·zi 명 도끼. =[斧头]

釜 fǔ (부)
명 가마솥. 솥.

[釜底抽薪] fǔdǐ-chōuxīn 〈成〉 솥 밑에 타고 있는 장작을 치우다《근본적으로 문제를 해결하다》.

[釜底游鱼] fǔdǐ-yóuyú 〈成〉 솥 바닥에서 헤엄치고 있는 물고기《매우 위험한 지경에 처한 사람》.

甫 fǔ (보)
① 명 옛날, 남자 이름 뒤에 붙이던 미칭(美稱). ② 부〈書〉 막. 방금. ❏ ~到; 막 도착하다.

辅(輔) fǔ (보)
동 돕다. 보조하다.

[辅导] fǔdǎo 동 도와주며 지도하다. ❏ ~老师; 과외 선생 / ~员; 지도원. 교관.

[辅料] fǔliào 명 ① 보조재. ② (요리할 때의) 부재료. ‖ =[配料]

[辅音] fǔyīn 명〔言〕 자음. =[子音]

[辅助] fǔzhù 동 거들어 주다. 도와주다. 보조하다. 보좌하다. ❏ 派一个助手~你工作; 조수를 한 명 보내어 네 일을 도와주겠다. 형 보조적이다. ❏ ~货币; 보조 화폐 / ~人员; 보조 인원.

[辅佐] fǔzuǒ 동 보좌하다.

脯 fǔ (포)
명 ① 포. ❏ 鱼~; 어포. ② 설탕에 절여 말린 과일. ❏ 苹果~; 설탕에 절여 말린 사과. ⇒pú

抚(撫) fǔ (무)
동 ① 어루만지다. 쓰다듬다. ❏ ~摩; ⇩ ② 위로하다. 위문하다. ❏ ~恤; ⇩ ③ 보살피다. 보호하다.

[抚爱] fǔ'ài 동 아끼고 보살피다. ❏ ~小狗; 강아지를 아끼고 보살피다.

[抚躬自问] fǔgōng-zìwèn 〈成〉 ⇨[反躬自问]

[抚摩] fǔmó 동 쓰다듬다. ❏ 他~着我的头说; 그가 내 머리를 쓰다듬으면서 말했다.

[抚慰] fǔwèi 동 위로하다. ❑ ~死者家属; 사망자 가족을 위로하다.
[抚恤] fǔxù 동 무휼하다. 구제하다. 위로금을 주다. ❑ ~烈士子女; 열사 자녀에게 위로금을 주다.
[抚恤金] fǔxùjīn 명 구휼금(救恤金). 위로금. =[恤金]
[抚养] fǔyǎng 동 보살피고 부양하다. ❑ 把子女~成人; 자녀를 성인이 될 때까지 부양하다.
[抚育] fǔyù 동 ① 잘 돌보아 기르다. 보살피며 키우다. ❑ ~孤儿; 고아를 보살피며 키우다. ② (동식물을) 기르다. 가꾸다. ❑ ~幼畜; 어린 가축을 기르다.

府 fǔ (부)
명 ① 관청. ❑ 政~; 정부. ② (옛날, 관청의) 문서나 재물을 넣어 두는 곳. ❑ 书~; 서고. ③ 옛날, 대관이나 귀족의 저택. ❑ 丞相~; 승상의 저택. ④ 옛날, 성(省)과 현 사이의 행정 구역. ❑ 开封~; 개봉부. ⑤ 〈敬〉 댁. ❑ 趋~奉访; 댁으로 찾아뵙겠습니다.
[府绸] fǔchóu 명〔紡〕 포플린(poplin).
[府上] fǔshàng 명〈敬〉 ① 댁(宅). ❑ 亲自送到~; 직접 댁까지 가져다 드리겠습니다. ② 고향.

俯 fǔ (부)
동 (고개를) 숙이다. (몸을) 굽히다. ❑ 他~下身来拾起了钢笔; 그는 몸을 굽혀 펜을 주웠다.
[俯冲] fǔchōng 동 (비행기 따위가) 급강하하다. ❑ ~轰炸; 급강하하여 폭격하다.
[俯拾即是] fǔshí-jíshì 〈成〉 몸을 굽혀 줍기만 하면 얼마든지 있다《찾으면 얼마든지 있다. 지천으로 깔리다》. =[俯拾皆jiē是]
[俯视] fǔshì 동 (높은 곳에서) 내려다보다. ❑ 登高~全城; 높은 곳에 올라 도시 전체를 내려다보다.
[俯首] fǔshǒu 동 ① 머리[고개]를 숙이다. ② 〈比〉 순종하다. ❑ ~帖耳; 〈成〉 고개를 숙이고 귀를 늘어뜨리다《순순히 남에게 순종하다》.
[俯卧] fǔwò 동 엎드리다. ❑ ~撑; 〔體〕 팔굽혀펴기.

腐 fǔ (부)
① 동 썩다. 부패하다. ❑ 流水不~; 〈成〉 흐르는 물은 썩지 않는다. ② 명 두부나 콩으로 만든 식품.
[腐败] fǔbài 동 썩다. 부패하다. ❑ ~的食物; 부패한 음식. 형 ① (생각이) 케케묵다. 진부하다. (행위가) 타락하다. ❑ 思想~; 생각이 진부하다. ② (제도·조직 따위가) 혼란하다. 부패하다. ❑ 政治~; 정치가 부패하다. ‖ =[腐烂]
[腐化] fǔhuà 동 ① 부패시키다. 타락시키다. ❑ ~人们的思想; 사람들의 생각을 타락시키다. ② 부패하다. 타락하다. ❑ 政治~了; 정치가 부패했다. ③ 썩다. 부패하다.
[腐烂] fǔlàn 동형 ⇨[腐败]
[腐蚀] fǔshí 동 ① 부식하다. ❑ ~剂; 부식제. ② 타락시키다. 좀먹다. ❑ 黄色书刊会~青少年; 음란 서적은 청소년을 타락시킬 수 있다.
[腐朽] fǔxiǔ 동 (섬유질을 함유한 물질이) 썩다. ❑ 这块木头~了; 이 나무토막은 썩었다. 형〈比〉 (사상·생활·제도가) 진부하다. 타락하다. 부패하다. ❑ 思想~; 사상이 진부하다.
[腐殖土] fǔzhítǔ 명 부식토.
[腐殖质] fǔzhízhì 명 부식질.

讣(訃) fù (부)
① 동 부고하다. 사망을 알리다. ② 명 부고. 사망 통지.
[讣告] fùgào 동 사망을 통지하다 명 부고. 사망 통지.
[讣闻] fùwén 명 부고. =[讣文]

赴 fù (부)
동 (…로) 향하다. 가다. ❑ ~京; 베이징에 가다.
[赴任] fùrèn 동 부임하다.
[赴汤蹈火] fùtāng-dǎohuǒ 〈成〉 물불을 가리지 않다.
[赴约] fùyuē 동 약속 장소로 가다.

父 fù (부)
명 ① 아버지. ② 친척인 손위 남자. ❑ 祖~; 할아버지.
[父母] fùmǔ 명 부모.
[父女] fùnǚ 명 부녀.
[父亲] fù·qīn 명 아버지. 부친.
[父权制] fùquánzhì 명 가부장(家父長) 제도. 부권제.
[父系] fùxì 형 부계의. ❑ ~亲属; 부계 친족 / ~制度; 부계 제도.
[父子] fùzǐ 명 부자.

付 fù (부)
① 동 주다. 교부하다. ❑ 交~; 교부하다. ② 동 지불하다. 지출하다. ❑ ~款; ⇓ ③ 양 ⇨[副fù⑤]
[付出] fùchū 동 (금전·대가 따위를) 지불하다. 치르다. 들이다. ❑ ~代价; 대가를 치르다 / ~现款

현금을 지불하다.

[付款] fù//kuǎn 동 돈을 지불하다. ❏～人; 지불인.

[付账] fù//zhàng 동 계산서대로 지불하다.

[付之一笑] fùzhī-yīxiào 〈成〉 일소에 부치다. 웃어넘기다.

[付诸东流] fùzhū-dōngliú 〈成〉 수포로 돌아가다.

附 fù (부)

동 ① 덧붙이다. 딸리다. 부가하다. ❏信里面～着一张相片; 편지 속에 사진이 한 장 동봉되어 있다. ② 가까이 가다. 접근하다. ❏～在耳边小声说话; 귀 가까이에서 작은 소리로 말하다. ③ 들러붙다. 부착하다. ❏叫鬼给～着; 귀신이 들러붙다.

[附笔] fùbǐ 명 추신(追伸).

[附带] fùdài 동 덧붙이다. 부대하다. ❏～说明一句; 한 마디 덧붙여 설명하다. 형 부대적인. 부차적인. ❏～条件; 부대 조건.

[附和] fùhè 동〈貶〉 부화하다. 주견 없이 남을 따르다. ❏不要～不正确的意见; 정확하지 않은 의견은 따라가지 마라.

[附会] fùhuì 동 억지로 갖다 붙이다. ❏牵强～; 〈成〉 견강부회하다.

[附加] fùjiā 동 부가하다. 추가하다. 덧붙이다. ❏～说明; 설명을 덧붙이다 / ～税; 부가세.

[附加值] fùjiāzhí 명 부가 가치. ❏高～产品; 고부가 가치 제품.

[附件] fùjiàn 명 ① 부속 문서. ② (문서와 함께 송달하는) 관련 문서. 관련 물품. ③ (기구·기계의) 부속품. 부품. ④〔컴〕 첨부 파일. ⑤〔醫〕 (자궁의) 부속기.

[附近] fùjìn 명형 부근(의). 인근(의). ❏～地区; 인근 지역 / 学校～; 학교 부근.

[附录] fùlù 명 부록.

[附设] fùshè 동 부설하다.

[附属] fùshǔ 동 부속하다. 종속하다. ❏这所中学～于师范大学; 이 중학교는 사범대 부속이다. 형 부속된. 종속된. ❏～国; 속국 / ～小学; 부속 초등학교 / ～医院; 부속 병원.

[附送] fùsòng 동 추가로 증정하다. ❏购买电脑, ～打印机; 컴퓨터를 구입하면 프린터를 추가로 증정한다.

[附言] fùyán 명 부언. 추신.

[附议] fùyì 동 제안(提案)에 동의[찬성]하다.

[附庸] fùyōng 명 ① 종속국. 속국. ② 종속물. 부속물.

[附则] fùzé 명 부칙.

[附注] fùzhù 명 주(註). 주석.

[附着] fùzhuó 동 부착하다. ❏～力; 부착력.

咐 fù (부)

→[吩fēn咐][嘱zhǔ咐]

驸(駙) fù (부)

명 (마차의) 부마(副馬).

[驸马] fùmǎ 명 부마((임금의 사위)).

负(負) fù (부)

① 동 (짐 따위를) 지다. 메다. ❏～重; ⇩ ② 동 (책임·임무를) 지다. 맡다. ❏～责任; 책임을 지다. ③ 동 (좋지 않은 일을) 당하다. 받다. ❏～伤; ⇩ ④ 동 향유하다. 누리다. ❏久～盛名; 〈成〉 전부터 유명하다. ⑤ 동 빚지다. ❏～债; ⇩ ⑥ 동 배반하다. 저버리다. ❏忘恩～义; 〈成〉 배은망덕하다. ⑦ 동 지다. 패하다. ❏～于客队; 원정팀에게 패하다. ⑧ 형〔數·電〕 음(陰)의. ❏～极; ⇩

[负担] fùdān 동 (책임·비용·일 따위를) 맡다. 부담하다. 책임지다. ❏～费用; 비용을 부담하다 / ～养活全家人; 온 식구의 생계를 책임지다. 명 부담. 압박. ❏～太重; 부담이 매우 크다.

[负电] fùdiàn 명〔電〕 음전기(陰電氣). =[阴电]

[负号] fùhào 명〔數〕 마이너스 부호((—)).

[负极] fùjí 명 ⇨[阴极]

[负离子] fùlízǐ 명〔物〕 음(陰)이온. =[阴离子]

[负面] fùmiàn 형 반면의. 소극적인 면의. 부정적인 면의. ❏～影响; 악영향 / ～作用; 부정적인 작용.

[负片] fùpiàn 명〔撮〕 네거티브(negative) 필름. =[底片①]

[负伤] fù//shāng 동 부상을 당하다. ❏他在战争中负过伤; 그는 전쟁에서 부상을 당했다. =[受伤①]

[负数] fùshù 명〔數〕 음수(陰數).

[负心] fùxīn 동 (남녀 간에) 애정을 배반하다. 사랑을 배신하다. ❏～汉; 사랑을 배신한 남자.

[负约] fùyuē 동 약속을 어기다. 위

약(違約)하다.

[负责] fùzé 동 책임을 맡다[지다]. ❑这项工作由他~; 이 일은 그가 책임을 맡는다 / ~人; 책임자. 형 책임감 있다. ❑很~地去办理; 매우 책임감 있게 처리하다.

[负增长] fùzēngzhǎng 동〖經〗마이너스 성장하다.

[负债] fù//zhài 동 빚을 지다.

[负重] fùzhòng 동 ① 무거운 짐을 짊어지다. ②〈比〉중책을 지다.

妇(婦) fù (부) 명 ① 부녀자. 여성. ② 기혼 여성. ❑主~; 주부. ③ 처. 아내. ❑夫~; 부부.

[妇产科] fùchǎnkē 명〖醫〗산부인과.

[妇科] fùkē 명〖醫〗부인과. ❑~医生; 부인과 의사.

[妇女] fùnǚ 명 (성년의) 여성. 부녀자. ❑~病;〖醫〗부인병.

[妇人] fùrén 명 기혼 여성. 부인.

[妇幼] fùyòu 명 부녀자와 어린아이. ❑~卫生; 모자 위생.

阜 fù (부) 〈書〉① 명 토산(土山). ② 형 (물자가) 많다. 풍부하다.

服 fù (복) 양 첩《한약을 세는 말》. ❑三~药; 약 세 첩. =[剂jì⑤] ⇒fú

复(復A)B), 複C)) fù (부, 복) **A)** 동 ① 되돌아오다[가다]. ❑往~; 왕복하다. ② 회답하다. 대답하다. ❑函~; 편지로 회답하다. ‖ =[覆③] **B)** ① 동 회복하다[시키다]. ❑光~; 광복하다. ② 동 보복하다. 복수하다. ❑报~; 보복하다. ③ 부 도로. 다시. 또. ❑去而~返; 갔다가 다시 되돌아오다. **C)** 형 ① 중복하다. 반복하다. ❑~制; ⇩ ② 겹치다. 중첩하다. ❑~姓; ⇩

[复辟] fùbì 동 ① 물러났던 임금이 다시 왕위에 오르다. 복벽하다. ②〈轉〉타도된 통치자나 제도가 부활하다.

[复查] fùchá 동 재검사하다. 재심사하다.

[复仇] fù//chóu 동 복수하다. ❑为他~; 그를 위해 복수하다.

[复工] fù//gōng 동 (휴업·파업 후에) 일을 다시 시작하다. 업무에 복귀하다.

[复古] fùgǔ 동 복고하다. ❑~运动; 복고 운동.

[复归] fùguī 동 (어떤 상태로) 되돌아가다. 복귀하다.

[复合] fùhé 동 복합하다. ❑~材料; 복합 재료 / ~词; 복합어.

[复核] fùhé 동 ①〖法〗재심리하다. ② 대조하다.

[复婚] fù//hūn 동 (이혼했던 부부가) 재결합하다.

[复活] fùhuó 동 ① 부활하다. 소생하다. ❑~节;〖宗〗부활절. =[复生] ② 부활시키다. ❑~军国主义; 군국주의를 부활시키다.

[复旧] fù//jiù 동 ① (낡은 관습·제도 따위로) 복귀하다. 되돌아가다. ② 원래대로 돌아가다.

[复刊] fù//kān 동 복간하다.

[复利] fùlì 명〖經〗복리(複利).

[复审] fùshěn 동 ① 재심사하다. 재검열하다. ②〖法〗재심하다.

[复生] fùshēng 동 ⇨[复活①]

[复式] fùshì 형 복식의. ❑~簿记; 복식 부기 / ~住宅; 복층 주택.

[复述] fùshù 동 되풀이하여 말하다. 복창하다.

[复数] fùshù 명 ①〖言〗복수. ②〖數〗복소수(複素數).

[复苏] fùsū 동 소생하다. 되살아나다. 회복되다. ❑经济~; 경제가 되살아나다 / 万物~; 만물이 소생하다.

[复习] fùxí 동 복습하다. ❑~功课; 수업 내용을 복습하다. =[温习]

[复写] fùxiě 동 (먹지 따위를 대고) 베껴 쓰다. 카본 카피(carbon copy)하다. ❑~纸; 카본지. 먹지.

[复信] fù//xìn 동 답장하다. 답신하다. (fùxìn) 명 답장. 답신. ❑写一封~; 답장을 한 통 쓰다.

[复兴] fùxīng 동 ① 부흥하다. ❑文艺~; 르네상스. 문예 부흥. ② 부흥시키다. ❑~国家; 나라를 부흥시키다.

[复姓] fùxìng 명 복성.

[复学] fù//xué 동 복학하다.

[复印] fùyìn 동 (복사기로) 복사하다. 카피(copy)하다. ❑~三份; 세 부 복사하다 / ~机; 복사기.

[复员] fù//yuán 동〖軍〗제대하다. 퇴역하다. ❑~军人; 퇴역 군인.

[复原] fù//yuán 동 ① 건강을 회복하다. ❑病人身体还没~; 환자의 몸은 아직 회복되지 않았다. =[复元] ② 원상태를 회복하다. 복원하

다. ❏这座城市已经～; 이 도시는 이미 복원되었다.
[复杂] fùzá 형 복잡하다. ❏～的问题; 복잡한 문제.
[复诊] fùzhěn 동〔醫〕 재진(再診)하다.
[复职] fù//zhí 동 복직하다.
[复制] fùzhì 동 복제하다. ❏光盘～; 복제 시디(CD) / ～品; 복제품.

腹 fù (복)
명 ①〔生理〕 배. 복부. ❏～部; 복부. ②〈轉〉 가슴속. 속마음. ③(솥·항아리 따위의) 불룩한 배. ❏瓶～; 병의 중배.
[腹案] fù'àn 명 복안.
[腹背受敌] fùbèi-shòudí 〈成〉 앞뒤로 적의 공격을 받다.
[腹地] fùdì 명 내지(內地). 오지(奧地).
[腹稿] fùgǎo 명 글로 옮기지 않은 원고. 복고(腹稿).
[腹股沟] fùgǔgōu 명〔生理〕 샅. =[鼠蹊]
[腹膜] fùmó 명〔生理〕 복막. ❏～炎; 복막염.
[腹鳍] fùqí 명〔魚〕 배지느러미.
[腹腔] fùqiāng 명〔生理〕 복강. ❏～镜; 복강경.
[腹水] fùshuǐ 명〔醫〕 복수.
[腹痛] fùtòng 명〔醫〕 복통.
[腹泻] fùxiè 동〔醫〕 설사하다. =[〈口〉 拉肚子][〈口〉 拉稀][〈口〉 闹肚子][〈口〉 泻肚]

蝮 fù (복)
→[蝮蛇]
[蝮蛇] fùshé 명〔動〕 살무사.

覆 fù (복, 부)
동 ① 덮어씌우다. 덮어 가리다. ② 뒤집(히)다. 전복되다. 엎어지다. ❏翻天～地; 〈成〉 천지가 뒤집히다. ③⇨[复**A**)]
[覆盖] fùgài 동 가리다. 덮다. 뒤덮다. ❏～在山顶的冰雪; 산꼭대기를 뒤덮고 있는 빙설 / ～面; ⓐ 덮은 면적. ⓑ〈轉〉 파급 범위. 명〔農〕 지면을 덮고 있는 식물《지면을 덮어 토양을 보호함》.
[覆灭] fùmiè 동 복멸하다. 전부 뒤집혀 망하다. ❏全军～; 전군이 복멸하다.
[覆没] fùmò 동 ①〈書〉 (배가) 뒤집혀 침몰하다. ②(군대가) 전멸당하다.
[覆盆子] fùpénzǐ 명〔植〕 복분자.
[覆水难收] fùshuǐ-nánshōu 〈成〉 엎지른 물은 주워 담기 힘들다《(주로, 이혼 따위의) 이미 저지른 일은 되돌릴 수 없다》.
[覆辙] fùzhé 명〈比〉 실패한 방식. 전철(前轍). ❏重chóng蹈～; 〈成〉 같은 실패를 되풀이하다.

馥 fù (복)
명〈書〉 향(香). 향기.
[馥郁] fùyù 형〈書〉 향기가 짙다. 그윽하다. ❏鲜花～; 꽃향기가 그윽하다.

副 fù (부)
① 형 보조의. 제2의. 부. ❏～班长; 부반장 / ～经理; 부사장 / ～主席; 부주석. ② 명 보조 직무(를 담당하는 사람). ❏队～; 부대장. ③ 형 부대적인. 부수적인. ❏～业; ⇩ ④ 동 적합하다. 부합하다. ❏名～其实; 〈成〉 명실상부하다. ⑤ 양 조. 벌. 쌍《한 벌·세트로 된 것을 세는 말》. ❏一～筷子; 젓가락 한 벌 / 一～眼镜; 안경 하나. =[付③] ⑥ 양 얼굴 표정을 나타낼 때 쓰는 말. ❏一～严肃的面孔; 엄숙한 얼굴.
[副本] fùběn 명 ①(서적 원고의) 사본(寫本). ② 부본(副本).
[副标题] fùbiāotí 명 소제목. 부제. =[副题]
[副产品] fùchǎnpǐn 명 부산물. =[副产物]
[副词] fùcí 명〔言〕 부사.
[副歌] fùgē 명〔樂〕 후렴.
[副官] fùguān 명〔軍〕 부관.
[副虹] fùhóng 명 ⇨[霓ní]
[副刊] fùkān 명 (신문의) 문예란이나 학술란. 학예란.
[副品] fùpǐn 명 규격외 제품. 등외품(等外品).
[副热带] fùrèdài 명 ⇨[亚热带]
[副食] fùshí 명 부식. 부식물. 반찬. ❏～店 =[～商店]; 식료품점 / ～品; 부식품. 식료품.
[副手] fùshǒu 명 조수. 보조.
[副题] fùtí 명 ⇨[副标题]
[副修] fùxiū 동 부전공하다. ❏～课; 부전공 과목.
[副业] fùyè 명 부업.
[副作用] fùzuòyòng 명 부작용.

富 fù (부)
① 명 자원. 재산. ❏财～; 재산. ② 형 재산이 많다. 부자이다. ❏贫～; 빈부. ③ 형 풍부하다. 많다. ❏～于养分; 양분이 풍부하다. ④ 동 부유하게 하다. ❏ ～国; ⇩

[富贵] fùguì 형 부귀하다. ❑～病; 〈俗〉 호강병. 사치병《장기 요양이나 보양을 필요로 하는 만성병》.
[富国] fùguó 동 나라를 부유하게 하다. ❑～强兵; 〈成〉 부국강병. 명 부유한 나라. 부국.
[富豪] fùháo 명 부호.
[富丽] fùlì 형 웅대하고 아름답다. 화려하다. ❑～堂皇; 〈成〉 화려하고 웅장하다.
[富农] fùnóng 명 부농.
[富强] fùqiáng 형 부강하다. ❑国家～; 국가가 부강하다.
[富饶] fùráo 형 (산물·자원 따위가) 풍족하다. 풍요롭다. 부유하다.
[富翁] fùwēng 명 부호. 부자. ❑百万～; 백만장자.
[富有] fùyǒu 형 부유하다. 유복하다. ❑～的农民; 부유한 농민. 동 충분히 갖추다. 많이 갖고 있다. ❑～丰富的经验; 풍부한 경험을 갖추고 있다.
[富裕] fùyù 형 부유하다. 유복하다. ❑他家里很～; 그의 집은 아주 부유하다. 동 부유하게 하다.
[富余] fù·yu 동 남아돌다. 넉넉하다. 여유 있다. ❑粮食～; 양식이 넉넉하다.
[富足] fùzú 형 넉넉하다. 풍족하다. ❑生活～; 생활이 풍족하다.

傅 fù (부)
① 동〈書〉 보조하다. 교도(教導)하다. ② 명 사부. 스승. ❑师～; 사부. ③ 동〈書〉 부착시키다. 덧붙이다.

缚(縛) fù (박)
동 묶다. 동이다. ❑束～; 속박하다.

赋(賦) fù (부)
① 동 수여하다. 부여하다. ② 명〈舊〉 농지세. 전답세. ③ 명 부《옛날, 문체(文體)의 일종》. ❑赤壁～; 적벽부. ④ 동 (사(詞)·시(詩)를) 짓다. ❑～诗一首; 시 한 수를 짓다.
[赋税] fùshuì 명 조세. 각종 세금.
[赋有] fùyǒu 동 (성격·기질 따위를) 갖추다. 지니다. ❑～学者风度; 학자다운 풍모를 지니다.
[赋予] fùyǔ 동 (임무·사명 따위를) 부여하다. ❑～使命; 사명을 부여하다.

G

ga ㄍㄚ

夹(夾) gā (협)
→[夹肢窝] ⇒jiā jiá

[夹肢窝] gā·zhiwō 명 ⇒[胳肢窝]

旮 gā (가)
→[旮旯儿]

[旮旯儿] gālár 명〈方〉 ① 구석. ❏墙~; 담 구석. ② 좁고 구석진 곳. 외딴 곳. 호젓한 곳. ❏背~; 벽지 / 山~; 산골짜기.

伽 gā (가)
→[伽利略][伽马] ⇒jiā

[伽利略] Gālìlüè 명〖人〗〈音〉 갈릴레이(Galilei, Galileo)《천문학자, 1564-1642》.

[伽马] gāmǎ 명〈音〉 감마(gamma). ❏~射线 =[γ射线][丙种射线]; 감마선.

咖 gā (가)
→[咖喱] ⇒kā

[咖喱] gālí 명〈音〉 카레(curry). ❏~饭; 카레라이스.

胳 gā (각)
→[胳肢窝] ⇒gē gé

[胳肢窝] gā·zhiwō 명〈口〉 겨드랑이. =[夹gā肢窝]

嘎 gā (알)
의 우르릉. 끽. ❏汽车~的一声停住了; 자동차가 끽 하고 멈췄다.

[嘎巴] gābā 의 우지끈. 딱. 뚝《부러질 때 나는 소리》. ❏~一声筷子折shé了; 뚝 하는 소리를 내며 젓가락이 부러졌다.

[嘎嘎] gāgā 의 꼬꼬. 꽥꽥《오리 따위의 우는 소리》.

[嘎吱] gāzhī 의 삐걱《물체가 압력을 받아 나는 소리》. ❏床板~~; 침대가 삐걱삐걱 소리를 내다.

尬 gà (개)
→[尴gān尬]

gai ㄍㄞ

该(該) gāi (해)
① 조동 …해야 하다. …야 하다. ❏时间不早了, 我们~出发了; 시간이 이르지 않으니 우리는 출발해야만 한다. ② 동 …의 차례이다. …의 순서가 돌아오다. ❏~你发言了; 네가 발언할 차례이다. ③ 동 마땅하다. 당연하다. ❏活~; 꼴좋다. ④ 조동 (결과로서) 틀림없이 …할 것이다. ❏这次考试我不及格, 家里人又~批评我了; 이번 시험에서 불합격했으니, 식구들이 또 나를 꾸짖을 것이다. ⑤ 동 빚지다. ❏这一百万块钱我~了你一年多了; 이 백만 위안은 내가 너에게 빚진 지 1년이 넘었다 ⑥ 대 이. 그. 저《주로, 공문서에서 쓰이는 말》. ❏~公司; 이 회사 / ~国; 이 나라.

[该当] gāidāng 조동 당연히 …해야 한다. …하는 것은 당연하다. ❏是我的错儿, 我~受罚; 내 잘못이니 내가 벌을 받아야 한다.

[该死] gāisǐ 동〈口〉 빌어먹을. 제기랄《분노·혐오·원망의 기분을 나타냄》. ❏你这~的家伙! 이 빌어먹을 놈의 자식!

[该着] gāizháo 동 아무래도 …가 될 운명이다. …할 팔자다. ❏~他成名; 그는 아무래도 유명해질 운명이다.

改 gǎi (개)
동 ① 변하다. 달라지다. ❏他的性格一点也没~; 그의 성격은 조금도 변하지 않았다. ② 바꾸다. 변경하다. ❏开会的时间~了; 회의 시간이 변경되었다. ③ (잘못을) 바로잡다. 고치다. 개정하다. ❏有错误一定要~; 잘못이 있으면 반드시 고쳐야 한다. ④ 고치다. 정정하다. 수정하다. ❏~文章; 문장을 수정하다.

[改编] gǎibiān 동 ①〖映〗 각색하다. ② 개편하다. 재편성하다. ❏~军队; 군대를 개편하다.

[改变] gǎibiàn 동 ① 변하다. 바뀌다. 달라지다. ❏人们的想法~了; 사람들의 생각이 달라졌다. ② 바꾸다. 변경하다. ❏~态度; 태도를 바꾸다 / ~主意; 생각을 바꾸다.

[改道] gǎi//dào 동 ① 노선을 바꾸다. 코스를 변경하다. ❏他们决定~先去上海; 그들은 노선을 바꿔 먼저 상하이로 가기로 결정했다. ② (강이 범람하여) 물길이 바뀌다. ❏黄河~; 황허 강(黄河)의 물길이 바뀌다.

[改动] gǎidòng 동 (문자·항목·순서 따위를) 고치다. 바꾸다. 변동하다. ❏列车时刻表没有~; 열차 시

간표가 바뀌지 않았다.
[改革] gǎigé 동 개혁하다. ❏ ~制度; 제도를 개혁하다.
[改观] gǎiguān 동 변모하다. 모습을 바꾸다. 면모를 일신하다.
[改过] gǎiguò 동 잘못을 고치다. 뉘우쳐 고치다. ❏ ~自新; 〈成〉 잘못을 고치고 새사람이 되다.
[改行] gǎi//háng 동 전업(轉業)하다. 직업을 바꾸다.
[改换] gǎihuàn 동 (다른 것으로) 바꾸다. ❏ ~生活方式; 생활 방식을 바꾸다.
[改悔] gǎihuǐ 동 마음을 고쳐먹다. 개심하다.
[改嫁] gǎi//jià 동 (여자가) 재혼하다. 개가하다. =[再嫁]
[改建] gǎijiàn 동 개축하다. 재건하다.
[改进] gǎijìn 동 개진하다. 개선하다. 개량하다. ❏ ~教学方法; 교수법을 개선하다.
[改口] gǎi//kǒu 동 ① 말을 바꾸다. 고쳐 말하다. 말투를 바꾸다. ❏ 他发觉说得不妥, 连忙~; 그는 말한 것이 타당하지 않다는 것을 깨닫고 급히 말을 바꿨다. ② 호칭을 바꾸다. 바꿔 부르다. ‖ =[〈口〉改嘴]
[改良] gǎiliáng 동 ① 개량하다. ❏ ~土壤; 토양을 개량하다 / ~主义; 개량주의. ② 개선하다.
[改期] gǎi//qī 동 기일이나 예정일을 변경하다.
[改日] gǎirì 부 ⇨[改天]
[改善] gǎishàn 동 개선하다. ❏ ~生活; 생활을 개선하다.
[改天] gǎitiān 부 후일. 다른 날. 나중에. ❏ ~再说吧; 다른 날 다시 얘기하자. =[改日]
[改天换地] gǎitiān-huàndì 〈成〉 ① 자연을 완전히 개조하다. ② 세상을 완전히 바꾸다.
[改头换面] gǎitóu-huànmiàn 〈成〉 내용은 그대로 두고 겉만 바꾸다.
[改弦更张] gǎixián-gēngzhāng 〈成〉 거문고의 줄을 갈다《방법이나 태도를 바꾸다》.
[改邪归正] gǎixié-guīzhèng 〈成〉 나쁜 일에서 손을 떼고 정도(正道)로 되돌아오다.
[改写] gǎixiě 동 ① (원고 따위를) 고쳐 쓰다. ② 각색하다. 개작하다.
[改选] gǎixuǎn 동 재선거하다. 재선출하다. ❏ ~班长; 반장을 재선출하다.
[改造] gǎizào 동 ① 개조하다. ❏ ~思想; 사상을 개조하다. ② 개혁하다. ❏ ~机构; 기구를 개혁하다.
[改正] gǎizhèng 동 (잘못된 부분을) 바로잡다. 시정하다. 정정하다. ❏ ~姿势; 자세를 바로잡다.
[改锥] gǎizhuī 명 ⇨[螺丝刀]
[改组] gǎizǔ 동 개조하다. 개편하다. ❏ ~内阁; 내각을 개편하다.
[改嘴] gǎi//zuǐ 동〈口〉 ⇨[改口]

丐 gài (개)
동〈書〉 ① 구걸하다. 애걸하다. ② 주다. 베풀다.

钙(鈣) gài (개)
명〖化〗 칼슘(Ca: calcium). ❏ 氯化~; 염화칼슘.

盖(蓋) gài (개)
① (~儿) 명 뚜껑. 덮개. ❏ 锅~; 냄비 뚜껑. ② (~儿) 명 동물의 등딱지. ❏ 螃蟹~儿; 게딱지. ③ 동 덮다. 가리다. ❏ ~被子; 이불을 덮다 / ~盖子; 뚜껑을 덮다. ④ 동 (도장을) 찍다. ❏ ~图章; 도장을 찍다. ⑤ 동 압도하다. ❏ 他的成绩~过了所有的选手; 그의 성적은 모든 선수를 압도했다. ⑥ 동 건축하다. 짓다. ❏ ~房子; 집을 짓다.
[盖菜] gàicài 명〖植〗 갓. =[芥菜②]
[盖饭] gàifàn 명 덮밥. =[盖浇饭]
[盖棺论定] gàiguān-lùndìng 〈成〉 사람에 대한 평가는 죽은 후에야 결정된다.
[盖浇饭] gàijiāofàn 명 ⇨[盖饭]
[盖世] gàishì 동 (재능·공적 따위가) 세상에서 으뜸가다. 당대 제일이다. ❏ ~无双; 〈成〉 천하무쌍이다.
[盖章] gài//zhāng 동 도장을 찍다. 날인하다.
[盖子] gài·zi 명 ① 뚜껑. 덮개. ② 동물의 등딱지.

溉 gài (개)
동〈書〉 물을 붓다. ❏ 灌~; 관개하다.

概 gài (개)
① 부 대강. 대략. ② 부 모두. 일체. ❏ 一~俱全; 모두 구비되어 있다. ③ 명 절조. 기개. 기풍.
[概况] gàikuàng 명 개황. 대체적인 상황.
[概括] gàikuò 동 개괄하다. 총괄

하다. ❏~出共同特点; 공통된 특징을 총괄해 내다. 형 간단하게 요약되다. 간단명료하다. ❏谈得很~; 말이 매우 간단명료하다.

[概率] gàilǜ 명〖數〗확률. =[几jī率][或然率]

[概略] gàilüè 명 개요. 개략. 대요. 형 대략적이다. 간단히 요약하다. ❏~说明; 간단히 요약하여 설명하다.

[概论] gàilùn 명 개론.

[概念] gàiniàn 명〖哲〗개념. ❏~化; 개념화하다.

[概数] gàishù 명 대략적인 수.

[概算] gàisuàn 동 개산하다. 어림잡아 계산하다. 명 개산.

[概要] gàiyào 명 개요.

gan ㄍㄢ

干(乾)[B)] gān (간) A) ① 명 방패. ② 동〈書〉저촉되다. 범하다. ❏~犯; ⇓ ③ 동 관계되다. 상관되다. 관련하다. ❏这事与你何~? 이 일이 너와 무슨 상관이 있느냐? ④ 명 천간(天干). ❏~支; ⇓ B) ① 형 마르다. 건조하다. ❏水库都快~了; 저수지가 다 말라 간다. ② 형 물을 사용하지 않은. ❏~洗; ⇓ ③(~儿) 명 가공하여 말린 식품. ❏葡萄~儿; 건포도. ④ 형 텅 비다. 모조리 …해 버리다. ❏他把钱都花~了; 그는 돈을 모조리 써 버렸다. ⑤ 형 형식적인. 건성의. ❏~笑; ⇓ ⑥ 형 (혈연 관계가 없이) 의리로 맺어진. 수양의. ❏~女儿; 수양딸 / ~爹; ⇓ ⑦ 부 헛되이. 그저. 쓸데없이. 공연히. ❏~着急; ⇓ ⑧ 동〈方〉대놓고 말하다. 면박을 주다. ❏我~了他一顿; 나는 그에게 한바탕 면박을 줬다. ⑨ 동〈方〉홀대하다. 냉대하다. 방치하다. ❏别把客人~在那里; 손님을 그곳에 방치하지 마라. ⇒gàn, '乾' qián

[干巴] gān·ba 형〈口〉① 말라서 딱딱하다. 말라비틀어지다. 쪼글쪼글하다. ❏苹果都~了; 사과가 모두 말라비틀어졌다. ②(피부가) 까칠하다. 쭈글쭈글하다. ❏人一老, 皮肤也~了; 사람이 늙으면 피부도 쭈글쭈글해진다. ③(말·문장 따위가) 무미건조하다. 생동감이 없다.

[干巴巴(的)] gānbābā(·de) 형 ① 바싹 마르다. 건조하다. ❏地里~的; 땅이 바싹 말랐다. ②(말·글의 내용이) 무미건조하다. 생동감이 없다. ❏讲话~的, 谁爱听? 이야기가 무미건조한데 누가 듣고 싶어하겠냐?

[干杯] gān//bēi 동 건배하다. ❏为世界和平~! 세계 평화를 위해 건배!

[干瘪] gānbiě 형 ① 말라비틀어지다. 바싹 말라 쪼글쪼글하다. ❏~水果; 바싹 말라 쪼글쪼글한 과일. ②(문장의 내용 따위가) 무미건조하다. ❏这篇论文太~了; 이 논문은 너무 무미건조하다.

[干冰] gānbīng 명 드라이아이스(dry ice).

[干草] gāncǎo 명 말린 풀. 건초.

[干脆] gāncuì 형 시원스럽다. 거침없다. ❏说话说得很~; 말을 아주 시원시원하게 하다. 부 차라리. 아예. ❏那人不讲理, ~别理他; 그가 막무가내로 나오니 차라리 그를 무시해 버려라.

[干打雷, 不下雨] gān dǎléi, bù xiàyǔ〈諺〉큰소리치고 허세만 부리며 행동에 옮기지는 않다.

[干瞪眼] gāndèngyǎn 옆에서 조바심만 낼 뿐 어쩔 방법이 없다. 속수무책이다.

[干电池] gāndiànchí 명〖化〗건전지.

[干爹] gāndiē 명 수양아버지. 의부.

[干儿子] gān'ér·zi 명 수양아들.

[干犯] gānfàn 동 범하다. 위반하다. ❏~国法; 국법을 범하다.

[干饭] gānfàn ① 명 국 없이 먹는 밥. 마른밥. ②→[吃干饭]

[干戈] gāngē 명 방패와 창. 무기. 〈轉〉전쟁.

[干果] gānguǒ 명 ① 건과. ② 말린 과일. 건조과.

[干旱] gānhàn 형 가물다. ❏天气~; 날씨가 가물다.

[干涸] gānhé 동 (호수·연못 따위의) 물이 마르다. ❏井水~; 우물물이 마르다. =[干枯③]

[干花] gānhuā 명 말린 꽃. 드라이플라워(dry flower).

[干急] gānjí 동 ⇨[干着急]

[干季] gānjì 동 건계. 건조기.

[干结] gānjié 동 (수분이 적어서) 굳다. 딱딱해지다. ❏大便~; 대변

이 딱딱해지다.

[干净] gānjìng 형 ① 깨끗하다. 깔끔하다. ❏院子很~; 마당이 매우 깨끗하다. ② 조금도 남김 없다. ❏饭要吃~; 밥은 남김 없이 먹어야 한다. ③(말·일처리 따위가) 시원시원하다. 깔끔하다. 똑소리 나다. ❏办事~利落; 일처리가 깔끔하고 시원스럽다.

[干咳] gānké 동 마른기침을 하다.

[干枯] gānkū 형 ①(초목이) 바싹 마르다. 시들다. ❏~木; 바싹 마른 나무. ②(피부가) 건조하다. ❏~的皮肤; 건조한 피부. ③ ⇨[干涸]

[干酪] gānlào 명 치즈(cheese).

[干冷] gānlěng 형 건조하고 춥다.

[干粮] gān·liang 명 (떡·만두·볶은 쌀·미숫가루 따위의) 건량.

[干妈] gānmā 명 수양어머니. 의모. =[干娘]

[干扰] gānrǎo 동 ① 방해하다. 교란시키다. ❏他正在学习, 你不要~他; 그는 지금 공부 중이니 그를 방해하지 마라. ②〖電〗(전파·신호 따위를) 방해하다. 간섭하다.

[干涉] gānshè 동 ① 간섭하다. ❏~内政; 내정에 간섭하다. ②〈書〉관계하다. 관련하다. ❏二者了liǎo无~; 양자는 전혀 관계가 없다.

[干瘦] gānshòu 형 빼빼하다. 말라빠지다.

[干松] gān·song 형〈方〉보송보송 마르다.

[干洗] gānxǐ 동 드라이클리닝(dry cleaning)하다.

[干笑] gānxiào 동 억지웃음을 짓다.

[干预] gānyù 동 (남의 일에) 관여하다. 참견하다. 상관하다. ❏请别~我们的事; 우리 일에 참견하지 말아 주세요. =[干与yù]

[干哕] gān·yue 동〈口〉헛구역질하다.

[干燥] gānzào 형 ① 건조하다. ❏天气太~; 날씨가 너무 건조하다. ② 재미없다. 무미건조하다. ❏~无味; 무미건조하다.

[干着急] gānzháojí 쓸데없이 조바심 내다. 헛되이 애태우다. =[干急]

[干支] gānzhī 명 간지《천간(天干)과 지지(地支)》.

杆 gān (간)

(~儿) 명 장대. 기둥《주로, 지면에 세우는 것》. ❏电线~; 전신주 / 桅~; 돛대. ⇒gǎn

[杆子] gān·zi 명 장대. 기둥. ⇒gǎn·zi

肝 gān (간)

명〖生理〗간. 간장(肝臟). =[肝脏]

[肝癌] gān'ái 명〖醫〗간암.

[肝肠] gāncháng 명 간과 창자. 간장.〈比〉마음. 가슴. ❏~寸断;〈成〉가슴이 찢어지듯 슬프다.

[肝胆] gāndǎn 명〈比〉① 진심. 성의. ❏~相照;〈成〉서로 진심을 터놓고 대하다. ② 용기. 혈기. ❏~过人;〈成〉용기가 뛰어나다.

[肝功能] gāngōngnéng 명〖醫〗간기능.

[肝火] gānhuǒ 명 분통. 부아. 짜증. 신경질. ❏动~; 신경질을 내다.

[肝气] gānqì 명 ①〖中醫〗간기울결. ② 화. 울화통. 짜증. ❏犯~; 화를 내다.

[肝炎] gānyán 명〖醫〗간염.

[肝硬化] gānyìnghuà 명〖醫〗간경화. =[肝硬变]

[肝脏] gānzàng 명 ⇨[肝]

竿 gān (간)

(~儿) 명 (대나무) 장대. ❏钓~; 낚싯대.

[竿子] gān·zi 명 (대나무) 장대.

甘 gān (감)

① 형 달다. 달콤하다. ❏~甜; ⇩ ② 동 만족하다. 유쾌하다.

[甘拜下风] gānbài-xiàfēng〈成〉남보다 못함을 스스로 인정하다.

[甘草] gāncǎo 명〖植〗감초.

[甘地] Gāndì 명〖人〗〈音〉간디(Gandhi)《인도의 정치가, 1869–1948》.

[甘苦] gānkǔ 명 ① 즐거움과 괴로움. 기쁨과 고통. ❏共享~;〈成〉기쁨과 고통을 함께 나누다. ② 경험 속에서 체득한 감고(甘苦). 인생의 맛.

[甘蓝] gānlán 명〖植〗양배추.

[甘霖] gānlín 명 단비.

[甘露] gānlù 명 감로(甘露).

[甘美] gānměi 형 달콤하다. 감미롭다.

[甘薯] gānshǔ 명〖植〗고구마. =[红薯][白薯][〈方〉番薯][〈方〉山芋][〈方〉芋yù头②][〈方〉地瓜]

[甘甜] gāntián 형 달다.

[甘心] gānxīn 동 ① 기꺼이 원하다. 달가워하다. ❏~忍受; 기꺼이 견디다. ② 만족해하다. ❏达不到目的, 绝不~; 목표를 달성하지 못하면 절대 만족하지 않는다.
[甘休] gānxiū 동 기꺼이 손을 떼다. 그만두다. ❏不肯~; 그만두려 하지 않다.
[甘油] gānyóu 명〖化〗글리세린(glycerine).
[甘于] gānyú 동 달갑게 여기다. 감수하다. ❏不~落后; 낙후된 것을 달갑게 여기지 않다.
[甘愿] gānyuàn 동 기꺼이 …하다. ❏~为大家服务; 기꺼이 모두를 위해 봉사하다.
[甘蔗] gān·zhe 명〖植〗사탕수수.

泔 gān (감)
명 (주방의) 구정물. 개숫물.
[泔水] gān·shui 명 (주방의) 구정물. 개숫물. ❏~桶; 개수통. =[〈方〉泔脚]

坩 gān (감)
명〈書〉(물건을 담는) 도기. 오지그릇.
[坩埚] gānguō 명 도가니.

柑 gān (감)
명〖植〗① 감자나무. 홍귤나무. ② 감자(柑子). ‖ =[〈方〉柑子]
[柑橘] gānjú 명〖植〗감귤.
[柑子] gān·zi 명〈方〉⇨[柑]

疳 gān (감)
명〖中醫〗감병(疳病). 감. =[疳积]

尴(尷) gān (감)
→[尴尬]
[尴尬] gāngà 형 ① (입장이) 거북하다. 난처하다. 난감하다. 곤란하다. ❏处境~; 처지가 난처하다. ② (태도·표정이) 부자연스럽다. 이상하다. 어색하다. ❏他~地笑了; 그는 어색하게 웃었다.

杆 gǎn (간)
① (~儿) 명 (손잡이·핸들 따위의) 막대 자루. ❏笔~; 붓대/烟袋~; 담뱃대. ② 양 대. 자루(자루가 있는 기물을 세는 말). ❏一~枪; 총 한 자루. ⇒gān
[杆秤] gǎnchèng 명 대저울.
[杆菌] gǎnjūn 명〖生〗간균.
[杆子] gǎn·zi 명 막대 자루. ⇒gān·zi

秆 gǎn (간)
(~儿) 명 (벼·보리 따위의) 줄기. 대. ❏麦~; 보릿대.
[秆子] gǎn·zi 명 (벼·보리 따위의) 대. 줄기.

赶(趕) gǎn (간)
① 동 뒤쫓다. 따라가다. ❏猎犬~着兔子下山了; 사냥개가 토끼를 쫓으며 산을 내려왔다. ② 동 더 빨리 하다. 서두르다. 다그치다. ❏~着制作所需的道具; 필요한 도구를 서둘러 제작하다. ③ 동 (어떤 장소에) 가다. ❏~集; ⇩ ④ 동 (가축·탈것 따위를) 몰다. 부리다. ❏把牛车~回去; 우마차를 몰고 돌아가다. ⑤ 동 내쫓다. 몰아내다. ❏再闹, 就~他出去; 다시 떠들면 그를 내쫓아 버려라. ⑥ 동 (기회를) 타다. (어떤 상황을) 만나다. ❏~上了好机会; 좋은 기회를 얻었다. ⑦ 개〈口〉…때가 되어. …에 이르러. ❏那批货~下月就能到; 그 화물은 다음 달이나 되어야 도착할 수 있다.
[赶不及] gǎn·bují 동 시간에 대지 못하다. ❏车七点开, 去晚了就~了; 차는 일곱 시에 떠나는데, 늦게 가면 차를 놓친다.
[赶不上] gǎn·bushàng 동 ① 따라가지 못하다. 따라잡을 수 없다. ❏他骑车太快, 我~; 그가 자전거를 너무 빨리 몰아서 나는 따라잡을 수 없다/我的功课~他; 내 성적으로는 그를 따라잡을 수 없다. ② (시간에) 댈 수 없다. ❏现在不动身, 就~火车了; 지금 출발하지 않으면 기차를 놓친다. ③ 만날 수 없다. 만나지 못하다. ❏好事我总~; 좋은 일을 나는 늘 만나지 못한다.
[赶超] gǎnchāo 동 따라가 앞지르다. 추월하다.
[赶得及] gǎn·dejí 동 시간에 댈 수 있다.
[赶得上] gǎn·deshàng 동 ① 따라잡을 수 있다. 따라갈 수 있다. ❏你的功课~他吗? 너의 성적으로 그를 따라갈 수 있겠니? ② 제때에 대다. 시간에 댈 수 있다. ❏你现在去, 还~跟他们告别; 네가 지금 가면 그들에게 작별 인사를 할 수 있다. ③ 때를 만나다. ❏~好天气, 去郊游吧; 날씨가 좋으면 교외로 놀러 가자.
[赶集] gǎn∥jí 동 장에 가다.
[赶紧] gǎnjǐn 부 서둘러. 빨리. 얼른. ❏收到家里来信, 他~写了回信; 집에서 온 편지를 받고 그는 서

G

둘러 답장을 썼다.

[赶快] gǎnkuài 부 속히. 서둘러. 빨리. 어서. 얼른. ❑我在这儿等你, 你~来; 내가 여기서 기다릴 테니 빨리 와라.

[赶浪头] gǎn làng·tou 시대의 조류를 타다[편승하다].

[赶路] gǎn//lù 동 길을 서두르다[재촉하다]. ❑天快黑了, 咱们得děi快点~; 날이 저물려고 하니 길을 서두르자.

[赶忙] gǎnmáng 부 재빨리. 급히. 서둘러. ❑背上书包~上学去了; 가방을 메고 서둘러 학교에 갔다.

[赶巧(儿)] gǎnqiǎo(r) 부 마침 그때. 공교롭게. 때마침. ❑我去找他, ~他不在家; 내가 그를 방문했을 때 마침 그는 집에 없었다.

[赶上] gǎn//·shàng 동 ①(노력해서) 따라가다. 따라잡다. ❑~时代的发展; 시대의 발전을 따라가다. ② 시간에 대다. ❑我刚好~开幕式; 나는 개막식 시간에 딱 맞추어 왔다. ③(우연히) 만나다. 맞닥뜨리다. ❑在回家路上~一场雨; 집에 돌아오는 길에 비를 만났다.

[赶时髦] gǎn shímáo 유행을 좇다.

[赶鸭子上架] gǎn yā·zi shàng jià 〈謔〉 능력이 미치지 못하는 일을 억지로 강요하다. =[打鸭子上架]

[赶走] gǎnzǒu 동 쫓아내다. 쫓다. 쫓아 버리다. ❑你再胡闹, 我就把你~; 또 소란을 피우면 내가 너를 쫓아낼 것이다.

擀 gǎn (간)
동 (밀방망이로) 밀다. ❑~饺子皮; 만두피를 밀다.

[擀面杖] gǎnmiànzhàng 명 밀방망이.

敢 gǎn (감)
① 형 용기 있다. 대담하다. ❑勇~; 용감하다. ② 조동 대담하게 …하다. 감히 …하다. 엄두를 내다. ❑~想~干; 〈成〉 대담하게 생각하고 대담하게 행하다. ③ 조동 감히 …하다《자신 있게 어떤 판단을 내림》. ❑我~说, 这孩子将来有出息; 나는 이 아이가 장래성이 있다고 감히 말할 수 있다. ④ 부〈書〉〈謙〉 감히. 외람되게도. ❑ ~请; 감히 부탁드립니다.

[敢死队] gǎnsǐduì 명 결사대.

[敢于] gǎnyú 동 감히 …하다. 대담하게 …하다. 용감하게 …하다. ❑~拼搏; 대담하게 맞붙어 싸우다.

[敢作敢为] gǎnzuò-gǎnwéi 〈成〉 과감하게 일을 하다.

橄 gǎn (감)
→[橄榄]

[橄榄] gǎnlǎn 명 ①〖植〗 감람나무. ② 감람. =[〈方〉 青果] ③ ⇨[油橄榄] ❑~油; 올리브유.

[橄榄球] gǎnlǎnqiú 명〖體〗 ① 럭비. ② 럭비공.

感 gǎn (감)
① 동 느끼다. ❑~兴趣; 흥미를 느끼다. ② 동 감사하다. ❑深~厚谊; 두터운 정의에 깊이 감사하다. ③ 동 감동하다. 감동시키다. ❑这个故事很~人; 이 이야기는 매우 감동적이다. ④ 명 감정. 느낌. ❑百~交集; 〈成〉 만감이 교차하다. ⑤ 명〖中醫〗 감기.

[感触] gǎnchù 명 감개. 감상. 감동. ❑看到家乡的巨变, ~很深; 고향의 엄청난 변화를 보니 감개무량하다.

[感到] gǎndào 동 느끼다. ❑我也~了他对我们很关心; 나도 그가 우리에게 매우 관심을 가져 준다고 느꼈다.

[感动] gǎndòng 형 감동하다. ❑深受~; 깊이 감동하다. 동 감동시키다. ❑我的这句话把他~了; 나의 이 말은 그를 감동시켰다.

[感恩] gǎn//ēn 동 은혜에 감사하다. ❑~戴德; 〈成〉 베풀어 준 은덕에 감격하다 / ~图报; 〈成〉 은혜에 보답하기 위해 힘쓰다.

[感官] gǎnguān 명〈簡〉 ⇨[感觉器官]

[感光] gǎn//guāng 동〖化〗 감광하다. ❑~片; 감광 필름 / ~纸; 감광지.

[感化] gǎnhuà 동 감화하다.

[感怀] gǎnhuái 동 감회에 젖다. ❑~身世; 일신의 처지를 생각하고 감회에 젖다.

[感激] gǎnjī 동 감사하다. 감격하다. ❑我非常~他; 나는 그에게 무척 감사한다.

[感觉] gǎnjué 동 느끼다. 감지하다. 여기다. ❑他~到自己已经年老了; 그는 자신이 이미 늙었다고 느낀다. 명 감각. 느낌. 기분. ❑~不好; 느낌이 안 좋다.

[感觉器官] gǎnjué qìguān 〖生

理〗 감각 기관. =[〈簡〉 感官]
[感觉神经] gǎnjué shénjīng 〖生理〗 감각 신경. =[传人神经]
[感慨] gǎnkǎi 동 감개하다. ❑ ~万端; 〈成〉 감개무량하다.
[感冒] gǎnmào 명 감기. ❑ 患~; 감기를 앓다 / ~药; 감기약. 동 감기 걸리다. ‖ =[伤风]
[感情] gǎnqíng 명 ① 감정. 기분. 마음. ❑ ~用事; 〈成〉 감정에 의해 일을 처리하다. ② 애정. 친근감. ❑ 有了~; 애정이 생겨나다.
[感染] gǎnrǎn 동 ① 감염되다. ❑ ~疾病; 질병에 감염되다. ② (다른 사람에게) 영향을 주다. 감화시키다. ❑ 她的乐观情绪~了我; 그녀의 낙관적인 정서는 나를 감화시켰다 / ~力; 감화력.
[感人] gǎnrén 형 감동을 주다. 감격적이다. 감동적이다. ❑ ~肺腑; 〈成〉 마음에 깊은 감동을 주다 / ~的场面; 감격적인 장면.
[感伤] gǎnshāng 형 슬프다. 슬퍼하다. ❑ ~自己的身世; 자신의 처지를 슬퍼하다.
[感受] gǎnshòu 동 (영향을) 받다. 감수하다. ❑ ~到压力; 스트레스를 받다. 명 인상. 느낌. 체험. ❑ 生活~; 생활 체험.
[感叹] gǎntàn 동 감탄하다. ❑ ~不已; 감탄해 마지않다 / ~句; 감탄문.
[感叹词] gǎntàncí 명 ⇨[叹词]
[感叹号] gǎntànhào 명 ⇨[叹号]
[感想] gǎnxiǎng 명 감상(感想).
[感谢] gǎnxiè 동 감사하다. ❑ ~不尽; 감사하기 그지없다.
[感性] gǎnxìng 형 감성적이다. ❑ ~认识; 감성적 인식.
[感应] gǎnyìng 동 ① 감응하다. ❑ 心理~; 마음이 감응하다. ② 〖電〗 유도하다. 감응하다. ❑ ~电流; 감응 전류. 유도 전류.

干(幹) gàn (간) ① 명 사물의 주체. 가장 중요한 부분. ❑ 骨~; 골간. ② 명 간부. ❑ 高~; 고관. ③ 동 하다. ❑ 你~什么? 너 뭐하는 거니? ④ 형 유능하다. 능력 있다. ❑ ~才; ⇩ ⑤ 동 담당하다. 맡다. 종사하다. ❑ 他~过秘书; 그는 비서를 맡은 적이 있다. ⇒gān
[干部] gànbù 명 간부. ❑ 高级~; 고위 간부.
[干才] gàncái 명 ① (일을 처리하는) 능력. 재능. 솜씨. ❑ 他缺乏~; 그는 능력이 모자라다. ② 능수꾼. 유능한 사람.
[干道] gàndào 명 간선 도로.
[干掉] gàn//diào 동〈口〉 해치우다. 죽이다. ❑ 他~了两个哨兵; 그는 보초병 두 명을 해치웠다.
[干活儿] gàn//huór 동 일을 하다.
[干将] gànjiàng 명 수완가. 민완가.
[干劲(儿)] gànjìn(r) 명 (일에 대한) 정열. 열의. 의욕. ❑ ~十足; 열의가 넘치다.
[干练] gànliàn 형 재능 있고 숙달하다. 수완 있다. ❑ 他是个~的; 그는 상당한 수완가이다.
[干流] gànliú 명 본류(本流). 주류. =[主流①]
[干吗] gànmá 대〈口〉 왜. 어째서. ❑ ~不接着钱? 왜 돈을 안 받느냐?
[干什么] gàn shén·me 왜. 어째서. ❑ 你~不早说呀? 너 왜 진작 말하지 않았니?
[干事] gàn·shi 명 간사. 책임자. 담당자. ❑ 文娱~; 오락 책임자.
[干细胞] gànxìbāo 명〖生〗 줄기세포. 간세포(幹細胞).
[干线] gànxiàn 명 간선.

绀(紺) gàn (감) 명〖色〗 감색.
[绀青] gànqīng 형 감청색을 띠다. =[绀紫]

gang ㄍㄤ

冈(岡) gāng (강) 명 낮은 산. 언덕. ❑ ~峦; 연이어진 언덕.

刚(剛) gāng (강) ① 형 굳세다. 강경하다. 드세다. 단단하다. ❑ 性子太~; 성격이 너무 드세다 / ~健; ⇩ ② 부 마침. 알맞게. 꼭. ❑ ~合适; 딱 알맞다. ③ 부 겨우. 간신히. ❑ 别人都作六道题了, 他~作了一道; 다른 사람들은 다 여섯 문제를 풀었는데, 그는 겨우 한 문제를 풀었다. ④ 부 지금 막. 바로. 금방. 방금. ❑ 他~走了; 그는 방금 갔다. ⑤ 부 …자마자. …자 (('就' 와 호응하여 두 사실이 시간적으로 밀착함을 나타냄)). ❑ 他的

G

病~好一点儿就去上班了; 그는 병이 조금 나아지자마자 바로 출근했다.

[刚愎自用] gāngbì-zìyòng 〈成〉 고집스럽게 제멋대로 하다.

[刚才] gāngcái 명 조금 전. 방금 전. ❏你~去什么地方了? 너 조금 전에 어디 갔었니?

[刚刚] gānggāng 부 ① 겨우. 간신히. ❏~有十个; 열 개가 될까말까 하다. ② 꼭. 마침. ❏~好; 딱 좋다. ③ 방금. 금방. ❏~出屉儿的包子; 찜통에서 금방 꺼낸 만두.

[刚好] gānghǎo 형 꼭 알맞다. 딱 좋다. ❏时间~; 시간이 딱 좋다. 부 마침. 바로. 꼭. ❏我去找他, ~他在家; 그를 찾아갔는데, 마침 그가 있었다.

[刚健] gāngjiàn 형 강건하다. 늠름하다. ❏身姿~; 자태가 늠름하다.

[刚劲] gāngjìng 형 늠름하다. 힘차다. ❏笔力~; 필력이 힘차다.

[刚强] gāngqiáng 형 (성격·의지가) 강하다. 굳세다.

[刚巧] gāngqiǎo 부 마침. 바로. ❏下了火车,~遇上了熟人; 기차에서 내렸을 때 마침 아는 사람을 만났다.

[刚毅] gāngyì 형 의지가 굳다. 의연하다.

[刚正] gāngzhèng 형 의지가 강하고 정직하다. 강하고 바르다.

[刚直] gāngzhí 형 강직하다.

纲(綱) gāng (강) 명 ① (그물의) 벼리. ② 〈比〉 대강(大綱). 요점. ❏大~; 대강. ③〔生〕강(綱).

[纲举目张] gāngjǔ-mùzhāng 〈成〉 ① 요점을 파악하면 그 밖의 부분은 이에 따라 해결된다. ② 글이 조리 있고 분명하다.

[纲领] gānglǐng 명 강령. 대강(大綱).

[纲目] gāngmù 명 강목. 대요(大要)와 세목(細目).

[纲要] gāngyào 명 ① 강요. 대요(大要). 제요(提要). ② 개요(概要).

钢(鋼) gāng (강) 명〔工〕강철. ⇒gàng

[钢板] gāngbǎn 명 ①〔工〕강판. ② 등사판용 줄판.

[钢笔] gāngbǐ 명 펜(pen).

[钢材] gāngcái 명 강재.

[钢骨] gānggǔ 명 철골.

[钢管] gāngguǎn 명〔工〕강관(鋼管). 강철 파이프.

[钢轨] gāngguǐ 명 레일(rail). 궤철(軌鐵). 궤조(軌條). =[铁轨]

[钢筋] gāngjīn 명〔建〕철근. ❏~混凝土; 철근 콘크리트.

[钢精] gāngjīng 명 (생활용품 제조용의) 알루미늄(aluminium). ❏~锅; 알루미늄 냄비. =[钢种]

[钢盔] gāngkuī 명 헬멧(helmet). 철모.

[钢琴] gāngqín 명〔樂〕피아노(piano). ❏弹~; 피아노를 치다 / ~家 =[~师]; 피아니스트.

[钢水] gāngshuǐ 명 강철 용액. 쇳물.

[钢丝] gāngsī 명 강철 철사. 와이어(wire). 스틸 와이어(steel wire). ❏~锯; 실톱 / ~绳; 강삭(綱索).

[钢铁] gāngtiě 명 강철. ❏~厂; 강철 공장. 형〈比〉 단단하고 강한. 의지나 신념이 확고한. ❏~汉; 불굴의 사나이 / ~意志; 강철 의지.

[钢种] gāngzhǒng 명 ⇒[钢精]

扛 gāng (강) 동 ①〈書〉 두 손으로 들어 올리다. ②〈方〉 (물체를) 들다. ⇒káng

肛 gāng (항) 명〔生理〕항문(肛門)에서 항문관까지의 총칭.

[肛门] gāngmén 명〔生理〕항문.

缸 gāng (항) 명 ① (~儿) 독. 항아리. ❏酒~; 술독 / 鱼~; 어항. ② 질그릇. 오지그릇. ③ 항아리 모양의 기물.

[缸子] gāng·zi 명 작고 아담한 원통형 독. 항아리. 머그(mug). ❏茶~; 머그잔.

岗(崗) gǎng (강) 명 ① (~儿) 낮은 산. 언덕. ② (~儿) 평면 위에 길게 붕긋 솟은 것. ③ 파수 보는 곳. 초소. ❏站~; 보초 서다. ④ 직위. 직장. ❏下~; 퇴직하다.

[岗楼] gǎnglóu 명 망루. 망대.

[岗哨] gǎngshào 명 ① 초소. 보초소. ② 보초.

[岗亭] gǎngtíng 명 초소(哨所). 파출소. 검문소.

[岗位] gǎngwèi 명 ① 파출소. 검문소. ② 직책. 직위.

[岗子] gǎng·zi 명 ① 낮은 산. 언덕. ② 평면 위에 길게 붕긋 솟은 부분.

港 gǎng (항) 명 ① 항구. 항만. ❑不冻~; 부동항. ② 공항. 비행장. ❑飞机离~; 비행기가 공항을 떠나다. ③ (Gǎng) 〖地〗〈簡〉 '香港'(홍콩)의 약칭. ❑~币; 홍콩 달러 / ~商; 홍콩 상인.

[港口] gǎngkǒu 명 항구.

[港湾] gǎngwān 명 항만.

杠 gàng (강) ① 명 굵은 막대. 멜대. ② 명 〖體〗 철봉. ❑双~; 평행봉. ③ (~儿) 명 (작문 따위를 정정할 때 긋는) 줄. 선. ❑画红~; 붉은 줄을 긋다. ④ 동 (통하지 않는 글귀나 잘못된 글자에) 선을 그어 삭제하다. ❑把不必要的词句都~掉了; 불필요한 구절에 모두 줄을 그어 삭제했다.

[杠杆] gànggǎn 명 지렛대.

[杠铃] gànglíng 명 〖體〗 역기. 바벨(barbell).

[杠子] gàng·zi 명 ① 굵은 막대기. ② 〖體〗 철봉. ③ 글의 옆이나 밑에 긋는 줄.

钢(鋼) gàng (강) 동 ① (날붙이를) 갈다. 날을 세우다. ❑~菜刀; 식칼을 갈다. ② (날붙이에) 날을 끼우다. 날을 붙이다. ⇒gāng

gao ㄍㄠ

高 gāo (고) ① 형 (높이가) 높다. (키가) 크다. ❑他个子很~; 그는 키가 매우 크다/ 楼房很~; 건물이 매우 높다. ② 형 (표준·평균 정도보다) 높다. ❑地位~; 지위가 높다 / 水平~; 수준이 높다 / 价钱~; 가격이 비싸다. ③ 명 높이. ❑那棵树有五米~; 저 나무의 높이는 5 미터이다. ④ 형 상등의. 등급이 높은. ❑~级; ⇓ ⑤〈敬〉 상대를 높이는 말. ❑~见; ⇓

[高矮(儿)] gāo'ǎi(r) 명 높이. 높낮이.

[高昂] gāo'áng 동 높이 쳐들다. ❑~着头通过广场; 머리를 높이 쳐들고 광장을 지나가다. 형 ① (목소리나 정서가) 높다. 드높다. ❑斗志~; 투지가 높다. ② (값이) 비싸다. ❑价格~; 가격이 비싸다.

[高傲] gāo'ào 형 거만하다. 오만하다. ❑~自大; 거만하고 불손하다.

[高不可攀] gāobùkěpān 〈成〉 너무 높아서 올라갈 방법이 없다. 도달하거나 접근하기 어렵다.

[高才生] gāocáishēng 명 우등생. =[高材生]

[高层] gāocéng 명 (건물의) 고층. 형 ① 고층의. ❑~住宅; 고층 주택. ② 고위층의. ❑~人物; 고위층 인물.

[高产] gāochǎn 형 높은 생산의. 다수확의. ❑~作物; 수확이 많은 작물. 명 높은 생산량.

[高超] gāochāo 형 뛰어나다. 출중하다. ❑技术~; 기술이 뛰어나다.

[高潮] gāocháo 명 고조. 〈轉〉 절정. 클라이맥스(climax).

[高大] gāodà 형 ① 높고 크다. ❑~的房子; 높고 큰 건물. ② (나이가) 많다.

[高蛋白] gāodànbái 명 〖化〗 고단백.

[高档] gāodàng 형 고급의. 상등의. ❑~商品; 고급품.

[高等] gāoděng 형 고등의. 고급의. ❑~动物; 고등 동물 / ~教育; 고등 교육.

[高低] gāodī 명 ① 고저. 높이. 높낮이. ② 우열. 승부. ❑难分~; 우열을 가리기가 어렵다. ③ (말이나 일의) 경중. 정도. ❑不知~; 일의 경중을 모르다. 부 ① 어쨌든. 아무리 해도. 좀처럼. ❑劝了大半天, 他~不听; 한참을 달래 보았지만, 그는 좀처럼 말을 듣지 않는다. ② 〈方〉 마침내. 결국. ❑他~打败了; 그는 결국 졌다.

[高低杠] gāodīgàng 명 〖體〗 ① 이단 평행봉. ② 이단 평행봉 경기.

[高地] gāodì 명 고지.

[高调(儿)] gāodiào(r) 명 ① 높은 가락. ② 〈比〉 탁상공론. ❑唱~; 탁상공론을 하다.

[高度] gāodù 명 고도. 높이. ❑飞行的~; 비행 고도 / ~计; 고도계. 형 정도가 높은. 대단한. 고도의. ❑受到~重视; 매우 중시되다.

[高额] gāo'é 형 고액의.

[高尔夫球] gāo'ěrfūqiú 명 〖體〗 〈音〉 ① 골프(golf). ② 골프공.

[高峰] gāofēng 명 ① 높은 산봉우리. 고봉. ② 〈比〉 최고점. 피크. 절정. ❑~时间; 러시아워(rush hour). ③〈比〉 지도자의 우두머리. 정상. ❑～会议; 정상 회담.

[高高在上] gāogāo-zàishàng 〈成〉 지도자가 현실로 깊이 들어가지 못하고 대중과 괴리되어 있다.

[高个儿] gāogèr 명 키다리. =[高个子]

[高跟(儿)鞋] gāogēn(r)xié 명 힐(heel). 하이힐.

[高贵] gāoguì 형 ① 고상하다. 기품이 있다. ❑～品质; 고상한 품격. ② 신분이 높고 귀하다. 고귀하다. ❑～人物; 고귀한 인물.

[高呼] gāohū 동 큰 소리로 외치다. ❑～口号; 큰 소리로 구호를 외치다.

[高级] gāojí 형 ① (단계·등급 따위가) 고급의. 상급의. ❑～班; 고급반 / ～法院; 고등 법원 / ～干部; 고급 간부. ② (품질·수준이) 고급의. ❑～商品; 고급 상품.

[高级小学] gāojí xiǎoxué 고등 소학교(중국의 소학교는 6년제로, 소학교 5·6학년 학생이 이에 해당함). =[〈簡〉 高小]

[高级中学] gāojí zhōngxué 고등학교. =[〈簡〉 高中]

[高技术] gāojìshù 명 첨단 기술.

[高价] gāojià 명 고가. 비싼 값. ❑～商品; 고가 상품.

[高架路] gāojiàlù 명 고가 도로.

[高见] gāojiàn 명〈敬〉 고견.

[高洁] gāojié 형 고결하다.

[高举] gāojǔ 동 높이 들다. 치켜들다. ❑～火把; 횃불을 높이 들다.

[高亢] gāokàng 형 ① (소리가) 높고 우렁차다. ❑～的歌声; 높고 우렁찬 노랫소리. ② (지세(地勢) 따위가) 높다.

[高考] gāokǎo 명 대학 입학 시험.

[高科技] gāokējì 명 첨단 과학 기술.

[高空] gāokōng 명 고공. 높은 곳. ❑～飞行; 고공 비행 / ～作业; 고공 작업.

[高丽] Gāolí 명〖史〗 고려. ❑～参; 고려 인삼.

[高利] gāolì 명 고리. 높은 이자.

[高利贷] gāolìdài 명 고리 대금. 고리대. ❑放～; 고리대를 놓다.

[高粱] gāo·liang 명〖植〗 고량. 수수. ❑～秆儿; 수수깡 / ～酒; 고량주 / ～米; 수수쌀. =[蜀shǔ黍]

[高龄] gāolíng 명〈敬〉 (노인의) 고령(주로, 60세 이상). 형 고령의. ❑～产妇; 고령의 산모.

[高岭土] gāolǐngtǔ 명〖鑛〗 고령토.

[高楼大厦] gāolóu dàshà 고층 빌딩.

[高炉] gāolú 명〖工〗 용광로.

[高帽子] gāomào·zi 명〈比〉 아첨하는 말. 치켜세우는 말. ❑戴～; 치켜세우다. =[高帽儿]

[高妙] gāomiào 형 (수준·솜씨가) 뛰어나다. ❑医术～; 의술이 뛰어나다.

[高明] gāomíng 형 고명하다. 훌륭하다. ❑～的见解; 고명한 견해. 명 고명한 사람.

[高难] gāonán 형 (기술의) 난이도가 높다. 고난도이다. ❑～动作; 고난도 동작.

[高频] gāopín 명〖電〗 고주파. ❑～电波; 고주파 전자파.

[高气压] gāoqìyā 명〖氣〗 고기압. ❑～区; 고기압 지구.

[高强] gāoqiáng 형 (무예가) 뛰어나다. 출중하다.

[高跷] gāoqiāo 명 긴 장대를 두 발에 묶고 걸어가면서 공연하는 민속놀이. 또는 그 막대기. =[跷③]

[高热] gāorè 명 (인체의) 고열. =[高烧]

[高山] gāoshān 명 높은 산. 고산. ❑～病; =[～反应]; 고산병 / ～植物; 고산 식물.

[高尚] gāoshàng 형 고상하다. ❑品格～; 성품이 고상하다.

[高烧] gāoshāo 명 ⇒[高热]

[高射炮] gāoshèpào 명〖軍〗 고사포.

[高深] gāoshēn 형 (학문·기술 따위의) 수준이 높고 깊다. ❑～莫测; 〈成〉 수준이 높고 심오하여 헤아리기 어렵다.

[高声] gāoshēng 명 고성.

[高视阔步] gāoshì-kuòbù 〈成〉 ① 기질이 평범하지 않다. ② 태도가 거만하다.

[高手(儿)] gāoshǒu(r) 명 고수. ❑网球～; 테니스의 고수.

[高寿] gāoshòu 형 장수(長壽)하다. 명〈敬〉 연세. 춘추(노인에 대해 나이를 묻는 말). ❑您老人家～? 춘추가 어떻게 되십니까?

[高耸] gāosǒng 동 높이 솟다. 우뚝 솟다. ❑白杨树～在山丘上; 백양나무가 산언덕에 우뚝 솟아 있다.

[高速] gāosù 형 고속의. 고속도

의. ❏ ~公路; 고속도로.
[高抬贵手] gāotái-guìshǒu 〈成〉〈敬〉 관대히 봐주다. 용서해 주다 《남에게 용서나 관용을 구하는 말》.
[高谈阔论] gāotán-kuòlùn 〈成〉〈貶〉 크게 의론을 벌이다. 장광설(長廣舌)을 늘어놓다.
[高温] gāowēn 명 고온. ❏ ~处理; 고온 처리.
[高下] gāoxià 명 우열(優劣). ❏ 不分~; 우열을 가릴 수 없다.
[高小] gāoxiǎo 명〈簡〉 ⇨[高级小学]
[高效] gāoxiào 형 높은 효과의. 효능이 높은. 고효율의. ❏ ~有机肥料; 고효율 유기 비료.
[高兴] gāoxìng 형 즐겁다. 기쁘다. ❏ 听了儿媳的话, 婆婆很~; 며느리의 말을 듣자, 시어머니는 무척 기뻤다. 동 …하기를 좋아하다. ❏ 他~打球; 그는 공놀이를 좋아한다.
[高血压] gāoxuèyā 명〖醫〗 고혈압.
[高压] gāoyā 명〖物〗 (압력·전압 따위의) 고압. ❏ ~电; 고압 전기/~线; 고압선. 형 고압적인. 위압적인. ❏ ~手段; 고압적인 수단.
[高压锅] gāoyāguō 명 압력솥. =[压力锅]
[高扬] gāoyáng 동 고양하다. 고양되다. ❏ 情绪~; 정서가 고양되다.
[高原] gāoyuán 명 고원.
[高远] gāoyuǎn 형 높고 심원하다. ❏ 志向~; 포부가 원대하다.
[高瞻远瞩] gāozhān-yuǎnzhǔ 〈成〉 먼 장래를 내다보다. 선견지명이 있다.
[高涨] gāozhǎng 동 (수위·물가·정서 따위가) 뛰어오르다. 고조되다. ❏ 物价~; 물가가 뛰어오르다.
[高招儿] gāozhāor 명 좋은 방법. 훌륭한 생각. ❏ 想出~; 훌륭한 방법을 생각해 내다. =[高着zhāo儿]
[高枕] gāozhěn 동 베개를 높이 베(고 자)다. ❏ ~无忧; 〈成〉 평안무사하여 근심이 없다.
[高中] gāozhōng 명〈簡〉 ⇨[高级中学]
[高祖] gāozǔ 명 ① ⇨[高祖父] ②〈書〉 선조(先祖).
[高祖父] gāozǔfù 명 고조할아버지. 고조부. =[高祖①]
[高祖母] gāozǔmǔ 명 고조할머니. 고조모.

膏 gāo (고)
명 ① 지방. 기름. ❏ ~血; ⇩ ② 걸쭉한 형태의 것. 연고. 고약. ❏ 软~; 연고 / 牙~; 치약. ⇒ gào
[膏肓] gāohuāng 명〖中醫〗 고황.
[膏血] gāoxuè 명 (사람의) 기름과 피. 고혈. 〈比〉 피땀의 대가.
[膏药] gāo·yao 명〖藥〗 고약.
[膏子] gāo·zi 명〖藥〗 연고.

篙 gāo (고)
명 상앗대. 삿대.

羔 gāo (고)
(~儿) 명 ① 새끼 양. ② (동물의) 새끼.
[羔羊] gāoyáng 명 ① 새끼 양. ② 〈比〉 천진난만한 사람. 여리고 약한 사람.
[羔子] gāo·zi 명 ① 새끼 양. ② (동물의) 새끼. ❏ 鹿~; 사슴 새끼.

糕 gāo (고)
명 케이크(cake). 떡. 푸딩(pudding). ❏ 鸡蛋~; 카스텔라.
[糕点] gāodiǎn 명 과자·떡·케이크 따위의 총칭. ❏ ~铺; 제과점.

睾 gāo (고)
→[睾丸]
[睾丸] gāowán 명〖生理〗 고환. 불알. =[精巢cháo]

搞 gǎo (고)
동 ① 하다. 행하다. ❏ ~翻译; 번역을 하다 / ~工作; 일을 하다 / ~清楚; 분명히 하다 / ~生意; 장사를 하다 / 乱~男女关系; 무분별하게 남녀 관계를 맺다. ② (방법을 찾아) 손에 넣다. 얻다. 마련하다. 찾다. ❏ ~对象; 결혼 상대를 찾다 / ~两张电影票; 영화표 두 장을 얻다.
[搞鬼] gǎo∥guǐ 동 흉계를 꾸미다. 꿍꿍이수작을 부리다. ❏ 当面说好话, 背后~; 앞에서는 좋은 말을 하고 뒤에서는 흉계를 꾸미다.

缟(縞) gǎo (호)
명 흰 명주의 일종.
[缟素] gǎosù 명〈書〉 소복. 상복.

镐(鎬) gǎo (호)
명 괭이. 곡괭이.
[镐头] gǎo·tou 명 괭이. 곡괭이.

稿 gǎo (고)
명 (~儿) 원고. 초고. 초안. 밑그림. ❏ 打~; 원고를 쓰다 / 手

~; 자필 원고.

[稿酬] gǎochóu 명 ⇨[稿费]

[稿费] gǎofèi 명 원고료. 고료. =[稿酬]

[稿件] gǎojiàn 명 (저자가 완성하여 넘긴) 원고.

[稿纸] gǎozhǐ 명 원고지.

[稿子] gǎo·zi 명 ① 원고. 초고. 초안. 밑그림. ❏写~; 원고를 쓰다. ② (완성된) 글. 시문(詩文). 문장. ③ (마음속의) 계획. 구상. 복안. ❏打~; 계획을 세우다.

告 gào (고)

동 ① 고하다. 알리다. 말하다. ❏ 不可~人的事; 남에게 말하지 못할 일. ② 고발하다. 고소하다. ❏把他~下来; 그를 고소하다. ③ 청하다. 요구하다. 신청하다. ❏ ~假; ⇓ / ~饶; ⇓ ④ 표명하다. 나타내다. ❏~辞; ⇓ ⑤ (어떤 상황이 실현됐음을) 알리다. 명백히 하다. 선포하다. ❏已~终了liǎo; 이미 끝났음을 알리다.

[告别] gào//bié 동 ① 헤어지다. 작별하다. 떠나다. ❏~故乡; 고향을 떠나다. ② 작별 인사를 하다. 이별을 고하다. 고별하다. ❏我要去向他~; 나는 그에게 작별 인사를 하러 가겠다. ③ (장례식에서) 죽은 사람에게 고별하다.

[告成] gàochéng 동 완성을 알리다. ❏大功~; 큰일이 완성되다.

[告吹] gàochuī 동〈口〉 무산되다. 틀어지다. 깨지다. 잘 안 되다. ❏婚事~; 혼사가 깨지다.

[告辞] gàocí 동 작별 인사를 하다. 헤어지는 인사를 하다. ❏我得děi~了; 저는 이만 가 봐야겠습니다.

[告贷] gàodài 동 돈을 꾸어 달라고 부탁하다. ❏~无门; 돈을 꿀 데가 없다.

[告发] gàofā 동〖法〗 고발하다. ❏向公安机关~了他; 공안 기관에 그를 고발했다 / ~信; 고발장.

[告急] gào//jí 동 (재해 따위의) 위급함을 알리고 구원을 청하다.

[告假] gào//jià 동 휴가를 얻다[신청하다]. ❏告三天假; 3일간의 휴가를 신청하다.

[告捷] gào//jié 동 ① (전투·시합 따위에서) 이기다. 승리하다. ② 승리를 알리다[보고하다].

[告诫] gàojiè 동 경고하고 훈계하다. 경고하고 타이르다. ❏谆谆~; 〈成〉 간곡히 경고하고 타이르다. =[告戒]

[告警] gàojǐng 동 긴급 상황 발생을 알리다[신고하다].

[告密] gào//mì 동 밀고하다. ❏~叛徒; 반역자를 밀고하다.

[告饶] gào//ráo 동 용서를 빌다. 용서를 구하다. ❏求情~; 사죄하고 용서를 빌다.

[告示] gào·shi 명 고시. 게시. 공고.

[告诉] gàosù 동〖法〗 고소하다.

[告诉] gào·su 동 알리다. 말하다. 이르다. 전하다. ❏这件事你千万别~他了; 이 일을 절대 그에게 말하지 마라.

[告退] gàotuì 동 ① (모임 따위에서) 먼저 가겠다고 하다. 작별하고 떠나다. ❏我先~了; 저 먼저 가 보겠습니다. ② (단체 따위에서) 떠나다. 탈퇴하다.

[告知] gàozhī 동 고지하다. 알리다.

[告终] gàozhōng 동 끝을 알리다. 끝나다. ❏此次会谈以失败~; 이번 회담은 실패로 끝났다.

[告状] gào//zhuàng 동 ①〖法〗 고소하다. 기소하다. ❏到法院~; 법원에 고소하다. ② 일러바치다. 고자질하다.

膏 gào (고)

동 (기계 따위에) 기름칠하다. 윤활유를 치다. ❏在车轴上~点儿油; 차축에 기름칠을 하다. ⇒ gāo

ge ㄍㄜ

戈 gē (과)

명 창. 〈轉〉 무기. 전쟁.

[戈壁] gēbì 명〈音〉 ① 사막(몽골어 음역자(音譯字)). ② (Gēbì)〖地〗 고비 사막.

疙 gē (흘)

→[疙瘩][疙疙瘩瘩(的)]

[疙瘩] gē·da 명 ① 종기. 부스럼. ❏长zhǎng了~; 종기가 났다. ② 덩어리. 덩이. 매듭. ❏线结成~了; 실에 매듭이 지어졌다. ③ 맺힌 것. 문제. 응어리. ❏我们之间不存在什么~; 우리 사이에는 아무런 응어리가 없다. 양〈方〉 덩이. 덩어리. ❏一~泥; 흙 한 덩이.

[疙疙瘩瘩(的)] gē·gedādā(·de) 형〈口〉 ① 울퉁불퉁하다. ❏~的石子儿路; 울퉁불퉁한 자갈길. ②

순조롭지 못하다. ❑ 这事情~的, 真难办; 이 일은 순조롭지 못해서 처리하기가 정말 힘들다. ‖ =[疙里li疙瘩(的)]

咯 gē (각)
→[咯噔][咯咯][咯吱] ⇒ kǎ

[咯噔] gēdēng 의 뚜벅뚜벅. 쿵쿵.

[咯咯] gēgē 의 ① 껄껄(《웃음소리》). ❑ 他~地笑了起来; 그가 껄껄 웃기 시작했다. ② 뿌드득(《이 가는 소리》). ③ 두두두. 다다다(《기관총 소리》). ④ 꼬꼬(《어떤 종류의 새가 우는 소리》). ❑ 母鸡~地叫; 암탉이 꼬꼬 하고 울다.

[咯吱] gēzhī 의 삐걱. ❑ ~一声, 门开了; 삐걱하며 문이 열렸다.

胳 gē (각)
→[胳膊][胳膊腕子][胳膊肘子] ⇒ gā gé

[胳膊] gē·bo 명 팔. ❑ ~拧不过大腿 =[~扭不过大腿]; 〈比〉 약자는 강자를 이길 수 없다. =[臂bì膀①]

[胳膊腕子] gē·bowàn·zi 명〈口〉 팔목. =[胳膊腕儿]

[胳膊肘子] gē·bozhǒu·zi 명〈口〉 팔꿈치. =[胳膊肘儿]

搁(擱) gē (각)
동 ① 놓다. 두다. ❑ 把书~在桌子上吧; 책을 책상 위에 두어라. ② (조미료 따위를) 첨가하다. 넣다. ❑ 往咖啡里~点糖; 커피에 설탕을 좀 넣다. ③ 내버려 두다. 방치하다. ❑ 这件事不能~着; 이 일은 내버려 둘 수 없다. ⇒ gé

[搁笔] gēbǐ 동 붓을 놓다. 쓰는 것을 그만두다.

[搁浅] gē//qiǎn 동 ① (배가) 수심이 얕은 곳에서 나아가지 못하다. ②〈比〉 난항을 겪다. ❑ 谈判~; 협상이 난항을 겪다.

[搁置] gēzhì 동 방치하다. 내버려 두다. ❑ 整理~多年的书稿; 다년간 내버려 둔 원고를 정리하다.

哥 gē (가)
명 ① 형. 오빠. ② 친척 중 같은 항렬에서 손위의 남자. ③ 나이가 비슷한 남자에 대한 호칭. ❑ 王~; 왕 형.

[哥哥] gē·ge 명 ① 형. 오빠. ② 친척 중 같은 항렬에서 손위의 남자에 대한 호칭.

[哥伦比亚] Gēlúnbǐyà 명〔地〕〈音〉 콜롬비아(Colombia).

[哥伦布] Gēlúnbù 명〔人〕〈音〉 콜럼버스(Columbus)(《아메리카 대륙의 발견자, 1451-1506》).

[哥们儿] gē·menr 명〈口〉 ① 형제들. ② (동년배의) 친구(《친근한 느낌을 포함함》). ‖ =[哥儿们]

[哥儿] gēr 명〈口〉 형제. ❑ 你们~几个? 너희들은 몇 형제냐?

[哥儿们] gēr·men 명〈口〉 ⇨[哥们儿]

[哥特式] gētèshì 명〈音〉 고딕(Gothic). ❑ ~建筑; 고딕 건축.

[哥特体] gētètǐ 명〔印〕〈音〉 고딕체.

歌 gē (가)
① (~儿) 명 노래. ❑ 唱~; 노래를 부르다. ② 동 노래하다.

[歌本(儿)] gēběn(r) 명 노래책.

[歌唱] gēchàng 동 ① 노래하다. ② (노래 따위의 형식으로) 찬양하다. ❑ ~美好的明天; 아름다운 내일을 찬양하다.

[歌词] gēcí 명 노랫말. 가사.

[歌功颂德] gēgōng-sòngdé 〈成〉〈貶〉 공적과 은덕을 찬양하다.

[歌喉] gēhóu 명 (노래하는 사람의) 목청. 목소리. 노랫소리.

[歌剧] gējù 명 오페라(opera). 가극. ❑ ~演员; 오페라 가수.

[歌迷] gēmí 명 (가수의) 팬. ❑ ~会; 팬클럽.

[歌谱] gēpǔ 명 (노래의) 악보.

[歌曲] gēqǔ 명 (가사와 음악으로 이루어진) 노래. 가곡. 곡.

[歌声] gēshēng 명 노랫소리.

[歌手] gēshǒu 명 가수.

[歌颂] gēsòng 동 찬양하다. 찬미하다. ❑ ~祖国; 조국을 찬양하다.

[歌舞] gēwǔ 명 가무. ❑ ~剧; 가무극 / ~团; 가무단.

[歌星] gēxīng 명 유명 가수.

[歌谣] gēyáo 명 반주 없이 부르는 노래(《민요·민가·동요 따위》).

[歌咏] gēyǒng 동 노래하다. ❑ ~比赛; 노래 시합 / ~队; 합창단.

鸽(鴿) gē (합)
명〔鳥〕 비둘기.

[鸽子] gē·zi 명〔鳥〕 비둘기.

割 gē (할)
동 ① 베다. 절개하다. 자르다. ❑ 用镰刀~草; 낫으로 풀을 베다. ② 분할하다. 버리다. ❑ ~地; 토지를 분할하다.

[割爱] gē'ài 동 사랑하는[아끼는] 것을 버리다. 미련을 버리다.

[割除] gēchú 동 도려내다. 잘라

내다. 적출하다. ❏ ~脾脏; 비장을 적출하다.

[割断] gēduàn 동 절단하다. 자르다. 끊다. ❏ 电话线被~了; 전화선이 끊겼다.

[割鸡焉用牛刀] gē jī yān yòng niúdāo 〈成〉 작은 일에 큰 힘을 들일 필요는 없다.

[割据] gējù 동 할거하다. ❏ ~称雄; 할거하여 영웅으로 군림하다.

[割裂] gēliè 동 (주로, 추상적인 것을) 가르다. 떼어 놓다. 분리하다. ❏ 把教育和生活~开; 교육과 생활을 분리하다.

[割让] gēràng 동 할양하다.

阁(閣) gé (각)
명 ① 누각(樓閣). ❏ 楼~; 누각. ② 옛날, 여성의 침실. 규방. ❏ 出~; 시집가다. ③ 내각. ❏ 倒dǎo~; 내각을 무너뜨리다.

[阁楼] gélóu 명 다락방.

[阁下] géxià 명〈敬〉 각하. ❏ 总理~; 총리 각하.

[阁员] géyuán 명 각료.

格 gé (격, 각)
① (~儿) 명 격자. 모눈. 방안(方眼). ❏ 方~纸; 모눈종이. ② 명 규격. 격식. ❏ 合~; 합격하다. ③ 명 품격. 품성. ❏ 品~; 품격. ④ 동〈書〉 궁구하다. 추구하다. ⑤ 명〔言〕 격(格). ❏ 主~; 주격. ⑥ 동 치다. 때리다.

[格调] gédiào 명 ① (예술적인 방면의) 격조(格調). ② 〈書〉 (사람의) 품격(品格). 품성.

[格斗] gédòu 동 격투하다. ❏ ~游戏; (컴퓨터 따위의) 격투 게임.

[格格不入] gégé-bùrù 〈成〉 서로 계속 부딪치고 맞지 않다.

[格局] géjú 명 구조와 격식. 짜임새.

[格律] gélǜ 명 율격(律格).

[格式] gé·shi 명 격식. 서식. 양식. ❏ 公文~; 공문 서식.

[格外] géwài 부 ① 각별히. 특별히. 유달리. 유난히. ❏ ~施恩; 특별히 은혜를 베풀다. ② 별도로. 달리. 예외로. 따로. ❏ ~奖赏; 별도로 포상하다.

[格言] géyán 명 격언.

[格子] gé·zi 명 격자. ❏ 打~; 격자틀을 짜다 / ~布; 체크무늬 천.

胳 gé (각)
→[胳肢] ⇒gā gē

[胳肢] gé·zhi 동〈方〉 간질이다. 간지럽히다.

搁(擱) gé (각)
동 참다. 견디다. 감당하다. ❏ 小船~不了多少货; 작은 배는 짐을 얼마 싣지 못한다. ⇒gē

骼 gé (격)
→[骨骼]

革 gé (혁)
① 명 (가공한) 가죽. ❏ 皮~; 피혁 / ~履; 가죽 신발. 구두. ② 동 고치다. 바꾸다. ❏ 变~; 변혁하다. ③ 동 제거하다. 해고하다. ❏ 开~; 해고하다.

[革除] géchú 동 ① 제거하다. 없애다. 뿌리 뽑다. ❏ ~恶习; 악습을 없애다. ② 면관하다. 면직하다. 제명하다.

[革命] gémìng 명 혁명. ❏ 产业~; 산업 혁명 / ~家; 혁명가. 형 혁명적이다. ❏ ~独创精神; 혁명적 독창 정신. (gé∥mìng) 동 혁명하다. 개혁하다.

[革新] géxīn 동 혁신하다. ❏ 技术~; 기술 혁신.

[革职] gé∥zhí 동 면직하다. 파면하다. 해직하다. 해고하다. ❏ 他被革了职; 그는 해고됐다.

隔 gé (격)
동 ① 막다. 차단하다. ❏ 两个村子中间~着一座山; 두 마을 사이를 산이 막고 있다. ② (시간·공간적으로) 떨어지다. 간격을 두다. ❏ 我们两家~得太远; 우리 두 집은 너무 멀리 떨어져 있다.

[隔岸观火] gé'àn-guānhuǒ 〈成〉 강 건너 불 보듯 하다.

[隔壁] gébì 명 옆집. 옆방. 이웃. ❏ ~的人; 이웃 사람.

[隔断] gé∥duàn 동 가로막다. 단절하다. 차단하다. ❏ 海峡~人们之间的往来; 해협이 사람들 간의 왕래를 단절시키다. =[隔绝]

[隔阂] géhé 명 (사상·감정의) 간격. 틈. 골. 장벽. ❏ 他们俩~很深; 그들 둘 사이는 매우 골이 깊다.

[隔绝] géjué 동 ⇒[隔断] ❏ 音信~; 소식이 끊기다 / 与世~; 세상과 단절되다.

[隔离] gélí 동 ① (교류·왕래 따위를) 차단하다. 단절시키다. ❏ ~审查; 심의를 차단하다. ② 격리하다. ❏ ~病房; 격리 병실 / ~室; 독방. 격리실.

[隔膜] gémó 명 (감정·의견 간의)

간격. 틈. 격. 거리. ❏他们俩有点~; 그들 둘 사이에는 다소 거리가 있다. 형 ①(감정상) 서로 거리가 있다. 서먹하다. ②(어떤 분야에 대해) 이해하지 못하다. 모르다. 문외한이다. ❏我对考古学很~; 나는 고고학에 대해서는 문외한이다.

[隔墙有耳] géqiáng yǒu ěr 〈諺〉 벽에 귀가 있다(《낮말은 새가 듣고, 밤말은 쥐가 듣는다》).

[隔热] gé//rè 동〖建〗 단열하다. ❏~材料; 단열제.

[隔日] gérì 동 하루 거르다. 격일로 하다.

[隔世] géshì 동 한 세대를 거르다. ❏~之感; 〈成〉 격세지감.

[隔夜] gé//yè 동 하룻밤을 넘기다. 하룻밤이 지나다. ❏~饱; 이튿날까지 배가 안 꺼지다.

[隔音] gé//yīn 동 방음하다. ❏~设备; 방음 장치.

嗝 gé (격) (~儿) 명 ①딸꾹질. ❏打~; 딸꾹질하다. ②트림. ❏打~; 트림하다.

膈 gé (격) 명〖生理〗 격막(隔膜). 가로막.

[膈膜] gémó 명〖生理〗 격막. 가로막. =[横膈膜]

镉(鎘) gé (력) 명〖化〗 카드뮴(Cd: cadmium).

葛 gé (갈) 명〖植〗 칡. ⇒Gě

[葛布] gébù 명 갈포.

[葛根] gégēn 명 갈근. 칡뿌리.

蛤 gé (합) 명〖貝〗 조개. ⇒há

[蛤蜊] gé·lí 명〖貝〗 ①대합조개. ②동죽조개. 모시조개.

舸 gě (가) 명〈書〉 큰 배.

葛 Gě (갈) 명 성(姓)의 하나. ❏诸~; 제갈(《복성(複性)의 하나》). ⇒gé

个(個) gè (개) ①양 전용(專用) 양사가 없는 명사를 세는 말(《전용 양사가 있는 명사에도 쓰이는 경우가 있음》). ❏三~人; 세 사람 / 五~苹果; 사과 다섯 개. ②양 어림수를 나타내는 말. ❏每周去~一两次; 매주 한두 번씩 간다. ③양 동사와 목적어 사이에 쓰여 동작을 세는 작용을 함(《어감을 가볍게 함》). ❏他洗~澡就得děi半个钟头; 그가 목욕을 하면 거의 30분은 걸린다. ④양 동사와 보어 사이에 쓰여 보어를 이끄는 '得'의 역할을 하는 말(《'得'와 연용하기도 함》). ❏看~仔细; 자세히 보다 / 把我气了~死; 나를 몹시 화나게 했다. ⑤형 개별의. 단독의. ❏~别; ⇩ / ~体; ⇩ ⑥접미 양사 '些' 뒤에 붙음. ❏花了好些~钱; 매우 많은 돈을 썼다. ⑦접미〈方〉 '昨儿'·'今儿'·'明儿' 따위의 시간사 뒤에 붙어 '어느 날'의 뜻을 나타냄. ❏今儿~; 오늘 / 明儿~; 내일.

[个别] gèbié 부 개별로. 개개로. ❏~交涉; 개별 교섭. 형 극히 적은. 극소수의. 몇몇의. ❏~人泄气了; 몇몇의 사람은 낙담했다.

[个个] gègè 양 하나하나. 각각. ❏他们~都是秀才; 그들은 하나하나가 모두 수재이다.

[个儿] gèr 명 ①크기. 체적. 부피. ❏~大的卖好钱; 알이 굵은 것은 좋은 값으로 팔린다. ②몸집. 체격. 키. ❏大~; 큰 체격 / ~高; 키가 크다. ‖ =[个头儿] ③개수. 낱개. ❏论~卖; 개수[낱개]로 팔다. ④한 사람. 개개인.

[个人] gèrén 명 ①개인. ❏~电脑 =[~计算机]; 퍼스널 컴퓨터(personal computer). 피시(PC) / ~技巧; 개인기 / ~赛; 개인전(個人戰) / ~演唱会; (가수의) 개인 콘서트 / ~主义; 개인주의. ②나. 저. 본인(《공식적인 자리에서 의견을 발표할 때 쓰는 말》).

[个人数字助理] gèrén shùzì zhùlǐ 명〖컴〗 피디에이(PDA). =[〈俗〉 掌上电脑②]

[个体] gètǐ 명 ①개체. 개인. ❏~经济; 개인 경제 / ~所有制; 개인 소유제. ②⇨[个体户]

[个体户] gètǐhù 명 자영업자. 자영업체. =[个体②]

[个头儿] gètóur 명 ⇨[个儿①②]

[个性] gèxìng 명 ①❏~很有; 매우 개성 있다 / ~强; 개성이 강하다. ②〖哲〗 개별성.

[个展] gèzhǎn 명 개인전(個人展).

[个子] gè·zi 명 ①키. 몸집. 덩치. ❏高~; 큰 키. ②(함께 묶어 놓은) 단.

各 gè (각) ①대 각. 모든. 가지가지. 여

G

러《하나가 아님을 나타냄》. ❑ ~国; ⇩ / ~位; ⇩ ② 부 각각. 각자. ❑ 大门两旁~有一棵树; 대문 양쪽에 각각 한 그루의 나무가 있다 / ~不相同; 제각기 다르다.

[各别] gèbié 형 ① 각기 다르다. 구별이 있다. ❑ ~处理; 각기 다르게 처리하다. ②〈贬〉 남과 다르다. 유별나다. ❑ 他做起事来老是有点~; 그는 무엇을 하든 남과 좀 다르다. ③〈方〉 신기하다. 색다르다. 독특하다. ❑ 式样~; 스타일이 독특하다.

[各持己见] gèchí-jǐjiàn 〈成〉 제각기 자기 의견을 견지하다.

[各得其所] gèdé-qísuǒ 〈成〉 각자 적절하게 배치되다.

[各地] gèdì 명 각지. 각처.

[各个] gègè 대 각. 각개. 각각. ❑ ~方面; 각 방면 / ~团体; 각 단체. 부 하나씩. 하나하나. ❑ ~击破; 〈成〉 각개격파하다.

[各…各…] gè…gè… ① 각각. 각기. 제각기. 각자. ❑ 各忙各的; 각자 자기 일로 바쁘다. ② 갖가지. 모든. 모두의. ❑ 各行各业; 갖가지 직업.

[各国] gèguó 명 각국. ❑ ~代表; 각국의 대표.

[各级] gèjí 형 각급의. ❑ ~机构; 각급 기구.

[各界] gèjiè 명 각계. ❑ ~代表; 각계 대표.

[各就各位] gèjiùgèwèi 〈成〉 각자 자기의 위치로 가다.

[各人] gèrén 명 각각의 사람. 각자. 제각기. ❑ ~自扫门前雪; 〈諺〉 각자 자기 집 문 앞의 눈만 쓸다《남의 일에 무관심하다》.

[各色] gèsè 형 ① 여러 가지의. 각종의. ❑ ~物品; 각종 물품. ② 〈方〉〈贬〉 유별나다. 독특하다. 특이하다. ❑ 他说话、做事都太~; 그는 말과 행동이 모두 너무 독특하다.

[各式各样] gèshì-gèyàng 〈成〉 각양각색. 여러 가지. 별의별. ❑ ~的玩具; 각양각색의 장난감.

[各位] gèwèi 대 여러분. ❑ 在坐的~先生; 참석하신 여러분.

[各行其是] gèxíng-qíshì 〈成〉 각자 자기 생각대로 하다.

[各有千秋] gèyǒu-qiānqiū 〈成〉 제각기 장점이[장기가] 있다.

[各执一词] gèzhí-yīcí 〈成〉 제각기 자기 의견을 주장하고 양보하지 않다.

[各种] gèzhǒng 형 각종의. ❑ ~活动; 각종 행사.

[各种各样] gèzhǒng-gèyàng 〈成〉 각양각색. 여러 가지. 갖가지.

[各自] gèzì 대 각자. 제각기. ❑ ~为政; 〈成〉 전체를 고려하지 않고 각자 자기의 방법대로 행하다.

硌 gè (락) 동〈口〉 (돌출된 것에 닿아) 불쾌감이나 손상을 주다. ❑ 鞋里进去些沙子, 脚~得都疼了; 신발 안에 모래가 들어가 발에 깔끔거려서 아프다.

铬(鉻) gè (락) 명 〖化〗 크롬. 크로뮴 (Cr: chromium).

gei ㄍㄟ

给(給) gěi (급) ① 동 주다. ❑ ~他一本书; 그에게 책을 한 권 주다 / ~敌人打击; 적에게 타격을 주다. ② 동 ㉠(남에게) …하게 하다. ❑ 我拿出护照~海关人员检查; 나는 여권을 꺼내서 세관원에게 검사하게 했다. ㉡ 허락하다. 허가하다. ❑ 他们不~我们进去; 그들은 우리가 못 들어가게 했다. ③ 개 동사 뒤에 붙여 '주다·전하다·보내다'의 뜻을 나타냄. ❑ 这是送~你的; 이것은 너에게 주는 것이다. ④ 개 …을 대신하여. …을 위하여. ❑ 医生~他们看病; 의사는 그들을 진찰해 주었다. ⑤ 개 …을 향하여. …에게《동작의 대상을 나타냄》. ❑ ~他道歉; 그에게 사과하다. ⑥ 개 …당하다. …되다. ❑ ~火烧掉了; 화재에 타 버리고 말았다. ⑦ 개 명령문에서 '我'와 함께 쓰이어 강제를 나타냄. ❑ 快~我滚开! 빨리 꺼져 버려! ⑧ 조 동사 앞에 놓여 수동·조처 따위의 뜻을 나타내며 어기를 강하게 함. ❑ 把花瓶~打了; 꽃병을 깨뜨렸다. ⇒jǐ

[给脸] gěi//liǎn 동 ⇨[给面子]

[给面子] gěi miàn·zi 체면을 세워 주다. =[给脸]

[给以] gěi//yǐ 동 주다. ❑ ~致命打击; 치명적인 타격을 주다 / 给每一个病人以关怀和照顾; 모든 환자들에게 관심과 보살핌을 주다.

gen ㄍㄣ

根 gēn (근)
①(~儿) 명〔植〕 뿌리. ❑扎~; 뿌리를 박다. =[〈口〉 根子①] ② 명〈比〉 자손. 후대. ❑这孩子是他们家的~; 이 아이는 그들 집안의 자손이다. ③(~儿) 명 밑부분. 밑동. 뿌리. ❑墙~儿; 담밑/舌~; 혓뿌리. =[〈口〉 根子②] ④(~儿) 명 근본. 근원. 출신. 태생. ❑病~; 병의 근원. =[〈口〉 根子③] ⑤ 부 철저하게. 뿌리째. 모조리. ❑~究; ⇩ ⑥ 명 근거. ❑无~之谈; 근거 없는 말. ⑦(~儿) 양 가늘고 긴 것을 세는 말. ❑一~筷子; 젓가락 한 짝. ⑧ 명〈簡〉 ⇨[方根]

[根本] gēnběn 명 근본. 기초. 본질. ❑从~上考虑; 근본적인 것으로부터 고려하다/~法; 근본법. 형 근본적인. 주요한. 중요한. ❑最~的原因; 가장 근본적인 원인. 부 ① 본래. 원래. ❑~没有这样的事; 원래 그런 일은 없다. ②(주로, 부정형으로 쓰여) 아예. 전혀. 애초부터. ❑以往~没发生过这种现象; 예전부터 이런 현상은 전혀 발생하지 않았다. ③ 철저하게. 완전히. ❑问题已经~解决; 문제는 이미 완전히 해결되었다.

[根除] gēnchú 동 근절하다. 뿌리 뽑다. ❑~错误思想; 잘못된 사상을 뿌리 뽑다.

[根底] gēndǐ 명 ① 기초. 근본. ❑她的英文~很好; 그녀의 영어 기초는 매우 좋다. ② 속사정. 내막. ❑追问~; 내막을 캐묻다.

[根号] gēnhào 명〔數〕 근호.

[根基] gēnjī 명 ① 기초. 토대. ❑~打得牢; 토대가 확고하게 다져 있다. ②〈比〉 경제적 기반. 재산.

[根究] gēnjiū 동 철저하게 조사[연구]하다. ❑~来历; 내력을 철저히 조사하다.

[根据] gēnjù 동 근거하다. 따르다. 의거하다. ❑你这样说, ~了什么? 너는 무슨 근거로 이렇게 말하는 거냐? 명 근거. ❑~地; 근거지. 개 …에 근거하면. …에 따르면. ❑~我的了解…; 내가 알고 있는 바에 의하면….

[根绝] gēnjué 동 근절하다. 뿌리 뽑다. ❑~浪费现象; 낭비 현상을 근절하다.

[根苗] gēnmiáo 명 ① 뿌리와 싹. ② 유래와 근원. ❑造祸的~; 재앙의 근원. ③ 대를 잇는 자손.

[根深蒂固] gēnshēn-dìgù 〈成〉 깊이 뿌리 박다. 기초가 튼튼하여 동요되지 않다. ❑~的偏见; 뿌리 깊은 편견. =[根深柢dǐ固]

[根源] gēnyuán 명 근원. 근본적인 원인[이유]. 동 …에서 비롯되다. …을 기원으로 하다. ❑这些现象~于个人主义; 이런 현상들은 개인주의에서 비롯된 것이다.

[根治] gēnzhì 동 (재해·질병 따위를) 근치하다. 근절하다. ❑~病患; 병을 근치하다.

[根子] gēn·zi 명〈口〉 ① ⇨[根①] ② ⇨[根③] ③ ⇨[根④]

跟 gēn (근)
①(~儿) 명 뒤꿈치. 뒤축. ❑脚后~; 발뒤꿈치. ② 동 뒤따르다. 따라가다. 붙다. ❑请~我走; 저를 따라오세요. ③ 동 …에게 시집가다. ❑因为穷, 她只好~了他; 가난 때문에 그녀는 그에게 시집갈 수밖에 없었다. ④ 개 …와[과]《동작의 대상을 끌어들임》. ❑我们~老师商量一下; 우리가 선생님과 의논해 보겠다. ⑤ 개 …을 향하여. …에게. ❑你~他说过了吗? 너는 그에게 말해 봤니? ⑥ 개 …와[과]《비교의 대상을 언급할 때 쓰이는 말》. ❑他的看法~你的差不多; 그의 생각은 너와 비슷하다. ⑦ 접 …와[과]《대등한 연합 관계를 나타냄》. ❑我~他都在北京大学学习汉语; 나와 그는 모두 베이징 대학에서 중국어를 공부한다.

[跟班] gēn//bān 동 (어떤 집단에서) 함께 일하다[공부하다]. ❑~干活儿; 같은 곳에서 함께 일하다.

[跟不上] gēn·bushàng 동 ① 비교가 안 되다. …에 미치지 못하다. ❑我还~他; 나는 아직 그와 비교가 안 된다. ② 따라가지 못하다. ❑他骑得飞快, 我有点~; 그의 자전거가 나는 듯이 빨라서 내가 따라가기가 좀 힘들다.

[跟得上] gēn·deshàng 동 ① 견줄 만하다. 손색이 없다. ❑我国的电脑~日本的; 우리나라의 컴퓨터는 일본 제품에 견줄 만하다. ② 따라갈 수있다.

[跟脚] gēnjiǎo 〈方〉 동 (아이가)

어른을 따라다니며 떨어지려 하지 않다. 형 신발이 발에 꼭 맞다. (~儿) 부 바로. 뒤따라. 즉시《걷는 동작에 한정됨》. ❏你刚走, 他~就来找你; 네가 가자마자 그가 너를 찾아왔다.

[跟前] gēnqián 명 ①(~儿) 옆. 곁. ❏黑板~有一张桌子; 칠판 옆에 책상이 하나 있다. ② 임박한 때. 근접한 때. ❏春节~; 설 즈음.

[跟前] gēn·qian 명 슬하. ❏您~有几位令郎? 슬하에 자제분이 몇 이십니까?

[跟随] gēnsuí 동 뒤따르다. 동행하다. 따라가다. ❏他~经理去了北京; 그는 사장을 따라 베이징에 갔다.

[跟头] gēn·tou 명 ① 곤두박질. ❏不小心摔了一个~; 조심하지 않아 곤두박질 쳤다. ② 공중제비. 재주넘기. ❏翻~; 재주넘기를 하다. ‖ =[〈方〉 筋jīn斗]

[跟着] gēn·zhe 동 뒤따르다. 따라가다. ❏一群孩子在后面~他; 한 무리의 아이들이 뒤에서 그를 따라가고 있다. 부 곧. 곧이어. ❏听完报告~就讨论; 보고를 다 들은 후 곧이어 토론을 하다.

[跟踪] gēnzōng 동 뒤를 밟다. 바싹 뒤따르다. 추적하다. 미행하다. ❏~采访; 밀착 취재 / ~雷达; 추적 레이더.

哏 gén (흔)
(~儿) 형 〈方〉 재미있다. 익살스럽다. ❏他说的话~透了; 그의 이야기는 더없이 재미있다.

geng ㄍㄥ

更 gēng (경)
① 동 고치다. 바꾸다. ❏~改; ⇩ ② 명 경《옛날, 밤의 시각을 5 등분한 것의 하나》. ⇒gèng

[更迭] gēngdié 동 돌아가면서 교체하다. 번갈아 경질하다. ❏人事~; 인사 경질 / 政权~; 정권 교체.

[更动] gēngdòng 동 변경하다. 변동하다. ❏比赛日程有所~; 경기 일정에 변동이 있다.

[更番] gēngfān 부 번갈아서. 교대로. 차례대로. ❏~出击; 교대로 출격하다.

[更改] gēnggǎi 동 변경하다. 바꾸다. ❏~名义; 명의를 변경하다 / ~航线; 항로를 바꾸다.

[更换] gēnghuàn 동 바꾸다. 갈다. 교체하다. 경질하다. ❏~零件; 부품을 갈다 / ~人事; 인사이동을 하다.

[更年期] gēngniánqī 명 갱년기.

[更生] gēngshēng 동 ① 갱생하다. ❏自力~; 자력갱생하다. ② ⇨[再生③]

[更替] gēngtì 동 바꾸다. 바뀌다. 교체하다. ❏季节~; 계절이 바뀌다 / 人员~; 인원을 교체하다.

[更新] gēngxīn 동 새롭게 바뀌다. 갱신하다. ❏~换代; 〈成〉 낡은 것을 새것으로 바꾸다 / ~设备; 설비를 갱신하다.

[更衣] gēngyī 동 ① 옷을 갈아입다. ❏~室; 탈의실. ② 〈書〉〈婉〉 화장실에 가다.

[更正] gēngzhèng 동 정정(訂正)하다. 바로잡다.

庚 gēng (경)
명 ① 천간(天干)의 제7. ② 나이. 연령.

[庚帖] gēngtiě 명 ⇨[八字帖(儿)]

耕 gēng (경)
동 ① (논밭을) 갈다. ❏春~; 봄갈이. ② 〈比〉 생계를 꾸려 나가다. ❏笔~; 글을 써서 생활하다.

[耕畜] gēngchù 명 경작용 가축.

[耕地] gēng//dì 동 논밭을 갈다. (gēngdì) 명 경지.

[耕牛] gēngniú 명 경작용 소.

[耕耘] gēngyún 동 ① 밭을 갈고 김을 매다. ② 〈比〉 노력하다. ❏辛勤~; 부지런히 노력하다.

[耕种] gēngzhòng 동 땅을 갈고 씨를 뿌리다. 경작하다. ❏~机; 경운기.

[耕作] gēngzuò 동 경작하다.

羹 gēng (갱)
명 고기나 야채 따위로 만든 걸쭉한 국물. 수프(soup). ❏鸡蛋~; 계란 수프.

[羹匙] gēngchí 명 숟가락. =[汤匙][调tiáo羹]

埂 gěng (경)
명 ①(~儿) 두렁. 두렁길. ❏田~儿; 밭두렁. ② 둔덕. ③ 흙으로 쌓은 제방.

[埂子] gěng·zi 명 두렁. 두렁길.

哽 gěng (경)
동 ① 음식물이 목에 걸리다. ② 흐느끼다. 목이 메다.

[哽咽] gěngyè 동 흐느껴 울다. 오

열하다.

梗 gěng (경)
① (~儿) 명 (초목의) 가지. 줄기. ❏花~; 꽃대. ② 동 곧게 세우다. ❏~着身子; 몸을 꼿꼿이 세우다. ③ 형〈書〉(생각이) 외곬이다. 완고하다. ④ 형 정직하다. 솔직하다. ⑤ 동 저해하다. 막다.

梗概] gěnggài 명 (말·이야기의) 대강의 줄거리. 개략. 개요.

梗塞] gěngsè 동 ① 저해하다. 막히다. ❏道路~; 길이 막히다. ② ⇨[梗死]

梗死] gěngsǐ 동〖醫〗경색(梗塞)하다. ❏心肌~; 심근 경색. =[梗塞②]

梗直] gěngzhí 형 ⇨[耿直]

梗阻] gěngzǔ 동 ① 막히다. ❏道路~; 길이 막히다. ② 가로막다.

鲠(鯁) gěng (경)
① 명〈書〉 생선 가시. ② 동 (생선 가시가) 목에 걸리다. ③ 형〈書〉 정직하다. 솔직하다.

鲠直] gěngzhí 형 ⇨[耿直]

耿 gěng (경)
형 ①〈書〉 밝다. 빛나다. ② 정직하다. 솔직하다.

耿耿] gěnggěng 형 ① 밝은 모양. ② 성실하고 충성스러운 모양. ③ 근심이 있는 모양. ❏~于怀;〈成〉걱정 근심이 마음에 가득한 채 풀리지 않다.

耿直] gěngzhí 형 솔직하다. 정직하다. =[梗直][鲠直]

颈(頸) gěng (경)
→[脖颈儿] ⇒jǐng

更 gèng (갱)
부 ① 더욱. 더. ❏她一打扮, 比原来~漂亮了; 그녀는 치장을 하니까 원래보다 더 예뻐졌다. ②〈書〉 다시. 또. ❏~上一层楼; 다시 한층 위에 오르다《진일보하다》. ⇒gēng

更加] gèngjiā 부 한층. 한결. 더욱. ❏~朝气蓬勃; 한층 생기 발랄해지다.

gong ㄍㄨㄥ

工 gōng (공)
① 명 노동자. 노동 계급. 일꾼. ❏女~; 여공. ② 명 노동. 작업. 일. ❏上~; 작업에 들어가다 / 夜~; 야간작업. ③ 명 공사. 공정. ❏施~; 시공하다. ④ 명 공업. ❏经~; 경공업. ⑤ 명 기사. 엔지니어. ❏高~; 고급 엔지니어. ⑥ 명 일손. 품. 인력. ❏要几个~? 일손이 얼마나 필요한가? ⑦ (~儿) 명 기술. 기능. 솜씨. ❏唱~; 노래 솜씨. ⑧ 형 능하다. 잘하다. ❏~诗善画; 시와 그림에 능하다. ⑨ 형 세밀하다. 정밀하다.

[工本] gōngběn 명 생산 원가.

[工厂] gōngchǎng 명 공장. ❏~废水; 공장 폐수.

[工场] gōngchǎng 명 수공업 작업장. 공방(工房).

[工潮] gōngcháo 명 노동 쟁의. ❏闹~; 노동 쟁의가 일어나다.

[工程] gōngchéng 명 공사. 공정. ❏~费; 공사비 / 土木~; 토목 공사 / ~现场; 공사 현장.

[工程师] gōngchéngshī 명 기술자. 기사(技師). 엔지니어.

[工地] gōngdì 명 작업장. 공사장.

[工读] gōngdú 동 학비를 스스로 벌어 공부하다. 고학(苦學)하다. ❏~生; 고학생.

[工段] gōngduàn 명 ① 공사구(工事區) 작업 부문《건축·교통·수리(水利) 따위 공사에서 나뉜 시공(施工) 조직》. ② 작업 단계. ❏装配~; 조립 단계.

[工蜂] gōngfēng 명〖蟲〗일벌.

[工夫(儿)] gōng·fu(r) 명 ① (투자한) 시간. ❏只用半天~就做完了; 반나절 만에 마쳤다. ② (한가한) 시간. 틈. 여가. ❏没有~; 틈이 없다 / 闲~; 한가한 시간. ③〈方〉때. ❏我当兵那~; 내가 군복무 중일 때.

[工会] gōnghuì 명 노동조합. ❏~会员; 노동조합원.

[工具] gōngjù 명 ① 연장. 공구. 기구. ❏~箱; ⓐ공구함. 연장통. ⓑ〖컴〗도구 상자. ②〈比〉수단. 도구. ❏交通~; 교통수단 / 宣传~; 선전 도구.

[工具书] gōngjùshū 명 공구서《사전·색인·연표·연감 따위》.

[工力] gōnglì 명 ① ⇨[功力②] ② 인력(人力). 노동력.

[工龄] gōnglíng 명 노동자의 근무 연수[연한]. ❏~津贴; 근속 수당.

[工钱] gōng·qián 명 ① 품삯. 공전. ②〈口〉⇨[工资]

[工巧] gōngqiǎo 형 (공예품·글·그림 따위가) 치밀하다. 정교하다.

G

[工人] gōngrén 명 노동자《주로, 육체 노동자를 지칭함》. ❑ 纺织~; 방직공 / ~阶级; 노동자 계급.
[工伤] gōngshāng 명 작업 중 입은 상처. 산업 재해로 입은 상처. ❑ ~保险; 산업 재해 보상 보험. 산재 보험.
[工商界] gōngshāngjiè 명 상공업계.
[工商业] gōngshāngyè 명 상공업.
[工事] gōngshì 명〖軍〗참호·토치카·바리케이드 따위의 진지 구축물. ❑ 挖~; 참호를 파다 / 防御~; 방어용 토치카.
[工头(儿)] gōngtóu(r) 명 ① 직공의 우두머리. ② 십장. 감독.
[工效] gōngxiào 명 작업 능률[효율].
[工薪] gōngxīn 명 ⇨[工资]
[工薪阶层] gōngxīn jiēcéng 샐러리맨[봉급생활자] 계층.
[工薪族] gōngxīnzú 명 샐러리맨. 봉급생활자.
[工休] gōngxiū 동 ① 휴무하다. ❑ ~日; 휴무일. ② 근무 중 휴식하다. ❑ ~时间; 근무 중 휴식 시간.
[工序] gōngxù 명 (제조) 공정. ❑ 最后一道~; 마지막 한 공정.
[工业] gōngyè 명 공업. ❑ ~废料 =[~垃圾]; 산업 폐기물 / ~国; 공업국 / ~间谍; 산업 스파이 / ~设计; 산업 디자인.
[工业革命] gōngyè gémìng ⇨[产业革命].
[工蚁] gōngyǐ 명〖蟲〗일개미.
[工艺] gōngyì 명 ① 가공하여 제품화하는 것. ② 공예. 수공예. ❑ ~美术; 공예 미술 / ~品; 공예품.
[工整] gōngzhěng 형 (글씨가) 세밀하고 깔끔하다.
[工种] gōngzhǒng 명 (공업·광업에 관계된) 일의 종류. 직종(職種).
[工资] gōngzī 명 임금. 봉급. ❑ 固定~; 고정급 / 最低~; 최저 임금. =[〈口〉工钱②][工薪]
[工作] gōngzuò 동 ① 일하다. 근무하다. 작업하다. ❑ 你在哪个单位~? 어디에 근무하십니까? ② (기계 따위가) 가동하다. 작동하다. ❑ 计算机开始~; 컴퓨터가 작동하기 시작하다. 명 ① 직업. ❑ ~没有贵贱之分; 직업에는 귀천이 없다. ② 노동. 작업. 업무. 일. ❑ ~单位; 직장 / ~服; 작업복 / ~量; 작업량. 업무량 / ~日; 작업일. 작업 일수 / ~时间; 업무 시간 / ~者; 근로자. 일꾼 / ~证; 재직 증명서.

功 gōng (공)

명 ① 공적. 공로. 공헌. ❑ 立~; 공적을 세우다. ② 성과. 효과. 업적. ❑ 劳而无~; 헛수고하다. ③ 솜씨. 기술. ❑ 基本~; 기본기.
[功败垂成] gōngbàichuíchéng 〈成〉 거의 다 성공한 순간 실패하다. 거의 다 와서 실패하다.
[功臣] gōngchén 명 ① 공신. ② 〈轉〉 공로가 있는 사람. 공로자.
[功德] gōngdé 명 공덕(功德).
[功底] gōngdǐ 명 기초. 기본기. ❑ ~扎实; 기초가 견고하다.
[功夫] gōng·fu 명 ① 솜씨. 조예. 재주. ❑ ~深; 조예가 깊다 / 真有~; 솜씨가 대단하다. ②〖體〗쿵후. 우슈(武術). ❑ ~片 =[〈口〉~片儿piānr]; 무협 영화. 무술 영화. ③ 시간. 노력. ❑ 下~; 시간을 들이다.
[功过] gōngguò 명 공적과 과실.
[功绩] gōngjì 명 공적. 공로.
[功课] gōngkè 명 ① 수업. 강의. 학업. ② 숙제. ❑ ~做完了吗? 숙제는 다 했느냐?
[功亏一篑] gōngkuī-yīkuì 〈成〉 어떤 큰일을 최후의 고비에서 인력이나 물질이 부족하여 실패하다.
[功劳] gōngláo 명 공로. 공적. 공훈. ❑ 立~; 공적을 세우다.
[功力] gōnglì 명 ① ⇨[功效] ② 기술. 능력. =[工力①]
[功利] gōnglì 명 ① 공리. 실리(實利). ❑ ~主义; 공리주의. ② 공로(功勞)와 이익. ❑ 追求~; 공로와 이익을 추구하다.
[功名] gōngmíng 명 과거에 합격하여 얻은 자격이나 관직. 공명.
[功能] gōngnéng 명 기능. 작용. ❑ ~性疾病;〖醫〗기능성 질환.
[功效] gōngxiào 명 효력. 효능. 효율. ❑ 见~; 효능이 나타나다. =[功力①]
[功勋] gōngxūn 명 공훈.
[功业] gōngyè 명 공훈과 업적.
[功用] gōngyòng 명 효용. 효능. 작용. 쓸모.

攻 gōng (공)

동 ① 공격하다. ❑ 敌人正~着我们; 적이 우리를 공격하고 있다. ② (남의 잘못을) 비난하다. 질책하다. ❑ 起而~之; 일어서서 나무라다. ③ (남의 의견에) 반박하다. 반론하다. ④ 연구하다. 공부하다. ❏ 他同时～着两门专业; 그는 동시에 두 가지를 전공하고 있다.
[攻打] gōngdǎ 동 공격하다.
[攻读] gōngdú 동 노력하여 공부[연구]하다.
[攻击] gōngjī 동 ① 공격하다. ❏ 发起总～; 총공격을 시작하다. ② 비난하다. ❏ 人身～; 인신공격.
[攻坚] gōngjiān 동 ① (적의) 견고한 방어물을 공격하다. ② 〈比〉 난관을 뚫다.
[攻克] gōngkè 동 쳐서 빼앗다. 공략하다. ❏ ～要塞; 요새를 공략하다.
[攻破] gōngpò 동 쳐부수다.
[攻其不备] gōngqíbùbèi 〈成〉 허(虛)를 찔러 공격하다.
[攻势] gōngshì 명 공세.
[攻守] gōngshǒu 명 공격과 수비. ❏ ～同盟; ⓐ공수(攻守) 동맹. ⓑ 한패가 되어 서로 감싸 주는 일.
[攻陷] gōngxiàn 동 공격하여 함락시키다.
[攻心] gōngxīn 동 ① 심리적인 공격을 하여 적의 투지를 꺾다. ❏ ～战; 심리전. ② (비통함·분노 따위로) 의식이 혼미해지다. ③ (궤양·화상 따위로) 생명이 위험해지다.
[攻占] gōngzhàn 동 공격하여 점령하다.

弓 gōng (궁)
① 명 활. ❏ 拉～; 활을 당기다. ② (～儿) 명 활 모양이거나 활과 같은 작용을 하는 것. ③ 동 구부리다. 굽히다. ❏ ～背; 등을 굽히다 / ～着腰; 허리를 굽히고 있다.
[弓形] gōngxíng 명 아치(arch)형. 궁형.
[弓子] gōng·zi 명 모양이나 작용이 활과 같은 것.

躬 gōng (궁)
① 부 몸소. 스스로. 친히. ② 동 (몸을) 구부리다. ❏ ～身下拜; 몸을 구부리고 인사하다.
[躬逢其盛] gōngféng-qíshèng 〈成〉 ① 성대한 모임에 직접 참가하다. ② 성대한 세상을 몸소 겪다.
[躬亲] gōngqīn 동〈書〉 스스로 하다. 몸소 하다. ❏ 事必～; 일은 반드시 몸소 행해야 한다.
[躬行] gōngxíng 동〈書〉 몸소 행하다.

公 gōng (공)
① 형 공공의. 공용의. 공유의. ❏ ～物; ⇩ ② 형 공통의. 공동의. ❏ ～分母; ⇩ ③ 형 국제간에 정해진. 국제적으로 통용되는. ❏ ～制; ⇩ ④ 동 공개하다. ❏ ～之于世; 〈成〉 세상에 공개하다. ⑤ 형 공평하다. 공정하다. ❏ 大～无私; 〈成〉 매우 공평하고 사사로움이 없다. ⑥ 명 공사. 공무. ❏ 办～; 공무를 보다 ⑦ 명 옛날, 작위의 첫째. ❏ ～爵; ⇩ ⑧ 명 공(《주로, 나이 많은 남자에 대한 존칭》). ❏ 张～; 장 공. ⑨ 명 시아버지. ❏ ～婆; ⇩ ⑩ 형 수컷의. ❏ ～鸡; ⇩
[公安] gōng'ān 명 ① 공안. 치안. ❏ ～局; 공안국. ② 공안 요원. 치안 요원.
[公报] gōngbào 명 ① 공보. 성명. ❏ 发表～; 성명을 발표하다 / 联合～; 공동 성명. ② 관보.
[公倍数] gōngbèishù 명〔數〕 공배수.
[公布] gōngbù 동 공포하다. 공표하다. ❏ ～试验结果; 실험 결과를 공표하다.
[公厕] gōngcè 명 ⇨[公共厕所]
[公差] gōngchāi 명 ① 공무 출장. ② 옛날, 관청의 하급 관리.
[公尺] gōngchǐ 양 ⇨[米④]
[公道] gōngdào 명 공정한 도리. 정의(正義). 정도(正道). ❏ 主持～; 정도를 지키다.
[公道] gōng·dao 형 정당하다. 공평하다. 공정하다. 온당하다. ❏ 办事～; 일처리가 공평하다 / 价钱～; 가격이 온당하다.
[公德] gōngdé 명 ⇨[公共道德]
[公敌] gōngdí 명 공공의 적. 공적.
[公断] gōngduàn 동 ① 제삼자가 중간에서 중재하다. ② 공정하게 판단[심판]하다.
[公房] gōngfáng 명 사택(舍宅).
[公费] gōngfèi 명 공비. 국비. ❏ ～生; 국비생 / ～医疗; 공비 의료.
[公分] gōngfēn 양 ① ⇨[克⑥] ② ⇨[厘米]
[公分母] gōngfēnmǔ 명〔數〕 공통분모.
[公愤] gōngfèn 명 대중의 분노. 공분.
[公干] gōnggàn 명 공적인 일. 공무. 동 공무를 보다.
[公告] gōnggào 명 공고. ❏ ～牌; 게시판. 동 통고하다. 알리다.
[公共] gōnggòng 형 공공의. 공동의. 공용의. ❏ ～财产; 공공 재산 / ～场所; 공공장소 / ～交通; 대중교

통 / ～课; 공통 과목 / ～卫生; 공중위생.
[公共厕所] gōnggòng cèsuǒ 공중화장실. =[公厕]
[公共道德] gōnggòng dàodé 공중도덕. =[公德]
[公共汽车] gōnggòng qìchē 버스(bus). =[〈方〉巴士]
[公公] gōng·gong 명 ① 시아버지. ②〈方〉⇨[祖父] ③〈方〉⇨[外祖父] ④〈敬〉노인장《노인에 대한 경칭》. ⑤ 환관(宦官)에 대한 칭호.
[公海] gōnghǎi 명〔法〕공해.
[公害] gōnghài 명 ① 공해. ②〈比〉대중에게 해를 끼치는 것.
[公函] gōnghán 명 공문서.
[公鸡] gōngjī 명 수탉.
[公假] gōngjià 명 법정 휴가. 약정 휴가《출산 휴가 따위》.
[公家] gōng·jia 명〈口〉국가. 정부. 공공 기관. 단체. 기업.
[公斤] gōngjīn 양〔度〕킬로그램(kilogram). =[千克]
[公爵] gōngjué 명 공작.
[公开] gōngkāi 동 공개하다. ❑～他的秘密; 그의 비밀을 공개하다. 형 공개적인. 공공연한. ❑～审判; 공개 재판 / ～信; 공개장.
[公款] gōngkuǎn 명 공금.
[公厘] gōnglí 양⇨[毫米]
[公里] gōnglǐ 양〔度〕킬로미터(kilometer). =[千米]
[公理] gōnglǐ 명 ①(사회의) 정당한 도리. 공리. ②〔數〕공리.
[公历] gōnglì 명 그레고리력(Gregory曆). 양력《태양력의 일종으로 현재 국제적으로 통용함》.
[公立] gōnglì 형 공립의. ❑～学校; 공립학교.
[公路] gōnglù 명 도로. ❑高速～; 고속도로 / ～网; 도로망.
[公论] gōnglùn 명 ① 공론. 세론. 여론. ② 공평한 의론.
[公民] gōngmín 명〔法〕공민. ❑～权; 공민권.
[公墓] gōngmù 명 공동묘지.
[公平] gōngpíng 형 공평하다. 공정하다. ❑～的判决; 공정한 판결.
[公婆] gōngpó 명 ① 시아버지와 시어머니. 시부모. ②〈方〉부부.
[公仆] gōngpú 명 (국가나 사회의) 심부름꾼. 공복.
[公顷] gōngqǐng 양〔度〕헥타르(hectare).
[公然] gōngrán 부 공공연히. ❑～作弊; 공공연히 부정한 짓을 하다.
[公认] gōngrèn 동 공인하다.
[公社] gōngshè 명 ① 공동체. 공동 사회. ②〈簡〉'人民公社(인민공사)'의 약칭. ③〔史〕코뮌(프commune).
[公审] gōngshěn 동〔法〕군중 재판을 하다. 공개 재판을 하다. ❑～大会; 공개 재판.
[公升] gōngshēng 양 ⇨[升B)①]
[公式] gōngshì 명〔數〕공식.
[公式化] gōngshìhuà 동 형식화하다. 공식화하다.
[公事] gōngshì 명 ① 공적인 일. 공사. 공무. ❑～公办;〈成〉공적인 일은 공적인 원칙에 따라 처리한다. ②〈方〉공문서. 서류. ❑～皮包; 서류 가방.
[公司] gōngsī 명 회사. ❑跨国～; 다국적 기업 / ～债; 회사채.
[公私] gōngsī 명 공과 사. 공사. ❑～要分清; 공사는 분명히 가려야 한다.
[公诉] gōngsù 동〔法〕공소하다. ❑～人; 공소인.
[公文] gōngwén 명 공문. 공문서. 서류. ❑～袋; 서류 봉투.
[公务] gōngwù 명 공무. ❑办理～; 공무를 처리하다 / ～员; ⓐ공무원. ⓑ(옛날, 기관이나 단체의) 고용원. 잡역부.
[公物] gōngwù 명 공공물.
[公信力] gōngxìnlì 명〔法〕공신력.
[公休] gōngxiū 동 (휴일·휴가일에) 단체로 쉬다. ❑～日; 공휴일.
[公演] gōngyǎn 동 공연하다.
[公益] gōngyì 명 공익. ❑～广告; 공익 광고 / ～金; 공익금. 복지 기금.
[公营] gōngyíng 형 공영의. ❑～企业; 공영 기업.
[公用] gōngyòng 동 공동으로 사용하다. 공용하다. ❑～电话; 공중전화 / ～事业; 공익 사업.
[公有] gōngyǒu 동 공유하다. ❑～财产; 공유 재산 / ～土地; 공유지 / ～制; 공유제.
[公寓] gōngyù 명 ① 아파트. ② 옛날, 사글세 여관.
[公元] gōngyuán 명 서력 기원. ❑～前; 기원전.
[公园] gōngyuán 명 공원.
[公约] gōngyuē 명 ① 공약. 조약.

협정. ❏ 日内瓦~; 제네바 조약. ② (기관·단체 따위의) 규칙. 규약. ❏ 卫生~; 위생 규정.
[公约数] gōngyuēshù 명〖數〗공약수.
[公允] gōngyǔn 형 공평하고 타당하다.
[公债] gōngzhài 명 공채. 공공채. ❏ ~券; 공채 증권.
[公章] gōngzhāng 명 (기관·단체가 사용하는) 공인(公印).
[公正] gōngzhèng 형 공정하다. ❏ ~的评价; 공정한 평가.
[公证] gōngzhèng 동〖法〗공증하다. ❏ ~人; 공증인 / ~书; 공증서.
[公职] gōngzhí 명 공직. ❏ ~人员; 공직자.
[公制] gōngzhì 명〈簡〉⇨[国际公制]
[公众] gōngzhòng 명 공중. 대중. ❏ ~利益; 공공 이익 / ~人物; 대중의 주목을 받는 사람. 공인(《정치인·연예인·스포츠 스타 등》).
[公主] gōngzhǔ 명 공주.
[公转] gōngzhuàn 동〖天〗공전하다.
[公子] gōngzǐ 명 ① 공자. ②〈轉〉〈敬〉영식(令息)(《남의 자식을 존대하여 부르는 말》).
[公子哥儿] gōngzǐgēr 명 세상 물정 모르는 철부지 도련님. 〈轉〉버릇없이 자란 젊은 남자.

蚣 gōng (공)
→[蜈wú蚣]

供 gōng (공)
동 ① 공급하다. ❏ ~不应求; ⇓ ② 제공하다. ❏ 这些资料~大家参考; 이 자료들은 모두에게 참고용으로 제공됐다. ⇒ gòng
[供不应求] gōngbùyìngqiú〈成〉공급이 수요를 따르지 못하다. 공급이 달리다.
[供给] gōngjǐ 동 공급하다. ❏ ~粮食; 식량을 공급하다 / ~制; (사회주의 국가의) 공급제.
[供暖] gōngnuǎn 동 난방하다. ❏ ~设备; 난방 장치.
[供求] gōngqiú 명 공급과 수요. 수급. ❏ ~调整; 수급 조정 / ~率; 수급률. =[供需]
[供销] gōngxiāo 명 공급과 판매.
[供需] gōngxū 명 ⇨[供求]
[供养] gōngyǎng 동 (노인을) 봉양하다. 부양하다. ⇒ gòngyǎng
[供应] gōngyìng 동 공급하다. 제공하다. 보급하다. ❏ ~紧张; 공급 부족 / ~来源; 공급원.
[供应舰] gōngyìngjiàn 명 보급선. =[补给舰]

恭 gōng (공)
형 공손하다. 정중하다. ❏ 洗耳~听;〈成〉공손히 주의를 기울여 듣다.
[恭贺] gōnghè 동〈敬〉① 축하 말씀을 드리다. ②〈套〉축하합니다. ❏ ~新禧; 신년을 축하합니다(《연하장 따위에 쓰는 문구》).
[恭候] gōnghòu 동〈套〉〈敬〉삼가 기다리다. ❏ ~光临; 왕림을 기다리겠습니다.
[恭敬] gōngjìng 형 공손하다. 정중하다. 예의 바르다.
[恭顺] gōngshùn 형 공손하다.
[恭维] gōng·wéi 동 추켜세우다. 아첨하다. 알랑거리다. ❏ 爱听~; 알랑거리는 말을 듣는 것을 좋아하다. =[恭惟]
[恭喜] gōngxǐ 동〈套〉축하합니다. ❏ 您高升了, ~~; 승진하신 것을 축하합니다.

肱 gōng (굉)
명〈書〉상완(上腕)(《팔꿈치에서 어깨까지의 부분》).

宫 gōng (궁)
명 ① 궁. 궁전. ② 신선이 사는 곳. ❏ 龙~; 용궁. ③ (도교·라마교의) 사원(寺院). ④ 홀. 회관(《문화 오락장의 이름》). ❏ 文化~; 문화 회관.
[宫殿] gōngdiàn 명 궁전.
[宫女] gōngnǚ 명 궁녀.
[宫廷] gōngtíng 명 ① 궁정. 궁전. 궁궐. ② 궁정 안의 통치 집단. ❏ ~改变;〈成〉제왕이 바뀌다(《정권이 교체되다》).

巩(鞏) gǒng (공)
형 견고하다. 공고하다.
[巩固] gǒnggù 형 (주로, 추상적인 것이) 견고하다. 튼튼하다. 단단하다. 공고하다. ❏ 基础~; 기초가 튼튼하다. 동 공고히 하다. 튼튼히 다지다. ❏ ~国家的地盘; 국가의 기반을 공고히 하다.
[巩膜] gǒngmó 명〖生理〗공막.

汞 gǒng (홍)
명〖化〗수은(Hg). =[水银]
[汞灯] gǒngdēng 명 수은등. =[水银灯]
[汞溴红] gǒngxiùhóng 명〖藥〗머큐로크롬(mercurochrome). =

[红药水]

[汞柱] gǒngzhù 명〔物〕 수은주. 수은 기둥. =[水银柱]

拱 gǒng (공) ① 동 공수(拱手)하다. ❑ 打~作揖; 〈成〉 공수하고 읍(揖)하다. ② 동 에워싸다. 둘러싸다. ❑ 众星~月; 많은 별이 달을 에워싸다. ③ 동 어깨를 움츠리다. ❑ ~肩缩背; 〈成〉 어깨를 움츠리고 등을 굽히다《춥거나 두려운 모양》. ④ 명〔建〕 아치형. ❑ ~式建筑物; 아치형 건조물. ⑤ 동 (위쪽이나 앞쪽으로) 쳐올리다. 들어 올리다. 떠밀다. ❑ 虫子~土; 벌레가 흙 속에서 흙을 쳐들다. ⑥ 동 (싹이) 트다. 돋아나다. ❑ 芽儿从土里~出; 싹이 땅 속에서 돋아나다.

[拱抱] gǒngbào 형 (뭇 산들이) 둘러싸다. 에워싸다. ❑ 众山~的牧场; 많은 산들에 에워싸인 목장.

[拱门] gǒngmén 명〔建〕 아치형 문.

[拱棚] gǒngpéng 명 (아치형의) 비닐하우스.

[拱桥] gǒngqiáo 명〔建〕 아치형 다리.

[拱手] gǒng//shǒu 동 공수하다《두 손을 가슴 부근에서 마주 잡고 코 가까이까지 올렸다 내렸다 하며 하는 절》.

[拱券] gǒngxuàn 명〔建〕 (다리·문 따위의) 아치(arch).

共 gòng (공) ① 형 공통의. 공유의. ❑ ~性; ⇩ ② 동 같이하다. 함께하다. ❑ 我们~过患难; 우리는 환난을 함께했었다. ③ 부 같이. 함께. 공동으로. ❑ ~进午餐; 점심 식사를 함께 하다. ④ 부 전부. 모두. 합계. ❑ 中国~有十三亿多人口; 중국은 모두 13 억여 명의 인구가 있다. ⑤ 명〈簡〉 공산당의 약칭. ❑ 中~; 중국 공산당.

[共产党] gòngchǎndǎng 명〔政〕 공산당. ❑ ~员; 공산당원.

[共产主义] gòngchǎn zhǔyì 공산주의. ❑ ~者; 공산주의자.

[共处] gòngchǔ 동 공존하다. ❑ 和平~; 평화 공존.

[共存] gòngcún 동 공존하다.

[共犯] gòngfàn 〔法〕 동 공범하다. ❑ ~罪; 공범죄 / ~者; 공범자. 공범. 명 공범. 공범자.

[共管] gòngguǎn 동 공동으로 관리하다.

[共和] gònghé 명 공화. ❑ ~国; 공화국 / ~制; 공화 제도.

[共勉] gòngmiǎn 동 서로 격려하다. 함께 노력하다.

[共鸣] gòngmíng 동 ①〔物〕 공명하다. ② 공명하다. 공감하다.

[共生] gòngshēng 동〔生〕 공생하다.

[共事] gòng//shì 동 공동으로 일하다. 함께 일하다.

[共通] gòngtōng 형 ① 공통적인. 공통의. ❑ ~的毛病; 공통적인 문제점. ② 두루 통하는. 통용되는. ❑ ~的道理; 두루 통하는 이치.

[共同] gòngtóng 형 공동의. 공통의. ❑ ~点; 공통점 / ~负责; 공동 책임 / ~语; 공통어. 부 다 함께. 다 같이. ❑ ~办理; 다 함께 처리하다.

[共同体] gòngtóngtǐ 명 ① 공동체. 공동 사회. ② 국가 연합 형식의 하나. ❑ 欧洲经济~; 유럽 경제 공동체(EEC).

[共性] gòngxìng 명 공통성.

[共总] gòngzǒng 부 ⇨[总共]

供 gòng (공) ① 동 (제물을) 차려 놓다. 바치다. ❑ 在烈士灵前~果品; 열사의 영전에 과일을 바치다. ② 명 공물. 제물. ③ 명동 공술(供述)(하다). 자백(하다). ❑ 逼~; 자백을 강요하다. ⇒ gōng

[供词] gòngcí 명〔法〕 진술한 말. 공술(供述). 자백 내용.

[供奉] gòngfèng 동 (신을) 모시다. 공양하다. ❑ ~菩萨; 부처를 모시다.

[供品] gòngpǐn 명 (신불의) 제물. 공물.

[供认] gòngrèn 동 범행을 인정하다. 자백하다.

[供述] gòngshù 동〔法〕 공술하다. 진술(陳述)하다.

[供养] gòngyǎng 동 (신불이나 조상에게) 바치다. 공양하다. ❑ ~米; 공양미. ⇒ gōngyǎng

[供职] gòng//zhí 동 봉직하다. 직무를 담당하다.

[供状] gòngzhuàng 명 공술서(供述書). 자백서.

贡(貢) gòng (공) ① 명동 공물(을 바치다). ❑ 进~; 공물을 바치다. ② 동 옛날, 인재를 선발하여 조정(朝廷)

에 추천하다.

[贡品] gòngpǐn 명 공물(貢物).

[贡献] gòngxiàn 명동 공헌(하다). 기여(하다). ❏ ~出一切力量; 모든 힘을 바치다.

gou ㄍㄡ

勾 gōu (구)

동 ① (체크 기호를 써서) 표시하다. 지우다. 삭제하다. 뽑아내다. ❏ 把重点词~出来; 중요 단어를 체크 표시로 뽑아내다 / 把他的名字~去; 그의 이름을 삭제하다. ② 윤곽을 그리다. ❏ 用铅笔~一个轮廓; 연필로 윤곽을 그리다. ③ (석회·시멘트 따위로) 틈새를 발라 메우다. ❏ ~墙缝; 벽의 틈새를 발라 메우다. ④ (생각·질병을) 불러일으키다. 야기하다. 이끌어 내다. ❏ 把他的真心话~起来; 그의 본심을 이끌어 내다. ⑤ 결합하다. 결탁하다. ❏ ~通; ⇩ ⇒gòu

[勾搭] gōu·da 동 ① 한패가 되어 나쁜 짓을 하다. 결탁하여 부정을 저지르다. ❏ 那家伙跟一些恶棍勾勾搭搭; 그 녀석은 나쁜 놈들과 어울리며 못된 짓을 한다. ② (남녀가) 시시덕거리다. 사통(私通)하다.

[勾画] gōuhuà 동 (윤곽만을) 간단히 묘사하다.

[勾结] gōujié 동 (부정한 짓을 위해) 결탁하다. 한통속이 되다. ❏ 他们~在一起干坏事; 그들은 함께 결탁해서 나쁜 짓을 한다. =[勾连①]

[勾连] gōulián 동 ① ⇨[勾结] ② 관련하다. 연루하다. ❏ 我怀疑这事与他有~; 나는 이 일이 그와 연루되어 있다고 의심한다. ‖ =[勾联]

[勾通] gōutōng 동 결탁하다. 내통하다.

[勾销] gōuxiāo 동 취소하다. 말소하다. 백지화하다. ❏ 一笔~; 〈成〉 단번에 취소하다.

[勾引] gōuyǐn 동 ① (나쁜 길로) 유혹하다. 꾀다. 끌어들이다. ② 불러일으키다. 이끌어 내다. ❏ ~回忆; 기억을 불러일으키다.

[勾针(儿)] gōuzhēn(r) 명 ⇨[钩针(儿)]

沟(溝) gōu (구)

명 ① 하수도. 도랑. ❏ 掏~; 도랑을 치다. ② (~儿) 길게 패인 도랑 모양의 것. ❏ 车~; 바퀴 자국.

[沟渠] gōuqú 명 관개·배수용 수로. 도랑.

[沟通] gōutōng 동 통하게 하다. 소통시키다. ❏ ~南北的大桥; 남북을 통하게 하는 대교.

钩(鈎) gōu (구)

① (~儿) 명 갈고리. ❏ 钓鱼~儿; 낚싯바늘. ② (~儿) 명 갈고리 모양의 한자 필획(筆畫). ③ (~儿) 명 체크 표시. ④ 동 (갈고리 모양의 것으로) 낚아서 걸거나 꺼내다. ❏ 用拐棍儿把床底下的鞋~出来; 지팡이로 침대 밑에 있는 신발을 꺼내다. ⑤ 동 코바늘로 뜨다. ⑥ 동 감치다. ❏ ~贴边; 헝겊을 대고 가장자리를 감치다.

[钩虫] gōuchóng 명〔蟲〕구충.

[钩心斗角] gōuxīn-dòujiǎo 〈成〉 서로 배척하다. 암투(暗鬪)를 벌이다. =[勾心头角]

[钩针(儿)] gōuzhēn(r) 명 코바늘. =[勾针(儿)]

[钩子] gōu·zi 명 ① 갈고리. 후크 단추. 저울의 걸쇠. ② 갈고리 모양의 것.

佝 gōu (구)

→[佝偻][佝偻病]

[佝偻] gōu·lóu 동〈口〉 척추가 앞쪽으로 휘다. 등이 굽다.

[佝偻病] gōulóubìng 명〔醫〕구루병. =[软骨病]

苟 gǒu (구)

① 형 대강대강 하다. 마음대로 하다. ❏ 一丝不~; 〈成〉 조금도 허투루 하지 않다. ② 접〈書〉 가령. 만약. ❏ ~能坚持, 必将胜利; 만일 끝까지 노력한다면 승리할 것이다.

[苟安] gǒu'ān 동 눈앞의 일시적인 안일만을 좇다.

[苟活] gǒuhuó 동 그럭저럭 되는대로 살아가다.

[苟且] gǒuqiě 형 ① 그럭저럭 되는 대로 살아가다. ❏ ~偷安; 〈成〉 목전의 안일만을 탐하다 / ~偷生; 〈成〉 구차하게 살아가다. ② 소홀히 하다. 대강대강 하다. 건성으로 하다. ③ (남녀의 관계가) 부정하다.

[苟全] gǒuquán 동 구차하게 목숨을 부지하다.

[苟同] gǒutóng 동〈書〉 경솔하게 동의하다. 분별없이 맞장구치다. ❏

～别人的意见; 경솔하게 남의 의견에 동조하다.

狗 gǒu (구)
명 ①〔動〕 개. ❑看kān家～; 집 지키는 개. ＝[犬quǎn] ②〈罵〉 개. 앞잡이. ❑走～; 〈比〉 악인의 앞잡이.

[狗胆包天] gǒudǎn-bāotiān 〈成〉 어처구니없을 정도로 대담하다. 대단히 뻔뻔스럽다.

[狗苟蝇营] gǒugǒu-yíngyíng 〈成〉 ⇒[蝇营狗苟]

[狗獾] gǒuhuān 명〔動〕 오소리.

[狗急跳墙] gǒují-tiàoqiáng 〈成〉 개도 급하면 담을 넘는다《다급해지면 앞뒤 가리지 않고 행동한다》.

[狗皮膏药] gǒupí gāo·yao 개가죽에 발라 만든 고약. 〈比〉 가짜 물건.

[狗屁] gǒupì 명〈罵〉 개소리. 허튼소리. ❑放～; 개소리를 하다 / ～不通; (말이나 글이) 말도 안 되게 엉터리다 / ～文章; 말도 안 되는 엉터리 글.

[狗屎堆] gǒushǐduī 명〈罵〉 개같은 인간.

[狗头军师] gǒutóu jūnshī 엉터리 참모[책사(策士)].

[狗腿子] gǒutuǐ·zi 명〈口〉 악인의 앞잡이. 불한당의 부하.

[狗尾草] gǒuwěicǎo 명〔植〕 강아지풀. ＝[莠yǒu①]

[狗熊] gǒuxióng 명 ①⇒[黑熊] ②〈比〉 겁 많고 무능한 놈. 겁쟁이.

[狗血喷头] gǒuxuè-pēntóu 〈成〉 온갖 욕설을 마구 퍼붓다.

[狗崽子] gǒuzǎi·zi 명〈罵〉 개자식. 개새끼.

[狗仗人势] gǒuzhàngrénshì 〈成〉 개가 주인을 믿고 으르렁대다《남의 위세를 이용하여 사람을 괴롭히다》.

枸 gǒu (구)
→[枸杞]

[枸杞] gǒuqǐ 명〔植〕 구기자나무. ❑～子; 구기자.

勾 gòu (구)
→[勾当] ⇒gōu

[勾当] gòu·dàng 명 일. 짓. 수작. ❑这种商人的～是令人讨厌的; 이러한 상인들의 수작을 사람들은 싫어한다.

构(構) gòu (구)
①동 세우다. 짓다. 조립하다. 구성하다. ❑～思; ⇓ / ～图; ⇓ ②동 (추상적인 것을) 결성하다. 맺다. ❑～陷; 함정에 빠뜨리다. 모함하다 / ～怨; 원한을 맺다. ③명 문예 작품. ❑佳～; 가작. ④명〔植〕 닥나무.

[构成] gòuchéng 명동 구성(하다). 조성(하다). 형성(하다). ❑～因素; 구성 요소.

[构件] gòujiàn 명 ①〔機〕 부재(部材). ❑内～; 내부재. ②〔建〕 건물의 구성 부분《대들보·기둥 따위》.

[构思] gòusī 동 구상하다. ❑～一部小说; 소설 한 편을 구상하다.

[构图] gòutú 동〔美〕 구도를 잡다.

[构想] gòuxiǎng 동 구상하다. ❑～自己的未来; 자신의 미래를 구상하다. 명 생각. 의견. 계획.

[构造] gòuzào 명 구조. 조직. 구성. ❑地质～; 지질 구조 / 人体～; 인체 구조 / 文章的～; 문장의 구성. 동 조립하다. (집을) 세우다. (다리를) 놓다. (기계 따위를) 조립하다. (시(詩) 따위를) 짓다. (이론·체계를) 세우다. (도형을) 그리다.

购(購) gòu (구)
동 사다. 구입하다. 구매하다. ❑～货; 상품을 구매하다 / ～粮; 식량을 구입하다.

[购并] gòubìng 동 ⇒[并购]

[购买] gòumǎi 동 구입하다. 구매하다. ❑～力; 구매력 / ～手段; 구매 수단.

[购物] gòuwù 동 쇼핑하다. ❑～袋; 쇼핑백 / ～中心; 쇼핑센터.

[购销] gòuxiāo 명 구입과 판매.

[购置] gòuzhì 동 (장기간 사용할 물품을) 구입하다. 마련하다. ❑～家电; 가전제품을 구입하다.

诟(詬) gòu (구)
〈書〉 ①명 수치. 치욕(恥辱). ②동 욕하다.

[诟病] gòubìng 동〈書〉 질책하다. 비난하다.

[诟骂] gòumà 동〈書〉 모욕을 주고 욕하다. 나무라다.

垢 gòu (구)
①형〈書〉 더럽다. 불결하다. ❑蓬头～面; 〈成〉 봉두난발에 때 묻은 얼굴. ②명 때. 더러움. ❑油～; 기름때. ③명〈書〉 치욕. 모욕.

媾 gòu (구)
동〈書〉 ① 혼인하다. ❑婚～; 결혼하다. ② 강화(講和)하다. ❑发使为～; 사절을 파견하여 강화하다. ③ 교배하다. 성교하다.

媾和] gòuhé 동 (두 나라의 전쟁이 끝나고) 화해하다. 강화하다. ❏ 两国~; 양국이 화해하다.

够 gòu (구)
① 동 넉넉하다. 충분하다. ❏ 粮食~了; 양식이 충분하다. ② 동 (일정한 기준·정도에) 도달하다. 이르다. ❏ ~格(儿); ⇩ ③ 부 매우. 아주. ❏ 考试题目~难的; 시험 문제가 아주 어렵다. ④ 동 (손이나 도구를 뻗어서) 집다. 잡다. 닿다. ❏ 他个子矮, ~不着; 그는 키가 작아서 손이 닿지 않는다.

够本(儿)] gòu∥běn(r) 동 ① 원가에 상응하다. 본전이 되다. ❏ 这个价格还不~呢; 이 가격은 본전도 안 된다. ② 〈比〉 득실(得失)이 같다.

够格(儿)] gòu∥gé(r) 동 자격을 갖추다. 격에 맞다.

够交情] gòu jiāo·qing ① 우정이 깊다. ② ⇨[够朋友]

够劲儿] gòujìnr 형〈口〉 (맛이나 정도가) 심하다. 강하다. ❏ 最近工作太多, 他忙得~; 요새 일이 많아서 그는 매우 바쁘다.

够朋友] gòu péng·you 친구로서 의리가 서다. =[够交情②]

够呛] gòuqiàng 형〈口〉 견딜 수 없다. 지독하다. 죽겠다. ❏ 累得~; 피곤해서 견딜 수 없다. =[够戗qiàng]

够瞧的] gòuqiáo·de 형 (정도가) 심하다. 상당하다. 매우 안 좋다. ❏ 这回的损失~了; 이번의 손실은 상당했다 / 这孩子的功课可~; 이 아이의 학업 성적은 매우 안 좋다.

够受的] gòushòu·de 형 〈口〉 지독하다. 호되다. 모질다. 못 견디다. ❏ 天这么热, 可真~; 날씨가 너무 더워서 못 견디겠다.

够味儿] gòuwèir 형〈口〉 상당한 수준에 다다르다. 상당하다. 훌륭하다.

gu ㄍㄨ

估 gū (고)
동 짐작하다. 어림잡다. 추측하다. ❏ 你~一~他能不能来; 그 사람이 올지 안 올지 추측해 봐라.

估计] gūjì 동 (사물의 성질·수량·변화 따위를) 전망하다. 예상하다. 예측하다. 추정하다. 헤아리다. 평가하다. ❏ 那影响是不可~的; 그 영향은 헤아릴 수가 없다.

[估价] gū∥jià 동 ① (상품의 가격을) 매기다. 산정(算定)하다. 견적하다. 치다. ❏ 这幅画~三千元; 이 그림의 견적은 삼천 위안이다. ② (gūjià) (사람·사물에 대해) 평가하다. ❏ 要正确地~自己; 스스로를 정확하게 평가해야 한다.

[估量] gū·liáng 동 헤아리다. 예상하다. 추정하다. ❏ 不可~的损失; 헤아릴 수 없는 손실.

[估摸] gū·mo 동〈口〉 추량하다. 짐작하다. ❏ ~有六米高; 대략 높이가 6미터쯤 된다.

沽 gū (고)
동〈書〉 ① 사다. 구입하다. ❏ 零~; 조금씩 사다. ② 팔다. 판매하다. ❏ 减~; 값을 깎아서 팔다.

[沽名钓誉] gūmíng-diàoyù 〈成〉 온갖 수단을 부려 명예를 추구하다.

咕 gū (고)
의 꼬꼬. 구구《암탉·비둘기 따위의 울음소리》. ❏ 母鸡~~地叫; 암탉이 꼬꼬댁거리다.

[咕咚] gūdōng 의 ① 쿵. 풍덩《무거운 것이 떨어지는 소리》. ② 꿀꺽《물 마시는 소리》. ❏ ~~几口就把一杯水喝光了; 꿀꺽꿀꺽 몇 모금으로 물 한 잔을 다 마셨다.

[咕嘟] gūdū 의 부글부글. 꿀꺽꿀꺽《물이 끓는 소리. 물이 솟아 나오는 소리. 물을 마실 때의 소리》. ❏ 锅里的粥~~响; 냄비 속의 죽이 부글부글 소리를 낸다.

[咕嘟] gū·du 동 〈方〉 ① 오랜 시간 푹 삶다. ❏ 把海带~烂了再吃; 다시마를 흐물흐물해지도록 삶아서 먹다. ② (입을) 뾰로통하게 내밀다.

[咕叽] gūjī 의 철벅철벅. ❏ 他~~地走在泥泞的路上; 그는 진흙탕 길을 철벅철벅 걸었다. =[咕唧jī]

[咕叽] gū·ji 동 ① 소곤소곤 속삭이다. ② (혼자서) 중얼거리다. 혼잣말하다. ❏ 他边走边~; 그는 걸으면서 혼잣말로 중얼거린다. ‖ =[咕唧·ji]

[咕噜] gūlū 의 ① 쪼르륵. 졸졸. 데굴데굴《물이 흘러가는 소리나 물건이 구르는 소리》. ❏ 他听到大石头~~滚下去的声音; 그는 큰 돌이 데굴데굴 굴러 떨어지는 소리를 들었다. ② 꿀꺽《물 마시는 소리》. ❏ ~一下喝干了; 꿀꺽 한입에 들

이마셨다.
[咕哝] gū·nong 동 투덜거리다. 우물우물 말하다. 혼잣말을 하다.

姑 gū (고)
① 명 고모. ❑大～; 큰고모. ②명 시누이. ❑大～子; 손위 시누이. ③명〈書〉시어머니. ❑翁～; 시부모. ④명 비구니. 여승. 무당. ❑尼～; 비구니. ⑤부〈書〉잠시. 잠깐. 일단. ❑～置勿论; 잠시 문제로 삼지 않다.
[姑表] gūbiǎo 형 고종 사촌의. ❑～姐妹; 고종 사촌 자매 / ～兄弟; 고종 사촌 형제.
[姑夫] gū·fu 명 ⇨[姑父]
[姑父] gū·fu 명 고모부. ＝[姑夫]
[姑姑] gū·gu 명 ⇨[姑母]
[姑妈] gūmā 명〈口〉(결혼한) 고모.
[姑母] gūmǔ 명 고모. ＝[姑姑]
[姑娘] gū·niang 명 ① 아가씨. 처녀. ②〈口〉딸.
[姑且] gūqiě 부 잠시. 우선. 일단. ❑这个办法你～试一下; 일단 이 방법으로 한번 해 보거라. ＝[〈書〉聊liáo且]
[姑嫂] gūsǎo 명 시누이와 올케.
[姑妄听之] gūwàngtīngzhī〈成〉(믿건 안 믿건) 일단 한번 들어 보다.
[姑妄言之] gūwàngyánzhī〈成〉(정확하진 않지만) 일단 한번 말해 두다.
[姑息] gūxī 동 지나치게 관용을 베풀다. 무원칙적으로 봐주다. ❑～养奸;〈成〉지나치게 관용을 베풀어 악인이 판치게 하다.
[姑爷] gū·ye 명〈口〉사위.
[姑子] gū·zi 명 ⇨[尼姑]

轱(軲) gū (고)
→[轱辘]
[轱辘] gū·lu 명〈口〉차륜. 바퀴. 동 구르다. 굴러가다. ❑油桶～远了; 기름통이 멀리 굴러갔다.

鸪(鴣) gū (고)
→[鹁bó鸪][鹧zhè鸪]

菇 gū (고)
명〖植〗버섯. ❑香～; 표고버섯.

蛄 gū (고)
→[蝼lóu蛄]

辜 gū (고)
①명 죄. ❑无～; 죄가 없다. ②동〈書〉배신하다. 저버리다. ❑～恩; 은혜를 저버리다.
[辜负] gūfù 동 (호의·기대 따위를) 헛되이 만들다. 저버리다. ❑～好意; 호의를 저버리다.

呱 gū (고)
→[呱呱] ⇒ guā
[呱呱] gūgū 의〈書〉응애응애《갓난아기의 울음소리》. ❑～坠地;〈成〉아기가 태어나다. ⇒ guāguā

孤 gū (고)
형 ① 어려서 아버지, 혹은 양친을 잃은. ❑～儿; ⇩ ② 단독의. 홀로. 외로운. ❑～身; ⇩
[孤傲] gū'ào 형 오만하다. 도도하다. 거만하다.
[孤单] gūdān 형 ① 외롭다. 외톨이다. ❑他还过着～的生活; 그는 아직도 외톨이 생활을 하고 있다. ②(힘이) 부족하다. 약하다.
[孤岛] gūdǎo 명 ① 외딴섬. ②〈比〉고립된 존재. 고립된 지역.
[孤独] gūdú 형 고독하다. 외롭다. ❑我一个人在家太～了; 나 혼자 집에 있으니 너무 외롭다.
[孤儿] gū'ér 명 ① 아버지를 잃은 아이. ② 부모를 잃은 아이. 고아. ❑～院; 고아원.
[孤芳自赏] gūfāng-zìshǎng〈成〉스스로 고결하다고 자처하며 자기도취에 빠지다.
[孤寂] gūjì 형 고독하고 쓸쓸하다. ❑～的生活; 외롭고 쓸쓸한 생활.
[孤家寡人] gūjiā-guǎrén 고독한 사람. 외톨이.
[孤军] gūjūn 명 고군. 고립된 군대. ❑～作战;〈成〉고군분투하다.
[孤苦] gūkǔ 형 외롭고 가난하다. ❑～伶仃;〈成〉의지할 데 없이 외롭고 가난하다.
[孤立] gūlì 형 ①(다른 것과) 동떨어지다. 상관이 없다. ❑这个事件不是～的; 이 일은 상관이 없지 않다. ② 고립되다. ❑～无援 ＝[～无助];〈成〉고립무원. 동 고립시키다. ❑～敌人; 적을 고립시키다.
[孤零零(的)] gūlínglíng(·de) 형 쓸쓸하다. 적적하다. 외롭다.
[孤陋寡闻] gūlòu-guǎwén〈成〉학문이 얕고 견문이 좁다.
[孤僻] gūpì 형 (성격이) 괴팍하다.
[孤身] gūshēn 형 혈혈단신의. 외톨이인《주로, 피붙이가 곁에 없거나 아예 없는 경우를 말함》.
[孤掌难鸣] gūzhǎng-nánmíng〈成〉한쪽 손바닥만으로는 소리를 내지 못한다《혼자서는 아무 일도 할 수 없다》.

[孤注一掷] gūzhù-yīzhì 〈成〉 도박에서 남은 밑천을 다 걸고 최후의 승리를 노리다《위급할 때 온 힘을 다해 승부수를 던지다》.

骨 gū (골)
→[骨朵儿][骨碌碌(的)][骨碌] ⇒gǔ

[骨朵儿] gū·duor 명〈口〉 꽃봉오리.

[骨碌碌(的)] gūlūlū(·de) 형 데굴데굴. 팽글팽글《매우 빨리 회전하는 모양》.

[骨碌] gū·lu 동 데굴데굴 구르다. ❑皮球在地上~; 고무공이 땅에서 데굴데굴 구른다.

箍 gū (고)
①동 테를 두르다. 띠 모양의 것으로 감다. ❑头上~着条白带子; 머리에 흰 띠를 두르고 있다. ②(~儿) 명 테. 테 모양의 물건. ❑铁~; 쇠테.

古 gǔ (고)
①명 고대. 옛날. ❑厚今薄~;〈成〉 현재 것을 중시하고 옛것을 경시하다. ②형 오래되다. ❑物~自然贵; 물건이 오래되면 자연히 비싸진다. ③형 예스럽다. 고풍스럽다. ❑~朴; ⇩ ④형 질박하다. 순박하다. ❑人心不~; 인심이 순박함을 잃다.

[古巴] Gǔbā 명〖地〗〈音〉 쿠바(Cuba).

[古板] gǔbǎn 형 ① 융통성이 없다. 완고하다. 고집스럽다. ❑~脾气; 융통성이 없는 성격. ②(사상·작풍 따위가) 고루하다. 진부하다. ❑思想~; 사상이 진부하다.

[古城] gǔchéng 명 고성.

[古代] gǔdài 명〖史〗고대.

[古典] gǔdiǎn 형 고전의. ❑~文学; 고전 문학 / ~音乐; 고전 음악. 클래식 / ~主义; 고전주의. 명 전고(典古). ❑引用~; 전고를 인용하다.

[古董] gǔdǒng 명 ①골동품. =[古玩] ②〈比〉 시대에 뒤떨어진 물건. ③〈比〉 완고하고 보수적인 사람. ‖ =[骨gǔ董]

[古怪] gǔguài 형 괴상하다. 희한하다. 괴팍하다. ❑脾气~; 성질이 괴팍하다 / ~的人; 괴상한 사람.

[古画] gǔhuà 명 옛 그림. 고화.

[古话] gǔhuà 명 고어. 옛말.

[古籍] gǔjí 명 고서적.

[古迹] gǔjì 명 고대 유적. 고적.

[古今] gǔjīn 명 고금. ❑~中外;〈成〉 고금동서.

[古兰经] Gǔlánjīng 명〖宗〗〈音〉 코란경(Koran經). =[可兰经]

[古老] gǔlǎo 형 오랜 세월을 경과하다. 오래되다. ❑~的风俗; 오래된 풍속.

[古朴] gǔpǔ 형 예스럽고 소박하다. 고풍스럽고 수수하다.

[古琴] gǔqín 명〖樂〗 고금. 칠현금. =[七弦琴]

[古人] gǔrén 명 ① 옛날 사람. ②〖考古〗구인(舊人).

[古色古香] gǔsè-gǔxiāng 〈成〉 (서화·기물(器物)·풍물 따위가) 고색창연하다.

[古生代] gǔshēngdài 명〖地質〗 고생대.

[古生物] gǔshēngwù 명〖生〗 고생물.

[古诗] gǔshī 명 ① ⇒[古体诗] ② 고대의 시가(詩歌). 고시.

[古书] gǔshū 명 고서.

[古体诗] gǔtǐshī 명 고체시. =[古诗①]

[古玩] gǔwán 명 골동품(骨董品). ❑~铺; 골동품점. =[古董①]

[古往今来] gǔwǎng-jīnlái 〈成〉 고대부터 현대까지. 옛날부터 지금까지.

[古文] gǔwén 명 고문. ① 오사(五四) 운동 이전의 문언문(文言文). ② 진대(秦代) 이전의 문자를 일컫는 말.

[古物] gǔwù 명 고대의 물건.

[古稀] gǔxī 명 고희《70세의 별칭》.

[古雅] gǔyǎ 형 고아하다. ❑~的瓷器; 고아한 자기.

[古语] gǔyǔ 명 고어. ① 고대의 단어[어휘]. ② 옛 격언(格言). 옛말.

[古装] gǔzhuāng 명 고대의 복장. ❑~戏; 사극.

诂(詁) gǔ (고)
동 (고대 언어·문자·방언의 뜻을) 해석하다. ❑训~; 훈고.

牯 gǔ (고)
→[牯牛]

[牯牛] gǔniú 명 수소.

钴(鈷) gǔ (고)
명〖化〗 코발트《Co: cobalt》.

汩 gǔ (골)
형〈書〉 물 흐르는 모양.

[汩汩] gǔgǔ 의 콸콸《물소리》.

谷(穀)[B)] gǔ (곡)
명 A) 골짜기. 계곡. ❏万丈深~; 깊은 계곡. B) ① 곡식. 곡물. ❏五~; 오곡. ② 조. ❏~草; ⇩ ③〈方〉쌀. 벼.
[谷仓] gǔcāng 명 ① 곡물 창고. 곡창. ②〈比〉곡창 지대.
[谷草] gǔcǎo 명 ① 조의 짚. ②〈方〉볏짚.
[谷物] gǔwù 명 ① 곡물의 낟알. ② 곡류. 곡물.
[谷子] gǔ·zi 명 ①〔植〕조. ② (탈곡하지 않은) 조의 낟알. ‖ =[粟sù] [〈方〉粟子] ③〈方〉탈곡하지 않은 벼의 낟알.

股 gǔ (고)
① 명〔生理〕넓적다리. ② 명 (기관·단체의) 조직 단위. 계(係). ❏人事~; 인사계. ③ (~儿) 명 가닥. ❏把线捻成~儿; 실을 꼬아서 가닥으로 만들다. ④ (~儿) 명 (균등하게 나눈) 각각의 부분. 몫. ❏分~; 여러 개로 나누다. ⑤ 명 주(株). 주식. ❏红~; 공로주. ⑥ (~儿) 양 ㉠긴 줄 모양의 것을 세는 말. ❏一~道; 길 하나. ㉡냄새·기체·힘을 가리키는 말. ❏一~儿烟; 연기 한 줄기. ㉢〈貶〉무리. 패. 패거리. ❏一~贼; 도적 한 무리.
[股本] gǔběn 명〔經〕① 주식 자본. ② (공동 출자 기업의) 자본금.
[股东] gǔdōng 명〔經〕① 주주. ❏~大会; 주주 총회. ② (공동 출자 기업의) 출자자. 조합원.
[股份] gǔfèn 명〔經〕① (주식회사의) 주식. 주(株). ❏~公司; 주식회사. ② (협동조합에 대한) 출자 단위. ‖ =[股分fèn]
[股骨] gǔgǔ 명〔生理〕대퇴골.
[股价] gǔjià 명〔經〕주가.
[股金] gǔjīn 명〔經〕출자금.
[股利] gǔlì 명〔經〕배당금.
[股民] gǔmín 명 주식 투자가.
[股票] gǔpiào 명〔經〕주식. 증권. ❏~交易所; 증권 거래소 / ~投资; 주식 투자.
[股票价格指数] gǔpiào jiàgé zhǐshù 명〔經〕주가 지수. =[〈簡〉股指]
[股市] gǔshì 명〔經〕주식 시장. 증시.
[股息] gǔxī 명〔經〕주식 배당금. 주식 배당 이익.
[股指] gǔzhǐ 명〈簡〉⇨[股票价格指数]

毂(轂) gǔ (곡)
명 바퀴통.

骨 gǔ (골)
명 ① 뼈. ❏脊~; 등뼈. ②〈比〉(물체 내부의) 뼈대. 구조. ❏钢~; 철근. ③ 기개. 기품. 기골. ⇒gū
[骨董] gǔdǒng 명 ⇨[古董]
[骨干] gǔgàn 명 ①〔生理〕골간. ②〈比〉핵심적인 역할을 하는 사람[사물]. ❏~问题; 핵심적인 문제 / ~干部; 중견 간부.
[骨骼] gǔgé 명〔生理〕골격. ❏~肌; 골격근.
[骨灰] gǔhuī 명 ① 골회(骨灰)《비료용》. ② 시신을 화장(火葬)한 뒤의 재. 유골. ❏~盒; 유골함.
[骨架] gǔjià 명 ① 뼈대. 골격. ②〈比〉(물체의) 골조. 틀.
[骨科] gǔkē 명〔醫〕정형외과.
[骨料] gǔliào 명〔建〕골재(骨材).
[骨膜] gǔmó 명〔生理〕골막. ❏~炎; 골막염.
[骨牌] gǔpái 명 골패. 도미노패. ❏~理论 =[多米诺~理论]; 도미노 이론 / ~效应 =[多米诺~效应]; 도미노 효과.
[骨盆] gǔpén 명〔生理〕골반.
[骨气] gǔqì 명 기골. 기개. ❏他很有~; 그는 매우 기개가 있다.
[骨肉] gǔròu 명 ① 골육. 피붙이. ❏~相残;〈成〉골육상잔 / ~之亲; 골육지친. ②〈比〉긴밀한 관계.
[骨髓] gǔsuǐ 명〔生理〕골수. ❏恨入~; 한이 뼛속 깊이 스미다 / ~病; 골수병.
[骨头] gǔ·tou 명 ①〔生理〕뼈. ②〈比〉품성. 성품. 성격. ❏硬~; 고집 센 성격(의 사람). ③〈方〉〈比〉말 속의 뼈. ❏话里有~; 말에 뼈가 있다.
[骨折] gǔzhé 동〔醫〕골절하다. ❏~伤; 골절상.
[骨质] gǔzhì 명〔生理〕골질. ❏~疏松; 골다공증.
[骨子] gǔ·zi 명 (물건의) 뼈대. 살. ❏扇~; 부채살.
[骨子里] gǔ·zilǐ 명 내면. 실상. 본심. 내심. ❏他~早有打算; 그는 속으로 진작부터 다 계획이 있었다.

贾(賈) gǔ (고)
① 명 (점포를 가진) 상인. ② 동 장사하다. ③ 동〈書〉사

다. ④ 동〈書〉 팔다.

蛊(蠱) gǔ (고) 명 전설상의 독충《그릇 속에 많은 독충을 넣고 서로 잡아먹게 하여 최후까지 살아 남은 독충》.

[蛊惑] gǔhuò 동 부추겨서 미혹시키다. 현혹시키다. ❏ ~人心; 〈成〉 인심을 현혹시키다.

鼓 gǔ (고) ① (~儿) 명〔樂〕 북. ❏ 打~ =[敲~]; 북을 치다. ② 명 모양·소리·작용이 북과 비슷한 것. ❏ 耳~; 고막. ③ 동 (악기·손뼉 따위를) 치다. 타다. 두들기다. ❏ ~琴; 거문고를 타다 / ~掌; ⇩ ④ 동 (풀무 따위로) 바람을 일으키다. 부치다. ❏ ~风; 송풍하다. ⑤ 동 북돋우다. 분발하다. ❏ ~起勇气; 용기를 내다. ⑥ 형 부풀다. 땡땡하다. 불룩하다. ❏ 衣袋~~的; 주머니가 불룩하다. ⑦ 동 튀어나오게 하다. 불룩하게 만들다. ❏ ~着嘴一言不发; 입을 뿌루퉁하게 하고는 한마디도 하지 않다.

[鼓吹] gǔchuī 동 ① 고취하다. ❏ ~爱国心; 애국심을 고취하다. ② 자랑하다. 추어올리다. ❏ ~自己; 자화자찬하다.

[鼓槌] gǔchuí 명 북채.

[鼓动] gǔdòng 동 ① (부채 모양의 것을) 흔들다. 푸드덕거리다. ❏ 鸟儿~翅膀; 새가 날갯짓을 하다. ② (말·글 따위로 감정을) 자극하다. 움직이다. 선동하다. ❏ 几句话就把大家的情绪~起来了; 몇 마디 말에 모두의 마음이 움직이기 시작했다.

[鼓鼓囊囊(的)] gǔ·gunāngnāng(·de) 형 (호주머니·자루 따위가 가득 차서) 터질 듯 불룩한 모양. ❏ 你口袋~的, 装的是什么东西? 네 호주머니가 터질 것 같은데, 무엇이 들어 있는 거니?

[鼓劲(儿)] gǔ∥jìn(r) 동 사기를 진작시키다. 원기를 북돋우다. 격려하다. ❏ 互相~; 서로 격려하다.

[鼓励] gǔlì 동 격려하다. 분발시키다. 고무하다. ❏ 他经常~我; 그는 항상 나를 격려한다.

[鼓楼] gǔlóu 명 고루《시각(時刻)을 알리는 큰북을 설치한 성루》.

[鼓膜] gǔmó 명〔生理〕 고막(鼓膜). =[耳鼓][耳膜]

[鼓弄] gǔ·nong 동〈口〉 가지고 놀다. 만지작거리다. ❏ 这架自行车被他给~坏了; 이 자전거는 그가 만지작거려서 망가졌다.

[鼓手] gǔshǒu 명 고수. 북 치는 사람.

[鼓舞] gǔwǔ 동 격려하여 힘을 내게 하다. 고무하다. 북돋우다. ❏ ~人心; 〈成〉 인심을 고무하다. 형 흥분하다. 분발하다. ❏ 欢欣~; 기뻐서 흥분하다.

[鼓掌] gǔ∥zhǎng 동 박수 치다. 손뼉 치다《주로, 기쁨·찬성·환영 따위를 나타냄》. ❏ 热烈~表示感谢; 열렬한 박수로 감사를 표하다.

固 gù (고) ① 형 튼튼하다. 견고하다. ❏ 基础已~; 기초는 이미 튼튼하다. ② 형 굳다. 딱딱하다. ❏ ~体; ⇩ ③ 부 극구. 굳이. 굳건히. ❏ ~辞; 극구 사양하다. ④ 동 견고히 하다. ❏ ~防; 수비를 견고히 하다. ⑤ 부〈書〉 본래. 원래. ❏ ~所愿也; 본래부터 소원하던 바이다. ⑥ 부〈書〉 당연히. 물론. ❏ 你能来~好, 不能来也无妨; 네가 올 수 있으면 물론 좋지만, 올 수 없어도 무방하다.

[固步自封] gùbù-zìfēng 〈成〉 ⇨ [故步自封]

[固定] gùdìng 형 고정되다. 일정하다. ❏ ~收入; 고정 수입 / ~资产; 고정 자산. 동 고정시키다. 정착시키다. ❏ 把学习制度~下来; 학습 제도를 정착시키다.

[固然] gùrán 부 ① 물론 …이긴 하지만《먼저 원래의 사실을 인정하고, 후에 상반된 상황으로 들어감》. ❏ 他~很聪明, 但是不努力学习也考不上大学; 그가 물론 매우 똑똑하기는 하지만, 열심히 공부하지 않으면 역시 대학에 붙을 수 없다. ② 물론. 분명히. 확실히《하나의 사실을 인정하고 다른 사실 또한 부인하지 않음》. ❏ 彩色胶卷~好, 黑白胶卷也不错; 컬러 필름이 물론 좋긴 하지만, 흑백 필름도 나쁘지 않다.

[固守] gùshǒu 동 ① 굳게 지키다. 사수하다. ❏ ~阵地; 진지를 사수하다. ② 고수하다. 고집하다. ❏ ~成法; 기존의 방법을 고수하다.

[固态] gùtài 명〔物〕 고체 상태.

[固体] gùtǐ 명〔物〕 고체. ❏ ~胶; 고체풀/ ~燃料; 고체 연료.

[固习] gùxí 명 ⇨[痼习]

[固有] gùyǒu 형 고유의. 본디부터 있는. ❏ ~文化; 고유 문화.

[固执] gù·zhi 동 고집하다. ❑ ~己见; 〈成〉 자기 의견을 고집하다. 형 고집스럽다. 고집이 세다. 완고하다. ❑ 性情~; 성질이 완고하다.

故 gù (고)
① 명 사고. 사건. 일. ❑ 变~; 변고. ② 명 원인. 사정. 까닭. ❑ 因~取消; 사정으로 인해 취소되다. ③ 부 일부러. 고의로. ❑ 明知~犯; 잘 알면서도 고의로 범하다. ④ 접 그러므로. 그래서. 이로 인해. ❑ 因有信心, ~能战胜困难; 신념이 있으므로 고난을 이겨 낼 수 있다. ⑤ 형 오래된. 원래의. 이전의. ❑ ~都; ⇩ ⑥ 명 전부터 아는 사이. 친구. 우정. ❑ 与之有~; 그와 전부터 아는 사이이다. ⑦ 동 죽다. 작고하다. ❑ ~在美国; 미국에서 작고하다.

[故步自封] gùbù-zìfēng 〈成〉 현재에 안주하여 진보를 구하려 하지 않다. ＝[固步自封]

[故都] gùdū 명 과거의 수도. 고도.

[故而] gù'ér 접 그러므로. 그래서.

[故宫] gùgōng 명 ① 옛 왕조의 궁전. 고궁. ② (Gùgōng) 베이징에 있는 청대(清代)의 고궁(故宮). ❑ ~博物院; 고궁 박물관.

[故技] gùjì 명 낡은 수법. 상투 수단. ❑ ~重chóng演; 〈成〉 낡은 수법을 또 쓰다. ＝[故伎jì]

[故居] gùjū 명 예전에 살던 집. 고거. ❑ 鲁迅~; 루쉰이 살던 집.

[故弄玄虚] gùnòng-xuánxū 〈成〉 현혹시키는 수법을 써서 고의로 남을 우롱하다.

[故去] gùqù 동 (주로, 연장자가) 죽다. 돌아가시다.

[故人] gùrén 명 ① 옛 친구. 오랜 친구. ② 작고한 사람. 고인.

[故事] gù·shi 명 ① 이야기. 고사. 옛날이야기. ❑ 讲~; 이야기를 들려주다 / 民间~; 민간 고사 / ~片儿piānr ＝[~片piàn]; 〈口〉 극영화. ② (이야기의) 스토리. 줄거리. ❑ 编~; 스토리를 짜다.

[故土] gùtǔ 명 고향. 고향땅. ❑ ~难离; 〈成〉 고향이 그리워 떠날 수가 없다.

[故乡] gùxiāng 명 고향. ❑ 怀念~; 고향을 그리워하다.

[故意] gùyì 부 고의로. 일부러. 짐짓. ❑ ~把声音抑得低低的; 일부러 목소리를 낮게 깔다. 형 고의적이다. ❑ 我不是~的; 나는 고의로 그런 게 아니다. 명〖法〗고의.

[故障] gùzhàng 명 (기계 따위의) 고장. ❑ 出~; 고장을 일으키다.

[故作] gùzuò 동 일부러 …하다. 짐짓 꾸미다. ❑ ~姿态; 〈成〉 일부러 어떤 모습[태도]를 꾸미다.

痼 gù (고)
형 고질적인.

[痼弊] gùbì 명 고폐. 고질적 폐단.

[痼疾] gùjí 명 고질. 고질병.

[痼习] gùxí 명 고질적인 습관. ❑ 改掉~; 고질적인 습관을 바꿔 버리다. ＝[固习]

锢(錮) gù (고)
동 〈書〉 가두다. 감금하다.

顾(顧) gù (고)
동 ① 돌아보다. 보다. 살피다. ❑ 四~; 사방을 살피다. ② 마음 쓰다. 관심을 쏟다. 신경 쓰다. ❑ 只~学习, 不~身体健康; 공부에만 신경 쓰고 건강을 돌보지 않다. ③ 방문하다. ❑ 三~茅庐; 〈成〉 삼고초려. ④ 물건을 사거나 서비스를 받다. ❑ ~客; ⇩ ⑤ 아끼다. 염려하다. 걱정하다.

[顾此失彼] gùcǐ-shībǐ 〈成〉 이쪽에 마음을 쓰고 있는 사이에 저쪽을 잃다《한쪽에 열중하다 보니 다른 쪽이 소홀하게 되다》.

[顾及] gùjí 동 (…까지) 주의가 미치다. 관심을 갖다. 염두에 두다. ❑ ~别人的利害; 남의 이해를 염두에 두다.

[顾忌] gùjì 동 꺼리다. 거리끼다. ❑ 毫无~; 조금도 꺼리지 않다

[顾客] gùkè 명 고객. 손님. ❑ ~至上; 고객 제일. 손님은 왕이다.

[顾脸] gù//liǎn 동〈口〉 체면을 돌보다. 체면을 차리다. ＝[顾面子]

[顾虑] gùlǜ 명동 염려(하다). 걱정(하다). ❑ ~重重; 〈成〉 걱정이 많다.

[顾面子] gù miàn·zi ⇨[顾脸]

[顾名思义] gùmíng-sīyì 〈成〉 이름에서 바로 그 뜻을 알 수 있다.

[顾盼] gùpàn 동 주위를 이리저리 돌아보다. ❑ ~自雄; 〈成〉 스스로 대단하다고 생각하다.

[顾全] gùquán 동 빠짐없이 주의를 기울이다. 만전을 기하다. ❑ ~大局; 대국을 고려하다.

[顾问] gùwèn 명 고문. 자문. 컨설턴트(consultant). ❑ 法律~; 법률 고문 / ~公司; 컨설팅 회사.

[顾主] gùzhǔ 명 단골손님. 고객.

梏 gù (곡)
명 목제(木製)의 수갑.

雇 gù (고)
동 ① 고용하다. ❑ 出钱~他; 돈을 줘서 그를 고용하다. ② (차·배 따위를) 세내다. ❑ ~一辆车; 차를 한 대 세내다.

[雇工] gù//gōng 동 일꾼을 고용하다. (gùgōng) 명 ① 고용 인부. 날품팔이꾼. ② 고용농.

[雇农] gùnóng 명 고농. 고용농.

[雇凶] gùxiōng 동 살인청부업자를 고용하다. ❑ ~杀人; 청부 살인을 하다.

[雇佣] gùyōng 동 고용하다. ❑ ~军; 용병군.

[雇员] gùyuán 명 임시 고용 직원.

[雇主] gùzhǔ 명 고용주. 사용자.

gua ㄍㄨㄚ

瓜 guā (과)
명〖植〗박과 식물의 총칭. ❑ 黄~; 오이 / 南~; 호박.

[瓜分] guāfēn 동 (박을 가르듯이) 분할하다. 분배하다《주로, 영토를 분할하는 것을 가리킴》.

[瓜葛] guāgé 명 ①〈比〉(얽히고 설킨) 사회관계. 인간관계. 연고. ②〈轉〉(어떤 일과의) 관계. 관련. 연관. 연루. ❑ 这件事与他有~; 이 일은 그와 관계가 있다.

[瓜熟蒂落] guāshú-dìluò〈成〉조건이 성숙되면 일은 자연히 성취된다.

[瓜田李下] guātián-lǐxià〈成〉남한테 의심받기 쉬운 곳[상황].

[瓜子(儿)] guāzǐ(r) 명 ① 박과 식물의 씨. ❑ ~脸; 갸름한 얼굴. ② 소금을 뿌려 볶은 수박씨나 호박씨 따위. ③ 해바라기씨.

呱 guā (고)
→[呱呱][呱呱叫] ⇒ gū

[呱呱] guāguā 의 ① 개굴개굴《개구리 소리》. ❑ 青蛙~的声音; 개구리가 개굴개굴 우는 소리. ② 꽥꽥《오리 소리》. ❑ 鸭子在河里~地叫; 오리가 강에서 꽥꽥거린다. ⇒ gūgū

[呱呱叫] guāguājiào〈口〉매우 좋다. 끝내주다. 기가 막히다. 훌륭하다. ❑ 他的烹调技术~; 그의 조리 기술은 끝내준다. =[刮刮叫]

刮(颳)④ guā (괄)
동 ① (칼 따위로) 깎아 내다. 벗겨 내다. 밀다. ❑ ~胡子; 수염을 깎다. ② (풀 따위를) 바르다. 칠하다. ❑ ~糨子; 풀을 바르다. ③ (재물을) 착취하다. ❑ ~去钱财; 돈이나 재산을 빼앗다. ④ (바람이) 불다. ❑ 风~了三天三夜; 바람이 사흘 밤낮을 불었다.

[刮刮叫] guāguājiào〈口〉⇨[呱guā呱叫]

[刮脸] guā//liǎn 동 면도하다. ❑ 每天刮一次脸; 하루에 한 번씩 면도를 하다 / ~刀(儿); 면도칼. =[〈方〉修面]

[刮目] guāmù 동 괄목하다. 눈을 비비고 보다. ❑ ~相看 =[~相待]; 〈成〉눈을 비비고 보다《새로운 눈으로 보다》.

鸹(鴰) guā (괄)
→[老鸹]

剐(剮) guǎ (과)
동 ① 살을 뼈에서 도려내다. 능지처참하다. ② (날카로운 것이) 찌르다. 할퀴다. ❑ 手指被钉子~了个口子; 손가락이 못에 찔려 상처가 났다.

寡 guǎ (과)
형 ① 적다. 부족하다. ② 싱겁고 맛이 없다. 밍밍하다. ❑ 清汤~水; 밍밍한 국. ③ (여자가) 남편을 잃다. ❑ 守~; 수절하다.

[寡不敌众] guǎbùdízhòng〈成〉중과부적이다.

[寡妇] guǎ·fu 명 과부.

[寡廉鲜耻] guǎlián-xiǎnchǐ〈成〉청렴하지 못하고 파렴치하다.

[寡人] guǎrén 명 과인《제후(諸侯)·제왕(帝王)의 자칭》.

[寡头] guǎtóu 명 과두. ❑ 金融~; 금융 과두 / ~政治; 과두 정치.

[寡言] guǎyán 형 과언하다. 말수가 적다. ❑ ~少语; 말수가 적다.

卦 guà (괘)
명 점괘.

挂 guà (괘)
① 동 (못·줄·고리 따위에) 걸다. ❑ 把照片~在墙上; 사진을 벽에 걸다. ② 동 (사건·안건 따위가) 해결되지 않다. 현안으로 남다. ❑ 这几件案子一直~着呢; 이 몇 건의 사건이 내내 현안으로 남아 있다. ③ 동 전화를 끊다. ❑ 你别~电话; 전화를 끊지 마라. ④ 동 전화를 연결하다. 전화를 걸다. ❑ 他给学校

~了一个电话；그는 학교에 전화 한 통을 걸었다. ⑤동 (갈고리·고리 따위로) 걸다. 걸어서 당기다. 잡아채다. ❏树支把衣服~住了；나뭇가지에 옷이 걸렸다. ⑥동 마음에 걸리다. 걱정하다. ❏他总是~着学校里的事；그는 내내 학교에서의 일이 마음에 걸렸다. ⑦동 (물체 표면에) 끼다. 붙다. 묻다. ❏汽车两侧的泥土~得很厚；차의 양쪽에 진흙이 두껍게 끼었다. ⑧동 (표정에) 드러내다. 띠다. ❏她~着满脸笑容；그녀는 온 얼굴에 웃음을 띠고 있다. ⑨동 등록하다. 접수시키다. ❏~号；⇩ ⑩양 세트로 되어 있는 것, 꿰어져 있는 것을 세는 말. ❏一~珠子；염주 한 줄.

[挂彩] guà∥cǎi 동 ①색색의 천을 걸어 장식하다《경사를 축하하기 위함》. ②(전투에서 부상당해) 피를 흘리다. ❏不少战士~了；많은 전사들이 부상으로 피를 흘렸다.

[挂车] guàchē 명 트레일러(trailer).

[挂齿] guàchǐ 동〈套〉입에 올리다. 언급하다. ❏区区小事, 何足~；하찮고 작은 일이니, 어찌 언급할 만하겠습니까.

[挂钩] guà∥gōu 동 ①(연결기로) 차량을 연결하다. ②손을 잡다. 연계를 맺다. 연결하다. 링크하다. ❏各国货币与关税~；각국의 화폐와 관세와는 연결되어 있다. (guàgōu) 명 (차량의) 연결기. 커플러(coupler).

[挂号] guà∥hào 동 ①등록하다. 접수하다. ❏~处；접수처 / ~费；접수비. ②등기로 하다. ❏~信 = [~邮件]；등기 우편.

[挂历] guàlì 명 벽걸이 달력.

[挂面] guàmiàn 명 (특제의) 마른 국수《높이 걸어 놓고 말리는 데서 생긴 이름》.

[挂名(儿)] guà∥míng(r) 동 명의만을 걸어 놓다. ❏他仅仅是挂个名, 并没有做什么工作；그는 명의만 걸어 놓았을 뿐, 아무것도 하는 일이 없다.

[挂念] guàniàn 동 걱정하다. 염려하다. 마음에 걸리다. ❏我已平安地返回学校, 请不必~；저는 이미 학교로 무사히 돌아왔으니, 염려하지 마세요. =[挂心][悬念]

[挂牌] guà∥pái 동 ①(의사·변호사가) 간판을 걸다. 개업하다. ❏~行医；개업하고 의료 활동을 하다. ②(회사나 사업장이) 개업하다. 영업을 개시하다. ❏~营业；영업을 개시하다. ③(주식 따위를) 상장하다. ❏~股票；상장 주식. ④(의사·판매원·점원 등이) 가슴에 이름과 번호가 새겨진 명찰을 달다.

[挂失] guà∥shī 동 (수표·통장·증명서 따위의) 분실 신고를 하다.

[挂帅] guà∥shuài 동 원수(元帥)가 되다. 〈比〉영도적 지위에 앉다. 총지휘를 하다. ❏这项工程由他~；이 공사는 그가 총지휘한다.

[挂毯] guàtǎn 명 ⇨[壁bì毯]

[挂图] guàtú 명 괘도.

[挂心] guàxīn 동 ⇨[挂念]

[挂羊头, 卖狗肉] guà yángtóu, mài gǒuròu 〈諺〉양 머리를 내걸고 개고기를 팔다《좋은 명목을 내세우고 실제로는 나쁜 짓을 하다》.

[挂一漏万] guàyī-lòuwàn 〈成〉완전히 열거하지 못하고 빠뜨린 것이 매우 많다.

[挂钟] guàzhōng 명 괘종시계. 벽시계. =[壁钟]

褂 guà (괘)
(~儿) 명 (홑겹의) 저고리. 적삼.

[褂子] guà·zi 명 (홑겹의) 저고리. 적삼.

guai ㄍㄨㄞ

乖 guāi (괴)
형 ①(아이가) 얌전하다. 착하다. 말을 잘 듣다. ❏到姑姑家去, 你要~些；고모댁에 가면 너 얌전히 굴어야 한다. ②영리하다. 약다. ❏上了一次当, 他也学~了；사기를 한번 당하더니 그도 약아졌다. ③〈書〉위배하다. 위반하다. 어긋나다. ❏~违；위배하다. ④〈書〉(성격·행동이) 비꼬이다. 비뚤어지다. 괴팍하다. ❏~僻；⇩

[乖乖(儿的)] guāiguāi(r·de) 형 말을 잘 듣다. 고분고분하다. 순순하다. 얌전하다. ❏孩子~地坐在我的腿上；아이가 내 다리 위에 얌전히 앉아 있다. 명 귀염둥이. 복동이《어린애에 대한 애칭》.

[乖谬] guāimiù 형 터무니없고 이상하다. ❏~的言论；터무니없고 이상한 주장.

[乖僻] guāipì 형 괴팍하다. 비꼬이다. 비뚤어지다. 이상하다. ❑ 你这样~, 叫别人怎么跟你相处! 네가 이렇게 괴팍하게 굴면 남들이 너랑 어떻게 어울리겠니!

[乖巧] guāiqiǎo 형 ① (말이나 행동이) 귀엽다. 깜찍하다. 사랑스럽다. ❑ 看着那~的样子, 谁不喜欢? 그 깜찍한 모습을 보면 누군들 안 좋아하겠는가? ② 잽싸다. 약삭빠르다. 재치 있다. ❑ 他~地转换了话题; 그는 재치 있게 화제를 다른 데로 돌렸다.

掴(摑) guāi (괵) 동 (손바닥으로) 때리다. 갈기다. 후려치다. ❑ ~了他儿巴掌; 그의 따귀를 몇 대 갈겼다.

拐 guǎi (괴) ① 동 방향을 바꾸다. 꺾다. 돌다. ❑ 见到红绿灯往右~; 신호등이 보이면 오른쪽으로 꺾어라. ② 명〈方〉모퉁이. 코너(corner). ❑ 墙~; 담모퉁이. ③ 동 절다. 절룩거리다. 절뚝거리다. ❑ 他走路一~一~的; 그는 절뚝거리며 걷는다. ④ 명 목발. ⑤ 동 유괴하다. 남을 속여서 빼앗다. ❑ 孩子被人~走了; 아이가 누군가에게 유괴당했다. ⑥ 수 숫자를 말할 때, 어떤 상황에서 '七' 대신 쓰는 말.

[拐棍(儿)] guǎigùn(r) 명 (주로, 손잡이가 구부러진) 지팡이. ❑ 拄~; 지팡이를 짚다. =[拐杖]

[拐角(儿)] guǎijiǎo(r) 명 모퉁이. 코너(corner). ❑ 马路~; 길모퉁이. =[拐弯(儿)]

[拐骗] guǎipiàn 동 ① 속여서 빼앗아 가다. ❑ ~别人的东西; 남의 물건을 속여서 빼앗아 가다. ② (거짓으로 꼬여서) 유괴하다. ❑ 他的儿子被人~了; 그의 아들은 누군가에게 유괴되었다.

[拐弯(儿)] guǎi//wān(r) 동 ① 모퉁이[코너]를 돌다. ❑ 拐了四道弯儿; 모퉁이를 네 번 돌다. ② 생각을 바꾸다[전환하다]. ❑ 这人脑筋不容易~; 이 사람은 생각을 바꾸기가 좀처럼 쉽지 않다. ③ 화제를 돌리다. ❑ 他一看老板脸色不对, 说话马上~了; 그는 사장의 표정이 심상치 않은 것을 보고는 바로 화제를 돌렸다. (guǎiwān(r)) 명 ⇒[拐角(儿)]

[拐弯抹角] guǎiwān-mòjiǎo ① 구불구불한 길을 가다. ❑ ~地走; 빙빙 돌아가다. ②〈比〉(말·글 따위를) 돌려 하다. 에둘러 하다. ❑ ~地说; 에둘러서 말하다.

[拐杖] guǎizhàng 명 ⇒[拐棍(儿)]

[拐子] guǎi·zi 명 ①〈口〉절름발이. ② 실패. 얼레. ③ 유괴범. 사기꾼. ④ 목발.

怪 guài (괴) ① 형 이상하다. 괴상하다. ❑ ~脾气; 이상한 성격 / ~现象; 괴현상. ② 동 이상하게 여기다. ❑ 大惊小~;〈成〉대수롭지 않은 일로 놀라고 이상하게 생각하다. ③ 부〈口〉아주. 매우. 무척. ❑ 这小猫长zhǎng得~可爱的; 이 새끼 고양이는 아주 귀엽게 생겼다. ④ 명 괴물. 요괴. ❑ 妖~; 요괴. ⑤ 동 탓하다. 원망하다. 책망하다. ❑ 我从来没~过他; 나는 그를 원망해 본 적이 없다.

[怪不得] guài·bu·de 부 어쩐지. 과연. 그도 그럴 것이. ❑ ~你身体这么好! 어쩐지, 그래서 네 몸이 이렇게 좋구나! 동 책망할 수 없다. 탓하지 마라. ❑ 这是我的错误, 你~他; 이것은 나의 잘못이니 그를 탓하지 마라. ‖ =[怨不得]

[怪诞] guàidàn 형 황당하고 터무니없다. 황당무계하다.

[怪话] guàihuà 명 이상한 말. 황당무계한 이야기. 빈정대는 말. 투덜대는 말. 불평.

[怪里怪气] guài·liguàiqì 형〈貶〉(모양·차림새·목소리 따위가) 괴상하고 특이하다. 기괴하다. 괴상망측하다.

[怪模怪样(儿的)] guàimúguàiyàng(r·de)〈成〉(형태·모습이) 기괴하다. 괴상하다. 괴상망측하다.

[怪癖] guàipǐ 명 괴벽. 이상한 버릇. 괴상한 취미.

[怪僻] guàipì 형 괴팍하다. 편벽되다. ❑ ~的脾气; 괴팍한 성미.

[怪事] guàishì 명 이상한 일. 괴상한 일.

[怪物] guài·wu 명 ① 괴물. ②〈比〉괴상한 사람. 괴짜.

[怪异] guàiyì 형 괴이하다. 이상야릇하다. ❑ ~事儿; 괴이한 일. 명 기이한 현상. 괴현상.

[怪罪] guàizuì 동 책망하다. 원망하다. 탓하다. ❑ 请不要~他! 그를 책망하지 마십시오!

guan ㄍㄨㄢ

关(關) guān (관) ① 동 닫다. ❑ 窗户~着呢; 창문이 닫혀 있다. ② 동 (기계·전기 장치 따위를) 끄다. ❑ ~电视; 텔레비전을 끄다. ③ 동 가두다. 감금하다. ❑ 把狗~起来; 개를 가둬라. ④ 동 (기업 따위가) 문을 닫다. 도산하다. ❑ 那一年~了好儿家商店; 그해 수많은 상점이 도산했다. ⑤ 명 관문. ❑ 山海~; 산해관. ⑥ 명 빗장. ❑ 门插~儿; 문빗장. ⑦ 명 세관(稅關). ❑ ~税; ⇓ ⑧ 명〈比〉 중요한 고비. 난관. 관문. ❑ 别人都好说, 就是难过老张这一~; 다른 사람은 모두 문제가 안 되는데, 장 씨라는 이 한 관문이 넘기 힘들다. ⑨ 명 중요한 부분. 관건. ❑ ~节; ⇓ ⑩ 동 관계되다. 관련하다. ❑ 责任由我负, 不~你们的事; 책임은 내가 진다, 너희와는 관계없는 일이다.

[关闭] guānbì 동 ① 닫다. ❑ ~门窗; 문과 창문을 닫다. ② (공장·상점·학교 따위가) 문을 닫다. 폐쇄되다.

[关岛] Guāndǎo 명〖地〗〈音〉 괌섬. 괌(Guam).

[关怀] guānhuái 동 관심을 갖고 보살피다. 관심을 기울이다. ❑ 他~很多孤儿; 그는 많은 고아들에게 관심을 기울인다 / ~备至; 〈成〉 매우 세심하게 보살피다.

[关机] guānjī 동 ① 기계를 끄다. 기계 작동을 중지시키다. ②〖映〗 촬영을 마치다. 크랭크 업(crank up)하다.

[关键] guānjiàn 명 ① 문빗장. ② 〈比〉 관건. 열쇠. 키포인트. ❑ 培养人才, ~在教育; 인재 양성의 관건은 교육에 있다. 형 관건이 되는. 결정적인. ❑ ~时刻; 결정적 순간 / ~词; ⓐ〖컴〗 키 워드(key word). ⓑ결정적 단어.

[关节] guānjié 명 ①〖生理〗 관절. ❑ ~炎; 관절염. ② 〈轉〉 관건이 되는 중요한 부분. 중요한 점[시기·일환].

[关口] guānkǒu 명 ① 반드시 거쳐야 하는 곳. 관문. ❑ 入学考试的~; 입시의 관문. ② 관건이 되는 부분. 결정적인 때. 전환점. 고비.

[关联] guānlián 동 관계하다. 관련하다. 연관되다. ❑ 这两个问题相互~; 이 두 문제는 서로 관련되어 있다. ＝[关连]

[关门] guān∥mén 동 ① 문을 닫다. ❑ 随手~; 문을 닫으시오. ② 〈比〉 받아들이려 하지 않다. 폐쇄적으로 굴다. ❑ ~主义; 폐쇄주의. ③ 그날의 업무를[영업을] 마치다. ❑ 图书馆晚上十点钟~; 도서관은 밤 10 시에 문을 닫는다. ④ 폐업하다. ❑ ~大吉; 경사스럽게 폐업하다《야유나 조롱의 의미》. ⑤ 〈比〉 딱 잘라 말하다. 단언하다. ❑ 你不要~; 단언하지 마라. 형 최후의. 가장 마지막의. ❑ ~之作; 최후의 작품. (guānmén) 명 관문.

[关切] guānqiè 동 관심을 보이다[갖다]. ❑ 他对别人的困难十分~; 그는 다른 사람의 어려움에 매우 관심을 보인다. 형 다정하다. 친절하다. ❑ ~的目光; 따뜻한 눈빛.

[关税] guānshuì 명 관세. ❑ ~壁垒; 관세 장벽.

[关头] guāntóu 명 결정적인 때. 고비. 전환점. ❑ 生死~; 생사의 고비 / 紧要~; 중요한 고비.

[关系] guān·xì 명 ① (사물간의) 관계. 관련. ② (사람과 사람·사람과 사물 간의) 관계. 사이. ❑ 这两家之间的~很密切; 이 두 집안은 사이가 매우 가깝다 / ~户; (일이나 기타 방면에서 서로 돕고 편의를 제공해 주는) 관계자. 관계 기관. ③ 관계있는 사물에 대한 영향·중요성. ❑ 你来不来, ~重大; 네가 오고 안 오고는 매우 중요하다. ④ 원인·조건 따위를 가리킴《'因为'·'由于'와 함께 쓰임》. ❑ 因为天气的~, 今天不去动物园了; 날씨 관계로 오늘은 동물원에 가지 않겠다. ⑤ (조직 관계를 나타내는) 증명서. ❑ 组织~; 조직 증명서. 동 관련하다[되다]. 관계하다[되다]. ❑ 这件事~到大家的利益; 이 일은 모두의 이익에 관계된다.

[关心] guānxīn 동 마음을 쓰다. 관심을 갖다[기울이다]. 신경을 쓰다. ❑ 爷爷很~我; 할아버지는 나에게 매우 관심을 가져 주신다.

[关押] guānyā 동〖法〗 (죄인을) 가두다. 감금하다. 수감하다. ❑ ~犯人; 범인을 가두다.

[关于] guānyú 개 ① …관해서. …에 관하여. ❑ ~这个问题, 我直接

跟上级联系; 이 문제에 관하여 나는 직접 상부와 연락을 취했다. ② …에 관한. ❑昨天放映了一部~末代皇帝的电影; 어제 마지막 황제에 관한 영화 한 편이 방영되었다.

[关照] guānzhào 동 ① 관심을 갖고 보살피다[돌보다]. 배려하다. ❑往后请多多~; 앞으로 잘 부탁합니다. ② (구두로) 통지하다. 알리다. ❑有事情请~我一声; 일이 있으면 나에게 알려 주십시오.

[关注] guānzhù 동 관심과 주의를 기울이다. ❑他对病人事事~; 그는 환자에 대해 매사에 관심과 주의를 기울인다.

[关子] guān·zi 명 ① (소설·연극 따위의) 클라이맥스(climax). 절정. 최고조. ② 〈比〉 관건. 고비.

观(觀) guān (관) ① 동 보다. 바라보다. 살피다. ❑袖手旁~; 〈成〉 수수방관. ② 명 광경. 경치. 모습. ❑改~; 외관이 바뀌다. ③ 명 관점. 견해. ❑人生~; 인생관. ⇒guàn

[观测] guāncè 동 ① 관측하다. ❑~气象; 기상을 관측하다 / ~站; 관측소. ② (상황을) 살피다. 관찰하다. ❑~动向; 동향을 살피다.

[观察] guānchá 동 (사물이나 현상을) 관찰하다. 살피다. ❑~动静; 동정을 살피다 / ~情况; 상황을 관찰하다 / ~家; 관측가 / ~员; (국제 회의의) 옵서버(observer).

[观潮派] guāncháopài 명 기회주의자.

[观点] guāndiǎn 명 관점. 입장. ❑生物学~; 생물학적 관점.

[观感] guāngǎn 명 (보고 난 후의) 느낌. 인상. 감상. 소감.

[观光] guānguāng 동 관광하다. ❑~客; 관광객.

[观看] guānkàn 동 ① 관람하다. 구경하다. ❑~比赛; 경기를 관람하다. ② 관찰하다. ❑~动静; 동정을 관찰하다.

[观摩] guānmó 동 (서로) 보고 배우다. 보고 연구하다. 참관하다. ❑~教学; 수업을 참관하다.

[观念] guānniàn 명 관념. ❑传统~; 전통 관념.

[观念形态] guānniàn xíngtài ⇒[意识形态]

[观赏] guānshǎng 동 감상하다. 관상하다. ❑~表演; 공연을 감상하다 / ~鱼; 관상어 / ~植物; 관상용 식물.

[观世音] Guānshìyīn 명〔佛〕 관세음. 관음. =[观音]

[观望] guānwàng 동 ① 관망하다. ❑采取~的态度; 관망하는 태도를 취하다. ② 둘러보다. ❑四下~; 사방을 둘러보다.

[观象] guānxiàng 동 천문 기상을 관측하다. ❑~台; 관상대.

[观音] Guānyīn 명 ⇒[观世音]

[观战] guānzhàn 동 관전하다. ❑到场~; 경기장에 가서 관전하다.

[观众] guānzhòng 명 관중. 관람객. 시청자. ❑电视~; TV 시청자 / ~席; 관중석.

官 guān (관) ① 명 관리. 공무원. ❑做~的; 관리. 벼슬아치. ② 형 정부의. 공공 기관의. ❑~办; ⇓ ③ 형 공동의. 공공의. 공용의. 공중의. ❑~厕所; 공중변소. ④ 명 (생물의) 기관. ❑听~; 청각 기관.

[官办] guānbàn 형 정부 주관의. 국가 경영의. ❑~企业; 공기업.

[官场] guānchǎng 명〈貶〉 관리 사회. 관계(官界).

[官邸] guāndǐ 명 관저. ❑大使~; 대사 관저.

[官方] guānfāng 명 정부측. 정부 당국. ❑~人士; 정부측 인사/ ~消息; 정부측 뉴스.

[官话] guānhuà 명 ① 관화《관계(官界)의 상류 사회에서 사용했던 표준어로, 현재는 '普通话' 라 일컬음》. ② ⇒[官腔]

[官吏] guānlì 명〈舊〉 관리.

[官僚] guānliáo 명 ① 관료. ❑~主义; 관료주의. ② 관료주의. 관료적인 방식. ❑耍~; 관료적으로 굴다.

[官能] guānnéng 명〔生理〕 감각 능력. 관능.

[官气] guānqì 명 관료적 기질. 관리 근성.

[官腔] guānqiāng 명 관료 사회의 체면치레의 말. 관계(官界)의 형식적인 말. 〈轉〉 관료적인 말투. 책임을 회피하거나 남을 탓하는 말. ❑打~; 관료적인 말투로 말하다. =[官话②]

[官司] guān·si 명〈口〉 소송. ❑打~; 소송을 걸다. 제소하다 / 吃~; 고소당하다.

[官衔] guānxián 명 관직명. 직함.

[官员] guānyuán 명 관원. ❑外交

~; 외교 관원.

[官职] guānzhí 명 관직.

倌 guān (관)
(~儿) 명 ① 농촌에서 가축을 전담하여 기르는 사람. ❏ 羊~儿; 양치기. ②〈舊〉 잡역에 종사하던 사람. ❏ 堂~儿; 식당 종업원.

棺 guān (관)
명 관. ❏ ~盖; 관뚜껑.

[棺材] guān·cai 명 관. ❏ 进~; 관에 들어가다. 〈比〉 죽다. =[棺木]

冠 guān (관)
명 ① 모자. 관. ❏ 衣~整齐; 의관을 정제하다. ② 모자 모양이거나 꼭대기에 있는 것. ❏ 花~; 화관. ⇒guàn

[冠冕堂皇] guānmiǎn-tánghuáng 〈成〉 겉모양이 번지르르하다.

[冠状动脉] guānzhuàng dòngmài 〖生理〗 관상 동맥.

[冠子] guān·zi 명 (새의) 볏. ❏ 鸡~; 닭볏.

鳏(鰥) guān (환)
형 아내를 잃은. 아내가 없는.

[鳏夫] guānfū 명 홀아비.

[鳏寡孤独] guānguǎgūdú 〈成〉 일할 능력도 없고 의지할 데도 없는 사람.

馆(館) guǎn (관)
명 ① 빈객(賓客)을 접대하여 머물게 하는 건물. ❏ 旅~; 여관. ② 외국 사절의 집무 장소. ❏ 大使~; 대사관. ③ (~儿) 서비스업의 상점. ❏ 照相~; 사진관. ④ 문화재를 수장하거나 문화 행사를 하는 곳. ❏ 图书~; 도서관 / 体育~; 체육관. ⑤ 글방. 사숙(私塾). ❏ 坐~; 사숙에서 가르치다.

[馆子] guǎn·zi 명 요리집. 음식점. ❏ 下~; 음식점에 가다 / 吃~; 요릿집에서 먹다.

管 guǎn (관)
A) ① (~儿) 명 관. 튜브. 파이프. 호스. ❏ 输油~; 송유관. ② 명 〖樂〗 관악기. ❏ 单簧~; 클라리넷(clarinet). ③ 명 관상(管狀)의 전기 부품. ❏ 二极~; 이극관. ④ 양 관상(管狀)의 것을 세는 말. ❏ 一~毛笔; 붓 한 자루. **B)** ① 동 관리하다. ❏ 东西堆着没人~; 물건이 관리하는 사람도 없이 쌓여 있다. ② 동 관할하다. ❏ 这个县~着十几个乡; 이 현은 십여 개의 향을 관할하고 있다. ③ 동 단속하다. 지도하다. ❏ ~孩子; 아이를 단속하다. ④ 동 담당하다. 맡다. ❏ 宣传工作我~了三年了; 홍보 업무는 내가 담당한 지 3년 되었다. ⑤ 동 관여하다. 간섭하다. 상관하다. 참견하다. ❏ 这种事我不想~; 이런 일은 참견하고 싶지 않다. ⑥ 동 보증하다. 책임지다. ❏ 食堂要~好职工的吃饭问题; 식당은 직원의 식사 문제를 책임져야 한다. ⑦ 개 〈口〉 …을[를] 《술어가 '叫' 일 경우에만 쓰임》. ❏ 大家都~他叫胖子; 모두가 그를 뚱보라고 부른다. ⑧ 개 〈方〉 …에게. …을 향해. ❏ ~他借钱; 그에게 돈을 꾸다. ⑨ 접 〈方〉 (주로, '都'·'就'와 호응하여) 어쨌든. …를 막론하고. …에 관계없이. ❏ ~你同意不同意呢, 就这么决定了; 네가 동의하든 말든 그냥 이렇게 정하겠다. ⑩ 동 〈方〉 관련되다. 관계되다. 상관있다. ❏ 我去不去, 不~你的事; 내가 가고 안 가고는 너랑 상관없는 일이다.

[管保] guǎnbǎo 동 책임지다. 보장하다. 보증하다. ❏ 这把折伞你放心用吧, ~不会坏; 이 접이식 우산은 절대 망가질 리 없으니 안심하고 쓰거라.

[管道] guǎndào 명 ① 파이프. 관 《수송관이나 배수관》. ② 길. 통로. 루트(route).

[管风琴] guǎnfēngqín 명 〖樂〗 파이프 오르간(pipe organ).

[管家] guǎnjiā 명 ① 〈舊〉 (관료·지주 따위의) 집사. ② 단체에서 재물이나 일상생활을 관리하는 사람. 관리자. 살림꾼.

[管教] guǎnjiào 동 ① 단속하고 가르치다. ❏ 你这个孩子太不礼貌, 你得děi好好~! 당신네 이 아이는 너무나도 버릇이 없군, 단단히 좀 가르쳐야 되겠어! ② 통제하고 교도하다. ❏ ~所; 소년원. 명 교도원(教導員).

[管理] guǎnlǐ 동 ① 관리하다. ❏ ~仓库; 창고를 관리하다 / ~处; 관리소 / ~员; 관리원. ② (사람·동물을) 관리하다. 지키고 돌보다. ❏ ~罪犯; 범죄자를 관리하다.

[管事] guǎn//shì 동 (일을) 관리하다. 책임지다. 돌보다. ❏ 家里谁在~? 집안은 누가 관리하고 있느냐? (~儿) 형 효과 있다. 쓸모 있

다. 유용하다. ❏这个药很~儿; 이 약은 아주 잘 듣는다. =[管用]
(guǎnshì) 명〈舊〉 집사. 관리인.
[管束] guǎnshù 동 단속하다. 통제하다. ❏这个孩子必须严加~; 이 아이는 엄히 단속해야 한다.
[管辖] guǎnxiá 동 관할하다. ❏~范围; 관할 범위.
[管闲事] guǎn xiánshì 쓸데없이 참견하다. 쓸데없는 일에 간섭하다.
[管弦乐] guǎnxiányuè 명〔樂〕 관현악. ❏~队; 관현악단.
[管用] guǎn∥yòng 형 유용하다. 쓸모 있다. 효과 있다. ❏刀不~, 得děi找把斧子来劈; 도끼로 패야지, 칼로는 안 된다. =[管事]
[管乐队] guǎnyuèduì 명〔樂〕 관악대.
[管乐器] guǎnyuèqì 명〔樂〕 관악기.
[管制] guǎnzhì 동 ① 관제하다. 통제하다. ❏~物价; 물가를 통제하다 / 灯火~; 등화관제. ②〔法〕 관제하다. 감시 처분하다.
[管子] guǎn·zi 명 관(管). 튜브(tube). 파이프(pipe).

贯(貫) guàn (관)
① 동 꿰뚫다. 관통하다. ❏融会~通; 〈成〉 서로 마음을 터놓아 혼연일체가 되다. ② 동 연결하다. 줄을 잇다. ❏鱼~而入; 〈成〉 줄지어 들어가다. ③ 명 원적(原籍). 출생지. ❏本~; 본적. ④ 양 관. 꿰미. 꾸러미《네모진 구멍 뚫린 1문(文)짜리 엽전 천 개를 끈에 꿴 것》. ❏万~家私; 〈成〉 대단한 재산.
[贯彻] guànchè 동 관철하다. ❏~信念; 신념을 관철시키다.
[贯穿] guànchuān 동 관통하다. 꿰뚫다. 뚫고 지나가다. ❏这条铁路~了好几个省; 이 철도는 여러 개의 성을 뚫고 지나갔다.
[贯通] guàntōng 동 ① 완전히 이해하다. 훤히 꿰뚫다. ❏豁然~; 훤히 꿰뚫다. ② 연결되어 통하다. 관통하다. 개통하다. ❏这条公路全部~了; 이 도로는 전부 개통되었다.
[贯注] guànzhù 동 ① (정력·주의력 따위를) 모으다. 집중시키다. 쏟아 넣다. ❏把精力~在工作上; 정력을 일에 쏟아 붓다. ② (어의(語義)·어기(語氣)가) 이어지다. 일관되다.

惯(慣) guàn (관)
동 ① 익숙해지다. 습관이 되다. ❏我在农村住~了; 나는 농촌 생활이 익숙해졌다. ② 버릇없이 키우다. 제멋대로 하게 두다. ❏妈妈从来没~过我们; 어머니는 여태껏 우리를 제멋대로 하게 두신 적이 없다.
[惯常] guàncháng 형 습관적인. 습관이 된. 상습적인. ❏~手法; 상습적인 수법. 부 항상. 늘. 늘상. 자주. ❏~做运动的人; 항상 운동을 하는 사람. 명 평소. 평시. 평상시.
[惯犯] guànfàn 명 상습범.
[惯技] guànjì 명〈貶〉 상투 수단. ❏施展~; 상투 수단을 쓰다.
[惯例] guànlì 명 ① 관례. ❏国际~; 국제관례. ②〔法〕 전례. 판례.
[惯性] guànxìng 명〔物〕 관성.
[惯用] guànyòng 동 습관적으로 쓰다. 흔히 쓰다. 관용하다. ❏~语; 관용어.
[惯于] guànyú 동 …에 익숙해지다. …에 습관[버릇]이 되다. ❏他~清晨去公园锻练; 그는 새벽마다 공원에 가서 신체 단련을 하는 것에 습관이 되었다.

掼(摜) guàn (관)
동〈方〉 ① 내팽개치다. 내던지다. ❏~下了书包; 가방을 내던졌다. ② (한쪽을 잡고 다른 한쪽을) 두들기다. 털다. ❏~稻; 볏단을 두들기다. ③ 넘어지다. 넘어뜨리다. ❏我被他~倒了; 나는 그 사람 때문에 넘어졌다.
[掼纱帽] guàn shāmào 〈方〉〈比〉 홧김에 사표를 내다.

观(觀) guàn (관)
명 도교(道教)의 사원. ❏白云~; 백운관. ⇒guān

冠 guàn (관)
① 동〈書〉 (성년이 되는 의식으로) 관을 쓰다. ❏二十而~; 20세가 되어 관을 쓰다. ② 동 (명칭 따위를) 앞에 붙이다. ❏在名字前面~上职称; 이름 앞에 직함을 붙이다. ③ 동 으뜸가다. 첫째를 차지하다. ❏产量~全国; 생산량이 전국에서 으뜸가다. ④ 명 우승. 우승자. 챔피언. ❏夺~; 우승을 쟁취하다. ⇒guān
[冠词] guàncí 명〔言〕 관사.
[冠军] guànjūn 명 우승. 우승자. 챔피언. ❏全能~; 종합 우승 / ~

赛; 선수권 대회.

盥 guàn (관)
통〈書〉 세수하다.

[盥洗] guànxǐ 통 세수하다. 세면하다. ❏ ~室; 세면장.

灌 guàn (관)
통 ① 물을 대다. 관개하다. ❏ ~田; 밭에 물을 대다. ② (액체·기체 등을) 쏟아 붓다. 불어 넣다. 부어 넣다. ❏ 往锅炉里~水; 보일러에 물을 붓다. ③ 녹음하다. 취입하다. ❏ ~唱片; 음반을 취입하다.

[灌肠] guàn∥cháng 통〖醫〗관장하다.

[灌溉] guàngài 통 관개하다.

[灌木] guànmù 명〖植〗관목.

[灌输] guànshū 통 ① 물을 대다. ② (사상·지식 따위를) 주입하다. 심어 주다. ❏ ~爱国主义思想; 애국주의 사상을 주입하다.

[灌制] guànzhì 통 (음반 따위를) 녹음 제작 하다. ❏ ~唱片; 음반을 제작하다.

[灌注] guànzhù 통 부어 넣다. 따라 넣다. 쏟아 붓다.

鹳(鸛) guàn (관)
명〖鳥〗황새.

罐 guàn (관)
명 (~儿) 항아리. 독. 깡통.

[罐车] guànchē 명 탱크차. 탱크로리(tank lorry).

[罐头] guàn·tou 명 ①〈方〉⇨[罐子] ② 통조림. ❏ 水果~; 과일 통조림.

[罐装] guànzhuāng 명 깡통 포장. ❏ ~啤酒; 캔맥주.

[罐子] guàn·zi 명 깡통·항아리·단지 따위의 원통형 용기(容器). =[〈方〉罐头①]

guang ㄍㄨㄤ

光 guāng (광)
① 명 빛. 광선. ② 명 풍경. 경치. 풍물. ❏ 春~; 봄 경치. ③ 명 영광. 명예. 영예. ❏ 脸上无~; 망신스럽다. ④ 명〈比〉 덕. 덕택. ❏ 沾~; 덕을 입다. ⑤〈敬〉 상대방의 왕림에 경의(敬意)를 나타내는 말. ❏ ~临; ⇩ ⑥ 형 환하다. 밝다. 반짝이다. ❏ 把皮鞋擦得很~; 구두를 매우 반짝반짝하게 닦았다. ⑦ 형 반들반들하다. 매끄럽다. ❏ 把木板刨~; 널빤지를 매끄럽게 깎다. ⑧ 형 아무것도 남지 않다. 다하다. ❏ 啤酒卖~了; 맥주가 모두 팔렸다. ⑨ 통 드러내다. 벌거벗다. ❏ 他们光着身子在湖里游泳; 그들은 벌거벗고 호수에서 수영을 한다. ⑩ 부 …만. 다만. 오직. ❏ 汽车~漂亮不行, 质量也要好; 자동차는 예쁘기만 하면 안 되고, 품질도 좋아야 한다.

[光标] guāngbiāo 명〖컴〗커서(cursor). =[游标②]

[光波] guāngbō 명〖物〗광파.

[光彩] guāngcǎi 명 광채. 형 영예롭다. 영광스럽다. 명예롭다. 체면이 서다. ❏ 这于他也很~; 이것은 그에게도 대단한 영광이다.

[光导纤维] guāngdǎo xiānwéi〖物〗광학 섬유. 광섬유. =[〈簡〉光纤]

[光电] guāngdiàn 명〖物〗광전기. 광전. ❏ ~子; 광전자.

[光碟] guāngdié 명 ⇨[光盘]

[光复] guāngfù 통 나라나 영토를 회복하다[되찾다]. 광복하다. ❏ ~失地; 잃었던 영토를 되찾다.

[光顾] guānggù 통〈敬〉 애고(愛顧)하다《상인이 고객을 맞이할 때 쓰는 용어》. ❏ ~欢迎; 애고해 주심을 환영합니다.

[光怪陆离] guāngguài-lùlí〈成〉 형상이 기이하고 색채가 다양하다.

[光棍儿] guānggùnr 명 독신남. 홀아비. ❏ 打~; 홀아비로 지내다.

[光合作用] guānghé zuòyòng〖植〗광합성 작용.

[光滑] guānghuá 형 매끄럽다. 반질반질하다. ❏ 皮肤~; 피부가 매끄럽다.

[光化学] guānghuàxué 명〖化〗광화학. ❏ ~反应; 광화학 반응.

[光辉] guānghuī 명 광휘. 찬란한 빛. =[光耀] 형 훌륭하다. 찬란하다. ❏ ~著作; 훌륭한 저작.

[光脚] guāng∥jiǎo 통 맨발이 되다. ❏ 光着脚走路; 맨발로 걷다.

[光洁] guāngjié 형 윤이 나고 깨끗하다. ❏ 桌子~如镜; 탁자가 거울처럼 깨끗하다.

[光景] guāngjǐng 명 ① 경치. 풍경. 광경. ② 상황. 형편. 처지. 생활. ❏ 近来他的~怎么样? 요즘 그의 상황은 어떻습니까? ③ 대략적인 시간·수량. ❏ 等了有一点钟的~; 한 시간 가량 기다렸다. 부〈方〉 보아하니. 상황을 보니. ❏ 凉风四

起, ~是要下雨; 서늘한 바람이 여기저기 부는 것이, 비가 올 것 같은 상황이구나.

[光缆] guānglǎn 명 광케이블.

[光亮] guāngliàng 형 ① 밝다. 환하다. ❑这里不大~; 여기는 별로 밝지 않다. ② 윤이 나다. 반짝이다. ❑把皮鞋擦~; 구두를 윤이 나게 닦다. 명 빛. ❑透出~; 빛이 새어 나오다.

[光临] guānglín 동〈敬〉 왕림(枉臨)하다. ❑欢迎~; 어서 오세요.

[光溜溜(的)] guāngliūliū(·de) 형 ① 매끈매끈한 모양. 반질반질한 모양. ❑~的冰上; 반질반질한 얼음 위. ② (바닥·물체·몸이) 휑한 모양. 벌거벗은 모양. 아무것도 없는 모양.

[光芒] guāngmáng 명 광망. 빛발. 빛. ❑~万丈; 〈成〉 눈부시게 빛나다.

[光明] guāngmíng 명 광명. 빛. ❑一线~; 한 줄기 광명. 형 ① 환하다. 밝다. ② 〈比〉 밝다. 희망차다. 유망하다. ❑~的远景; 밝은 미래. ③ 공명(公明)하다. ④ (마음이) 티 없이 맑다. 구김살 없다. ❑心地~; 마음이 티 없이 맑다.

[光明正大] guāngmíng-zhèngdà 〈成〉 공명정대하다. =[正大光明]

[光年] guāngnián 양〖天〗 광년.

[光盘] guāngpán 명 시디(CD). 콤팩트 디스크. ❑~只读存储器; 시디롬(CD-ROM). =[光碟]

[光谱] guāngpǔ 명〖物〗 스펙트럼(spectrum).

[光荣] guāngróng 형 영예롭다. 명예롭다. 자랑스럽다. ❑~传统; 명예로운 전통. 명 영광. 영예. ❑~归于祖国; 조국에 영광을 돌리다.

[光润] guāngrùn 형 (피부 따위가) 윤기가 흐르다. 매끄럽다.

[光速] guāngsù 명〖物〗 광속도. 광속.

[光天化日] guāngtiān-huàrì 〈成〉 대낮. 백주대낮《모두가 분명하게 볼 수 있는 곳》.

[光头] guāngtóu 명 까까머리. 빡빡머리. ❑剃~; 머리를 빡빡 깎다. (guāng//tóu) 동 모자를 쓰지 않다. 맨머리를 드러내다.

[光秃秃(的)] guāngtūtū(·de) 형 (산·나무·머리 따위가) 민둥민둥한 모양. 앙상한 모양. 반들반들한 모양. ❑把头剃得~的; 머리를 반들반들하게 밀어 버리다.

[光纤] guāngxiān 명〈簡〉 ⇒[光导纤维]

[光线] guāngxiàn 명〖物〗 빛. 광선.

[光学] guāngxué 명〖物〗 광학. ❑~镜; 광학 렌즈.

[光焰] guāngyàn 명 불꽃. 광염.

[光耀] guāngyào 명 ⇒[光辉] 형 영예롭다. 영광스럽다. 동 빛내다. ❑~史册; 역사를 빛내다.

[光阴] guāngyīn 명 광음. 시간. 세월. ❑~似箭; 〈成〉 세월은 화살과 같다.

[光泽] guāngzé 명 광. 광택. 윤.

[光照] guāngzhào 동 밝히다. 비추다.

[光宗耀祖] guāngzōng-yàozǔ 〈成〉 조상의 이름을 드높이다.

胱 guāng (광)

→[膀páng胱]

广(廣) guǎng (광)

① 형 (면적·범위가) 넓다. ❑地~人稀; 땅은 넓고 인구는 적다. ② 형 많다. ❑阅历甚~; 경력이 매우 많다. ③ 동 넓히다. 확대하다. ❑~一~见闻; 견문을 넓히다.

[广播] guǎngbō 명동 방송(하다). ❑~节目; 방송 프로그램 / ~剧; 라디오 드라마 / 电视~台; 텔레비전 방송국 / ~员 =[播音员]; 아나운서.

[广播电台] guǎngbō diàntái 방송국. =[〈簡〉 电台②]

[广博] guǎngbó 형 (학식 따위가) 해박하다. ❑他学问很~; 그는 학문이 매우 깊다.

[广场] guǎngchǎng 명 광장.

[广大] guǎngdà 형 ① (면적·공간이) 넓다. 광대하다. ❑~区域; 광대한 구역. ② (범위·규모가) 크다. 거대하다. ❑~的组织; 거대한 조직. ③ (사람 수가) 많다. ❑~读者; 수많은 독자.

[广度] guǎngdù 명 (주로, 추상적인) 넓이. 범위.

[广泛] guǎngfàn 형 광범위하다. 폭넓다. ❑~调查; 광범위하게 조사하다.

[广告] guǎnggào 명 광고. ❑~公司; 광고 회사 / ~户; 광고주 / ~画; 포스터 / ~牌; 광고판 / 整页~; 전면 광고.

[广角] guǎngjiǎo 명〔物〕광각(廣角). ❏ ~镜头; 광각 렌즈.

[广阔] guǎngkuò 형 넓다. 광활하다. ❏ ~的世界; 광활한 세계.

[广袤] guǎngmào 형〈書〉넓디넓다. 광활하다. ❏ 土地~; 토지가 광활하다.

[广义] guǎngyì 명 광의(廣義).

犷(獷) guǎng (광) 형〈書〉거칠고 막돼먹다.

[犷悍] guǎnghàn 형 거칠고 난폭하다.

逛 guàng (광) 동 한가롭게 거닐다. 구경하며 돌아다니다. ❏ 去商店~一会儿; 상점에 가서 좀 돌아다니다.

[逛荡] guàng·dang 동 빈둥빈둥 돌아다니다. 어슬렁거리다. ❏ 他整天在外面~; 그는 종일 밖에서 빈둥빈둥 돌아다닌다.

[逛街(儿)] guàng//jiē(r) 동 거리를 구경하며 거닐다.

桄 guàng (광) ① 동 (실을) 실패에 감다. ② (~儿) 명 실타래. ③ 양 (~儿) 타래. ❏ 一~线; 실 한 타래.

[桄子] guàng·zi 명 실패.

gui ㄍㄨㄟ

归(歸) guī (귀) ① 동 돌아가다. 돌아오다. ❏ 无家可~; 〈成〉돌아갈 집이 없다. ② 동 돌려주다. 반환하다. ❏ 物~原主; 물건을 주인에게 돌려주다. ③ 동 집중하다. 쏠리다. 모으다. 모이다. ❏ ~并; ⇩ ④ 동 속하다. 소유가 되다. ❏ 土地~国家所有; 토지가 국가 소유가 되다. ⑤ 개 …가[이]《책임지는 주체를 나타냄》. ❏ 这些工具~我管; 이 공구들은 내가 관리한다. ⑥ 중첩 동사 사이에서 동작이 서로 관련되지 않거나 결과가 없음을 나타냄. ❏ 答应~答应, 办不办就难说了; 대답은 대답이고, 처리할 수 있을지 없을지는 말하기 어렵다.

[归案] guī//àn 동〔法〕(범인이 잡혀) 사건이 해결되다. 사건이 사법기관으로 넘어가다.

[归并] guībìng 동 ① 합쳐 넣다. 병합하여 귀속시키다. ❏ 把这个组~到别的组去; 이 조를 다른 조에 합쳐 넣다. ② 한데 합치다. ❏ 把零碎东西~到一起; 자잘한 물건들을 한데 합치다.

[归程] guīchéng 명 돌아가는 노정. 돌아가는 길.

[归队] guī//duì 동 ①〔軍〕귀대하다. ② 원래의 직업[업무]으로 돌아가다.

[归根结底] guīgēn-jiédǐ 〈成〉결국. 요컨대. 근본적으로 말하자면. =[归根结柢][归根结蒂]

[归功] guīgōng 동 …의 공으로 돌리다. …의 덕택으로 하다. ❏ 他把一切荣誉都~于祖国; 그는 모든 영예를 조국에 돌렸다.

[归国] guīguó 동 귀국하다.

[归还] guīhuán 동 (돈이나 물건을) 돌려주다. 갚다. 반환하다. ❏ 按时~; 기일대로 반환하다.

[归结] guījié 동 귀결하다. 결론 내다. 정리하다. ❏ 大家的意见可以~为三句话; 모두의 의견을 세 마디 말로 결론 지을 수 있다. 명 귀결. 결과. 결말.

[归咎] guījiù 동 …의 탓으로 돌리다. ❏ 把自己的失败都~于他; 자신의 실패를 모두 그의 탓으로 돌리다.

[归拢] guīlǒng 동 (흩어져 있던 것들을) 한데 모으다. 집결하다. ❏ 请你把这些茶杯~~! 이 찻잔들을 모아 주십시오!

[归纳] guīnà 명동〔論〕귀납(하다). ❏ ~法; 귀납법.

[归侨] guīqiáo 명 귀국한 교포.

[归属] guīshǔ 동 귀속하다. 속하다. ❏ 无所~; 귀속할 곳이 없다.

[归顺] guīshùn 동 귀순하다.

[归宿] guīsù 명 귀착점. 귀결점.

[归向] guīxiàng 동 (…으로) 향하다. 기울다. 쏠리다. ❏ 人心~; 민심이 기울다.

[归心似箭] guīxīn-sìjiàn 〈成〉(고향·집에) 돌아가고 싶은 마음이 간절하다.

[归于] guīyú 동 ① (추상적인 것이) …로 돌아가다. …에 돌리다. ❏ 应该把功劳~我们的老师; 공로는 마땅히 우리 선생님께 돌려야 한다. ② (상황이) …로 기울다. …이 되다. ❏ 各国代表的意见~一致; 각국 대표의 의견이 일치되다.

[归总] guīzǒng 동 (한데) 모으다. 합치다. ❏ 把大家的意见~起来; 모두의 의견을 한데 모으다.

[归罪] guīzuì 동 죄를 돌리다. 죄

를 전가하다. ❏ 一切失败~于他; 모든 실패를 그의 탓으로 돌리다.

闺(閨) guī (규) 명 ①〈書〉 위는 둥글고 아래는 네모진 작은 문. ② 규방.

[闺房] guīfáng 명 내실. 규방.

[闺女] guī·nü 명 ① (규중) 처녀. ②〈口〉 딸.

硅 guī (규) 명〖化〗 규소. 실리콘(Si: silicon).

[硅谷] Guīgǔ 명〖地〗 실리콘 밸리 (Silicon Valley).

[硅胶] guījiāo 명〖化〗 실리카 겔 (silica gel)《방습제·건조제》.

鲑(鮭) guī (규) 명〖魚〗 연어

龟(龜) guī (귀) 명〖動〗 거북. ⇒jūn

[龟甲] guījiǎ 명 귀갑.

[龟缩] guīsuō 동〈比〉 움크리다. 숨어서 나오지 않다. ❏ 敌人~在碉堡里不敢出来; 적이 보루에 숨어서 감히 나오지 못하다.

规(規) guī (규) ① 명 컴퍼스(campass). ② 명 게이지(gauge). ③ 명 규정. 규칙. 조례. 전례. ④ 동 충고하다. ❏ ~劝; ⇩ ⑤ 동 계획하다. 생각을 내다. ❏ ~定; ⇩

[规程] guīchéng 명 (제도·정책 따위의) 규정. 규칙. 조례.

[规定] guīdìng 동 규정하다. 정하다. ❏ 法律~的条件; 법률이 규정한 조건. 명 규정. 규칙.

[规范] guīfàn 명 규범. 모범. ❏ ~化; 규범화하다 / 社会~; 사회 규범. 형 규범에 맞다. 표준에 맞다. ❏ 这种用法不~; 이런 용법은 규범에 맞지 않는다.

[规格] guīgé 명 ① (제품의) 규격. ❏ 不合~; 규격에 맞지 않다. ② 정해진 요구나 조건.

[规划] guīhuà 명동 기획(하다). 계획(하다). ❏ 取消~; 계획을 철회하다.

[规矩] guī·ju 명 컴퍼스와 곱자. 〈比〉 규칙. 규정. 규격. 표준. ❏ 按~办; 규칙대로 하다. 형 규범적이다. 단정하다. ❏ 他人很~; 그는 사람이 매우 단정하다.

[规律] guīlǜ 명 규율. 법칙. =[法fǎ则] 형 규칙적이다.

[规模] guīmó 명 규모. ❏ ~宏大; 규모가 매우 크다.

[规劝] guīquàn 동 (잘못을 고치도록) 진지하게 충고하다. 엄히 훈계하다. ❏ 老师~学生; 선생님이 학생을 훈계하다.

[规则] guīzé 명 ① 규칙. ❏ 交通~; 교통 규칙. ② 법칙. ❏ 自然~; 자연의 법칙. 형 (모양·구조·분포 따위가) 규칙적이다. 표준적이다. ❏ ~动词; 규칙 동사.

[规章] guīzhāng 명 규칙. 규장.

瑰 guī (괴) 형〈書〉 귀하다. 진기하다.

[瑰宝] guībǎo 명 진귀한 보물.

[瑰丽] guīlì 형 매우 아름답다.

轨(軌) guǐ (궤) 명 ① 레일(rail). 선로. ❏ 铺~; 레일을 깔다 / 铁~; 철도 레일. ② 궤도. ❏ 无~电车; 무궤도 전차. ③〈比〉 규율. 규칙. 상궤. 방법. 질서.

[轨道] guǐdào 명 ① (열차의) 궤도. 선로. ②〖天〗 (천체의) 궤도. ❏ 人造卫星的~; 인공위성의 궤도. ③ (추상적인) 궤도. ❏ 走上~; 궤도에 오르다.

诡(詭) guǐ (궤) 형 ① 교활하다. 간교하다. ❏ ~计; ⇩ ②〈書〉 이상하다. 괴이하다. ❏ ~异; 기이하다.

[诡辩] guǐbiàn 동 ① 궤변을 늘어놓다. ❏ ~家; 궤변가. ② 이치에 맞지 않는 말로 억지를 부리다.

[诡称] guǐchēng 동 거짓으로 둘러대다. ❏ 他~自己有病; 그는 병이 있다고 거짓으로 둘러댔다.

[诡计] guǐjì 명 간사한 꾀. 궤계. ❏ ~多端; 〈成〉 궤계가 많다.

[诡谲] guǐjué 형〈書〉 ① 기이하고 변화무쌍하다. ② 괴상하다. 터무니없다. ❏ 言语~; 말이 터무니없다. ③ 교활하다.

[诡秘] guǐmì 형 (행동·태도가) 은밀하여 종잡을 수 없다. 묘연하다. ❏ 行踪~; 행적이 묘연하다.

[诡诈] guǐzhà 형 교활하다. 간사하다.

鬼 guǐ (귀) ① 명 귀신. 유령. 도깨비. ② 명 안 좋은 기호[취미]를 갖거나 행동이 좋지 않는 사람. ❏ 酒~; 술고래 / 色~; 색마. ③ 형 음험하다. 속이 검다. ❏ ~祟; ⇩ ④ 명 꿍꿍이. 속셈. 음모. 흉계. ❏ 捣~; 음모를 꾸미다. ⑤ 형 열악하다. 지독하게 안 좋다. ❏ ~天气; 지독한 날씨. ⑥ 형〈口〉(아이나 동물이) 영리하다. 약다. ❑ 你家的小猫真~; 너희 집 고양이는 정말 영리하다.

[鬼把戏] guǐbǎxì 명 ① 음험한 수단. 속임수. 흉계. ② 몰래 잡기 위한 수단. 덫.

[鬼点子] guǐdiǎn·zi 명 나쁜 생각. 못된 꾀.

[鬼怪] guǐguài 명 유령과 요괴. 귀신.

[鬼鬼祟祟] guǐ·guisuìsuì 좋지 않은 일을 몰래 하다. 꿍꿍이수작을 부리다.

[鬼话] guǐhuà 명 허튼소리. 터무니없는 말. ❑ ~连篇; 〈成〉 터무니없는 소리만 늘어놓다.

[鬼魂] guǐhún 명 죽은 사람의 혼.

[鬼混] guǐhùn 동 ① 생각 없이 지내다. 대충대충 살다. 막 살다. ② 떳떳하지 못한 생활을 하다.

[鬼火] guǐhuǒ 명〈俗〉 ⇨[磷lín火]

[鬼脸(儿)] guǐliǎn(r) 명 ① (두꺼운 종이로 만든) 가면《완구용》. ② 일부러 지어 보이는 익살맞은 표정.

[鬼神] guǐshén 명 귀신.

[鬼使神差] guǐshǐ-shénchāi 〈成〉 귀신이 곡할 노릇이다. =[神差鬼使]

[鬼祟] guǐsuì 형 떳떳하지 못하다. 엉큼하다. 꿍꿍이가 있다. 의심스럽다. 명 귀신. 요괴.

[鬼胎] guǐtāi 명 못된 생각. 나쁜 속셈.

[鬼头鬼脑] guǐtóu-guǐnǎo 〈成〉 하는 짓이 교활하고 음흉하다.

[鬼蜮] guǐyù 명 요괴. 유령. 음험한 사람. ❑ ~伎俩; 〈成〉 음험하여 남을 해치는 수법.

[鬼主意] guǐzhǔ·yi 명 못된 생각. 음험한 생각.

[鬼子] guǐ·zi 명〈罵〉 악마《침략해 들어온 외국인을 증오스럽게 일컫는 말》. ❑ 东洋~; 일본 악마.

晷 guǐ (구)
명 ①〈書〉 해그림자. 〈比〉 시간. ② 해시계.

刽(劊) guì (회)
동〈書〉 끊다. 자르다.

[刽子手] guì·zishǒu 명 ① 회자수. 사형 집행인. ②〈比〉 학살자.

柜(櫃) guì (궤)
명 ① (~儿) 궤·함·장·저장함 따위. ❑ 碗~; 그릇장 / 衣~; 옷장. ② 회계하는 곳. 카운터. 〈比〉 상점.

[柜房] guìfáng 명 (상점·숙박업소 따위의) 경리실.

[柜台] guìtái 명 계산대.

[柜子] guì·zi 명 궤. 함. 장. 장농.

贵(貴) guì (귀)
① 형 (값이) 비싸다. ❑ 中国的家电不太~; 중국의 가전제품은 그다지 비싸지 않다. ② 형 귀중하다. 값지다. 가치 있다. ❑ 春雨~似油; 봄비는 기름처럼 값지다. ③ 동 중히 여기다. 중시하다. 존중하다. ❑ ~精不~多; 양보다 질을 중시하다. ④ 형 (신분 따위가) 귀하다. 높다. ❑ ~妇人; 귀부인. ⑤〈敬〉 상대방과 관계된 것을 높여 일컫는 말. ❑ ~国; 귀국 / ~社; 귀사(貴社).

[贵宾] guìbīn 명 귀빈. 브이아이피(VIP). ❑ ~席; 귀빈석. 로열박스(royal box).

[贵贱] guìjiàn 명 ① 가격의 높고 낮음. ② 귀함과 천함. 귀천.

[贵金属] guìjīnshǔ 명 귀금속.

[贵客] guìkè 명 귀한 손님.

[贵人] guìrén 명 ① 귀인. 존귀한 사람. ❑ ~多忘事; 〈諺〉 귀인은 잊기를 잘한다《귀인은 시시한 일들을 기억하지 않음》. ② 천자의 측실.

[贵姓] guìxìng 명〈敬〉 성씨. ❑ 您~? 성씨가 어떻게 되십니까?

[贵重] guìzhòng 형 귀중하다. 값비싸다. ❑ ~物品; 귀중품.

[贵族] guìzú 명 귀족.

桂 guì (계)
명〔植〕 ① 계수나무. =[肉桂] ② 월계수. ③ 목서. 물푸레나무.

[桂冠] guìguān 명 월계관.

[桂花] guìhuā 명〔植〕 물푸레나무(의 꽃).

[桂皮] guìpí 명 ①〔植〕 계수나무. ② 계피. ③ 육계(肉桂).

[桂圆] guìyuán 명 ⇨[龙眼]

跪 guì (궤)
동 무릎을 꿇다. ❑ 下~; 무릎을 꿇다 / ~倒在地; 바닥에 무릎을 꿇다.

[跪拜] guìbài 동 무릎을 꿇고 바닥에 머리를 조아리다《정중한 절》.

gun ㄍㄨㄣ

衮 gǔn (곤)
명 곤룡포.

[衮服] gǔnfú 명 곤룡포.

衮 gǔn (곤)
동 ①(데굴데굴) 구르다. 뒹굴다. ❑山上~下来一块石头; 산에서 돌 하나가 굴러 내려오다. ②〈贬〉 가다. 꺼지다. 나오다. ❑快~开! 썩 꺼져라! / 你给我~! 내 앞에서 꺼져! ③(액체가) 세차게 흐르다. 소용돌이 치다. 〈比〉(물이) 펄펄 끓다. ❑锅里水~了; 솥 안의 물이 펄펄 끓었다. ④굴리다. ❑~雪球; 눈덩이를 굴리다.

[滚蛋] gǔn//dàn 동〈罵〉 꺼져!

[滚动] gǔndòng 동 구르다. 회전하다. 돌다. ❑眼里~着泪珠; 눈에서 눈물이 핑 돌다 / ~摩擦; 구름 마찰.

[滚翻] gǔnfān 명〖體〗 구르기. ❑侧~; 옆구르기 / 后~; 뒤구르기 / 前~; 앞구르기.

[滚瓜烂熟] gǔnguā-lànshú 〈成〉(독서·암기 따위가) 유창하다. 익숙하다. 거침없다.

[滚滚] gǔngǔn 형 ①물이 세차게 굽이쳐 흐르는 모양. ❑大江~东去; 큰 강이 도도히 굽이쳐 동쪽으로 흐른다. ②수레바퀴가 구르는 모양. ❑历史车轮~向前; 역사의 수레바퀴가 힘차게 앞으로 굴러간다. ③〈轉〉 끊임없는 모양. ❑财源~; 재원이 풍부하다.

[滚热] gǔnrè 형 (음식이나 몸이) 무척 뜨겁다. 펄펄 끓다. ❑身上~~的; 몸이 불덩이 같다. =[滚烫]

[滚水] gǔnshuǐ 명 끓는 물.

[滚烫] gǔntàng 형 ⇨[滚热]

[滚圆] gǔnyuán 형 둥글둥글하다. ❑她的腰身~; 그녀의 허리는 둥글둥글하다.

磙 gǔn (곤)
①명〖機〗 다짐기계. 다짐용 롤러(roller). ②동 롤러로 땅을 고르다. ❑~路面; 롤러로 길바닥을 고르다.

[磙子] gǔn·zi 명〖機〗 다짐기계. 다짐용 롤러(roller).

辊(輥) gǔn (곤)
명 (기계의) 롤러(roller).

[辊子] gǔn·zi 명〈口〉 롤러.

棍 gùn (곤)
명 ①(~儿) 막대기. 몽둥이. ❑木~; 나무 막대기. ②악당. 깡패.

[棍棒] gùnbàng 명 곤봉.

[棍子] gùn·zi 명 막대기. 몽둥이.

guo ㄍㄨㄛ

埚(堝) guō (과)
→[坩gān埚]

锅(鍋) guō (과)
명 ①솥. 냄비. ❑~盖; 솥뚜껑. ②액체 가열용의 기구. ❑汽~; 보일러. ③(~儿) 기구의 냄비 모양의 부분.

[锅巴] guōbā 명 ①누룽지. ②누룽지탕. ❑三鲜~; 삼선 누룽지탕.

[锅铲] guōchǎn 명 뒤집개.

[锅炉] guōlú 명〖機〗 보일러(boiler).

[锅台] guōtái 명 부뚜막.

[锅贴儿] guōtiēr 명 군만두(《소량의 물과 기름에 지진 만두》).

郭 guō (곽)
명 ①성곽. ②둘레. 테.

蝈(蟈) guō (괵)
→[蝈蝈儿]

[蝈蝈儿] guō·guor 명〖蟲〗 여치.

聒 guō (괄)
형 시끄럽다. 요란하다. ❑~耳; 귀에 거슬리다. 시끄럽다.

[聒噪] guōzào 형〈方〉 시끄럽다. 소란스럽다. 왁자지껄하다. ❑~的说话声; 왁자지껄한 이야기 소리.

国(國) guó (국)
①명 나라. 국가. ❑外~; 외국. ②형 국가를 대표[상징]하는. ❑~旗; ⇩ ③형 국내 최고의. ❑~手; ⇩ ④형 자국(自國)의. 본국의. ❑~产; ⇩

[国宝] guóbǎo 명 ①국보. ②〈比〉 국보급 인물.

[国宾] guóbīn 명 국빈.

[国策] guócè 명 국책.

[国产] guóchǎn 형 국산의. ❑~品; 국산품 / ~影片; 국산 영화.

[国耻] guóchǐ 명 국치. 나라의 치욕.

[国都] guódū 명 수도. 국도.

[国法] guófǎ 명 국법.

[国防] guófáng 형 국방. ❑~部; 국방부 / ~力量; 국방력.

[国歌] guógē 명 국가.

[国号] guóhào 명 국호.

[国花] guóhuā 명 국화. 나라를 상징하는 꽃.

[国画] guóhuà 명〖美〗 고유의 전통 회화(繪畫). 국화.

[国徽] guóhuī 명 국장(國章). 나

라의 휘장.
[国会] guóhuì 명〖政〗국회. ❑~议员; 국회 의원.
[国货] guóhuò 명 국산품.
[国籍] guójí 명 ①(개인의) 국적. ❑丧失~; 국적을 상실하다. ②(비행기·배 따위의) 국적. ❑~不明的飞机; 국적 불명의 비행기.
[国计民生] guójì-mínshēng 〈成〉 나라 경제와 국민 생활.
[国际] guójì 명형 국제(의). 국제적(인). ❑~裁判; 국제 심판 / ~法 =[~公法]; 국제법 / ~机场; 국제공항 / ~形势; 국제 정세.
[国际公制] guójì gōngzhì 미터법. =[〈簡〉公制]
[国际象棋] guójì xiàngqí 〖體〗체스(chess).
[国家] guójiā 명 국가. 나라. ❑~队; 국가 대표팀 / ~公园; 국립 공원 / ~机关; 국가 기관.
[国交] guójiāo 명 국교.
[国教] guójiào 명 국교. 나라의 종교.
[国界] guójiè 명 국경선.
[国境] guójìng 명 ①국경. ②국경 지대. 변경.
[国库] guókù 명〖經〗국고. ❑~券; 국고 채권. =[金库]
[国力] guólì 명 국력.
[国立] guólì 형 국립의. ❑~大学; 국립 대학.
[国民] guómín 명 국민. ❑~经济; 국민 경제 / ~生产总值; 국민 총생산(GNP) / ~收入; 국민 소득.
[国难] guónàn 명 국난.
[国内] guónèi 명 국내. ❑~市场; 국내 시장 / ~生产总值; 국내 총생산(GDP).
[国旗] guóqí 명 국기.
[国情] guóqíng 명 국정. 나라의 정세[형편].
[国庆] Guóqìng 명 국경절. 건국 기념일《중국의 국경절은 10월 1일임》. =[国庆节]
[国事] guóshì 명 국사. 국가 대사. ❑~访问; 공식 국가 방문.
[国手] guóshǒu 명 (장기·바둑·의술 따위의) 국수.
[国书] guóshū 명 국서.
[国体] guótǐ 명 ①국체《주권이 누구에게 있느냐에 따라 나누는 나라의 형태》. ②국가의 체면.
[国土] guótǔ 명 국토.
[国外] guówài 명 국외. ❑~市场; 국외 시장.
[国王] guówáng 명 국왕.
[国威] guówēi 명 국위. 국가의 위신. ❑大振~; 국위를 선양하다.
[国务] guówù 명 국무. ❑~委员; 국무 위원 / ~院; 국무원.
[国宴] guóyàn 명 국가의 연회.
[国营] guóyíng 형 국영의. ❑~企业; 국영 기업.
[国有] guóyǒu 동 국가가 소유하다. 국유하다. ❑~化; 국유화하다 / ~企业; 국유 기업 / ~资产; 국유 자산.
[国语] guóyǔ 명 ①국어. ②(초중등 학교의) 국어《교과명》.
[国乐] guóyuè 명 국악.
[国葬] guózàng 명 국장.
[国债] guózhài 명 국채.

帼(幗) guó (귁)
→[巾帼]

果 guǒ (과)
①(~儿) 명 과일. 열매. ❑干~; 건과 / 水~; 과일. ②명 결과. 성과. ❑恶~; 나쁜 결과. ③형 결연하다. 단호하다. ❑~断; ⇩ ④부 과연. 역시. ❑~然; ⇩
[果不其然] guǒ·bùqírán 아니나 다를까. 예상한 대로. =[果不然 guǒ·bùrán]
[果冻(儿)] guǒdòng(r) 명 과일 젤리(jelly). 젤리(jelly).
[果断] guǒduàn 형 과단성이 있다. 결단력이 있다. ❑他办事十分~; 그는 일하는 것이 매우 과단성 있다.
[果敢] guǒgǎn 형 과감하다. ❑~地冲向敌人; 과감하게 적에게 달려들다.
[果酱] guǒjiàng 명 잼(jam). =[果子酱]
[果酒] guǒjiǔ 명 과실주. =[果子酒]
[果木] guǒmù 명 ⇨[果树]
[果皮] guǒpí 명 과일 껍질.
[果皮箱] guǒpíxiāng 명 (거리의) 휴지통. 쓰레기통.
[果品] guǒpǐn 명 과일류(類). 과일 제품. ❑店~; 과일 가게.
[果然] guǒrán 부 과연. 정말. 확실히. 역시. ❑试用这种新药之后, ~病情有了好转; 이 신약을 시험적으로 쓰고 나자 병세가 과연 호전되었다. 접 정말 …라면. ❑~像你说那样, 事情就好办了; 정말 네가 말한 대로라면 일은 한결 수월해진다. ‖ =[果真]

果肉] guǒròu 명 과육.
果实] guǒshí 명 ① 과실. 열매. ②〈比〉 성과. 결실. ❏ 劳动~; 노동의 결실.
果树] guǒshù 명 과일나무. 과수. ❏ ~园艺; 과수 원예. =[果木]
果糖] guǒtáng 명〖化〗 과당.
果园] guǒyuán 명 과수원.
果真] guǒzhēn 부접 ⇨[果然]
果汁(儿)] guǒzhī(r) 명 과즙. 과일 주스(juice).
果子] guǒ·zi 명 과일. ❏ ~露; 과일 시럽(syrup).
果子酱] guǒ·zijiàng 명 ⇨[果酱]
果子酒] guǒ·zijiǔ 명 ⇨[果酒]

裹 guǒ (과)
동 ① (종이·천 따위로) 싸다. 감다. 묶다. 싸매다. ❏ 用绷带~伤口; 붕대로 상처를 싸매다. ② (좋지 않은 목적으로 다른 사람이나 물건 속에) 섞다. 혼입하다. ❏ 把次货~在里头卖; 불량품을 섞어 넣어서 팔다. ③ (혼잡한 틈을 타서) 갖고 가다. 데리고 가다.
裹足不前] guǒzú-bùqián〈成〉 이런저런 생각과 걱정으로 멈춘 채 나아가지 않다.

过(過) guò (과)
① 동 (한 지점에서 다른 지점으로) 가다. 지나다. 건너다. ❏ ~桥; 다리를 건너다. ② 동 (갑에서 을로) 옮기다. 양도하다. 이전하다. ❏ ~户; ⇩ ③ 동 (시간이) 경과하다. 지나다. 흐르다. ❏ ~了两个钟头了; 두 시간이 지났다. ④ 동 지내다. 보내다. ❏ ~日子; ⇩ ⑤ 동 (처리·방법 따위를) 거치다. ❏ ~秤; ⇩ ⑥ 동 눈으로 훑다. 훑어보다. ❏ 这篇稿子我又~了一遍; 이 원고를 나는 또 한 차례 훑어보았다. ⑦ 동 (범위나 제한을) 초과하다. 넘다. ❏ 再贵的可就~一百块钱了; 더 비싼 것은 100위안이 넘는다. ⑧ 동 (머릿속에) 떠올리다. ❏ 他把今天的事在脑子里又~了一下; 그는 오늘 있었던 일을 또 한차례 머릿속에 떠올렸다. ⑨ 접두〖化〗 과(過)…. ❏ ~氧化氢; 과산화수소. ⑩ 부 너무《동사·형용사 앞에 두어 과도함·심함의 뜻을 나타냄》. ❏ 我不能吃~咸的菜; 나는 너무 짠 음식은 못 먹는다. ⑪ 명 과실. 잘못. ❏ 改~; 잘못을 고치다. ⑫ 형〈口〉 과도하다. 지나치다. ⑬ 동〈方〉 전염되다. ❏ 这种病容易~人; 이런 병은 쉽게 전염된다.

过(過) ·guò (과)
동 ① 동사 뒤에 놓여 거쳐감을 나타냄. ❏ 走~广场; 광장을 걸어서 지나가다. ② 동사 뒤에 놓여 방향의 전환을 나타냄. ❏ 翻~一页; 한 장을 넘기다. ③ 동사 뒤에 붙인 '得'나 '不'와 이어져, '낫다'나 '못하다'의 뜻을 나타냄. ❏ 说不~他; 그를 말로 당해 낼 수가 없다. ④ 형용사 뒤에 놓여 비교를 나타냄. ❏ 我一点儿也没有胜~人的地方; 내게는 조금도 남보다 나은 점이 없다.

过(過) ·guo (과)
조 ① 동사 뒤에 쓰여, 동작의 완료·과거를 나타냄. ❏ 你吃~饭了没有? 너 밥 먹었니? ② 동사 뒤에 쓰여 어떤 동작·행위·변화 따위가 있었으나 현재까지는 지속되지 않음을 나타냄. ❏ 他十年前去~美国; 그는 10년 전에 미국에 갔었다.

[过半] guòbàn 동 반을 넘다. 과반수가 되다. ❏ 人数已经~; 인원이 이미 과반수가 되었다.
[过磅] guò//bàng 동 (앉은뱅이저울로) 무게를 달다.
[过不去] guò·buqù 동 ① (장애·방해가 있어서) 지나갈 수 없다. 통과하지 못하다. ❏ 前边修路~; 앞쪽이 도로 보수 중이라 지나갈 수 없다. ② 괴롭히다. 힘들게 하다. ❏ 别跟自己~; 자신을 힘들게 하지 마라. ③ 마음이 편치 않다. 미안하게 느끼다. ❏ 我心里真是~; 나는 정말 미안하게 생각한다.
[过程] guòchéng 명 과정. ❏ 生产~; 생산 과정.
[过秤] guò//chèng 동 저울로 달다.
[过错] guòcuò 명 과실. 과오. 잘못.
[过道(儿)] guòdào(r) 명 ① (신식 가옥의) 각 방으로 통하는 복도. ② (구식 가옥의) 마당 사이를 잇는 통로. 대문 있는 곳의 좁은 방.
[过得去] guò·deqù 동 ① 지나갈 수 있다. 통과할 수 있다. ❏ 桥一修好, 车就~了; 다리를 수리하기만 하면 차가 통과할 수 있다. ② 그럭저럭 살 수 있다. 지낼 만하다. ❏ 孩子们都大了, 家里还~; 아이들이 다 자라서 그런대로 살 만하다. ③ 그런대로 괜찮다. 무난하다. ❏

他的嗓子还～; 그의 목소리는 그런대로 괜찮다. ④ 미안하지 않다. 꺼리지 않다《주로, 반어적으로 쓰임》. ❏ 给你什么都不要, 叫我心里怎么～呢? 당신은 아무것도 필요 없다고 하는데, 어찌 내가 미안하지 않겠습니까?

[过冬] guò//dōng 동 겨울을 나다. 월동하다. ❏ ～费; 월동비.

[过度] guòdù 형 과도하다. 도를 넘다. 지나치다. ❏ ～敏感; 지나치게 민감하다.

[过渡] guòdù 동 과도적 상태에 있다. ❏ ～时期; 과도기.

[过分] guò//fèn 형 (말·행동이) 지나치다. 도를 넘다. ❏ 你对孩子疼得太～了; 너는 아이를 너무 지나치게 예뻐한다.

[过关] guò//guān 동 관문을 통과하다. 난관을 넘다《비유적으로 많이 쓰임》. ❏ 过技术关; 기술적인 관문을 넘어서다.

[过河拆桥] guòhé-chāiqiáo 〈成〉 목적을 이룬 후에 자신을 도와준 사람을 차 버리다.

[过后] guòhòu 명 ① 이후. 나중. ❏ 这个问题～再说; 이 문제는 나중에 다시 얘기하자. ② 그 후. 그 뒤. ❏ 他们先参观故宫, ～才去了长城; 그들은 먼저 고궁을 참관하고, 그 후에야 완리창청으로 갔다.

[过户] guò//hù 동〖法〗 명의 변경을 하다. 명의를 이전하다. ❏ ～手续; 명의 이전 수속.

[过活] guòhuó 동 생활하다. 지내다. 살아가다. ❏ 他靠卖蔬菜～; 그는 채소를 팔며 생활한다.

[过火(儿)] guò//huǒ(r) 형 (언행이) 도가 지나치다. 정도를 넘어서다. 심하다. ❏ 不要做～的举动; 지나친 행동은 삼가라.

[过激] guòjī 형 과격하다. ❏ ～的行为; 과격한 행위.

[过继] guòjì 동 자기 아들을 양자로 주다. 형제나 친척의 아들을 양자로 삼다. ❏ 哥哥把他的儿子～给我; 형이 자기 아들을 나에게 양자로 주었다.

[过奖] guòjiǎng 동〈謙〉 과찬하다. 《남이 자기를 칭찬할 때 쓰는 말》. ❏ ～～! 과찬이십니다!

[过街天桥] guòjiē tiānqiáo 육교.

[过节] guò//jié 동 ① 명절을 쇠다. ② 명절이 지나다.

[过境] guò//jìng 동 국경을 넘다. 지역 경계선을 통과하다. ❏ ～手续; 국경 통과 수속.

[过来] guò//·lái 동 오다. 건너오다《다른 한 지점에서 말하는 사람이나 서술의 대상 쪽으로 가는 것》. ❏ 前边～一个卖菜的; 앞쪽에서 야채 장수 한 명이 오고 있다.

[过来] //·guò//·lái 동 ① 동사 뒤에 쓰여 시간·능력·수량이 충분함을 나타냄《주로, '得'·'不'와 연용함》. ❏ 活儿太多, 我一个人忙不～; 일이 너무 많아서 나 혼자서는 다 할 수 없다. ② 동사 뒤에 쓰여 자기가 있는 곳으로 옴을 나타냄. ❏ 一群鸭子游过河来了; 오리떼가 강을 헤엄쳐 왔다. ③ 동사 뒤에 쓰여 자신과 정면으로 마주함을 나타냄. ❏ 他把头回～看了我一眼就走了; 그는 고개를 돌려 나를 한 번 보고는 가 버렸다. ④ 동사 뒤에 쓰여 원래의 정상적인 상태로 돌아옴을 나타냄. ❏ 他终于苏醒～了; 그는 마침내 깨어났다.

[过来人] guò·láirén 명 경험이 있는 사람. 경험자.

[过量] guò//liàng 동 양이 지나치다. 양이 한도를 넘다. ❏ 饮酒～不好; 술을 지나치게 마시면 좋지 않다.

[过路] guòlù 동 길을 지나다. 지나가다. ❏ ～人; 행인.

[过虑] guòlǜ 동 지나치게 염려하다. 필요 이상으로 걱정하다. ❏ 有我在, 不必～; 제가 있으니 너무 걱정하지 마세요.

[过滤] guòlǜ 동 여과하다. 거르다. ❏ ～器; 여과기.

[过滤嘴(儿)] guòlǜzuǐ(r) 명 (담배의) 필터(filter).

[过门(儿)] guò//mén(r) 동 시집가다. 출가하다.

[过敏] guòmǐn 명동〖醫〗 알레르기(반응이 나타나다). ❏ 花粉～; 꽃가루 알레르기. 형 과민하다. ❏ 神经～; 신경이 과민하다.

[过目] guò//mù 동 한 번 싹 보다. 훑어보다. ❏ ～成诵; 〈成〉 한 번 훑어보면 외울 수 있다《기억력이 매우 좋음》.

[过年] guò//nián 동 ① 새해를 맞다. 설을 쇠다. ② 해를 넘기다. 설이 지나다.

[过年] guò·nián 명〈口〉 ⇨[明年]

[过期] guò//qī 동 기한을 넘기다. 기한이 지나다. ❏ ～作废; 기한이

지난 경우에는 무효로 한다.

过谦] guòqiān 형 지나치게 겸손하다《사양하는 것을 가리킴》. ❑你不必~了; 너무 겸손하실 필요 없습니다.

过去] guòqù 명 과거. 지난날. 예전. ❑回顾~; 과거를 회고하다.

过去] guò//·qù 동 ①(이쪽에서) 가다. 건너가다. 지나가다. ❑你先~, 我就来; 내가 곧 갈 테니 너 먼저 가 있어라. ②〈婉〉 죽다. ❑奶奶前天~了; 할머니는 그저께 돌아가셨다.

过去] //·guò//·qù 동 ①동사 뒤에 쓰여 자기가 있는 곳에서 멀어지거나 그곳을 지나감을 나타냄. ❑一只鸟从屋前飞~了; 새 한 마리가 집 앞을 날아갔다. ②동사 뒤에 쓰여 자신과 반대 방향으로 마주함을 나타냄. ❑把身子转~; 몸을 돌리다. ③동사 뒤에 쓰여 정상적인 상태를 잃는 것을 나타냄. ❑她又晕~了; 그녀는 또 정신을 잃었다. ④동사 뒤에쓰여 일을 관철시키거나 동작을 마침을 나타냄. ❑这次又被他蒙混~了; 이번에도 그에게 속았다. ⑤형용사의 뒤에 쓰여 어떤 기준보다 낮거나 못함, 또는 넘어서거나 미치지 못함을 나타냄《주로, '得'·'不'와 연용됨》. ❑它再快也快不过飞机去; 그것이 아무리 빨라도 비행기보다 빠를 수는 없다.

过热] guòrè 형 과열되다.

过人] guòrén 동 남보다 뛰어나다. ❑~之材; 뛰어난 인재.

过日子] guò rì·zi 날을 보내다. 지내다. 살아가다. 생활하다. ❑他们在北京过了段非常愉快的日子; 그들은 베이징에서 매우 유쾌한 나날을 보냈다.

过山车] guòshānchē 명 롤러코스터(roller coaster).

过甚] guòshèn 형〈書〉 (주로, 말이) 심하다. 지나치다. 과장되다. ❑~其词; 〈成〉 과장해서 말하다.

过剩] guòshèng 동 ①(수량이) 과잉되다. 남아돌다. ❑人口~; 인구가 과잉되다. ②〔經〕 (공급이) 과잉되다. ❑商品~; 상품이 과잉되다.

过失] guòshī 명 ①과실. 잘못. ②〔法〕과실.

过时] guò//shí 동 (규정된) 시간이 지나다. 시간을 넘기다. ❑~不候; 시간이 지나면 기다리지 않는다. 형 시대에 뒤떨어지다. 유행이 지나다. ❑这种式样早就~了; 이런 스타일은 오래전에 유행이 지났다.

[过手] guò//shǒu 동 (금전 따위를) 손을 거쳐 처리하다. 직접 처리[취급]하다. ❑这批货的订购是由我~的; 이 물품들의 발주(發注)와 구입은 내가 직접 처리했다.

[过数(儿)] guò//shù(r) 동 하나하나 수를 맞추어 보다. 일일이 세어 보다.

[过头(儿)] guò//tóu(r) 형 ①(일정한 정도·한도를) 넘다. 지나치다. ❑睡~了; 너무 많이 잤다. ②심하다. 도가 지나치다. ❑说~话; 심한 말을 하다.

[过往] guòwǎng 동 ①왕래하다. 오가다. ❑~行人; 행인이 왕래하다. ②교제하다. 사귀다. ❑~甚密; 매우 가깝게 지내다.

[过问] guòwèn 동 간섭하다. 참견하다. 신경 쓰다. 관여하다. ❑他对家里的事从不~; 그는 집안일에 참견해 본 적이 없다.

[过夜] guò//yè 동 ①하룻밤을 지내다《주로, 외박하는 경우를 가리킴》. ❑在工地~; 공사장에서 하룻밤을 지내다. ②하룻밤이 지나다. ❑不吃~菜; 하룻밤이 지난 음식은 먹지 마라.

[过意不去] guòyìbùqù 마음이 편치 않다. 미안하다. ❑再三麻烦您, 真~; 매번 폐를 끼쳐 정말 미안합니다. =[不过意]

[过瘾] guò//yǐn 형 (기호나 취미 따위를 충족시켜) 만족스럽다. ❑今天我一口气游了两千米, 真~; 오늘 나는 단숨에 2천 미터를 수영해서 정말 만족스럽다.

[过硬] guò//yìng 형 (품질·기술 따위가) 어떤 시험[시련]에도 문제없다. 뛰어나다. 완벽하다. ❑他的技术十分~; 그의 기술은 매우 뛰어나다.

[过犹不及] guòyóubùjí 〈成〉 지나침은 미치지 못함과 같다. 과유불급.

[过于] guòyú 부 지나치게. 너무. ❑~集中; 너무 집중하다.

[过载] gùozài 동 ①과적(過積)하다. ②옮겨 싣다.

[过账] guò//zhàng 동 장부에 옮겨 쓰다.

H

ha ㄏㄚ

哈 hā (합) ①동 하 하고 입김을 내뿜다. ❏手都冻拘挛了，~了半天才伸开；추위로 손이 곱아서 한참 입김을 뿜어서야 간신히 펴졌다. ②의 하하(《웃음소리. 주로, 중첩해서 씀》). ❏~~大笑；하하 하고 크게 웃다. ③감 하. 아하(《득의(得意)나 만족을 나타내며, 주로, 중첩해서 씀》). ❏~~，我猜着了！하하, 내가 알아맞혔다! ④동〈口〉(허리를) 굽히다. 숙이다. ⇒hǎ

[哈尔滨] Hā'ěrbīn 명〔地〕하얼빈(《헤이룽장 성(黑龍江省)의 성도》).

[哈佛大学] Hāfó Dàxué 〈音〉하버드(Harvard) 대학.

[哈密瓜] hāmìguā 명〔植〕신장(新疆)의 하미(哈密) 일대에서 나는 참외. 하미과.

[哈欠] hā·qian 명 하품. ❏打~；하품을 하다. =[〈方〉呵hē欠]

[哈腰] hā//yāo 동〈口〉①허리를 굽히다. ②(허리를 약간 굽혀) 가볍게 절[인사]하다. ❏脱帽~；모자를 벗고 허리를 숙여 인사하다.

蛤 há (합) →[蛤蟆] ⇒gé

[蛤蟆] há·ma 명〔動〕개구리와 두꺼비의 총칭.

哈 hǎ (합) 동〈方〉큰 소리로 호통 치다. 질책하다. 꾸짖다. ❏被人~了一顿；질책을 당했다. ⇒hā

[哈巴狗(儿)] hǎ·bagǒu(r) 명 ①〔動〕삽살개. 발바리. =[狮子狗][巴儿狗] ②〈比〉무조건 순종하는 놈.

hai ㄏㄞ

咳 hāi (해) 감 아. 어머. 저런. 아이쿠. 아뿔싸(《상심·후회·놀람을 나타냄》). ❏~！一切都完了！아! 다 끝났다! ⇒ké

嗨 hāi (해) →[嗨哟]

[嗨哟] hāiyō 감 영차. 어여차. 어기여차(《여럿이 힘을 합쳐 육체노동을 할 때 내는 맞춤 소리》). ❏~~！大家齐用力哟！영차! 영차 모두 다 같이 힘을 내자!

还(還) hái (환) 부 ①여전히. 아직도(《동작·상태가 지속됨을 나타냄》) ❏他~住在那个地方；그는 여전히 그곳에 산다. ②더. 또. 훨씬. 더욱(《정도·범위가 증가[확대]되는 것을 나타냄》). ❏今年比去年~热；올해는 작년보다 덥다. ③그만하면. 그런대로(《형용사 앞에 쓰여 그런대로 괜찮음을 나타냄》). ❏这本小说写得~不错；이 소설은 그런대로 잘 쓰여졌다. ④…조차. …까지도(《주로, 반문의 어기를 띰》). ❏我自己~不会呢，怎么教你呀；나도 못하는데 어떻게 너를 가르치겠느냐. ⑤의외의 어감을 나타냄(《주로, '真'을 수반하며 감탄의 어감도 지님》). ❏没想到你~真准时到了；네가 제시간에 올 줄은 생각도 못했다. =[还是②] ⑥아직도. 그런데도. 그럼에도 불구하고(《반문·조소·책망의 어기를 나타냄》). ❏九点了，~不起床！9시가 됐는데 아직도 안 일어나느냐! ⑦벌써. 이미. ❏~在10年前我们就认识了；이미 10년 전에 우리는 서로 알게 됐다. ⑧아직(《주로, '还不[没]…就…'의 형식으로 쓰임》). ❏~不到九点，他就睡了；아직 9시도 안 됐는데 그는 잠이 들었다. ⇒huán

[还是] hái·shi 부 ①여전히. 아직도(《동작·상태가 지속됨을 나타냄》). ❏念了好几遍~记不住；수차례 읽었는데도 여전히 기억할 수가 없다. ②⇒[还⑤] ③아무래도 …하는 편이 좋다. ❏你的经验多，~你来说吧；너의 경험이 많으니 네가 얘기하는 것이 좋겠다. 접 또는. 아니면(《선택을 나타냄》). ❏这本书是你的，~他的? 이 책은 네 것이니, 아니면 그의 것이니?

孩 hái (해) 명 아이. 어린아이.

[孩子] hái·zi 명 ①아이. 어린아이. ❏男~；남자아이 / 女~；여자아이 ②자녀. 자식. ‖=[孩儿háir]

[孩子气] hái·ziqì 명 치기(稚氣). 애티. =[稚气] 형 어린애 티가 나다. 애 같다. 치기가 있다. ❏你这话太~；너의 이런 말은 너무 애 같다.

骸 hái (해)
명 ① 뼈. 해골. ② 신체. 몸.
[骸骨] háigǔ 명 해골. 사람의 뼈.

海 hǎi (해)
① 명 바다. (대륙의) 큰 호수. ❑ 出~打鱼; 바다에 나가 물고기를 잡다. ② 명〈比〉 많은 사람·사물을 가리킴. ❑ 人山人~; 〈成〉 인산인해. ③ 형〈方〉 대단히 많다《주로, 뒤에 '了'·'啦' 따위를 붙임》. ❑ 他结交的朋友可~了; 그가 사귄 친구는 정말 많다. ④ 형 (용량·그릇 따위가) 크다. ❑ ~碗; 큰 사발. ⑤ 부〈方〉 무턱대고. 함부로. 한없이. ❑ 胡吃~喝; 마구 먹고 마시다.
[海岸] hǎi'àn 명 해안. ❑ ~炮; 해안포 / ~线; 해안선.
[海拔] hǎibá 명 해발. ❑ ~三千米; 해발 3,000 미터.
[海报] hǎibào 명 (영화·연극·경기 따위의) 포스터. ❑ 电影~; 영화 포스터.
[海豹] hǎibào 명〔動〕 바다표범.
[海滨] hǎibīn 명 해안. 해변. ❑ ~城市; 해안 도시.
[海产] hǎichǎn 명 해산물. 형 해산의. 바다에서 나는. ❑ ~植物; 해양 식물. 해초류.
[海带] hǎidài 명〔植〕 다시마.
[海盗] hǎidào 명 해적. ❑ ~船; 해적선.
[海底] hǎidǐ 명 해저. ❑ ~勘察; 해저 탐사.
[海底捞针] hǎidǐ-lāozhēn 〈成〉 바다 밑에서 바늘 찾기《불가능한 일》. =[大海捞针]
[海狗] hǎigǒu 명〔動〕 물개. =[膃wà肭兽]
[海关] hǎiguān 명 세관. ❑ ~人员; 세관원 / ~手续; 세관 수속.
[海角] hǎijiǎo 명 ① 곶. 갑(岬). ②〈書〉 바다 끝. 머나먼 곳. ❑ ~天涯 =[天涯~]; 〈成〉 바다나 하늘의 끝. 아주 먼 곳.
[海军] hǎijūn 명〔軍〕 해군. ❑ ~基地; 해군 기지.
[海口] hǎikǒu 명 ① 해구. ② 만(灣) 안쪽에 있는 항구. ③ 호언장담. 허풍. ❑ 夸~; 허풍을 떨다.
[海枯石烂] hǎikū-shílàn 〈成〉 바닷물이 마르고 돌이 부서져 가루가 되다《영원히 변치 않겠다는 맹세의 말로 쓰임》.
[海阔天空] hǎikuò-tiānkōng 〈成〉 ① 대자연의 광활함. ②(문장·말·생각 따위가) 끝이 없다. 그칠 줄 모르다.
[海狸] hǎilí 명 ⇨[河狸]
[海里] hǎilǐ 양 해리《1해리는 1,852 미터》.
[海量] hǎiliàng 명 ①〈敬〉 해량. 넓은 도량. ② 큰 주량(酒量). 주호(酒豪). ❑ 酒量是~; 주량이 매우 크다.
[海流] hǎiliú 명 ① ⇨[洋流] ② 흐르는 바닷물.
[海路] hǎilù 명 해로. 항로.
[海轮] hǎilún 명 외항선(外航船).
[海洛因] hǎiluòyīn 명〔藥〕〈音〉 헤로인(heroin).
[海绵] hǎimián 명 ①〔動〕 해면동물. ② 해면의 각질 골격. ③ 스펀지(sponge). ❑ ~球拍; (탁구의) 스펀지 라켓.
[海面] hǎimiàn 명 해면. 해수면.
[海难] hǎinàn 명 해난. ❑ ~信号; 해난 신호. 에스오에스(SOS).
[海内] hǎinèi 명 국내. ❑ ~外; 국내외. 전 세계.
[海鸥] hǎi'ōu 명〔鳥〕 갈매기.
[海参] hǎishēn 명〔動〕 해삼.
[海市蜃楼] hǎishì-shènlóu 〈成〉 ① 신기루(蜃氣樓). =[蜃景] ②〈比〉 공중누각(空中樓閣).
[海誓山盟] hǎishì-shānméng 〈成〉 사랑이 영원히 변치 않을 것을 맹세하다. =[山盟海誓]
[海水] hǎishuǐ 명 바닷물. 해수. ❑ ~面; 해수면 / ~浴 =[~澡]; 해수욕.
[海獭] hǎitǎ 명〔動〕 해달.
[海滩] hǎitān 명 해변의 모래사장.
[海棠] hǎitáng 명〔植〕 ① 해당화. ② 해당화의 열매.
[海豚] hǎitún 명〔動〕 돌고래.
[海外] hǎiwài 명 해외. 국외. ❑ ~报道; 해외 보도 / ~同胞; 해외 동포 / ~资产; 해외 자산.
[海湾] hǎiwān 명〔地質〕 만(灣). 육지 깊숙이 들어간 바다.
[海湾战争] Hǎiwān Zhànzhèng 걸프 전쟁(Gulf War).
[海王星] hǎiwángxīng 명〔天〕 해왕성.
[海味] hǎiwèi 명 (주로, 진귀한) 해산물. ❑ 山珍~; 산해진미.
[海峡] hǎixiá 명〔地質〕 해협.
[海鲜] hǎixiān 명 바다에서 나는 신선한 어패류, 또는 그 요리.

H

[海象] hǎixiàng 명〔動〕바다코끼리.
[海啸] hǎixiào 명〔地理〕해일(海溢).
[海洋] hǎiyáng 명 해양. ❑～生物; 해양 생물 / ～性气候; 해양성 기후.
[海域] hǎiyù 명 해역. 수역.
[海员] hǎiyuán 명 선원.
[海运] hǎiyùn 명 해상 운수. 해운. ❑～业; 해운업.
[海藻] hǎizǎo 명〔植〕해조. 해초.
[海蜇] hǎizhé〔動〕해파리.

亥 hài (해)
명 해《십이지(十二支)의 열두째》.
[亥时] hàishí 명 해시(亥時)《밤 9시부터 11시까지》.

骇(駭) hài (해)
동 깜짝 놀라다. 두려워하다. ❑惊涛～浪; 〈成〉 맹렬한 풍파《매우 위험한 처지》.
[骇怪] hàiguài 형〈書〉해괴하게 여기다. 놀라 괴상하게 여기다.
[骇然] hàirán 형 (의아하고 이상하여) 놀라는 모양. ❑～失色; 아연실색하다.
[骇人听闻] hàirén-tīngwén 〈成〉 듣는 사람을 놀라게 하다《주로, 안 좋은 일에 쓰임》.
[骇异] hàiyì 형〈書〉놀라고 의아해하다.

氦 hài (해)
명〔化〕헬륨(He: helium).

害 hài (해)
① 명 해. 손해. 재해. ② 형 해롭다. 유해하다. ❑～虫; ⇩ ③ 동 해를 주다. 손해를 끼치다. ❑不说真话，一～别人，二～自己; 진실을 말하지 않으면, 첫째로 남을 해치고, 둘째로 자신을 해친다. ④ 동 죽이다. 살해하다. ❑他是被敌人～死的; 그는 적에게 살해당했다. ⑤ 동 병에 걸리다. 앓다. ❑他正～着伤寒病; 그는 지금 장티푸스를 앓고 있다. ⑥ 동 걱정하다. 불안해하다. ❑～怕; ⇩
[害虫] hàichóng 명 해충.
[害处] hàichù 명 해. 나쁜 점. 결점. 손해. 폐해.
[害怕] hài//pà 동 무서워하다. 두려워하다. 겁을 먹다. ❑有我在，你还～什么; 내가 있는데 뭘 무서워하느냐.
[害群之马] hàiqúnzhīmǎ 〈成〉 무리 가운데서 다른 말에 해를 끼치는 말《단결을 깨뜨리는 자. 내부에서 분쟁을 일으키는 자》.
[害人虫] hàirénchóng 명〈比〉사회의 적. 인간쓰레기.
[害臊] hài//sào 동〈口〉⇨[害羞]
[害喜] hài//xǐ 동 입덧을 하다. =[〈方〉害口]
[害羞] hài//xiū 형 부끄러워하다. 수줍어하다. ❑～得脸都红了; 부끄러워서 얼굴을 붉히다. =[〈口〉害臊]

han ㄏㄢ

鼾 hān (한)
명 잠잘 때의 거친 호흡. 코골이. ❑打～; 코를 골다.
[鼾声] hānshēng 명 코 고는 소리. ❑～如雷; 코 고는 소리가 우레와 같다.
[鼾睡] hānshuì 동 코를 골며 푹 자다.

酣 hān (감)
① 동 술을 마시고 즐기다. 기분 좋게 취하다. ❑～饮; ⇩ ② 형 한창이다. 무르익다.
[酣畅] hānchàng 형 기분 좋다. 달다. 즐겁다《주로, 음주·수면 따위에 쓰임》.
[酣梦] hānmèng 명 단꿈. ❑搅动了～; 단꿈을 방해했다.
[酣睡] hānshuì 동 숙면하다. 깊이 잠들다. 달게 자다.
[酣饮] hānyǐn 동 즐겁고 통쾌하게 술을 마시다.
[酣战] hānzhàn 동 치열하게 싸우다. 격전을 벌이다.

憨 hān (감)
형 ① 어리석다. 멍청하다. ② 천진하다. 꾸밈이 없다.
[憨厚] hānhòu 형 성실하다. 충실하다. ❑为人～; 사람됨이 성실하다.
[憨笑] hānxiào 동 ① 바보처럼 웃다. 멍청하게 웃다. ② 천진난만하게 웃다.
[憨直] hānzhí 형 성실하고 정직하다. 소박하고 시원스럽다.
[憨子] hān·zi 명〈方〉바보. 머저리. 멍청이.

含 hán (함)
동 ① (삼키지 않고 입 안에) 머금다. 물다. ❑体温表～在嘴里;

체온계를 입에 물다. ② 함유하다. 포함하다. 머금다. ❑ ~着泪; 눈물을 머금고 있다. ③ (의미·감정 따위를) 품다. 띠다. ❑ ~怒; ⇩

【含苞】 hánbāo 동 꽃이 봉오리 지다. ❑ ~待放; 〈成〉 꽃봉오리가 막 피려고 하다《한창 피어나는 처녀를 형용함》.

【含恨】 hán//hèn 동 한을 품다. ❑ ~终生; 한을 품고 죽다.

【含糊】 hán·hu 형 ① (말이나 태도가) 애매하다. 모호하다. 불분명하다. ❑ ~其辞; 〈成〉 말을 애매모호하게 하다. ② 되는대로 하다. 소홀히 하다. 얼렁뚱땅하다. ❑ 做事不可~; 일을 되는대로 해서는 안된다. ③ 두려워하다. 약하게 보이다《주로, 부정형으로 씀》. ❑ 我自食其力, 不~; 나는 혼자 힘으로 생활하지만 두렵지 않다.

【含混】 hánhùn 형 모호하다. 애매하다. 애매모호하다. 분명하지 않다. ❑ ~的语气; 애매한 말투.

【含量】 hánliàng 명 함유량. 함량.

【含怒】 hán//nù 동 노기를 띠다[품다].

【含沙射影】 hánshā-shèyǐng 〈成〉 남몰래 사람을 해치다. 암암리에 남을 비방하다.

【含笑】 hán//xiào 동 웃음을 머금다. 미소 짓다. ❑ ~点头; 미소를 지으며 머리를 끄덕이다.

【含辛茹苦】 hánxīn-rúkǔ 〈成〉 고생을 참고 견디다. =[茹苦含辛]

【含羞】 hán//xiū 동 수줍은 표정을 짓다. 부끄러운 얼굴을 하다. ❑ ~带笑; 수줍은 듯 웃음을 띠다.

【含蓄】 hánxù 동 포함하다. 내포하다. ❑ 这番话里, ~着某种意味; 이 말에는 모종의 의미가 포함되어 있다. 형 ① 함축적이다. ❑ 他讲了几句十分~的话; 그는 몇 마디 매우 함축적인 말을 했다. ② (감정·생각 따위를) 쉽게 드러내지 않다. ❑ 他是个很~的人; 그는 감정을 쉽게 드러내지 않는 사람이다.

【含义】 hányì 명 (어구 따위의) 포함하고 있는 의의[의미]. ❑ ~深奥; 의미가 깊고 오묘하다. =[涵义]

【含冤】 hán//yuān 동 무고한 죄를 뒤집어쓰다. 누명을 쓰다.

【含怨】 hányuàn 동 원한을 품다. ❑ ~的目光; 원한이 서린 눈빛.

函 hán (함)

명 ① 〈書〉 상자. 케이스. (책의) 질(帙). ② 편지.

【函电】 hándiàn 명 편지와 전보.

【函件】 hánjiàn 명 ⇨[信件]

【函授】 hánshòu 동 통신을 통해 교육하다. ❑ ~教育; 통신 교육.

【函数】 hánshù 명 〖數〗 함수.

涵 hán (함)

① 동 포함하다. 내포하다. ② 명 배수로.

【涵洞】 hándòng 명 (철도·도로·터널 따위의) 배수로.

【涵养】 hányǎng 명 수양(修養). 교양. 동 (수분을) 여축(餘蓄)하여 보유하다. ❑ ~土壤中的水分; 토양 중의 수분을 여축하여 보유하다.

【涵义】 hányì 명 ⇨[含义]

寒 hán (한)

형 ① 춥다. 차다. ❑ 天~; 날씨가 춥다. ② 무섭다. 섬뜩하다. ❑ 胆~; 간담이 서늘해지다. ③ 가난하다. ❑ 贫~; 빈한하다.

【寒潮】 háncháo 명 〖氣〗 한파(寒波). =[寒流②]

【寒碜】 hán·chen 형 ① (외모가) 추하다. 못생기다. ❑ 长得太~; 무척 못생기다. ② 창피하다. 망신스럽다. ❑ 没钱付账, 那多~哪! 셈을 치를 돈이 없다니 무슨 망신인가! 동 창피를 주다. 망신시키다.

【寒带】 hándài 명 〖地理〗 한대.

【寒冬】 hándōng 명 추운 겨울. 엄동(嚴冬). ❑ ~腊月; 〈成〉 엄동설한.

【寒风】 hánfēng 명 (겨울의) 찬 바람. 한풍.

【寒假】 hánjià 명 겨울 방학.

【寒噤】 hánjìn 명 ⇨[寒战]

【寒苦】 hánkǔ 형 가난하고 형편이 어렵다.

【寒冷】 hánlěng 형 몹시 춥다. 한랭하다. ❑ 气候~; 기후가 한랭하다.

【寒流】 hánliú 명 ① 〖地理〗 한류. ② ⇨[寒潮]

【寒毛】 hánmáo 명 ⇨[汗hàn毛]

【寒气】 hánqì 명 ① 차가운 기류. 으스스한 기분. ❑ ~逼人; 차가운 기류가 사람을 압박하다. ② 한기. 추위. ❑ 喝口酒去去~; 술을 좀 마셔서 한기를 없애다.

【寒暑】 hánshǔ 명 ① 한서. 추위와 더위. ❑ ~表; 한란계. 온도계. ② 겨울과 여름. 〈轉〉 일년. ❑ 一晃过了二十个~; 순식간에 20 년이 흘렀다.

H

[寒酸] hánsuān 형 궁상맞다. 가난하고 초라하다. ❑ ~相; 초라한 얼굴. 빈상(貧相).
[寒武纪] Hánwǔjì 명〔地質〕〈音〉 캄브리아기(Cambria紀).
[寒心] hán∥xīn 동 낙심하다. 실망하다. ❑ 他是一再受打击寒了心了; 그는 여러 차례 타격을 받고 낙심하였다.
[寒暄] hánxuān 동 인사말을 하다. 인사를 나누다. ❑ 他们~了一阵; 그들은 간단히 인사를 나눴다.
[寒意] hányì 명 추운 느낌. 한기.
[寒战] hánzhàn 명 (춥거나 놀라서 치는) 몸서리. ❑ 打~; 몸서리 치다. =[寒噤][寒颤zhàn]

韩(韓) Hán (한)
명〔地〕〈簡〉 '韩国' (한국)의 약칭.
[韩国] Hánguó 명〔地〕 한국. → [大韩民国]
[韩流] Hánliú 명 한류《한국 대중문화의 열풍》.

罕 hǎn (한)
형 드물다. 희소하다. ❑ ~事; 드문 일. 흔치 않은 일.
[罕见] hǎnjiàn 형 자주 볼 수 없다. 보기 드물다. 흔치 않다. ❑ ~的现象; 보기 드문 현상.
[罕有] hǎnyǒu 형 드물다. 흔치 않다. 희귀하다. 희한하다. ❑ ~的机会; 흔치 않은 기회.

喊 hǎn (함)
동 ① 소리 지르다. 큰 소리로 외치다. ❑ ~救命; 살려 달라고 소리 치다/ ~口号; 구호를 외치다. ②(사람을) 부르다. ❑ 有人在楼下~他; 누군가 건물 밑에서 그를 부른다.
[喊话] hǎn∥huà 동 ① (싸움터에서 적에게) 큰 소리로 선전하거나 투항을 권고하다. ❑ 对敌~; 적에게 항복하라고 큰 소리로 외치다. ② 먼 곳에 있는 사람에게 큰 소리로 선전[권고]하다.
[喊叫] hǎnjiào 동 소리 지르다. 외치다. 고함치다.

汉(漢) Hàn (한)
명 ①〔史〕 한《유방(劉邦)이 세운 나라. B.C.206-A.D. 220》. ②〔史〕 한《오대(五代)의 하나로 유지원(劉知遠)이 세운 나라. 947-950》. ③〔史〕 한《원말(元末)의 진우량(陳友諒)이 세운 나라. 1360-1363》. ④〔民〕 한족(漢族). ⑤ (hàn) 남자. ⑥ (hàn) 은하(銀河).
[汉堡包] hànbǎobāo 명〈音〉 햄버거(hamburger).
[汉城] Hànchéng 명〔地〕 서울《대한민국의 수도》. =[首尔]
[汉奸] hànjiān 명 매국노. 국적(國賊).
[汉人] Hànrén 명 ① 한인. 한족. ② 한대(漢代)의 사람.
[汉学] hànxué 명 ① 한학《훈고학을 성리학에 상대해서 이르는 말》. ② 중국학.
[汉语] Hànyǔ 명 한어. 중국어《좁게는 '普通话'를 가리키며, '中文'·'中国话'는 일반적 지칭임》. ❑ ~拼音方案; 한어 병음 방안《한자의 주음(注音)과 공통어의 표음에 관한 방안으로, 로마자를 사용하며 성조(聲調)는 부호로 표시함》/ ~水平考试; 중국어 능력 시험(HSK). =[华语]
[汉字] Hànzì 명 한자.
[汉子] hàn·zi 명 ① 남자. 사나이. 대장부. ②〈方〉 남편.
[汉族] Hànzú 명〔民〕 한족.

汗 hàn (한)
명 땀. ❑ 出~; 땀이 나다.
[汗津津(的)] hànjīnjīn(·de) 형 땀이 송골송골 맺힌 모양.
[汗孔] hànkǒng 명〔生理〕 모공(毛孔). 땀구멍. =[毛孔]
[汗淋淋(的)] hànlínlín(·de) 형 땀이 줄줄 흐르는 모양.
[汗流浃背] hànliú-jiābèi 〈成〉 ① 땀이 등을 흠뻑 적시다. 온몸에 땀이 비 오듯 흐르다. ②〈比〉 두렵고 송구스러워하는 모양.
[汗马功劳] hànmǎ-gōngláo 〈成〉 ① 전장(戰場)에서의 공. 전공(戰功). ② (어떤 분야에서의) 공적. 공헌.
[汗毛] hànmáo 명 (몸의) 솜털. =[寒hán毛]
[汗牛充栋] hànniú-chōngdòng 〈成〉 한우충동《장서(藏書)가 매우 많음》.
[汗衫] hànshān 명 ① 러닝셔츠. ②〈方〉 와이셔츠. 블라우스.
[汗水] hànshuǐ 명 땀.
[汗腺] hànxiàn 명〔生理〕 땀샘.
[汗颜] hànyán 동 ① 부끄러워 땀을 흘리다. ②〈轉〉 부끄럽다.
[汗疹] hànzhěn 명 땀띠.
[汗珠子] hànzhū·zi 명 땀방울. =[汗珠儿]

旱 hàn (한) ① 형 가물다. ❑ 天~; 날씨가 가물다. ② 명 한발. 가뭄. ❑ 抗~; 가뭄과 싸우다. ③ 명 육지. 뭍. ❑ 由~路走; 육로로 가다. ④ 형 물과 관계가 없는 것을 이르는 말. ❑ ~伞; ⇓

[旱冰] hànbīng 명〔體〕롤러스케이트(roller skate). ❑ 滑~; 롤러스케이트를 타다.

[旱稻] hàndào 명 ⇨[陆稻]

[旱地] hàndì 명 ⇨[旱田]

[旱季] hànjì 명 건계(乾季).

[旱井] hànjǐng 명 가뭄 대비용 우물.

[旱路] hànlù 명 육로.

[旱芹] hànqín 명〔植〕셀러리(celery).

[旱情] hànqíng 명 (어떤 지역의) 가뭄 상황.

[旱伞] hànsǎn 명〈方〉⇨[阳伞]

[旱獭] hàntǎ 명〔動〕마멋. 마르모토. =[土拨鼠]

[旱田] hàntián 명 ① 밭《논에 대하여 일컫는 말》. ② 천둥지기. 천수답. ‖ =[旱地]

[旱灾] hànzāi 명 가뭄(에 의한 재해).

悍 hàn (한) 형 ① 용감하다. 용맹하다. ❑ ~将; 용맹한 장수. ② 사납다. 난폭하다. ❑ 泼~; 악랄하고 난폭하다.

[悍然] hànrán 부 서슴없이. 거리낌없이. 제멋대로. 난폭하게. ❑ ~入侵; 난폭하게 침입하다.

捍 hàn (한) 동 막다. 방위하다. 지키다. ❑ ~御; 방어하다.

[捍卫] hànwèi 동 지키다. 보위하다. 방위하다. ❑ ~主权; 주권을 지키다.

焊 hàn (한) 동 납땜하다. 용접하다. ❑ 电~; 전기 용접하다.

[焊工] hàngōng 명〔工〕① 금속의 용접 작업. ② 용접공.

[焊接] hànjiē 동 용접하다.

颔(頷) hàn (암, 함) 〈書〉① 명 아래턱. ② 동 고개를 끄덕이다.

[颔首] hànshǒu 동〈書〉(승낙의 뜻으로) 고개를 끄덕이다.

憾 hàn (감) 동 실망이다. 유감이다. 불만이다. ❑ 至以为~; 매우 유감으로 여기다.

[憾事] hànshì 명 유감스러운 일.

撼 hàn (감) 동 뒤흔들다. 흔들거리다. ❑ 震~天地; 〈成〉천지를 뒤흔들다.

[撼动] hàndòng 동 진동하다. 흔들다. 요동치다.

翰 hàn (한) 명〈書〉① 새의 칼깃. ②〈比〉붓. 서신. 문자. ❑ ~墨; ⇓

[翰墨] hànmò 명〈書〉① 필묵. ② 문장. 서화.

瀚 hàn (한) 형〈書〉광대하다. 넓다. ❑ 浩hào~; 광대하고 많다.

hang ㄏㄤ

夯 hāng (항) ① 명 달구. ❑ 打~; 달구질하다. ② 동 달구질하다. 땅을 다지다. ❑ ~地; 바닥을 다지다. ③ 동〈方〉힘껏 때리다. ❑ 用拳头~人; 주먹으로 사람을 힘껏 때리다.

行 háng (항) ① 명 줄. 열. ❑ 他坐在最后一~; 그는 제일 뒷줄에 앉아 있다. ② 명 장사. 직업. 업무. ❑ 改~; 전업(轉業)하다. ③ 명 형제의 순서. 항렬. ❑ 你~几? 我~二; 너는 형제 중에 몇 째냐? 나는 둘째이다. ④ 명 가게. 상점. 영업소. ❑ 银~; 은행. ⑤ 양 줄로 되어 있는 것을 세는 말. ❑ 两~眼泪; 두 줄기 눈물. ⇒xíng

[行辈] hángbèi 명 가족·친족 내의 장유(長幼)의 순서. 항렬. ❑ 他~比我大; 그는 항렬이 나보다 위이다.

[行当] háng·dang 명 ① (~儿)〈口〉직업. 업종. ❑ 你是干哪一个~的? 너는 어느 업종의 일을 하느냐? ②〔劇〕배역에 따라 나눠는 연극배우의 전문 분야 종류《경극(京劇)의 '生'·'旦' 따위》.

[行话] hánghuà 명 동종 업계 사람들끼리의 전문 용어. 업계의 은어.

[行会] hánghuì 명 옛날, 동업 조합. 길드(guild).

[行家] háng·jia 명 숙련자. 전문가. ❑ 老~; 노련가. 베테랑. 형〈方〉전문가이다. 정통하다《긍정문에서만 쓸 수 있음》. ❑ 您对修车

挺~呀! 당신은 자동차 수리에 대단한 전문가이군요!
[行间] hángjiān 명 ①〈書〉 군대의 대오[행렬] 사이. ② 줄과 줄 사이. 행간.
[行距] hángjù 명 줄과 줄 사이의 거리. 줄 간격.
[行列] hángliè 명 (종렬의) 대열(隊列). 행렬. ❏仪仗队的~; 의장대 행렬.
[行情] hángqíng 명〔經〕 시장의 상황. 시황. 시세. ❏股票~好转了; 주식 시황이 호전되었다 / ~表; 시세표.
[行市] háng·shi 명〔經〕 시세. 시가. ❏~下跌 =[~下降]; 시세가 떨어지다 / ~看好; 시세가 회복세를 보이다.
[行业] hángyè 명 직업. 직종. 업종. ❏服务~; 서비스업 / 广告~; 광고업계.

绗(絎) háng (행)
동 (이불·솜옷 따위를) 누비다. ❏~一个棉袄; 솜옷 한 벌을 누비다.

吭 háng (항)
명 목. 목구멍. ⇒kēng

杭 Háng (항)
명〔地〕 항저우(杭州)를 가리키는 말.

航 háng (항)
동 (배·비행기 따위가) 항행하다. 운항하다.
[航班] hángbān 명 (여객기나 여객선의) 운항표. 운항 순서. ❏~号; 운항 번호. 플라이트 넘버(flight number).
[航标] hángbiāo 명 (선박의) 항로 표지(標識). ❏~灯; 항로 표지등.
[航程] hángchéng 명 (배·항공기 따위의) 항로. 항행 노정.
[航船] hángchuán 명 ① 나무로 만든 정기 연락선. ② 항행하는 선박.
[航次] hángcì 명 ① 출항 순서. 운항·항해 번호. ② 운항·항해의 횟수(回數).
[航道] hángdào 명 (배·비행기 따위의) 지정 항로. 항행 통로.
[航海] hánghǎi 동 항해하다. ❏~家; 항해가 / ~日志; 항해 일지.
[航空] hángkōng 동 (비행기가) 하늘을 날다. 비행하다. 항공하다. ❏~港; (대형) 공항 / ~货运; 항공 화물 운송 / ~器; 항공기(航空機) / ~信; 항공 우편.
[航空母舰] hángkōng mǔjiàn 항공모함.
[航路] hánglù 명 (배·비행기 따위의) 항로.
[航模] hángmó 명 ① 모형 비행기. ② 모형 배.
[航天] hángtiān 동 우주 비행하다. ❏~飞机; 우주 왕복선 / ~器; 우주선 / ~员; 우주 비행사.
[航天服] hángtiānfú 명 우주복. =[太空服]
[航线] hángxiàn 명 항로. 항공로. 비행 노선. 뱃길. ❏开辟~; 항로를 열다 / 定期~; 정기 항로.
[航向] hángxiàng 명 ① 항행 방향. 항로(航路). ②〈比〉 (투쟁 따위의) 방향.
[航行] hángxíng 동 항행하다. ❏~灯; 항행등 / 空中~; 공중 항행.
[航运] hángyùn 명 선박 수송. 해상 운수. 항운. ❏~公司; 항운 회사 / ~业; 항운업.

沆 hàng (항)
형〈書〉 수면이 넓고 큰 모양.

巷 hàng (항)
명 갱도(坑道). ⇒xiàng
[巷道] hàngdào 명 (광산의) 갱도.

hao ㄏㄠ

蒿 hāo (호)
명〔植〕 쑥.
[蒿子] hāo·zi 명〔植〕 쑥.

号(號) háo (호)
동 ① 큰 소리로 길게 빼서 지르다. ② 큰 소리로 울다. =[嚎②] ⇒hào
[号叫] háojiào 동 큰 소리로 외치다. 소리를 지르다. ❏疼得~; 아파서 소리를 지르다.
[号哭] háokū 동 호곡하다. 울부짖다. 소리 지르며 울다.
[号丧] háo//sāng 동 (장례식에서) 곡하다.
[号啕] háotáo 동 큰 소리로 울다. ❏~痛哭; 대성통곡하다. =[嚎啕]

蚝 háo (자)
명〔貝〕 굴. ❏~油; 굴 소스. =[牡蛎]

毫 háo (호)
① 명 얇고 길고 뾰족한 털. ❏羊~笔; 양털 붓. ② 명 붓. ③ 부 조금도. 전혀《부정문에만 씀》. ❏

～不相干; 조금도 관계가 없다. ④ 양〔度〕 밀리(milli)《미터법에서 기준 단위의 1000분의 1을 나타냄》. ❏ ～巴; 밀리바(millibar)

[毫克] háokè 양〔度〕 밀리그램(milligram).

[毫厘] háolí 명〈比〉 극히 적은 것. 아주 조금. ❏ 失之～, 谬以千里; 처음에는 작은 차이지만 나중에는 큰 차이가 생긴다.

[毫毛] háomáo 명 솜털. 〈比〉 아주 작은 것. ❏ 你敢动他一根～, 我就找你算账! 네가 감히 그의 솜털 하나라도 건드린다면 내가 너를 찾아가 가만 두지 않겠다!

[毫米] háomǐ 양〔度〕 밀리미터(millimeter). =[公厘]

[毫升] háoshēng 양〔度〕 밀리리터(milliliter).

[毫微] háowēi 양 나노(nano). ❏ ～米; 나노미터(nanometer).

[毫无二致] háowú-èrzhì 〈成〉 조금도 다르지 않다. 똑같다.

嗥 háo (호)
동 (야수가) 짖다. 울부짖다.

貉 háo (학)
뜻은 '貉hé'와 같고, 아래의 경우에만 이렇게 발음함. ⇒hé

[貉子] háo·zi 명〔動〕 담비《'貉hé'의 통칭》.

豪 háo (호)
① 명 재능이나 역량이 남보다 뛰어난 사람. 호걸. ❏ 英～; 영웅호걸. ② 형 호방(豪放)하다. 호쾌(豪快)하다. 기백이 있다. ❏ ～言壮语; ⇓ ③ 형 횡포하다. 난폭하다. ❏ ～强; ⇓ ④ 형 돈이 있고 세력이 있다. ❏ ～门; ⇓

[豪放] háofàng 형 호방하다. 호탕하다. ❏ ～不羁jī; 〈成〉 호방하여 구애되지 않다.

[豪富] háofù 명 권세 있고 부유한 사람. 형 부유하고 권세가 있다.

[豪横] háohèng 형 세력을 등에 업고 남을 괴롭히다. 횡포하다.

[豪华] háohuá 형 ①(생활이) 호화롭다. 사치스럽다. ❏ 生活太～了; 생활이 너무 사치스럽다. ②(건축·설비·장식 따위가) 호화롭다. 매우 화려하다. ❏ 室内装饰极其～; 실내 장식이 매우 호화롭다.

[豪杰] háojié 명 호걸.

[豪迈] háomài 형 기백(氣魄)이 크다. 늠름하다. 씩씩하다. 과감하다. ❏ 气概～; 기개가 크다.

[豪门] háomén 명 부(富)와 세력이 있는 집. 권문세가. 호족(豪族).

[豪气] háoqì 명 호기. 호탕한 기개. 영웅적 기개.

[豪强] háoqiáng 형 횡포하다. 명 세력을 믿고 횡포를 부리는 사람.

[豪情] háoqíng 명 호방한 마음. 드높은 기개.

[豪爽] háoshuǎng 형 호쾌하고 시원스럽다. ❏ 性情～; 성격이 호쾌하고 시원스럽다.

[豪兴] háoxìng 명 왕성한 의욕. 강한 흥미.

[豪言壮语] háoyán-zhuàngyǔ 〈成〉 호언장담. 호기롭고 자신 있는 말.

[豪壮] háozhuàng 형 웅장하다. 웅대하다. 씩씩하다. 늠름하다.

壕 háo (호)
명 ① 해자. ② 호. 참호. ❏ 防空～; 방공호.

[壕沟] háogōu 명 ①〔軍〕 참호. ② 도랑.

嚎 háo (호)
동 ① 큰 소리로 외치다. 울부짖다. ❏ 一声长～; 길게 울부짖는 소리. ② ⇨[号háo②]

[嚎啕] háotáo 동 ⇨[号háo啕]

好 hǎo (호)
① 형 좋다. 훌륭하다. ❏ ～东西; 좋은 물건 / ～天气; 좋은 날씨. ② 형 적당하다. 타당하다. 낫다. 좋다. ❏ 还是咱们一起去～; 아무래도 우리가 같이 가는 게 좋겠다. ③ 형 어떤 것이 만족할 만큼 좋음을 나타냄《'看·听·闻·吃·受·使·玩' 따위의 동사 앞에 쓰임》. ❏ 广东菜真～吃; 광둥 요리는 정말 맛있다. ④ 형 사이가 좋다. 친밀하다. ❏ ～了几天, 又闹翻了; 며칠 사이가 좋더니만 또 틀어졌다. ⑤ 형 (몸이) 건강하다. 안녕하다. ❏ 他身体很～; 그는 매우 건강하다. ⑥ 형 회복하다. 완쾌되다. 낫다. ❏ 感冒还没～; 감기가 아직 낫지 않았다. ⑦ 형 인사말에 쓰임. ❏ 早上～; 안녕하세요《아침 인사》. ⑧ 형 동사 뒤에 붙여서, 완성되었거나 마무리가 잘 되었음을 나타냄. ❏ 准备～了; 준비가 다 되었다. ⑨ 형 찬성·허가·종료 따위의 어조(語調)를 나타내는 말. ❏ ～, 采纳你的意见; 좋다, 네 의견을 받아들이마. ⑩ 형 반어(反語)·불만을 나타냄. ❏ ～, 这一下子可

难了; 이런, 이번엔 어렵게 됐군. ⑪ 형 쉽다. 용이하다《동사 앞에만 쓸 수 있음》. ❏ 这种状况不~改变; 이런 상황은 변하기가 쉽지 않다. ⑫ 동 …에 편리하다. …할 수 있도록 …하다《복문(複文)의 후반(後半)에 쓰여 목적을 나타냄》. ❏ 你留个电话号码, 有事我~跟你联系; 유사시에 내가 너에게 연락할 수 있도록 전화번호를 남겨 놓거라. ⑬ 조동〈方〉 …해도 좋다. …해야 한다《허용 · 당연함을 나타냄》. ❏ 我明天~去你家吗? 내가 내일 너희 집에 가도 되겠니? ⑭ 부 수량사(數量詞) · 시간사(時間詞)의 앞에 붙여 많거나 오래됨을 나타냄. ❏ 我等了你~半天; 나는 너를 한참 기다렸다. ⑮ 부〈方〉 형용사 앞에 붙여, 수량이나 정도를 묻는 말《'多'와 용법이 같음》. ❏ 春川离釜山~远? 춘천은 부산에서 얼마나 멉니까? ⑯ 부 형용사나 동사의 앞에 붙어 정도가 심함을 나타냄《감탄의 어기(語氣)를 동반함》. ❏ ~大的工程呀! 엄청난 공사로군! ⇒ hào

[好办] hǎobàn 형 하기 쉽다. 아무것도 아니다.

[好比] hǎobǐ 동 비유하면 …와 같다. 마치 …와 같다. ❏ 老师~蜡烛, 燃烧自己, 照亮别人; 선생님은 초와 같아서 자기를 태워 남을 비춘다.

[好不] hǎobù 부 대단히. 매우《이음절(二音節) 형용사 앞에 놓여 정도가 심함을 나타내며 감탄의 어기(語氣)를 띰》. ❏ ~热闹; 매우 번화하다 / ~高兴; 너무나도 기쁘다.

[好不容易] hǎobù róngyì ⇒[好容易]

[好吃] hǎochī 형 맛있다. ❏ 做得~; 맛있게 만들다. ⇒ hàochī

[好处] hǎochù 명 ① 이점(利點). 좋은 점. 장점. ❏ 多吃水果对身体很有~; 과일을 많이 먹으면 몸에 좋다. ② 이득. 이익. ❏ 不多给他点~, 他是不会卖力; 그에게 이익을 많이 주지 않으면 그는 최선을 다하지 않을 것이다.

[好处费] hǎochùfèi 명 (어떤 일을 부탁하면서 주는) 뇌물. 수고비. 사례금. 떡값.

[好歹] hǎodǎi 명 ① 좋고 나쁨. 옳고 그름. 잘잘못. 시비. ❏ 不知~; 옳고 그름을 모르다. ② (주로, 목숨에 관한) 위험. ❏ 要是他有个~我们可怎么办? 만일 그가 위험에 처한다면, 우리는 어떡하지? 부 ① 어쨌든. 좌우간. 하여간. ❏ 你~不能走; 너는 어쨌든 갈 수 없다. ② 되는대로. 적당히. 어떻게든(해서) 이럭저럭. ❏ ~有个地方睡就行了; 그럭저럭 잘 곳만 있으면 된다.

[好多] hǎoduō 수 대단히 많다. ❏ ~人; 대단히 많은 사람. 대 〈方〉 몇. 얼마. ❏ 客人有~? 손님은 몇 사람입니까?

[好感] hǎogǎn 명 호감.

[好汉] hǎohàn 명 훌륭한 사나이. 사내대장부. 대장부. 호한(好漢). ❏ ~不吃眼前亏; 〈俗〉 대장부는 뻔한 재난은 피해 간다 / ~做事, ~当; 〈諺〉 대장부는 자기가 한 일은 자신이 책임을 진다 / 英雄~; 영웅호걸.

[好好(的)] hǎohǎo(·de) 형 멀쩡하다. 문제없다. 괜찮다. ❏ 这件大衣还~的, 为什么又要买新的? 이 코트는 아직 멀쩡한데 왜 또 새 것을 사려고 하니? 부 열심히. 최선을 다해. 충분히. 잘. ❏ ~复习一下; 열심히 복습해라. ‖ =[〈口〉 好好儿(的)hǎohāor(·de)]

[好好先生] hǎohǎo xiān·sheng 무골호인.

[好话] hǎohuà 명 ① 유익한 말. 이로운 말. 좋은 말. ② 듣기 좋은 말. 칭찬의 말. ❏ ~说尽, 坏事做绝; 〈諺〉 (앞에서는) 온갖 좋은 말을 다 골라하면서, (뒤에서는) 온갖 나쁜 짓을 다하다. ③ 부탁의 말. 사정하는 말.

[好家伙] hǎojiā·huo 감 세상에. 와. 야. 이거 참《놀라거나 감탄 따위를 나타낼 때 내는 소리》. ❏ ~! 可吓死我了; 야! 놀랐잖아.

[好久] hǎojiǔ 형 아주 오래다. 오랜만이다. 한참 만이다. ❏ ~不见了! 오랜만입니다!

[好看] hǎokàn 형 ① 아름답다. 예쁘다. 보기에 좋다. ❏ 那个小姐长得真~; 저 아가씨는 정말 예쁘다. ② 체면이 서다. 당당하다. 명예롭다. 자랑스럽다. ❏ 孩子有出息, 当父母的脸上也~; 자식이 장래성이 있으면 부모 입장에서도 당당하다. ③ 창피당하다. 망신당하다. 웃음거리가 되다《'要…的~'의 형식으로 쓰임》. ❏ 你这不是成心要我的~吗? 너 이거 일부러 나를 망신

H

시키려는 거 아니냐? ④ 재미있다. 볼만하다. ❏这部电影很～; 이 영화는 아주 재미있다.

[好莱坞] Hǎoláiwù 명〖地〗〈音〉 할리우드(Hollywood).

[好评] hǎopíng 명 호평. 좋은 평판. ❏获得～; 좋은 평판을 얻다.

[好人] hǎorén 명 ①(성품이) 좋은 사람. 호인. ❏他是个～; 그는 좋은 사람이다. ② 건강한 사람. 멀쩡한 사람. ❏他不是病号, 是～; 그는 환자가 아니고 건강한 사람이다. ③ ⇨[老好人]

[好日子] hǎorì·zi 명 ① 길한 날. 길일. ② 경사스러운 날. 좋은 날《결혼하는 날》. ③ 행복한 나날. 행복한 생활.

[好容易] hǎoróngyì 형 가까스로 하다. 간신히 하다. 겨우 하다. ❏～才找到他家; 간신히 그의 집을 찾았다. =[好不容易]

[好声好气(的)] hǎoshēng hǎoqì(·de) 〈口〉 말투가 부드럽고 태도가 온화하다.

[好使] hǎoshǐ 형 쓰기에 편리하다. 사용에 적합하다. ❏这支金笔很～; 이 금촉 만년필은 쓰기에 편리하다.

[好事] hǎoshì 명 ① 좋은 일. 이로운 일. ❏～多磨; 〈成〉 호사다마. 좋은 일에는 방해가 많기 마련이다. ② 착한 일. 자선 사업. ③ 경사(慶事). ⇒hàoshì

[好手(儿)] hǎoshǒu(r) 명 명수(名手). 솜씨가 좋은 사람. ❏烹调～; 요리의 명수.

[好受] hǎoshòu 형 쾌적(快適)하다. 심신이 편하다. 기분이 좋다.

[好说] hǎoshuō 동 ①〈套〉 천만에요. 별말씀을 다 하십니다《남이 자기에게 감사의 말을 하거나 추켜세워 줄 때 하는 말》. ❏～～, 这算不了liǎo什么; 별말씀을요. 별것도 아닌데요 뭐. ② 문제없다. 쉽다. 문제가 안 된다《동의나 상의의 여지가 있음을 나타냄》. ❏东西只要你想买, 价钱～; 물건을 사실 마음만 있으시다면 가격은 문제가 아닙니다.

[好说歹说] hǎoshuō-dǎishuō 〈成〉 이런 말 저런 말로 권하거나 부탁하다.

[好似] hǎosì 동 ⇨[好像]

[好听] hǎotīng 형 ①(소리가) 좋다. 듣기 좋다. ❏他的声音很～; 그의 목소리는 매우 좋다. ②(말이) 듣기 좋다. 들어서 즐겁다. ❏～的话; 듣기 좋은 말.

[好玩儿] hǎowánr 형 재미있다. 흥미를 끌다. ❏这个玩具真～; 이 장난감은 정말 재미있다.

[好像] hǎoxiàng 동 마치 …같다. 흡사 …같다. ❏地面上的无数灯火, ～天上的星星; 땅 위의 무수한 불빛이 마치 하늘 위의 별과 같다. =[好似] 부 …인 듯하다. …한 것 같다. ❏他～明白我的意思了; 그는 내 뜻을 이해한 것 같다.

[好笑] hǎoxiào 형 우습다. 가소롭다. ❏那时候的张皇的样子, 想起来自己也～; 그때의 당황한 꼴이란, 내가 생각해도 우습기 짝이 없다.

[好些] hǎoxiē 수 매우 많은. ❏我有～朋友在贸易公司工作; 나는 무역 회사에 다니는 친구가 아주 많다.

[好心] hǎoxīn 명 좋은 마음. 선의(善意). 호의(好意). 친절한 마음.

[好意] hǎoyì 명 호의. 선의. 친절. ❏辜负～; 호의를 저버리다.

[好意思] hǎoyì·si 동 부끄러워 하지 않다. 뻔뻔하게 굴다. 낯짝이 두껍다《주로, 반어문에 쓰여 힐문·힐책의 뜻을 나타냄》. ❏做了亏心事, 他还～说呢! 양심에 찔리는 짓을 하고도 그는 낯짝 두껍게 그런 말을 하는군!

[好转] hǎozhuǎn 동 호전되다. ❏病情～; 병세가 호전되다.

[好自为之] hǎozìwéizhī 〈成〉 스스로 알아서 적절하게 잘 처리하다.

号(號) hào (호)

A) ① 명 명칭. 이름. ② 명 (사람의) 호. ③ 명 상점. 가게. ❏分～; 지점. ④ (～儿) 명 기호. 표지. 신호. ❏暗～; 암호. ⑤ (～儿) 명 차례. 번호. 순서. ❏准考证～; 수험 번호. ⑥ (～儿) 명 등급의 표시. 사이즈. ❏这双皮鞋～太小; 이 구두는 사이즈가 너무 작다. ⑦ (～儿) 양 종류. ❏这～工作; 이런 일. ⑧ (～儿) 명 어떤 종류의 사람. ❏伤～; (주로, 군대에서의) 부상자. ⑨ (～儿) 양 순서를 표시함《대부분 숫자의 뒤에 쓰임》. ㉠일반적인 것. ❏他家住十楼八门六～; 그의 집은 10동 8라인의 6호이다. ㉡날짜를 가리킴. ❏今天几～? 오늘이 며칠이냐? ⑩ (～儿)

양 사람 수를 세는 말. ❏ 每天出工三百多~人; 매일 3백여 명이 작업에 나간다. ⑪ (~儿) 양 거래가 성립된 횟수를 세는 말. ❏ 一会儿工夫便做成了几~买卖; 잠깐 사이에 몇 건의 거래가 성립되었다. ⑫ 동 번호를 매기다. 기호를 표시하다. ❏ 他的住房已经~好了; 그의 집은 이미 번호가 매겨졌다. **B)** 명 ① 호령. 명령. ❏ 发~施令; 명령을 내리다. ② 군대나 악대에서 사용하는 서양식 나팔. ❏ 吹~; 나팔을 불다. ③ 신호 나팔. 나팔에 의한 신호. ❏ 起床~; 기상 나팔. ⇒ háo

[号称] hàochēng 동 ① …라고 불려지다. ❏ 好莱坞~影城; 할리우드는 영화의 도시라고 불려진다. ② 명목상으로 불려지다[알려지다]. ❏ 他~是棋王, 却从没见他下过棋; 그는 바둑 고수라고 알려졌지만 그가 바둑 두는 것을 본 적이 없다.

[号角] hàojiǎo 명 ① (옛날, 군대에서 신호로 사용한) 호각. 뿔피리. ② 나팔.

[号令] hàolìng 명동 호령(하다). ❏ ~三军; 삼군을 호령하다.

[号码(儿)] hàomǎ(r) 명 숫자. 번호. ❏ 电话~; 전화번호.

[号脉] hào//mài 동 ⇒[诊脉]

[号手] hàoshǒu 명 나팔수.

[号外] hàowài 명 (신문의) 호외.

[号召] hàozhào 동 (어떤 일을 같이 하도록 군중에게) 호소하다. ❏ ~书; 호소문.

好 hào (호)

① 동 좋아하다. 즐기다. ❏ ~戴高帽; 〈成〉 남이 추켜세워 주는 것을 좋아하다 / ~出风头; 나서기를 좋아하다. ② 부 툭하면. 곧잘. 쉽게. ❏ 雪天走路~摔跤; 눈 오는 날에는 길을 걸을 때 넘어지기 쉽다. ⇒ hǎo

[好吃] hàochī 동 먹기를 좋아하다. ❏ ~懒做; 〈成〉 먹기만 좋아하고 일을 게을리하다. ⇒ hǎochī

[好大喜功] hàodà-xǐgōng 〈成〉 실속 없이 큰일을 벌여 겉치레할 생각만 하다.

[好高务远] hàogāo-wùyuǎn 〈成〉 헛되이 고원(高遠)한 것만을 좇다 《분수를 모르고 큰 뜻을 품다》.

[好客] hàokè 형 손님 접대를 좋아하다.

[好奇] hàoqí 형 호기심이 많다. ❏ ~心; 호기심.

[好强] hàoqiáng 형 지기 싫어하다. 오기가 있다. 승부욕이 강하다.

[好色] hàosè 형 여색을 좋아하다. 색을 밝히다.

[好胜] hàoshèng 형 승벽(勝癖)이 강하다. 승부욕이 있다. ❏ ~心; 지기 싫어하는 성질. 승부욕.

[好事] hàoshì 형 일을 벌이기를 좋아하다. 참견하기 좋아하다. ❏ ~之徒; 〈成〉 호사가. ⇒ hǎoshì

[好逸恶劳] hàoyì-wùláo 〈成〉 편한 것을 좋아하고 일하기를 싫어하다.

耗 hào (모)

① 동 소비하다. 소모하다. ❏ ~体力; 체력을 소모하다. ② 동 〈方〉 시간을 끌다. 꾸물거리다. ❏ 别~着, 快说! 꾸물거리지 말고 어서 말해라! ③ 명 나쁜 소식.

[耗费] hàofèi 동 소비하다. 소모하다. 쓰다. 들이다. ❏ ~时间; 시간을 소모하다.

[耗竭] hàojié 동 다 써 버리다. 다 소모되다. 소진하다. 고갈되다. ❏ 兵力~; 병력이 다하다.

[耗损] hàosǔn 동 소모하다. 닳게 하다. ❏ ~精力; 정력을 소모하다.

[耗子] hào·zi 명 〈方〉 ⇨[老鼠]

浩 hào (호)

형 ① 크다. 성대하다. 왕성하다. ② 많다. ❏ ~博; 풍부하다.

[浩大] hàodà 형 (기세·규모 따위가) 크다. 거대하다. 어마어마하다.

[浩荡] hàodàng 형 ① 수세(水勢)가 세차다. 물살이 거세다. ② 장대(壯大)하다. 위풍당당하다. 기세가 드높다. ❏ ~的人群; 기세 높은 군중들.

[浩繁] hàofán 형 크고 많다. 매우 많다. ❏ 卷帙~; 책이 매우 많다.

[浩瀚] hàohàn 형 〈書〉 ① 수세(水勢)가 대단하다. 물결이 거세다. ❏ ~的大海; 수세가 대단한 큰 바다. ② 광대하다. 매우 많다. ❏ ~的沙漠; 광대한 사막.

[浩劫] hàojié 명 대재화(大災禍). 대재난.

[浩气] hàoqì 명 호연지기.

[浩然] hàorán 형 〈書〉 ① 광활하고 성대한 모양. 넓고 거센 모양. ② 마음이 넓고 뜻이 큰 모양. ❏ ~之气; 호연지기.

[浩如烟海] hàorúyānhǎi 〈成〉 (문헌·자료 따위가) 매우 풍부하다. 셀 수 없이 많다.

皓 hào (호)
형 ① 희다. 하얗다. ② 밝다. ❑ ~月; 밝은 달.
[皓首] hàoshǒu 명〈書〉 백발(白髮). 〈轉〉 노인.

he 厂さ

诃(訶) hē (가)
동〈書〉 ⇨[呵hē②]
呵 hē (가)
동 ① 입김을 불다. ❑ 他往玻璃上~了口气; 그는 유리에다 입김을 불었다. ② 책(責)하다. 꾸짖다. ❑ ~禁; 꾸짖어 금지하다. =[〈書〉 诃]
[呵斥] hēchì 동 큰 소리로 꾸짖다. ❑ 他把儿子~了一顿; 그는 아들을 한 차례 크게 꾸짖었다.
[呵呵] hēhē 의 허허. 하하(《웃음소리》). ❑ ~大笑; 하하 하고 크게 웃다.
[呵欠] hē·qian 명〈方〉 하품. ❑ 打~; 하품을 하다. =[哈欠]
[呵责] hēzé 동 꾸짖고 책하다. 야단치고 책망하다.
嗬 hē (하)
감 허. 야(《놀라움을 나타냄》). ❑ ~, 你可真有两下子; 허, 너 정말 능력 있구나.
喝 hē (갈)
동 ① 마시다. ❑ ~酒; 술을 마시다 / ~水; 물을 마시다 / ~咖啡; 커피를 마시다. ② 술을 마시다. ❑ ~得满脸通红; 온 얼굴이 시뻘개질 정도로 술을 마시다. ⇒hè
[喝西北风] hē xīběifēng 〈比〉 굶주리다. 배를 곯다.
禾 hé (화)
명 농작물의 어린 모종(《주로, 볏모를 일컬음》).
[禾苗] hémiáo 명 볏모.
和 hé (화)
A) ① 형 평화롭다. 화평하다. ② 형 부드럽다. 온화하다. 따뜻하다. ❑ 风~日暖; 〈成〉 바람이 온화하고 햇볕이 따사롭다. ③ 형 조화롭다. 화목하다. ❑ ~衷共济; ⇩ ④ 동 (전쟁·다툼 따위가) 끝나다. 종결되다. 화해하다. ❑ 说~; 화해하다. ⑤ 동 (바둑·장기·구기(球技) 따위에서) 비기다. ❑ ~局; ⇩ **B)** ① …그대로. …채로. ❑ ~衣而卧; 옷을 입은 채로 자다. ② 명 〖數〗 합(合). ❑ 这三个数的~是五百; 이 세 숫자의 합은 5백이다. ③ 개 …와[과](《동작·행위가 미치는 대상이나 비교하는 대상을 나타냄》). ❑ 我~他一起工作了三年; 나는 그와 3년간 함께 일했다 / 我女儿~你年龄差不多; 내 딸은 너와 나이가 엇비슷하다. ④ 접 평등한 연합 관계를 나타냄(《부류·구조 따위가 같은 병렬 성분을 연결함》). ❑ 我~他都是北京大学的学生; 나와 그는 모두 베이징 대학의 학생이다 / 那个公园非常宽广~优美; 그 공원은 매우 넓고 아름답다. ⑤ (Hé) 명〖地〗 일본. ❑ ~服; 기모노(kimono). ⇒hè huó huò
[和蔼] hé'ǎi 형 온화하다. 상냥하다. 다정하다. 부드럽다. ❑ ~可亲; 〈成〉 온화하여 친해지기 쉽다.
[和畅] héchàng 형 따뜻하고 편안하다. ❑ 春风~; 봄바람이 따뜻하고 편안하다.
[和风] héfēng 명 ① 온화한 바람. 따뜻한 바람(《주로, 봄바람을 가리킴》). ❑ ~细雨; 〈成〉 따뜻한 바람과 보슬비(《온건한 태도[방식]》). ② 〖氣〗 건들바람.
[和好] héhǎo 형 화목하다. 사이좋다. 동 화해하다. 화목해지다. 사이가 좋아지다. ❑ ~如初; 〈成〉 화해하여 원래 상태로 돌아가다.
[和缓] héhuǎn 형 부드럽다. 온화하다. ❑ 态度~; 태도가 온화하다. 동 완화되다. 완화시키다. ❑ 局势~了; 정세가 완화되었다.
[和解] héjiě 동 화해하다. ❑ 双方~; 쌍방이 화해하다.
[和局] héjú 명 (시합·바둑 따위의) 비김. 무승부.
[和睦] hémù 형 화목하다. ❑ ~相处; 화목하게 지내다.
[和盘托出] hépán-tuōchū 〈成〉 쟁반째로 내밀다(《① 남김없이 다 말하다. ② 남기지 않고 모두 내놓다》). ❑ 把自己的想法~; 자기의 생각을 몽땅 털어놓다.
[和平] hépíng 형 평화. ❑ 维持~; 평화를 유지하다 / ~统一; 평화 통일 / ~主义; 평화주의. 형 ① 순하다. 부드럽다. 온화하다. ❑ 药性~; 약의 성질이 순하다. ② 차분하다. 평온하다. 평화롭다. ❑ 心境~; 마음이 평화롭다.
[和气] hé·qi 형 ① (성격·태도 따위가) 온화하다. 부드럽다. ② 화목

하다. 화기애애하다. ❑ 同学们互相都很～; 급우들끼리 서로 매우 화목하다. 명 화기애애한 분위기. 화목한 기분.

[和善] héshàn 형 온화하고 선량하다. 상냥하다. ❑ ～的神态; 상냥한 표정.

[和尚] hé·shang 명 승려. 중.

[和声] héshēng 명〔樂〕 화성. 화음. 하모니(harmony).

[和事佬] héshìlǎo 명 분쟁을 중재하는 사람《주로, 무턱대고 화해시키는 사람을 가리킴》. ❑ 一有争执, 他总是做～; 다툼만 생겼다 하면 그는 늘 나서서 중재를 한다. =[和事老]

[和顺] héshùn 형 온순하다. 양순하다.

[和谈] hétán 동 평화 협상[회담]을 하다.

[和谐] héxié 형 잘 어울리다. 조화롭다. 어우러지다. ❑ ～社会; 조화로운 사회.

[和煦] héxù 형 따뜻하다. 따사롭다. ❑ ～的阳光; 따사로운 햇빛.

[和颜悦色] héyán-yuèsè 〈成〉 상냥한 표정. 온화한 얼굴.

[和易] héyì 형 태도가 상냥하고 친해지기 쉽다.

[和约] héyuē 명 평화 조약.

[和衷共济] hézhōng-gòngjì 〈成〉 마음을 합쳐 함께 어려움을 이겨 내다.

合 hé (합)

① 동 감다. 닫다. 다물다. 덮다. ❑ 瞧他乐得连嘴都～不上了; 그가 좋아서 입도 못 다무는 것 좀 봐라. ② 동 합치다. 모으다. ❑ 两个工厂～了一年多了; 두 공장이 합친 지 1년 남짓 되었다. ③ 형 전부의. 온. 모든. ❑ ～村; 온 마을. ④ 동 맞먹다. 상당하다. ❑ 一千块韩币～多少美金? 한국 돈 천 원은 몇 달러가 됩니까? ⑤ 동 합계하다. ❑ 他在工厂当临时工, ～一百块钱一天; 그는 공장에서 임시공으로 일하는데, 하루에 모두 합쳐 백위안을 번다. ⑥ 동 (성격·마음 따위가) 잘 맞다. 어울리다. ❑ ～不来; ⇓ ⑦ 동 부합되다. 맞다. ❑ 他办事从没～过我一次心意; 그가 하는 일은 한 번도 내 마음에 든 적이 없다.

[合办] hébàn 동 공동 경영 하다. 공동 운영 하다. 공동 주관 하다. ❑ 三个人～一个公司; 세 사람이 회사 하나를 공동 경영 하다.

[合并] hébìng 동 ① 한데 결합시키다. 합병하다. ❑ 这两家银行已经～了; 이 두 은행은 이미 합병했다. ②〔醫〕 병이 겹치다.

[合并症] hébìngzhèng 명〔醫〕 ⇒[并发症]

[合不来] hé·bulái 형 마음[성격]이 맞지 않다. ❑ 听说你跟他～, 是吗? 듣자니 너와 그는 잘 안 맞는다면서?

[合唱] héchàng 동〔樂〕 합창하다. 코러스하다. ❑ ～队 =[～团]; 합창대. 합창단 / ～曲; 합창곡.

[合成] héchéng 동 ① 합하여 …이 되다. ❑ 两个研究所～了一个研究所; 두 연구소가 합쳐져 하나의 연구소가 되었다. ② 합성하다. 조합하다. ❑ ～词; 합성어 / ～照片; 합성 사진. ③〔化〕 합성하다. ❑ ～纤维; 합성 섬유.

[合得来] hé·delái 형 마음[성격]이 맞다. 잘 어울리다. ❑ 她跟他们很容易～; 그녀는 그들과 쉽게 잘 어울린다.

[合法] héfǎ 형 법에 맞다. 적법하다. 합법적이다. ❑ ～行为; 적법 행위.

[合格] hégé 형 규격[표준]에 맞다. 합격하다. ❑ ～率; 합격률.

[合股] hégǔ 동 공동 출자(出資)하다. 합자하다. ❑ ～企业; 합자 기업.

[合乎] héhū 동 …에 맞다. …에 부합되다. ❑ ～事实; 사실에 부합하다.

[合伙(儿)] héhuǒ(r) 동 한패가 되다. 동료가 되다. 동업하다. ❑ ～经营; 공동으로 경영하다.

[合计] héjì 동 합계하다. 총계하다. ❑ ～有多少? 합해서 얼마나 있느냐?

[合计] hé·ji 동 ① 계산하다. 따져보다. (득실을) 생각하다. ② 의논하다. 상의하다.

[合家欢] héjiāhuān 명 ⇒[全家福①]

[合金] héjīn 명〔工〕 합금.

[合口] hé∥kǒu 동 상처가 아물다. ❑ 这伤口要一个星期才能～; 이 상처는 일주일이 지나야 아문다. (hékǒu) 형 (음식이) 입맛에 맞다. 구미에 맞다. =[合口味]

[合理] hélǐ 형 합리적이다. ❑ ～

化；합리화하다 / ～决解；합리적으로 해결하다.

[合力] hélì 동 함께 힘을 내다. 힘을 합치다. ❑同心～；마음을 하나로 하여 힘을 합치다. 명〖物〗합력. 합성력(合成力).

[合流] héliú 동 (강이) 합류하다. ❑～河；합류 하천.

[合拢] hé//lǒng 동 합치다. 하나로 하다. ❑笑得嘴都合不拢来；웃느라 입을 다물지 못하다.

[合谋] hémóu 동 (어떤 활동을 위해) 합의하다. 공모(共謀)하다.

[合拍] hé//pāi 형 ① 장단이[박자가] 맞다. ②〈比〉마음[손발]이 맞다. 조화를 이루다. (hépāi) 동 ①〖映〗공동 촬영하다. 합작해서 찍다. ❑～影片；공동 촬영 영화. 합작 영화. ② (사진을) 함께 찍다.

[合情合理] héqíng-hélǐ〈成〉공평하고 합리적이다.

[合群(儿)] héqún(r) 형 사람들과 잘 어울리다. ❑我看他好像有点儿不～儿；내가 보기에 그는 남들과 좀 잘 못 어울리는 것 같다.

[合身(儿)] hé//shēn(r) 형 (옷이) 몸에 맞다. ❑你试试这件裙子～不～；이 치마가 몸에 맞는지 입어 봐라.

[合十] héshí 동〖佛〗합장하다.

[合适] héshì 형 적당하다. 어울리다. 안성맞춤이다. ❑这双鞋你穿着正～；이 신은 네가 신으니까 안성맞춤이다.

[合算] hésuàn 형 수지가 맞다. 채산이 맞다. ❑～价格；채산 가격. 동 고려하다. 생각하다. ❑这事我们再好好儿～一下；이 일은 우리 다시 잘 생각해 보자.

[合同] hé·tóng 명 계약. 계약서. ❑履行～；계약을 이행하다 / ～工；계약 노동자 / ～期间；계약 기간.

[合意] hé//yì 형 마음에 들다. ❑这个合你的意吗? 이것은 당신 마음에 듭니까?

[合营] héyíng 동 합영하다. 공동 경영하다. ❑～企业；합영 기업.

[合影] hé//yǐng 동 (사진을) 함께 찍다. 단체 사진을 찍다. ❑～留念；여럿이 기념 촬영하다. (héyǐng) 명 단체 사진.

[合用] héyòng 형 쓸모가 있다. 쓰기에 알맞다. 동 공동으로 사용하다. 함께 쓰다. ❑三个人～一台电脑；세 사람이 컴퓨터 한 대를 공동으로 쓰다.

[合约] héyuē 명 (비교적 간단한) 계약.

[合资] hézī 동 합자하다. ❑～公司；합자 회사 / ～经营；합자 경영.

[合奏] hézòu 동〖樂〗합주하다.

[合作] hézuò 동 합작하다. 협력하다. 제휴하다. ❑经济～；경제 협력 / ～社；합작사. 협동조합.

盒 hé (합) (～儿) ① 명 통. 갑. 상자. ❑火柴～；성냥갑. ② 양 (작은) 상자에 들어 있는 것을 세는 말. ❑一～香烟；담배 한 갑.

[盒带] hédài 명 카세트테이프(cassette tape).

[盒饭] héfàn 명 반합. 도시락.

[盒子] hé·zi 명 ① 작은 상자. 합. ② (상자 모양의) 폭죽.

颌(頜) hé (합) 명〖生理〗턱.

何 hé (하) 대 ① 의문을 나타내는 말. ㉠무슨. 무엇. 어떤. ❑不论～时～地；언제 어디서든지. ㉡왜. 무엇 때문에. ❑小姐为～落泪? 아가씨는 무엇 때문에 눈물을 흘리는고? ㉢어디. ❑从～而来? 어디에서 왔는가? ② 반문(反問)을 나타냄. ❑有～不可；어찌 안 되겠는가?

[何必] hébì 부 꼭[구태여] …할 필요가 있을까(반문(反問)의 어기로, '不必'의 뜻을 나타냄). ❑都是一家人, ～那么客气? 모두 한가족인데 그렇게 예의 차릴 필요가 있느냐?

[何不] hébù 부 왜 …하지 않느냐(반문(反問)의 어기로, 마땅히 해야 하거나 할 수 있음을 나타냄). ❑既然有事, ～早说? 어차피 용무가 있는데 왜 빨리 말하지 않느냐?

[何尝] hécháng 부 …한 적이 있었느냐(반문(反問)의 어기로 쓰여 그러한 적이 없었거나 절대로 그렇지 않음을 나타냄). ❑这些教训人们～忘记过? 이 교훈을 사람들이 잊은 적이 있었겠는가?

[何等] héděng 부 어쩌면 그렇게. 얼마나. ❑～聪明! 어쩌면 이렇게 총명할까! 대 어떤. 어떠한. ❑他是～人? 그는 어떤 사람일까?

[何妨] héfáng 부 …해도 괜찮지 않은가. …해도 무방하지 않겠는가. ❑这些意见说说又～? 이 의견들

을 말해본들 또 어떻겠는가?
[何故] hégù 부 왜. 어찌하여. 무슨 연고로. ❏ 他~至今未到? 그는 어찌하여 지금까지 오지 않았느냐?
[何苦] hékǔ 부 무엇 때문에. 무엇이 안타까워서. 왜 쓸데없이. ❏ 你~这么做呢? 너는 왜 쓸데없이 이렇게 하느냐?
[何况] hékuàng 접 하물며. …은 말할 것도 없고. 더군다나. ❏ 坐汽车都来不及, ~步行呢? 차를 타고 가도 늦는데, 하물며 걸어가는 것이야 (더 말할 것이 있겠는가)?
[何乐而不为] hé lè ér bù wéi 〈成〉 어찌 즐거이 하지 않겠는가. 무엇 때문에 하기 싫어하겠는가.
[何其] héqí 부 얼마나. ❏ ~糊涂! 얼마나 어리석은가!
[何去何从] héqù-hécóng 〈成〉 (중대한 문제에서) 무엇을 버리고 무엇을 취할 것인가. 어떤 길을 택할 것인가.
[何如] hérú 〈書〉 대 ① 어떻겠는가. 어떠한가. ❏ 再下一盘棋, ~? 다시 한 판 두는 게 어떻겠느냐? ② 어떤. 어떠한. ❏ 他~人也? 그는 어떤 사람인가? 접 어찌 …만 하겠는가. …만 못하다.
[何以] héyǐ 부 〈書〉 ① 왜. 어째서. 무엇 때문에. ❏ ~他要走? 무엇 때문에 그가 가려고 하는가? ② 무엇으로. ❏ 此等情况~解释? 무엇으로 이런 상황을 설명하겠느냐?
[何止] hézhǐ 동 어찌 …에 그치랴. 어찌 …뿐이겠는가. ❏ 这样的人~那些战斗在第一线的人? 이러한 사람이 어찌 일선에서 싸우고 있는 저 사람들뿐이랴?

河 hé (하)
명 ① 하천. 강. ❏ ~边; 강변 / ~水; 강물. ② 은하계(銀河系). ③ (Hé) 〔地〕 황허 강(黃河).
[河川] héchuān 명 하천.
[河道] hédào 명 (배가 다닐 수 있는) 강줄기. 물길. 수로.
[河沟] hégōu 명 내. 개천.
[河谷] hégǔ 명 하곡.
[河口] hékǒu 명 하구.
[河狸] hélí 명 〔動〕 비버(beaber). = [海狸]
[河流] héliú 명 하류.
[河马] hémǎ 명 〔動〕 하마.
[河内] Hénèi 명 〔地〕 〈音〉 하노이(Hanoi)《베트남의 수도》.
[河清海晏] héqīng-hǎiyàn 〈成〉 황허 강은 맑고 바다는 잔잔하다《천하가 태평한 모양》.
[河渠] héqú 명 ① 하천과 도랑. ② 〈轉〉 수로. 물길.
[河山] héshān 명 산하(山河). 강산. 〈轉〉 나라의 영토. ❏ 锦锈~; 금수강산.
[河豚] hétún 명 〔魚〕 복어.
[河网] héwǎng 명 수로망(水路網).
[河鱼] héyú 명 강에 사는 물고기. 강고기. 강어.
[河运] héyùn 동 강을 통해 운반하다. 수로(水路)로 운수(運輸)하다.

荷 hé (하)
명 〔植〕 연꽃. 연. ⇒ hè
[荷包] hé·bāo 명 ① 쌈지. 주머니. ❏ 烟袋~; 담배 쌈지. ② (옷의) 호주머니. 포켓.
[荷尔蒙] hé'ěrméng 명 〈音〉 ⇨[激素]
[荷花] héhuā 명 〔植〕 연. 연꽃.
[荷兰] Hélán 명 〔地〕 네덜란드(Netherlands).
[荷塘] hétáng 명 연못.
[荷叶] héyè 명 연잎.

劾 hé (핵)
동 죄상을 폭로하다. ❏ 弹~; 탄핵하다.

阂(閡) hé (해)
동 통하지 않다. 막히다.

核 hé (핵)
① 명 (과실의) 씨. ❏ 桃~; 복숭아씨. ② 명 물체 속의 씨처럼 생긴 부분. ❏ 细胞~; 세포핵. ③ 명 원자핵(原子核). 핵무기. ④ 동 상세히 대조해서 확인하다. ⇒ hú
[核弹] hédàn 명 〔軍〕 핵폭탄.
[核弹头] hédàntóu 명 〔軍〕 핵탄두.
[核导弹] hédǎodàn 명 〔軍〕 핵미사일.
[核电] hédiàn 명 ① 〈簡〉 원자력 발전. ❏ ~站; 원자력 발전소. = [核能发电] ② 원자력.
[核定] hédìng 동 조사하여 결정하다. 사정(査定)하다. ❏ ~地价; 지가를 사정하다.
[核对] héduì 동 대조 검토 하다. 조합(照合)하다. ❏ ~笔迹; 필적을 대조하다.
[核讹诈] hé'ézhà 동 〔軍〕 핵무기로 위협하다.
[核废料] héfèiliào 명 핵폐기물.
[核果] héguǒ 명 〔植〕 핵과.

[核计] héjì 동 ⇒[核算]
[核能] hénéng 명〖物〗 핵에너지. 원자력. ＝[原子能]
[核能发电] hénéng fādiàn ⇒ [〈簡〉 核电①]
[核潜艇] héqiántǐng 명〖軍〗 핵잠수정. 핵잠수함.
[核燃料] héránliào 명〖物〗 핵연료.
[核实] héshí 동 조사하여 사실을 파악하다. 사실을 확인하다.
[核试验] héshìyàn 동 핵실험하다.
[核酸] hésuān 명〖化〗 핵산.
[核算] hésuàn 동 계산하다. 견적하다. 채산하다. ❑ ~成本; 원가를 계산하다. ＝[核计]
[核桃] hé·tao 명〖植〗 ① 호두나무. ② 호두. ❑ ~仁; 호두. 호두알. ‖ ＝[胡桃]
[核武器] héwǔqì 명 핵무기.
[核心] héxīn 명 핵심. 중심. 중핵. ❑ ~科目; 핵심 과목 / ~力量; 핵심적인 힘 / ~人物; 핵심 인물.
[核战争] hézhànzhēng 명〖軍〗 핵전쟁.
[核准] hézhǔn 동 심사하여 허가[비준]하다. ❑ ~书; 심사 비준서.
[核子] hé·zi 명〖物〗 핵자. 핵입자.

阖(闔) hé (합)
① 형 전부의. 전체. 모두. 온. ❑ ~城; 온 도시. ② 동 닫다. ❑ ~户; 문을 닫다.
[阖家] héjiā 명 온 집안. 온 가족.

涸 hé (학, 후)
형 (물이) 마르다.

貉 hé (학)
명〖動〗 담비. 오소리. ⇒ háo

吓(嚇) hè (혁)
① 동 으르다. 위협하다. ② 감 하. 흥. 허《불만을 나타냄》. ❑ ~, 你也太不像话了! 허, 너도 참 꼴불견이로구나! ⇒ xià

和 hè (화)
동 ① (가락에 맞게) 따라 부르다. 부화(附和)하다. ❑ 一唱百~; 〈成〉 한 사람이 노래하면 모두 거기에 따른다. ② (남의 시(詩)의 뜻·운(韻) 따위를) 따라서 짓다. 화답하다. ⇒ hé huó huò

贺(賀) hè (하)
동 축하하다. 경축하다.
[贺词] hècí 명 축하의 말. 축사.
[贺电] hèdiàn 명 축하 전보. 축전.
[贺函] hèhán 명 ⇒[贺信]
[贺卡] hèkǎ 명 축하 카드.
[贺礼] hèlǐ 명 축하 선물.
[贺年] hè//nián 동 새해를 축하하다. 신년 인사를 하다. ❑ ~片(儿); 연하장. ＝[贺岁suì]
[贺喜] hè//xǐ 동 경사를 축하하다. 축하 인사를 하다. ❑ 向新郎的父母~; 신랑 부모에게 축하 인사를 하다.
[贺信] hèxìn 명 축하 편지. ＝[贺函]

荷 hè (하)
① 동 (어깨에) 메다. 지다. ❑ ~枪; 총을 메다. ② 동〈書〉 맡다. 담당하다. 책임지다. ❑ 身~重任; 중임을 맡다. ③ 명 부담. 책임. ④ 동 은혜를 입다《서신에 주로 쓰임》. ❑ 感~; 은혜에 감사하다. ⇒ hé
[荷载] hèzài 명 ⇒[载zài荷]
[荷重] hèzhòng 명 ⇒[载zài荷]

喝 hè (갈)
동 큰 소리로 고함 치다. ⇒ hē
[喝彩] hè//cǎi 동 갈채하다. ❑ 全场观众都齐声~; 온 경기장의 관중들이 모두 한목소리로 갈채를 보내다. ＝[喝采]
[喝倒彩] hè dàocǎi 야유하다. 야유를 보내다. ＝[喝倒采]
[喝令] hèlìng 동 큰 소리로 명령하다.
[喝问] hèwèn 동 큰 소리로 묻다.

褐 hè (갈)
명 ① 〈書〉 거친 직물. 거친 직물로 만든 옷. ❑ 短~; 짧고 거친 베옷. ② 갈색.
[褐煤] hèméi 명 갈탄.
[褐色] hèsè 명〖色〗 갈색. ❑ ~土; 갈색토.

赫 hè (혁)
① 형 성대하다. 현저하다. 뚜렷하다. ② 양〖物〗〈簡〉 '赫兹' (헤르츠)의 약칭. ❑ 兆~; 메가헤르츠(MHz).
[赫尔辛基] Hè'ěrxīnjī 명〖地〗〈音〉 헬싱키(Helsinki)《핀란드의 수도》.
[赫赫] hèhè 형 현저하고 성대하다. 혁혁하다. ❑ ~有名; 〈成〉 명성이 대단하다.
[赫然] hèrán 형 ① 갑자기. 별안간《놀랄 만한 것이 갑자기 나타나는 모양》. ❑ 一只黑熊~出现他面前; 흑곰 한 마리가 갑자기 그의 눈앞에 나타났다. ② 발끈. 벌컥《매우 화내는 모양》. ❑ ~而怒; 벌컥 화를 내다.

[赫兹] hèzī 양〖物〗〈音〉 헤르츠(Hertz).

鹤(鶴) hè (학)
명〖鳥〗 학. 두루미.

[鹤发童颜] hèfà-tóngyán 〈成〉 백발동안(노인이 혈색이 좋고 정신이 맑다).

[鹤立鸡群] hèlìjīqún 〈成〉 군계일학(群鷄一鶴).

[鹤嘴镐] hèzuǐgǎo 명 곡괭이.

壑 hè (학)
명 ① 골짜기. ❑千山万~; 많은 산과 골짜기. ② 산골짜기의 물웅덩이. ❑沟~; 계곡.

hei ㄏㄟ

黑 hēi (흑)
형 ① 검다. 까맣다. ❑~衣服; 검은 옷. ② 어둡다. 캄캄하다. 깜깜하다. ❑天~了; 날이 저물었다. ③ 비밀의. 은밀한. 불법의. ❑~社会; ⇩ ④ 악독하다. 음험하다. 음흉하다. ❑他是个~心肠的家伙; 그는 마음이 음험한 놈이다.

[黑暗] hēi'àn 형 ① 깜깜하다. 캄캄하다. 어둡다. ❑停电了, 四周一片~; 정전이 되어서 사방이 온통 깜깜하다. ② 〈比〉 사회가 부패하다. 암담하다. 암흑이다. ❑~的社会; 암흑사회 / ~的政府; 부패한 정부.

[黑白] hēibái 명 ① 흑과 백. 흑백. ❑~电视; 흑백 텔레비전 / ~胶卷; 흑백 필름 / ~片piàn =[〈口〉~片儿piānr]; 흑백 영화. ② 낮과 밤. ③ 〈比〉 정(正)과 사(邪). 시비(是非). 선악(善惡). 옳고 그름. 흑백. ❑~分明; 흑백이 분명하다.

[黑板] hēibǎn 명 흑판. 칠판.

[黑车] hēichē 명 ① (영업 허가증이 없는) 불법 택시. ② 등록 번호판이 없는 차.

[黑沉沉(的)] hēichénchén(·de) 형 (하늘이) 어두컴컴한 모양.

[黑道(儿)] hēidào(r) 명 ① 어두운 밤길. ② 〈比〉 나쁜 길. ❑走~; 나쁜 길로 들어서다. ③ 암흑가.

[黑洞] hēidòng 명〖天〗 블랙홀(black hole).

[黑洞洞(的)] hēidòngdòng(·de) 형 깜깜한 모양.

[黑豆] hēidòu 명〖植〗 검은콩.

[黑咕隆咚(的)] hēi·gulōngdōng(·de) 형〈口〉 아주 캄캄한 모양.

[黑管] hēiguǎn 명 ⇨[单簧管]

[黑糊糊(的)] hēihūhū(·de) 형 ① (색이) 시꺼멓다. 새까맣다. ② 어두컴컴하다. ③ (사람이나 물건이 많아서 멀리서 봤을 때) 새카만 모양. ❑远处是一片~的树林; 먼 곳은 온통 새카만 숲이다. ‖ =[黑乎乎(的)]

[黑户] hēihù 명 ① 호적이 없는 세대[가구]. ② 무허가 상점.

[黑话] hēihuà 명 ① 은어(隱語). 암호말. ② 반동적인 말.

[黑货] hēihuò 명 장물·탈세품·밀수품 따위의 부정한 물품.

[黑金] hēijīn 명 (관료 사회의) 검은돈(뇌물·불법 자금 따위).

[黑客] hēikè 명〖컴〗〈音〉 해커(hacker).

[黑马] hēimǎ 명 ① 흑마. 검은 말. ② 다크호스(dark horse).

[黑名单(儿)] hēimíngdān(r) 명 블랙리스트(black list).

[黑幕] hēimù 명 흑막. 어두운 내막. 검은 속사정. ❑揭jiē穿~; 어두운 내막을 폭로하다.

[黑钱] hēiqián 명 검은돈. 부정한 돈(뇌물·입막음으로 받은 돈·노름에서 딴 돈 따위). ❑洗~; 돈세탁하다.

[黑枪] hēiqiāng 명 ① 불법 소지 총기류. ② (몰래 쏘는) 기습적인 총탄.

[黑人] hēirén 명 ① (Hēirén) 흑인. ❑~音乐; 흑인 음악. =[黑种人] ② 호적에 올라 있지 않은 사람. ③ 숨어 사는 사람.

[黑色] hēisè 명〖色〗 검은색. 흑색. 형 은밀한. 불법의. 부정한. ❑~收入; 부정한 수입.

[黑色素] hēisèsù 명〖化〗 멜라닌(melanin).

[黑色喜剧] hēisè xǐjù〖劇〗〈音義〉 블랙 코미디(black comedy).

[黑社会] hēishèhuì 명 암흑가. ❑~头目; 암흑가 보스.

[黑市] hēishì 명 암시장. ❑~交易; 암거래. 밀거래.

[黑手] hēishǒu 명〈比〉 검은손(뒤에서 조종하는 세력).

[黑手党] hēishǒudǎng 명 마피아(이 Mafia).

[黑死病] hēisǐbìng 명 ⇨[鼠疫]

[黑桃] hēitáo 명 (트럼프의) 스페이드(spade).

[黑体] hēitǐ 명〖印〗 고딕체. ❑~字; 고딕 활자.

[黑土] hēitǔ 명〖地理〗 흑토.

[黑匣子] hēixiá·zi 명〖航〗 블랙박스(black box).

[黑心] hēixīn 명 흑심. 나쁜 마음. 형 속이 검다. 엉큼하다.

[黑信] hēixìn 명〈口〉 익명의 편지.

[黑猩猩] hēixīng·xing 명〖動〗 침팬지(chimpanzee).

[黑熊] hēixióng 명〖動〗 흑곰. 반달가슴곰. =[狗熊①]

[黑魆魆(的)] hēixūxū(·de) 형 깜깜하다. 어둡다. ❑屋里~的; 집안이 어둡다.

[黑压压(的)] hēiyāyā(·de) 형 많이 밀집해 있는 모양. ❑门外~地站满了人; 문밖에 사람들이 새까맣게 서 있다.

[黑眼镜] hēiyǎnjìng 명 검은 안경. 선글라스(sunglass).

[黑眼珠(儿)] hēiyǎnzhū(r) 명 검은자위.

[黑夜] hēiyè 명 (깜깜한) 밤.

[黑油油(的)] hēiyóuyóu(·de) 형 검게 윤이 나는 모양. ❑两只~的大眼睛; 새까맣게 빛나는 큰 두 눈. =[黑黝黝(的)①]

[黑黝黝(的)] hēiyǒuyǒu(·de) 형 ① ⇨[黑油油(的)] ② 어두컴컴한 모양. 캄캄한 모양. ❑一片~的树林; 온통 어두컴컴한 숲.

[黑种] Hēizhǒng 명 흑인종.

[黑种人] hēizhǒngrén 명 ⇨[黑人①]

[黑子] hēizǐ 명 ①〈書〉 (피부의) 검은 점. ② ⇨[太阳黑子]

嘿 hēi (묵)

감 ① 야. 어이. 이봐《부르거나 주의를 환기시키는 말》. ❑~, 你想干什么? 이봐, 너 뭐하려는 거야? ② 하. 야《득의를 나타냄》. ❑~, 瞧这刀多快呀! 야, 이 칼이 얼마나 잘 드는지 봐라! ③ 야. 어라. 아이고《놀람을 나타냄》. ❑~, 下大雪啦! 아이고, 눈이 엄청나게 오는구나!

hen ㄏㄣ

痕 hén (흔)

명 흔적. 자국. 자취. ❑伤~; 상처 자국.

[痕迹] hénjì 명 ① 흔적. 자국. ❑车轮的~; 바퀴자국. ② 흔적. 자취. ❑昔日的~; 옛날의 자취.

很 hěn (흔)

부 아주. 매우. 퍽. 몹시《형용사나 동사의 앞에 놓여 정도가 높음을 나타냄》. ❑她~漂亮; 그녀는 매우 예쁘다 / 他~喜欢跳舞; 그는 춤추는 것을 매우 좋아한다 / 新产品~受欢迎; 신상품이 매우 인기가 있다 / 后悔得~; 무척 후회하다.

狠 hěn (흔)

① 형 잔인하다. 흉악하다. 매정하다. 모질다. ❑心~手毒; 마음이 독하고 하는 짓이 악랄하다. ② 동 모질게 마음먹다. 마음을 다잡다. ❑~心; ⇩ ③ 형 단호하다. 결연하다. ❑他抓学习比以前~多了; 그는 이전보다 공부를 더 열심히 한다. ④ 형 호되다. 심하다. 매섭다. ❑~打; 호되게 때리다.

[狠毒] hěndú 형 잔인하다. 악랄하다. 흉악하다. 악독하다. ❑他的心肠十分~; 그의 마음은 매우 악랄하다.

[狠命] hěnmìng 부 기를 쓰고. 있는 힘을 다해. 필사적으로. 죽기살기로. ❑~地学习; 죽기살기로 공부하다.

[狠心] hěn//xīn 동 마음을 모질게 먹다. 독하게 마음먹다. ❑这回他是真的狠了心了; 이번에 그는 정말 독하게 마음먹었다. (hěnxīn) 형 모질다. 잔인하다. 독하다. ❑他太~了; 그는 너무 모질다. 명 대단한 결심. 독한 마음. ❑下~; 단단히 결심하다.

恨 hèn (한)

동 ① 원망하다. 증오하다. ❑深仇大~; 깊은 원한과 증오. ② 후회하다. 회한하다. ❑懊~; 뉘우치며 한탄하다.

[恨不得] hèn·bu·de 동 …할 수 없음이 한스럽다. 간절히 …하고 싶다. ❑我~马上就飞到他身边; 나는 당장이라도 그의 곁으로 날아가고 싶은 마음이 간절하다. =[恨不能hèn·bunéng]

[恨事] hènshì 명 한스러운 일. 원통한 일.

[恨铁不成钢] hèn tiě bù chéng gāng 〈諺〉 철이 강철이 되지 못함을 한스러워 하다《유능한 사람이 분기(奮起)할 것을 바라는 말》.

[恨之入骨] hènzhīrùgǔ 〈成〉 한이 뼈에 사무치다.

heng ㄏㄥ

亨 hēng (형)
형 순조롭다. 형통하다.

[亨通] hēngtōng 형 형통하다. 순조롭다. ❑ 万事~; 만사가 형통하다.

哼 hēng (형)
동 ① 끙끙거리다. ❑ 今天上午疼得他~了好几次; 오늘 오전 그는 아파서 수차례 끙끙댔다. ② 흥얼거리다. 콧노래 부르다. ❑ 嘴里~着歌; 입으로 노래를 흥얼거리다. ⇒hng

[哼哧] hēngchī 의 헉헉《헐떡이는 소리》. ❑ 老牛累得~~地直喘气; 늙은 소가 지쳐서 계속 헉헉거린다.

[哼唧] hēng·ji 동 (낮은 소리로) 흥얼거리다. 읊조리다. 웅얼거리다. ❑ 我勉强会~几句; 나는 간신히 몇 마디 웅얼거릴 수 있다.

[哼儿哈儿] hēngrhār 의 응응. 응응《코와 입으로 아무렇게나 내는 소리. 별로 신경 쓰지 않고 되는대로 하는 대답》.

[哼唷] hēngyō 감 영차. 어기여차. 《일할 때 내는 맞춤 소리》.

桁 héng (형)
명 〖建〗 도리. =[檩lǐn]

衡 héng (형)
① 명 저울. 저울대. ② 동 평가하다. 따져 보다. 고려하다. 가늠하다.

[衡量] héngliáng 동 ① 따져 보다. 비교하다. ❑ ~得失; 득실을 따져 보다. ② 생각하다. 고려하다. ❑ 请你~一下该怎么办; 어떻게 해야 할지 생각해 보십시오.

[衡器] héngqì 명 무게를 다는 기구.

[衡情度理] héngqíng-duólǐ 〈成〉 세상의 도리를 따져 보고 사리를 가늠하다.

恒 héng (항)
① 형 영구하다. 영원하다. ② 명 항심(恒心). ❑ 持之以~; 〈成〉 항심을 가지고 오래 계속해 나가다.

[恒产] héngchǎn 명 고정적 재산. 부동산. 항산.

[恒定] héngdìng 형 변하지 않고 고정적이다. 항정하다. ❑ ~马力; 항정 마력.

[恒河沙数] hénghé-shāshù 〈成〉 수가 대단히 많다.

[恒久] héngjiǔ 형 항구하다. 영구하다. 영원하다.

[恒温] héngwēn 명 항온. 상온(常溫).

[恒温动物] héngwēn dòngwù 명 〖動〗 정온 동물. 온혈 동물. 항온 동물. =[温血动物]

[恒心] héngxīn 명 항심. 변하지 않는 마음.

[恒星] héngxīng 명 〖天〗 항성.

[恒牙] héngyá 명 〖生理〗 영구치.

横 héng (횡)
① 형 지면과 평행을 이루다. 가로로 되다. ❑ 门口~挂着一块大匾; 입구에 큰 편액 하나가 가로로 걸려 있다. ② 형 (지리(地理)상) 동서(東西) 방향의. ❑ ~贯; ⇩ ③ 동 왼쪽에서 오른쪽, 또는 오른쪽에서 왼쪽을 향하다. ❑ ~写; 횡서하다. ④ 형 긴 변(邊)과 수직으로 되어 있는. ❑ ~条纹的衣服; 가로 줄무늬 옷. ⑤ 동 가로로 하다. 가로놓다. ❑ 把柜子~过来才好抬; 장을 가로로 돌려놓아야 들기가 편하다. ⑥ 형 종횡으로 뒤섞여 있다. 뒤엉켜 너저분하다. ❑ ~生; ⇩ ⑦ 형 무지막지하다. 난폭하다. ❑ ~加; ⇩ ⑧ (~儿) 명 한자(漢字)의 가로획. ⑨ 부 〈方〉 하여간. 어쨌든. ❑ 他~不能要我的命; 그는 어쨌건 나를 죽이지 못한다. ⑩ 부 〈方〉 아마. 다분히. ❑ 他~不来了; 그는 아마 안 올 것이다. ⇒hèng

[横冲直撞] héngchōng-zhízhuàng 〈成〉 종횡무진. =[横冲直闯chuǎng]

[横笛] héngdí 명 〖樂〗 저. 횡적. =[笛dí①]

[横渡] héngdù 동 (강·하천·바다 따위를) 횡단하다. 가로질러 건너다. ❑ ~太平洋; 태평양을 횡단하다.

[横队] héngduì 명 횡대.

[横幅] héngfú 명 가로로 쓴 표어·현수막·글씨·그림.

[横膈膜] hénggémó 명 ⇨[膈膜]

[横亘] hénggèn 동 (다리·산 따위가) 가로놓여 있다. 가로 걸쳐 있다. ❑ 两县交界地方~着几座山岭; 현의 경계에는 몇 개의 산봉우리가 걸쳐 있다.

[横贯] héngguàn 동 (산맥·하류·도로 따위가) 가로로 꿰뚫다. 횡관

하다. ❏ ~铁路; 횡관 철도.
【横加】 héngjiā 동 함부로 …하다. 마구 …하다. 무턱대고 …하다《뒤에 쌍음절의 행위 명사가 옴》. ❏ ~阻拦; 함부로 가로막다.
【横眉怒目】 héngméi-nùmù 〈成〉 (화가 나서) 눈썹을 치켜올리고 눈을 부릅뜨다. =[横眉立lì目][横眉努nù目]
【横七竖八】 héngqī-shùbā 〈成〉 (물건이) 이곳저곳에 아무렇게나 놓여 있는 모양.
【横扫】 héngsǎo 동 ① 쓸어 없애다. 소탕하다. 일소하다. ❏ ~了阵规陋习; 낡은 규칙과 관습을 일소했다. ② 좌우로 빠르게 훑어보다.
【横生】 héngshēng 동 ① 무성하게 뒤엉켜 자라다. 어수선하게 나다. ❏ 蔓草~; 덩굴풀이 어수선하게 나 있다. ② 예상외로 발생하다. 뜻밖에 생기다. ❏ ~枝节; 〈成〉 뜻밖에 지엽적인 여러 문제가 일어나다. ③ 끊임없이 나타나다. ❏ 妙论~; 훌륭한 논(論)이 끊임없이 나오다.
【横竖】 héngshù 부〈口〉 아무튼. 좌우간에. 어쨌든. ❏ 他~要回来了, 你再等一会吧; 그는 어쨌든 돌아올 테니 잠시만 더 기다려라.
【横向】 héngxiàng 형 ① 평행한. 대등한. 수평적인. ❏ ~交流; 수평교류. ② 동서 방향의. 가로 방향의.
【横心】 héng//xīn 동 아무것도 생각지 않고 결심하다. 마음을 독하게 먹다. ❏ 横下一条心; 마음을 독하게 먹다.
【横行】 héngxíng 동 멋대로 설치다. 제멋대로 행동하다. 횡포한 짓을 하다. ❏ ~无忌; 〈成〉 거리낌없이 횡포한 짓을 하다 / ~霸道; 〈成〉 세력을 믿고 제멋대로 날뛰다.
【横征暴敛】 héngzhēng-bàoliǎn 〈成〉 무리하게 세금을 징수하고 재물을 착취하다. 가렴주구하다.

横 hèng (횡)
형 ① 난폭하다. 횡포하다. ❏ ~话; 폭언. ② 심상치 않은. 불길한. 뜻하지 않은. ❏ ~死; ⇩ ⇒ héng
【横暴】 hèngbào 형 횡포하다.
【横财】 hèngcái 명 횡재《주로, 부정당한 수단으로 얻은 재물을 일컬음》. ❏ 发~; 횡재를 하다.
【横祸】 hènghuò 명 뜻하지 않은 재난.
【横事】 hèngshì 명 흉사. 재난.
【横死】 hèngsǐ 동 횡사하다.

hng ㄏㄦ

哼 hng (형)
감 흥. 허《의혹·불만·경멸을 나타냄》. ❏ ~, 这些人真是胆大包天! 허, 이 사람들 정말 간덩이가 부었군! ⇒ hēng

hong ㄏㄨㄥ

轰(轟) hōng (굉)
① 의 우르르. 쾅. 꽝《폭음·천둥소리 따위》. ❏ ~~的雷声; 쾅쾅하는 천둥소리. ② 동 천둥이 치다. ❏ 雷~电闪; 천둥 번개가 치다. ③ 동 (폭약이) 터지다. 포격하다. 폭파하다. ❏ ~炸; ⇩ ④ 동 쫓아내다. 내쫓다. 내몰다. ❏ 把鸡往外~~; 닭을 바깥으로 몰아내라.
【轰动】 hōngdòng 동 파문을 일으키다. 뒤흔들다. ❏ ~一时; 한동안 세상을 뒤흔들다. =[哄动]
【轰轰烈烈】 hōnghōnglièliè 형 기백이 성한 모양. 기세가 드높은 모양. 열렬한 모양.
【轰击】 hōngjī 동 포격하다. 폭격하다.
【轰隆】 hōnglōng 의 꽝. 우르르 쾅. 덜커덕《포탄·천둥·기계 소음 따위》. ❏ 天上响起了~~的雷声; 하늘에서 꽝꽝 하는 우렛소리가 들려왔다.
【轰鸣】 hōngmíng 동 요란스럽게 울리다. 쾅쾅거리다. 쿵쿵거리다. ❏ 工厂的机器日夜~着; 공장의 기계가 밤낮으로 요란스럽게 울려 댄다.
【轰然】 hōngrán 형 요란한 소리가 나는 모양. ❏ ~大笑; 큰 소리로 웃어대다.
【轰响】 hōngxiǎng 동 쿵쿵 울리다. 우르르 울려 퍼지다.
【轰炸】 hōngzhà 동 폭격하다. ❏ ~机; 폭격기.

哄 hōng (홍)
① 의 와. 왁자지껄《여러 사람이 크게 웃고 떠드는 소리》. ② 동 여러 사람이 왁자지껄하게 떠들다. ⇒ hǒng hòng
【哄传】 hōngchuán 동 (소문이) 떠

들썩하게 전해지다.
[哄动] hōngdòng 동 ⇨[轰动]
[哄抢] hōngqiǎng 동 (많은 사람들이) 앞다투어 사다. ❑ ~风; 사재기 열풍.
[哄然] hōngrán 형 여러 사람이 한꺼번에 소리를 내는 모양. ❑ 舆论~; 여론이 들끓다.
[哄抬] hōngtái 동 (투기꾼이) 가격을 부채질하다[끌어올리다]. ❑ ~物价; 물가를 부채질하다.
[哄堂大笑] hōngtáng-dàxiào 〈成〉 장내가 떠나가게 다 같이 큰 소리로 웃다.
[哄笑] hōngxiào 동 (여러 사람이) 동시에 크게 웃다.

烘 hōng (홍)
동 ① (불에) 데우다. 굽다. 쬐다. 말리다. ❑ ~手; 손을 쬐다. ② 부각시키다. 돋보이게 하다.
[烘焙] hōngbèi 동 (찻잎·담뱃잎 따위를) 불에 말리다.
[烘衬] hōngchèn 동 ⇨[烘托]
[烘干] hōnggān 동 불을 쬐어 말리다. 열을 가해 건조시키다.
[烘烘] hōnghōng 의 활활《불이 세차게 타오르는 소리》. ❑ 炉火~; 난로의 불이 활활 타다.
[烘托] hōngtuō 동 ① 먹이나 엷은 빛깔로 윤곽을 그리고 모양을 두드러지게 하다《중국 화법의 하나》. ② 〈比〉 도드라지게 하다. 부각시키다. ❑ ~英雄人物; 영웅적 인물을 부각시키다. ‖ =[烘衬]
[烘云托月] hōngyún-tuōyuè 〈成〉 다른 것을 내세워 주체를 돋보이게 하다.

弘 hóng (홍)
① 형 크다. ② 동 넓히다. 확대하다.
[弘论] hónglùn 명 ⇨[宏论]
[弘图] hóngtú 명 ⇨[宏图]
[弘愿] hóngyuàn 명 ⇨[宏愿]
[弘旨] hóngzhǐ 명 ⇨[宏旨]

泓 hóng (홍)
〈書〉 ① 형 물이 깊고 넓다. ② 양 맑은 강·바다 따위를 세는 말. ❑ 一~清泉; 맑은 샘물 한 줄기.

红(紅) hóng (홍)
① 형 붉다. 빨갛다. ❑ ~~的太阳; 붉디붉은 태양. ② 명 경사를 상징하는 붉은 천. ③ 형 순조롭다. 번창하다. 성공적이다. 인기가 있다. ❑ ~演员; 인기 배우. ④ 명 순익금. 이익 배당금. ⑤ 형 혁명적이다. 정치성이 높다. ❑ 又~又专; 혁명적이고 업무에도 우수하다.
[红白喜事] hóng bái xǐshì 혼례와 장례. 경조사. =[红白事]
[红榜] hóngbǎng 명 합격자나 표창자 발표 게시판.
[红包(儿)] hóngbāo(r) 명 ① 축하할 때나 격려·표창의 의미로 주는 돈을 싸는 붉은 봉투. ② 비공개 보너스. 촌지. 뇌물. 뒷돈. ❑ 送~; 보너스를 주다.
[红宝石] hóngbǎoshí 명〔鑛〕 루비(ruby). 홍보석.
[红茶] hóngchá 명 홍차.
[红潮] hóngcháo 명 ① (부끄러워) 얼굴이 빨개지는 것. 홍조. ❑ 脸上泛起~; 얼굴이 새빨개지다. ② ⇨[月经①] ③ ⇨[赤潮]
[红尘] hóngchén 명 홍진. 번화한 세상. 〈轉〉 인간 세상. 속세.
[红灯] hóngdēng 명 ① 붉은 초롱. 붉은 등. ❑ ~区; 홍등가. ② 빨간 신호등. 적신호. ❑ 开~; 적신호가 켜지다.
[红股] hónggǔ 명〔經〕 공로주. 우선주. 무상주.
[红鹳] hóngguàn 명 ⇨[火烈鸟]
[红火] hóng·huo 형 생기가 넘치다. 활기에 차 있다. 흥성하다. 번화하다. ❑ 晚会开得很~; 파티가 매우 성황리에 열리다.
[红利] hónglì 명 ①〔經〕 배당금. ② 보너스. 상여금.
[红脸] hóng//liǎn 동 얼굴을 붉히다. ① 부끄러워하다. ❑ 她红着脸走了过去; 그녀는 얼굴을 붉히며 지나갔다. ② 화를 내다. 성질을 부리다.
[红领巾] hónglǐngjīn 명 ① 빨간 네커치프(neckerchief)《소년 선봉대의 상징으로 쓰임》. ② 〈轉〉 소년 선봉대.
[红绿灯] hónglǜdēng 명 신호등.
[红萝卜] hóngluó·bo 명 ⇨[胡萝卜]
[红男绿女] hóngnán-lǜnǚ 〈成〉 아름답게 차려 입은 젊은 남녀.
[红牌(儿)] hóngpái(r) 명 ① 레드카드(red card). ② 〈比〉 경고.
[红扑扑(的)] hóngpūpū(·de) 형 (얼굴이) 홍조(紅潮)를 띤 모양. 발그레한 모양.
[红旗] hóngqí 명 ① 홍기《혁명 또는 승리를 상징하는 기》. ❑ 插~

홍기를 꽂다. ② 시합·경기의 우승자에게 주는 붉은 우승기. ③ 〈比〉 선진적인 것. 모범적인 것. ❏ ~单位; 선진적인 단체. 모범적인 직장.

[红人(儿)] hóngrén(r) 명 ① 총애와 신임을 받는 사람. 총아. ② 운이 좋은 사람.

[红润] hóngrùn 형 (피부 따위가) 붉고 윤기가 나다. ❏ 面色~; 얼굴이 붉고 윤기가 나다.

[红色] hóngsè 명 붉은색. 빨강. 적색. 형 공산주의적이다. 혁명적이다. ❏ ~政权; 공산 정권.

[红烧] hóngshāo 동 고기·생선 따위에 기름과 설탕을 넣어 살짝 볶다가 간장 따위의 조미료로 검붉게 익히다《중국 요리법의 하나》.

[红十字会] Hóngshízìhuì 명 적십자사.

[红薯] hóngshǔ 명 ⇨[甘薯]

[红糖] hóngtáng 명 흑설탕.

[红桃] hóngtáo 명 (트럼프의) 하트(heart).

[红通通(的)] hóngtōngtōng(·de) 형 새빨간 모양. 시뻘건 모양.

[红彤彤(的)] hóngtóngtóng(·de) 형 새빨간 모양. 시뻘건 모양. ❏ ~的太阳; 새빨간 태양.

[红外线] hóngwàixiàn 명〖物〗 적외선. ❏ ~疗法; 적외선 요법 / ~探测; 적외선 탐사.

[红细胞] hóngxìbāo 명〖生理〗 적혈구. =[红血球]

[红小豆] hóngxiǎodòu 명 ⇨[赤豆]

[红星] hóngxīng 명 ① 붉은 오각별. ② 인기 스타.

[红血球] hóngxuèqiú 명 ⇨[红细胞]

[红颜] hóngyán 명 미녀. 미인.

[红眼] hóng//yǎn 동 눈에 핏발이 서다. 성나다. 노하다. 형 부러워하다. 시기하다. 탐내다. 샘내다. (hóngyǎn) 명〈俗〉 ⇨[红眼病]

[红眼病] hóngyǎnbìng 명〖醫〗 결막염. =[〈俗〉 红眼]

[红艳艳(的)] hóngyànyàn(·de) 형 산뜻하고 선명하게 붉은 모양.

[红药水] hóngyàoshuǐ 명 ⇨[汞溴红]

[红叶] hóngyè 명 단풍. 홍엽.

[红运] hóngyùn 명 행운. 좋은 운수. ❏ 走~; 행운을 만나다. =[鸿运]

[红肿] hóngzhǒng 동 (종기 따위로) 피부가 벌겋게 부어오르다.

虹 hóng (홍)
명 무지개. =[彩虹]

鸿(鴻) hóng (홍)
① 명〖鳥〗 큰기러기. ② 형 크다. 넓다. ❏ ~篇巨制; ⇩ ③ 명〈書〉 편지. 서한(書翰).

[鸿福] hóngfú 명 ⇨[洪福]

[鸿沟] hónggōu 명〈比〉 커다란 격차. 분명한 경계선. 큰 차이. ❏ 不可逾越的~; 넘을 수 없는 경계선.

[鸿鹄] hónghú 명〈書〉 백조. 〈比〉 원대한 뜻을 품은 큰 인물. 영웅호걸. ❏ ~之志; 원대한 뜻.

[鸿毛] hóngmáo 명 기러기의 털. 〈比〉 경미한 것. 하찮은 것. ❏ 轻于~; 기러기털보다 가볍다.

[鸿篇巨制] hóngpiān-jùzhì 〈成〉 대작(大作). 거작(巨作).

[鸿图] hóngtú 명 ⇨[宏图]

[鸿雁] hóngyàn 명 ①〖鳥〗 큰기러기. =[大雁①] ② 〈書〉〈比〉 서신. 편지.

[鸿运] hóngyùn 명 ⇨[红运]

宏 hóng (굉)
형 크다. 거대하다.

[宏大] hóngdà 형 크다. 거대하다. 웅대하다. ❏ 规模~; 규모가 거대하다 / ~的抱负; 웅대한 포부.

[宏观] hóngguān 형 거시적(巨視的)인. 매크로(macro)의. ❏ ~观察; 거시적 관찰 / ~经济; 거시 경제 / ~世界; 거시적 세계.

[宏丽] hónglì 형 웅장하고 화려하다. ❏ ~的建筑; 웅장하고 화려한 건물.

[宏论] hónglùn 명 견식이 넓은 언론. =[弘论]

[宏图] hóngtú 명 원대한[웅대한] 계획. ❏ ~大略; 웅대한 계획과 방략(方略). =[弘图][鸿图]

[宏伟] hóngwěi 형 (규모·계획 따위가) 웅대하다. 장대하다. 원대하다. ❏ ~计划; 원대한 계획.

[宏愿] hóngyuàn 명 위대한 포부. 대망(大望). 큰 소원. =[弘愿]

[宏旨] hóngzhǐ 명 주된 취지. 대지(大旨). =[弘旨]

洪 hóng (홍)
① 형 크다. ❏ ~才; 큰 인재. ② 명 큰물. 홍수.

[洪大] hóngdà 형 (소리 따위가) 매우 크다. ❏ ~的回声; 커다란 메아리.

[洪峰] hóngfēng 명 수위가 최고점

에 달한 강물. 최고 수위에 달한 홍수(洪水).
[洪福] hóngfú 명 큰 행운. 큰 복. ❑ ~齐天; 〈成〉 무상(無上)의 행복. =[鸿福]
[洪荒] hónghuāng 명 태고(太古)의 혼돈. ❑ ~时代; 태고 시대.
[洪亮] hóngliàng 동 (소리가) 쩌렁쩌렁하다. ❑ 清脆而~的声音; 맑고 쩌렁쩌렁한 목소리.
[洪量] hóngliàng 명 ① 관대함. 대범함. ② 대단한 주량(酒量).
[洪流] hóngliú 명 ① 거대한 물결. ② 〈比〉 큰 흐름. 거센 흐름. ❑ 改革的~; 개혁의 거센 흐름.
[洪水] hóngshuǐ 명 홍수. 큰물. ❑ ~猛兽; 〈成〉 커다란 재난.
[洪灾] hóngzāi 명 홍수의 피해.

哄 hǒng (홍) 동 ① (거짓말로) 속이다. ❑ 你不要~我; 나를 속이지 마라. ② (말이나 행동으로) 달래다. 구슬리다. 어르다. ❑ 他很会~小孩儿; 그는 어린애를 잘 어른다. ⇒hōng hòng
[哄骗] hǒngpiàn 동 (거짓말이나 속임수로) 속이다. 기만하다.

讧(訌) hòng (홍) 동 분쟁이 일다. 혼란이 일다. ❑ 内~; 내분이 일다.

哄 hòng (홍) 동 떠들어 대다. 소란을 피우다. 장난치다. ❑ 一~而集; 와 하고 모이다. ⇒hōng hǒng

hou ㄏㄡ

侯 hóu (후) 명 ① (5등작(爵)의 제2위인) 후. ② 귀인고관(貴人高官).
[侯爵] hóujué 명 후작.

喉 hóu (후) 명 〖生理〗 목구멍. 후두.
[喉癌] hóu'ái 명 〖醫〗 후두암.
[喉咙] hóu·lóng 명 〖生理〗 목. 목구멍. 인후. ❑ ~发炎; 인후에 염증이 생기다.
[喉舌] hóushé 명 목구멍과 혀. 〈比〉 대변인. 대변자.
[喉头] hóutóu 명 〖生理〗 후두. 목구멍.
[喉炎] hóuyán 명 〖醫〗 후두염.

猴 hóu (후) ① (~儿) 명 〖動〗 원숭이. ② 형 〈方〉 (주로, 어린아이가) 재치있다. 기민하다. 영리하다. ③ 동 〈方〉 (원숭이처럼) 쪼그려 앉다. ❑ ~下腰蹲着; 원숭이처럼 허리를 숙여 쪼그려 앉다.
[猴筋儿] hóujīnr 명 ⇨[橡皮筋(儿)]
[猴皮筋儿] hóupíjīnr 명 〈口〉 ⇨ [橡皮筋(儿)]
[猴戏] hóuxì 명 (서커스 따위에서의) 원숭이가 부리는 재주.
[猴子] hóu·zi 명 〖動〗 원숭이.

吼 hǒu (후) 동 ① (맹수가) 울부짖다. 포효하다. ❑ 狮子~; 사자가 포효하다. ② 고함치다. 큰 소리로 외치다. ❑ 怒~; 노호(怒號)하다. ③ (바람·대포 따위가) 큰 소리를 내다. ❑ ~声; ⇩
[吼叫] hǒujiào 동 큰 소리로 외치다. 고함치다. 울부짖다. 포효하다.
[吼声] hǒushēng 명 커다란 울림소리. 큰 함성.

后(後) A) hòu (후) A) ① 명 뒤. 뒤쪽. 후방(《공간을 나타냄》). ❑ 往~退; 뒤로 물러서다. ② 명 후. 나중. 다음. 뒤(《시간을 나타냄》). ❑ 饭~去散步; 식사 후에 산책을 가다. ③ 명 (순서의) 뒤. ❑ ~十名都不及格; 뒤의 10 명은 모두 불합격했다. ④ 명 후대(後代). 후사(後嗣). 자손. ❑ 绝~; 대가 끊기다. ⑤ 형 (친족 관계에서) 뒤를 잇는. ❑ ~妈; ⇩ B) 명 ① 황후. ② 제후(諸侯). 군주(君主).
[后半] hòubàn 명 후반. ❑ ~场; 〖體〗 후반. 후반전.
[后半天(儿)] hòubàntiān(r) 명 ⇨[下午]
[后备] hòubèi 명형 (인원·물자 따위의) 예비(의). 보결(의). ❑ ~队员; 보결 선수. 후보 선수 / ~粮; 비축 식량 / ~软盘; 백업 디스켓(backup diskette).
[后备军] hòubèijūn 명 ① 〖軍〗 예비군. 예비역 군인. ② 예비군. ❑ 产业~; 산업 예비군.
[后辈] hòubèi 명 ① 자손. 후대. ② 후배. 후진의 사람.
[后边(儿)] hòu·bian(r) 명 ⇨[后面(儿)]
[后尘] hòuchén 명 〈書〉 사람이 지나간 뒤에 일어나는 흙먼지. 〈比〉 남의 뒤. ❑ 步人~; 남의 뒤를 따라 걷다.

[后步] hòubù 명 (무엇을 하거나 말할 때 남겨 두는) 여지. 물러설 곳. ❏留~; 여지를 남겨 두다.
[后代] hòudài 명 ① 후대(後代). 후세. 다음 세대. =[后世①] ② 후손. 자손. ❏绝~; 대가 끊기다.
[后爹] hòudiē 명〈口〉⇨[继父]
[后盾] hòudùn 명 지원 세력. 후견자. 후원자.
[后方] hòufāng 명 ① 뒤. 뒤쪽. 후방. ❏~发现了敌人; 뒤쪽에서 적군이 발견되었다. ② (전선(前線)에 대하여) 후방. ❏撤到~; 후방으로 물러나다.
[后父] hòufù 명 ⇨[继父]
[后跟(儿)] hòugēn(r) 명 ① 뒤꿈치. ② (신발의) 뒷굽.
[后顾] hòugù 동 ① 고개를 돌려 살피다. 뒤를 돌보다. ❏~之忧; 〈成〉 후고의 염려. ② 회고하다. 회상하다. ❏~与前瞻; 회고와 전망(展望).
[后果] hòuguǒ 명 후과. 최후의 결과《주로, 나쁜 쪽으로 쓰임》. ❏洪水造成了严重~; 홍수가 심각한 결과를 초래했다.
[后患] hòuhuàn 명 후환. 뒤탈. ❏~无穷; 〈成〉 후환이 끝이 없다.
[后悔] hòuhuǐ 동 후회하다. ❏~也晚了; 후회해도 늦었다 / ~莫及; 〈成〉 후회막급이다.
[后记] hòujì 명 후기. 맺음말.
[后继] hòujì 동 후계하다. 뒤를 잇다. ❏~有人; 〈成〉 (뒤를 이을) 후계자가 있다.
[后进] hòujìn 명 ① 후배. 후진. ② 뒤진 사람[단체]. 진보가 느린 사람[단체]. 형 진보가 느린. 수준이 낮은. ❏~班组; 후진 그룹.
[后劲(儿)] hòujìn(r) 명 ① 후에 천천히 나타나는 작용이나 힘. ❏这酒挺有~; 이 술은 나중에 술기운이 확 올라온다. ② 뒤에 쓸 힘. 후반(後半)의 힘.
[后来] hòulái 명 후. 이후. 나중. ❏他没有寄回家一个钱, ~连个信息也没有了; 그는 집에 돈 한 푼 부치지 않더니, 나중에는 소식조차 없어졌다. =[〈方〉后头③] 형 후임의. 후계의. ❏~人; 후계자. 후임자.
[后来居上] hòulái-jūshàng 〈成〉 나중의 것이 종전의 것을 앞서다.
[后浪推前浪] hòu làng tuī qiánlàng 〈成〉 뒤의 것이 앞의 것을 밀어서 끊임없이 전진하게 하다.
[后路] hòulù 명 ①〖軍〗 군대 배후의 보급로나 퇴로. ❏打断~; 퇴로를 차단하다. ② 〈比〉 (말이나 행동에서의) 물러설 여지. 돌이킬 여지.
[后轮] hòulún 명 뒷바퀴.
[后妈] hòumā 명〈口〉⇨[继母]
[后门(儿)] hòumén(r) 명 ① 뒷문. 후문. ② 〈比〉 뒷구멍. 부정한 경로[수단]. ❏~交易; 뒷거래.
[后面(儿)] hòumiàn(r) 명 ① (공간상의) 뒤. 뒤쪽. ❏~有门; 뒤쪽에 문이 있다. ② (시간·순서상의) 뒤. 뒷부분. 후. 나중. ❏他不能落在别人~; 그는 다른 사람의 뒤에 처져 있을 수 없다. ‖ =[后边(儿)][后头①②]
[后母] hòumǔ 명 ⇨[继母]
[后脑勺儿] hòunǎosháor 명〈口〉 뒤통수. =[后脑勺子]
[后年] hòunián 명 후년.
[后娘] hòuniáng 명〈口〉⇨[继母]
[后怕] hòupà 동 나중에 회상하고 몸을 떨다. 나중에 겁이 나다. ❏当时我倒没理会, 现在想想怪~的; 나는 당시에는 몰랐는데, 나중에 생각하니 정말 몸서리가 쳐진다.
[后期] hòuqī 명 후기(後期). ❏80年代~; 80년대 후기.
[后起] hòuqǐ 형 나중에 나온. 새롭게 성장하는. 후발의. ❏~之秀; 〈成〉 나중에 나온 우수한 신인.
[后勤] hòuqín 명 후방 근무. 병참 근무. ❏~部队; 병참 부대 / ~基地; 병참 기지.
[后人] hòurén 명 ① 후세 사람. ❏前人种树, ~乘凉; 〈成〉 전대의 사람이 고생을 하면 후대의 사람이 편하다. ② 자손. 후예. 후손.
[后任] hòurèn 명 후임.
[后身] hòushēn 명 ① (~儿) (사람의) 뒷모습. 뒤태. ② (~儿) (옷의) 뒷길. 뒷자락. ③ (~儿) (집 따위의) 뒤. 뒤꼍. ④ (기구(機構)·제도 따위의) 후신(後身).
[后生] hòu·shēng 〈方〉 명 젊은 남자. 젊은이. 〈轉〉 후진. 후배. ❏~可畏; 〈成〉 젊은 후진에게는 선배를 앞지를 힘이 있어 경외할 만하다. 형 젊다. 젊어 보이다. ❏这人的长相儿十分~; 이 사람의 용모는 매우 젊어 보인다.
[后世] hòushì 명 ① ⇨[后代①] ② 후손. 후예. ③〖佛〗 내세.
[后事] hòushì 명 ① 뒷일. 뒷사정.

② 사후(死後)의 뒤처리. 장례. 장사. ❑老人的～办得很简朴; 노인의 장례는 매우 간소하게 치러졌다.

[后视镜] hòushìjìng 명 (자동차의) 백미러(back mirror).

[后嗣] hòusì 명 후사. 자손.

[后台] hòutái 명 ① 무대 뒤. 백스테이지(backstage). ②〈比〉 배후. 뒷배. 백. ❑他的～很硬; 그의 백은 매우 든든하다.

[后天] hòutiān 명 ① 모레. ② 후천(적). ❑～免疫; 후천성 면역.

[后头] hòu·tou 명 ① (공간상의) 뒤. 뒤쪽. ❑村子～有座山; 마을 뒤쪽에 산이 있다. ② (순서·시간상의) 뒤. 후. 나중. ❑有意见～提; 의견이 있으면 나중에 말해라. ‖ =[后面(儿)][后边(儿)] ③〈方〉 ⇨[后来]

[后退] hòutuì 동 후퇴하다. 물러서다. 물러나다. ❑全面～; 전면 후퇴하다.

[后卫] hòuwèi 명 ①〖軍〗 후위. ②〖體〗 (럭비·축구 따위의) 풀백(fullback). ③〖體〗 (농구의) 가드(guard).

[后效] hòuxiào 명 장래의 효과. 이후의 효과. 앞으로의 태도.

[后续] hòuxù 형 후속의. ❑～部队; 후속 부대. 동〈方〉 ⇨[续弦]

[后遗症] hòuyízhèng 명 ①〖醫〗 후유증. ②〈比〉 어떤 일을 치르고 난 뒤의 부작용.

[后裔] hòuyì 명 후예.

[后援] hòuyuán 명 후방의 원군. 〈轉〉 후원. 지원. ❑～会; 후원회.

[后院(儿)] hòuyuàn(r) 명 ① 뒤뜰. 후원. ②〈比〉 후방. 내부.

[后者] hòuzhě 명 후자. 뒤의 것.

[后缀] hòuzhuì 명〖言〗 접미사(接尾辭). =[词尾]

逅 hòu (후)
→[邂xiè逅]

厚 hòu (후)
① 형 두껍다. ❑昨夜雪下得很～; 어젯밤에 눈이 매우 많이 내렸다. ② 명 두께. ③ 형 (감정이) 두텁다. 깊다. ❑～意; ⇩ ④ 형 너그럽다. 친절하다. 성실하다. ❑～道; ⇩ ⑤ 형 (농도나 맛이) 짙다. 진하다. ❑味道很～; 맛이 매우 진하다. ⑥ 형 (수량·가치가) 많다. 크다. 풍부하다. ❑礼虽不～, 但情意到了; 선물은 크지 않지만, 마음은 전해졌다. ⑦ 형 (가산이) 풍부하다. 풍족하다. 윤택하다. ❑家底儿～; 집안의 생활 기반이 튼튼하다. ⑧ 동 중시하다. 우대하다. ❑～此薄彼; ⇩

[厚薄] hòubó 명 ① ⇨[厚度] ② 중시함과 경시함. 우대와 홀대.

[厚此薄彼] hòucǐ-bóbǐ 〈成〉 한 쪽은 우대·중시하고 다른 쪽은 냉대·경시하다《불공평하게 대하다》.

[厚待] hòudài 동 후대하다. 후한 대접을 하다. 우대하다. ❑感谢您的～; 당신의 후대에 감사드립니다.

[厚道] hòu·dao 형 후하고 따뜻하다. 인정미가 있다. 친절하다.

[厚度] hòudù 명 두껍고 얇은 정도. 두께. =[厚薄①]

[厚墩墩(的)] hòudūndūn(·de) 형 두툼한 모양. ❑～的棉大衣; 두툼한 솜외투.

[厚古薄今] hòugǔ-bójīn 〈成〉 옛것을 중시하고 지금 것을 경시하다.

[厚今薄古] hòujīn-bógǔ 〈成〉 지금 것을 중시하고 옛것을 경시하다.

[厚礼] hòulǐ 명 후한 선물. 큰 선물.

[厚利] hòulì 명 ① 큰 이익. ❑厂子获得了～; 공장은 큰 이익을 얻었다. ② 비싼 이자. 고금리.

[厚脸] hòuliǎn 형 얼굴이 두껍다. 뻔뻔스럽다. (hòu//liǎn) 동 (주로, '厚着脸'으로) 뻔뻔스럽게 하다. 얼굴에 철판을 깔다. ‖ =[厚脸皮]

[厚实] hòu·shi 형〈口〉 ① 두껍다. 두툼하다. ❑～的脸; 포동포동한 얼굴. ② 두툼하고 실하다. 넓고 단단하다. ❑～的肩膀; 넓고 단단한 어깨. ③ (기초 따위가) 튼튼하다. 견고하다. 탄탄하다. ❑功底～; 기본기가 탄탄하다. ④ 풍족하다. 유복하다. ❑～的生活基础; 풍족한 생활상의 기반.

[厚望] hòuwàng 명 큰 기대. 큰 바람.

[厚颜] hòuyán 형 낯짝이 두껍다. 뻔뻔스럽다. ❑～无耻; 〈成〉 낯짝이 두꺼워 부끄러운 줄도 모르다.

[厚谊] hòuyì 명 후의. 깊은 정의. 두터운 정의.

[厚意] hòuyì 명 후의. 친절.

[厚重] hòuzhòng 형 ① 두껍고 무겁다. ② 푸짐하다. 후하다. ❑～的礼物; 후한 선물.

候 hòu (후)
① 동 기다리다. ❑你先在这儿～一～, 他就来! 우선 잠시만 여기

서 기다리면 그가 곧 올 거야! ② 동 안부를 묻다. 인사하다. 문안하다. ❑ 致~; 안부를 묻다. ③ 명 때. 철. 계절. ④ (~儿) 명 상황. 상태. 정도. ❑ 症~; 증상.

[候补] hòubǔ 명동 후보(가 되다). ❑ ~队员; 후보 선수.

[候车] hòuchē 동 차를 기다리다. ❑ ~室; (버스 터미널의) 대합실.

[候机] hòujī 동 비행기를 기다리다. ❑ ~楼; 공항 터미널.

[候客室] hòukèshì 명 대합실.

[候鸟] hòuniǎo 명〔動〕철새.

[候选人] hòuxuǎnrén 명 입후보자. ❑ 总统~; 대통령 입후보자.

[候诊] hòuzhěn 동 진찰을 기다리다. ❑ ~室; 환자 대기실.

hu ㄏㄨ

乎 hū (호)

A) 조〈書〉 ① 의문·반문을 나타냄. ❑ 王侯将相宁有种~? 왕후장상의 씨가 어찌 따로 있겠는가? ② 선택의 의문을 나타냄. ❑ 然~? 否~? 그런가? 안 그런가? ③ 추측을 나타냄. ❑ 知我者其天~? 나를 아는 것은 아마도 하늘일까? ④ 감탄을 나타냄. ❑ 天~! 하늘이시여! **B)** 접미 ① 동사 뒤에 붙는 말. ❑ 异~寻常; 평소와 다르다. ② 형용사나 부사의 뒤에 붙는 말. ❑ 迥~不同; 〈成〉 현저히 다르다.

呼 hū (호)

① 동 숨을 내쉬다. ❑ ~吸; ⇩ ② 동 (큰 소리로) 외치다. ❑ ~口号; 구호를 외치다. ③ 동 부르다. 불러오다. ❑ 直~其名; 이름을 직접 부르다. ④ 의 휙. 윙《바람 소리》. ❑ 风~~刮着, 刮得人睁不开眼睛; 바람이 눈을 뜰 수 없을 정도로 윙윙 불고 있다.

[呼哧] hūchī 의 헉헉《숨을 헐떡이는 소리》. ❑ 他拉着一辆货车, ~~地走过来了; 그는 짐수레를 끌고 헉헉거리면서 걸어왔다.

[呼风唤雨] hūfēng-huànyǔ 〈成〉 비바람을 부르다《① 선인(仙人)의 염력(念力)을 이름. ② 자연을 지배하는 힘을 지니다. ③ 형세나 대국을 쥐고 흔들 수 있는 힘을 갖다. ④ 선동적인 활동을 벌이다》.

[呼喊] hūhǎn 동 외치다. 부르다. 고함치다. ❑ 对岸有人在~; 맞은편 기슭에서 누군가가 고함을 치고 있다.

[呼号] hūháo 동 큰 소리로 부르짖다. 울부짖다.

[呼号] hūhào 명 ① (라디오 따위의) 콜 사인(call sign). 호출 부호. ② 슬로건(slogan). 모토(motto).

[呼唤] hūhuàn 동 ① (오라고) 부르다. 불러들이다. ❑ ~服务员; 종업원을 부르다. ② 큰 소리로 부르다. 소리 높여 외치다. ❑ 大声~; 큰 소리로 외치다.

[呼机] hūjī 명〈簡〉 ⇨[寻呼机]

[呼叫] hūjiào 동 ① (무선으로) 부르다. 호출하다. ❑ ~信号; 호출 신호. ② 큰 소리로 외치다.

[呼救] hūjiù 동 소리쳐 구조를 요청하다. ❑ ~信号; 구조 요청 신호.

[呼啦圈] hūlāquān 명〈音義〉 훌라후프(hula hoop).

[呼拉舞] hūlāwǔ 명〔舞〕〈音義〉 훌라(hula)춤. ＝[草裙舞]

[呼噜] hūlū 의 드르렁. 그르렁《코나 목에서 나는 소리》.

[呼噜] hū·lu 명〈口〉 코 고는 소리. ❑ 打~; 코를 골다.

[呼哨] hūshào 명 (손가락을 입에 대고 부는) 휘파람. ❑ 打~; 휘파람을 불다.

[呼声] hūshēng 명 ① 외침 소리. 고함 소리. ② 〈比〉 세론(世論). 대중의 소리. ❑ 正义~; 정의의 외침.

[呼台] hūtái 명〈簡〉 ⇨[寻呼台]

[呼天抢地] hūtiān-qiāngdì 〈成〉 하늘을 보고 외치고 머리로 땅을 치다《몹시 비통해하는 모양》.

[呼吸] hūxī 동 호흡하다. 숨 쉬다. ❑ 和群众同~; 대중과 함께 호흡하다 / ~器; 호흡기 / 人工~; 인공호흡 / ~障碍; 호흡 장애.

[呼啸] hūxiào 동 높고 긴 소리를 내다. ❑ 炮弹在天空中~; 포탄이 공중에서 씽 하고 소리를 내다.

[呼应] hūyìng 동 호응하다. ❑ 前后~; 앞뒤가 호응하다.

[呼吁] hūyù 동 (지지·원조 따위를) 간청하다. 호소하다. ❑ 向群众~; 대중에게 호소하다.

[呼之欲出] hūzhī-yùchū 〈成〉 (작품 속의 인물·인물화의 묘사가) 부르면걸어 나올 듯 생생하다.

忽 hū (홀)

① 동 소홀히 하다. 부주의하

다. ❏疏～; 소홀히 하다 ② 부 홀연히. 갑자기. 느닷없이. ❏灯光～明～暗; 등불이 밝아졌다 어두워졌다 한다.

[忽地] hūdì 부 갑자기. 별안간. 느닷없이. ❏灯～灭了; 갑자기 등불이 꺼졌다.

[忽而] hū'ér 부 갑자기. 확. 싹《주로, 뜻이 서로 가깝거나 상대적인 동사나 형용사 앞에 쓰임》. ❏歌声～高, ～低; 노랫소리가 높아졌다 낮아졌다 하다.

[忽略] hūlüè 동 등한히 하다. 소홀히 하다.

[忽然] hūrán 부 갑자기. 별안간. 느닷없이. ❏正演着戏, ～灯灭了; 한창 연극이 진행 중인데 갑자기 불이 꺼졌다.

[忽闪] hūshǎn 동 빛이 번쩍이다. 번쩍이며 빛을 내다. ❏电光～一亮; 번갯불이 번쩍하고 빛나다.

[忽闪] hū·shan 동 (눈을) 반짝이다. 빛내다. ❏她～着大眼睛望着我; 그녀는 큰 눈을 반짝이며 나를 바라보고 있다.

[忽视] hūshì 동 홀시하다. 경시하다. 소홀히 하다. ❏对儿童的教育问题不能～; 아동의 교육 문제를 소홀히 해선 안 된다.

[忽悠] hū·you 동〈方〉 흔들흔들하다. 흔들흔들 움직이다. ❏小船～着飘过来了; 작은 배가 흔들흔들 움직이며 떠내려 왔다.

惚 hū (홀)
→[恍huǎng惚]

糊 hū (호)
동 (진득거리는 것으로 틈·구멍 따위를) 메우다. 칠하다. 바르다. ❏～了一层泥; 진흙을 한 겹 발랐다. ⇒hú hù

囫 hú (홀)
→[囫囵]

[囫囵] húlún 형 통째로의. 완전한. 온전한. 고스란한. ❏～觉; 밤새 깨지 않고 푹 자는 잠 / ～而食; 통째로 먹다 / ～吞枣; 〈成〉 대추를 통째로 삼키다《사물을 잘 분석하지 않고 그대로 받아들이다》.

狐 hú (호)
명〔動〕 여우. ＝[狐狸]

[狐臭] húchòu 명 (겨드랑이 따위의) 암내.

[狐假虎威] hújiǎhǔwēi 〈成〉 남의 권세를 빌려 위세를 부리다.

[狐狸] hú·li 명〔動〕 여우. ＝[狐]

[狐狸精] hú·lijīng 명〈罵〉 여우 같은 년. 요망한 년. 불여우.

[狐狸尾巴] hú·li wěi·ba 여우 꼬리. 〈比〉 결국은 발각될 나쁜 생각[행위].

[狐群狗党] húqún-gǒudǎng 〈成〉 함께 뭉쳐 나쁜 짓을 하는 패거리.

[狐疑] húyí 동 의심을 품다. 잔뜩 의심하다. ❏～不决; 〈成〉 의심을 품어 결단을 못 내리다.

弧 hú (호)
명〔數〕 호(弧).

[弧光] húguāng 명〔電〕 호광. ❏～灯; 아크등.

胡(鬍)⑤ hú (호)
① (Hú) 명 호. 오랑캐. ② 명 이민족의 것. 외국에서 들어온 것. ③ 부 무턱대고. 터무니없이. 제멋대로. ❏～闹; ⇩ ④ 대 〈書〉 어찌하여. 왜. ❏～不归? 왜 돌아가지 않느냐? ⑤ 명 수염.

[胡扯] húchě 동 ① 한담하다. 잡담하다. 수다 떨다. ❏我们～了一通; 우리는 한바탕 수다를 떨었다. ② 쓸데없는 소리를 하다. 헛소리를 해 대다. ❏别听他～; 그가 헛소리하는 것을 믿지 마라.

[胡蝶] húdié 명 ⇒[蝴蝶]

[胡蜂] húfēng 명〔蟲〕 말벌. ＝[马蜂]

[胡话] húhuà 명 헛소리. ❏你昨晚喝醉了, 直说～; 너는 어젯밤에 술에 취해서 계속 헛소리를 해 댔다.

[胡椒] hújiāo 명〔植〕 후추. ❏～面儿; 후춧가루.

[胡搅] hújiǎo 동 ① 말썽을 피우다. 소란을 피우다. 문제를 일으키다. ❏快走吧, 别在这儿～; 여기서 소란 피우지 말고 어서 가라. ② 억지 부리다. 강변하다. ❏～蛮缠; 〈成〉 억지 부리며 마구 매달리다.

[胡来] húlái 동 ① 생각 없이 함부로 하다. 규칙을 따르지 않고 마음대로 하다. ❏开机器, 可不能～; 기계를 켤 때는 규칙을 따르지 않고 마음대로 해서는 안 된다. ② 소란을 피우다. 제멋대로 하다.

[胡乱] húluàn 부 ① 아무렇게나. 되는대로. 대충. ❏他～吃了几口饭又下地去了; 그는 식사도 하는 둥 마는 둥 하고 또 밭에 나갔다. ② 함부로. 멋대로. 마구. ❏～砍树; 함부로 벌목하다.

[胡萝卜] húluó·bo 명〔植〕 당근.

홍당무. =[红萝卜]
[胡闹] húnào 동 소란을 피우다. 문제를 일으키다. 난리를 피우다. ❑瞎~; 공연히 소란을 피우다.
[胡琴(儿)] hú·qin(r) 명〔樂〕 호금. 호궁.
[胡说] húshuō 명동 터무니없는 말(을 하다). 헛소리(하다). ❑会上他又~了一通; 회의석상에서 그는 또 한바탕 헛소리를 해 댔다.
[胡说八道] húshuō-bādào 〈成〉 엉터리로 말하다. 헛소리하다. =[胡言乱语]
[胡思乱想] húsī-luànxiǎng 〈成〉 이것저것 쓸데없는[터무니없는] 생각을 하다.
[胡荽] húsuī 명 ⇨[芫yán荽]
[胡桃] hútáo 명 ⇨[核hé桃]
[胡同(儿)] hútòng(r) 명 골목《골목의 명칭에 쓰일 때는 '儿化' 하지 않으며, '同'을 경성으로 읽음》.
[胡涂] hú·tu 형 ⇨[糊涂]
[胡须] húxū 명 ⇨[胡子]
[胡言乱语] húyán-luànyǔ 〈成〉 ⇨[胡说八道]
[胡诌] húzhōu 동 입에서 나오는 대로 멋대로 지어내다. ❑这个故事是我~出来的; 이 이야기는 내가 입에서 나오는 대로 지어낸 것이다.
[胡子] hú·zi 명 수염. =[胡须]
[胡作非为] húzuò-fēiwéi 〈成〉 제멋대로 무도한 행위를 하다.

湖 hú (호)
명 호수.
[湖泊] húpō 명 호수《총칭》.
[湖色] húsè 명〔色〕 연두색. 엷은 녹색.

葫 hú (호)
→[葫芦]
[葫芦] hú·lu 명〔植〕 호리병박. 조롱박.

猢 hú (호)
→[猢狲]
[猢狲] húsūn 명〔動〕〈方〉 원숭이. 긴꼬리원숭이.

煳 hú (호)
동 눋다. 눌리다. 타다. ❑饭烧~了; 밥이 탔다. =[糊hú②]

瑚 hú (호)
→[珊shān瑚]

糊 hú (호)
① 동 (풀로) 붙이다. 바르다. ❑~顶棚; 천장에 종이를 붙이다. ② 동 ⇨[煳] ③ 명 죽. ⇒hū hù
[糊口] húkǒu 동 입에 풀칠하다. 겨우 생활하다.
[糊里糊涂] hú·lihútú 형 어리둥절하다. 어리벙벙하다. 얼떨떨하다. ❑他~就成了明星; 그는 얼떨결에 스타가 되었다.
[糊涂] hú·tu 형 ① 어리석다. 멍청하다. 맹하다. 얼빠지다. ❑他从不办~事; 그는 여태껏 멍청한 짓을 한 적이 없다 / ~虫; 〈罵〉 얼간이. 멍청이. ② 〈方〉 모호하다. 애매하다. 헷갈리다. ❑这篇文章, 我越看越~; 이 문장은 보면 볼수록 헷갈린다. ③ 엉터리이다. 엉망이다. ❑他的考卷答得糊糊涂涂的; 그의 시험 답안은 엉터리이다 / ~账; 엉터리 장부. ‖ =[胡涂]

蝴 hú (호)
→[蝴蝶]
[蝴蝶] húdié 명〔蟲〕 나비. =[胡蝶][〈簡〉 蝶]
[蝴蝶结] húdiéjié 명 나비매듭.

壶(壺) hú (호)
명 작은 술병. 주전자. ❑水~; 물주전자.

核 hú (핵)
→[核儿] ⇒hé
[核儿] húr 명〈口〉 ① (과실의) 씨. 핵심. ② 씨와 비슷한 물질.

鹄(鵠) hú (곡)
명〈書〉 백조.
[鹄立] húlì 동〈書〉 곧추서다.

虎 hǔ (호)
① 명〔動〕 호랑이. 범. ② 형 〈比〉 용맹하다. ❑~将; ⇩
[虎背熊腰] hǔbèi-xióngyāo 〈成〉 호랑이의 등과 곰의 허리《튼튼하고 건장한 몸》.
[虎将] hǔjiàng 명 용장. 맹장.
[虎劲(儿)] hǔjìn(r) 명 굉장한 힘. 뚝심. 용맹한 기세.
[虎踞龙盘] hǔjù-lóngpán 〈成〉 호랑이가 웅크리고 용이 서려 있는 듯하다《지세(地勢)가 매우 험요하다》. =[虎踞龙蹯][龙盘虎踞]
[虎口] hǔkǒu 명 ① 호랑이의 아가리. 〈比〉 매우 위험한 상황[지경]. ❑~拔牙; 〈成〉 호랑이 아가리에서 이를 뽑다《매우 위험한 모험을 하다》/ ~余生; 〈成〉 호랑이 아가리에서 목숨을 건지다《구사일생으로 목숨을 건지다》. ② 손아귀.
[虎狼] hǔláng 명〈比〉 흉악하고 사나운 사람. ❑~之势; 〈成〉 매우 흉악하고 사나운 위세.
[虎视眈眈] hǔshì-dāndān 〈成〉

호시탐탐《강포한 눈초리로 틈만 엿보이면 덤벼들려고 노려보는 모양》.

[虎实] hǔ·shi 형〈方〉 풍채가 좋다. 건장하다. =[虎势·shi]

[虎头虎脑] hǔtóu-hǔnǎo 〈成〉 (주로, 사내아이가) 건장하고 우직하다.

[虎头蛇尾] hǔtóu-shéwěi 〈成〉 일을 시작하는 기세는 대단하지만 뒷심이 부족하다. 용두사미.

[虎穴] hǔxué 명 호랑이 굴. 〈比〉 위험한 상황[지경]. ❑不入~, 焉得虎子? 〈諺〉 호랑이 굴에 들어가지 않고 어찌 호랑이를 잡을 수 있겠는가?《위험을 무릅써야만 그에 마땅한 성과를 얻을 수 있다》.

[虎跃龙腾] hǔyuè-lóngténg 〈成〉 ⇨[龙腾虎跃]

唬 hǔ (효)
동〈口〉 (허세를 부리거나 일을 부풀려) 위협하다. 놀라게 하다. ❑你以为这么几句话就能把我~住吗? 이 몇 마디 말로 나를 위협할 수 있으리라 생각했느냐?

琥 hǔ (호)
→[琥珀]

[琥珀] hǔpò 명〖鑛〗 호박.

互 hù (호)
부 상호. 서로《단음절의 동사만을 수식하며, 쌍음절 동사는 부정형으로만 수식할 수 있음》. ❑~送礼物; 서로 선물을 주고받다 / ~不干涉; 상호 불간섭.

[互补] hùbǔ 동 상호 보완하다.

[互换] hùhuàn 동 서로 교환하다. 호환하다. ❑~资料; 자료를 서로 교환하다.

[互惠] hùhuì 동 호혜적으로 하다. ❑~条约; 호혜 조약 / ~原则; 호혜 원칙 / ~主义; 호혜주의.

[互利] hùlì 동 서로에게 유리하다. 서로 이익을 얻다. ❑~互助; 서로 이득을 보고 서로 돕다.

[互联网] hùliánwǎng 명〖컴〗 인터넷(internet).

[互让] hùràng 동 서로 양보하다. ❑互助~; 서로 돕고 양보하다.

[互通] hùtōng 동 서로 교류하다. ❑~有无; 〈成〉 유무상통하다.

[互相] hùxiāng 부 서로. 상호《주로, 쌍음절의 동사를 수식하며, 이때 동사는 목적어를 갖지 못함》. ❑~帮助; 서로 돕다 / ~理解; 서로 이해하다.

[互助] hùzhù 동 서로 돕다. 상호부조하다. ❑团结~; 단결하여 서로 돕다.

户 hù (호)
① 명 문. ② 명 집. 세대. 가구. ❑困难~; 생활이 어려운 가구. ③ 접미 수요자 · 예약 구매자 따위를 나타냄. ❑买~; 구매자 / 用~; 사용자. ④ 명 집안. 가문 ⑤ 명 계좌(計座). ❑开~; 계좌를 개설하다. ⑥ 양 집. 세대. 가구《가구 수를 세는 말》. ❑十几~人家 십여 가구의 인가.

[户籍] hùjí 명 호적.

[户口] hùkǒu 명 ① 호수와 인구. 호구. ❑~普查; 호구 조사. ② 호적. ❑编入~; 호적에 넣다 / ~簿 =[~本儿]; 주민등록표. 호적부.

[户枢不蠹] hùshū-bùdù 〈成〉 문지도리는 벌레 먹지 않는다《흐르는 물은 썩지 않는다》.

[户头] hùtóu 명 계좌(計座). 거래선(去來先).

[户主] hùzhǔ 명 호주. 세대주.

沪(滬) Hù (호)
명〖地〗 상하이(上海)의 별칭.

护(護) hù (호)
동 ① 보호하다. 지키다. ❑爱~; 애호하다. ② 감싸 주다. 두둔하다. ❑~短; ⇩

[护兵] hùbīng 명 호위병.

[护短] hù//duǎn 동 과실[단점]을 감싸다[두둔하다]. ❑对孩子不要~; 아이의 잘못을 두둔하지 마라.

[护肤品] hùfūpǐn 명 기초 화장품

[护符] hùfú 명 ⇨[护身符]

[护工] hùgōng 명 간병인.

[护航] hùháng 동 (선박 · 비행기의) 항행을 호위하다. ❑~机; 호위기

[护理] hùlǐ 동 ① (환자의) 시중을 들다. 간호하다. 간병하다. ❑~病人; 환자를 간호하다. ② 돌보다. 보호 관리 하다. ❑精心~树木; 나무를 정성껏 돌보다.

[护目镜] hùmùjìng 명 보안경. 고글(goggle).

[护身符] hùshēnfú 명 ① 호신부. 호신용 부적. ②〈比〉 어려움이나 징벌을 피할 수 있게 해 주는 사람[사물]. 부적 같은 존재. ‖ =[护符]

[护士] hù·shi 명 간호사.

[护送] hùsòng 동 호송하다. ❑救灾物资; 구제 물자를 호송하다.

[护卫] hùwèi 동 지키다. 호위하

다. 명 호위병.

护养] hùyǎng 동 ① 보살피며 가꾸다. 정성껏 키우다. ❏ ~秧苗; 모종을 가꾸다. ② 보수하다. 손질하다. ❏ ~公路; 도로를 보수하다.

护照] hùzhào 명 여권(旅券). ❏ ~号码; 여권 번호.

扈 hù (호)
동〈書〉 따르다. 수행하다.

怙 hù (호)
동〈書〉 기대다. 의지하다. 의뢰하다. 믿다.

怙恶不悛] hù'è-bùquān 〈成〉 나쁜 짓을 계속하며 회개하지 않다.

笏 hù (홀)
명 홀(옛날, 고관들이 조현(朝見) 때에 오른손에 들던 널빤지).

糊 hù (호)
명 되직하고 곤죽 같은 음식물. ⇒hū hú

糊弄] hù·nong 동〈方〉 ① 속여 넘기다. 사기 치다. ❏ 你别想~我; 나를 속일 생각은 하지 마라. ② 아쉬운 대로 때우다. 그럭저럭 지내다. ❏ 自行车还能~着骑; 자전거가 아직 그런대로 탈 만하다.

hua ㄏㄨㄚ

花 huā (화)
① (~儿) 명 꽃. ② (~儿) 명 꽃 모양의 것. ❏ 火~; 불꽃 / 雪~; 눈송이. ③ 명 꽃불. 폭죽. ❏ 放~; 폭죽을 쏘다. ④ (~儿) 명 장식용 도안(圖案). 무늬. ❏ 新~样子; 새 무늬의 견본. ⑤ 형 알록달록하다. 얼룩덜룩하다. 얼룩얼룩하다. ❏ 那只猫是~的; 저 고양이는 얼룩덜룩하다. ⑥ 형 (눈이) 흐리다. 침침하다. ❏ 这两年, 眼睛~得厉害; 최근 2년간 눈이 심하게 나빠졌다. ⑦ 형〈方〉 (옷이 낡아서) 너덜너덜하다. ❏ 上衣袖子都磨~了; 상의의 소매가 다 해져서 너덜너덜해졌다. ⑧ 형 (남을) 현혹하는. 유혹하는. 미혹하는. 겉만 번지르르한. ❏ ~言巧语; ⇓ ⑨ 명〈比〉 정화(精華). 정수(精粹). ❏ 文艺之~; 문예의 정수. ⑩ 명〈比〉 젊고 아름다운 여자. ❏ 校~; 학교에서 제일 아름다운 여학생. ⑪ 명 기생. 기녀. 화류계. ⑫ 명 면화. 목화. ⑬ (~儿) 명 (꽃송이 같은) 작은 방울. 덩어리. ❏ 泪~儿; 맺혀 있는 눈물방울. ⑭ (~儿) 명 마마. 천연두. ❏ 出~; 천연두에 걸리다. ⑮ 명 (전쟁에서의) 외상(外傷). 부상. ⑯ 동 쓰다. 소비하다. 소모하다. ❏ 写长文章很~时间; 긴 문장을 쓰려면 시간이 꽤 걸린다.

[花白] huābái 형 (머리나 수염이) 반백이다. 희끗희끗하다. ❏ 他的头发已经~了; 그의 머리는 이미 희끗희끗해졌다.

[花瓣] huābàn 명〖植〗 화판. 꽃잎.

[花边(儿)] huābiān(r) 명 ①〖紡〗 레이스(lace). ❏ 带~的窗帘; 레이스 달린 커튼. ② 무늬 있는 테두리[테]. ❏ 碟子上有一道金色~; 접시에 금색 테가 한 줄 둘러져 있다. ③〖印〗 (인쇄물의) 화변. ❏ ~新闻; 화변을 두른 신문 기사.

[花草] huācǎo 명 화초.

[花茶] huāchá 명 화차. ❏ 茉莉~; 재스민 차.

[花车] huāchē 명 (환영 행사나 경축 행사용의) 꽃차.

[花大姐] huādàjiě 명〈口〉 ⇨[瓢虫 piáo虫]

[花朵] huāduǒ 명 꽃. 꽃송이.

[花费] huāfèi 동 쓰다. 소비하다. 들이다. ❏ ~金钱; 금전을 들이다 / ~时间; 시간을 들이다.

[花费] huā·fei 명 들인 돈. 경비.

[花粉] huāfěn 명〖植〗 꽃가루.

[花岗岩] huāgāngyán 명〖鑛〗 화강암.

[花骨朵儿] huāgū·duor 명 ⇨[花蕾]

[花好月圆] huāhǎo-yuèyuán 〈成〉 (결혼 축사에 주로 쓰는 말로) 아름답고 완벽한 결합을 하다.

[花红] huāhóng 명 ①〖植〗 능금. 능금나무. =[林檎] ② (혼인 따위의) 경사의 선물. ③ 상여금. 보너스.

[花花公子] huāhuā gōngzǐ 부잣집의 방탕아. 바람둥이. 플레이보이. 난봉꾼.

[花花绿绿(的)] huāhuālǜlǜ(·de) 형 빛깔이 선명하고 아름답다. 알록달록하다.

[花花世界] huāhuā shìjiè ① 화려하고 번화한 곳. 번화가. ② 환락가. 유흥가. ③〈貶〉 속세. 비속한 세상.

[花环] huāhuán 명 화환.

[花卉] huāhuì 명 ① 화훼. 화초. ②〖美〗 화초를 제재(題材)로 한

중국화(中國畵).
[花甲] huājiǎ 명 회갑. 환갑. ❑ ~宴; 환갑 잔치. 회갑연.
[花匠] huājiàng 명 ① 화초 재배사. 화훼 재배사. ② 플로리스트(florist).
[花椒] huājiāo 명 ①〔植〕 산초나무. ② 산초.
[花轿] huājiào 명 꽃가마. =[彩轿]
[花镜] huājìng 명 돋보기안경.
[花卷(儿)] huājuǎn(r) 명 꽃빵.
[花蕾] huālěi 명 꽃봉오리. =[花骨朵儿]
[花里胡哨(的)] huā·lihúshào(·de) 형〈口〉 ① 채색이 지나치게 화려하다. 야하고 현란하다. ②〈比〉 겉만 화려하다. 겉치레 뿐이다.
[花木] huāmù 명 꽃과 나무.
[花鸟] huāniǎo 명 ① 화조. 꽃과 새. ②〔美〕 화조화(花鳥畫).
[花盆] huāpén 명 화분.
[花瓶(儿)] huāpíng(r) 명 꽃병. 화병.
[花圃] huāpǔ 명 꽃밭. 화단.
[花圈] huāquān 명 (추도용의) 화환.
[花蕊] huāruǐ 명〔植〕 꽃술.
[花色] huāsè 명 ① 무늬와 빛깔. ② (물건의) 가짓수. 종류.
[花哨] huā·shao 형 ① (빛깔·외모·의상 따위가) 화려하다. 화사하다. ❑ 会客室的装饰过于~; 응접실 인테리어가 지나치게 화려하다. ② 다양하다. 다채롭다. ❑ 电视上的广告越来越~; 텔레비전 광고가 날이 갈수록 다채로워지다.
[花生] huāshēng 명〔植〕 땅콩. ❑ ~酱; 땅콩잼 / ~米 =[~仁儿]; 땅콩 알맹이. =[落花生]
[花束] huāshù 명 꽃다발. 부케.
[花坛] huātán 명 화단.
[花天酒地] huātiān-jiǔdì〈成〉 술과 여자와 도박에 빠진 방탕한 생활.
[花团锦簇] huātuán-jǐncù〈成〉 오색찬란하고 화려한 모양.
[花纹(儿)] huāwén(r) 명 무늬.
[花销] huā·xiao 명〈口〉 ① 경비. 지출. 비용. ② 커미션. 구전. 동 돈을 쓰다. ‖ =[花消huā·xiao]
[花心] huāxīn 명 (남자의) 바람기. 형 바람기가 있다.
[花絮] huāxù 명〈比〉 각종 토막 뉴스. 가십(gossip).
[花言巧语] huāyánqiǎoyǔ〈成〉 그럴듯한 허구의 말. 감언이설.
[花眼] huāyǎn 명 ⇨[老视]
[花样(儿)] huāyàng(r) 명 ① 무늬. ❑ ~很鲜艳; 무늬가 산뜻하다. ② 디자인. 종류. 양식. ③ 계략. 속임수. 수작. ❑ 玩~; 수작을 부리다.
[花样滑冰] huāyàng huábīng〔體〕 피겨스케이팅(figure skating).
[花样游泳] huāyàng yóuyǒng〔體〕 싱크로나이즈드 스위밍(synchronized swimming). 수중 발레. =[水上芭蕾]
[花椰菜] huāyēcài 명〔植〕 콜리플라워(cauliflower). =[菜花②][椰菜花]
[花园(儿)] huāyuán(r) 명 화원. =[花园子]
[花账] huāzhàng 명 (출납을 속이기 위한) 이중장부. 허위 장부.
[花招(儿)] huāzhāo(r) 명 ① 자세는 뛰어나지만 실용성이 없는 무술 동작. ②〈轉〉 교묘한 속임수. 수법. 술수. 간계. ❑ 耍~; 속임수를 쓰다. ‖ =[花着zhāo(儿)]
[花枝] huāzhī 명 꽃가지. ❑ ~招展;〈成〉 꽃가지가 흔들흔들 움직이다(여자가 아름답게 차린 모양).
[花烛] huāzhú 명 화촉(결혼식에 쓰이는 초).
[花子] huā·zi 명 ⇨[乞qǐ丐]

哗(嘩) huā (화) 의 ① 철컹. 철커덩(문 따위가 부딪치는 소리). ② 콸콸. 졸졸(물 흐르는 소리). ❑ ~~地流水; 물이 콸콸 흐르다. ⇒ huá
[哗啦] huālā 의 ① 와르르(무너지는 소리). ② 부글부글(물이 끓는 소리). ❑ 水~地开; 물이 부글부글 끓다. ③ 쏴쏴. 쏴쏴. 좍좍(비가 쏟아지는 소리). ❑ 大雨~~地下; 큰비가 쏴쏴 하고 내리다. ‖ =[哗啦啦]

华(華) huá (화) ① 명 빛. 광채. ② 명〔氣〕 (달·해의) 무리. ③ 형 사치스럽다. 호화롭다. ❑ 质朴无~;〈成〉 꾸밈없이 소박하다. ④ 명 정수. 정화. ❑ 精~; 정화. ⑤ 형 번성하다. 찬란하다. ❑ 荣~; 영화롭다. ⑥ 형 (머리카락이) 희끗희끗하다. ⑦〈書〉〈敬〉 상대방과 관계있는 것. ❑ ~诞; 생신. ⑧ (Huá) 명 중국을 지칭하는 말. ❑ ~北; 화베이(중국의 북부 지방) / ~南; 화난

《중국의 남부 지방》.

华灯] huádēng 명 아름다운 장식등.

华而不实] huá'érbùshí 〈成〉 빛 좋은 개살구. 겉보기는 훌륭하나 속은 비었음.

华尔街] Huá'ěr Jiē 〖地〗〈音義〉 월 스트리트(Wall Street). 월 가.

华尔兹] huá'ěrzī 명〖舞·樂〗〈音〉 왈츠(waltz). =[慢三步]

华贵] huáguì 형 ① 화려하고 진귀하다. ❑ ~的家具; 화려하고 진귀한 가구. ② 호화롭고 부귀하다. ❑ ~之家; 부유한 가정. 부잣집.

华丽] huálì 형 화려하다. ❑ ~的服饰; 화려한 복장.

华侨] huáqiáo 명 화교.

华人] huárén 명 ① 중국인. ② 중국계 거주민. ❑ 美籍~; 중국계 미국인.

华盛顿] Huáshèngdùn 명〈音〉〖地〗 워싱턴(Washington).

华氏] huáshì 명〖物〗 화씨. 화씨 온도. ❑ ~温度; 화씨 온도.

华夏] Huáxià 명 화샤. 중국. 중화 민족.

华裔] huáyì 명 (외국에서 출생한 외국 국적의) 화교의 자손.

华语] huáyǔ 명 ⇒[汉语]

华(嘩) huá (화)

동 소란을 피우다. 떠들다. 시끄럽게 굴다. ⇒ huā

哗变] huábiàn 동 (군대가) 반란을 일으키다. 쿠데타를 일으키다.

哗然] huárán 형 왁자지껄 떠드는 모양. ❑ 众人~; 사람들이 시끄럽게 떠들다.

哗众取宠] huázhòng-qǔchǒng 〈成〉 말이나 행동으로 대중에게 영합하여 환심을 사거나 인기를 얻다.

铧(鏵) huá (화)

명〖農〗 보습.

划(劃)③ huá (획)

동 ① (배를) 젓다. ❑ ~船; 배를 젓다. ② 수지가 맞다. ❑ ~得来; 수지가 맞다. ③ (뾰족한 것으로) 긋다. 긁다. 째다. 상처 내다. ❑ 别用刀子~桌子; 칼로 책상을 긁지 마라. ⇒ huà

划拳] huá//quán 동 ① 가위바위보를 하다. =[猜拳] ② (술자리에서) 손가락으로 승부 놀이를 하다 《두 명이 동시에 임의의 수를 말하면서 손가락으로 수를 만들어 앞으로 내밀고, 말한 수가 양쪽 손가락 수의 합이 된 쪽이 이기며, 진 편이 술을 마시게 됨》.

[划算] huásuàn 동 계산하다. 타산하다. 형 수지가[타산이] 맞다. ❑ 这园子还是种瓜~; 이 밭에는 역시 박과 식물을 심는 것이 알맞다.

[划艇] huátǐng 명〖體〗 ① 카누(canoe). ② 카누 경기.

滑 huá (활)

① 형 매끈매끈하다. 미끄럽다. 반질반질하다. ❑ 地板~得很; 마루가 매우 미끄럽다. ② 동 미끄러지다. 미끄럼 타다. ❑ 不当心~了一跤; 부주의하여 미끄러져 넘어졌다. ③ 형 교활하다. 약삭빠르다. ❑ ~头; ⇩ ④ 동 어물쩍 넘어가다.

[滑板] huábǎn 명〖體〗 스케이트보드(skateboard).

[滑冰] huá//bīng 명동〖體〗 스케이트(skate)(를 타다). 스케이팅(skating)(을 하다).

[滑车] huáchē 명 ⇒[滑轮]

[滑动] huádòng 동 미끄러지다. 미끄러져 움직이다.

[滑稽] huá·jī 형 우스꽝스럽다. 익살스럽다.

[滑溜] huá·liu 형〈口〉 매끄럽다. 반질반질하다.

[滑轮] huálún 명 활차. 도르래. =[滑车]

[滑腻] huánì 형 (피부 따위가) 곱다. 매끄럽다.

[滑润] huárùn 형 매끄럽다. 매끈하다. 반질반질하다.

[滑水橇] huáshuǐqiāo 명 ⇒[水橇]

[滑水运动] huáshuǐ yùndòng 〖體〗 수상 스키.

[滑梯] huátī 명 미끄럼틀.

[滑头] huátóu 형 뺀질거리고 불성실하다. ❑ ~滑脑; 뺀질거리고 불성실하다. 명 뺀질거리고 불성실한 사람.

[滑翔] huáxiáng 동 활공하다. ❑ ~机; 활공기. 글라이더(glide).

[滑行] huáxíng 동 미끄러져 움직이다. 미끄러져 나가다. 활주(滑走)하다.

[滑雪] huá//xuě 명동〖體〗 스키(ski)(를 타다). ❑ ~板; 스키 / ~场; 스키장.

猾 huá (활)

형 교활하다.

化 huà (화)

① 동 변화하다. 변화시키다. ❑ 水受热~成汽; 물이 가열되어

증기가 되다. ② 동 감화하다. 감화시키다. ❏ 顽固不~; 완고하여 감화시킬 수 없다. ③ 동 녹다. 융화되다. ❏ 冰箱里的霜都~了; 냉장고의 성에가 다 녹았다. ④ 동 소화되다. 소화하다. 삭이다. ❏ 吃的东西不~; 먹은 것이 소화되지 않다. ⑤ 동 태우다. ❏ 把尸骨用火~了; 시체를 화장했다. ⑥ 명 화학. ❏ ~工; ⇩ ⑦ 접미 명사·형용사·동사 뒤에 붙어, 어떤 성질이나 상태로 전화(轉化)됨을 나타냄. ❏ 大众~; 대중화 / 自动~; 자동화.

[化肥] huàféi 명〈簡〉⇨[化学肥料]

[化工] huàgōng 명〈簡〉⇨[化学工业]

[化合] huàhé 동〖化〗화합하다. ❏ ~物; 화합물.

[化名] huà//míng 동 가명을 쓰다. ❏ ~发表文章; 가명으로 글을 발표하다. (huàmíng) 명 가명. 개명.

[化脓] huà//nóng 동 화농하다. 곪다. ❏ 伤口~了; 상처가 곪았다 / ~菌; 화농균.

[化身] huàshēn 명 ①〖佛〗변신. 변화신(變化身). ② 화신.

[化石] huàshí 명 화석.

[化纤] huàxiān 명〈簡〉⇨[化学纤维]

[化学] huàxué 명 화학. ❏ ~反应; 화학 반응 / ~武器; 화학 무기/ ~元素; 화학 원소.

[化学肥料] huàxué féiliào〖農〗화학 비료. =[〈簡〉化肥]

[化学工业] huàxué gōngyè 화학 공업. 화공. =[〈簡〉化工]

[化学纤维] huàxué xiānwéi 화학 섬유. =[〈簡〉化纤]

[化验] huàyàn 명동 화학 실험(하다). ❏ ~室; (화학) 실험실.

[化妆] huà//zhuāng 동 화장하다. 메이크업하다. ❏ ~品; 화장품.

[化装] huà//zhuāng 동 ① (배우가) 분장하다. ❏ ~室; (가수·연기자 등의) 분장실. ② 가장하다. 변장하다. ❏ ~舞会; 가장무도회.

桦(樺) huà (화)

명〖植〗자작나무.

划(劃) huà (획)

① 동 구획을 짓다. 구분하다. 가르다. ❏ 公私~得一清二楚; 공과 사의 구분이 확실하다. ② 동 계획하다. 꾀하다. ❏ 筹~; 계획하다. ③ 동 (돈을) 건네주다. 지출하다. 지불하다. ❏ 国家给我们~了两万元购买图书; 나라에서 우리에게 도서 구입비로 2만 위안을 주었다. ④ 동 넘겨주다. ❏ 这间房子~归你们了; 이 집을 너희에게 넘겨주겠다. ⑤ ⇨[画B)] = huá

[划拨] huàbō 동 ①〖經〗대체(對替)하다. ❏ ~储金; 대체 저금. ② 떼어 주다. 지급해 주다. ❏ ~物资; 물자를 지급해 주다.

[划分] huàfēn 동 ① (여러 부분으로) 나누다. 분할하다. 구획하다. ❏ ~土地; 토지를 구획하다. ② 구별하다. 선을 그어 놓다. ❏ ~阶级; 계급을 구별하다.

[划清] huà//qīng 동 분명하게 구분[구획]하다. ❏ ~界限; 경계를 분명하게 구분 짓다.

[划时代] huàshídài 형 획기적인. ❏ ~的作品; 획기적인 작품.

[划一] huàyī 형 획일하다. 일률적이다. ❏ 整齐~; 고르고 일률적이다. 동 획일화하다. ❏ ~规格; 규격을 획일화하다.

[划一不二] huàyī-bù'èr〈成〉① 에누리 없음. 정찰제. ② 획일적이다. 일률적이다. 판에 박은 듯하다.

话(話) huà (화)

① (~儿) 명 말. 이야기. ❏ 说~; 말을 하다. ② 명 말. 언어. ❏ 中国~; 중국어. ③ 동 말하다. 대화하다. 이야기하다. ❏ ~家常; 일상적인 이야기를 나누다.

[话把儿] huàbàr 명 ⇨[话柄]

[话别] huà//bié 동 (함께 모여) 이별의 말을 나누다. 작별 인사를 하다.

[话柄] huàbǐng 명 이야깃거리. 화제. =[话把儿]

[话锋] huàfēng 명 말의 방향. 말머리. ❏ 把~一转; 말머리를 돌리다.

[话剧] huàjù 명〖劇〗대화극.

[话里有话] huà·lǐ-yǒuhuà〈成〉말 속에 다른 뜻이 들어 있다.

[话题] huàtí 명 화제(話題).

[话筒] huàtǒng 명 ① ⇨[发话器] ② ⇨[传声器] ③ 메가폰. 확성기. =[传声筒①]

[话头(儿)] huàtóu(r) 명 화두. 말머리. 화제(話題).

[话音(儿)] huàyīn(r) 명 ① 말소리. ② 〈口〉 말의 속뜻. 언외(言外)의 뜻.

话语】 huàyǔ 명 말. 언사.

画(畫) huà (화, 획) A) ①(~儿) 명 그림. 회화. ❏ 一张~儿; 그림 한 장. ② 동 (그림을) 그리다. ❏ 他~了一朵水仙花; 그는 수선화 한 송이를 그렸다. ③ 형 그림으로 장식한. ❏ ~屏; 그림 병풍. B) ① 동 (기호·선을) 그리다. 긋다. ❏ ~线; 선을 긋다. ② 명 한자의 획. ③ 명 〈方〉 한자의 가로획. ‖ =[划huà ⑤]

画报】 huàbào 명 화보(畫報).

画饼充饥】 huàbǐng-chōngjī 〈成〉 그림의 떡으로 허기를 채우다《공상으로 스스로를 위로함》.

画布】 huàbù 명〔美〕 캔버스(canvas).

画册】 huàcè 명 화첩. 화집.

画幅】 huàfú 명 ① 그림. ② 화폭.

画虎类狗】 huàhǔ-lèigǒu 〈成〉 서투른 솜씨로 모방하다가 오히려 이도 저도 아닌 것이 되다. =[画虎类犬quǎn]

画家】 huàjiā 명 화가.

画架】 huàjià 명〔美〕 화가(畫架). 이젤(easel).

画具】 huàjù 명 화구. 그림 도구.

画框】 huàkuàng 명 (그림용) 액자.

画廊】 huàláng 명 ① 그림이 그려 있는 복도. ② (전시용의) 화랑.

画龙点睛】 huàlóng-diǎnjīng 〈成〉 화룡점정《마지막으로 요긴한 부분을 마무리하여 전체에 생기를 불어넣다》.

画面】 huàmiàn 명 화면. ❏ ~清晰; 화면이 깨끗하다.

画皮】 huàpí 명〈比〉 (추하거나 악한 모습을 아름답게 포장한) 가면. 탈. ❏ 撕开~; 가면을 벗다.

画片】 huàpiàn 명 그림 카드. =[〈口〉 画片儿piānr]

画蛇添足】 huàshé-tiānzú 〈成〉 뱀 그림에 발을 그려 넣다《사족을 달다. 쓸데없는 군짓을 하다》.

画室】 huàshì 명 화실(畫室).

画图】 huà//tú 동 제도하다. 지도를 그리다. (huàtú) 명 그림《주로, 비유적으로 쓰임》.

画像】 huà//xiàng 〔美〕 동 초상화를 그리다. (huàxiàng) 명 초상. 초상화.

画展】 huàzhǎn 명 회화전. 화전.

画轴】 huàzhóu 명 그림 족자.

huai ㄏㄨㄞ

怀(懷) huái (회) ① 명 품. 가슴. ❏ 孩子在妈妈的~里睡着了; 아이가 엄마 품에서 잠들었다. ② 명 포부. 생각. 마음. ❏ 开~; 마음을 터놓다. ③ 동 그리워하다. ❏ ~乡之情; 고향을 그리워하는 마음. ④ 동 뱃속에 있다. 임신하다. ❏ ~孕; ⇩ ⑤ 동 마음에 품다. 생각을 품다. ❏ 胸~壮志; 가슴에 큰뜻을 품다.

【怀抱】 huáibào 동 ① 품에 안다. ❏ 她~着婴儿; 그녀는 아기를 품에 안고 있다. ② (생각·포부 따위를) 안다. 품다. ❏ 我~着一线希望敲了门; 나는 한 가닥 희망을 안고 문을 두드렸다. 명 ① 품. 가슴. ② 생각. 포부. 마음.

【怀表】 huáibiǎo 명 회중시계.

【怀恨】 huái//hèn 동 한[원한]을 품다. ❏ ~在心; 마음에 한을 품다.

【怀旧】 huáijiù 동 옛날을 그리워하다.

【怀念】 huáiniàn 동 생각하다. 그리다. 그리워하다. ❏ 他一直~着家乡; 그는 줄곧 고향을 그리워하고 있다. =[思念]

【怀柔】 huáiróu 동 회유하다. ❏ ~政策; 회유 정책. 회유책.

【怀疑】 huáiyí 동 ① 의심을 품다. 의심하다. ❏ 起先我也~过; 처음에는 나도 의심했었다. ② 추측하다. ❏ 大家~这钱包是他遗失的; 모두 이 지갑이 그가 잃어버린 것이라고 추측했다.

【怀孕】 huái//yùn 동 잉태하다. 임신하다. ❏ 她~已经七个月了; 그녀는 벌써 임신 7 개월째이다.

徊 huái (회) →[徘pái徊]

槐 huái (괴) 명〔植〕 회화나무. =[槐树]

踝 huái (과) 명〔生理〕 복사뼈.

【踝子骨】 huái·zigǔ 명〔生理〕〈口〉 복사뼈.

坏(壞) huài (괴, 회) ① 형 좋지 않다. 나쁘다. ❏ 这个也不~; 이것도 나쁘지 않다. ② 형 악하다. 나쁘다. ❏ ~人; 악인. ③ 동 부서지다. 망가지다. 고장 나다. ❏ 自行车~了; 자전거가 망가졌다. ④ 동 썩다. 상하다. ❏这些菜都~了; 이 요리들은 모두 상했다. ⑤ 동 더럽히다. 망치다. 나쁘게 하다. 못 쓰게 되다. ❏这点小事~不了我的声誉; 이런 사소한 일로는 나의 명예를 더럽힐 수 없다. ⑥ 명 나쁜 생각. 못된 수작. ⑦ 형 (형용사·동사의 뒤에 붙어) 정도가 심함을 나타냄. ❏把小孩子吓~了; 아이를 깜짝 놀라게 하다.

[坏处] huàichù 명 나쁜 점. 해로운 점.

[坏蛋] huàidàn 명〈口〉〈罵〉 나쁜 놈. 망할 자식.

[坏话] huàihuà 명 ① 듣기 싫은 말. 나쁜 말. ② 욕설. 험담. ❏在背后说人~; 뒤에서 험담하다.

[坏事] huài//shì 동 일을 망치다. 일을 그르치다. (huàishì) 명 나쁜 일.

[坏心眼儿] huàixīnyǎnr 명〈口〉 나쁜 마음씨. 못된 생각.

huan ㄏㄨㄢ

欢(歡) huān (환) ① 형 기쁘다. 즐겁다. 흥겹다. ❏~呼; ⇓ ② 형〈方〉 활발하다. 기세가 좋다. 힘차다. ❏孩子们真~; 아이들이 참 활발하다. ③ 명 좋아하는 사람. 애인.

[欢蹦乱跳] huānbèng-luàntiào 〈成〉 건강하고 활기찬 모양. =[活蹦乱跳]

[欢畅] huānchàng 형 즐겁다. 통쾌하다. 유쾌하다. ❏~的歌声; 유쾌한 노랫소리.

[欢度] huāndù 동 즐겁게 지내다[보내다]. ❏~晚年; 노년을 즐겁게 보내다.

[欢呼] huānhū 동 환호하다. ❏热烈~; 열렬히 환호하다.

[欢聚] huānjù 동 즐거이 모이다. ❏~一堂; 〈成〉 즐거이 한자리에 모이다.

[欢快] huānkuài 형 즐겁고 경쾌하다. 유쾌하다. ❏随着音乐~地跳舞; 음악에 맞춰 경쾌하게 춤추다.

[欢乐] huānlè 형 즐겁다. 유쾌하다. ❏他们~地唱歌跳舞; 그들은 즐겁게 노래하고 춤춘다.

[欢声] huānshēng 명 환성. 환호소리. ❏~雷动; 〈成〉 환성이 우레처럼 울리다.

[欢送] huānsòng 동 환송하다. ❏~会; 환송회.

[欢腾] huānténg 동 기뻐 날뛰다. 뛸 듯이 기뻐하다. ❏四海~; 나라 안이 온통 기뻐 날뛰다.

[欢天喜地] huāntiān-xǐdì 〈成〉 미칠 듯이 기뻐하다.

[欢喜] huānxǐ 형 기쁘다. 즐겁다. ❏女儿考上了大学, 全家~得不得了liǎo; 딸이 대학에 붙어서 온 가족이 기뻐 어쩔 줄 몰랐다. 동 좋아하다. 즐기다. 애호하다. ❏他从小就~踢足球; 그는 어려서부터 축구하기를 좋아했다.

[欢心] huānxīn 명 환심. 좋아하는 마음. 관심. ❏讨人~; 남의 환심을 사다.

[欢欣] huānxīn 형 기쁘고 흥분되다.

[欢迎] huānyíng 동 ① 환영하다. 반기다. ❏~光临! 어서 오세요. ② 기쁘게 받아들이다. 좋아하다. ❏这本书大家都很~; 이 책은 모두에게 매우 인기가 있다.

[欢愉] huānyú 형 즐겁다. 기쁘다.

貛 huān (환) 명〖動〗 오소리.

还(還) huán (환) 동 ① 돌아가다. 돌아오다. ❏~家; 귀가하다. ② 반환하다. 반납하다. 돌려주다. 갚다. ❏这些书你替我~~; 이 책들 좀 네가 나 대신 반납해 다오. ③ 갚다. 보답하다. 보복하다. ❏实在忍无可忍, 也~了他几句; 도저히 참을 수가 없어서 그에게 몇 마디 되받아쳤다. ④ 값을 깎다. 에누리하다. ❏~价(儿); ⇓ ⇒hái

[还击] huánjī 동 ⇒[回huí击]

[还价(儿)] huán//jià(r) 동 값을 깎다. ❏讨价~; 흥정하다.

[还手] huán//shǒu 동 되받아치다. 반격하다. ❏打不~, 骂不还口; 때려도 되받아치지 않고, 욕해도 대들지 않다.

[还俗] huán//sú 동〖佛〗 환속하다.

[还乡] huán//xiāng 동 귀향하다. 환향하다.

[还原] huán//yuán 동 ① 환원하다. 원상을 회복하다. ②〖化〗 환원(還元)하다. ❏~剂; 환원제.

[还债] huán//zhài 동 빚을 갚다. 부채를 상환하다.

[还账] huán//zhàng 동 빚을 갚다

외상값을 갚다.

[还嘴] huán∥zuǐ 동 말대답하다. 말대꾸하다.

环(環) huán (환) ① (~儿) 명 고리 모양의 물건. ❏耳~; 귀걸이. ② 명 일환. 부분. ❏防线中最薄弱的一~; 방어선 중 가장 취약한 부분. ③ 동 둘러싸다. 두르다. 에워싸다. ❏地球~着太阳转; 지구는 태양을 둘러싸고 돌고 있다. ④ 양 〖體〗 (사격·활쏘기의) 점. ❏60发子弹都命中10~; 60 발이 모두 10 점에 명중하였다.

[环保] huánbǎo 명 환경 보호.

[环抱] huánbào 동 (주로, 자연 경물이) 에워싸다. 둘러싸다. ❏群山~; 많은 산이 둘러싸다.

[环顾] huángù 동 〈書〉 (사방을) 둘러보다. ❏~四周; 사방을 둘러보다.

[环节] huánjié 명 ① 〖動〗 환절. ❏~动物; 환형동물. ② 부분. 일환. ❏薄弱~; 약한 부분.

[环境] huánjìng 명 ① 환경. ❏~保护; 환경 보호 / ~污染; 환경 오염. ② 주위의 상황. 신변의 사정. ❏我们学校的~非常幽美; 우리 학교의 환경은 매우 조용하고 아름답다 / 工作~; 작업 환경.

[环境标志] huánjìng biāozhì 환경 마크. =[绿色标志]

[环球] huánqiú 동 지구를 돌다. 세계를 일주하다. ❏~旅行; 세계 일주 여행. 명 ⇨[寰球]

[环绕] huánrào 동 둘레를 에워싸다. 둘러싸다. ❏他~着大树走了几圈; 그는 큰 나무 둘레를 몇 바퀴 돌았다.

[环视] huánshì 동 (사방을) 둘러보다. ❏他走进教室, ~了一下在座的同学; 그는 교실로 걸어들어가 앉아 있는 학생들을 한번 둘러봤다.

[环线] huánxiàn 명 순환선.

[环行] huánxíng 동 주위를 돌다. ❏~公路; 순환 도로.

[环形] huánxíng 명형 환상(環狀)(의). ❏~交叉; 환상 교차로. 로터리(rotary).

[环子] huán·zi 명 둥근 모양의 물건. 고리. ❏门~; 문고리.

寰 huán (환) 명 광대한 지역.

[寰球] huánqiú 명 전 세계. =[环球]

缓(緩) huǎn (완) ① 형 느리다. 더디다. ❏~步; 느린 걸음. ② 동 늦추다. 끌다. 연기하다. 미루다. ❏~两天办; 이틀 연기해서 하다. ③ 형 완만하다. ❏~坡; 완만한 비탈. ④ 형 긴급하지 않다. ❏~急; ⇩ ⑤ 동 완화하다. 풀다. ❏一场大病慢慢地~起来了; 큰 병이 점차 나아져 가고 있다.

[缓冲] huǎnchōng 동 완충하다. ❏~地带; 완충 지대 / ~作用; 완충 작용.

[缓和] huǎnhé 형 (정세·분위기 따위가) 완화되다. 부드럽다. 온건하다. ❏语气~; 말투가 부드럽다. 동 완화시키다. ❏~内部矛盾; 내부 모순을 완화시키다.

[缓急] huǎnjí 명 ① 완만한 것과 급한 것. 완급. ② 〈書〉 시급한 일. 어려운 일.

[缓慢] huǎnmàn 형 느리다. 더디다. ❏进展~; 진전이 더디다.

[缓期] huǎnqī 동 뒤로 미루다. 기한을 늦추다. 연기하다. ❏~付款; 지불을 연기하다.

[缓气] huǎn∥qì 동 호흡을 가다듬다. 숨을 돌리다. ❏不给~的时间; 숨 돌릴 틈을 주지 않다.

[缓刑] huǎnxíng 동 〖法〗 집행 유예형에 처하다. ❏被判~; 집행 유예 판결을 받다.

[缓行] huǎnxíng 동 ① 서행(徐行)하다. ❏车辆~; 차량이 서행하다. ② 실행[시행]을 연기하다. ❏~计划; 계획을 연기하다.

幻 huàn (환) ① 형 가공적이다. 비현실적이다. ❏~想; ⇩ ② 동 기이하게 변화하다. ❏变~莫测; 〈成〉 변화를 예측하기 어렵다.

[幻灯] huàndēng 명 ① 환등. 슬라이드. ❏看~; 슬라이드를 보다. ② 환등기. 슬라이드 영사기.

[幻化] huànhuà 동 (기이하게) 변화하다. 변하다. ❏影片中的主人公~成一头小鹿; 영화 속 주인공이 새끼 사슴으로 변하다.

[幻景] huànjǐng 명 환영(幻影)의 정경. 환상 속의 경물.

[幻境] huànjìng 명 환상의 세계. 몽환(夢幻)의 경지.

[幻觉] huànjué 명 환각.

[幻灭] huànmiè 동 (희망 따위가) 꿈처럼 사라지다. ❏他的希望~

了; 그의 희망이 꿈처럼 사라졌다.
[幻术] huànshù 명 ⇨[魔术]
[幻听] huàntīng 명〖醫〗환청.
[幻想] huànxiǎng 명 환상. ❏沉湎于~; 환상에 잠기다. 동 (실현되지 않은 일을) 꿈꾸다. 상상하다. ❏他~当一名宇航员; 그는 우주비행사가 되는 것을 꿈꾼다.
[幻象] huànxiàng 명 환상. 환영.

涣 huàn (환)
동 흩어져 없어지다.
[涣然] huànrán 형 (혐의·의심·오해 따위가) 확 풀리다. 환연하다. ❏~冰释; 〈成〉 의심스럽던 것이 얼음 녹듯이 확 풀리다.
[涣散] huànsàn 형 (정신·조직·기율 따위가) 해이하다. 풀리다. ❏精神~; 정신이 해이하다. 동 해이하게 만들다. 흩뜨리다. ❏~斗志; 투지를 흩뜨리다.

换 huàn (환)
동 ① (다른 것과) 바꾸다. 교환하다. ❏~工作; 업무를 바꾸다. ② 교체하다. 변경하다. 갈다. ❏她正~着衣服; 그녀는 지금 옷을 갈아입고 있다 / ~牙; 이갈이 하다. ③ 환전하다. ❏我把美元~成了马克; 나는 달러를 마르크로 바꿨다.
[换班(儿)] huàn//bān(r) 동 (근무 따위를) 교대하다.
[换车] huàn//chē 동 차를 갈아타다.
[换挡] huàn//dǎng 동〖機〗(자동차의) 기어(gear)를 변속하다.
[换句话说] huàn jù huà shuō 바꾸어 말하면.
[换气] huàn//qì 동 ① 환기하다. ②〖體〗(수영에서) 숨을 참았다가 내뱉고 다시 숨을 들이쉬다.
[换气扇] huànqìshàn 명 환기팬. 환풍기. =[排风扇]
[换钱] huàn//qián 동 ① 환전하다. ② (물품을) 돈으로 바꾸다.
[换取] huànqǔ 동 바꾸어 가지다. 교환하여 가지다. 사다. ❏金钱、地位~不来她的感情; 돈과 지위로 그녀의 마음을 가질 순 없다.
[换算] huànsuàn 동 환산하다. ❏~表; 환산표.
[换汤不换药] huàn tāng bù huàn yào 〈諺〉 형식만 바꾸고 내용은 바꾸지 않다.

唤 huàn (환)
동 ① 외치다. 부르다. 부르짖다. ❏他~着她的名字; 그가 그녀의 이름을 부르고 있다. ② 불러오다. ❏你快去把他~过来; 빨리 가서 그를 불러오거라.
[唤起] huànqǐ 동 ① 분기시키다. ❏~大众; 대중을 분기시키다. ② (관심·기억 따위를) 불러일으키다. 환기하다. ❏~对教育的关注; 교육에 대한 관심을 환기시키다.
[唤醒] huànxǐng 동 ① (불러서) 깨우다. ❏你别~他; 그를 깨우지 마라. ② 일깨우다. ❏~公共卫生意识; 공중위생 의식을 일깨우다.

焕 huàn (환)
형 밝다. 빛나다.
[焕发] huànfā 동 ① 겉에 드러나다. 발산하다. ❏容光~; 얼굴에 좋은 혈색이 넘치다. ② 분기하다. 진작하다. ❏~革命精神; 혁명 정신을 진작하다.
[焕然] huànrán 형 빛나는 모양. ❏~一新; 〈成〉 면목을 일신하다.

痪 huàn (탄)
→[瘫tān痪]

宦 huàn (환)
① 명 관리. ② 동 임관하다. ③ 명 환관.
[宦官] huànguān 명 환관. 내시. =[太监]
[宦海] huànhǎi 명〈比〉 관계(官界). 관료 사회.
[宦途] huàntú 명〈書〉 벼슬길.

浣 huàn (완)
동〈書〉 씻다. 빨다. ❏~衣; 옷을 빨다.

患 huàn (환)
① 명 재난. 화. 불운. ② 동 근심하다. 걱정하다. ❏有备无~; 〈成〉 유비무환. ③ 동 (병을) 앓다. ❏~心脏病; 심장병을 앓다.
[患病] huàn//bìng 동 병을 앓다.
[患处] huànchù 명 환부. 환처.
[患得患失] huàndé-huànshī 〈成〉 개인의 이해득실을 시시콜콜 따지다.
[患难] huànnàn 명 환난. 고락. ❏~与共; 〈成〉 고락을 함께하다.
[患者] huànzhě 명 환자.

huang ㄏㄨㄤ

荒 huāng (황)
① 형 황폐하다. 거칠다. ❏地~了; 땅이 황폐해졌다. ② 형 황량하다. 삭막하다. ③ 형 기근(饑饉)

이다. 흉작이다. ❏防~; 기근을 막다. ④명 황무지. ⑤동 방치하다. 등한히 하다. ❏地不能~着; 땅은 버려 두어서는 안 된다. ⑥명 (물자의) 결핍. 기근. 공황. ❏房~; 주택난. ⑦형 터무니없다. 황당하다. ❏~唐; ⇩ ⑧동 무절제하다. 방종하다. ❏~淫; ⇩

[荒诞] huāngdàn 형 터무니없다. 황당하다. ❏~不经; 〈成〉 터무니없고 도리에 어긋나다 / ~无稽; 〈成〉 황당무계하다.

[荒地] huāngdì 명 개간하지 않은 땅. 황무지.

[荒废] huāngfèi 동 ①(토지를) 경작하지 않고 두다. 황폐한 채로 내버려 두다. ②(학업 따위를) 소홀히 하다. 등한히 하다. 게을리 하다. ❏~学业; 학업을 게을리 하다. ③(시간을) 허비하다. 낭비하다. ❏~青春; 청춘을 허비하다.

[荒凉] huāngliáng 형 황량하고 적막하다. 황량하다. ❏村子~; 마을이 황량하고 적막하다.

[荒谬] huāngmiù 형 엉터리이다. 이치에 맞지 않다. ❏这个观点很~; 이 관점은 매우 엉터리이다.

[荒漠] huāngmò 형 황막하다. ❏~的草原; 황막한 초원. 명 황량한 사막[광야]. ❏~化; 사막화되다.

[荒年] huāngnián 명 흉년.

[荒僻] huāngpì 형 황량하고 외지다. 궁벽하다.

[荒歉] huāngqiàn 형 흉작(凶作)이다. ❏~之年; 흉작인 해.

[荒疏] huāngshū 동 (학업·기술 따위를) 게을리 하여 서툴러지다. 등한히 하여 무디어지다. ❏手艺都~了; 솜씨가 아주 무디어졌다.

[荒唐] huāng·táng 형 ①황당하다. 허황되다. 터무니없다. ❏~之言; 황당한 말. ②방종하다. 무절제하다. 타락하다. ❏生活十分~; 생활이 매우 무절제하다.

[荒芜] huāngwú 형 돌보는 사람도 없이 황폐한 모양. ❏庭院~; 정원이 황폐하다.

[荒野] huāngyě 명 황야.

[荒淫] huāngyín 형 주색에 빠지다. 방탕한 생활을 하다. ❏~无耻; 〈成〉 부끄러움도 없이 방탕한 생활을 하다.

[荒原] huāngyuán 명 황원. 황야.

慌 huāng (황)
형 당황하다. 어쩔 줄 모르다. 허둥지둥하다. ❏我军就要攻城, 敌军都~了; 아군이 성을 공격하려 하자, 적군은 모두 당황했다.

慌 ·huang (황)
형 견디기 힘들다. 못 견디다 (《'得'와 함께 보어로 쓰임》). ❏疼得~; 아파서 못 견디겠다 / 闷得~; 지루해 죽겠다.

[慌乱] huāngluàn 형 당황하여 허둥대다. ❏他叫我们不要~; 그는 우리에게 당황하지 말라고 했다.

[慌忙] huāngmáng 형 황망하다. 황급하다. ❏他看见我来, ~躲到了门后; 그는 나를 보자 황급히 문 뒤로 숨었다.

[慌神儿] huāng//shénr 동〈口〉 허둥대다.

[慌张] huāng·zhāng 형 안절부절 못하다. 당황하다. 허둥대다. ❏看完信后, 他显得很~; 편지를 다 보고 나자 그는 매우 안절부절못하는 듯 보였다.

皇 huáng (황)
①명 황제. ②형〈書〉 성대하다.

[皇朝] huángcháo 명 황제의 조정(朝廷). 황조.

[皇帝] huángdì 명 황제.

[皇宫] huánggōng 명 황궁.

[皇后] huánghòu 명 황후.

[皇家] huángjiā 명 ⇨[皇室①]

[皇权] huángquán 명 황권.

[皇上] huáng·shang 명 황상. 황제.

[皇室] huángshì 명 ①황실. =[皇家] ②조정.

[皇太后] huángtàihòu 명 황태후.

[皇太子] huángtàizǐ 명 황태자.

[皇天] huángtiān 명 하늘. 상제(上帝). ❏~不负苦心人; 〈諺〉 하늘은 스스로 돕는 자를 돕는다.

[皇族] huángzú 명 황족.

凰 huáng (황)
→[凤凰]

隍 huáng (황)
명〈書〉 마른 해자.

惶 huáng (황)
동 두려워하다. 불안해하다.

[惶惶] huánghuáng 형 두려워하는 모양. 불안해서 떠는 모양. ❏人心~; 인심이 불안하다.

[惶惑] huánghuò 형 의심스럽고 두렵다. 황혹하다.

[惶恐] huángkǒng 형 놀라고 두렵다. 황공하다.

煌 huáng (황)
형 밝다. 빛나다.

[煌煌] huánghuáng 형〈書〉 빛나는 모양. ❏星光~; 별이 반짝이다.

蝗 huáng (황)
명〔蟲〕 메뚜기.

[蝗虫] huángchóng 명〔蟲〕 메뚜기. =[〈方〉 蚂mà蚱]

黄 huáng (황)
① 형 누렇다. 노랗다. ❏他脸色很~; 그는 낯빛이 매우 누렇다. ② 명 황금. ❏~白之物; 〈成〉 황금과 은《돈. 재물》. ③ (~儿) 명 노른자. 노른자위. ④ 동〈口〉 실패하다. 허사가 되다. 깨지다. ❏婚事~了; 혼사가 깨졌다. ⑤ 형 타락하다. 선정적이다. ❏这部电影相当~; 이 영화는 꽤 선정적이다. ⑥ (Huáng) 명〔地〕 황허 강(黄河).

[黄包车] huángbāochē 명〈方〉 ⇨[人力车②]

[黄灿灿(的)] huángcàncàn(·de) 형 황금빛으로 빛나는 모양. ❏~的稻子; 황금빛 벼.

[黄疸] huángdǎn 명〔醫〕 황달.

[黄道] huángdào 명〔天〕 황도. ❏~日 =[~吉日]; 대안길일(大安吉日).

[黄澄澄(的)] huángdēngdēng(·de) 형 황금색인 모양. 금빛 찬란한 모양. ❏~的金牌; 금빛 찬란한 금메달.

[黄豆] huángdòu 명〔植〕 황두. 누런 콩.

[黄瓜] huáng·guā 명〔植〕 오이.

[黄河] Huánghé 명〔地〕 황허 강.

[黄花] huánghuā 명 ① ⇨[菊jú花] ② (~儿) 〔植〕 원추리. 형〈口〉 숫처녀의. 숫총각의. ❏~女儿; 숫처녀.

[黄昏] huánghūn 명 황혼. 해질 무렵. ❏~恋; 황혼 연애.

[黄酱] huángjiàng 명 된장.

[黄金] huángjīn 명 황금. 금. 형〈比〉 중요한. 귀한. 황금의. ❏~时代; ⓐ황금시대. ⓑ황금기 / ~周; 황금 주간.

[黄金时间] huángjīn shíjiān (텔레비전 따위의) 황금 시간대. 프라임 타임(prime time). =[黄金时段]

[黄酒] huángjiǔ 명 황주《차조로 만든 술 이름》.

[黄鹂] huánglí 명〔鳥〕 꾀꼬리.

[黄粱梦] huángliángmèng 명 황량몽《인생의 덧없음과 부귀영화의 부질없음》. =[黄粱美梦]

[黄梅季] huángméijì 명 장마철. =[黄梅天]

[黄梅雨] huángméiyǔ 명 장마. =[梅雨]]

[黄牛] huángniú 명 ①〔動〕 황소. ②〈方〉 암표상. ③〈方〉 브로커(broker).

[黄牌(儿)] huángpái(r) 명 ①〔體〕 옐로 카드(yellow card). ②〈比〉 경고.

[黄片] huángpiàn 명 포르노 영화. =[〈口〉 黄片儿piānr]

[黄泉] huángquán 명 황천. 저승.

[黄色] huángsè 명〔色〕 노랑. 황색. 형 타락의. 외설(猥褻)의. 선정적인. ❏~电影; 포르노 영화 / ~新闻; 외설 기사 / ~杂志; 도색 잡지.

[黄沙] huángshā 명 누런 모래. 황사.

[黄熟] huángshú 동〔農〕 황숙하다. 누렇게 익다.

[黄鼠狼] huángshǔláng 명 ⇨[黄鼬yòu]

[黄铜] huángtóng 명〔鑛〕 황동. 놋쇠.

[黄土] huángtǔ 명〔地質〕 황토.

[黄油] huángyóu 명 ① 버터(butter). ❏人造~; 마가린. ② 그리스(grease).

[黄鼬] huángyòu 명〔動〕 족제비 =[黄鼠狼]

[黄鱼] huángyú 명 ①〔魚〕 조기. ②〈方〉 금을 막대기처럼 늘인 것.

[黄纸板] huángzhǐbǎn 명 마분지. =[〈俗〉 马粪纸]

[黄种] Huángzhǒng 명 ⇨[蒙古人种]

磺 huáng (황, 광)
명〔化〕 유황(硫黄).

簧 huáng (황)
명 ①〔樂〕 리드(reed). ② 용수철. 스프링(spring). ❏弹~; 스프링.

恍 huǎng (황)
부 ① 갑자기. 문득. ② 마치 …과 같다《'如'·'若' 와 연용함》. ❏~如隔世; ⇩

[恍惚] huǎng·hū 형 ① (정신이) 어지럽다. 멍하다. ② (기억 따위가) 어렴풋하다. ❏这件事, 我还

～记得; 이 일을 나는 아직도 어렴풋이 기억한다. ‖＝[恍忽]

[恍然大悟] huǎngrán-dàwù 〈成〉 문득 깨닫다.

晃 huǎng (황)
①형 번뜩이다. 눈부시다. 빛나다. ❏光线～得眼睛难受; 빛이 너무 눈부셔서 견딜 수 없다. ②동 빠르게 스쳐 가다. 번개같이 지나가다. ❏这一～, 三年又过去了; 눈 깜짝할 사이에 3년이 또 지나갔다. ⇒huàng

[晃眼] huǎngyǎn 형 눈이 부시다. ❏阳光太～; 햇빛이 너무 눈부시다.

幌 huǎng (황)
명〈書〉 막(幕). 장막. 휘장.

[幌子] huǎng·zi 명 ①(상점의 문 앞에 파는 물건을 표시해 놓는) 간판. ②〈轉〉 명목. 허울. 구실. 미명. ❏这不过是骗人的～罢了; 이것은 남을 속이는 구실에 불과하다.

谎(謊) huǎng (황)
①명 거짓. 거짓말. ②형 거짓의. 가짜의.

[谎报] huǎngbào 동 거짓 보고 하다. 허위 보고 하다. ❏～产量; 생산량을 허위 보고 하다.

[谎话] huǎnghuà 명 거짓말. ❏说～; 거짓말하다. ＝[谎言yán]

晃 huàng (황)
동 흔들리다. 흔들다. ❏喝药之前, 先～～药瓶子; 약을 마시기 전에 먼저 약병을 흔들어라. ⇒huǎng

[晃荡] huàng·dang 동 ①흔들다. 흔들리다. ❏把瓶子～一下才知道里头已经空了; 병을 흔들어 보고서야 속이 비어 있음을 알았다. ②(일 없이) 서성거리다. 어슬렁거리다. ❏为什么走到办公室门口～? 왜 사무실 입구에 와서 서성거리느냐?

[晃动] huàngdòng 동 흔들흔들 움직이다. 흔들리다. ❏旗杆有点儿～; 깃대가 조금 흔들리다.

[晃悠] huàng·you 동 (가볍게) 흔들다. 흔들리다. ❏树枝在风中～; 나뭇가지가 바람에 흔들리다.

hui ㄏㄨㄟ

灰 huī (회)
①명 재. ②명 먼지. ❏拍了拍身上的～; 몸의 먼지를 털었다. ③명 석회. ❏抹～; 석회를 바르다. ④형 잿빛을 띠다. 회색을 띠다. ❏～衣服; 회색 옷. ⑤형 실망하다. 풀이 죽다. 의기소침하다. ❏他碰了一鼻子～回来; 그는 거절을 당하고 풀이 죽어 돌아왔다.

[灰暗] huī'àn 형 어두컴컴하다. 침침하다. ❏～的天空; 어두컴컴한 하늘.

[灰白] huībái 형 희뿌옇다. 회백색이다. ❏头发～; 머리가 희뿌옇다.

[灰菜] huīcài 명 ⇨[藜lí]

[灰尘] huīchén 명 먼지.

[灰沉沉(的)] huīchénchén(·de) 형 (주로, 하늘이) 어두컴컴하다. 어두침침하다.

[灰姑娘] Huīgū·niang 명〈義〉 신데렐라(Cinderella).

[灰浆] huījiāng 명 ①회반죽. ②⇨[砂浆]

[灰烬] huījìn 명 재. 잿더미.

[灰溜溜(的)] huīliūliū(·de) 형 ①(색이나 빛깔이) 칙칙하다. ②풀이 죽다. 시무룩하다. 주눅이 들다. ❏别那么～的, 打起精神来; 그렇게 풀 죽어 있지 말고 기운 내라.

[灰蒙蒙(的)] huīméngméng(·de) 형 어둑어둑하고 흐릿한 모양. 어둡고 희뿌연 모양. ❏～的夜色; 어둑어둑하고 흐릿한 밤 경치.

[灰色] huīsè 명〔色〕회색. 재색. 형 ①음울하다. 절망적이다. 비관적이다. ❏作品的情调是～的; 작품의 분위기가 음울하다. ②애매한. 불분명한. 비정규의. ❏～分子; 회색분자《사상이 뚜렷하지 않은 사람》/～收入; 봉급 이외의 수입. 회색 수입.

[灰心] huī∥xīn 동 낙심하다. 풀이 죽다. 의기소침하다. ❏～丧气; 〈成〉실패로 의기소침해지다.

诙(詼) huī (회)
동〈書〉 농담하다. 웃기다.

[诙谐] huīxié 형 익살맞다. 해학적이다. 유머러스하다. ❏～之谈; 익살. 해학. 농담.

恢 huī (회)
형〈書〉 크다. 넓다.

[恢复] huīfù 동 ①(원상으로) 회복하다. ❏体力～; 체력을 회복하다. ②회복시키다. ❏～名誉; 명예를 회복시키다.

[恢恢] huīhuī 형〈書〉 매우 크다. 매우 넓다. ❏天网～, 疏而不漏;

〈成〉 하늘의 그물은 매우 넓고 성글지만 죄인을 빠뜨리지 않는다《죄인은 반드시 죄값을 받는다》.

挥(揮) huī (휘) 동 ① 휘두르다. ❏ 他又~起剑来了; 그는 또 검을 휘둘러 댔다. ② (손으로 눈물·땀 따위를) 닦다. 훔치다. ❏ ~泪; 눈물을 닦다. ③ (군대를) 지휘하다. ❏ ~师; 군대를 지휘하다. ④ 퍼져 나오다. 흩뿌리다. ❏ ~金如土; ⇩

[挥动] huīdòng 동 휘두르다. ❏ ~指挥棒; 지휘봉을 휘두르다.

[挥发] huīfā 동〖化〗휘발하다. ❏ ~性; 휘발성 / ~油; 휘발유.

[挥戈] huīgē 동 ① 무기를 휘두르다. ② 용맹하게 진군하다.

[挥毫] huīháo 동〈書〉 붓을 휘두르다《글씨를 쓰거나 그림을 그림》.

[挥霍] huīhuò 동 돈을 헤프게 쓰다. 돈을 마구 써 대다. ❏ ~无度; 〈成〉 절도(節度) 없이 돈을 마구 쓰다.

[挥金如土] huījīn-rútǔ 〈成〉 돈을 물 쓰듯 하다.

[挥手] huī∥shǒu 동 손을 흔들다. 손을 휘젓다. ❏ ~告别; 손을 흔들며 작별을 고하다.

[挥舞] huīwǔ 동 (들고 있는 것을) 휘두르다. 흔들다. ❏ ~彩旗; 채색 깃발을 흔들다.

辉(輝) huī (휘) ① 명 광채. 빛. ② 동 빛나다. 밝게 비추다.

[辉光] huīguāng 명 ① 찬란한 빛. ②〖電〗광. 빛. 훈광(暈光).

[辉煌] huīhuáng 형 ① 휘황찬란하다. 눈부시다. ❏ 灯火~; 등불이 눈부시다. ② (업적·성적 따위가) 눈부시다. 뛰어나다. ❏ 取得了~的成就; 눈부신 성과를 얻었다.

[辉映] huīyìng 동 빛나다. 비추다. ❏ 晚霞~着草原; 저녁놀이 초원을 비추다.

麾 huī (휘) ① 명 옛날, 군대 지휘용 깃발. ② 동〈書〉 (군대를) 지휘하다.

[麾下] huīxià 명〈書〉 휘하《장군의 지휘 아래. 장군 지휘 아래의 군사》.

徽 huī (휘) ① 명 표지. 휘장. ② 형 아름다운. 훌륭한. 좋은.

[徽号] huīhào 명 훌륭한 칭호.

[徽记] huījì 명 마크. 표지.

[徽章] huīzhāng 명 배지(badge). 휘장.

回(迴①) huí (회) ① 동 구부러지다. 돌다. 선회하다. ❏ 迂~; 우회하다. ② 동 돌아가다. 돌아오다. ❏ ~到宿舍; 숙소에 돌아오다. ③ 동 방향을 바꾸다[돌리다]. ❏ ~头; ⇩ ④ 동 대답하다. 회답하다. ❏ ~信; ⇩ ⑤ 동 (요청을) 거절하다. (예약 따위를) 취소하다. (일을) 그만두다. ❏ 把要见我的人都给~了; 나를 만나겠다고 하는 사람들을 모두 거절했다. ⑥ 양 회. 번. 차례《동작·행위·상황의 횟수를 세는 말》. ❏ 美国我一~也没去过; 나는 미국에 한 번도 못 가 봤다. ⑦ 양 (장편 소설의) 장(章). 절(節).

回 ∥·huí (회) 동 동사의 뒤에 놓아 어떤 상황의 회복·전환을 나타냄. ❏ 排球用完后, 请送~体育室; 배구공을 다 쓴 후에는 체육실로 반환해 주세요.

[回拜] huíbài 동 ⇨[回访]

[回报] huíbào 동 ① (임무 따위의 진행 상황을) 보고하다. ② 보답하다. ③ 보복(報復)하다.

[回避] huíbì 동 ① 피하다. ❏ ~矛盾; 의견 충돌을 피하다. ②〖法〗회피하다.

[回驳] huíbó 동 반박하다. ❏ ~他的辩解; 그의 변명에 반박하다.

[回车键] huíchējiàn 명〖컴〗엔터키(enter key).

[回程] huíchéng 명 귀로. 돌아오는 길.

[回春] huíchūn 동 ① 봄이 다시 돌아오다. ❏ 大地~; 대지에 봄이 다시 찾아오다. ② 〈比〉 병을 회복시키다. 회춘하다. ❏ ~灵药; 병을 고치는 영약.

[回答] huídá 명동 회답(하다). 대답(하다). ❏ 他等待着你的~; 그는 너의 대답을 기다리고 있다.

[回荡] huídàng 동 메아리치다. 울려 퍼지다.

[回电] huí∥diàn 동 답전하다. (huídiàn) 명 답전.

[回访] huífǎng 동 답방하다. =[回拜]

[回放] huífàng 동 재방송하다. 재방영하다.

[回复] huífù 동 ① (주로, 편지로) 회답하다. ❏ 还没什么~; 아직 아무런 회답이 없다. ② (원상을) 회복하다. ❏ 体温~正常; 체온이 정

상으로 회복되다.
[回顾] huígù 동 회고하다. 돌이켜 보다. ❑ ~展; 회고전.
[回光返照] huíguāng-fǎnzhào 〈成〉 ① 해가 지기 직전에 하늘이 순간적으로 밝아지다. ② 죽기 직전에 순간적으로 정신이 돌아오다. ③ 낡은 것이 소멸 직전에 잠시 왕성해지다.
[回归] huíguī 동 회귀하다. 반환되다. 돌아오다. ❑ 香港一九九七年~中国; 홍콩은 1997 년에 중국에 반환되었다.
[回归线] huíguīxiàn 명〖地理〗 회귀선.
[回国] huí//guó 동 귀국하다.
[回航] huí//háng 동 회항하다.
[回合] huíhé 명 ① (전투의) 교전 횟수. ② (시합 따위의) 라운드. 담판. ❑ 打胜了第一个~; 제1 라운드에서 이겼다.
[回话] huí//huà 동 (주로, 윗사람에게) 대답하다. 말씀드리다. (huíhuà) (~儿) 명 대답의 말. 대답. 답변.
[回击] huíjī 동 반격하다. ❑ 向敌人~; 적에게 반격을 가하다. = [还huán击][反击]
[回家] huí//jiā 동 집에 돌아가다. 귀가하다.
[回见] huíjiàn 동〈套〉 나중에 또 뵙겠습니다. 안녕《헤어질 때의 인사말》.
[回教] Huíjiào 명 ⇨[伊斯兰教]
[回敬] huíjìng 동 ① 잔을 돌리다. ❑ ~你一杯! 잔 받으십시오!《받은 술잔을 되돌려 주면서 하는 말》. ② 되갚음하다. 되쏘다. ❑ 他这样出言不逊, 你为什么不~他两句? 그가 저렇게 버릇없이 말하는데, 왜 몇 마디 되쏘지 않느냐?
[回绝] huíjué 동 회답하여 거절의 뜻을 전하다. 거절하다. ❑ 一口~; 일언지하에 거절하다.
[回扣] huíkòu 명〖經〗 리베이트 (rebate).
[回来] huí//·lái 동 돌아오다. ❑ 真没想到, 他~得这么快; 그가 이렇게 빨리 돌아올 줄은 정말 몰랐다.
[回来] //·huí//·lái 동 동사 뒤에 붙어 본래의 장소나 상황으로 되돌아옴을 나타냄. ❑ 说来说去话又说~了; 이러니저러니 이야기하다 보니 얘기가 다시 원점으로 돌아왔다.
[回廊] huíláng 명 회랑.
[回礼] huí//lǐ 동 ① 답례하다. ② 답례의 선물을 하다. (huílǐ) 명 답례. 답례품.
[回棋] huí//qí 동 ⇨[悔棋]
[回去] huí//·qù 동 돌아가다. 되돌아가다. ❑ ~晚了宿舍就关门了; 늦게 돌아갔더니 숙소가 문을 닫았다.
[回去] //·huí//·qù 동 동사 뒤에 붙어 본래의 장소나 상황으로 되돌아감을 나타냄. ❑ 他急忙跑了~; 그는 황급히 뛰어서 돌아갔다.
[回升] huíshēng 동 하락한 후에 다시 오르다. 반등하다. ❑ 气温~; 기온이 다시 오르다.
[回生] huíshēng 동 되살아나다. 회생하다. ❑ 起死~; 기사회생하다.
[回声] huíshēng 명 반향. 메아리.
[回收] huíshōu 동 ① (폐품 따위를) 회수하여 이용하다. ❑ ~旧家电; 오래된 가전제품을 회수하다. ② (이미 내보낸 것을) 회수하다. ❑ ~贷款; 대부금을 회수하다.
[回首] huíshǒu 동〈書〉 ① 뒤돌아보다. ② 돌아보다. 회고하다. ❑ ~往事; 옛일을 돌아보다.
[回头] huítóu 동 ① (huí//tóu) 고개를 돌리다. ② 돌아오다. ❑ 一去不~; 한번 가고는 돌아오지 않다. ③ 회개하다. 뉘우치다. ❑ 败子~; 〈成〉 망나니 자식이 잘못을 뉘우치다. 부 잠시 후에. 이따가. ❑ ~见! 나중에 봅시다《인사말》.
[回味] huíwèi 동 (경험한 것을) 회상하다. 상기하다. ❑ 我又~起他的建议来; 나는 다시 그의 건의를 생각해 보았다. 명 (음식을 먹고 난 후의) 뒷맛.
[回乡] huí//xiāng 동 귀향하다.
[回响] huíxiǎng 명동 메아리(치다). 반향(하다). ❑ 雷声在山谷间~; 천둥소리가 골짜기에 울려 퍼지다.
[回想] huíxiǎng 동 돌이켜 떠올리다. 회상하다. ❑ ~童年时代; 어린 시절을 회상하다.
[回心转意] huíxīn-zhuǎnyì 〈成〉 생각을 바꾸다. 태도를 바꾸다.
[回信] huí//xìn 동 회신하다. 답장하다. (huíxìn) 명 ① 답장. 답신. ② (~儿) 답변.
[回旋] huíxuán 동 ① 선회하다. 돌다. ❑ 老鹰在空中~; 솔개가 하늘에서 선회하다. ② 행동의 여지가

있다. 변통하다. ❏留点儿~的余地; 행동의 여지를 남겨 두다.
[回忆] huíyì 동 회상하다. 회고하다. ❏~录; 회고록.
[回音] huíyīn 명 ① 메아리. 반향. ② 답장. 회답. ③〖樂〗돈꾸밈음.
[回游] huíyóu 동 ⇨[洄游]
[回转] huízhuǎn 동 방향을 돌리다. 방향을 바꾸다.
[回嘴] huí∥zuǐ 동 말대꾸하다. 말대답하다.

茴 huí (회)
→[茴香]
[茴香] huíxiāng 명〖植〗회향.

洄 huí (회)
동〈書〉물결이 선회하다.
[洄游] huíyóu 동 (물고기가) 회유하다. ❏产卵~; 산란 회유. =[回游]

蛔 huí (회)
명〖蟲〗회충.
[蛔虫] huíchóng 명〖蟲〗회충.

悔 huǐ (회)
동 후회하다. 뉘우치다.
[悔不当初] huǐbùdāngchū〈成〉애초에 그러지 말았어야 했는데 하고 후회하다.
[悔改] huǐgǎi 동 회개하다. ❏~错误; 잘못을 회개하다.
[悔过] huǐguò 동 잘못을 뉘우치다. ❏~自新;〈成〉잘못을 뉘우치고 처음부터 다시 시작하다.
[悔恨] huǐhèn 동 뉘우치다. 반성하다. 후회하다. ❏因失败而~; 실패하고 뉘우치다.
[悔婚] huǐ∥hūn 동 파혼하다.
[悔棋] huǐ∥qí 동 (바둑·장기에서) 한 번 둔 수를 무르다. =[回棋]
[悔悟] huǐwù 동 후회하고 각성하다. 뉘우치고 깨닫다. 회오하다.
[悔罪] huǐ∥zuì 동 죄를 뉘우치다.

毁 huǐ (훼)
동 ① 부수다. 망치다. 파괴하다. ❏~自己的前途; 자신의 앞길을 망치다. ② 불태우다. ❏焚~; 불태우다. ③ 욕하다. 비방하다. ❏~谤; ⇩ ④〈方〉(주로, 옷을) 개조(改造)하다. 고쳐서 다른 것으로 만들다. ❏用一件牛仔裤给她~了一件裙子; 청바지 한 벌로 그녀에게 치마를 만들어 주었다.
[毁谤] huǐbàng 동 ⇨[诽fěi谤]
[毁坏] huǐhuài 동 부수다. 파손하다. 훼손하다. ❏~他人的名誉; 남의 명예를 훼손하다.
[毁灭] huǐmiè 동 훼손하여 없애다. 괴멸(壞滅)하다. ❏~物证; 물증을 훼손하여 없애다.
[毁损] huǐsǔn 동 손상을 입히다. 훼손하다.
[毁誉] huǐyù 명 비방과 칭찬. ❏~参半;〈成〉비방과 칭찬이 반반이다.

卉 huì (훼)
명 풀의 총칭《주로, 관상용 식물을 가리킴》. ❏花~; 화훼.

汇(匯, 彙②③) huì (회, 휘)
① 동 한군데에 모이다. 합류하다. ❏百川所~; 모든 냇물이 모이는 곳. ② 동 모으다. 집대성하다. ❏~印成书; 모아서 책으로 인쇄하다. ③ 명 모은 것. 집성. 총집. ④ 동〖經〗환으로 송금하다. ❏~点儿钱去; 약간의 돈을 환으로 보내다. ⑤ 명〖經〗환. ❏电~; 전신환. ⑥ 명〖經〗외화.
[汇报] huìbào 동 총괄 보고 하다. 종합 보고 하다. 명 휘보(彙報).
[汇编] huìbiān 동 총괄 편집 하다. ❏~成册; 한데 모아 팸플릿을 만들다. 명 총집. 집성(集成).
[汇兑] huìduì 동〖經〗환전하다. ❏~利益; 환차익.
[汇合] huìhé 동 ① (물이) 합류하다. ② 모아 합치다. 회합하다.
[汇集] huìjí 동 (한데) 모이다. 모으다. 회집하다. ❏~材料; 재료를 모으다.
[汇聚] huìjù 동 ⇨[会聚]
[汇款] huì∥kuǎn 동 환으로 송금하다. 돈을 부치다. ❏他到邮局~去了; 그는 우체국으로 돈을 부치러 갔다. (huìkuǎn) 명 환으로 송금한 돈. 환금.
[汇流] huìliú 동 (물이) 합류(合流)하다. 모이다. ❏小溪~成河; 시내가 모여 강이 되다.
[汇率] huìlǜ 명〖經〗환율.
[汇票] huìpiào 명〖經〗환어음.
[汇市] huìshì 명〖經〗① 외환 시장. ② 외환 시세. 환시세.
[汇演] huìyǎn 동 ⇨[会演]
[汇总] huìzǒng 동 (자료 따위를) 한데 모으다. 집계하다. ❏~报告; 일괄 보고 하다.

讳(諱) huì (휘)
① 동 꺼려 피하다. ② 명 기휘(忌諱). 꺼리는 일. 금기. ❏犯~; 금기를 범하다.
[讳疾忌医] huìjí-jìyī〈成〉병을

감추고 치료받기를 꺼리다《자기의 결점을 감추고 고치려 하지 않다》.

[讳莫如深] huìmòrúshēn 〈成〉 굳게 감추고 밝히기를 꺼리다.

[讳言] huìyán 동 꺼리어 말하지 않다.

会(會) huì (회) ① 동 한데 모이다. 한데 모으다. ❑就在这里~齐吧! 이 곳에 모이기로 하자! ② 동 만나다. 면회하다. ❑大家都~过他了; 모두들 그를 만나 봤다. ③ 명 단체. 모임. 조직. ❑学生~; 학생회 / 协~; 협회. ④ 명 집회. 모임. 회의. ❑开~; 회의를 열다 / 运动~; 운동회. ⑤ 명 계(契). ❑起上一支~凑点钱买车; 계를 시작하여 돈을 모아 차를 사다. ⑥ 명 도회지. 도시. ❑都~; 도회. ⑦ 명 기회. 시기. ❑适逢其~; 〈成〉 마침 그 기회를 만나다. ⑧ 부〈書〉 마침. 공교롭게. ❑~有客来; 마침 손님이 왔다. ⑨ 부〈書〉 마땅히. ❑长风破浪~有时; 바람을 타고 파도를 헤쳐 나가는 데도 마땅히 때가 있어야 한다. ⑩ 동 이해하다. 깨닫다. 알다. ❑心领神~; 〈成〉 마음속으로 깨닫고 이해하다. ⑪ 동 할 수 있다. 할 줄 알다. ❑以前不~汉语, 现在~了; 전에는 중국어를 못했었는데, 지금은 할 수 있게 되었다. ⑫ 조동 (연습·학습에 의해서) …할 수 있다. ❑我~骑自行车; 나는 자전거를 탈 줄 안다. ⑬ 조동 잘하다. 뛰어나다. 능란하다. ❑她很~过日子; 그녀는 살림을 매우 잘한다. ⑭ 조동 …할 것이다. …할 가능성이 있다. ❑他不~不知道; 그가 모를 리가 없다. ⇒kuài

[会标] huìbiāo 명 ① 모임이나 집회의 상징[표지]. ② 회의의 명칭이 적힌 현수막《의장석 위쪽에 걸림》.

[会餐] huì∥cān 동 ⇒[聚餐]

[会场] huìchǎng 명 회의장. 회장.

[会费] huìfèi 명 회비.

[会馆] huìguǎn 명 (동업자나 동향 출신자의) 회관.

[会合] huìhé 동 합류하다. 회합하다. ❑~地点; 합류 지점.

[会话] huìhuà 동 회화하다. ❑英语~; 영어 회화.

[会见] huìjiàn 동 회견하다. 접견하다. ❑他~了几位外商; 그는 바이어 몇 분을 접견했다.

[会聚] huìjù 동 모여서 합쳐지다. 한데 모이다. ❑~在一起; 한곳에 모이다. =[汇聚]

[会客] huì∥kè 동 손님을 만나다. ❑~室; 응접실.

[会面] huì∥miàn 동 만나다. 대면하다. ❑他与欢迎群众~; 그는 환영 인파와 대면했다.

[会期] huìqī 명 ① 회의 날짜. ② 회기. 회의 기간.

[会儿] huìr 양 잠시. 잠깐. ❑等~再来; 잠시 후에 다시 오마.

[会商] huìshāng 동 함께 상의하다. 공동으로 의논하다.

[会谈] huìtán 동 회담하다. ❑~破裂; 회담이 결렬되다.

[会堂] huìtáng 명 회당. 공회당《주로, 건물 명칭에 쓰임》.

[会同] huìtóng 동 회동하다. 함께 모여 처리하다. ❑环保局~水利局联合调查; 환경부는 수질 관리부와 회동하여 연합 조사를 벌였다.

[会晤] huìwù 동 회오하다. 회견하다.

[会心] huìxīn 동 ① 회심하다. ❑~的微笑; 회심의 미소. ② 뜻을 알아채다. 회의(會意)하다. ‖=[会意]

[会演] huìyǎn 동 합동 공연 하다. =[汇演]

[会议] huìyì 명 ① 회의. ❑全体~; 전체 회의 / ~室; 회의실. ② (중요한 일을 협의 처리하는) 상설 기구. ❑中国人民政治协商~; 중국 인민 정치 협상 회의.

[会意] huìyì 동 ⇒[会心] 명〖言〗 회의《육서(六書)의 하나》. ❑~文字; 회의 문자.

[会员] huìyuán 명 회원. ❑~国; 회원국 / ~证; 회원증.

[会长] huìzhǎng 명 (모임이나 조직의) 회장.

[会子] huì·zi 양 잠시. 잠깐. ❑还要等~; 아직 조금 더 기다려야 한다.

荟(薈) huì (회) 형〈書〉 (초목이) 무성하다.

[荟萃] huìcuì 동 (우수한 인물이나 좋은 물건이) 모이다. ❑人才~; 인재가 모이다.

绘(繪) huì (회) 동 (그림을) 그리다.

[绘画] huìhuà 동 그림을 그리다. 명〖美〗 회화.

[绘声绘色] huìshēng-huìsè 〈成〉

(묘사·서술이) 생생하고 사실적이다. =[绘声绘影][绘影绘声]
[绘图] huìtú 동 제도하다. 회도하다. ❑~仪; 제도기.
[绘制] huìzhì 동 (도표·도면 따위를) 그리다. 제작하다. ❑~地图; 지도를 제작하다.
烩(燴) huì (회)
동 ① 채소를 볶은 후 소량의 물에 갠 녹말가루를 넣고 걸쭉하게 만들다. ② 쌀밥을 고기·야채 따위와 섞어 물을 붓고 끓이다.
诲(誨) huì (회)
동 지도하다. 이끌다.
[诲人不倦] huìrén-bùjuàn 〈成〉 귀찮아 하지 않고 참을성 있게 지도하다.
[诲淫诲盗] huìyín-huìdào 〈成〉 간음하고 도적질하도록 이끌다.
晦 huì (회)
① 명 음력 그믐. ② 형 어둡다. 분명치 않다. ❑阴~; 흐리고 어둡다. ③ 명〈書〉 밤. ④ 동〈書〉 숨기다. 감추다. ❑~迹; 자취를 감추다.
[晦气] huì·qì 형 불길하다. 재수가 없다. 명 액운이 끼거나 병이 들어 어두운 기색. ❑满脸~; 얼굴이 어두운 기색으로 가득하다.
[晦涩] huìsè 형 (시문·음악 따위가) 난해하여 뜻을 알 수 없다. 난삽하다. 회삽하다. ❑这首诗~得很; 이 시는 매우 난해하다.
秽(穢) huì (예)
형 ① 더럽다. ② 추악하다. 추하다.
[秽迹] huìjì 명〈書〉 추악한 행적.
[秽闻] huìwén 명〈書〉 좋지 않은 평판. 추문(醜聞).
[秽行] huìxíng 명〈書〉 추행(醜行). 음란한 짓.
[秽语] huìyǔ 명 음란한 말. 저속한 이야기.
贿(賄) huì (회)
명 ①〈書〉 재물. ② 뇌물. ❑送~; 뇌물을 주다.
[贿款] huìkuǎn 명 뇌물로 주고받는 돈. =[贿金jīn]
[贿赂] huìlù 명동 뇌물(을 주다). ❑接受~; 뇌물을 받다.
彗 huì (혜)
명〈書〉 비. 빗자루.
[彗星] huìxīng 명〔天〕 혜성. =[〈口〉扫sào帚星]
慧 huì (혜)
형 슬기롭다. 총명하다.
[慧眼] huìyǎn 명〔佛〕 혜안. 〈轉〉 꿰뚫어보는 안목. 날카로운 안목.
溃(潰) huì (궤)
동 (상처가) 짓무르다. ⇒kuì
[溃脓] huìnóng 동 (상처가) 짓무르고 곪다.
喙 huì (훼)
명〈書〉 ① (조수(鳥獸)의) 주둥이. 부리. ②〈轉〉 사람의 입.
惠 huì (혜)
① 명 은혜. 혜택. ② 동 은혜를 베풀다. 혜택을 주다. ❑互~; 호혜. ③〈敬〉 상대방이 자기를 대하는 행위에 대해 경의(敬意)를 표하는 말. ❑~赠; 보내 주시다.
[惠存] huìcún 동〈敬〉〈翰〉 받아 두시기 바랍니다《남에게 책·사진·기념품 따위를 보낼 때 쓰는 말》. ❑王仁明先生~; 왕런밍 님께 삼가 드립니다.
[惠顾] huìgù 동〈敬〉 혜고(惠顧)를 받다. 왕림하시다《주로, 상점에서 고객에 대해 쓰는 말》.
[惠临] huìlín 동〈敬〉 왕림하시다. 행차하시다.

hun ㄏㄨㄣ

昏 hūn (혼)
① 명 황혼. 해질 때. ❑黄~; 황혼. ② 형 어둡다. 희미하다. ❑天~地暗; 〈成〉 세상이 온통 혼란하다. ③ 형 어지럽다. 혼미하다. ❑~头~脑; ⇩ ④ 동 정신을 잃다. 기절하다. ❑~倒; 정신을 잃고 쓰러지다.
[昏暗] hūn'àn 형 어둡다. 어두컴컴하다. ❑天色渐渐~下来; 하늘이 점점 어두워지다.
[昏沉] hūnchén 형 ① 어둑어둑하다. ❑暮色~; 땅거미가 져서 어둑어둑하다. ② 몽롱하다. 혼미하다.
[昏黑] hūnhēi 형 어둑어둑하다. 어두컴컴하다. ❑~的小屋; 어두컴컴한 집안.
[昏花] hūnhuā 형 (주로, 노인이) 눈이 흐리다. 침침하다. ❑老眼~; 노안으로 눈이 침침하다.
[昏黄] hūnhuáng 형 (하늘이나 불빛이) 어둡고 뿌옇다. 흐리고 어둡다.
[昏厥] hūnjué 동〔醫〕 혼절하다. 졸도하다. =[晕yūn厥]

[昏聩] hūnkuì 형 눈은 침침하고 귀는 멀다. 〈比〉 우둔하여 옳고 그름을 분간하지 못하다. ❑ ~无能; 우둔하고 무능하다.
[昏乱] hūnluàn 형 ① 정신이 혼미하다. 의식이 몽롱하다. ② 〈書〉 사회가 혼란하다. 세상이 어지럽다.
[昏迷] hūnmí 동 의식 불명이 되다. ❑ ~了两天两夜, 终于苏醒过来了; 이틀 밤낮을 의식 불명이다가 마침내 깨어났다.
[昏睡] hūnshuì 동 혼수상태에 빠지다. ❑ ~状态; 혼수상태.
[昏天黑地] hūntiān-hēidì 〈成〉 ① 하늘이 어두운 모양. ② 정신이 혼미한 모양. 어지러운 모양. ③ 생활이 문란한 모양. ④ 요란하게 싸우거나 떠드는 모양. ⑤ 사회가 어지러운 모양.
[昏头昏脑] hūntóu-hūnnǎo 〈成〉 머리가 혼미하고 정신이 없는 모양.
[昏眩] hūnxuàn 동 (눈앞이) 아찔하다. (정신이) 어질어질하다.
[昏庸] hūnyōng 형 머리가 멍하고 둔하다. 멍청하다. ❑ ~无能; 멍청하고 무능하다.

婚 hūn (혼)
① 동 결혼하다. 혼인하다. ❑ 未~; 미혼 / 已~; 기혼. ② 명 결혼. 혼인. ❑ 离~; 이혼하다.
[婚介] hūnjiè 명 결혼 상담. 혼인 알선. ❑ ~机构; 혼인 알선 기관.
[婚礼] hūnlǐ 명 혼례. 결혼식. ❑ 举行~; 결혼식을 올리다 / ~进行曲; 웨딩마치. 결혼 행진곡.
[婚龄] hūnlíng 명 ①〖法〗(법정) 결혼 연령. 혼령. ② 결혼한 햇수.
[婚期] hūnqī 명 ① 결혼 날짜. ❑ 定~; 결혼 날짜를 정하다. ② 혼기. ❑ 错过~; 혼기를 놓치다.
[婚纱] hūnshā 명 신부 예복. 웨딩드레스(wedding dress).
[婚事] hūnshì 명 혼사. ❑ 办~; 혼사를 치르다. =[亲事]
[婚外恋] hūnwàiliàn 명 외도(外道). 불륜. 혼외정사. =[婚外情]
[婚姻] hūnyīn 명 혼인. 결혼. ❑ ~法; 혼인법.
[婚约] hūnyuē 명 혼약.
[婚照] hūnzhào 명 결혼사진.

荤(葷) hūn (훈)
명 ① 고기·생선 요리. 육식. ②〖佛〗 파·마늘 따위의 냄새나는 채소.
[荤菜] hūncài 명 고기 요리.

浑(渾) hún (혼)
① 형 탁하다. 흐리다. ❑ 水~了; 물이 탁해졌다. ② 형 멍청하다. 무지하다. 사리 분별을 못하다. ❑ 这人真~; 이 사람은 정말 멍청하다. ‖ =[混hún] ③ 형 꾸밈없다. 순수하다. ❑ ~朴; ⇩ ④ 부 모두. 전부. 완전히. 아주. ❑ ~身; ⇩
[浑蛋] húndàn 명 ⇨[混hún蛋]
[浑厚] húnhòu 형 ① 순박하고 성실하다. ❑ 天性~; 천성이 순박하고 성실하다. ② (예술 풍격이) 소박하고 무게 있다. 중후하다. ❑ 笔力~; 운필(運筆)이 중후하다. ③ (소리가) 낮고 힘이 있다. ❑ 嗓音~; 목소리가 낮고 힘이 있다.
[浑浑噩噩] húnhún'è'è 형 멍청한 모양. 무지몽매한 모양.
[浑朴] húnpǔ 형 질박하다. 소박하다. 수수하다.
[浑然] húnrán 형 혼연하다. ❑ ~一体; 〈成〉 혼연일체가 되다. 부 전혀. 조금도. ❑ ~不理; 전혀 신경 쓰지 않다.
[浑身] húnshēn 명 온몸. 전신. ❑ ~是胆; 〈成〉 매우 대담한 모양.
[浑水摸鱼] húnshuǐ-mōyú 〈成〉 혼잡한 틈을 타서 이익을 얻다. =[混hún水摸鱼]
[浑浊] húnzhuó 형 ⇨[混hùn浊]

混 hún (혼)
형 ⇨[浑①②] ⇒ hùn
[混蛋] húndàn 명〈罵〉 망할 자식. 병신 같은놈. =[浑蛋]
[混水摸鱼] húnshuǐ-mōyú 〈成〉 ⇨[浑水摸鱼]

馄(餛) hún (혼)
→[馄饨]
[馄饨] hún·tun 명 훈툰《만둣국의 일종》.

魂 hún (혼)
명 ① (~儿) 혼. 혼령. 영혼. ② 정신. 정서. ③ 숭고한 정신. 혼. ❑ 民族~; 민족혼.
[魂不附体] húnbùfùtǐ 〈成〉 질겁을 하다. 매우 놀라다.
[魂飞魄散] húnfēi-pòsàn 〈成〉 혼비백산하다.
[魂灵] húnlíng 명 혼령. 영혼.
[魂魄] húnpò 명 혼백. 넋. 영혼.

诨(諢) hùn (원)
명동 농담(하다). 우스갯소리(를 하다).
[诨名] hùnmíng 명 별명. =[诨

号hào]

混 hùn (혼)
①동 섞이다. 섞다. ❏好坏东西~起来卖; 좋은 것과 나쁜 것을 섞어서 팔다. ②동 속이다. 사칭하다. 가장하다. ❏~充; ⇓ ③동 되는대로 살아가다. 그럭저럭 지내다. ❏~饭吃; 그럭저럭 먹고살다. ④부 함부로. 되는대로. ❏~出主意; 아무렇게나 의견을 내다. ⇒hún

[混充] hùnchōng 동 사칭하다. 가장하다. ❏~内行; 전문가인 체하다.

[混沌] hùndùn 명 혼돈《하늘과 땅이 아직 나뉘지 않은 상태》. ❏~初开; 천지개벽. 형 혼돈하다.

[混纺] hùnfǎng 명동〖紡〗혼방(하다). ❏棉毛~; 면모 혼방.

[混合] hùnhé 동 혼합하다. ❏~双打; 〖體〗혼합 복식 / ~物; 혼합물 / ~泳; 〖體〗(수영의) 혼영.

[混乱] hùnluàn 형 혼란하다. 혼잡하다. 무질서하다. ❏交通~; 교통이 혼잡하다.

[混凝土] hùnníngtǔ 명〖建〗콘크리트(concrete).

[混日子] hùn rì·zi 되는대로 지내다. 그럭저럭 살다.

[混事] hùn∥shì 동〈貶〉(그저) 먹고살기 위해 일하다. 밥벌이하다.

[混同] hùntóng 동 혼동하다. ❏不可将他们~起来; 그들을 혼동하면 안 된다.

[混为一谈] hùnwéiyītán 〈成〉다른 물건들을 한데 섞어 놓고 똑같이 취급하다. 동일시하다.

[混淆] hùnxiáo 동 ①(주로, 추상적인 것이) 뒤섞이다. 경계가 모호하다. ❏~不清; 뒤섞여 분명치 않다. ② 뒤죽박죽 섞여 혼동시키다. 경계를 모호하게 하다. ❏~黑白; 흑백을 혼동시키다 / ~视听; 〈成〉남의 이목을 현혹시키다.

[混血儿] hùnxuè'ér 명 혼혈아.

[混杂] hùnzá 동 뒤섞다. 뒤섞이다. ❏大米~着沙子; 쌀에 모래가 뒤섞여 있다.

[混战] hùnzhàn 동 혼전하다.

[混账] hùnzhàng 형〈罵〉형편없다. 개 같다. ❏~小子; 개 같은 자식.

[混浊] hùnzhuó 형 (물·공기 따위가) 혼탁하다. 흐리다. ❏~的空气; 혼탁한 공기. =[浑浊]

huo ㄏㄨㄛ

劐 huō (확)
동 ①〈口〉(칼로) 째다. 가르다. ❏~肚子; 배를 가르다. ②끌쟁기로 땅을 갈다.

豁 huō (활)
동 ①찢어지다. 갈라지다. 터지다. ❏~了一个口子; 갈라져서 틈새가 생겼다. ②(마음을 굳게 먹고) 값비싼 대가를 치르다. 내던지다. 포기하다. 희생시키다. ❏~一天工夫去办理; 하루를 희생해서 처리하다. ⇒huò

[豁出去] huō∥·chu·qu 동 (목적을 위해) 무슨 일이든 다 하다. 어떤 대가도 각오하다. 모든 것을 감수하다. ❏为了胜利, 我~了; 승리를 위해서라면 나는 뭐든지 하겠다.

[豁口(儿)] huōkǒu(r) 명 (기물 따위의) 터진 데. 갈라진 곳.

[豁嘴(儿)] huōzuǐ(r) 명〈口〉① ⇨[唇裂] ② 언청이인 사람.

和 huó (화)
동 가루 따위에 물을 섞거나 반죽하다. ❏~面; 밀가루를 반죽하다. ⇒hé hè huò

活 huó (활)
①동 살다. 생존하다. ❏他永远~在我的心里; 그는 영원히 내 가슴에 살아 있다. ②동 살아가다. 생활하다. ❏他~得很幸福; 그는 매우 행복하게 살았다. ③동 목숨을 구하다. 살리다. ❏~人无数; 수많은 사람을 살렸다. ④형 생생하다. 활기차다. ❏这虾画得真~; 이 새우는 정말 생생하게 그려졌다. ⑤형 살아 있는. 산. ❏~菩萨; 산부처 / ~鱼; 활어. ⑥형 유동적이다. 융통성이 있다. 고정되어 있지 않다. ❏他的学习方法很~; 그의 학습 방법은 매우 융통성이 있다. ⑦부 마치. 꼭. 매우. ❏~像; ⇓ ⑧(~儿) 명 일《육체노동》. ❏家里的~儿; 집안일. ⑨(~儿) 명 제품. 상품.

[活版] huóbǎn 명 ⇨[活字版]

[活宝] huóbǎo 명〈貶〉우스운 사람. 익살꾼.

[活蹦乱跳] huóbèng-luàntiào 〈成〉⇨[欢蹦乱跳]

[活地狱] huódìyù 명 생지옥. 산지옥.

[活动] huódòng 동 ① 운동하다. 몸을 움직이다. ❏ 久坐后要站起来~~; 오래 앉아 있은 후에는 일어서서 몸을 좀 움직여야 한다. ②(헐거워져서) 흔들리다. ❏ 这螺丝~了, 得děi拧紧些; 이 나사가 흔들거리니 좀 꽉 조여야겠다. ③(어떤 목적을 위해) 활동하다. 행동하다. ❏ ~家; 활동가 / ~舞台; 활동 무대. ④ 손을 쓰다. 청탁을 하다. 뇌물을 쓰다. 뒷거래를 하다. ❏ 他遇到麻烦了, 你替他~; 그가 번거로운 일에 부딪혔으니, 네가 그 대신 손을 좀 써 봐라. 형 고정되어 있지 않다. 융통성이 있다. 이동·분해할 수 있다. ❏ ~房屋; 조립식 가옥 / ~资本; 유동 자본. 명 활동. 행사. 이벤트. ❏ 野外~; 야외 활동 / 体育~; 체육 활동.

[活泛] huó·fan 형〈口〉 임기응변에 능하다. 융통성이 있다. 머리가 잘 돌아가다.

[活该] huógāi 동〈口〉 마땅히 …해야 하다. …하는 것이 당연하다. ❏ ~如此; 이렇게 되는 것은 당연하다. 감 쌤통이다. 고소하다. 싸다.

[活活(儿的)] huóhuó(r·de) 부 ① 산 채로. 생으로. 어이없이. 무참히도. ❏ 在半路上~冻死了; 도중에서 생으로 얼어 죽다. =[活生生(的)] ② 완전히. 마치. 꼭. 흡사. 거의.

[活火山] huóhuǒshān 명〖地質〗 활화산.

[活计] huó·ji 명 ① 일《널리 육체노동을 이름》. ❏ 地里~不多; 밭일이 많지 않다. ②(이미 완성됐거나 만들려고 하는) 수공예품.

[活见鬼] huójiànguǐ 이상한 일이다. 귀신이 곡할 노릇이다.

[活力] huólì 명 활력. 활기. 원기.

[活灵活现] huólíng-huóxiàn〈成〉 (묘사·모방 따위가) 생생하고 진짜 같다. =[活龙lóng活现]

[活路] huólù 명 ① 막히지 않은 길. 뚫려 있는 길. ②〈比〉 해결책. 타개책. 활로. ③〈比〉 생계의 방도. 살길.

[活埋] huómái 동 생매장하다.

[活门] huómén 명〈口〉 ⇨[阀②]

[活命] huó∥mìng 동 ① 목숨을 부지하다. 연명하다. 살아가다. ❏ 靠卖艺~; 재주를 팔아서 살아가다. ② 목숨을 살리다. ❏ ~恩人; 생명의 은인. (huómìng) 명 목숨. 생명.

[活泼] huó·pō 형 ① 활발하다. 활기차다. 생동감 있다. ❏ ~风趣的语言; 생동감 있고 해학적인 언어. ②〖化〗 반응도가 높다.

[活期] huóqī 형〖經〗 수시로 인출 가능한. ❏ ~存款; 보통 예금.

[活气] huóqì 명 활기. 생기.

[活塞] huósāi 명〖機〗 피스톤(piston).

[活生生(的)] huóshēngshēng(·de) 형 실제 생활 속의. 눈앞에서 일어난. 생생한. ❏ ~的例子; 생생한 예. 부 ⇨[活活(儿的)①]

[活体] huótǐ 명 생체(生體). ❏ ~解剖; 생체 해부.

[活像] huóxiàng 동 흡사 …과 같다. ❏ ~真的; 흡사 진짜 같다.

[活页] huóyè 형 가제식(加除式)의. 루스리프식(loose-leaf式)의. ❏ ~笔记本; 루스리프식 노트.

[活用] huóyòng 동 활용하다.

[活跃] huóyuè 형 활발하다. 활기차다. 활동적이다. ❏ 会场气氛非常~; 회의장 분위기가 매우 활기차다. 동 ① 적극적으로 활동하다. 활약하다. ❏ 在世界体坛上~; 세계 스포츠계에서 활약하다. ② 활기를 띠게 하다. 분위기를 띄우다. ❏ ~气氛; 분위기를 띄우다.

[活捉] huózhuō 동 생포하다. 사로잡다. ❏ ~逃犯; 도주범을 생포하다.

[活字] huózì 명〖印〗 활자. ❏ ~印刷; 활자 인쇄.

[活字版] huózìbǎn 명〖印〗 활판. 활자판. =[活版]

火 huǒ (화)

① (~儿) 명 불. ❏ 点~; 불을 붙이다. ② 명 총포. 탄약. ❏ 开~; 발포하다. ③ 명〖中醫〗 열. 염증. ④ (~儿) 명동 성(내다). 화(내다[나다]). ❏ 冒~; 화를 내다. ⑤ 형 적색의. 붉은. ❏ ~鸡; ⇩ ⑥ 형〈轉〉 긴급하다. 절박하다. ❏ 急如星~;〈成〉 정세가 절박한 모양. ⑦ 형〈口〉 번성하다. 번창하다. ❏ 买卖很~; 장사가 번창하다.

[火把] huǒbǎ 명 횃불. =[火炬jù]

[火并] huǒbìng 동 사이가 갈라져서 서로 싸우다. ❏ 双方~起来; 양쪽이 갈라져 싸우기 시작했다.

[火柴] huǒchái 명 성냥. ❏ ~盒; 성냥갑. =[洋火]

[火车] huǒchē 명 기차. ❏ ~票; 기차표 / ~时刻表; 기차 시간표/~站; 기차역.
[火车头] huǒchētóu 명 ⇨[机车]
[火锅(儿)] huǒguō(r) 명 훠궈. ① 중국식 샤브샤브. ② 중국식 샤브샤브에 쓰이는 냄비.
[火海] huǒhǎi 명 불바다.
[火红] huǒhóng 형 ① 타는 듯 붉다. 새빨갛다. 시뻘겋다. ❏ ~的太阳; 타는 듯 붉은 태양. ② 왕성하다. 뜨겁다. 열렬하다. ❏ ~的青春; 불타는 청춘.
[火候(儿)] huǒ·hou(r) 명 ① 불땀. =[火头(儿)②] ②〈比〉(학문·수양 따위의) 정도. 깊이. 수준. ❏ 到~; 원숙한 수준에 이르다. ③〈比〉중요한 시기. 결정적 순간. ❏ 你来得正是~; 네가 마침 결정적인 순간에 왔다.
[火花] huǒhuā 명 불꽃. 스파크.
[火化] huǒhuà 동 시체를 소각하다.
[火鸡] huǒjī 명〖鳥〗칠면조. =[吐tǔ绶鸡]
[火急] huǒjí 형 화급하다. 다급하다. ❏ ~火燎;〈成〉매우 초조하다.
[火箭] huǒjiàn 명 로켓(rocket). ❏ ~炮; 로켓포 / ~弹; 로켓탄.
[火警] huǒjǐng 명 화재. 화재 사건. ❏ ~电话; 화재 신고 전화.
[火炬] huǒjù 명 ⇨[火把]
[火坑] huǒkēng 명 불구덩이.〈比〉매우 비참한 상태. 참혹한 고생. ❏ 跳出~; 비참한 환경에서 벗어나다.
[火辣辣(的)] huǒlàlà(·de) 형 ① 타는 듯 뜨거운 모양. ❏ 太阳~的; 햇볕이 쨍쨍 내리쬐다. ② 화끈거리며 아픈 모양. ❏ 手被烫得~的; 손이 데어서 화끈거리다. ③ 속에서 열이 나는 모양. 화끈거리는 모양《흥분·초조·부끄러움 따위를 나타냄》. ④ (동작·성격 따위가) 박력 있는 모양. (언사가) 신랄한 모양. ❏ ~的批评; 신랄한 비평.
[火力] huǒlì 명 ① 화력. ❏ ~发电; 화력 발전. ②〖軍〗화력. 무기의 위력. ❏ ~圈; 화력이 미치는 범위.
[火烈鸟] huǒlièniǎo 명〖鳥〗홍학. 플라밍고(flamingo). =[红鹳]
[火炉(儿)] huǒlú(r) 명 화로. 난로. =[火炉子]
[火冒] huǒmào 동〈比〉크게 노하다. 불같이 화를 내다. ❏ ~三丈;〈成〉불같이 화를 내다.
[火煤(儿)] huǒméi(r) 명 불쏘시개. 쏘시개. =[火媒méi]
[火苗(儿)] huǒmiáo(r) 명 화염. 불꽃.
[火盆] huǒpén 명 화로.
[火气] huǒqì 명 ① 노기. 화. ② 몸속의 열량. 에너지. ③〖中醫〗열. 화기.
[火器] huǒqì 명〖軍〗화기.
[火热] huǒrè 형 ① 불과 같이 뜨겁다. ❏ ~的太阳; 뜨거운 태양. ② (감정이) 열렬하다. 뜨겁다. ❏ ~的心; 열렬한 마음. ③ 친밀하다. 다정하다. ❏ 谈得~; 다정하게 이야기하다. ④ 격렬하다. 치열하다. ❏ ~的斗争; 격렬한 투쟁.
[火山] huǒshān 명〖地質〗화산. ❏ ~运动; 화산 활동.
[火伤] huǒshāng 명 화상.
[火上浇油] huǒshàng-jiāoyóu〈成〉불에 기름을 붓다. 불난 집에 부채질하다. =[火上加油]
[火烧眉毛] huǒshāo-méi·mao〈成〉매우 급박하다. 다급하다.
[火石] huǒshí 명 ① ⇨[燧suì石] ② 라이터돌.
[火势] huǒshì 명 불의 기세. 불기운.
[火速] huǒsù 부 화급히. 서둘러. 지급으로. 빨리. ❏ ~行动; 빨리 행동하다.
[火头(儿)] huǒtóu(r) 명 ① 화염. 불꽃. 불길. ② ⇨[火候(儿)①] ③ 화. 노기.
[火腿] huǒtuǐ 명 햄(ham).
[火险] huǒxiǎn 명 ①〈簡〉⇨[火灾保险] ② 화재 위험.
[火线] huǒxiàn 명 ①〖軍〗전선(前線). 전장(戰場). ②〖電〗활선(活線).
[火星] huǒxīng 명 ①〖天〗화성. ② (~儿) 불똥. ❏ 迸出~; 불똥이 튀다.
[火性] huǒxìng 명 불같은 성미[성격]. =[火性子]
[火焰] huǒyàn 명 화염. 불꽃.
[火药] huǒyào 명 화약(火藥). ❏ ~库; 화약고.
[火灾] huǒzāi 명 화재(火災).
[火灾保险] huǒzāi bǎoxiǎn 화재 보험. =[火险①]

[火葬] huǒzàng 동 화장하다.
[火中取栗] huǒzhōng-qǔlì 〈成〉 위험을 무릅썼지만 속임을 당해 남 좋은 일만 시키다.
[火种] huǒzhǒng 명 불씨.
[火烛] huǒzhú 명 화재를 일으킬 만한 물건. 인화성 물질. 인화물.

伙 huǒ (화)
① 명 급식. 취사. 식사. ② 명 동료. 친구. 짝. ❑ ~伴; ⇩ ③ 명 단체. 패. 무리. ④ 양 무리. 패《사람의 무리를 세는 말》. ❑ 分成两~; 두 무리로 나누다. ④ 부 공동으로. 연합해서. ❑ 他们~着买了一台拖拉机; 그들은 공동으로 트랙터 한 대를 샀다.
[伙伴] huǒbàn 명 동료. 친구. 파트너.
[伙房] huǒfáng 명 (학교·부대 따위의) 취사장. 주방.
[伙计] huǒ·ji 명 ① 동료. 동업자. ② 점원. 머슴.
[伙食] huǒ·shí 명 (부대·기관·학교 따위의) 공동 식사. 급식. ❑ ~费; 급식비.
[伙同] huǒtóng 동 (다른 사람과) 연합하여 하다. 함께 하다. 결탁하여 하다. ❑ 他~几个人办起了工厂; 그는 몇 사람과 함께 공장을 세웠다.

或 huò (혹)
① 부 어쩌면[혹시] …지도 모른다. ❑ 现在去, ~能买到; 지금 가면 혹시 살 수 있을지 모른다. ② 접 …하거나[이거나] (혹은) …. ❑ 今年~明年; 올해나 내년. ③ 대 〈書〉 어떤 사람. 혹자. ❑ ~告之曰; 어떤 사람이 고하기를.
[或然] huòrán 형 개연(蓋然)의. 개연적인. ❑ ~性; 개연성.
[或许] huòxǔ 부 아마[혹시] …일지도 모른다. 어쩌면 …일 수도 있다. ❑ 你抓紧一点, ~来得及; 네가 좀 서두르면 시간에 댈 수 있을지도 모른다.
[或者] huòzhě 부 어쩌면[혹시] …지도 모른다. ❑ 今晚~要下雨; 오늘 밤 비가 올지도 모른다. 접 ① …하거나[이거나] …하거나[이거나]. …하든[이든] …하든[이든]《연용할 수 있음》. ❑ 这个问题~问他~问我都可以; 이 문제는 그에게 물어보든 나에게 물어보든 다 괜찮다. ② ('无论'·'不论'·'不管'과 함께 쓰여) …이든[하든] …이든[하든] 간에 (모두). ❑ 无论是小说, ~诗歌, 他都写得很好; 소설이든 시가든 간에 그는 모두 잘 쓴다.

惑 huò (혹)
동 ① 미혹되다. 혹하다. ❑ 迷~; 미혹되다. ② 미혹하다. 현혹시키다. ❑ ~乱; ⇩
[惑乱] huòluàn 동 현혹시켜 혼란스럽게 하다. ❑ ~人心; 민심을 어지럽히다.

货(貨) huò (화)
명 ① 화폐. 돈. ② 상품. 물품. 물건. ❑ 订~; 물건을 주문하다. ③ 〈罵〉 놈《사람을 욕하는 말》. ❑ 笨~; 바보. 멍청이.
[货币] huòbì 명 〔經〕 화폐. ❑ ~单位; 화폐 단위.
[货舱] huòcāng 명 (배·비행기의) 짐칸. 화물칸.
[货车] huòchē 명 짐차. 화물차. 트럭.
[货船] huòchuán 명 화물선. =[货轮]
[货单] huòdān 명 〔商〕 적하 목록. 적하 명세서. 운송장. 송장(送狀).
[货机] huòjī 명 〔航〕 화물 수송기.
[货价] huòjià 명 〔商〕 상품 가격. 물품 가격.
[货款] huòkuǎn 명 상품 대금. 물품 대금.
[货郎] huòláng 명 방물장수. 황아장수.
[货轮] huòlún 명 ⇨[货船]
[货品] huòpǐn 명 물품. 물건.
[货色] huòsè 명 ① (품질이나 종류 면에서의) 상품. 물건. ❑ 上等~; 고급품. ② 〈貶〉 나부랭이. 놈. 것. ❑ 肚子里没有~的人; 뱃속에 아무것도 든 것이 없는 놈.
[货物] huòwù 명 상품. 물건. 화물. ❑ ~花色; 상품 종류.
[货样] huòyàng 명 상품 견본.
[货运] huòyùn 명 화물 운송.
[货栈] huòzhàn 명 상품 창고.
[货真价实] huòzhēn-jiàshí 〈成〉 ① 물건도 진짜고 값도 저렴하다《상인이 손님을 끄는 말》. ② 조금도 거짓이 없다.

和 huò (화)
① 동 젓다. 뒤섞다. 혼합하다. 배합하다. ❑ ~一~吧, 糖沉底儿了; 설탕이 바닥에 가라앉아 있으니 좀 휘저어라. ② 양 ㉠빨래할 때 물을 가는 횟수. ❑ 衣裳已经洗了两~了; 옷은 벌써 두 번이나 물을 갈

아 헹구었다. ㉡약을 달이는 횟수. ❏头~药; 첫 번째 달인 약. ⇒ hé hè huó

[和弄] huò·nong 동〈方〉①(휘저어) 뒤섞다. ❏在地上~沙子玩; 바닥에서 모래를 휘젓고 놀다. ②충동질하다. 이간질하다. 부추기다. ❏在中间~; 중간에서 이간질하다.

[和稀泥] huò xīní〈比〉(무원칙하게) 적당히 절충하다. 적당히 중재하다.

获(獲①②, 穫③) huò (획, 확)

동 ①잡다. 붙잡다. ❏俘~; 포로를 붙잡다. ②손에 넣다. 획득하다. ❏不劳而~;〈成〉고생하지 않고 손에 넣다 / ~奖; 상을 받다. ③수확하다. 거두어들이다. ❏收~; 수확하다.

[获得] huòdé 동 얻다. 손에 넣다. 획득하다. ❏~机会; 기회를 얻다.

[获救] huòjiù 동 구조되다. ❏五名渔民~了; 어민 다섯 명이 구조되었다.

[获取] huòqǔ 동 얻다. 획득하다. ❏~利润; 이윤을 얻다.

[获胜] huòshèng 동 승리하다. 이기다. ❏以二比一~了; 2대 1로 이겼다.

[获悉] huòxī 동 소식을 알게 되다. 정보를 얻다.

[获准] huòzhǔn 동 비준을 얻다. 허가를 받다.

祸(禍) huò (화)

①명 화. 재앙. 재난. 사고. ②동 화를 끼치다. 해치다.

[祸不单行] huòbùdānxíng〈成〉불행한 일이 연달아 발생하다.

[祸根] huògēn 명 화근.

[祸国殃民] huòguó-yāngmín〈成〉나라와 국민에게 화를 가져오다.

[祸害] huò·hai 명 ①화. 재난. 재해. ❏引起~; 재해를 일으키다. ②화근. 문젯거리. 말썽꾼. ❏~星; 화근이 되는 사람. 동 해를 끼치다. 화를 입히다. 파손하다. ❏谁也不要~谁; 누구라도 남에게 손해를 끼쳐서는 안 된다.

[祸患] huòhuàn 명 재앙. 재난.

[祸乱] huòluàn 명 재난과 변란. 재앙과 난리.

[祸起萧墙] huòqǐxiāoqiáng〈成〉내부에서 분란이 일어나다.

[祸事] huòshì 명 재앙. 재화.

[祸首] huòshǒu 명 화근의 장본인.

[祸殃] huòyāng 명 재앙. 재난.

霍 huò (곽)

부〈書〉재빠르게. 갑자기. 불시에.

[霍地] huòdì 부 휙. 확. 벌떡. 갑자기. ❏他~立起身来; 그가 벌떡 일어섰다.

[霍霍] huòhuò 의 쓱쓱《칼 가는 소리》. ❏~地磨刀; 칼을 쓱쓱 갈다. 형 번쩍거리는 모양. ❏电光~; 전광이 번쩍거리다.

[霍乱] huòluàn 명 ①〖醫〗콜레라(cholera). ②〖中醫〗곽란.

[霍然] huòrán 부 갑자기. 돌연. 재빨리. 형〈書〉병이 순식간에 씻은 듯 낫는 모양.

豁 huò (활)

①형 훤히 열리다. 탁 트이다. 막힘이 없다. ②동 면제하다. 풀어주다. ⇒ huō

[豁达] huòdá 형 활달하다. 도량이 크다. ❏~大度; 활달하고 도량이 크다.

[豁免] huòmiǎn 동 (납세 따위를) 면제하다. ❏~权; 면제 특권.

[豁然] huòrán 형 훤히 뚫린 모양. 탁 트인 모양. ❏~开朗;〈成〉마음이 탁 트이다.

J

ji ㄐㅣ

几(幾) jī (기) ① 명 (～儿) 작은 탁자. ❑ 茶～儿; 차 탁자. ② 부〈書〉 거의. 하마터면. ❑ 歼敌～两千; 거의 2천 명의 적을 섬멸하다. ⇒jǐ

[几乎] jīhū 부 ① 거의. …에 가깝게. ❑ 在车站～等了四个钟头; 정류장에서 거의 4 시간을 기다렸다. ② 까딱하면. 자칫하면. 하마터면. ❑ 今天～迟到; 오늘 하마터면 지각할 뻔했다. ＝[几几乎]

讥(譏) jī (기) 동 비방하다. 빈정대다.

[讥嘲] jīcháo 동 비방하고 조소하다.

[讥刺] jīcì 동〈書〉 비웃다. 빈정대다.

[讥讽] jīfěng 동 비방하다. 비웃다. ❑ ～的口吻; 비방하는 말투.

[讥笑] jīxiào 동 비웃다. 조소하다. 조롱하다. ❑ 怕人议论～; 남의 입에 오르거나 비웃음을 받는 것을 걱정하다.

叽(嘰) jī (기) 의 짹짹. 찍찍(새나 병아리 울음소리). ❑ 小鸟～～地叫; 새가 짹짹거리다.

[叽咕] jī·gu 동 소곤거리다. 중얼거리다. ❑ 把嘴凑到人家耳朵上～了几句; 입을 그의 귀 가까이 대고 몇 마디 소곤거렸다. ＝[唧jī咕]

[叽叽喳喳] jī·jizhāzhā 의 지지배배. 재잘재잘(지저귀는 소리). ❑ 鸟儿～地叫; 새가 지지배배 지저귀다. ＝[唧唧喳喳]

[叽里咕噜] jī·ligūlū 의 ① 중얼중얼. 웅얼웅얼(남이 알아듣기 어렵게 말하는 소리). ❑ 她～说些什么呀; 그녀가 뭐라고 중얼거리는 것이냐. ② 데굴데굴. 데구르르(물체가 굴러가는 소리).

[叽里呱啦] jī·liguālā 의 왁자지껄. 재잘재잘(큰 소리로 떠드는 소리). ❑ 都熄灯了, 你们还～干什么; 이미 소등을 했는데 아직도 왁자지껄하며 뭘 하는 것이냐.

饥(飢①, 饑②) jī (기) ① 형 배를 곯다. 굶주리다. ❑ ～不择食; 〈成〉 배가 고프면 무엇이든지 먹는다(급할 때엔 이것저것 가릴 겨를이 없다). ② 명 흉작. 기근.

[饥肠辘辘] jīcháng-lùlù 〈成〉 배에서 꼬르륵 소리가 나다(몹시 굶주려 있다).

[饥饿] jī'è 형 굶주리다.

[饥寒] jīhán 명 굶주림과 추위. ❑ ～交迫; 〈成〉 굶주림과 추위가 동시에 닥쳐오다(빈곤한 모양).

[饥荒] jī·huang 명 ① 기근. ＝[〈書〉 饥馑] ② 〈口〉 경제적인 어려움. 생활고. ③ 〈口〉 부채. 빚.

[饥馑] jījǐn 명〈書〉 ⇒[饥荒①]

[饥民] jīmín 명 굶주린 백성.

[饥色] jīsè 명 배고픈 기색.

机(機) jī (기) ① 명 기계. 기구. ❑ 照相～; 사진기. ② 명 비행기. ❑ 客～; 여객기. ③ 명 계기. 전기. ❑ 转～; 전기. ④ 명 시기. 기회. ❑ ～不可失; 〈成〉 기회를 놓쳐서는 안 된다. ⑤ 명 생활 기능. ❑ 有～体; 유기체. ⑥ 명 기밀. 비밀. ❑ 军～; 군사 기밀. ⑦ 생각. 마음. ❑ 杀～; 살기. ⑧ 형 민활한. 기민한. ❑ ～警; ⇩

[机舱] jīcāng 명 ① (배의) 기관실. ② (비행기의) 객실 및 화물 적재실.

[机场] jīchǎng 명 비행장. 공항.

[机车] jīchē 명 기관차. ＝[火车头]

[机床] jīchuáng 명〔機〕 공작 기계. ＝[床子①]

[机动] jīdòng 형 ① 기계로 움직이는. ❑ ～车; 자동차 / ～船; 모터보트. ② 기동적인. 기민한. ❑ ～部队; 기동 부대 / ～性; 기동성. ③ 활용 가능한. 예비의. 비상용의. ❑ ～粮; 비상 식량.

[机构] jīgòu 명 ①〔工〕 기구. 메커니즘(mechanism). ❑ 主动～; 주동 기구. ② (국가·단체 따위의) 기관. 기구.

[机关] jīguān 명 ①〔機〕 기관. ② (사무를 처리하는) 기관. 기구. 조직. ❑ 行政～; 행정 기관. 형 기계로 제어하는. ❑ ～布景; 기계로 움직이는 무대 장치.

[机关枪] jīguānqiāng 명 ⇒[机枪]

[机会] jī·huì 명 기회. ❑ 错过～; 기회를 놓치다 / ～主义; 기회주의.

[机件] jījiàn 명〔機〕 기계 부품.

[机警] jījǐng 형 기민하다. 재치 있다. 약삭빠르다. ❑ 这个人非常～;

저 사람은 매우 기민하다.
[机灵] jī·ling 형 영리하다. 약다. 두뇌 회전이 빠르다. ❏～鬼; 약삭빠른 녀석.
[机密] jīmì 명형 극비(의). 기밀(의). ❏保守～; 기밀을 지키다.
[机敏] jīmǐn 형 기민하다. 날래다.
[机能] jīnéng 명〖生理〗기능. ❏消化～; 소화 기능.
[机票] jīpiào 명 항공권. 비행기표.
[机器] jī·qì 명 기계. ❏～匠; 기계공 / ～人; 로봇(robot).
[机枪] jīqiāng 명 기관총. ＝[机关枪]
[机巧] jīqiǎo 형 기민하다. 교묘하다.
[机体] jītǐ 명〖生〗유기체. ＝[有机体]
[机械] jīxiè 명 기계. ❏～化; 기계화하다 / 农业～; 농업 기계. 형 기계적이다. ❏工作方法太～了; 일하는 방식이 너무 기계적이다.
[机要] jīyào 형 기밀하고 중요한. ❏～文件; 기밀 문서.
[机宜] jīyí 명 시기나 형편에 알맞음. 기의. 시의 적절.
[机遇] jīyù 명 유리한 기회. 찬스.
[机缘] jīyuán 명 기회와 인연.
[机长] jīzhǎng 명 기장.
[机制] jīzhì 명 ① 기계의 구조. 메커니즘. ② 유기체의 구조·기능과 상호 관계. ③ 조직·부문간 상호 작용의 과정과 방식. 형 기계로 제조한. ❏～水饺; 기계로 빚은 물만두.
[机智] jīzhì 형 기지가 넘치다.

肌 jī (기)
명〖生理〗근육.
[肌腱] jījiàn 명 ⇨[腱jiàn]
[肌理] jīlǐ 명〈書〉살결.
[肌肉] jīròu 명〖生理〗근육.
[肌体] jītǐ 명 ① 몸. 신체. ②〈比〉조직. 기구.

击(擊) jī (격)
동 ① 치다. 두드리다. ❏～鼓; 북을 치다. ② 공격하다. ❏声东～西;〈成〉한쪽으로 주의를 돌리게 하고 허를 찌르다. ③ 부딪치다. 닿다. 접촉하다.
[击败] jībài 동 격파하다. 지게 하다.
[击毙] jībì 동 총살하다. 사살하다.
[击沉] jīchén 동 격침하다. ❏～敌舰; 적함을 격침하다.
[击毁] jīhuǐ 동 격파하다. 쳐부수다. ❏～敌方坦克; 적의 탱크를 격파하다.
[击剑] jījiàn 명〖體〗펜싱.
[击溃] jīkuì 동 격파하다. 무찌르다. 궤주(潰走)시키다. ❏～敌军; 적군을 격파하다.
[击落] jīluò 동 격추하다. ❏～敌机; 적기를 격추하다.
[击破] jīpò 동 격파하다. ❏各个～; 각개 격파하다.
[击退] jītuì 동 격퇴하다.
[击掌] jī//zhǎng 동 손뼉을 치다. ❏～称好; 손뼉 치며 칭찬하다.

圾 jī (급)
→[垃圾]

鸡(鷄) jī (계)
명〖鳥〗닭.
[鸡蛋] jīdàn 명 달걀. 계란. ❏～里挑骨头; 달걀 속에서 뼈를 찾다《남의 흠을 들춰내다》/ ～碰石头; 계란으로 바위 치기. ＝[〈口〉鸡子儿]
[鸡飞蛋打] jīfēi-dàndǎ〈成〉양쪽 다 놓치고 아무런 소득이 없다.
[鸡冠] jīguān 명 닭의 볏. ＝[鸡冠子]
[鸡冠花] jīguānhuā 명〖植〗맨드라미.
[鸡零狗碎] jīlíng-gǒusuì〈成〉쓸모없이 자질구레하고 복잡하다.
[鸡笼] jīlóng 명 닭장.
[鸡毛] jīmáo 명 닭털. ❏～蒜皮;〈比〉하잘것없는 일 / ～信; 화급(火急)을 요하는 편지.
[鸡皮疙瘩] jīpí gē·da 소름. 닭살. ❏身上起了～; 몸에 소름이 돋았다.
[鸡犬不宁] jīquǎn-bùníng〈成〉개와 닭까지 불안해하다《세상이 어수선하다》.
[鸡肉] jīròu 명 닭고기.
[鸡尾酒] jīwěijiǔ 명〈義〉칵테일(cocktail).
[鸡心] jīxīn 명 ① 닭 염통. ② 하트형(型). ❏～领; 브이(V) 네크.
[鸡眼] jīyǎn 명 티눈.
[鸡杂(儿)] jīzá(r) 명 닭 내장.
[鸡子儿] jīzǐr 명〈口〉⇨[鸡蛋]

跻(躋) jī (제)
동〈書〉오르다.
[跻身] jīshēn 동 (어떤 대열·위치·순위 따위에) 오르다. 들다. ❏～前八名; 앞에서 8 명 안에 들다.

奇 jī (기)
① 형 홀수의. 기수의. ② 명〈書〉우수리. 나머지. ⇒qí

[奇数] jīshù 명〖數〗기수. 홀수.

犄 jī (의)
→[犄角(儿)][犄角]

[犄角(儿)] jījiǎo(r) 명〈口〉① 모서리. 귀퉁이. ② 구석. 모퉁이.

[犄角] jī·jiao 명〈口〉(짐승의) 뿔.

畸 jī (기)
형 ① 치우치다. 기울어지다. ❏~轻~重;〈成〉너무 가볍거나 너무 무겁다《치우치다》. ② 정상이 아니다. 기형이다.

[畸形] jīxíng 형 ① 기형이다. ❏~胎儿; 기형의 태아. ② 기형적이다. ❏~发展; 기형적인 발전.

基 jī (기)
① 명 기초. 토대. ② 형 시작의. 근본의. 기초의. ❏~层; ⇓ ③ 명〖化〗기. ❏氨~; 아미노기.

[基本] jīběn 명 기본. 근본. 기초. 형 ① 기본적인. 근본적인. ❏~功; 기본기 / ~问题; 근본적인 문제. ② 주요한. 중요한. ❏~词汇; 기본 어휘 / ~条件; 주요 조건. 부 대체로. 거의. ❏工程已经~完成了; 공사는 거의 완성되었다.

[基本上] jīběn·shàng 부 ① 주로. ② 대체로. 거의. ❏他的病~好了; 그의 병은 거의 나았다.

[基层] jīcéng 명 (조직의) 최하층. 말단. 하부. 기층부. ❏~干部; 하급 간부 / ~组织; 하부 조직.

[基础] jīchǔ 명 ① (건축물 따위의) 기초. 토대. ❏打~; 기초를 다지다. ② 기초. 기본. 기반. ❏~代谢; 기초 대사 / ~课; 기초 과목.

[基地] jīdì 명 기지. 근거지.

[基点] jīdiǎn 명 ① 기점. 중심. 중점(重點). ② 기초. 근저.

[基调] jīdiào 명 ①〖樂〗주조음. ② 기조. 기본 개념. 중심 사상.

[基督] Jīdū 명〖宗〗그리스도.

[基督教] Jīdūjiào 명〖宗〗기독교.

[基肥] jīféi 명〖農〗기비. 밑거름. =[底肥]

[基干] jīgàn 명 기간. 골간.

[基金] jījīn 명 기금.

[基石] jīshí 명 초석(礎石). ❏奠diàn定~; 초석을 세우다.

[基数] jīshù 명〖數〗① 기수. 기본수. ② 계산의 기본이 되는 수.

[基薪] jīxīn 명 기본급.

[基业] jīyè 명 사업의 기초.

[基因] jīyīn 명〖生理〗〈音〉유전자. 유전 인자. ❏~组; 유전체. 게놈(Genom).

[基因工程] jīyīn gōngchéng ⇨[遗传工程]

[基于] jīyú 개 …에 근거하여. …에 따라. ❏~上述理由, 我同意他的意见; 상술한 이유에 근거하여 나는 그의 의견에 동의한다.

箕 jī (기)
명 ① (곡식을 까부르는) 키. ② 발굽 모양의 지문(指紋).

积(積) jī (적, 자)
① 동 쌓다. 쌓이다. ❏~少成多;〈成〉조금씩 모아서 적은 것을 많아지게 하다 / ~土成山;〈成〉흙을 쌓아 산을 이루다《티끌 모아 태산》. ② 형 오랜 기간 동안 쌓인. ❏~劳; ⇓ ③ 명〖中醫〗(어린아이의) 소화 불량. 체증.

[积弊] jībì 명 적폐. 누적된 폐해.

[积储] jīchǔ 동 ⇨[积存]

[积存] jīcún 동 모으다. 적립하다. 쌓다. 저장하다. 저축하다. ❏~金; 적립금(積立金). =[积储]

[积德] jī∥dé 동 덕을 쌓다.

[积肥] jī∥féi 동 퇴비를 만들다.

[积分] jīfēn 명 ①〖數〗적분. ② 누계 점수. (jī∥fēn) 동 점수를 모으다[적립하다]. ❏~卡; 적립 카드.

[积极] jījí 형 ① 긍정적이다. 올바르다. ❏~的影响; 긍정적인 영향. ② 적극적이다. 열성적이다. ❏~参加各项活动; 각종 활동에 적극적으로 참가하다 / ~性; 적극성.

[积聚] jījù 동 쌓아 모으다. 축적하다. ❏~经验; 경험을 쌓다.

[积劳] jīláo 동〈書〉피로가 쌓이다. ❏~成疾;〈成〉피로가 쌓여 병이 나다.

[积累] jīlěi 동 누적하다. 쌓다. 축적하다. ❏~知识; 지식을 쌓다. 명〖經〗(자본의) 축적. 적립금.

[积木] jīmù 명 블록(block)《완구》.

[积年] jīnián 명〈書〉다년. 여러 해. ❏~累月;〈成〉오랜 세월.

[积习] jīxí 명 (주로, 안 좋은) 오랜 습관. ❏~难改;〈成〉오랜 습관은 고치기 힘들다.

[积蓄] jīxù 동 모으다. 축적하다. ❏~力量; 힘을 축적하다. 명 모아 놓은 돈. 저축(한 돈).

[积雪] jī∥xuě 동 눈이 쌓이다. 적설하다. ❏~量; 적설량.

[积压] jīyā 동 장기간 적체하다. 묵히다. ❏~货物; 적체 화물.

[积怨] jīyuàn 명 쌓인 원한. (jī∥yuàn) 동 원한이 쌓이다.

J

[积攒] jīzǎn 동 조금씩 모으다. ❏ ~力量; 힘을 조금씩 비축하다 / ~买房钱; 집 살 돈을 모으다.

唧 jī (즉)
동 (액체를) 끼얹다. 뿌리다.

[唧咕] jī·gu 동 ⇒[叽咕]

[唧唧] jījī 의 찌르르《벌레 소리》.

[唧唧喳喳] jī·jizhāzhā 의 ⇒[叽叽喳喳]

[唧哝] jī·nong 동 소곤거리다.

屐 jī (극)
명 ① 나막신. ② 신발.

缉(緝) jī (즙)
동 붙잡다. 체포하다. ❏ 通~; 지명 수배 하다. ⇒qī

[缉捕] jībǔ 동 붙잡다. 체포하다. ❏ ~杀人凶手; 살인범을 체포하다. =[缉拿]

[缉拿] jīná 동 ⇒[缉捕]

[缉私] jīsī 동 밀수를 단속하다.

稽 jī (계)
동 ① 고찰하다. 조사하다. ❏ ~查; ⇩ ② 따지다. 문제 삼다. ③ 〈書〉 머무르다. 지연하다. 끌다.

[稽查] jīchá 동 (밀수·탈세·법령 위반 따위를) 검사하다. 조사하다. 명 검사원. 조사원.

[稽核] jīhé 동 계산을 맞추어 보다. 장부를 대조해 보다.

[稽留] jīliú 동〈書〉 머무르다.

齑(齏) jī (제)
〈書〉 ① 동 부수다. 다지다. ❏ 化为~粉; 〈成〉 철저하게 분쇄하다. ② 명 다진 양념.

激 jī (격)
① 동 (물이) 솟구치다. 일다. ❏ 江面~起一层层浪花; 강 수면에 층층이 물보라가 일다. ② 동 (찬물이 갑자기 몸을 자극해서) 병에 걸리다. ❏ 被雨水~着了; 비를 맞아 탈이 났다. ③ 동 (감정을) 자극하다. 흥분시키다. ❏ 你别~他; 그를 자극하지 마라. ④ 동 (감정이) 흥분되다. 격앙되다. ❏ ~动; ⇩ ⑤ 형 급격하다. 강렬하다. ❏ 偏~; 과격하다.

[激昂] jī'áng 형 격앙되다. ❏ 慷慨~ =[~慷慨]; 〈成〉 비분강개하다.

[激荡] jīdàng 동 ① (충격을 받고) 흔들리다. 격동하다. ❏ 心潮~; 마음이 격동하다. ② 뒤흔들다. 격동시키다. ❏ ~人心; 민심을 뒤흔들다.

[激动] jīdòng 형 흥분되다. 감격스럽다. 감동스럽다. ❏ ~得流下眼泪; 감동의 눈물을 흘리다. 동 감동시키다. 흥분시키다. 감격시키다. ❏ ~人心; 사람들을 감격시키다.

[激发] jīfā 동 자극하다. 불러일으키다. 분기시키다. ❏ ~斗志; 투지를 불러일으키다.

[激愤] jīfèn 형 격분하다.

[激光] jīguāng 명〖物〗레이저(laser). ❏ ~唱片; 시디(CD). 콤팩트디스크 / ~打印机; 레이저 프린트. =[〈音〉 莱lái塞]

[激化] jīhuà 동 ① 격화되다. 격렬해지다. ② 격화시키다. ❏ ~矛盾; 모순을 격화시키다.

[激将] jījiàng 동 자극하여 분발시키다. ❏ ~法; 자극하여 분발시키는 방법.

[激进] jījìn 형 ⇒[急进]

[激励] jīlì 동 격려하다.

[激烈] jīliè 형 ① 격렬하다. 맹렬하다. 치열하다. ❏ 竞争~; 경쟁이 치열하다. ② (성격·감정 따위가) 격하다.

[激流] jīliú 명 격류. 급류.

[激怒] jīnù 동 격노하다. 매우 노하다. ❏ 他曾~过我; 그는 나에게 매우 노했던 적이 있었다.

[激情] jīqíng 명 격정. 열정.

[激素] jīsù 명〖生理〗호르몬. ❏ 性~; 성호르몬. =[〈音〉 荷尔蒙]

[激增] jīzēng 동 (수량 따위가) 급격히 늘다. 급격히 증가하다.

[激战] jīzhàn 동 격전을 벌이다.

羁(羈) jī (기)
〈書〉 ① 명 말의 굴레. 고삐. ② 동 구속하다. 속박하다. ❏ 放荡不~; 〈成〉 제멋대로 방탕하다. ③ 동 머무르다. 기거하다.

[羁绊] jībàn 동〈書〉 속박하다. ❏ 挣脱~; 속박에서 필사적으로 벗어나다.

[羁留] jīliú 동 ① (외지에서) 머무르다. 기거하다. ② ⇒[羁押]

[羁旅] jīlǚ 동〈書〉 타향에 오랫동안 기거하다.

[羁押] jīyā 동 구금하다. =[羁留 ②]

及 jí (급)
① 동 미치다. 도달하다. 이르다. ❏ 波~; 파급하다. ② 동 시간에 대다. 따라잡다. ❏ 来得~; 시간 안에 갈 수 있다. ③ 동 비교할 수 있다. 따라잡다. 미치다. ❏ 我不~他; 나는 그를 따라잡을 수 없다. ④ 접 와. 및. ❏ 那个饭馆的主食有馒头、米饭、面条~水饺;

그 식당의 주메뉴로는 찐빵, 쌀밥, 면 및 물만두가 있다.

[及第] jídì 동 급제하다.

[及格] jí//gé 동 합격하다.

[及时] jíshí 부 즉시. 곧바로. ❑ 有病要~治疗; 병이 있으면 즉시 치료를 해야 한다. 형 때맞다. 시기적절하다. ❑ 你来得太~了; 너 때맞춰 잘 왔다.

[及早] jízǎo 부 일찌감치. 일찍. 빠른 시간 내에. ❑ ~准备; 일찌감치 준비하다.

汲 jí (급)
동 물을 푸다. 물을 긷다. ❑ ~水; 물을 긷다.

[汲取] jíqǔ 동 섭취하다. 얻다. ❑ ~教训; 교훈을 얻다.

岌 jí (급)
형〈書〉 산이 높은 모양.

[岌岌] jíjí 형〈書〉 ① 산이 높은 모양. ② 형세가 위태로운 모양. ❑ ~不可终日; 위험해서 일각도 유예할 수 없다.

级(級) jí (급)
① 명 계급. 등급. ② 명 학년. ③ 명 단. 계단. ④ 양 계단·단계·등급을 세는 말. ❑ 台阶三~; 계단 3단.

[级别] jíbié 명 등급. 등급별.

[级差] jíchā 명 등차(等差). 급차.

[级任] jírèn 명 학년 주임. ❑ ~老师; 주임 교사.

极(極) jí (극)
① 명 끝. 정점. 극도. 절정. ❑ ~点; ⇩ ② 명 (지구·자석·전원의) 극. ❑ 北~; 북극 / 阳~; 양극. ③ 동 다하다. 절정에 이르다. ❑ ~力; ⇩ ④ 형 최고의. 최종의. ❑ ~度; ⇩ ⑤ 부 극도로. 더없이. 매우. ❑ ~大; 더없이 크다 / ~好; 매우 좋다 / ~少数; 극소수.

[极点] jídiǎn 명 극도. 최고조(最高潮). 절정. =[极度]

[极度] jídù 명 ⇒[极点] 부 극도로. ❑ ~紧张; 극도로 긴장하다.

[极端] jíduān 명 극단. ❑ 走~; 극단으로 치닫다. 형 극단적이다. ❑ 他的想法太~了; 그의 생각은 너무 극단적이다. 부 극도로. ❑ ~自私; 극도로 이기적이다.

[极光] jíguāng 명〖天〗 극광. 오로라. ❑ 北~; 북극광.

[极乐世界] jílè shìjiè 〖佛〗 극락.

[极力] jílì 부 있는 힘을 다해. 최선을 다해. 극력. ❑ ~克服; 있는 힘을 다해 극복하다.

[极量] jíliàng 명 극량. ①〖醫〗(약의) 최대 허용량. ② 최대 규정 분량.

[极品] jípǐn 명 ① 최상품. ②〈書〉 최고 관직.

[极其] jíqí 부 매우. 극히《다음절 형용사·동사를 수식함》. ❑ ~有效; 매우 효과가 있다.

[极为] jíwéi 부 매우. 극히. 더없이. ❑ ~勇敢; 더없이 용감하다.

[极限] jíxiàn 명 최대한. 극한. ❑ ~强度;〖工〗한계 강도.

[极刑] jíxíng 명 극형. 사형.

吉 jí (길)
형 길하다. ❑ 大~; 대길하다.

[吉卜赛人] Jíbǔsàirén 명〈音〉 집시(Gypsy).

[吉利] jílì 형 길하고 순조롭다.

[吉尼斯] Jínísī 명〈音〉 기네스북(Guinness Book). =[吉尼斯世界记录大全]

[吉普] jípǔ 명〈音〉 지프(jeep). =[吉普车]

[吉庆] jíqìng 형 길하고 경사스럽다.

[吉日] jírì 명 길일. 길한 날. ❑ ~良辰;〈成〉 길일.

[吉事] jíshì 명 경사스러운 일.

[吉他] jítā 명〖樂〗〈音〉 기타(guitar). =[六弦琴]

[吉祥] jíxiáng 형 상서롭다. 길상하다. 순조롭다. ❑ ~如意; 순조롭게 뜻대로 되다.

[吉祥物] jíxiángwù 명 마스코트(mascot).

[吉凶] jíxiōng 명 길흉.

[吉兆] jízhào 명 길조. 길한 징조.

佶 jí (길)
형〈書〉 건장하다.

[佶屈聱牙] jíqū-áoyá 〈成〉 문장이 난삽해서 읽기 어렵다.

即 jí (즉)
① 동 다가가다. 접근하다. 닿다. ❑ 可望而不可~; 바라볼 수는 있으나 다가갈 수는 없다. ② 동 (역할·임무 따위를) 맡다. ❑ ~位; ⇩ ③ 명 당장. 즉석. ❑ ~日; ⇩ ④ 개 …에 대하여. …에 임하여. ❑ ~景; ⇩ ⑤ 동〈書〉 곧 …이다. 즉 …이다. ❑ 团结~力量; 단결은 곧 힘이다. ⑥ 부〈書〉 바로. 곧. 즉시. ❑ 明年~能完成; 내년이 되면 곧 완성할 수 있다. ⑦ 접 설령[설사] …일지라도. ❑ ~不幸而

死，亦无所恨；설혹 불행히 죽는다 해도 한스러울 것은 없다.

[即便] jíbiàn 접 ⇨[即使]

[即冲咖啡] jíchōng kāfēi 인스턴트 커피(instant coffee).

[即或] jíhuò 접 ⇨[即使]

[即将] jíjiāng 부 곧. 머지않아. ❑ ~答复；곧 회답을 할 것이다.

[即景] jíjǐng 동 눈앞의 풍물을 대하다《시를 짓거나, 그림을 그리는 것을 말함》. ❑ ~生情；〈成〉눈앞의 정경에 감회가 일다.

[即刻] jíkè 부 즉각. 즉시. 곧. =[即时]

[即日] jírì 명 ① 그날. 당일. ② 근일. 수일 내. 가까운 시일 내.

[即时] jíshí 부 ⇨[即刻]

[即使] jíshǐ 접 설사 …하더라도. 설령 …이더라도《항상 '也'와 연용함》. ❑ ~下雨也要进城；설사 비가 오더라도 시내에 가야겠다. =[即便][即或]

[即位] jí//wèi 동 ① (왕이) 즉위하다. ② 자리에 앉다.

[即席] jíxí 동 ① 즉석에서 하다. ❑ ~讲话；즉석에서 연설하다. ② 자리에 앉다. 착석하다.

[即兴] jíxìng 동 즉석에서 흥취가 일다. ❑ ~曲；즉흥곡 / ~诗；즉흥시.

亟 jí (극)
부〈書〉시급히. 신속히. 조속히. 빨리. ❑ 缺点~应纠正；결점은 빨리 고쳐야 한다.

急 jí (급)
① 형 초조하다. 조급하다. 조바심 내다. 서두르다. ❑ 你干吗这么~? 너는 왜 이렇게 조바심 내는 거냐? ② 동 초조하게 하다. 애태우다. ❑ 他怎么还不来，真~人；그는 왜 아직 안 오는 거지, 정말 사람 애태우는군. ③ 형 (성미가) 급하다. 조급하다. 성마르다. ❑ 他性子特别~；그는 성격이 유난히 급하다. ④ 형 빠르고 급하다. 급격하다. ❑ ~转弯；급커브를 돌다. ⑤ 형 절박하다. 긴급하다. ❑ 不~之务；〈成〉급하지 않은 일. ⑥ 명 긴급을 요하는 중대 사건. 급무.

[急病] jíbìng 명 ⇨[急症]

[急不可待] jíbùkědài 〈成〉한시도 지체할 수 없다.

[急促] jícù 형 ① 다급하다. 가쁘다. ❑ 呼吸~；호흡이 가쁘다. ② (시간이) 촉박하다. 절박하다. ❑ 时间~；시간이 촉박하다.

[急电] jídiàn 명동 긴급 전보(를 치다). 급전(을 치다).

[急风暴雨] jífēng-bàoyǔ 〈成〉심한 비바람. 거센 폭풍우《주로, 혁명 운동의 격렬함을 형용함》.

[急急巴巴(的)] jí·jibābā(·de) 형 매우 다급한 모양.

[急件] jíjiàn 명 긴급 서류[우편물].

[急进] jíjìn 형 급진적이다. ❑ ~派；급진파. =[激进]

[急救] jíjiù 동 응급 치료를 하다. 구급하다. ❑ ~法；응급 치료법 / ~箱；구급상자 / ~中心；응급 센터.

[急剧] jíjù 형 급격하다. ❑ 病情~恶化；병세가 급격히 악화되다.

[急流] jíliú 명 급류.

[急忙] jímáng 부 급히. 분주히. 바삐. ❑ 下班后~奔向车站；퇴근 후 정류장으로 급히 달려가다.

[急迫] jípò 형 급박하다. ❑ 情况十分~；상황이 매우 급박하다.

[急起直追] jíqǐ-zhízhuī 〈成〉발전이나 진보가 빠른 사람[사물]을 분발하여 따라잡다.

[急切] jíqiè 형 ① 다급하다. 절실하다. ❑ ~的心情；절실한 심정. ② 황급하다. 급작스럽다.

[急如星火] jírúxīnghuǒ 〈成〉발등에 불이 떨어지다.

[急事(儿)] jíshì(r) 명 급한 일.

[急速] jísù 형 몹시 빠르다. 쏜살같다. 급속하다. ❑ ~的脚步声；몹시 빠른 발걸음 소리.

[急务] jíwù 명 급무. 급한 업무.

[急性] jíxìng 형 ① (병 따위의) 급성의. ❑ ~盲肠炎；급성 맹장염. ② (~儿) ⇨[急性子] 명 (~儿) ⇨[急性子]

[急性子] jíxìng·zi 형 (성질·성격 따위가) 급하다. =[急性②] 명 성질이 급한 사람. =[急性]

[急需] jíxū 동 급히 필요로 하다. ❑ ~血浆；혈장을 급히 필요로 하다.

[急用] jíyòng 동 급히 쓰다. 급용하다.

[急于] jíyú 동 서두르다. 조바심 내다. 안달하다. ❑ ~求成；〈成〉목적을 이루는 데만 급급하다.

[急躁] jízào 형 ① 성미가 급하다. 조급하다. ② 조급하게 서두르다.

[急诊] jízhěn 명동 급진(하다). ❑ ~病人；응급 환자 / ~室；응급실.

[急症] jízhèng 명 급병. 급성 질

환. ＝[急病]

[急中生智] jízhōng-shēngzhì 〈成〉 순간적으로 좋은 지혜가 떠오르다(궁하면 통한다).

[急转直下] jízhuǎn-zhíxià 〈成〉 급전직하하다.

疾 jí (질)
① 명 질병. ② 명 고통. 괴로움. ③ 동 미워하다. 증오하다. ④ 형 빠르다. 맹렬하다.

[疾病] jíbìng 명 질병. 병.

[疾驰] jíchí 동 질주하다. ❑火车~; 기차가 질주하다.

[疾恶如仇] jí'è-rúchóu 〈成〉 악을 미워하기를 원수 미워하듯 한다.

[疾风] jífēng 명 질풍. ❑~劲草 ＝[~知劲草]; 〈成〉 역경에 처해 봐야 그 사람의 진가를 안다.

[疾患] jíhuàn 명〈書〉 질환. 병.

[疾苦] jíkǔ 명 질고. 고통.

[疾言厉色] jíyán-lìsè 〈成〉 화가 나서 말을 격하게 하고 엄한 얼굴을 하다.

嫉 jí (질)
동 ① 시기하다. 샘내다. 질투하다. ② 미워하다. 증오하다.

[嫉妒] jídù 동 ⇒[忌jì妒]

[嫉恨] jíhèn 동 질투하며 원망하다.

棘 jí (극)
① 명〔植〕 멧대추나무. ② 명 가시나무. ③ 동 찌르다.

[棘手] jíshǒu 형 (처리하기가) 곤란하다. 애먹다. 난처하다.

集 jí (집)
① 동 모이다. 모으다. ❑招~; 소집하다. ② 명 집록(集錄). 문집. ❑诗~; 시집. ③ 명 장. 시장. ❑赶~; 장에 가다. ④ 명 (서책의) 집. (필름의) 편(篇).

[集成电路] jíchéng diànlù 〔컴〕 집적 회로. 아이시(IC). ❑~卡; 아이시 카드.

[集大成] jí dàchéng 집대성하다.

[集合] jíhé 동 ① 집합하다. ❑紧急~; 긴급 집합. ② 모으다. ❑~部队; 부대를 모으다. 명〔數〕 집합(集合).

[集会] jíhuì 명동 집회(하다). ❑举行~; 집회를 거행하다.

[集锦] jíjǐn 명 대표 선집. 걸작선.

[集聚] jíjù 동 모이다. 집합하다. ❑操场上~着一群人; 운동장에 한 무리의 사람들이 모였다.

[集日] jírì 명 장날.

[集市] jíshì 명 (정기적으로 열리는) 장. ＝[市集①]

[集思广益] jísī-guǎngyì 〈成〉 대중의 지혜를 모아 유익한 의견을 널리 받아들이다.

[集体] jítǐ 명 집단. 단체. 그룹. ❑~婚礼; 합동결혼식 / ~生活; 단체 생활 / ~旅行; 단체 여행 / ~照; 단체 사진.

[集团] jítuán 명 ① 집단. 단체. 그룹. ❑统治~; 통치 집단. ② (기업체의) 그룹(group).

[集训] jíxùn 동 합동 훈련 하다. 합숙 훈련 하다.

[集邮] jí∥yóu 동 우표를 수집하다.

[集中] jízhōng 동 (사람·물건·의견 따위를) 모으다. ❑~资金; 자금을 모으다. 형 집중하다. ❑~注意力; 주의력을 집중시키다.

[集装箱] jízhuāngxiāng 명 컨테이너(container).

[集子] jí·zi 명 문집(文集).

楫 jí (즙, 집)
명〈書〉 노. ＝[桨jiǎng]

辑(輯) jí (집)
① 동 (책 따위의 자료를) 모으다. 편집하다. ❑收~; 모아서 수록하다. ② 양 집(전집·자료집 따위를 세는 말). ❑这部丛书分为十~; 이 총서는 10집으로 나뉜다.

[辑录] jílù 동 집록하다.

瘠 jí (척)
형〈書〉 ① 여위고 약하다. ② 척박하다. ❑~土; 척박한 땅.

[瘠薄] jíbó 형 (땅이) 척박하다. 메마르다. ❑~地; 척박한 땅.

藉 jí (적)
동〈書〉 짓밟다. 어지럽히다. ⇒'借' jiè

籍 jí (적)
명 ① 책. 서적. ② 호적. 원적(原籍). 원적지. ③ 적(개인의 국가·조직과의 소속 관계). ❑党~; 당적 / 国~; 국적.

[籍贯] jíguàn 명 본적. 출신지.

几(幾) jǐ (기)
① 대 몇(10 이하의 수를 묻는 말). ❑买了~公斤? 몇 근 샀느냐? ② 수 몇(10 이하의 확실하지 않은 수를 나타냄). ❑买~本书; 책을 몇 권 사다. ⇒jī

[几分] jǐfēn 수 조금. 약간. 얼마간. ❑她说的有~道理; 그녀가 하는 말은 조금은 일리가 있다.

[几何] jǐhé 대〈書〉 몇. 얼마. 명

〖數〗〈簡〉 기하. 기하학. ❏ ~级数; 기하급수 / ~学; 기하학.
[几儿] jǐr 대〈口〉 어느 날. 며칠. ❏ 今儿是~? 오늘은 며칠이냐?
[几时] jǐshí 대 언제. ❏ 你们~走? 너희들은 언제 가느냐?

虮(蟣) jǐ (기)
명 〖蟲〗 서캐.
[虮子] jǐ·zi 명 〖蟲〗 서캐.

己 jǐ (기)
대 자기. 자신. ❏ 舍~为人; 〈成〉 나를 버리고 남을 위하다.
[己方] jǐfāng 명 자기 쪽. 자기편.
[己任] jǐrèn 명 자기 임무[소임].

济(濟) Jǐ (제)
명 〖地〗 지수이(濟水)강《옛 강 이름》. ⇒jì
[济济] jǐjǐ 형〈書〉 사람이 많은 모양. ❏ ~一堂; 〈成〉 수많은 인재가 한자리에 모인 모양.

挤(擠) jǐ (제)
① 동 (사람이나 물건이) 빽빽하게 들어차다. 꽉 차다. 가득 메우다. ❏ 参加的人~满了会场; 참가자가 회의장을 가득 메웠다. ② 형 비좁다. 붐비다. 갑갑하다. 꽉 끼다. ❏ 这间屋住两个人~不~? 이 집에서 둘이 살면 비좁지 않느냐? ③ 동 (일 따위가) 몰리다. 겹치다. ❏ 几件事都~在一块儿了; 몇 건의 일이 한꺼번에 몰렸다. ④ 동 (군중을) 헤치다. 비집다. 밀치다. ❏ 往里~~, 里面人不多; 안에는 사람이 별로 없으니 안으로 좀 비집고 들어가세요. ⑤ 동 짜서 나오게 하다. 짜다. ❏ ~奶; 젖을 짜다 / ~牙膏; 치약을 짜다. ⑥ 동 시간을 내다. 짬을 내다. ❏ 我实在~不出时间来; 나는 도저히 시간을 낼 수 없다.

给(給) jǐ (급)
① 동 공급하다. ❏ 补~; 보급하다. ② 형 풍족하다. ❏ 家~人足; 〈成〉 집집마다 의식(衣食)이 풍족하고, 사람마다 생활이 풍요롭다. ⇒gěi
[给水] jǐshuǐ 동 급수하다. ❏ ~车; 급수차.
[给养] jǐyǎng 명 (군수품·식량 따위의) 급여 물자. 보급품.
[给予] jǐyǔ 동〈書〉 주다. 보내다. ❏ ~协助; 협조해 주다. =[给与]

脊 jǐ (척)
명 ① 등뼈. 척추. ❏ ~椎; ⇓ ② 마루. 등마루. ❏ 屋~; 용마루.
[脊背] jǐbèi 명 ⇒[脊梁①]
[脊梁] jǐ·liang 명 ① 등. ❏ ~骨; 등뼈. 척추. =[脊背] ②〈比〉 주축. 중심. 줏대. 중추.
[脊鳍] jǐqí 명 ⇒[背bèi鳍]
[脊髓] jǐsuǐ 명〖生理〗 척수.
[脊柱] jǐzhù 명〖生理〗 척주. 척추.
[脊椎] jǐzhuī 명〖生理〗 ① 척추. ❏ ~动物; 척추동물. ② ⇒[椎骨]
[脊椎骨] jǐzhuīgǔ 명 ⇒[椎骨]

计(計) jì (계)
① 동 계산하다. 셈하다. ❏ 共~; 합계하다. ② 명 계기(計器). ❏ 血压~; 혈압계. ③ 명 계획. 생각. 책략. 계략. ❏ ~策; ⇓ ④ 동 계획하다. 꾀하다. ❏ 设~; 설계하다. ⑤ 동 염두에 두다. 문제 삼다. ❏ 在所不~; 〈成〉 개의치 않다.
[计策] jìcè 명 계책. 계략. 책략.
[计程表] jìchéngbiǎo 명 (택시 따위의) 미터기. 미터.
[计程车] jìchéngchē 명〈方〉 택시.
[计划] jìhuà 명동 계획(하다). ❏ ~经济; 계획 경제 / ~生育; 계획 출산. 산아 제한.
[计价] jìjià 동 가격 계산을 하다. 가격을 산정하다. ❏ 按质~; 품질에 따라 가격을 산정하다.
[计件] jìjiàn 동 작업량을 계산하다. ❏ ~工资; 성과급.
[计较] jìjiào 동 ① 계산하여 비교하다. 따지다. 문제 삼다. ❏ 斤斤~; 〈成〉 세세하게 따지다. ② 논쟁하다. ❏ 现在我不想跟你~; 지금 나는 너와 논쟁하고 싶지 않다. ③ 계획하다. 협의하다. 상의하다.
[计量] jìliàng 동 ① 재다. 계량하다. ❏ ~体温; 체온을 재다. ② 계산하다. ❏ 损失之大, 难以~; 손실이 커서 계산하기 어렵다.
[计谋] jìmóu 명 계략. 계책.
[计时] jìshí 동 시간을 계산하다. ❏ ~工; 파트타이머 / ~工资; 시간급.
[计算] jìsuàn 동 ① 계산하다. ❏ ~产值; 생산액을 계산하다 / ~器; 계산기. ② 타산하다. 궁리하다. 생각하다. ❏ 心里~; 속으로 궁리하다. ③ 남을 해칠 궁리를 하다. 모함하다.
[计算机] jìsuànjī 명〖컴〗 컴퓨터. ❏ ~程序设计; 컴퓨터 프로그래밍. =[电子计算机][电脑]
[计算机病毒] jìsuànjī bìngdú 컴

퓨터 바이러스. =[电脑病毒]
[计议] jìyì 동 고려하다. 생각하다. 협의하다. 상의하다. ❑从长～; 장기적인 관점에서 협의하다.

记(記) jì (기) ① 동 기억하다. 암기하다. ❑那件事我现在还～着; 그 일을 나는 아직도 기억하고 있다. ② 동 적다. 기록하다. ❑请你把你的名字～一下; 당신의 이름을 좀 적어 주십시오. ③ 명 기재하거나 묘사한 책이나 문장. ❑传～; 전기 / 游～; 기행문. ④ (～儿) 명 부호. 표지. 기호. ⑤ 명 (피부의) 점. ⑥ 양 번. 대. 회《동작의 횟수를 세는 데 쓰임》. ❑打一～耳光; 따귀를 한 대 때리다.
[记得] jì·de 동 (잊지 않고) 기억하다. ❑你还～我吗? 아직도 나를 기억하느냐?
[记分(儿)] jì∥fēn(r) 동 점수를 기록하다. ❑～牌; 스코어보드.
[记功] jì∥gōng 동 공로·공적을 기록하다.
[记过] jì∥guò 동 과실을 기록하다. 잘못을 범하다. ❑记了一次过; 과실을 한 번 저질렀다.
[记号] jì·hao 명 기호. 마크. 표시.
[记恨] jì·hèn 동 원한을 품다. ❑～在心; 마음에 원한을 품다.
[记录] jìlù 동 기록하다. ❑～证词; 증언을 기록하다. 명 ① 기록. ❑会议～; 회의 기록. ② 서기. 기록원. ‖ =[纪录] ③ ⇨[纪录]
[记录片] jìlùpiàn 명 ⇨[纪录片]
[记名] jìmíng 동 기명하다. ❑～投票; 기명 투표.
[记念] jìniàn 명동 ⇨[纪念]
[记取] jìqǔ 동 기억하다. 유념하다. 새겨 두다.
[记事] jìshì 동 (어떤 일을) 기록하다. 메모하다. ❑～册 =[～本]; 메모장. 수첩.
[记事儿] jìshìr 동 (아이가) 사물을 기억할 수 있는 능력이 생기다.
[记述] jìshù 동 기술하다. ❑～往事; 과거의 일을 기술하다.
[记性] jì·xing 명 ⇨[记忆力]
[记叙] jìxù 동 기술하다. 서술하다. ❑～文; 서술문.
[记要] jìyào 명 ⇨[纪要]
[记忆] jìyì 동 기억하다. 기억나다. 명 기억. ❑～犹新; 〈成〉 기억이 생생하다.
[记忆力] jìyìlì 명 기억력. =[记性]
[记载] jìzǎi 동 기재하다. ❑据实～; 사실대로 기재하다. 명 기록. 기사.
[记账] jì∥zhàng 동 기장하다.
[记者] jìzhě 명 기자. ❑～招待会; 기자 회견.
[记住] jì∥zhù 동 기억해 두다. ❑一定要～如何操作; 어떻게 조작하는지 꼭 기억해 두거라.

纪(紀) jì (기) ① 명 규율. 질서. ② 의미는 '记'와 같으나, '纪年'·'纪念'·'纪录'·'纪元'·'纪传' 따위에만 쓰임. ③ 명 기. 세기. ❑中世～; 중세기. ④ 명 〔地質〕 기. ❑寒武～; 캄브리아기.
[纪录] jìlù 명동 ⇨[记录] 명 최고 성적. 기록. ❑打破～; 기록을 깨다 / 世界～; 세계 기록. =[记录③]
[纪录片] jìlùpiàn 명 〔映〕 다큐멘터리(documentary). =[〈口〉纪录片儿piānr][记录片][〈口〉 记录片儿piānr]
[纪律] jìlǜ 명 기율. 규율.
[纪年] jìnián 명 기년《연대순에 의한 역사 편찬법》. ❑～体; 기년체. 동 연대(年代)를 기록하다.
[纪念] jìniàn 동 기념하다. ❑～碑; 기념비 / ～币; 기념 화폐 / ～馆; 기념관 / ～品; 기념품 / ～日; 기념일 / ～照; 기념 사진. 명 기념. 기념품. ‖ =[记念]
[纪行] jìxíng 명 기행《주로, 표제(標題)로 쓰임》.
[纪要] jìyào 명 기요. 개요. =[记要]
[纪元] jìyuán 명 기원.
[纪传体] jìzhuàntǐ 명 〔史〕 기전체.

忌 jì (기) 동 ① 시기하다. 질투하다. 샘내다. ❑～才; 재능을 시기하다. ② 두려워하다. 꺼리다. ❑～惮; ⇓ ③ 꺼리어서 싫어하다. 기피하다. ❑～吃; (어떤 음식을) 먹는 것을 싫어하다. ④ (기호품 따위를) 끊다. 삼가다. ❑～烟; 담배를 끊다.
[忌辰] jìchén 명 기일(忌日). 명일(命日). =[忌日①]
[忌惮] jìdàn 동〈書〉 기탄하다. 꺼리다. ❑肆无～; 〈成〉 거리낌이 없다.
[忌妒] jì·du 동 질투하다. 시기하다. 샘내다. ❑～心; 질투심. =

[嫉jí妒][妒忌]

[忌讳] jì·huì 동 ① 금기하다. 꺼리다. ❑春节时~说不吉利的话; 설에는 불길한 말을 하는 것을 금기한다. ②(불리한 일을) 피하다. ❑得了痢疾~吃生; 이질에 걸렸으면 날것을 피해야 한다.

[忌口] jì∥kǒu 동 (적당하지 않은 음식을) 가려 먹다. =[忌嘴]

[忌日] jìrì 명 ①⇨[忌辰] ② 액일(厄日).

[忌嘴] jì∥zuǐ 동 ⇨[忌口]

伎 jì (기)
명 ①〈書〉⇨[技] ② 옛날, 가무(歌舞)를 업(業)으로 삼았던 여자.

[伎俩] jìliǎng 명 (부정당한) 수단. 수법. ❑惯用的~; 상투적인 수법.

技 jì (기)
명 기술. 솜씨. 재주. =[伎①]

[技法] jìfǎ 명 기법.

[技工] jìgōng 명 기술공. 기능공.

[技能] jìnéng 명 기능. 솜씨.

[技巧] jìqiǎo 명 기교. 테크닉.

[技师] jìshī 명 기사. 엔지니어.

[技术] jìshù 명 기술. ❑~合作; 기술 제휴 / ~员; 기술자.

[技艺] jìyì 명 기예. ❑~高超; 기예가 출중하다.

妓 jì (기)
명 기생. 기녀.

[妓女] jìnǚ 명 기생. 기녀.

[妓院] jìyuàn 명 기생집. 기루.

剂(劑) jì (제, 자)
① 명 약제(藥齊). ❑丸~; 환약. ② 명 화학제. ❑杀虫~; 살충제. ③(~儿) 명 반죽한 것을 한 개분의 크기로 작게 떼어 낸 것. ❑面~儿; 밀가루 반죽 덩어리. ④ 동 조제하다. 배합하다. ⑤ 양 첩(貼)《조제한 약을 세는 말》. ❑一~药; 약 한 첩. =[服fù]

[剂量] jìliàng 명〖醫〗 약품의 사용 분량.

[剂子] jì·zi 명 반죽한 것을 한 개분의 크기로 떼어 낸 덩어리.

济(濟) jì (제)
동 ① 강을 건너다. ❑同舟共~; 〈成〉 환난을 함께하다. ② 구제하다. 돕다. ❑经世~民; 〈成〉 세상을 다스리고 백성을 구제하다. ③ 쓸모가 있다. 도움이 되다. ❑无~于事; 아무 쓸모가 없다. ⇒Jǐ

[济事] jìshì 동 쓸모가 있다. 일이 성공하다. 소용에 닿다《주로, 부정형으로 쓰임》.

荠(薺) jì (제)
명〖植〗 냉이.

[荠菜] jìcài 명〖植〗 냉이.

霁(霽) jì (제)
동〈書〉 ① (비나 눈이 그치고) 개다. ② 노여움이 풀리다. ❑气平怒~; 노여움이 가라앉다.

际(際) jì (제)
① 명 가. 가장자리. 계. ❑天~; 하늘과 땅의 경계. ② 명 속. 안. ❑脑~; 머릿속. ③ 명 상호간. 사이. ❑国~; 국제. ④ 명 〈書〉 때. 무렵. 시기. ⑤ 동〈書〉 바로 …의 시기가 되다. ❑~此盛会; 이 행사를 맞이하여.

系(繫) jì (계)
동 묶다. 매다. ❑把鞋带~上; 신발 끈을 묶다. ⇒xì

季 jì (계)
명 ① 분기. 계. ❑~度; ⇩ ② (~儿) 철. 계절. 절기. ❑淡~; 비수기 / 旺~; 성수기. ③ 한 시기의 말(末). ❑清~; 청나라 말기. ④ 계절의 마지막 달. ❑~春; 늦봄 / ~秋; 늦가을. ⑤ (형제의 순서에서) 막내. ❑~弟; 막냇동생.

[季度] jìdù 명 분기.

[季风] jìfēng 명〖氣〗 계절풍.

[季节] jìjié 명 계절. 철. 시기.

[季军] jìjūn 명 (운동 경기 따위에서) 제 3위. 3등

[季刊] jìkān 명 계간.

悸 jì (계)
동〈書〉 (무서워서) 가슴이 두근두근하다. ❑心有余~; 여전히 가슴이 두근거린다.

迹 jì (적)
명 ① 자취. 흔적. ❑血~; 핏자국 / 踪~; 종적. ② 유적. ❑古~; 고적. ③ 형적. 거동.

[迹象] jìxiàng 명 형적. 흔적. 조짐. 징조.

既 jì (기)
① 부 이미. 벌써. ② 접 ('就' '则'와 호응하여) …일 바에는. …한 바에는. …한 이상은. ❑他~有这么个毛病, 我就不要他了; 그에게 이런 결점이 있는 이상 나는 그를 원치 않는다. ③ 동〈書〉 다하다. 이르다. ❑感谢无~; 감사하기 이를 데 없다. ④ 부 …일 뿐 아니라《'且'·'也'·'又'와 호응함》. ❑这套家具~好看又实用; 이 가구 세트는 보기 좋을 뿐 아니라 실용적

이기까지 하다.

既成事实] jìchéng shìshí 기정 사실. 「옥고.

既而] jì'ér 부〈書〉 머지않아. 이

既然] jìrán 접 (어차피) …한 이상. (이왕) …인 바에야(《'就'·'也'·'还'·'又'와 호응함》). ❏ 你~喜欢这盆花, 就端走吧; 네가 어차피 이 꽃화분을 마음에 들어 하니, 가져가도록 하거라. =[既是]

既是] jìshì 접 ⇒[既然]

既往] jìwǎng 명 과거. 이전.

既往不咎] jìwǎng-bùjiù 〈成〉 과거의 잘못은 묻지 않는다. =[不咎既往]

暨 jì (기)

〈書〉① 접 및. …과. ② 개 …에 이르기까지. …까지. ❏ ~今; 지금까지.

继(繼) jì (계)

① 동 계속하다. 지속하다. 잇다. 이어지다. ❏ 歌声相~; 노랫소리가 계속되다. ② 접 이어서. 다음에. 그 뒤에. 뒤이어.

继承] jìchéng 동 ①〖法〗 상속하다. ❏ ~权; 상속권. ② (작품·문화·지식 따위를) 이어받다. 계승하다. ❏ ~文化遗产; 문화유산을 이어받다. ③ (유지·사업 따위를) 이어받다. 계승하다. ❏ ~遗志; 유지를 계승하다.

继承人] jìchéngrén 명 ①〖法〗 상속인. ② 계승자. 후계자.

继而] jì'ér 접 이어서. 뒤이어. 계속하여. ❏ 人们先是一惊, ~哄堂大笑; 사람들은 처음에는 놀라다가 뒤이어 크게 웃음보를 터뜨렸다.

继父] jìfù 명 의붓아버지. 계부. =[〈口〉后爹][后父]

继母] jìmǔ 명 의붓어머니. 계모. 새엄마. =[〈口〉后妈][〈口〉后娘][后母][〈方〉晚娘]

继任] jìrèn 동 직무를 이어받다. 후임으로 오다.

继往开来] jìwǎng-kāilái 〈成〉 전인(前人)의 일을 계승하여 앞날을 개척하다.

继位] jì//wèi 동 왕위를 계승하다.

继续] jìxù 동 계속하다. ❏ ~推进改革进程; 개혁을 계속 추진하다.

继子] jìzǐ 명 ① 양자(養子). ② 의붓아들.

觊(覬) jì (기)

동〈書〉 희망하다. 바라다. ❏ ~幸; 요행을 바라다.

[觊觎] jìyú 동〈書〉 노리다. 욕심내다. ❏ ~大位; 요직을 노리다.

寄 jì (기)

① 동 (우편으로) 보내다. 부치다. ❏ 给他~一张照片; 그에게 사진 한 장을 부치다 / ~钱; 돈을 부치다. ② 동 맡기다. 위탁하다. ❏ ~存; ⇩ ③ 동 몸을 의탁하다. 신세를 지다. ❏ ~身; 몸을 의탁하다 / ~居; ⇩ ④ 형 의(義)로 맺은. ❏ ~父; 수양아버지 / ~儿; 수양아들.

[寄存] jìcún 동 위탁하다. 맡기다. 보관시키다. ❏ 行李~处; 짐 맡기는 곳. 짐 보관소 / ~证; 보관증.

[寄放] jìfàng 동 맡기다. 보관하다. ❏ 皮箱~在亲戚家; 트렁크를 친척 집에 맡기다.

[寄居] jìjū 동 얹혀살다. ❏ 在姑母家~; 고모 집에 얹혀살다.

[寄卖] jìmài 동 위탁 판매 하다. 대리 판매 하다. ❏ ~行háng; 위탁 판매점. =[寄售]

[寄人篱下] jìrénlíxià 〈成〉 남을 의지해서 살다. 남에게 얹혀살다.

[寄生] jìshēng 동 ① 기생하다. ❏ ~虫; 기생충 / ~植物; 기생 식물. ②〈比〉 남에게 빌붙어 살다.

[寄售] jìshòu 동 ⇒[寄卖]

[寄宿] jìsù 동 ① (임시로) 묵다. ❏ 在朋友家里~一天; 친구 집에서 하룻밤 묵다. ② (학생이 기숙사에) 기숙하다. ❏ ~生; 기숙생.

[寄托] jìtuō 동 ① 맡기다. 위탁하다. 부탁하다. ② (희망·감정 따위를) 걸다. 두다. 의탁하다. ❏ 把自己的理想~在孩子身上; 자신의 꿈을 아이에게 걸다.

[寄信] jì//xìn 동 편지를 보내다[부치다].

[寄养] jìyǎng 동 수양아들[딸]로 주다. 맡겨 기르다. ❏ 他在姑母家一直~到16岁; 그는 16살 때까지 줄곧 고모댁에 맡겨 길러졌다.

[寄予] jìyǔ 동 ① (희망·감정 따위를) 걸다. 두다. 의탁하다. ❏ 对于青年一代~极大的希望; 젊은 세대에 아주 큰 희망을 걸다. ② (동정·관심 따위를) 보내다. ❏ ~同情; 동정을 보내다. ‖ =[寄与yǔ]

寂 jì (적)

형 ① 조용하다. 고요하다. ② 외롭다. 쓸쓸하다. 적적하다.

[寂静] jìjìng 형 조용하다. 고요하다. 잠잠하다. ❏ 会场突然~下来

J

了; 회의장이 갑자기 조용해졌다.
[寂寞] jìmò 형 ① 쓸쓸하다. 적적하다. 외롭다. ❑ 我一个人在家里, 真是~; 밤에 나 혼자만 집에 있으니 정말 쓸쓸하다. ② 적막하다. ❑ ~的森林; 적막한 삼림.
[寂然] jìrán 형〈書〉 고요한 모양. ❑ ~无声; 아무 소리도 없이 고요하다.

绩(績) jì (적)
① 동 (실을) 잣다. 뽑다. 삼다. ❑ ~麻; 삼을 삼다. ② 명 공적. 성과. ❑ 业~; 업적.

祭 jì (제)
동 ① 제사 지내다. ❑ ~天; 하늘에 제사 지내다. ② 추도하다. 추모하다. ❑ 公~烈士; 나라에서 열사를 추도하다.
[祭奠] jìdiàn 동 제사 지내고 추도하다. 추모 의식을 거행하다.
[祭品] jìpǐn 명 제수(祭需). 제물.
[祭祀] jìsì 동 제사 지내다.
[祭坛] jìtán 명 제단(祭壇).
[祭文] jìwén 명 제문.

蓟(薊) jì (계)
명〔植〕 엉겅퀴. =[大蓟]

稷 jì (직)
명 ①〔植〕 기장. ② 오곡(五穀)의 신(神). ❑ 社~; 사직.

鲫(鯽) jì (즉)
명〔魚〕 붕어. =[鲫鱼]

冀 jì (기)
동〈書〉 희망하다. 바라다. ❑ ~其成功; 성공을 바라다.

骥(驥) jì (기)
명〈書〉 ① 좋은 말. 준마. ②〈比〉 현명하고 재능이 뛰어난 사람.

髻 jì (계)
명 상투. 쪽.

jia ㄐㄧㄚ

加 jiā (가)
동 ① 보태다. 더하다. ❑ 三~三等于六; 3 더하기 3은 6이다. ② 늘리다. 증가하다. ❑ 再~几个人; 몇 명을 더 늘리다. ③ 덧붙이다. 첨가하다. 달다. ❑ ~注解; 주석을 달다. ④ …을 하다[가하다]. ❑ 不~考虑; 고려하지 않다.
[加班(儿)] jiā//bān(r) 동 연장 근무 하다. 특근하다. ❑ ~费; 연장 근무 수당. 특근비 / ~工作; 연장 근무
[加倍] jiā//bèi 동 배로 늘다. ❑ 生产~地增长; 생산이 배로 늘다 (jiābèi) 부 갑절로. 각별히. 더더욱. ❑ ~小心; 더더욱 조심하다.
[加点] jiā//diǎn 동 초과 근무 하다. 잔업하다. 연장 근무 하다. ❑ ~工作; 연장 근무.
[加法] jiāfǎ 명〔數〕 덧셈.
[加工] jiā//gōng 동 ① 가공하다. ❑ ~零件; 부품을 가공하다. ② 다듬다. 손질하다. ❑ 这部小说你还要~~; 이 소설은 좀 더 다듬어야겠다.
[加号] jiāhào 명〔數〕 덧셈 부호. 더하기표.
[加紧] jiājǐn 동 박차를 가하다. 다그쳐 하다. 강도를 높이다. ❑ ~生产; 생산에 박차를 가하다.
[加劲(儿)] jiā//jìn(r) 동 힘내다. 열심히 하다. 노력하다. ❑ ~工作; 열심히 일하다.
[加剧] jiājù 동 심해지다. 격화하다. ❑ 病势~; 병세가 악화되다.
[加快] jiākuài 동 가속화하다. 속도를 빨리 하다. 속도를 내다. ❑ ~脚步; 걸음을 빨리 하다.
[加码] jiā//mǎ 동 ① (~儿) 가격을 올리다. ❑ 门票又~了; 입장료가 또 올랐다. ② (도박에서) 판돈을 늘리다. ③ 지표(指標)를 올리다.
[加盟] jiāméng 동 (단체 · 조직 따위에) 가입하다. 가맹하다. ❑ ~店; 가맹점.
[加拿大] Jiānádà 명〔地〕〈音〉 캐나다(Canada).
[加强] jiāqiáng 동 강화하다. ❑ ~缉私; 밀수 단속을 강화하다.
[加热] jiā//rè 동 가열하다.
[加入] jiārù 동 ① 넣다. 집어넣다. 섞어 넣다. ❑ ~调料; 조미료를 넣다. ② 가입하다. 참가하다. ❑ ~协会; 협회에 가입하다.
[加上] jiāshàng 접 그 위에. 게다가. ❑ 他身体较弱, ~工作紧张, 干了几天就病倒了; 그는 몸이 약한데, 게다가 일까지 바빠 며칠 못 가서 몸져누웠다.
[加深] jiāshēn 동 깊게 하다. 깊어지다. ❑ 感情~; 감정이 깊어지다.
[加湿器] jiāshīqì 명 가습기.
[加时赛] jiāshísài 명〔體〕 연장전.
[加速] jiā//sù 동 ① 가속하다. ❑ ~器; 가속기 / ~踏板; 액셀러레이터. ② (jiāsù) 가속화하다.

J

加速度] jiāsùdù 명〔物〕가속도.

加以] jiāyǐ 동 …을 가하다. …하다. ❏ 对技术问题~研究; 기술 문제에 대해서 연구하다. 접 그 위에. 게다가. 더 나아가. ❏ 他基础好, ~学习认真, 因而进步很快; 그는 기초가 튼튼한 데다 공부도 열심히 하기 때문에 진보가 매우 빠르다.

加油] jiā∥yóu 동 ① 주유하다. 급유하다. ❏ ~站; 주유소. ② (~儿)〈比〉 힘을 내다. 기운을 내다. ❏ ~! ~! 힘내라 힘! 파이팅!

加重] jiāzhòng 동 ① 가중하다. 더하다. ❏ 责任~了; 책임이 가중됐다. ② (병세가) 심해지다. ❏ 他的病势~了; 그의 병세가 심해졌다.

伽 jiā (가) →[伽倻琴] ⇒ gā

伽倻琴] jiāyēqín 명〔樂〕가야금.

茄 jiā (가) →[茄克][雪茄] ⇒ qié

茄克] jiākè 명〈音〉⇨[夹克]

枷 jiā (가) 명 칼《형구의 하나》.

枷锁] jiāsuǒ 명 칼과 족쇄. 〈比〉 압박과 속박.

痂 jiā (가) 명 부스럼 딱지. ❏ 伤口结~了; 상처에 부스럼 딱지가 생겼다.

袈 jiā (가) →[袈裟]

袈裟] jiāshā 명〔佛〕〈梵〉 가사.

嘉 jiā (가) ① 형 좋다. 훌륭하다. ❏ ~礼; 가례《주로, 혼례를 이름》. ② 동 칭찬하다.

嘉宾] jiābīn 명 귀한 손님. 가빈(佳賓). =[佳宾]

嘉奖] jiājiǎng 동 칭찬하고 장려하다. 표창하다. 명 칭찬과 장려. 표창.

嘉勉] jiāmiǎn 동〈書〉 칭찬하며 격려하다. 표창하고 면려하다.

嘉许] jiāxǔ 동〈書〉 칭찬하다. 찬성하다.

夹(夾) jiā (협) ① 동 (사이에 끼워서) 집다. ❏ 他~了一块肉给我; 그가 고기 한 조각을 집어서 나에게 주었다. ② 동 겨드랑이에 끼다. ❏ 他~起皮包走了; 그는 가죽 가방을 겨드랑이에 끼고 갔다. ③ 동 사이에 끼다. 사이에 두다. ❏ 把书签~在书里; 갈피표를 책갈피에 끼우다. ④ 동 뒤섞다. 뒤섞이다. ❏ 把石子~在水泥里; 자갈을 시멘트에 섞다. ⑤ 명 물건을 끼우는 기구. ❏ 文件~; 파일. ⇒ gā jiá

[夹板] jiābǎn 명 ① 끼움판. 협판. ②〔醫〕 부목(副木).

[夹层] jiācéng 명 두 겹으로 된 물체의 가운데 빈 공간. ❏ ~玻璃; 이중 유리 / ~墙; 이중벽.

[夹带] jiādài 동 (사이에 숨겨서) 몰래 휴대하다. ❏ ~危险品上车; 위험한 물건을 휴대하고 차에 타다. 명 커닝(cunning)용 준비물.

[夹道] jiādào 동 길 양쪽에 늘어서다. 명 (~儿) 담과 담[건물과 건물] 사이의 좁은 길.

[夹缝(儿)] jiāfèng(r) 명 ① (두 물체 사이의) 틈. 틈새. ②〈比〉 두 세력의 사이.

[夹攻] jiāgōng 동 협공하다. ❏ 左右~; 좌우 협공하다. =[夹击]

[夹克] jiākè 명〈音〉 재킷(jacket). 점퍼(jumper). ❏ 皮~; 가죽 재킷. =[茄jiā克]

[夹七夹八] jiāqī-jiābā 〈成〉 (말 따위가) 뒤죽박죽이고 조리가 없다.

[夹生] jiāshēng 형 ① (음식이) 설익다. ❏ ~饭; 설익은 밥. ②〈比〉 미숙하다. 미완성이다. 어중간하다.

[夹心(儿)] jiāxīn(r) 형 소를 넣은. ❏ ~馒头; 소가 든 만두.

[夹杂] jiāzá 동 한데 섞다. 뒤섞이다. 섞다. ❏ 寒风~着细雨; 찬바람 속에 가랑비가 뒤섞여 내리다.

[夹子] jiā·zi 명 물건을 끼우는 도구. 핀. 집게. 클립. ❏ 头发~; 머리핀 / 洗衣~; 빨래집게.

佳 jiā (가) 형 좋다. 아름답다. 훌륭하다. ❏ 成绩甚~; 성적이 대단히 좋다.

[佳宾] jiābīn 명 ⇨[嘉宾]

[佳话] jiāhuà 명 (널리 알려진) 미담. 좋은 말. 가화.

[佳节] jiājié 명 즐거운 명절. 가절.

[佳境] jiājìng 명 가경. ① 경치가 아름다운 곳. ② 좋은 경지. 한창 재미있는 고비. ❏ 渐入~; 〈成〉 점입가경.

[佳句] jiājù 명 좋은 글귀.

[佳丽] jiālì 〈書〉 형 (경치·용모가) 아름답다. 명 미녀.

[佳偶] jiā'ǒu 명〈書〉 사이가 좋은 부부. 천생배필.

[佳期] jiāqī 명 경사가 있는 날. 결혼하는 날.

[佳人] jiārén 명〈書〉 가인. 미인.

J

[佳肴] jiāyáo 명 훌륭한 음식.
[佳音] jiāyīn 명〈書〉좋은 소식.
[佳作] jiāzuò 명 가작. 우수한 작품.

家(傢)① jiā (가)
①명 가정. 집. ❑我~有三口人; 우리 집은 식구가 셋이다. 注 '傢'는 '家伙'、家具、家什'에서의 '家'의 번체자임. ②명 (장소로서의) 집. ❑他在~吗? 그는 집에 있습니까? ③명 (관청·군부대 따위의) 집무 장소. ❑刚好营长不在~; 마침 대대장은 부재중이다. ④명 어떤 직종에 종사하거나 어떤 신분을 지니고 있는 사람. ❑船~; 뱃사공. ⑤명 전문적인 활동에 종사하는 사람. ❑音乐~; 음악가 / 作~; 작가. ⑥명 학파. 유파. ⑦명 상대하는 각 측 중의 한 측. ❑上~; (도박이나 술자리에서) 차례가 하나 앞서는 사람. ⑧명〈謙〉남에게 자기 집의 윗사람을 칭할 때 쓰는 말. ❑~兄; 저희 형. ⑨형 집에서 기르는. ❑~鸭; 집오리. ⑩양 가정·기업·상점을 세는 말. ❑一~人; 한집안 식구 / 这~公司; 이 회사.

家 ·jia (가)
접미〈口〉명사 뒤에 쓰여 어느 부류에 속하는 사람임을 나타냄. ❑孩子~; 아이들 / 学生~; 학생들.

[家产] jiāchǎn 명 집안의 재산. 가산. =[〈口〉家当(儿)]
[家蚕] jiācán 명 ⇨[桑蚕]
[家常] jiācháng 명 집안의 일상적인 일. ❑~话; 일상적인 이야기.
[家常便饭] jiācháng-biànfàn〈成〉①가정의 보통 식사. 평소 집에서 먹는 밥. 가정식. ②〈比〉흔히 있는 일. 예삿일. 다반사. ‖=[家常饭]
[家丑] jiāchǒu 명 가정 안의 망신스러운 일. 집안 망신.
[家畜] jiāchù 명 가축.
[家传] jiāchuán 동 집안 대대로 전해 내려오다. ❑~秘方; 집안 대대로 내려오는 비방.
[家当(儿)] jiā·dàng(r) 명〈口〉⇨[家产]
[家道] jiādào 명 집안 형편.
[家底(儿)] jiādǐ(r) 명 집안의 생활 기반. 가정의 경제적 기반. ❑~薄; 집안의 경제적 기반이 튼튼하지 못하다.
[家电] jiādiàn 명〈簡〉⇨[家用电器]
[家访] jiāfǎng 동 가정 방문 하다.
[家父] jiāfù 명〈謙〉가친(家親).
[家鸽] jiāgē 명〔鳥〕집비둘기. =[鹁bó鸽]
[家伙] jiā·huo 명〈口〉①악기·무기·공구 따위. ❑打~; 악기를 울리다. ②자식. 녀석. 놈《농담을 하거나 깔볼 때 사용하는 칭호》. ❑你这个~; 너 이놈의 자식. ③가축을 지칭하는 말. ❑这~长得真快; 이 녀석 정말 빨리도 크네.
[家计] jiājì 명 가계. 생계.
[家家] jiājiā 부 집집마다.
[家家户户] jiājiāhùhù 명 가가호호. 집집마다.
[家教] jiājiào 명 ①가정교육. ②〈簡〉⇨[家庭教师]
[家境] jiājìng 명 가정 형편.
[家居] jiājū 동 (직업 없이) 집에 있다. 집에서 놀다. 명 거실.
[家具] jiājù 명 가구. ❑一套~; 가구 한 세트.
[家眷] jiājuàn 명 가솔. 식솔. 가정. ❑他是有~的人; 그는 가정이 있는 사람이다.
[家口] jiākǒu 명 식구. 가족.
[家门] jiāmén 명 ①집의 대문. 〈轉〉집. ②〈書〉(자신의) 집안 가족. ③〈方〉한집안. 일족. ④가정 환경. 집안 환경.
[家谱] jiāpǔ 명 족보.
[家雀儿] jiāqiǎor 명〈方〉⇨[麻雀①]
[家禽] jiāqín 명 가금. 집에서 기르는 날짐승.
[家人] jiārén 명 가족. 한집안 식구.
[家事] jiāshì 명 ①집안일. 집안의 대소사. ②〈方〉가정 형편.
[家室] jiāshì 명 가족. 처자식.
[家什] jiā·shi 명〈口〉가재도구. 살림. 세간.
[家书] jiāshū 명 ⇨[家信]
[家属] jiāshǔ 명 가족《호주 본인을 제외한 나머지 가족 구성원》.
[家鼠] jiāshǔ 명〔動〕집쥐.
[家私] jiāsī 명 가산. 재산.
[家庭] jiātíng 명 가정. ❑~妇女; 가정주부 / ~教育; 가정교육.
[家庭教师] jiātíng jiàoshī 가정교사. =[〈簡〉家教]
[家务] jiāwù 명 가사(家事). 집안일. ❑~劳动; 가사 노동.
[家乡] jiāxiāng 명 고향《대대로 살아오던 지역》.
[家小] jiāxiǎo 명 처자식. 처자.

家信] jiāxìn 명 가족 간에 주고받는 편지. 가신. =[家书]
家燕] jiāyàn 명〖鳥〗제비. =[燕子]
家业] jiāyè 명 ① 가산(家産). ②〈書〉가업(家業). 세업(世業).
家用] jiāyòng 명 (가정의) 생활비. 형 가정용의.
家用电器] jiāyòng diànqì 가전제품. 가전. =[〈簡〉家电]
家喻户晓] jiāyù-hùxiǎo 〈成〉어느 집에서나 다 알고 있다.
家园] jiāyuán 명 집 안의 뜰[정원].〈轉〉고향. 가정.
家长] jiāzhǎng 명 ① 가장. 세대주. ❏ ~制; 가부장제. ② 학부모. 학부형.
家族] jiāzú 명 일족. 친족. 가족.

夹(夾) jiá(협) 형 겹으로 된. 두 겹의. ❏ 这件衣服是~的; 이 옷은 겹옷이다. ⇒gā jiā

荚(莢) jiá (협) 명 (콩의) 깍지. 꼬투리. ❏ 豆~; 콩꼬투리.

颊(頰) jiá (협) 명 뺨. 볼.

戛 jiá (알) 동〈書〉가볍게 두드리다[치다].
戛然] jiárán 형〈書〉① 맑은 새소리. ❏ ~长鸣; 맑은 소리로 길게 울다. ② 소리가 갑자기 멈추다. ❏ 歌声~而止; 노랫소리가 뚝 멈추다.

甲 jiǎ (갑) ① 명 갑《천간(天干)의 첫째》. ② 형 제일이다. 첫째이다. ❏ 桂林山水~天下; 구이린의 경치는 천하 제일이다 / 维生素~; 비타민 에이(A). ③ 명 갑각. 등딱지. ❏ 龟~; 귀갑. ④ 명 딱딱한 각질. ❏ 指~; 손톱. ⑤ 명 보호 작용을 하는 것. ❏ 装~车; 장갑차.
甲板] jiǎbǎn 명 갑판.
甲虫] jiǎchóng 명〖蟲〗투구벌레.
甲骨文] jiǎgǔwén 명 갑골문.
甲壳] jiǎqiào 명〖動〗갑각. ❏ ~动物; 갑각류.
甲烷] jiǎwán 명〖化〗메탄(methane).
甲鱼] jiǎyú 명〖動〗⇨[鳖biē鱼]
甲状腺] jiǎzhuàngxiàn 명〖生理〗갑상선.
甲子] jiǎzǐ 명 갑자.

岬 jiǎ (갑) 명 ① 갑. 곶. ② 산협(山峽).
[岬角] jiǎjiǎo 명 갑. 곶.

胛 jiǎ (갑) 명〖生理〗견갑(肩胛).
[胛骨] jiǎgǔ 명 ⇨[肩jiān胛骨]

钾(鉀) jiǎ (갑) 명〖化〗칼륨(K: kalium). ❏ 氯化~; 염화칼륨.

假 jiǎ (가) ① 형 거짓의. 가짜의. 모조의. ❏ 这话不~; 이 말은 거짓이 아니다 / ~药; 가짜 약. ② 동 가정(假定)하다. ❏ ~设; ⇩ ③ 접 만일. 가령. ❏ ~如; ⇩ ④ 동〈書〉빌리다. 차용하다. ❏ 久~不归; 꾸어 가서 오랫동안 갚지 않다. ⇒jià
[假扮] jiǎbàn 동 가장하다. 변장하다. ❏ 她~成了男子; 그녀는 남자로 변장했다.
[假币] jiǎbì 명 위조 화폐. 위폐.
[假唱] jiǎchàng 동 (노래를) 립싱크(lip-sync)하다.
[假钞] jiǎchāo 명 위조지폐. 위폐. =[伪钞]
[假充] jiǎchōng 동 …인 체하다. …로 가장하다. ❏ ~熟知; 안면이 있고 친한 체하다.
[假道学] jiǎdàoxué 명 위선자.
[假定] jiǎdìng 동 가정하다. 가령 …라고 하다. ❏ ~你是一个女人, 你会选择什么样的男人? 네가 여자라고 가정한다면 어떤 남자를 선택하겠느냐? 명 ⇨[假设]
[假发] jiǎfà 명 가발.
[假分数] jiǎfēnshù 명〖數〗가분수.
[假公济私] jiǎgōng-jìsī 〈成〉공사(公事)를 구실 삼아 사복(私腹)을 채우다.
[假话] jiǎhuà 명 거짓말.
[假货] jiǎhuò 명 모조품. 위조품.
[假借] jiǎjiè 동 (명의 · 힘 따위를) 빌리다. 차용하다. 가탁(假托)하다. ❏ ~名义; 명의를 빌리다. 명〖言〗가차《육서(六書)의 하나》.
[假冒] jiǎmào 동 남의 명의를 사칭하다. (가짜가 진짜인 것처럼) 가장하다. ❏ ~商标; 위조 상표.
[假面具] jiǎmiànjù 명 ① 탈. 가면. ②〈比〉거짓된 모습. ‖ =[面具②]
[假名] jiǎmíng 명 ① 가명. ②〖言〗(일본의) 가나.
[假仁假义] jiǎrén-jiǎyì 〈成〉위선. 겉으로만의 친절.
[假如] jiǎrú 접 만일. 만약. 가령. ❏ ~我是个画家, 我就要画出他

J

的英雄形象; 만일 내가 화가라면 그의 영웅적 이미지를 그려 내겠다. =[假若][假使]
[假若] jiǎruò 접 ⇨[假如]
[假嗓子] jiǎsǎng·zi 명〔樂〕 가성(假聲). 꾸민 목소리.
[假设] jiǎshè 동 ① 가정(假定)하다. ② 꾸며 내다. 상상에 의해 만들어 내다. 명 (과학상의) 가설. 가정. =[假说][假定]
[假使] jiǎshǐ 접 ⇨[假如]
[假释] jiǎshì 동〔法〕 가석방하다.
[假手] jiǎ//shǒu 동 남의 손을 빌리다. 남을 이용하다. ❏～于人以到目的; 남을 이용해 목적을 이루다.
[假说] jiǎshuō 명 ⇨[假设]
[假托] jiǎtuō 동 ① 구실로 삼다. 핑계를 대다. ❏～有病, 不去上班; 아프다는 핑계로 출근하지 않다. ② (남의 명의를) 빌다. 사칭하다. ❏～厂长的名义; 공장장의 명의를 사칭하다. ③ 의지하다. 빗대다. ❏～一个故事来说明道理; 이야기에 빗대어 이치를 설명하다.
[假想] jiǎxiǎng 동 가상하다. 상상하다. ❏～敌; 가상의 적.
[假象] jiǎxiàng 명 허상. 거짓 형상. =[假相xiàng]
[假惺惺(的)] jiǎxīngxīng(·de) 형 마음에도 없으면서 진심인 체하다.
[假牙] jiǎyá 명 의치(義齒). 틀니. =[义齿]
[假意] jiǎyì 명 거짓된 마음. 부 짐짓. 형식적으로. 거짓으로. ❏～微笑; 짐짓 미소를 짓다.
[假造] jiǎzào 동 ① 위조하다. 조작하다. ❏ ～文凭; 졸업장을 위조하다. ② 날조하다. ❏～罪名陷害好人; 죄명을 날조하여 좋은 사람을 모함하다. ‖=[伪造]
[假肢] jiǎzhī 명 의족(義足). 의수(義手). =[义肢]
[假装] jiǎzhuāng 동 …인 체하다. 가장하다. ❏～不知道的样子; 모르는 체하다.

价(價) jià (가)
명 ① 가격. 값. ❏涨～; 값이 오르다 / 定～; 정가 / 廉～; 염가. ② 값어치. 가치. ❏等～交换; 등가 교환. ③〔化〕 가(價).
[价差] jiàchā 명 가격차.
[价格] jiàgé 명 가격. ❏～暴涨; 가격 폭등 / 折扣～; 할인 가격.
[价廉物美] jiàlián-wùměi 〈成〉 값도 싸고 품질도 좋다.
[价码(儿)] jiàmǎ(r) 명〈口〉 가격. 정가.
[价目] jiàmù 명 가격. 정가. ❏～表; 가격표.
[价钱] jià·qián 명 가격. 값.
[价值] jiàzhí 명 ①〔經〕 가치. 값어치. ❏～尺度; 가치 척도. ② 가치. ❏～观; 가치관 / ～连城; 〈成〉 매우 귀중한 물건 / 学术～; 학술적 가치.

驾(駕) jià (가)
① 동 (가축이) 몰다. 끌다. ❏那辆车由三匹马～着; 그 수레는 말 세 필이 끈다. ② 동 (자동차·비행기 따위를) 몰다. 조종하다. 운전하다. ❏～车; 차를 운전하다 / ～飞机; 비행기를 조종하다. ③ 〈轉〉〈敬〉 상대방의 왕림이나 행동을 높이는 말. ❏劳～; 미안합니다만. ④ 명 천자의 수레. 〈轉〉 천자.
[驾临] jiàlín 동〈敬〉 왕림하시다.
[驾轻就熟] jiàqīng-jiùshú 〈成〉 가벼운 차를 몰고 익숙한 길로 가다 《일이 손에 익어 쉽게 할 수 있다》.
[驾驶] jiàshǐ 동 (자동차·열차·배·비행기 따위를) 운전하다. 조종하다. ❏～汽车; 차를 운전하다 / ～员; 조종사 / ～执照; 운전 면허
[驾驭] jiàyù 동 ① 거마를 몰다[부리다]. ② 제어하다. 지배하다. 관리하다. ‖=[驾御yù]
[驾照] jiàzhào 명 운전 면허증. =[驾驶证]

架 jià (가)
① (～儿) 명 물건을 놓거나 걸거나 받치는 물건. ❏书～; 책장 / 衣～(儿); 옷걸이. ② 동 버티다. 지탱하다. ❏～着拐走路; 지팡이로 지탱하고 걷다. ③ 동 걸다. 걸치다. ❏梯子～在这儿可以吗? 사다리를 여기에 걸쳐도 되겠느냐? ④ 동 가설하다. 설치하다. ❏～电线; 전선을 가설하다 / ～桥; 다리를 놓다. ⑤ 동 부축하다. ❏～着老奶奶上楼; 할머니를 부축하고 계단을 올라가다. ⑥ 동 막아 내다. 저항하다. ❏他用一只手～住枪托; 그는 한 손으로 총개머리를 막았다. ⑦ 동 납치하다. 유괴하다. ⑧ 명 싸움. 언쟁. ❏打～; 싸우다. ⑨ 양 대《받침대가 있는 물건·기계·비행기 따위를 세는 말》. ❏三～飞机; 비행기 세 대 / 两～钢琴; 피아노 두 대.

J

[架不住] jià·buzhù 동〈方〉① 견디지 못하다. 감당할 수 없다. ❏~这样大的损失; 이렇게 막대한 손실은 감당할 수 없다. ② 맞설 수 없다. 당해 낼 수 없다. ❏他们虽然个人技术好, 却~我们配合默契; 그들의 개인 기술은 뛰어나지만, 우리의 단결에는 맞설 수 없다.
[架次] jiàcì 양 (비행기가 나는) 연횟수(延回數). 연대수(延臺數).
[架空] jiàkōng 동 ① 땅에서 떨어져 있게 하다. 공중에서 뜨게 설치하다. ❏~索道; 가공 삭도. ②〈比〉겉으로는 추앙하면서 속으로는 배척하다. 허수아비로 만들다. ③〈比〉근거가 없다. 허황되다. ❏~的想法; 허황된 생각.
[架设] jiàshè 동 건너질러 설치하다. 가설하다. 놓다. ❏~桥梁; 교량을 가설하다.
[架势] jià·shi 명〈口〉① 자세. 자태. 모습. 태도. ②〈方〉형세. 기세. 상태. ‖ =[架式·shi]
[架子] jià·zi 명 ① (건조물의) 뼈대. 틀. 대. ❏花盆~; 화분 받침대. ②〈比〉조직. 구조. 뼈대. ③ 거드름. 허세. 겉치레. ❏摆~; 거드름 피우다. ④ 자세. 모양. 모습. 태도.

假 jià (가)
명 휴가. 휴일. 방학. ❏请~; 휴가를 얻다 / 病~; 병가. ⇒jiǎ
[假期] jiàqī 동 휴가 (기간). 방학 (기간).
[假日] jiàrì 명 휴일.
[假条(儿)] jiàtiáo(r) 명 결근계. 결석계. 휴가원.

嫁 jià (가)
동 ① 시집가다[보내다]. ❏~人; 시집가다 / ~女儿; 딸을 시집보내다. ② (죄·손실·책임 따위를) 뒤집어씌우다. 전가하다. ❏~祸于人; 〈成〉화를 남에게 전가하다.
[嫁接] jiàjiē 동〔植〕접붙이다. ❏~果树; 과수를 접붙이다.
[嫁妆] jià·zhuang 명 혼수. 혼수품. =[嫁装][陪嫁]

稼 jià (가)
① 동 곡식을 심다. ❏耕~; 경작하다. ② 명 농작물. 곡식.

jian ㄐㄧㄢ

笺(箋) jiān (전)
명 ① 주석(注釋). 주해(註解). ② 시나 편지를 쓰는 데 사용하는 폭이 좁은 종이. ❏信~; 편지지. ③ 서신. 서찰.
[笺注] jiānzhù 명 (고서의) 주석(註釋). 전주.

尖 jiān (첨)
① 형 뾰족하다. 날카롭다. ❏刀子很~; 칼이 매우 날카롭다. ② 형 (목소리·소리가) 새되다. 날카롭다. ❏她的声音太~了; 그녀의 목소리는 너무 날카롭다/~声~气; 〈成〉목소리가 매우 새되다. ③ 형 (감각이) 예민하다. ❏鼻子~; 코가 예민하다 / 耳朵~; 귀가 밝다. ④ 동 목소리를 날카롭게 하다. ⑤ (~儿) 명 사물의 뾰족한 끝. ❏笔~儿; 붓끝. 펜촉 / 刀~儿; 칼끝. ⑥ (~儿) 명 무리 중에 뛰어난 사람[것]. ❏这群人里他是个~儿; 이 사람들 중에서 그가 제일 뛰어나다. ⑦ 형 신랄하다. ❏~刻; ⇩
[尖兵] jiānbīng 명 ①〔軍〕첨병. ②〈比〉선봉. 개척자. 선구자.
[尖刀] jiāndāo 명 ① 끝이 뾰족한 칼. 총검. ②〔軍〕돌격대. 선봉.
[尖端] jiānduān 명 뾰족한 끝. 형 첨단의. ❏~技术; 첨단 기술.
[尖刻] jiānkè 형 가혹하다. 신랄하다.
[尖利] jiānlì 형 ① 날카롭다. 예리하다. ❏~的眼光; 예리한 안목. ② (소리가) 날카롭다. 귀를 찌르다.
[尖锐] jiānruì 형 ① (사물의 끝이) 날카롭다. 뾰족하다. 예리하다. ❏这把刀很~; 이 칼은 매우 날카롭다. ② (사물에 대한 인식이) 날카롭다. 예리하다. ❏他的眼光很~; 그는 눈이 아주 예리하다. ③ (소리가) 높고 날카롭다. ❏~的刹车声; 높고 날카로운 브레이크 소리. ④ (언론·투쟁 따위가) 격렬하다. 예리하다. ❏~的批评; 예리한 비평.
[尖酸] jiānsuān 형 (말이) 신랄하다. ❏~刻薄; 〈成〉신랄하고 인정이 없다.
[尖子] jiān·zi 명 ① 물체의 뾰족한 부분. ② 무리 중에 뛰어난 것[사람].
[尖嘴薄舌] jiānzuǐ-bóshé 〈成〉말이 신랄하고 매정하다.

奸 jiān (간)
① 형 간사하다. 간악하다. ❏~计; ⇩ ② 형 (국가나 군주에게) 불충하다. ❏~臣; ⇩ ③ 명 매국노. 배반자. 변절자. ❏汉~; 매국

노. ④ 형 교활하다. 약삭빠르다. 이기적이다. ⑤ 동 간음하다. 간통하다. ❑ 通～; 간통하다.
[奸臣] jiānchén 명 간신.
[奸猾] jiānhuá 형 간사하고 교활하다. 간활하다. =[奸滑]
[奸计] jiānjì 명 간계. 간사한 꾀.
[奸佞] jiānnìng 〈書〉 형 교활하고 아첨을 잘하다. 명 교활한 아첨꾼.
[奸商] jiānshāng 명 악덕 상인.
[奸污] jiānwū 동 강간하다.
[奸细] jiānxì 명 스파이. 첩자.
[奸险] jiānxiǎn 형 간사하고 음험하다.
[奸笑] jiānxiào 동 간사하게 웃다. 음흉하게 웃다.
[奸邪] jiānxié 〈書〉 형 간악하다. 간사하다. 명 간사한 사람.
[奸淫] jiānyín 동 ① 간음하다. 사통하다. 간통하다. ② 강간하다. ❑ ～妇女; 부녀자를 간강하다.
[奸贼] jiānzéi 명 간악한 사람.
[奸诈] jiānzhà 형 간사하다. 간교하다. 간악하다. ❑ ～诡谲; 〈成〉 간사하고 교활하다.

间(間) jiān (간)
① 명 사이. 중간. ❑ 邻里之～; 이웃 간. ② 명 일정한 시간·장소. ❑ 此～; 당지(當地) / 夜～; 야간. ③ 명 방. 실(室). ❑ 卫生～; 화장실. ④ 양 칸《방의 수를 세는 말》. ❑ 一～卧室; 침실 한 칸. ⇒ jiàn
[间架] jiānjià 명 ① 집의 구조. ② 한자 필획의 구조. ③ 문장의 배치.
[间奏曲] jiānzòuqǔ 명〔樂〕 간주곡.

坚(堅) jiān (견)
① 형 견고하다. 단단하다. ❑ ～冰; 단단한 얼음 / ～城; 견고한 성. ② 명 견고한 것. 견고한 진지(陣地). ❑ 无～不摧; 〈成〉 어떤 견고한 진지라도 함락되지 않는 것이 없다. ③ 형 확고하다. 꿋꿋하다. 굳다. ❑ ～信; ⇩
[坚壁清野] jiānbì-qīngyě 〈成〉 진지를 사수하고 물자와 식량을 숨기며, 주변의 나무와 집들을 소각하여 적의 이용을 방해하는 전술.
[坚不可摧] jiānbùkěcuī 〈成〉 매우 견고해서 파괴할 수 없다.
[坚持] jiānchí 동 견지하다. 고수하다. 지속하다. ❑ ～不懈; 〈成〉 잠시도 늦추지 않고 지속적으로 해 나가다 / ～原则; 원칙을 고수하다.
[坚定] jiāndìng 형 (입장·주장·의지 따위가) 확고하다. 굳다. 꿋꿋하다. ❑ ～不移; 〈成〉 확고부동하다 / ～的信念; 굳은 신념. 동 확고히 하다. 굳히다. ❑ ～决心; 결심을 굳히다.
[坚固] jiāngù 형 견고하다. 튼튼하다. ❑ ～的结构; 견고한 구조.
[坚果] jiānguǒ 명〔植〕 견과.
[坚决] jiānjué 형 (태도·주장 따위가) 결연하다. 단호하다. ❑ 态度十分～; 태도가 매우 단호하다.
[坚苦] jiānkǔ 형 참고 견디다. 인내하다. 각고(刻苦)하다. ❑ ～卓绝; 〈成〉 각고의 정신이 매우 탁월하다.
[坚强] jiānqiáng 형 (의지 따위가) 굳세다. 강하다. 강경하다. 견고하다. ❑ ～不屈; 〈成〉 의지가 강하여 굽히지 않다. 동 공고히 하다. 강화하다. ❑ ～组织; 조직을 강화하다.
[坚忍不拔] jiānrěn-bùbá 〈成〉 꾹 참고 견디며 흔들리지 않다.
[坚韧] jiānrèn 형 강인하다. ❑ ～不拔; 〈成〉 의지와 신념이 강하여 흔들 수 없다 / ～的意志; 강인한 의지.
[坚如磐石] jiānrú-pánshí 〈成〉 반석처럼 견고하다.
[坚实] jiānshí 형 ① 견고하다. 단단하다. ② (몸이) 건장하다. 튼튼하다. ❑ 身体～; 몸이 건장하다.
[坚守] jiānshǒu 동 굳게 지키다. ❑ ～岗位; 본분을 굳게 지키다.
[坚信] jiānxìn 동 굳게 믿다. 확신하다.
[坚毅] jiānyì 형 의연하다.
[坚硬] jiānyìng 형 단단하다. 딱딱하다. ❑ 核桃的壳儿很～; 호두 껍질은 매우 단단하다.
[坚贞] jiānzhēn 형 (의지 따위가) 꿋꿋하고 바르다. ❑ ～不屈; 〈成〉 굳게 절개를 지켜 굴하지 않다.

歼(殲) jiān (섬)
동 섬멸하다. ❑ 围～; 포위하여 섬멸하다.
[歼灭] jiānmiè 동 (적을) 섬멸하다. ❑ ～战; 섬멸전.

艰(艱) jiān (간)
형 어렵다. 힘들다.
[艰巨] jiānjù 형 어렵고도 막중하다. 어렵고 힘겹다.
[艰苦] jiānkǔ 형 어렵고 힘들다. 고달프다. 고생스럽다. ❑ ～朴素; 〈成〉 어려움을 참으며 검소한 생활을 하다 / ～卓绝; 〈成〉 지극히 힘

듣고 어렵다.

艰难] jiānnán 형 힘들다. 어렵다. 곤란하다. ❑ 生活很~; 생활이 매우 곤란하다.

艰涩] jiānsè 형 (문장이) 어려워서 이해하기 힘들다. 난삽하다.

艰深] jiānshēn 형 (도리(道理)·문사(文辭)가) 어렵고 심오하다.

艰危] jiānwēi 형 곤란하고 위태롭다.

艰险] jiānxiǎn 형 곤란하고 위험하다.

艰辛] jiānxīn 형 어렵고 고생스럽다. ❑ 尝尽人生的~; 인생의 어려움과 고생을 맛보다.

肩 jiān (견)
① 명 어깨. ❑ 两~; 양 어깨. ② 동 (일·책임 따위를) 지다. 맡다. ❑ 身~大任; 큰 임무를 맡다.

肩膀(儿)] jiānbǎng(r) 명 ① 어깨. =[肩胛①] ② 〈比〉 책임. ❑ 溜~; 책임을 회피하다.

肩负] jiānfù 동 짊어지다. 맡다. ❑ ~重任; 중책을 맡다.

肩胛] jiānjiǎ 명 ① ⇨[肩膀(儿)①] ②〔生理〕 견갑.

肩胛骨] jiānjiǎgǔ 명〔生理〕 어깨뼈. 견갑골. 갑골. =[胛骨]

肩摩踵接] jiānmó-zhǒngjiē 〈成〉 ⇨[摩肩接踵]

肩头] jiāntóu 명 ① 어깨 위. 어깻죽지. ② 〈方〉 어깨.

肩章] jiānzhāng 명〔軍〕 견장.

兼 jiān (겸)
① 형 배(倍)의. 곱절의. ❑ ~旬; 20일간 / ~程; ⇩ ② 동 겸하다. ❑ 他现在是厂长~委员长; 그는 현재 공장장 겸 위원장이다.

兼备] jiānbèi 동 겸비하다. ❑ 文武~; 문무를 겸비하다.

兼并] jiānbìng 동 (타국의 영토나 타인의 재산을) 병탄(倂呑)하다.

兼程] jiānchéng 동 이틀 길을 하루에 가다. ❑ ~前进; 무서운 기세로 전진하다.

兼而有之] jiān'éryǒuzhī 〈成〉 겸유하다. 겸비하다.

兼顾] jiāngù 동 두루 고려하다. 고루 돌보다. ❑ ~国家、集体和个人的利益; 국가·단체·개인의 이익을 두루 고려하다.

兼课] jiān//kè 동 본 업무 이외에 강의를 겸해서 하다.

兼任] jiānrèn 동 겸임하다. 형 비상임(非常任)의. 비전임(非專任)의. ❑ ~教授; 시간 강사.

[兼收并蓄] jiānshōu-bìngxù 〈成〉 내용이나 성질이 다른 것이라도 모두 받아들이다. =[兼容并蓄]

[兼职] jiān//zhí 동 겸직하다. (jiānzhí) 명 겸직.

监(監) jiān (감)
① 동 감독하다. 감시하다. ❑ ~考; ⇩ ② 명 감옥. ❑ 坐~; 감옥에 들어가다. ⇒jiàn

[监察] jiānchá 동 감찰하다. ❑ ~员; 감찰관.

[监场] jiān//chǎng 동 시험장을 감독하다.

[监督] jiāndū 동 감독하다. 명 감독. 감독관. ❑ 舞台~; 무대 감독.

[监工] jiān//gōng 동 공사를 감독하다. (jiāngōng) 명 현장 감독.

[监管] jiānguǎn 동 감시 관리 하다.

[监护] jiānhù 형 ①〔法〕 후견하다. ❑ ~人; 후견인. ② 세심하게 돌보다. ❑ ~病人; 환자를 돌보다.

[监禁] jiānjìn 동 감금하다.

[监考] jiān//kǎo 동 시험을 감독하다. (jiānkǎo) 명 시험 감독.

[监牢] jiānláo 명 ⇨[监狱]

[监视] jiānshì 동 감시하다. ❑ 暗中~; 몰래 감시하다 / ~器; 감시용 모니터 / ~哨; 감시 초소.

[监守] jiānshǒu 동 감수하다. 감독하고 지키다. ❑ ~自盗; 〈成〉 업무상 횡령하다.

[监听] jiāntīng 동 감청하다.

[监狱] jiānyù 명 감옥. 교도소. =[监牢]

煎 jiān (전)
① 동 (기름에) 부치다. 지지다. ❑ ~豆腐; 두부를 지지다 / ~鸡蛋; 계란을 부치다. ② 동 달이다. 졸이다. ❑ ~药; 약을 달이다. ③ 양 약 달이는 횟수. ❑ 二~; 재탕.

[煎熬] jiān'áo 동〈比〉 괴롭히다. 힘들게 하다. 고통을 주다. ❑ 穷苦的生活~了他一辈子; 가난하고 힘든 생활이 그를 평생 괴롭혔다.

[煎饼] jiān·bing 명 전병. 부꾸미.

[煎蛋卷] jiāndànjuǎn 명 오믈렛. =[煎蛋饼]

缄(緘) jiān (함)
동 봉하다《주로, 편지 봉투의 발신인 이름 뒤에 쓰임》. ❑ 王~; 왕 씨 드림.

[缄口] jiānkǒu 동〈書〉 함구하다. 입을 다물다. ❑ ~不言; 입을 다물고 말하지 않다.

[缄默] jiānmò 동 입을 다물고 말하지 않다. 함묵하다. ❑~权; 묵비권.

犍 jiān (건)
명 불깐 소.

[犍牛] jiānniú 명 불깐 소.

拣(揀) jiǎn (간)
동 ① 고르다. 선택하다. ❑他~了个好西瓜; 그가 좋은 수박을 하나 골랐다. ② ⇨[捡jiǎn]

[拣选] jiǎnxuǎn 동 고르다. 선택하다. ❑~衣料; 옷감을 고르다.

柬 jiǎn (간)
명 서한 · 명함 · 초대장 따위의 총칭. ❑请~; 초대장.

[柬帖] jiǎntiě 명 쪽지. 쪽지 편지.

俭(儉) jiǎn (검)
형 검약하다. 검소하다. ❑勤~; 근검하다.

[俭朴] jiǎnpǔ 형 검소하고 소박하다. 검박하다.

[俭省] jiǎnshěng 형 검약하다. 절약하다. 아껴 쓰다.

[俭约] jiǎnyuē 형〈書〉 절약하다.

捡(撿) jiǎn (검)
동 줍다. 집어 들다. 주워 들다. ❑把笔~起来; 붓을 집어 들다 / ~破烂儿; 폐품을 줍다. 넝마를 줍다. =[拣②]

[捡漏儿] jiǎn//lòur 동〈方〉 (지붕의) 새는 곳을 고치다.

[捡拾] jiǎnshí 동 줍다. ❑~贝壳; 조개껍데기를 줍다.

检(檢) jiǎn (검)
동 ① 점검하다. 조사하다. 검사하다. ② 규제하다. 단속하다. 제약하다.

[检查] jiǎnchá 동 ① 검사하다. 조사하다. 체크하다. ❑~护照; 여권을 검사하다 / ~身体; 신체검사하다. ② 반성하다. 자기비판을 하다. ❑ ~自己的错误; 자기 잘못을 반성하다. 명 반성문.

[检察] jiǎnchá 동〖法〗 (범죄를) 수사하다. 검찰하다. ❑~官; 검사 / ~院; 검찰청.

[检点] jiǎndiǎn 동 ① 점검하다. ❑ ~人数; 인원을 점검하다. ② (자신의 언행을) 주의하다. 조심하다. 신경 쓰다. ❑在饮食方面多加~; 음식에 많은 주의를 기울이다.

[检定] jiǎndìng 동 검정하다.

[检举] jiǎnjǔ 동 (위법이나 범죄 사실을) 고발하다. 신고하다. ❑~电话; 신고 전화 / ~信; 고발장.

[检票] jiǎn//piào 동 개찰하다. 검표하다.

[检视] jiǎnshì 동 검시하다. ❑~事故现场; 사고 현장을 검시하다.

[检索] jiǎnsuǒ 동 (도서 · 자료 따위를) 검색하다. ❑~资料; 자료를 검색하다.

[检讨] jiǎntǎo 동 ① 자기비판을 하다. 반성하다. ❑~书; 시말서. 반성문. ② 검토하다. 조사하다. 연구하다. ❑~得失; 득실을 검토하다.

[检修] jiǎnxiū 동 검사 수리 하다. 점검 수리 하다. ❑~机器; 기계를 검사 수리 하다.

[检验] jiǎnyàn 동 검사하다. 검사하여 증명하다. ❑~证; 검사증.

[检疫] jiǎnyì 동〖醫〗 검역하다. ❑~员; 검역관 / ~站; 검역소.

[检阅] jiǎnyuè 동 ① (군대를) 사열하다. ❑~仪仗队; 의장대를 사열하다. ②〈書〉 검열하다. 조사하다. ❑ ~书稿; 초고를 검열하다.

[检字] jiǎn//zì 동 (자전 따위에서) 글자를 찾다. ❑~表; 검자표.

睑(瞼) jiǎn (검)
명〈書〉 눈꺼풀.

[睑腺炎] jiǎnxiànyán 명〖醫〗 다래끼. =[针眼zhēn·yan]

茧(繭) jiǎn (견)
명 ① 고치. ❑蚕~; 누에고치. ② ⇨[茧子]

[茧子] jiǎn·zi 명 ①〈方〉 누에고치. ② 손 · 발의 굳은살. 못. =[茧②][趼子]

减 jiǎn (감)
동 ① 감하다. 줄이다. 빼다. ❑你~了几公斤? 너 (체중을) 몇 킬로그램 뺐니? / 九~五等于四; 9 빼기 5는 4이다. ② 줄다. 감소하다. 쇠퇴하다. ❑气压~得大快; 기압이 급속도로 떨어지다.

[减半] jiǎnbàn 동 반감하다. 반으로 줄다.

[减产] jiǎn//chǎn 동 감산하다. 생산을 줄이다. 생산량이 줄다.

[减低] jiǎndī 동 인하하다. 내리다. 낮추다. ❑~物价; 물가를 내리다.

[减法] jiǎnfǎ 명〖數〗 뺄셈.

[减肥] jiǎn//féi 동 살을 빼다. 다이어트를 하다. ❑~药; 다이어트 약.

[减号] jiǎnhào 명〖數〗 뺄셈 부호.

[减价] jiǎn//jià 동 할인하다. 값을 내리다. ❑~出售; 할인 판매하다.

[减慢] jiǎnmàn 동 속도가 떨어지다. 느려지다. 속력을 늦추다.

[减免] jiǎnmiǎn 동 감면하다. ❑～债务; 채무를 감면하다.
[减轻] jiǎnqīng 동 (수량·정도 따위가) 경감하다. 줄다. 완화되다. ❑体重～了两公斤; 체중이 2kg 줄었다 / 病情～; 병세가 완화되다.
[减弱] jiǎnruò 동 ① (기세·힘 따위가) 약해지다. 떨어지다. ❑体力大大～; 체력이 크게 떨어지다. ② 약화시키다.
[减色] jiǎnsè 동 다채로움이 줄어들다. 색[빛]이 바래다.
[减少] jiǎnshǎo 동 감소하다. 감소시키다. 줄다. 줄이다. ❑～经费; 경비를 줄이다 / 旅客大大～了; 여행객이 크게 줄었다.
[减速] jiǎn//sù 동 감속하다. ❑～行驶; 감속 운행을 하다.
[减缩] jiǎnsuō 동 줄이다. 감축하다. ❑～开支; 지출을 줄이다.
[减退] jiǎntuì 동 (정도가) 내려가다. 줄어들다. 감퇴하다. ❑视力～; 시력이 감퇴하다.
[减刑] jiǎn//xíng 동〔法〕감형하다.
[减削] jiǎnxuē 동 삭감하다.
[减员] jiǎn//yuán 동 ① (질병·사망 따위로 부대의) 인원이 줄다. ② 감원하다.

碱 jiǎn (감)
① 명〔化〕소다(soda). ② 명〔化〕알칼리(alkali). 염기(鹽基). ③ 동 염분에 침식되다. ❑那堵墙全～了; 저 벽은 온통 허옇게 벗겨졌다.
[碱土] jiǎntǔ 명〔農〕알칼리성 토양. 염화 토양. ＝[碱地]
[碱性] jiǎnxìng 명〔化〕염기성. 알칼리성.

剪 jiǎn (전)
① 명 가위. ② 명 가위 모양의 것. ❑火～; 부집게. ③ 동 (가위로) 오리다. 자르다. ❑～头发; 머리를 깎다. ＝[〈口〉铰jiǎo①] ④ 동 제거하다. 없애다. ❑～除; ⇩
[剪裁] jiǎncái 동 ① (옷을) 재단하다. 마름질하다. ② 〈轉〉(글을 지을 때) 소재를 취사선택하다. (필름을) 편집하다. 가위질하다.
[剪彩] jiǎn//cǎi 동 (개회식 따위에서) 테이프를 끊다.
[剪除] jiǎnchú 동 (악인·나쁜 세력 따위를) 잘라 내다. 제거하다.
[剪刀] jiǎndāo 명 가위. ＝[剪子]
[剪辑] jiǎnjí 명 (영화 필름 따위의) 커팅. 편집. 몽타주(프 montage). 동 컷하여 편집하다. ❑～照片; 필름을 커팅하다.
[剪票] jiǎn//piào 동 (입장권·승차권 따위의) 표에 구멍을 뚫다. 개찰하다. ❑～口; 개찰구.
[剪贴] jiǎntiē 동 (신문 따위를) 스크랩하다. ❑～簿; 스크랩북. 명 오려 붙이기. 커트아웃(cutout).
[剪影] jiǎnyǐng 명 ① 사람의 얼굴이나 인체의 윤곽에 따라 종이를 오려 낸 것. 실루엣(프 silhouette). ② 〈比〉(사람이나 사물의) 편린(片鱗). 일면. 윤곽.
[剪纸] jiǎnzhǐ 명〔美〕종이 오리기 세공(細工). 동 종이를 오려 갖가지 형상을 만들다. ❑～片piàn; 그림자 영화.
[剪子] jiǎn·zi 명 ⇨[剪刀]

趼 jiǎn (견)
명 굳은살. 못.
[趼子] jiǎn·zi 명 ⇨[茧子②]

简(簡) jiǎn (간)
① 형 간단하다. 단순하다. ❑～单; ⇩ ② 동 간단하게 하다. 간소화하다. ❑精～; 간소화하다. ③ 명 죽간(竹簡). ④ 명 편지. ❑书～; 서간. ⑤ 동〈書〉(인재를) 선택하다. 선발하다. ❑～拔; 선발하다.
[简报] jiǎnbào 명 간단한 보고[보도]. 브리핑. 토막 소식.
[简编] jiǎnbiān 명 다이제스트본(本). 간략본(簡略本).
[简便] jiǎnbiàn 형 간편하다. ❑手续～; 수속이 간편하다 / ～的方法; 간편한 방법.
[简称] jiǎnchēng 명동 약칭(하다).
[简单] jiǎndān 형 ① 간단하다. 단순하다. ❑～地说, 我不同意; 간단히 말하자면, 나는 동의하지 않는다 / ～劳动; 단순 노동. ② (능력 따위가) 평범하다. 보통이다(《주로, 부정형으로 쓰임》). ❑真不～; 정말 대단하군. ③ 소홀하다. 건성건성이다. 대충대충이다. ❑他～交待了几句就走了; 그는 대충 몇 마디 설명하고 가 버렸다.
[简短] jiǎnduǎn 형 (내용이) 간결하다. ❑～的评论; 간결한 평론.
[简化] jiǎnhuà 동 간소화하다. 간략화하다. ❑～手续; 수속을 간소화하다.
[简化汉字] jiǎnhuà Hànzì ① 한자의 획을 간략화하다. ② 간화한 한자. ＝[简化字]

[简洁] jiǎnjié 형 (말이나 문장이) 간결하다. 수식이 많지 않다.

[简捷] jiǎnjié 형 ① 시원시원하고 분명하다. 단도직입적이다. ❑ ~不客气地说; 시원시원하고 거리낌없이 말하다. ② 간편하고 빠르다. ❑ ~的办法; 간편하고 빠른 방법.

[简介] jiǎnjiè 동 간단하게 소개하다. 명 간략한 소개글. 간단한 설명서. 간단한 줄거리.

[简括] jiǎnkuò 형 개괄하다. 간단히 총괄하다.

[简历] jiǎnlì 명 약력.

[简练] jiǎnliàn 형 간결하면서 요점이 있다. 간단명료하다.

[简陋] jiǎnlòu 형 (가옥·설비 따위가) 허술하다. 조잡하다. 누추하다. ❑ 工具、设备都~; 도구나 설비가 모두 허술하다.

[简略] jiǎnlüè 형 (말·문장의 내용이) 간략하다. ❑ ~地介绍; 간략하게 소개하다.

[简慢] jiǎnmàn 동 태만하여 소홀히 하다《주로, 제대로 대접하지 못한 것에 대한 인사말로 쓰임》.

[简明] jiǎnmíng 형 간명하다. 간단명료하다. ❑ ~扼è要; 〈成〉 간단명료하면서도 요점을 잡고 있다.

[简朴] jiǎnpǔ 형 간소하다. 검소하다. 소박하다.

[简体] jiǎntǐ 명 (한자의) 간체. ❑ ~字; 간체자.

[简写] jiǎnxiě 동 간체자로 쓰다.

[简讯] jiǎnxùn 명 짧은 기사. 간단한 소식. 단신.

[简要] jiǎnyào 형 간요하다. 간단명료하다. ❑ ~地叙述; 간요하게 서술하다.

[简易] jiǎnyì 형 ① 간단하고 쉬운. ❑ ~办法; 간단하고 쉬운 방법. ② 간이의. ❑ ~床; 간이침대.

[简章] jiǎnzhāng 명 요람(要覽). 요강(要綱). 약칙(略則).

[简直] jiǎnzhí 부 완전히. 그야말로. 정말이지. 실로《과장의 어감을 지님》. ❑ ~是冷极了; 정말이지 너무나도 춥다.

见(見) jiàn (견)

① 동 보다. 보이다. ❑ 你~过有腿的蛇吗? 너는 다리가 있는 뱀을 본 적이 있느냐? ② 동 쐬다. 접촉하다. 닿다. ❑ 汽油~火就着zháo; 가솔린은 불에 닿으면 불이 붙는다. ③ 동 (현상·상태가) 나타나다. …이 되다. ❑ 没~任何成效; 어떤 효과도 나타나지 않다. ④ 동 보다. 참조하다. ❑ ~附录 부록을 참고하다. ⑤ 동 얼굴을 보다. 만나다. 마주치다. ❑ ~到你很高兴; 만나서 반갑습니다 / 好久不~了; 오랜만입니다. ⑥ 명 생각. 의견. 견해. ❑ 主~; 주견. ⑦ 조 〈書〉 동사 앞에 놓여 피동(被動)을 나타냄. ❑ ~笑; ⇓ ⑧ 조 〈書〉 동사 앞에 놓여 자기에게 어떻게 해 주었으면 하는 것을 나타냄. ❑ ~告 (저에게) 알려 주시다. ⑨ 동 '听'·'看'·'闻' 따위의 동사 뒤에 놓여 결과를 나타냄. ❑ 看~; 보이다 / 听~; 들리다.

[见报] jiàn//bào 동 신문에 실리다.

[见不得] jiàn·bu·dé 동 ① 볼 수 없다. 보아서는 안 된다. 접촉해서는 안 된다. ❑ 病人~风; 환자는 바람을 쐬면 안 된다. ② 남에게 보일[알릴] 수 없다. 대할 낯이 없다. ❑ ~的勾当; 양심의 가책을 느끼는 짓. ③ 〈方〉 (눈에 거슬려서) 두고 보지 못하다. ❑ 他~女人哭; 그는 여자가 우는 것을 보지 못한다.

[见长] jiàncháng 동 뛰어나다. 잘하다. ❑ 他以音乐~; 그는 음악 방면에 뛰어나다. ⇒ jiànzhǎng

[见得] jiàndé 동 알다. …라고 생각되다. …로 보이다《부정문·의문문 따위에 쓰임》. ❑ 何认~他没有说? 그가 말을 안 한 것을 어떻게 알았느냐?

[见地] jiàndì 명 견지. 견해.

[见多识广] jiànduō-shíguǎng 〈成〉 박식하고 경험이 많다.

[见方] jiànfāng 명〈口〉 평방(平方).

[见风转舵] jiànfēng-zhuǎnduò 〈成〉 ⇒[看风使舵]

[见缝插针] jiànfèng-chāzhēn 〈成〉 빈틈만 있으면 바늘을 꽂는다《조그만 기회도 놓치지 않다》.

[见怪] jiànguài 동 나무라다. 탓하다. 언짢게 생각하다. ❑ 我有事不能参加, 希望你们不要~; 저는 일이 있어서 참가하지 못하니, 부디 언짢게 생각하지 말아 주세요.

[见鬼] jiàn//guǐ 동 ① 괴상한 일을 만나다. 희한하다. 귀신이 곡할 노릇이다. ❑ 真~了, 怎么一转眼就不见了; 눈 깜짝할 사이에 사라지다니, 정말 귀신이 곡할 노릇이다. ② 나가 죽다. 뒈지다. ❑ 让那个混蛋~去吧! 그 망할 자식 뒈져 버려

라 그래!

[见好] jiànhǎo 동 (병세가) 좋아지다. 호전되다.

[见机] jiànjī 동 기회를 보다. 형세를 살피다. ❑ ~行事; 〈成〉 형세를 살펴 가며 일을 진행하다.

[见教] jiànjiào 동〈書〉〈套〉 가르쳐 주시다(가르침을 청할 때의 말).

[见解] jiànjiě 명 견해. 의견. ❑ 很有道理的~; 매우 일리 있는 견해.

[见利忘义] jiànlì-wàngyì 〈成〉 사리사욕에 눈이 어두워져서 의리마저도 저버리다.

[见面] jiàn//miàn 동 만나다. 대면하다. ❑ 我们有6年没~了; 우리는 6년 동안 못 만났다 / ~礼; 대면식.

[见钱眼开] jiànqián-yǎnkāi 〈成〉 돈을 보면 눈이 커지다(몹시 재물을 탐내다). 「지다.

[见轻] jiànqīng 동 (병세가) 가벼워

[见识] jiàn·shi 명 견식. 식견. 견문. 지식. ❑~广; 견식이 넓다. 동 사물을 접하고 견문을 넓히다.

[见树不见林] jiàn shù bù jiàn lín 〈諺〉 나무는 보면서 숲은 보지 못하다(세세한 점에 얽매여 전체를 못 보다).

[见死不救] jiànsǐ-bùjiù 〈成〉 남의 위급함을 보고 구제하지 않다.

[见所未见] jiànsuǒwèijiàn 〈成〉 이제껏 본 적이 없다(매우 진귀하다).

[见外] jiànwài 형 (상대를) 어려워하다. 남처럼 대하다. ❑ 请随便些, 不要~; 어려워하지 마시고 편하게 계세요.

[见闻] jiànwén 명 보고 들은 것. 견문. 경험.

[见习] jiànxí 동 실습하다. 견습하다. ❑ ~生; 견습생 / ~医生; 수련의. 인턴.

[见笑] jiànxiào 동 ①〈謙〉 웃음을 사다. 웃음거리가 되다. ❑ 招人~; 남의 웃음거리가 되다. ② 비웃다. ❑ 您可别~; 비웃지 말아 주세요.

[见效] jiànxiào 동 효과가 나타나다. 효험을 보다. ❑ 喝了多少汤药都没见过效; 수많은 탕약을 마셨지만 효험을 본 적이 없다.

[见义勇为] jiànyì-yǒngwéi 〈成〉 정의로운 일을 보고 용감하게 뛰어들다.

[见异思迁] jiànyì-sīqiān 〈成〉 색다른 것을 보고 생각이 변하다(의지가 굳지 못해 좋아하는 것이 한결같지 않다).

[见长] jiànzhǎng 동 (눈에 띄게) 성장하다. 자라다. ❑ 半年了, 这孩子没~; 반년이 지났는데 이 아이는 자라지 않았다. ⇒jiàncháng

[见证] jiànzhèng 동 (현장을 목격하여) 증언하다. ❑ ~人; (현장을 목격한) 증인. 명 증거. 증인.

舰(艦) jiàn (함) 명〔軍〕 군함.

[舰队] jiànduì 명〔軍〕 함대.

[舰艇] jiàntǐng 명〔軍〕 함정.

[舰长] jiànzhǎng 명〔軍〕 함장.

[舰只] jiànzhī 명〔軍〕 함선. 군함. ❑ 海军~; 해군 함선.

件 jiàn (건) ① 양 ㉠벌(의류를 세는 말). ❑ 一~毛衣; 스웨터 한 벌. ㉡개. 채(기물을 세는 말). ❑ 几~家具; 가구 몇 채 / 一~工艺品; 공예품 한 개. ㉢가지. 건(일 · 사건을 세는 말). ❑ 三~事情; 세 가지 일. ② (~儿) 명 하나하나 셀 수 있는 사물. ❑ 案~; 안건. ③ 명 문서. 서류. ❑ 急~; 긴급 서류.

饯(餞) jiàn (전) ① 동 송별연을 베풀다. 전별(餞別)하다. ❑ ~行; ⇩ ② 명 꿀이나 설탕에 절인 과일. ❑ 蜜~; 꿀에 절인 과일.

[饯行] jiànxíng 동 송별연을 베풀다. 전별하다. ❑ 为他~; 그를 위해 송별회를 열다. =[饯别bié]

贱(賤) jiàn (천) ① 형 (값이) 싸다. ❑ ~卖; ⇩ ② 형 (지위 · 신분이) 낮다. 천하다. ❑ 卑~; 비천하다. ③ 형 저질이다. 비열하다. 상스럽다. ❑ 他真~; 그는 참으로 비열하다. ④ 명〈謙〉 저(자기를 낮추는 말).

[贱骨头] jiàngǔ·tou 명 ①〈罵〉 병신. 쌍놈. ② 자기 복도 누릴 줄 모르고 사서 고생하는 사람.

[贱货] jiànhuò 명 ① 값싼 물건. 싸구려. ②〈罵〉 천한 놈. 쌍놈.

[贱卖] jiànmài 동 싸게 팔다. 헐값에 팔다.

[贱民] jiànmín 명 천민. 상놈.

溅(濺) jiàn (천) 동 (액체 따위가) 튀다. ❑ ~了我一裤子墨水; 내 바지에 온통 잉크가 튀었다.

践(踐) jiàn (천) 동 ① 밟다. 짓밟다. ❑

～踏; ⇩ ② 실행하다. 이행하다. ❑～约; ⇩
[践踏] jiàntà 동 ① 밟다. 짓밟다. ❑花圃被人～得不成样子; 꽃밭이 누군가에게 짓밟혀 엉망이 되었다. ②〈比〉박해하다. 유린하다. ❑～人民; 국민을 박해하다.
[践约] jiàn//yuē 동 약속한 것을 이행하다. 약속을 지키다.

间(間) jiàn (간) ① 명 틈. 사이. ❑～隙; ⇩ ② 명 (감정상의) 틈. 거리감. 서먹함. ❑团结无～; 단결하여 거리감이 없다. ③ 동 막다. 끊다. ❑～断; ⇩ ④ 동 사이가 나빠지게 하다. 이간하다. ❑离～; 이간하다. ⑤ 동 (새싹 따위를) 솎다. ❑～白菜; 배추를 솎다. ⇒jiān
[间壁] jiànbì 명 ① 이웃. 옆집. ②〈方〉(방의) 간이식 칸막이.
[间谍] jiàndié 명 스파이. 간첩.
[间断] jiànduàn 동 (연속되던 것이) 중단되다[하다]. ❑训练不能～; 훈련은 중단할 수 없다.
[间隔] jiàngé 명 (시간적·공간적인) 거리. 간격. 사이. 동 간격을 두다. 사이를 두다. ❑两个疗程之间要～一周; 두 치료 과정 사이는 일주일의 간격을 두어야 한다.
[间或] jiànhuò 부 간혹. 가끔. 이따금. ❑田野静悄悄的, ～传来几声犬吠; 들판은 고요한 가운데 간혹 개 짖는 소리가 들려온다.
[间接] jiànjiē 형 간접적인. ❑～经验; 간접 경험 / ～吸烟; 간접흡연.
[间苗] jiàn//miáo 동 모종을 솎다.
[间隙] jiànxì 명 (시간적·공간적의) 틈. 틈새. 빈틈. 사이.
[间歇] jiànxiē 동 간헐하다. ❑～泉; 간헐천.
[间作] jiànzuò 동〘農〙사이짓기하다. 간작하다.

建 jiàn (건) 동 ① (건물 따위를) 세우다. 짓다. ❑～厂房; 공장을 짓다. ② 창설하다. 창립하다. 설립하다. ❑～党; 창당하다 / ～军; 건군하다. ③ 제안하다. ❑～议; ⇩
[建材] jiàncái 명 건축 자재.
[建都] jiàn//dū 동 수도를 세우다.
[建国] jiàn//guó 동 건국하다. 국가를 세우다. 국가를 건설하다.
[建交] jiàn//jiāo 동 외교 관계를 수립하다. 국교를 맺다.
[建立] jiànlì 동 ① 세우다. 건립하다. ❑～生产基地; 생산 기지를 건립하다. ② (관계 따위를) 맺다. 쌓다. ❑～友谊; 우정을 쌓다.
[建设] jiànshè 동 세우다. 건설하다. ❑经济～; 경제 건설 / ～性的意见; 건설적인 의견.
[建树] jiànshù 동 (공적·실적을) 세우다. 쌓다. 올리다. ❑～功勋; 공을 세우다. 명 공적. 실적.
[建议] jiànyì 명동 제안(하다). 건의(하다). ❑采纳～; 건의를 받아들이다.
[建造] jiànzào 동 건조하다. 짓다. ❑～水电站; 수력 발전소를 짓다.
[建筑] jiànzhù 동 ① (건물·도로 따위를) 건축하다. 세우다. 부설하다. ❑～楼房; 빌딩을 건축하다. ② 세우다. 이룩하다. 성립되다. ❑他的快乐是～在别人的不幸上的; 그의 기쁨은 다른 사람의 불행 위에 세워진 것이다. 명 건축. 건축물. 건물.
[建筑物] jiànzhùwù 명 건축물. 건물.

健 jiàn (건) ① 형 튼튼하다. 건강하다. ❑保～; 보건. ② 동 튼튼하게 하다. 건강하게 하다. ❑～胃; 위를 튼튼하게 하다. 건위하다. ③ 형 …을 잘하다. 잘 …하다. ❑～忘; ⇩
[健步] jiànbù 명 경쾌하고 힘찬 발걸음. ❑～如飞; 〈成〉 발이 빨라 나는 듯이 걷다.
[健儿] jiàn'ér 명 건아.
[健将] jiànjiàng 명 ① 실력자. 유력자. 명수. ②〘體〙최고 수훈 선수. 최우수 선수.
[健康] jiànkāng 형 ① 건강하다. ❑身体～; 신체가 건강하다. ＝[康健] ② 건전하다. 정상이다. ❑～风气; 건전한 풍조.
[健美] jiànměi 형 건강하고 아름답다. ❑～操; 에어로빅 / ～运动; 건강 미용 운동. 보디빌딩.
[健全] jiànquán 형 ① (신체·정신이) 건강하고 온전하다. 건전하다. ❑身心～; 심신이 건전하다. ② 완전하다. ❑管理制度不～; 관리 제도가 완전하지 못하다. 동 완전[완벽]하게 하다. ❑～各种制度; 각종 제도를 완전하게 하다.
[健身] jiànshēn 동 몸을 튼튼히 하다. ❑～操; 건강 체조 / ～房; 체육관. 헬스클럽.
[健谈] jiàntán 형 입담이 좋다.
[健忘] jiànwàng 형 잘 잊어버리다.

건망증이 심하다. ❏～症; 건망증.

[健在] jiànzài 동 건강하게 살아 있다. 건재하다《주로, 연장자에 대해 씀》. ❏父母都～; 부모님 모두 건재하시다.

[健壮] jiànzhuàng 형 건장하다. 튼튼하다. ❏身体～; 몸이 건장하다.

毽 jiàn (건) (～儿) 명 제기. ❏踢～; 제기를 차다.

[毽子] jiàn·zi 명 제기.

腱 jiàn (건) 명〖生理〗힘줄. 건. ❏阿基里斯～; 〈音〉 아킬레스건. =[肌腱]

键(鍵) jiàn (건) 명 ① (기계의) 핀. (수레바퀴의) 비녀장. ② 〈書〉 쇠로 된 빗장. ③ (피아노·타자기 따위의) 건반. 키.

[键盘] jiànpán 명 ① 건반. ❏～乐器; 건반 악기. ② 키보드. 자판.

[键人] jiànrù 동〖컴〗(키보드로) 입력하다.

剑(劍) jiàn (검) 명 긴 칼. 검.

[剑拔弩张] jiànbá-nǔzhāng 〈成〉 칼은 뽑히고 쇠뇌는 메겨졌다《매우 긴박한 일촉즉발의 상태》.

[剑客] jiànkè 명 검객.

[剑术] jiànshù 명 검술.

荐(薦) jiàn (천) ① 동 천거하다. 추천하다. 소개하다. ❏推～; 추천하다. ② 명〈書〉 짚자리. 깔개.

[荐举] jiànjǔ 동 추천하다. 천거하다. ❏～他当校长; 그를 교장으로 추천하다.

[荐引] jiànyǐn 동〈書〉 추천하다. ❏～人才; 인재를 추천하다.

监(監) jiàn (감) 명 옛 관명 또는 관청 이름. ❏国子～; 국자감. ⇒jiān

谏(諫) jiàn (간) 동〈書〉 간하다. 간언하다. ❏进～; 간언을 올리다.

渐(漸) jiàn (점) 부 점점. 점차. 차츰. 갈수록. ❏他的病日～好转; 그의 병은 날이 갈수록 호전된다.

[渐变] jiànbiàn 동 점점 변화하다.

[渐次] jiàncì 부〈書〉 점차. ❏雨声～停息; 빗소리가 점차 멎다.

[渐渐] jiànjiàn 부 점점. 차츰. 점차. ❏风～小了; 바람이 점점 잦아들었다.

[渐进] jiànjìn 동 점차 전진하다. 점점 발전하다. 점진하다.

[渐入佳境] jiànrù-jiājìng 〈成〉 점입가경.

鉴(鑒) jiàn (감) ① 명 (옛날의) 거울. ② 명 귀감. 교훈. 본보기. ❏借～; 본보기로 삼다. ③ 동 비추다. ❏水清可～; 〈成〉 물이 깨끗하여 모습이 비치다. ④ 동 관찰하다. 감정하다. 자세히 보다. ❏～定; ⇩

[鉴别] jiànbié 동 감별하다. ❏～古画; 고화를 감별하다.

[鉴定] jiàndìng 동 ① (사람의 장단점을) 평정하다. 평가하다. ❏～书; 평가서. ② (사물의 진위·우열 따위를) 감정하다. ❏～书画; 서화를 감정하다. 명 (사람의 장단점에 대한) 평가서. 평정서.

[鉴戒] jiànjiè 명 교훈. 감계.

[鉴赏] jiànshǎng 동 (예술품 따위를) 감정하고 감상하다. ❏～古玩; 골동품을 감정하고 감상하다.

[鉴于] jiànyú 개 …을 고려하여. …을 감안하여. ❏～家里的经济情况, 他决定休学; 집안의 경제 상황을 고려해서 그는 휴학하기로 결정했다. 접 …에 비추어. …에 근거하여. ❏～上述情况, 外债已超过六十万美元; 상기의 상황에 비추어 볼 때, 외채는 이미 60만 달러를 넘었다.

箭 jiàn (전) 명 화살. ❏射～; 화살을 쏘다.

[箭靶子] jiànbǎ·zi 명 (화살의) 과녁.

[箭步] jiànbù 명 (화살같이) 빠른 걸음《보통, '大～'·'一个～'의 형태로 씀》. ❏他一个～蹿上去; 그는훌쩍 뛰어올랐다.

[箭头(儿)] jiàntóu(r) 명 ① 화살끝. ② 화살표.

[箭在弦上] jiànzàixiánshàng 〈成〉 화살이 시위에 메겨져 있다《이미 어쩔 수 없이 해야 하거나 말해야 하는 상황에 이르다》. ❏～, 不得不发; 화살이 시위에 메겨져 있어 쏘지 않을 수 없다.

[箭镞] jiànzú 명 화살촉.

jiang ㄐㄧㄤ

江 jiāng (강) 명 ① 강. ❏鸭绿～; 압록강.

② (Jiāng) 〔地〕 창장 강(長江).
[江北] Jiāngběi 명〔地〕 강북(창장 강(長江) 하류의 북쪽 지구).
[江河] jiānghé 명 강과 하천. 강하. ❏～日下; 〈成〉 강물이 날마다 흘러 내려가다(상황이 나날이 악화되다).
[江湖] jiānghú 명 ① 여러 곳. 사방 각지. 세상. ❏流落～; 사방으로 유랑하다. ② 옛날, 각지를 유랑하며 재주나 약을 팔아 생활하던 사람. 또는, 그런 직업. ❏～骗子; 사기꾼. 협잡꾼.
[江轮] jiānglún 명 강배. 강선.
[江米] jiāngmǐ 명 ⇨[糯米]
[江南] Jiāngnán 명〔地〕 강남(창장 강(長江) 하류의 남쪽 지구).
[江山] jiāngshān 명 ① 강산. 산하. ② 〈轉〉 세상. 나라. 나라의 정권. ❏坐～; 〈比〉 정권을 잡다.

豇 jiāng (강)
→[豇豆]
[豇豆] jiāngdòu 명〔植〕 강두. 광저기. 동부.

将(將) jiāng (장)
① 동 〈書〉 부축하다. 데리고 가다. 이끌다. ❏～幼弟而归; 어린 동생을 데리고 돌아가다. ② 동 보양하다. 섭생하다. ❏～养; ⇩ ③ 동 (장기에서) 장군을 부르다. ④ 동 부추기다. 자극하다. ❏两句话就把他～住了; 단 두 마디가 그를 자극시켰다. ⑤ 개 …으로(써)(성어나 방언에 주로 쓰임). ❏～鸡蛋碰石头; 계란으로 바위치기. ⑥ 개 …을[를](‘把’와 같은 용법). ❏～书拿来! 책을 가져와라! ⑦ 부 장차 …하려 하다. 막 …하려 하다. 장차 …할 예정이다. ❏七月初, 我们～进行考试; 7월 초에 우리는 시험을 실시할 예정이다. ⑧ 부 간신히. 겨우. ❏人数～够; 인원수가 겨우 차다. ⑨ 부 (‘将…将…’의 형식으로) …이기도 하고 …이기도 하다. ❏～信～疑; ⇩ ⑩ 조 〈方〉 동사와 ‘起来’·‘出去’ 따위의 방향 보어 중간에 쓰여, 동작의 시작이나 지속을 나타냄. ❏哭～起来; 울기 시작하다. ⇒jiàng
[将错就错] jiāngcuò-jiùcuò 〈成〉 잘못인 줄 알면서도 그대로 끝까지 밀고 나가다.
[将计就计] jiāngjì-jiùjì 〈成〉 상대방의 계략을 역이용하다.
[将近] jiāngjìn 부 (시간·수량 따위가) 거의 …에 가깝다. 거의 …이다 되다. ❏今年的新生～三百人; 올해 신입생은 300명 가까이 된다.
[将就] jiāng·jiu 동 불만스럽지만 참다. 아쉬운 대로 참고 견디다. ❏条件不好, ～点儿吧; 조건이 좋지 않지만 조금만 견뎌 보자.
[将军] jiāng∥jūn 동 ① (장기에서) 장군을 부르다. ❏将了他一军; 그에게 장군을 불렀다. ② 〈比〉 궁지에 몰아넣다. 난처하게 하다. ❏不要将他的军了; 그를 난처하게 하지 마라. (jiāngjūn) 명 ① 장군. ② 고급 장교.
[将来] jiānglái 명 미래. 장래.
[将息] jiāngxī 동 ⇨[将养]
[将心比心] jiāngxīn-bǐxīn 〈成〉 다른 사람의 입장이 되어 생각하다. 처지를 바꿔서 생각하다.
[将信将疑] jiāngxìn-jiāngyí 〈成〉 반신반의하다.
[将养] jiāngyǎng 동 요양하다. 몸조리하다. ❏他刚做手术, 还需～～; 그는 막 수술을 했기 때문에 몸조리가 필요하다. =[将息]
[将要] jiāngyào 부 장차[곧] …하려 하다. 곧 …할 예정이다. ❏他明年～去国外留学; 그는 내년에 외국으로 유학을 갈 예정이다.

浆(漿) jiāng (장)
① 명 걸쭉한 액체. ❏豆～; 두유 / 纸～; 종이 펄프. ② 동 (옷 따위에) 풀을 먹이다. ❏～衣裳; 옷에 풀을 먹이다.
[浆洗] jiāngxǐ 동 세탁하고 풀을 먹이다. 재양치다.

姜(薑) jiāng (강)
명〔植〕 생강.
[姜黄] jiānghuáng 명〔植〕 강황.

僵 jiāng (강)
형 ① 굳어지다. 뻣뻣하다. 딱딱하다. ❏手冻～了; 손이 꽁꽁 얼었다. ② 교착 상태에 빠지다. 벽에 부딪치다. ❏话说～了; 대화가 교착 상태에 빠지다.
[僵持] jiāngchí 동 서로 버티며 양보하지 않다. 대치하다. ❏制造～局面; 대치 국면을 만들다.
[僵化] jiānghuà 동 경직되다. 정체하다. 교착되다. ❏保守的思想～人们的头脑; 보수적인 생각은 사람들의 머리를 경직시킨다.
[僵局] jiāngjú 명 교착[대치] 국면. ❏陷入～; 교착 국면에 빠지다.
[僵尸] jiāngshī 명 뻣뻣하게 굳은

시체. 강시. 〈比〉 썩어 빠진 것.
[僵死] jiāngsǐ 동 뻣뻣하게 굳어서 죽다.
[僵硬] jiāngyìng 형 ① (사지가) 뻣뻣하게 굳어 움직일 수 없다. ❑ 两条腿~了; 두 다리가 뻣뻣하게 굳었다. ② 융통성이 없다. 딱딱하다. ❑ ~的政策; 융통성 없는 정책.

缰(繮) jiāng (강) 명 고삐. ❑ 脱~的野马; 고삐 풀린 야생마.
[缰绳] jiāng·shéng 명 고삐.

疆 jiāng (강) 명 경계. 국경.
[疆场] jiāngchǎng 명 싸움터. 전장(戰場).
[疆界] jiāngjiè 명 (국가나 지역의) 경계.
[疆土] jiāngtǔ 명 강토. 영토.
[疆域] jiāngyù 명 국가의 영토.

讲(講) jiǎng (강) ① 동 이야기하다. 말하다. ❑ 他对我~过这件事; 그는 나에게 이 일에 대해 말한 적이 있다. ② 동 설명하다. 해명하다. 논술하다. 해석하다. ❑ 他给我~了'了'字的用法; 그는 나에게 '了'의 용법에 대해 설명해 주었다. ③ 개 …로 논하자면. …로 치자면. ❑ 要~下围棋, 咱们谁也下不过他; 바둑으로 치자면, 우리는 누구도 그를 이기지 못한다. ④ 동 중시하다. 신경 쓰다. ❑ ~礼貌; 예의 바르다. ⑤ 동 상의하다. 의논하다. 흥정하다. ❑ ~价(儿); ⇩
[讲法] jiǎng·fǎ 명 의견. 견해. 해석.
[讲稿(儿)] jiǎnggǎo(r) 명 (강연·보고·수업 따위의) 원고.
[讲和] jiǎng//hé 동 전쟁[분쟁]을 끝내고 화해하다. 강화하다. ❑ 停战~; 전쟁을 끝내고 화해하다.
[讲话] jiǎng//huà 동 ① 말하다. 발언하다. ❑ 我没讲过这句话; 나는 이 말을 한 적이 없다. ② 질책하다. 비난하다. (jiǎnghuà) 명 ① 강연. 연설. 말. ② 강화(講話). 강의(講義).
[讲价(儿)] jiǎng//jià(r) 동 값을 흥정하다. 가격 협상을 하다. =[讲价钱]
[讲解] jiǎngjiě 동 설명하다. 해설하다. ❑ 用通俗的语言~; 알기 쉬운 말로 설명하다.
[讲究] jiǎng·jiu 동 중시하다. 신경 쓰다. ❑ ~面子; 체면을 중시하다. 형 정교하다. 섬세하다. 꼼꼼하다. ❑ 客厅的摆设非常~; 응접실 장식이 매우 꼼꼼하다. (~儿) 명 연구[주목]할 만한 가치.
[讲课] jiǎng//kè 동 수업하다. 강의하다. ❑ 王教授正讲着课呢; 왕 교수님은 지금 수업 중이시다.
[讲理] jiǎng//lǐ 동 시비를 논하다. 이치를 따지다. ❑ 咱们跟他~去; 우리 그에게 따지러 가자. 형 도리를 따르다. 말이 통하다. ❑ 他太不~; 너무 말이 안 통한다.
[讲情] jiǎng//qíng 동 (남을 대신해서) 사정하다. 사과하다.
[讲求] jiǎngqiú 동 강구하다. 추구하다. 꾀하다. 중히 여기다. ❑ ~经济效益; 경제적 이익을 추구하다.
[讲师] jiǎngshī 명 (학교의) 강사.
[讲授] jiǎngshòu 동 설명하여 전수하다. 강의하다. ❑ 他把自己的秘方~给学生听; 그는 자신의 비법을 학생들에게 설명해 주었다.
[讲述] jiǎngshù 동 (경과·원리·도리 따위를) 강술하다. 설명하다. ❑ ~事情经过; 일의 경과를 설명하다.
[讲台] jiǎngtái 명 강단. 교단(教壇). 연단(演壇). =[讲坛①]
[讲坛] jiǎngtán 명 ① ⇨[讲台] ② 〈轉〉 강의·연설 따위를 하는 장소. ❑ 他主持~已经十年了; 그는 강단에 선 지 이미 10년이 되었다.
[讲堂] jiǎngtáng 명 강의실.
[讲习] jiǎngxí 동 ① 강습하다. ❑ ~所; 강습소. ② 연구하고 학습하다. ❑ ~学问; 학문을 연구하고 학습하다.
[讲学] jiǎng//xué 동 학술 강연을 하다.
[讲演] jiǎngyǎn 동 강연하다.
[讲义] jiǎngyì 명 강의 프린트. 강의 자료.
[讲座] jiǎngzuò 명 강좌.

奖(獎) jiǎng (장) ① 동 장려하다. 표창하다. 상으로 주다. ❑ ~一块金牌; 금메달을 상으로 주다. ② 명 상.
[奖杯] jiǎngbēi 명 우승컵. 트로피(trophy).
[奖惩] jiǎngchéng 명 상벌. ❑ ~分明; 상벌이 분명하다.
[奖金] jiǎngjīn 명 상금. 상여금. 보너스. 당첨금.
[奖励] jiǎnglì 동 장려하다. 표창하

다. ❏ ~金; 장려금.
[奖牌] jiǎngpái 명 (상품(賞品)으로서의) 메달.
[奖品] jiǎngpǐn 명 상품. 장려품.
[奖券] jiǎngquàn 명 복권. 경품권.
[奖赏] jiǎngshǎng 동 상을 주다. 포상하다. ❏ 他受到上级~; 그는 상부로부터 포상을 받았다.
[奖学金] jiǎngxuéjīn 명 장학금.
[奖章] jiǎngzhāng 명 포상의 의미로 주는 휘장·포장(褒章).
[奖状] jiǎngzhuàng 명 상장. 표창장.

桨(槳) jiǎng (장)
명 노(櫓). ❏ 划~; 노를 젓다. =[〈書〉 楫jí]

耩 jiǎng (강)
동〖農〗파종기로 파종하다.

匠 jiàng (장)
명 ① 장인(匠人). 장색. ❏ 泥水~; 미장이. ②〈書〉 거장(巨匠). 대가(大家). ❏ 巨~; 거장.
[匠人] jiàngrén 명 장인. 장색.
[匠心] jiàngxīn 명〈書〉 장심. 궁리. 고안.

降 jiàng (강)
동 ① 떨어지다. 내려가다. ❏ 气温~到零下十五度; 기온이 영하 15 도까지 내려갔다. ② 내리다. 떨어뜨리다. 낮추다. ❏ ~血压; 혈압을 떨어뜨리다. ⇒xiáng
[降半旗] jiàng bànqí ⇨[下半旗]
[降低] jiàngdī 동 내리다. 낮추다. 내려가다. ❏ 产品的质量~了很多; 상품 품질이 많이 낮아졌다.
[降格] jiàng//gé 동 (기준·신분 따위의) 격을 낮추다. ❏ ~以求;〈成〉 격을 낮추어 요구하다.
[降号] jiànghào 명〖樂〗 내림표. 플랫(flat)《♭》.
[降级] jiàng//jí 동 강등(降等)하다. 유급하다.
[降价] jiàng//jià 동 값이 내리다. 가격을 인하하다.
[降临] jiànglín 동 강림하다. 찾아오다. ❏ 夜色~; 밤이 찾아오다.
[降落] jiàngluò 동 낙하하다. 착륙하다. ❏ ~伞; 낙하산.
[降旗] jiàng//qí 동 기를 내리다.
[降水] jiàngshuǐ〖氣〗 명 강수. 동 눈·비가 내리다. 강수하다. ❏ ~量; 강수량 / 人工~; 인공 강수.
[降温] jiàng//wēn 동 ① 온도를 내리다[낮추다]. ②〖氣〗 기온이 내려가다. ❏ 气象台预报今天~; 기상대는 오늘 기온이 내려갈 것이라고 예보했다. ③〈比〉 열기가 식다. 추세가 약화되다. ❏ 旅游热已经~; 여행 열풍은 이미 사그라졌다.
[降雨] jiàng//yǔ 동 강우하다.
[降职] jiàng//zhí 동 강직되다.

绛(絳) jiàng (강)
명〖色〗심홍색(深紅色).
[绛紫] jiàngzǐ 형 붉은빛을 띤 암자색이다.

将(將) jiàng (장)
명〖軍〗장군. 사령관. ❏ 少~; 소장. ⇒jiāng
[将官] jiàngguān 명 장군. 장성(將星).
[将领] jiànglǐng 명 고급 장교.
[将士] jiàngshì 명 장병(將兵). 장교와 사병.
[将帅] jiàngshuài 명 고위급 지휘관. 사령관. 장군.
[将校] jiàngxiào 명 장교.

酱(醬) jiàng (장)
① 명 장. 된장. ❏ 黄~; 콩으로 담근 적갈색 된장. ② 명 된장같이 걸쭉한 식품의 총칭. ❏ 果子~; 과일잼 / 辣椒~; 고추장. ③ 동 된장이나 간장에 절이다. ❏ 把萝卜~; 무를 간장에 절이다.
[酱菜] jiàngcài 명 장아찌.
[酱缸] jiànggāng 명 장독.
[酱肉] jiàngròu 명 장조림. 장육. ❏ 五香~; 오향장육.
[酱油] jiàngyóu 명 간장.

强 jiàng (강)
형 고집을 꺾지 않다. 완강하다. ⇒qiáng qiǎng
[强嘴] jiàngzuǐ 동 ⇨[犟嘴]

犟 jiàng (강)
형 고집이 세다. 완강하다. 완고하다. 고집불통이다.
[犟嘴] jiàngzuǐ 동 말대꾸하다. 자기 주장을 고집하다. 대들다. ❏ 没有理由, 就别~; 이유가 없거든 고집 부리지 마라. =[强jiàng嘴]

糨 jiàng (강)
형 (풀·죽 따위가) 되다. 걸쭉하다. ❏ 粥太~了; 죽이 너무 되다.
[糨糊] jiàng·hu 명 풀.

jiao ㄐㄧㄠ

交 jiāo (교)
① 동 건네주다. 넘겨주다. 제

출하다. 내다. ❑房租已~了; 방세는 이미 냈다. ② 동 (시간·때가) 되다. ❑明天就~夏至了; 내일이 바로 하지이다. ③ 동 맞닿다. 접하다. 교차하다. ❑两条线~于一点; 두 선이 한 점에서 교차하다. ④ 명 (시간·지역의) 경계. 교차점. ❑处于两省之~; 두 성의 경계에 위치하다. ⑤ 동 사귀다. 교제하다. ❑~朋友; 친구를 사귀다. ⑥ 명 교제. 사귐. 우정. ❑绝~; 절교하다. ⑦ 명 친구. 벗. ❑莫逆之~; 〈成〉 막역지우. ⑧ 동 (남녀가) 성교하다. (동식물이) 교배하다. ❑杂~; 잡교하다. ⑨ 부 서로. ❑~流; ⇓ ⑩ 부 일제히. 동시에. ❑~加; ⇓ ⑪ 명 ⇨[跤jiāo]

[交白卷(儿)] jiāo báijuàn(r) ① 백지 답안을 제출하다. ② 〈比〉 임무를 전혀 완수하지 못하다.

[交班(儿)] jiāo//bān(r) 동 (근무를) 교대하다. ❑~的时间到了; 교대 시간이 되었다.

[交杯酒] jiāobēijiǔ 명 합환주(合歡酒).

[交叉] jiāochā 동 ① 교차하다. 엇갈리다. ❑铁轨~; 철로가 교차하다 / ~口; 교차점. ② 부분적으로 겹치다. 중복되다. ❑~的意见; 부분적으로 같은 의견. ③ 번갈아 하다. 갈마들다.

[交差] jiāo//chāi 동 임무를 완수하고 보고하다.

[交错] jiāocuò 동 교착하다. 교차하다. 뒤얽히다. ❑铁路纵横~; 철로가 종횡으로 교차하다.

[交代] jiāodài 동 ①(업무를) 인계하다. ❑~工作; 업무를 인계하다. ② 지시하다. 분부하다. ❑待他~了任务之后, 大家马上分头执行; 그가 임무를 지시하자, 모두들 바로 분담하여 집행했다. ③(사정·의견 따위를) 자세히 말하다. 설명하다. ❑把问题~清楚; 문제를 확실하게 설명하다. =[交待①] ④ 자백하다. 털어놓다. ❑他~了犯罪的经过; 그는 범죄의 과정을 자백했다. =[交待②]

[交待] jiāodài 동 ① ⇨[交代③] ② ⇨[交代④] ③ 끝장나다. 끝나다. 결딴나다.

[交道] jiāodào 명 교제. 왕래. 관계(주로, '打~'의 형식으로 쓰임).

[交底] jiāo//dǐ 동 속사정[내막]을 말하다. 자세히 설명하다. ❑对新负责人交过底; 새 책임자에게 상황을 자세히 설명하다.

[交锋] jiāo//fēng 동 교전하다. 맞붙어 싸우다. ❑与敌人~; 적과 교전하다.

[交付] jiāofù 동 ① 지불하다. ❑~房租; 방세를 지불하다. ② 교부하다. 건네주다. 부여하다. ❑~任务; 임무를 부여하다.

[交感神经] jiāogǎn shénjīng 〖生理〗 교감 신경.

[交工] jiāo//gōng 동 (시공 회사가 건설 회사에) 준공하여 인도하다.

[交媾] jiāogòu 동 성교하다.

[交好] jiāohǎo 동 사이좋게 사귀다. 가깝게 지내다. ❑他们~多年; 그들은 오랫동안 사이좋게 지낸다.

[交互] jiāohù 부 ① 서로. ❑~评改习作; 서로의 습작을 평가하고 고쳐 주다. ② 번갈아 가며. 교대로. ❑他两手~地抓住绳索往上爬; 그는 양손으로 번갈아 가며 밧줄을 잡고 기어 올라갔다.

[交还] jiāohuán 동 반환하다. 환부하다. 돌려주다.

[交换] jiāohuàn 동 교환하다. ❑~名片; 명함을 교환하다 / ~机; (전화의) 교환대.

[交火] jiāo//huǒ 동 교전하다.

[交货] jiāohuò 동 물품을 인도하다. 납품하다. ❑~期; 납품일.

[交集] jiāojí 동 (여러 가지 사물·감정이) 한꺼번에 나타나다. 동시에 생기다. ❑惊喜~; 놀라움과 기쁨이 한꺼번에 찾아오다.

[交际] jiāojì 동 교제하다. 사교하다. ❑他不善于~; 그는 교제에 서툴다.

[交际舞] jiāojìwǔ 명 ⇨[交谊舞]

[交加] jiāojiā 동 번갈아 가해지다. 한꺼번에 오다. 휘몰아치다. ❑贫病~; 가난과 병이 한꺼번에 오다.

[交接] jiāojiē 동 ① 잇다. 연접하다. ❑各路~的地方; 각 도로의 연접해 있는 곳. ② 교대하다. 인수인계하다. ❑办理~手续; 인수인계 수속을 하다. ③ 교제를 맺다. 사귀다. ❑他~了不少朋友; 그는 꽤 많은 친구를 사귀었다.

[交界] jiāojiè 동 경계와 접하다. 인접하다. ❑同中国~的地方; 중국과 경계를 접하는 곳.

[交警] jiāojǐng 명 〈簡〉 ⇨[交通警察]

[交卷(儿)] jiāo//juàn(r) 동 ① 답

안을 제출하다. ②〈比〉맡은 일을 끝내다. 임무를 완성하다.
[交口称誉] jiāokǒu-chēngyù〈成〉입을 모아 칭찬하다.
[交流] jiāoliú 동 ① 엇갈려 흐르다. 뒤엉켜 흐르다. ❑涕泪~; 눈물 콧물이 뒤엉켜 흐르다. ② 교류하다. 교환하다. ❑与外国人~; 외국인과 교류하다 / 文化~; 문화 교류.
[交纳] jiāonà 동 (정부나 공공 단체에) 납부하다. 납입하다. ❑~会费; 회비를 납부하다. =[缴纳]
[交配] jiāopèi 동 교배하다.
[交迫] jiāopò 동 (각기 다른 것들이) 동시에 압박하다. ❑饥寒~; 굶주림과 추위에 시달리다.
[交情] jiāo·qing 명 교분. 친분. 우정. 우의(友誼).
[交融] jiāoróng 동 한데 어우러지다. 융합하다. ❑思想感情~在一起; 사상과 감정이 한데 융합하다.
[交涉] jiāoshè 동 교섭하다. ❑~团体; 교섭 단체.
[交手] jiāo∥shǒu 동 맞붙어 싸우다. 드잡이하다. ❑与敌人~; 적과 맞붙어 싸우다.
[交税] jiāo∥shuì 동 세금을 납부하다.
[交谈] jiāotán 동 이야기를 나누다. 대화하다. ❑用英语~; 영어로 이야기를 나누다.
[交替] jiāotì 동 ① 교체하다. 교대하다. ❑新旧~;〈成〉새로운 것과 낡은 것이 교체하다. ② 번갈아 가며 하다. 교대로 하다.
[交通] jiāotōng 명 ① 교통. ❑~工具; 교통수단 / ~规则; 교통 규칙 / ~事故; 교통사고. ② 비밀 통신원. 연락원. 동〈書〉① 사방으로 통하다. ❑阡陌~; 논두렁길이 사방으로 통해 있다. ② 결탁하다. ❑~官府; 관리와 결탁하다.
[交通警察] jiāotōng jǐngchá 교통경찰. =[〈簡〉交警]
[交头接耳] jiāotóu-jiē'ěr〈成〉서로 귓속말을 하다.
[交往] jiāowǎng 동 교제하다. 왕래하다. 상종하다. ❑谁也不和他~; 아무도 그와 상종하지 않는다.
[交尾] jiāowěi 동 교미하다.
[交响曲] jiāoxiǎngqǔ 명〔樂〕교향곡. 심포니(symphony).
[交响乐] jiāoxiǎngyuè 명〔樂〕교향악. ❑~队; 교향악단.
[交心] jiāo∥xīn 동 마음을 터놓다. ❑~亮底; 마음을 터놓고 사귀다.
[交易] jiāoyì 명동 거래(하다). 교역(하다). ❑与港商做了一笔~; 홍콩 바이어와 거래를 한 건 했다.
[交易所] jiāoyìsuǒ 명〔商〕거래소. ❑证券~; 증권 거래소.
[交谊] jiāoyì 명 교의. 교분. 우의. 우정. 친분.
[交谊舞] jiāoyìwǔ 명〔舞〕사교춤. =[交际舞]
[交游] jiāoyóu 동〈書〉교제하다.
[交战] jiāo∥zhàn 동 ① 교전하다. ❑~国; 교전국. ② (사상·생각 따위가) 서로 충돌하다.
[交账] jiāo∥zhàng 동 ① 장부를 넘기다. 회계 업무를 인계하다. ②〈比〉(일의 결과 따위를) 보고하다. 알리다. 설명하다.
[交织] jiāozhī 동 ① 복잡하게 한데 뒤엉키다. 마구 뒤섞이다. ❑惊讶和喜悦的感情~在一起; 놀람과 기쁨의 감정이 한데 뒤엉키다. ②〔紡〕교직하다. ❑棉麻~; 면과 마를 교직하다.

郊 jiāo (교)
명 교외. ❑近~; 근교.
[郊区] jiāoqū 명 교외 지역.
[郊外] jiāowài 명 교외.
[郊野] jiāoyě 명 교외의 들판.
[郊游] jiāoyóu 동 교외로 소풍 가다.

胶(膠) jiāo (교)
① 명 진. 아교. 풀. ② 명 고무. ❑~鞋; ⇓ ③ 동 접착하다. 붙이다. ❑~合; ⇓ ④ 형 찐득거리는. 끈적거리는. ❑~泥; ⇓
[胶布] jiāobù 명 ① 점착테이프. ②〈口〉⇨[橡皮膏]
[胶合] jiāohé 동 아교나 풀로 붙이다.
[胶卷(儿)] jiāojuǎn(r) 명 (감아 놓은 사진용) 필름. 롤(roll) 필름.
[胶囊] jiāonáng 명 교갑. 교낭. 캡슐(capsule).
[胶泥] jiāoní 명 점토. 찰흙.
[胶皮] jiāopí 명〔化〕〈口〉가황(加黃) 고무. 유화(硫化) 고무.
[胶片] jiāopiàn 명 필름(film).
[胶水(儿)] jiāoshuǐ(r) 명 고무풀. 아교풀.
[胶鞋] jiāoxié 명 ① 고무신. ② 고무창을 댄 신발.
[胶靴] jiāoxuē 명 고무장화.
[胶纸] jiāozhǐ 명 접착테이프.
[胶着] jiāozhuó 동 교착하다. ❑~

状态; 교착 상태.

跤 jiāo (교)
명 공중제비. 곤두박질. ❑ 下雨路滑, 小心摔～; 비가 내려 길이 미끄러우니 넘어지지 않게 조심해라. ＝[交⑪]

浇(澆) jiāo (요)
① 동 (물이나 액체를) 끼얹다. 뿌리다. ❑ ～了一身水; 온몸에 물을 뒤집어썼다. ② 동 (물을) 주다. 대다. ❑ 给树～水; 나무에 물을 주다. ③ 동 (거푸집에) 부어 넣다. ❑ ～铅字; 활자 모형에 납을 부어 넣다. ④ 형〈書〉 각박하다. 야박하다. 박정하다.

[浇灌] jiāoguàn 동 ① (거푸집 따위에) 부어 넣다. ❑ ～混凝土; 콘크리트를 부어 넣다. ② (작물에) 물을 주다. 물을 대다.

[浇冷水] jiāo lěngshuǐ ⇨[泼pō冷水]

[浇头] jiāo·tou 명〈方〉 국수나 밥 위에 얹어 먹는 요리.

[浇注] jiāozhù 동 (거푸집에) 붓다. 주입하다.

[浇铸] jiāozhù 동〖工〗 금속을 녹여 거푸집에 붓다. 주조하다.

娇(嬌) jiāo (교)
① 형 (여자·아이·꽃 따위가) 예쁘고 귀엽다. 사랑스럽다. ② 형 나약하다. 가냘프다. 연약하다. ❑ 这孩子动不动就哭, 太～了; 이 아이는 걸핏하면 우니, 너무 나약하구나. ③ 동 지나치게 예뻐하다. 응석을 받아 주다.

[娇滴滴(的)] jiāodīdī(·de) 형 ① 어리광[응석] 부리는 모양. ② 지나치게 나약한 모양.

[娇惯] jiāoguàn 동 응석을 받아주다. 버릇없게 만들다. ❑ 养活得过于～; 지나치게 응석받이로 키우다.

[娇贵] jiāo·guì 형 ① 응석받이로 자라 연약하다. ② 무르다. 부서지기 쉽다. ❑ ～的玻璃器皿; 부서지기 쉬운 유리그릇.

[娇憨] jiāohān 형 천진난만하다. 천진스럽고 귀엽다.

[娇媚] jiāomèi 형 ① 요염하게 교태 부리는 모양. ② (자태가) 아름답고 사랑스럽다.

[娇嫩] jiāonèn 형 가냘프다. 연약하다. 야들야들하다. ❑ ～的鲜花; 부드럽고 연한 생화.

[娇气] jiāo·qì 명 나약함. 연약한 태도. 형 ① 나약하다. 약하다. ❑ 你的身体太～了; 네 몸은 너무 약하구나. ② (물건·화초 따위가) 쉽게 상하다. 손상되기 쉽다.

[娇柔] jiāoróu 형 아름답고 상냥하다.

[娇弱] jiāoruò 형 아리땁고 가냘프다.

[娇生惯养] jiāoshēng-guànyǎng 〈成〉 지나치게 응석받이로 자라다.

[娇态] jiāotài 명 교태.

[娇艳] jiāoyàn 형 아름답고 요염하다.

[娇养] jiāoyǎng 동 응석받이로 키우다. 버릇없게 키우다.

[娇纵] jiāozòng 동 과잉보호하고 멋대로 하게 두다. 버릇없게 기르다.

骄(驕) jiāo (교)
형 ① 교만하다. 거만하다. ② 〈書〉 맹렬하다. 강렬하다. ❑ ～阳; 강렬한 햇빛.

[骄傲] jiāo'ào 형 ① 교만하다. 거만하다. 오만하다. ❑ ～自大; 〈成〉 오만불손하다 / ～自满; 〈成〉 교만하고 자만하다. ② 자랑삼다. 자부하다. ❑ ～地回答; 자랑스럽게 대답하다. 명 자랑. 자랑거리. 긍지. ❑ 民族的～; 민족의 긍지.

[骄横] jiāohèng 형 오만불손하고 횡포하다.

[骄气] jiāo·qì 명 건방진 태도.

[骄奢淫逸] jiāoshē-yínyì 〈成〉 오만하고 사치스럽고 음란무도한 생활을 하다.

[骄纵] jiāozòng 형 교만하고 방종하다.

教 jiāo (교)
동 (지식·기술을) 가르치다. 전수하다. ❑ ～他织毛衣; 그에게 스웨터 뜨는 법을 가르치다. ⇒jiào

[教书] jiāo//shū 동 공부를 가르치다. ❑ 他在小学里～; 그는 초등학교에서 공부를 가르친다. ＝[教学]

[教学] jiāo//xué 동 ⇨[教书] ⇒ jiàoxué

焦 jiāo (초)
① 동 (불에) 눋다. 타다. ❑ 树烧～了; 나무가 탔다. ② 형 바삭바삭하게 만들다[되다]. ❑ 柴火晒得～干了; 장작이 볕에 바싹 말랐다. ③ 명〖鑛〗 코크스. ④ 형 조바심 내다. 초조해하다. 애태우다.

[焦点] jiāodiǎn 명 ①〖數〗 초점. ②〖物〗 초점. ③〈比〉 주의·관심이 집중되는 부분. 초점.

[焦黑] jiāohēi 형 물체가 탄 후의 검은 모양. ❑ 让火熏xūn得～; 불

에 까맣게 탔다.
[焦急] jiāojí 형 안달하다. 초조하다. 애태우다. ❏心里很~; 마음이 매우 초조하다.
[焦枯] jiāokū 동 (식물이) 말라 시들다.
[焦虑] jiāolǜ 형 애태우다. 애태우며 근심하다. 마음을 졸이다.
[焦炭] jiāotàn 명〖鑛〗 코크스(cokes).
[焦头烂额] jiāotóu-làn'é 〈成〉 심한 곤경에 빠지다.
[焦土] jiāotǔ 명 초토. ❏化为~; 초토화하다.
[焦心] jiāoxīn 형 애태우다. 초조하다.
[焦油] jiāoyóu 명〖化〗타르(tar).
[焦躁] jiāozào 형 애타고 초조하다.
[焦灼] jiāozhuó 형 초조하다. 조바심 나다.

蕉 jiāo (초)
명〖植〗 파초와 같은 큰 잎을 가진 식물.

礁 jiāo (초)
명 ① 암초(暗礁). ❏触~; 좌초하다. ② 산호초.
[礁石] jiāoshí 명 암초.

椒 jiāo (초)
명〖植〗 열매나 씨가 자극적인 맛을 지닌 식물. ❏辣~; 고추.

嚼 jiáo (작)
동 씹다. ❏不~就吞下去; 씹지도 않고 그대로 삼키다. ⇒jiào jué
[嚼舌] jiáoshé 동 ① 멋대로 지껄이다. 당치 않은 말을 하다. ② 이유 없이[쓸데없이] 논쟁하다. ‖=[嚼舌头][嚼舌根]
[嚼子] jiáo·zi 명 재갈.

角 jiǎo (각)
① 명 뿔. ❏牛~; 쇠뿔. ② 명 뿔피리. ③ 명 뿔 비슷한 모양의 것. ❏菱~; 마름 열매. ④ 명 곶. 갑(岬). ❏好望~;〖地〗희망봉. ⑤(~儿) 명 모서리. 모퉁이. 구석. ❏拐~儿; 길모퉁이. ⑥ 명〖數〗각. 각도. ❏直~; 직각. ⑦ 양 ㉠중국 화폐의 보조 단위(1'元'의 10분의 1). =[〈口〉 毛⑩] ㉡덩어리를 나눈 조각. ❏一~月饼; 월병 한 조각. ⇒jué
[角度] jiǎodù 명 ①〖數〗각도. ② 시점(視點). 관점.
[角落] jiǎoluò 명 ① 구석. 귀퉁이. ② 외진 곳. 구석진 곳.
[角门] jiǎomén 명 측문(側門). 쪽문. =[脚门]
[角膜] jiǎomó 명〖生理〗각막.
[角球] jiǎoqiú 명〖體〗코너킥(corner kick).
[角质] jiǎozhì 명〖生〗각질.

佼 jiǎo (교)
형〈書〉 아름답다. 빼어나다.
[佼佼] jiǎojiǎo 형〈書〉 (재주가) 남보다 뛰어나다. ❏庸中~;〈成〉 보통 사람보다 뛰어나다.

狡 jiǎo (교)
형 교활하다. 간사하다.
[狡辩] jiǎobiàn 동 교활하게 변명하다[우겨대다]. ❏他~起来, 很难对付; 그가 교활한 변명을 해 대면 상대하기 힘들다.
[狡猾] jiǎohuá 형 교활하다. ❏性情~; 성격이 교활하다. =[狡滑]
[狡计] jiǎojì 명 교활한 계교. 간계.
[狡赖] jiǎolài 동 교활하게 발뺌하다[잡아떼다]. ❏你尽管怎么样~, 也是你做错了; 네가 아무리 교활하게 발뺌해도 역시 네 과실이다.
[狡兔三窟] jiǎotù-sānkū 〈成〉 교활한 토끼는 세 개의 굴이 있다(일신(一身)을 지키고 재난을 피하는 데 매우 용의주도함).
[狡黠] jiǎoxiá 형〈書〉 교활하다.
[狡诈] jiǎozhà 형 교활하다. 간사하다. ❏为人~; 사람됨이 교활하다.

饺(餃) jiǎo (교)
(~儿) 명 만두. 교자. ❏水~儿; 물만두.
[饺子] jiǎo·zi 명 만두. 교자.

绞(絞) jiǎo (교)
① 동 (실·선·밧줄 따위를) 한데 꼬다. 꼬아서 합치다. ❏两条线~在一块儿; 두 가닥의 실을 한데 꼬다. ② 동 쥐어짜다. 비틀어 짜다. ❏把衣服~干; 옷을 비틀어 짜서 말리다. ③ 동 ⇨[铰jiǎo②] ④ 동 교살하다. 교수형에 처하다. ❏~架; ⇩ ⑤ 동 감다. 감아 올리다. ⑥ 양 타래(실 따위를 세는 말). ❏一~线; 실 한 타래.
[绞架] jiǎojià 명 교수대(絞首臺).
[绞脑汁] jiǎo nǎozhī 머리를 짜내다. 생각을 짜내다.
[绞杀] jiǎoshā 동 ① 교살하다. 목 졸라 죽이다. ② 〈比〉 압제하다. 억압하다.
[绞索] jiǎosuǒ 명 교수대의 밧줄.
[绞痛] jiǎotòng 형 (쥐어짜듯이) 몹시 아프다. ❏肚子~; 배가 쥐어짜듯이 아프다. 명〖中醫〗쥐어짜

는 듯한 아픔. 교통(絞痛).
[绞刑] jiǎoxíng 명 교수형.
铰(鉸) jiǎo (교)
① 동〈口〉 ⇨[剪jiǎn ③] ② 동〔機〕(리머(reamer)로) 절삭하다. ＝[绞③] ③ 명〔建〕 경첩. 힌지(hinge). ❑ ～接; ⇩
[铰接] jiǎojiē 동 경첩으로 접속[연결]하다.
[铰链] jiǎoliàn 명〔建〕 경첩. 힌지.
皎 jiǎo (교)
형 희고 밝다. ❑ ～洁; ⇩
[皎皎] jiǎojiǎo 형 교교하다. 희고 밝다. ❑ ～的月光; 교교한 달빛.
[皎洁] jiǎojié 형 밝고 맑다. ❑ ～的月色; 밝고 맑은 달빛.
侥(僥) jiǎo (요)
→[侥幸]
[侥幸] jiǎoxìng 형 운이 좋다. 요행이다. ❑ ～心里; 요행 심리.
矫(矯) jiǎo (교)
① 동 교정하다. 시정하다. 고치다. ❑ ～枉过正; ⇩ ② 형 씩씩하다. 건장하다. ❑ ～健; ⇩ ③ 동 가장하다. 꾸미다. ❑ ～饰; ⇩
[矫健] jiǎojiàn 형 튼튼하고 기운차다. 씩씩하고 힘차다. 건장하다. ❑ 身躯～; 신체가 건장하다.
[矫捷] jiǎojié 형 힘차고도 민첩하다.
[矫揉造作] jiǎoróu-zàozuò〈成〉 지나치게 꾸며서 부자연스럽다.
[矫饰] jiǎoshì 동 억지로 꾸미다.
[矫枉过正] jiǎowǎng-guòzhèng〈成〉 폐해를 고치려 하다가 오히려 더 나빠지다.
[矫形] jiǎoxíng 동〔醫〕 정형하다.
[矫正] jiǎozhèng 동 바로잡다. 고치다. 교정하다. ❑ ～视力; 시력을 교정하다.
脚 jiǎo (각)
명 ① 발. ❑ 一只～; 한쪽 발. ② 물체의 최하부. ❑ 墙～; 담 밑. ③ 체력으로 운반하는 것과 관계되는 것. ❑ ～夫; ⇩ ④ 남은 것. 찌꺼기. ❑ 酒～; 술 남은 것.
[脚板] jiǎobǎn 명 ⇨[脚掌]
[脚背] jiǎobèi 명 발등. ＝[脚面]
[脚本] jiǎoběn 명 각본.
[脚脖子] jiǎobó·zi 명〈方〉 ⇨[脚腕子]
[脚步] jiǎobù 명 ① 보폭(步幅). 걸음나비. ② 발걸음. 걸음걸이.
[脚踩两只船] jiǎo cǎi liǎng zhī chuán〈諺〉 양다리를 걸치다. ＝[脚踏两只船]
[脚底] jiǎodǐ 명 ⇨[脚掌]
[脚底板] jiǎodǐbǎn 명 ⇨[脚掌]
[脚夫] jiǎofū 명 ① 옛날, 짐꾼. ② 몰이꾼.
[脚跟] jiǎogēn 명 발뒤꿈치. ＝[〈口〉 脚后跟][脚根]
[脚迹] jiǎojì 명 ⇨[脚印(儿)]
[脚尖(儿)] jiǎojiān(r) 명 발끝.
[脚劲(儿)] jiǎojìn(r) 명〈方〉 다릿심.
[脚力] jiǎolì 명 ① 각력. 다릿심. ② 운반비. 운임. ③ 옛날, 짐꾼.
[脚镣] jiǎoliào 명 족쇄.
[脚轮] jiǎolún 명 (소파·가방 따위에 달린) 다리 바퀴.
[脚门] jiǎomén 명 ⇨[角jiǎo门]
[脚面] jiǎomiàn 명 ⇨[脚背]
[脚蹼] jiǎopǔ 명 (수영용) 오리발.
[脚气] jiǎoqì 명〔醫〕 ① 각기(脚氣). ② ⇨[脚癣]
[脚踏车] jiǎotàchē 명〈方〉 ⇨[自行车]
[脚踏两只船] jiǎo tà liǎng zhī chuán〈諺〉 ⇨[脚踩两只船]
[脚踏实地] jiǎotàshídì〈成〉 착실하게 열심히 일하다.
[脚腕子] jiǎowàn·zi 명 발목. ＝[脚腕儿][〈方〉 脚脖子]
[脚心] jiǎoxīn 명 발바닥의 오목한 부분. 족심(足心).
[脚癣] jiǎoxuǎn 명〔醫〕 발의 무좀. ＝[脚气②]
[脚印(儿)] jiǎoyìn(r) 명 발자국. ＝[脚迹]
[脚掌] jiǎozhǎng 명 발바닥. ＝[脚板][脚底][脚底板]
[脚指甲] jiǎozhǐ·jia 명 발톱.
[脚趾] jiǎozhǐ 명 발가락. ＝[〈口〉 脚指头·tou]
[脚注] jiǎozhù 명 각주.
[脚镯] jiǎozhuó 명 발찌.
搅(攪) jiǎo (교)
동 ① 젓다. 휘젓다. ❑ 把面糊～一～; 밀가루 풀을 좀 저어라. ② 방해하다. 귀찮게 하다. ❑ 我现在忙, 你别～我; 나는 지금 바쁘니 방해하지 마라.
[搅拌] jiǎobàn 동 휘저어 섞다. 반죽하다. ❑ ～机; 믹서.
[搅动] jiǎo//dòng 동 ① (막대 따위로) 젓다. 휘젓다. ❑ 用小勺儿在茶杯里～; 숟가락으로 찻잔을 젓다. ② 교란하다. 훼방 놓다.
[搅混] jiǎo·hun 동〈方〉 섞이다. 뒤섞이다. ❑ 沙和石子～在一起;

모래와 돌이 한데 뒤섞이다.

[搅和] jiǎo·huo 동〈口〉 ① 혼합하다. 뒤섞다. 휘젓다. 뒤섞이다. ❑ 把水搀上去, 一~就成了; 물을 섞어 한 번 휘저으면 그것으로 된다. ② 훼방 놓다. 방해하다.

[搅乱] jiǎoluàn 동 교란하다. 방해하다. 어지럽히다. ❑ ~视线; 시선을 교란하다.

[搅扰] jiǎorǎo 동 방해하다. 귀찮게 하다. ❑ 别~病人; 환자를 귀찮게 하지 마라.

剿 jiǎo (초)
동 (무력으로) 토벌하다. 섬멸하다. ❑ ~匪; 비적을 토벌하다.

缴(繳) jiǎo (교)
동 ① 내다. 납부하다. ❑ ~会费; 회비를 내다 / ~税; 세금을 납부하다. ② (무기를) 내놓게 하다. 넘겨받다. ❑ 武器被他们~了过来; 무기는 그들이 넘겨받았다.

[缴获] jiǎohuò 동 (무기·흉기 따위를) 넘겨받다. 노획하다. ❑ ~不少武器; 많은 무기를 노획하다.

[缴纳] jiǎonà 동 ⇒[交纳]

[缴械] jiǎo//xiè 동 ① 무장 해제 시키다. 무기를 내놓게 하다. ② (적에게) 무장 해제 당하다. 무기를 내놓다. ❑ ~投降; 무기를 넘겨주고 투항하다.

叫 jiào (규)
A) 동 ① 큰 소리로 외치다. 고함치다. ❑ 疼得大~起来; 아파서 크게 소리를 질러 대다. ② (동물이) 울다. 짖다. 지저귀다. ❑ 鸟~得真好听; 새소리가 참 듣기 좋다. ③ (기계 따위가) 소리를 내다. ❑ 机关枪~起来了; 기관총 소리가 울리기 시작했다. ④ …라고 일컫다. 이름을 …라고 하다. ❑ 他~什么名字? 그의 이름은 무엇입니까? ⑤ 불러오다. 부르다. 찾다. ❑ 有人~你呢; 누가 너를 부르고 있다. ⑥ (식당 따위에서) 시키다. 주문하다. ❑ ~菜; ⇩ ⑦ (사서) 배달을 시키다. (택시 따위를) 부르다. ❑ 我没~过出租车; 나는 택시를 부른 적이 없다. B) ① 동 …하도록 시키다. …하게 하다. ❑ 医生~我好好休息; 의사가 나에게 푹 쉬라고 했다. ② 동 허락하다. 승인하다. ❑ 他不~去, 我就不去; 그가 가지 말라고 한다면 나는 안 간다. ③ 개 …에게 (…당하다). …에 의하여 (…하게 되다). ❑ 书~他给撕了; 책은 그에 의해 찢겨졌다.

[叫菜] jiào//cài 동 요리를 주문하다[시키다].

[叫喊] jiàohǎn 동 큰 소리로 외치다[부르다]. ❑ 他~了半天, 也没人答应; 그가 한참을 큰 소리로 불렀지만, 아무도 대답하지 않았다.

[叫好(儿)] jiào//hǎo(r) 동 (큰 소리로 '好!' 하며) 갈채를 보내다.

[叫花子] jiàohuā·zi 명〈口〉 ⇒[乞丐 qǐgài]

[叫唤] jiào·huan 동 ① 소리 지르다. 외치다. ❑ 他在~什么? 그가 뭐라고 소리 지르는 거냐? ② (새·짐승이) 울다. 짖다. ❑ 狗在汪汪地~; 개가 멍멍 짖고 있다.

[叫苦] jiào//kǔ 동 비명을 지르다. 고통을 호소하다. ❑ ~不迭; 〈成〉 자꾸 비명을 지르다.

[叫骂] jiàomà 동 큰 소리로 욕하다.

[叫卖] jiàomài 동 외치며 물건을 팔다. 호객 행위를 하다.

[叫门] jiào//mén 동 밖에서 소리를 질러 문을 열게 하다.

[叫屈] jiào//qū 동 억울함을 호소하다.

[叫座(儿)] jiàozuò(r) 동 (연극·영화·배우가) 관객에게 인기가 있다. 관객을 끌다. ❑ 这出戏很~; 이 연극은 매우 인기가 있다.

[叫作] jiàozuò 동 …라고 불리다[부르다]. ❑ 这个东西~沙发; 이것은 소파(sofa)라고 부른다. =[叫做]

轿(轎) jiào (교)
명 가마. ❑ 坐~; 가마를 타다 / 花~; 꽃가마.

[轿车] jiàochē 명 ① 옛날, 노새가 끌던 휘장을 두른 가마 모양의 마차. ② 승용차. 세단(sedan). ❑ 小~; 소형 승용차.

[轿夫] jiàofū 명 가마꾼.

[轿子] jiào·zi 명 가마.

觉(覺) jiào (교)
명 잠. ❑ 睡~; 잠을 자다. ⇒jué

校 jiào (교)
동 ① 교정하다. 바로잡다. ❑ ~稿子; 원고를 교정하다. ② 비교하다. 겨루다. ⇒xiào

[校订] jiàodìng 동 교정하다.

[校对] jiàoduì 동 ① (표준에 부합되는지) 확인하다. 검사하다. 체크하다. ❑ 这杆秤已经~过了; 이 저울은 이미 검사를 거쳤다. ② (원고

를) 교정·교열하다. ❑ ~符号; 교정 부호. 명 교정원.
[校改] jiàogǎi 동 대조하여 고치다.
[校样] jiàoyàng 명〔印〕교정쇄.
[校阅] jiàoyuè 동 ① 교열하다. ②〈書〉(군대를) 사열하다.
[校正] jiàozhèng 동 바르게 고치다. 교정하다.
[校准] jiào//zhǔn 동 (기계·공구 따위의) 부정확한 눈금을 조정하다. 불안정한 작동을 바로잡다.

较(較) jiào (교)
① 동 비교하다. 겨루다. ❑ ~量; ⇩ ② 부 비교적. 보다. ❑ 他汉语发音~好; 그는 중국어 발음이 비교적 좋다. ③ 개 …에 비하여. …보다. ❑ 这里的东西~那里贵得多; 이곳의 물건은 저곳보다 훨씬 비싸다.
[较劲(儿)] jiào//jìn(r) 동 ① 힘[능력]을 겨루다. 경쟁하다. ❑ 我要和你较较劲儿; 나는 너와 겨루어 보고 싶다. ② 맞서다. 대항하다. ③ 힘을 쓰다. 힘을 들이다.
[较量] jiàoliàng 동 (힘·기량 따위를) 겨루다. 경쟁하다. ❑ 经过几次~, 他才认输; 몇 번 겨루고 나서야 그는 패배를 인정했다.
[较为] jiàowéi 부 비교적. 보다《뒤에 2음절의 단어가 옴》. ❑ 条件~优越; 조건이 비교적 우월하다.

教 jiào (교)
① 동 가르치다. 교육하다. 지도하다. ❑ 请~; 가르침을 바랍니다. ② 명 종교. ⇒jiāo
[教案] jiào'àn 명 강의안. 교안.
[教本] jiàoběn 명 교본. 교과서.
[教鞭] jiàobiān 명 교편.
[教材] jiàocái 명 교재.
[教程] jiàochéng 명 ① 교과 과정. ② 강좌《주로, 책 이름에 쓰임》.
[教导] jiàodǎo 동 가르치고 이끌다. 교도하다. 지도하다. 명 가르침. 지도. ❑ 在老师的~下; 선생님의 지도 아래.
[教官] jiàoguān 명 교관.
[教化] jiàohuà 동〈書〉교화하다.
[教皇] jiàohuáng 명〔宗〕교황.
[教会] jiàohuì 명〔宗〕교회.
[教诲] jiàohuì 동〈書〉가르쳐 깨우치다[타이르다].
[教具] jiàojù 명 (모형·도표 따위의) 교구.
[教科书] jiàokēshū 명 교과서. =[课本]
[教练] jiàoliàn 명 코치(coach). 동 코치하다. 교육하다. ❑ ~车; 운전 교습용 차.
[教师] jiàoshī 명 교사. ❑ ~节; 스승의 날《중국은 9월 10일임》.
[教士] jiàoshì 명〔宗〕선교사.
[教室] jiàoshì 명 교실.
[教授] jiàoshòu 동 교수하다. 전수하다. 명 (대학의) 교수.
[教唆] jiàosuō 동 (나쁜 일을) 권하다. 꼬드기다. 교사하다. ❑ ~犯; 교사범.
[教堂] jiàotáng 명 교회당. 예배당.
[教条] jiàotiáo 명 ①〔宗〕교조. 종교상의 신조. ② 입증적인 논거 없이 맹목적으로 받아들이는 원칙·원리. ❑ ~主义; 교조주의. ③ 교조주의. 형 교조주의적이다.
[教廷] jiàotíng 명〔宗〕교황청.
[教徒] jiàotú 명 교도. 신도.
[教务] jiàowù 명 교무. ❑ ~处; 교무처 / ~长; 교무 주임.
[教学] jiàoxué 명 교수. 교육. 수업. ⇒jiāo//xué
[教学相长] jiàoxué-xiāngzhǎng〈成〉가르치고 배우는 과정을 통해 선생과 학생 모두 발전하다.
[教训] jiào·xùn 명 교훈. 동 가르치고 훈계하다. 꾸짖다. ❑ 哥哥狠狠地~了我一顿; 오빠는 호되게 나를 꾸짖었다.
[教研室] jiàoyánshì 명 교연실. 교육 연구실.
[教养] jiàoyǎng 동 가르쳐 기르다. 교육하고 양성하다. ❑ ~子女; 자녀를 교육하고 양성하다 / ~员; 유치원 선생님. 명 교양.
[教义] jiàoyì 명〔宗〕교의.
[教育] jiàoyù 명 교육. ❑ 高等~; 고등 교육. 동 교육하다. 가르치다. 타이르다. ❑ 我们没~好他; 우리는 그를 잘 교육시키지 못했다.
[教员] jiàoyuán 명 교원. 교사.
[教职员] jiàozhíyuán 명 교직원.
[教主] jiàozhǔ 명〔宗〕교주.

酵 jiào (효)
동 발효하다.
[酵母] jiàomǔ 명〈簡〉⇨[酵母菌]
[酵母菌] jiàomǔjūn 명〔化〕효모. 효모균. 발효균. 이스트(yeast). =[〈簡〉酵母]
[酵素] jiàosù 명〔化〕효소.

窖 jiào (교)
① 명 (야채 따위를 저장해 두기 위한) 구덩이. 지하 저장실. 움. ②

동 구덩이에 저장해 두다. ❑~萝卜; 무를 구덩이에 넣어 두다.

嚼 jiào (작) →[倒dǎo嚼] ⇒jiáo jué

jie ㄐㄝ

节(節) jiē (절) →[节骨眼(儿)] ⇒jié

[节骨眼(儿)] jiē·guyǎn(r) 명〈方〉〈比〉 중요한 시기[때]. 결정적 순간.

疖(癤) jiē (절) 명 부스럼. 종기.

[疖子] jiē·zi 명〖醫〗 부스럼. 종기.

阶(階) jiē (계) 명 ① 계단. 층계. ② 계급. 등급. ❑官~; 관등.

[阶层] jiēcéng 명 계층. ❑中产~; 중산층.

[阶段] jiēduàn 명 단계. ❑第一~的工程; 일 단계 공사.

[阶级] jiējí 명 ①〈書〉 계단. ② 계급. ❑~社会; 계급 사회.

[阶梯] jiētī 명 계단과 사다리. 〈比〉 (향상하기 위한) 발판. ❑进步的~; 진보의 발판.

[阶下囚] jiēxiàqiú 명 ① 옛날, 법정의 계단 밑에서 심문을 받던 죄수. ②〈轉〉 구류된 죄인. 포로.

结(結) jiē (결) 동 열매를 맺다. 열매가 열리다. ❑枝头~着果实; 가지에 열매가 열려 있다. ⇒jié

[结巴] jiē·ba 동 말을 더듬다. ❑结结巴巴地说; 더듬거리며 말하다. =[口吃] 명 말더듬이.

[结果] jiē//guǒ 동 과일이 열리다. 열매를 맺다. ⇒jiéguǒ

[结实] jiē·shi 형 ① 견고하다. 질기다. 단단하다. 튼튼하다. ❑书架很~; 책꽂이가 매우 튼튼하다. ② (몸이) 튼튼하다. 건장하다. ❑这小伙子的身体真~; 이 젊은이의 몸은 정말 튼튼하다.

秸 jiē (갈) 명 (베어 낸 뒤의 농작물의) 줄기. 대. 짚. ❑豆~; 콩대.

[秸秆] jiēgǎn 명 짚. 대. 줄기.

皆 jiē (개) 부 모두. 전부. 다.

[皆大欢喜] jiēdàhuānxǐ 〈成〉 모두가 크게 기뻐하다.

接 jiē (접) 동 ① 다가가다. 닿다. 접근하다. ❑~近; ⇩ ② 잇다. 붙이다. 연결하다. ❑把两张桌子~起来; 두 테이블을 한데 잇다 / ~着念; 이어서 읽다. ③ 잡다. 받다. ❑我把书包扔给你, 你~得着吗? 내가 너에게 책가방을 던지면 받을 수 있겠느냐? ④ 접수하다. 받다. 수신하다. ❑~信; 편지를 받다/ ~电话; 전화를 받다. ⑤ 마중하다. 맞이하다. ❑他去机场~母亲了; 그는 공항으로 어머니를 마중 갔다. ⑥ (일 따위를) 이어받다. 인수하다. 교대하다. ❑他的工作你~过来吧; 그의 업무를 네가 이어받거라.

[接班(儿)] jiē//bān(r) 동 ① (업무를) 이어받다. 교대하다. ② (업무나 사업을) 인수하다. 인계받다. ❑~人; 후임자. 후계자.

[接触] jiēchù 동 ① 접촉하다. 접하다. 닿다. ❑~传染病人; 전염병 환자와 접촉하다. ② (사람과 사람이) 교제하다. 접촉하다. 관계를 갖다. ❑他们最近~得很频繁; 그들은 최근 접촉이 매우 잦아졌다.

[接触镜] jiēchùjìng 명 콘택트렌즈. =[隐形眼镜]

[接待] jiēdài 동 응접하다. 접대하다. ❑~室; 응접실.

[接二连三] jiē'èr-liánsān 〈成〉 계속하여. 연이어 차례로. 잇달아.

[接风] jiēfēng 동 (멀리서 온 손님을 위해) 환영회를 열다. ❑给他~; 그를 위해서 환영회를 열다.

[接骨] jiēgǔ 동〖中醫〗 접골하다.

[接合] jiēhé 동 연결하다. 접합하다.

[接火(儿)] jiē//huǒ(r) 동〈口〉 ① 서로 포격을 퍼붓다. 교전하다. ②〖電〗 전류가 통하다. 전기가 연결되다.

[接济] jiējì 동 (물자나 금전으로) 구제하다. 원조하다. ❑~难民; 난민을 구제하다.

[接见] jiējiàn 동 접견하다. 회견하다. ❑他在北京~代表团; 그는 베이징에서 대표단을 접견했다.

[接近] jiējìn 동 접근하다. 근접하다. 다가가다. 가까이 가다. ❑~胜利; 승리에 접근하다.

[接境] jiējìng 동 (국경 따위의) 경계를 접하다. 접경하다.

[接客] jiē//kè 동 ① 손님을 접대하다. ② (기녀가) 손님을 받다.

[接力] jiēlì 동 릴레이하다. ❑~赛跑; 이어달리기. 릴레이 경주.

[接力棒] jiēlìbàng 명 바통. 배턴(baton).

[接连] jiēlián 동 잇다. 연결하다. 부 연속. 연이어. 잇따라. ❑～不断; 잇따라 계속되다.

[接纳] jiēnà 동 ①(조직이나 활동에 참가하는 것을) 받아들이다. 승인하다. ②받아들이다. ❑～意见; 의견을 받아들이다.

[接气] jiē//qì 동 (문장 따위가) 연결되다. 이어지다.

[接洽] jiēqià 동 상담하다. 의견을 교환하다. 교섭하다. 협의하다.

[接壤] jiērǎng 동 접경하다. 인접하다.

[接任] jiērèn 동 사무를 인계받다. 후임이 되다.

[接生] jiē//shēng 동 아기를 받다. 조산(助産)하다. ❑～员; 조산원.

[接收] jiēshōu 동 ①받다. 수취하다. 수신하다. ❑～信号; 신호를 받다 / ～机; 수신기. ②(재산 따위를) 접수하다. ❑～敌人的武器; 적의 무기를 접수하다. ③(회원을) 받다. ❑～新团员; 신입 단원을 받다.

[接手] jiēshǒu 동 (업무 따위를) 인계받다.

[接受] jiēshòu 동 (물건·의견·제안 따위를) 받아들이다. 수락하다. 인수하다. ❑～礼物; 선물을 받다 / ～批评; 비평을 받아들이다.

[接替] jiētì 동 (업무 따위를) 인계받다. ❑～他的工作; 그의 일을 인계받다.

[接通] jiētōng 동 연결되다. ❑电话～了; 전화가 연결됐다.

[接头] jiē//tóu 동 ①(두 물체를) 잇다. 연결하다. ②〈口〉 접촉하여 상담하다. 연락해서 의논하다. 교섭하다. ❑跟他～商量吧! 그와 연락을 취하여 의논해라! ③사정을 잘 알다. ❑这件事我不～; 이 일은 나는 모르는 일이다.

[接头儿] jiē·tóur 동 이은 곳. 이음매.

[接吻] jiē//wěn 동 ⇒[亲嘴(儿)]

[接线] jiē//xiàn 동 ①〖電〗전선을 잇다. ❑～图; 배선도. ②전화를 연결하다. ❑～员; 교환원.

[接应] jiēyìng 동 ①호응하다. 응원하다. 지원하다. ②보급하다. 공급하다.

[接着] jiē·zhe 동 ①(손·그릇 따위로) 받다. ❑我把球传过去, 你～; 공을 패스할 테니 받아라. ②(앞의 동작이나 말에) 계속하다. 이어서 하다. ❑他点了一支烟, 又～讲下去; 그는 담배에 불을 붙이고는 계속해서 말해 나갔다.

[接踵] jiēzhǒng 동〈書〉 (사람이) 계속해서 오다. 잇따르다. ❑～而来;〈成〉 사람들이 잇따라 오다.

[接种] jiēzhòng 동〖醫〗접종하다. ❑～牛痘; 우두를 접종하다.

揭 jiē (게)

동 ①(붙은 것을) 떼다. 벗기다. ❑从信封上～了邮票; 편지 봉투에서 우표를 떼어 냈다. ②(덮여 있거나 가려진 것을) 벗기다. 열다. ❑～下面纱; 면사포를 벗기다 / ～锅盖; 솥뚜껑을 열다. ③공개하다. 들춰내다. 폭로하다. ❑被他～住去年的事情; 그에게 작년의 일을 폭로당했다. ④〈書〉 높이 들다.

[揭穿] jiēchuān 동 폭로하다. 파헤쳐 내다. 들추어내다. ❑～黑幕; 어두운 내막을 폭로하다.

[揭底(儿)] jiē//dǐ(r) 동 (약점·비밀 따위를) 들춰내다. 까발리다. 폭로하다. ❑她揭了他的底; 그녀는 그의 비밀을 까발렸다.

[揭短(儿)] jiē//duǎn(r) 동 (남의) 약점을 폭로하다[들춰내다].

[揭发] jiēfā 동 (잘못·죄상 따위를) 적발하다. 밝혀내다. ❑～犯罪事实; 범죄 사실을 밝혀내다.

[揭盖子] jiē gài·zi ①뚜껑을 열다. ②〈比〉 비밀을 밝혀내다. 모순을 들춰내다. 문제를 까발리다.

[揭竿而起] jiēgān'érqǐ 〈成〉 봉기하다. 반기를 들다.

[揭开] jiē//kāi 동 ①떼어 내다. 벗겨 내다. ❑～宇宙的奥秘; 우주의 비밀을 벗겨 내다. ②(닫힌 것을) 열다. ❑他把锅盖～了; 그는 솥뚜껑을 열었다.

[揭露] jiēlù 동 (은폐되었던 것을) 폭로하다. 들춰내다. 파헤치다. ❑～阴谋; 음모를 폭로하다.

[揭幕] jiēmù 동 ①막을 열다. 제막(除幕)하다. ❑～典礼; 제막식. ②(활동·행사 따위가) 시작되다. ❑大选～; 대선이 시작되다.

[揭破] jiēpò 동 (감춰졌던 진상을) 밝혀내다. 들추어내다. 폭로하다.

[揭示] jiēshì 동 ①게시하다. 발표하다. ❑～牌; 게시판. ②명시(明示)하다. 지적하여 보이다. ❑～了事物的内在联系; 사물의 내부 관

계를 명시하다.
[揭晓] jiēxiǎo 동 (결과가) 발표되다. 공표되다. ❑投票结果~; 투표 결과가 발표되다.

街 jiē (가)
명 거리. 시가(市街). ❑~上很热闹; 거리가 매우 북적거리다.
[街道] jiēdào 명 ① 한길. 가로(街路). ② 도회지. 상공업 지구.
[街灯] jiēdēng 명 ⇒[路灯]
[街坊] jiē·fang 명〈口〉 이웃.
[街面儿上] jiēmiànr·shang 명〈口〉 ① 거리. 길거리. ② 부근의 골목길. 근처 동네. 인근.
[街市] jiēshì 명 (상점이 늘어서 있는) 거리. 시가지. 상점가.
[街谈巷议] jiētán-xiàngyì 〈成〉 항간에 떠도는 말. 항간의 소문.
[街头] jiētóu 명 가두. 거리. 길거리. ❑~篮球; 길거리 농구 / ~文化; 거리 문화.
[街舞] jiēwǔ 명〔舞〕〈義〉 힙합(hip-hop).

孑 jié (혈)
형〈書〉 외롭다. 고독하다.
[孑孓] jiéjué 명〔蟲〕 장구벌레.
[孑然] jiérán 형〈書〉 고독한 모양. ❑~一身; 〈成〉 혈혈단신.

节(節) jié (절)
① 명 마디. 관절(關節). ❑骨~; 뼈마디 / 竹~; 대의 마디. ② 명 단락. 절. ❑分~; 절을 나누다. ③ 명 절. 절기. 기념일. 명절. ❑清明~; 청명절. ④ 양 ㉠얇고 긴 식물의 마디를 세는 말. ❑一~竹子; 대나무 한 마디. ㉡건전지를 세는 말. ❑两~电池; 건전지 두 개. ㉢열차의 차량을 세는 말. ❑八~的车厢; 여덟 량의 객차. ㉣단락을 세는 말. ❑这篇文章可划分为三~; 이 문장은 세 단락으로 나눌 수 있다. ㉤수업을 시간상으로 나눌 때 쓰는 말. ❑我今天有四~课; 나는 오늘 수업이 4시간 있다. ⑤ 동 절제하다. 절약하다. 제한하다. ❑~水; 절수하다. ⑥ 동 초록하다. 요약하다. ⑦ 명 사항. 항목. ⑧ 명 절조. 절개. ⇒jiē
[节操] jiécāo 명〈書〉 절조.
[节电] jiédiàn 동 절전하다.
[节俭] jiéjiǎn 형 절약하다. 검약하다. ❑他生活十分~; 그는 매우 검약하는 생활을 한다.
[节减] jiéjiǎn 동 (비용을) 절감하다. ❑~经费; 경비를 절감하다.
[节令] jiélìng 명 계절. 절기. 기후.
[节录] jiélù 동 발췌하여 기록하다. 절록하다. 명 절록.
[节律] jiélǜ 명 ① 물체 운동의 리듬과 법칙. ② 시(詩)나 사(詞)의 운율.
[节目] jiémù 명 프로그램(program). 프로. 레퍼토리. ❑电视~; 텔레비전 프로.
[节能] jiénéng 동 에너지를 절약하다. ❑~灯; 절전등.
[节拍] jiépāi 명〔樂〕 박자. 템포. ❑~器; 메트로놈(metronome).
[节气] jié·qi 명 절기. ❑二十四~; 이십사절기.
[节日] jiérì 명 ① 축일(祝日). 경축일. 기념일. ② 명절.
[节省] jiéshěng 동 절약하다. 아끼다. ❑~开支; 지출을 줄이다.
[节外生枝] jiéwài-shēngzhī 〈成〉 뜻하지 않은 다른 문제가 발생하다.
[节衣缩食] jiéyī-suōshí 〈成〉 입고 먹는 것을 절약하다. 생활비를 아끼다.
[节译] jiéyì 동 초역(抄譯)하다.
[节余] jiéyú 동 절약하여 남기다. ❑每月能~五百元; 매달 5백 위안을 아껴서 남길 수 있다. 명 절약하여 남긴 돈이나 물건.
[节育] jiéyù 동 계획 출산 하다. 산아 제한 하다.
[节约] jiéyuē 동 절약하다. 아끼다. ❑~经费; 경비를 절약하다.
[节肢动物] jiézhī dòngwù 〔動〕 절지동물.
[节制] jiézhì 동 ① 지휘 관할 하다. ② 제한하다. 억제하다. 절제하다. ❑~饭食; 음식을 절제하다.
[节奏] jiézòu 명 ①〔樂〕 리듬(rhythm). ②〈比〉 (규칙적인) 진행 과정. ❑生活~; 생활 리듬.

劫 jié (겁)
① 동 빼앗다. 약탈하다. ❑路~; 노상 강도질을 하다. ② 동 위협하다. 협박하다. ③ 명 재난(災難). ❑~后余生; 재난의 생존자.
[劫持] jiéchí 동 (약점 따위를 잡고) 협박하다. 납치하다. ❑~人质; 인질을 납치하다.
[劫夺] jiéduó 동 폭력으로 빼앗다. 강탈하다. 겁탈하다.
[劫掠] jiélüè 동 약탈하다. 강탈하다.
[劫狱] jié∥yù 동 탈옥시키다.

捷 jié (첩)
① 형 잽싸다. 빠르다. ❑敏~;

민첩하다. ② 동 싸움에 이기다. ❏ 我军大～; 아군이 대승하다.
[捷报] jiébào 명 승전보.
[捷径] jiéjìng 명 첩경. 지름길.
[捷足先登] jiézú-xiāndēng 〈成〉 행동이 민첩한 사람이 먼저 목적을 달성한다.

睫 jié (첩)
명 속눈썹.
[睫毛] jiémáo 명 속눈썹.

诘(詰) jié (힐)
동〈書〉 힐문하다.
[诘问] jiéwèn 동〈書〉 따져 묻다. 힐문하다.

洁(潔) jié (결)
형 깨끗하다. 청결하다. ❏ 纯～; 순결하다.
[洁白] jiébái 형 ① 새하얗다. ❏ ～的床单; 새하얀 침대 시트. ② 순결하다. 결백하다.
[洁净] jiéjìng 형 깨끗하다. 정갈하다. ❏ 这饭馆虽小, 但很～; 이 식당은 비록 작지만 매우 깨끗하다.
[洁癖] jiépǐ 명 결벽. 결벽증.
[洁身自好] jiéshēn-zìhào 〈成〉 ① 세속에 동조하지 않고 자신의 고고(孤高)함을 유지하다. ② 귀찮은 일이 생길까 봐 사람들에게 관심을 갖지 않고 자기만 챙기다.

拮 jié (갈, 길)
→[拮据]
[拮据] jiéjū 형 돈이 없다. 형편이 어렵다. ❏ 手头～; 주머니 사정이 안 좋다.

结(結) jié (결)
① 동 매다. 묶다. 뜨다. ❏ 给他～蝴蝶结; 그에게 나비 매듭을 매어 주다. ② 명 매듭. ❏ 打～; 매듭을 짓다. ③ 동 관계를 맺다. 결합하다. 결성하다. ❏ 两国～成友好邻邦; 양국이 우호 관계를 맺다. ④ 동 끝나다. 마치다. ❏ ～账; ⇩ ⑤ 동 응결하다. ❏ ～冰; ⇩ ⇒jiē
[结案] jié∥àn 동 판결을 내리다. 사건을 매듭짓다.
[结拜] jiébài 동 의형제[의자매·의남매]의 인연을 맺다. ＝[结义]
[结伴(儿)] jié∥bàn(r) 동 일행[동행]이 되다. 함께 가다. ❏ ～赶集; 동행하여 장에 가다.
[结冰] jié∥bīng 동 결빙하다.
[结彩] jié∥cǎi 동 문이나 실내에 색테이프·색헝겊 따위로 장식하다.
[结成] jiéchéng 동 결성하다. ❏ ～同盟; 동맹을 결성하다.
[结党营私] jiédǎng-yíngsī 〈成〉 작당하여 사리사욕을 꾀하다.
[结发夫妻] jiéfà-fūqī 〈成〉 ① 성년이 된 지 얼마 안 되어 결혼한 부부. ② 초혼의 부부.
[结构] jiégòu 명 ① 구조. 짜임새. 구성. ❏ 人体～; 인체 구조 / 文章～; 문장 구조. ②〖建〗 구조. 구조물. 동 (글·줄거리를) 짜다. 구성하다. ❏ ～故事; 스토리를 짜다.
[结果] jiéguǒ 명 결과. 결실. ❏ 检查的～; 검사 결과. 접 마침내. 결국. 필경. ❏ 我去了好几家书店, ～还是没买到那本书; 나는 여러 서점을 돌아다녔지만, 결국 그 책을 사지 못했다. ⇒jiē∥guǒ
[结合] jiéhé 동 ① 결합하다. 결부하다. ❏ ～具体情况; 구체적인 상황을 결합하다. ② 부부가 되다.
[结核] jiéhé 명〖醫〗 ① 결핵. ② 결핵병. ＝[结核病]
[结婚] jié∥hūn 동 결혼하다. ❏ ～登记; 혼인 신고.
[结伙] jié∥huǒ 동 작당하다. 패를 짓다. 한패가 되다.
[结集] jiéjí 동 ① 단편의 글들을 한데 모아 엮다. 문집(文集)을 편찬하다. ②〖軍〗 결집하다. 집결하다.
[结交] jiéjiāo 동 사귀다. 교제를 맺다. ❏ ～朋友; 친구를 사귀다.
[结晶] jiéjīng 동〖化〗 결정화(化)하다. ❏ ～体; 결정체. 명 ① ⇒[晶体] ②〈比〉 귀중한 성과[결실].
[结晶体] jiéjīngtǐ 명 ⇒[晶体]
[结局] jiéjú 명 최후의 결과. 최후. 결국. 결말.
[结论] jiélùn 명 ①〖論〗 결론. 단안. ② 결론. ❏ 下～; 결론을 내리다.
[结盟] jié∥méng 동 동맹을 맺다. 결맹하다. ❏ 不～国家; 비동맹국.
[结膜] jiémó 명〖生理〗 결막.
[结亲] jié∥qīn 동 ① 결혼하다. ② (두 집안이 결혼을 통해) 인척 관계를 맺다. 친척이 되다.
[结球甘蓝] jiéqiú gānlán〖植〗 양배추. ＝[洋白菜][圆白菜]
[结社] jiéshè 동 단체를 조직하다. 결사하다.
[结石] jiéshí 명〖醫〗 결석.
[结识] jiéshí 동 서로 알게 되어 교제를 맺다[사귀다].
[结束] jiéshù 동 종결하다. 종료하다. 끝나다. 끝내다. ❏ 宴会还没

～, 他就走了; 연회가 아직 끝나지 도 않았는데 그가 가 버렸다.
[结束语] jiéshùyǔ 명〖言〗 결어. 맺음말. ＝[结语]
[结算] jiésuàn 동〖商〗 결산하다. ❏～余额; 결산 잔액.
[结尾] jiéwěi 동 끝맺음하다. 마무리하다. 마치다. 명 ① 최종 단계. 마무리 단계. ❏～工程; 마무리 공사. ②〖樂〗 코다(coda).
[结业] jié∥yè 동 (주로, 단기의 학업·훈련 따위를) 수료하다. ❏～证书; 수료증.
[结义] jiéyì 동 ⇨[结拜]
[结余] jiéyú 명 결산 후의 잔액. 잔고. 동 결산하고 남다. ❏～七百多元; 결산하고 7백여 위안이 남다.
[结语] jiéyǔ 명 ⇨[结束语]
[结缘] jié∥yuán 동 인연을 맺다. ❏和音乐～; 음악과 인연을 맺다.
[结怨] jié∥yuàn 동 원수를 맺다. 원한을 품다.
[结扎] jiézā 동〖醫〗 결찰하다. ❏输精管～手术; 정관 결찰 수술.
[结账] jié∥zhàng 동 결산하다. 계산하다. ❏饭用过了, 请～; 식사를 마쳤으니 계산해 주십시오.
[结子] jié·zi 명 매듭. ❏打～; 매듭을 짓다.

桔 jié (길)
→[桔梗] ⇒jú
[桔梗] jiégěng 명〖植〗 도라지

杰 jié (걸)
① 형 뛰어나다. 걸출하다. ② 명 걸출한 인물. ❏豪～; 호걸.
[杰出] jiéchū 형 걸출하다. 뛰어나다. ❏～人物; 걸출한 인물.
[杰作] jiézuò 명 걸작.

竭 jié (갈)
동 다하다. 고갈되다. ❏精疲力～; 〈成〉 기진맥진하다.
[竭诚] jiéchéng 부 성의를 다하여. 마음을 다하여. 정성껏. ❏～招待; 성의를 다해 접대하다.
[竭尽] jiéjìn 동 (힘·기운 따위를) 다하다. ❏～全力; 전력을 다하다.
[竭力] jiélì 부 전력을 다하여. 최선을 다해. ❏～向岸边游; 전력을 다해 기슭으로 헤엄쳐 가다.

截 jié (절)
① 동 절단하다. 자르다. 끊다. ❏我～了块木板做柜子; 나는 나무판자를 잘라서 궤짝을 만들었다. ② 동 가로막다. 막다. ❏这个小土坝～不住河水; 이 작은 흙 댐으로는 강물을 막을 수 없다. ③ (～儿) 양 ㉠긴 것의 한 토막. ❏四～儿铁丝; 철사 네 토막. ㉡말 따위의 단락[부분]《주로, '半～儿'의 형태로 쓰임》. ❏故事讲了半～儿怎么不讲了? 이야기를 중간까지 해 놓고는 왜 그만두는 거냐? ＝[截子] ④ 동 마감하다. 일단락 짓다. ❏～至; ⇩
[截长补短] jiécháng-bǔduǎn 〈成〉 장점을 취하여 단점을 보완하다.
[截断] jié∥duàn 동 ① 절단하다. 끊다. ❏～钢板; 강판을 절단하다. ② 중지시키다. 중단시키다. 막다. 끊다. ❏～电源; 전원을 끊다.
[截获] jiéhuò 동 중간에서 탈취하다[가로채다]. ❏～密电; 비밀 전보를 중간에서 가로채다.
[截击] jiéjī 동 진로를 막고 공격을 가하다. 중도에서 차단 공격 하다.
[截流] jiéliú 동 (물의 방향을 바꾸기 위해) 물길을 막다.
[截面] jiémiàn 명 ⇨[剖面]
[截取] jiéqǔ 동 일부분을 떼어서 취하다. 절취하다. ❏从文章中～一段; 문장에서 한 단락을 절취하다.
[截然] jiérán 부 자른 듯 확실히. 경계가 분명하게. 뚜렷이. ❏～相反的解释; 뚜렷이 상반된 해석.
[截肢] jié∥zhī 동〖醫〗 수족을 절단하다.
[截止] jiézhǐ 동 마감하다. 일단락 짓다. ❏～日期; 마감날.
[截至] jiézhì 동 (시간적으로) …까지이다. …까지 마감하다. ❏～七月底的统计; 7월 말까지의 통계.
[截子] jié·zi 양 ⇨[截③]

姐 jiě (저)
명 ① 누나. 언니. ② 친족 중 같은 항렬에서 자기보다 연장(年長)인 여성. ❏表～; 사촌 누나[언니]. ③ 아가씨《젊은 여성에 대한 호칭》.
[姐夫] jiě·fu 명 매형. 형부. 자형. ＝[姐丈]
[姐姐] jiě·jie 명 ① 누나. 언니. ② 친족 중 같은 항렬에서 자기보다 연장(年長)인 여자.
[姐妹] jiěmèi 명 자매.
[姐丈] jiězhàng 명 ⇨[姐夫]

解 jiě (해)
① 동 나누다. 분리하다. 분해하다. ❏难～难分; 〈成〉 나누기 힘들다. ② 동 풀다. 열다. 벗기다. ❏～扣子; 단추를 풀다 / ～鞋带; 신발끈을 풀다. ③ 동 없애다. 풀

다. ❑ ~疑心; 의심을 풀다. ④ 동 해석하다. 해설하다. 풀이하다. ❑ 注~; 주해하다. ⑤ 동 이해하다. 알다. ❑ 理~; 이해하다. ⑥ 동 배설하다. 변(便)을 보다. ❑ 大~; 대변을 보다. ⑦ 명〔數〕(방정식의) 해. ⇒jiè xiè

[解嘲] jiěcháo 동 비웃음을 면하기 위해 변명하다.

[解除] jiěchú 동 없애다. 해제하다. 풀다. ❑ ~痛苦; 고통을 없애다 / ~警报; 경보를 해제하다.

[解答] jiědá 동 답하다. 해답하다. ❑ ~问题; 질문에 답하다.

[解冻] jiě//dòng 동 ① 얼음이 녹다. 해빙하다. ② (자금의) 동결을 해제하다. ❑ ~资产; 자금 동결을 해제하다. ③ 긴장이 완화되다. ❑ 中美关系~了; 중미 관계의 긴장이 풀렸다.

[解毒] jiě//dú 동〔醫〕독을 없애다. 해독하다. ❑ ~剂; 해독제.

[解乏] jiě//fá 동 피로를 풀다.

[解法] jiěfǎ 명〔數〕해법.

[解放] jiěfàng 동 ① (속박에서) 자유로워지다. 해방되다. ❑ ~思想; 사상이 자유로워지다 / ~运动; 해방 운동. ② (반동 세력으로부터) 해방되다《특히, 1949년 중국의 국공내전 승리를 일컬음》. ❑ ~战争; 해방 전쟁《특히, 중국의 제3차 국공내전을 지칭함》.

[解放军] jiěfàngjūn 명 해방군.

[解雇] jiěgù 동 해고하다. ❑ ~津贴; 해고 수당.

[解恨] jiě//hèn 동 한을 풀다. 한이 풀리다. 한풀이하다.

[解禁] jiě//jìn 동 해금하다.

[解救] jiějiù 동 (위기 · 위험 · 고난에서) 벗어나게 하다. 구하다.

[解决] jiějué 동 ① 해결하다. ❑ ~问题; 문제를 해결하다. ② (적이나 악당을) 해치우다. ❑ 把敌人的卫兵~了; 적의 위병을 해치웠다.

[解开] jiě//·kāi 동 ① 풀다. 끄르다. ❑ 把扣子~; 단추를 풀다. ② (수수께끼를) 풀다. ❑ ~这里面的谜; 이 속의 수수께끼를 풀다.

[解渴] jiě//kě 동 해갈하다. 갈증을 풀다.

[解扣儿] jiě//kòur 동 ① 단추를 풀다. ② 〈比〉 원한 · 맺힌 감정 따위를 풀다.

[解闷(儿)] jiě//mèn(r) 동 기분 전환 하다. 기분을 풀다.

[解囊] jiěnáng 동 돈주머니 끈을 풀다. 돈을 내어 남을 돕다. ❑ ~相助; 〈成〉 사재를 털어 남을 돕다.

[解聘] jiě//pìn 동 직무를 해제하고 다시 임용하지 않다.

[解剖] jiěpōu 동 ① 해부하다. ❑ ~尸体; 시체를 해부하다 / ~学; 해부학. ② 〈比〉 (객관적으로) 분석하다. ❑ ~自己; 자기 자신을 분석하다 / ~文章; 글을 분석하다.

[解气] jiě//qì 동 분을 풀다. 화를 풀다. 분풀이하다. 화풀이하다. ❑ 拿小孩~; 애한테 화풀이하다.

[解劝] jiěquàn 동 달래다. 위로하다. ❑ 他~了半天, 她才消了气; 그가 한참을 달랜 끝에야 그녀는 화를 풀었다.

[解散] jiěsàn 동 ① (대열이) 해산하다. ❑ 队伍~; 대오가 해산하다. ② (단체나 모임을) 해산하다. ❑ ~国会; 국회를 해산하다.

[解释] jiěshì 동 ① 해석하다. 해설하다. ❑ 作出错误的~; 잘못된 해석을 하다. ② (이유 · 뜻 따위를) 설명하다. 해명하다. ❑ 请你给我~一下这句话的意思; 이 말의 뜻을 저에게 설명해 주세요.

[解手(儿)] jiě//shǒu(r) 동 대소변을 보다.

[解说] jiěshuō 동 해설하다. 설명하다. ❑ ~员; 해설원. 해설자.

[解体] jiětǐ 동 ① 해체하다. 분해하다. ② 붕괴하다. 와해하다.

[解脱] jiětuō 동 ①〔佛〕해탈하다. ② (어려운 상황에서) 벗어나다. ❑ ~危机; 위기에서 벗어나다. ③ (책임 · 죄명 따위를) 벗다.

[解围] jiě//wéi 동 ① 포위를 풀다. 포위망을 제거하다. ② 불리하거나 어려운 상황에서 벗어나게 하다.

[解约] jiě//yuē 동 해약하다.

[解职] jiě//zhí 동 해직하다. ❑ 经理解了他的职; 사장이 그를 해직시켰다.

介 jiè (개)

① 동 (양자의) 중간에 끼다. 사이에 들다. ❑ ~于两大国之间; 양 대국 사이에 끼다. ② 동 소개하다. 중개하다. ❑ 简~; 간략히 소개하다. ③ 동 걱정하다. 신경 쓰다. ❑ ~意; ⇓ ④ 명 등딱지. 갑각(甲殼). ❑ ~壳; ⇓ ⑤ 명 갑옷. ⑥ 형〈書〉 강직하다. 기골이 있다.

[介词] jiècí 명〔言〕개사.

[介壳] jièqiào 명 (게 · 조개 따위의)

개각(介殼). 겉껍질.

[介入] jièrù 동 개입하다. 끼어들다. ❏ 别～他人私事; 타인의 사생활에 개입하지 마라.

[介绍] jièshào 동 ① 소개하다. ❏ 自我～; 자기소개를 하다 / ～信; 소개장. ② (새로운 사람이나 사물을) 추천하다. 끌어들이다. 알선하다. ❏ 我～了三个人参加这个剧团; 나는 세 명을 이 극단에 추천했다. ③ (상황·방법·내용 따위에 대해) 소개하다. 설명하다. ❏ ～灾情; 피해 상황을 설명하다.

[介意] jiè//yì 동 개의하다. 마음에 두다. 신경 쓰다《주로, 부정형으로 쓰임》. ❏ 事情早已过去, 你就别再～了; 이미 오래전에 지난 일이니 더 이상 신경 쓰지 마라.

[介质] jièzhì 명 매질(媒質). 매체. 매개물. 매개체. ＝[媒质]

芥 jiè (개)

명 ①〔植〕겨자. ② 작은 풀. 〈比〉 미세한 것. ❏ 草～; 가치가 없는 것.

[芥菜] jiècài 명〔植〕① 겨자. ② ⇒[盖菜]

[芥蒂] jièdì 명〈書〉 막혀 있는 것. 〈比〉 맺힌 감정. 감정의 응어리.

[芥末] jiè·mo 명 겨잣가루. 겨자. ＝[芥黄]

[芥子] jièzǐ 명 겨자씨.

疥 jiè (개)

명〔醫〕개선(疥癬). 옴.

[疥虫] jièchóng 명 ⇒[疥螨]

[疥疮] jièchuāng 명〔醫〕옴. 개선.

[疥螨] jièmǎn 명〔蟲〕옴벌레. 개선충. ＝[疥虫]

界 jiè (계)

명 ① 경계. ❏ 国～; 국경. ② 한계. 범위. ❏ 眼～; 시계(視界). ③ (일·성별 따위에 의해 나누어진) 사회. 분야. ❏ 科学～; 과학계.

[界碑] jièbēi 명 경계비.

[界尺] jièchǐ 명 직선자.

[界石] jièshí 명 경계석.

[界外球] jièwàiqiú 명〔體〕(야구의) 파울볼(foul ball).

[界限] jièxiàn 명 ① (사물의) 경계. 한계. ＝[界线②] ② 한도. 제한. 끝.

[界线] jièxiàn 명 ① (두 지역의) 경계선. ② ⇒[界限①] ③ (사물의) 가장자리. 가장자리선. 경계선.

戒 jiè (계)

① 동 경계하다. 조심하다. ❏ ～备; ⇩ ② 동 ⇒[诫jiè] ③ 명〔佛〕계율. ④ 동 끊다. 중단하다. ❏ ～烟; 담배를 끊다. ⑤ 명 계. 금지하는 일. ⑥ 명 반지.

[戒备] jièbèi 동 경비하다. 경계하다. ❏ ～森严; 경비가 삼엄하다.

[戒除] jièchú 동 (좋지 않은 습관을) 끊다. ❏ ～烟酒; 술 담배를 끊다.

[戒骄戒躁] jièjiāo-jièzào 〈成〉 오만과 조급함을 경계하다.

[戒律] jièlǜ 명〔佛〕계율.

[戒心] jièxīn 명 경계심.

[戒严] jiè//yán 동 계엄하다.

[戒指] jiè·zhi 명 반지. ＝[指环]

诫(誡) jiè (계)

동 타이르다. 경고하다. 훈계하다. ❏ ～其下次; 다음 번에 주의하도록 타이르다. ＝[戒②]

届 jiè (계)

① 동 (때에) 이르다. 되다. ❏ 已～暑假; 벌써 여름 휴가가 되었다. ② 양 번. 회(回). 기(期)《정기적인 회의·졸업년차 따위에 쓰임》. ❏ 本～毕业生; 금년도 졸업생.

[届满] jièmǎn 동 임기가 끝나다. 만기가 되다.

[届期] jièqī 부 정한 기일에. 예정된 기한에. ❏ ～还huán清; 정한 기일에 말끔히 청산하다.

[届时] jièshí 부 때가 되면. 그때에. ❏ 欢迎～光临指导; 그때 오셔서 지도 편달 바랍니다.

借(藉)B) jiè (차(자))

A) 동 ① 빌리다. 꾸다. ❏ 我能～一～你的自行车吗; 내가 네 자전거를 좀 빌려도 되겠니? ② 빌려 주다. 꿔 주다. ❏ ～书给他; 책을 그에게 빌려 주다. B) ① 동 가탁하다. 핑계 삼다. ❏ ～故; ⇩ ② 동 이용하다. 의지하다. 빌리다. ❏ ～手; 남의 손을 빌리다. ③ 개 …를 이용하여. …하는 김에. …에 의지하여. ❏ ～着去北京看病去看看你姑姑; 베이징에 진찰받으러 가는 김에 너희 고모를 찾아뵈러 가야겠다. ⇒ '藉' jí

[借贷] jièdài 동 (돈을) 빌리다. 꾸다. 명 차변(借邊)과 대변(貸邊). 대차.

[借刀杀人] jièdāo-shārén 〈成〉 자신은 나서지 않고 남을 이용해 사람을 해치다.

[借端] jièduān 부 트집을 잡아. 구실을 삼아. ❏ ～生事; 트집을 잡아 분란을 일으키다.

【借故】 jiègù 부 핑계를 대어. 이유를 붙여. 구실로 삼아. ❑ ~拖延; 〈成〉 핑계를 대고 시일을 늦추다.
【借光】 jiè//guāng 동〈口〉 ① 남의 덕을 보다. 남의 신세를 지다. ❑ 我们再借你的光; 우리가 또 너의 신세를 지는구나. ② 〈套〉 실례합니다. 죄송합니다(남에게 무언가를 부탁하거나 물을 때 쓰는 말). ❑ ~, 百货大楼在哪儿? 실례합니다만, 백화점은 어디에 있습니까?
【借花献佛】 jièhuā-xiànfó 〈成〉 남의 것으로 인심을 쓰다.
【借火(儿)】 jiè//huǒ(r) 동 담뱃불을 빌리다. ❑ 给我借个火儿! 불 좀 빌립시다!
【借鉴】 jièjiàn 동 본보기로 하다. 참고로 하다. 거울삼다. ❑ ~先进经验; 선진 경험을 참고로 하다.
【借据】 jièjù 명 차용 증서. 차용증.
【借口】 jièkǒu 동 구실 삼다. 핑계 삼다. 빙자하다. ❑ 他不愿意参加这个活动, ~头疼回家了; 그는 이 행사에 참가하기 싫어서 두통을 핑계 삼아 집에 갔다. 명 구실. 핑계.
【借款】 jiè//kuǎn 동 ① 돈을 빌리다. ❑ 向银行~; 은행에서 돈을 빌리다. ② 돈을 빌려 주다. ❑ ~给施工单位; 시공 부문에 돈을 빌려 주다. (jièkuǎn) 명 빌린 돈. 차관.
【借尸还魂】 jièshī-huánhún 〈成〉 죽은 사람의 혼이 타인의 시체를 빌려 환생하다(이미 소멸되거나 몰락한 사상·행위·세력 따위가 다른 명의를 빌려 새롭게 나타나다).
【借题发挥】 jiètí-fāhuī 〈成〉 다른 일을 핑계 삼아 자신의 진짜 생각을 나타내다.
【借条(儿)】 jiètiáo(r) 명 (약식의) 차용증(借用證).
【借问】 jièwèn 동〈敬〉 말씀 좀 여쭙겠습니다. ❑ ~, 去图书馆怎么走? 말씀 좀 여쭙겠습니다, 도서관에 가려면 어떻게 합니까?
【借以】 jièyǐ 접 …함으로써. …에 의해. ❑ 举这几个例子, ~说明问题的严重性; 이 몇 가지 예를 들어 문제의 심각성을 설명하다.
【借用】 jièyòng 동 ① 차용하다. 빌려 쓰다. ② 전용(轉用)하다. 다른 용도(用途)로 쓰다.
【借债】 jiè//zhài 동 돈을 빌리다. 빚을 내다.
【借支】 jièzhī 동 가불하다.
【借重】 jièzhòng 동〈敬〉 신세를 지다. 도움을 받다. ❑ 将来~您的地方多了; 앞으로 신세 좀 많이 지겠습니다.
【借助】 jièzhù 동 (다른 사람이나 사물의) 도움을 빌리다. ❑ ~先进技术; 선진 기술의 도움을 빌리다.

解 jiè (해)
동 호송하다. 압송하다. ❑ ~到京城; 수도로 압송하다. ⇒ jiě xiè
【解送】 jièsòng 동 (재물·범인을) 호송하다. 압송하다.

jin ㄐㄧㄣ

巾 jīn (건)
명 헝겊. 천 조각. 수건. ❑ 餐~; 냅킨 / 手~; 손수건.
【巾帼】 jīnguó 명 옛날, 부녀자들이 쓰던 두건과 머리 장식. 〈轉〉 부녀자.

今 jīn (금)
① 명 지금. 현재. 현대. ② 형 오늘의. 현재의. ❑ ~晨; 오늘 아침 / ~晚; 오늘 밤. 오늘 저녁. ③ 대〈書〉 이. 이것. ❑ ~次; 이번.
【今非昔比】 jīnfēixībǐ 〈成〉 지금은 옛날에 비할 바가 아니다(변화가 많다).
【今后】 jīnhòu 명 금후. 지금부터.
【今年】 jīnnián 명 올해. 금년.
【今儿】 jīnr 명〈口〉 ⇨[今天①]
【今人】 jīnrén 명 요즘 사람. 현대인.
【今日】 jīnrì 명 ⇨[今天]
【今生】 jīnshēng 명 현세. 금생. 이 한평생[세상]. =[今世②]
【今世】 jīnshì 명 ① 당대. 현대. 금세. ② ⇨[今生]
【今天】 jīntiān 명 ① 오늘. =[〈口〉 今儿][〈方〉 今朝①] ② 현재. 오늘날. =[〈書〉 今朝②] ‖ =[今日]
【今昔】 jīnxī 명 현재와 과거.
【今朝】 jīnzhāo 명 ① 〈方〉 ⇨[今天①] ②〈書〉 ⇨[今天②]

矜 jīn (긍)
동〈書〉 ① 불쌍히 여기다. 동정하다. ② 자랑하다. 자만하다. 우쭐하다. ❑ 自~其功; 공로를 뽐내다. ③ 조신하다. 신중히 하다.
【矜持】 jīnchí 형 ① 엄숙하다. 무게 있다. ❑ 言谈~; 언사가 무게 있다. ② 어색하다. 불편하다. 거북하다. 부자연스럽다. ❑ 他在陌生人

面前, 显得很~; 그는 모르는 사람 앞에서는 부자연스러워 보인다.
[矜夸] jīnkuā 동〈書〉 거들먹거리다. 거만하게 굴다.

斤 jīn (근)
양 근《미터법의 0.5kg》. ❑ 一~多少钱? 한 근에 얼마입니까?
[斤斤] jīnjīn 동 지나치게 따지다. ❑ ~计较; 〈成〉 시시콜콜 따지다.
[斤两] jīnliǎng 명 ① 무게. 중량. ② 〈比〉 (말·태도 따위의) 무게. ❑ 他的话很有~; 그의 말은 매우 무게가 있다.

金 jīn (금)
① 명〖化〗 금(Au: aurum). ② 명 금속. ❑ 合~; 합금. ③ 명 돈. ❑ 现~; 현금. ④ 명 옛날, 금속제 타악기. ⑤ 형 귀중하다. 귀하다. ⑥ 형 금빛의. ❑ ~发; 금발.
[金笔] jīnbǐ 명 금촉 만년필.
[金币] jīnbì 명 금화.
[金碧辉煌] jīnbì-huīhuáng 〈成〉 (건축물 따위가) 눈부시게 화려하다.
[金箔] jīnbó 명 금박.
[金不换] jīn·buhuàn 금으로도 바꿀 수가 없다. 〈比〉 대단히 귀하다.
[金蝉脱壳] jīnchán-tuōqiào 〈成〉 계략을 써서 상대가 눈치 채지 못하게 감쪽같이 빠져나가다.
[金城汤池] jīnchéng-tāngchí 〈成〉 난공불락의 성(城).
[金额] jīn'é 명 금액.
[金刚努目] jīngāng-nǔmù 〈成〉 흉악하고 무서운 얼굴. =[金刚怒nù目]
[金刚石] jīngāngshí 명〖鑛〗 금강석. 다이아몬드. =[金刚钻zuàn]
[金龟] jīnguī 명 ⇨[乌wū龟①]
[金龟子] jīnguīzǐ 명〖蟲〗 풍뎅이.
[金黄] jīnhuáng 형 금빛[황금빛]을 띠다. ❑ 天边~; 하늘가가 금빛으로 물들다.
[金煌煌(的)] jīnhuánghuáng(·de) 형 금빛으로 반짝이는 모양. ❑ ~的招牌; 금빛으로 반짝이는 간판.
[金婚] jīnhūn 명 금혼. 금혼식.
[金科玉律] jīnkē-yùlǜ 〈成〉 금과 옥조《금옥같이 귀중히 여겨 변경할 수 없는 신조나 규정》.
[金口玉言] jīnkǒu-yùyán 〈成〉 ① 매우 귀중한 말. ② 바꿀 수 없는 말.
[金库] jīnkù 명〖經〗 국고(國庫). =[国库]
[金块] jīnkuài 명 금괴. 금덩이.
[金矿] jīnkuàng 명 금광(金鑛).
[金迷纸醉] jīnmí-zhǐzuì 〈成〉 ⇨[纸醉金迷]
[金牌] jīnpái 명 금메달.
[金钱] jīnqián 명 금전. 돈.
[金枪鱼] jīnqiāngyú 명〖魚〗 참치. 다랑어.
[金融] jīnróng 명 금융. ❑ ~界; 금융계 / ~危机; 금융 위기.
[金色] jīnsè 명 황금빛. 금색.
[金属] jīnshǔ 명 금속. ❑ ~工艺; 금속 공예 / ~元素; 금속 원소 / 重~; 중금속.
[金丝雀] jīnsīquè 명〖鳥〗 카나리아(canaria).
[金条] jīntiáo 명 (막대 모양의) 금괴.
[金星] jīnxīng 명 ①〖天〗 금성. ② 금색의 오각별. ③ 머리가 아찔하고 눈앞이 핑 돌 때 느껴지는 불꽃 같은 것. ❑ 两眼冒~; 두 눈에서 별이 핑 돌다.
[金鱼] jīnyú 명〖魚〗 금붕어.
[金玉] jīnyù 명〈書〉 금과 옥. 〈比〉 진귀한 것. 화려하고 아름다운 것. ❑ ~良言; 〈成〉 귀중한 충고나 조언 / ~满堂; 〈成〉 귀중한 것들이 방 안에 가득하다.
[金针菇] jīnzhēngū 명〖植〗 팽이버섯.
[金枝玉叶] jīnzhī-yùyè 〈成〉 금지옥엽《① 황족(皇族)의 자손이나 출신이 귀한 귀공자와 아가씨. ② 귀한 자손》.
[金字塔] jīnzìtǎ 명 ①〖考古〗 금자탑. 피라미드(pyramid). ② 〈比〉 불멸의 업적.
[金字招牌] jīnzì zhāopái ① 금가루로 쓴 간판《자금이 넉넉하고 신용이 좋은 상점》. ② 〈比〉 남에게 자랑하기 위한 명예나 칭호.
[金子] jīn·zi 명 금(金)의 통칭.

津 jīn (진)
명 ① 타액. 침. ② 땀. ❑ 生~; 땀을 흘리다. ③ 〈書〉 나루터.
[津津] jīnjīn 형 ① 흥미진진한 모양. ❑ ~乐道; 〈成〉 흥미진진하게 이야기하다 / ~有味; 〈成〉 흥미진진하다. ② (물·땀이) 흘러넘치는 모양. ❑ 水~; 물이 흥건한 모양.
[津贴] jīntiē 명 수당. 보조금. 동 수당을 지급하다.
[津液] jīnyè 명〖中醫〗 진액.

筋 jīn (근)
명 ① 근육. ② (~儿) 〈口〉 힘

줄. ❏扭了~; 접질리다. ③〈口〉(살갗 위로 비쳐 보이는) 힘줄. 심줄. 혈관. ❏青~; 핏대. ④(~儿) 힘줄같이 생긴 것. ❏钢~; 철근.

[筋斗] jīndǒu 명〈方〉⇒[跟头]

[筋骨] jīngǔ 명 ①〖生理〗근골. ② 체격. 체력.

[筋疲力尽] jīnpí-lìjìn 〈成〉지쳐서 힘이 하나도 없다. 기진맥진하다.

禁 jīn (금)

동 ① 견디다. 지탱하다. ② 참다. ❏他不~笑起来; 그는 참을 수가 없어 웃음을 터뜨렸다. ⇒jìn

[禁不起] jīn·buqǐ 동 (주로, 사람이) 견뎌 내지 못하다. 이겨 내지 못하다. ❏~大风浪; 큰 풍파[시련]에 견디지 못하다.

[禁不住] jīn·buzhù 동 ① 지탱하지 못하다. 견디지 못하다. 이겨 내지 못하다. ❏这个架子~那个箱子; 이 선반은 그 상자를 견뎌 내지 못한다. ② 참지 못하다. …하지 않을 수 없다. ❏听了他的话, 我们~笑了; 그의 말을 듣고 우리는 웃음을 참을 수가 없었다.

[禁得起] jīn·deqǐ 동 (주로, 사람이) 견뎌 낼 수 있다. 이겨 낼 수 있다. ❏~风吹雨打; 세상의 시련을 견딜 수 있다.

[禁得住] jīn·dezhù 동 지탱할 수 있다. 견딜 수 있다. ❏这座建筑~强地震; 이 건축물은 강한 지진에도 견딜 수 있다.

[禁受] jīnshòu 동 (사람이나 사물이) 참다. 견디다. 이겨 내다. ❏~压力; 압력을 견디다.

襟 jīn (금)

명 ① 옷섶. ② 흉금. 가슴. 심중. ③ 동서(同壻). ❏~弟; 처제의 남편.

[襟怀] jīnhuái 명 흉금. 생각. 포부. ❏~坦白; 생각이 솔직하다.

仅(僅) jǐn (근)

부 겨우. 다만. 단지. …만. …뿐. ❏这项活动~限于二年级的同学; 이 행사는 2학년 학생들만 한다.

[仅仅] jǐnjǐn 부 겨우. 다만. 단지. …만. …뿐. ❏我在青岛~住了三天; 나는 칭다오에서 겨우 3일 머물렀다. =[仅只zhǐ]

尽(儘) jǐn (진)

① 동 되도록 다하다. 힘 닿는대로 하다. ❏~可能; ⇩ ② 개 …한도로. …이내로. ❏~着一周完成; 일주일 내에 완성하다. ③ 개 맨 먼저…하도록. ❏~着他先用; 그에게 먼저 사용하게 하다. ④ 부 제일. 가장. 맨《주로, 방위(方位)를 나타내는 말 앞에 씀》. ❏~前头; 맨 앞. ⑤ 부〈方〉줄곧. 내내. ❏他整天~闹着玩儿; 그는 하루 종일 장난만 친다. ⇒jìn

[尽管] jǐnguǎn 부 ① 마음껏. 얼마든지. ❏有问题, 大家~问; 질문이 있으면 모두들 얼마든지 물어보세요. ② 〈方〉줄곧. 늘. 항상. 내내. ❏她不说话, ~笑; 그녀는 말은 하지 않고 줄곧 웃기만 한다. 접 …이긴 하지만. …에도 불구하고. 비록[설령] …라 하더라도《'但(是)'·'还(是)'·'然而' 따위와 호응함》. ❏~下着大雨, 马路上的行人还是很多; 세찬 비가 내리고 있지만 거리의 인파는 여전히 많다.

[尽可能] jǐnkěnéng 부 되도록. 가능한 한. 가급적. ❏你~在八点以前给我回电话; 가능한 한 8시 이전에 나에게 전화를 다오.

[尽快] jǐnkuài 부 되도록 빨리. 서둘러서. ❏我必须~赶到他家; 나는 되도록 빨리 그의 집에 가야 한다.

[尽量] jǐnliàng 부 될 수 있는 대로. 가능한 한. 최대한. 되도록. ❏路上~小心! 가는 길에 되도록 조심해라! ⇒jìnliàng

[尽先] jǐnxiān 부 되도록 맨 먼저. 가급적 제일 먼저. ❏你~拿来给我看看! 되도록 맨 먼저 가져와서 나에게 보여 다오!

[尽早] jǐnzǎo 부 되도록 일찍. 되도록 빨리. ❏望你~做出决定; 되도록 빨리 결정을 내리기 바란다.

紧(緊) jǐn (긴)

① 형 팽팽하다. ❏排球网~绷着; 배구 네트가 팽팽하게 당겨져 있다. ② 형 단단히 고정되다. 바싹 …하다. ❏握~拳头; 주먹을 꽉 쥐다 / ~记着别忘了! 단단히 기억해 두고 잊지 마라! ③ 형 꼭 끼다. 빡빡하다. ❏这件衣服太~; 이 옷은 너무 꼭 낀다. ④ 동 팽팽하게 하다. 단단히 죄다. ❏你把鞋带~一~; 신발끈을 단단히 매거라. ⑤ 형 (일이) 꽉 차 있다. (시간이) 촉박하다. 틈이 없다. ❏时间很~; 시간이 매우 촉박하다 / 风刮得很~; 바람이 쉴 새 없이 불다. ⑥ 형 (경제적으로) 여유가 없다. 어렵다. 곤궁하다. ❏手头~; 주머

니 사정이 여의치 않다.
[紧巴巴(的)] jǐnbābā(·de) 형 ① 바싹 죄어지는 모양. 꽉 끼는 모양. ❑ 这件上衣我穿~的; 이 상의는 나에게 꽉 끼인다. ② 경제적으로 쪼들리는 모양. 궁핍한 모양. ❑ 日子过得总是~的; 생활이 늘 궁핍하다.
[紧绷绷(的)] jǐnbēngbēng(·de) 형 ① 팽팽한 모양. ❑ ~的绳子; 팽팽한 밧줄. ② 긴장한 모양. 부자연스러운 모양. ❑ 脸上~的, 没有一点儿笑容; 웃음기 하나 없이 얼굴이 잔뜩 굳어 있다.
[紧凑] jǐncòu 형 잘 짜여지다. 빈틈없다. 치밀하다. ❑ 文章结构~; 문장 구조가 치밀하다.
[紧急] jǐnjí 형 (정황·형세가) 긴급하다. 급박하다. ❑ ~出动; 긴급 출동 / ~措施; 긴급 조치 / ~信号; 긴급 신호 / ~状态; 비상사태.
[紧锣密鼓] jǐnluó-mìgǔ 〈成〉 징과 북을 계속 울리다《공식 활동을 시작하기 전에 성대하게 선전하다》.
[紧密] jǐnmì 형 ① 긴밀하다. ❑ ~地团结; 긴밀히 단결하다. ② 잇따라 끊임없다. 잦다. ❑ ~的雨点; 끊임없는 빗방울.
[紧迫] jǐnpò 형 긴박하다. 급박하다. 절박하다. ❑ 十分~的任务; 매우 긴박한 임무 / ~感; 긴박감.
[紧身] jǐnshēn 형 몸에 꽉 끼는. 타이트한.
[紧身褡] jǐnshēndā 명 코르셋(corset). =[紧身胸衣]
[紧缩] jǐnsuō 동 긴축하다. ❑ ~预算; 예산을 긴축하다.
[紧要] jǐnyào 형 긴요하다. 긴급하고 중요하다. ❑ ~关头; 중요한 고비.
[紧张] jǐnzhāng 형 ① 긴장하다. 긴장되다. ❑ 第一次参加比赛, 我心里十分~; 처음으로 시합에 참가하니 매우 긴장된다. ② 바쁘다. 긴박하다. 힘들다. ❑ 上了二年级以后, 学习很~; 2학년이 되니 공부가 매우 힘들어졌다. ③ (경제적으로) 힘겹다. (물건이) 부족하다. 달리다. ❑ 电力~; 전력이 부족하다.
[紧着] jǐn·zhe 동〈口〉 서두르다. 다그치다. 박차를 가하다. ❑ 要下雨了, 你们得děi~干; 비가 오려고 하니 서둘러라.

堇 jǐn (근)
→[堇菜]

[堇菜] jǐncài 명〔植〕 제비꽃. =[堇堇菜]

谨(謹) jǐn (근)
① 형 신중하다. 조심스럽다. ❑ ~慎; ⇓ ② 부 삼가. 정중히. ❑ ~赠; 삼가 드리다.
[谨慎] jǐnshèn 형 신중하다. 조심스럽다. ❑ 讲得很~; 매우 신중하게 말하다.
[谨小慎微] jǐnxiǎo-shènwēi 〈成〉 사소한 데에 지나치게 마음을 쓰다.
[谨严] jǐnyán 형 신중하고 엄밀하다.

馑(饉) jǐn (근)
→[饥jī馑]

槿 jǐn (근)
→[木槿]

锦(錦) jǐn (금)
① 명 색채가 아름다운 비단. ② 형 선명하고 화려하다. 아름답다. ❑ ~霞; 아름다운 노을.
[锦标] jǐnbiāo 명 우승기. 우승 메달. 우승컵.
[锦标赛] jǐnbiāosài 명 선수권 대회.
[锦缎] jǐnduàn 명 수를 놓은 비단.
[锦纶] jǐnlún 명〔化〕 나일론(nylon). =[〈音〉尼龙]
[锦囊妙计] jǐnnáng-miàojì 〈成〉 제때에 급한 문제를 해결할 수 있는 묘책.
[锦旗] jǐnqí 명 우승기.
[锦上添花] jǐnshàng-tiānhuā 〈成〉 금상첨화.
[锦绣] jǐnxiù 명 금수. 비단에 놓은 수. 형〈比〉 매우 아름다운[훌륭한]. ❑ ~山河; 〈成〉 금수강산.

尽(盡) jìn (진)
① 동 다하다. 진(盡)하다. ❑ 想~方法; 있는 방법을 다 생각해 내다. ② 동 극단에 다다르다. 극치에 달하다. ❑ ~善~美; ⇓ ③ 동 다 쓰다. 모두 발휘하다. ❑ ~全力; 전력을 다하다. ④ 동 (임무·책임을) 다하다. 완성하다. ❑ ~责任; 책임을 다하다. ⑤ 형 모든. 전부의. ❑ ~人皆知; ⇓ ⑥ 동〈書〉 죽다. ❑ 自~; 자살하다. ⑦ 부 모두. 온통. 다. ❑ 山上~是苍; 산 위는 온통 푸른빛이다. ⇒ jǐn
[尽力] jìn//lì 동 있는 힘을 다하다. ❑ ~而为; 〈成〉 있는 힘을 다해서 하다.
[尽量] jìnliàng 동 양을 다하다. 양껏 하다. ❑ 请~喝吧; 많이 드십시오. ⇒ jǐnliàng

尽情】 jìnqíng 부 하고 싶은 대로. 마음껏. ❑ ~地玩; 실컷 놀다.
尽人皆知】 jìnrén-jiēzhī 〈成〉 누구나 다 알고 있다.
尽善尽美】 jìnshàn-jìnměi 〈成〉 완전무결하다. 더할 나위 없다.
尽头】 jìntóu 명 끝. 말단. 마지막.
尽心】 jìn//xīn 동 (남을 위해) 성의를 다하다. 마음을 다하다. ❑ ~竭力; 〈成〉 전심전력을 다하다.
尽兴】 jìnxìng 동 흥을 다하다. 마음껏 즐기다. ❑ ~而归; 마음껏 즐기고 돌아가다.
尽职】 jìn//zhí 동 직무를 다하다.
尽忠】 jìn//zhōng 동 ① 충성을 다하다. ❑ ~报国; 충성을 다해 나라에 보답하다. ② 목숨 바쳐 충성하다. ❑ 为国~; 목숨 바쳐 나라에 충성하다.

烬(燼) jìn (신)
명 타고 남은 것. 재.

劲(勁) jìn (경)
명 ① (~儿) 힘. ❑ 使~; 힘을 쓰다. ② (~儿) 기운. 사기. 의욕. ❑ 干~儿; 하려는 의욕. ③ (~儿) 태도. 안색. 표정. ④ 흥미. 재미. ❑ 没~; 재미없다. ⇒jìng

劲头(儿)】 jìntóu(r) 명〈口〉 ① 힘. 기운. ❑ 他~儿大; 그는 기운이 세다. ② 열정. 열의. 의욕. ❑ ~很足; 의욕이 넘치다.

进(進) jìn (진)
동 ① 나아가다. 전진하다. ❑ ~步; ⇓ ② (밖에서 안으로) 들다. 들어가다. 들어오다. ❑ 请~; 들어오세요 / ~大门; 대문으로 들어가다. ③ 먹다. 마시다. ❑ ~餐; ⇓ ④ 들이다. 받다. ❑ ~了好几笔款; 많은 돈을 들여왔다. ⑤ 바치다. 올리다. ❑ ~言; ⇓

进(進) //·jìn (진)
동 동사 뒤에 붙어 밖에서 안으로 들어감을 나타냄. ❑ 他们搬~了宿舍楼; 그들은 기숙사로 이사 들어왔다.

进逼】 jìnbī 동 진격해 육박하다. 바짝 다가가다. ❑ 步步~; 한 걸음 한 걸음 다가가다.
进兵】 jìnbīng 동 진군하다.
进步】 jìnbù 동 진보하다. 발전하다. 향상되다. ❑ 学习~了; 성적이 향상되었다. 형 진보적이다. 선진적이다. ❑ 思想很~; 사상이 매우 진보적이다.
进餐】 jìn//cān 동 식사를 하다.
[进城] jìn//chéng 동 ① 성안으로 들어가다. 시내로 들어가다. ② (살거나 일을 위해) 상경하다.
[进程] jìnchéng 명 (사건·행위의) 경과. 발전. 진전. 진행 과정.
[进出] jìnchū 동 ① 출입하다. 드나들다. ❑ 他们都由这个门~; 그들은 모두 이 문으로 드나든다. ② (돈이) 들어오고 나가다. 수입과 지출이 생기다.
[进出口] jìnchūkǒu 명 ① 수출입. ② 출입구.
[进度] jìndù 명 진도.
[进而] jìn'ér 접 더 나아가. 한 걸음 나아가서. ❑ 先学好专业外语, 再~学习第二外语; 우선 전공 외국어를 확실히 공부한 뒤, 다시 한 걸음 나아가 제2 외국어를 공부한다.
[进发] jìnfā 동 (자동차·배·기차나 단체가) 출발하다. 나아가다. ❑ 列车向北京~; 열차가 베이징을 향해 떠나다.
[进犯] jìnfàn 동 (적이) 침범하다.
[进攻] jìngōng 동 ① 진공하다. 공격하다. ② (싸움·경기에서) 공격하다. 공세를 펴다.
[进化] jìnhuà 동 진화하다. ❑ ~论; 진화론.
[进货] jìn//huò 동 상품을 들이다. 입하하다.
[进击] jìnjī 동 (군대가) 진격하다.
[进见] jìnjiàn 동 나아가 뵙다. 알현하다. ＝[晋见][〈書〉 晋谒]
[进军] jìnjūn 동 진군하다. ❑ 吹~号; 진군 나팔을 불다.
[进口] jìn//kǒu 동 ①〔經〕 수입하다. ❑ ~货; 수입품 / ~税; 수입세. ② 입항(入港)하다. (jìnkǒu) 명 (~儿) (건물 따위의) 입구.
[进款] jìnkuǎn 명〈口〉 (개인·가정·단체 따위의) 수입(收入).
[进来] jìn//·lái 동 들어오다. ❑ 快进教室来吧; 빨리 교실로 들어오거라.
[进来] //·jìn//·lái 동 동사 뒤에 쓰여 밖에서 안으로 들어옴의 뜻을 나타냄. ❑ 从窗外飞进两只鸽子来; 창밖에서 비둘기 두 마리가 날아 들어오다.
[进门(儿)] jìn//mén(r) 동 ① 문으로 들어가다[들어오다]. ② 입문하다.
[进取] jìnqǔ 동 진취하다. ❑ ~心; 진취심.
[进去] jìn//·qù 동 들어가다. ❑ 他进商店去了; 그는 상점으로 들어

갔다.
[进去] //·jìn//·qù 동 동사 뒤에 쓰여 밖에서 안으로 들어감의 뜻을 나타냄. ❏衣服太小，穿不~；옷이 너무 작아서 몸이 들어가지 않는다.
[进入] jìnrù 동 진입하다. 들어가다. ❏~梦乡；꿈나라로 들어가다.
[进食] jìnshí 동 식사를 하다.
[进退] jìntuì 동 ① 전진하고 후퇴하다. ❏~两难；〈成〉 진퇴양난 / ~维谷；〈成〉 진퇴유곡. ② 제대로 처신하다. ❏不知~；〈成〉 어떻게 처신해야 할지 알지 못하다.
[进项] jìn·xiàng 명 수입(收入)의 액수. 수입.
[进行] jìnxíng 동 ① (어떤 활동을) 하다. 진행하다. ❏~手术；수술을 하다 / ~讨论；토론하다. ② 전진하다. 행진하다. ❏~曲；행진곡.
[进修] jìnxiū 동 연수(研修)하다. ❏~生；연수생.
[进言] jìn//yán 동 진언하다.
[进一步] jìnyībù 부 한 걸음 더 나아가서. 진일보하여. ❏作~调查；진일보한 조사를 하다.
[进展] jìnzhǎn 동 진전하다.
[进驻] jìnzhù 동 (군대가) 진주하다.
近 jìn (근) ① 형 가깝다. ㉠공간적으로. ❏天津离北京很~；톈진은 베이징에서 아주 가깝다. ㉡시간적으로. ❏临~；가까워 오다. ② 동 접근하다. 가까이 가다. ❏已~半夜；이미 한밤중이 다 되었다. ③ 형 관계가 가깝다. 친밀하다. ❏关系很~；관계가 아주 가깝다.
[近便] jìn·bian 형 (길이) 가깝고 편리하다. ❏从这里进城十分~；이곳에서 시내로 가는 것은 매우 가깝고 편리하다.
[近代] jìndài 명〖史〗 ① 근대. ② 자본주의 시대.
[近道] jìndào 명 가까운 길. 지름길.
[近海] jìnhǎi 명 근해.
[近乎] jìnhū 동 …에 가깝다. ❏这种颜色~黑色；이 색은 검은색에 가깝다.
[近郊] jìnjiāo 명 근교.
[近况] jìnkuàng 명 근황.
[近来] jìnlái 명 요즈음. 근래.
[近邻] jìnlín 명 근린. 가까운 이웃.
[近路] jìnlù 명 지름길.
[近旁] jìnpáng 명 근방. 부근.
[近亲] jìnqīn 명 근친. 가까운 친척.
[近日] jìnrì 명 요 며칠 전. 최근.
[近视] jìnshì 형 ①〖醫〗 근시이다. ❏~眼；근시안. ②〈比〉 근시안적이다. 식견이 얕다.
[近水楼台] jìnshuǐ-lóutái 〈成〉 관계가 가까운 자가 더 이득을 본다.
[近似] jìnsì 동 근사하다. 거의 같다. ❏~值；근사치.
[近义词] jìnyìcí 명 비슷한 말.
浸 jìn (침) 동 ① 액체에 담가 불리다. ❏把衣服放在水里~一~；빨래를 물에 담가 불리다. ② (액체가) 스미다. 젖다. ❏~透；⇩
[浸礼] jìnlǐ 명〖宗〗 침례. ❏~会；침례회. 침례교.
[浸没] jìnmò 동 ① 물에 잠기다. ② (분위기 따위에) 깊이 빠지다. ❏人们正~在快乐之中；사람들은 즐거움 속에 푹 빠져 있다.
[浸泡] jìnpào 동 (물속에) 담그다.
[浸染] jìnrǎn 동 ① 물들이다. ❏~毛线；털실을 물들이다. ② (관념·사상 따위에) 물들다. 점차 영향을 받다.
[浸润] jìnrùn 동 점점 스며들다. 서서히 적시다. ❏春雨~着土地；봄비가 땅을 적시고 있다.
[浸湿] jìnshī 동 (축축하게) 젖다. ❏地上很潮，鞋都~了；바닥이 축축해서 신발이 다 젖었다.
[浸透] jìntòu 동 ① 흠뻑 젖다. ❏衣服全被汗水~了；옷이 땀에 흠뻑 젖었다. ② (액체가) 스며들다. ❏水~了表土；물이 표토에 스며들었다. ③〈比〉 (사상·감정이) 가득 차다. 넘쳐흐르다.
[浸渍] jìnzì 동 (액체에) 담가서 불리다.
晋 jìn (진) A) 동 ① 나아가다. ❏~见；⇩ ② 오르다. ❏~级；⇩ B) (Jìn) 명 ①〖史〗 진《주대(周代)의 나라 이름, B.C.1106-376》. ②〖史〗 진《사마염(司馬炎)이 세운 왕조, 265-420》.
[晋级] jìn//jí 동 진급하다.
[晋见] jìnjiàn 동 ⇨[进见]
[晋升] jìnshēng 동 (지위가) 오르다. 승진하다.
[晋谒] jìnyè 동〈書〉 ⇨[进见]
禁 jìn (금) ① 동 금지하다. 금하다. ❏~赌；도박을 금지하다. ② 동 구금하다. 감금하다. ③ 명 법률·풍습

따위로 금지된 일. 금지령. ⇒jīn
【禁闭】 jìnbì 동 감금(監禁)하다. 구금하다. ❑关~; 감금하다.
【禁地】 jìndì 명 출입 금지 장소.
【禁锢】 jìngù 동 ① 죄과가 있는 사람을 벼슬에 쓰지 않다. ②〈書〉 감금하다. 구금하다. ③ 활동을 제한하다. 발전을 막다.
【禁忌】 jìnjì 명 금기. 터부(taboo). 동〖醫〗 금기하다.
【禁绝】 jìnjué 동 철저히 금지하다. ❑~车辆来往; 차량 통행을 철저히 금하다.
【禁令】 jìnlìng 명 금령.
【禁区】 jìnqū 명 ① 출입 금지 구역. ② 금지 구역. 특별 보호 구역. ③〖體〗 페널티 에어리어(penalty area).
【禁书】 jìnshū 명 금서.
【禁欲】 jìnyù 동 금욕하다. ❑~主义; 금욕주의.
【禁止】 jìnzhǐ 동 금지하다. ❑~通行; 통행을 금지하다.
【禁阻】 jìnzǔ 동 금하여 저지하다.

噤 jìn (금)
동 ①〈書〉 입을 다물고 소리를 내지 않다. ② 추위 때문에 몸이 떨리다.
【噤若寒蝉】 jìnruòhánchán 〈成〉 감히 입을 열지 못하다. 찍소리도 못하다.

觐(覲) jìn (근)
동 (임금을) 배알하다. (성지를) 참배하다.
【觐见】 jìnjiàn 동〈書〉 배알하다.

jing ㄐㄧㄥ

泾(涇) Jīng (경)
명〖地〗 징허 강(涇河)《닝샤(寧夏)에서 산시 성(陝西省)으로 흘러들어가는 강 이름》.
【泾渭分明】 jīngwèi-fēnmíng 〈成〉 시비(是非)·경계가 분명하다.

茎(莖) jīng (경)
① 명〖植〗 줄기. ② 명 줄기처럼 생긴 것. ❑阴~; 음경. ③ 양〈書〉 가닥. 대《가늘고 긴 것을 세는 말》. ❑数~小草; 풀 몇 포기.

经(經) jīng (경)
A) ① 명〖紡〗 날실. ② 명〖中醫〗 경맥(經脈). ③ 명〖地理〗 경도(經度). ❑东~; 동경. ④ 동 다스리다. 관리하다. 경영하다. ❑~商; ⇓ ⑤ 형 보통의. 정상의. ❑不~之谈; 황당무계한 말. ⑥ 명 경전(經典). ❑佛~; 불경. ⑦ 명〖生理〗 월경. ❑~期; ⇓ ⑧ 동〈書〉 목을 매다. ❑自~; 스스로 목을 매다. **B)** 동 ① 경과하다. 지나다. 거치다. ❑~了几百年; 몇백 년을 경과했다. ② 경험하다. 겪다. ❑我~了好几件大事; 나는 여러 가지 큰일을 겪었다. ③ 견디다. 버티다. ❑她~住了考验; 그녀는 시련을 견뎌 냈다. ⇒jìng
【经办】 jīngbàn 동 취급하다. 처리하다. ❑他~了好几起大案; 그는 몇 건의 큰 사건을 처리했다.
【经常】 jīngcháng 부 항상. 자주. 늘상. ❑我俩~用汉语谈话; 우리 둘은 자주 중국어로 대화한다. 형 일상적인. 경상(經常)의. ❑~费用; 경상 비용.
【经典】 jīngdiǎn 명 경전. ① 전통과 권위가 있는 저작. ② 종교의 교의를 설명한 책.
【经度】 jīngdù 명〖地理〗 경도.
【经费】 jīngfèi 명 경비.
【经管】 jīngguǎn 동 관리하다. 취급하다. ❑采购由他~; 구매는 그가 관리한다.
【经过】 jīngguò 동 ① (장소를) 통과하다. 지나다. 거치다. ❑列车从这里~; 열차는 여기를 통과한다. ② (시간이) 지나다. 경과하다. ❑写这部小说, 整整~了三年; 이 소설을 쓰는 데 꼬박 3년이 지났다. ③ (어떤 활동·일을) 거치다. 경험하다. ❑~几道手续; 몇 단계의 수속을 거치다. 명 과정. 경과. 경위. 경험.
【经纪】 jīngjì 동 (기업을) 경영하다. 명 중개인. 브로커. 거간꾼.
【经纪人】 jīngjìrén 명 중개인. 브로커. 거간꾼.
【经济】 jīngjì 명 ①〖經〗 경제. ❑~发展; 경제가 발전하다 / ~舱; 이코노미 클래스(economy class) / ~犯罪; 경제 사범 / ~特区; 경제특구 / ~危机; 경제 위기 / ~学; 경제학. ② (개인의) 경제적인 생활[형편]. 형 ① 경제적이다. ❑采用这种办法很~; 이런 방법을 채택하는 것은 매우 경제적이다. ② 국민 경제에 있어서 가치가 있거나 영향을 끼치는. ❑~作物; 경제 작물.
【经久】 jīngjiǔ 동 오랜 시간이 경과하다. 형 오래가다. 내구력이 있다.

[经理] jīnglǐ 명 기업의 책임자. 지배인. 매니저. 사장. 동 관리하다. 경영하다. ❑ 公司的财务由他～; 회사의 재무는 그가 관리한다.
[经历] jīnglì 명 경력. 경험《직접 보고 겪고 한 일》. 동 경험하다. 겪다. ❑ 这种事他～过好几次; 이런 일을 그는 수차례 경험했다.
[经络] jīngluò 명〔中醫〕경락.
[经脉] jīngmài 명〔中醫〕경맥.
[经年累月] jīngnián-lěiyuè 〈成〉 오랜 세월을 지내다.
[经期] jīngqī 명〔生理〕월경기.
[经纱] jīngshā 명〔紡〕날실.
[经商] jīng//shāng 동 장사하다.
[经手] jīng//shǒu 동 취급하다. 손수 처리하다. ❑ 这件事是他～的; 이 일은 그가 직접 처리한 것이다.
[经受] jīngshòu 동 (시련·단련 따위를) 받다. 견디다. ❑ ～考验; 시련을 받다.
[经售] jīngshòu 동 ⇨[经销]
[经书] jīngshū 명 경서.
[经销] jīngxiāo 동 중개 판매 하다. ❑ ～日用杂品; 일용 잡화를 중계 판매 하다. ＝[经售]
[经心] jīngxīn 동 유의하다. 신경 쓰다. 주의하다. ❑ 漫不～; 〈成〉 조금도 신경 쓰지 않다.
[经验] jīngyàn 명 경험《실천으로 얻은 지식·기능》. ❑ ～论; 경험론. 동 겪다. 경험하다. ❑ 他在这方面很有～; 그는 이 방면에 경험이 많다.
[经营] jīngyíng 동 ① 경영하다. 관리하다. ❑ ～困难; 경영난. ② 계획하고 조직하다.
[经由] jīngyóu 동 경유하다. ❑ 从首尔～上海去西安; 서울에서 상하이를 경유하여 시안으로 가다.
[经传] jīngzhuàn 명 ① 경서 및 그 주석. ② 〈轉〉 중요한 고서.

京 jīng (경)

명 ① 도읍. 수도. ② (Jīng) 〈簡〉 '北京' (베이징)의 약칭.
[京城] jīngchéng 명 경성. 수도.
[京都] jīngdū 명 ① 수도. ② (Jīngdū)〔地〕교토(kyoto).
[京剧] jīngjù 명〔劇〕경극《19세기 초기에 베이징에서 발달한 중국 전통극》. ＝[〈口〉 京戏]
[京戏] jīngxì 명〈口〉 ⇨[京剧]

惊(驚) jīng (경)

동 ① 놀라다. ❑ ～呆; 놀라서 멍해지다. ② 놀라게 하다. ❑ ～扰; ⇩ ③ (말이) 놀라 날뛰다. ❑ 大道上有一匹马～了; 대로에서 말 한 마리가 놀라 날뛰었다.
[惊诧] jīngchà 동 놀라고 의아해하다.
[惊动] jīngdòng 동 놀라게 하다. 시끄럽게 하다. ❑ 开门声把熟睡的母亲～了; 문 여는 소리가 깊이 잠들었던 어머니를 놀라 깨게 했다.
[惊愕] jīng'è 동〈書〉 경악하다.
[惊弓之鸟] jīnggōngzhīniǎo 〈成〉 활만 보고도 놀라는 새《한번 놀라면 작은 움직임에도 겁을 내는 사람》.
[惊骇] jīnghài 형〈書〉 놀라고 무서워하다.
[惊慌] jīnghuāng 형 놀라고 당황하다. ❑ ～失措; 〈成〉 놀라고 당황하여 어찌할 바를 모르다. ＝[惊惶 huáng]
[惊恐] jīngkǒng 동 놀라고 두려워하다. 질겁하다. ❑ ～万状; 〈成〉 극도로 놀라고 두려워하다.
[惊奇] jīngqí 형 놀랍고도 이상하다. ❑ 他～地看着我; 그는 놀랍고도 이상한 듯이 나를 본다.
[惊扰] jīngrǎo 동 놀라게 하다. 소란을 피우다. 폐를 끼치다.
[惊人] jīngrén 형 놀랍다. 놀랄 만하다. ❑ ～的消息; 놀라운 소식.
[惊叹] jīngtàn 동 경탄하다.
[惊叹号] jīngtànhào 명 ⇨[叹号]
[惊涛骇浪] jīngtāo-hàilàng 〈成〉 ① 맹렬하고 무서운 파도. ② 험악한 환경이나 상황.
[惊天动地] jīngtiān-dòngdì 〈成〉 하늘을 놀라게 하고 땅을 뒤흔들다《① 소리가 매우 크다. ② 기세나 업적이 세상을 놀라게 하다》.
[惊吓] jīngxià 동 깜짝 놀라다. 깜짝 놀라 겁을 먹다. ❑ 这突然的犬吠声～了她; 갑작스러운 개 짖는 소리에 그녀는 깜짝 놀랐다.
[惊险] jīngxiǎn 형 아슬아슬하다. 스릴 있다. ❑ ～片; 스릴러 영화.
[惊心动魄] jīngxīn-dòngpò 〈成〉 사람의 심금을 울리다.
[惊醒] jīngxǐng 동 ① 놀라서 깨다. ② 놀라 깨게 하다.
[惊讶] jīngyà 형 놀라고 의아하게 생각하다. 희한한 일이라 여기다. ❑ 他居然考上了大学, 真令人～; 그가 대학에 합격했다니 정말 놀라운 일이다.
[惊疑] jīngyí 형 놀랍고 의심스럽다.
[惊异] jīngyì 형 놀랍고 의아하다.

[惊蛰] jīngzhé 명 경칩.

鲸(鯨) jīng (경)
명〔動〕고래. =[〈俗〉鲸鱼]

[鲸吞] jīngtūn 동 (영토 따위를) 고래처럼 통째로 삼키다.

[鲸鱼] jīngyú 명〈俗〉⇨[鲸]

荆 jīng (형)
명〔植〕가시나무.

[荆棘] jīngjí 명 ① 가시나무. ② 〈轉〉난관. 곤란. ❑~载途; 〈成〉앞날에 수많은 난관과 장애가 기다리고 있다.

[荆条] jīngtiáo 명 가시나무의 가지.

菁 jīng (정, 청)
→[菁华]

[菁华] jīnghuá 명 ⇨[精华]

睛 jīng (정)
명 눈알. 눈동자. ❑目不转~; 〈成〉눈 하나 깜빡하지 않다.

精 jīng (정)
① 형 정선한. 정제한. ❑~金; 순금. ② 명 정화. 정수. ❑人参~; 인삼 엑기스. ③ 형 정예하다. 완전하다. 훌륭하다. ❑~彩; ⇩ ④ 형 정밀하다. 세밀하다. ❑~雕细刻; ⇩ ⑤ 형 영리하다. 약다. ❑这人很~, 骗不了他; 이 사람은 매우 영리해서 속일 수 없다. ⑥ 형 정통하다. 능통하다. ❑这位大dài夫~于外科; 이 의사는 외과에 능통하다. ⑦ 명 정신. 정력. 원기. ⑧ 명 정액(精液). 정자. ❑射~; 사정하다. ⑨ 명 신령. 요정. ⑩ 부 〈方〉매우. 대단히. ❑衣服淋得~湿; 옷이 흠뻑 젖었다.

[精兵简政] jīngbīng-jiǎnzhèng 〈成〉기구를 축소하고 인원을 정예화하다.

[精彩] jīngcǎi 형 (공연·문장 따위가) 훌륭하다. 다채롭다. 멋지다. ❑节目~; 프로그램이 다채롭다.

[精粹] jīngcuì 형 정수하다.

[精打细算] jīngdǎ-xìsuàn 〈成〉(인력·물자를 사용하는 데) 면밀히 계획하다. 꼼꼼히 계산하다.

[精当] jīngdàng 형 (언론·문장 따위가) 정확하고 적절하다.

[精到] jīngdào 형 주도면밀하다. ❑见解~; 견해가 주도면밀하다.

[精雕细刻] jīngdiāo-xìkè 〈成〉① 심혈을 기울이다. ② 일처리가 세심하고 진지하다.

[精读] jīngdú 동 정독하다.

[精干] jīnggàn 형 똑똑하고 수완이 있다. 영리하고 능력 있다. ❑队员个个~; 대원 한 명 한 명이 모두 똑똑하고 능력 있다.

[精光] jīngguāng 형 ① 반들반들하다. 광이 나다. ② (남은 것 없이) 깨끗하다. 말끔하다. ❑把钱花了个~; 돈을 다 써 버렸다.

[精悍] jīnghàn 형 ① 두뇌가 명석하고 수완이 있다. ② (문장 따위가) 세련되고 날카롭다. ❑笔力~; 필력이 날카롭다.

[精华] jīnghuá 명 정화(精華). 정수(精粹). =[菁华]

[精简] jīngjiǎn 동 정예화(精銳化)하다. 간소화하다. ❑~人员; 인원을 정예화하다.

[精力] jīnglì 명 정력.

[精练] jīngliàn 형 (말·문장 따위가) 정련되다. 간결하다. 군더더기가 없다. ❑~的文章; 정련된 문장. =[精炼]

[精炼] jīngliàn 동 정련하다. 정제하다. 형 ⇨[精练]

[精良] jīngliáng 형 정밀하고 훌륭하다. 매우 양호하다. 나무랄 데 없다. ❑装备~; 장비가 훌륭하다.

[精灵] jīng·líng 명 정령. 형〈方〉약다. 영리하다. 총명하다.

[精美] jīngměi 형 정미하다. 정교하고 아름답다. ❑~的瓷器; 정교하고 아름다운 도자기.

[精密] jīngmì 형 정밀하다. ❑~度; 정밀도 / ~仪器; 정밀 계기.

[精妙] jīngmiào 형 정교하고 교묘하다. 정묘하다.

[精明] jīngmíng 형 세심하고 총명하다. 눈치 빠르고 똑똑하다. ❑~强干; 〈成〉똑똑하고 능력 있다.

[精疲力竭] jīngpí-lìjié 〈成〉기진맥진한 모양.

[精辟] jīngpì 형 (견해·이론이) 치밀하다. 투철하다. 예리하다. ❑~的见解; 예리한 견해.

[精巧] jīngqiǎo 형 정교하다. ❑结构~; 구조가 정교하다.

[精确] jīngquè 형 세밀하고 정확하다. ❑~的计算; 정확한 계산.

[精锐] jīngruì 형 (군대가) 정예하다. ❑~部队; 정예 부대.

[精深] jīngshēn 형 (학문·이론이) 상세하고 깊다. 정밀하고 심오하다. ❑造诣~; 조예가 깊다.

[精神] jīngshén 명 ① 정신. ❑~病; 정신병 / ~病院; 정신 병원 / ~分析; 정신 분석 / ~状态; 정신

상태. ② 주지(主旨). 요지. ❏原文的~; 원문의 요지.
[精神] jīng·shen 명 원기. 기력. 정력. 활력. ❏~抖擞; 〈成〉 원기 왕성하다. 형 원기가 있다. 생기가 있다. ❏几年不见, 她变得更~了; 몇 년 못 본 사이에 그녀는 더욱 생기 있어졌다.
[精髓] jīngsuǐ 명 정수. 진수.
[精通] jīngtōng 동 정통하다. 능통하다. ❏~业务; 업무에 정통하다.
[精细] jīngxì 형 ① 세심하다. 꼼꼼하다. ❏他办事特别~; 그는 일을 매우 꼼꼼히 한다. ② 정교하다. 정밀하다. ❏~检查; 정밀 검사.
[精心] jīngxīn 형 세심하다. 정성스럽다. ❏~护理病人; 정성껏 환자를 간호하다.
[精选] jīngxuǎn 동 정선하다.
[精盐] jīngyán 명 정제염.
[精液] jīngyè 명〖生理〗정액.
[精益求精] jīngyìqiújīng 〈成〉 더 나아지려 끊임없이 진보를 추구하다.
[精湛] jīngzhàn 형 자세하고 깊이가 있다. ❏~的演技; 자세하고 깊이 있는 연기.
[精制] jīngzhì 동 정제하다.
[精致] jīngzhì 형 정교하고 치밀하다. 정교하다. ❏~的手表; 정교한 손목시계.
[精装] jīngzhuāng 형 ① 고급 장정의. 하드커버(hard-cover)의. ❏~本; 양장본. ② 포장이 정교한.
[精壮] jīngzhuàng 형 체력이 강하고 튼튼하다. 건장하다.
[精子] jīngzǐ 명〖生理〗정자.

旌 jīng (정)
명 깃털로 장식한 기(旗).
[旌旗] jīngqí 명 가지각색의 기.

晶 jīng (정)
① 형 밝다. 빛나다. 반짝이다. ❏~莹; ⇩ ② 명〖鑛〗수정. ③ 명 결정체. 결정.
[晶体] jīngtǐ 명〖物〗결정체. 결정. =[结晶①][结晶体]
[晶体管] jīngtǐguǎn 명 트랜지스터(transistor).
[晶莹] jīngyíng 형 투명하고 밝다. 반짝반짝 빛나다.
[晶状体] jīngzhuàngtǐ 명〖生理〗수정체.

粳 jīng (갱)
명〖植〗메벼.
[粳稻] jīngdào 명〖植〗메벼.
[粳米] jīngmǐ 명 멥쌀.

兢 jīng (긍)
→[兢兢业业]
[兢兢业业] jīngjīngyèyè 형 조심하고 삼가며 성실히 일하다.

井 jǐng (정)
① 명 우물. ❏~水不犯河水; 〈比〉 서로 침범하지 않다/一口~; 우물 하나. ② 명 우물 모양의 것. ❏油~; 유정. ③ 형 정연(整然)한 모양. ❏~然; ⇩
[井底之蛙] jǐngdǐzhīwā 〈成〉 우물 안 개구리《견식이 좁은 사람》.
[井井有条] jǐngjǐng-yǒutiáo 〈成〉 조리가 분명하고 정연하다.
[井然] jǐngrán 형〈書〉 정연하다. ❏秩序~; 질서 정연하다.

阱 jǐng (정)
명 함정.

颈(頸) jǐng (경)
명 ① 목. ② 기물의 목. ❏瓶~; 병목. ⇒gěng
[颈项] jǐngxiàng 명 목.
[颈椎] jǐngzhuī 명〖生理〗경추.

景 jǐng (경)
① (~儿) 명 경치. 풍경. ❏雪~; 설경. ② 명 상황. 형편. 정황. ❏~况; ⇩ ③ 동 흠모하다. 존경하다. ❏~仰; ⇩ ④ 명〖劇〗세트. 배경. 장면.
[景观] jǐngguān 명 경관. 풍경.
[景况] jǐngkuàng 명 형편. 상황. 사정. 정황.
[景慕] jǐngmù 동〈書〉 ⇨[景仰]
[景气] jǐngqì 명〖經〗경기. ❏~过热; 경기 과열. 형 경기가 좋다《주로, 부정형으로 쓰임》. ❏市场很不~; 시장 경기가 매우 안 좋다.
[景色] jǐngsè 명 경치. 풍경. ❏日出的~; 일출 풍경.
[景物] jǐngwù 명 경물. 풍물. 풍경. 「양상.
[景象] jǐngxiàng 명 상태. 현상.
[景仰] jǐngyǎng 동 경모하다. =[〈書〉景慕]
[景致] jǐngzhì 명 경치. 풍경. 풍광.

儆 jǐng (경)
동 타이르다. 훈계하다. ❏惩一~百; 〈成〉 일벌백계하다.
[儆戒] jǐngjiè 동 ⇨[警诫①]

警 jǐng (경)
① 동 경계하다. 경비하다. ❏~戒; ⇩ ② 형 민감하다. 예민하다. ❏机~; 기민하다. ③ 동 주의시키다. 경고하다. ❏~报; ⇩ ④

명 위급한 사건[상황]. ❑ 火~; 화재 사건.

[警报] jǐngbào 명 경보.

[警备] jǐngbèi 동 경비하다. ❑ ~森严; 경비가 삼엄하다.

[警察] jǐngchá 명 경찰. ❑ ~局; 경찰서.

[警车] jǐngchē 명 경찰차.

[警服] jǐngfú 명 경찰복.

[警告] jǐnggào 명동 ① 경고(하다). ② 경고 처분(하다).

[警官] jǐngguān 명 경관. 경찰관.

[警戒] jǐngjiè 동 ①〔軍〕 경계하다. ❑ ~线; 경계선. ② ⇨[警诫]

[警诫] jǐngjiè 동 주의를 주다. 경계하다. ❑ 事先~; 사전에 주의를 주다 / ~水位; 경계수위. =[警戒②][儆戒]

[警句] jǐngjù 명 경구.

[警觉] jǐngjué 명 경계심. 경각심. 동 민감하게 눈치 채다. 경각하다.

[警犬] jǐngquǎn 명 경찰견.

[警惕] jǐngtì 동 경계하다. 경계심을 가지다. ❑ ~性; 경각심.

[警卫] jǐngwèi 동 (무력으로) 경호하다. 경비하다. ❑ ~森严; 경호가 삼엄하다. 명 경호원. =[警卫员]

[警醒] jǐngxǐng 형 잠귀가 밝다. 동 ① 각성시키다. ② 경계하다.

[警钟] jǐngzhōng 명 경종. ❑ 敲~; 경종을 울리다.

劲(勁) jìng (경)

형 힘차다. 강하다. ❑ 外柔内~; 〈成〉 외유내강. ⇒jìn

[劲敌] jìngdí 명 강적(强敵).

[劲旅] jìnglǚ 명 ① 정예 군대. ② 강팀.

径(徑) jìng (경)

① 명 좁은 길. ② 명 〈比〉 목적 달성을 위한 길[방법]. ❑ 捷~; 첩경. 빠른 길. ③ 부 즉시. 직접. 바로. ❑ 直情~行; 다른 상황을 돌보지 않고 척척 해 나가다. ④ 명 직경. 지름.

[径赛] jìngsài 명〔體〕 트랙 경기.

[径直] jìngzhí 부 ① 곧장. 즉시. 곧바로. 그대로. ❑ 飞机~飞往北京; 비행기는 곧장 베이징으로 날아갔다. ② 직접. ❑ ~地跟对方交涉; 상대방과 직접 교섭하다.

[径自] jìngzì 부 마음대로. 멋대로. ❑ 他没等会议结束就~离去; 그는 회의가 끝나는 것을 기다리지 않고 마음대로 가 버렸다.

经(經) jìng (경)

동〔紡〕 천을 짜기 전에 방직기에 촘촘히 실을 메우고 빗질하여 날실로 만들다. ⇒jīng

胫(脛) jìng (경)

명 정강이.

[胫骨] jìnggǔ 명〔生理〕 정강이뼈. 정강뼈.

痉(痙) jìng (경)

→[痉挛]

[痉挛] jìngluán 동 경련(痙攣)을 일으키다. ❑ 胃~; 위경련.

净 jìng (정)

① 형 청결하다. 깨끗하다. ❑ ~水; ⇩ ② 동 깨끗이 닦다. ❑ 饭吃完后, 要~一~桌面儿; 식사 후에는 식탁을 깨끗이 닦아야 한다. ③ 형 남김 없다. 깨끗하다. ❑ 他把四盘菜吃~了; 그는 네 접시의 요리를 남김없이 먹어 치웠다. ④ 형 순수하다. ❑ ~重; ⇩ ⑤ 부 오로지. 그저. …만. …뿐. ❑ 口袋里~剩一块钱了; 주머니 안에 1위안만 남았다. ⑥ 부 모두. 온통. 전부. ❑ 满山遍野~是红叶; 온 산과 들이 온통 붉은 잎으로 물들다.

[净产值] jìngchǎnzhí 명〔經〕 순생산액.

[净化] jìnghuà 동 정화하다. ❑ ~空气; 공기를 정화하다.

[净尽] jìngjìn 형 하나도 남기지 않다. ❑ 消灭~; 모조리 없애다.

[净利] jìnglì 명 순이익.

[净手] jìng∥shǒu 동 ① 〈方〉 손을 씻다. ② 〈婉〉 용변을 보다.

[净水] jìngshuǐ 명 깨끗한 물. 동 정수하다. ❑ ~器; 정수기.

[净土] jìngtǔ 명 ①〔佛〕 정토. ② 오염되지 않은 곳.

[净余] jìngyú 동 (돈이나 물건이) 쓰고 남다. ❑ 这个月~了300元; 이번 달에는 300위안이 남았다.

[净重] jìngzhòng 명〔商〕 정량(正量).

静 jìng (정)

① 형 움직이지 않다. 정지되어 있다. ❑ ~止; ⇩ ② 형 조용하다. 고요하다. ❑ 教室里~~的; 교실 안이 매우 조용하다. ③ 동 조용히 하다. 안정시키다. ❑ 请大家~一~! 모두 조용히 해 주세요!

[静候] jìnghòu 동 조용히 기다리다.

[静脉] jìngmài 명〔生理〕 정맥.

[静默] jìngmò 동 ① 침묵하다. ❑ 听到这个消息, 他~了好一阵子;

이 소식을 듣고 그는 한참을 침묵했다. ② 묵념하다. ❏ ~致哀; 묵념하며 애도하다.

[静穆] jìngmù 형 정숙하다. 엄숙하다.

[静悄悄(的)] jìngqiāoqiāo(·de) 형 매우 조용한[고요한] 모양. ❏ 街上~的; 거리가 매우 조용하다.

[静物] jìngwù 명〖美〗정물. ❏ ~画; 정물화.

[静养] jìngyǎng 동 정양하다.

[静止] jìngzhǐ 동 정지하다.

[静坐] jìngzuò 동 ① 정좌하다. ② 연좌(連坐)하다.

竞(競) jìng (경) 동 경쟁하다. 시합하다.

[竞技] jìngjì 동〖體〗경기하다. 시합하다. ❏ ~场; 경기장.

[竞赛] jìngsài 동 경기하다. 시합하다. ❏ 汽车~; 자동차 경주.

[竞选] jìngxuǎn 동 경선하다. ❏ ~活动; 경선 활동.

[竞争] jìngzhēng 동 경쟁하다. ❏ ~对手; 경쟁 상대.

[竞走] jìngzǒu 명〖體〗경보.

竟 jìng (경) ① 동 끝나다. 마치다. 끝내다. ❏ 未~的事业; 미완의 사업. ② 형 처음부터 끝까지의. 전부의. 꼬박의. ❏ ~日; 온종일. ③ 부〈書〉마침내. 결국. 끝내. ❏ 有志者事~成; 뜻이 있는 사람은 결국 이루고야 만다. ④ 부 뜻밖에도. 의외로. ❏ 他~得了第一名; 그가 뜻밖에도 일등을 했다.

[竟敢] jìnggǎn 부 감히. 대담하게도. ❏ ~报告给上级; 대담하게도 상급 기관에 보고하다.

[竟然] jìngrán 부 의외로. 뜻밖에도. ❏ 问题就在眼皮底下, ~没有发现; 문제가 바로 눈앞에 있었는데도 뜻밖에 발견하지 못했다.

[竟自] jìngzì 부 뜻밖에도. 의외로. 예상과 다르게. 생각지도 않게. ❏ 群众刚刚提点意见, 他~勃然大怒; 사람들이 의견을 제시하자 그는 뜻밖에도 불같이 화를 냈다.

境 jìng (경) 명 ① 경계. 국경. ② 장소. 곳. ❏ 身临其~; 그 장소에 직접 가다. ③ 경우. 처지. 형편. ❏ 家~; 가정 형편.

[境地] jìngdì 명 ① 정황. 상황. 입장. 상태. ② ⇒[境界②]

[境界] jìngjiè 명 ① (땅의) 경계. ② 경지. ❏ 忘我的~; 무아지경. =[境地②]

[境况] jìngkuàng 명 (경제적) 형편. 상황.

[境遇] jìngyù 명 처지. 경우. 형편.

镜(鏡) jìng (경) 명 ① 거울. ② 렌즈. ❏ 凹透~; 오목 렌즈 / 望远~; 망원경.

[镜框(儿)] jìngkuàng(r) 명 액자.

[镜台] jìngtái 명 (거울 달린) 화장대. 경대.

[镜头] jìngtóu 명 ① (촬영 기기의) 렌즈. ❏ 阔角~; 광각 렌즈. ② 영화의 커트 신(cut scene). ③ 장면. 신(scene). 화면.

[镜子] jìng·zi 명 ① 거울. ②〈口〉⇒[眼镜]

靖 jìng (정) ① 형 평안하다. 평온하다. ② 동 (질서를) 안정시키다. 평정하다.

敬 jìng (경) 동 ① 존경하다. 공경하다. ❏ ~之以礼; 예의 바르게 공경하다. ② 삼가 …하다. ❏ ~请光临; 삼가 오시기를 청합니다. ③ 정중하게 드리다. 예의를 갖춰 올리다. ❏ ~酒; 술을 권하다.

[敬爱] jìng'ài 동 경애하다.

[敬称] jìngchēng 명동 경칭(하다).

[敬辞] jìngcí 명 경어. 높임말.

[敬而远之] jìng'éryuǎnzhī〈成〉경원(敬遠)하다.

[敬老院] jìnglǎoyuàn 명 ⇒[养老院]

[敬礼] jìng//lǐ 동 ① 경례하다. ❏ 举手~; 거수 경례. ②〈敬〉경백(敬白)《편지 말미에 쓰는 말》.

[敬慕] jìngmù 동 경모하다.

[敬佩] jìngpèi 동 존경하고 탄복하다. 경복하다.

[敬畏] jìngwèi 동 경외하다.

[敬仰] jìngyǎng 동 존경하여 우러러보다. 경앙하다.

[敬意] jìngyì 명 경의.

[敬重] jìngzhòng 동 공경하고 존중하다. ❏ 互相~; 서로 공경하고 존중하다.

jiong ㄐㄩㄥ

迥 jiǒng (형) 형〈書〉① 멀다. ❏ 山高路~;〈成〉산은 높고 길은 멀다. ② 차이가 많이 나다. 판이하다. ❏ ~若两

人; 마치 다른 사람 같다.
[迥然] jiǒngrán 형 차이가 매우 크다. ❑ ~不同; 전혀 다르다. 판이하다.

炯 jiǒng (형)
형〈書〉 밝다. 환하다.
[炯炯] jiǒngjiǒng 형 (주로, 눈빛이) 밝게 빛나다. 형형하다.

窘 jiǒng (군)
① 형 곤궁하다. ❑ 生活很~; 생활이 매우 어렵다. ② 형 난처하다. 곤혹하다. ❑ ~境; 곤경. ③ 동 난처하게 하다. 곤란하게 하다. ❑ 什么问题也~不住他; 어떤 문제도 그를 난처하게 하지는 못한다.
[窘况] jiǒngkuàng 명 곤란한 상황. 난처한 처지.
[窘迫] jiǒngpò 형 ① 궁박하다. 곤궁하다. ❑ 生计~; 생활이 곤궁하다. ② 곤란하다. 난처하다. ❑ 处境越来越~了; 처지가 점점 난처해지다.

jiu ㄐㄧㄡ

究 jiū (구)
① 동 깊이 추구하다. 탐구하다. 연구하다. ❑ 研~; 연구하다. ② 부〈書〉 결국. 대관절. 도대체.
[究办] jiūbàn 동 추적 조사하여 처벌하다. 죄를 밝혀 처벌하다.
[究竟] jiūjìng 명 결과. 결말. 결론. 부 ① 대체. 도대체《추궁하는 어기를 나타냄》. ❑ 你~去不去? 너 도대체 갈 거냐 안 갈 거냐? ② 결국. 필경. 어쨌든. ❑ 孩子~是孩子, 大人就不会这样做了; 아이는 결국 아이군, 어른이라면 이렇게 할 수 없었을 거야.

鸠(鳩) jiū (구)
명〔鳥〕 비둘기.

纠(糾) jiū (규)
동 ① 얽히다. 휘감기다. ② 모으다. 모이다. ❑ ~合; ⇩ ③ 교정하다. 바로잡다.
[纠察] jiūchá 동 (집회·단체 활동 따위에서) 질서를 유지하다. 규찰하다. ❑ ~队; 규찰대. 명 질서 유지를 맡은 사람.
[纠缠] jiūchán 동 ① 뒤엉키다. 뒤얽히다. ❑ 问题~不清; 문제가 뒤엉켜 분명하지 않다. ② 말썽을 일으키다. 거치적거리다. 번거롭게 하다. 귀찮게 하다.
[纠纷] jiūfēn 명 분규. 분쟁. 다툼.
[纠葛] jiūgé 명 갈등. 다툼.
[纠合] jiūhé 동〈貶〉 규합하다. ❑ ~多数; 다수를 규합하다.
[纠集] jiūjí 동〈貶〉 규합하다.
[纠结] jiūjié 동 서로 뒤엉키다. ❑ 藤蔓~; 덩굴이 뒤엉키다.
[纠偏] jiū//piān 동 치우친 것을 바로잡다. 편차를 시정하다.
[纠正] jiūzhèng 동 (행동·방법 따위에서 잘못된 점을) 교정하다. 바로잡다. 고치다. ❑ ~发音; 발음을 교정하다.

赳 jiū (규)
→[赳赳]
[赳赳] jiūjiū 형 위풍당당한 모양. 씩씩한 모양.

阄(鬮) jiū (구, 규)
(~儿) 명 제비《종이를 꼬거나 뭉친 것》.

揪 jiū (추)
동 (힘을 주어) 쥐다. 붙잡다. 잡아당기다. ❑ ~着绳子往上爬; 새끼줄을 잡고 기어오르다.
[揪辫子] jiū biàn·zi 〈比〉 꼬투리를 잡다. 약점을 잡다. ＝[抓辫子]
[揪心] jiū//xīn 형〈口〉 걱정하다. 애태우다. 마음 졸이다.

九 jiǔ (구)
① 수 아홉. 9. ② 수 다수(多數). 여러 번. ❑ 三弯~转; 〈成〉 일의 진행에 우여곡절이 많다. ③ 명 동지로부터 81일간. 또, 그 기간의 매(每) 9일간.
[九九歌] jiǔjiǔgē 명 ⇨[小九九(儿)①]
[九流三教] jiǔliú-sānjiào 〈成〉 ⇨ [三教九流]
[九牛二虎之力] jiǔ niú èr hǔ zhī lì 〈比〉 대단히 큰 힘. 많은 노력.
[九牛一毛] jiǔniú-yīmáo 〈成〉 많은 가운데 극히 적은 부분.
[九泉] jiǔquán 명 구천. 저승.
[九死一生] jiǔsǐ-yīshēng 〈成〉 구사일생.
[九天] jiǔtiān 명 구천. 높은 하늘. ❑ ~九地; 〈成〉 하늘과 땅 차이.
[九霄云外] jiǔxiāo-yúnwài 〈成〉 형체도 보이지 않을 만큼 멀다.
[九州] jiǔzhōu 명 ① 구주《전설 속의 옛 행정 구획》. ② 〈轉〉 중국.

久 jiǔ (구)
① 형 오래다. 시간이 길다. ❑ 很~以前; 아주 오래전. ② 명 (경과한) 시간. 기간. ❑ 他走了有多~了? 그가 간 지 얼마나 됐습니까?

[久别] jiǔbié 동 오랫동안 이별하다. ❑～重逢;〈成〉 오랫동안 헤어졌다 재회하다.
[久等] jiǔděng 동 오래 기다리다. ❑叫你～, 实在抱歉; 오래 기다리게 해서 정말 죄송합니다.
[久而久之] jiǔ'érjiǔzhī〈成〉오랜 시간이 지나다. 오래 지속되다.
[久久] jiǔjiǔ 부 오랫동안. 오래오래. ❑～难忘; 오랫동안 잊지 못하다.
[久留] jiǔliú 동 오랫동안 머무르다.
[久违] jiǔwéi 동〈套〉 오래간만입니다. ❑～了, 一向可好? 오래간만입니다, 그간 잘 지내셨습니까?
[久仰] jiǔyǎng 동〈套〉 존함을 익히 들어 알고 있습니다《처음 만났을 때 쓰는 말》.
[久已] jiǔyǐ 부 오래전에 이미. 진작에. ❑我～不和他通信了; 나는 오래전에 이미 그와 연락을 끊었다.
[久远] jiǔyuǎn 형 까마득하다. 멀고 오래다. ❑年代～; 연대가 까마득하다.

玖 jiǔ (구)
수 '九'의 갖은자.

灸 jiǔ (구)
동〖中醫〗뜸을 뜨다.

韭 jiǔ (구)
명〖植〗부추.
[韭菜] jiǔcài 명〖植〗부추.
[韭黄] jiǔhuáng 명〖植〗(겨울에 재배하는 연한 황색의) 부추.

酒 jiǔ (주)
명 술. ❑喝～; 술을 마시다.
[酒吧] jiǔbā 명 (서양식) 술집. 바(bar). ＝[酒吧间jiān]
[酒杯] jiǔbēi 명 술잔.
[酒菜] jiǔcài 명 ① 술과 요리. ② 술안주.
[酒厂] jiǔchǎng 명 양조장.
[酒店] jiǔdiàn 명 ① 술집. ② 호텔《주로, 호텔 이름에 쓰임》.
[酒饭] jiǔfàn 명 술과 식사.
[酒疯] jiǔfēng 명 술주정. 주사. ❑撒～; 술주정하다.
[酒馆(儿)] jiǔguǎn(r) 명 술집. 선술집. ＝[酒馆子]
[酒鬼] jiǔguǐ 명〈罵〉 술고래. 술꾼.
[酒会] jiǔhuì 명 간단한 파티.
[酒家] jiǔjiā 명 요릿집. 술집《주로, 음식점 이름에 쓰임》.
[酒精] jiǔjīng 명〖化〗 알코올(alcohol). ＝[乙醇]
[酒量] jiǔliàng 명 주량. ❑～大; 주량이 크다.
[酒令(儿)] jiǔlìng(r) 명 (술자리에서) 지는 사람이 벌주를 마시는 놀이.
[酒囊饭袋] jiǔnáng-fàndài〈成〉〈比〉 무능한 사람. 밥벌레. 식충이.
[酒钱] jiǔqián 명 ① 술값. ② 팁(tip).
[酒肉朋友] jiǔròu-péng·you〈成〉 술친구. 술벗.
[酒徒] jiǔtú 명 술꾼. 술고래.
[酒窝(儿)] jiǔwō(r) 명 보조개. ＝[酒涡wō]
[酒席] jiǔxí 명 ① 술자리의 술과 음식. ② 술자리. 술모임.
[酒兴] jiǔxìng 명 술을 마신 뒤의 흥취. 주흥.
[酒宴] jiǔyàn 명 술자리. 주연.
[酒意] jiǔyì 명 술기운. 취기.

旧(舊) jiù (구)
① 형 과거의. 옛날의. ❑～社会; 구사회 / ～时代; 구시대. ② 형 낡다. 오래되다. ❑～家具; 오래된 가구. ③ 형 이전의. 옛. ❑～上海, 人力车夫很多; 옛 상하이에서는 인력거꾼이 매우 많았다. ④ 명 오랜 친구. 오랜 교제.
[旧调重弹] jiùdiào-chóngtán〈成〉 낡은 이론이나 주장을 다시 끄집어내다. ＝[老调重弹]
[旧都] jiùdū 명 옛 도읍.
[旧观] jiùguān 명 옛 모습. 구관.
[旧货] jiùhuò 명 오래된 물건. 중고품. ❑～市场; 중고품 시장.
[旧交] jiùjiāo 명 오래된 친구.
[旧金山] Jiùjīnshān 명〖地〗 샌프란시스코(San Francisco).
[旧居] jiùjū 명 전에 살던 곳[집].
[旧历] jiùlì 명 ⇒[农历①]
[旧日] jiùrì 명 지난날. 과거. 이전.
[旧石器时代] jiù shíqì shídài〖史〗 구석기 시대.
[旧时] jiùshí 명 옛날. 예전.
[旧式] jiùshì 형 구식의. 재래식의. ❑～婚礼; 구식 혼례.
[旧事] jiùshì 명 과거의 일. 옛날 일. 지나간 일. ❑～重提;〈成〉옛날 일을 다시 들먹이다.
[旧书] jiùshū 명 ① 헌책. ② 고서(古書).
[旧习] jiùxí 명 구습.
[旧友] jiùyǒu 명 오랜 친구.
[旧账] jiùzhàng 명 ① 옛 빚. 묵은 빚. ②〈比〉 과거의 잘못[원한].
[旧址] jiùzhǐ 명 옛 주소.
[旧制] jiùzhì 명 구제도.

臼 jiù (구)
명 ① 절구. ② 절구 비슷한 것.
[臼齿] jiùchǐ 명〖生理〗어금니. =[磨mó牙②][槽cáo牙][大牙①]

舅 jiù (구)
명 ① 외삼촌. ② 처남. ③〈書〉시아버지.
[舅父] jiùfù 명 외삼촌. =[〈口〉舅舅jiù·jiu][〈方〉娘舅]
[舅母] jiù·mu 명 외숙모. =[〈口〉舅妈]
[舅子] jiù·zi 명〈口〉처남.

咎 jiù (구)
①명 잘못. 허물. 과오. ②동 나무라다. 책하다. ❑ 既往不～;〈成〉지난 일은 나무라지 않는다. ③명〈書〉화(禍). 흉사(凶事).
[咎由自取] jiùyóuzìqǔ〈成〉자신이 뿌린 씨는 자신이 거둔다.

疚 jiù (구)
동〈書〉(자신의 잘못으로 인해) 자책하다. 괴로워하다.

柩 jiù (구)
명 시체가 들어 있는 관.
[柩车] jiùchē 명 영구차.

救 jiù (구)
동 ① (재난·위험에서) 구하다. ❑ 他跑进屋去～孩子; 그는 집 안으로 뛰어 들어가 아이를 구했다. ② 구제하다. 원조하다. 도와주다. ❑ ～荒; ⇩
[救兵] jiùbīng 명 구원병. 원병.
[救国] jiù//guó 동 나라를 구하다. 구국하다. ❑ ～运动; 구국 운동.
[救护] jiùhù 동 (부상자나 응급 환자를) 치료하다. 구호하다. ❑ ～车; 앰뷸런스(ambulance). 구급차.
[救荒] jiù//huāng 동 기근을 구제하다. 구황하다.
[救活] jiùhuó 동 목숨을 살리다. 생명을 구하다.
[救火] jiù//huǒ 동 화재를 진압하다. 소화하다. ❑ ～车; 소방차 / ～队员; 소방대원.
[救急] jiù//jí 동 갑작스러운 재난에서 구하다[도와주다].
[救济] jiùjì 동 (금전이나 물자로) 구제하다. 구호하다. ❑ ～灾区; 재해 지역을 구제하다.
[救命] jiù//mìng 동 목숨을 구하다. 생명을 구조하다. ❑ ～! 사람 살려! / ～恩人; 생명의 은인.
[救生] jiùshēng 동 인명(人命)을 구하다. 구명하다. ❑ ～圈; 구명부표 / ～艇; 구명보트 / ～衣 =[～服]; 구명조끼.
[救世主] Jiùshìzhǔ 명〖宗〗구세주.
[救死扶伤] jiùsǐ-fúshāng〈成〉죽어가는 사람을 구하고 부상자를 돌보다.
[救亡] jiùwáng 동 (조국을) 멸망에서 구하다. ❑ ～图存;〈成〉조국을 위기에서 구하다.
[救险车] jiùxiǎnchē 명 구난차(救難車). 레커차(wrecker車).
[救星] jiùxīng 명〈比〉구원의 신. 구원의 손길.
[救援] jiùyuán 동 구원하다. 원호하다. ❑ ～物资; 구호 물자.
[救灾] jiù//zāi 동 ① 재해에서 구하다. ② 재해를 없애다.
[救治] jiùzhì 동 치료하여 구하다. ❑ 医生～病人; 의사가 환자를 구하다.
[救助] jiùzhù 동 구하고 원조하다. 구조하다. 구제하다. ❑ ～灾民; 이재민을 구제하다.

厩 jiù (구)
명 가축 우리. 마구간. 외양간.
[厩肥] jiùféi 명 외양간두엄. 쇠두엄. =[圈juàn肥]

就 jiù (취)
A) ①동 다가가다. 가까이 가다. ❑ ～着炉子烘衣服; 난로 가까이에서 옷을 말리다. ②동 (자리·지위에) 앉다. 취임하다. 종사하다. ❑ ～位; ⇩ ③동 …되다. …당하다. ❑ ～歼; 섬멸되다 / ～擒; 붙잡히다. ④동 이루다. 완성하다. 확정하다. ❑ 功成业～; 공을 세우고 임무를 완수하다. ⑤개 …을 이용하여. …을 틈타. ❑ ～着这个机会跟他谈谈; 이 기회를 이용하여 그와 이야기해 보다. ⑥동 곁들여 먹다. 반찬이나 술안주로 먹다. ❑ 炒鸡子儿～饭; 달걀 볶음을 반찬으로 하다. ⑦개 …에 대하여. …에 관하여. ❑ 他们～这个问题进行了讨论; 그들은 이 문제에 대해 토론을 했다. B) 부 ① 곧. 바로. 당장. ❑ 他们明天～出发; 그들은 내일 바로 출발한다. ② 이미. 벌써. ❑ 孩子不到七岁, 他的父亲～死了; 아이가 7살도 안 되었을 때에 그의 아버지는 이미 돌아가셨다. ③ …하자마자. …하기가 무섭게. ❑ 他吃了饭～走了; 그는 밥을 먹자마자 갔다. ④ 어떤 조건이나 상황 아래 어떻게 됨을 나타냄(‘只要’·‘既然’·

'要是' 따위와 호응함》. ❏只要下功夫, ~能取得好成绩; 노력을 해야만 좋은 성적을 거둘 수 있다. ⑤ 비교하여 수나 횟수가 많거나 능력이 뛰어남을 나타냄. ❏不要那么多, 我们两个~能干完; 그렇게 많은 사람은 필요 없고 우리 둘로도 충분히 할 수 있다. ⑥ 두 개의 같은 성분 사이에 놓여 용인(容忍)의 뜻을 나타냄. ❏喝~喝, 他的酒量还不如我呢! 마시면 마시는 거지, 그의 주량은 나보다도 못한 걸 뭐! ⑦ 단지. 오직. …만. …뿐. ❏我们班~她一个是女的; 우리 반에서 그녀 한 사람만 여자이다. ⑧ 결연함·굳건함을 나타냄. ❏你不让我去, 我~去; 네가 나를 못 가게 해도 나는 갈 것이다. ⑨ 바로. 꼭《사실이 바로 그러함을 나타냄》. ❏他~是我弟弟; 그가 바로 내 남동생이다. C) 접 (설사) …하더라도. ❏你~生气, 也是无益的; 네가 화를 내 봤자 아무 소용없다.

[就便(儿)] jiùbiàn(r) 부 …하는 김에. …하던 차에. ❏路过仁川时, 我~看老同学去了; 인천을 지나는 김에 나는 옛 동창을 만나러 갔다.

[就餐] jiùcān 동 (식당에 가서) 식사를 하다.

[就此] jiùcǐ 부 여기에서. 이대로. 이제. 여기까지. ❏~结束; 여기에서 끝내다.

[就地] jiùdì 부 그곳에서. 현지에서. 그 자리에서. ❏~取材; 〈成〉 현지에서 재료[자료]를 조달하다 / ~正法; 〈成〉 체포한 그 자리에서 죄인을 처형하다.

[就范] jiùfàn 동 지배와 통제에 복종하다. 규범 내에 들어가다.

[就近] jiùjìn 부 가까이. 가까이에서. 근처에서. ❏~入学; 가까운 학교로 입학하다.

[就寝] jiùqǐn 동 잠자리에 들다. 취침하다. ❏晚上十点~; 밤 10시에 잠자리에 들다.

[就任] jiùrèn 동 취임하다. ❏~总统; 대통령에 취임하다.

[就势] jiùshì 부 …하는 김에. …하면서 그대로. ❏他打开水龙头喝了一通凉水, ~洗了洗脸; 그는 수도꼭지를 틀어 찬물을 마시는 김에 세수를 했다.

[就事论事] jiùshì-lùnshì 〈成〉 사실에 입각해서 시비득실을 따지다.

[就是] jiùshì 부 ① 그래. 맞다《단독으로 쓰여 동의를 나타냄》. ❏~, ~, 我跟你的看法相同; 그래, 그래, 너와 내 생각이 같구나. ② 그저. 다만. ❏他挺聪明的, ~太贪玩儿了; 그는 무척 똑똑하긴 한데, 다만 너무 노는 데만 열중한다. 조 문장 끝에 쓰여 긍정의 뜻을 나타냄《주로, '了'와 함께 쓰임》. ❏我一定遵您的说办~了; 나는 꼭 당신의 말씀대로 하겠습니다. 접 (설사) …하더라도《주로 '也'와 호응함》. ❏~孩子病了, 她也不请假; 설사 아이가 병이 난다 하더라도 그녀는 휴가를 신청하지 않는다.

[就是说] jiùshì shuō 그것은 곧. 요컨대. 그러니까. 말하자면. ❏我的留学申请已经批准了, ~, 我要去中国北京了; 나의 유학 신청은 이미 허가를 받았는데, 말하자면 내가 중국 베이징에 간다는 것이다.

[就算] jiùsuàn 접〈口〉 설사[설령] …하더라도[일지라도]. ❏~她错了, 也该帮帮她; 설사 그녀가 틀렸더라도 그녀를 도와야 한다.

[就位] jiùwèi 동 제자리에 앉다. ❏请~; 제자리에 앉아 주십시오.

[就绪] jiùxù 동 일이 자리가 잡히다. 궤도에 오르다. ❏准备工作全部~了; 준비 작업이 모두 자리를 잡았다.

[就学] jiùxué 동 취학하다.

[就要] jiùyào 부 머지않아. 곧《문장 끝에 '了'를 씀》. ❏大邱站~到了; 곧 대구역에 도착합니다.

[就业] jiù//yè 동 취업하다. ❏~率; 취업율.

[就医] jiù//yī 동 의사의 진찰을 받다. 의사에게 치료받다. =[就诊]

[就义] jiùyì 동 정의를 위해 죽다.

[就诊] jiù//zhěn 동 ⇨[就医]

[就正] jiùzhèng 동 지적하고 바로잡아 주기를 청하다.

[就职] jiù//zhí 동 (높은 자리에) 취임하다. ❏~演说; 취임 연설.

[就座] jiù//zuò 동 자리에 앉다. =[就坐]

鹫(鷲) jiù (취)
명〔鳥〕 독수리.

ju ㄐㄩ

车(車) jū (거)
명 차《장기의 말의 하나》. ⇒chē

狙 jū (저) ① 명 고서(古書)에 나오는 원숭이의 일종. ② 동〈書〉 기회를 노리다. 「저격수.
[狙击] jūjī 동 저격하다. ❑ ~手;
疽 jū (저) 명〔中醫〕 뿌리 깊이 박힌 악성 종기.
拘 jū (구) ① 동 체포하다. 구류하다. 구금하다. ❑ ~捕; ⇩ ② 동 얽매이다. 구속되다. ❑ 不~形式; 형식에 얽매이지 않다. ③ 형 융통성이 없다. 완고하다. ❑ ~泥; ⇩ ④ 동 제한하다. ❑ 大小不~; 크기에 제한이 없다.
[拘捕] jūbǔ 동〔法〕 체포하다. ❑ ~权; 체포권.
[拘谨] jūjǐn 형 지나치게 신중하다. 고지식하고 융통성이 없다.
[拘禁] jūjìn 동〔法〕 구금하다. = [拘押]
[拘礼] jūlǐ 동 예절에 구애받다. 점잔을 빼다. 예의를 차리다.
[拘留] jūliú 동〔法〕 구류하다. ❑ ~所; 구치소 / ~证; 구류장.
[拘泥] jūnì 동 얽매이다. 고집하다. ❑ ~圣人之言; 성인의 말에 얽매이다. 형 거북하다. 어색하다.
[拘束] jūshù 동 (언행을) 구속하다. 속박하다. ❑ ~孩子的行动; 아이의 행동을 구속하다. 형 어색하다. 거북하다. 쑥스럽다.
[拘押] jūyā 동 ⇒[拘禁]
驹(駒) jū (구) 명 ① 어리고 건장한 말. ❑ 千里~; 천리마. ② (~儿) 망아지. 당나귀 새끼.
[驹子] jū·zi 명 망아지. 당나귀 새끼.
居 jū (거) ① 동 살다. 거주하다. ❑ 同~; 동거하다. ② 명 주거. 거처. 주소. ③ 동 …에 있다. …에 위치하다. …를 차지하다. ❑ ~于; ⇩ ④ 동 담당하다. 맡다. ❑ 以保护者自~; 보호자를 자처하다. ⑤ 동 쌓다. 쟁여 두다. ❑ ~积; (재물을) 축적하다. ⑥ 동〈書〉 머물다. 고정하다.
[居安思危] jū'ān-sīwēi 〈成〉 편안한 환경에서도 혹시 있을지 모르는 위험을 생각하다.
[居多] jūduō 동 다수를 차지하다. ❑ 我们厂女工~; 우리 공장은 여공이 다수를 차지한다.
[居高临下] jūgāo-línxià 〈成〉 높은 곳에서 내려다보다《유리한 위치를 차지하다》.
[居功] jūgōng 동 공로가 있다고 자처하다.
[居间] jūjiān 부 중간에서. 가운데에서. 둘 사이에서. ❑ ~调停; 중간에서 조정하다.
[居留] jūliú 동 거류하다. ❑ ~权; 거류권 / ~证; 거류증.
[居民] jūmín 명 주민. 거주민. ❑ 城镇~; 도시 거주민 / ~点; 주거 지역. 주거 밀집 지역.
[居然] jūrán 부 의외로. 뜻밖에. 뜻하지 않게. 예상외로. ❑ 我以为他不来了, 没想到他~准时来了; 나는 그가 안 올 줄 알았는데 뜻밖에도 그는 정시에 왔다.
[居室] jūshì 명 주거용의 방. 거실.
[居心] jū∥xīn 동〈貶〉 저의를 품다. 속셈이 있다. 속마음이 있다. ❑ ~叵pǒ测; 〈成〉 속셈이 음흉하여 헤아리기 어렵다.
[居于] jūyú 동 …에 있다. …을 차지하다. ❑ ~全国之首; 전국에서 1위를 차지하다.
[居中] jūzhōng 동 중간에 위치하다. 부 중간에서. 가운데에서. ❑ ~斡旋; 중간에서 알선하다.
[居住] jūzhù 동 거주하다. ❑ 在国外~多年; 국외에서 수년 간 거주하다.
据 jū (거) →[拮jié据] ⇒jù
掬 jū (국) 동〈書〉 양손으로 뜨다. ❑ 以手~水; 양손으로 물을 떠내다.
鞠 jū (국) ① 동〈書〉 양육하다. 부양하다. ② 동〈書〉 구부리다. 굽히다. ❑ ~躬; ⇩ ③ 명 옛날, 공의 일종.
[鞠躬] jū∥gōng 동 허리를 굽혀 예를 행하다. ❑ 向来宾鞠三次躬; 내빈에게 허리를 굽혀 세 번 절하다. (jūgōng) 형〈書〉 주의 깊고 신중한 모양. ❑ ~尽瘁; 〈成〉 온 힘을 다해 공헌하다.
局 jú (국) ① 명 바둑판. 장기판. ② 양 국. 판. 세트. 라운드《바둑 · 장기 및 운동 시합의 한 판 승부》. ❑ 一~棋; 장기[바둑] 한 판. ③ 명 국면. 형세. 정세. ④ 명 기관이나 조직의 한 부분. ❑ 教育~; 교육국. ⑤ 명 특정 업무를 처리하는 기관. ❑ 邮~; 우체국. ⑥ 명 기량. 재덕.

⑦ 명 연회. 모임. ⑧ 명 함정. 술책. 계략. ⑨ 명 일부 상점의 명칭. ❏ 书~; 서점. ⑩ 동 구속하다. 억누르다. ❏ ~限; ⇩ ⑪ 명 부분. ❏ ~部; ⇩

[局部] júbù 명 국부. 일부.

[局促] júcù 형 ① 협소하다. 비좁다. ❏ 房间太~; 방이 너무 비좁다. ②〈方〉(시간적으로) 여유가 없다. 촉박하다. ❏ 时间太~; 시간이 너무 촉박하다. ③ 거북하다. 어색하다. ❏ ~不安; 〈成〉 어색하고 불안하다.

[局面] júmiàn 명 ① 국면. 형편. 정세. 상태. ❏ 打开~; 국면을 타개하다. ②〈方〉 규모.

[局势] júshì 명 (정치·군사상의) 정황. 정세. 상태. 「삼자.

[局外人] júwàirén 명 국외자. 제

[局限] júxiàn 동 국한하다. 한정하다. ❏ 他的活动范围不仅仅~在国内; 그의 활동 범위는 국내에만 국한된 것은 아니다.

桔 jú (길)

'橘jú' 의 속자(俗字). ⇒jié

菊 jú (국)

명〔植〕 국화.

[菊花] júhuā 명〔植〕 국화. 국화꽃. =[黄花①]

橘 jú (귤)

명〔植〕 귤나무. =[橘子树]

[橘红] júhóng 명〔中醫〕 귤 따위의 껍질을 말린 것. 형 오렌지색을 띠다. 등색(橙色)을 띠다.

[橘黄] júhuáng 형 귤색을 띠다.

[橘汁] júzhī 명 오렌지 주스.

[橘子] jú·zi 명 ①〔植〕 귤나무. ② 귤.

沮 jǔ (저)

동 의기소침하다. 기가 죽다.

[沮丧] jǔsàng 형 기가 꺾이다. 실망하다. 동 기를 꺾다. 실망시키다. ❏ 这几年的艰苦生活, ~了我的勇气; 최근 몇 년간의 힘든 생활로 내 용기가 꺾여 버렸다.

咀 jǔ (저)

동 (입 안에 넣어) 씹다.

[咀嚼] jǔjué 동 ① (음식물을) 씹다. ②〈比〉(의미를) 음미하다. 되새기다. ❏ 反复~他所说的话; 그가 한 말을 반복해서 되새기다.

龃(齟) jǔ (서)

→[龃龉]

[龃龉] jǔyǔ 동〈書〉 위아래 치아가 서로 맞지 않다. 〈比〉 의견이 충돌하다.

矩 jǔ (구)

명 ① 곡척(曲尺). 곱자. ② 법칙. 규칙.

[矩尺] jǔchǐ 명 ⇨[曲qū尺]

[矩形] jǔxíng 명〔數〕 장방형. 직사각형. =[长方形]

举(舉) jǔ (거)

① 동 들어 올리다. 치켜들다. ❏ ~哑铃; 아령을 들다. ② 명 행동. 행위. 거동. ③ 동 일으키다. 일어나다. ❏ ~义; 의병을 일으키다. ④ 동〈書〉(아이를) 낳다. ❏ ~一男; 사내아이 하나를 낳다. ⑤ 동 선거하다. 추천하다. ❏ 大家~他当组长; 모두가 그를 팀장으로 추천했다. ⑥ 동 제시하다. 열거하다. ❏ ~不胜举; 〈成〉 일일이 열거할 수 없이 많다. ⑦ 형〈書〉 전. 모든. 전부의. ❏ ~国; ⇩

[举办] jǔbàn 동 ① 개최하다. 거행하다. ❏ ~绘画展览; 회화전을 개최하다. ② 개설하다. ❏ ~训练班; 훈련반을 개설하다.

[举步] jǔbù 동〈書〉 발을 내딛다. 보행하다. ❏ ~维艰; 〈成〉 일을 발전시켜 나가는 것이 쉽지 않다.

[举措] jǔcuò 명 조치(措置). 움직임. ❏ 新~; 새로운 조치.

[举动] jǔdòng 명 거동. 행동. 움직임. 동작. 행동거지.

[举发] jǔfā 동 (악인·악행을) 적발하다. 고발하다. 폭로하다.

[举国] jǔguó 명 온 나라. 거국.

[举荐] jǔjiàn 동 천거하다. 추천하다. ❏ ~人才; 인재를 추천하다.

[举例] jǔ//lì 동 예를 들다. ❏ ~论证; 예를 들어 논증하다.

[举目] jǔmù 동〈書〉 눈을 들어 보다. ❏ ~无亲; 〈成〉 주변에 육친이라고는 전혀 없다.

[举棋不定] jǔqí-bùdìng 〈成〉 바둑알을 손에 들고 놓지 못하다《망설이며 결단을 내리지 못하다》.

[举世] jǔshì 명 온 천하. 온 세상. 전 세계. ❏ ~闻名; 〈成〉 온 천하에 이름을 떨치다 / ~无双; 〈成〉 천하무쌍하다.

[举手] jǔ//shǒu 동 손을 들다. 거수하다. ❏ ~表决; 거수로 표결하다 / ~礼; 거수경례.

[举行] jǔxíng 동 거행하다. 실시하다. 열다. ❏ ~婚礼; 혼례를 거행하다 / ~比赛; 시합을 열다.

[举一反三] jǔyī-fǎnsān 〈成〉 한

가지로 여러 가지를 유추하다.
[举止] jǔzhǐ 명 행동거지. 거동.
[举重] jǔzhòng 명〖體〗역도.
[举足轻重] jǔzú-qīngzhòng 〈成〉 (처한 자리·지위가 중요하여) 일거수일투족이 전체에 영향을 미치다.

巨 jù (거)
형 크다. 거대하다.
[巨变] jùbiàn 명 거대한 변화.
[巨大] jùdà 형 (규모·수량이) 거대하다. 막대하다. ❏~的财产; 막대한 재산.
[巨额] jù'é 형 거액의. ❏~资金; 거액의 자금.
[巨富] jùfù 명 거부. 갑부. 형 매우 부유하다.
[巨匠] jùjiàng 명 거장.
[巨款] jùkuǎn 명 거액의 돈. 거액.
[巨人] jùrén 명 ① 거인. ②〈比〉 위대한 인물. 위인.
[巨头] jùtóu 명 (정치·경제계의) 거두. ❏金融~; 금융 거두.
[巨细] jùxì 명 대소(大小). 큰일과 작은 일. ❏事无~; 〈成〉 일에 대소(大小)를 가리지 않다.
[巨星] jùxīng 명 ①〖天〗거성. ②〈比〉 거성. 큰 인물.
[巨著] jùzhù 명 대저(大著). 대작(大作). 거작(巨作).

苣 jù (거)
→[莴wō苣]

拒 jù (거)
동 ① 막다. 저항하다. ❏~敌; 적을 막다. ② 거절하다. 거부하다. ❏~不受贿; 뇌물을 거절하다.
[拒捕] jùbǔ 동 체포에 저항하다.
[拒付] jùfù 동〖經〗(어음 따위의) 지급을 거절하다.
[拒绝] jùjué 동 거절하다. 퇴짜 놓다. 거부하다. ❏他~了我的建议; 그는 나의 건의를 거절했다.

炬 jù (거)
명 횃불.

距 jù (거)
① 명 거리. 간격. ② 동 (시간상·거리상으로) 떨어지다. 사이를 두다. ❏这里~西安有三百公里; 이곳은 시안에서 300km 떨어져 있다.
[距离] jùlí 명 거리. 간격. 동 (시간·거리상으로) 떨어지다. 사이를 두다. ❏我住的地方~学校有十五公里; 내가 사는 곳은 학교로부터 15km 떨어져 있다.

句 jù (구)
① 명〖言〗구. 문장. ② 양 마디. 편(《말·글을 세는 말》). ❏说几~话; 말을 몇 마디 하다.
[句点] jùdiǎn 명 ⇨[句号]
[句法] jùfǎ 명〖言〗① 문장(文章)의 구성 방식. ② 문장법.
[句号] jùhào 명〖言〗마침표. 온점(《.》). 고리점(《。》). =[句点]
[句子] jù·zi 명〖言〗문장. ❏~成分; 문장 성분.

具 jù (구)
① 명 기구. 용구. 도구. ② 양〈書〉 관(棺)·시체·기물을 세는 말. ❏一~尸体; 시체 한 구. ③ 동 갖추다. 지니다. 구비하다. ❏别~一格; 〈成〉 독특한 풍격을 지니다. ④ 동〈書〉 준비하다. ❏敬~菲酌; 변변치 않은 음식을 준비했습니다.
[具备] jùbèi 동 구비하다. 갖추다. ❏~条件; 조건을 갖추다.
[具名] jù//míng 동 서명하다.
[具体] jùtǐ 형 ① 구체적이다. ❏他讲得非常~; 그의 말은 매우 구체적이다. ② 특정의. 구체적인. 실제의. ❏这项工作要有一个~人负责; 이 일은 어떤 특정한 한 사람이 맡아야 한다. 동 구체화하다(《뒤에 '到'를 수반함》).
[具体而微] jùtǐ'érwēi 명〈成〉 내용은 대충 갖추었으나 규모가 작다.
[具有] jùyǒu 동 (주로, 추상적인 것을) 가지다. 지니다. 구비하다. ❏~潜力; 잠재력을 지니다.

俱 jù (구)
부〈書〉 전부. 모두. 다. ❏父母~存; 양친이 다 살아 계시다.
[俱乐部] jùlèbù 명〈音〉 클럽(club) (《단체나 장소》).
[俱全] jùquán 형 모두 구비되다. 다 갖추다. ❏一应~; 〈成〉 모두 다 갖추다.

惧(懼) jù (구)
동 겁내다. 두려워하다. ❏临危不~; 〈成〉 위기가 닥쳐도 두려워하지 않다.
[惧内] jùnèi 동〈書〉 아내를 무서워하다.
[惧怕] jùpà 동 두려워하다. 무서워하다. ❏~危险; 위험을 두려워하다.

飓(颶) jù (구)
→[飓风]
[飓风] jùfēng 명〖氣〗① 허리케인(hurricane). ② 싹쓸바람.

剧(劇) jù (극)
① 명 연극. 극. ❏喜~; 희극. ② 형 심하다. 격하다.

격렬하다. ❑ ~变; ⇩
[剧本] jùběn 명 극본.
[剧变] jùbiàn 동 격변하다. 급변하다. ❑ 情况~; 상황이 급변하다.
[剧场] jùchǎng 명 극장.
[剧烈] jùliè 형 극렬하다. 격렬하다. 심하다. ❑ 车身~地抖动; 차체가 심하게 흔들리다 / ~运动; 격렬한 운동.
[剧目] jùmù 명 연극의 예제(藝題). 레퍼토리.
[剧情] jùqíng 명 극의 줄거리.
[剧痛] jùtòng 명 심한 통증[고통].
[剧团] jùtuán 명 극단.
[剧院] jùyuàn 명 ① 극장. ② 극단《극단의 명칭에 쓰임》.
[剧照] jùzhào 명 연극·영화의 스틸(still).

据(據) jù (거)
① 동 점거하다. ❑ ~为己有; 〈成〉 점거하여 자신의 것으로 하다. ② 동 의지하다. 기대다. ❑ ~险固守; 험준한 곳을 의지하여 굳게 지키다. ③ 개 …에 따르면[의하면]. ❑ ~报道; 보도에 따르면 / ~实报告; 사실대로 보고하다. ④ 명 증거. ❑ 论~; 논거. ⇒ jū
[据点] jùdiǎn 명 (전투의) 거점.
[据理力争] jùlǐ-lìzhēng 〈成〉 이치에 근거하여 강력히 밀어붙이다.
[据守] jùshǒu 동 버티어 지키다. ❑ ~要塞; 요새를 지키다.
[据说] jùshuō 동 듣자 하니[들리는 바에 의하면] …라고 한다. ❑ ~你要举办集邮展览, 是吗? 듣자 하니 우표 수집 전람회를 개최하려 하신다던데 그렇습니까?

锯(鋸) jù (거)
① 명 톱. ② 동 톱으로 켜다. 톱질하다. ❑ ~木头; 나무토막을 톱으로 자르다.
[锯齿(儿)] jùchǐ(r) 명 톱니.
[锯床] jùchuáng 명〖機〗 기계톱.
[锯末] jùmò 명 톱밥.
[锯子] jù·zi 명 톱.

踞 jù (거)
동 ① 웅크리다. 쭈그려 앉다. ❑ 虎~龙盘; 〈成〉 호랑이가 웅크리고 용이 몸을 서리다《지세(地勢)가 험한 모양》. ② 점거하다. ❑ 盘~; 불법으로 점거하다.

聚 jù (취)
동 모이다. 모으다. ❑ ~了多少人? 몇 사람이나 모였느냐?
[聚宝盆] jùbǎopén 명 ① 금은보화가 얼마든지 나온다는 전설상의 단지. 화수분. ② 〈比〉 자원(資源)이 풍부한 곳.
[聚变] jùbiàn 동〖物〗 핵융합하다.
[聚餐] jù//cān 동 회식(會食)하다. =[会餐]
[聚光灯] jùguāngdēng 명 스포트라이트(spotlight).
[聚合] jùhé 동 ① 함께 모이다. 한 곳에 모으다. ②〖化〗 중합하다.
[聚会] jùhuì 동 집합하다. 회합하다. 명 회합. 모임.
[聚积] jùjī 동 조금씩 모으다. 비축하다. 축적하다.
[聚集] jùjí 동 모이다. 모으다. ❑ ~材料; 자료를 모으다.
[聚精会神] jùjīng-huìshén 〈成〉 정신을 집중하다. 열중하다.
[聚居] jùjū 동 한곳에 모여 살다. 집거(集居)하다. ❑ 这里~着几千户渔民; 이곳에는 몇천 가구의 어민들이 모여 살고 있다.
[聚敛] jùliǎn 동 수탈(收奪)하다. ❑ ~财物; 재물을 수탈하다.
[聚拢] jùlǒng 동 한군데에 모이다. ❑ 从四面八方~到这里; 사방팔방에서 이곳으로 모이다.
[聚落] jùluò 명 취락. 촌락.
[聚齐] jù//qí 동 (약속 장소에) 모이다. 집합하다.
[聚沙成塔] jùshā-chéngtǎ 〈成〉 티끌 모아 태산.

遽 jù (거)
부 급히. 서둘러. 황급히. ❑ 言毕~行; 말을 끝내고 서둘러 가다.
[遽然] jùrán 부〈書〉 갑자기. ❑ ~倒dǎo在地下; 갑자기 바닥에 쓰러지다.

juan ㄐㄩㄢ

涓 juān (연)
명〈書〉 가는 물줄기.
[涓涓] juānjuān 형〈書〉 가는 물줄기가 졸졸 흐르는 모양.

捐 juān (연)
① 동 내던지다. 바치다. 희생하다. ❑ ~生; 목숨을 바치다. ② 동 재물로 원조하다. 기부하다. ❑ 募~; 모금하다. ③ 명 세금.
[捐款] juān//kuǎn 동 돈을 기부하다. 기부금을 내다. (juānkuǎn) 명 기부금. 모금.
[捐弃] juānqì 동〈書〉 버리다. 포

기하다. ❏ ~前嫌; 과거의 원한을 버리다.
[捐躯] juānqū 동 (숭고한 일에) 생명을 바치다. ❏ 为国~; 나라를 위하여 목숨을 바치다.
[捐税] juānshuì 명 세금.
[捐献] juānxiàn 동 헌납하다. 기부하다. ❏ 把全部积蓄~给家乡; 총 저축액을 고향에 기부하다.
[捐赠] juānzèng 동 (물건을) 기증하다. ❏ ~文物; 문화재를 기증하다.
[捐助] juānzhù 동 재물을 기부하여 원조하다. ❏ ~失学儿童; 학업을 포기한 아동을 원조하다.
娟 juān (견, 연) 형〈書〉 아름답다. 곱다.
[娟秀] juānxiù 형〈書〉 아름답다. 수려하다.
鹃(鵑) juān (견) →[杜dù鹃]
圈 juān (권) 동 ① (가축을 우리 따위에) 가두다. ❏ 把小鸡~起来; 병아리를 닭장에 넣다. ② 가두다. 감금하다. ❏ 把他~在家里; 그를 집 안에 가두다. ⇒juàn quān
镌(鎸) juān (전) 동〈書〉 조각하다.
[镌刻] juānkè 동 조각하다. 새기다. ❏ ~图章; 도장을 새기다.
卷(捲) juǎn (권) ① 동 (둥글게) 말다. 감다. 걷다. ❏ 把袖子~起来; 소매를 걷어 붙이다. ② 동 (큰 힘으로) 말아 올리다. 휩쓸다. 휘감다. 휘말다. ❏ 他也被那件事~了进去; 그도 그 사건에 휘말려 들어갔다. ③ (~儿) 명 원통형의 물건. 둘둘 만 것. ❏ 胶~; 롤 필름(roll film). ④ (~儿) 명 밀가루 반죽을 얇게 밀어 둘둘 말아서 쪄 낸 음식. ⑤ (~儿) 양 둘둘 만 것을 세는 말. ❏ 两~儿卫生纸; (두루마리) 화장지 두 개. ⇒juàn
[卷尺] juǎnchǐ 명 권척. 줄자.
[卷发] juǎnfà 명 곱슬곱슬하게 만 머리. 컬(curl)한 머리. 파마 머리.
[卷铺盖] juǎn pū·gai 짐을 싸다. 해고당하다. 직장을 떠나다.
[卷入] juǎnrù 동 말려들다. 휘말리다. ❏ ~一场纠纷; 분규에 휘말리다.
[卷舌音] juǎnshéyīn 명〔言〕 권설음.
[卷逃] juǎntáo 동 (내부인이) 재물을 가지고 도망치다. ❏ 那个会计昨天~了; 그 회계원은 어제 돈을 갖고 도망쳤다.
[卷土重来] juǎntǔ-chónglái 〈成〉 권토중래《재기(再起)를 도모하다》.
[卷烟] juǎnyān 명 ① ⇨[香烟②] ② ⇨[雪茄]
[卷子] juǎn·zi 명 밀가루 반죽을 얇게 밀어서 둘둘 말아 쪄 낸 식품. ⇒juàn·zi
卷 juàn (권) ① 명 서적. 책. ② 양 권《서적의 각 편(篇)의 수(數)》. ❏ 上~; 상권 / 下~; 하권. ③ (~儿) 명 답안지. ❏ 交~儿; 답안지를 내다. ④ 명 보존 서류. 문서. ⇒juǎn
[卷轴] juànzhóu 명〈書〉 권축. 두루마리.
[卷子] juàn·zi 명 답안지. 답안. ❏ 交~; 답안을 제출하다. ⇒juǎn·zi
[卷宗] juànzōng 명 ① (관청의 보존용) 서류. ② 파일(file). 서류철.
倦 juàn (권) ① 형 피로하다. 피곤하다. 나른하다. ② 동 싫증 나다. 물리다. 질리다. ❏ 诲人不~; 〈成〉 싫증 내지 않고 열심히 가르치다.
圈 juàn (권) 명 가축의 우리. ⇒juān quān
[圈肥] juànféi 명 ⇨[厩jiù肥]
眷 juàn (권) ① 명 친족. 가족. ② 동〈書〉 관심을 갖다. 그리워하다.
[眷顾] juàngù 동〈書〉 관심을 갖고 돌보다.
[眷恋] juànliàn 동〈書〉 (사람이나 장소에) 미련이 남다. 그리워하다.
[眷念] juànniàn 동〈書〉 마음에 두다. 그리워하다.
[眷属] juànshǔ 명 가족. 친척. 권속.
绢(絹) juàn (견) 명 견. 견직물. 비단.
[绢本] juànběn 명 견본(絹本)《서화를 그린 깁 바탕》.
[绢丝] juànsī 명〔紡〕 견사.
[绢子] juàn·zi 명〈方〉 ⇨[手绢(儿)]
隽 juàn (전) →[隽永]
[隽永] juànyǒng 형〈書〉 (시문(詩文)·말이) 의미심장하다.

jue ㄐㄩㄝ

撅 juē (궐) 동 ① 치켜들다. 치켜세우다.

❏～尾巴; 꼬리를 치켜들다. ②(화나거나 불쾌하여) 입을 삐쭉 내밀다. ❏～嘴; 입을 삐죽이다. ③〈口〉 난처하게 하다. 무안하게 하다. ❏故意～人; 고의로 사람을 난처하게 만들다. ④〈口〉 꺾다. 부러뜨리다. ❏把竿子～断了; 장대를 부러뜨렸다.

孓 jué (궐)
→[孑jié孓]

决 jué (결)
①동 정하다. 결정하다. ❏犹豫不～; 〈成〉 망설이며 결정하지 못하다. ②부 결코. 절대로《부정사의 앞에 놓임》. ❏～不让步; 절대 양보하지 않다. ③동 승패를 정하다. ❏一～高下; 일거에 우열을 결정하다. ④동 사형을 집행하다. ❏绞～; 교수형에 처하다. ⑤동 (제방이) 터지다. ❏～口; ⇓

[决策] juécè 동 책략·방법을 결정하다. 명 결정된 책략[방법].

[决雌雄] jué cíxióng 자웅을 겨루다. 승패를 정하다.

[决定] juédìng 동 ①정하다. 결정하다. ❏这事由你～; 이 일은 네가 결정해라 / ～权; 결정권. ②결정짓게 하다. 좌우하다. ❏思想～人的行动; 생각은 인간의 행동을 결정짓는다. 명 결정.

[决定性] juédìngxìng 명 결정적. ❏～的胜利; 결정적인 승리.

[决斗] juédòu 동 결투하다.

[决断] juéduàn 동 결단을 내리다. ❏我没有实践过, 所以～不了; 나는 실천해 보지 않았기 때문에 결단을 내릴 수 없다. 명 결단력.

[决计] juéjì 부 반드시. 꼭. 틀림없이. ❏坚持下去, ～能成功; 계속 고수해 나가면 틀림없이 성공할 것이다. 동 결심하다. 마음먹다. ❏他～离开这里; 그는 이곳을 떠나기로 결심했다.

[决绝] juéjué 동 관계를 끊다. 결별하다. 형 단호하다. 결연하다. ❏态度～; 태도가 결연하다.

[决口] jué//kǒu 동 제방이 터지다.

[决裂] juéliè 동 (회의·담판 따위가) 결렬되다. (감정·관계 따위가) 깨지다. ❏从此两人关系～, 再无来往; 이때부터 두 사람의 관계가 깨져서 다시는 왕래하지 않았다.

[决然] juérán 부〈書〉 ①결연하게. 확고하게. 단호하게. ②결코. 절대.

[决赛] juésài 명동 결승(을 하다). 결승전(을 하다).

[决胜] juéshèng 동 마지막 승자가 정해지다. 승부가 결정되다.

[决死] juésǐ 형 결사적인. 필사적인. ❏～的斗争; 필사의 투쟁.

[决算] juésuàn 명동 결산(하다).

[决心] juéxīn 명동 결심(하다). 결의(하다). ❏下～; 결심하다 / ～书; 결의서.

[决议] juéyì 명 결의.

[决意] juéyì 동 생각을 정하다. 결심하다. ❏～出国留学; 유학을 떠나기로 결심하다.

[决战] juézhàn 동 결전하다.

诀(訣) jué (결)
①명 사물의 중요 부분을 간추려 음조(音調)가 좋고 외기 쉽게 나열한 어구(語句). ②명 비결. 비법. ③동 헤어지다. 이별하다. ❏～别; ⇓

[诀别] juébié 동 결별하다. 이별하다.

[诀窍(儿)] juéqiào(r) 명 비결. 비법. 요령.

抉 jué (결)
동〈書〉 가려내다. 선택하다. 골라내다.

[抉择] juézé 동 선택하다. 택하다. ❏顽抗还是投降, 必须马上～; 저항할지 투항할지 빨리 선택해야 한다.

角 jué (각)
A) (～儿) 명 ①배역(配役). 역할. ②배우. 연기자. ③역할 분담. **B)** ①동 경쟁하다. 겨루다. ❏～力; ⇓ ②명〔樂〕 각《옛날, 오음(五音)의 하나》. ⇒jiǎo

[角斗] juédòu 동 격투기 시합을 하다. ❏～场; 격투기 경기장.

[角力] juélì 동 힘을 겨루다.

[角色] juésè 명 ①〔劇〕 역(役). 역할. 배역. ❏主要～; 주요 배역. ②〈比〉 (어떤 유형의) 인물.

[角逐] juézhú 동 ①무력으로 겨루다. 힘을 겨루다. ❏军阀互相～; 군벌이 서로 힘을 겨루다. ②승패를 겨루다. 각축하다.

绝(絶) jué (절)
①동 끊다. 단절하다. ❏赞不～口; 〈成〉 칭찬이 끊이지 않다. ②동 다 …하다. 모조리 …하다. 깡그리 …하다. ❏斩尽杀～; 깡그리 죽이다. ③형 막힌. 막다른. ❏～壁; ⇓ ④동 호흡이 멈추다. 죽다. ❏气～; 숨이 끊어지다. ⑤형 비할 데가 없다. 둘도 없다.

❏ ~技; ⇓ ⑥ 부 극히. 매우. ❏ ~好; 매우 좋다. ⑦ 부 결코. 절대로《뒤에 부정사를 수반함》. ❏ ~无此意; 결코 그런 뜻은 없었다. ⑧ 명 절구(絕句).

[绝版] jué∥bǎn 동 절판되다.

[绝笔] juébǐ 명 절필《생전의 마지막 글이나 필적》.

[绝壁] juébì 명 절벽.

[绝唱] juéchàng 명 절창《더할 나위 없이 뛰어난 시문(詩文)》.

[绝代] juédài 동〈書〉당대에 견줄 만한 것이 없다. 절대하다. ❏ ~佳人; 〈成〉 절대가인.

[绝倒] juédǎo 동〈書〉① 포복절도하다. ② 대단히 경복(敬服)하다.

[绝顶] juédǐng 명〈書〉 산의 최고봉. 절정. 부 매우. 대단히. 극도로. ❏ ~鲜艳; 대단히 아름답다.

[绝对] juéduì 형 ① 절대적이다. 아무런 조건[제한]도 없다. ❏ ~服从; 절대 복종하다. ② 절대의. 한가지 조건만을 근거로 둔. ❏ ~温度; 절대 온도 / ~值; 절대치. 부 ① 반드시. 틀림없이. ❏ 司机酒后开车, ~要出事; 기사가 음주 운전을 하니 틀림없이 사고가 생길 것이다. ② 절대. 결코. ❏ 那个人~不是他弟弟; 그 사람은 절대 그의 동생이 아니다. ③ 매우. 가장. ❏ 出发时间~准确; 출발 시간이 매우 정확하다.

[绝后] jué∥hòu 동 ① 후사(後嗣)가 없다. 대가 끊기다. ② 앞으로 다시는 없다. ❏ 空前~; 〈成〉 공전절후. 전무후무.

[绝技] juéjì 명 특기. 뛰어난 기술.

[绝迹] jué∥jì 동 자취를 감추다. 완전히 없어지다. ❏ 这种动物在地球上几乎~了; 이런 동물은 지구상에서 거의 자취를 감추었다.

[绝交] jué∥jiāo 동 (친구나 국가간에) 절교하다. 단교하다. ❏ 两国宣布~; 양국이 단교를 선포하다.

[绝经] juéjīng 동〖生理〗(생식 기능이 쇠퇴하여) 폐경(閉經)하다.

[绝境] juéjìng 명 ①〈書〉 세속을 떠난 경지(境地). ② 절망의 상태.

[绝句] juéjù 명 절구《옛날, 시(詩)의 한 형식》.

[绝口] juékǒu 동 입을 다물다《'不' 뒤에서만 쓰임》. ❏ 骂不~; 욕설을 마구 퍼붓다. 부 입을 다물고. ❏ ~不提; 입을 다물고 아무 말도 안 하다.

[绝路] juélù 명 막다른 길. 막힌 길. (jué∥lù) 동 길을 끊다. 길이 막히다.

[绝伦] juélún 동〈書〉 절륜하다. 비할 바가 없다. 탁월하다. ❏ 聪颖~; 비할 바 없이 총명하다.

[绝密] juémì 형 극비의. ❏ ~计划; 극비 계획.

[绝妙] juémiào 형 절묘하다. ❏ ~的技艺; 절묘한 기술.

[绝命书] juémìngshū 명 (자살한 사람의) 유서.

[绝食] jué∥shí 동 단식하다. ❏ ~斗争; 단식 투쟁.

[绝望] jué∥wàng 동 절망하다. ❏ 他身患重病, 但并不~; 그는 중병에 걸렸지만 절망하지 않는다.

[绝无仅有] juéwú-jǐnyǒu 〈成〉 극히 적다. 거의 없다.

[绝艺] juéyì 명 뛰어난 기예.

[绝育] jué∥yù 동〖醫〗불임(不妊) 수술을 하다.

[绝缘] juéyuán 동 ① 인연을 끊다. 접촉을 끊다. ②〖電〗 절연하다. ❏ ~体; 절연체.

[绝招(儿)] juézhāo(r) 명 ① 절기. 뛰어난 재주. ② 절묘한 계책[수단]. ‖ =[绝着(儿)②]

[绝着(儿)] juézhāo(r) 명 ① (바둑·장기의) 묘수. ② ⇒[绝招(儿)]

[绝症] juézhèng 명 불치병.

[绝种] jué∥zhǒng 동 멸종하다. =[灭种②]

觉(覺) jué (각)

① 명 (감각 기관의) 느낌. 감각. ❏ 视~; 시각. ② 동 느끼다. 감지하다. ❏ ~着有点儿发烧; 열이 좀 있는 것이 느껴지다. ③ 동 (잠에서) 깨다. ④ 동 자각하다. 깨닫다. ❏ 自~; 자각하다. ⇒jiào

[觉察] juéchá 동 느끼다. 눈치 채다. 알아차리다. 감지하다. ❏ 他~到了死期已到; 그는 임종이 온 것을 알아차렸다.

[觉得] jué·de 동 ① …라고 느끼다. ❏ 我~对不起他; 나는 그에게 미안함을 느꼈다. ② …라고 생각하다. …라고 보다. ❏ 你~怎么样? 네가 보기엔 어떠니?

[觉悟] juéwù 동 깨닫다. 각성하다. ❏ ~到植树造林的重要性; 식수 조림의 중요성을 깨닫다. 명 (정치적인) 의식. 각성.

[觉醒] juéxǐng 동 각성하다. ❏ 促使当局~; 당국의 각성을 촉구하다.

倔 jué (굴)

형 뜻은 '倔juè'와 같고, 아래

의 경우에만 이렇게 발음함. ⇒juè
[倔强] juéjiàng 형 고집이 세다. 고집스럽다.

掘 jué (굴)
동 파다. ❏~井; 우물을 파다.

崛 jué (굴)
동〈書〉우뚝 솟다.
[崛起] juéqǐ 동〈書〉① (산봉우리 따위가) 우뚝 솟다. ② 흥기하다.

厥 jué (궐)
① 동 인사불성이 되다. 기절하다. 졸도하다. ❏昏~; 혼절하다. ② 대〈書〉그. 그것. ❏~父; 그의 아버지.

蕨 jué (궐)
명〔植〕고사리.
[蕨菜] juécài 명 고사리《식용하는 고사리의 어린 잎》.

獗 jué (궐)
→[猖chāng獗]

橛 jué (궐)
명 (~儿) 짧은 말뚝. 쐐기.
[橛子] jué·zi 명 짧은 말뚝. 쐐기.

蹶 jué (궐)
동 ① 엎어지다. 넘어지다. ②〈比〉실패하다. 좌절하다.

谲(譎) jué (휼)
〈書〉① 동 속이다. 거짓말하다. ❏正而不~;〈成〉바르고 거짓말을 하지 않다. ② 형 기괴하다. 괴이하다.
[谲诈] juézhà 형〈書〉교활하다.

爵 jué (작)
명 ① 작위. ❏公~; 공작. ② 옛날, 세 발 달린 술그릇.
[爵士舞] juéshìwǔ 명〔舞〕〈音〉재즈 댄스.
[爵士乐] juéshìyuè 명〔樂〕〈音〉재즈(jazz).
[爵位] juéwèi 명 작위.

嚼 jué (작)
뜻은 '嚼jiáo'와 같고 몇몇의 복합어와 성어에서만 이렇게 발음함. ⇒jiáo jiào

矍 jué (확)
형〈書〉깜짝 놀라 보는 모양.
[矍铄] juéshuò 형〈書〉(노인이) 정정하다. 원기 왕성하다.

攫 jué (확)
동 움켜잡다. 채다. 빼앗다. ❏老鹰~兔; 매가 토끼를 움켜잡다.
[攫取] juéqǔ 동 빼앗다. 강탈하다. ❏~特权; 특권을 빼앗다.

倔 juè (굴)
형 (태도가) 딱딱하다. 무뚝뚝하다. 퉁명스럽다. ⇒jué
[倔头倔脑] juètóu-juènǎo〈成〉무뚝뚝한 모양. 퉁명스러운 모양.

jun ㄐㄩㄣ

军(軍) jūn (군)
명〔軍〕① 군대. ② 군단《군대 편제 단위》.
[军备] jūnbèi 명 군비. ❏扩充~; 군비를 확충하다.
[军队] jūnduì 명 군대.
[军阀] jūnfá 명 군벌.
[军法] jūnfǎ 명 군법.
[军费] jūnfèi 명 군사비.
[军服] jūnfú 명 군복.
[军港] jūngǎng 명 군사 항구.
[军歌] jūngē 명 군가.
[军工] jūngōng 명 ① 군수 산업. 방위 산업. ② 군사 시설 공사.
[军官] jūnguān 명 장교. 사관.
[军号] jūnhào 명 군용 나팔.
[军火] jūnhuǒ 명 무기의 총칭. ❏~商; 무기상.
[军机] jūnjī 명 ① 군사 계획. 군사적 책략. ② 군사 기밀.
[军籍] jūnjí 명 ① 군적. ②〈轉〉군인의 신분.
[军纪] jūnjì 명 군대의 규율. 군기.
[军舰] jūnjiàn 명 군함. =[兵舰]
[军力] jūnlì 명 병력. 군사력.
[军粮] jūnliáng 명 군량.
[军龄] jūnlíng 명 군대 복무 연한.
[军令] jūnlìng 명 군령. 군사 명령.
[军马] jūnmǎ 명 군마.
[军民] jūnmín 명 군과 국민.
[军品] jūnpǐn 명 군용품.
[军旗] jūnqí 명 군기(軍旗).
[军情] jūnqíng 명 군정.
[军区] jūnqū 명 군관구(軍管區).
[军犬] jūnquǎn 명 군용견. 군견.
[军人] jūnrén 명 군인.
[军容] jūnróng 명 군용. ❏整饬~; 군용을 정비하다.
[军士] jūnshì 명 ① 병사. ② 하사관.
[军事] jūnshì 명 군사. ❏~设施; 군사 시설 / ~训练; 군사 훈련.
[军属] jūnshǔ 명 현역 군인 가족.
[军务] jūnwù 명 군무.
[军校] jūnxiào 명 사관학교.
[军械] jūnxiè 명 무기. 병기.
[军心] jūnxīn 명 군대의 사기(士氣). 군기(軍氣).

[军需] jūnxū 명 군수. 군수품.
[军医] jūnyī 명 군의관.
[军营] jūnyíng 명 병영(兵營).
[军用] jūnyòng 형 군용의. ❏ ~卡车; 군용 트럭.
[军邮] jūnyóu 명 군사 우편.
[军乐] jūnyuè 명 군악. ❏ ~队; 군악대.
[军装] jūnzhuāng 명 군장. 군인의 복장. 군복.

皲(皸) jūn (군)
→[皲裂]

[皲裂] jūnliè 동 (추위로 인해) 피부가 갈라지다[트다]. =[龟裂①]

龟(龜) jūn (균)
동 살갗이 트다. 균열이 생기다. 갈라지다. ⇒ guī

[龟裂] jūnliè 동 ① ⇒[皲裂] ② 균열이 생기다. 갈라지다. ❏ 农田~; 농경지가 갈라지다.

均 jūn (균)
① 형 고르다. 균일하다. 균등하다. ❏ 分得不~; 나눈 것이 균등하지 않다. ② 부 〈書〉 모두. 전부. ❏ ~已齐备; 모두 이미 갖추었다.

[均等] jūnděng 형 균등하다. ❏ 机会~; 기회 균등.
[均分] jūnfēn 동 균등하게 나누다. 고르게 분배하다. 균분하다.
[均衡] jūnhéng 형 균형 잡히다. 균형 있다. 고르다. ❏ 经济~地发展; 경제가 고르게 발전하다.
[均势] jūnshì 명 세력 균형. 힘의 균형.
[均摊] jūntān 동 균등하게 부담하다. ❏ 照相的钱大家~; 사진 값은 모두가 고르게 부담한다.
[均匀] jūnyún 형 고르다. 균등하다. 균일하다. ❏ 品质~; 품질이 균일하다 / 呼吸~; 호흡이 고르다.

钧(鈞) jūn (균)
① 양 옛날, 중량 단위 《30근(斤)에 해당함》. ② 〈書〉〈敬〉 상대방과 관련된 사물이나 행위를 높이는 말.

君 jūn (군)
명 ① 군주. 국왕. ② 〈書〉〈敬〉 남에 대한 존칭.

[君权] jūnquán 명 군권.
[君王] jūnwáng 명 군왕. 제왕.
[君主] jūnzhǔ 명 군주. 황제. ❏ ~国; 군주국 / ~立宪; 입헌 군주제.
[君子] jūnzǐ 명 ① 군자. ② 신사.
[君子协定] jūnzǐ xiédìng 신사 협정. =[绅士协定]

菌 jūn (균)
명 〖生〗 균. ⇒ jùn

[菌苗] jūnmiáo 명 〖醫〗 백신.

俊 jùn (준)
형 ① (용모가) 수려하다. 준수하다. ❏ 她越长越~; 그녀는 커 갈수록 아름다워진다. ② 재지(才智)가 뛰어난. ❏ ~杰; ⇩

[俊杰] jùnjié 명 준걸. 호걸.
[俊美] jùnměi 형 용모가 준수하다.
[俊俏] jùnqiào 형 (용모가) 아름답다. 수려하다.
[俊秀] jùnxiù 형 (용모가) 아름답다. 미목이 수려하다. 준수하다.

浚 jùn (준)
동 (물길 따위를) 쳐내다. 준설하다. ❏ ~渠; 도랑을 쳐내다.

峻 jùn (준)
형 ① (산이) 높고 크다. ❏ 险~; 험준하다. ② 가혹하다. 엄하다.

[峻峭] jùnqiào 형 (산이) 높고 험하다.

骏(駿) jùn (준)
명 좋은 말. 준마.

[骏马] jùnmǎ 명 준마.

竣 jùn (준)
동 끝나다. 완료하다.

[竣工] jùngōng 동 준공하다.

郡 jùn (군)
명 군《옛날, 지방 행정 구획(區劃)의 하나》.

菌 jùn (균)
명 〖植〗 버섯. ⇒ jūn

K

ka ㄎㄚ

咖 kā (가)
→[咖啡] ⇒ gā

[咖啡] kāfēi 명〈音〉 커피(coffee). ❏ ~杯; 커피잔/~壶; 커피 포트/清~; 블랙커피/~厅; 커피숍.

[咖啡因] kāfēiyīn 명〈音〉 카페인(caffeine). =[咖啡碱jiǎn]

喀 kā (객)
의 웩. 콜록《구토·기침 소리》.

[喀嚓] kāchā 의 뚝. 우지끈. 쨍그렁《부러지고 깨지는 소리》.

[喀哒] kādā 의 딸칵. 탁《수화기를 내려놓는 소리》.

卡 kǎ (가)
〈音〉 ① 양〈簡〉 ⇨[卡路里] ② 명 카드. ❏ 生日~; 생일 카드. =[卡片] ③ 명 자기 카드. ❏ 刷~; 카드를 긁다/银行~; 은행 카드. ④ 명 카세트(cassette). ❏ 双~录音机; 더블 카세트 녹음기. ⑤ 명 트럭. ⇒ qiǎ

[卡车] kǎchē 명 트럭(truck).

[卡拉 OK] kǎlā OK 명〈音〉 가라오케(karaoke).

[卡路里] kǎlùlǐ 양〔物〕〈音〉 칼로리(calorie). =[〈簡〉卡①]

[卡片] kǎpiàn 명 (종이) 카드(card). ❏ 圣诞~; 크리스마스 카드. =[卡②]

[卡其] kǎqí 명〔紡〕〈音〉 카키색(khaki色) 옷감. =[咔叽]

[卡通] kǎtōng 명 ① 카툰(cartoon). ② 만화 영화.

咔 kǎ (가)
→[咔叽]

[咔叽] kǎjī 명〈音〉 ⇨[卡其]

咯 kǎ (각)
동 (목에서) 뱉어 내다. ❏ ~痰; 가래를 뱉어 내다. ⇒ gē

[咯血] kǎ//xiě 동〔醫〕 각혈하다.

kai ㄎㄞ

开(開) kāi (개)
① 동 (닫힌 것을) 열다. ❏ ~窗户; 창문을 열다/~箱子; 상자를 열다. ② 동 (길을) 트다. 뚫다. 넓히다. 개간하다. ❏ ~荒; ⇩ ③ 동 (오므라지거나 붙은 것이) 열리다. 벌어지다. 떨어지다. ❏ ~花(儿); ⇩/~线; ⇩ ④ 동 (강물 따위가) 녹다. 풀리다. ❏ ~冻; 얼었던 강이나 땅이 녹다. ⑤ 동 (금지·제한 따위를) 풀다. 해제하다. ❏ ~戒; ⇩ ⑥ 동 (차·배·비행기·기계를) 켜다. 몰다. 조종하다. 운전하다. ❏ ~火车; 기차를 몰다/空调~着呢; 에어컨이 켜져 있다. ⑦ 동 (총포를) 발사하다. 쏘다. ❏ ~炮; ⇩ ⑧ 동 (부대가) 출동하다. 이동하다. ❏ 军队向北~; 군대가 북쪽으로 이동하다. ⑨ 동 시작하다. 개시하다. ❏ ~工; ⇩/~学; ⇩ ⑩ 동 (상점·공장·회사 따위를) 내다. 열다. 개업하다. ❏ 新~的商店; 새로 문을 연 가게. ⑪ 동 (회의 따위를) 열다. 개최하다. ❏ ~座谈会; 좌담회를 열다. ⑫ 동 (증서 따위를) 쓰다. 발행하다. ❏ 给他~介绍信; 그에게 소개서를 써 주다. ⑬ 동 돈을 지불하다. ❏ ~房钱; 집세를 지불하다. ⑭ 동〈方〉 제명하다. 해고시키다. ❏ 公司~掉工人; 회사가 근로자를 해고시키다. ⑮ 동 (액체가) 끓다. ❏ 牛奶~起来了; 우유가 끓기 시작했다. ⑯ 양 절《전지(全紙)의 접어 자른 조각》. ❏ 八~纸; 8절지. ⑰ 양 캐럿《금의 순도(純度)를 나타내는 단위》. ❏ 十四~金; 14금.

开(開) //·kāi(개)
동 동사나 형용사 뒤에 쓰임. ① 동작에 따라 분리되거나 떨어짐을 나타냄. ❏ 请你把箱子打~; 상자를 열어 주세요. ② 동작에 따라 확대되거나 전개됨을 나타냄. ❏ 他刚一获奖, 电台就宣传~了; 그가 막 상을 획득하자마자 방송국에서는 바로 소식을 전했다. ③ 어떤 것이 시작되어 계속되어 감을 나타냄. ❏ 我刚说冷, 他就哆嗦~了; 내가 춥다고 말하자마자 그는 덜덜 떨어 대기 시작했다. ④ '수용·용납'의 뜻을 나타냄. ❏ 这张床可以睡~四个人; 이 침대에서는 4명이 잘 수 있다.

[开拔] kāibá 동〔軍〕 (주둔지·휴식지에서) 출발하다. 이동하다.

[开办] kāibàn 동 (학교·공장·상점·병원 따위를) 열다. 세우다. 설립하다. 개업하다. 창립하다. ❏ ~工厂; 공장을 설립하다.

[开采] kāicǎi 동 (지하자원을) 발

굴하다. 채굴하다. 개발하다. ❑～石油; 석유를 개발하다.

[开场] kāi//chǎng 동 ①(연극 따위의) 공연을 시작하다. ❑戏马上就～了; 연극은 곧 시작된다. ②〈比〉(활동·행사 등을) 시작하다.

[开车] kāi//chē 동 ①(차를) 운전하다. 몰다. ❑严禁酒后～; 음주운전을 엄격히 금하다. ② 기계를 시동하다.

[开诚布公] kāichéng-bùgōng 〈成〉 솔직하고 사심 없이 진심으로 대하다.

[开诚相见] kāichéng-xiāngjiàn 〈成〉 사람들과 교제할 때 성실하게 대하다.

[开除] kāichú 동 (학교·회사·단체 따위에서) 제명하다. 제적하다. 해고하다. ❑学校～了几个学生; 학교가 학생 몇 명을 제적시켰다.

[开创] kāichuàng 동 새로 시작하다. 세우다. 창설하다. ❑～历史新纪元; 역사의 신기원을 세우다.

[开裆裤] kāidāngkù 명 (어린아이용의) 개구멍바지.

[开刀] kāi//dāo 동 ①(의사가) 수술하다. ❑给病人～; 환자를 수술하다. ②〈比〉 어떤 부분부터 시작하다. 어떤 사람부터 착수하다.

[开导] kāidǎo 동 개도하다. 선도하다. 이끌다. ❑耐心～学生; 인내심을 갖고 학생들을 이끌다.

[开倒车] kāi dàochē 차를 거꾸로 몰다. 〈比〉(시대에) 역행하다.

[开道] kāi//dào 동 앞에서 길을 안내하다. 앞장서다.

[开动] kāidòng 동 ①(차량·기계 따위를) 운행하다. 가동하다. ❑～火车; 기차를 운행하다. ②(군대가) 이동하다. 전진하다. ❑～大军; 대군이 전진하다.

[开端] kāiduān 명 (일의) 발단. 시초. 시작. ＝[起端]

[开发] kāifā 동 ①(자연 자원을) 개발하다. ❑～水力资源; 수력 자원을 개발하다. ②(인재·기술 따위를) 발굴하다. 개발하다. ❑人才～中心; 인재 개발 센터.

[开放] kāifàng 동 ①(꽃이) 피다. ②(봉쇄·제한 따위를) 해제하다. 풀다. ❑～政策; 개방 정책. ③(공공시설이나 장소를) 개방하다. ❑公园为孩子们免费～; 공원은 아이들에게 무료 개방된다. 형 (성격이) 명랑하다. (생각이) 개방적이다. ❑性格～; 성격이 명랑하다.

[开赴] kāifù 동 (대오가) …로 가다[출발하다]. ❑～战场; 전쟁터로 출발하다.

[开工] kāi//gōng 동 ①공사를 시작하다. 착공하다. ❑～典礼; 착공식. ②조업(操業)하다. 공장을 가동하다. ❑～率; 조업률

[开关] kāiguān 명〖電〗 스위치. 개폐기. ＝[电门]

[开罐器] kāiguànqì 명 깡통 따개. ＝[开罐头刀]

[开国] kāiguó 동 개국하다.

[开航] kāi//háng 동 ①(새롭게 열린 항로 따위를) 항행하다. ② 새로 개척한 항로를 항행하기 시작하다. ③(선박이) 출항하다.

[开后门(儿)] kāi hòumén(r) 〈比〉 (직권 따위를 이용해서) 부당한 이익을 주다. 뒷거래를 하다.

[开花(儿)] kāi//huā(r) 동 ① 꽃이 피다. 개화하다. ②〈比〉 터지다. 입이 벌어지다. ❑～儿馒头; 입이 벌어진 만두. ③〈比〉 기쁨이 넘치다. 웃음꽃이 피다. ❑心里开了花; 마음에 기쁨이 넘치다. ④〈比〉 발전하다. 번창하다.

[开化] kāihuà 동 ① 세상이 개화되다. ②(얼음·눈이) 녹다. ❑冻土～; 얼었던 땅이 녹다. 형 생각이 트이다. 개방적이다. 진보적이다.

[开怀] kāi//huái 동 흉금을 터놓다. 마음을 열다.

[开荒] kāi//huāng 동 황무지를 개간하다.

[开会] kāi//huì 동 회의를 하다. 회의를 열다.

[开火(儿)] kāi//huǒ(r) 동 ① 발포(發砲)하다. ②〈比〉 개전하다. 싸움을 시작하다.

[开戒] kāi//jiè 동 ①〖宗〗 계율을 풀다. ②〈轉〉 (금연·금주 따위의 생활상의 금기를) 해제하다. 풀다.

[开禁] kāijìn 동 해금하다. 금령을 풀다.

[开卷] kāijuàn 동 ①〈書〉 책을 펴다. 〈轉〉 독서하다. ②(～儿) 오픈북(open book) 시험을 보다. ❑～考试; 오픈북 시험.

[开掘] kāijué 동 발굴하다. 파다. ❑～文物; 문화재를 발굴하다.

[开课] kāi//kè 동 ① 수업을 시작하다. ② 수업 과정을 개설하다. ③(교사·교수가) 과목을 담당하다.

[开垦] kāikěn 동 개간하다.

[开口] kāi∥kǒu 동 ① 입을 열다. 발언하다. ❑ 在这种场合, 你最好不～; 이런 상황에서는 네가 입을 열지 않는 게 가장 좋다. ② (칼 따위의) 날을 세우다[갈다]. ❑ 这把刀还没～; 이 칼은 아직 날을 갈지 않았다. =[开刃儿] ③ (입구를) 트다. 벌리다. (입구가) 트이다. 벌어지다. ❑ ～栗子; 틈이 벌어진 밤. 명 벌어진 곳. 트인 곳.

[开快车] kāi kuàichē 〈比〉 속도를 내다. 박차를 가하다.

[开阔] kāikuò 형 ① (면적·공간이) 널찍하다. 드넓다. ❑ ～的蓝天; 넓고 푸른 하늘. ② (마음·생각 따위가) 넓다. 밝다. 트이다. ❑ 心思～; 생각이 트이다. 동 넓히다. ❑ ～眼界; 시야를 넓히다.

[开朗] kāilǎng 형 ① (공간이) 널찍하고 밝다. 탁 트이다. ❑ 天空渐渐～起来; 하늘이 점점 넓고 환해지다. ② (성격·마음·생각이) 밝다. 명랑하다.

[开列] kāiliè 동 하나하나 써내다. 하나씩 열거하다. ❑ ～名单; 명단을 하나하나 써내다.

[开裂] kāiliè 동 금이 가다. 균열하다. ❑ 墙体～; 벽에 금이 가다.

[开绿灯] kāi lǜdēng 청색 신호를 켜다. 〈比〉 허가하다. 허락하다.

[开门] kāi∥mén 동 ① 문을 열다. ② 개점하다. 상점을 열다. ❑ 银行九点才～; 은행은 9시가 되어야 개점한다.

[开门见山] kāimén-jiànshān 〈成〉 단도직입적으로 본론으로 들어가다.

[开明] kāimíng 형 진보적이다. 생각이 깨어 있다. ❑ ～的思想; 진보적 사상.

[开幕] kāi∥mù 동 ① (연극 따위가) 막을 열다. 막이 오르다. ② (회의·전람회 따위가) 시작되다. 개막하다. 개회하다. ❑ ～词; 개회사 / ～典礼; 개막식.

[开炮] kāi∥pào 동 ① 포를 쏘다. 발포하다. ② 〈比〉 날카롭게 비판하다.

[开辟] kāipì 동 ① 통로를 열다. 길을 뚫다. ❑ ～航线; 항로를 열다. ② 개척하다. 확장하다. ❑ ～市场; 시장을 개척하다. ③ (천지가) 개벽하다.

[开票] kāi∥piào 동 ① 개표하다. ② 어음을 발행하다. ③ 영수증을 끊다.

[开瓶器] kāipíngqì 명 병따개.

[开腔] kāi∥qiāng 동 입을 떼다. 말을 하다. ❑ 他头一个～; 그가 맨 먼저 발언하다.

[开窍(儿)] kāi∥qiào(r) 동 ① 깨닫다. 깨우치다. 생각이 트이다. ❑ 他总算有点～了; 그는 마침내 조금 깨우쳤다. ② (아이가) 분별이 서다. 철이 들다. ❑ 男孩子～比女孩子晚; 남자아이가 여자아이보다 늦게 철이 든다.

[开球] kāi∥qiú 동〔體〕 ① 시구(始球)하다. ② 시축(始蹴)하다.

[开刃儿] kāi∥rènr 동 ⇨[开口②]

[开山] kāishān 동 ① 산을 깎다. 산림을 개간하다. ② (일정 기간 동안) 산을 개방하다.

[开衫(儿)] kāishān(r) 명 카디건(cardigan).

[开设] kāishè 동 ① (점포·공장 따위를) 차리다. 열다. 세우다. ❑ ～医院; 병원을 세우다. ② (학과목을) 개설하다. ❑ ～70门课; 70과목의 수업을 개설하다.

[开始] kāishǐ 동 ① 시작하다. 시작되다. ❑ ～下雨; 비가 오기 시작하다. ② 착수하다. 개시하다. ❑ 这项工程, 下个月～得了吗? 이 공사를 다음 달에 착수할 수 있습니까? 명 최초. 처음. 시작 단계.

[开市] kāi∥shì 동 ① (시장이나 상점이) 영업을 개시하다. ② 개시(開市)하다. 마수걸이하다.

[开释] kāishì 동 석방하다[되다]. ❑ 无罪～; 무죄로 석방되다.

[开水] kāishuǐ 명 끓는 물.

[开司米] kāisīmǐ 명〔紡〕〈音〉 캐시미어(cashmere).

[开天辟地] kāitiān-pìdì 〈成〉 천지가 개벽하다.

[开庭] kāi∥tíng 동〔法〕 개정하다. ❑ ～审判; 개정해서 재판하다.

[开通] kāitōng 동 ① (교통·통신 따위를) 개통하다. ❑ 隧道已～了; 터널은 이미 개통되었다. ② 계발하다. 개화시키다.

[开通] kāi·tong 형 생각이 깨다. 진보적이다. ❑ 思想～; 사상이 진보적이다. 동 생각이 깨게 하다. 진보적으로 만들다.

[开头(儿)] kāi∥tóu(r) 동 (일·행동·현상 따위가) 시작되다. 시작하다. ❑ 话刚开个头(儿); 이야기가 막 시작되었다. (kāitóu(r)) 명 시작 단계. 시작. 처음. 첫머리.

[开脱] kāituō 동 (죄·과실·책임 따위에서) 벗어나다. 면하다. 회피하다. ❑ ~罪责; 죄에 대한 책임을 면하다.
[开拓] kāituò 동 개척하다. ❑ ~处女地; 처녀지를 개척하다.
[开外] kāiwài 명 (주로, 나이나 거리가) …이상. …남짓. ❑ 六十岁~; 60 세 이상.
[开玩笑] kāi wánxiào ① (말이나 행동으로) 놀리다. 농담을 하다. 장난치다. ❑ 别开他的玩笑; 그에게 장난치지 마라. ② 장난으로 하다. 장난스럽게 대하다.
[开往] kāiwǎng 동 (탈것 따위가) …를 향해 출발하다. ❑ ~北京的列车; 베이징행 열차.
[开胃] kāiwèi 동 입맛이 나게 하다. 식욕을 돋우다. ❑ ~菜; 애피타이저(appetizer).
[开线] kāi//xiàn 동 솔기가 터지다. 올이 나가다.
[开销] kāi·xiāo 동 비용을 지불하다. 지출하다. 명 지불 비용.
[开小差(儿)] kāi xiǎochāi(r) ① (군인이) 탈영하다. ② 딴생각을 하다. 집중하지 않다. 한눈팔다. ❑ 上课时思想总是~; 수업 시간에 늘 딴생각을 하다.
[开心] kāixīn 형 유쾌하다. 즐겁다. ❑ 日子过得很~; 즐거운 나날을 보내다. 동 놀리다. 희롱하다. 장난치다. ❑ 别拿他~; 그를 놀리지 마라.
[开心果] kāixīnguǒ 명 피스타치오(pistachio).
[开学] kāi//xué 동 개학하다. ❑ ~典礼; 개학식.
[开演] kāiyǎn 동 (연설·연극·영화 따위를) 시작하다. 개연하다.
[开业] kāi//yè 동 개업하다. 영업을 시작하다. ❑ ~行医; 개업하여 의료 행위를 하다.
[开夜车] kāi yèchē 〈比〉 (일하거나 공부하느라) 밤새다. 철야하다. ❑ 下周考试, 这几天他们都~; 다음 주에 시험이 있어서 요 며칠 동안 그들은 모두 밤새워 공부했다.
[开源节流] kāiyuán-jiéliú 〈成〉 재정상의 수입을 늘리고 지출을 줄이다.
[开凿] kāizáo 동 (터널 따위를) 파다. 굴착하다. ❑ ~隧道; 터널을 파다.
[开展] kāizhǎn 동 ① 전개하다. 펼치다. 확대하다. ❑ ~交流; 교류를 전개하다. ② (전람회 따위가) 열리다. ❑ 美术展览明日~; 미술 전람회가 내일 열린다. 형 명랑하고 낙관적이다. 활달하다. ❑ 思想~; 생각이 낙관적이다.
[开战] kāi//zhàn 동 ① 개전하다. ② 〈比〉 격렬한 투쟁을 벌이다.
[开绽] kāi//zhàn 동 (꿰맨 곳이) 터지다. ❑ 鞋~了; 신발이 터졌다.
[开张] kāi//zhāng 동 ① 개장하다. 개점하다. 영업을 시작하다. ❑ 这家百货商店明天~; 이 백화점은 내일 영업을 시작한다. ② 그날의 첫거래를 하다. 마수걸이를 하다. ③ 〈比〉 (어떤 일을) 시작하다.
[开账] kāi//zhàng 동 ① 계산서를 작성하다. ② (음식점이나 호텔에서) 셈을 치르다. 계산하다.
[开支] kāizhī 동 지출하다. 지불하다. ❑ 由国库~; 국고에서 지출하다. 명 지출 비용. 지출. ❑ 节省~; 지출을 줄이다.
[开宗明义] kāizōng-míngyì 〈成〉 담화나 문장 서두에 요지를 밝히다.

揩 kāi (개)
동 닦다. 문지르다. ❑ ~眼泪; 눈물을 닦다.
[揩油] kāi//yóu 동 〈比〉 남의 이익을 가로채다. 국가나 공공 기관의 것을 착복하다.

凯(凱) kǎi (개)
명 승리의 노래.
[凯歌] kǎigē 명 개가. 개선가.
[凯旋] kǎixuán 동 개선하다. ❑ 战士~; 전사들이 개선하다.

铠(鎧) kǎi (개)
명 갑옷.
[铠甲] kǎijiǎ 명 갑옷.

慨 kǎi (개)
① 동 격분하다. 분개하다. ❑ 愤~; 분개하다. ② 동 감개하다. 개탄하다. ❑ 感~; 감개하다. ③ 형 서슴없다. 흔쾌하다. ❑ ~允; 쾌히 승낙하다.
[慨然] kǎirán 부 ① 감개(感慨)하여. ❑ ~长叹; 감개하여 장탄식하다. ② 흔쾌히. 쾌히. 기꺼이. ❑ ~应允; 흔쾌히 응낙하다.
[慨叹] kǎitàn 동 개탄하다.

楷 kǎi (해)
명 ① 법식. 모범. ② 해서(楷書).
[楷模] kǎimó 명 모범. 본보기.
[楷书] kǎishū 명 해서(楷書). = [正体②][正字①][真书]

K

[楷体] kǎitǐ 명 해서체.

忾(愾) kài (개)
동〈書〉 분개하다.

kan ㄎㄢ

刊 kān (간)
① 동 간행하다. ❑创~; 창간하다. ② 명 간행물. ❑月~; 월간. ③ 동 삭제하다. 수정하다. ❑~误; 오류를 수정하다.

[刊登] kāndēng 동 (간행물에) 싣다. 게재하다. ❑~寻人启事; 사람 찾는 광고를 게재하다.

[刊头] kāntóu 명 (신문·잡지 따위의) 발행인 난(欄)《명칭·호수 따위의 항목을 표시하는 곳》.

[刊物] kānwù 명 간행물.

[刊行] kānxíng 동 간행하다. ❑~图书; 도서를 간행하다.

[刊印] kānyìn 동 조판 인쇄 하다.

[刊载] kānzǎi 동 (신문이나 잡지에) 싣다. 게재하다. ❑~广告; 광고를 싣다.

看 kān (간)
동 ① 보살피다. 지키다. 파수하다. ❑~行李; 짐을 지키다. ② 감시하다. 구류하다. ❑~俘虏; 포로를 감시하다. ⇒kàn

[看财奴] kāncáinú 명 ⇒[守财奴]

[看管] kānguǎn 동 ① 감시하다. ❑~犯人; 범인을 감시하다. ② 돌보다. 지키다. 관리하다. ❑~仓库; 창고를 관리하다.

[看护] kānhù 동 간호하다. 보살피다. ❑~老人; 노인을 보살피다.

[看家] kān//jiā 동 집을 지키다. 집을 보다. ❑他一个人留下来~; 그 혼자 남아 집을 본다. (kānjiā) 형 (재주가) 남보다 뛰어난. 월등한. 특출한. ❑~本领; 특출한 재주.

[看家狗] kānjiāgǒu 명 ① 집 지키는 개. ② 관료나 지주 집안의 집사를 욕하여 일컫는 말.

[看守] kānshǒu 동 ① 지키다. 파수하다. 보살피다. 관리하다. ❑~羊群; 양떼를 지키다. ② (범인·포로를) 감시하다. 감시하고 관리하다. ❑~监狱里的犯人; 감옥 안의 범인을 감시하다. 명 간수. 교도관.

[看押] kānyā 동 (임시로) 잡아 가두다. 유치시키다. 구류하다.

勘 kān (감)
동 ① 교정하다. ② 현지 조사하다. 답사하다.

[勘测] kāncè 동 측량 조사 하다. ❑~水位; 수위를 측량 조사 하다.

[勘察] kānchá 동 (주로, 공사나 채굴 전에) 현지 조사 하다. 답사하다. ❑~地形; 지형을 현지 조사 하다. =[勘查]

[勘探] kāntàn 동 (지하자원을) 탐사하다. ❑~矿物资源; 광물 자원을 탐사하다.

[勘误] kānwù 동 (책 속의 틀린 글자를) 교정하다. 정오하다. ❑~表; 정오표.

[勘正] kānzhèng 동 (글자를) 교정하다.

堪 kān (감)
동 ① …할 만하다. …할 수 있다. ❑~称佳作; 가작이라 칭할 만하다. ② 견디다. 감당하다. 이겨내다. ❑不~其苦; 고통을 감당할 수 없다.

戡 kān (감)
동 진압하다. 평정하다.

[戡乱] kānluàn 동 반란을 진압하다.

龛(龕) kān (감)
명〔佛〕 감실(龕室).

坎 kǎn (감)
명 ① 감괘《팔괘(八卦)의 하나》. ② (~儿) 두렁. 두둑. 둔덕.

[坎肩(儿)] kǎnjiān(r) 명 조끼.

[坎坷] kǎnkě 형 ① (길이나 땅이) 울퉁불퉁하다. ❑这条路~不平, 很难走; 이 길은 울퉁불퉁해서 걷기가 매우 힘들다. ②〈書〉 뜻을 이루지 못하다.

[坎子] kǎn·zi 명 지면이 높아져 있는 곳《둑·두둑·제방 따위》.

砍 kǎn (감)
동 ① (도끼로) 찍다. 패다. ❑~柴; 장작을 패다. ② 없애다. 삭제하다. 빼다. ❑把文章~去了一半; 글의 반을 빼 버렸다.

[砍刀] kǎndāo 명 (장작 패기용의) 도끼.

[砍伐] kǎnfá 동 (톱·도끼 따위로) 나무를 베다. 벌채하다.

侃 kǎn (간)
형〈書〉 강직하다.

[侃侃] kǎnkǎn 형〈書〉 말하는 것이 당당하고 차분하다. ❑~而谈; 〈成〉 당당하고 차분하게 말하다.

槛(檻) kǎn (함)
명 문지방. 문턱.

看 kàn (간)
① 동 (눈으로) 보다. 읽다. ❑

~报; 신문을 보다 / ~书; 책을 읽다 / ~电视; 텔레비전을 보다. ② 동 (상황·형편 따위를) 관찰하다. 살피다. ❑ ~~情况再说; 상황을 보고 나서 다시 이야기하자. ③ 동 보다. 생각하다. 여기다. ❑ 我~这个办法最好; 내가 보기에는 이 방법이 제일 낫다. ④ 동 방문하다. 면회하다. 만나다. ❑ ~朋友; 친구를 만나다. ⑤ 동 대하다. 대우하다. ❑ 小~; 얕보다. ⑥ 동 진찰하다[받다]. 진료하다[받다]. ❑ 上医院去~~是什么病; 병원에 가서 무슨 병인지 진찰을 받다. ⑦ 동 돌보다. 보살피다. ❑ ~病人; 환자를 보살피다. ⑧ 동 주의하다. 조심하다《명령문에 쓰여 주의를 환기시킴》. ❑ 慢点, ~车! 천천히 좀 가, 차 조심하고! ⑨ 동 …에 달리다. ❑ 能否进入决赛就~这场比赛了; 결승에 진출할 수 있을지 없을지는 이번 시합에 달렸다. ⑩ 조 …해 보다《앞의 동사는 대개 중첩함》. ❑ 找找~; 찾아 보다. ⇒ kān

[看病] kàn∥bìng 동 ① 진찰하다. 진료하다. ❑ 王大dài夫正看着病呢; 왕 선생님은 지금 진찰 중이시다. ② 진찰받다. 진료받다. ❑ 今天我将带父亲去~; 오늘 나는 아버지를 모시고 진료를 받으러 갈 것이다.

[看不惯] kàn·buguàn 동 눈에 거슬리다. 마음에 안 들다. ❑ 我~他那股子主观劲; 나는 그의 저 독선적인 점이 눈에 거슬린다.

[看不过] kàn·buguò 동 간과할 수 없다. 보아 넘길 수 없다. ❑ 他那种态度, 真让人~; 그의 그런 태도는 차마 보아 넘길 수가 없다.

[看不起] kàn·buqǐ 동〈口〉 깔보다. 얕보다. 업신여기다. 우습게보다. ❑ 这个人骄傲得很, 谁都~; 이 사람은 매우 교만해서 누구라도 업신여긴다. =[〈口〉 瞧不起]

[看出] kàn∥chū 동 간파하다. 알아차리다. ❑ ~形势的严重性; 정세의 심각성을 알아차리다.

[看穿] kàn∥chuān 동 ⇨[看透①]

[看待] kàndài 동 취급하다. 대하다. 대우하다. ❑ 把他当客人~; 그를 손님처럼 대하다.

[看得起] kàn·deqǐ 동〈口〉 중시하다. 알아주다. 존중하다. ❑ 他十分~你; 그는 너를 무척 존중한다. ❑ =[〈口〉 瞧得起]

[看法] kàn·fǎ 명 보는 방법. 견해. 의견. 생각. ❑ 各有各的~; 각자 자신의 견해가 있다.

[看风使舵] kànfēng-shǐduò 〈成〉〈貶〉 정세의 변화에 따라 태도를 바꾸다. =[见风转舵]

[看见] kàn∥jiàn 동 보다. 보이다. 눈에 띄다. ❑ 他一~她就大声喊起来; 그는 그녀를 보자마자 큰 소리로 고함을 쳤다. =[〈口〉 瞧见]

[看来] kànlái 동 보아하니. 보니까. ❑ 今天又阴天了, ~还要下雨; 오늘 또 날씨가 흐린 것이, 보아하니 비가 올 것 같구나. =[看起来]

[看破] kàn∥pò 동 ⇨[看透①]

[看齐] kànqí 동 ① (대오를 정렬할 때 지정된 사람을 기준으로) 나란히 하다. ② …를 본보기 삼아 따라 하다. …과 같이 하다. ❑ 向他~; 그를 본받아 따르다.

[看轻] kànqīng 동 경시하다. 우습게보다. 얕보다. ❑ 不要把这种工作~了; 이 일을 우습게보지 마라.

[看上] kàn∥shàng 동 보고 좋아지다. 반하다. 눈에 들다. ❑ 她一眼就~了这小伙子; 그녀는 이 젊은이에게 한눈에 반했다. =[看中]

[看台] kàntái 명 (경기장·공연장 따위의) 관중석. 스탠드.

[看透] kàn∥tòu 동 ① (계책·의도 등을) 간파하다. 꿰뚫어 보다. ❑ 我~了他的用意; 나는 그의 의도를 간파했다. =[看穿][看破] ② (결점·무가치·무의미 따위를) 철저히 인식하다. 확실히 알다.

[看望] kànwàng 동 (안부를 묻기 위해) 방문하다. 문안하다. 찾아뵙다. ❑ ~老师; 선생님을 찾아뵙다.

[看相] kàn∥xiàng 동 관상을 보다. ❑ ~术; 관상술.

[看中] kàn∥zhòng 동 ⇨[看上]

[看重] kànzhòng 동 중시하다. 존중하다. ❑ 我们要~他的意见; 우리는 그의 의견을 존중해야 한다.

[看作] kànzuò 동 …로 간주하다. …라고 생각하다. ❑ 把特殊~普遍; 특수한 것을 보편적인 것으로 간주하다. =[看做]

瞰 kàn (감)
동 굽어보다. 내려다보다.

kang ㄎㄤ

康 kāng (강)
형 평안하다. 건강하다. ❑ 安

~; 평안과 건강.

[康复] kāngfù 동 건강을 회복하다. ❏病体~; 병이 낫다.

[康健] kāngjiàn 형 ⇨[健康①]

[康乐] kānglè 형 안락하다. 편안하다. ❏~的生活; 안락한 생활.

[康乃馨] kāngnǎixīn 명〖植〗〈音〉 카네이션(carnation). =[香石竹]

[康宁] kāngníng 형〈書〉 강녕하다.

[康庄大道] kāngzhuāng-dàdào 〈成〉 넓고 평탄한 대로(《탄탄대로》).

慷 kāng (강)
→[慷慨]

[慷慨] kāngkǎi 형 ①(정서 따위가) 격앙되다. 비분강개하다. ❏~~激昂; 정서나 어조가 격앙되어 있는 모양. ② 아까워하지 않다. 인색하지 않다. ❏~解囊; 〈成〉 아낌없이 돈을 내어 남을 돕다.

糠 kāng (강)
① 명 겨. 기울. ❏米~; 쌀겨. ② 형 (무 따위에) 바람이 들다. ❏萝卜~了; 무에 바람이 들었다.

鱇(鱇) kāng (강)
→[鮟ān鱇]

扛 káng (강)
동 ① (어깨에 물건을) 메다. ❏~行李; 짐을 메다. ② (일이나 임무를) 맡다. 감당하다. ❏~任务; 임무를 맡다. ③〈口〉 참다. 견디다. ❏冷得~不住了; 견딜 수 없을 정도로 춥다. ⇒gāng

[扛长工] káng chánggōng 머슴살이를 하다. =[扛长活]

[扛活] káng//huó 동 머슴 살다.

亢 kàng (항)
① 형 높다. ② 형 거만하다. 도도하다. ❏不~不卑; 〈成〉 거만하지도 않고 비굴하지도 않다. ③ 부 매우. 심하게. 극도로. ❏~旱; ⇩

[亢奋] kàngfèn 형 극도로 흥분하다.

[亢旱] kànghàn 형 심하게 가물다. ❏天气~; 날씨가 심하게 가물다.

[亢进] kàngjìn 동〖醫〗 항진하다. ❏甲状腺功能~; 갑상선 기능 항진.

伉 kàng (항)
형〈書〉 어울리다. 대등하다.

[伉俪] kànglì 명〈書〉 부부(夫婦). ❏~之情; 부부의 정.

抗 kàng (항)
동 ① 대항하다. 저항하다. 맞서다. ❏你怎么敢~他? 너는 어떻게 감히 그와 맞서려고 하느냐? ② 거절하다. 거역하다. ❏~命; ⇩ ③ 대등하다. ❏~衡; ⇩

[抗癌药] kàng'áiyào 명〖藥〗 항암제.

[抗暴] kàngbào 동 폭력에 저항하여 반격하다.

[抗辩] kàngbiàn 동 항변하다. ❏据理~; 이치에 따라 항변하다.

[抗衡] kànghéng 동 대항하여 맞먹다. 맞서다. 필적하다.

[抗击] kàngjī 동 저항하여 반격하다. ❏~敌人; 적에게 저항하여 반격하다.

[抗拒] kàngjù 동 항거하다. 저항하여 거부하다. 반발하다. ❏~搜查; 수사를 거부하다 / ~心理; 반발 심리.

[抗菌素] kàngjūnsù 명 ⇨[抗生素]

[抗命] kàngmìng 동 항명하다. 명령을 거역하다.

[抗日战争] Kàng Rì Zhànzhēng 항일 전쟁.

[抗生素] kàngshēngsù 명〖化〗 항생 물질. =[抗菌素]

[抗诉] kàngsù 동〖法〗 항소하다.

[抗体] kàngtǐ 명〖醫〗 항체. 면역체.

[抗议] kàngyì 동 항의하다. ❏强烈~; 강력히 항의하다 / ~书; 항의서.

[抗原] kàngyuán 명〖生〗 항원. 면역원.

[抗灾] kàng//zāi 동 재해와 싸우다. 재해에 대처하다.

[抗战] kàngzhàn 동 항전하다. 명 항전(《특히, 중국의 '抗日战争'(항일 전쟁)을 가리킴》).

[抗震] kàngzhèn 동 지진에 대처하다. 내진(耐震)하다. ❏~结构; 내진 구조.

炕 kàng (항)
① 명 (중국식) 온돌. ② 동 〈方〉 불에 쬐어 말리다[굽다]. ❏把湿衣服~干; 젖은 옷을 불에 쬐어 말리다.

[炕桌儿] kàngzhuōr 명 온돌에 놓고 쓰는 낮은 탁자.

kao ㄎㄠ

考 kǎo (고)
① 동 시험하다. 테스트하다. ❏~基本功; 기초 실력을 테스트하다. ② 동 시험을 보다[치다]. ❏~大学; 대학 (입학) 시험을 보다 /

~得不理想; 시험 결과가 좋지 못하다. ③ 동 조사하다. 검사하다. ❏ ~察; ⇓ ④ 동 탐구하다. 연구하다. ❏ ~古; ⇓ ⑤ 명〈書〉 망부(亡父). 선친. ❏ 先~; 선친.

[考查] kǎochá 동 (활동·행위를) 조사하고 평가하다. 조사하다. 검사하다. ❏ 他~了我的工作; 그는 나의 업무 상황을 조사했다.

[考察] kǎochá 동 ① 시찰하다. 현지답사하다. ❏ 去南极进行~; 남극에 가서 현지답사를 하다 / ~团; 시찰단. ② 면밀히 살피다. 고찰하다. ❏ ~材料; 자료를 고찰하다.

[考场] kǎochǎng 명 시험장. 고사장. =[试场]

[考订] kǎodìng 동 고증하여 바로잡다.

[考分(儿)] kǎofēn(r) 명 시험 점수.

[考古] kǎogǔ 동 고고(考古)하다. 명 ⇨[考古学]

[考古学] kǎogǔxué 명 고고학. =[考古]

[考核] kǎohé 동 고사하다. 심사하다. ❏ ~录用; 심사하여 채용하다.

[考究] kǎo·jiu 동 ① 조사 연구 하다. 연구하여 밝혀내다. ② 신경 쓰다. 중시하다. ❏ 不要太~打扮了; 치장에 너무 신경 쓰지 마라. 형 정교하고 아름답다. 정미(精美)하다. ❏ 家具十分~; 가구가 무척 정교하고 아름답다.

[考据] kǎojù 동 ⇨[考证]

[考卷] kǎojuàn 명 ⇨[试卷]

[考拉] kǎolā 명〈音〉 ⇨[树袋熊]

[考虑] kǎolǜ 동 고려하다. 헤아리다. 생각하다. ❏ ~集体利益; 집단의 이익을 고려하다.

[考期] kǎoqī 명 시험 기간.

[考勤] kǎoqín 동 근태(勤怠)를 조사[평정]하다. (수업의) 출결을 조사하다. ❏ ~簿; 출근부.

[考取] kǎo∥qǔ 동 시험을 쳐서 채용되다[합격하다]. ❏ ~了飞行员; 시험을 거쳐 조종사로 채용되었다.

[考生] kǎoshēng 명 응시생. 수험생.

[考试] kǎo∥shì 동 시험하다. 시험 보다. (kǎoshì) 명 시험. 고사(考査). ❏ 参加~; 시험에 참가하다. 응시하다 / 期末~; 기말 고사.

[考题] kǎotí 명 ⇨[试题]

[考问] kǎowèn 동 시험하여 묻다. 시문(試問)하다.

[考验] kǎoyàn 동 시험하다. 시련을 주다. 검증하다. ❏ 经住了严峻的~; 가혹한 시련을 견뎌 냈다.

[考证] kǎozhèng 동 고증하다. ❏ ~学; 고증학. =[考据]

拷 kǎo (고)
동 ① (형구로) 때리다. 고문하다. ② 복사하다. 카피하다.

[拷贝] kǎobèi 명동〈音〉 복사(하다). 카피(copy)(하다). 복제(하다). ❏ ~纸; 복사지. 명〖映〗(영화 필름의) 카피. 프린트(print).

[拷打] kǎodǎ 동 (형구를 써서) 때리다. 고문하다.

[拷问] kǎowèn 동 고문하다.

烤 kǎo (고)
동 ① (불에) 굽다. 말리다. ❏ 把湿衣服~一~; 젖은 옷을 불에 말리다 / ~白薯; 군고구마. ② 불을 쬐다. ❏ ~火; ⇓

[烤火] kǎo∥huǒ 동 불을 쬐다. 불에 쬐다. ❏ 请进来烤烤火吧! 들어와서 불 좀 쬐세요!

[烤炉] kǎolú 명 오븐(oven).

[烤面包] kǎomiànbāo 명 토스트. ❏ ~器; 토스터(toaster).

[烤肉] kǎoròu 명 불에 구운 고기. 불고기.

[烤箱] kǎoxiāng 명 오븐(oven). 레인지(range).

[烤鸭] kǎoyā 명 오리 통구이.

[烤烟] kǎoyān 명 특수 설비의 건조실에서 건조시킨 잎담배.

铐(銬) kào (고)
① 명 수갑. ② 동 수갑을 채우다.

犒 kào (호)
동 (술·음식 따위로) 노고를 위로하다.

[犒劳] kào·láo 동 (술·음식 따위로) 노고를 위로하다[치하하다]. ❏ ~将士; 장병들의 노고를 위로하다. 명 노고를 위로하는 술과 음식.

[犒赏] kàoshǎng 동 노고를 치하하여 포상하다.

靠 kào (고)
동 ① (사람이나 물체에) 기대다. ❏ ~在沙发上打盹儿; 소파에 기대서 졸다. ② (물건을) 기대어 세우다. 기대어 두다. ❏ 自行车~在门上; 자전거를 문에 기대어 세워 놓다. ③ 대다. 닿다. 접근하다. ❏ ~得太近了; 너무 바짝 다가갔다. ④ 의거하다. 의지하다. ❏ ~了他的帮助我才考上了大学; 그의 도움을 받고서야 나는 대학에 붙을 수 있었다. ⑤ 믿다. 신뢰하다.

[靠岸] kào∥àn 통 (배를) 기슭에 대다. (배가) 기슭에 닿다.

[靠背] kàobèi 명 (의자·소파 따위의) 등받이. 등널.

[靠边(儿)] kào∥biān(r) 통 (길의) 가장자리로 붙다. ❑ 行人~走; 행인은 길 가장자리로 붙어 걷는다. 형 이치에 맞다. 일리가 있다. ❑ 不~的话; 이치에 안 맞는 말.

[靠不住] kào·buzhù 형 믿을 수 없다. 신뢰할 수 없다. ❑ 小道消息, ~; 주워들은 소식은 믿을 수 없다.

[靠得住] kào·dezhù 형 믿을 수 있다. 신뢰할 수 있다. ❑ 他是个~的朋友; 그는 믿을 수 있는 친구이다.

[靠垫(儿)] kàodiàn(r) 명 (의자 따위의) 쿠션(cushion).

[靠近] kàojìn 통 ① 가깝게 있다. 옆에 붙다. ❑ ~床边放着一张写字台; 침대 옆에 책상 하나가 바싹 붙어 있다. ② 접근하다. 가까이 가다. 다가가다. ❑ 汽车~车站; 차가 정류장으로 접근해 가다.

[靠拢] kàolǒng 통 접근하다. 가까이 가다[붙다]. ❑ 后排向前排~! 뒷줄은 앞줄에 가깝게 붙으세요!

[靠山] kàoshān 명 의지가 되는 사람[세력]. 후원자. 보호자.

[靠手] kàoshǒu 명 의자의 팔걸이.

ke ㄎㄜ

坷 kē (가)
→[坷垃] ⇒ kě

[坷垃] kē·la 명〈方〉 흙덩이.

苛 kē (가)
형 ① 가혹하다. 지나치다. 심하다. ❑ ~求; ⇓ ② 번거롭다. 복잡하다. ❑ ~礼; 복잡한 예절.

[苛待] kēdài 통 가혹하게 대하다. 학대하다.

[苛捐杂税] kējuān-záshuì 〈成〉 가혹하고 잡다한 세금.

[苛刻] kēkè 형 (요구·조건 따위가) 가혹하다. 과도하다. 지나치다. 까다롭다. ❑ 这个要求太~了; 이 요구는 너무 지나치다.

[苛求] kēqiú 통 지나치게 요구하다.

[苛政] kēzhèng 명 혹정(酷政).

科 kē (과)
명 ① 과(《학술·업무의 분류》). ❑ 文~; 문과 / 牙~; 치과. ② 과(《조직의 한 부서》). ❑ 人事~; 인사과. ③ 과거 시험. 과거. ❑ 开~; 과거를 실시하다. ④〔生〕 과(《생물학상의 분류》). ❑ 猫~; 고양잇과. ⑤〔劇〕 전통극의 대본에서 배우의 행동을 지시하는 말.

[科白] kēbái 명〔劇〕 배우의 몸짓과 대사.

[科班(儿)] kēbān(r) 명 ① 옛날, 배우 양성소. ② 〈轉〉 정규 교육. 정규 훈련.

[科幻片] kēhuànpiàn 명〔映〕 공상 과학 영화. 에스에프(SF) 영화.

[科幻小说] kēhuàn xiǎoshuō 공상 과학 소설. 에스에프(SF) 소설.

[科技] kējì 명 과학 기술. ❑ 高~; 하이테크(hightech). 첨단 기술.

[科教] kējiào 명 과학 교육.

[科举] kējǔ 명 과거. 과거 시험.

[科目] kēmù 명 과목(科目).

[科室] kēshì 명 (기업·관청 관리 부문의) 각 과(科)와 실(室).

[科威特] Kēwēitè 명〔地〕〈音〉 쿠웨이트(Kuwait).

[科学] kēxué 명 과학. ❑ ~技术; 과학 기술 / ~家; 과학자 / 自然~; 자연 과학. 형 과학적이다. ❑ ~的方法; 과학적인 방법.

[科研] kēyán 명 과학 연구. ❑ ~机构; 과학 연구 기구.

[科长] kēzhǎng 명 과장(課長).

蝌 kē (과)
→[蝌蚪]

[蝌蚪] kēdǒu 명〔動〕 올챙이.

棵 kē (과)
양 그루. 포기(《식물을 세는 말》). ❑ 一~树; 나무 한 그루 / 一~草; 풀 한 포기.

[棵儿] kēr 명 식물의 크기.

[棵子] kē·zi 명〈方〉 (주로, 농작물의) 줄기.

窠 kē (과)
명 (짐승·새의) 보금자리.

[窠臼] kējiù 명〈書〉〈比〉 (문장·예술품의) 기존 형식. 상투적인 격식.

颗(顆) kē (과)
양 알. 방울(《과립형 물체를 세는 말》). ❑ 一~手榴弹; 수류탄 하나 / 几~豆子; 콩 몇 알.

[颗粒] kēlì 명 ① 알. 과립. 알갱이. ❑ 珍珠的~大小不规则; 진주의 알이 크기가 고르지 않다 / ~状; 과립형. ② (곡물의) 낟알. 톨. ❑ ~未收; 한 톨도 거두지 못하다.

磕 kē (갑, 개) 동 ①(딱딱한 것에) 부딪치다. ❏ 酒杯被~破一个缺口; 술잔이 부딪쳐서 이가 한 군데 나갔다. ② 두들겨 털다. ❏ ~掉鞋底的泥; 신발 바닥의 진흙을 털어 내다.

[磕打] kē·da 동 두들겨 떨다[털다]. ❏ ~烟袋锅; 담뱃대를 털다.

[磕磕绊绊] kē·kebànbàn 형 ① (길이 험하거나 다리가 불편해서) 어기적어기적 걷는 모양. ② 일이 순조롭지 못하다. 난관에 부닥치다.

[磕磕撞撞] kē·kezhuàngzhuàng 형 넘어질 듯 비틀대며 걷는 모양.

[磕碰] kēpèng 동 ①(물건이) 서로 부딪치다. ❏ 一箱瓷器路上磕磕碰碰地碎了一半; 사기그릇 한 상자가 도중에 서로 부딪쳐 반이나 깨졌다. ②〈方〉 사람과 물건이 부딪치다. ③〈比〉 충돌하다. 다투다.

[磕头] kē//tóu 동 이마를 땅에 조아리며 절하다. ❏ ~虫; 〈比〉 굽신거리는 사람. =[叩kòu首][叩头]

瞌 kē (갑) →[瞌睡]

[瞌睡] kēshuì 동 (꾸벅꾸벅) 졸다. 졸리다. ❏ 打~; 졸다 / ~虫; 툭하면 조는 사람.

壳(殼) ké (각) (~儿) 명〈口〉 딱딱한 껍질. 껍데기. ❏ 鸡蛋~儿; 계란 껍데기 / 子弹~儿; 탄피. ⇒qiào

咳 ké (해) 동 기침하다. ❏ 干~; 마른기침을 하다. ⇒hāi

[咳嗽] ké·sou 동 기침하다. ❏ 他~得很厉害; 그는 기침을 매우 심하게 한다 / ~药; 기침약.

可 kě (가) ①동 가하다《동의를 나타냄》. ❏ 许~; 허가하다. ② 조동 …할 수 있다. …해도 되다《허가나 가능함을 나타냄》. ❏ 文章~长~短; 문장은 길어도 되고 짧아도 된다. ③ 조동 …할 만하다《주로, 단음절 동사와 결합》. ❏ 书店~买的书很多; 서점에 살 만한 책이 아주 많다. ④ 부〈書〉 대략. 약. ❏ 年~三十; 나이가 약 30세 정도이다. ⑤ 접 그러나. 하지만. …지만《역접을 나타냄》. ❏ 我想去旅行, ~没有时间; 나는 여행이 가고 싶지만 시간이 없다. ⑥ 부 정말. 무척. 참《강조를 나타냄》. ❏ 这苹果~甜了; 이 사과는 무척 달다. ⑦ 부 제발. 절대. 모쪼록《명령문에 쓰여 반드시 이러해야 한다는 것을 강조함》. ❏ ~别忘了! 절대 잊지 마라. ⑧ 부 마침내. 드디어. 겨우《어떤 일을 하거나 목적을 이루기가 쉽지 않음을 나타냄》. ❏ 要借这本书的人很多, 今天我~借到了; 이 책을 빌리려는 사람이 무척 많았는데, 오늘 내가 드디어 빌렸다. ⑨ 부 의문문·반어문에 쓰여 어기를 강하게 함. ❏ 你~曾见过他? 네가 예전에 그를 만났었다고? ⑩ 동 들어맞다. 알맞다. 적합하다. ❏ ~口(儿); ⇓ ⇒kè

[可爱] kě'ài 형 귀엽다. 사랑스럽다. ❏ 这小猫~极了; 이 새끼 고양이는 무척 귀엽다.

[可悲] kěbēi 형 슬프다. 비참하다. ❏ ~的命运; 비참한 운명.

[可鄙] kěbǐ 형 비열하다. 야비하다. ❏ ~的行为; 비열한 행위.

[可不] kěbù 부 왜 아니겠니. 누가 아니래. 그러게 말이야. ❏ 汽车里的人太多了 ── ~, 连插脚的地方也没有; 차 안에 사람이 너무 많구나. ── 그러게 말이야, 발 디딜 곳도 없네. =[可不是kěbù·shi]

[可乘之机] kěchéngzhījī 〈成〉 틈을 탈 기회. 이용할 수 있는 기회. =[可乘之隙xì]

[可耻] kěchǐ 형 부끄럽다. 수치스럽다. ❏ ~的行径; 수치스러운 짓.

[可歌可泣] kěgē-kěqì 〈成〉 노래하고 눈물짓게 할 만하다《매우 감동적이다》.

[可耕地] kěgēngdì 명 가경지.

[可观] kěguān 형 ① 볼만하다. 가관이다. ❏ 景色~; 경치가 볼만하다. ②(정도가) 상당하다. 대단하다. ❏ 成绩~; 성적이 상당히 높다 / 损失~; 손실이 상당히 크다.

[可贵] kěguì 형 소중하다. 귀하다. ❏ ~的生命; 소중한 생명.

[可恨] kěhèn 형 원망스럽다. 밉살스럽다. 괘씸하다.

[可见] kějiàn 접 …임을 알 수 있다《앞의 내용을 받아 판단·결론을 내릴 수 있음을 나타냄》. ❏ 他连一句整话都说不了, ~他的汉语水平很低; 그는 완전한 문장 하나 구사하지 못하니, 그의 중국어 실력이 매우 떨어짐을 알 수 있다.

[可见光] kějiànguāng 명〖物〗 가시광선.

[可敬] kějìng 형 존경할 만하다.

[可卡因] kěkǎyīn 명〔藥〕〈音〉 코카인(cocaine).

[可靠] kěkào 형 ① 믿음직하다. 신뢰할 만하다. 믿을 만하다. ❑ 这家商店最~; 이 상점이 가장 믿을 만하다. ② 믿을 만하다. 확실하다. ❑ 他提供的信息不~; 그가 제공하는 정보는 확실하지 않다.

[可可] kěkě 명〈音〉 코코아(cocoa). ❑ ~树; 카카오나무 / ~饮料; 코코아 음료.

[可口(儿)] kěkǒu(r) 형 입에 맞다. 맛있다. ❑ 清凉~的饮料; 시원하고 맛있는 음료수.

[可兰经] Kělánjīng 명 ⇨[古兰经]

[可乐] kělè 명〈音〉 콜라(cola). ❑ 百事~; 펩시콜라(Pepsi-Cola) / 可口~; 코카콜라(Coca-Cola).

[可怜] kělián 형 ① 가엾다. 불쌍하다. ❑ 他真~; 그는 정말 불쌍하다 / ~虫; 〈比〉 불쌍한 사람. ② (수량이 적거나 질이 나빠서) 형편없다. 보잘것없다. ❑ 我的工资少得~; 내 보수는 보잘것없이 적다. 동 불쌍히 여기다. 동정하다.

[可怜巴巴(的)] kěliánbābā(·de) 형 몹시 불쌍하다. 매우 가엾다.

[可能] kěnéng 형 가능하다. ❑ ~性; 가능성. 명 가능성. ❑ ~不大; 가능성이 크지 않다. 동 아마도. 혹시. …일지도 모르다. …일 수도 있다. ❑ 今天很~下雨; 오늘은 아마도 비가 올 것이다.

[可怕] kěpà 형 무섭다. 겁나다. 두렵다. ❑ 他那个样子非常~; 그의 그 모습은 무척 무섭다.

[可巧] kěqiǎo 부 마침. 다행스럽게. 공교롭게. ❑ ~来了一位客人; 마침 손님이 한 사람 왔다.

[可亲] kěqīn 형 친절하다. 상냥하다. 붙임성 있다.

[可取] kěqǔ 형 취할 만하다. 배울 만하다. 칭찬할 만하다. ❑ 他的建议确实~; 그의 건의는 확실히 취할 만하다.

[可燃性] kěránxìng 명〔物〕 가연성.

[可是] kěshì 접 그러나. 그렇지만. 하지만. …지만《역접을 나타냄》. ❑ 文章虽然不长, ~内容却很丰富; 문장은 비록 길지 않지만 내용은 오히려 매우 풍부하다. 부 정말. 참으로. 실로《강조를 나타냄》. ❑ 这种事我~从来没见过; 이런 일을 나는 실로 본 적이 없다.

[可视电话] kěshì diànhuà 화상전화. 비디오폰(videophone).

[可塑性] kěsùxìng 명 ①〔物〕 가소성. ②〔生〕 적응성.

[可体] kětǐ 형 몸에 딱 맞다.

[可望而不可即] kě wàng ér bù kě jí 〈成〉 볼 수는 있으나, 가까이 갈 수는 없다《그림의 떡》.

[可谓] kěwèi 동〈書〉 …이라고 할 [부를] 만하다. ❑ ~强者; 강자라고 부를 만하다.

[可恶] kěwù 형 가증스럽다. 괘씸하다. 얄밉다.

[可惜] kěxī 형 아깝다. 애석하다. 아쉽다. ❑ 这么好的钢笔摔坏了, 真~; 이렇게 좋은 펜을 떨어뜨려 망가뜨리다니 정말 아깝다.

[可喜] kěxǐ 형 기뻐할 만하다. 만족스럽다. ❑ 取得了~的进展; 기뻐할 만한 진전을 이루다.

[可笑] kěxiào 형 ① 가소롭다. 우습다. ❑ 他们暗暗觉得她很~; 그들은 속으로 그녀가 매우 가소롭다고 생각한다. ② 웃기다. 재미있다. ❑ ~的故事; 웃기는 이야기.

[可行] kěxíng 형 실행 가능하다. ❑ ~的计划; 실행 가능한 계획 / ~性; 실행 가능성.

[可疑] kěyí 형 의심스럽다. 수상하다. ❑ 形迹~; 거동이 수상하다.

[可以] kěyǐ 조동 ① 할 수 있다《가능 · 능력을 나타냄》. ❑ 这个礼堂~坐两千人; 이 강당은 2천 명이 들어갈 수 있다. ② …해도 된다. …해도 좋다《허가를 나타냄》. ❑ 现在~进去了; 이제 들어가도 된다. ③ …할 만하다. ❑ 这本小说写得很好, ~看看; 이 소설은 매우 잘 쓰여져서 볼만하다. 형〈口〉 ① 괜찮다. 좋다《주로, 앞에 '还'가 놓임》. ❑ 日子过得还~; 그런대로 잘 지내다. ② 심하다. 지독하다《정도가 높음을 나타냄》. ❑ 那时我们真是穷得~; 당시 우리는 정말 지독히도 가난했었다.

[可意] kě//yì 형 마음에 들다. ❑ 这里的饭菜还~吗? 이곳의 음식이 마음에 듭니까?

[可憎] kězēng 형 가증스럽다. 밉살스럽다. 지긋지긋하다.

坷 kě (가)
→[坎kǎn坷] ⇒ kē

渴 kě (갈)
① 형 목이 마르다. 갈증 나다.

❏ ~了就喝水; 목이 마르면 물을 마셔라. ② 부 간절히. ❏ ~望; ⇩

渴慕] kěmù 동 흠모하다. 간절히 사모하다.

渴念] kěniàn 동 간절히 그리워하다. ❏ ~故乡; 고향을 간절히 그리워하다. =[渴想]

渴求] kěqiú 동 갈구하다. ❏ ~知识; 지식을 갈구하다.

渴望] kěwàng 동 갈망하다. ❏ ~胜利; 승리를 갈망하다.

渴想] kěxiǎng 동 ⇒[渴念]

可 **kè** (가)
→[可汗] ⇒kě

可汗] kèhán 명 칸(khan)《옛날, 선비(鮮卑)·돌궐(突厥)·위구르·몽골족 등의 군주의 칭호》.

克(剋 ②③④⑤) **kè** (극)
① 동 (능히) 할 수 있다. ❏ 不~胜任; 임무를 감당할 수 없다. ② 동 극복하다. 이겨내다. 억제하다. ❏ ~己; ⇩ ③ 동 이기다. 승리하다. 승전하다. ❏ 攻无不~; 〈成〉 공격하면 반드시 이긴다. ④ 동 소화(消化)하다. ⑤ 동 (날짜를) 엄격하게 한정하다. ❏ ~期; ⇩ ⑥ 양〖度〗그램(gram). =[公分①]

克敌制胜] kèdí-zhìshèng 〈成〉 적을 무찌르고 승리를 거두다.

克服] kèfú 동 ① 극복하다. 이겨내다. ❏ ~困难; 어려움을 극복하다 / ~缺点; 결점을 극복하다. ② 자제하다. 참다. 견디다. ❏ 书库里禁止吸烟, 请~一下吧! 서고에서는 금연이니 자제해 주십시오.

克复] kèfù 동 (싸움을 통해서) 회복하다. 되찾다. 탈환하다.

克己] kèjǐ 동 극기하다. 자기를 이겨 내다. ❏ ~奉公; 〈成〉 멸사봉공(滅私奉公).

克扣] kèkòu 동 (재물을) 가로채다. 빼돌리다. 떼어먹다. ❏ ~救灾物品; 구호품을 빼돌리다.

克拉] kèlā 양〖度〗〈音〉 캐럿(carat).

克隆] kèlóng 명〖生〗〈音〉 클론(clone). ❏ ~人; 복제 인간.

克期] kèqī 부 기한을 정해서. 기한 내에. ❏ ~完成; 기한을 정해서 완성하다. =[克日rì]

克勤克俭] kèqín-kèjiǎn 〈成〉 열심히 일하고 알뜰히 절약하다.

克制] kèzhì 동 억제하다. 억누르다. 자제하다. ❏ ~着内心的愤怒; 마음속 분노를 억누르다.

刻 **kè** (각)
① 동 새기다. 파다. ❏ ~图章; 도장을 파다 / ~字; 글자를 새기다. ② 양 15분. ❏ 七点一~; 7시 15분. ③ 명 시각. 시기. 시간. ❏ 此~; 이 시각. 지금. ④ 형 정도가 심하다. ❏ 深~; 심각하다. ⑤ 동 박정하다. 가혹하다. ❏ 待人太~; 남에게 지나치게 박정하다.

[刻板] kèbǎn 동 판에 새기다. 판에 박다. =[刻版bǎn] 형〈比〉 판에 박은 듯하다.

[刻本] kèběn 명 판본. 판각본.

[刻薄] kèbó 형 박정하다. 매정하다. 야박하다. ❏ ~地对待朋友; 친구에게 야박하게 굴다.

[刻不容缓] kèbùrónghuǎn 〈成〉 잠시도 지체할 수 없다《형세가 매우 긴박하다》.

[刻刀] kèdāo 명 새김칼. 조각도.

[刻毒] kèdú 형 박정하고 악랄하다. 매정하고 독하다.

[刻骨] kègǔ 형 마음속 깊이 새기다. 각골하다. ❏ ~铭心 =[镂骨铭心]; 〈成〉 마음속 깊이 새기다.

[刻画] kèhuà 동 ① 새기거나 그리다. ② (예술적 수단으로) 형상화하다. 표현하다. 그려 내다. ❏ ~人物; 인물을 형상화하다.

[刻苦] kèkǔ 형 ① 고생을 견디다. 애쓰다. 각고하다. ❏ ~耐劳; 고생하며 열심히 일하다. ② 검소하다.

[刻意] kèyì 부 머리를 짜내어. 고심하여. ❏ ~求工; 〈成〉 고심하여 문장이나 공예품을 더욱 정교하게 만들다.

[刻舟求剑] kèzhōu-qiújiàn 〈成〉 각주구검《세상의 변화에 따르지 못하고 융통성 없이 낡은 생각을 고집하다》.

恪 **kè** (각, 격)
형〈書〉 신중하다. 삼가다.

[恪守] kèshǒu 동〈書〉 엄수하다. 준수하다. ❏ ~协定; 협정을 준수하다.

客 **kè** (객)
① 명 손님. ② 명 여객. 여행객. ❏ 旅~; 여객 / 乘~; 승객. ③ 동 객지에서 생활하다. ❏ ~居; ⇩ ④ 명 행상. 객상. ❏ 珠宝~; 보석 행상. ⑤ 명 (상점 따위의) 손님. ❏ 顾~; 고객. ⑥ 명 각지를 돌며 어떤 활동을 하는 사람에 대한 칭호. ❏ 侠~; 협객. ⑦ 형 객관적인. ❏

K

~观; ⇩ ⑧ 양〈方〉 (음식 따위를 팔 때의) 일인분. ❏ 一~蛋炒饭; 계란볶음밥 일인분.
[客舱] kècāng 명 객실. 선실.
[客场] kèchǎng 명〖體〗(원정팀 입장에서의) 상대팀의 홈경기장.
[客车] kèchē 명 객차(客車).
[客串] kèchuàn 동〖劇〗객원으로 출연하다. 특별 출연 하 다.
[客店] kèdiàn 명 여인숙.
[客队] kèduì 명〖體〗원정팀.
[客饭] kèfàn 명 ① (호텔·기차 따위에서 파는) 정식(定食). ② (기관 따위의) 손님용 식사.
[客房] kèfáng 명 ① 손님방. 손님용 침실. ② 객실.
[客观] kèguān 형 ①〖哲〗객관의. ❏ ~事实; 객관적 사실 / ~性; 객관성. ② 객관적이다. ❏ 作出~的评价; 객관적인 평가를 하다.
[客户] kèhù 명〖經〗바이어(buyer). 구매자. 거래처. 손님.
[客机] kèjī 명 여객기.
[客居] kèjū 동 객지 생활을 하다.
[客轮] kèlún 명 여객선.
[客满] kèmǎn 형 손님이 꽉 차다. 만원이다. ❏ 这家旅馆天天~; 이 여관은 매일 손님이 꽉 찬다.
[客票] kèpiào 명 승차권. 차표.
[客气] kè·qi 형 정중하다. 예의 있다. ❏ ~话; 예의상 하는 말. 동 격식을 차리다. 체면을 차리다. 사양하다. ❏ 你别这么~了; 너무 그렇게 체면차리지 마라.
[客人] kè·rén 명 ① 손님. ② 나그네. 여행객. ③ 행상인.
[客商] kèshāng 명〖經〗바이어. 거래처. 객상.
[客死] kèsǐ 동〈書〉객사하다.
[客套] kètào 명 (형식적인) 인사말. 인사치레로 하는 말. 동 인사말을 하다.
K [客套话] kètàohuà 명 인사말. =[套话③][套语①]
[客厅] kètīng 명 응접실. 접대실.
[客运] kèyùn 명 여객 운송.
[客栈] kèzhàn 명 객잔. 여인숙.
[客座] kèzuò 명 객석. 좌석. 형 객원의. ❏ ~教授; 객원 교수.

课(課) kè (과) ① 명 수업. 강의. ❏ 上~; 수업을 하다 / 下~; 수업이 끝나다. ② 명 수업 과목. 교과. ❏ 必修~; 필수 과목. ③ 명 수업 시간. ④ 명 교재의 단락. ❏ 第五~; 제5과. ⑤ 명 행정상의 단위. ❏ 秘书~; 비서과. ⑥ 동 (세금 따위를) 부과하다. 징수하다. ❏ ~税; 과세하다.
[课本] kèběn 명 교과서. ❏ 数学~; 수학 교과서. =[教jiào科书]
[课表] kèbiǎo 명 ⇨[课程表]
[课程] kèchéng 명 교과 과정. 커리큘럼(curriculum).
[课程表] kèchéngbiǎo 명 수업 시간표. =[课表]
[课时] kèshí 명 수업 시간.
[课堂] kètáng 명 교실.
[课题] kètí 명 과제. ❏ 研究~; 연구 과제.
[课外] kèwài 명 과외. ❏ ~活动; 과외 활동.
[课文] kèwén 명 (교과서의) 본문.
[课业] kèyè 명 수업. 학업.
[课余] kèyú 명 과외(課外). 방과 후. ❏ ~生活; 방과 후 생활.

嗑 kè (합) 동 앞니로 깨물다. ❏ ~瓜子; 호박씨를 깨물다.

ken ㄎㄣ

肯 kěn (긍) ① 동 승낙하다. 동의하다. 수긍하다. ❏ 我再三请求, 他才~了; 내가 거듭 부탁하자 그는 비로소 승낙했다. ② 조동 원하다. 기꺼이 하다. ❏ 他连一会儿也不~安静; 그는 잠시도 조용히 있으려 하지 않는다.
[肯定] kěndìng 동 긍정하다. 인정하다. ❏ 他~了这一作法是正确的; 그는 이 방법이 정확하다는 것을 인정했다. 형 ① 긍정적이다. ❏ ~态度; 긍정적인 태도. ② 확정적이다. 확실하다. ❏ 他非常~地告诉我明天一定来; 그는 내일 반드시 오겠다고 나에게 매우 확실하게 말했다. 부 분명히. 틀림없이. 확실히. ❏ 他~早走了; 그는 분명히 일찌감치 갔을 것이다.

啃 kěn (간) 동 ① 갉다. 쏠다. ❏ 老鼠把箱子~了; 쥐가 상자를 갉았다. ②〈比〉매달리다. 파고들다. 몰두하다. ❏ ~书本; 책을 파다.

垦(墾) kěn (간) 동 (땅을) 일구다. 개간하다. ❏ 开~; 개간하다.
[垦荒] kěnhuāng 동 황무지를 개간하다.

恳(懇) kěn (간) ①형 진실하다. 성실하다. 간절하다. ❏~谈; ⇓ ②동 간청하다. ❏敬~; 간청하옵니다.

【恳切】 kěnqiè 형 간절하다. ❏~地请求; 간절히 부탁하다.

【恳请】 kěnqǐng 동 간절히 청하다. 간청하다. ❏~协助; 협조해 줄 것을 간청하다.

【恳求】 kěnqiú 동 간절히 부탁하다. 간청하다. 간구하다. ❏他跪下来向她~了; 그는 무릎을 꿇고 그녀에게 간청했다.

【恳谈】 kěntán 동 간담하다. ❏~会; 간담회.

【恳挚】 kěnzhì 형 성실하고 진지하다.

keng ㄎㄥ

坑 kēng (갱) ①(~儿) 명 구덩이. 구멍. ❏挖~; 구덩이를 파다. ②명 땅굴. 지하 갱도. ❏矿~; 광갱. ③동 생매장하다. ❏焚书~儒; 분서갱유. ④동 함정에 빠뜨리다. 속여서 손해를 입히다. ❏他~过我两次了; 그는 나를 두 번이나 함정에 빠뜨렸다.

【坑道】 kēngdào 명 ①〔鑛〕 갱도. ②〔軍〕 (전투용의) 갱도.

【坑害】 kēnghài 동 속여서 손해를 입히다. 바가지 씌우다. ❏~顾客; 고객을 속이다.

【坑坑洼洼(的)】 kēngkēngwāwā(·de) 형 (지면이나 물체의 표면이) 울퉁불퉁하다.

吭 kēng (항) 동 말하다. 소리 내다. ❏他连~都没有~一声; 그는 한마디도 하지 않았다. ⇒háng

【吭哧】 kēng·chi 의 끙끙. 씩씩. 쌕쌕. 컹컹《무겁고 탁한 소리》. ❏他~~地把箱子搬到五楼; 그는 끙끙대며 상자를 5층으로 옮겼다. 동 ①끙끙대다. 끙끙거리다. ❏~了半天还没写成呢; 한참을 끙끙댔지만 아직 다 못 썼다. ②(말을) 우물거리다. 우물쭈물하다. ❏你~了半天, 究竟什么意思? 너는 한참을 우물거리는데 대체 무슨 말이냐?

【吭声(儿)】 kēng//shēng(r) 동 소리를 내다. 의견을 말하다. 입을 열다《주로, 부정형으로 쓰임》. ❏被人欺负不敢~; 남이 괴롭혀도 찍소리 못하다. =[吭气(儿)]

铿(鏗) kēng (갱) 의 우르릉. 쿵쿵. 땅땅《세찬 소리의 형용》. ❏榔头敲在木桩上~~地响; 해머가 나무 말뚝을 땅땅 두드리며 소리를 낸다.

【铿锵】 kēngqiāng 형 (소리가) 우렁차다. 힘차고 경쾌하다. ❏歌声~; 노랫소리가 힘차고 경쾌하다.

kong ㄎㄨㄥ

空 kōng (공) ①형 텅 비다. ❏屋子都快搬~了; 집은 곧 모두 이사 나가 비워질 것이다. ②형 내용 없다. 실속없다. 공허하다. ❏这篇文章很~; 이 글은 내용이 매우 공허하다. ③명 하늘. 공중. ❏对~射击; 대공사격. ④부 공연히. 헛되이. 쓸데없이. ❏~忙; 공연히 바쁘다. ⇒kòng

【空包弹】 kōngbāodàn 명〔軍〕 공포탄.

【空城计】 kōngchéngjì 명 성을 비우는 계략《힘이 없는 것을 숨기고 상대방을 속이는 계책》.

【空荡荡(的)】 kōngdàngdàng(·de) 형 (건물 안이나 장소가) 텅 빈 모양. ❏大厅里~的, 没有一个人; 홀 안은 한 사람도 없이 텅 비었다.

【空洞】 kōngdòng 형 (말이나 글이) 실제적이지 않다. 내용이 없다. ❏~无味的文章; 내용이 없고 무미한 글. 명〔醫〕 공동. 구멍.

【空泛】 kōngfàn 형 실속없이 헛되다. 공허하다. 내용이 없다. ❏~的议论; 공허한 의론.

【空腹】 kōngfù 동 배가 비다. 공복이다.

【空话】 kōnghuà 명 공염불. 공론. 빈말.

【空幻】 kōnghuàn 형 허황되다. 헛되다. ❏~的计划; 허황된 계획.

【空间】 kōngjiān 명 ①공간. ❏~生存~; 생존 공간. ②우주 공간. ❏~科学; 우주 과학.

【空降】 kōngjiàng 동 (비행기나 낙하산을 이용하여) 공중 낙하 하다. 공수(空輸)하다. ❏~兵; 낙하산병.

【空军】 kōngjūn 명〔軍〕 공군.

【空空如也】 kōngkōngrúyě 〈成〉 아무것도 든 것 없이 텅 비다.

[空旷] kōngkuàng 형 텅 비고 넓다. 공활하다. 광활하다. ❑ ~的原野; 광활한 들판. =[空阔kuò]
[空论] kōnglùn 명 빈말. 공론.
[空落落(的)] kōngluòluò(·de) 형 휑한 모양. 휑뎅그렁한 모양.
[空气] kōngqì 명 ① 공기. ❑ 新鲜~; 신선한 공기 / ~污染; 대기 오염. ② 분위기. 공기. ❑ 友好的~; 우호적인 분위기.
[空前] kōngqián 동 전례 없다. 공전이다. ❑ ~绝后; 〈成〉 전무후무하다. 공전절후하다.
[空手] kōng//shǒu 동 빈손으로 …하다. 맨손으로 …하다. ❑ ~对打; 맨손으로 맞붙어 싸우다.
[空谈] kōngtán 동 말만 할 뿐 실행하지 않다. 명 공론. 공염불. 공담.
[空调] kōngtiáo 명 에어컨디셔너(air conditioner). 에어컨.
[空头] kōngtóu 명〖經〗공매매. 투기 매매. 형 실속 없는. 유명무실한. ❑ ~理论; 공리공론.
[空头支票] kōngtóu zhīpiào ①〖商〗부도 수표. ②〈比〉 공수표. ❑ 开~; 공수표만 날리다.
[空投] kōngtóu 동 공중 투하 하다.
[空文] kōngwén 명 유명무실한 법률·규정.
[空袭] kōngxí 동 공습하다. ❑ ~警报; 공습경보.
[空想] kōngxiǎng 명동 공상(하다). ❑ ~家; 공상가.
[空心] kōng//xīn 동 (나무나 채소의) 심(芯)이 비다. 바람 들다. (kōngxīn) 형 속 빈. 공동(空洞)의. ❑ ~面; 마카로니(macaroni). ⇒ kòngxīn(r)
[空虚] kōngxū 형 공허하다. 허술하다. ❑ 防守~; 수비가 허술하다.
[空运] kōngyùn 동 항공 운송 하다. 공수(空輸)하다. ❑ ~费; 항공 운송비.
[空战] kōngzhàn 명 공중전.
[空中] kōngzhōng 명 ① 공중. ❑ ~劫持; 공중 납치. 하이재킹. ② 항공. ❑ ~服务; 항공 서비스 / ~交通管制塔; 항공 관제탑.
[空中楼阁] kōngzhōng-lóugé 〈成〉 신기루. 공중누각《근거 없는 이론이나 현실과 동떨어진 환상》.
[空中小姐] kōngzhōng xiǎojiě 스튜어디스.

孔 kǒng (공)

① 명 구멍. ❑ 鼻~; 콧구멍 / 针~; 바늘구멍. ② 양〈方〉 구멍 모양의 것을 세는 말. ❑ 三~砖窑; 벽돌 가마 세 개.
[孔道] kǒngdào 명 요로(要路).
[孔洞] kǒngdòng 명 (인공적으로 뚫은) 구멍.
[孔雀] kǒngquè 명〖鳥〗공작.
[孔隙] kǒngxì 명 구멍. 틈.
[孔穴] kǒngxué 명 (인체나 기물의) 구멍.
[孔子] Kǒngzǐ 명〖人〗공자.

恐 kǒng (공)

① 동 무서워하다. 두려워하다. ❑ 惶~; 황공하다. ② 동 겁나게 하다. 위협하다. ❑ ~吓; ⇓ ③ 부 …일까 무섭다. …일까 우려되다. …일 것 같다. ❑ ~已忘掉; 아마 벌써 잊어버렸을 것이다.
[恐怖] kǒngbù 명 테러(terror). ❑ ~分子; 테러리스트 / ~主义; 테러리즘. 형 공포스럽다. 무섭다. ❑ 这部电影非常~; 이 영화는 매우 무섭다 / ~片; 공포 영화.
[恐高症] kǒnggāozhèng 명〖醫〗고소 공포증.
[恐吓] kǒnghè 동 위협하다. 협박하다. ❑ ~信; 협박장. 협박 편지.
[恐慌] kǒnghuāng 형 두려워서 어찌할 바를 모르다. 공황 상태에 빠지다. 명 공황. ❑ 金融~; 금융 공황.
[恐惧] kǒngjù 형 무섭다. 두렵다. 공포스럽다.
[恐龙] kǒnglóng 명〖動〗공룡.
[恐怕] kǒngpà 부 ① …일까 무섭다[우려되다]. …일[할]지도 모르다. ❑ 这样做~不太好吧; 이렇게 하는 것은 별로 좋지 않을 것 같다. ② 대략. …쯤. …정도. ❑ 他出差~有半个多月了; 그가 출장 간 지 보름쯤 되었다. 동 염려되다. 두렵다. 걱정이다. ❑ 他~遭人暗算, 决定离开这里; 그는 음모에 빠질까 두려워 이곳을 떠나기로 결정했다.
[恐水病] kǒngshuǐbìng 명 ⇒[狂kuáng犬病]

空 kòng (공)

① 동 (시간·공간 따위를) 내다. 비우다. ❑ ~一个座位; 좌석을 하나 비우다. ② 형 비다. 사용하지 않다. ❑ 车里面~得很; 차 안이 텅텅 비다. ③ (~儿) 명 빈 곳. 여백. 틈. 짬. 겨를. ⇒ kōng
[空白] kòngbái 명 공백. 여백.
[空白点] kòngbáidiǎn 명 미처 접근

K

하지 못한 부분[분야]. 미개척 분야.

[空当(儿)] kòngdāng(r) 명 (시간·공간적인) 틈. 간격. 사이.

[空地] kòngdì 명 ① 빈터. 공터. ② (~儿) 빈 곳. 빈자리.

[空额] kòng'é 명 (인원의) 빈자리. 결원(缺員).

[空格] kòng//gé 동 칸을 띄우다. ❑ ~键; 스페이스 바(space bar).

[空缺] kòngquē 명 ① (직위의) 공석(空席). 빈자리. ② (사물의) 빈 부분. 틈. 부족한 부분.

[空隙] kòngxì 명 ① (시간·공간적인) 간격. 사이. 틈. 짬. ② ⇨[空子②]

[空暇] kòngxiá 명 짬. 틈. 한가한 시간.

[空闲] kòngxián 형 ① 한가하다. ❑ 等你~下来了, 咱们去钓鱼; 네가 한가해지면 우리 낚시 가자. ② 쓰지 않고 놀리다. 비어 있다. ❑ ~房间; 빈 방. 명 틈. 짬. ❑ 他一有~就练习打字; 그는 틈만 나면 타자 연습을 한다.

[空心(儿)] kòngxīn(r) 동 공복이다. 빈속이다. ⇒ kōng//xīn

[空子] kòng·zi 명 ① (시간적·공간적) 틈. 틈새. 사이. ② (나쁜 일의) 기회. 틈. 헛점. ❑ 钻~; 헛점을 이용하다. =[空隙②]

控 kòng (공)

동 ①고소하다. 고발하다. ❑ 被~; 고발당하다. ② 통제하다. 제어하다. ❑ 失~; 통제되지 않다.

[控告] kònggào 동〖法〗(사법 기관에) 고발하다. ❑ ~人; 고발자.

[控诉] kòngsù 동 고발하다. 규탄하다. ❑ ~大会; 규탄 대회.

[控制] kòngzhì 동 제어하다. 규제하다. 통제하다. ❑ ~物价; 가격을 규제하다 / ~感情; 감정을 제어하다 / ~装置; 제어 장치.

kou ㄎㄡ

抠(摳) kōu (구)

① 동 (가느다란 것으로) 후비다. 파다. 쑤시다. ❑ 用手指~鼻孔; 손가락으로 코를 후비다. ② 동 (필요 이상으로) 깊이 따지고 들다. 파고들다. ❑ 死~书本儿; 죽어라 책을 파다. ③ 형 인색하다.

[抠字眼儿] kōu zìyǎnr 자구(字句)를 파고들다. 자구를 깊이 파다.

眍(瞘) kōu (후)

동 (눈이) 퀭해지다. 푹 꺼지다. ❑ 她一连几夜没睡, 眼睛都~进去了; 그녀는 며칠 동안 계속 잠을 못 잤더니 눈이 퀭해졌다.

[眍䁖] kōu·lou 동 (눈이) 움푹 들어가다. 퀭해지다.

口 kǒu (구)

① 명 입. ❑ 张~; 입을 벌리다. ② 명 맛. ❑ ~轻; ⇓ ③ 명 인구. 사람 수. ❑ 户~; 호구 / 家~; 가족 수. ④ (~儿) 명 (용기 따위의) 주둥이. 아가리. 입구. ❑ 瓶~; 병 아가리. ⑤ (~儿) 명 출입구. 입구. ❑ 入~; 입구. ⑥ (~儿) 명 터진 곳. 갈라진 곳. ❑ 刀~; 칼에 베인 자리. ⑦ 명 (칼·가위 따위의) 날. ❑ 开~; 날을 세우다. ⑧ 명 (말·나귀 따위의) 나이. ❑ 这马~还小; 이 말은 아직 어리다. ⑨ 양 ㉠명. 식구. 사람《식구 수를 세는 말》. ❑ 他家有几~人? 그의 집은 식구가 몇 명입니까? ㉡가축이나 기물을 세는 말. ❑ 一~猪; 돼지 한 마리 / 一~井; 우물 하나 / 一~刀; 칼 한 자루. ㉢입. 모금《입으로 하는 것을 세는 말》. ❑ 一~烟; 담배 한 모금.

[口岸] kǒu'àn 명 항구.

[口才] kǒucái 명 말재간. 말재주. ❑ 有~; 말재주가 있다.

[口吃] kǒuchī 동 말을 더듬다. ❑ 他小时候有点~; 그는 어렸을 때 말을 조금 더듬었다. =[结jiē巴]

[口齿] kǒuchǐ 명 ① 말. 발음. 말재간. ❑ ~不清; 말이 분명하지 않다. ② (말·노새 따위의) 나이.

[口臭] kǒuchòu 명동〖醫〗구취(가 나다). 입냄새(가 나다).

[口传] kǒuchuán 동 입으로 전수하다. 구전하다. ❑ ~心授; 〈成〉 입으로 전수하고 마음으로 가르치다.

[口袋(儿)] kǒu·dai(r) 명 ① 주머니. 자루. 부대. ② (의복의) 호주머니. 포켓(pocket).

[口风] kǒufēng 명 ⇨[口气②]

[口风琴] kǒufēngqín 명〖樂〗멜로디언(melodion).

[口服] kǒufú 동 ① 말로 복종[승복]하다. ❑ ~心不服; 말로만 복종하고 마음으로는 복종하지 않다. ②〖醫〗내복하다. 복용하다. ❑ ~药; 내복약. =[内服]

[口福] kǒufú 명 먹을 복. ❑ 很有~; 먹을 복이 많다.

K

[口供] kǒugòng 명 (범인·용의자의) 진술. 자백.

[口号] kǒuhào 명 구호. 슬로건. ❑ 喊~; 구호를 외치다.

[口红] kǒuhóng 명 립스틱(lipstick). 루주(rouge). =[唇膏]

[口技] kǒujì 명 성대 모사. 입내.

[口角] kǒujiǎo 명 입아귀. 입가. ⇒kǒujué

[口紧] kǒujǐn 형 입이 무겁다.

[口径] kǒujìng 명 ① 구경(口徑). ❑ 大~机枪; 대구경 기관총. ② (요구되는) 조건. 규격. 성능. ③ 〈比〉 (문제에 대한) 시각. 생각. 원칙.

[口诀] kǒujué 명 요점을 정리해서 외우기 쉽도록 만든 어구(語句).

[口角] kǒujué 동 입씨름하다. 말다툼하다. 언쟁하다. ❑ 两人经常~; 두 사람은 자주 언쟁을 한다. ⇒kǒujiǎo

[口渴] kǒukě 형 목마르다. 갈증나다.

[口口声声] kǒu·koushēngshēng 부 자꾸만. 여러 번. 말할 때마다. ❑ ~地说; 자꾸만 말하다.

[口令] kǒulìng 명 ① (체조·훈련의) 구령. ② (군대의) 암호. 암구호(暗口號).

[口蜜腹剑] kǒumì-fùjiàn 〈成〉 말은 달콤하게 하면서 속에는 남을 해할 나쁜 생각을 품고 있다《음흉하다. 음험하다》.

[口气] kǒu·qì 명 ① 말솜씨. 입심. ❑ ~大; 입심이 세다. ② 언외(言外)의 뜻. 암시. 숨은 뜻. =[口风] ③ 말씨. 어투. 어조. 말투. ❑ 埋怨的~; 원망의 말투. =[口吻②]

[口琴] kǒuqín 명〖樂〗 하모니카(harmonica).

[口轻] kǒuqīng 형 ① 싱겁다. 담백하다. ❑ 这个菜太~; 이 음식은 너무 싱겁다. ② 담백한[싱거운] 음식을 좋아하다. ③ (말·당나귀 따위의) 나이가 어리다.

[口若悬河] kǒuruòxuánhé 〈成〉 말을 청산유수로 잘하다.

[口哨儿] kǒushàor 명 휘파람. ❑ 吹~; 휘파람을 불다.

[口舌] kǒushé 명 ① 말다툼. 언쟁. 승강이. ② (교섭·언쟁·권고·설득하는) 말. 입심.

[口实] kǒushí 명 구실.

[口试] kǒushì 명동 구술 시험(을 보다).

[口是心非] kǒushì-xīnfēi 〈成〉 말과 마음이 일치하지 않다.

[口授] kǒushòu 동 ① 말로 전수하다. ❑ ~秘诀; 비결을 전수하다. ② 구술하여 받아쓰게 하다.

[口述] kǒushù 동 구술하다.

[口水] kǒushuǐ 명 침. ❑ 流~; 침을 흘리다 / ~战; 설전(舌戰).

[口算] kǒusùan 동 암산하면서 계산 결과를 말하다.

[口头] kǒutóu 명 (말하는) 입. 구두(口頭). 형 구두의. ❑ ~契约; 구두 계약 / ~文学; 구전 문학.

[口头禅] kǒutóuchán 명 ①〖佛〗 구두선. ②〈比〉 입버릇처럼 하는 말. 입에 달고 사는 말.

[口头语(儿)] kǒutóuyǔ(r) 명 입버릇. 말버릇.

[口味(儿)] kǒuwèi(r) 명 ① 맛. ❑ ~不错; 맛이 좋다. ② 구미. 입맛. ❑ 这菜很合我的~; 이 음식은 내 입맛에 매우 잘 맞는다. ③〈比〉 기호. 구미. ❑ 合年轻人的~; 젊은이들의 기호에 맞다.

[口吻] kǒuwěn 명 ① (물고기·개 따위의) 주둥이 부분《입·코를 포함한 부분》. ② ⇨[口气③]

[口香糖] kǒuxiāngtáng 명 껌(gum).

[口信(儿)] kǒuxìn(r) 명 구두로 전달한 말. 전갈. 전언.

[口型] kǒuxíng 명 (말할 때나 발음할 때의) 입 모양.

[口血未干] kǒuxuè-wèigān 〈成〉 맹세를 한 지 얼마 되지도 않다.

[口译] kǒuyì 동 (구두(口頭)로) 통역하다.

[口音] kǒuyīn 명〖言〗 구음. 구강음(口腔音).

[口音] kǒu·yīn 명 ① 말씨. 발음. ② (사투리의) 억양.

[口语] kǒuyǔ 명〖言〗 구어.

[口罩(儿)] kǒuzhào(r) 명 (위생용) 마스크.

[口重] kǒuzhòng 형 ① (요리의 맛이) 짜다. 자극적이다. ② 짠 음식을 좋아하다.

[口诛笔伐] kǒuzhū-bǐfá 〈成〉 말과 글로 죄상을 폭로하고 성토하다.

[口子] kǒu·zi 명 (신체나 물건 따위의) 깨진 데. 흠이 있는 곳. 상처. 양〈口〉 명《사람을 세는 말》. ❑ 你们家有几~? 너희 집 식구는 몇 명이니?

叩 kòu (고)
동 ① 치다. 두드리다. ❑ ~门;

K

노크하다. ② 머리를 땅에 조아리고 절하다. ③〈書〉 묻다. 문의하다. ❏～其姓名; 성명을 묻다.

[叩首] kòushǒu 동 ⇨[磕kē头]

[叩头] kòu//tóu 동 ⇨[磕kē头]

扣 kòu (구) ① 동 (자물쇠·단추 따위를) 채우다. 걸다. ❏～扣子; 단추를 채우다 / 门～得很严; 문을 단단히 닫아걸다. ② 동 엎어 놓다. 덮어씌우다. ❏把碗～在桌子上; 그릇을 탁자 위에 엎어 놓다. ③ 동〈比〉(죄명이나 나쁜 명의를) 씌우다. ❏～帽子; ⇩ ④ 동 구류하다. 구금하다. ❏～犯人; 범인을 구금하다. ⑤ 동 압류하다. 압수하다. ❏～驾驶执照; 운전 면허증을 압수하다. ⑥ 동 제하다. 공제하다. ❏～除; ⇩ ⑦ 동 할인하다. 에누리하다. ❏打八～; 20% 할인하다. ⑧ 동 (아래를 향하여) 두드리다. 치다. ❏～球; 공을 내리치다. ⑨ (～儿) 명 매듭. ❏活～儿; 풀매듭. ⑩ (～儿) 명 단추. 벨트의 버클. ❏大衣～; 코트의 단추. ⑪ 명 나사산.

[扣除] kòuchú 동 공제하다. 제하다. ❏～损耗; 손실을 공제하다.

[扣篮] kòulán 명동〔體〕덩크 슛(dunk shot)(하다).

[扣留] kòuliú 동 압류하다. 압수하다. 차압하다. ❏～驾驶证; 운전 면허증을 압수하다.

[扣帽子] kòu mào·zi 죄를 덮어씌우다. 불명예를 씌우다. 낙인찍다.

[扣人心弦] kòurénxīnxián 〈成〉 심금을 울리다. 감동적이다.

[扣杀] kòushā 명동〔體〕(탁구·테니스·배드민턴 따위의) 스매시(smash)(하다). (배구의) 스파이크(spike)(하다).

[扣压] kòuyā 동 (서류·원고·의견 따위를) 보류하다. 제쳐 놓다.

[扣押] kòuyā 동 ① 구금하다. 구류하다. 억류하다. ❏～人质; 인질을 억류하다. ② 압류하다. 압수하다. ❏～品; 압류품.

[扣子] kòu·zi 명 ① 매듭. ② ⇨[纽扣(儿)] ③ (소설·야담 따위의) 절정. 클라이맥스(climax).

筘 kòu (구) 명〔紡〕바디. =[杼zhù①]

寇 kòu (구) ① 명 도둑. 강도. 침략자. ② 동 침략하다. ❏入～; 쳐들어오다.

[寇仇] kòuchóu 명 원수. 적.

ku ㄎㄨ

枯 kū (고) 형 ① (식물이) 시들다. 마르다. ❏花全～死了; 꽃이 전부 말라 죽었다. ② (우물·하천 따위가) 마르다. ❏那口井早～了; 그 우물은 진작에 말라 버렸다. ③ (피부나 근육이) 여위다. 마르다. ❏～瘦; ⇩ ④ 생기 없다. 멍하다. ❏～坐; 우두커니 앉아 있다.

[枯肠] kūcháng 명〈書〉(저작·작문 따위의) 부족한 생각. 짧은 구상.

[枯槁] kūgǎo 형 ① (초목이) 시들다. 바싹 마르다. ❏～的树梢; 바싹 마른 우듬지. ②〈轉〉(얼굴이) 초췌하다. 야위다.

[枯黄] kūhuáng 형 (초목이) 시들어 누렇게 되다. ❏小草都～了; 작은 풀들이 모두 시들었다.

[枯寂] kūjì 형 무미건조하고 외롭다. ❏～的生活; 무미건조하고 외로운 생활.

[枯竭] kūjié 동 ① (물줄기 따위가) 마르다. ❏这条小河～了; 이 작은 강은 말라 버렸다. ② 고갈되다. ❏财源～; 재원이 고갈되다.

[枯木逢春] kūmù-féngchūn 〈成〉 곤경에 처했다가 살길을 찾다.

[枯涩] kūsè 형 ① 재미없고 딱딱하다. 무미건조하다. ❏文章～; 문장이 무미건조하다. ② 건조하고 윤기가 없다. ❏两眼～; 두 눈이 건조하고 윤기가 없다.

[枯瘦] kūshòu 형 말라 빠지다. 몹시 여위다.

[枯萎] kūwěi 동 시들어 오그라들다. ❏鲜花渐渐～了; 생화가 점점 시들어 갔다.

[枯燥] kūzào 형 무미건조하다. 재미없다. ❏～无味; 무미건조하다.

骷 kū (고) →[骷髅]

[骷髅] kūlóu 명 해골.

哭 kū (곡) 동 (눈물을 흘리며) 울다. ❏～着～着就睡着了; 울다가 잠들었다.

[哭鼻子] kū bí·zi 〈口〉 울다. 질질 짜다. 훌쩍대다.

[哭哭啼啼] kūkūtítí 형 하염없이 우는 모양.

[哭泣] kūqì 동 소리 죽여 울다. 흐느끼다.

[哭穷] kū∥qióng 동 (경제적으로) 우는소리를 하다.
[哭丧着脸] kū·sang·zhe liǎn 울상을 짓다.
[哭笑不得] kūxiào-bùdé 〈成〉 웃을 수도 울 수도 없다《이러지도 저러지도 못하다》.

窟 kū (굴)
명 ① 동굴. 굴. ❑山~; 산굴. ② (나쁜 패거리들의) 소굴. 굴. ❑匪~; 비적의 소굴.
[窟窿] kū·long 명 ① 구멍. 굴. ❑袜底磨破个~; 양말 바다이 닳아서 구멍이 나다 / 老鼠~; 쥐구멍. ②〈比〉 결손. 손실. 적자. 빚.
[窟窿眼儿] kū·longyǎnr 명〈口〉 작은 구멍.

苦 kǔ (고)
① 형 (맛이) 쓰다. ❑这药~极了; 이 약은 너무 쓰다. ② 형 힘들다. 괴롭다. ❑生活很~; 생활이 매우 힘들다. ③ 동 고생시키다. 괴롭히다. 힘들게 하다. ❑这事可~了他了; 이 일은 그를 매우 힘들게 했다. ④ 동 …에 고생하다. …때문에 힘들다. ❑~于; ⇩ ⑤ 부 꾸준히. 열심히. ❑~干; ⇩
[苦楚] kǔchǔ 형 (주로, 생활상의) 고초를 겪다. 고통을 당하다.
[苦处] kǔchù 명 괴로움. 고통스러운 점[일].
[苦迭打] kǔdiédǎ 명〈音〉 쿠데타.
[苦干] kǔgàn 동 힘든 것을 참고 열심히 하다. 피땀 흘려 일하다.
[苦工] kǔgōng 명 ① (강제적으로 종사하는) 고된 노동. 고역. ② 고역에 종사하는 노동자.
[苦功] kǔgōng 명 각고의 노력. 뼈를 깎는 수고.
[苦海] kǔhǎi 명〖佛〗 고해. 〈比〉 비참한 처지. 어려운 환경. ❑脱离~; 어려운 처지를 벗어나다.
[苦寒] kǔhán 형 ① 매우 춥다. 혹한이다. ❑气候~; 기후가 매우 춥다. ② 매우 가난하다.
[苦尽甘来] kǔjìn-gānlái 〈成〉 고진감래《고생 끝에 낙이 온다》. = [苦尽甜tián来]
[苦口] kǔkǒu 부 (말 따위를) 거듭해서 간곡히. ❑~婆心; 〈成〉 노파심에서 거듭 권고하다. 동 입에 쓰다. ❑良药~利于病; 〈諺〉 좋은 약은 입에 쓰나 병에는 이롭다.
[苦力] kǔlì 명 ① 쿨리(coolie). 중노동을 하는 하층 노동자. ② 중노동에 쓰이는 노동력.
[苦闷] kǔmèn 형 고민스럽다. 고민에 차다.
[苦难] kǔnàn 명 고난. 고초.
[苦恼] kǔnǎo 형 고뇌하다. ❑何必为小事儿~呢! 사소한 일로 고뇌할 필요가 있느냐!
[苦肉计] kǔròujì 명 고육책.
[苦涩] kǔsè 형 ① (맛이) 떫고 쓰다. ② (마음이) 아프다. 괴롭다.
[苦水] kǔshuǐ 명 ① 쓴물. ② 신물 ③〈比〉 마음속의 괴로움[고통].
[苦思冥想] kǔsī-míngxiǎng 〈成〉 깊이 생각하다. 심사숙고하다. = [冥思苦想][冥思苦索]
[苦痛] kǔtòng 형 ⇨[痛苦]
[苦头(儿)] kǔ·tóu(r) 명 괴로움. 고통. 고생. 불행. ❑吃尽~; 온갖 고생을 다 하다.
[苦夏] kǔxià 동 여름을 타다.
[苦笑] kǔxiào 동 쓴웃음을 짓다.
[苦心] kǔxīn 명 고심. 심혈. 부 심혈을 기울여. 고심하여. ❑~孤诣; 〈成〉 고심하여 높은 경지에 이르다.
[苦行] kǔxíng 동〖宗〗 고행하다.
[苦于] kǔyú 동 ① …으로 고생하다. …에 괴롭다. ❑~不识字; 글자를 몰라 고생하다. ② …보다 더 고생스럽다[힘들다]. ❑贫农的生活~下中农; 가난한 농민의 생활은 중산층 농민의 생활보다 더 힘들다.
[苦战] kǔzhàn 동 고전하다.
[苦衷] kǔzhōng 명 고충.

库(庫) kù (고)
명 창고. 저장고.
[库藏] kùcáng 동 창고에 저장하다. ❑把武器~; 무기를 창고에 저장하다. 명 창고에 저장해 놓은 물건. 재고품.
[库存] kùcún 명 재고. 잔고. ❑清点~; 재고를 조사하다 / ~产品; 재고품 / ~现金; 현금 잔고.
[库房] kùfáng 명 창고. 저장실.

裤(褲) kù (고)
명 바지. ❑短~; 반바지 / 一条~; 바지 한 벌.
[裤衩儿] kùchǎr 명 ① (몸에 붙는) 짧은 바지. ② 팬티. ❑三角~; 삼각팬티. = [内裤②]
[裤裆] kùdāng 명 바짓가랑이.
[裤兜(儿)] kùdōu(r) 명 바지 주머니.
[裤脚] kùjiǎo 명 ① (~儿) 바짓단. ② 〈方〉 ⇨[裤腿(儿)]
[裤腿(儿)] kùtuǐ(r) 명 바지의 다리 부분. = [〈方〉 裤脚②]

[裤袜] kùwà 명 ⇨[连裤袜]
[裤腰] kùyāo 명 바지 허리.
[裤子] kù·zi 명 바지.
酷 kù (혹) ① 형 심하다. 가혹하다. 잔혹하다. ❏冷~; 냉혹하다. ② 부 몹시. 매우. ❏~贫; 매우 가난하다. ③ 형 (어떤 사람이) 멋지다. 근사하다. 쿨(cool)하다. ❏~哥; 쿨가이(cool guy). ④ 형〈口〉(어떤 사물이) 새롭고 독특하다. 신선하다. 세련되다. ❏这一款式样已经不再~了; 이런 스타일은 이제 더 이상은 신선하지 않다.
[酷爱] kù'ài 동 매우 좋아하다. ❏~文学; 문학을 매우 좋아하다.
[酷寒] kùhán 형 몹시 춥다. 혹한이다. ❏~的冬季; 혹한의 겨울.
[酷烈] kùliè 형〈書〉① 가혹하다. 잔혹하다. ❏~的统治; 가혹한 통치. ② (향기가) 짙다. ❏香气~; 향기가 짙다. ③ 이글거리다. 작열하다. ❏~的阳光; 작열하는 햇볕.
[酷虐] kùnüè 형 잔혹하다.
[酷热] kùrè 형 (날씨가) 몹시 덥다. ❏~的盛夏; 몹시 더운 한여름.
[酷暑] kùshǔ 명 혹서.
[酷似] kùsì 동 흡사하다. 매우 닮다. 매우 비슷하다.
[酷刑] kùxíng 명 혹형.

kua ㄎㄨㄚ

夸(誇) kuā (과) 동 ① 과장하다. 허풍 떨다. ❏你就别~了; 허풍 좀 그만 떨어라. ② 칭찬하다. ❏大家都~他乐于助人; 모두들 그가 남을 기꺼이 돕는다고 칭찬한다.
[夸大] kuādà 동 과장하다. 부풀리다. ❏~其词;〈成〉말을 과장하다.
[夸奖] kuājiǎng 동 칭찬하다. ❏老师常常~他; 선생님은 그를 자주 칭찬하신다.
[夸口] kuā∥kǒu 동 허풍을 떨다. 큰소리치다. =[〈口〉夸嘴]
[夸夸其谈] kuākuā-qítán 〈成〉 과장되고 실제와 맞지 않다. 큰소리만 칠 뿐 실속이 없다.
[夸示] kuāshì 동 과시하다.
[夸饰] kuāshì 동 지나치게 꾸미다. 과장되게 묘사하다.
[夸耀] kuāyào 동〈貶〉자신을 드러내다. 뽐내다. 과시하다. 잘난 척하다. ❏他从来不~自己; 그는 좀처럼 자신을 과시하지 않는다.
[夸赞] kuāzàn 동 칭찬하다.
[夸张] kuāzhāng 형 과장되다. 과장하다. 명〖言〗과장법.
[夸嘴] kuā∥zuǐ 동〈口〉⇨[夸口]
垮 kuǎ (과) 동 ① 무너지다. 붕괴하다. ❏堤坝~了; 댐이 무너졌다. ② 망하다. 쓰러지다. 망가지다. ❏别把身体累~了; 몸이 피로로 망가지지 않게 해라.
[垮台] kuǎ∥tái 동 와해되다. 붕괴하다. ❏内阁~; 내각이 와해되다. =[倒dǎo台][塌tā台]
挎 kuà (고) 동 ① (팔을 구부려서) 걸다. 끼다. ❏他们~着胳膊散步; 그들은 팔짱을 끼고 산책을 한다. ② (몸에) 메다. 걸다. 차다. ❏~着书包; 책가방을 메다.
[挎包(儿)] kuàbāo(r) 명 숄더백.
胯 kuà (과) 명 궁둥이. 샅.
[胯骨] kuàgǔ 명 ⇨[髋kuān骨]
跨 kuà (과) 동 ① 성큼 건너다[넘다]. 성큼성큼 걷다. ❏~过门槛; 문지방을 넘어가다. ② 다리를 벌리고 걸터타다[서다]. ❏~在马上; 말에 걸터타다. ③ (일정한 수량·시간·지역의 한계를) 초월하다. 넘어서다. ❏~年度; ⇩ ④ 옆에 붙다. 옆에 있다. ❏~院儿; 옆마당.
[跨度] kuàdù 명 ①〖建〗경간(徑間). 스팬(span). 기둥 사이. ②〈轉〉거리. 간격.
[跨国公司] kuàguó gōngsī〖經〗다국적 기업. =[多国公司]
[跨栏] kuà∥lán 명동〖體〗허들 경기(를 하다).
[跨年度] kuà niándù (계획·예산 따위가) 두 해에 걸치다. 해를 넘기다. ❏经费可以~使用; 경비는 해를 넘겨 사용할 수 있다.

[跨越] kuàyuè 동 (지역·시기의 한계를) 넘다. 뛰어넘다. ❏~界限; 한계를 뛰어넘다 / ~世纪; 세기를 뛰어넘다.

kuai ㄎㄨㄞ

会(會) kuài (회) 동 총계하다. 통계하다.

회계하다. ⇒huì

[会计] kuài·jì 명 ① 회계. ❏~师; 회계사. ② 회계원.

侩(儈) kuài (쾌) 명 중개인. 거간꾼.

脍(膾) kuài (회) 〈書〉 ① 동 (고기·생선을) 얇게 썰다. 회를 치다. ② 명 얇게 썬 고기나 생선. 회.

[脍炙人口] kuàizhì-rénkǒu 〈成〉 인구에 회자하다《칭찬을 받으며 사람들의 입에 오르내리다》.

快 kuài (쾌) ① 형 (동작·속도가) 빠르다. ❏说话很~; 말이 매우 빠르다. ② 명 빠르기. 속도. ③ 부 빨리. 어서. ❏~说, 他在哪里? 빨리 말해라, 그는 어디 있느냐? ④ 부 머지않아. 곧. 얼마 안 있어《'了'가 문말(文末)에 옴》. ❏他~二十岁了; 그는 곧 20세가 된다. ⑤ 형 민첩하다. 잘 돌아가다. 날래다. ❏脑子~; 두뇌 회전이 빠르다. ⑥ 형 (날붙이가) 예리하다. 날카롭다. 잘 들다. ❏这把刀子很~; 이 칼은 매우 잘 든다. ⑦ 형 (성격이) 시원스럽다. 솔직하다. ❏为人爽~; 성격이 시원스럽다. ⑧ 형 기분 좋다. 상쾌하다. 통쾌하다. 즐겁다. ❏愉~; 유쾌하다.

[快餐] kuàicān 명 즉석 요리. 패스트푸드(fast food). ❏~厅 = [~馆]; 패스트푸드점.

[快车] kuàichē 명 급행열차[버스]. ❏直达~; 직통 급행열차.

[快当] kuài·dang 형 신속하고 민첩하다. ❏办事~; 일처리가 신속하고 민첩하다.

[快刀斩乱麻] kuàidāo zhǎn luànmá 〈比〉 과감한 방법으로 복잡한 문제를 신속히 해결하다.

[快递] kuàidì 명 속달(速達). ❏~服务; 퀵서비스/ ~信件 =[~邮件]; 속달 우편.

[快感] kuàigǎn 명 통쾌한 느낌. 유쾌한 느낌. 쾌감.

[快活] kuài·huo 형 즐겁다. 유쾌하다. 쾌활하다. ❏他们过得很~; 그들은 매우 즐겁게 지낸다.

[快乐] kuàilè 형 즐겁다. 행복하다. ❏我们过了一个~的星期天; 우리는 즐거운 일요일을 보냈다.

[快马加鞭] kuàimǎ-jiābiān 〈成〉 달리는 말에 채찍질하다. 주마가편.

[快慢] kuàimàn 명 빠르기. 속도.

[快门(儿)] kuàimén(r) 명〖撮〗 (사진기의) 셔터(shutter).

[快事] kuàishì 명 유쾌[통쾌]한 일.

[快速] kuàisù 형 신속한. 쾌속의. ❏~充电; 쾌속 충전.

[快艇] kuàitǐng 명 ⇒[汽艇]

[快慰] kuàiwèi 형 기쁘고 마음이 놓이다. 통쾌하고 위안이 되다.

[快要] kuàiyào 부 (문말(文末)에 '了'를 놓아) 이제 곧 …하다. ❏~到春节了; 이제 곧 설이 된다.

[快意] kuàiyì 형 상쾌하고 쾌적하다. 기분이 좋다. ❏微风令人十分~; 미풍이 사람을 매우 기분 좋게 한다.

[快嘴] kuàizuǐ 명 입이 싼 사람.

块(塊) kuài (괴) ① (~儿) 명 덩이. 덩어리. 조각. ❏冰~; 얼음덩어리 / 石头~; 돌덩이. ② 양 ㉠ 조각. 덩이. 개《덩이진 물건을 세는 말》. ❏一~肥皂; 비누 한 개 / 一~肉; 고기 한 덩이. ㉡ 장. 곳. 조각《일정한 넓이로 한정된 땅·장소·천·그릇 따위에 쓰이는 말》. ❏一~布; 천 한 조각. ③ 양〈口〉 화폐의 단위《'元'·'圆'에 해당함》. ❏一~钱; 1위안(元).

[块垒] kuàilěi 명〈書〉〈比〉 마음속의 응어리. 속에 쌓인 화. 울화.

[块儿] kuàir 명 ①〈口〉 (사람의) 체격. 몸집. ②〈方〉 곳. 장소.

筷 kuài (쾌) 명 젓가락.

[筷子] kuài·zi 명 젓가락.

kuan ㄎㄨㄢ

宽(寬) kuān (관) ① 형 (폭·범위·장소·마음 따위가) 넓다. ❏眼界~; 시야가 넓다 / 很~马路; 매우 넓은 길. ② 명 폭. 넓이. ③ 동 (마음을) 느긋하게 갖다. 넓게 갖다. ❏~心; ⇩ ④ 형 관대하다. 너그럽다. ❏对他处理得很~; 그에 대한 처분이 매우 관대하다. ⑤ 형 풍족하다. 넉넉하다. 여유 있다. ❏手头~; 형편이 넉넉하다.

[宽畅] kuānchàng 형 (마음이) 상쾌하다. 시원하다. 후련하다. ❏心情~; 마음이 상쾌하다.

[宽敞] kuān·chang 형 (장소가)

널찍하다. ❑ 操场很~; 운동장이 매우 널찍하다.

[宽绰] kuān·chuo 형 ① 넓다. 널찍하다. ❑ ~的大客厅; 널찍한 응접실. ② 마음이 탁 트이다. 편안하다. ❑ 心里很~; 마음이 매우 편안하다. ③ 풍족하다. 넉넉하다. ❑ 手头不~; 형편이 넉넉지 않다.

[宽打窄用] kuāndǎ-zhǎiyòng 〈成〉 여유 있게 계획하고 실제 사용에 있어서는 절약하다.

[宽大] kuāndà 형 ① 넓다. 크다. ❑ 衣服做得~些; 옷이 좀 크게 만들어졌다. ② 관대하다. 너그럽다. ❑ 心怀~; 마음이 너그럽다.

[宽待] kuāndài 동 관대히 대하다.

[宽度] kuāndù 명 폭. 너비.

[宽泛] kuānfàn 형 (내용이나 의미가) 광범위하다. 넓다. ❑ 你说得太~了; 네가 하는 말은 너무 광범위하다.

[宽广] kuānguǎng 형 ① (면적·범위가) 넓다. ❑ ~的草地; 드넓은 풀밭. ② (마음·견식이) 넓다. ❑ 胸怀~; 마음이 넓다.

[宽厚] kuānhòu 형 ① 넓고 두텁다. ❑ ~结实的肩膀; 넓고 단단한 어깨. ② 너그럽고 후덕하다. ③ (소리가) 우렁차다. ❑ 嗓子~嘹亮; 목소리가 우렁차고 맑다.

[宽旷] kuānkuàng 형 널찍하다. 광활하다. ❑ ~的沙滩; 널찍한 백사장.

[宽阔] kuānkuò 형 ① (공간·범위·폭이) 넓다. ❑ ~的胸膛; 넓은 가슴. ② (마음·생각이) 넓다. ❑ 思路~; 생각의 폭이 넓다.

[宽容] kuānróng 동 관용하다. 관대히 받아들이다. ❑ ~不同意见; 다른 의견을 관대히 받아들이다.

[宽舒] kuānshū 형 ① (마음이) 편안하다. 상쾌하다. ❑ 心境~; 마음이 편안하다. ② (장소가) 넓게 펼쳐지다. ❑ ~的街道; 넓게 펼쳐진 거리.

[宽恕] kuānshù 동 관대하게 용서하다. 너그러이 봐주다. ❑ 承认错误, 求她~; 잘못을 인정하고 그녀에게 용서를 구하다.

[宽松] kuān·sōng 형 ① (장소가) 널찍하다. 여유 있다. 넉넉하다. ❑ 这间教室比较~; 이 교실은 비교적 널찍하다. ② (분위기·정책·환경 따위가) 자유롭다. 느슨하다. 편안하다. ❑ ~的气氛; 편안한 분위기. ③ (금전적으로) 넉넉하다. 여유 있다. ❑ 手头~多了; 형편이 많이 넉넉해졌다. ④ (옷이) 헐렁하다. ❑ ~的衣服; 헐렁한 옷.

[宽慰] kuānwèi 동 달래다. 위로하다. 마음을 풀다. ❑ 自我~; 스스로를 위로하다. 형 마음이 놓이다. 안도하다. ❑ 脸上露出~的笑容; 얼굴에 안도의 미소가 떠오르다.

[宽心] kuān//xīn 동 생각을 넓게 갖다. 기분[마음]을 풀다. ❑ ~话; 기분을 풀어 주는 말.

[宽衣] kuān//yī 동 〈敬〉 옷을 벗다.

[宽银幕] kuānyínmù 명 와이드 스크린(wide screen). ❑ ~电影; 와이드 스크린 영화.

[宽裕] kuānyù 형 넉넉하다. 여유가 있다. ❑ 过日子很~; 살림에 여유가 있다.

[宽纵] kuānzòng 동 제멋대로 하게 두다. 방임(放任)하다.

髋(髖) kuān (관) →[髋骨]

[髋骨] kuāngǔ 명 〖生理〗 궁둥이뼈. 관골. 무명골. =[胯kuà骨]

款 kuǎn (관) ① 형 성실하다. 진실하다. ❑ ~~之心; 진실한 마음. ② 동 접대하다. 초대하다. 대접하다. ❑ ~客; 손님을 접대하다. ③ 명 조항. 항목. 조목. ❑ 第一条第一~; 제1조 제1항. ④ 명 경비. 비용. 돈. 금액. ⑤ (~儿) 명 서화에 쓰는 서명. ❑ 落~; 낙관. ⑥ 명 디자인. 스타일. ❑ 新~; 새로운 스타일. ⑦ 양 종류. 타입. 스타일. ❑ 两~裙子; 두 가지 스타일의 치마.

[款待] kuǎndài 동 후하게 대접하다. 환대하다. ❑ 盛情~; 성의를 다해 후하게 대접하다.

[款式] kuǎnshì 명 양식. 디자인. 스타일. ❑ ~新颖; 스타일이 참신하다.

[款项] kuǎnxiàng 명 ① 경비. 금액. 비용《주로, 기관·단체 따위의 큰 금액의 돈을 가리킴》. =[〈口〉 款子kuǎn·zi] ② 조항. 항목.

kuang ㄎㄨㄤ

匡 kuāng (광) 동 ① 〈書〉 바로잡다. 교정하다. ② 〈書〉 구제하다. 돕다. ③ 〈方〉 대충 셈하다. 어림잡다.

[匡救] kuāngjiù 동 구제하여 정도(正道)로 돌아오게 하다.

[匡算] kuāngsuàn 동 대충 계산하다. 어림잡아 계산하다.

诓(誆) kuāng (광) 동 기만하다. 속이다.

[诓骗] kuāngpiàn 동 거짓말로 속이다.

哐 kuāng (광) 의 꽝. 쾅《기물이 부딪치는 소리》. ❏门~的一声关上了; 문이 쾅 하고 닫혔다.

[哐啷] kuānglāng 의 꽈당. 쨍그랑. 쾅. 꽝《기물이 부딪치는 소리》. ❏~一声, 罐子摔破了; 항아리가 쨍그랑하고 떨어져 깨졌다.

筐 kuāng (광) (~儿) 명 광주리. 바구니. ❏竹~; 대바구니.

[筐子] kuāng·zi 명 (작은) 광주리.

狂 kuáng (광) ① 동 정신 이상이다. 미치다. 실성하다. ❏发~; 발광하다. ② 형 맹렬하다. 거세다. ❏~风; ⇩ ③ 부 기분 내키는 대로. 제멋대로. 미친 듯이《주로, 즐거울 때에 쓰임》. ❏~喜; ⇩ ④ 형 분별없다. 거만하다. 건방지다. ❏这人太~了; 이 사람은 너무 거만하다.

[狂暴] kuángbào 형 광포하다. 난폭하다. ❏性情~; 성격이 난폭하다.

[狂奔] kuángbēn 동 미친 듯이 달리다. 마구 내달리다.

[狂飙] kuángbiāo 명 맹렬한 폭풍. 〈比〉 맹렬한 조류(潮流)[세력].

[狂放] kuángfàng 형 제멋대로이고 방탕하다. 상궤를 벗어나다.

[狂风] kuángfēng 명 ① 광풍. ② 〖氣〗 노대바람.

[狂欢] kuánghuān 동 마음껏 즐기다. ❏~节; 카니발(carnival).

[狂澜] kuánglán 명 사나운 파도. 〈比〉 격동하는 정세. 맹렬한 조류.

[狂犬病] kuángquǎnbìng 명〖醫〗 광견병. =[恐水病]

[狂热] kuángrè 형 광적이다. ❏~地喜欢游戏; 게임을 광적으로 좋아하다/~的信仰; 광적인 신앙.

[狂人] kuángrén 명 ① 미치광이. 광인. ② 매우 거만한 사람.

[狂妄] kuángwàng 형 매우 방자하고 거만하다. 건방지다. 분별없다. ❏~的态度; 거만한 태도.

[狂喜] kuángxǐ 형 광희하다. 미친 듯이 기뻐하다.

[狂笑] kuángxiào 동 미친 듯이 웃다.

诳(誑) kuáng (광) 동 속이다. 기만하다. ❏你别~我; 나를 속이지 마라.

[诳语] kuángyǔ 명 남을 속이는 말. 거짓말. =[诳话huà]

旷(曠) kuàng (광) ① 형 텅 비고 넓다. 휑하고 넓다. ❏~野; ⇩ ② 형 (마음이) 넓다. 탁 트이다. 후련하다. ❏~达; ⇩ ③ 동 등한시하다. 빠지다. ❏~工; ⇩ ④ 형 (기계 따위의) 틈새가 안 맞아 헐겁다. (옷 따위가 커서) 헐렁하다. ❏螺丝~了; 나사가 헐겁다.

[旷达] kuàngdá 형〈書〉 활달하다. 도량이 넓고 생각이 트이다.

[旷废] kuàngfèi 동 게을리 하다. 등한히 하다. 허비하다. ❏~学业; 학업을 게을리 하다.

[旷费] kuàngfèi 동 낭비하다. 허비하다. ❏~时间; 시간을 낭비하다.

[旷工] kuàng//gōng 동 (노동자가) 무단결근하다.

[旷古] kuànggǔ 동 미증유(未曾有)이다. 일찍이 없다. ❏~未闻; 〈成〉 전대미문.

[旷课] kuàng//kè 동 (학생이) 무단결석하다.

[旷日持久] kuàngrì-chíjiǔ 〈成〉 오랫동안 시일을 끌다.

[旷野] kuàngyě 명 광야.

[旷职] kuàng//zhí 동 (직원이) 무단결근하다.

矿(礦) kuàng (광) 명 ① 광상(鑛床). ② 광석. 광물. ③ 광산.

[矿藏] kuàngcáng 명 지하 매장 광물. 지하자원.

[矿产] kuàngchǎn 명 광산물.

[矿工] kuànggōng 명 광부. 갱부.

[矿井] kuàngjǐng 명〖鑛〗 광정.

[矿泉] kuàngquán 명〖地質〗 광천. ❏~水; 광천수.

[矿山] kuàngshān 명 광산.

[矿石] kuàngshí 명〖鑛〗 광석.

[矿物] kuàngwù 명 광물.

[矿业] kuàngyè 명 광업.

况 kuàng (황) ① 명 상황. 상태. 형편. ❏近~; 근황. ② 동 비교하다. 대비하다. ❏以往~今; 지나간 일을 현재와 비교하다. ③ 접〈書〉 하물며. 더군다나. ❏ 秋初即寒不可耐, ～严冬乎? 초가을에도 추워서 견디기 힘든데 하물며 엄동설한에랴?

[况且] kuàngqiě 접 하물며. 더군다나. 게다가. ❏ 这种录音机携带方便, ～也不贵; 이 카세트는 휴대하기가 편리하고 게다가 비싸지도 않다.

框 kuàng (광) ① 명 문틀. ❏ 窗～; 창틀. ② (～儿) 명 (물건의) 틀. 테. ❏ 镜～儿; 거울의 테 / 眼镜～; 안경테. ③ 명 (둘레의) 테. 테두리. ④ 동 (글·사진·그림 따위에) 테두리를 두르다. 선으로 두르다. ❏ 把这首诗～起来; 이 시에 테두리를 해 넣다. ⑤ 동 제한하다. 속박하다. ❏ ～不住他; 그를 구속할 수 없다.

[框架] kuàngjià 명 ①〔建〕 뼈대. 틀. ❏ ～工程; 뼈대 공사. ② 〈比〉 (사물의) 큰 테두리. 틀. 구조.

[框框(儿)] kuàng·kuang(r) 명 ① (둘레의) 테. 테두리. ❏ 在照片四周画了个～; 사진의 둘레에 테두리를 해 넣다. ② 낡은 방법. 구태의연한 규칙. ❏ 按老～办事; 이전의 방법대로 일을 처리하다.

[框子] kuàng·zi 명 틀. 테.

眶 kuàng (광) 명 눈주위. 눈언저리. 눈가.

kui ㄎㄨㄟ

亏(虧) kuī (휴) ① 동 결손 나다. 밑지다. 손해 보다. ❏ ～了不少钱; 많은 돈을 손해 봤다. ② 동 부족하다. 결핍하다. ❏ 血～; 빈혈. ③ 동 거스르다. 잘못하다. 저버리다. ❏ ～心; ⇩ ④ 동 덕을 보다. 다행히 …되다. ❏ ～他机灵, 才躲过去了; 다행히 그가 영리해서 피해 갈 수 있었다. ⑤ 부 …이면서. …주제에. …씩이나 돼 가지고《비난·조롱의 의미》. ❏ ～你是个大人, 还和小孩儿打起架来了; 너는 어른이 돼 가지고 아이와 싸우느냐.

[亏本(儿)] kuī//běn(r) 동 밑지다. 본전을 까먹다. 밑천을 날리다. ❏ ～生意; 밑지는 장사. ＝[亏蚀①]

[亏待] kuīdài 동 부당하게 대하다. 푸대접하다.

[亏负] kuīfù 동 ① (기대·호의 따위를) 저버리다. 거스르다. ❏ ～父母的期望; 부모의 기대를 저버리다. ② 손해를 보게 하다. ❏ ～别人; 남에게 손해를 입히다.

[亏耗] kuīhào 명동 적자 (나다). 결손 (보다).

[亏空] kuī·kong 동 적자를 내다. 빚지다. ❏ 本月份～十余万元; 이번 달에 십여 만 위안의 적자를 봤다. 명 빚. 적자.

[亏累] kuīlěi 동 적자가 쌓이다. 적채(積債)가 생기다.

[亏欠] kuīqiàn 동 빚지다. 부채를 지다. 적자를 내다.

[亏折] kuīshé 동 (본전을) 손해 보다. (밑천을) 날리다. ❏ ～血本; 밑천을 날리다.

[亏蚀] kuīshí 명〔天〕 월식(月蝕)과 일식(日蝕). 동 ① ⇨[亏本(儿)] ② ⇨[损耗]

[亏损] kuīsǔn 동 ① 결손을 보다. 적자가 나다. ❏ 今年没有～; 올해는 적자가 나지 않았다. ② (몸이) 약해지다. 허약해지다.

[亏心] kuī//xīn 형 양심에 찔리다[거리끼다]. ❏ 干这种事太～; 이런 일을 하면 너무 양심에 찔린다.

岿(巋) kuī (귀) →[岿然]

[岿然] kuīrán 형〈書〉 홀로 우뚝 선 모양. ❏ ～独存; 홀로 우뚝 서 있다.

盔 kuī (회) 명 ① 투구. ② (～儿) 투구 비슷하거나 반구형(半球形)인 모자.

[盔甲] kuījiǎ 명 투구와 갑옷. 갑주(甲胄).

窥(窺) kuī (규) 동 ① (구멍이나 틈으로) 살피다. 들여다보다. ❏ 自门隙～其行动; 문틈으로 행동을 살피다. ② 몰래 살피다. ❏ ～探; ⇩

[窥测] kuīcè 동 살피고 추측하다. 엿보다. ❏ ～动向; 동향을 살피다.

[窥见] kuījiàn 동 미루어 알다. 엿보다. ❏ 从这篇文章里可以～他的想法; 이 글 속에서 그의 생각을 엿볼 수 있다.

[窥视] kuīshì 동 ⇨[窥探]

[窥伺] kuīsì 동〈貶〉 동정을 살피고 기회를 엿보다.

[窥探] kuītàn 동 몰래 살피다. 엿보다. 염탐하다. ❏ ～别人的隐私; 남의 사생활을 엿보다. ＝[窥视]

奎 kuí (규) 명〔天〕 규성《28수의 하나》.

魁 kuí (괴)
①명 두목. 괴수. 우두머리. ②형 (몸집이) 크다.
[魁首] kuíshǒu 명 ① 동년배 중 재주가 가장 뛰어난 사람. ② 수령. 괴수. 두목.
[魁伟] kuíwěi 형 ⇨[魁梧]
[魁梧] kuí·wu 형 (체격이) 건장하다. 우람하다. ❏身材很～; 체구가 매우 건장하다. =[魁伟]

葵 kuí (규)
명〖植〗 큰 꽃을 피우는 식물《해바라기·접시꽃 따위》.
[葵花] kuíhuā 명 ⇨[向日葵]
[葵扇] kuíshàn 명 파초선. =[〈俗〉芭蕉扇]

揆 kuí (규)
동〈書〉 헤아리다. 추측하다. ❏～时度duó势; 시기와 형세를 헤아리다.

睽 kuí (규)
동〈書〉 ① 이별하다. 떨어지다. ② 어긋나다. 맞지 않다.
[睽睽] kuíkuí 형〈書〉 눈을 크게 뜨고 주시하는 모양.

傀 kuǐ (괴)
→[傀儡]
[傀儡] kuǐlěi 명 ① 꼭두각시. ②〈比〉 (주로, 정치상의) 괴뢰. 허수아비. 꼭두각시. ❏～政府; 괴뢰정부.
[傀儡戏] kuǐlěixì 명 ⇨[木偶戏]

匮(匱) kuì (궤)
동〈書〉 결핍되다. 모자라다.
[匮乏] kuìfá 형〈書〉 (물자가) 모자라다. 결핍되다.

溃(潰) kuì (궤)
동 ① (제방이) 터지다. 무너지다. ❏～堤; 둑이 터지다. ② (패배하여) 뿔뿔이 흩어지다. 궤멸하다. ❏～不成军; ⇓ ③〖醫〗 문드러지다. 궤양이 되다. ⇒ huì
[溃败] kuìbài 동 (군대가) 완전히 패배하다. 궤패하다.
[溃不成军] kuìbùchéngjūn 〈成〉 군대가 패하여 뿔뿔이 흩어지다.
[溃决] kuìjué 동 (제방 따위가) 무너지다. 터지다. ❏洪水～大堤; 홍수로 큰 제방이 무너지다.
[溃烂] kuìlàn 동 (상처나 궤양이) 짓무르다. 화농하다.
[溃灭] kuìmiè 동 궤멸하다.
[溃散] kuìsàn 동 (군대가) 패배하여 사방으로 흩어지다.
[溃逃] kuìtáo 동 (군대가) 패배하여 사방으로 도망치다.
[溃疡] kuìyáng 명동〖醫〗 궤양(이 생기다). ❏胃～; 위궤양.

愦(憒) kuì (궤)
형〈書〉 어지럽다. 혼란하다. ❏～乱; 혼란하다.

馈(饋) kuì (궤)
동 (선물·예물을) 드리다. 선사하다. 진상하다. ❏以珠宝～; 보석을 진상하다.
[馈赠] kuìzèng 동 선사하다. 선물하다. ❏～纪念品; 기념품을 선물하다.

聩(聵) kuì (외, 회)
형〈書〉 귀가 먹다.

篑(簣) kuì (궤)
명〈書〉 흙 담는 삼태기.

愧 kuì (괴)
형 부끄럽다. ❏仰不～于天; 〈成〉 하늘을 우러러 부끄럽지 않다.
[愧恨] kuìhèn 동 부끄러운 나머지 스스로 한스러워하다.
[愧疚] kuìjiù 형 양심에 가책을 느끼다.
[愧色] kuìsè 명 부끄러워하는 표정. ❏面有～; 얼굴에 부끄러워하는 표정을 띠다.

kun ㄎㄨㄣ

坤 kūn (곤)
①명 곤《8 괘(卦)의 하나》. ②형 여자의. 여성의. ❏～角(儿); (옛날, 연극의) 여배우.
[坤表] kūnbiǎo 명 여성용 손목시계.

昆 kūn (곤)
명〈書〉 ① 형. ② 자손. 후손.
[昆虫] kūnchóng 명 곤충.
[昆仲] kūnzhòng 명〈敬〉〈書〉 형제분.

捆 kǔn (곤)
①동 (끈으로) 묶다. 잡아매다. ❏把他～起来; 그를 묶어라. ②(～儿) 명 단. 다발. ❏韭菜～儿; 부추단. ③(～儿) 양 단. 묶음. 다발《묶은 것이나 다발을 세는 말》. ❏打了一～柴; 땔나무를 한 짐 했다.
[捆绑] kǔnbǎng 동 (주로, 사람을) 묶다. 동이다. ❏解救被～的人质; 묶여 있던 인질을 구출해 내다.
[捆扎] kǔnzā 동 (물건을) 한데 묶다. 동이다. ❏把布袋口儿～好; 포대의 아가리를 단단히 잘 묶다.

[捆子] kǔn·zi 명 단. 다발.

困 kùn (곤)
①동 고생하다. 시달리다. 곤경에 빠지다. ❑为病所~; 병으로 고생하다. ②동 가두다. 오도 가도 못하게 하다. ❑围~; 겹겹이 포위하다. ③형 곤란하다. 어렵다. ❑贫~; 빈곤하다. ④동 지치다. 피곤하다. ❑~顿; ⇩ ⑤형 졸리다. ❑我现在很~; 나는 지금 무척 졸리다. ⑥동〈方〉 자다. ❑天不早了, 快点~吧; 시간이 늦었으니 어서 자라.

[困惫] kùnbèi 형〈書〉 매우 피곤하다.

[困顿] kùndùn 형 ①극도로 지치다. 피로하여 견딜 수 없다. ❑身体~不堪; 몸이 지쳐서 견딜 수 없다. ②(생활·처지가) 곤궁하다. 곤란하다. ❑陷于~之中; 곤궁에 빠지다.

[困乏] kùnfá 형 ① 피로하다. 지치다. ②〈書〉 (경제·생활이) 곤란하다. 어렵다. 곤궁하다.

[困惑] kùnhuò 형 곤혹스럽다. 당혹하다. ❑她~地看着我; 그녀는 곤혹스러워하며 나를 쳐다보고 있다. 동 곤혹스럽게 하다. ❑这个问题一直~着他们; 이 문제는 줄곧 그들을 곤혹스럽게 했다.

[困境] kùnjìng 명 곤경. 궁지.

[困窘] kùnjiǒng 형 ①궁지에 몰리다. 난처하다. ②곤궁하다. 궁핍하다. ❑~的生活; 곤궁한 생활.

[困倦] kùnjuàn 형 피곤하고 졸리다. 노곤하다.

[困苦] kùnkǔ 형 어렵고 힘들다. ❑~的生活; 어렵고 힘든 생활.

[困难] kùn·nan 형 ①곤란하다. 어렵다. ❑呼吸~; 호흡이 곤란하다. ②(생활이) 어렵다. 곤궁하다. ❑~户; 생활이 어려운 가구. 명 곤란. 어려움. ❑遇到很多~; 수많은 어려움을 만나다.

[困兽犹斗] kùnshòu-yóudòu〈成〉 (주로, 악인이) 궁지에 몰려 도망갈 길이 없는데도 완강히 저항하다.

kuo ㄎㄨㄛ

扩(擴) kuò (확)
동 넓히다. 늘리다.

[扩充] kuòchōng 동 확충하다. ❑~设备; 시설을 확충하다.

[扩大] kuòdà 동 (범위·규모를) 확대하다. 넓히다. 늘리다. ❑~范围; 범위를 확대하다.

[扩建] kuòjiàn 동 건설 규모를 확대하다. 증축하다. ❑~厂房; 공장을 증축하다.

[扩军] kuòjūn 동 군비를 확충하다.

[扩散] kuòsàn 동 확산하다[시키다]. ❑~影响; 영향을 확산시키다.

[扩音机] kuòyīnjī 명 확성기. 메가폰(megaphone).

[扩印] kuòyìn 동 확대 인화 하다. ❑~照片; 사진을 확대 인화 하다.

[扩展] kuòzhǎn 동 넓히다. 확대하다. 확장하다. ❑~马路; 길을 확장하다.

[扩张] kuòzhāng 동 (세력·범위·영토 따위를) 넓히다. 확대하다. 확장하다. ❑~势力; 세력을 넓히다.

括 kuò (괄)
동 ①동여매다. 묶다. ②포괄(包括)하다. ❑总~; 총괄하다.

[括号] kuòhào 명 ①〖數〗 (연산에서의) 괄호. ②〖言〗 (문장 부호로서의) 괄호. =[括弧②]

[括弧] kuòhú 명 ①⇨[小括号] ②⇨[括号②]

[括约肌] kuòyuējī 명〖生理〗 괄약근.

阔(闊) kuò (활)
형 ① 넓다. 광활하다. ❑广~; 광활하다. ② 부유하다. 사치스럽다. ❑~太太; 부잣집 마나님.

[阔别] kuòbié 동 오랫동안 떨어져 있다. ❑~多年; 여러 해 동안 떨어져 지내다.

[阔步] kuòbù 동 성큼성큼 걷다. 활보하다. ❑~向前; 앞을 향해 성큼성큼 걷다.

[阔绰] kuòchuò 형 호사스럽다. 사치스럽다.

[阔佬] kuòlǎo 명 부자. =[阔老]

[阔气] kuò·qi 형 호사스럽다. ❑摆~; 호사스럽게 굴다.

[阔少] kuòshào 명 부잣집 도련님.

[阔叶树] kuòyèshù 명〖植〗 활엽수.

廓 kuò (확)
①형 광대하다. 광활하다. ❑~落; ⇩ ②명 둘레.

[廓落] kuòluò 형〈書〉 넓고 고요한 모양.

[廓清] kuòqīng 동 ① 숙청하다. 평정하다. ❑~天下; 천하를 평정하다. ② 깨끗이 제거하다. 완전히 없애다. ❑~障碍; 장애를 깨끗이 제거하다.

L

la ㄌㄚ

垃 lā (랄)
→[垃圾]

[垃圾] lājī 명 쓰레기. 오물. ❑ ~袋; 쓰레기 봉지 / ~箱; 쓰레기통. 휴지통. 형〈比〉 쓸모없는. ❑ ~食品; 정크 푸드(junk food) / ~邮件; 스팸 메일(spam mail) / ~短信; 스팸 문자 메시지.

拉 lā (랍)
동 ① 당기다. 끌다. ❑ ~车; 수레를 끌다. ② (차나 수레로) 실어 나르다. 운반하다. ❑ 这批货我去~; 이 짐은 내가 가서 실어 나르겠다. ③ 인솔하다. 이끌다. ❑ ~到安全的地方; 안전한 곳으로 인솔하다. ④ 악기를 켜다. ❑ ~小提琴; 바이올린을 켜다. ⑤ 길게 끌다[늘이다]. 벌이다. ❑ ~长音; 소리를 길게 끌다. ⑥ 돕다. 거들다. ❑ 你快~他一把吧; 너는 어서 그를 도와주어라. ⑦ 연루시키다. 끌어들이다. ❑ 一有事, 他准~别人; 일만 생겼다 하면, 그는 꼭 다른 사람을 끌어들인다. ⑧ 연합하다. 맺다. ❑ ~交情; ⇓ ⑨〈方〉 한담하다. 잡담하다. ❑ ~闲话; 한담하다. ⑩〈口〉 (대변을) 누다. 싸다. ❑ ~肚子; ⇓ ⇒lá

[拉扯] lā·che 동〈口〉 ① 끌다. 잡아당기다. ❑ 你~住他, 别让他再出去; 그가 다시 못 나가게 그를 잡아라. ② (고생스럽게) 키우다. (힘들게) 기르다. ❑ 把他~成这么大; 그를 힘들게 이만큼 키워 놓았다. ③ 도와주다. 원조하다. 이끌어 주다. ④ 끌어들이다. 연루시키다. ❑ 别把我~进去; 나를 끌어들이지 마라. ⑤ 잡담하다. 한담하다.

[拉倒] lādǎo 동〈口〉 중지하다. 중단하다. 그만두다.

[拉丁] lā//dīng 동 장정을 군인으로 징발하다. (Lādīng) 명〈音〉 라틴(Latin). ❑ ~美洲; 라틴 아메리카 / ~舞; 라틴 댄스 / ~字母; 라틴 문자.

[拉肚子] lā dù·zi 〈口〉 ⇨[腹泻]

[拉关系] lā guān·xi 〈貶〉 (주로, 나쁜 일로) 관계를 맺다. 관계를 이용하다.

[拉管] lāguǎn 명 ⇨[长号]

[拉后腿] lā hòutuǐ 〈比〉 ⇨[拖后腿]

[拉架] lā//jià 동 싸움을 뜯어말리다. 화해시키다.

[拉交情] lā jiāo·qing 〈貶〉 친교를 맺다. 교제하다.

[拉锯] lā//jù 동 ① (둘이서) 톱질하다. ②〈比〉 쉴 새 없이 왔다 갔다 하다. ❑ ~战; 일진일퇴의 싸움. 시소게임(seesaw game).

[拉客] lā//kè 동 ① (식당·여관 따위에서) 손님을 끌다. 호객 행위를 하다. ② (택시 따위가) 손님을 태우다. 손님을 실어 나르다. ③ 기녀가 유객을 유혹하다.

[拉拉队] lālāduì 명 응원단. ❑ ~长; 치어 리더(cheer leader).

[拉链(儿)] lāliàn(r) 명 ⇨[拉锁(儿)]

[拉拢] lā·lǒng 동 (자신의 이익을 위해) 친분을 맺다. 끌어들이다.

[拉买卖] lā mǎi·mai 고객을 끌다. 널리 거래처를 구하다.

[拉面] lāmiàn 명〈方〉 수타(手打) 국수.

[拉尼娜] lāníná 명〖氣〗〈音〉 라니냐(에 la Niña). ❑ ~现象; 라니냐 현상.

[拉平] lā//píng 동 ① 고르게 하다. 평균하다. 평준화하다. ②〖體〗 동점이 되다. 동점을 만들다.

[拉纤] lā//qiàn 동 ① (둑에서) 배를 밧줄로 끌다. ② 알선하다. 주선하다. ❑ ~的; 중개인.

[拉手] lā//shǒu 동 ① 손을 잡다. 악수하다. ② 손을 잡다. 협력하다. 제휴하다.

[拉手] lā·shou 명 (창·서랍 따위의) 손잡이. =[把手bǎ·shou①]

[拉斯维加斯] Lāsīwéijiāsī 명〖地〗〈音〉 라스베가스(Las Vegas).

[拉锁(儿)] lāsuǒ(r) 명 지퍼(zipper). =[拉链liàn(儿)]

[拉稀] lā//xī 동〈口〉 ⇨[腹泻]

[拉杂] lāzá 형 앞뒤가 맞지 않다. 두서가 없다. 조리가 없다. 난잡하다.

啦 lā(랍)
→[哩lī哩啦啦] ⇒·la

邋 lā (랍)
→[邋遢]

[邋遢] lā·ta 형〈口〉 칠칠치 못하다. 단정치 못하다. 깔끔하지 못하다. ❑ ~鬼; 칠칠치 못한 놈.

旯 lá (라)
→[旮gā旯儿]

拉 lá (랍)
동 자르다. 베다. ❏ ~肉; 고기를 자르다. ⇒lā

喇 lǎ (라)
표제어 참조.

[喇叭] lǎ·ba 명 ①〔樂〕 나팔. ❏ 吹~; 나팔을 불다. ② (확성 작용을 하는) 나팔 모양의 물건. ❏ 汽车~; (자동차의) 경적.

[喇叭花] lǎ·bahuā 명 ⇨[牵牛花]

[喇叭裤] lǎ·bakù 명 나팔바지.

[喇叭裙] lǎ·baqún 명 플레어스커트(flare skirt).

[喇嘛] lǎ·ma 명〔佛〕 라마. 라마승. ❏ ~教; 라마교.

剌 là (랄)
동〈書〉 사리에 어긋나다.

瘌 là (랄)
→[瘌痢]

[瘌痢] là·lì 명〔醫〕〈方〉 독창(禿瘡). ❏ ~头; ⓐ독창에 걸린 머리. ⓑ독창에 걸린 사람.

辣 là (랄)
① 형 맵다. 얼얼하다. ❏ 大蒜是~的; 마늘은 맵다. ② 동 (눈·코·입을) 자극하다. ❏ ~眼睛; 눈이 맵다. ③ 형 독하다. 지독하다. 잔인하다. ❏ 你的手段太~了; 너의 방법은 너무 잔인하다.

[辣乎乎(的)] làhūhū(·de) 형 지독하게 맵다. 매워서 얼얼하다.

[辣酱] làjiàng 명 ① 고추장. ② 칠리소스(chili sauce).

[辣椒] làjiāo 명〔植〕 고추. ❏ ~粉; 고춧가루 / ~酱; 고추장 / ~油; 고추기름. =[〈口〉 辣子]

[辣手] làshǒu 명 악랄한 수법. 지독한 수단. 형 ①〈方〉 수법이 지독하다. 수단이 악랄하다. ② 애먹다. 하기에 까다롭다. ❏ 碰上了~的事; 까다로운 일을 만났다.

[辣丝丝(儿的)] làsīsī(r·de) 형 약간 맵다. =[辣酥酥(的)]

[辣子] là·zi 명〈口〉 ⇨[辣椒]

落 là (락)
동 ① 빠뜨리다. 빠지다. 누락되다. ❏ 这儿~了一个字; 여기에 글자 하나가 빠졌다. ② (물건을) 빠뜨리다. 두고 안 가져가다. ❏ 眼镜~在家里了; 안경을 집에 두고 안 가져왔다. ③ 낙오하다. 처지다. ❏ 他半路上~下来了; 그는 도중에 낙오되었다. ⇒lào luò

腊(臘) là (랍)
명 ① 납향(臘享)《음력 12월에 지내는 제사》. ② 겨울(보통 '腊月')에 소금에 절여 말린 고기나 생선.

[腊肠(儿)] làcháng(r) 명 (중국식) 소시지(sausage).

[腊肉] làròu 명 베이컨(bacon).

[腊月] làyuè 명 음력 12월. 섣달.

蜡(蠟) là (랍)
명 ① 납. 밀랍. 왁스(wax). ② 초. 양초. ❏ 一支~; 양초 한 자루.

[蜡笔] làbǐ 명 크레용(crayon).

[蜡黄] làhuáng 형 노랗고 핏기가 없다. 납빛이다. ❏ ~脸; 노랗고 핏기 없는 얼굴.

[蜡扦(儿)] làqiān(r) 명 촛대《못에 꽂는 것》.

[蜡台] làtái 명 촛대《구멍에 꽂는 것》. =[烛台]

[蜡像] làxiàng 명 밀랍 모형. 밀랍 인형.

[蜡纸] làzhǐ 명 ① 파라핀지(紙). ② 등사 원지.

[蜡烛] làzhú 명 양초.

镴(鑞) là (랍)
명 땜납.

啦 ·la (랍)
조 '了'와 '啊'의 합음자(合音字)로 둘의 용법을 함께 지님. ❏ 出太阳~; 태양이 떴다 / 他去哪儿~? 그는 어디에 갔느냐? / 香蕉~, 橘子~, 摆了一桌子; 바나나니 귤이니 한상 가득 차려졌다 / 真气死人~! 정말 열 받아 죽겠네! ⇒lā

lai ㄌㄞ

来(來) lái (래)
① 동 오다. ❏ 客人~了; 손님이 오셨다 / ~信了; 편지가 왔다. ② 동 (문제·사건 따위가) 발생하다. 도래하다. 닥치다. ❏ 农忙季节快要~了; 농번기가 곧 올 것이다. ③ 동 (어떤 동작·행동을) 하다《구체적인 동사를 대신해서 씀》. ❏ 我自己~; 내가 직접 하겠다. ④ 동 '得'·'不'와 함께 동사 뒤에 쓰여 가능이나 불가능을 나타냄. ❏ 我和他特别合得~; 나는 그와 매우 마음이 잘 맞는다. ⑤ 동 동사 앞에 쓰여 어떤 일을 하겠다는 의지를 나타냄. ⑥ 동 동사나 동사

구조의 뒤에 쓰여 어떤 일을 하러 왔음을 나타냄. ❑ 他到北京出差~了; 그는 베이징에 출장 왔다. ⑦ 접 동사 구조[개사 구조]와 동사[동사 구조]의 사이에 쓰여 방법·방향·태도·목적을 나타냄. ❑ 拿什么~招待客人? 무엇으로 손님을 접대할 것이냐? ⑧ 조 문말(文末)에 쓰여 회상(回想)의 어기를 나타냄. ❑ 这话我什么时候说~? 이 말을 내가 언제 했더라? ⑨ 형 금후(今後)의. 장래의. ❑ ~年; ⇓ ⑩ 명 그 이후로. 그때부터. 줄곧. ❑ 这几天~; 요 며칠 동안. ⑪ 조 쯤. 가량. 정도(('十'·'百'·'千' 따위의 수사나 수량사 뒤에 쓰임)). ❑ 三十~岁; 서른 살 가량. ⑫ 조 '一'·'二'·'三' 따위의 수사 뒤에 쓰여 이유를 열거하거나 원인을 설명함. ❑ 我到上海去, 一~是办点事, 二~是看看朋友; 내가 상하이에 가는 것은 첫째는 일을 하기 위함이고, 둘째는 친구를 만나기 위함이다. ⑬ 조 시가(詩歌)나 숙어, 물건을 사라고 외치는 소리에서 어조를 고르게 함.

来(來) //·lái (래) 동 동사 뒤에 놓여 다음과 같이 쓰임. ① 동작이 말하는 사람이 있는 곳을 향함을 나타냄. ❑ 他给我带~了一封信; 그가 나에게 편지 한 통을 가져왔다. ② 결과를 나타냄. ❑ 看~, 他最近挺忙啊; 보아하니 그는 요즘 무척 바쁜 것 같다.

[来宾] láibīn 명 내빈.

[来不得] lái·bu·de 동 …해서는 안 된다. …가 있어서는 안 된다. ❑ 这是件细活, ~半点马虎; 이것은 정밀한 일이기 때문에 조금의 소홀함도 있어서는 안 된다.

[来不及] lái·bují 동 (이미) 늦다. 대지 못하다. 미치지 못하다. ❑ 后悔也~了; 후회해도 때는 늦었다.

[来到] láidào 동 ① 오다. 도착하다. ❑ 客人已经~宾馆; 손님이 이미 호텔에 도착했다. ② (어떤 때가) 오다. 닥치다. 되다. ❑ 国庆节快要~了; 곧 국경일이 된다.

[来得] lái·de 동〈口〉 ① 할 능력이 있다. 할 수 있다. ❑ 样样活儿他都~; 그는 무슨 일이든 다 할 수 있다. ② …보다 단연 …하다. …쪽이 확실히 더 …하다((비교의 결과를 명백히 밝힐 때에 쓰는 말)). ❑ 打针比吃药效力~快; 주사 맞는 것이 약 먹는 것보다 효과가 확실히 빠르다.

[来得及] lái·dejí 동 시간에 닿다. 늦지 않다. ❑ 你休息一会儿再去也~; 좀 쉬었다가 가도 늦지 않다.

[来访] láifǎng 동 방문하다. 내방하다. ❑ 谢绝~; 방문을 사절하다.

[来稿] láigǎo 명 투고 원고. (lái//gǎo) 동 원고를 보내다. 투고하다.

[来函] lái//hán 동 ⇨[来信] (láihán) 명 ⇨[来信]

[来回] láihuí 동 왕복하다. ❑ ~票; 왕복표. 부 왔다 갔다. 이리저리. ❑ 飞机在头上~盘旋着; 비행기가 머리 위에서 이리저리 선회하고 있다. (~儿) 명 왕복. ❑ 你能游几个~? 너는 왕복 몇 차례 헤엄칠 수 있느냐?

[来回来去] láihuí-láiqù 〈成〉 (말이나 행동을) 반복하다. 되풀이하다. 되씹다.

[来劲(儿)] lái//jìn(r) 형〈口〉 ① 기운이 나다. 힘이 나다. ❑ 他越干越~; 그는 일을 하면 할수록 더욱 힘이 난다. ② 흥분시키다. 신나게 하다.

[来客] láikè 명 내객. 손님.

[来历] láilì 명 (사람·사물의) 유래. 출처. 경로. 내력. 경력. 신원. =[来路lái·lu]

[来临] láilín 동 다가오다. 닥쳐오다.

[来龙去脉] láilóng-qùmài 〈成〉 산세(山勢)·지형이 용의 모양처럼 이어져 전체의 모양이 분명한 모양((사건의 경위·전후 관계의 연결·인과 관계의 비유)).

[来路] láilù 명 ① (이쪽으로) 오는 길. 진로(進路). ② 원천. 근원. 공급원. 출처.

[来路] lái·lu 명 ⇨[来历]

[来年] láinián 명 ⇨[明年]

[来去] láiqù 동 ① 왕복하다. ② 오거나 가다. 〈轉〉 일의 동태(動態). 인간의 거취(去就).

[…来…去] …lai…qu ① 이리저리 왔다 갔다 하다. ❑ 跑来跑去; 이리저리 뛰어다니다. ② 거듭해서 …하다. 이리저리 …하다. ❑ 这个问题, 大家研究来研究去没有得出结论; 이 문제는 모두가 이리저리 연구해 봤지만 결론을 내지 못했다.

[来人] láirén 명 심부름꾼((물건이나 전갈 따위를 가져온 사람)).

[来日] láirì 명 장래. 앞으로의 날들. 앞날. ❑ ~方长; 〈成〉 앞날이 창창하다(장래의 기회가 많다).
[来生] láishēng 명 내세(來世). 후세. =[来世]
[来势] láishì 명 (밀려오는) 세력. 힘. 기세. =[来头(儿)③]
[来头(儿)] lái·tou(r) 명 ① (주로, 사람의) 경력. 이력. 신원. ② (말·행동의) 이유. 연유. 까닭. ❑ 他这话有~; 그가 이렇게 말하는 데에는 이유가 있다. ③ ⇨[来势] ④ 흥미. 재미. ❑ 这种游戏没有什么~; 이런 게임은 재미가 없다.
[来往] láiwǎng 동 ① 왕래하다. 오고 가다. ❑ 自行车~不绝; 자전거가 끊임없이 오고 가다. ② 교제하다. 거래하다. 왕래하다. ❑ 我和他~的时间不太长; 나와 그는 교제한 시간이 그다지 길지 않다.
[来信] láixìn 명 내신. 보내온 편지. (lái∥xìn) 동 편지를 보내다. ‖ =[来函]
[来意] láiyì 명 온 뜻. 온 이유.
[来由] láiyóu 명 이유. 까닭. 원인.
[来源] láiyuán 명 (사물의) 근원. 출처. 공급원. ❑ 收入~; 수입원. 동 ('于'를 동반하여) (사물이) 기원하다. 유래하다. ❑ 文学艺术要~于生活; 문학 예술은 생활에서 기원해야 한다.
[来着] lái·zhe 조〈口〉 …이었다《문말(文末)에 놓아 회상(回想)의 어기를 나타냄》. ❑ 我怎么说~? 내가 뭐라고 했었던가?
[来自] láizì 동 …에서 오다. ❑ ~世界各地; 세계 각지에서 오다.

莱(萊) lái (래) 명〈書〉 ⇨[藜lí]
[莱菔] láifú 명 ⇨[萝卜]
[莱塞] láisè 명〈音〉 ⇨[激光]

徕(徠) lái (래) →[招zhāo徕]

睐(睞) lài (래) 〈書〉 ① 형 눈동자가 바르지 않다. ② 동 (옆을) 보다.

赖(賴) lài (뢰) ① 동 의지하다. 기대다. ② 형 무뢰하다. 뻔뻔스럽다. ❑ 耍~; 행패를 부리다. ③ 동 떠나려고 하지 않다. 버티다. ❑ ~着不走; 버티며 가지 않다. ④ 동 (자기의 책임·잘못을) 부인하다. 발뺌하다. ❑ ~得一干二净; 모조리 부인하다. ⑤ 동 남의 탓으로 돌리다. 뒤집어씌우다. ❑ 这事跟我不相干, 不要~我; 이 일은 나와 무관하니 나한테 뒤집어씌우지 마라. ⑥ 동 나무라다. 탓하다. ❑ ~机器; 기계 탓을 하다. ⑦ 형〈口〉 나쁘다. 뒤떨어지다. ❑ 好的~的要分清; 좋은 것과 나쁜 것은 확실히 구별해야 한다.
[赖皮] làipí 명 ① 파렴치한 태도[행동]. 뻔뻔한 짓. ❑ ~狗; 〈罵〉 파렴치한 놈. ② 파렴침한 사람. 무례한 사람. 형 파렴치하게 굴다. 뻔뻔하게 굴다.
[赖账] lài∥zhàng 동 ① 빚을 떼어먹다. ② 〈比〉 잡아떼다. 발뺌하다. ‖ =[赖债]

癞(癩) lài (라) 명〖醫〗〈方〉 두창(頭瘡). 두부 백선(頭部白癬).
[癞蛤蟆] làihá·ma 명〖動〗 두꺼비. ❑ ~想吃天鹅肉; 〈諺〉 두꺼비가 백조 고기를 먹고 싶어하다《제 분수를 모르다》. =[蟾蜍①]
[癞皮狗] làipígǒu 명 비루먹은 개. 〈比〉비열하고 파렴치한 사람.
[癞头鼋] làitóuyuán 명 ⇨[鼋鱼]

籁(籟) lài (뢰) 명 ① 고대(古代)의 생황(笙簧). ② 구멍에서 나는 소리. 〈轉〉 소리. ❑ 万~俱寂; 〈成〉 아무 소리도 없이 조용하다.

lan ㄌㄢ

兰(蘭) lán (란) 명〖植〗 난. 난초.
[兰草] láncǎo 명〈俗〉 ⇨[兰花]
[兰花] lánhuā 명〖植〗 난. 난초. =[〈俗〉 兰草]

拦(攔) lán (란) 동 ① 막다. 가로막다. 저지하다. ❑ 你快把那辆车~住; 빨리 그 차를 못 가게 막아라. ② (어떤 부위를) 마주 대하다. ❑ ~腰; ⇩ ‖ =[〈書〉 阑②]
[拦挡] lándǎng 동 가로막다. 방해하다. 저지하다. ❑ ~敌军的攻势; 적군의 공세를 저지하다.
[拦河坝] lánhébà 명 강의 댐.
[拦劫] lánjié 동 앞을 막아서고 강탈하다. 노상강도질을 하다.
[拦截] lánjié 동 가로막아 세우다. 갈길을 막다. ❑ ~车辆; 차량을 가로막아 세우다.

[拦路] lán//lù 동 길을 가로막다. ❑～虎; ⓐ옛날, 노상(路上) 강도. ⓑ〈轉〉 난관. 장애물.

[拦网] lán//wǎng 동〖體〗(배구에서) 블로킹(blocking)하다.

[拦腰] lányāo 부 중간에서. 가운데서. ❑～切断; 가운데서 두 토막 내다.

[拦阻] lánzǔ 동 가로막다. 저지하다. 훼방 놓다. ❑～我们前进的道路; 우리의 나아갈 길을 가로막다.

栏(欄) lán (란) 명 ① 난간. ＝[阑①] ②(가축의) 우리. ❑牛～; 외양간. ③(신문·잡지·서적 따위의) 란. 단. ❑广告～; 광고란. ④(표(表)의) 칸. 란. ❑备注～; 비고란. ⑤ 광고·표어·공고 따위를 붙이는 판. ❑布告～; 게시판.

[栏杆] lángān 명 난간.

[栏目] lánmù 명 (신문·잡지 따위의) 란. ❑经济～; 경제란.

[栅栏] lánzhà 명 울짱.

岚(嵐) lán (람) 명 이내. 남기(嵐氣)《산속의 안개[습기]》. ❑晓～; 아침 안개.

婪 lán (람) →[贪婪]

阑(闌) lán (란) 〈書〉 ① 명 ⇨[栏①] ② 동 ⇨[拦] ③ 동 깊어지다. 저물어 가다. ❑夜～人静; 〈成〉 밤이 깊어지고 인기척이 없다.

[阑珊] lánshān 동〈書〉(바야흐로) 끝나려 하다. 쇠퇴하다. ❑春意～; 화창한 봄도 이제 가려 하다.

[阑尾] lánwěi 명〖生理〗충수.

[阑尾炎] lánwěiyán 명〖醫〗충수염. 맹장염. ＝[〈俗〉盲肠炎]

谰(讕) lán (란) 동〈書〉① 무고(誣告)하다. 헐뜯다. 중상하다. ② 발뺌하다. 잡아떼다.

[谰言] lányán 명 ① 헐뜯는 말. ② 근거 없는 말. 허튼소리.

澜(瀾) lán (란) 명 큰 물결[파도]. ❑波～; 물결. 파도.

蓝(藍) lán (람) ① 명 ⇨[蓼liǎo蓝] ② 형 남빛의. 쪽빛의. ❑～天; 쪽빛의 하늘.

[蓝宝石] lánbǎoshí 명〖鑛〗사파이어(sapphire).

[蓝本] lánběn 명 (저작(著作)의 근거가 된) 원본(原本). 출전.

[蓝筹股] lánchóugǔ 명〖經〗블루칩(blue chip). 우량주.

[蓝靛] lándiàn 명 ⇨[靛蓝]

[蓝晶晶(的)] lánjīngjīng(·de) 형 (주로, 물이나 보석이) 푸르고 반짝이는 모양.

[蓝领] lánlǐng 명 블루칼라(blue-collar). ❑～阶层; 블루칼라 계층.

[蓝色] lánsè 명〖色〗남색.

[蓝图] lántú 명 ① 건설 계획. 설계도. 청사진. ②〈比〉(계획 따위의) 예상도. 미래도. 청사진.

[蓝盈盈(的)] lányíngyíng(·de) 형 파랗게 빛나는 모양. 눈부시게 푸른 모양. ＝[蓝莹莹(的)]

褴(襤) lán (람) →[褴褛]

[褴褛] lánlǚ 형 (의복이) 남루하다.

篮(籃) lán (람) 명 ①(～儿) 바구니. 광주리. ❑花～; 꽃바구니. ②(～儿)〖體〗(농구의) 바스켓(basket). ③〖體〗농구.

[篮板] lánbǎn 명〖體〗①(농구 골대의) 백보드(backboard). ② 리바운드 볼(rebound ball). ＝[篮板球]

[篮球] lánqiú 명〖體〗① 농구. ❑打～; 농구를 하다 / ～场; 농구장 / ～赛; 농구 경기. ② 농구공.

[篮子] lán·zi 명 바구니. 광주리.

览(覽) lǎn (람) 동 보다. 훑어보다. ❑游～; 유람하다 / 阅～; 열람하다 / 展～; 전람하다.

揽(攬) lǎn (람) 동 ① 끌어안다. ❑母亲～着孩子睡觉; 어머니가 아이를 안고 자다. ②(밧줄 따위로) 묶다. 동여매다. ❑用绳子把柴火～上; 밧줄로 장작을 묶다. ③ 떠맡다. 인수하다. ❑～责任; 책임을 떠맡다. ④ 장악하다. 독점하다. ❑把～; 독점하다.

缆(纜) lǎn (람) ① 명 밧줄. ❑解～; 출항(出港)하다. ② 명 여러 겹으로 꼰 굵은 밧줄. 케이블(cable). ③ 동 (밧줄로) 배를 매다.

[缆车] lǎnchē 명 ① 케이블카(cable car). ② 리프트(lift).

[缆绳] lǎnshéng 명 두꺼운 로프. 케이블. ＝[缆索]

榄(欖) lǎn (람)
→[橄榄]

罱 lǎn (람)
〈方〉 ① 명 물고기·수초(水草)·진흙 따위를 떠올리는 그물. ② 동 그물로 훑어 떠내다. ❑ ~河泥; 강바닥의 진흙을 퍼내다.

懒(懶) lǎn (라)
형 ① 게으르다. 나태하다. ❑ 好hào吃~做; 먹기만 좋아하고 일을 게을리 하다. ② 피로하다. 나른하다. ❑ 身子又酸又~; 몸이 쑤시고 나른하다.

[懒虫] lǎnchóng 명〈口〉〈貶〉 게으름뱅이. =[懒骨头]

[懒怠] lǎn·dai 형 ⇨[懒惰] 동 내키지 않다. 귀찮아하다. ❑ ~动弹; 움직이기도 귀찮다.

[懒得] lǎn·de 동 …하는 것이 귀찮다[내키지 않다]. …하는 것을 귀찮아 하다. ❑ 他每天脸都~洗; 그는 매일 세수하는 것조차 귀찮아한다.

[懒惰] lǎnduò 형 게으르다. 나태하다. ❑ 你这人也太~了; 너도 참 너무 게으르구나. =[懒怠]

[懒汉] lǎnhàn 명 게으른 사내. 게으름뱅이.

[懒散] lǎnsǎn 형 정신이 해이하고 산만하다. 굼뜨고 산만하다.

[懒洋洋(的)] lǎnyángyáng(·de) 형 내키지 않는 모양. 귀찮은 모양.

烂(爛) làn (란)
형 ① 무르다. 물렁물렁하다. 흐물흐물하다. ❑ 他喜欢吃煮得很~的肉; 그는 흐물흐물하게 익힌 고기를 좋아한다. ② 문드러지다. 썩다. 상하다. ❑ ~水果; 물러 터진 과일. ③ 헐다. 낡다. 너덜너덜하다. ❑ 鞋穿~了; 신발이 낡았다. ④ 뒤죽박죽이다. 엉망이다. ❑ ~摊子; ⇩ ⑤ 정도가 매우 심하다. ❑ ~醉; ⇩

[烂糊] làn·hu 형 (음식이) 매우 무르다. 물렁하다.

[烂漫] lànmàn 형 ① 빛깔이 선명하고 아름답다. ② 솔직하고 꾸밈이 없다. ❑ 天真~的儿童; 천진난만한 아이.

[烂泥] lànní 명 곤죽같이 된 진흙. 진흙탕. ❑ ~坑; 진흙 구덩이.

[烂熟] lànshú 형 ① (고기·야채 따위가) 충분히 익다. 푹 익다. ② 익숙하다. 능숙하다. 숙련되다.

[烂摊子] làntān·zi 명 어수선한 상황. 수습하기 어려운 국면(局面).

[烂醉] lànzuì 동 엉망으로 취하다. 만취(漫醉)하다. ❑ ~如泥; 〈成〉 곤드레만드레 취하다.

滥(濫) làn (람)
① 동 (물이) 범람하다. ② 형 지나치다. 과도하다. 마구잡이로 하다. ❑ ~用; ⇩

[滥调(儿)] làndiào(r) 명 판에 박힌 글[말]. 진부한 말[문장]. ❑ 陈词~; 낡아 빠진 논조.

[滥用] lànyòng 동 남용하다. ❑ ~权力; 권력을 남용하다.

[滥竽充数] lànyú-chōngshù 〈成〉 그만한 능력이 없으면서 능력 있는 사람들 틈에서 머릿수만 채우다.

lang ㄌㄤ

啷 lāng (랑)
→[哐啷]

郎 láng (랑)
명 ① 옛날, 관명(官名). ❑ 侍~; 시랑. ② 어떤 부류의 사람에 대한 호칭. ❑ 放牛~; 목동 / 女~; 젊은 여성. ③ 낭군(《남편·애인에 대한 호칭》). ❑ ~君; 낭군. ④ 옛날, 남의 아들에 대한 호칭. ❑ 令~; 영랑. 아드님.

[郎才女貌] lángcái-nǚmào 〈成〉 남자는 유능하고 여자는 미인이다(《잘 어울리는 남녀. 천생배필》).

[郎当] lángdāng 명의 ⇨[锒铛] 형 ① (옷이) 헐렁헐렁하다. ② 의기소침하다. 낙담하다. ③ 쓸모없다. 무능하다.

[郎中] lángzhōng 명 ① 옛 관직명(官職名). ② 〈方〉 한의사.

廊 láng (랑)
명 (지붕이 있는 독립된) 복도. 통로. 「부분.

[廊檐] lángyán 명 복도의 처마 밑

[廊子] láng·zi 명 (지붕이 있는 독립된) 통로. 복도.

榔 láng (랑)
→[榔头]

[榔头] láng·tou 명 큰 쇠망치. 해머. ❑ 甩~; 해머를 휘두르다.

螂 láng (랑)
→[螳táng螂][蜣qiāng螂][蟑zhāng螂][〈方〉 蚂mā螂]

狼 láng (랑)
명〔動〕 늑대. 이리.

[狼狈] lángbèi 형 곤란하다. 낭패이다. 궁지에 몰리다. 난처하다. ❑

～不堪；〈成〉 매우 난처하다.
[狼狈为奸] lángbèi-wéijiān 〈成〉 서로 결탁해서 나쁜 일을 하다.
[狼狗] lánggǒu 명〖動〗 셰퍼드(shepherd).
[狼藉] lángjí 형〈書〉 ① 난잡하게 흐트러지다. 어지럽게 널려 있다. ❑战场上尸体～; 전장에 시체들이 어지럽게 널려 있다. ②(평판이) 나쁘다. ❑声名～; 평판이 나쁘다. ‖ =[狼籍]
[狼吞虎咽] lángtūn-hǔyàn 〈成〉 게걸스레 먹다. 게 눈 감추듯 하다.
[狼心狗肺] lángxīn-gǒufèi 〈成〉 ① 마음이 잔인하고 흉악하다. ② 배은망덕하다.
[狼子野心] lángzǐ-yěxīn 〈成〉 흉포한 인간은 마음이 악랄하다.

琅 láng (랑) 〈書〉 ① 명 옥(玉)의 일종. ② 형 새하얗다. 순결하다.
[琅琅] lángláng 의 ① 쨍그렁《쇠붙이나 돌이 부딪치는 소리》. ② 책을 읽는 낭랑한 목소리.

锒(鋃) láng (랑) →[锒铛]
[锒铛] lángdāng 명〈書〉 옛날, 죄인을 매는 쇠사슬. ❑～入狱; 쇠사슬로 매어져 옥에 갇히다. 의 쨍그랑쨍그랑《금속이 부딪치는 소리》. ‖ =[郎当]

朗 lǎng (랑) 형 ① 환하다. 밝다. ❑月～风清; 〈成〉 달은 밝고 바람은 맑다. ② 목소리가 맑고 크다.
[朗读] lǎngdú 동 낭독하다. ❑～课文; 교과서를 낭독하다.
[朗朗] lǎnglǎng 형 ① 낭랑하다. ❑书声～; 책 읽는 소리가 낭랑하다. ② 밝다. ❑～星光; 밝은 별빛.
[朗姆酒] lǎngmǔjiǔ 명〈音〉 럼주(rum酒).
[朗诵] lǎngsòng 동 낭송하다.

浪 làng (랑) ① 명 파도. 물결. ❑白～; 흰 물결. ② 명 물결처럼 기복이 있는 것. ❑热～; 열파. ③ 동 제멋대로 하다. 방종하다. ❑～费; ⇩
[浪潮] làngcháo 명 ① 물결과 조수. ②〈比〉 소동. 물결. 바람. 풍조. ❑改革的～席卷全国; 개혁의 물결이 전국을 휩쓸다.
[浪荡] làngdàng 동 일정한 직업 없이 빈들거리다. 빈둥거리다. 형 방탕하다. ❑～鬼; 방탕아.
[浪费] làngfèi 동 낭비하다. ❑～时间; 시간을 낭비하다.
[浪花] lànghuā 명 ① 물보라. ②〈比〉 생활상의 사건이나 현상. 풍파(風波). 에피소드(episode).
[浪迹] làngjì 동 방랑하다. 떠돌다. ❑～江湖; 〈成〉 세상을 방랑하다.
[浪漫] làngmàn 형 ① 낭만적이다. 로맨틱(romantic)하다. ❑～主义; 낭만주의. ②(남녀 관계에서) 방탕하다.
[浪头] làng·tou 명 ①〈口〉 파랑(波浪). 솟구치는 파도. ②〈比〉 흐름. 조류. 경향. 트랜드(trend). ❑赶～; 유행을 좇다.
[浪游] làngyóu 동 만유(漫遊)하다. 유랑하다. 방랑하다.
[浪子] làngzǐ 명 방탕아. 불량 청소년. ❑～回头金不换; 〈諺〉 방탕아의 개심은 돈 주고도 못 바꾼다.

lao ㄌㄠ

捞(撈) lāo (로) 동 ①(물속에서) 건져 올리다. ❑～螃蟹; 게를 건지다[잡다]. ②(부정하게) 입수하다. 손에 넣다. ❑大～一把; 크게 한몫 잡다. ③〈方〉(하는 김에[내친 김에]) 잡다. 당기다.
[捞本(儿)] lāo//běn(r) 동 ① 노름으로 잃은 본전을 되찾다. ②〈比〉 한편에서 잃은 것을 다른 쪽에서 벌충하다. 결손을 보충하다.
[捞稻草] lāo dàocǎo ① 물에 빠진 사람이 지푸라기를 잡다. ②〈比〉 궁지에 몰려 소용없는 발악을 하다.
[捞取] lāoqǔ 동 ①(물속에서) 건져 내다. ❑～水草; 수초를 건져 내다. ②(부정한 방법으로) 획득하다. 취득하다. ❑～政治资本; 정치 자금을 획득하다.
[捞着] lāo//zháo 동 (기회를) 잡다. 얻다.

牢 láo (뢰) ① 명 (가축의) 우리. ❑亡羊补～; 〈成〉 소 잃고 외양간 고친다. ② 명 제물로 바치는 가축. ③ 명 감옥. ④ 형 튼튼하다. 견고하다. 확실하다. ❑～～地记住; 확실하게 기억하다.
[牢房] láofáng 명 감방.
[牢固] láogù 형 튼튼하다. 견고하다. ❑～的地位; 튼튼한 지위.

[牢记] láojì 동 단단히 기억해 두다. 명심하다. ❑ ~过去的教训; 과거의 교훈을 명심하다.

[牢靠] láokào 형 ① 견고하다. 튼튼하다. ❑ 把门拴~了吗? 문을 단단히 잠갔느냐? ② 믿음직하다. 확실하다. 신뢰할 만하다.

[牢笼] láolóng 명 ① 새장. 조롱. ②〈比〉속박. 제한. ❑ 冲破~; 속박을 타파하다. ③ 계책. 계략. 속임수. 함정. ❑ 堕入~; 함정에 빠지다. 동 속박하다. 구속하다.

[牢骚] láo·sāo 명 불평. 불만. 푸념. 동 불평하다. 푸념하다.

[牢稳] láowěn 형 ① (물체가) 안정적이다. ❑ 机器摆放得很~; 기계가 매우 안정적으로 놓여 있다. ② 안전하다. 든든하다. 안심이 되다. ❑ 这笔款子请你放在~的地方; 이 돈은 당신이 안전한 곳에 놓아 두어 주세요.

[牢狱] láoyù 명 감옥.

劳(勞) láo (로)
① 명동 일(하다). 노동(하다). ❑ 不~而获; 〈成〉 불로소득하다. ② 동〈套〉 수고를 끼치다. 애쓰게 하다《다른 사람에게 일을 시킬 때 쓰는 말》. ❑ ~您走一趟; 수고스럽겠지만 한번 가 주십시오. ③ 동 지치다. 피로하다. ❑ 疲~; 피로하다. ④ 명 공적. 공로. ⑤ 동 (수고를) 위로하다. 위문하다. ❑ ~师; ⇩

[劳保] láobǎo 명 ① 노동 보험. ② 노동 보호.

[劳动] láodòng 명동 ① 노동(하다). 일(하다). ❑ 脑力~; 정신노동. ② 육체노동(하다). ❑ ~法; 노동법 / ~合同; 노동 계약 / ~力; 노동력 / ~者; 노동자.

[劳动节] Láodòng Jié 명 ⇨[五一劳动节]

[劳动日] láodòngrì 명 노동 시간을 계산하는 단위《일반적으로 8시간을 '一个~'라고 함》.

[劳而无功] láo'érwúgōng 〈成〉 헛수고하다.

[劳工] láogōng 명 ① 노동자. =[工人] ② 고된 노역에 종사하는 사람. 쿨리(coolie).

[劳驾] láo∥jià 동〈套〉 미안합니다. 죄송합니다《남에게 부탁하거나, 길을 비켜 달라고 할 때나, 무언가를 물을 때에 쓰는 말》. ❑ ~, 让我过去; 미안합니다만, 좀 비켜 주십시오.

[劳军] láo∥jūn 동 ⇨[〈書〉劳师]

[劳苦] láokǔ 동 노고하다. 수고하다. 고생하다. ❑ ~功高; 〈成〉 고생하여 세운 공이 크다.

[劳累] láolèi 형 (과로로) 지치다. 피곤하다. 녹초가 되다. 동 〈敬〉 수고스럽게 하다. 고생시키다《무엇인가를 부탁할 때 쓰는 말》. ❑ ~你去一趟; 수고스럽겠지만 한번 가 주십시오.

[劳力] láolì 명 ① 힘. 노동력. ② 노동력이 있는 사람.

[劳碌] láolù 형 동분서주하다. 바쁘게 수고하다. ❑ 一天到晚~不堪; 아침부터 밤까지 쉴 새 없이 일하다.

[劳民伤财] láomín-shāngcái 〈成〉 백성을 혹사시키고 재물을 축내다.

[劳神] láo∥shén 동 ① 신경 쓰다. 걱정하다. ❑ 不要为家务事~了; 집안일은 신경 쓰지 마라. ②〈套〉 수고를 끼치다. 걱정을 끼치다《남에게 무엇을 부탁할 때 쓰임》. ❑ ~帮我照看一下房子; 수고스러우시겠지만 저를 도와 집을 좀 봐 주세요.

[劳师] láoshī 동〈書〉 군대를 위문하다. =[劳军]

[劳役] láoyì 명 노역. 부역. 동 (가축을) 부리다.

[劳逸] láoyì 명 노동과 휴식.

[劳资] láozī 명 노사. 노동자와 자본가. ❑ ~关系; 노사 관계.

唠(嘮) láo (로)
→[唠叨] ⇒ lào

[唠叨] láo·dao 동 시끄럽게 떠들다. 수다 떨다. 잔소리하다. 끊임없이 재잘거리다. ❑ ~不休; 쉬지 않고 재잘거리다.

痨(癆) láo (로)
명〖中醫〗 결핵.

[痨病] láobìng 명〖中醫〗 결핵.

老 lǎo (로)
① 형 늙다. 나이가 들다. ❑ 他比以前~多了; 그는 이전보다 많이 늙었다. ② 명〈敬〉 노인. ❑ 敬~爱幼; 〈成〉 노인을 공경하고 어린이를 사랑하다. ③ 형 경험이 풍부하다. 숙련되다. 노련하다. ❑ ~手(儿); ⇩ ④ 형 오래되다. ❑ ~朋友; 오랜 친구. ⑤ 형 구식이다. 시대에 뒤떨어지다. 낡다. ❑ ~设备; 낡은 설비. ⑥ 형 본래의. 원래의. ❑ ~毛病; ⇩ ⑦ 형 (야채 따위가) 쇠다. 억세다. ❑ 油菜太~

了; 청경채가 너무 쇠다. ⑧ 형 (요리에서) 불기운이 세다. ❏ 菠菜炒~了, 就失去了鲜味; 시금치를 너무 센 불에 볶으면 신선한 맛이 없어진다. ⑨ 형 (색이) 짙다. ❏ ~红; 진홍색. ⑩ 부 오래. 오랫동안. ❏ 一搁~了不好治了; 오래 내버려 두면 고치기 어렵다. ⑪ 부 항상. 언제나. 자주. ❏ ~发脾气; 자주 성질을 부리다. ⑫ 부 매우. 대단히. ❏ ~远; 매우 멀다. ⑬ 형 막내이다. 제일 아래이다. ❏ ~儿子; 막내아들. ⑭ 접두 호칭·항렬·동물 이름·식물 이름 따위에 쓰임. ❏ ~王; 왕 씨 / 你是~儿? 너는 형제 중의 몇 째냐?

[老百姓] lǎobǎixìng 명〈口〉 백성. 국민. 일반인.

[老板] lǎobǎn 명 ① (상점의) 주인. 지배인. ② 사장. 기업주.

[老伴儿] lǎobànr 명 영감. 마누라《노부부의 어느 한쪽》.

[老本(儿)] lǎoběn(r) 명 ① (최초의) 자본. 밑천. 본전. ②〈比〉 (기존의) 토대. 기초. 기반.

[老伯] lǎobó 명〈敬〉 아저씨《아버지의 친구 및 친구의 아버지에 대한 존칭》.

[老巢] lǎocháo 명 ① 새의 보금자리. ②〈比〉 비적의 소굴.

[老成] lǎochéng 형 (경험이 풍부하고) 신중하다. 노련하다. 원숙하다. ❏ ~持重; 〈成〉 경험이 풍부해 일처리가 노련하다.

[老处女] lǎochǔnǚ 명 노처녀.

[老大] lǎodà 명 ① 장남. 장녀. 맏이. ② 보스. 두목. ③〈方〉 뱃사공. 형〈書〉 나이 들다. 늙다. ❏ ~无成; 〈成〉 나이만 먹고 아무것도 한 것이 없다. 부 매우. 대단히《주로, 부정문에 사용됨》. ❏ ~不愿意; 매우 원치 않다.

[老大娘] lǎodà·niáng 명〈敬〉〈口〉 할머님《안면이 없는 나이 많은 여자에 대한 존칭》.

[老大爷] lǎodà·ye 명〈敬〉〈口〉 할아버님《안면이 없는 나이 많은 남자에 대한 존칭》.

[老当益壮] lǎodāngyìzhuàng 〈成〉 늙어도 기력이 왕성하다. 노익장을 과시하다.

[老底(儿)] lǎodǐ(r) 명 ① 비밀. 내막. 속사정. ❏ 揭穿~; 내막을 폭로하다. ② 대대로 물려받은 재산.

[老弟] lǎodì 명 너. 자네《자신보다 나이가 어린 남성(男性)에 대한 친근한 호칭》.

[老调] lǎodiào 명 지겹게 해 오던 말. 상투적인 말. 진부한 말.

[老调重弹] lǎodiào-chóngtán 〈成〉 ⇨[旧jiù调重弹]

[老掉牙] lǎodiàoyá 형 낡아빠지다. 케케묵다. ❏ ~的故事; 케케묵은 옛날 이야기.

[老公] lǎogōng 명〈口〉 남편.

[老公公] lǎogōng·gong 명〈方〉 ① 할아버지《어린이가 남자 노인을 부르는 말》. ② 시아버지.

[老古董] lǎogǔdǒng 명 ① 낡고 시대에 뒤떨어진 물건. 고물. 골동품. ②〈比〉 완고하고 진부한 사람. 고루한 사람.

[老鸹] lǎo·gua 명〈方〉 ⇨[乌鸦]

[老汉] lǎohàn 명 ① (남자) 노인. ② 늙은이. 졸로(拙老)《노인의 자칭》.

[老好人] lǎohǎorén 명〈口〉 무골호인. =[好人③]

[老狐狸] lǎohú·li 명 ① 늙은 여우. ②〈比〉 매우 교활한 사람.

[老虎] lǎohǔ 명〔動〕 호랑이.

[老花眼] lǎohuāyǎn 명 ⇨[老视]

[老化] lǎohuà 동 ①〔化〕 노화하다. 산화하다. ② 고령화하다. ❏ 人口~现象; 인구 고령화 현상. ③ 고루해지다. 시대에 뒤처지다.

[老话] lǎohuà 명 ① 옛말. 속담. ② (~儿) 케케묵은 옛 이야기.

[老黄牛] lǎohuángniú 명〈比〉 성실하고 책임감 있게 일하는 사람.

[老几] lǎojǐ 명 ① 몇 째《형제의 순서를 물을 때 쓰는 말》. ❏ 你排行~? 너는 몇 째이니? ②〈俗〉 반문(反問)에 쓰여 어떤 범위 안에서는 축에도 못 듦을 나타내는 말. ❏ 跟他们比, 我算~? 그들과 비교했을 때 제가 축에나 낄 수 있겠느냐?

[老家] lǎojiā 명 ① 고향. 고향집. ② 원적(原籍). 출생지.

[老奸巨猾] lǎojiān-jùhuá 〈成〉 매우 교활하고 간사하다.

[老将] lǎojiàng 명 ① 노장. 늙은 장수. ② 베테랑. 전문가.

[老练] lǎoliàn 형 노련하다. ❏ 他办事很~; 그는 일처리가 매우 노련하다.

[老路] lǎolù 명 ① 옛 길. 전에 지나간 적이 있는 길. ②〈轉〉 낡은 방법. 낡은 수단. 옛날 방법.

[老妈子] lǎomā·zi 명 어멈《식모·

하녀 등을 가볍게 부르는 말》. =[老妈儿]

[老马识途] lǎomǎ-shítú 〈成〉 늙은 말은 길을 알고 있다《경험이 있으면 신참을 지도할 수 있다》.

[老迈] lǎomài 형 늙어 빠지다. 바싹 늙다. 노쇠하다. ❑ ~无能; 늙어서 아무 쓸모가 없다.

[老毛病] lǎomáo·bìng 명 ①〈比〉 옛날 버릇. 오랜 결점. ②〈方〉 지병(持病).

[老奶奶] lǎonǎi·nai 명 ① 증조모(曾祖母). ②〈敬〉 할머니《늙은 부인에 대한 어린이의 호칭》.

[老脑筋] lǎonǎojīn 명 ① 케케묵은 머리[생각]. ② 사고방식이 낡은 사람.

[老年] lǎonián 명 노년. ❑ ~期; 노년기 / ~人; 노인 / ~性痴呆; 노인성 치매.

[老年斑] lǎoniánbān 명 (노인의) 검버섯. =[寿斑]

[老娘] lǎoniáng 명 ① 노모(老母). 늙으신 어머니. ②〈方〉 기혼의 중년 부인이나 노년 부인의 자칭.

[老牛] lǎoniú 명 늙은 소. ❑ ~破车; 〈成〉 늙은 소가 부서진 수레를 끌다《굼뜨게 일을 하다》 / ~舐shì犊; 〈成〉 어미 소가 송아지를 핥다《부모가 자녀를 애지중지하다》.

[老牌(儿)] lǎopái(r) 명 오랫동안 이름이 알려진 품질 좋고 신용 있는 상표(商標). ❑ ~货; 유명 제품. 형〈比〉 이름난. 공인된. ❑ ~特务; 이름난 스파이.

[老婆婆] lǎopó·po 명〈方〉 ①〈敬〉 할머니《늙은 부인에 대한 아이들의 존칭》. ② 시어머니.

[老婆儿] lǎopór 명 할머니《노부인에 대한 친근한 호칭》.

[老婆子] lǎopó·zi 명 ①〈貶〉 노파. 할망구. ② 할멈《(노부부의) 남편이 아내를 이르는 말》.

[老婆] lǎo·po 명〈口〉 처. 마누라.

[老气] lǎo·qì 형 ① 어른스럽다. 노숙하다. ❑ 说话很~; 말하는 것이 아주 노숙하다. ② (옷 따위의 색깔이) 어둡고 칙칙하다. ③ (디자인이) 구식이다. 유행에 뒤떨어지다.

[老气横秋] lǎoqì-héngqiū 〈成〉 ① 나이를 내세워 위세를 부리는 모양. ② 패기[생기]가 없는 모양.

[老前辈] lǎoqiánbèi 명〈敬〉 대선배《동종 업종에서 나이가 많고 경험이 풍부한 사람에 대한 존칭》.

[老人] lǎorén 명 ① 노인. ② 연로한 부모. 또는 조부모.

[老人星] lǎorénxīng 명〔天〕 남극노인성. =[寿星①]

[老人家] lǎo·ren·jia 명〈口〉 ①〈敬〉 어르신. 어르신네《노인에 대한 존칭》. ② 자기 또는 남의 아버지[어머니]에 대한 일컬음.

[老弱] lǎoruò 형 늙고 쇠약하다. ❑ ~残兵; 〈成〉 늙고 쇠약하여 아무것도 할 수 없는 사람. 명 노약자.

[老少] lǎoshào 명 노소. 늙은이와 젊은이.

[老生] lǎoshēng 명〔劇〕 경극(京劇)에서 중년 이상의 역할로 분장하는 배우. =[须生]

[老生常谈] lǎoshēng-chángtán 〈成〉 늙은 서생(書生)의 평범한 의론《평범하고 상투적인 이야기》.

[老师] lǎoshī 명 선생님. 스승.

[老师傅] lǎoshī·fu 명〈敬〉 스승님. 사부님《어떤 기능에 뛰어난 노인에 대한 존칭》.

[老式] lǎoshì 형 구식의. ❑ ~家具; 구식 가구.

[老视] lǎoshì 명 원시. 노안. =[老花眼][花眼]

[老是] lǎo·shì 부〈口〉 언제나. 늘. 줄곧. 마냥. ❑ 他~迟到; 그는 언제나 늦게 온다.

[老实] lǎo·shi 형 ① 성실하다. 정직하다. 솔직하다. ❑ 他为人很~; 그는 사람됨이 정직하다. ② 얌전하다. 온순하다. 고분고분하다.

[老实巴交] lǎo·shibājiāo 형 아주 올곧다. 매우 얌전하다.

[老手(儿)] lǎoshǒu(r) 명 숙련(熟練)된 사람. 노련한 사람. 베테랑.

[老鼠] lǎoshǔ 명〔動〕 쥐《주로, 집쥐를 지칭함》. ❑ ~过街, 人人喊打; 〈歇〉 해를 끼치는 사람이나 일은 모든 사람들에게 미움을 산다 / ~洞; 쥐구멍. =[〈方〉 耗子]

[老死不相往来] lǎo sǐ bù xiāng wǎnglái 〈成〉 서로 절대 왕래하지 않고 관계를 갖지 않다.

[老态龙钟] lǎotài-lóngzhōng 〈成〉 나이 들어 동작이 둔하고 자유롭지 못한 모양.

[老太婆] lǎotàipó 명 할머니. 노부인.

[老太太] lǎotài·tai 명〈敬〉 ① 할머님. 노부인《노부인에 대한 존칭》. ② 자당《남의 어머니에 대한 존칭》. ③ 자친(慈親)《남에게 자기 어머니나

장모·시어머니를 말할 때의 존칭》.
[老太爷] lǎotàiyé 명〈敬〉① 할아버님《노인에 대한 존칭》. ② 춘부장《남의 아버지에 대한 존칭》. ③ 가친. 엄부《남에게 자기 아버지나 장인·시아버지를 말할 때의 존칭》.
[老天爷] lǎotiānyé 명 하느님. ❑ 我的~! 하느님 맙소사!
[老头儿] lǎotóur 명 노인네. 할아버지.
[老头子] lǎotóu·zi 명 ① 늙은이. 할아범. 영감태기《공손치 않은 호칭》. ② 영감《늙은 남편을 이름》.
[老外] lǎowài 명〈口〉① 문외한(門外漢). 풋내기. ② 외국인.
[老顽固] lǎowángù 명 벽창호. 고집통이. 고집불통.
[老翁] lǎowēng 명〈書〉 할아버지.
[老挝] Lǎowō 명〖地〗〈音〉 라오스(Laos).
[老乡] lǎoxiāng 명 ① 동향(同鄕) 사람. 고향 사람. ② 낯선 농민을 친근하게 부르는 말.
[老小] lǎoxiǎo 명 ① 늙은이와 어린이. ②〈轉〉 가족. ③〈轉〉 노인에서 아이까지의 모든 사람.
[老兄] lǎoxiōng 명〈敬〉 노형. 형씨《동년배에 대한 존칭》.
[老羞成怒] lǎoxiūchéngnù 〈成〉 너무 부끄러운 나머지 화를 내다.
[老朽] lǎoxiǔ 형 노후하다. 낡다. 노쇠하고 진부하다. ❑ 昏庸~; 노쇠하고 멍청하다. 명〈謙〉 우로(愚老). 늙은이《노인의 겸칭》.
[老鸦] lǎoyā 명〈方〉 ⇨[乌鸦]
[老眼昏花] lǎoyǎn-hūnhuā 〈成〉 노안으로 눈이 침침하다.
[老爷爷] lǎoyé·ye 명 ① 증조부(曾祖父). ②〈敬〉 할아버지《아이들의 노인에 대한 존칭》.
[老爷子] lǎoyé·zi 명〈口〉 ①〈敬〉 노인장. 어르신《남자 노인에 대한 존칭》. ② 아버님《남에게 자기나 상대방의 연로한 부친을 칭하는 말》.
[老爷] lǎo·ye 명 ① 나리《옛날, 관리나 권세 높은 사람에 대한 호칭》. ② 나리. 나리 마님《옛날, 하인이 바깥주인을 부르던 호칭》. ③ 외조부. =[姥爷] 형 낡은. 구식의. ❑ ~车; 고물차.
[老一套] lǎoyītào 명 케케묵은 방식. 틀에 박힌 것. 상투적 수법.
[老鹰] lǎoyīng 명〖鳥〗 솔개. =[鸢yuān]
[老油子] lǎoyóu·zi 명〈貶〉 산전수전 다 겪은 닳고 닳은 놈. =[老油条]
[老玉米] lǎoyù·mi 명〈方〉 ⇨[玉米]
[老账] lǎozhàng 명 ① 옛날 빚. 오래된 채무. ②〈比〉 지나간 옛일. 해묵은 일.
[老者] lǎozhě 명〈書〉 나이 든 남자. 노인.
[老着脸皮] lǎo·zhe liǎnpí 뻔뻔스럽게. 염치 불구하고.
[老子] lǎo·zi 명〈口〉 ① 아버지. ② 이 몸. 이 어르신네《거드름 피우며 자칭하는 말로, 화났을 때나 농담할 때 씀》. ❑ ~天下第一; 이 몸은 천하의 제일인자이다《오만한 사람이 스스로를 가장 훌륭하다고 생각하다》.
[老总] lǎozǒng 명 ①〈敬〉 옛날, 군인에 대한 존칭. ②〈敬〉 중국 인민 해방군의 고위 간부에 대한 존칭. ③ 총지배인·수석 기사·편집장 등에 대한 존칭.

佬 lǎo (로)
명〈貶〉 놈. ❑ 美国~; 양키. 미국놈 / 乡巴~; 촌놈.

姥 lǎo (로)
→[姥姥][姥爷]
[姥姥] lǎo·lao 명 ① 외할머니. ❑ ~家; 외가. ②〈方〉 산파.
[姥爷] lǎo·ye 명 ⇨[老爷③]

络(絡) lào (락)
→[络子] ⇒ luò
[络子] lào·zi 명 ① 망태기. ② 실패.

烙 lào (락)
동 ① 다림질하다. 다리다. ❑ ~衣服; 옷을 다리다. ② (전병 따위를) 쇠냄비에 굽다.
[烙饼] làobǐng 명 (쇠냄비에 구운) 밀전병.
[烙铁] lào·tie 명 ① 인두. ② 납땜 「인두.
[烙印] làoyìn 명동 낙인(을 찍다). 〈比〉 지울 수 없는 흔적(을 남기다).

落 lào (락)
뜻은 '落luò' 와 같으며, 아래의 경우에만 쓰임. ⇒ là luò
[落价(儿)] lào∥jià(r) 동 값이 내리다.
[落色] lào∥shǎi 동 (옷이나 천 따위의) 색이 바래다. 색이 빠지다. =[走色shǎi]
[落枕] lào∥zhěn 동 (춥게 자거나 베개가 맞지 않아) 목·어깨 부분이 결리고 아프다.

酪 lào (락)
명 ① 소·양 따위의 젖을 반응

고 시킨 유제품. ❑酸奶~; 요구르트. ② 과실을 삶아 잼 모양으로 만든 것. ❑核桃~; 호두잼.

涝(澇) lào (로) ① 형 (논밭의 작물이) 물에 잠기다. 침수되다. ② 명 논밭에 고인 물.

[涝害] làohài 명 관수해(冠水害).

[涝灾] làozāi 명 침수 피해.

唠(嘮) lào (로) 동〈方〉 말하다. 이야기하다. ❑~给你听; 네게 들려주마. ⇒láo

le ㄌㄜ

仂 lè (륵) 명〈書〉 끝수. 나머지수.

[仂语] lèyǔ 명 ⇒[词组]

勒 lè (륵) 동 ① 고삐를 잡아당겨 멎게 하다. ❑~马; 고삐를 당겨 말을 멎게 하다. ② 억지로 시키다. 강제하다. ❑~令; ⇓ ③〈書〉 통솔하다. ❑整~兵马; 〈成〉 군대를 통솔하다. ④〈書〉 조각(彫刻)하다. ⇒lēi

[勒逼] lèbī 동 강박하다. 강요하다. 압박하다. ❑~还债; 빚을 갚을 것을 강요하다.

[勒令] lèlìng 동 강제적으로 하게 명령하다. ❑~停业; 강제로 영업 정지 시키다.

[勒索] lèsuǒ 동 (재물 따위를) 협박하여 갈취하다. 공갈해서 빼앗다.

乐(樂) lè (락) ① 형 즐겁다. 기쁘다. 유쾌하다. ❑~得了liǎo不得; 기뻐 죽겠다. ② 동 즐기다. 좋아하다. ❑~眼前; 눈앞의 일을 즐기다. ③ 동 웃다. ❑~得前仰后合; 몸을 앞뒤로 흔들며 웃다. ⇒yuè

[乐不可支] lèbùkězhī 〈成〉 즐거워서[기뻐서] 어찌할 바를 모르다.

[乐此不疲] lècǐ-bùpí 〈成〉 (어떤 일을 하는 것이) 즐거워서 피곤한 줄도 모르다. =[乐此不倦]

[乐得] lèdé 동 (자신의 뜻에 크게 벗어나지 않아) 순응하여 따르다. 되어 가는 대로 따르다.

[乐观] lèguān 형 낙관하다. ❑~主义; 낙관주의 / ~主义者; 낙관론자.

[乐呵呵(的)] lèhēhē(·de) 형 기뻐하는[즐거워하는] 모양.

[乐极生悲] lèjí-shēngbēi 〈成〉 즐거움이 극에 달하면 슬픔이 생긴다.

[乐趣] lèqù 명 즐거움. 재미. 기쁨. 낙. ❑尝到~; 기쁨을 맛보다.

[乐事] lèshì 명 즐거운 일.

[乐天] lètiān 동 천명을 즐기다. ❑~知命; 〈成〉 천명을 즐기고 자신의 처지에 만족하다. 형〈轉〉 낙천적이다. ❑~派; 낙천주의자.

[乐土] lètǔ 명 낙토. 낙천지.

[乐意] lèyì 동 기꺼이 …하다. 기쁘게 …하다. ❑他很~帮助别人; 그는 남을 기꺼이 돕는다. 형 만족하다. 기뻐하다.

[乐于] lèyú 동 기꺼이 …하다. 즐거이 …하다. ❑~助人; 기꺼이 남을 돕다.

[乐园] lèyuán 명 파라다이스. 낙원. 천국.

[乐滋滋(的)] lèzīzī(·de) 형 마음이 만족스럽고 기쁜 모양.

了 ·le (료) 조 **A)** 동사나 형용사 뒤에 쓰여 동작이나 변화의 완료를 나타냄. ① 이미 발생한 동작·상황에 쓰임. ❑他已经走~; 그는 이미 떠났다. ② 예정된 혹은 가정의 동작에 쓰임. ❑明天我们吃~饭就出发; 내일 우리 식사 후에 바로 출발하자. **B)** 문장 끝이나 문장 중의 끊어지는 곳에 쓰여 변화나 새로운 상황의 출현을 나타냄. ① 상황이 이미 출현했거나 곧 출현할 것임을 나타냄. ❑春节到~; 설날이 왔다 / 天要冷~; 날씨가 추워지려고 한다. ② 어떤 조건하에 어떤 상황이 출현함을 나타냄. ❑要是不走就见到他~; 만약 가지 않으면 그를 만날 수 있다. ③ 생각·주장·행동에 변화가 생김을 나타냄. ❑他又改变主意~; 그는 또 생각을 바꿨다. ④ 재촉·저지를 나타냄. ❑好~, 不要再说~; 알았으니 그만 얘기해라. ⇒liǎo

lei ㄌㄟ

勒 lēi (륵) 동 (끈으로) 졸라매다. 단단히 묶다. ❑把行李~上; 짐을 단단히 묶다. ⇒lè

累(纍) léi (루) →[累累][累赘] ⇒ lěi lèi

[累累] léiléi 형〈書〉 ① 초췌하고

위축되어 있는 모양. ② 연이어 꿰어 있는 모양. 주렁주렁한 모양. ❏ 硕果~; 큰 과실이 주렁주렁 열리다. ⇒lěilěi

[累赘] léi·zhui 형 성가시다. 군더더기가 많다. 불필요하다. 번거롭다. 귀찮다. ❏ ~的词语; 불필요한 단어. 동 귀찮게 하다. 번거롭게 하다. 성가시게 하다. ❏ 我不想再~你了; 나는 더 이상 너를 귀찮게 하고 싶지 않다. 명 번거로운 것. 성가신 일. 불필요한 것. 군더더기.

雷 léi (뢰)
명 ① 천둥. 우레. ❏ 打~; 천둥 치다. ② (군사용의) 폭파 병기. ❏ 布~; 지뢰를 부설하다.

[雷达] léidá 명〈音〉 레이더(radar). ❏ ~跟踪; 레이더 추적 / ~管制; 레이더 관제 / ~网; 레이더망.

[雷打不动] léidǎbùdòng 〈成〉 의지가 굳어 흔들리지 않다.

[雷电] léidiàn 명 우레와 번개. 천둥 번개. 뇌전(雷電).

[雷动] léidòng 동 (소리가) 우레와 같이 울려 퍼지다. ❏ ~的欢呼声; 우레와 같은 환호성.

[雷管] léiguǎn 명 뇌관.

[雷厉风行] léilì-fēngxíng 〈成〉 우레와 같이 맹렬하고 바람과 같이 빠르다《정책 · 법령의 시행이 엄격하고 신속하다》.

[雷鸣] léimíng 동 ① 우레가 치다. 천둥이 치다. ❏ ~电闪; 천둥 번개가 치다. ② (주로, 박수 소리가) 우레와 같이 울리다. ❏ 掌声~; 박수 소리가 우레와 같이 울리다.

[雷声] léishēng 명 천둥소리. 우렛소리. ❏ ~大, 雨点小; 〈歇〉 천둥 소리만 요란하고 빗방울은 작다《말이나 계획만 요란하고 실제의 행동이 따르지 않다》.

[雷霆] léitíng 명 ① 우레. 천둥. 벼락. ②〈比〉 위력. 노기. ❏ ~万钧; 〈成〉 위력이 매우 크다.

[雷同] léitóng 형 ① 부화뇌동하다. 뇌동하다. ② (같지 않아야 할 것이) 같다. 비슷하다.

L

[雷雨] léiyǔ 명〔氣〕 뇌우.

[雷阵雨] léizhènyǔ 명 천둥 번개를 동반한 소나기.

擂 léi (뢰)
동〈方〉 ① 갈다. ❏ ~米粉; 쌀가루를 갈다. ② 치다. 두드리다. ❏ 自吹自~; 〈成〉 혼자 나팔 불고 북을 치다《자화자찬하다》. ⇒ lèi

镭(鐳) léi (뢰)
명〔化〕 라듐(Ra: radium).

羸 léi (리)
형〈書〉 ① 여위다. 수척하다. ② 피로하다.

耒 lěi (뢰)
명 ① 가래. 쟁기. ② 가래나 쟁기의 나무 손잡이.

[耒耜] lěisì 명 쟁기. 〈轉〉 농기구.

垒(壘) lěi (루)
① 동 (벽돌 · 돌 따위를) 쌓아올리다. =[累lěiA)③] ② 명 성벽. 요새. 성채. 보루. ❏ 堡~; 보루. ③ 명〔體〕 (야구 따위의) 베이스(base).

[垒球] lěiqiú 명〔體〕 ① 소프트볼(softball). ② 소프트볼 공.

累(纍)^A) lěi (루)
A) ① 동 쌓이다. 누적하다. ❏ 日积月~; 〈成〉 오랜 세월이 흐르다. ② 부 자꾸. 여러 번. 누차. ❏ 欢聚~日; 여러 날을 즐겁게 모이다. ③ 동 ⇒[垒①] B) 동 연루되다. 말려들다. 폐를 끼치다. ❏ ~及; ⇓ ⇒ léi lèi

[累次] lěicì 부 자주. 여러 번. 누차. ❏ ~三番; 〈成〉 거듭 몇 번이고. 아주 여러 번. =[屡次]

[累积] lěijī 동 누적하다. 축적하다. ❏ ~财富; 부를 축적하다.

[累及] lěijí 동 누를 끼치다. 연루하다. ❏ ~无辜; 〈成〉 무고한 사람에게 누를 끼치다.

[累计] lěijì 동 누계하다.

[累进] lěijìn 동 누진하다. ❏ ~率; 누진율 / ~税; 누진세.

[累累] lěilěi 부 거듭해서. 누누이. ❏ ~失误; 거듭해서 실수하다. 형 겹겹이[거듭] 쌓인 모양. ❏ 恶行~; 악행이 겹겹이 쌓이다. ⇒léiléi

[累卵] lěiluǎn 명 층층이 쌓아올린 알. 〈比〉 형세가 매우 불안정하고 아슬아슬함. ❏ 危如~; 〈成〉 위험하기가 달걀을 쌓아올린 것과 같다.

[累年] lěinián 동 해마다 …하다. 매년 …하다.

磊 lěi (뢰)
→[磊落]

[磊落] lěiluò 형 ① 마음이 밝고 시원스럽다. 광명정대하다. 떳떳하다. ❏ 光明~; 〈成〉 광명정대하다. ② 〈書〉 많고 뒤섞여 있는 모양. ❏ 山岳~; 산악이 뒤섞여 있다.

蕾 lěi (뢰)
명 꽃봉오리.

儡 lěi (뢰)
→[傀kuǐ儡]

肋 lèi (륵)
명〖生理〗옆구리.

[肋骨] lèigǔ 명〖生理〗늑골. 갈빗대. =[〈方〉肋条①]

[肋膜] lèimó 명 ⇨[胸膜]

[肋条] lèi·tiáo 명〈方〉① ⇨[肋骨] ② 돼지의 갈비.

泪 lèi (루)
명 ① 눈물. ❏ 流~; 눈물을 흘리다 / ~如雨下; 〈成〉 눈물이 빗물처럼 흐르다. =[眼泪] ②〈轉〉 눈물과 비슷한 것. ❏ 烛~; 촛농.

[泪痕] lèihén 명 눈물 자국.

[泪花(儿)] lèihuā(r) 명 (곧 흘러내릴 것 같은) 눈물.

[泪水] lèishuǐ 명 눈물.

[泪汪汪(的)] lèiwāngwāng(·de) 형 눈에 눈물이 가득히 고인 모양.

[泪腺] lèixiàn 명〖生理〗눈물샘.

[泪液] lèiyè 명 눈물. =[眼泪]

[泪珠(儿)] lèizhū(r) 명 눈물 방울.

类(類) lèi (류)
① 명 종류. 부류. ② 동 유사하다. 비슷하다. ❏ ~人猿; ⇩ ③ 양 류(類). 종류. 부류. ❏ 第一~学校; 일류 학교.

[类比] lèibǐ 명〖論〗유추. 유비. 동 맞대어 비교하다.

[类别] lèibié 명 (각기 다른) 종류. 범주. 부류.

[类乎] lèi·hū 동 …와 비슷하다. …에 가깝다. ❏ 画法~其师; 화법이 그 스승과 비슷하다.

[类人猿] lèirényuán 명〖動〗유인원.

[类似] lèisì 동 유사하다. 비슷하다. ❏ 我们俩的性格很~; 우리 둘의 성격은 매우 비슷하다.

[类推] lèituī 동 유추하다.

[类型] lèixíng 명 유형. 타입.

累 lèi (루)
① 형 지치다. 피곤하다. 피로하다. ❏ 今天我感到很~; 나는 오늘 무척 피곤하다. ② 동 지치게 하다. 피로하게 하다. ❏ 不要~坏了身体; 몸을 피로하게 하지 마라. ③ 동 수고하다. 힘들게 일하다. ❏ ~了一天, 该休息一会儿了; 하루 종일 일했으니, 좀 쉬어야 한다. ⇒ léi lěi

擂 lèi (뢰)
명 무술 경기를 위한 무대. 링(ring). ⇒ léi

[擂台] lèitái 명 무술을 겨루기 위해 설치된 무대. 링(ring). ❏ 摆~; 〈比〉 도전하다 / 打~; 〈比〉 도전에 응하다.

leng ㄌㄥ

棱 lēng (릉)
→[刺cī棱] ⇒ léng

棱 léng (릉)
(~儿) 명 ① 모서리. 귀퉁이. ❏ 四~; 네 모서리. ② 길게 솟은 부분. ❏ 眉~; 눈두덩. ⇒ lēng

[棱角] léngjiǎo 명 ① 모서리. 모. ②〈比〉 겉으로 드러난 재간[능력]. 예봉.

[棱镜] léngjìng 명〖物〗프리즘(prism).

[棱柱] léngzhù 명〖數〗각기둥. 각주.

[棱锥] léngzhuī 명〖數〗각뿔. 각추.

冷 lěng (랭)
① 형 차다. 춥다. ❏ 这里的冬天很~; 이곳의 겨울은 매우 춥다. ② 동〈方〉 (주로, 음식물을) 식히다. 차게 하다. ❏ 这汤~一下再喝; 이 국은 잠시 식혀서 먹자. ③ 형 냉정하다. 냉담하다. 쌀쌀맞다. ❏ 他的态度~~的; 그의 태도는 아주 냉담하다. ④ 형 한산하다. 쓸쓸하다. 썰렁하다. ❏ ~落; ⇩ ⑤ 형 보기 드물다. 생소하다. ❏ ~僻; ⇩ ⑥ 형 인기가 없다. 관심을 못 받다. ❏ ~门(儿); ⇩ ⑦ 형 불시의. 느닷없는. ❏ ~不防; ⇩

[冷板凳] lěngbǎndèng 명 ⇨[坐冷板凳]

[冷冰冰(的)] lěngbīngbīng(·de) 형 ① 쌀쌀맞다. 냉정하다. ❏ ~的态度; 쌀쌀맞은 태도. ② (물체가 얼음처럼) 차다. ❏ 你的手怎么~的? 네 손은 왜 이렇게 차니?

[冷不防] lěng·bufáng 부 느닷없이. 갑자기. ❏ ~摔了一跤; 갑자기 넘어졌다.

[冷餐] lěngcān 명 뷔페.

[冷藏] lěngcáng 동 냉장하다. ❏ 把海鲜~起来; 해산물을 냉장하다 / ~室; 냉장실.

[冷场] lěng//chǎng 동 ① (연극 따위에서 연기자가 제때 등장하지 않거나 대사를 잊어버려) 난처한 장면이

연출되다. 진행에 차질이 빚어지다. ②(회의에서 발언하는 사람이 없어) 어색한 침묵이 흐르다. ③관중[관객]이 제대로 안 들어 썰렁하다.

[冷嘲热讽] lěngcháo-rèfěng 〈成〉 차가운 조소와 신랄한 풍자.

[冷待] lěngdài 동 냉대하다. ❏遭~; 냉대를 당하다.

[冷淡] lěngdàn 형 ①냉담하다. 냉정하다. 쌀쌀맞다. ❏~地拒绝; 냉정하게 거절하다. ②한산하다. 불경기이다. ❏生意~; 장사가 불경기다. 동 푸대접하다. 냉대하다. ❏千万不要~了顾客; 고객을 절대 푸대접하지 마라.

[冷冻] lěngdòng 동 냉동하다. ❏~设备; 냉동 설비 / ~食品; 냉동식품 / ~室; 냉동실.

[冷风] lěngfēng 명 ①찬바람. ②〈比〉 뒤에서 헐뜯는 말. ❏吹~; 뒤에서 헐뜯다.

[冷锋] lěngfēng 명〔氣〕 한랭 전선.

[冷敷] lěngfū 동〔醫〕 냉찜질하다.

[冷汗] lěnghàn 명 식은땀.

[冷箭] lěngjiàn 명 불시에 날아온 화살. 〈比〉 암암리에 남을 해치는 수단.

[冷静] lěngjìng 형 ①인적이 드물어 조용하다. 한산하다. ❏街上很~; 거리가 매우 한산하다. ②냉정하다. 침착하다. 진정하다. ❏~地想一想; 냉정하게 잘 생각해 봐라.

[冷库] lěngkù 명 (냉장용의) 냉장고. =[冷藏库]

[冷酷] lěngkù 형 냉혹하다. 잔인하다. ❏~的现实; 냉혹한 현실.

[冷落] lěngluò 형 썰렁하다. 한적하다. 한산하다. ❏饭店里挺~; 식당 안이 매우 썰렁하다. 동 냉대하다. 소홀히 다루다.

[冷门(儿)] lěngmén(r) 명 (도박에서) 돈을 잘 걸지 않는 곳. 〈比〉 (학문·사업·경기 따위의) 인기 없는 것. 경쟁률이 낮은 것. ❏~货; 잘 안 팔리는 물건 / ~系; 비인기학과. ③〈比〉 뜻밖의 결과. ❏爆~; 뜻밖의 결과가 나오다.

[冷面] lěngmiàn 명 냉면.

[冷漠] lěngmò 형 쌀쌀맞다. 냉담하다. ❏~的态度; 냉담한 태도.

[冷暖] lěngnuǎn 명 ①차가움과 따뜻함. 〈轉〉 일상생활. ②세태염량. 염량세태(炎凉世態).

[冷盘(儿)] lěngpán(r) 명 (중국 요리의) 전채(前菜).

[冷僻] lěngpì 형 ①외지다. 한적하다. 쓸쓸하다. ❏~的山村; 외진 산촌. ②자주 볼 수 없다. 생소하다. ❏~字; 생소한 글자. 벽자(僻字). =[生僻]

[冷气] lěngqì 명 ①냉각 공기. 냉기. ②냉방 장치.

[冷枪] lěngqiāng 명 불의의 사격. 기습. ❏打~; 기습을 하다.

[冷清清(的)] lěngqīngqīng(·de) 형 한산하고 조용한 모양. 스산한 모양. ❏~的小巷; 스산한 골목.

[冷清] lěng·qing 형 쓸쓸하다. 적막하다. 적적하다. ❏~的深夜; 적막한 깊은 밤.

[冷却] lěngquè 동 냉각하다. ❏~器; 냉각기.

[冷水] lěngshuǐ 명 ①찬물. 냉수. ②생수(生水). 끓이지 않은 물.

[冷丝丝(的)] lěngsīsī(·de) 형 으스스하다. 으슬으슬하다. ❏雨点落在脸上, ~的; 빗방울이 얼굴에 떨어져 으스스하다.

[冷飕飕(的)] lěngsōusōu(·de) 형 매우 추운 모양.

[冷笑] lěngxiào 동 냉소하다.

[冷血动物] lěngxuè dòngwù ①⇒[变温动物] ②〈比〉 냉혈 인간.

[冷言冷语] lěngyán-lěngyǔ 〈成〉 풍자의 의미를 담은 냉정한 말.

[冷眼] lěngyǎn 명 ①냉정한 태도. ❏~旁观; 〈成〉 냉담한 태도로 방관하다. ②냉담한 대우. 냉대.

[冷饮] lěngyǐn 명 찬 음료.

[冷遇] lěngyù 명 냉대. ❏遭到~; 냉대를 받다.

[冷战] lěngzhàn 명 냉전.

[冷战] lěng·zhan 명 (추위·두려움으로 인한) 전율. 몸서리.

睖 lèng (릉)
동〈方〉 눈을 크게 뜨고 흘기다.

[睖睁] lèng·zheng 동 ①멍하니 바라보다. 얼이 빠져 바라보다. ②멍해지다. 넋이 나가다. ‖ =[愣怔]

愣 lèng (릉)
①동 멍해지다. 넋이 나가다. 얼이 빠지다. ❏他一下子~住了; 그는 한순간 멍해졌다. ②형〈口〉 경솔하다. 분별없다. 생각이 없다. ❏那个小伙子真~; 그 젊은이는 정말 생각이 없다. ③부〈口〉 굳이. 한사코. 기어코. ❏我不让他去, 他~要去; 내가 못 가게 하는데도, 그는 한사코 가려고 한다.

【愣头愣脑】lèngtóu-lèngnǎo 〈成〉 덜렁거리는 모양. 덤벙대는 모양. 조심성이 없는 모양.
【愣怔】lèng·zheng 동 ⇨[睖睁]

li ㄌㄧ

哩 lī (리)
→[哩哩啦啦] ⇒·li
【哩哩啦啦】lī·lilālā 형〈口〉 띄엄띄엄 있는 모양. 드문드문한 모양. ❑ 客人~地来了; 손님들이 드문드문 왔다.

丽(麗) Lí (려)
① →[高丽] ② 명〔地〕 리수이(麗水)《저장 성(浙江省)에 있는 현 이름》. ⇒lì

鹂(鸝) lí (리)
→[黄鹂]

鲡(鱺) lí (리)
→[鳗mán鲡]

厘 lí (리)
양 ①〔度〕 리. ㉠길이의 단위《1尺의 1000분의 1》. ㉡무게의 단위《1两의 1000분의 1》. ㉢넓이의 단위《1亩의 100분의 1》. ② 리《이율의 단위》. ㉠연리(年利)에서는 100분의 1. ㉡월리(月利)에서는 1000분의 1.
【厘米】límǐ 양〔度〕 센티미터(cm). =[〈舊〉 公分②]

喱 lí (리)
→[咖gā喱]

狸 lí (리)
→[狸猫][狐狸]
【狸猫】límāo 명 ⇨[豹bào猫]

离(離) lí (리)
① 동 떨어지다. 갈라지다. 떠나다. 헤어지다. ❑ 他从来没~过家; 그는 집을 떠나 본 적이 없다. ② 개 …로부터. …에서. ㉠장소를 나타냄. ❑ 我家~这儿有100多公里; 우리 집은 여기서 100km 남짓 떨어져 있다. ㉡시간을 나타냄. ❑ ~出发不到10分钟; 출발까지 10분도 안 남았다. ③ 동 떨어져 있다. 차이가 나다. ❑ 他俩~着两三步; 그들 둘은 두세 걸음 떨어져 있다. ④ 동 결핍하다. 빠지다. 없다. ❑ 这个任务~了你不行; 이 임무는 네가 없으면 안 된다.
【离别】líbié 동 헤어지다. 이별하다. 떠나다. ❑ ~故乡; 고향을 떠나다.
【离队】lí//duì 동 ① 부대를 이탈하다. ② 부서를 떠나다[이탈하다].
【离格儿】lí//gér 형 ⇨[离谱儿]
【离婚】lí//hūn 동 이혼하다. ❑ ~率; 이혼율 / ~诉讼; 이혼 소송.
【离间】líjiàn 동 이간하다. 이간질하다. ❑ 有人在~他俩; 누군가가 그들 둘을 이간질하고 있다.
【离境】líjìng 동 경계를 벗어나다. 출국하다.
【离开】lí//kāi 동 (사람·물건·장소에서) 떠나다. 헤어지다. ❑ ~学校; 학교를 떠나다.
【离谱儿】lí//pǔr 형 (말·행동이) 격식에 맞지 않다. 실제에 맞지 않다. =[离格儿]
【离奇】líqí 형 기이하다. 기괴하다. 이상하다. 색다르다. ❑ ~古怪; 〈成〉 기괴하다.
【离散】lísàn 동 뿔뿔이 헤어지다. 이산하다. ❑ ~家属 =[~家庭]; 이산가족.
【离题】lí//tí 동 (이야기 따위가) 주제를 벗어나다.
【离乡背井】líxiāng-bèijǐng 〈成〉 ⇨[背井离乡]
【离心离德】líxīn-lídé 〈成〉 집단의 구성원들이 한마음으로 단결하지 못하다.
【离休】líxiū 동 이직 휴양 하다.
【离职】lí//zhí 동 ① 일시적으로 직무를 떠나다. ② 사직하다.
【离子】lízǐ 명〔物·化〕 이온. ❑ 阳~ =[正~]; 양이온 / 阴~ =[负~]; 음이온.

漓(灕) B) lí (리)
A) →[淋漓] B) (Lí) 명〔地〕 리장 강(灕江)《광시 성(廣西省)에 있는 강 이름》.

璃 lí (리)
→[玻璃][琉璃]

篱(籬) lí (리)
① 명 바자울. ② →[笊zhào篱]
【篱笆】lí·ba 명 바자울. 울타리.

梨 lí (리)
명〔植〕 배. 배나무.
【梨树】líshù 명〔植〕 배나무.

犁 lí (려, 리)
① 명〔農〕 쟁기. ② 동 쟁기로 땅을 갈다. 쟁기질하다.
【犁铧】líhuá 명〔農〕 보습.

蜊 lí (리)
→[蛤gé蜊]

L

黎 lí (려) 「둡다.
형〈書〉 ① 많다. ② 검다. 어
[黎民] límín 명〈書〉 서민. 백성.
[黎明] límíng 명 새벽녘. 여명.

藜 lí (려) 「莱lái]
명〘植〙 명아주. =[灰菜][〈書〉

罹 lí (리)
동〈書〉 (질병·재난에) 걸리다. 만나다. ❑ ～难; ⇓
[罹难] línàn 동〈書〉 조난하다. 사고를 당하다. 살해되다.

蠡 lí (려) 「데기.
명〈書〉 ① 표주박. ② 조개껍
[蠡测] lícè 동〈書〉 좁은 식견으로 헤아리다.

礼(禮) lǐ (례)
명 ① 예. 예의. 의식. ❑ 婚～; 혼례. ② 절. 인사. ③ 예물. 선물. ❑ 受～; 선물을 받다.
[礼拜] lǐbài 동〘宗〙 예배하다. ❑ ～堂; 예배당. 명〈口〉 ① 주(週). 주일. ❑ 两个～; 2주 / 上～; 지난 주. =[星期] ② 요일(曜日). ❑ 今天～几? 오늘이 무슨 요일이냐? / ～一; 월요일 / ～二; 화요일. ③ ⇨[星期日]
[礼拜天] lǐbàitiān 명〈口〉 ⇨[星期天][星期日]
[礼拜日] lǐbàirì 명 ⇨[星期日]
[礼宾] lǐbīn 형 의전(儀典)의. ❑ ～司; 의전국 / ～活动; 의전 행사.
[礼服] lǐfú 명 예복.
[礼花] lǐhuā 명 경축 행사 때 쏘아 올리는 꽃불.
[礼教] lǐjiào 명 예법과 도덕.
[礼节] lǐjié 명 예절. 의례. 에티켓(etiquette). 예의. ❑ 网上～; 온라인 예절. 네티켓(Netiquette).
[礼帽] lǐmào 명 예모.
[礼貌] lǐmào 명 예의. 매너. ❑ 没～; 예의가 없다. 형 예의 바르다. 예의에 맞다. ❑ 你这是不～的; 네가 이렇게 하는 것은 예의에 어긋나는 것이다.
[礼炮] lǐpào 명 예포.
[礼品] lǐpǐn 명 ⇨[礼物]
[礼聘] lǐpìn 동 예의로써 초빙하다.
[礼让] lǐràng 동 예의로써 양보하다.
[礼尚往来] lǐshàngwǎnglái 〈成〉 ① 예절상 왕래[답례]를 중히 여기다. ② 상대방이 어떻게 나오느냐에 따라 이쪽의 태도를 정하다.
[礼俗] lǐsú 명 예속. 예절과 풍속.
[礼堂] lǐtáng 명 강당. 홀.
[礼物] lǐwù 명 선물. ❑ 送～; 선물을 하다 / 生日～; 생일 선물. =[礼品]
[礼仪] lǐyí 명 예의. 예절과 의식.
[礼遇] lǐyù 명 예우.

李 lǐ (리)
명〘植〙 ① 오얏나무. 자두나무. ② 자두.
[李子] lǐ·zi 명〘植〙 ① 자두나무. ② 자두.

里(裏) A) lǐ (리)
A) 명 ① (～儿) (옷·모자·이불 따위의) 속. 안. 안감. ❑ 被～; 이불 안감. ② 안. 안쪽. ❑ 请往～走; 안쪽으로 가세요. B) ① 명 이웃. 인근. ❑ 邻～; 이웃. ② 명 고향. 향리(鄕里). ③ 양 길이의 단위《1 '～'는 500미터임》.

里(裏) ·li (리)
명 ① …안. …속《주로, 명사와 연용하여 장소·시간·공간·범위를 나타냄》. ❑ 箱子～; 상자 안 / 院子～; 뜰 안. ② '这'·'那'·'哪' 따위에 붙어 장소를 나타냄. ❑ 这～; 여기 / 头～; 앞.
[里边(儿)] lǐ·bian(r) 명 (일정한 공간·범위·시간 따위의) 안. 내. 속. ❑ 礼堂～; 강당 안 / 一个月～来了三趟; 한 달 동안 세 번 왔다. =[里面(儿)][里头]
[里程] lǐchéng 명 ① 이정. 노정. 거리. ❑ ～表; 미터기(meter器). ② 과정. ❑ 战斗的～; 전투의 과정.
[里程碑] lǐchéngbēi 명 ① 이정표. ② 〈比〉 역사상 이정표가 되는 사건. 획기적인 사건.
[里脊] lǐ·ji 명 (고기의) 등심.
[里间(儿)] lǐjiān(r) 명 직접 밖으로 통하는 문이 없고 다른 방을 거쳐서 나가야 되는 방. =[里屋]
[里里外外] lǐ·liwàiwài 명 내외. 안팎. ❑ 她～一把手; 그녀는 안팎으로 매우 능력이 있다.
[里弄] lǐlòng 명〈方〉 골목.
[里面(儿)] lǐ·miàn(r) 명 ⇨[里边(儿)]
[里手] lǐshǒu 명 ① (～儿) 차·기계를 운전할 때의 좌측. ② 〈方〉 전문가. 숙달한 사람.
[里通外国] lǐ tōng wàiguó 〈成〉 외국과 내통하여 조국을 배반하는 행위를 하다.
[里头] lǐ·tou 명 ⇨[里边(儿)]
[里屋] lǐwū 명 ⇨[里间(儿)]
[里巷] lǐxiàng 명 골목길. 뒷골목.
[里应外合] lǐyìng-wàihé 〈成〉 안

팎에서 호응하다.

[里子] lǐ·zi 명 (의복·모자·신 따위의) 안. 속.

俚 lǐ (리)
형 속되다. 저속하다.

[俚俗] lǐsú 형 통속적이다. 속되다.

[俚语] lǐyǔ 명 ① 속어(俗語). 속된 말. ② (비속하거나 통용 지역이 좁은) 방언.

娌 lǐ (리)
→[妯zhóu娌]

理 lǐ (리)
① 명 무늬. 결. ❑ 木~; 나뭇결. ② 명 도리. 이치. 사리. 조리. ❑ 合~; 합리적이다. ③ 명 이학(理學). ❑ ~科; ⇩ ④ 동 처리하다. 관리하다. ❑ ~财; ⇩ ⑤ 동 정리하다. 가지런히 하다. ❑ ~东西; 물건을 정리하다. ⑥ 동 상대하다. 상관하다. 거들떠보다《주로, 부정형으로 쓰임》. ❑ 别~那小子; 그 자식을 상대하지 마라.

[理财] lǐ//cái 동 재정 관리 하다. 재테크하다. ❑ ~家; 재정가.

[理睬] lǐcǎi 동 상관하다. 관심 갖다. 거들떠보다. 상대하다《주로, 부정형으로 쓰임》. ❑ 谁都不~他; 아무도 그를 상대하지 않는다.

[理当] lǐdāng 동 도리상[이치상] 마땅히[당연히] …해야 한다. ❑ ~如此; 당연히 이와 같아야 한다. =[理应]

[理发] lǐ//fà 동 이발하다. ❑ ~馆; 이발소 / ~师; 이발사.

[理会] lǐhuì 동 ① 알다. 이해하다. ❑ 我~他说的意思; 나는 그의 말뜻을 이해한다. ② 주의를 기울이다. 신경을 쓰다《주로, 부정형으로 쓰임》. ❑ 人家说了半天, 他也没有~; 한참을 이야기했는데 그는 건성으로 들었다. ③ 상대하다. 상관하다. 거들떠보다. 아랑곳하다《주로, 부정형으로 쓰임》. ❑ 没人~他; 그를 상대하는 사람이 없다.

[理解] lǐjiě 동 이해하다. ❑ 我~他的心情; 나는 그의 마음을 이해한다 / ~力; 이해력.

[理科] lǐkē 명 이학부(理學部). 이과.

[理亏] lǐkuī 형 이유가 불충분하다. 조리가 서지 않다. 말이 안 되다. 설득력이 없다.

[理疗] lǐliáo 명〈簡〉⇨[物理疗法]

[理论] lǐlùn 명 이론. 동 시비를 논하다. 따지다. 논쟁하다.

[理屈词穷] lǐqū-cíqióng〈成〉이치에 닿지 않아 말문이 막히다.

[理事] lǐshì 동 일을 주관하다. 사무를 처리하다. 명 이사. ❑ ~会; 이사회.

[理所当然] lǐsuǒdāngrán〈成〉당연한 이치이다. 이치상 당연하다.

[理想] lǐxiǎng 명 이상. ❑ ~主义; 이상주의. 형 이상적이다. 마음에 들다. 만족스럽다. ❑ 找到~的工作; 마음에 드는 직업을 찾다.

[理性] lǐxìng 명 이성. ❑ 失去~; 이성을 잃다. 형 이성적이다.

[理学] lǐxué 명 이학.

[理应] lǐyīng 동 ⇨[理当]

[理由] lǐyóu 명 이유. 까닭.

[理直气壮] lǐzhí-qìzhuàng〈成〉이유가 충분하여 말하는 것이 떳떳하다.

[理智] lǐzhì 명형 이지(적이다).

锂(鋰) lǐ (리)
명〖化〗리튬(Li: lithium).

鲤(鯉) lǐ (리)
명〖魚〗잉어.

[鲤鱼] lǐyú 명〖魚〗잉어.

醴 lǐ (례)
명〈書〉감주(甘酒).

力 lì (력)
① 명〖物〗힘. ❑ 压~; 압력. ② 명 힘. 능력. 역량. ❑ 生命~; 생명력 / 听~; 청력. ③ 명 힘. 체력. 기운. ❑ 四肢无~; 사지에 힘이 없다. ④ 동 힘쓰다. 노력하다. ❑ 办事不~; 일에 힘을 안 들이다.

[力不从心] lìbùcóngxīn〈成〉하고 싶은 마음은 있으나, 힘이 따르지 못하다. 역부족(力不足)이다.

[力量] lì·liàng 명 ① (육체적·추상적인) 힘. ❑ 比比谁的~大; 누구의 힘이 센지 겨뤄 보자. ② 능력. 실력. ❑ 经济~; 경제적 능력. ③ 작용. 효력. ④ 세력. ❑ 民主~; 민주 세력.

[力气] lì·qi 명 (육체적인) 힘. 체력. 기운. ❑ 没有~; 기운이 없다.

[力求] lìqiú 동 힘써 노력하다. ❑ ~公正; 공정하려고 노력하다.

[力士] lìshì 명 역사. 장사.

[力所能及] lìsuǒnéngjí〈成〉자신의 능력으로 해낼 수 있다.

[力图] lìtú 동 극력 …을 도모하다. ❑ ~赚钱; 돈을 벌기 위해 매우 노력하다.

[力学] lìxué 명〖物〗역학.

[力争] lìzhēng 동 ① 힘을 다해 다투다. ❑ ~上游; 〈成〉 높은 목표를 향해 치열하게 다투다. ② 강력히 논쟁하다. ❑ 据理~; 〈成〉 이치에 근거하여 강력히 논쟁하다.

[力作] lìzuò 명 역작.

历(歷 A), 曆) lì (력) A) ① 동 겪다. 경험하다. ❑ 来~; 내력. 경력. ② 동 (시간·세월이) 경과하다. 지나다. ❑ ~时十年; 10 년이 지나다. ③ 형 이제까지의. 과거의. ❑ ~年; ⇩ ④ 부〈書〉 하나하나. 두루. ❑ ~访各校; 각 학교를 두루 방문하다. B) 명 ① 역법. ❑ 阳~; 양력. ② 역서(曆書). ❑ 日~; 일력.

[历程] lìchéng 명 역정. ❑ 人生的~; 인생 역정.

[历次] lìcì 형 이때까지 매회(每回)의.

[历代] lìdài 명 ① 역대. ❑ ~君主; 역대 군주. ② 대대(代代). ❑ 他家~从医; 그의 집안은 대대로 의사 집안이다.

[历法] lìfǎ 명 역법.

[历届] lìjiè 형 지나간 매회의. ❑ ~毕业生; 역대 졸업생.

[历来] lìlái 부 예로부터. 이때까지 죽. ❑ ~如此; 예로부터 이러하다.

[历历] lìlì 형 역력하다. 선하다. ❑ ~在目; 〈成〉 눈앞에 선하다.

[历年] lìnián 명 과거 몇 년간. ❑ ~的成绩; 과거 몇 년간의 성적.

[历史] lìshǐ 명 ① 역사. ❑ 歪曲~; 역사를 왜곡하다 / ~观; 역사관 / ~剧; 역사극. 사극. ② 과거의 사실(의 기록). ③ 역사학.

[历书] lìshū 명 역서. 역사책.

沥(瀝) lì (력) ① 동 (액체가) 방울방울 떨어지다. ② 명 (액체의) 방울.

[沥青] lìqīng 명〔化〕 피치(pitch). 아스팔트(asphalt). 역청. ❑ ~路; 아스팔트길.

枥(櫪) lì (력) 명〈書〉 구유.

疬(癧) lì (력) →[瘰luǒ疬]

雳(靂) lì (력) →[霹pī雳]

厉(厲) lì (려) 형 ① 엄격하다. 엄하다. ❑ ~行; ⇩ ② 엄숙하다. ❑ ~色; 엄숙한 표정. ③ 맹렬하다. 세차다. 사납다. ❑ 声色俱~; 〈成〉 음성도 얼굴도 사납다.

[厉兵秣马] lìbīng-mòmǎ 〈成〉 ⇒[秣马厉兵]

[厉害] lì·hai 형 ① 무섭다. 사납다. ❑ ~的传染病; 무서운 전염병. ② 대단하다. 심하다. 지독하다. ❑ 这一招可真~; 이 수법은 정말 심하다. ③ 엄격하다. 매섭다. 엄하다. ❑ 这个教练员特别~; 이 코치는 매우 엄하다. ‖ =[利害·hai]

[厉声] lìshēng 부 엄한 목소리로. ❑ 声色不动地~说; 안색도 바꾸지 않고 엄한 목소리로 말하다.

[厉行] lìxíng 동 엄격히 실행하다.

励(勵) lì (려) 동 ① 격려하다. 장려하다. ❑ 奖~; 장려하다. ② 〈書〉 힘쓰다.

[励精图治] lìjīng-túzhì 〈成〉 정신을 분발시켜 나라를 잘 다스릴 방법을 도모하다.

砺(礪) lì (려) 〈書〉 ① 명 숫돌. ② 동 (칼 따위를) 갈다.

[砺石] lìshí 명〈書〉 숫돌.

蛎(蠣) lì (려) →[牡mǔ蛎]

立 lì (립) ① 동 서다. ❑ ~在台上; 대 위에 서다. ② 동 (물건 따위를) 세우다. ❑ ~碑; 비석을 세우다. ③ 형 직립의. 입식(立式)의. ❑ ~领; 스탠드칼라(stand collar). ④ 동 세우다. 수립하다. 건립하다. ❑ ~功; ⇩ ⑤ 동 제정하다. 작성하다. ❑ ~合同; 계약서를 작성하다. ⑥ 동 후계자를 세우다. ❑ ~皇太子; 황태자를 세우다. ⑦ 동 존재하다. 생존하다. ❑ 独~; 독립하다. ⑧ 부 즉시. 곧. 바로. ❑ ~见效验; 즉시 효험이 나타나다.

[立案] lì//àn 동 ① 등록하다. 등기하다. ②〔法〕 입안하다.

[立场] lìchǎng 명 ① 입장. 관점. ② 정치적[계급적] 입장.

[立春] lìchūn 명 입춘. (lì//chūn) 동 입춘이 되다. 봄이 오다.

[立地] lìdì 부 즉시. 당장. ❑ ~生效; 즉시 효력이 나타나다. 동 땅에 서다. ❑ 顶天~; 〈成〉 하늘을 떠받치고 땅 위에 우뚝 서다(영웅적 기개를 형용). 명 (나무의) 입지.

[立定] lìdìng 동 ① 제자리 서!(구령). ② 단단히 서다. 똑바로 서다. ③ 확실히 하다. 결정하다. ❑ ~主意; 의견을 결정하다.

L

[立冬] lìdōng 명 입동. (lì//dōng) 동 입동이 되다. 겨울이 오다.
[立法] lì//fǎ 동 입법하다. ❏~机关; 입법 기관.
[立方] lìfāng 명 ①〔數〕 세제곱. 입방. ❏~米; 세제곱미터. ②〈簡〉 ⇨[立方体] 양〔度〕 세제곱미터. 입방미터.
[立方体] lìfāngtǐ 명〔數〕정육면체. 입방체. =[正方体][〈簡〉立方②]
[立竿见影] lìgān-jiànyǐng 〈成〉 장대를 세우면 그림자가 생긴다《즉시 효과가 나타나다》.
[立功] lì//gōng 동 공적을 세우다. ❏~自赎shú =[~赎罪]; 〈成〉 공을 세워 속죄하다.
[立即] lìjí 부 ⇨[立刻]
[立脚点] lìjiǎodiǎn 명 ①(관찰 · 판단할 때의) 입장. 태도. 관점. ② 근거지. 발판. ‖=[立足点]
[立刻] lìkè 부 즉각. 곧. 즉시. ❏~动身; 즉시 출발하다. =[立即][立时]
[立秋] lìqiū 명 입추. (lì//qiū) 동 입추가 되다. 가을에 들어서다.
[立时] lìshí 부 ⇨[立刻]
[立体] lìtǐ 형 ①〔數〕 입체의. ❏~角; 입체각. ② 입체적인. ❏~电影; 〔映〕 3D 영화. 입체 영화 / ~图; 입체도. 명〔數〕 입체.
[立体声] lìtǐshēng 명 입체 음향. 스테레오(stereo).
[立夏] lìxià 명 입하. (lì//xià) 동 여름에 들어서다.
[立宪] lìxiàn 동 입헌(立憲)하다.
[立业] lìyè 동 ① 사업을 일으키다. ② 재산을 이루다.
[立意] lìyì 동 ① 뜻을 세우다. 생각을 정하다. 결심하다. ② 주제를 정하다.
[立约] lì//yuē 동 계약[조약]을 맺다.
[立正] lìzhèng 동 차려 자세를 취하다《구령》.
[立志] lì//zhì 동 뜻을 세우다.
[立锥之地] lìzhuīzhīdì 〈成〉 입추의 여지《매우 좁은 장소》.
[立足] lìzú 동 ① 서다. 발붙이다. 살아가다. ❏失去了~地位; 설 곳을 잃다. ② 근거하다. 입각하다. ❏~现有条件; 현 조건에 입각하다.
[立足点] lìzúdiǎn 명 ⇨[立脚点]

莅 lì (리) 동〈書〉 오다. 출석하다. ❏~会; 회의에 출석하다.
[莅临] lìlín 동〈書〉 (주로, 귀빈이) 친히 왕림하시다. 임석하시다.

粒 lì (립) ①(~儿) 명 알. 알갱이. 입자. ❏饭~; 밥알 / 米~儿; 쌀알. ② 양 알. 톨《작은 입상의 것을 세는 말》. ❏一~米; 쌀 한 톨.
[粒子] lìzǐ 명〔物〕 입자.
[粒子] lì·zi 명 알갱이. 알.

笠 lì (립) 명 삿갓. ❏斗~; 삿갓.

吏 lì (리) 명 ① 옛날, 하급 관리. ② 벼슬아치. ❏贪官污~; 탐관오리.

丽(麗) lì (려) ① 형 곱다. 아름답다. ❏秀~; 수려하다. ② 동〈書〉 부착하다. ❏附~; 부착하다. ⇒Lí

俪(儷) lì (려) ① 형 쌍을 이룬. 쌍의. ❏~句; 대구(對句). ② 명 부부. ❏~影; 부부의 사진.

利 lì (리) ① 형 날카롭다. 예리하다. ❏~刃; 예리한 칼날. ② 형 순조롭다. 편리하다. 이롭다. ❏不~; 불리하다. ③ 명 이익. 이로움. 이득. ❏有~; 유리하다. ④ 명 이윤. 이자. ⑤ 동 이롭게 하다. ❏~国~民; 〈成〉 나라와 백성을 이롭게 하다.
[利弊] lìbì 명 이익과 폐해. 이해. ❏~得失; 〈成〉 이해득실.
[利害] lìhài 명 이익과 손해. 이해. ❏~攸关; 〈成〉 밀접한 이해관계가 있다.
[利害] lì·hai 형 ⇨[厉害]
[利己主义] lìjǐ zhǔyì 이기주의.
[利令智昏] lìlìngzhìhūn 〈成〉 이욕(利慾)은 사람의 이성을 잃게 하고 지혜를 흐리게 한다.
[利率] lìlǜ 명〔經〕 이율.
[利落] lì·luo 형 ①(말 · 행동이) 민첩하다. 재빠르다. 시원시원하다. ❏动作~; 동작이 민첩하다. ② 단정하다. 깔끔하다. ❏干净~; 매우 깔끔하다. ③ 완전히 끝나다. 깨끗이 처리되다. ❏交代~; 깨끗이 인계하다. ‖=[利索]
[利尿] lìniào 동〔醫〕 이뇨하다. ❏~剂; 이뇨제.
[利器] lìqì 명 ① 예리한 무기. ② 편리한 도구. 이기.
[利钱] lì·qián 명 ⇨[利息]
[利权] lìquán 명 (국가의) 이권.
[利润] lìrùn 명 이윤.
[利索] lì·suo 형 ⇨[利落]

[利息] lìxī 명 이자. 이식. =[利钱]
[利益] lìyì 명 이익.
[利用] lìyòng 동 ① 이용하다. ❑ ~率; 이용률. ② (자신의 목적을 위해) 이용하다. ❑ 被坏人~了; 나쁜 사람에게 이용당했다.
[利诱] lìyòu 동 이익을 미끼로 남을 꾀다. ❑ 威逼~; 〈成〉 위협했다 유혹했다 하다.
[利于] lìyú 동 …에 유리하다. …에 이롭다. ❑ 良药苦口~病; 좋은 약은 입에는 쓰지만 병에는 이롭다.
[利欲熏心] lìyù-xūnxīn 〈成〉 이욕은 마음을 흐리게 만든다.

俐 lì (리)
→[伶líng俐]

莉 lì (리)
→[茉mò莉]

痢 lì (리)
명〔醫〕 이질.
[痢疾] lì·ji 명〔醫〕 이질.

例 lì (례)
① 명 예. ❑ 举~; 예를 들다. ② 명 전례. 선례. ❑ 惯~; 관례. ③ 명 사례. 경우. ❑ 病~; 병례. ④ 명 규정. 규칙. ❑ 条~; 조례. ⑤ 형 조례에 따른. 규칙대로의. ❑ ~会; ⇓ 「모임.
[例会] lìhuì 명 예회. 정기[정례]
[例假] lìjià 명 ① 정기 휴가. 정기 휴일. ② 〈婉〉 월경. 생리. 생리 기간.
[例句] lìjù 명 예문.
[例如] lìrú 동 예를 들다. ❑ 北京有很多公园, ~, 颐和园、天坛、北海等; 베이징에는 공원이 매우 많은데, 예를 들면 이허위안, 티엔탄, 베이하이 등이 있다.
[例题] lìtí 명 예제.
[例外] lìwài 명 예외(적 상황). 동 예외로 하다. 예외가 되다(주로, 부정형으로 쓰임). ❑ 纪律是每个人都应该遵守的, 我也不能~; 규율은 누구나 다 지켜야 되는 것으로 나도 예외일 수 없다.
[例行公事] lìxíng-gōngshì 〈成〉 관례상의 공적인 일. 「두기.
[例言] lìyán 명 예언(例言). 일러
[例证] lìzhèng 명 예증.
[例子] lì·zi 명 예. 보기.

戾 lì (려)
〈書〉 ① 명 죄. ② 형 괴팍하다.

隶(隸) lì (례)
① 동 부속되다. 속하다. ❑ ~属; ⇓ ② 명 노예. ❑ 奴~; 노예. ③ 명 관청의 심부름꾼. ④ 명 예서(隸書). ❑ ~书; ⇓
[隶书] lìshū 명 예서(隸書).
[隶属] lìshǔ 동 예속되다. ❑ 这几个公司都~总公司; 이 몇 개의 회사는 모두 본사에 예속되어 있다.

荔 lì (려)
명〔植〕 여지.
[荔枝] lìzhī 명〔植〕 ① 여지. ② 여지의 과실.

栎(櫟) lì (력)
명〔植〕 상수리나무. =[栎树]

砾(礫) lì (력)
명 자갈. 돌멩이.
[砾石] lìshí 명 자갈. 조약돌.
[砾岩] lìyán 명〔地質〕 역암.

跞(躒) lì (력) 「하다.
동〈書〉 움직이다. 행동

栗 lì (률)
① 명〔植〕 밤나무. ② 명〔植〕 밤. ③ 동 전율하다. 벌벌 떨다. ❑ 不寒而~; 〈成〉 춥지도 않은데 벌벌 떨다.
[栗色] lìsè 명〔色〕 밤색.
[栗子] lì·zi 명〔植〕 ① 밤나무. ② 밤. ❑ 糖炒~; 감률(甘栗).

哩 ·li (리)
조〈方〉 ① 용법은 '呢' 와 같으나 의문문에는 쓰이지 않음. ② 열거할 때 쓰이는 어기사. ❑ 碗~, 筷子~, 都已经摆好了; 그릇이며 젓가락이 이미 모두 다 차려졌다. ⇒ lǐ

lia ㄌㄧㄚ

俩(倆) liǎ (량)
수량〈口〉 ① 두 개. 두 사람. ❑ 他们~; 그 두 사람 / ~月; 2개월. ② 약간. 조금. 얼마쯤. ❑ 就这么~钱儿, 可要计划着花呀; 이렇게 얼마 안 되는 돈이니 계획적으로 써라. ‖ 注 뒤에 양사(量詞)를 붙이지 않음. ⇒ liǎng

lian ㄌㄧㄢ

连(連) lián (련)
① 동 잇다. 연결하다. 이어지다. ❑ 把这些点~起来; 이 점들을 연결시키다. ② 부 계속해서. 잇따라. 연속으로. 연이어. ❑ 我~看了三个电影; 나는 연속으로

영화 세 편을 보았다. ③ 개 …까지. …채로. ❏ 香蕉别~皮儿吃; 바나나를 껍질채로 먹지 마라. ④ 명 〖軍〗 중대. ⑤ 개 …까지도. …조차도. …마저(뒤에서 '都'·'也'·'还'가 호응하며 앞에 '甚至'가 오기도 함). ❏ ~他的名字我都不知道; 나는 그의 이름조차 모른다.

[连鬓胡子] liánbìn-hú·zi ⇨[络luò腮胡子]

[连词] liáncí 명〖言〗 접속사.

[连带] liándài 동 ① 서로 관련되다. ❏ 这件事~双方; 이 일은 쌍방에 관련된다. ② 연대하다. ❏ ~责任; 연대 책임. ③ 포함하다. 부대하다. ❏ 修房顶的时候, ~把门窗也修一修; 지붕을 수리할 때 문이랑 창문도 같이 수리해라.

[连…带…] lián…dài… ① …랑 …랑 모두. …에서 …까지(앞뒤의 두 항목을 함께 포괄함). ❏ 连本带利; 원금과 이자를 합하여. ② …하면서 …하다(두 개의 동작이 이어져 일어남). ❏ 连说带笑地进了教室; 웃고 떠들면서 교실로 들어갔다.

[连裆裤] liándāngkù 명 ① 가랑이가 터지지 않은 바지. ② 〈比〉〈貶〉 한통속. ❏ 穿~; 한통속이 되다.

[连队] liánduì 명〖軍〗 중대.

[连亘] liángèn 동 (산맥 따위가) 끊이지 않고 이어져 있다. ❏ 山岭~; 산봉우리가 이어져 있다.

[连贯] liánguàn 동 이어져서 통하다. ❏ 上下句的意思不~; 앞뒤 문장의 뜻이 통하지 않다. =[联贯]

[连锅端] liánguōduān 동〈比〉 송두리째 없어지다. 몽땅 옮겨 가다.

[连环] liánhuán 명 사슬. 연환(連環). 형 서로 연관되다. ❏ ~画; 연속 그림 이야기책.

[连接] liánjiē 동 ① 연접하다. 이어지다. ❏ 线路~; 선로가 이어지다. ② 연접시키다. 잇다. ❏ ~绳子; 끈을 잇다. ‖ =[联接]

[连接号] liánjiēhào 명〖言〗 하이픈(hyphen)(–).

[连结] liánjié 동 ⇨[联结]

[连襟(儿)] liánjīn(r) 명 동서. 자매의 남편끼리의 사이.

[连裤袜] liánkùwà 명 팬티스타킹. =[裤袜]

[连累] lián·lei 동 연루시키다. 끌어들이다. ❏ 为此事~他; 이 일에 그를 끌어들이다.

[连忙] liánmáng 부 서둘러. 급히. 황급히. 얼른. ❏ 他~收拾了行李; 그는 서둘러 짐을 꾸렸다.

[连袂] liánmèi 동 ⇨[〈書〉 联袂]

[连绵] liánmián 형 연이어 끊이지 않다. 그치지 않다. ❏ 阴雨~; 궂은 비가 그치지 않다. =[联绵]

[连年] liánnián 동 연년하다. 여러 해 계속되다. ❏ ~大丰收; 여러 해 계속해서 대풍작이다.

[连篇] liánpiān 동 ① 여러 편에 걸쳐 있다. ❏ ~累牍; 〈成〉 저작이나 문장이 여러 편에 걸쳐 있다. ② 전편(全篇)에 가득하다. ❏ 白字~; 오자(誤字)가 전편에 가득하다.

[连翩] liánpiān 형 ⇨[联翩]

[连任] liánrèn 동 연임하다.

[连日] liánrì 동 ⇨[连天①]

[连衫裙] liánshānqún 명 ⇨[连衣裙]

[连锁] liánsuǒ 형 연쇄된. ❏ ~商店 =[~店]; 연쇄점. 체인점. =[联锁]

[连锁反应] liánsuǒ fǎnyìng ⇨[链liàn式反应]

[连天] liántiān 동 ① 연일 계속되다. 날마다 이어지다. ❏ ~阴雨; 연일 궂은비가 내리다. =[连日] ② 끊임없이 이어지다. 쉴 새 없이 계속되다. ❏ 叫苦~; 쉴 새 없이 우는 소리를 해 대다. ③ 하늘에 이어지다. 하늘에 닿다. ❏ 湖水~; 호수가 하늘에 닿아 있다.

[连同] liántóng 접 …와 함께. …까지. ❏ 货物~清单一并送去; 화물을 명세서와 함께 보내다.

[连续] liánxù 동 연속하다. 이어지다. ❏ ~剧; 연속극 / ~杀人案; 연쇄 살인 / ~性; 연속성.

[连夜] liányè 부 그 날 밤 안에. 당일 밤에. ❏ ~召开会议; 당일 밤에 회의를 소집하다. 동 며칠 밤 계속하다. ❏ ~开了几天会; 며칠 밤 계속해서 회의를 열다.

[连衣裙] liányīqún 명 원피스. =[连衫裙]

[连阴天] liányīntiān 명 연일 궂은 비가 내리는 날씨.

[连用] liányòng 동 ① 연용하다. 연결하여 쓰다. 이어서 쓰다. ② 계속 사용하다.

[连载] liánzǎi 동 연재하다. ❏ 小说~; 소설 연재.

[连长] liánzhǎng 명〖軍〗 중대장.

[连珠] liánzhū 명 꿴 구슬. 〈比〉 계속하여 끊이지 않는 것[소리]. ❏

~炮; 기관총.

涟(漣) lián (련) 〈書〉 ① 명 잔물결. 파문. ② 형 눈물이 멈추지 않는 모양. ❑ 泣涕~~; 하염없이 울다.

[涟漪] liányī 명〈書〉 잔물결.

莲(蓮) lián (련) 명〔植〕 ① 연. ② 연밥.

[莲花] liánhuā 명〔植〕 ① 연꽃. ② 연.

[莲藕] lián'ǒu 명〔植〕 연근.

[莲蓬] lián·peng 명 연방(蓮房).

[莲子] liánzǐ 명 연밥.

裢(褳) lián (련) →[褡dā裢]

鲢(鰱) lián (련) 명〔魚〕 연어(鰱魚). =[白鲢][鲢鱼]

奁(奩) lián (렴) 명 경대(鏡臺).

怜(憐) lián (련) 동 ① 동정하다. 불쌍히 여기다. ❑ ~惜; ⇓ ② 사랑하다. 귀여워하다. ❑ ~爱; ⇓

[怜爱] lián'ài 동 귀여워하다. 예뻐하다. ❑ 这孩子真叫人~; 이 아이는 정말 귀엽다.

[怜悯] liánmǐn 동 동정하다. 가엾이 여기다. ❑ ~之心; 동정심.

[怜惜] liánxī 동 동정하고 봐주다. 불쌍히 여기다.

[怜恤] liánxù 동 불쌍히 여겨 돕다.

帘(簾)② lián (렴) (~儿) 명 ① 간판 대신으로 내건 깃발. ❑ 酒~; 술집의 간판으로 거는 기. ② 커튼. 발.

[帘子] lián·zi 명 커튼. 발.

联(聯) lián (련) ① 동 연결하다. 연합하다. ❑ ~盟; ⇓ ② 명 대련(對聯).

[联邦] liánbāng 명〔政〕 연방. ❑ ~国家; 연방 국가 / ~政府; 연방 정부.

[联播] liánbō 동 네트워크(network) 방송을 하다. ❑ 新闻~; 뉴스 네트워크 방송.

[联防] liánfáng 동 ① 공동 방위 하다. ②〔體〕 연합 수비 하다.

[联贯] liánguàn 동 ⇨[连贯]

[联合] liánhé 동 연합하다. 결합하다. 제휴하다. 형 연합의. 공동의. ❑ ~会; 연합회 / ~声明; 공동 성명 / ~政府; 연립 정부.

[联合国] Liánhéguó 명 국제 연합. 연합국. 유엔(UN). ❑ ~大会; 유엔 총회 / ~儿童基金会; 유니세프(UNICEF) / ~军; 유엔군.

[联欢] liánhuān 동 함께 모여 즐기다. 친목을 도모하다. ❑ ~会; 친목회.

[联机] liánjī 동〔컴〕 온라인(on-line)으로 하다.

[联接] liánjiē 동 ⇨[连接]

[联结] liánjié 동 잇다. 연결하다. ❑ 把这两点~起来; 이 두 점을 연결시키다. =[连结]

[联军] liánjūn 명 연합군.

[联络] liánluò 동 연락하다. ❑ ~兵; 연락병 / ~网; 연락망.

[联袂] liánmèi 동〈書〉 손에 손을 잡다. 〈比〉 함께 행동하다. ❑ ~而往; 함께 가다. =[连袂]

[联盟] liánméng 명 ① 연맹. ❑ 自由~; 자유 연맹. ② (경기 따위의) 리그(league). ❑ 美国职棒大~; 메이저 리그(major league).

[联绵] liánmián 형 ⇨[连绵]

[联名] liánmíng 동 연명하다.

[联翩] liánpiān 형 새가 나는 모양. 〈比〉 잇따라 끊이지 않는 모양. ❑ ~而至; 〈成〉 (집회 따위에) 사람들이 잇따라 오다. =[连翩]

[联赛] liánsài 명〔體〕 연맹전. 리그전(league戰).

[联锁] liánsuǒ 형 ⇨[连锁]

[联网] lián//wǎng 동〔컴〕 네트워킹(networking)하다.

[联席] liánxí 동 연석하다. ❑ ~会议; 연석 회의.

[联系] liánxì 동 ① 연계하다. 관련짓다. 결부하다. ❑ 把这两个事件~起来看; 이 두 가지 일을 관련지어서 보다. ② 연락하다. ❑ 昨天和他~过; 어제 그와 연락했었다.

[联想] liánxiǎng 동 연상하다. ❑ 看到他, 使我~起许多往事; 그를 보니 지나간 많은 일들이 연상된다.

[联姻] liányīn 동 ① 인척 관계를 맺다. ② 〈比〉 합작하다. 연합하다.

廉 lián (렴) 형 ① 청렴하다. ❑ 清~; 청렴하다. ② 싸다. 저렴하다. ❑ 物美价~; 품질이 좋고 값이 싸다.

[廉耻] liánchǐ 명 염치. ❑ 无~; 염치가 없다.

[廉价] liánjià 명 싼 값. 염가. 헐값. ❑ ~出售; 염가로 판매하다.

[廉洁] liánjié 형 염결하다. 청렴결백하다. ❑ ~奉公; 〈成〉 염결하여

공사를 위하여 힘써 일하다.
[廉明] liánmíng 형 염명하다. 청렴하고 밝다.
[廉正] liánzhèng 형 염정하다. 청렴하고 바르다.

镰(鐮) lián (겸) 명 낫.
[镰刀] liándāo 명 낫.

敛(斂) liǎn (렴) 동 ① 〈書〉 거두다. 멈추다. ❏~容; ⇩ ② 〈書〉 구속하다. 제약하다. ❏~迹; ⇩ ③ 징수하다. 모으다. 걷다. ❏~钱; 돈을 걷다.
[敛财] liǎn//cái 동 재물을 착취하다.
[敛迹] liǎnjì 동〈書〉 ① 종적을 감추다. 잠적하다. ❏~潜踪; 종적을 감추고 잠적하다. ② 언행을 삼가다. 근신하다.
[敛容] liǎnróng 동〈書〉 웃음을 거두다. ❏~正色; 웃음을 거두고 정색하다.

脸(臉) liǎn (검) 명 ① 얼굴. ❏圆~; 동그란 얼굴. ② (~儿) 물체의 앞면. 정면. ❏鞋~儿; 신의 앞쪽. ③ 면목. 체면. ❏丢~; 체면을 잃다. ④ (~儿) 표정. ❏变~; 표정을 바꾸다.
[脸蛋儿] liǎndànr 명 볼. 뺨. 〈轉〉 (주로, 어린 사람의) 얼굴. 낯. =[脸蛋子][脸颊][面颊]
[脸红] liǎn//hóng 동 (노여움·흥분·부끄러움 따위로) 얼굴이 붉어지다. 얼굴을 붉히다. ❏~脖子粗; 얼굴이 벌개지고 목에 핏대가 서다 《화를 내거나 흥분하는 모양》.
[脸颊] liǎnjiá 명 ⇨[脸蛋儿]
[脸盘儿] liǎnpánr 명 얼굴. 얼굴 생김새[윤곽]. =[脸盘子][脸庞][面庞]
[脸盆] liǎnpén 명 세숫대야.
[脸皮] liǎnpí 명 ① 얼굴 피부. ② 안면. 체면. ❏他不要~; 그는 체면을 차리지 않는다. ③ 낯가죽. 부끄러워하는 마음. ❏~薄; 숫기가 없다 / ~厚; 뻔뻔하다.
[脸谱] liǎnpǔ 명〔劇〕 중국 전통극 배우의 얼굴 분장《극중 등장 인물의 특징 · 성격 따위를 표시함》.
[脸色] liǎnsè 명 ① 얼굴 피부의 색. ❏~微红; 얼굴이 약간 붉다. ② 안색. 혈색. ❏~苍白; 안색이 창백하다. ③ 표정. 낯빛. 안색. 얼굴색. ❏~阴沉; 표정이 어둡다.
[脸形] liǎnxíng 명 얼굴형. =[脸型]

练(練) liàn (련) ① 명〈書〉 흰 명주. ② 동 연습하다. 훈련하다. ❏~骑车; 자전거 연습을 하다. ③ 형 숙련되다. 능숙하다. ❏老~; 노련하다.
[练兵] liàn//bīng 동 ① 연병하다. ❏~场; 연병장. ② 훈련하다.
[练达] liàndá 형〈書〉 노련하고 세상사에 통달하다.
[练功] liàn//gōng 동 (무공·기예·기능·기공 따위를) 연습하다. 단련하다. 연마하다.
[练武] liànwǔ 동 ① 무술을 연마하다. ② 군사 훈련을 하다.
[练习] liànxí 명동 연습(하다). ❏~游泳; 수영 연습을 하다 / ~本; 연습장 / ~曲; 연습곡.

炼(煉) liàn (련) 동 ① 정제(精製)하다. 정련하다. 단련하다. ❏把油~出来; 기름을 정제하여 추출하다. ② (불로) 달구다. ③ (시구를) 다듬다. ❏~句; 자구(字句)를 다듬다.
[炼丹] liàn//dān 동 단약(丹藥)을 만들다. 연단하다.
[炼钢] liàn//gāng 동 제강(製鋼)하다. ❏~厂; 제강소.
[炼乳] liànrǔ 명 연유.
[炼铁] liàn//tiě 동 제철하다. ❏~厂; 제철소 / ~炉; 용광로.
[炼油] liàn//yóu 동 ① 석유를 분별 증류하다. ② 석유를 정제하다. ❏~厂; 정유소. ③ 제유(製油)하다.

恋(戀) liàn (련) 동 ① 연애하다. 사랑하다. ❏初~; 첫사랑. ② 그리워하다. 헤어지기 아쉬워하다.
[恋爱] liàn'ài 명동 연애(하다). ❏谈~; 연애하다 / 自由~; 자유연애.
[恋歌] liàngē 명 연가.
[恋恋不舍] liànliàn-bùshě 〈成〉 헤어지기[떠나기] 아쉬워하다.
[恋情] liànqíng 명 ① 연연해하는 마음. 미련. 정. ② 연정. 사랑.
[恋人] liànrén 명 연인. 애인. ❏一对~; 한 쌍의 연인.

殓(殮) liàn (렴) 동 염(殮)하고 입관하다.

潋(瀲) liàn (렴) →[潋滟]
[潋滟] liànyàn 형〈書〉 ① 물이 가득하거나 가득하여 흘러넘치는 모양. ② 물결이 넘실거리는 모양.

链(鏈) liàn (련) (~儿) 명 사슬. 체인(chain). ❑ 铁~; 쇠사슬.
[链轨] liànguǐ 명 ⇨[履带]
[链式反应] liànshì-fǎnyìng 〖物〗 연쇄 반응. =[连锁反应]
[链条] liàntiáo 명 ①〖機〗 전동용 사슬. 체인. ②〈方〉 ⇨[链子①]
[链子] liàn·zi 명 ① 사슬. ❑ 铁~; 쇠사슬. =[〈方〉 链条②] ②〈口〉 (자전거 따위의) 체인.

楝 liàn (련) 명〖植〗 멀구슬나무. =[楝树]

liang ㄌㄧㄤ

良 liáng (량) ① 형 좋다. 우수하다. ❑ 改~; 개량하다. ② 부〈書〉 대단히. 아주. 매우. ❑ ~久; ⇓
[良辰] liángchén 명 ① 좋은 날. ❑ ~吉日; 〈成〉 길일. ② 좋은 시절. 호시절. ❑ ~美景; 〈成〉 좋은 시절의 아름다운 정경(情景).
[良好] liánghǎo 형 양호하다. 좋다. ❑ 质量~; 품질이 양호하다.
[良机] liángjī 명 좋은 기회. 호기(好機). ❑ 莫失~; 좋은 기회를 놓치지 마라.
[良久] liángjiǔ 형〈書〉 매우 오래다. ❑ 沉思~; 한참 동안 깊이 생각하다.
[良民] liángmín 명 ① 평민. 양민. ② 선량한 백성. 양민.
[良师益友] liángshī-yìyǒu 〈成〉 좋은 스승과 유익한 벗.
[良心] liángxīn 명 양심. ❑ 受到~的谴责; 양심의 가책을 받다.
[良性] liángxìng 형 양성의. ❑ ~肿瘤; 양성 종양.
[良药] liángyào 명 좋은 약. ❑ ~苦口; 〈成〉 좋은 약은 입에 쓰다.
[良友] liángyǒu 명 좋은 친구. 양우(良友).
[良莠不齐] liángyǒu-bùqí 〈成〉 선인과 악인이 모두 섞여 있다.
[良种] liángzhǒng 명 우량종.

粮(糧) liáng (량) 명 ① 식량. 양식. 곡식. 곡물. ❑ 粗~; 잡곡. ② 농업세로 내는 곡물. ❑ 公~; 공량.
[粮仓] liángcāng 명 곡창. ① 곡물 창고. ②〈比〉 곡창 지대.
[粮草] liángcǎo 명 군량(軍糧)과 마초. =[粮秣]
[粮荒] liánghuāng 명 식량난.
[粮库] liángkù 명 양식 창고.
[粮秣] liángmò 명 ⇨[粮草]
[粮食] liáng·shi 명 (곡류·감자류 따위의) 식량. 양식.

凉 liáng (량) 형 ① 서늘하다. 선선하다. 시원하다. ❑ 今天比昨天~多了; 오늘은 어제보다 많이 선선해졌다. ②〈比〉 실망하다. 낙심하다. ❑ 他的心~了一些; 그는 약간 실망했다. ③ 슬프다. 처량하다. ❑ 悲~; 슬프고 처량하다. ④ 쓸쓸하다. 적막하다. ❑ 荒~; 황량하다. ⇒ liàng
[凉拌] liángbàn 동 차게 무치다. ❑ ~生菜; 차게 무친 야채 요리.
[凉菜] liángcài 명 차게 먹는 음식.
[凉粉(儿)] liángfěn(r) 명 (차게 무쳐 먹는) 묵.
[凉快] liáng·kuai 형 선선하다. 시원하다. ❑ 躺在树阴底下真~; 나무 그늘 아래에 누워 있으니 정말 시원하다. 동 더위를 식히다. ❑ 天太热, ~一下再走; 날이 너무 더우니 잠시 더위를 식히고 가자.
[凉棚] liángpéng 명 ① 햇볕 가리개용 천막. 차일(遮日). ②〈比〉 손차양. ❑ 手搭~; 손차양을 하다. ‖ =[天棚②]
[凉爽] liángshuǎng 형 시원하고 상쾌하다.
[凉水] liángshuǐ 명 ① 시원한 물. 냉수. ② 생수(生水).
[凉丝丝(的)] liángsīsī(·de) 형 서늘하다. 쌀쌀하다. ❑ 清晨的空气~的; 새벽 공기가 쌀쌀하다.
[凉飕飕(的)] liángsōusōu(·de) 형 싸늘하다. 썰렁하다. 쌀쌀하다. ❑ 初秋早晨的风~的; 초가을의 아침 바람은 쌀쌀하다.
[凉台] liángtái 명 베란다(veranda). 발코니(balcony).
[凉亭] liángtíng 명 (비를 피하거나 쉴 수 있게 만든) 정자.
[凉席] liángxí 명 (여름용) 돗자리.
[凉鞋] liángxié 명 샌들(sandal).

梁 liáng (량) 명 **A)** ①〖建〗 도리. 마룻대. ②〖建〗 대들보. ③ 다리. ❑ 桥~; 교량. ④ 중간이 불룩 솟은 부분. ❑ 鼻~; 콧마루 / 山~; 산등성이. **B)** (Liáng) 〖史〗 양. ① 전국 시대의 나라 이름. ② 남조(南朝)의 하나.
[梁上君子] liángshàng-jūnzǐ 〈成〉 양상군자《도둑》.

量 liáng (량)
동 ① (길이·무게 따위를) 재다. 달다. 되다. 계량하다. ❑ ~身高; 키를 재다 / ~体温; 체온을 재다 / ~体重; 체중을 재다. ② 가늠하다. 추측하다. 어림잡다. ❑ 思~; 생각하다. ⇒ liàng

[量杯] liángbēi 명 계량컵.

[量角器] liángjiǎoqì 명 각도기.

[量具] liángjù 명 측정기. 계측기.

[量瓶] liángpíng 명〖化〗플라스크(flask). =[容量瓶]

两(兩) liǎng (량)
① 수 둘. 2. ❑ ~个人; 두 사람 / ~辆车; 차 두 대. ② 수 쌍방. 양쪽. ❑ ~便; ⇩ ③ 수 두셋. 몇몇. ❑ 跟他说~句话; 그와 몇 마디 나누다. ④ 양〖度〗냥(《무게의 단위》).

[两败俱伤] liǎngbài-jùshāng 〈成〉 쌍방 모두 손상[손실]을 입다.

[两边] liǎngbiān 명 ① (물체의) 양쪽. 양측. ② 두 방향. 두 곳. 양쪽. ❑ 这间屋子~有窗户; 이 방은 창이 양쪽에 있다. ③ 쌍방. ❑ ~不得罪; 쌍방에 잘못이 없다.

[两边倒] liǎngbiāndǎo 〈比〉 이리저리 흔들리다. 정견이 없다.

[两便] liǎngbiàn 형 ① 쌍방이 다 편하다. ② 쌍방에 다 좋다. ❑ ~之法; 피차에게 좋은 방법.

[两重性] liǎngchóngxìng 명 ⇨ [二重性]

[两抵] liǎngdǐ 동 상쇄(相殺)하다. 균형을 이루다. ❑ 收支~; 수지가 균형을 이루다.

[两回事] liǎnghuíshì 서로 아무 상관없는 두 가지. 서로 다른 일. 별개의 일. =[两码事]

[两极] liǎngjí 명 양극. ① 북극과 남극. ② 양극과 음극. ③ 〈比〉 양극단. ❑ ~化; 양극화하다.

[两可] liǎngkě 동 ① 이래도 좋고 저래도 좋다. ❑ 参加不参加~; 참가해도 되고 참가하지 않아도 된다. ② 이럴 수도 있고 저럴 수도 있다. ❑ 行不行还在~哪! 될지 안 될지 아직 알 수가 없구나!

[两口子] liǎngkǒu·zi 명 부부. 부부 두 사람. 두 내외.

[两码事] liǎngmǎshì ⇨[两回事]

[两面] liǎngmiàn 명 ① 양쪽 면. 양면. ② 두 방향. 두 곳. 양측. ❑ ~夹攻; 양면 협공. ③ 사물의 상반된 두 가지 측면. ❑ ~性; 양면성.

[两面光] liǎngmiànguāng 〈比〉 쌍방에 다 좋게 하다. 쌍방의 비위를 다 맞추다.

[两面派] liǎngmiànpài 명 ① 표리부동한 사람. ② 표리부동한 수법.

[两面三刀] liǎngmiàn-sāndāo 〈成〉 표리부동한 수법을 쓰다. 겉과 속이 다르게 굴다.

[两难] liǎngnán 형 이러지도 저러지도 못하다. 양쪽 다 곤란하다. ❑ 进退~; 〈成〉 진퇴양난이다.

[两旁] liǎngpáng 명 양측. 양쪽.

[两栖] liǎngqī 동 ① 양서(兩棲)하다. ❑ 水陆~; 수륙 양서. ② 〈比〉 두 가지 영역에 걸쳐 활동하다. ❑ 影视~明星; TV와 영화 두 분야에서 활동하는 스타.

[两讫] liǎngqì 동〖商〗상품 인계와 대금 지불이 완료되다. ❑ 货款~; 상품과 대금의 인수 인계가 끝나다.

[两全] liǎngquán 동 양쪽 다 완전하다. 쌍방에 손실이 없다. ❑ ~其美; 〈成〉 양쪽에 다 좋게 하다.

[两手] liǎngshǒu 명 ① (~儿) 솜씨. 기량. ② (상대적인) 두 가지 방법.

[两头(儿)] liǎngtóu(r) 명 ① 양단. 양끝. ② 쌍방. 양측. ❑ ~都满意; 쌍방이 모두 만족해하다. ③ 두 곳. 양쪽.

[两下子] liǎngxià·zi 수량 (동작의) 몇 번. 몇 차례. ❑ 轻轻搔了~; 몇 번 가볍게 긁었다. 명 솜씨. 능력. 재주.

[两性] liǎngxìng 명 양성. ① 남성과 여성. 암컷과 수컷. ❑ ~人; 남녀추니 / ~生殖; 양성 생식. ② 두 가지 성질.

[两袖清风] liǎngxiù-qīngfēng 〈成〉 관리가 청렴하다.

[两样] liǎngyàng 형 다르다. 같지 않다. ❑ 说的和做的不能~; 말과 행동이 달라서는 안 된다.

[两翼] liǎngyì 명 ① 양 날개. ❑ 飞机的~; 비행기의 양 날개. ②〖軍〗양익. 양 진영.

[两用] liǎngyòng 형 두 가지로 쓰이는. 양용의. 겸용의. ❑ ~衫; 춘추 겸용 셔츠.

俩(倆) liǎng (량)
→[伎jì俩] ⇒ liǎ

亮 liàng (량)
① 형 밝다. 환하다. ❑ 屋里很~; 집안이 매우 환하다. ② 동 밝

아지다. 빛을 내다. ❏ 天~了; 날이 밝았다. ③ 형 (목소리가) 크다. 우렁차다. ❏ 洪~; (목소리가) 우렁차다. ④ 동 목소리를 높이다. ❏ ~起嗓子唱歌; 소리 높여 노래하다. ⑤ 형 (생각·마음이) 분명하다. 트이다. ❏ 心明眼~; 〈成〉 마음이 환하고 눈이 밝다《통찰력이 있다》. ⑥ 동 나타내다. 드러내다. ❏ ~底; ⇩

[亮底] liàng//dǐ 동 솔직히 털어놓다. 속사정을 밝히다.

[亮度] liàngdù 명〖物〗광도(光度). 밝기.

[亮光(儿)] liàngguāng(r) 명 ① (어둠 속에서의) 빛. ② 광택. 광.

[亮晶晶(的)] liàngjīngjīng(·de) 형 반짝반짝 빛나는 모양. ❏ ~的珠子; 반짝반짝 빛나는 구슬.

[亮儿] liàngr 명 ① 등불. 등. ❏ 照个~; 등불을 비추다. ② 빛. 불빛.

[亮堂堂(的)] liàngtángtáng(·de) [〈口〉 liàngtāngtāng(·de)] 형 밝은 모양. 환한 모양.

[亮堂] liàng·tang 형 ① 널찍하고 환하다. ❏ ~的会客室; 널찍하고 환한 응접실. ② (마음·생각이) 후련하다. 분명하다. 트이다. ❏ 他的一席话, 使我的心里~多了; 그의 일장 연설은 나의 마음을 후련하게 만들었다. ③ (목소리가) 우렁차다. ❏ 嗓门~; 목청이 우렁차다.

[亮相] liàng//xiàng 동 ①〖劇〗(배우가 등장 및 퇴장 시에, 혹은 춤추는 동작에서) 잠깐 동작을 멈추다《극의 분위기를 고조시킴》. ② 〈比〉 공개적으로 나서다. ③ 〈比〉 태도를[입장을] 공개적으로 밝히다.

凉 liàng (량) 동 (뜨거운 것을) 식히다. ❏ 茶太热, ~一~再喝; 차가 너무 뜨거우니, 식혀서 마셔라. ⇒ liáng

谅(諒) liàng (량) 동 ① 양해하다. 이해하다. ❏ 见~; 양해를 얻다. ② 추측하다. 짐작하다. ❏ ~他不能来; 짐작건대 그는 오지 못할 것이다.

[谅察] liàngchá 동 (사정 따위를) 헤아려 살피다. 양찰하다.

[谅解] liàngjiě 동 이해하고 용서하다. 양해하다. ❏ 他会~你的; 그는 너를 이해하고 용서해 줄 것이다.

晾 liàng (량) 동 ① (그늘이나 바람이 잘 통하는 곳에서) 말리다. ❏ 书湿了, 要在阴处~干; 책이 젖어서 그늘진 곳에서 말려야 한다. ② 햇볕에 쬐다. 볕에 말리다. ❏ ~衣服; 옷을 볕에 말리다.

[晾台] liàngtái 명 노대(露臺). 베란다. 테라스.

踉 liàng (량) →[踉跄]

[踉跄] liàngqiàng 형 비틀거리는 모양. ❏ ~出门而去; 비틀거리며 밖으로 나가다. =[〈書〉 跄踉]

辆(輛) liàng (량) 양 대. 량《차량을 세는 말》. ❏ 两~车; 차 두 대.

量 liàng (량) ① 명 되《용량을 재는 도구》. ② 명 양. 분량. 수량. ❏ 销售~; 판매량. ③ 명 용량. 한도. ❏ 酒~; 주량. ④ 동 가늠하다. 대중하다. 어림잡다. 헤아리다. ❏ ~才录用; ⇩ ⇒ liáng

[量变] liàngbiàn 명〖哲〗양적 변화.

[量才录用] liàngcái-lùyòng 〈成〉 능력에 따라 등용[채용]하다.

[量词] liàngcí 명〖言〗양사.

[量力] liànglì 동 (자기의) 힘을 헤아리다. 능력을 생각하다. ❏ ~而行; 〈成〉 (자기의) 능력을 감안하여 행하다.

[量体裁衣] liàngtǐ-cáiyī 〈成〉 몸의 치수에 맞추어 옷을 짓다《실제 상황에 따라 일을 하다》.

[量刑] liàngxíng 동〖法〗형벌의 정도를 정하다. 양형하다.

[量子] liàngzǐ 명〖物〗양자.

liao ㄌㄧㄠ

撩 liāo (료) 동 ① (늘어진 부분을) 치켜들다. 걷어 올리다. ❏ 把头发~上去; 머리카락을 쓸어 올리다. ② (손으로) 물을 뿌리다. ❏ 给花儿~点水; 꽃에 물을 뿌려 주다. ⇒ liáo

辽(遼) liáo (료) **A)** 형 멀다. 요원(遼遠)하다. ❏ ~远; ⇩ **B)** (Liáo) 명 ①〖史〗요나라(907-1125). ②〖地〗〈簡〉 랴오닝 성(遼寧省)의 약칭.

[辽阔] liáokuò 형 드넓다. 끝없이 넓다. ❏ ~的草原; 드넓은 초원.

[辽远] liáoyuǎn 형 아득히 멀다. 까마득하다. ❏ ~的天空; 까마득히 먼 하늘.

疗(療) liáo (료)
동 치료하다. ❏ 诊~; 진료하다.
[疗程] liáochéng 명〔醫〕치료 과정. 치료 단계.
[疗法] liáofǎ 명 요법. 치료법. ❏ 化学~; 화학 요법.
[疗效] liáoxiào 명 치료 효과.
[疗养] liáoyǎng 동 요양하다. ❏ ~院; 요양소. 요양원.

聊 liáo (료)
① 부〈書〉잠시. 우선. ❏ ~以解嘲; 〈成〉잠시나마 비웃음을 면하다. ② 부〈書〉약간. 조금. ❏ ~表寸心; 〈成〉조금이나마 성의를 표하다. ③ 동〈書〉기대다. 의지하다. ❏ ~赖; ⇩ ④ 동〈口〉한담하다. 잡담하다. 이야기하다. ❏ 别~啦, 赶快干吧! 잡담하지 말고 빨리 해라!
[聊赖] liáolài 동 (정신적·생활적으로) 기대다. 믿다. 의지하다《주로, 부정형으로 쓰임》. ❏ 百无~; 〈成〉마음을 의지할 곳이 없다《지루하다. 따분하다》.
[聊且] liáoqiě 부〈書〉⇨[姑gū且]
[聊胜于无] liáoshèngyúwú 〈成〉전혀 없는 것보다는 낫다.
[聊天儿] liáo//tiānr 동〈口〉① 이야기를 나누다. 한담하다. 수다 떨다. ②〔컴〕채팅(chatting)하다. ❏ ~室; 채팅룸.
[聊以自慰] liáoyǐzìwèi 〈成〉잠시나마 스스로를 위로하다.

僚 liáo (료)
명 ① 관리. ❏ 官~; 관료. ② 같은 관청의 관리. ❏ 同~; 동료.

潦 liáo (료)
→[潦草][潦倒]
[潦草] liáocǎo 형 ① (글씨가) 조잡하다. ❏ ~地写; 갈겨쓰다. ② (일 처리가) 허술하다. 소홀하다. ❏ 浮皮~; 대충대충 건성으로 하다.
[潦倒] liáodǎo 형 낙심하다. 실의하다. 의기소침하다. ❏ 穷困~; 생활이 궁하고 어려워 실의하다.

寮 liáo (료)
명〈方〉작은 방[집]. ❏ 茶~; 「찻집.

撩 liáo (료)
동 자극하다. 건드리다. ❏ 一番话~得他动心了; 한 차례 말로 자극해서 그의 마음을 움직였다. ⇒ liāo
[撩拨] liáobō 동 집적거리다. 건드리다. 자극하다. ❏ 他多次~我; 그는 여러 번 나를 자극했다.
[撩乱] liáoluàn 형 ⇨[缭乱]

嘹 liáo (료)
→[嘹亮]
[嘹亮] liáoliàng 형 소리가 맑고 깨끗하게 울리는 모양. ❏ ~的歌声; 맑게 울려 퍼지는 노랫소리.

獠 liáo (료, 로)
→[獠牙]
[獠牙] liáoyá 명 뻐드렁니.

缭(繚) liáo (료)
동 ① 휘감다. 휘감기다. ② (비스듬히) 감치다. 사뜨다.
[缭乱] liáoluàn 형 어지러이 뒤섞이다. 어지럽다. 혼란하다. ❏ 心绪~; 마음이 혼란하다. ＝[撩乱]
[缭绕] liáorào 동 감돌다. 피어오르다. ❏ 山顶上白云~; 산 정상에 흰 구름이 감돌다.

燎 liáo (료)
동 불길이 번져 나가다. 타다. 태우다. ⇒ liǎo
[燎泡] liáopào 명〔中醫〕화상으로 생기는 물집.
[燎原] liáoyuán 동 불이 번져 들판을 태우다.

寥 liáo (료)
형 ① 드물다. 적다. ② 고요하다. ③〈書〉공허하다.
[寥廓] liáokuò 형〈書〉널찍하고 끝이 없다. 드넓다. ❏ ~的星空; 드넓고 별이 총총한 하늘.
[寥寥] liáoliáo 형 매우 적다. ❏ ~可数; 〈成〉하나하나 셀 수 있을 정도로 매우 적다 / ~无几; 〈成〉몇 개 없다. 거의 없다시피 하다.
[寥落] liáoluò 형 ① 드문드문하다. ❏ 晨星~; 새벽별이 드문드문하다. ② 한산하다. 쓸쓸하다. 호젓하다. ❏ ~的小街; 한산한 거리.
[寥若晨星] liáoruòchénxīng 〈成〉새벽녘의 별처럼 드문드문하다《매우 적다[드물다]》.

了(瞭)B) liǎo (료)
A) ① 동 완결하다. 끝나다. 마치다. ❏ ~事; ⇩ ② 동 동사 뒤에 '得'·'不'와 연용(連用)하여 가능·불가능을 나타냄. ❏ 受不~; 참을 수 없다. ③ 부〈書〉전혀. 조금도《부정형으로 쓰임》. ❏ ~无生趣; 사는 재미가 전혀 없다. B) 형 알다. 이해하다. ❏ ~如指掌; ⇩ ⇒ ·le, '瞭' liào
[了不得] liǎo·bu·dé 형 ① 대단하다. 굉장하다. 엄청나다. ❏ 冷得

～; 굉장히 춥다 / 他干了一件～的事; 그는 매우 대단한 일을 했다. =[不得了③] ② 야단나다. 큰일이다. ❏ 可～, 全城大停电; 정말 큰일났다, 도시 전체가 정전이다.

[了不起] liǎo·buqǐ 형 ① 대단하다. 훌륭하다. 뛰어나다. ❏ 他的本事真～; 그의 솜씨는 정말 대단하다. ② 중대하다. 심각하다. ❏ 你不用担心, 没什么～的事; 별일 아니니 걱정하지 마라.

[了得] liǎo·dé 형 상태가 심각하여 수습할 수 없음을 나타냄《주로, '还' 뒤에 붙임》. ❏ 这么深的山涧, 汽车跌下去那还～; 이렇게 깊은 산골짜기에서 차가 구르기라도 하면 큰일이다.

[了结] liǎojié 동 결말이 나다. 해결하다. 매듭짓다. 마무리하다.

[了解] liǎojiě 동 ① (잘) 알다. 이해하다. 파악하다. ❏ 我认识他, 但不～他; 나는 그와 안면은 있지만 그를 잘 아는 것은 아니다. ② 알아보다. 조사하다. ❏ ～事情的真相; 사건의 진상을 조사하다.

[了了] liǎoliǎo 형〈書〉 명백하다. 분명하다.

[了却] liǎoquè 동 완수하다. 해결하다. ❏ ～了一桩心事; 걱정거리를 하나 해결했다.

[了然] liǎorán 형 분명하다. 명확하다. ❏ 一目～; 〈成〉 일목요연하다.

[了如指掌] liǎorúzhǐzhǎng 〈成〉 손바닥을 가리키듯 훤히 알다.

[了事] liǎo//shì 동 (일을) 끝내다. 마치다《주로, 철저하지 못하거나 부득이함을 나타냄》. ❏ 含糊～; 흐지부지 일을 끝내다.

蓼 liǎo (료)

명〔植〕 여뀌. 수료(水蓼).

[蓼蓝] liǎolán 명〔植〕 쪽. =[蓝①]

燎 liǎo (료)

동 불 옆에 바싹 대어 그슬리다. ❏ 火苗一蹿, ～了眉毛; 불꽃이 튀어서 눈썹이 그슬렸다. ⇒ liáo

尥 liào (료)

→[尥蹶子]

[尥蹶子] liào juě·zi (말 따위가) 차다. 뒷발질하다. ❏ 这匹马～踢了我了; 이 말이 뒷발질로 나를 찼다.

料 liào (료)

① 동 예상하다. 짐작하다. 추측하다. ❏ 我～他不会来了; 내가 짐작건대, 그는 안 올 것이다. ② 동 돌보다. 관리하다. ❏ ～理; ⇩ ③ (～儿) 명 재료. 원료. ❏ 木～; 목재 / 资～; 자료. ④ 명 마소의 먹이. 사료. ❏ ～豆儿; 사료용 콩. ⑤ 양〔中醫〕 제《한약의 분량을 세는 말》. ❏ 一～药; 약 한 제.

[料到] liàodào 동 예상하다. 짐작이 가다. 생각이 미치다. ❏ 没～事情会这么严重; 일이 이렇게 심각할 줄은 짐작도 못했다.

[料定] liàodìng 동 예상하고 단정하다. ❏ 我～他不会同意; 나는 그가 동의하지 않을 것이라고 본다.

[料酒] liàojiǔ 명 조미용 술.

[料理] liàolǐ 동 ① 처리하다. 일을 다루다. ❏ ～家务; 집안일을 처리하다. ② 요리하다. 명 요리. ❏ 韩国～; 한국 요리.

[料峭] liàoqiào 형〈書〉 으스스하다. 쌀쌀하다.

[料事如神] liàoshìrúshén 〈成〉 귀신같이 정확히 예상하다.

[料想] liàoxiǎng 동 추측하다. 예상하다. ❏ 谁也～不到的事; 누구도 예상치 못한 일.

[料子] liào·zi 명 ① 옷감. ②〈方〉 모직물. ③〈口〉〈比〉 인재(人材).

撂 liào (략)

동〈口〉 ① 놓다. 내려놓다. ❏ 他～下饭碗就走了; 그는 밥그릇을 내려놓고는 바로 떠났다. ② 넘어뜨리다. 쓰러뜨리다. ❏ 一枪就把他～倒了; 총 한 방으로 그를 쓰러뜨렸다. ③ 버려 두다. 팽개치다. ❏ ～下老婆孩子; 처자식을 팽개치다.

[撂手] liào//shǒu 동 내버려 두다. 관계를 끊다. 손을 떼다. ❏ ～不管; 내버려 두고 관여하지 않다.

瞭 liào (료)

동 높은 곳에서 바라보다. 멀리 바라보다. ⇒ '了' liǎo

[瞭望] liàowàng 동 ① 높은 곳에서 멀리 바라보다. ❏ ～台; 전망대. ②〔軍〕 높은 곳에서 적의 상황을 살피다. ❏ ～哨; 보초소.

镣(鐐) liào (료)

명 족쇄.

[镣铐] liàokào 명 족쇄와 수갑.

lie ㄌㄧㄝ

咧 liē (렬)

→[咧咧] ⇒ liě ·lie

[咧咧] liē·lie 동〈方〉 ① 멋대로 지껄여 대다. ❏ 别瞎~了; 멋대로 지껄이지 마라. ② (아이가) 칭얼대다. 징징대다.

咧 liě (렬)
동 ① 입을 양옆으로 길게 하다. ②〈方〉〈贬〉 지껄이다. ⇒liē ·lie

[咧嘴] liě//zuǐ 동 입을 양옆으로 길게 만들다. ❏ 咧着嘴笑; 입을 옆으로 길게 벌리며 웃다.

裂 liě (렬)
동〈方〉 (양쪽 부분이) 열리다. 벌어지다. ❏ 皮鞋~开了嘴; 구두 앞부분이 벌어졌다. ⇒liè

列 liè (렬)
① 동 배열하다. 정렬하다. 열거하다. ❏ ~队; ⇩ ② 동 …의 속에 넣다. 끼워 넣다. ❏ ~为重点项目; 중요 항목에 넣다. ③ 명 행렬. 줄. ❏ 最前~; 제일 앞줄. ④ 양 열. 줄. ❏ 一~火车; 기차 하나. ⑤ 대 각각. 여럿. ❏ ~国; ⇩

[列兵] lièbīng 명〔軍〕 이등병.

[列车] lièchē 명 열차. ❏ ~时刻表; 열차 시각표 / ~员; 열차 승무원.

[列岛] lièdǎo 명 열도.

[列队] liè//duì 동 대열을 짓다. ❏ ~欢迎; 대열을 지어 환영하다.

[列国] lièguó 명 열국. 여러 나라.

[列举] lièjǔ 동 열거하다. 나열하다. ❏ ~事实; 사실을 열거하다.

[列宁] Lièníng 명〔人〕〈音〉 레닌(Nikolai Lenin)《러시아의 혁명가, 1870-1924》. ❏ ~主义; 레닌주의.

[列强] lièqiáng 명 열강.

[列位] lièwèi 대 제군. 여러분.

[列席] liè//xí 동 (회의에) 옵서버로 참석하다. ❏ ~代表; 옵서버(observer).

[列传] lièzhuàn 명〔史〕 열전.

冽 liè (렬)
형〈書〉 차다. 춥다.

烈 liè (렬)
① 형 격렬하다. 강렬하다. 맹렬하다. ❏ 热~; 열렬하다 / ~酒; 독한 술. ② 형 (성격이) 강하다. 강직하다. ③ 명 정의를 위해 목숨을 아끼지 않은 사람. ❏ ~士; ⇩ ④ 명〈書〉 공적(功績).

[烈火] lièhuǒ 명 센 불. 거센 불길. ❏ ~熊熊; 거센 불길이 활활 타오르다.

[烈日] lièrì 명 타는 듯이 내리쬐는 햇볕.

[烈士] lièshì 명 열사. ❏ 革命~; 혁명 열사.

[烈属] lièshǔ 명 열사의 유족.

[烈性] lièxìng 형 ① (성격이) 과격한. 억척스러운. ❏ ~女子; 억척스러운 여자. ② 강렬한. 맹렬한. ❏ ~毒药; 강한 독약.

裂 liè (렬)
동 금이 가다. 갈라지다. ❏ 天太旱了, 地都晒~了; 날이 너무 가물어서 땅이 다 갈라졌다. ⇒liě

[裂缝(儿)] liè//fèng(r) 동 금이 가다. 균열이 생기다. 틈이 벌어지다. ❏ 墙上裂了条缝; 벽에 금이 하나 갔다. (lièfèng(r)) 명 금. 균열. 갈라진 곳.

[裂痕] lièhén 명 ① 갈라진 틈. 균열. ② (감정상의) 금. 불화.

[裂开] lièkāi 동 갈라지다. 터지다. ❏ 裤子~了; 바지가 터졌다.

[裂口(儿)] liè//kǒu(r) 동 갈라지다. 벌어지다. ❏ 西瓜裂了口儿; 수박이 갈라졌다. (lièkǒu(r)) 명 갈라진 틈. 금. 상처.

[裂纹] lièwén 명 ① ⇨[裂璺] ② 도자기의 장식용 금.

[裂璺] lièwèn 명 (기물의) 금. ＝[裂纹①] (liè//wèn) 동 (기물에) 금이 가다.

趔 liè (렬)
→[趔趄]

[趔趄] liè·qie 동 몸이 휘청거리다. 비틀거리다.

劣 liè (렬)
형 뒤떨어지다. 나쁘다. ❏ 不分优~; 우열의 차이가 없다.

[劣等] lièděng 형 열등하다. ❏ ~生; 열등생.

[劣根性] liègēnxìng 명 나쁜[저열한] 근성.

[劣迹] lièjì 명 나쁜 행실. 악행. ❏ ~昭彰; 〈成〉 악행이 드러나다.

[劣马] lièmǎ 명 안 좋은 말. 사나워서 다루기 힘든 말.

[劣绅] lièshēn 명 지방의 악덕 명사.

[劣势] lièshì 명 열세. ❏ 处于~; 열세에 놓이다.

[劣质] lièzhì 형 질 낮은. 저질의. 저급한. ❏ ~产品; 질 낮은 상품.

猎(獵) liè (렵)
동 ① 사냥하다. ② 찾아다니다. 물색하다.

[猎场] lièchǎng 명 사냥터.

[猎狗] liègǒu 명 사냥개. ＝[猎犬]

[猎户] lièhù 명 ①⇨[猎人] ②사냥을 업(業)으로 하는 집.
[猎奇] lièqí 동〈貶〉기이한 것만 찾아다니다. 엽기하다.
[猎枪] lièqiāng 명 엽총.
[猎取] lièqǔ 동 ①사냥으로 잡다. ②〈貶〉(명예·이익을) 얻다. 쟁취하다. ❏~名利; 명리를 쟁취하다.
[猎犬] lièquǎn 명 ⇨[猎狗]
[猎人] lièrén 명 사냥꾼. =[猎户①]
[猎手] lièshǒu 명 (숙련된) 사냥꾼.
[猎头] liètóu 명〈義〉①헤드 헌팅 (head hunting). ❏~公司; 헤드 헌팅 회사. ②헤드 헌터.
[猎物] lièwù 명 포획물. 사냥감.

鬣 liè (렵)
명 (동물의) 갈기. ❏马~; 말 「갈기.
[鬣狗] liègǒu 명〖動〗하이에나(hyaena).

咧 ·lie (렬)
조〈方〉문말(文末)의 어기사(語氣詞)《'了'·'啦'·'哩'와 같은 용법을 지님》. ❏早就去~; 일찌감치 갔다 / 好~; 좋아. ⇒liē liě

lin ㄌㄧㄣ

拎 līn (령)
동 손에 들다. ❏~起一桶水; 물 한 통을 들다.

邻(鄰) lín (린)
①명 이웃. ❏远亲不如近~; 먼 친척보다 가까운 이웃이 낫다. ②형 이웃한. 인접한. ❏~国; 이웃 나라 / ~人; 이웃 사람.
[邻邦] línbāng 명 이웃 나라. 인접국.
[邻接] línjiē 동 인접하다. 이웃하다.
[邻近] línjìn 명 부근. 인근. 동 (위치가) 이웃하다.
[邻居] línjū 명 이웃(집). 이웃 사람. =[邻舍]
[邻里] línlǐ 명 ①동네. ②동네 사 「람.
[邻舍] línshè 명 ⇨[邻居]

林 lín (림)
명 ①수풀. 숲. ❏防风~; 방풍림. ②〈比〉집단. 그룹. ❏艺~; 예술계. ③임업(林業).
[林场] línchǎng 명 ①조림지(造林地). ②영림 기관(營林機關).
[林肯] Línkěn 명〖人〗〈音〉링컨 (Abraham Lincoln).
[林立] línlì 동 임립하다. 즐비하다. ❏高楼~; 고층 빌딩이 즐비하다.
[林檎] línqín 명 ⇨[花红①]
[林业] línyè 명 임업.
[林荫道] línyīndào 명 가로수길. =[林阴道]
[林子] lín·zi 명〈口〉⇨[树shù林]

淋 lín (림)
동 ①(액체에) 젖다. ❏浑身上下都~湿了; 온몸이 흠뻑 젖었다. ②(액체를) 뿌리다. 적시다. ❏往鲜菜上~点水; 신선한 채소 위에 물을 뿌리다. ⇒lìn
[淋巴] línbā 명〖生理〗〈音〉임파. 림프(lymph). ❏~管; 림프관 / ~结; 림프샘. 임파선. =[淋巴液]
[淋漓] línlí 형 ①(액체가) 뚝뚝 떨어지는 모양. ❏鲜血~; 선혈이 뚝뚝 떨어지다. ②통쾌한 모양. 힘찬 모양. ❏~尽致; 〈成〉ⓐ(문장이나 말이) 매우 상세하다. ⓑ철저히 폭로하다.
[淋浴] línyù 동 샤워하다.

琳 lín (림)
명〈書〉미옥(美玉).
[琳琅] línláng 명 아름다운 옥. 〈比〉아름답고 귀한 것. ❏~满目; 〈成〉(서적·공예품 따위의) 아름다운 것들이 눈앞에 가득하다.

霖 lín (림)
명 장마.
[霖雨] línyǔ 명 장마.

临(臨) lín (림)
①동 면하다. 접하다. 향하다. ❏~街的窗口; 큰길 쪽으로 난 창문. ②동 오다. 이르다. ❏喜事~门; 경사스러운 일이 찾아오다. ③개 막[곧] …하려고 하다. ❏~别; ⇩ ④동 (서화(書畫) 따위를) 그대로 베끼다[본뜨다].
[临别] línbié 동 이별을 앞두다. 이별에 즈음하다. ❏~赠言; 〈成〉이별 즈음해서 충고의 말을 전하다.
[临产] línchǎn 동 해산할 때가 되다. 출산이 임박하다.
[临床] línchuáng 동〖醫〗임상하다. ❏~实验; 임상 실험.
[临到] líndào 동 ①…에 이르다. …에 임하다. ❏~上车, 才发现忘带钱包; 차에 오를 때가 되어서야 비로소 지갑을 안 가져 온 것을 알아차렸다. ②(일 따위가) 닥치다. 덮쳐 오다 ❏事情要是~他身上, 他就不会这样说了; 만약 그에게 닥친 일이었다면 그는 이렇게 말하지 않았을 것이다.

[临机应变] línjī-yìngbiàn 〈成〉 임기응변하다.
[临近] línjìn 동 가까워지다. 접근하다. ❑春天~了; 봄이 가까워졌다.
[临渴掘井] línkě-juéjǐng 〈成〉 목이 말라야 우물을 판다《일을 당하고야 허둥대며 준비한다》.
[临摹] línmó 동 모사(模寫)하다.
[临时] línshí 형 임시의. ❑~工; 임시공 / ~演员; 엑스트라. 부 그때가 되어서. 때에 이르러서. ❑~抱佛脚; 〈成〉 벼락치기하다.
[临头] líntóu 동 (재난·불행이) 닥치다. ❑大祸~; 큰 재난이 신상에 닥치다.
[临危] línwēi 동 ① 위기[위험]에 직면하다. ❑~不惧; 〈成〉 위험에 직면해도 두려워하지 않다 / ~授命; 〈成〉 멸망의 위기에 직면하여 목숨을 던지다. ② (병이 위중하여) 죽음에 직면하다. ❑~留下遗言; 죽음에 직면하여 유언을 남기다.
[临月(儿)] línyuè(r) 동 해산달에 이르다. 만삭이 되다.
[临阵磨枪] línzhèn-móqiāng 〈成〉 적진에 임해서야 창을 갈다《일이 눈앞에 닥치고서야 준비를 하다》.
[临阵脱逃] línzhèn-tuōtáo 〈成〉 전장에 이르러 도망치다《일이 코앞에 닥치자 위축되어 회피하다》.
[临终] línzhōng 동 죽을 때가 되다. 죽음에 이르다. 임종하다.

粼 lín (린) →[粼粼]
[粼粼] línlín 형〈書〉 맑고 깨끗한 모양. ❑~碧波; 깨끗하고 푸른 물결.

遴 lín (린) 동 신중히 고르다[선택하다].
[遴选] línxuǎn 동 ① (인재를) 선발하다. ② 정선하다. 엄선하다. ❑~参赛作品; 참가작을 엄선하다.

嶙 lín (린) →[嶙峋]
[嶙峋] línxún 형〈書〉 ① 산에 돌이 겹쳐 쌓여 있는 모양. ② 〈轉〉 사람이 수척해서 뼈가 앙상한 모양.

磷 lín (린) 명〖化〗 인(P: phosphorus).
[磷肥] línféi 명〖農〗 인산 비료.
[磷火] línhuǒ 명 도깨비불. 인화. =[〈俗〉 鬼火]

鳞(鱗) lín (린) 명 ① (물고기 따위의) 비늘. ② 비늘처럼 생긴 것.
[鳞次栉比] líncì-zhìbǐ 〈成〉 (가옥 따위가) 빽빽이 늘어서 있는 모양. =[栉比鳞次]
[鳞甲] línjiǎ 명 인갑. ❑鳄鱼的~; 악어의 인갑.
[鳞爪] línzhǎo 명〈書〉 비늘과 발톱. 〈比〉 일부분. 단편. 조각.

麟 lín (린) 명〈書〉 기린《상상 속의 동물》.
[麟凤龟龙] lín-fèng-guī-lóng 〈成〉 신령한 동물로 여겼던 기린·봉황·거북·용《덕 있고 훌륭한 사람》.

凛 lǐn (름) 형 ① 춥다. 차다. ❑~冽; ⇩ ② 위엄 있다. 엄숙하다. ③ 〈書〉 무서워하다. 두려워하다. ❑~于夜行; 밤에 다니는 것을 무서워하다.
[凛冽] lǐnliè 형 추위가 혹독하다. 뼛골이 시리다. ❑北风~; 북풍이 살을 베일 듯이 차갑다.
[凛凛] lǐnlǐn 형 ① 춥다. 차갑다. ❑朔风~; 삭풍이 차갑다. ② 늠름하다. 위엄 있다. ❑威风~; 위풍당당하다.
[凛然] lǐnrán 형 엄숙하고 위엄 있는 모양.

檩 lǐn (름) 명〖建〗 도리. =[桁héng]

吝 lìn (린) 형 인색하다.
[吝啬] lìnsè 형 인색하다. 쩨쩨하다. ❑~鬼; 구두쇠. 수전노.
[吝惜] lìnxī 동 (힘·재물 따위를) 내기를 아까워하다. 쓰기를 꺼리다.

赁(賃) lìn (임) 동 ① 임대하다. 빌리다. ❑这辆车是~的; 이 차는 렌트한 것이다. ② 세놓다. ❑~出两间屋子; 방 두 칸을 세놓다.

淋 lìn (림) 동 거르다. 밭다. 여과하다. ❑把汤药~出来再喝; 탕약을 걸러낸 후에 마셔라. ⇒lín
[淋病] lìnbìng 명〖醫〗 임질.

躏(躪) lìn (린) →[蹂róu躏]

ling ㄌㄧㄥ

○ líng (령) 수 영(零). 제로(zero). ❑二~~七年; 2007년. =[零③]

伶 líng (령) 명 (옛날) 배우. 광대.
[伶仃] língdīng 형 ① 고독하다.

의지할 데가 없다. ❑孤苦~; 〈成〉 외롭고 쓸쓸하다. ② 허약하다. 여위다. ‖ =[零丁] 「다.

[伶俐] líng·lì 형 영리하다. 똑똑하

[伶人] língrén 명 배우.

囹 líng (령) →[囹圄]

[囹圄] língyǔ 명〈書〉 감옥.

玲 líng (령) →[玲珑]

[玲珑] línglóng 형 ① (물체가) 정교하고 섬세하다. ❑~的宝塔; 정교하고 섬세한 보탑. ② (사람이) 영리하고 민첩하다. ❑~剔透; 〈成〉 ⓐ(물건이) 매우 정교하고 아름답다. ⓑ(사람이) 매우 총명하다.

铃(鈴) líng (령) 명 ① (~儿) 방울. 벨. 종. ❑按~; 벨을 누르다 / ~声; 벨 소리. ② 방울 모양의 것. ❑哑~; 아령.

[铃铛] líng·dang 명 방울.

[铃鼓] línggǔ 명〔樂〕 탬버린(tambourine).

羚 líng (령) 명〔動〕 영양.

[羚羊] língyáng 명〔動〕 영양.

聆 líng (령) 동〈書〉 듣다. 경청하다.

[聆教] língjiào 동〈書〉〈翰〉 가르침을 받다. 「하다.

[聆听] língtīng 동〈書〉 듣다. 경청

翎 líng (령) 명 (~儿) (길고 빳빳한) 깃털. ❑鸡~儿; 닭의 깃털.

[翎毛] língmáo 명 ① 깃. 깃털. ②〔美〕 영모화《조류를 소재로 한 중국화》.

零 líng (령) ① 형 자잘하다. 소량이다. 소소하다. ❑~售; ⇓ ② (~儿) 명 우수리. 나머지. ❑挂~儿; 남짓하다. ③ 수 영《숫자 속의 빈자리를 나타냄》. ❑三~一号; 301호. =[○líng] ④ 수 두 수량사 중간에 놓여 단위가 높은 양 아래에 단위가 낮은 양이 붙어 있음을 나타냄. ❑一年~十天; 일 년 하고도 열흘. ⑤ 수 영《수량이 없음을 나타냄》. ❑二减二等于~; 2 빼기 2는 0이다. ⑥ 수 (온도계상의) 영도. ❑~上十度; 영상 10도. ⑦ 동 (꽃이나 잎이) 시들어 떨어지다. ❑~落; ⇓ ⑧ 동 〈書〉 (비·눈물 따위가) 떨어지다. ❑涕~; 눈물을 흘리다.

[零蛋] língdàn 명 (시험·경기 따위의) 영점. 빵점.

[零点] língdiǎn 명 영시(零時). 밤 12시. ❑~十分; 영시 10분.

[零丁] língdīng 형 ⇨[伶仃]

[零工] línggōng 명 ① 품팔이. 날품팔이. ② 품팔이꾼. 날품팔이꾼.

[零花] línghuā 동 용돈으로 쓰다. 명 (~儿) 용돈.

[零活儿] línghuór 명 자질구레한 일. 잡일. 「품.

[零件] língjiàn 명〔機〕 부품. 부속

[零乱] língluàn 형 ⇨[凌乱]

[零落] língluò 동 ① (꽃이나 잎이) 시들어 떨어지다. ❑花叶~; 꽃잎이 시들어 떨어지다. ② 〈比〉 영락하다. 쇠퇴하다. ❑家道~; 집안이 영락하다. 형 드문드문하다. 띄엄띄엄하다.

[零七八碎] língqībāsuì 형 (~的) 자질구레하다. 너저분하다. ❑~的东西; 자질구레한 물건. 명 (~儿) 잡다한 일[물건].

[零钱] língqián 명 ① 잔돈. ② 용돈. ③ 자잘한 수입. 잡수입.

[零敲碎打] língqiāo-suìdǎ 〈成〉 조금씩 단발적으로 처리하다.

[零散] líng·sǎn 형 뿔뿔이 널려 있다. 흩어져 있다. 분산되어 있다.

[零食] língshí 명 간식. 주전부리.

[零售] língshòu 동 소매하다. ❑~店; 소매점 / ~价格; 소매가격.

[零碎] língsuì 형 자질구레하다. 자잘하다. ❑~活儿; 자질구레한 일. 명 (~儿) 잡동사니. 자잘한 물건.

[零头(儿)] líng·tóu(r) 명 ① 우수리. 나머지. ② (재료 따위의) 쓰고 남은 부분. 자투리.

[零星] língxīng 형 ① 자잘한. 약간의. 자질구레한. ❑~土地; 약간의 토지. ② 산발적인. 드문드문한. ❑~的枪声; 산발적인 총성.

[零用] língyòng 명 잡비. 용돈. 동 잡비로 쓰다. 용돈으로 쓰다.

龄(齡) líng (령) 명 ① 연령. 나이. ❑高~; 고령. ② 연한(年限). 연수. ❑工~; 근무 연수.

灵(靈) líng (령) ① 형 (동작·기능 따위가) 잘 듣다. 민첩하다. 예민하다. ❑刹车不~; 브레이크가 말을 안 듣다. ② 명 영. 영혼. 정신. ❑心~; 심령. ③ 명 신선. 신령. ④ 형 영험하다. 효과가 있다. ❑这药很~; 이 약은 아주 영험하다. ⑤ 명 관(棺). 죽은 사람에 관한 것. ❑~前; 영전 / ~位; ⇓
[灵便] líng·bian 형 ① 민활하다. 기민하다. ❑耳朵不~; 귀가 어둡다. ② (사용이) 편리하다.
[灵车] língchē 명 영구차. 장의차.
[灵丹] língdān 명 영약(靈藥). ❑~妙药; 〈成〉 ⓐ만병통치의 영약. ⓑ모든 문제를 해결할 수 있는 방법.
[灵感] línggǎn 명 영감.
[灵魂] línghún 명 ① 영혼. 혼. ② 심령. 마음. 정신. ③ 인격. 양심. ❑ ~出卖; 양심을 팔아먹다. ④ 〈比〉 (사물의) 중심. 가장 중요한 요소.
[灵活] línghuó 형 ① 재빠르다. 날래다. 민첩하다. 민활하다. ❑动作很~; 동작이 매우 민첩하다. ② 융통성이 있다. ❑ ~性; 융통성.
[灵机] língjī 명 기발한 생각. 영감. 재치. ❑ ~一动; 〈成〉 기발한 생각이 떠오르다.
[灵柩] língjiù 명 영구. 관.
[灵猫] língmāo 명〖動〗사향고양이.
[灵敏] língmǐn 형 민첩하다. 민감하다. 예민하다. ❑感觉~; 감각이 예민하다 / ~度; (수신기나 측정기의) 감도(感度).
[灵巧] língqiǎo 형 민첩하고 교묘하다.
[灵通] língtōng 형 ① (뉴스 따위를) 남보다 빨리 알다. 소식이 빠르다. ② 〈方〉 쓸모가 있다. 쓰기에 편리하다. ③ 민첩하다. 민활하다.
[灵位] língwèi 명 위패.
[灵性] língxìng 명 ① 타고난 지혜. ② 동물이 훈련으로 얻은 영리함.
[灵验] língyàn 형 ① (약물·방법 따위가) 신통한 효과가 있다. ② (예언이) 잘 맞다. 영험하다.
[灵芝] língzhī 명〖植〗영지.

凌 líng (릉)
① 동 업신여기다. 욕보이다. ❑~辱; ⇓ ② 동 접근하다. 임박하다. ❑~晨; ⇓ ③ 동 높이 오르다. ❑ ~空; ⇓ ④ 명〈方〉 얼음.
[凌晨] língchén 명 동틀 무렵. 새벽.
[凌迟] língchí 동 능지처참하다.
[凌驾] língjià 동 능가하다. 압도하다. ❑ 国家利益~于个人利益之上; 국가의 이익은 개인의 이익을 능가한다.
[凌空] língkōng 동 하늘 높이 오르다.
[凌厉] línglì 형 빠르고 격렬하다. 기세가 맹렬하다. ❑进攻~; 진격이 맹렬하다.
[凌乱] língluàn 형 혼란하다. 어지럽다. 어수선하다. ❑ ~的脚步声; 어지러운 발자국 소리. =[零乱]
[凌辱] língrǔ 동 능욕하다. 능멸하다.

陵 líng (릉)
명 ① 언덕. 구릉. ② 능. 능묘.
[陵墓] língmù 명 ① (지도자나 열사의) 무덤. 묘. ② 왕릉. 능묘.
[陵园] língyuán 명 공원 묘지.

菱 líng (릉)
명〖植〗마름.
[菱角] líng·jiao 명〖植〗마름.
[菱形] língxíng 명〖數〗마름모.

绫(綾) líng (릉)
명〖紡〗능(綾).
[绫罗] língluó 명〖紡〗능라.
[绫子] líng·zi 명〖紡〗능(綾)《무늬 있는 얇은 비단》.

令 lǐng (령)
양 연(連)《인쇄용 전지(全紙) 500장》. ⇒lìng

岭(嶺) lǐng (령)
명 ① 재. 고개. ② 큰 산맥.

领(領) lǐng (령)
① 명 목. 목덜미. ② (~儿) 명 (옷의) 깃. 칼라. ❑衣~; 옷깃. ③ (~儿) 명 (옷의) 목둘레(선). 네크라인(neckline). ❑圆~儿; 라운드 네크라인. ④ 명 긴요한 부분. 요점. ❑要~; 요점. 요령. ⑤ 양 의복이나 발을 세는 말. ❑一~青衫; 평상복 한 벌. ⑥ 동 인솔하다. 이끌다. ❑你~他去吧; 네가 그를 데리고 가거라. ⑦ 동 소유하다. 차지하다. ❑占~; 점령하다. ⑧ 동 영수하다. 수령하다. 받다. ❑ ~工资; 급료를 받다. ⑨ 동 받아들이다. ❑ ~教; ⇓ ⑩ 동 깨닫다. 이해하다. ❑心~神会; 〈成〉 마음속으로 깨닫고 이해하다.
[领唱] lǐngchàng 동 (합창에서) 선창하다. 명 선창자.
[领带] lǐngdài 명 넥타이. ❑系~; 넥타이를 매다 / ~夹; 넥타이핀.
[领导] lǐngdǎo 동 지도하다. 영도하다. 리드하다. ❑ ~能力; 리더십. 명 지도자.
[领地] lǐngdì 명 ① 영지. ② ⇒[领土]
[领队] lǐngduì 동 대열(隊列)을 인솔하다. 팀(team)을 이끌다. 명 인솔자. 대장.

[领海] lǐnghǎi 명〖法〗 영해. ＝[领水②]
[领会] lǐnghuì 동 깨달아 이해하다. 이해하다. 깨닫다. ❏他没有～我的意思; 그는 내 뜻을 이해하지 못했다.
[领教] lǐngjiào 동 ①〈套〉 가르침을 받다《가르침을 받아들이거나 공연 따위를 감상한 후에 인사로 하는 말》. ② 가르침을 청하다. ❏有几个问题, 特来～; 몇 가지 질문이 있어서 가르침을 청하러 왔습니다.
[领结] lǐngjié 명 나비넥타이.
[领巾] lǐngjīn 명 네커치프(neckerchief). 스카프(scarf).
[领空] lǐngkōng 명〖法〗 영공.
[领口] lǐngkǒu 명 ① (옷의) 목둘레. 목둘레선. 네크라인(neckline). ② 옷깃이 합치는 곳.
[领路] lǐng//lù 동 길을 안내하다.
[领略] lǐnglüè 동 (체험·관찰 따위를 통해 감성적으로) 이해하다. 깨닫다. 체득하다.
[领情] lǐng//qíng 동 (선물·호의를) 감사히 받다.
[领取] lǐngqǔ 동 (일정한 수속을 거쳐서) 수령하다. 영수하다. ❏～护照; 여권을 수령하다.
[领事] lǐngshì 명 영사(領事). ❏～馆; 영사관.
[领受] lǐngshòu 동 받다. 받아들이다. ❏这些礼物, 我不能～; 저는 이 선물들을 받을 수 없습니다.
[领水] lǐngshuǐ 명〖法〗 ① 영수. ② ⇨[领海]
[领头(儿)] lǐng//tóu(r) 동〈口〉 선두에서 이끌다. 리드하다. 앞장서다. ❏我～, 你们跟上; 내가 앞장설 테니 너희는 따라와라.
[领土] lǐngtǔ 명〖法〗 영토. ＝[领地②]
[领悟] lǐngwù 동 깨닫다. 터득하다. 납득하다.
[领先] lǐng//xiān 동 ① 앞장서다. 선두에 서다. ② (수준·성적 따위가) 앞서다. 리드하다.
[领袖] lǐngxiù 명 지도자. 영수.
[领养] lǐngyǎng 동 남의 아이를 양녀나 양자로 삼아 기르다.
[领有] lǐngyǒu 동 ① (자원·토지를) 영유하다. 소유하다. ❏～丰富的资源; 풍부한 자원을 소유하다. ② 수령하다. 가지다. ❏～土地使用证; 토지 사용증을 수령하다.
[领域] lǐngyù 명 ① 영역《주권이 미치는 범위》. ❏侵犯～; 영역을 침범하다. ② 분야. 범위. 영역. ❏生活～; 생활 영역.
[领章] lǐngzhāng 명 깃에 다는 휘장. 배지(badge).
[领主] lǐngzhǔ 명 영주.
[领子] lǐng·zi 명 깃. 칼라.

令 lìng (령)
①명 명령. ❏法～; 법령. ② 동 명령하다. 명하다. ❏学校～他退学; 학교는 그에게 퇴학을 명했다. ③동 …하게 하다. …시키다. ❏～人兴奋; 사람을 흥분시키다. ④명 옛 관명(官名). ❏县～; 현령. 현 지사(知事). ⑤명 시절. 때. 계절. ❏夏～; 하계(夏季). ⑥ 접두〈敬〉 상대의 가족에 대한 존칭. ❏～亲; (당신의) 친척분. ⇒lǐng
[令爱] lìng'ài 명〈敬〉 따님. 영애.
[令郎] lìngláng 명〈敬〉 아드님. 영랑.
「당(慈堂).
[令堂] lìngtáng 명〈敬〉 영당. 자
[令尊] lìngzūn 명〈敬〉 영존. 춘부장.

另 lìng (령)
① 대 별개의. 그 밖의. 다른. ❏～有想法; 다른 방법이 있다. ② 부 따로. 별도로. 달리. ❏～议; 따로 의논하다.
[另起炉灶] lìngqǐ-lúzào〈成〉 ① 처음부터 새로 시작하다. 구상(構想)을 새로이 하다. ② 따로 일가를 이루다.
[另外] lìngwài 부 별도로. 따로. ❏～再找一个人; 따로 한 사람을 더 구하다. 대 별도의. 다른. 그 밖의. ❏～的几个人; 그 밖의 몇 사람. 접 이 외에. 이 밖에. ＝[此外]
[另眼相看] lìngyǎn-xiāngkàn〈成〉 다른 눈으로 보다. 특별 취급하다. 매우 중시하다.

liu ㄌㄧㄡ

溜 liū (류)
① 동 미끄러지다. 활강하다. ❏从雪坡上～下来; 눈 쌓인 언덕을 미끄러져 내려오다. ② 동 몰래 빠져나가다[들어가다]. ❏他悄悄～回家去; 그는 몰래 빠져나와 집으로 돌아갔다. ③ 형 미끄럽다. 미끌미끌하다. ④ 동 ⇨[熘liū] ⇒liù
[溜冰] liū//bīng 동 스케이트를 타

다. 스케이팅하다.
[溜达] liū·da 동〈口〉 산책하다. 어슬렁어슬렁 걷다. ❑ 咱们~去吧! 우리 산책하러 가자!
[溜光] liūguāng 형〈方〉 ① 번들번들[반들반들] 빛나다. ❑ 磨得~; 닦아서 반들반들하다. ② 남김이 없다. ❑ 地里的草拔得~; 땅의 풀을 남김없이 뽑다.
[溜之大吉] liūzhī-dàjí 〈成〉 몰래 달아나다. 내빼다.

熘 liū (류)
동 볶다(기름에 지진 음식에 녹말가루를 입혀 다시 볶는 조리법). =[溜liū④]

刘(劉) Liú (류)
명 성(姓)의 하나.
[刘海儿] liúhǎir 명〈轉〉 (여자나 아이의) 이마에 내려뜨린 앞머리.

浏(瀏) liú (류)
형〈書〉 물이 맑고 투명한 모양.
[浏览] liúlǎn 동 ① 대강 보다. 대충 훑어보다. ②〖컴〗 브라우징(browsing)하다. ❑ ~器; 브라우저(browser).

流 liú (류)
① 동 흐르다. 흘리다. ❑ ~汗; 땀을 흘리다 / ~口水; 침을 흘리다. ② 동 이동하다. 유동하다. ❑ ~通; ⇩ ③ 동 전해지다. 퍼지다. 퍼뜨리다. ❑ ~言; ⇩ ④ 동 나쁜 방향으로 흘러가다. ❑ 放任自~; 〈成〉 제멋대로 하게 방임하다. ⑤ 명 물의 흐름. ❑ 急~; 급류. ⑥ 명 물의 흐름과 같은 것. ❑ 电~; 전류. ⑦ 명 종류. 등급. ❑ 女~; 아녀자. ⑧ 동 유배시키다.
[流产] liú//chǎn 동 ①〖醫〗 유산하다. ②〈比〉 중지되다. 좌절되다. ❑ 计划~; 계획이 중지되다.
[流畅] liúchàng 형 유창하다. 막힘없다. ❑ 文笔~; 문장이 유창하다.
[流程] liúchéng 명 ① 물길. 유로(流路). 수로. ② (제품 생산에서의) 순서. 공정.
[流传] liúchuán 동 널리 전해지다. 전파하다. 전해 내려오다. ❑ ~着民谣; 민요가 전해 내려오다.
[流窜] liúcuàn 동 잇따라 도망치다. 뿔뿔이 도망치다.
[流弹] liúdàn 명 유탄. =[飞弹②]
[流动] liúdòng 동 ① (액체·기체가) 흐르다. 움직이다. ② 옮겨 다니다. 유동하다. ❑ ~人口; 유동인구 / ~资金; 유동 자금.
[流毒] liúdú 명동 해독(害毒)(을 퍼뜨리다). ❑ ~四方; 사방에 해독을 끼치다.
[流芳] liúfāng 동〈書〉 미명(美名)을 후세에 남기다. ❑ ~百世; 〈成〉 아름다운 이름을 후세에 남기다.
[流放] liúfàng 동 ① 유배하다. 추방하다. ❑ 被~到国外; 국외로 추방되다. ② 목재 따위를 강물에 띄워 수송하다.
[流寇] liúkòu 명 유구. 유적. 떠돌아다니는 도적.
[流浪] liúlàng 동 유랑하다. 방랑하다. ❑ ~者; 떠돌이. 부랑자.
[流利] liúlì 형 ① (말이나 글이) 유창하다. ② 원활하다. 막힘없다. 매끄럽다.
[流连] liúlián 동 무언가에 빠져 떠나기 싫어하다. 차마 떠나지 못하다. ❑ ~忘返; 〈成〉 ⓐ놀이에 빠져 집에 돌아가는 것을 잊다. ⓑ연연하여 떠나지 못하다. =[留连]
[流量] liúliàng 명 ① 유량(流量). ② (사람이나 차량의) 통과량.
[流露] liúlù 동 (생각·감정 따위를) 무의식중에 드러내다. ❑ ~出真情; 진심을 무의식중에 드러내다.
[流落] liúluò 동 유랑하다. ❑ ~他乡; 타향을 유랑하다.
[流氓] liúmáng 명 ① 건달. 부랑자. 실업자. ②〈轉〉 불량배. 깡패. ③ 불량스런 짓. 행패.
[流民] liúmín 명 유민. 유랑민.
[流年] liúnián 명 ①〈書〉 세월. ❑ 似水~; 〈成〉 세월이 유수와 같다. ② 한 해의 운수.
[流派] liúpài 명 유파. 분파.
[流气] liú·qì 형 불량기[건달기]가 있다. ❑ 满身~; 온몸에 불량기가 있다. 명 불량기. 건달기.
[流失] liúshī 동 ① 유실되다. ❑ 水土~; 수토가 유실되다. ②〈轉〉 (유용한 것이) 흩어져 없어지다. ❑ 肥效~; 비료의 효과가 없어지다. ③〈比〉 (구성원·인재 등이) 떠나다. 유실되다. 빠져나가다. ❑ 人才~; 인재가 빠져나가다.
[流食] liúshí 명 유동식.
[流逝] liúshì 동 (물 흐르듯) 흘러가다. ❑ 岁月~; 세월이 흘러가다.
[流水] liúshuǐ 명 ① 유수. 흐르는 물. ❑ ~不腐, 户枢不蠹dù; 〈成〉 흐르는 물은 썩지 않고, 늘상 여닫는 문짝의 빼대는 벌레 먹지 않는다

《구르는 돌은 이끼가 끼지 않는다》. ② (상점의) 총 매상액. 거래액.

[流水账] liúshuǐzhàng 명 ① 금전 출납부. ② 〈比〉 나열뿐인 서술[기록].

[流水作业] liúshuǐ zuòyè 〖工〗 일관 작업. 연속 생산.

[流苏] liúsū 명 (거마(車馬)·장막·깃발 따위에 늘어뜨리는) 술.

[流速] liúsù 명〖物〗 유속.

[流体] liútǐ 명〖物〗 유체. 유동체.

[流通] liútōng 동 ① (공기·액체 따위가) 유통하다. 흐르다. ❑ 血液～; 혈액이 흐르다. ② (상품·화폐 따위가) 유통되다. ❑ 商品～; 상품이 유통되다. 「하다.

[流亡] liúwáng 동 유망하다. 망명

[流线型] liúxiànxíng 명 유선형.

[流星] liúxīng 명 ①〖天〗 유성. ❑ ～雨; 유성우. =[〈俗〉 贼星] ② 쇠사슬의 양 끝에 쇳덩어리가 달린 옛날 무기. ③ 긴 줄의 양 끝에 물그릇이나 불뭉치를 달아 손으로 돌리는 묘기.

[流行] liúxíng 동 유행하다. 성행하다. ❑ ～病; ⓐ유행병. ⓑ〈比〉 사회에 만연한 폐해 / ～歌曲; 유행가 / ～语; 유행어 / ～性感冒; 유행성 감기.

[流血] liúxuè 동 피를 흘리다. ❑ ～惨案; 유혈 참사.

[流言] liúyán 명 근거 없는 소문. 유언. 떠도는 말[소문]. ❑ ～飞语; 〈成〉 유언비어.

[流域] liúyù 명 유역.

[流质] liúzhì 명형〖醫〗 유동식(流動食)(의). ❑ ～膳食; 유동식.

琉 liú (류)
→[琉璃]

[琉璃] liú·li 명 알루미늄과 납의 규산화합물을 불에 녹여 만든 유약. 오짓물. ❑ ～瓦; 유약을 바른 기와.

硫 liú (류)
명〖化〗 유황(S: sulfur).

[硫化] liúhuà 형〖化〗 황화의. 가황(加黃)의. ❑ ～氢; 황화수소.

[硫黄] liúhuáng 명〖化〗 유황. ❑ ～泉; 유황천. =[硫磺]

[硫酸] liúsuān 명〖化〗 황산. ❑ ～钙; 황산칼슘.

留 liú (류)
동 ① 머무르다. 체류하다. ❑ 我们～在那里四天; 우리는 그곳에서 4 일간 머물렀다. ② 유학하다. ❑ ～美; 미국에서 유학하다. ③ 붙잡다. 머무르게 하다. ❑ 我就不～你了; 나는 너를 붙잡지 않겠다. ④ 남겨 두다. 남겨 놓다. ❑ ～长头发; 머리를 길게 기르다. ⑤ 주의하다. 유의하다. ❑ ～神; ⇓ ⑥ 받다. 거두다. ❑ 好, 那我就先～着吧; 좋아, 그럼 우선은 받아 두마. ⑦ 남겨 주다. 물려주다. ❑ 给儿子～一笔财产; 아들에게 재산을 한몫 물려주다.

[留步] liúbù 동〈套〉 나오시지 마세요《주인의 전송을 만류하는 인사》.

[留存] liúcún 동 ① 남겨 두다. 보존하다. ② (없어지지 않고 계속) 남아 있다. 존재하다.

[留后路(儿)] liú hòulù(r) 후퇴의 여지를 남기다. 퇴로를 열어 두다.

[留级] liú//jí 동 유급하다. ❑ ～生; 유급생.

[留连] liúlián 동 ⇨[流连]

[留恋] liúliàn 동 차마 떠나지 못하다. 떠나기 아쉬워하다. ❑ 毫不～地辞职; 아무 미련 없이 사직하다.

[留难] liúnàn 동 억지스럽게 트집을 잡다. 트집 잡아 곤란하게 하다. ❑ 有意～; 일부러 트집 잡다.

[留念] liúniàn 동 기념으로 남기다. ❑ 合影～; 기념으로 함께 사진을 찍다.

[留鸟] liúniǎo 명〖鳥〗 텃새.

[留情] liú//qíng 동 그간의 정을 생각해서 봐주다[용서하다]. ❑ 决不～; 절대로 용서할 수 없다.

[留神] liú//shén 동 주의하다. 조심하다. ❑ 夜里走路一定要～; 밤길은 반드시 조심해야 한다.

[留声机] liúshēngjī 명 축음기. 유성기.

[留守] liúshǒu 동 ① 황제가 순행(巡幸)할 때 대신(大臣)이 수도에 남아서 지키다. ② (기관·단체 따위가 다른 곳으로 옮겨갔을 때에 연락을 맡기 위해) 소수의 인원이 남아서 지키다.

[留宿] liúsù 동 ① (손님을) 만류하여 묵게 하다. ② 묵다. 유숙하다.

[留心] liú//xīn 동 ① 주의하다. 관심을 갖다. 주의를 기울이다. ❑ ～福利事业; 복지 사업에 주의를 기울이다. ② 조심하다.

[留学] liú//xué 동 유학하다. ❑ ～生; 유학생.

[留言] liú//yán 동 메모(를 남기다). 전언(을 남기다). (liúyán) 명 메모. 전언. ❑ ～牌; 메모판.

[留一手(儿)] liú yīshǒu(r) 가장 중요한 비법[기술]은 숨겨 두다.

[留意] liú//yì 동 유의하다. 주의하다. 조심하다. ❏ 对小事他也~; 작은 일에도 그는 주의한다.

[留影] liú//yǐng 동 기념 촬영 하다. 기념 사진을 찍다. ❏ 集体~; 단체로 기념 촬영을 하다. (liúyǐng) 명 기념 사진.

[留余地] liú yúdì 여지를 남겨 두다.

遛 liú (류) →[逗dòu遛] ⇒ liù

馏(餾) liú (류) 동 증류하다. ⇒ liù

榴 liú (류) 명〔植〕 석류나무.

[榴弹] liúdàn 명〔軍〕 유탄. ❏ ~炮; 유탄포.

[榴霰弹] liúxiàndàn 명〔軍〕 유산탄(榴散彈). =[子母弹]

瘤 liú (류) 명〔醫〕 혹. 종양. ❏ 毒~; 악성 종양.

[瘤子] liú·zi 명〈口〉 혹. 종양.

镏(鎦) liú (류) →[镏金]

[镏金] liújīn 동 금도금하다.

柳 liǔ (류) 명〔植〕 버드나무. =[柳树]

[柳眉] liǔméi 명 (여자의) 버들눈썹. 〈比〉 미인(의 눈썹). ❏ ~倒竖; 여자가 화낼 때 눈썹을 치켜세우는 모양. =[柳叶眉]

[柳条(儿)] liǔtiáo(r) 명 버들가지. ❏ ~箱; 버들고리.

[柳絮] liǔxù 명 버들개지. 버들솜.

绺(綹) liǔ (류) (~儿) 양 가락. 타래. 토리. 가닥. 묶음《머리·수염·실 따위의 다발을 세는 말》. ❏ 一~儿头发; 머리 한 가닥 / 两~儿线; 무명실 두 타래.

六 liù (륙) 수 6. 여섯.

[六畜] liùchù 명 육축《돼지·소·양·말·닭·개》. 〈轉〉 각종 가축.

[六腑] liùfǔ 명〔中醫〕 육부. ❏ 五脏~; 오장육부.

[六亲] liùqīn 명 육친《부모·형제·처자》. ❏ ~不认; ⓐ몰인정하다. ⓑ 사사로운 감정을 개입시키지 않다.

[六神无主] liùshén-wúzhǔ 〈成〉 (놀라거나 당황하거나 다급하여) 넋이 나가다. 제정신이 아니다.

[六书] liùshū 명 육서《지사(指事)·상형(象形)·형성(形聲)·회의(會意)·전주(轉注)·가차(假借)》.

[六弦琴] liùxiánqín 명 ⇒[吉他]

[六一儿童节] Liù-Yī Értóng Jié 세계 어린이날. =[六一国际儿童节]

[六月] liùyuè 명 유월. 6 월.

陆(陸) liù (륙) 수 '六' 의 갖은자. ⇒ lù

溜 liù (류) ① 명 세찬 물살. 급류. ❏ 大~; 빠른 물살. ② 형〈方〉 빠르다. 신속하다. 민첩하다. 날래다. ❏ 走得很~; 걸음이 매우 빠르다. ③ 명 낙숫물. ④ (~儿) 양 열. 줄. ❏ 排成一~; 한 줄로 서다. ⑤ (~儿) 명 근처. 근방. ⇒ liū

遛 liù (류) 동 ① 거닐다. 산책하다. ❏ ~大街; 거리를 거닐다 / ~早儿; 아침 산책을 하다. ② 가축을 걸리어 운동시키다. ❏ 他~马去了; 그는 말을 운동시키러 갔다. ⇒ liú

馏(餾) liù (류) 동 (식은 것을) 다시 찌다. ❏ 把剩菜~一~再吃; 남은 음식을 데워서 다시 먹다. ⇒ liú

碌 liù (록) →[碌碡] ⇒ lù

[碌碡] liù·zhou 명〔農〕 돌롤러《땅을 고르거나 탈곡하는 데 씀》.

long ㄌㄨㄥ

隆 lōng (륭) →[黑咕隆咚(的)][轰隆] ⇒ lóng

龙(龍) lóng (룡) ① 명 용. ② 명〈比〉 천자. 왕. 제왕. ③ 형 용 모양의. 용무늬의. ❏ ~船; ⇩ ④ 명 고대의 파충류. ❏ 恐~; 공룡.

[龙船] lóngchuán 명 용선《단오절에 용의 머리를 뱃머리에 장식하고 경조(競漕)하는 배》. =[龙舟]

[龙灯] lóngdēng 명 용등《천이나 종이로 만든 용 모양의 등》.

[龙飞凤舞] lóngfēi-fèngwǔ 〈成〉 ① 산세가 구불구불 이어지고 웅장한 모양. ② 필세(筆勢)가 생기가 넘치고 힘찬 모양.

[龙宫] lónggōng 명 용궁.

[龙井] lóngjǐng 명 룽징차《룽징(龍井)에서 나는 녹차》.

[龙卷风] lóngjuǎnfēng 명〔氣〕 회

오리바람. 토네이도(tornado).
[龙盘虎踞] lóngpán-hǔjù 〈成〉 ⇨[虎踞龙盘]
[龙潭虎穴] lóngtán-hǔxué 〈成〉 〈比〉 매우 위험한 경지[지경]. =[虎穴龙潭]
[龙腾虎跃] lóngténg-hǔyuè 〈成〉 위풍당당하고 활력이 넘치는 모양. =[虎跃龙腾]
[龙头] lóngtóu 명 ① 수도꼭지. ② 〈方〉 자전거 핸들(handle). ③ 〈比〉 선진적인 사물. 주도적 역할을 하는 것. ❑ ~企业; 선진 기업.
[龙王] Lóngwáng 명 용왕.
[龙虾] lóngxiā 명〖動〗왕새우. 대하.
[龙须菜] lóngxūcài 명 ⇨[石刁柏]
[龙眼] lóngyǎn 명〖植〗용안. =[桂圆]
[龙争虎斗] lóngzhēng-hǔdòu 〈成〉 쌍방이 막상막하로 치열하게 싸우다.
[龙钟] lóngzhōng 형〈書〉 늙어서 몸이 말을 안 듣는 모양. ❑ 老态~; 늙어서 거동이 부자유스럽다.
[龙舟] lóngzhōu 명 ⇨[龙船]

咙(嚨) lóng (롱) →[喉hóu咙]

胧(朧) lóng (롱) →[朦胧]

眬(矓) lóng (롱) →[蒙méng眬]

聋(聾) lóng (롱) 형 귀가 어둡다. 귀먹다. ❑ 耳朵有点~了; 귀가 조금 어둡다.
[聋哑] lóngyǎ 명 귀머거리와 벙어리. 농아.
[聋子] lóng·zi 명 귀머거리.

笼(籠) lóng (롱) ① 명 (새·벌레 따위를 기르는) 바구니. 장. ❑ 鸡~; 닭장. ② 명 시루. 찜통. ③ 동〈方〉 손을 반대편 소매 속에 넣다. ⇒lǒng
[笼屉] lóngtì 명 (대나무·나무 따위로 만든) 찜통. 시루.
[笼子] lóng·zi 명 (대오리·철사 따위로 만든) 새장. 바구니.

隆 lóng (륭) 형 ① 성대하다. ❑ ~重; ⇩ ② 흥성하다. 융성하다. ❑ 兴~; 흥성하다. ③ 정도가 깊다. 깊고 두텁다. ❑ ~冬; ⇩ ④ 돌출하다. 솟다. ❑ ~起; ⇩ ⇒lōng
[隆冬] lóngdōng 명 한겨울. 엄동.
[隆隆] lónglóng 의 우르르. 우르릉. 쾅쾅(요란한 진동 소리). ❑ 机器~; 기계가 쾅쾅 울리다.
[隆起] lóngqǐ 동 융기하다. 솟아오르다. ❑ 头上~个包; 머리에 혹이 하나 솟아오르다.
[隆盛] lóngshèng 형〈書〉 ① 융성하다. 번창하다. ❑ 事业~; 사업이 번창하다. ② 성대하다. ❑ 庆典~; 축전이 성대하다.
[隆重] lóngzhòng 형 성대하고 엄숙하다. ❑ 大会在北京~召开; 대회가 베이징에서 성대하게 열리다.

窿 lóng (륭) 명〈方〉 갱도(坑道).

垄(壟) lǒng (롱) 명 ① 논밭의 두둑. ❑ 麦~; 보리밭의 두둑. ② 두렁. 두렁길. ③ 이랑 비슷한 것. ❑ 瓦~; 기와 지붕의 골.
[垄断] lǒngduàn 동 독점하다. 독차지하다. 농단하다. ❑ ~价格; 독점 가격 / ~资本; 독점 자본.

拢(攏) lǒng (롱) 동 ① 닫다. 다물다. ❑ 锅盖盖不~了; 솥뚜껑이 잘 닫히지 않는다. ② 접근하다. 닿다. ❑ 靠~; 가까이 다가서다. ③ 집계하다. 합계하다. 모으다. ❑ ~共; ⇩ ④ 묶다. 동이다. 끌어안다. ❑ 他把树枝用绳子~住了; 그는 나뭇가지들을 끈으로 묶었다. ⑤ (머리를) 빗다. ❑ 她刚~过头发; 그녀는 방금 머리를 빗었다.
[拢岸] lǒng//àn 동 (배가) 항구에 닿다. 항구에 대다.
[拢共] lǒnggòng 부 모두. 총. 합계. 전부. 통틀어. ❑ ~凑了十元; 총 10 위안을 모았다. =[拢总]
[拢子] lǒng·zi 명 참빗.
[拢总] lǒngzǒng 부 ⇨[拢共]

笼(籠) lǒng (롱) ① 동 자욱하게 하다. 뒤덮다. ❑ 整个山村~在烟雨之中; 온 산촌이 안개비로 뒤덮이다. ② 명 (비교적 큰) 상자. ❑ 箱~; 휴대용 옷 상자[트렁크]. ⇒lóng
[笼络] lǒngluò 동 농락하다. ❑ ~人心; 〈成〉 인심을 농락하다.
[笼统] lǒngtǒng 형 막연하다. 추상적이다. 두루뭉실하다.
[笼罩] lǒngzhào 동 뒤덮다. 휩싸다. 자욱하다. ❑ 乌云~着大地; 먹구름이 대지를 뒤덮고 있다 / 会场上~着紧张的气氛; 회의장은 긴장된 분위기에 휩싸여 있다.

弄 lòng (롱) 명〈方〉 골목. 골목길. ⇒nòng

[弄堂] lòngtáng 명〈方〉 골목.

lou ㄌㄡ

搂(摟) lōu (루) 동 ① (자기 앞으로) 끌어 모으다. 긁어모으다. ❑~柴火; 땔나무를 긁어모으다. ② (옷을) 걷어 올리다. ❑~起袖子; 소매를 걷어 올리다. ③ (재물을) 착취하다. 강제로 빼앗다. ⇒lǒu

娄(婁) lóu (루) 명 이십팔수의 하나.

[娄子] lóu·zi 명〈口〉 소동. 말썽. 혼란. 분쟁. 분규. ❑惹~; 소동을 일으키다.

偻(僂) lóu (루) →[佝偻病][偻㑩] ⇒lǚ

[偻㑩] lóuluó 명 ⇨[喽啰]

喽(嘍) lóu (루) →[喽啰] ⇒·lou

[喽啰] lóu·luo 명 ① 도둑의 수하. 괴수의 부하. ②〈比〉 (악인의) 앞잡이. 하수인. ‖=[偻㑩]

楼(樓) lóu (루) 명 ① (2층 이상의) 건물. 층집. ❑大~; 빌딩. ② (건물의) 층. ❑三~; 3층. ③ (~儿) 다락집. 누각.

[楼层] lóucéng 명〔建〕 (2층 이상의 건물에서) 층(層).

[楼房] lóufáng 명 2층 이상의 건물. 층집.

[楼梯] lóutī 명 (건물의) 계단.

耧(耬) lóu (루) 명 파종 기구《가축이 앞에서 끌고 사람이 뒤에서 붙잡음》.

蝼(螻) lóu (루) 명〔蟲〕 땅강아지.

[蝼蛄] lóugū 명〔蟲〕 땅강아지.

[蝼蚁] lóuyǐ 명 땅강아지와 개미. 〈比〉 힘이 약하고 지위가 낮은 사람.

髅(髏) lóu (루) →[骷kū髅]

搂(摟) lǒu (루) ① 동 두 팔로 껴안다. ❑~着她的腰; 그녀의 허리를 껴안다. ② 양 아름. ❑一~粗的大树; 아름드리 큰 나무. ⇒lōu

[搂抱] lǒubào 동 껴안다. 포옹하다. 끌어안다. ❑他~着小狗; 그는 강아지를 껴안고 있다.

篓(簍) lǒu (루) (~儿) 명 광주리. 바구니.

[篓子] lǒu·zi 명 광주리. 바구니.

陋 lòu (루) 형 ① 추하다. 보기 싫다. ❑丑~; (용모가) 추하다. ② 허술하다. 엉성하다. 조잡하다. ❑规模简~; 규모가 간단하고 허술하다. ③ (거처가) 협소하다. 누추하다. ❑~室; ⇓ ④ 미개하다. 불합리하다. ❑~俗; ⇓ ⑤ (견문이) 좁다. 빈약하다. ❑浅~; 천박하다.

[陋规] lòuguī 명 나쁜 관례.

[陋室] lòushì 명 누추한 집.

[陋俗] lòusú 명 안 좋은 풍속.

[陋习] lòuxí 명 나쁜 습관.

漏 lòu (루) ① 동 새다. 새어 나다. ❑~水; 물이 새다. ② 동 (틈이나 구멍이 있어) 샐 수 있다. 새다. ❑锅~了; 솥이 샌다. ③ 명 물시계. ④ 동 누설하다. 폭로하다. ❑说~了嘴; 누설하다. ⑤ 동 빠뜨리다. 누락시키다. 빠지다. ❑~掉了一个词; 단어 하나가 빠졌다.

[漏电] lòu∥diàn 동 ⇨[跑电]

[漏洞] lòudòng 명 ① 구멍. 틈. 틈새. ②〈比〉 (말·일 따위에서의) 허점. 실수. 빈틈. ❑~百出; 실수가 백출하다. =[漏子②]

[漏斗] lòudǒu 명 깔때기. =[〈口〉漏子①]

[漏风] lòu∥fēng 동 ① 바람이 새다. ❑这房子四面~; 이 집은 사면에서 바람이 들어온다. ② (이가 빠져) 발음이 새다. ③ 소문을 내다. 소문이 퍼지다. ❑这件事你决不能~啊; 이 일은 절대 소문내지 마라.

[漏光] lòu∥guāng 동 ⇨[跑光]

[漏壶] lòuhú 명 물시계.

[漏勺] lòusháo 명 (건더기를 건지는 데 쓰는) 구멍 뚫린 국자.

[漏税] lòu∥shuì 동 (부주의나 실수로) 탈세하다.

[漏题] lòu∥tí 동 ① 시험 문제가 유출되다. ② 문제를 빠뜨리고 풀다.

[漏网] lòu∥wǎng 동 그물에서 빠져나가다. 〈比〉 포위망을 벗어나다. 법망을 피하다. ❑~之鱼; 〈成〉 법망을 피한 범인.

[漏子] lòu·zi 명 ①〈口〉 ⇨[漏斗] ② ⇨[漏洞②]

瘘(瘻) lòu (루) 명〔醫〕 누관(瘘管).

[瘘管] lòuguǎn 명〖醫〗누관.

镂(鏤) lòu (루) 동 조각하다. 새겨 넣다. ❑~花; 무늬를 조각하다.

[镂刻] lòukè 동 ① 새기다. 조각하다. ❑~花纹; 무늬를 새기다. ② 마음에 새기다. 명심하다. ❑父亲的教诲~在脑海里; 아버지의 가르침을 머릿속에 새기다.

[镂空] lòukōng 동〖美〗투조(透雕)하다.

露 lòu (로) 동 뜻은 '露lù④'와 같으며, 아래와 같은 경우에 한해 이렇게 발음함. ⇒lù

[露底] lòu//dǐ 동 내막[진상]을 드러내다. ❑这事千万不能露了底; 이 일은 절대로 내막이 알려지면 안 된다.

[露马脚] lòu mǎjiǎo 〈比〉 정체를 드러내다. 진상이 드러나다[밝혀지다].

[露面(儿)] lòu//miàn(r) 동 (어떤 상황이나 장소에) 얼굴을 내밀다. 모습을 보이다. ❑他开会期间只露了一次面; 그는 회의 기간에 딱 한 번 얼굴을 내밀었다.

[露头(儿)] lòu//tóu(r) 동 ① 머리를 내밀다[내놓다]. ②〈比〉 막 나타나다. 조짐을 보이다. 기미가 보이다. ❑旱象已经~; 가뭄의 조짐이 이미 나타나기 시작했다.

[露馅儿] lòu//xiànr 동〈比〉 숨기고 싶은 사실이 드러나다. 비밀이 탄로나다.

[露相(儿)] lòu//xiàng(r) 동〈方〉 본색을 드러내다.

喽(嘍) ·lou (루) 조 ① 용법은 '了·le①'과 같으며, 동작의 예상·가정에 쓰임. ② 용법은 '了②'와 같으며, 주의를 환기시키는 어기를 나타냄. ⇒lóu

lu ㄌㄨ

卢(盧) Lú (로) 명 성(姓)의 하나.

[卢比] lúbǐ 명〖貨〗〈音〉 루피(rupee).

[卢布] lúbù 명〖貨〗〈音〉 루블(rouble).

轳(轤) lú (로) →[辘lù轳]

胪(臚) lú (려) 동〈書〉 나열하다. 진열하다.

[胪列] lúliè 동〈書〉 ① 열거하다. 나열하다. ② 진열하다.

鸬(鸕) lú (로) →[鸬鹚]

[鸬鹚] lúcí 명〖鳥〗가마우지.

颅(顱) lú (로) 명〖生理〗두개(頭蓋). 머리.

[颅骨] lúgǔ 명〖生理〗머리뼈. 두골(頭骨). 노골(顱骨). =[头骨]

鲈(鱸) lú (로) 명〖魚〗농어. =[鲈鱼]

庐(廬) lú (려) 명 초가집.

[庐山真面] lúshān-zhēnmiàn 〈成〉 진상. 진면목. 본모습. =[庐山真面目]

[庐舍] lúshè 명〈書〉 초가집. 오두막집.

芦(蘆) lú (로) 명〖植〗갈대.

[芦荟] lúhuì 명〖植〗알로에(aloe).

[芦笋] lúsǔn 명 ⇒[石刁柏]

[芦苇] lúwěi 명〖植〗갈대. =[苇子]

[芦席] lúxí 명 삿자리.

炉(爐) lú (로) 명 노. 난로. 화로. ❑电~; 전기난로 / 火油~; 석유난로.

[炉灰] lúhuī 명 (난로 따위의) 재.

[炉火纯青] lúhuǒ-chúnqīng 〈成〉〈比〉 (학문·기술·업무 처리 따위가) 최고 수준에 도달하다.

[炉膛(儿)] lútáng(r) 명 노(爐) 따위의 불이 타는 곳. 아궁이 안쪽.

[炉条] lútiáo 명 노의 불판.

[炉灶] lúzào 명 부뚜막.

[炉渣] lúzhā 명 ① 광재(鑛滓). 슬래그(slag). ② 탄이 타고 남은 재. 탄재.

[炉子] lú·zi 명 노(爐). 난로. 화로.

卤(鹵,滷) lǔ (로) 명 ① 간수. ②〖化〗할로겐(독 halogen). ③ 육류나 달걀의 수프에 전분을 섞어 걸쭉하게 만든 국물. ❑打~拌面; 걸쭉한 국물을 부어 국수를 젓다. ④ (~儿) 명 진하게 우려낸 물.

[卤莽] lǔmǎng 형 ⇒[鲁莽]

[卤水] lǔshuǐ 명 ①⇒[盐卤] ② 제염할 때 쓰는 염분을 포함한 물.

[卤素] lǔsù 명〖化〗할로겐(독 halogen).

[卤味] lǔwèi 명 '五香'(다섯가지 향료)을 넣은 소금물이나 간장에 졸

여서 만든 냉채 요리.

虏(虜) lǔ (로) ① 명 포로. ② 동 생포하다. 포로로 잡다. ③ 명〈書〉 적에 대한 경멸의 호칭.

[虏获] lǔhuò 동 노획하다. ❑ ~品; 노획품.

掳(擄) lǔ (로) 동 노략질하다. 약탈하「다.

[掳掠] lǔlüè 동 노략하다. 노략질하다. 약탈하다.

鲁(魯) lǔ (로) A) 형 ① 둔하다. 어리석다. ❑ 愚~; 우둔하다. ② 난폭하다. 경솔하다. ❑ 粗~; 거칠다. B) (Lǔ) 명 ①〖史〗 노나라《주대(周代)의 나라 이름》. ②〖地〗 산둥 성(山東省)의 별칭.

[鲁钝] lǔdùn 형 우둔하다. 노둔하다.

[鲁莽] lǔmǎng 형 거칠고 서툴다. 경솔하다. 무모하다. ❑ 说话~; 말을 아무렇게나 하다. =[卤莽]

[鲁迅] Lǔxùn 명〖人〗 루쉰《중국의 문학가·사상가, 1881-1936》.

橹(櫓) lǔ (로) 명 (배의) 노.

陆(陸) lù (륙) 명 육지. ❑ 登~; 상륙하다. ⇒ liù

[陆稻] lùdào 명 밭벼. =[旱稻]

[陆地] lùdì 명 육지.

[陆军] lùjūn 명〖軍〗 육군.

[陆离] lùlí 형 색채가 현란한 모양. 알록달록한 모양. ❑ 斑驳~; 색이 화려하고 다양하다.

[陆路] lùlù 명 육로. ❑ ~交通; 육로 교통.

[陆续] lùxù 부 잇따라. 이어서. ❑ 他~发表了十几篇论文; 그는 잇따라 10여 편의 논문을 발표했다.

[陆运] lùyùn 동 육운하다. 육상 운송하다.

录(録) lù (록) ① 동 기록하다. 기재하다. 적다. ❑ 摘~; 적바림하다. ② 동 녹음하다. 녹화하다. ❑ ~像; ⇩ ③ 동 채용하다. 임용하다. ❑ ~用; ⇩ ④ 명 기재한 서적[기록]. ❑ 回忆~; 회고록 / 语~; 어록.

[录播] lùbō 동 녹음[녹화] 방송 하다.

[录取] lùqǔ 동 (시험으로) 채용하다. 합격시키다. ❑ ~名单; 합격자 명단 / ~通知书; 합격 통지서.

[录像] lùxiàng〖攝〗 명 녹화. 비디오(video). (lù∥xiàng) 동 녹화하다. ❑ ~带; 비디오테이프 / ~机; 브이티아르(VTR).

[录音] lùyīn 명 녹음. (lù∥yīn) 동 녹음하다. 취입하다. ❑ ~带; 녹음테이프 / ~机; 녹음기 / ~室; 녹음실 / 同声~; 동시 녹음.

[录用] lùyòng 동 채용하다. 고용하다. ❑ ~名额; 채용 인원.

绿(綠) lù (록) 뜻은 '绿lǜ'와 같으며, 아래와 같은 경우에 쓰임. ⇒ lǜ

[绿林] lùlín 명〈轉〉 (관부에 저항하거나 재물을 빼앗는) 산속의 무장 세력. 산적.

禄 lù (록) 명 (관리의) 봉록. 봉급.

碌 lù (록) 형 ① 평범하다. ② 번잡하다. ❑ 忙~; 바쁘다. ⇒ liù

[碌碌] lùlù 형 ① 평범한 모양. 범용한 모양. ❑ ~无能; 〈成〉 평범하고 무능하다. ② 일이 많고 바빠서 고생하는 모양. ❑ ~半生; 뼈빠지게 일하며 반생을 보내다.

赂(賂) lù (뢰) 〈書〉 ① 동 뇌물을 주다. ② 금품. 뇌물.

鹿 lù (록) 명〖動〗 사슴.

[鹿角] lùjiǎo 명 사슴뿔. 녹각.

[鹿茸] lùróng 명〖中醫〗 녹용.

[鹿死谁手] lùsǐshéishǒu 〈成〉 천하가 누구에게 돌아갈 것인가《(운동 경기에서) 누구에게 승리가 돌아갈 것인가》.

漉 lù (록) 동 (액체를) 거르다. 밭다. ❑ ~酒; 술을 밭다.

辘(轆) lù (록) →[辘辘][辘轳]

[辘辘] lùlù 의 ① 덜컹. 덜커덩《수레바퀴 소리》. ❑ 大车~; 대형 짐차가 덜컹거리다. ② 꼬르륵《배고플 때 나는 소리》. ❑ 饥肠~; 배가 고파 창자에서 꼬르륵 소리가 나다.

[辘轳] lù·lu 명 녹로. 고패. 자아틀.

麓 lù (록) 명〈書〉 산기슭.

戮 lù (륙) 동 죽이다. ❑ 杀~; 살육하다.

[戮力] lùlì 동 힘을 합치다. ❑ ~同心; 〈成〉 힘을 합치고 마음을 함께

하다.

路 lù (로)
명 ① 길. 도로. ② 여정(旅程). 노정(路程). ❏～不远; 여정이 멀지 않다. ③(～儿) 방법. 절차. 수단. ❏活～; 활로. ④ 조리. 이치. ❏理～; 조리. ⑤ 방면. 지방. 지역. ❏外～人; 다른 지방 사람. ⑥ 노선. ❏三十三～公共汽车; 33번 버스. ⑦ 종류. 등급. ❏一～货色; 같은 종류의 물건.

[路标] lùbiāo 명 도로[교통] 표지.

[路不拾遗] lùbùshíyí 〈成〉 물건을 길에 떨어뜨려도 줍는 사람이 없다(《세상이 태평하고 기풍이 바르다》). ＝[道不拾遗]

[路程] lùchéng 명 ① 길. 노정. 여정. ②(추상적인) 길. 여정. ❏人生的～; 인생 여정.

[路道] lùdào 명〈方〉 ① 경로. 절차. 수단. 방법. ②〈貶〉 행동. 품행.

[路灯] lùdēng 명 가로등. ＝[街灯]

[路费] lùfèi 명 여비. ＝[旅费][〈口〉盘缠][〈口〉盘费]

[路过] lùguò 동 도중에 거치다. 경유하다. 지나가다. ❏～香港到北京; 홍콩을 경유해서 베이징에 가다.

[路肩] lùjiān 명 갓길. 노견.

[路径] lùjìng 명 ① 길. 경로. ② 방법. 방도. 수단.

[路口(儿)] lùkǒu(r) 명 교차로. 길목. ❏十字～; 사거리 입구.

[路面] lùmiàn 명 노면. 도로 표면. ❏～平整; 노면을 고르다.

[路牌] lùpái 명 도로 표지판.

[路人] lùrén 명 행인. 길 가는 사람. 〈比〉 관계 없는 사람.

[路上] lù·shang 명 ① 노상. 길. ② 도중. 노중(路中). ❏去上海的～遇见个老同学; 상하이로 가는 도중에 동창생을 만나다.

[路条] lùtiáo 명 통행증.

[路途] lùtú 명 ① 길. 도로. ② 노정. 여정.

[路线] lùxiàn 명 ①(일정한 지점을 오가는) 노선. ❏～图; 노선도 / 行车～; 운행 노선. ② 행동 방침. 견해의 방향. ❏政治～; 정치 노선.

[路子] lù·zi 명 수단. 방도. 방법. 연줄. ❏走～; 연줄을 이용하다.

鹭(鷺) lù (로)
명〔鳥〕 왜가리.

[鹭鸶] lùsī 명 ⇨[白鹭]

露 lù (로)
①명 이슬. ②명 시럽(syrup). 증류 음료. ❏苹果～; 사과 시럽. ③형 실외에 있다. 노천에 있다. ❏～宿; ⇓ ④동 나타내다. 드러내다. 노출하다. ❏～齿而笑; 이를 드러내고 웃다. ⇒lòu

[露骨] lùgǔ 형 노골적이다. ❏他话说得太～了; 그는 말을 너무 노골적으로 한다.

[露酒] lùjiǔ 명 과즙·술·설탕을 섞어 만든 술.

[露水] lù·shui 명 ① 이슬. ❏一滴～; 이슬 한 방울. ②〈比〉 오래 지속되지 않는 것. 순간적인 것. ❏～之欢; 순간적인 쾌락.

[露宿] lùsù 동 노숙하다. ❏在广场～一夜; 광장에서 하룻밤 노숙하다.

[露宿风餐] lùsù-fēngcān 〈成〉 ⇨[风餐露宿]

[露台] lùtái 명 노대. 발코니.

[露天] lùtiān 명 노천. 야외. ❏～茶座; 노천 카페 / ～剧场; 노천 극장 / ～游泳池 야외 수영장.

[露头角] lù tóujiǎo 〈比〉 두각을 나타내다.

[露营] lùyíng 동 야영하다. 캠프하다.

[露珠(儿)] lùzhū(r) 명 이슬 방울.

lü ㄌㄩ

驴(驢) lǘ (려)
명〔動〕 나귀. 당나귀.

[驴唇不对马嘴] lǘchún bù duì mǎzuǐ 〈諺〉 ① 말이나 생각이 사실에 부합하지 않다. ② 대답이 질문과 맞지 않다. 동문서답하다. ‖＝[牛头不对马嘴]

[驴骡] lǘluó 명〔動〕 버새(《수말과 암나귀 사이의 잡종》).

[驴皮胶] lǘpíjiāo 명 ⇨[阿ē胶]

[驴子] lǘ·zi 명〔動〕〈方〉 나귀. 당나귀.

榈(櫚) lǘ (려)
→[棕zōng榈]

吕 Lǚ (려)
명 성(姓)의 하나.

侣 lǚ (려)
명 반려자. 동반자. ❏情～; 연인(戀人).

铝(鋁) lǚ (려)
명〔化〕 알루미늄(Al: aluminium).

[铝箔] lǚbó 명 알루미늄박[호일].

捋 lǚ (랄)
동 (손으로) 쓰다듬다. 다듬다.

❑ ~胡子; 수염을 쓰다듬다. ⇒luō

旅 lǚ (려)
① 동 외지를 다니다. 여행하다. ❑ ~客; ⇓ ② 명 여행하는 사람. 외지에 있는 사람. ❑ 商~; 행상인. ③ 명〖軍〗 여단. ④ 명 군대. ⑤ 부〈書〉 함께. 공동으로. ❑ ~进~退; ⇓

[旅伴] lǚbàn 명 함께 여행하는 사람. 여행길의 길동무.

[旅程] lǚchéng 명 여정. 여로.

[旅店] lǚdiàn 명 ⇨[旅馆]

[旅费] lǚfèi 명 ⇨[路费]

[旅馆] lǚguǎn 명 여관. ＝[旅店]

[旅进旅退] lǚjìn-lǚtuì 〈成〉 여러 사람과 진퇴를 같이하다《주견 없이 남이 하는 대로 하다》.

[旅居] lǚjū 동 타향[외국]에 체재[체류]하다. 객지에 머물다.

[旅客] lǚkè 명 여객. 여행객.

[旅社] lǚshè 명 여관《주로, 여관의 이름에 쓰임》.

[旅途] lǚtú 명 여행 도중. 여행길.

[旅行] lǚxíng 동 (먼 거리를) 여행하다. ❑ ~包; 여행 가방 / ~社; 여행사 / ~团; 여행단 / ~支票; 여행자 수표 / ~指南; 가이드북.

[旅游] lǚyóu 동 관광하다. 여행하다. ❑ ~收入; 관광 수입.

[旅长] lǚzhǎng 명〖軍〗 여단장.

膂 lǚ (려)
명〈書〉 등뼈.

[膂力] lǚlì 명 체력. 힘.

偻(僂) lǚ (루)
형〈書〉 (몸이) 굽다. 구부정하다. ⇒lóu

屡(屢) lǚ (루)
부 자주. 누차.

[屡次] lǚcì 부 누차. 자꾸. 여러 차례. ❑ 我队~战胜对手; 우리 팀은 여러 차례 상대를 이겼다. ＝[累lěi次]

[屡见不鲜] lǚjiàn-bùxiān 〈成〉 자주 봐서 신기하지 않다. ＝[数shuò见不鲜]

[屡屡] lǚlǚ 부 자주. 종종. ❑ ~违反纪律; 자주 규율을 위반하다.

[屡试不爽] lǚshì-bùshuǎng 〈成〉 여러 번 시험해 보아도 틀림없다.

缕(縷) lǚ (루)
① 명 실. ② 부 상세하게. 하나하나. ③ 양 가늘고 긴 것을 세는 말. ❑ 一~线; 실 한 가닥.

[缕缕] lǚlǚ 형 끊임없이 이어지는 모양. ❑ ~千言; 끊임없이 계속되는 긴 이야기.

[缕述] lǚshù 동 자세하게 말하다. 차근차근 설명하다.

褛(褸) lǚ (루)
→[褴lán褛]

履 lǚ (리)
① 명 신발. ❑ 草~; 짚신. ② 동 밟고 가다. 걷다. ❑ 如~薄冰; 〈成〉 살얼음을 밟는 듯하다. ③ 명 발걸음. ④ 동 이행하다. ❑ ~约; ⇓

[履带] lǚdài 명〖機〗 무한궤도. 캐터필러(caterpillar). ＝[链轨]

[履历] lǚlì 명 ① 이력. 경력. ❑ ~表; 이력서. ② 이력서.

[履险如夷] lǚxiǎn-rúyí 〈成〉 위험한 길을 평지를 걷듯 다니다《위험을 전혀 개의치 않다》.

[履行] lǚxíng 동 이행하다. ❑ ~义务; 의무를 이행하다.

[履约] lǚyuē 동〈書〉 약속을 이행「하다.

律 lǜ (률)
① 명 법률. 규칙. ② 명 율《옛날, 음의 높낮이를 결정하는 기준이 됨》. ❑ 五音六~; 오음 육률. ③ 명 율시(律詩)의 체재. ④ 동〈書〉 구속하다. 단속하다.

[律动] lǜdòng 동 율동하다. 규칙적으로 움직이다. ❑ 脉搏在~; 맥박이 규칙적으로 뛰다.

[律师] lǜshī 명 변호사.

[律诗] lǜshī 명 율시.

虑(慮) lǜ (려)
동 ① 헤아리다. 생각하다. ❑ 考~; 고려하다. ② 걱정하다. 염려하다. ❑ 过~; 지나치게 염려하다.

滤(濾) lǜ (려)
동 (액체를) 거르다. 여과하다. 밭다. ❑ 过~; 거르다.

[滤器] lǜqì 명 여과기.

[滤纸] lǜzhǐ 명〖化〗 거름종이. 여과지.

率 lǜ (률)
명 비율. ❑ 百分~; 백분율 / 或然~; 확률. ⇒shuài

绿(綠) lǜ (록)
형 푸르다. 녹색빛을 띠다. ⇒lù

[绿宝石] lǜbǎoshí 명〖鑛〗 에메랄드(emerald).

[绿菜花] lǜcàihuā 명 ⇨[西蓝花]

[绿茶] lǜchá 명 녹차.

[绿灯] lǜdēng 명 ① 녹색등. 파란불. ② (추상적인) 청신호.

[绿地] lǜdì 명 녹지.

[绿豆] lǜdòu 명〖植〗 녹두.

[绿肥] lǜféi 명〖農〗 녹비.
[绿化] lǜhuà 동 녹화하다. ❑ ~城市; 도시를 녹화하다 / ~地带; 그린벨트(green belt).
[绿篱] lǜlí 명 생울타리.
[绿内障] lǜnèizhàng 명〖醫〗 녹내장. =[青光眼]
[绿茸茸(的)] lǜróngróng(·de) 형 온통 푸르고 빽빽한 모양.
[绿色] lǜsè 명〖色〗 녹색. ❑ ~植物; 녹색 식물. 형 환경에 관련된. ❑ ~食品; 무공해 식품 / ~组织; 환경 단체.
[绿色标志] lǜsè biāozhì ⇨[环境标志]
[绿荫] lǜyīn 명 녹음. 나무 그늘. =[绿阴]
[绿茵] lǜyīn 명 잔디밭. 풀밭. ❑ ~场; 〈比〉 축구장.
[绿莹莹(的)] lǜyíngyíng(·de) 형 푸르고 영롱한 모양.
[绿油油(的)] lǜyóuyóu(·de)[〈口〉 lǜyōuyōu(·de)] 형 푸르고 윤이 나는 모양.
[绿洲] lǜzhōu 명 오아시스(oasis).

氯 lǜ (록)
명〖化〗 염소(Cl: chloine).
[氯化钙] lǜhuàgài 명〖化〗 염화칼슘.
[氯化钠] lǜhuànà 명〖化〗 염화나트륨.

luan ㄌㄨㄢ

峦(巒) luán (만)
명〈書〉 연산(連山).

孪(孿) luán (련)
형〈書〉 쌍둥이이다.
[孪生] luánshēng 형 쌍둥이인. ❑ ~兄弟; 쌍둥이 형제 / ~子; 쌍둥이. =[双生]

挛(攣) luán (련)
동 (손발이) 곱다. ❑ 拘~; 쥐가 나다.
[挛缩] luánsuō 동 곱아서 오그라들다.

鸾(鸞) luán (란)
명 봉황 비슷한 전설상의 새.
[鸾凤] luánfèng 명〈比〉 부부. ❑ ~和鸣; 〈成〉 부부가 화목하다.

卵 luǎn (란)
명 ①〖生理〗 난자. ② 알.
[卵白] luǎnbái 명 ⇨[蛋白①]
[卵巢] luǎncháo 명〖生理〗 난소.
[卵黄] luǎnhuáng 명 ⇨[蛋黄]
[卵生] luǎnshēng 형〖動〗 난생의. ❑ ~动物; 난생 동물.
[卵石] luǎnshí 명 자갈. 조약돌.
[卵子] luǎnzǐ 명〖生理〗 난자.

乱(亂) luàn (란)
① 형 어지럽다. 혼란하다. 뒤죽박죽이다. ❑ 屋子里很~; 집안이 매우 어지럽다. ② 명 전쟁. 소란. 난리. ❑ 避~; 피난하다. ③ 동 어지럽히다. 현혹시키다. ❑ 惑~; 혼란시키다. ④ 형 (마음이) 심란하다. 산란하다. 어지럽다. ❑ 心~如麻; 〈成〉 마음이 어지럽다. ⑤ 부 함부로. 마구. 멋대로. ❑ ~跑; 마구 뛰어다니다. ⑥ 명 남녀의 부정한 관계. ❑ 淫~; 음란하다.
[乱兵] luànbīng 명 ① 반란병. ② 패잔병.
[乱纷纷(的)] luànfēnfēn(·de) 형 어수선한 모양. 뒤숭숭한 모양. ❑ 心里~的; 마음이 뒤숭숭하다.
[乱哄哄(的)] luànhōnghōng(·de) 형 웅성거리는 모양. 와글와글 떠드는 모양. ❑ ~的声音; 웅성거리는 소리.
[乱伦] luànlún 동 근친상간하다.
[乱蓬蓬(的)] luànpéngpéng(·de) [〈口〉 luànpēngpēng(·de)] 형 더부룩한 모양. 덥수룩한 모양. ❑ ~的胡子; 덥수룩한 수염.
[乱七八糟] luànqībāzāo 〈成〉 뒤죽박죽이다. 엉망진창이다.
[乱世] luànshì 명 난세.
[乱弹琴] luàntánqín 〈比〉 아무렇게나 하다. 함부로 행동하다.
[乱套] luàn∥tào 동〈方〉 (차례·질서가) 어지러워지다.
[乱腾腾(的)] luànténgténg(·de) [〈口〉 luàntēngtēng(·de)] 형 혼란하여 수습이 안 되는 모양. 혼란하고 소란스러운 모양.
[乱杂] luànzá 형 난잡하다.
[乱糟糟(的)] luànzāozāo(·de) 형 (사물이나 마음이) 엉망으로 혼란한 모양. 어지러운 모양. ❑ 桌子上~的; 책상 위가 매우 어지럽다.
[乱真] luànzhēn 동 (모조품을) 진품처럼 보이게 하다. ❑ 以假~; 가짜를 진짜로 보이게 하다.
[乱子] luàn·zi 명 소동. 혼란. 말썽.

lüe ㄌㄩㄝ

掠 lüè (략)
동 ① 약탈하다. 빼앗다. ② 가

볍게 스치다. ❑燕子~过湖面; 제비가 호수면을 스쳐 지나가다. ③〈書〉(몽둥이 따위로) 때리다.
[掠夺] lüèduó 동 약탈하다. ❑~财物; 재물을 약탈하다.
[掠取] lüèqǔ 동 약취하다. 탈취하다. ❑~资源; 자원을 탈취하다.

略 lüè (략)
① 형 간단하다. 대략적이다. ❑你写得太~了; 네가 쓴 것은 너무 간단하다. ② 명 간략하게 기술한 것. 생략한 것. ❑史~; 사략. ③ 동 생략하다. ❑~而不谈; 〈成〉 생략하고 이야기하지 않다. ④ 명 계략. 계획. ❑战~; 전략. ⑤ 동 (토지를) 빼앗다. 탈취하다. ❑侵~; 침략하다. ⑥ 부 대충. 약간. 조금. ❑你穿这双鞋~大一些; 이 신발은 네가 신기에는 좀 크다.
[略略] lüèlüè 부 대략. 조금. 약간. ❑一场小雨只~打湿了地皮; 한 차례의 가랑비는 지면을 약간 적시는 데에 그쳤다.
[略图] lüètú 명 약도.
[略微] lüèwēi 부 약간. 조금. 잠시. ❑心里~有点不快; 마음이 약간 불쾌하다.
[略语] lüèyǔ 명〖言〗약어. 준말.

lun ㄌㄨㄣ

抡(掄) lūn (륜, 론)
동 힘껏 휘두르다. ❑~拳; 주먹을 휘두르다. ⇒lún

仑(侖) lún (륜)
명〈書〉 조리. 도리.

论(論) Lún (론)
명 논어. ⇒lùn
[论语] Lúnyǔ 명〖書〗논어.

伦(倫) lún (륜)
① 명 인륜. ② 명 조리. 순서. 질서. ❑~次; ⇩ ③ 형 동류(同類)이다. 동등하다. ❑不~不类; 〈成〉 이도 저도 아니다.
[伦巴] lúnbā 명〖舞〗〈音〉 룸바(에 rumba).
[伦比] lúnbǐ 동〈書〉 동등하다. 필적하다. ❑无与~; 필적할 만한 것이 없다.
[伦常] lúncháng 명 사람이 지켜야 할 도리. 오륜(五倫).
[伦次] lúncì 명 (말·글의) 조리. 순서. 맥락. ❑语无~; 〈成〉 말에 조리가 없다.
[伦敦] Lúndūn 명〖地〗〈音〉 런던(London).
[伦理] lúnlǐ 명 윤리.

沦(淪) lún (륜)
동 ① 침몰하다. 가라앉다. ❑~于海底; 바다 밑으로 가라앉다. ② (불리한 상황으로) 몰락하다. 전락하다. ❑~落; ⇩
[沦落] lúnluò 동 ① 떠돌다. 유랑하다. ❑~海外; 해외를 떠돌다. ②〈書〉 몰락하다. 쇠락하다. ❑家境~; 집안이 쇠락하다. ③ 타락하다. ❑~风尘; 〈成〉 세속으로 타락하다.
[沦丧] lúnsàng 동 상실하다. ❑国土~; 국토가 상실되다.
[沦亡] lúnwáng 동 (나라가) 망하다. 멸망하다.
[沦陷] lúnxiàn 동 (영토가) 함락되다. 점령당하다.

抡(掄) lún (륜, 론)
동〈書〉 고르다. 선택하다. ❑~材; 목재를 고르다. ⇒lūn

囵(圇) lún (륜)
→[囫hú囵]

纶(綸) lún (륜)
명 ①〈書〉 청색 비단 끈. ②〈書〉 낚싯줄. ③ 합성 섬유. ❑丙~; 폴리프로필렌 섬유.

轮(輪) lún (륜)
①(~儿) 명 바퀴. ② 명 바퀴 모양의 것. ❑月~; 달. ③ 명 기선. ❑油~; 유조선. ④ 동 (순서에 따라) 교대로 하다. 차례가 오다. ❑今天该~到你值班了; 오늘은 네가 당직 설 차례다. ⑤ 양 ㉠ 해·달을 세는 말. ❑一~明月; 밝은 달 하나. ㉡(~儿) 순환하는 사물·동작을 세는 말. ❑第二~会谈; 제2차 회담. ㉢(~儿) 연령의 12 돌을 세는 말. ❑他比我大一~; 그는 나보다 12살 위이다.
[轮班(儿)] lún//bān(r) 동 교대로 하다. 차례가 오다[되다]. ❑~休假; 휴가 갈 차례가 오다.
[轮唱] lúnchàng 동〖樂〗돌림노래하다.
[轮船] lúnchuán 명 기선.
[轮渡] lúndù 명 페리(ferry). 연락선.
[轮番] lúnfān 부 번갈아. 교대로. ❑~上阵; 교대로 출전하다.
[轮滑] lúnhuá 명〖體〗롤러스케이트(roller skate). ❑直排~; 인라인 스케이트(inline skate).
[轮换] lúnhuàn 동 번갈아 하다.

❏ ~休息; 번갈아 휴식하다.
[轮回] lúnhuí 동 ①〖佛〗 윤회(輪廻)하다. ② 순환하다. ❏ 四季~; 사계절이 순환하다.
[轮机] lúnjī 명〖機〗 ① 터빈(turbine). ② 기선의 동력기(動力機).
[轮廓] lúnkuò 명 ① 윤곽선. 윤곽. ② (일의) 개관. 개요.
[轮流] lúnliú 동 교대로[번갈아] 하다. ❏ ~值日; 교대로 당직하다.
[轮胎] lúntāi 명 타이어(tire). ❏ 汽车~; 자동차 타이어. =[车胎]
[轮休] lúnxiū 동 ①〖農〗 번갈아 휴한(休閑)하다. ② (직원·노동자가) 교대로 쉬다.
[轮椅] lúnyǐ 명 휠체어(wheel chair).
[轮值] lúnzhí 동 교대로 당직하다. 교대로 담당하다.
[轮子] lún·zi 명 바퀴.
[轮作] lúnzuò 동〖農〗 윤작하다. =[倒dǎo茬][调diào茬]

论(論) lùn (론) ① 동 논하다. 논의하다. ❏ 辩~; 변론하다. ② 명 주장. 논설. ❏ 评~; 평론. ③ 명 학설. 이론. ❏ 进化~; 진화론. ④ 동 말하다. 언급하다. ❏ 一概而~; 〈成〉 일률적으로 말하다. ⑤ 동 평가하다. 평정하다. 따지다. ❏ ~罪; ⇓ ⑥ 개 …를 가지고 논하면. …로 치자면. ❏ ~经验, 谁也比不上他; 경험으로 따지자면 누구도 그와는 비교가 안 된다. ⇒ Lún
[论处] lùnchǔ 동 판정 처분 하다. 단죄하다. ❏ 依法~; 법에 따라 판정 처분 하다.
[论点] lùndiǎn 명 논점.
[论调] lùndiào 명 논조.
[论断] lùnduàn 명동 논단(하다). ❏ 科学的~; 과학적인 논단.
[论据] lùnjù 명 ①〖論〗 논거. ② 논거. ❏ 充足的~; 충분한 논거.
[论理] lùn//lǐ 동 이치[도리]를 따지다. (lùnlǐ) 부 이치[도리]로 따지자면. ❏ ~我应该亲自去; 도리로 따지면 내가 직접 가야 한다.
[论述] lùnshù 동 논술하다.
[论说] lùnshuō 동 논설하다. ❏ ~文; 논설문. 부〈口〉 이치[원칙]에 따라 말하자면. ❏ ~他应该知道这件事; 이치대로라면 그는 이 일을 당연히 알아야 한다.
[论坛] lùntán 명 논단.
[论题] lùntí 명 논제.
[论文] lùnwén 명 논문. ❏ 毕业~; 졸업 논문.
[论战] lùnzhàn 동 논전하다. 논쟁하다.
[论争] lùnzhēng 동 논쟁하다.
[论证] lùnzhèng 명동 논증(하다).
[论著] lùnzhù 명 논저. 논문 저작.
[论罪] lùn//zuì 동 논죄하다. 죄를 따지다.

luo ㄌㄨㄛ

捋 luō (랄) 동 (손으로) 훑다. 걷어 올리다. ❏ ~起袖子; 소매를 걷어 올리다. ⇒ lǚ
[捋虎须] luō hǔxū 호랑이 수염을 잡아당기다. 〈比〉 모험을 하다. 위험을 무릅쓰다.

啰(囉) luō (라) →[啰唆]
[啰唆] luō·suō 형 ① 장황하게 지껄이다. ❏ 你~啥? 무얼 장황하게 지껄이는 것이냐? ② 번거롭다. 성가시다. ❏ 这件事太~; 이 일은 너무 번거롭다. ‖ =[啰嗦]

罗(羅) luó (라) ① 명 새그물. 〈比〉 포위망. ❏ 天~地网; 〈成〉 물샐틈없는 포위망을 치다. ② 동 그물로 새를 잡다. ③ 동 불러 모으다. 모으다. ❏ 网~; 망라하다. ④ 동 진열하다. 늘어놓다. ❏ ~列; ⇓ ⑤ 명 올이 고운 체. ⑥ 동 체로 치다. ❏ ~了面粉; 밀가루를 체로 쳤다. ⑦ 명 성기게 짠 견직물. ⑧ 양 그로스(gross).
[罗锅] luóguō 동 (~儿) 등이 굽다. 명 (~儿) 곱사등이. 꼽추. =[罗锅子] 형 아치형의. ❏ ~桥; 아치형 다리.
[罗锅] luó·guo 동〈口〉 (허리를) 굽히다. 숙이다. ❏ ~着腰在地里锄草; 허리를 숙이고 밭에서 김을 매다.
[罗汉] luóhàn 명〖佛〗 아라한(阿羅漢).
[罗列] luóliè 동 ① 늘어서다. 분포하다. 배열되다. ❏ 大街右侧~着很多建筑; 거리 우측에 많은 건축물들이 늘어서 있다. ② 나열하다. ❏ ~事实; 사실을 나열하다.
[罗马] Luómǎ 명〖地〗〈音〉 로마(Roma). ❏ ~帝国; 로마 제국 / ~数字; 로마 숫자.

[罗马尼亚] Luómǎníyà 명〖地〗〈音〉 루마니아(Rumania).
[罗曼蒂克] luómàndìkè 형〈音〉 로맨틱(romantic)하다.
[罗曼史] luómànshǐ 명〈音〉 로맨스(romance). =[罗曼司]
[罗盘] luópán 명 나침반.
[罗圈儿腿] luóquānrtuǐ 명 밭장다리.
[罗网] luówǎng 명 ① 새나 짐승을 잡는 그물. ②〈比〉 함정. 계략. ❏自投~; 〈比〉 자기가 파 놓은 함정에 자기가 빠지다.
[罗纹] luówén 명 ⇨[螺纹①]
[罗致] luózhì 동 널리 초빙하다[모으다]. ❏~人材; 인재를 모으다.

倮(儸) luó (라) →[偻lóu倮]

逻(邏) luó (라) 동 순찰하다. ❏巡~; 순찰하다.
[逻辑] luó·jí 명〈音〉 ① 논리(論理). ❏合乎~; 논리에 맞다. ② 객관적 법칙성. 논리성. ③⇨[逻辑学]
[逻辑学] luó·jíxué 명〖論〗 논리학. =[逻辑③]

萝(蘿) luó (라) 명〖植〗 덩굴성 식물.
[萝卜] luó·bo 명〖植〗 무. =[莱菔]

锣(鑼) luó (라) 명〖樂〗 징.
[锣鼓] luógǔ 명 징과 북. 〈轉〉 각종 타악기.

箩(籮) luó (라) 명 광주리. 소쿠리.
[箩筐] luókuāng 명 광주리. 소쿠리.

脶(腡) luó (라) 명 지문(指紋).

骡(騾) luó (라) 명〖動〗 노새.
[骡子] luó·zi 명〖動〗 노새.

螺 luó (라) 명 ①〖動〗 나선형의 껍질을 갖는 연체동물. ②(나선형의) 지문.
[螺钿] luódiàn 명 나전. 자개 공예.
[螺钉] luódīng 명〖機〗 나사. 나사못. =[〈口〉 螺丝][螺丝钉]
[螺号] luóhào 명 나각(螺角).
[螺母] luómǔ 명〖機〗 암나사. 너트(nut). =[螺帽][螺丝帽][螺丝母]
[螺栓] luóshuān 명〖機〗 수나사. 볼트(bolt).
[螺丝] luósī 명〈口〉 ⇨[螺钉]
[螺丝刀] luósīdāo 명〖機〗 드라이버(driver). 나사돌리개. =[改锥]
[螺丝钉] luósīdīng 명 ⇨[螺钉]
[螺丝扣] luósīkòu 명 ⇨[螺纹②]
[螺丝帽] luósīmào 명 ⇨[螺母]
[螺丝母] luósīmǔ 명 ⇨[螺母]
[螺蛳] luó·sī 명〖貝〗 소라. 소라고둥.
[螺纹] luówén 명 ① 지문(指紋). =[罗luó纹] ②〖機〗 나사산. 나사골. =[螺丝扣]
[螺旋] luóxuán 명 ① 나선. 나선무늬. ❏~式楼梯; 나선형 계단. ②〖機〗 스크루(screw).
[螺旋桨] luóxuánjiǎng 명〖機〗 스크루(screw). 프로펠러(propeller).

裸 luǒ (라) 동 벌거벗다. 노출하다.
[裸露] luǒlù 동 노출하다. 드러내다. ❏~癖; 노출증.
[裸麦] luǒmài 명 ⇨[青稞kē]
[裸体] luǒtǐ 명 나체. 알몸. 누드(nude). ❏~画; 나체화 / ~模特儿; 누드 모델.
[裸体照片] luǒtǐ zhàopiàn 명 나체 사진. =[裸体相][〈簡〉 裸照]
[裸子植物] luǒzǐ-zhíwù 〖植〗 나자식물. 겉씨식물.

瘰 luǒ (라) →[瘰疬]
[瘰疬] luǒlì 명〖醫〗 나력. 결핵성 경부 림프선염.

洛 Luò (락) 땅 이름이나 강 이름에 쓰이는 자(字). ❏~阳; 뤄양《허난 성(河南省)에 있는 도시》.
[洛杉矶] Luòshānjī 명〖地〗〈音〉 로스앤젤레스(Los Angeles).

络(絡) luò (락) ① 명 그물 모양의 것. ❏经~; 경락. ② 동 (망 모양의 것을) 쓰다. 씌우다. ⇒lào
[络腮胡子] luòsāi hú·zi 구레나룻. =[连鬓胡子][落luò腮胡子]
[络绎] luòyì 형〈書〉 (왕래가) 연속하여 그치지 않다. ❏~不绝; 〈成〉 왕래가 끊이지 않는 모양.

骆(駱) luò (락) 명〖動〗 가리온《갈기가 검은 백마》.
[骆驼] luò·tuo 명〖動〗 낙타. =[驼①]

珞 luò (락) →[赛sài璐珞]

落 luò (락) ① 동 (물체가) 떨어지다. ❏~

泪; 눈물이 떨어지다. ②동 내려오다. 하강하다. ❑飞机徐徐地~下来了; 비행기가 서서히 내려왔다. ③동 내리다. 내려오게 하다. ❑~帆; 돛을 내리다. ④동 영락하다. 몰락하다. ❑衰~; 쇠락하다. ⑤동 뒤처지다. 뒤떨어지다. ❑~后; ⇓ ⑥동 남다. 남기다. ❑~痕迹; 흔적이 남다. ⑦명 머무르는 곳. 있는 곳. ❑下~; 행방. ⑧명 모여 사는 곳. ❑聚~; 취락. ⑨동 귀속되다. 속하다. ❑大权旁~; 〈成〉 권력이 남의 손에 들어가다. ⑩동 얻다. 되다. ❑~残疾; 불구가 되다. ⑪동 쓰다. 적다. ❑~款(儿); ⇓ ⇒là lào

[落笔] luòbǐ 동 쓰기 시작하다. 그리기 시작하다.

[落膘(儿)] luò//biāo(r) 동 가축이 야위다[마르다].

[落泊] luòbó 형〈書〉 ① 영락하다. 실의하다. ② 호매(豪邁)하다. 대범하다. ‖ =[落魄][落拓]

[落潮] luò//cháo 동 ⇨[退tuì潮]

[落成] luòchéng 동 (건축물이) 완공되다. 낙성하다. ❑~典礼; 낙성식.

[落得] luò·de 동 …하고 말다. …로 몰락하다. …로 끝나다. ❑~人财两空; 집안이 몰락하고 말았다.

[落地] luò//dì 동 ① (물체가) 땅에 떨어지다. 땅에 닿다. ❑~窗; 바닥까지 내려오는 긴 창 / ~灯; 플로어 스탠드(floor stand). ② (아이가) 태어나다. 출생하다. ❑孩子~; 아이가 태어나다.

[落第] luò//dì 동 낙제하다. 낙방하다. 「가하)다.

[落发] luò//fà 동 머리를 깎(고 출

[落后] luò//hòu 동 낙오하다. 뒤지다. 뒤처지다. ❑他的船稍微~一点; 그의 배는 약간 뒤처져 있다. 형 낙후하다. ❑经济~; 경제가 낙후하다.

[落户] luò//hù 동 ① (타향에) 정주하다. 정착하다. ❑在北京落了户; 베이징에 자리를 잡았다. ② 호적 신고를 하다. 호적에 올리다.

[落花流水] luòhuā-liúshuǐ 〈成〉 ① 늦봄의 경치. ② 참패하다.

[落花生] luòhuāshēng 명〔植〕 땅콩. =[花生]

[落脚(儿)] luò//jiǎo(r) 동 (임시로) 머무르다. 거처하다.

[落井下石] luòjǐng-xiàshí 〈成〉 ⇨[投井下石]

[落空] luò//kōng 동 헛일이 되다 물거품이 되다. 허사가 되다. ❑期待~; 기대가 물거품이 되다.

[落款(儿)] luò//kuǎn(r) 동 낙관하다. (luòkuǎn(r)) 명 낙관.

[落雷] luòléi 명 ⇨[霹pī雳]

[落落] luòluò 형 ① 소탈한 모양 말쑥하고 자연스러운 모양. ❑~大方; 〈成〉 소탈하고 대범하다. ② 남과 어울리지 못하는 모양. ❑~寡合; 〈成〉 남과 어울리지 못하다.

[落寞] luòmò 형 쓸쓸하다. 적막하다. =[落漠][落莫]

[落难] luò//nàn 동 재난을 만나다. 곤경에 빠지다. 「胡子]

[落腮胡子] luòsāi-hú·zi ⇨[络腮

[落实] luòshí 동 ① (계획·정책·조치 따위가) 실행 가능하다. 실제와 맞다. ❑计划要订得~; 계획은 실행 가능하도록 세워야 한다. ② 확정하다. 확실히 하다. ❑~政策; 정책을 확정하다. 형〈方〉 마음이 안정되다. 안심하다. ❑心里总是不~; 마음이 늘 불안하다.

[落水] luò//shuǐ 동 물에 빠지다. 〈比〉 타락하다.

[落水狗] luòshuǐgǒu 명〈比〉 힘을 잃은 악당.

[落汤鸡] luòtāngjī 명〈比〉 물에 빠진 생쥐 꼴. 흠뻑 젖은 모양.

[落拓] luòtuò 형 ⇨[〈書〉 落泊]

[落网] luò//wǎng 동 (범인이나 용의자가) 잡히다. 붙잡히다. ❑主犯已经~; 주범은 이미 붙잡혔다.

[落伍] luò//wǔ 동 ① 낙오하다. ❑在这次行军中, 他落了伍; 이번 행군에서 그는 낙오되었다. ②〈比〉 시대에 뒤떨어지다. ❑设计~; 디자인이 시대에 뒤떨어지다.

[落选] luò//xuǎn 동 낙선하다.

[落叶] luòyè 명 낙엽. (luò//yè) 동 잎이 떨어지다. ❑~树; 낙엽수.

[落照] luòzhào 명 낙조.

[落座] luò//zuò 동 자리에 앉다.

荦(犖) luò (락)

형〈書〉 분명하다.

[荦荦] luòluò 형〈書〉 (사리가) 분명하다. ❑~大端; 〈成〉 분명한 요점. 주요한 항목.

摞 luò (라)

①동 포개어 쌓다. ❑把书~起来; 책을 쌓다. ②양 무더기. 더미《쌓아 놓은 것을 세는 말》. ❑一~碗; 그릇 한 무더기.

M

m ㄇ

呣 ḿ (모)
감 뭐? 응?《의문을 나타내는 말》. ❏～, 真的吗? 뭐? 정말이야?

呣 m̀ (모)
감 응《대답 또는 허락을 나타내는 말》. ❏～, 我明白了! 응, 알았다!

ma ㄇㄚ

妈(媽) mā (마)
명 ①〈口〉 엄마. 어머니. ② 자신보다 윗항렬이거나 연장(年長)인 기혼 여성을 일컫는 말. ❏姑～; 고모. ③ 옛날, 성(姓)에 붙여 중년·노년의 하녀를 부르던 말. ❏张～; 장 씨 아줌마.

[妈妈] mā·ma 명 ①〈口〉 엄마. 어머니. ②〈方〉 손위의 부인에 대한 호칭.

蚂(螞) mā (마)
→[蚂螂] ⇒mǎ mà

[蚂螂] mā·lang 명〈方〉 ⇨[蜻qīng蜓]

抹 mā (말)
동〈口〉 ① 닦다. ❏～眼泪; 눈물을 닦다. ② 손으로 눌러서 아래로 내리다. ❏往后～了～头发; 머리를 뒤로 쓸어 넘기다. ⇒mǒ mò

[抹布] mābù 명 걸레. 행주.

[抹脸] mā//liǎn 동〈口〉 (갑자기) 표정을 굳히다. 굳은 얼굴을 하다. ❏抹不下脸来; (정에 끌려) 엄한 표정을 할 수 없다.

吗(嗎) má (마)
대〈方〉 무엇. ❏～事? 무슨 일이냐? ⇒mǎ ·ma

麻 má (마)
A) 명〔植〕 ① 삼. 마. ❏大～; 대마. ② 참깨. 깨. ❏～油; ⇩
B) ① 형 표면이 껄끄럽다. 거칠다. ❏这种布背面～; 이 천은 안감이 거칠다. ② 명 곰보. 얽은 자국. ③ 형 작은 반점이 있는. ④ 형 저리다. 마비되다. ❏手～了; 손이 저리다.

[麻痹] mábì 동 ①〔醫〕 마비되다. ❏小儿～; 소아마비. ② 마비시키다. 형 경각심을 잃다. 소홀히 하다. ❏～大意; 〈成〉 경각심을 잃고 소홀히 하다.

[麻布] mábù 명〔紡〕 마포. 삼베.

[麻袋] mádài 명 마대.

[麻烦] má·fan 형 귀찮다. 번거롭다. 성가시다. ❏手续很～; 수속이 매우 번거롭다. 동 폐를 끼치다. 귀찮게 하다. 번거롭게 하다. ❏～别人; 다른 사람을 번거롭게 하다. 명 번거로움. 성가심. 불편. 폐. ❏添～; 폐를 끼치다.

[麻风] máfēng 명〔醫〕 나병. 문둥병. 한센병.

[麻将] májiàng 명 마작(麻雀). ❏打～; 마작을 하다. ＝[麻雀②]

[麻酱] májiàng 명 ⇨[芝麻酱]

[麻利] má·li 형 재빠르다. 민첩하다. ❏手脚～; 동작이 날래다.

[麻脸] máliǎn 명 얽은 얼굴.

[麻麻黑] má·mahēi 형〈方〉 (해가 지려고 하거나 막 져서) 날이 어둑어둑하다.

[麻麻亮] má·maliàng 형〈方〉 (막 동이 터서) 날이 조금씩 밝아지다.

[麻木] mámù 형 ① 저리다. 마비되다. ❏腿压得～了; 다리가 눌려 마비되었다. ② 둔하다. 무디다. 무감각하다. ❏～不仁; 〈成〉 ⓐ마비되어 감각이 없다. ⓑ(외부 사물에 대해) 반응이 느리다. 관심이 없다.

[麻雀] máquè 명 ①〔鳥〕 참새. ＝[〈方〉 家雀qiǎo儿] ② ⇨[麻将]

[麻酥酥(的)] másūsū(·de) 형 조금 저린 모양. 찌릿찌릿한 모양.

[麻药] máyào 명 ⇨[麻醉剂]

[麻衣] máyī 명 삼베옷.

[麻油] máyóu 명 ⇨[芝麻油]

[麻疹] mázhěn 명〔醫〕 마진. 홍역. ＝[〈方〉 痧shā子][〈口〉 疹子]

[麻织品] mázhīpǐn 명 마직물.

[麻子] má·zi 명 ① 마맛자국. ② 얼굴이 얽은 사람. 곰보.

[麻醉] mázuì 동 ①〔醫〕 마취하다. ❏～师; 마취사. ②〈比〉 (의식·정신을) 마비시키다. ❏～斗志; 투지를 마비시키다.

[麻醉剂] mázuìjì 명〔藥〕 마취제. 마취약. ＝[麻药][〈口〉 蒙méng药]

蟆 má (마)
→[蛤há蟆]

马(馬) mǎ (마)
명〔動〕 말. ❏一匹～;

말 한 필.
[马鞍] mǎ'ān 명 말안장. =[马鞍子]
[马鞭] mǎbiān 명 말채찍. =[马鞭子]
[马表] mǎbiǎo 명 ⇨[秒miǎo表]
[马鳖] mǎbiē 명 ⇨[水蛭]
[马不停蹄] mǎbùtíngtí 〈成〉 한시도 지체하지 않고 계속 전진하다.
[马槽] mǎcáo 명 말구유. 구유.
[马车] mǎchē 명 ① 마차. ② 노새가 끄는 짐수레.
[马达] mǎdá 명〈音〉 ⇨[电动机]
[马大哈] mǎdàhā 형 건성건성하다. 덜렁대다. 주의 깊지 못하다. 명 건성건성인 사람. 덜렁이.
[马到成功] mǎdào-chénggōng 〈成〉 매우 빨리 성과를 내다.
[马德里] Mǎdélǐ 명〖地〗〈音〉 마드리드(Madrid).
[马灯] mǎdēng 명 (방풍 장치가 달린) 휴대용 램프. =[桅灯②]
[马粪纸] mǎfènzhǐ 명〈俗〉 ⇨[黄纸板]
[马蜂] mǎfēng 명〖蟲〗 말벌. =[胡蜂]
[马蜂窝] mǎfēngwō 명 ① 말벌집. ②〈比〉 상대하기 힘든 사람[집단]. 문젯거리가 될 수 있는 일.
[马夫] mǎfū 명 마부. 말구종.
[马褂(儿)] mǎguà(r) 명 마고자.
[马赫数] mǎhèshù 명〖物〗〈音〉 마하(독 mach). 마하수.
[马后炮] mǎhòupào 명 ① 장기에서 '马'의 뒤에 '炮'가 기다리고 있는 절대 우세한 수. ②〈比〉 뒷북치기. 사후 약방문. 행차 뒤 나팔.
[马虎] mǎ·hu 형 소홀하다. 세심하지 못하다. 대충대충하다. ❑办事~; 일처리가 소홀하다. =[马糊]
[马甲] mǎjiǎ 명〈方〉 ⇨[背bèi心(儿)]
[马脚] mǎjiǎo 명 마각. ① 말의 다리. ②〈比〉 정체. 속셈. 빈틈.
[马厩] mǎjiù 명 마구간.
[马驹子] mǎjū·zi 명〈口〉 망아지.
[马克思] Mǎkèsī 명〖人〗〈音〉 마르크스(Karl Marx)《독일의 경제학자·정치학자, 1818-1883》. ❑~列宁主义[〈簡〉 马列主义]; 마르크스 레닌주의.
[马拉松] mǎlāsōng 명〖體〗〈音〉 마라톤(marathon) 마라톤 경주. =[马拉松赛跑] 형〈比〉〈貶〉 시간을 매우 오래 끄는. 오랜 시간 계속되는. ❑~会议; 마라톤 회의.
[马来西亚] Mǎláixīyà 명〖地〗〈音〉 말레이시아(Malaysia).
[马力] mǎlì 양〖物〗 마력.
[马铃薯] mǎlíngshǔ 명〖植〗 감자. =[土豆(儿)]
[马路] mǎlù 명 ① 큰길. 대로. ② (차가 다니는) 도로.
[马骡] mǎluó 명〖動〗 노새.
[马马虎虎] mǎmǎhūhū 형 ① 대강대강이다. 건성건성이다. 소홀하다. ❑做事总是~; 하는 일마다 늘 건성건성이다. ② 그저 그렇다. 그런대로 괜찮다. 그럭저럭이다. ❑身体还~; 건강이 그런대로 괜찮다.
[马尼拉] Mǎnílā 명〖地〗〈音〉 마닐라(Manila).
[马匹] mǎpǐ 명 마필. 말.
[马屁精] mǎpìjīng 명 아첨꾼.
[马票] mǎpiào 명 마권.
[马赛克] mǎsàikè 명〖美〗〈音〉 모자이크(mosaic).
[马上] mǎshàng 부 곧. 바로. ❑演出~就开始; 공연은 곧 시작한다.
[马术] mǎshù 명 마술. 승마술. 기마술.
[马蹄] mǎtí 명 ① 말굽. ②〈方〉 ⇨[荸bí荠]
[马蹄铁] mǎtítiě 명 ① 말굽쇠. 편자. =[马掌②] ② U자형의 자석.
[马桶] mǎtǒng 명 변기(便器).
[马尾辫(儿)] mǎwěibiàn(r) 명 말총머리.
[马戏] mǎxì 명〖演〗 서커스. 곡마. ❑~团; 곡마단.
[马靴] mǎxuē 명 승마화.
[马掌] mǎzhǎng 명 ① 말굽 밑의 각질피. ② ⇨[马蹄铁①]
[马鬃] mǎzōng 명 말갈기.

吗(嗎) mǎ (마)
→[吗啡] ⇒ má ·ma
[吗啡] mǎfēi 명〖藥〗〈音〉 모르핀(morphine).

犸(獁) mǎ (마)
→[猛犸]

玛(瑪) mǎ (마)
→[玛瑙]
[玛瑙] mǎnǎo 명〖鑛〗 마노.

码(碼) mǎ (마)
①(~儿) 명 숫자를 나타내는 기호. ❑号~; 번호. ② 명 수를 표시하는 도구. ❑砝~; 분동(分銅). ③ 양 (일의) 종류. 가지. ❑两~事; 전혀 상관없는 두 가지 일.

[码头] mǎ·tóu 명 ① 부두. 선창. =[〈方〉埠头] ②〈方〉교통편이 좋은 상업 도시. ❑跑~; 도시로 돌아다니며 장사하다.

[码子] mǎ·zi 명 ① 수량을 나타내는 기호[숫자]. ② 원형(圓形)의 수를 나타내는 산가지.

蚂(螞) mǎ (마) →[蚂蚁] ⇒mā mà

[蚂蚁] mǎyǐ 명〖蟲〗개미. ❑~搬泰山; 〈諺〉개미가 태산을 나르다《군중이 힘을 합치면 큰일을 할 수 있다》/ ~啃骨头; 개미가 뼈를 갉다《소형의 설비나 작은 힘으로 조금씩 열심히 매달려 큰일을 해내다》.

骂(駡) mà (매) 동 ① 욕하다. ❑不停地~人; 쉴 새 없이 남을 욕하다. ② 꾸짖다. 나무라다. 야단치다. 질책하다. ❑妈妈~了他一顿; 어머니는 그를 한 차례 꾸짖으셨다.

[骂架] mà//jià 동〈方〉서로 욕하며 싸우다.

[骂街] mà//jiē 동 사람들 앞에서 욕하다. 아무에게나 고래고래 욕하다. ❑泼妇~; 〈成〉무지막지한 여자가 아무에게나 욕지거리를 해대다.

[骂骂咧咧] mà·maliēliē 형 욕을 섞어 가며 말하는 모양.

[骂名] màmíng 명 악명. 오명.

蚂(螞) mà (마) →[蚂蚱] ⇒mā mǎ

[蚂蚱] mà·zha 명〈方〉⇨[蝗虫]

吗(嗎) ·ma (마) 조 ① 문장의 끝에 쓰여 의문을 나타냄. ❑你也去~? 너도 가느냐? ② 반어문의 끝에 쓰여, 강조·힐문·책망의 어기를 나타냄. ❑你这样做对得起大家~? 너 이렇게 하면 모두에게 면목이 서겠느냐? ③ 문장 중간의 잠시 멈추는 곳에 쓰여 화제를 끌어냄. ❑衣服~, 该买的还得děi买; 옷은 말이야, 사야 되는 거면 사야지. ⇒má mǎ

嘛 ·ma (마) 조 ① 명백한 사실[도리]를 나타냄. ❑他本来身体就很好~; 그는 원래부터 몸이 건강하지 않느냐. ② 기대·권유·충고의 어기를 나타냄. ❑老师, 你讲慢点~; 선생님, 좀 천천히 말씀해 주십시오. ③ 문장 중간의 잠시 멈추는 부분에 쓰여 듣는 이의 주의를 환기시킴. ❑这件事~, 说起来话长; 이 일은 말이야, 말하자면 길어.

mai ㄇㄞ

埋 mái (매) 동 ①(흙 따위를 덮어서) 묻다. ❑~水管; 수도관을 묻다. ② 숨기다. 숨다. ❑~伏; ⇩ ⇒mán

[埋藏] máicáng 동 ①(흙 속에) 묻히다. 매장되다. ❑地下~着石油; 지하에 석유가 매장되어 있다. ② 감추어 두다. 묻어 두다. 담아두다. ❑~在心底的愤怒; 마음 깊은 곳에 묻어 두었던 분노.

[埋伏] mái·fú 동 ① 매복하다. ❑~兵马; 병마를 매복시켜 놓다. ② 잠복하다.

[埋没] máimò 동 ① 매몰하다. 매몰되다. ❑耕地被流沙~; 농경지가 흘러든 모래흙에 매몰되다. ② 숨기어 밖으로 드러내지[드러나지] 않다. 재능을 발휘하지 못하게 하다. ❑~人才; 인재를 매장시키다.

[埋设] máishè 동 매설하다. ❑~管道; 파이프를 매설하다.

[埋头] mái//tóu 동 몰두하다. 전념하다. ❑~研究; 연구에 몰두하다.

[埋葬] máizàng 동 ①(시체를) 묻다. 매장하다. ②〈比〉없애다. 소멸하다. ‖ =[葬埋]

霾 mái (매) 명 대량의 연기나 먼지 따위의 미립자들이 떠다니고 있어 공기를 혼탁하게 만드는 현상.

买(買) mǎi (매) 동 사다. 구입하다. ❑~衣服; 옷을 사다 / 低价~进; 저가로 사들이다.

[买办] mǎibàn 명 매판. 외상(外商)의 앞잡이. ❑~资本; 매판 자본.

[买单] mǎidān 동〈方〉(음식 값을) 지불하다. 계산하다. ❑我来~; 내가 계산하마. 명 영수증.

[买方] mǎifāng 명 사는 사람 측. 구매자 측. 바이어.

[买好(儿)] mǎi//hǎo(r) 동 (말이나 행동으로) 비위를 맞추다. 사람의 환심을 사다. ❑送礼~; 선물을 보내 환심을 사다.

[买价] mǎijià 명 매입 가격.

[买空卖空] mǎikōng-màikōng 〈成〉① 공매매하다. 차금 매매를 하다. ②〈比〉속임수를 써서 투기 활동을 하다.

[买卖] mǎi·mai 명 ① 장사. 거래.

❏ 做~; 장사를 하다 / ~人; 〈口〉 장사꾼. ② 상점. 가게.

[买面子] mǎi miàn·zi (상대방의) 체면을 봐주다. 면목을 세워 주다.

[买通] mǎitōng 동 (사람을) 매수하다. ❏ ~官府; 관리를 매수하다.

[买账] mǎi//zhàng 동 (장점·능력을 인정하여) 탄복하거나 복종하다 《주로, 부정문에 쓰임》. ❏ 我不买你的账; 나는 너를 높이 평가하지 않는다.

[买主] mǎizhǔ 명 구매자. 매주. 사는 사람.

迈(邁) mài (매) ① 동 큰 걸음으로 걷다. 성큼 발을 내딛다. ❏ ~步; ⇩ ② 형 늙다. 연로하다. ❏ 年~; 연로하다.

[迈步] mài//bù 동 걸음을 내딛다.

[迈方步(儿)] mài fāngbù(r) (매우 느리게 거드름을 피우며) 팔자걸음을 걷다. =[迈四方步]

[迈进] màijìn 동 매진하다.

麦(麥) mài (맥) 명〔植〕 ① 보리. ② 밀.

[麦当劳] Màidāngláo 명〈音〉 맥도날드(McDonald's).

[麦冬] màidōng 명〔植〕 맥문동.

[麦加] Màijiā 명 ①〔地〕〈音〉 메카(Mecca). ② (màijiā) 〈比〉 동경(憧憬)의 대상이 되는 곳.

[麦秸] màijiē 명 보릿짚. 밀짚.

[麦酒] màijiǔ 명 ⇨[啤酒]

[麦克风] màikèfēng 명〈音〉 ⇨ [传声器]

[麦片] màipiàn 명 압맥(壓麥). ❏ ~粥; 오트밀.

[麦淇琳] màiqílín 명〈音〉 마가린 (margarin). =[人造黄油]

[麦芽] màiyá 명 맥아. 엿기름. ❏ ~糖; 맥아당.

[麦子] mài·zi 명〔植〕 ① 보리. ② 밀.

卖(賣) mài (매) 동 ① 팔다. ❏ ~家具; 가구를 팔다. ② (조국·친구·주위 사람을) 배신하다. 팔아넘기다. ❏ ~朋友; 친구를 배신하다. ③ 다하다. 아끼지 않다. ❏ ~劲(儿); ⇩ ④ 일부러 드러내다. 과시하다. ❏ ~功; 공치사하다.

[卖唱] mài//chàng 동 (거리나 공공장소에서) 노래를 불러 돈을 벌다.

[卖方] màifāng 명 판매자 측. 매주(賣主). ❏ ~市场; 판매자 시장.

[卖功] mài//gōng 동 공치사하다.

[卖狗皮膏药] mài gǒupí gāo·yao 〈比〉 입에 발린 소리를 해서 사람을 속이다.

[卖乖] mài//guāi 동 똑똑한 체하다. 잘난 척하다. 능력을 자랑하다.

[卖关子] mài guān·zi ① (이야기꾼이) 이야기가 절정에 이르렀을 때 잠시 이야기를 멈춰 듣는 사람의 흥미를 고조시키다. ②〈比〉 일부러 뜸을 들여 상대를 조바심 나게 하다.

[卖国] mài//guó 동 나라를 팔다. 매국하다. ❏ ~贼; 매국노.

[卖价] màijià 명 매가. 파는 값.

[卖劲(儿)] mài//jìn(r) 형 열심히 하다. 있는 힘을 다해 하다. ❏ 他干起活来很~儿; 그는 일을 매우 열심히 한다. =[卖力][卖力气①]

[卖老] mài//lǎo 동 노련함을 과시하다.

[卖力] màilì 형 ⇨[卖劲(儿)]

[卖力气] mài lì·qi ① ⇨[卖劲(儿)] ② 노동력을 팔아 생계를 꾸려 나가다.

[卖命] mài//mìng 동 (누군가에게 이용되거나 생활에 쫓기어) 목숨 걸고 일하다. 형 최선을 다해 일하다. 죽을 힘을 다해 일하다.

[卖弄] mài·nong 동 (솜씨를) 자랑하다. 과시하다. 뻐기다. ❏ ~才华; 재능을 과시하다.

[卖俏] mài//qiào 동 교태를 부려 유혹하다. 애교 부리다.

[卖人情] mài rénqíng 일부러 은혜를 베풀다. 인심 쓰다. 선심 쓰다.

[卖身] mài//shēn 동 ① (생활고 따위로 인해) 몸을 팔다《주로, 아내나 자식을 남에게 팔아넘기는 것을 이름》. ❏ ~投靠; 〈成〉 재산이나 세력이 있는 사람에게 몸을 팔다《인격을 상실하고 악인의 수족 노릇을 하다》. ②〈俗〉 매춘(賣春)하다. 몸을 팔다.

[卖艺] mài//yì 동 (무술·곡예 따위의) 기예를 팔아 생활하다.

[卖淫] mài//yín 동 매음하다. 매춘하다.

[卖主] màizhǔ 명 파는 사람. 판매자.

[卖嘴] mài//zuǐ 동 자기 입으로 자기를 자랑하다. 자화자찬하다.

[卖座(儿)] màizuò(r) 형 자리가 꽉 차다. 손님이 많다. 만원이다. ❏ 这部电影很~; 이 영화는 관객이 무척 많이 들었다.

脉 mài (맥) 명 ①〔生理〕 혈관. ❏ 动~;

M

동맥. ② 맥박. 맥. ❏ 诊~; 진맥하다. ③ 혈관 같은 조직. ❏ 叶~; 엽맥. ④ 혈관처럼 이어져 계통을 이룬 것. ❏ 矿~; 광맥. ⇒ mò
[脉搏] màibó 명 ①〖醫〗 맥박. = [脉息] ②〈比〉 (시대나 생활 따위의) 발전·변화의 상황[추세].
[脉络] màiluò 명 ①〖中醫〗 혈관과 경락. ②〈比〉 (문장 따위의) 맥락. 조리. ❏ ~贯通; 조리가 일관되다.
[脉息] màixī 명 ⇨[脉搏①]

man ㄇㄢ

埋 mán (매)
→[埋怨] ⇒ mái
[埋怨] mányuàn 동 원망하다. 탓하다. ❏ 互相~; 서로 원망하다.

蛮(蠻) mán (만)
① 형 야만스럽다. 몰상식하다. ❏ 这个人太~了; 이 사람은 너무 야만스럽다. ② 형 사납다. 거칠다. 무모하다. ❏ ~干; ⇩ ③ 부〈方〉 매우. 아주. ❏ ~好; 매우 좋다.
[蛮不讲理] mánbùjiǎnglǐ 〈成〉 사리를 분별 못하다.
[蛮干] mángàn 동 무턱대고 하다. ❏ 做事不能~; 일을 무턱대고 하면 안 된다.
[蛮横] mánhèng 형 난폭하고 억지스럽다. 거칠고 몰상식하다.

蔓 mán (만)
→[蔓菁] ⇒ màn wàn
[蔓菁] mán·jing 명 ⇨[芜wú菁]

馒(饅) mán (만)
→[馒头]
[馒头] mán·tou 명 (소 없는) 찐빵.

鳗(鰻) mán (만)
명〈簡〉 ⇨[鳗鲡]
[鳗鲡] mánlí 명〖魚〗 뱀장어. = [〈簡〉 鳗]

瞒(瞞) mán (만)
동 (사실을) 숨기다. ❏ 他把这件事~住了; 그는 이 일을 숨겼다.
[瞒哄] mánhǒng 동 속이다. 꾀다. ❏ 说假话~人; 거짓말로 사람을 속이다.
[瞒上欺下] mánshàng-qīxià 〈諺〉 윗사람을 속이고 아랫사람을 멸시하다.

满(滿) mǎn (만)
① 형 차다. 가득하다. ❏ 剧场里坐~了人; 극장 안은 사람으로 가득 찼다. ② 동 가득 채우다. ❏ 给他~杯茶; 그에게 차를 가득 따라 주다. ③ 동 기한이 차다[되다]. ❏ 出生刚~一个月; 태어난 지 막 만 한 달이 되다. ④ 형 전체의. 온. 전. ❏ ~口; ⇩ ⑤ 형 만족하다. ❏ ~意; ⇩ ⑥ 부 전혀. 완전. ❏ ~不介意; 전혀 개의치 않다. ⑦ 형 교만하다. 거만하다.
[满不在乎] mǎnbùzài·hu 〈成〉 전혀 개의치 않다. 조금도 신경 쓰지 않다.
[满当当(的)] mǎndāngdāng(·de) 형 가득 찬 모양. 꽉 찬 모양. = [满登登(的)]
[满额] mǎn∥é 동 정액(定額)에 차다. 정원에 차다. ❏ 报名已经~; 신청 인원이 이미 다 찼다.
[满分(儿)] mǎnfēn(r) 명 만점.
[满腹] mǎnfù 동 뱃속 가득하다. 마음속에 가득하다. ❏ ~心事; 마음속에 근심이 가득하다.
[满怀] mǎnhuái 동 가슴 가득하다. ❏ ~悲愤; 슬픔과 분노가 가슴 가득하다. 명 앞가슴 전체. 가슴통. ❏ 二人撞了个~; 두 사람이 정면으로 부딪쳤다.
[满口] mǎnkǒu 명 ① 입속 전부. ② 말하는 것 모두《말투·말하는 내용·발음 따위를 가리킴》. 부 쾌히. 주저 없이. ❏ ~称赞; 주저 없이 칭찬하다.
[满面] mǎnmiàn 동 만면하다. 얼굴 가득하다. ❏ 笑容~; 얼굴에 웃음이 가득하다.
[满面春风] mǎnmiàn-chūnfēng 〈成〉 만면에 기쁨이 넘치다. =[春风满面]
[满目] mǎnmù 동 한눈 가득 보이다. 시야에 가득하다. ❏ ~凄凉; 〈成〉 보이는 것이 모두 처량하다.
[满腔] mǎnqiāng 동 가슴속에 가득 차다. ❏ ~愤怒; 분노가 가슴속에 가득 차다.
[满勤] mǎnqín 동 개근하다. 만근하다.
[满山遍野] mǎnshān-biànyě 〈成〉 산과 들에 넘치다《매우 많다》.
[满堂红] mǎntánghóng 완전한 승리. 전체적인 승리. 대성황.
[满天飞] mǎntiānfēi ① 이리저리 마구 돌아다니다. ② 도처에 있다. ❏ 广告~; 광고가 도처에 있다.
[满心] mǎnxīn 부 간절히. 진심으

로. ❑ ~愿意; 진심으로 원하다.
[满意] mǎnyì 형 흡족하다. 만족스럽다. ❑ 得到~的结果; 만족스런 결과를 얻다. 동 만족해하다. 만족하다. ❑ 我很~这里的环境; 나는 이곳의 환경에 매우 만족한다.
[满园春色] mǎnyuán-chūnsè 〈成〉 봄기운이 물씬 풍기다《만물이 소생하는 봄의 정경》.
[满员] mǎn//yuán 동 만원이 되다. 인원이 다 차다. ❑ 列车已经~; 열차가 이미 만원이 되었다.
[满月] mǎn//yuè 동 (아이가) 태어난 지 만 한 달이 되다. (mǎnyuè) 명 ⇒[望月]
[满载] mǎnzài 동 만재하다. 가득 싣다. ❑ ~而归; 〈成〉 가득 싣고 돌아오다《큰 수확을 올리다》.
[满足] mǎnzú 동 ① 만족하다. ❑ ~现状; 현 상태에 만족하다. ② 만족시키다. ❑ ~对方的要求; 상대방의 요구를 만족시키다.
[满座(儿)] mǎn//zuò(r) 동 자리가 꽉 차다. 만석이 되다. 만원이 되다.

螨(蟎) mǎn (만) 명〔蟲〕 진드기.
[螨虫] mǎnchóng 명〔蟲〕 진드기.

曼 màn (만) ① 형 섬세하고 부드럽다. ② 동 길게 끌다. ❑ ~声; ⇓
[曼谷] Màngǔ 명〔地〕 방콕(Bangkok).
[曼声] mànshēng 동 목소리를 길게 뽑다. ❑ ~歌唱; 목소리를 길게 뽑아 노래하다.

谩(謾) màn (만) 형 무례하다. 오만불손하다.
[谩骂] mànmà 동 깔보고 욕하다.

漫 màn (만) ① 동 물이 넘치다. ❑ 缸里的水~出来了; 독의 물이 넘쳐서 흘러나왔다. ② 동 도처에 널리다. 자욱하다. 가득 퍼지다. ❑ ~起浓浓的大雾; 짙은 안개가 자욱이 피어오르다. ③ 형 끝없다. 아득하다. ❑ ~长; ⇓ ④ 형 마음대로이다. 제멋대로이다. 구속받지 않다. ❑ ~谈; ⇓ ⑤ 부 ⇒[慢③]
[漫笔] mànbǐ 명 만필(漫筆). 만문(漫文). 수필.
[漫不经心] mànbùjīngxīn 〈成〉 전혀 마음에 두지 않다. 전혀 염려하지 않다. =[漫不经意]
[漫步] mànbù 동 만보하다. 한가롭게 거닐다.
[漫长] màncháng 형 길고 끝이 없다. ❑ ~的海岸线; 길고 긴 해안선.
[漫画] mànhuà 명 만화. ❑ ~家; 만화가.
[漫骂] mànmà 동 마구 욕하다. 함부로 욕하다.
[漫漫] mànmàn 형 (시간·장소가) 끝없이 기나길다. 끝없이 멀다. ❑ ~长夜; 끝없이 기나긴 밤.
[漫说] mànshuō 접 …은 물론이고. …은 말할 나위 없이. ❑ ~国内少有, 在全世界也不多; 국내에 거의 없을 뿐만 아니라 세계적으로도 많지 않다. =[慢道][慢说]
[漫谈] màntán 동 자유롭게 이야기하다[토론하다]. ❑ ~会; 자유토론회.
[漫天] màntiān 동 하늘을 뒤덮다. ❑ ~大雪; 많은 눈이 온 하늘을 뒤덮다. 형 한도 끝도 없는 모양. ❑ ~大谎; 새빨간 거짓말 / ~要价; 터무니없이 높은 값을 부르다.
[漫无边际] mànwúbiānjì 〈成〉 ① 한도 끝도 없이 넓다. ② (이야기 따위가) 주제와 동떨어지다.
[漫溢] mànyì 동 (물이) 가득 차서 넘치다. ❑ 洪流~; 홍수가 넘치다.
[漫游] mànyóu 동 ① 마음대로 유람하다. 자유롭게 노닐다. ②〔信〕 로밍(roaming)하다.

慢 màn (만) ① 형 느리다. ❑ 时间过得很~; 시간이 매우 느리게 가다. ② 형 늦추다. 천천하다. ❑ ~点儿告诉他, 免得他担心; 그가 걱정하지 않도록 그에게는 좀 천천히 알려라. ③ 부 …하지 마라. …하면 안 된다. ❑ ~道; ⇓ =[漫⑤] ④ 형 태도가 냉담하다. 무례하다. 매정하다. ❑ 傲~; 오만하다.
[慢车] mànchē 명 완행. 완행차.
[慢道] màndào 접 ⇒[漫说]
[慢镜头] mànjìngtóu 명〔撮〕 (고속도 촬영에 의한) 슬로 모션(slow motion). 「兹」
[慢三步] mànsānbù 명 ⇒[华尔
[慢说] mànshuō 접 ⇒[漫说]
[慢腾腾(的)] mànténgténg(·de) 형 느릿느릿한 모양. 꾸물거리는 모양. =[慢吞吞(的)màntūntūn(·de)]
[慢条斯理] màntiáo-sīlǐ 〈成〉 느리고 침착하다. 여유만만하다.
[慢性] mànxìng 형 만성의. ❑ ~

鼻炎; 만성 비염 / ~病; 만성병. (~儿) 명형 ⇨[慢性子]

[慢性子] mànxìng·zi 형 (성격이) 느릿느릿하다. 느긋하다. 명 느릿느릿한 사람. 느긋한 사람. ‖ =[慢性]

[慢走] mànzǒu 동 ① 〈婉〉 잠시 기다리다(《상대방이 가는 것을 저지하기 위한 말》). ❑ ~, 我还没说完; 잠시 기다려라, 내 말 아직 안 끝났다. ② 〈套〉 안녕히 가세요. 살펴 가십시오(《떠나는 사람에 대한 인사말》).

蔓 màn (만)
뜻은 '蔓wàn'과 같고 복합어에 주로 쓰임. ⇒ mán wàn

[蔓草] màncǎo 명〖植〗 덩굴풀.

[蔓延] mànyán 동 만연하다. 널리 퍼지다. ❑ 传染病~; 전염병이 만연하다.

幔 màn (만)
명 막. 커튼. 휘장. ❑ 窗~; 커튼.

[幔帐] mànzhàng 명 막. 커튼. 휘장. =[〈方〉 幔子]

mang ㄇㄤ

忙 máng (망)
① 형 바쁘다. 분주하다. ❑ 我现在很~; 나는 지금 무척 바쁘다. ② 동 서두르다. 서둘러 …하다. ❑ ~着回家; 서둘러 귀가하다.

[忙活(儿)] máng//huó(r) 동 바삐 움직이다. 급히 하다. (mánghuó(r)) 명 급한 용무.

[忙活] máng·huo 동〈口〉 쉴 새 없이 바삐 일하다.

[忙碌] mánglù 형 바쁘다. 분주하다. ❑ 这是一天中最~的时刻; 지금이 하루 중 가장 바쁜 시간이다.

[忙乱] mángluàn 형 바빠서 허둥지둥하다. ❑ 最近会议多, 太~了; 최근에 회의가 많아서 너무 바빠 허둥거렸다.

[忙于] mángyú 동 …로 바쁘다. ❑ ~招待客人; 손님 접대로 바쁘다.

芒 máng (망)
명 ①〖植〗 억새. ② 벼 · 보리의 까끄라기.

[芒刺在背] mángcì-zàibèi 〈成〉 등에 까끄라기와 가시가 박혀 있다(《바늘방석에 앉은 것 같다》).

[芒果] mángguǒ 명〖植〗〈音〉 망고(mango).

[芒硝] mángxiāo 명〖化〗 황산나트륨.

盲 máng (맹)
① 형 보지 못하다. 눈이 멀다. ❑ 夜~; 야맹증. ② 명 어떤 것을 식별하지 못하거나 정확히 분별하지 못함. ❑ 色~; 색맹. ③ 부 맹목적으로. 무턱대고. ❑ ~从; ⇓

[盲肠] mángcháng 명〖生理〗 맹장.

[盲肠炎] mángchángyán 명〈俗〉 ⇨[阑lán尾炎]

[盲从] mángcóng 동 맹종하다. 무턱대고 따르다.

[盲点] mángdiǎn 명 ①〖生理〗 (안구의) 맹점. ②〈比〉 맹점. 생각이 미치지 못한 점.

[盲动] mángdòng 동 맹동하다. ❑ ~主义; 맹동주의.

[盲干] mánggàn 동 계획 없이 무턱대고 하다.

[盲目] mángmù 형 ① 눈이 보이지 않다. 눈이 멀다. ②〈比〉 맹목적이다. 목적이 없다. ❑ ~崇拜; 맹목적으로 숭배하다.

[盲区] mángqū 명 사각지대. ① 레이더 따위가 포착하지 못하는 지대. ②〈比〉 관심 · 영향이 미치지 못하는 구역.

[盲人] mángrén 명 맹인. 장님. 소경. ❑ ~摸象; 〈成〉 소경이 코끼리를 만지다(《모든 사물을 자기 생각대로 그릇 판단하다》) / ~瞎马; 〈諺〉 소경이 눈먼 말을 타다(《매우 위험한 상황》).

[盲文] mángwén 명 ① ⇨[盲字] ② 점자문(點字文). 점자책.

[盲字] mángzì 명 점자(點字). =[盲文①]

氓 máng (맹)
→[流liú氓]

茫 máng (망)
형 ① 아득하다. 망망하다. ② 막연하다. 분명치 않다. 무지하다. ❑ ~然; ⇓

[茫茫] mángmáng 형 망망하다. 아득하다. ❑ ~大海; 망망대해.

[茫然] mángrán 형 ① 막연하다. 도무지 모르다. ❑ ~无知; 전혀 모르다. ② 실의하다. ❑ ~自失; 〈成〉 망연자실하다.

[茫无头绪] mángwútóuxù 〈成〉 전혀 단서를 잡을 수 없다.

莽 mǎng (망)
① 명 우거진 풀. ❑ 林~; 우거

진 숲. ② 형 경솔하다. 거칠다. 무모하다. 덤벙대다. ❏~撞; ⇓
[莽苍] mǎngcāng 명 벌판. 형 (벌판의) 경치가 끝없이 넓다.
[莽汉] mǎnghàn 명 경망한 자.
[莽莽] mǎngmǎng 형 ① 풀이 우거진 모양. ❏杂草~; 잡초가 무성하다. ② 벌판이 넓고 끝이 없는 모양. ❏~雪原; 끝없는 설원.
[莽撞] mǎngzhuàng 형 거칠고 경망스럽다. 무모하다. ❏~的小伙子; 무모한 젊은이.

蟒 mǎng (망)
명〖動〗보아(boa).
[蟒蛇] mǎngshé 명〖動〗보아(boa).

mao ㄇㄠ

猫 māo (묘)
명〖動〗고양이. ❏小~; 새끼 고양이.
[猫头鹰] māotóuyīng 명〖鳥〗올빼미. =[〈口〉夜猫子①]
[猫熊] māoxióng 명 ⇨[大熊猫]
[猫腰] māo//yāo 동〈方〉허리를 구부리다. ❏一~钻进山洞; 허리를 구부리고 산의 동굴로 들어가다.

毛 máo (모)
① 명 (동식물의 표피상의) 털. 깃털. ❏眉~; 눈썹 / 羊~; 양털. ② 명 곰팡이. ❏长zhǎng~; 곰팡이가 피다. ③ 형 거칠다. 가공되어 있지 않다. ❏一面光, 一面~; 한 면은 반질반질하고 한 면은 꺼끌꺼끌하다. ④ 형 총체적인. 대략적인. ❏~重; ⇓ ⑤ 형 작다. 잘다. ❏~贼; ⇓ ⑥ 형 화폐 가치가 떨어지다. ❏美元~了; 미국 달러가 내렸다. ⑦ 형 경솔하다. 덜렁대다. ❏~手~脚; ⇓ ⑧ 형 놀라 당황하다. 놀라 허둥대다. ❏他听了这个消息就~了; 그는 이 소식을 듣고 놀라 당황했다. ⑨ 동〈方〉성내다. 화내다. ⑩ 양〈口〉⇨[角⑦㉠]
[毛笔] máobǐ 명 모필. 붓.
[毛病] máo·bìng 명 ① 결점. 결함. 흠. ② 나쁜 버릇[습관]. 벽(癖). ③ (기물의) 고장. (업무상의) 실수. ❏自行车出了~; 자전거가 고장났다. ④〈方〉병. 질병. ❏他的腿有~, 一阴天就疼; 그의 다리는 병이 있어서 날만 흐리면 아프다.
[毛糙] máo·cao 형 세심하지 못하다. 거칠다. 조잡하다. ❏他干的活儿太~; 그는 일하는 것이 너무 세심하지 못하다.
[毛虫] máochóng 명〖蟲〗(송충이 따위의) 모충. =[毛毛虫]
[毛豆] máodòu 명 (깍지째의) 풋콩.
[毛发] máofà 명 (사람의) 털과 머리털. 모발.
[毛骨悚然] máogǔ-sǒngrán 〈成〉머리카락이 곤두서다. 소름이 끼치다.
[毛孩子] máohái·zi 명 아이. 어린애. 꼬마.
[毛烘烘(的)] máohōnghōng(·de) 형 털이 많은 모양.
[毛巾] máojīn 명 수건. 타월.
[毛孔] máokǒng 명 ⇨[汗孔]
[毛料] máoliào 명 모직. 울(wool) 소재.
[毛驴(儿)] máolǘ(r) 명〖動〗당나귀(주로, 작은 당나귀를 가리킴).
[毛毛虫] máo·maochóng 명 ⇨[毛虫]
[毛毛雨] máo·maoyǔ 명 ① 가랑비. 안개비. 이슬비. ②〈比〉사전 준비. 사전 정보.
[毛囊] máonáng 명〖生理〗모낭(毛囊). 털주머니.
[毛坯] máopī 명 ① 반제품(半製品). ② 주물(鑄物). 단조품.
[毛皮] máopí 명 모피.
[毛茸茸(的)] máoróngróng(·de) 형 가는 털이 잔뜩 난 모양. ❏~的小猫; 털북숭이 새끼 고양이.
[毛手毛脚] máoshǒu-máojiǎo 〈成〉덜렁대다. 덤벙거리다.
[毛遂自荐] máosuì-zìjiàn 〈成〉자기가 자기를 추천하다
[毛毯] máotǎn 명 담요.
[毛细管] máoxìguǎn 명〖物〗모세관. 모관. ❏~现象; 모세관 현상.
[毛细血管] máoxì xuèguǎn〖生理〗모세 혈관.
[毛线] máoxiàn 명 털실. =[〈方〉绒线②]
[毛衣] máoyī 명 스웨터(sweater).
[毛躁] máo·zao 형 ① 성질이 급하다. ② 세심하지 못하다.
[毛泽东] Máo Zédōng〖人〗마오쩌둥(중화 인민 공화국의 초대 주석, 1893-1976). ❏~思想; 마오쩌둥 사상.
[毛贼] máozéi 명 좀도둑.
[毛织品] máozhīpǐn 명 ① 모직. 모사직. ② 모직물.

[毛重] máozhòng 명 ① 포장 따위를 포함한 무게. 총중량. ② 식육(食肉)의 산 채로의 중량.

牦 máo (모)
→[牦牛]

[牦牛] máoniú 명〔動〕 야크(yak).

矛 máo (모)
명 창.

[矛盾] máodùn 명 ① 창과 방패. 〈轉〉 (언어·행동 따위가) 서로 저촉됨. 모순. ❑～百出; 모순이 백출하다. ②〔哲〕 모순. ❑～律; 모순율. ③ (의견·생각의) 차이. 충돌. 갈등. 동 (의견 따위가) 맞서다. 대립되다. 충돌하다. 형 모순되다. 갈등을 일으키다. ❑到底去哪个公司, 我很～; 대체 어느 회사에 갈지 나는 매우 갈등이 된다.

[矛头] máotóu 명 ① 창끝. ② 〈比〉 비평.

茅 máo (모)
명〔植〕 백모(白茅). 띠.

[茅草] máocǎo 명 ⇨[白茅]

[茅厕] máo·ce 명〈方〉 ⇨[厕所]

[茅房] máofáng 명〈口〉 ⇨[厕所]

[茅坑] máokēng 명 ①〈口〉 (변소의) 분뇨통. ②〈方〉 변소.

[茅庐] máolú 명 초가집.

[茅塞顿开] máosè-dùnkāi 〈成〉 마음이 탁 트이다. 모르던 것을 크게 깨우치다. ＝[顿开茅塞]

[茅舍] máoshè 명〈書〉 ⇨[茅屋]

[茅台酒] máotáijiǔ 명 마오타이주《구이저우 성(貴州省) 산의 유명한 소주》.

[茅屋] máowū 명 초가집. ＝[〈書〉茅舍]

蟊 máo (모)
명 묘근을 갉아먹는 해충.

[蟊贼] máozéi 명 양민(良民)과 국가를 해치는 악인.

锚(錨) máo (묘)
명 닻. ❑下～; 닻을 내리다.

卯 mǎo (묘)
명 ① 묘《12지(支)의 넷째. 토끼》. ② 장붓구멍.

[卯时] mǎoshí 명 묘시《오전 5시부터 7시》.

[卯眼] mǎoyǎn 명〔建〕 장붓구멍. ＝[榫眼]

铆(鉚) mǎo (묘)
동 ① 리벳으로 연결하다. 리벳을 박다. ❑把钉～在钢板; 강판에 리벳을 박다. ② 힘을 들이다.

[铆钉] mǎodīng 명〔機〕 리벳(rivet). ❑～枪; 리베터(riveter).

[铆接] mǎojiē 동 리벳으로 연결하다.

耄 mào (모)
명〈書〉 팔구십 세의 나이. 팔구십 세의 노인. 〈轉〉 노년.

茂 mào (무)
형 ① 무성하다. ❑～密; ⇩ ② 풍부하고 정미(精美)하다. 풍부하고 훌륭하다. ❑图文并～; 삽화도 문장도 내용이 풍부하고 훌륭하다.

[茂密] màomì 형 (풀이나 나무가) 무성하다. 우거지다. 울창하다. ❑～的森林; 울창한 삼림.

[茂盛] màoshèng 형 ① 무성하다. 우거지다. ②〈比〉 번영하다. 번창하다.

冒 mào (모)
① 동 내뿜다. 발산하다. 뿜어나오다. 솟아나다. ❑～汗; 땀이 나다 / ～烟; 연기를 뿜다. 연기가 나다. ② 동 무릅쓰다. 아랑곳하지 않다. ❑～着生命危险救人; 생명의 위험을 무릅쓰고 사람을 구하다. ③ 형 경솔하다. 무모하다. 무례하다. ❑～犯; ⇩ ④ 동 속이다. 사칭하다. ❑以假～真; 가짜를 진짜라고 속이다.

[冒充] màochōng 동 가짜를 진짜로 속이다. 가장하다. 사칭하다. ❑～正品; 정품이라고 속이다.

[冒渎] màodú 동〈書〉 모독하다. ❑～神灵; 신령을 모독하다.

[冒犯] màofàn 동 실례를 하여 상대방을 화나게 하다. ❑如有～之处, 请原谅; 무례한 점이 있다면 용서해 주십시오.

[冒号] màohào 명〔言〕 쌍점. 콜론(:).

[冒火(儿)] mào//huǒ(r) 동 화를 내다.

[冒尖(儿)] mào//jiān(r) 동 ① (용기에) 수북이 담기다. 수북하다. ❑囤里的粮食已经～了; 통가리 속의 양식이 이미 수북하다. ② 일정한 수량을 (조금) 초과하다. ❑他二十岁刚～; 그는 스무 살이 막 넘었다. ③ 빼어나다. 두드러지다. ❑成绩～; 성적이 뛰어나다. ④ 징조가 나타나다. 조짐이 보이다.

[冒进] màojìn 동 무턱대고 시작하다. 성급하게 서두르다.

[冒领] màolǐng 동 남의 이름을 사칭하고 받다. 본인이라고 거짓말하

고 수령하다. ❑～失物; 유실물을 임자라고 사칭하고 받다.
[冒昧] màomèi 형〈謙〉 당돌하다. 실례되다. 외람되다.
[冒名] mào∥míng 동 남의 명의를 사칭하다.
[冒牌(儿)] màopái(r) 형 상표를 도용하다. 유명 상표를 가장하다. ❑～货; 가짜 유명 상표. 모조품.
[冒失] mào·shi 형 경망스럽다. 덜렁대다. 경솔하다. ❑～鬼; 덜렁쇠.
[冒头(儿)] mào∥tóu(r) 동 ① 나타나다. 발생하다. ② 남짓하다. 초과하다. ❑年纪有三十～; 나이가 삼십 세 남짓하다.
[冒险] mào∥xiǎn 동 위험을 무릅쓰다. 모험하다. ❑～家; 모험가.

帽 mào (모)
명 ① 모자. ❑草～; 밀짚모자. ② (～儿) 모자처럼 씌우는 것. ❑笔～儿; ⓐ붓두껍. ⓑ펜 뚜껑.
[帽舌] màoshé 명 (모자의 앞쪽) 챙. =[〈方〉帽舌头]
[帽檐(儿)] màoyán(r) 명 모자챙.
[帽子] mào·zi 명 ① 모자. ❑一顶～; 모자 하나 / 戴～; 모자를 쓰다 / 摘～; 모자를 벗다. ② 〈比〉 죄명. 나쁜 명의. 오명. ❑扣～; 죄를 덮어씌우다.

贸(貿) mào (무)
① 명 교역. 무역. ② 형 경솔하다.
[贸然] màorán 부 경솔하게. 함부로. 생각 없이. 무턱대고. ❑～行动; 경솔하게 행동하다.
[贸易] màoyì 명 무역. 교역. 거래. ❑～壁垒; 무역 장벽 / 对外～; 대외 무역 / ～中心; 무역 센터.
[贸易风] màoyìfēng 명 〖地理〗 무역풍.

貌 mào (모)
명 ① 용모. 모습. ❑容～; 용모. ② 겉모습. 외형. ❑全～; 전모.
[貌合神离] màohé-shénlí 〈成〉 겉으로는 친한 척하지만 실제는 딴 마음을 가지고 있다.
[貌似] màosì 동 겉은 흡사 …하다. 보건대 마치 …하다. ❑～有理; 보기에는 일리 있는 듯하다.

me ㄇㄜ

么(麼) ·me (마)
접미 접미사의 하나. ❑多～; 얼마나 / 那～; 그렇게.

mei ㄇㄟ

没 méi (몰)
동부 '没有' 와 같은 뜻으로 쓰임《주로, 구어(口語)에서 많이 쓰임》. ❑～办法; 방법이 없다 / ～兴趣; 흥미가 없다. ⇒mò
[没出息] méi chū·xi 별볼일 없다. 장래성이 없다. 변변치 못하다. ❑～的人; 별볼일 없는 사람.
[没错(儿)] méicuò(r) 틀림없다. 확실하다. 맞다. 그렇다. ❑你说的～; 네 말이 맞다.
[没大没小] méidà-méixiǎo 〈成〉 위아래가 없다. 무례하다.
[没的说] méi·deshuō ⇒[没说的]
[没法儿] méi∥fǎr 동〈口〉 ① 방법이 없다. 어쩔 수 없다. ❑～解决; 해결할 수 없다. ② (méifǎr)불가능하다. ❑～不知道; 모를리 없다.
[没关系] méi guān·xi 괜찮다. 상관없다.
[没劲] méi∥jìn 동 (～儿) 힘이 없다. 기운이 없다. ❑浑身～; 온몸에 기운이 없다. 형 재미없다. ❑这电影真～; 이 영화는 정말 재미없다.
[没精打采] méijīng-dǎcǎi 〈成〉 풀이 죽다. 의기소침하다. 낙담하다. 맥이 풀리다. =[无精打采]
[没脸] méi∥liǎn 동 면목이 없다. 볼 낯이 없다. ❑我真～见你; 내가 정말 네 얼굴을 볼 낯이 없구나.
[没…没…] méi…méi… …도 없고 …도 없다. ① 두 개의 유의(類義)의 명사·동사 또는 형용사 앞에 놓여 부정을 강조함. ❑没亲没故; 친구도 없고 친척도 없다. ② 두 개의 반의(反義)의 형용사 앞에 놓여 구별되어야 할 것이 구별이 안 됨을 나타냄. ❑没轻没重; 〈成〉 일의 경중을 모르다. 무분별하다 / 没日没夜; 밤낮이 없다.
[没门儿] méi∥ménr 동〈方〉 ① 가망이 없다. 방법이 없다. ❑奔走好几天, 还是～; 며칠 동안을 분주히 뛰어다녔는데도 방법이 없다. ② 불가능하다. ❑今年要完成这项工作, 我看～; 나는 올해 안에 이 일을 끝내기란 불가능하다고 본다. ③ 말도 안 되다. 어림없다《동의할 수 없음을 나타냄》. ❑想这么容易把

我甩了, ~! 이렇게 쉽게 나를 차 버리려고 하다니, 어림없지!

[没谱儿] méi//pǔr 동〈口〉 정해진 계획이 없다. 정하지 못하다.

[没趣(儿)] méiqù(r) 형 체면이 서지 않다. 무안하다. 망신스럽다.

[没什么] méi shén·me 아무것도 아니다. 별것 아니다. 괜찮다. ❑ ~大不了; 별로 대단치 않다.

[没事(儿)] méi//shì(r) 동 ① 할 일이 없다. 한가하다. ❑ 你~帮我个忙; 일이 없으면 나를 좀 도와다오. ② 직업이 없다. ❑ 他近来~, 在家闲着; 그는 최근에 직업 없이 집에서 쉬고 있다. ③ 별일 없다. 괜찮다. 대수롭지 않다. ❑ 放心吧, ~了; 괜찮으니 마음 놓아라. ④ 관계가 없다. 책임이 없다. ❑ ~人(儿); 제삼자. 관계없는 사람.

[没说的] méishuō·de ① 나무랄 데 없다. 흠잡을 데 없다. ❑ 活干得~; 일을 나무랄 데 없이 잘하다. ② 문제없다. 걱정 없다. 지장 없다. ❑ 这事我一定替他办好, ~; 이 일은 내가 반드시 그 대신 잘 처리할게, 문제없어. ③ 말할 여지가 없다. 당연하다. 두말할 필요 없다. ‖=[没有说的][没的说]

[没头没脑] méitóu-méinǎo 〈成〉 ① (말이나 행동이) 앞뒤가 맞지 않다. 일관성이 없다. 두서가 없다. ② 이유가 없다. 밑도 끝도 없다. ③ 마구잡이로 하다. 가차 없다.

[没羞] méixiū 형 염치없다. 뻔뻔스럽다.

[没意思] méi yì·si ① 재미없다. ❑ 这个电影真~; 이 영화는 정말 재미없다. ② 지루하다. 심심하다.

[没有] méi·yǒu 동 ① 없다. 가지고 있지 않다《소유의 부정을 나타냄》. ❑ ~理由; 이유가 없다. ② 없다《존재의 부정을 나타냄》. ❑ ~人愿去; 가고 싶어하는 사람이 없다. ③ (아무도[무엇도]) …않다. …할 사람은 아무도 없다《'谁'·'哪个' 따위의 앞에 쓰임》. ❑ ~谁会相信他的话; 그의 말을 믿을 사람은 아무도 없다. ④ …에 미치지 못하다. …만 못하다. ❑ 今天~昨天热; 오늘은 어제만큼 덥지 않다. ⑤ 수량이 차지 않다. 시간[기한]이 안 되다. ❑ 去那里还~三个月呢; 그곳에 간 지 아직 석 달도 안 된다. 부 ① 아직 …않다《동작·상태 변화 따위가 아직 일어나지 않음을 나타냄》. ❑ 至今还~收到回信; 지금까지 아직도 답장을 받지 못했다. ② …않다《과거의 동작·사실을 부정》. ❑ 银行昨天~开门; 은행은 어제 문을 열지 않았다.

玫 méi (매)

명〈書〉 옥석(玉石)의 일종.

[玫瑰] méi·gui 명〔植〕 ① 장미. ② 해당화. 때찔레.

枚 méi (매)

양 작고 둥근 것을 세는 양사(量詞). ❑ 一~铜子儿; 동전 한 닢 / 一~炸弹; 폭탄 한 알.

眉 méi (미)

명 ① 눈썹. ❑ 浓~; 짙은 눈썹. ② 책의 본문 상단의 여백.

[眉笔] méibǐ 명 아이브로우 펜슬 (eyebrow pencil). 눈썹 펜슬.

[眉端] méiduān 명 ① 미간. ❑ 愁上~; 근심으로 미간을 찌푸리다. ② 책 페이지의 상단.

[眉飞色舞] méifēi-sèwǔ 〈成〉 득의만면한 모양. 희색(喜色)이 만면한 모양.

[眉睫] méijié 명 눈썹과 속눈썹. 〈比〉 눈앞. ❑ ~之祸; 〈成〉 눈앞에 닥쳐온 화.

[眉开眼笑] méikāi-yǎnxiào 〈成〉 만면에 웃음을 띠다《매우 기쁜 표정을 하다》.

[眉来眼去] méilái-yǎnqù 〈成〉 ① (주로, 남녀 간에) 눈으로 정을 주고 받다. ② 비밀리에 결탁하다.

[眉毛] méi·mao 명 눈썹.

[眉目] méimù 명 ① 눈썹과 눈. 〈轉〉 용모. ❑ ~如画; 〈成〉 용모가 아름답다. ② (문장의) 문맥. 줄거리. 조리. ❑ ~不清; 〈成〉 문맥이 통하지 않다.

[眉目] méi·mu 명 실마리. 단서.

[眉清目秀] méiqīng-mùxiù 〈成〉 용모가 준수하다.

[眉梢] méishāo 명 눈썹꼬리.

[眉头] méitóu 명 눈썹 언저리. 눈살.

楣 méi (미)

명〔建〕 문미(門楣).

莓 méi (매)

명〔植〕 딸기. ❑ 山~; 산딸기.

梅 méi (매)

명〔植〕 ① 매실나무. 매화나무. ② 매화. 매화꽃. ③ 매실.

[梅毒] méidú 명〔醫〕 매독.

[梅花] méihuā 명〔植〕 매화꽃.

[梅花鹿] méihuālù 명〔動〕 꽃사슴.

[梅雨] méiyǔ 명 ⇨[黄梅雨]
[梅子] méi·zi 명 ①〔植〕 매실나무. ② 매실(梅實).
酶 méi (매)
명〔化〕 효소.
霉(黴)① méi (미)
① 명 곰팡이. ② 동 곰팡이로 인해 변질되다. 곰팡이가 피다. ❑ ~烂; ⇓
[霉菌] méijūn 명 곰팡이. 사상균.
[霉烂] méilàn 동 곰팡이가 피어 썩다.
[霉气] méi·qì 명 곰팡내. 형〈方〉 운수 나쁘다. 재수가 없다.
媒 méi (매)
명 ① 중매인. ② 매개. 매개체.
[媒介] méijiè 명 매개. 매개체. 매개자.
[媒婆(儿)] méipó(r) 명 매파.
[媒人] méi·ren 명 중매인(中媒人).
[媒体] méitǐ 명 매체. 미디어(media). ❑ 新闻~; 신문 매체.
[媒质] méizhì 명 ⇨[介质]
煤 méi (매)
명〔鑛〕 석탄. =[煤炭]
[煤层] méicéng 명 탄층(炭層).
[煤末(儿)] méimò(r) 명 석탄 가루. 분탄. =[煤末子]
[煤气] méiqì 명 ① (석탄) 가스. ② (연탄) 가스. 일산화탄소. ❑ ~中毒; 가스 중독. ③ 액화 석유 가스. ❑ ~管道; 가스관.
[煤球(儿)] méiqiú(r) 명 조개탄. 알탄.
[煤炭] méitàn 명〔鑛〕 석탄. =[煤]
[煤田] méitián 명 탄전.
[煤油] méiyóu 명 등유.
[煤渣] méizhā 명 탄재. 석탄재.
每 měi (매)
① 대 매(每). 각(各). …마다. …당. ❑ ~两个月集中一次; 두 달에 한 번씩 모이다 / ~年; 매년. 해마다. ② 부 …일 때마다. …이면 항상《반복되는 동작 중의 어떤 한 차례를 나타냄》. ❑ ~当夏季来临, 西瓜就上市; 여름이 오면 항상 수박이 시장에 나온다. ③ 부〈書〉 언제나. 늘. ❑ 无计划之工作, ~不能成功; 계획 없이 일을 하면 언제나 성공하지 못한다.
[每况愈下] měikuàng-yùxià〈成〉 상황이 점점 나빠지다[악화되다].
[每每] měiměi 부 언제나. 늘. 항상. ❑ 两人见面, ~争论不休; 두 사람은 만나기만 하면 늘 논쟁을 벌인다.
[每日] měirì 명 ⇨[每天]
[每时每刻] měishí-měikè〈成〉 항상. 매순간. 내내. 언제나.
[每天] měitiān 명 매일. =[每日]
美 měi (미)
A) ① 형 아름답다. 예쁘다. ❑ 打扮得很~; 매우 아름답게 치장하다. ② 동 곱게 하다. 아름답게 하다. ❑ ~容; ⇓ ③ 형 좋다. 만족스럽다. ❑ 价廉物~;〈成〉 값도 싸고 물건도 좋다. ④ 명 좋은 것[일]. 훌륭한 것[일]. ❑ ~不胜收; ⇓ ⑤ 형〈方〉 득의양양하다. 의기양양하다. B) (Měi) 명〔地〕 ① 미국(美國). ❑ ~籍华人; 미국 국적 중국인. ② 미주(美洲).
[美不胜收] měibùshèngshōu〈成〉 훌륭한 것이 너무 많아 한번에 다 감상할 수 없다.
[美称] měichēng 명 미칭.
[美德] měidé 명 미덕.
[美发] měifà 동 머리를 손질하다. 머리하다. ❑ ~师; 헤어디자이너 / ~厅; 미용실.
[美感] měigǎn 명 미적 감각.
[美观] měiguān 형 (외관이) 아름답다. 훌륭하다. ❑ 室内布置得很~; 실내가 아름답게 꾸며져 있다.
[美国] Měiguó 명〔地〕 미국.
[美好] měihǎo 형 좋다. 훌륭하다. 행복하다《보통, 생활·앞날·바람 따위의 추상적인 것에 쓰임》. ❑ ~的未来; 행복한 미래.
[美化] měihuà 동 미화하다. 아름답게 꾸미다. ❑ ~校园; 캠퍼스를 아름답게 꾸미다.
[美金] měijīn 명 ⇨[美元]
[美景] měijǐng 명 아름다운 경치. 미경.
[美酒] měijiǔ 명 미주. 맛있는 술.
[美丽] měilì 형 아름답다. 곱다. ❑ ~的姑娘; 아름다운 아가씨.
[美满] měimǎn 형 행복하고 원만하다. ❑ 我有个~的家庭; 나에게는 행복하고 원만한 가정이 있다.
[美貌] měimào 명 아름다운 용모. 미모. 형 용모가 아름답다.
[美梦] měimèng 명〈比〉 (실제와 동떨어진) 아름다운 환상. 단꿈.
[美妙] měimiào 형 멋지다. 아름답다. 훌륭하다. ❑ ~的诗句; 아름다운 시구.
[美名] měimíng 명 미명. 명성.
[美女] měinǚ 명 미녀.

[美人(儿)] měirén(r) 명 미인. ❑ ~计; 미인계.
[美容] měiróng 동 용모를 아름답게 하다. 미용하다. ❑ ~师; 미용사 / ~术; 미용술.
[美食] měishí 명 미식. 맛있는 음식. ❑ ~家; 미식가.
[美术] měishù 명 ① 미술. ❑ ~馆; 미술관. ② 회화(繪畫). 그림.
[美谈] měitán 명 미담.
[美味] měiwèi 명 맛있는 음식.
[美学] měixué 명 미학.
[美言] měiyán 동 좋게 말해 주다. 잘 말해 주다. 명〈書〉 좋은 말.
[美意] měiyì 명 호의. 친절.
[美元] měiyuán 명〘貨〙 미국 달러. =[美圆][美金]
[美中不足] měizhōng-bùzú 〈成〉 훌륭하기는 하나 결함이 있다.
[美洲] Měizhōu 명〘地〙 아메리카 대륙. 미주.

镁(鎂) měi (미) 명〘化〙 마그네슘(Mg: magnesium).

妹 mèi (매) 명 ① 누이동생. ❑ 姐~; 자매. ② 같은 항렬의 연하의 여자. ❑ 表~; 사촌 여동생. ③ 젊은 여자. 여자아이. ❑ 农家~; 농가의 여자아이.
[妹夫] mèi·fu 명 여동생의 남편. 매부. 매제. =[〈書〉 妹婿]
[妹妹] mèi·mei 명 ① 여동생. 누이동생. ② 같은 항렬의 자기보다 나이가 적은 여자. ‖ =[〈方〉 妹子①]
[妹婿] mèixù 명〈書〉 ⇨[妹夫]
[妹子] mèi·zi 명〈方〉 ① ⇨[妹妹] ② 계집아이. 여자아이.

昧 mèi (매) ① 형 이치에 어둡다. 어리석다. ❑ 愚~; 우매하다. ② 동 속이다. 감추다. 숨기다. ❑ 拾金不~; 〈成〉 돈을 주워도 슬쩍하지 않는다. ③ 형〈書〉 어둡다. 컴컴하다.
[昧心] mèixīn 동 양심을 속이다. =[昧良心]

寐 mèi (매) 동〈書〉 자다. 잠들다.

魅 mèi (매) ① 명 전설상의 괴물. 도깨비. ② 동 매혹시키다.
[魅力] mèilì 명 매력.
[魅人] mèirén 형 매혹적이다. 사람을 매혹시키다. ❑ 景色~; 풍경이 매혹적이다.

媚 mèi (미) ① 동 아첨하다. 아부하다. 비위를 맞추다. ❑ 献~; 아첨하다. ② 형 아름답다. 사랑스럽다. ❑ 春光明~; 봄 경치가 아름답다.
[媚外] mèiwài 동 외국에 아첨하다.

men ㄇㄣ

闷(悶) mēn (민) ① 형 답답하다. 갑갑하다. 숨막히다. 공기가 안 좋다. ❑ 屋子里太~了; 집 안이 너무 답답하다. ② 동 공기가 통하지 않게 하다. (뚜껑 따위를) 꼭 덮다[닫다]. ❑ 茶还要~一~; 차를 좀더 덮어 놓아야 한다. ③ 동 잠자코 있다. 소리를 내지 않다. ❑ ~声不响; 〈成〉 입을 닫고 말하지 않다. ④ 형〈方〉 (소리가) 우렁차지 않다. 탁하다. ❑ 他的嗓子很~; 그의 목소리는 매우 탁하다. ⑤ 동 집에 틀어박히다. ❑ 他一天到晚老~在家里; 그는 하루 종일 집에 틀어박혀 있기만 한다. ⇒mèn
[闷气] mēn·qi 형 답답하다. 갑갑하다. 숨막히다. ❑ 地下室挺~; 지하실은 너무 답답하다. ⇒mènqì
[闷热] mēnrè 형 습하고 덥다. 무덥다. ❑ ~的夏天; 무더운 여름.
[闷头儿] mēn//tóur 부 묵묵히. ❑ 闷着头儿想; 묵묵히 생각하다.

门(門) mén (문) ① 명 (출입구로서의) 문. 출입구. ❑ 便~; 쪽문 / 正~; 정문. ② 명 (입구에 장치되어 있는) 문. ❑ 关~; 문을 닫다 / 开~; 문을 열다. ③ (~儿) 명 (가구·도구의) 문. 문짝. ❑ 柜~儿; 장농 문짝. ④ 명 모양·기능이 문과 닮은 것. ❑ 气~; 밸브 / 水~; 수문. ⑤(~儿) 명 방법. 비결. 요령. ❑ 摸不着~儿; 방법을 찾을 수 없다. ⑥ 명 집안. 가문. 문벌. ❑ 长~长子; 종가의 장남. ⑦ 명 (종교·학술·사상의) 파. 파벌. ❑ 佛~; 불문. ⑧ 명 스승·사부와 관계 있는 것. ❑ 同~; 동문. ⑨ 명 사물의 분류 단위. 부문(部門). ❑ 分~别类; 부문으로 나누다. ⑩ 명〘生〙 문(《생물 분류 단위의 하나》). ⑪ 양 ㉠대포를 세는 말. ❑ 一~炮; 대포 1문. ㉡수업·기술 따위를 세는 말. ❑ 三~外语;

세 가지의 외국어 / 几~技术; 몇 가지의 기술 / 三~功课; 3과목의 수업. ㉢친척·혼사를 세는 말. ❑这~亲事; 이번 혼사.
[门把] ménbà 명 문손잡이.
[门板] ménbǎn 명 ① 나무 문짝(떼어서 물건을 올려놓는 데 씀). ② (상점의) 빈지. 널빈지(아침에 떼어내고 저녁에 끼움).
[门齿] ménchǐ 명 ⇨[门牙]
[门当户对] méndāng-hùduì 〈成〉 결혼하는 남녀의 집안이나 신분이 서로 걸맞다.
[门道] mén·dao 명〈口〉 ⇨[门路①]
[门第] méndì 명 가문. 집안.
[门丁] méndīng 명 문지기.
[门阀] ménfá 명 문벌.
[门房(儿)] ménfáng(r) 명 ① (입구의) 수위실. ② 수위.
[门风] ménfēng 명 문풍. 가풍.
[门户] ménhù 명 ① 문. 출입문. ②〈比〉 문호. 관문. ❑开放~; 문호를 개방하다. ③ 집. 가정. ❑自立~; 자립해서 가정을 이루다. ④ 파(派). 유파. 파벌. ❑~之见; 파벌에 사로잡힌 편견. ⑤ 가문. 집안. ❑~相当; 집안이 상당하다.
[门环] ménhuán 명 문고리. =[门环子]
[门槛] ménkǎn 명 ① (~儿) 문지방. ② (~儿) 〈比〉 문턱. 조건. ③〈方〉 요령. 비결. 솜씨. ‖ =[门坎kǎn]
[门客] ménkè 명 문객. =[门人②]
[门口(儿)] ménkǒu(r) 명 문어귀. 문앞. 입구.
[门框] ménkuàng 명 문틀.
[门铃(儿)] ménlíng(r) 명 (입구의) 초인종.
[门路] mén·lu 명 ① 비결. 방법. 요령. =[〈口〉 门道] ② 연줄. 연고. =[门子]
[门面] mén·mian 명 ① (상점의) 길 쪽으로 접해 있는 부분. 출입문 주변. ②〈比〉 외관. 외양. ❑~话; 겉치레 말. 입에 발린 말.
[门牌] ménpái 명 문패.
[门票] ménpiào 명 입장권.
[门人] ménrén 명 ① 제자. 문하생. ② ⇨[门客] ‖ =[门下]
[门扇] ménshàn 명 문. 문짝.
[门生] ménshēng 명 문생. 문하생. =[门徒]
[门闩] ménshuān 명 문빗장. =[门栓shuān]
[门庭] méntíng 명 ① 문과 뜰. ❑~若市; 〈成〉 문전성시(많은 사람이 찾아오다). ②〈轉〉 집안. 가문. ❑~衰落; 가문이 쇠퇴하다.
[门徒] méntú 명 ⇨[门生]
[门外汉] ménwàihàn 명 문외한.
[门卫] ménwèi 명 문지기. 수위.
[门下] ménxià 명 ⇨[门人]
[门牙] ményá 명〘生理〙 앞니. 문치. =[门齿][大牙②][切qiē牙]
[门诊] ménzhěn 동〘醫〙 외래 진료 하다. 외래 진찰 하다. ❑~病人; 외래 환자.
[门子] mén·zi 명 ⇨[门路②]

扪(捫) mén (문)
동〈書〉 손을 얹다[대다]. 문지르다.
[扪心] ménxīn 동〈書〉 손을 가슴에 얹다(반성을 나타냄). ❑~自问; 〈成〉 가슴에 손을 얹고 자문하다(스스로 반성하다).

闷(悶) mèn (민)
① 형 (마음이) 답답하다. 짜증 나다. 울적하다. ❑~~不乐; ⇩ ② 동 봉하여 공기가 안 통하게 하다. 밀폐하다. ⇒mēn
[闷葫芦] mènhú·lu 명〈比〉 ① 영문 모를 일[말]. 오리무중. 수수께끼. ② 말수가 적은 사람. 과묵한 사람.
[闷雷] mènléi 명 ① 소리가 낮고 무거운 천둥. ②〈比〉 갑작스러운 정신적 충격.
[闷闷不乐] mènmèn-bùlè 〈成〉 답답하고 울적하다.
[闷气] mènqì 명 가슴속에 쌓인 원한이나 화. 울화. 울분. ⇒mēn·qi

焖(燜) mèn (민)
동 (뚜껑을 덮고) 뭉근하게 끓이다. 뜸을 들이다. ❑~饭; 밥에 뜸을 들이다.

们(們) ·men (문)
접미 …들(대명사나 사람을 나타내는 명사 뒤에 붙어 복수를 나타내는 말). ❑你~; 너희 / 人~; 사람들 / 他~; 그들 / 学生~; 학생들. 注 명사 앞에 수량사나 다수를 나타내는 수식어가 있을 때에는 '们'을 쓸 수 없음.

meng ㄇㄥ

蒙(矇)A) mēng (몽)
동 A) ① 속이다. 기

M

만하다. ❑他用花言巧语把我~住了; 그는 감언이설로 나를 속였다. ② 멋대로 추측하다. 마음대로 예상하다. 대충 찍다. ❑这次考试的题目谁也~不着了; 이번 시험 문제는 아무도 예상할 수가 없다. B) 정신이 멍해지다. 아찔해지다. ❑头发~; 머리가 멍해지다. ⇒méng Měng

[蒙蒙亮] mēngmēngliàng 형 하늘이 희붐하게 밝아지는 모양.

[蒙骗] mēngpiàn 동 속이다. 사기치다. ❑那个商人~了不少顾客; 그 상인은 수많은 고객을 속였다.

[蒙头转向] mēngtóu-zhuànxiàng 〈成〉 머리가 혼란스러워 갈피를 못 잡다.

虻 méng (맹)
명〖蝱〗 등에.

萌 méng (맹)
동 ① 싹트다. ② 발생하다.

[萌动] méngdòng 동 ① (식물이) 싹트기 시작하다. ❑草木~; 초목이 싹트기 시작하다. ② (사물이) 생겨나다. 싹트다.

[萌发] méngfā 동 ① (씨 따위가) 싹을 내다. 싹트다. ②〈比〉 생겨나다. 싹트다. ❑心中~出怜悯的感情; 마음속에 연민이 싹트다.

[萌生] méngshēng 동 (주로, 추상적인 것이) 생겨나다. 싹트다. ❑~邪念; 사념이 생겨나다.

[萌芽] méngyá 동 ① (식물이) 싹트다. 발아하다. ② 〈比〉 막 생겨나다. 막 발생하다. ❑~状态; 맹아적 상태. 명〈比〉 맹아. 시초. 싹.

盟 méng (맹)
① 명 동맹. 연합. ❑结~; 결맹하다. ② 형 (형제가) 의리를 맺은. 의로 맺은. ❑~兄; 의형. ③ 동 맹세하다.

[盟邦] méngbāng 명 ⇒[盟国]

[盟国] méngguó 명 맹방. 동맹국. =[盟邦][盟友②]

[盟军] méngjūn 명 동맹군.

[盟誓] méng//shì 동 맹세하다. ❑对天~; 하늘에 맹세하다.

[盟兄弟] méngxiōngdì 명 의형제. 맹형제. =[把兄弟]

[盟友] méngyǒu 명 ① 맹우. 맹약을 맺은 벗. ② ⇒[盟国]

[盟约] méngyuē 명 맹약. 동맹 조약.

蒙 méng (몽)
① 동 덮다. 가리다. 덮어쓰다. ❑用布~着眼睛; 천으로 눈을 가리다. ② 동 받다. 입다. ❑~你关照, 十分感谢; 보살펴 주셔서 대단히 감사합니다. ③ 형 무지하다. 몽매하다. ⇒mēng Měng

[蒙蔽] méngbì 동 (사실을) 속이다. ❑~群众; 대중을 속이다.

[蒙混] ménghùn 동 (속임수로) 거짓을 진실이라고 속이다. ❑~过关; 〈成〉 속이고 관문을 빠져나가다《거짓말로 일시 모면하다》.

[蒙眬] ménglóng 형 (잠이 덜 깨거나 졸려서) 눈이 몽롱하다. 눈이 흐리멍덩하다. ❑两眼~; 두 눈이 몽롱하다.

[蒙昧] méngmèi 형 ① 몽매하다. 어리석다. ❑~无知; 무지몽매. ② 미개하다. ❑~时代; 미개 시대.

[蒙蒙] méngméng 형 ① 비가 보슬보슬 내리는 모양. ❑~细雨; 보슬비. ② 분명하지 않고 뿌연 모양. ❑云雾~; 운무가 뿌옇게 끼다.

[蒙受] méngshòu 동 받다. 입다. 당하다. ❑~耻辱; 치욕을 당하다.

[蒙太奇] méngtàiqí 명〈音〉 몽타주(프 montage).

[蒙药] méngyào 명〈口〉 ⇒[麻醉剂]

[蒙在鼓里] méng zài gǔ·li 〈比〉 (은폐되어서) 주변 상황에 대해 아무것도 모르다.

檬 méng (몽)
→[柠níng檬]

朦 méng (몽)
→[朦胧]

[朦胧] ménglóng 형 ① 달빛이 어스레하다. ② 흐릿하다. 뿌옇다. 어렴풋하다. 모호하다. ❑烟雾~; 연무가 뿌옇다.

猛 měng (맹)
① 형 사납다. 세차다. 맹렬하다. ❑敌人的炮火很~; 적의 포화가 매우 맹렬하다. ② 형 용감하다. 용맹하다. ❑~将; ⇓ ③ 부 별안간. 느닷없이. 갑자기. ❑~一转身; 몸을 갑자기 확 돌리다.

[猛不防] měng·bufáng 부 갑자기. 느닷없이. ❑~被人打了一拳; 느닷없이 한 대 맞았다.

[猛将] měngjiàng 명 용장. 맹장.

[猛进] měngjìn 동 용맹하게 나아가다. 맹진하다. ❑奋力~; 힘을 다해 맹진하다.

[猛烈] měngliè 형 맹렬하다. 세차다. 거세다. ❑心脏~地跳动; 심장이 매우 세차게 뛰다.

[猛犸] měngmǎ 명〔動〕 매머드 (mammoth).
[猛禽] měngqín 명〔動〕 맹금.
[猛然] měngrán 부 갑자기. 느닷없이. ❏~回头; 갑자기 뒤돌아보다.
[猛兽] měngshòu 명 맹수.

锰(錳) měng (맹) 명〔化〕 망간(Mn: manganese).

蜢 měng (맹) →[蚱zhà蜢]

蒙 Měng (몽) 명〔民〕 몽골 족. 몽고족. ⇒ mēng méng
[蒙古] Měnggǔ 명〔地〕 몽골(Mongolia). ❏~包; 파오(몽골 족이 사는 이동식 텐트 모양의 집).
[蒙古人种] Měnggǔ rénzhǒng 황색 인종. 몽고 인종. 황인종. = [黄种]
[蒙古族] Měnggǔzú 명〔民〕 ① 몽골 족(중국 소수 민족의 하나). ② 몽골의 민족.

懵 měng (몽) 형 사리에 어둡다. 어리석다.
[懵懂] měngdǒng 형 사리에 어둡다. 어리석다. 흐리멍덩하다.

孟 mèng (맹) 명 음력으로 한 계절의 첫째 달. ❏~春; 맹춘(음력 정월) / ~夏; 맹하(음력 4월).
[孟加拉] Mèngjiālā 명〔地〕〈音〉 ① 방글라데시(Bangladesh). = [孟加拉国] ② 벵골(Bengal). ❏~湾; 벵골만.
[孟浪] mènglàng 형〈書〉 덜렁대다. 경솔하다. 소홀하다.

梦(夢) mèng (몽) ① 명 꿈. ❏做~; 꿈을 꾸다. ② 명〈比〉 환상. 공상. 망상. ③ 동 꿈꾸다. ❏~见; ⇓
[梦话] mènghuà 명 ① 잠꼬대. = [梦呓][呓语] ②〈比〉 잠꼬대 같은 소리. 헛소리. 얼토당토않은 말.
[梦幻] mènghuàn 명 몽환. 꿈과 환상. ❏~泡影; 〈成〉 공허하고 쉽게 사라지는 환상. 물거품 / 从~中醒来; 꿈에서 깨어 나다.
[梦见] mèngjiàn 동 꿈꾸다. 꿈에 보다. ❏我昨天晚上~了他; 나는 어젯밤에 그의 꿈을 꾸었다.
[梦境] mèngjìng 명 꿈속의 세계. 꿈결. 꿈나라.
[梦寐] mèngmèi 명 몽매. 꿈. ❏~以求; 〈成〉 꿈속에서도 그리고 바라다(간절히 원하다).
[梦乡] mèngxiāng 명 꿈나라. ❏进入~; 꿈나라로 가다. 잠들다.
[梦想] mèngxiǎng 명 꿈. 바람. 갈망. 동 ① 헛된 꿈을 꾸다. 망상하다. ② 갈망하다. 꿈꾸다. ❏~自由; 자유를 갈망하다.
[梦魇] mèngyǎn 동〔醫〕 가위에 눌리다.
[梦呓] mèngyì 명 ⇨[梦话①]
[梦游症] mèngyóuzhèng 명〔醫〕 몽유병.

mi ㄇㄧ

咪 mī (미) →[咪咪]
[咪咪] mīmī 의 야옹(고양이의 울음소리). ❏小猫~地叫; 새끼 고양이가 야옹 하며 운다.

眯 mī (미) 동 ① 눈을 가늘게 뜨다. 실눈을 뜨다. ❏~着眼睛笑; 실눈을 뜨고 웃다. ②〈方〉 선잠 자다. 졸다. ❏~了一会儿; 잠깐 졸았다. ⇒mí
[眯缝] mī·feng 동 (눈을) 가늘게 뜨다. 실눈을 뜨다.

弥(彌, 瀰①) mí (미) ① 형 널리 퍼지다. 가득 차다. ❏~漫; ⇓ ② 동 메우다. 벌충하다. 채우다. ❏~补; ⇓ ③ 부 〈書〉 더욱더. 더욱. ❏老而~勇; 〈成〉 나이를 먹고 더욱더 용감해지다.
[弥补] míbǔ 동 (결점·부족 따위를) 메우다. 벌충하다. ❏~缺陷; 결함을 메우다.
[弥缝] míféng 동 (결점·잘못 따위가 발각되지 않도록) 미봉하다. 덮어 가리다. 은폐하다. ❏事已败露, 不可~; 일이 이미 발각됐으니 은폐할 수 없다.
[弥勒] Mílè 명〔佛〕 미륵보살.
[弥漫] mímàn 동 (연기·안개·물 따위가) 자욱하다. 널리 퍼지다. 그득하다. ❏烟尘~; 먼지와 연기가 자욱하다.
[弥撒] mí·sa 명〔宗〕〈音〉 미사(라missa).
[弥天大谎] mítiān-dàhuǎng 〈成〉 엄청난 거짓말.

迷 mí (미) ① 동 갈피를 못 잡다. 판단력을 잃다. 헤매다. ❏千万别~了方向; 절대 방향을 잃지 마라. ② 동 빠지

M

다. 심취하다. 열중하다. ❏近来他~着照相; 요즘 그는 사진에 빠져 있다. ③ 명 마니아(mania). 팬(fan). 광(狂). ❏影~; 영화광. 영화팬 / 运动~; 스포츠광. ④ 동 홀리다. 미혹시키다. 판단력을 흐리게 하다. ❏他被金钱~了心窍; 그는 재물에 눈이 멀었다.

[迷宫] mígōng 명 미로. 미궁.

[迷糊] mí·hu 형 (정신이나 눈이) 멍하다. 몽롱하다. 흐리멍덩하다. ❏双眼~; 두 눈이 흐리멍덩하다.

[迷魂汤] míhúntāng 명 ① 혼을 미혹하는 탕약. ② 〈比〉 사람을 미혹하는 말이나 행동. ‖ =[迷魂药]

[迷惑] mí·huò 형 헷갈리다. 판단력을 잃다. 아리송하다. ❏~不解; 아리송하여 풀리지 않다. 동 미혹시키다. 현혹시키다. ❏他用花言巧语~了很多人; 그는 감언이설로 많은 사람들을 현혹시켰다.

[迷离] mílí 형 모호해서 분명하지 않다. 흐리멍덩하여 확실하지 않다. ❏泪眼~; 눈물이 앞을 가려 흐리멍덩하다.

[迷恋] míliàn 동 (어떤 것에) 푹 빠져 헤어나지 못하다. 너무 좋아해서 버리지 못하다. ❏他~大城市的生活; 그는 대도시의 생활에 완전히 빠졌다.

[迷路] mí//lù 동 ① 길을 잃다. ❏他在林中迷了路; 그는 숲속에서 길을 잃었다. ②〈比〉 정확한 방향을 잃다.

[迷漫] mímàn 동 자욱하다. 여기저기 가득하다. ❏烟雾~; 안개가 자욱하다.

[迷茫] mímáng 형 ① 넓고 끝이 없다. 망망하다. 아득하다. ❏眼前一片~; 눈앞이 온통 아득하다. ② (표정이) 멍하다. 넋이 나가다. ❏神色~; 표정이 멍하다.

[迷你裙] mínǐqún 명〈音義〉 미니스커트(mini-skirt). =[超短裙]

[迷人] mírén 형 매혹적이다. 매력적이다. ❏这里的风景非常~; 이곳의 경치는 매우 매력적이다.

[迷失] míshī 동 (방향·길 따위를) 잃다. ❏~道路; 길을 잃다.

[迷雾] míwù 명 ① 짙은 안개. ② 〈比〉 사람을 미혹시키는 사물.

[迷信] míxìn 명 미신. 맹목적 숭배. 동 맹신하다. ❏不能~外国的东西; 외국 것은 무엇이나 좋다고 맹신하지 마라.

谜(謎) mí (미)
명 ① 수수께끼. ②〈比〉 불가사의한 일. 이해할 수 없는 일.

[谜底] mídǐ 명 ① 수수께끼의 답. ② 〈比〉 일의 진상.

[谜语] míyǔ 명 수수께끼.

眯 mí (미)
동 (눈에 먼지가 들어가) 눈을 뜨지 못하다. 안 보이게 되다. ❏灰尘~了眼; 먼지가 눈에 들어가 앞이 안 보인다. ⇒mī

醚 mí (미)
명〔化〕 에테르(ether).

糜 mí (미)
① 명 죽. ② 동 문드러지다. ③ 동 낭비하다.

[糜费] mífèi 동 ⇨[靡费]

[糜烂] mílàn 동 심하게 짓무르다. 문드러지다. ❏伤口~; 상처가 짓무르다. 형 부패하고 타락하다. ❏~的生活; 부패한 생활.

靡 mí (미)
동 낭비하다. ⇒mǐ

[靡费] mífèi 동 낭비하다. ❏~巨款; 거액의 비용을 낭비하다. =[糜费]

米 mǐ (미)
① 명 쌀. ❏糯~; 찹쌀. ② 명 껍질 깐 낟알. ❏花生~; 껍질 깐 땅콩. ③ 명 쌀알처럼 입자가 작은 것. ❏海~; 말린 새우살. ④ 양〔度〕〈音〉 미터(meter). =[公尺]

[米波] mǐbō 명 ⇨[超短波]

[米饭] mǐfàn 명 쌀밥.

[米粉] mǐfěn 명 ① 쌀가루. ② 쌀국수. =[〈方〉 米线]

[米糠] mǐkāng 명 쌀겨.

[米老鼠] Mǐlǎoshǔ 명 〈音義〉 미키 마우스(Mickey Mouse).

[米粮川] mǐliángchuān 명〔地理〕 곡창 지대.

[米色] mǐsè 명〔色〕 미색.

[米汤] mǐ·tāng 명 ① 숭늉. ② 미음.

[米线] mǐxiàn 명〈方〉 ⇨[米粉②]

[米象] mǐxiàng 명〔蟲〕 바구미.

弭 mǐ (미)
동〈書〉 그치다. 그만두다. 없애다. 제거하다. ❏~患; ⇩

[弭患] mǐhuàn 동〈書〉 재난을 없애다.

靡 mǐ (미)
〈書〉 ① 동 (바람에) 쓰러지다. ❏披~; 초목이 바람에 따라 쓸리다. ② 형 좋다. 아름답다. ❏~丽; 화려하다. ③ 동 없다. ⇒mí

[靡靡] mǐmǐ 형 퇴폐적이다. 음탕하다. 저속하다. ❏~之音; 퇴폐적인 음악.

泌 mì (비, 필)
동 분비하다.

[泌尿科] mìniàokē 명〖醫〗비뇨기과.

[泌尿器] mìniàoqì 명〖生理〗비뇨기.

秘 mì (비)
① 형 비밀의. 비밀스러운. ❏~事; 비밀스러운 일. ② 동 비밀로 하다. 비밀을 지키다. ❏~而不宣; ⇓ ⇒bì

[秘而不宣] mì'érbùxuān 〈成〉 비밀로 하여 공개하지 않다.

[秘方] mìfāng 명 비방.

[秘诀] mìjué 명 비결.

[秘密] mìmì 형 비밀스럽다. 은밀하다. ❏~投票; 비밀 투표 / ~文件; 비밀문서. 명 비밀. ❏保守~; 비밀을 지키다.

[秘书] mìshū 명 ① 비서. ② 비서의 직무.

密 mì (밀)
① 형 촘촘하다. 빽빽하다. 조밀하다. ❏白菜种得太~了; 배추를 너무 촘촘하게 심었다. ② 형 친밀하다. 가깝다. ❏亲~; 친밀하다. ③ 형 세밀하다. 정밀하다. 치밀하다. ❏精~; 정밀하다. ④ 명 비밀. ❏保~; 비밀을 지키다.

[密报] mìbào 명동 밀고(하다). ❏有人~了他的走私活动; 누군가가 그의 밀수 활동을 밀고했다. =[密告]

[密闭] mìbì 동 밀폐하다. ❏~的房间; 밀폐된 방 / ~容器; 밀폐 용기.

[密布] mìbù 동 짙게 깔리다. 빽빽하게 들어차다. ❏云雾~; 운무가 짙게 깔리다.

[密电] mìdiàn 명동 비밀 전보(를 치다).

[密度] mìdù 명 ① 조밀한 정도. 밀도. ❏人口~; 인구 밀도. ②〖物〗밀도. ❏~计; 밀도계.

[密封] mìfēng 동 밀봉하다. ❏~瓶口; 병 아가리를 밀봉하다.

[密告] mìgào 명동 ⇨[密报]

[密集] mìjí 동 빽빽이 모이다. 밀집하다. ❏~在广场上; 광장에 밀집하다. 형 밀집되다. 조밀하다. ❏人口~; 인구가 밀집되다.

[密件] mìjiàn 명 밀서. 비밀문서.

[密林] mìlín 명 밀림. 정글.

[密码] mìmǎ 명 암호. 비밀번호.

[密密丛丛(的)] mì·micóngcóng(·de) 형 (초목이) 무성하고 빽빽하게 우거진 모양.

[密密麻麻(的)] mì·mimámá(·de) 형 (주로, 작은 물건이) 촘촘하고 빽빽한 모양. =[密麻麻(的)]

[密谋] mìmóu 동 (주로, 안 좋은 것을) 비밀리에 계획하다. ❏~叛乱; 비밀리에 반란을 꾀하다.

[密切] mìqiè 형 ① 밀접하다. ❏关系很~; 관계가 매우 밀접하다. ② 꼼꼼하다. 세심하다. ❏~注意; 세심하게 주의하다. 동 긴밀히 하다. ❏进一步~两国关系; 양국의 관계를 더욱 긴밀히 하다.

[密室] mìshì 명 밀실.

[密实] mì·shi 형 꼼꼼하다. 세밀하다.

[密谈] mìtán 동 밀담하다.

[密探] mìtàn 명 밀정. 간첩. 스파이(spy). 염탐꾼.

[密信] mìxìn 명 비밀 편지.

[密约] mìyuē 동 비밀리에 약속하다. ❏~幽会; 밀회를 약속하다. 명 밀약. 비밀 조약.

[密云不雨] mìyún-bùyǔ 〈成〉 구름이 잔뜩 깔려 있는데 비는 오지 않다《일이 곧 발생할 것 같은데 아직 일어나지 않다》.

[密植] mìzhí 동〖農〗밀식하다.

蜜 mì (밀)
① 명 꿀. 벌꿀. ② 명 꿀 같은 것. ❏糖~; 당밀. ③ 형 달다. 달콤하다. ❏甜言~语; 달콤한 말.

[蜜蜂] mìfēng 명〖蟲〗꿀벌.

[蜜饯] mìjiàn 동 (과일 따위를) 설탕에 절이다. 명 사탕절이.

[蜜月] mìyuè 명〈義〉밀월. 신혼. 허니문(honeymoon). ❏~旅行; 신혼여행.

觅(覓) mì (멱)
동 찾다. 구하다. ❏寻~; 찾다 / ~食; 먹이를 찾다

幂 mì (멱)
① 명〈書〉물건을 덮는 천. ② 동〈書〉(천으로) 덮다. 씌우다. ③ 명〖數〗제곱. 멱승. 승. 멱.

mian ㄇㄧㄢ

眠 mián (면)
동 ① 수면하다. 잠자다. ❏安~; 안면하다. ② (동물이) 휴면(休眠)하다. ❏冬~; 동면하다.

绵(綿) mián (면)
① 명 풀솜. 솜. ② 형

길게 이어지다. 면면하다. ❏ ~延; ⇓ ③ 형 부드럽다. ❏ ~软; ⇓

[绵长] miáncháng 형 길게 이어지다. 면면하다. ❏ ~岁月; 세월이 면면하다.

[绵亘] miángèn 형 (산맥 따위가) 길게 뻗어 있다. 연달아 이어지다.

[绵里藏针] miánlǐ-cángzhēn 〈成〉 ① 겉보기는 부드러우나 속은 야무지다. ② 외모는 부드럽게 생겼으나 마음은 독하다.

[绵密] miánmì 형 (언행·생각이) 면밀하다. 치밀하다. 세심하다.

[绵绵] miánmián 형 끊임없이 계속되는 모양. 면면한 모양. ❏ ~细雨; 끊임없이 내리는 가랑비.

[绵软] miánruǎn 형 ① 부드럽다. ❏ ~的羊毛; 부드러운 양털. ② 나른하다. ❏ ~无力; 나른하여 힘이 없다.

[绵延] miányán 동 (끝없이) 길게 이어지다. 길게 뻗다. ❏ ~不断的森林; 끝없이 길게 이어진 숲.

[绵羊] miányáng 명〖動〗면양.

棉 miáan (면)

棉 miánx

명 ①〖植〗목화. ② 솜. 면화. ③ 솜과 같은 것. ❏ 石~; 석면.

[棉被] miánbèi 명 솜이불.

[棉布] miánbù 명 면포.

[棉纺] miánfǎng 형〖紡〗면사 방적의. ❏ ~厂; 면사 방적 공장.

[棉花] mián·huā 명 ①〖植〗목화. ② 솜. 면화.

[棉裤] miánkù 명 솜바지.

[棉毛] miánmáo 명〖紡〗메리야스. ❏ ~衫; 메리야스 셔츠

[棉签(儿)] miánqiān(r) 명 면봉.

[棉纱] miánshā 명〖紡〗면사.

[棉线] miánxiàn 명 면사. 무명실.

[棉絮] miánxù 명 ① 목화 섬유. ② (충전재로 쓰이는) 솜. 이불솜.

[棉衣] miányī 명 면의. 무명옷.

[棉织品] miánzhīpǐn 명 면직물.

[棉籽] miánzǐ 명 목화씨. =[棉子]

免 miǎn (면)

동 ① 면하다. 면제하다. ❏ ~予罚款; 벌금을 면제해 주다. ② 피하다. 모면하다. ❏ ~受嫌疑; 혐의를 피하다. ③ …을 금하다. ❏ 闲人~进; 관계자외 출입 금지.

[免不了] miǎn·buliǎo 동 면할 수 없다. 피할 수 없다. ❏ 如果你不去, ~惹他不高兴; 만약에 네가 가지 않으면 그가 기분 나빠할 것이다. =[免不得]

[免除] miǎnchú 동 없애다. 면제하다. 제거하다. ❏ ~误会; 오해를 없애다 / ~债务; 채무를 면제하다.

[免得] miǎn·de 접 …하지 않도록. ❏ 开车一定要慢一点, ~发生事故; 차를 몰 때는 사고가 나지 않도록 좀 천천히 몰아야 한다.

[免费] miǎn∥fèi 동 무료[공짜]로 하다. ❏ ~赠送; 무료로 증정하다.

[免票] miǎnpiào 동 표를 받지 않다. 무료 입장[승차]이다. 명 무료 입장권. 무임 승차권. 공짜표.

[免试] miǎnshì 동 ① 시험을 면제하다[받다]. ❏ ~入学; 무시험 입학. ② 테스트를 면제하다.

[免税] miǎn∥shuì 동 면세하다. ❏ ~品; 면세품 / ~商店; 면세점.

[免疫] miǎnyì 동 면역성이 있다. ❏ ~力; 면역력 / ~性; 면역성.

[免职] miǎn∥zhí 동 면직하다.

[免罪] miǎn∥zuì 동 면죄하다.

勉 miǎn (면)

동 ① 힘쓰다. 노력하다. ② 격려하다. 면려하다. ❏ 互~; 서로 격려하다. ③ 무리하게 하다. 억지로 하다. ❏ ~强; ⇓

[勉励] miǎnlì 동 면려하다. 격려하다. ❏ 老师~他好好学习; 선생님께서 열심히 공부하라고 그를 격려하셨다.

[勉强] miǎnqiǎng 형 ① 간신히[무리하게] 하다. ❏ 他尽管病重, 仍~坚持工作; 그는 비록 병이 중하지만, 무리하게 계속해서 일한다. ② 마지못해 하다. 억지로 하다. ❏ 勉勉强强地同意; 마지못해 동의하다. ③ 아쉬운 대로 하다. 그런대로 하다. ❏ 这件衣服虽小些, ~还能穿; 이 옷은 비록 좀 작지만, 그런대로 입을 수 있다. ④ (이유가) 불충분하다. 억지스럽다. ❏ 论据~; 논거가 불충분하다. 동 억지로 하게 하다. 강제로 시키다. ❏ 他不愿唱, 你就别~他了; 그가 노래 부르기 싫어하니 강제로 시키지 마라.

[勉为其难] miǎnwéiqínán 〈成〉 힘에 부치는 일을 무리해서 하다.

娩 miǎn (만)

동 분만하다. 출산하다. ❏ 分~; 분만하다.

冕 miǎn (면)

명 면류관. ❏ 加~; 대관하다.

湎 miǎn (면)

→[沉湎]

缅(緬) miǎn (면)

형 요원하다. 아득하다.

M

[缅怀] miǎnhuái 동 회고하다. 추억하다. ❑~先烈; 선열을 추억하다. =[缅想]

腼 miǎn (면)
→[腼腆]

[腼腆] miǎntiǎn 형 수줍음이 많다. 부끄러움을 많이 타다.

面(麵)B) miàn (면)
A) ① 명 얼굴. ❑~带微笑; 얼굴에 미소를 띠다. ② 동 면하다. 향하다. ❑背山~水; 산을 등지고 강을 향하다. ③(~儿) 명 표면. 겉. 겉면. ❑地~; 지면/桌~; 탁자면. ④ 동 마주·대하다. 직접 만나다. ❑~交; 만나서 건네다. ⑤(~儿) 명 바깥면. 겉감. ❑被~儿; 이불의 겉감. ⑥ 명〖數〗면. ❑平~; 평면. ⑦ 명 방면. 쪽. 부위. ❑正~; 정면. ⑧ 접미 방위사(方位詞) 뒤에 붙음. ❑前~; 앞/西~; 서쪽/外~; 바깥. ⑨ 양 납작하고 평평한 것을 세는 말. ❑两~镜子; 거울 두 개. ⑩ 양 만나는 횟수를 세는 말. ❑我们见过几~; 우리는 몇 번 만난 적이 있다. B) 명 ① 곡물 가루. ❑豆~; 콩가루. ② 밀가루. ③(~儿) 가루. ❑粉笔~儿; 분필 가루/辣椒~儿; 고춧가루. ④ 국수. 면.

[面包] miànbāo 명 빵. 식빵. ❑~房; 빵집/烤~; 토스트.

[面包车] miànbāochē 명 미니버스(minibus). 승합차.

[面不改色] miànbùgǎisè 〈成〉 안색 하나 바꾸지 않다《냉정을 유지하며 침착한 모양》.

[面对] miànduì 동 마주하다. 만나다. 직면하다. ❑~强敌; 강적을 만나다/~现实; 현실에 직면하다.

[面对面] miànduìmiàn 얼굴을 마주하다. 마주 보다. ❑他们~站着; 그들은 마주 보고 서 있다.

[面粉] miànfěn 명 밀가루. =[白粉]

[面红耳赤] miànhóng-ěrchì 〈成〉 (부끄럽거나 흥분하여) 얼굴이 빨개지는 모양.

[面黄肌瘦] miànhuáng-jīshòu 〈成〉 얼굴이 누렇게 뜨고 수척하다.

[面积] miànjī 명 면적. ❑耕地~; 경지 면적.

[面颊] miànjiá 명 ⇨[脸蛋儿]

[面具] miànjù 명 ① 마스크(mask). ② ⇨[假面具]

[面孔] miànkǒng 명 얼굴. 낯.

[面临] miànlín 동 직면하다. 당면하다. ❑~困难; 어려움에 직면하다.

[面貌] miànmào 명 ① 얼굴 생김새. 용모. ②〈比〉 양상. 면모. 상황. ❑社会~; 사회 상황. ‖ =[面目①]

[面面俱到] miànmiàn-jùdào 〈成〉 각 방면을 빠짐없이 두루 살피다.

[面面相觑] miànmiàn-xiāngqù 〈成〉 (놀라거나 어찌할 바를 몰라) 서로 얼굴만 쳐다보다.

[面膜] miànmó 명 (얼굴에 하는) 팩(pack).

[面目] miànmù 명 ① ⇨[面貌] ② 면목. 체면. 낯.

[面目全非] miànmù-quánfēi 〈成〉 〈貶〉 전혀 다른 모습으로 변하다.

[面目一新] miànmù-yīxīn 〈成〉 모양이 완전히 새롭게 되다.

[面庞] miànpáng 명 ⇨[脸盘儿]

[面洽] miànqià 동 직접 만나 상담하다.

[面前] miànqián 명 (보고 있는) 앞. 면전. 눈앞. 「모습.

[面容] miànróng 명 얼굴. 용모.

[面色] miànsè 명 얼굴색. 안색. 혈색. ❑~红润; 혈색이 좋다.

[面纱] miànshā 명 ① 베일. 면사포. ❑蒙~; 면사포를 쓰다. ②〈比〉 (진면목을 가리고 있는) 베일. ❑揭开~; 베일을 벗기다.

[面善] miànshàn 형 ① ⇨[面熟] ② 얼굴이 온화하다.

[面生] miànshēng 형 모습이 생소하다. 낯설다. ❑这个人~得很; 이 사람은 무척 낯설다.

[面食] miànshí 명 밀가루 음식. 분식(粉食).

[面试] miànshì 동 면접 시험을 치르다. 면접하다.

[面熟] miànshú 형 낯이 익다. 안면이 있다. =[面善①]

[面谈] miàntán 동 면담하다.

[面条(儿)] miàntiáo(r) 명 국수.

[面相] miànxiàng 명 모습. 얼굴.

[面罩] miànzhào 명 안면 마스크.

[面子] miàn·zi 명 ① 표면. 겉. 외양. ❑被~; 이불 겉감. ② 체면. 낯. 얼굴. 면목. ❑丢~; 체면이 깎이다. ③ 정의(情誼). 의리. 인정.

miao ㄇㄧㄠ

喵 miāo (묘)
의 야옹《고양이 울음소리》. ❑

小猫~~地叫; 새끼 고양이가 야옹 야옹하며 운다.

苗 miáo (묘)

명 ① (~儿) 모. 모종. 싹. ❏ 树~; 나무의 모종. ② 자손. 후예. ③ (일부 사육 동물의) 새끼. ❏ 鱼~; 치어(稚魚). ④〖醫〗 백신. ❏ 牛痘~; 우두 백신. ⑤ (~儿) 싹처럼 생긴 것. ❏ 灯~; 등불의 불꽃. ⑥ 징조. 조짐. 낌새. 기미.

[苗床] miáochuáng 명 못자리.

[苗木] miáomù 명 묘목.

[苗圃] miáopǔ 명〖農〗 묘포.

[苗儿] miáor 명〈方〉 ⇨[苗头]

[苗条] miáo·tiao 형 (여자의 몸매가) 날씬하다. ❏ 身材~; 몸매가 날씬하다.

[苗头] miáo·tou 명 조짐. 징조. 징후. 낌새. 형세. =[〈方〉 苗儿]

描 miáo (묘)

동 ① 모사하다. 본떠 그리다. ❏ ~图样; 도안을 그리다. ② 덧그리다. 덧쓰다. ❏ 写字不要~; 글씨를 쓸 때에는 덧쓰면 안 된다.

[描画] miáohuà 동 그리다. 묘사하다. ❏ 把湖光山色~下来; 호수와 산이 어우러진 아름다운 풍경을 묘사해 내다.

[描绘] miáohuì 동 (생생하게) 그리다. 묘사하다. ❏ ~变化的过程; 변화의 과정을 생생하게 그리다.

[描摹] miáomó 동 ① 모사(模寫)하다. ②〈轉〉 (언어 · 문자로 이미지 · 특징 따위를) 표현하다. 묘사하다. ❏ 喜怒哀乐~得逼真; 희로애락의 묘사가 생생하다.

[描述] miáoshù 동 묘사하여 서술하다.

[描写] miáoxiě 동 그려 내다. 묘사하다. ❏ 这篇小说是~爱情的; 이 소설은 애정을 묘사한 것이다.

瞄 miáo (묘)

동 겨누다. 주시하다.

[瞄准(儿)] miáo//zhǔn(r) 동 ① 겨냥하다. 조준하다. ❏ ~敌人的阵地; 적의 진지를 겨냥하다. ② 맞추다. 겨냥하다. ❏ ~市场, 开发新产品; 시장에 맞추어 신제품을 개발하다.

秒 miǎo (묘, 초)

양〖度〗 초《시간 · 각도 · 경위도의 단위. 1분의 60분의 1》.

[秒表] miǎobiǎo 명 스톱워치(stopwatch). =[马表][跑表]

[秒针] miǎozhēn 명 초침.

渺 miǎo (묘)

형 ① 멀고 아득하다. ❏ ~不可见; 〈成〉 멀고 아득해 보이지 않다. ② 미미하다. 사소하다. ❏ ~不足道; 〈成〉 사소하여 하잘것없다.

[渺茫] miǎománg 형 ① 넓고 멀어서 아득하다. 묘망하다. ② 예측하기 어렵다. 막연하다. ❏ 前途~; 전도가 막연하다.

[渺无人烟] miǎowúrényān 〈成〉 인가(人家) 하나 없이 끝없이 넓고 황량하다.

[渺小] miǎoxiǎo 형 하찮다. 하잘것없다. ❏ ~的人物; 하찮은 인물.

藐 miǎo (묘)

① 형 작다. ② 동 경시하다.

[藐视] miǎoshì 동 경시하다. 무시하다. 우습게보다.

[藐小] miǎoxiǎo 형 아주 작다. 미미하다.

妙 miào (묘)

형 ① 좋다. 아름답다. 훌륭하다. ❏ 见事不~就跑了; 형세가 나쁘다 싶자 달아났다. ② 교묘하다. 기발하다. 오묘하다. ❏ 这个法子真~; 이 방법은 정말 기발하다.

[妙不可言] miàobùkěyán 〈成〉 이루 말할 수 없이 좋다.

[妙计] miàojì 명 묘책.

[妙龄] miàolíng 명 묘령《여자의 청춘기》. ❏ ~女郎; 묘령의 여인.

[妙趣] miàoqù 명 묘미. 묘취. ❏ ~横生; 〈成〉 묘취가 넘치다.

[妙手回春] miàoshǒu-huíchūn 〈成〉 (의사가) 훌륭한 의술로 건강을 되찾아 주다.

[妙药] miàoyào 명 묘약.

庙(廟) miào (묘)

명 ① 사당. 묘(廟). ❏ 宗~; 종묘. ② 절. 사찰. 사원. =[庙宇] ③ 절 주변에 임시로 서는 장(場).

[庙会] miàohuì 명 절 주변에 임시로 서는 장(場). 묘회.

[庙宇] miàoyǔ 명 ⇨[庙②]

mie ㄇㄧㄝ

乜 miē (먀)

동〈方〉 흘겨보다. 째려보다.

[乜斜] miē·xie 동 ① 눈을 흘기다. 째려보다. 흘겨보다. ❏ ~着眼睛看人; 남에게 눈을 흘기다. ② 졸린 듯 눈을 가늘게 뜨다. ❏ ~倦眼; 잠

이 덜 깨어 게슴츠레한 눈을 하다.

咩 miē (미)
의 매에(《양의 울음소리》).

灭(滅) miè (멸)
동 ① (불이) 꺼지다. ❑ 火~了; 불이 꺼졌다. ② (불을) 끄다. ❑ ~灯; 등불을 끄다. ③ 물에 잠기다. 침수하다. ④ 멸하다. 멸망하다. ❑ 自~; 자멸하다. ⑤ 박멸하다. 소멸시키다. ❑ ~害虫; 해충을 박멸하다.

[灭顶] miè//dǐng 동 침몰하다. 익사하다. ❑ ~之灾; 〈成〉 익사하는 재해《치명적 재난》.

[灭火] miè//huǒ 동 불을 끄다. 진화하다. ❑ ~工作; 진화 작업 / ~器; 소화기 / ~沙; 방화용 모래.

[灭绝] mièjué 동 ① 멸절하다. ❑ 天花病已经~; 천연두는 이미 완전히 멸절됐다. ② 완전히 잃다. ❑ ~人性; 인간성을 완전히 상실하다.

[灭口] miè//kǒu 동 (죽여서) 입막음을 하다. ❑ 杀人~; 사람을 죽여서 입막음을 하다.

[灭亡] mièwáng 동 멸망하다. ❑ 自取~; 멸망을 자초하다.

[灭种] mièzhǒng 동 ① 종족이 멸망하다. ② ⇨[绝种]

蔑 miè (멸)
① 〈書〉 형 작다. 우습다. ❑ ~视; ⇓ ② 부 없다. ❑ ~以复加; 그 이상 보탤 것이 없다.

[蔑称] mièchēng 명동 멸칭(하다).

[蔑视] mièshì 동 멸시하다. 업신여기다. 깔보다.

篾 miè (멸)
명 (대나무 · 갈대 따위의) 오리.

[篾条] miètiáo 명 대오리.

[篾子] miè·zi 명 대오리. 댓개비.

min ㄇㄧㄣ

民 mín (민)
① 명 백성. 인민. 국민. ② 명 어떤 종류의 사람. ❑ 农~; 농민 / 侨~; 교민. ③ 형 대중적인. ❑ ~歌; ⇓ ④ 형 비군사적인. 민간의. ❑ ~航; ⇓

[民办] mínbàn 형 민영의. 사립(私立)의. ❑ ~企业; 민영 기업.

[民兵] mínbīng 명 민병《민간 무장 조직》.

[民不聊生] mínbùliáoshēng 〈成〉 백성이 안심하고 생활할 수 없다.

[民法] mínfǎ 명〔法〕 민법.

[民愤] mínfèn 명 대중의 분노.

[民歌] míngē 명 민요. 포크송(flok song).

[民工] míngōng 명 ① 임시 취로자(就勞者). ② (도시에 가서 일하는) 농민.

[民国] Mínguó 명 〈簡〉 '中华民国' (중화민국)의 약칭.

[民航] mínháng 명 〈簡〉 ⇨[民用航空]

[民间] mínjiān 명 민간. ❑ ~故事; 민담. 민간 설화.

[民情] mínqíng 명 ① 민정. 국민의 실정. ② 민심.

[民生] mínshēng 명 민생. ❑ ~涂炭; 〈成〉 민생이 도탄에 빠지다.

[民事] mínshì 형〔法〕 민사의. ❑ ~诉讼; 민사 소송 / ~案件; 민사 사건 / ~责任; 민사 책임.

[民俗] mínsú 명 민속.

[民心] mínxīn 명 민심.

[民选] mínxuǎn 동 민선하다. ❑ ~代表; 민선 대표.

[民谣] mínyáo 명 민요.

[民意] mínyì 명 민의. 여론. ❑ ~测验; 국민 여론 조사.

[民营] mínyíng 형 민간 경영의. 민영의. ❑ ~企业; 민영 기업.

[民用] mínyòng 형 민용의.

[民用航空] mínyòng hángkōng 민간 항공. =[〈簡〉 民航]

[民众] mínzhòng 명 민중. ❑ ~运动; 민중 운동.

[民主] mínzhǔ 명 민주. ❑ ~主义; 민주주의. 형 민주적이다. ❑ 办事~; 일처리가 민주적이다

[民族] mínzú 명 민족. ❑ ~英雄; 민족 영웅 / ~主义; 민족주의.

皿 mǐn (명)
명 접시·주발 따위의 그릇.

悯(憫) mǐn (민)
동 불쌍히 여기다. ❑ 怜~; 가엾이 여기다.

泯 mǐn (민)
동 소멸하다. 없어지다.

[泯灭] mǐnmiè 동 (흔적·인상 따위를) 없애다. 지우다. ❑ 难以~的印象; 지울 수 없는 인상.

抿 mǐn (민)
동 ① (머리 따위를 물이나 기름을 묻혀) 매만지다. ❑ ~头发; 머리를 매만지다. ② (입술·날개·귀 따위를) 다물다. 오므리다. ❑ 小鸟

~了翅膀; 작은 새가 날개를 오므렸다. ③(입술을 잔이나 공기에 살짝 대고) 조금 마시다. ❏~了一口咖啡; 커피를 한 모금 마셨다.

闽(閩) Mǐn (민) 명〖地〗① 민장 강(閩江)《푸젠 성(福建省)에 있는 강 이름》. ② 푸젠 성의 별칭.

敏 mǐn (민) 형 ① 빠르다. 민첩하다. ❏~于事慎于言; 〈成〉 일에는 민첩하고 말에는 신중하다. ② 총명하다. 기민하다. ❏聪~; 총명하다.

[敏感] mǐngǎn 형 민감하다. ❏他对声音很~; 그는 소리에 매우 민감하다/~问题; 민감한 문제.

[敏捷] mǐnjié 형 민첩하다. 재빠르다. ❏动作~; 동작이 민첩하다.

[敏锐] mǐnruì 형 예민하다. 날카롭다. ❏嗅觉~; 후각이 예민하다.

ming ㄇㄧㄥ

名 míng (명) ①(~儿) 명 이름. 명칭. ❏改~; 개명하다. ② 명 명분. 명목. 구실. ❏他们常以开会为~, 到处游山玩水; 그들은 자주 회의를 구실로 여기저기로 유람을 다닌다. ③ 명 명예. 명성. ❏有~; 유명하다. ④ 형 유명한. ❏~酒; 명주. ⑤ 동 〈書〉 표현해 내다. 형용하다. ❏不可~状; 〈成〉 이루 말로 다 형용할 수 없다. ⑥ 동〈書〉 갖다. 가지다. ❏不~一钱; 무일푼이다. ⑦ 양 ㉠ 사람을 세는 말. ❏三百多~; 300여 명. ㉡석차·순위를 세는 말. ❏第三~; 3등.

[名不副实] míngbùfùshí 〈成〉 유명무실하다. =[名不符fú实]

[名不虚传] míngbùxūchuán 〈成〉 명불허전하다.

[名册] míngcè 명 명부.

[名产] míngchǎn 명 명산물. 명산품.

[名称] míngchēng 명 이름. 명칭.

[名词] míngcí 명 ①〖言〗 명사. ②(~儿) 전문 용어. ❏技术~; 기술 용어.

[名次] míngcì 명 이름의 순서. 순위. 서열. 석차.

[名存实亡] míngcún-shíwáng 〈成〉 유명무실하게 되다.

[名单(儿)] míngdān(r) 명 명단.

[名额] míng'é 명 정원. 정수.

[名分] míngfèn 명 명분《그 사람의 이름·신분·지위 따위》.

[名副其实] míngfùqíshí 〈成〉 명실상부하다. 명실공히 …하다. =[名符fú其实]

[名贵] míngguì 형 유명하고 진귀하다. ❏~的药材; 진귀한 약재.

[名过其实] míngguòqíshí 〈成〉 평판이 실제 이상이다.

[名画] mínghuà 명 명화.

[名将] míngjiàng 명 명장.

[名句] míngjù 명 유명한 글귀. 명구.

[名角(儿)] míngjué(r) 명 명배우.

[名利] mínglì 명 명리.

[名列前茅] mínglièqiánmáo 〈成〉 석차(席次)가 상위(上位)에 있다.

[名流] míngliú 명 (학술·정치계의) 명사(名士). 명류.

[名目] míngmù 명 명칭. 이름.

[名牌] míngpái 명 ①(~儿) 유명 상표[브랜드]. ❏~大学; 명문 대학/~货; 유명 브랜드 상품. ② 명찰. 명패.

[名片(儿)] míngpiàn(r) 명 명함. =[片piàn子②]

[名气] míng·qi 명 평판. 명성. ❏有~的学者; 명성 있는 학자.

[名人] míngrén 명 유명한 사람. 저명 인사. 명인.

[名山] míngshān 명 명산. 유명한 산. ❏~大川; 〈成〉 명산대천.

[名声] míngshēng 명 명성. 평판.

[名胜] míngshèng 명 명승. 명소. ❏~古迹; 명승 고적.

[名堂] míng·tang 명 ① 명목. 종류. 양식. ② 성과. 결과. ③ 이유. 내용. 도리.

[名望] míngwàng 명 명망.

[名位] míngwèi 명 명성과 지위.

[名言] míngyán 명 명언.

[名医] míngyī 명 명의.

[名义] míngyì 명 ① 명의. 명목. ❏~工资; 명목 임금. ② 명의상. 형식상《주로, '~上'의 형식으로 쓰임》. ❏~上是援助, 实际上是侵略; 명목상은 원조이지만 실제는 침략이다.

[名誉] míngyù 명 명예. 형 명의상의. 명예의. ❏~会员; 명예 회원.

[名正言顺] míngzhèng-yánshùn 〈成〉 명분도 올바르고 말도 이치에 맞다.

[名著] míngzhù 명 명저.
[名字] míng·zi 명 ① 이름. ❏你叫什么～? 너는 이름이 뭐니? ② (사물의) 명칭.
[名作] míngzuò 명 명작.
茗 míng (명)
명 ① 찻잎. ② 차.
铭(銘) míng (명)
① 명 비석 따위에 공덕 따위를 새긴 문자. ❏墓志～; 묘지명. ② 명 스스로를 채찍질하는 문구. ❏座右～; 좌우명. ③ 동 기물에 글자를 새겨 기념으로 남기다. ❏～功; 공적을 새기다. ④ 동〈比〉마음에 깊이 새기다. ❏～心; ⇩
[铭记] míngjì 동 명기하다. 마음속 깊이 새겨 두다. ❏～在心; 마음속에 명기하다.
[铭刻] míngkè 명 각명(刻銘). 동〈轉〉마음속 깊이 새겨 두다. ❏～在心; 마음에 깊이 새겨 두다.
[铭心] míngxīn 동 명심하다. ❏～刻骨 =[刻骨～]; 〈成〉 명심하여 잊지 않다.
鸣(鳴) míng (명)
동 ① (새·짐승·벌레가) 울다. ❏鸟～; 새가 울다. ② 소리를 내다. 소리가 나다. ❏～鼓; 북을 울리다. ③ (감정·의견을) 나타내다. 표현하다. ❏～谢; ⇩
[鸣锣开道] míngluó-kāidào 〈成〉 징을 쳐서 길을 가게 하다《어떤 사물의 출현을 위해 여론을 조성하다》.
[鸣谢] míngxiè 동 사의(謝意)를 표하다.
明 míng (명)
① 형 밝다. 환하다. ❏天～了; 날이 환해졌다. ② 형 분명하다. 확실하다. ❏问～事情的经过; 일의 경과를 확실히 묻다. ③ 형 드러나다. 공개적이다. ❏～枪暗箭; ⇩ ④ 형 보는 눈이 있다. 눈이 밝다. ❏耳聪目～; 〈成〉 귀와 눈이 모두 밝다. ⑤ 명 광명. ❏弃暗投～; 〈成〉 암흑을 버리고 광명으로 돌아서다. ⑥ 명 시각. 시력. ❏失～; 실명하다. ⑦ 동 이해하다. 파악하다. 잘 알다. ❏不～真相; 진상을 파악하지 못하다. ⑧ 동〈書〉 분명하게 나타내다. 밝히다. ❏开宗～义; 〈成〉 첫머리에서 요지를 밝히다. ⑨ 부 분명히. 확실히. ❏～知; ⇩ ⑩ 형 내일의. 내년의. ❏～晨; 내일 아침. ⑪ (Míng) 명 명《왕조의 이름. 1368-1644》.
[明暗] míng'àn 명 명암.
[明摆着] míngbǎi·zhe 동 명백하다. 분명하다. 뚜렷하다.
[明白] míng·bai 형 ① 분명하다. 명백하다. ❏这段话的意思很～; 이 말의 의미는 매우 분명하다. ② 공개적이다. 공공연하다. ❏他已～表示不去旅游了; 그는 이미 여행을 가지 않겠다고 공개적으로 밝혔다. ③ 사리에 밝다. 분별 있다. ❏他是一个～人; 그는 사리에 밝은 사람이다. 동 이해하다. 알다. 깨닫다. ❏我～你想说什么; 나는 네가 무슨 말을 하고 싶어하는지 잘 안다.
[明察] míngchá 동 명찰하다. 똑똑히 살피다. ❏～秋毫; 〈成〉 사람됨이 세심하고 똑똑하여 어떤 사소한 문제라도 빈틈없이 살피다.
[明澈] míngchè 형 밝고 맑다. ❏～如镜; 거울처럼 밝고 맑다.
[明矾] míngfán 명〖化〗명반. 백반. =[白矾]
[明火执仗] mínghuǒ-zhízhàng 〈成〉 횃불을 밝히고 무기를 들다《공개적으로 약탈하다[빼앗다]》.
[明净] míngjìng 형 밝고 맑다.
[明快] míngkuài 형 ① 명쾌하다. ❏语言～; 문장이 명쾌하다. ② (성격이) 밝고 쾌활하다. 명랑하고 시원시원하다. ❏他是个～人; 그는 명랑하고 시원스러운 사람이다.
[明朗] mínglǎng 형 ① 밝고 환하다. ❏月色～; 달빛이 밝고 환하다. ② 명랑하다. 활발하다. ❏性格～; 성격이 명랑하다. ③ 분명하다. ❏态度～; 태도가 분명하다.
[明丽] mínglì 형 (경치가) 밝고 아름답다.
[明亮] míngliàng 형 ① 밝다. 환하다. ❏灯光～; 불빛이 밝다. ② 빛나다. 반짝이다. ❏～的眼睛; 빛나는 눈. ③ 분명하다. 확실하다. ❏心里～了; 마음속이 분명해졌다.
[明了] míngliǎo 동 분명하게 알다. 확실히 이해하다. ❏不～交通规则, 怎么能开车? 교통 규칙을 분명하게 알지 않고 어떻게 운전을 하겠느냐? 형 명료하다. ❏简单～; 간단명료하다.
[明媚] míngmèi 형 ① (경치가) 맑고 아름답다. ❏风光～; 경치가 맑고 아름답다. ② (눈이) 빛나고 매력적이다. ❏～动人的眼睛; 빛나고 매력적인 눈.
[明明] míngmíng 부 분명히. 확실

히. 틀림없이. 뻔히. ❏他~不懂, 却要装懂; 그는 분명 이해하지 못하면서도 이해하는 척한다.

[明目张胆] míngmù-zhāngdǎn 〈成〉 공개적으로 대담하게 나쁜 짓을 하다.

[明年] míngnián 명 내년. 명년. =[〈口〉 过年guò·nián][来年]

[明枪暗箭] míngqiāng-ànjiàn 〈成〉 공공연한 공격과 은밀한 공격.

[明确] míngquè 형 명확하다. 분명하다. ❏目的~; 목적이 분명하다. 동 명확히 하다. 분명히 하다. ❏~态度; 태도를 분명히 하다.

[明天] míngtiān 명 ① 내일. ② (가까운) 미래. 앞날. 장래. ‖ =[〈口〉 明儿][明日rì]

[明文] míngwén 명 명문.

[明晰] míngxī 형 분명하다. 또렷하다. ❏~的印象; 또렷한 인상.

[明显] míngxiǎn 형 분명하다. 뚜렷하다. ❏目标~; 목표가 분명하다.

[明信片] míngxìnpiàn 명 엽서.

[明星] míngxīng 명 ①〖天〗 금성(金星). 샛별. ② 스타(star). ❏电影~; 영화 스타 / 足球~; 축구 스타.

[明眼人] míngyǎnrén 명 보는 눈이 있는 사람. 눈썰미가 있는 사람.

[明月] míngyuè 명 밝은 달. 명월.

[明哲保身] míngzhé-bǎoshēn 〈成〉 명철보신하다《총명하고 사리에 밝아 자신의 안위를 해칠 수 있는 일에는 참여하지 않는다》.

[明争暗斗] míngzhēng-àndòu 〈成〉 음양으로 각축하다.

[明知] míngzhī 동 잘 알다. 뻔히 알다 ❏~故犯; 〈成〉 뻔히 알면서 고의로 죄를 범하다 / ~故问; 〈成〉 뻔히 알면서 일부러 물어보다.

[明智] míngzhì 형 현명하다. 사리를 알다. ❏~的办法; 현명한 방법.

[明珠] míngzhū 명 ① 명주. ② 〈比〉 총애하는 사람. 훌륭한 것.

冥 míng (명)
① 형 어둡다. ❏晦huì~; 어둡다. ② 형 깊다. 심오하다. ❏~思苦想; ⇓ ③ 형 사리에 어둡다. 어리석다. ❏~顽; ⇓ ④ 명 저승.

[冥府] míngfǔ 명 명부. 저승.

[冥思苦索] míngsī-kǔsuǒ 〈成〉 ⇨[苦思冥想]

[冥思苦想] míngsī-kǔxiǎng 〈成〉 ⇨[苦思冥想]

[冥顽] míngwán 형〈書〉 사리에 어둡고 완고하다.

[冥王星] míngwángxīng 명〖天〗 명왕성.

[冥想] míngxiǎng 동 명상하다. 명상에 잠기다. ❏闭目~; 눈을 감고 명상하다 / ~音乐; 명상 음악.

瞑 míng (명)
동 ① 눈을 감다. ❏~目; ⇓ ② 눈이 침침하다.

[瞑目] míngmù 동 눈을 감다《주로, 죽을 때 편안히 눈감는 것을 말함》. ❏死不~; 〈成〉 죽어서도 눈을 감지 못하다.

螟 míng (명)
명〖蟲〗 명충. 마디충.

[螟虫] míngchóng 명〖蟲〗 명충. 마디충.

[螟蛉] mínglíng 명 ①〖蟲〗 명령. ②〈比〉 양자(養子).

酩 mǐng (명)
→[酩酊]

[酩酊] mǐngdǐng 형 몹시 취하다. 곤드레만드레하다. ❏~大醉; 〈成〉 곤드레만드레 취하다.

命 mìng (명)
① 명 목숨. 생명. ❏丧~; 생명을 잃다. ② 명 수명. ❏短~; 단명하다. ③ 명 운명. ❏~定; 운명적으로 정해지다. ④ 동 명령하다. 명하다. ❏~舰队立即返航; 함대에게 즉시 회항할 것을 명하다. ⑤ 명 명. 명령. ❏遵~; 명령에 따르다. ⑥ 동 (이름·제목 따위를) 주다. 붙이다. ❏~名; ⇓

[命笔] mìngbǐ 동〈書〉 붓을 들다. 집필하다. 그림을 그리다.

[命根子] mìnggēn·zi 명〈比〉 생명처럼 믿는 사람이나 물건. 가장 사랑하는 사람이나 물건. =[命根儿]

[命令] mìnglìng 명동 명령(하다). ❏服从~; 명령에 복종하다.

[命脉] mìngmài 명 명맥. 〈比〉 중요한 부분.

[命名] mìng//míng 동 명명하다. 이름을 지어 붙이다.

[命数] mìngshù 명 ⇨[命运①]

[命题] mìng//tí 동 문제를 내다. 출제하다. (mìngtí) 명〖論〗 명제.

[命运] mìngyùn 명 ① 운명. ❏悲惨的~; 비참한 운명. =[命数] ② 〈比〉 앞으로의 존망의 방향.

[命中] mìngzhòng 동 명중하다. ❏~目标; 목표에 명중하다 / ~率; 명중률.

miu ㄇㄧㄡ

谬(謬) miù (류) 형 틀리다. 잘못되다.
[谬论] miùlùn 명 그릇된 의론.
[谬误] miùwù 명 오류. 잘못. 과실.
[谬种] miùzhǒng 명 ① 잘못된 언론이나 학파. ②〈罵〉 나쁜 놈.

mo ㄇㄛ

摸 mō (모) 동 ① 손으로 만지다. 손을 대다. ❏手~过的痕迹; 손으로 만진 자국. ② 쓰다듬다. 어루만지다. ❏~小孩儿的头; 아이의 머리를 쓰다듬다. ③ 손으로 더듬다. 찾다. 뒤지다. ❏~口袋; 주머니를 뒤지다. ④ 모색하다. 짐작하다. 알아보다. ❏~出一条路子来; 방도를 하나 찾아내다. ⑤ 어둠 속을 더듬어 나아가다. ❏瞎子一步步~着走; 장님이 한발 한발 더듬어 걸어간다.
[摸底] mō//dǐ 동 내정을 파악하다. 속사정을 알아보다.
[摸黑儿] mō//hēir 동〈口〉 어둠 속을 더듬다. 어둠 속에서 더듬더듬 행동하다. ❏~赶路; 어둠 속에서 길을 재촉하다.
[摸索] mō·suǒ 동 ① 더듬더듬하며 나아가다. ❏~着走出了迷宫; 더듬더듬하며 미로를 빠져나왔다. ② (방향·방법 따위를) 모색하다. 찾다. ❏~真理; 진리를 모색하다.

馍(饃) mó (마) 명〈方〉 찐빵. =[馍馍]

模 mó (모) ① 명 법식. 규범. 표준. ② 명 모범. ③ 동 모방하다. 본뜨다. ④ 모델. ❏名~; 유명 모델. ⇒mú
[模范] mófàn 명 모범. 형 모범의. 모범적인. ❏~人物; 모범 인물.
[模仿] mófǎng 동 모방하다. ❏~别人的作品; 남의 작품을 모방하다. =[摹仿]
[模糊] mó·hu 형 모호하다. 희미하다. 흐릿하다. ❏观点~; 관점이 모호하다 / 字写得很~; 글자가 매우 흐릿하게 쓰여져 있다. 동 모호하게 하다. 흐리다. ❏泪水~了眼睛; 눈물이 눈앞을 흐렸다.
[模棱] móléng 형 (태도·의견 따위가) 애매하다. 분명치 않다. ❏~两可;〈成〉 (태도나 주장이) 이도 저도 아니고 애매하다.
[模拟] mónǐ 동 모의하다. ❏~考试; 모의고사. 모의시험. =[摹拟]
[模式] móshì 명 패턴. 유형. 모식.
[模特儿] mótèr 명〈音〉 모델(model). ❏时装~; 패션모델.
[模型] móxíng 명 ① 모형. 모델. ② 목형(木型). ③ 거푸집. 주형. =[〈口〉 模mú子]

摹 mó (모) 동 본뜨다. 모사(模寫)하다.
[摹本] móběn 명 모사본(模寫本).
[摹仿] mófǎng 동 ⇨[模仿]
[摹拟] mónǐ 동 ⇨[模拟]
[摹写] móxiě 동 ① 모사하다. ② 묘사하다. ❏~景物; 경물을 묘사하다.

膜 mó (막) (~儿) 명 ①〖生理〗 막(膜). ② 얇은 껍질. ❏橡皮~; 고무막.
[膜拜] móbài 동 엎드려 절하다. ❏顶礼~;〈成〉 엎드려 공손히 절을 하다.

摩 mó (마) 동 ① 비비다. 마찰하다. ❏在树上~痒; 가려운 곳을 나무에 비비다. ② 쓰다듬다. 어루만지다. ❏轻轻~着脸; 얼굴을 가볍게 쓰다듬다. ③ 연구하다. 탐구하다.
[摩擦] mócā 명동〖物〗 마찰(하다). ❏~力; 마찰력. 명 (개인·집단의) 충돌. 갈등. ‖=[磨擦]
[摩登] módēng 형〈音〉 모던(modern)하다. 신식이다.
[摩肩接踵] mójiān-jiēzhǒng〈成〉 어깨가 부딪치고 발꿈치가 닿다《사람이 많아 붐비다》. =[肩摩踵接]
[摩拳擦掌] móquán-cāzhǎng〈成〉 단단히 벼르고 기다리다.
[摩丝] mósī 명〈音〉 무스(프 mousse).
[摩挲] mósuō 동 (손으로) 문지르다. 쓰다듬다.
[摩天] mótiān 형 하늘과 맞닿다. 〈比〉 매우 높다. ❏~大楼; 마천루.
[摩托] mótuō 명〖機〗〈音〉 모터(motor). ❏~艇; 쾌속정.
[摩托车] mótuōchē 명〈音〉 모터사이클. 오토바이.

磨 mó (마) 동 ① 마찰하다. 쓸리다. ❏这双鞋有点~脚; 이 신발은 발이 좀 쓸린다. ② 갈다. 광나게 하다. ❏

~玻璃; 유리를 광나게 하다. ③ 괴롭히다. 힘들게 하다. ❑ 心脏病把他~了十年; 심장병이 그를 10 년 동안 괴롭혔다. ④ 귀찮게 굴다. 떼를 쓰다. ❑ 他把人都~烦了; 그는 사람을 짜증날 정도로 귀찮게 한다. ⑤ 마멸하다. 소멸하다. ❑ ~灭; ⇓ ⑥ 시간을 소모하다. 지연시키다. ❑ 时间都~在路上了; 길에서 시간을 다 써버렸다. ⇒mò

[磨擦] mócā 명동 ⇨[摩擦]

[磨蹭] mó·ceng 동 ① (살살) 마찰하다. 비비다. ② 꾸물대다. 늑장부리다. ❑ 再~就赶不上了; 더 이상 꾸물거리면 늦는다. ③ 졸라 대다. 매달리다.

[磨杵成针] móchǔ-chéngzhēn 〈成〉 어려운 일도 참고 하면 성취할 수 있다.

[磨穿铁砚] móchuān-tiěyàn 〈成〉 쇠로 만든 벼루에 구멍이 뚫리다《꾸준히 면학에 힘쓰다》.

[磨床] móchuáng 명〔機〕 연삭기. 연마반. 그라인더(grinder).

[磨炼] móliàn 동 단련하다. 연마하다. ❑ ~意志; 의지를 단련하다.

[磨灭] mómiè 동 마멸하다. 소멸하다. 없어지다. ❑ 不可~的罪名; 지울 수 없는 죄명.

[磨难] mónàn 명 고생. 시련.

[磨损] mósǔn 동 마모되다. 마손되다.

[磨牙] mó∥yá 동 〈方〉 ⇨[磨嘴] (móyá) 명 ①〔醫〕 이갈이. 알치증. ② ⇨[臼jiù齿]

[磨洋工] mó yánggōng ① 시간을 질질 끌면서 일하다. ② 농땡이 치다. 뺀질거리다.

[磨嘴] mó∥zuǐ 동〈方〉 입이 닳도록 얘기하다. 무의미한 언쟁을 하다. =[磨嘴皮子][〈方〉 磨牙①]

蘑 mó (마)
명〔植〕 버섯.

[蘑菇] mó·gu 명〔植〕 버섯. 동 ① 치근거리다. 귀찮게 달라붙다. ② 꾸물거리다. 시간을 끌다. 지연시키다. ❑ 再~车就开了; 더 이상 꾸물거리면 차는 떠날 것이다.

魔 mó (마)
① 명 귀신. 마귀. 악마. ② 형 신비하다. 기이하다. ❑ ~力; ⇓

[魔法] mófǎ 명 마법.

[魔方] mófāng 명 루빅큐브.

[魔怪] móguài 명 ① 도깨비. 요괴. ② 〈比〉 사악한 사람[세력].

[魔鬼] móguǐ 명 ① 마귀. 악마. ② 〈比〉 사악한 사람[세력].

[魔力] mólì 명 마력.

[魔术] móshù 명 마술. ❑ 变~; 마술을 부리다. =[幻术][〈口〉 戏法(儿)]

[魔王] mówáng 명 ① 마왕. ② 〈比〉 흉악한 악인.

[魔掌] mózhǎng 명 마수(魔手). ❑ 逃出~; 마수에서 벗어나다.

[魔爪] mózhǎo 명 마수(魔手). ❑ 伸出~; 마수를 뻗치다.

抹 mǒ (말)
동 ① 바르다. ❑ ~口红; 립스틱을 바르다. ② 닦다. 문지르다. ❑ ~桌子; 탁자를 닦다. ③ 삭제하다. 없애다. 지우다. ❑ 从名单上~掉名字; 명단에서 이름을 삭제하다. ⇒mā mò

[抹刀] mǒdāo 명 ⇨[抹子]

[抹黑] mǒ∥hēi 동 ① 검게 칠하다. ②〈比〉 먹칠하다. 이미지를 구기다.

[抹杀] mǒshā 동 말살하다. 지워버리다. 없애 버리다. ❑ ~个性; 개성을 말살하다. =[抹煞shā]

[抹一鼻子灰] mǒ yī bí·zi huī 무안을 당하다. 머쓱해지다.

[抹子] mǒ·zi 명 흙손. =[抹刀]

末 mò (말)
명 ① 끄트머리. 끝 부분. ② 지엽적인 것. 중요하지 않은 것. ❑ 本~倒置; 〈成〉 본말이 전도되다. ③ 끝. 마지막. ❑ 周~; 주말. ④ (~儿) 가루. 부스러기. ⑤ 중국 전통극에서의 중년 남자 배역.

[末班车] mòbānchē 명 ① 막차. =[末车] ②〈比〉 마지막 기회.

[末伏] mòfú 명 말복. =[终伏][三伏②]

[末节] mòjié 명 자질구레한 것. 말절.

[末了(儿)] mòliǎo(r) 명 최후. 최종. 마지막. =[末末了mòmòliǎo]

[末路] mòlù 명 ① 길의 끝 단계. 말로. ②〈比〉 궁지. 막다른 골목.

[末年] mònián 명 말년.

[末期] mòqī 명 말기.

[末日] mòrì 명 ①〔宗〕 최후의 날. 종말. ②〈比〉 멸망의 날.

[末梢] mòshāo 명 말초. 끝. 마지막. ❑ ~神经; 말초 신경.

[末世] mòshì 명 말세.

[末尾] mòwěi 명 말미. 끝 부분. ❑ 信的~; 편지의 말미.

[末叶] mòyè 명 말엽. 말기.

[末子] mò·zi 명 가루. 부스러기.

沫 mò (말)
명 ①(~儿) 거품. ②〈書〉 침. ❏ 吐~; 침을 뱉다.
[沫子] mò·zi 명 거품.
茉 mò (말)
→[茉莉]
[茉莉] mò·lì 명〔植〕 말리. 재스민(jasmine). ❏ ~花茶; 재스민차.
抹 mò (말)
동 ① (진흙·시멘트 따위를 흙손으로) 바르다. 칠하다. ❏ ~墙; 벽을 바르다. ② 끼고 돌다. ❏ ~角; 모퉁이를 끼고 돌다. ⇒mā mǒ
秣 mò (말)
① 명 가축의 먹이. 사료. ② 동 (가축에게) 먹이를 주다.
[秣马厉兵] mòmǎ-lìbīng 〈成〉 말에게 먹이를 주고 병기를 손질하다《전투 준비를 하다》. =[厉兵秣马]
没 mò (몰)
동 ① 가라앉다. 침몰하다. ❏ ~人水中; 물속으로 가라앉다. ② 어느 높이까지 차다. ❏ 雪深~膝; 눈이 무릎까지 차다. ③ 숨다. 숨기다. 사라지다. ❏ 出~; 출몰하다. ④ 몰수하다. ❏ ~收; ⇩ ⑤ 끝나다. 다하다. ⇒méi
[没落] mòluò 동 몰락하다.
[没奈何] mònàihé 어쩔 도리가 없다. ❏ 我~, 只得走了; 나는 어쩔 도리 없이 갈 수밖에 없었다.
[没世] mòshì 명 종신. 평생. ❏ ~不忘; 〈成〉 평생 잊지 못하다.
[没收] mòshōu 동 몰수하다. ❏ ~财产; 재산을 몰수하다.
陌 mò (맥)
명 논두렁길. 〈轉〉 도로. 길.
[陌生] mòshēng 형 생소하다. 낯설다. ❏ ~的地方; 낯선 곳 / ~人; 낯선 사람.
脉 mò (맥)
→[脉脉] ⇒mài
[脉脉] mòmò 형 눈빛이나 행동으로 묵묵히 마음을 전하는 모양. ❏ ~含情; 눈에 뭐라 말할 수 없는 애정이 담겨 있다.
莫 mò (막, 모)
부 ①〈書〉 아무도[아무것도] …하지 않다. ❏ ~名其妙; ⇩ ② 〈書〉 …않다. …못하다. ❏ 变化~测; 〈成〉 변화를 예측할 수 없다. ③ …하지 마라. ❏ ~问; 묻지 마라. ④ 추측·반문을 나타냄. ❏ ~非; ⇩
[莫不] mòbù 부 …하지 않는 것[사람]이 하나도[아무도] 없다. ❏ ~伤心落泪; 상심하며 눈물을 흘리지 않는 사람이 아무도 없다.
[莫不是] mòbùshì 부 ⇒[莫非]
[莫测高深] mòcè-gāoshēn 〈成〉 높고 깊은 정도를 추측할 수 없다《언행이 심오하고 이해할 수 없다》.
[莫大] mòdà 형 더없이 크다. ❏ ~的幸福; 더없이 큰 행복.
[莫非] mòfēi 부 (혹시) …이 아닐까《추측이나 반문(反問)을 나타내며, 종종 '不成'과 호응함》. ❏ 你~有什么牢骚? 너 무슨 불만이 있는 것은 아니겠지? =[莫不是]
[莫名其妙] mòmíng-qímiào 〈成〉 아무도 그 오묘함을 설명할 수 없다《영문을 모르다. 어리둥절하다》. =[莫明其妙]
[莫逆] mònì 형 막역하다. ❏ ~之交; 〈成〉 막역지교. 막역지우.
[莫如] mòrú 접 …하는 편이 낫다. ❏ 与其让他做, ~我自己做; 그에게 시키는 것보다 내가 직접 하는 편이 낫다. =[莫若ruò]
[莫斯科] Mòsīkē 명〔地〕〈音〉 모스크바(Moskva).
[莫须有] mòxūyǒu 〈比〉 터무니없다. 날조되다.
[莫扎特] Mòzhātè 명〔人〕〈音〉 모차르트(Wolfgang Amadeus Mozart)《오스트리아의 작곡가, 1756-1791》.
漠 mò (막)
① 명 사막. ② 형 냉담하다. 무관심하다. ❏ ~不关心; ⇩
[漠不关心] mòbùguānxīn 〈成〉 냉담하게 대하며 조금도 관심을 두지 않다.
[漠漠] mòmò 형 ① 연기·구름이 짙은 모양. ❏ 烟雾~; 연기가 짙게 깔려 있다. ② 광활하고 적막하다. ❏ ~的平原; 광활하고 적막한 평원.
[漠视] mòshì 동 냉담하게 대하다. 무관심하다. 무시하다. ❏ ~群众的意见; 대중의 의견을 무시하다.
寞 mò (막)
형 적막하다. 고요하다.
蓦(驀) mò (맥)
부 돌연. 갑자기.
[蓦地] mòdì 부 갑자기. 뜻밖에. ❏ 他~站了起来; 그가 갑자기 일어섰다.
[蓦然] mòrán 부 문득. 퍼뜩. 갑자기. ❏ ~想起一件事; 문득 한 가지 일이 생각나다.

墨 mò (묵)
①명 먹. ❑研~; 먹을 갈다. ②명 먹물. 잉크. ③명 서화(書畫). ④명〈比〉 학문. 지식. 교양. ❑胸无点~; 전혀 교양이 없다. ⑤명 먹실. 〈比〉 규율. 법칙. 규범. ❑绳~; ⓐ먹줄. ⓑ규범. ⑥형 검은색의. 검은빛의. ❑~镜; ⇩

[墨盒(儿)] mòhé(r) 명 잉크 카트리지(ink cartridge).

[墨迹] mòjì 명 ① 먹물[잉크] 자국. ❑~未干; 〈成〉 먹물이 채 마르지도 않다《매우 짧은 시간이 지나다》. ② 손수 쓴 글씨나 손수 그린 그림.

[墨镜] mòjìng 명 검은 색안경. 선글라스.

[墨绿] mòlǜ 형 심녹색(深綠色)을 띠다.

[墨守成规] mòshǒu-chéngguī 〈成〉 낡은 것을 답습하고 개선하려 하지 않다.

[墨水(儿)] mòshuǐ(r) 명 ①⇨[墨汁] ② 잉크(ink). ❑~瓶; 잉크병. ③〈比〉 학문. 지식.

[墨西哥] Mòxīgē 명〖地〗〈音〉 멕시코(Mexico).

[墨鱼] mòyú 명〈俗〉 ⇨[乌贼]

[墨汁(儿)] mòzhī(r) 명 먹물. =[墨水(儿)①]

默 mò (묵)
①형 잠자코 있다. 소리를 내지 않다. ❑~认; ⇩ ②동 외워서 쓰다. ❑~诗; 시를 외워서 쓰다.

[默哀] mò'āi 동 (애도를 위한) 묵념을 하다.

[默祷] mòdǎo 동 묵도하다.

[默读] mòdú 동 묵독하다. =[默念①]

[默剧] mòjù 명 ⇨[哑剧]

[默默] mòmò 부 묵묵히. ❑~地坐着; 묵묵히 앉아 있다 / ~无闻; 〈成〉 세상에 알려지지 않다.

[默念] mòniàn 동 ①⇨[默读] ② 묵념하다. 묵상하다.

[默片儿] mòpiānr 명〈口〉 ⇨[无声片]

[默片] mòpiàn 명 ⇨[无声片]

[默契] mòqì 형 묵계하다. 묵약하다. 명 비밀 조약. 구두 협정.

[默然] mòrán 형 아무런 말이 없는 모양. 잠자코 있는 모양. ❑相对~; 서로 말없이 마주하다.

[默认] mòrèn 동 묵인하다.

[默写] mòxiě 동 외워서 쓰다.

[默许] mòxǔ 동 묵허하다.

磨 mò (마)
①명 맷돌. ②동 (맷돌로) 갈다. 빻다. ❑~面; 밀가루를 빻다. ③동 (방향을) 돌리다. 전환하다. ❑把汽车~过来; 차를 돌리다. ④동 생각을 바꾸다. 마음을 돌리다. ⇒mó

[磨不开] mò·bukāi 동 ① 무안하다. 거북하다. 곤혹스럽다. ② 부끄럽다. 창피하다. 쑥스럽다. ③〈方〉 이해가 잘 되지 않다. 납득이 안 가다.

[磨得开] mò·dekāi 동 ① 난처해하지 않다. 무안해하지 않다. 편하게 생각하다. ② 뻔뻔하다. 부끄러운 줄 모르다. 당당하다. ③〈方〉 납득이 가다. 이해가 잘 되다.

[磨烦] mò·fan 동 ① 끝없이 조르다. 한없이 매달리다. ❑这孩子老~着买吃的; 이 아이는 늘 먹을 것을 사달라고 졸라 댄다. ② 꾸물대다. 늑장을 부리다. ❑不要~了, 说干就干吧; 꾸물대지 말고 하겠다고 했으면 바로 해라.

mou ㄇㄡ

哞 mōu (모)
의 음메《소의 울음소리》.

牟 móu (모)
동 꾀하다. 도모하다.

[牟利] móu∥lì 동 이익을 도모하다.

[牟取] móuqǔ 동 도모하다. 꾀하다. ❑~暴利; 폭리를 도모하다.

眸 móu (모)
명 눈동자. ❑明~; 맑은 눈동자.

[眸子] móuzǐ 명 눈동자. 〈轉〉 눈.

谋(謀) móu (모)
①명 계략. 책략. ❑阴~; 음모. ②동 꾀하다. 모색하다. 도모하다. ③동 상의하다. 의논하다. ❑不~而同; 〈成〉 상의하지 않아도 의견이 일치되다.

[谋反] móufǎn 동 모반하다.

[谋害] móuhài 동 모해하다.

[谋划] móuhuà 동 꾀하다. 계획하다. 방법을 생각하다. ❑精心~; 심혈을 기울여 계획하다.

[谋略] móulüè 명 모략.

[谋求] móuqiú 동 모색하다. ❑~办法; 방법을 모색하다.

[谋取] móuqǔ 동 꾀하다. 도모하다. ❑~改善两国关系; 양국의 관계 개선을 도모하다.

[谋杀] móushā 동 모살하다.

[谋生] móushēng 동 생계를 모색하다. 살길을 찾다. ❏~之道; 호구지책.
[谋士] móushì 명 모사. 책사.
[谋事] móushì 동 ① 일을 계획하다. ❏~在人, 成事在天;〈諺〉일을 계획하는 것은 인간이나 성공시키는 것은 하늘의 소관이다. ② (móushì) 일을 찾다. 직업을 구하다.

某 mǒu (모)
대 아무개. 어느. 모. ① 특정한 사람이나 사물《이름을 알고 있으나 말하지 않음》. ❏司机王~; 운전수 왕 아무개. ② 불특정한 사람이나 사물. ❏~人; 아무개 / ~日; 아무 날. 모일 / ~种现象; 어떤 현상. ③ 자기나 자기의 이름을 대신해 씀. ❏我王~人; 나 왕 아무개. ④ 다른 사람의 이름을 대신해 씀. ❏过路人张~; 지나가는 사람인 장 아무개. ‖ 注 중첩해서 쓰기도 함.

mu ㄇㄨ

模 mú (모)
명 (~儿) 주형. 거푸집. ⇒ mó
[模样(儿)] múyàng(r) 명 ① 용모. 모습. 생김새. ❏他打扮的~; 그의 치장한 모습. ② 정도. 가량. 쯤《시간 · 나이에만 쓰임》. ❏那个男人有40岁~; 그 남자는 40 세 정도 되었다. ③ 상황. 형세. 정황.
[模子] mú·zi 명〈口〉⇒[模mó型③]

母 mǔ (모)
① 명 모친. 어머니. ❏老~; 노모. ② 명 자기보다 항렬이 위인 여자에 대한 호칭. ❏姑~; 고모. ③ 형 암컷의. ❏~狗; 암캐 / ~鸡; 암탉 / ~牛; 암소. ④ 명 (~儿) 요철(凹凸) 한 쌍으로 된 것의 요(凹)의 부분. ❏螺丝~; 암나사. ⑤ 명 다른 사물을 만들어 내는 작용을 하는 것. ❏失败是成功之~; 실패는 성공의 어머니이다.
[母爱] mǔ'ài 명 어머니의 사랑.
[母公司] mǔgōngsī 명 모회사.
[母老虎] mǔlǎohǔ 명〈比〉사나운 여자. 드센 여자.
[母女] mǔnǚ 명 모녀.
[母亲] mǔ·qīn 명 어머니. 모친.
[母乳] mǔrǔ 명 모유.
[母系] mǔxì 형 ① 모계의. 어머니 쪽의. ❏~亲属; 모계 친족. ② 모계 상속의. ❏~社会; 모계 사회.
[母校] mǔxiào 명 모교.
[母性] mǔxìng 명 모성. 모성애.
[母音] mǔyīn 명 ⇒[元音]
[母语] mǔyǔ 명 ① 모국어. ②〖言〗모어(母語).
[母子] mǔzǐ 명 모자.

拇 mǔ (무)
명 엄지손가락. 엄지발가락.
[拇指] mǔzhǐ 명 엄지손가락. 엄지발가락. =[〈口〉大拇指][大指]

姆 mǔ (모)
→[保姆]

亩(畝) mǔ (묘, 무)
양 묘. 무《논밭 면적의 단위로, 약 666.7 '平方米' 임》.

牡 mǔ (모)
형 수컷의. ❏~牛; 수소.
[牡丹] mǔ·dan 명〖植〗모란.
[牡蛎] mǔlì 명〖貝〗굴. =[蚝háo]

木 mù (목)
① 명 나무. ❏伐~; 벌목하다. ② 명 나무토막. 목재. ③ 형 소박하다. 질박하다. ❏~讷; ⇩ ④ 형 마비되다. 저리다. ❏舌头~了; 혀가 마비되었다. ⑤ 형 느리다. 둔하다. ❏反应有点~; 반응이 좀 느리다.
[木板] mùbǎn 명 ① (~儿) 나무판자. 널빤지. ❏~房; 판잣집. ② ⇒[木版]
[木版] mùbǎn 명〖印〗목판. ❏~印刷; 목판 인쇄. =[木版②]
[木版画] mùbǎnhuà 명 ⇒[木刻]
[木材] mùcái 명 목재《기초 가공만 한 상태》. ❏~厂; 제재소.
[木柴] mùchái 명 땔나무. 장작.
[木耳] mù'ěr 명〖植〗목이버섯.
[木筏] mùfá 명 뗏목.
[木工] mùgōng 명 ① 목수 일. 목공. ❏~活; 목공 일. ② 목수. =[木匠]
[木瓜] mùguā 명〖植〗모과.
[木管乐器] mùguǎn yuèqì〖樂〗목관 악기.
[木屐] mùjī 명 나막신.
[木匠] mù·jiang 명 ⇒[木工②]
[木槿] mùjǐn 명〖植〗무궁화.
[木刻] mùkè 명〖美〗목각화. 목판화. =[木版画]
[木料] mùliào 명 목재《기초 가공 후 일정한 형태를 갖춘 것》.
[木马] mùmǎ 명 ① 목마. ❏特洛伊~; 트로이 목마. ②〖體〗안마(鞍馬). 도마(跳馬). ③ 놀이용 목

마. ❏旋转~; 회전목마.
[木棉] mùmián 명 ①〖植〗목면. ②솜.
[木乃伊] mùnǎiyī 명 ①〈音〉미라(mirra). ②〈比〉경직된 것.
[木讷] mùnè 형〈書〉목눌하다.
[木偶] mù'ǒu 명 나무 인형. 목각 인형. ❏神情像个~; 표정이 마치 목각 인형 같다.
[木偶戏] mù'ǒuxì 명〖劇〗인형극. =[傀kuǐ儡戏]
[木器] mùqì 명 목기. 목제 가구.
[木琴] mùqín 명〖樂〗목금. 실로폰(xylophone).
[木然] mùrán 형 멍하게[우두커니] 있는 모양. ❏~地望着远方; 멍하니 먼 곳을 바라보다.
[木炭] mùtàn 명 목탄. 숯. ❏~画;〖美〗목탄화.
[木头] mù·tou 명 ①목재. 나무. 나무토막. ②〈比〉⇨[木头人儿]
[木头人儿] mù·tourénr 명〈比〉둔한 사람. 멍청한 사람. =[木头②]
[木星] mùxīng 명〖天〗목성.
[木已成舟] mùyǐchéngzhōu〈成〉나무가 이미 배가 되다《일이 이미 돌이킬 수 없게 되다》.

沐 mù (목)
동 머리를 감다.〈轉〉목욕하다. ❏~浴; ⇓
[沐浴] mùyù 동 ①목욕하다. =[洗澡] ②〈比〉혜택을 받다. 은혜를 입다. ③〈比〉(어떤 환경 속에) 푹 빠지다. ❏~在欢乐的歌声中; 흥겨운 노랫소리에 푹 빠지다.

目 mù (목)
①명 눈. ❏~睹; ⇓ ②명 (그물 따위의) 눈. 구멍. ❏八十~筛; 구멍 80개의 체. ③동〈書〉보다. 간주하다. ❏一~了然;〈成〉일목요연하다. ④명 항목. 조항. 조목. 종목. ❏细~; 세목. ⑤명〖生〗목《생물학 분류상의 한 계급》. ⑥명 목록. 리스트. ❏书~; 도서 목록. ⑦명 명칭. ❏题~; 제목. ⑧양 (바둑에서의) 목(目). 집.
[目标] mùbiāo 명 ①표적. 목표물. ❏命中~; 목표물에 명중하다. ②목표. ❏共同~; 공동의 목표.
[目不忍睹] mùbùrěndǔ〈成〉(너무 처참해서) 차마 볼 수 없다. 목불인견. =[目不忍视shì]
[目不识丁] mùbùshídīng〈成〉낫 놓고 기역자도 모르다. 일자무식이다.
[目不暇接] mùbùxiájiē〈成〉너무 많아서 다 볼 수 없다.
[目不转睛] mùbùzhuǎnjīng〈成〉눈동자도 돌리지 않고 응시하다《주의력을 집중시키다》.
[目次] mùcì 명 ⇨[目录②]
[目瞪口呆] mùdèng-kǒudāi〈成〉어안이 벙벙하다.
[目的] mùdì 명 목적. ❏达到~; 목적을 달성하다 / ~地; 목적지.
[目睹] mùdǔ 동 목도하다. 직접 보다. ❏~了全过程; 전과정을 직접 보았다.
[目光] mùguāng 명 ①눈길. 시선. ❏避开~; 시선을 피하다. ②눈빛. ❏~炯炯;〈成〉눈빛이 형형하다. ③견식. ❏~如豆;〈成〉견식이 얕다 / ~如炬;〈成〉견식이 넓다.
[目击] mùjī 동 목격하다. ❏~者; 목격자.
[目空一切] mùkōngyīqiè〈成〉아무것도 안중에 없다. 안하무인이다.
[目力] mùlì 명 ⇨[视力]
[目录] mùlù 명 ①목록. ❏产品~; 제품 목록. ②목차. =[目次]
[目前] mùqián 명 지금. 현재. 목전. 당장. ❏~的任务; 현재의 임무.
[目送] mùsòng 동 목송하다. 눈으로 배웅하다.
[目下] mùxià 명 목하. 지금. 현재.
[目眩] mùxuàn 형 눈이 부시다. 눈이 어지럽다.
[目中无人] mùzhōng-wúrén〈成〉안하무인이다.

苜 mù (목)
→[苜蓿]
[苜蓿] mù·xu 명〖植〗거여목. 개자리.

睦 mù (목)
형 화목하다.
[睦邻] mùlín 동 이웃[이웃 나라]와 사이좋게 지내다. ❏~外交; 선린(善隣) 외교.

牧 mù (목)
동 방목하다. ❏~马; 말을 방목하다.
[牧草] mùcǎo 명 목초.
[牧场] mùchǎng 명 목장.
[牧放] mùfàng 동 ⇨[放牧]
[牧歌] mùgē 명 목가.
[牧民] mùmín 명 목축민.
[牧区] mùqū 명 ①방목하는 장소. 방목장. ②목축 지역.
[牧人] mùrén 명 목자(牧者).

[牧师] mù·shī 명〖宗〗목사.
[牧童] mùtóng 명 목동.
[牧畜] mùxù 명 목축.
[牧羊犬] mùyángquǎn 명 목양견. 양치기 개.
[牧业] mùyè 명 목축업.

募 mù (모) 동 (재물·병력 따위를) 널리 모으다. 모집하다.
[募兵] mù∥bīng 동〖軍〗모병하다. ❏~制; 모병제.
[募股] mù∥gǔ 동〖經〗주식을 공모하다.
[募集] mùjí 동 모집하다. 모으다. ❏~经费; 경비를 모으다.
[募捐] mù∥juān 동 모금하다. ❏~运动; 모금 운동.

墓 mù (묘) 명 묘. 무덤.
[墓碑] mùbēi 명 묘비.
[墓地] mùdì 명 묘지.
[墓穴] mùxué 명 묘혈. 무덤구멍.
[墓志] mùzhì 명 묘지(墓誌). ❏~铭; 묘지명.

幕 mù (막) ① 명 막. 천막. 장막. ❏帐~; 천막. ② 명 (연극·영화 상영시에 쓰이는) 막. 스크린. ❏银~; 은막. ③ 양 극의 1막. ❏第一~; 제 1 막.
[幕布] mùbù 명 (무대의) 막.
[幕后] mùhòu 명 막후. ① 무대 장막의 뒤. ② 〈比〉〈貶〉 배후. ❏~操纵; 배후에서 조종하다.
[幕间] mùjiān 명 (연극의) 막간. ❏~休息; 막간 휴식.
[幕僚] mùliáo 명 막료.

慕 mù (모) 동 ① 부러워하다. 동경하다. ② 그리워하다. 연연하다.
[慕名] mù∥míng 동 명성을 흠모하다. ❏~而来; 명성을 흠모하여 찾아오다.

暮 mù (모) ① 명 저녁때. 해질 녘. 땅거미. ❏朝~; 조석. ② 형 늦다. 시간이 다 되다. 끝이 가깝다. ❏~年; ⇩
[暮霭] mù'ǎi 명 저녁 안개.
[暮春] mùchūn 명 늦봄. 모춘. 만춘《음력 3 월경》.
[暮年] mùnián 명 만년. 노년.
[暮气] mùqì 명 무기력. 의기소침.
[暮秋] mùqiū 명 늦가을. 모추. 만추《음력 9 월경》.
[暮色] mùsè 명 모색. 황혼. ❏~苍茫; 모색창연하다.

穆 mù (목) 형 공손하다. 정중하다. 엄숙하다. ❏肃~; 엄숙하고 경건하다.
[穆斯林] mùsīlín 명〖宗〗〈音〉 모슬렘(Moslem). 이슬람교도.

N

na ㄋㄚ

拿 ná (나)
① 동 (손이나 다른 방식으로) 잡다. 쥐다. 들다. 가지다. ❏ 他把我的钱包~走了; 그가 내 지갑을 가져갔다. ② 동 (강한 힘으로) 제압하다. 붙잡다. ❏ 猫~老鼠; 고양이가 쥐를 붙잡다. ③ 동 장악하다. 주관하다. 쥐고 흔들다. ❏ 这项工作他~得起来; 이 일을 그는 해낼 수 있다. ④ 동 곤경에 빠뜨리다. 괴롭히다. 협박하다. ❏ 借着这件事~他一把; 이 일을 구실로 그를 협박하다. ⑤ 동 …척하다. 허세 부리다. ❏ ~腔作势; 〈成〉 허장성세하다. ⑥ 동 얻다. 받다. 타다. ❏ ~奖金; 상금을 타다. ⑦ 개 …으로써. …으로(《도구·재료·방법 따위를 제시함》). ❏ ~绸缎做衣服; 비단으로 옷을 만들다. ⑧ 개 …에 관해서. …에 있어서(《화제를 이끌어 냄》). ❏ ~他来说吧, 进步就很大; 그에 대해 얘기하자면, 진보가 매우 빠르다. ⑨ 개 …을. …에게 (《대상을 나타냄》). ❏ 别~我开玩笑; 나를 놀리지 마라.

[拿顶] ná//dǐng 동〔體〕 물구나무를 서다. =[拿大顶][倒dào立②]

[拿获] náhuò 동 체포하다. 붙잡다. ❏ 当场~; 현장에서 체포하다.

[拿架子] ná jià·zi ⇨[摆架子]

[拿手] náshǒu 형 자신 있다. 장기(長技)이다. ❏ ~菜; 자신 있는 요리. 명 (성공에 대한) 자신. 가망. 희망.

[拿手好戏] náshǒu-hǎoxì 〈成〉 ① 자신 있는 연극. ② 〈比〉 장기. 주특기. ‖ =[拿手戏]

[拿主意] ná zhǔ·yi 생각을 정하다. 마음을 정하다.

哪 nǎ (나)
대 어느. 어디. 아무. 어떤(《의문을 나타냄》). ① 뒤에 양사나 수량사를 써서 여러 사람·사물 중의 어떤 하나를 나타냄. ❏ 您找~一位? 어느 분을 찾으십니까? / 你是~国人? 너는 어느 나라 사람이니? ② 단독으로 '什么'의 뜻으로 쓰임. ❏ 分不清~是你的~是我的; 어느 것이 네 것이고 어느 것이 내 것인지 구분이 안 간다. ③ 확정되지 않은 어떤 하나를 나타냄. ❏ ~天有空咱们一起去见他; 시간 비는 날 우리 같이 그를 만나러 가자. ④ 임의의 어떤 하나를 나타냄(《주로, '都'·'也' 따위와 호응함》). ❏ 这句话对~个人都不许说; 이 말은 아무에게도 말하면 안 된다. ‖ 注 뒤에 양사나 수량사가 올 때 구어(口語)에서는 종종 'něi' 나 'nǎi' 로 발음함. ⑤ 반문을 나타냄. ❏ 已经说定了, 他~能不来呢? 이미 얘기가 다 되었는데, 그가 안 올 리가 있겠는가? ⇒·na

[哪个] nǎ·ge 대 ① 어느 (것). 어떤 (것). ❏ 钥匙很多, 不知用~; 열쇠가 많아서 어느 것을 써야 할지 모르겠다. =[哪一个] ② 〈方〉 누구.

[哪会儿] nǎhuìr 대 언제. ① 과거나 미래의 시간을 묻는 말. ❏ 她~才能出院? 그녀는 언제 퇴원할 수 있을까? ② 확정되지 않은 시간을 가리키는 말. ❏ 你~来都行; 너는 언제든지 와도 좋다. ‖ =[哪会子]

[哪里] nǎ·lǐ ① 대 어디. 어느 곳. ㉠장소를 물음. ❏ ~能买电池? 어디서 건전지를 살 수 있나요? ㉡불특정 장소를 이름. ❏ 我们好像在~见过; 우리는 어디선가 만난 적이 있는 것 같다. ㉢모든 장소를 널리 이름. ❏ 不管到~去说, 打人总是不对的; 어딜 가서 물어봐도 사람을 때리는 것은 옳지 않다. ㉣반어를 나타냄. ❏ 这间小屋子, ~坐得下这么多人? 이 작은 집에 어떻게 이렇게 많은 사람이 앉을 수 있겠니? ‖ =[〈口〉 哪儿] ② 〈謙〉 겸손하게 부정하는 말. ❏ ~, ~, 差得远呢; 아이고 아닙니다, 아직 멀었는 걸요.

[哪怕] nǎpà 접 (설사) …일지라도. (설령) …이라도. ❏ ~为你赴汤蹈火, 我也情愿; 너를 위해서라면 불속 물속이라도 기꺼이 뛰어들겠다.

[哪儿] nǎr 대〈口〉 ⇨[哪里①]

[哪些] nǎxiē 대 어떤. 어느(《복수를 나타냄》). ❏ 这个月有~比赛? 이번 달에는 어떤 대회들이 있느냐? =[哪一些][哪些个]

[哪样(儿)] nǎyàng(r) 대 어떤 (것). 무엇. ① 성질·상태 따위를 물음. ❏ ~颜色最适合我? 어떤 색

이 저에게 제일 잘 어울립니까? ② 성질·상태 따위를 가리킴. ❏你要~的就有~的; 원하시는 것이라면 무엇이든 다 있습니다.

那 nà (나)
①대 그. 그것. 저. 저것. 그 사람. 저 사람(비교적 멀리 있는 사람이나 사물을 가리키는 말). ❏~是我的弟弟; 그 사람은 내 남동생이다 / ~本书; 그 책. 注 구어(口語)에서 단독으로 쓰이거나 뒤에 바로 명사가 올 경우는 'nè'로 발음하기도 하며, 뒤에 양사나 수량사가 올 경우는 종종 'nèi'나 'nè'로 발음함. ②접 그러면. 그렇다면. 그럼. ❏如果他去的话, ~我就不去了; 만약 그가 간다면, 나는 안 가겠다. =[那么]

[那个] nà·ge 대 ① 그. 저. ❏~地方; 그곳 / ~人; 그 사람. ② 그것. 저것. ❏~用不着你管; 그것은 네가 관여할 필요 없다. ③ 그렇게. 저렇게(동사나 형용사의 앞에 쓰여 과장을 나타냄). ❏你看他~高兴啊! 봐라, 그가 저렇게 기뻐하는구나! ④〈口〉 좀 그렇다(직접 말하기 어려운 것을 나타내며, 완곡한 의미를 지님). ❏他这么干真太~了; 그가 이렇게 한 건 정말 좀 그렇다.

[那会儿] nàhuìr 대〈口〉 그때(과거나 미래의 어떤 때). ❏~我还小, 不懂事; 그때 나는 아직 어려서 철이 없었다. =[那会子]

[那里] nà·lǐ 대 그곳. 저곳. 거기. 저기. 저쪽(비교적 먼 곳을 가리킴). ❏他在~吗? 그는 그곳에 있느냐? =[〈口〉 那儿①]

[那么] nà·me 대 ① 너무나도. 무척이나. 그렇게도(형용사나 심리 활동을 나타내는 동사·조동사 앞에 쓰여 정도를 표시함). ❏她是~能歌善舞; 그녀는 춤과 노래에 무척이나 능하다. ② 그렇게. 저렇게(동사 앞에 쓰여 방식을 나타냄). ❏那句诗应该~译; 그 시는 그렇게 풀이해야 한다. ③ 그렇게. 저렇게(형용사 앞에 쓰여 상태를 나타냄). ❏我还从来没有看过~好的戏; 나는 여태껏 그렇게 좋은 연극을 본 적이 없다. ④ 수량을 나타내는 단어를 수식하여 수량을 어림잡음. ❏从这儿到那儿有~一二十公里; 여기서 거기까지 일이십 km쯤 된다. 접 그러면. 그렇다면. 그럼. ❏你既然不同意, ~就算了; 어차피 네가 동의하지 않으니, 그럼 관두자. =[那②]

[那么点儿] nà·mediǎnr 대 겨우 그 정도. 그까짓(수량이 적음을 나타내는 말). ❏~活儿, 半天足够了; 그 정도 일은 반나절이면 충분하다.

[那么些] nà·mexiē 대 그렇게 많은. 저렇게 많은. ❏你说~个钱他一个人会花光了吗? 그렇게 많은 돈을 그가 혼자서 다 써 버렸다고?

[那儿] nàr 대〈口〉 ① 거기. 저기. 그곳. 저곳. ❏~就是小卖部; 거기가 바로 매점이다. =[那里] ② 그때('打'·'从'·'由' 뒤에 쓰임). ❏从~起, 我再也没进过城; 그때부터 나는 다시는 시내에 가지 않았다.

[那时] nàshí 대 그때. 그 당시.

[那些] nàxiē 대 그. 저. 그것들. 저것들(복수를 나타냄). ❏把~箱子搬开; 저 상자들을 옮겨라.

[那样(儿)] nàyàng(r) 대 그렇게. 저렇게. 그렇다. 저렇다(성질·상태·방식·정도 따위를 나타냄). ❏你不该~胡说; 너는 그렇게 함부로 말하면 안 된다.

娜 nà (나)
(여성의) 인명용 자(字). ❏安~; 안나(Anna). ⇒ nuó

呐 nà (납)
→[呐喊]

[呐喊] nàhǎn 동 함성을 지르다. ❏~助威; 함성을 지르며 응원하다.

纳(納) nà (납)
동 ① 받아 넣다. 들이다. ❏收~; 수납하다. ② 받아들이다. 용납하다. ❏~人之意; 남의 의견을 받아들이다. ③ 누리다. 향유하다. ❏~福; ⇓ ④ 집어넣다. 올려놓다. ❏~入; ⇓ ⑤ 납부하다. ❏~税; ⇓ ⑥ 꿰매다. 박다. ❏~鞋底子; 신발 밑창을 박다.

[纳粹] Nàcuì 명〖史〗〈音〉나치(Nazi). ❏~分子; 나치스트(Nazist).

[纳福] nàfú 동 복을 누리다.

[纳凉] nàliáng 동 납량하다. 더위를 식히다.

[纳闷儿] nà//mènr 동〈口〉 의문을 품다. 궁금하다. 의아해하다.

[纳米] nàmǐ 양〈音〉 나노미터(nanometer). ❏~技术; 나노 기술.

[纳入] nàrù 동 (주로, 추상적인 것에) 집어넣다. 올려놓다. 들어서다.

❑ ~正轨; 정상적인 궤도에 들어서다.

[纳税] nà//shuì 동 납세하다. ❑ ~人; 납세자.

钠(鈉) nà (납) 명〔化〕 나트륨(Na: natrium). ❑ 氯化~; 염화나트륨.

捺 nà (날) ① 동 (손으로) 누르다. 찍다. ❑ ~手印; 지장을 찍다. ② 동 (감정을) 억제하다. 참다. 누르다. 삭이다. ❑ ~着性子; 성질을 누르다. ③ (~儿) 명 한자의 삐침《오른쪽 아래로 비스듬히 삐친 획, '㇏'》.

哪 ·na (나) 조 어기 조사《앞 글자가 'n' 으로 끝날 때 '啊·a' 가 이렇게 변함》. ❑ 谢谢您~; 고맙습니다. ⇒ nǎ

nai ㄋㄞ

乃 nǎi (내) 〈書〉 ① 부 곧. 즉. ❑ 工人~是社会的主人; 노동자는 곧 사회의 주인이다. ② 접 그래서. 이로 인해. ❑ 因时间仓促, ~作罢; 시간이 촉박해서 그만두었다. ③ 부 비로소. ❑ 唯努力~能成功; 노력이 있어야만 성공할 수 있다.

[乃至] nǎizhì 접 그 위에. …까지도. 나아가서는. ❑ 销售额成倍~两倍, 三倍地增长; 판매액이 배로 늘어, 나아가서는 두 배, 세 배까지 증가하였다. =[乃至于]

奶 nǎi (내) ① 명〈口〉 유방. ② 명 젖. 유즙. ❑ 喂~; 젖을 먹이다. =[乳汁] ③ 동 젖을 먹이다. 수유하다. ❑ ~孩子; 아이에게 젖을 먹이다.

[奶茶] nǎichá 명 우유나 양젖을 섞은 차. 밀크티(milk tea).

[奶粉] nǎifěn 명 분유.

[奶酪] nǎilào 명 치즈(cheese). =[乳酪][干酪]

[奶妈] nǎimā 명 유모. =[乳母]

[奶名(儿)] nǎimíng(r) 명 ⇨[小名(儿)]

[奶奶] nǎi·nai 명〈口〉 ① 할머니. 조모. ② 할머니와 같은 항렬 또는 같은 연배의 여자를 부르는 말.

[奶牛] nǎiniú 명 ⇨[乳牛]

[奶瓶] nǎipíng 명 젖병.

[奶水] nǎishuǐ 명〈口〉 젖.

[奶头(儿)] nǎitóu(r) 명 ① 〈口〉 ⇨[乳头①] ② ⇨[奶嘴(儿)]

[奶牙] nǎiyá 명 ⇨[乳牙]

[奶油] nǎiyóu 명 (식용의) 크림(cream).

[奶罩] nǎizhào 명 ⇨[胸罩]

[奶嘴(儿)] nǎizuǐ(r) 명 (젖병의) 젖꼭지. =[奶头(儿)②]

氖 nǎi (내) 명〔化〕 네온(Ne: neon).

[氖灯] nǎidēng 명 ⇨[霓ní虹灯]

奈 nài (내) ① 부 어찌. 어떻게. ❑ ~何; ⇩ ② 동〈書〉 어찌할 도리가 없다.

[奈何] nàihé 동 ① 어찌할 수가 없다. ❑ 无可~; 어쩔 도리가 없다. ② (nài//hé) …를 어찌할 것인가. ❑ 他就是不肯, 你又奈他何? 그가 하려고 하지 않는데 너는 그를 어찌할 것이냐? 대〈書〉 어찌. 어떻게《반문의 형식으로 사용되며 '如何' 와 뜻이 유사함》.

耐 nài (내) 동 참다. 견디다. 이겨 내다. ❑ ~穿; (의복·신발 따위가) 오래 신을 [입을] 수 있다.

[耐烦] nàifán 형 번거로움을 참다. 귀찮음을 참다. 인내심을 갖다. 인내하다《주로, 부정형으로 쓰임》.

[耐火] nàihuǒ 형 불에 강하다. 내화성이 있다. ❑ ~材料; 내화재.

[耐久] nàijiǔ 형 오래가다. 내구력이 있다. ❑ ~性; 내구성.

[耐力] nàilì 명 인내력. 지구력.

[耐磨] nàimó 형 내마모성이 있다. 닳지 않다. ❑ ~性; 내마모성.

[耐热] nàirè 형 열에 강하다. 내열성이 있다. ❑ ~性; 내열성.

[耐人寻味] nàirénxúnwèi 〈成〉 의미심장하여 음미할 가치가 있다.

[耐心] nàixīn 형 참을성이 있다. 인내심이 있다. ❑ 他是一个~的人; 그는 참을성 있는 사람이다. 명 참을성. 인내심.

[耐性] nàixìng 명 참을성. 인내심.

[耐用] nàiyòng 형 오래가다. 오래 쓸 수 있다. 내용하다.

nan ㄋㄢ

男 nán (남) ① 명형 남자(의). 남성(의). ❑ ~厕; 남자 화장실 / ~学生; 남학생. ② 명 아들.

[男低音] nándīyīn 명〔樂〕 베이

스(bass).
[男儿] nán'ér 명 남아. 사내.
[男高音] nángāoyīn 명〖樂〗테너(tenor).
[男爵] nánjué 명 남작.
[男女] nánnǚ 명 남녀. ❑ ~混合双打; 〖體〗남녀 혼합 복식 / ~老少; 남녀노소 / ~平等; 남녀평등.
[男朋友] nánpéng·you 명 남자 친구. (남자) 애인.
[男人] nánrén 명 (성년의) 남자.
[男人] nán·ren 명〈口〉남편.
[男生] nánshēng 명 ① 남학생. ② (젊은) 남자.
[男声] nánshēng 명〖樂〗남성 파트. ❑ ~合唱; 남성 합창.
[男性] nánxìng 명 남성. 남자.
[男中音] nánzhōngyīn 명〖樂〗바리톤(baritone).
[男子] nánzǐ 명 남자.
[男子汉] nánzǐhàn 명 사내. 사나이. ❑ ~大丈夫; 사내대장부.

南 nán (남)
명 ① 남쪽. ❑ ~风; 남풍. ② 남쪽 지방《중국의 창장 강(長江) 유역과 그 이남 지역》. ❑ ~货; ⇩
[南半球] nánbànqiú 명〖地理〗남반구.
[南北] nánběi 명 ① 남북. 남과 북. ② 남쪽 끝에서 북쪽 끝까지.
[南边] nán·bian 명 ① (~儿) 남쪽. ② 〈口〉⇨[南方②]
[南方] nánfāng 명 ① 남. 남쪽. ② (중국의) 남부 지역. 남방. ❑ ~人; 남부 사람. =[南边②]
[南瓜] nán·guā 명〖植〗호박. ❑ ~子; 호박씨. =[〈方〉番瓜]
[南货] nánhuò 명 중국 남방에서 나는 식품.
[南极] nánjí 명 ①〖地理〗남극. ②〖物〗(자석의) 남극. 에스(S)극.
[南美洲] Nán Měizhōu〖地〗남아메리카(南America). 남미주.
[南面(儿)] nánmiàn(r) 명 남측. 남쪽.
[南辕北辙] nányuán-běizhé〈成〉남쪽으로 가면서 수레는 북쪽으로 끌다《행동과 목적이 상반되다》.
[南征北战] nánzhēng-běizhàn〈成〉수많은 전투를 치르다.

喃 nán (남)
→[喃喃]
[喃喃] nánnán 의 중얼중얼. 웅얼웅얼. ❑ ~自语; 〈成〉중얼중얼 혼잣말을 하다.

难(難) nán (난)
① 형 어렵다. 힘들다. 곤란하다. ❑ 说着容易做着~; 말하기는 쉬우나 행하기는 어렵다. ② 동 난처하게 하다. 곤란하게 하다. 괴롭히다. ❑ 这道题~了他一上午; 이 문제는 오전 내내 그를 괴롭혔다. ③ 형 …하기 거북하다. …하기 좋지 않다. ❑ 这药太~吃; 이 약은 먹기에 너무 역하다. ⇒ nàn
[难产] nánchǎn 동 ①〖醫〗난산이다. ②〈比〉(저작·계획 따위가) 좀처럼 완성되기 힘들다.
[难处] nánchu 형 사귀기 어렵다. 같이 지내기 거북하다. ❑ 这个人并不~; 이 사람은 결코 사귀기 어렵지 않다.
[难处] nánchù 명 어려운 점. 고충. 애로. 어려움.
[难道] nándào 부 설마 …인 것은 아니겠지. 설마 …겠는가. ❑ 他已经死了, 你~还不知道吗? 그는 이미 죽었어, 너 설마 아직 모르는 건 아니겠지? =[难道说]
[难得] nándé 형 ① 얻기 힘들다. 해내기 힘들다《매우 귀하거나 중요함》. ❑ ~的人才; 구하기 힘든 인재. ② 좀처럼 …하지 않다. 모처럼 …하다. ❑ ~你来, 咱们多聊聊吧! 모처럼 네가 왔으니 우리 실컷 수다나 떨자!
[难度] nándù 명 난이도.
[难怪] nánguài 동 …를 탓할 수는 없다. …도 무리는 아니다. ❑ 他工作很忙, 家务顾不上这也~; 그는 일이 매우 바쁘니 집안일을 돌보지 못한다 해도 탓할 수는 없다. 부 어쩐지. 과연. ❑ 这酒度数很大, ~喝几口就醉了; 이 술은 도수가 높구나, 어쩐지 몇 모금 마시자마자 취해 버리더라니. =[怪不得]
[难关] nánguān 명 난관. 어려움.
[难过] nánguò 형 ① (생활이) 고생스럽다. 어렵다. 힘들다. ❑ 日子~得很; 생활이 매우 어렵다. ② 마음 아프다. 괴롭다. 고통스럽다. ❑ 心里很~; 마음이 매우 괴롭다.
[难堪] nánkān 동 참기 어렵다. 견디기 힘들다. ❑ ~重负; 중책을 견디기 힘들다. 형 곤혹스럽다. 난처하다. ❑ 他如今的处境~; 그는 지금 상황이 난처하다.
[难看] nánkàn 형 ① 보기 흉하다. 볼썽사납다. 추하다. ❑ 这是谁写的字, 这么~? 이것은 누가 쓴 글

자이길래 이렇게 보기 흉한 것이냐? ② 체면이 안 서다. 부끄럽다. 면목 없다. ❏ 那么大小伙子跟孩闹, 也不嫌~? 그렇게 다 큰 청년이 아이들과 떠들어 대다니 부끄럽지도 않느냐? ③ (표정·안색 따위가) 안 좋다. 나쁘다. ❏ 他的脸色很~; 그의 안색이 매우 안 좋다.

[难免] nánmiǎn 형 면하기 어렵다. 피하기 힘들다. 불가피하다. ❏ 不努力学习, ~要落后; 열심히 공부하지 않으면 뒤처지는 것을 피하기 어렵다.

[难能可贵] nánnéng-kěguì 〈成〉 하기 어려운 일을 해내서 가치가 있다[기특하다].

[难人] nánrén 동 남을 난처하게 만들다. 곤경에 빠뜨리다. 명 까다로운 일을 맡은 사람. 미움받는 역할.

[难色] nánsè 명 난색.

[难受] nánshòu 형 ① (육체적으로) 견디기 어렵다. 힘들다. 불편하다. ❏ 病痛~; 병으로 힘들다. ② (정신적으로) 힘들다. 괴롭다. ❏ 心里很~; 마음이 매우 괴롭다.

[难说] nánshuō 동 ① 말하기 거북하다. 말하기 어렵다. ② 잘라 말할 수 없다. 단언하기 어렵다. ❏ 他什么时候回来还很~; 그가 언제 돌아올지 아직 단언하기 어렵다.

[难题] nántí 명 난제.

[难听] nántīng 형 ① 귀에 거슬리다. 듣기 거북하다. ❏ 看你说的, ~死了; 네가 말하는 것은 정말 귀에 거슬린다. ② (일이 남에게 알려져) 망신스럽다. 꼴이 사납다.

[难为情] nánwéiqíng 형 난처하다. 겸연쩍다. 부끄럽다. ❏ 事儿没给你办成, 真~; 일을 성사시켜 주지 못해서 정말 부끄럽다.

[难为] nán·wei 동 ① 난처하게 하다. 괴롭히다. ❏ 别~他了; 그를 난처하게 하지 마라. ② 고생을 시키다. 수고를[폐를] 끼치다. ③ 〈套〉 고맙습니다. 잘하셨습니다. 수고하셨습니다《남을 치하하거나 남에게 감사함을 표시하는 말》. ❏ ~您惦记我; 염려해 주셔서 고맙습니다.

[难兄难弟] nánxiōng-nándì 〈成〉 난형난제《우열을 가리기 힘들다. 두 사람 모두 비열하다》. ⇒ nànxiōng-nàndì

[难以] nányǐ 동 …하기 힘들다[어렵다]. ❏ ~忘怀; 잊기 어렵다.

赧 nǎn (난)
동 부끄러워 얼굴을 붉히다.

蝻 nǎn (남)
명 〔蟲〕 메뚜기의 유충.

难(難) nàn (난)
① 명 재난. 환난. ❏ 国~; 국난. ② 동 힐책하다. 나무라다. ❏ 责~; 나무라다. ⇒ nán

[难民] nànmín 명 난민.

[难兄难弟] nànxiōng-nàndì 〈成〉 ① 서로 고난을 함께 한 사람. ② 서로 똑같이 곤란한 상태에 놓여 있는 사람. ⇒ nánxiōng-nándì

[难友] nànyǒu 명 고난을 함께 한 사람. 어려운 일을 함께 겪은 동지.

nang ㄋㄤ

囔 nāng (낭)
→[囔囔]

[囔囔] nāng·nang 동 (작은 소리로) 소곤거리다. 속삭이다.

囊 náng (낭)
명 ① 주머니. 자루. ② 주머니처럼 생긴 것. ❏ 胆~; 담낭.

[囊中物] nángzhōngwù 명 〈比〉 아주 쉽게 손에 넣을 수 있는 것.

[囊肿] nángzhǒng 명 〔醫〕 낭종.

nao ㄋㄠ

孬 nāo (뇌)
형 〈方〉 ① 나쁘다. 안 좋다. ❏ 这个牌子的东西最~; 이 상표의 물건이 제일 안 좋다. ② 용기가 없다. 겁이 많다. ❏ ~种; 겁쟁이.

挠(撓) náo (뇨)
동 ① (손으로) 가볍게 긁다. ❏ ~痒痒; 가려운 데를 긁다. ② 교란시키다. 어지럽히다. 방해하다. ❏ 阻~; 저해하다. ③ 휘다. 〈比〉 굴하다. 굴복하다. ❏ 百折不~; 〈成〉 백절불굴이다.

[挠头] náotóu 형 골치 아프다. 골머리를 썩다. ❏ 这种事情真叫人~; 이런 일은 정말 사람을 골치 아프게 한다.

蛲(蟯) náo (요)
→[蛲虫]

[蛲虫] náochóng 명 〔動〕 요충.

恼(惱) nǎo (뇌)
① 동 성내다. 화내다.

❏～恨；⇓ ② 형 번민하다. 고민하다. 고뇌하다. ❏苦～; 고민하다.
[恼恨] nǎohèn 동 화내며 원망하다.
[恼火] nǎohuǒ 형 화내다. 성내다. ❏动不动就～; 걸핏하면 화낸다.
[恼怒] nǎonù 동 ① 화내다. 성내다. 골내다. ② 화나게 하다. ❏他真让人～; 그는 정말 사람을 화나게 한다.
[恼羞成怒] nǎoxiū-chéngnù 〈成〉 부끄럽고 분한 나머지 화를 내다.

脑(腦) nǎo (뇌)
명 ①〖生理〗뇌. ❏～血管; 뇌혈관. ② 머리. ❏探头探～; 〈成〉 머리를 내밀고 주위를 살피다. ③ 지능. 두뇌. 머리. ❏用～; 머리를 쓰다. ④정수(精粹). ❏薄荷～; 박하정.
[脑出血] nǎochūxuè 명〖醫〗뇌출혈.
[脑袋] nǎo·dai 명〈口〉 ① 머리. ❏～很疼; 머리가 아프다. ② 두뇌. 지능. 머리. ❏～不灵; 머리가 나쁘다. ‖ ＝[〈口〉 脑瓜儿][脑瓜子]
[脑电波] nǎodiànbō 명〖生理〗뇌파(腦波).
[脑瓜儿] nǎoguār 명〈口〉 ⇨[脑袋]
[脑海] nǎohǎi 명 머릿속. 뇌리.
[脑筋] nǎojīn 명 ① 머리. 두뇌. 지능. ❏动～; 머리를 쓰다 / 伤～; 골머리를 앓다. ② 의식. 사고방식. ❏老～; 케케묵은 사고방식.
[脑力] nǎolì 명 뇌력. 지력(知力). 지능. ❏～劳动; 정신노동.
[脑瘤] nǎoliú 명〖醫〗뇌종양.
[脑满肠肥] nǎomǎn-chángféi 〈成〉 놀고먹으면서 피둥피둥 살이 찐 모양.
[脑死亡] nǎosǐwáng 명〖醫〗뇌사.
[脑髓] nǎosuǐ 명〖生理〗뇌수.
[脑震荡] nǎozhèndàng 명〖醫〗뇌진탕.
[脑汁] nǎozhī 명 머리. 사고력. 두뇌. ❏绞～; 머리를 짜내다.
[脑子] nǎo·zi 명〈口〉 ① 뇌. ② 머리. 지능. ❏没～; 머리가 나쁘다.

瑙 nǎo (노)
→[玛mǎ瑙]

闹(閙) nào (뇨)
① 형 시끄럽다. 떠들썩하다. ❏他们太～了; 그들은 너무 시끄럽다. ② 동 떠들다. 소란을 피우다. 시끄럽게 굴다. 난리 치다. ❏又哭又～; 울면서 소란을 피우다. ③ 동 (감정 따위를) 드러내다. 나타내다. ❏～脾气; ⇓ ④ 동 (안 좋은 일이) 일어나다. 생기다. ❏～矛盾; 갈등이 생기다 / ～嗓子; 목을 앓다. ⑤ 동 저지르다. 하다. 일으키다. ❏～革命; 혁명을 일으키다. ⑥ 동 장난치다. 희롱하다. 까불다. ❏～着玩儿; ⇓
[闹别扭] nào biè·niu 서로 의견이 맞지 않다. 사이가 틀어지다.
[闹病] nào∥bìng 동 병에 걸리다. 병을 앓다.
[闹肚子] nào dù·zi 〈口〉 ⇨[腹泻]
[闹翻] nàofān 동 사이가 틀어지다. ❏他跟小王～了; 그는 왕 군과 사이가 틀어졌다.
[闹鬼] nào∥guǐ 동 ① 귀신이 나타나다[나오다]. ② 〈比〉 뒤에서 나쁜 짓을 하다. 음모를 꾸미다.
[闹哄哄(的)] nàohōnghōng(·de) 형 시끄럽게 떠드는 모양.
[闹哄] nào·hong 동〈方〉 ① 떠들어 대다. ❏大家不要～; 모두들 떠들지 마세요. ② 여러 사람이 함께 바삐 일을 하다.
[闹饥荒] nào jī·huang ① 흉년이 들다. 기근이 일어나다. ② 〈方〉 〈比〉 경제적으로 어렵다.
[闹剧] nàojù 명 ① 소극. 웃음극. ＝[笑剧] ② 〈比〉 우스꽝스러운 일. 웃음거리.
[闹乱子] nào luàn·zi 사건을[사고를] 일으키다. 번거로운 일을 만들어 내다.
[闹脾气] nào pí·qi 성질내다. 성질부리다.
[闹气(儿)] nào∥qì(r) 동〈方〉 화를 내며 싸우다.
[闹情绪] nào qíngxù (뜻대로 되지 않아) 불만을 품다. 마음이 상하다. 풀이 죽다.
[闹嚷嚷(的)] nàorāngrāng(·de) 형 시끄러운 모양. 소란스러운 모양.
[闹市] nàoshì 명 번화한 시가지. 번화가.
[闹事] nào∥shì 동 일을 저지르다. 소동[사건]을 일으키다.
[闹腾] nào·teng 동 ① 소동을 일으키다. 소란을 피우다. ❏她～了半天, 谁也没理她; 그녀가 한참 동안 소란을 피웠지만 아무도 그녀를 거들떠보지 않았다. ② (왁자지껄) 떠들어 대다. 웃고 떠들다. ❏大家～了一宿没睡; 모두들 밤새도록 떠들고 자지 않았다. ③ 적극적

으로 하다. 바쁘게 활약하다. ❑～一年, 不是白干吗? 1년 동안 바쁘게 지냈는데 헛수고는 아니었겠지?
[闹笑话(儿)] nào xiào·hua(r) (주의·지식·경험 부족 때문에) 웃음거리가 되다. 우스운 실수를 하다.
[闹意见] nào yìjiàn 의견이 충돌하다. 말다툼하다.
[闹着玩儿] nào·zhe wánr ①놀이를 하다. 게임을 하다. ②(말이나 행동으로) 놀리다. 장난하다. ③(사람이나 상황에) 경솔하게 대처하다. 건성으로 대하다.
[闹钟] nàozhōng 명 자명종.

淖 nào (뇨)
명〈書〉 진흙탕. 진창.

ne ㄋㄜ

讷(訥) nè (눌)
동〈書〉 말을 어눌하게 하다. 말을 더듬다.

呢 ·ne (니)
조 ①의문문의 끝에 쓰여 의문의 어기를 나타냄 ❑你妈妈~? 너희 어머니는? ②평서문의 끝에 쓰여 동작이나 상황이 진행되고 있음을 나타냄. ❑外边正刮风~; 밖에 바람이 불고 있다. ③평서문의 끝에 쓰여 사실을 확인함. ❑离期中考试还早~; 중간고사는 아직 멀었지 않니. ④문장의 중간에서 잠시 멈추는 역할을 하여 강조의 어기를 나타냄. ❑有~, 更好, 没有~, 也不要紧; 있으면 더 좋겠지만 없어도 상관없다. ⇒ní

nei ㄋㄟ

馁(餒) něi (뇌)
동 ①〈書〉 굶주리다. ②기가 죽다. 맥이 빠지다.

内 nèi (내)
명 ①안. 속. 안쪽. 내부. ❑年~; 연내 / 室~; 실내 / 校~; 교내. ②아내 또는 아내 쪽의 친척. ❑~弟; ⇩ ③마음속. ❑~疚; ⇩
[内部] nèibù 명 내부. ❑~矛盾; 내부 모순 / ~消息; 내부 소식.
[内场] nèichǎng 명〖體〗(야구의) 내야. ❑~手; 내야수.
[内存] nèicún 명〖컴〗①〈簡〉⇨[内存储器] ②메모리(memory).
[内存储器] nèicúnchǔqì 명〖컴〗 내부 기억 장치. =[〈簡〉内存①]
[内地] nèidì 명 ①내륙. 내지. 내륙 지방. ②오지(奧地).
[内弟] nèidì 명 손아래 처남.
[内分泌] nèifēnmì 명〖生理〗 내분비.
[内服] nèifú 동 내복하다. 복용하다. ❑~药; 내복약. =[口服②]
[内阁] nèigé 명〖政〗내각.
[内功] nèigōng 명 (무술(武術) 따위에서의) 내공.
[内行] nèiháng 형 그 방면에 밝다. 전문가이다. 정통하다. ❑这方面我不~; 이 방면에 나는 정통하지 않다. 명 전문가. 숙련자.
[内核] nèihé 명〖地質〗내핵.
[内讧] nèihòng 동 내분을 일으키다. 내홍이 일어나다.
[内奸] nèijiān 명 (내부의) 스파이(spy). 간첩. 첩자.
[内角] nèijiǎo 명〖數〗내각.
[内景] nèijǐng 명 (연극·영화·드라마 따위의) 실내 세트(set).
[内镜] nèijìng 명〖醫〗 내시경.
[内疚] nèijiù 형 양심의 가책을 느끼다. 부끄럽다. ❑对这件事我感到很~; 이 일에 대해 나는 매우 양심의 가책을 느낀다.
[内科] nèikē 명〖醫〗내과. ❑~医生; 내과 의사.
[内裤] nèikù 명 ①(몸에 붙는) 짧은 바지. ②팬티. =[裤衩儿②]
[内陆] nèilù 명〖地理〗내륙.
[内乱] nèiluàn 명 내란.
[内幕] nèimù 명 내막. 속사정. ❑揭开~; 내막을 파헤치다.
[内勤] nèiqín 명 ①내근. ❑~人员; 내근 직원. ②내근하는 사람.
[内情] nèiqíng 명 내정. ❑熟悉~; 내정에 밝다.
[内燃机] nèiránjī 명〖機〗내연 기관.
[内人] nèi·rén 명 내자. 집사람. 안사람(자기 처를 일컫는 말).
[内容] nèiróng 명 내용. ❑~很复杂; 내용이 매우 복잡하다 / 主要~; 주요 내용.
[内伤] nèishāng 명〖醫〗내상.
[内外] nèiwài 명 ①안과 밖. 속과 겉. ❑~有别; 안과 밖이 다르다. ②내부와 외부. 국내와 국외. ❑~交困; 〈成〉 나라 안팎으로 곤란한 상황에 처하다. ③내외. 쯤. 가량. ❑三十岁~; 30세 내외.
[内务] nèiwù 명 ①국내의 사무.

내무. ❏ ~部; 내무부. ② (단체 생활의) 실내에서의 일상적인 사무.

[内线] nèixiàn 명 ① (내부에 심어 놓은) 첩자. 밀정. ② (전화의) 내선. ❏ ~电话机; 인터폰. ③ 내부의 끈[연줄].

[内向] nèixiàng 형 (성격·생각이) 내성적이다. ❏ 性格~; 성격이 내성적이다.

[内销] nèixiāo 동 국내 판매 하다.

[内心] nèixīn 명 속마음. 내심. 마음속. ❏ ~感到不安; 내심 불안하다 / ~深处; 마음속 깊은 곳.

[内兄] nèixiōng 명 손위 처남.

[内需] nèixū 명〔經〕내수. ❏ ~萎缩; 내수가 부진하다.

[内衣] nèiyī 명 내의. 속옷.

[内因] nèiyīn 명〔哲〕내인. 내부 원인. 내적 요인.

[内忧外患] nèiyōu-wàihuàn 〈成〉 내우외환.

[内在] nèizài 형 ① 내재하다. ❏ ~规律; 내재 법칙. ② 마음에 품다. ❏ 感情~; 감정을 마음에 품다.

[内脏] nèizàng 명〔生理〕내장.

[内债] nèizhài 명〔經〕내채.

[内战] nèizhàn 명 내전.

[内政] nèizhèng 명 내정. ❏ 互不干涉~; 상호 내정 불간섭.

[内侄] nèizhí 명 내질. 처조카.

[内侄女(儿)] nèizhínǚ(r) 명 내질녀. 처조카딸.

nen ㄋㄣ

嫩 nèn (눈)

형 ① 연하다. 여리다. 부드럽다. ❏ ~芽; 새싹. ② (음식물을 살짝 익혀서) 연하다. 부드럽다. ❏ 肉片炒得很~; 고기가 매우 연하게 볶아졌다. ③ 빛깔이 엷다[연하다]. ❏ ~绿; 푸르스름하다. ④ 경험이 얕다. 서툴다. 미숙하다.

neng ㄋㄥ

能 néng (능)

① 명 능력. 재능. ❏ 无~; 무능하다. ② 명〔物〕에너지. ❏ 太阳~; 태양열. ③ 형 재능이 있다. 유능하다. …에 능하다. ❏ 他真~吃; 그는 정말 잘 먹는다. ④ 조동 …할 수 있다. …할 능력이 있다. ❏ 我们~完成任务; 우리는 임무를 완성할 수 있다. ⑤ 조동 …해도 되다《허용·허가를 나타내며, 주로 부정형이나 의문형으로 쓰임》. ❏ 不~在公共场所大喊大叫; 공공장소에서는 고성방가를 하면 안 된다.

[能动] néngdòng 형 능동적이다. ❏ ~性; 능동성.

[能干] nénggàn 형 유능하다. 일을 잘하다. 능력 있다. ❏ 新来的厂长很~; 새로 온 공장장은 매우 유능하다.

[能工巧匠] nénggōng-qiǎojiàng 〈成〉 공예 기술이 뛰어난 사람.

[能够] nénggòu 조동 …할 수 있다. …해도 되다. ① 어떤 능력이 있거나 어떤 정도에 도달했음을 나타냄. ❏ 他~单独操作了; 그는 혼자서 조작할 수 있다. ② 어떤 조건을 구비하고 있음을 나타냄. ❏ 礼堂修好了, ~交付使用了; 강당이 다 고쳐졌으니 사용하도록 내줘도 되겠다. ③ 정리(情理)상의 허용·허가를 나타냄. ❏ 儿童不~去舞厅; 아이들은 댄스홀에 갈 수 없다.

[能力] nénglì 명 능력. ❏ 很有~的律师; 능력 있는 변호사.

[能量] néngliàng 명 ①〔物〕에너지. ②〈比〉역량. 능력.

[能耐] néng·nai 명〈口〉능력. 수완. 솜씨. ❏ 他还真有~; 그는 정말 능력이 있다.

[能人] néngrén 명 재능 있는 사람.

[能手(儿)] néngshǒu(r) 명 능수. 달인. 숙련가. 전문가.

[能源] néngyuán 명〔物〕에너지원.

嗯 ńg[ń] (은)

감 의문을 나타내는 말. ❏ ~? 他在说什么呢? 응? 그가 지금 뭐라고 하는 거니?

嗯 ňg[ň] (은)

감 의외이거나 그렇다고 생각하지는 않음을 나타내는 말. ❏ ~! 开关怎么不灵了? 어! 스위치가 왜 말을 안 듣지?

嗯 ǹg[ǹ] (은)

감 대답이나 승낙을 나타내는 말. ❏ 你明天早点来啊! —— ~! 내일 좀 일찍 와라! —— 응!

ni ㄋㄧ

尼 ní (니)

명〔佛〕여승. 비구니.

【尼泊尔】 Níbó'ěr 명〖地〗〈音〉 네팔(Nepal).
【尼姑】 nígū 명〖佛〗 여승. 비구니. =[姑子]
【尼古丁】 nígǔdīng 명〖化〗〈音〉 니코틴(nicotine). =[烟碱jiǎn]
【尼龙】 nílóng 명〖化〗〈音〉 나일론(nylon). =[锦jǐn纶]
【尼亚加拉瀑布】 Níyàjiālā Pùbù 〖地〗〈音〉 나이아가라(Niagara) 폭포.

泥 ní (니)
명 ① 진흙. ② 반고체 상태인 것. ❏ 水~; 시멘트 ⇒nì
【泥工】 nígōng 명〈方〉 ⇨[瓦工②]
【泥浆】 níjiāng 명 흙탕. 흙탕물.
【泥坑】 níkēng 명 진흙 구덩이. 진창. 수렁.
【泥淖】 nínào 명 진흙탕. 진창. 수렁.
【泥泞】 nínìng 형 (길이) 질퍽거리다. ❏ 雨后道路~; 비가 온 후에는 길이 질퍽거린다. 명 진창.
【泥牛入海】 níniú-rùhǎi 〈成〉 한번 가서 다시는 돌아오지 않다. 함흥차사.
【泥菩萨】 nípúsà 명 진흙으로 만든 보살. ❏ ~过河, 自身难保; 〈歇〉 진흙 보살이 강을 건너는 것처럼 자기 자신도 보전하기 어렵다.
【泥鳅】 ní·qiu 명〖魚〗 미꾸라지.
【泥人(儿)】 nírén(r) 명 진흙 인형.
【泥沙俱下】 níshā-jùxià 〈成〉 진흙과 모래가 함께 떠내려가다(좋은 것[사람]과 나쁜 것[사람]이 한데 섞여 있다).
【泥水匠】 níshuǐjiàng 명 ⇨[泥瓦匠]
【泥塑】 nísù 명〖美〗 진흙으로 인형을 만드는 민간 공예. 이소. 이소인.
【泥塘】 nítáng 명 늪. 수렁.
【泥土】 nítǔ 명 ① 이토. 진흙. ② 토양. 흙.
【泥瓦匠】 níwǎjiàng 명 미장이. =[泥瓦工][泥水匠]
【泥足巨人】 nízú-jùrén 〈成〉 실제로는 약하지만 보기에는 거대한 것.

怩 ní (니)
→[忸niǔ怩]

呢 ní (니)
명〖紡〗 나사. 모직물. ⇒·ne
【呢绒】 níróng 명〖紡〗 모직물.
【呢子】 ní·zi 명〖紡〗 나사(羅紗).

倪 ní (예)
→[端duān倪]

霓 ní (예)
명〖氣〗 암무지개. =[副虹]
【霓虹灯】 níhóngdēng 명〖電〗〈音〉 네온등. 네온램프. ❏ ~广告牌; 네온사인(neon sign). =[氖灯]

鲵(鯢) ní (예)
명〖動〗 도롱뇽.

你 nǐ (니)
대 ① 당신. 너. ❏ ~是学生吗? 너는 학생이냐? ② 막연한 대상이나 자기 자신을 일컫는 말. ❏ 他的话叫~哭笑不得; 그의 말은 사람을 울 수도 웃을 수도 없게 만들었다. ③ 서로. 저마다. 제각기(('我' 또는 '他'와 함께 쓰임)). ❏ ~来我往; 서로 교제하다 / ~追我赶; 〈成〉 앞서거니 뒤서거니 하다.
【你好】 nǐ hǎo 〈套〉 안녕. 안녕하세요(만났을 때 하는 인사말).
【你们】 nǐ·men 대 너희. 너희들. 당신들.
【你死我活】 nǐsǐ-wǒhuó 〈成〉 죽느냐 사느냐의 결판. 사생결단.

拟(擬) nǐ (의)
동 ① 설계하다. 기초하다. ❏ ~稿(儿); ⇩ ② …할 예정[계획]이다. …하려 하다. ❏ ~于下月动身; 다음 달에 출발할 예정이다. ③ 본뜨다. 모방하다. ❏ ~作; ⇩
【拟订】 nǐdìng 동 초안을 만들다. 입안(立案)하다. ❏ ~计划; 계획안을 기초하다.
【拟定】 nǐdìng 동 ① 기초(起草)하여 정하다. ② 추측하여 단정하다. 의정하다.
【拟稿(儿)】 nǐ//gǎo(r) 동 초안을 작성하다. 원고를 기초하다. 초고를 쓰다(주로, 공문을 가리킴).
【拟人】 nǐrén 명〖言〗 의인화(擬人化). ❏ ~法; 의인법.
【拟声词】 nǐshēngcí 명〖言〗 의성어. =[象声词]
【拟作】 nǐzuò 명 의작(擬作).

泥 nì (니)
동 ① 진흙이나 석회를 바르다. ❏ ~瓦缝儿; 기와와 기와 사이에 진흙을 바르다. ② 고집하다. 구애되다. ❏ ~古; ⇩ ⇒ní
【泥古】 nìgǔ 동 옛것에 구애되다.
【泥子】 nì·zi 명〖建〗 퍼티(putty). 떡밥.

昵 nì (닐)
형 친하다. 친밀하다. 친근하다. ❏ 亲~; 허물없다.

N

逆 nì (역)
①동 역방향으로 가다. 역행하다. ❏~流; ⇩ ②동 저촉하다. 거스르다. 거역하다. ❏~命; 명령을 거역하다. ③형 순조롭지 않다. 지장이 있다. ❏~境; ⇩ ④명 반역자. 배반자. ⑤부 사전에. 미리. ❏~料; ⇩

[逆差] nìchā 명〖貿〗 수입 초과. 무역 수지 적자.

[逆耳] nì'ěr 형 귀에 거슬리다. ❏忠言~; 〈成〉 충언은 귀에 거슬린다.

[逆风] nì//fēng 동 바람을 거스르다. (nìfēng) 명 역풍.

[逆境] nìjìng 명 역경.

[逆来顺受] nìlái-shùnshòu 〈成〉 남의 괴롭힘이나 불합리한 대우에도 참고 견디다.

[逆料] nìliào 동 예상하다. 예견하다. 예측하다.

[逆流] nìliú 동 역류하다. 명 ① 역류. ②〈比〉 반동적 조류.

[逆水] nì//shuǐ 동 물의 흐름을 거스르다. ❏~行舟, 不进则退; 〈諺〉 물의 흐름을 거슬러 배를 젓는 것과 같아서, 노력하지 않으면 퇴보한다.

[逆行] nìxíng 동 (차량 따위가) 역행하다. 역주행하다.

[逆序] nìxù 명 역순. =[倒dào序]

[逆转] nìzhuǎn 동 ① 역전하다. ②(정세가) 악화되다.

匿 nì (닉)
동 감추다. 숨기다. 숨다.

[匿迹] nìjì 동 행방을 감추다. 자취를 감추다. ❏销声~; 〈成〉 소리 없이 자취를 감추다.

[匿名] nìmíng 동 이름을 숨기다. 익명으로 하다. ❏~投票; 무기명 투표 / ~信; 익명의 편지.

溺 nì (닉)
동 ① 물에 빠지다. ❏~死; 익사하다. ② 깊이 빠지다. 지나치다. 도를 넘다. ❏~爱; ⇩

[溺爱] nì'ài 동 익애하다. 지나치게 귀여워하다. 과잉보호하다.

腻(膩) nì (니)
①형 기름지다. 느끼하다. ❏这个菜有点~; 이 요리는 좀 느끼하다. ②동 (기름기가 너무 많아서) 속을 느끼하게 하다. ❏肥肉~人; 비계는 속을 느끼하게 한다. ③형 싫증 나다. 물리다. 질리다. ❏看~了; 싫증 나도록 보았다. ④형 세심하다. 섬세하다. ❏细~; 섬세하다. ⑤형 진득거리다. 끈적거리다. ⑥명 때. 더러움.

[腻烦] nì·fan 〈口〉 형 지긋지긋하다. 싫증 나다. 지겹다. ❏这个曲子真~; 이 노래는 정말 지긋지긋하다. 동 싫어하다. 혐오하다. ❏我真~他; 나는 그가 정말 싫다.

nian ㄋㄧㄢ

拈 niān (념)
동 (손가락으로) 집다. ❏从口袋里~出两枚硬币; 주머니에서 동전 두 개를 집어서 꺼내다.

[拈轻怕重] niānqīng-pàzhòng 〈成〉 어려운 일은 피하고 쉬운 일을 택하다.

蔫 niān (언)
(~儿) 형 ①(식물이) 시들다. ❏花~了; 꽃이 시들었다. ② 기운이 없다. 주눅 들다. 풀이 죽다. ❏他不像刚来的时候那么~了; 그는 이제 처음 왔을 때처럼 주눅 들어 있지 않는다. ③〈方〉 (성격이) 느릿느릿하다. 시원스럽지 못하다.

[蔫呼呼(的)] niānhūhū(·de) 형 행동이 굼뜨고 시원스럽지 못하다.

年 nián (년)
①명 년. 해. ❏今~; 금년. ②양 년《햇수를 세는 말》. ❏两~; 이 년. ③형 매년의. 연례의. 연간의. ❏~收入; 연간 수입. ④명 나이. 연령. ❏~过六十; 나이가 60을 넘다. ⑤명 연령대. ❏中~; 중년. ⑥명 시대. 시기. ❏秦朝末~; 진나라 말엽. ⑦명 한 해의 결실. 수확. ❏丰~; 풍년. ⑧명 설. 새해. ❏过~; 설을 쇠다 / ~糕; ⇩

[年成] nián·chéng 명 (한 해의) 수확. 작황. =[年头儿④][年景①]

[年初] niánchū 명 연초.

[年代] niándài 명 ① 연대. 시대. 시기. 시간. ② …년대. ❏1990~; 1990년대.

[年底] niándǐ 명 연말. 세밑. 세모. =[年末]

[年度] niándù 명 연도.

[年份] niánfèn 명 ① 연(年). 해. 연도. ❏事情发生的~; 사건 발생 연도. ② 햇수. 연한.

[年富力强] niánfù-lìqiáng 〈成〉 나이가 젊고 원기가 왕성하다.

[年糕] niángāo 명 설떡.

[年号] niánhào 명 연호.

[年华] niánhuá 명 세월. 시간. 시

기. ❏ 虚度~; 허송세월하다.
[年画(儿)] niánhuà(r) 명 연화《설날 벽에 붙이는 즐겁고 길한 분위기의 그림》.
[年货] niánhuò 명 설 쇨 때 쓰이는 일체의 것.
[年级] niánjí 명 학년. ❏ 高~; 고학년 / 三~; 3학년.
[年纪] niánjì 명 (사람의) 나이. 연세. ❏ 您今年多大~? 올해 연세가 어떻게 되십니까?
[年假] niánjià 명 ① 겨울 방학. ② (음력) 설 휴가. ③ 연차 휴가. 연차.
[年鉴] niánjiàn 명 연감(年鑑).
[年节] niánjié 명 설. 설 연휴 기간.
[年景] niánjǐng 명 ① ⇨[年成] ② 연말연시의 풍경.
[年利] niánlì 명 ⇨[年息]
[年龄] niánlíng 명 연령. 나이.
[年轮] niánlún 명〖植〗나이테.
[年迈] niánmài 형 나이가 많다. 고령이다. ❏ ~力衰; 노쇠하다.
[年貌] niánmào 명 나이와 외모.
[年末] niánmò 명 ⇨[年底]
[年谱] niánpǔ 명 연보.
[年青] niánqīng 형 젊다. 어리다. 청춘이다《주로, 청소년기의 나이에 있음을 뜻함》.
[年轻] niánqīng 형 ① 젊다《10대에서 20대까지의 나이에 있음을 뜻함》. ❏ ~人; 젊은이. ② 어리다. 젊다《나이를 비교할 때》. ❏ 你比我~多了; 너는 나보다 훨씬 젊다.
[年岁] niánsuì 명 ① 나이. 연세. ② 시대. 연대.
[年头儿] niántóur 명 ① 햇수. 해. 년. ❏ 母亲去世, 到现在有5个~了; 어머니가 돌아가신 지 5년째이다. ② 여러 해. 오랜 세월. ❏ 事后有~了; 일이 있은 후 오랜 세월이 지났다. ③ 시대. 세상. ④ ⇨[年成]
[年息] niánxī 명〖經〗연리. ＝[年利]
[年限] niánxiàn 명 연한.
[年薪] niánxīn 명 연봉(年俸).
[年终] niánzhōng 명 연말(年末). ❏ ~结账; 연말 결산.

粘 nián (점)
형 ⇨[黏] ⇒ zhān

鲇(鮎) nián (점)
명〖魚〗메기. ＝[鲇鱼]

黏 nián (점)
형 끈적끈적하다. 찐득찐득하다. 점성이 있다. ＝[粘nián]
[黏度] niándù 명〖物〗점도. 점성도.
[黏合] niánhé 동 (접착제 따위로) 붙이다. ❏ ~剂; 접착제.
[黏糊] nián·hu 형 ① 끈끈하다. 차지다. ❏ 米粥熬得真~; 쌀죽 쑨 것이 아주 차지다. ② 행동이 굼뜨다. 꾸물거리다. ❏ 此人办事太~; 이 사람은 일처리가 너무 굼뜨다.
[黏膜] niánmó 명〖生理〗점막.
[黏土] niántǔ 명 점토. 찰흙.
[黏性] niánxìng 명 점성(粘性).
[黏液] niányè 명〖生理〗점액.
[黏着] niánzhuó 동 (풀 따위로) 접착시키다. 점착(粘着)하다. ❏ ~力; 점착력.

捻 niǎn (념)
① 동 (손으로) 비틀다. 꼬다. ❏ ~线; 실을 꼬다. ② (~儿) 명 손가락으로 꼬아서 만든 것. ❏ 纸~儿; 종이로 만든 노끈.
[捻子] niǎn·zi 명 손가락으로 꼬아서 만든 것《심지 · 노끈 따위》.

撵(攆) niǎn (련)
동 ① 몰아내다. 쫓아내다. ❏ 把他~出去; 그를 쫓아내다. ② 〈方〉 뒤쫓아가다. 따라잡다. ❏ 他刚走, 还~得上; 그는 방금 나갔으니 아직 따라잡을 수 있다.

碾 niǎn (년)
① 명 매. 연자매. ② 명 롤러(roller). ③ 동〈書〉(맷돌 따위로) 빻다. 찧다. ❏ ~米; 쌀을 찧다.
[碾坊] niǎnfáng 명 방앗간. ＝[碾房]
[碾子] niǎn·zi 명 ① 연자매. 연자방아. ② 롤러(roller).

廿 niàn (입)
수 이십. 20. →[念**A**)③]

念 niàn (념)
A) ① 동 생각하다. 그리워하다. ❏ 妈妈老~着你; 어머니는 너를 늘 그리워하신다. ② 명 생각. 염두. ❏ 杂~; 잡념. ③ 수 '廿'의 갖은자. **B**) 동 ① (소리 내어) 읽다. ❏ ~课文; 본문을 읽다. ② 공부하다. 학교에 다니다. ❏ 他~着大学呢; 그는 대학에 다니고 있다.
[念叨] niàn·dao 동 ① (걱정되거나 그리워) 말하는 중간중간 거론하다. 자주 입에 올리다. ❏ 他经常~着你; 그는 네 얘기를 자주 한다. ② 〈方〉 말하다. 대화하다. 이야기하다. ‖ ＝[念道·dao]
[念佛] niànfó 동〖佛〗염불하다.
[念念不忘] niànniàn-bùwàng 〈成〉

항상 마음속에 간직하고 잊지 않다.
[念书] niàn∥shū 동 ①(소리 내어) 책을 읽다. ②공부하다. ❑你现在开始~还不晚; 너는 지금 공부를 시작해도 늦지 않다.
[念头(儿)] niàn·tou(r) 명 마음속 계획. 생각. 마음. ❑打消~; 생각을 접다 / 转~; 생각을 바꾸다.

niang ㄋㄧㄤ

娘 niáng (낭)
명 ①〈口〉 엄마. 어머니. ②촌수가 한 대 위이거나 나이 많은 기혼 여성. ❑大~; 아주머니. ③젊은 여자. ❑新~; 신부.
[娘家] niáng·jiā 명 친정.
[娘舅] niángjiù 명〈方〉 ⇨[舅父]
[娘儿们] niángr·men 명 ①〈口〉 나이 많은 여성과 그 아래 세대의 남녀를 합쳐 부르는 말. ②〈方〉〈贬〉 계집《성년의 부녀자를 일컫는 말》. ③〈方〉 아내.

酿(釀) niàng (양)
①동 (술·간장 따위를) 빚다. 양조하다. ❑~酒; ⇓ ②동 (꿀벌이) 꿀을 만들다. ❑~蜜; 꿀을 만들다. ③동 (일을 점차로) 조성하다. 빚다. ❑~成; ⇓ ④명 술.
[酿成] niàngchéng 동 (나쁜 결과를) 빚어내다. 양성하다. ❑~一场悲剧; 한바탕 비극을 빚어내다.
[酿酒] niàng∥jiǔ 동 술을 빚다[양조하다]. ❑~厂; 양조장.
[酿造] niàngzào 동(술·간장 따위를) 빚다. 양조하다. ❑~美酒; 좋은 술을 빚다.
[酿造酒] niàngzàojiǔ 명 ⇨[发酵酒]

niao ㄋㄧㄠ

鸟(鳥) niǎo (조)
명 새. ❑~巢; 새집.
[鸟瞰] niǎokàn 동 조감하다. ❑~图; 조감도. 명 조감.
[鸟类] niǎolèi 명 조류. ❑~学家; 조류학자.
[鸟笼] niǎolóng 명 새장. 조롱.
[鸟枪] niǎoqiāng 명 ①엽총. 조총. ②⇨[气枪]

袅(裊) niǎo (뇨)
형 가늘고 부드럽다.
[袅袅] niǎoniǎo 형 ①연기가 피어오르는 모양. ❑烟雾~; 연기가 모락모락 피어오르다. ②바람에 하늘거리는[한들거리는] 모양. ❑垂杨~; 수양버들이 한들거리다. ③소리가 길게 이어지는 모양.
[袅娜] niǎonuó 형〈書〉 ①초목이 부드럽고 가는 모양. ②여성의 자태가 아름다운 모양.

尿 niào (뇨)
①명 소변. 오줌. ❑撒~; 소변보다. ②동 소변보다. ⇒suī
[尿布] niàobù 명 기저귀.
[尿床] niào∥chuáng 동 침대에 오줌을 싸다.
[尿道] niàodào 명〖生理〗 요도.
[尿壶] niàohú 명 요강. 소변기.
[尿炕] niào∥kàng 동 잠자리에 오줌을 싸다.
[尿失禁] niàoshījìn 명〖醫〗 요실금.

nie ㄋㄧㄝ

捏 niē (날)
동 ①(손가락으로) 집다. 쥐다. ❑~住笔; 펜을 쥐다. ②(손끝으로) 빚다. ❑~饺子; 만두를 빚다. ③하나로 합치다. 한데 조화시키다. ❑~合; ⇓ ④조작하다. 날조하다. ❑~造; ⇓
[捏合] niēhé 동 한데 모으다.
[捏一把汗] niē yī bǎ hàn 손에 땀을 쥐다. 마음을 졸이다. 긴장하다. =[捏把汗]
[捏造] niēzào 동 날조하다. ❑~证据; 증거를 날조하다.

涅 niè (녈)
동〈書〉 검게 물들이다.

镊(鑷) niè (섭)
①명 족집게. 핀셋. ②동 족집게로[핀셋으로] 뽑다[집다]. ❑~毛; (족집게로) 털을 뽑다.
[镊子] niè·zi 명 족집게. 핀셋.

蹑(躡) niè (섭)
동 ①살금살금 걷다. ❑偷偷~到他身边; 살금살금 그의 곁으로 가다. ②뒤따르다. 뒤쫓다.
[蹑手蹑脚(的)] nièshǒu-nièjiǎo(·de) 발소리가 안 나게 살금살금 걷는 모양.
[蹑踪] nièzōng 동〈書〉 뒤를 밟다.

臬 niè (얼)
명〈書〉 ①표적. 과녁. ②법도. 표준.

镍(鎳) niè (얼)
명〖化〗니켈(Ni: nickel).

啮(嚙) niè (교)
동〈書〉(쥐·토끼 따위의 동물이) 갉다. 쏠다. 물다. ❏穷鼠~猫; 〈諺〉쥐도 궁지에 몰리면 고양이를 문다.

孽 niè (얼)
① 형 사악하다. 요사스럽다. ② 명 죄악. 죄. ❏罪~; 죄업.

nin ㄋㄧㄣ

您 nín (닌)
대〈敬〉당신. 귀하. ❏这是~的; 이것은 당신 것입니다.

ning ㄋㄧㄥ

宁(寧) níng (녕)
① 형 안녕하다. 평안하다. ❏康~; 강녕하다. ② 동〈書〉평안하게 하다. 안정시키다. ❏息事~人; 분쟁을 그치고 평안히 지내다. ⇒nìng

[宁静] níngjìng 형 (환경·마음이) 평온하다. 고요하다. 안정되다. ❏心里~下来; 마음이 평온해지다.

拧(擰) níng (녕)
동 ① 비틀다. 비틀어 짜다. 꼬다. ❏~衣服; 빨래를 짜다 / ~绳子; 새끼를 꼬다. ② 꼬집다. ❏她~了孩子的屁股; 그녀는 아이의 엉덩이를 꼬집었다. ⇒nǐng

咛(嚀) níng (녕)
→[叮dīng咛]

狞(獰) níng (녕)
형 (용모가) 흉악하다.

[狞笑] níngxiào 동 소름끼치는 웃음을 웃다. 흉악한 웃음을 웃다.

柠(檸) níng (녕)
→[柠檬]

[柠檬] níngméng 명〖植〗〈音〉레몬(lemon). ❏~汁; 레몬 주스.

聍(聹) níng (녕)
→[耵dīng聍]

凝 níng (응)
동 ① 응결하다. 응고하다. 엉기다. ❏伤口的血~住了; 상처의 피가 응고되었다. ② 주의를 집중하다. 골몰하다. ❏~思; ⇩

[凝固] nínggù 동 ① 응고하다. 굳어지다. ❏混凝土~了; 콘크리트가 응고되었다 / ~剂; 응고제. ② 고정되다. 정체되다. ❏思想~; 생각이 고정되다.

[凝集] níngjí 동 응집하다. 한데 응결하다. ❏心中疑云~; 마음속에 의심의 구름이 한데 뭉쳐져 있다.

[凝结] níngjié 동 응결하다. ❏水蒸气~成水; 수증기가 응결하여 물이 되다.

[凝聚] níngjù 동 ①〖物〗응집(凝集)하다. ② 응집하다. 모이다. ❏~力; 응집력.

[凝练] níngliàn 형 (문장이) 치밀하고 간결하다.

[凝神] níngshén 동 정신을 집중시키다.

[凝视] níngshì 동 응시하다. 뚫어지게 보다. ❏他~着她的眼睛; 그는 그녀의 눈을 응시하고 있다.

[凝思] níngsī 동 정신을 집중시켜 깊이 생각하다. 골몰히 생각하다.

[凝滞] níngzhì 동 흐름[움직임]이 멈추다. 정체하다.

拧(擰) nǐng (녕)
① 동 틀다. 비틀다. 돌리다. ❏~螺丝; 나사를 돌리다 / ~水龙头; 수도꼭지를 비틀다. ② 형 틀리다. 잘못하다. 반대로 되다. ❏把话说~了; 잘못 말했다. ③ 형 사이가 틀어지다. 대립하다. ❏他门俩有点儿~; 그들 둘은 사이가 약간 틀어졌다. ⇒níng

宁(寧) nìng (녕)
부 차라리 …하는 것이 낫다. 차라리 …할지언정 …하지는 않는다. ❏~死不屈; ⇩ ⇒níng

[宁可] nìngkě 부 차라리 …하는 것이 낫다. 차라리 …할지언정 (…하지는 않는다). ❏~全不管, 不可管不全; 〈諺〉철저히 보살펴 줄 수 없다면, 애초부터 하지 않는 것이 낫다. =[宁肯][宁愿]

[宁肯] nìngkěn 부 ⇨[宁可]

[宁死不屈] nìngsǐ-bùqū 〈成〉차라리 죽을지언정 굴복하지 않는다.

[宁愿] nìngyuàn 부 ⇨[宁可]

泞 nìng (녕)
형〈書〉질퍽거리다. 질척거리다.

佞 nìng (녕)
형 ① 감언이설에 능하다. 아첨을 잘하다. ❏~臣; 간신(奸臣) / ~人; 아첨꾼. ②〈書〉재지(才智)가 있다. ❏不~; 〈謙〉저.

N

niu ㄋㄧㄡ

牛 niú (우)
① 명〖動〗 소. ❏～粪; 쇠똥. ② 형〈比〉 고집스럽다. 완고하다. 거만하다. ❏这家伙真～; 이 자식은 정말 쇠고집이다.
[牛蒡] niúbàng 명〖植〗 우엉.
[牛痘] niúdòu 명〖醫〗 우두.
[牛痘苗] niúdòumiáo 명 ⇨[痘苗]
[牛犊] niúdú 명 송아지. =[牛犊子]
[牛顿] Niúdùn 명〖人〗〈音〉 뉴턴(Isaac Newton)《영국의 과학자, 1642-1727》. (niúdùn) 양〖物〗 뉴턴.
[牛劲(儿)] niújìn(r) 명 ① 굉장한 힘. 매우 센 힘. ② ⇨[牛脾气]
[牛郎星] niúlángxīng 명 ⇨[牵qiān牛星]
[牛马] niúmǎ 명〈比〉 남에게 힘든 노동을 해 주며 사는 사람.
[牛毛] niúmáo 명 쇠털. 〈比〉 매우 많고 빽빽한[가는] 것.
[牛奶] niúnǎi 명 우유.
[牛排] niúpái 명 스테이크(steak).
[牛棚] niúpéng 명 외양간.
[牛皮] niúpí 명 ① 소가죽. 쇠가죽. 우피. ② 허풍. ❏吹～; 허풍을 떨다.
[牛皮纸] niúpízhǐ 명 크라프트지(kraft紙).
[牛脾气] niúpí·qi 명 쇠고집. 황소고집. 고집불통. =[牛劲(儿)②]
[牛肉] niúròu 명 쇠고기.
[牛头不对马嘴] niútóu bù duì mǎzuǐ〈諺〉⇨[驴lǘ唇不对马嘴]
[牛蛙] niúwā 명〖動〗 황소개구리.
[牛仔] niúzǎi 명〈義〉 카우보이(cowboy). ❏～裤; 청바지 / ～帽; 카우보이모자 / ～裙; 청치마.

忸 niǔ (뉴)
→[忸怩]
[忸怩] niǔní 형 부끄러워하는 모양. 머뭇거리는 모양. 수줍어하는 모양. ❏你今天怎么这么～? 너 오늘 왜 이렇게 수줍어하니?

扭 niǔ (뉴)
① 동 돌리다. 방향을 바꾸다. ❏～身子; 몸을 돌리다. ② 동 비틀다. 틀다. 꺾다. ❏把树枝～断了; 나뭇가지를 비틀어 꺾었다. ③ 동 삐다. 접질리다. ❏～脚脖子; 발목을 삐다. ④ 동 몸을 실룩거리며 걷다. ❏她～着屁股走路; 그녀는 엉덩이를 실룩거리며 걷는다. ⑤ 동 잡다. 붙잡다. ❏～打; ⇩ ⑥ 형 바르지 않다. 비뚤다. ❏歪歪～～; 비뚤비뚤하다.
[扭摆] niǔbǎi 동 (몸을) 실룩거리다. 좌우로 흔들다.
[扭摆舞] niǔbǎiwǔ 명〖舞〗 트위스트(twist).
[扭打] niǔdǎ 동 맞붙어 싸우다. 드잡이하다. ❏两人～开了; 두 사람은 맞붙어 싸우기 시작했다.
[扭结] niǔjié 동 한데 엉키다. ❏毛线～在一起; 털실이 한데 엉키다.
[扭捏] niǔ·nie 동 (일부러) 흔들며 걷다. ❏她～着身子走了; 그녀는 몸을 흔들며 걸어갔다. 형 멈칫거리다. 망설이다. 머뭇머뭇하다.
[扭转] niǔzhuǎn 동 ① 비틀어 돌리다. 방향을 바꾸다. ❏向右～～天线; 안테나를 오른쪽으로 틀어라. ② (상황·정세·발전 방향을) 바로잡다. 전환시키다. 돌리다. ❏把局势～过来; 형세를 전환시키다.

纽(紐) niǔ (뉴)
명 ① (기물을 들 수 있게 만든) 손잡이. ❏秤～; 저울끈. ② (～儿) 단추. ❏～襻pàn(儿); 단춧고리. ‖ =[钮①] ③ 중추. 요충. ❏～带; ⇩
[纽带] niǔdài 명 유대. 유대 관계. ❏精神～; 정신적 유대.
[纽扣(儿)] niǔkòu(r) 명 단추. =[扣子②][纽子]
[纽约] Niǔyuē 명〖地〗〈音〉 뉴욕(New York).
[纽子] niǔ·zi 명 ⇨[纽扣(儿)]

钮(鈕) niǔ (뉴)
명 ① ⇨[纽①②] ② 누르는 스위치. 버튼(button).

拗 niù (요)
형 고집불통이다. 고분고분하지 않다. 비꼬이다. ❏脾气很～; 성질이 매우 비꼬이다. ⇒ào
[拗不过] niù·buguò 동 마음[생각]을 돌리게 할 수 없다. 뜻을 꺾을 수 없다.

nong ㄋㄨㄥ

农(農) nóng (농)
명 ① 농업. 농사. ② 농민. 농가. ❏贫～; 빈농.
[农产] nóngchǎn 명 ① 농업 생산. ② 농산물. 농산.

[农产品] nóngchǎnpǐn 명 농산품.
[农场] nóngchǎng 명 농장.
[农村] nóngcūn 명 농촌.
[农夫] nóngfū 명 농부.
[农户] nónghù 명 농가.
[农活(儿)] nónghuó(r) 명 농사일.
[农机] nóngjī 명 농기계.
[农机具] nóngjījù 명 농기구.
[农具] nóngjù 명 농구. 농업 용구.
[农历] nónglì 명 ① 음양력. 태음태양력《통상적으로 음력을 지칭》. =[旧历][阴历②] ② 농사력.
[农忙] nóngmáng 명 농번기.
[农贸市场] nóngmào shìchǎng 농산물의 거래를 위주로 하는 가판 형식의 시장.
[农民] nóngmín 명 농민. 농사꾼.
[农奴] nóngnú 명 농노.
[农人] nóngrén 명 농사꾼.
[农时] nóngshí 명 농사철.
[农事] nóngshì 명 농사일. 농사.
[农田] nóngtián 명 농경지. 농토.
[农闲] nóngxián 명 농한기.
[农药] nóngyào 명 농약.
[农业] nóngyè 명 농업.
[农作物] nóngzuòwù 명 농작물. 작물. =[〈簡〉作物]

浓(濃) nóng (농) 형 ① (액체·기체 따위가) 짙다. 진하다. ❏ ~雾; 짙은 안개 / ~烟; 자욱한 연기. ② (정도가) 깊다. 심하다. 농후하다. ❏ 情深意~; 감정이 매우 깊다.
[浓度] nóngdù 명 농도.
[浓厚] nónghòu 형 ① (안개·구름 따위가) 짙다. ❏ ~的大雾; 짙은 안개. ② (색채·의식·분위기가) 짙다. 농후하다. ❏ 地方色彩~; 지방색이 짙다. ③ (흥미의 정도가) 강하다. ❏ ~的兴趣; 강한 흥미.
[浓眉] nóngméi 명 짙은 눈썹. ❏ ~大眼; 〈成〉 짙은 눈썹과 부리부리한 눈《(남자의) 늠름하고 씩씩하게 생긴 외모》.
[浓密] nóngmì 형 (나뭇가지 · 안개 · 모발 따위가) 빽빽하다. 농밀하다. ❏ ~的森林; 빽빽한 삼림.
[浓缩] nóngsuō 동 농축하다. ❏ ~果汁; 농축 과즙.
[浓郁] nóngyù 형 ① (향기가) 짙다. 진하다. ❏ ~的花香; 진한 꽃향기. ② 빽빽하다. 조밀하다. ❏ ~的松林; 빽빽한 소나무 숲. ③ (색채·감정·분위기 따위가) 짙다. 강하다. ❏ 色调~; 색조가 짙다. ④ (흥미·관심 따위가) 강하다. 많다. ❏ ~的兴趣; 강한 흥미.
[浓重] nóngzhòng 형 (안개·냄새·빛깔 따위가) 짙다. 진하다.
[浓妆] nóngzhuāng 명동 짙은 화장(을 하다). ❏ ~艳抹; 〈成〉 화장과 차림새가 야하고 화려하다.

脓(膿) nóng (농) 명 고름.
[脓包] nóngbāo 명 ①〖醫〗 농포. ② 〈比〉 쓸모없는 놈.
[脓疮] nóngchuāng 명〖醫〗 농창.

弄 nòng (롱) 동 ① 가지고 놀다. 만지작거리다. ❏ 孩子~着泥玩儿呢; 아이가 진흙을 가지고 놀고 있다. ② 하다. 행하다《동작·행위를 나타내는 동사 대신 쓰는 말》. ❏ ~菜; 요리를 하다 / ~错; 잘못하다. 실수하다. ③ (어떻게 해서든) 손에 넣다. 구하다. ❏ 我给他~了两张票; 나는 그에게 표 두 장을 구해 주었다. ④ (수단 따위를) 부리다. 피우다. ❏ ~手段; 수단을 부리다. ⇒ lòng
[弄假成真] nòngjiǎ-chéngzhēn 〈成〉 거짓말이 사실이 되다.
[弄巧成拙] nòngqiǎo-chéngzhuō 〈成〉 잘하려다 도리어 서투른 결과가 되다. 제 꾀에 넘어가다.
[弄虚作假] nòngxū-zuòjiǎ 〈成〉 속임수를 써서 남을 속이다.

nu ㄋㄨ

奴 nú (노) ① 명 노비. 노예. 종. ② 접미 〈罵〉 사람을 천대하여 부르는 말. ❏ 守财~; 수전노. 노랑이.
[奴婢] núbì 명 노비.
[奴才] nú·cai 명 ① 노복(奴僕). 종. ② 비굴한 앞잡이.
[奴化] núhuà 동 노예화하다.
[奴隶] núlì 명 노예. ❏ ~制度; 노예 제도.
[奴仆] núpú 명 하인. 종. 노복.
[奴性] núxìng 명 노예 근성.
[奴颜婢膝] núyán-bìxī 〈成〉 비굴한 태도로 남에게 빌붙는 모양.
[奴颜媚骨] núyán-mèigǔ 〈成〉 비굴하게 아첨하는 모양.
[奴役] núyì 동 종으로[노예로] 부리다. 종살이시키다.

弩(駑) nú (노) 〈書〉 ① 명 느린 말. 둔

한 말. ❏~马; 느린 말. ② 형 〈比〉 무능하다. 미련하다.

N

[驽钝] núdùn 형〈書〉 노둔하다.

努 nǔ (노)

동 ① 노력하다. 힘쓰다. ❏~劲儿; 온 힘을 다하다. ② 삐죽 내밀다. ❏~嘴(儿); ⇩

[努力] nǔ//lì 동 노력하다. 애쓰다. 열심히 하다. ❏为实现自己的理想而~; 자신의 이상을 실현시키기 위해 노력하다. (nǔlì) 형 열심이다. ❏~学习; 열심히 공부하다.

[努嘴(儿)] nǔ//zuǐ(r) 동 입짓으로 알려 주다.

怒 nù (노)

① 동 노하다. 화내다. ❏~不可遏; 〈成〉 노여움을 참을 수 없다. ② 형 기세가 왕성한 모양. ❏~放; (꽃이) 활짝 피다.

[怒潮] nùcháo 명 세차게 밀려오는 물결. 노도. 〈比〉 (저항 운동 따위의) 세찬 기세.

[怒冲冲(的)] nùchōngchōng(·de) 형 노기등등한 모양.

[怒发冲冠] nùfà-chōngguān 〈成〉 노발충관《화가 머리끝까지 오르다》.

[怒号] nùháo 동 노호하다. ❏狂风~; 광풍이 노호하다.

[怒吼] nùhǒu 동 맹수가 성내어 짖다. 포효(咆哮)하다. ❏狮子~; 사자가 포효하다.

[怒火] nùhuǒ 명 불같은 노여움. ❏~中烧; 〈成〉 불같은 노여움이 활활 타오르다《매우 분노하다》.

[怒目] nùmù 동 노한 눈을 부라리다. ❏~而视; 〈成〉 눈을 부라리고 보다. 명 화가 나서 크게 뜬 눈.

[怒气] nùqì 명 노기. ❏~冲天; 〈成〉 노기충천하다.

[怒容] nùróng 명 성난 얼굴.

[怒色] nùsè 명 노한 표정.

[怒视] nùshì 동 성난 눈으로 보다.

[怒涛] nùtāo 명 노도.

nü ㄋㄩ

女 nǚ (녀)

① 명형 여자(의). 여성(의). ❏~厕; 여자 화장실 / ~服务员; 여종업원 / ~学生; 여학생. ② 명 딸. ❏长zhǎng~; 맏딸.

[女低音] nǚdīyīn 명〔樂〕 알토(이 alto).

[女儿] nǚ'ér 명 딸.

[女儿墙] nǚ'érqiáng 명 ⇨[女墙]

[女高音] nǚgāoyīn 명〔樂〕 소프라노(이 soprano).

[女工] nǚgōng 명 ① 여공. 여직공. ② 하녀. 계집종. ③ ⇨[〈書〉女红gōng]

[女红] nǚgōng 명〈書〉 여자 일《바느질·자수 따위》. =[女工③]

[女孩(儿)] nǚhái(r) 명 ① 여자아이. ② 딸. ‖ =[女孩子]

[女皇] nǚhuáng 명 여제. 여황.

[女郎] nǚláng 명 (젊은) 여성.

[女流] nǚliú 명〈貶〉 계집. 아녀자.

[女朋友] nǚpéng·you 명 여자 친구. (여자) 애인.

[女气] nǚ·qi 형 (남자가) 여자 같다. 여성스럽다. 여성적이다.

[女墙] nǚqiáng 명 성가퀴. 여장. =[女儿墙]

[女人] nǚrén 명 여자. 여인.

[女人] nǚ·ren 명〈口〉 ⇨[妻子qī·zi]

[女色] nǚsè 명 여색. ❏沉湎~; 여색에 빠지다.

[女神] nǚshén 명 여신.

[女生] nǚshēng 명 ① 여학생. ② 젊은 여자. 아가씨.

[女声] nǚshēng 명〔樂〕 여자 파트. 여성(女聲). ❏~合唱; 여성 합창.

[女士] nǚshì 명〈敬〉 여사. 미즈(Miz, Ms).

[女王] nǚwáng 명 여왕.

[女性] nǚxìng 명 여성. 여자.

[女婿] nǚ·xu 명 ① 사위. ②〈方〉 남편.

[女中音] nǚzhōngyīn 명〔樂〕 메조소프라노(이 mezzosoprano).

[女装] nǚzhuāng 명 여성복.

[女子] nǚzǐ 명 여자.

nuan ㄋㄨㄢ

暖 nuǎn (난)

① 형 따뜻하다. 온화하다. ❏天气~起来了; 날씨가 따뜻해지기 시작했다. ② 동 따뜻하게 하다. 덥히다. 데우다. 녹이다. ❏~手; 손을 녹이다 / ~酒; 술을 데우다.

[暖房] nuǎn//fáng 동 ① 결혼하기 전날 찾아가서 축하의 말을 하다. ② ⇨[温居] (nuǎnfáng) 명 ⇨[温屋]

[暖锋] nuǎnfēng 명〖氣〗 온난 전선(溫暖前線).
[暖烘烘(的)] nuǎnhōnghōng(·de) 형 따스한 모양. 훈훈한 모양. ❏春天里太阳~的; 봄볕이 따스하다.
[暖乎乎(的)] nuǎnhūhū(·de) 형 따뜻한 모양. 훈훈한 모양. =[暖呼呼(的)]
[暖壶] nuǎnhú 명 ①⇨[暖水瓶] ② 솜덮개를 씌워 보온하는 주전자. ③⇨[汤tāng壶]
[暖和] nuǎn·huo 형 따뜻하다. 포근하다. ❏天气渐渐~了; 날씨가 점점 포근해진다. 동 따뜻하게 하다. 덥히다. 녹이다. ❏在炉旁~手脚; 화롯가에서 손발을 녹이다.
[暖流] nuǎnliú 명 ①〖地質〗 난류. ②〈比〉(마음속의) 훈훈함.
[暖瓶] nuǎnpíng 명 ⇨[暖水瓶]
[暖气] nuǎnqì 명 ① 스팀(steam). 난방용 증기. ② 증기 난방 설비. ③ 따뜻한 기운. 난기(暖氣).
[暖水瓶] nuǎnshuǐpíng 명 보온병. =[暖壶①][暖瓶][热水瓶]

nüe ㄋㄩㄝ

疟(瘧) nüè (학)
명〖中醫〗 학질. 말라리아(malaria). ⇒yào
[疟疾] nüè·ji 명〖醫〗 학질. 말라리아. =[〈口〉疟yào子]

虐 nüè (학)
형 잔인하다. 가혹하다.
[虐待] nüèdài 동 학대하다. 구박하다. ❏~老人; 노인을 학대하다.
[虐杀] nüèshā 동 학살하다. ❏~无辜; 무고한 사람을 학살하다.

nuo ㄋㄨㄛ

挪 nuó (나)
동 움직이다. 옮기다. ❏把沙发~一~; 소파를 좀 옮겨라.
[挪动] nuó·dong 동 옮기다. 이동하다. 움직이다. ❏把床朝窗户那边~一下; 침대를 창문 쪽으로 옮겨라.
[挪借] nuójiè 동 (남의 돈을) 잠시 차용[유용]하다.
[挪威] Nuówēi 명〖地〗〈音〉 노르웨이(Norway).
[挪用] nuóyòng 동 ① 유용하다. 전용하다. ❏~预算; 예산을 전용하다. ② (공금을) 사적으로 쓰다.

娜 nuó (나)
→[婀ē娜][袅niǎo娜] ⇒nà

诺(諾) nuò (낙)
① 동 승낙하다. 허락하다. ❏慨~; 쾌히 승낙하다. ② 감 응. 그래《대답하는 소리》.
[诺贝尔] nuòbèi'ěr 명〖人〗〈音〉 노벨(Nobel). ❏~奖; 노벨상.
[诺言] nuòyán 명 승낙의 말. 약속의 말. ❏违背~; 약속을 어기다.

懦 nuò (유, 나)
형 나약하다. ❏怯~; 겁이 많고 나약하다.
[懦夫] nuòfū 명 나약한 겁쟁이.
[懦弱] nuòruò 형 나약하다. ❏~无能; 나약하고 무능하다.

糯 nuò (나)
형 (쌀 따위가) 찰기가 있는. 찰진. ❏~米; ⇩
[糯稻] nuòdào 명〖植〗 찰벼.
[糯米] nuòmǐ 명 찹쌀. =[江米]

O

o ㄛ

哦 ó (아)
감 오. 아. 어《반신반의의 어기를 나타냄》. ❏～, 他要来, 是真的吗? 어, 그가 오고 싶어한다니, 정말이냐? ⇒ò

嚄 ǒ (획)
감 오. 아. 어. 어라《놀랍고 의아함을 나타냄》. ❏～, 你们也去呀! 어라, 너희도 간다고!

哦 ò (아)
감 오. 아. 어《납득·이해·깨달음의 뜻을 나타냄》. ❏～, 护照忘在家里了; 아, 여권을 집에 두고 왔네. ⇒ó

ou ㄡ

讴(謳) ōu (구)
동 노래하다.

[讴歌] ōugē 동〈書〉 구가하다.

欧(歐) ōu (구)
명 A)(Ōu) 〈音〉 구주. 유럽. B) 양〈簡〉'欧姆' 의 약칭.

[欧美] Ōu Měi 명〖地〗 구미.

[欧姆] ōumǔ 양〖電〗〈音〉 옴《전기 저항의 단위》. ❏～表; 옴미터.

[欧佩克] Ōupèikè 명〈音〉 ⇨[石油输出国组织]

[欧元] Ōuyuán 명 유로(euro).

[欧洲] Ōuzhōu 명〖地〗〈音〉 구주. 유럽. ❏～联盟; 유럽 연합. 이유(EU).

殴(毆) ōu (구)
동 때리다. 구타하다.

[殴打] ōudǎ 동 구타하다. 때리다. ❏遭人～; 구타를 당하다.

[殴斗] ōudòu 동 서로 치고받다.

[殴伤] ōushāng 동 때려서 다치게 하다.

鸥(鷗) ōu (구)
명〖鳥〗 갈매기.

呕(嘔) ǒu (구)
동 구역질하다.

[呕吐] ǒutù 동 구토하다.

[呕心] ǒuxīn 동 (주로, 문예 창작에) 몹시 애를 쓰다. 고심하다. ❏～沥血; 〈成〉 매우 고심하다. 심혈을 기울이다.

偶 ǒu (우)
A) 명 (나무·진흙 따위로 만든) 인형. 꼭두각시. ❏土～; 토우. B) ① 형 짝을 이룬. ❏与之为～; 그것과 짝이 되다. ② 명 배필. 배우자. ❏佳～; 좋은 배우자. C) 부 우연히. ❏～遇; 우연히 만나다.

[偶尔] ǒu'ěr 부 때때로. 이따금. 가끔. ❏他很喜欢喝茶, ～也喝点儿咖啡; 그는 차 마시는 것을 좋아하지만, 가끔 커피도 마신다. ＝[偶然] 형 우발적인. 우연히 발생한. ❏～的现象; 우발적 현상.

[偶发] ǒufā 동 우발하다. 우연히 발생하다. ❏～事件; 우발 사건.

[偶犯] ǒufàn 명〖法〗 ① 우발적인 범죄. ② 우발범.

[偶合] ǒuhé 동 우연히 일치하다. ❏见解～; 견해가 우연히 일치하다.

[偶或] ǒuhuò 부 간혹. 어쩌다가. 이따금. 때때로. ❏星期天我常在家, ～也会到公园走走; 일요일에 나는 주로 집에 있지만, 이따금 공원으로 산책을 가기도 한다.

[偶然] ǒurán 부 ⇨[偶尔] 형 우연하다. ❏～性; 우연성.

[偶数] ǒushù 명〖數〗 우수. 짝수.

[偶像] ǒuxiàng 명 우상. ❏～化; 우상화하다 / ～崇拜; 우상 숭배.

耦 ǒu (우)
동〈書〉 두 사람이 나란히 밭을 갈다.

[耦合] ǒuhé 동〖電〗 결합하다.

藕 ǒu (우)
명〖植〗 연근.

[藕断丝连] ǒuduàn-sīlián〈成〉 표면상으로는 관계가 끊어진 것 같아도 실제로는 여전히 끊기지 않다. (주로, 남녀 간의) 인연을 끊지 못하다.

[藕粉] ǒufěn 명 연근 전분.

沤(漚) òu (구)
동 오랫동안 물에 담가 변하게 하다. ❏～粪; 분뇨를 썩히다.

[沤肥] òu//féi 동 퇴비를 만들다. (òuféi) 명 퇴비.

怄(慪) òu (우)
동〈方〉 ① 화내다. ② 화나게 하다. ❏你别拿这话来～他; 이 이야기로 그를 화나게 하지 마라.

[怄气] òu//qì 동 버럭 화를 내다. 열을 내다. 성질을 부리다.

P

pa ㄆㄚ

趴 pā (파)
동 ① 엎드리다. ❑ ~在地上; 바닥에 엎드리다. ② 몸을 앞으로 기울여 물건 따위에 기대다. ❑ ~在窗口向外看; 창문에 기대 밖을 바라보다.

啪 pā (파)
의 탕. 땅. 짝. 탁. 쨍그랑《총소리·박수 치는 소리·물건이 부딪치는 소리 따위》. ❑ ~的一声, 杯子掉在地上了; 쨍그랑 소리와 함께 컵이 바닥에 떨어졌다.

[啪嚓] pāchā 의 쨍그랑. 탁《무엇이 떨어지거나 부딪치고 깨지는 소리》.

[啪嗒] pādā 의 탁. 찰칵. 딱《무엇이 부딪치는 소리》. ❑ 打字机~~地响着; 타자기가 딱딱 소리를 내고 있다.

扒 pá (배)
동 ① (손이나 갈퀴로) 그러모으다. ❑ ~枯叶; 낙엽을 그러모으다. ② 〈方〉 긁다. ❑ ~痒; 가려운 데를 긁다. ③ 소매치기하다. ④ 뭉근한 불로 푹 삶다. ⇒bā

[扒窃] páqiè 동 소매치기하다.

[扒手] páshǒu 명 소매치기.

杷 pá (파)
→[枇pí杷]

爬 pá (파)
동 ① 기다. 기어가다. ❑ 乌龟~得很慢; 거북이가 매우 느리게 기어가다. ② 기어오르다. 오르다. ❑ ~梯子; 사다리를 오르다 / ~树; 나무에 기어오르다.

[爬虫] páchóng 명 ⇨[爬行动物]

[爬山] pá//shān 동 산을 오르다. 등산하다.

[爬山虎] páshānhǔ 명〖植〗담쟁이덩굴.

[爬行] páxíng 동 ① 기어가다. 파행하다. ②〈比〉 (낡은 규칙 따위를) 묵묵히 따르다.

[爬行动物] páxíng dòngwù〖動〗파충류. =[爬虫]

[爬泳] páyǒng 명〖體〗(수영의) 자유형. 크롤(crawl). =[自由泳]

耙 pá (파)
① 명 갈퀴. 써레. ② 동 (갈퀴로) 긁어모으다. 써레질하다. ❑ ~草; 풀을 긁어모으다. ⇒bà

[耙子] pá·zi 명〖農〗갈퀴. 써레.

琶 pá (파)
→[琵pí琶]

怕 pà (파)
① 동 두려워하다. 무서워하다. 겁내다. ② 동 …를 견디지 못하다. …에 약하다. ❑ 有心脏病的人~累; 심장병이 있는 사람은 피로에 약하다. ③ 동 걱정하다. 염려하다. ❑ 我~他会出事; 나는 그에게 사고가 났을까 봐 걱정이다. ④ 부 아마 (…일 것이다). ❑ 天阴沉沉的, ~要下雨了; 하늘이 어두침침한 것이 아마도 비가 오려나 보다.

[怕人] pàrén 형 ① 사람 만나는 것을 겁내다. ② 무섭다. 두렵다.

[怕生] pàshēng 형 (아이가) 낯을 가리다.

[怕事] pà//shì 형 귀찮게 되는 것을 무서워하다. 문제가 생길까 봐 겁을 내다.

[怕羞] pà//xiū 형 부끄러워하다. 수줍어하다.

帕 pà (파)
명 수건. ❑ 手~; 손수건.

[帕米尔高原] Pàmǐ'ěr Gāoyuán〖地〗〈音〉 파미르 고원.

pai ㄆㄞ

拍 pāi (박)
① 동 (손바닥이나 납작한 것으로) 치다. 때리다. ❑ ~~身上的灰尘; 몸의 먼지를 털다. ② (~儿) 명 채. 치는 물건. ❑ 网球~儿; 테니스 라켓. ③ 명〖樂〗박자. 장단. ❑ 二分之一~; 2분의 1박자. ④ 동 경매하다. ⑤ 동 촬영(撮影)하다. 찍다. ❑ ~电影; 영화를 찍다 / ~照片; 사진을 찍다. ⑥ 동 (전보 따위를) 치다. 보내다. ❑ ~电报; 전보를 치다. ⑦ 동 알랑거리다. 아첨하다. ❑ ~马屁; ⇓

[拍板] pāi//bǎn 동 ① 박자를 맞추다. ② 경매에서 판자를 딱딱 두드리다《거래 성립의 표시》. ❑ ~成交; 〈成〉 ⓐ거래가 성립되다. ⓑ 협상이 타결되다. ③〈比〉 책임자가 결정을 내리다. (pāibǎn) 명〖樂〗박판. 박(拍).

[拍打] pāi·dǎ 동 ① 가볍게 두드리다. 털다. ❑ ~身上的雪; 몸의 눈

P

을 털다. ②(날개를) 치다. 날갯짓하다.

[拍价] pāijià 명 경매가.

[拍马屁] pāi mǎpì 〈口〉 아첨하다. 알랑거리다. ❑拍上司的马屁; 상사에게 아첨하다. =[拍马]

[拍卖] pāimài 동 ①경매(競賣)하다. ❑~价; 경매가. ②바겐세일을 하다. 할인 판매 하다.

[拍品] pāipǐn 명 경매품.

[拍摄] pāishè 동 (사진기나 카메라로) 촬영하다.

[拍手] pāi//shǒu 동 손뼉을 치다. 박수 치다. ❑~称快; 〈成〉 손뼉치며 쾌재(快哉)를 부르다 / ~叫好; 〈成〉 박수 갈채를 보내다.

[拍戏] pāi//xì 동 드라마를 촬영하다. 영화를 찍다.

[拍照] pāi//zhào 동 사진 찍다. ❑~留念; 기념으로 사진을 찍다.

[拍子] pāi·zi 명 ①채. 라켓. 치는 도구. ❑苍蝇~; 파리채. ②〔樂〕 박자. 리듬. 템포. ❑打~; 박자를 맞추다.

排 pái (배)
①동 줄 서다. 배열하다. ❑~成两行; 두 줄로 서다. ②명 열(列). 줄. ❑第一~; 첫째 줄. ③명〔軍〕 소대(小隊). ④양 줄. 열《줄·열을 세는 말》. ❑两~椅子; 의자 두 줄. ⑤명 뗏목. ⑥명 스테이크. ❑牛~; 비프스테이크. ⑦동〔劇〕 무대 연습을 하다. 리허설하다. ⑧동 배출하다. 제거하다. ❑~气; 가스를 배출하다 / ~水; 배수하다. ⇒pǎi

[排版] pái//bǎn 동〔印〕 ①조판하다. ❑~机; 조판기. ②(인쇄물의) 편집 배정을 하다.

[排比] páibǐ 명〔言〕 대구법.

[排场] pái·chǎng 명 겉모양. 겉치레. 외관. 형 ①화려하다. 호화롭다. 사치스럽다. ②체면이 서다. 영광스럽다. 훌륭하다.

[排斥] páichì 동 배척하다. 배격하다. 따돌리다. ❑~异己; 자기와 생각이 다른 사람을 배척하다.

[排除] páichú 동 배제하다. 없애다. 제거하다.

[排挡] páidǎng 명〔機〕 기어(gear). =[〈簡〉 挡④]

[排队] pái//duì 동 정렬하다. 줄을 이루다. 줄 서다.

[排放] páifàng 동 ①(매연·폐수·폐기물 따위를) 배출하다. ❑~瓦斯; 가스를 배출하다. ②(동물이) 정자나 난자를 배출하다.

[排风扇] páifēngshàn 명 ⇒[换气扇]

[排骨] páigǔ 명 갈비.

[排行] páiháng 명 형제의 순서. ❑我~第一; 저는 맏이입니다.

[排行榜] páihángbǎng 명 순위표. 인기 차트.

[排挤] páijǐ 동 (세력·수단 따위를 이용하여) 밀어내다. 배척하다.

[排解] páijiě 동 ①(분쟁 따위를) 조정하다. 중재하다. ❑~纠纷; 분쟁을 조정하다. ②⇒[排遣]

[排练] páiliàn 동 리허설을 하다. 시연(試演)하다.

[排列] páiliè 동 배열하다. 정렬하다. ❑依笔画多少~; 필획 수의 많고 적음에 따라 배열하다.

[排卵] pái//luǎn 동〔生理〕 배란하다. ❑~期; 배란기.

[排难解纷] páinàn-jiěfēn 〈成〉 분쟁을 조정하다.

[排遣] páiqiǎn 동 기분 전환을 하다. 시름을 풀다. =[排解②]

[排球] páiqiú 명〔體〕 ①배구. ❑打~; 배구를 하다. ②배구공.

[排山倒海] páishān-dǎohǎi 〈成〉 산을 밀어붙이고 바다를 뒤엎다《기세가 대단하다》.

[排他] páitā 동 배타하다. 배타적이다. ❑~性; 배타성.

[排头] páitóu 명 대열[조직]의 선두(에 선 사람).

[排外] páiwài 동 (외세나 외지인 등을) 배외하다. ❑~运动; 배외 운동.

[排戏] pái//xì 동 (연극의) 리허설을 하다. 무대 연습을 하다.

[排泄] páixiè 동 ①(빗물·하수 따위를) 흘려보내다. ②〔生〕(체내의 노폐물을 몸 밖으로) 배출하다. 배설하다. ❑~物; 배설물.

[排演] páiyǎn 동 무대 연습을 하다. 리허설을 하다.

[排长] páizhǎng 명〔軍〕 소대장.

[排字] pái//zì 동 식자(植字)하다. ❑~工人; 식자공 / ~机; 식자기.

徘 pái (배)
→[徘徊]

[徘徊] páihuái 동 ①배회하다. 서성이다. ❑在门口~; 문 앞에서 서성이다. ②〈轉〉 망설이다. 주저하다. ③〈轉〉 (어떤 범위 내에서) 맴돌다. 오르락내리락하다.

牌 pái (패)
명 ①(~儿) 간판. 광고판. ②(~儿) (표지나 내용이 담겨 있는) 판. 패. ❏门~; 문패. ③(~儿) 상표. 마크. ❏名~儿; 유명 상표. ④화투·마작 따위. ❏扑克~; 트럼프.

[牌坊] pái·fāng 명 (충신·효자·절부(節婦)를 표창하기 위해 세운) 정문(旌門). ❏贞节~; 열녀문.

[牌号(儿)] páihào(r) 명 ①상호. 점포명. ②상표.

[牌价] páijià 명 정찰 가격.

[牌照] páizhào 명 허가증. 면허증.

[牌子] pái·zi 명 ①간판. 광고판. ②(표지나 내용이 담겨 있는) 판. 패. ③상표. 마크.

迫 pǎi (박)
→[迫击炮] ⇒pò

[迫击炮] pǎijīpào 명〖軍〗박격포.

排 pǎi (배)
동〈方〉(신발에 골을 넣어서) 크게 하다. 모양을 바로잡다. ❏得拿楦子再~一~; 신발을 골로 좀더 넓혀야 한다. ⇒pái

[排子车] pǎi·zichē 명 대형의 짐수레. =[大板车]

派 pài (파)
①명 파(派). 유파(流派). ❏学~; 학파. ②명 기풍. 기세. ❏~头(儿); ⇩ ③양 ㉠유파를 세는 말. ❏分为三~; 세 파로 나뉘다. ㉡풍경·기상(氣像)·소리·말 따위에 사용함《앞에 '一' 자를 가져옴》. ❏一~胡言; 온통 허튼소리뿐이다. ④동 임명하다. 파견하다. 분배하다. 할당하다. ❏~人; 사람을 보내다 / ~任务; 임무를 할당하다. ⑤명〈音〉파이(pie). ❏苹果~; 애플파이.

[派别] pàibié 명 (학술·종교·정당 따위의) 파. 파벌. 당파. 유파. ❏~斗争; 파벌 싸움.

[派兵] pàibīng 동 파병하다.

[派出所] pàichūsuǒ 명 파출소.

[派对] pàiduì 명〈方〉〈音〉파티(party). ❏生日~; 생일 파티.

[派遣] pàiqiǎn 동 파견하다. ❏~代表团; 대표단을 파견하다.

[派生] pàishēng 동 파생하다. ❏~词; 〖言〗파생어.

[派头(儿)] pàitóu(r) 명 기세. 태도. 위엄. 위신. 기개.

[派系] pàixì 명 (정당·단체 따위의) 파벌. 당파.

湃 pài (배)
→[澎péng湃]

pan ㄆㄢ

潘 Pān (번, 반)
명 성(姓)의 하나.

攀 pān (반)
동 ①(무엇인가를 잡고) 기어오르다. ❏~树; 나무에 기어오르다. ②(손으로) 잡아당기다. 꽉 쥐다. ❏~折; ⇩ ③(지위가 높은 사람과) 친인척 관계를 맺다. 연줄을 만들다. ❏~亲; ⇩

P

[攀登] pāndēng 동 ①기어오르다. 등반하다. ❏~高山; 높은 산을 등반하다. ②〈比〉(추상적인) 고지에 오르다. ❏努力~技术的高峰; 기술의 고지에 오르기 위해 노력하다.

[攀附] pānfù 동 ①무언가에 붙어서 기어오르다. ❏藤蔓~树木; 덩굴이 나무를 타고 기어오르다. ②〈比〉권세에 아부하여 영달(榮達)을 꾀하다.

[攀亲] pān∥qīn 동 ①(목적 달성을 위하여) 친척 관계를 맺다. ②〈方〉정혼하다. 약혼하다.

[攀谈] pāntán 동 (친근하게) 대화하다. 이야기를 나누다.

[攀岩] pānyán 동〖體〗암벽 등반을 하다.

[攀缘] pānyuán 동 ①(무언가를 타고) 기어오르다. ②〈比〉부자나 권세 있는 사람에게 빌붙어 높은 지위에 오르려 하다. ‖ =[攀援]

[攀折] pānzhé 동 (나무나 꽃의 가지를) 잡아당겨 꺾다. ❏请勿~花木! 꽃과 나무를 꺾지 마세요!

胖 pán (반)
형〈書〉편하고 안락하다. ❏心广体~; 〈成〉심신이 편안하다. ⇒pàng

盘(盤) pán (반)
①(~儿) 명 쟁반. ②(~儿) 명 모양이나 쓰임새가 쟁반 같은 것. ❏算~; 주판. ③(~儿) 명〖經〗시장 가격. 시세. ④동 둘둘 감다[말다]. 빙 돌다. ❏她把头发~上去了; 그녀는 머리를 둘둘 말아 올렸다. ⑤동 (온돌·부뚜막 따위를) 쌓다. 놓다. ❏~炕; 온돌을 놓다 / ~灶; 부뚜막을 놓다. ⑥동 철저히 조사[점검]하다. ❏~货; ⇩ ⑦양 기계·접시에 담은

것, 둥글게 사린[감은] 물건, 장기나 바둑의 판을 세는 말. ❑下几~棋; 바둑 몇 판을 두다 / 一~水果; 과일 한 접시.

[盘剥] pánbō 동 이자에 이자를 더해 착취하다. ❑重利~; 고리(高利)로 착취하다.

[盘查] pánchá 동 상세히 조사하다. 취조하다. ❑~过路行人; 길 가는 행인을 취조하다.

[盘缠] pán·chan 명〈口〉 ⇨[路费]

[盘秤] pánchèng 명 접시저울.

[盘点] pándiǎn 동 (재고품을) 조사하다. ❑~库存; 재고를 조사하다.

[盘费] pán·fèi 명〈口〉 ⇨[路费]

[盘根错节] pángēn-cuòjié 〈成〉 일이 복잡하게 뒤얽혀 해결하기 어렵다.

[盘根问底] pángēn-wèndǐ 〈成〉 일의 원인·내막·진상 따위를 캐묻다. =[盘根究底]

[盘货] pán//huò 동 물품을 검사하다. 재고를 조사하다.

[盘踞] pánjù 동 불법 점거하다. 점령하다. =[盘据]

[盘库] pán//kù 동 창고 물품을 점검하다. 재고 조사를 하다.

[盘尼西林] pánníxīlín 명〈音〉 ⇨[青霉素]

[盘绕] pánrào 동 감돌다. 둘러싸다. 감기다. 휘감다. ❑长长的藤葛~在树身上; 긴 등나무덩굴이 나무줄기에 감겨 있다.

[盘算] pán·suan 동 속으로 계산하다. 계획하다. 궁리하다.

[盘梯] pántī 명 나선(螺旋) 계단.

[盘腿] pán//tuǐ 동 책상다리하다. =[盘膝xī]

[盘问] pánwèn 동 추궁하다. 캐묻다. 심문하다. ❑~举动可疑的人; 거동이 수상한 사람을 심문하다.

[盘膝] pánxī 동 ⇨[盘腿]

[盘旋] pánxuán 동 ① 에워싸고 돌다. 선회하다. 맴돌다. ❑雄鹰在空中~; 독수리가 공중에서 선회하다. ② 서성거리다. 배회하다.

[盘账] pán//zhàng 동 장부를 계산[조사]하다.

[盘子] pán·zi 명 ① 쟁반. ② 시장 가격. 시세. ③〈比〉 규모. 범위.

磐 pán (반)
명〈書〉 큰 돌[바위]. 반석.

[磐石] pánshí 명 반석. ❑安如~; 〈成〉 반석처럼 미동도 하지 않고 안정되어 있는 모양.

蹒(蹣) pán (반)
→[蹒跚]

[蹒跚] pánshān 형 (다리가 말을 안 들어서) 비틀거리며 천천히 걷는 모양. ❑~而行; 비틀거리며 천천히 가다.

判 pàn (판)
동 ① 분별하다. 구분하다. 구별하다. ❑~定; ⇩ ② 평가하다. 평정하다. 심사하다. ❑评~; 판정하다. ③ 판결하다. ❑~了他四年徒刑; 그에게 징역 4년의 판결을 내렸다.

[判别] pànbié 동 판별하다. 구별하다. ❑~能力; 판별 능력.

[判处] pànchǔ 동 선고하다. 판결을 내리다. ❑~死刑; 사형을 선고하다.

[判定] pàndìng 동 판단하여 정하다. 판정하다. ❑~真假; 진위를 판정하다.

[判读] pàndú 동 판독하다.

[判断] pànduàn 명동 ① 판단(하다). ❑~力; 판단력. ②〖法〗〈書〉 재판(하다).

[判罚] pànfá 동 ① 규정에 의해 처벌하다. ②〖體〗 패널티를 주다.

[判决] pànjué 동 ①〖法〗 판결을 내리다. ❑~书; 판결문. ② 판정하다.

[判例] pànlì 명〖法〗 판례.

[判明] pànmíng 동 분별하여 밝히다. 판명하다. ❑~是非; 시비를 분명히 가리다.

[判罪] pàn//zuì 동 죄를 결정하다. 유죄 판결을 내리다.

叛 pàn (반)
동 배반하다. 반역하다. 배신하다. ❑反~; 반역하다.

[叛变] pànbiàn 동 (자기편을) 배신하다. 배반하다.

[叛国] pàn//guó 동 조국을 배반하다. 적에게 나라를 팔다. ❑~罪; 반역죄.

[叛离] pànlí 동 배반하다. ❑~祖国; 조국을 배반하다.

[叛乱] pànluàn 동 반란을 일으키다.

[叛逆] pànnì 동 반역하다. ❑~行为; 반역 행위. 명 반역자. 역적.

[叛逃] pàntáo 동 모반(謀反)하여 도망하다. 배반하고 달아나다.

[叛徒] pàntú 명 배반자. 반역자.

畔 pàn (반)
명 ① (강·도로 따위의) 경계. 가. 옆. ❑河~; 강가 ② 논두렁.

盼 pàn (반)
동 ① 희망하다. 바라다. ❏ 切~; 간절히 바라다. ② 보다. ❏ 左顾右~; 〈成〉 좌고우면하다《정견(定見)이 없는 모양》.
[盼头(儿)] pàn·tou(r) 명 희망. 가망.
[盼望] pànwàng 동 희망하다. 간절히 바라다. ❏ ~下雪; 눈이 오기를 간절히 바라다.

襻 pàn (반)
① (~儿) 명 암단추. 단춧고리. ② (~儿) 명 모양이나 쓰임새가 단춧고리 비슷한 것. ❏ 篮子~儿; 바구니의 손잡이끈. ③ 동 (끈·밧줄·실 따위로) 동여매다.

pang ㄆㄤ

乓 pāng (팡)
의 탕. 팡. 쾅《총소리·문 닫는 소리·물건이 깨지는 소리 따위》. ❏ 枪声~~地响个不停; 총소리가 탕탕하고 끊임없이 울리다.

滂 pāng (방)
형 〈書〉 ① 물살이 거센 모양. ② 물이 솟구쳐 나오는 모양.
[滂沱] pāngtuó 형 ① 비가 억수같이 내리는 모양. ② 〈轉〉 눈물을 펑펑 쏟는 모양. ❏ 涕泗~; 〈成〉 눈물 콧물을 흘리며 통곡하다.

彷 páng (방)
→[彷徨]
[彷徨] pánghuáng 동 헤매다. 방황하다. ❏ ~四顾; 방황하며 사방을 둘러보다.

庞(龐) páng (방)
① 형 방대하다. ② 형 난잡하다. 잡다하다. ③ 명 (~儿) 얼굴. 용모.
[庞大] pángdà 형 방대하다. 거대하다. ❏ 规模~; 규모가 거대하다.
[庞然大物] pángrán-dàwù 〈成〉 외관상 아주 거대한 것《주로, 덩치는 큰데 실속이 없음을 가리킴》.
[庞杂] pángzá 형 방대하고 복잡하다. 번잡하다. ❏ 内容~; 내용이 방대하고 복잡하다.

旁 páng (방)
① 명 옆. 곁. 가. ② 형 별개의. 다른. 그 밖의. ❏ ~人; ⇩ ③ (~儿) 명 한자(漢字)의 변(邊). ❏ 提手~; 손수 변.
[旁白] pángbái 명〔劇〕 ① 방백. ② 내레이션(narration).
[旁边(儿)] pángbiān(r) 명 곁. 옆. 근처.
[旁观] pángguān 동 방관하다. ❏ 袖手~; 〈成〉 수수방관하다 / ~者清; 〈成〉 곁에서 보는 사람이 당사자보다 더 잘 본다.
[旁门(儿)] pángmén(r) 명 옆문. 쪽문. =[边门][侧门]
[旁门左道] pángmén-zuǒdào 〈成〉 ⇒[左道旁门]
[旁敲侧击] pángqiāo-cèjī 〈成〉 (말이나 글에서) 에둘러 표현하다. 넌지시 돌려서 말하다.
[旁人] pángrén 대 다른 사람. 제삼자. 남.
[旁若无人] pángruòwúrén 〈成〉 방약무인하다《태도가 매우 자연스럽거나 오만하다》.
[旁听] pángtīng 동 ① 방청하다. ❏ ~者; 방청객. ② 청강하다. ❏ ~生; 청강생.
[旁证] pángzhèng 명〔法〕 방증.

膀 páng (방)
→[膀胱] ⇒bǎng
[膀胱] pángguāng 명〔生理〕 방광.

磅 páng (방)
→[磅礴] ⇒bàng
[磅礴] pángbó 동 (기세가) 넘치다. 충만하다. 형 (기세가) 성하다. 왕성하다. 드높다. ❏ 气势~; 기세가 왕성하다.

螃 páng (방)
→[螃蟹]
[螃蟹] pángxiè 명〔動〕 게.

耪 pǎng (방)
동 (쟁기 따위로) 논밭을 갈다. 땅을 일구다. ❏ ~地; 논밭을 갈다.

胖 pàng (반)
형 뚱뚱하다. 살이 찌다. ❏ 她比我~多了; 그녀는 나보다 훨씬 뚱뚱하다. ⇒pán
[胖墩墩(的)] pàngdūndūn(·de) 형 키가 작고 통통하며 몸이 딱 벌어진 모양.
[胖乎乎(的)] pànghūhū(·de) 형 통통한 모양. 토실토실한 모양. ❏ ~的小手儿; 토실토실한 작은 손.
[胖子] pàng·zi 명 살찐 사람. 뚱보.

pao ㄆㄠ

抛 pāo (포)
동 ① 던지다. 투척하다. ❏ ~

球; 공을 던지다. ② 버리다. 내팽개치다. ❏ 他~下了妻子和孩子; 그는 처자식을 내팽개쳤다. ③ 폭로하다. 드러내다. ❏ ~头露面; ⇩ ④ 헐값에 팔다. ❏ ~售; ⇩

[抛光] pāoguāng 동〖工〗(가공하여) 광택을 내다. 닦아서 마무리 윤을 내다.

[抛锚] pāo//máo 동 ① 닻을 내리다. ②〈轉〉(기차·자동차가 고장으로) 도중에 멈추다. ③〈比〉(일이 사고로) 도중에 중지되다.

[抛弃] pāoqì 동 버리다. 내팽개치다. ❏ ~家园; 가정을 버리다.

[抛售] pāoshòu 동 투매하다. 헐값으로 팔다. 덤핑하다.

[抛头露面] pāotóu-lùmiàn 〈成〉 ① 부녀자가 여러 사람 앞에 모습을 드러내다. ②〈貶〉 공공연하게 모습을 드러내다. 주제넘게 나서다.

[抛物线] pāowùxiàn 명 포물선.

[抛掷] pāozhì 동 투척하다. 던지다. ❏ ~炸弹; 폭탄을 던지다.

[抛砖引玉] pāozhuān-yǐnyù 〈成〉〈謙〉 벽돌을 던져서 구슬을 얻다《미천한 자기 의견을 말하고 남의 귀한 의견을 끌어내다》.

泡 pāo (포)
① (~儿) 명 부풀어서 부드럽거나 말랑말랑한 것. ❏ 眼~; 눈꺼풀. ② 형〈方〉 연하다. 말랑말랑하다. ❏ 这个面包很~; 이 빵은 아주 말랑말랑하다. ③ 양 대·소변을 세는 말. ❏ 撒sā了两~尿; 소변을 두 번 누었다. ⇒ pào

刨 páo (포)
동 ① 파다. 파내다. ❏ ~坑; 구덩이를 파다. ②〈口〉 제거하다. 빼내다. 공제하다. ❏ ~去零儿; 우수리를 잘라 버리다. ⇒ bào

[刨根儿] páo//gēnr 동〈口〉〈比〉 꼬치꼬치 캐묻다. 철저하게 추궁하다. ❏ ~问底儿; 철저하게 따지다.

咆 páo (포)
동〈書〉(맹수가) 포효하다.

[咆哮] páoxiào 동 ① (맹수가) 포효하다. ②〈轉〉 노호(怒號)하다. ③〈轉〉 물이 콸콸 흐르다.

炮 páo (포)
동〖中醫〗 생약(生藥)을 뜨거운 쇠솥에 넣고 태우다[굽다]《한약 제조법의 하나》. ⇒ bāo pào

[炮制] páozhì 동 ①〖中醫〗(약초로) 약을 조제하다. ②〈貶〉 조작하다. 날조하다. 꾸며 내다.

袍 páo (포)
(~儿) 명 겉에 입는 중국식 두루마기.

[袍子] páo·zi 명 겉에 입는 중국식 두루마기.

跑 pǎo (포)
동 ① 달리다. 뛰다. ❏ 汽车~得飞快; 자동차가 나는 듯 빠르게 달린다. ② 달아나다. 도망가다. ❏ 别让他~了; 그가 도망가지 못하게 해라. ③〈方〉 걷다. ❏ ~路; 길을 걷다. ④ (어떤 일을 위해) 분주히 다니다. ⑤ (있어야 할 위치에서) 벗어나다. 새다. 빠져나가다. ❏ ~油; 기름이 새다. ⑥ (액체·냄새 따위가) 날아가다. 증발하다. ❏ 汽油~光了; 휘발유가 다 날아가 버렸다.

[跑表] pǎobiǎo 명 ⇨[秒miǎo表]

[跑步] pǎo//bù 동 뛰다. 달리기하다. 구보하다.

[跑车] pǎochē 명 ⇨[赛车]

[跑单帮] pǎo dānbāng 행상을 하다. 보따리 장사를 하다.

[跑道] pǎodào 명 ① 활주로. ② (달리기·스케이트 따위의) 경주용 트랙(track). 경주로.

[跑电] pǎo//diàn 동 누전(漏電)하다. =[漏电]

[跑光] pǎo//guāng 동 (필름·감광지 따위가) 감광되다. =[漏光]

[跑江湖] pǎo jiānghú (광대·점쟁이·관상쟁이 등이) 생계를 위해 각지를 떠돌아다니다.

[跑龙套] pǎo lóngtào ①〖劇〗 수종(隨從)이나 병졸의 역할을 하다. ②〈比〉 남의 수하가 되어 잡일을 하다.

[跑马] pǎo//mǎ 동 ① 말을 타고 달리다. ② 경마하다. ❏ ~场; 경마장.

[跑买卖] pǎo mǎi·mai 각지를 돌아다니며 장사하다. =[跑生意]

[跑腿(儿)] pǎo//tuǐ(r) 동〈口〉 남을 위해 분주히 뛰어다니며 잡일을 하다. 심부름하느라고 여기저기 뛰어다니다.

[跑鞋] pǎoxié 명〖體〗 러닝슈즈(running shoes).

泡 pào (포)
① (~儿) 명 거품. 기포. ❏ 冒~; 거품이 일다 / 肥皂~; 비누 거품. ② (~儿) 명 거품 모양과 비슷한 것. ❏ 脚上起了~; 발에 물집이 생겼다. ③ 동 (비교적 오래) 물에

담그다. 불리다. ❑～茶; 차를 끓이다. 차를 우리다 / 他用热水～着脚; 그는 뜨거운 물에 발을 담그고 있다. ④동 (고의적으로) 시간을 낭비하다[죽이다]. 틀어박히다. 죽치다. ❑成天～在家里; 하루 종일 집에서 죽치고 있다. ⇒pāo

[泡菜] pàocài 명 김치.

[泡饭] pàofàn 명 ① 더운 물이나 국에 만 밥. ② 물을 더 붓고 끓인 밥. 죽밥.

[泡蘑菇] pào mó·gu 일부러 귀찮게 굴며 시간을 끌다. 일부러 꾸물거리다.

[泡沫(儿)] pàomò(r) 명 포말. 거품. 기포. ❑～剂; 기포제 / ～经济; 거품 경제.

[泡泡糖] pào·paotáng 명 풍선껌.

[泡汤] pào//tāng 동〈口〉 물거품이 되다. 허사가 되다. 무산되다. ❑计划泡了汤; 계획이 무산됐다.

[泡影] pàoyǐng 명〈比〉 허무한 것. 물거품. 덧없는 것. ❑梦幻～; 〈比〉 허황된 꿈.

炮 pào (포)
명 ①〖軍〗 포. 대포. ❑火箭～; 로켓포. ② 폭죽(爆竹). ③ 화약. 폭약. ⇒bāo páo

[炮兵] pàobīng 명〖軍〗 포병.

[炮弹] pàodàn 명〖軍〗 포탄.

[炮灰] pàohuī 명〈比〉 포화(砲火)의 희생물. 총알받이. ❑当～; 총알받이가 되다.

[炮火] pàohuǒ 명 포화.

[炮击] pàojī 동 포격하다. ❑停止～; 포격을 중지하다.

[炮声] pàoshēng 명 포성.

[炮筒] pàotǒng 명〖軍〗 포신(砲身)《포의 몸통》. =[炮筒子①]

[炮筒子] pàotǒng·zi 명 ① ⇨[炮筒] ②〈比〉 성질이 급하고 솔직하며 입바른 말을 잘하는 사람.

[炮仗] bào·zhang 명 폭죽.

疱 pào (포)
명 피부에 난 돌기.

[疱疹] pàozhěn 명〖醫〗 포진.

pei ㄆㄟ

呸 pēi (비)
감 체. 흥. 치. 피《혐오나 질책을 나타냄》. ❑～! 你这样做未免太自私了; 치! 너 이러는 거 너무 이기적이잖아.

胚 pēi (배)
명〖生〗 배(胚). 배아(胚芽).

[胚层] pēicéng 명〖生〗 배엽(胚葉).

[胚乳] pēirǔ 명〖植〗 배젖. 배유.

[胚胎] pēitāi 명 ①〖生〗 태아. ② 명〈比〉 시초. 조짐. 맹아(萌芽).

[胚芽] pēiyá 명 ①〖生〗 배아. ②〈比〉 갓 생겨난 사물. 발단.

陪 péi (배)
동 모시다. 동반하다. 수행하다. ❑我～老师回去; 내가 선생님을 모시고 돌아가겠다.

[陪伴] péibàn 동 곁에서 함께하다. 동행하다. ❑那几天, 他一直～着奶奶; 그 며칠간 그는 줄곧 할머니를 곁에서 모시고 있었다.

[陪衬] péichèn 명 돋보이도록 곁들인 것. 안받침. 동 안받침하다. 곁들여 돋보이게 하다.

[陪床] péi//chuáng 동 (환자 가족 등이 병실에서) 병간호하다.

[陪嫁] péijià 명 ⇨[嫁妆]

[陪酒] péi//jiǔ 동 (손님을) 모시고 술을 마시다. 술자리에 동반하다.

[陪客] péi//kè 동 손님 접대를 하다. (péikè) 명 배빈(陪賓). 배객.

[陪练] péiliàn 명동 트레이닝 파트너(가 되다). 스파링 상대(가 되다).

[陪审] péishěn 동〖法〗 배심하다. ❑～员; 배심원.

[陪送] péi·song 〈口〉 동 친정에서 혼수를 딸려 보내다. 명 혼수.

[陪同] péitóng 동 수행하다. 동반하다. ❑～人员; 수행원.

培 péi (배)
동 ① (식물·담·제방 따위의 아랫부분을) 흙으로 덮다. 북주다. 배토하다. ❑～土; ⇩ ② 배양하다. 양성하다. ❑～训; ⇩

[培土] péi//tǔ 동〖農〗 배토하다.

[培训] péixùn 동 (기술자나 간부 등을) 육성하다. 훈련하다. 양성하다. ❑～班; 양성 훈련반.

[培养] péiyǎng 동 ①〖生〗 배양하다. ❑～细菌; 세균을 배양하다. ② (목적에 따라) 키우다. 양성하다. ❑～接班人; 후계자를 양성하다/ ～好习惯; 좋은 습관을 기르다.

[培育] péiyù 동 ① 배양하여 기르다. 재배하다. ❑～新品种; 새 품종을 재배하다. ② (인재 등을) 교육하여 양성하다. 키우다.

[培植] péizhí 동 ① 흙을 북돋아 심다. 재배하다. ❑～果木; 과수를

P

재배하다. ② 인재를 양성하다. 세력을 증대시키다. ❏ ~势力; 세력을 키우다.

赔(賠) péi (배)
동 ① 배상하다. 변상하다. ❏ 损坏公物要~; 공공물을 훼손하면 변상해야 한다. ② 사죄하다. 사과하다. ❏ ~不是; ⇩ ③ 손해 보다. 밑지다. ❏ ~本(儿); ⇩

[赔本(儿)] péi∥běn(r) 동 손해 보다. 밑지다. ❏ ~的买卖; 밑지는 장사. =[〈方〉 赔账②][蚀shí本]

[赔不是] péi bù·shi 사과하다. 사죄하다. ❏ 给他赔个不是; 그에게 사과하다.

[赔偿] péicháng 동 배상하다. 변상하다. ❏ ~损失; 손해를 배상하다 / ~费 =[~金]; 배상금.

[赔款] péi∥kuǎn 동 ① 배상하다. 변상하다. ② (패전국이 전승국에게) 배상하다. ❏ 割地~; 토지를 할양하여 배상하다. (péikuǎn) 명 배상금.

[赔礼] péi∥lǐ 동 사과하다. 사죄하다. ❏ 他向你~来了; 그가 너에게 사과하러 왔다.

[赔钱] péi∥qián 동 ① 손해 보다. 밑지다. ② (돈으로) 배상하다. 변상하다. ❏ 赔了两倍的钱; 돈을 두 배로 물었다.

[赔笑] péi∥xiào 동 웃는 얼굴로 대하다. =[赔笑脸]

[赔账] péi∥zhàng 동 ① (실수·과실로 인한 금전상의) 손실을 변상하다. ② 〈方〉 ⇨[赔本]

[赔罪] péi∥zuì 동 사죄하다.

裴 Péi (배)
명 성(姓)의 하나.

沛 pèi (패)
형 〈書〉 왕성하다. 성대하다. 세차다. ❏ 丰~; 풍부하다.

佩 pèi (패)
동 ① 지니다. 달다. 차다. ❏ 腰间~着一支手枪; 허리에 권총을 한 자루 차고 있다. ② 감복하다. 경탄하다.

[佩带] pèidài 동 ① (권총·칼·검 따위를) 허리춤에 꽂다[차다]. ② ⇨[佩戴]

[佩戴] pèidài 동 (휘장·배지 따위를) 달다. ❏ ~肩章; 견장을 달다. =[佩带②]

[佩服] pèi·fú 동 감복하다. 감탄하다. 경복하다. ❏ 我们~他的人品; 우리는 그의 인품에 감복했다.

配 pèi (배)
① 동 남녀가 결합하다. 부부가 되다. ❏ 婚~; 결혼하다. ② 명 배우자《주로, 아내를 가리킴》. ❏ 择~; 배우자를 고르다. ③ 동 교미시키다. 교배시키다. ❏ ~猪; 돼지를 교배시키다. ④ 동 조합하다. 배합하다. ❏ ~颜料; 안료를 배합하다. ⑤ 동 (계획적으로) 분배하다. 배치하다. 배급하다. ❏ ~备; ⇩ ⑥ 동 (부족한 물품을) 보충하다. 해 넣다. 맞추다. ❏ ~一副眼镜; 안경을 하나 맞추다 / ~钥匙; 열쇠를 맞추다. ⑦ 동 덧붙여 돋보이게 하다. 받쳐 주다. ❏ 这件绿上衣和花格裙子~起来很好看; 이 녹색 상의에는 체크무늬 치마를 받쳐 입으면 무척 예쁘다. ⑧ 조동 …할 자격이 있다. …에 걸맞다. …할 만하다. ❏ 你很~这个称号; 너는 이 칭호에 매우 걸맞는다.

[配备] pèibèi 동 ① (인력이나 물력을 수요에 따라) 분배하다. 배치하다. ❏ ~新式机器; 신식 기계를 배치하다. ② (병력을) 배치하다. 명 세트로 된[잘 갖추어진] 설비.

[配对(儿)] pèi∥duì(r) 동 ① 한 쌍을 만들다. 짝짓다. ② 〈口〉 (동물이) 교미하다.

[配方] pèi∥fāng 동 〔藥〕 처방에 따라 약을 조제하다. (pèifāng) 명 (야금·화학 제품의) 배합 방법. (약품의) 처방. =[〈口〉 方子③]

[配股] pèi∥gǔ 동 〔經〕 주식을 배당하다.

[配合] pèihé 동 ① 협동하다. 협력하다. ❏ ~作战; 협동 작전. ② 〔機〕 감합(嵌合)하다.

[配合] pèi·he 형 조화되다. 어울리다. 잘 맞다. ❏ 这小两口~得太理想了; 이 젊은 부부는 너무나도 이상적으로 잘 어울린다.

[配给] pèijǐ 동 배급하다.

[配件(儿)] pèijiàn(r) 명 ① 부품. 부속품. ② 교체용 부품.

[配角(儿)] pèi∥jué(r) 동 〔劇〕 공연(共演)하다. 콤비가 되다. (pèijué(r)) 명 ① 〔劇〕 조연. ② 〈比〉 보조역. 보조적인 인물.

[配料] pèi∥liào 동 원료를 배합하다. 명 ⇨[辅fǔ料]

[配偶] pèi'ǒu 명 〔法〕 배우자.

[配色] pèisè 동 색을 배합하다. 배색하다.

[配售] pèishòu 동 배급[할당] 판

매하다. ❏ ~商店; 배급점.
[配送] pèisòng 동 배송하다.
[配套] pèi//tào 동 보조적인 것을 부착시켜 완성품을 만들다. 짜 맞추다. 세트로 만들다.
[配药] pèi//yào 동 (처방에 따라) 약을 조제하다[짓다].
[配音] pèi//yīn 동 더빙(dubbing)하다. ❏ ~员 =[~演员]; 성우.
[配乐] pèi//yuè 동 배경 음악을 깔다. 비지엠(BGM)을 넣다.
[配制] pèizhì 동 ① 배합해서 만들다. 조제하다. ❏ ~化学试剂; 화학 시약을 조제하다. ② (주요한 것이 돋보이도록) 덧붙여 만들다.
[配置] pèizhì 동 배치하다. ❏ ~兵力; 병력을 배치하다.
[配种] pèi//zhǒng 동 교미시키다. 교배하다.

辔(轡) pèi (비) 명 고삐와 재갈.
[辔头] pèitóu 명 고삐와 재갈.

pen ㄆㄣ

喷(噴) pēn (분) 동 (액체·기체·분말 따위를) 내뿜다. 분출하다. 뿌리다. ❏ ~农药; 농약을 뿌리다. ⇒pèn
[喷薄] pēnbó 형 ① 물이 솟아나오는 모양. ② 태양이 떠오르는 모양.
[喷发] pēnfā 동 ① 품어져 나오다. ❏ ~胶; (헤어)스프레이. ② 분화(噴火) 폭발하다. ❏ 火山~; 화산이 분화 폭발하다.
[喷灌] pēnguàn 동〔農〕 스프링클러 관수(sprinkler灌水)하다. ❏ ~器; 스프링클러(sprinkler).
[喷壶] pēnhú 명 물뿌리개. 조로(포 jorro).
[喷火器] pēnhuǒqì 명〔軍〕 화염방사기. =[火焰喷射器]
[喷溅] pēnjiàn 동 (액체 따위가) 흩뿌려지다. 흩날리다.
[喷漆] pēnqī 명 분무용 래커(lacquer). (pēn//qī) 동 래커칠을 하다.
[喷气] pēnqì 동 가스를 내뿜다. ❏ ~发动机; 제트 엔진 / ~式飞机; 제트기.
[喷泉] pēnquán 명 ① 분천《물을 내뿜는 샘》. ② 분수(噴水).
[喷洒] pēnsǎ 동 (주로, 액체를) 뿌리다. 살포하다. ❏ ~除草剂; 제초제를 살포하다.
[喷撒] pēnsǎ 동 (주로, 분말을) 뿌리다. 살포하다.
[喷射] pēnshè 동 분사하다.
[喷水池] pēnshuǐchí 명 분수(噴水)가 설치된 못. 분수지.
[喷嚏] pēntì 명 재채기. ❏ 打~; 재채기하다. =[嚏喷]
[喷头] pēntóu 명 (스프링클러·샤워기 따위의) 분사 꼭지.
[喷雾器] pēnwùqì 명 분무기.
[喷嘴(儿)] pēnzuǐ(r) 명 노즐(nozzle).

盆 pén (분) 명 ① (~儿) 대접·사발·대야 따위《입구가 크고 얕고 둥근 모양의 용기》. ❏ 脸~; 세숫대야. ② 대접 모양의 것. ❏ ~地; ⇩
[盆地] péndì 명〔地質〕 분지.
[盆景(儿)] pénjǐng(r) 명 분경.
[盆栽] pénzāi 동 분재하다. 명 분재한 화초나 나무.
[盆子] pén·zi 명〈口〉 대접. 사발. 대야. 화분.

喷(噴) pèn (분) (~儿)〈方〉 ① 명 한물《채소·과일·해산물 따위가 한창 나올 철》. ❏ 对虾正在~儿上; 새우는 지금이 바야흐로 한물이다. ② 양 개화(開花)하여 결실을 맺거나 익어서 수확하는 횟수를 세는 말. ❏ 绿豆结二~角了; 녹두가 두 번째 열매를 맺었다. ⇒pēn
[喷香] pènxiāng 형 향기가 진동하다. =[喷喷香]

peng ㄆㄥ

怦 pēng (평) 의 두근두근. 쿵쿵《가슴이 뛰는 소리》. ❏ 他的心里~~地跳着; 그의 가슴이 두근두근 뛰고 있다.

抨 pēng (평) 동〈書〉 비난하다. 규탄하다.
[抨击] pēngjī 동 (평론의 형식으로 남의 말이나 행동을) 규탄하다. 비난하다. 공격하다.

砰 pēng (팽) 의 쾅당. 쿵《부딪치거나 무거운 것이 떨어지는 소리》.

烹 pēng (팽) 동 ① 삶다. 끓이다. ② 끓는 기름에 살짝 볶은 다음 양념을 치고 센 불에서 빠르게 볶다.

P

[烹饪] pēngrèn 동 요리하다. 조리하다. ❑～法; 요리법.
[烹调] pēngtiáo 동 (음식을) 조리하다.

朋 péng (붕)
①명 친구. 벗. ②동〈書〉 도당(徒黨)을 만들다. 결탁하다.
[朋比为奸] péngbǐ-wéijiān 〈成〉 결탁하여 나쁜 짓을 하다.
[朋党] péngdǎng 명〈書〉 붕당. 한패.
[朋友] péng·you 명 ① 친구. 동무. ❑交～; 친구를 사귀다. ② 연인. 애인. ❑男～; 남자 친구.

棚 péng (붕)
명 ① 차양. 천막. ❑搭～; 천막을 치다. ② 누추하고 허술한 집. 판잣집. 우리. ❑牲口～; 가축의 우리. ③ 천장. 천장널.
[棚车] péngchē 명 유개 화물 열차.
[棚子] péng·zi 명 우리. 헛간. 막. 판잣집.

硼 péng (붕)
명〖化〗 붕소(硼素)(B: boron).
[硼酸] péngsuān 명〖化〗 붕산.

鹏(鵬) péng (붕)
명 붕새《전설상의 새》.
[鹏程万里] péngchéng-wànlǐ 〈成〉 붕정만리《전도가 양양한 모양》.

澎 péng (팽)
→[澎湃]
[澎湃] péngpài 형 ① 파도가 부딪치는 모양. ❑波涛汹涌～; 파도가 부딪쳐 솟구치다. ②〈比〉 기세가 왕성한 모양.

膨 péng (팽)
동 부풀다. 팽창하다.
[膨大] péngdà 동 (부피가) 팽창하다. 커지다.
[膨化] pénghuà 동 (곡물 따위가) 뻥튀겨지다. 뻥튀기가 되다. ❑～玉米; 옥수수 뻥튀기.
[膨胀] péngzhàng 동 ①〖物〗 팽창하다. ❑～系数; 팽창 계수. ② (규모가) 커지다. 팽창하다. ❑人口～; 인구가 팽창하다 / 通货～; 인플레이션. 통화 팽창.

蓬 péng (봉)
① 명〖植〗 쑥. ② 동 흐트러지다. 어지럽다. ③ 양 무성한 화초나 숱이 많은 머리를 세는 말. ❑一～竹子; 한 무더기의 대나무 숲.
[蓬勃] péngbó 형 왕성하다. 번영하다. 번창하다. ❑～展开; 활발히 전개하다.
[蓬蒿] pénghāo 명〈方〉 ⇨[茼蒿]
[蓬乱] péngluàn 형 (풀이나 머리카락 따위가) 부스스하다. 텁수룩하다. 더부룩하다.
[蓬松] péngsōng 형 (머리카락·풀잎·나뭇잎·융모 따위가) 무질서하게 흐트러져 있는 모양.
[蓬头垢面] péngtóu-gòumiàn 〈成〉 더부룩한 머리와 때투성이의 지저분한 얼굴.

篷 péng (봉)
명 ①(～儿) (햇볕·바람·비 따위를 막기 위한) 덮개. 차일. 포장. ② 돛. ❑扯～; 돛을 올리다.
[篷车] péngchē 명 유개 화물차. ② 포장을 친 마차. 황마차. 포장마차. 「일.
[篷子] péng·zi 명 포장. 덮개. 차일.

捧 pěng (봉)
① 동 두 손으로 받쳐 들다. 두 손을 모아 뜨다. 두 손으로 움켜쥐다. ❑～起水来就喝; 두 손으로 물을 떠서 마시다. ② 양 움큼. ❑一～花生; 땅콩 한 움큼. ③ 동 두둔하다. 치켜세우다. ❑～场; ⇩
[捧场] pěng//chǎng 동 ① (배우에게) 박수갈채를 보내다. ②〈轉〉 두둔하다. 치켜세우다. 성원하다. ❑～架势; 치켜세워 힘을 돋우다.
[捧腹] pěngfù 동 배를 움켜잡다 《매우 크게 웃는 모양》. ❑～大笑; 배를 움켜잡고 크게 웃다.
[捧角(儿)] pěng//jué(r) 동 배우에게 갈채를 보내다.

碰 pèng (병)
동 ① 충돌하다. 부딪치다. ❑头～到门框上; 문틀에 머리를 부딪치다. ② (우연히) 만나다. 마주치다. ❑～见; ⇩ ③ 부딪쳐 보다. 시험해 보다. ❑可以去～一下儿, 也许能买到票; 가서 한번 부딪쳐 보면 표를 살 수 있을지도 모른다.
[碰杯] pèng//bēi 동 (축배할 때) 잔을 부딪치다.
[碰壁] pèng//bì 동〈比〉 벽에 부딪치다. 지장이 생기다. 난관에 부닥치다.
[碰钉子] pèng dīng·zi 〈比〉 거절당하다. 거부당하다. 퇴짜 맞다.
[碰见] pèng//jiàn 동 (우연히) 만나다. 마주치다. ❑～老朋友了; 옛 친구를 우연히 만났다.
[碰面] pèng//miàn 동 만나다. 회

견하다. 면회하다. ❏ 我们约定今天在这里~; 우리는 오늘 여기서 만나기로 약속했다.

[碰碰车] pèng·pengchē 명〈音〉 범퍼카(bumper car).

[碰巧] pèngqiǎo 부 공교롭게. 운수 좋게. 마침. 때마침. ❏ ~他不在家; 공교롭게도 그는 집에 없다.

[碰头(儿)] pèng∥tóu(r) 동 만나다. ❏ 在公园门口~; 공원 입구에서 만나다 / ~会; (정보 교환을 위한) 간단한 회의[회담].

[碰一鼻子灰] pèng yī bí·zi huī 〈俗〉 거절당하다. 퇴짜 맞다.

[碰运气] pèng yùn·qi 운수에 맡기다. 운수를 시험하다.

[碰撞] pèngzhuàng 동 ① 충돌하다. 부딪치다. ❏ 货轮~了渔船; 화물선이 어선에 충돌했다. ② (남의) 비위를 거스르다. 심사를 건들다. ❏ 不要拿话去~他; 쓸데없는 말로 그의 심사를 건들지 마라.

pi ㄆㄧ

坯 pī (배)
명 ① 아직 굽지 않은 기와나 옹기그릇. ❏ 瓷~; 아직 굽지 않은 오지그릇. =[坯子①] ② (굽지 않은 상태의) 흙벽돌. ❏ 打~; 흙벽돌을 만들다. ③ (~儿) 〈方〉 반제품. 반성품(半成品). =[坯子②]

[坯子] pī·zi 명 ① ⇨[坯①] ② ⇨[坯③] ③ 꿈나무《미래에 잘 될 가능성이 있는 청소년을 일컫는 말》. ❏ 踢足球的~; 축구 꿈나무.

批 pī (비)
① 동〈書〉 손바닥으로 때리다. ❏ ~颊; 뺨을 때리다. ② 동〈書〉 깎다. 깎아 내다. ③ 동〈公〉 하급기관이나 민간의 상신(上申)에 대하여 가부(可否)를 대답하다[결재하다]. ❏ 他的签证~得特别快; 그의 비자는 무척 빨리 나왔다. ④ 동 비판하다. 비평하다. ❏ 挨~; 비판을 당하다. ⑤ 동 도매하다. ❏ ~购; 도매로 구입하다 / ~发; ⇩ ⑥ 양 대량의 화물이나 다수의 사람을 세는 말. ❏ 一~人; 한 무리의 사람.

[批驳] pībó 동 (다른 사람의 의견이나 요구를) 비판하다. 반박하다. 반론하다. ❏ ~错误论调; 잘못된 논조를 반박하다.

[批发] pīfā 동 도매하다. ❏ ~价格; 도매가격 / ~市场; 도매 시장.

[批改] pīgǎi 동 (문장·숙제 따위를) 바로잡아 주고 비평을 가하다. 비평 첨삭(添削)하다.

[批判] pīpàn 동 비판하다. ❏ ~虚无主义; 허무주의를 비판하다.

[批评] pīpíng 동 ① 비판하다. 비평하다. ❏ ~他的行动; 그의 행동을 비판하다. ② 꾸중하다. 야단치다. 주의를 주다.

[批示] pīshì 명동 민간의 청원[하급 기관의 공문서]에 대해 지시를 내리다[내리는 것].

[批语] pīyǔ 명 ① (문장이나 숙제에 대한) 평가의 말. 평어. ② (공문으로) 지시를 내리는 말.

[批阅] pīyuè 동 (원고 · 문서 따위를) 읽고 비평 · 정정 · 지시를 하다.

[批准] pī∥zhǔn 동 비준하다. 허가하다. 승인하다. ❏ ~进口; 수입을 허가하다 / ~书; 허가서. 비준서.

纰(紕) pī (비)
동 (천·끈 따위가) 너덜너덜해지다. ❏ 线~了; 실이 너덜너덜해졌다.

[纰漏] pīlòu 명 잘못. 과실. 실수.

砒 pī (비)
명〖化〗 ① ⇨[砷shēn] ② 비상.

[砒霜] pīshuāng 명〖化〗 비상.

披 pī (피)
동 ① (어깨에) 걸치다. ❏ ~着大衣; 코트를 걸치고 있다. ② 펴다. 흐트러뜨리다. 헤쳐 놓다. ③ 쪼개지다. 갈라지다. ❏ 指甲~了; 손톱이 쪼개졌다.

[披风] pīfēng 명 ⇨[斗dǒu篷]

[披坚执锐] pījiān-zhíruì 〈成〉 갑옷을 입고 무기를 들다《무장하여 적진에 임할 태세를 갖추다》.

[披肩] pījiān 명 ① 케이프(cape). ② 숄(shawl).

[披荆斩棘] pījīng-zhǎnjí 〈成〉 가시덤불을 헤쳐 나가다《① 곤란을 극복하고 장애를 뛰어넘다. ② 창업 중의 갖가지 어려움을 극복하다》.

[披露] pīlù 동 ① 발표하다. 공표하다. 공포(公布)하다. ② (심중을) 토로하다. 나타내다. ❏ ~心迹; 속마음을 토로하다.

[披靡] pīmǐ 동 ① (초목(草木)이) 바람에 따라 쓸리다. ② 〈比〉 (군대가) 패하여 흩어져 달아나다.

[披散] pī·san 동 (머리를) 풀어 헤치다.

[披头散发] pītóu-sànfà 〈成〉 머리를 어지럽게 풀어 헤치다.
[披星戴月] pīxīng-dàiyuè 〈成〉 별빛을 지고 달빛을 이다(《① 아침 일찍부터 밤 늦도록 일을 하다. ② 밤낮없이 서둘러 가다. 길을 재촉하다》).

劈 pī (벽)
① 통 (칼·도끼 따위로) 찍다. 베다. 패다. ❑ ~木柴; 장작을 패다. ② 통 갈라지다. 쪼개지다. ❑ 板子~了; 널빤지가 갈라졌다. ③ 개 (머리·얼굴 따위의) 정면을 향하여. ❑ ~脸; ⇩ ⇒pǐ
[劈波斩浪] pībō-zhǎnlàng 〈成〉 배가 파도를 헤치며 나아가다(《어려움과 장애를 극복하며 나아가다》).
[劈里啪啦] pī·lipālā 의 ⇨[噼里啪啦]
[劈脸] pīliǎn 부 정면으로. 맞바로. ❑ 雨点~打来; 빗방울을 정면으로 맞다. =[劈面]
[劈啪] pīpā 의 ⇨[噼啪]
[劈山] pīshān 통 산을 깎다[허물다]. ❑ ~造田; 산을 깎아 밭을 만들다.
[劈头] pītóu 부 ① 정면에서. 정면으로. ❑ ~便见到了他; 정면에서 그를 마주쳤다. ② 맨 처음. 첫머리에. 맨 먼저. ❑ 他进来~就问试验成功了没有; 그는 들어오자마자 맨 처음 실험에 성공했냐고 물었다.
[劈头盖脸] pītóu-gàiliǎn 〈成〉 기세가 거칠고 사납다. 비평 따위가 호되다. =[劈头盖脑][劈头盖顶]

噼 pī (비)
→[噼里啪啦][噼啪]
[噼里啪啦] pī·lipālā 의 뚝뚝. 탁탁. 짝짝(《폭죽·비·박수 따위의 연속음》). ❑ ~的雨点声; 뚝뚝 떨어지는 빗방울 소리. =[劈里啪啦]
[噼啪] pīpā 의 빵. 철썩. 짝. 탁(《총·박수·채찍·폭죽 따위의 소리》). ❑ 把鞭子抽得~响; 채찍을 휘둘러 탁 소리를 냈다. =[劈啪]

霹 pī (벽)
→[霹雳][霹雳舞]
[霹雳] pīlì 명 벼락. 천둥. 벽력. 낙뢰. =[〈口〉 霹雷][落luò雷]
[霹雳舞] pīlìwǔ 명〖舞〗〈義〉 브레이크댄싱(break dancing).

皮 pí (피)
① 명 살갗. 피부. 껍질. ② 명 가죽. ③ (~儿) 명 겉을 싸는 것. 포장. ❑ 饺子~; 만두피 / 书~; 책 표지. ④ (~儿) 명 겉. 표면. ❑ 地~; 지면. ⑤ (~儿) 명 얇고 반반한 것. ❑ 铅~; 함석판. ⑥ 형 질기다. 쫄깃쫄깃하다. ⑦ 형 눅눅하다. ❑ 花生米都~了; 땅콩이 모두 눅눅해졌다. ⑧ 형 장난이 심하다. 짓궂다. 개구지다. ⑨ 형 (자주 야단을 맞거나 벌을 받아서) 무감각하다. 대수로워하지 않다. ❑ 他天天挨批评, 已经~了; 그는 매일 꾸지람을 들어서 이미 무감각해졌다.
[皮包] píbāo 명 가죽 가방.
[皮包公司] píbāo gōngsī 〈義〉 유령 회사. =[皮包商]
[皮包骨] pí bāo gǔ 피골이 상접하다. 매우 마르다. =[皮包骨头]
[皮尺] píchǐ 명 (유포 따위로 만든) 줄자.
[皮带] pídài 명 ① 가죽띠. 혁대. ②〖機〗(기계의) 벨트. 피대.
[皮蛋] pídàn 명〈方〉 ⇨[松花]
[皮肤] pífū 명 피부. 살갗. ❑ ~病; 피부병. 형〈書〉 얕은. 피상적인. ❑ ~之见; 얕은 견해.
[皮革] pígé 명 피혁.
[皮货] píhuò 명 모피와 가죽 제품. 피혁 제품. 피혁 상품.
[皮夹子] píjiā·zi 명 가죽 지갑. =[皮夹儿]
[皮匠] pí·jiàng 명 ① 가죽 제품 제조공. ② 구두 수선공. 신기료장수.
[皮筋儿] píjīnr 명 고무줄. ❑ 跳~; 고무줄놀이를 하다. =[橡皮筋(儿)][〈口〉 猴皮筋儿][猴筋儿]
[皮毛] pímáo 명 ① 털가죽. 모피. ②〈比〉 겉. 겉면. 표면. ③〈比〉 피상적인 지식.
[皮囊] pínáng 명 ① 가죽 주머니. ② 〈比〉〈貶〉 (사람의) 몸뚱이.
[皮球] píqiú 명 고무공. 가죽공.
[皮实] pí·shi 형 ① (몸이) 튼튼하다. ② (기물(器物)이) 견고하다. 튼튼하다.
[皮艇] pítǐng 명〖體〗 카누(canoe).
[皮下组织] píxià zǔzhī 〖生理〗 피하 조직.
[皮箱] píxiāng 명 트렁크(trunk).
[皮相] píxiàng 형 피상적인. ❑ ~之谈; 〈成〉 피상적인 의견.
[皮鞋] píxié 명 가죽 신발. 구두.
[皮靴] píxuē 명 가죽 부츠.
[皮衣] píyī 명 ① 모피로 만든, 또는 모피를 댄 의류. ② 가죽 코트.
[皮影戏] píyǐngxì 명〖劇〗 (가죽이나 판지로 만든 인형을 사용하는) 그림자 연극.

[皮脂] pízhī 명〘生理〙 피지. ❏ ~腺; 피지선.
[皮子] pí·zi 명 가죽. 피혁.
疲 pí (피)
형 ① 피로하다. 지치다. ② 시세가 떨어지다.
[疲惫] píbèi 형 극도로 지치다. 매우 피로하다.
[疲乏] pífá 형 ⇨[疲劳①②]
[疲倦] píjuàn 형 피곤하다.
[疲劳] píláo 형 ① 피로하다. 피곤하다. ❏ 我干了一天活, 很~; 나는 하루 종일 일을 해서 매우 피로하다. ② (신체 기능이) 약해지다. 감퇴하다. ❏ 听觉~; 청각이 약해지다. ‖ =[疲乏] ③〘物〙 피로하다. ❏ 弹性~; 탄성 피로.
[疲于奔命] píyúbēnmìng 〈成〉 ① 명령·독촉을 받고 매우 분주하게 돌아다니다. ② 눈코 뜰 새 없이 바쁘다.
枇 pí (비)
→[枇杷]
[枇杷] pí·pa 명 ①〘植〙 비파나무. ② 비파.
毗 pí (비)
동〈書〉 ① 연속하다. 인접하다. ② 돕다. 보조하다.
[毗连] pílián 동 계속되다. 연달다. 인접하다. ❏ ~国; 인접국.
琵 pí (비)
→[琵琶]
[琵琶] pí·pa 명〘樂〙 비파.
啤 pí (비)
명 맥주. ❏ 生~; 생맥주/瓶~; 병맥주.
[啤酒] píjiǔ 명〈音義〉 맥주. ❏ 生~; 생맥주. =[麦酒]
脾 pí (비)
명〘生理〙 비장(脾臟). 지라.
[脾气] pí·qi 명 ① 기질. 성격. ❏ 他的~很好; 그의 성격은 매우 좋다. ② 성질. 성깔. 짜증. 화. ❏ 发~; 성질을 내다.
[脾胃] píwèi 명〈比〉 비위. ❏ 不合他的~; 그의 비위에 맞지 않다.
[脾脏] pízàng 명〘生理〙 비장.
匹 pǐ (필)
① 동 필적하다. 상당하다. ② 형 하나의. 단독의. ❏ ~夫; ⇩ ③ 양 필(말 따위를 세는 말). ❏ 三~马; 말 세 필. ④ 양 필(필목을 세는 말). ❏ 一~绸子; 주단 한 필.
[匹敌] pǐdí 동 필적하다. 대등하다. 맞먹다. ❏ 双方实力~; 쌍방의 실력이 대등하다.
[匹夫] pǐfū 명 필부. 보통 사람. ❏ ~之勇; 〈成〉 필부지용(생각 없이 혈기만 믿고 부리는 소인의 용기).
[匹配] pǐpèi 동 ①〈書〉 (혼인이) 맺어지다. 결혼하다. ②〘電〙 정합(整合)하다.
否 pǐ (비)
형〈書〉 좋지 않다. 나쁘다. ⇒ fǒu
[否极泰来] pǐjí-tàilái 〈成〉 나쁜 것이 극에 달하면 좋은 것이 돌아온다(고생 끝에 낙이 온다).
痞 pǐ (비)
명 ①〘中醫〙 뱃속에 생긴 덩어리. ② 무뢰한. 건달. 불량배.
[痞块] pǐkuài 명〘中醫〙 뱃속에 생긴 딱딱한 덩어리. 비괴증. 징가.
[痞子] pǐ·zi 명 건달. 깡패.
劈 pǐ (벽)
동 ① 나누다. 분할하다. ❏ ~一半给他; 반으로 나누어 그에게 주다. ② 떼다. 벗기다. ❏ ~麻; 삼 껍질을 벗기다. ③ (다리·손가락 따위를) 지나치게 벌리다. ⇒pī
[劈叉] pǐ∥chà 동 (체조·무술에서) 양다리를 일자로 쭉 뻗고 땅에 붙이다. 다리 찢기를 하다.
[劈柴] pǐ·chái 명 장작. 땔나무.
癖 pǐ (벽)
명 나쁜 습관[기호]. 벽(癖). 중독.
[癖好] pǐhào 명 취향. 취미. 기호.
[癖性] pǐxìng 명 (개인의) 성향. 기호. 성벽. 습성.
屁 pì (비)
명 ① 방귀. ❏ 放~; 방귀를 뀌다. ②〈比〉 쓸모없는 것. 보잘것없는 것. 하찮은 것. ❏ ~话; ⇩ ③〈轉〉 무엇. 아무것. 쥐뿔(부정이나 질책에 쓰임). ❏ ~也不懂; 쥐뿔도 모르다.
[屁股] pì·gu 명 ①〈口〉 엉덩이. 궁둥이. ② (동물의) 둔부(臀部). 꽁무니. ③〈轉〉 물체의 끝 부분. 꽁무니. ❏ 香烟~; 담배꽁초.
[屁话] pìhuà 명〈貶〉 쓸데없는 소리. 아무렇게나 내뱉는 말.
[屁事(儿)] pìshì(r) 명 하찮은 일. 시시한 일.
媲 pì (비)
동 필적하다. 비견(比肩)하다.
[媲美] pìměi 동 비견하다. 필적하다. ❏ 这种产品可与世界名牌~; 이 상품은 세계 유명 상표에 필적할

만하다.

辟(闢) pì (벽)
동 ① 새로 만들다. 열다. 개척하다. ❏ 另~文学专栏; 문학란을 별도로 마련하다. ② 반박하다. 물리치다. ⇒bì

[辟谣] pì//yào 동 소문에 반박하다.

僻 pì (벽)
형 ① 외지다. 궁벽하다. ❏ 偏~; 후미지다. ② (성질이) 별나다. 괴팍하다. ❏ 孤~; 괴팍하다. ③ (문자 따위가) 보기 드물다. 희귀하다. ❏ ~字; 벽자.

[僻静] pìjìng 형 외지고 조용하다. ❏ ~的小路; 외지고 조용한 작은 길.

譬 pì (비)
명 비유. 실례(實例).

[譬如] pìrú 동 ⇨[比如]

[譬喻] pìyù 명동 ⇨[比喻]

pian ㄆㄧㄢ

片 piān (편)
(~儿) 명〈口〉 ⇨[片子piān·zi] ⇒piàn

[片子] piān·zi 명 ① 영화용 필름. 〈轉〉 영화. ❏ 美国~; 미국 영화. ② 엑스레이 사진의 원판. ③ 레코드. 음반. ⇒piàn·zi

扁 piān (편)
→[扁舟] ⇒biǎn

[扁舟] piānzhōu 명〈書〉 편주. 조각배. ❏ 一叶~; 〈成〉 일엽편주.

偏 piān (편)
① 형 (한쪽으로) 기울다. 쏠리다. 치우치다. ❏ 相片照~了; 사진이 한쪽으로 치우쳐서 찍혔다. ② 형 편들다. 편향되다. 치우치다. ❏ ~爱; ⇩ ③ 동 (어떠한 기준으로 비교했을 때) 차이가 있다. ❏ ~低; 지나치게 낮다. ④ 형 보조적인. 비정식의. ❏ ~方(儿); ⇩ ⑤ 부 기어이. 기어코. 굳이. 일부러. ❏ 外面下着雨, 他们~要去看电影; 밖에 비가 오는데도 그들은 굳이 영화를 보러 가려고 한다.

[偏爱] piān'ài 동 편애하다. ❏ 他对你太~了; 그는 너를 너무 편애한다.

[偏差] piānchā 명 ① 편차. 오차. ② (업무상의) 착오. 오류. 편향.

[偏方(儿)] piānfāng(r) 명〖中醫〗 (의서(醫書)에 없는) 민간 처방.

[偏废] piānfèi 동 한쪽을 폐하다[그만두다]. 한쪽을 소홀히 하다.

[偏护] piānhù 동 (한쪽만을) 두둔하다. 편들다.

[偏激] piānjī 형 (의견·주장 따위가) 과격하다. 극단적이다. ❏ 态度~; 태도가 극단적이다.

[偏见] piānjiàn 명 편견. 선입견.

[偏离] piānlí 동 벗어나다. 이탈하다. 빗나가다. ❏ ~目标; 목표물을 벗어나다.

[偏旁(儿)] piānpáng(r) 명〖言〗 (한자의) 편방.

[偏僻] piānpì 형 외지다. 후미지다. 궁벽하다. ❏ 住在~的乡间; 외진 시골에 살다.

[偏偏] piānpiān 부 ① 기어이. 기어코. 굳이. 한사코. ❏ 他的病还没完全好, 可他~要去上班; 그는 병이 아직 완전히 낫지 않았는데도, 기어이 출근하려 한다. ② 하필. 하필이면. 공교롭게도. ❏ 刚打算走, ~电话又响了; 막 가려고 하는데 공교롭게도 전화벨이 또 울렸다. =[偏巧②] ③ 유독. 유달리. ❏ 大家都到了, ~他一个没有来; 모두 도착했는데 유독 그만 안 왔다.

[偏巧] piānqiǎo 부 ① 때마침. ❏ 正想给他打电话, ~他把电话打过来了; 그에게 전화를 걸려고 했는데, 때마침 그에게서 전화가 왔다. ② ⇨[偏偏②]

[偏食] piānshí 명〖天〗 (해·달의) 부분식(部分蝕). 동 편식하다.

[偏瘫] piāntān 동〖醫〗 반신불수가 되다. =[半身不遂]

[偏袒] piāntǎn 동 한쪽만 편들다[두둔하다].

[偏听偏信] piāntīng-piānxìn 〈成〉 한쪽 말만 듣고 믿다.

[偏头痛] piāntóutòng 명〖醫〗 편두통.

[偏向] piānxiàng 명 옳지 못한 경향. 편향. 동 ① (의견 따위가) 한쪽으로 치우치다. 쏠리다. ② 무조건적으로 지지하다. 편들다.

[偏心] piānxīn 형 한쪽에 치우치다. 편파적이다. ❏ 说~话; 편파적인 말을 하다.

[偏远] piānyuǎn 형 외지고 멀다. ❏ ~地区; 벽지.

[偏执] piānzhí 형 편집광적이다. 편집증적이다. ❏ 性格~; 성격이 편집증적이다 / ~狂; 편집증.

[偏重] piānzhòng 동 편중하다. ❏

~理论; 이론에 편중하다.

篇 piān (편)
①명 완결된 문장. 편(篇). ②(~儿) 명 낱장으로 된 인쇄물. ❏歌~儿; (한 장의) 악보. ③명 여러 권으로 이루어진 책의 낱개. ❏第一~; 제1편 / 初级~; 초급편. ④(~儿) 양 편. 장《시문(詩文)·종이 따위를 세는 말》. ❏一~文章; 글 한 편 / 三~儿纸; 종이 세 장.

[篇幅] piān·fú 명 ①(문장의) 편폭. ②(간행물의) 지면.

[篇目] piānmù 명 ①책이나 시의 편의 이름. ②서적의 목차[차례].

[篇章] piānzhāng 명 ①편과 장. 〈轉〉글. 문장. ②(추상적인) 장(章). ❏历史~; 역사의 장.

翩 piān (편)
동〈書〉 매우 빠르게 날다《동작이 가볍고 날쌔다》.

[翩翩] piānpiān 형 ①경쾌하게 춤을 추는 모양. (동물이) 하늘을 나는 모양. ❏~起舞; 나풀나풀 춤을 추다. ②〈書〉 (주로, 젊은 남자의 행동거지가) 소탈하다. 멋스럽다. ❏风度~; 풍채가 멋스럽다.

[翩然] piānrán 형〈書〉 민첩한 모양. 경쾌한 모양. ❏~飞舞; 훨훨 날다.

便 pián (편)
→[便宜] ⇒biàn

[便宜] pián·yi 형 싸다. 저렴하다. ❏这里的衣服真~; 이곳의 옷은 정말 싸다. 명 (노력하지 않고 얻은) 이익. 공짜. 동 이롭게 해 주다. 편의를 봐주다. ❏不让你赔钱就算~你了; 너에게 물어내라고 안 하는 것만 해도 너를 많이 봐준 것이다. ⇒biànyí

胼 pián (변)
→[胼胝]

[胼胝] piánzhī 명 못. 굳은살.

片 piàn (편)
①(~儿) 명 평평하고 얇은 것. 납작한 조각. ❏玻璃~; 유리 조각. =[片子①] ②명 영화. 드라마. ❏~酬; 출연료. ③(~儿) 명 큰 지역 내에 나뉘어진 작은 지역. ❏分~包干; 지역별로 나눠서 각기 책임지고 행하다. ④동 (주로, 고기를) 얇게 저미다. 회[포]를 뜨다. ⑤형 단편적이다. 산발적이다. 부분적이다. ❏~言; ⇩ ⑥(~儿) 양 ㉠얇은 조각 따위를 세는 말. ❏两~药; 약 두 알. ㉡지면·수면 따위를 세는 말. ❏一~广阔的草原; 일면의 광활한 초원. ㉢경치·분위기·소리·말·기분 따위에 쓰는 말《항상 앞에 '一'를 동반함》. ❏一~壮大的景色; 장대한 경치. ⇒piān

[片段] piànduàn 명 단락. 부분. 토막. 단편. ❏生活的一~; 생활의 한 부분. =[片断]

[片断] piànduàn 형 단편적인. 불완전한. ❏~经验; 단편적인 경험. 명 ⇨[片段]

[片刻] piànkè 명 잠시. 잠깐. ❏~之间; 잠깐 사이. =[片时]

[片面] piànmiàn 형 일방적이다. 단편적이다. 명 편면. 일방. 한쪽.

[片时] piànshí 명 ⇨[片刻]

[片言] piànyán 명 편언. 몇 마디 간단한 말. ❏~可决; 몇 마디 말로 해결할 수 있다.

[片纸只字] piànzhǐ-zhīzì 〈成〉 한두 마디의 간단한 말. 짧은 글. =[片言只字]

[片子] piàn·zi 명 ①⇨[片①] ②⇨[名片(儿)] ⇒piān·zi

骗(騙) piàn (편)
동 ①속이다. 사기 치다. ❏你~不了我; 너는 나를 속일 수 없다. ②속여 빼앗다. 편취하다. 사취하다. ❏他把我的钱~走了; 그가 내 돈을 빼앗아 갔다.

[骗局] piànjú 명 사람을 속이는 수단[계략]. 속임수. 트릭. 올가미.

[骗取] piànqǔ 동 사취하다. 편취하다. ❏~钱财; 재물을 사취하다.

[骗术] piànshù 명 사술(詐術). 기만책. 속임수.

[骗子] piàn·zi 명 사기꾼. 협잡꾼.

piao ㄆㄧㄠ

剽 piāo (표)
①동 훔치다. 약탈하다. ❏~掠; ⇩ ②형 민첩하다. 날렵하다. ❏~悍; ⇩

[剽悍] piāohàn 형 날렵하고 용맹하다.

[剽掠] piāolüè 동 협박해서 빼앗다. 약탈하다.

[剽窃] piāoqiè 동 (남의 저작을) 도용(盜用)하다. 표절하다.

漂 piāo (표)
동 ①(수면이나 액체 위에) 뜨다. ❏树叶在水上~着; 나뭇잎이

물 위에 떠 있다. ② 떠다니다. 표류하다. 유랑하다. ⇒piǎo piào

[漂泊] piāobó 동 ① 표박하다. 표류하다. ②〈比〉 유랑하다. 떠돌(아다니)다. ❑ ~异乡; 타향을 떠돌다. ‖ =[飘泊]

[漂浮] piāofú 동 (물 위에) 둥둥 뜨다. ❑ 花瓣~在水面上; 꽃잎이 물 위에 둥둥 뜨다. 형〈比〉 (일하는 것이) 미덥지 못하다. 착실하지 않다. 빈둥거리다. ‖ =[飘浮]

P

[漂流] piāoliú 동 ① 물결을 따라 둥둥 떠가다. 표류하다. ② 유랑하다. 떠돌아다니다. 명동 래프팅(rafting)(하다). 급류타기(하다).

[漂移] piāoyí 동 (액체 위에 떠 있는 물체가) 이동하다. 흘러가다. ❑ 冰块随着海流~; 얼음 덩어리가 해류를 따라 흘러가다.

缥(縹) piāo (표) →[缥缈]

[缥缈] piāomiǎo 형 은은하여 있는 듯 없는 듯하다. 아련하고 어렴풋하다. ❑ 云雾~; 운무가 희미하고 어렴풋하다.

飘(飄) piāo (표) ① 동 (바람에 따라) 나부끼다. 펄럭이다. 흩날리다. ❑ ~雪花; 눈발이 흩날리다. ② 형 경박하다. 방정맞다. 착실하지 못하다. ❑ 作风有点儿~; 태도가 약간 방정맞다.

[飘泊] piāobó 동 ⇨[漂泊]

[飘带(儿)] piāodài(r) 명 (깃발·옷·모자 따위의 장식) 리본. 띠.

[飘荡] piāodàng 동 ① (바람에) 펄럭이다. 나부끼다. ② 떠돌다. 유랑하다. ❑ 四处~; 사방을 떠돌다.

[飘动] piāodòng 동 (바람에 따라) 흔들거리다. 펄럭이다. 너풀거리다.

[飘浮] piāofú 동형 ⇨[漂浮]

[飘零] piāolíng 동 ① (꽃·나뭇잎 따위가) 우수수 떨어지다. ❑ 落叶~; 낙엽이 우수수 떨어지다. ②〈比〉 생활이 불안정해지다. 몰락하다. 영락(零落)하다.

[飘落] piāoluò 동 흩날려 떨어지다. ❑ 花瓣随风~; 꽃잎이 바람에 흩날려 떨어지다.

[飘飘然] piāopiāorán 형 ① (마음·동작 따위가) 가벼운 모양. 경쾌한 모양. 공중에 뜬 듯한 모양. ❑ 喝了几杯酒, 脚下不觉有些~; 술을 몇 잔 마셨더니, 다리가 공중에 떠 있는 듯하다. ② 우쭐한 모양. 득의양양한 모양. ❑ 夸了他几句, 他就~了; 몇 마디 칭찬 좀 해 주었더니, 그는 곧 우쭐해했다.

[飘洒] piāosǎ 동 나부끼다. 흩날리다. ❑ 雪花满天~; 눈송이가 하늘 가득 흩날리다. 형 자연스럽다. 어색하지 않다. 무리가 없다. ❑ 态度~; 태도가 자연스럽다.

[飘舞] piāowǔ 동 (바람에) 나부끼다. 펄럭이다. ❑ 柳枝迎风~; 버드나무 가지가 바람에 나부끼다.

[飘扬] piāoyáng 동 나부끼다. 펄럭이다. 휘날리다. ❑ 太极旗迎风~; 태극기가 바람에 펄럭이다.

[飘摇] piāoyáo 동 (바람에) 나부끼다. 하늘거리다. ❑ 柳丝在风中~; 버들가지가 바람에 하늘거린다.

朴 Piáo (박) 명 성(姓)의 하나. ⇒pǔ

嫖 piáo (표) 동 계집질하다. 창기와 놀다.

瓢 piáo (표) (~儿) 명 (호리병박으로 만든) 바가지.

[瓢虫] piáochóng 명〖蟲〗 무당벌레. =[〈口〉 花大姐]

[瓢泼大雨] piáopōdàyǔ 〈成〉 억수같이 퍼붓는 비.

漂 piǎo (표) 동 ① 표백하다. ❑ ~布; 표백한 면포(綿布). ② 물로 헹구어 불순물을 제거하다. ❑ ~洗; ⇓ ⇒piāo piào

[漂白] piǎobái 동 표백하다. ❑ ~粉; 표백분.

[漂洗] piǎoxǐ 동 물로 헹구어 빨다.

瞟 piǎo (표) 동 곁눈질하다. 곁눈질로 보다. ❑ 用眼~了他; 곁눈질로 그를 보았다.

票 piào (표) ① 명 표. 티켓(ticket). ❑ 车~; 차표. ② (~儿) 명 (주식·채권·어음 따위의) 유가 증권. ❑ 汇~; 환어음. ③ (~儿) 명 지폐. ④ (~儿) 명 인질(人質). ⑤ 양〈方〉 (상(商)행위의) 건(件). ❑ 一~买卖; 거래 한 건. ⑥ 명 아마추어 연극. ❑ 玩儿~; 아마추어 연극을 하다.

[票额] piào'é 명 액면 금액. 액면 가격.

[票房] piàofáng 명 ① 매표소. ② 매표 수익. 흥행 성적. 입장 수입.

[票根] piàogēn 명 (영수증·어음·

티켓 따위의) 한쪽을 떼어 주고 남은 반쪽.
[票价] piàojià 명 표값. 티켓 요금.
[票据] piàojù 명〖商〗어음. ❏～贴现; 어음 할인.
[票面] piàomiàn 명〖商〗액면. 액면 가격.
[票子] piào·zi 명 지폐.

漂 piào (표)
동〈方〉물거품이 되다. 허사가 되다. 허탕 치다. ❏这个计划恐怕要～了; 이 계획은 물거품이 될 것 같다. ⇒piāo piǎo
[漂亮] piào·liang 형 ① 아름답다. 예쁘다. ❏这个姑娘长得很～; 이 아가씨는 무척 예쁘게 생겼다. ② 멋지다. 뛰어나다. 깔끔하다. 훌륭하다. 유창하다. ❏这件事比上一次办得～; 이 일은 지난번보다 더 훌륭하게 처리했다.
[漂亮话] piào·lianghuà 명 겉치레만의 말. 허울 좋은 말.

pie ㄆㄧㄝ

撇 piē (별)
동 ① 버리다. 내버려 두다. 내팽개치다. ❏～下女儿; 딸아이를 내버려 두다. ② (거품·기름 따위를) 떠내다. 건어 내다. ❏～油; 기름을 건어 내다. ⇒piě
[撇开] piē∥·kāi 동 내던지다. 제쳐두다. 내버려 두다. ❏对小事～不管; 사소한 일은 제쳐 두고 상관하지 않다.

瞥 piē (별)
동 흘끗 보다. 얼핏 보다.
[瞥见] piējiàn 동 얼핏 보다. 언뜻 보다. ❏昨天在街上～了那个人; 어제 거리에서 그 사람을 언뜻 보았다.

撇 piě (별)
① 동 내던지다. 던지다. ❏～手榴弹; 수류탄을 던지다. ② 동 경사지다. 기울어지다. 쏠리다. ❏这孩子走路, 两脚老向外～着; 이 아이는 길을 걸을 때 두 발이 늘 밖으로 기울어진다. ③ 동 (입을) 삐죽거리다. ❏～嘴; ⇓ ④ (～儿) 명 삐침(《한자의 필획인 '丿'을 일컬음》). ⑤ 양 (～儿) 수염이나 눈썹을 세는 말. ❏两～儿黑胡子; 검은 수염 두 가닥. ⇒piē
[撇嘴] piě∥zuǐ 동 아랫입술을 삐쭉대다[비죽거리다](《경멸·불만·불쾌함을 나타냄》). ❏她很失望地一～; 그녀는 매우 실망한 듯 입술을 비죽거렸다.

pin ㄆㄧㄣ

拼 pīn (병)
동 ① 하나로 합치다. 한데 잇다. 이어 붙이다. ❏由六张～成一大张; 여섯 장을 이어 붙여서 넓은 것 한 장을 만들다. ② 목숨 걸고 하다. 죽을 힘을 다해 하다. 필사적으로 하다. ❏～命; ⇓
[拼凑] pīncòu 동 긁어모으다. 그러모으다. ❏把零碎的材料～起来; 자잘한 재료들을 그러모으다.
[拼命] pīn∥mìng 동 목숨을 내던지다. 부 죽을 힘을 다해. 죽기살기로. 필사적으로. ❏～地工作; 필사적으로 일하다. =[拼死]
[拼盘(儿)] pīnpán(r) 명 두 가지 이상의 차가운 요리를 한 접시에 담은 것.
[拼死] pīnsǐ 부 죽을 힘을 다해. 죽기살기로. 필사적으로. ❏～拼活;〈成〉ⓐ목숨을 걸고 싸우다. ⓑ온 힘을 다해 하다. 필사적으로 하다. =[拼命]
[拼音] pīnyīn 동〖言〗음소(音素)를 조합하여 한 음절을 만들다. ❏～文字; 표음 문자 / ～字母; ⓐ표음 자모. ⓑ한어 병음 자모. 병음.

姘 pīn (병)
동 (부부가 아닌) 남녀가 성관계를 갖다. 사통하다.
[姘夫] pīnfū 명 정부(情夫). 내연남.
[姘妇] pīnfù 명 정부(情婦). 내연녀.
[姘居] pīnjū 동 (부부가 아닌 남녀가) 동거하다.
[姘头] pīn·tou 명 ① 내연의 부부. ② 내연의 처. 내연의 남편.

贫(貧) pín (빈)
형 ① 가난하다. 빈곤하다. ❏～贱; ⇓ ② 모자라다. 부족하다. ❏～乏; ⇓
[贫病交迫] pínbìng-jiāopò〈成〉가난과 병고에 시달리다.
[贫乏] pínfá 형 ① 가난하다. 빈궁하다. ❏家境～; 가정 형편이 빈궁하다. ② 부족하다. 빈약하다. ❏内容～; 내용이 빈약하다.
[贫寒] pínhán 형 빈한하다. 가난하다. ❏出身～; 출신이 가난하다.
[贫瘠] pínjí 형 (토지가) 척박하다.

❏ ~的山地; 척박한 산지.
[贫贱] pínjiàn 형 빈천하다. 가난하고 천하다. ❏ ~之交; 〈成〉 빈천지교.
[贫苦] pínkǔ 형 빈곤하고 고생스럽다. 생활이 어렵다. ❏ 家境~; 가정 환경이 어렵다.
[贫困] pínkùn 형 빈곤하다. 가난하다. ❏ 摆脱~; 가난에서 벗어나다 / ~户; 빈곤 가구.
[贫民] pínmín 명 빈민. ❏ ~窟; 빈민굴. 슬럼(slum).
[贫农] pínnóng 명 빈농.
[贫穷] pínqióng 형 빈궁하다. 가난하다. ❏ ~的国家; 빈궁한 국가.
[贫血] pínxuè 명동 〖醫〗 빈혈(을 일으키다). ❏ ~症; 빈혈증.
[贫嘴] pínzuǐ 형 툭하면 헛소리를 해 대다. 농담하기를 좋아하다. ❏ ~薄舌 =[~贱舌]; 〈成〉 심한 말을 많이 해 대서 미움을 받다.

频(頻) pín (빈)
① 부 자꾸. 자주. 누차. 거듭. ② 명 〖物〗 주파. ❏ 高~; 고주파.
[频道] píndào 명 (텔레비전의) 채널(channel). ❏ 一~; 제1채널.
[频繁] pínfán 형 빈번하다. 잦다. ❏ 来往~; 왕래가 빈번하다.
[频率] pínlǜ 명 〖物〗 ① 주파수. ② 빈도(頻度).
[频频] pínpín 부 빈번히. 계속. 끊임없이. ❏ ~点头; 계속 고개를 끄덕이다.

品 pǐn (품)
① 명 물품. 물건. ❏ 制~; 제품. ② 명 등급. ❏ 上~; 상등품. ③ 명 종류. ❏ ~类; ⇓ ④ 명 품위. 인품. ❏ ~德; ⇓ ⑤ 동 품평(品評)하다. 평가하다. ❏ ~茶; 차를 마셔 보고 평가하다.
[品尝] pǐncháng 동 맛보다. 시식하다. ❏ ~名酒; 명주를 맛보다.
[品德] pǐndé 명 인품과 덕성.
[品格] pǐngé 명 품격. ① 품행. 성품. ② (문학·예술 작품의) 풍격.
[品级] pǐnjí 명 ① 품급(옛날, 관리의 등급). ② 제품[상품]의 등급.
[品类] pǐnlèi 명 품종. 종류.
[品貌] pǐnmào 명 ① 외모. 용모. ② 인품과 용모.
[品名] pǐnmíng 명 물품명. 품명.
[品目] pǐnmù 명 품목.
[品牌] pǐnpái 명 (유명한) 상표. 브랜드(brand). ❏ ~形象; 브랜드 이미지.
[品评] pǐnpíng 동 품평하다. ❏ ~产品质量; 상품 품질을 품평하다.
[品头论足] pǐntóu-lùnzú 〈成〉 ⇨[评头论足]
[品味] pǐnwèi 동 ① 맛을 보다. ❏ ~名菜; 유명한 요리를 맛보다. ② (뜻을) 자세히 생각하다. 체험하여 터득하다. ❏ 细细~含义; 내포된 의미를 곰곰이 생각하다.
[品行] pǐnxíng 명 품행. ❏ ~端正; 품행이 단정하다.
[品性] pǐnxìng 명 품성.
[品质] pǐnzhì 명 ① 품성. 인품. ② 품질.
[品种] pǐnzhǒng 명 ① 〖生〗 품종. ❏ 优良~; 우량 품종. ② 제품의 종류.

牝 pìn (빈)
형 암컷의. ❏ ~鸡; 암탉.

聘 pìn (빙)
동 ① 초빙하다. ❏ 被~为顾问; 고문으로 초빙되다. ② 정혼하다. ❏ ~礼; ⇓ ③〈口〉 시집가다. 시집보내다. ❏ ~姑娘; 딸을 시집보내다.
[聘礼] pìnlǐ 명 ① 초빙할 때의 선물. ② 신부 집에 보내는 예물.
[聘请] pìnqǐng 동 (직무나 업무를 맡기기 위해) 초빙하다. ❏ ~专家指导; 전문가를 초빙해서 지도를 받다.
[聘任] pìnrèn 동 초빙하여 임용하다. =[聘用]
[聘书] pìnshū 명 초빙 서류.
[聘用] pìnyòng 동 ⇨[聘任]

ping ㄆㄧㄥ

乓 pīng (핑)
① 의 뻥. 탕. 땅(단단한 것이 부딪치는 소리. 불꽃이 터지거나 튀는 소리). ② 명 탁구. ❏ ~赛; 탁구 시합[경기] / ~坛; 탁구계.
[乒乓] pīngpāng 의 펑펑. 탕탕. ❏ 门被他敲得~作响; 그가 문을 탕탕 두드렸다. 명 ⇨[乒乓球①]
[乒乓球] pīngpāngqiú 명 ① 탁구. =[乒乓][〈方〉 台球③] ② 탁구공.

娉 pīng (병)
→[娉婷]
[娉婷] pīngtíng 형〈書〉 (여성의) 자태가 곱다[아름답다].

平 píng (평)

①형 평평하다. 평탄하다. 판판하다. ❑那条马路很～; 그 길은 매우 평평하다. ②동 평평하게 하다. 다지다. 고르다. ❑～麦地; 보리밭을 평평하게 하다. ③형 (다른 것과) 높이·정도가 같다. (시합 따위가) 비기다. 무승부이다. ❑这盘棋他们俩～了; (바둑에서) 이번 판은 그들 둘이 비겼다. ④동 같은 높이[정도]에 이르다. ❑洪水～了堤岸; 홍수가 제방 높이에 이르렀다. ⑤형 균등하다. 공평하다. ❑～分; ⇓ ⑥형 안정되다. 평온하다. ❑风～浪静; 〈成〉 바람이 자고 물결이 고요하다. ⑦동 (화를) 가라앉히다. 진정하다. ❑他气还没有～下去; 그는 화가 아직 가라앉지 않았다. ⑧동 (무력으로) 진압하다. 평정하다. ❑～乱; 난을 진압하다. ⑨형 보통이다. 평범하다. 일반적이다. ❑～民; ⇓ ⑩명 〖言〗 평성. ❑～仄; 평측.

[平安] píng'ān 형 무사하다. 무고하다. 평안하다. ❑一路～; 도중에 평안하시기를 빕니다 / ～到达北京; 무사히 베이징에 도착하다.

[平安夜] Píng'ānyè 명 크리스마스이브(Christmas Eve). =[圣诞节前夜]

[平白] píngbái 부 공연히. 아무 이유도 없이. ❑～无故; 〈成〉 아무런 이유도 없이. 형 (문사가) 평이하고 통속적이다.

[平辈] píngbèi 명 동년배.

[平步青云] píngbù-qīngyún 〈成〉 단번에 높은 지위에 오르다.

[平常] píngcháng 명 평상시. 평소. ❑他～很少说话; 그는 평소에 말을 거의 안 한다. =[平素] 형 보통이다. 평범하다. ❑他的嗓音很～; 그의 목소리는 매우 평범하다.

[平淡] píngdàn 형 (사물·문장이) 평범하다. 단조롭다. ❑～无奇; 〈成〉 평범해서 색다른 것이 없다.

[平等] píngděng 형 평등하다. ❑男女～; 남녀평등.

[平地] píng//dì 동 땅을 반반하게 고르다. 정지(整地)하다. (píngdì) 명 평지. ❑～风波; 〈成〉 평지풍파(뜻밖의 분쟁이나 사고).

[平定] píngdìng 형 안정되다. 평온하다. ❑局势～; 정세가 안정되다. 동 ① 평정하다. 진압하다. ❑～爆乱; 폭동을 진압하다. ② 가라앉히다. 안정시키다. ❑～情绪; 정서를 안정시키다.

[平凡] píngfán 형 평범하다. ❑～的日子; 평범한 일상.

[平反] píngfǎn 동 잘못된 판결[결정]을 바로잡다. ❑～昭雪; 잘못된 판결을 바로잡아 누명을 벗겨 주다.

[平方] píngfāng 명 〖度·數〗 평방. 제곱. 양 ⇒[平方米]

[平方米] píngfāngmǐ 양 평방미터. 제곱미터. =[平方]

[平房] píngfáng 명 단층집.

[平分] píngfēn 동 평등하게 나누다. 평분하다. ❑～秋色; 〈成〉 각자가 똑같이 차지하다.

[平和] pínghé 형 ① (성격·언행이) 온화하다. 부드럽다. ❑语气～地说; 온화한 말투로 이야기하다. ② (약물의 작용이) 순하다. ❑药性～; 약성이 순하다. ③ 평온하다. 차분하다. 안정되다. ❑气氛～; 분위기가 차분하다.

[平衡] pínghéng 형 ① (수(數)나 질(質)적으로) 균형이 잡히다. ❑收支～; 수지의 균형이 잡히다. ② 〖物〗 평형하다. ❑～感觉; 평형 감각.

[平衡木] pínghéngmù 명 〖體〗 평균대.

[平滑] pínghuá 형 평활하다. 평평하고 반질반질하다. 평평하고 미끄럽다. ❑冰场～如镜; 스케이트장이 거울처럼 평평하고 반질반질하다.

[平缓] pínghuǎn 형 ① (지세가) 평탄하다. ❑地势～; 지세가 평탄하다. ② 안정되다. 완만하다. ❑水流～; 수류가 완만하다. ③ (마음·목소리가) 온화하다. 부드럽다. ❑语调～; 어조가 온화하다.

[平价] píngjià 동 물가 상승을 억제하다. 명 ① 안정된 가격. 적정 가격. ② 공정 가격. 보통 가격.

[平静] píngjìng 형 (마음·환경·상황 따위가) 평온하다. 안정되다. 잔잔하다. 차분하다. ❑病人恢复了～; 환자가 안정을 되찾았다.

[平局] píngjú 명 무승부. 동점.

[平均] píngjūn 형 평균을 이루다. 균등하다. 고르다. ❑～分摊; 고르게 분담하다 / ～寿命; 평균 수명 / ～值; 평균치. 동 평균하다. 평균을 내다. 평균적으로 계산하다. ❑他们～每年读20本书; 그들은 해

마다 평균 20권씩 책을 읽는다.

[平列] pínglìe 동 동등하게 열거하다. 동일시하다. 병렬하다.

[平面] píngmiàn 명 평면. ❑～角; 평면각 / ～镜; 평면 거울.

[平民] píngmín 명 평민. 서민. 보통 사람. 일반인.

[平平] píngpíng 형 보통이다. 평범하다. ❑技术～; 기술이 평범하다.

[平铺直叙] píngpū-zhíxù 〈成〉 (말을 하거나 글을 쓸 때) 별다른 수식 없이 의미를 간단하고 직접적으로 서술해 내다.

[平起平坐] píngqǐ-píngzuò 〈成〉 지위나 권력이 동등하다.

[平日] píngrì 명 보통의 날. 평상시. 평일. 평상일.

[平生] píngshēng 명 ① 평생. 한평생. ② 평소. ❑素昧～; 〈成〉 평소 서로 만난 일이 없다.

[平声] píngshēng 명〖言〗평성.

[平时] píngshí 명 평소. 평상시. 보통 때.

[平手(儿)] píngshǒu(r) 명 무승부. 비김. ❑打～; 비기다.

[平素] píngsù 명 ⇨[平常]

[平坦] píngtǎn 형 (지세가) 평탄하다. ❑～的耕地; 평탄한 경지.

[平稳] píngwěn 형 ① 평온하다. 안정되다. ❑物价～; 물가가 안정되다. ② (물체가) 흔들리지 않다. 안정되다. ❑把桌子放～了; 책상을 흔들리지 않게 놓았다.

[平息] píngxī 동 ① (바람·분란·분쟁 따위가) 가라앉다. 멎다. 잦아들다. ❑枪声渐渐～下来; 총성이 점차 잦아들다. ② (무력으로) 평정하다. 진압하다. ❑～叛乱; 반란을 평정하다.

[平心静气] píngxīn-jìngqì 〈成〉 마음이 평화롭고 태도가 차분하다.

[平信] píngxìn 명 보통 우편.

[平行] píngxíng 동〖數〗평행하다. ❑～线; 평행선. 형 ① 동등한. 동급의. ❑～机关; 동급 기관. ② 병행하는. 동시 진행의. ❑～作业; 병행 작업.

[平野] píngyě 명 평야.

[平易] píngyì 형 ① (성격·태도가) 겸손하고 온화하다. ❑～可亲; 겸손하고 온화해서 사귀기 쉽다. ② (문장이) 평이하다. ❑～近人; 〈成〉 ⓐ(문장이) 평이하여 이해하기 쉽다. ⓑ겸손하고 온화해서 가까이하기 쉽다.

[平原] píngyuán 명 평원.

[平整] píngzhěng 형 평평하다. 매끈하다. ❑马路又宽又～; 길이 넓고도 평평하다. 동 평평하게 고르다. ❑～土地; 토지를 평평하게 고르다.

[平正] píng·zheng 형 (주름·구김살 없이) 반반하다. 반듯하다. ❑被子叠得很～; 이불이 반듯하게 개어져 있다.

[平装] píngzhuāng 형 (책의) 보통 장정(裝幀)의. ❑～本; 보통 장정의 서적.

[平足] píngzú 명 ⇨[扁biǎn平足]

评(評) píng (평)

동 ① 평하다. 평가하다. 비평하다. ❑～论; ⇓ ② 판정하다. 심사하다. ❑书～; 서평.

[评比] píngbǐ 동 비교 평가 하다. ❑卫生～; 위생을 비교 평가 하다.

[评定] píngdìng 동 평정하다. ❑～职称; 직명을 평정하다.

[评分(儿)] píng//fēn(r) 동 평점을 매기다. 점수를 주다. (píngfēn(r)) 명 평점. 점수.

[评功] píng//gōng 동 공적을 평가하다. ❑～授奖; 공적을 평가하여 상을 주다.

[评级] píng//jí 동 등급을 평정하다.

[评价] píngjià 명동 평가(하다). ❑～作品; 작품을 평가하다.

[评奖] píng//jiǎng 동 심사 평가하여 상을 주다.

[评理] píng//lǐ 동 시비를 가리다. 옳고 그름을 따지다.

[评论] pínglùn 동 평론하다. 논평하다. 비평하다. 평판(評判)하다. ❑～家; 평론가. 명 평론. 논평.

[评判] píngpàn 동 판단하다. 판정하다. 심판하다. ❑～员; 심판원.

[评头论足] píngtóu-lùnzú 〈成〉 ① 심심풀이 삼아 부녀자의 외모에 대해 이러쿵저러쿵하다. ② 사소한 일에 다방면으로 트집을 잡다. ‖＝[品头论足]

[评选] píngxuǎn 동 심사하여 뽑다. 선정하다. ❑他被～为优秀教师; 그는 우수 교사로 선정되었다.

[评议] píngyì 동 평의하다.

[评语] píngyǔ 명 평어.

[评阅] píngyuè 동 (답안·작품 따위를) 훑어보고 평가[심사]하다. 채점하다. ❑～试卷; 시험 답안을 채점하다.

[评传] píngzhuàn 명 평전.

坪 píng (평)
명 평탄한 땅. 평지. ❑草~; 잔디밭.

苹(蘋) píng (평, 빈)
→[苹果]

[苹果] píngguǒ 명 ①〖植〗 사과나무. ② 사과.

萍 píng (평)
명〖植〗 개구리밥. 부평초.

[萍水相逢] píngshuǐ-xiāngféng 〈成〉 (모르던 사람을) 우연히 만나 알게 되다. 오다가다 만나다.

凭(憑) píng (빙)
① 동 (몸을) 기대다. ❑~窗远望; 창에 기대 먼 곳을 바라보다. ② 동 의지하다. 의존하다. ❑他赚大钱全~本事; 그가 큰돈을 벌 수 있었던 것은 다 수완이 좋았기 때문이다. ③ 개 …에 따라. …에 근거하여. …대로. ❑~证件领取包裹; 증거 서류대로 소포를 수령하다. ④ 명 증거. ❑~据; ⇓ ⑤ 접 설령[비록] …이라도. 아무리 …하여도. ❑~你们怎么样, 我决不投降; 너희가 어떻게 한다 해도 나는 절대 투항하지 않는다.

[凭单] píngdān 명 증서. 증명서.

[凭吊] píngdiào 동 (유적·분묘 앞에서) 옛 사람이나 지난날을 생각하다. 참배하다. ❑~烈士墓; 열사묘를 참배하다.

[凭借] píngjiè 동 의지하다. 근거하다. ❑~势力; 세력에 의지하다.

[凭据] píngjù 명 증거. 증거물.

[凭空] píngkōng 부 근거 없이. 터무니없이. ❑~捏造; 근거 없이 날조하다.

[凭眺] píngtiào 동 높은 곳에서 멀리 바라보다 ❑登上山顶, ~海上日出; 산 정상에 올라 바다 위로 해가 떠오르는 것을 바라보다.

[凭信] píngxìn 동 신뢰하다. 믿다. ❑此话可以~; 이 말은 믿을 수 있다. 명 ⇒[凭证]

[凭仗] píngzhàng 동 의지하다. 믿다. 기대다. ❑~着对地形的熟悉, 他很快地走出了山谷; 지형에 밝은 것에 의지하여 그는 매우 빠르게 산골짜기에서 걸어 나왔다.

[凭证] píngzhèng 명 증거. =[凭信]

屏 píng (병)
① 명 병풍. ② 명 (~儿) 족자. ③ 동 덮어서 가리다. 막아 가리다. ⇒ bǐng

[屏蔽] píngbì 동 (병풍처럼) 가로막다. 둘러막다. 명 ⇒[屏障]

[屏风] píngfēng 명 병풍.

[屏幕] píngmù 명 화면. 스크린 (screen). ❑电视~; 텔레비전 화면.

[屏条(儿)] píngtiáo(r) 명 족자.

[屏障] píngzhàng 명 병풍처럼 가로막는 것. 가리개. 장벽(障壁). =[屏蔽] 동〈書〉 가리어 막다.

瓶 píng (병)
① (~儿) 명 병. ❑花~儿; 꽃병/~啤; 병맥주. ② 양 (병에) 채워진 것을 세는 말. ❑一~酒; 술 한 병.

[瓶胆] píngdǎn 명 보온병의 속병.

[瓶颈] píngjǐng 명 ① 병목. ② 〈比〉 비좁거나 취약해서 장애가 형성되는 부분. ❑~现象; 병목 현상.

[瓶装] píngzhuāng 형 병에 담긴. 병 포장의. ❑~牛奶; 병 우유.

[瓶子] píng·zi 명 병.

po ㄆㄛ

坡 pō (파)
① (~儿) 명 비탈. 언덕. ❑爬~; 언덕을 오르다. ② 형 비스듬하다. 경사지다. 비탈지다.

[坡地] pōdì 명 비탈진 땅[논밭].

[坡度] pōdù 명 경사도. 물매.

颇(頗) pō (파)
〈書〉 ① 형 불공평하다. 치우치다. ❑偏~; 편파적이다. ② 부 꽤. 몹시. 매우. ❑~多; 매우 많다 / ~佳; 꽤 좋다/ ~为重要; 매우 중요하다.

泊 pō (박)
명 호수(주로, 호수 이름에 쓰임). ⇒ bó

泼(潑) pō (발)
① 동 (액체를) 힘껏 뿌리다[쏟다]. ❑他把一盆水从窗口~出去了; 그는 물 한 대야를 창밖으로 쏟아 버렸다. ② 형 야만스럽다. 분별이 없다. 무지막지하다. ❑~皮; ⇓ ③ 형〈方〉 활발하다. 기백이 있다. ❑做事很~; 의욕적으로 일을 하다.

[泼妇] pōfù 명 사납고 무지막지한 여자.

[泼剌] pōlà 의 펄떡. 팔딱(물고기가 물에서 뛰는 소리).

[泼辣] pōla 형 ① 사납고 무지막지

하다. 악랄하다. ❏~手段; 악랄한 수단. ② 박력이 있다. 기백이 있다. 힘차다. ❏文章写得很~; 문장이 매우 힘차게 쓰여졌다.

[泼冷水] pō lěngshuǐ 찬물을 끼얹다. 〈比〉 흥을 깨다. =[浇jiāo冷水]

[泼皮] pōpí 명 건달. 불량배. 깡패.

婆 pó (파)

명 ① 노부인. 할머니. 노파. ②(~儿) 옛날, 여자의 직업에 붙이던 말. ❏媒~儿; 매파. ③ 시어머니. ❏~媳; 시어머니와 며느리.

[婆家] pó·jiā 명 시집. 시댁. =[婆婆家]

[婆娘] pó·niáng 명〈方〉 ① 기혼 여성. 유부녀. ② 아내.

[婆婆] pó·po 명 ① 시어머니. ② 〈方〉 할머니. 외할머니. ③〈方〉 노부인의 존칭.

[婆婆家] pó·po·jiā 명 ⇨[婆家]

[婆婆妈妈(的)] pó·pomāmā(·de) 형 계집애 같다. 사내답지 못하다 《행동이 느리고 수다스러우며 마음이 여린 모양》.

[婆娑] pósuō 형〈書〉 ① 빙글빙글 도는 모양. ❏~起舞; 빙글빙글 돌며 춤추다. ② 나뭇가지와 잎이 흔들리는 모양. ❏树影~; 나무 그림자가 흔들리다. ③ 눈물이 떨어지는 모양.

叵 pǒ (파)

부〈書〉 ①…할 수 없다. ② 곧 …이다. 곧 …하다.

[叵测] pǒcè 동〈贬〉 헤아릴 수 없다. ❏居心~; 속셈을 알 수 없다 / 心怀~; 〈成〉 마음속을 헤아릴 수 없다.

迫 pò (박)

동 ① 핍박하다. 강요하다. ❏~害; ⇓ ② 절박하다. 급하다. ❏~不及待; ⇓ ③ 임박하다. 다가가다. 접근하다. ❏~近; ⇓ ⇒pǎi

[迫不得已] pòbùdéyǐ 〈成〉 어쩔 수 없이 그렇게 하다.

[迫不及待] pòbùjídài 〈成〉 사태가 절박하여 한시도 지체할 수 없다.

[迫害] pòhài 동 박해하다. ❏那帮人把他~致死; 그 사람들이 그를 박해하여 죽음에 이르게 했다.

[迫近] pòjìn 동 임박하다. 근접하다. 목전에 다가오다. ❏约定的日期~了; 약속 날짜가 다가왔다.

[迫切] pòqiè 형 절박하다. 절실하다. ❏我~需要得到他的答复; 나는 그의 회답이 절실히 필요하다.

[迫使] pòshǐ 동 억지[강제]로 …시키다. 어쩔 수 없이 …하게 하다. …하도록 몰다. ❏~他放下工作; 그가 일을 포기하게 하다.

[迫在眉睫] pòzàiméijié 〈成〉 눈앞에 닥치다《매우 급박[긴박]하다》.

珀 pò (박)

→[琥hǔ珀]

魄 pò (백)

명 ① 혼백. 넋. ② 기백. 정력.

[魄力] pòlì 명 패기. 박력. 기백.

破 pò (파)

① 동 깨지다. 찢어지다. 부서지다. 파손되다. ❏杯子打~了; 컵이 깨졌다. ② 형 낡다. 너덜너덜하다. ❏那辆车特别~; 그 차는 무척이나 낡았다 / ~衣服; 낡은 옷. ③ 동 쪼개다. 가르다. 깨뜨리다. ❏~开西瓜; 수박을 쪼개다. ④ 동 (큰돈을 헐어) 잔돈으로 바꾸다. ❏这五块钱能给我~一下吗? 이 5위안짜리를 잔돈으로 바꿔 주실 수 있나요? ⑤ 동 (규칙·기록·습관·사상 따위를) 깨다. ❏他~了世界记录; 그는 세계 기록을 깼다. ⑥ 동 무찌르다. 쳐부수다. ❏大~敌军; 적군을 대파하다. ⑦ 동 쓰다. 소비하다. 아끼지 않다. ❏~着性命去救人; 목숨을 아끼지 않고 남을 구하다 ⑧ 동 (진상을) 밝히다. (사건을) 해결하다. (암호를) 풀다. ❏~密码; 암호를 해독하다.

[破案] pò//àn 동 사건을 해결하다. 사건의 진상을 밝히다.

[破败] pòbài 형 부서지다. 무너지다. 황폐해지다. ❏一间~不堪的草房; 몹시 황폐해진 초가집. 동 파탄하다. 실패하다. ❏~的家庭; 파탄된 가정.

[破产] pò//chǎn 동 ① 전 재산을 잃다. ②〖法〗 파산하다. ③〈比〉〈贬〉 실패하다. 탄로나다. ❏谎言~了; 거짓말이 탄로났다.

[破除] pòchú 동 (바람직하지 않은 사물을) 타파하다. 없애다. 제거하다. ❏~迷信; 미신을 타파하다.

[破费] pòfèi 동 (금전이나 시간을) 쓰다. 들이다. ❏你不要多~了; 너무 과용하지 마세요.

[破釜沉舟] pòfǔ-chénzhōu 〈成〉 전쟁터에 나갈 때 솥을 부수고 배를 침몰시키다《결사의 각오로 끝까지 해 나가다》.

[破格] pògé 동 파격하다. ❏~优

待; 파격적인 우대를 하다.

[破坏] pòhuài 통 ①(건축물을) 파괴하다. 훼손하다. 손상하다. ❑~城市建筑; 도시 건축물을 훼손하다. ② 손해를 입히다. 훼손하다. 손상하다. ❑~名誉; 명예를 훼손하다. ③(사회 제도·풍속·습관 따위를) 타파하다. ④(규칙·조약 따위에) 어긋나다. 위반하다. ❑~政策; 정책에 어긋나다. ⑤(물체의 조직이나 구조를) 파괴하다. ❑~营养; 영양을 파괴하다.

[破获] pòhuò 통 ① 사건을 해결하고 범인을 체포하다. ② 비밀을 알아내다.

[破镜重圆] pòjìng-chóngyuán 〈成〉 부부가 재결합하다.

[破口大骂] pòkǒu-dàmà 〈成〉 매우 심하게 욕을 해 대다.

[破烂] pòlàn 형 너덜너덜하다. 낡아 빠지다. ❑~的东西; 낡아 빠진 물건.

[破烂儿] pòlànr 명〈口〉 폐품. 넝마. 고물. ❑捡~; 넝마를 줍다.

[破例] pò//lì 통 전례를 깨뜨리다. ❑~的措施; 이례적인 조치.

[破裂] pòliè 통 ① 파열하다. 터지다. ❑水管~; 수도관이 터지다. ② 결렬하다. 틀어지다. ❑感情~; 감정이 틀어지다.

[破落] pòluò 통 영락(零落)하다. 몰락하다. ❑~户; 몰락한 집안. 형 무너지다. 부서지다. ❑~的茅屋; 부서진 초가집.

[破灭] pòmiè 통 (환상·희망 따위가) 물거품이 되다. 산산조각 나다. ❑希望~了; 희망이 물거품으로 돌아갔다.

[破伤风] pòshāngfēng 명〖醫〗 파상풍.

[破碎] pòsuì 통 ① 잘게 깨지다. 산산조각 나다. ❑~的碟子; 산산조각 난 접시. ② 잘게 깨다[부수다]. ❑把大石块~成小块儿; 큰 돌덩이를 잘게 부수다.

[破损] pòsǔn 통 파손되다. ❑展品~得很厉害; 전시품이 심하게 파손됐다.

[破土] pò//tǔ 통 ①(건축 따위를 위해) 첫 삽질을 하다. ② 봄에 경작(耕作)을 시작하다. ③(싹이) 흙에서 나오다.

[破晓] pòxiǎo 통 날이 새다. 동이 트다. ❑天色~; 날이 새다.

[破绽] pòzhàn 명 ① 의복의 터진 자리. ②〈比〉(말·행동 따위의) 결점. 틈. 허점. ❑露个~; 허점이 드러나다.

[破折号] pòzhéhào 명〖言〗 줄표. 대시(dash)《—》.

[破竹之势] pòzhúzhīshì 〈成〉 파죽지세.

pou ㄆㄡ

剖 pōu (부) 통 ① 가르다. 절개하다. 째다. ❑解~; 해부하다. ② 분별하다. 분석하다. ❑~析; ⇩

[剖白] pōubái 통 사유를 말하다. 해명하다. 변명하다. ❑~详情; 자세한 사정을 해명하다.

[剖腹] pōufù 통 배를 째다. 할복하다. ❑~自杀; 할복자살하다.

[剖腹产] pōufùchǎn 통〖醫〗 제왕절개 수술을 하다. =[剖宫产]

[剖宫产] pōugōngchǎn 통 ⇨[剖腹产]

[剖面] pōumiàn 명 절단면. 단면. =[截面][切qiē面②]

[剖析] pōuxī 통 분석하다. ❑~当前形势; 눈앞의 형세를 분석하다.

pu ㄆㄨ

仆 pū (부) 통 (앞으로) 넘어지다. 고꾸라지다. 엎어지다. ❑前~后继; 〈成〉 앞사람이 넘어지면 뒷사람이 이어서 나아가다. ⇒ pú

扑(撲) pū (박, 복) 통 ① 뛰어들다. 돌진하다. 달려들다. ❑饿虎~食; 굶주린 호랑이가 먹이를 향해 달려들다. ②(일·사업 따위에) 전력을 다하다. 몰두하다. 열중하다. ❑一心~在学习上; 공부에 전념하다. ③(가볍게) 두드리다. 털다. 치다. ❑~翅膀; 날개를 치다. ④〈方〉 엎드리다. ❑~在桌上看书; 책상에 엎드려 책을 보다. ⑤(냄새·향기가 코를) 찌르다. (바람 따위가 얼굴에) 닿다. ❑~鼻; ⇩

[扑鼻] pūbí 통 (향기[냄새]가) 코를 찌르다. 진동하다. ❑花香~; 꽃향기가 진동하다.

[扑哧] pūchī 의 ① 푸. 푹. 픽《물이나 공기가 새는 소리》. ❑~一声,

皮球撒了气; 픽 하고 고무공의 공기가 빠졌다. ② 풋. 키득. 키드득《웃음소리》. ❏ ~一笑; 키득하고 웃다. ‖ =[噗嗤]

[扑打] pūdǎ 동 (납작한 것으로) 탁 치다. ❏ 用蝇拍~苍蝇; 파리채로 파리를 치다.

[扑打] pū·da 동 가볍게 치다. 털다. ❏ ~身上的雪花; 몸 위의 눈을 털다.

[扑克] pūkè 명〈音〉 ① (카드놀이용의) 카드. ② 포커(poker). ❏ 打~; 포커를 치다.

[扑空] pū∥kōng 동 허탕 치다. 바람맞다. 헛걸음하다. ❏ 我找他去了, 可扑了个空; 나는 그를 찾아갔으나 헛걸음만 했다.

[扑面] pūmiàn 동 얼굴에 스치다. 얼굴에 닿다. ❏ 清风~; 산들바람이 얼굴을 스치다.

[扑灭] pū∥miè 동 ① 박멸하다. ❏ ~蚊蝇; 모기와 파리를 박멸하다. ② (불을) 쳐서 끄다. 때려서 끄다. ❏ ~大火; 큰불을 쳐서 끄다.

[扑朔迷离] pūshuò-mílí 〈成〉 사물이 뒤섞여 분간이 안 되는 모양.

[扑簌] pūsù 형 (눈물 따위가) 뚝뚝 떨어지는 모양. ❏ ~~掉下眼泪; 눈물이 뚝뚝 떨어지다. =[扑簌簌]

[扑腾] pūtēng 의 쿵. 꽈당《무거운 것이 떨어지는 소리》. ❏ 小猫~一声, 从墙上跳下来; 새끼 고양이가 담 위에서 쿵 하고 뛰어내렸다.

[扑腾] pū·teng 동 ① (수영할 때 물속에서) 다리를 풍덩거리다. =[打扑腾] ② (가슴이) 두근두근 뛰다. ❏ 心里直~; 가슴이 계속 두근거리다. ③〈方〉 활동하다. 활기차게 돌아다니다. ④ (돈을) 마구 쓰다. 낭비하다. ❏ 把钱全~完了; 돈을 몽땅 써 버렸다.

[扑通] pūtōng 의 꽈당. 풍덩《무거운 물건이 땅이나 물에 떨어지는 소리》. ❏ ~一声, 掉进水里了; 풍덩 하고 물에 빠졌다.

铺(鋪) pū (포)
① 동 깔다. 펴다. 펼치다. ❏ ~地毯; 양탄자를 깔다. ② 양〈方〉 온돌을 세는 데 쓰는 말. ❏ 一~炕; 온돌 하나. ⇒pù

[铺床] pū∥chuáng 동 (침대에) 이부자리를 펴다. 침구를 깔다.

[铺盖] pūgài 동 평평하게 덮다. 판판하게 씌우다. ❏ 把草木灰~在苗床上; 짚이나 나무의 재를 못자리 위에 펴서 덮다.

[铺盖] pū·gai 명 이부자리. 요와 이불. ❏ ~卷儿; 이불 보따리.

[铺轨] pū∥guǐ 동 레일을 깔다. ❏ ~机; 선로 부설기.

[铺设] pūshè 동 부설하다. 깔다. ❏ ~地下水管; 하수관을 부설하다.

[铺天盖地] pūtiān-gàidì 〈成〉 천지를 뒤덮다《기세가 대단하다》.

[铺展] pūzhǎn 동 펼쳐 깔다. 넓게 깔다. 펼치다. ❏ 蔚蓝的天空~着一片片的白云; 쪽빛 하늘에 흰 조각구름이 여기저기 펼쳐져 있다.

[铺张] pūzhāng 형 ① 요란하게 하다. 겉치레하다. 지나치게 꾸미다. ❏ ~浪费; 〈成〉 겉치레하고 낭비하다. ② 과장하다. 허세 부리다.

噗 pū (복)
의 푸. 후《액체나 기체를 내뿜는 소리》. ❏ ~, 一口气吹灭了灯; 후 하고 불어 단숨에 등불을 껐다.

[噗嗤] pūchī 의 ⇨[扑哧]

仆(僕) pú (복)
명 종. 하인. ⇒pū

[仆从] púcóng 형 ① 종복(從僕). ②〈比〉 스스로 결정권을 갖지 못하는 사람[집단]. ❏ ~国家; 속국.

[仆仆] púpú 형 여행길에서 지쳐 버린 모양. ❏ 风尘~ =[~风尘]; 〈成〉 긴 여행이나 세상사로 고생하여 지치다.

[仆人] púrén 명 고용인. 하인.

匍 pú (포)
→[匍匐]

[匍匐] púfú 동 ① 포복하다. ❏ ~前进; 포복 전진하다. ② 엎드리다. ❏ ~在地面上; 바닥에 엎드리다.

脯 pú (포)
명 가슴. 흉부. ⇒fǔ

[脯子] pú·zi 명 (닭·오리 따위의) 가슴살. ❏ 鸡~; 닭 가슴살.

葡 pú (포)
→[葡萄][葡萄糖][葡萄牙]

[葡萄] pú·tao 명 ①〔植〕 포도나무. ② 포도. ❏ ~干(儿); 건포도/~酒; 포도주.

[葡萄糖] pú·taotáng 명〔化〕 포도당.

[葡萄牙] Pútáoyá 명〔地〕〈音〉 포르투갈(Portugal).

蒲 pú (포)
명〔植〕 ① 향포. 부들. ② 창포.

[蒲公英] púgōngyīng 명〔植〕 민들레.

[蒲扇(儿)] púshàn(r) 명 부들부채.

菩 pú (보)
→[菩萨]

[菩萨] pú·sà 명 ①〖佛〗보살. ②〈轉〉부처와 신. ③〈比〉자비로운 사람. ❑ ~心肠; 자비로운 마음씨.

[菩提树] pútíshù 명〖植〗보리수.

朴(樸) pǔ (박)
형 소박하다. 검소하다. 질박하다. ⇒Piáo

[朴实] pǔshí 형 ① 소박하다. 수수하다. ❑ 他穿得很~; 그는 매우 수수하게 입었다. ② 소박하고 성실하다. ❑ 性格~; 성격이 소박하고 성실하다. ③ 충실하다. 꾸밈없다.

[朴素] pǔsù 형 ①(색깔·모양 따위가) 수수하다. ❑ 房子~洁净; 집이 수수하고 청결하다. ②(생활이) 검소하다. ❑ 他的生活很~; 그의 생활은 아주 검소하다. ③ 꾸밈없다. 자연스럽다. ❑ ~鲜活的表演; 꾸밈없고 신선한 연기.

[朴直] pǔzhí 형 꾸밈없고 솔직하다. ❑ 语言~; 말이 꾸밈없고 솔직하다.

[朴质] pǔzhì 형 꾸밈없고 소박하다. 수수하다. 질박하다. ❑ ~不华; 소박하고 화려하지 않다.

浦 pǔ (포)
명 강·내의 바닷물이 드나드는 곳《주로, 지명용 자(字)로 쓰임》.

圃 pǔ (포)
명 (작은) 밭. 텃밭. ❑ 菜~; 채소밭.

普 pǔ (보)
형 일반적이다. 보편적이다.

[普遍] pǔbiàn 형 보편적이다. 널리 퍼져 있다. 일반적이다. ❑ ~流行; 널리 유행하다 / ~性; 보편성.

[普查] pǔchá 동 일제 조사 하다. 전면 조사 하다. ❑ ~人口; 인구를 전국적으로 조사하다.

[普及] pǔjí 동 ① 보급되다. 보편화되다. ❑ ~率; 보급률. ② 보급하다. 보편화시키다. ❑ ~卫生常识; 위생 상식을 보급시키다.

[普天同庆] pǔtiān-tóngqìng〈成〉만천하가 함께 축하하다.

[普通] pǔtōng 형 보통의. 일반적인. ❑ ~人; 보통 사람.

[普通话] pǔtōnghuà 명〖言〗(현대 중국어의) 표준어.

谱(譜) pǔ (보)
① 명 대상의 종류나 계통에 따라 목록·표 따위의 형식으로 편집하여 참고할 수 있게 한 책자. ❑ 年~; 연보 / 食~; 요리책. ② 명 지도·연습에 쓸 수 있는 양식이나 도형. ❑ 画~; 화보. ③ 명 악보. ❑ 歌~; 악보. ④ 동 가사에 곡을 붙이다. 작곡하다. ⑤(~儿) 명 기준. 자신. 가망. ⑥(~儿) 명 기세. 위엄. 겉치레.

[谱写] pǔxiě 동 작곡하다. 창작하다. ❑ 这支曲子是他~的; 이 곡은 그가 작곡한 곡이다.

[谱子] pǔ·zi 명 ⇨[曲谱]

蹼 pǔ (복)
명 (오리·개구리 따위의) 물갈퀴.

铺(鋪) pù (포)
명 ①(~儿) 가게. 상점. 점포. ❑ 肉~; 정육점. 푸줏간 / 药~; 약방. ②(판자로 만든) 침대. ❑ 卧~; (차·배의) 침대. ③ 역참. ⇒pū

[铺板] pùbǎn 명 침대용의 널빤지.

[铺面] pùmiàn 명 점두(店頭). 가게 앞. 상점의 문쪽.

[铺位] pùwèi 명 (기선·기차·여관 따위의) 침대가 있는 곳. 잠자리.

[铺子] pù·zi 명 (소규모의) 점포. 가게.

瀑 pù (포)
명 폭포. ❑ 飞~; 비폭(飛瀑).

[瀑布] pùbù 명 폭포.

曝 pù (폭)
동〈書〉 볕을 쬐다. ⇒bào

[曝露] pùlù 동〈書〉 밖에 내놓다. 겉으로 노출되다.

[曝晒] pùshài 동 햇볕에 쬐다. ❑ 烈日~; 강한 햇볕에 쬐다.

Q

qi ㄑㄧ

七 qī (칠)
㊟ 일곱. 7.
[七…八…] qī…bā… 명사나 동사 사이에 넣어 많거나 많아서 난잡함을 나타냄. ❑七拼八凑;〈成〉(돈 따위를) 여기저기에서 그러모아 마련하다 / 七上八下;〈成〉 마음이 혼란하고 불안한 모양 / 七手八脚;〈成〉 여럿이 달려들어 바쁘게 일하는 모양.
[七零八落] qīlíng-bāluò〈成〉 뿔뿔이 흩어지는 모양.
[七窍] qīqiào 명 얼굴의 일곱 개의 구멍《눈·귀·콧구멍·입을 일컬음》.
[七十二行] qīshí'èrháng〈轉〉(공업·농업·상업 따위의) 각종 직업. 온갖 직업.
[七弦琴] qīxiánqín 명 ⇨[古琴]
[七言绝句] qīyán juéjù 칠언 절구. =[〈簡〉 七绝]
[七言律诗] qīyán lǜshī 칠언 율시. =[〈簡〉 七律]
[七言诗] qīyánshī 명 칠언시.

沏 qī (절)
동 (뜨거운 물을 부어 차 따위를) 우리다. 타다. ❑~茶; 차를 타다. 차를 우리다.

柒 qī (칠)
㊟ '七' 의 갖은자.

妻 qī (처)
명 처. 아내.
[妻儿老小] qī'ér-lǎoxiǎo〈成〉 가족 전부. 온 식구 모두.
[妻离子散] qīlí-zǐsàn〈成〉 일가(一家)가 뿔뿔이 흩어지다.
[妻室] qīshì 명〈書〉 ⇨[妻子·zi]
[妻子] qīzǐ 명〈書〉 처자. 아내와 자식.
[妻子] qī·zi 명 아내. =[〈書〉 妻室][〈口〉 女人nǚ·ren]

凄 qī (처)
형 ① 춥다. 썰렁하다. ❑~风苦雨; ⇩ ② 쓸쓸하다. 처량하다. ❑~凉; ⇩ ③ 슬프다. 애통하다. ❑~惨; ⇩
[凄惨] qīcǎn 형 처량하고 비참하다. 처량하고 슬프다. 구슬프다. ❑歌声~; 노랫소리가 구슬프다.
[凄怆] qīchuàng 형〈書〉 비통하다. 비참하다.
[凄风苦雨] qīfēng-kǔyǔ〈成〉 차가운 바람과 궂은비《① 날씨가 매우 나쁨. ② 처지가 매우 비참하고 처량함》. =[凄风冷雨]
[凄苦] qīkǔ 형 처참하고 고통스럽다.
[凄厉] qīlì 형 (소리가) 처절하고 새되다. 처량하고 날카롭다. ❑~的喊叫声; 처절하고 새된 고함 소리.
[凄凉] qīliáng 형 ① 적막하고 쓸쓸하다. ② 처량하다. 비참하다. ❑身世~; 신세가 처량하다.
[凄切] qīqiè 형 (주로, 소리가) 처량하고 슬프다. 처절하다. ❑哭声~; 울음소리가 처량하고 슬프다.
[凄清] qīqīng 형 ① 맑고 차갑다. ❑~的月光; 맑고 차가운 달빛. ② 처량하다. 구슬프다. ❑~的笛声; 구슬픈 피리 소리.
[凄然] qīrán 형〈書〉 처연하다.

萋 qī (처)
→[萋萋]
[萋萋] qīqī 형〈書〉 풀이 무성한 모양. ❑芳草~; 향기로운 풀이 무성하게 우거져 있다.

栖 qī (서)
동 (새가) 나무에 앉다. 〈轉〉 살다. 머물다. 서식하다.
[栖身] qīshēn 동 (잠시) 머물다. 살다. 거주하다. ❑无处~; 머물 곳이 없다.
[栖息] qīxī 동 (새가) 서식하다. 머물다. ❑~地; 서식지.

漆 qī (칠)
① 명 칠. 페인트. 도료. ② 동 (도료로) 칠을 하다. ❑桌子~成棕色的; 책상을 갈색으로 칠하다.
[漆工] qīgōng 명 ① 칠하는 일. 페인트칠. ② 칠장이. 도장공.
[漆黑] qīhēi 형 ① 검다. 새까맣다. ❑~的头发; 새까만 머리카락. ② 캄캄하다. 칠흑 같다. ❑屋子里一片~; 방 안이 온통 칠흑 같다.
[漆黑一团] qīhēi-yītuán〈成〉 ① 매우 캄캄하다. 온통 칠흑 같다. ② 아무것도 모르다.
[漆器] qīqì 명 칠기.
[漆树] qīshù 명〔植〕 옻나무.

戚 qī (척)
① 명 혼인으로 맺어진 관계. 친척. ② 형 우울하다. 슬프다. ❑休~相关; 기쁨도 슬픔도 함께하다.

嘁 qī (잡)
→[嘁嘁喳喳]

[嘁嘁喳喳] qīqīchāchā 의 소곤소곤. 조잘조잘. ❑~地说私话; 소곤소곤 비밀 이야기를 하다.

缉(緝) qī (즙)
동 박음질하다. ❑~边儿; 가장자리를 박음질하다. ⇒jī

期 qī (기)
①명 기한. 기일. ②명 기간. 시기. ❑生长~; 성장기. ③양 기《일정 기간을 구분 짓는 사물에 쓰이는 말》. ❑咱们是同一~毕业的; 우리는 동기 졸업생이다. ④동 (시일을) 약속하다. 정하다. ❑不~而遇; 우연히 만나다. ⑤동 기다리다. 기대하다. 바라다. ❑~待; ⇩

[期待] qīdài 동 기대하다. 바라며 기다리다. ❑~的封信; 기다리던 편지. =[期盼]

[期货] qīhuò 명〔經〕선물(先物). ❑~价格; 선물 가격/~交易; 선물 거래/~市场; 선물 시장.

[期间] qījiān 명 기간. ❑大会~; 대회 기간/留学~; 유학 기간.

[期刊] qīkān 명 정기 간행물.

[期考] qīkǎo 명 기말 고사.

[期满] qīmǎn 동 기한이[임기가] 만료되다. 만기가 되다. ❑合同~; 계약이 만료되다.

[期盼] qīpàn 동 ⇒[期待]

[期票] qīpiào 명〔商〕약속 어음.

[期求] qīqiú 동 바라다. 구하다. ❑~报答; 보답을 바라다.

[期望] qīwàng 동 바라다. 기대하다. ❑不要~别人的援助! 남의 도움을 기대하지 마라!/~值; 기대치. 명 기대. 희망.

[期限] qīxiàn 명 기한.

欺 qī (기)
동 ①속이다. 기만하다. ❑~诈; ⇩ ②괴롭히다. 업신여기다. 우습게보다. ❑~压; ⇩

[欺负] qī·fu 동 괴롭히다. 못살게 굴다. 업신여기다. 우습게보다. ❑不要以为年轻就~! 어리다고 우습게보지 마라!

[欺凌] qīlíng 동 업신여기다. 능욕「하다.

[欺骗] qīpiàn 동 속이다. 기만하다. ❑他还在~着大家; 그는 아직도 모두를 속이고 있다.

[欺软怕硬] qīruǎn-pàyìng 〈成〉 약자는 괴롭히고 강자는 두려워하다.

[欺上瞒下] qīshàng-mánxià 〈成〉 윗사람을 기만하고 아랫사람과 대중을 속이다.

[欺生] qīshēng 동 ①텃세 부리다. ②(당나귀·말 따위가) 낯선 사람의 말을 듣지 않다. 낯을 가리다.

[欺世盗名] qīshì-dàomíng 〈成〉 명예를 얻기 위해 세상을 속이다.

[欺侮] qīwǔ 동 괴롭히다. 업신여기다. ❑~弱者; 약자를 괴롭히다.

[欺压] qīyā 동 (권력·권세를 등에 업고) 괴롭히다. 위압하다. 억압하다.

[欺诈] qīzhà 동 속이다. 사기 치다. ❑~取胜; 속임수로 이기다.

蹊 qī (혜)
→[蹊跷][跷蹊] ⇒xī

[蹊跷] qī·qiao 형 이상하다. 수상하다. 괴이하다. =[跷蹊]

齐(齊) qí (제)
①형 가지런하다. 고르다. 단정하다. ❑纸叠得很~; 종이가 가지런히 쌓여 있다. ②동 (같은 정도에) 달하다. 이르다. ❑水涨得~了岸; 물이 기슭까지 불어나다. ③형 같다. 일치하다. 맞다. ❑~心; ⇩ ④부 다 같이. 일제히. ❑百花~放; 온갖 꽃이 일제히 피다. ⑤형 갖춰지다. 완비되다. ❑客人都来~了; 손님은 모두 오셨다. ⑥개 (선이나 점을) 가지런히 맞춰. ❑桌椅要~着墙根放; 책상과 걸상을 벽의 밑 부분에 맞춰서 놓아야 한다.

[齐备] qíbèi 형 갖추다. 완비하다. 구비하다. ❑结婚用品都已~; 결혼용품을 모두 이미 갖추었다.

[齐唱] qíchàng 동〔樂〕제창하다.

[齐集] qíjí 동 모이다. 집합하다. 그러모으다.

[齐全] qíquán 형 모두 갖추다. 완전히 갖추다. 완비하다. ❑装备~; 장비를 모두 갖추다.

[齐头并进] qítóu-bìngjìn 〈成〉 ①순서를 따지지 않고 일제히 나아가다. ②동시에 진행하다.

[齐心] qíxīn 형 생각이 같다. 한마음이다. ❑~协力; 〈成〉 한마음 한뜻으로 협력하다.

[齐整] qízhěng 형 가지런하다. 정연하다. 단정하다. ❑这屋子收拾得很~; 이 방은 매우 잘 정돈되어 있다.

脐(臍) qí (제)
명 ①〔生理〕배꼽. ②게의 배딱지. ❑尖~; 수게의 뾰족한 배딱지.

祈 qí (기)
동 ①기도하다. 빌다. ❑~福;

복을 빌다. ② 부탁하다. 원하다. 바라다. ❏ ~求; ⇩
[祈祷] qídǎo 동 기도하다. 빌다.
[祈求] qíqiú 동 간절히 바라다. 간청하다. 빌다. ❏ ~帮助; 도움을 간절히 바라다.
[祈使句] qíshǐjù 명〖言〗명령문.

颀(頎) qí (기) 형〈書〉 키가 크고 늘씬하다. 호리호리하다. ❏ ~长; 키가 크다. 훤칠하다.

岐 qí (기) ① 명 갈림길. 샛길. ② 형 갈리다. 다르다. ❏ ~视; ⇩
[岐见] qíjiàn 명 갈리는 의견. 다른 견해[의견].
[岐路] qílù 명 기로. 갈림길. =[岐途①]
[岐视] qíshì 동 차별하다. 차별 대우를 하다. ❏ ~待遇; 차별 대우.
[岐途] qítú 명 ① ⇒[岐路] ②〈比〉 잘못된 길. 그릇된 길.
[岐义] qíyì 명 (말·글자의) 두 개 이상의 뜻[해석].

奇 qí (기) ① 형 기이하다. 이상하다. 진기하다. ❏ ~怪; ⇩ ② 형 뜻밖이다. 느닷없다. ❏ ~袭; ⇩ ③ 동 이상하게 여기다. 놀라다. ❏ 闻而~之; 듣고 이상하게 여기다. ⇒jī
[奇兵] qíbīng 명 기병. 적의 의표를 찔러 기습하는 부대.
[奇才] qícái 명 ① 특출난[비범한] 재능. 뛰어난 재주. ② 재능이 특출난 사람. 재주가 뛰어난 사람.
[奇怪] qíguài 형 평소와 다르다. 이상하다. 기이하다. ❏ ~的现象; 기이한 현상 / 这个人很~; 이 사람은 무척 이상하다. 동 이해할 수 없다. 이상하게 생각하다. ❏ 大家都~他今天为什么没有来; 모두 그가 오늘 왜 안 왔는지 이상하게 생각한다.
[奇观] qíguān 명 기이한 광경.
[奇迹] qíjì 명 기적.
[奇景] qíjǐng 명 기묘한 경치. 뛰어난 경치. 기경.
[奇妙] qímiào 형 기묘하다. 신기하다. ❏ ~世界; 신기한 세계.
[奇巧] qíqiǎo 형 독특하고 교묘하다. 신기하고 정교하다.
[奇谈] qítán 명 기담. 기이한 이야기. 기이한 견해. ❏ ~怪论; 〈成〉 황당하고 괴상한 이론.
[奇特] qítè 형 특이하다. 기이하다. ❏ 装束~; 복장이 특이하다.
[奇闻] qíwén 명 기문. 특이하고 재미있는 이야기. 신기한 이야기.
[奇袭] qíxí 동 기습하다.
[奇形怪状] qíxíng-guàizhuàng 〈成〉 기기묘묘한 모양[형상].
[奇异] qíyì 형 ① 기이하다. 신기하다. 색다르다. ❏ 海底是一个~的世界; 바다 밑은 신기한 세계이다. ② 놀랍다. 이상하다.
[奇遇] qíyù 명 기우. 뜻밖의 만남《주로, 좋은 일에 쓰임》.
[奇装异服] qízhuāng-yìfú 〈成〉〈貶〉 기묘한 복장. 색다른 차림새.

崎 qí (기) 형〈書〉 경사지다. 울퉁불퉁하다.
[崎岖] qíqū 형 ① (산길이) 울퉁불퉁하다. 험준하다. ❏ ~的道; 험준한 길. ②〈比〉 (처지·상황이) 험난하다. ❏ 前途~; 앞날이 험난하다.

骑(騎) qí (기) ① 동 (동물이나 자전거 위에) 타다. 올라타다. ❏ ~马; 말을 타다 / ~自行车; 자전거를 타다. ② 동 양편에 걸치다. 양다리 걸치다. ❏ ~墙; ⇩ ③ 명 타는 말. 〈轉〉 사람이 타는 동물. ❏ 坐~; 승마. ④ 명 기병. 〈轉〉 말 탄 사람. ❏ 铁~; 〈比〉 용맹한 기병.
[骑兵] qíbīng 명 기병. 기마병.
[骑虎难下] qíhǔ-nánxià 〈成〉 기호지세(騎虎之勢). 이러지도 저러지도 못하는 처지. =[骑虎之势]
[骑墙] qíqiáng 동〈比〉 입장을 명확히 하지 않고 애매한 태도를 취하다. 형세를 관망하다. ❏ ~派; 기회주의자.
[骑士] qíshì 명 (중세 유럽의) 기사.

其 qí (기) **A)** 대 ① 그(의). 그녀(의). 그것(의). 그들(의). 그것들(의). ❏ 不能任~自流; 그가 멋대로 하게 맡겨 둘 수는 없다. ② 그. 그러한 것. ❏ ~快无比; 그 빠르기가 비할 데 없다. **B)** 〈書〉 부 ① 어찌《추측·반어(反語)를 나타냄》. ❏ 岂~然乎? 어찌 그런 일이 있을 것인가? ② …해라. …해야 한다《명령·격려를 나타냄》. ❏ 子~勉之! 모쪼록 노력하도록! 접미 유달리. 매우. 더욱이. ❏ 极~快乐; 매우 즐겁다.
[其次] qícì 대 ① 그다음. ❏ 先是三年级去, ~才是一、二年级; 먼저 3학년이 가고 그다음에서야 1, 2학년 차례이다. ② 부차적인 위치.

[其间] qíjiān 명 ① 그 사이. 그 가운데. ❏厕身~; 그 사이에 끼어들다. ② 그간. 그사이. 그새.
[其实] qíshí 부 실은. 사실. 사실은. 실제는. ❏看样子他像美国人, ~他是德国人; 그는 미국인처럼 보이지만, 사실 그는 독일인이다.
[其他] qítā 대 기타. 그 밖. ❏去的只有三个, ~的人都留在那里; 간 사람은 셋뿐이고 그 밖의 사람은 모두 그곳에 남았다. =[其它]
[其余] qíyú 대 그 나머지. ❏我读前一部分, ~的你读; 앞부분은 내가 읽을테니 그 나머지는 네가 읽어라.
[其中] qízhōng 명 그 속. 그 안. ❏饭钱也在~吗? 밥값도 그 안에 포함되어 있느냐?

棋 qí (기)
명 장기. 바둑.
[棋逢对手] qíféngduìshǒu 〈成〉 호적수(好敵手)를 만나다. 실력이 막상막하이다. =[棋逢敌dí手]
[棋迷] qímí 명 바둑광. 장기광.
[棋盘] qípán 명 바둑판. 장기판.
[棋手] qíshǒu 명 바둑 두는 사람. 기사.
[棋子(儿)] qízǐ(r) 명 바둑돌. 장기짝.

旗 qí (기)
명 기. 깃발.
[旗杆] qígān 명 깃대.
[旗鼓相当] qígǔ-xiāngdāng 〈成〉 양쪽의 실력이 막상막하이다.
[旗号] qíhào 명 ① (군대의 이름이나 장수의 성씨를 적어 놓은) 깃발. ② 〈比〉〈貶〉 명목. 명의(名義).
[旗开得胜] qíkāi-déshèng 〈成〉 서전(緖戰)에서 승리를 거두다《시작하자마자 좋은 성적을 거두다》.
[旗袍(儿)] qípáo(r) 명 치파오《중국 부녀자용의 몸에 붙는 긴 원피스식 의복》.
[旗手] qíshǒu 명 기수. 〈比〉 선구자. 지도적 인물.
[旗帜] qízhì 명 ① ⇨[旗子] ② 〈比〉 본보기. 모범. ❏树立~; 본보기를 세우다. ③ 〈比〉 기치. ❏~鲜明; 기치가 선명하다.
[旗子] qí·zi 명 기. 깃발. =[旗帜①]

麒 qí (기)
→[麒麟]
[麒麟] qílín 명 기린《상상 속의 동물》.

鳍(鰭) qí (기)
명〔魚〕 지느러미.

畦 qí (휴)
명 뙈기. ❏这几~种小麦; 이 몇 뙈기는 밀농사를 짓는다.

乞 qǐ (걸)
동 원하다. 바라다. 구걸하다. 청하다. ❏~求; ⇩
[乞丐] qǐgài 명 거지. =[花子][〈口〉 叫花子]
[乞怜] qǐlián 동 (불쌍한 표정으로) 동정을 구하다.
[乞求] qǐqiú 동 애걸하다. 구걸하다. 바라다. 구하다. ❏~宽恕; 용서를 구하다.
[乞讨] qǐtǎo 동 (음식·돈 따위를) 구걸하다. 비럭질하다. ❏沿街~; 거리를 구걸하며 다니다. =[讨乞]

岂(豈) qǐ (기)
부〈書〉 어찌 …하겠는가《반문(反問)을 나타냄》.
[岂但] qǐdàn 접 비단 …뿐 아니라. ❏~要生存, 而且更要发展; 비단 생존 뿐 아니라 발전도 원하다.
[岂非] qǐfēi 부 어찌 …이 아니겠는가《반문의 어기를 나타냄》. ❏这样解释~自相矛盾? 이러한 해석은 자기 모순이 아닌가?
[岂有此理] qǐyǒucǐlǐ 〈成〉 당치도 않다. 말도 안 된다. 어처구니없다《이치에 맞지 않는 이야기나 사물에 대해 분개하고 불만을 나타냄》.

杞 Qǐ (기)
명〔史〕 주대(周代)의 나라 이름.
[杞人忧天] qǐrén-yōutiān 〈成〉 기우. 쓸데없는 걱정. =[杞人之忧]

起 qǐ (기)
A) ① 동 일어나다. 몸을 일으키다. ❏今天~晚了; 오늘은 늦게 일어났다. ② 동 출발하다. 떠나다. ❏~飞; ⇩ ③ 동 (아래에서 위로) 올라가다. ❏气球~来了; 풍선이 (하늘로) 올라갔다. ④ 동 (종기·땀띠 따위가) 나다. 생기다. 돋다. ❏~痱子; 땀띠가 나다. ⑤ 동 뽑다. 빼다. 꺼내다. 떼다. ❏~钉子; 못을 뽑다. ⑥ 동 발생하다. 생기다. 일다. ❏~变化; 변화가 생기다 / ~风; 바람이 일다 / ~雾; 안개가 끼다. ⑦ 동 일으키다. 발동하다. ❏~兵; 군사를 일으키다. ⑧ 동 안(案)을 세우다. 구상하다. ❏~草; ⇩ ⑨ 동 건축하다. 세우다. 짓다. ❏~高楼; 빌딩을 세우다. ⑩ 동 (표·증명서 따위를) 받

다. 수령하다. ❏ ~护照; 여권을 수령하다. ⑪ 동 …부터 시작하다《'从'·'由'·'自' 따위와 함께 쓰여 기점(起點)을 나타냄》. ❏ 从明天~休息五天; 내일부터 5일간 쉰다. ⑫ 동 …하기 시작하다《동사 뒤에 쓰여 기점(起點)을 나타내며 '从'·'由' 따위와 함께 쓰임》. ❏ 由今天算~; 오늘부터 계산하기 시작하다. ⑬ 개〈方〉 시간사(時間詞)나 처소사(處所詞) 앞에 놓여 시간·장소의 기점을 나타냄. ❏ ~这儿往南; 여기에서 남쪽으로. ⑭ 개〈方〉 처소사 앞에 놓여 경과한 지점을 나타냄. ❏ 我看见他~窗户外走过去; 나는 그가 창문 밖으로 지나가는 것을 보았다. **B)** 양 ① 건. 차례. 번《건수(件數)·횟수를 세는 말》. ❏ 几~小事故; 몇 건의 작은 사고. ② 무리. 떼《무리·떼·단체를 세는 말》. ❏ 几~人; 몇 무리의 사람들.

起 //·qǐ (기) 동 동사 뒤에 쓰임. ① 동작이 위로 향함을 나타냄. ❏ 抬~头; 고개를 들다. ② 힘·역량·능력·자격 따위가 충분하거나 부족함을 나타냄《동사와의 사이에 '得'·'不'를 넣어 가능·불가능을 나타냄》. ❏ 太贵了, 买不~; 너무 비싸서 살 수 없다. ③ 동작에 따라 어떤 일이 일어나거나 동작이 시작됨을 나타냄. ❏ 想~一个笑话; 우스운 얘기 하나가 생각나다. ④ 동작이 어떤 사람이나 사물과 관련됨을 나타냄. ❏ 他来信问~你; 그가 편지로 네 소식을 물어봤다.

[起爆] qǐbào 동 기폭하다. ❏ ~药; 기폭제.

[起草] qǐ//cǎo 동 기초하다. 초안을 작성하다. ❏ ~报告; 보고서 초안을 작성하다.

[起程] qǐchéng 동 여정을 시작하다. 출발하다. ❏ 我们明天~; 우리는 내일 출발한다. =[启程]

[起初] qǐchū 명 처음. 최초. =[起先]

[起床] qǐ//chuáng 동 (잠자리에서) 일어나다. 기상하다. =[起身②]

[起点] qǐdiǎn 명 ① 시작점. 기점. ❏ ~站; 시발역. ②〖體〗 스타트 지점. 스타트 라인(start line).

[起端] qǐduān 명 ⇨[开端]

[起飞] qǐfēi 동 ① 이륙하다. 날아오르다. ❏ 飞船~; 비행선이 날아오르다. ②〈比〉 상승세를 타면서 발전하다. ❏ 经济~; 경제가 상승세를 타며 발전하다.

[起伏] qǐfú 동 ① 기복이 심하다. ❏ 连绵~的群山; 기복이 심한 산이 이어지다. ②〈比〉 (감정·관계 따위가) 변화하다. 기복이 생기다. ❏ 病情~不定; 병세의 기복이 심하다.

[起稿] qǐ//gǎo 동 원고를 기초하다. 초고를 쓰다.

[起航] qǐháng 동 (배나 비행기가) 출항하다.

[起哄] qǐ//hòng 동 ① (여럿이서 함께) 떠들어 대다. 소란을 피우다. 소란스럽게 굴다. ❏ 会场上有人~; 회의장에서 누군가가 소란을 피운다. ② (여럿이서 한두 사람을) 희롱하다. 놀리다. ❏ 你们别跟我~; 너희들 나를 놀리지 좀 마라.

[起火] qǐ//huǒ 동 ① (불을 피워) 밥을 짓다. ② 화재가 발생하다. 불이 나다. ③ (버럭) 화를 내다. 성질을 내다.

[起家] qǐ//jiā 동 ① 집안을 일으키다. 한 살림을 이룩하다. ❏ ~发财; 집안을 일으켜 부자가 되다. ②사업을 번창시키다. ❏ 白手~;〈成〉 자수성가.

[起见] qǐjiàn 조 …의 목적으로. …하기 위하여《반드시 '为wèi…~'의 형식으로 쓰임》. ❏ 为安全~, 必须系上保险带; 안전을 위하여 반드시 안전벨트를 매야 한다.

[起劲(儿)] qǐjìn(r) 형 (일·오락 따위에) 흥이 나다. 흥겹다. 기운이 나다. 신이 나다. ❏ 谈得十分~; 대화가 매우 흥겹다.

[起居] qǐjū 명 일상생활. 기거.

[起来] qǐ//·lái 동 ① 일어서다. 일어나 앉다. ❏ 赶快~让座; 얼른 일어나 자리를 양보해라. ② 기상하다. 일어나다. ❏ 你早~了; 너 일찍 일어났구나. ③ 분기하다. ❏ 众~了; 군중이 분기했다. ④ 위로 오르다. ❏ 风筝~了; 연이 위로 올랐다.

[-起来] //·qǐ//·lái 동 ① 동사 뒤에 놓여 동작이 아래에서 위로 행하여짐을 나타냄. ❏ 他把自行车扶~了; 그는 자전거를 일으켜 세웠다. ② 동사 뒤에 놓여 동작이 시작되거나 시작되어 계속되어짐을 나타냄. ❏ 下起雨来了; 비가 오기 시작했다. ③ 형용사 뒤에 놓여 어떤 상태·

상황이 시작되어 계속됨을 나타냄. ❏身体渐渐好～; 몸이 점점 좋아진다. ④ 동사 뒤에 놓여 동작의 완성을 나타냄. ❏他把小偷抓了～; 그가 도둑을 잡았다. ⑤ 동사 뒤에 놓여 추측·예측·짐작을 나타냄. ❏算～, 我们分别十年了; 헤아려 보니 우리가 헤어진 지도 10년이 되었다.

[起立] qǐlì 동 일어서다. 기립하다. ❏全体～! 전체 기립!

[起码] qǐmǎ 형 최소이다. 최저이다. ❏～的生活条件; 최저 생활 조건. 부 최소한. 적어도. ❏～要等三天; 적어도 삼일은 기다려야 한다.

[起锚] qǐ//máo 동 닻을 올리다. 배가 출항하다.

[起名儿] qǐ//míngr 동 이름을 지어 주다.

[起讫] qǐqì 명 처음과 끝. 시작과 「끝.

[起色] qǐsè 명 호전의 기미. 나아지는 모습. ❏脉有点儿～; 맥이 조금 좋아졌다.

[起身] qǐ//shēn 동 ① ⇨[动身] ② ⇨[起床] ③ 몸을 일으키다. 일어서다.

[起事] qǐshì 동 군사를 일으키다.

[起誓] qǐ//shì 동 맹세하다. 서약하다. ❏对天～; 하늘에 대고 맹세하다. =[发誓]

[起死回生] qǐsǐ-huíshēng 〈成〉 기사회생하다.

[起诉] qǐsù 동〖法〗기소하다. ❏～权; 기소권 / ～书; 기소장.

[起头(儿)] qǐ//tóu(r) 동 선두에 서다. 시작하다. 앞장서다. ❏事情刚～; 일을 막 시작하다. (qǐtóu(r)) 명 ① 시작했을 때. 처음. 당초. ② 시작한 곳[부분]. 기점. 처음.

[起先] qǐxiān 명 ⇨[起初]

[起疑] qǐ//yí 동 의심이 생기다. 의심하다.

[起义] qǐyì 동 ① 봉기하다. 의거를 일으키다. ② (속해 있던 집단을 배반하고) 정의의 편에 투항하다.

[起意] qǐ//yì 동 (주로, 나쁜) 마음이 생기다. 생각이 들다. ❏见财～; 〈成〉 재물을 보고 훔칠 생각을 하다.

[起因] qǐyīn 명 원인. 기인.

[起用] qǐyòng 동 ① (이미 퇴직한 사람을) 다시 기용하다. 재임명하다. ② (사람을) 뽑아서 쓰다. 기용하다. ❏～新人; 신인을 기용하다.

[起源] qǐyuán 명동 기원(하다). ❏生命的～; 생명의 기원.

[起重机] qǐzhòngjī 명 기중기. 크레인(crane). =[吊车]

[起子] qǐ·zi 명 ① 마개 뽑이. 병따개. 오프너(opener). ②〈方〉 나사돌리개. 드라이버(driver). ③〈方〉 ⇨[焙bèi粉] 양 무리. 조. 패. ❏一～客人; 손님 한 무리.

企 qǐ (기)

동 ① 발돋움하고 서다. ② 바라다. 희망하다.

[企鹅] qǐ'é 명〖鳥〗펭귄(penguin).

[企及] qǐjí 동 (뜻·희망·기대가) 이루어지기를 바라다.

[企慕] qǐmù 동 ⇨[仰慕]

[企求] qǐqiú 동 (얻기를) 바라다. 구하다. ❏～和平; 평화를 바라다.

[企图] qǐtú 명동 기도(하다). 의도(하다). ❏～逃跑; 도주를 꾀하다.

[企望] qǐwàng 동 바라다. 고대하다. ❏～多年; 오랜 세월 동안 바라다.

[企业] qǐyè 명 기업. ❏～化; 기「업화.

启(啓) qǐ (계)

동 ① 열다. 펼치다. 뜯다. ❏～封; 편지를 뜯다. ② 계발(啓發)하다. 깨우치다. 인도하다. ❏～发; ⇩ ③ 시작하다. ❏～行; 여정을 시작하다. 출발하다. ④ 진술하다. 설명하다. ❏～事; ⇩

[启程] qǐchéng 동 ⇨[起程]

[启齿] qǐchǐ 동 입을 떼다. 말을 꺼내다《주로, 다른 사람에게 부탁할 일이 있을 때 쓰임》. ❏难以～; 말을 꺼내기가 어렵다.

[启迪] qǐdí 동 계도하다. 계발하다. 가르쳐 인도하다.

[启动] qǐdòng 동 ① 시동하다. 기동하다. 가동하다. ❏～电流; 전류를 가동하다. ② (법령·계획·방안 따위를) 실행하다. 진행하다. ③ 개척하다. 개시하다. ❏～农村市场; 농촌 시장을 개척하다.

[启发] qǐfā 동 지식을 넓히다. 계발(啓發)하다. 깨우치다. ❏老师的话～了我们; 선생님의 말씀이 우리를 깨우쳐 주었다.

[启蒙] qǐméng 동 계몽하다. ❏～运动; 계몽 운동.

[启示] qǐshì 명동 계시(하다). 시사(하다). ❏他这话给了我很大的～; 그의 이 말은 나에게 큰 계시를 주었다.

Q

[启事] qǐshì 명 고시. 공고. 광고.
[启用] qǐyòng 동 사용하기 시작하다. 사용 개시하다. ❏～印章; 도장을 사용하기 시작하다.

绮(綺) qǐ (기)
①명 능견(綾絹). 무늬 있는 비단. ②형 곱다. 아름답다. ❏～丽; (풍경이) 아름답다.

气(氣) qì (기)
①명 기체. 가스. ❏毒～; 독가스. ②명 공기. ❏打～; 공기를 주입하다. ③(～儿) 명 숨. 호흡. ❏上～不接下～; 숨이 차다. ④명 기후. ❏天～; 날씨. ⑤명 냄새. ❏臭～; 악취. ⑥명 정신. 기운. 정력. ❏勇～; 용기. ⑦명 기세. 기백. ❏～吞山河; 〈成〉 기세가 산하를 삼킬 듯 매우 크다. ⑧명 기풍. 기질. 태도. 습성. ❏官～; 관료 기질. ⑨명 노여움. 화. ❏生～; 화를 내다. ⑩동 화가 나다. 화를 내다. ❏他～走了; 그는 화가 나서 가 버렸다. ⑪동 화나게 하다. 열받게 하다. ❏别～他了; 그를 화나게 하지 마라. ⑫명 학대. 괴롭힘. 구박. ❏受婆婆的～; 시어머니의 구박을 받다. ⑬명 〖中醫〗 기. 원기(元氣). ⑭명〖中醫〗 어떤 종류의 증상.

[气昂昂(的)] qì'áng'áng(·de) 형 의기양양한 모양. 기세당당한 모양.
[气不忿儿] qìbùfènr 〈方〉 (불공평한 일을 보고) 불만이 생기다. 화가 치밀다.
[气冲冲(的)] qìchōngchōng(·de) 형 매우 화가 난 모양. 노기충천하는 모양.
[气冲霄汉] qìchōngxiāohàn 〈成〉 아무것도 겁내지 않는 정신과 기개.
[气喘] qìchuǎn 동 ①(숨이 차서) 헐떡거리다. ❏～吁吁; 숨을 헉헉 헐떡이는 모양. ②〖醫〗 천식을 앓다. =[哮xiào喘]
[气度] qìdù 명 ⇒[气概]
[气短] qìduǎn 형 ①숨이 가쁘다. 숨이 차다. ②의기소침하다. 기가 죽다. 실망하다.
[气氛] qì·fēn 명 무드(mood). 분위기. ❏紧张的～; 긴장된 분위기.
[气愤] qìfèn 형 분개하다. 분노하다. 화내다. ❏听到这个消息, 他非常～; 이 소식을 듣고 그는 매우 분개했다. 「度]
[气概] qìgài 명 기개. 기상. =[气
[气功] qìgōng 명 기공. 단전 호흡.
[气鼓鼓(的)] qìgǔgǔ(·de) 형 잔뜩 화가 난 모양.
[气管] qìguǎn 명〖生理〗 기관지.
[气管炎] qìguǎnyán 명 ①〖醫〗 기관지염. ②〈俗〉 엄처시하(嚴妻侍下). 공처(恐妻).
[气候] qìhòu 명 ①기후. ❏热带～; 열대 기후. ②〈比〉 동향. 정세. 양상. ❏政治～; 정치 동향. ③〈比〉 성과. 성공. ❏成～; 성공하다.
[气呼呼(的)] qìhūhū(·de) 형 화가 나서 씩씩대는 모양.
[气急] qìjí 형 숨이 가쁘다. ❏～败坏; 〈成〉 숨이 가빠서 매우 난감하다(《매우 당황스럽고 화가 나다》).
[气节] qìjié 명 기개. 기골.
[气力] qìlì 명 힘. 체력. 기력.
[气量] qìliàng 명 ①기량(器量). 아량. ②도량. 포용력.
[气流] qìliú 명 기류. 공기의 흐름.
[气恼] qìnǎo 형 화나다. 분노하다.
[气馁] qìněi 형 낙담하다. 의욕을 상실하다. 용기를 잃다. ❏因失败而～; 실패하여 낙담하다.
[气派] qìpài 형 기개가 있다. 풍채가 좋다. 당당하다. 위풍당당하다. 기세등등하다. ❏他们打扮得很～; 그들은 매우 위풍당당하게 차려입었다. 명 기개. 위엄. 위풍. 패기.
[气泡] qìpào 명 거품. 기포.
[气魄] qìpò 명 ①기백. 기개(氣概). ②기세.
[气枪] qìqiāng 명 공기총. =[鸟枪②]
[气球] qìqiú 명 ①기구. ❏广告～; 애드벌룬. ②고무풍선. 풍선.
[气色] qìsè 명 안색. 혈색. 생기.
[气势] qìshì 명 원기. 기세. ❏～磅礴; 〈成〉 기세가 당당하다 / ～汹汹; 〈成〉 기세 좋고 맹렬한 모양.
[气数] qì·shu 명 운명. 운수.
[气体] qìtǐ 명〖物〗 기체. 가스. ❏有毒～; 유독 가스.
[气味] qìwèi 명 ①냄새. 향기. ②〈比〉〈貶〉 성격. 성향. 취향.
[气温] qìwēn 명 기온.
[气息] qìxī 명 ①호흡. 숨. ❏～奄yān奄; 〈成〉 금방이라도 숨이 끊어질 듯 호흡이 매우 약하다. ②냄새. ③기미. 낌새. 분위기. 정신. 기백.
[气象] qìxiàng 명 ①〖氣〗 기상. ❏～观测; 기상 관측 / ～台 =[～站]; 기상대. ②경관(景觀). 양상. 사태. ③기세. 기개. 기질.

【气吁吁(的)】 qìxūxū(·de) 형 큰 소리로 숨을 헐떡이는 모양. 씩씩대는 모양.
【气压】 qìyā 명 기압.
【气焰】 qìyàn 명〈比〉〈貶〉 기염. 위세. ❑ ~嚣张; 〈成〉 거만을 떨며 위세를 부리다.
【气质】 qìzhì 명 ① 성격. 기질. ② 풍격(風格). 기개.

汽 qì (기)
명 ① (액체나 고체가 열을 받아 변한) 기체. ② 수증기.
[汽车] qìchē 명 자동차. ❑ 公共~; 버스 / 小~; 승용차.
[汽船] qìchuán 명 ① 증기선. ② ⇒[汽艇]
[汽笛] qìdí 명 (기차·기선의) 기적.
[汽轮机] qìlúnjī 명 증기 터빈(turbine).
[汽水(儿)] qìshuǐ(r) 명 탄산수. 청량음료. 사이다.
[汽艇] qìtǐng 명 모터보트(motorboat). =[快艇][汽船②][摩托艇]
[汽油] qìyóu 명 가솔린. 휘발유.

讫(訖) qì (글)
동 ① 끝나다. 완료하다. ❑ 查~; 조사를 완료하다. ② 마감하다. ❑ 付~; 청산하다.

迄 qì (흘)
① 동 …에 이르다. ❑ ~今; 지금에 이르기까지. ② 부 내내. 시종. 줄곧(('未'·'无'의 앞에 쓰임)). ❑ ~无音信; 내내 소식이 없다.

弃 qì (기)
동 버리다. 내버리다. 던져 버리다. ❑ 抛~; 포기하다.
[弃暗投明] qì'àn-tóumíng 〈成〉 암흑에서 광명으로 향하다((악인이 전향하다. 반란군이 투항하다)).
[弃权] qì∥quán 동 기권하다.
[弃置] qìzhì 동 버려 두다. 방치하다. ❑ ~不顾; 〈成〉 버려 두고 돌보지 않다.

泣 qì (읍)
① 동 작은 소리로 울다. 흐느껴 울다. ❑ ~不成声; 〈成〉 목이 메어 소리가 안 나올 정도로 울다((몹시 슬퍼하다)). ② 명 눈물. ❑ ~下如雨; 〈成〉 눈물을 줄줄 흘리며 울다.

契 qì (계)
① 동〈書〉 조각하다. 새기다. ② 명〈書〉 새긴 글자. ③ 명 (부동산 따위의) 매매 증서. 소유권 증빙 서류. ❑ 地~; 토지 매매 계약서 / 房~; 집문서. ④ 동 마음이 통하다. 의기투합하다. ❑ ~友; ⇩
[契合] qìhé 동 부합되다. 일치하다. ❑ ~理念; 이념에 부합되다. 형 의기투합하다. 마음이 맞다. 잘 통하다. ❑ 他俩一向~; 그 둘은 늘 잘 통한다.
[契据] qìjù 명 계약서. 약정서. 증거 서류. 「구.
[契友] qìyǒu 명 마음이 잘 맞는 친
[契约] qìyuē 명 계약. 계약서.

砌 qì (체)
① 동 (벽돌이나 돌을) 쌓다. ❑ ~台阶; 계단을 쌓다. ② 명〈書〉 돌층계. 섬돌.

器 qì (기)
① 명 용구. 기구. ② 명 (신체의) 기관. ❑ 消化~; 소화기. ③ 명 도량. ❑ 小~; 도량이 좁다. ④ 명 재능. 인재. ❑ 大~晚成; 대기만성. ⑤ 동〈書〉 중시하다. 존중하다.
[器材] qìcái 명 기구와 재료. 기재. 기자재. ❑ 建设~; 건설 기자재.
[器官] qìguān 명〖生理〗 기관. ❑ 发音~; 발음 기관
[器件] qìjiàn 명 기구의 부품.
[器具] qìjù 명 기구. 용품. ❑ 办公~; 사무용품
[器量] qìliàng 명 기량. 도량. ❑ ~广大; 도량이 크다.
[器皿] qìmǐn 명 식기. 그릇.
[器物] qìwù 명 기물. 집기. 용구.
[器械] qìxiè 명 ① 기구. 기계. ❑ ~体操; 기계 체조. ② 무기.
[器乐] qìyuè 명〖樂〗 기악. ❑ ~曲; 기악곡.
[器重] qìzhòng 동 중히 여기다. 중용(重用)하다.

憩 qì (게)
동〈書〉 휴식하다. 쉬다.

qia ㄑㄧㄚ

掐 qiā (겹)
① 동 (손톱으로) 누르다. 꼬집다. ❑ ~住胳膊; 팔뚝을 꼬집다. ② 동 움켜쥐다. 손아귀에 잡다. ❑ 一把~住; 한 움큼 움켜쥐다. ③ 동 따다. 떼다. 꺾다. 끊다. ❑ ~豆荚; 콩꼬투리를 떼다. ④ (~儿) 양〈方〉 줌. 움큼((손으로 집은 분량)). ❑ 一~小葱; 파 한 움큼.
[掐算] qiāsuàn 동 손꼽아 세다.
[掐头去尾] qiātóu-qùwěi 〈成〉 ①

대가리를 떼고 꼬리를 자르다. ② 중요치 않거나 불필요한 부분을 버리다[생략하다].

卡 qiǎ (잡)
① 동 (중간에) 끼이다. (목에) 걸리다. ❏ 他被鱼刺~住了; 그는 생선 가시가 목에 걸렸다. ② 동 (조달·지급 따위를) 차단하다. 저지하다. ❏ ~住敌人的退路; 적의 퇴로를 차단하다. ③ 동 누르다. 움켜쥐다. 조르다. ❏ ~脖子; ⇩ ④ 명 클립(clip). 핀(pin). ⑤ 명 검문소. 초소. 징세소(徵稅所). ⇒kǎ

[卡脖子] qiǎ bó·zi 목을 조르다. 〈比〉 상대의 치명적인 급소를 손에 쥐고 사지(死地)로 내몰다.

[卡子] qiǎ·zi 명 ① 클립(clip). 핀(pin). ② 검문소. 초소.

洽 qià (흡)
① 형 화합(和合)하다. 화목하다. 융합하다. ❏ 感情融~; 마음이 융합하다. ② 동 상담하다. 의논하다. 교섭하다. ❏ 接~; 상담하다.

[洽商] qiàshāng 동 상담하다. 협의하다. ❏ ~合作事宜; 공동 업무를 협의하다.

[洽谈] qiàtán 동 교섭하다. 상담하다. 협상하다. ❏ ~生意; 사업을 협상하다.

恰 qià (흡)
① 형 알맞다. 타당하다. 적당하다. ❏ 这个词用得不~; 이 말의 쓰임새는 부적당하다. ② 부 알맞게. 마침. 바로. 꼭. ❏ 我来上海的时候, ~逢国庆佳节; 내가 상하이에 왔을 때는 마침 국경절이었다.

[恰当] qiàdàng 형 적절하다. 적당하다. 알맞다. ❏ 给以~的评价; 적당한 평가를 하다.

[恰到好处] qiàdào-hǎochù 〈成〉 (말이나 일처리가) 딱 알맞다. 꼭 들어맞다.

[恰好] qiàhǎo 부 마침. 꼭. 딱 알맞게. ❏ 我刚刚到车站, ~汽车来了; 내가 막 정류장에 도착했을 때 딱 맞게 차가 왔다.

[恰恰] qiàqià 부 마침. 딱. 꼭. 바로. ❏ 我跑到那里~十二点; 내가 그곳에 당도하니 딱 열두 시였다. 명〖舞〗 차차차(cha-cha-cha). =[恰恰舞]

[恰巧] qiàqiǎo 부 때마침. 공교롭게. ❏ 我去找他, ~他刚出去; 내가 그를 찾아갔더니 공교롭게도 그는 막 나갔다.

[恰如] qiàrú 동 흡사 …과 같다. ❏ 晚霞~一幅图画; 저녁놀이 마치 한 폭의 그림 같다 / ~其分; 〈成〉 (일처리나 말이) 적합하다. =[恰似]

qian ㄑㄧㄢ

千 qiān (천)
수 천(千). 〈比〉 매우 많다.

[千变万化] qiānbiàn-wànhuà 〈成〉 천변만화하다. 변화무쌍하다.

[千差万别] qiānchā-wànbié 〈成〉 천차만별.

[千疮百孔] qiānchuāng-bǎikǒng 〈成〉 ⇨[百孔千疮]

[千锤百炼] qiānchuí-bǎiliàn 〈成〉 ① 많은 투쟁과 시련을 겪다. 단련을 거치다. ② (시(詩)·산문의) 퇴고(推敲)를 거듭하다.

[千方百计] qiānfāng-bǎijì 〈成〉 온갖 방법을 다 쓰다.

[千古] qiāngǔ 명 천고. 아주 오랜 옛날. 아주 오랜 세월. ❏ ~名言; 천고의 명언. 동〈婉〉 영별하다.

[千金] qiānjīn 명 ① 천금. 큰돈. 많은 돈. ❏ ~难买; 천금으로도 살 수 없다. ②〈比〉 귀중한 것. 소중한 것. 귀한 것. ❏ ~之躯; 귀중한 몸. ③〈敬〉 따님. 영양(令孃).

[千军万马] qiānjūn-wànmǎ 〈成〉 천군만마((군사와 군마가 매우 많고 기세가 충천한 모양)).

[千钧一发] qiānjūn-yīfà 〈成〉 ⇨[一发千钧]

[千卡] qiānkǎ 양〖物〗 킬로칼로리(kcal).

[千克] qiānkè 양〖度〗 킬로그램(kg). =[公斤]

[千里] qiānlǐ 명 천 리. 〈比〉 아주 먼 거리. ❏ ~迢迢; 〈成〉 길이 아득히 먼 모양.

[千里马] qiānlǐmǎ 명 ① 천리마. ②〈比〉 재능이 뛰어난 인물.

[千里眼] qiānlǐyǎn 명 천리안. ① 〈比〉 눈이 예리해서 멀리 내다볼 수 있는 사람. ② 망원경.

[千里之行, 始于足下] qiānlǐ zhīxíng, shǐyúzúxià 〈成〉 천 리 길도 한 걸음부터.

[千米] qiānmǐ 양〖度〗 킬로미터(km). =[公里]

[千篇一律] qiānpiān-yīlǜ 〈成〉 천편일률적이다.

[千秋] qiānqiū 명 ① 천추. 오랜

세월. ❏ ~万代; 〈成〉 천추만대《오랜 세월》. ② 〈敬〉 생신.

【千山万水】 qiānshānwànshuǐ 〈成〉 ⇨[万水千山]

【千丝万缕】 qiānsī-wànlǚ 〈成〉 관계가 매우 복잡하게 뒤얽힌 모양.

【千头万绪】 qiāntóu-wànxù 〈成〉 일[사정]이 얽혀서 매우 복잡하다.

【千瓦】 qiānwǎ 양 〔物〕 킬로와트(kW).

【千万】 qiānwàn 수 천만. 부 결코. 부디. 절대. 아무쪼록. 제발. ❏ 你~不要忘了; 절대 잊지 마라.

【千辛万苦】 qiānxīn-wànkǔ 〈成〉 천신만고《온갖 고생》.

【千言万语】 qiānyán-wànyǔ 〈成〉 천언만어《매우 많은 말》.

【千载难逢】 qiānzǎi-nánféng 〈成〉 천 년에 한 번 올까 말까 하다《좀처럼 만나기 어려운 기회를 만나다》.

【千载一时】 qiānzǎi-yīshí 〈成〉 천 년에 단 한 번 만나다《좀처럼 만날 수 없는 좋은 기회를 만나다》. =[千载一遇]

【千真万确】 qiānzhēn-wànquè 〈成〉 매우 확실하다.

仟 qiān (천) 수 '千'의 갖은자.

阡 qiān (천) 명 〈書〉 (남북 방향으로 난) 논밭 사이의 두렁길.

【阡陌】 qiānmò 명 〈書〉 가로세로로 교차한 두렁길.

迁(遷) qiān (천) 동 ① 이전하다. 이사하다. 옮기다. ❏ ~都; ⇓ ② 변천하다. 변화하다. ❏ 变~; 변천하다. ③ 〈書〉 직위가 변하다. 관직이 이동되다. ❏ 左~; 좌천시키다.

【迁都】 qiān//dū 동 천도하다.

【迁就】 qiānjiù 동 타협하다. 영합하다. 너그러이 봐주다. ❏ ~现实; 현실과 타협하다.

【迁居】 qiānjū 동 옮겨 살다. 이사하다. =[移居]

【迁怒】 qiānnù 동 분풀이하다. 화풀이하다. ❏ ~于人; 남에게 분풀이하다.

【迁徙】 qiānxǐ 동 옮기다. 이동하다. ❏ 人口~; 인구가 이동하다.

【迁移】 qiānyí 동 ① 옮기다. 이동하다. 천이하다. ❏ ~户口; 호적을 옮기다. ② 시대가 변천하다.

扦 qiān (천) ① (~儿) 명 꼬챙이. ② 명 색대. ③ 동 〈方〉 꽂다. 박다. 지르다. ❏ 把门儿~上; 문빗장을 지르다.

【扦插】 qiānchā 동 〔農〕 꺾꽂이하다.

【扦子】 qiān·zi 명 ① 꼬챙이. ❏ 竹~; 대꼬챙이. ② 색대《쌀가마니 따위에 찔러서 검사하는 도구》.

签(簽, 籤 B)) qiān (첨) A) 동 ① 서명하다. 사인하다. ❏ ~订; ⇓ ② (요점·의견 따위를) 간단히 적다. ❏ ~了意见; 의견을 간단히 적었다. B) (~儿) 명 ① 제비. ❏ 抽~儿; 제비 뽑다. ② 표지(標識)로 사용하는 작은 종이쪽지. ❏ 标~; 상표. 라벨. ③ 나무나 대나무로 가늘고 뾰족하게 깎은 것. ❏ 牙~儿; 이쑤시개.

【签到】 qiān//dào 동 도착했음을 알리는 서명 및 날인을 하다. 출근부에 도장을 찍다. ❏ ~簿; 출근부.

【签订】 qiāndìng 동 조인하다. 체결하다. ❏ ~合同; 계약을 체결하다.

【签发】 qiānfā 동 (공문서·증명서 따위를) 서명하여 발행[발급]하다. ❏ ~护照; 여권을 발급하다.

【签名】 qiān//míng 동 서명하다. 사인하다. ❏ ~运动; 서명 운동. (qiānmíng) 명 서명. 사인.

【签收】 qiānshōu 동 (공문서·편지 따위를) 받았다는 서명을 하다.

【签署】 qiānshǔ 동 (중요한 문서에) 서명하다. ❏ ~人; 서명인.

【签证】 qiānzhèng 명 비자(visa). ❏ 入境~; 입국 비자. 동 비자를 내어 주다.

【签字】 qiān//zì 동 (문서에) 서명하다. 조인(調印)하다. ❏ ~盖章; 서명 날인 하다 / ~国; 조인국. (qiānzì) 명 서명. 사인.

【签子】 qiān·zi 명 〈口〉 ① 제비. ② 나무나 대나무를 가늘고 뾰족하게 깎아 만든 것.

牵(牽) qiān (견) 동 ① 당기다. 끌다. 잡아끌다. ❏ 把牛~过来; 소를 끌고 와라. ② 연루(連累)되다[시키다]. 관련되다[시키다]. ❏ ~连; ⇓

【牵肠挂肚】 qiāncháng-guàdù 〈成〉 걱정되어 마음을 놓을 수 없다.

【牵扯】 qiānchě 동 연관되다. 연루되다. ❏ 这事~很多人; 이 일에 많은 사람이 연루되다.

【牵动】 qiāndòng 동 ① 영향을 주다. ❏ ~全局; 전체의 국면에 영향이 미치다. ② 불러일으키다. ❏ ~

Q

乡思；항수를 불러일으키다.
[牵挂] qiānguà 동 걱정하다. 염려하다. ❏他时常~儿子；그는 늘 아들을 걱정한다.
[牵累] qiānlěi 동 ①달라붙어 귀찮게 하다. 옭아매어 힘들게 하다. ②말려들다. 끌어들이다. 연루하다. ❏~无辜；무고한 사람을 연루시키다.
[牵连] qiānlián 동 ①누(累)를 끼치다. 피해를 주다. ②관련되다. 말려들다. 연루되다. ❏被麻烦事~上了；귀찮은 일에 말려들었다.
[牵牛花] qiānniúhuā 명〔植〕나팔꽃. =[喇叭花]
[牵牛星] qiānniúxīng 명〔天〕견우성. =[牛郎星]
[牵强] qiānqiǎng 형 억지로 끌어대다. ❏~附会；〈成〉견강부회.
[牵涉] qiānshè 동 관련되다. 파급되다. ❏这个案子~到了你们；이 사건은 너희와 관련되었다.
[牵线] qiān//xiàn 동 ①(꼭두각시 인형을) 줄로 조종하다. 〈比〉배후에서 조종하다. ②〈比〉소개하다. 주선하다. ❏~搭桥；〈成〉중간에서 주선하다.
[牵一发而动全身] qiān yī fà ér dòng quánshēn 〈成〉사소한 일이 전체에 영향을 끼치다.
[牵引] qiānyǐn 동 견인하다. ❏~车；견인차 / ~力；견인력.
[牵制] qiānzhì 동 견제하다. ❏~敌人的兵力；적의 병력을 견제하다.

悭(慳) qiān (간)
형〈書〉①인색하다. ②부족하다. 결여되다.
[悭吝] qiānlìn 형〈書〉인색하다. 좀스럽다. 쩨쩨하다.

铅(鉛) qiān (연)
명〔化〕납(Pb: plumbum).
[铅笔] qiānbǐ 명 연필. ❏一支~；연필 한 자루 / ~刀；연필깎이 / ~盒；필통 / ~芯；연필심.
[铅球] qiānqiú 명〔體〕①투포환. 포환던지기. ②포환(砲丸).

谦(謙) qiān (겸)
형 겸손하다. 겸허하다.
[谦卑] qiānbēi 형 겸손하게 자기를 낮추다(《손아랫사람이 손윗사람에게 씀》). ❏~退让；〈成〉자기를 낮추고 사양하다.
[谦称] qiānchēng 동 겸칭하다. 자신을 낮추어 칭하다. 명 겸칭.
[谦辞] qiāncí 명 겸손한 말. 겸사. 동 겸손하게 사양하다. 겸사하다.
[谦恭] qiāngōng 형 겸허하고 공손하다.
[谦和] qiānhé 형 겸허하고 온화하다.
[谦让] qiānràng 동 겸양하다. 겸손하게 사양하다.
[谦虚] qiānxū 형 겸허하다. 동 겸손의 말을 하다.
[谦逊] qiānxùn 형 겸손하다.

前 qián (전)
①명 (공간적인) 앞. ❏向~走；앞으로 걸어가다. ②동 앞으로 나아가다. ❏勇往直~；〈成〉용감하게 돌진하다. ③명(순서의) 앞. 먼저. ❏~排；앞줄. ④명(시간적인) 전. ❏五年~；5년 전. ⑤명 어떤 사물이 생기기 전. 이전. ❏~资本主义；자본주의 이전. ⑥명 미래. 앞날. ❏~程；⇩
[前半天(儿)] qiánbàntiān(r) 명 ⇨[上午]
[前半夜] qiánbànyè 명 저녁. 밤(《일몰에서 한밤중까지》). =[上半夜]
[前辈] qiánbèi 명 선배. 연장자. ❏老~；대선배.
[前边(儿)] qián·bian(r) 명 ⇨[前面(儿)]
[前车之鉴] qiánchēzhījiàn 〈成〉〈比〉앞사람의 실패를 교훈 삼다.
[前程] qiánchéng 명 전도. 앞날. 장래. 미래. ❏锦绣~；〈成〉아름다운 미래.
[前额] qián'é 명 이마. 전두부(前頭部).
[前方] qiánfāng 명 ①앞쪽. 전방. ❏凝视~；전방을 응시하다. ②〔軍〕전방. ❏~部队；전방 부대.
[前锋] qiánfēng 명 ①선봉 부대. ②〔體〕포워드(forward). 전위.
[前赴后继] qiánfù-hòujì 〈成〉앞사람에 이어서 뒷사람이 차례차례 돌진해 나아가다.
[前后] qiánhòu 명 ①(공간적인) 앞뒤. ❏房子~；집 앞뒤. ②(어떤 시간의) 전후. 경. 쯤. ❏春节~；설날 전후. ③(시간적으로) 처음부터 끝까지. ❏他从出国到回国，~一共十年；그가 출국해서 귀국할 때까지, 모두 10년이 된다.
[前襟] qiánjīn 명 ⇨[前身②]
[前进] qiánjìn 동 전진하다.
[前景] qiánjǐng 명 ①전경. ②전망. 가망. 전도. 미래도.
[前科] qiánkē 명〔法〕전과. ❏~犯；전과범 / ~记录；전과 기록.
[前例] qiánlì 명 전례.

[前列] qiánliè 명 맨 앞 열(列). 〈比〉 선두. 상석.
[前列腺] qiánlièxiàn 명〖生理〗 전립선. ❑ ~肥大; 전립선 비대.
[前门] qiánmén 명 앞문. 정문.
[前面(儿)] qiánmiàn(r) 명 ① (공간적인) 앞. ❑ 宿舍~; 기숙사 앞. ② (시간·순서의) 앞. 먼저. ❑ 具体的内容, ~已经说过了; 자세한 내용은 앞에서 이미 말했다. ‖ =[前边(儿)][前头]
[前脑] qiánnǎo 명〖生理〗 전뇌.
[前年] qiánnián 명 재작년.
[前仆后继] qiánpū-hòujì 〈成〉 앞 사람이 넘어지면 뒷사람이 뒤이어 나간다《희생을 두려워하지 않고 용감히 분투하다》.
[前妻] qiánqī 명 전처. 전 부인.
[前期] qiánqī 명 전기.
[前驱] qiánqū 명 선구. 선구자.
[前儿] qiánr 명〈口〉 ⇨[前天]
[前人] qiánrén 명 전인. 앞사람. 옛사람. 선대의 사람.
[前任] qiánrèn 명 전임. 전임자.
[前日] qiánrì 명 ⇨[前天]
[前哨] qiánshào 명〖軍〗 전초. ❑ ~战; 전초전.
[前身] qiánshēn 명 ①〖佛〗 전생(前生). 〈轉〉 전신. ❑ 本大学的~; 본 대학의 전신. ② (~儿) (옷의) 앞길. =[前襟]
[前生] qiánshēng 명 전생. 전세. ❑ ~缘分; 전생의 연분. =[前世]
[前所未有] qiánsuǒwèiyǒu 〈成〉 이제까지 없었던. 미증유(未曾有)의. 공전의.
[前台] qiántái 명 ① 무대 앞. ② 무대. ③〈比〉 공개된 장소. ④(호텔·여관의) 프런트(front).
[前提] qiántí 명 ①〖哲〗 전제. ❑ 大~; 대전제. ② 전제 조건. 전제.
[前天] qiántiān 명 그저께. ❑ 大~; 그끄저께. =[〈口〉 前儿][前日]
[前头] qián·tou 명 ⇨[前面(儿)]
[前途] qiántú 명 전도. 앞길. 전망. ❑ ~茫茫; 전도양양하다.
[前往] qiánwǎng 동 향해 가다. 나아가다. ❑ 驱车~医院; 차를 몰고 병원을 향해 가다.
[前卫] qiánwèi 명 ①〖體〗 (축구 따위의) 전위. 하프백(halfback). ②〖軍〗 전위. 형 전위적이다. ❑ ~作品; 전위적인 작품.
[前夕] qiánxī 명 ① 이브(eve). 전야. ❑ 圣诞节~; 크리스마스이브. ②〈比〉 일이 일어나기 직전. 전야. ❑ 革命~; 혁명 전야. ‖ =[前夜]
[前线] qiánxiàn 명 전방. 전선(前線). ❑ ~指挥; 진두 지휘.
[前言] qiányán 명 ① (저작의) 서언(序言). ② 앞서 한 말. ❑ ~不搭后语; 말의 앞뒤가 맞지 않다.
[前夜] qiányè 명 ⇨[前夕]
[前因后果] qiányīn-hòuguǒ 〈成〉 앞의 원인과 나중의 결과《어떤 일의 전 과정》.
[前兆] qiánzhào 명 전조. 조짐.
[前者] qiánzhě 명 전자. 앞의 것.
[前肢] qiánzhī 명〖動〗 앞다리.
[前缀] qiánzhuì 명〖言〗 접두사(接頭辭). =[词头]
[前奏] qiánzòu 명 ①〖樂〗 전주곡. 서곡. =[前奏曲] ②〈比〉 일의 시작을 알리는 예고. 전조.

黔 qián (검)

명 ①〈書〉 검은색. ② (Qián)〖地〗 구이저우 성(貴州省)의 별칭.

钱(錢) qián (전)

① 명 동전. ② 명 돈. 화폐. ❑ 多少~? 얼마입니까? / 现~; 현금. ③ 명 비용. 대금. 값. ❑ 饭~; 밥값. ④ 명 금전. 재물. 재화. ❑ 有~; 돈이 많다. 부자이다. ⑤ 양 돈《중량 단위의 하나로, 1 '两' 의 10분의 1》.
[钱包(儿)] qiánbāo(r) 명 지갑.
[钱币] qiánbì 명 돈. 화폐《주로, 금속 화폐》.
[钱财] qiáncái 명 금전. 돈.

钳(鉗) qián (겸)

① 명 못뽑이. 집게. 펜치. ② 동 (못뽑이로) 뽑다. (펜치로) 끊다. (집게로) 집다. ③ 동 구속하다. 속박하다. 제한하다. ❑ ~制; ⇩
[钳制] qiánzhì 동 견제하다. 탄압하다. 누르다. ❑ ~舆论; 여론을 탄압하다. 「집게.
[钳子] qián·zi 명 겸자. 집게. 쪽

虔 qián (건)

형 공손하다. 경건하다.
[虔诚] qiánchéng 형 경건하고 정성스럽다. ❑ ~的信徒; 경건한 신도.
[虔心] qiánxīn 명 경건한 마음. 형 경건하다.

乾 qián (건)

명 건괘《팔괘(八卦)의 하나》. ⇒'干' gān
[乾坤] qiánkūn 명 건곤. 천지(天地). 천하. ❑ 扭转~; 천하의 대세

를 일변시키다.

掮 qián (견)
동〈方〉(어깨에) 메다. ❏ ~行李; 짐을 메다.

[掮客] qiánkè 명 중매인(仲買人). 브로커(broker).

潜 qián (잠)
① 동 잠수하다. ❏ ~水; ⇩
② 동 숨다. 숨기다. ❏ ~伏; ⇩
③ 부 가만히. 몰래. ❏ ~逃; ⇩
④ 명 잠재력. ❏ 挖~; 잠재력을 개발하다.

[潜藏] qiáncáng 동 숨다. 감추다. ❏ ~的敌人; 숨어 있는 적.

[潜伏] qiánfú 동 잠복하다. 숨다. ❏ ~期;〖醫〗잠복기.

[潜力] qiánlì 명 잠재력. 저력.

[潜入] qiánrù 동 ① (물속에) 들어가다. ❏ ~水中; 물속에 들어가다. ② 잠입하다. ❏ ~国境; 국경에 잠입하다.

[潜水] qiánshuǐ 동 잠수하다. ❏ ~衣; 잠수복 / ~员; 잠수부.

[潜水艇] qiánshuǐtǐng 명 ⇨[潜艇]

[潜逃] qiántáo 동 몰래 달아나다.

[潜艇] qiántǐng 명 잠수함. 잠수정. =[潜水艇]

[潜望镜] qiánwàngjìng 명 잠망「경.

[潜心] qiánxīn 동 마음을 쏟다. 몰두하다. ❏ ~研究; 마음을 쏟아서 연구하다.

[潜行] qiánxíng 동 ① 물속에서 나아가다. ② 잠행하다. 몰래 가다.

[潜移默化] qiányí-mòhuà 〈成〉(사고방식이나 성격이) 자신도 모르는 사이에 영향을 받아 변하다.

[潜意识] qiányì·shí 명 잠재의식. =[下意识]

[潜在] qiánzài 형 잠재하다. ❏ ~力量; 잠재력.

浅(淺) qiǎn (천)
형 ① 얕다. ❏ 这条河很~; 이 강은 매우 얕다. ② (장소 따위의 폭·길이가) 짧다. 좁다. ❏ 院子太~; 뜰이 너무 좁다. ③ 평이하다. 간단하다. ❏ 内容很~; 내용이 매우 평이하다. ④ 빈약하다. 부족하다. 얕다. ❏ 资格~; 자격이 부족하다. ⑤ (감정·친분 따위가) 두텁지 않다. 얕다. ❏ 交情~; 교분이 두텁지 않다. ⑥ (빛깔이) 엷다. 연하다. ❏ 色调~的衣服; 연한 색조의 옷. ⑦ (시간·기간이) 짧다. ❏ 相交日~; 교제 기간이 짧다.

[浅薄] qiǎnbó 형 ① (지식·수양이) 천박하다. ② (감정 따위가) 깊지 않다. ③ 경솔하다. 경박하다.

[浅海] qiǎnhǎi 명〖地質〗천해.

[浅见] qiǎnjiàn 명〈謙〉천견. 천박한 생각. 얕은 식견.

[浅陋] qiǎnlòu 형 견식이 얕고 좁다. 천박하고 비루하다.

[浅显] qiǎnxiǎn 형 간명해서 알기 쉽다. 평이하다. ❏ 内容很~; 내용이 매우 평이하다. =[浅易yì]

遣 qiǎn (견)
동 ① (사람을) 보내다. 파견하다. ❏ 特~; 특파하다. ② 발산하다. 풀다. 달래다. ❏ ~闷; 답답함을 달래다.

[遣返] qiǎnfǎn 동 송환하다. ❏ ~战俘; 전쟁 포로를 송환하다.

[遣散] qiǎnsàn 동 ① (조직 개편이나 해산시에 구성원 따위를) 물러나게 하다. 해직하다. 해고하다. 퇴역시키다. ② 포로를 송환하다.

[遣送] qiǎnsòng 동 (거류 조건에 맞지 않는 사람을) 추방하다.

谴(譴) qiǎn (견)
동 책망하다. 견책하다.

[谴责] qiǎnzé 동 견책하다. 책하고 비난하다. 꾸짖고 나무라다. ❏ ~不道德的行为; 부도덕한 행위를 책하고 비난하다.

欠 qiàn (흠)
① 동 하품하다. ② 동 몸을 위로 뻗다. ❏ ~脚(儿); 까치발을 하다. ③ 동 빚지다. ❏ 我~他一万块钱; 나는 그에게 1만 위안을 빚지고 있다. ④ 형 부족하다. 모자라다. ❏ ~历练; 경험과 수련이 부족하다.

[欠佳] qiànjiā 형 좋지 않다. ❏ 成绩~; 성적이 좋지 않다.

[欠款] qiàn//kuǎn 동 빚을 지다. 빚을 갚지 못하다. (qiànkuǎn) 명 빚. 채무.

[欠缺] qiànquē 명동 부족(하다). 결핍(하다). ❏ ~经验; 경험이 부족하다.

[欠身] qiàn//shēn 동 몸을 앞으로 일으키다. 상반신을 일으키다. ❏ 他~坐起来, 打了个招呼; 그는 몸을 일으켜 앉아 인사를 나눴다.

[欠债] qiàn//zhài 동 빚을 지다. ❏ ~人; 채무자. (qiànzhài) 명 빚. 부채.

[欠账] qiàn//zhàng 동 빚지다. (qiànzhàng) 명 부채. 빚.

嵌 qiàn (감)
동 새겨 넣다. 박아 넣다. ❏ 戒

指上~着一颗绿宝石; 반지에 에메랄드 하나가 박혀 있다.

歉 qiàn (겸) 형 ① 흉작이다. ❑ ~年; ⇩ ② 미안하게 생각하다. 유감이다. ❑ 抱~; 유감으로 여기다.

[歉疚] qiànjiù 형 (미안한 생각에) 마음이 불편하다. 꺼림칙하다. 마음에 걸리다. ❑ 我动手打了他, 事后内心非常~; 내가 그에게 손찌검을 했는데, 그것이 나중에 매우 마음에 걸렸다.

[歉年] qiànnián 명 흉년.

[歉收] qiànshōu 동 작황이 좋지 않다. 흉작이다.

[歉意] qiànyì 명 유감의 뜻. 미안한 마음.

纤(縴) qiàn (견) 명 뱃줄. ❑ 用~拉; 뱃줄로 (배를) 끌다. ⇒ xiān

倩 qiàn (청, 천) 형〈書〉 아름답다. 수려하다. ❑ ~影; (여성의) 아름다운 모습. ⇒ qìng

堑(塹) qiàn (참) 명 ① 성(城)의 해자(垓字). ② 참호.

[堑壕] qiànháo 명〔軍〕 참호.

qiang ㄑㄧㄤ

抢(搶) qiāng (창) 동〈書〉 충돌하다. 부딪치다. ❑ 呼天~地; 〈成〉 하늘에다 소리치고 머리로 땅을 치다《몸부림치며 통곡하다》. ⇒ qiǎng

呛(嗆) qiāng (창) 동 사레들리다. 사레들려 내뿜다. ❑ 喝酒喝~了; 술을 마시다가 사레가 들렸다. ⇒ qiàng

枪(槍) qiāng (창) **A)** 명 ① 창. ❑ 一把~; 창 한 자루. ② 총. ❑ 放~; 총을 쏘다 / 手~; 권총. ③ 성능이나 모양이 총과 같은 것. ❑ 电焊~; 전기 용접기. **B)** 동 (시험을) 대신 보다. ❑ 打~; 대리 시험을 치다.

[枪毙] qiāngbì 동 ① 총살하다《주로, 사형 집행을 일컬음》. ② 〈比〉 (건의 · 제안이) 묵살되다. (원고가) 몰서(沒書)되다.

[枪刺] qiāngcì 명 총검. =[刺刀]

[枪弹] qiāngdàn 명 ⇨[子弹]

[枪杆(儿)] qiānggǎn(r) 명 총신(銃身). 총대. 〈轉〉 무기. 무장력(武裝力). =[枪杆子]

[枪击] qiāngjī 동 총격하다. ❑ 遭到~; 총격을 당하다 / 展开~; 총격전을 벌이다.

[枪决] qiāngjué 동 총살하다. ❑ 就地~; 그 자리에서 총살하다.

[枪口] qiāngkǒu 명 총구. 총부리.

[枪林弹雨] qiānglín-dànyǔ 〈成〉 총이 숲을 이루고 탄환이 비 오듯 쏟아지다《격렬한 전투》.

[枪炮] qiāngpào 명 총포.

[枪杀] qiāngshā 동 총살하다.

[枪伤] qiāngshāng 명 총상.

[枪声] qiāngshēng 명 총성.

[枪手] qiāngshǒu 명 ① 창을 가진 병사. ② 사격수. 사수(射手). ③ 대리 시험을 치는 사람.

[枪膛] qiāngtáng 명 (총의) 탄창부.

[枪替] qiāngtì 동 대리 시험을 치다. =[打枪②]

[枪支] qiāngzhī 명 총기(銃器).

戗(戧) qiāng (창) 동 ① 거스르다. ❑ ~风; 역풍이 일다. ② (의견이) 충돌하다. 결렬되다. ❑ 两人说~了; 두 사람의 대화는 결렬되었다.

戕 qiāng (장) 동〈書〉 해치다. 죽이다.

[戕害] qiānghài 동 해하다. 해치다. ❑ ~健康; 건강을 해치다.

蜣 qiāng (강) →[蜣螂]

[蜣螂] qiāngláng 명〔蟲〕 쇠똥구리. 말똥구리.

锵(鏘) qiāng (장) 의 뎅뎅. 댕그랑댕그랑《금속이나 옥이 부딪치는 소리》. ❑ 锣声~~; 징이 뎅뎅 울리다.

腔 qiāng (강) 명 ①〔生〕 강《몸 안의 빈 곳》. ❑ 口~; 구강. ② (~儿) 기물 안의 빈 곳. ③ (~儿) 말. ❑ 开~; 입을 열다. 말을 하다. ④ (~儿) 가락. 곡조. ❑ 高~; 높은 곡조. ⑤ (~儿) 어조(語調). 어투. 말씨. ❑ 山东~; 산둥 말씨.

[腔调] qiāngdiào 명 ①〔劇〕 중국 희곡(戲曲)의 계통을 이루는 곡조(曲調). ②〔樂〕 (음악의) 가락. 곡조. ③ 어조(語調). 말씨. 말투.

强 qiáng (강) ① 형 (힘 · 역량이) 세다. 강하다. ❑ 韩国队比日本队~; 한국 팀이 일본 팀보다 강하다. ② 형 (감정·의지 따위가) 강하다. ❑责任心很~; 책임감이 매우 강하다. ③ 동 강제하다. 억지로 시키다. ❑~制; ⇓ ④ 동 강하게 만들다. ❑富国~兵; 〈成〉 부국강병. ⑤ 형 우수하다. 낫다. 좋다. ❑他写得字比你的~; 그의 글씨는 너보다 낫다. ⑥ 형 (분수나 소수의 뒤에서) …여. …남짓. ❑三分之二~; 삼분의 이 남짓. ⇒jiàng qiǎng

[强暴] qiángbào 형 강포하다. 흉포하다. 명 흉포한 세력. 포악한 세력.

[强大] qiángdà 형 강대하다. ❑国力~; 국력이 강대하다.

[强盗] qiángdào 명 ① 강도. ② 〈轉〉 침략자.

[强敌] qiángdí 명 강적.

[强调] qiángdiào 동 강조하다. ❑~重要性; 중요성을 강조하다.

[强度] qiángdù 명 ① 강도. 세기. ❑劳动~; 노동 강도. ② 물체의 저항력.

[强风] qiángfēng 명 ① 강풍. ② 〖氣〗 된바람.

[强攻] qiánggōng 동 강공하다.

[强固] qiánggù 형 강고하다. 강하고 견고하다.

[强国] qiángguó 명 강국. 동 나라를 강대하게 하다.

[强悍] qiánghàn 형 강하고 용감하다.

[强横] qiánghèng 형 난폭하다. 횡포하다. ❑态度~; 태도가 횡포하다.

[强化] qiánghuà 동 강화하다. 견고히 하다. ❑~训练; 강화 훈련.

[强奸] qiángjiān 동 ① 강간하다. ❑~未遂; 강간 미수. ② 〈轉〉 짓밟다. ❑~民意; 민의를 짓밟다.

[强健] qiángjiàn 형 건장하다. 강건하다. 동 강건하게 하다.

[强劲] qiángjìng 형 강하다. 강력하다. ❑~的军队; 강한 군대.

[强烈] qiángliè 형 ① 강렬하다. 강하다. 거세다. ❑~的灯光; 강렬한 불빛 / ~的印象; 강한 인상. ② 뚜렷하다. 선명하다. ❑色彩~; 색채가 선명하다.

[强权] qiángquán 명 강권. 강한 권력.

[强盛] qiángshèng 형 (주로, 국가가) 강성하다.

[强势] qiángshì 명 강세. ① 강한 기세. ② 강력한 세력.

[强行] qiángxíng 부 강제적으로. 강행하여. ❑~通过; 강제적으로 통과하다.

[强行军] qiángxíngjūn 동 강행군하다.

[强硬] qiángyìng 형 강경하다. 강력하다. ❑态度~; 태도가 강경하다.

[强占] qiángzhàn 동 강점하다. ❑~邻国的领土; 이웃 나라의 영토를 강점하다.

[强震] qiángzhèn 명〖地質〗강진.

[强制] qiángzhì 동 강제하다. ❑~实施; 강제로 실시하다 / ~方法; 강제적인 방법 / ~性; 강제성.

[强壮] qiángzhuàng 형 (신체가) 건장하다. 강건하다. 동 강건하게 하다. ❑~剂; 강장제.

墙(墻) qiáng (장)

명 ① 벽. 담. ❑城~; 성벽. ② 벽·담 모양의 것. 칸막이 역할을 하는 것.

[墙报] qiángbào 명 ⇒[壁报]

[墙壁] qiángbì 명 담. 벽.

[墙根(儿)] qiánggēn(r) 명 벽이나 담의 땅과 이어진 밑부분. =[墙脚①]

[墙脚] qiángjiǎo 명 ① ⇒[墙根(儿)] ② 〈比〉 기초. 토대. 기반.

[墙纸] qiángzhǐ 명 ⇒[壁纸]

蔷(薔) qiáng (장)

→[蔷薇]

[蔷薇] qiángwēi 명〖植〗장미. 찔레. 들장미.

樯(檣) qiáng (장)

명〈書〉돛대.

抢(搶) qiǎng (창)

동 ① 빼앗다. 약탈하다. ❑他把我的信~去了; 그가 내 편지를 빼앗아 갔다. ② 앞을 다투다. ❑大家都~着报名; 모두 앞을 다투어 신청하다. ③ 다그치다. 서두르다. 급히 하다. ❑~时间; 시간을 다그치다. ④ (물체의 표면을) 벗기다. ❑跌了一跤, 把肉皮~去一块; 넘어져서 피부 한 군데가 벗겨졌다. ⇒qiāng

[抢白] qiǎngbái 동 면전에 대고 꾸짖다. 대놓고 풍자하다.

[抢断] qiǎngduàn 동〖體〗인터셉트(intercept)하다. 가로채기하다.

[抢夺] qiǎngduó 동 빼앗다. 강탈하다. 가로채다. ❑~权力; 권력을 가로채다.

[抢购] qiǎnggòu 동 사재기하다. ❑~风; 사재기 바람.

[抢劫] qiǎngjié 동 강탈하다. ❑~财物; 재물을 강탈하다.

[抢救] qiǎngjiù 동 응급 구조를 하다. 응급 조치를 취하다. ❏ ~伤员; 부상자를 응급 구조 하다.
[抢掠] qiǎnglüè 동 (주로, 재물을) 힘으로 빼앗다. 약탈하다.
[抢拍] qiǎngpài 동〘撮〙스냅 사진을 찍다. 「하다.
[抢收] qiǎngshōu 동 서둘러 수확
[抢手] qiǎngshǒu 형 (상품 따위가) 매우 잘 팔리다. 매우 인기 있다. ❏ ~货; 인기 상품.
[抢先(儿)] qiǎng//xiān(r) 동 앞을 다투다. ❏ ~发言; 앞다투어 발언하다.
[抢险] qiǎngxiǎn 동 (위험한 상황에서) 긴급 조치를 취하다.
[抢修] qiǎngxiū 동 응급 수리[보수]를 하다.
[抢占] qiǎngzhàn 동 ① 앞다투어 점령하다. ❏ ~有利地形; 앞다투어 유리한 지형을 점령하다. ② 불법으로 점유하다. ❏ ~公房; 공공건물을 불법으로 점유하다.
[抢嘴] qiǎngzuǐ 동 ①〈方〉앞을 다투어 발언하다. 서로 먼저 말하려고 다투다. ② 앞다투어 먹다.

强 qiǎng (강) 동 억지로 하다. 무리하게 하다. 강제로 하다. ⇒jiàng qiáng
[强逼] qiǎngbī 동 ⇨[强迫]
[强辩] qiǎngbiàn 동 강변하다. 우기다. 억지쓰다.
[强词夺理] qiǎngcí-duólǐ〈成〉이치에도 맞지 않는 억지를 쓰다.
[强迫] qiǎngpò 동 강제로 시키다. 강요하다. ❏ 你不要~他接受你的意见; 네 의견을 그에게 강요하지 마라. =[强逼]
[强求] qiǎngqiú 동 무리하게 요구하다. 억지로 구하다.
[强人所难] qiǎngrénsuǒnán〈成〉난처한 일을 남에게 강요하다.
[强使] qiǎngshǐ 동 강제로[억지로] …하게 하다. ❏ ~服从; 억지로 복종시키다.

襁 qiǎng (강) 명〈書〉아기 업는 포대기.
[襁褓] qiǎngbǎo 명 포대기. 강보.

呛(嗆) qiàng (창) 동 (자극성 기체가) 호흡기를 자극하다. 숨이 막히다. 코를 찌르다. ❏ 烟~嗓子; 연기가 목구멍을 자극하다. ⇒qiāng

跄(蹌) qiàng (창) →[跄踉][踉跄]
[跄踉] qiàngliàng 동〈書〉⇨[踉跄]

qiao ㄑㄧㄠ

悄 qiāo (초) →[悄悄(儿)][悄悄话] ⇒qiǎo
[悄悄(儿)] qiāoqiāo(r) 부 소곤소곤. 몰래. 살그머니. ❏ 他~儿地走了出去; 그는 살그머니 걸어 나갔다.
[悄悄话] qiāoqiāohuà 명 귓속말. 은밀한 이야기.

跷(蹺) qiāo (교) ① 동 (발을) 들다. (손가락을) 세우다. ❏ ~起大拇指; 엄지손가락을 세우다. ② 동 발돋움하다. 까치발을 하다. ❏ ~着脚走路; 발끝으로 걷다. ③ 명 ⇨[高跷] ④ 동〈方〉다리를 절다.
[跷蹊] qiāo·qi 형 ⇨[蹊跷]
[跷跷板] qiāoqiāobǎn 명 시소(seesaw).

雀 qiāo (작) →[雀子] ⇒qiǎo què
[雀子] qiāo·zi 명〈口〉⇨[雀què班]

敲 qiāo (고) 동 ① 치다. 두드리다. ❏ ~门; 문을 두드리다. 노크하다 ②〈口〉(금전을) 우려내다. 뜯어내다.
[敲边鼓] qiāo biāngǔ〈比〉옆에서 가세하다. 편들다. 역성들다.
[敲打] qiāo·dǎ 동 ① 치다. 두드리다. ②〈口〉(말로) 자극하다. 건드리다. 비판하다. ❏ 冷言冷语~人; 냉정한 말로 남을 비판하다.
[敲锣打鼓] qiāoluó-dǎgǔ〈成〉징을 치고 북을 치다《매우 요란하고 떠들썩한 모양》.
[敲诈] qiāozhà 동 세력을 이용해 갈취하다. 사기를 쳐서 우려내다. ❏ ~勒索;〈成〉사기 쳐서 재물을 갈취하다.
[敲竹杠] qiāo zhúgàng 금품을 뜯어내다. 바가지를 씌우다.

锹(鍬) qiāo (초) 명 삽.

橇 qiāo (교) 명 썰매. ❏ 雪~; 눈썰매.

乔(喬) qiáo (교) ① 형 높다. ❏ ~木; ⇩ ② 동 변장하다. 위장하다.
[乔木] qiáomù 명〘植〙교목.
[乔迁] qiáoqiān 동〈敬〉(남이) 좋은 곳으로 이사하다. 승진하다《주로, 축하하는 말로 쓰임》.

[乔装] qiáozhuāng 동 변장하다. 위장하다. ❑ ~打扮; 〈成〉 변장하여 신분을 숨기다.

侨(僑) qiáo (교) ① 동 해외나 타향에 거주하다. ❑ ~民; ⇓ ② 명 교민. 교포. ❑ 华~; 화교.

[侨胞] qiáobāo 명 해외 동포. 교포.

[侨居] qiáojū 동 외국에 거주하다. ❑ ~国外; 국외에 거주하다.

[侨民] qiáomín 명 교민.

荞(蕎) qiáo (교) →[荞麦]

[荞麦] qiáomài 명 〖植〗 메밀.

桥(橋) qiáo (교) 명 다리. 교량.

[桥墩] qiáodūn 명 다리의 지주(支柱). 교각(橋脚).

[桥梁] qiáoliáng 명 ① 다리. 교량. ②〈比〉 중개. 매개.

[桥牌] qiáopái 명 (카드놀이의) 브리지(bridge).

[桥头堡] qiáotóubǎo 명 ①〖軍〗 교두보. ②〖建〗 교탑. 다리탑. ③ 공격의 거점. 교두보. 발판.

翘(翹) qiáo (교) 동 ① 머리[고개]를 들다. ❑ ~首; ⇓ ② (나무·종이 따위가 젖었다가 마르면서) 휘다. 쭈글쭈글해지다. ❑ 木板子晒~了; 널빤지가 볕을 쬐어 휘었다. ⇒ qiào

[翘企] qiáoqǐ 동〈書〉 간절히 기다리다. 학수고대하다.

[翘首] qiáoshǒu 동〈書〉 고개를 들어 바라보다. ❑ ~星空; 고개를 들어 별이 총총한 하늘을 바라보다.

憔 qiáo (초) →[憔悴]

[憔悴] qiáocuì 형 야위다. 초췌하다. ❑ 面容有些~; 얼굴이 좀 초췌하다.

樵 qiáo (초) ① 명〈方〉 장작. 땔나무. ② 동〈書〉 나무를 하다.

[樵夫] qiáofū 명 나무꾼.

瞧 qiáo (초) 동〈口〉 보다. 살피다. ❑ 往外~; 밖을 내다보다 / ~他去; 그를 보러 가다 / 你~着办吧; 네가 보아가면서 해라.

[瞧不起] qiáo·buqǐ 동〈口〉 ⇒ [〈口〉 看不起]

[瞧得起] qiáo·deqǐ 동〈口〉 ⇒ [〈口〉 看得起]

[瞧见] qiáo//jiàn 동〈口〉 ⇒[看见]

巧 qiǎo (교) 형 ① 교묘하다. 솜씨[재주]가 좋다. ❑ 他的手很~; 그는 매우 손재주가 좋다. ② (손이나 입이) 민첩하다. 기민하다. 날래다. ❑ 嘴~; 입을 잘 놀리다. ③ 공교롭다. 마침 …하다. ❑ 太~了, 我正想找你, 你就来了; 안 그래도 너를 찾고 있었는데 마침 네가 왔으니 너무 잘됐다. ④ (말이) 겉만 번드르르하다. ❑ ~言; 교묘한 말.

[巧夺天工] qiǎoduó-tiāngōng 〈成〉 정교한 인공(人工)의 것이 천연의 것보다 낫다《기술 · 솜씨가 매우 정교하다》.

[巧妇难为无米之炊] qiǎofù nán wéi wú mǐ zhī chuī 〈諺〉 솜씨가 좋은 여자라도 쌀 없이는 밥을 지을 수 없다《필요한 조건이 결핍되면 아무리 유능한 사람이라도 일을 잘 해내기 어렵다》.

[巧合] qiǎohé 형 공교롭게도 맞아떨어지다. 우연히 일치하다. ❑ 小两口同年同月同日生, 真是~! 부부가 같은 해 같은 달 같은 날 태어났다니 참 대단한 우연의 일치구나!

[巧计] qiǎojì 명 교묘한 계책.

[巧匠] qiǎojiàng 명 뛰어난 장인.

[巧克力] qiǎokèlì 명〈音〉 초콜릿(chocolate).

[巧立名目] qiǎolì-míngmù 〈成〉 교묘하게 갖가지 명목을 붙이다.

[巧妙] qiǎomiào 형 교묘하다. 빼어나다. ❑ ~的方法; 교묘한 방법.

[巧取豪夺] qiǎoqǔ-háoduó 〈成〉 (재물이나 권력을) 속이거나 힘으로 빼앗다.

悄 qiǎo (초) 형 ① 조용하다. ❑ 低声~语; 작은 소리로 소곤거리다. ②〈書〉 근심하다. 슬프다. ⇒ qiāo

[悄然] qiǎorán 형 ① 슬퍼하는 모양. 초연한 모양. ❑ ~落泪; 초연히 눈물을 흘리다. ② 고요한[조용한] 모양. ❑ ~而去; 조용히 가다.

雀 qiǎo (작) 의미는 '雀què' 와 같고, '家雀儿' · '雀盲眼' 의 경우에만 이렇게 발음함. ⇒ qiāo què

[雀盲眼] qiǎo·mangyǎn 명〈方〉 ⇒[夜盲]

壳(殼) qiào (각) 명 단단한 외피(外皮). 껍데기. ❑ 甲~; 갑각. ⇒ ké

[壳菜] qiàocài 명 ⇒[贻贝]

俏 **qiào** (초)
①형 아름답다. 멋있다. 맵시가 있다. ❏ 打扮得真~; 아주 멋있게 차려입었다. ②형 상품의 팔림새가 좋다. ❏ ~货; ⇩ ③동〈方〉(양념을) 넣다. ❏ ~点儿辣椒; 고추를 약간 넣다.

[俏货] qiàohuò 명 잘 팔리는 상품.

[俏丽] qiàolì 형 (용모가) 빼어나다. 아름답다. 수려하다.

[俏皮] qiào·pí 형 ①(용모나 차림새가) 보기 좋다. 예쁘다. 멋지다. ❏ 长得很~; 용모가 매우 멋지다. ②활력이 넘치다. 재치가 넘치다. ❏ 他说话很~; 그의 말은 재치가 넘친다.

[俏头] qiào·tou 명 (채소류의) 양념.

峭 **qiào** (초)
형 ①산세가 험하다. 가파르다. ②엄격하다. 엄하다. ❏ ~直; 엄격하고 강직하다.

[峭拔] qiàobá 형 ①(산이) 높고 험하다. ❏ 山势~; 산세가 높고 험하다. ②(문장이) 웅건(雄健)하다. ❏ 笔锋~; 필력(筆力)이 웅건하다.

[峭壁] qiàobì 명 절벽. 벼랑.

鞘 **qiào** (초)
명 칼집. ⇒shāo

窍(竅) **qiào** (규)
명 ①구멍. ❏ 七~; 귀·눈·코·입의 일곱 구멍. ②〈比〉요점. 요령. 관건.

[窍门(儿)] qiàomén(r) 명 (문제 해결의) 요령. 비결.

翘(翹) **qiào** (교)
동 한쪽 부분을 위로 세우다. 한쪽이 들리다. ⇒qiáo

[翘辫子] qiào biàn·zi 〈比〉 죽다《조소나 해학의 어감》.

[翘尾巴] qiào wěi·ba 〈比〉 잘난 체하다. 기고만장하다.

撬 **qiào** (효)
동 (막대기·칼 따위를 끼워 넣어) 떼어 내다. 비틀어 열다. 한쪽이 들리다. ❏ ~起箱子盖; 상자 뚜껑을 비집어 열다.

qie ㄑㄧㄝ

切 **qiē** (절)
동 ①(날붙이로) 절단하다. 썰다. 자르다. ❏ ~肉; 고기를 썰다. ②끊다. 차단하다. ❏ ~断; ⇩ ⇒qiè

[切除] qiēchú 동 (외과 수술에서) 잘라 내다. 제거하다. 절제하다. ❏ ~肿瘤; 종양을 제거하다 / ~手术; 절제 수술. 절제술.

[切磋] qiēcuō 동 (학문 따위를) 갈고닦다. 토론하고 연구하다. ❏ ~琢磨; 〈成〉 절차탁마하다.

[切断] qiēduàn 동 절단하다. 끊다. ❏ ~电源; 전원을 끊다 / ~联系; 연락을 끊다.

[切面] qiēmiàn 명 ①칼로 썬 날국수. ②⇨[剖面]

[切削] qiēxiāo 동〖工〗 절삭하다. ❏ ~工具; 절삭 공구.

[切牙] qiēyá 명 ⇨[门牙]

茄 **qié** (가)
명〖植〗 가지. ⇒jiā

[茄子] qié·zi 명〖植〗 가지.

且 **qiě** (차)
A) 부 ①잠시. 잠깐. 일단. ❏ 你别着急, ~听我说; 서두르지 말고 일단 내 말을 들어라. ②〈方〉오래. 한참《주로, '呢'와 함께 쓰임》. ❏ 一百多斤大米, ~吃呢; 백여 근의 쌀이면 한참 동안 먹는다.
B) 접〈書〉 ①…인데 (하물며). …마저도. …조차. ❏ 明日~未可知, 况明年乎? 내일 일조차 모르는데 하물며 내년 일을 어찌 알겠는가? ②게다가. 더욱이. 또한. ❏ 这个苹果既大~甜; 이 사과는 크고 달다 / 这辆汽车价格便宜, ~质量可靠; 이 자동차는 값이 싼데 게다가 품질까지 믿을 만하다.

[且慢] qiěmàn 동 잠시 기다려라《상대방의 행동을 제지하는 말》. ❏ ~, 我还有话说; 잠시 기다려, 내 말 아직 안 끝났어.

[且…且…] qiě…qiě… …하면서 …하다. ❏ 且谈且走; 이야기하면서 걷다.

切 **qiè** (절)
①동 부합하다. 맞다. ❏ 不~实际的幻想; 현실에 맞지 않는 환상. ②형 친근하다. 친밀하다. 친절하다. ❏ 亲~; 친절하다. ③형 간절하다. 절박하다. 절실하다. ❏ 迫~; 절박하다. ④부 절대. 결코. 제발. 부디. ❏ ~勿狂妄自大; 절대 분별없이 잘난 척하지 마라. ⑤동〖中醫〗 맥을 짚다. ⇒qiē

[切齿] qièchǐ 동 이를 갈다《매우 분함을 나타냄》. ❏ ~痛恨; 〈成〉 이를 갈며 증오하다.

[切当] qièdàng 형 적절하다. 알맞

다. ❏用词~; 단어 사용이 적절하다.
[切肤之痛] qièfūzhītòng 〈成〉 사무치는 괴로움[고통].
[切合] qièhé 동 딱 들어맞다. 부합하다. ❏~时宜; 시의에 부합하다.
[切记] qièjì 동 단단히 기억하다. ❏~按时服药; 제시간에 약 먹는 것을 단단히 기억해라.
[切忌] qièjì 동 절대 금기하다. 절대 금물이다. ❏~熬夜; 밤샘은 절대 금물이다.
[切近] qièjìn 동 ① 아주 가깝다. ②(상황이) 비슷하다. 가깝다. ❏这样分析跟原意~; 이러한 분석은 원래의 뜻과 비슷하다.
[切脉] qièmài 동 ⇒[诊脉]
[切切] qièqiè 부 제발. 부디. 모쪼록《주로, 서신에 쓰임》. ❏~莫忘! 부디 잊지 말도록! 형 ① 포고·게시·수칙·규칙 따위의 끝에 쓰여 당부의 의미를 나타냄. ❏~此布; 이상을 지켜 줄 것을 바라며 이에 공포함. ② 간절한 모양. ❏~请求; 간절히 부탁하다.
[切身] qièshēn 형 자기와 밀접한 관계가 있다. 절실하다. ❏~的问题; 절실한 문제. 부 몸소. 스스로. ❏~经历; 스스로 경험하다.
[切实] qièshí 형 적절하다. 실제에 부합하다. 실질적이다. ❏这些措施~可行; 이 조치들은 적절하고 실행 가능하다.
[切题] qiètí 동 제목[주제]에 부합하다.
[切中] qièzhòng 동 (말·방법이) 정통으로 맞다. 정곡을 찌르다. ❏~要害; 정곡을 찌르다.

窃(竊) qiè (절) ① 동 훔치다. 절취하다. ❏行~; 훔치다. ② 부 몰래. 남모르게. 슬그머니. ❏~听; ⇩ ③ 명〈書〉〈謙〉 저(의 의견). ❏~以为不可; 저는 안 된다고 생각합니다.
[窃案] qiè'àn 명 절도 사건.
[窃据] qièjù 동 (토지·지위를) 부정한 수단으로 차지하다.
[窃窃] qièqiè 형 작은 소리로 소곤대는 모양. ❏~私语; 〈成〉 소곤소곤 이야기하다. 부 남몰래. 몰래. 암암리에. ❏~自喜; 남몰래 기뻐하다.
[窃取] qièqǔ 동 절취하다. 훔치다. 가로채다. ❏~名誉; 명예를 훔치다.
[窃听] qiètīng 동 도청하다. 엿듣다. ❏~器; 도청기.
[窃笑] qièxiào 동 남몰래 웃다. 뒤에서 비웃다.
[窃贼] qièzéi 명 도둑.

怯 qiè (겁) 형 소심하다. 겁이 많다.
[怯场] qiè∥chǎng 동 (사람이 많은 곳에 나설 때) 긴장하고 주눅 들다. 겁을 먹고 얼다. ❏站在人前就~; 남 앞에 서면 주눅이 든다.
[怯懦] qiènuò 형 소심하고 겁이 많다. ❏~无能; 소심하고 무능하다.
[怯弱] qièruò 형 소심하고 나약하다. 겁이 많고 약하다.
[怯生] qièshēng 형〈方〉 낯선 사람을 겁내다. 낯가림하다. ❏这孩子有点~; 아이는 낯을 좀 가린다.

妾 qiè (첩) 명 ① 첩. ②〈謙〉 소첩《옛날, 여자가 자신을 낮추어 일컫던 말》.

挈 qiè (설) 동〈書〉 ①(손에) 들다. 잡다. ② 거느리다. 인솔하다. 이끌다. ❏~眷; 식솔을 거느리다.

锲(鍥) qiè (계) 동〈書〉 새기다. 조각하다.
[锲而不舍] qiè'érbùshě 〈成〉 중도에 그만두지 않고 끝까지 다 새기다《꾸준한 마음과 끈기를 갖다》.

惬(愜) qiè (협) 형〈書〉 만족하다. 흐뭇하다.
[惬意] qièyì 동 만족하다. 마음에 들다. 흡족하다. ❏他~地点着头; 그는 만족한 듯 고개를 끄덕인다.

qin ㄑㄧㄣ

亲(親) qīn (친) ① 명 부모. ❏双~; 양친. ② 형 직접 낳은. ❏~女儿; 친딸. ③ 형 직계의. ❏~姐妹; 친자매 / ~兄弟; 친형제. ④ 명 친족. 친척. ❏探~; 친척을 방문하다. ⑤ 명 혼인. 결혼. ❏提~; 혼담을 꺼내다. ⑥ 명 신부. 색시. ❏娶~; 색시를 얻다. 장가가다. ⑦ 형 친하다. 사이좋다. 가깝다. ❏~密; ⇩ ⑧ 부 스스로. 친히. 몸소. 직접. ❏~手; ⇩ ⑨ 동 입맞추다. 뽀뽀하다. 키스하다. ❏她搂着妈妈~了一口; 그녀는 엄마를 껴안고 뽀뽀를 쪽 했다. ⇒qìng
[亲爱] qīn'ài 형 친애하는. 사랑하는. ❏~的老师; 친애하는 선생님.
[亲笔] qīnbǐ 명부 친필(로). 자필

(로). ❏ ~签名; 자필로 서명하다 / ~信; 친필 편지.
[亲和力] qīnhélì 명 ①〖化〗친화력. 친화성. ②〈比〉 남과 잘 어울리는 능력.
[亲近] qīnjìn 형 친밀하다. 친근하다. 친하다. ❏ 关系十分~; 관계가 매우 친밀하다. 동 가깝게 사귀다. 친해지다. ❏ 让孩子~自然; 아이가 자연과 친해지도록 해 주다.
[亲眷] qīnjuàn 명 ① ⇨[亲戚] ② 가족. 권속.
[亲口] qīnkǒu 부 자기 입으로. 직접. ❏ ~承认; 자기 입으로 인정하다.
[亲临] qīnlín 동 친히 오다[방문하다]. ❏ ~现场; 친히 현장을 방문하다.
[亲密] qīnmì 형 친밀하다. 친하다. ❏ ~无间jiàn; 〈成〉 친밀하고 격의가 없다.
[亲昵] qīnnì 형 매우 친하다. 허물없다. 다정하다.
[亲朋] qīnpéng 명 ⇨[亲友]
[亲戚] qīn·qi 명 친척. 친인척. = [亲眷①]
[亲切] qīnqiè 형 ① 친근하다. 다정하다. 가깝다. ❏ 他对我像亲兄弟一样~; 그는 나를 친형제처럼 친근하게 대한다 / ~感; 친근감. ② 친절하다. 열정적이고 정성스럽다.
[亲热] qīnrè 형 친하다. 다정하다. 친절하다. ❏ 她对我亲亲热热; 그녀는 나에게 매우 친절하다.
[亲人] qīnrén 명 ① 직계 존속. 육친. ② 배우자. ③〈比〉 매우 친한 사람. 가까운 사람.
[亲如手足] qīnrúshǒuzú 〈成〉 형제처럼 친밀하다. =[亲如兄弟]
[亲善] qīnshàn 형 친하고 사이좋다. 우호적이다. 친선하다.
[亲身] qīnshēn 부 직접의. 스스로의. 친히 겪은. ❏ ~体验; 친히 체험하다.
[亲生] qīnshēng 형 자기가 낳은. 자기를 낳은. 친. ❏ ~父母; 친부모 / ~女儿; 친딸.
[亲事] qīnshì 명 혼사. =[婚事]
[亲手] qīnshǒu 부 손수. 직접. ❏ 他~栽的松树; 그가 손수 재배한 소나무.
[亲属] qīnshǔ 명 친척. 친속.
[亲王] qīnwáng 명 친왕.
[亲吻] qīnwěn 동 뽀뽀하다. 입맞추다.
[亲信] qīnxìn 동 친하게 지내고 믿다. 가까이 여겨 신임하다. 명〈貶〉 측근. 측근자. 수하. 심복. 부하.
[亲眼] qīnyǎn 부 자기 눈으로. 직접. 친히. ❏ ~看见的事实; 직접 목격한 사실.
[亲友] qīnyǒu 명 친척과 친구. = [亲朋]
[亲子] qīnzǐ 명 친자. ① 부모와 자식 관계. ❏ ~鉴定; 친자 확인. ② 친자식. 친아들.
[亲自] qīnzì 부 친히. 직접. 몸소. 스스로. ❏ 我~去处理这件事; 내가 직접 가서 이 일을 처리하겠다.
[亲族] qīnzú 명 친족.
[亲嘴(儿)] qīn∥zuǐ(r) 동 (서로) 입맞추다. 뽀뽀하다. 키스하다. = [接吻]

侵 qīn (침)
동 ① 침입하다. 침범하다. 침략하다. ② (새벽이) 가까워지다. ❏ ~晨; ⇩
[侵晨] qīnchén 명〈書〉 새벽녘.
[侵犯] qīnfàn 동 ① (타국의 영토 따위를) 침범하다. ❏ ~他国领海; 타국의 영해를 침범하다. ② (남의 권리 따위를) 침범하다. 침해하다. ❏ ~人权; 인권을 침해하다.
[侵害] qīnhài 동 ① 침입하여 해를 입히다. ❏ 害虫~农作物; 해충이 침입하여 농작물에 해를 입히다. ② 침해하다. ❏ ~人民群众利益; 국민의 이익을 침해하다.
[侵略] qīnlüè 동 침략하다. ❏ ~军; 침략군 / ~者; 침략자.
[侵扰] qīnrǎo 동 침범[침입]하여 혼란스럽고 어지럽게 하다. ❏ ~社会秩序; 사회 질서를 어지럽히다.
[侵入] qīnrù 동 ① (무력으로) 침입하다. ❏ ~领空; 영공에 침입하다. ② (유해 물질 따위가) 침투하다. 침입하다. ❏ 病毒~了电脑; 바이러스가 컴퓨터에 침입했다.
[侵蚀] qīnshí 동 ① 침식하다. 좀먹다. ❏ 病菌~人体; 병균이 인체를 좀먹다. ② (남의 권리나 재물 따위를) 잠식하다. 좀먹다. ❏ ~公款; 공금을 잠식하다.
[侵吞] qīntūn 동 ① 불법 점유하다. 횡령하다. ❏ ~公款; 공금을 횡령하다. ② (무력으로) 병탄하다. ❏ ~别国领土; 다른 나라의 영토를 병탄하다.
[侵袭] qīnxí 동 침입하여 습격하다. 침습하다.
[侵占] qīnzhàn 동 ① (남의 재산

을) 불법으로 점유하다. ❏ ~他人的房产; 남의 부동산을 불법으로 점유하다. ② (타국의 영토를) 침략하여 차지하다. ❏ ~别国的领土; 타국의 영토를 침략하여 차지하다.

钦(欽) qīn (흠) ① 동 존경하다. 경복하다. ② 부 황제가 친히. ❏ ~赐; 황제가 친히 하사하다.

[钦差] qīnchāi 명 ① 흠차. ❏ ~大臣; 흠차 대신. ②〈轉〉 전권을 위임받고 하부에 파견된 간부《비꼬는 의미가 있음》.

[钦定] qīndìng 동 흠정하다.

[钦佩] qīnpèi 동 경복(敬服)하다. 존경하고 탄복하다.

[钦仰] qīnyǎng 동〈書〉 흠앙하다.

衾 qīn (금) 명〈書〉 ① 이불. ② 시체를 입관할 때 시체에 덮는 천.

芹 qín (근) 명〔植〕 미나리.

[芹菜] qíncài 명〔植〕 미나리.

琴 qín (금) 명〔樂〕 ① 금. 거문고. ② 피아노·풍금·바이올린·하모니카·호금 따위 악기의 총칭. ❏ 钢~; 피아노 / 口~; 하모니카.

[琴键] qínjiàn 명〔樂〕 건반.

[琴瑟] qínsè 명 거문고와 비파. 금실. 〈比〉 (부부가) 사이좋고 화목한 모양.

[琴师] qínshī 명〔劇〕 (중국 전통극의) 현악기 반주자.

[琴弦] qínxián 명〔樂〕 (악기의) 현.

秦 Qín (진) 명 ①〔史〕 진《주(周)나라 때의 제후국의 하나, B.C. 897-221》. ②〔史〕 진《진시황이 세운 중국 최초의 통일 왕조, B.C. 221-206》.

禽 qín (금) 명 조류. ❏ 家~; 가금.

[禽兽] qínshòu 명 금수. 〈比〉 행동이 비열하고 악랄한 사람. ❏ ~行为; 금수 같은 행위.

擒 qín (금) 동 붙잡다. 사로잡다. ❏ 生~; 생포하다.

[擒拿] qínná 동 잡다. 체포하다. 붙잡다. ❏ ~罪犯; 범인을 잡다.

噙 qín (금) 동 (입이나 눈에) 머금다. ❏ 眼里~着眼泪; 눈에 눈물을 머금고 있다.

檎 qín (금) →[林檎]

勤 qín (근) ① 형 근면하다. 부지런하다. 열심이다. ❏ ~劳; ⇓ ② 형 빈번하다. 잦다. ❏ 他到我家来得~; 그는 우리 집에 자주 온다. ③ 명 근무. ❏ 出~; 출근.

[勤奋] qínfèn 형 (일이나 학습에) 부지런히 힘쓰다. 열심히 노력하다. ❏ ~工作; 열심히 일하다.

[勤俭] qínjiǎn 형 근검하다. 근면하고 알뜰하다. ❏ ~过日子; 근검 절약하며 생활하다.

[勤恳] qínkěn 형 근면 성실하다.

[勤快] qín·kuai 형〈口〉 부지런하다. 바지런하다.

[勤劳] qínláo 형 (고생을 마다 않고) 부지런히 일하다. 근면하다. ❏ ~的农民; 근면한 농민.

[勤勉] qínmiǎn 형 근면하다. 부지런하다. 열심이다.

[勤务] qínwù 명 ① 근무. 업무. ②〔軍〕 전투에 관계없는 잡일을 하는 사람. ❏ ~兵; 당번병. 잡역병.

寝(寢) qǐn (침) ① 동 자다. 잠자다. ❏ 废~忘食; 〈成〉 침식을 잊다. ② 명 침실. ③ 명 제왕의 묘.

[寝具] qǐnjù 명 침구.

[寝食] qǐnshí 명 침식. 〈轉〉 일상생활.

[寝室] qǐnshì 명 (주로, 단체 숙소의) 침실.

沁 qìn (심) 동 ① (냄새·액체 따위가) 스며들다[나오다]. 배어들다[나오다]. ❏ 额上~出了汗珠; 이마에 땀이 배어나왔다. ②〈方〉 (고개를) 숙이다. 떨구다. ❏ ~着头; 고개를 숙이고 있다. ③〈方〉 (물 속에) 넣다. 담그다.

[沁人心脾] qìnrénxīnpí 〈成〉 ① (맑은 공기나 시원한 음료가) 몸속에 스며들어 상쾌한 느낌을 주다. ② (아름다운 글이나 음악이) 마음속에 스며들어 감동을 주다.

qing ㄑㄧㄥ

青 qīng (청) ① 형 푸르다. ❏ ~山绿水; 〈成〉 푸른 산 푸른 바다《경치가 수려한 곳》. ② 형 검다. ❏ ~布; 검은 천. ③ 명 푸른 풀. (덜 익은) 푸른 작물. 풋것. ④ 형 젊다. ❏ ~年; ⇓ ⑤ 명 청년. 젊은이.

[青菜] qīngcài 명 ①〈方〉⇨[小白菜] ② 채소. 야채.
[青出于蓝] qīngchūyúlán 〈成〉 청출어람(제자가 스승보다 낫다).
[青春] qīngchūn 명 청춘. ❑ ~痘; 여드름 / ~期; 사춘기.
[青葱] qīngcōng 형 (식물이) 짙푸르다. ❑ 林木~; 숲이 짙푸르다.
[青翠] qīngcuì 형 새파랗다. 푸르다. 짙푸르다.
[青工] qīnggōng 명 청년 노동자. 근로 청소년.
[青光眼] qīngguāngyǎn 명〔醫〕 녹내장(綠內障). =[绿内障]
[青红皂白] qīnghóngzàobái 〈成〉 흑백. 선악. 시비(是非).
[青黄不接] qīnghuáng-bùjiē 〈成〉 ① 보릿고개. 춘궁기. ② (인력·물자 따위의 단기간의) 공백 상태. 결원 상태.
[青椒] qīngjiāo 명 ⇨[柿子椒]
[青稞] qīngkē 명〔植〕 쌀보리. 청과맥. =[裸麦]
[青睐] qīnglài 동〈書〉 좋아하다. 중시하다.
[青绿] qīnglǜ 형 청록색이다. 짙푸르다. ❑ ~的松林; 짙푸른 솔숲.
[青梅竹马] qīngméi-zhúmǎ 〈成〉 남녀가 어릴 적에 천진난만하여 함께 어울려 놀다.
[青霉素] qīngméisù 명〔藥〕 페니실린(penicillin). =[〈音〉 盘pán尼西林]
[青年] qīngnián 명 ① 청년기. ② 청년. 젊은이. ❑ ~男女; 청춘 남녀 / ~招待所; 유스 호스텔.
[青纱帐] qīngshāzhàng 명 푸른 장막(여름·가을의 우거진 수수밭·옥수수 밭을 일컬음).
[青山] qīngshān 명 푸른 산. 청산.
[青少年] qīngshàonián 명 청소년.
[青史] qīngshǐ 명〈書〉 청사. 역사. ❑ ~留名; 〈成〉 그 이름이 청사에 전해 내려오고 있다.
[青天] qīngtiān 명 ① 푸른 하늘. ②〈比〉 청렴한 관리.
[青天霹雳] qīngtiān-pīlì 〈成〉 ⇨[晴qíng天霹雳]
[青铜] qīngtóng 명〔化〕 청동. ❑ ~像; 청동상(像).
[青铜时代] qīngtóng shídài 〔史〕 청동기 시대. =[铜器时代]
[青蛙] qīngwā 명〔動〕 청개구리.
[青眼] qīngyǎn 명 애정 어린 눈. 호감 있는 표정. 호의적인 표정. ❑ ~相待; 호의적인 표정으로 대하다.
[青云] qīngyún 명 푸른 구름. 청운. 〈比〉 높은 지위[벼슬]. ❑ ~直上; 〈成〉 관직이 매우 빠르게 아주 높은 곳까지 오르다.

清 qīng (청)

① 형 맑다. 깨끗하다. ❑ 溪水很~; 시냇물이 매우 맑다. ② 형 조용하다. 고요하다. ❑ ~静; ⇩ ③ 형 청렴하다. ❑ ~官; ⇩ ④ 형 분명하다. 뚜렷하다. 명백하다. ❑ 划~界限; 경계를 분명히 하다. ⑤ 형 순일하다. 섞인 것이 없다. ❑ ~茶; ⇩ ⑥ 동 조금도 남기지 않다. 깨끗이 …하다. ❑ 把账还~了; 빚을 깨끗이 갚았다. ⑦ 동 제거하다. 숙청하다. ❑ 把坏分子~出去; 불량 분자를 제거하다. ⑧ 동 청산하다. 결산하다. ❑ ~账; ⇩ ⑨ 동 점검하다. 하나하나 조사하다. ❑ 请旅客们~一下自己的行李; 여행객 여러분, 각자의 짐을 점검해 주세요. ⑩ (Qīng) 명〔史〕 청(만주족(滿洲族) 누르하치가 세운 왕조, 1616−1911).

[清白] qīngbái 형 ① 결백하다. 청백하다. ②〈方〉 명백하다. 분명하다.
[清茶] qīngchá 명 ① 녹찻물. ② 과자 따위를 곁들이지 않은 간단한 차.
[清查] qīngchá 동 철저히[자세히] 조사하다. ❑ ~户口; 호적을 자세히 조사하다.
[清偿] qīngcháng 동 전액 상환하다. ❑ ~债务; 채무를 전액 상환하다.
[清澈] qīngchè 형 매우 맑다. 맑고 투명하다. ❑ 湖水~见底; 호수가 매우 맑아 바닥이 보이다.
[清晨] qīngchén 명 새벽녘. 동틀 무렵. =[〈口〉 清早]
[清除] qīngchú 동 완전히 없애다. 깨끗이 치우다. 철저히 제거하다. ❑ ~垃圾; 쓰레기를 깨끗이 치우다.
[清楚] qīng·chu 형 ① 분명하다. 확실하다. 뚜렷하다. 명백하다. ❑ 把问题搞~; 문제를 확실히 밝히다. ② 명석하다. ❑ 头脑~; 두뇌가 명석하다. 동 잘 알다. 확실히 알다. 이해하다. ❑ 他的为人怎么样, 大家都~; 그의 사람됨이 어떠한지 모두 잘 알고 있다.
[清脆] qīngcuì 형 ① (소리·발음 따위가) 또렷하다. 낭랑하다. 맑고

깨끗하다. ❑~的笑声; 맑고 깨끗한 웃음소리. ②(음식물이) 아삭아삭[바삭바삭]하고 맛있다.

[清单] qīngdān 명 명세서. 목록. ❑工资~; 급여 명세서.

[清淡] qīngdàn 형 ①(색·향 따위가) 연하다. 산뜻하다. ❑颜色~; 색이 산뜻하다. ②(음식물이) 기름기가 적다. 담백하다. ❑~的菜; 담백한 요리. ③(분위기 따위가) 참신하고 우아하다. ④ 불경기이다. 불황이다. ❑生意比较~; 장사가 꽤 불경기이다.

[清点] qīngdiǎn 동 점검하다. ❑~物资; 물자를 점검하다.

[清风] qīngfēng 명 시원한 바람.

[清高] qīnggāo 형 ①(인품이) 깨끗하고 고상하다. 고결하다. 청렴하다. ②(성격이) 도도하다.

[清官] qīngguān 명 청렴한 관리.

[清规戒律] qīngguī-jièlǜ 〈成〉 ① 불교도나 도교도가 지켜야 할 규칙[계율]. ② 사람을 속박하는 규칙[제도].

[清寒] qīnghán 형 ① ⇨[清贫] ② 맑고 차다. ❑月色~; 달빛이 맑고 차다.

[清洁] qīngjié 형 깨끗하다. 청결하다. ❑~工; 청소부. 환경미화원 / ~箱; 쓰레기통.

[清净] qīngjìng 형 ① 평온하다. 안정되다. ❑心境~; 마음이 평온하다. ② 맑고 깨끗하다. 청정하다. ❑~的泉水; 맑고 깨끗한 샘물.

[清静] qīngjìng 형 (환경이) 조용하다. 고요하다. ❑学校附近~极了; 학교 부근은 아주 조용하다.

[清朗] qīnglǎng 형 ① 청랑하다. 상쾌하다. ❑天气~; 날씨가 상쾌하다. ②(소리가) 맑다. 낭랑하다. ❑~的歌声; 낭랑한 노랫소리. ③ 맑다. 맑고 빛나다. ❑一双大眼~有神; 커다란 두 눈이 맑고 생기 있다.

[清冷] qīnglěng 형 ① 맑고 서늘하다. ❑~的月光; 맑고 서늘한 달빛. ② 적막하다. 썰렁하다. ❑打从父亲死后, 家里显得分外~; 아버지가 돌아가신 뒤로 집안이 유난히 적막해진 것 같다.

[清理] qīnglǐ 동 ① 깨끗이 정리[처리]하다. 청소하다. ❑~存货; 재고를 정리하다. ② 청산하다. ❑~债务; 채무를 청산하다.

[清廉] qīnglián 형 청렴하다.

[清凉] qīngliáng 형 청량하다. 상쾌하다. 시원하다. ❑~饮料; 청량음료.

[清凉油] qīngliángyóu 명〔藥〕 장뇌·박하유 따위로 만든 외용 연고(《일명 '호랑이 기름'으로 불림》). =[万金油]

[清亮] qīng·liang 형 ① 맑고 투명하다. 깨끗하다. ②〈方〉 분명하다. 선명하다. 뚜렷하다.

[清明] qīngmíng 명 청명(《24절기의 하나》). =[清明节] 형 ① 맑고 밝다. 청명하다. ❑月色~; 달빛이 청명하다. ② 공명정대하다. ❑政治~; 정치가 공명정대하다. ③(정신이) 맑다. ❑神志~; 의식이 맑다.

[清贫] qīngpín 형 청빈하다. =[清寒①]

[清扫] qīngsǎo 동 철저히 제거하다. 깨끗이 치우다. 일소하다.

[清瘦] qīngshòu 형〈婉〉 수척하다. 야위다. ❑您~了; 당신 야위셨네요.

[清爽] qīngshuǎng 형 ① 상쾌하다. 청량하다. ❑~的空气; 상쾌한 공기. ② 가볍고 상쾌하다. 가뿐하다. ❑心情~; 기분이 상쾌하다. ③〈方〉 깨끗하다. 청결하다. ④〈方〉 분명하다. 확실하다. ❑把话讲~; 분명하게 이야기하다. ⑤〈方〉(맛이) 상쾌하다. 개운하다.

[清算] qīngsuàn 동 ① 철저히 계산하다. 청산하다. ②(죄상을 나열하여) 숙청하다. 철저히 제거하다.

[清汤] qīngtāng 명 (건더기가 없는) 맑은 국. ❑~寡水; 〈成〉 음식이 기름기나 건더기가 없고 맛이 없다.

[清晰] qīngxī 형 뚜렷하다. 분명하다. 확실하다. ❑发音~; 발음이 분명하다 / ~度; (화면이나 사진의) 해상도. 선명도.

[清洗] qīngxǐ 동 ① 깨끗이 닦다. ② 제거하다. 숙청하다.

[清闲] qīngxián 형 한가하다. 한적하다. ❑~的退休生活; 한가한 은퇴 후 생활.

[清香] qīngxiāng 명 상쾌한[맑은] 향기.

[清新] qīngxīn 형 ① 맑고 신선하다. 청신하다. ❑~的空气; 청신한 공기. ② 참신하고 고상하다.

[清醒] qīngxǐng 형 (머리가) 맑다. 또렷하다. ❑中午睡一觉, 头脑就特别~; 낮에 한숨 자면 머리가 매우 맑아진다. 동 의식을 되찾다. 정신을 차리다. ❑~了一会儿,

又昏过去了; 잠깐 의식을 찾았다가 또 정신을 잃었다.
[清秀] qīngxiù 형 (용모 따위가) 깨끗하고 빼어나다. 청수하다. 수려하다. ❑ 面貌~; 용모가 수려하다.
[清雅] qīngyǎ 형 청아하다.
[清一色] qīngyīsè 명 마작(麻雀)의 약(約)의 이름. 형 획일적인. 일색의. 천편일률적인. ❑ ~的短发; 천편일률적인 단발머리.
[清幽] qīngyōu 형 (풍경 따위가) 맑고 그윽하다.
[清早] qīngzǎo 명〈口〉⇒[清晨]
[清账] qīng//zhàng 동 장부를 정리하다. 결산하다. (qīngzhàng) 명 정리를 끝낸 장부.
[清真] qīngzhēn 형 이슬람교의. ❑ ~寺; 이슬람 사원.

蜻 qīng (청)
→[蜻蜓]
[蜻蜓] qīngtíng 명〘蟲〙 잠자리. ❑ ~点水; 〈成〉 잠자리가 물을 치다《수박 겉 핥기 식으로 일을 하다》. =[〈方〉 蚂螂]

轻(輕) qīng (경)
① 형 (무게·밀도가) 가볍다. 적다. ❑ 行李很~; 짐이 무척 가볍다. ② 형 하중이 작다. 장비가 간단하다. ❑ ~装; ⇓ ③ 형 수량이 적다. 정도가 약하다. ❑ 受害较~; 피해가 비교적 적다 / 年纪~; 나이가 어리다. ④ 형 가뿐하다. ❑ 无病一身~; 병이 없으면 온몸이 가뿐하다. ⑤ 형 대수롭지 않다. 중요하지 않다. ❑ 责任~; 책임이 가볍다. ⑥ 형 신중치 않다. 경솔하다. ❑ ~信; ⇓ ⑦ 형 경박하다. 경망스럽다. ❑ ~薄; ⇓ ⑧ 동 경시하다. 가볍게 보다. 얕보다. ❑ ~财重义; ⇓ ⑨ 부 가볍게. 살짝. ❑ ~推一下; 가볍게 밀다.
[轻便] qīngbiàn 형 ① 가볍고 쓰기 편하다. 손쉽고 간편하다. ❑ ~相机; 휴대용 카메라. ② 수월하다. 용이하다. ❑ ~工作; 수월한 일.
[轻薄] qīngbó 형 (주로, 여성이) 경박하다. 방정맞다. 경망하다. ❑ 态度~; 태도가 경박하다.
[轻财重义] qīngcái-zhòngyì 〈成〉 재물을 경시하고 의리를 중시하다.
[轻敌] qīngdí 동 적을 얕보다.
[轻而易举] qīng'éryìjǔ 〈成〉 쉽게 할 수 있다. 거뜬히 할 수 있다.
[轻浮] qīngfú 형 (언행·거동이) 경박하다. 경망스럽다. 진지함이 없다. ❑ 举止~; 태도가 경망스럽다.
[轻工业] qīnggōngyè 명 경공업.
[轻活儿] qīnghuór 명 편한[수월한] 일.
[轻贱] qīngjiàn 형 비천하다. 천하다. 천박하다. 동 우습게 여기다. 깔보다. 무시하다.
[轻捷] qīngjié 형 민첩하다. 날렵하다. 날쌔다. ❑ 她的动作~得很; 그녀의 동작은 매우 날렵하다.
[轻金属] qīngjīnshǔ 명 경금속.
[轻举妄动] qīngjǔ-wàngdòng 〈成〉 경거망동하다.
[轻快] qīngkuài 형 ① (동작이) 가볍다. 가뿐하다. ❑ ~的脚步; 가벼운 발걸음. ② 가볍고 유쾌하다. 경쾌하다. ❑ ~的音乐; 경쾌한 음악.
[轻狂] qīngkuáng 형 경솔하다. 경박하다.
[轻量级] qīngliàngjí 명〘體〙 경량급. 라이트급.
[轻慢] qīngmàn 동 가볍게 보다. 업신여기다.
[轻描淡写] qīngmiáo-dànxiě 〈成〉 ① 대강대강 서술하다. 간단히 묘사하다. ② 중요한 문제를 가볍게 취급하고 넘어가다.
[轻蔑] qīngmiè 동 경멸하다. 업신여기다. ❑ 互相~; 서로 경멸하다.
[轻飘飘(的)] qīngpiāopiāo(·de) 형 ① 가벼워서 하늘거리는 모양. ② (마음·동작 따위가) 경쾌한 모양. 가벼운 모양.
[轻巧] qīng·qiǎo 형 ① 가볍고 정교하다. ❑ 玩具做得可真~; 장난감이 아주 정교하게 만들어져 있다. ② 수월하다. 간단하다. ❑ 这问题可不太~; 이 문제는 그리 수월하지 않다. ③경쾌하다. 민첩하다. ❑ 动作~; 동작이 민첩하다.
[轻取] qīngqǔ 동 가볍게[쉽게] 이기다. 낙승(樂勝)하다. ❑ 主队以3比0~客队; 홈팀이 원정팀을 3대0으로 가볍게 이겼다.
[轻柔] qīngróu 형 가볍고 부드럽다[유연하다].
[轻伤] qīngshāng 명 경상. 가벼운 상처[부상].
[轻生] qīngshēng 동 생명을 가볍게 여기다《주로, 자살을 뜻함》.
[轻声] qīngshēng 명〘言〙 경성《사성(四聲)의 성조(聲調)가 없어진 음조(音調)》.
[轻视] qīngshì 동 경시하다. 무시하다. 얕보다. 깔보다. ❑ 绝不能~

敌人; 절대로 적을 얕보지 마라.
[轻手轻脚] qīngshǒu-qīngjiǎo 〈成〉 소리를 내지 않도록 조용히 행동하는 모양.
[轻率] qīngshuài 형 경솔하다. ❏ ~地下结论; 경솔하게 결론을 내리다.
[轻松] qīngsōng 형 홀가분하다. 편하다. 가볍다. 가뿐하다. ❏ 现在考试结束了, 可以~一下了; 이제 시험도 끝났으니 마음을 좀 편하게 가져도 된다.
[轻佻] qīngtiāo 형 경박하다. 경망스럽다. ❏ ~的行为; 경박한 행위.
[轻微] qīngwēi 형 경미하다. 가볍고 적다. ❏ ~劳动; 가벼운 노동.
[轻信] qīngxìn 동 경솔하게 믿다. ❏ ~谣言; 소문을 경솔하게 믿다.
[轻型] qīngxíng 형 경량형의. ❏ ~飞机; 경비행기 / ~汽车; 경자동차.
[轻易] qīngyì 형 간단하고 용이하다. 수월하다. 쉽다. ❏ 我队很~地胜了; 우리 팀이 매우 수월하게 이겼다. 부 쉽게. 쉽사리. 좀처럼. 함부로. ❏ 他身体很好, ~不生病; 그는 몸이 건강해서 좀처럼 병에 걸리지 않는다.
[轻音乐] qīngyīnyuè 명〖樂〗 경음악.
[轻盈] qīngyíng 형 ① (여성의 자태나 동작이) 가볍고 우아하다. 경쾌하고 아름답다. ② 가볍다. 경쾌하다.
[轻油] qīngyóu 명〖化〗 경유.
[轻于鸿毛] qīngyú-hóngmáo 〈成〉 기러기의 털보다 가볍다《가치 없는 죽음》.
[轻重] qīngzhòng 명 ① 무게. ② 가볍고 무거운 정도. 중요함과 중요하지 않음. 경중. 주종(主從). ❏ ~倒置; 〈成〉 경중을 뒤바꾸다. 본말(本末)을 전도하다 / ~缓急; 〈成〉 일의 중요하고 안 중요하고와 급하고 안 급하고의 구별. ③ (말이나 행동의) 분별. 절도.
[轻装] qīngzhuāng 명 ① 경장. 간편한 복장. ② 간단한 장비.
[轻罪] qīngzuì 명〖法〗 경범죄.

氢(氫) qīng (경)
명〖化〗 수소(H: hydrogen). ❏ ~离子浓度指数; 수소 이온 농도 지수. PH 지수.
[氢弹] qīngdàn 명〖軍〗 수소 폭탄.
[氢气] qīngqì 명〖化〗 수소.

倾(傾) qīng (경)
동 ① 기울다. 경사지다. ❏ 向左微~; 왼쪽으로 약간 기울다. ② (생각 따위가) 한쪽으로 쏠리다. ❏ 左~; 좌경하다. ③ 쓰러지다. 무너지다. ❏ ~覆; ⇩ ④ (뒤집거나 기울여) 속엣것을 쏟아내다. ❏ ~倒dào; ⇩ ⑤ (힘·주의를) 집중시키다. 기울이다. ❏ ~全力; 온 힘을 기울이다.
[倾城倾国] qīngchéng-qīngguó 〈成〉 경국지색. =[倾国倾城]
[倾倒] qīngdǎo 동 ① 기울어져 쓰러지다. 무너지다. ② 심취(心醉)하다. 탄복하다. 경복하다.
[倾倒] qīngdào 동 기울여서 쏟아내다. ❏ ~秽水; 더러운 물을 쏟아내다.
[倾覆] qīngfù 동 ① 뒤집히다. 무너지다. 전복되다. ❏ 马车~; 마차가 뒤집히다. ② 실패시키다. 전복하다. ❏ ~现政权; 현 정권을 전복하다.
[倾国倾城] qīngguó-qīngchéng 〈成〉 ⇨[倾城倾国]
[倾家荡产] qīngjiā-dàngchǎn 〈成〉 가산을 탕진하다.
[倾慕] qīngmù 동 경모하다. 애모하다.
[倾盆] qīngpén 동 (비가) 억수같이 쏟아지다. ❏ ~大雨; 〈成〉 억수같이 쏟아지는 비.
[倾诉] qīngsù 동 (속마음을) 모조리 털어놓다. ❏ ~衷情; 속마음을 모두 털어놓다. =[倾吐]
[倾听] qīngtīng 동 경청하다. 귀를 기울이다. ❏ ~各种意见; 각종 의견에 귀를 기울이다.
[倾吐] qīngtǔ 동 ⇨[倾诉]
[倾向] qīngxiàng 동 (대립된 것의) 한쪽으로 기울다. 한쪽을 지지하다. 편들다. ❏ 他~自己的儿子; 그는 자기 아들 편을 든다. 명 경향. 추세.
[倾销] qīngxiāo 동〖經〗 투매(投賣)하다. 덤핑하다.
[倾斜] qīngxié 동 ① 경사지다. ❏ ~度; 경사도 / ~面; 경사면. ② 〈比〉 편중되다. 편향되다.
[倾泻] qīngxiè 동 (많은 물이) 급속하게 흘러 내려오다. ❏ 大股的泥石流~了下来; 다량의 토석류가 밀려 내려왔다.
[倾心] qīngxīn 동 ① 마음이 끌리다. 반하다. ❏ 一见~; 〈成〉 첫눈에 반하다. ② 마음을 터놓다. ❏ ~

交谈; 마음을 터놓고 이야기를 나누다.
[倾轧] qīngyà 동 알력을 벌이다.
[倾注] qīngzhù 동 ① (위에서 아래로) 흘러 들어가다. ❑ 雪水~到江河里; 설수가 강물로 흘러 들어가다. ② (힘·감정 따위를) 기울이다. 쏟아붓다. ❑ 把所有感情~在画中; 모든 감정을 그림에 쏟아붓다.

卿 qīng (경)
명 ① 옛날의 고급 관리. 대관(大官). ② 옛날, 천자(天子)가 신하를 부르던 호칭. ③ 옛날, 부부나 친구끼리 친근하게 부르던 말.
[卿卿我我] qīngqīng-wǒwǒ 〈成〉 남녀가 매우 사이좋고 정다운 모양.

情 qíng (정)
명 ① 감정. 마음. ❑ 热~; 열정 / 温~; 온정. ② 정. 인정. 정의(情誼). ❑ 说~; 인정에 호소하다. ③ 남녀의 정. 사랑. 애정. ❑ ~书; ⇓ ④ 정욕(情慾). 성욕(性慾). ❑ 发~; 발정하다. ⑤ 사정. 상황. ❑ 内~; 속사정. ⑥ 정리. 도리. 이치. ❑ 不~之请; 무리한 부탁.
[情爱] qíng'ài 명 ① 사랑. 애정. ② (사람 사이의) 정.
[情报] qíngbào 명 정보. ❑ 搜集~; 정보를 수집하다 / ~网; 정보망 / ~员; 정보원.
[情不自禁] qíngbùzìjīn 〈成〉 감정을 누를 길이 없다.
[情操] qíngcāo 명 정조. 정서.
[情敌] qíngdí 명 연적(戀敵).
[情调] qíngdiào 명 정조. 정서. 분위기. 무드(mood). ❑ 异国~; 이국적인 정서.
[情窦初开] qíngdòu-chūkāi 〈成〉 (주로, 소녀가) 사랑에 눈뜨다.
[情分] qíngfèn 명 (사귀어서 든) 정. 정분. 애정. ❑ 夫妻~; 부부간의 정 / 兄弟~; 형제의 우애.
[情夫] qíngfū 명 정부. 샛서방.
[情妇] qíngfù 명 정부. 숨겨 놓은 여자.
[情感] qínggǎn 명 ① 감정《기쁨·슬픔·두려움·부러움·증오 따위》. ② 서로 간의 감정. 마음.
[情歌] qínggē 명 연가. 사랑 노래.
[情怀] qínghuái 명 기분. 심경. 감정.
[情节] qíngjié 명 ① (어떤 일의) 경과. 내용. 정황. 사정. ② (작품의) 줄거리. ❑ 电影~; 영화 줄거리.
[情结] qíngjié 명 마음속의 응어리. 콤플렉스(complex).
[情景] qíngjǐng 명 (구체적인 상황의) 정경. 광경. 장면.
[情况] qíngkuàng 명 ① 상황. 정황. 형편. 상태. ❑ 我很了解他的~; 나는 그의 상황을 매우 잘 안다 / 生活~; 생활 형편. ② (군사상의) 움직임. 동정.
[情郎] qíngláng 명 연인 사이에서의 남자 쪽.
[情理] qínglǐ 명 의리와 인정. 도리. 정리. ❑ 没有~; 터무니 없다.
[情侣] qínglǚ 명 연인.
[情面] qíngmiàn 명 정실(情實). 체면. 의리. 인정. ❑ 讲~; 정실에 얽매이다.
[情趣] qíngqù 명 ① 정취. 운치. 풍치. 멋. ② 취미. 취향.
[情人] qíngrén 명 연인. 애인. ❑ ~节; 밸런타인데이(valentine Day).
[情商] qíngshāng 명 감성 지수. 이큐(EQ: emotion quotient).
[情势] qíngshì 명 정세. 사태. 상황.
[情书] qíngshū 명 연애편지. 러브레터.
[情思] qíngsī 명 ① 정. 애정. 감정. ② 마음. 심정. 기분.
[情随事迁] qíngsuíshìqiān 〈成〉 상황이 변하면 감정도 그에 따라 변화한다.
[情态] qíngtài 명 ① 심경. 기분. 마음가짐. 정신. ② 표정과 태도.
[情投意合] qíngtóu-yìhé 〈成〉 마음이나 생각이 잘 통하다. 의기투합하다.
[情形] qíng·xing 명 (어떤 일이 나타나는) 모양. 상황. 정황. ❑ 当时的~; 당시의 상황.
[情绪] qíngxù 명 ① 기분. 정서. 감정. ❑ 反战~; 반전 감정. ② 불쾌감. 불안감. 우울함. ❑ 闹~; 마음이 상하다.
[情义] qíngyì 명 정의. 인정과 의리.
[情谊] qíngyì 명 정의. 우정.
[情意] qíngyì 명 정. 감정. 호의. 애정.
[情由] qíngyóu 명 일의 내용과 원인. 사정. 경위.
[情欲] qíngyù 명 정욕.
[情愿] qíngyuàn 조동 진심으로 바라다. 달게 …하다. ❑ 心甘~; 〈成〉 마음속으로부터 바라다 / ~受罚; 벌을 달게 받다. 부 차라리 …할지언정. ❑ 他~死, 也不在敌人面前屈服; 그는 차라리 죽을지언정

적 앞에서 굴복하지 않는다.

[情致] qíngzhì 명 정취. 흥취.

[情状] qíngzhuàng 명 상황. 사정. 정세.

晴 qíng (청)
형 개다. 맑다. ❑天~了; 날씨가 갰다.

[晴和] qínghé 형 (날씨가) 화창하다. ❑~的春天; 화창한 봄날.

[晴空] qíngkōng 명 맑게 갠 하늘. ❑~万里; 〈成〉 끝없이 맑게 갠 하늘.

[晴朗] qínglǎng 형 활짝 개다. 쾌청하다. ❑天气~; 날씨가 맑게 개었다.

[晴天霹雳] qíngtiān-pīlì 〈成〉 마른하늘에 날벼락. 청천벽력. =[青天霹雳]

氰 qíng (청)
명〖化〗 시안. 사이안((CN)₂: cyan).

擎 qíng (경)
동 쳐들다. 받쳐 올리다.

顷(頃) qǐng (경)
① 양 경《논밭의 100 '亩'》. ② 명〈書〉 잠시. 아주 짧은 순간. ❑~刻; ⇩ ③ 부〈書〉 방금. 막. ❑~接来电; 방금 전보를 받았다. ④ 명〈書〉 (시간상의) 쯤. 경(頃). ❑光绪二十年~; 광서(光緖) 20년경.

[顷刻] qǐngkè 명 극히 짧은 시간. 잠깐 사이. 순식간.

请(請) qǐng (청)
① 동 청하다. 요청하다. 청구하다. 부탁하다. ❑快~他进来; 어서 그를 안으로 모셔라. ② 동 초대하다. 한턱내다. ❑我~你们吃冰淇淋; 내가 너희에게 아이스크림을 사 주마. ③ 동 초빙하다. 부르다. 모시다. ❑~大夫; 의사를 부르다. ④ 부〈敬〉 제발. 아무쪼록. 부디《상대방에게 권하거나 청할 때 쓰는 말》. ❑~进; 들어오십시오 / ~坐; 앉으세요.

[请安] qǐng//ān 동 문안드리다.

[请便] qǐngbiàn 동〈套〉 편한 대로 하십시오. ❑你要这样做, 那就~吧! 당신이 이렇게 하고 싶다면 편한 대로 하십시오!

[请假] qǐng//jià 동 휴가를 받다[얻다]. 휴가를 내다. ❑~条; 휴가원. 결석계. 결근계.

[请柬] qǐngjiǎn 명 ⇨[请帖]

[请教] qǐngjiào 동 지도를 바라다. 가르침을 청하다. ❑~专家; 전문가에게 가르침을 청하다.

[请客] qǐng//kè 동 ① 손님을 초대하다. 손님을 치르다. ② 한턱내다. ❑今天晚上看电影, 我请你们客; 오늘 영화는 내가 너희에게 보여 주겠다.

[请命] qǐngmìng 동 남을 위하여 구명이나 원조를 부탁하다.

[请求] qǐngqiú 동 부탁하다. 청구하다. 요청하다. ❑~批准; 허가를 요청하다. 명 청. 부탁. 의뢰.

[请示] qǐngshì 동 (상부에) 지시를 바라다[청하다]. ❑向上级~; 상부의 지시를 청하다.

[请帖] qǐngtiě 명 초대장. 초청장. =[请柬jiǎn]

[请托] qǐngtuō 동 (어떤 일을) 부탁하다. 청탁하다.

[请问] qǐngwèn 동〈套〉 여쭙겠습니다. 말 좀 물어봅시다. ❑~去北京站怎么走? 좀 여쭙겠습니다만, 베이징역에 가려면 어떻게 합니까?

[请愿] qǐng//yuàn 동 청원하다. 탄원하다. ❑~书; 청원서. 탄원서.

[请罪] qǐng//zuì 동 잘못을 빌다. 사과하다. ❑他已经向对方请过罪了; 그는 이미 상대방에게 사과했다.

庆(慶) qìng (경)
① 동 축하하다. 경축하다. ② 명 경축일. ❑校~; 개교기념일.

[庆典] qìngdiǎn 명 축전. 축하 의식. 축하 행사.

[庆贺] qìnghè 동 경하하다. 경축하다. 축하하다. ❑~胜利; 승리를 경축하다.

[庆幸] qìngxìng 동 (예상치 못한 좋은 결과에 대해) 기쁘게 생각하다. 다행으로 여기다.

[庆祝] qìngzhù 동 경축하다. 축하하다《축하 행사를 열어 기념함》. ❑~活动; 경축 행사.

亲(親) qìng (친)
→[亲家] ⇒qīn

[亲家] qìng·jia 명 ① 사돈. ② 며느리나 사위의 양친이 서로 부르는 호칭. 사돈. ❑~公; 바깥사돈. 사돈어른 / ~母; 안사돈. 사부인.

倩 qìng (청, 천)
동 (남에게) 부탁하다. ⇒qiàn

磬 qìng (경)
명 ①〖樂〗 경쇠. ② 동발(銅鉢).

罄 qìng (경)
동〈書〉 다하다. 없어지다. 텅 비다.

[罄尽] qìngjìn 동 모두 써 버리다. 깡그리 없어지다.
[罄竹难书] qìngzhú-nánshū 〈成〉 글로는 이루 다 표현할 수 없다《죄악이 헤아릴 수 없이 많다》.

qiong ㄑㄩㄥ

穷(窮) qióng (궁) ① 형 가난하다. 궁핍하다. ❏他很~; 그는 아주 가난하다. ② 동 진(盡)하다. 다하다. 막히다. ❏山~水尽; 〈成〉 궁지에 몰리다. ③ 동 다 쓰다. 소모되다. ❏~兵黩武; ⇩ ④ 동 철저히 추구하다. 끝까지 하다. ❏~追; 끝까지 좇다. ⑤ 부 매우. 극단적으로. 극히. ❏~奢极侈; ⇩
[穷兵黩武] qióngbīng-dúwǔ 〈成〉 병력(兵力)을 총동원하여 침략 전쟁을 벌이다《무력을 남용하는 전쟁광을 형용함》.
[穷乏] qióngfá 형 궁핍하다.
[穷光蛋] qióngguāngdàn 명〈口〉〈貶〉 알거지. 빈털터리. 가난뱅이.
[穷极无聊] qióngjíwúliáo 〈成〉 ① 몹시 곤궁하여 의지할 데가 없다. ② 할 일이 없어 대단히 따분하다.
[穷尽] qióngjìn 명 끝. 막다른 곳. 동 다하다. ❏真理不可~; 진리는 다하지 않는다.
[穷苦] qióngkǔ 형 가난하고 힘들다. ❏过~的日子; 가난하고 힘든 생활을 하다.
[穷困] qióngkùn 형 생활이 궁하고 어렵다. 곤궁하다. 궁핍하다.
[穷人] qióngrén 명 가난한 사람. 가난뱅이.
[穷奢极侈] qióngshē-jíchǐ 〈成〉 사치가 극에 달하다. =[穷奢极欲]
[穷酸] qióngsuān 형 (학자·문인(文人)이) 궁상스럽다. 궁상스러우면서도 학자연[아는 체]하다.
[穷途] qióngtú 명 막다른 길. 〈比〉 곤궁한 처지. 궁지. ❏~末路; 〈成〉 궁지에 빠지다.
[穷乡僻壤] qióngxiāng-pìrǎng 〈成〉 황량하고 가난한 벽지. 궁벽한 시골.
[穷凶极恶] qióngxiōng-jí'è 〈成〉 극악무도하다.

穹 qióng (궁) 명〈書〉 둥근 천장. 〈轉〉 하늘. ❏苍~; 창공.
[穹隆] qiónglóng 형〈書〉 아치형이다. 궁륭형(穹窿形)이다.

茕(煢) qióng (경) 형〈書〉 외롭다. 고독하다.
[茕茕] qióngqióng 형〈書〉 외롭고 의지할 데 없는 모양. ❏~孑立; 〈成〉 의지할 곳 없이 외롭이다.

琼(瓊) qióng (경) 명〈書〉 아름다운 옥. 〈轉〉 섬세하고 아름다운 물건.
[琼楼玉宇] qiónglóu-yùyǔ 〈成〉 호화로운 저택.

qiu ㄑㄧㄡ

丘 qiū (구) 명 ① 언덕. 구릉. ❏沙~; 모래 언덕. ② 무덤. 묘.
[丘比特] Qiūbǐtè 명〈音〉 큐피드(Cupid).
[丘陵] qiūlíng 명 구릉. 언덕.

蚯 qiū (구) →[蚯蚓]
[蚯蚓] qiūyǐn 명〖動〗 지렁이. =[〈口〉曲qū蟮]

秋 qiū (추) 명 ① 가을. ② 결실의 시기. 수확기. ❏麦~; 보리 수확기. ③ 〈書〉 해. 년(年). ❏千~万代; 〈成〉 천추만대. ④ 시기. 때《주로, 좋지 않은 때를 말함》. ❏多事之~; 다사다난한 시기.
[秋波] qiūbō 명〈比〉 (미인의) 추파. ❏暗送~; 몰래 추파를 보내다.
[秋分] qiūfēn 명 추분《24 절기의 하나》.
[秋风] qiūfēng 명 추풍. 가을바람. ❏~扫落叶; 〈比〉 가을바람이 낙엽을 쓸어 가다《강한 세력이 쇠잔한 세력을 쓸어 버리다》.
[秋高气爽] qiūgāo-qìshuǎng 〈成〉 맑게 갠 가을의 높은 하늘과 상쾌한 공기.
[秋毫] qiūháo 명 가을에 털갈이한 조수의 가는 털. 추호. 〈比〉 아주 적거나 조금인 것. ❏~无犯; 〈成〉 군기(軍紀)가 엄하여 추호도 군중의 이익을 침해하지 않다.
[秋季] qiūjì 명 가을철. 추계.
[秋景] qiūjǐng 명 ① 가을 풍경. 가을 경치. ② 가을 작황(作況).
[秋老虎] qiūlǎohǔ 명〈比〉 초가을의 무더위. 9월의 늦더위.
[秋千] qiūqiān 명 그네. ❏打~;

그네를 타다.
[秋色] qiūsè 명 추색. 가을 경치.
[秋收] qiūshōu 동 가을걷이하다. 추수하다. 명 추수한 농작물.
[秋天] qiūtiān 명 가을.
[秋游] qiūyóu 동 가을 소풍을 가다. 추계 야유회를 가다.

鳅(鰍) qiū (추)
→[泥鳅]

囚 qiú (수)
① 동 구금하다. 가두다. ❏ ~在牢房里; 감옥에 가두다. ② 명 수인. 죄수. 수감자.
[囚犯] qiúfàn 명 (수감된) 죄인. 죄수. 수감자. =[囚徒]
[囚禁] qiújìn 동 옥에 가두다. 수감하다.
[囚徒] qiútú 명 ⇨[囚犯]
[囚衣] qiúyī 명 수의. 죄수복.

泅 qiú (수)
동 헤엄치다. ❏ ~水; 헤엄치다.
[泅渡] qiúdù 동 헤엄쳐 건너다.

求 qiú (구)
① 동 청하다. 부탁하다. ❏ 万事不~人; 어떤 일도 남에게 부탁하지 않다. ② 동 구하다. 추구하다. 탐구하다. ❏ ~答案; 답을 구하다 / ~知识; 지식을 추구하다. ③ 동 요구하다. 원하다. 바라다. ❏ ~全; ⇓ ④ 명 수요(需要). 필요.
[求爱] qiú'ài 동 구애하다.
[求和] qiú//hé 동 ① 강화(講和)를 청하다. ② (이길 수 없다고 판단될 때) 무승부로 가져가다. 비기기 위해 노력하다.
[求婚] qiú//hūn 동 구혼하다. 청혼하다.
[求见] qiújiàn 동 면회를[회견을] 신청[요청]하다.
[求教] qiújiào 동 가르침을 청하다. ❏ 登门~; 찾아뵙고 가르침을 청하다.
[求救] qiújiù 동 구조를 요청하다.
[求乞] qiúqǐ 동 구걸하다. 동냥하다.
[求亲] qiú//qīn 동 혼담을 넣다.
[求情] qiú//qíng 동 (인정에 호소하여) 용서·허락을 구하다. ❏ 哭着~; 울면서 용서를 구하다. =[〈方〉讨情]
[求全] qiúquán 동 ① 완전(完全)하기를 바라다[추구하다]. ❏ ~责备; 〈成〉 까다롭게 굴며 완전무결하기를 요구하다. ② 원만하게 수습하려고 하다. 원만한 해결을 바라다. ❏ 委曲~; 〈成〉 원만한 해결을 위해 뜻을 굽히다.
[求饶] qiú//ráo 동 용서를 구하다. 용서를 빌다. 사죄하다. ❏ 跪地~; 무릎을 꿇고 용서를 빌다. =[讨饶]
[求人] qiú//rén 동 남에게 부탁하다.
[求同存异] qiútóng-cúnyì 〈成〉 공통점은 찾아내고 다른 점은 보류하다.
[求学] qiúxué 동 ① 학교에서 공부하다. ② 학문을 탐구하다.
[求援] qiúyuán 동 원조를 구하다.
[求之不得] qiúzhī-bùdé 〈成〉 구하려 해도 구할 수 없다. 얻기 힘들다《뜻하지 않게 얻은 경우에 씀》.
[求知] qiúzhī 동 지식을 탐구하다. ❏ ~欲; 지식욕. 학구열. 향학열.
[求职] qiúzhí 동 구직하다.
[求助] qiúzhù 동 도움을 청하다.

球 qiú (구)
명 ①〔數〕 구(球). ② (~儿) 구형(球形)의 물체. 둥근 것. ❏ 红血~; 적혈구 / 眼~; 안구. ③ 지구(地球). ❏ 全~; 전 세계. ④ 구기 운동 / ~技; ⇓ ⑤ (~儿) 공. ❏ 踢~; 공을 차다 / 皮~; 고무공. ⑥ (~儿) 구기(球技). ❏ ~迷; ⇓
[球场] qiúchǎng 명 구장(球場). 코트(court). ❏ 棒球~; 야구장 / 网球~; 테니스 코트.
[球队] qiúduì 명〔體〕 구기 팀.
[球技] qiújì 명 구기의 기술. 공 다루는 기술.
[球菌] qiújūn 명〔生〕 구균.
[球类] qiúlèi 명〔體〕 구기(球技). 구기류(類). ❏ ~运动; 구기 운동.
[球门] qiúmén 명〔體〕 (럭비·축구 따위의) 골(goal). ❏ ~网; 골네트 / ~线; 골라인 / ~柱; 골대.
[球迷] qiúmí 명 (축구·야구 따위의) 팬(fan). 구기광(球技狂).
[球面] qiúmiàn 명〔數〕 구면. ❏ ~镜; 구면경 / ~角; 구면각.
[球拍] qiúpāi 명〔體〕 라켓. ❏ 网~; 테니스 라켓. =[球拍子]
[球赛] qiúsài 명〔體〕 구기 경기.
[球体] qiútǐ 명〔數〕 구체.
[球网] qiúwǎng 명〔體〕 (테니스 따위의) 네트(net).
[球鞋] qiúxié 명 구기용 운동화.
[球心] qiúxīn 명〔數〕 구심.
[球形] qiúxíng 명 구형.
[球艺] qiúyì 명 공 다루는 솜씨.

裘 qiú (구)
명〈書〉 갖옷. 모피로 만든 의복.
[裘皮] qiúpí 명 모피. ❏ ~大衣; 모피 코트.

酋 qiú (추) 명 ① 추장. ② (침략자·도적의) 두목.

[酋长] qiúzhǎng 명 (마을·부족 따위의) 추장. ❑ ~国; 추장국.

遒 qiú (주) 형〈書〉 강건하다. 힘차다.

[遒劲] qiújìng 형〈書〉 웅건하고 힘차다. ❑ 笔力~; 필력이 힘차다.

qu ㄑㄩ

区(區) qū (구) ① 동 구분하다. 구별하다. ② 명 구역. 지역. 지대. 지구. ❑ 工业~; 공업 지대 / 经济特~; 경제특구. ③ 명 구《행정 구역의 하나》. ❑ 自治~; 자치구.

[区别] qūbié 동 구별하다. 구분하다. 가리다. ❑ ~好坏; 선악을 구별하다. 명 구별. 차이.

[区分] qūfēn 동 구분하다. 구별하다. 가리다. ❑ ~优劣; 우열을 가리다.

[区划] qūhuà 명 구획. ❑ 行政~; 행정 구획.

[区区] qūqū 형 하찮다. 작다. 사소하다. 적다. ❑ ~小事; 하찮고 작은 일 / ~之心; 조그마한 마음.

[区域] qūyù 명 구역. 지역. ❑ ~经济; 지역 경제 / ~性; 지역성.

岖(嶇) qū (구) →[崎qí岖]

驱(驅) qū (구) 동 ① (가축 따위를) 몰다. ❑ 扬鞭~马; 채찍을 휘두르며 말을 몰다. ② 빨리 달리다. ❑ 长~直入; 〈成〉 먼 길을 달려와서 단숨에 쳐들어가다. ③ 몰아내다. 쫓아내다. ❑ ~逐; ⇩

[驱车] qūchē 동 차를 몰다[타다].

[驱虫剂] qūchóngjì 명 구충제.

[驱除] qūchú 동 몰아내다. 없애다. 제거하다. ❑ ~障碍; 장애를 제거하다.

[驱动] qūdòng 동 ① 구동하다. ❑ ~器; 〖컴〗 디스크 드라이브(disk drive) / 四轮~; 사륜구동. ② 부추기다. 몰아넣다.

[驱遣] qūqiǎn 동 ① 혹사하다. 부려먹다. ②〈書〉 쫓아 버리다. 몰아내다. ③ (어떤 마음 따위를) 없애다. 떨쳐 버리다. ❑ ~忧愁; 걱정을 떨쳐 버리다.

[驱使] qūshǐ 동 ① 혹사하다. 부려먹다. ❑ 受人~; 혹사당하다. ② 마음이 동하게 하다. 부추기다. ❑ 为嫉妒心所~; 질투심에 사로잡히다.

[驱逐] qūzhú 동 구축하다. 추방하다. ❑ ~出境; 국외로 추방하다.

躯(軀) qū (구) 명 신체. 몸.

[躯干] qūgàn 명〖生〗 동체. 몸통. 몸뚱이.

[躯壳] qūqiào 명 육체. 몸《정신에 반대되는 개념》.

[躯体] qūtǐ 명 신체. 체구(體軀).

曲(麯)[B)] qū (곡) A) ① 형 구부러지다. 굽다. ❑ ~线; ⇩ ② 동 구부리다. 굽히다. ❑ ~肱而枕; 팔꿈치를 굽혀 베개로 삼다. ③ 명 굽이. ❑ 河~; 강굽이. ④ 형 불공정하다. 불합리하다. ❑ 是非~直; 시비곡직. B) 명 누룩. ⇒qǔ

[曲尺] qūchǐ 명 곡척. 곱자. = [矩尺]

[曲棍球] qūgùnqiú 명〖體〗 ① 필드하키(field hockey). ② 필드하키 볼(ball).

[曲解] qūjiě 동 곡해하다. 왜곡하다.

[曲径] qūjìng 명 꼬불꼬불한 오솔길.

[曲霉] qūméi 명 누룩곰팡이.

[曲奇] qūqí 명〈音〉 쿠키(cookie).

[曲曲弯弯(的)] qūqūwānwān(·de) 형 구불구불한 모양. ❑ ~的羊肠小道; 구불구불한 오솔길.

[曲蟮] qū·shàn 명〈口〉 ⇨[蚯蚓]

[曲线] qūxiàn 명 곡선.

[曲意逢迎] qūyì-féngyíng 〈成〉 자신의 의지를 굽히고 남에게 영합하다.

[曲折] qūzhé 형 ① 굽다. 구불구불하다. ❑ 道路~不平; 길이 구불구불하고 평평하지 않다. ② 복잡하다. 굴곡이 많다. 곡절이 많다. ❑ 他的人生道路很~; 그의 인생길에는 매우 굴곡이 많다.

[曲直] qūzhí 명 곡직. 옳고 그름. ❑ 是非~; 시비곡직.

蛐 qū (곡) →[蛐蛐儿]

[蛐蛐儿] qū·qur 명〈方〉 ⇨[蟋xī蟀]

屈 qū (굴) 동 ① 굽히다. 구부리다. 굽다. ❑ ~膝; ⇩ ② 굴하다. 굴복하다. 꺾이다. ❑ 宁死不~; 〈成〉 죽을지언정 굴하지 않다. ③ 꺾다. 굴복시키다. ❏威武不能~; 위세와 무력으로 꺾을 수 없다. ④ 어긋나다. 이치에 맞지 않다. ❏理~; 이치가 닿지 않다. ⑤ 억울하다. 원망스럽다. ❏委~; 억울하다.

[屈才] qū//cái 동 재능을 충분히 발휘하지 못하다. 재능을 썩히다.

[屈从] qūcóng 동 굴종하다. 무릎 꿇다. ❏决不~于恶势力; 악의 세력에게 절대 무릎 꿇지 않겠다.

[屈打成招] qūdǎ-chéngzhāo 〈成〉 죄 없는 사람이 억울하게 형벌을 받고 억지로 자백하다.

[屈服] qūfú 동 굴복하다. =[屈伏fú]

[屈就] qūjiù 동〈敬〉〈套〉 몸을 굽혀 천직에 종사하다《남에게 취임을 부탁할 때 쓰는 말》.

[屈辱] qūrǔ 명 업신여김. 굴욕. 모욕.

[屈膝] qūxī 동 무릎을 꿇다. 〈比〉 굴복하다. 투항하다. ❏~投降; 순순히 투항하다.

[屈指] qūzhǐ 동 손꼽아 세다. ❏~可数; 〈成〉 손꼽아 셀 수 있을 정도로 얼마 안 되다.

袪 qū (거)
동 제거하다. 물리치다.

[袪除] qūchú 동 없애다. 물리치다. 떨치다. ❏~紧张心理; 긴장된 마음을 떨쳐 버리다.

[袪暑] qūshǔ 동 더위를 쫓다.

[袪痰] qūtán 동 가래를 없애다. ❏~剂; 거담제.

黢 qū (준)
형 검다. 어둡다. 깜깜하다.

[黢黑] qūhēi 형 새까맣다. 깜깜하다. ❏~的头发; 새까만 머리털.

蛆 qū (저)
명〖蟲〗 구더기.

[蛆虫] qūchóng 명〖蟲〗 구더기.

趋(趨) qū (추)
동 ① 빨리 가다. ❏~而迎之; 빨리 가서 맞이하다. ② (어떤 방향으로) 향하다. 진행하다. ❏渐~平静; 점차 안정되다.

[趋奉] qūfèng 동 아부하다. 아첨하다. 알랑대다.

[趋附] qūfù 동 빌붙다. 영합하다. ❏他总是~大势; 그는 항상 대세를 따라간다.

[趋势] qūshì 명 추세. 경향.

[趋向] qūxiàng 동 …의 방향으로 향하다. …하는 경향이 있다. ❏病情~好转; 병세가 호전되어 가다. 명 추세. 경향. 방향.

[趋炎附势] qūyán-fùshì 〈成〉 권세에 영합하고 의지하다.

渠 qú (거)
명 도랑. 인공 수로. ❏水到~成; 〈成〉 조건이 갖춰지면 일은 순조롭게 진척된다.

[渠道] qúdào 명 ① 수로. 용수로. 관개 수로. ② (추상적인) 방도. 루트. 경로. ❏由民间~进行谈判; 민간 루트로 교섭을 진행하다.

曲 qǔ (곡)
명 ① 곡《원대(元代)에 가장 유행한 시문(詩文)의 한 형식》. ② (~儿) 노래. 가곡. ❏唱~儿; 노래를 부르다. ③ 곡. 악보. ❏作~; 작곡. ⇒qū

[曲调] qǔdiào 명〖樂〗 곡조. 가락. 멜로디.

[曲高和寡] qǔgāo-hèguǎ 〈成〉 곡조가 너무 심오하여 따라 부르는 사람이 적다《글이나 예술 작품이 통속적이지 못하여 이해할 수 있거나 감상하는 사람이 매우 적다》.

[曲谱] qǔpǔ 명〖樂〗 악보. =[谱子]

[曲艺] qǔyì 명 지방 색채가 풍부한 각종 설창 예술(說唱藝術).

[曲子] qǔ·zi 명 곡(曲). 노래.

取 qǔ (취)
동 ① 가지다. 받다. 찾다. ❏~款; (은행에서) 돈을 찾다 / ~行李; 짐을 찾다. ② 얻다. 취하다. 받아들이다. ❏~得; ⇩ ③ 채택하다. 채용하다. 고르다. 뽑다. ❏今年~了三百名新生; 올해는 300명의 신입생을 뽑았다.

[取材] qǔcái 동 취재하다. 제재를 찾다. ❏就地~; 현지 취재하다.

[取长补短] qǔcháng-bǔduǎn 〈成〉 남의 장점을 취해 자신의 단점을 보충하다.

[取代] qǔdài 동 (다른 사람 · 사물을 밀어내고) 자리를 대신 차지하다.

[取得] qǔdé 동 얻다. 취득하다. 거두다. ❏~胜利; 승리를 거두다.

[取缔] qǔdì 동 금지하다. 단속하다. ❏~非法组织; 불법 조직을 단속하다.

[取经] qǔ//jīng 동 불교도가 인도에 가서 불경을 구해 오다. 〈比〉 선진적인 경험을 배우다.

[取决] qǔjué 동 …에 따라 결정되다. …에 달려 있다《주로, '于'를 동반함》. ❏最终命运~于大选; 최후의 운명은 총선거로 결정된다.

[取乐(儿)] qǔlè(r) 동 즐거움을 찾다. 즐기다. ❑说笑话~; 우스갯소리를 하며 놀다.
[取名] qǔ//míng 동 이름을 짓다. 작명하다.
[取巧] qǔ//qiǎo 동 약삭빠르게 굴다《교묘한 수단으로 부정당한 이익을 얻거나 곤란한 일을 피함》. ❑投机~; 〈成〉 기회를 틈타 약삭빠르게 굴다.
[取舍] qǔshě 동 취사하다. 취사선택하다. ❑~得宜; 취사선택이 적절하다.
[取消] qǔxiāo 동 취소하다. 말살하다. 없애다. 백지화하다. ❑~资格; 자격을 취소하다. =[取销]
[取笑] qǔxiào 동 놀리다. 비웃다.
[取之不尽] qǔzhī-bùjìn 〈成〉 아무리 써도 없어지지 않는다. ❑~, 用之不竭; 아무리 취해도 끝이 없고 아무리 써도 없어지지 않는다《매우 풍부하다》.

娶 qǔ (취)
동 아내를 맞이하다. 장가가다. ❑~媳妇儿; 장가가다.
[娶亲] qǔ//qīn 동 (남자가) 결혼하다. 신부를 맞다. 장가가다.

龋(齲) qǔ (우)
동 충치가 생기다.
[龋齿] qǔchǐ 명〘醫〙 충치. =[蛀zhù齿][蛀牙][〈俗〉虫牙]

去 qù (거)
① 동 (한 장소에서 다른 장소로) 가다. ❑你上哪儿~? 너 어디 가니? ② 동 떠나다. ❑~世; ⇓ ③ 동 잃다. 놓치다. ❑大势已~; 대세는 이미 물 건너갔다. ④ 동 없애다. 잘라 내다. 떼어 내다. ❑太长, 再~两寸; 너무 기니, 2치를 더 잘라 내라. ⑤ 동〈書〉 (장소·시간적으로) 떨어져 있다. ❑~今千年; 지금으로부터 천 년 전. ⑥ 형 지나간. 과거의《주로, 지난 1년을 가리킴》. ❑~秋; 작년 가을. ⑦ 동 다른 동사 앞에 쓰여 어떤 일을 하려고 함을 나타냄. ❑这件事我~办吧; 이 일은 내가 처리하겠다. ⑧ 동 다른 동사나 동사 구조 뒤에 쓰여 어떤 일을 하러 감을 나타냄. ❑他看画展~了; 그는 미술 전시회를 보러 갔다. ⑨ 동 동사나 동사 구조·개사 구조 사이에 쓰여 전자는 후자의 방법·방향·태도 따위를 나타내고, 후자는 전자의 목적을 나타냄. ❑要从主要方面~检查; 주요 방면부터 조사해야 한다. ⑩ 명〘言〙 거성(去聲).

去 //·qù (거)
동 ① 동사 뒤에 쓰여 동작에 따라 원래의 장소에서 옮겨감을 나타냄. ❑送~几本书; 책 몇 권을 보내다. ② 동사 뒤에 쓰여 동작이 계속되어짐을 나타냄. ❑信步走~; 발길 닿는 대로 걷다 / 让他说~; 그가 말하게 두어라.
[去除] qùchú 동 제거하다. 없애다. ❑~衣服上的污点; 옷의 얼룩을 제거하다 / ~烦闷; 번민을 없애다.
[去处] qùchù 명 ① 가는 곳. 행선지. ② 장소. 곳. ❑荒凉的~; 황량한 장소.
[去路] qùlù 명 가는 길. 진로.
[去年] qùnián 명 작년. =[去岁]
[去声] qùshēng 명〘言〙 거성. ① 고대 중국어의 제3성. ② 현대 중국어의 제4성.
[去世] qùshì 동 죽다. 사망하다《성인(成人)에게만 사용함》.
[去岁] qùsuì 명 ⇨[去年]
[去伪存真] qùwěi-cúnzhēn 〈成〉 거짓을 버리고 진실을 남기다.
[去向] qùxiàng 명 행방. ❑~不明; 행방이 불분명하다.
[去职] qù//zhí 동 퇴직하다. 사직하다.

阒(闃) qù (격)
형〈書〉 고요하다. 적막하다. 조용하다. ❑~无一人; 고요하여 인기척 하나 없다.
[阒然] qùrán 형〈書〉 인기척 하나 없이 고요한 모양.

觑(覷) qù (처)
동〈書〉 보다. 살피다. ❑面面相~; 얼굴을 마주 보다.

趣 qù (취)
① (~儿) 명 재미. 흥미. ❑没~; 재미없다 / 有~; 재미있다. ② 형 재미있는. 흥미 있는. ❑~闻; 재미있는 소식[뉴스]. ③ 명 취향. 의향. ❑异~; 취향이 다르다.
[趣事] qùshì 명 재미있는 일. 에피소드.
[趣味] qùwèi 명 재미. 흥미. 흥취. 취미. ❑ ~无穷; 흥미진진하다.

quan ㄑㄩㄢ

悛 quān (전)
동〈書〉 회개하다.

圈 quān (권)
①(~儿) 명 동그라미. 원. 고리. 고리 모양의 것. ❏画个~儿; 동그라미를 그리다. =[圈子①] ② 명 권. 범위. ❏进入决赛~; 결승권에 들다. =[圈子②] ③동 (주위를) 둘러싸다. 둘러치다. 구획하다. ④동 동그라미를 치다. ❏把不认识的字~出来; 모르는 글자에 동그라미를 쳐라 / ~句子; 구두점을 찍다. ⑤(~儿) 양 바퀴. ❏围着操场跑四~儿; 운동장을 네 바퀴 뛰다. ⇒juān juàn

[圈点] quāndiǎn 명동 권점(을 찍다).

[圈套] quāntào 명 올가미. 함정. 덫. 책략. 음모.

[圈阅] quānyuè 동 (상급자나 책임자가) 서류에 검인필 표시를 하다.

[圈子] quān·zi 명 ①⇒[圈①] ②⇒[圈②] ③(활동상의) 범위. ❏生活~; 생활 범위.

全 quán (전)
①형 완전하다. 완비하다. ❏所有的设备都配~了; 모든 설비가 완전히 다 갖춰졌다. ②동 완전하게 하다. ❏两~其美; 〈成〉 쌍방이 모두 좋게 하다. ③형 모든. 온. 전. 전체의. ❏~家; 온 가족 / ~世界; 전 세계. ④부 모두. 전부. 다. 완전히. ❏代表们~来了; 대표들이 모두 왔다.

[全部] quánbù 명 전부. 모든. ❏钱已~用光了; 돈은 이미 전부 다 써 버렸다 / ~遗产; 모든 유산.

[全才] quáncái 명 무엇이나 할 수 있는 인물. 만능인 사람. ❏文武~; 문무 모두에 뛰어난 인물.

[全程] quánchéng 명 전 구간. 풀코스(full course). ❏跑完~; 전 구간을 완주하다.

[全都] quándōu 부 전부. 모두. ❏~忘了; 모두 잊었다.

[全份(儿)] quánfèn(r) 명 다 갖춘 한 벌. 세트.

[全副] quánfù 형 한 벌의. 전부 갖춘. 모든. ❏~武装; 완전 무장.

[全国] quánguó 명 전국.

[全集] quánjí 명 전집. ❏莎士比亚~; 셰익스피어 전집.

[全家福] quánjiāfú 명 ①가족사진. =[合家欢] ②고기류로 만든 잡채 요리의 일종.

[全景] quánjǐng 명 파노라마(panorama). 전경.

[全局] quánjú 명 전체의 국면. ❏影响~; 전체 국면에 영향을 주다.

[全科医生] quánkē yīshēng 〖醫〗 전문의(專門醫).

[全力] quánlì 명 전력. 온 힘. 총력. 혼신의 힘. ❏~以赴; 〈成〉 전력투구하다. 부 전력으로. 온 힘을 다해. ❏~支持; 전력으로 지지하다.

[全貌] quánmào 명 전모. 전경(全景). ❏事情的~; 사건의 전모.

[全面] quánmiàn 명형 전면(적이다). 전반(적이다). 전체(적이다). ❏~情况; 전면적인 상황.

[全民] quánmín 명 전체 국민.

[全能] quánnéng 형 전능의. 만능의. ❏~冠军; 전 종목 우승(자).

[全盘] quánpán 형 전면적인. 전반적인. ❏~计划; 전면적인 계획.

[全勤] quánqín 동 개근하다. 만근하다.

[全球] quánqiú 명 전 세계. ❏冠于~; 세계에서 으뜸이다 / ~定位系统; 지피에스(GPS).

[全权] quánquán 명 전권. ❏~大使; 전권 대사 / ~代表; 전권 대표.

[全然] quánrán 부 전혀. 완전히. 도무지《주로, 부정문에 쓰임》. ❏~不懂; 전혀 이해하지 못하다.

[全身] quánshēn 명 전신. 온몸. ❏~发抖; 온몸을 부르르 떨다.

[全神贯注] quánshén-guànzhù 〈成〉 온 신경을 기울이다. 모든 주의력을 집중하다.

[全盛] quánshèng 형 전성하다. 한창 왕성[강성]하다. ❏~时期; 전성기.

[全速] quánsù 명 전속력.

[全体] quántǐ 명 전체. ❏~观众; 전체 관중 / ~会议; 전체 회의. 총회.

[全天候] quántiānhòu 형 ①전천후의. ❏~飞机; 전천후기. ②(서비스 업종의) 24시간의. ❏~服务; 24시간 서비스.

[全息] quánxī 형 홀로그램(hologram)의. ❏~照相; 홀로그램.

[全心全意] quánxīn-quányì 〈成〉 온 힘을 다하다. 성심성의.

[全新] quánxīn 형 완전히 새롭다. 아주 새롭다.

[全音] quányīn 명〖樂〗 온음.

[全职] quánzhí 형 전업의. ❏~教师; 전업 교사.

诠(詮) quán (전)
동〈書〉 (도리 따위를)

자세히 설명하다. 해석하다.
[诠释] quánshì 동 설명하다. 해석하다.
[诠注] quánzhù 동 주석을 달아 설명하다. 주해(註解)하다.

痊 quán (전)
동 병이 낫다. 완쾌하다.
[痊愈] quányù 동 병이 낫다. 완쾌되다. 쾌차하다.

醛 quán (철)
명〖化〗알데히드(aldehyde).

权(權) quán (권)
① 동〈書〉(무게를) 달다. ❑ ~其轻重; 그 무게를 달다. ② 명 권력. 권한. ③ 명 권리. ④ 명 유리한 형세. ❑ 制空~; 제공권. ⑤ 형 임기응변의. 임시변통의. ❑ ~宜; ⇓ ⑥ 부 잠시. 임시로.
[权变] quánbiàn 동 임기응변하다.
[权贵] quánguì 명 권세가 있고 지위가 높은 사람.
[权衡] quánhéng 동 재다. 비교하다. 따지다. ❑ ~轻重; 경중을 비교하다 / ~得失; 득실을 따지다.
[权力] quánlì 명 ① 권력. ❑ 掌握~; 권력을 장악하다. ② 권한. ❑ 行使主席的~; 의장의 권한을 행사하다.
[权利] quánlì 명〖法〗권리. ❑ 享受~; 권리를 누리다.
[权谋] quánmóu 명 임기응변의 계책. 권모.
[权能] quánnéng 명 권력과 능력. 권능.
[权且] quánqiě 부 잠시. 우선. 당분간. ❑ 吃几片饼干~充饥; 과자 몇 조각으로 우선 허기를 달래다.
[权势] quánshì 명 권세. 권력과 세력.
[权术] quánshù 명〈貶〉권모술수. 권술.
[权威] quánwēi 명 ① 권위. ❑ 维护政府的~; 정부의 권위를 보호하다. ② 권위자. 권위 있는 사물. 형 권위가 있다. ❑ 很~的专家; 권위 있는 전문가.
[权限] quánxiàn 명 권한.
[权宜] quányí 형 적당히[편의적으로] 처리하다. 변통(變通)하다. ❑ ~之计;〈成〉임기응변의 방법. 궁여지책. 임시방편.
[权益] quányì 명 권익.
[权诈] quánzhà 형〈書〉간사하다.

蜷 quán (권)
동 (몸을) 구부리다. 웅크리다. ❑ ~着一条腿; 한쪽 다리를 구부리고 있다.
[蜷伏] quánfú 동 몸을 웅크린 채로 눕다. ❑ 他~在床上; 그는 몸을 웅크리고 침대에 누워 있다.
[蜷曲] quánqū 동 (사람·동물이 몸을) 웅크리다. 서리다.
[蜷缩] quánsuō 동 둥글게 오그라들다. 오그리다.

鬈 quán (권)
형 (머리털이) 곱슬곱슬하다.
[鬈发] quánfà 명 곱슬머리.

泉 quán (천)
명 ① 샘. 샘물. ② 샘구멍.
[泉水] quánshuǐ 명 샘물.
[泉眼] quányǎn 명 샘구멍.
[泉源] quányuán 명 ① 샘이 솟아 나오는 수원(水源). ②〈比〉(지식·힘·감정·생산 따위의) 원천. ❑ 生命的~; 생명의 원천.

拳 quán (권)
① 명 주먹. ❑ 挥~; 주먹을 휘두르다. ② 명 권술. 권법(拳法). ③ 동 구부리다. 웅크리다. ❑ 身子~着; 몸을 웅크리고 있다.
[拳击] quánjī 명〖體〗권투. 복싱.
[拳脚] quánjiǎo 명 ① 주먹과 발. ② ⇨[拳术]
[拳曲] quánqū 동 굽다. 구부리다. ❑ ~的头发; 곱슬곱슬한 머리카락.
[拳手] quánshǒu 명 권투 선수.
[拳术] quánshù 명 권법(拳法). 권술. =[拳脚②]
[拳头] quán·tóu 명 주먹. ❑ 挥~; 주먹을 휘두르다.
[拳头产品] quán·tóu chǎnpǐn 경쟁력 있는 상품. 히트될 가능성이 많은 상품. 주력 상품.

颧(顴) quán (관)
→[颧骨]
[颧骨] quángǔ 명〖生理〗광대뼈.

犬 quǎn (견)
명〖動〗개. =[狗gǒu①]
[犬齿] quǎnchǐ 명〖生理〗견치. 송곳니. =[犬牙①]
[犬牙] quǎnyá 명 ① ⇨[犬齿] ② 개의 이빨. ❑ ~交错;〈成〉개의 이빨처럼 들쭉날쭉 고르지 못하다《국면이 뒤엉키고 복잡하다》.

劝(勸) quàn (권)
동 권하다. 충고하다. 설득하다. 말리다. ❑ 我~他休息一下; 나는 그에게 좀 쉬라고 권했다.
[劝导] quàndǎo 동 충고하여 일깨우다. 타일러서 가르치다. ❑ 耐心

~; 인내심을 갖고 타일러 가르치다.
[劝告] quàngào 명동 권고(하다). 충고(하다). ❏接受~; 충고를 받아들이다.
[劝和] quànhé 동 중재하다. 화해시키다.
[劝架] quàn//jià 동 싸움을 말리다. =[劝解②]
[劝解] quànjiě 동 ① 마음을 풀어주다. 달래다. ② ⇨[劝架]
[劝诫] quànjiè 동 충고하여 잘못을 고치게 하다. =[劝戒]
[劝酒] quàn//jiǔ 동 (술자리에서) 술을 권하다. 권주하다.
[劝勉] quànmiǎn 동 권면하다. 권하고 격려하다.
[劝说] quànshuō 동 설득하다. 권하다. 권유하다. 타이르다.
[劝慰] quànwèi 동 달래다. 위로하다.
[劝诱] quànyòu 동 설득하고 이끌다. 권유하다.
[劝阻] quànzǔ 동 충고하여 그만두게 하다. ❏~吸烟; 담배를 끊도록 권하다. =[劝止zhǐ]

券 quàn (권)
명 증(證). 권(券). 표《종이쪽지에 인쇄한 증표》. ❏入场~; 입장권/优待~; 우대권.

que ㄑㄩㄝ

炔 quē (결)
명〖化〗알킨(독 Alkin).

缺 quē (결)
① 동 모자라다. 부족하다. ❏~钱; 돈이 모자라다/~人; 사람이 부족하다. ② 동 파손되다. 완전치 못하다. 결함이 있다. ❏这件衬衫~了两颗扣子; 이 셔츠는 단추가 두 개 떨어졌다. ③ 동 빠지다. 결석하다. ❏~课; ⇓ ④ 명 (관직의) 빈자리. 결원(缺員). ‖ =[阙quē②]
[缺德] quē//dé 형 부도덕하다. 발칙하다. 비열하다. ❏别干~事; 비열한 짓은 하지 마라.
[缺点] quēdiǎn 명 결점. 단점. ❏改正~; 단점을 고치다.
[缺额] quē'é 명 ① 부족액. 결손액. ② 결원(缺員). 부족 인원.
[缺乏] quēfá 동 부족되다. 결핍되다. 모자라다. ❏材料~; 재료가 모자라다/~症; 결핍증.
[缺憾] quēhàn 명 불충분한 점. 유감스러운 점.
[缺课] quē//kè 동 수업을 빠지다. 결강(缺講)하다.
[缺口] quēkǒu 명 ①(~儿) 구멍. 이빠진 곳. 갈라진 곳. ②(경비·물자상의) 결손된 부분. 부족한 부분. ❏~很大; 결손이 매우 크다.
[缺漏] quēlòu 명 결핍. 누락.
[缺欠] quēqiàn 명 결함. 결점. 동 적다. 부족하다. 모자라다. ❏~流动资金; 유동 자금이 부족하다.
[缺勤] quē//qín 동 결근하다. ❏~率; 결근율.
[缺少] quēshǎo 동 (수량이나 인원이) 모자르다. 적다. 부족하다. ❏~人手; 일손이 모자르다.
[缺席] quē//xí 동 결석하다. ❏因事~; 일이 있어서 결석하다.
[缺陷] quēxiàn 명 결함. 흠.

阙(闕) quē (궐)
① 명〈書〉 잘못. 과실. ② ⇨[缺quē] ⇒què
[阙如] quērú 형〈書〉 결여되다.
[阙疑] quēyí 동 의심스럽고 판단이 어려운 일을 보류시키다.

瘸 qué (가)
동 다리를 절다. 절름거리다. 절뚝거리다. ❏~着腿走路; 절름거리며 걷다.
[瘸子] qué·zi 명 절름발이.

却 què (각)
① 동 물러서다. 후퇴하다. ❏~步; ⇓ ② 동 물리치다. 퇴각시키다. ❏~敌; 적을 물리치다. ③ 동 거절하다. 사양하다. ❏~不过面子; 상대의 체면 때문에 거절하지 못하다. ④ 동 …해 버리다《동사의 뒤에 붙음》. ❏抛~; 내던져 버리다. ⑤ 부 도리어. 반대로. 그런데. ❏他让我准时到, 他~迟到了; 그는 내게 제시간에 오라고 하고서는 도리어 자기가 늦게 왔다.
[却步] quèbù 동 (두렵거나 혐오하여) 뒷걸음질하다.

确(確) què (확)
① 형 확실하다. 진실하다. ❏准~; 정확하다. ② 형 굳다. 단단하다. 견고하다. ❏~信; ⇓ ③ 부 확실히. 틀림없이. ❏~是不错; 확실히 좋다.
[确保] quèbǎo 동 확실히 보증하다. 확보하다. ❏~安全; 안전을 확실히 보증하다.
[确定] quèdìng 동 확실히 정하다.

확정하다. 분명히 하다. ❑～出价; 확정 오퍼. 형 확정적이다. 확고하다. ❑～的胜利; 확정적인 승리.
[确立] quèlì 동 확립하다. ❑～新体制; 새로운 체제를 확립하다.
[确切] quèqiè 형 ① 정확하고 적절하다. ❑用字～; 글자의 쓰임새가 정확하고 적절하다. ② 확실하다. ❑～的保证; 확실한 보증.
[确认] quèrèn 동 (사실·원칙 따위를) 확인하다. ❑这件事请你再～一下; 이 일을 다시 확인해 주십시오.
[确实] quèshí 형 확실하다. 틀림없다. ❑～性; 확실성 / ～的消息; 확실한 소식. 부 확실히. 정말로. 분명히. ❑他～来过; 그는 확실히 왔었다.
[确信] quèxìn 동 확신하다. ❑我～这件事是真的; 나는 이 일이 사실이라고 확신한다. (～儿) 명 확실한[믿을 만한] 소식.
[确凿] quèzáo 형 매우 확실하다. 명확하다. ❑证据～; 증거가 확실하다.
[确证] quèzhèng 동 확증하다. 확실히 증명하다. 명 확실한 증거. 확증.

雀 què (작)
명〘鳥〙참새. ⇒qiāo qiǎo
[雀斑] quèbān 명 주근깨. =[〈口〉雀qiāo子]
[雀跃] quèyuè 동 기뻐서 참새처럼 깡충깡충 뛰다. ❑欢欣～; 〈成〉 기뻐서 날뛰다.

榷 què (각)
동 ①〈書〉(옛날, 중요 물자의) 전매(專賣)를 하다. ❑～利; 전매 이익. ② 상의하다. 검토하다.

阙(闕) què (궐)
명 ① 궁문(宮門) 양쪽의 망루(望樓). ②〈轉〉 대궐. 궁전. ⇒ quē

鹊(鵲) què (작)
명〘鳥〙까치. =[喜鹊]
[鹊桥] quèqiáo 명 오작교. ❑～相会; 부부나 연인이 해후하다.

qun ㄑㄩㄣ

逡 qūn (준)
동〈書〉 뒤로 물러나다.
[逡巡] qūnxún 동〈書〉 주저하다. 머뭇거리다. 멈칫멈칫 물러나다.

裙 qún (군)
명 ① 치마. 스커트. ❑连衣～; 원피스. ② 치마 비슷한 것. ❑围～; 앞치마.
[裙带] qúndài 명 ① 스커트의 끈. ②〈貶〉 처가(妻家)와 관계가 있는 것. ❑～官; 처가의 덕으로 얻은 관직.
[裙带菜] qúndàicài 명〘植〙미역.
[裙子] qún·zi 명 치마.

群 qún (군)
① 명 무리. 떼. ❑羊～; 양떼. ② 명 많은 사람. 군중. 대중. ③ 형 무리를 이룬. 떼를 지은. 수많은. ❑～岛; ⇩ ④ 양 떼. 무리. ❑一～人; 한 무리의 사람들.
[群策群力] qúncè-qúnlì 〈成〉 대중이 지혜를 모으고 힘을 합치다.
[群岛] qúndǎo 명〘地理〙군도.
[群集] qúnjí 동 군집하다. 무리를 이루어 모이다.
[群居] qúnjū 동 군거하다. 떼지어 모여 살다.
[群魔乱舞] qúnmó-luànwǔ 〈成〉 악당들이 마구 날뛰다.
[群起] qúnqǐ 동 여러 사람이 일제히 일어나다[나서다]. ❑～而攻之; 〈成〉 많은 사람들이 들고 일어나 공격하다.
[群情] qúnqíng 명 군중의 정서[감정]. ❑～鼎沸; 민의가 들끓다.
[群山] qúnshān 명 군산. 많은 산.
[群威群胆] qúnwēi-qúndǎn 〈成〉 집단이 일치단결하여 발휘하는 힘과 용기[위력과 기백(氣魄)].
[群众] qúnzhòng 명 ① 대중. 군중. ❑～心理; 군중 심리 / ～运动; 대중 운동. ② (공산당원이나 간부가 아닌) 일반 대중.

R

ran ㄖㄢ

髯 rán (염)
명 구레나룻. 〈轉〉 수염.

然 rán (연)
① 형〈書〉 그렇다. 맞다. ❏不以为～; 그렇다고는 생각지 않는다. ② 대〈書〉 이러하다. 그러하다. ❏到处皆～; 어디를 가나 그러하다. ③ 접〈書〉 그러나. 하지만. ❏此儿虽幼, ～脚力甚健; 이 아이는 비록 어리지만, 다릿심은 매우 세다. ④ 접미 부사나 형용사 뒤에 붙어 상태를 나타내는 말. ❏偶～; 우연히 / 仍～; 여전히.

[然而] rán'ér 접 그러나. 하지만. ❏她没考上大学, ～并不灰心; 그녀는 대학에 떨어졌지만 결코 의기소침해하지 않는다.

[然后] ránhòu 접 그리고 나서. 그런 후에. 연후에. ❏先研究一下, ～再决定; 우선 검토한 연후에 결정하자.

燃 rán (연)
동 ① 연소하다. 타다. ❏可～性; 가연성. ② 불을 붙이다. 점화(點火)하다. ❏～灯; 등불을 켜다.

[燃点] rándiǎn 동 불을 붙이다. 점화하다. ❏～蜡烛; 촛불을 켜다. 명〖化〗 발화점(發火點). 착화점.

[燃放] ránfàng 동 (폭죽·불꽃에) 불을 댕기다. 발화(發火)시키다. ❏～花炮; 폭죽을 터뜨리다.

[燃料] ránliào 명 연료.

[燃眉之急] ránméizhījí 〈成〉 매우 급한[긴박한] 상황.

[燃烧] ránshāo 동 ① 연소하다. ❏这种煤不易～; 이런 석탄은 쉽게 연소되지 않는다. ② 〈比〉 (감정·욕망이) 고조되다. 달아오르다. ❏激情～; 열정이 고조되다.

冉 rǎn (염)
→[冉冉]

[冉冉] rǎnrǎn 부 〈書〉 천천히. 서서히. ❏国旗～上升; 국기가 천천히 올라가다.

苒 rǎn (염)
→[荏rěn苒]

染 rǎn (염)
동 ① 물들이다. 염색하다. ❏～头发; 머리를 염색하다. ② (나쁜 것에) 물들다. 전염되다. 감염되다. ❏～上红眼病; 결막염에 걸리다.

[染病] rǎn∥bìng 동 병에 감염되다. 병에 걸리다.

[染料] rǎnliào 명 염료.

[染色] rǎnsè 동 ① (천 따위를) 염색하다. ②〖生〗 (세포나 유기체를) 염색하다.

[染色体] rǎnsètǐ 명〖生〗 염색체.

[染指] rǎnzhǐ 동〈比〉 ① 본분 밖의 일에 관계하다[개입하다]. ② 부당한 이익을 취하다. 제 몫이 아닌 이익을 얻다.

rang ㄖㄤ

嚷 rāng (양)
→[嚷嚷] ⇒ rǎng

[嚷嚷] rāng·rang 동〈口〉 ① 떠들다. 시끄럽게 굴다. ❏外头～～的是什么? 밖에서 시끄럽게 구는 게 무엇이냐? ② 떠벌리다. 퍼뜨리다. ❏这件事千万别～出去; 이 일은 절대로 퍼뜨리면 안 된다.

瓤 ráng (양)
(～儿) 명 ① (과일·오이·호박 따위의) 속. 살. 과육. ❏西瓜～儿; 수박 속. ② (외피로 싸인) 알맹이. ❏信～儿; (편지 봉투 속의) 편지.

[瓤子] ráng·zi 명 ① (과일이나 오이·호박 따위의) 속. 과육. ② (껍질·껍데기로 싸인) 알맹이.

壤 rǎng (양)
명 ① 흙. 토양. ❏沃～; 비옥한 토양. ② 〈書〉 땅. ❏天～之别; 〈成〉 천양지차. ③ 지역. 지구. ❏僻～; 궁벽한 시골.

[壤土] rǎngtǔ 명 ①〖農〗 양토. ② 〈書〉 토지. 국토.

攘 rǎng (양)
동〈書〉 ① 배척하다. 물리치다. ❏～外; 외세를 배척하다. ② 빼앗다. ❏～夺; ⇩ ③ (소매를) 걷어붙이다. 걷어 올리다. ❏～臂; ⇩ ④ 어지럽히다. 분란을 일으키다.

[攘臂] rǎngbì 동〈書〉 소매를 걷어 올리다《흥분·분노를 나타냄》. ❏～高呼; 소매를 걷어올리고 큰 소리로 외치다.

[攘夺] rǎngduó 동〈書〉 빼앗다. 탈취하다.

[攘攘] rǎngrǎng 형〈書〉 혼란한 모양. 어수선한 모양.

R

嚷 rǎng (양) 동 ① 고함치다. 소리 지르다. ❑他在外面~些什么? 그가 밖에서 뭐라고 고함치는 것이냐? ②〈口〉 다투다. 말다툼하다. ❑两口子又~上了; 부부가 또 말다툼을 벌였다. ⇒ rāng

让(讓) ràng (양) ① 동 양보하다. 내주다. ❑你~着他点儿; 네가 그에게 좀 양보해라. ② 동 길을 내주다. 비켜 주다. ❑请~一下; 좀 비켜 주세요. ③ 동 대접하다. 권하다. 안내하다. ❑~茶; 차를 권하다. ④ 동 양도하다. 넘겨주다. ❑我把票~给他了; 나는 표를 그에게 넘겨주었다. ⑤ 동 …하게 하다. ❑~我试试看; 제가 해 보겠습니다 / 对不起, ~你久等了; 오래 기다리시게 해서 죄송합니다. ⑥ 개 …에게 …당하다《피동을 나타냄》. ❑书~人撕去了一页; 책이 누군가에 의해 한 페이지가 찢겼다.

[让步] ràng//bù 동 양보하다.

[让路] ràng//lù 동 길을 양보하다. 길을 비키다. ❑给急救车~; 구급차에게 길을 양보하다.

[让位] ràng//wèi 동 ① 양위하다. ②〈方〉⇨[让座(儿)①]

[让座(儿)] ràng//zuò(r) 동 ① 자리를 양보하다. ❑他给老人~; 그는 노인에게 자리를 양보했다. =[〈方〉让位②] ② 자리를 권하다.

rao ㄖㄠ

饶(饒) ráo (요) ① 형 많다. 풍부하다. ❑丰~; 풍요롭다. ② 동 덤을 주다. 얹어 주다. 끼워 주다. ❑你要买五斤, 我可以~半斤; 다섯 근을 사면 반 근을 덤으로 주겠다. ③ 동 용서하다. 봐주다. ❑这次~了你; 이번엔 너를 용서해 주마. ④ 접〈口〉 비록 …한다 하더라도. 아무리 …하더라도. ❑~你帮了他的忙, 他还对你有意见; 아무리 네가 그를 도와준다 하더라도 그는 여전히 너에게 불만이 있다.

[饶命] ráo//mìng 동 목숨을 살려주다. ❑求您饶了我的命吧; 제발 목숨만 살려 주십시오.

[饶舌] ráoshé 동 말을 많이 하다. 긴말하다. ❑对这个问题我不想多~; 이 문제에 대해 나는 긴말하고 싶지 않다.

[饶恕] ráoshù 동 용서하다. 너그러이 봐주다. ❑不可~的罪行; 용서할 수 없는 죄.

[饶头] ráo·tou 명〈口〉 덤.

扰(擾) rǎo (요) ① 동 어지럽히다. 교란하다. 방해하다. ❑敌寇~边; 외적이 변경을 어지럽히다. ② 형〈書〉 혼란하다. 어지럽다. ❑纷~; 혼란스럽다. ③ 동〈套〉 폐를 끼치다. ❑打~了; 폐를 끼쳤습니다.

[扰动] rǎodòng 동 어지럽게 하다. 소동을 일으키다.

[扰乱] rǎoluàn 동 어지럽히다. 교란하다. 방해하다. ❑~睡眠; 수면을 방해하다.

[扰攘] rǎorǎng 형〈書〉 혼란하다.

绕(繞) rào (요) 동 ① 감다. 휘감다. ❑把绳子~在树上; 밧줄을 나무에 감다. ② 둘레를 돌다. 끼고 돌다. ❑运动员~场一周; 운동선수가 장내를 한 바퀴 돌다. ③ 돌아가다. 우회하다. ❑你们从东边~~~吧; 동쪽으로 돌아가세요. ④ (일·문제 따위가) 뒤얽히다. 뒤얽혀 혼란스럽다. ❑这个问题把我~住了; 이 문제는 나를 혼란스럽게 했다.

[绕道(儿)] rào//dào(r) 동 에돌아가다. 다른 길로 돌아가다.

[绕口令(儿)] ràokǒulìng(r) 명 잰말놀이. 혀가 잘 안 도는 말 빨리 하기 놀이. =[拗ào口令]

[绕圈子] rào quān·zi ① 길을 빙 돌다. 돌아서 가다. ②〈比〉 말을 돌려서 하다. 에둘러 말하다.

[绕弯儿] rào//wānr 동 ①〈方〉 산보하다. 산책하다. ②⇨[绕弯子]

[绕弯子] rào wān·zi 돌려 말하다. 말을 빙빙 돌리다. =[绕弯儿②]

[绕嘴] ràozuǐ 형 발음하기가 힘들다. 입에 안 붙다.

re ㄖㄜ

惹 rě (야) 동 ① (주로, 안 좋은 결과·사태를) 만들다. 일으키다. 야기시키다. ❑~乱子; 말썽을 일으키다 / ~麻烦; 성가신 일을 만들다. ② (어떤 감정적 반응을) 일으키다. ❑~人讨厌; 남의 미움을 사다 / ~人

喜欢; 남에게 사랑을 받다. ③ 상대방의 기분[성질]을 건드리다. ❑ 别~他, 他脾气不好; 그를 건드리지 마라, 그는 성격이 안 좋다.

[惹火烧身] rěhuǒ-shāoshēn 〈成〉 ⇨[引火烧身①]

[惹祸] rě//huò 동 화를 부르다. 문제를 일으키다.

[惹气] rě//qì 동 약 올리다. 화나게 하다.

[惹事] rě//shì 동 성가신 일을 만들다. 문제를 일으키다.

[惹是生非] rěshì-shēngfēi 〈成〉 말썽을 일으키다. 물의를 빚다. =[惹是非]

[惹眼] rěyǎn 형 남의 시선을 끌다. 남의 눈에 띄다.

R

热(熱) rè (열) ① 명〔物〕 열. ② 형 덥다. 뜨겁다. ❑ 今天很~; 오늘은 매우 덥다. ③ 동 데우다. 덥히다. ❑ 凉了, 再~一~吧; 식었으니 다시 한 번 데워라. ④ 명 (몸에서 나는) 열. 신열. ❑ 发~; 열이 나다. ⑤ 형 (감정이) 뜨겁다. 깊다. 열렬하다. ❑ ~心; ⇩ ⑥ 동 매우 부러워하다. 탐내다. 욕심내다. ❑ 眼~; 부러워하다. ⑦ 형 인기가 좋다. 환영받다. ❑ ~门(儿); ⇩ ⑧ 명 열기. 붐(boom). ❑ 足球~; 축구 붐.

[热爱] rè'ài 동 열렬히 사랑하다. 강한 애착을 가지다. ❑ ~故乡; 고향을 매우 사랑하다.

[热潮] rècháo 명 열띤 분위기. 붐. 열기.

[热忱] rèchén 명 열의. 열정.

[热诚] rèchéng 형 열성적이다. ❑ ~接待; 열성적으로 대접하다.

[热带] rèdài 명〔地理〕 열대. ❑ ~鱼; 열대어 / ~植物; 열대 식물.

[热度] rèdù 명 ① 열의 도수. 열. 열도. ② (몸의) 열. ③ 열정. 열의.

[热风] rèfēng 명 열풍. 뜨거운 바람.

[热敷] rèfū 동〔醫〕 온찜질하다.

[热狗] règǒu 명〈義〉 핫도그(hot dog).

[热核] rèhé 명〔物〕 열핵. 열원자핵. ❑ ~反应; 열핵 반응.

[热烘烘(的)] rèhōnghōng(·de) 형 후끈후끈하다. 화끈화끈하다. ❑ 屋里很~的; 집 안이 매우 후끈후끈하다.

[热乎乎(的)] rèhūhū(·de) 형 (기후·음식·관계 따위가) 따뜻하다. 훈훈하다. ❑ ~的茶点; 따뜻한 차와 간식.

[热乎] rè·hu 형 ⇨[热和]

[热火朝天] rèhuǒ-cháotiān 〈成〉 (집회·행사·일 따위가) 열기가 넘치는 모양.

[热货] rèhuò 명 잘 팔리는 상품. 인기 상품. =[热门货]

[热火] rè·huo 형 ① 열렬하다. 열기를 띠고 있다. ❑ 讨论就~了; 토론은 곧 열기를 띠게 되었다. ② ⇨[热和]

[热和] rè·huo 형 ① 따뜻하다. 따끈하다. ❑ 喝一碗~粥; 따뜻한 죽 한 그릇을 먹다. ② 사이가 좋다. 정답다. ❑ 聊得正~; 정답게 이야기하다. ‖ =[热乎][热火②]

[热辣辣(的)] rèlàlà(·de) 형 화끈화끈 뜨거운[달아오르는] 모양.

[热浪] rèlàng 명 ① 맹렬한 열기(熱氣). ② 〈比〉 열렬한 분위기[상황]. 열기. ③〔物〕 열파(熱波).

[热泪] rèlèi 명 뜨거운 눈물.

[热恋] rèliàn 동 ① 열애하다. 열렬히 사랑하다. ❑ 他~一个邻家少女; 그는 이웃집 소녀를 열렬히 사랑한다. ② 간절히 그리워하다. ❑ ~家乡; 고향을 간절히 그리워하다.

[热量] rèliàng 명〔物〕 열량. 칼로리(calorie). ❑ ~计; 열량계.

[热烈] rèliè 형 열렬하다. 열띠다. ❑ ~欢迎; 열렬히 환영하다.

[热流] rèliú 명 훈훈한 느낌. 뜨거운 감정. ❑ 一股~涌上心头; 훈훈한 느낌이 마음에 솟아나다.

[热门(儿)] rèmén(r) 명 인기가 있는 것. 유행하는 것. 잘나가는 것. ❑ ~词; (인터넷 따위의) 인기 검색어 / ~行业; 인기 업종.

[热门货] rèménhuò 명 ⇨[热货]

[热闹] rè·nao 형 번화하다. 북적거리다. 떠들썩하다. 왁자지껄하다. ❑ ~的大街; 번화한 거리. 동 떠들썩하게 놀다. 흥겹게 보내다. 즐겁게 놀다. (~儿) 명 번화한 풍경. 구경거리. 떠들썩함. ❑ 看~; 번화한 풍경을 구경하다.

[热能] rènéng 명〔物〕 열에너지.

[热气] rèqì 명 ① 열기. 뜨거운 공기[김]. ② 〈比〉 열렬한 분위기[정서]. ❑ ~腾腾; 〈成〉 ⓐ김이 오르는 모양. ⓑ열기가 넘치는 모양.

[热气球] rèqìqiú 명 열기구.

[热切] rèqiè 형 열렬하고 간절하다. ❑ ~地盼望; 간절히 바라다.

[热情] rèqíng 형 (태도·마음이)

열정적이다. 열렬하다. 따뜻하다. 친절하다. ❑他们对我们非常~; 그들은 우리에게 매우 친절하다. 명 열정. 의욕. 정열. 열의. ❑学习~; 학습 열의.

[热身] rè∥shēn 동〖體〗 몸풀기하다. 워밍업(warmingup)하다. ❑~赛; 연습 경기.

[热水] rèshuǐ 명 더운물. 뜨거운 물. ❑~器; 온수기.

[热水瓶] rèshuǐpíng 명 ⇨[暖水瓶]

[热腾腾(的)] rèténgténg(·de) 형 후끈후끈한 모양. 뜨끈뜨끈한 모양. ❑~的包子; 따끈따끈한 만두.

[热天(儿)] rètiān(r) 명 무더운 날. 찌는 더위.

[热望] rèwàng 명동 열망(하다). ❑~和平; 평화를 열망하다.

[热线] rèxiàn 명 ① 핫라인(hot line)《긴급 비상용 직통 전화》. ② (운수·여행 따위의) 인기 노선.

[热心] rèxīn 형 열성적이다. 열의가 있다. 적극적이다.

[热心肠(儿)] rèxīncháng(r) 명 따뜻한 마음씨.

[热血] rèxuè 명 끓는 피. 열혈. 열정. ❑~男儿; 열혈한. 열혈남아.

[热饮] rèyǐn 명 뜨거운 음료

[热战] rèzhàn 명 열전.

[热衷] rèzhōng 동 ①(명리(名利)를) 몹시 바라다. 열을 올리다. 열망하다. ❑~于名利; 명리 추구에 열을 올리다. ②(어떤 활동에) 열심이다. 열중하다. ❑~于集邮; 우표 수집에 열중하다. ‖=[热中]

ren ㄖㄣ

人 rén (인)
명 ① 사람. 인간. ②(일반) 사람. 중인(衆人). ❑~所共知; 〈成〉 사람마다 다 알고 있다. ③ 성인. 어른. ❑长大成~; 어른이 되다. ④ 어떤 종류의 사람. ❑犯~; 범인 / 工~; 노동자 / 主持~; 사회자. ⑤ 타인. 남. ❑帮~做事; 남을 거들어서 일을 하다. ⑥ 인격. 인품. 됨됨이. ❑~很不错; 인품이 좋다. ⑦ 체면. 명예. ❑丢~; 체면을 잃다. ⑧ 일손. 인재. ❑缺~; 일손이 모자라다. ⑨(명확히 지정되지 않은) 사람. 누군가. ❑他打发~来叫我; 그는 나를 부르려고 사람을 보냈다.

[人才] réncái 명 ① 인재. ❑~辈出; 〈成〉 인재가 배출되다. ②〈口〉(아름답고 단정한) 외모. 얼굴. ‖=[人材]

[人称] rénchēng 명〖言〗 인칭. ❑~代词; 인칭 대명사.

[人次] réncì 양 연인원(延人員). ❑一百个~; 연인원 백 명.

[人道] réndào 명 인도. 사람으로서의 도리. ❑~主义; 인도주의. 형 인도적이다. ❑这样做很不~; 이렇게 하는 건 정말 비인도적이다.

[人地生疏] réndì-shēngshū 〈成〉 새로운 환경에 놓여 모든 것이 낯설다. 산 설고 물 설다.

[人定胜天] réndìngshèngtiān 〈成〉 인간의 힘은 자연을 이긴다.

[人贩子] rénfàn·zi 명 인신매매범.

[人格] réngé 명 인격. ①〖心〗 개인의 정신적 특성. ❑双重~; 이중 인격. ② 사람으로서의 품격. ❑尊重~; 인격을 존중하다 / 污辱~; 인격을 모독하다. ③〖法〗 인간의 권리. ❑~权; 인격권.

[人工] réngōng 형 인공의. ❑~呼吸; 인공호흡 / ~智能; 인공 지능. 명 ① 인력(人力). 노동력. ② 한 사람의 하루분의 작업. 하루품. ❑需用很多~; 일손이 많이 든다.

[人海] rénhǎi 명 인해. 수많은 사람. ❑~战术; 인해 전술.

[人祸] rénhuò 명 인재(人災).

[人际] rénjì 형 사람과 사람 사이의. ❑~关系; 인간관계.

[人迹] rénjì 명 인적. ❑~罕至; 〈成〉 인적이 드물다.

[人家(儿)] rénjiā(r) 명 ① 인가. 집. ② 가정. 집안. ❑富贵~; 부귀한 집안. ③ 신랑감. 장래의 시댁.

[人家] rén·jia 대 ① 남. 타인. 다른 사람. ② 그. 그들. ❑大概~又谢绝了; 아마도 그가 또 사절했을 것이다. ③(상대에 대하여) 자기. 나. ❑你没看见~正忙着吗? 내가 지금 바쁜 거 안 보이느냐?

[人间] rénjiān 명 인간 사회. 세상.

[人口] rénkǒu 명 ① 인구. ❑~分布; 인구 분포 / 流动~; 유동 인구. ② 가족의 수. 식구. ❑我们家~少; 우리 집은 식구가 적다. ③ 사람. ❑贩卖~; 인신매매하다.

[人类] rénlèi 명 인류.

[人力] rénlì 명 인력. 사람의 힘. ❑非~所及; 인력으로 안 되다.

R

[人力车] rénlìchē 명 ① 사람이 끄는 수레. 리어카. ② 인력거. =[〈方〉 黄包车]
[人流] rénliú 명 사람의 물결. 인파.
[人伦] rénlún 명 인륜.
[人马] rénmǎ 명 ① 군대. ② (단체의) 일꾼. 요원.
[人脉] rénmài 명 인맥.
[人们] rén·men 명 사람들.
[人面兽心] rénmiàn-shòuxīn 〈成〉 인면수심(《겉으로는 선량한 것처럼 보이지만 내심은 사악하다》).
[人民] rénmín 명 인민. 국민.
[人民币] rénmínbì 명 인민폐. 위안화(《중국의 법정 화폐》).
[人名] rénmíng 명 인명. ❑~词典; 인명사전.
[人命] rénmìng 명 사람의 목숨. 인명. ❑~关天; 〈成〉 인명재천.
[人品] rénpǐn 명 ① 인품. 됨됨이. ② 〈口〉 외모. 용모. 풍채.
[人气] rénqì 명 ① 인기. ❑~急升; 인기가 급상승하다. ② 〈方〉 인품. 성품. 품성.
[人情] rénqíng 명 ① 인정. ❑~味(儿); 인정미. ② 안면. 친분. 연고. ③ 선물. ❑送~; 선사하다. ④ 경조사(慶弔事)에 인사로 갖고 가는 금품. ⑤ 은혜. 정의(情誼). 의리. ❑做个~; 은혜를 베풀다.
[人权] rénquán 명 인권. ❑侵犯~; 인권을 침해하다.
[人群] rénqún 명 사람의 무리. 군중.
[人人] rénrén 명 한 사람 한 사람. 누구나. 모두 다. 제각기. ❑~皆知; 〈成〉 누구나 다 알고 있다.
[人山人海] rénshān-rénhǎi 〈成〉 인산인해.
[人身] rénshēn 명 인신(《사람의 생명·건강·명예·행동 따위에 관한 것》). ❑~攻击; 인신공격.
[人参] rénshēn 명〖植〗인삼.
[人生] rénshēng 명 인생. ❑~观; 인생관.
[人士] rénshì 명 인사. ❑各界~; 각계 인사.
[人世] rénshì 명 이 세상. 인간 세상. 속세. =[人世间]
[人事] rénshì 명 ① 인간사. 세상사. ② 인사 관계. ❑~调动; 인사이동. ③ 인간관계. ④ 세상 물정. ❑不懂~; 세상 물정을 모르다. ⑤ 개인의 의식(意識). ❑不省~; 인사불성.
[人手] rénshǒu 명 일하는 사람. 일손.
[人体] réntǐ 명 인체. ❑~工程学; 인체 공학 / ~节律; 바이오리듬(biorhythm).
[人头] réntóu 명 ① 인원수. 머릿수. ❑按~分; 인원수대로 나누다. ② (~儿) 사람과의 관계. 교제. ❑~熟; 사람들과 친하다.
[人为] rénwéi 동 사람이 하다. 형 인위의. 사람이 만든[초래한]. ❑~的困难; 사람이 초래한 어려움.
[人文] rénwén 명 인문. ❑~主义; 인문주의. 휴머니즘(humanism).
[人物] rénwù 명 인물. ① 어떤 방면에서 대표적이거나 특징이 있는 사람. ❑危险~; 위험인물. ② 중요한 사람. 큰 인물. 대단한 인물. ❑他是个~; 그는 대단한 인물이다. ③ 문학·예술 작품 중의 인물. ④〖美〗인물화. =[人物画]
[人心] rénxīn 명 ① 사람의 마음. 인지상정. 인심. 민심. ❑~所向; 〈成〉 민심이 향하는 바. ② 인간다운 마음씨. 인정.
[人行道] rénxíngdào 명 인도.
[人行横道] rénxíng héngdào 횡단보도.
[人性] rénxìng 명 인성. 인간의 본성.
[人性] rén·xing 명 인간미. 인간다움. 인간성.
[人选] rénxuǎn 명 인선. 선출된 사람.
[人烟] rényān 명 인가(人家).
[人影(儿)] rényǐng(r) 명 ① 사람의 그림자. ② 사람의 모습[자취].
[人员] rényuán 명 요원. 구성원(《어떤 직무를 담당하는 사람》). ❑管理~; 관리 요원.
[人缘儿] rényuánr 명 붙임성. ❑~好; 붙임성이 좋다.
[人云亦云] rényún-yìyún 〈成〉 주관이 없다. 부화뇌동하다.
[人造] rénzào 형 인조의. 인공의. ❑~革; 인조 가죽 / ~黄油; 마가린(margarine) / ~卫星; 인공위성.
[人证] rénzhèng 명〖法〗인적 증거. 인증.
[人质] rénzhì 명 인질.
[人中] rénzhōng 명〖生理〗인중.
[人种] rénzhǒng 명 인종.

仁 rén (인)
① 형 어질다. 인자하다. ❑~

心; 어진 마음. ②〈敬〉 상대방에 대한 존칭. ❑~兄; ⇩ ③(~儿) 명 (딱딱한 껍질 속의) 알맹이. 속살. ❑核桃~; 호두 알맹이.

[仁爱] rén'ài 형 인애하다.

[仁慈] réncí 형 인자하다.

[仁厚] rénhòu 형 인후하다.

[仁兄] rénxiōng 명〈書〉〈敬〉 인형 《친구에 대한 존칭》.

[仁义] rényì 명 인의. ❑~道德; 인의 도덕.

[仁义] rén·yi 형〈口〉 온순하다. 온화하고 선량하다.

[仁政] rénzhèng 명 어진 정치. 인정.

[仁至义尽] rénzhì-yìjìn 〈成〉 인의를 다하여 대하다.

壬 rén (임)
명 십간(十干)의 아홉째. 〈轉〉 배열 순서의 아홉째.

任 Rén (임)
명 성(姓)의 하나. ⇒rèn

忍 rěn (인)
①동 참다. 견디다. 인내하다. ❑她~着泪水; 그녀는 눈물을 참고 있다. ②형 잔인하다. 지독하다. 모질다. ❑残~; 잔인하다.

[忍不住] rěn·buzhù 동 견딜 수 없다. 참을 수 없다. …하지 않을 수 없다. ❑~笑起来了; 참지 못하고 웃음을 터뜨렸다.

[忍耐] rěnnài 동 인내하다. ❑~性; 인내성. 참을성.

[忍气吞声] rěnqì-tūnshēng 〈成〉 노여움을 꾹 참으며 아무 말도 하지 않다.

[忍让] rěnràng 동 참고 양보하다.

[忍受] rěnshòu 동 참고 견디다. 견뎌 내다. ❑~痛苦; 고통을 견뎌 내다.

[忍无可忍] rěnwúkěrěn 〈成〉 도저히 참을 수 없다.

[忍心] rěn∥xīn 동 마음을 모질게 먹고 …하다. 냉정하게 …하다. ❑不~让你走; 차마 너를 떠나보내지 못하겠다.

荏 rěn (임)
①명〖植〗 들깨. =[白苏] ②형〈書〉 연약하다. 유약하다.

[荏苒] rěnrǎn 동〈書〉 세월이 덧없이 가다.

刃 rèn (인)
①(~儿) 명 (칼·가위 따위의) 날. ②명 날붙이. 칼. ③동〈書〉 칼로 죽이다.

[刃具] rènjù 명 ⇨[刀具]

纫(紉) rèn (닌)
동 ① 바늘귀에 실을 꿰다. ❑眼花了, ~不上针; 눈이 침침해져서 바늘귀에 실을 꿸 수 없다. ② 바느질하다. 바늘로 꿰매다.

韧(韌) rèn (인)
형 부드럽고 질기다. 탄력이 있다.

[韧带] rèndài 명〖生理〗 인대.

[韧性] rènxìng 명 ①〖物〗 인성 《질긴 정도》. ② 강인함. 끈기.

认(認) rèn (인)
동 ① 분간하다. 식별하다. 알아보다. ❑你~错了人了; 너 사람 잘못 봤다 / ~不出是谁的声音; 누구의 목소리인지 분간해 내지 못하다. ②(타인과) 어떤 관계를 맺다. …로 삼다. ❑~他作老师; 그를 선생님으로 삼다. ③ 인정하다. 동의하다. ❑~错; ⇩ ④(손해를) 감수하다. ❑就是吃亏, 我也~了; 손해를 보더라도 감수하겠다.

[认错(儿)] rèn∥cuò(r) 동 잘못을 인정하다.

[认得] rèn·de 동 ⇨[认识]

[认定] rèndìng 동 ① 굳게 믿다. 확신하다. ❑他~这样做是正确的; 그는 이렇게 하는 것이 정확한 것이라고 확신한다. ② 인정하다. 확인하다. ❑工伤~申请; 산업 재해 확인 신청.

[认购] rèngòu 동 (공채 따위를) 인수하여 사다. 구입 신청을 하다.

[认可] rènkě 동 인가하다. 허가하다. 승낙하다.

[认领] rènlǐng 동 ① 확인하고 받다[인수하다]. ❑~失物; 유실물을 확인하고 받아 가다. ② 입양하다. ❑~孤儿; 고아를 입양하다.

[认生] rènshēng 형 (아이가) 낯을 가리다.

[认识] rèn·shi 동 (사람·사물을) 알다. 인식하다. ❑我~那个人; 나는 저 사람을 안다 / ~自己的缺点; 자신의 결점을 인식하다. =[认得] 명 인식. ❑~论; 인식론.

[认输] rèn∥shū 동 패배를 인정하다. 항복하다.

[认为] rènwéi 동 생각하다. 여기다. 판단하다. ❑这篇文章我~很难; 나는 이 글이 매우 어려운 것 같다.

[认贼作父] rènzéizuòfù 〈成〉 적에게 몸을 의탁하다.

[认账] rèn∥zhàng 동 ① 부채(負

R

债)를 인정하다. ②〈轉〉 자기가 한 일[말]을 시인하다[인정하다]《주로, 부정형으로 쓰임》. ❏他不肯~; 그는 자기가 한 짓을 인정하려 하지 않는다.

[认真] rèn//zhēn 동 진실로[진담으로] 받아들이다. 정말로 여기다. 곧이듣다. (rènzhēn) 형 진지하다. 성실하다. 착실하다. ❏听课听得很~; 매우 진지하게 수업을 듣다.

[认证] rènzhèng 동〖法〗 인증하다. ❏~书; 인증서.

[认罪] rèn//zuì 동 죄를 인정하다.

任 rèn (임) ① 동 임명하다. 임용하다. ❏被~为厂长; 공장장으로 임명되다. ② 동 담당하다. 담임하다. 맡다. ❏他~过宣传部长; 그는 홍보 부장을 맡았었다. ③ 동 감당하다. 견디다. ❏~劳~怨; 〈成〉 고생을 견디고 원망을 감수하다. ④ 명 임무. 직무. 책무. ❏就~; 취임하다. ⑤ 동 내버려 두다. 방임하다. ❏~他做; 그가 하는 대로 내버려 두다. ⑥ 접 …할[일]지라도. …을 막론하고. ❏~谁也不准犯规矩; 누구든 규칙을 거스르는 것은 용서하지 않는다. ⑦ 양 번. 차례《직무를 맡은 횟수를 세는 말》. ❏做了一~知县; 지사(知事)를 한 번 맡았다. ⇒Rén

[任何] rènhé 대 무엇이든지. 어떠한. 아무런. ❏没有~嗜好; 이렇다 할 취미가 없다.

[任命] rènmìng 동 임명하다. ❏~状; 임명장.

[任凭] rènpíng 접 …일지라도. …하더라도. ❏~风浪起, 稳坐钓鱼船; 〈諺〉 풍랑이 일어도 침착하게 낚싯배에 앉아 있다《어떤 변화가 있어도 태연하게 있다》. 동 자유에 맡기다. 마음대로 하게 두다. ❏~你随便挑一个好的; 네 마음대로 좋은 것을 하나 고르도록 해라.

[任期] rènqī 명 임기.

[任人唯亲] rènrén-wéiqīn 〈成〉 (능력이나 자질에 관계없이) 연고자를 임용하다.

[任人唯贤] rènrén-wéixián 〈成〉 (연고에 관계없이) 재덕을 겸비한 사람을 임용하다.

[任务] rèn·wu 명 임무.

[任性] rènxìng 형 제멋대로이다.

[任意] rènyì 부 임의로. 멋대로. ❏~行动; 멋대로 행동하다. 형 임의의. ❏~三角形; 임의의 삼각형.

[任用] rènyòng 동 임용하다.

[任职] rèn//zhí 동 직무를 맡다. 재직하다. ❏~期间; 재임 기간.

[任重道远] rèzhòng-dàoyuǎn 〈成〉 짐은 무겁고 길은 멀다《책임이 막중하다》.

饪(飪) rèn (임) 동 요리하다. ❏烹~; 요리하다.

妊 rèn (임) 동 임신하다.

[妊妇] rènfù 명 ⇒[孕妇]

[妊娠] rènshēn 동 임신하다.

reng ㄖㄥ

扔 rēng (잉) 동 ① 던지다. ❏~手榴弹; 수류탄을 던지다. ② 버리다. ❏不要~在地上; 바닥에 버리지 마라. ③ 팽개치다. 제쳐 두다. 포기하다. ❏~下工作; 일을 팽개치다.

仍 réng (잉) ① 동 (그대로) 따르다. ❏一~其旧; 〈成〉 하나같이 옛것을 따르다. ② 부 여전히. 아직도. 변함없이. ❏她渐渐肥胖了, 但~不锻炼; 그녀는 점점 뚱뚱해지는데도 여전히 운동을 안 한다.

[仍旧] réngjiù 부 ⇒[仍然] 동 옛것[원래의 것]을 따르다.

[仍然] réngrán 부 ① 여전히. 아직도. 변함없이. ❏她虽然老了, ~美丽; 그녀는 비록 늙었지만 여전히 아름답다. ② 원래대로. 예전처럼. 다시. ❏一场暴风雨后, 这里~那样平静; 한바탕 폭풍우가 지나간 후, 이곳은 다시 예전처럼 평온해졌다. ‖ =[仍旧]

ri ㄖ

日 rì (일) ① 명 태양. 해. ② (Rì) 명〖地〗〈簡〉 일본(日本). ③ 명 낮. ❏夜以继~; 밤낮없이. ④ 명 하루. 날. ⑤ 명 매일. 날마다. ❏~新月异; ⇓ ⑥ 명 (특정한) 날. 일. ❏生~; 생일. ⑦ 명 시기. 때. 철. ❏往~; 옛날. 예전. ⑧ 양 일. ❏十~; 십 일. 열흘.

[日斑] rìbān 명 ⇒[太阳黑子]

[日报] rìbào 명 일간 신문. 일간지.

[日本] Rìběn 명〖地〗일본.
[日常] rìcháng 형 일상의. 일상적인. ❑~生活; 일상생활.
[日程] rìchéng 명 일정. 일일 스케줄. ❑~表; 일정표.
[日工] rìgōng 명 ① 주간의 일. 주간 근로. ② 일용 근로자. 날품팔이.
[日光] rìguāng 명 햇빛. 일광. ❑~浴; 일광욕. =[阳光]
[日光灯] rìguāngdēng 명〈俗〉⇨[荧光灯]
[日后] rìhòu 명 후일. 뒷날. 나중.
[日积月累] rìjī-yuèlěi〈成〉오랜 시간 동안 쌓이다.
[日记] rìjì 명 일기. 일지. ❑~本; 일기장 / 生产~; 생산 일지.
[日间] rìjiān 명 주간. 낮.
[日见] rìjiàn 부 하루하루. 날로. ❑~好转; 날로 호전되다.
[日渐] rìjiàn 부 하루하루 천천히. 나날이 점점. ❑产品质量~提高; 상품의 품질이 나날이 향상되다.
[日久天长] rìjiǔ-tiānchǎng〈成〉오랜 세월이 흐르다. =[天长日久]
[日就月将] rìjiù-yuèjiāng〈成〉일취월장하다.
[日历] rìlì 명 일력.
[日暮途穷] rìmù-túqióng〈成〉해는 저물고 길은 끝나다《최후의 순간에 다다르다》.
[日期] rìqī 명 (특정한) 날짜. 날.
[日前] rìqián 명 며칠 전. 일전.
[日趋] rìqū 부 나날이. 날로. ❑~衰败; 나날이 쇠미해지다.
[日上三竿] rìshàngsāngān〈成〉해가 중천에 뜨다《주로, 늦잠을 잤음을 나타냄》.
[日食] rìshí 명〖天〗일식.
[日新月异] rìxīn-yuèyì〈成〉하루가 다르게 달라지다《진보나 발전이 매우 빠름》.
[日夜] rìyè 명 밤낮. 주야. ❑~商店; 24 시간 영업하는 상점.
[日以继夜] rìyǐjìyè〈成〉⇨[夜以继日]
[日益] rìyì 부 일익. 나날이 더욱. 날로 더욱. ❑形势~好转; 형세가 날로 더욱 호전되다.
[日用] rìyòng 형 일용의. ❑~品; 일용품. 명 생활비.
[日元] rìyuán 명 엔《일본의 화폐 단위》. =[日圆]
[日月] rìyuè 명 ①⇨[日子③] ② 일월. 월일. 시간.
[日照] rìzhào 명 일조.
[日志] rìzhì 명 일지. ❑工作~; 작업 일지.
[日子] rì·zi 명 ① 날. 날짜. ❑约定的~; 약정한 날짜. ② 시간. 세월. ③ 살림. 생활. 생계. ❑她很会过~; 그녀는 살림을 매우 잘한다. ⇨[日月①]

rong ㄖㄨㄥ

戎 róng (융) 명〈書〉① 무기. 병기. ② 군대. 군사. ❑从~; 종군하다.
[戎马] róngmǎ 명〈書〉군마(軍馬).〈轉〉군사. 종군(從軍).

绒(絨) róng (융) 명 ① 털. 융털. ❑鸭~; 오리 솜털. ② 표면에 융모가 있는 직물. ❑天鹅~; 벨벳(velvet). ③ (~儿) 자수용 실.
[绒毛] róngmáo 명 ①〖生〗융모. 융털. ② (직물 표면의) 융털.
[绒线] róngxiàn 명 ① 자수용 실. ②〈方〉⇨[毛线]
[绒衣] róngyī 명 두꺼운 메리야스 상의 내의. 겨울 상의 내의.

荣(榮) róng (영) 형 ① 초목이 무성하다. ② 번영하다. 번창하다. ③ 영광스럽다. 영예롭다.
[荣归] rónggūi 동 영광스럽게 돌아오다. ❑衣锦~;〈成〉금의환향.
[荣华] rónghuá 형〈書〉초목에 꽃이 피다.〈比〉영화. 영달. ❑~富贵;〈成〉부귀영화.
[荣获] rónghuò 동 영예롭게도 …을 획득하다. ❑~金牌; 영예롭게도 금메달을 획득하다.
[荣幸] róngxìng 형 영광스럽다.
[荣耀] róngyào 형 영광스럽다. 영예롭다.
[荣誉] róngyù 명 영예. ❑~感; 영예감. 형 명예의. ❑~市民; 명예시민 / ~教授; 명예 교수.

嵘(嶸) róng (영) →[峥zhēng嵘]

茸 róng (용) ① 형 초목의 잎이 가늘고 부드러운 모양. ② 명 녹용.
[茸茸] róngróng 형 (풀·모발 따위가) 짧고 부드럽고 촘촘하다.

容 róng (용) ① 동 넣다. 수용하다. ❑这里能~一万人; 이곳은 1만 명을 수용

R

할 수 있다. ②동 용서하다. 봐주다. 용납하다. ❑情理难~; 도리상 용납할 수 없다. ③동 허용하다. 허락하다. ❑刻不~缓; 잠시도 지체할 수 없다. ④명 표정. 얼굴. ❑笑~; 웃는 얼굴. ⑤명 용모. ❑~貌; ⇩ ⑥명〈比〉상황. 상태. 모습. 외관. ❑市~; 도시의 외관.

[容光] rόngguāng 명 안색. 용모. 얼굴. ❑~焕发; 〈成〉 얼굴이 빛나다.

[容积] róngjī 명 용적.

[容量] róngliàng 명 용량.

[容量瓶] róngliàngpíng 명 ⇨[量liáng瓶]

[容貌] róngmào 명 ⇨[相xiàng貌]

[容纳] róngnà 동 ① 수용하다. ❑这个医院可~500张病床; 이 병원은 500개의 병상을 수용할 수 있다. ② (의견 따위를) 받아들이다. ❑~要求; 요구를 받아들이다.

[容器] róngqì 명 용기. 그릇.

[容情] róngqíng 동 너그러이 봐주다. 인정상 용서하다《주로, 부정형으로 쓰임》. ❑从严法办, 决不~; 엄히 처벌하여 절대 용서하지 않다.

[容忍] róngrěn 동 용서하고 참다. 용인하다.

[容身] róng//shēn 동 몸을 들여놓다[두다]. ❑无处~; 몸둘 곳이 없다.

[容许] róngxǔ 동 허락하다. 허가하다. 허용하다. ❑时间不~; 시간이 허락지 않는다.

[容颜] róngyán 명 용모. 생김새. 안색.

[容易] róngyì 형 ① 용이하다. 쉽다. ❑~理解; 쉽게 이해하다. ② …하기 쉽다. ❑走在冰上~摔倒; 얼음 위를 걸으면 넘어지기 쉽다.

溶 róng (용)
동 용해하다. 녹다.

[溶化] rónghuà 동 ① (고체가) 녹다. 용해하다. ② ⇨[融化]

[溶剂] róngjì 명〔化〕용해제.

[溶解] róngjiě 동〔化〕용해하다. ❑~度; 용해도 / ~热; 용해열.

[溶液] róngyè 명〔化〕용액.

熔 róng (용)
동 열로 용해하다. 녹이다.

[熔点] róngdiǎn 명〔物〕녹는점.

[熔化] rónghuà 동〔化〕융해(融解)하다. ❑~热; 융해열.

[熔炼] róngliàn 동 ① (금속을) 녹여서 정련하다. ②〈比〉단련시키다. ❑~意志; 의지를 단련시키다.

[熔炉] rónglú 명 ① 용광로. ② 〈比〉사상·인격 단련의 장(場).

[熔岩] róngyán 명〔地質〕용암.

[熔铸] róngzhù 동 용해하여 주조하다.

榕 róng (용)
명〔植〕용나무. =[榕树]

融 róng (융)
동 ① 녹다. ❑冰~成了水; 얼음이 녹아 물이 되었다. ② 융화하다. 조화되다. 화합하다. ③ 융통하다. 유통하다. ❑金~; 금융.

[融合] rónghé 동 융화하다. 융합하다. ❑~中西医术; 동서양의 의학을 융합하다. =[融和③][融会]

[融和] rónghé 동 ① 따뜻하다. 온화하다. ❑天气~; 날씨가 따뜻하다. ② 화기애애하다. 화목하다. 의좋다. ❑~的气氛; 화기애애한 분위기. ③ ⇨[融合]

[融化] rónghuà 동 (얼음·눈 따위가) 용해하다. 녹다. ❑雪完全~了; 눈이 완전히 녹아 버렸다. =[融解][溶化②]

[融会] rónghuì 동 ⇨[融合]

[融解] róngjiě 동 ⇨[融化]

[融洽] róngqià 형 감정이 융화되다. 화목하다. 사이좋다. ❑关系~; 관계가 화목하다.

[融资] róng//zī〔經〕동 융자하다. (róngzī) 명 융자.

冗 rǒng (용)
① 형 쓸데없다. 남아돌다. ② 형 번거롭다. 번잡하다. ❑繁~; 번잡하다. ③ 명 바쁜 일.

[冗笔] rǒngbǐ 명 쓸데없는 붓놀림. 보잘것없는 서화(書畫). 용필.

[冗长] rǒngcháng 형 (글이나 말이) 쓸데없이 장황하다.

[冗员] rǒngyuán 명 (기관 따위의) 남아도는 인원. 용원.

[冗杂] rǒngzá 형 (사무가) 번잡하다.

rou ㄖㄡ

柔 róu (유)
① 형 부드럽다. ② 동 부드럽게 하다. 연하게 하다. ❑~麻; 삼을 가공하여 부드럽게 하다. ③ 형 온화하다. 온순하다. ❑~情; ⇩

[柔道] róudào 명〔體〕유도.

[柔和] róuhé 형 ① (강하지 않고) 부드럽다. 순하다. ❑声音~; 목소

리가 부드럽다. ② 부드럽다. 연하다. ❑ 动作～; 동작이 부드럽다.
[柔美] róuměi 형 부드럽고 아름답다. ❑ 音色～; 음색이 부드럽고 아름답다.
[柔媚] róumèi 형 ① 부드럽고 아름답다[사랑스럽다]. ② 상냥하고 붙임성 있다. 부드럽고 애교 있다.
[柔嫩] róunèn 형 보드랍고 연하다.
[柔情] róuqíng 명 온화한 마음.
[柔韧] róurèn 형 부드러우면서도 질기다. 유연하면서도 강하다.
[柔软] róuruǎn 형 부드럽다. 유연하다. ❑ 动作～; 동작이 유연하다 / ～的触觉; 부드러운 감촉.
[柔弱] róuruò 형 유약하다. 나약하다. 연약하다. ❑ 体质～; 체질이 약하다 / 性格～; 성격이 유약하다.
[柔顺] róushùn 형 유순하다. ❑ 性情～; 성격이 유순하다.

揉 róu (유)
동 ① 문지르다. 비비다. ❑ ～眼睛; 눈을 비비다. ② (동그랗게) 반죽하다. 뭉치다. 빚다. ❑ ～面; 밀가루를 반죽하다. ③〈書〉 구부리다. 휘게 하다. ❑ ～木为耒; 나무를 구부려 쟁기의 자루를 만들다.
[揉搓] róu·cuo 동 ① 비비다. 문지르다. ②〈方〉 괴롭히다. 못살게 굴다. ❑ ～人; 사람을 괴롭히다.

粈 róu (유)
동 섞이다. 뒤섞다.
[粈合] róuhé 동 (주로, 섞기에 부적당한 것들을) 한데 섞다. 뒤섞다. 혼합하다.

蹂 róu (유)
동〈書〉 짓밟다.
[蹂躏] róulìn 동 마구 짓밟다.〈比〉 유린하다. ❑ ～妇女; 부녀자를 유린하다 / ～人权; 인권을 유린하다.

鞣 róu (유)
동 무두질하다. ❑ ～皮子; 가죽을 무두질하다.

肉 ròu (육)
명 ① 살. 고기. ❑ 牛～; 쇠고기 / 猪～; 돼지고기. ② 과실의 살 부분. 과육. ❑ 果～; 과육.
[肉搏] ròubó 동 육박전을 벌이다. ❑ ～战; 육박전.
[肉店] ròudiàn 명 고깃간. 정육점.
[肉脯] ròufǔ 명 육포. ＝[肉干(儿)]
[肉感] ròugǎn 형 (주로, 여성이) 육감적이다. 섹시하다.
[肉桂] ròuguì 명〖植〗 계수나무. ＝[桂①]
[肉麻] ròumá 형 (듣거나 보기가) 거북하다. 짜증 나다. 닭살 돋다.
[肉糜] ròumí 명 다진 고기.
[肉排] ròupái 명 스테이크(steak).
[肉色] ròusè 명〖色〗 살색. 연주황.
[肉食] ròushí 형 육식의. ❑ ～动物; 육식 동물. 명 육류 식품. 육식.
[肉丝] ròusī 명 채 썬 고기. 고기채.
[肉体] ròutǐ 명 육체. 몸.
[肉眼] ròuyǎn 명 ① 육안. 맨눈. ②〈比〉 평범한 눈[안목].
[肉欲] ròuyù 명〈貶〉 육욕. 성욕.
[肉汁] ròuzhī 명 육즙. 고깃국물.
[肉中刺] ròuzhōngcì 명〈比〉 눈엣가시.

ru ㄖㄨ

如 rú (여)
① 동 …대로 하다[따르다]. ❑ ～命; 명령대로 하다. ② 동 …과 같다. …처럼 …하다. ❑ 十年～一日; 10년이 하루 같다. ③ 동 …에 미치다[필적하다]《부정형으로만 쓰임》. ❑ 橙子不～橘子好吃; 오렌지는 귤만큼 맛있지가 않다. ④ 개 …보다《비교에 쓰여 초과함을 나타냄》. ❑ 光景一年强～一年; 상황이 해마다 나아지다. ⑤ 동 예를 들면[예컨대] …이다. ❑ 中国有五十多个少数民族, ～藏族、回族等等; 중국에는 50여 개의 소수 민족이 있는데, 예컨대 티베트 족, 회족 등등이다. ⑥ 접 만일. 만약. ❑ ～不能来, 请先通知; 만일 못 오시면 미리 알려 주세요.
[如常] rúcháng 동 평상시와 같다. 평소와 다름없다. 여느 때와 같다.
[如出一辙] rúchūyīzhé〈成〉 두 가지 일이 서로 매우 비슷하다.
[如此] rúcǐ 대 이와 같다. 이렇다. 이러하다. 이토록. 이렇게. 이다지. ❑ 天天～; 날마다 이렇다 / ～好机会; 이토록 좋은 기회.
[如次] rúcì 동 ⇨[如下]
[如堕五里雾中] rú duò wǔlǐwù zhōng〈諺〉 오리무중에 빠지다《방향이나 갈피를 잡을 수 없다》.
[如法炮制] rúfǎ-páozhì〈成〉 정해진 처방대로 약을 조제하다《기존의 방식대로 처리하다》.
[如故] rúgù 동 ① 이전대로이다.

원래와 같다. 여전하다. ❑依然~; 〈成〉 여전히 이전대로이다. ② 오랜 친구 같다. ❑一见~; 〈成〉 만나자마자 오랜 친구처럼 친해지다.
[如果] rúguǒ 접 만약. 만일. ❑你~不来, 我就找你去; 네가 만약 안 오면 내가 너를 찾으러 가겠다. =[〈書〉如其][〈書〉如若]
[如何] rúhé 대 어떠한가. 어떻게. 어떤. ❑身体~? 건강이 어떠신지요? =[〈書〉若何]
[如虎添翼] rúhǔtiānyì 〈成〉 범이 날개를 얻다《① 강대한 것이 원조를 받아 더욱 강대해지다. ② 흉악한 것이 힘을 얻어 더욱 흉악해지다》.
[如火如荼] rúhuǒ-rútú 〈成〉 불과 같이 붉고 띠꽃같이 새하얗다《왕성하고 격렬한 모양》.
[如饥似渴] rújī-sìkě 〈成〉 몹시 갈망하는 모양. 매우 절실한 모양. =[如饥如渴]
[如胶似漆] rújiāo-sìqī 〈成〉 (남녀 간의) 감정이 매우 깊어 헤어지려야 헤어질 수 없다.
[如今] rújīn 명 현재. 오늘날. 지금. 요즘. =[而今]
[如雷贯耳] rúléiguàn'ěr 〈成〉 명성(名聲)이 매우 드높다.
[如鸟兽散] rúniǎoshòusàn 〈成〉 〈貶〉 놀란 새나 짐승처럼 사방으로 뿔뿔이 흩어져 달아나다.
[如期] rúqī 부 기일대로. 기한 내에. ❑~抵达目的地; 기한 내에 목적지에 도착하다.
[如其] rúqí 접〈書〉 ⇨[如果]
[如日中天] rúrìzhōngtiān 〈成〉 한창 발전[홍성]하여 전성기를 누리고 있다.
[如若] rúruò 접〈書〉 ⇨[如果]
[如丧考妣] rúsàngkǎobǐ 〈成〉 〈貶〉 마치 부모님이라도 돌아가신 것처럼 슬퍼하고 안달하다.
[如实] rúshí 부 사실대로. ❑~汇报; 사실대로 보고하다.
[如数家珍] rúshǔjiāzhēn 〈成〉 자기 집의 가보를 헤아리는 것 같다《열거한 사물이나 서술한 이야기에 대해 속속들이 잘 알고 있다》.
[如数] rúshù 부 전액. 수대로. 액수대로. ❑~交纳; 전액 납부하다.
[如同] rútóng 동 마치 …과 같다. ❑~亲眼见到; 마치 직접 본 것 같다.
[如下] rúxià 동 다음과 같다. ❑理由~; 이유는 다음과 같다. =[如次]
[如意] rú∥yì 동 뜻대로 되다. 마음대로 되다. 마음에 들다. ❑事事不如他的意; 만사가 그의 뜻대로 되지 않다 / ~算盘; 자기중심의 속셈. (rúyì) 명 여의(如意).
[如影随形] rúyǐngsuíxíng 〈成〉 그림자가 따라다니듯 하다《두 사람이 항상 붙어 다니며 매우 친함》.
[如鱼得水] rúyúdéshuǐ 〈成〉 물고기가 물을 만난 듯하다《마음이 맞는 사람을 만나다. 자기에게 맞는 환경을 만나다》.
[如愿] rú∥yuàn 동 원하는 대로 되다.
[如坐针毡] rúzuòzhēnzhān 〈成〉 바늘방석에 앉아 있는 것 같다《마음이 불안하여 안절부절못하다》.

茹 rú (여)
동〈書〉 ① 먹다. ② 견디다.
[茹苦含辛] rúkǔ-hánxīn 〈成〉 ⇨[含辛茹苦]

儒 rú (유)
명 ① 유가. ② 학자. 지식인.
[儒家] Rújiā 명 유가.
[儒教] Rújiào 명 유교.
[儒生] rúshēng 명 ① 유생. ② 〈轉〉 지식인. 학자.
[儒学] rúxué 명 유학.

濡 rú (유)
동〈書〉 ① 젖다. 적시다. 스며들다. ② 지체하다. 머무르다.
[濡染] rúrǎn 동〈書〉 ① 영향을 주다. ❑受父亲~; 아버지의 영향을 받다. ② 적시다. 스며들다.
[濡湿] rúshī 동 적시다. 젖다.

孺 rú (유)
명 어린아이. 아이.
[孺子] rúzǐ 명〈書〉 어린아이. 아이.

蠕 rú (연)
형 꿈틀꿈틀 움직이는 모양.
[蠕动] rúdòng 동 (벌레 따위가) 연동하다. 꿈틀꿈틀 움직이다.
[蠕蠕] rúrú 형 꿈틀거리는 모양. ❑~而动; 꿈틀꿈틀 움직이다.

汝 rǔ (여)
대〈書〉 너. 당신.

乳 rǔ (유)
① 명 젖. ❑母~; 모유. ② 형 젖을 생산하기 위해 기르는. ❑~畜; 젖을 생산하기 위해 기르는 가축. ③ 명 젖과 같은 것. ❑豆~; 두유. ④ 명 유방. ❑~罩; ⇩ ⑤ 형 갓 태어난. 어린. ❑~燕; 제비 새끼. ⑥ 동 생식하다.
[乳齿] rǔchǐ 명 ⇨[乳牙]

[乳儿] rǔ'ér 명 젖먹이. 유아.
[乳房] rǔfáng 명〔生理〕 유방. ❏ ~癌; 유방암.
[乳酪] rǔlào 명 ⇨[奶酪]
[乳名] rǔmíng 명 ⇨[小名(儿)]
[乳母] rǔmǔ 명 ⇨[奶妈]
[乳牛] rǔniú 명 젖소. =[奶牛]
[乳头] rǔtóu 명〔生理〕 ① 젖꼭지. 유두(乳頭). =[〈口〉奶头(儿)①] ② 유두 모양의 돌기.
[乳臭] rǔxiù 명 젖비린내. ❏ ~未干; 〈成〉 젖비린내가 아직 가시지 않다 / ~小儿; 애송이.
[乳牙] rǔyá 명〔生理〕 젖니. 유치. =[乳齿][奶牙]
[乳罩] rǔzhào 명 ⇨[胸罩]
[乳汁] rǔzhī 명 젖. 유즙. =[奶nǎi②]
[乳脂] rǔzhī 명 유지. 유지방.
[乳制品] rǔzhìpǐn 명 유제품.

辱 rǔ (욕)
① 명 수치. 치욕. 모욕. ② 동 모욕하다. 욕보이다. ③ 동 욕되게 하다. 더럽히다. ❏ ~没; ⇩
[辱骂] rǔmà 동 모욕하고 욕하다.
[辱没] rǔmò 동 욕되게 하다. 더럽히다. ❏ ~家门; 가문을 더럽히다.

入 rù (입)
① 동 (안으로) 들다. 들어가다. 들어오다. ❏ ~内; 안으로 들어가다. ② 동 (단체에) 들어가다. 가입하다. 참여하다. ❏ ~学; ⇩ ③ 명 수입. ❏ ~不敷出; 〈成〉 수입이 지출을 따르지 못하다. ④ 동 맞다. 부합하다. ❏ ~时; ⇩ ⑤ 명〔言〕 입성(入聲).
[入场] rù//chǎng 동 입장하다. ❏ ~券; 입장권.
[入超] rùchāo 동〔貿〕 무역 수지 적자가 되다.
[入耳] rù'ěr 형 (말·노래 따위가) 들을 만하다. 듣기 좋다. ❏ 不~之言; 귀에 거슬리는 말.
[入股] rù//gǔ 동 주식을 사다. 주주(株主)가 되다.
[入骨] rùgǔ 동 (원한이) 뼈에 사무치다. ❏ 恨他~; 그에 대한 원한이 뼈에 사무치다.
[入伙] rù//huǒ 동 ① 패거리에 들다. ② 단체 급식에 참여하다.
[入境] rù//jìng 동 입국(入國)하다. ❏ ~手续; 입국 수속.
[入境问俗] rùjìng-wènsú 〈成〉 그 나라에 가면 그 나라 풍속을 따른다.
[入口] rù//kǒu 동 ① 입으로 들어가다. 입에 넣다. ② (물건을) 외국[외지]에서 들여오다. 수입하다. ❏ ~量; 수입량. (rùkǒu)(~儿) 명 입구.
[入门] rùmén 명 입문《주로, 초급의 책이름에 쓰임》. (rù//mén) 동 입문하다. 기초를 배우다.
[入梦] rùmèng 동 잠들다. 꿈나라로 들어가다.
[入迷] rù//mí 동 매료되다. 매혹되다. 반하다. 푹 빠지다. ❏ 看电影看得~; 영화에 푹 빠져서 보다.
[入眠] rùmián 동 ⇨[入睡]
[入魔] rù//mó 동 정신을 다 빼앗기다. 푹 빠지다. 미치다. ❏ 买马票买得~了; 경마에 미쳤다.
[入侵] rùqīn 동 ① (적이) 침입하다. ② (외부로부터) 침투하다. ❏ 病毒~; 병균이 침투하다.
[入情入理] rùqíng-rùlǐ 〈成〉 이치에 맞다. 일리가 있다.
[入神] rù//shén 동 마음을 빼앗기다. 깊이 빠져들다. ❏ 读书~; 독서에 깊이 빠져들다. 형 신기(神技)의 경지에 이르다.
[入声] rùshēng 명〔言〕 입성.
[入时] rùshí 형 (주로, 복장이) 유행에 맞다. ❏ 装饰~; 장식이 유행에 맞다.
[入手] rùshǒu 동 착수하다. 시작하다.
[入睡] rùshuì 동 잠들다. 자다. ❏ ~困难; 수면 장애. =[入眠]
[入微] rùwēi 형 세세한 곳까지 미치다. ❏ 体贴~; 〈成〉 자상하게 마음을 쓰다.
[入味(儿)] rùwèi(r) 형 ① 맛있다. ② 재미있다.
[入伍] rù//wǔ 동 입영(入營)하다. 입대(入隊)하다.
[入席] rù//xí 동 (연회·행사 따위에서) 자리에 앉다. 착석하다.
[入选] rùxuǎn 동 입선하다. 당선하다. 뽑히다.
[入学] rù//xué 동 ① 입학하다. ❏ ~考试; 입학 시험. ② 취학하다. ❏ ~年龄; 취학 연령.
[入眼] rù//yǎn 형 보고 마음에 들다. 눈에 들다.
[入狱] rù//yù 동 수감되다. 감옥에 들어가다.
[入院] rù//yuàn 동 입원하다. ❏ ~手续; 입원 수속. =[住院]

[入账] rù∥zhàng 동 장부에 기록하다.
[入赘] rùzhuì 동 데릴사위로 들어가다. ❏ ~女婿; 데릴사위.
[入座] rù∥zuò 동 (각자의) 자리에 앉다. =[入坐]

溽 rù (욕)
형〈書〉 누지다. 축축하다.
[溽暑] rùshǔ 명 습하고 후텁지근한 날씨.

蓐 rù (욕)
명〈書〉 ① 깔개. 거적. 멍석. ② 산부(産婦)의 깔개[요].

缛(縟) rù (욕)
형〈書〉 번잡하다. 번거롭다. ❏ ~礼; 번거로운 예절.

褥 rù (욕)
명 요. ❏ 被~; 이불과 요.
[褥疮] rùchuāng 명〔醫〕 욕창.
[褥单(儿)] rùdān(r) 명 홑청. 욧잇. =[褥单子]
[褥子] rù·zi 명 요.

ruan ㄖㄨㄢ

软(軟) ruǎn (연)
형 ① (물체가) 부드럽다. 연하다. 말랑말랑하다. ❏ 面和~了; 밀가루 반죽이 말랑말랑하다. ② (태도·바람 따위가) 온화하다. 부드럽다. ❏ 你对他太~; 너는 그에게 너무 부드럽게 대한다. ③ 연약하다. 나른하다. ❏ 腿~得迈不开步儿; 다리에 힘이 없어 앞으로 내디딜 수 없다. ④ 능력이 약하다. 질이 떨어지다. 변변치 못하다. ❏ 功夫~; 솜씨가 부족하다. ⑤ (마음이) 약하다. 여리다. 무르다. ❏ 心~; 마음이 약하다.
[软磁盘] ruǎncípán 명〔컴〕 플로피 디스크(floppy disk). 디스켓(diskette). =[〈簡〉 软盘]
[软耳朵] ruǎn'ěr·duo 명 귀가 얇은 사람.
[软膏] ruǎngāo 명〔藥〕 연고.
[软骨] ruǎngǔ 명〔生理〕 연골.
[软骨病] ruǎngǔbìng 명〈口〉 ⇨[佝偻病]
[软骨头] ruǎngǔ·tou 명〈比〉 무골충. 물렁이.
[软化] ruǎnhuà 동 ① (물체가) 연화하다. 부드러워지다. 무르게 되다. ❏ 蛋壳遇酸~; 달걀 껍질은 산에 닿으면 연화한다. ② (태도·의지 따위가) 누그러지다. 수그러지다. ❏ 态度逐渐~; 태도가 점차 누그러지다. ③ 연화시키다. ❏ ~血管; 혈관을 연화시키다.
[软和] ruǎn·huo 형〈口〉 ① 부드럽다. 연하다. ❏ ~的羊毛; 부드러운 양털. ② (성질이나 말이) 부드럽다. ❏ ~话儿; 부드러운 말.
[软件] ruǎnjiàn 명〔컴〕 소프트웨어(software).
[软禁] ruǎnjìn 동 연금하다.
[软绵绵(的)] ruǎnmiánmián(·de) 형 ① 폭신폭신하다. ② 허약하다. 약하다. 무기력하다.
[软磨] ruǎnmó 동 완곡하게 부탁하다[조르다]. ❏ ~硬泡; 〈成〉 온갖 수단을 동원해서 졸라대다.
[软木] ruǎnmù 명 코르크(cork). ❏ ~塞; 코르크 마개. =[栓shuān皮]
[软盘] ruǎnpán 명 〈簡〉 ⇨[软磁盘]
[软弱] ruǎnruò 형 ① (몸이) 허약하다. ❏ 身体~; 몸이 허약하다. ② (의지 따위가) 약하다. 연약하다. ❏ ~无能; 연약하고 무능하다.
[软食] ruǎnshí 명 연식.
[软体动物] ruǎntǐ dòngwù 〔動〕 연체동물.
[软卧] ruǎnwò 명 (중국 기차의) 푹신한 침대 자리.
[软席] ruǎnxí 명 (중국 기차의) 푹신하고 편한 좌석이나 침대 자리.
[软座] ruǎnzuò 명 (중국 기차의) 푹신하고 편한 좌석.

rui ㄖㄨㄟ

蕊 ruǐ (예)
명〔植〕 꽃술. ❏ 雌~; 암술.

锐(銳) ruì (예)
형 ① (날이) 날카롭다. 예리하다. ② (감각이) 예리하다. 예민하다. ❏ ~敏; ⇩ ③ 급격하다. 급속하다. ❏ ~减; 급격히 감소하다.
[锐不可当] ruìbùkědāng 〈成〉 기세가 맹렬하여 당해 낼 수 없다.
[锐角] ruìjiǎo 명〔數〕 예각.
[锐利] ruìlì 형 ① (날이) 날카롭다. 예리하다. ❏ ~的武器; 예리한 무기. ② (눈빛·언론·필법 따위가) 날카롭다. 예리하다. ❏ ~的笔锋; 날카로운 필봉.

[锐敏] ruìmǐn 형 (감각·신경 따위가) 예민하다. 날카롭다. ❏ 嗅xiù觉~; 후각이 예민하다.
[锐气] ruìqì 명 예기.
[锐意] ruìyì 부 마음을 굳게 먹고. ❏ ~进取; 마음을 굳게 먹고 진취하다.

瑞 ruì (서) 형 상서롭다. 좋다.
[瑞典] Ruìdiǎn 명〖地〗〈音〉 스웨덴(Sweden).
[瑞士] Ruìshì 명〖地〗〈音〉 스위스(Suisse).
[瑞雪] ruìxuě 명 서설. 상서로운 눈.

睿 ruì (예) 형〈書〉 지혜롭다. 슬기롭다.
[睿智] ruìzhì 형〈書〉 예지롭다.

run ㄖㄨㄣ

闰(閏) rùn (윤) 명 윤(閏).
[闰年] rùnnián 명 윤년.
[闰日] rùnrì 명 윤날. 윤일.
[闰月] rùnyuè 명 윤월. 윤달.

润(潤) rùn (윤) ① 형 윤기가 있다. 윤이 나다. ❏ 脸上很~; 얼굴이 윤이 나다. ② 동 (물·기름으로) 축이다. 적시다. ❏ ~~嗓子; 목을 축이다. ③ 동 (문장 따위를) 꾸미고 고치다. 다듬다. ❏ ~色; ⇩ ④ 명 이윤(利潤). 이익.
[润笔] rùnbǐ 명 윤필. 윤필료.
[润滑] rùnhuá 형 윤기 있고 매끄럽다. 윤활하다. 동 기름 따위를 쳐서 부드럽게 하다. ❏ ~油; 윤활유.
[润色] rùnsè 동 윤색하다. 문장을 꾸미고 다듬다. =[润饰]
[润饰] rùnshì 동 ⇨[润色]
[润泽] rùnzé 형 촉촉하고 윤기 있다. ❏ ~的皮肤; 촉촉하고 윤기 있는 피부. 동 촉촉하고 윤기 있게 하다. ❏ 春雨~着大地; 봄비가 대지를 촉촉하게 적시고 있다.

ruo ㄖㄨㄛ

若 ruò (약) ① 동 …과 같다. …인 듯하다. ❏ 冷~冰霜; 〈成〉 (태도 따위가) 차갑기가 얼음장 같다. ② 접 만약[만일] …라면. ❏ 你~不吃药, 病情还会加重; 네가 약을 먹지 않으면 병세가 더 심해질 수도 있다.
[若非…] ruòfēi… 접〈書〉 만일 …이 아니라면. ❏ ~你的帮助, 我是无法完成任务的; 너의 도움이 아니었다면 나는 임무를 완수하지 못했을 것이다.
[若干] ruògān 대 얼마. 어느 정도. 약간. ❏ 价值~? 가치가 얼마나 되느냐? / ~地区; 몇몇 지역.
[若何] ruòhé 대〈書〉 ⇨[如何]
[若是] ruòshì 접 만약 …이라면. ❏ ~能抽出时间, 我就一定来看你; 만약 시간을 낼 수 있다면 꼭 너를 보러 올게.
[若无其事] ruòwúqíshì 〈成〉 아무 일도 없었던 것 같다《시치미 떼다. 태연스럽다》.

弱 ruò (약) 형 ① 약하다. ❏ 兵力~; 병력이 약하다 / 身体~; 몸이 약하다. ② 젊다. 연소하다. 어리다. ❏ ~冠; ⇩ ③ 뒤떨어지다. …만 못하다. ❏ 你的能力略~于他; 너의 능력은 그보다 조금 떨어진다. ④ …약(弱). …에 부족하다. ❏ 百分之五~; 5퍼센트 약(弱).
[弱不禁风] ruòbùjīnfēng 〈成〉 바람에도 견딜 수 없을 정도로 몸이 허약하다.
[弱点] ruòdiǎn 명 약점. 취약점.
[弱冠] ruòguàn 명〈書〉 약관《남자의 20세 안팎의 나이》.
[弱肉强食] ruòròu-qiángshí 〈成〉 약육강식.
[弱势] ruòshì 명 ① 약세. ② 약한 세력.
[弱小] ruòxiǎo 형 약소하다. 약하고 작다. ❏ ~国家; 약소국.

R

S

sa ㄙㄚ

仨 sā (사)
수량〈口〉 셋. 세 개. ❏哥儿~; 세 친구 / ~人; 세 사람.

撒 sā (살)
동 ① 뿌리다. 놓다. ❏~网捕鱼; 그물을 쳐서 물고기를 잡다. ②〈貶〉 마음대로 행동하다. 일부러 드러내다. ❏~谎; ⇓ ⇒sǎ

[撒旦] sādàn 명〖宗〗〈音〉 사탄(Satan).

[撒刁] sā//diāo 동 교활하고 난폭하게 굴다. 생떼를 부리다. 못되게 굴다.

[撒欢儿] sā//huānr 동〈方〉 (주로, 동물이) 흥분해서 날뛰다. 좋아서 이리 뛰고 저리 뛰다.

[撒谎] sā//huǎng 동〈口〉 ⇨[说谎]

[撒娇] sā//jiāo 동 어리광[응석]을 부리다. 애교 떨다. 아양 떨다.

[撒酒疯(儿)] sā jiǔfēng(r) 술주정하다. =[发酒疯]

[撒赖] sā//lài 동 생떼를 쓰다. 멋대로 행동하다.

[撒尿] sā//niào 동〈口〉 오줌을 누다.

[撒泼] sā//pō 동 울며불며 소란을 피우다[떼를 쓰다]. ❏~打滚; 떼를 쓰며 데굴데굴 구르다.

[撒气] sā//qì 동 ① (공·타이어 따위의) 공기가 새다[빠지다]. ❏轮胎~了; 타이어 공기가 샜다. ② 화풀이하다. 신경질 부리다. ❏拿老婆~; 아내에게 화풀이하다.

[撒手] sā//shǒu 동 ① 손을 놓다. 손을 늦추다. ❏一~, 气球飞上了天; 손을 놓자 풍선이 하늘로 올라갔다. ② 손을 떼다. 그만두다. 포기하다. ❏~不管; 손을 떼고 상관하지 않다.

[撒手锏] sāshǒujiǎn 명〈比〉 비장의 무기[솜씨]. 최후의 수단. =[杀手锏]

[撒腿] sā//tuǐ 동 후다닥 뛰어가다. 내빼다. 달아나다.

[撒野] sā//yě 동 야비한[상스러운] 짓을 하다. 난폭하게 굴다.

洒(灑) sǎ (쇄)
동 ① (물 따위를) 뿌리다. ❏~香水; 향수를 뿌리다. ② 살포하다. 엎지르다. 흘리다. ❏~了一碗汤; 국 한 그릇을 쏟았다.

[洒泪] sǎlèi 동 눈물을 흘리다. ❏~告别; 눈물을 흘리며 작별하다.

[洒落] sǎluò 형〈書〉 시원스럽고 대범하다. 말쑥하고 멋있다. 동 흩어져 떨어지다. ❏汗珠~在地上; 땀방울이 바닥에 떨어지다.

[洒水] sǎ//shuǐ 동 물을 뿌리다. ❏~车; 살수차 / ~壶; 물뿌리개.

[洒脱] sǎtuō 형 (말·행동 따위가) 자연스럽다. 소탈하다. 시원시원하다.

撒 sǎ (살)
동 ① (과립 모양의 것을) 뿌리다. ❏~沙子; 모래를 뿌리다. ② 쏟다. 흘리다. ❏别把米~在地上; 쌀을 바닥에 흘리지 마라. ⇒sā

[撒播] sǎbō 동〖農〗 (밭에) 씨를 고르게 뿌리다.

卅 sà (삽)
수 30. 삼십(三十).

飒(颯) sà (삽)
→[飒飒][飒爽]

[飒飒] sàsà 의 솨솨《바람이나 빗소리》. ❏秋风~; 가을바람이 솨솨 불다.

[飒爽] sàshuǎng 형〈書〉 시원스럽고 씩씩하다.

萨(薩) sà (살)
→[萨克斯管][萨满教]

[萨克斯管] sàkèsīguǎn 명〖樂〗〈音〉 색소폰(saxophone).

[萨满教] Sàmǎnjiào 명〖宗〗〈音〉 샤머니즘(shamanism).

sai ㄙㄞ

腮 sāi (시)
명 뺨. 볼《뺨의 아랫부분》.

[腮帮子] sāibāng·zi 명〈口〉 뺨. 볼.

[腮颊] sāijiá 명 뺨. 볼.

[腮腺] sāixiàn 명〖生理〗 귀밑샘. 이하선(耳下腺).

鳃(鰓) sāi (새)
명 (물고기의) 아가미.

塞 sāi (색)
① 동 밀어넣다. 집어넣다. 쑤셔넣다. ❏用手绢包好, ~在褥子底下; 손수건에 잘 싸서 요 밑에 밀어넣다. ② (~儿) 명 마개. ❏瓶子~儿; 병마개. ⇒sài sè

[塞子] sāi·zi 명 마개.

塞 sài (새)
명 보호벽이 될 만한 요새. ⇒ sāi sè

[塞外] Sàiwài 명〖地〗완리창청(萬里長城)의 북쪽 지역.

[塞翁失马] sàiwēng-shīmǎ〈成〉새옹지마. 재난과 복(福)은 번갈아 가며 온다.

赛(賽) sài (새)
①동 겨루다. 시합하다. 경쟁하다. ❏～跑; ⇩ ②명 시합. 경기. 대회. ❏决～; 결승/足球～; 축구 시합. ③동 …에 못지않다. 필적(할 만)하다. 능가하다. ❏业余队不一定～不过专业队; 아마추어팀이 반드시 프로팀을 능가하지 못하는 것은 아니다.

[赛场] sàichǎng 명 경기장.

[赛车] sàichē 명 경주용 자전거[오토바이, 자동차] =[跑车] (sài∥chē) 동 자전거[오토바이, 자동차] 경주를 하다.

[赛璐珞] sàilùluò 명〖化〗〈音〉셀룰로이드(celluloid).

[赛马] sài∥mǎ 동 경마(競馬)를 하다. (sàimǎ) 명 경주용 말.

[赛跑] sàipǎo 동〖體〗달리기하다. 경주하다. ❏一百米～; 백 미터 달리기.

san ㄙㄢ

三 sān (삼)
수 ①3. 셋. ②여러 번. 거듭.

[三八妇女节] Sān-Bā Fùnǚ Jié 국제 여성의 날《3월 8일》.

[三百六十行] sānbǎi liùshí háng〈成〉각양각색의 직업.

[三岔路口] sān chà lùkǒu 세 갈림길의 어귀.

[三长两短] sāncháng-liǎngduǎn〈成〉의외의 변고《특히, 사람의 죽음》.

[三点式游泳衣] sāndiǎnshì yóuyǒngyī ⇒[比基尼]

[三段论] sānduànlùn 명〖論〗삼단 논법. =[三段论法][三段论式]

[三番五次] sānfān-wǔcì〈成〉재삼재사. 누차. 몇 번이나.

[三伏] sānfú 명 ①(여름의) 삼복. ②⇒[末伏]

[三顾茅庐] sāngù-máolú〈成〉삼고초려《인재를 모시기 위해 정중한 예로 참을성 있게 청하다》.

[三花脸] sānhuāliǎn 명 ⇒[丑A)②]

[三级跳远] sān jí tiàoyuǎn〖體〗삼단멀리뛰기.

[三角] sānjiǎo 명 ①〖數〗삼각법. ❏～函数; 삼각 함수. ②삼각. 삼각형 모양. ❏～板 =[～尺]; 삼각자/～裤; 삼각 팬티/～形; 삼각형/～洲; 삼각주. 형 삼자(三者)간의. ❏～关系; (남녀의) 삼각 관계.

[三脚架] sānjiǎojià 명 (카메라 따위의) 삼각대.

[三角铁] sānjiǎotiě 명〖樂〗트라이앵글(triangle).

[三教九流] sānjiào-jiǔliú〈成〉①종교나 학술의 각종 유파. ②갖가지 직업. 다양한 종류의 사람. ‖ =[九流三教]

[三军] sān-jūn 명 ①육해공군. ②〈轉〉군대.

[三令五申] sānlìng-wǔshēn〈成〉몇 번이나 되풀이해서 명령하고 타이르다.

[三轮车] sānlúnchē 명 (자전거식) 삼륜차. =[三轮儿]

[三明治] sānmíngzhì 명〈音〉샌드위치(sandwich).

[三三两两] sānsān-liǎngliǎng〈成〉두셋씩. 두세 사람씩.

[三思而行] sānsī'érxíng〈成〉심사숙고한 다음에 행하다. =[三思而后行]

[三天打鱼, 两天晒网] sāntiān-dǎyú, liǎngtiān-shàiwǎng〈成〉공부나 일을 하는 데에 있어서 끈기가 없고 자주 중간에 그만두다.

[三天两头儿] sāntiān-liǎngtóur〈口〉사흘이 멀다 하고. 뻔질나게. ❏他～地来; 그는 사흘이 멀다 하고 온다.

[三围] sānwéi 명 가슴둘레·허리둘레·엉덩이 둘레.

[三维动画] sānwéi dònghuà 3D 애니메이션(animation).

[三鲜] sānxiān 명 삼선《주로, 돼지고기·새우·닭고기·전복·해삼·죽순·표고버섯 중 세 가지 재료로 만든 음식》. ❏～汤; 삼선탕.

[三弦(儿)] sānxián(r) 명〖樂〗삼현금. =[弦子]

[三心二意] sānxīn-èryì〈成〉마음속으로 주저하다[망설이다]. 우유부단하다.

[三言两语] sānyán-liǎngyǔ〈成〉

간단한 두서너 마디 말.

叁 sān (삼) 수 '三'의 갖은자(字).

伞(傘) sǎn (산) 명 ① 우산. ❑打~; 우산을 쓰다. ② 우산처럼 생긴 것. ❑降落~; 낙하산.

[伞兵] sǎnbīng 명〖軍〗 낙하산병. ❑~部队; 공수 부대.

散 sǎn (산) ① 동 흐트러지다. 느슨해지다. 흩어지다. 분산하다. ❑头发被风吹~了; 머리가 바람에 흐트러졌다. ② 형 흩어져 있다. 산만하다. ❑文章写得很~; 문장이 너무 산만하다. ③ 명 가루약. ⇒sàn

[散兵游勇] sǎnbīng-yóuyǒng 〈成〉 ① 지휘에서 벗어나 흩어진 병사. ② 조직에 속하지 않고 독자적으로 행동하는 사람.

[散光] sǎnguāng 형 난시(亂視)이다. ❑~眼镜; 난시용 안경.

[散剂] sǎnjì 명 산제. 가루약.

[散居] sǎnjū 동 분산해서 거주하다. 흩어져 살다.

[散乱] sǎnluàn 형 난잡하다. 뒤죽박죽이다. 흐트러지다. ❑~的头发; 흐트러진 머리칼.

[散漫] sǎnmàn 형 ① 제멋대로이다. 방만하다. ❑生活~; 생활이 방만하다. ② 분산되어 있다. 산만하다. ❑文章~芜杂; 글이 산만하고 난잡하다.

[散文] sǎnwén 명 ① 산문. ② 시가·희곡·소설 이외의 '杂文'(잡문)·'随笔'(수필) 따위의 문장.

[散装] sǎnzhuāng 형 조금씩 덜어서[떼어서] 파는. ❑~水果糖; 낱개로 파는 드롭스.

散 sàn (산) 동 ①(모여 있다가) 흩어지다. 해산하다. ❑鹿群跑~; 사슴 떼가 흩어져 달아나다. ② 파하다. 마치다. 끝나다. ❑~电影; 영화가 끝나다. ③ 뿌리다. 나눠 주다. 퍼지다. ❑~传单; 전단을 뿌리다 / 房间里~满了烟味儿; 방안에 담배 냄새가 가득하다. ④ 없애다. 풀다. 해소하다. ❑~心; ⇓ ⇒sǎn

[散播] sànbō 동 흩뿌리다. 퍼뜨리다. ❑~谣言; 유언비어를 퍼뜨리다 / ~种子; 씨를 뿌리다.

[散布] sànbù 동 ① 여기저기 흩어지다. ❑羊群~在草地上吃草; 양 떼가 풀밭 여기저기에 흩어져 풀을 뜯다. ②〈貶〉 퍼뜨리다. 유포하다. ❑~错误的观点; 잘못된 관점을 퍼뜨리다.

[散步] sàn∥bù 동 산보하다. 산책「하다.

[散场] sàn∥chǎng 동 (연극·영화·대회·경기 따위가) 끝나다. ❑电影~了; 영화가 끝났다.

[散发] sànfā 동 ① 뿌리다. 도르다. 배포하다. ❑~传单; 전단을 뿌리다. ② 발산하다. 내뿜다. ❑~臭气; 악취를 발산하다.

[散会] sàn∥huì 동 산회하다.

[散伙] sàn∥huǒ 동 (조직·단체가) 해산하다. 해체하다.

[散落] sànluò 동 ① 흩어져 떨어지다. ❑花~了一地; 꽃이 땅에 흩어져 떨어졌다. ② 분산되다. 흩어지다. ③ 산산조각이 나다. 흩어져 없어지다. ❑史书~; 역사서가 흩어져 없어지다.

[散闷] sàn∥mèn 동 기분을 풀다. 고민을 없애다. 기분을 전환하다.

[散失] sànshī 동 ① 산실되다. ❑那部书稿在战乱中~了; 그 원고는 전란 중에 산실되었다. ②(수분 따위가) 없어지다. 날아가다. 증발하다. ❑水分~; 수분이 증발하다.

[散戏] sàn∥xì 동 연극이 끝나다.

[散心] sàn∥xīn 동 기분을 달래다. 기분 전환을 하다.

sang ㄙㄤ

丧(喪) sāng (상) 명 죽은 사람에 관한 것. ❑吊~; 조문하다. ⇒sàng

[丧服] sāngfú 명 상복.

[丧家] sāngjiā 명 상 당한 집안. 상가. 상갓집.

[丧礼] sānglǐ 명 장례. 장례식.

[丧事] sāngshì 명 장사. 초상. 장례. ❑办~; 장례를 치르다. =[白事]

[丧葬] sāngzàng 명 상장. 장례.

[丧钟] sāngzhōng 명 ①(교회에서) 장례식 때 치는 종. ②〈轉〉 사망. 멸망.

桑 sāng (상) 명〖植〗 뽕나무.

[桑巴] sāngbā 명〖舞〗〈音〉 삼바(samba).

[桑蚕] sāngcán 명〖蟲〗 누에. =「[家蚕]

[桑拿浴] sāngnáyù 명〈音〉 사우나(sauna). =[桑那浴]

[桑葚] sāngshèn 명 뽕나무 열매.

오디. =[桑葚子]
[桑树] sāngshù 명〔植〕뽕나무.
[桑天沧海] sāngtiān-cānghǎi 〈成〉 ⇨[沧海桑天]

嗓 sǎng (상)
명 ① 목구멍. 목. ② (~儿) 목소리. ❏ 哑~儿; 쉰 목소리.
[嗓门儿] sǎngménr 명 목소리. 목청. ❏ ~大; 목청이 크다.
[嗓音] sǎngyīn 명 음성. 목소리. ❏ ~清亮; 음성이 맑고 곱다.
[嗓子] sǎng·zi 명 ① 목구멍. 목. ❏ ~发炎; 목에 염증이 생기다. ② 목청. 목소리.

丧(喪) sàng (상)
동 잃다. 상실하다. ❏ ~失; ⇩ ⇒sāng
[丧胆] sàng//dǎn 동 간담이 서늘해지다. 간이 떨어지다.
[丧命] sàng//mìng 동 목숨을 잃다. 죽다.
[丧偶] sàng'ǒu 동 배우자를 잃다. 배우자가 죽다.
[丧气] sàng//qì 동 풀이 죽다. 의기소침하다. ❏ 灰心~; 실망하여 풀이 죽다.
[丧权辱国] sàngquán-rǔguó 〈成〉 주권을 상실하고 나라를 욕되게 하다.
[丧失] sàngshī 동 상실하다. 잃다. ❏ ~信心; 자신감을 잃다.
[丧亡] sàngwáng 동〈書〉 목숨을 잃다. 멸망하다.
[丧心病狂] sàngxīn-bìngkuáng 〈成〉 이성을 잃고 미쳐 날뛰다.

sao ㄙㄠ

搔 sāo (소)
동 (손톱으로) 긁다. ❏ ~到痒处; 〈成〉 가려운 데를 긁다《요점을 말하다》.

骚(騷) sāo (소)
① 동 소란을 피우다. 어지럽히다. ❏ ~乱; ⇩ ② 명〈書〉 시문(詩文). ❏ ~人; ⇩ ③ 형 (행동이) 경망하다. 음란하다. ④ 형 〈方〉 (일부 가축의) 수컷의. ❏ ~驴; 수탕나귀 / ~马; 수말. ⑤ 형 ⇨[臊sāo]
[骚动] sāodòng 동 ① 소동을 일으키다. 소란을 피우다. ② 동요하다. 불안에 빠지다. 술렁거리다. ❏ 天下~; 세상이 불안에 빠지다. 명 소동. ❏ 引起~; 소동을 일으키다.
[骚乱] sāoluàn 동 소란을 떨다. 혼란해지다.
[骚扰] sāorǎo 동 교란하다. ❏ ~社会秩序; 사회 질서를 교란하다.
[骚人] sāorén 명〈書〉 시인(詩人).

缫(繅) sāo (소)
동 고치에서 실을 뽑다. 실을 잣다. ❏ ~丝; 실을 잣다.

臊 sāo (조)
형 지리다. 노리다. =[骚⑤] ⇒sào
[臊气] sāoqì 명 지린내. 노린내.

扫(掃) sǎo (소)
동 ① (비 따위로) 쓸다. 청소하다. ❏ 打~; 청소하다 / ~雪; 눈을 쓸다. ② 없애다. 제거하다. 퇴치하다. ❏ ~毒; 마약을 퇴치하다 / ~黄; 음란물을 퇴치하다. ③ (빠른 동작으로) 좌우로 움직이다. ❏ 他~了我一眼; 그는 나를 눈으로 쫙 한 번 훑었다. ④ 한데 모으다. 총괄하다. ❏ ~数; ⇩ ⇒sào
[扫除] sǎochú 동 ① 청소하다. ❏ 大~; 대청소하다. ② 제거하다. 일소하다. ❏ ~障碍; 장애를 제거하다.
[扫荡] sǎodàng 동 소탕하다. 쓸어 없애다. 완전히 제거하다. ❏ ~残匪; 잔비를 소탕하다.
[扫地] sǎo//dì 동 ① 바닥[땅]을 쓸다. ②〈比〉 (명예·신용 따위를) 잃다. ❏ 名誉~; 명예가 땅에 떨어지다.
[扫雷] sǎo//léi 동〔軍〕 지뢰나 수뢰(水雷)를 제거하다.
[扫盲] sǎo//máng 동 문맹을 퇴치하다. ❏ ~运动; 문맹 퇴치 운동.
[扫描] sǎomiáo 동〔電〕 주사(走査)하다. 스캐닝(scanning)하다. ❏ ~仪; 스캐너(scanner).
[扫墓] sǎo//mù 동 성묘하다.
[扫平] sǎopíng 동 소탕하여 평정하다. ❏ ~盗寇; 강도를 소탕하다.
[扫射] sǎoshè 동 ①〔軍〕 소사하다. ② (눈이나 등불로) 주위를 훑다.
[扫视] sǎoshì 동 빙 둘러보다. 주위를 훑어보다. ❏ ~人群; 군중을 빙 둘러보다.
[扫数] sǎoshù 부 수대로 전부. 전액. ❏ ~入库; 전부 창고에 넣다.
[扫尾] sǎo//wěi 동 일을 마무리하다. ❏ ~工程; 마무리 공정.
[扫兴] sǎo//xìng 형 흥이 깨지다. 기분을 잡치다.

嫂 sǎo (수)
명 ① 형수. ② 젊은 기혼 여성

에 대한 호칭.
[嫂夫人] sǎofū·ren 명〈敬〉 형수씨. 제수씨(친구의 처에 대한 존칭).
[嫂子] sǎo·zi 명〈口〉 형수. =[〈方〉 嫂嫂]

扫(掃) sào (소) 뜻은 '扫sǎo' 와 같고, 아래의 경우에만 쓰임. ⇒sǎo
[扫帚] sào·zhou 명 비. 빗자루.
[扫帚星] sào·zhouxīng 명〈口〉 ⇒[彗星]

瘙 sào (소) →[瘙痒]
[瘙痒] sàoyǎng 형 (피부가) 가렵다. ❑全身~; 온몸이 가렵다.

臊 sào (조) 동 부끄러워하다. ❑~红了脸; 부끄러워 얼굴을 붉히다. ⇒sāo

se ㄙㄜ

色 sè (색) 명 ① 색. 색채. 색깔. ❑脱~; 탈색하다 / 白~; 흰색. ② 안색. 기색. 표정. ❑脸~; 안색 / 难~; 난색. ③ 종류. ❑各~各样; 각양각색. ④ 경치. 정경. ❑夜~; 야경. ⑤ 품질. 순도. ❑足~; 순도가 충분하다. ⑥ 여자의 미모. 여색(女色). ❑~艺; 미모와 재주. ⑦ 색정. 성욕. 정욕. ❑~情; ⇓ ⇒shǎi
[色彩] sècǎi 명 ① 색채. 빛깔. ❑~鲜明; 색채가 선명하다. ②〈比〉 경향. 정서. 분위기. 느낌. ❑民族~; 민족적 색채.
[色调] sèdiào 명 ① 색조. 톤. 색채. ②〈比〉 (문예 작품의) 색채.
[色鬼] sèguǐ 명 색광. 색마.
[色拉] sèlā 명〈音〉 샐러드(salad). =[沙拉]
[色厉内荏] sèlì-nèirěn 〈成〉 겉으로 보기에는 강하나 내면은 약하다.
[色盲] sèmáng 명〔醫〕 색맹.
[色情] sèqíng 명 색정. 도색(桃色). ❑~电影; 포르노 영화 / ~小说; 도색 소설.
[色素] sèsù 명 색소. ❑~沉着; 〔醫〕 색소 침착.
[色泽] sèzé 명 빛깔과 광택.
[色纸] sèzhǐ 명 색지. 색종이.

涩(澀) sè (삽) 형 ① (맛이) 떫다. ❑这个柿子有点~; 이 감은 조금 떫다. ② 매끄럽지 않다. 순조롭지 않다. 원활하지 않다. ❑~滞; ⇓ ③ (문장이) 읽어 내기 어렵다. 난해하다. ❑艰~; (문장이) 난해하다.
[涩滞] sèzhì 형 순조롭지 않다. 매끄럽지 않다.

啬(嗇) sè (색) 형 인색하다. ❑吝~; 인색하다.

塞 sè (색) 뜻은 '塞sāi' 와 같고, 몇몇 합성어에만 사용됨. ⇒sāi sài
[塞责] sèzé 동 대강대강 해 넘기다. 그런대로 임시변통하다. ❑敷衍~; 〈成〉 적당히 앞뒤를 맞춰 책임을 면하다.

瑟 sè (슬) 명〔樂〕 슬(거문고와 비슷한 옛날의 현악기).
[瑟瑟] sèsè 의 솔솔(바람 따위가 약하게 부는 소리). ❑秋风~; 가을바람이 솔솔 불다. 형 가볍게 떠는 모양. ❑冻得~发抖; 추워서 덜덜 떨다.
[瑟缩] sèsuō 동 (춥거나 놀라서) 움츠러들다. 움츠리다. ❑~于寒风之中; 찬바람에 움츠러들다.

sen ㄙㄣ

森 sēn (삼) 형 ① 나무가 많다. 빽빽이 우거지다. ❑~林; ⇓ ②〈書〉 빽빽이 들어선 모양. 아주 많은 모양. ③ 어두운 모양. 흐린 모양.
[森林] sēnlín 명 삼림. 숲. ❑~浴; 삼림욕.
[森罗万象] sēnluó-wànxiàng 〈成〉 삼라만상.
[森森] sēnsēn 형 ① 수목이 우거진 모양. ❑松柏~; 송백이 빽빽하게 우거지다. ② 무시무시한 모양. ❑~鬼气; 오싹하고 무시무시하다.
[森严] sēnyán 형 삼엄하다. ❑警备~; 경비가 삼엄하다.

seng ㄙㄥ

僧 sēng (승) 명〔佛〕〈梵〉 중. 승려.
[僧多粥少] sēngduō-zhōushǎo 〈成〉 사람은 많고 물건은 적어 나누기에 부족하다. =[粥少僧多]
[僧侣] sēnglǚ 명 승려.

S

sha ㄕㄚ

杀(殺) shā (살) 동 ① 죽이다. 살해하다. ❏把仇人~掉; 원수를 죽여 버리다. ② 싸우다. 전투하다. 다투다. ❏~得难解难分; 다툼이 심하여 중재하기 어렵다. ③ 감소하다[시키다]. 약화되다[시키다]. 제거되다[하다]. ❏这种药水能~痒; 이 약은 가려움을 감소시켜 줄 수 있다. =[煞shā③] ④⇨[煞shā①] ⑤ …해 죽겠다. 죽도록 …하다(《동사나 형용사 뒤에 붙어 정도가 심함을 나타냄》). ❏疼~; 아파 죽겠다. =[煞shā④] ⑥〈方〉(자극적인 것이) 쓰리게 하다. 따갑게 하다. ❏洋葱~了我的眼了; 양파 때문에 눈이 따갑다.

[杀虫] shāchóng 동 살충하다. ❏~剂 =[~药]; 살충제.

[杀风景] shā fēngjǐng 아름다운 경치를 훼손하다. 〈比〉 살풍경하다. 흥을 깨다. =[煞风景]

[杀害] shāhài 동 살해하다. 죽이다.

[杀机] shājī 명 살의(殺意). 살기.

[杀鸡取卵] shājī-qǔluǎn 〈成〉 닭을 잡아 계란을 취하다(《목전의 이익만을 생각하다 장래의 이익을 그르치다》).

[杀价] shā//jià 동 값을 깎다.

[杀菌] shā//jūn 동 살균하다. ❏~剂; 살균제.

[杀戮] shālù 동 살육하다.

[杀气] shāqì 명 살벌한 기세. 살기. ❏~腾腾; 〈成〉 살기등등하다.

[杀人] shārén 동 살인하다. ❏~不见血; 〈成〉 사람을 죽이고 피를 보이지 않다(《수단이 음흉하고 악랄하다》) / ~越货; 〈成〉 사람을 죽이고 물건을 빼앗다 / ~案; 살인 사건 / ~犯; 살인범 / ~狂; 살인마.

[杀伤] shāshāng 동 살상하다. ❏~武器; 살상 무기.

[杀身成仁] shāshēn-chéngrén 〈成〉 살신성인하다.

[杀手] shāshǒu 명 킬러(killer). 암살자.

[杀手锏] shāshǒujiǎn 명 ⇨[撒sā手锏]

[杀一儆百] shāyī-jǐngbǎi 〈成〉 한 사람을 죽여 여러 사람의 본보기로 삼다. 일벌백계(一罰百戒). =[杀一警百]

刹 shā (찰) 동 정지시키다. 멈추다. 제동을 걸다. ❏把汽车~住; 자동차에 브레이크를 걸어 세우다. ⇒chà

[刹车] shā//chē 동 ① (자동차에) 브레이크를 걸다[밟다]. ② 기계 가동을 멈추다. ③〈比〉 저지시키다. 제동을 걸다. (shāchē) 명 브레이크(brake). 제동 장치. ‖ =[煞车]

沙 shā (사) ① 명 모래. =[砂] ② 명 모래알 같은 것. ❏豆~; 팥소. ③ 형 목소리가 거칠다. 쉰목소리가 나다.

[沙场] shāchǎng 명 ① 모래벌판. 사장. ② 전장(戰場).

[沙尘暴] shāchénbào 명 모래폭풍.

[沙袋] shādài 명 모래주머니.

[沙丁鱼] shādīngyú 명〖魚〗〈音〉 정어리.

[沙发] shāfā 명〈音〉 소파(sofa).

[沙锅] shāguō 명 질냄비. 뚝배기.

[沙拉] shālā 명〈音〉 ⇨[色sè拉]

[沙里淘金] shālǐ-táojīn 〈成〉 모래 속에서 황금을 집어내다(《① 힘은 많이 들지만 성과가 적다. ② 많은 재료 속에서 정수(精髓)를 골라내다》).

[沙龙] shālóng 명〈音〉 살롱(프 salon). ❏文艺~; 문예 살롱.

[沙漏] shālòu 명 모래시계.

[沙漠] shāmò 명 사막. ❏~化; 사막화되다.

[沙丘] shāqiū 명 사구. 모래 언덕.

[沙沙] shāshā 의 사각사각. 사박사박. 삭삭(《모래를 밟는 소리, 모래가 바람에 날려 부딪히는 소리, 바람에 초목이 흔들리는 소리 따위》).

[沙滩] shātān 명 모래사장. 모래톱.

[沙特阿拉伯] Shātè Ālābó 명〖地〗〈音〉 사우디아라비아(Saudi Arabia).

[沙土] shātǔ 명 사토. 모래흙.

[沙哑] shāyǎ 형 목이 쉬다[잠기다]. ❏嗓子有点~; 목이 조금 쉬었다.

[沙浴] shāyù 명 모래찜질.

[沙洲] shāzhōu 명〖地質〗 사주.

[沙子] shā·zi 명 ① 모래. 모래알. ② 모래처럼 생긴 것. ❏铁~; 작은 쇠알갱이.

痧 shā (사) 명〖中醫〗 콜레라·서체(暑滯)·장염(腸炎) 따위의 급성 질환.

[痧子] shā·zi 명〈方〉 ⇨[麻má疹]

S

裟 shā (사)
→[袈jiā裟]

鲨(鯊) shā (사)
명〖魚〗상어.

[鲨鱼] shāyú 명〖魚〗상어.

纱(紗) shā (사)
명 ① 면·마 따위의 가는 방적용 실. ② 가는 실로 성기게 짠 직물. ③ 성기게 짠 제품.

[纱布] shābù 명 가제(독 Gaze). 거즈(gauze).

[纱橱] shāchú 명 망사나 철망을 친 찬장.

[纱窗] shāchuāng 명 방충망을 친 창.

[纱锭] shādìng 명〖紡〗방추. 북. =[纺锭][锭子]

[纱罩] shāzhào 명 ① 망사로 만든 방충용 음식물 덮개. ② 가스맨틀(gas mantle).

砂 shā (사)
명 ⇨[沙①]

[砂布] shābù 명 사포. 에머리페이퍼(emery paper).

[砂浆] shājiāng 명〖建〗모르타르(mortar). 회반죽. =[灰浆②]

[砂囊] shānáng 명〖鳥〗사낭. 모래주머니.

[砂糖] shātáng 명 굵은 설탕.

[砂纸] shāzhǐ 명 샌드페이퍼(sandpaper). 사포.

杉 shā (삼)
뜻은 '杉shān'과 같고 아래의 단어에만 쓰임. ⇒shān

[杉篙] shāgāo 명 삼나무 상앗대.

[杉木] shāmù 명 삼나무 목재.

煞 shā (살)
동 ① 매듭짓다. 결말을 짓다. =[杀④] ② 붙들어매다. 동여매다. 졸라매다. ❏把腰带一~; 허리띠를 꽉 졸라매다. ③ ⇨[杀③] ④ ⇨[杀⑤] ⇒shà

[煞笔] shābǐ 명 문장의 끝맺는 말. (shā∥bǐ) 동 글을 끝마치다.

[煞车] shā∥chē 명동 ⇨[刹shā车] 동 차에 실은 짐을 묶다.

[煞风景] shā fēngjǐng ⇨[杀风景]

[煞尾] shāwěi 명 (글·상황 따위의) 결말. 마지막. (shā∥wěi) 동 끝내다. 결말을 짓다.

啥 shá (사)
대〈方〉 무엇. 무슨. 어느. ❏你要干~? 너는 무엇을 하려고 하느냐? =[什么]

[啥子] shá·zi 대〈方〉 무엇.

傻 shǎ (사)
형 ① 어리석다. 멍청하다. 바보같다. ❏他没有那么~; 그는 그렇게 멍청하지 않다. ② 융통성 없다. 미련하다. ❏别在这儿~等了; 여기서 미련하게 기다리지 마라.

[傻瓜] shǎguā 명 바보. 멍청이.

[傻呵呵(的)] shǎhēhē(·de) 형 멍한 모양. 어리숙한 모양. ❏~地笑; 어리숙하게 웃다. =[傻乎乎(的)]

[傻劲儿] shǎjìnr 명 ① ⇨[傻气] ②〈比〉 뚝심.

[傻气] shǎqì 명 멍청함. 어리숙함. 바보스러움. =[傻劲儿①] 형 바보스럽다. 멍청하다.

[傻笑] shǎxiào 동 바보같이 웃다. 실없이 웃다. =[痴笑]

[傻眼] shǎ∥yǎn 동 (뜻밖의 일에) 눈이 휘둥그레지다. 멍해지다.

[傻子] shǎ·zi 명 멍청이. 바보.

霎 shà (삽)
명 순식간. 잠깐. 삽시간.

[霎时间] shàshíjiān 명 삽시간. 순식간.

厦 shà (하)
명 큰 건물. 빌딩. ⇒ xià

煞 shà (쇄)
① 명 액신(厄神). 액(厄). ② 부 매우. 극히. 아주. 몹시. ❏~费苦心; ⇩ ⇒shā

[煞白] shàbái 형 (공포·분노·질병 따위로 얼굴이) 창백하다. 핏기가 가시다. ❏他的脸~的; 그의 얼굴이 창백하다.

[煞费苦心] shàfèi-kǔxīn 〈成〉 몹시 애를 쓰다. 심혈을 기울이다.

[煞有介事] shàyǒu-jièshì 〈成〉 ⇨[像煞有介事]

shai ㄕㄞ

筛(篩) shāi (사)
① 명 체. ② 동 체질하다. ❏把米~干净; 쌀을 깨끗이 체질하다. ③ 동〈比〉 (선발·선택 따위에서) 도태되다. 떨어지다. ④ 동 (술을) 데우다. ❏在火盆上~酒; 화로에서 술을 데우다. ⑤ 동 (술이나 차를) 붓다. 따르다.

[筛选] shāixuǎn 동 ① 체질하여 골라내다. ② 선별하다. 골라내다.

[筛子] shāi·zi 명 체.

色 shǎi (색)
(~儿) 명〈口〉 색. 색깔. ⇒sè

[色子] shǎi·zi 명 주사위. =[〈方〉骰子tóu·zi]

晒(曬) shài (쇄)
동 ① 햇볕이 내리쬐다. ❏ 太阳~得很厉害; 햇볕이 매우 심하게 내리쬐다. ② 볕에 말리다. 볕을 쬐다. ❏ ~衣服; 옷을 볕에 말리다.

[晒台] shàitái 명 (옥상의) 테라스(terrace). 발코니(balcony).

shan ㄕㄢ

山 shān (산)
명 ① 산. ❏ 一座~; 산 하나. ② 산 모양을 한 것. ❏ 冰~; 빙산.

[山坳] shān'ào 명 산간의 평지.

[山崩] shānbēng 동 산사태가 나다.

[山茶] shānchá 명〔植〕동백. 동「백나무.

[山川] shānchuān 명 산천.

[山村] shāncūn 명 산촌.

[山地] shāndì 명 ① 산악 지대. 산지. ② 산의 농경지.

[山顶] shāndǐng 명 산꼭대기. 산정상.

[山洞] shāndòng 명 산굴.

[山峰] shānfēng 명 산봉우리.

[山冈] shāngāng 명 낮은 산. 언덕.

[山歌] shāngē 명 산이나 들에서 일할 때 부르는 민요.

[山根(儿)] shāngēn(r) 명〈口〉⇨[山脚]

[山沟] shāngōu 명 ① 물이 흐르는 골짜기. 계곡. ② ⇨[山谷] ③ 산간벽지. 두메산골.

[山谷] shāngǔ 명 산골짜기. =[山沟②]

[山河] shānhé 명 강산. 산하. 〈比〉나라. 국토.

[山洪] shānhóng 명 산의 홍수.

[山火] shānhuǒ 명 산불.

[山货] shānhuò 명 ① 산에서 나는 산물《밤·호두·잣 따위》. ② 산에서 나는 산물을 가공한 일용품《비·장대·목제품 따위》.

[山鸡] shānjī 명〈方〉⇨[雉zhì]

[山脊] shānjǐ 명 산등성이.

[山涧] shānjiàn 명 계류(溪流). 계곡물.

[山脚] shānjiǎo 명 산기슭. =[〈口〉山根(儿)]

[山口] shānkǒu 명 산 어귀.

[山林] shānlín 명 산림.

[山陵] shānlíng 명〈書〉① 산릉. 산악. ② 천자의 무덤.

[山岭] shānlǐng 명 연이어져 있는 높은 산. 연봉(連峰).

[山路] shānlù 명 산길.

[山峦] shānluán 명 연산(連山). 산줄기.

[山脉] shānmài 명 산맥.

[山猫] shānmāo 명 ⇨[豹猫]

[山盟海誓] shānméng-hǎishì 〈成〉애정이 영원히 변치 않을 것을 맹세하다. =[海誓山盟]

[山明水秀] shānmíng-shuǐxiù 〈成〉⇨[山清水秀]

[山坡] shānpō 명 산비탈.

[山清水秀] shānqīng-shuǐxiù 〈成〉산수(山水)의 풍경이 뛰어나다. =[山明水秀]

[山穷水尽] shānqióng-shuǐjìn 〈成〉산과 물이 모두 끝나 더 이상 나아갈 수 있는 길이 없다《궁지에 빠지다. 막다른 골목에 이르다》.

[山区] shānqū 명 산간 지대.

[山势] shānshì 명 산세.

[山水] shānshuǐ 명 ① 산에서 흘러내리는 물. ② 산수. 〈轉〉(산과 물이 있는) 풍경. 경치. ③ ⇨[山水画]

[山水画] shānshuǐhuà 명〔美〕산수화. =[山水③]

[山头] shāntóu 명 ① 산머리. 산꼭대기. ② 산채(山寨)가 있는 산머리. 〈比〉한 부분을 독점하고 있는 종파[파벌]. ❏ ~主义; 파벌주의.

[山崖] shānyá 명 낭떠러지. 절벽.

[山羊] shānyáng 명 ①〔動〕염소. 산양. ② ⇨[跳跃器]

[山腰] shānyāo 명 산중턱. 산허리. =[半山腰]

[山野] shānyě 명 ① 산과 들. 산야. ② 초야(草野).

[山芋] shānyù 명〈方〉⇨[甘薯]

[山岳] shānyuè 명 산악.

[山寨] shānzhài 명 ① 산채(山砦). ② 울타리가 있는 산간 마을.

[山珍海味] shānzhēn-hǎiwèi 〈成〉산해진미. =[山珍海错]

[山庄] shānzhuāng 명 ① 산촌(山村). ② 산장(山莊).

舢 shān (산)
→[舢板]

[舢板] shānbǎn 명 삼판선(三板船).

删 shān (산)
동 (문자나 문구를) 빼 버리다. 삭제하다. ❏ 这个字应~去; 이 글자는 삭제해야 한다.

S

[删除] shānchú 동 삭제하다. 지우다. 빼 버리다. ❑ ~最后一段; 맨 마지막 한 단락을 삭제하다.
[删繁就简] shānfán-jiùjiǎn 〈成〉 군더더기의 글자나 내용을 삭제하여 간결하게 하다.
[删改] shāngǎi 동 (문장을) 삭제하고 정정하다. 첨삭(添削)하다.
[删节] shānjié 동 생략하다.
[删节号] shānjiéhào 명 ⇨[省略号]
[删削] shānxuē 동 (글자를) 삭제하다.

姗 shān (산)
→[姗姗]
[姗姗] shānshān 형 느리적느리적[어슬렁어슬렁] 걷는 모양. ❑ ~来迟; 〈成〉 느지막하게 오다.

珊 shān (산)
→[珊瑚]
[珊瑚] shānhú 명〔動〕 산호. ❑ ~礁; 산호초.

栅 shān (산)
→[栅极] ⇒zhà
[栅极] shānjí 명〔電〕 (진공관의) 그리드(grid).

跚 shān (산)
→[蹒pán跚]

芟 shān (삼)
동 ① (풀을) 베다. ② 제거하다. 없애다. 삭제하다.
[芟除] shānchú 동 ① (풀을) 뽑아 버리다. 제거하다. ❑ ~杂草; 잡초를 제거하다. ② 삭제하다. 없애다.

杉 shān (삼) 「shā
명〔植〕 삼나무. =[杉树] ⇒

衫 shān (삼)
명 홑겹 윗옷. 셔츠.

苫 shān (점)
명 거적. ⇒shàn

扇 shān (선)
동 ① (부채 따위로) 부치다. ❑ ~扇子; 부채질하다. =[煽①] ② (손바닥으로) 때리다. 치다. ❑ ~一个耳刮子; 따귀를 한 대 때리다. ③ ⇨[煽②] ⇒shàn
[扇动] shāndòng 동 ① (부채처럼 생긴 것을) 흔들다. 치다. ❑ ~翅膀; 날갯짓하다. ② ⇨[煽动]

煽 shān (선)
동 ① ⇨[扇①] ② 부추기다. 선동하다. =[扇③]
[煽动] shāndòng 동 (나쁜 일을 하도록) 부추기다. 선동하다. ❑ ~闹事; 다른 사람을 부추겨 소동을 일으키게 하다. =[扇动②]
[煽风点火] shānfēng-diǎnhuǒ 〈成〉 옆에서 부추겨 어떤 일을 하게 하다《주로, 나쁜 일에 쓰임》.
[煽惑] shānhuò 동 (나쁜 일을 하도록) 부추겨서 꾀다[유혹하다].

潸 shān (산)
형〈書〉 눈물을 흘리는 모양.
[潸然] shānrán 형〈書〉 눈물을 흘리는 모양. ❑ ~泪下; 눈물을 줄줄 흘리다.

膻 shān (전) 「노린내.
형 (냄새가) 노리다. ❑ ~气;

闪(閃) shǎn (섬)
① 동 재빨리 비키다[피하다]. ❑ ~在一边; 한쪽으로 재빨리 피하다. ② 동 (몸이) 갑자기 흔들리다. 휘청하다. ❑ 他身子一~, 跌倒了; 그는 몸이 휘청하더니 넘어졌다. ③ 동 접질리다. 삐다. 삐끗하다. ❑ ~了手腕; 손목을 접질리다. ④ 명 번개. ⑤ 동 갑자기 나타나다. 순간적으로 떠오르다. ❑ ~念; 번뜩이는 생각. 퍼뜩 떠오른 생각. ⑥ 동 번득이다. 번쩍이다. ❑ ~金光; 금빛이 번쩍이다.
[闪避] shǎnbì 동 잽싸게 피하다. 재빨리 비키다.
[闪电] shǎndiàn 명 번개. 번갯불.
[闪电战] shǎndiànzhàn 명 ⇨[闪击战]
[闪躲] shǎnduǒ 동 비키다. 피하다. ❑ 他有意~我的目光; 그는 의식적으로 내 눈빛을 피한다.
[闪光] shǎnguāng 명 섬광. 번쩍임. (shǎn//guāng) 동 번쩍하다. 빛을 내다. ❑ ~灯泡; 섬광 전구.
[闪光灯] shǎnguāngdēng 명 섬광등. 플래시(flash).
[闪击] shǎnjī 동 전격(電擊)하다.
[闪击战] shǎnjīzhàn 명〔軍〕 전격전. 전격 작전. =[闪电战]
[闪闪] shǎnshǎn 형 반짝거리다. 번쩍번쩍하다. 깜빡거리다. ❑ ~的红星; 반짝이는 붉은 별.
[闪射] shǎnshè 동 빛을 발하다. 빛을 비추다.
[闪身(儿)] shǎn//shēn(r) 동 ① 몸을 잽싸게 비키다[피하다]. ② 몸을 옆으로 하다.
[闪失] shǎnshī 명 뜻밖의 손실[잘못, 사고].
[闪烁] shǎnshuò 동 ① (빛이) 깜빡이다. 번쩍거리다. ❑ 星光~; 별빛이 깜빡이다. ② (말을) 어물어물하다. 얼버무리다. ❑ ~其词; 〈成〉

말을 얼버무리다.
[闪现] shǎnxiàn 동 갑자기 나타나다. 순간적으로[문득] 떠오르다.
[闪耀] shǎnyào 동 (빛이) 번쩍번쩍 빛나다. 반짝이다. ❑ 天空~的星; 하늘에 빛나는 별.

陕(陝) Shǎn (섬) 명〔地〕산시 성(陕西省).

睒 shǎn (섬) 동 눈을 깜박이다. ❑ 一~眼; 한순간.

讪(訕) shàn (산) ① 동〈書〉비웃다. 비방하다. ② 형 멋쩍다. 겸연쩍다.
[讪笑] shànxiào 동〈書〉비웃다. 조소하다.

疝 shàn (산) 명〔醫〕탈장(脫腸).
[疝气] shànqì 명〔醫〕헤르니아(hernia). 탈장(脫腸).

禅(禪) shàn (선) 동 선양하다. ⇒chán
[禅让] shànràng 동 선양하다.
[禅位] shànwèi 명 선위하다.

苫 shàn (점) 동 (비·서리 따위를 맞지 않게) 거적·천 따위로 덮다. ❑ 把货堆~好了; 야적한 짐에 덮개를 덮었다. ⇒shān
[苫布] shànbù 명 화물을 덮어씌우는 큰 방수포(防水布).

扇 shàn (선) ①(~儿) 명 부채. ❑ 折~儿; 접부채. ② 명 판자 모양의 것. ❑ 门~; 문짝. ③ 양 짝. 폭. 장《문짝 따위의 얇은 것을 세는 말》. ❑ 四~屏儿; 네 폭 병풍. ⇒ shān
[扇贝] shànbèi 명〔貝〕가리비.
[扇形] shànxíng 명 ① 부채 모양. ②〔數〕부채꼴.
[扇子] shàn·zi 명 부채.

骟(騸) shàn (선) 동 (가축 따위를) 거세하다. ❑ ~马; 말을 거세하다.

善 shàn (선) ① 형 착하다. 선하다. 선량하다. 어질다. ❑ ~意; ⇓ ② 명 선. 선행. ❑ 行~; 선행을 베풀다. ③ 형 좋다. 훌륭하다. ❑ ~策; 양책. ④ 형 사이가 좋다. 화목하다. ❑ 相~; 친하다. ⑤ 형 잘 알다. 익숙하다. ❑ 面~; 낯이 익다. ⑥ 동 잘 처리하다. 잘 해내다. ❑ ~后; ⇓ ⑦ 동 잘하다. 능숙하다. ❑ ~辞令; 말솜씨가 좋다. ⑧ 부 잘. 부디. ❑ ~自珍重; 부디 몸조심하십시오. ⑨ 형 …하기 쉽다. 걸핏하면 …하다. ❑ ~变; 변하기 쉽다.
[善罢甘休] shànbà-gānxiū〈成〉좋게 해결하고 그냥 넘어가다《주로, 부정형으로 쓰임》.
[善感] shàngǎn 형 감상적이다.
[善后] shànhòu 동 뒷일을 잘 처리하다. 적절하게 뒷수습하다. ❑ 处理~问题; 뒷일을 잘 처리하다.
[善良] shànliáng 형 착하다. 선량하다. ❑ 心地~; 마음이 착하다.
[善始善终] shànshǐ-shànzhōng〈成〉처음부터 끝까지 잘 해내다. 유종의 미를 거두다. 「일.
[善事] shànshì 명 좋은 일. 착한
[善心] shànxīn 명 착한 마음. 자선심. 선심.
[善意] shànyì 명 선의.
[善于] shànyú 동 …에 뛰어나다. …을 잘하다. …에 능하다. ❑ ~歌舞; 가무에 능하다.
[善战] shànzhàn 형 싸움을 잘하다.
[善终] shànzhōng 동 ① 천수(天壽)를 다하고 죽다. ② 마무리를 잘 하다. 유종의 미를 거두다.

缮(繕) shàn (선) 동 ① 수리하다. 수선하다. 손질하다. ❑ 修~; 수선하다. ② 베끼다. 옮겨 쓰다. ❑ ~写; ⇓
[缮写] shànxiě 동 베끼다. 옮겨 쓰다. 베껴 쓰다. 필사하다. ❑ ~书稿; 원고를 옮겨 쓰다.

膳 shàn (선) 명 식사. ❑ 用~; 식사하다.
[膳费] shànfèi 명 식비.
[膳食] shànshí 명 (일상적인) 식사. 음식. 「식.
[膳宿] shànsù 명 식사와 숙박. 숙

蟮 shàn (선) →[曲qū蟮]

擅 shàn (천) ① 동 독점하다. 마음대로 하다. 쥐고 흔들다. ❑ ~权; 권력을 마음대로 휘두르다. ② 부 마음대로. 멋대로. ❑ ~离职守; ⇓ ③ 동 (학술·기능 따위에) 능하다. 정통하다. ❑ 不~辞令; 말솜씨가 없다.
[擅长] shàncháng 동 …에 장기가 있다. …에 정통하다. …에 능하다. ❑ ~烹调; 요리에 능하다.
[擅离职守] shànlí-zhíshǒu〈成〉마음대로 직무를 이탈하다.
[擅自] shànzì 부 마음대로. 제멋대로. 독단적으로. ❑ ~决定; 독단

으로 결정하다.

嬗 shàn (선) 동〈書〉탈바꿈하다. 변천하다.

[嬗变] shànbiàn 동〈書〉변천하다.

赡(贍) shàn (섬) ① 동 부양하다. 돌보다. ② 형〈書〉풍부하다. 충분하다. ❏气力不~; 기력이 달리다.

[赡养] shànyǎng 동 부양하다. 먹여 살리다. ❏~父母; 부모를 부양하다 / ~费; 부양비.

shang 尸九

伤(傷) shāng (상) ① 명 상처. 손상. ❏受~; 상처를 입다 / 枪~; 총상. ② 동 상처 입다. 상하다. 다치다. ❏~感情; 감정이 상하다 / ~身体; 몸이 상하다. ③ 형 슬프다. 마음 아프다. ❏~感; ⇩ ④ 동 식상하다. 물리다. 질리다. ❏吃肉吃~了; 고기를 물리게 먹었다. ⑤ 동 방해하다. 지장을 주다. ❏无~大雅; 큰 지장이 없다.

[伤疤] shāngbā 명 ① 흉터. 흉. ②〈比〉(마음의) 상처. 아픈 곳. ❏揭~; 아픈 곳을 파헤치다.

[伤兵] shāngbīng 명 부상병.

[伤风] shāng//fēng 동 감기가 들다. (shāngfēng) 명 감기. ‖ =[感冒]

[伤风败俗] shāngfēng-bàisú 〈成〉풍속을 해치다.

[伤感] shānggǎn 형 슬픔에 잠기다. 감상적으로 되다.

[伤害] shānghài 동 해치다. 상하게 하다. ❏~眼睛; 눈을 상하게 하다 / ~自尊心; 자존심 상하게 하다.

[伤寒] shānghán 명 ①〔醫〕장티푸스. ②〔中醫〕발열(發熱)을 동반하는 병.

[伤号(儿)] shānghào(r) 명 (주로, 군대의) 부상자.

[伤痕] shānghén 명 상흔. 상처 자국. (물건의) 흠집.

[伤口] shāngkǒu 명 (신체의) 상처. =[创chuāng口]

[伤脑筋] shāng nǎojīn 골머리를 앓다. 골치를 썩다. 골치가 아프다.

[伤神] shāng//shén 형 ⇨[伤心] 동 너무 신경을 쓰다. 지나치게 정신을 소모하다.

[伤食] shāng//shí 동〔中醫〕식상하다. 식체하다.

[伤势] shāngshì 명 부상의 정도.

[伤天害理] shāngtiān-hàilǐ 〈成〉잔인하고 비인간적인 짓을 하다.

[伤亡] shāngwáng 동 죽거나 다치다. 사상(死傷)하다. ❏~事故; 사상 사고. 명 사상자.

[伤心] shāng//xīn 형 마음 아프다. 상심하다. ❏~惨目; 〈成〉비참해서 차마 볼 수가 없다. =[伤神]

[伤员] shāngyuán 명 (주로, 군대의) 부상자.

商 shāng (상) A) ① 동 상의하다. 상담하다. 의논하다. 협의하다. ❏协~; 협상하다. ② 명 장사. 상업. ❏通~; 통상하다. ③ 명 상인. ❏批发~; 도매상 / 外~; 외국 상인. ④ 명〔數〕몫. 상. B) (Shāng) 명〔史〕상《중국 고대의 왕조명(王朝名)》.

[商标] shāngbiāo 명 상표. 브랜드(brand). ❏~注册; 상표 등록.

[商埠] shāngbù 명 ① 개항장(開港場). ② 상업 도시.

[商场] shāngchǎng 명 ① (건물 안에 있는) 시장. 아케이트. 상가. ② 규모가 크고 물건이 많은 종합 상점. ❏百货~; 백화점.

[商船] shāngchuán 명 상선.

[商德] shāngdé 명 상도덕.

[商店] shāngdiàn 명 상점. 가게.

[商定] shāngdìng 동 상의하여 결정하다.

[商行] shāngháng 명 (비교적 큰) 상점.

[商号] shānghào 명 상점.

[商会] shānghuì 명 상회. 상인 단체. 상업 회의소.

[商量] shāng·liang 동 의논하다. 상의하다. 상담하다. 협의하다. ❏我跟爸爸~过这件事; 나는 아버지와 이 일을 의논했었다.

[商品] shāngpǐn 명 상품. 물품. ❏紧俏~; 인기 상품 / ~目录; 상품 카탈로그(catalog).

[商洽] shāngqià 동 교섭하다. 상담하다. 상의하다. 협의하다.

[商榷] shāngquè 동 협의 검토하다. 상의하다. 논의하다.

[商人] shāngrén 명 상인. 장사꾼.

[商社] shāngshè 명 상업 방면의 회사. 상사. (商).

[商数] shāngshù 명〔數〕몫. 상

[商谈] shāngtán 동 상담하다. 상의하다. 협의하다. ❏~国事; 국사를 상의하다.

[商讨] shāngtǎo 동 상의하고 토론하다. 토의하다. 협의하다. ❑～对策; 대책을 협의하다.
[商务] shāngwù 명 상업 업무[사무]. 상무.
[商业] shāngyè 명 상업. ❑～区; 상업 지역 / ～中心; 비즈니스 센터 (business center).
[商议] shāngyì 동 상의하다. 협의하다. ❑～交通安全措施; 교통 안전 대책을 협의하다.
[商住房] shāngzhùfáng 명 주상 복합 아파트. =[商住楼]
[商酌] shāngzhuó 동 상의하다. 협의하다.

墒 shāng (상) 명〖農〗(식물 발아에 알맞은) 흙의 적당한 습도.

晌 shǎng (상) ①(～儿) 양 (하루 중의) 잠깐의 시간. 한동안. ❑徘徊一～; 한동안 배회하다. ② 명〈方〉 한낮.
[晌饭] shǎngfàn 명〈方〉 ⇨[午饭]
[晌觉] shǎngjiào 명〈方〉 ⇨[午觉]
[晌午] shǎng·wǔ 명〈方〉 ⇨[中午]

赏(賞) shǎng (상) ① 동 상을 주다. 포상하다. ❑老师～了我一本词典; 선생님이 나에게 사전 한 권을 상으로 주셨다. ② 명 상. 상금. 상품. ❑悬～; 현상금을 걸다. ③ 동 구경하다. 감상하다. 즐기다. ❑～月; 달구경 하다. ④ 동 인정해 주다. 칭찬하다. ❑～识; ⇩
[赏赐] shǎngcì 동 상을 주다. 상을 내리다. 하사하다. 명 하사품.
[赏罚] shǎngfá 동 상벌하다. ❑～分明; 〈成〉 상벌이 분명하다.
[赏光] shǎng//guāng 동〈套〉 왕림해 주십시오. ❑敬请～; 부디 왕림해 주십시오.
[赏鉴] shǎngjiàn 동 (주로, 예술품을) 감상하고 감정하다. ❑～书画; 서화를 감정하다.
[赏金] shǎngjīn 명 상금. 「금.
[赏钱] shǎng·qián 명 상금. 포상
[赏识] shǎngshí 동 가치를 알아보고 칭찬하다. 눈에 들어 하다. 인정해 주다.
[赏玩] shǎngwán 동 (풍경·예술작품 따위를) 즐기며 구경하다. 감상하다. ❑～山景; 산의 경치를 감상하다.
[赏心悦目] shǎngxīn-yuèmù 〈成〉 좋은 경치를 감상해 마음이 즐겁다.

上 shàng (상) A) ① 명 위. ❑往～看; 위를 보다 / ～嘴唇; 윗입술. ② 명 상급. 상등. 상위. ❑～品; ⇩ / ～座; ⇩ ③ 명 (순서나 시간의) 먼저. 앞. 이전. ❑～册; 상권 / ～月; 지난 달. ④ 위로. 위를 향해. ❑～进; ⇩ B) 동 ① 오르다. 올라가다. ❑～车; 차에 타다 / ～山; 산에 오르다. ②(어떤 곳으로) 가다. ❑你～哪儿去? 너 어디 가니? ③ 바치다. 드리다. 올리다. ❑～书; ⇩ ④ 앞으로 나아가다. ❑迎困难而～; 난관에 부닥쳐도 앞으로 나아가다. ⑤(요리가) 나오다. 내놓다. ❑～菜; 음식이 나오다. ⑥ 보급하다. 보태다. 주다. ❑～肥; 비료를 주다 / ～饲料; 사료를 주다. ⑦(무대·경기장 따위에) 나가다. ❑一号～, 四号下; 1번이 나가고 4번이 들어오다. ⑧ 장치하다. 달다. 붙이다. 끼우다. ❑～玻璃; 유리를 끼우다. ⑨ 바르다. 칠하다. ❑～药; 약을 바르다 / ～油; 기름을 칠하다. ⑩ 실리다. 나오다. 올리다. ❑～电视; 텔레비전에 나오다 / ～学报; 학보에 실리다. ⑪(태엽·나사 따위를) 돌리다. 감다. 조이다. ❑～发条; 태엽을 감다. ⑫(정해진 시간에) 일이나 공부를 시작하다. ❑～班(儿); ⇩ ⑬(일정한 수량·정도에) 이르다. 달하다. ❑～千人; 천 명에 달하는 사람들 / ～年纪; ⇩ C) 명 (又讀 shǎng) 상성(上聲).

上 //·shàng (상) 동 동사의 뒤에 붙어 다음과 같이 쓰임. ① 낮은 곳에서 높은 곳으로 향함을 나타냄. ❑爬～山顶; 산꼭대기에 오르다. ② 결과가 있거나 목적을 달성했음을 나타냄. ❑考～大学; 대학에 붙다 / 没买～票; 표를 사지 못했다. ③ 동작·행위가 시작하여 계속됨을 나타냄. ❑她爱～了他; 그녀는 그를 사랑하게 되었다.

上 ·shang (상) 명 명사의 뒤에 붙는 방위사. ① 물체의 윗부분을 나타냄. ❑山～; 산 위 / 树～; 나무 위. ② 물체의 표면을 나타냄. ❑他身～带着伤痕; 그는 몸에 상처가 있다. ③ 범위를 나타냄. ❑课堂～; 교실에서 / 书～; 책에. ④ 중간·안임을 나타냄. ❑半路～; 도중에서 / 心

S

~; 마음속. ⑤ 방면·쪽을 나타냄. ❏ 基本~; 기본적으로 / 事实~; 사실상.
[上班(儿)] shàng//bān(r) 동 출근하다. ❏ ~时间; 출근 시간 / ~族; 직장인. 샐러리맨.
[上半场] shàngbànchǎng 명 ⇨ [上半时]
[上半身] shàngbànshēn 명 ⇨ [上身①]
[上半时] shàngbànshí 명〖體〗전반전. =[上半场]
[上半天(儿)] shàngbāntiān(r) 명 〈口〉⇨[上午]
[上半夜] shàngbànyè 명 ⇨[前半夜]
[上报] shàngbào 동 ① 상급 기관에 보고하다. ② (shàng//bào) 신문에 실리다.
[上辈(儿)] shàngbèi(r) 명 ① ⇨ [上辈子①] ② 가족 중 한 항렬 위의 세대.
[上辈子] shàngbèi·zi 명 ① 조상. 선조. =[上辈(儿)①] ② 전세(前世). 전생.
[上边(儿)] shàng·bian(r) 명 ⇨ [上面(儿)]
[上膘] shàng//biāo 동 (동물이) 살찌다.
[上宾] shàngbīn 명 매우 귀한 손님. 귀빈.
[上苍] shàngcāng 명 ⇨[苍天]
[上策] shàngcè 명 상책. 최상의 방책.
[上层] shàngcéng 명 상층. 상부. ❏ ~建筑; 상부 구조.
[上场] shàng//chǎng 동 ①〖劇〗(배우가) 무대에 등장하다. 출연하다. ②〖體〗(선수가) 출장하다. 출전하다.
[上传] shàngchuán 동 ⇨[上载]
[上床] shàng//chuáng 동 침대에 오르다. 잠자리에 들다.
[上代] shàngdài 명 조상의 대. 윗대. 상대.
[上当] shàng//dàng 동 속다. 당하다. 꾐에 빠지다. ❏ 上了他的当了; 그의 꾐에 넘어갔다.
[上等] shàngděng 형 상등의. 상질의. 고급의. ❏ ~货; 고급품.
[上帝] Shàngdì 명 ① 하느님. 천제(天帝). 상제. ②〖宗〗하나님.
[上吊] shàng//diào 동 목매달다. 목매달아 죽다.
[上冻] shàng//dòng 동 (강이나 땅이) 얼다. 얼어붙다.
[上颚] shàng'è 명 ① (척추동물의) 위턱. 상악. =[上颌] ② (절지동물의) 위턱.
[上风] shàngfēng 명 ① 바람이 불어오는 쪽. ❏ 站在~头; 바람 부는 쪽에 서다. ②〈比〉우세. 유리한 위치. ❏ 占~; 유리한 위치를 차지하다.
[上告] shànggào 동 ①〖法〗상고하다. ② 상급 기관에 보고하다.
[上钩] shàng//gōu 동 ① 낚싯바늘에 걸리다. ②〈比〉올가미에 걸리다. 함정에 빠지다.
[上古] shànggǔ 명〖史〗상고. ❏ ~史; 상고사.
[上轨道] shàng guǐdào 〈比〉궤도에 오르다.
[上好] shànghǎo 형 (품질 따위가) 상등이다. 최상이다. ❏ ~的棉花; 고급 면화.
[上颌] shànghé 명 ⇨[上颚①]
[上火] shàng//huǒ 동 ①〖中醫〗상초열(上焦熱)이 나다. ② (~儿)〈方〉상기(上氣)하다. 흥분하다. 화내다. 열내다.
[上级] shàngjí 명 상사(上司). 상급자. 상부 기관.
[上缴] shàngjiǎo 동 납입하다. 납부하다. 상납하다. ❏ ~税金; 세금을 납입하다.
[上街] shàng//jiē 동 ① 거리에 나가다. ② 물건을 사러 다니다. 쇼핑하다.
[上进] shàngjìn 동 진보하다. 향상하다. ❏ ~心; 향상심.
[上课] shàng//kè 동 수업하다. 수업을 받다. ❏ ~时间; 수업 시간.
[上空] shàngkōng 명 상공. 하늘.
[上口] shàngkǒu 형 ① (시문(詩文) 따위가) 입에서 막힘없이 나오다. ❏ 琅琅~; 낭랑하게 줄줄 읽다. ② (시문 따위가 매끄럽게 씌어져) 읽기 좋다. ❏ 这篇故事很~; 이 이야기는 매우 읽기 좋다.
[上来] shànglái 동 시작하다. 시작되다. ❏ 一~就先提要求; 시작하자마자 먼저 요구 사항을 말하다.
[上来] shàng//·lái 동 (위로) 올라오다. ❏ 锅里的气~了; 냄비 안의 김이 올라왔다.
[上来] //·shàng//·lái 접미 ① 동사 뒤에 쓰여 낮은 곳에서 높은 곳으로, 먼 곳에서 가까운 곳으로 오는 것을 나타냄. ❏ 端上饭来; 밥을 가지고 오다. ② 동사 뒤에 쓰여 암송·기억 따위의 동작이 성취됨을 나타냄.

❑这个问题我答得~; 나는 이 문제에 답할 수 있다. ③〈方〉 형용사 뒤에 쓰여 정도가 심해짐을 나타냄. ❑天色黑~了; 날이 저물어 왔다.

[上梁] shàngliáng 명〖建〗 마룻대. 상량. ❑~不正下梁歪; 〈諺〉 마룻대가 곧지 않으면 아랫기둥이 바르지 않다《윗물이 맑아야 아랫물이 맑다》.

[上流] shàngliú 명 ① ⇨[上游①] ② 높은 사회적 지위. ❑~社会; 상류 사회.

[上路] shàng//lù 동 ① 여정에 오르다. 길을 떠나다. 출발하다. ② (일이) 궤도에 오르다.

[上门] shàng//mén 동 ① 집을 방문하다. 찾아가다. ❑没有人~了; 누구 하나 찾아오는 이가 없다. ② 문을 닫아걸다. 문단속하다. ③ (상점이) 문을 닫다. ④〈方〉 데릴사위로 들어가다.

[上面(儿)] shàngmiàn(r) 명 ① 위. 위쪽. ❑书架最~的格子; 책꽂이의 맨 윗칸. ② (순서의) 앞. 먼저. ❑我同意~几个同学的发言; 나는 앞의 몇몇 친구들의 발언에 동의한다. ③ (물체의) 표면. 겉. ❑墙~挂着一张地图; 벽에 지도가 한 장 걸려 있다. ④ 방면. 쪽. ❑钱~的事; 금전 방면의 일. ⑤ 상부. 상관. ❑~的意见; 상부의 의견. ‖ =[上边(儿)][上头]

[上年] shàngnián 명 지난해. 작년.

[上年纪] shàng nián·ji 나이가 들다. 나이를 먹다. =[〈口〉 上岁数(儿)]

[上品] shàngpǐn 명 상등품.

[上坡路] shàngpōlù 명 ① 오르막길. ②〈比〉 기운이나 기세가 올라가는 단계. 발전해 나가는 시기.

[上去] shàng//·qù 동 올라가다. ❑顺着山路~; 산길을 따라 올라가다.

[上去] //·shàng//·qù 접미 동사 뒤에 쓰여 낮은 곳에서 높은 곳으로, 가까운 곳에서 먼 곳으로, 주체에서 대상으로 향함을 나타냄. ❑一纵身跳~; 몸을 훌쩍 날려 뛰어오르다 / 你们的意见已反映~了; 너희들의 의견은 이미 반영되었다.

[上任] shàng//rèn 동 취임하다. 부임하다. ❑走马~; 〈成〉 관리가 임지로 가다. (shàngrèn) 명 전임(前任) 관리.

[上色] shàng//shǎi 동 (그림·미술품 따위의 표면에) 색을 칠하다.

[上上] shàngshàng 형 가장 좋은. 최상의. ❑~策; 최상책. 명 지지난. 전전(前前). ❑~星期; 지지난주 / ~月; 지지난달.

[上身] shàng//shēn 동 (새로 지은 옷을) 처음 입다. (shàngshēn) 명 ① 상반신. =[上半身] ② (~儿) 상의(上衣). 윗옷. =[上衣]

[上升] shàngshēng 동 ① 올라가다. 오르다. 피어오르다. ❑炊烟缕缕~; 밥 짓는 연기가 모락모락 피어오르다. ② (수량·정도·등급 따위가) 오르다. 상승하다. 증가하다. ❑气温~; 기온이 오르다.

[上声] shàngshēng[shǎngshēng] 명〖言〗 ① 상성(上聲). ② 현대 중국어에서의 제3성.

[上市] shàng//shì 동 ① (상품이) 시장에 나오다. 출시하다[되다]. ❑柿子~了; 감이 시장에 나왔다. ②〖經〗 상장(上場)되다[하다]. ❑~公司; 〖經〗 상장 회사 / ~股; 상장주. ③ 시장에 가다.

[上手] shàngshǒu 명 상좌. 상석(上席). (shàng//shǒu) 동 시작하다. 착수하다.

[上书] shàng//shū 동 의견서를 제출하다. 상서하다.

[上水] shàngshuǐ 명 (강의) 상류. 동 물줄기를 거슬러 올라가다. 상류를 향해 항행하다.

[上司] shàng·si 명 상사. 상관. ❑顶头~; 직속 상관.

[上诉] shàngsù 동〖法〗 상소하다. ❑~权; 상소권 / ~人; 상소인.

[上溯] shàngsù 동 ① (하천 따위를) 거슬러 오르다. ❑沿江~; 강을 따라 거슬러 올라가다. ② (연대(年代) 따위를) 거슬러 오르다.

[上算] shàngsuàn 형 채산이 맞다. 수지가 맞다.

[上岁数(儿)] shàng suì·shu(r) 〈口〉 ⇨[上年纪]

[上台] shàng//tái 동 ① 무대[연단]에 오르다. ②〈比〉〈貶〉 관직에 나가다. 정권을 잡다.

[上膛] shàng//táng 동 탄알을 재다. 장탄하다.

[上天] shàngtiān 명 하늘. ❑~保佑; 하늘이 보우하다. (shàng//tiān) 동 ① 하늘에 오르다. ②〈婉〉 하늘나라에 가다. 승천하다. 죽다.

[上头] shàng·tou 명 ⇨[上面(儿)]

[上网] shàng//wǎng 동〖컴〗 (인터넷에) 접속하다.

[上文] shàngwén 명 상문. 위의 글.

S

[上午] shàngwǔ 명 오전. =[〈口〉上半天(儿)][午前][前半天(儿)]

[上西天] shàng xītiān 〈比〉 저세상으로 가다. 죽다.

[上下] shàngxià 명 ① (지위·계급 따위의) 위아래. 상하. ❏ ~关系; 상하 관계. ② 위에서 아래까지. ❏ 他~打量着我; 그는 나를 위아래로 훑어보았다. ③ (정도의) 우열. 좋고 나쁨. ❏ 很难分出~来; 우열을 가리기가 매우 어렵다. ④ 안팎. 쯤. 정도. 내외. 가량. ❏ 四十~的中年男子; 40세 가량의 중년 남자. 동 오르내리다. ❏ 楼梯很宽, ~很方便; 계단이 넓어서 오르내리기가 매우 편리하다.

[上下其手] shàngxià-qíshǒu 〈成〉 농간을 부려 몰래 불법 행위를 하다.

[上弦] shàngxián 명〔天〕 상현. ❏ ~月; 상현달.

[上相] shàngxiàng 형 사진이 잘 받다. 사진발이 좋다.

[上刑] shàng//xíng 동 (형구를 씌워) 고문하다.

[上行] shàngxíng 동 ① (열차가) 상행하다. ❏ ~列车; 상행 열차. ② (배가) 상류로 올라가다. ③ (공문 따위를) 상급 기관에 올려보내다.

[上行下效] shàngxíng-xiàxiào 〈成〉 (주로, 나쁜 짓을) 윗사람이 하는 대로 아랫사람이 따라하다.

[上学] shàng//xué 동 ① 등교하다. ② 초등학교에 들어가다. 취학하다.

[上旬] shàngxún 명 상순. 초순.

[上演] shàngyǎn 동 상연하다. 공연하다. 상영하다.

[上衣] shàngyī 명 윗옷. 윗도리. 상의. =[上身②]

[上瘾] shàng//yǐn 동 중독되다. 버릇이 되다. 인이 박이다.

[上映] shàngyìng 동 (영화를) 상영하다.

[上游] shàngyóu 명 ① (강의) 상류. =[上流①] ②〈比〉 상위(上位)(의 사람·성적). ❏ 力争~; 〈成〉 우수한 성적을 거두려고 노력하다.

[上载] shàngzài 동〔컴〕 업로드(upload)하다. =[上传]

[上涨] shàngzhǎng 동 (수위·물가·시세가) 오르다. 등귀하다. ❏ 价格~; 가격이 오르다.

[上肢] shàngzhī 명 팔. 상지.

[上座] shàngzuò 명 상좌. 상석.

[上座儿] shàng//zuòr 동 (음식점·극장 따위에) 손님이 들다. 손님이 오다.

尚 shàng (상)
① 동 숭상하다. 존중하다. 중시하다. ❏ 为时所~; 당대에 숭상을 받다. ② 명 풍조. 기풍. ③ 부 〈書〉 아직도. 여전히. 아직. ❏ ~未到期; 아직 기일이 되지 않았다. ④ 접〈書〉 ⇨[尚且]

[尚且] shàngqiě 접 …조차 …한데. 그럼에도 불구하고. ❏ 大人~如此, 何况是小孩! 어른조차도 이런데 하물며 어린아이는 어떻겠는가! =[〈書〉 尚④]

裳 ·shang (상)
→[衣yī裳]

shao ㄕㄠ

捎 shāo (소)
동 인편에 보내다[전하다]. 계제를 이용하여 부탁하다. ❏ ~个口信; 전갈을 인편에 보내다.

[捎带] shāodài 부 계제에. 하는 김에. ❏ 你回家, ~着买些菜回来; 집에 오는 길에 반찬 좀 사다 다오.

梢 shāo (소, 초)
(~儿) 명 (가늘고 긴 것의) 말단. 끝. ❏ 眉~; 눈썹 꼬리.

[梢头] shāotóu 명 나뭇가지의 끝. 우듬지.

稍 shāo (초)
부 약간. 조금. 잠시. 잠깐. ❏ ~有不同; 조금 다른 점이 있다 / ~坐片刻; 잠깐 동안 앉다. ⇒ shào

[稍稍] shāoshāo 부 조금. 약간. 잠시. 잠깐. ❏ 请你~等一下; 잠시만 기다려 주십시오.

[稍微] shāowei 부 약간. 다소. 조금. ❏ 我跟你的看法, ~有一点儿不同; 나와 너의 견해는 조금 다르다. =[稍为][稍许]

艄 shāo (소)
명 ① 선미(船尾). 고물. ② (배의) 키.

[艄公] shāogōng 명 뱃사공.

鞘 shāo (초)
(~儿) 명 회초리 끝에 매는 가죽끈. ⇒ qiào

烧(燒) shāo (소)
① 동 타다. 태우다. 사르다. 소각하다. ❏ ~废纸; 폐지를 태우다. ② 동 끓이다. 가열하다. ❏ ~饭; 밥을 짓다 / ~水; 물을 끓이다. ③ 동 요리법의 일종. ㉠기

름에 튀긴 다음 국물을 부어 볶거나 조리다. ㉡무르게 삶은 다음 기름에 튀기다. ㉢굽다. ④ 동 열(熱)이 나다. ❏ 我~到过39℃; 나는 열이 39℃까지 올랐었다. ⑤ 명 열. 신열. ❏ 他的~退了; 그의 열이 내렸다. ⑥ 동 (거름을 너무 주어) 식물이 말라 죽다. ❏ 稻子被化肥~死了; 벼가 화학 비료 때문에 말라 죽었다.

[烧杯] shāobēi 명〖化〗비커(beaker).

[烧饼] shāo·bing 명 밀가루를 반죽하여 한쪽에 참깨를 뿌려 구운 호떡.

[烧毁] shāohuǐ 동 태워서 없애다. 소각하다.

[烧火] shāo//huǒ 동 불을 때다. ❏ ~做饭; 불을 때서 밥을 짓다.

[烧酒] shāojiǔ 명 ⇨[白酒]

[烧瓶] shāopíng 명〖化〗플라스크(flask).

[烧伤] shāoshāng 명 화상(火傷).

[烧香] shāo//xiāng 동 향불을 피우다. 향을 사르다. 분향하다. =[焚香①]

勺 sháo (작)
①(~儿) 명 숟가락. 작은 국자. 주걱. ② 양〖度〗'升'의 100분의 1.

[勺子] sháo·zi 명 구기. 국자.

芍 sháo (작)
→[芍药]

[芍药] sháo·yao 명〖植〗① 작약. ② 작약화.

韶 sháo (소)
형〈書〉아름답다.

[韶光] sháoguāng 명〈書〉① 아름다운 봄빛[경치]. ②〈比〉청년 시절. ‖ =[韶华]

少 shǎo (소)
① 형 적다. ❏ 街上行人很~; 거리에 행인이 매우 적다. ② 동 모자라다. 부족하다. 빠지다. ❏ ~一块钱; 1위안이 모자라다. ③ 동 분실하다. 없어지다. ❏ 东西~了几件; 물건 몇 가지를 분실했다. ④ 동 빚지다. 꾸다. ❏ ~他的钱都还清了; 그에게 빚진 돈은 모두 갚았다. ⑤ 부 잠시. 잠깐. 조금. ❏ ~待; 잠시 기다리다. ⇒shào

[少安毋躁] shǎo'ān-wúzào〈成〉조급해 하지 말고 좀 기다리세요.

[少不得] shǎo·budé 동 빼놓을 수 없다. 없어서는 안 된다. ❏ 办这种事~你; 이런 일을 하는데 너를 빼놓을 수는 없다. =[少不了①]

[少不了] shǎo·buliǎo 동 ① ⇨[少不得] ② 적지 않다. 많다. ❏ 工作开始的时候, 困难~; 일을 시작하게 되면 어려운 일이 적지 않다.

[少见] shǎojiàn 형 보기 드물다. 진귀하다. 동〈套〉한참 못 만나다. 격조하다. ❏ 一向~; 근간 격조했습니다.

[少见多怪] shǎojiàn-duōguài〈成〉견문이 좁아서 무엇이나 기이하게 여기다. 세상 물정을 모르다.

[少量] shǎoliàng 형 소량의. 조금의. 얼마 안 되는. ❏ ~的时间; 얼마 안 되는 시간.

[少陪] shǎopéi 동〈套〉먼저 일어나겠습니다.

[少时] shǎoshí 명 잠시. 잠깐.

[少数] shǎoshù 명 소수. 적은 수. 조금. ❏ ~意见; 소수의 의견.

[少数民族] shǎoshù mínzú 소수 민족.

[少许] shǎoxǔ 형〈書〉조금의. 약간의. 얼마간의. 소량의.

少 shào (소)
① 형 나이가 적다. 어리다. 젊다. ② 명 도련님. ❏ 阔~; 부잣집 도련님. ⇒shǎo

[少白头] shàobáitóu 명 머리가 센 젊은이. 동 젊은 사람이 머리가 세다.

[少将] shàojiàng 명〖軍〗소장.

[少林寺] shàolínsì 명 소림사.

[少奶奶] shàonǎi·nai 명 ① 젊은 마님(하인이 도련님의 부인을 칭하던 말). ② 며느님(남의 며느리를 높여 칭하던 말).

[少年] shàonián 명 ① 소년기. ② 소년. ❏ ~老成;〈成〉ⓐ나이는 어리지만 어른스럽다. ⓑ젊은이가 진취적이지 못하다.

[少女] shàonǚ 명 소녀.

[少尉] shàowèi 명〖軍〗소위.

[少校] shàoxiào 명〖軍〗소령.

[少爷] shào·ye 명 ① 도련님. 서방님(하인이 주인의 아들을 칭하던 말). ② 남의 아들을 높여 칭하던 말. ③ 지체 높은 집안의 젊은 남자를 칭하던 말.

[少壮] shàozhuàng 형 젊고 원기가 있다.

劭 shào (소)
〈書〉① 동 격려하다. 권면하다. ❏ ~农; 농업을 장려하다. ② 형 (덕망이) 높고 훌륭하다.

绍(紹) shào (소)
① 동〈書〉계속하다. 잇

다. ② (Shào) 명〖地〗 저장 성(浙江省)의 사오싱(紹興).

[绍兴酒] shàoxīngjiǔ 명 사오싱주《사오싱(紹興)에서 나는 찹쌀로 빚은 양조주》.

哨 shào (소, 초)
① 동 정찰하다. 정탐하다. ② 명 초소. 보초. ③ (~儿) 명 호루라기. ❑吹~; 호루라기를 불다.

[哨兵] shàobīng 명 보초. 초병.

[哨所] shàosuǒ 명 초소.

[哨子] shào·zi 명 호루라기.

稍 shào (초)
→[稍息] ⇒ shāo

[稍息] shàoxī 동〖軍〗 쉬어!《구령》.

潲 shào (소)
① 동 (비가) 비스듬하게 내리다. 들이치다. ❑雨往南~; 비가 남쪽으로 들이치다. ② 명〈方〉(쌀뜨물·쌀겨·들풀 따위를 끓여서 만든) 사료.

S

she ㄕㄜ

奢 shē (사)
형 ① 사치스럽다. ❑穷~极欲; 〈成〉 온갖 사치를 다하다. ② 지나치다. 과분하다. ❑~望; ⇓

[奢侈] shēchǐ 형 사치하다. ❑~品; 사치품.

[奢华] shēhuá 형 사치스럽고 호화롭다. ❑~的生活; 사치스럽고 호화로운 생활.

[奢靡] shēmí 형 사치스럽고 낭비가 심하다. =[奢糜]

[奢望] shēwàng 명동 지나친 바람[욕망](을 갖다).

猞 shē (사)
→[猞猁]

[猞猁] shēlì 명〖動〗 스라소니.

赊(賒) shē (사)
동 외상으로 하다. ❑~酒喝; 외상으로 술을 먹다.

[赊购] shēgòu 동 외상 구입 하다.

[赊欠] shēqiàn 동 외상 매매 하다. 외상 거래 하다.

[赊销] shēxiāo 동 외상 판매 하다.

[赊账] shē∥zhàng 동 외상 거래 하다. ❑现金买卖, 概不~; 현금 거래, 외상 일체 사절.

舌 shé (설)
명 ① 혀. ② 혀 모양의 물건. ❑帽~; 모자의 챙. ③ 방울 따위의 속에 있는 추.

[舌敝唇焦] shébì-chúnjiāo 〈成〉 혀가 닳고 입에 침이 마르도록 말하다.

[舌根] shégēn 명〖生理〗 혀뿌리.

[舌剑唇枪] shéjiàn-chúnqiāng 〈成〉 ⇨[唇枪舌剑]

[舌苔] shétāi 명〖中醫〗 설태.

[舌头] shé·tou 명 ① 혀. ② 〈比〉 적정(敵情)을 알아내기 위해 잡아온 적군 포로.

[舌战] shézhàn 동 설전을 벌이다.

折 shé (절)
동 ① 부러지다. 끊어지다. ❑棍子~了; 막대가 부러졌다. ② 손해 보다. 밑지다. ⇒ zhē zhé

[折本(儿)] shé∥běn(r) 동 원금을 날리다. 손해 보다. 밑지다.

蛇 shé (사)
명〖動〗 뱀. =[〈口〉 长虫]

[蛇蝎] shéxiē 명 뱀과 전갈. 〈比〉 악랄한 인간. ❑~心肠; 〈成〉 악독한 마음.

[蛇足] shézú 명〈比〉 사족. 군더더기. 불필요한 여분의 것.

舍(捨) shě (사)
동 ① 버리다. 내버리다. 포기하다. ❑~身; ⇓ ② 희사하다. 기부하다. ⇒ shè

[舍本逐末] shěběn-zhúmò 〈成〉 근본이 되는 것을 버리고 지엽말절을 좇다. 본말이 전도되다.

[舍不得] shě·bu·de 동 ① 헤어지기 섭섭하다. 떠나기 아쉽다. ❑真~离开公司; 회사를 떠나기가 정말 아쉽다. ② (물건·돈 따위를 쓰기가) 아깝다. ❑~钱就办不成事; 돈 쓰기를 아까워하면 일을 해낼 수 없다.

[舍得] shě·de 동 아까워하지 않다. 미련이 없다. ❑~卖出去; 미련 없이 팔아 버리다.

[舍己为人] shějǐ-wèirén 〈成〉 자신의 이익을 돌보지 않고 남을 돕다.

[舍近求远] shějìn-qiúyuǎn 〈成〉 가까이 두고 멀리서 찾다. =[舍近图远]

[舍弃] shěqì 동 포기하다. 버리다. ❑~久住之家; 정든 집을 버리다.

[舍身] shěshēn 동 몸을 바치다. 자신을 희생하다. ❑~为国; 〈成〉 나라를 위해 몸을 바치다.

[舍生取义] shěshēng-qǔyì 〈成〉 정의를 위해 목숨을 희생하다.

[舍死忘生] shěsǐ-wàngshēng 〈成〉 일신의 안위를 생각하지 않다.

목숨을 아끼지 않다. =[舍生忘死]

设(設) shè (설) ①동 세우다. 설립하다. 설치하다. 개설하다. ❏~机构; 기구를 설립하다. ②동 계획하다. 구상하다. ❏~法; ⇩ ③동 가정하다. 가설하다. ❏~x是1; x를 1이라고 가정하다. ④접 〈書〉 만약. 만일. ❏~对方不履行协约, 如何处理? 만일 상대편이 협약을 이행하지 않으면 어떻게 처리하겠는가?

[设备] shèbèi 동 설비하다. 장치하다. ❏工厂~得很不错; 공장 설비가 아주 훌륭하다. 명 설비. 장치. 시설. ❏机器~; 기계 설비.

[设法] shèfǎ 동 방법을 강구하다. 대책을 세우다. 방법을 생각하다.

[设防] shèfáng 동 방어 시설을 하다.

[设计] shèjì 명동 설계(하다). 디자인(design)(하다). 계획(하다). 구상(하다). ❏服装~; 의상 디자인 / 建筑~; 건축 설계 / ~师; 디자이너 / ~图; 설계도.

[设立] shèlì 동 (조직·기구·기관 따위를) 세우다. 설립하다. 설치하다. ❏~学校; 학교를 설립하다.

[设身处地] shèshēn-chǔdì 〈成〉 남의 입장이 되어 보다.

[设施] shèshī 명 시설《기구·조직·건축물·시스템 따위》. ❏军事~; 군사 시설.

[设使] shèshǐ 접 설사 …라도. 설령 …라 하더라도.

[设想] shèxiǎng 동 ①상상하다. 가상하다. 생각하다. 구상하다. ❏我们~着几种方案; 우리는 몇 가지 방안을 생각 중이다. ②배려하다. 고려하다. ❏为别人~; 남을 배려하다.

[设置] shèzhì 동 ①설립하다. 세우다. ¶~专业课程; 전문 과정을 설립하다. ②설치하다. 장치하다.

社 shè (사) 명 ①단체. 조직체. 조합. ②서비스 계통의 회사나 기관. ❏旅行~; 여행사. ③토지신. 지신제. 제사를 지내는 사당.

[社会] shèhuì 명 사회. ❏~活动; 사회 활동 / ~教育; 사회 교육 / ~科学; 사회 과학 / ~制度; 사회 제도 / ~主义; 사회주의.

[社稷] shèjì 명 ①토지의 신과 곡물의 신. ②〈轉〉 국가. 사직.

[社交] shèjiāo 명 사교. ❏~活动; 사교 활동.

[社论] shèlùn 명 사설(社說).

舍 shè (사) ①명 가옥. 건물. ❏宿~; 기숙사. ②명〈謙〉 저희 집. ❏寒~; 누추한 저희 집. ③명 가축 우리. 축사. ❏牛~; 외양간. ④접두〈謙〉 남에게 자기보다 어리거나 항렬이 낮은 친척을 말할 때 쓰는 말. ❏~弟; 저의 아우 / ~亲; 저의 친척. ⑤양〔度〕 옛날, 하루의 행군(行軍) 거리《30'里'를 1'舍'라 했음》. ⇒shě

[舍间] shèjiān 명〈謙〉 저의 집. =[舍下]

涉 shè (섭) 동 ①물을 건너다. ❏~水; 물을 건너다. ②겪다. 경험하다. ❏~世; ⇩ ③관련되다. 관계되다. 미치다. ❏此事与你无~; 이 일은 너와 무관하다.

[涉及] shèjí 동 언급하다. 파급되다. 관련되다. 미치다. ❏这个事件~重大问题; 이 사건은 중요한 문제와 관련된다.

[涉猎] shèliè 동 ①대충 훑어보다. ②관련되다. 접하다.

[涉世] shèshì 동 세상사를 겪다. ❏~不深; 세상 물정을 잘 모르다.

[涉外] shèwài 형 외국과 관련된. ❏~婚姻; 국제결혼 / ~问题; 외교 문제.

[涉嫌] shèxián 동 혐의를 받다.

[涉足] shèzú 동〈書〉 (어떤 환경에) 발을 들여놓다. ❏~文坛; 문단에 발을 들여놓다.

射 shè (사) 동 ①(활·총알 따위를) 발사하다. 쏘다. ❏~出一发炮弹; 포탄을 한 발 쏘다 / ~靶; 과녁을 쏘다. ②〔體〕 공을 넣다. 슛하다. ❏双方各~进去了一个球; 양쪽이 한 골씩 넣었다. ③(액체가) 뿜어 나오다. 분사하다. 내뿜다. ❏喷~; 분사하다. ④(빛·열·전파 따위를) 방사하다. 발산하다. 쏘다. ❏阳光从窗外~进来; 햇빛이 창문으로 쏟아져 들어오다. ⑤(생각·사상을) 넌지시 비추다. 암시하다. ❏暗~; 암시하다.

[射程] shèchéng 명〔軍〕 사정거리.

[射击] shèjī 동 사격하다. 명〔體〕 사격 경기. ❏~场; 사격장.

[射箭] shè//jiàn 동 활을 쏘다. (shèjiàn) 명〔體〕 양궁(洋弓).

S

[射精] shèjīng 동〔生理〕(남성이) 사정하다.
[射猎] shèliè 동 사냥하다.
[射门] shè//mén 동〔體〕(축구·핸드볼 따위에서) 슛(shoot)하다.
[射手] shèshǒu 명 ①(활·총 따위의 숙련된) 사수. ②〔體〕골게터(goal getter).
[射线] shèxiàn 명 ①〔物〕방사선. ②〔數〕고정된 한 점에서 단일 방향으로 그은 선.

麝 shè (사)
명 ①〔動〕사향노루. =[香獐子] ②〈簡〉'麝香'(사향)의 약칭.
[麝香] shèxiāng 명 사향.

赦 shè (사)
동 사면하다. ❑特~; 특사하다.
[赦免] shèmiǎn 동〔法〕사면하다.

慑(懾) shè (섭)
동〈書〉① 두려워하다. 겁내다. ② 겁나게 하다. 위협하다.
[慑服] shèfú 동 ① 두려워서 복종하다. ② 위협하여 굴복시키다.

摄(攝) shè (섭)
동 ① 섭취하다. 흡수하다. ❑~取; ⇓ ② 촬영하다. ❑~影; ⇓ ③〈書〉보양하다. 섭생하다. ❑~生; ⇓ ④ 대신하다. 대행하다. ❑~政; ⇓
[摄取] shèqǔ 동 ①(영양 따위를) 섭취하다. ❑~食物; 음식물을 섭취하다. ②(사진·영화 따위를) 찍다. 촬영하다. ❑~几个镜头; 몇 장면을 촬영하다.
[摄生] shèshēng 동〈書〉섭생하다.
[摄氏] shèshì 명〔物〕섭씨. ❑~温度; 섭씨 온도.
[摄行] shèxíng 동〈書〉(직무를) 대행하다.
[摄影] shèyǐng 동 ①(사진을) 찍다. 촬영하다. ❑~机; ⓐ사진기. ⓑ(영화) 촬영기 / ~记者; 사진 기자. ②(영화를) 찍다. 촬영하다. ❑~场; 촬영소 / ~师; 촬영 기사.
[摄政] shèzhèng 동 섭정하다.
[摄制] shèzhì 동 (영화를) 제작하다. ❑~影片; 영화를 제작하다.

shei ㄕㄟ

谁(誰) shéi (수)
대 ① 누구. ❑你是~? 너는 누구냐? / 你找~呀? 누구를 찾느냐? ② 누구. 누군들. 누가《반어문에 쓰여 아무도 그러하지 않음을 나타냄》. ❑~不热爱自己的祖国呢! 누군들 자기 조국을 사랑하지 않겠는가! ③ 누구. 누가. 누군가《누군지 모르거나, 이름을 말할 수 없거나, 말할 필요가 없을 때 쓰임》. ❑好像~曾对我说过这件事; 이 일을 누군가가 나에게 말해 주었던 것 같다. ④ 임의(任意)의 사람을 가리킴. ❑无论~来, 他也不去; 누가 오더라도 그는 안 간다 / 我的朋友们~也不认识他; 내 친구들은 아무도 그를 모른다.

shen ㄕㄣ

申 shēn (신)
① 동 진술하다. 설명하다. ❑~说; ⇓ ② 명 십이지(十二支)의 아홉째《원숭이》. ③ (Shēn) 명〔地〕상하이(上海)의 별칭(別稱).
[申报] shēnbào 동 (서면으로 상급 또는 관계 부서에) 신고하다. 보고하다. ❑向有关部门~; 관계 기관에 신고하다.
[申辩] shēnbiàn 동 변명하다. 해명하다.
[申斥] shēnchì 동 야단치다. 질책하다. 나무라다. 꾸짖다. ❑严厉~; 엄하게 나무라다.
[申明] shēnmíng 동 정중히 설명하다[밝히다]. 표명하다. ❑~态度; 태도를 표명하다.
[申请] shēnqǐng 동 신청하다. ❑~加入俱乐部; 동호회 가입을 신청하다 / ~书; 신청서.
[申时] shēnshí 명 신시(申時)《오후 3시부터 5시》.
[申述] shēnshù 동 (상황·이유 따위를 상세히) 설명하다. 진술하다. ❑~理由; 이유를 설명하다.
[申说] shēnshuō 동 (이유를) 설명하다. 진술하다.
[申诉] shēnsù 동 ① 제소(提訴)하다. ②〔法〕상고(上告)하다.
[申讨] shēntǎo 동 규탄하다. 성토하다. 탄핵하다.
[申冤] shēn//yuān 동 ① 억울함을 씻다. ② 억울함을 호소하다. 하소연하다.

伸 shēn (신)
동 (신체나 사물의 일부분을) 뻗다. 펴다. 펼치다. 내밀다. ❑~出手来; 손을 뻗다.
[伸大拇哥] shēn dà·mǔgē 엄지

손가락을 세우다. 〈轉〉 제일이라고 칭찬하다. 「켜다.
[伸懒腰] shēn lǎnyāo 기지개를
[伸手] shēn//shǒu 동 ① 손을 뻗다. ② 〈比〉 (도움·영예 따위를 얻기 위해) 손을 내밀다. 손을 벌리다. ❏ 向别人~; 다른 사람에게 손을 벌리다. ③ 〈比〉〈貶〉 손을 뻗치다. 간섭하다. 개입하다.
[伸缩] shēnsuō 동 ① 신축하다. 늘었다 줄었다 하다. ❏ ~性; 신축성. ② 〈比〉 융통성[탄력성]을 갖게 하다. 적당히 조절하다. ❏ 没有~的余地; 어떻게 조치를 취해 볼 여지가 없다.
[伸腿] shēn//tuǐ 동 ① 발을 뻗다. ② 〈轉〉 끼어들다. 개입하다. ③ (~儿) 〈口〉 죽다.
[伸腰] shēn//yāo 동 ① 허리를 펴다. 몸을 곧게 펴다. ② 〈比〉 다시는 업신여김을 받지 않다.
[伸展] shēnzhǎn 동 (한쪽 방향으로) 뻗다. 펴다. 펼치다. ❏ 树枝~开了; 나뭇가지가 뻗었다.
[伸张] shēnzhāng 동 늘이다. 넓히다. 신장하다. 진작하다(《주로, 추상적인 것에 씀》). ❏ ~正义; 정의를 신장하다.

呻 shēn (신)
→[呻吟]
[呻吟] shēnyín 동 신음하다. ❏ 周身疼痛, ~不止; 온몸이 쑤셔서 쉴 새 없이 신음하다.

绅(紳) shēn (신)
명 ① 옛날, 관리들이 허리에 두르던 큰 띠. ② 〈轉〉 지방에서 세력·지위를 가진 사람.
[绅士] shēnshì 명 (옛날, 지방의) 명사(名士). 신사.
[绅士协定] shēnshì xiédìng ⇨ [君子协定]

砷 shēn (신)
명 〔化〕 비소(砒素)(As: arsenic). =[砒pī①]

身 shēn (신)
① 명 신체. 몸. ❏ 站起~来; 몸을 일으키다. ② 명 생명. 목숨. ❏ 杀~成仁; 〈成〉 살신성인. ③ 명 자기. 스스로. ❏ 以~作则; 〈成〉 스스로 모범이 되다. ④ 명 품격. 수양. ❏ 修~; 수신하다. ⑤ 명 물체의 중요 부분. 본체. ❏ 车~; 차체. ⑥ 명 지위. 신분. ❏ ~败名裂; ⇩ ⑦ (~儿) 양 벌(《의복을 세는 말》). ❏ 做了一~儿新衣服; 새 옷을 한 벌 지었다.
[身败名裂] shēnbài-mínglìè 〈成〉 지위도 잃고 명예도 땅에 떨어지다.
[身边] shēnbiān 명 ① 신변. 곁. ② 몸. 품.
[身不由己] shēnbùyóujǐ 〈成〉 ① 몸이 말을 듣지 않다. ② 엉겁결에. 무의식중에.
[身材] shēncái 명 몸집. 체격. 몸매. ❏ ~苗条; 몸매가 날씬하다.
[身长] shēncháng 명 ① 신장. 키. ② (윗옷의) 기장.
[身段] shēnduàn 명 ① (여성의) 자태. 몸매. ② (배우의) 몸짓. 몸놀림. 동작. 몸을 놀리는 폼.
[身份] shēn·fèn 명 ① 신분. 지위. ❏ ~保证; 신원 보증. ② 존중받는 지위. 관록. 품위. 체면. ❏ 有失~; 품위를 잃다. ‖ =[身分]
[身高] shēngāo 명 신장. 키. ❏ ~一米七五; 키가 175cm이다.
[身后] shēnhòu 명 사후(死後). ❏ ~的事; 사후의 일.
[身价] shēnjià 명 ① (창기·종 따위의) 몸값. ② 사회적 지위·신분.
[身量(儿)] shēn·liang(r) 명〈口〉 키. 덩치. 체격. 「집.
[身躯] shēnqū 명 체구(體軀). 몸
[身上] shēn·shang 명 ① 몸. ❏ ~穿一件连衣裙; (몸에) 원피스를 입고 있다. ② 몸의 상태. 몸의 컨디션. ❏ 我~有些不舒服; 나는 몸이 조금 불편하다. ③ 몸. 품. ❏ ~没带笔; 펜을 지니고 있지 않다. ④ (사명 따위를 짊어지는 주체로서의) 몸. ❏ 希望寄托在你~; 희망을 너에게 건다. 「신세.
[身世] shēnshì 명 (주로, 불행한)
[身手] shēnshǒu 명 재주. 솜씨.
[身体] shēntǐ 명 몸. 신체.
[身体力行] shēntǐ-lìxíng 〈成〉 직접 체험하고 힘써 실행하다.
[身心] shēnxīn 명 심신. 몸과 마음. ❏ ~健康; 심신이 건강하다.
[身子] shēn·zi 명〈口〉 ① 몸. 신체. ❏ ~有点累; 몸이 좀 피곤하다. ② 임신. ❏ 她有了~; 그녀는 임신했다.

参(參) shēn (삼)
명 ① 〔植〕 삼. 인삼. ② 28 수(宿)의 하나. ⇒cān cēn

莘 shēn (신)
→[莘莘]
[莘莘] shēnshēn 형〈書〉 수가 많은 모양.

S

娠 shēn (신)
동 임신하다.

深 shēn (심)
① 형 깊다. 깊숙하다. ❑这口井很~; 이 우물은 매우 깊다. ② 명 깊이. ❑水~; 수심. ③ 형 심오하다. 심원하다. 어렵다. ❑这本书太~; 이 책은 너무 어렵다. ④ 형 (정도가) 깊다. ❑他给我的印象特别~; 그가 나에게 준 인상은 무척 깊다. ⑤ 형 (감정·관계·교제가) 깊다. ❑他们俩的感情很~; 그들 둘은 감정이 매우 깊다. ⑥ 형 (색이) 짙다. 진하다. ❑~颜色; 짙은 색. ⑦ 형 (시간이) 깊다. ❑夜已~了; 밤이 이미 깊었다. ⑧ 부 매우. 대단히. 깊이. 심히. ❑~信; ⇩

[深奥] shēn'ào 형 심오하다. ❑~的道理; 심오한 이치.

[深长] shēncháng 형 (의미가) 심장하다. ❑意味~; 〈成〉 의미심장하다.

[深沉] shēnchén 형 ① (정도가) 깊다. 심하다. ❑他睡得十分~; 그는 매우 깊이 잠들었다. ② (소리가) 낮고 둔탁하다[무겁다]. ❑~的闷雷声; 낮고 무거운 천둥소리. ③ 생각·감정이 밖에 드러나지 않다. 속을 알 수 없다. ❑这个人很~; 이 사람은 도무지 속을 알 수 없다.

[深度] shēndù 명 ① 깊이. 심도. ② (일·인식의) 정도. 깊이. ❑理解的~; 이해의 정도. ③ (사물의 발전하는) 정도. 형 (정도가) 심한. ❑~近视; 심한 근시.

[深更半夜] shēngēng-bànyè 〈成〉 깊은 밤. 심야. 한밤중.

[深海] shēnhǎi 명 깊은 바다. 심해.

[深厚] shēnhòu 형 ① (감정이) 깊고 두텁다. ❑友情~; 우정이 깊고 두텁다. ② (기초가) 견실하다. 단단하다. 튼튼하다. ❑基础相当~; 기초가 상당히 견실하다.

[深呼吸] shēnhūxī 동 심호흡하다.

[深化] shēnhuà 동 ① 심화되다. ❑矛盾~; 모순이 심화되다. ② 심화하다. ❑~改革; 개혁을 심화하다.

[深交] shēnjiāo 명 깊은 교제. 깊은 우정. 동 친하게 사귀다. 가깝게 지내다.

[深究] shēnjiū 동 깊이 따지다. 철저히 구명하다. ❑~原因; 원인을 철저히 구명하다.

[深刻] shēnkè 형 ① 본질에까지 이르다. 핵심을 찌르다. ② (마음에 와 닿는 정도가) 깊다. 강렬하다. ❑~的印象; 깊은 인상.

[深谋远虑] shēnmóu-yuǎnlǜ 〈成〉 주도면밀하게 계획하고 먼 장래를 고려하다.

[深浅] shēnqiǎn 명 ① 깊이. ❑河的~; 강의 깊이. ② 〈比〉 정도. 분별. ❑说话没~; 말에 분별이 없다.

[深切] shēnqiè 형 ① 절실하다. 깊다. 절절하다. ❑~地体会; 절실하게 체득하다. ② (정 따위가) 깊다. ❑~的怀念; 깊은 그리움.

[深情] shēnqíng 명 깊은 정. 깊은 감정. 형 감정이 깊다. 애틋하다.

[深入] shēnrù 동 깊이 들어가다. 핵심에 다가서다. ❑~群众; 군중들 속으로 깊이 다가가다. 형 깊다. 철저하다. ❑~浅出; 〈成〉 내용은 깊지만 표현은 간명하여 알기 쉽다.

[深山] shēnshān 명 깊은 산. 심산.

[深思] shēnsī 동 깊이 생각하다. ❑~熟虑; 〈成〉 심사숙고하다.

[深邃] shēnsuì 형 ① 깊다. ❑洞穴~; 동굴이 깊다. ② 심오하다.

[深透] shēntòu 형 깊고 투철하다. 철저하다.

[深恶痛绝] shēnwù-tòngjué 〈成〉 극도로 미워하고 원망하다.

[深信] shēnxìn 동 깊이[굳게] 믿다. ❑~不疑; 〈成〉 믿어 의심치 않다.

[深省] shēnxǐng 동 깊이 깨닫다. 깊이 반성하다.

[深夜] shēnyè 명 심야.

[深渊] shēnyuān 명 ① 심연. 깊은 못. ② 〈比〉 위험한 지경.

[深远] shēnyuǎn 형 (영향·의의 따위가) 깊고 크다. 심원하다. ❑~的意义; 심원한 의의.

[深造] shēnzào 동 깊이 파고들어 연구하다.

[深宅大院] shēnzhái-dàyuàn 〈成〉 깊숙이 자리잡은 넓은 저택.

[深湛] shēnzhàn 형 깊고도 상세하다. ❑学识~; 학식이 깊다.

[深挚] shēnzhì 형 깊고 두텁다. 깊고 진실하다. ❑~的友谊; 깊고 진실한 우정.

[深重] shēnzhòng 형 (재난·위기·고민 따위가) 심하다. 심각하다. ❑~的危机; 심각한 위기.

什 shén (십)
→[什么][什么的] ⇒shí

[什么] shén·me 대 ① 무엇《단독으로 쓰여 의문을 나타냄》. ❑这是~? 이것은 무엇이냐? ② 무슨. 어

편. 어느《명사 앞에 놓여 사람이나 사물을 물음》. ❑ ~地方; 어느 곳/~颜色; 무슨 색깔. ③ 무엇이든. 무슨. 아무 것이나《불확실한 사물을 나타냄》. ❑ 随便吃点~; 아무 것이나 마음대로 먹다. ④ 어떤. 무엇이든지《'都'·'也' 앞에 놓여 예외가 없음을 나타냄》. ❑ 金刚石比~金属都硬; 다이아몬드는 어떤 금속보다도 단단하다. ⑤ 두 개의 '什么'가 호응하여 전자가 후자를 결정함. ❑ 有~就吃~; 있는 대로 먹다. ⑥ 뭐. 뭐라고《놀람이나 불만을 나타냄》. ❑ ~! 都八点了? 뭐! 8시라고? ⑦ 왜. 무엇《비난을 나타냄》. ❑ 你笑~? 뭘 웃는 거냐? ⑧ 상대방의 발언에 반대나 동의하지 않음을 나타냄. ❑ ~非用不行? 뭘 꼭 사용해야 한다는 거냐? ⑨ 몇 개의 병렬 성분(竝列成分) 앞에 쓰여 모두 열거할 수 없음을 나타냄. ❑ ~花呀, 草呀, 种了一院子; 꽃이며 풀이며 정원 가득 심었다.

[什么的] shén·me·de 조 …따위. …등등《한 개의 성분 또는 병렬하는 몇 개의 성분 뒤에 쓰임》. ❑ 大背包里装满了书本、衣服~; 큰 배낭 안은 책이니 옷이니 하는 것 따위로 가득 찼다.

神 shén (신)
① 명 신. ② 명 신선. 신령. 귀신. ③ 형 신기하다. 신비롭다. ❑ 这件事太~了; 이 일은 무척 신비롭다. ④ 명 마음. 정신. 신경. ❑ 费~; 마음을 쓰다. ⑤ (~儿) 명 표정. 안색. ❑ ~色; ⇩ ⑥ 형 〈方〉 영리하다. 똑똑하다. ❑ 这孩子真~; 이 아이는 정말 영리하다.

[神不知鬼不觉] shén bù zhī guǐ bù jué 〈成〉 아무도 모르게 하다. 감쪽같이 하다.

[神采] shéncǎi 명 정신과 풍채. 표정. 기색. 안색. ❑ ~奕奕; 〈成〉 원기 왕성한 모양.

[神差鬼使] shénchāi-guǐshǐ 〈成〉 ⇨[鬼使神差]

[神出鬼没] shénchū-guǐmò 〈成〉 신출귀몰.

[神父] shénfù 명 〖宗〗 신부. =[神甫]

[神甫] shén·fu 명 〖宗〗 ⇨[神父]

[神乎其神] shénhūqíshén 〈成〉 참으로 신기하다. 매우 희한하다.

[神化] shénhuà 동 신격화하다.

[神话] shénhuà 명 ① 신화. ② 황당무계한 이야기.

[神魂] shénhún 명 정신. 의식. 마음. ❑ ~颠倒; 〈成〉 정신이 착란하다.

[神经] shénjīng 명 ① 〖生理〗 신경. ❑ ~过敏; 신경 과민/~衰弱; 신경 쇠약. ② 〈口〉 정신 이상 상태. ❑ ~错乱; 정신 착란.

[神经病] shénjīngbìng 명 ① 〖醫〗 신경병. ② 〈俗〉 정신병.

[神灵] shénlíng 명 신령.

[神秘] shénmì 형 신비하다. 미스터리하다. ❑ ~感; 신비감.

[神妙] shénmiào 형 신묘하다. 뛰어나게 훌륭하다.

[神明] shénmíng 명 신명. 천지신명.

[神奇] shénqí 형 신비롭고 기묘하다. 신기하다.

[神气] shén·qì 명 기색. 표정. 안색. ❑ 他的~特别认真; 그의 표정이 매우 진지하다. 형 ① 우쭐거리는 모양. 득의양양한 모양. ❑ ~活现; 〈成〉 의기양양한 모양. ② 원기 왕성하다. 생기가 넘치다.

[神情] shénqíng 명 표정. 안색. 기색.

[神权] shénquán 명 ① (미신에서) 귀신에게 있는 사람의 생명을 좌지우지하는 권력. ② 신권.

[神人] shénrén 명 ① 득도한 사람. 선인(仙人). ② 풍채가 훌륭한 사람. 당당한 사람.

[神色] shénsè 명 표정. 안색.

[神圣] shénshèng 형 신성하다.

[神思] shénsī 명 정신 상태. 마음.

[神似] shénsì 형 매우 닮다. 아주 비슷하다. 흡사하다.

[神速] shénsù 형 놀랄 정도로 빠르다. 신속하다. ❑ 收效~; 효과가 즉시 나타나다.

[神态] shéntài 명 표정과 태도.

[神通] shéntōng 명 신통력.

[神童] shéntóng 명 신동.

[神往] shénwǎng 동 마음이 향하다[끌리다]. ❑ 西湖春色, 令人~; 시후 호(西湖)의 봄 경치는 사람의 마음을 끈다.

[神仙] shén·xiān 명 ① 신선. ② 〈比〉 통찰력 있는 사람. ③ 〈比〉 유유자적한 사람.

[神像] shénxiàng 명 ① 신상《신불의 화상(畫像)이나 조각상》. ② 죽은 사람의 초상. 유영(遺影).

[神效] shénxiào 명 뛰어난 효력. 탁월한 효과.

[神学] shénxué 명 〖宗〗 신학.

[神异] shényì 명 신선과 요괴. 형 신기하다. 이상야릇하다. 기묘하다. ❏~故事; 신기한 이야기.
[神志] shénzhì 명 정신과 의지.
[神主] shénzhǔ 명 신주.

沈(瀋)① Shěn (심) 명 ①〖地〗 선양(瀋陽). ② 성(姓)의 하나.

审(審) shěn (심) ① 형 상세하다. 세밀하다. 면밀하다. ❏精~; 매우 상세하다. ② 동 상세히 조사하다. 심사하다. ❏~稿; 원고를 심사하다. ③ 동 취조하다. 심문하다. 심리하다. ❏~案; 사건을 심리하다.
[审查] shěnchá 동 심사하다. 심의하다. ❏~来历; 내력을 심사하다. =[审察②]
[审察] shěnchá 동 ① 자세히 관찰하다. ❏~地形; 지형을 자세히 관찰하다. ② ⇨[审查]
[审处] shěnchǔ 동 ① 재판하여 처리하다. ② 심사하여 처리하다.
[审订] shěndìng 동 자세히 읽어 보고[심사하여] 수정[정정]하다.
[审定] shěndìng 동 심사하여 정하다.
[审核] shěnhé 동 (자료·데이터 따위를) 상세히 연구 심의 하다. 심사 결정 하다.
[审理] shěnlǐ 동〖法〗(안건을) 심리하다.
[审判] shěnpàn 동〖法〗 재판하다. ❏~员; 판사 / ~长; 재판장.
[审批] shěnpī 동 (상급 기관이) 심사 허가 하다[비준하다].
[审慎] shěnshèn 형 면밀하고 신중하다. ❏~的态度; 신중한 태도.
[审视] shěnshì 동 자세히 보다. ❏~图纸; 설계도를 자세히 보다.
[审讯] shěnxùn 동〖法〗 심문하다. 취조하다. 문초하다. ❏~室; 취조실. =[审问]
[审议] shěnyì 동 심의하다.

婶(嬸) shěn (심) (~儿) 명 ① 숙모. 작은어머니. ② 아주머니《어머니와 같은 연배나 젊은 기혼 여성을 이르는 말》. ❏大~儿; 아주머니.
[婶母] shěnmǔ 명 숙모. =[婶子]

哂 shěn (신) 동〈書〉 미소짓다. ❏微~不语; 미소를 지을 뿐 말하지 않다.

谂(諗) shěn (심) 동〈書〉 ① 알다. ② 권고하다. 타이르다.

肾(腎) shèn (신) 명〖生理〗 신장. 콩팥. =[〈口〉 腰yāo子]
[肾脏] shènzàng 명〖生理〗 신장. 콩팥.

甚 shèn (심) ① 부 매우. 대단히. 몹시. ❏来宾~多; 손님이 매우 많다. ② 형 지나치다. 심하다. ❏他说得未免过~; 그의 말은 아무래도 지나친 것 같다. ③ 대〈方〉 무엇. 무슨. 어떤. ❏他有~心事; 그에게 무슨 고민이 있느냐.
[甚而] shèn'ér 부접 ⇨[甚至]
[甚为] shènwéi 부 매우. 몹시. 대단히. ❏~流行; 대단히 유행하다.
[甚嚣尘上] shènxiāo-chénshàng 〈成〉〈貶〉 (소문 따위에 대해) 의론이 분분한 모양.
[甚至] shènzhì 부 심지어 (…까지도). ❏有的~这样说; 어떤 사람은 심지어 이렇게 말한다. 접 심지어. 더 나아가서는. 더욱이. ❏大多数人, ~小孩子都知道; 대부분의 사람들, 심지어 어린아이들까지 알고 있다. ‖ =[甚而]

葚 shèn (심) →[桑葚]

渗(滲) shèn (삼) 동 스미다. 배다. 새다. ❏额角上~出汗水; 이마에서 땀이 배어나다.
[渗入] shènrù 동 ① (액체가) 스며들다. ② 〈比〉〈貶〉 (어떤 세력이) 침입하다.
[渗透] shèntòu 동 ①〖物〗 삼투하다. ❏~性; 삼투성. ② 스며들다. ❏~了雨水; 빗물이 스며들었다. ③〈比〉 (추상적인 것이) 침투하다. ❏经济~; 경제적 침투.
[渗析] shènxī 동〖化〗 투석하다. =[透析①]

慎 shèn (신) 동 삼가다. 조심하다. ❏谨言~行; 말과 행동을 조심하다.
[慎重] shènzhòng 형 신중하다. ❏~考虑; 신중하게 고려하다.

蜃 shèn (신) 명〖貝〗〈書〉 대합(大蛤).
[蜃景] shènjǐng 명 ⇨[海市蜃楼①]

sheng ㄕㄥ

升 shēng (승) A) 동 ① 상승하다. 올라가다.

떠오르다. ❏气球~高了; 풍선이 높이 떠올랐다. ② 등급을 올리다[높이다]. 진급하다. 승진하다. ❏~为局长; 국장으로 승진하다. **B)** ① 양〔度〕 리터(liter). =[公升] ② 양 되. ❏三~小麦; 밀 세 되. ③ 명 되. 됫박. 「상승폭.

[升幅] shēngfú 명 (가격 따위의)

[升格] shēng//gé 동 (신분·지위 따위를) 승격시키다[하다].

[升官] shēng//guān 동 관직이 오르다. 벼슬이 올라가다. ❏~发财; 〈成〉 관직이 오르고 부자가 되다.

[升华] shēnghuá 동 ①〔物〕 승화하다. ❏~热; 승화열. ②〈比〉 사물이 한층 더 높은 단계로 올라가다.

[升级] shēng//jí 동 ① 승급하다. 승진하다. 진급하다. ②(전쟁 규모가) 단계적으로 확대되다. (사태의 긴장이) 점점 심화되다. ❏战争~; 전쟁이 확대되다. (shēngjí) 명 〔컴〕 업그레이드(upgrade). 버전업(version up).

[升降] shēngjiàng 동 승강하다. 오르내리다.

[升降机] shēngjiàngjī 명 승강기. 엘리베이터(elevator). =[电梯]

[升旗] shēng//qí 동 기를 올리다. ❏~仪式; 국기 게양식.

[升迁] shēngqiān 동 영전하다. 승진하다.

[升腾] shēngténg 동 (불꽃·기체 따위가) 피어오르다. 솟아오르다. ❏热气~; 열기가 솟아오르다.

[升天] shēng//tiān 동 ① 승천하다. 하늘에 올라가다. ②〈比〉 하늘나라로 가다. 죽다.

[升学] shēng//xué 동 상급 학교에 들어가다. 진학하다. ❏~率; 진학률.

生 shēng (생)

A) ① 동 태어나다. 출생하다. ❏~于北京; 베이징에서 태어나다. ② 동 낳다. ❏~孩子; 아이를 낳다. ③ 동 자라다. 생기다. ❏~得强壮; 튼튼하게 자라다 / ~芽; 싹이 나다. ④ 동 살다. 생존하다. 생을 유지하다. ❏~还; 살아서 돌아오다. ⑤ 명 생활. 생계. ❏民~; 민생. ⑥ 명 생명. 목숨. ❏丧~; 목숨을 잃다. ⑦ 명 생애. 삶. ❏人~; 인생. ⑧ 형 살아 있는. 생명이 있는. ❏~物; ⇩ ⑨ 동 (병·사건·효과 따위가) 발생하다. 생기다. ❏~病; ⇩ ⑩ 동 때다. 태우다. 타다. ❏~炉子; 난로를 때다. **B)** ① 형 (과일·곡물 따위가) 덜 익다. 설익다. ❏这个梨还~的; 이 배는 아직 덜 익었다. ② 형 (음식물 따위가) 생것이다. 날것이다. ❏黄瓜可以~吃; 오이는 날로 먹을 수 있다. ③ 형 가공하지 않은. 정제하지 않은. ❏~铁; 주철. 선철. ④ 형 낯설다. 미숙하다. 생소하다. ❏我对这项工作很~; 나는 이 일이 매우 생소하다. ⑤ 부 강경하게. 한사코. 억지로. ❏~搬硬套; ⇩ ⑥ 부 매우. 대단히. 몹시. ❏~疼; 매우 아프다. **C)** 명 ① 공부하는 사람. 학생. ❏招~; 학생 모집. ② 옛날, 지식인. ❏书~; 서생. ③〔劇〕 중국 전통극의 배역 이름. ❏武~; 무인으로 나오는 배우. ④(지식·기술을 직업으로 한) 사람을 가리키는 말. ❏医~; 의사. **D)** 접미 일부 부사어의 뒤에 쓰임. ❏好~; 잘 / 怎~; 어떻게.

[生搬硬套] shēngbān-yìngtào 〈成〉 기계적으로 남의 방법이나 경험을 옮겨다 적용시키다.

[生病] shēng//bìng 동 병이 나다.

[生菜] shēngcài 명〔植〕 상추.

[生产] shēngchǎn 동 ① 생산하다. ❏~成本; 생산 원가 / ~过程; 생산 과정 / ~力; 생산력 / ~设备; 생산 설비. ② 아이를 낳다. 출산하다. 「생일.

[生辰] shēngchén 명〈書〉 생신.

[生词] shēngcí 명 아직 배우지 않은 단어. 새 단어.

[生存] shēngcún 동 생존하다. 살아남다. ❏适者~; 〈成〉 적자생존.

[生动] shēngdòng 형 생동감이 있다. 생생하다. 생기 있다. ❏~活泼; 생기 있고 활발하다.

[生发油] shēngfàyóu 명〔藥〕 발모제(發毛劑).

[生花之笔] shēnghuāzhībǐ 〈成〉 뛰어난 문장력. 걸출한 문재(文才). =[生花妙笔]

[生活] shēnghuó 명 ① 생활. ❏~方式; 생활 방식 / ~费; 생활비 / ~关; 생활고. ②〈方〉 일. 생업. ❏做~; 일을 하다. 동 ① 생활하다. 지내다. ❏我们一起~了三年; 우리는 삼 년간 함께 생활했다. ② 생존하다. 살다. ❏坚强地~下去; 꿋꿋하게 살아가다.

[生火] shēng//huǒ 동 불을 피우다[지피다]. ❏~做饭; 불을 지펴 밥을 하다.

[生机] shēngjī 명 ① 생존의 기회. 삶의 희망. ② 생기. 생명력. 활력.
[生计] shēngjì 명 생계. 살림.
[生姜] shēngjiāng 명〖植〗생강.
[生恐] shēngkǒng 동 ⇨[生怕]
[生来] shēnglái 부 태어날 때부터. 어릴 때부터. 원래부터. ❏ ~就聪明; 태어날 때부터 총명하다.
[生老病死] shēng-lǎo-bìng-sǐ 〈成〉 생로병사.
[生理] shēnglǐ 명 생리. ❏ ~现象; 생리 현상 / ~盐水; 생리 식염수.
[生力军] shēnglìjūn 명 ①〖軍〗증원군. 신예군(新鋭軍). ②〈比〉(어떤 일에) 적극적인 작용을 하는 사람. 활력소.
[生灵] shēnglíng 명 ①〈書〉백성. ❏ ~涂炭; 〈成〉 백성이 도탄에 빠지다. ② 생명(이 있는 것).
[生龙活虎] shēnglóng-huóhǔ 〈成〉 생기발랄한 모양. 활발하고 팔팔한 모양. 원기 왕성한 모양.
[生路] shēnglù 명 생활의 방도. 살길. 활로(活路).
[生米煮成熟饭] shēngmǐ zhǔchéng shúfàn 〈諺〉 다 쑤어 놓은 죽《이미 끝나서 더 이상 어쩔 수 없게 되다》.
[生命] shēngmìng 명 생명. 목숨. ❏ ~力; 생명력.
[生怕] shēngpà 동 두려워하다. ❏ 他专心地听着, ~漏掉一个字; 그는 한 마디라도 흘려버릴까 두려워 열심히 듣고 있다. =[生恐]
[生啤酒] shēngpíjiǔ 명 생맥주. =[生啤][鲜xiān啤酒]
[生僻] shēngpì 형 (단어·글자·서적 따위가) 보기 드물다. 생소하다. ❏ ~的术语; 생소한 전문 용어. =[冷僻②]
[生平] shēngpíng 명 ① 일생. 생애. ② 평생. 일평생. 난생.
[生气] shēng//qì 동 화내다. 화나다. ❏ 他还在生你的气呢; 그는 아직 네게 화나 있다. (shēngqì) 명 생기. 활기. 활력. 생명력.
[生前] shēngqián 명 생전. 살아 있는 동안.
[生擒] shēngqín 동 (적·도둑 등을) 생포하다. 사로잡다.
[生人] shēng//rén 동 (사람이) 태어나다. 출생하다. ❏ 她是哪一年~?; 그녀는 몇 년 생입니까? (shēngrén) 명 낯선 사람.
[生日] shēngrì 명 생일. ❏ ~快乐!; 생일 축하해! / ~蛋糕; 생일 케이크(cake) / ~卡; 생일 카드.
[生色] shēngsè 동 광채를 더하다. 빛내다.
[生杀予夺] shēngshā-yǔduó 〈成〉 생살여탈(의 권한).
[生石膏] shēngshígāo 명 ⇨[石膏]
[生事] shēng//shì 동 말썽[사건]을 일으키다. 일을 저지르다.
[生手(儿)] shēngshǒu(r) 명 풋내기. 신출내기. 신참(新參).
[生疏] shēngshū 형 ① 생소하다. 어둡다. 낯설다. ❏ 业务~; 업무가 생소하다. ② 미숙하다. 서툴다. ❏ 技艺~; 기예가 미숙하다. ③ 소원하다. 서먹하다. ❏ 我近来跟他很~; 나는 요즘 그와 매우 서먹하다.
[生水] shēngshuǐ 명 끓이지 않은 물. 생수.
[生丝] shēngsī 명 생사.
[生死] shēngsǐ 명 생사. 삶과 죽음. ❏ ~存亡; 〈成〉 생사존망 / ~攸关; 〈成〉 생사가 걸려 있다 / ~与共; 〈成〉 생사를 함께하다.
[生态] shēngtài 명〖生〗생태. ❏ ~环境; 생태 환경 / ~系统; 생태계 / ~学; 생태학.
[生吞活剥] shēngtūn-huóbō 〈成〉 남의 이론·경험·방법 등을 억지로 받아들이거나 기계적으로 모방하다.
[生物] shēngwù 명 생물. ❏ ~体; 생물체 / ~学; 생물학.
[生息] shēngxī 동 ① 생활하다. 생존하다. 살다. ②〈書〉(인구가) 증가하다. 번식하다. ③ (shēng//xī) 이자가 붙다[늘다].
[生肖] shēngxiào 명 띠《태어난 해를 열두 지지(地支)의 동물로 이르는 말》. =[属相]
[生效] shēng//xiào 동 효력이 발생하다.
[生涯] shēngyá 명 생애. 생활. 생업. ❏ 记者~; 기자 생활.
[生意] shēngyì 명 생기. 활기. 활력. ❏ ~盎然; 생기가 넘쳐흐르다.
[生意] shēng·yi 명 ① 장사. 영업. ❏ ~兴隆; 장사가 번창하다 / 做~; 장사를 하다 / ~经; 장사 요령. 영업 기술. ②〈方〉직업. 일. ❏ 停~; 해고되다.
[生硬] shēngyìng 형 ① 어색하다. 부자연스럽다. 서툴다. ❏ 动作很~; 동작이 부자연스럽다. ② 딱딱하다. 무뚝뚝하다. 퉁명스럽다. ❏ 态度~; 태도가 무뚝뚝하다.

[生鱼片] shēngyúpiàn 명 생선회.
[生育] shēngyù 동 출산하다. 낳다. ❏计划~; 가족계획 / 节制~; 산아 제한 / ~率; 출산율.
[生造] shēngzào 동 (말 따위를) 억지로 만들어 내다. 꾸며 내다.
[生长] shēngzhǎng 동 ① (생물체가) 성장하다. 생장하다. 자라다. ❏~点; 생장점 / ~期; 성장기. ② 태어나 자라다. ❏他~在北京; 그는 베이징에서 태어나 자랐다.
[生殖] shēngzhí 동〖生〗생식하다. ❏~器; 생식기 / 无性~; 무성 생식 / ~细胞; 생식 세포.
[生字] shēngzì 명 모르는 글자.
牲 shēng (생)
명 ① 가축. 집짐승. ② 희생물. 산 제물.
[牲畜] shēngchù 명 가축.
[牲口] shēng·kou 명 (사람을 도와 일하는) 가축. ❏~棚; 가축 우리.
甥 shēng (생)
명 자매의 자식. 생질. 「①」
[甥女] shēngnǚ 명 ⇨[外甥女(儿)]
笙 shēng (생)
명〖樂〗생황(笙簧).
声(聲) shēng (성)
① (~儿) 명 소리. 목소리. ❏歌~; 노랫소리. ② 양 번. 마디《소리를 내는 횟수를 나타내는 말》. ❏叫了两~, 没人答应; 두 번이나 불렀지만 대답하는 사람이 없다. ③ 동 알리다. 말하다. 선포하다. ❏~张; ⇩ ④ 명 명예. 명성. 평판. ⑤ 명〖言〗성모(聲母). ⑥ 명〖言〗성조(聲調).
[声辩] shēngbiàn 동 (공개적으로) 변명하다. 해명하다.
[声波] shēngbō 명〖物〗음파. =[音波]
[声称] shēngchēng 동 ⇨[声言]
[声带] shēngdài 명 ①〖生理〗성대. ②〖映〗사운드 트랙(sound track). ❏原~; 오리지널 사운드 트랙(OST).
[声调] shēngdiào 명 ① ⇨[音调] ② ⇨[字调]
[声东击西] shēngdōng-jīxī 〈成〉 동쪽에서 소리를 내고, 서쪽을 치다《겉으로는 이쪽을 공격할 것처럼 하고 실제로는 다른 쪽을 공격하다》.
[声名] shēngmíng 명 명성. 평판. ❏~狼藉; 〈成〉 명예가 훼손되다.
[声明] shēngmíng 명동 성명(하다). ❏联合~; 공동 성명.
[声母] shēngmǔ 명〖言〗성모《중국어에서 처음에 오는 자음》.
[声气] shēngqì 명 소식. 정보. ❏互通~; 서로 소식을 교환하다. =[声息②]
[声色] shēngsè 명 ① 말소리와 얼굴빛. 목소리와 안색. ② 〈書〉 가무(歌舞)와 여색. 음악과 여색.
[声势] shēngshì 명 성세.
[声嘶力竭] shēngsī-lìjié 〈成〉 목소리는 쉬고 힘은 다하다《기를 쓰고 외치는 모양》.
[声速] shēngsù 명〖物〗음속(音速). =[音速]
[声讨] shēngtǎo 동 성토하다. 규탄하다. ❏~会; 성토 대회.
[声望] shēngwàng 명 성망.
[声威] shēngwēi 명 ① 명성과 위엄. ❏~大震; 〈成〉 명성과 위엄을 크게 떨치다. ② 위세. 기세.
[声息] shēngxī 명 ① 기척. 소리《주로, 부정형으로 쓰임》. ❏什么~也没有; 아무 소리도 안 난다. ② ⇨[声气]
[声响] shēngxiǎng 명 소리. 음향.
[声言] shēngyán 동 공언하다. 선언하다. ❏~要和他绝交; 그와의 절교를 선언하다. =[声称]
[声音] shēngyīn 명 ① 소리. 목소리. ❏听到~; 소리가 들리다 / 提琴的~; 바이올린 소리. ② 〈轉〉 의견. 목소리.
[声誉] shēngyù 명 명성과 명예.
[声援] shēngyuán 동 (공개적으로) 지원하다. 성원하다.
[声乐] shēngyuè 명〖樂〗성악.
[声张] shēngzhāng 동 (소식·소문 따위를) 널리 퍼뜨리다. 떠벌리다. ❏这件事你千万不要~出去; 이 일을 절대 떠벌리지 마라.
绳(繩) shéng (승)
① (~儿) 명 끈. 줄. 밧줄. 새끼. ② 동〈書〉 단속하다. 바로잡다. 제한하다. 제재하다. ❏~之以法; 〈成〉 법으로 제재하다.
[绳墨] shéngmò 명 먹줄. 〈比〉 준칙. 규칙. 법도.
[绳索] shéngsuǒ 명 굵은 밧줄.
[绳梯] shéngtī 명 줄사다리.
[绳子] shéng·zi 명 끈. 줄. 밧줄.
省 shěng (생, 성)
① 동 아끼다. 검약하다. 절약하다. ❏~钱; 돈을 절약하다 / ~时间; 시간을 절약하다. ② 동 줄이다. 없애다. 생략하다. ❏~手

续; 절차를 줄이다. ③ 명 성(《중국의 행정 구획 단위》). ❏ 山东~; 산둥 성(山東省). ④ 명 성(省) 정부 소재지. 성도(省都). ⇒ xǐng

[省便] shěngbiàn 형 수월하고 편하다. 쉽고 편하다.

[省城] shěngchéng 명 ⇨[省会]

[省得] shěng·de 접 …하지 않기 위해서. …하지 않도록. ❏ 你先考虑好再决定, ~后悔; 후회하지 않도록 잘 생각해 보고 결정해라.

[省份] shěngfèn 명 성(省)(《고유명사에 붙여 쓰지 않음》).

[省会] shěnghuì 명 성(省) 정부 소재지. 성도(省都). ＝[省城]

[省略] shěnglüè 동 ① (불필요한 것을) 없애다. 생략하다. ❏ 这道手续可以~; 이 수속은 생략해도 된다. ②〖言〗(문장에서) 생략하다.

[省略号] shěnglüèhào 명〖言〗줄임표. 말줄임표. 생략표. ＝[删节号]

[省事] shěng∥shì 동 수고를 덜다. 일을 덜다. 형 수고스럽지 않다. 수월하다. 편하다.

[省心] shěng∥xīn 동 걱정을 덜다. 한시름 놓다.

圣(聖) shèng (성)

① 형 성스럽다. 신성하다. ❏ ~地; ⇓ ② 명 학문·기술 방면에 뛰어난 사람. ❏ ~手; ⇓ ③ 명 성인(聖人). ④ 명 제왕에 대한 존칭. ❏ ~旨; ⇓ ⑤ 명〖宗〗숭배하는 것에 대한 존칭. ❏ ~经; ⇓

[圣诞] shèngdàn 명〖宗〗예수 탄생일. 성탄. ❏ ~卡; 크리스마스 카드 / ~老人; 산타클로스(Santa Claus) / ~树; 크리스마스트리.

[圣诞节] Shèngdàn Jié 명 성탄절. 크리스마스(Christmas). ❏ ~前夜 ＝[平安夜]; 크리스마스이브.

[圣地] shèngdì 명 ①〖宗〗성지. ② 중대한 역사적 의미를 지닌 곳.

[圣火] shènghuǒ 명 성화.

[圣洁] shèngjié 형 신성하고 순결하다. 성결하다. 「성서.

[圣经] Shèngjīng 명〖宗〗성경.

[圣灵] shènglíng 명〖宗〗성령.

[圣母] shèngmǔ 명 ① 중국 신화 속에 나오는 여신(女神). ②〖宗〗성모 마리아. ❏ ~颂; 아베 마리아.

[圣人] shèngrén 명 성인(聖人).

[圣手] shèngshǒu 명 명수. 명인.

[圣贤] shèngxián 명 성현.

[圣旨] shèngzhǐ 명 황제의 명령. 성지. 〈比〉(상부의) 명령. 분부.

胜(勝) shèng (승)

① 동 이기다. 승리하다. ❏ 百战百~; 〈成〉 백전백승하다. ② 동 해치우다. 물리치다. ❏ 以少~多; 소수로 다수를 물리치다. ③ 형 월등하다. 우월하다(《'于'·'过' 따위와 함께 쓰임》). ❏ 他的技术~过我; 그의 기술은 나보다 우수하다. ④ 형 (경치 따위가) 아름답다. 훌륭하다. ❏ ~景; ⇓ ⑤ 동 능히 감당할 수 있다. …할 수 있다. ❏ 不~枚举; 많아서 헤아릴 수 없다.

[胜败] shèngbài 명 승패. 승부. ＝[胜负] 「명승지.

[胜地] shèngdì 명 경승지(景勝地).

[胜负] shèngfù 명 ⇨[胜败]

[胜景] shèngjǐng 명 승경. 뛰어나게 좋은 경치.

[胜利] shènglì 동 ① 승리하다. ② 성공하다. ❏ 我们~地开完了会; 우리는 성공리에 회의를 마쳤다.

[胜率] shènglǜ 명 승률.

[胜券] shèngquàn 명 승리에 대한 확신[자신].

[胜任] shèngrèn 동 임무를 능히 감당하다. ❏ ~愉快; 〈成〉 임무를 훌륭히 감당해 낼 수 있다.

[胜诉] shèngsù 동〖法〗승소하다.

盛 shèng (성)

① 형 번성하다. 흥성하다. ❏ 全~时期; 전성기. ② 형 왕성하다. 강렬하다. ❏ 士气很~; 사기가 왕성하다. ③ 형 성대하다. ❏ ~会; ⇓ ④ 형 풍성하다. 풍부하다. ⑤ 형 두텁다. 깊다. ❏ ~情; ⇓ ⑥ 동 성행하다. 유행하다. ❏ ~行; ⇓ ⑦ 형 (정도가) 크다. 심하다. ❏ ~赞; ⇓ ⇒ chéng

[盛产] shèngchǎn 동 (토산물·광산물 따위를) 많이 산출하다.

[盛大] shèngdà 형 (행사·연회 따위가) 성대하다. ❏ 这个宴会很~; 이 연회는 매우 성대하다.

[盛典] shèngdiǎn 명 성대한 의식.

[盛会] shènghuì 명 성회. 성대한 모임. 축제.

[盛举] shèngjǔ 명 성대한 행사.

[盛开] shèngkāi 동 (꽃이) 만개(滿開)하다. ❏ 无穷花~; 무궁화 꽃이 만개하다.

[盛况] shèngkuàng 명 성황.

[盛名] shèngmíng 명 높은 명성.

[盛怒] shèngnù 동 몹시 화내다. 격노하다.

[盛气凌人] shèngqì-língrén 〈成〉 대단한 기세로 남을 위압하다《매우 거만스럽다》.
[盛情] shèngqíng 명 두터운 정. 호의(好意). 친절. ❑~款待; 진심으로 환대하다.
[盛世] shèngshì 명 번영하는 시대. ❑太平~; 태평성세.
[盛暑] shèngshǔ 명 한창 심한 더위. 한더위.
[盛衰] shèngshuāi 명 성쇠. 번영과 쇠퇴.
[盛夏] shèngxià 명 한여름.
[盛行] shèngxíng 동 성행하다. 널리 유행하다.
[盛意] shèngyì 명 두터운 정.
[盛赞] shèngzàn 동 크게 칭찬하다.
[盛装] shèngzhuāng 명 성장. 화려한 단장[복장].

剩 shèng (잉)
동 남다. 나머지가 있다. ❑~下的钱; 남은 돈 / ~饭; 남은 밥.
[剩余] shèngyú 동 잉여[나머지]가 생기다. ❑~物资; 잉여 물자.

shi 尸

尸 shī (시)
명 송장. 시체. 「시체.
[尸骨] shīgǔ 명 ① 백골. 해골. ②
[尸骸] shīhái 명 해골.
[尸身] shīshēn 명 시신.
[尸首] shī·shou 명 (사람의) 시체.
[尸体] shītǐ 명 (사람·동물의) 시체. 사체.

失 shī (실)
①동 잃다. 잃어버리다. 없어지다. ❑~物; ⇓ ②동 실수하다. 잘못하다. ❑~足; ⇓ ③명 과실. 잘못. 실수. ❑唯恐有~; 오로지 실수가 있을까 두렵다. ④동 놓치다. 찾지 못하다. ❑~踪; ⇓ ⑤동 목적에 다다르지 못하다. ❑~望; ⇓ ⑥동 (정상적인 상태에서) 벗어나다. ❑~神; ⇓ ⑦동 어기다. 배반하다. ❑~信; ⇓
[失败] shībài 동 ① 패배하다. ❑比赛~了; 시합에 졌다. ② 실패하다. ❑~是成功之母; 〈諺〉 실패는 성공의 어머니다.
[失策] shīcè 동 실책을 범하다.
[失常] shīcháng 형 정상이 아니다. ❑神经~; 정신 이상.
[失传] shīchuán 동 더 이상 전해 내려오지 않다. 실전되다.
[失措] shīcuò 동 (놀라고 당황하여) 어찌할 바를 모르다. ❑茫然~; 망연자실하다. 「서.
[失单] shīdān 명 분실[도난] 신고
[失当] shīdàng 형 부적합하다. 부적절하다. 타당하지 않다. ❑措施~; 조치가 부적절하다.
[失盗] shī∥dào 동 ⇨[失窃]
[失地] shīdì 동 국토를 잃다. 명 잃은 국토. 실지(失地).
[失掉] shīdiào 동 ① 잃다. 잃어버리다. ❑~勇气; 용기를 잃다. ② 놓치다. ❑~时机; 시기를 놓치다.
[失魂落魄] shīhún-luòpò 〈成〉 혼비백산(魂飛魄散)하다.
[失火] shī∥huǒ 동 불이 나다. 화재가 발생하다.
[失计] shījì 동〈書〉 실책(失策)을 범하다. 계산 착오를 하다.
[失敬] shījìng 동〈套〉 실례하다. =[失礼②]
[失控] shīkòng 동 제어가 안 되다. 통제가 안 되다. ❑物价~; 물가 통제가 안 되다.
[失口] shī∥kǒu 동 ⇨[失言]
[失礼] shīlǐ 동 ① 무례하다. 예의가 없다. ②〈套〉 ⇨[失敬]
[失利] shī∥lì 동 (싸움·경기에서) 지다. 패하다. ❑战斗~; 전투에서 지다.
[失恋] shī∥liàn 동 실연하다.
[失灵] shīlíng 동 (기계·기관 따위가) 기능을 잃다. 고장나다. ❑马达~; 모터가 고장나다 / 听觉~; 귀가 먹다.
[失落] shīluò 동 잃어버리다. 잃다. ❑~身份证; 신분증을 잃어버리다. 형 공허하다. 상심하다. ❑~感; 상실감.
[失密] shī∥mì 동 기밀을 누설하다.
[失眠] shī∥mián 동 잠을 못 이루다. 잠을 설치다. ❑~证; 불면증.
[失明] shī∥míng 동 실명하다. 시력을 잃다.
[失陪] shīpéi 동〈套〉 먼저 실례하겠습니다. ❑我有事~了; 저는 일이 있어서 먼저 실례하겠습니다.
[失窃] shī∥qiè 동 도둑 맞다. 도난당하다. =[失盗]
[失去] shīqù 동 잃다. 잃어버리다. ❑~信心; 자신감을 잃다 / ~机会; 기회를 잃다.
[失散] shīsàn 동 뿔뿔이 헤어지다. 흩어지다.

[失色] shīsè 동 ① 본래의 색이나 빛을 잃다. ② (놀람·두려움으로) 실색하다. 창백해지다. ❑惊愕~; 아연실색하다.
[失闪] shī·shan 명 의외의 실수. 의외의 사건[사고].
[失神] shīshén 동 ① 실신하다. 넋[정신]이 나가다. ❑~的眼光; 넋나간 눈빛. ② 방심하다. 부주의하다. ❑一时失了神; 깜박 방심하다.
[失慎] shīshèn 동 소홀하다. 신중을 기하지 않다. ❑发言~; 말이 신중치 못하다.
[失声] shī//shēng 동 ① 엉겁결에 소리를 내다. ❑~大叫; 엉겁결에 크게 소리지르다. ② 비통하여 목이 메다.
[失时] shī//shí 동 시기[기회]를 「놓치다.
[失实] shīshí 동 사실과 맞지 않다. ❑报道~; 보도가 사실과 맞지 않다.
[失事] shī//shì 동 사고가 나다.
[失势] shī//shì 동 세력을[권세를] 잃다.
[失手] shī//shǒu 동 ① 손에서 놓치다. ❑~把盘子打破了; 손에서 놓쳐 접시를 깨뜨렸다. ② 〈比〉 (예상치 못하게) 지다. 패배하다.
[失守] shīshǒu 동 함락되다. 점령되다. ❑阵地~; 진지가 함락되다.
[失算] shīsuàn 동 계산을 잘못하다. 예상을 잘못하다. 오산하다.
[失调] shītiáo 동 ① 평형[균형]을 잃다. 실조하다. ❑营养~; 영양실조. ② 몸조리를 잘 못하다. ❑产后~; 산후 조리를 잘 못하다.
[失望] shīwàng 동 희망이 없다. 자신을 잃다. 형 실망하다. 낙심하다. ❑令人~; 실망시키다.
[失物] shīwù 명 유실물.
[失误] shīwù 동 실수하다.
[失笑] shīxiào 동 실소하다. 저도 모르게 웃음이 터져나오다.
[失效] shī//xiào 동 효력을 잃다.
[失信] shī//xìn 동 약속을 어기다. 신용을 잃다.
[失修] shīxiū 동 보수를 게을리하다. 보수를 하지 않다.
[失学] shī//xué 동 공부할 기회를 잃다. 학업을 중단하다.
[失言] shī//yán 동 (무심코) 입을 잘못 놀리다. 실언하다. =[失口]
[失业] shī//yè 동 실업하다. ❑~率; 실업률 / ~者; 실업자.
[失意] shī//yì 형 실의하다. 뜻을 이루지 못하다. ❑政治上~; 정치상의 뜻을 이루지 못하다.
[失语] shīyǔ 동 말하기 어렵다. 말을 하지 못하다. ❑~症; 실어증.
[失约] shī//yuē 동 약속을 이행하지 않다. 위약하다.
[失真] shī//zhēn 동 ① (소리·이미지·내용 따위가) 원래와 다르다. 왜곡하다. ② (주파수 따위를) 변조하다.
[失职] shī//zhí 동 직책을 다하지 않다. 직무를 태만히 하다.
[失重] shī//zhòng 동〔物〕 무중력 상태가 되다. ❑~状态; 무중력 상태.
[失主] shīzhǔ 명 유실물의 주인. 분실자.
[失踪] shī//zōng 동 실종되다. 행방불명되다.
[失足] shī//zú 동 ① 실족하다. 발을 헛디디다. ❑~落水; 실족하여 물에 빠지다. ② 〈比〉 중대한 실수를 저지르다. 그릇된 길로 들다. 타락하다. ❑~青少年; 비행 청소년.

师(師) shī (사)

명 ① 스승. 선생. ② 모범. 본보기. ③ 전문적 지식이나 기술을 가진 사람. ❑厨~; 요리사 / 工程~; 엔지니어. ④ 〈敬〉 스님. 사승(師僧). ❑法~; 법사. ⑤ 사제 관계로 인한 것. ❑~兄; ⇩ ⑥ 〔軍〕 사단. ⑦ 군대.
[师表] shībiǎo 명〈書〉 사표. 모범. 본보기. ❑为人~; 〈成〉 남의 모범이 되다.
[师出无名] shīchū-wúmíng 〈成〉 정당한 명목 없이 출병하다《정당한 이유 없이 행동하다》.
[师弟] shīdì 명 ① 동문(同門) 남자 후배. ② 자기보다 연하인 스승의 아들[부친의 남자 제자].
[师范] shīfàn 명 ① 〈簡〉 ⇨[师范学校] ② 〈書〉 모범. 본보기.
[师范学校] shīfàn xuéxiào 사범대학. 교육 대학. =[〈簡〉 师范①]
[师父] shī·fu 명 ① ⇨[师傅] ② 〈敬〉 사부《승려·비구니·도사에 대한 존칭》.
[师傅] shī·fu 명 ① 스승. 선생. 사부. ② 〈敬〉 숙련공이나 기술자에 대한 존칭. ❑厨~; 요리사 / 司机~; 기사님. ‖ =[师父①]
[师母] shīmǔ 명 스승의 아내. 사모. =[〈口〉 师娘]
[师事] shīshì 동〈書〉 사사하다.

[师兄] shīxiōng 명 ① 동문(同門)의 남자 선배. ② 자기보다 연상인 스승의 아들[부친의 남자 제자].
[师长] shīzhǎng 명 ①〔軍〕 사단장. ②〈敬〉 스승님. 「재.
[师资] shīzī 명 교사가 될 만한 인

狮(獅) shī (사)
명〔動〕 사자.
[狮子] shī·zi 명〔動〕 사자.
[狮子狗] shī·zigǒu 명 ⇨[哈hǎ巴狗(儿)①]

虱 shī (슬)
명〔蟲〕 이.
[虱子] shī·zi 명〔蟲〕 이.

诗(詩) shī (시)
명 시. ❏抒情~; 서정시 / 一首~; 시 한 수.
[诗歌] shīgē 명 시가.
[诗集] shījí 명 시집.
[诗经] Shījīng 명〔書〕 시경.
[诗句] shījù 명 시구. 시의 문구.
[诗篇] shīpiān 명 ① 시의 총칭. ②〈比〉 생생하고 의의가 있는 시적인 이야기나 문장. 서사시.
[诗情画意] shīqíng-huàyì 〈成〉 경치가 시와 그림처럼 아름답다.
[诗人] shīrén 명 시인.
[诗兴] shīxìng 명 시흥. 「정취.
[诗意] shīyì 명 시정(詩情). 시적

施 shī (시)
동 ① 시행하다. 실시하다. ❏~妙手; 묘수를 쓰다. ② 주다. ❏~加; ⇩ ③ (은혜 따위를) 베풀다. ❏~恩; 은혜를 베풀다. ④ 뿌리다. 쏘다. 치다. ❏~肥; ⇩
[施放] shīfàng 동 발하다. 발사하다. 뿌리다. ❏~毒气; 독가스를 뿌리다. 「비하다.
[施肥] shī//féi 동 비료를 주다. 시
[施工] shī//gōng 동 공사를 하다. 시공하다.
[施加] shījiā 동 (압력·영향 따위를) 가하다. 주다. ❏~压力; 압력을 주다. 「하다.
[施礼] shī//lǐ 동 예를 행하다. 절
[施舍] shīshě 동 희사하다. 시주하다. 베풀다.
[施行] shīxíng 동 ① (법령·규칙을) 시행하다. 집행하다. ❏~新法; 새 법을 시행하다. ② 행하다. 실행하다. ❏~手术; 수술을 하다.
[施用] shīyòng 동 사용하다. 쓰다. ❏~化妆品; 화장품을 쓰다.
[施展] shīzhǎn 동 (능력 따위를) 발휘하다. 펼치다. ❏~才能; 재능을 발휘하다.

湿(濕) shī (습)
형 ① 습하다. 축축하다. ❏衣服~~的, 怎么穿? 옷이 축축한데, 어떻게 입겠니? ② 적시다. ❏衣服先用水~一下再熨; 옷을 우선 물에 적신 후에 다려라.
[湿地] shīdì 명 습지.
[湿度] shīdù 명 습도. ❏~表; 습도계. ② 수분량. 수분 함유량.
[湿淋淋(的)] shīlínlín(·de)[〈口〉 shīlīnlīn(·de)] 형 흠뻑 젖어 물이 뚝뚝 떨어지는 모양. ❏给雨淋得~; 비를 맞아 흠뻑 젖다.
[湿渌渌(的)] shīlùlù(·de)[〈口〉 shīlūlū(·de)] 형 (물이 밸 정도로) 흠뻑 젖은 모양.
[湿气] shīqì 명 ① 습기. ②〔中醫〕 습기로 인해 생기는 병.
[湿润] shīrùn 형 습윤하다. 촉촉하다. ❏两眼~了; 두 눈이 촉촉해졌다.
[湿疹] shīzhěn 명〔中醫〕 습진.

嘘 shī (허)
감 쉬《반대·제지를 나타내는 소리》. ❏~! 别做声! 쉬! 소리내지 마! ⇒xū

十 shí (십)
① 수 10. 열. ② 형 완전하다.
[十恶不赦] shí'è-bùshè 〈成〉 죄가 엄중하여 용서할 수 없다.
[十二分] shí'èrfēn 부 매우. 대단히《'十分' 보다 어기가 강함》. ❏~地感谢你; 대단히 감사합니다.
[十二支] shí'èrzhī 명 ⇨[地支]
[十分] shífēn 부 대단히. 무척. 매우. ❏~喜欢; 매우 좋아하다.
[十干] shígān 명 ⇨[天干]
[十进制] shíjìnzhì 명〔數〕 십진법.
[十拿九稳] shíná-jiǔwěn 〈成〉 가망이 있어 확실하다. 십중팔구 가망이 있다. =[十拿九准]
[十年树木, 百年树人] shínián-shùmù, bǎinián-shùrén 〈諺〉 ① 인재 양성은 장기간의 계획이 필요하다. ② 인재 양성은 매우 어렵다.
[十全] shíquán 형 완전무결하다. 완벽하다. ❏~十美; 〈成〉 각 방면이 모두 완전무결하여 흠잡을 데가 없다.
[十万八千里] shíwàn bāqiān lǐ 〈成〉 ① 거리가 아득히 멀다. ② 매우 큰 차이가 나다. 동떨어지다.
[十万火急] shíwàn-huǒjí 〈成〉 매우 긴급하다.

[十字] shízì 명 십자. ❑ ~架; 십자가 / ~街头; 십자로. 네거리《행인이 많고 번화한 거리》/ ~路口(儿); 네거리. 사거리. 〈比〉(중대한 문제의) 기로. 갈림길.

[十足] shízú 형 ① 함유율이 높다. 성분이 순수하다. ❑ ~赤金; 순금. ② 충분하다. 충만하다. 넘치다. ❑ 劲头~; 열의가 넘치다.

什 shí (십, 집)
① 수〈書〉 10. 열《주로, 분수나 배수(倍數)에 씀》. ❑ ~一; 10분의 1. ② 형〈轉〉 여러 가지의. 잡다한. ❑ ~物; ⇓ ⇒shén

[什锦] shíjǐn 형 여러 가지 재료를 사용한. 다양한 모양의. ❑ ~火锅; 모둠냄비. 명 여러 가지 재료로 다양하게 만든 음식.

[什物] shíwù 명 가정의 일용 잡화. 가재도구. 집물.

石 shí (석)
명 ① 돌. 암석. ❑ 矿~; 광석. ② 석각(石刻). ⇒dàn

[石板] shíbǎn 명 ①〔建〕 판상(板狀)으로 자른 돌. 판석. 널돌. ❑ ~瓦; 슬레이트(slate). ② 석판.

[石沉大海] shíchéndàhǎi 〈成〉 돌이 바다에 가라앉다《행방이 묘연하고 아무 소식이 없다》.

[石刁柏] shídiāobǎi 명〔植〕 아스파라거스(asparagus). =[龙须菜][芦笋]

[石雕] shídiāo 명〔美〕 석조.

[石膏] shígāo 명〔鑛〕 석고. ❑ ~绷带; 깁스붕대 / ~像; 석고상. =[生石膏]

[石工] shígōng 명 석공. ① 돌을 다루는 일. 석공업. ② 돌장이. 석수(石手). 석장(石匠). =[石匠]

[石灰] shíhuī 명〔化〕 석회. ❑ ~石; 석회석 / ~岩; 석회암 / ~质; 석회질.

[石匠] shí·jiang 명 ⇨[石工②]

[石刻] shíkè 명 석각(石刻).

[石窟] shíkū 명 석굴.

[石蜡] shílà 명〔化〕 석랍. 파라핀(paraffin). ❑ ~油; 파라핀유.

[石榴] shí·liu 명〔植〕 ① 석류나무. ② 석류.

[石棉] shímián 명〔鑛〕 석면.

[石器] shíqì 명 석기. ❑ ~时代; 석기 시대.

[石桥] shíqiáo 명 돌다리.

[石头] shí·tou 명 ① 돌. 암석. ② (가위바위보의) 바위.

[石英] shíyīng 명〔鑛〕 석영.

[石油] shíyóu 명〔鑛〕 석유. ❑ ~气; 석유 가스.

[石油输出国组织] Shíyóu Shūchūguó Zǔzhī 석유 수출국 기구. 오펙(OPEC). =[〈音〉 欧Ōu佩克]「멩이.

[石子儿] shízǐr 명 〈口〉 자갈. 돌

识(識) shí (식)
① 동 인식하다. 식별하다. 알다. ❑ 相~; 서로 알다. ② 명 견식. 지식. ❑ 学~; 학식. ⇒zhì

[识别] shíbié 동 분간하다. 식별하다. ❑ ~真伪; 진위를 가려내다.

[识货] shí∥huò 형 물건을 볼 줄 알다. 물건 보는 눈이 있다.

[识破] shí∥pò 동 간파하다. ❑ ~阴谋; 음모를 간파하다.

[识趣] shíqù 형 눈치가 빠르다. 눈치가 있다.

[识相] shíxiàng 형〈方〉 남의 표정을 잘 읽다. 눈치 있게 행동하다.

[识字] shí∥zì 동 글자를 알다. 글자를 익히다.

时(時) shí (시)
① 명 때. 시간. ❑ 准~开会; 정시에 개회하다 / 那~; 그때. ② 명 시대. 시기. ❑ 古~; 고대. ③ 명 철. 계절. ❑ 四~; 사계. ④ 명 현대. 현재. 지금. ❑ ~事; ⇓ ⑤ 명 세속. 시류. 당시의 풍조. ❑ 入~; 시류에 맞다. ⑥ 명 시진(時辰). 시간. ❑ 子~; 자시. ⑦ 양 시《시간의 단위》. ❑ 下午四~; 오후 4시. ⑧ 명 기회. 적당한 시기. ❑ 失~; 시기를 놓치다. ⑨ 부 자주. 종종. ❑ ~有出现; 자주 나타나다. ⑩ 부 때로는. 이따금《중첩해서 씀》. ❑ 天气~阴~晴; 날씨가 흐렸다 개었다 하다.

[时不时] shíbùshí 부〈方〉 ⇨[时常]

[时差] shíchā 명 시차.

[时常] shícháng 부 항상. 자주. 늘. =[〈方〉 时不时]

[时辰] shí·chen 명 시진《옛날의 시간 단위. 하루의 12분의 1》. ❑ 等了足有一个~; 족히 2시간은 기다렸다.

[时代] shídài 명 ① 시대. ❑ 封建~; 봉건 시대. ② (일생 중의 어느) 시기. 시절. ❑ 青年~; 청년 시기.

[时而] shí'ér 부 ① 때로. 이따금. ❑ 远处~传来歌声; 먼 곳에서 이따금 노랫소리가 들려온다. ② 때로

는 …하고 때로는 …하다《중첩하여, 다른 상황이 일정한 시간 내에 번갈아 일어남을 나타냄》. ❑ 雷声~断~续; 우렛소리가 그쳤다 이어졌다 하다.

[时光] shíguāng 명 ① 시간. 세월. ❑ 虚度~; 시간을 허비하다. ② 시기. 때. 시절. ❑ 青春~; 청춘 시절.

[时候] shí·hou 명 ① 때. 시기. ❑ 不是~; (적당한) 때가 아니다. ② 시간. 동안. ❑ 他去了多少~? 그가 간 지 얼마나 되었니?

[时机] shíjī 명 시간적인 기회. 시기. ❑ 错过~; 시기를 놓치다.

[时价] shíjià 명 시가. 현재 가격.

[时间] shíjiān 명 ① 시간. ❑ ~就是金钱; 시간은 금이다 / ~表; 시간표 / ~机器 =[时光机器]; 타임머신 / ~囊; 타임캡슐. ② 시각과 시각의 사이. ❑ 几十年的~; 수십 년의 시간. ③ 시각《시간의 한 시점》. ❑ 出发~; 출발 시각.

[时节] shíjié 명 ① 철. 시절. 계절. ② 때. 시기.

[时局] shíjú 명 시국.

[时刻] shíkè 명 시각. 시간. 순간. ❑ 关键~; 결정적인 순간. 부 끊임없이. 언제나. 항상. 시시각각. ❑ ~注意; 항상 주의하다.

[时刻表] shíkèbiǎo 명 (교통수단의) 시간표. ❑ 列车~; 열차 시간표.

[时令] shílìng 명 계절. 철.

[时髦] shímáo 형 유행에 걸맞다. 현대적이다. 세련되다. ❑ 赶~; 유행을 따르다.

[时期] shíqī 명 시기. 특정한 때. ❑ 抗战~; 항전 시기.

[时日] shírì 명 시일. ① 때와 날. 날짜. ② 일정한 기일. 시간적 여유.

[时尚] shíshàng 명 당시의 풍조. 유행하는 양식. 형 유행에 맞다.

[时时] shíshí 부 항상. 언제나. 늘. ❑ ~处处; 언제 어디서나.

[时式] shíshì 명 최신 유행 스타일.

「시세.

[时势] shíshì 명 시대적 추세[형세].

[时事] shíshì 명 시사. ❑ ~评论员; 시사 평론가.

[时速] shísù 명 시속.

[时下] shíxià 명 지금. 현재.

[时鲜] shíxiān 명 신선한 제철 채소와 과일.

[时限] shíxiàn 명 시한. 기한.

[时效] shíxiào 명 ① 일정 기간 내에 발휘되는 작용[효력]. ②〔法〕시효.

[时新] shíxīn 형 새로 유행하는. 최신 유행의《주로, 복장을 일컬음》. ❑ ~服装; 최신 유행 복장.

[时兴] shíxīng 동 (한동안) 유행하다. ❑ 目前~这种发式; 요즘에는 이런 헤어스타일이 유행한다.

[时宜] shíyí 명 시의. 당시의 요구. ❑ 切合~; 시의 적절하다.

[时运] shíyùn 명 시운.

[时针] shízhēn 명 ① 시계 바늘. ② 시침.

「시계.

[时钟] shízhōng 명 (때를 알리는)

[时装] shízhuāng 명 ① 유행하는 복장. 최신 유행 의상. ❑ ~表演; 패션쇼 / ~模特儿; 패션 모델. ② 현대의 복장. ❑ ~戏; 현대극.

实(實) shí (실)

① 형 꽉 차다. 충실하다. ❑ 这球儿里面是~的; 이 공은 속이 꽉 차 있다. ② 형 진실하다. 정직하다. ❑ ~心; ⇩ ③ 명 사실. 진실. 실제. ❑ ~况; ⇩ ④ 명 과실. 종자.

[实弹] shídàn 명 실탄. ❑ ~射击; 실탄 사격.

[实地] shídì 명 현지. 현장. ❑ ~考察; 현지 시찰 하다. 부 실제로. ❑ ~去做; 실제로 하다.

[实话] shíhuà 명 사실. 실화. 정말. 참말. ❑ ~实说;〈成〉있는 그대로 이야기하다.

[实惠] shíhuì 명 실제적인 혜택[이익]. 실속. 형 실용적이다. 실속 있다.

[实际] shíjì 명 실제. 현실. 형 ① 실제적인. 구체적인. ❑ ~生活; 실생활 / ~行动; 실제 행동. ② 실제적이다. 현실적이다. ❑ 计划订得很~; 계획이 매우 현실적이다.

[实际上] shíjì·shàng 부 실제상. 사실상. ❑ 这个问题~并不那么简单; 이 문제는 사실상 그렇게 간단하지가 않다.

[实践] shíjiàn 명동 실천(하다). 이행(하다). 실행(하다). ❑ ~诺言; 약속을 실천하다.

[实况] shíkuàng 명 실제 상황. 실황. ❑ ~报道; 실황 보도.

[实力] shílì 명 실력《주로, 군사·경제 방면을 가리킴》. ❑ 搞~; 실력을 행사하다.

[实例] shílì 명 실례. ❑ 举出~;

실례를 들다.
[实名] shímíng 명 실명. ❏存款~制; 금융 실명제.
[实情] shíqíng 명 실정.
[实权] shíquán 명 실권.
[实施] shíshī 동 (법령·정책 따위를) 실시하다. ❏~政策; 정책을 실시하다.
[实时] shíshí 부 실시간. ❏~播报; 실시간 방송 보도.
[实事求是] shíshì-qiúshì 〈成〉 실사구시.
[实物] shíwù 명 실물. ① 실제의 물건. ②〖經〗(주식·상품 따위의) 현물. ❏~经济; 실물 경제.
[实习] shíxí 동 실습하다. 수습하다. ❏~记者; 수습 기자 / ~期; 수습 기간.
[实现] shíxiàn 동 실현하다. 실현되다. 이루다. 이루어지다. ❏~愿望; 희망이 실현되다.
[实效] shíxiào 명 실효.
[实心] shíxīn 형 ① 마음이 성실하다. 진심이다. ❏~任事; 성실하게 일을 담당하다. ② (~儿) 속이 차다. ❏~的汤圆; 속이 꽉 찬 '汤圆'.
[实行] shíxíng 동 실행하다. 실시하다. ❏~义务教育; 의무 교육을 실행하다.
[实学] shíxué 명 실제적이고 기초 있는 학문. 실학.
[实验] shíyàn 명동 실험(하다). ❏化学~; 화학 실험 / ~室; 실험실.
[实业] shíyè 명 실업. ❏~家; 실업가 / ~界; 실업계.
[实用] shíyòng 형 실용적이다. ❏~文; 실용문 / ~主义; 실용주의. 동 실제로 사용하다. ❏切合~; 실제로 사용하기 적합하다.
[实在] shízài 형 성실하다. 진실하다. 착실하다. ❏为人~; 사람됨이 진실하다. 부 ① 확실히. 정말. 정말로. ❏我~讨厌他了; 나는 정말 그가 싫다. ② 실은. 사실은. 실제로는. ❏他说他懂了, ~并没懂; 그는 이해했다고 말했지만 사실은 이해하지 못했다.
[实在] shí·zai 형〈口〉 꼼꼼하다. 견실하다. 착실하다. ❏工作做得很~; 일하는 것이 매우 착실하다.
[实则] shízé 부 실은. 사실상.
[实战] shízhàn 명 실전.
[实质] shízhì 명 실질. 본질.
[实足] shízú 형 실제로 숫자가[분량이] 차다. ❏~一百人; 실수(實數) 100 명.

拾 shí (습)
① 동 (바닥에 있는 것을) 줍다. 집다. ❏把废纸~起来; 휴지를 줍다. ② 동 치우다. 정리하다. ❏把桌子~干净; 책상을 깨끗이 정리하다. ③ 수 '十'의 갖은자.
[拾掇] shí·duo 동 ① 정리하다. 치우다. 정돈하다. ❏把书架~一下; 책꽂이를 정리하자. ② 수리하다. ❏~钟表; 시계를 수리하다. ③ 〈口〉 손봐주다. 혼내 주다.
[拾金不昧] shíjīn-bùmèi 〈成〉 돈을 주워도 자기 것으로 갖지 않는다.
[拾取] shíqǔ 동 줍다. ❏~贝壳; 조개 껍데기를 줍다.
[拾人牙慧] shírényáhuì 〈成〉 남의 말[의견]을 그대로 흉내내다.
[拾遗] shíyí 동〈書〉 ① 남이 잃어버린 것을 주워서 자기 것으로 하다. ❏夜不闭户, 路不~; 〈成〉 밤에도 문도 잠그지 않고 길에 떨어진 것을 줍는 사람도 없다《세상이 안정되어 있음》. ② 남이 빠뜨린 것을 보충하다.

食 shí (식)
① 동 먹다. ❏~肉; 고기를 먹다. ② 동 밥을 먹다. 식사를 하다. ❏废寝~忘; 〈成〉 침식을 잊다. ③ 명 음식. 음식물. ❏主~; 주식. ④ (~儿) 명 (동물의) 먹이. ⑤ 형 식용의. ❏~品; ⇩ ⑥ 명〖天〗 식(蝕). ❏日~; 일식 / 月~; 월식. =[蚀②]
[食草动物] shícǎo dòngwù 〖動〗 초식 동물.
[食管] shíguǎn 명〖生理〗 식도. ❏~癌; 식도암. =[食道]
[食粮] shíliáng 명 식량. 양식.
[食量] shíliàng 명 ⇨[饭量]
[食品] shípǐn 명 식품. ❏~公司; 식품 회사 / ~加工; 식품 가공.
[食谱] shípǔ 명 ① 요리책. ② 식단(食單).
[食肉动物] shíròu dòngwù 〖動〗 육식 동물.
[食宿] shísù 동 먹고 자다. 숙식하다. ❏提供~; 숙식을 제공하다.
[食堂] shítáng 명 (기관·단체·회사 따위의) 식당. 구내 식당.
[食糖] shítáng 명 (식용) 설탕.
[食物] shíwù 명 음식물. ❏~中毒; 식중독. 「사슬.
[食物链] shíwùliàn 명〖生〗 먹이
[食性] shíxìng 명 식성.

[食言] shíyán 동 식언하다.
[食盐] shíyán 명 식염.
[食蚁兽] shíyǐshòu 명〔動〕개미핥기.
[食用] shíyòng 동 식용하다. ❑ ~色素; 식용 색소.
[食油] shíyóu 명 식용유.
[食欲] shíyù 명 식욕. ❑ ~不振; 식욕이 부진하다. 입맛이 없다.
[食指] shízhǐ 명 검지. 식지. 집게 손가락. =[〈口〉二拇指]

蚀(蝕) shí (식) ① 동 손실되다. 손상하다. 손해 보다. ② 명 ⇒[食⑥]
[蚀本] shí∥běn 동 ⇒[赔péi本]

史 shǐ (사) 명 ① 역사. ❑ 世界~; 세계사. ② 사관(史官).
[史册] shǐcè 명 역사 기록. 사책. 사기. =[史策]
[史官] shǐguān 명 사관.
[史迹] shǐjì 명 사적. 역사 유적.
[史料] shǐliào 명 사료. 역사 자료.
[史前] shǐqián 명 선사. 유사(有史) 이전. ❑ ~时代; 선사 시대.
[史诗] shǐshī 명 서사시(敍事詩).
[史实] shǐshí 명 역사적 사실.
[史书] shǐshū 명 사서. 역사책.
[史无前例] shǐwúqiánlì 〈成〉사상(史上) 전례가 없다.
[史学] shǐxué 명 사학. 역사학. ❑ ~家; 사학자. 역사가.

使 shǐ (사) ① 동 파견하다. 보내다. 시키다. ❑ ~人去请大dài夫; 사람을 보내 의사를 부르다. ② 동 쓰다. 사용하다. ❑ ~煤气做饭; 가스를 써서 밥을 짓다. ③ 동 …하게 하다. …시키다. ❑ 他的才干~我佩服; 그의 재능은 나를 탄복시켰다. ④ 접〈書〉만일. 가령. 만약. ⑤ 명 사절. 외교관. ❑ 大~; 대사.
[使不得] shǐ·bu·de 동 ① 쓸 수 없다. ❑ 这药已经过期, ~了; 이 약은 이미 유통 기한이 지났으니 쓸 수 없다. ② 안 된다. 금물이다. 바람직하지 않다. ❑ 路边兑外币千万~; 길에서 외화를 환전하는 것은 절대 금물이다.
[使得] shǐ·de 동 ① 쓸 수 있다. ❑ 这台录音机~使不得? 이 녹음기는 쓸 수 있나요? ② 좋다. 괜찮다. ❑ 这个办法倒~; 이 방법은 그래도 괜찮다. ③ …한 결과를 낳다. …하게 하다. ❑ 老师的去世, ~他非常伤心; 스승의 죽음은 그를 매우 상심하게 했다.
[使馆] shǐguǎn 명〔法〕재외 공관(在外公館).
[使唤] shǐ·huan 동 ① 심부름을 시키다. 일을 시키다. ❑ 别老~人, 自己动手吧! 남에게 시키지만 말고 스스로 해라! ②〈口〉(도구·가축 따위를) 쓰다. 다루다. 부리다. ❑ 我的电脑突然不听~了; 내 컴퓨터가 갑자기 말을 듣지 않는다.
[使节] shǐjié 명 사절.
[使劲(儿)] shǐ∥jìn(r) 동 힘을 내다. 힘을 쓰다. ❑ ~地拉住绳子; 힘차게 밧줄을 잡아당기다.
[使命] shǐmìng 명 사명. 〈比〉중대한 책임.
[使性子] shǐ xìng·zi 성질대로 하다. 내키는 대로 하다. =[使性]
[使眼色] shǐ yǎnsè 눈짓하다. 눈짓으로 알리다.
[使用] shǐyòng 동 (사람·물건·자금 따위를) 쓰다. 사용하다. ❑ ~费; 사용료 / ~价值; 사용 가치 / ~说明书; 사용 설명서.
[使者] shǐzhě 명 사자.

驶(駛) shǐ (사) 동 ① (차·말 따위가) 빨리 달리다. 질주하다. ❑ 急~而过; 빠른 속도로 지나가다. ② 운전하다. 조종하다. ❑ 驾~; 운전하다.

矢 shǐ (시) ① 명 화살. ② 동〈書〉맹세하다. 굳게 지키다. ❑ ~志; ⇩ ③ 명〈書〉⇒[屎①]
[矢口] shǐkǒu 부 한마디로 딱 잘라. ❑ ~否认; 〈成〉딱 잘라 부인하다 / ~抵赖; 〈成〉딱 잡아떼다.
[矢志] shǐzhì 동〈書〉뜻을 세우다. ❑ ~不移; 〈成〉결의가 흔들리지 않다.

豖 shǐ (시) 명〔動〕〈書〉돼지.

始 shǐ (시) ① 명 시초. 시작. 처음. ② 동 시작하다. ❑ 周而复~; 〈成〉한 바퀴 돌고 다시 시작하다. ③ 부〈書〉비로소. 가까스로. 겨우. ❑ 会议至下午四点~告结束; 회의는 오후 네시가 되어서야 겨우 끝났다.
[始末] shǐmò 명 시말. 자초지종. 경과. 전말.
[始终] shǐzhōng 명 시종. 처음과 끝. 부 시종. 처음부터 끝까지. 줄곧. ❑ 我们~支持你; 우리는 줄곧 너를 지지한다 / ~如一; 〈成〉시

종여일하다.

[始祖] shǐzǔ 명 ① 시조. ②〈比〉 개조(開祖). 창시자. 「조새.

[始祖鸟] shǐzǔniǎo 명〔考古〕 시

屎 shǐ (시)
명 ① 똥. 대변. ❏拉~; 똥을 누다. =[〈書〉 失③] ② 눈곱·귀지 따위. ❏耳~; 귀지 / 眼~; 눈곱.

士 shì (사)
명 ① 옛날, 미혼의 남자. ② 사(士)《옛날, 대부(大夫)와 서민 중간의 계층》. ③ 지식인. 선비. ④ 군인. ⑤〔軍〕 하사관. ⑥ 어떤 기술을 지닌 사람. ❏护~; 간호사 / 医~; 의사. ⑦ 사람에 대한 미칭(美稱). ❏烈~; 열사.

[士兵] shìbīng 명〔軍〕 사병.

[士大夫] shìdàfū 명 사대부.

[士气] shìqì 명 사기. ❏~低落; 사기가 떨어지다.

[士卒] shìzú 명 사졸. 사병.

仕 shì (사)
동 관리가 되다.

[仕女] shìnǚ 명 ① 여관(女官). 궁녀. ②〔美〕 미인을 제재(題材)로 한 중국화. 미인도(美人圖).

[仕途] shìtú 명〈書〉 관도(官途). 벼슬길.

氏 shì (씨)
명 ① 성(姓). 씨. ② 기혼 부인의 친정집 성(姓) 뒤에 붙이는 호칭《보통 친정집 성 앞에는 남편의 성이 옴》. ❏王张~; 친정이 장 씨인 왕 씨 댁 부인. ③ 제왕·귀족·명사(名士)·전문가에 대한 호칭. ❏神农~; 신농씨.

[氏族] shìzú 명 씨족.

舐 shì (지)
동〈書〉 핥다.

[舐犊情深] shìdú-qíngshēn〈成〉 자식에 대한 관심과 사랑이 매우 깊은 모양.

世 shì (세)
① 명 일생. 생애. ② 명 세. 대《혈통 관계가 있는 사람들이 대대로 전하여 이루어진 항렬》. ❏四~同堂; 〈成〉 사대가 한집에 살다. ③ 형 대대로 전해지는. 여러 대를 걸친. ❏~仇; ⇩ ④ 명 (역사적으로 구분된) 시대. 시기. ❏近~; 근세. ⑤ 명 세상. 세간. ❏~道; ⇩

[世仇] shìchóu 명 대대로 내려오는 원수나 그 집안. 또는 그 원한.

[世传] shìchuán 동 대대로 전하다. 세전하다. ❏~秘方; 대대로 전해 내려오는 비방.

[世代] shìdài 명 ① 세대. ❏~交替; 세대교체. ② 대대. ❏~相传; 〈成〉 대대로 전해지다.

[世道] shìdào 명 세정. 세태. 사회 상황.

[世故] shìgù 명 세상 물정. 세상사.

[世故] shì·gu 형 (사물의 처리나 남에 대한 응대가) 원활하다. 처세술에 능하다. 「21세기.

[世纪] shìjì 명 세기. ❏二十一~;

[世家] shìjiā 명 ① 명문. 세가. ② 가업(家業)을 대대로 계승하는 집안. ❏教育~; 교육자 집안.

[世间] shìjiān 명 세간. 세상.

[世交] shìjiāo 명 ① 대대로 교분이 있는 사람, 또는 그 집안. ② 여러 대(代)의 교제. 2대 이상의 교제.

[世界] shìjiè 명 ① 세계. ❏~杯; 월드컵(World Cup) / ~大战; 세계 대전 / ~观; 세계관 / ~冠军; 세계 챔피언 / ~纪录; 세계 기록. ② 지구상의 모든 곳. 세상 곳곳. ❏~各地; 세계 각지. ③ 세상의 정세[기풍]. ❏~已经变了; 세상이 이미 변했다. ④ 영역. 활동 범위. ❏科学~; 과학 세계.

[世面] shìmiàn 명 세상 물정. 사회 상황.

[世情] shìqíng 명 세정. 물정.

[世人] shìrén 명 세인. 세상 사람.

[世上] shìshàng 명 세상. ❏~人; 세상 사람.

[世事] shìshì 명 세상사. 세상일.

[世俗] shìsú 명 ① 세속. =[尘俗①] ② 세속적인 것.

[世态] shìtài 명 세태. ❏~炎凉; 〈成〉 염량세태.

[世外桃源] shìwài-táoyuán〈成〉 무릉도원. 유토피아.

[世袭] shìxí 동 세습하다.

市 shì (시)
① 명 시장(市場). 장(場). ❏上~去买货; 시장에 물건을 사러 가다. ② 명 도회. 도시. ❏~中心; 도심. ③ 명 시《행정 구획의 하나》. ❏上海~; 상하이 시. ④〔度〕 '市制'의 단위 앞에 쓰는 말. ❏~尺; 자《약 0.33미터》.

[市场] shìchǎng 명 ① (장소로서의) 시장. 마켓. ❏~经济; 시장경제 / 旧货~; 중고품 시장 / 跳蚤~; 벼룩시장. ② (유통 영역으로서의) 시장. ❏国外~; 해외 시장.

[市集] shìjí 명 ①⇨[集市] ②⇨

[市镇]
[市价] shìjià 명 시장 가격. 시가.
[市郊] shìjiāo 명 교외(郊外).
[市井] shìjǐng 명〈書〉 시정. 시가. ❏ ~之徒; 시정잡배.
[市侩] shìkuài 명 중매인. 거간꾼. 〈轉〉 돈밖에 모르는 악덕 상인. 사리사욕만을 꾀하는 사람.
[市面] shìmiàn 명 ① 길거리. 저잣거리. ② (~儿) 시장 상황. ❏ ~紧; 시장이 불경기이다.
[市民] shìmín 명 시민. 「지역.
[市区] shìqū 명 시가 구역. 시내
[市长] shìzhǎng 명 시장(市長).
[市镇] shìzhèn 명 읍. 소도시. = [市集②] 「정.
[市政] shìzhèng 명 시정. 도시 행
[市制] shìzhì 명〖度〗 국제 미터법을 기초로 중국 전통 계량 제도를 결합하여 제정한 도량형 제도.

柿 shì (시)
명〖植〗 감나무. =[柿树]
[柿饼] shìbǐng 명 곶감. 「감.
[柿子] shì·zi 명〖植〗 ① 감나무. ②
[柿子椒] shì·zijiāo 명〖植〗 피망. =[青椒]

示 shì (시)
동 가리키다. 나타내다. 알리다. 보이다. ❏ 暗~; 암시하다 / 表~; 표시하다. 나타내다.
[示范] shìfàn 동 시범하다. ❏ ~动作; 시범 동작.
[示例] shìlì 명동 예시(하다).
[示弱] shìruò 동 약한 모습을 보이다《주로, 부정형으로 쓰임》. ❏ 决不~; 절대 약한 모습을 보이지 않다.
[示威] shìwēi 동 ① 시위하다. 데모하다. ❏ 游行~; 시위행진을 하다. ② 위세를 떨쳐 보이다.
[示意] shìyì 동 의사[의도]를 나타내다. 의미를 나타내다. ❏ 用手势~; 손짓으로 의사 표현을 하다 / ~图; (설명용의) 약도. 안내도.
[示众] shìzhòng 동 대중에게 보이다《주로, 죄인을 공개 처벌하는 것을 가리킴》. ❏ 游街~; 조리돌리다.

式 shì (식)
명 ① 모양. 양식. 타입(type). 스타일(style). ❏ 发fà~; 헤어스타일/ 新~; 신식. ② 형식. 격식. ❏ 法~; 법식. ③ 의식. 예식. ❏ 毕业~; 졸업식. ④ 식. 공식. ❏ 方程~; 방정식.
[式样] shìyàng 명 양식. 모양. 스타일. 디자인. ❏ 各种~的衣服; 각종 스타일의 옷.
[式子] shì·zi 명 ① 자세. 모양. 형(型). ②〖數·化〗 식.

试(試) shì (시)
① 동 시험하다. 테스트하다. ❏ ~~你的手艺; 네 솜씨를 시험해 보자. ② 동 해 보다. 시도하다. ❏ ~鞋; 신발을 신어 보다. ③ 명 시험.
[试场] shìchǎng 명 ⇨[考场]
[试车] shì∥chē 동 시운전하다.
[试点] shìdiǎn 동 시험적으로 소규모의 테스트를 행하다. 명 시험적으로 해 보는 장소. 「일하다.
[试工] shì∥gōng 동 수습공으로
[试管] shìguǎn 명〖化〗 시험관. ❏ ~婴儿; 시험관 아기.
[试剂] shìjì 명〖化〗 시약(試藥).
[试金石] shìjīnshí 명 ①〖鑛〗 시금석. ②〈比〉 가치·능력 따위를 알아볼 수 있는 기회나 사물.
[试镜] shì∥jìng 동〖映〗 카메라 테스트를 하다.
[试卷] shìjuàn 명 시험 답안. 답안지. =[考卷]
[试探] shì·tan 동 (상대의 반응을) 넌지시 알아보다. 떠보다. 타진하다. ❏ 拿话~~, 看他有什么反应; 그가 어떤 반응을 보이는지 말로 떠보아라.
[试题] shìtí 명 시험 문제. =[考题]
[试图] shìtú 동 시도하다.
[试问] shìwèn 동 시험삼아 묻다. 물어보다. ❏ ~你为什么要这样做? 좀 묻겠는데, 너는 왜 이렇게 하려고 하느냐?
[试想] shìxiǎng 동 생각해 보다《주로, 반문의 어기로 물을 때 쓰는 말》. ❏ ~, 他会答应你吗? 생각해 봐라, 그가 너에게 승낙할 리가 있겠느냐?
[试行] shìxíng 동 시행해 보다. 시험삼아 해 보다. ❏ 先~, 再推广; 우선 시험해 보고 나서 보급하다.
[试验] shìyàn 동 시험하다. 테스트하다. ❏ ~性能; 성능을 시험하다 / 核~; 핵실험.
[试映] shìyìng 동 (영화 따위를) 시사(試寫)하다. ❏ ~会; 시사회.
[试用] shìyòng 동 시험 삼아 써 보다. 시용하다. ❏ ~品; 시용품 / ~期; 시용 기간.
[试纸] shìzhǐ 명〖化〗 시험지.
[试制] shìzhì 동 시험 제작 하다. 시작(試作)하다. ❏ ~新产品; 신

제품을 시험 제작 하다.

拭 shì (식)
통 닦다. 훔치다. 문지르다. ❏~泪; 눈물을 닦다.

[拭目以待] shìmùyǐdài 〈成〉 눈을 비비고 기다리다(간절히 바라거나 어떤 일의 실현을 고대함).

弑 shì (시)
통〈書〉 시해(弑害)하다.

似 shì (사)
→[似的] ⇒sì

[似的] shì·de 조 …인 듯하다. …과 비슷하다. …과 같다. ❏牛毛~小雨; 쇠털 같은 가랑비. =[是的]

事 shì (사)
①(~儿) 명 일. ❏私~; 사적인 일. ②(~儿) 명 사고. 사건. ❏出~; 사고가 나다. ③(~儿) 명 직업. 일. ④명 책임. 관계. ❏不关你的~; 너와는 관계없다. ⑤통〈書〉 시중들다. 섬기다. 모시다. ❏~父母至孝; 부모를 섬기며 효를 다하다. ⑥통 (…을) 하다. 종사하다. ❏不~劳动; 노동을 하지 않다.

[事半功倍] shìbàn-gōngbèi 〈成〉 절반의 노력으로 갑절의 효과를 거두다.

[事倍功半] shìbèi-gōngbàn 〈成〉 들인 노력은 크나 성과가 작다.

[事必躬亲] shìbìgōngqīn 〈成〉 무슨 일이든 반드시 직접 하다.

[事变] shìbiàn 명 ①(정치·군사상의) 사변. 변란. 사건. ②일반적인 사물의 변화.

[事端] shìduān 명 사단. 말썽. 분쟁. 사고. 사건.

[事故] shìgù 명 사고. ❏发生~; 사고가 나다 / 交通~; 교통 사고.

[事过境迁] shìguò-jìngqiān 〈成〉 일은 이미 지나가 버리고 주위의 상황도 바뀌다.

[事后] shìhòu 명 사후. 일이 끝난 뒤. ❏~诸葛亮; 〈比〉 일이 끝난 뒤에 큰소리치다.

[事迹] shìjì 명 (과거의) 사적(事跡). 행위. 실적.

[事件] shìjiàn 명 (역사상·사회상의) 사건. ❏历史~; 역사적 사건.

[事理] shìlǐ 명 일의 도리. 사리.

[事例] shìlì 명 사례.

[事前] shìqián 명 ①⇨[事先] ② 어떤 일이 처리되거나 끝나기 전.

[事情] shì·qing 명 ①일. 상황. 사정. ❏~并不那样简单; 상황은 결코 그렇게 간단하지 않다. ②용무. 볼일. ❏你来有什么~? 무슨 일로 오셨습니까? ③사고. 실수. 문제. 사건. ❏出~; 문제가 생기다. =[事体①] ④일. 직업. 업무. =[事体②]

[事实] shìshí 명 사실. ❏既成~; 기정사실.

[事态] shìtài 명 사태. ❏~严重; 사태가 심각하다.

[事体] shìtǐ 명〈方〉 ①⇨[事情③] ②⇨[事情④]

[事务] shìwù 명 ①사무. 일. ❏~繁忙; 사무가 바쁘다 / ~所; 사무소. ②총무. ❏~科; 총무과.

[事物] shìwù 명 사물. ❏新~; 새로운 사물.

[事先] shìxiān 명 사전. 미리. =[事前①]

[事项] shìxiàng 명 사항. ❏注意~; 주의 사항.

[事业] shìyè 명 ①(사회 발전에 영향을 미치는 일상적 활동으로서의) 사업. ❏教育~; 교육 사업. ②(국가의 관리하에 있는 비영리적) 사업. ❏~费; 사업비. 경영비.

[事由] shìyóu 명 ①사유. 경위. 자초지종. ❏问清~; 자초지종을 묻다. ②〈公〉 공문의 주된 내용.

[事与愿违] shìyǔyuànwéi 〈成〉 일이 바라는 대로 되지 않다.

侍 shì (시)
통 시중들다. 모시다.

[侍从] shìcóng 명 시종.

[侍奉] shìfèng 통 (윗사람이나 부모를) 모시고 봉양하다. 섬기다. ❏~父母; 부모를 섬기다.

[侍候] shìhòu 통 모시고 돌보다. 시중들다. 보살피다. ❏~伤员; 부상자를 보살피다.

[侍女] shìnǚ 명 시녀.

[侍卫] shìwèi 명통 시위(하다).

恃 shì (시)
통 의지하다. 믿다.

[恃才傲物] shìcái-àowù 〈成〉 자기 재능을 믿고 교만하여 남을 멸시하다.

势(勢) shì (세)
명 ①세력. 권력. ❏失~; 세력을 잃다. ②기세. ❏火~; 불의 기세. ③(자연계의) 현상. 형상. ❏地~; 지세. ④상황. 정세. 대세. ❏~不两立; ⇩ ⑤자세. 몸짓. 동작. ❏手~; 손짓. ⑥수컷의 생식기. ❏去~; 거세하다.

[势必] shìbì 부 (형세상) 필연적으로. 반드시. ❏~至于灭亡; 필연

적으로 멸망에 이르다.
[势不可当] shìbùkědāng 〈成〉 기세가 세차서 막아 낼 수 없다. =[势不可挡]
[势不两立] shìbùliǎnglì 〈成〉 적대하는 사물은 양립할 수 없다.
[势力] shìlì 명 세력. ❏进步~; 진보 세력.
[势利] shì·li 형 재산과 지위에 따라 사람을 대하다. 속물 근성이 있다. ❏~小人; 간에 붙었다 쓸개에 붙었다 하는 소인배.
[势如破竹] shìrúpòzhú 〈成〉 파죽지세(破竹之勢).
[势头] shì·tou 명〈口〉 정세. 형세. ❏~不好; 형세가 불리하다.

饰(飾) shì (식)
① 동 꾸미다. 장식하다. ❏装~; 장식하다. ② 동 꾸미어 속이다. 숨기다. ❏~词; ⇓ ③ 명 장식(품). 장신구. ④ 동 (배우가) 분하다. 역을 맡다. ❏~孔明; '孔明' 역을 맡다.
[饰词] shìcí 명 진상을 덮어 숨기는 말. 둔사(遁辭). 구실(口實).
[饰物] shìwù 명 ① 장신구. 액세서리. =[饰品] ② 장식품.

视(視) shì (시)
동 ① 보다. ❏近~; 근시. ② 대하다. 여기다. ❏重~; 중시하다. ③ 살피다. 관찰하다. ❏巡~一周; 한 바퀴 순시하다.
[视察] shìchá 동 ① 시찰하다. ❏~团; 시찰단. ② 관찰하다. 살피다. ❏~地形; 지형을 관찰하다.
[视窗] shìchuāng 명〔컴〕 윈도우즈(windows).
[视点] shìdiǎn 명 보는 관점. 시점.
[视而不见] shì'érbùjiàn 〈成〉 보아도 보이지 않다《중시하지 않다. 주의를 기울이지 않다》.
[视角] shìjiǎo 명 ①〔生理〕 시각. ② (카메라의) 앵글(angle). ③ 시각《문제를 보는 각도》.
[视界] shìjiè 명 시계. 시야.
[视觉] shìjué 명〔生理〕 시각.
[视力] shìlì 명 시력. ❏~测验; 시력 검사. =[目力]
[视死如归] shìsǐrúguī 〈成〉 죽음을 집에 돌아가는 것처럼 여기다《죽음을 두려워하지 않다》.
[视听] shìtīng 명 시청각. 보는 것과 듣는 것. 〈轉〉 견문(見聞). ❏~教材; 시청각 교재.
[视网膜] shìwǎngmó 명〔生理〕 망막. ❏~炎; 망막염.
[视线] shìxiàn 명 시선. ① 눈길. ❏挡住~; 시선을 가로막다. ② 〈比〉 주의력. ❏转移~; 시선을 돌리다.
[视野] shìyě 명 시야.

室 shì (실)
명 ① 방. 실. ❏教~; 교실. ② (업무 단위로서의) 실. ❏企划~; 기획실. ③ 처. 아내. ④ 집. 가족. ❏皇~; 황실. ⑤ 생물의 기관·기계 따위의 내부의 빈 곳. ❏心~; 심실.
[室内] shìnèi 명 실내. ❏~乐; 실내악.
[室外] shìwài 명 실외.

适(適) shì (적)
① 형 적합하다. 적당하다. 알맞다. ❏~口; 입맛에 맞다. ② 부 마침. 공교로이. ❏~逢其会; ⇓ ③ 형 기분이 좋다. 편안하다. ❏舒~; 쾌적하다. ④ 동〈書〉 가다. ❏君将何~? 그대는 어디로 가려는가? ⑤ 동〈書〉 시집가다. ❏~人; 시집가다. 출가하다.
[适当] shìdàng 형 적당하다. 적절하다. 타당하다. ❏采取~的措施; 적절한 조치를 취하다.
[适得其反] shìdé-qífǎn 〈成〉 (바라는 바와) 정반대의 결과가 되다.
[适度] shìdù 형 (정도가) 적당하다. 알맞다.
[适逢其会] shìféng-qíhuì 〈成〉 마침 그 시기를 만나다.
[适合] shìhé 동 들어맞다. 부합하다. 적합하다. 알맞다.
[适可而止] shìkě'érzhǐ 〈成〉 적당한 정도에서 그치다.
[适量] shìliàng 형 적당량이다. 적량이다. ❏用药必须~; 약은 적량을 사용해야 한다.
[适龄] shìlíng 형 적령의. ❏~儿童; (입학) 적령 아동. 학령 아동.
[适时] shìshí 형 시의적절하다. 시기적절하다. 적시이다.
[适宜] shìyí 형 알맞다. 적당하다. ❏浓淡~; 농도가 적당하다.
[适意] shìyì 형 상쾌하다. 개운하다. 기분이 좋다.
[适应] shìyìng 동 적응하다. ❏~当地的气候; 현지의 기후에 적응하다 / ~能力; 적응력.
[适用] shìyòng 형 쓰기에 적당하다. 사용하기에 알맞다. 적용하다. ❏你的皮肤~中性皂; 네 피부에는 중성 비누가 적당하다.

[适者生存] shìzhě shēngcún〖生〗 적자생존.

[适中] shìzhōng 형 ① 꼭 알맞다. 딱 적당하다. ❏规模~; 규모가 딱 적당하다. ② (위치가) 한쪽으로 치우치지 않다. ❏地点~; 장소가 딱 적당하다.

是 shì (시)

A) ① 형 맞다. 옳다. ❏自以为~; 〈成〉 스스로 옳다고 여기다. ② 동〈書〉 옳다고 여기다. ③ 동 대답하는 말을 나타냄. ❏ ~, 我明白; 네, 알겠습니다. B) 대〈書〉 이. 이것. ❏如~; 이와 같다. C) 동 ① 두 개의 사물을 연계시켜 양자가 동일함을 나타내거나 부류·속성·특징을 나타냄. ❏上海~中国最大的城市; 상하이는 중국 최대의 도시이다 / 铁~一种金属; 철은 금속의 일종이다 / 他~蓝眼睛; 그는 파란눈이다. ② 존재를 나타냄. ❏他身上都~泥; 그는 온몸이 진흙투성이다. ③ 말하여지는 사물들이 서로 무관함을 나타냄(('是' 의 앞뒤에 같은 명사나 동사를 사용하고, 두 구문을 연용함)). ❏去年~去年, 今年~今年, 你当年年一个样哪! 작년은 작년이고 올해는 올해인데 너는 해마다 같은 줄 아느냐! ④ 양보를 나타냄(('是' 의 앞뒤에 같은 명사·형용사·동사를 사용함)). ❏今天热~热, 但并不闷; 오늘은 덥긴 더운데, 후덥지근하지는 않다. ⑤ 문장 앞에 쓰여 어기를 강하게 함. ❏~老天给了我智慧和力量; 하느님이 나에게 지혜와 힘을 주셨다. ⑥ 명사 앞에 쓰여 예외 없이 모든 것을 아우름을 나타냄. ❏~电影他就喜欢看; 그는 영화란 영화는 다 좋아한다. ⑦ 명사 앞에 쓰여 적합함·알맞음을 나타냄. ❏~味儿; 입맛에 맞다. ⑧ 선택 의문문이나 옳고 그름을 묻는 의문문, 혹은 반어문 따위에 쓰임. ❏你~坐船去, 还~坐火车去? 너는 배로 가겠느냐, 기차로 가겠느냐? ⑨ 강한 긍정을 나타냄. ❏他的女朋友~挺漂亮; 그의 여자 친구는 매우 예쁘다. ⑩ '是…的' 의 형식으로 쓰여 강조를 나타냄. ❏他~去年来的; 그는 작년에 왔다 / ~你先动手的; 네가 먼저 시작한 거잖아.

[是的] shì·de 그렇다. 그렇습니다. 네((대답하는 말)). 조 ⇨[似shì的]

[是非] shìfēi 명 ① 시비. 옳음과 그름. ❏~曲直; 〈成〉 시비곡직. ② 시비. 말다툼. 언쟁. ❏惹起~; 시비를 일으키다.

[是否] shìfǒu 부 …인지 아닌지. …인가 …이 아닌가. ❏他们~参加, 我还不清楚; 그들이 참가하는지 안 하는지 나는 아직 잘 모른다.

逝 shì (서)

동 ① (시간·물 따위가) 흘러가다. 지나가다. ❏时光已~; 시간은 이미 지나가 버렸다. ② 죽다. ❏病~; 병사하다.

[逝世] shìshì 동 서거하다.

誓 shì (서)

명동 맹세(하다). 결의(하다). 서약(하다). ❏发~; 맹세하다.

[誓词] shìcí 명 ⇨[誓言]

[誓师] shìshī 동 ① (군대가) 출정전에 전투 의지를 다지다. ②〈轉〉 (집회에서) 목적 달성에 대한 의지를 다지다. 궐기하다. ❏ ~大会; 궐기 대회.

[誓死] shìsǐ 부 맹세코. 죽어도. ❏~不屈; 〈成〉 죽어도 굴복하지 않다.

[誓言] shìyán 명 서언. 맹세(하는 말). =[誓词]

[誓愿] shìyuàn 명 서원. 맹세하여 세운 소원.

[誓约] shìyuē 명 서약.

释(釋) shì (석)

① 동 해석하다. 설명하다. ❏注~; 주석하다. ② 동 풀다. 없애다. ❏~疑; ⇩ ③ 동 놓다. 떼다. 내려놓다. ❏~手; 손을 떼다. ④ 동 석방하다. ❏~俘; 포로를 석방하다. ⑤ (Shì) 명〖人〗〈簡〉 석가모니. 〈轉〉 불교.

[释放] shìfàng 동 ① 석방하다. ❏~囚犯; 죄수를 석방하다. ②〖物〗 (에너지 따위를) 방출하다. ❏~能量; 에너지를 방출하다.

[释迦牟尼] Shìjiāmóuní 명〖人〗 석가모니.

[释疑] shìyí 동 의문을 풀다. 의심을 풀다.

[释义] shìyì 명동 석의(하다). 뜻풀이(하다).

嗜 shì (기)

동 즐기다. 좋아하다. 애호하다. ❏~酒; 술을 즐겨 마시다.

[嗜好] shìhào 명 (주로, 건전하지 못한) 도락(道樂). 취미. 기호.

噬 shì (서)

동 깨물다. 씹다.

匙 ·shi (시)
→[钥yào匙] ⇒ chí

shou ㄕㄡ

收 shōu (수)
동 ① 거두어 넣다. 간수하다. 건사하다. ❑ 东西一定要~好; 물건은 반드시 잘 간수해야 한다. ② 걷다. 모으다. 정리하다. ❑ ~废品; 폐품을 정리하다. ③ 거두어들이다. 회수하다. 받다. ❑ ~电费; 전기세를 받다. ④ (경제적 이익을) 얻다. 받다. ❑ ~益; ⇩ ⑤ 수확하다. 추수하다. ❑ 秋~; 추수. ⑥ 받다. 받아들이다. 수용하다. ❑ ~礼物; 선물을 받다. ⑦ (행동·감정 따위를) 누르다. 거두다. 억제하다. ❑ ~笑容; 웃음을 거두다. ⑧ 가두다. 체포하다. ❑ ~监; ⇩ ⑨ 그만두다. 마치다. 끝내다. ❑ ~场; ⇩

[收藏] shōucáng 동 수집하여 간수하다. 수장하다. ❑ ~家; 수장가.

[收场] shōu//chǎng 동 끝나다. 마치다. 마무리 짓다. ❑ 草草~; 적당히 마무리 짓다. (shōuchǎng) 명 결말. 끝. 「황. 어황.

[收成] shōu·cheng 명 수확. 작

[收到] shōudào 동 수령하다. 받다. ❑ ~回信; 답장을 받다.

[收发] shōufā 동 (기관·학교 따위에서 서류나 우편물을) 수령하고 발송하다. 수발하다. ❑ ~工作; 수발 업무. 명 수발 업무 담당자.

[收费] shōu//fèi 동 비용을 받다. ❑ ~停车场; 유료 주차장.

[收复] shōufù 동 수복하다. 되찾다. ❑ ~失地; 잃었던 땅을 되찾다.

[收割] shōugē 동 베어서 거두어들이다. 수확하다. ❑ ~水稻; 벼를 수확하다. 「[마치다].

[收工] shōu//gōng 동 일을 끝내다

[收购] shōugòu 동 수매하다. ❑ ~粮食; 곡물을 수매하다.

[收回] shōu//huí 동 ① 돌려받다. 회수하다. ❑ ~贷款; 대출금을 회수하다. ② (의견·명령 따위를) 취소하다. 철회하다. ❑ ~成命; 내린 명령을 취소하다.

[收获] shōuhuò 동 (농작물을) 거두어들이다. 수확하다. ❑ ~量; 수확량. 명〈比〉 성과. 수확. 소득.

[收集] shōují 동 수집하다. 채집하다. ❑ ~资料; 자료를 수집하다.

[收监] shōu//jiān 동 수감하다.

[收据] shōujù 명 수령증. 인수증. 영수증. =[收条(儿)]

[收看] shōukàn 동 (텔레비전을) 시청하다. ❑ 请多~; 많은 시청 바랍니다. =[收视]

[收看率] shōukànlǜ 명 ⇨[收视率]

[收口(儿)] shōu//kǒu(r) 동 ① (뜨개질 따위에서) 열린 곳을 꿰매다. 마무리하다. ② (상처가) 아물다.

[收敛] shōuliǎn 동 ① (웃음·빛 따위가) 가시다. 거두다. 없어지다. ❑ ~了笑容; 웃음이 가셨다. ② (언행을) 조심하다. 신중히 하다. ③〔醫〕 수렴하다. ❑ ~剂 =[~药]; 수렴제.

[收留] shōuliú 동 (생활이 어렵거나 사정이 있는 사람을) 거두다. 받아 주다. 맡아서 돌보다. ❑ ~难民; 난민을 받아 주다.

[收拢] shōulǒng 동 ① (한곳에) 모으다. ❑ 把四散的羊~在一起; 사방에 흩어져 있는 양을 한곳에 모으다. ② 매수하여 관계를 맺다. 구워삶아 사로잡다. ❑ ~人心; 인심을 구워삶아 사로잡다.

[收录] shōulù 동 ① 받아들여 채용하다. 데려다 쓰다. ❑ ~旧部; 옛 부하를 데려다 쓰다. ② (시문 따위를) 수록하다. 싣다. ❑ ~他的作品; 그의 작품을 싣다.

[收罗] shōuluó 동 모으다. 망라하다. ❑ ~人材; 인재를 모으다.

[收买] shōumǎi 동 ① 사들이다. 매입하다. ❑ ~股票; 주식을 사들이다. ② (사람을) 매수하다. 구워삶다. ❑ ~民心; 민심을 매수하다.

[收盘] shōu//pán 동 ①〔經〕 장을 마치다. 장을 마감하다. ❑ ~价; 종장가. ② (바둑·장기 따위의) 대국(對局)이 종료되다.

[收讫] shōuqì 동 영수필(畢)하다.

[收容] shōuróng 동 수용하다. 받아들이다. ❑ ~难民; 난민을 수용하다 / ~所; 수용소.

[收入] shōurù 동 얻어들이다. 받아들이다. ❑ ~的现金都存入银行; 받은 현금은 모두 은행에 예금한다. 명 수입. 소득. ❑ ~分配; 수입 분배.

[收视] shōushì 동 ⇨[收看]

[收视率] shōushìlǜ 명 시청률. =[收看率]

[收拾] shōu·shi 동 ① 치우다. 정리하다. 정돈하다. ❑ ~行李; 짐을

정리하다. ② 수선하다. 수리하다. ❑ ~自行车; 자전거를 수리하다. ③〈口〉 손을 봐주다. 버릇을 고쳐 주다. 혼쭐을 내다. ④〈口〉 죽이다. 해치우다.
[收受] shōushòu 동 받다. 수수하다. ❑ ~金钱; 금품을 수수하다.
[收束] shōushù 동 ① (짐 따위를) 꾸리다. 치우다. 정리하다. ② (생각·마음 따위를) 정리하다. 다잡다. ③ 마치다. 끝맺다.
[收缩] shōusuō 동 ① 수축하다. ❑ ~率; 수축률. ② 긴축하다. 줄이다. ❑ ~开支; 지출을 줄이다.
[收摊儿] shōu//tānr 동 ① (노점 상인이) 좌판을 거두다. ②〈比〉 하고 있던 일을 끝내다.
[收条(儿)] shōutiáo(r) 명 ⇨[收据]
[收听] shōutīng 동 (방송을) 청취하다. ❑ ~广播; 방송을 청취하다.
[收效] shōu//xiào 동 효과를 거두다.
[收心] shōu//xīn 동 ① 마음을 진정시키다[다듬다]. ② 마음을 잡다.
[收押] shōuyā 동 구류하다. 구금하다.
[收益] shōuyì 명 수익. 이득.
[收音机] shōuyīnjī 명 라디오 (수신기).
[收支] shōuzhī 명 수입과 지출. 수지. ❑ ~平衡; 수지가 균형을 이루다.

熟 shóu (숙) 「⇒ shú
'熟shú'의 구어음(口語音).

手 shǒu (수)
① 명 손. ❑ 双~; 양손. ② 부 손수. 직접. ❑ ~稿; ⇩ ③ 동 (손에) 들다. 잡다. 쥐다. ❑ 人~一册; 〈成〉 사람마다 한 권씩 갖다. ④ 형 작고 간편하게 들 수 있는. ❑ ~册; ⇩ ⑤ 명 수단. 수. 수법. ⑥ (~儿) 양 재주·기술·능력·솜씨 따위를 세는 말. ❑ 他还留了一~儿; 그는 아직도 솜씨가 꽤 있다. ⑦ 명 어떤 기술·기능에 능숙한 사람. ❑ 能~; 재주꾼. ⑧ 명 어떤 일에 종사하는 사람. ❑ 水~; 선원. 뱃사람.
[手包(儿)] shǒubāo(r) 명 (작은) 손가방.
[手背] shǒubèi 명 손등.
[手笔] shǒubǐ 명 ① 자필의 문장·글씨·그림. ② 문필의 조예. ③ 돈의 씀씀이. 일을 처리하는 품.
[手边(儿)] shǒubiān(r) 명 ⇨[手头(儿)①]
[手表] shǒubiǎo 명 손목시계.
[手不释卷] shǒubùshìjuàn 〈成〉 손에서 책을 떼지 않다(① 꾸준히 면학에 힘쓰다. ② 독서 삼매경에 빠지다).
[手册] shǒucè 명 수첩. ① 참고할 수 있는 내용이 담긴 책. ❑ 时事~; 시사 수첩. ② 간단한 기록을 할 수 있는 공책. ❑ 工作~; 업무 수첩.
[手戳(儿)] shǒuchuō(r) 명〈口〉 (개인의 이름을 새긴) 도장.
[手电筒] shǒudiàntǒng 명 회중전등. 손전등. =[手电][电筒]
[手段] shǒuduàn 명 ① 수단. ❑ 通讯~; 통신 수단. ② 잔재주. 농간. ❑ 耍~; 잔재주를 부리다. ③ 솜씨. 수완.
[手法] shǒufǎ 명 ① (작품상의) 기교. 기법. ❑ 表现~; 표현 기법. ② 수법. ❑ 两面~; 양면 수법.
[手风琴] shǒufēngqín 명〖樂〗 아코디언(accordion).
[手稿] shǒugǎo 명 친필 원고.
[手工] shǒugōng 명 ① 수공. 수가공. ❑ ~业; 수공업. ②〈口〉 공임. 공전. 품삯. ③ 손으로 하는 조작.
[手工艺] shǒugōngyì 명 수공예. ❑ ~品; 수공예품.
[手机] shǒujī 명 휴대 전화. 핸드폰.
[手疾眼快] shǒují-yǎnkuài 〈成〉 동작도 빠르고 눈치도 빠르다. =[眼疾手快]
[手迹] shǒujì 명 수적(손수 쓴 글씨나 손수 그린 그림).
[手脚] shǒujiǎo 명 ① 거동. 동작. 움직임. ❑ ~利落; 동작이 깔끔하다. ②〈貶〉 술책. 술수. ❑ 做~; 술책을 부리다.
[手紧] shǒu//jǐn 형 ① 인색하다. 구두쇠다. ② 주머니 사정이 넉넉지 못하다. =[手头紧]
[手巾] shǒu·jīn 명 ① 수건. ② 〈方〉 ⇨[手绢(儿)]
[手绢(儿)] shǒujuàn(r) 명 손수건. =[手巾②][手帕][〈方〉 绢子]
[手铐] shǒukào 명 수갑. 쇠고랑.
[手快] shǒu//kuài 형 동작이 민첩하다. 일하는 것이 빠르다.
[手链(儿)] shǒuliàn(r) 명 ⇨[手镯]
[手榴弹] shǒuliúdàn 명〖軍〗 수류탄.
[手忙脚乱] shǒumáng-jiǎoluàn 〈成〉 ① 허둥지둥하고 두서가 없는 모양. ② 놀라 허둥대며 어쩔 줄 몰

라 하는 모양.
[手帕] shǒupà 명 ⇨[手绢(儿)]
[手旗] shǒuqí 명 수기.
[手气] shǒuqì 명 (도박·복권 따위의) 돈재수. 금전운.
[手枪] shǒuqiāng 명 권총.
[手巧] shǒu//qiǎo 형 손재주가 있다.
[手球] shǒuqiú 명〖體〗① 핸드볼(handball). ② 핸드볼 공. ③ (축구에서의) 핸들링(handling).
[手软] shǒu//ruǎn 형 손이 무르다. 마음이 약하다. 우유부단하다.
[手势] shǒushì 명 손짓. 수신호. 제스처(gesture).
[手书] shǒushū 동 수서하다. 손수 쓰다. 명 수서. 손수 쓴 편지.
[手术] shǒushù 명동 수술(하다). ❑~室; 수술실 / ~台; 수술대.
[手松] shǒu//sōng 형 활수하다. 돈 씀씀이가 대범하다.
[手套(儿)] shǒutào(r) 명 장갑. 글러브(gloves).
[手提] shǒutí 형 손에 드는. 들고 다닐 수 있는. ❑~电脑; 노트북.
[手提包] shǒutíbāo 명 ⇨[提包]
[手头(儿)] shǒutóu(r) 명 ① 수중. 신변. ❑~的事不少; 수중의 일이 많다. =[手边(儿)][手下④] ② 주머니 사정. ❑~宽裕; 주머니 사정이 넉넉하다. ③ 손재주. 솜씨.
[手头紧] shǒutóu jǐn ⇨[手紧②]
[手推车] shǒutuīchē 명 손수레.
[手腕(儿)] shǒuwàn(r) 명 ① ⇨[手腕子] ② 술수. 계교. 술책. ❑要~儿; 술수를 쓰다. ③ 수완. 역량. 능력. ❑外交~; 외교적 수완.
[手腕子] shǒuwàn·zi 명 손목. =[手腕(儿)①]
[手无寸铁] shǒuwúcùntiě 〈成〉 아무런 무기도 갖고 있지 않다.
[手舞足蹈] shǒuwǔ-zúdǎo 〈成〉 좋아서[기뻐서] 어쩔 줄 모르다.
[手下] shǒuxià 명 ① 지도하. 통솔하. ② 부하. 수하. ③ 주머니 사정. ④ ⇨[手头(儿)①] ⑤ 일을 시작할 때. 처리할 때.
[手写] shǒuxiě 동 손으로 쓰다. ❑~体; 필기체.
[手心] shǒuxīn 명 ① 손바닥 한가운데. ② (~儿) 〈比〉 손아귀. ❑逃出他的~; 그의 손아귀에서 벗어나다.
[手续] shǒuxù 명 수속. 절차. ❑办~; 수속을 밟다.
[手艺] shǒuyì 명 손재주. 솜씨.
[手印(儿)] shǒuyìn(r) 명 ① 손자국. ② 손도장. 지장(指章).
[手语] shǒuyǔ 명 수화.
[手掌] shǒuzhǎng 명 손바닥.
[手杖] shǒuzhàng 명 지팡이. 단장. 「장지.
[手纸] shǒuzhǐ 명 (화장실용) 화
[手指] shǒuzhǐ 명 손가락.
[手镯] shǒuzhuó 명 팔찌. =[手链(儿)]
[手足] shǒuzú 명 ① 손발. 〈轉〉 동작. 행동. ❑~无措; 속수무책이다. ②〈比〉 형제.

守 shǒu (수)

동 ① 방위하다. 수비하다. 지키다. ❑~球门; 골문을 지키다 / ~住阵地; 진지를 방위하다. ② 지켜보다. 간호하다. 돌보다. ❑~病人; 환자를 돌보다. ③ 지키다. 준수하다. ❑~时间; 시간을 지키다.
[守备] shǒubèi 동 수비하다. ❑~部队; 수비 부대.
[守财奴] shǒucáinú 명 수전노. 구두쇠. =[看kān财奴]
[守法] shǒu//fǎ 동 법률을 준수하다. 「하다.
[守寡] shǒu//guǎ 동 과부가 수절
[守候] shǒuhòu 동 ① 지키다. 기다리다. ❑我~着他的信息; 나는 그의 소식을 기다리고 있다. ② 곁에서 시중들다. 간호하다. ❑~在病人身边; 환자 곁에서 간호하다.
[守护] shǒuhù 동 지키다. 수호하다. ❑~神; 수호신.
[守节] shǒu//jié 동 수절하다.
[守旧] shǒujiù 형 옛것을 고수하다. ❑~派; 수구파.
[守口如瓶] shǒukǒu-rúpíng 〈成〉 말을 삼가다. 비밀을 굳게 지키다.
[守灵] shǒu//líng 동 (죽은 사람의 유해·위패를 지키며) 밤샘을 하다.
[守门] shǒu//mén 동 ① 문지기를 하다. ②〖體〗골(goal)을 지키다. ❑~员; 골키퍼(goal keeper).
[守势] shǒushì 명 수세. 방어.
[守望] shǒuwàng 동 파수(把守)를 보다. ❑~者; 파수꾼.
[守卫] shǒuwèi 동 방위하다. 지키다. ❑~边疆; 변경을 지키다.
[守夜] shǒuyè 동 야간 경비를 하다. ❑~兵; 야간 경비병.
[守则] shǒuzé 명 수칙.
[守株待兔] shǒuzhū-dàitù 〈成〉 노력하지 않고 요행을 바라다.

首 **shǒu** (수)
①명 머리. ②형 최고의. 제일의. 우두머리 격의. ❏～脑; ⇓ ③명 우두머리. 수령. ❏以他为～; 그를 우두머리로 삼다. ④부 제일 먼저. 처음으로. 최초로. ❏～创; ⇓ ⑤동 나서서 고발하다. ❏自～; 자수하다. ⑥양 시(詩)·노래를 세는 말. ❏一～诗; 시 한 수.

[首倡] shǒuchàng 동 (새로운 것을) 처음으로 부르짖다[제창하다].

[首创] shǒuchuàng 동 창시하다. 처음으로 만들다. ❏～精神; 창의성. 창조력. 「처음.

[首次] shǒucì 수량 첫 번째. 최초.

[首当其冲] shǒudāng-qíchōng 〈成〉 제일 먼저 공격을 받다[재난을 당하다].

[首都] shǒudū 명 수도.

[首恶] shǒu'è 명 원흉. 주모자.

[首尔] Shǒu'ěr 명〖地〗〈音〉 서울《대한민국의 수도》. =[汉城]

[首犯] shǒufàn 명 주범(主犯).

[首府] shǒufǔ 명 ①(성(省)의) 수도. ②수부.

[首肯] shǒukěn 동 수긍하다. 끄덕이다. 동의하다. ❏得到上级的～; 상부의 동의를 얻다.

[首领] shǒulǐng 명 ①〈書〉 머리와 목. ②〈比〉 수령. 두목. 대장.

[首脑] shǒunǎo 명 수뇌. ❏～会晤 =[～会议]; 정상 회담.

[首屈一指] shǒuqū-yīzhǐ 〈成〉 첫째로 손꼽다《제일(第一)이다》.

[首饰] shǒu·shì 명 머리 장식품. 〈轉〉 장신구. ❏～盒; 보석함.

[首尾] shǒuwěi 명 ①수미. 머리와 꼬리. ②시종. 처음부터 끝까지.

[首席] shǒuxí 명 ①수석. 상석. ❏坐～; 상석에 앉다. ②제1위. 최고 직무. ❏～执行官; 최고 경영자(CEO).

[首先] shǒuxiān 부 처음으로. 제일 먼저. 우선. ❏～发言; 제일 먼저 발언하다. 대 먼저. 첫째《열거할 때 쓰는 말》.

[首相] shǒuxiàng 명 수상. 총리.

[首要] shǒuyào 형 가장 중요하다. ❏～任务; 가장 중요한 임무. 명 수뇌(首腦).

[首长] shǒuzhǎng 명 수장《정부나 군대의 상급 지도자》.

寿(壽) **shòu** (수)
①형 장수하다. ❏人～年丰; 〈成〉 사람마다 장수하고 해마다 풍년이다. ②명 수명. 연령. ❏长～; 장수하다. ③명 (나이 든 사람의) 생일. 생신. ④형〈婉〉 죽은 사람에 쓰이는 물건에 붙이는 말. ❏～衣; ⇓

[寿斑] shòubān 명 ⇨[老年斑]

[寿辰] shòuchén 명 생신.

[寿礼] shòulǐ 명 생신 축하 선물.

[寿面] shòumiàn 명 장수면《생신을 축하하며 먹는 국수》.

[寿命] shòumìng 명 ①수명. ❏平均～; 평균 수명. ②〈比〉 내용(耐用) 기간. 유효 기간. ❏电器的～; 전자 제품의 수명.

[寿星] shòu·xing 명 ①⇨[老人星] ②장수(長壽)의 축하를 받는 사람.

[寿衣] shòuyī 명 수의.

[寿终正寝] shòuzhōngzhèngqǐn 〈成〉 ①천수를 다하고 집 안에서 죽다. ②〈比〉 사물이 소멸하다.

受 **shòu** (수)
①동 받다. ❏～到影响; 영향을 받다. ②동 (손해·고통·재난 따위를) 입다. 받다. 당하다. ❏～委屈; 억울한 일을 당하다 / ～批评; 비판을 받다. ③동 견디다. 참다. ❏～不了; ⇓ ④형 적합하다. 알맞다. ❏～吃; 맛있다.

[受不了] shòu·buliǎo 동 못 견디다. 참을 수 없다. ❏这么热～! 이렇게 더워서야 정말 견딜 수 없다!

[受潮] shòu//cháo 동 습기차다. 눅눅해지다.

[受宠若惊] shòuchǒng-ruòjīng 〈成〉 분에 넘치는 총애를 받고 매우 기뻐하며, 한편으로 놀라다.

[受挫] shòucuò 동 좌절당하다. 패하다. 꺾이다.

[受罚] shòu//fá 동 벌[처벌]을 받다.

[受害] shòu//hài 동 ①손해를 입다. ❏～者; 피해자. ②살해되다.

[受话器] shòuhuàqì 명 수화기. =[耳机①][听筒①]

[受贿] shòu//huì 동 뇌물을 받다.

[受奖] shòu//jiǎng 동 상을 받다. =[受赏]

[受惊] shòu//jīng 동 (갑작스러운 자극·위협 따위로) 놀라다. 기겁하다. ❏孩子受了惊, 整夜啼哭; 아이가 놀라서 밤새도록 울었다.

[受精] shòu//jīng 동〖生〗 수정하다. ❏～卵; 수정란.

[受苦] shòu//kǔ 동 고통을 받다. 고생하다.

[受累] shòu//lěi 동 연루되다. ❑让别人～; 다른 사람을 연루시키다.
[受累] shòu//lèi 동〈套〉 고생하다. 애쓰다. 수고하다. ❑叫您白～! 당신께 헛수고를 시켰네요!
[受礼] shòu//lǐ 동 선물을 받다.
[受理] shòulǐ 동 ① 접수하여 처리하다. ②〖法〗(법원에서 사건을) 수리하다.
[受凉] shòu//liáng 동 감기에 걸리다. ＝[着zháo凉]
[受命] shòumìng 동 명령을 받다.
[受骗] shòu//piàn 동 속임을 당하다. 사기당하다. 속다.
[受气] shòu//qì 동 학대 받다. 구박을 받다. 수모를 당하다. ❑～包(儿); 〈比〉 천덕꾸러기.
[受穷] shòu//qióng 동 가난에 시달리다. 「받다.
[受权] shòuquán 동 권한을 부여
[受热] shòu//rè 동 ① 고온의 영향을 받다. ❑～膨胀; 고온의 영향을 받아 팽창하다. ② 더위 먹다. ＝[中zhòng暑]
[受辱] shòu//rǔ 동 모욕을 당하다.
[受伤] shòu//shāng 동 ① 부상당하다. 다치다. 상처 입다. ❑头部～; 머리를 다치다. ＝[负伤] ② 손상되다. ❑军船～; 군용선이 손상되다.
[受赏] shòu//shǎng 동 ⇨[受奖]
[受胎] shòu//tāi 동 ⇨[受孕]
[受托] shòu//tuō 동 부탁받다. 의뢰받다. 맡다.
[受洗] shòuxǐ 동〖宗〗 세례를 받다. ❑～仪式; 세례식.
[受训] shòu//xùn 동 훈련을 받다.
[受益] shòuyì 동 수익하다. 이익을 얻다. ❑～人; 수익자.
[受用] shòuyòng 동 누리다. 향유하다. 이익을 얻다. ❑学习好外语, 将终生～; 외국어를 잘 익혀두면 평생 이익이 있을 것이다.
[受用] shòu·yong 형 편하다. 기분이 좋다《주로, 부정형으로 쓰임》. ❑身体有点不～; 몸이 좀 불편하다.
[受孕] shòu//yùn 동 수태하다. 아이를 배다. 임신하다. ＝[受胎]
[受灾] shòu//zāi 동 재해를 입다. ❑～地区; 재해 지역.
[受罪] shòu//zuì 동 쓰라린 맛을 보다. 혼이 나다. ＝[遭罪]

授 shòu (수)
동 ① 수여하다. 주다. ② 가르치다. 전수하다. ❑讲～; 교수하다.
[授奖] shòu//jiǎng 동 상을 수여하다. ❑～大会; 시상식.
[授课] shòu//kè 동 수업하다. 강의하다. ❑～时间; 강의 시간.
[授命] shòumìng 동 명령을 내리다.
[授权] shòuquán 동 권한을 부여하(여 대행시키)다.
[授意] shòuyì 동 자신의 의도를 알리다. 뜻을 전해 그대로 하게 하다.
[授予] shòuyǔ 동 수여하다. ❑～奖状; 상장을 수여하다 / ～学位; 학위를 수여하다.

狩 shòu (수)
동〈書〉(주로, 겨울철에) 사냥하다. 「하다.
[狩猎] shòuliè 동 사냥하다. 수렵

兽(獸) shòu (수)
① 명 짐승. 동물. ② 형〈比〉 야만스럽다. ❑ ～行; ⇓
[兽王] shòuwáng 명 동물의 왕《사자 혹은 호랑이》.
[兽行] shòuxíng 명 수행. ① 짐승 같은 행실. 인륜을 저버린 야만적인 행위. ② 짐승 같은 욕망을 채우려는 행위. 「야만성.
[兽性] shòuxìng 명 야만적인 성격.
[兽医] shòuyī 명 수의. 수의사. ❑～院; 동물 병원. 「욕망.
[兽欲] shòuyù 명 수욕. 짐승 같은

售 shòu (수)
동 ① 팔다. ❑零～; 소매하다. ②〈書〉(계략 따위를) 쓰다.
[售后服务] shòuhòu fúwù 명 애프터서비스(after service).
[售货] shòuhuò 동 상품 판매를 하다. ❑～机; (자동)판매기 / ～员; 판매원. 세일즈맨(salesman).
[售价] shòujià 명 판매가.
[售票处] shòupiàochù 명 매표소.
[售票员] shòupiàoyuán 명 매표원.

瘦 shòu (수)
형 ① (몸이) 마르다. 야위다. ❑她比以前～多了; 그녀는 전보다 살이 많이 빠졌다. ② (고기의) 기름기가 적다. 순 살코기이다. ❑～肉; 살코기. ③ (옷 따위가) 작다. 꽉 끼다. ❑裤了太～; 바지가 너무 작다. ④ (땅이) 척박하다. ❑这块地太～; 이 땅은 너무 척박하다.
[瘦弱] shòuruò 형 야위어 허약하다.
[瘦小] shòuxiǎo 형 몸이 마르고 키가 작다. ❑～的女人; 마르고 작은 여자.
[瘦削] shòuxuē 형 말라서 앙상하다. 빼빼 마르다. 「이.
[瘦子] shòu·zi 명 말라깽이. 홀쭉

shu ㄕㄨ

书(書) shū (서) ① 동 (글씨를) 쓰다. 기록하다. ❏大~特~; 대서 특필하다. ② 명 글씨체. 서체. ❏草~; 초서. ③ 명 서적. 책. ❏一本~; 책 한 권. ④ 명 편지. ⑤ 명 문서. 서류. ❏说明~; 설명서.
[书包] shūbāo 명 책가방.
[书报] shūbào 명 서적과 신문. 출판물. 「총칭.
[书本(儿)] shūběn(r) 명 서적의
[书册] shūcè 명 책. 서책.
[书虫] shūchóng 명〈比〉책벌레.
[书橱] shūchú 명 책장.
[书呆子] shūdāi·zi 명 책상물림.
[书店] shūdiàn 명 서점. 책방.
[书法] shūfǎ 명 서예. 서법. 붓글씨. ❏~家; 서예가.
[书房] shūfáng 명 서재. =[书斋]
[书画] shūhuà 명 서화. 글씨와 그림. ❏~展览会; 서화 전람회.
[书籍] shūjí 명 서적.
[书记] shūjì 명 ① 서기《공산당·공산 청년단의 각급 조직에서의 주요 책임자》. ② 서기. 문서계.
[书架] shūjià 명 서가. 책꽂이. =[书架子]
[书简] shūjiǎn 명 서간. 편지. =[书柬]
[书刊] shūkān 명 서적과 잡지.
[书库] shūkù 명 서고.
[书面] shūmiàn 형 서면의. ❏~合同; 서면 계약 / ~语; 서면어.
[书名] shūmíng 명 서명. 책 이름.
[书目] shūmù 명 서목. 도서 목록.
[书皮(儿)] shūpí(r) 명 ① 서적의 표지(表紙). ② 책가위.
[书评] shūpíng 명 서평. 북 리뷰 (book review).
[书签(儿)] shūqiān(r) 명 ① 서첨(書籤). ② 서표(書標). 갈피표.
[书生] shūshēng 명 서생. 선비. 샌님. ❏白面~; 백면서생 / ~气; 샌님 기질.
[书套] shūtào 명 책갑. 서질(書帙).
[书亭] shūtíng 명 (정자 모양의) 책 판매대.
[书写] shūxiě 동 쓰다. 적다. 필기하다. ❏~工具; 필기도구.
[书信] shūxìn 명 편지. 서신. ❏~往来; 서신 왕래.
[书页] shūyè 명 책의 페이지.
[书札] shūzhá 명〈書〉서찰.
[书斋] shūzhāi 명 ⇨[书房]
[书展] shūzhǎn 명 ① 도서 전람회. ② 서예 전람회.
[书桌(儿)] shūzhuō(r) 명 책상.

抒 shū (서) 동 표현하다. 나타내다. ❏~其怀抱; 자기의 회포를 말하다.
[抒发] shūfā 동 (감정을) 토로하다. 나타내다. ❏~情怀; 기분을 나타내다.
[抒情] shūqíng 동 감정을 표현하다. ❏~诗; 서정시.
[抒写] shūxiě 동 표현하다. 묘사하다. ❏把自己的真情~出来; 자신의 진심을 표현해 내다.

舒 shū (서) ① 동 (구속 따위에서) 벗어나다. 펴다. ❏~心; ⇩ ② 형〈書〉느리다. 여유 있다. ❏~缓; ⇩
[舒畅] shūchàng 형 기분이 후련하고 좋다. 상쾌하다. 쾌적하다.
[舒服] shū·fu 형 ① (몸·마음이) 상쾌하다. 쾌적하다. ❏身体有点儿不~; 몸이 좀 불편하다. ② 태평하다. 편하다. 안락하다. ❏过~日子; 편안하게 지내다. ‖ =[舒坦]
[舒缓] shūhuǎn 형 느릿느릿 하다. ❏~的旋律; 느린 멜로디.
[舒适] shūshì 형 쾌적하다. 기분이 좋고 편하다. ❏~的环境; 쾌적한 환경.
[舒坦] shū·tan 형 ⇨[舒服]
[舒心] shūxīn 형 마음이 편안하다.
[舒展] shūzhǎn 동 (수축되거나 오그라져 있던 것이) 펴지다. ❏他心里一高兴, 连脸上的皱纹也~开来了; 그의 마음이 즐거워지자 얼굴의 주름까지 쫙 펴졌다. 형 (심신이) 안정되다. 편안하다. 여유롭다.

叔 shū (숙) 명 ① 작은아버지. 숙부. 삼촌. ② 아버지와 동년배이거나 아버지보다 손아랫사람. 아저씨. ❏王~; 왕 씨 아저씨. ③ 남편의 남동생. 시동생. ④ 형제 중 셋째.
[叔伯] shū·bai 형 사촌간의. 육촌간의. ❏~兄弟; 종형제.
[叔父] shūfù 명 숙부. 작은아버지. =[〈口〉叔叔①]
[叔母] shūmǔ 명 숙모. 작은어머니.
[叔叔] shū·shu 명〈口〉① ⇨[叔父] ② 아저씨《아버지와 비슷한 연배의 남자에게 쓰는 호칭》.

淑 shū (숙) 「아리땁다. 형 온순하고 착하다. 정숙하고

[淑女] shūnǚ 명〈書〉 숙녀.

枢(樞) shū (추) 명 ① (문을 여닫는) 지도리. ② 중요한 것. 중심이 되는 부분. ❏ ~纽; ⇓

[枢机主教] shūjī zhǔjiào 〔宗〕 추기경.

[枢纽] shūniǔ 명 중요한 관건. 요점. 중추. ❏ 交通~; 교통의 요충.

殊 shū (수) ① 형 다르다. ❏ 二者相~; 양자가 서로 다르다. ② 형 특수하다. 특별하다. 뛰어나다. ❏ ~功; 뛰어난 공로. ③ 부〈書〉 극히. 매우. ❏ ~可嘉尚; 매우 칭찬할 만하다.

[殊不知] shūbùzhī 동 ① 전혀 모르다《다른 사람의 잘못된 생각을 수정해 줌》. ② 생각지도 못했다《자신의 생각이 잘못됐음을 나타냄》.

[殊死] shūsǐ 형 목숨을 걸다. 죽음을 각오하다.

[殊途同归] shūtú-tóngguī 〈成〉 길은 다르지만 귀착하는 곳은 같다. 수단은 달라도 목적은 같다.

[殊勋] shūxūn 명〈書〉 수훈.

倏 shū (숙) 부〈書〉 매우 빠르게. 별안간.

[倏地] shūdì 부 신속하게. 갑자기. 확. ❏ ~不见; 갑자기 안 보이다.

[倏忽] shūhū 부 돌연. 별안간. 갑자기. ❏ 天气~变化; 날씨가 갑자기 변하다.

[倏然] shūrán 〈書〉 부 갑자기. 별안간. 형 매우 빠른 모양.

输(輸) shū (수) 동 ① 운송하다. 나르다. ❏ 运~; 운송하다. ② (승부에서) 지다. 패배하다. ❏ 我们队~了; 우리팀이 졌다. ③〈書〉 바치다. 드리다. ❏ 捐~; 헌납하다.

[输出] shūchū 동 ① (안에서 밖으로) 보내다. ❏ 心脏~血液; 심장에서 혈액을 내보내다. ② 수출하다. ③〔電〕 출력(出力)하다. ❏ ~装置; 출력 장치.

[输电] shūdiàn 동 송전(送電)하다. ❏ ~塔; 송전탑 / ~网; 송전망.

[输精管] shūjīngguǎn 명〔生理〕 정관(精管). 수정관.

[输入] shūrù 동 ① (밖에서 안으로) 보내다. 들여오다. ❏ 把血液~体内; 혈액을 체내에 공급하다. ② 수입하다. ❏ ~许可证; 수입 허가증. ③〔電〕 입력(入力)하다. ❏ ~输出设备; 입출력 장치.

[输送] shūsòng 동 수송하다. ❏ ~货物; 화물을 수송하다 / ~机; 컨베이어(conveyor).

[输血] shū//xuè 동〔醫〕 수혈하다. ❏ ~者; 수혈자.

[输液] shū//yè 동〔醫〕 수액하다.

[输赢] shūyíng 명 승패. 승부.

[输油管] shūyóuguǎn 명 송유관.

梳 shū (소) ① 명 빗. ② 동 빗다. 빗질하다. ❏ 把头~一~; 머리를 빗다.

[梳理] shūlǐ 동 (수염·머리 따위를) 빗으로 가지런히 하다.

[梳头] shū//tóu 동 머리를 빗다.

[梳洗] shūxǐ 동 머리 빗고 세수하다. 몸치장하다.

[梳妆] shūzhuāng 동 화장하고 꾸미다. ❏ ~台; 화장대.

[梳子] shū·zi 명 빗.

疏 shū (소) **A)** ① 동 (막힌 것을) 통하게 하다. 소통시키다. ❏ ~导; ⇓ ② 형 듬성듬성하다. 성기다. ❏ ~林; 나무가 듬성듬성한 숲. ③ 형 사이가 멀다. 소원하다. ❏ ~远; ⇓ ④ 형 생소하다. 서툴다. ❏ 荒~; 등한히 하여 서툴러지다. ⑤ 동 소홀히 하다. ❏ ~于查核; 조사 확인을 소홀히 하다. ⑥ 동 분산시키다. 성기게 하다. ❏ ~散; ⇓ **B)** 명 ① 상주서(上奏書). ② 고서(古書)의 주해(註解).

[疏导] shūdǎo 동 ① 하류(河流)를 준설하다. ② 완화되다. ❏ ~交通; 교통 혼잡이 완화되다.

[疏忽] shū·hu 동 소홀히 하다. ❏ ~职守; 직무를 소홀히 하다.

[疏浚] shūjùn 동 준설하다. ❏ ~船道; 뱃길을 준설하다.

[疏懒] shūlǎn 형 게으르다. 나태하다. 태만하다.

[疏漏] shūlòu 동 무심코 빠뜨리다. 실수로 누락시키다. 명 잘못. 과실.

[疏落] shūluò 형 듬성하다. ❏ ~的灌木丛; 듬성한 관목 수풀.

[疏散] shūsàn 형 드문드문하다. 흩어져 있다. ❏ ~的住宅; 산재해 있는 집들. 동 분산하다[시키다]. ❏ ~人口; 인구를 분산시키다.

[疏失] shūshī 동 부주의로 실수를 저지르다. 명 실수. 실책(失策).

[疏松] shūsōng 형 (흙 따위가) 부드럽고 포슬포슬하다. ❏ 土质~;

토질이 부드럽고 포슬포슬하다. 동 풀어서 부드럽게 하다. ❏～土壤; 흙을 부드럽게 풀다.
[疏通] shūtōng 동 ① 물꼬를 트다. ② 서로의 의사를 소통시켜 분쟁을 조정하다.
[疏远] shūyuǎn 형 소원하다. ❏关系逐渐～起来; 관계가 점점 소원해지다. 동 소원하게 하다. 소외하다. ❏毕业后和他～了; 졸업 이후 그와 소원해졌다.

蔬 shū (소)
명 채소. 푸성귀.
[蔬菜] shūcài 명 채소. 야채.

秫 shú (출)
명〖植〗수수. 기장.
[秫秸] shú·jie 명 수수깡. 수숫대.
[秫米] shúmǐ 명 수수쌀.

孰 shú (숙)
대〈書〉① 누구. ② 어느 쪽. 어느 것. ③ 무엇.

熟 shú (숙)
① 형 (식물의 과실이) 익다. 여물다. ❏苹果～了; 사과가 익었다. ② 형 (음식물이) 익다. ❏～菜; ⇓ ③ 형 가공된. 정제된. 정련된. ❏～铁; ⇓ ④ 형 잘 알다. 익숙하다. ❏他对这里很～; 그는 이곳에 매우 익숙하다. ⑤ 형 숙련되다. 능숙하다. ❏他对业务很～; 그는 업무 처리가 매우 능숙하다. ⑥ 부 곰곰이. 면밀히. ❏～虑; 곰곰이 생각하다. ⇒ shóu
[熟菜] shúcài 명 조리된 반찬. 익힌 요리.
[熟客] shúkè 명 단골손님.
[熟练] shúliàn 형 숙련되다. 능숙하다. ❏动作～; 동작이 능숙하다 / ～工人 =[～工]; 숙련공.
[熟路] shúlù 명 다녀서 익숙해진 길.
[熟能生巧] shúnéngshēngqiǎo〈成〉숙련되면 비결이 생긴다.
[熟年] shúnián 명 풍년.
[熟人(儿)] shúrén(r) 명 잘 아는 사람.
[熟视无睹] shúshì-wúdǔ〈成〉보고도 못 본 척하다. 본체만체하다.
[熟识] shú·shi 동 자세히 알다. 잘 알다. ❏著名的地方他都～; 유명한 곳이라면 그는 모두 알고 있다.
[熟手(儿)] shúshǒu(r) 명 숙련된 사람.
[熟睡] shúshuì 동 숙면하다.
[熟铁] shútiě 명〖工〗연철(鍊鐵). 단철(鍛鐵). =[锻铁]
[熟习] shúxí 동 숙련되어 있다. 숙지하고 있다.
[熟悉] shú·xi 동 잘 알다. 숙지하다. 익숙하다. ❏～本地的情形; 이 지방의 사정을 잘 알다.
[熟语] shúyǔ 명〖言〗숙어. 관용어. 관용구.
[熟知] shúzhī 동 숙지하고 있다. 잘 알다. ❏～此人; 이 사람을 잘 알다.
[熟字] shúzì 명 아는 글자. 습득한 「글자.

赎(贖) shú (속)
동 ① 금품을 내고 되찾다. 전당물을 찾다. ❏把典出去的房子～回来; 저당잡힌 집을 되찾다. ②(재물·노동력 따위로) 벌을 면하다. 속죄하다. ❏立功～罪; 〈成〉공을 세워서 속죄하다.
[赎买] shúmǎi 동 되사다. 유상 몰수 하다. 매입하다.
[赎身] shú∥shēn 동 몸값이나 대가를 지불하고 자유를 얻다.
[赎罪] shú∥zuì 동 속죄하다. ❏将功～; 〈成〉공을 세워 죄를 씻다.

属(屬) shǔ (속)
① 명 종류. 계통. 부류. ❏金～; 금속. ② 명〖生〗속《생물 분류학상의 한 단위》. ③ 동 귀속하다. 예속하다. ❏直～; 직속. ④ 동 …에 속하다. …의 것이 되다. ❏这座房子～不了你; 이 집은 네 것이 될 수 없다. ⑤ 명 가족. ⑥ 동 …이다. ❏这条消息, 纯～捏造; 이 뉴스는 순전히 날조된 것이다. ⑦ 동 …띠이다《간지(干支)로 나이를 나타낼 때 쓰는 말》. ❏我是～马的; 나는 말띠이다. ⇒ zhǔ
[属地] shǔdì 명 속지. 식민지.
[属国] shǔguó 명 속국.
[属相] shǔ·xiang 명 ⇨[生肖]
[属性] shǔxìng 명 속성. 성질.
[属于] shǔyú 동 …에 속하다. …의 것이다. ❏鲸鱼～哺乳动物; 고래는 포유동물에 속한다.

暑 shǔ (서)
① 형 덥다. ② 명 더위.
[暑假] shǔjià 명 여름 휴가[방학].
[暑期] shǔqī 명 하기. 하계(夏季). ❏～学校; 여름학교.
[暑气] shǔqì 명 더위.
[暑天] shǔtiān 명 더운날. 더운 날씨.

署 shǔ (서)
① 명 관공서. 관청. ② 동 배치하다. ❏部～; 배치하다. ③ 동

(직무를) 임시 대행하다. ④동 서명하다. ❏~名; ⇓
[署理] shǔlǐ 동 (관직을) 임시 대리하다. 직무를 대행하다.
[署名] shǔ//míng 동 서명하다.
薯 shǔ (서)
명 고구마·감자류의 총칭.
曙 shǔ (서)
명 새벽. 날 밝을 무렵.
[曙光] shǔguāng 명 ① 서광. 새벽의 동틀 무렵의 빛. ②〈比〉 일의 전도에 비치는 희망.
黍 shǔ (서)
명〖植〗기장.
[黍子] shǔ·zi 명〖植〗기장.
数(數) shǔ (수)
동 ① (수·순서 따위를) 세다. 헤아리다. ❏你~一~一共有多少; 전부 얼마인가 세어 보아라. ② 손꼽히다. 두드러진 축에 들다. ❏论唱歌~他了; 노래 부르는 걸로 치면 그가 손꼽힌다. ③ (죄상을) 열거하다. ❏~说; ⇓ ⇒shù shuò
[数不着] shǔ·buzháo 동 …축에도 못 들다. ❏论下围棋, 可~我; 바둑으로 치자면 나는 잘하는 축에도 못 든다. =[数不上]
[数得着] shǔ·dezháo 동 …안에 꼽히다. 손꼽히다. =[数得上]
[数典忘祖] shǔdiǎn-wàngzǔ 〈成〉 자기 원래의 상황이나 사물의 근본을 잊어버리다.
[数落] shǔ·luo 동〈口〉 ① (결점·과실을 열거하며) 나무라다. 혼내다. 야단치다. ❏别淘气, 看爸爸~你; 장난 좀 그만 해라 아버지한테 야단 맞겠다. ② 수다스럽게 늘어놓다. 쉴 새 없이 나열하다.
[数说] shǔshuō 동 ① 조목조목 따져가며 이야기하다. 열거하며 서술하다. ② 야단치다. 나무라다.
[数一数二] shǔyī-shǔ'èr 〈成〉 일이등을 다투다. 손꼽히다.
蜀 Shǔ (촉)
명 ①〖史〗주대(周代)의 나라 이름《지금의 쓰촨 성(四川省) 청두(成都) 일대》. ②〖地〗쓰촨 성(四川省)의 별칭.
[蜀黍] shǔshǔ 명〖植〗⇒[高粱]
鼠 shǔ (서)
명〖動〗쥐. =[老鼠][〈方〉耗子]
[鼠标] shǔbiāo 명〖컴〗마우스(mouse). =[鼠标器]
[鼠夹] shǔjiā 명 쥐덫.
[鼠目寸光] shǔmù-cùnguāng 〈成〉 시야가 좁고 식견이 얕다.
[鼠蹊] shǔxī 명 ⇒[腹股沟]
[鼠疫] shǔyì 명〖醫〗흑사병. 페스트(pest). =[黑死病]
术(術) shù (술)
명 ① 기술. 학술. ❏美~; 미술 / 武~; 무술. ② 방법. 책략. 수단. ❏战~; 전술.
[术语] shùyǔ 명 전문 용어.
述 shù (술)
동 진술하다. 말하다. 설명하다. ❏略~经过; 경과를 약술하다.
[述评] shùpíng 명 논술과 논평. 평론. 동 평론하다.
[述说] shùshuō 동 진술하다. 말하다.
[述职] shù//zhí 동 업무 상황을 보고하다.
戍 shù (수)
동 (군대가) 수비하다. ❏~边; 변경을 수비하다.
束 shù (속)
①동 묶다. 매다. 동이다. ❏腰带~紧了; 허리띠를 단단히 졸라맸다. ②양 다발《다발로 묶은 것을 세는 말》. ❏三~鲜花; 생화 세 다발. ③명〖物〗빔(beam). ❏电子~; 전자 빔. ④동 속박하다. 구속하다. ❏无拘无~; 〈成〉 구속되지 않다.
[束缚] shùfù 동 속박하다. 구속하다.
[束手] shùshǒu 동 손을 묶이다. 〈比〉 어찌할 방법이 없다. ❏~待毙; 〈成〉 꼼짝없이 죽음을 기다리다《위험이나 어려움에 처해 도저히 벗어날 방법이 없다》/ ~束脚; 〈成〉 걱정이 많아 행동으로 옮기지 못하다 / ~无策; 〈成〉 속수무책.
[束之高阁] shùzhīgāogé 〈成〉 물건을 묶어서 높은 선반 위에 놓다《방치해 두다》.
树(樹) shù (수)
①명 나무. ❏一棵~; 나무 한 그루. ②동〈書〉 심어서 키우다. 재배하다. ③동 세우다. 수립하다. 창설하다. ❏独~一帜; 〈成〉 독자적으로 한 파를 세우다.
[树碑立传] shùbēi-lìzhuàn 〈成〉 ① 공덕을 기리고 칭송하다. ② 개인의 위신을 나타내고 명망을 높이다.
[树袋熊] shùdàixióng 명〖動〗코알라(koala). =[〈音〉考拉]
[树倒猢狲散] shù dǎo húsūn sàn 〈諺〉〈貶〉 중심인물이 몰락하

면 따르던 자도 의지할 곳을 잃고 흩어진다.
[树敌] shùdí 동 적을 만들다.
[树墩] shùdūn 명 나무 그루터기. =[树墩子]
[树干] shùgàn 명 나무의 줄기. 수간.
[树胶] shùjiāo 명 수지(樹脂).
[树懒] shùlǎn 명〔動〕나무늘보.
[树立] shùlì 동 수립하다. 세우다. ❏~榜样; 본보기를 세우다.
[树林] shùlín 명 나무숲. 수풀. =[〈口〉林子]
[树苗] shùmiáo 명 묘목.
[树木] shùmù 명 수목. 나무.
[树荫(儿)] shùyīn(r) 명 나무 그늘. =[树阴(儿)]
[树枝] shùzhī 명 나뭇가지.

竖(竪) shù (수) ① 형 수직의. ❏~琴; ⇩ ② 형 세로의. ❏~线; 세로선. ③ 동 세로로 하다. ❏~着写; 세로로 쓰다. ④ (~儿) 명 한자(漢字)의 위에서 아래로 긋는 획.
[竖井] shùjǐng 명〔鑛〕수직 갱도. 수갱.
[竖立] shùlì 동 수직으로 서다[세우다]. ❏山上~着一座宝塔; 산 위에 보탑 하나가 세워져 있다.
[竖琴] shùqín 명〔樂〕하프(harp).

恕 shù (서) 동 ① (남의 마음을) 헤아리다. 너그럽게 대하다. ② 용서하다. 봐주다. ❏饶~; 용서하다. ③ 〈套〉 용서[양해]를 바라다. ❏~不奉陪; 모시지 못함을 양해해 주십시오.

庶 shù (서) ① 형 많다. ❏~务; 서무. ② 명〈書〉서민. 백성. ③ 명 서출(庶出). ④ 부〈書〉대체로. 거의. ❏~不致误; 잘못되는 일은 없을 것이다.
[庶出] shùchū 동 첩에게서 태어나다.
[庶民] shùmín 명〈書〉서민. 평민. 백성.
[庶子] shùzǐ 명 첩의 아들. 서자.

数(數) shù (수) ① (~儿) 명 수. ❏学生~; 학생수. ② 명〔數〕수. ❏分~; 분수. ③ 명〔言〕수. ❏单~; 단수. ④ 명 운명. 천명. ❏天~; 천수. ⑤ 수 수. 몇. 여러. ❏~次; 수차례. ⇒shǔ shuò
[数词] shùcí 명〔言〕수사.
[数额] shù'é 명 일정한 수. 액수. 정액. ❏限制~; 액수를 제한하다.
[数据] shùjù 명〔컴〕데이터(data). ❏~库; 데이터베이스(database) / ~输入; 데이터 입력.
[数量] shùliàng 명 수량.
[数量词] shùliàngcí 명〔言〕수량사(《'数词' (수사)와 '量词' (양사)의 합칭》).
[数码(儿)] shùmǎ(r) 명 ⇨[数字②]
[数目] shùmù 명 수량. 수. 금액.
[数学] shùxué 명 수학.
[数值] shùzhí 명〔數〕수치. 값.
[数字] shùzì 명 ① 숫자. ②〔컴〕디지털(digital). ❏~通信; 디지털 통신 / ~相机; 디지털 카메라. =[数码(儿)]

漱 shù (수) 동 (물을 머금어) 입을 헹구다[가시다]. 양치질하다.
[漱口] shùkǒu 동 입안을 가시다. 양치하다. ❏~杯; 양치컵.

墅 shù (서) 명 별장. ❏别~; 별장.

shua ㄕㄨㄚ

刷 shuā (쇄) A) ① (~儿) 명 솔. 브러시(brush). ❏牙~; 칫솔. ② 동 (솔 따위로) 닦다. 문지르다. 바르다. ❏~鞋; 구두를 닦다 / ~牙; 이를 닦다. B) 의 솨. 쏴. 획(《빠르게 스쳐 지나가는 소리나 빗소리》). ❏雨~~地下起来了; 비가 쏴 하고 내리기 시작했다. ⇒shuà
[刷卡] shuā//kǎ 동 (신용 카드 따위의) 카드(card)를 긁다.
[刷拉] shuālā 의 바스락. 사락. 푸드덕. 솨솨(《아주 빠르게 스쳐 지나가는 짧고 급한 소리》).
[刷洗] shuāxǐ 동 솔로 닦다. ❏~地面; 솔로 바닥을 닦다.
[刷新] shuāxīn 동 ① 쇄신하다. ❏~国政; 국정을 쇄신하다. ②〈比〉(기록 따위를) 경신하다. 갱신하다. ❏~记录; 기록을 갱신하다.
[刷子] shuā·zi 명 브러시. 솔. ❏一把~; 솔 한 개 / 鞋~; 구둣솔.

耍 shuǎ (사) 동 ①〈方〉장난하다. 놀다. ❏玩~; 장난하다. ②〈貶〉(어떤 태도나 행동·수를) 쓰다. 부리다. 취하다. 드러내다. ❏~流氓; 못된 짓을 하다 / ~态度; 화를 내다. ③ 우롱하다. 농락하다. 희롱하다. 놀리다. ❏你这不是~我吗? 너 이거 나를 우롱하는 거 아니냐?
[耍笔杆儿] shuǎ bǐgǎnr 〈貶〉 펜대나 놀리다. 문필을 농하다.
[耍花招儿] shuǎ huāzhāor ① 똑똑한 체하다. 잔꾀를 부리다. ② 교활한 수단을 쓰다. 간악한 수를 부리다.
[耍滑] shuǎhuá 동 교활한 짓을 하다. 농간을 부리다. =[耍滑头]
[耍赖] shuǎlài 동 못된 짓을 하다. 행패를 부리다. =[耍无赖]
[耍弄] shuǎnòng 동 ① (수단 따위를) 부리다. 쓰다. 피우다. ❏~花招; 속임수를 쓰다. ② 우롱하다. 농락하다. ❏受人~; 우롱당하다.
[耍脾气] shuǎ pí·qi 성질을 부리다. 짜증을 내다.
[耍威风] shuǎ wēifēng 위세를 부리다. 으스대다.
[耍笑] shuǎxiào 동 ① 웃고 떠들다. 장난치다. ② 남을 웃음거리로 만들다. 놀려 대다. 희롱하다.
[耍嘴皮子] shuǎ zuǐpí·zi ① 〈貶〉 입담을 과시하다. 입만 까다. ② 말로만 하고 실천하지 않다.

刷 shuà (쇄)
→[刷白] ⇒shuā
[刷白] shuàbái 형〈方〉 ① 희푸르스름하다. ② 창백하다.

shuai ㄕㄨㄞ

衰 shuāi (쇠)
동 쇠하다. 쇠약해지다.
[衰败] shuāibài 동 쇠락하다. 쇠패하다. ❏家业~; 가산이 쇠락하다.
[衰变] shuāibiàn 동〖物〗 붕괴하다. =[蜕tuì变②]
[衰竭] shuāijié 동 (질병으로) 쇠약해지다. 감퇴하다.
[衰老] shuāilǎo 형 노쇠하다.
[衰落] shuāiluò 동 쇠락하다. 쇠미하다. ❏日趋~; 날로 쇠락하다.
[衰弱] shuāiruò 형 ① (신체가) 쇠약하다. ❏身体~; 몸이 쇠약하다. ② (세력 따위가) 쇠약하다. 쇠퇴하다. ❏攻势~; 공세가 쇠약하다.
[衰退] shuāituì 동 ① (신체·정신·의지·능력 따위가) 쇠퇴하다. 감퇴하다. ❏记忆力~; 기억력이 감퇴하다 / 气力~; 기력이 쇠퇴하다. ② (상황 따위가) 쇠퇴하다. 기울다. ❏经济~; 경제가 쇠퇴하다.
[衰亡] shuāiwáng 동 쇠망하다.

摔 shuāi (솔)
동 ① 넘어지다. 자빠지다. ❏他不小心~倒了; 그는 부주의해서 넘어졌다. ② (빠른 속도로) 떨어지다. 곤두박질치다. ❏风筝从空中~下来; 연이 공중에서 곤두박질쳐 내려왔다. ③ 떨어뜨려 부수다. 떨어뜨려 깨뜨리다. ❏小心别把花瓶~了; 꽃병을 깨뜨리지 않게 조심해라. ④ 던지다. 내던지다. ❏把衣服~在床上; 옷을 침대에 내던지다. ⑤ (손에 쥐고) 탁탁 털다.
[摔打] shuāi·da 동 ① (손에 쥐고) 탁탁 털다. ❏他把帽子~了几下; 그는 모자를 몇 번 탁탁 털었다. ② 〈比〉 풍파에 시달리다.
[摔跟头] shuāi gēn·tou ① 나동그라지다. 자빠지다. ② 〈比〉 좌절하다. 실패하다.
[摔跤] shuāi//jiāo 동 ① 넘어지다. 고꾸라지다. 자빠지다. ❏摔了一跤; 푹 고꾸라지다. ②〖體〗 레슬링 하다. 씨름하다.

甩 shuǎi (솔)
동 ① 흔들다. 휘두르다. 뿌리치다. ❏~鞭子; 채찍을 휘두르다. ② (팔을 휘둘러) 던지다. ❏~手榴弹; 수류탄을 던지다. ③ 따돌리다. 떼어 놓다. 차다. ❏女朋友把他给~了; 여자친구가 그를 차 버렸다.
[甩手] shuǎi//shǒu 동 ① 손을 앞뒤로 흔들다. ② (일 따위를) 방치하다. 내버려 두다. 손을 떼다. ❏~不干; 손을 떼고 상관하지 않다.

帅(帥) shuài (수)
① 명 군대에서 가장 높은 지휘관. ❏元~; 원수. ② 형 멋있다. 세련되다. 근사하다. 잘생기다. ❏他真~; 그는 정말 멋있다.

率 shuài (솔)
① 동 거느리다. 이끌다. 인솔하다. 통솔하다. ❏~代表团; 대표단을 인솔하다. ② 형 조심성이 없다. 경솔하다. ❏草~; 거칠고 경솔하다. ③ 형 솔직하다. 꾸밈없다. ❏坦~; 솔직하다. ④ 부〈書〉 대략. 대체로. 대개. ❏~皆如此; 대체로 모두 이와 같다. ⇒lǜ
[率领] shuàilǐng 동 거느리다. 인솔하다. ❏~军队; 군대를 거느리다.
[率直] shuàizhí 형 솔직하다. ❏说话~; 말하는 것이 솔직하다.

蟀 shuài (솔)
→[蟋xī蟀]

shuan ㄕㄨㄢ

闩(閂) shuān (산) ①명 빗장. 문빗장. ❏上了~; 빗장을 걸었다. ②동 (문에) 빗장을 걸다[지르다]. ❏把门~上; 문에 빗장을 걸다.

拴 shuān (전) 동 ①(끈 따위로) 묶다. 붙들어 매다. ❏他~了船就上岸了; 그는 배를 붙들어 매고는 뭍으로 올라왔다. ②〈比〉(자유롭지 못하게) 얽매다. ❏被琐事~住了; 자질구레한 일에 얽매이다.

栓 shuān (전) 명 ①기물의 개폐부(開閉部). ❏消火~; 소화전. ②(총의) 노리쇠. ③(병 따위의) 마개. ❏木~; 나무 마개. ④마개처럼 생긴 것.

[栓剂] shuānjì 명〔藥〕좌약.

[栓皮] shuānpí 명 코르크(cork). =[软木]

[栓皮栎] shuānpílì 명〔植〕코르크나무.

涮 shuàn (산) 동 ①(물에 넣어) 씻다. 헹구다. ❏~手; 손을 씻다. ②(물을 안에 넣어) 부시다. 헹구다. ❏~瓶子; 병을 부시다. ③끓는 물에 고기를 넣어 잠깐 동안 삶다. ❏~锅子; 얇게 저민 고기·야채 따위를 끓는 냄비 속에 잠깐 넣어 익혀서 양념을 찍어 먹는 요리. 샤브샤브.

shuang ㄕㄨㄤ

双(雙) shuāng (쌍) ①형 두 개의. 한 쌍의. ❏~方; ⇩ ②양 ㉠두 개가 짝을 이루는 것을 세는 말. ❏一~筷子; 젓가락 한 벌 / 一~鞋; 신발 한 켤레. ㉡좌우 대칭을 이룬 신체 기관을 세는 말. ❏一~眼睛; 두 눈. ③형 짝수의. ❏~数; ⇩ ④형 갑절의. 두 배의. ❏~份; 두 배 분량. 곱빼기.

[双胞胎] shuāngbāotāi 명 쌍둥이.

[双边] shuāngbiān 형 양자(兩者)의. 양국(兩國)의. 쌍무의. ❏~会谈; 양자 회담 / ~谈判; 양자 협상.

[双层] shuāngcéng 형 두겹의. 이층의. ❏~床; 이층 침대 / ~公共汽车; 이층 버스.

[双重] shuāngchóng 형 이중의. ❏~国籍; 이중 국적 / ~人格; 이중 인격.

[双打] shuāngdǎ 명〔體〕복식(複式). ❏女子~; 여자 복식.

[双方] shuāngfāng 명 쌍방. 양쪽. 양측. ❏劳资~; 노사 양측.

[双杠] shuānggàng 명〔體〕①평행봉. ②평행봉 경기.

[双关] shuāngguān 명 쌍관《수사법의 하나》. 동 (하나의 말이) 두 가지 뜻을 가지다. ❏~语; 쌍관어.

[双管齐下] shuāngguǎn-qíxià 〈成〉두 개의 붓을 병용하여 그리다《두 가지 일을 동시에 진행하다》.

[双号] shuānghào 명 짝수 번호.

[双簧管] shuānghuángguǎn 명〔樂〕오보에(이 oboe).

[双击] shuāngjī 명동〔컴〕더블클릭(double click)(하다).

[双亲] shuāngqīn 명 양친. ❏~健在; 〈成〉양친이 건재하다.

[双全] shuāngquán 동 둘 다 갖추다. ❏儿女~; 아들딸이 다 있다.

[双人] shuāngrén 형 이인의. 이인용의. ❏~床; 더블베드. 이인용 침대 / ~房; 이인용 방. 트윈룸.

[双生] shuāngshēng 형 쌍둥이인. ❏~兄弟; 쌍둥이 형제. =[孪luán生]

[双手] shuāngshǒu 명 쌍수. 양손.

[双数] shuāngshù 명〔數〕(양수인) 짝수. 우수(偶數).

[双眼皮(儿)] shuāngyǎnpí(r) 명 쌍꺼풀.

[双职工] shuāngzhígōng 명 맞벌이 부부.

霜 shuāng (상) 명 ①서리. ②서리 같은 것. ❏冷~; 콜드 크림. ③〈比〉하얀 색. ❏~鬓; 새하얀 살쩍.

[霜冻] shuāngdòng 명〔氣〕식물 표면과 지표면에 가까운 공기의 온도가 급속도로 내려가 식물에 상해(霜害)를 입히는 기후 현상.

[霜害] shuānghài 명〔農〕상해. 서리 피해.

孀 shuāng (상) 명 과부.

[孀妇] shuāngfù 명〈書〉과부.

[孀居] shuāngjū 동〈書〉과부로 지내다. 과부살이하다.

爽 shuǎng (상) ①형 밝다. 맑다. ②형 (성격이) 시원스럽다. 솔직하다. ❏直

~; 솔직하고 시원스럽다. ③ 형 개운하다. 상쾌하다. ❏ 身体不~; 몸이 찌뿌드드하다. ④ 동 어기다. 어긋나다. ❏ ~约; 약속을 어기다.
[爽口] shuǎngkǒu 형 (맛이) 시원하다. 개운하다.
[爽快] shuǎng·kuai 형 ① 상쾌하다. 후련하다. 개운하다. 시원하다. ❏ 心里~; 마음이 후련하다. ② 시원시원하다. 호쾌하다.
[爽朗] shuǎnglǎng 형 ① (날씨가) 쾌청하다. 청량하다. ❏ ~的秋天; 쾌청한 가을. ② 명랑하다. 쾌활하다. ❏ ~的笑声; 명랑한 웃음소리.
[爽身粉] shuǎngshēnfěn 명 탤컴 파우더(talcum powder). 땀띠용 파우더.
[爽直] shuǎngzhí 형 솔직하다. 시원시원하다.

shui ㄕㄨㄟ

谁(誰) shuí (수)
'谁shéi' 의 우음(又音).

水 shuǐ (수)
① 명 물. ❏ 喝~; 물을 마시다. ② 명 강. 하류(河流). ③ 명 강·호수·바다 따위. ❏ ~陆; ⇓ ④ (~儿) 명 즙(汁). 액(液). ❏ 泪~; 눈물 / 香~; 향수. ⑤ 양 물《빨래한 횟수를 나타내는 말》. ❏ 洗三~; 세 번 빨다.
[水坝] shuǐbà 명 댐. 제방.
[水泵] shuǐbèng 명 물펌프. 양수펌프.
[水表] shuǐbiǎo 명 수도 계량기.
[水兵] shuǐbīng 명〖軍〗수병.
[水彩] shuǐcǎi 명 수채. ❏ ~画; 수채화.
[水草] shuǐcǎo 명 ① 물과 풀이 있는 곳. ②〖植〗물풀. 수초.
[水产] shuǐchǎn 명 수산. ❏ ~品; 수산물 / ~业; 수산업.
[水车] shuǐchē 명 ① 수차(水車). ② 물의 흐름을 동력으로 하는 기계 장치《물레방아 따위》. ③ 급수차.
[水池] shuǐchí 명 못. 저수지.
[水道] shuǐdào 명 ① 물길《도랑·하천 따위》. ② 수로(水路). 뱃길. ③〖體〗(수영의) 코스.
[水稻] shuǐdào 명 논벼.
[水滴石穿] shuǐdī-shíchuān 〈成〉 낙숫물이 돌을 뚫는다《힘은 비록 작아도 끊임없이 노력하면 성공할 수 있다》. =[滴水穿石]
[水电] shuǐdiàn 명 ① 수력 발전. ❏ ~站; 수력 발전소. ② 수력 발전 에너지.
[水痘] shuǐdòu 명〖醫〗수두. 작은마마.
[水分] shuǐfèn 명 ① 수분. 물기. ❏ 吸收~; 수분을 흡수하다. ② 〈比〉 과장. 허구.
[水沟] shuǐgōu 명 배수구. 도랑.
[水垢] shuǐgòu 명 ⇨[水碱]
[水管] shuǐguǎn 명 수도관.
[水果] shuǐguǒ 명 과일.
[水壶] shuǐhú 명 (물)주전자.
[水患] shuǐhuàn 명 ⇨[水灾]
[水火] shuǐhuǒ 명 ① 물과 불. 〈比〉 성질이 서로 상반된 것. 상극(相剋)인 것. ❏ ~不相容; 〈成〉 물과 불처럼 서로 용납하지 않다. ② 수재와 화재. 〈比〉 재난. ❏ ~无情; 〈成〉 수해와 화재는 가차없이 닥쳐온다.
[水碱] shuǐjiǎn 명 물때. =[水垢][水锈xiù]
[水饺(儿)] shuǐjiǎo(r) 명 물만두.
[水晶] shuǐjīng 명〖鑛〗수정.
[水井] shuǐjǐng 명 우물.
[水坑] shuǐkēng 명 물웅덩이.
[水库] shuǐkù 명 저수지.
[水雷] shuǐléi 명〖軍〗수뢰. ❏ ~艇; 수뢰정.
[水力] shuǐlì 명 수력. ❏ ~发电; 수력 발전.
[水利] shuǐlì 명 ① 수리. ❏ ~设施; 수리 시설. ② 수리 공사.
[水流] shuǐliú 명 ① 강·하천 따위의 총칭. ② 물살. 수류(水流).
[水龙] shuǐlóng 명 소방용 호스(hose).
[水龙头] shuǐlóngtóu 명 수도꼭지.
[水陆] shuǐlù 명 수상(水上)과 육상(陸上). 수륙. ❏ ~交通; 수륙 교통 / ~坦克; 수륙 양용 장갑차.
[水路] shuǐlù 명 수로. 뱃길.
[水落石出] shuǐluò-shíchū 〈成〉 물이 흘러 떨어지니 돌이 드러나다《진상이 철저히 밝혀지다》.
[水门] shuǐmén 명 ① 수도관 밸브. ② 〈方〉 ⇨[水闸]
[水面] shuǐmiàn 명 수면.
[水磨] shuǐmò 명 물방아.
[水墨画] shuǐmòhuà 명〖美〗수묵화.
[水母] shuǐmǔ 명〖動〗해파리.
[水泥] shuǐní 명〖建〗시멘트(cement). ❏ ~地; 시멘트 바닥 / ~路; 시멘트 도로. =[洋灰]
[水碾] shuǐniǎn 명 물레방아.

[水鸟] shuǐniǎo 명〖鳥〗수조. 물새. =[水禽]
[水牛] shuǐniú 명〖動〗물소.
[水泡] shuǐpào 명 물거품. 수포.
[水疱(儿)] shuǐpào(r) 명 (피부의) 물집. 수포.
[水平] shuǐpíng 형 수평의. ❑~面; 수평면 / ~线; 수평선. 명 수준. ❑提高~; 수준을 높이다 / 文化~; 지식수준. =[水准②]
[水橇] shuǐqiāo 명〖體〗수상 스키. =[滑水橇]
[水禽] shuǐqín 명 ⇨[水鸟]
[水球] shuǐqiú 명〖體〗① 수구. ② 수구의 공.
[水渠] shuǐqú 명 인공 수로(水路).
[水乳交融] shuǐrǔ-jiāoróng 〈成〉 의기투합하다. 사상·감정이나 의견이 잘 융합되다.
[水上] shuǐshàng 형 수상의. 수중의. ❑~运动; 수상 스포츠.
[水上芭蕾] shuǐshàng bālěi ⇨[花样游泳]
[水蛇] shuǐshé 명〖動〗물뱀.
[水深火热] shuǐshēn-huǒrè 〈成〉 민생이 매우 어렵고 고통스러운 지경에 처한 모양.
[水生] shuǐshēng 형 수생의. ❑~动物; 수생 동물 / ~植物; 수생 식물.
[水势] shuǐshì 명 수세. 물살.
[水手] shuǐshǒu 명 뱃사람. 선원.
[水獭] shuǐtǎ 명〖動〗수달.
[水田] shuǐtián 명 수전. 무논.
[水桶] shuǐtǒng 명 양동이. 물통.
[水头] shuǐtóu 명 ① 홍수의 최고 수위. ② 물이 밀려오는 기세.
[水土] shuǐtǔ 명 ① (지표면의) 수분과 토양. ② 기후 풍토. ❑~不服; 〈成〉 기후 풍토에 맞지 않다.
[水汪汪(的)] shuǐwāngwāng(·de) 형 ① 물이 넘치듯 가득 찬 모양. ② (눈이) 맑고 초롱초롱한 모양.
[水位] shuǐwèi 명 ① 수위. ② 지표와 지하수 사이의 거리.
[水文] shuǐwén 명 수문《물이 변화하고 운동하는 갖가지 현상》.
[水仙] shuǐxiān 명〖植〗수선화.
[水箱] shuǐxiāng 명 물탱크.
[水泄不通] shuǐxièbùtōng 〈成〉 물샐틈없다《① 매우 붐비다. 꽉 차 있다. ② 단단히 포위하다》.
[水星] shuǐxīng 명〖天〗수성.
[水性] shuǐxìng 명 ① 수영 기술. ② 물의 성질. 수성.
[水锈] shuǐxiù 명 ⇨[水碱]
[水压] shuǐyā 명〖物〗수압. ❑~机; 수압기 / ~计; 수압계.
[水银] shuǐyín 명 ⇨[汞gǒng]
[水银灯] shuǐyíndēng 명 ⇨[汞灯]
[水银柱] shuǐyínzhù 명 ⇨[汞柱]
[水域] shuǐyù 명 수역.
[水源] shuǐyuán 명 ① 수원지(水源地). ② 수원.
[水运] shuǐyùn 동 수운하다.
[水灾] shuǐzāi 명 수재. 물난리. =[水患]
[水闸] shuǐzhá 명 수문. =[〈方〉水门②]
[水蒸气] shuǐzhēngqì 명 수증기. =[蒸汽]
[水质] shuǐzhì 명 수질.
[水蛭] shuǐzhì 명〖動〗거머리. =[马鳖]
[水肿] shuǐzhǒng 명동〖中醫〗수종(이 생기다). =[浮肿]
[水准] shuǐzhǔn 명 ① (지구 각 부분의) 수평면. ② ⇨[水平]
[水族] shuǐzú 명 수족《물에 사는 생물의 족속》. ❑~馆; 수족관.

说(說) shuì (세)
동 설복하다. 설득하다. ❑游~; 유세하다. ⇒ shuō

税 shuì (세)
명 세금. ❑纳~; 납세하다.
[税额] shuì'é 명 세액.
[税法] shuìfǎ 명〖法〗세법.
[税款] shuìkuǎn 명 세금. =[税金]
[税率] shuìlǜ 명 세율.
[税收] shuìshōu 명 세수. 세수입.
[税务] shuìwù 명 세무. ❑~局; 세무서 / ~师; 세무사.
[税则] shuìzé 명 세칙.
[税制] shuìzhì 명 세제. 조세 제도.

睡 shuì (수)
동 자다. ❑我~到天亮了; 나는 날이 밝을 때까지 잤다.
[睡觉] shuì∥jiào 동 자다. ❑睡懒觉; 늦잠을 자다.
[睡梦] shuìmèng 명 깊이 잠든 상태. 깊은 잠.
[睡眠] shuìmián 명 수면. ❑~不足; 수면 부족.
[睡乡] shuìxiāng 명 잠 속. 꿈나라.
[睡衣] shuìyī 명 잠옷.

shun ㄕㄨㄣ

吮 shǔn (연)
동 입으로 빨다. ❑~乳; 젖을 빨다.

[吮吸] shǔnxī 동 빨다. 빨아들이다. ❑ ~手指头; 손가락을 빨다 / ~乳汁; 젖을 빨다.

顺(順) shùn (순) ① 동 같은 방향으로 향하다. 흐름을 따르다. ❑ ~时针运转; 시계 방향으로 돌다. ② 개 …을 따라. ❑ ~大路走; 큰길을 따라 걷다. ③ 동 정리하다. 매만지다. 가지런히 하다. ❑ 把车子都~过来; 차들을 나란히 세우다. ④ 개 …하는 김에. 겸사겸사. ❑ ~手(儿); ⇓ ⑤ 동 맞다. 들어맞다. 알맞다. ❑ 事情进行得不~意; 일이 뜻대로 진행되지 않다. ⑥ 형 순조롭다. 무리가 없다. ❑ 办事不~; 일처리가 순조롭지 않다. ⑦ 동 순서대로 하다. ❑ ~延; ⇓ ⑧ 동 복종하다. 순종하다. 따르다. ❑ 你就~了他吧; 네가 그냥 그의 뜻을 따르거라.

[顺便] shùnbiàn 부 …하는 계제에. …하는 김에. ❑ 他每天下班回来~买点菜; 그는 매일 퇴근하는 길에 장을 좀 본다.

[顺差] shùnchā 명〖貿〗흑자(黑字)《수출 초과의 차액》.

[顺产] shùnchǎn 동 순산하다.

[顺畅] shùnchàng 형 순조롭다. 거침없다. ❑ 工作进行得很~; 일이 매우 순조롭게 진행되다.

[顺次] shùncì 부 순서대로. 순차적으로. 차례대로. ❑ ~往前走; 순서대로 앞으로 나아가다.

[顺从] shùncóng 동 순종하다.

[顺带] shùndài 부 …하는 김에. ❑ 探亲回来~捎点儿土产品; 친척을 방문하고 돌아오는 길에 토산품을 좀 가져오다.

[顺当] shùn·dang 형〈口〉 순조롭다. 잘 되어 가다.

[顺道(儿)] shùndào(r) 형부 ⇨ [顺路(儿)]

[顺耳] shùn'ěr 형 (말이) 듣기에 좋다. 귀에 거슬리지 않다. ❑ 这话听着真~; 이 말은 듣기가 참 좋다.

[顺风] shùn∥fēng 동 바람 부는 방향을 따르다《주로, 여정이 편안하고 순조롭기를 바란다는 인사말로 쓰임》. (shùnfēng) 명 순풍.

[顺风转舵] shùnfēng-zhuǎnduò〈成〉〈貶〉 정세에 따라 태도를 바꾸다. 기회주의적인 태도를 취하다. =[随风转舵]

[顺口] shùnkǒu 부 (말을) 생각 없이. 입에서 나오는 대로. ❑ ~答音儿; 남의 말에 생각 없이 대답하다《부화뇌동하다》. 형 ① 입에서 술술 나오다. 술술 읽히다. ‖ =[顺嘴(儿)] ② (~儿) 음식이 입에 맞다. 기호[구미]에 맞다.

[顺理成章] shùnlǐ-chéngzhāng〈成〉 글이나 하는 일이 사리가 분명하다.

[顺利] shùnlì 형 순조롭다. ❑ 工作进行得很~; 일이 매우 순조롭게 진행되다.

[顺路(儿)] shùnlù(r) 부 가는 길에. 오는 길에. ❑ 你~去看看他吧; 가는 길에 그를 좀 만나보거라. 형 (길이) 편하다. 순탄하다. ❑ 去百货大楼这么走~; 백화점에 갈 때 이렇게 가면 편하다. ‖ =[顺道(儿)]

[顺势] shùnshì 부 대세를 따라. 추세를 따라. ❑ 他趁着人多, ~溜进了剧场; 그는 사람이 많은 틈을 타서 극장으로 들어갔다.

[顺手(儿)] shùnshǒu(r) 형 순조롭다. 부 ① 하는 김에. 내친 김에. ❑ 请你~把这本书递给他; 하시는 김에 이 책을 좀 그에게 주세요. ② (손으로) 닥치는 대로. 아무렇게나. ❑ 我~一放, 也不记得放在哪里; 아무렇게나 던져 두어서 어디에 두었는지 기억이 안 난다.

[顺手牵羊] shùnshǒu-qiānyáng〈成〉 남의 것을 그대로 가져가다.

[顺水] shùn∥shuǐ 동 물이 흐르는 방향을 따르다. 물결을 따라 내려가다. ❑ ~人情; 〈成〉 손쉬운 인정 베풀기. 별것 아닌 친절 / ~推舟; 〈成〉 추세에 순응하여 일을 하다.

[顺藤摸瓜] shùnténg-mōguā〈成〉 실마리를 따라 근원을 찾다.

[顺心] shùn∥xīn 형 뜻대로 되다. 마음대로 되다. ❑ 诸事~; 만사가 뜻대로 되다.

[顺序] shùnxù 명 순서. 차례. 부 차례로. 순서대로. ❑ ~进场; 순서대로 입장하다.

[顺延] shùnyán 동 순연하다.

[顺眼] shùnyǎn 형 보기 좋다. 눈에 거슬리지 않다. ❑ 长zhǎng得很~; 용모가 매우 보기 좋다.

[顺应] shùnyìng 동 순응하다.

[顺嘴(儿)] shùnzuǐ(r) 형부 ⇨[顺口]

瞬 shùn (순) 동 눈을 깜박이다. ❑ 一~即

逝; 눈 깜짝할 사이에 지나갔다.
[瞬间] shùnjiān 명 순간. 일순간.
[瞬时] shùnshí 명 일순간. 순간. 순식간. 잠깐.
[瞬息] shùnxī 명 순식간. 눈 깜짝할 사이. ❑ ~万变; 〈成〉 짧은 시간에 수많은 변화가 일어나다.

shuo ㄕㄨㄛ

说(說) shuō (설) ① 동 말하다. 이야기하다. ❑ 我有话跟你~; 네게 할 말이 있다. ② 동 설명하다. ❑ 把道理~清楚; 이치를 분명하게 설명하다. ③ 명 이론. 주장. 설(說). ❑ 学~; 학설. ④ 동 혼내다. 야단치다. 꾸짖다. ❑ 妈妈~了你吗? 어머니가 너를 꾸짖으셨니? ⑤ 동 중개하다. 소개하다. ❑ 给他~了个女朋友; 그에게 여자친구를 소개해 주었다. ⑥ 동 …를 가리키다. ❑ 我们正在~你呢; 우리는 지금 네 얘기를 하고 있다. ⇒shuì
[说不定] shuō·budìng 동 확실히 말할 수 없다. 단언할 수 없다. ❑ 他今天来不来, 谁也~; 그가 오늘 올지 안 올지는 아무도 확실히 말할 수 없다. 부 …일지도 모른다. …일 것이다. ❑ 都十点了, ~他们都已经回去了; 10시가 넘었으니 그들은 이미 모두 돌아갔을 것이다.
[说不过去] shuō·bu guòqù 도리에 어긋나다. 말도 안 되다. 말이 되지 않는다.
[说不来] shuō·bulái 동 ① (생각·감정 따위가 맞지 않아서) 말이 통하지 않다. 대화가 안 되다. ❑ 他们俩一向~; 그들 두 사람은 항상 말이 통하지 않는다. ② 〈方〉 말을 잘할 줄 모르다. ❑ 上海话我~; 나는 상하이말을 할 줄 모른다.
[说不上] shuō·bushàng 동 ① (잘 알지 못해서) 뭐라고 말할 수 없다. 확실히 말할 수 없다. ❑ 他是哪个学校毕业的, 我可~; 그가 어느 학교를 졸업했는지 나는 확실히 말할 수 없다. ② …라고까지는 말할 수 없다. ❑ 我只是认识他,也~了解; 나는 그와 안면만 있을 뿐이지 잘 안다고는 할 수 없다.
[说长道短] shuōcháng-dàoduǎn 〈成〉 (남에 대해) 왈가왈부하다. 이러쿵저러쿵하다.
[说穿] shuōchuān 동 까발리다. 들추어 내다. 폭로하다. ❑ ~他的心事; 그의 고민거리를 들추어 내다.
[说得来] shuō·delái 동 ① (생각·감정 등이 비슷해) 말이 통하다. 대화가 되다. ② 〈方〉 말을 잘하다.
[说定] shuōdìng 동 (그렇게 하기로) 결정하다. 약속하다.
[说法] shuō·fǎ 명 ① 표현(법). 논법. ② 의견. 견해.
[说服] shuō//fú 동 설득하다. 납득시키다. 설복하다. ❑ ~群众; 군중을 설득하다.
[说合] shuō·he 동 ① 주선하다. 중개하다. 소개하다. ❑ ~买卖; 매매를 주선하다. ② 상의하다. 협의하다. 협상하다. ③ ⇒[说和]
[说和] shuō·he 동 중재하다. 화해시키다. =[说合③]
[说话] shuō//huà 동 ① 이야기를 하다. 말하다. ② (~儿) 수다 떨다. 한담하다. ③ 나무라다. 비난하다. (shuōhuà) 부 잠깐 말을 하는 동안. 곧. 금방. ❑ 他~就到; 그는 곧 도착한다.
[说谎] shuō//huǎng 동 (고의로) 거짓말을 하다. =[〈口〉 撒谎]
[说教] shuōjiào 동 ①〔宗〕 설교하다. ② 〈比〉 설교조로 이야기하다.
[说理] shuō//lǐ 동 이치를 설명하다[따지다]. 형 (주로, 부정형으로 쓰여) 이치에 따르다. 사리에 맞다. ❑ 你这个人多么不~呀! 너란 녀석은 어찌 그렇게도 억지스럽느냐!
[说媒] shuō//méi 동 중매하다. 중매 서다. =[说亲]
[说明] shuōmíng 명동 ① 설명(하다). 해설(하다). ❑ ~书; 설명서 / ~文; 설명문. ② 증명(하다).
[说破] shuōpò 동 (비밀 따위를) 밝히다. 까발리다. 털어놓다. 알려주다. ❑ 那件事别~了; 그 일은 입 밖에 내지 마라.
[说亲] shuō//qīn 동 ⇒[说媒]
[说情(儿)] shuō//qíng(r) 동 (남을 대신해서) 용서를 청하다. 사정하다. 부탁하다.
[说三道四] shuōsān-dàosì 〈成〉 마음대로 왈가왈부하다.
[说闲话] shuō xiánhuà ① 옆에서 비꼬다[빈정거리다]. 뒤에서 불평하다[투덜대다]. ② (~儿) 한담하다.
[说笑] shuōxiào 동 담소하다.
[说一不二] shuōyī-bù'èr 〈成〉 ①

말한 대로 하다. 두말하지 않다. ② 남의 의견은 고려치 않고 독단하다.

烁(爍) shuò (삭) 형 번쩍거리다. 반짝이다. =[〈書〉 铄shuò③]

[烁烁] shuòshuò 형 (빛이) 반짝이다. 반짝반짝하다. ❑繁星~; 뭇별들이 반짝이다.

铄(鑠) shuò (삭) 〈書〉 ① 동 (금속을) 녹이다. ② 동 손상시키다. 약화시키다. ③ 형 ⇨[烁]

朔 shuò (삭) 명 ①〖天〗 삭. ② 음력 초하루. ③〈書〉 북쪽. ❑~风; 삭풍.

[朔日] shuòrì 명 삭일.

[朔望] shuòwàng 명 삭망.

[朔月] shuòyuè 명〖天〗 삭월. =[新月②]

蒴 shuò (삭) →[蒴果]

[蒴果] shuòguǒ 명〖植〗 삭과《익으면 씨가 터져 나오는 열매》.

硕(碩) shuò (석) 형 크다. ❑~大; 거대하다.

[硕果] shuòguǒ 명 큰 열매[과실]. 〈比〉 거대한 성과[업적].

[硕士] shuòshì 명 석사.

数(數) shuò (삭) 부〈書〉 자주. 누차. 빈번이. ⇒shǔ shù

[数见不鲜] shuòjiàn-bùxiān 〈成〉 ⇨[屡见不鲜]

si ㄙ

私 sī (사) ① 형 개인의. 사적인. 사사로운. ❑~信; 사적인 편지. ② 형 국가나 공공의 사업이 아닌. 사유(私有)의. ❑~立; ⇩ ③ 명 사심. 이기심. ④ 부 사사로이. 은밀히. ❑~吞; 횡령하다. ⑤ 형 공개하지 않는. 비합법적인. ❑~货; ⇩

[私奔] sībēn 동 사랑의 도피를 하다.

[私产] sīchǎn 명 사유 재산.

[私娼] sīchāng 명 사창.

[私车] sīchē 명 자가용 (차).

[私仇] sīchóu 명 개인적인 원한.

[私房] sīfáng 명 개인 소유 주택.

[私愤] sīfèn 명 사사로운 분노.

[私货] sīhuò 명 밀반입품. 밀수품.

[私见] sījiàn 명 ① 개인의 편견[선입견]. ② 개인의 의견[견해]. 사견.

[私交] sījiāo 명 개인적인 교제.

[私立] sīlì 형 사립의. ❑~学校; 사립학교.

[私利] sīlì 명 사사로운 이익. 사리.

[私囊] sīnáng 명 개인의 호주머니. 사복. ❑中饱~; 사복을 채우다.

[私情] sīqíng 명 ① 사정(私情). 정실(情實). ② (비도덕적인) 남녀간의 사랑.

[私人] sīrén 명 ① 개인. ❑~秘书; 개인 비서 / ~资本; 개인 자본. ② 개인과 개인간. ❑~关系; 인간관계. ③ 연고자.

[私商] sīshāng 명 개인 경영의 상점[상인].

[私生活] sīshēnghuó 명 사생활. 프라이버시(privacy).

[私生子] sīshēngzǐ 명 사생아.

[私事] sīshì 명 사적인 일.

[私通] sītōng 동 ① 사통하다. 밀통하다. ② 간통하다.

[私下] sīxià 명 ① 비밀리. 몰래. ❑~打听; 몰래 알아보다. ② 비공식. 개인적. ❑~调解; 비공식으로 조정하다. ‖ =[私下里]

[私心] sīxīn 명 ① 사심(私心). ② 내심. ❑~窃喜; 내심 기뻐하다.

[私营] sīyíng 형 사영의. 민영의. ❑~化; 민영화 / ~企业; 민간 기업.

[私有] sīyǒu 동 사유하다. ❑~财产; 사유 재산 / ~制; 사유제.

[私语] sīyǔ 동 몰래 이야기하다. 소곤거리다. ❑窃窃~; 소곤소곤 이야기하다. 명 비밀 이야기.

[私欲] sīyù 명 사욕.

[私自] sīzì 부 자기 마음대로. 무단으로. ❑~外出; 무단 외출 하다.

司 sī (사) ① 동 맡다. 관장하다. 주관하다. ❑~机; ⇩ ② 명 중앙 관청의 부국(部局).

[司法] sīfǎ 명〖法〗 사법. ❑~机关; 사법 기관 / ~权; 사법권.

[司机] sījī 명 운전사. 기사. 기관사. ❑出租车~; 택시 기사.

[司空见惯] sīkōng-jiànguàn 〈成〉 자주 보던 일이라 신기하지 않다.

[司令] sīlìng 명 사령관.

[司药] sīyào 명 (병원 내 약국의) 약사.

[司仪] sīyí 명 사회자. 진행자.

丝(絲) sī (사) ① 명 생사(生絲). 견사(絹絲). ② (~儿) 명 실처럼 가는 것. ❑铁~; 철사. ③ 양 길이나 중량의 단위. ㉠센티밀리미터. ㉡사.

데시밀리(decimilli)《10,000분의 1을 나타냄》. ④ 양 (주로, '一~'로 쓰여) 약간. 조금. ❏ 一~风也没有; 바람 한 점 없다.
[丝绸] sīchóu 명〖紡〗비단.
[丝绸之路] sīchóu zhī lù〖史〗실크 로드(Silk Road). =[丝路]
[丝毫] sīháo 형 추호. 극히 조금. ❏ ~不让; 추호도 양보하지 않다.
[丝路] sīlù 명 ⇨[丝绸之路]
[丝绵] sīmián 명 풀솜.
[丝绒] sīróng 명〖紡〗벨벳(velvet). 우단. 비로드.
[丝线] sīxiàn 명〖紡〗명주실.
[丝织品] sīzhīpǐn 명 견직물.

咝(噝) sī (사)
의 핑핑. 퓽퓽《탄알 따위가 빠르게 날아가는 소리》. =[嘶③]

鸶(鷥) sī (사)
→[鹭lù鸶]

思 sī (사)
① 동 생각하다. 사고하다. ❏ 深~; 깊이 생각하다. ② 동 그리워하다. ❏ ~故乡; 고향을 그리워하다. ③ 동 바라다. 희망하다. ❏ ~归; (집으로) 돌아가기를 희망하다. ④ 명 생각. ❏ ~路; ⇩
[思潮] sīcháo 명 ① 사조. 시대 사상의 흐름[경향]. ② 생각. 상념.
[思考] sīkǎo 동 사고하다. ❏ 反复~; 반복해서 사고하다.
[思量] sī·liang 동 고려하다. 생각하다. ❏ 暗自~; 속으로 이것저것 생각하다.
[思路] sīlù 명 생각의 방향[갈피].
[思虑] sīlǜ 동 고려하다. 사려하다.
[思慕] sīmù 동 사모하다. 그리다. ❏ ~恩师; 은사를 그리다.
[思念] sīniàn 동 생각하다. 그리워하다. ❏ ~祖国; 조국을 그리워하다. =[想念]
[思索] sīsuǒ 동 사색하다. 깊이 생각하다. ❏ ~~问题; 문제를 깊이 생각하다.
[思维] sīwéi 명〖哲〗사유. 동 사유하다. 생각하다.
[思乡] sī//xiāng 동 고향을 그리워하다.
[思想] sīxiǎng 명 ① 사상. ❏ ~家; 사상가 / ~性; 사상성. ② 생각. 정신. 마음. ❏ ~包袱; 정신적 부담 / ~方式; 사고방식. 동 생각하다.
[思绪] sīxù 명 ① 생각(의 갈피). 사고(의 실마리). ② 정서. 기분.

斯 sī (사)
① 대〈書〉이것. 이. 여기. ❏ ~人; 이 사람 / ~时; 이때. ② 접〈書〉곧. 즉시. 이에.
[斯芬克斯] Sīfēnkèsī 명〈音〉스핑크스(Sphinx).
[斯文] sīwén 명〈書〉사문. 문화. 문인. ❏ ~扫地;〈成〉ⓐ문인이 완전히 타락하다. ⓑ문화나 문인이 존중되지 않다.
[斯文] sī·wen 형 고상하다. 우아하다. 점잖다. ❏ 说话~; 말하는 것이 점잖다.

厮 sī (시)
① 명 놈. 자식《사람을 경멸하여 부르는 말》. ❏ 那~; 저놈. ② 부 서로. ❏ ~打; 서로 치고받다.

撕 sī (시)
동 (손으로) 찢다. 떼다. 벗기다. ❏ 她一边~着信, 一边哭; 그녀는 울면서 편지를 찢었다.
[撕扯] sīchě 동 찢다.
[撕毁] sīhuǐ 동 ① 찢어발기다. ❏ ~书稿; 저작 초고를 찢어발기다. ② (계약·조약 따위를) 파기하다. ❏ ~协定; 협정을 파기하다.

嘶 sī (시)
① 동 (말이) 울다. ② 동 목이 쉬다. ❏ 力竭声~;〈成〉힘이 다하고 목이 쉬다. ③ 의 ⇨[咝]
[嘶哑] sīyǎ 형 목이 쉬다.

蛳(螄) sī (사)
→[螺luó蛳]

死 sǐ (사)
① 동 죽다. ❏ 他已经~了; 그는 이미 죽었다. ② 부 필사적으로. ❏ ~守; ⇩ ③ 부 죽어도. 절대로. 한사코. ❏ ~不答应; 죽어도 승낙하지 않다. ④ 형 …해 죽겠다. 몹시 …하다. ❏ 饿~了; 배고파 죽겠다. ⑤ 형 철천지의. 절대 타협할 수 없는. ❏ ~敌; ⇩ ⑥ 형 고정되다. 융통성이 없다. ❏ ~心眼儿; ⇩ ⑦ 형 막히다. 막다르다. ❏ ~胡同(儿); ⇩
[死板] sǐbǎn 형 ① 활기가 없다. 생기(生氣)가 없다. ② 융통성이 없다. 탄력성이 없다.
[死党] sǐdǎng 명 ①〈貶〉어떤 사람 또는 집단을 위해 사력을 다하는 도당. ② 완고하고 보수적인 집단.
[死敌] sǐdí 명 철천지원수.
[死地] sǐdì 명 사지. ❏ 置之~; 사지에 내몰리다.
[死对头] sǐduì·tou 명 불구대천의 원수.

[死鬼] sǐguǐ 명 ① 죽은 사람. ② 유령. 귀신.
[死胡同(儿)] sǐhútòng(r) 명 막다른 골목.
[死灰] sǐhuī 명 불기 없는 재. ❑ ~复燃; 〈成〉(주로, 악인이) 큰 타격을 입은 뒤에 다시 활동하다.
[死活] sǐhuó 명 삶과 죽음. 사활. 생사《주로 부정형으로 쓰임》. ❑ 不顾别人的~; 남이야 죽든 말든 신경쓰지 않다. 부〈口〉 아무리 해도. 어쨌든. 기어코. ❑ 这件事, 他~反对; 이 일을 그는 기어코 반대한다.
[死机] sǐ//jī 동〖컴〗 컴퓨터가 다운되다.
[死记] sǐjì 동 기계적으로[무조건] 외다.
[死角] sǐjiǎo 명 ①〖軍〗사각. ②〈比〉 공백 지역. 사각지대.
[死结] sǐjié 명 옭매듭. =[〈口〉 死扣儿]
[死劲儿] sǐjìnr 〈口〉 명 필사적인 힘. 죽을힘. 부 필사적으로. 있는 힘껏. ❑ ~踢了他一脚; 있는 힘껏 그를 한 대 걷어찼다.
[死扣儿] sǐkòur 명〈口〉 ⇨[死结]
[死力] sǐlì 명 사력. 죽을힘. 부 사력[죽을힘]을 다하여. ❑ ~反抗; 사력을 다하여 반항하다.
[死路] sǐlù 명 ① 막다른 길[골목]. ②〈比〉 죽음[절망]의 길.
[死难] sǐnàn 동 재난을 만나 죽다. ❑ ~烈士; 순국열사.
[死气沉沉] sǐqì-chénchén 〈成〉 분위기가 가라앉아 활기 없는 모양.
[死囚] sǐqiú 명 사형수.
[死去活来] sǐqù-huólái 〈成〉 죽었다가 살아나다《① 몹시 슬퍼하다. ② 모진 고초를 겪다》.
[死人] sǐrén 명 죽은 사람.
[死伤] sǐshāng 동 사상하다. 죽거나 다치다.
[死尸] sǐshī 명 사체. 시체.
[死守] sǐshǒu 동 ① 사수하다. ❑ ~阵地; 진지를 사수하다. ②〈比〉 고수하다. ❑ ~陈规; 낡은 규칙을 고수하다.
[死水] sǐshuǐ 명 ① 고인 물. 흐름이 없는 물. ②〈比〉 장기간에 걸쳐 아무 변화도 없는 지역.
[死亡] sǐwáng 동 사망하다. ❑ ~率; 사망률 / ~人; 사망자.
[死心] sǐ//xīn 동 체념하다. 단념하다. 포기하다.
[死心塌地] sǐxīn-tādì 〈成〉〈貶〉 한번 결심하면 죽어도 마음을 바꾸지 않다.
[死心眼儿] sǐxīnyǎnr 형 완고하다. 융통성이 없다. 명 고지식한[융통성 없는] 사람. 외골수.
[死刑] sǐxíng 명〖法〗사형.
[死因] sǐyīn 명 사망 원인. 사인.
[死硬] sǐyìng 형 ①(태도가) 완고하고 강경하다. ② 융통성이 없다.
[死有余辜] sǐyǒuyúgū 〈成〉 죄가 너무 커서 죽여도 부족하다.
[死于非命] sǐyúfēimìng 〈成〉 비명(非命)에 죽다. 비명횡사하다.
[死罪] sǐzuì 명 죽을죄. 죽어 마땅한 죄. 동〈套〉 저의 죄는 죽어 마땅합니다《정말 죄송합니다》.

巳 sì (사)
명 십이지(十二支)의 여섯째.
[巳时] sìshí 명 사시《오전 9시부터 11시까지》.

祀 sì (사)
동 제사하다. ❑ ~祖; 조상에게 제사하다.

四 sì (사)
수 넷. 4.
[四边(儿)] sìbiān(r) 명 ⇨[四周]
[四边形] sìbiānxíng 명〖數〗사변형. 사각형.
[四不像] sìbùxiàng 명 이도 저도 아닌 것. 어느 쪽도 아닌 상황.
[四处] sìchù 명 사방. 도처. 여기저기. ❑ ~寻找; 사방으로 찾다.
[四方] sìfāng 명 동서남북. 사방. 〈轉〉 여기저기. 각처. 형 정방형의. 네모난. ❑ ~脸; 네모난 얼굴.
[四分五裂] sìfēn-wǔliè 〈成〉 사분오열하다.
[四海] sìhǎi 명 사해. 천하. 세계.
[四合院(儿)] sìhéyuàn(r) 명 사합원《'口'자 모양의 중국 전통 가옥》. =[四合房]
[四季] sìjì 명 사계. 사계절.
[四邻] sìlín 명 주변의 이웃.
[四面] sìmiàn 명 사면. 사방. 주위. ❑ ~八方; 〈成〉 사방팔방 / ~楚歌; 〈成〉 사면초가.
[四平八稳] sìpíng-bāwěn 〈成〉 ① 언행이나 일처리·문장 짓는 것이 차분하고 온당한 모양. ② 실수가 없도록 조심하는 데에 급급한 나머지 창조성이 결여된 모양.
[四散] sìsàn 동 사방으로 흩어지다. ❑ ~奔逃; 사방으로 달아나다.
[四舍五入] sì shě wǔ rù 〈成〉 사사오입하다. 반올림하다.
[四声] sìshēng 명〖言〗사성《중국어의 네 개의 성조(聲調)》.

[四时] sìshí 명 사계절. 사철.
[四通八达] sìtōng-bādá 동〈成〉 사통팔달하다. 교통이 편리하다.
[四维空间] sìwéi kōngjiān 〖物〗 사차원 공간[세계].
[四野] sìyě 명 드넓은 벌판.
[四肢] sìzhī 명 사지. 팔다리.
[四周] sìzhōu 명 사방. 주위. =[四边(儿)][四周围]

驷(駟) sì (사) 명〈書〉 한 마차를 함께 끄는 네 필의 말. =[驷马]

似 sì (사) ① 동 닮다. 비슷하다. ❏ 形~物不同; 형태는 비슷하나 물건은 같지 않다. ② 부 …인 것 같다. …일 듯하다. ❏ ~应再行研究; 다시 연구해야 할 것 같다. ③ 개 …에 비하여 …하다(비교하여 낫다는 뜻). ❏ 身体一年强~一年; 건강이 해가 갈수록 좋아지다. ⇒shì

[似乎] sìhū 부 (마치) …같다. …인 것 같다. ❏ 他~很紧张; 그는 매우 긴장한 것 같다.
[似是而非] sìshì-érfēi 〈成〉 맞는 것 같지만 실은 틀리다. 그럴듯하지만 실은 아니다.

寺 sì (사) 명 ① 옛날, 관공서 이름. ② 절. 사찰. 사원. ❏ ~庙; 사묘.

[寺院] sìyuàn 명 사원.

伺 sì (사) 동 살피다. 엿보다. ⇒cì

[伺机] sìjī 동 기회를 엿보다.

饲(飼) sì (사) 동 (가축을) 치다. 먹이다. 기르다. 사육하다.

[饲料] sìliào 명 사료.
[饲养] sìyǎng 동 사육하다. ❏ ~牲畜; 가축을 사육하다. =[饲育]

嗣 sì (사) ① 동 뒤를 잇다. 계승하다. ❏ ~位; 왕위를 계승하다. ② 명 자손. 후손. 후예. ❏ 绝~; 자손이 없어 대가 끊기다.

俟 sì (사) 동〈書〉 기다리다. ❏ ~机; 기회를 기다리다.

肆 sì (사) ① 동 멋대로[마음대로] 하다. ② 수 '四'의 갖은자(字). ③ 명 〈書〉 가게. 점포.

[肆口] sìkǒu 동 입에서 나오는 대로 말하다. ❏ ~大骂; 〈成〉 입에서 나오는 대로 온갖 욕을 퍼붓다.
[肆虐] sìnüè 동 제멋대로 사납게 굴다. 멋대로 날뛰다. ❏ 蚊虫~; 모기가 날뛰며 해를 끼치다.
[肆无忌惮] sìwú-jìdàn 〈成〉 방자하여 아무런 거리낌이 없다.
[肆意] sìyì 부 마음대로. 멋대로. ❏ ~诽谤; 멋대로 비방하다.

song ㄙㄨㄥ

忪 sōng (종) →[惺xīng忪] ⇒zhōng

松(鬆)[B)] sōng (송) **A)** 명〖植〗 소나무. =[松树] **B)** ① 형 느슨하다. 헐렁하다. ❏ 捆得太~; 묶은 것이 너무 느슨하다. ② 동 느슨하게 하다. 헐렁하게 하다. ❏ ~一~腰带; 허리띠를 좀 느슨하게 하다. ③ 형 (경제적으로) 여유가 있다. 주머니 사정이 좋다. ❏ 最近我手头~多了; 요즘 나는 주머니 사정이 많이 좋아졌다. ④ 형 부드럽다. 부슬부슬하다. ❏ 把土翻得~~的; 흙을 부슬부슬하게 갈아엎다. ⑤ 동 풀다. 놓다. ❏ ~扣子; 단추를 풀다. ⑥ 명 생선·살코기 따위를 실처럼 찢거나 으깨서 만든 식품.

[松弛] sōngchí 형 ① 풀리다. 느슨하다. ❏ 紧张的心情~了下来; 긴장된 마음이 풀리기 시작했다. ② (제도·규율 따위가) 느슨하다. 해이하다. ❏ 管理~; 관리가 느슨하다.
[松动] sōngdòng 동 ① 한산해지다. 자리에 여유가 많아지다. ❏ 接近终点站, 车厢里~多了; 종점이 가까워지자 차 안이 많이 한산해졌다. ② (치아·나사 따위가) 헐거워지다. 흔들리다. ❏ 螺丝~了; 나사가 헐거워졌다. ③ (관계·태도·조치 따위를) 완화하다. 늦추다. 누그러뜨리다. ❏ 立场~; 입장을 완화시키다. 형 여유있다. 넉넉하다. ❏ 手头~; 주머니 사정이 좋다.
[松花] sōnghuā 명 송화단(중국 음식의 하나). =[〈方〉 皮蛋][松花蛋]
[松紧] sōngjǐn 명 신축성. 탄력.
[松劲(儿)] sōng//jìn(r) 동 힘을 늦추다. 긴장을 늦추다.
[松口] sōng//kǒu 동 ① 입에 물고 있는 것을 놓다. ❏ 狗叼diāo着一块骨头不~; 개가 뼈다귀 하나를 물고서 놓지 않다. ② (주장·의견 따위를) 꺾다. 굽히다. ❏ 宁死也

不~; 죽어도 뜻을 굽히지 않다.
[松快] sōng·kuai 형 ① (마음이) 후련하다. 가볍다. ❏ 心里~多了; 마음이 많이 가벼워졌다. ② (공간적으로) 여유가 있다. 한산하다.
[松气] sōng//qì 동 한숨 돌리다. 긴장을 풀고 쉬다.
[松球] sōngqiú 명 솔방울.
[松仁(儿)] sōngrén(r) 명 잣 알맹이. =[〈方〉 松子②]
[松软] sōngruǎn 형 ① 폭신하고 부드럽다. ❏ ~的蛋糕; 부드러운 케이크. ② (사지가) 나른하고 힘이 없다. ❏ 浑身~; 전신이 나른하다.
[松散] sōngsǎn 형 ① (구조·짜임새가) 성기다. 느슨하다. ❏ 结构有些~; 구조가 조금 느슨하다. ② (정신이) 산만하다. 느슨하다.
[松散] sōng·san 동 가슴을 후련하게 하다. 기분을 상쾌하게 하다.
[松手] sōng//shǒu 동 손을 늦추다. 손을 놓다. 손에서 떼어 놓다.
[松鼠] sōngshǔ 명〖動〗다람쥐.
[松香] sōngxiāng 명〖化〗로진 (rosin).
[松懈] sōngxiè 형 ① (정신·주의력 따위가) 해이하다. 긴장이 풀리다. ❏ 他工作很~; 그는 일하는 것이 매우 해이하다. ② 기강이 안 잡히다. 엄격하지 않다.
[松蕈] sōngxùn 명〖植〗송이버섯.
[松针] sōngzhēn 명 솔잎.
[松脂] sōngzhī 명 송진.
[松子] sōngzǐ 명 ① (~儿) 송자. 잣. ② 〈方〉 ⇨[松仁(儿)]

怂(慫) sǒng (종)
동〈書〉 놀라고 두려워하다.
[怂恿] sǒngyǒng 동 종용하다. 권하다. 부추기다. ❏ ~别人出头; 남에게 나서라고 종용하다.

耸(聳) sǒng (용, 송)
동 ① 우뚝 솟다. ② 주의를 끌다. 놀라게 하다. ❏ ~人听闻; ⇩ ③ (어깨 따위를) 으쓱하다. ❏ ~肩; ⇩
[耸动] sǒngdòng 동 ① (어깨 따위를) 으쓱거리다. ② (근육을) 움찔거리다. ③ 놀라게 하다. ❏ ~视听; 〈成〉 듣는 사람을 놀라게 하다.
[耸肩] sǒng//jiān 동 어깨를 으쓱하다《놀람·의혹·경멸 따위를 나타냄》.
[耸立] sǒnglì 동 우뚝 솟다. ❏ 高楼~; 고층 빌딩이 우뚝 솟아 있다.
[耸人听闻] sǒngréntīngwén 〈成〉 고의로 과장하여 말하거나 기이한 이야기를 해서, 남을 놀라게 하다.

悚 sǒng (송)
형〈書〉 오싹하다. 무섭다.
[悚然] sǒngrán 형 송연하다. ❏ 毛骨~; 모골이 송연하다.

讼(訟) sòng (송)
동 ① 소송하다. ② 〈書〉 (시비곡직을) 논쟁하다.

颂(頌) sòng (송)
① 동 칭송하다. 찬양하다. ② 동 축원하다. 축하하다. ③ 명 공적을 기리는 시문(詩文).
[颂词] sòngcí 명 ① 공덕을 기리는 말. 송사. ② 축사.
[颂歌] sònggē 명 송가. 찬가.
[颂扬] sòngyáng 동 찬양하다. 찬미하다. ❏ ~功绩; 공적을 찬양하다.

宋 Sòng (송)
명〖史〗① 주대(周代)의 나라 이름. ② 남조(南朝)의 하나《420-479》. ③ 조광윤(趙匡胤)이 세운 나라《960-1279》.

诵(誦) sòng (송)
동 ① 낭독하다. 낭송하다. ❏ ~诗; 시를 낭송하다. ② 암송하다. 외다. ③ 말하다. 진술하다.
[诵读] sòngdú 동 송독하다. 낭송하다. ❏ 高声~; 큰 소리로 낭송하다.

送 sòng (송)
동 ① (물건을) 보내다. 전달하다. 배달하다. ❏ ~报; 신문을 배달하다. ② (선물로) 주다. 증정하다. ❏ ~你一支笔; 펜 한 자루를 너에게 주마. ③ 배웅하다. 바래다주다. 전송하다. ❏ 我来~你; 내가 너를 바래다주마.
[送别] sòng//bié 동 송별하다. 배웅하다.
[送还] sònghuán 동 (주로, 물건을) 돌려주다. 송환하다. 반환하다.
[送货] sònghuò 동 상품을 보내다. 물건을 배달하다. ❏ ~上门; 집까지 물건을 배달하다.
[送礼] sòng//lǐ 동 선물을 보내다. =[〈方〉 送人情②]
[送命] sòng//mìng 동 헛되이 목숨을 잃다.
[送人情] sòng rénqíng ① 선심[인심]을 쓰다. ② 〈方〉 ⇨[送礼]
[送死] sòngsǐ 동〈口〉 죽음을 자초하다.
[送信儿] sòng//xìnr 동〈口〉 소식을 전하다[알리다].
[送行] sòng//xíng 동 ① 배웅하

다. 전송하다. ② (송별회를 열어) 작별하다. 전별하다.

[送站] sòngzhàn 동 역[정류장]까지 배웅하다.

[送葬] sòng//zàng 동 장송(葬送)하다.

[送终] sòng//zhōng 동 ① (연장자인 가족의) 임종을 지키다. ② (연장자인 가족의) 장례를 치르다.

sou ㄙㄡ

溲 sōu (수)
동〈書〉 변을 보다《특히, 소변을 누다》.

搜 sōu (수)
동 ① 찾다. 구하다. ❑ ~集; ⇓ ② 수색하다. 뒤지다. ❑ 他们正~着山; 그들은 산을 수색하고 있다.

[搜捕] sōubǔ 동 수색하여 체포하다. ❑ ~凶犯; 흉악범을 수색하여 체포하다.

[搜查] sōuchá 동 (범죄자나 금지품을) 수사하다. 수색하다. ❑ ~证; 수색 영장.

[搜刮] sōuguā 동 (백성의 재물을) 빼앗다. 착취하다. 약탈하다.

[搜集] sōují 동 수집하다. 찾아 모으다. ❑ ~资料; 자료를 수집하다.

[搜罗] sōuluó 동 찾아서 한데 그러모으다. ❑ ~人材; 널리 인재를 모으다.

[搜身] sōu//shēn 동 몸수색하다.

[搜索] sōusuǒ 동 ① 샅샅이 뒤져 찾다. 수색하다. ❑ ~犯人的下落; 범인의 행방을 수색하다. ② 〖컴〗 검색하다. ❑ ~引擎; 검색 엔진.

[搜索枯肠] sōusuǒ-kūcháng 〈成〉 (시문 따위를 짓기 위해) 골똘히 생각하다. 매우 고심하다.

[搜寻] sōuxún 동 수색하다. ❑ ~失踪的人; 실종자를 수색하다.

嗖 sōu (수)
의 쌩. 휙. 핑. 윙《빨리 지나가는 소리》. ❑ 汽车~的一声过去了; 자동차가 쌩 지나갔다.

馊(餿) sōu (수)
형 쉬다. 쉰내가 나다. ❑ 饭~了; 밥이 쉬었다.

[馊主意] sōuzhǔ·yi[〈口〉 sōuzhú·yi] 명 시시한 아이디어. 신통치 않은 생각.

艘 sōu (소)
양 척《배를 세는 말》. ❑ 一~客轮; 여객선 한 척.

嗾 sǒu (수)
① 감 개를 부릴 때 내는 소리. ② 동〈書〉 소리를 내어 개를 부리다. ③ 동 부추기다. 교사하다. 사주하다. ❑ ~使; ⇓

[嗾使] sǒushǐ 동 교사하다. 사주하다. 부추기다. ❑ ~孩子干坏事; 나쁜 짓을 하도록 아이를 부추기다.

擞(擻) sǒu (수)
→[抖擞]

嗽 sòu (수)
명 기침. ❑ 干~; 마른기침.

su ㄙㄨ

苏(蘇) sū (소)
A) ① 명〖植〗 차조기. ② 동 소생하다. 되살아나다. ❑ 复~; 되살아나다. B) (Sū) 명〖地〗〈簡〉 ① 쑤저우(蘇州)의 약칭. ② 장쑤 성(江蘇省)의 약칭.

[苏打] sūdá 명〖化〗〈音〉 소다(soda). =[纯碱]

[苏联] Sūlián 명〖地〗 소련.

[苏铁] sūtiě 명 ⇨[铁树]

[苏维埃] sūwéi'āi 명〈音〉 소비에트(Soviet).

[苏醒] sūxǐng 동 의식을 되찾다. 깨어나다. 소생하다. ❑ 他昏迷了三天, 今天~了; 그는 사흘간 혼수상태로 있다가 오늘 깨어났다.

酥 sū (수)
① 형 (음식물이) 바삭바삭하다. ❑ 这点心很~; 이 과자는 매우 바삭바삭하다. ② 명 밀가루에 기름이나 설탕을 섞어 만든 과자의 일종. ③ 형 나른하다. 기운이 없다. 노곤하다. ❑ 全身发~; 온몸이 노곤해지다.

[酥脆] sūcuì 형 (음식물이) 바삭바삭하다. ❑ 饼干~可口; 과자가 바삭바삭하여 맛있다.

[酥软] sūruǎn 형 맥이 풀려 힘이 없다. 노곤하다. ❑ 两腿~; 두 다리가 노곤하고 힘이 없다.

[酥油] sūyóu 명 버터기름.

窣 sū (솔)
→[窸xī窣]

俗 sú (속)
① 명 풍속. ❑ 民~; 민속. ② 형 대중적이다. 통속적이다. ❑ ~文学; 통속 문학. ③ 형 속되다. 저속하다. 상스럽다. ❑ ~不可耐; 〈成〉 상스럽기 그지없다. ④ 명

(출가(出家)한 사람에 대한) 속인(俗人). 「[俗语]
【俗话(儿)】 súhuà(r) 명〈口〉 ⇨
【俗名】 súmíng 명 ① 속칭(俗稱). 세칭(世稱). ②〖佛〗 속명.
【俗气】 sú·qi 형 저속하다. 상스럽다. 점잖지 못하다. ❏打扮得太~; 차림새가 너무 점잖지 못하다.
【俗人】 súrén 명 속인. ①〖佛〗 세속의 사람. 일반인. ② 범속한 사람.
【俗套】 sútào 명 ① 시시한 관습. 무의미한 관례(慣例). ② 진부하고 상투적인 것. ‖ =[俗套子]
【俗体字】 sútǐzì 명 속자(俗字). =[俗字] 「话(儿)]
【俗语】 súyǔ 명 속담. =[〈口〉 俗
【俗字】 súzì 명 ⇨[俗体字]

夙 sù (숙)
〈書〉 ① 명 이른 아침. ② 형 이전부터의. 원래부터의.
【夙敌】 sùdí 명 숙적. =[宿敌]
【夙兴夜寐】 sùxīng-yèmèi 〈成〉 아침 일찍 일어나 밤늦게 자다《부지런히 일하다》. 「[宿怨]
【夙怨】 sùyuàn 명 오랜 원한. =
【夙愿】 sùyuàn 명 오랜 바람. 숙원. =[宿愿]

诉(訴) sù (소)
동 ① 말하다. 알리다. ❏告~; 알리다. ② 호소하다. 하소연하다. ❏~委屈; 억울함을 호소하다. ③ 고소하다. ❏起~; 기소하다.
【诉苦】 sù//kǔ 동 괴로움을 호소하다. 하소연하다. 푸념하다.
【诉说】 sùshuō 동 호소하다. 간곡히 말하다. ❏~冤屈; 억울함을 호소하다.
【诉讼】 sùsòng 동〖法〗 소송하다.
【诉状】 sùzhuàng 명〖法〗 소장. 소송장. =[〈口〉 状子]

肃(肅) sù (숙)
① 형 공손하다. ❏~立; ⇩ ② 형 엄숙하다. 숙연하다. ❏严~; 엄숙하다. ③ 동 숙청하다. 척결하다. 소탕하다.
【肃静】 sùjìng 형 정숙하다. 엄숙하고 조용하다. ❏~无声; 쥐죽은 듯 고요하다. 「서다.
【肃立】 sùlì 동 공손하고 경건하게
【肃穆】 sùmù 형 엄숙하고 경건하다. 엄숙하고 차분하다.
【肃清】 sùqīng 동 숙청하다. 소탕하다. ❏~残匪; 잔비를 소탕하다.
【肃然】 sùrán 형 매우 공경하는 모양. ❏~起敬; 〈成〉 공경하는 마음이 생기다.

速 sù (속)
① 형 빠르다. 신속하다. ❏~冻; 급속 냉동 하다. ② 명 속도. ❏时~; 시속. ③ 동〈書〉 초대하다. 초청하다. ❏不~之客; 불청객.
【速成】 sùchéng 동 속성하다. ❏~班; 속성반.
【速度】 sùdù 명 ①〖物〗 속도. ❏~计; 속도계. ② 속력. 속도. ❏加快~; 속력을 내다.
【速记】 sùjì 명동 속기(하다). ❏~录; 속기록 / ~员; 속기사.
【速决】 sùjué 동 속결하다. ❏~战; 속전속결의 전투.
【速溶】 sùróng 동 빨리 녹다. ❏~咖啡; 인스턴트 커피.
【速食面】 sùshímiàn 명〈方〉 ⇨[方便面]
【速效】 sùxiào 명 빠른 효과. 속효. 형 효과가 빠른. 속효성의. ❏~肥料; 속효성 비료.
【速写】 sùxiě 명 ①〖美〗 속사. 스케치(sketch). 사생. ② (글의) 스케치. ❏人物~; 인물 스케치.

素 sù (소)
① 명 본색(本色). 흰색. ② 형 (빛깔·모양이) 단순하다. 수수하다. 소박하다. ❏穿得很~; 옷차림이 매우 수수하다. ③ 명 소식(素食). 채식. ④ 형 본디의. 본래의. ❏~质; ⇩ ⑤ 명 기본 성분. ❏因~; 요소. ⑥ 부 평소. 원래. ❏~不相识; 〈成〉 평소 서로 안면이 없다.
【素材】 sùcái 명 소재.
【素菜】 sùcài 명 채소 요리.
【素餐】 sùcān 명 소반(素飯). 소식(素食). 동 소찬을 먹다. 채식하다.
【素常】 sùcháng 명 평소. 평상시.
【素服】 sùfú 명 소복.
【素净】 sù·jing 형 빛깔이 차분하고 수수하다.
【素来】 sùlái 부 평소부터. 진작부터. 원래부터. ❏四川~物产丰富; 쓰촨은 원래부터 물산이 풍부했다.
【素昧平生】 sùmèi-píngshēng 〈成〉 평소 서로 안면이 없다.
【素描】 sùmiáo 명 ①〖美〗 소묘. 데생(프 dessin). ② (문학상의) 스케치. 간결한 묘사.
【素朴】 sùpǔ 형 ① 소박하다. 수수하다. ❏~的服饰; 수수한 옷차림. ② 싹트는 단계의. 아직 발전되지 않은《주로, 철학 사상을 이름》. ❏

~唯物主义; 〖哲〗 소박유물론.
[素食] sùshí 명 소식. 채식. 동 채식하다. ❑ ~者; 채식주의자.
[素雅] sùyǎ 형 수수하고 우아하다. 점잖다. ❑ 衣着~; 복장이 점잖다.
[素养] sùyǎng 명 소양.
[素油] sùyóu 명 식물성 기름.
[素质] sùzhì 명 ① 사물의 본래의 성질. 본질. 바탕. ② 소질. 소양(素養). 자질. ③ 〖心〗 소질.

嗉 sù (소)
명 〖鳥〗 모이주머니.
[嗉囊] sùnáng 명 〖鳥〗 모이주머니. 소낭. =[嗉子]

宿 sù (숙)
① 동 숙박하다. 묵다. ❑ 住~; 숙박하다. ② 형 〈書〉 연로(年老)한. 노련한. ❑ ~将; 노련한 장군. ③ 형 〈書〉 전부터의. 쭉 있어 왔던. ❑ ~疾; ⇩ ⇒ xiǔ xiù
[宿便] sùbiàn 명 숙변.
[宿敌] sùdí 명 ⇨[夙敌]
[宿疾] sùjí 명 숙질. 숙병(宿病).
[宿命论] sùmìnglùn 명 〖哲〗 숙명론.
[宿舍] sùshè 명 숙사. 기숙사.
[宿营] sùyíng 동 (군대가) 숙영하다. ❑ ~地; 숙영지.
[宿怨] sùyuàn 명 ⇨[夙怨]
[宿愿] sùyuàn 명 ⇨[夙愿]

粟 sù (속)
명 ⇨[谷子①②]
[粟子] sù·zi 명 〈方〉 ⇨[谷子①②]

溯 sù (소)
동 ① 물을 거슬러가다. ❑ ~河而上; 강을 거슬러 올라가다. ② (일·사건 따위의) 근원을 더듬다. 회상하다. 되돌아보다.
[溯源] sùyuán 동 근원을 더듬어 거슬러 올라가다. 〈比〉 근원을 찾아 연구하다. ❑ 追本~; 〈成〉 근원을 더듬어 찾다.

塑 sù (소)
① 동 소조(塑造)하다. ② 명 플라스틱·비닐 따위.
[塑料] sùliào 명 〖化〗 가소성(可塑性) 고분자 화합물《플라스틱·비닐 따위》. ❑ ~袋; 비닐 봉지.
[塑像] sù//xiàng 동 석고나 진흙으로 상(像)을 만들다. 조소(彫塑)하다. (sùxiàng) 명 소상(塑像).
[塑造] sùzào 동 ① 〖美〗 소조하다. ② (언어·문자 따위로) 형상화하다. ❑ ~形象; 이미지를 형상화하다.

簌 sù (속)
→[簌簌]
[簌簌] sùsù 의 쏴쏴《나뭇잎 따위가 바람에 스치는 소리》. 형 ① 눈물이 뚝뚝 떨어지는 모양. ❑ ~泪下; 눈물이 뚝뚝 떨어지다. ② 몸의 어떤 부분이 떨리는 모양. ❑ 手指~地抖; 손가락이 파르르 떨리다.

suan ㄙㄨㄢ

酸 suān (산)
① 명 〖化〗 산(酸). ❑ 盐~; 염산. ② 형 시다. 시큼하다. ❑ 这橘子真~; 이 귤은 정말 시다. ③ 형 마음이 아프다. 가슴이 쓰리다. 슬프다. ❑ 心~; 마음이 아프다. ④ 명 진부하다. 시대에 뒤떨어지다. ⑤ 형 (피로·질병 따위로 인해) 시큰거리다. 쑤시다. ❑ 腰有点儿发~; 허리가 좀 시큰거린다.
[酸菜] suāncài 명 시큼하게 발효시킨 배추 요리.
[酸溜溜(的)] suānliūliū(·de) 형 ① (맛·냄새가) 시큼하다. 새콤하다. ② (몸이) 뻐근하다. 쑤시다. ③ (질투·괴로움으로) 속이 쓰리다.
[酸奶] suānnǎi 명 요구르트(yogurt).
[酸软] suānruǎn 형 께느른하다. 노곤하다.
[酸甜苦辣] suān-tián-kǔ-là 〈成〉 신맛·단맛·쓴맛·매운맛의 각종 맛《세상의 간난신고(艱難辛苦)》.
[酸痛] suāntòng 형 쑤시고 아프다.
[酸性] suānxìng 명 〖化〗 산성.
[酸雨] suānyǔ 명 〖氣〗 산성비.

蒜 suàn (산)
명 〖植〗 ① 마늘. ② 마늘의 비늘 줄기. ‖ =[大蒜]
[蒜瓣儿] suànbànr 명 마늘쪽.
[蒜薹] suàntái 명 마늘종.
[蒜头(儿)] suàntóu(r) 명 통마늘.

算 suàn (산)
① 동 계산하다. 셈하다. ❑ ~一~一共多少钱; 전부 얼마인지 계산해 보다. ② 동 계산에 넣다. 포함시키다. ❑ 这次活动, 你~上我了吗? 이번 활동에 나도 포함시켰느냐? ③ 동 계획하다. ❑ ~无遗策; 〈成〉 계획에 실수가 없다. ④ 동 추측하다. 알아맞히다. 짐작하다. ❑ ~运气; 운세를 맞히다. ⑤ 동 …으로 치다. …한 편이다. ❑

还~不错; 그런대로 괜찮은 편이다. ⑥ 동 효과가 있다. 책임지다. ❏不能说了不~啊! 말한 것은 책임지지 않으면 안 돼! ⑦ 동 끝나다. 넘어가다. 그만두다(뒤에 '了'를 동반함). ❏他不来就~了; 그가 안 오면 관둬라. ⑧ 부 마침내. 결국. 드디어. ❏矛盾~解决了; 모순이 결국 해결되었다. ⑨ 동 가장 두드러지다[특출나다]. ❏我们班里, 就~他年纪最小了; 우리 반에서 그의 나이가 가장 적다.

[算计] suàn·jì 동 ① 계산하다. 셈하다. ❏~需要的劳动力; 필요한 노동력을 계산하다. ② 고려하다. 계획하다. ❏他在~兼职的事; 그는 겸직을 고려하고 있다. ③ 추측하다. 짐작하다. 예상하다. ④ 음해하다. ❏~别人; 남을 음해하다.

[算命] suàn//mìng 동 운수를 점치다. 사주(四柱)를 보다. ❏~先生 =[~的]; 점쟁이. 점술가.

[算盘] suàn·pán 명 ① 주판. ❏打~; 주판을 튀기다 / ~子儿; 주판알. ② 〈比〉 계획. 타산. 심산.

[算是] suànshì 부 드디어. 마침내. ❏他~答应了; 그가 마침내 승낙했다.

[算术] suànshù 명〖數〗 산수. 산술. ❏~题; 산수 문제.

[算数] suàn//shù 동 ① 수를 세다. ② (~儿) 유효하다고 인정하다. 책임지다. ❏说话要~; 말을 했으면 책임을 져야 한다. ③ 일이 되다. 잘 이루어지다. 그만이다.

[算账] suàn//zhàng 동 ① (장부의 금액을) 계산하다. 결산하다. ② 〈轉〉 끝장을 내다. 결판을 내다.

sui ㄙㄨㄟ

尿 suī (뇨) 명〈口〉 오줌. 소변. ⇒niào

虽(雖) suī(수) 접 ① 비록 …이긴[하긴] 하지만. ❏他~上了年纪, 身体却很好; 그분은 비록 연세는 드셨지만, 건강은 아주 좋으시다. ② 설사[설령] …한다 해도[일지라도]. ❏钱~不多, 但不能借了不还; 설사 돈이 별로 없다 하더라도 빌리고 갚지 않을 수는 없다.

[虽然] suīrán 접 비록 …이지만. 비록 …이긴 하지만. ❏他~脾气有点火暴, 可是个直性子; 그는 성질이 좀 거칠기는 하지만, 솔직한 사람이다. =[〈口〉 虽说][虽则]

荽 suī (유) →[芫yán荽]

绥(綏) suí (수) 〈書〉 ① 형 평안하다(서신의 맺음말에 쓰는 말). ❏顺颂台~; 〈翰〉 아울러 평안하시기를 기원합니다. ② 동 편안하게 하다.

[绥靖] suíjìng 동〈書〉 진무(鎭撫)하다. 안무(安撫)하다. 평정하다.

随(隨) suí (수) ① 동 따라가다. 따르다. ❏~着他走; 그의 뒤를 따라가다. ② 동 순응하다. 순종하다. 따르다. ❏~着大多数; 다수에 따르다. ③ 동 …(마음)대로 하다. ❏去不去~你吧; 가든지 말든지 네 마음대로 해라. ④ 개 …하는 김에. ❏~手(儿); ⇩

[随笔] suíbǐ 명 수필. 에세이(essay).

[随便] suí//biàn 동 마음대로 하다. 좋을 대로 하다. ❏随你的便; 네 마음대로 해라. (suíbiàn) 형 ① 제한을 받지 않다. 마음껏 …하다. 자유롭다. ❏咱俩~谈谈; 우리 둘이서 자유롭게 얘기해 보자. ② 제멋대로이다. 마음대로이다. 접 …에 관계 없이. …을 막론하고. ❏~什么话, 他都大胆地说出来; 무슨 말이건, 그는 대담하게 한다.

[随波逐流] suíbō-zhúliú 〈成〉 파도 치는 대로 물 흐르는 대로 떠다니다(주견 없이 조류에 따라가다).

[随从] suícóng 동 수종하다. 수행하다. 명 수행인. 수행원.

[随大溜(儿)] suí dàliù(r) 여러 사람의 동향을 보고 행동하다. 대세를 따르다. =[随大流]

[随地] suídì 부 아무데나. 어디서나. ❏~乱扔果皮; 아무데나 과일 껍질을 마구 버리다.

[随风倒] suífēngdǎo 〈比〉 자기의 주견 없이 세력이 강한 쪽에 붙다.

[随风转舵] suífēng-zhuǎnduò 〈成〉 ⇨[顺风转舵]

[随和] suí·he 형 상냥하고 붙임성 있다.

[随后] suíhòu 부 곧이어. 바로. 뒤따라(주로, '就'와 연용함). ❏你刚出去, 电话~就来了; 네가 막 나간 후에 바로 전화가 왔다.

[随机] suíjī 형 무작위의. 랜덤

(random). ❑ ~抽样; 무작위 추출. 부 기회를 잡아. 시기를 타고.
[随机应变] suíjī-yìngbiàn 〈成〉 임기응변(臨機應變)하다.
[随即] suíjí 부 바로. 곧. 곧바로.
[随口] suíkǒu 부 (생각 없이) 입에서 나오는 대로. ❑ ~骂人; 입에서 나오는 대로 욕하다.
[随身] suíshēn 형 몸에 지니다. 휴대하다. ❑ ~听; (휴대용) 미니 카세트 / ~用品; 휴대용품.
[随声附和] suíshēng-fùhè 〈成〉 부화뇌동(附和雷同)하다.
[随时] suíshí 부 ① 언제든지. 아무 때나. 수시로. ❑ ~随地; 〈成〉 언제 어디서나. ② 그때그때. ❑ ~改正缺点; 그때그때 결점을 고치다.
[随手(儿)] suíshǒu(r) 부 하는 김에. ❑ 出门时~关灯; 나가는 김에 전등을 끄고 가다.
[随…随…] suí…suí… …하는 족족. …하자마자《두 개의 동사나 동사성 연어(連語) 앞에 각각 쓰여, 뒤의 동작이 곧이어 일어남을 나타냄》. ❑ 随叫随到; 부르면 곧 온다 / 随到随吃; 도착하자마자 먹다.
[随同] suítóng 동 데리고[모시고] …하다. ❑ ~好友一起旅游; 좋은 친구와 동행하여 함께 여행하다.
[随心所欲] suíxīnsuǒyù 〈成〉 모든 것을 하고 싶은 대로 하다.
[随意] suí∥yì 형 마음대로[뜻대로] 하다. ❑ ~出入; 마음대로 출입하다.
[随员] suíyuán 명 ① (국가 사절의) 수행원. ② 재외 공관의 최하급 외교관.
[随着] suí·zhe 개 …을 따라. …함에 따라. ❑ ~经济的发展, 人们的生活逐步得到改善; 경제가 발전함에 따라 사람들의 생활도 점차 개선되고 있다.

遂 suí (수)
→[半身不遂] ⇒ suì

髓 suǐ (수)
명 ①〔生理〕 골수. ② 골수와 비슷한 물질. ❑ 脑~; 뇌수. ③〔植〕 줄기의 중심. 고갱이.

岁(歲) suì (세)
① 명 해. 연(年). ❑ ~末; 연말. ② 양 살. 세《나이를 세는 말》. ❑ 三~的孩子; 세 살짜리 아이. ③ 명〈書〉 시간. 세월. ④ 명〈書〉 수확. 작황. ❑ ~大熟; 대풍작.
[岁暮] suìmù 명〈書〉 세모. 연말.
[岁首] suìshǒu 명〈書〉 세수. 정초.
[岁数(儿)] suì·shu(r) 명〈口〉 (사람의) 나이.
[岁月] suìyuè 명 세월.

碎 suì (쇄)
① 동 부서지다. 깨지다. ❑ 鸡蛋~了; 계란이 깨졌다. ② 동 부수다. ❑ 粉身~骨; 〈成〉 분골쇄신. ③ 형 자잘하다. 잘다. ❑ ~屑; 부스러기. ④ 형 말이 많다. 수다스럽다. ❑ 嘴~得很; 무척 수다스럽다.
[碎步儿] suìbùr 명 종종걸음.
[碎嘴子] suìzuǐ·zi 〈方〉 형 수다스럽다. 명 잔소리꾼. 수다쟁이.

祟 suì (수)
명 ① 귀신. 귀신의 농간. ② 〈轉〉 정당치 못한 짓. 나쁜 짓.

遂 suì (수)
① 동 뜻대로 되다. ❑ ~心; ⇓ ② 동 성공하다. ❑ 图谋已~; 계책은 이미 성공했다. ③ 부〈書〉 곧. 그리하여. ❑ 服药后头痛~止; 약을 먹고 나니 두통이 곧 멎었다. ⇒ suí
[遂心] suì∥xīn 형 마음에 들다. 만족스럽다. ❑ ~如愿; 마음먹은 대로 되다. =[遂意]
[遂愿] suì∥yuàn 동 바람을 이루다. 소원이 성취되다. 뜻을 이루다.

隧 suì (수)
명 지하도.
[隧道] suìdào 명 터널(tunnel).

燧 suì (수)
명 부싯돌. 「①]
[燧石] suìshí 명 부싯돌. =[火石

邃 suì (수)
형〈書〉 ① (공간·시간이) 멀다. 심원하다. ❑ 深~; 깊숙하다. ② (학문 따위의 정도가) 깊다.
[邃密] suìmì 형 ① 깊다. 심원하다. ② (학문이) 깊다. 정심하다.

穗 suì (수)
명 ① (~儿) 이삭. ② (~儿) (실·천 따위로 만든) 술. ③ (Suì) 광저우(廣州)의 별칭(別稱).
[穗子] suì·zi 명 이삭.

sun ㄙㄨㄣ

孙(孫) sūn (손)
명 ① 손자. ② 손. 후손. 자손. ❑ 曾~; 증손. ③ 손자와 같은 항렬의 친족. ❑ 外~; 외손.

【孙女(儿)】sūn·nǚ(r) 명 손녀.
【孙女婿】sūnnǚ·xu 명 손녀사위.
【孙悟空】Sūn Wùkōng 명 손오공.
【孙媳妇(儿)】sūnxí·fu(r) 명 손자며느리. 손부.
【孙子】sūn·zi 명 손자.

狲(猻) sūn (손) →[猢hú狲]

损(損) sǔn (손) ① 동 감소하다. 줄다. 적어지다. ❑ 消~; 점점 감소하다. ② 동 손해를 입히다. 해를 끼치다. ❑ 吸烟有~于健康; 흡연은 건강에 해를 끼친다. ③ 동 손상시키다. 훼손하다. ❑ ~名誉; 명예를 훼손하다. ④ 동〈方〉빈정대다. 비꼬다. ⑤ 형〈方〉악랄하다. 잔인하다. ❑ 为人太~; 사람됨이 매우 악랄하다.
【损害】sǔnhài 동 (이익·건강·명예 따위를) 손상시키다. 손해를 입히다. 해치다. ❑ ~名誉; 명예를 해치다 / ~视力; 시력을 해치다.
【损耗】sǔnhào 동 손실하다. 소모하다. ❑ ~能量; 에너지를 소모하다. =[亏蚀②] 명〖商〗손실.
【损坏】sǔnhuài 동 망가뜨리다. 파손하다. 망치다. ❑ ~机器; 기계를 망가뜨리다.
【损毁】sǔnhuǐ 동 훼손하다. ❑ ~房屋; 건물을 훼손하다.
【损人利己】sǔnrén-lìjǐ〈成〉남에게 손해를 끼치고 자신은 이익을 얻다.
【损伤】sǔnshāng 동 ① 손상되다[하다]. ② 손실되다.
【损失】sǔnshī 명동 손실(하다). ❑ ~额; 손실액 / 热~; 열 손실.
【损益】sǔnyì 동 ① 증감하다. ② 손익이 생기다. ❑ ~相抵; 손익이 서로 같다.

笋 sǔn (순) 명〖植〗죽순. =[竹笋]

隼 sǔn (준) 명〖鳥〗매.

榫 sǔn (순) (~儿) 명〖建〗장부.
【榫头】sǔn·tou 명〖建〗장부. =[榫子]
【榫眼】sǔnyǎn 명 ⇨[卯mǎo眼]

suo ㄙㄨㄛ

挲 suō (사) →[摩mó挲]

唆 suō (사) 동 충동하다. 부추기다.
【唆使】suōshǐ 동 충동하다. 부추기다. ❑ ~学生罢课; 학생들이 수업을 거부하도록 부추기다.

梭 suō (사) 명〖紡〗(베틀의) 북.
【梭子】suō·zi 명 ①〖紡〗북. ②〖軍〗탄창. 양 탄창을 세는 말. ❑ 一~子弹; 탄창 하나.
【梭子蟹】suō·zixiè 명〖動〗꽃게. =[蝤蛑yóumóu]

蓑 suō (사) 명 도롱이.
【蓑衣】suōyī 명 도롱이.

嗦 suō (사) →[哆嗦][啰嗦]

缩(縮) suō (축) 동 ① 줄어들다. 수축하다. ❑ 裙子一洗~了半寸; 치마를 빨았더니 반 치나 줄었다. ② 움츠리다. 웅크리다. ❑ ~着脖子; 목을 움츠리다. ③ 물러나다. ❑ ~到后边儿; 뒤로 물러나다.
【缩短】suōduǎn 동 단축하다. 줄이다. ❑ ~日程; 일정을 단축하다.
【缩减】suōjiǎn 동 감축하다. ❑ ~军费; 군비를 감축하다.
【缩手】suō∥shǒu 동 ① (내밀었던) 손을 움츠러들이다. ②〈比〉손을 빼다. 손을 떼다.
【缩水】suō∥shuǐ 동 ① (방직품 따위를) 물에 담가 줄어들게 하다. ② (방직품 따위가) 물에 젖어 줄다. ③〈比〉(원래 있는 것을) 축소하다. 줄이다.
【缩头缩脑】suōtóu-suōnǎo〈成〉① 두려워 몸을 움츠리다. ② 겁이 많아 감히 나서서 책임지지 못하다.
【缩小】suōxiǎo 동 축소하다. 줄이다. ❑ ~面积; 면적을 축소하다.
【缩写】suōxiě 명 약자(略字) 표기. 이니셜(initial) 표기. 동 축약하여 다시 쓰다. ❑ ~本; 축약본.
【缩影】suōyǐng 명 축도(縮圖). 축소판.

琐(瑣) suǒ (쇄) 형 자질구레하다. 사소하다. ❑ 繁~; 번쇄하다.
【琐事】suǒshì 명 자질구레한 일.
【琐碎】suǒsuì 형 번쇄(煩瑣)하다. 사소하고 잡다하다. 자질구레하고 번거롭다. =[琐细]

锁(鎖) suǒ (쇄) ① 명 자물쇠. ② 동 자

물쇠를 잠그다[채우다]. ❑ 把门~上; 문에 자물쇠를 채우다. ③ 명 쇠사슬. ④ 동 감치다. 사뜨다. ❑ ~扣眼; 단춧구멍을 사뜨다.

[锁骨] suǒgǔ 명〖生理〗쇄골.

[锁国] suǒguó 동 쇄국하다. ❑ ~主义; 쇄국주의.

[锁链] suǒliàn 명 사슬. 쇠사슬. =[锁链子]

[锁钥] suǒyuè 명〈比〉① 중요한 관건. 열쇠. ② (군사상의) 요지(要地).

所 suǒ (소)

A) ① 명 곳. 장소. ② 명 기관(機關). 사무를 보는 곳. ❑ 派出~; 파출소 / 研究~; 연구소. ③ 양 채. 동《건물을 세는 말》. ❑ 一~房子; 집 한 채 / 那~学校; 그 학교. B) 조 ① …에 …하여지다《'为'·'被'와 함께 쓰여 피동(被動)을 나타냄》. ❑ 这一点尚未为他人~知; 이 점은 아직 다른 사람들에게 알려져 있지 않다. ② 한정어가 되는 주술 구조의 동사 앞에 쓰여 중심어가 동작의 대상임을 나타냄. ❑ 你~说的话; 네가 하는 말. ③ '是…的' 중간의 명사나 대명사와 동사의 사이에 쓰여 동작의 주체와 동작의 관계를 강조함. ❑ 物价问题, 是人们~关注的; 물가 문제는 사람들이 관심을 갖는 문제이다. ④ 동사 앞에 쓰여 고정된 구조를 만듦. ❑ 各尽~能; 〈成〉 각자 자기가 할 수 있는 능력을 발휘하다.

[所得] suǒdé 명 소득. ❑ ~税; 소득세.

[所属] suǒshǔ 형 ① 휘하의. 산하의. ❑ 外交部~单位; 외교부 산하 기관. ② 소속의. ❑ 向~派出所报案; 소속 파출소에 사건을 신고하다.

[所谓] suǒwèi 형 ① …란. …라는 것은. ❑ ~分析, 就是分析事物的内在矛盾; 분석이란 바로 사물에 내재된 모순을 파헤치는 것이다. ② 소위. 이른바. ❑ 那个~专家一点真才实学都没有; 소위 그 전문가라는 사람이 진짜 재능과 학식은 조금도 없다.

[所向披靡] suǒxiàng-pīmǐ 〈成〉 힘이 미치는 곳마다 장애가 모두 제거되다.

[所向无敌] suǒxiàng-wúdí 〈成〉 가는 곳마다 당할 자가 없다.

[所以] suǒyǐ 접 ① 그래서. 그러므로《뒷문장의 앞에 쓰여 결과를 나타냄》. ❑ 当时他的那身打扮很可笑, ~至今还记得; 당시 그의 차림새는 매우 우스꽝스러워서 지금까지도 기억한다. ② …한 이유는. …한 까닭은《앞문장의 주어와 서술어 사이에 쓰임》. ❑ 他~没来上课, 是因为他病了; 그가 수업에 오지 않은 이유는 병이 났기 때문이다. ③ …한 이유이다. …한 원인이다《앞문장에서 원인을 설명하고, 뒷문장에서 '是…所以…的原因'의 형식으로 결과를 이끌어냄》. ❑ 我和他多年朝夕相处, 这就是我对他~熟悉的原因; 나와 그는 여러 해 동안 항상 함께 지냈는데, 이것이 바로 내가 그에게 익숙한 이유이다. ④ 그러니까《단독으로 쓰여 원인이 거기 있음을 나타냄》. ❑ ~呀, 要不然我怎么会同意选他呢! 그러니까 말이야, 그렇지 않으면 내가 왜 그를 뽑는 것에 동의했겠니! 명 까닭. 이유.

[所以然] suǒyǐrán 명 왜 그런지. 왜 그렇게 되었는지. 이유. 까닭.

[所有] suǒyǒu 형 모든. 일체의. ❑ ~的问题; 모든 문제. 동 소유하다. ❑ ~权; 소유권. 명 소유물.

[所在] suǒzài 명 ① 장소. 곳. ② 있는 곳. 소재. ❑ ~地; 소재지.

索 suǒ (삭, 색)

① 명 굵은 밧줄. 로프(rope). ② 동 탐색하다. 찾다. ❑ 搜~; 수색하다. ③ 동 청구하다. 요구하다. ❑ 催~; 재촉하다. ④ 형〈書〉 쓸쓸하다. 외롭다. ⑤ 형〈書〉 따분하다. 무미건조하다. ❑ ~然; ⇩

[索偿] suǒcháng 동 배상을 요구하다.

[索赔] suǒpéi 동 배상[변상]을 요구하다.

[索取] suǒqǔ 동 (금전이나 물건을) 달라고 독촉하다. 요구하다.

[索然] suǒrán 형 흥이 안 나는 모양. ❑ 兴致~; 흥미가 없다.

[索性] suǒxìng 부 차라리. 아예. ❑ 我们~加个夜班干完它; 우리 아예 야근을 해서 다 끝내 놓자.

[索引] suǒyǐn 명 인덱스(index). 색인. =[〈音〉引得]

T

ta ㄊㄚ

他 tā (타)
대 ①그. 그 사람. ❏~是我的老师; 그는 우리 선생님이다. ②다른 곳. 다른 방면. ❏留作~用; 남겨서 다른 데에 사용하다. ③다른. 딴. 그 밖의. ❏~日; ⇩

[他律] tālǜ 동 타율로 하다.

[他妈的] tāmā·de 감〈罵〉 제기랄. 젠장.

[他们] tā·men 대 그들. ❏~俩是亲兄弟; 그들 둘은 친형제이다.

[他人] tārén 대 타인. 남.

[他日] tārì 명〈書〉 ①훗날. 뒷날. 타일. ②과거의 어느 날[시기].

[他杀] tāshā 동〔法〕 타살당하다.

[他乡] tāxiāng 명 타향.

她 tā (타)
대 ①그녀. 그 여자. ❏给~买衣服; 그녀에게 옷을 사주다. ②조국·국기 따위에 대해 경애를 나타내는 칭호. ❏国旗, ~永远飘扬在我心中; 국기는 영원히 내 마음속에서 휘날릴 것이다.

[她们] tā·men 대 그녀들. 그 여자들. ❏~俩是亲姐妹; 그녀들 둘은 친자매이다.

它 tā (타)
대 그것. 저것(《사물·동물을 가리킴》).

[它们] tā·men 대 그것들. 저것들. ❏~都是陈旧了; 그것들은 모두 낡았다.

遢 tā (탑)
→[邋lā遢]

塌 tā (탑)
동 ①무너지다. 내려앉다. 붕괴하다. ❏房顶子~了; 지붕이 내려앉았다. ②쑥 들어가다. 움푹 패다. 꺼지다. ❏人瘦了两腮都~下去了; 여위어 양볼이 쑥 들어갔다. ③진정시키다. 가라앉히다. ❏~不下心去; 마음이 진정되지 않다.

[塌方] tā//fāng 동〔建〕 (댐·도로·제방 따위가) 무너지다. 유실되다. =[坍tān方]

[塌实] tā·shi 형 ⇨[踏实]

[塌台] tā//tái 동 ⇨[垮kuǎ台]

[塌陷] tāxiàn 동 내려앉다. 꺼지다. 함몰되다. ❏路面~; 노면이 함몰되다.

踏 tā (답)
→[踏实] ⇒tà

[踏实] tā·shi 형 ①착실하다. 침착하다. 견실하다. ❏他工作很~; 그는 일하는 것이 매우 착실하다. ②(기분이) 안정되다. 평온하다. ‖=[塌tā实]

塔 tǎ (탑)
명 ①탑. ②탑 모양의 건조물. ❏灯~; 등대.

[塔钟] tǎzhōng 명 탑시계.

獭(獺) tǎ (달)
명〔動〕 족제빗과의 동물(《주로, '水獭'(수달)을 지칭함》).

挞(撻) tà (달)
동〈書〉 (채찍 따위로 사람을) 때리다. ❏鞭~; 편달하다.

拓 tà (탁)
동 탁본하다. ⇒tuò

[拓本] tàběn 명 탁본.

沓 tà (답)
형〈書〉 많고 중복되다. ⇒dá

踏 tà (답)
동 ①(발로) 밟다. ②실지 측량이나 조사를 하다. ⇒tā

[踏板] tàbǎn 명 ①(차·배 따위의) 발판. ②(높이뛰기 따위의) 구름판. 도약판. ③페달(pedal).

[踏步] tàbù 동 답보하다. 제자리걸음하다. ❏~不前; 제자리걸음하고 나아가지 않다.

[踏勘] tàkān 동 ①〔建〕 실지 조사 하다. ❏~油田; 유전을 실지 조사 하다. ②현장 검증 하다.

榻 tà (탑)
명 폭이 좁고 길이가 길며 비교적 낮은 침대. ❏病~; 병상.

蹋 tà (답)
동 ①밟다. ②〈書〉 발로 차다.

嗒 tà (탑)
→[嗒然]

[嗒然] tàrán 형〈書〉 풀이 죽어 있다. 낙담하여 멍하다. ❏~若丧; 매우 낙심하여 얼이 나가다.

tai ㄊㄞ

苔 tāi (태)
→[舌苔] ⇒tái

胎 tāi (태)
①명 태. 태아. ❏怀~; 잉태하다. ②명〈轉〉 근원. 시작. ❏祸~; 화근. ③양 임신·출산의 횟수를 나타내는 말. ❏头~; 초산.

T

④(~儿) 명 (옷·이불 따위의) 속. 심(芯). ❑帽子~; 모자의 심. ⑤(~儿) 명 만들어지기 전의 것. 원형. ❑泥~儿; 아직 굽지 않은 도기. ⑥명 타이어(tire). 「다.
[胎动] tāidòng 동〖生理〗태동하
[胎儿] tāi'ér 명 태아.
[胎教] tāijiào 동 태교하다.
[胎盘] tāipán 명〖生理〗태반.
[胎生] tāishēng 형〖生〗태생의. ❑~动物; 태생 동물.
[胎衣] tāiyī 명〖生〗포의. =[胞衣][衣胎]

台(臺A),檯B),颱C)) tái (대) A) ①명 (먼 곳을 볼 수 있게 만든) 평평하고 높은 건조물. ❑瞭望~; 전망대. ②명 단(壇). 무대. ❑上~; 무대에 오르다 / 讲~; 연단. ③명 기물의 받침대. ❑锅~; 부뚜막 / 蜡~; 촛대. ④(~儿) 명 대(臺) 비슷한 것. ⑤양 ㉠차례. 회. 편《연극의 횟수를 세는 말》. ❑那~戏; 그 연극. ㉡대《일부 기계 설비나 전자 제품을 세는 말》. ❑一~计算机; 컴퓨터 한 대. ⑥(Tái) 명 대만(臺灣). 타이완. B) 명 탁자나 탁자 비슷한 기물. ❑写字~; 사무용 책상. C) →[台风] D) 대〈敬〉 상대방을 호칭하거나 상대방과 관계있는 동작을 말할 때 쓰는 말. ❑~鉴; 고람(高覽). 귀중.
[台北] Táiběi 명〖地〗타이베이.
[台布] táibù 명 ⇨[桌布]
[台秤] táichèng 명 ①앉은뱅이저울. =[磅秤] ②〈方〉⇨[案秤]
[台灯] táidēng 명 탁상용 전기스탠드. =[桌灯]
[台风] táifēng 명〖氣〗태풍.
[台阶(儿)] táijiē(r) 명 ①계단. 층계. ②〈比〉 전환의 기회. 빠져나갈 길.
[台历] táilì 명 탁상 달력.
[台球] táiqiú 명〖體〗①당구. ②당구공. ③〈方〉⇨[乒乓球①]
[台湾] Táiwān 명〖地〗타이완. 대만.
[台钟] táizhōng 명〈方〉⇨[座钟]
[台子] tái·zi 명 ①당구대. 탁구대. ②〈方〉⇨[桌子]

苔 tái (태) 명〖植〗이끼. ⇒tāi

抬 tái (태) ①동 들다. 쳐들다. ❑~不起胳膊来; 팔을 쳐들 수가 없다. ②동〈轉〉값을 올리다. 값이 오르다. ❑~价(儿); ⇩ ③동 (손이나 어깨 따위로) 맞들어 나르다. 메어 나르다. ❑~轿子; 가마를 메어 나르다. ④동 싸우다. 다투다. ❑他们俩一谈就~; 그들 둘은 얘기만 했다 하면 싸운다. ⑤양 짐《두 사람이 한 번에 함께 메는 것을 세는 말》. ❑几十~金银财宝; 몇십 짐의 금은보석.
[抬杠] tái∥gàng 동〈口〉말다툼하다. 입씨름하다. 「다.
[抬价(儿)] tái∥jià(r) 동 값을 올리
[抬举] tái·ju 동 밀어주다. 발탁하다. ❑不识~; 남의 호의를 헛되이 하다.
[抬头] tái∥tóu 동 ①고개를 쳐들다. ❑请你们抬起头来看黑板! 여러분, 고개를 들고 칠판을 보세요! ②〈比〉(억압당하던 사람·사물이) 대두하다. 세력을 얻다. (táitou) 명 증서에서 수취인 이름을 쓰는 곳.

骀(駘) tái (태) 명〈書〉둔한 말.

跆 tái (태) 동〈書〉(발로) 차다. 밟다.
[跆拳道] táiquándào 명〖體〗태권도.

鲐(鮐) tái (태) 「鱼] 명〖魚〗고등어. =[鲐

薹 tái (대) 명〖植〗꽃줄기. 장다리. ❑韭菜~; 부추 장다리.

太 tài (태) ①형 크다. 넓다. ❑~空; ⇩ ②형 매우 먼. ❑~古; ⇩ ③형 신분이나 항렬이 더 높은. ❑~老师; 스승의 부친. 부친의 스승. ④부 ㉠너무《정도가 지나침을 나타냄》. ❑这篇文章~长了; 이 글은 너무 길다. ㉡매우. 무척. 너무《정도가 매우 높음을 나타내며, 주로 감탄문에 쓰임》. ❑~好了! 너무 잘됐다! ㉢(부정문에 쓰여) 별로[그다지] …않다. 너무 …않다[없다]. ❑不~干净; 그다지 깨끗하지 않다.
[太公] tàigōng 명〈方〉⇨[曾祖父]
[太古] tàigǔ 명 태고. 아득한 옛날.
[太后] tàihòu 명 태후. 황태후.
[太极拳] tàijíquán 명 태극권.
[太监] tài·jiàn 명 ⇨[宦huàn官]
[太空] tàikōng 명 태공. 우주. ❑~船; 우주선 / ~飞行; 우주 비행 / ~人; 우주인.

【太空服】 tàikōngfú 명 ⇨[航天服]
【太平】 tàipíng 형 태평하다. 편안하다. ❏~间; 영안실 / ~梯; 비상계단.
【太平门】 tàipíngmén 명 비상구. =[安全门] 「평양.
【太平洋】 Tàipíngyáng 명〖地〗태
【太婆】 tàipó 명〈方〉⇨[曾祖母]
【太上皇】 tàishànghuáng 명 ①〈敬〉태상황. ②〈比〉배후의 실권자.
【太太】 tài·tai 명 ① 마님. ② 부인. ❏王~; 왕 씨 부인. ③ 아내. 처. 집사람. ❏我~; 우리 집사람.
【太阳】 tài·yáng 명 ① 태양. ❏~电池; 태양 전지 / ~房; 태양열 주택 / ~能; 태양 에너지 / ~系; 태양계. ② 햇볕. 햇빛. ❏晒~; 볕을 쬐다.
【太阳黑子】 tàiyáng hēizǐ 명〖天〗태양 흑점. =[黑子②][日斑]
【太阳镜】 tàiyángjìng 명 선글라스(sunglass).
【太阳历】 tàiyánglì 명 ⇨[阳历]
【太阳穴】 tàiyángxué 명〖中醫〗태양혈. 관자놀이.
【太阴历】 tàiyīnlì 명 ⇨[阴历①]
【太子】 tàizǐ 명 태자.

汰 tài (태)
동 도태하다. 도태시키다.

态(態) tài (태)
명 ① 형태. 모양. 모습. ❏状~; 상태 / 姿~; 자태. ②〖言〗태(態). ❏主动~; 능동태.
【态度】 tài·dù 명 ① 태도. 거동. ❏~大方; 태도가 의젓하다. ② 사물을 대하는 방법. 입장. 태도. ❏表明~; 입장을 표명하다.

肽 tài (태)
명〖化〗펩타이드(peptide).

钛(鈦) tài (태)
명〖化〗타이타늄. 티타늄(Ti: titanium)

泰 tài (태)
① 형 평안하다. 태평하다. 안정되다. ② 부 가장. 제일. 극히.
【泰斗】 tàidǒu 명 태산과 북두칠성. 〈比〉대가(大家). 권위자. ❏文坛~; 문단의 권위자. =[泰山北斗]
【泰国】 Tàiguó 명〖地〗타이. 태국.
【泰然】 tàirán 형 태연하다. ❏~自若;〈成〉태연자약하다.
【泰山】 tàishān 명 ① (Tàishān)〖地〗타이산 산(泰山). 〈比〉중요한 인물. 중대한 사건. ② ⇨[岳父]
【泰山北斗】 Tàishān-Běidǒu〈成〉⇨[泰斗]

tan ㄊㄢ

坍 tān (단)
동 무너지다. 붕괴되다. ❏房~了; 가옥이 무너졌다.
【坍方】 tān//fāng 동 ⇨[塌方]
【坍塌】 tāntā 동 무너지다. 붕괴하다. ❏堤岸~; 제방이 무너지다.
【坍台】 tān//tái 동〈方〉① (사업·국면 따위가) 붕괴하다. 실패하다. ② 창피당하다. 망신당하다. ❏当众~; 사람들 앞에서 망신당하다.

贪(貪) tān (탐)
① 동 재물을 탐하다. 독직하다. ❏~财; 재물을 탐하다 / ~贿; 뇌물을 탐하다. ② 동 탐내다. 추구하다. ③ 형 집착하다. 욕심 부리다.
【贪得无厌】 tāndé-wúyàn〈成〉탐욕스러워 만족할 줄 모르다.
【贪官】 tānguān 명 탐관. ❏~污吏;〈成〉탐관오리.
【贪婪】 tānlán 형 ①〈貶〉매우 탐욕스럽다. ② 만족할 줄을 모르다.
【贪恋】 tānliàn 동 미련을 갖다. 연연해하다.
【贪图】 tāntú 동 욕심내다. 탐하다. ❏~安逸; 안일을 탐하다.
【贪污】 tānwū 동 탐오하다. 횡령하다. ❏~公款; 공금을 횡령하다.
【贪小失大】 tānxiǎo-shīdà〈成〉작은 것을 탐하다가 큰 것을 잃다.
【贪心】 tānxīn 명 탐욕. 탐욕스런 마음. 형 탐욕스럽다.
【贪欲】 tānyù 명 탐욕.
【贪赃】 tān//zāng 동 뇌물을 받다. 독직(瀆職)하다. ❏~枉法;〈成〉뇌물을 받고 법을 위반하다.
【贪嘴】 tānzuǐ 형 입정 사납다. 게걸들리다. 게걸스럽다.

滩(灘) tān (탄)
명 ① 모래톱. 갯벌. ② 「여울.

摊(攤) tān (탄)
① 동 펼치다. 펼쳐 놓다. 벌이다. ❏~在桌上; 테이블 위에 펼쳐 놓다. ② (~儿) 명 노점(露店). ❏摆~; 노점을 벌이다. ③ 양 웅덩이. 더미. 무더기《펼쳐 놓여져 있는 진득진득한 물체나 고여 있는 물을 세는 말》. ❏一~泥; 진흙 한 더미. ④ 동 (얇게) 부치다. 지지다. ❏~煎饼; 전병을 지지다. ⑤ 동 할당하다. 분담하다.

❏ 均～; 고르게 할당하다. ⑥ 동 (안 좋은 일을) 당하다. 부딪치다. ❏ 我～了一件倒霉的事; 나는 재수없는 일 하나를 당했다.

[摊贩] tānfàn 명 노점 상인.

[摊牌] tān∥pái 동 ① 수중의 패를 상대방에게 보이며 승패를 결정하다. ②〈比〉 최후의 순간에 의견·실력·조건 따위를 내보이다.

[摊派] tānpài 동 (노역·기부금 따위를) 균분하다. 할당하다.

[摊子] tān·zi 명 노점.

瘫(癱) tān (탄) 동〔醫〕 중풍에 걸리다. 반신불수가 되다.

[瘫痪] tānhuàn 동 ①〔醫〕 중풍에 걸리다. 반신불수가 되다. =[风瘫] ②〈比〉 (기구(機構)·활동이) 마비되다. ❏ 交通～; 교통마비.

[瘫子] tān·zi 명 중풍 환자. 반신불수 환자.

坛(壇A), 罎B)) tán (단, 담) A) 명 ① 제단. ② 강연이나 발언을 하는 곳. ❏ 讲～; 연단. ③ (꽃을 심기 위해) 흙을 쌓아올려 평평하게 만든 곳. ❏ 花～; 화단. ④ (예능·체육 따위의) 사회. 범위. ❏ 文～; 문단 / 影～; 영화계. B) 명 독. 단지. ❏ 酒～; 술독 / 水～; 물독.

[坛子] tán·zi 명 독. 단지.

昙(曇) tán (담) 형〈書〉 구름이 잔뜩 끼다.

[昙花] tánhuā 명〔植〕 홍초(紅蕉). 칸나(canna). 담화. ❏ ～一现; 〈成〉 보기 드문 사물이나 훌륭한 사람이 나타났다가 금새 사라지다.

谈(談) tán (담) ① 동 말하다. 이야기하다. 토론하다. ❏ 他们～了一个晚上; 그들은 밤새도록 이야기를 나눴다. ② 명 담화. 언론. 말. 이야기.

[谈锋] tánfēng 명 담론의 기세. 날카로운 말씨. 언변.

[谈何容易] tánhéróngyì 〈成〉 말처럼 그렇게 쉽지 않다.

[谈虎色变] tánhǔ-sèbiàn 〈成〉 무서운 얘기만 해도 파랗게 질리다.

[谈话] tán∥huà 동 담화하다. 이야기를 나누다. (tánhuà) 명 담화 《주로, 정치에 관한 것》. ❏ 发表～; 담화를 발표하다.

[谈恋爱] tán liàn'ài 연애하다.

[谈论] tánlùn 동 담론하다. 논의하다. 의론하다.

[谈判] tánpàn 동 회담하다. 담판하다. ❏ 裁军～; 군축 회담.

[谈天(儿)] tán∥tiān(r) 동 ⇨[闲谈]

[谈吐] tántǔ 동 말하다. 명 말씨와 태도. ❏ ～淳朴; 말씨와 태도가 순박하다.

[谈笑风生] tánxiào-fēngshēng 〈成〉 즐겁고 재미있게 담소하는 모양.

[谈心] tán∥xīn 동 흉금을 터놓고 이야기하다.

痰 tán (담) 명 가래. 가래침. ❏ 吐～; 가래를 뱉다.

弹(彈) tán (탄) ① 동 (탄성을 이용하여) 쏘다. 튕기다. ❏ 从门外～进来一个球; 문밖에서 공 하나가 튕겨 들어왔다. ② 동 (솜을) 타다. 틀다. ❏ ～棉花; 솜을 타다. ③ 동 (손가락으로 튕겨서) 톡톡 치다. 털다. 떨다. ❏ 把衣服上的灰尘～掉; 옷의 먼지를 털어내다. ④ 동 (피아노·거문고 따위를) 타다. 켜다. 치다. ❏ ～钢琴; 피아노를 치다. ⑤ 형 탄성이 있는. ❏ ～簧; ⇩ ⑥ 동 탄핵하다. 규탄하다. ⇒dàn

[弹劾] tánhé 동 탄핵하다.

[弹簧] tánhuáng 명 용수철. 스프링(spring). ❏ ～秤; 용수철 저울 / ～床; 스프링 침대.

[弹力] tánlì 명〔物〕 탄력.

[弹射] tánshè 동 탄력을 이용하여 발사하다.

[弹性] tánxìng 명 ①〔物〕 탄성. ②〈比〉 탄력성. 변통성. 유연성. ❏ ～工作制; 탄력 근무제 / ～外交; 탄성 외교.

[弹奏] tánzòu 동 탄주하다. 연주하다.

潭 tán (담) 명 ① 깊은 못. ②〈方〉 구덩이.

檀 tán (단) 명〔植〕 단향목.

[檀香] tánxiāng 명〔植〕 단향. 단향목.

忐 tǎn (담) →[忐忑]

[忐忑] tǎntè 형 마음이 안정되지 않다. 마음이 동요하다. ❏ ～不安; 〈成〉 불안해서 두근두근하다.

坦 tǎn (탄) 형 ① 평탄하다. 평평하다. ❏ 平～; 평탄하다. ② 숨김이 없다. 솔직하다. ③ 마음이 편안하다.

[坦白] tǎnbái 형 숨김없다. 솔직하다. 허심탄회하다. ❏ ～地说; 솔직히 말하다. 동 (자기의 결점·잘못

따위를) 숨김없이 고백하다. 솔직하게 털어놓다.

[坦荡] tǎndàng 형 ① 넓고 평탄하다. ❑ ~的平原; 넓고 평탄한 평원. ② 평온하다. ❑ 胸怀~; 마음이 평온하다.

[坦克] tǎnkè 명〖軍〗〈音〉 탱크(tank). 전차(戰車). =[坦克车]

[坦然] tǎnrán 형 마음이 편안한 모양. 담담한 모양. 태연한 모양. ❑ ~自若;〈成〉 태연자약.

[坦率] tǎnshuài 형 숨김없다. 솔직하다. ❑ 把心事~地告诉他; 고민을 그에게 솔직히 털어놓다.

[坦途] tǎntú 명 평탄한 길. 탄탄대로. 〈比〉 순조로운 형세.

袒 tǎn (단)
통 ① 상반신을 벗다[드러내다]. ❑ ~其左臂; 왼쪽 어깨를 드러내다. ② 편들다. 두둔하다. ❑ 偏~; 한쪽 편을 들다.

[袒护] tǎnhù 통 편들다. 두둔하다. 감싸 주다. ❑ 妈妈总是~弟弟; 엄마는 항상 남동생을 두둔하신다.

[袒露] tǎnlù 통 ① 상반신을 벗다. ❑ ~着脊梁; 상반신을 벗고 등을 드러내다. ②〈比〉(생각·감정 따위를) 드러내다. 나타내다.

毯 tǎn (담)
명 융단. 담요. ❑ 地~; 양탄자.

[毯子] tǎn·zi 명 담요. 양탄자.

叹(嘆) tàn (탄)
통 ① 탄식하다. 한숨을 쉬다. ❑ 他长~了一声; 그는 길게 한숨을 내쉬었다. ② 읊다. ❑ 咏~; 영탄하다. ③ 칭찬하다. 찬탄하다.

[叹词] tàncí 명〖言〗 감탄사. =[感叹词]

[叹服] tànfú 통 탄복하다. ❑ 令人~; 사람을 탄복하게 하다.

[叹号] tànhào 명〖言〗 느낌표. 감탄 부호. =[感叹号][惊叹号]

[叹气] tàn//qì 통 한숨 쉬다. 탄식하다.

[叹赏] tànshǎng 통 칭찬하다. 찬탄하다.

[叹息] tànxī 통 탄식하다.

炭 tàn (탄)
명 ① 목탄. 숯. ❑ 烧~; 숯을 만들다. ②〈方〉 석탄.

碳 tàn (탄)
명〖化〗 탄소(炭素).

[碳氢化合物] tànqīng huàhéwù〖化〗 탄화수소. =[烃tīng]

[碳水化合物] tànshuǐ huàhéwù〖化〗 탄수화물.

[碳酸] tànsuān 명〖化〗 탄산. ❑ ~钠; 탄산나트륨.

探 tàn (탐)
① 통 (손으로) 더듬다. 뒤지다. ❑ ~囊取物; ⇩ ② 통 탐색하다. 알아보다. 살피다. ❑ 你去~~屋里有没有人; 네가 가서 집 안에 사람이 있는지 좀 살피거라 / ~消息; 소식을 알아보다. ③ 명 스파이. 정탐꾼. ❑ 敌~; 적의 스파이. ④ 통 방문하다. 문안하다. ❑ ~亲; ⇩ ⑤ 통 (머리·상체를) 내밀다. ❑ ~身窗外; 몸을 창밖으로 내밀다.

[探病] tàn//bìng 통 병문안하다. 문병하다.

[探测] tàncè 통 탐측하다. 관측하다. ❑ ~器; 탐측기.

[探访] tànfǎng 통 ① 탐방하다. 취재(取材)하다. ❑ ~新闻; 뉴스를 취재하다. ② 방문하다. 문안하다. ❑ ~病友; 아픈 친구를 문병하다.

[探戈] tàngē 명〖舞〗〈音〉 탱고(tango).

[探监] tàn//jiān 통 감옥에 면회를 가다.

[探究] tànjiū 통 탐구하다. ❑ ~原因; 원인을 탐구하다.

[探口气] tàn kǒu·qì 말투를 살피다.

[探囊取物] tànnáng-qǔwù〈成〉 주머니를 뒤져 물건을 끄집어내다《매우 용이하다》.

[探亲] tàn//qīn 통 가족을 방문하다. 부모[배우자]를 방문하다.

[探求] tànqiú 통 탐구하다. ❑ ~真理; 진리를 탐구하다.

[探视] tànshì 통 ① 문안하다. 면회하다. ② 관찰하다. 살펴보다.

[探索] tànsuǒ 통 찾다. 탐구하다. ❑ ~真理; 진리를 탐구하다.

[探讨] tàntǎo 통 연구 토론 하다.

[探听] tàntīng 통 탐문하다. 알아보다. 떠보다. ❑ ~意图; 의향을 떠보다.

[探头] tàn//tóu 통 머리를 내밀다. ❑ ~探脑;〈成〉 머리를 내밀고 두리번거리다《살금살금 엿보는 모양》.

[探望] tànwàng 통 ① 살피다. ❑ 四处~; 사방을 살피다. ② 방문하다. 문안하다. ❑ ~父母; 부모를 방문하다.

[探问] tànwèn 통 ① (소식·의도 따위를) 탐색하다. 탐문하다. ② 방문하다. 문안하다.

[探悉] tànxī 통 캐어서 알아내다. 물어서 내용을 알다. ❑ ~案情; 경위를 알아내다.

[探险] tàn//xiǎn 동 탐험하다. ❑ ~队; 탐험대 / ~家; 탐험가.
[探照灯] tànzhàodēng 명 탐조등. 서치라이트(search-light).
[探子] tàn·zi 명 ① (군대의) 척후(斥候). 정찰원. ② 어떤 물건을 채취·조사할 때 쓰는 도구. 색대.

tang ㄊㄤ

汤(湯) tāng (탕) 명 ① 끓는 물. 뜨거운 물. ② 국물. ❑ 米~; 미음. ③ 수프. 국. ❑ 清~; 맑은 국. ④ 탕약.
[汤匙] tāngchí 명 ⇨[羹匙]
[汤壶] tānghú 명 탕파(湯婆). =[暖壶③]
[汤剂] tāngjì 명〖中醫〗탕제. 탕약. =[汤药]
[汤面] tāngmiàn 명 탕면. 국말이 국수.
[汤药] tāngyào 명 ⇨[汤剂]
[汤圆] tāngyuán 명 찹쌀가루 따위를 동그랗게 빚어서 만든 새알심 비슷한 식품.

蹚 tāng (탕) 동 (얕은 물을) 걸어서 건너다. ❑ ~水过河; 걸어서 강을 건너다.

唐 táng (당) ① 형〈書〉터무니없다. 황당하다. ② (Táng) 명〖史〗당《이연(李淵)이 세운 왕조, 618-907》.
[唐人街] tángrénjiē 명 차이나타운(Chinatown).
[唐三彩] tángsāncǎi 명〖考古〗당삼채.
[唐氏综合征] Tángshì Zōnghézhēng〖醫〗〈音義〉다운증후군(Down症候群).
[唐突] tángtū 형 당돌하다. 무례하다. ❑ 出言~; 당돌한 말을 하다.

溏 táng (당) 형 응고되지 않은. 반유동의.
[溏心(儿)] tángxīn(r) 형 (계란 따위가) 덜 응고된. 반숙의. ❑ ~儿鸡蛋; 계란 반숙.

塘 táng (당) 명 ① 둑. 제방. ❑ 河~; 강둑. ② 못. ❑ 苇~; 갈대 연못. ③ 욕조. 목욕탕. ❑ 洗澡~; 목욕탕.
[塘坝] tángbà 명 (산지·구릉지에 만든) 소형 저수지. =[塘堰yàn]

搪 táng (당) 동 ① 저항하여 저지하다. 버티다. 받치다. ❑ ~上木头; 나무로 버티다. ② 눈을 속이다. 적당히 얼버무리다. ❑ ~差使; 일을 적당히 어물쩍해 넘기다. ③ 발라서 표면을 반드럽게 하다. ❑ ~炉子; 부뚜막을 바르다.
[搪瓷] tángcí 명 에나멜(enamel). 법랑.
[搪塞] tángsè 동 눈을 속이다. 발뺌하다. 적당히 얼버무리다.

糖 táng (당) 명 ①〖化〗당. 탄수화물. ❑ 单~; 단당. ② 설탕. ❑ 白~; 백설탕. ③ 사탕. 캐러멜(caramel). ❑ 水果~; 드롭스(drops).
[糖醋] tángcù 명〈轉〉튀긴 생선·고기 위에 설탕·식초·녹말즙 따위로 만든 소스를 부어 새콤달콤하게 만드는 중국 요리법. ❑ ~肉; 탕수육.
[糖果] tángguǒ 명 드롭스·캐러멜 따위. 사탕. ❑ ~店; 사탕 가게.
[糖葫芦(儿)] tánghú·lu(r) 명 산사자(山查子)·해당화 열매 따위를 대꼬챙이에 꿰어 녹인 설탕을 발라서 굳힌 식품. =[冰糖葫芦(儿)]
[糖浆] tángjiāng 명 ①〖藥〗시럽. ② 당용액(糖溶液).
[糖精] tángjīng 명〖化〗사카린(saccharine).
[糖尿病] tángniàobìng 명〖醫〗당뇨병.
[糖衣] tángyī 명〖藥〗당의.
[糖衣炮弹] tángyī pàodàn〈比〉뇌물. 사탕발림. 달콤한 속임수.

堂 táng (당) ① 명 정방(正房). ② 명 넓은 방. 대청. 홀. ❑ 礼~; 강당. ③ 명 옛날, 관공서의 사무실. ④ 명 친조부의 동성(同姓) 친족 관계를 나타냄. ❑ ~兄弟; 당형제. 사촌형제. ⑤ 양 ㉠세트(set). 조(組)《한 벌을 이룬 기구》. ❑ 一~瓷器; 자기 한 세트. ㉡수업의 횟수를 세는 말. ❑ 明天有三~课; 내일 수업이 3 시간 있다.
[堂皇] tánghuáng 형 기세가 크다. 겉이 번지르르하다. 허울이 좋다. ❑ ~的理由; 허울 좋은 이유.
[堂堂] tángtáng 형 ① 위엄 있고 당당한 모양. ❑ 相貌~; 용모가 훌륭하다. ② 기개 있는 모양. 뜻이 굳건한 모양. ❑ ~男子; 기개 있는 남자. ③ 진용(陣容)·힘 따위가 장대한 모양.
[堂堂正正] tángtángzhèngzhèng 형 ① 공명정대한 모양. 정정당당한

모양. ② 체격이 당당하고 풍채가 뛰어난 모양.

膛 táng (당) 명 ① 가슴. ② (~儿) 물건의 속이 비어 있는 부분. ❑枪~; 총의 탄창부.

螳 táng (당) 명〔蟲〕사마귀. 버마재비.

[螳臂当车] tángbì-dāngchē 〈成〉 사마귀가 앞발을 들어 수레를 막다《제 분수를 모른다》. =[螳臂挡车]

[螳螂] tángláng 명〔蟲〕사마귀. 버마재비.

棠 táng (당) 명〔植〕돌배나무.

[棠梨] tánglí 명 ⇒[杜梨]

倘 tǎng (당) 접 만일 …이면. ❑~有闪失, 后果严重; 만일 뜻밖의 실수를 한다면 엄청난 결과를 초래할 것이다.

[倘若] tǎngruò 접 만일 …이라면. ❑~有错误, 我就负责; 만일 착오가 있으면 내가 책임진다. =[倘使]

淌 tǎng (창) 동 아래로 흐르다. 듣다. ❑~汗; 땀을 흘리다.

躺 tǎng (당) 동 ① 눕다. 드러눕다. ❑~在沙发上; 소파에 눕다. ② (기물 따위를) 넘어뜨리다. 쓰러뜨리다. 넘어지다. 쓰러지다. ❑~着一辆卡车; 트럭 한 대가 넘어져 있다.

[躺椅] tǎngyǐ 명 (사람이 비스듬히 누울 수 있는) 긴 의자.

烫(燙) tàng (탕) ① 동 데다. ❑~手; 손을 데다 / ~嘴; 입을 데다. ② 동 데우다. 중탕하다. ❑~酒; 술을 데우다. ③ 동 다리미질하다. ❑~衣服; 옷을 다리다. ④ 동 파마하다. ❑~头发; 머리를 파마하다. ⑤ 형 몹시 뜨겁다. ❑这水太~ 이 물이 아주 뜨겁다.

[烫发] tàng∥fà 동 파마하다.

[烫伤] tàngshāng 명 탕상(湯傷). 화상.

趟 tàng (탕) ① 양 번. 차례《오고 가는 횟수를 나타냄》. ❑他来了一~; 그는 한 번 왔다. ② (~儿) 명 행진하는 대열. 행렬. ❑跟不上~; 행렬을 따라잡지 못하다. ③ 양〈方〉 열(列)을 이룬 것을 세는 말. ❑几~大字; 큰 글자 몇 줄.

tao ㄊㄠ

叨 tāo (도) 동 은혜를 입다. 신세를 지다. ⇒dāo

[叨光] tāo∥guāng 동〈套〉 신세 많이 졌습니다.

[叨扰] tāorǎo 동〈套〉 폐가 많았습니다.

涛(濤) tāo (도) 명 큰 물결. 파도.

绦(縧) tāo (조) 명 명주실로 꼰 둥글납작한 끈.

[绦子] tāo·zi 명 명주실로 꼰 둥글납작한 끈.

掏 tāo (도) 동 ① 끄집어 내다. 더듬어 꺼내다. ❑把口袋里的钱~出来; 호주머니 속의 돈을 더듬어 꺼내다. ② 파내다. 파다. 후비다. ❑~耳朵; 귀를 파다.

[掏腰包] tāo yāobāo 〈口〉 ① 자기 돈으로 비용을 내다. 주머니를 털다. ②〈比〉(남의 지갑이나 주머니에서) 소매치기하다.

滔 tāo (도) 동 큰물이 가득 차다.

[滔滔] tāotāo 형 ① 큰물이 세차게 흐르는 모양. ② (말이) 거침없이 술술 나오는 모양. ❑~不绝; 〈成〉 거침없이 줄줄 말하다.

[滔天] tāotiān 형 ① (파도가) 하늘에 닿을 듯 거대하다. ❑波浪~; 파도가 하늘을 뒤덮을 듯하다. ② (죄악·재앙이) 하늘을 덮을 듯 크다. ❑~大罪; 〈成〉 매우 큰 죄악.

韬(韜) tāo (도) 〈書〉 ① 명 활이나 칼을 넣는 집. ② 동〈比〉 은폐하다.

[韬光养晦] tāoguāng-yǎnghuì 〈成〉 재능을 감추고 드러내지 않다.

[韬略] tāolüè 명 용병(用兵)의 책략. 병법.

饕 tāo (도) 동〈書〉 (재물·음식을) 탐하다.

陶 táo (도) ① 명 오지그릇. 도기(陶器). ② 동 도기를 만들다. ③ 동〈比〉 양성하다. 훈육하다. 길러 내다. ④ 형 즐겁다. 기쁘다.

[陶瓷] táocí 명 도자기.

[陶器] táoqì 명 도기. 오지그릇.

[陶然] táorán 형 편안하고 즐거운

모양.
[陶陶] táotáo 형 즐거워하는 모양.
[陶土] táotǔ 명 도토.
[陶冶] táoyě 동 도기를 만들고 금속을 정련하다. 〈比〉 도야하다. ❏ ~心灵; 마음을 도야하다.
[陶艺] táoyì 명 도예.
[陶醉] táozuì 동 도취하다. ❏ 自我~; 자아도취.

淘 táo (도)
동 ① (쌀 따위를) 일다. 잡물을 씻어 내다. ❏ ~米; 쌀을 일다. ② (오수·흙모래·분뇨 따위를) 퍼내다. 쳐내다. ❏ ~茅房; 변소를 치다. ③ 소모하다. ❏ ~神; ⇩
[淘金] táo//jīn 동 ① 사금을 일다. ② 〈比〉 큰돈을 벌 궁리를 하다.
[淘箩] táoluó 명 (쌀 이는) 조리.
[淘气] táo//qì 형 장난이 심하다. 짓궂다. ❏ ~包; 장난꾸러기.
[淘神] táoshén 동〈口〉 걱정을 끼치다. 속을 썩이다. 신경 쓰게 하다.
[淘汰] táotài 동 도태하다[시키다]. ❏ ~赛; 〔體〕 토너먼트.

萄 táo (도)
→[葡萄]

逃 táo (도)
동 ① 도망치다. 달아나다. ❏ 监狱里~了一个犯人; 감옥에서 범죄자 하나가 도망쳤다. ② 피하다. 도피하다. ❏ 难~法网; 법망을 피하기 어렵다.
[逃奔] táobèn 동 도망가다. 달아나다.
[逃避] táobì 동 도피하다. 회피하다. ❏ ~现实; 현실을 도피하다 / ~责任; 책임을 회피하다.
[逃兵] táobīng 명 ① 〔軍〕 탈영병. ② 〈比〉 직장 이탈자.
[逃窜] táocuàn 동 도처로 달아나다. ❏ 狼狈~; 허겁지겁 달아나다.
[逃犯] táofàn 명 도망범. 탈주범.
[逃荒] táo//huāng 동 기근으로 인해서 타지방으로 피난하다.
[逃命] táo//mìng 동 구사일생으로 목숨을 건지다. 간신히 살아남다.
[逃难] táo//nàn 동 재해를 피해 다른 곳으로 도망하다. 피난하다.
[逃匿] táonì 동 달아나 숨다.
[逃跑] táopǎo 동 도망가다. 달아나다. ❏ 趁黑夜悄悄~了; 밤을 틈타 몰래 달아났다.
[逃散] táosàn 동 도망쳐 뿔뿔이 흩어지다.
[逃生] táoshēng 동 도망쳐 목숨을 구하다. ❏ 死里~; 구사일생하다.
[逃税] táo//shuì 동 납세를 기피하다. 탈세(脱税)하다.
[逃脱] táotuō 동 ① (위험에서) 도망치다. 탈출하다. 달아나다. ② 벗어나다. 면하다. ❏ ~责任; 책임에서 벗어나다.
[逃亡] táowáng 동 도망치다. 달아나다.
[逃学] táo//xué 동 학교를 빠지다. 무단결석하다.
[逃债] táo//zhài 동 빚을 떼어먹고 도망치다.
[逃之夭夭] táozhīyāoyāo 〈成〉 도망치다. 줄행랑을 놓다.
[逃走] táozǒu 동 도주하다. ❏ 小偷~了; 도둑이 도주했다.

桃 táo (도)
명 ① 〔植〕 복숭아나무. =[桃树] ② (~儿) 복숭아. ③ (~儿) 복숭아 비슷한 것. ④ 호두. ❏ ~酥; 호두과자.
[桃红] táohóng 형 도홍색을 띠다.
[桃花] táohuā 명 도화. 복숭아꽃.
[桃花运] táohuāyùn 명 (남자의) 애정운. 여자복.
[桃李] táolǐ 명 복숭아와 자두. 〈比〉 문하생. 제자. ❏ ~满天下; 〈成〉 문하생이 천하에 가득하다.
[桃色] táosè 명〔色〕 분홍색. 형 〈比〉 문란한 남녀 관계의. 도색의. ❏ ~新闻; 섹스 스캔들.
[桃子] táo·zi 명 복숭아.

讨(討) tǎo (토)
동 ① 토벌하다. ❏ 征~; 정벌하다. ② 요구하다. 청구하다. 구하다. ❏ ~小费; 팁을 요구하다. ③ 장가가다. 아내를 얻다. ❏ ~老婆; 아내를 얻다. ④ 초래하다. 야기하다. ❏ ~人嫌; 남에게 미움받다. ⑤ 토론하다. 연구하다. 탐구하다. ❏ 探~; 탐구하다.
[讨伐] tǎofá 동 토벌하다.
[讨饭] tǎo//fàn 동 ⇨[要饭]
[讨好(儿)] tǎo//hǎo(r) 동 ① 비위를 맞추다. 잘 보이려고 하다. ② 좋은 효과를 얻다《주로, 부정형으로 쓰임》. ❏ 吃力不~的事; 애만 쓰고 소득은 없는 일.
[讨价] tǎo//jià 동 ⇨[要价]
[讨价还价] tǎojià-huánjià 〈成〉 ① 흥정하다. ② 갖가지 조건을 내걸고 따지다.
[讨教] tǎojiào 동 가르침을 청하다.
[讨论] tǎolùn 동 토론하다. 의논하다. ❏ ~问题; 문제를 토론하다 / ~会; 토론회.
[讨便宜] tǎo pián·yi 자기 잇속만

차리다. 얌체 같은 짓을 하다.

[讨乞] tǎoqǐ 동 ⇨[乞讨]

[讨巧] tǎo∥qiǎo 동 힘들이지 않고 이익을 얻다. 요령 있게 행동하다.

[讨情] tǎo∥qíng 동〈方〉 ⇨[求情]

[讨饶] tǎo∥ráo 동 ⇨[求饶]

[讨嫌] tǎo∥xián 형 미움 받을 짓을 하다. 미움을 받다. =[讨人嫌]

[讨厌] tǎo∥yàn 형 ① 역겹다. 싫다. 혐오스럽다. ② 번거롭다. 성가시다. 귀찮다. ❏ 这项工程很~; 이번 공사는 매우 번거롭다. 동 싫어하다. 미워하다. 혐오하다. ❏ 我特别~那些吹牛的人; 나는 큰소리치는 사람들을 매우 싫어한다.

[讨债] tǎo∥zhài 동 빚을 독촉하다.

套 tào (투)
① (~儿) 명 덮개. 커버(cover). 집. ❏ 封~; 봉투 / 书~; 책 커버. ② 동 씌우다. 걸쳐 입다. ❏ 沙发套儿~好了吗? 소파 덮개를 잘 씌웠느냐? / ~上大衣; 코트를 걸치다. ③ 형 겉에 씌우는. ❏ ~鞋; ⇓ ④ 동 포개다. 겹치다. 연결하다. ❏ ~间(儿); ⇓ ⑤ 명 강이나 산의 굽이《주로, 지명에 쓰임》. ❏ 河~; 강의 굽이. ⑥ (~儿) 명〈方〉 (이불·의류에 넣는) 솜. ❏ 袄~; 옷솜. ⑦ (~儿) 명 굴레. ❏ 牲口~儿; 가축의 굴레. ⑧ 동 (굴레 따위로) 붙들어 매다. ❏ ~狗; 개를 붙들어 매다. ⑨ 동 부정한 수단으로 사들이다. ❏ ~外汇; 부정한 수단으로 외화를 사들이다. ⑩ (~儿) 명 (끈·새끼 따위로 만든) 고리. ⑪ (~儿) 명 올가미. 덫. ❏ 下~儿; 덫을 놓다. ⑫ 동 모방하다. 따오다. 맞추어 넣다. ❏ ~公式; 공식에 맞추어 넣다. ⑬ 명 상투적인 말. 인사치레의 말. ❏ ~话; ⇓ ⑭ 동 실토하게 하다. 사실을 알아내다. ❏ 警察想方设法~他说出实话; 경찰은 온갖 방법을 동원해 그가 사실을 말하도록 했다. ⑮ 동 교제하다. 친분을 맺다. ❏ ~交情; 친근하게 굴다. ⑯ 명 세트로 된 것. 벌을 이루고 있는 것. ⑰ 양 벌. 조. 세트《세트로 되어 있거나 체계를 이루고 있는 것을 세는 말》. ❏ 两~衣服; 의복 두 벌 / 一~机构; 일련의 기구.

[套菜] tàocài 명 정식(定食). 세트요리.

[套餐] tàocān 명 주식과 부식을 일정한 비례로 배치해 만들어 파는 식사. 도시락 세트 음식.

[套房] tàofáng 명 ① ⇨[套间(儿)] ② 침실·거실·주방·욕실 따위가 다 갖추어진 집.

[套服] tàofú 명 ⇨[套装①]

[套购] tàogòu 동 (국가의 통제품을) 부정한 방법으로 사들이다.

[套话] tàohuà 명 ① (글·편지 따위의) 상투적인 문구. ② 틀에 박힌 말. 상투어. ③ ⇨[客套话]

[套间(儿)] tàojiān(r) 명 ① 본채의 양쪽 곁에 딸린 작은 두 방. ② 연이어져 있는 두 방 중 다른 방을 통해서만 나갈 수 있는 방. ‖ =[套房①]

[套套] tào·tao 명〈方〉 방법. 수. 수법.

[套问] tàowèn 동 넌지시 묻다.

[套鞋] tàoxié 명 덧신. 덧장화.

[套袖] tàoxiù 명 토시. 덧소매. =[〈方〉罩袖]

[套用] tàoyòng 동 모방하여 응용하다. 인용하다. 적용시키다.

[套语] tàoyǔ 명 ① ⇨[客套话] ② 상투적인 유행어.

[套装] tàozhuāng 명 ① 정장. 슈트(suit). =[套服] ② 세트 포장. 세트. ❏ 香水~; 향수 세트.

[套子] tào·zi 명 ① 덮개. 커버. 집. ❏ 靠垫~; 쿠션 커버 / 伞~; 우산집. ② 〈方〉 (이불·옷 속에 넣는) 솜. ③ 상투적인 방법. 낡은 수법. ④ 올가미. 〈比〉 함정. 계략.

te ㄊㄜ

忑 tè (특)
→[忐tǎn忑]

特 tè (특)
① 형 특별하다. 특수하다. 독특하다. ❏ ~权; ⇓ ② 부 특히. 유난히. 무척. ❏ 天气~冷; 날씨가 무척 춥다. ③ 부 일부러. 특별히. ❏ 他们~来送行; 그들이 특별히 배웅을 왔다. ④ 명 간첩. 스파이. ❏ 防~; 방첩.

[特别] tèbié 형 특별하다. 각별하다. ❏ ~的关系; 특별한 관계 / ~法; 특별법. 부 ① 대단히. 무척. 특별히. ❏ ~好; 대단히 좋다 / ~强调; 특별히 강조하다. ② (그 중에서도) 특히. ❏ 他爱好体育运动, ~是爱好游泳; 그는 운동을 좋아하는데, 특히 수영을 좋아한다. ③

⇨[特地]
[特别快车] tèbié kuàichē 특급 열차. =[〈簡〉特快]
[特别行政区] tèbié xíngzhèngqū 특별 행정 구역. =[〈簡〉特区②]
[特产] tèchǎn 명 특산. 특산물.
[特长] tècháng 명 특기. ❑发挥~; 특기를 발휘하다 / ~生; 특기생.
[特出] tèchū 형 특출하다. ❑~的人才; 특출한 인재.
[特此] tècǐ 부〈公〉〈套〉 이에. 이에 특별히《통지·공고 따위에 쓰는 말》. ❑~布复; 이에 회답합니다.
[特等] tèděng 형 특등의. 특별히 높은 등급의. ❑~舱; 특등 선실.
[特地] tèdì 부 특별히. 일부러. ❑我们~来给你送行; 우리는 특별히 너를 배웅하려고 왔다. =[特意][特别③][特为]
[特点] tèdiǎn 명 특징. 특성.
[特定] tèdìng 형 ① 특정의. 특정한. ❑~的任务; 특정 임무. ② (사람·시기·지방 따위가) 일정한. ❑~的时期; 일정한 시기.
[特惠] tèhuì 형 특혜를 받다. ❑~关税; 특혜 관세.
[特辑] tèjí 명 특집.
[特级] tèjí 형 특급의. 최고급의. ❑~啤酒; 최고급 맥주.
[特技] tèjì 명 ① 특수 기술. ❑~替tì身演员; 스턴트맨(stunt man). ②〖映〗특수 촬영. 특수 효과. ❑~镜头; 특수 촬영 장면.
[特价] tèjià 명 특가.
[特刊] tèkān 명 (간행물의) 특집.
[特快] tèkuài 형 특히 빠른. 특급의. ❑~专递; 특급 배달. 명〈簡〉⇨[特别快车]
[特例] tèlì 명 특례.
[特派] tèpài 동 특파하다. 특별 파견하다. ❑~员; 특파원.
[特区] tèqū 명 ① 특별 지구. 특구. ❑经济~; 경제특구. ②〈簡〉⇨[特别行政区]
[特权] tèquán 명 특권. ❑享有~; 특권을 누리다 / ~思想; 특권 의식.
[特色] tèsè 명 특색. 특징.
[特赦] tèshè 동〖法〗특별 사면 하다. 특사하다.
[特使] tèshǐ 명 특사.
[特设] tèshè 동 특설하다. ❑~机构; 특설 기구.
[特殊] tèshū 형 특수하다. 특별하다. ❑~待遇; 특별 대우 / ~教育; 특수 교육 / ~性; 특수성.
[特为] tèwèi 부 ⇨[特地]
[特务] tè·wu 명 특수 공작원. 간첩. 스파이. ❑~活动; 스파이 활동.
[特效] tèxiào 명 특효. ❑~药; 특효약.
[特写] tèxiě 명 ① 르포르타주(reportage). ②〖映〗클로즈업(close-up). ❑~镜头; 클로즈업 샷.
[特性] tèxìng 명 특성.
[特许] tèxǔ 동 특허하다. ❑~权; 특허권 / ~证; 특허증.
[特异] tèyì 형 ① 대단히 우수하다. ❑成绩~; 성적이 대단히 우수하다. ② 특이하다. ❑~质; 특이 체질.
[特意] tèyì 부 ⇨[特地]
[特约] tèyuē 동 ① 특약하다. ❑~商店; 특약점. ② 특별 초청하다. ❑~歌手; 특별 초대 가수.
[特征] tèzhēng 명 특징.
[特制] tèzhì 동 특제하다.

teng ㄊㄥ

疼 téng (동)
① 형 아프다. ❑肚子~; 배가 아프다. ② 동 귀여워하다. 예뻐하다. 사랑하다. 아끼다. ❑他奶奶最~他; 할머니는 그를 가장 귀여워하신다.
[疼爱] téng'ài 동 귀여워하다. 예뻐하다. ❑爷爷特别~他; 할아버지는 그를 유난히 예뻐하신다.
[疼痛] téngtòng 형 아프다. ❑伤口非常~; 상처가 매우 아프다.

腾(騰) téng (등)
동 ① 껑충껑충 뛰다. 힘차게 달리다. ❑欢~; 기뻐 날뛰다. ② 오르다. 솟다. ❑~空; 하늘로 오르다[솟다]. ③ (시간·공간 따위를) 내다. 비우다. ❑~不出空来; 시간을 낼 수가 없다. ④ 동사의 뒤에 붙어 동작이 반복·연속됨을 나타냄. ❑闹~; 떠들어 대다.
[腾飞] téngfēi 동 ① 비등하다. 높이 날아오르다. ②〈比〉 빠르게 발전하다. 비약하다.
[腾贵] ténggùi 동 (물가가) 등귀하다. ❑米价~; 쌀값이 등귀하다.
[腾腾] téngténg 형 ① (기체가) 왕성하게 올라가는 모양. ❑热气~; 열기가 후끈후끈하다. ② 기세등등한 모양. ❑杀气~; 살기등등하다.
[腾越] téngyuè 동 뛰어넘다.

[腾云驾雾] téngyún-jiàwù 〈成〉 ① 빠르게 질주하다. ② 머리가 멍하여 몸이 공중에 뜬 것처럼 느끼다.

誊(謄) téng (등) 동 베끼다. 옮겨 쓰다.

[誊录] ténglù 동 베끼다. 정서하다. ❑ ~稿件; 원고를 베끼다.

[誊写] téngxiě 동 원본을 베끼다. 등사하다. ❑ ~版; 등사기.

藤 téng (등) 명 덩굴. 넝쿨. 등나무. ❑ ~箱; 등나무 상자.

[藤本植物] téngběn zhíwù 〔植〕 덩굴 식물. 넝쿨 식물.

[藤子] téng·zi 명〈口〉 덩굴. 넝쿨.

ti ㄊㄧ

体(體) tī (체) →[体己] ⇒tǐ

[体己] tī·ji 명 가정에서 개인이 사사로이 모은 돈[재물]. ❑ ~钱; 사천. 형 친근한. 친밀한. 허물없는. ❑ ~话; 허물없이 하는 말 / ~人; 측근자. ‖ =[梯tī己]

剔 tī (척, 체) 동 ① (살을 뼈에서) 발라내다. ❑ 把排骨上的肉~干净; 갈비의 살을 깨끗이 발라내다. ② (틈·사이를) 후비다. 쑤시다. ❑ ~牙缝儿; 잇새를 쑤시다. ③ (나쁜 것을) 골라 빼내다[없애다].

[剔除] tīchú 동 골라 없애다. ❑ ~错字; 틀린 글자를 골라 없애다.

踢 tī (척) 동 (발로) 차다. ❑ ~毽子; 제기를 차다 / ~足球; 축구를 하다.

[踢踏舞] tītàwǔ 명〔舞〕 탭 댄스 (tap dance).

梯 tī (제) 명 ① 계단. 사다리. ❑ 楼~; 계단. ② 계단 역할을 하는 것. ❑ 电~; 엘리베이터. ③ 계단 모양의 것. ❑ ~田; ⇩

[梯队] tīduì 명 ①〔軍〕 제대(梯隊). ② 순서에 따라 이전의 임무를 이어받은 간부나 운동선수.

[梯己] tī·ji 명형 ⇒[体tī己]

[梯田] tītián 명 계단식 밭.

[梯形] tīxíng 명〔數〕 사다리꼴.

[梯子] tī·zi 명 사다리. =[〈方〉扶梯②]

啼 tí (제) 동 ① 소리내어 울다. ② (새나 짐승이) 울다. ❑ 鸡~; 닭이 울다.

[啼饥号寒] tíjī-háohán 〈成〉 굶주림에 울고 추위에 외치다(《생활이 매우 곤궁한 모양》).

[啼哭] tíkū 동 소리내어 울다.

[啼笑皆非] tíxiào-jiēfēi 〈成〉 울 수도 웃을 수도 없다(《어떤 태도를 취해야 할지 난처한 모양》).

蹄 tí (제) 명 발굽. ❑ 马~; 말발굽.

[蹄筋(儿)] tíjīn(r) 명 (식품으로서의) 소·양·돼지의 사지의 근육.

[蹄子] tí·zi 명 ①〈口〉 발굽. ②〈方〉 돼지 넓적다리.

提 tí (제) ① 동 (손에) 들다. 쥐다. ❑ 手~着一个旅行包; 손에 여행 가방 하나를 들고 있다. ② 동 위로 올리다. 끌어올리다. 제고시키다. 높이다. ❑ ~高; ⇩ / ~醒(儿); ⇩ ③ 동 (예정된 시간을) 앞당기다. ❑ ~前; ⇩ ④ 동 제기하다. 내놓다. 제의하다. ❑ ~建议; 건의하다 / ~意见; 의견을 내놓다. ⑤ 동 (범인을 갇혀 있던 곳에서) 데리고 나오다. 불러내다. ❑ ~犯人出庭作证; 범인을 불러내서 법정에 증인으로 세우다. ⑥ 동 꺼내다. 찾다. 뽑다. ❑ ~款; ⇩ ⑦ 동 말하다. 언급하다. 꺼내다. ❑ 甭~了; 말할 것도 없다. ⑧ 명 구기. 작자(杓子). ❑ 油~; 기름 구기. ⇒dī

[提案] tí'àn 명 제안. 제출한 의안.

[提拔] tíbá 동 발탁하다. 등용하다.

[提包] tíbāo 명 손가방. 핸드백 (handbag). =[手提包]

[提倡] tíchàng 동 제창하다. ❑ ~勤俭节约; 근검 절약을 제창하다.

[提出] tíchū 동 제시하다. 제기하다. 제출하다. ❑ ~疑问; 의문을 제기하다 / ~异议; 이의를 제기하다.

[提单] tídān 명〔貿〕 선화 증권. 비엘(BL). =[提货单]

[提纲] tígāng 명 대강(大綱). 요점. 대요(大要).

[提纲挈领] tígāng-qièlǐng 〈成〉 벼리를 잡고 옷깃을 거머쥐다(《문제의 요점을 간명하게 제시하다》).

[提高] tí//gāo 동 높이다. 제고하다. 향상시키다. 끌어올리다. ❑ ~技术; 기술을 향상시키다 / ~水平; 수준을 높이다.

[提供] tígōng 동 제공하다. 제시하다. ❑ ~方便; 편의를 제공하다 / ~意见; 의견을 제시하다.

T

[提货] tí∥huò 동 물품을 인수하다.
[提货单] tíhuòdān 명 ⇨[提单]
[提价] tí∥jià 동 값을 올리다.
[提交] tíjiāo 동 회부하다. 제출하다. 신청하다. ❑~会议加以讨论; 토론하도록 회의에 회부하다.
[提款] tí∥kuǎn 동 예금을 인출하다. ❑~机; 현금 인출기 / ~卡; 현금 인출 카드.
[提炼] tíliàn 동 분리해 내다. 추출하다. 정제하다. ❑~石油; 석유를 정제하다.
[提名] tí∥míng 동 (후보자로) 지명하다. 노미네이트(nominate)하다. ❑~他为候选人; 그를 후보자로 지명하다.
[提起] tíqǐ 동 ① 언급하다. 거론하다. ② 분발시키다. ③ 제시하다. ❑~诉讼; 소송을 제기하다.
[提前] tíqián 동 (예정된 시간을) 앞당기다. ❑~完成任务; 임무를 앞당겨 완성하다. =[提早]
[提亲] tí∥qīn 동 혼담을 꺼내다. =[提亲事]
[提琴] tíqín 명〖樂〗4 현의 현악기. ❑大~; 첼로 / 小~; 바이올린 / 中~; 비올라.
[提取] tíqǔ 동 ① (예치한 돈이나 물품을) 찾다. ❑~存款; 예금을 찾다 / ~行李; 짐을 찾다. ② 추출하다. 뽑아내다. ❑~器; 추출기.
[提神] tí∥shén 동 정신이 들게 하다.
[提升] tíshēng 동 ① 진급하다. 승진하다. ❑~为厂长; 공장장으로 승진하다. ② (기계 따위로) 날라 올리다. ❑~设备; 승강 설비.
[提示] tíshì 동 (힌트(hint)를) 주다. 제시하다.
[提问] tíwèn 동 질문하다.
[提携] tíxié 동 ① (아이를) 데리고 걷다. ②〈比〉(후배나 후진을) 인도하며 육성하다. ③〈書〉제휴하다.
[提心吊胆] tíxīn-diàodǎn 〈成〉 흠칫흠칫하다. 마음이 조마조마하다. 매우 두려워하다.
[提醒(儿)] tí∥xǐng(r) 동 주의를 환기시키다. 깨닫게 하다. 일깨우다. ❑~他注意安全; 그에게 안전에 주의하도록 환기시키다.
[提要] tíyào 동 요점을 제시하다. 제요하다. 명 제요. 개요. 요점.
[提议] tíyì 명동 제의(하다).
[提早] tízǎo 동 ⇨[提前]

题(題) tí (제)
① 명 제목. 표제. 문제. ❑标~; 표제 / 考~; 시험 문제. ② 동 쓰다. 적다. ❑~字; ⇩
[题材] tícái 명 제재.
[题词] tící 명 ① 기념이나 격려를 위해 적는 말. ② 서문. 머리말. (tí∥cí) 동 기념이나 격려를 위해 몇 마디 적다.
[题名] tí∥míng 동 (기념이나 표창을 위하여) 이름을 쓰다. 서명하다. 사인하다. (tímíng) 명 ① 성명. 서명. 사인. ② 제목. 제명(題名).
[题目] tímù 명 ① 제목. 표제. 주제. ❑讨论的~; 토론의 제목. ② (연습·시험 따위의) 문제. ❑考试~; 시험 문제.
[题字] tí∥zì 동 기념으로 몇 글자 적다. (tízì) 명 기념으로 쓴 글자.

体(體) tǐ (체)
① 명 몸. 신체. ❑上~; 상체 / 肢~; 지체. ② 명 물체. ❑液~; 액체. ③ 명 체. 형식. ❑草~; 초서체 / 文~; 문체. ④ 동 체험하다. 체득하다. ❑~会; ⇩ ⑤ 명 체제. ❑政~; 정체(政體). ⇒tī
[体裁] tǐcái 명 (문학 작품의) 체재.
[体操] tǐcāo 명〖體〗체조.
[体罚] tǐfá 동 체벌하다.
[体格] tǐgé 명 ① 체격. 신체. ②〈轉〉체형.
[体会] tǐhuì 동 체험하여 깨닫다. 체득하다. 직접 겪고 이해하다. 명 이해. 체득. 체험. ❑个人的~; 개인의 체험.
[体积] tǐjī 명 체적. 부피.
[体检] tǐjiǎn 동 체격 검사를 하다. 신체 검사를 하다.
[体力] tǐlì 명 체력. ❑消耗~; 체력을 소모하다 / ~劳动; 육체노동.
[体谅] tǐliàng 동 (다른 사람의 입장에서) 헤아리다. 이해하다. ❑互相~; 서로의 입장에서 헤아리다.
[体面] tǐmiàn 명 체면. 체통. ❑有失~; 체면을 잃다. 형 ① 훌륭하다. 명예롭다. 체면이 서다. ❑不~; 꼴사납다. ② 용모가 좋다. 예쁘다. ❑长得~; 잘생기다.
[体魄] tǐpò 명 신체와 정신. 심신. ❑锻炼~; 심신을 단련하다.
[体态] tǐtài 명 신체의 자태. 몸매.
[体坛] tǐtán 명 체육계. 스포츠계.
[体贴] tǐtiē 동 세심하게 보살피다. 자상하게 돌보다. ❑~入微; 〈成〉 세세한 곳까지 자상하게 돌보다.
[体统] tǐtǒng 명 체통. 체면. ❑不成~; 체면이 말이 아니다.

[体温] tǐwēn 명 체온. ❑ 量liáng～; 체온을 재다 / ～计; 체온계.
[体无完肤] tǐwúwánfū 〈成〉 ① 온몸에 상처를 입다. ② (논점이) 사정없이 비평당하다. (글이) 심하게 삭제·수정되다.
[体系] tǐxì 명 (추상적인) 체계. 체제. ❑ 思想～; 사상 체계.
[体现] tǐxiàn 동 구현하다. 체현하다.
[体形] tǐxíng 명 ① 몸의 모양. 체형. ② (기계의) 형상. 모양.
[体型] tǐxíng 명 체형. 인체의 유형.
[体恤] tǐxù 동 그 입장에서 헤아리고 동정하다.
[体验] tǐyàn 동 체험하다. ❑ ～社会生活; 사회생활을 체험하다.
[体液] tǐyè 명〖生理〗체액.
[体育] tǐyù 명 체육. 스포츠. ❑ ～场; 운동장 / ～馆; 체육관 / ～运动; 체육 운동. 체육 활동 / ～中心; 스포츠 센터.
[体制] tǐzhì 명 ① 체제. ❑ 领导～; 지도 체제. ② (문장의) 체재. 형식.
[体质] tǐzhì 명 체질.
[体重] tǐzhòng 명 체중. 몸무게.

剃 tì (체)
동 (머리나 수염을) 깎다. ❑ ～胡子; 수염을 깎다.
[剃刀] tìdāo 명 면도칼.
[剃头] tì//tóu 동 머리를 깎다. 〈轉〉 이발을 하다.

涕 tì (체)
명 ① 눈물. ② 콧물.
[涕零] tìlíng 동 눈물을 흘리다. ❑ 感激～; 감격해서 눈물을 흘리다.

屉 tì (체)
명 ① 층층이 쌓을 수 있는 납작하고 평평한 용기. ② 매트리스(mattress). 쿠션(cusion).
[屉子] tì·zi 명 ① 층층이 쌓을 수 있는 납작하고 평평한 용기《시루·찜통 따위》. ② (침대·의자 따위의) 매트리스. 쿠션. ③ 〈方〉 서랍.

惕 tì (척)
동 근신하다. 주의하다. 두려워하다. ❑ 警～; 경계하다.

替 tì (체)
① 동 대신하다. 대리하다. ❑ ～工; ⇩ ② 개 …을 위하여. …때문에. ❑ 大家～他高兴; 모두가 그를 위하여 기뻐하다.
[替代] tìdài 동 대신하다. 대체하다. ❑ ～疗法; 대체 요법 / ～能源; 대체 에너지. ＝[代替]
[替工] tì//gōng 동 일을 대신하다. (tìgōng) 명 대신 일하는 사람.
[替换] tìhuàn 동 ① 교대하다. 교체하다. 갈다. 바꾸다. ❑ 你去～他一下; 네가 좀 그와 교대해 주어라. ② 갈아입다. 바꾸어 입다. ❑ ～下来的衣服; 갈아입은 옷.
[替身] tìshēn 명 대역(代役). 대리인. ❑ ～演员; 대역 배우.
[替死鬼] tìsǐguǐ 명〈比〉 남을 대신해 책임을 지거나 손해를 입는 사람. 희생양.
[替罪羊] tìzuìyáng 명 속죄양. 희생양.

嚏 tì (체)
동〈書〉 재채기하다.
[嚏喷] tì·pen 명 ⇨[喷嚏]

tian ㄊㄧㄢ

天 tiān (천)
① 명 공중. 하늘. ❑ ～黑了; 하늘이 어두워졌다. ② 형 꼭대기에 있는. 공중에 설치된. ❑ ～窗(儿); ⇩ / ～桥; ⇩ ③ 명양 날. 일. ❑ 今～; 오늘 / 三～; 사흘. ④ 명 (～儿) 하루 중 어떤 시간. 날. ❑ ～不早了; 시간이 이르지 않다. ⑤ 명 주간. 낮. ❑ 冬天～短; 겨울에는 해가 짧다. ⑥ 명 계절. ❑ 春～; 봄 / 秋～; 가을. ⑦ 명 기후. 날씨. ❑ ～逐渐冷起来了; 날씨가 점점 추워지고 있다. ⑧ 형 천연의. 타고난. 천성의. ❑ ～才; ⇩ ⑨ 명 자연. ❑ 人定胜～; 〈成〉 사람의 노력은 자연을 이긴다. ⑩ 명 조물주. 전능자(全能者). 절대자. ❑ ～晓得; ⇩ ⑪ 명 천국. ❑ ～国; ⇩
[天安门] Tiān'ānmén 명 톈안먼. 천안문. ❑ ～广场; 톈안먼 광장.
[天边(儿)] tiānbiān(r) 명 ① 아득히 먼 곳. 하늘 저 편. ② ⇨[天际] ‖ ＝[天涯]
[天才] tiāncái 명 ① 선천적 재능. 천부적 자질. ② 천재. ❑ 音乐～; 음악의 천재.
[天差地远] tiānchā-dìyuǎn 〈成〉 차이가 매우 크다. 천양지차이다.
[天长地久] tiāncháng-dìjiǔ 〈成〉 하늘과 땅처럼 영원하다《(주로, 사랑이) 영원히 변함없다》.
[天长日久] tiāncháng-rìjiǔ 〈成〉 ⇨[日久天长]
[天窗(儿)] tiānchuāng(r) 명 천창. 지붕창.

[天敌] tiāndí 명〔生〕천적.
[天地] tiāndì 명 ① 하늘과 땅. ②〈比〉천지. 세상. 세계. 경지. ❏ 别有~; 별천지이다 / 广阔的~; 광활한 세계.
[天鹅] tiān'é 명〔鳥〕백조.
[天鹅绒] tiān'éróng 명〔紡〕벨벳.
[天翻地覆] tiānfān-dìfù〈成〉① 변화가 매우 크다. ② 매우 어수선하다.
[天分] tiānfèn 명 선천적인 성질. 타고난 재능. 소질. 천분.
[天赋] tiānfù 동 타고나다. 천부적이다. 명 타고난 소질. 천부적 재능.
[天干] tiāngān 명 천간. 십간. =[十干]
[天国] tiānguó 명 ①〔宗〕천국. ②〈比〉이상 세계. 낙원.
[天河] tiānhé 명 ⇨[银河]
[天花] tiānhuā 명〔醫〕천연두.
[天花板] tiānhuābǎn 명 천장.
[天花乱坠] tiānhuā-luànzhuì〈成〉말이 실감나고 그럴듯하다. 과장되거나 비실제적이다.
[天昏地暗] tiānhūn-dì'àn〈成〉① 먹구름이 잔뜩 끼거나 큰 바람이 하늘로 모래를 불어 올리는 모양. ② 정치가 부패하고 사회가 혼란하다. ③ 정도가 심하다. ‖ =[天昏地黑]
[天机] tiānjī 명 ① 하늘의 뜻. 천의(天意). ②〈比〉천기. 하늘의 기밀. 중요한 비밀.
[天际] tiānjì 명 지평의 끝. 하늘가. 하늘 끝. =[天边(儿)②]
[天经地义] tiānjīng-dìyì〈成〉불변의 진리.
[天空] tiānkōng 명 하늘. 천공. ❏ 辽阔的~; 드넓은 하늘.
[天蓝] tiānlán 형 하늘색을 띠다. ❏ ~色; 하늘색.
[天理] tiānlǐ 명 천리. 자연의 이치. 하늘의 도리. ❏ ~难容;〈成〉천리상 용납할 수 없다.
[天良] tiānliáng 명 양심. ❏ 丧尽~; 양심이라곤 눈곱만큼도 없다.
[天亮] tiān//liàng 동 날이 밝다. 동이 트다. =[天明]
[天伦] tiānlún 명〈書〉천륜. ❏ ~之乐; 가정의 단란함.
[天罗地网] tiānluó-dìwǎng〈成〉천지에 펼쳐 놓은 큰 그물《빈틈없는 포위망》.
[天明] tiān//míng 동 ⇨[天亮]
[天命] tiānmìng 명 ① 하늘이 부여한 운명. 천명. ② 하늘의 뜻.
[天幕] tiānmù 명 ① 하늘. ②〔劇〕(무대 뒤쪽의) 하늘 배경의 막.
[天南地北] tiānnán-dìběi〈成〉거리가 아득히 멀다. 각기 멀리 떨어져 있다. =[天南海北]
[天年] tiānnián 명 천수(天壽). ❏ 尽其~; 천수를 누리다.
[天牛] tiānniú 명〔蟲〕하늘소.
[天棚] tiānpéng 명 ① 천장. ② ⇨[凉棚]
[天平] tiānpíng 명 천칭(天秤).
[天气] tiānqì 명 날씨. 일기. ❏ ~图; 일기도 / ~预报; 일기 예보 / ~预报员; 기상 캐스터(caster).
[天桥] tiānqiáo 명 육교. 가도교(架道橋). 구름다리.
[天球] tiānqiú 명〔天〕천구.
[天然] tiānrán 형 천연의. 자연의. ❏ ~气; 천연가스 / ~色; 천연색.
[天壤之别] tiānrǎngzhībié〈成〉천양지차. =[天渊之别]
[天日] tiānrì 명 하늘과 태양.〈比〉광명.
[天色] tiānsè 명 ① 하늘색. 하늘빛. ② 날씨. 일기. ③ 시간. 때. ❏ ~还早, 你再睡一会儿! 아직 이르니 한잠 더 자거라!
[天上] tiān·shàng 명 천상. 하늘. ❏ 月亮高挂~; 달이 하늘 높이 떠 있다.
[天生] tiānshēng 형 천성적이다. 선천적이다. ❏ ~的性格; 타고난 성격 / ~的残疾; 선천적인 장애.
[天时] tiānshí 명 ① 하늘이 부여한 기후 조건. ② 기후. 천후. ③ 때. 시간. 시기.
[天使] tiānshǐ 명〔宗〕천사.
[天书] tiānshū 명 ① 천상의 신선이 썼다는 책이나 편지. ②〈比〉읽기 힘든 문자. 이해하기 어려운 글.
[天堂] tiāntáng 명 ①〔宗〕천당. ②〈比〉행복한 생활. 낙원.
[天体] tiāntǐ 명〔天〕천체.
[天天] tiāntiān 부 매일. 날마다. ❏ ~练跑步; 매일 달리기를 하다.
[天王星] tiānwángxīng 명〔天〕천왕성.
[天文] tiānwén 명〔天〕천문. ❏ ~观测; 천문 관측 / ~馆; 천문관 / ~台; 천문대 / ~望远镜; 천체 망원경 / ~学; 천문학.
[天下] tiānxià 명 ① 천하. 세상. ❏ ~第一;〈成〉천하제일 / ~太平;〈成〉천하태평 / ~无敌;〈成〉

천하무적. ② 국가의 통치권.
[天仙] tiānxiān 명 ① 선녀. 천녀(天女). ②〈比〉 미녀.
[天线] tiānxiàn 명〔電〕 안테나(antenna).
[天晓得] tiān xiǎo·de〈方〉⇨[天知道]
[天性] tiānxìng 명 천성.
[天幸] tiānxìng 명 천행. 천만다행.
[天旋地转] tiānxuán-dìzhuàn〈成〉① 큰 변화가 일어나다. ② 천지가 도는 것처럼 머리가 어지럽다. ③ 천지가 뒤집힐 듯 야단법석을 떨다.
[天涯] tiānyá 명 ⇨[天边(儿)]
[天涯海角] tiānyá-hǎijiǎo〈成〉하늘 끝과 바다 끝《아주 먼 곳》.
[天衣无缝] tiānyī-wúfèng〈成〉선녀의 옷에는 바늘로 꿰맨 자국이 없다. 천의무봉《주로, 시가(詩歌) 따위가 흠이 없이 완전하다》.
[天意] tiānyì 명 천의. 하늘의 뜻.
[天渊之别] tiānyuānzhībié〈成〉⇨[天壤之别]
[天灾] tiānzāi 명 자연재해. 천재.
[天真] tiānzhēn 형 ① 천진하다. ❑ ~烂漫;〈成〉 천진난만하다. ② (생각이) 단순하다. 유치하다.
[天知道] tiān zhī·dào 신만이 안다. 아무도 모른다. ❑ ~他说的是不是真话; 그의 말이 사실인지는 신만이 안다. =[〈方〉天晓得]
[天职] tiānzhí 명 천직.
[天诛地灭] tiānzhū-dìmiè〈成〉천지가 용서하지 않다. 천벌을 받다.
[天竺鼠] tiānzhúshǔ 명 ⇨[豚鼠]
[天主] Tiānzhǔ 명〔宗〕 천주. ❑ ~教; 천주교 / ~堂; 성당.
[天资] tiānzī 명 타고난 자질.
[天子] tiānzǐ 명 천자. 황제.
[天字第一号] tiān zì dìyī hào〈成〉 제일 가는 첫째. 최고의 것. 최강의 것.

添 tiān (첨)

동 첨가하다. 늘리다. 보태다. 덧붙이다. 더하다. ❑ ~麻烦; 폐를 끼치다 / ~水; 물을 첨가하다.
[添补] tiān·bu 동 (용구·의상 따위를) 보충하다. 더하다. ❑ ~冬衣; 겨울옷을 사들이다.
[添加] tiānjiā 동 첨가하다. ❑ ~剂;〔化〕 첨가제.
[添枝加叶] tiānzhī-jiāyè〈成〉 말을 덧붙여 과장하다. =[添油加醋]
[添置] tiānzhì 동 추가로 구입하다.

田 tián (전)

명 ① 논. 밭. 전답. ❑ 种~; 경작하다 / 水~; 논. ② 광물이 매장된 지대. ❑ 油~; 유전.
[田地] tiándì 명 ① 논밭. ② 입장. 처지. 정도.
[田埂] tiángěng 명 논두렁. 밭두렁.
[田间] tiánjiān 명 ① 논. 전지. 들. ② 농촌. 시골.
[田径] tiánjìng 명〔體〕 트랙과 필드. 육상. ❑ ~赛; 육상 경기 / ~运动; 육상 운동.
[田赛] tiánsài 명〔體〕 필드 경기.
[田鼠] tiánshǔ 명〔動〕 들쥐.
[田野] tiányě 명 들. 야외.
[田园] tiányuán 명 전원. ❑ ~生活; 전원 생활 / ~诗; 전원시.

钿(鈿) tián (전)

명〈方〉 ① 동전. ② 돈. 금액. 비용. ❑ 几~? 얼마입니까? ⇒ diàn

恬 tián (점)

형〈書〉 ① 고요하다. 평온하다. ② 개의치 않다. 태연하다.
[恬不知耻] tiánbùzhīchǐ〈成〉 태연하여 부끄러움을 모르다.
[恬静] tiánjìng 형 평안하고 조용하다. 고요하다. 마음이 평온하다.

甜 tián (첨)

형 ① (맛이) 달다. ❑ 这种蛋糕真~; 이 케이크는 참 달다. ② (말 따위가) 달콤하다. 감미롭다. ❑ 话说得很~; 말을 무척 달콤하게 하다. ③ 편안하다. 행복하다. 즐겁다. 기분이 좋다. ❑ 这孩子睡得真~; 이 아이는 참 달게 잔다.
[甜菜] tiáncài 명〔植〕 사탕무.
[甜瓜] tiánguā 명〔植〕 참외. =[香瓜(儿)]
[甜美] tiánměi 형 ① 달다. 달콤하다. ❑ 味道~; 맛이 달콤하다. ② 편안하다. 감미롭다. 즐겁다. 달콤하다. ❑ ~的生活; 즐거운 생활.
[甜蜜] tiánmì 형 행복하다. 달콤하다. 즐겁다. ❑ ~的新婚生活; 달콤한 신혼 생활.
[甜食] tiánshí 명 단 음식.
[甜丝丝(儿的)] tiánsīsī(r·de) 형 ① 달짝지근하다. 달콤하다. ② 흐뭇하다. 행복하다. 유쾌하다.
[甜头(儿)] tián·tou(r) 명 ① 단맛. ② 묘미. 달콤함. 이득. 즐거움. ❑ 尝到了~; 즐거움을 맛보았다.
[甜言蜜语] tiányán-mìyǔ〈成〉 달콤한 말. 감언이설.

填 tián (전)

동 ① 움푹 들어간 곳을 메우다.

❏ ~坑; 구덩이를 메우다. ② 보충하다. 채우다. 메우다. ❏ ~补; ⇓ ③ 공란을 메우다. 기입하다. ❏ ~表; 표에 기입하다.

[填补] tiánbǔ 동 (빠진 부분을) 채우다. 보충하다. 메우다. ❏ ~缺额; 모자란 금액을 보충하다.

[填充] tiánchōng 동 ① (공간을) 메우다. 채우다. 채워 넣다. ② ⇒[填空②]

[填词] tián//cí 동 ① 사(詞)를 짓다. ② (악보에) 가사를 적어 넣다.

[填空] tiánkòng 동 ① (빈 직위나 자리를) 메우다. ② 빈칸 메우기를 하다. 괄호 넣기를 하다. ❏ ~题 =[填空题]; 괄호 넣기 문제. =[填充②]

[填写] tiánxiě 동 공란에 써 넣다. 기입하다. 적어 넣다. ❏ ~报名表; 신청서에 기입하다.

[填鸭] tiányā 동 오리를 강제 비육하다《오리를 가두어 놓고 모이를 관으로 입 속에 밀어 넣어 살찌움》. 명 '填鸭'의 방식으로 사육한 오리.

[填字游戏] tiánzì yóuxì 십자말풀이. =[填字谜]

T

舔 tiǎn (첨) 동 핥다. ❏ 猫~爪子; 고양이가 발을 핥다.

觍(靦) tiǎn (전) ① 형〈書〉 부끄럽다. ② 동〈口〉 뻔뻔스럽게 굴다.

腆 tiǎn (전) ① 형〈書〉 풍성하다. 후하다. ② 동〈方〉 (가슴·배를) 내밀다. ❏ ~着肚子; 배를 내밀고 있다.

tiao ㄊㄧㄠ

佻 tiāo (조) 형 경박하다. 경솔하다. 방정맞다. ❏ ~薄; 경박하다.

挑 tiāo (조) ① 동 선택하다. 고르다. ❏ 我~了两本小说; 나는 소설책 두 권을 골랐다. ② 동 트집 잡다. 흠잡다. 지적해 내다. ❏ ~刺儿; ⇓ ③ 동 (멜대로 어깨에) 메다. 지다. ❏ ~土; 흙을 어깨에 지다. ④ (~儿) 명 (멜대에 달아맨) 짐. ❏ 菜~; 채소를 묶은 짐. ⑤ (~儿) 양 짐《멜대로 메는 짐을 세는 말》. ❏ 一~儿蔬菜; 채소 한 짐. ⇒ tiǎo

[挑刺儿] tiāo//cìr 동 흠을 들추어 내다. 트집을 잡다.

[挑肥拣瘦] tiāoféi-jiǎnshòu 〈成〉〈貶〉 이것저것 좋은 것만 가리다.

[挑拣] tiāojiǎn 동 고르다. 선택하다.

[挑食] tiāoshí 동 편식하다. =[挑嘴]

[挑剔] tiāo·ti 동 까다롭게 굴다. 가탈을 부리다.

[挑选] tiāoxuǎn 동 고르다. 선택하다. ❏ 任你~; 네 맘대로 골라라.

[挑字眼儿] tiāo zìyǎnr 말이나 글의 사소한 문제를 잡아내다. 말꼬리를 잡다.

[挑子] tiāo·zi 명 (멜대로 멘) 짐.

[挑嘴] tiāozuǐ 동 ⇒[挑食]

条(條) tiáo (조) ① (~儿) 명 가늘고 긴 나뭇가지. ❏ 柳~儿; 버드나무 가지. ② (~儿) 명 가늘고 긴 것. ❏ 面~儿; 가락국수. ③ (~儿) 명 가늘고 긴 선(線). ❏ ~纹; ⇓ ④ 명 조. 조목. 조항. ❏ 法~; 법 조항. ⑤ 명 순서. 질서. 조리. ❏ 井井有~; 〈成〉 정연한 조리가 있다. ⑥ 양 ㉠가늘고 긴 것을 세는 말. ❏ 一~线; 실 한 가닥 / 一~蛇; 뱀 한 마리. ㉡(~儿) 일정한 수량으로 이루어진 가늘고 긴 모양의 것을 세는 말. ❏ 一~烟; 담배 한 보루. ㉢항목으로 나눌 수 있는 추상적인 것을 세는 말. ❏ 两~消息; 두 가지 소식. ㉣인체·생명·운명에 관한 것을 세는 말. ❏ 一~心; 한 마음 / 一~性命; 한 목숨.

[条幅] tiáofú 명 족자.

[条件] tiáojiàn 명 ① 조건. ❏ 满足~; 조건을 만족시키다 / ~反射; 조건 반사 / 生活~; 생활 조건. ② (어떤 일을 하는 데 필요한) 조건. 기준. 요구. ❏ 录取的~; 채용 기준. ③ 상황. 상태. ❏ 卫生~太差; 위생 상태가 매우 안 좋다.

[条款] tiáokuǎn 명 조항. 조목. ❏ 法律~; 법률 조항.

[条理] tiáolǐ 명 ① 조리. 사리. ❏ ~分明; 조리가 분명하다. ② 질서. 체계.

[条例] tiáolì 명 조례.

[条令] tiáolìng 명〔軍〕 조령.

[条码] tiáomǎ 명 ⇒[条形码]

[条目] tiáomù 명 조목. 항목.

[条绒] tiáoróng 명 ⇒[灯芯绒]

[条文] tiáowén 명〔法〕 조문.

[条纹] tiáowén 명 줄무늬. ❏ ~布; 줄무늬천.

[条形码] tiáoxíngmǎ 명 바코드(bar code). =[条码]
[条约] tiáoyuē 명 조약. ❏不平等~; 불평등 조약 / 军事~; 군사 조약.
[条子] tiáo·zi 명 ① 폭이 좁고 긴 것. ❏纸~; 가늘고 긴 종이쪽지. ② ⇨[便条(儿)]

迢 tiáo (초)
→[迢迢] 「멀다.
[迢迢] tiáotiáo 형 (길이) 아득히

笤 tiáo (소)
→[笤帚] 「루].
[笤帚] tiáo·zhou 명 작은 비[빗자

调(調) tiáo (조)
① 형 고르다. 알맞다. 일정하다. ❏饮食失~; 음식이 알맞게 조절되어 있지 않다. ② 동 고루 섞다. 배합하다. 조절하다. ❏~配; ⇩ / ~味; ⇩ ③ 동 조정(調停)하다. 중재하다. 화해시키다. ❏~停; ⇩ ④ 동 놀리다. 희롱하다. ❏~戏; ⇩ ⇒diào
[调处] tiáochǔ 동 ⇨[调停]
[调羹] tiáogēng 명 ⇨[羹匙]
[调和] tiáohé 형 (배합이) 알맞다. 조화롭다. ❏色彩~; 색채가 조화롭다. 동 ① 한데 섞어 배합하다. ❏~漆; 배합 페인트. ② 중재하다. 조정하다. ❏从中~; 중간에서 중재하다. ③ 타협하다. 양보하다《주로, 부정형으로 쓰임》. ❏没有~的余地; 타협의 여지가 없다.
[调剂] tiáojì 동 ① 조절하다. 조정하다. ❏~物资; 물자를 조절하다. ② (약을) 조제하다.
[调节] tiáojié 동 조절하다. ❏~体温; 체온을 조절하다 / ~器; 조절 장치.
[调解] tiáojiě 동 중재하다. 조정하다. 화해시키다. ❏~劳资纠纷; 노사 분규를 중재하다.
[调理] tiáo·lǐ 동 ①⇨[调养] ② 관리하다. 돌보다. 맡아 하다. ❏~伙食; 단체 식사를 관리하다. ③ 훈련시키다. 교육하다. ❏~警犬; 경찰견을 훈련시키다.
[调料] tiáoliào 명 조미료. 양념.
[调弄] tiáonòng 동 ① 희롱하다. 우롱하다. ② 조정하다. 정비하다. 수리하다. ③⇨[调唆]
[调配] tiáopèi 동 (약·안료 따위를) 배합하다. 고루 섞다. ⇒diàopèi
[调皮] tiáopí 형 ① 장난이 심하다. 개구쟁이다. 짓궂다. ❏这孩子太~了; 이 아이는 장난이 너무 심하다. ② 말을 안 듣다. 다루기 힘들다. ③ 잔꾀나 부리고 불성실하다.
[调频] tiáopín 동〖物〗주파수를 변조(變調)하다. 에프엠(FM). ❏~广播; 에프엠 방송.
[调情] tiáoqíng 동 (남녀가) 농탕치다. 시시덕거리다.
[调色板] tiáosèbǎn 명〖美〗팔레트(palette).
[调唆] tiáo·suō 동 꼬드기다. 부추기다. =[调弄③][挑tiǎo唆]
[调停] tiáo·tíng 동 조정하다. 중재하다. ❏~争端; 분쟁을 조정하다. =[调处]
[调味] tiáo//wèi 동 조미하다. 맛을 내다. ❏~品; 양념.
[调戏] tiáo·xì 동 (여자에게) 못된 장난을 하다. 놀리다. 희롱하다. ❏~妇女; 부녀자를 희롱하다.
[调笑] tiáoxiào 동 조롱하다. 놀리다. 희롱하다. =[调谑]
[调谑] tiáoxuè 동 ⇨[调笑]
[调养] tiáoyǎng 동 조양하다. 조섭하다. 조리하다. ❏~身体; 몸조리하다. =[调理①]
[调匀] tiáoyún 동 잘 섞다. 알맞게 조절하다. ❏把颜色~; 색을 잘 섞다. 형 알맞다. 적절하다. ❏雨水~; 비가 알맞게 내리다.
[调整] tiáozhěng 동 조정하다. ❏~汇率; 환율을 조정하다 / ~计划; 계획을 조정하다.
[调制解调器] tiáozhì jiětiáoqì〖컴〗모뎀(modem).
[调治] tiáozhì 동 몸조리하다.

挑 tiǎo (조, 도)
① 동 (장대 따위로) 들어 올리다. 받치다. 쳐들다. ❏用树枝把蛇~上来; 나뭇가지로 뱀을 들어 올리다. ② 동 (가늘고 긴 것으로) 후비다. 쑤시다. 빼내다. 돋우다. ❏~刺; 가시를 빼내다 / ~灯; 심지를 돋우다. ③ 동 선동하다. 부추기다. 일으키다. 자극하다. ❏~战; ⇩ ④ 명 한자의 밑에서 위로 비스듬히 올리는 필획 '㇀'. ⇒tiāo
[挑拨] tiǎobō 동 (싸우도록) 선동하다. 부추기다. 충동질하다. ❏~离间; 〈成〉 싸움을 부추겨서 이간질하다.
[挑动] tiǎodòng 동 ① 부추기다. 북돋우다. ❏~好奇心; 호기심을 북돋우다. ② 선동하다. 도발하다. ❏~内战; 내전을 선동하다.

[挑逗] tiǎodòu 동 희롱하다. 데리고 놀다. 놀리다.
[挑花(儿)] tiǎohuā(r) 동 십자수를 놓다.
[挑唆] tiǎo·suō 동 ⇒[调tiáo唆]
[挑衅] tiǎoxìn 동 도발하다. ❏武装～; 군사 도발.
[挑战] tiǎo//zhàn 동 ① 도전하다. 싸움을 걸다. ❏接受～; 도전을 받아들이다 / ～书; 도전장. ② (경쟁 따위에서) 도전하다.

窕 tiǎo (조)
→[窈yǎo窕]

眺 tiào (조)
동 멀리 바라보다. 조망하다.
[眺望] tiàowàng 동 조망하다. 멀리 바라보다. ❏从山顶向四下～; 산꼭대기에서 사방을 바라보다.

跳 tiào (도)
동 ① 펄쩍펄쩍 뛰다. 깡충깡충 뛰다. 점프하다. 뛰어오르다. ❏使劲～～; 힘껏 점프해 보다. ② (물체가) 튀다. 튀어오르다. ❏皮球在地上～了几下; 고무공이 바닥에서 몇 차례 튀어올랐다. ③ 두근두근 뛰다. 실룩거리다. 파르르 떨리다. ❏心～; 가슴이 뛰다 / 右眼皮～起来了; 오른쪽 눈꺼풀이 파르르 떨리기 시작했다. ④ (순서를) 뛰어넘다. 건너뛰다. ❏～两行读; 두 줄을 건너뛰고 읽다.
[跳班] tiào//bān 동 ⇒[跳级]
[跳板] tiàobǎn 명 ① 발판. 널다리. ②〖體〗(다이빙의) 도약판. 스프링보드(springboard). ③〈比〉발판. 도구. 수단. ④ 널뛰기.
[跳动] tiàodòng 동 뛰다. 고동치다. 두근거리다. ❏心在砰砰地～; 가슴이 두근두근 뛰다.
[跳高(儿)] tiàogāo(r) 동〖體〗높이뛰기를 하다. ❏撑杆～; 장대높이뛰기.
[跳级] tiào//jí 동 월반하다. =[跳班]
[跳脚(儿)] tiào//jiǎo(r) 동 (안달이 나거나 화나서) 발을 동동 구르다.
[跳粱小丑] tiàoliáng-xiǎochǒu〈成〉별다른 재능이 없는 좀스러운 악인.
[跳马] tiàomǎ 명〖體〗① 도마 경기. ② (체조용의) 도마.
[跳皮筋儿] tiào píjīnr 고무줄놀이를 하다.
[跳伞] tiào//sǎn 동 낙하산으로 내리다.
[跳绳(儿)] tiàoshéng(r) 동 줄넘기하다. 명 줄넘기 줄.
[跳水] tiàoshuǐ 동〖體〗다이빙(diving)하다. ❏～池; 다이빙 경기용 수영장.
[跳台] tiàotái 명〖體〗① 다이빙대. ② 점프대. ❏～滑雪; (스키의) 점프 경기.
[跳舞] tiào//wǔ 동 춤을 추다. ❏唱歌～; 노래하고 춤추다.
[跳箱] tiàoxiāng 명〖體〗① 뜀틀. ② 뜀틀 경기.
[跳远(儿)] tiàoyuǎn(r) 동〖體〗멀리뛰기를 하다.
[跳跃] tiàoyuè 동 도약하다. ❏～前进; 도약하며 나아가다 / ～运动; 도약 운동.
[跳跃器] tiàoyuèqì 명〖體〗(체조용) 뜀틀. =[山羊②]
[跳蚤] tiào·zao 명〖蟲〗벼룩.
[跳蚤市场] tiào·zao shìchǎng 벼룩시장.

tie ㄊㄧㄝ

帖 tiē (첩)
① 동 복종하다. 순종하다. ❏服～; 복종하다. ② 형 타당하다. 온당하다. 알맞다. ❏妥～; 타당하다. ⇒tiě tiè

贴(貼) tiē (첩)
① 동 (얇고 납작한 것을) 붙이다. ❏～邮票; 우표를 붙이다 / ～在墙上; 벽에 붙이다. ② 동 바싹 붙다. 들러붙다. ❏你别～着我; 나한테 붙지 마라. ③ 동 (경제적으로) 도와주다. 보태 주다. 보조해 주다. ❏～补; ⇓ ④ 명 보조금. ⑤ 양 고약(膏藥)을 세는 말.
[贴边] tiēbiān 명 (옷 가장자리의) 가선. (tiē//biān) (～儿) 형 사실에 가깝다. 이치에 맞다. ❏不～的话; 터무니없는 말.
[贴补] tiēbǔ 동 ① 경제적으로 돕다. 보조하다. ❏他每月都寄点儿钱去～家用; 그는 매달 약간의 돈을 부쳐서 집안을 돕는다. ② (모아 둔 것으로) 변통하여 생활하다.
[贴换] tiēhuàn 동 헌 물건에 웃돈을 얹어서 새것과 교환하다.
[贴金] tiē//jīn 동 ① (불상에) 금박을 붙이다. ②〈比〉과시하다. 미화하다. 그럴듯하게 포장하다.
[贴近] tiējìn 동 바싹 대다. 들러붙다. ❏耳朵～门边; 귀를 문에 바싹 대다. 형 사이가 가깝다. 친하다.

❏ 他是我最~的朋友; 그는 나의 가장 친한 친구이다.
[贴切] tiēqiè 형 (단어의 선택이) 적절하다. 적당하다.
[贴身] tiēshēn 형 ①(~儿) 몸에 딱 붙는. ❏ ~内衣; 몸에 딱 붙는 속옷. ② 신변에 붙어 늘 따라다니는. ❏ ~保镖; 개인 경호원. ③ 몸에 꼭 맞다. 잘 맞다. ❏ 这套衣服很~; 이 옷은 매우 잘 맞는다.
[贴题] tiētí 형 (내용이) 제목에 부합하다.
[贴现] tiēxiàn 동〔經〕 어음 할인을 하다. ❏ ~率; (어음) 할인율.
[贴心] tiēxīn 형 마음이 가장 잘 통하다. 단짝이다.
[贴纸] tiēzhǐ 명 스티커(sticker).

帖 tiě (첩)
① 명 초대장. ❏ 请~; 초대장. ②(~儿) 명 글쪽지. 쪽지. 메모. ❏ 字~儿; 쪽지. ‖ =[帖子] ③ 양〈方〉 첩(《한약을 세는 말》). ❏ 三~药; 약 세 첩. ⇒ tiē tiè
[帖子] tiě·zi 명 ⇨[帖tiě①②]

铁(鐵) tiě (철)
① 명〔化〕 철. 쇠. ② 명 무기. ❏ 手无寸~; 〈成〉 몸에 무기를 지니지 않다. ③ 형 단단하다. 강하다. 견고하다. 굳세다. ❏ ~饭碗; ⇩ ④ 형 난폭하다. 포악하다. ❏ ~蹄tí; ⇩ ⑤ 형 정예하다. 우수하고 강하다. ❏ ~骑; ⇩ ⑥ 형 확실하다. 확고부동이다. ❏ ~的事实; 확실한 사실 / ~的意志; 확고부동한 의지.
[铁案] tiě'àn 명 뒤집을 수 없는 단안. 철안. ❏ ~如山; 〈成〉 사건의 결론이 확고하여 뒤집을 수 없다.
[铁笔] tiěbǐ 명 ① 각인(刻印)에 쓰는 칼. 도장칼. ②(등사용) 철필.
[铁壁铜墙] tiěbì-tóngqiáng 〈成〉 ⇨[铜墙铁壁]
[铁饼] tiěbǐng 명〔體〕 ①(경기용의) 원반. ② 원반던지기.
[铁杵磨成针] tiěchǔ móchéng zhēn 〈諺〉 쇠막대기를 갈아서 바늘을 만들다(《꾸준히 노력하면 무엇이든 해낼 수 있다》).
[铁窗] tiěchuāng 명 철창. 〈比〉 감옥. ❏ ~生活; 감옥 생활.
[铁打] tiědǎ 형 쇠로 만든. 〈比〉 견고한. 강한. 강인한. ❏ ~的战士; 강인한 전사.
[铁道] tiědào 명 ⇨[铁路]
[铁饭碗] tiěfànwǎn 명 철밥그릇. 〈比〉 매우 안정적인 직업[일자리]. 평생 직장.
[铁公鸡] tiěgōngjī 명〈比〉 매우 인색한 사람. 구두쇠.
[铁管] tiěguǎn 명 쇠파이프.
[铁轨] tiěguǐ 명 ⇨[钢轨]
[铁汉] tiěhàn 명 철의 사나이. 불굴의 사나이. =[铁汉字]
[铁环] tiěhuán 명 굴렁쇠. ❏ 滚~; 굴렁쇠를 굴리다.
[铁甲] tiějiǎ 명 ① 철제의 갑옷. ② 쇠로 겉을 입힌 것. 철갑.
[铁甲车] tiějiǎchē 명 ⇨[装甲车]
[铁匠] tiě·jiàng 명 대장장이.
[铁矿] tiěkuàng 명〔鑛〕 ① 철광. ② 철광석. =[铁矿石]
[铁路] tiělù 명 철도. 철로. ❏ 窄轨~; 협궤 철도. =[铁道]
[铁门] tiěmén 명 철문.
[铁面无私] tiěmiàn-wúsī 〈成〉 공평무사하여 정실에 쏠리지 않다.
[铁皮] tiěpí 명 압연한 얇은 철판.
[铁骑] tiěqí 명〈書〉 빼어난 기병. 정예(精銳)한 군대.
[铁器] tiěqì 명 철기. ❏ ~时代; 철기 시대.
[铁锹] tiěqiāo 명 가래. 삽.
[铁青] tiěqīng 형 (얼굴색이) 검푸르다. 새파랗다. ❏ 脸色~; 얼굴이 새파랗다.
[铁拳] tiěquán 명 굳센 주먹. 철권. 〈比〉 강한 공격력.
[铁人] tiěrén 명 철인. ❏ ~三项; 〔體〕 트라이애슬론. 철인 3종 경기.
[铁石心肠] tiěshí-xīncháng 〈成〉 의지가 굳고 냉정한 마음.
[铁树] tiěshù 명〔植〕 소철. ❏ ~开花; 〈成〉 ⓐ극히 드문 일. ⓑ실현하기가 극히 어려운 일. =[苏铁]
[铁水] tiěshuǐ 명 쇳물.
[铁丝] tiěsī 명 철사. ❏ ~网; 철조망. 철망.
[铁算盘] tiěsuàn·pán 명〈比〉 ① 세밀하고 정확한 계산. ② 계산이 정확한 사람.
[铁塔] tiětǎ 명 ① 철탑. ❏ 埃菲尔~; 에펠탑. ②〔電〕 (고압 송전선용의) 철탑.
[铁蹄] tiětí 명〈比〉 백성을 짓밟는 포악한 행위. 침략자의 탄압과 전제.
[铁腕] tiěwàn 명 철완. ① 강력한 수단. ② 강경한 통치.
[铁心] tiě//xīn 동 마음을 굳히다. 결심하다. ❏ ~戒烟; 금연을 결심하다.

T

[铁锈] tiěxiù 명 철수《철 표면의 녹》.
[铁则] tiězé 명 철칙.
[铁证] tiězhèng 명 확실한 증거. ❑～如山; 〈成〉 증거가 확실하여 움직일 수 없다.

帖 tiè (첩)
명 (글씨·그림 따위의) 모사(模寫)용 견본. ❑画～; 화첩 / 习字～; 습자첩. ⇒tiē tiě

ting ㄊㄧㄥ

厅(廳) tīng (청)
명 ① 큰 방. 홀(hall). ❑餐～; 식당 / 客～; 응접실. ② 큰 기관 속의 부문. ❑办公～; 사무국. ③ 성(省) 정부에 속한 기관의 명칭. ❑公安～; 공안국.
[厅堂] tīngtáng 명 홀(hall).

汀 tīng (정)
명〈書〉 물가의 평지.

听(聽) tīng (청)
① 동 듣다. ❑～不懂; 알아듣지 못하다 / ～不过; 들어 넘길 수 없다 / ～收音机; 라디오를 듣다. ② 동 (남의 의견·충고 따위를) 받아들이다. 따르다. ❑～他的劝告; 그의 충고를 따르다. ③ 동 처리하다. 관리하다. 판단하다. ❑～政; ⇓ ④ 동 하는 대로 내맡기다. ❑～其自然; ⇓ ⑤ 명 깡통. 캔(can). ❑～装; ⇓ ⑥ 양 통《깡통을 세는 말》. ❑一～罐头; 깡통 한 통.
[听便] tīng//biàn 동 형편 좋을 대로 하다. 편한 대로 하다.
[听差] tīngchāi 명〈舊〉 사환. 급사. 하인. 동 (관아 따위에서) 심부름하다.
[听从] tīngcóng 동 (남의 말이나 뜻을) 따르다. 듣다. ❑～劝告; 충고를 듣다.
[听而不闻] tīng'érbùwén 〈成〉 들은 체 만 체하다. 건성으로 듣다.
[听候] tīnghòu 동 (상부의 결정을) 기다리다. ❑～调遣; 지시를 기다리다.
[听话] tīng//huà 동 ① (귀로) 말을 듣다. 청취하다. ② (～儿) 대답[답변]을 기다리다. 형 (윗사람의 말에) 잘 따르다. 순종하다. ❑这孩子很乖, 非常～; 이 아이는 매우 순해서 아주 말을 잘 듣는다.
[听见] tīng//jiàn 동 들리다. 듣다. ❑～脚步声; 발소리를 듣다.
[听讲] tīng//jiǎng 동 강의[강연]을 듣다.
[听觉] tīngjué 명〖生理〗 청각.
[听课] tīng//kè 동 강의를 듣다. 수업을 듣다. 수업을 받다.
[听力] tīnglì 명 ① 청력. ❑丧失～; 청력을 잃다. ② 듣기 능력. ❑～测验; 듣기 평가.
[听命] tīngmìng 동 명령에 따르다.
[听啤] tīngpí 명 캔맥주.
[听凭] tīngpíng 동 마음[뜻]대로 하게 두다. 좋을 대로 맡기다. =[听任]
[听其自然] tīngqízìrán 〈成〉 되어 가는 대로 두다. 순리를 따르다.
[听取] tīngqǔ 동 (의견·반응·보고 따위를) 듣다. 청취하다. ❑～报告; 보고를 듣다.
[听任] tīngrèn 동 ⇨[听凭]
[听说] tīngshuō 동 ① 말하는 것을 듣다. ② 듣자하니 …라고 한다. 들은 바에 의하면 …이다. ❑～她生了一个男孩儿; 듣자하니 그녀가 아들을 낳았다고 한다.
[听天由命] tīngtiān-yóumìng 〈成〉 하늘의 뜻에 맡기다. 되어 가는 대로 내버려 두다.
[听筒] tīngtǒng 명 ① ⇨[受话器] ② ⇨[听诊器]
[听写] tīngxiě 동 받아쓰기하다.
[听信] tīng//xìn 동 ① (～儿) 〈口〉 소식을 기다리다. ② (tīngxìn)(주로, 불확실한 말이나 소식을) 듣고 믿다. 곧이듣다. ❑～谣言; 유언비어를 믿다.
[听诊] tīngzhěn 동〖醫〗 청진하다.
[听诊器] tīngzhěnqì 명〖醫〗 청진기. =[听筒②]
[听证会] tīngzhènghuì 명 청문회.
[听政] tīngzhèng 동 청정하다. ❑垂帘～; 수렴청정.
[听众] tīngzhòng 명 청중. 청취자. ❑～朋友; 청취자 여러분.
[听装] tīngzhuāng 형 깡통 포장의. ❑～饼干; 깡통 포장 비스킷.
[听子] tīng·zi 명 깡통. 캔.

烃(烴) tīng (경)
명 ⇨[碳氢化合物]

廷 tíng (정)
명 조정(朝廷). ❑宫～; 궁정.

庭 tíng (정)
명 ① 홀. 대청. ② 뜰. 마당. ③ 법정. ❑休～; 휴정하다.
[庭园] tíngyuán 명 (나무나 꽃이 있는) 정원.

T

[庭院] tíngyuàn 명 뜰. 마당.

蜓 tíng (정)
→[蜻qīng蜓]

霆 tíng (정)
명 천둥. 벼락.

亭 tíng (정)
명 ① 정자. ② 정자 모양의 작은 건축물. 박스(box). ❑ 电话~; 전화박스.

[亭亭] tíngtíng 형〈書〉 ① 높이 솟은 모양. ❑ ~玉立; 〈成〉 ⓐ미녀의 날씬한 모양. ⓑ꽃이나 나무가 곧게 솟은 모양. ② ⇨[婷婷]

[亭子] tíng·zi 명 정자.

停 tíng (정)
동 ① 멈추다. 서다. 멎다. 그치다. ❑ 风止雨~; 바람이 그치고 비가 멎다. ② 머무르다. 체류하다. ❑ 我们在那儿只~了一天; 우리는 거기에서 딱 하루 머물렀다. ③ 세워 두다. 정박하다. 주차하다. ❑ 车就~在楼下; 차는 건물 아래에 세워 두었다. ④ 구비하다. 완비하다. ❑ ~当; ⇩

[停泊] tíngbó 동 (선박이) 정박하다. ❑ ~费; 정박료.

[停车] tíng//chē 동 ① 정차하다. 정류하다. 정거하다. ❑ ~站; 정류장. 정거장. ② 주차하다. ❑ ~场; 주차장 / ~费; 주차비.

[停当] tíng·dang 형 잘 갖추어지다. 구비하다. 완비하다.

[停电] tíng//diàn 동 정전되다.

[停顿] tíngdùn 동 ① (일시적으로) 중단되다. 중지되다. 멈추다. ❑ 工作~了; 일이 중단되었다. ② (이야기나 읽기에) 사이를 두다. ❑ 他~了一下, 又继续讲下去; 그는 잠시 말을 멈춘 후 계속해서 말을 이어나갔다.

[停放] tíngfàng 동 (잠깐) 세워 두다. ❑ 车辆~在门外; 차를 문밖에 세워 두다.

[停工] tíng//gōng 동 일을 멈추다. 조업을 중지하다.

[停火] tíng//huǒ 동 공격을 멈추다. 휴전하다. 정전하다. ❑ ~撤兵; 휴전하고 철병하다.

[停机] tíngjī 동 ① 기계를 멈추다[세우다]. 기계가 멈추다[서다]. ② 〖撮〗 촬영을 마치다. ③휴대 전화 서비스를 정지시키다. 휴대 전화 서비스가 정지되다. ④비행기를 세워 두다.

[停刊] tíng//kān 동 (신문이나 잡지의) 발행을 정지하다. 정간하다.

[停靠] tíngkào 동 (배·기차 따위가) 정박하다. 정거하다. ❑ 一艘货轮~在码头; 화물선 한 척이 부두에 정박했다.

[停留] tíngliú 동 ① (잠시) 머무르다. 묵다. ② (어떤 단계나 수준에서) 머물다. 멈추다. ❑ 不能~在目前的水平上; 현재의 수준에 머물 수는 없다.

[停妥] tíngtuǒ 형 잘 되어 있다. 깨끗이 처리되어 있다. ❑ 预备~了; 준비가 다 되었다.

[停息] tíngxī 동 그치다. 멈추다. 멎다. 정지하다. ❑ 大风~了; 세찬 바람이 그쳤다.

[停歇] tíngxiē 동 ① 영업을 그만두다. 문을 닫다. 폐업하다. ＝[停业②] ② 멈추다. 그치다. 멎다. ❑ 暴雨还没有~; 폭우가 아직 멎지 않았다. ③ (행동을 멈추고) 휴식하다. 쉬다. ❑ 鸟儿~在树上; 새가 나무에서 쉬고 있다.

[停学] tíng//xué 동 휴학하다. ❑ 因病~一年; 병으로 일 년간 휴학하다.

[停业] tíng//yè 동 ① 잠시 영업을 정지하다. 임시 휴업하다. ② ⇨[停歇①]

[停战] tíng//zhàn 동 정전하다. ❑ ~协定; 정전 협정.

[停职] tíng//zhí 동 정직 처분하다.

[停止] tíngzhǐ 동 정지하다. 중지하다. 중단하다. 멎다. ❑ ~比赛; 경기를 중단하다 / ~使用; 사용을 중지하다.

[停滞] tíngzhì 동 정체하다. ❑ ~不前; 〈成〉 정체하여 전진하지 않다.

婷 tíng (정)
→[婷婷]

[婷婷] tíngtíng 형〈書〉 (사람이나 꽃이) 아름다운 모양. ＝[亭亭②]

挺 tǐng (정)
① 형 꼿꼿하다. ❑ 直~~地躺着不动; 꼿꼿하게 누운 채 움직이지 않다. ② 동 (몸 또는 몸의 일부를) 꼿꼿이 세우다. 곧게 펴다. 쑥 내밀다. ❑ ~脖子; 목을 꼿꼿이 세우다 / ~胸; 가슴을 내밀다. ③ 동 억지로 참다. 무리하게 견디다. ❑ 他身体不好时也~着去上班; 그는 몸이 안 좋을 때도 참고 일하러 간다. ④ 동 지지하다. 응원하다. ⑤ 뛰어나다. 빼어나다. 특출나다. ❑ 英~; 빼어나게 훌륭하다. ⑥ 부

T

〈口〉 대단히. 매우. 아주. ❏ 衣服~干净; 옷이 매우 깨끗하다. ⑦ 양 정. 자루《총 따위를 세는 말》. ❏ 一~机关枪; 기관총 한 정(挺).

[挺拔] tǐngbá 형 ① 곧게 우뚝 솟다. ❏ ~的白杨; 곧게 솟아 있는 백양. ② 다부지고 힘이 넘치다.

[挺进] tǐngjìn 동 (군대가) 힘차게 전진하다.

[挺括] tǐng·kuò 형〈方〉 (옷·천·종이 따위가) 빳빳하다.

[挺立] tǐnglì 동 곧게 서다. 곧추서다. ❏ 青松~在雪山顶上; 청송이 설산 정상에 곧게 서 있다.

[挺身] tǐng//shēn 동 ① 몸을 꼿꼿이 세우다. 몸을 곧게 펴다. ②〈轉〉 용감하게 나서다. ❏ ~而出; 〈成〉 어려움에 맞서 용감히 나서다.

铤(鋌) tǐng (정) 형〈書〉 빨리 가는 모양.

[铤而走险] tǐng'érzǒuxiǎn 〈成〉 (궁지에 몰려) 위험한 모험을 하다.

艇 tǐng (정) 명 사용이 간편하고 작은 배. 보트(boat). ❏ 潜水~; 잠수정.

T

tong ㄊㄨㄥ

通 tōng (통) ① 동 (막힌 것 없이) 통하다. 뚫리다. ❏ 这条公路才~了一年多; 이 도로는 뚫린 지 1년여밖에 되지 않았다. ② 동 (막힌 곳을) 뚫다. 쑤시다. ❏ 用铁丝~了一遍烟袋; 철사로 담뱃대를 한 차례 쑤셨다. ③ 동 (길이) 통하다. ❏ 直~北京的火车; 베이징으로 직통하는 기차. ④ 동 서로 통하다. 잇다. 교류하다. 왕래하다. ❏ 沟~; 소통하다. ⑤ 동 전달하다. 알리다. ❏ ~消息; 소식을 알리다. ⑥ 동 알다. 통달하다. 능통하다. ❏ ~英语; 영어에 능통하다. ⑦ 명 어떤 일에 정통한 사람. 통. ❏ 中国~; 중국통. ⑧ 형 (문장이) 조리가 통하다. 문맥이 통하다. ❏ 文理不~; 문리가 통하지 않다. ⑨ 형 보통의. 일반적인. ❏ ~常; ⇩ ⑩ 형 온. 모든. 전체의. ❏ ~国; 온 나라. 전국 / ~夜; 온밤. ⑪ 양 통《문서의 수나 전보의 횟수를 세는 말》. ❏ 一~电报; 전보 한 통. ⇒tòng

[通报] tōngbào 동 ① (상급 기관이 하급 기관에) 통보하다. ❏ ~表扬; 표창을 통보하다. ② (상사나 주인에게) 통지하다. 알려 주다. ❏ 客人已经来了, 你快去~一声; 손님이 벌써 오셨으니 빨리 가서 알려 드려라. 명 통보. ①〈公〉 상급 기관이 하급 기관에 통달하는 공문. ② 과학 연구의 동태나 성과를 보도하는 간행물. ❏ 医学~; 의학 통보.

[通病] tōngbìng 명 통폐(通弊). 일반적인 폐단.

[通才] tōngcái 명 통재. 다재다능「한 사람.

[通常] tōngcháng 형 통상적이다. 보통이다. 일반적이다. 부 보통. 통상. ❏ 星期天他~不在家; 일요일에 그는 보통 집에 있지 않는다.

[通畅] tōngchàng 형 ① 잘 통하다. 막힘없다. 원활하다. ❏ 水流~; 물길이 잘 통하다. ② (사고(思考)·문장 따위가) 막힘없다. 유창하다.

[通车] tōng//chē 동 ① (철도나 도로가) 개통되다. ❏ ~典礼; 철도[도로] 개통식. ② 차가 지나다니다.

[通称] tōngchēng 동 통칭 …이라고 하다. 명 통칭.

[通达] tōngdá 동 (인정·도리에) 밝다. 정통하다. 통달하다.

[通道] tōngdào 명 ① 한길. 대로. 도로. ② 통로. 통행로. ❏ 消防~; 소방 통로.

[通敌] tōng//dí 동 적과 내통하다.

[通电] tōng//diàn 동 전류를 통하다. 전기가 통하다. (tōngdiàn) 명 동 공개 전보(를 보내다).

[通牒] tōngdié 명 (외교 문서의) 통첩. ❏ 最后~; 최후 통첩.

[通读] tōngdú 동 통독하다. ❏ ~课文; 본문을 통독하다.

[通风] tōng//fēng 동 ① 통풍시키다. 환기시키다. ❏ ~窗; 환기창 / ~机; 통풍기. 환풍기 / ~设备; 통풍 설비. ② 통풍이 잘되다. 환기가 잘되다. ③ 정보를 흘리다. 기밀을 누설하다. ❏ ~报信; 〈成〉 정보나 기밀을 상대방에게 몰래 알리다.

[通告] tōnggào 동 통고하다. 널리 통지하다. ❏ ~周知; 널리 모두에게 알리다. 명 통고. 공고문. 포고.

[通共] tōnggòng 부 ⇨[一共]

[通关] tōngguān 동 통관하다. ❏ ~手续; 통관 수속.

[通观] tōngguān 동 통관하다. 전체를 보다. ❏ ~全局; 전체 국면을 통관하다.

[通过] tōng//guò 동 ① 지나가다. 통과하다. ❏ 火车~深山老林; 기

차는 깊은 산의 울창한 숲을 통과한다. ②(의안 따위가) 통과되다. 채택되다. ❑～决议; 결의가 통과되다. ③(tōngguò) 동의·인가를 구하다. ❑这事儿必须～办公室; 이 일은 반드시 사무실의 인가를 받아야 한다. (tōngguò) 개 …을 통하여. ～을[를] 거쳐. ❑～国际书店订几份杂志; 국제 서점을 통하여 잡지 몇 권을 주문하다.

[通航] tōngháng 동 (배·비행기가) 취항하다. 항행하다.

[通红] tōnghóng 형 새빨갛다. ❑脸冻得～; 얼굴이 새빨갛게 얼다.

[通话] tōng∥huà 동 통화하다. 전화로 이야기하다. ❑一天通一次话; 하루에 한 번 통화하다.

[通货] tōnghuò 명〖經〗통화. 통용 화폐. ❑～贬值; 통화 가치가 하락하다.

[通货紧缩] tōnghuò jǐnsuō〖經〗디플레이션. 통화 긴축.

[通货膨胀] tōnghuò péngzhàng〖經〗인플레이션. 통화 팽창.

[通缉] tōngjī 동 지명 수배 하다. ❑ ～令; 지명 수배령 / ～逃犯; 지명 수배범.

[通奸] tōng∥jiān 동 통간하다. 간통하다.

[通栏] tōnglán 명 (신문·잡지 따위의) 전단. ❑～标题; 전단 표제.

[通力] tōnglì 부 일제히 힘을 내어. 모두 힘을 합쳐. ❑～合作; 〈成〉 모두 힘을 모아 같이 하다.

[通例] tōnglì 명 통례. 일반적인 관례.

[通令] tōnglìng 동 동문(同文)의 훈령을 각지에 내리다. 명 널리 발포하는 동일한 훈령. 통령.

[通路] tōnglù 명 ① 한길. 대로. 도로. ②(물체의) 통로. ❑电流的～; 전류의 통로.

[通论] tōnglùn 명 통론《주로, 책 이름에 쓰임》. ❑史学～; 사학 통론.

[通明] tōngmíng 형 매우 밝다[환하다].

[通盘] tōngpán 형 전체적인. 전반적인. ❑～筹划; 전체적인 계획.

[通票] tōngpiào 명 ①(교통 기관의) 전구간 표. ② 통용표. 자유 이용권.

[通气] tōng∥qì 동 ① 환기하다. 통기하다. 통풍하다. ❑～孔; 통기공. ② 서로 소식을 전하다. 연락하다. ❑今后我们多通通气; 앞으로 우리 자주 연락하자.

[通情达理] tōngqíng-dálǐ 〈成〉 사리에 통달하다. 사리에 밝다.

[通融] tōngróng 동 ① 융통하다. 변통하다. ② 단기간 돈을 빌리다. 금전을 융통하다.

[通商] tōng∥shāng 동 통상하다.

[通身] tōngshēn 명 전신. 온몸.

[通顺] tōngshùn 형 (문장이 논리적·어법적으로) 매끄럽다. 조리가 통하다. ❑这篇文章写得很～; 이 글은 매우 논리 정연하다.

[通俗] tōngsú 형 통속적이다. 대중적이다. ❑～歌曲; 통속가요. 대중가요 / ～小说; 통속 소설.

[通天] tōngtiān 동 하늘에 통하다. 매우 크다[높다]. ❑罪恶～; 죄악이 커서 하늘에 닿다.

[通通] tōngtōng 부 전부. 모두. ❑那堆书～是借来的; 이 책들은 모두 빌려온 것이다. ＝[统tǒng统]

[通宵] tōngxiāo 명 온밤. 밤새. 철야. ❑～不眠; 밤새 잠을 이루지 못하다 / ～达旦; 〈成〉 밤새도록.

[通晓] tōngxiǎo 동 통효하다. 통달하다.

[通心粉] tōngxīnfěn 명 마카로니 (이 macaroni).

[通信] tōng∥xìn 동 ① 편지 왕래하다. ❑我跟她常常～; 나는 그녀와 편지를 자주 주고받는다. ② (tōngxìn) 통신하다《전파 따위의 신호로 문자나 그림을 전송하는 것》. ❑数字～; 디지털 통신 / ～卫星; 통신 위성 / ～兵; 통신병.

[通行] tōngxíng 동 ①(사람이나 차가) 통행하다. ❑车辆禁止～; 차량 통행을 금하다 / ～证; ⓐ통행증. ⓑ(기관 따위의) 출입증. ② 보편적으로 행하여지다. 통용하다.

[通讯] tōngxùn 동 통신하다《소식·정보를 전달하는 것》. ❑～社; 통신사 / ～网; 통신망 / ～员; 통신원. 명 통신문. 보도문. 기사.

[通用] tōngyòng 동 ① 통용하다. ❑～货币; 통용 화폐. ②(모양은 다르지만 음이 같은 글자끼리) 통용하다.

[通则] tōngzé 명 통칙.

[通知] tōngzhī 동 통지하다. 알리다. ❑调课的问题早～过他们了; 수업 조정에 관한 문제는 일찌감치 그들에게 통지했다. 명 통지. 통지문. ❑～书; 통지서.

嗵 tōng (통)
의 쿵. 쾅《발걸음·심장 뛰는 소

리》. ❑紧张得心～～地跳; 긴장해서 심장이 쿵쿵 뛰다.

同 tóng (동) ① 형 같다. 동일하다. ❑～时代; 동시대. ② 동 …와[과] 같다. ❑～上; ⇓ ③ 부 함께. 같이. ❑～吃～住; 함께 먹고 함께 자다. ④ 개 ㉠…와[과]《동작의 대상을 나타내거나 관계있는 대상을 이끌어 냄》. ❑这件事～我没有关系; 이 일은 나와는 아무 상관없다. ㉡ …와[과]《비교의 대상을 나타냄》. ❑我～他相反, 爱吃中餐; 나는 그와는 달리 중국 음식을 좋아한다. ⑤ 접 …와[과]《병렬을 나타냄》. ❑我～他都是球迷; 나와 그는 모두 축구팬이다. ⇒tòng

[同班] tóngbān 명 같은 반 친구. 동급생. (tóng∥bān) 동 같은 반이다. 동급생이다. ❑～同学; 동급생. 급우.

[同伴(儿)] tóngbàn(r) 명 함께 활동·생활하는 사람. 동료. 동지.

[同胞] tóngbāo 명 ① 친동기. ❑～兄弟; 친형제. ② 동포.

[同辈] tóngbèi 명 동년배. 동 동년배이다.

T

[同病相怜] tóngbìng-xiānglián 〈成〉 동병상련.

[同仇敌忾] tóngchóu-díkài 〈成〉 공동의 적에 분노하여 맞서다.

[同窗] tóngchuāng 명 동창. 동창생. 동 한 학교에서 같이 배우다.

[同床异梦] tóngchuáng-yìmèng 〈成〉 동상이몽.

[同道] tóngdào 명 ① 뜻을 같이하는 사람. ② 동종업자. 동 ⇨[同路]

[同等] tóngděng 형 (지위·등급 따위가) 동등하다. 같다. ❑～学力; 동등한 학력.

[同甘共苦] tónggān-gòngkǔ 〈成〉 동고동락하다.

[同感] tónggǎn 명 동감. 공감.

[同工异曲] tónggōng-yīqǔ 〈成〉 ⇨[异曲同工]

[同行] tóngháng 동 같은 업종에 종사하다. 명 같은 업계[업종]의 사람. 동종업자. ⇒tóngxíng

[同好] tónghào 명 취미가 같은 사람. 동호인.

[同化] tónghuà 동 ① 동화하다. ❑～政策; 동화 정책. ②〖言〗 동화하다.

[同伙] tónghuǒ 〈貶〉 명 한 패거리. 일당. 동 패거리를 만들어 어떤 일을 하다.

[同居] tóngjū 동 ① 함께 살다. 같이 살다. ② (부부가 아닌 남녀가) 동거하다.

[同类] tónglèi 명 동류. 한 종류. 같은 무리. 형 동류의. 같은 무리의. ❑～作品; 같은 류의 작품.

[同流合污] tóngliú-héwū 〈成〉 나쁜 사람과 어울려 나쁜 짓을 하다.

[同路] tóng∥lù 동 같은 길을 동행하다. 길동무가 되다. ＝[同道]

[同盟] tóngméng 명동 동맹(하다). ❑结成～; 동맹을 맺다 / ～国; 동맹국 / ～军; 동맹군.

[同名] tóngmíng 동 이름이 같다. 동명이다. ❑～异姓; 이름은 같고 성은 다르다.

[同谋] tóngmóu 동 (나쁜 일을) 공동으로 모의하다. 공모하다. ❑～犯; 공모범. 명 공모자.

[同年] tóngnián 명 동년. 같은 해. 동〈方〉 ⇨[同岁]

[同期] tóngqī 명 동기. ① 같은 시기. ② 같은 기. ❑～毕业生; 동기 졸업생.

[同情] tóngqíng 동 ① 동정하다. ❑～心; 동정심. ② 동조하다. 공감하다. 찬성하다. ❑对你们的斗争我们是非常～的; 당신들의 투쟁을 우리들은 매우 찬성합니다.

[同人] tóngrén 명 동지(同志). 동료. 동업자. ＝[同仁rén]

[同上] tóngshàng 동 위에 서술한 바와 같다. 위와 같다. 상동하다.

[同声] tóngshēng 동 ① 일제히 소리를 내다. ❑～一哭; 일제히 소리를 내어 울다. ② 동시에 말하다. ❑～传译; 동시통역하다.

[同时] tóngshí 명 동시. 같은 때. ❑～发生; 동시에 발생하다. 접 그와 동시에. 게다가. ❑任务艰巨, ～时间又很紧迫; 임무가 막중하고 게다가 시간도 매우 긴박하다.

[同事] tóng∥shì 동 같은 직장에서 일하다. (tóngshì) 명 직장 동료.

[同室操戈] tóngshì-cāogē 〈成〉 내분이 일다. 집안싸움을 하다.

[同岁] tóngsuì 동 같은 나이이다. 동갑이다. ＝[〈方〉 同年]

[同位素] tóngwèisù 명〖物〗 동위원소. ❑～量; 동위 원소량.

[同屋] tóngwū 명 룸메이트(roommate). 동 같은 방에서 살다.

[同乡] tóngxiāng 명 같은 고향 사

람. 동향. ❏ ~人; 동향인.
[同心] tóngxīn 동 마음을 합치다. ❏ ~同德; 〈成〉 생각과 행동을 같이하다 / ~协力; 〈成〉 마음을 합쳐 함께 노력하다.
[同行] tóngxíng 동 함께 가다. 동행하다. ⇒ tóngháng
[同性] tóngxìng 형 ① 성별이 같다. 동성이다. ❏ ~朋友; 동성 친구. ② 성질이 같다. 명 동성.
[同性恋] tóngxìngliàn 명 동성애. ❏ ~者; 동성애자.
[同姓] tóngxìng 동 성씨가 같다. 동성이다.
[同学] tóng∥xué 동 같은 학교에 다니다. (tóngxué) 명 ① 동창. 학우. ❏ ~会; 동창회 / 新~; 신입생. ② 학생에 대한 칭호. ❏ 站在后排的那位~, 你叫什么名字? 뒷줄에 서 있는 학생, 자네 이름이 무엇인가?
[同样] tóngyàng 형 같다. 마찬가지다. 똑같다. ❏ ~处理; 똑같이 처리하다 / ~的条件; 같은 조건.
[同业] tóngyè 명 ① 같은 업종. 동업. ② 같은 업종 종사자. 동종업자.
[同一] tóngyī 형 동일하다. 같다. ❏ ~命运; 같은 운명.
[同义词] tóngyìcí 명〔言〕 동의어.
[同意] tóngyì 동 동의하다. 찬성하다. ❏ 我~他的看法; 나는 그의 견해에 동의한다.
[同音词] tóngyīncí 명〔言〕 동음어.
[同志] tóngzhì 명 ① 동지. ② 중국인들끼리 습관적으로 쓰던 호칭. ❏ 女~; 여자 동지 / 售货员~; 판매원 동지 / 王~; 왕 동지.
[同舟共济] tóngzhōu-gòngjì 〈成〉 일심협력하여 어려움을 함께 헤쳐 나가다.
[同宗] tóngzōng 동 같은 조상의 자손이다. 동본이다.

茼 tóng (동)
→[茼蒿]
[茼蒿] tónghāo 명〔植〕 쑥갓. =[〈方〉 蓬蒿]

桐 tóng (동)
명〔植〕 오동나무.
[桐油] tóngyóu 명 동유.

铜(銅) tóng (동)
명〔化〕 구리. 동(Cu).
[铜版] tóngbǎn 명〔印〕 동판. ❏ ~画; 동판화 / ~印刷; 동판 인쇄.
[铜币] tóngbì 명 동화(銅貨). 동전.
[铜奖] tóngjiǎng 명 동상.
[铜牌] tóngpái 명 동메달.
[铜器] tóngqì 명 동기《구리·청동·놋쇠로 만든 제품》.
[铜器时代] tóngqì shídài 〔史〕 ⇒[青铜时代]
[铜墙铁壁] tóngqiáng-tiěbì 〈成〉 매우 견고하여 파괴할 수 없는 것. 금성철벽(金城鐵壁). =[铁壁铜墙]
[铜像] tóngxiàng 명 동상.
[铜臭] tóngxiù 명 동전 냄새. 〈轉〉 돈냄새《돈 욕심이 강한 사람을 풍자함》. ❏ 满身~; 온몸이 돈냄새로 가득하다.

彤 tóng (동)
명〈書〉 적색(赤色). 붉은색.

童 tóng (동)
① 명 아이. 어린이. ❏ 牧~; 목동. ② 형 성교(性交)의 경험이 없는. ❏ ~女; ⇩ ③ 명 미성년의 하인. 시동. ④ 형 (산이) 민둥하다. ❏ ~山; ⇩
[童工] tónggōng 명 미성년 근로자. 소년공. 소년 근로자.
[童话] tónghuà 명 동화.
[童男] tóngnán 명 ① 사내아이. ② 총각. 숫총각.
[童年] tóngnián 명 유년. 유년기. 유년 시절. 어린 시절.
[童女] tóngnǚ 명 ① 계집아이. ② 처녀. 숫처녀.
[童山] tóngshān 명 민둥산.
[童声] tóngshēng 명 어린이 목소리. ❏ ~合唱; 어린이 합창.
[童心] tóngxīn 명 동심. ❏ ~未泯; 〈成〉 동심이 아직 가시지 않았다.
[童颜] tóngyán 명 동안.
[童养媳] tóngyǎngxí 명 민며느리.
[童谣] tóngyáo 명 동요.
[童贞] tóngzhēn 명 동정. 순결.
[童装] tóngzhuāng 명 아동복.
[童子] tóngzǐ 명 동자. 사내아이.

瞳 tóng (동)
명〔生理〕 동공. 「눈동자.
[瞳孔] tóngkǒng 명〔生理〕 동공.
[瞳仁(儿)] tóngrén(r) 명 눈동자. ❏ 一双蓝色的~; 푸른빛의 두 눈동자. =[瞳人(儿)]

筒 tǒng (통)
명 ① 굵고 큰 대나무관. ❏ 竹~; 죽통. ② 굵은 관 모양의 기물. ❏ 笔~; 필통. ③ (~儿) (의복의) 통. ❏ 袖~儿; 소매통. =[统④]
[筒裤] tǒngkù 명 일자바지.
[筒裙] tǒngqún 명 타이트스커트

(tight skirt).
[筒子] tǒng·zi 명 통 모양의 것. ❏袜~; 양말 통 / 竹~; 죽통.

统(統) tǒng (통)
① 명 계통. 체계. ❏系~; 계통. ② 부 종합하여. 전부. 총. ❏~计; ⇓ ③ 동 통치하다. 통할하다. ❏~治; ⇓ ④ 명 ⇨[筒③]
[统舱] tǒngcāng 명 (기선의) 3등 선실.
[统称] tǒngchēng 명동 통칭(하다).
[统筹] tǒngchóu 동 전면적으로[통일적으로] 기획하다.
[统共] tǒnggòng 부 도합. 모두. 다 합쳐서. 통틀어. ❏我们班~只有二十个人; 우리 반은 다 합쳐서 겨우 20명이다.
[统购] tǒnggòu 동 (국가가) 일괄 수매하다. ❏~统销; 일괄 수매 일괄 판매.
[统合] tǒnghé 동 통합하다.
[统计] tǒngjì 동 ① 통계하다. ❏~表; 통계표. ② 합계하다. ❏~选票; 선거표를 합계하다.
[统属] tǒngshǔ 동 통할하고 예속되다. ❏~关系; 지배 종속 관계.
[统帅] tǒngshuài 동 ⇨[统率] 명 통수. 총수(總帥). 원수.
[统率] tǒngshuài 동 통수하다. 통솔하다. ❏~力; 통솔력. 리더십. =[统帅]
[统统] tǒngtǒng 부 ⇨[通tōng通]
[统辖] tǒngxiá 동 통할하다.
[统一] tǒngyī 동 통일하다. ❏~意见; 의견을 통일하다 / ~祖国; 조국을 통일하다. 형 통일된. 일치한. 단일의. ❏~的意见; 일치된 의견.
[统治] tǒngzhì 동 ① 통치하다. ❏~阶级; 통치 계급 / ~权; 통치권. ② 통제하다. 장악하다.

捅 tǒng (통)
동 ① 찔러서 뚫다. 쿡 찌르다. ❏他被人~了一刀; 그는 칼에 찔렸다. ② 치다. 건드리다. 부딪치다. ❏用手~了他一下; 손으로 그를 한 번 툭 쳤다. ③ 들추어내다. 폭로하다. ❏把问题全~出来了; 문제를 완전히 들추어내었다.
[捅娄子] tǒng lóu·zi 문제를[말썽을] 일으키다.
[捅马蜂窝] tǒng mǎfēngwō 벌집을 쑤시다《화를 부르다》.

桶 tǒng (통)
① 명 통. ❏木~; 나무통 / 水~; 물통. ② 양 ㉠통. ❏一~水; 물 한 통. ㉡배럴(barrel). ❏一~石油; 석유 1배럴.

同 tòng (동)
→[胡hú同(儿)] ⇒tóng

恸(慟) tòng (통)
동〈書〉 몹시 슬퍼하다.

通 tòng (통)
(~儿) 양 번. 바탕. 차례《동작을 세는 말》. ❏打了他一~; 그를 한 차례 때렸다. ⇒tōng

痛 tòng (통)
① 형 아프다. ❏头~; 머리가 아프다. ② 동 슬퍼하다. 비통해하다. ❏悲~; 비통하다. ③ 부 철저히. 호되게. 몹시. 굳게. 실컷. ❏~下决心; 굳게 결심하다.
[痛斥] tòngchì 동 호되게 질책하다. 통렬히 비난하다.
[痛楚] tòngchǔ 형 비통하다. 고통스럽다.
[痛处] tòngchù 명 아픈 곳. 약점. ❏一句话触到他的~; 한 마디 말이 그의 아픈 곳을 건드렸다.
[痛改前非] tònggǎi-qiánfēi 〈成〉 과거의 잘못을 철저히 고치다.
[痛感] tònggǎn 동 통감하다. ❏~经验不足; 경험 부족을 통감하다. 명 아픈 느낌. 통증.
[痛恨] tònghèn 동 통한하다.
[痛悔] tònghuǐ 동 깊이 후회하다.
[痛击] tòngjī 동 통격을 가하다. ❏迎头~; 정면으로 통격을 가하다.
[痛哭] tòngkū 동 통곡하다. 몹시 울다. ❏~流涕; 〈成〉 눈물 콧물을 흘리며 몹시 울다.
[痛苦] tòngkǔ 형 고통스럽다. 괴롭다. ❏心里很~; 마음이 매우 괴롭다. =[苦痛]
[痛快] tòng·kuài 형 ① 유쾌하다. 즐겁다. 기분 좋다. ❏心里真~; 마음이 정말 즐겁다. ② (성격이) 시원시원하다. 솔직하다. ❏他是个~人; 그는 시원시원한 사람이다. ③ 통쾌하다. 개운하다. 시원하다. ❏洗了个冷水澡, ~极了; 찬물로 목욕을 했더니 매우 개운하다.
[痛切] tòngqiè 형 통절하다.
[痛恶] tòngwù 동 매우 싫어하다.
[痛惜] tòngxī 동 몹시 애석해하다.
[痛心] tòngxīn 형 마음이 괴롭고 아프다. 매우 가슴 아프다. ❏~疾首; 〈成〉 극도로 통한하다.
[痛痒] tòngyǎng 명〈比〉 ① 고통. 질고. ❏~相关; 〈成〉 서로의 고

통이 관련되어 있다《매우 밀접한 관계가 있다》. ② 중요한 일. 긴요한 일. ❏ 不关~; 아무것도 아니다.

tou ㄊㄡ

偷 tōu (투) ① 동 훔치다. ❏ 他把我的手表~走了; 그가 내 손목시계를 훔쳐 갔다. ② (~儿) 명 도둑. ❏ 惯~; 손버릇이 나쁜 사람. ③ 부 몰래. 슬그머니. ❏ ~越国境; 몰래 국경을 넘다. ④ 동 (틈·시간을) 내다. ❏ ~工夫; 시간을 내다. ⑤ 동 눈앞의 일시적 안락에 안주하다. ❏ ~安; ⇩

[偷安] tōu'ān 동 눈앞의 안일만을 생각하다.

[偷盗] tōudào 동 도둑질하다. 절도하다. 훔치다. ❏ ~财物; 재물을 훔치다 / ~犯; 절도범.

[偷工减料] tōugōng-jiǎnliào 〈成〉 공전과 재료를 속이다. 일을 날림으로 하다.

[偷看] tōukàn 동 훔쳐보다. 몰래 보다. ❏ 他~了我的试卷; 그가 내 답안지를 훔쳐보았다.

[偷空(儿)] tōu//kòng(r) 동 (바쁜 중에) 짬을 내다. 틈을 내다.

[偷懒] tōu//lǎn 동 게으름 피우다. 농땡이 치다.

[偷垒] tōulěi 명 〖體〗 도루(盜壘).

[偷梁换柱] tōuliáng-huànzhù 〈成〉 (속임수를 써서) 몰래 일의 내용이나 성질을 바꿔치다.

[偷窃] tōuqiè 동 ⇨[盗窃]

[偷生] tōushēng 동 구차하게 살아가다.

[偷税] tōu//shuì 동 (고의로) 탈세하다. ❏ ~漏税; 탈세하다.

[偷天换日] tōutiān-huànrì 〈成〉 하늘을 속이고 태양을 바꾸다《몰래 진상을 왜곡하여 사람을 속이다》.

[偷听] tōutīng 동 훔쳐 듣다. 몰래 듣다. 엿듣다. ❏ 他~我们的讲话; 그가 우리의 대화를 엿들었다.

[偷偷(儿)] tōutōu(r) 부 몰래. 슬그머니. ❏ 他~地做了不少好事; 그는 남몰래 좋은 일을 많이 했다.

[偷偷摸摸] tōutōumōmō 형 살금살금 하다. 몰래몰래 하다.

[偷袭] tōuxí 동 기습하다.

[偷闲] tōu//xián 동 짬[틈]을 내다. ❏ 忙里~; 바쁜 중에 틈을 내다.

[偷眼] tōuyǎn 부 (눈으로) 몰래. 살짝. ❏ ~看她; 그녀를 몰래 쳐다보다.

[偷嘴] tōu//zuǐ 동 훔쳐 먹다. 몰래 먹다.

头(頭) tóu (두) ① 명 머리. 고개. ❏ 从~到脚; 머리에서 발끝까지 / 抬~; 고개를 들다. ② 명 머리카락. 머리 모양. ❏ 梳~; 머리를 빗다 / 剃~; 머리를 깎다. ③ (~儿) 명 (물체의) 제일 윗부분. 꼭대기. 끝부분. ❏ 笔~儿; 붓끝 / 山~; 산꼭대기. ④ (~儿) 명 시초. 처음. 발단. ❏ 从~儿说起; 처음부터 이야기하다. ⑤ (~儿) 명 끝. 결말. 최후. 마지막. ❏ 跟着丈夫走到~; 남편을 끝까지 따르다. ⑥ (~儿) 명 물건의 남은 부분. ❏ 烟卷~儿; 담배꽁초. ⑦ (~儿) 명 우두머리. 두목. ❏ 他是这一帮人的~儿; 그는 이 패거리의 우두머리이다. ⑧ (~儿) 명 쪽. 측. 방면. ❏ 他落了个两~儿不过好; 그는 양쪽으로부터 미움을 받게 되었다. ⑨ 접두 제1의. ❏ ~次; 제1차. 처음 / ~等; ⇩ ⑩ 형 순서가 앞인. 앞장선. 진두의. ❏ ~班车; ⇩ / ~号; ⇩ ⑪ 형 수량사 앞에 쓰여 순서·회차가 제일 앞임을 나타냄. ❏ ~儿排座位; 제일 앞의 몇 줄의 자리. ⑫ 양 ㉠마리. 두《소·당나귀 따위의 가축을 세는 말》. ❏ 一~牛; 소 한 마리. ㉡(마늘·양파 따위의) 머리 모양을 한 물건을 세는 말. ❏ 两~蒜; 마늘 두 통.

头(頭) ·tou (두) 접미 ① (~儿) 단어를 명사화함. ㉠명사 뒤에 쓰임. ❏ 拳~; 주먹 / 石~; 돌. ㉡형용사 뒤에 쓰여 추상 명사를 만듦. ❏ 苦~(儿); 고통. ㉢동사의 뒤에 붙어 그 동작을 할 가치 있음을 나타냄. ❏ 有看~儿; 볼만하다. ② 단음절 방위사(方位詞) 뒤에 쓰임. ❏ 前~; 앞 / 上~; 위.

[头班车] tóubānchē 명 첫차.

[头等] tóuděng 형 일등의. 첫째의. 최고의. ❏ ~舱; 일등석. 일등선실 / ~奖; 일등상.

[头顶] tóudǐng 명 머리꼭지. 정수리.

[头发] tóu·fa 명 머리카락. ❏ 剪~; 이발하다 / ~夹子; 헤어핀.

[头骨] tóugǔ 명 ⇨[颅lú骨]

[头号] tóuhào 형 ① 제1의. 최대의. ❏ ~机密; 최대 기밀 / ~新闻; 헤드라인 뉴스. ② 최상의. 최고급

의. ❏～面粉; 최고급 밀가루.
[头角] tóujiǎo 명 (주로, 청년의) 기개. 재능. 두각. ❏崭露～; 〈成〉 두각을 나타내다.
[头巾] tóujīn 명 ① 두건. ② 스카프(scarf).
[头里] tóu·lǐ 명 ① 앞. 전방. ❏我～走, 你们跟上; 내가 앞에 갈 테니 너희는 따라와라. ② 사전(事前). ❏这些事我～都交代过; 이 일들에 대해 나는 사전에 얘기했었다.
[头颅] tóulú 명 머리.
[头面人物] tóumiàn rénwù 사회적으로 세력과 명망이 있는 사람. 유력자.
[头目] tóumù 명〈貶〉 두목. 보스. 우두머리. ❏土匪～; 비적의 두목.
[头脑] tóunǎo 명 ① 두뇌. 머리. ❏有～; 머리가 잘 돌아가다. ② 단서. 실마리. 갈피. ❏摸不着～; 실마리를 잡을 수 없다. ③〈口〉 두목. 수령.
[头年] tóunián 명 ① 첫해. 최초의 해. ② 지난해. 작년.
[头皮] tóupí 명 ① 두피. ❏挠着～想主意; 머리를 긁적거리며 방법을 생각하다. ② 비듬. ❏去～; 비듬을 제거하다.
[头球] tóuqiú 명〖體〗 헤딩(heading).
[头绳] tóushéng 명 ① (～儿) 머리끈. ②〈方〉 털실.
[头饰] tóushì 명 헤어 액세서리.
[头疼] tóuténg 형 ⇨[头痛]
[头天] tóutiān 명 ① 하루 전. 전날. ② 첫날.
[头痛] tóutòng 형 ① 머리가 아프다. 두통이 나다. ②〈比〉 난처하다. 골치 아프다. ‖ =[头疼]
[头头儿] tóu·tour 명〈口〉 (단체·집단의) 장(長). 책임자. 우두머리.
[头头是道] tóutóu-shìdào 〈成〉 (말·일하는 것 따위가) 모두 조리가 있다. 하나하나가 사리에 맞다.
[头衔] tóuxián 명 직함. 칭호.
[头像] tóuxiàng 명〖美〗 두상.
[头绪] tóuxù 명 단서. 실마리. ❏找出～来; 실마리를 찾아내다.
[头油] tóuyóu 명 ① 머릿기름. ② 두피의 피지.
[头晕] tóuyūn 형 현기증이 나다. 머리가 어찔어찔하다.
[头重脚轻] tóuzhòng-jiǎoqīng 〈成〉 머리는 무겁고 발은 가볍다 《① 기초가 튼튼하지 않다. ② 현기증이 나다》.
[头子] tóu·zi 명〈貶〉 두목. 우두머리. ❏流氓～; 깡패 두목.

投 tóu (투)
동 ① 던지다. ❏～标枪; 표창을 던지다. ② 넣다. 투입하다. ❏把信～进了信箱; 편지를 우체통에 넣었다. ③ 몸을 던지다. 뛰어들다《주로, 자살 행위를 가리킴》. ❏～河; 강에 몸을 던지다. ④ (빛 따위가) 비치다. 투사하다. (시선을) 던지다. ❏群众的眼光向他～了过去; 군중들의 눈길이 그를 향해 던져졌다 / ～影; ⇓ ⑤ (편지·원고 따위를) 부치다. 보내다. ❏～稿; ⇓ ⑥ 참가하다. 찾아가다. 들어가다. ❏～考; ⇓ / ～亲; ⇓ ⑦ (마음이) 맞다. 투합하다. 영합하다. ❏情～意合; 〈成〉 의기투합하다. ⑧ 이르다. 임하다. ❏～明; 새벽녘.
[投案] tóu∥àn 동 (자수하기 위해) 스스로 기관에 찾아가다. ❏～自首; 직접 가서 자수하다.
[投保] tóu∥bǎo 동 보험에 들다. ❏～人; 보험 가입자.
[投奔] tóubèn 동 (남에게) 가서 의탁하다. ❏～亲戚; 친척에게 몸을 의탁하다.
[投标] tóu∥biāo 동 입찰하다.
[投镖] tóubiāo 명 ① 다트(dart). ② 다트 게임(dart game).
[投产] tóuchǎn 동 생산에 들어가다. 조업을 개시하다.
[投诚] tóuchéng 동 투항하다. 항복하다. 귀순하다. ❏缴械～; 무장해제를 하고 항복하다.
[投敌] tóudí 동 적의 편이 되다. ❏变节～; 변절하고 적의 편이 되다.
[投递] tóudì 동 (문서·편지 따위를) 배달하다. ❏～邮件; 우편물을 배달하다 / ～费; 배달료.
[投递员] tóudìyuán 명 ⇨[邮递员]
[投放] tóufàng 동 ① 던져 넣다. 던지다. ② (인력·자금 따위를) 투자하다. ③ (기업이 시장에 상품을) 공급하다. 방출하다.
[投稿] tóu∥gǎo 동 투고하다.
[投合] tóuhé 형 투합하다. 마음이 맞다. 뜻이 맞다. ❏谈得很～; 말이 잘 통하다. 동 남의 기호에 영합하다. 만족시키다. ❏～读者的心理; 독자의 뜻에 영합하다.
[投机] tóujī 동 투기하다. ❏～倒把; 투기 거래[매매]를 하다 / ～取巧; 〈成〉 기회를 보아 이익을 취하

다. 교묘한 수단으로 사리를 꾀하다 / ~买卖; 투기 매매. 형 생각·견해·기분이 잘 맞다. ❑话不~; 대화가 안 통한다.

[投井下石] tóujǐng-xiàshí 〈成〉 우물에 빠진 사람에게 돌을 던지다《남의 어려움을 틈타 타격을 주다》. =[落井下石]

[投考] tóukǎo 동 시험치다. 응시하다. ❑~生; 수험생. 응시자.

[投靠] tóukào 동 남에게 의지[의탁]하다. 빌붙다. ❑~亲友; 친척과 친구에게 몸을 의탁하다.

[投票] tóu∥piào 동 투표하다. ❑~权; 투표권 / ~箱; 투표함 / ~站; 투표소.

[投亲] tóu∥qīn 동 친척에게 몸을 의탁하다.

[投入] tóurù 동 ① 참가하다. 뛰어들다. 돌입하다. ❑~生产; 생산에 돌입하다. ② (자금 따위를) 투입하다. 투자하다. 형 (정신을 집중하여 어떤 일에) 몰입하다. 전개하다.

[投射] tóushè 동 ① (목표를 향하여) 던지다. ❑~飞镖; 표창을 던지다. ② (광선이나 그림자가) 비치다. 들이비치다. 투사하다.

[投身] tóushēn 동 투신하다. 헌신하다. ❑~革命; 혁명에 투신하다.

[投生] tóu∥shēng 동 ⇨[投胎]

[投手] tóushǒu 명〔體〕투수.

[投宿] tóusù 동 투숙하다.

[投胎] tóu∥tāi 동 환생하다. =[投生]

[投降] tóuxiáng 동 투항하다. ❑缴械~; 무기를 내놓고 투항하다.

[投影] tóuyǐng 동 투영하다. 영사하다. ❑~电视; 프로젝션 TV.

[投掷] tóuzhì 동 투척하다. ❑~手榴弹; 수류탄을 투척하다.

[投注] tóuzhù 동 ① (tóu∥zhù) (도박·복권 따위에서) 돈을 걸다. ② (자금 따위를) 투입하다. 투자하다. ③ (힘·정신 따위를) 투입하다. 쏟아붓다.

[投资] tóu∥zī 동 투자하다. ❑~人; 투자자. (tóuzī) 명 투자한 자금. 투하 자금. ❑收回~; 투자한 자금을 회수하다.

骰 tóu (투)
명 주사위.

[骰子] tóu·zi 명〈方〉 주사위. ❑掷~; 주사위를 던지다. =[色shǎi子]

透 tòu (투)
① 동 (기체·액체·광선 따위가) 통과하다. 스며들다. ❑月光淡淡地~进来; 달빛이 희미하게 스며들어오다. ② 동 몰래 알리다. 누설하다. ❑~消息; 몰래 소식을 알리다 / 试题~出去了; 시험 문제가 유출되었다. ③ 형 철저하다. 분명하다. 확실하다. ❑要把问题揭深揭~; 문제는 철저히 들추어내야 한다. ④ 형 충분하다. 완전하다. ❑雨下~了; 비가 충분히 내렸다. ⑤ 동 나타나다. 드러나다. ❑西红柿青里~红; 토마토가 푸른 바탕에 붉은빛을 띠고 있다.

[透彻] tòuchè 형 투철하다. 환하다. 밝고 확실하다. ❑他对这一问题有了~的了解; 그는 이 문제에 대해 환히 꿰뚫고 있다.

[透顶] tòudǐng 형〈貶〉 극에 달하다. ❑腐败~; 부패가 극에 달하다.

[透风] tòu∥fēng 동 ① 바람이 통하다. ❑我的房间不~; 내 방은 바람이 통하지 않는다. ② 바람이 통하게 하다. ❑要打开窗户透透风; 창문을 열어 환기를 시켜라. ③ (~儿) 비밀[소문]을 누설하다.

[透镜] tòujìng 명〔物〕렌즈. ❑凹~; 오목 렌즈 / 凸~; 볼록 렌즈.

[透亮] tòu·liang 형 ① 밝다. 환하다. ② 명백하다. 분명하다.

[透露] tòulù 동 (소식·의향 따위를) 누설하다. 흘리다. 폭로하다. ❑~内情; 속사정을 폭로하다.

[透明] tòumíng 형 ① 투명하다. ❑半~; 반투명 / ~体; 투명체 / ~液体; 투명 액체. ②〈比〉 공개적이다. ❑~度; 투명도. 〈比〉 사건이 공개되는 정도.

[透射] tòushè 동 ① (광선이) 비추어 들어가다. ②〔物〕투사하다.

[透视] tòushì 명동〔醫〕(엑스선에 의한) 투시 검사(를 하다). ❑~检查; 엑스선 검사. 동 ①〔物〕투시하다. ❑~率; 투시율 / ~图; 투시도. ②〈比〉 꿰뚫어보다.

[透析] tòuxī 동 ① ⇨[参shèn析] ②〔醫〕인공 투석을 하다. 혈액 투석을 하다.

tu ㄊㄨ

凸 tū (철)
형 볼록하다. ❑凹~不平; 울록볼록하여 평평하지 않다.

[凸版] tūbǎn 명〔印〕볼록판.

[凸面镜] tūmiànjìng 명〖物〗볼록거울. =[凸镜]

[凸透镜] tūtòujìng 명〖物〗볼록렌즈. =[放大镜]

秃 tū (독) 형 ① 머리가 벗어지다. 대머리이다. ❏他的头有点儿~了; 그의 머리는 조금 벗어졌다. ② (새의 머리나 꽁지에) 깃털 따위가 빠져 있다. ③ (산에) 나무가 없다. (나무에) 잎이 없다. ❏~山; 민둥산. ④ 무디다. ❏笔尖~了; 붓끝이 무디어졌다. ⑤ (문맥이) 불완전하다.

[秃笔] tūbǐ 명 끝이 무지러진 붓. 모지랑붓. 〈比〉 졸필(拙筆).

[秃顶] tū∥dǐng 동 머리가 벗어지다. (tūdǐng) 명 대머리.

[秃子] tū·zi 명 대머리(인 사람). 까까머리(인 사람).

突 tū (돌) ① 동 충돌하다. 부딪치다. 뚫다. ❏冲~; 충돌하다. ② 부 돌연. 갑자기. ❏~变; ⇩ ③ 형 주위보다 높다. 돌출하다. 두드러지다.

[突变] tūbiàn 동 돌변하다. 급변하다. ❏形势~; 형세가 급변하다.

[突出] tūchū 형 뛰어나다. 두드러지다. 동 ① 툭 튀어나오다. 돌출하다. ❏眼珠~; 눈알이 돌출하다. ② 두드러지게 하다. ❏~主题; 주제를 두드러지게 하다. ③ 돌파하다. 뚫다. ❏~重围; 겹겹이 둘러싸인 포위를 돌파하다.

[突发] tūfā 동 돌발하다. 갑자기 발생하다. ❏~事件; 돌발 사건.

[突飞猛进] tūfēi-měngjìn 〈成〉 눈부시게 진보 · 발전하다.

[突击] tūjī 동 ① 돌격하다. ❏~队; 돌격대. ② 〈比〉 매진하다.

[突进] tūjìn 동 돌진하다.

[突破] tūpò 동 ① 돌파하다. ❏~口; 돌파구. ② (난관·한계를) 깨다. 타파하다. ❏~纪录; 기록을 깨다.

[突起] tūqǐ 동 ① 갑자기 나타나다[발생하다]. ❏传染病~; 전염병이 갑자기 발생하다. ② 우뚝 솟다. 돌출하다. ❏峰峦luán~; 〈成〉 높이 우뚝 솟아 있는 산들. 명〖醫〗(종기 따위와 같은) 돌기.

[突然] tūrán 형 갑작스럽다. 느닷없다. ❏~死亡; 돌연사하다. 부 갑자기. 돌연히. ❏汽车~停止了; 자동차가 갑자기 멈췄다.

[突如其来] tūrúqílái 〈成〉 갑자기 발생하다. 갑자기 오다.

[突突] tūtū 의 두근두근. 쿵쿵《심장·오토바이 소리 따위》. ❏心~地跳; 심장이 두근두근 뛰다.

[突围] tū∥wéi 동 포위망을 돌파하다.

图(圖) tú (도) ① 명 회화. 그림. 도표. ❏插~; 삽화. ② 동 계획하다. 도모하다. 기도하다. ❏企~; 기도하다. ③ 동 구하다. 꾀하다. 바라다. ❏贪~; 욕심 부리다. ④ 명 계획. 의도. ❏鸿~; 원대한 계획.

[图案] tú'àn 명 도안.

[图标] túbiāo 명〖컴〗아이콘(icon). =[图符]

[图表] túbiǎo 명 도표. 그래프. ❏统计~; 통계 도표.

[图钉(儿)] túdīng(r) 명 압핀. 압정. ❏钉~; 압핀으로 고정시키다. =[〈口〉摁èn钉儿]

[图符] túfú 명 ⇨[图标]

[图画] túhuà 명 그림. 도화. 회화. ❏~纸; 도화지.

[图鉴] tújiàn 명 도감《주로, 책 이름에 쓰임》. ❏植物~; 식물도감.

[图解] tújiě 동 도해하다.

[图景] tújǐng 명 ① 그림 속 풍경[경물]. ② 이상적인 경관(景觀).

[图谋] túmóu 동〈貶〉(나쁜 일을) 꾀하다. 획책하다. 도모하다. 명 (나쁜) 계책. 꾀. 계획.

[图片] túpiàn 명 사진·그림·도면·탁본 따위의 총칭.

[图谱] túpǔ 명 도보. 도록(圖錄). 도감(圖鑑).

[图书] túshū 명 도서. 책. ❏~馆; 도서관 / ~目録; 도서 목록.

[图像] túxiàng 명 화상(畫像). 영상(映像). 이미지(image). ❏~传输; 이미지 전송.

[图形] túxíng 명 ① 도형. 그래픽. ❏~设计; 그래픽 디자인. ②〖數〗기하학 도형.

[图章] túzhāng 명 도장. 인장. ❏盖~; 날인하다.

涂(塗) tú (도) ① 동 (안료·화장품·약품 따위를) 바르다. 칠하다. ❏~口红; 립스틱을 바르다 / ~果酱; 잼을 바르다. ② 동 낙서하다. ❏他经常在墙上~~画画的; 그는 벽에 자주 낙서를 한다. ③ 동 (칠하여) 지우다. ❏~去一个字; 한 글자를 지우다. ④ 명〈書〉진흙. ❏

~炭; ⇩
[涂改] túgǎi 동 지우고 다시 쓰다.
[涂改液] túgǎiyè 명 수정액.
[涂料] túliào 명 도료.
[涂抹] túmǒ 동 ① 바르다. 칠하다. ❑~油漆; 페인트를 칠하다. ② 엉망으로 쓰다[그리다]. 갈겨쓰다. 마구 그리다.
[涂饰] túshì 동 ① (페인트·색을) 칠하다. 도식하다. ② (석회나 진흙을) 바르다. 칠하다.
[涂炭] tútàn 명〈書〉 진흙과 숯불 속. 도탄. 〈比〉 매우 곤궁하고 고통스러운 지경.

途 tú (도)
명 길. 도로. 경로. 여정. ❑长~; 장거리 / 坦~; 평탄한 길.
[途程] túchéng 명 도정(道程). 과정. ❑人生的~; 인생의 도정.
[途径] tújìng 명 (추상적인) 길. 방도. 방법. 수단. 경로. ❑外交~; 외교적 수단.

徒 tú (도)
① 동 걷다. 보행하다. ❑~步; ⇩ ② 형 아무것도 갖지 않은. 빈. ❑~手; ⇩ ③ 부〈書〉 다만. 단지. ❑不~无益, 反而有害; 단지 유익하지 못할 뿐 아니라 도리어 유해하다. ④ 부〈書〉 공연히. 헛되이. ❑~自惊扰; 공연히 소란을 피우다. ⑤ 명 제자. 학생. ❑尊师爱~; 스승을 존경하고 제자를 사랑하다. ⑥ 명 신도. 신자. ❑信~; 신도. ⑦ 명〈貶〉 패거리. 무리. ❑暴~; 폭도. ⑧ 명〈貶〉 어떤 종류의 사람을 일컫는 말. ❑赌~; 노름꾼.
[徒步] túbù 부 도보로. 걸어서. ❑~旅行; 도보로 여행하다.
[徒弟] tú·dì 명 도제. 제자.
[徒劳] túláo 동 헛수고하다. ❑~往返; 〈成〉 헛걸음하다.
[徒然] túrán 부 ① 헛되이. 쓸데없이. ❑~耗费时间; 쓸데없이 시간을 허비하다. ② 다만. 단지. 그저. ❑他从不亲自动手, ~说空话罢了; 그는 직접 나서지 않고 그저 공염불만 늘어놓았다.
[徒手] túshǒu 명 빈손. 맨손. ❑~操; 맨손 체조.
[徒刑] túxíng 명〔法〕 징역. ❑无期~; 무기 징역.

屠 tú (도)
동 ① (가축을) 도살하다. 잡다. ② (대량) 학살하다.
[屠杀] túshā 동 학살하다. 도륙하다. 도살하다. ❑~平民; 양민을 학살하다.
[屠宰] túzǎi 동 (가축을) 잡다. 도살하다. ❑~场; 도살장. =[宰杀]

土 tǔ (토)
① 명 흙. 토양. ❑黄~; 황토. ② 명 토지. 땅. ❑国~; 국토 / 领~; 영토. ③ 형 그 고장의. 토착의. ❑~产; ⇩ ④ 형 재래식의. ❑~办法; 재래식 방법. ⑤ 형 촌스럽다. ❑她穿得真~; 그녀의 복장은 정말 촌스럽다.
[土崩瓦解] tǔbēng-wǎjiě 〈成〉 산산이 부서지다. 완전히 무너지다.
[土鳖] tǔbiē 명 ⇨[地鳖]
[土拨鼠] tǔbōshǔ 명 ⇨[旱獭]
[土产] tǔchǎn 형 지방산의. 토산의. ❑~品; 토산품. 명 토산품. 지방 특산물. =[土货][土物]
[土地] tǔdì 명 ① 토지. ❑~肥沃; 토지가 비옥하다 / ~税; 토지세. ② 영토. ❑~辽阔; 영토가 넓다.
[土地改革] tǔdì gǎigé 토지 개혁. =[〈簡〉 土改]
[土豆(儿)] tǔdòu(r) 명〔植〕 감자. =[马铃薯]
[土耳其] Tǔ'ěrqí 명〔地〕〈音〉 터키(Turkey).
[土匪] tǔfěi 명 토비. 토구.
[土改] tǔgǎi 명〈簡〉 ⇨[土地改革]
[土豪] tǔháo 명 토호.
[土话] tǔhuà 명 시골말. 사투리. 토어. =[土语]
[土货] tǔhuò 명 ⇨[土产]
[土里土气] tǔ·litǔ·qi 촌티가 나다.
[土木] tǔmù 명 토목 건축 공사. ❑~工程; 토목 공사.
[土坯] tǔpī 명 흙벽돌.
[土气] tǔ·qì 형 촌스럽다. 시골티가 나다. 명 촌티. 시골티.
[土壤] tǔrǎng 명 토양. ❑~污染; 토양 오염.
[土人] tǔrén 명 토인. 토착민. 원주민《경시하는 어감을 지님》.
[土俗] tǔsú 명 토속. 지방의 풍속.
[土物] tǔwù 명 ⇨[土产]
[土星] tǔxīng 명〔天〕 토성.
[土腥味儿] tǔ·xīngwèir 명 흙내. 흙냄새. =[土腥气]
[土音] tǔyīn 명 사투리 억양[말씨].
[土语] tǔyǔ 명 ⇨[土话]
[土著] tǔzhù 명 토착민. 본토박이.

吐 tǔ (토)
동 ① 뱉다. 내뱉다. ❑~核儿;

씨를 뱉다 / ~痰; 가래를 뱉다. ② (입이나 이음새 따위에서) 나오다. 드러내다. ❑ ~穗(儿); ⇩ ③ 말하다. 털어놓다. 토로하다. ❑ ~苦水; 괴로움을 털어놓다 / ~实情; 실정을 토로하다. ⇒tù

[吐露] tǔlù 동 (심정·진실 따위를) 털어놓다. 토로하다. ❑ ~真情; 진심을 토로하다.

[吐气] tǔ∥qì 동 (가슴속에 맺힌) 억울함을 토로하여 후련하게 하다.

[吐绶鸡] tǔshòujī 명 ⇨[火鸡]

[吐司] tǔsī 명〈音〉 토스트(toast).

[吐穗(儿)] tǔ∥suì(r) 동 이삭이 패다.

吐 tù (토) 동 ① 토하다. 구토하다. 게우다. ❑ 恶心要~; 속이 울렁거리고 토할 것 같다. ②〈比〉 (착복한 재물을) 다시 내놓다. 토해 내다. ❑ 把赃款全部~了出来; 착복한 돈을 전부 토해 냈다. ⇒tǔ

[吐沫] tù·mo 명 ⇨[唾tuò沫]

[吐血] tù∥xiě 동 피를 토하다.

兔 tù (토) (~儿) 명〖動〗 토끼.

[兔唇] tùchún 명 ⇨[唇裂]

[兔死狗烹] tùsǐ-gǒupēng 〈成〉 토끼가 죽으면 사냥개도 삶아 먹힌다. 토사구팽(《필요할 때는 쓰고 필요 없게 되면 버리다》).

[兔死狐悲] tùsǐ-húbēi 〈成〉 토끼가 죽으면 여우가 슬퍼한다(《동병상련(同病相憐)하다》).

[兔子] tù·zi 명〖動〗 토끼.

tuan ㄊㄨㄢ

湍 tuān (단) ① 형 물살이 급하다. ② 명〈書〉 급류. ❑ 急~; 급류.

[湍急] tuānjí 형 물살이 급하다.

[湍流] tuānliú 명〈書〉 급하고 세차게 흐르는 물. 여울물. 단류.

团(團, 糰②) tuán (단) ① 형 둥근. ❑ ~扇; 둥글부채. ② 명 단자. 경단. ❑ 汤~; 경단. ③ 동 둥글게 뭉치다. 둥글게 빚다. ❑ ~泥团儿; 진흙을 동그랗게 뭉치다. ④ (~儿) 명 (둥글게 된) 덩어리. 뭉치. ❑ 饭~; 주먹밥. ⑤ 동 한데 모이다. 하나로 뭉치다. ❑ ~结; ⇩ ⑥ 명 단체. 집단. ❑ 代表~; 대표단 / 旅游~; 여행단. ⑦ 명〖軍〗 연대. ⑧ 양 뭉치. 덩어리. ❑ 两~毛线; 털실 두 뭉치.

[团结] tuánjié 동 단결하다. ❑ 加强~; 단결을 강화하다 / ~一致; 일치단결하다. 형 단결을 잘하다.

[团聚] tuánjù 동 ① (가족이) 함께 모이다. ❑ 全家~; 일가가 한자리에 모이다. ② 단결하여 모이다.

[团圞] tuánluán 〈書〉 형 (달이) 둥글다. 동 단란하다. 즐겁게 둘러앉다.

[团体] tuántǐ 명 단체. ❑ ~操; 매스 게임(mass game) / ~票; 단체표 / ~赛; 단체전.

[团团] tuántuán 형 ① 동그란 모양. ② 빙빙 돌거나 둘러싼 모양.

[团鱼] tuányú 명 ⇨[鳖biē鱼]

[团员] tuányuán 명 단원.

[团圆] tuányuán 동 (흩어졌던 가족이) 다시 모이다. ❑ 全家~; 온 가족이 다시 모이다. 형 둥글다. ❑ ~的月亮; 둥근 달.

[团圆节] Tuányuán Jié 명 ⇨[中秋]

[团长] tuánzhǎng 명 ① 단장. ②〖軍〗 연대장.

[团子] tuán·zi 명 단자. 경단.

tui ㄊㄨㄟ

忒 tuī (특) 부〈方〉 너무. 몹시. ❑ 风~大; 바람이 몹시 세다.

推 tuī (추, 퇴) 동 ① 밀다. ❑ ~门而入; 문을 밀고 들어가다. ② (맷돌 따위로) 빻다. 갈다. ❑ 面~得真细; 가루가 참 곱게 갈아졌다. ③ 벗기다. 깎다. 자르다. ❑ 用刨子~光; 대패로 깨끗이 밀다. ④ 추진하다. 널리 퍼뜨리다. 보급시키다. ❑ ~销; ⇩ ⑤ 추론하다. 유추하다. ❑ ~论; ⇩ ⑥ 양보하다. 사양하다. ❑ ~辞; ⇩ ⑦ 떠넘기다. 전가시키다. 회피하다. ❑ 她把家务活儿全~在我身上; 그녀는 집안일을 전부 나에게 떠넘겼다. ⑧ 연기하다. 미루다. ❑ 会议~到明年二月; 회의는 내년 2월로 연기됐다. ⑨ 추앙하다. 받들다. ❑ ~重; ⇩ ⑩ 추천하다. 추대하다. ❑ ~他当班长; 그를 반장으로 추천하다.

[推波助澜] tuībō-zhùlán 〈成〉 일

을 부추겨 영향을 크게 하다.

[推测] tuīcè 동 추측하다. 헤아리다. ❏无从~; 추측할 수 없다.

[推诚相见] tuīchéng-xiāngjiàn 〈成〉 진심으로 상대를 대하다.

[推迟] tuīchí 동 (예정된 시간을) 뒤로 미루다. 연기하다. ❏把日期~; 날짜를 연기하다. =[延迟]

[推崇] tuīchóng 동 추앙하다.

[推辞] tuīcí 동 사양하다. 거절하다. =[推却]

[推戴] tuīdài 동〈書〉 추대하다.

[推倒] tuī//dǎo 동 ① 밀어 넘어뜨리다. ❏把他~在地; 그를 밀어서 바닥에 넘어뜨리다. ② ⇨[推翻②]

[推动] tuī//dòng 동 추진하다. 밀고 나아가다. 촉진시키다. ❏~生产; 생산을 촉진시키다.

[推断] tuīduàn 동 추정하다. 추단하다.

[推度] tuīduó 동 추측하다. 헤아리다. ❏~他的心理; 그의 마음을 헤아리다.

[推翻] tuī//fān 동 ① (정권·지배를) 뒤엎다. 전복시키다. ❏~了外国人的统治; 외국인의 통치를 전복시켰다. ② 번복하다. 뒤집다. ❏~了先前的结论; 이전의 결론을 번복하였다. =[推倒②]

[推荐] tuījiàn 동 추천하다. ❏~电影; 영화를 추천하다 / ~书; 추천서.

[推进] tuījìn 동 ① 추진하다[시키다]. ❏~力; 추진력. ② (군대를) 전진하다[시키다]. 밀고 나가다.

[推进器] tuījìnqì 명〔機〕 프로펠러. 추진기.

[推举] tuījǔ 동 추거하다. 추천하다.

[推理] tuīlǐ 동〔論〕 추리하다.

[推论] tuīlùn 명동 추론(하다).

[推敲] tuīqiāo 동 ① 자구(字句)를 짜내다. 퇴고하다. ❏~诗句; 시구를 다듬다. ② 미루어 헤아리다. 이리저리 생각하다.

[推却] tuīquè 동 ⇨[推辞]

[推让] tuīràng 동 사퇴하여 남에게 양보하다.

[推三阻四] tuīsān-zǔsì 〈成〉 여러 가지 구실을 대어 거절하다. =[推三推四]

[推算] tuīsuàn 동 (데이터에 의하여 수치를) 추산하다. 산출하다.

[推头] tuī//tóu 동 머리를 깎다. 이발하다.

[推土机] tuītǔjī 명〔機〕 불도저.

[推托] tuītuō 동 핑계삼아 거절하다. ❏他~有事, 不来了; 그는 일이 있다는 핑계로 안 왔다.

[推脱] tuītuō 동 ⇨[推卸]

[推诿] tuīwěi 동 책임을 전가하다. =[推委]

[推销] tuīxiāo 동 판로를 넓히다. 판촉하다. ❏~员; 세일즈맨.

[推卸] tuīxiè 동 전가하다. 회피하다. ❏~责任; 책임을 전가하다. =[推脱]

[推心置腹] tuīxīn-zhìfù 〈成〉 성의를 갖고 사람을 대하다.

[推行] tuīxíng 동 추진하다. 보급시키다.

[推选] tuīxuǎn 동 추천하여 고르다[선발하다]. ❏~优秀教师; 우수한 교사를 추천하여 선발하다.

[推移] tuīyí 동 변천하다. 전환하다. 변화하다.

[推重] tuīzhòng 동 추상(推賞)하다. 높이 평가하다. ❏~他的人品; 그의 인품을 높이 평가하다.

[推子] tuī·zi 명 이발기. 바리캉.

颓(頹) tuí (퇴)

① 동〈書〉 무너지다. 내려앉다. 붕괴하다. ❏~垣败壁;〈成〉 허물어진 벽과 쓰러져 가는 울타리 《황폐한 집》. ② 동 쇠퇴하다. 쇠하다. 퇴폐하다. ❏~败; ⇩ ③ 형 의기소침하다. 낙담하다. ❏~丧; ⇩

[颓败] tuíbài 동〈書〉 (풍속이) 부패하다. 퇴폐하다.

[颓废] tuífèi 형 퇴폐적이다.

[颓丧] tuísàng 형 의기소침하다. 풀이 죽다.

[颓势] tuíshì 명 퇴세. 쇠세(衰勢).

[颓唐] tuítáng 형 ① 의기소침하다. 맥이 빠지다. ❏神情~; 표정이 의기소침하다. ② 쇠퇴하다. ❏国势~; 국력이 쇠퇴하다.

腿 tuǐ (퇴)

명 ① 다리. ② (~儿) 기물의 다리. ❏桌子~; 책상 다리. ③ (중국식) 햄(ham).

[腿肚子] tuǐdù·zi 명 장딴지. =[腓 féi]

[腿脚] tuǐjiǎo 명 다리. 걸음. 다릿심. ❏~不便; 다리가 불편하다.

[腿子] tuǐ·zi 명〈方〉 ① 다리. ② 앞잡이.

蜕 tuì (태, 세)

① 동 (뱀·매미 따위가) 허물을 벗다. ② 명 (뱀·매미 따위의) 허물. ❏蛇~; 뱀 허물.

[蜕变] tuìbiàn 동 ① (사람이나 사

물이) 탈바꿈하다. 변화하다. ② ⇨[衰shuāi变]
[蜕化] tuìhuà 동 (뱀·곤충 따위가) 허물을 벗다. 〈比〉 타락하다. ❑思想~; 사상이 타락하다.
[蜕皮] tuì//pí 동〖動〗탈피하다. 허물을 벗다.

退 tuì (퇴)
동 ① 물러서다. 후퇴하다. ❑大家往后~~; 모두 뒤로 물러나세요. ② 물리치다. 후퇴시키다. ❑~敌; 적을 물리치다. ③ (지위·장소 따위에서) 떠나다. 물러나다. 퇴장하다. ❑~职; ⇓ ④ (빛깔·맛·열 따위가) 떨어지다. 감소하다. 열어지다. ❑~色; ⇓ ⑤ 반환하다. 무르다. 돌려주다. ❑~票; ⇓ ⑥ 취소하다. 철회하다. ❑~合同; 계약을 취소하다.
[退避] tuìbì 동 회피하다. 피하다.
[退步] tuì//bù 동 ① 퇴보하다. 악화되다. 나빠지다. ❑他的功课~了; 그의 성적이 나빠졌다. ② 양보하다. ❑彼此~; 서로 양보하다. (tuìbù) 명 물러설 여지.
[退场] tuì//chǎng 동 퇴장하다.
[退潮] tuì//cháo 동 썰물이 되다. 낙조하다. =[落潮]
[退出] tuìchū 동 퇴장하다. 떨어지다. 떠나가다. ❑~历史舞台; 역사의 무대에서 퇴장하다.
[退化] tuìhuà 동 ① (생물체의 기관 따위가) 퇴화하다. ② 타락하다.
[退还] tuìhuán 동 반환하다. 되돌리다. 무르다.
[退换] tuìhuàn 동 반품하여 교환하다.
[退回] tuìhuí 동 ① 되보내다. 반송하다. ② 되돌아가다[오다].
[退婚] tuì//hūn 동 파혼하다. 혼약을 깨다. =[退亲]
[退路] tuìlù 명 ① 퇴로. ❑切断~; 퇴로를 끊다. ② 물러설 여지. ❑留个~; 물러설 여지를 남기다.
[退赔] tuìpéi 동 (약탈한 것이나 불법으로 획득한 것 따위를) 반환하다. 배상하다.
[退票] tuì//piào 동 표를 무르다[환불하다].
[退亲] tuì//qīn 동 ⇨[退婚]
[退却] tuìquè 동 ① (군대가) 퇴각하다. ② 위축되어 뒷걸음치다. 기가 꺾여 물러나다.
[退让] tuìràng 동 ① 뒤로 물러나 길을 비켜 주다. ② 양보하다.
[退热] tuì//rè 동 ⇨[退烧]
[退色] tuì//sè[〈口〉 tuì//shǎi] 동 ⇨[褪色]
[退烧] tuì//shāo 동 열이 내리다. ❑~药; 해열제. =[退热]
[退缩] tuìsuō 동 위축되다. 뒷걸음치다. 주춤하다. ❑~不前; 주춤하여 앞으로 나아가지 않다.
[退位] tuì//wèi 동 ① 퇴위하다. ② 자리[직위]를 양보하다.
[退伍] tuì//wǔ 동 제대하다. 퇴역하다. ❑~军人; 퇴역 군인. =[退役①]
[退席] tuì//xí 동 (연회나 회의 중에) 자리를 뜨다. 물러나다.
[退休] tuìxiū 동 퇴직하다. 은퇴하다. ❑~金; 퇴직금 / ~年龄; 정년(停年).
[退学] tuì//xué 동 퇴학하다.
[退役] tuì//yì 동 ① ⇨[退伍] ② (주로, 운동선수가) 은퇴하다.
[退职] tuì//zhí 동 퇴직하다.
[退走] tuìzǒu 동 후퇴하다. 퇴각하다. 물러나다.

褪 tuì (퇴)
동 ① (옷을) 벗다. ② 털갈이하다. ③ 색이 바래다. ⇒ tùn
[褪色] tuì//sè[〈口〉 tuì//shǎi] 동 퇴색하다. 빛이 바래다. =[退色][脱色]

tun ㄊㄨㄣ

吞 tūn (탄)
동 ① 통째로 삼키다. ❑~舟之鱼; 〈成〉 배를 통째로 삼킬 만한 큰 물고기. ② 〈轉〉 횡령하다. 착복하다. ❑侵~; 착복하다.
[吞并] tūnbìng 동 ⇨[并吞]
[吞灭] tūnmiè 동 병탄하여 멸망시키다. 집어삼켜 없애 버리다.
[吞没] tūnmò 동 ① 착복하다. 횡령하다. ❑~巨款; 거금을 착복하다. ② (홍수 따위가) 집어삼키다. 침몰시키다. ❑船被巨浪~了; 배가 큰 파도에 침몰되었다.
[吞声] tūnshēng 동〈書〉 울음을 삼키다. ❑~忍气; 〈成〉 울음을 삼키고 분노를 참다.
[吞食] tūnshí 동 삼키다. 통째로 먹다. =[吞噬shì]
[吞吐] tūntǔ 동 ① 삼켰다 뱉었다 하다. 〈比〉 대량으로 출입하다. ❑仓库货物的~量; 창고 화물의 출

입량. ②(말이나 글이) 애매하다. 시원스럽지 못하다.
[吞吞吐吐] tūntūntǔtǔ 형 우물우물[횡설수설] 말하는 모양.

屯 tún (둔)
①동 모으다. 비축하다. ❑~聚; ⇩ ②동 (군대가) 주둔하다. ❑驻~; 주둔하다. ③명 마을.
[屯兵] túnbīng 동 군대가 주둔하다.
[屯聚] túnjù 동 한곳에 모이다. ❑~兵马; 군대가 한곳에 모이다.
[屯垦] túnkěn 동 주둔병이 황무지를 개간하다.
[屯扎] túnzhā 동 ⇨[驻扎]
[屯子] tún·zi 명〈方〉 마을.

囤 tún (돈)
동 저장하다. 쌓아 두다. 모아 두다. 사재다. ❑~了不少米; 상당량의 쌀을 사쟀다. ⇒dùn
[囤积] túnjī 동 사재다. 매점하다. ❑~居奇; 〈成〉 매점매석하다.
[囤聚] túnjù 동 모아 두다. 저장해 두다.

饨(飩) tún (돈)
→[馄hún饨]

豚 tún (돈)
명 새끼 돼지. 〈轉〉 돼지.
[豚鼠] túnshǔ 명〖動〗 기니피그(guinea pig). =[天竺鼠]

臀 tún (둔)
명 엉덩이. 볼기.
[臀部] túnbù 명 엉덩이. 둔부.

褪 tùn (퇴)
동 ①(신체의 일부분을 오므리면서) 벗다. 빼다. ❑把袖子~下来; 소매에서 빼내다. ②〈方〉 (소매·주머니 속에) 오므려 넣다. 숨기다. ❑把信~在袖子里; 편지를 소매 속에 몰래 감추다. ⇒tuì

tuo ㄊㄨㄛ

托 tuō (탁)
A) ①동 받치다. 받쳐 들다. 고이다. ❑两手~着下巴; 두 손으로 턱을 괴다. ②(~儿) 명 깔개. 받침. ❑茶~儿; 찻잔 받침. ③동 돋보이게 하다. ❑烘~; 돋보이게 하다. B) 동 ①위탁하다. 맡기다. 부탁하다. ❑那件事儿已~了他了; 그 일은 이미 그에게 부탁했다. ②핑계 삼다. 구실을 붙이다. ❑~病缺席; 병을 핑계 삼아 결석하다. ③의지하다. ❑~庇; ⇩
[托庇] tuōbì 동〈書〉 (윗사람이나 권세가의) 비호를 받다.
[托词] tuōcí 동 구실을 만들다. 핑계 대다. ❑~谢绝; 핑계 대고 사절하다. 명 구실. 핑계. ‖ =[托辞]
[托儿所] tuō'érsuǒ 명 탁아소.
[托尔斯泰] Tuō'ěrsītài 명〖人〗〈音〉 톨스토이(Leo Nikolaevich Tolstoy)《러시아의 소설가, 1828–1910》.
[托福] tuō∥fú 동〈套〉 덕을 입다. 덕분이다《주로, 상대방이 안부를 묻는 말에 대답하는 말로 쓰임》. ❑托您的福, 一切都很顺利! 덕분에 모든 것이 잘 돼 가고 있습니다! (tuōfú) 명〈音〉 토플(TOEFL).
[托付] tuōfù 동 부탁하다. ❑家里的事都~你了; 집안의 모든 일은 당신에게 부탁하겠습니다.
[托故] tuōgù 동 핑계 대다. ❑~不答应; 핑계 대고 승낙하지 않다.
[托管] tuōguǎn 동〖政〗 신탁 통치하다. ❑~制; 신탁 통치제.
[托拉斯] tuōlāsī 명〖經〗〈音〉 트러스트(trust). 기업 합동.
[托名] tuōmíng 동 남의 명의를 빌다. ❑~之作; 남의 명의를 빌린 작품.
[托盘] tuōpán 명 음식을 나르는 쟁반.
[托人情] tuō rénqíng 인정에 호소하다. 사정하다. =[托情]
[托身] tuōshēn 동 몸을 의탁하다. ❑~之处; 몸을 의탁할 곳.
[托运] tuōyùn 동 탁송하다.
[托子] tuō·zi 명 받침. 받침대. ❑茶~; 찻잔 받침.

拖 tuō (타)
동 ①끌다. 끌고 가다. ❑一个火车头~了十节车厢; 기관차 하나가 열 칸의 객차를 끌었다. ②(바닥에) 닿아 끌리다. 드리우다. 뒤로 늘어뜨리다. ❑围巾~到地上了; 목도리가 땅에 끌린다. ③(시간을) 끌다. 늦추다. 지연시키다. 미루다. ❑~时间; 시간을 끌다.
[拖把] tuōbǎ 명 대걸레. 자루걸레. 밀걸레. =[墩dūn布][拖布bù]
[拖车] tuōchē 명 트레일러(trailer).
[拖船] tuōchuán 명 ①⇨[拖轮] ②〈方〉 예인선에 끌려가는 목선.
[拖后腿] tuō hòutuǐ 〈比〉 견제하다. 방해하다. 가로막다. =[扯后腿][扯腿][拉后腿]
[拖拉] tuōlā 형 일을 질질 끌다. 늦

장 부리다. 꾸물대다. ❏他办事非常~; 그는 일할 때 매우 꾸물댄다.
[拖拉机] tuōlājī 명 트랙터(tractor).
[拖累] tuōlěi 동 누를 끼치다. 힘들게 하다. ❏这事~了你们, 真对不起; 이 일이 당신들을 힘들게 했군요, 정말 미안합니다.
[拖轮] tuōlún 명 예인선. 예선(曳船). =[拖船①]
[拖泥带水] tuōní-dàishuǐ 〈成〉 (말·문장이) 간결하지 않다. (일하는 것이) 시원스럽지 못하다. 맺고 끊는 맛이 없다.
[拖欠] tuōqiàn 동 연체하다. 체납하다. ❏~国税; 국세를 체납하다 / ~人; 연체자. 체납자.
[拖沓] tuōtà 형 질질 끌다. 시원스럽지 못하다. ❏文章~; 문장이 시원스럽지 못하다.
[拖鞋] tuōxié 명 슬리퍼(slipper).
[拖延] tuōyán 동 지연시키다. 연기시키다. 미루다. ❏~交货日期; 납품 기일을 미루다 / ~战术; 지연전술.

脱 tuō (탈)
동 ①(털이) 빠지다. (피부가) 벗어지다. ❏~毛; 털이 빠지다 / ~皮; 표피가 벗어지다. ② 벗다. 제거하다. ❏~衣服; 옷을 벗다 / ~鞋; 신을 벗다. ③ 빠져나오다. 이탈하다. 벗어나다. ❏~逃; ⇩ / ~位; ⇩ ④ 누락하다. 빠지다. 빠뜨리다. ❏~字; 글자가 누락되다.
[脱班] tuō//bān 동 (기차·버스 비행기 따위가) 연착하다. ❏火车~了; 기차가 연착했다.
[脱产] tuō//chǎn 동 생산 작업에서 떠나다. ❏~学习; 직장을 떠나 학업에 전념하다.
[脱党] tuōdǎng 동 탈당하다.
[脱稿] tuō//gǎo 동 탈고하다.
[脱轨] tuō//guǐ 동 탈선하다. ❏~事故; 탈선 사고.
[脱节] tuō//jié 동 ①(이어져 있던 것이) 분리되다. 떨어지다. ❏因焊接不牢而~; 용접이 제대로 안 되어서 떨어지다. ② 〈比〉 엇갈리다. 연관성을 잃다. 유리되다. ❏理论与实践不能~; 이론과 실천이 연관성을 잃어서는 안 된다.
[脱臼] tuō//jiù 동 ⇨[脱位]
[脱口] tuōkǒu 동 생각 없이 입을 열다[말하다]. ❏~而出; 〈成〉 생각 없이 입에서 나오는 대로 말하다.
[脱离] tuōlí 동 이탈하다. 떠나다. 유리되다. ❏~群众; 대중으로부터 유리되다 / ~现实; 현실에서 벗어나다.
[脱粒] tuō//lì 동 탈곡하다. ❏~机; 탈곡기.
[脱落] tuōluò 동 빠지다. 떨어지다. ❏衣服上~了两颗纽扣; 옷에서 단추가 두 개 떨어졌다.
[脱期] tuō//qī 동 ① 예정된 기일보다 늦다. 기한을 어기다. ②(정기간행물 따위가) 연기되어 발행되다.
[脱色] tuō//sè 동 ① 탈색하다. 색깔을 빼다. ② ⇨[褪色]
[脱身] tuō//shēn 동 몸을 빼내다. 빠져나오다. ❏工作很忙, 实在脱不了身; 일이 바빠서 도저히 몸을 뺄 수가 없다.
[脱手] tuō//shǒu 동 ① 손에서 빠져나가다. ② 팔다. 내다 팔다.
[脱水] tuō//shuǐ 동 ①〖醫〗 탈수하다. ❏~症状; 탈수 증상. ② 수분을 제거하다. 탈수하다. ❏~机; 탈수기.
[脱俗] tuō//sú 동 탈속하다. 세속을 떠나다.
[脱胎] tuō//tāi 동 ① 틀을 빼내다. 탈태를 만들다《칠기 제법의 하나》. ② 탈태하다. 다른 것으로 다시 태어나다. ❏~换骨; 〈成〉 환골탈태하다《ⓐ완전히 다른 사람이 되다. ⓑ입장과 관점이 완전히 바뀌다》.
[脱逃] tuōtáo 동 몸을 빼서 도망치다. 탈주하다. ❏临阵~; 싸움터에서 도망하다.
[脱位] tuō//wèi 동〖醫〗 탈구(脫臼)하다. 탈골(脫骨)되다. =[脱臼]
[脱险] tuō//xiǎn 동 위험에서 벗어나다.
[脱销] tuō//xiāo 동 매진되다. 품절되다.
[脱衣舞] tuōyīwǔ 명 스트립쇼.
[脱脂] tuō//zhī 동 탈지하다. ❏~棉; 탈지면 / ~奶粉; 탈지 분유.

驮(馱) tuó (태)
동 (등에) 지다. 싣다. ❏骆驼~煤; 낙타가 석탄을 실어 나르다. ⇒duò
[驮马] tuómǎ 명 짐말.

陀 tuó (타)
→[陀螺]
[陀螺] tuóluó 명 팽이. ❏打~ =[抽~]; 팽이를 치다.

沱 tuó (타)
명〈方〉 배가 정박할 수 있는 강

의 후미.

坨 tuó (타) ① 동 (국수 따위가) 서로 들러붙다[달라붙다]. ② (~儿) 명 덩어리. 더미. ❑ 粉~儿; 가루가 덩어리 진 것.

[坨子] tuó·zi 명 덩어리. 더미. ❑ 泥~; 진흙 덩어리.

驼(駝) tuó (타) ① 명〔動〕 낙타. ❑ 双峰~; 쌍봉 낙타. =[骆驼] ② 동 (등이) 굽다. ❑ 老年背~; 노인의 등이 굽다.

[驼背] tuóbèi 명 곱사등이. 곱추. =[〈方〉 驼子] (tuó//bèi) 동 등이 굽다. 곱사등이 되다.

[驼峰] tuófēng 명〔動〕 (낙타의) 육봉.

[驼绒] tuóróng 명 ① 낙타털. ② 낙타털로 짠 나사.

[驼子] tuó·zi 명〈方〉 ⇒[驼背]

鸵(鴕) tuó (타) 명〔鳥〕 타조.

[鸵鸟] tuóniǎo 명〔鳥〕 타조. ❑ ~政策; 자기 기만의 정책. 현실 도피 정책. 눈 가리고 아웅.

跎 tuó (타) →[蹉cuō跎]

鼍(鼉) tuó (타) 명〔動〕 양쯔 강(揚子江) 악어.

[鼍龙] tuólóng 명〔動〕 양쯔강 악어. =[猪婆龙][扬子鳄]

妥 tuǒ (타) 형 ① 적절하다. 타당하다. ❑ ~为处理; 적절하게 처리하다. ② 잘 갖추어지다. 잘 되다. ❑ 款已备~; 돈을 벌써 다 준비했다.

[妥当] tuǒ·dàng 형 타당하다. 적당하다. ❑ ~的方法; 타당한 방법.

[妥善] tuǒshàn 형 타당하고 완벽하다. 적당하고 나무랄 데 없다. ❑ ~处理; 타당하고 완벽하게 처리하다.

[妥帖] tuǒtiē 형 매우 알맞다. 적당하다. 적절하다. ❑ ~的比喻; 적절한 비유.

[妥协] tuǒxié 동 타협하다. ❑ 决不向敌人~; 결코 적과 타협하지 않다.

椭(橢) tuǒ (타) 명 타원형.

[椭圆] tuǒyuán 명〔數〕 ① 타원. ❑ ~形; 타원형. ② ⇒[椭圆体]

[椭圆体] tuǒyuántǐ 명〔數〕 타원체. =[椭圆②]

拓 tuò (탁) 동 개척하다. 개간하다. 확충하다. ❑ 开~; 개척하다. ⇒ tà

[拓荒] tuòhuāng 동 황무지를 개간[개척]하다. ❑ ~者; 개척자.

唾 tuò (타) ① 명 침. 타액. ② 동 침을 뱉다. ❑ ~了唾沫; 침을 뱉었다.

[唾骂] tuòmà 동 입정 사납게 욕하다.

[唾沫] tuò·mo 명 침. ❑ 吐~; 침을 뱉다. =[吐沫]

[唾弃] tuòqì 동 타기하다. 경멸하다.

[唾手可得] tuòshǒu-kědé 〈成〉 매우 쉽게 얻다.

[唾液] tuòyè 명 타액. 침. ❑ 腺~; 〔生理〕 타액선. 침샘.

W

wa ㄨㄚ

挖 wā (알) 동 ① 파다. 후비다. ❏ ~耳朵; 귀를 파다 / ~井; 우물을 파다. ② 계발하다. 발굴하다. ❏ ~潜力; 잠재력을 계발하다.

[挖掘] wājué 동 파다. 캐내다. 발굴하다. ❏ ~潜力; 잠재력을 발굴하다 / ~机; 굴착기.

[挖空心思] wākōng-xīnsī 〈成〉〈貶〉 머리를 있는 대로 다 짜내다.

[挖苦] wā·ku 동 비꼬다. 조롱하다. 빈정대다. ❏ ~话; 비꼬는 말.

[挖墙脚] wā qiángjiǎo 〈口〉 실각시키다. 설 자리를 잃게 하다.

洼(窪) wā (와) ① 형 움푹 패다. 움푹 들어가다. ❏ 眼眶~进去; 눈언저리가 움푹 꺼지다. ② (~儿) 명 움푹 파인 곳. ❏ 水~儿; 물웅덩이.

[洼地] wādì 명 우묵한 땅. 저지(低地).

[洼陷] wāxiàn 동 움푹 들어가다. 꺼지다.

哇 wā (와) 의 ① 엉엉. 앙앙《울음소리》. ❏ 小孩子~~地哭; 아이가 엉엉하고 운다. ② 와와. 왝왝《떠들거나 토하는 소리》. ❏ ~的一声吐了出来; 왝 하고 토가 나왔다. ⇒ ·wa

[哇啦] wālā 의 와와《시끄럽게 떠드는 소리》.

[哇哇] wāwā 의 ① 응애응애《갓난아기의 우는 소리》. ② 까악까악《까마귀가 우는 소리》.

蛙 wā (와) 명〔動〕 개구리.

[蛙泳] wāyǒng 명〔體〕 평영.

娃 wá (와, 왜) 명 (~儿) ① 아기. 갓난아이. ❏ 女~; 여자 아기. ②〈方〉 갓 태어난 동물의 새끼. ❏ 鸡~; 병아리.

[娃娃] wá·wa 명 아기. 갓난아이. ❏ 胖~; 토실토실한 아기.

[娃娃鱼] wá·wayú 명〈俗〉 ⇨[大鲵]

[娃子] wá·zi 명〈方〉 ① 갓난아이. ② 갓 태어난 동물의 새끼. ❏ 猪~; 새끼 돼지.

瓦 wǎ (와) ① 명 기와. ② 명 진흙으로 구워 만든 것. ③ 양〈簡〉 ⇨[瓦特] ⇒ wà

[瓦房] wǎfáng 명 기와집.

[瓦工] wǎgōng 명 ① 기와장이의 일. ② 기와장이. 미장이. 벽돌공. =[瓦匠·jiàng][〈方〉 泥工]

[瓦解] wǎjiě 동 ① 와해되다. 붕괴되다. ❏ 敌人已经~了; 적은 이미 와해되었다. ② 와해시키다. 붕괴시키다. ❏ ~敌人; 적을 와해시키다.

[瓦楞纸] wǎléngzhǐ 명 골판지.

[瓦砾] wǎlì 명 와륵.

[瓦全] wǎquán 동〈比〉 절개를 굽혀 구차하게 목숨을 부지하다. ❏ 宁为玉碎, 不为~; 〈成〉 정의를 위해 몸을 희생할지언정 절개를 굽혀 구차하게 살려 하지 않는다.

[瓦斯] wǎsī 명〈音〉 가스(gas).

[瓦特] wǎtè 양〔電〕〈音〉 와트(watt). =[〈簡〉 瓦③]

瓦 wà (와) 동 (기와를) 이다. ⇒ wǎ

[瓦刀] wàdāo 명 (미장이의) 흙손.

袜(襪) wà (말) 명 양말. ❏ 尼龙~; 나일론 양말.

[袜套(儿)] wàtào(r) 명 덧버선.

[袜子] wà·zi 명 양말. ❏ 一双~; 양말 한 켤레.

腽 wà (올) →[腽肭][腽肭兽]

[腽肭] wànà 형〈書〉 살찐 모양.

[腽肭兽] wànàshòu 명 ⇨[海狗]

哇 ·wa (와) 조 '啊a' 바로 앞의 음절이 '-ao'·'-ou'·'-u' 인 경우 '啊a' 는 'wa' 가 되어 '哇' 로 씀. ❏ 快走~; 빨리 가자. ⇒ wā

wai ㄨㄞ

㖞(喎) wāi (와) 형 (입이) 돌아가다. 비뚤어지다.

[㖞斜] wāixié 형 (입·눈 따위가) 돌아가다. 비뚤어지다.

歪 wāi (왜, 외) 형 ① 비뚤다. 비딱하다. 비스듬하다. ❏ ~戴着帽子; 모자를 비스듬히 쓰고 있다. ② 바르지 않다. 그릇되다. 옳지 않다. ❏ ~风; ⇩

[歪风] wāifēng 명 비뚤어진 풍조. ❏ ~邪气; 〈成〉 비뚤어진 풍조와 좋지 않은 기풍.

W

[歪理] wāilǐ 명 억지 이론. 강변(强辯).
[歪门邪道] wāimén-xiédào 〈成〉 부정한 방법. 잘못된 길. =[邪xié门歪道]
[歪曲] wāiqū 동 왜곡하다. ❏～历史; 역사를 왜곡하다 / ～事实; 사실을 왜곡하다.
[歪歪扭扭] wāiwāiniǔniǔ 형 비뚤비뚤하다. 들쑥날쑥하다.
[歪斜] wāixié 형 기울어지다. 비뚤다. 비스듬하다. ❏房子～得厉害; 집이 심하게 기울어져 있다.

外 wài (외)
① 명 밖. 바깥. 겉. ❏国～; 국외 / 门～; 문밖. ② 형 다른. 딴 《자신이 속한 곳 이외의》. ❏～地; ⇩ ③ 명 외국. ❏对～贸易; 대외 무역. ④ 접두 어머니·딸·자매 쪽의 친척을 나타내는 말. ❏～孙; ⇩ / ～祖父; ⇩ ⑤ 형 친밀하지 않다. 소원하다. 낯설다. ❏见～; 서먹서먹하게 굴다. ⑥ 부 그 외에. 별도로. 그 밖에. ❏～加; ⇩ ⑦ 명 …이외. …외에. …밖에. ❏此～; 이 밖에. ⑧ 형 비정식인. 비정규인. ❏～号(儿); ⇩
[外币] wàibì 명 외국 화폐. 외화.
[外边(儿)] wài·bian(r) 명 ① 밖. 바깥. 바깥쪽. ❏～正在下雨; 밖에 비가 내리고 있다. =[外面(儿)②][外头] ② 외지(外地). 타향. ❏他在～住了好多年; 그는 외지에서 오랫동안 살았다. ③ 표면. 겉. ❏假装～; 겉을 꾸미다.
[外表] wàibiǎo 명 겉. 겉모양. 겉모습.
[外宾] wàibīn 명 외빈. 외국 손님.
[外部] wàibù 명 외부. ① 일정한 범위 밖. ❏～条件; 외부 조건. ② 겉. 표면. ❏～装修; 외부 장식.
[外层空间] wàicéng kōngjiān ⇨[宇宙空间]
[外钞] wàichāo 명 외국 지폐.
[外出] wàichū 동 ① 외출하다. 출타하다. ② 출장 가다.
[外存储器] wàicúnchǔqì 명〔컴〕 외부 기억 장치. =[〈簡〉外存]
[外敌] wàidí 명 외적.
[外地] wàidì 명 외지. 타지. 타향.
[外电] wàidiàn 명 외신(外信).
[外调] wàidiào 동 ① (물자나 인원을) 다른 곳으로 옮기다. 다른 곳으로 전임하다[시키다]. ② (타처로 가서 사건이나 관계자에 대한) 외부 조사를 하다.
[外耳道] wài'ěrdào 명〔生理〕 외이도. 바깥귀길. =[外听道]
[外公] wàigōng 명〈方〉⇨[外祖父]
[外观] wàiguān 명 외관. 외견(外見). 겉모양. 겉보기.
[外国] wàiguó 명 외국. ❏～货; 외국 물건 / ～货币; 외국 화폐 / ～人; 외국인.
[外国语] wàiguóyǔ 명 외국어. =[外语]
[外行] wàiháng 형 서투르다. 생무지이다. 문외한이다. 명 아마추어(amateur). 풋내기. 문외한.
[外号(儿)] wàihào(r) 명 별명.
[外患] wàihuàn 명 외환.
[外汇] wàihuì 명 ① 외국환. 외환. ❏～行情; 환시세 / ～经纪人; 외환 딜러 / ～市场; 외환 시장. ② 외화(外貨).
[外货] wàihuò 명 외국 물건. 외제품.
[外籍] wàijí 명 ① 외지 호적. ② 외국 국적. ❏～工人; 외국인 노동자.
[外加] wàijiā 동 그 외에 더하다. 별도로 추가하다.
[外家] wàijiā 명 ① 외가. ②〈方〉 친정. ③〈書〉 처가.
[外交] wàijiāo 명 외교. ❏～官; 외교관 / ～关系; 외교 관계 / ～使节; 외교 사절 / ～政策; 외교 정책.
[外界] wàijiè 명 외계. 외부. ❏～人士; 외부 인사.
[外景] wàijǐng 명 오픈 세트(open set). 야외 신(scene).
[外科] wàikē 명〔醫〕 외과. ❏～医生; 외과 의사.
[外快] wàikuài 명 임시 소득. 가외 수입. 부수입. =[外水]
[外来] wàilái 형 외부로부터의. 외래의. ❏～语; 외래어.
[外流] wàiliú 동 타지나 외국으로 유출되다. ❏美元～; 달러의 국외 유출.
[外路] wàilù 형 외지에서 들어온. 다른 지방의. ❏～货; 외지 물건 / ～人; 다른 지방 사람.
[外卖] wàimài 동 테이크아웃(take-out)하다. ❏～店; 테이크아웃 전문점. 명 테이크아웃 식품.
[外贸] wàimào 명 ⇨[对外贸易]
[外貌] wàimào 명 외모. 외관. 겉모양.
[外面(儿)] wàimiàn(r) 명 ① 겉모양. 겉치레. 외양. ❏～光; 겉만 번지르르하다. ② ⇨[外边(儿)①]

[外婆] wàipó 명〈方〉⇨[外祖母]
[外强中干] wàiqiáng-zhōnggān 〈成〉 겉은 강해 보이지만 실제로는 텅 비다.
[外侨] wàiqiáo 명 외국 교민.
[外勤] wàiqín 명 ① 외근. ❑ 跑～; 외근을 하다. ② 외근자.
[外人] wàirén 명 ① 남. 타인(他人). ② 외부인. ③ 외국인.
[外伤] wàishāng 명〖醫〗 외상.
[外商] wàishāng 명 외국 상인.
[外甥] wài·sheng 명 ① 생질. 자매의 아들. ②〈方〉⇨[外孙]
[外甥女(儿)] wài·shengnǚ(r) 명 ① 생질녀. =[甥shēng女] ②〈方〉⇨[外孙女(儿)]
[外事] wàishì 명 ① 외교 사무. 외사. ❑ ～办公室; 외사 사무실. ② 바깥 일. 가정 이외의 일.
[外水] wàishuǐ 명 ⇨[外快]
[外孙] wàisūn 명 외손자. =[〈方〉外甥②][〈口〉外孙子]
[外孙女(儿)] wàisūn·nǚ(r) 명 외손녀. =[〈方〉外甥女(儿)②]
[外孙子] wàisūn·zi 명〈口〉⇨[外孙]
[外套(儿)] wàitào(r) 명 ① 외투. ② 코트.
[外听道] wàitīngdào 명 ⇨[外耳道]
[外头] wài·tou 명 ⇨[外边(儿)①]

[外文] wàiwén 명 외국어. 외국어로 쓰여진 글. ❑ ～书店; 외국어 서적을 파는 서점 / ～杂志; 외국어 잡지.
[外务] wàiwù 명 ① 외교 사무. 외무. ② 직무[직권] 외의 일.
[外线] wàixiàn 명 ①〖軍〗 외선. ❑ ～作战; 외선 작전. ② (전화 따위의) 외선.
[外乡] wàixiāng 명 타향. 타지방.
[外向] wàixiàng 형 ① (성격이) 외향적이다. ❑ 性格～; 성격이 외향적이다. ② 대외 지향적이다.
[外销] wàixiāo 동 국외 판매하다.
[外心] wàixīn 명 딴마음. 배심(背心). ❑ 怀有～; 딴마음을 품다.
[外星人] wàixīngrén 명 외계인.
[外形] wàixíng 명 외형.
[外需] wàixū 명 외수.
[外衣] wàiyī 명 ① 겉옷. 외투. ②〈比〉 본질을 숨기는 것. 허울. 탈.
[外因] wàiyīn 명〖哲〗 외인. 외부의 원인. 외적 요인.
[外用] wàiyòng 동〖藥〗 외용하다. ❑ ～药; 외용약.
[外语] wàiyǔ 명 외국어. ❑ ～学院; 외국어 대학. =[外国语]
[外遇] wàiyù 명 외도(外道). 바람.
[外圆内方] wàiyuán-nèifāng 〈成〉 겉으로는 상냥하고 유순하지만 속으로는 엄격하고 단호하다.
[外援] wàiyuán 명 ① 외부 원조. ②〖體〗 용병. 용병 선수.
[外在] wàizài 형 외재하다. ❑ ～的原因; 외재적인 원인.
[外债] wàizhài 명 외채.
[外资] wàizī 명 외자. 외국 자본. ❑ ～企业; 외국 자본 기업.
[外族] wàizú 명 ① 가족 이외의 사람. ② 외국인. ③ 외족. 이민족.
[外祖父] wàizǔfù 명 외조부. 외할아버지. =[〈方〉外公][〈方〉公公③]
[外祖母] wàizǔmǔ 명 외조모. 외할머니. =[〈方〉外婆]

wan ㄨㄢ

弯(彎) wān (만) ① 형 굽다. 구불구불하다. ❑ ～～的小路; 구불구불한 오솔길. ② 동 구부리다. 굽히다. ❑ ～腰; 허리를 굽히다. ③ (～儿) 명 구부러져 있는 부분. 모퉁이. ❑ 拐～; 모퉁이를 돌다.
[弯路] wānlù 명 굽은 길. 우회로. 〈比〉 (일·공부 따위에서) 방법을 몰라 헛되이 고생만 하는 것.
[弯曲] wānqū 형 만곡하다. 굽다. 구불구불하다. 꼬불꼬불하다.
[弯子] wān·zi 명 굽은 곳. 커브(curve). ❑ 转～; 커브를 돌다.

湾(灣) wān (만) ① 명 물굽이. ❑ 河～; 강의 물굽이. ② 명 만. ❑ 海～; 해안의 만. ③ 동 (배를) 정박하다.

剜 wān (완) 동 파다. 캐다. 도려내다. ❑ ～野菜; 산나물을 캐다.
[剜肉医疮] wānròu-yīchuāng 〈成〉 살을 도려내어 상처를 치료하다《눈앞의 일만 생각하여 해로운 방법으로 위급함을 넘기다》. =[剜肉补bǔ疮]

蜿 wān (원) →[蜿蜒]
[蜿蜒] wānyán 형 ① 꿈틀거리며 가는 모양. ② (산·강·길 따위가) 꾸불꾸불 이어진 모양. ❑ ～的小路; 꾸불꾸불 이어진 오솔길.

豌 wān (완)
→[豌豆]

[豌豆] wāndòu 명〔植〕 완두.

丸 wán (환)
①(~儿) 명 작고 둥근 것. ❏ 弹dàn~; 탄알. ②명 환약. ③양 알. 환《환약을 세는 말》. ❏ 一~药; 환약 한 알.

[丸剂] wánjì 명〔藥〕 환제. 환약.

[丸药] wányào 명〔藥〕 환약.

[丸子] wán·zi 명 완자. 경단.

纨(紈) wán (환)
명〈書〉 결이 고운 비단.

[纨绔] wánkù 명〈書〉 고운 비단으로 만든 바지. 〈轉〉 부자의 화려한 복장. 귀족의 자제. ❏ ~子弟; 〈成〉 고생을 모르는 상류 가정의 도련님.

玩 wán (완)
A) (~儿) 동 ① 놀다. 장난치다. ❏ ~儿得很愉快; 매우 신나게 놀다. ② 놀이를 하다. 경기를 하다. 게임을 하다. ❏ ~儿扑克; 포커를 치다. ③(정당하지 못한 수단 따위를) 부리다. 쓰다. 피우다. ❏ ~鬼把戏; 농간을 부리다 / ~手段; 수작을 부리다. **B)** ①동 우습게 알다. 경시하다. 얕보다. ❏ ~法; 법을 우습게 알다. ②동 완상(玩賞)하다. 감상하다. 관상하다. ❏ ~月; 달을 감상하다. ③명 감상의 대상이 되는 것. ❏ 古~; 골동품.

[玩忽] wánhū 동 등한히 하다. 소홀히 하다. ❏ ~职守; 직무를 소홀히 하다.

[玩火] wán//huǒ 동 불장난을 하다. 〈比〉 위험한[나쁜] 짓을 하다. ❏ ~自焚; 〈成〉 불장난을 하여 스스로 타 죽다《자업자득》.

[玩具] wánjù 명 완구. 장난감.

[玩弄] wánnòng 동 ① 가지고 놀다. 만지작거리다. ② 희롱하다. 놀리다. ③(부정한 수단·수법을) 부리다. ❏ ~花招; 술수를 부리다.

[玩儿命] wánr//mìng 동〈口〉 목숨을 내던지는 짓을 하다.

[玩赏] wánshǎng 동 완상하다. 보고 즐기다. 관상(觀賞)하다. ❏ ~山景; 산의 경치를 보고 즐기다.

[玩世不恭] wánshì-bùgōng 〈成〉 세상에 불만을 품고 불성실한 태도를 취하다.

[玩耍] wánshuǎ 동 놀다. 장난치다.

[玩味] wánwèi 동 곰곰이 의미를 생각하다. 잘 음미하다.

[玩物] wánwù 명 완상[감상]을 위하거나 즐거움을 주는 것.

[玩笑] wánxiào 명동 농담(하다). 장난(치다). ❏ 开~; 장난하다. 농담하다.

[玩意儿] wányìr 명〈口〉 ① 장난감. 갖고 노는 것. ② 곡예. 기예. 놀이. ③ 물건. 사물. ‖ =[玩艺儿]

顽(頑) wán (완)
형 ① 어리석다. 미련하다. ❏ 愚~; 우둔하다. ② 완강하다. 완고하다. ❏ ~敌; ⇩ ③ 장난스럽다. 짓궂다. ❏ ~童; ⇩

[顽敌] wándí 명 완강한 적.

[顽固] wángù 형 ① 완고하다. ❏ ~不化; 〈成〉 융통성 없이 완고하다 / 老~; 벽창호. ② 반동적이다. 보수적이다. ❏ ~派; 보수 반동파.

[顽抗] wánkàng 동 완강히 저항하다[버티다].

[顽皮] wánpí 형 장난이 심하다. 개구쟁이다. 짓궂다.

[顽强] wánqiáng 형 완강하다. ❏ ~的斗争; 완강한 투쟁.

[顽童] wántóng 명 개구쟁이. 장난꾸러기.

[顽症] wánzhèng 명 고질병. 난치병.

完 wán (완)
①형 완전하다. 완벽하다. ❏ ~善; ⇩ ②동 다하다. 없어지다. ❏ 咖啡喝~了; 커피를 다 마셨다. ③동 완결하다. 마치다. 끝내다. ❏ 办~手续; 수속을 마치다. ④동 완성하다. ❏ ~工; ⇩ ⑤동 (세금을) 납부하다. ❏ ~税; 세금을 완납하다.

[完败] wánbài 동 완패하다.

[完备] wánbèi 형 완비하다. 모두 갖추다. ❏ 资料~; 자료를 모두 갖추다.

[完毕] wánbì 동 끝내다. 완결하다. 완료하다. ❏ 工作尚未~; 일을 아직 끝내지 못했다.

[完璧归赵] wánbì-guīzhào 〈成〉 원래의 것을 손상 없이 그대로 임자에게 돌려주다.

[完成] wán//chéng 동 완성하다. 완수하다. 마치다. 마무리하다. ❏ ~任务; 임무를 완수하다.

[完蛋] wán//dàn 동〈口〉 실패하다. 끝장나다. 결딴나다. 망하다.

[完稿] wán//gǎo 동 탈고하다.

[完工] wán//gōng 동 일을 끝내다. 완공하다.

[完好] wánhǎo 형 완전하다. 온전하다. ❏ 壁画保存基本~; 벽화의

보존 상태는 대체로 온전하다.
[完婚] wán//hūn 동 (주로, 남자가) 결혼하다.
[完结] wánjié 동 완료하다. 완결하다. 끝나다. 마치다. ❑ 工作还没~; 일이 아직 끝나지 않았다.
[完了] wánliǎo 동 (일이) 끝나다. 완료하다.
[完满] wánmǎn 형 결점이 없다. 원만하다. ❑ ~解决; 원만히 해결되다 / 得到~的结果; 원만한 결과를 얻다.
[完美] wánměi 형 흠잡을 데가 없다. 완벽하다. 완전무결하다. ❑ ~无缺; 〈成〉 완전무결하다.
[完全] wánquán 형 완전하다. ❑ ~犯罪; 완전 범죄. 부 완전히. 전적으로. ❑ 这事~是他闹坏的; 이 일은 전적으로 그가 망친 것이다 / ~相反; 완전히 상반되다.
[完人] wánrén 명 완벽한 사람.
[完善] wánshàn 형 완전하다. 완벽하다. ❑ 这件事处理得很~; 이 사건의 처리는 완벽하다.
[完胜] wánshèng 동 완승하다.
[完事] wán//shì 동 일을 끝내다. 일이 끝나다.
[完整] wánzhěng 형 완전히 갖추다. 온전하다. ❑ 一切工具都~了; 모든 도구가 완전히 갖추어졌다.

W

烷 wán (완)
명〖化〗 메탄계 탄화수소.
[烷烃] wántīng 명〖化〗 알칸(alkane). 메탄계 탄화수소.

宛 wǎn (완)
① 형 굽다. 구부정하다. ② 부 〈書〉 마치. 흡사.
[宛然] wǎnrán 부 마치. 흡사. ❑ ~在目; 마치 눈앞에 있는 것 같다.
[宛如] wǎnrú 동 흡사[마치] …과 같다. ❑ 长江大桥~长虹; 창장 대교는 마치 무지개 같다.
[宛转] wǎnzhuǎn 형 ⇨[婉转]

惋 wǎn (완)
동〈書〉 애석해하다. 한탄하다.
[惋惜] wǎnxī 동 애석해하다. 가엾게 여기다. 안타까워하다.

婉 wǎn (완)
형 ① 완곡하다. 부드럽다. ❑ 委~; 완곡하다. ②〈書〉 유순하다. 온순하다. 부드럽다. ❑ ~顺; 온순하다. ③〈書〉 아름답다.
[婉辞] wǎncí 명 완곡한 말. =[婉词] 동 완곡한 말로 거절하다.
[婉谢] wǎnxiè 동 완곡히 거절하다.
[婉言] wǎnyán 명 에둘러 하는 말. 완곡한 말. 완사. 완언. ❑ ~拒绝; 완곡하게 거절하다.
[婉转] wǎnzhuǎn 형 ① (말이) 부드럽다. 완곡하다. ❑ 措词~; 말의 표현이 완곡하다. ② (소리가) 아름답다. 구성지다. ‖ =[宛转]

碗 wǎn (완)
① 명 공기. 그릇. ❑ 饭~; 밥공기. ② 양 공기. 그릇(공기에 담긴 것을 세는 말). ❑ 一~饭; 밥 한 공기.

莞 wǎn (완)
→[莞尔]
[莞尔] wǎn'ěr 형〈書〉 생긋 웃는 모양.

挽 wǎn (만)
동 ① 당기다. 잡아당기다. 끌다. ❑ ~弓; 활을 당기다. ② 만회하다. 돌이키다. ❑ ~救; ⇓ ③ (옷을) 걷어올리다. ❑ ~起袖子; 소매를 걷다. ④ 죽은 이를 애도[추도]하다. ❑ ~联; ⇓ ⑤ ⇨[绾wǎn]
[挽回] wǎnhuí 동 ① 만회하다. 회복하다. ❑ ~面子; 체면을 회복하다. ② (이권을) 회수하다. 되찾다. ❑ ~权利; 권리를 되찾다.
[挽救] wǎnjiù 동 구제하다. 구하다. ❑ ~灭亡; 멸망에서 구하다.
[挽联] wǎnlián 명 죽은 사람을 애도하는 대련(對聯).
[挽留] wǎnliú 동 만류하다. ❑ 再三~; 거듭 만류하다.

晚 wǎn (만)
① 명 저녁. 밤. ❑ 从早到~; 아침부터 밤까지. ② 형 늦은. 말엽의. ❑ ~稻; 늦벼. ③ 형 (시간이) 늦다. ❑ 他来得太~; 그는 너무 늦게 왔다. ④ 형 (세대 따위가) 늦은. 뒤의. ❑ ~辈; ⇓ ⑤ 명〈書〉 말년. 끝. ❑ 岁~; 연말.
[晚安] wǎn'ān 동〈套〉 안녕(히 주무세요)(밤에 헤어질 때 쓰는 말).
[晚班(儿)] wǎnbān(r) 명 야간 근무.
[晚报] wǎnbào 명 석간신문.
[晚辈] wǎnbèi 명 손아랫사람. 후배(後輩).
[晚餐] wǎncān 명 ⇨[晚饭]
[晚场] wǎnchǎng 명 ⇨[夜场]
[晚车] wǎnchē 명 야간열차. 밤차.
[晚点] wǎn//diǎn 동 (차·배·비행기의 출발·도착이) 늦어지다. ❑ ~四十多分钟; 40여 분이나 늦어지다. =[误点]
[晚饭] wǎnfàn 명 저녁밥. 저녁 식사. =[晚餐]

[晚会] wǎnhuì 명 저녁 모임. 이브닝 파티(evening party).
[晚婚] wǎnhūn 동 늦게 결혼하다. 만혼하다.
[晚间] wǎnjiān 명 ⇨[晚上]
[晚节] wǎnjié 명 만절. 만년(晚年)의 절조(節操).
[晚年] wǎnnián 명 만년. 노년. 늘그막.
[晚娘] wǎnniáng 명〈方〉⇨[继母]
[晚期] wǎnqī 명 만기. 말기(末期). 후기. ❑ 胃癌~; 위암 말기.
[晚秋] wǎnqiū 명 만추. 늦가을.
[晚上] wǎn·shang 명 밤. 저녁때. ❑ ~几点钟睡觉? 밤 몇 시에 주무십니까? =[晚间]
[晚霞] wǎnxiá 명 저녁놀.

绾(綰) wǎn (관)
동 긴 모양의 것을 둥글게 감아 매듭을 짓다. =[挽⑤]

万(萬) wàn (만)
① 수 만. ❑ 两~; 2만. ② 형 매우 많다. ❑ ~国; ⇩ ③ 부 극히. 매우. 결코. 절대. ❑ ~不可言; 절대 말해서는 안 된다.
[万般] wànbān 수량 만반. 모든 일. 온갖 것. ❑ ~变化; 온갖 변화. 부 매우. 전혀. ❑ ~无奈; 〈成〉 전혀 어떻게도 할 수 없다.
[万变不离其宗] wàn biàn bù lí qí zōng 〈成〉 표면적으로는 변화가 많지만 본질적으로는 바뀌지 않다.
[万不得已] wànbùdéyǐ 〈成〉 만부득이하다.
[万代] wàndài 명 ⇨[万世]
[万端] wànduān 형 다방면이다. 여러 가지이다. 갖가지이다. ❑ 变化~; 〈成〉 변화무쌍하다.
[万恶] wàn'è 명 극악. 형 극악하다. ❑ ~的旧社会; 극악한 구사회.
[万分] wànfēn 부 매우. 극히. 극도로. ❑ ~激动; 극도로 흥분하다.
[万古] wàngǔ 명 만고. 천년만대. 영구. 영원. ❑ ~长存; 〈成〉 영원히 남다 / ~长青=[~长春]; 〈成〉 영원히 봄날의 초목처럼 번영하다.
[万国] wànguó 명 만국. 세계 각국. ❑ ~博览会; 만국 박람회.
[万花筒] wànhuātǒng 명 만화경.
[万金油] wànjīnyóu 명 ⇨[清凉油]
[万籁俱寂] wànlài-jùjì 〈成〉 주위가 쥐 죽은 듯 고요하다.
[万里长城] Wàn Lǐ Chángchéng ⇨[长城①]
[万马奔腾] wànmǎ-bēnténg 〈成〉 만마가 내달리다《기운이 왕성하고 의기가 고양되어 있는 모양》.
[万难] wànnán 형 극히 어렵다. ❑ ~从命; 명령에 따르기가 매우 어렵다. 명 많은 곤란[어려움]. 만난. ❑ 排除~; 만난을 제거하다.
[万能] wànnéng 형 만능이다. ① 불가능한 것이 없다. ❑ 金钱~; 황금만능. ② 용도가 매우 다양하다. ❑ ~钥匙; 만능열쇠.
[万千] wànqiān 수 수천수만. ① 수량이 많음을 형용. ❑ ~的老师; 수많은 선생님. ② (추상적 사물이) 다양함을 형용. ❑ 变化~; 변화가 매우 다양하다.
[万全] wànquán 형 만전하다. 조금도 실수가 없다. 완전하다. ❑ ~之策; 〈成〉 만전지책.
[万人] wànrén 명 만인. 만민.
[万世] wànshì 명 만세. 만대. ❑ 千秋~; 〈成〉 천추만대. =[万代]
[万事] wànshì 명 만사. 모든 일. ❑ ~大吉; 〈成〉 만사가 대길하다 / ~亨通; 〈成〉 만사형통하다 / ~如意; 모든 일이 뜻대로 되다.
[万事通] wànshìtōng 명 척척박사. 만물박사. =[百事通]
[万寿无疆] wànshòu-wújiāng 〈成〉 만수무강.
[万水千山] wànshuǐ-qiānshān 〈成〉 수많은 산과 강《노정(路程)이 멀고 험하다》. =[千山万水]
[万死] wànsǐ 동 (과장하는 말로) 만 번 죽다. ❑ ~不辞; 〈成〉 만 번의 죽음도 마다하지 않다《죽음을 각오하고 최선을 다하다》.
[万岁] wànsuì 동 만세《장구(長久)하기를 바라는 축복의 말》. ❑ 韩中友好~! 한중 우호 만세! 명 봉건 시대 황제에 대한 칭호.
[万万] wànwàn 수 만만. 억《수량이 매우 많음을 나타내기도 함》. 부 결코. 절대. 전혀《주로, 부정형으로 쓰임》. ❑ ~不行; 절대 안된다.
[万维网] wànwéiwǎng 명〖컴〗월드 와이드 웹(www). 웹(web).
[万无一失] wànwú-yīshī 〈成〉 만에 하나도 잘못이[실수가] 없다.
[万物] wànwù 명 만물. ❑ ~之灵; 만물의 영장(靈長).
[万象] wànxiàng 명 만상. 온갖 사물. ❑ ~更新; 〈成〉 모든 사물이 면목을 일신하다.
[万幸] wànxìng 형 천만다행하다.
[万一] wànyī 명 ① 일만분의 일.

극히 적은 일부분. ② 만일. ❏准备~; 만일에 대비하다. 접 만에 하나. 만일. ❏~失败, 那怎么办? 만일 실패하면 어쩌지?
[万有引力] wànyǒu yǐnlì 〖物〗 만유인력. ❏~定律; 만유인력의 법칙. =[〈簡〉引力]
[万丈] wànzhàng 수량 만장《매우 높거나 매우 깊은 곳의 형용》. ❏~深渊; 아주 깊은 못.
[万众] wànzhòng 명 대중. 만백성. ❏~一心; 〈成〉 만백성이 마음을 하나로 하다.
[万状] wànzhuàng 형 만상을 나타내다《정도가 심함을 나타냄》. ❏痛苦~; 몹시 고통스럽다.
[万紫千红] wànzǐ-qiānhóng 〈成〉 온갖 꽃이 만발하여 색채가 화려하다《① 사물이 풍부하고 다채롭다. ② 사업이 매우 번창하다》.

腕 wàn (완)
(~儿) 명 손목. 발목. ❏脚~; 발목 / 手~; 손목.
[腕子] wàn·zi 명 손목. 발목.

蔓 wàn (만)
(~儿) 명 (식물의) 덩굴. ❏瓜~; 오이 덩굴. ⇒mán màn

wang ㄨㄤ

W

汪 wāng (왕)
① 형〈書〉 물이 깊고 넓다. ❏~洋; ⇩ ② 동 (액체가) 고이다. ❏路上~了一些水; 길 위에 물이 조금 고였다. ③ (~儿) 양 고인 액체를 세는 말. ❏一~眼泪; 그렁그렁한 눈물. ④ 의 멍멍《개 짖는 소리》.
[汪汪] wāngwāng 형 ① (물이나 눈물이) 그렁그렁한 모양. ②〈書〉 수면이 끝없이 넓은 모양. 의 멍멍《개 짖는 소리》. ❏狗~叫; 개가 멍멍 짖다.
[汪洋] wāngyáng 형 ① 수세(水勢)가 거대한 모양. ②〈書〉 도량이 넓고 큰 모양.

亡 wáng (망)
① 동 달아나다. 도망가다. ❏流~; 도망쳐 떠돌다. ② 동 잃다. ❏~羊补牢; ⇩ ③ 동 죽다. ❏阵~; 전사하다. ④ 형 고인이 된. 죽은. ❏~弟; 죽은 아우. ⑤ 동 멸망하다. ❏~国; ⇩ 「다.
[亡故] wánggù 동 죽다. 돌아가시
[亡国] wáng//guó 동 나라를 망하게 하다. 나라가 망하다. ❏~灭种; 〈成〉 나라를 망치고 민족을 멸망시키다. (wángguó) 명 망국. 멸망한 나라. ❏~奴; 망국민.
[亡灵] wánglíng 명 망령.
[亡命] wángmìng 동 ① 망명하다. ❏~国外; 국외로 망명하다. ② 목숨 아까운 줄 모르다. ❏~之徒; 〈成〉 목숨 아까운 줄 모르고 덤비는 놈.
[亡羊补牢] wángyáng-bǔláo 〈成〉 소 잃고 외양간 고친다.

王 wáng (왕)
① 명 왕. ❏帝~; 제왕. ② 명 우두머리. 두목. ③ 명 무리 중의 으뜸. ❏蜂~; 여왕벌. ④ 형 가장 강한. 으뜸인. ❏~牌; ⇩
[王八] wáng·ba 명 ①〈俗〉 ⇒[鳖biē鱼] ②〈俗〉 ⇒[乌龟①] ③ ⇒[乌龟②]
[王八蛋] wáng·badàn 명〈罵〉 개자식. 개새끼. 쌍놈의 새끼.
[王朝] wángcháo 명 왕조.
[王储] wángchǔ 명 왕세자.
[王道] wángdào 명 왕도.
[王法] wángfǎ 명 ① 왕법. 국법. ② 법률.
[王公] wánggōng 명 왕공. 천자와 제후(諸侯). 〈轉〉 신분이 고귀한 사람. 귀현(貴顯).
[王宫] wánggōng 명 왕궁.
[王冠] wángguān 명 왕관.
[王国] wángguó 명 ① 왕국. ❏瑞典~; 스웨덴 왕국. ②〈比〉 어떤 특색이 있거나 주도적 위치에 있는 것. ❏石油的~; 석유의 왕국.
[王侯] wánghóu 명 왕후. 왕작(王爵)과 후작(侯爵). 귀현(貴顯)의 작위. ❏~将相; 왕후장상.
[王后] wánghòu 명 왕후. 왕비.
[王浆] wángjiāng 명〈簡〉 ⇒[蜂王浆]
[王牌] wángpái 명 (카드놀이의) 으뜸패. 에이스(ace). 〈比〉 가장 유력한 사람. 가장 강력한 수단. 비장의 카드. ❏~军; 정예군.
[王权] wángquán 명 왕권.
[王室] wángshì 명 ① 왕실. 왕의 집안. ② 조정. 국가.
[王孙] wángsūn 명 왕손.
[王位] wángwèi 명 왕위.
[王子] wángzǐ 명 왕자.
[王族] wángzú 명 왕족.

网(網) wǎng (망)
① 명 그물. 망. ❏撒sā~; 그물을 치다 / 鱼~; 어망.

② 명 그물 모양의 것. ❑ 法~; 법망 / 铁丝~; 철조망. ③ 명 그물처럼 교차된 조직이나 시스템. ❑ 通信~; 통신망. ④ 동 그물로 잡다. ❑ ~鸟儿; 새를 그물로 잡다. ⑤ 동 그물처럼 뒤덮다. ❑ 田野~着一层白雾; 들판에 옅은 흰 안개가 끼여 있다.

[网吧] wǎngbā 명〖컴〗 인터넷 카페(internet cafe). PC방.

[网兜(儿)] wǎngdōu(r) 명 그물자루. 망태기.

[网警] wǎngjǐng 명〈簡〉 ⇨[网络警察]

[网罗] wǎngluó 명 고기잡이 그물과 새잡이 그물. 〈比〉 사람을 속박하는 것. ❑ 逃出~; 속박에서 도망치다. 동 망라하다. 널리 모으다. ❑ ~人才; 인재를 널리 모으다.

[网络] wǎngluò 명 ① 그물 모양의 것. ② 네트워크(network). 시스템. ③〖컴〗 인터넷(internet) ❑ ~服务器; 인터넷 서버(server) / ~管理员; 웹마스터(webmaster) / ~游戏; 인터넷 게임.

[网络警察] wǎngluò jǐngchá〖컴〗 사이버 경찰. 사이버 수사대. =[〈簡〉 网警]

[网络银行] wǎngluò yínháng ⇨ [网上银行]

[网民] wǎngmín 명〖컴〗 누리꾼. 네티즌(netizen).

[网球] wǎngqiú 명 ①〖體〗 테니스(tennis). 정구. ❑ 打~; 테니스를 하다. ② 테니스공.

[网上银行] wǎngshàng yínháng 〖컴〗 인터넷 뱅킹(internet banking). =[网络银行]

[网页] wǎngyè 명〖컴〗 웹 페이지. 홈페이지(homepage). ❑ 个人~; 개인 홈페이지.

[网站] wǎngzhàn 명〖컴〗 웹사이트(website).

[网址] wǎngzhǐ 명〖컴〗 웹사이트 주소.

罔 wǎng (망)
동〈書〉 ① 가리다. 속이다. 숨기다. ② …없다[않다]. ❑ 置若~闻; 전혀 귀 기울이지 않다.

惘 wǎng (망)
형 실의하다. 망연하다.

[惘然] wǎngrán 형 망연한 모양. ❑ ~若失; 〈成〉 망연자실하다.

往 wǎng (왕)
① 동 가다. ❑ ~来; ⇩ ② 동 …로 향해 가다. …로 향하다. ❑ 你~东, 我~南; 너는 동쪽으로 가고 나는 남쪽으로 가자. ③ 형 과거의. 이전의. ❑ ~事; ⇩ ④ 개 …(쪽)으로. …을 향해. ❑ ~后靠; 뒤로 기대다 / ~前走; 앞으로 걸어가다.

[往常] wǎngcháng 명 (과거의) 평소. 평상시. ❑ 今天比~回来得晚; 오늘은 평소보다 늦게 돌아왔다.

[往返] wǎngfǎn 동 왔다갔다 하다. 왕복하다. ❑ ~票; 왕복표.

[往复] wǎngfù 동 ① 왕복하다. 되풀이하다. ❑ ~运动; 왕복 운동. ② 왕래하다.

[往后] wǎnghòu 명 금후. 이후. 앞으로. ❑ ~可得děi小心; 앞으로는 조심해야 한다.

[往还] wǎnghuán 동 왕래하다. ❑ 书信~; 서신을 왕래하다.

[往来] wǎnglái 동 ① 오가다. 왕래하다. ❑ 这条大街~的行人很多; 이 거리는 오가는 행인이 매우 많다. ② 교제하다. 왕래하다. ❑ 我跟他没有~; 나는 그와 왕래가 없다.

[往年] wǎngnián 명 왕년. 이전.

[往日] wǎngrì 명 이전. 지난날.

[往事] wǎngshì 명 지난 일. 옛일.

[往往] wǎngwǎng 부 왕왕. 자주. 종종. 곧잘. ❑ ~发生这种情况; 자주 이런 상황이 발생한다.

[往昔] wǎngxī 명 옛날. 이전.

枉 wǎng (왕)
① 형 굽다. 비뚤다. 〈比〉 틀리다. 잘못되다. ❑ 矫~过正; 〈成〉 잘못을 고치려다 오히려 더 나빠지다. ② 동 왜곡하다. ❑ ~法; ⇩ ③ 형 억울하다. ❑ ~死; 억울하게 죽다 ④ 부 헛되이. ❑ ~费; ⇩

[枉法] wǎngfǎ 동 법을 왜곡하다[어기다]. ❑ 贪赃~; 뇌물을 탐하여 법을 어기다.

[枉费] wǎngfèi 동 헛되이 쓰다. 허비하다. ❑ ~心机; 〈成〉 쓸데없이 애쓰다. 헛수고하다.

[枉驾] wǎngjià 동〈書〉〈敬〉 이쪽으로 왕림하여 주시다.

[枉然] wǎngrán 형 소용없다. 헛일이다. 헛수고이다. ❑ 政策再好, 不能执行也是~; 정책이 아무리 좋아도 집행할 수 없다면 헛일이다.

旺 wàng (왕)
형 성하다. 왕성하다. 한창이다. ❑ 火很~; 불이 활활 타오르다 / 血气~; 혈기가 왕성하다.

[旺季] wàngjì 명 한창 나도는 철.

성수기. 최성기(最盛期). ❏ 捕鱼~; 고기잡이의 최성기.
[旺盛] wàngshèng 형 왕성하다. 성하다. ❏ 精力~; 정력이 왕성하다.
[旺月] wàngyuè 명 수익이 많은 달. 장사가 잘 되는 달.

望 wàng (망)
① 동 (멀리) 바라보다. 보다. ❏ 他~着对岸; 그는 맞은편 기슭을 바라보고 있다. ② 동 방문하다. 찾아뵙다. ❏ 看~; 찾아뵙다. ③ 동 바라다. 희망하다. ❏ ~回信; 회신을 바라다. ④ 명 명망(名望). ⑤ 개 …을 향해. …에게. ❏ ~他笑了笑; 그를 향해 웃었다. ⑥ 명 음력 보름. 보름날. ❏ ~月; ⇩
[望尘莫及] wàngchén-mòjí 〈成〉 앞사람이 일으키는 먼지만 바라볼 뿐 따라잡지 못하다《많이 뒤떨어져 따라가지 못하다》.
[望穿秋水] wàngchuān-qiūshuǐ 〈成〉 눈이 빠지게 기다리는 모양.
[望而生畏] wàng'érshēngwèi 〈成〉 바라만 보아도 두렵다.
[望风] wàng//fēng 동 동정을 살피다. 형세를 보다. ❏ ~披靡; 〈成〉 상대의 왕성한 기세를 보고 전의(戰意)를 잃은 채 뿔뿔이 흩어지다.
[望楼] wànglóu 명 망루.
[望梅止渴] wàngméi-zhǐkě 〈成〉 매실을 보고 갈증을 해소하다《공상을 하며 스스로를 위로하다》.
[望日] wàngrì 명 음력 보름.
[望眼欲穿] wàngyǎn-yùchuān 〈成〉 간절히 바라는 모양.
[望洋兴叹] wàngyáng-xīngtàn 〈成〉 능력 부족을 느끼고 개탄하다.
[望远镜] wàngyuǎnjìng 명 망원경.
[望月] wàngyuè 명 보름달. =[满月]
[望子成龙] wàngzǐ-chénglóng 〈成〉 자식이 훌륭한 인물이 되기를 바라다.
[望族] wàngzú 명 명문 귀족.

妄 wàng (망)
① 형 망령되다. 터무니없다. ❏ ~人; 무지하고 행동을 함부로 하는 사람. ② 부 함부로. 마구. 멋대로. ❏ ~下判断; 함부로 판단하다.
[妄动] wàngdòng 동 망동하다. 경솔하게 행동하다. ❏ 轻举~; 〈成〉 경거망동하다.
[妄念] wàngniàn 명 망념. 망상.
[妄求] wàngqiú 동 터무니없는 요구를 하다. 무리하게 구하다.
[妄图] wàngtú 동 무모하게 꾀하다. ❏ ~夺权; 무모하게 탈권(奪權)을 꾀하다.
[妄想] wàngxiǎng 명동 망상(하다).
[妄言] wàngyán 명동 망언(하다).
[妄语] wàngyǔ 동 거짓말하다. 헛소리하다. 명 망언.
[妄自菲薄] wàngzì-fěibó 〈成〉 지나치게 자신을 낮추다.
[妄自尊大] wàngzì-zūndà 〈成〉 무턱대고 잘난 체하다.

忘 wàng (망)
동 잊다. 깜빡하다. 잊어버리다. ❏ 千万别~了; 절대 잊지 마라.
[忘本] wàng//běn 동 근본을 잊다. 옛 처지를 잊다.
[忘掉] wàng//diào 동 잊어버리다. ❏ 把密码~了; 암호를 잊어버렸다.
[忘恩负义] wàng'ēn-fùyì 〈成〉 배은망덕하다.
[忘乎所以] wànghūsuǒyǐ 〈成〉 (지나치게 흥분하거나 우쭐해서) 모든 것을 잊어버리다. =[忘其所以]
[忘怀] wànghuái 동 잊다. ❏ 难以~的场面; 잊을 수 없는 장면.
[忘记] wàngjì 동 ① 잊다. 잊어버리다. ❏ 我没有一天~过他; 나는 하루도 그를 잊어 본 적이 없다. ② (해야 할 일을) 잊어버리다. 깜빡하다. ❏ 我~了锁门; 나는 문단속을 깜빡했다.
[忘年交] wàngniánjiāo 명 나이의 차이를 초월해서 사귀는 친구.
[忘情] wàngqíng 동 감정을 잊다[버리다]. 감정에 사로잡히지 않다《주로, 부정형으로 쓰임》. ❏ 难以~; 정을 버릴 수가 없다.
[忘却] wàngquè 동 망각하다. 잊다. ❏ 这些事, 我全都~了; 이 일들을 나는 모두 잊었다.
[忘我] wàngwǒ 동 자신을 잊다. 개인을 희생하다.
[忘形] wàngxíng 동 (우쭐하거나 기뻐서) 예의를 잊다. 체면을 잊다. ❏ 得意~; 〈成〉 뜻을 이뤄 기쁜 나머지 체면도 잊다.

wei ㄨㄟ

危 wēi (위)
① 형 위험하다. 위태롭다. ❏ ~险; ⇩ ② 동 위험하게 하다. 위태롭게 하다. ❏ ~及; ⇩ ③ 형 죽음에 직면하다. 위독하다. ❏ 病~;

W

병이 위독하다. ④ 형〈書〉 높다. 높이 솟다. ❏ ~楼; 높은 누각. ⑤ 형〈書〉 단정하다. ❏ 正襟~坐; 〈成〉 옷깃을 여미고 단좌하다.

[危殆] wēidài 형〈書〉 (형세나 생명이) 위태롭다. 위험하다. 위급하다. ❏ 情况~; 상황이 위급하다.

[危害] wēihài 동 위해를 가하다. 해치다. ❏ ~人民的安全; 국민의 안전을 해치다 / ~性; 위해성.

[危机] wēijī 명 ① 위험의 원인[요소]. ❏ ~四伏; 〈成〉 위험 요소가 도처에 숨어 있다. ② 위기. ❏ 面临~; 위기에 직면하다 / 经济~; 경제 위기.

[危及] wēijí 동 위험이 …에 미치다. …까지 위협하다. ❏ 他们的活动将会~国家安全; 그들의 활동은 국가 안전까지 위협할 수도 있다.

[危急] wēijí 형 위급하다. 급박하다. ❏ 情况~; 상황이 위급하다.

[危局] wēijú 명 위험한 국면.

[危难] wēinàn 명 위난. 위험과 재난. ❏ 民族的~; 민족의 위난.

[危如累卵] wēirúlěiluǎn 〈成〉 쌓아올린 계란처럼 형세가 위태롭다.

[危亡] wēiwáng 동 (국가·민족이) 멸망의 위기에 직면하다.

[危险] wēixiǎn 명형 위험(하다). ❏ ~标志; 위험 표지 / ~区; 위험 구역 / ~信号; 위험 신호.

[危言耸听] wēiyán-sǒngtīng 〈成〉 일부러 남이 놀랄 만한 말을 하다.

[危在旦夕] wēizàidànxī 〈成〉 위험이 눈앞에 다가와 있다.

[危重] wēizhòng 형 (병세가) 위중하다. ❏ ~病人; 중환자.

逶 wēi (위)
→[逶迤]

[逶迤] wēiyí 형〈書〉 구불구불 길게 이어지는 모양. ❏ 山路~; 산길이 구불구불 이어져 있다.

巍 wēi (외)
형 높고 큰 모양.

[巍峨] wēi'é 형 (산이나 건물이) 높고 큰 모양. ❏ ~的山岭; 우뚝 치솟은 산봉우리.

[巍然] wēirán 형 (산이나 건물이) 우뚝 치솟은 모양. 웅대한 모양.

[巍巍] wēiwēi 형 크고 높게 솟아 있는 모양. ❏ ~高楼大厦; 크고 높게 솟아 있는 고층 건물.

威 wēi (위)
① 명 위력. 위세. ❏ 助~; 응원하다. ② 동 위협하다. ❏ ~逼; ⇓

[威逼] wēibī 동 핍박하다. 협박하다. 위협하다. ❏ ~利诱; 〈成〉 을렀다 달랬다 하다. =[威迫]

[威风] wēifēng 명형 위풍(이 있다). ❏ ~凛凛; 〈成〉 위풍당당하다.

[威吓] wēihè 동 위협하다. 으르다. ❏ 用手抢~; 권총으로 위협하다.

[威力] wēilì 명 위력. ❏ 炮火的~; 포화의 위력.

[威名] wēimíng 명 위명. 위엄과 명성.

[威尼斯] Wēinísī 명〔地〕〈音〉 베니스(Venice).

[威迫] wēipò 동 ⇨[威逼bī]

[威慑] wēishè 동 무력으로 위협하다.

[威势] wēishì 명 ① 위세. ② 위력과 권세.

[威士忌] wēishìjì 명〈音〉 위스키(whisky).

[威望] wēiwàng 명 위세와 명망. 위신. ❏ 保持~; 위신을 지키다.

[威武] wēiwǔ 명 권세와 무력. ❏ ~不屈; 〈成〉 권세와 무력에도 굴하지 않다. 형 위풍당당하다. 위엄 있고 씩씩하다.

[威胁] wēixié 동 위협하다. ❏ 环境污染~着人类的健康; 환경 오염이 인류의 건강을 위협하고 있다.

[威信] wēixìn 명 위신. 신망. ❏ ~扫地; 〈成〉 위신이 땅에 떨어지다.

[威严] wēiyán 형 위엄 있다. ❏ ~的神色; 위엄 있는 표정. 명 위엄.

偎 wēi (외)
동 친근하게 붙어 있다. 꼭 달라붙다.

[偎依] wēiyī 동 다정하게 붙어 있다. 가까이 기대다. ❏ 母女互相~着; 모녀가 서로 꼭 붙어 있다.

煨 wēi (외)
동 ① 뭉근한 불에 익히다. 약한 불에서 고다. ❏ ~鸡; 뭉근한 불에 닭을 삶다. ② (잿불에) 굽다. ❏ ~白薯; 고구마를 잿불에 굽다.

微 wēi (미)
① 형 작다. 미세하다. ❏ ~风; ⇓ ② 양〔度〕 마이크로(micro). ③ 동 쇠하다. 쇠락하다. ❏ 衰~; 쇠미하다. ④ 형 깊고 오묘하다. ❏ ~妙; ⇓ ⑤ 부 조금. 약간. 다소. ❏ 面色~红; 얼굴색이 약간 붉다.

[微波] wēi'bō 명〔物〕 마이크로웨이브(microwave). 마이크로파. ❏ ~炉; 전자레인지.

[微薄] wēibó 형 매우 적다. 얼마

안 되다. ❑～的心意; 얼마 안 되는 성의.
[微不足道] wēibùzúdào 〈成〉 하찮아서 문제삼을 것이 못 되다.
[微分] wēifēn 명〖數〗미분.
[微风] wēifēng 명 ① 미풍. ②〖氣〗산들바람.
[微观] wēiguān 형〖物〗미시적(微視的)인. ❑～经济学; 미시 경제학 / ～世界; 미시적 세계.
[微乎其微] wēihūqíwēi 〈成〉 보잘것없이 적다[작다]. 미미하다.
[微贱] wēijiàn 형 미천하다. ❑出身～; 출신이 미천하다.
[微粒] wēilì 명〖物〗미립자.
[微量] wēiliàng 형 미량의. 극소량의. ❑～元素;〖化〗미량 원소.
[微妙] wēimiào 형 미묘하다. ❑～的关系; 미묘한 관계.
[微末] wēimò 형 작다. 사소하다. 중요하지 않다. ❑～的成果; 사소한 성과.
[微软公司] Wēiruǎn Gōngsī 마이크로소프트사(Microsoft社).
[微弱] wēiruò 형 ① 미약하다. ❑气息～; 호흡이 미약하다. ② 쇠약하다. 허약하다.
[微生物] wēishēngwù 명 미생물.
[微微] wēiwēi 부 살짝. 조금. 약간. ❑他～地笑了一笑; 그가 살짝 웃었다. 형 미세하다. 미미하다. ❑～的亮光; 미세한 빛.

[微细] wēixì 형 미세하다. ❑～的血管; 미세한 혈관.
[微小] wēixiǎo 형 미소하다. 미세하다. ❑～的变化; 미세한 변화.
[微笑] wēixiào 명동 미소(짓다).
[微型] wēixíng 형 미니(mini)의. 소형의. ❑～汽车; 미니카(minicar) / ～小说; 콩트(프 conte).
[微型(电子)计算机] wēixíng (diànzǐ) jìsuànjī 〖컴〗마이크로컴퓨터(microcomputer).

薇 wēi (미)
→[蔷薇]

为(爲) wéi (위)
① 동 하다. 행하다. ❑尽力而～; 있는 힘을 다해 행하다. ② 동 …로 하다. …로 삼다. ❑以他～榜样; 그를 모범으로 삼다. ③ 동 …이 되다. …으로 변하다. ❑转危～安; 〈成〉 위험한 상태에서 안전한 상태로 바뀌다. ④ 동 …이다. ❑学习期限～两年; 학습 기한은 2년이다. ⑤ 개 …에 의해 …되다. …에게 …받다(《주로, '～…所…'의 형식으로 쓰임》). ❑不要～他的甜言蜜语所迷惑; 그의 감언이설에 넘어가지 마라. ⑥ 접미 일부 단음절 형용사 뒤에 붙어 정도·범위를 나타내는 부사를 구성함. ❑大～高兴; 크게 기뻐하다. ⑦ 접미 정도를 나타내는 단음절 부사 뒤에 쓰여 어기를 강하게 함. ❑最～华丽; 가장 화려하다. ⇒wèi
[为非作歹] wéifēi-zuòdǎi 〈成〉 온갖 못된 짓을 다 하다.
[为难] wéinán 형 난처하다. 곤란하다. ❑～的事; 곤란한 일. 동 난처하게 하다. 괴롭히다. ❑不要再～他了; 다시는 그를 괴롭히지 마라.
[为期] wéiqī 동 …을 기한으로 하다. ❑～三个月; 3개월을 기한으로 하다.
[为人] wéirén 명 사람됨. 됨됨이. ❑～公正; 사람됨이 공정하다.
[为生] wéishēng 동 생계를 꾸리다. ❑捕鱼～; 고기잡이로 먹고 살다.
[为首] wéishǒu 동 (…을) 리더[필두]로 하다. ❑我们组成了以他～的代表团; 우리는 그를 리더로 하여 대표단을 조직했다.
[为所欲为] wéisuǒyùwéi 〈成〉〈貶〉 하고 싶은 대로 하다.
[为伍] wéiwǔ 동 동료[동반자]가 되다. 동료[동반자]로 삼다.
[为止] wéizhǐ 동 …에서 그만하다. …까지만 하다. ❑这次商品展销会到今天～; 이번 상품 전람회는 오늘로 끝이다.

韦(韋) wéi (위)
명〈書〉 무두질한 가죽.

违(違) wéi (위)
동 ① 지키지 않다. 어기다. 위반하다. ❑～令; 명령을 어기다. ② 이별하다. 만나지 못하다. ❑久～; 오래간만입니다.
[违拗] wéi'ào 동 (윗사람의 생각에 일부러) 거스르다. 따르지 않다.
[违背] wéibèi 동 위배하다. 위반하다. 어기다. ❑～法律; 법률을 위반하다 / ～诺言; 약속을 어기다.
[违法] wéi//fǎ 동 위법하다. 법을 어기다.
[违反] wéifǎn 동 (규칙·법규 따위에) 위배되다. 저촉되다. ❑～原则; 원칙에 위배되다.
[违犯] wéifàn 동 (법률·규칙 따위를) 위반하다. 범하다. ❑～法律; 법률을 위반하다.

[违规] wéi∥guī 동 규정을 어기다.
[违禁] wéijìn 동 금령(禁令)을 위반하다. ❑～品; 금지품.
[违抗] wéikàng 동 거스르다. 거역하다. ❑～命令; 명령을 거역하다.
[违误] wéiwù 동〈公〉 명령을 좇지 않고 공무(公務)를 지체시키다.
[违宪] wéixiàn 동〖法〗 위헌하다.
[违心] wéixīn 동 본심이 아니다. ❑～的话; 본심이 아닌 말.
[违约] wéi∥yuē 동 위약하다. ❑～金; 위약금.

围(圍) **wéi** (위) ① 동 둘러싸다. 에워싸다. 포위하다. 두르다. ❑～着他转; 그를 에워싸고 돌다. ② 명 둘레. 주위. ❑四～; 주위. ③ 명 에워싼 길이. 둘레. ❑腰～; 허리둘레. ④ 양 뼘《양손의 엄지와 집게손가락을 편 길이》. ❑腰大十～; 허리둘레가 열 뼘은 된다. ⑤ 양 아름《두 팔로 안은 만큼》. ❑树干有四～粗; 나무 둘레가 네 아름은 된다.
[围脖儿] wéibór 명〈方〉 ⇨[围巾]
[围攻] wéigōng 동 ①〖軍〗 포위 공격 하다. ②〈轉〉 집중 공격 하다. 집중 비난 하다.
[围歼] wéijiān 동 포위하여 섬멸하다.
[围剿] wéijiǎo 동 포위하여 토벌하다.
[围巾] wéijīn 명 목도리. 스카프(scarf). ❑围～; 목도리를 두르다. =[〈方〉 围脖儿]
[围困] wéikùn 동 겹겹이 포위하여 곤경에 빠뜨리다.
[围拢] wéilǒng 동 주위에서 모여들다. ❑车站已经～了大堆人群; 정거장에 이미 수많은 사람들이 모여들었다.
[围棋] wéiqí 명 바둑. ❑下～; 바둑을 두다.
[围墙] wéiqiáng 명 (집·정원·마당 따위의) 둘러친 담.
[围裙] wéi·qún 명 앞치마.
[围绕] wéirào 동 ① 둘러싸고 돌다. 둘러싸다. ❑地球～着太阳旋转; 지구는 태양의 둘레를 돈다. ② (어떤 문제나 일을) 둘러싸다. 중심에 놓다. ❑～节约问题展开讨论; 절약 문제를 놓고 토론을 벌이다.
[围子] wéi·zi 명 ① 마을 주변을 둘러친 담. 울타리. =[圩子②] ② ⇨[圩] ③ ⇨[帷子]
[围嘴儿] wéizuǐr 명 턱받이.

圩 **wéi** (우) 명 낮은 땅 주위의 둑. 저습지 주위의 제방. ❑盐～; 염전의 둑. =[圩子①][围子②]
[圩田] wéitián 명 둑으로 둘러싼 논.
[圩子] wéi·zi 명 ① ⇨[圩] ② ⇨[围子①]

桅 **wéi** (외) 명 돛대. 마스트(mast).
[桅灯] wéidēng 명 ① 돛대 위의 신호용 등. ② ⇨[马灯]
[桅杆] wéigān 명 돛대. 마스트.

唯 **wéi** (유) A) 부 ① 오직. 유일하게. ❑～一无二; 유일무이하다. ② 다만. 단지. 그저. ❑他品学兼优, ～身体稍差; 그는 품행과 학문은 모두 훌륭한데, 다만 몸이 좀 안 좋다. ‖ =[惟A)] B) 감〈書〉 예. 네《대답할 때 쓰는 말》.
[唯独] wéidú 부 유독. 오직. ❑人家都睡了, ～他还在工作; 사람들은 모두 잠들었으나 유독 그만 아직도 일하고 있다. =[惟独]
[唯恐] wéikǒng 동 다만 …만이 걱정이다. 오직 …을 두려워하다. ❑～落后; 낙후되지나 않을까 그것만이 걱정이다. =[惟恐]
[唯利是图] wéilìshìtú 〈成〉 오직 이익만을 탐할 뿐 다른 어떤 것에도 관심을 두지 않다. =[惟利是图]
[唯美主义] wéiměi zhǔyì 유미주의. 탐미주의.

[唯命是听] wéimìngshìtīng 〈成〉 시키는 대로 무조건 복종하다. =[惟命是听][唯命是从]
[唯唯诺诺] wéiwéinuònuò[〈舊〉 wěiwěinuònuò] 형 순종하다. 복종하다.
[唯我独尊] wéiwǒ-dúzūn 〈成〉 유아독존. =[惟我独尊]
[唯物辨证法] wéiwù biànzhèngfǎ 〖哲〗 유물 변증법.
[唯物主义] wéiwù zhǔyì 〖哲〗 유물론. 유물주의. =[唯物论lùn]
[唯心主义] wéixīn zhǔyì 〖哲〗 유심론. 관념론. =[唯心论lùn]
[唯一] wéiyī 형 유일하다. ❑～的办法; 유일한 방법. =[惟一]
[唯有] wéiyǒu 부 단지. 다만. 오직. 유독. 접 …여만. …해야만. ❑～努力学习, 才能取得好成绩; 열심히 공부하여야만 좋은 성적을 얻을 수 있다. ‖ =[惟有]

惟 **wéi** (유) A) 부 ⇨[唯A)] B) 동 생각하다. 사유하다. ❑思～; 사유하다.

＝[维③]
[惟独] wéidú 부 ⇨[唯独]
[惟恐] wéikǒng 동 ⇨[唯恐]
[惟利是图] wéilìshìtú 〈成〉 ⇨[唯利是图]
[惟妙惟肖] wéimiào-wéixiào 〈成〉 묘사나 모방이 핍진해 있는 모양.
[惟命是听] wéimìngshìtīng 〈成〉 ⇨[唯命是听]
[惟我独尊] wéiwǒdúzūn 〈成〉 ⇨[唯我独尊]
[惟一] wéiyī 형 ⇨[唯一]
[惟有] wéiyǒu 부접 ＝[唯有]

帷 wéi (유)
명 (둘러치는) 막(幕). 장막.
[帷幕] wéimù 명 만막(幔幕). 당겨 여닫는 막.
[帷幄] wéiwò 명〈書〉 군막.
[帷子] wéi·zi 명 커튼. 장막. ＝[围子③]

维(維) wéi (유)
① 동 연결하다. 잇다. ❏～系; ⇩ ② 동 유지하다. 보전하다. ❏～秩序; 질서를 유지하다. ③ 동 ⇨[惟B)] ④ 명〖數〗 차원. ❏四～; 4차원. ＝[维度]
[维持] wéichí 동 ① 유지하다. ❏～现状; 현상을 유지하다 / ～治安; 치안을 유지하다. ② 지지하다. 보호하다. 돕다. ❏亏他暗中～, 才得以平安无事; 그가 몰래 도와준 덕분에 아무 일도 없을 수 있었다.

[维度] wéidù 명 ⇨[维④]
[维护] wéihù 동 지키다. 유지 보호하다. ❏～和平; 평화를 지키다.
[维纶] wéilún 명〖紡〗〈音〉 비닐론(vinylon). ＝[维尼纶][维尼龙]
[维生素] wéishēngsù 명〖化〗 비타민(vitamin). ＝[〈音〉 维他命]
[维吾尔族] Wéiwú'ěrzú 명〖民〗 위구르 족(Uighur族)《중국 소수 민족의 하나》. ＝[〈簡〉 维族]
[维系] wéixì 동 유지하고 연계하다.
[维新] wéixīn 동 (정치를) 유신하다.
[维修] wéixiū 동 유지 보수하다. 정비하다. 수리하다. ❏～汽车; 자동차를 정비하다.

喂 wéi (외)
감 여보세요《주로, 전화상에서 쓰는 말》. ❏～, 你找谁? 여보세요, 누구 찾으십니까? ⇒wèi

伪(僞) wěi (위)
형 ① 거짓의. 가짜의. 허위의. ❏去～存真; 거짓을 없애고 진실을 남기다. ② 비합법의. 괴뢰의. ❏～政权; 괴뢰 정권 / ～组织; 불법 조직.
[伪钞] wěichāo 명 ⇨[假jiǎ钞]
[伪君子] wěijūnzǐ 명 위군자.
[伪善] wěishàn 형 위선적이다. ❏～行为; 위선 행위 / ～者; 위선자.
[伪托] wěituō 동 (저술·제조 따위에서) 남의 명의를 사칭하다.
[伪造] wěizào 동 ① 위조하다. 날조하다. ❏～证件; 증거 서류를 위조하다. ② 조작하다. ‖ ＝[假造]
[伪装] wěizhuāng 동 ① 가장하다. 그런 척하다. ❏～生病; 병이 난 척하다. ②〖軍〗 위장하다. 명 ① 위장. 가면. ❏剥去～; 가면을 벗기다. ② 위장에 쓰는 물건.

伟(偉) wěi (위)
형 크다. 위대하다.
[伟大] wěidà 형 위대하다. ❏～的科学家; 위대한 과학자.
[伟哥] wěigē 명〖藥〗 비아그라(viagra)《발기 부전 치료제》.
[伟绩] wěijì 명 위대한 공적[업적].
[伟人] wěirén 명 위인.
[伟业] wěiyè 명 위업.

苇(葦) wěi (위)
명〖植〗 갈대.
[苇箔] wěibó 명 갈대발.
[苇席] wěixí 명 삿자리.
[苇子] wěi·zi 명 ⇨[芦lú苇]

纬(緯) wěi (위)
명 ①〖紡〗 씨실. ②〖地理〗 위도. ❏北～; 북위.
[纬度] wěidù 명〖地理〗 위도.
[纬线] wěixiàn 명 ①〖紡〗 씨실. ②〖地理〗 위선.

尾 wěi (미)
① 명 꼬리. ② 명 물체의 끝부분. ❏彗～; 혜성의 꼬리. ③ 명 끝. 말단. 말미. ❏从头到～; 처음부터 끝까지. ④ 명 주요 부분 이외의 부분. 아직 마무리가 안 된 일. ❏～数; ⇩ ⑤ 양 마리《물고기를 세는 말》. ❏一～鱼; 물고기 한 마리. ⇒yǐ
[尾巴] wěi·ba 명 ① 꼬리. 꽁지. ❏摇～; 꼬리를 흔들다. ② 꼬리 부분. 끝 부분. ❏飞机～; 비행기의 꼬리. ③ 뒤에 남는 부분. ❏不留～; 뒤에 문제를 남기지 않다. ④ 주견 없는 사람. 부화뇌동하는 사람.
[尾大不掉] wěidà-bùdiào 〈成〉 꼬리가 너무 커서 흔들 수 없다《① 기구의 하부가 강하고 상부가 약하다. ② 조직이 방대하고 해이해져서 지휘가 잘 되지 않다》.

[尾灯] wěidēng 명 미등.
[尾骨] wěigǔ 명〔生理〕꼬리뼈.
[尾鳍] wěiqí 명〔魚〕꼬리지느러미.
[尾声] wěishēng 명 ①〔樂〕코다(coda). ②(문학 작품의) 결말 부분. 에필로그(epilogue). ③〈轉〉마지막[막판] 단계.
[尾数] wěishù 명 ①〔數〕소수점 이하의 수. ②(장부 결산시의) 끝수. 우수리. ③끝자리수.
[尾随] wěisuí 동 뒤에 따르다. 꽁무니를 따라가다. ❏他~在我的后面; 그는 내 뒤를 따라다닌다.

娓 wěi (미) →[娓娓]

[娓娓] wěiwěi 형 흥미진진하다. 싫증나지 않다. ❏~动听; 〈成〉흥미진진하여 들을 만하다.

委 wěi (위) ①동 (일을) 위탁하다. 맡기다. ❏~托; ⇓ ②동 버리다. 포기하다. ❏~弃; 저버리다. ③동 전가시키다. 떠넘기다. ❏~罪; ⇓ ④명 위원. 위원회. ❏常~; 상임 위원회. ⑤형 구부러지다. 우회하다. ❏~曲; ⇓ ⑥명〈書〉물이 모이는 곳. 〈轉〉끝. 말미. ❏原~; 본말. 경위. ⑦동 기운이 없다. 풀이 죽다. 쇠하다. ❏~顿; 기운이 없다. ⑧부〈書〉확실히. 틀림없이. ❏~实; ⇓

[委过] wěiguò 동 ⇨[诿过]
[委靡] wěimǐ 형 ⇨[萎靡]
[委派] wěipài 동 (임무·직무 따위를) 파견하여 맡기다. 위임하여 파견하다.
[委曲] wěiqū 형 (곡조·길·하천 따위가) 구불구불하다. ❏山路~; 산길이 구불구불하다. 명〈書〉복잡한 곡절. 자세한 사정. 자초지종. ❏告知~; 자초지종을 알리다.
[委曲求全] wěiqū-qiúquán 〈成〉일을 이루기 위해 유연한 태도를 취하다.
[委屈] wěi·qu 형 억울하다. 속상하다. 섭섭하다. 동 부당하게 대하다. 억울하게 하다. 섭섭하게 하다.
[委任] wěirèn 동 위임하다. ❏~状; 위임장.
[委实] wěishí 부 정말로. 확실히. ❏~记不起了; 정말로 기억이 나지 않는다.
[委琐] wěisuǒ 형〈書〉①작은 일에 구애되다. ②⇨[猥琐]
[委托] wěituō 동 위탁하다. 부탁하다. ❏这件事就~你了; 이 일은 너에게 부탁하마.
[委婉] wěiwǎn 형 ①(말이) 완곡하다. ❏语气~; 어기가 완곡하다. ②(노랫소리 따위가) 높낮이가 있고 아름답다. ❏~动听; 〈成〉소리가 아름답고 듣기 좋다. ‖ =[委宛]
[委员] wěiyuán 명 위원. ❏~会; 위원회 / 审查~; 심사 위원.
[委罪] wěizuì 동 ⇨[诿罪]

诿(諉) wěi (위) 동 전가하다. 떠넘기다.

[诿过] wěiguò 동 잘못을 떠넘기다. =[委过]
[诿罪] wěizuì 동 죄를 뒤집어씌우다. 죄명을 전가시키다. =[委罪]

萎 wěi (위) 동 ①(초목 따위가) 시들다. 마르다. ❏叶子~了; 잎이 시들었다. ②[〈口〉wēi] 쇠락하다. 쇠퇴하다. ❏买卖~了; 장사가 부진해졌다.

[萎靡] wěimǐ 형 기운이 없다. 풀이 죽다. 의기소침하다. ❏~不振; 〈成〉의기소침하고 힘이 없다. =[委靡]
[萎缩] wěisuō 동 ①(식물·신체 기관 따위가) 위축하다. 시들어 오그라들다. ❏肌肉~; 근육이 위축되다. ②(경제가) 부진하다. 활기를 잃다. ❏市场~; 시장이 활기를 잃다.
[萎谢] wěixiè 동 (화초가) 지다. 시들어 떨어지다. ❏百花~; 온갖 꽃들이 지다.

痿 wěi (위) 명〔中醫〕몸의 어떤 부분이 위축되거나 기능을 잃는 것.

猥 wěi (외) 형 ①〈書〉많다. 잡다하다. ②저질이다. 야비하다. 상스럽다.

[猥琐] wěisuǒ 형 (용모·언행이) 좀스럽다. 옹졸하다. =[〈書〉委琐②]
[猥亵] wěixiè 형 음란하다. 외설하다. 저속하다. ❏内容~; 내용이 음란하다. 동 외설 행위를 하다. 음란 행위를 하다.

卫(衛) wèi (위) 동 지키다. 보위하다. 방위하다. ❏防~; 방위하다.

[卫兵] wèibīng 명〔軍〕위병.
[卫队] wèiduì 명〔軍〕호위대.
[卫护] wèihù 동 보호하다. 보위하다. 지키다. ❏~国土; 국토를 보위하다.
[卫冕] wèimiǎn 동 타이틀(title)을

방어하다.

[卫生] wèishēng 형 위생적이다. 명 위생. 위생적인 환경. ❑ ~常识; 위생 상식 / ~城市; 위생 도시 / ~间; 욕실. 화장실 / ~筷; 위생저. 소독저 / ~设备; 위생 설비.

[卫生带] wèishēngdài 명 ⇨[月经带]

[卫生巾] wèishēngjīn 명 (일회용) 생리대.

[卫生棉条] wèishēng miántiáo 탐폰(tampon). 체내형 생리대. ＝[卫生栓shuān]

[卫生球(儿)] wèishēngqiú(r) 명 (공 모양의) 나프탈렌. ＝[卫生丸]

[卫生纸] wèishēngzhǐ 명 화장지.

[卫戍] wèishù 동〖軍〗(주로, 수도를) 병력으로 지키다. 방위하다.

[卫星] wèixīng 명 ①〖天〗위성. ❑人造~; 인공위성. ② 인공위성. ❑ ~电视 ＝[〈簡〉卫视]; 위성 TV / ~广播; 위성 방송 / ~通信; 위성 통신 / ~转播; 위성 중계. 형〈比〉어떤 중심의 주위에 있어 종속적 관계에 있는. ❑ ~城; 위성 도시.

为(爲) wèi (위) 개 ① …을 위해. …에게《행위의 대상을 나타냄》. ❑ ~人民服务; 국민을 위해 봉사하다. ② …을 위해《동기나 목적을 나타냄》. ❑ ~方便读者; 독자의 편의를 위해. ③〈書〉…에게. …에 대해. ❑ 此事请勿~外人道; 이 일은 다른 사람에게 말하지 마세요. ④ …때문에. …로 인해《원인·이유를 나타냄》. ❑大家都~这件事高兴; 모두가 이 일로 인해 즐거워한다. ⇒wéi

[为何] wèihé 대〈書〉⇨[为什么]

[为虎作伥] wèihǔ-zuòchāng〈成〉악한 자의 앞잡이가 되다.

[为了] wèi·le 개 …을 위해《행위의 목적과 동기를 나타냄》. ❑ ~学好汉语, 他想了不少办法; 중국어 공부를 잘하기 위해 그는 수많은 방법을 생각했다.

[为人作嫁] wèirén-zuòjià〈成〉헛되이 고생해서 남 좋은 일만 하다.

[为什么] wèishén·me 대 왜. 어째서. ❑你~来这儿? 너는 여기에 왜 왔느냐? ＝[〈書〉为何]

未 wèi (미) 부 ① 아직 …이 아니다. 아직 …않다. ❑ 墨迹~干; 먹물[잉크] 자국이 아직 마르지 않았다. ② …이 아니다. ❑ ~便; ⇩

[未必] wèibì 부 반드시 …하지는 않다. 꼭 …하다고는 할 수 없다. ❑有钱人~快乐; 부자라고 반드시 행복한 것은 아니다.

[未便] wèibiàn 부 …하기 곤란하다. ❑ ~久候; 오래 기다리기 곤란하다.

[未卜先知] wèibǔ-xiānzhī〈成〉점을 치지 않고도 앞일을 알다.

[未曾] wèicéng 부 일찍이 …해 본 적이 없다. 아직 …한 일이 없다. ❑ 历史上~有过的奇迹; 역사상 일찍이 없었던 기적. ＝[未尝①]

[未尝] wèicháng 부 ① ⇨[未曾] ② …인 것은 아니다. …라고 할 수는 없다《부정사 앞에 와서 이중 부정을 만듦》. ❑这样做~不可; 이렇게 하는 것이 안 되는 것은 아니다. ＝[未始]

[未成年] wèichéngnián 명 미성년. ❑ ~人; 미성년자.

[未定] wèidìng 형 미정이다. 미완성이다. ❑ ~稿; 미완성 원고.

[未婚夫] wèihūnfū 명 약혼자.

[未婚妻] wèihūnqī 명 약혼녀.

[未决犯] wèijuéfàn 명 미결수.

[未来] wèilái 명 미래. ❑光明的~; 밝은 미래. 형 멀지 않은 장래의. 조만간의.

[未了] wèiliǎo 동 끝나지 않다. 완결되지 않다. ❑ ~事项; 미결 사항.

[未免] wèimiǎn 부 ① …이라 말하지 않을 수 없다. 아무래도 …이다. ❑这事你~欠考虑; 이 일은 네가 아무래도 좀 생각이 모자랐던 것 같다. ② ⇨[不免]

[未然] wèirán 명 미연. ❑防患于~; 재해를 미연에 방지하다.

[未始] wèishǐ 부 ⇨[未尝②]

[未遂] wèisuì 동 (목적이나 뜻을) 이루지 못하다. 미수에 그치다. ❑ ~犯; 미수범.

[未详] wèixiáng 형 미상이다. 확실하지 않다. ❑死因~; 사인이 불분명하다 / 作者~; 작자 미상.

[未雨绸缪] wèiyǔ-chóumóu〈成〉비가 오기 전에 창문을 고치다《유비무환. 사전에 대비하다》.

[未知数] wèizhīshù 명 ①〖數〗미지수. ②〈比〉아직 알 수 없는 상황.

味 wèi (미) ① (~儿) 명 맛. ❑甜~儿; 단맛. ② (~儿) 명 냄새. ❑臭~儿; 고약한 냄새. ③ (~儿) 명 의미.

흥취. 재미. ❏有~儿; 재미있다. ④양〔中醫〕종. 가지《약의 종류를 세는 말》. ❏这个方子共有七~药; 이 처방에는 전부 7종의 약이 들어 있다.

【味道】 wèi·dào 명 ① 맛. ❏~怎么样? 맛이 어떠니? / ~很好; 맛이 아주 좋다. ② 흥취. 재미.

【味精】 wèijīng 명 화학조미료. 조미료. =[味素]

【味觉】 wèijué 명 미각.

【味素】 wèisù 명 ⇨[味精]

【味同嚼蜡】 wèitóngjiáolà 〈成〉 아무 맛도 안 나다《글이나 말이 무미건조하다》.

位 wèi (위)
① 명 위치. 자리. ❏部~; 부위 / 空~; 빈자리. ② 명 지위. 직위. ❏名~; 명성과 지위. ③ 명 왕위. 황위. ❏即~; 즉위하다. ④ 명〔數〕(숫자의) 자리. ❏百~; 백 자리. ⑤ 양〈敬〉 분《사람을 세는 말》. ❏几~客人; 손님 몇 분.

【位于】 wèiyú 동 …에 위치하다. ❏北京大学~北京西郊; 베이징 대학은 베이징 서쪽 변두리에 있다.

【位置】 wèi·zhì 명 ① 위치. 자리. ❏请按指定的~入席; 지정된 자리에 앉아 주십시오. ② 지위. ❏占有重要~; 중요한 지위를 차지하다.

【位子】 wèi·zi 명 ① 자리. 좌석. ❏教室的~; 교실의 좌석. ② 직위.

畏 wèi (외)
동 ① 두려워하다. 겁내다. ❏~惧; ⇩ ② 외경(畏敬)하다. 심복하다. ❏后生可~; 〈成〉 후배라도 두려워할 만하다.

【畏忌】 wèijì 동 두려워하며 꺼리다. ❏相互~; 서로 두려워하며 꺼리다.

【畏惧】 wèijù 동 두려워하다. 무서워하다. 겁내다. 외구하다. ❏无所~; 두려워할 것 없다.

【畏难】 wèinán 동 곤란을 두려워하다. ❏克服~情绪; 곤란을 두려워하는 마음을 극복하다.

【畏怯】 wèiqiè 동 흠칫거리며 겁을 내다. 두려워하다.

【畏首畏尾】 wèishǒu-wèiwěi 〈成〉 앞을 두려워하고 뒤를 무서워하다《지나치게 의심하고 염려하다》.

【畏缩】 wèisuō 동 두려워 위축하다[움츠리다]. 주춤하다. ❏~不前; 〈成〉 두려워 움츠러들고 앞으로 나가지 못하다.

【畏途】 wèitú 명〈書〉 싫고 무서운 길《위험한 방도. 무서운[싫은] 일》.

【畏罪】 wèizuì 동 벌을 두려워하다. ❏~潜逃; 벌이 두려워 도망치다.

喂 wèi (외)
A) 감 이봐. 이봐요. 야. ❏~, 你的钱包掉了! 이봐요, 지갑 떨어졌어요! B) 동 ① (가축에) 먹이를 주다. 먹이다. ❏~鸡; 닭에게 먹이를 주다. ② (사람에게 음식을) 먹이다. 먹여 주다. ❏给病人~流食; 환자에게 유동식을 먹이다 / ~奶; 젖을 먹이다. ⇒wéi

【喂养】 wèiyǎng 동 (먹이나 음식을 주어) 기르다. 키우다. ❏~牲口; 가축을 기르다 / ~婴儿; 아기를 키우다. =[哺养][哺育①]

胃 wèi (위)
명〔生理〕 위.

【胃癌】 wèi'ái 명〔醫〕 위암.

【胃病】 wèibìng 명〔醫〕 위장병.

【胃口】 wèikǒu 명 ① 식욕. 입맛. ❏~好; 식욕이 좋다. ②〈比〉 흥미. 기호. 구미. 욕구. ❏倒dǎo~; 식상하다.

【胃溃疡】 wèikuìyáng 명〔醫〕 위궤양.

【胃酸】 wèisuān 명〔生理〕 위산. ❏~过多; 위산 과다.

【胃炎】 wèiyán 명〔醫〕 위염.

【胃液】 wèiyè 명〔生理〕 위액.

谓(謂) wèi (위)
동 ① 말하다. ❏所~; 이른바. 소위. ② …라고 하다. …라고 일컫다. ❏这是~三段论法; 이것이 이른바 삼단논법이다.

【谓语】 wèiyǔ 명〔言〕 서술어. 술어(述語).

猬 wèi (위)
명〔動〕 고슴도치.

尉 wèi (위)
명 ① 옛 관명(官名). ②〔軍〕 군인의 계급. 위관.

【尉官】 wèiguān 명〔軍〕 위관.

蔚 wèi (위)
형〈書〉 무성하다. 번성하다.

【蔚蓝】 wèilán 형 짙은 남빛의. 푸른빛의. ❏~的大海; 푸른 대해.

【蔚然成风】 wèirán-chéngfēng 〈成〉 성해져서 하나의 풍조를 이루다.

【蔚为大观】 wèiwéidàguān 〈成〉 풍부하고 다채롭고 성한 모양.

慰 wèi (위)
동 ① 위로하다. 위안하다. ② 마음이 편안해지다. 안심하다.

【慰安】 wèi'ān 동 위안하다. ❏自

W

我~; 스스로 위안하다 / ~妇; 위안부.

[慰劳] wèiláo 동 위로하다. 위문하다. ❑ ~品; 위문품. 「하다.

[慰勉] wèimiǎn 동 위로하여 격려

[慰问] wèiwèn 동 위문하다. ❑ ~伤员; 부상자를 위문하다 / ~信; 위문 편지.

[慰唁] wèiyàn 동〈書〉 조문하다.

遗(遺) wèi (유) 동〈書〉 증여하다. 보내주다. 선사하다. ⇒ yí

魏 Wèi (위) 명〔史〕 ① 위《주대(周代)의 나라 이름》. ② 위《삼국(三國)의 하나. A.D. 220-265》.

wen ㄨㄣ

温 wēn (온) ① 형 따뜻하다. 따스하다. ❑ 饭还~着; 밥이 아직도 따뜻하다. ② 명 온도. ❑ 降~; 온도가 내려가다. ③ 동 데우다. ❑ ~酒; 술을 데우다. ④ 형 온유하다. 따뜻하다. 온화하다. ❑ ~言相慰; 따뜻한 말로 서로 위로하다. ⑤ 동 복습하다. ❑ ~功课; 수업 내용을 복습하다.

[温饱] wēnbǎo 명 의식(衣食)이 풍족한 생활.

[温床] wēnchuáng 명 ①〔農〕 온상. ②〈比〉 (사물을 생성·발전 시키는) 환경. 조건. 온상.

[温存] wēncún 동 다정하게 위로하다《주로, 이성에 대하여 씀》. 형 (성품이) 부드럽다. 온화하다.

[温带] wēndài 명〔地理〕 온대.

[温度] wēndù 명 온도. ❑ ~计 = [~表]; 온도계.

[温故知新] wēngù-zhīxīn 〈成〉 온고지신《옛것을 연구하여 새로운 도리를 발견함. 과거를 돌이켜 현재를 이해함》.

[温和] wēnhé 형 ① (기후가) 온화하다. 따스하다. ② (성질·태도·말씨 따위가) 온순하다. 온화하다. 온건하다. ⇒ wēn·huo

[温厚] wēnhòu 형 온후하다. 부드럽고 너그럽다.

[温和(儿)] wēn·huo(r) 형 (물체가) 따뜻하다. ❑ 被窝还~呢; 이불이 아직 따뜻하다. ⇒ wēnhé

[温居] wēn//jū 동 이사한 사람을 방문하여 축하 인사를 하다. 집들이가다. = [暖房②]

[温暖] wēnnuǎn 형 ① 온난하다. 따뜻하다. ❑ 天气~; 날씨가 따뜻하다. ② (마음씨가) 따뜻하다. 동 따뜻하게 하다.

[温情] wēnqíng 명 온정.

[温泉] wēnquán 명 온천.

[温柔] wēnróu 형 따뜻하고 상냥하다. 온유하다.

[温润] wēnrùn 형 ① 온화하다. ❑ ~的笑容; 온화하게 웃는 얼굴. ② 온난습윤(溫暖濕潤)하다. ❑ 气候~; 기후가 온난습윤하다.

[温室] wēnshì 명 온실. ❑ ~效应; 온실 효과. = [暖房]

[温水] wēnshuǐ 명 온수.

[温顺] wēnshùn 형 온순하다.

[温文尔雅] wēnwén-ěryǎ 〈成〉 태도가 온화하고 행동이 우아하다.

[温习] wēnxí 동 복습하다. ❑ ~功课; 수업을 복습하다. = [复习]

[温血动物] wēnxuè dòngwù ⇨ [恒温动物]

[温驯] wēnxùn 형 유순하며 잘 길들여져 있다.

瘟 wēn (온) ① 명〔中醫〕 급성 전염병. 유행병. ② 형 (연극 따위가) 단조롭고 재미없다.

[瘟病] wēnbìng 명〔中醫〕 온병. 급성 열병.

[瘟神] wēnshén 명 역신(疫神).

[瘟疫] wēnyì 명〔醫〕 온역. 역병. 유행성 급성 전염병.

文 wén (문) ① 명 문자. 글자. ❑ 甲骨~; 갑골 문자. ② 명 언어《서면적 형식》. ❑ 英~; 영문. ③ 명 문장. 글. ❑ 散~; 산문. ④ 명 문장어. 문어. ❑ 半~半白; 문어와 구어가 반씩 섞이다. ⑤ 명 문화. 문명. ❑ ~化; ⇩ ⑥ 명 문과(文科). ⑦ 명 (무(武)에 대한) 문. ❑ ~官; ⇩ ⑧ 형 온화하다. 부드럽다. 우아하다. ❑ ~雅; ⇩ ⑨ 명 자연계의 현상. ❑ 天~; 천문. ⑩ 동 문신하다. ❑ ~身; ⇩ ⑪ 동 덮어 숨기다. ❑ ~过饰非; ⇩ ⑫ 양 문. 푼《옛날, 동전을 세던 말》. ❑ 十~钱; 돈 10문.

[文笔] wénbǐ 명 문장의 필치. 문필.

[文不对题] wénbùduìtí 〈成〉 ① 글의 내용이 제목에서 벗어나 있다. ② 동문 서답하다.

[文不加点] wénbùjiādiǎn 〈成〉 글을 빨리 썼어도 지우거나 고칠 필

요 없이 훌륭하다.
[文才] wéncái 명 문재. 글재주.
[文采] wéncǎi 명 ① 문채. 화려한 색채. ② 문학적 재능.
[文辞] wéncí 명 ① 문장 중의 자구(字句). 문사. ② 문장. 글. ‖ =[文词]
[文从字顺] wéncóng-zìshùn 〈成〉 (글이) 어휘 선택도 적절하고 문장도 매끄럽다. 「칭.
[文牍] wéndú 명 공문과 서신의 총
[文法] wénfǎ 명 ⇨[语法]
[文风] wénfēng 명 문풍(文風).
[文告] wéngào 명 공문서.
[文官] wénguān 명 문관.
[文过饰非] wénguò-shìfēi 〈成〉 과실[잘못]을 감추다[숨기다].
[文豪] wénháo 명 문호.
[文化] wénhuà 명 ① 문화. ❑ 大众~; 대중문화. ② 기초적 교양[지식]. ❑ 他的~很低; 그의 교육 정도는 낮다 / ~水平; ⓐ문화 수준. ⓑ지식 수준. 교양 수준.
[文化大革命] Wénhuà Dàgémìng 〖史〗 문화 대혁명.
[文火] wénhuǒ 명 (요리할 때의) 약한 불. 뭉근한 불.
[文集] wénjí 명 문집.
[文件] wénjiàn 명 ① 문서. 서류. 파일(file). ❑ ~袋; 서류 봉투 / ~柜; 서류 캐비닛(cabinet). ② 〖컴〗 문서. 파일(file). ❑ ~名; 파일명.
[文教] wénjiào 명 문화와 교육.
[文静] wénjìng 형 고상하고 조용하다. 얌전하다. 차분하다.
[文句] wénjù 명 문구.
[文具] wénjù 명 문구. 문방구. ❑ ~店; 문구점.
[文科] wénkē 명 문과.
[文理] wénlǐ 명 ① 문장의 조리. 문맥. ② 문과와 이과.
[文盲] wénmáng 명 문맹. ❑ 扫除~; 문맹을 퇴치하다.
[文明] wénmíng 명 문명. 문화. ❑ 物质~; 물질문명. 형 ① 현대적 색채를 띠고 있는. 신식의. ❑ ~结婚; 신식 결혼. ② 교양 있다. ❑ 举止~; 행동거지가 교양 있다.
[文墨] wénmò 명 글을 쓰는 것. 〈轉〉 문화적 지식. ❑ ~人; 문인.
[文凭] wénpíng 명 옛날, 관리에게 주던 증서. 〈轉〉 졸업장. 졸업증서.
[文人] wénrén 명 문인. ❑ ~相轻; 〈成〉 문인들이 서로 업신여기다.
[文弱] wénruò 형 문약하다.
[文身] wén∥shēn 동 문신하다. ❑ 蝴蝶~; 나비 문신. =[纹身]
[文书] wénshū 명 ① 문서. ② 기록 담당. 서기.
[文思] wénsī 명 ① 문장의 구상. ② 문장 속의 뜻[사상].
[文坛] wéntán 명 문단. 문학계.
[文体] wéntǐ 명 ① 문체. 문장의 체제. ② 문화생활과 체육.
[文武] wénwǔ 명 문무. ① 문재와 무예. ❑ ~双全; 〈成〉 문무 모두에 뛰어나다. ② 문관과 무관.
[文物] wénwù 명 문물. 문화재.
[文献] wénxiàn 명 문헌.
[文胸] wénxiōng 명 ⇨[胸罩]
[文选] wénxuǎn 명 선집(選集).
[文学] wénxué 명 문학. ❑ 古典~; 고전 문학 / ~作品; 문학 작품.
[文雅] wényǎ 형 (말·행동거지가) 온화하고 고상하다. 우아하다. ❑ 举止~; 행동이 우아하다.
[文言] wényán 명 문어(文語). 문언. ❑ ~文; 문언문.
[文艺] wényì 명 문예. 문학과 예술. ❑ ~复兴; 르네상스(Renaissance) / ~批评; 문예 비평.
[文娱] wényú 명 문화적 오락. 레크리에이션(recreation). ❑ ~活动; 문예 오락 활동.
[文摘] wénzhāi 명 발췌. 적요(摘要). 다이제스트(digest).
[文章] wénzhāng 명 ① 문장. 글. ② 〈轉〉 저작. ③ 〈比〉 속뜻. 계책. ④ 〈比〉 까닭. 연유. 속셈.
[文质彬彬] wénzhì-bīnbīn 〈成〉 겉보기와 실질이 알맞게 조화되다.
[文绉绉(的)] wénzhōuzhōu(·de) 형 점잖다. 우아하다. 고상하다.
[文字] wénzì 명 ① 〖言〗 문자. ❑ 表音~; 표음 문자 / ~学; 문자학. ② (글로 씌어진) 언어. 말. ❑ ~狱; 〖史〗 필화 사건. ③문장. 글.
[文字处理机] wénzì chǔlǐjī 〖컴〗 워드 프로세서(word processor).

纹(紋) wén (문) 명 ① (~儿) 견직물상의 무늬. ② 무늬. 결. ❑ 花~; 꽃무늬. ③ 금. 주름. ❑ 皱~; 주름.
[纹理] wénlǐ 명 줄의 무늬. 결.
[纹路] wén·lu 명 (물체 상의) 주름. 무늬. =[纹缕·lü(儿)]
[纹身] wén∥shēn 동 ⇨[文身(儿)]
[纹丝不动] wénsī-búdòng 〈成〉 미동도 하지 않다.

蚊 wén (문)
명〖蟲〗 모기.
[蚊香] wénxiāng 명 모기향. ❑熏~; 모기향을 피우다.
[蚊帐] wénzhàng 명 모기장.
[蚊子] wén·zi 명〖蟲〗 모기. ❑被~叮了; 모기에 물렸다.

闻(聞) wén (문)
①동 듣다. 들리다. ❑~讯; 소식을 듣다. ②명 들은 것. 소식. 뉴스. 소문. ❑新~; 뉴스. ③형〈書〉 저명하다. 명망 있다. ❑~人; ⇩ ④명〈書〉 명성. 평판. ❑令~; 좋은 평판. ⑤동 냄새를 맡다. ❑我从没~过这种味儿; 나는 이런 냄새를 맡아 본 적이 없다.
[闻风而动] wénfēng'érdòng〈成〉 소식을 듣자마자 행동을 취하다.
[闻风丧胆] wénfēng-sàngdǎn〈成〉 소문만 듣고도 극도로 두려워하다.
[闻名] wénmíng 동 명성[이름]을 듣다. 형 유명하다. ❑~世界; 세계적으로 유명하다.
[闻人] wénrén 명 명사. 유명인.
[闻所未闻] wénsuǒwèiwén〈成〉 지금껏 들어 보지 못한 것을 듣다《새롭고 드문 사물을 접하다》.

刎 wěn (문)
동 칼로 목을 베다. ❑自~; 스스로 목을 베다.

吻 wěn (문)
①명 입술. ❑接~; 입맞춤하다. ②동 입맞추다. 키스하다. ❑~别; 작별 키스를 하다. ③명 (동물의) 부리. 주둥이.
[吻合] wěnhé 형 완전히 일치하다. 꼭 들어맞다. ❑想法和实际不太~; 생각과 실제가 그다지 일치하지 않다. 동〖醫〗 문합하다. 맞물려 잇다. ❑~术; 문합술.

紊 wěn (문)
형 문란하다. 어지럽다.
[紊乱] wěnluàn 형 어지럽다. 문란하다. ❑思想~; 사상이 문란하다.

稳(穩) wěn (온)
①형 안정되다. 확고하다. 흔들림 없다. ❑立场很~; 입장이 매우 확고하다. ②형 침착하다. 신중하다. ❑办事不~; 일처리가 신중하지 못하다. ③형 틀림없다. 확실하다. ❑十拿九~;〈成〉 십중팔구 확실하다. ④동 안정시키다. 진정시키다. ❑别着急, ~点儿! 조급해하지 말고 진정 좀 해라!
[稳步] wěnbù 부 천천히. 서서히. 차근차근. 점진적으로. ❑~前进;〈成〉 점진적으로 전진하다.
[稳操胜券] wěncāo-shèngquàn〈成〉 승리를 확신하다. 승산이 있다. =[稳操左券][稳操胜算]
[稳当] wěn·dang 형 ① 온당하다. 타당하다. ② 흔들리지 않다. 안정되다. ❑把梯子放~; 사다리를 흔들리지 않게 놓다.
[稳定] wěndìng 형 ① (국면·정황·정서 따위가) 안정되다. ❑物价~了; 물가가 안정되었다. ②〖物·化〗 안정되다. ❑~剂; 안정제. 동 안정시키다. 가라앉히다. ❑~成长; 안정 성장.
[稳固] wěngù 형 안정되어 있다. 튼튼하다. ❑基础很~; 기초가 매우 튼튼하다. 동 안정시키다. 굳히다. ❑~政权; 정권을 안정시키다.
[稳健] wěnjiàn 형 ① 차분하면서도 힘있다. 듬직하고 힘차다. ② 온건하다. 침착하다.
[稳如泰山] wěnrútàishān〈成〉 ⇨[安如泰山]
[稳妥] wěntuǒ 형 온당하다. 타당하다. 확실하다. ❑这样处理比较~可靠; 이렇게 처리하는 것이 비교적 타당하고 믿을 만하다.
[稳扎稳打] wěnzhā-wěndǎ〈成〉 ① 차근차근 진군하며 싸우다. ② 일을 착실히 진행시키다.
[稳重] wěnzhòng 형 (말·태도가) 중후하다. 침착하다. 관록이 있다.

问(問) wèn (문)
①동 묻다. ❑~路; 길을 묻다. ②동 위문하다. 문안하다. ❑~好; ⇩ ③동 심문하다. 취조하다. ❑~犯人; 범인을 심문하다. ④동 관여하다. 상관하다. 신경 쓰다. ❑过~; 간섭하다. ⑤개 …에게. …에게서. ❑我从没~他借过什么; 나는 여태껏 그에게 무언가를 빌려 본 적이 없다.
[问安] wèn∥ān 동 안부를 묻다. 문안을 드리다.
[问长问短] wèncháng-wènduǎn〈成〉 이것저것[자세히] 묻다.
[问答] wèndá 동 문답하다. ❑~题; 문답식[주관식] 문제.
[问道于盲] wèndàoyúmáng〈成〉 맹인에게 길을 묻다《아무것도 모르는 사람에게 가르침을 구하다》.
[问寒问暖] wènhán-wènnuǎn〈成〉 남의 생활에 마음을 써서 관

심을 갖고 이것저것 묻다.

[问好] wèn//hǎo 동 안부를 묻다.

[问号] wènhào 명 ①〖言〗 물음표. 의문 부호. ② 의문. ❑这件事能否办成还是个~; 이 일이 성공할지는 아직 의문이다.

[问候] wènhòu 동 안부를 묻다. 문안을 드리다.

[问津] wènjīn 동〈書〉 (가격·상황 따위를) 묻다. 관심을 갖다.

[问卷] wènjuàn 명 설문지. ❑~调查; 설문 조사.

[问世] wènshì 동 출시되다. 발표되다. 출간되다.

[问题] wèntí 명 ① 문제. 질문. ❑回答~; 질문에 대답하다. ② (연구·토론을 필요로 하는) 문제. 이슈. ❑历史~; 역사 문제. ③ 관건. 문제. ❑计划已经定好了, ~是怎样落实; 계획은 이미 세워져 있으니, 문제는 어떻게 해 나가느냐이다. ④ 사고. 사건. 고장. 말썽. ❑自行车出~了; 자전거가 고장났다. 형 문제가[문제성이] 있는. 비정상의. ❑~儿童; 문제아 / ~学生; 문제 학생.

[问心无愧] wènxīn-wúkuì 〈成〉 마음에 물어 부끄러운 바가 없다.

[问讯] wènxùn 동 ① 문의하다. ❑~处; 문의처. 안내소. ② 심문하다. 신문하다. ③〈書〉 안부를 묻다.

[问罪] wènzuì 동 죄를 묻다. 단죄하다.

璺 wèn (문)
명 (그릇 따위에 간) 금. ❑碟子裂了一道~; 접시에 금이 한 줄 갔다.

weng ㄨㄥ

翁 wēng (옹)
명 ① 노인. ②〈書〉 아버지. ③〈書〉 시아버지. ④〈書〉 장인.

嗡 wēng (옹)
의 웅웅. 윙윙. 붕붕(《비행기·곤충 따위가 나는 소리》). ❑苍蝇~~地飞来飞去; 파리가 윙윙하며 날아다니다.

瓮 wèng (옹)
명 항아리. 독. ❑酒~; 술독.

[瓮声瓮气] wèngshēng-wèngqì 〈成〉 굵고 낮은 목소리.

[瓮中之鳖] wèngzhōngzhībiē 〈成〉 독 안의 자라. 독 안에 든 쥐.

[瓮中捉鳖] wèngzhōng-zhuōbiē 〈成〉 독 안의 자라를 잡다(《힘도 안 들이고 목적을 이루다》).

蕹 wèng (옹)
→[蕹菜]

[蕹菜] wèngcài 명〖植〗 옹채.

齆 wèng (옹)
형 코맹맹이 소리를 하다.

[齆鼻儿] wèngbír 동 코맹맹이 소리를 하다. 명 코맹맹이.

wo ㄨㄛ

挝(撾) Wō (과)
→[老挝]

倭 Wō (왜)
명 왜. 왜국(《옛날, 일본을 일컫던 말》).

[倭寇] Wōkòu 명〖史〗 왜구.

涡(渦) wō (와)
명동 소용돌이(치다).

[涡流] wōliú 명 ①〖物〗 맴돌이. 소용돌이. ②〖電〗 맴돌이 전류.

[涡轮机] wōlúnjī 명〖機〗 터빈(turbine).

莴(萵) wō (와)
→[莴苣][莴笋]

[莴苣] wō·jù 명〖植〗 상추.

[莴笋] wōsǔn 명〖植〗 양상추.

窝(窩) wō (와)
① 명 (새·짐승·벌레 따위의) 집. 둥지. ❑蜂~; 벌집 / 鸟~; 새 둥지. ② (~儿) 명〈比〉 (악인의) 소굴. ❑贼~; 도둑 소굴. ③ (~儿) 명〈方〉 (사람·물건이 차지하는) 자리. 거처. 곳. ❑他躺在~儿; 그는 자리에 누워 있다. ④ (~儿) 명 움푹 팬 곳. ❑酒~儿; 보조개. ⑤ 동 숨기다. 은닉하다. ❑~藏; ⇩ ⑥ 동 움츠려 있다. 틀어박혀 있다. ❑整天~在家里闹情绪; 하루 종일 집에 틀어박혀 우울해 하다. ⑦ 동 쌓이다. 정체되다. ❑~气; ⇩ ⑧ 동 구부리다. 휘다. ❑再~~就折了; 더 구부리면 꺾어진다. ⑨ (~儿) 양 배(《동물이 새끼나 알을 낳는 횟수》). ❑一~下了五只猪; 한 배에 다섯 마리의 돼지를 낳았다.

[窝藏] wōcáng 동 (범인·장물 따위를) 숨기다. 은닉하다. ❑~间谍; 간첩을 숨기다 / ~罪; 은닉죄.

[窝工] wō//gōng 동 일이 정체되다. 일손을 놀리다.

[窝火(儿)] wō//huǒ(r) 동 분노[울

화]가 치밀다.
[窝囊] wō·nang 형 ①(억눌려) 분하다. 울컥하다. ❏这事越想越~; 이 일은 생각할수록 분하다. ②무능하다. 겁이 많다. 변변치 못하다. ❏~废; 등신.
[窝棚] wō·peng 명 판잣집. 움막.
[窝气] wō∥qì 동 울화가 치밀다.
[窝头] wōtóu 명 옥수수 가루나 수수 가루 따위를 반죽해서 원뿔꼴로 찐 것. =[窝窝头wō·wotóu]
[窝赃] wō∥zāng 동 장물을 은닉하다.
[窝主] wōzhǔ 명 범인·금제품·장물 따위를 숨겨 둔 사람[집].

蜗(蝸) wō (와)
명〖動〗달팽이.
[蜗牛(儿)] wōniú(r) 명〖動〗달팽이.

喔 wō (악)
의 꼬끼오. 꼬꼬《수탉의 울음소리》. ❏公鸡~~地叫; 수탉이 꼬끼오 하고 울다.

我 wǒ (아)
대 ①나. 저. ❏~叫李英; 나는 리잉이라고 한다. ②우리. ❏~国; 우리나라 / ~军; 아군 / ~校; 우리 학교. ③자기. 자신. 자아.
[我们] wǒ·men 대 우리. 우리들. ❏~大家; 우리 모두.
[我行我素] wǒxíng-wǒsù 〈成〉 남이 뭐라 하든 내 방식 대로 하다.

沃 wò (옥)
①동 (물 따위를) 붓다. 관개(灌漑)하다. ❏~田; 밭에 물을 대다. ②형 비옥하다. 기름지다.
[沃土] wòtǔ 명 옥토. 기름진 땅.
[沃野] wòyě 명 옥야. 비옥한 평야.

卧 wò (와)
①동 눕다. ❏~在床上; 침대에 눕다. ②동 (동물이) 배를 깔고 엎드리다. ❏猫~在炉子旁边; 고양이가 난로 옆에 엎드려 있다. ③형 수면 용도의. ❏~室; ⇩ ④명 (열차·기선 따위의) 침대. ❏硬~; 열차의 딱딱한 침대칸.
[卧病] wòbìng 동 와병하다. 병으로 몸져 눕다.
[卧车] wòchē 명 ①(기차의) 침대차. 침대칸. ②세단차. 승용차.
[卧床] wòchuáng 동 (질병 또는 연로하여) 침상에 눕다. ❏~不起; 침상에 누워 일어나지 못하다《중병에 걸리다》.
[卧房] wòfáng 명 ⇨[卧室]
[卧铺] wòpù 명 (열차·기선 따위의) 침대.
[卧室] wòshì 명 침실. =[卧房]
[卧薪尝胆] wòxīn-chángdǎn 〈成〉 와신상담.

渥 wò (악)
〈書〉 ①동 (촉촉히) 적시다. 젖다. 축이다. ②형 짙다. 두텁다. ❏优~; 은혜가 두텁다.

握 wò (악)
동 ①움켜쥐다. 쥐다. 잡다. ❏他~着一支笛子; 그는 피리 하나를 쥐고 있다. ②장악하다. 주관하다. ❏~有政权; 정권을 장악하다.
[握别] wòbié 동 악수하고 헤어지다.
[握拳] wò∥quán 동 주먹을 쥐다. ❏紧紧~; 주먹을 꽉 쥐다.
[握手] wò∥shǒu 동 악수하다. ❏~言欢; 〈成〉 악수하고 담소하다《악수하고 화해(和解)하다》.

龌(齷) wò (악)
→[龌龊]
[龌龊] wòchuò 형 ①더럽다. 불결하다. 지저분하다. ②〈比〉 비열하다. ❏~行为; 비열한 행위.

斡 wò (알)
동〈書〉 돌다. 돌리다.
[斡旋] wòxuán 동 조정하다. 중재하다. 알선하다. ❏居中~; 가운데서 중재하다.

wu ㄨ

乌(烏) wū (오)
①명〖鳥〗까마귀. ②형 검다. 까맣다. ❏~云; ⇩
[乌骨鸡] wūgǔjī 명〖鳥〗오골계.
[乌龟] wūguī 명 ①〖動〗거북. =[金龟][〈俗〉 王八②] ②〈貶〉 오쟁이 진 남편. 간통한 여자의 남편. =[王八③]
[乌合之众] wūhézhīzhòng 〈成〉 오합지졸(烏合之卒).
[乌黑] wūhēi 형 새까맣다. 시꺼멓다. ❏~的眼睛; 새까만 눈동자.
[乌呼] wūhū 감 ⇨[呜呼]
[乌拉圭] Wūlāguī 명〖地〗〈音〉 우루과이(Uruguay). ❏~回合; 우루과이 라운드.
[乌亮] wūliàng 형 검고 윤기 있다. 검고 흠치르르하다. 검고 빛나다.
[乌溜溜(的)] wūliūliū(·de) 형 (눈동자가) 새까맣고 또렷한 모양.
[乌龙茶] wūlóngchá 명 우롱차.

[乌七八糟] wūqībāzāo 뒤죽박죽이다. 극도로 혼란하다[뒤범벅이다]. =[污七八糟]
[乌纱帽] wūshāmào 명 오사모. 사모. 〈轉〉 관직. =[乌纱]
[乌托邦] wūtuōbāng 명〈音〉 ① 유토피아(utopia). 이상향. ②〈比〉 실현될 수 없는 바람[계획].
[乌鸦] wūyā 명〖鳥〗 까마귀. =[〈方〉 老鸹][〈方〉 老鸦]
[乌烟瘴气] wūyān-zhàngqì 〈成〉 해가 어둡고 악한 기운이 자욱이 낀 모양(사회가 혼란스럽다).
[乌油油(的)] wūyóuyóu(·de) 형 검고 윤기가 도는 모양. ❑~的头发; 윤기 있고 칠흑 같은 머리.
[乌有] wūyǒu 동〈書〉 허황하다. 존재하지 않다. 없다. ❑化为~; 아무것도 없게 되다.
[乌云] wūyún 명 ① 먹구름. ②〈比〉 좋지 않은 상태. 어두운 형세.
[乌贼] wūzéi 명〖魚〗 오징어. =[乌鲗zéi][〈俗〉 墨mò鱼]

鸣(嗚) wū (오) 의 ① 빵. 붕(기적·경적 소리). ❑汽车~的一声开过了; 붕 소리를 내며 자동차가 지나갔다. ② 윙. 붕(바람 소리). ❑狂风~~地刮着; 윙 소리를 내며 거센 바람이 불고 있다. ③ 엉엉(울음 소리). ❑~~地哭; 엉엉 울다.
[鸣呼] wūhū 감〈書〉 오호라(탄식을 나타냄). ❑~哀哉; 〈成〉 ⓐ오호통재라(제문(祭文)에 쓰이던 말). ⓑ죽다. =[乌呼] 동〈轉〉 죽다.
[鸣咽] wūyè 동 ① 흐느껴 울다. 훌쩍이다. ② (물이나 악기가) 구슬픈 소리를 내다.

钨(鎢) wū (오) 명〖化〗 텅스텐(tungsten).

污 wū (오) ① 명 탁한 물. 더러운 것. ❑去~; 더러움을 제거하다. ② 형 더럽다. 불결하다. ❑~水; ⇩ ③ 형 청렴하지 않다. ❑贪官~吏; 탐관오리. ④ 동 더럽히다. ❑~辱; ⇩
[污点] wūdiǎn 명 ① 때. 얼룩. ② 〈比〉 불명예. 오점(汚點).
[污垢] wūgòu 명 때. 더러움.
[污秽] wūhuì 형 불결하다. 더럽다. 명 더러운 것. 불결한 것.
[污蔑] wūmiè 동 ① ⇨[诬蔑] ② 더럽히다. 흠을 내다.
[污泥] wūní 명 더러운 찌꺼기.
[污七八糟] wūqībāzāo ⇨[乌七八糟]
[污染] wūrǎn 동 오염시키다. 오염되다. ❑环境~; 환경 오염 / ~源; 오염원.
[污辱] wūrǔ 동 ① ⇨[侮wǔ辱] ② 더럽히다. 욕보이다. ❑~他的名声; 그의 명성을 더럽히다.
[污水] wūshuǐ 명 오수. 하수(下水). ❑生活~; 생활 하수.
[污物] wūwù 명 더러운 것. 오물.
[污浊] wūzhuó 형 (물·공기 따위가) 더럽다. 탁하다. 혼탁하다. ❑~的空气; 탁한 공기. 명 더러움.

巫 wū (무) 명 무당. 무녀.
[巫婆] wūpó 명 무당. 무녀.
[巫师] wūshī 명 남자 무당. 박수. =[巫神]

诬(誣) wū (무) 동 모함하다.
[诬告] wūgào 동〖法〗 무고하다. ❑~罪; 무고죄.
[诬害] wūhài 동 죄를 씌워 남을 해치다. 모함하다.
[诬赖] wūlài 동 생사람 잡다. 무고한 죄를 씌우다. 모함하다.
[诬蔑] wūmiè 동 없는 일을 조작해서 명예를 손상하다. 중상하다. =[污蔑①]
[诬陷] wūxiàn 동 무고하여 죄에 빠뜨리다. 모함하다.

屋 wū (옥) 명 ① 가옥. 집. ② 방. ❑一间小~; 작은 방 한 칸.
[屋顶] wūdǐng 명 지붕. 옥상.
[屋上架屋] wūshàng-jiàwū 〈成〉 옥상가옥(① 기구나 구조가 중복되어 있다. ② 불필요하게 중복되다).
[屋子] wū·zi 명 ⇨[房间]

无(無) wú (무) ① 동 없다. ❑~路可走; 갈 수 있는 길이 없다. ② 동 …않다. …이 아니다. ❑~偏~倚; 치우치지 않다. ③ 부 ⇨[〈書〉 毋]
[无伴奏合唱] wúbànzòu héchàng〖樂〗 아카펠라(a cappella).
[无比] wúbǐ 동 더없다. 비할 데 없다. ❑~高兴; 더없이 기쁘다.
[无边] wúbiān 동 가없다. 끝없다. ❑~无际; 〈成〉 끝없이 넓다.
[无病呻吟] wúbìng-shēnyín 〈成〉 병도 없는데 신음하다(① 걱정할 일이 아닌데도 한숨을 쉬어 대다. ② (문예 작품에서) 진실한 감정 없이 일부러 꾸며 부자연스럽다).

[无补] wúbǔ 동 도움이 안 되다. 쓸모없다. ❑ ~于事; 〈成〉 일에 아무 도움이 안 된다.
[无产阶级] wúchǎn jiējí 무산 계급.
[无常] wúcháng 동 ① 무상하다. 항상 변화하다. ❑ 变化~; 〈成〉 변화무상하다. ②〈婉〉 (사람이) 죽다. 명 저승사자. 사신(死神).
[无偿] wúcháng 형〖法〗 무상의. 무보수의. ❑ ~服务; 무료 봉사.
[无成] wúchéng 동 해 놓은 것이 없다. 이룬 것이 없다. ❑ 一事~; 〈成〉 한 가지 일도 이루지 못하다.
[无耻] wúchǐ 형 파렴치하다. 부끄러운 줄 모르다. ❑ ~之尤; 〈成〉 가장 파렴치하다.
[无从] wúcóng 부 도리가 없다. ❑ ~解释; 설명할 도리가 없다.
[无敌] wúdí 동 무적이다. ❑ ~于天下; 천하무적이다.
[无底洞] wúdǐdòng 명 영원히 채워지지 않는 구멍(《욕심 따위가 끝이 없음》).
[无地自容] wúdì-zìróng 〈成〉 매우 부끄러워하다.
[无的放矢] wúdì-fàngshǐ 〈成〉 과녁도 없이 화살을 쏘다(《목적·대상이 없이 무턱대고 행동·발언함》).
[无动于衷] wúdòngyúzhōng 〈成〉 마음에 아무런 감흥이 없다. =[无动于中zhōng]
[无度] wúdù 동 무절제하다. ❑ 饮酒~; 무절제하게 술을 마시다.
[无端] wúduān 부 이유 없이. 까닭없이. ❑ ~生事; 〈成〉 이유 없이 문제를 일으키다.
[无恶不作] wú'è-bùzuò 〈成〉 나쁜 짓이란 나쁜 짓은 다하다.
[无法] wúfǎ 동 방법이 없다. 도리가 없다. ❑ ~解决; 해결할 방법이 없다. 형 무법이다. 난폭하다. ❑ ~无天; 〈成〉 조금도 망설임 없이 난폭한 짓을 하다.
[无妨] wúfáng 동 무방하다. 지장이 없다. 괜찮다. ❑ 一个人做也~; 혼자 해도 무방하다.
[无纺布] wúfǎngbù 명〖紡〗 부직포(不織布). =[不织布]
[无非] wúfēi 부 단지. 다만. 그저. ❑ 我~是求你帮个忙; 나는 그저 네게 도움을 좀 구하는 것일 뿐이다.
[无风不起浪] wú fēng bù qǐ làng 〈諺〉 아니 땐 굴뚝에 연기 날까(《원인 없는 일은 일어나지 않는다》).
[无辜] wúgū 형 무고하다. ❑ ~的牺牲者; 무고한 희생자. 명 무고한 사람.
[无故] wúgù 부 이유 없이. 까닭없이. ❑ 不得~缺席; 이유 없이 결석해서는 안 된다.
[无怪] wúguài 부 당연하다. 이상할 것 없다(《주로, 주어 앞에 옴》). ❑ 原来炉子灭了, ~屋里这么冷; 난로가 꺼졌으니 집안이 이렇게 추운 것도 당연하다. =[无怪乎]
[无关] wúguān 동 관계가 없다. 무관하다. ❑ ~紧要; 〈成〉 대수롭지 않다 / ~痛痒; 〈成〉 이해관계가 없다. 영향이 크지 않다.
[无轨] wúguǐ 형 무궤도의. ❑ ~电车; 무궤도 전차.
[无花果] wúhuāguǒ 명 ①〖植〗 무화과나무. 무화과. ② 무화과.
[无话可说] wúhuàkěshuō 〈成〉 할 말이 없다.
[无机] wújī 형〖化〗 무기의. ❑ ~肥料; 무기 비료 / ~物; 무기물.
[无机可乘] wújī-kěchéng 〈成〉 ⇨[无隙可乘]
[无稽] wújī 형 터무니없다. 황당무계하다. ❑ ~之谈; 〈成〉 터무니없는 말.
[无几] wújǐ 동 얼마 안 되다. 아주 적다. 미비하다. ❑ 所剩~; 남은 것이 얼마 안 된다.
[无计可施] wújì-kěshī 〈成〉 손을 쓸 도리가 없다. 대책이 없다.
[无记名] wújìmíng 형 무기명의. ❑ ~投票; 무기명 투표.
[无际] wújì 동 무제하다. 넓고 끝이 없다. ❑ 一望~; 일망무제하다.
[无济于事] wújìyúshì 〈成〉 아무런 도움도 안 되다.
[无价之宝] wújiàzhībǎo 〈成〉 값을 따질 수 없는 진귀한 보물.
[无坚不摧] wújiān-bùcuī 〈成〉 아무리 견고한 것이라도 때려부술 수 있다(《힘이나 세력이 강대한 모양》).
[无间] wújiàn 〈書〉 형 ① 틈이 없다. 간격이 없다. ❑ 亲密~; 〈成〉 아주 친밀하다. ② 중단하지 않다. 끊임없다. ③ 분별하지 못하다.
[无尽] wújìn 형 무진하다. 끝이 없다. 한이 없다.
[无精打采] wújīng-dǎcǎi 〈成〉 ⇨[没精打采]
[无拘无束] wújū-wúshù 〈成〉 아무런 구속도 받지 않고 자유롭다.
[无可非议] wúkěfēiyì 〈成〉 비난하거나 나무랄 데가 없다.

[无可奈何] wúkěnàihé 〈成〉 어찌할 도리가 없다. 어찌할 방법이 없다.
[无可争辩] wúkězhèngbiàn 〈成〉 논쟁의 여지가 없다.
[无孔不入] wúkǒng-bùrù 〈成〉 〈貶〉 기회만 있으면 놓치지 않다.
[无愧] wúkuì 형 부끄러운 것이 없다. 떳떳하다. ❏ 问心~; 양심에 물어 부끄럽지 않다.
[无赖] wúlài 형 무뢰하다. ❏ 耍~; 무뢰한 짓을 하다. 명 무뢰한. 깡패.
[无理] wúlǐ 형 ① 이치에 맞지 않다. 도리를 분별하지 못하다. ❏ ~取闹; 〈成〉 이유 없이 소란을 피우다. ②〔數〕 무리의. ❏ ~式; 무리식 / ~数; 무리수.
[无力] wúlì 형 ① 무력하다. 능력이 없다. ② 힘[기운]이 없다.
[无量] wúliàng 동 무량하다. 무한하다. 창창하다. ❏ 前途~; 전도가 양양하다.
[无聊] wúliáo 형 ① 무료하다. 심심하다. 지루하다. ② (이야기·행동이) 재미없다. 따분하다.
[无论] wúlùn 접 …를 막론하고. ❏ ~是谁都行; 누구든 괜찮다. =[别管]
[无论如何] wúlùn-rúhé 〈成〉 어찌 되었든 간에. 어쨌든.
[无名] wúmíng 형 ① 알려지지 않은. 무명의. 이름 없는. ❏ ~小卒; 〈成〉 무명소졸《이름 없는 평범한 사람》 / ~英雄; 〈成〉 무명의 영웅. ② 이름 모를. ❏ ~肿毒; 이름 모를 악성 종기. ③ 까닭 모를. 무어라 말할 수 없는. ❏ ~的恐惧; 까닭 모를 두려움.
[无奈] wúnài 동 어쩔 수 없다. 어쩔 도리가 없다. ❏ 这件事已经决定, 我也~; 이 일은 이미 결정돼서 나도 어쩔 수 없다. =[无奈何②] 접 안타깝게도. 아쉽게도. ❏ 我正想写点东西, ~有人来访, 只好暂时搁笔; 나는 글을 쓰고 싶었지만 아쉽게도 손님이 찾아와서 잠시 펜을 놓을 수밖에 없었다.
[无奈何] wúnài∥hé 동 ① (사람이나 사물에 대해) …을 어떻게 할 수 없다. ❏ 敌人无奈他何; 적은 그를 어떻게 할 수 없다. ② ⇨[无奈]
[无能] wúnéng 형 능력이 없다. 무능하다. ❏ ~为力; 〈成〉 일을 해낼 능력이 안 되다.
[无宁] wúnìng 부 ⇨[毋宁]
[无期] wúqī 형 무기한의. 기한이 없는. ❏ ~徒刑; 무기 징역.
[无情] wúqíng 형 ① 비정하다. 무정하다. ❏ ~无义; 〈成〉 피도 눈물도 없다. ② 무자비하다. 냉정하다.
[无穷] wúqióng 형 끝이 없다. 한이 없다. ❏ ~无尽; 〈成〉 무궁무진하다.
[无日] wúrì 동 하루도 …않다《주로, '~不…'의 형식으로 쓰임》. ❏ ~不在念中; 하루도 생각하지 않는 날이 없다.
[无上] wúshàng 형 더없는. 최고의. ❏ 至高~; 〈成〉 더없이 높다.
[无神论] wúshénlùn 명〔哲〕 무신론. ❏ ~者; 무신론자.
[无生物] wúshēngwù 명 무생물.
[无声片] wúshēngpiàn 명〔映〕 무성 영화. =[〈口〉 无声片儿piānr] [默片][〈口〉 默片儿piānr]
[无声无臭] wúshēng-wúxiù 〈成〉 소리도 냄새도 없다《세상에 알려지지 않다. 명성이 없다》.
[无绳电话] wúshéng diànhuà 무선 전화기.
[无时无刻] wúshí-wúkè 〈成〉 …하는 때가 없다《주로, '~不…'의 형식으로 쓰임》. ❏ 他~不把这个问题挂在心上; 그는 잠시도 이 문제를 마음에 두지 않은 적이 없다.
[无视] wúshì 동 무시하다. 도외시하다. ❏ ~纪律; 규율을 무시하다.
[无事生非] wúshì-shēngfēi 〈成〉 공연히 문제를 일으키다.
[无数] wúshù 형 무수하다. 셀 수 없이 많다. 동 자세히 알지 못하다. ❏ 心中~; 확실히 알지 못하다.
[无双] wúshuāng 형 둘도 없다. 비길 데 없다. ❏ 盖世~; 〈成〉 세상에 견줄 만한 것이 없다.
[无私] wúsī 형 무사하다. 사심이 없다. ❏ 大公~; 〈成〉 공평무사.
[无所不为] wúsuǒbùwéi 〈成〉 안 하는 짓이 없다《못된 짓은 다 하다》
[无所不至] wúsuǒbùzhì 〈成〉 ① 이르지[미치지] 않은 곳이 없다. ② 〈貶〉 온갖 짓을 다 하다.
[无所适从] wúsuǒshìcóng 〈成〉 ① 누구를 따라야 할지 모르다. ② 어떤 방법으로 해야 좋을지 모르다.
[无所事事] wúsuǒshìshì 〈成〉 아무 일도 하지 않다.
[无所谓] wúsuǒwèi 동 ① …라고는 말할 수 없다. ❏ 只是家常便饭, ~请客; 평소 늘 집에 두고 먹는 것이므로 식사 대접이라고까지는 할

수 없습니다. ② 상관없다. 개의치 않다. 아무래도 좋다.
[无所用心] wúsuǒyòngxīn 〈成〉 어떤 일에도 관심이 없다. 전혀 머리를 쓰지 않다.
[无所作为] wúsuǒzuòwéi 〈成〉 노력하지 않다. 아무것도 안 하다.
[无条件] wútiáojiàn 형 무조건의. ❏～投降; 무조건 항복.
[无条件反射] wútiáojiàn fǎnshè ⇨[非条件反射]
[无微不至] wúwēi-bùzhì 〈成〉 사람을 대하는 것이 매우 세심하고 꼼꼼하다. 배려가 두루 미치다.
[无味] wúwèi 동 맛이 없다. 형 없다. 재미없다. 무미건조하다.
[无畏] wúwèi 형 두려움을 모르다. 무서워하는 것이 없다.
[无谓] wúwèi 형 의미가 없다. 가치가 없다. ❏～地消耗时间; 의미 없이 시간을 소모하다.
[无误] wúwù 동 착오가 없다. 틀림이 없다.
[无隙可乘] wúxì-kěchéng 〈成〉 파고들 틈이 없다. =[无机可乘]
[无瑕] wúxiá 형 흠이 없다. ❏完美～; 〈成〉 흠잡을 데 없이 완벽하다.
[无暇] wúxiá 동 틈이 없다. 겨를이 없다.
[无限] wúxiàn 형 무한하다. ❏～的生命力; 무한한 생명력.
[无限公司] wúxiàn gōngsī 〖經〗 합명 회사(合名會社). 무한 책임 회사. =[无限责任公司]
[无线] wúxiàn 형〖電〗 무선의. ❏～电话; 무선 전화 / ～通信; 무선 통신 / ～寻呼; 무선 호출.
[无线电] wúxiàndiàn 명 ① 무선 전신. ② 라디오 수신기. =[无线电收音机]
[无效] wúxiào 형 ① 무효하다. ❏过期～; 날짜가 지나면 무효이다. ② 효과가 없다. 효력이 없다. ❏医治～; 치료의 효과가 없다.
[无懈可击] wúxiè-kějī 〈成〉 공격당하거나 흠잡힐 만한 틈이 없다.
[无心] wúxīn 동 …할 기분[생각]이 없다. ❏我～去做; 나는 하고 싶은 생각이 없다. 부 생각 없이. 무심코. ❏他～伤害了她的感情; 그는 무심코 그녀의 마음을 상하게 했다.
[无形] wúxíng 형 무형의. ❏～资产; 무형 자산. 부 ⇨[无形中]
[无形中] wúxíngzhōng 부 모르는 사이에. 부지불식간에. =[无形]
[无性] wúxìng 형〖生〗 무성의. ❏～生殖; 무성 생식.
[无须] wúxū 부 …할 것까지는 없다. ❏～大惊小怪; 크게 놀랄 것까지는 없다. =[无需xū][无须乎]
[无烟煤] wúyānméi 명〖鑛〗 무연탄.
[无恙] wúyàng 동〈書〉 별고 없다. ❏别来～? 헤어진 후 별고 없으십니까?
[无疑] wúyí 동 의심할 여지가 없다.
[无以复加] wúyǐfùjiā 〈成〉 이 이상 더할 것이 없다.
[无益] wúyì 동 무익하다.
[无意] wúyì 동 …할 마음[생각]이 없다. ❏～出外; 밖에 나갈 마음이 없다. 부 무의식중에. 무심결에. 무심코. ❏～中发现了一个秘密; 무심결에 한 가지 비밀을 발견했다.
[无意识] wúyì·shí 형 무의식적인. ❏～的举动; 무의식적인 행동. 부 무의식적으로. ❏～地望了她一眼; 무의식적으로 그녀를 쓱 봤다.
[无垠] wúyín 동〈書〉 끝없이 넓고 한이 없다.
[无影无踪] wúyǐng-wúzōng 〈成〉 자취[흔적]도 없다. 온데간데없다.
[无庸] wúyōng 부 ⇨[毋庸]
[无用] wúyòng 동 쓸모가 없다. 무용지물이다.
[无与伦比] wúyǔlúnbǐ 〈成〉 비할 데가 없다.
[无缘无故] wúyuán-wúgù 〈成〉 아무 까닭[이유]도 없다.
[无政府主义] wúzhèngfǔ zhǔyì 무정부주의.
[无知] wúzhī 형 무지하다.
[无中生有] wúzhōngshēngyǒu 〈成〉 터무니없이 날조하다.
[无足轻重] wúzúqīngzhòng 〈成〉 중요하지 않다. 대수롭지 않다.
[无阻] wúzǔ 동 막힘이 없다. 지장이 없다. 장애가 없다. ❏通行～; 통행에 지장이 없다.

芜(蕪) wú (무)
형〈書〉 ① 풀이 어지럽게 우거지다. ❏荒～; 황폐하다. ② 〈比〉 (주로, 문장이) 조리에 닿지 않다. 난잡하다.
[芜菁] wújīng 명〖植〗 순무. =[蔓mán菁]
[芜杂] wúzá 형 난잡하다. 무질서하다.

毋 wú (무)
부〈書〉 …하지 마라. ❏临难～

苟免; 곤란을 당하여 일시 모면을 꾀하지 마라. =[无③]
[毋宁] wúnìng 부 …만 못하다. …하는 편이 낫다. ❏与其坐而论道, ~起而行动; 앉아서 도리를 논하느니 일어나 행동하는 것이 낫다. =[无宁]
[毋庸] wúyōng 부 …할 필요 없다. ❏~讳言; 〈成〉 말하기를 꺼릴 필요 없다. =[无庸]

吾 wú (오)
대〈書〉 나. 우리. ❏~人; 우리.
[吾辈] wúbèi 대〈書〉 우리. 우리들.

梧 wú (오)
명〔植〕 오동. 벽오동.
[梧桐] wútóng 명〔植〕 오동. 벽오동.

鼯 wú (오)
→[鼯鼠]
[鼯鼠] wúshǔ 명〔動〕 날다람쥐.

吴 Wú (오)
명 ①〔史〕 오《주대(周代)의 나라 이름》. ②〔史〕 오《삼국(三國) 시대의 나라 이름, 222-280》.

蜈 wú (오)
→[蜈蚣]
[蜈蚣] wú·gōng 명〔蟲〕 지네.

午 wǔ (오)
명 ① 십이지(十二支)의 일곱번째. ② 낮 12시. 정오.
[午餐] wǔcān 명 ⇨[午饭]
[午饭] wǔfàn 명 점심 식사. 점심. =[午餐][〈方〉 晌饭][中饭]
[午后] wǔhòu 명 ⇨[下午]
[午觉] wǔjiào 명 낮잠. ❏睡~; 낮잠을 자다. =[午睡][〈方〉 晌觉]
[午前] wǔqián 명 ⇨[上午]
[午时] wǔshí 명 오시《오전 11시부터 오후 1시까지》.
[午睡] wǔshuì 명 ⇨[午觉] 동 오수를 즐기다. 낮잠을 자다.
[午夜] wǔyè 명 한밤중. 야밤.

忤 wǔ (오)
동 거역하다. 거스르다.
[忤逆] wǔnì 동 불효하다. ❏~之子; 불효자.

五 wǔ (오)
수 다섯. 5.
[五彩] wǔcǎi 명〔色〕 ① 오색《청·황·적·백·흑》. ② 여러 가지 색. 다채로운 색깔. ❏~缤纷; 〈成〉 울긋불긋하다. ‖ =[五色]
[五方] wǔfāng 명 ① 오방《동서남북과 중앙의 다섯 방향》. ② 각처. 여기저기. ❏~杂处chǔ; 〈成〉 각 지역의 사람이 섞여 살다《도시 주민의 복잡하게 얽혀 사는 모습》.
[五分钟热度] wǔfēnzhōng rèdù 〈比〉 오래가지 못하다. 작심삼일이다.
[五更] wǔgēng 명 ① 오경《일몰에서 일출까지의 밤을 다섯으로 나눈 것》. ② 오경《새벽 3시부터 5시》.
[五谷] wǔgǔ 명 ① 오곡《벼·수수·보리·조·콩》. ②〈轉〉 곡식.
[五官] wǔguān 명 ① 오관《눈·귀·코·입·혀를 가리킴》. ②〈轉〉 이목구비. 얼굴 생김새. ❏~端正; 〈成〉 이목구비가 단정하다.
[五光十色] wǔguāng-shísè 〈成〉 색깔이 아름답고 모양이 다양하다.
[五湖四海] wǔhú-sìhǎi 〈成〉 방방곡곡. 전국 각지.
[五花八门] wǔhuā-bāmén 〈成〉 변화가 많고 다양한 모양. 이것저것 섞여 있는 모양.
[五花肉] wǔhuāròu 명 삼겹살.
[五环旗] Wǔhuánqí 명〔體〕 오륜기. 올림픽기.
[五讲四美] wǔjiǎng sìměi 문명·예절·위생·질서·도덕을 중시하고, 마음·언어·행동·환경을 아름답게 하는 것.
[五金] wǔjīn 명〔鑛〕 오금《금·은·동·철·주석. 금속·금속 제품을 가리키기도 함》. ❏~商店; 철물점.
[五里雾] wǔlǐwù 명〈比〉 오리무중. ❏如堕~中; 오리무중에 빠진 것 같다.
[五色] wǔsè 명 ⇨[五彩]
[五十步笑百步] wǔshí bù xiào bǎi bù 〈成〉 같은 결점이나 잘못이 있으면서도 그 정도가 경미하다 하여 남을 비웃다. 오십보백보.
[五体投地] wǔtǐ-tóudì 〈成〉 ① 오체투지《불교에서 양손과 두 무릎과 머리를 바닥에 대고 하는 배례》. ②〈比〉 몹시 탄복하다[존경하다].
[五味] wǔwèi 명 ① 오미《'甜' (단맛)·'酸' (신맛)·'苦' (쓴맛)·'辣' (매운맛)·'咸' (짠맛)》. ②〈轉〉 각종의 맛. 여러 가지 맛. ❏~俱全; 〈成〉 여러 가지 맛이 갖춰져 있다《만감이 교차하다》.
[五味子] wǔwèizǐ 명〔植〕 오미자.
[五线谱] wǔxiànpǔ 명〔樂〕 오선보.
[五香] wǔxiāng 명 오향《중국 음식에 양념으로 쓰이는 다섯 가지 향

료. '花椒'(산초)·'八角'(팔각)·'桂皮(계피)'·'丁香花蕾'(정향나무 꽃봉오리)·'茴香'(회향)을 일컬음》.

[五星红旗] Wǔxīng Hóngqí 오성홍기《중화 인민 공화국의 국기》.

[五言诗] wǔyánshī 명 오언시.

[五颜六色] wǔyán-liùsè 〈成〉 가지각색의 색깔. 다채로운 빛깔.

[五一劳动节] Wǔ-Yī Láodòng Jié 근로자의 날. 노동절. 메이데이. =[五一国际劳动节][劳动节][〈簡〉五一]

[五岳] Wǔ Yuè 명 오악《타이산 산(泰山)·화산 산(華山)·형산 산(衡山)·헝산 산(恒山)·쑹산 산(嵩山)을 일컬음》.

[五脏] wǔzàng 명 오장《심장·간장·비장·폐장·신장》. ❑ ~六腑; 〈成〉 오장육부.

[五子棋] wǔzǐqí 명 (바둑의) 오목.

伍 wǔ (오)
① 명 옛날, 군대의 최소 편성 단위《5 인이 1伍가 됨》. 〈轉〉 군대. ❑ 入~; 입대하다. ② 명 같은 무리. 한패. ❑ 相与为~; 서로 한패가 되다. ③ 수 '五'의 갖은자.

捂 wǔ (오)
동 덮다. 가리다. ❑ 用手~着嘴; 손으로 입을 가리고 있다.

[捂盖子] wǔ gài·zi ① 뚜껑을 덮다. ② 숨기다. 은폐하다.

牾 wǔ (오)
동 〈書〉 거스르다. 위배하다. 위반하다. ❑ ~意; 뜻을 거스르다.

怃(憮) wǔ (무)
동 〈書〉 실의에 빠지다.

[怃然] wǔrán 형 〈書〉 실망한 모양. 낙심한 모양.

妩(嫵) wǔ (무)
→[妩媚]

[妩媚] wǔmèi 형 곱고 아름다운 모양. 예쁘고 사랑스러운 모양.

武 wǔ (무)
① 명 무《군사에 관한 것》. ❑ ~器; ⇓ ② 명 격투기. 무술. 무예. ③ 형 용맹하다. 맹렬하다.

[武打] wǔdǎ 명 〔劇〕 (연극이나 영화 중의) 격투. ❑ ~场面; 격투 장면 / ~片piàn =[〈口〉 ~片儿piānr]; 무술 영화.

[武断] wǔduàn 형 독단적이다. 무단적이다. 고압적이다.

[武工] wǔgōng 명 ⇨[武功③]

[武功] wǔgōng 명 ① 〈書〉 군사면의 공적. ② 무술 실력. 무공. ③ 〔劇〕 (극(劇) 중의) 무술 연기. =[武工]

[武官] wǔguān 명 ① 〔軍〕 무관. 군관. ② (외교상의) 무관.

[武库] wǔkù 명 〔軍〕 무기고.

[武力] wǔlì 명 ① 무력. 군사력. ② 완력(腕力). 폭력. ❑ ~行为; 폭력 행위.

[武林] wǔlín 명 무림. ❑ ~高手; 무림 고수.

[武器] wǔqì 명 ① 무기. 병기. =[兵器] ② (추상적인) 무기. 투쟁의 도구. ❑ 思想~; 사상 무기.

[武士] wǔshì 명 ① 위사(衛士)《옛날, 궁정 호위를 담당하던 위병》. ② 무사. ❑ ~道; (일본의) 무사도.

[武术] wǔshù 명 무술. ❑ 练~; 무술을 연마하다.

[武侠] wǔxiá 명 무협. ❑ ~小说; 무협 소설.

[武艺] wǔyì 명 무예. ❑ ~出众; 무예가 출중하다.

[武装] wǔzhuāng 명동 무장(하다). ❑ 解除~; 무장을 해제하다 / ~冲突; 무장 충돌 / ~警察; 무장 경찰.

鹉(鵡) wǔ (무)
→[鹦yīng鹉]

侮 wǔ (모)
동 모욕하다. 업신여기다.

[侮慢] wǔmàn 동 업신여기다.

[侮辱] wǔrǔ 동 모욕하다. 모독하다. 욕보이다. ❑ ~人格; 인격을 모독하다. =[污辱①]

舞 wǔ (무)
① 명 춤. ❑ 跳~; 춤을 추다. ② 동 춤추다. ❑ ~剑; 검무를 추다. ③ 동 흩날리다. 나부끼다. ④ 동 휘두르다. ❑ ~棍棒; 곤봉을 휘두르다. ⑤ 동 (수단·재주 따위를) 부리다. 피우다. ❑ ~弊; ⇓

[舞伴(儿)] wǔbàn(r) 명 댄싱 파트너. 춤 상대.

[舞弊] wǔbì 동 부정한 짓을 하다.

[舞步] wǔbù 명 〔舞〕 스텝(step).

[舞场] wǔchǎng 명 (사교춤을 추는) 무도장. =[舞厅②]

[舞蹈] wǔdǎo 명동 무도(하다). 무용(하다). ❑ ~家; 무용가.

[舞动] wǔdòng 동 ① 휘두르다. ❑ ~木棍; 나무 방망이를 휘두르다. ② 흔들리다. ❑ 柳枝在春风中~; 버드나무 가지가 봄바람에 흔들리다.

[舞会] wǔhuì 명 댄스 파티. 무도회.

[舞剧] wǔjù 명〖舞〗무용극.
[舞弄] wǔnòng 동 휘두르며 갖고 놀다. ❑～棍棒; 곤봉을 휘두르다.
[舞女] wǔnǚ 명 여성 댄서. 무희.
[舞曲] wǔqǔ 명〖樂〗댄스 음악. 무도곡. 춤곡.
[舞台] wǔtái 명 ① 무대. ❑在～上表演; 무대에서 연기하다. ②〈比〉사람의 이목을 끄는 일이 벌어지는 곳. ❑政治～; 정치 무대.
[舞厅] wǔtīng 명 ① 춤추는 곳. 댄스홀. ② ⇨[舞场]
[舞文弄墨] wǔwén-nòngmò〈成〉① 법을 왜곡하여 부정한 짓을 하다. =[舞文弄法] ② 글장난하다.

兀 wù (올)
형〈書〉① 우뚝 솟다. ❑突～; 높이 치솟다. ② 산이 민둥한 모양. 머리가 벗어진 모양.
[兀立] wùlì 동〈書〉곧추서다. 우뚝 솟다.

坞(塢) wù (오)
명 ① 사면이 높고 중앙이 움푹 들어간 곳. ② 사면이 높아 바람을 막을 수 있게 된 건조물. ❑船～; 도크(dock). 선거(船渠).

勿 wù (물)
부 …하지 마라. ❑请～打扰; 방해하지 마시오.
[勿忘草] wùwàngcǎo 명〖植〗물망초. =[勿忘我草]

物 wù (물)
명 ① 물건. 사물. 물체. 물질. ❑货～; 화물 / 万～; 만물. ② 자기 이외의 것[사람]. ❑～议; ⇩ ③ (구체적인) 내용. 실질. ❑言之有～;〈成〉말에 구체적인 내용이 있다.
[物产] wùchǎn 명 물산. 산물.
[物换星移] wùhuàn-xīngyí〈成〉계절이 변하고 시간이 흐르다.
[物极必反] wùjí-bìfǎn〈成〉사물이 궁극(窮極)에 달하면 반드시 역(逆)의 방향으로 반전(反轉)한다.
[物价] wùjià 명 물가. ❑～飞涨; 물가가 급등하다 / ～指数; 물가 지수.
[物件] wùjiàn 명 물건. 물품. ❑随身～; 휴대품.
[物理] wùlǐ 명 ① 사물의 도리. 만물의 이치. ② 물리. ❑～学; 물리학.
[物理疗法] wùlǐ liáofǎ〖醫〗물리요법. 물리 치료. =[〈簡〉理疗]
[物力] wùlì 명 물력. 물자.
[物流] wùliú 명 물적 유통. 물류. ❑～中心; 물류 센터.
[物品] wùpǐn 명 물건. 물품. ❑个人～; 개인 물품 / 贵重～; 귀중품.
[物色] wùsè 동 (필요한 인재나 물건을) 찾다. 구하다. 물색하다. ❑～人材; 인재를 물색하다.
[物体] wùtǐ 명〖物〗물체. ❑透明～; 투명 물체.
[物以类聚] wùyǐlèijù〈成〉끼리끼리 모이다. 유유상종(類類相從).
[物议] wùyì 명〈書〉사람들의 비난. 물의.
[物证] wùzhèng 명〖法〗물증.
[物质] wùzhì 명 ①〖哲〗물질. ② 금전. 재물. 소비 물자. ❑～文明; 물질문명 / ～至上; 물질 만능.
[物主] wùzhǔ 명 물건의 주인.
[物资] wùzī 명 물자.

务(務) wù (무)
① 명 일. 임무. 업무. 사무. ❑任～; 임무. ② 동 종사하다. 일하다. ❑不～正业;〈成〉정업(正業)에 종사하지 않다. ③ 부 아무쪼록. 꼭. ❑～请回示;〈翰〉꼭 답장 주십시오.
[务必] wùbì 부 필히. 반드시. 꼭. ❑～去一趟; 필히 한 번 가야 한다. =[务须]
[务农] wùnóng 동 농업에 종사하다.
[务求] wùqiú 동 꼭[반드시] …할 것을 요구하다. ❑～按期完成; 기한대로 끝낼 것을 요구하다.
[务须] wùxū 부 ⇨[务必]

雾(霧) wù (무)
명 ① 안개. ② 안개 같은 물방울. ❑喷～器; 분무기.
[雾霭] wù'ǎi 명〈書〉안개. ❑～蒙蒙; 안개가 자욱하다.
[雾茫茫(的)] wùmángmáng(·de) 형 안개가 자욱한 모양. =[雾蒙蒙(的) wùméngméng(·de)]
[雾气] wùqì 명 안개.

戊 wù (무)
명 무《십간(十干)의 다섯째》.

误(誤) wù (오)
① 동 잘못하다. 틀리다. ❑笔～; 잘못 쓰다. ② 동 시간에 늦다. 지체되다. ❑定期不～; 정해진 기일에 늦지 않다. ③ 동 폐를 끼치다. 지장을 주다. 망치다. ④ 부 뜻하지 않게. 실수로. ❑～伤; ⇩
[误差] wùchā 명〖數〗오차.
[误点] wù∥diǎn 동 ⇨[晚点]
[误会] wùhuì 명동 (상대의 뜻을) 오해(하다). ❑你完全～了我的意思; 너는 내 뜻을 완전히 오해했다.

[误解] wùjiě 명동 오해(하다). 잘못 이해(하다). ❏ 我把这句话~成另外的意思了; 나는 이 말을 다른 의미로 잘못 이해했다.

[误入歧途] wùrù-qítú 〈成〉 미혹되어 잘못된 길로 빠지다.

[误杀] wùshā 동〖法〗 과실 치사(過失致死)하다.

[误伤] wùshāng 동〖法〗 과실 상해(過失傷害)하다.

[误事] wù//shì 동 일을 그르치다.

[误诊] wùzhěn 동 ① 오진하다. ② 진찰[치료] 시간이 지체되다.

悟 wù (오)
동 깨닫다. 이해하다. ❏ 恍然大~; 〈成〉 문득 크게 깨닫다.

[悟性] wùxìng 명 이해(理解). 사물을 분석하고 이해하는 능력. ❏ 有~; 이해가 빠르다.

晤 wù (오)
동〈書〉 만나다. 회견하다.

[晤见] wùjiàn 동〈書〉 만나다. 뵙다. ❏ ~对方代表; 상대편 대표를 만나다.

[晤谈] wùtán 동〈書〉 면담하다.

痦 wù (오)
→[痦子]

[痦子] wù·zi 명 사마귀.

寤 wù (오)
동〈書〉 잠에서 깨다. ❏ ~寐思之; 〈成〉 자나깨나 그 생각만 하다.

恶(惡) wù (오)
동 미워하다. 싫어하다. 증오하다. ❏ 深~痛绝; 〈成〉 극도로 미워하다. ⇒ ě è

骛(騖) wù (무)
동〈書〉 ① 거침없이 질주하다. ② 추구하다. 힘을 쏟다. ❏ 好hào高~远; 〈成〉 실제와 동떨어진 고원한 일을 추구하다.

鹜(鶩) wù (목)
명〖鳥〗〈書〉 오리.

X

xi ㄒㄧ

夕 xī (석)
명 ① 저녁. ❑朝~; 아침저녁. ② 밤. ❑除~; 제야(除夜).

[夕阳] xīyáng 명 석양. ❑~西下; 〈成〉 석양이 서쪽으로 지다. 형 〈比〉 새로운 것에 밀려 몰락해 가는. 사양(斜陽)의. ❑~产业; 사양 산업.

[夕照] xīzhào 명 석조. 저녁 햇빛.

西 xī (서)
① 명 서. 서쪽. ② 명형 서양(의). ❑~餐; ⇩

[西班牙] Xībānyá 명〔地〕〈音〉 스페인(Spain).

[西半球] xībànqiú 명〔地理〕 서반구.

[西边(儿)] xī·bian(r) 명 서쪽. =[西面(儿)]

[西伯利亚] Xībólìyà 명〔地〕〈音〉 시베리아(Siberia).

[西部] xībù 명 서쪽 지역. 서부. ❑~片piàn; 서부 영화.

[西餐] xīcān 명 서양 요리. 양식. ❑~馆; 양식집.

[西点] xīdiǎn 명 서양 과자. 양과자.

[西方] xīfāng 명 ① 서쪽. ②〔佛〕 서방 극락. 서방 정토. =[西天②] ③ (Xīfāng) ⇨[西洋]

[西风] xīfēng 명 ① 추풍(秋風). ② 서양의 풍속[문화].

[西服] xīfú 명 양복. 양장. =[西装][洋服][洋装]

[西瓜] xī·guā 명〔植〕 수박.

[西红柿] xīhóngshì 명〔植〕 토마토(tomato). ❑~酱; 토마토케첩. =[番fān茄]

[西葫芦] xīhú·lu 명〔植〕 호박. 애호박.

[西蓝花] xīlánhuā 명〔植〕 브로콜리(broccoli). =[西兰花][绿菜花][茎椰菜]

[西面(儿)] xīmiàn(儿) 명 ⇨[西边(儿)]

[西施] Xīshī 명〔人〕 서시《월왕(越王) 구천(句踐)이 오왕(吳王) 부차(夫差)에게 바친 미녀. 미인의 대명사로 일컬어 짐》.

[西式] xīshì 형 서양식의. 양식의. ❑~楼房; 서양식 층집.

[西天] xītiān 명 ①〔佛〕 서천《인도의 별칭》. ② ⇨[西方②]

[西洋] Xīyáng 명 서양. ❑~画; 서양화 / ~人; 서양인. =[西方③]

[西洋景] xīyángjǐng 명 ① 요지경. ②〈比〉 속임수. ‖ =[西洋镜]

[西药] xīyào 명 양약.

[西医] xīyī 명 양의. ① 서양 의학. ② 서양 의학을 배운 의사.

[西游记] Xīyóujì 명〔書〕 서유기.

[西藏] Xīzàng 명〔地〕 시짱. 티베트(Tibet).

[西装] xīzhuāng 명 ⇨[西服]

牺(犧) xī (희)
명〈書〉 희생(犧牲).

[牺牲] xīshēng 명 (옛날, 제물로 바치던) 희생. ❑~品; 희생물. 동 ① 희생하다. ❑~精神; 희생 정신. ② 포기하다. ❑为了集体~了个人利益; 전체를 위해 개인의 이익을 포기했다.

吸 xī (흡)
동 ① (액체·기체 따위를) 마시다. 들이마시다. ❑~一口新鲜空气; 신선한 공기를 마시다. ② 흡수하다. 빨아들이다. ❑棉花能~墨水; 솜은 잉크를 흡수할 수 있다. ③ 끌어당기다. ❑~铁石; ⇩

[吸尘器] xīchénqì 명 청소기.

[吸毒] xī//dú 동 아편을 피우다. 마약을 복용하다. ❑~检验; 도핑 테스트. 약물 검사.

[吸附] xīfù 동〔化〕 흡착(吸着)하다.

[吸管] xīguǎn 명 빨대.

[吸力] xīlì 명 흡력. 흡입력.

[吸墨纸] xīmòzhǐ 명 압지(壓紙).

[吸取] xīqǔ 동 흡수하다. 받아들이다. ❑~教训; 교훈을 받아들이다 / ~营养; 영양을 섭취하다.

[吸收] xīshōu 동 흡수하다. ① 섭취하다. ❑~水分; 수분을 흡수하다. ② (현상·작용을) 약화시키다. ❑~噪音; 소음을 흡수하다. ③ 구성원으로 받아들이다.

[吸铁石] xītiěshí 명 ⇨[磁cí铁]

[吸血鬼] xīxuèguǐ 명 ① 흡혈귀. ②〈比〉 노동자의 피와 땀을 착취하여 기생적 생활을 하는 사람.

[吸烟] xī//yān 동 담배를 피우다. 흡연하다. ❑禁止~; 흡연 금지. 금연 / ~室; 흡연실. =[抽烟]

[吸引] xīyǐn 동 끌어당기다. 매료시키다. 흡인하다. ❑~注意力; 주의력을 끌다 / ~力; 흡인력.

希 xī (희)
① 동 바라다. 희망하다. ❑即~出席为幸; 부디 참석하여 주십시오. ② 형 ⇨[稀①]

[希罕] xī·han 형동명 ⇨[稀罕]
[希腊] Xīlà 명〖地〗희랍. 그리스(Greece). ❑ ~文字; 그리스 문자.
[希奇] xīqí 형 ⇨[稀奇]
[希求] xīqiú 동 희구하다.
[希少] xīshǎo 형 ⇨[稀少]
[希世] xīshì 형 ⇨[稀世]
[希望] xīwàng 동 희망하다. 바라다. ❑ 我~明天不再下雨; 내일은 더 이상 비가 오지 않았으면 좋겠다. 명 ① 희망. 바람. ❑ 失去~; 희망을 잃다. ② 희망을 거는 대상(對象). ❑ 孩子是我们的~; 아이는 우리의 희망이다.
[希有] xīyǒu 형 ⇨[稀有]

稀 xī (희)
①형 드물다. 적다. ❑ ~见; 보기 드물다. =[希②] ②형 성기다. 듬성듬성하다. ❑ 头发越来越~; 머리카락이 갈수록 듬성듬성해지다. ③형 (농도가) 묽다. ❑ 水泥和得太~; 시멘트가 너무 묽게 개어졌다. ④부 아주. 매우. ❑ ~烂; ⇩
[稀薄] xībó 형 (공기·안개 따위가) 희박하다. 엷다. ❑ 空气~; 공기가 희박하다.
[稀饭] xīfàn 명 (쌀·좁쌀 따위로 만든) 죽.
[稀罕] xī·han 형 드물다. 진귀하다. 동 진귀하게 여기다. 명 (~儿) 진기한[희한한] 사물. ‖ =[希罕]
[稀客] xīkè 명 좀처럼 오지 않는 귀한 손님.
[稀烂] xīlàn 형 ① (음식이) 매우 물렁물렁하다. ② 산산조각이 나다.

[稀里糊涂] xī·lihútú 형 ① 어리둥절한 모양. ② 대충대충 하다.
[稀溜溜(儿的)] xīliūliū(r·de) 형 (국이나 죽이) 매우 묽은 모양.
[稀奇] xīqí 형 진기하다. 희귀하다. ❑ ~古怪; 진기하고 기괴하다. =[希奇]
[稀少] xīshǎo 형 적다. 드물다. 희소하다. =[希少]
[稀世] xīshì 형 세상에 드물다. ❑ ~之珍 =[希世之珍]; 〈成〉 세상에 드문 보물. =[希世]
[稀释] xīshì 동〖化〗희석하다. ❑ ~液; 희석액.
[稀疏] xīshū 형 공간·시간적으로 간격이 뜨다. 뜸하다. 성기다. ❑ ~的头发; 성긴 머리털.
[稀松] xīsōng 형 ① 해이하다. 산만하다. ❑ 作风~; 태도가 산만하다. ② 엉성하다. 형편없다. ❑ 这张桌子的做工真~; 이 탁자는 만듦새가 정말 엉성하다. ③ 대수롭지 않다.
[稀稀拉拉(的)] xī·xilālā(·de) 형 드문드문한 모양. 띄엄띄엄한 모양. =[稀稀落落]
[稀有] xīyǒu 형 희유하다. 희소하다. 드물다. ❑ ~金属; 희유금속 / ~元素; 희유원소. =[希有]

析 xī (석)
동 ① 나누다. 흩어지다. 분산되다. ❑ 离~; 분열되다. ② 분석하다. 풀다. ❑ ~义; 의미를 분석하다.

淅 xī (석)
동〈書〉 쌀을 씻다[일다].
[淅沥] xīlì 의 쏴. 부슬부슬. 바스락 《바람·비·낙엽 따위의 소리》.

晰 xī (석)
형 분명하다. 뚜렷하다.

蜥 xī (석)
명〖動〗도마뱀. 「脚蛇]
[蜥蜴] xīyì 명〖動〗도마뱀. =[四

昔 xī (석)
명 옛날. 과거. 이전.
[昔年] xīnián 명〈書〉 왕년. 이전.
[昔日] xīrì 명 이전. 예전. 지난날.

惜 xī (석)
동 ① 소중히 여기다. 아끼다. ❑ 爱~; 소중히 여기다. ② 아쉬워하다. 애석해하다. ❑ ~别; ⇩ ③ 아까워하다. 아끼다. ❑ ~力; 힘을 아끼다.
[惜败] xībài 동 석패하다.
[惜别] xībié 동 석별하다. 이별을 아쉬워하다. ❑ ~之情; 석별의 정.

息 xī (식)
① 명 숨. ❑ 喘~; 헐떡이다. ② 명 소식. ❑ 信~; ⓐ소식. ⓑ정보. ③ 동 그만두다. 그치다. 멎다. 멈추다. ❑ 风~了; 바람이 그쳤다. ④ 동 쉬다. 휴식하다. ❑ 安~; 안식하다. ⑤ 동 번식하다. 자라다. ❑ 生~; 생식하다. ⑥ 명 이자. 이식(利息). ❑ 年~; 연리(年利). ⑦ 명〈書〉 자식. 자녀.
[息怒] xīnù 동 노여움을 가라앉히다[거두다]. 고정하다. ❑ 请老师~; 선생님 고정하십시오.
[息息相关] xīxī-xiāngguān 〈成〉 관계가 매우 밀접하다. =[息息相通]

熄 xī (식)
동 (불이) 꺼지다. (불을) 끄다. ❑ 炉火已~; 난롯불은 이미 꺼졌다.
[熄灯] xī//dēng 동 소등하다. ❑ ~

号; 소등 나팔.
[熄灭] xīmiè 동 ① (불이) 꺼지다. (불을) 끄다. ② 소멸하다[시키다].

奚 xī (해, 혜)
대〈書〉 왜. 무엇. 어디.
[奚落] xīluò 동 조롱하다. 비웃다.

溪 xī (계)
명 계류(溪流). 시내. ❑ ~水; 시냇물.
[溪涧] xījiàn 명 계간. 골짜기에 흐르는 시내.
[溪流] xīliú 명 계류. 시냇물.

蹊 xī (혜)
명〈書〉 좁은 길. 오솔길. ⇒qī
[蹊径] xījìng 명〈書〉 ① 오솔길. ②〈比〉 방법. 절차. 방책.

悉 xī (실)
① 형 모든. 전부의. ② 동 다하다. ❑ ~力; 온 힘을 다하다. ③ 동 알다. 잘 알다.
[悉尼] Xīní 명〔地〕〈音〉 시드니 (Sydney).
[悉数] xīshǔ 동〈書〉 전부 세다. 모두 열거하다.
[悉数] xīshù 부〈書〉 전부. 전액.
[悉心] xīxīn 부 최선을 다해. 심혈을 기울여. ❑ ~照料; 최선을 다해 돌보다.

窸 xī (실)
→[窸窣]
[窸窣] xīsū 의 바스락. 사르륵《가늘고 작은 마찰》.

蟋 xī (실)
→[蟋蟀]
[蟋蟀] xīshuài 명〔蟲〕 귀뚜라미. =[〈方〉 蛐蛐儿][促织]

犀 xī (서)
명〔動〕 무소. 코뿔소.
[犀角] xījiǎo 명 무소의 뿔.
[犀利] xīlì 형 (문장·무기 따위가) 예리하다. 날카롭다.
[犀牛] xīniú 명〔動〕 무소. 코뿔소.

翕 xī (흡)
〈書〉 ① 형 화합하다. 조화하다. ② 동 합치다. 닫다.
[翕动] xīdòng 동〈書〉 (입술 따위가) 열렸다 닫혔다 하다.

锡(錫) xī (석)
명〔化〕 주석(Sn: stannum).
[锡箔] xībó 명 석박. 납지(鑞紙).
[锡纸] xīzhǐ 명 은종이. 석박.

嘻 xī (희)
① 감〈書〉 아. 앗《놀라거나 분노·탄식·경멸할 때 내는 소리》. ② 의 히히. 헤헤. 킥킥《웃는 소리》.
[嘻嘻哈哈] xīxī-hāhā 형 ① 기쁘고 즐거운 모양. ② 진지하지 못한 모양.

嬉 xī (희)
동〈書〉 놀다. 장난치다.
[嬉皮笑脸] xīpí-xiàoliǎn 〈成〉 히히덕거리며 진지하지 못한 모양.
[嬉戏] xīxì 동〈書〉 놀다. 장난치다.
[嬉笑] xīxiào 동 웃고 떠들다. 시시덕거리다.

熹 xī (희)
형〈書〉 날이 밝다. 환하다.
[熹微] xīwēi 형 햇빛이 어슴푸레하다. 희붐하다.

熙 xī (희)
형〈書〉 ① 밝다. 빛나다. ② 화목하고 즐겁다. 화락하다.
[熙熙攘攘] xīxī-rǎngrǎng 형 사람들이 많이 오가고 번화한 모양.

膝 xī (슬)
명 무릎.
[膝盖] xīgài 명 무릎.
[膝关节] xīguānjié 명〔生理〕 무릎 관절.
[膝下] xīxià 명 ① 슬하. ❑ ~犹虚; 〈成〉 슬하에 자식이 없다. ②〈翰〉 부모나 조부모에게 드리는 편지 서두의 호칭 밑에 덧붙이는 말. ❑ 父亲大人~; 아버님께.

曦 xī (희)
명〈書〉 햇살. 햇빛. ❑ 晨~; 아침 햇살.

习(習) xí (습)
① 동 학습하다. 배우다. ❑ 温~; 복습하다. ② 동 자주 접하여 익숙하다. 습관이 되다. ❑ ~见; 자주 보다. ③ 명 습관. 관습. ❑ 恶~; 악습.
[习惯] xíguàn 명 습관. 버릇. 관습. ❑ ~法; 관습법 / 生活~; 생활습관. 동 습관이 되다. 익숙해지다. ❑ ~成自然; 습관이 되어 자연스러워지다.
[习气] xíqì 명〈貶〉 서서히 형성된 악습[악풍]. 나쁜 버릇.
[习俗] xísú 명 습속. 습관과 풍속.
[习题] xítí 명 연습 문제.
[习习] xíxí 형 바람이 솔솔 부는 모양. ❑ 凉风~; 시원한 바람이 솔솔 불다.
[习性] xíxìng 명 습성.
[习以为常] xíyǐwéicháng 〈成〉 자주해서 습관이 되다.
[习用] xíyòng 동 습관적으로 쓰다. 자주 사용하다. 관용하다. ❑ ~手法; 습관적으로 쓰는 수법.

[习语] xíyǔ 명 습관적으로 쓰는 말. 관용어.
[习字] xízì 동 습자하다. ❏~帖; 습자첩.
[习作] xízuò 명동 습작(하다). 글짓기(를 연습하다).

席 xí (석)
①명 자리. 돗자리. 멍석. ❏编~; 돗자리를 겯다. ②명 좌석. 자리. ❏出~; 출석하다/来宾~; 내빈석. ③명 (의회의) 의석. ❏占~; 의석을 차지하다. ④명 술자리. 연석(宴席). ❏赴~; 연회에 참석하다. ⑤양 연석을 세는 말. ❏一~酒; 한 차례의 주연(酒宴). ⑥양 차례. 바탕(《대화 따위를 세는 말》). ❏一~话; 한 차례의 이야기.
[席不暇暖] xíbùxiánuǎn 〈成〉 자리가 따뜻해질 사이가 없다(《동분서주하여 대단히 바쁘다》).
[席次] xícì 명 석순(席順). 자리 순서.
[席卷] xíjuǎn 동 석권하다. 휩쓸다. ❏~天下; 천하를 석권하다.
[席位] xíwèi 명 ①자리. 지위. ②〈轉〉 의석(議席).
[席子] xí·zi 명 자리. 돗자리. 멍석.

袭(襲) xí (습)
①동 덮치다. 습격하다. 엄습하다. ❏寒气~人; 추위가 엄습하다/空~; 공습. ②동 관례대로 하다. 답습하다. 계승하다. ❏因~; 인습. ③양〈書〉 벌. 습(《갖춰진 옷을 세는 말》). ❏衣一~; 의복 일습[한 벌].
[袭击] xíjī 동 습격하다. 기습하다. ❏~敌人; 적을 습격하다.
[袭用] xíyòng 동 그전대로 답습하여 쓰다. 습용하다.

媳 xí (식)
명 며느리. ❏婆~; 고부.
[媳妇(儿)] xífù(r) 명 ①며느리. =[儿媳妇儿] ②친족 중 항렬이 아래인 사람의 아내(《앞에 친족 명칭을 붙임》). ❏孙~; 손부/侄~; 질부.
[媳妇(儿)] xí·fu(r) 명〈方〉 ①아내. 색시. ❏娶~; 색시를 얻다. ②기혼(既婚)의 젊은 여자. 새댁.

檄 xí (격)
①명 격문. ②동〈書〉 격문을 띄우다.
[檄文] xíwén 명 격문.

洗 xǐ (세)
①동 씻다. 닦다. 빨다. ❏~脸; 세면하다/~头; 머리를 감다/~衣服; 옷을 빨다. ②명 세례. ❏受~; 세례를 받다. ③동 (누명·치욕·원한 따위를) 벗다. 씻다. ❏~冤; 누명을 벗다. ④동 제거하다. 숙청하다. ❏把恶习~去; 악습을 제거하다. ⑤동 (필름·사진을) 현상하다. 인화하다. ❏~照片; 사진을 현상하다. ⑥동 (테이프의) 녹음을 지우다. ❏~录音; 녹음을 지우다. ⑦동 (카드패 따위를) 패를 섞다. ❏~牌; ⇩
[洗车] xǐ//chē 동 세차하다.
[洗尘] xǐchén 동 잔치를 베풀어 먼 곳에서 온 사람을 환영하다.
[洗涤] xǐdí 동 세척하다. 깨끗이 씻다. ❏~剂; 세제/~器; 세척기.
[洗耳恭听] xǐ'ěr-gōngtīng 〈成〉 귀를 씻고 공손히 듣다(《남에게 이야기를 청할 때 쓰는 말》).
[洗发剂] xǐfàjì 명 샴푸.
[洗劫] xǐjié 동 모조리 빼앗다. 남김없이 약탈하다.
[洗礼] xǐlǐ 명 ①〔宗〕 세례. ②〈比〉 고난. 시련.
[洗脸盆] xǐliǎnpén 명 세숫대야.
[洗练] xǐliàn 형 (언어·문장·기예 따위가) 세련되다. 잘 다듬어져 있다. =[洗炼]
[洗面膏] xǐmiàngāo 명 (얼굴용) 클렌징크림(cleansing cream).
[洗牌] xǐ//pái 동 패를 섞다.
[洗染店] xǐrǎndiàn 명 세탁소.
[洗手] xǐ//shǒu 동 ①손을 씻다. ②〈比〉 나쁜 일에서 손을 떼다.
[洗手间] xǐshǒujiān 명 화장실.
[洗刷] xǐshuā 동 ①물로 씻고 솔로 문질러 닦다. ❏~浴盆; 욕조 청소를 하다. ②(치욕·오명·죄명 따위를) 씻어 내다. 벗다. ❏~罪名; 죄명을 벗다.
[洗碗机] xǐwǎnjī 명 식기세척기.
[洗雪] xǐxuě 동 (누명·치욕·원한 따위를) 씻다. 벗다. ❏~耻辱; 치욕을 씻다.
[洗衣] xǐyī 동 세탁하다. 빨래하다. ❏~板; 빨래판/~粉; 가루비누/~机; 세탁기.
[洗印] xǐyìn 동 (필름을) 현상·인화하다.
[洗澡] xǐ//zǎo 동 목욕하다. ❏~间; 욕실. =[沐浴①]

铣(銑) xǐ (선)
동〔機〕 선반(旋盤) 따위로 금속을 깎다.
[铣床] xǐchuáng 명〔機〕 프레이즈반(frais盤). 밀링 머신(milling

machine).

玺(璽) xǐ (새) 명 옥새.

徙 xǐ (사) 동 옮기다. 이동하다. ❑ ~居; 이사하다.

喜 xǐ (희) ① 형 기쁘다. 즐겁다. ❑ 又惊又~; 놀랍고 기쁘다. ② 명 경사. 경사스러운 일. ❑ 报~; 길보(吉報)를 알리다. ③ 명〈口〉 임신. ❑ 有~; 임신하다. ④ 동 좋아하다. 즐겨 하다. ❑ ~读书; 독서를 좋아하다.

[喜爱] xǐ'ài 동 좋아하다. 호감을 갖다. 흥미를 느끼다. ❑ ~散步; 산책을 좋아하다.

[喜报] xǐbào 명 길보. 낭보. 희보.

[喜出望外] xǐchūwàngwài 〈成〉 뜻밖에 기쁜 일이 찾아오다.

[喜好] xǐhào 동 좋아하다. 즐겨 하다. 애호하다. ❑ ~体育; 스포츠를 좋아하다.

[喜欢] xǐ·huan 동 좋아하다. 애호하다. 마음에 들다. ❑ 我~打网球; 나는 테니스를 좋아한다. 형 유쾌하다. 기쁘다. 즐겁다. ❑ ~得合不上嘴; 좋아서 입을 못 다물다.

[喜酒] xǐjiǔ 명 결혼 축하술. 〈轉〉 결혼 축하연[피로연].

[喜剧] xǐjù 명〖劇〗 희극. 코미디(comedy). ❑ ~演员; 코미디언.

[喜气] xǐqì 명 희색. 기쁜 빛. 기쁨의 분위기. ❑ ~洋洋; 〈成〉 기쁨에 넘치는 모양.

[喜庆] xǐqìng 명 경사. 형 경사스럽다. ❑ ~的日子; 경사스러운 날.

[喜鹊] xǐquè 명〖鳥〗 까치. =[鹊]

[喜人] xǐrén 형 만족스럽다. 흡족하다.

[喜色] xǐsè 명 희색. 기뻐하는 표정. ❑ 面带~; 기쁜 표정을 하다.

[喜事] xǐshì 명 ① 경사. 기쁜 일. ② 혼례. ❑ 办~; 혼례를 치르다.

[喜糖] xǐtáng 명 혼례 때 사람들에게 나눠 주는 사탕.

[喜帖] xǐtiě 명 청첩장.

[喜闻乐见] xǐwén-lèjiàn 〈成〉 기꺼이 듣거나 보거나 하다.

[喜笑颜开] xǐxiào-yánkāi 〈成〉 얼굴에 웃음꽃이 피다.

[喜新厌旧] xǐxīn-yànjiù 〈成〉 새것을 좋아하고, 옛것을 싫어하다《주로, 사랑이 한결같지 않음을 나타냄》.

[喜形于色] xǐxíngyúsè 〈成〉 기쁨이 얼굴에 나타나다. 희색이 만면하다.

[喜讯] xǐxùn 명 기쁜 소식. 희소식.

[喜洋洋] xǐyángyáng 형 기쁨에 넘쳐 있는 모양.

[喜雨] xǐyǔ 명 가뭄의 단비. 희우.

[喜悦] xǐyuè 형 즐겁다. 기쁘다. 희열을 느끼다.

禧 xǐ (희) 명 행복. 길상(吉祥).

卌 xì (십) 수〈書〉 40. 사십.

戏(戲) xì (희) ① 명 장난. 놀이. ❑ 游~; 게임. ② 동 농담하다. 놀리다. ❑ ~弄; ⇩ ③ 명 극. 연극.

[戏法(儿)] xìfǎ(r) 명〈口〉 마술. ❑ 变~儿; 요술을 부리다. =[幻术][魔术]

[戏剧] xìjù 명 ① 연극. 극. ② 극본. 각본.

[戏迷] xìmí 명 연극 광(狂). 연극 마니아.

[戏弄] xìnòng 동 희롱하다. 놀리다.

[戏曲] xìqǔ 명 중국의 전통적인 연극 형식으로, 주로 노래와 춤으로 이루어짐.

[戏台] xìtái 명〈口〉 (연극) 무대.

[戏谑] xìxuè 동 익살 떨다. 장난치다.

[戏院] xìyuàn 명 극장.

[戏装] xìzhuāng 명 무대 의상.

系(係B)① C), 繫B)) xì (계) A) 명 ① 계통. 계열. ❑ 派~; 파벌. ② (대학의) 학부. 학과. ❑ 中文~; 중문과 / ~主任; 학과장. ③〖地質〗 계. ❑ 寒武~; 캄브리아계(Cambria系). B) 동 ① 연결되다. 관련되다. ❑ 名誉所~; 명예에 관련되다. ② 마음에 걸리다. 근심하다. ❑ ~念; ⇩ ③ 묶다. 붙들어매다. ❑ ~马; 말을 매다. C) 동〈書〉 …이다. ❑ 恐~误会; 아마 오해일 것이다. ⇒jì

[系列] xìliè 명 계열. 시리즈. ❑ ~片; (영화나 드라마의) 시리즈물.

[系念] xìniàn 동〈書〉 마음에 두다. 걱정하다. =[挂念]

[系数] xìshù 명 ①〖數〗 계수. ②〖物〗 계수. 율(率).

[系统] xìtǒng 명 계통. 시스템. 체계. ❑ ~设备; 시스템 설비 / 组织~; 조직 체계. 형 체계적이다. ❑ ~

X

地研究; 체계적으로 연구하다.

细(細) xì (세) 형 ① 가늘다. 길고 얇다. ❏这根绳子太～; 이 밧줄은 너무 가늘다. ② 폭이 좁다. ❏这溪流～得像腰带; 이 시냇물은 허리띠만큼이나 좁다. ③ 알이 잘다. 곱다. ❏～沙; 고운 모래. ④ (목소리가) 가늘다. 가냘프다. ❏～嗓sǎng子; 가냘픈 목소리. ⑤ 정교하다. 정밀하다. 곱다. ❏这席子编得很～; 이 돗자리는 매우 곱게 짜졌다. ⑥ 꼼꼼하다. 세심하다. ❏这活儿做得～; 이 일은 꼼꼼하게 잘했다. ⑦ 상세하다. 자세하다. ❏讲得很～; 자세히 설명하다. ⑧ 미세하다. 작다. 잘다. ❏～节; ⇩

[细胞] xìbāo 명〖生〗세포. ❏～壁; 세포벽 / ～膜; 세포막 / ～质; 세포질.

[细部] xìbù 명 세부.

[细工] xìgōng 명 세공.

[细活儿] xìhuór 명 세밀한 일. 잔손이 많이 가는 일.

[细节] xìjié 명 자질구레한 일. 세부 사항.

[细菌] xìjūn 명〖生〗세균. 박테리아. ❏～战; 세균전.

[细粮] xìliáng 명 쌀·보리류(類).

[细密] xìmì 형 ① (천의) 발이 곱다. 촘촘하다. ② 세밀하다. 자세하다. ❏～的分析; 세밀한 분석.

[细目] xìmù 명 세목.

[细嫩] xìnèn 형 보드랍다. 곱다.

[细腻] xìnì 형 ① 결이 곱다. 매끄럽다. ❏皮肤～; 살결이 곱다. ② (묘사·표현이) 정밀하고 세세하다. 섬세하다. ❏～的表演; 섬세한 연기.

[细巧] xìqiǎo 형 정밀하고 섬세하다. 정교하다. ❏～的手工; 정교한 수공.

[细情] xìqíng 명 자세한 사정.

[细软] xìruǎn 명 귀금속·장신구·고급 의복 따위의 휴대가 편한 귀중품. 형 부드럽고 섬세하다.

[细弱] xìruò 형 가냘프다. 연약하다. ❏～的呼吸声; 가냘픈 숨소리.

[细水长流] xìshuǐ-chángliú 〈成〉 ① 재물이나 인력(人力)을 절약하여 항시 떨어지지 않게 하다. ② 일을 조금씩 해서 끊임이 없도록 하다.

[细碎] xìsuì 형 잘고 어지럽다. ❏～的事情; 자질구레한 일.

[细微] xìwēi 형 미세하다. 잘다. ❏～的进步; 미세한 진보.

[细小] xìxiǎo 형 작다. 미세하다. ❏～的眼睛; 작은 눈.

[细心] xìxīn 형 세심하다. 주의 깊다. ❏～照顾; 세심히 돌보다.

[细雨] xìyǔ 명 가랑비.

[细则] xìzé 명 세칙.

[细针密缕] xìzhēn-mìlǚ 〈成〉 바느질이 섬세하다(《일처리가 꼼꼼하다. 빈틈없이 주도면밀하다》).

[细枝末节] xìzhī-mòjié 〈成〉 지엽말절(枝葉末節). 작은 부분[일].

[细致] xìzhì 형 (성격·만듦새 따위가) 꼼꼼하다. 섬세하다. ❏～周到; 꼼꼼하게 두루 미치다.

隙 xì (극) 명 ① 틈. 틈새. ❏门～; 문틈. ② 짬. 틈. 여유. ❏农～; 농한기. ③ 빈틈. 기회. ④ (감정상의) 금. 불화. ❏有～; 사이가 벌어지다[틀어지다].

「地).

[隙地] xìdì 명 빈터. 휴한지(休閑

xia ㄒㄧㄚ

呷 xiā (합) 동〈方〉 마시다. ❏～茶; 차를 마시다.

虾(蝦) xiā (하) 명〖動〗새우.

[虾米] xiā·mi 명 ① 건새우. ②〈方〉 작은 새우.

[虾皮] xiāpí 명 말리거나 쪄서 말린 작은 새우. =[虾米皮]

[虾仁(儿)] xiārén(r) 명 새우살.

[虾子] xiāzǐ 명 새우알(《조미료》).

瞎 xiā (할) ① 동 실명하다. 눈이 멀다. ② 부 무턱대고. 함부로. 쓸데없이. ❏～花钱; 돈을 함부로 쓰다. ③ 동 (포탄 따위가) 불발되다.

[瞎扯] xiāchě 동 함부로 지껄이다. 터무니없는 소리를 하다.

[瞎话] xiāhuà 명 거짓말. 터무니없는 말. ❏说～; 거짓말을 하다.

[瞎闹] xiānào 동 되는대로 하다. 터무니없이 굴다.

[瞎说] xiāshuō 동 아무렇게나 말을 하다. 허튼소리를 하다.

[瞎眼] xiā∥yǎn 동 장님이 되다. 눈이 멀다.

[瞎抓] xiāzhuā 동 계획도 없이 되는대로 하다.

[瞎子] xiā·zi 명 ① 장님. 소경. ②〈方〉 덜 여문 낟알[씨]. 쭉정이.

匣 xiá (갑)
(~儿) 명 작은 갑[상자].
[匣子] xiá·zi 명 작은 갑[상자].
狎 xiá (압)
형 스스럼없다. 허물없다.
[狎昵] xiánì 형 버릇없을 정도로 스스럼없다. 지나치게 허물없어 태도가 경망스럽다. ❑ 态度~; 태도가 지나치게 허물없고 경망스럽다.
侠(俠) xiá (협)
명 ① 협객(俠客). ❑ 游~; 유협(遊俠). ② 사내다움. 의협(義俠). 협기. ❑ ~义; ⇩
[侠客] xiákè 명 협객.
[侠义] xiáyì 형 의협심이 있는. ❑ ~心肠; 의협심.
峡(峽) xiá (협)
명 골짜기. 협곡. ❑ 海~; 해협.
[峡谷] xiágǔ 명 협곡.
狭(狹) xiá (협)
형 좁다.
[狭隘] xiá'ài 형 ① 폭이 좁다. ❑ ~的巷道; 좁은 골목길. ② (마음·도량·견식 따위가) 좁다. 편협하다. ❑ 心胸~; 마음이 좁다.
[狭长] xiácháng 형 좁고 길다. ❑ ~地带; 좁고 긴 지대.
[狭路相逢] xiálù-xiāngféng 〈成〉 좁은 길에서 만나면 쉽게 비켜 줄 수 없다(원수가 만나면 서로 용납하기 힘들다).
[狭小] xiáxiǎo 형 ① (면적·범위가) 좁다. 협소하다. ❑ 房间有些~; 방이 좀 좁다. ② (마음·도량이) 좁다. ❑ 气量~; 도량이 좁다.
[狭义] xiáyì 명 협의. 좁은 뜻.
[狭窄] xiázhǎi 형 ① 좁다. 비좁다. ❑ ~的走廊; 좁은 복도. ② (마음·견식 따위가) 좁다.
遐 xiá (하)
형〈書〉 ① 요원하다. ② 장구하다.
[遐迩] xiá'ěr 명〈書〉 원근(遠近). 〈轉〉 사방. ❑ ~闻名; 〈成〉 널리 이름이 알려지다.
[遐想] xiáxiǎng 동 생각이 아득한 곳으로 향해 가다.
瑕 xiá (하)
명 옥의 티. 〈比〉 결점. 결함.
[瑕不掩瑜] xiábùyǎnyú 〈成〉 장점이 결점보다 많다.
[瑕疵] xiácī 명 작은 흠. 사소한 결점.
[瑕瑜互见] xiáyú-hùjiàn 〈成〉 단점도 있고 장점도 있다.

暇 xiá (가)
명 틈. 짬. 겨를. ❑ 自顾不~; 〈成〉 스스로도 돌볼 겨를이 없다.
霞 xiá (하)
명 놀. 노을. ❑ 晚~; 저녁놀.
[霞光] xiáguāng 명 노을빛.
辖(轄) xiá (할)
① 명 차축(車軸) 끝의 비녀장. ② 동 관리하다. 관할하다. ❑ 统~; 통할하다.
黠 xiá (할)
형〈書〉 교활하고 영리하다. 꾀바르다. ❑ 狡~; 교활하다.
下 xià (하)
A) 명 ① 아래. 밑. ❑ ~部; 하부 / 树~; 나무 아래. ② (등급·품질 따위의) 하급. 저급. ❑ ~级; ⇩ ③ 다음. 순서의 뒤. 나중. ❑ 等~一辆汽车; 다음 차를 기다리다. ④ …아래. …하(어떤 범위·상황·조건 따위에 속함을 나타냄). ❑ 部~; 부하 / 膝~; 슬하. ⑤ 어떤 시간이나 때에 이르렀음을 나타냄. ❑ 年~; 연초. ⑥ 숫자 뒤에 쓰여 방면·방향 따위를 나타냄. ❑ 两~都愿意; 쌍방이 모두 원하다. B) 동 ① 내려오다. 내려가다. ❑ ~楼梯; 계단을 내려오다. ② (비·눈 따위가) 내리다. 오다. ❑ ~雪; 눈이 오다 / ~雨; 비가 오다. ③ (명령 따위를) 하달하다. 내리다. ❑ ~命令; 명령을 내리다. ④ (…에[로]) 가다. 들어가다. ❑ ~厨房; 부엌으로 가다. ⑤ (경기장·무대·직위 따위에서) 물러나다. 퇴장하다. 나오다. ❑ 三号选手~, 一号上; 3번 선수가 나오고 1번 선수가 들어가다. ⑥ 넣다. 집어넣다. ❑ ~面条; (냄비에) 국수를 넣다 / ~本儿; ⇩ ⑦ (바둑·장기 따위를) 두다. ❑ ~围棋; 바둑을 두다. ⑧ 해제시키다. 받아 내다. ❑ 把他的枪~了; 그의 총을 빼앗아냈다. ⑨ 사용하다. 쓰다. ❑ ~毒手; ⇩ ⑩ (의견·판단 따위를) 내다. 내리다. ❑ ~结论; 결론을 내다. ⑪ (동물이 알이나 새끼를) 낳다. ❑ ~蛋; 알을 낳다 / 猫~小猫; 고양이가 새끼를 낳다. ⑫ 공략하다. 함락시키다. ❑ 连~三城; 연이어 세 개의 성을 함락시키다. ⑬ 양보하다. 물러서다. ❑ 各不相~; 〈成〉 서로 양보하지 않다. ⑭ (업무·수업 따위가) 끝나다. 마치다. 파하다. ❑ ~课; ⇩ ⑮ 어떤 수에 부족하다. 밑돌다. ❑ 不~三

百人; 300 명을 밑돌지는 않는다. C) (～儿) 양 ① 동작의 횟수를 나타내는 말. ❏ 他点了两～头; 그는 고개를 두 번 끄덕였다. ② '两'·'儿'의 뒤에 쓰여 능력·재주·기술 따위를 나타냄. ❏ 有两～儿; 뛰어난 능력을 소유하다.

下 //·xià (하)
동 동사 뒤에 붙어 다음과 같이 쓰임. ① 높은 곳에서 낮은 곳으로 향함을 나타냄. ❏ 放～; 내려놓다 / 坐～; 앉다 / 流～眼泪; 눈물을 흘리다. ② 일정 수량의 수용 가능 여부를 나타냄. ❏ 礼堂坐得～三千人; 강당은 3천 명을 수용할 수 있다. ③ 동작의 완성이나 결과를 나타냄. ❏ 写～姓名; 성명을 적다.

[下巴] xià·ba 명 ① 아래턱. ❏ 托着～; 턱을 괴다. ②턱.
[下班(儿)] xià//bān(r) 동 퇴근하다.
[下半场] xiàbànchǎng 명〖體〗후반. 후반전. ＝[下半时]
[下半旗] xià bànqí 반기[조기]를 게양하다. ＝[降jiàng半旗]
[下半时] xiàbànshí 명 ⇨[下半场]
[下半天(儿)] xiàbàntiān(r) 명 ⇨[下午]
[下辈(儿)] xiàbèi(r) 명 ① 자손(子孙). ② 가족 중의 다음의 일대(一代). 손아래.
[下本(儿)] xià//běn(r) 동 밑천을 들이다. 자본을 대다.
[下笔] xià//bǐ 동 붓을 대다. 글을 쓰거나 그림 그리기를 시작하다. ❏ ～成章; 〈成〉 붓만 대면 훌륭한 문장을 이룬다.
[下边(儿)] xià·bian(r) 명 ⇨[下面(儿)]
[下不为例] xiàbùwéilì 〈成〉 이번만 이대로 넘어간다[허락한다].
[下不来] xià·bulái 동 곤혹스러움을 느끼다. 난처해지다. ❏ 脸上～; 난처해지다.
[下操] xià//cāo 동 ① 훈련하러 나가다. 훈련하다. ② 훈련을 마치다.
[下策] xiàcè 명 하책. 서투른 계책. 수가 낮은 방법.
[下层] xiàcéng 명 (조직·계층 따위의) 말단. 하부. 하층.
[下场] xià//chǎng 동 (배우나 운동선수가) 퇴장하다.
[下场] xiàchǎng 명〈貶〉 인생의 최후. 말로(末路).
[下车] xià//chē 동 차에서 내리다. 하차하다.
[下沉] xiàchén 동 가라앉다. 내려앉다. ❏ 地基～; 지반이 내려앉다.
[下船] xià//chuán 동 ① 배에서 내리다. 하선하다. ②〈方〉 배에 오르다. 상선하다.
[下达] xiàdá 동 하달하다. ❏ ～命令; 명령을 하달하다.
[下等] xiàděng 형 하등의. ❏ ～货; 질 낮은 물건.
[下地] xià//dì 동 ①(일하러) 밭에 나가다. ②(주로, 병자가) 침대에서 내려오다. 병석을 털고 일어나다.
[下跌] xiàdiē 동 (가격·수위 따위가) 떨어지다. 하락하다. ❏ 物价～; 물가가 하락하다.
[下毒手] xià dúshǒu 독수를 쓰다. 악랄한 수단을 쓰다.
[下颚] xià'è 명〖生理〗하악. 아래턱.
[下饭] xiàfàn 형 반찬으로 알맞다. 반찬이 되다. 동 (반찬과 함께) 밥을 먹다.
[下风] xiàfēng 명 ① 바람이 불어가는 쪽. ②〈轉〉 (경기나 전쟁 따위에서의) 불리한 처지[위치]. 열세. ❏ 处于～; 열세에 놓이다.
[下岗] xià//gǎng 동 ① 보초[경비] 임무를 마치고 철수하다. ②〈比〉 퇴직하다.
[下工] xià//gōng 동 (규정된 시간이 되어) 작업을 마치다. 퇴근하다.
[下功夫] xià gōng·fu 시간과 정력을 들이다. 노력하다.
[下跪] xià//guì 동 무릎을 꿇다.
[下海] xià//hǎi 동 ① 바닷속으로 들어가다. ②(어민이) 바다에 나가다. 출어(出漁)하다. ❏ ～捕鱼; 바다에 나가 고기를 잡다.
[下怀] xiàhuái 명〈謙〉 저의 생각. 저의 마음.
[下级] xiàjí 명 하급(자). 하부 (기관). ❏ ～官员; 하급 관원.
[下贱] xiàjiàn 형 ① 하등이다. 비천하다. ❏ 出身～; 출신이 비천하다. ②〈罵〉 쌍스럽다. ❏ ～猪狗; 〈罵〉 쌍놈.
[下降] xiàjiàng 동 내리다. 줄다. 떨어지다. ❏ 气温～; 기온이 내려가다 / 成本～; 원가가 떨어지다.
[下脚(儿)] xià//jiǎo(r) 동 발을 디디다. 발을 들여놓다. ❏ 连个～的地方也没有; 발 디딜 자리도 없다.
[下酒] xià//jiǔ 동 (안주를 곁들여) 술을 마시다. 형 술안주로 알맞다. 술안주가 되다.
[下课] xià//kè 동 수업이 끝나다

[파하다].

[下来] xià//·lái 동 ① (높은 곳에서 낮은 곳으로) 내려오다. ❑ 她刚从山上~; 그녀는 방금 산에서 내려왔다. ② (곡물·채소·과일 따위가) 나오다. ❑ 现在正是葡萄~的时候; 지금이 바로 포도가 나오는 시기이다.

[下来] //·xià//·lái 동 ① 동사 뒤에 쓰여 높은 데서 낮은 데로, 먼 데서 가까운 데로 오는 것을 나타냄. ❑ 树上掉下一个苹果来; 나무에서 사과 한 개가 떨어졌다. ② 동사 뒤에 쓰여 동작이나 상태가 과거부터 현재까지, 처음부터 끝까지 계속됨을 나타냄. ❑ 这把宝剑是祖父传~的; 이 보검은 할아버지가 물려주신 것이다. ③ 동사 뒤에 쓰여 동작의 완성이나 결과를 나타냄. ❑ 风突然停了~; 바람이 갑자기 멈췄다. ④ 형용사 뒤에 쓰여 정도가 깊어짐을 나타냄. ❑ 教室里渐渐地静了~; 교실 안이 점점 조용해져 갔다.

[下列] xiàliè 형 아래에 열거한. 다음에 나열한.

[下令] xià//lìng 동 명령을 내리다. ❑ ~逮捕; 체포 명령을 내리다.

[下流] xiàliú 명 ① ⇨[下游①] ② 천한[낮은] 지위. 형 상스럽다. 비열하다. ❑ ~话; 상스러운 말.

[下落] xiàluò 명 행방. 소재. ❑ ~不明; 행방불명되다 / 不知~; 행방을 모르다. 동 강하하다. 하강하다. 낙하하다. ❑ 降落伞~得很慢; 낙하산이 매우 천천히 낙하한다.

[下马] xià//mǎ 동〈比〉 (일·계획 따위를) 포기하다. 그만두다.

[下马威] xiàmǎwēi 명 신임 관원이 부임하여 말에서 내리기가 무섭게 수하에게 위엄을 보이는 것《시작부터 본때를 보여주는 것》.

[下面(儿)] xiàmiàn(r) 명 ① 아래. 밑. ❑ 鞋放在床~了; 신발은 침대 밑에 있다. =[下头①] ② 다음. 이후. 뒤. ❑ ~的问题; 다음 문제. ③ 하급(下級). 하부(下部). =[下头②] ‖ =[下边(儿)]

[下品] xiàpǐn 명 하등품.

[下坡路] xiàpōlù 명 ① 내리막길. ② 〈比〉 쇠퇴의 길. 쇠락의 길.

[下棋] xià//qí 동 바둑을 두다. 장기를 두다.

[下情] xiàqíng 명 하부(下部)의 사정. 민정(民情).

[下去] xià//·qù 동 ① (높은 곳에서 낮은 곳으로) 내려가다. ❑ 你们快~吧; 너희들 어서 내려가거라. ② (상부 기관에서 하부 기관으로) 내려가다. ❑ 市长经常~检查工作; 시장은 자주 내려가서 업무를 점검한다.

[下去] //·xià//·qù 동 ① 동사 뒤에 쓰여 높은 곳에서 낮은 곳으로, 가까운 곳에서 먼 곳으로 감을 나타냄. ❑ 船渐渐地沉~了; 배가 점점 가라앉았다. ② 동사 뒤에 쓰여 미래에까지 상황이 계속됨을 나타냄. ❑ 这所学校应继续办~; 이 학교는 계속해서 운영되어 나갈 것이다. ③ 형용사 뒤에 쓰여 정도가 깊어짐을 나타냄. ❑ 天气再冷~, 就不能在室外活动了; 날씨가 계속 더 추워지면 실외 활동을 못 하게 된다.

[下人] xiàrén 명 ① 하인. 고용인. =[底下人] ②〈方〉 아랫사람《자식·손자손녀 등》.

[下山] xià//shān 동 ① 산을 내려가다. 하산하다. ② 해가 지다.

[下身] xiàshēn 명 ① 하체. 하반신. ② (~儿) 바지. 치마.

[下手] xiàshǒu 동 손을 대다. 착수하다. ❑ 从哪儿~? 어디서부터 손을 대야 할 것인가?

[下手(儿)] xiàshǒu(r) 명 ① 좌석 순위의 아랫자리. 말석. ② 조수.

[下属] xiàshǔ 명 하급. 아랫사람.

[下水] xià//shuǐ 동 ① (방직물이나 섬유를) 물에 담그다. 물에 담가 수축시키다. ② 물에 들어가다. ③ 〈比〉 나쁜 짓을 하다. ④ (xiàshuǐ) (배가) 물을 따라 떠내려가다.

[下水道] xiàshuǐdào 명 하수도.

[下榻] xiàtà 동〈書〉 투숙하다.

[下台] xià//tái 동 ① 무대[연단]에서 내려오다. ② (정권에서) 퇴진하다. 사퇴하다. ③〈比〉 궁지에서 벗어나다.

[下头] xià·tou 명 ①⇨[下面(儿)①] ②⇨[下面(儿)③]

[下文] xiàwén 명 ① 이하의 글. 다음 문장. ②〈比〉 일의 진전[결과].

[下午] xiàwǔ 명 오후. =[后来天(儿)][午后][下半天(儿)]

[下弦] xiàxián 명〖天〗(달의) 하현. ❑ ~月; 하현달.

[下行] xiàxíng 동 ① (열차가) 하행하다. ❑ ~列车; 하행 열차. ② (배가) 하류로 내려가다. ③ (공문서를) 하부로 보내다.

[下学] xià//xué 동 학교가 파하다.

하교하다.

[下旬] xiàxún 명 하순.

[下野] xià//yě 동 (정권에서) 물러나다. 하야하다.

[下议院] xiàyìyuàn 명〔政〕(양원제의) 하원. =[下院]

[下意识] xiàyì·shí 명 ⇨[潜意识] 부 무의식적으로. ❏他进门时，~地把头低了低；그는 문에 들어설 때, 무의식적으로 머리를 숙인다.

[下游] xiàyóu 명 ① 하류(下流). =[下流①] ②〈比〉 뒤떨어진 지위.

[下狱] xià//yù 동 옥에 가두다[갇히다].

[下载] xiàzài 동〔컴〕 다운로드(download)하다.

[下葬] xià//zàng 동 매장하다.

[下肢] xiàzhī 명〔生理〕하지.

[下作] xià·zuo 형 비천하다. 천박하다. 상스럽다.

吓(嚇) xià (하) 동 놀래다. 놀라게 하다. ❏我们躲在这儿~~他；우리 여기 숨어서 그를 놀래 주자. ⇒hè

[吓唬] xià·hu 동〈口〉 위협하다. 무섭게 하다. 겁주다.

[吓人] xià//rén 형 겁나다. 무섭다.

夏 xià (하) 명 ① 여름. ❏初~；초여름. ② (Xià)〔史〕하(《우왕(禹王)이 세운 고대 왕조》).

[夏季] xiàjì 명 하계. 여름. =[夏令①]

[夏令] xiàlìng 명 ① ⇨[夏季] ② 여름의 날씨.

[夏令时] xiàlìngshí 명 서머 타임(summer time). =[夏时制]

[夏令营] xiàlìngyíng 명 하계 훈련 캠프. 여름 캠프.

[夏收] xiàshōu 명 여름철의 수확물. 동 여름 수확을 하다.

[夏天] xiàtiān 명 여름.

[夏娃] Xiàwá 명〔人〕〈音〉 하와. 이브(Eve).

[夏威夷] Xiàwēiyí 명〔地〕〈音〉 하와이(Hawaii).

[夏至] xiàzhì 명 하지.

[夏装] xiàzhuāng 명 여름옷. 하복.

厦 xià (하) →[厦门] ⇒shà

[厦门] Xiàmén 명〔地〕 샤먼(廈門). 아모이(Amoy).

罅 xià (하) 명〈書〉 틈새. 틈. 금. ❏石~；바위 틈.

[罅漏] xiàlòu 명〈書〉 ① (기물의) 균열. 금. 틈새. ②〈比〉 실수. 누락. 유루(遺漏).

xian ㄒㄧㄢ

仙 xiān (선) 명 선인. 신선. ❏成~；선인이 되다.

[仙丹] xiāndān 명 선단. 선약(仙藥). 단약(丹藥).

[仙鹤] xiānhè 명 ⇨[丹顶鹤]

[仙境] xiānjìng 명 ① 선계(仙界). 선경. ②〈比〉 경치가 아름다운 곳.

[仙女] xiānnǚ 명 ①선녀. ②〈比〉 아름다운 여자. 미인. ‖ =[仙子①]

[仙人] xiānrén 명 선인.

[仙人掌] xiānrénzhǎng 명〔植〕 선인장.

[仙子] xiānzǐ 명 ① ⇨[仙女] ② 선인(仙人).

籼 xiān (선) →[籼稻][籼米]

[籼稻] xiāndào 명〔植〕 메벼.

[籼米] xiānmǐ 명 멥쌀.

先 xiān (선) ① 명 (시간·순서상의) 먼저. 앞. 선두. ❏争~恐后；〈成〉 앞을 다투다. ② 명 선조. 조상. ❏祖~；선조. ③ 명〈敬〉 고인(故人)(《죽은 사람에 대한 존칭》). ④ 부 우선. 먼저. ❏让老人~上车；노인을 먼저 차에 오르게 하다. ⑤ 부 일단. 우선은. ❏你~别着急，有事慢慢说嘛！일단 조급해하지 말고 일이 생겼으면 천천히 말해 봐라!

[先辈] xiānbèi 명 ①항렬이 높은 사람. ② 고인이 된 존경받는 인물.

[先导] xiāndǎo 동 선도하다. 인도하다. 안내하다. 명 인도자. 선도자. 안내자.

[先发制人] xiānfā-zhìrén 〈成〉 선제 공격하여 기선을 제압하다.

[先锋] xiānfēng 명 선봉. 전위. ❏~队；선봉대. 전위대 / ~派；아방가르드(프 avant-garde).

[先父] xiānfù 명 돌아가신 아버지. 선친(先親).

[先后] xiānhòu 명 먼저와 나중. 선후. ❏分清~；선과 후를 확실히 구분하다. 부 잇따라. 연이어. 줄줄이. ❏他~两次发言；그는 연이어 두 차례 발언했다.

[先见之明] xiānjiànzhīmíng 〈成〉 선견지명.

[先进] xiānjìn 형 선진적이다. 진보적이다. ❏~技术；선진 기술 /

~水平; 선진 수준. 명 선진적 인물[단체].
[先决] xiānjué 형 선결적이다. ❑~条件; 선결 조건.
[先来后到] xiānlái-hòudào 〈成〉 먼저 오고 나중에 오다《선착순》.
[先礼后兵] xiānlǐ-hòubīng 〈成〉 우선 예를 다하여 대하고 그것이 안 될 때 강경한 수단을 쓰다.
[先例] xiānlì 명 선례. 전례.
[先烈] xiānliè 명〈敬〉 선열《열사(烈士)에 대한 존칭》.
[先前] xiānqián 명 이전. 예전. ❑~我和他同过事; 전에 나는 그와 함께 일했었다.
[先遣] xiānqiǎn 형 먼저 파견한. 선견한. ❑~队; 선견대. 선발대.
[先驱] xiānqū 동 선구하다. 선도하다. 명 선구. 선구자. =[先驱者]
[先人] xiānrén 명 ①⇨[祖先①] ② 망부(亡父). 선친.
[先人后己] xiānrén-hòujǐ 〈成〉 자신보다 남을 먼저 생각하다.
[先声] xiānshēng 명 예고. 서막. 전주곡.
[先生] xiān·sheng 명 ① 교사. 선생. ②〈敬〉 씨. 선생《지식인이나 성인 남자에 대한 존칭》. ❑王~; 왕 선생. ③ 바깥 양반. 남편《아내가 자기의 남편을 또는 남의 남편을 가리켜 부르는 말》. ④〈方〉 의사. ⑤〈舊〉 상점의 출납 담당[회계원]. ⑥〈舊〉 관상쟁이·점쟁이 등에 대한 호칭. ❑算命~; 점쟁이.
[先世] xiānshì 명 ⇨[祖先①]
[先天] xiāntiān 명 ① 선천적. ❑~性心脏病; 선천성 심장병. ②〖哲〗 선험적(先驗的).
[先头] xiāntóu 명 ①(~儿) 먼저. 앞서. ❑~出发; 먼저 출발하다. ② 앞. 전방. ❑他走在队伍的~; 그는 대오의 앞에서 가고 있다. 형 선두의. ❑~部队; 선두 부대.
[先行] xiānxíng 동 ① 앞서서 가다. 먼저 가다. ❑我~一步了; 제가 한발 먼저 가겠습니다. ② 선행하다. 미리[앞서서] 행하다. ❑~通知; 미리 통지하다 / ~者; 선행자. 선구자.
[先斩后奏] xiānzhǎn-hòuzòu 〈成〉 신하가 사람을 먼저 죽인 후 황제에게 보고하다《자체적으로 문제를 처리한 후 상급자나 실권자에게 보고하다》.
[先兆] xiānzhào 명 징조. 조짐.
[先知] xiānzhī 명 ① 선각자. ②〖宗〗(기독교·유대교의) 선지자.
[先祖] xiānzǔ 명〈書〉 ①⇨[祖先①] ② 돌아가신 조부(祖父).

纤(纖) xiān (섬)

형 잘다. 가늘다. ❑~尘; ⇓ ⇒qiàn
[纤长] xiāncháng 형 가늘고 길다. ❑~的手指; 가늘고 긴 손가락.
[纤尘] xiānchén 명 조그만 티끌. 미진(微塵). ❑~不染; 〈成〉 조그만 티끌도 묻지 않다.
[纤毫] xiānháo 명〈比〉 매우 미세한 것[부분].
[纤弱] xiānruò 형 섬약하다. 섬세하고 가냘프다. ❑~的身影; 섬세하고 가냘픈 모습.
[纤维] xiānwéi 명 섬유. ❑合成~; 합성 섬유.
[纤细] xiānxì 형 섬세하다. 가느다랗다. ❑~的枝条; 가느다란 나뭇가지.
[纤纤] xiānxiān 형〈書〉 섬섬하다. 가늘고 길다. 「잘하다.
[纤小] xiānxiǎo 형 매우 작다. 자

掀 xiān (흔)

동 ① 열다. 넘기다. 걷다. 젖히다. ❑~帘子; 커튼을 걷다 / ~锅盖; 솥뚜껑을 열다. ② 솟구쳐 오르다. ❑大风~着巨浪; 큰바람이 거대한 파도를 일으키고 있다.
[掀起] xiānqǐ 동 ① 열어젖히다. 감아올리다. 걷어올리다. ❑~窗帘; 커튼을 걷어올리다. ②(물결이) 일다. 넘실거리다. ③(현상 따위가 크게) 일어나다. 일으키다. ❑~一阵足球热潮; 축구붐을 거세게 일으키다.

锨(鍁) xiān (흔)

명〖農〗가래. 삽.

鲜(鮮) xiān (선)

① 형 신선하다. ❑~牛肉; 신선한 쇠고기. ② 형 생생하다. 싱싱하다. ❑~花; ⇓ ③ 형 (색채가) 선명하다. ❑~红; ⇓ ④ 형 맛있다. ❑味道真~; 맛이 정말 좋다. ⑤ 명 신선하고 맛있는 것. ❑尝~; 신선하고 맛있는 것을 맛보다. ⑥ 명 수산물. ⇒xiǎn
[鲜果] xiānguǒ 명 신선한 과일.
[鲜红] xiānhóng 형 새빨갛다. 선홍색이다. ❑~的血; 새빨간 피.
[鲜花] xiānhuā 명 싱싱한 꽃. 생화. 「①]
[鲜亮] xiān·liang 형〈方〉 ⇨[鲜明

[鲜美] xiānměi 형 ① 맛이 좋다. 맛있다. ②〈書〉(화초 따위가) 싱싱하고 아름답다.

[鲜明] xiānmíng 형 ① (색채가) 선명하다. 산뜻하고 밝다. ❏ 色彩~; 색채가 선명하다. =[〈方〉 鲜亮] ② 명확하다. 분명하다. ❏ 立场~; 입장이 분명하다.

[鲜嫩] xiānnèn 형 신선하고 연하다.

[鲜啤酒] xiānpíjiǔ 명 ⇨[生啤酒]

[鲜血] xiānxuè 명 선혈.

[鲜艳] xiānyàn 형 선명하고 곱다. 산뜻하고 아름답다. ❏ ~夺duó目; 〈成〉 눈부시게 선명하고 아름답다.

闲(閑) xián (한) ① 형 한가하다. ❏ 他从来没~过; 그는 여태껏 한가해 본 적이 없다. ② 동 (기계·집 따위를) 놀려 두다. 안 쓰고 내버려 두다. ❏ 这间房子没住人, ~着呢; 이 집은 사람이 안 살고 비어 있다. ③ 명 틈. 짬. 여가. ❏ 农~; 농한기. ④ 형 (공적인 일과) 관계없다. 쓸데없다. ❏ ~话; ⇩

[闲扯] xiánchě 동 이런저런 이야기를 나누다. 잡담하다.

[闲荡] xiándàng 동 ⇨[闲逛]

[闲工夫(儿)] xiángōng·fu(r) 명 한가한 시간. 비어 있는 시간.

[闲逛] xiánguàng 동 한가하게 돌아다니다. 노닐다. =[闲荡]

[闲话] xiánhuà 명 ① (~儿) 쓸데없는 이야기. 잡담. ❏ ~少说; 쓸데없는 말은 그만 해라. ② 험담. 뒷말. 불평.

[闲居] xiánjū 동 집에서 빈둥거리다. 한거하다.

[闲空(儿)] xiánkòng(r) 명 틈. 짬. =[闲暇] 「하다.

[闲聊] xiánliáo 동 잡담하다. 한담

[闲气] xiánqì 명 공연한 화. 쓸데없는 분노. ❏ 生~; 공연히 화내다.

[闲钱] xiánqián 명 여윳돈.

[闲情逸致] xiánqíng-yìzhì 〈成〉 한가로운 마음과 정취.

[闲人] xiánrén 명 ① 한가한 사람. ② 용무 없는[관계없는] 사람. ❏ ~免进; 관계자 외 출입 금지.

[闲散] xiánsǎn 형 ① 한가하고 자유롭다. ❏ ~的日子; 한가하고 자유로운 나날. ② (인원·물자 따위가) 쓰이지 않고 놀고 있다. ❏ ~资金; 유휴 자금.

[闲事] xiánshì 명 쓸데없는 일. 자기와 상관없는 일. ❏ 少管~; 쓸데없는 일에 끼어들지 마라.

[闲适] xiánshì 형 한가하고 편안하다. 한적하다.

[闲书] xiánshū 명 심심파적으로 읽는 책. 심심풀이 책.

[闲谈] xiántán 동 잡담하다. 이런저런 이야기를 하다. =[谈天(儿)]

[闲暇] xiánxiá 명 ⇨[闲空(儿)]

[闲心] xiánxīn 명 한가한 마음. 한가로운 기분.

[闲雅] xiányǎ 형 ⇨[娴雅]

[闲杂] xiánzá 형 일정한 직무가 없는. 어떤 일과 관계가 없는. ❏ ~人员; 일정한 직무가 없는 사람.

[闲职] xiánzhí 명 한직.

娴(嫻) xián (한) 형〈書〉 ① 우아하다. 고상하다. ② 숙달되다. 노련하다.

[娴静] xiánjìng 형 고상하고 차분하다. 얌전하고 우아하다.

[娴熟] xiánshú 형 숙련되다. 능숙하다.

[娴雅] xiányǎ 형 (주로, 여성이) 고상하다. 우아하다. =[闲雅]

痫(癇) xián (간) →[癫痫]

弦 xián (현) 명 ① 활시위. ② (~儿) 악기의 현[줄]. ❏ 琴~; 거문고 줄. ③ 태엽. ❏ 上~; 태엽을 감다.

[弦外之音] xiánwàizhīyīn 〈成〉 현외의 음《언외(言外)의 뜻》.

[弦乐] xiányuè 명〖樂〗 현악. ❏ ~队; 현악대 / ~器; 현악기.

[弦子] xián·zi 명 ⇨[三弦]

舷 xián (현) 명 (배·비행기 따위의) 현.

[舷梯] xiántī 명 (기선·비행기의) 트랩(trap).

贤(賢) xián (현) ① 형 덕이 있다. 현명하다. 재능이 있다. ❏ ~明; ⇩ ② 명 덕이 있는 사람. 재능 있는 사람. ❏ 圣~; 성현. ③ 명〈敬〉 같은 연배나 어린 사람에 대한 경칭. ❏ ~弟; 현제《자기의 아우·연하의 친구, 또는 제자에 대한 경칭》.

[贤达] xiándá 명 현명하고 달식(達識)한 사람. 현달.

[贤惠] xiánhuì 형 (부녀자가) 현명하고 유덕하다. 어질고 현명하다. ❏ ~的母亲; 어질고 현명한 어머니.

[贤良] xiánliáng 형〈書〉 현명하고 선량하다. 재덕(才德)을 겸비하다.

[贤明] xiánmíng 형 현명하다. 재

능과 견식이 뛰어나다.
[贤能] xiánnéng 형 어질고 재능 있다. 명 어질고 재능 있는 사람.
[贤妻良母] xiánqī-liángmǔ 〈成〉 현모양처.
[贤人] xiánrén 명 현인.
[贤淑] xiánshū 형〈書〉 현숙하다.

涎 xián (연) 명 침. 군침. ❑垂~三尺; 〈成〉 침을 석 자나 흘리다((몹시 탐을 내어 군침을 삼키다)).
[涎皮赖脸] xiánpí-làiliǎn 〈成〉 뻔뻔스럽게 달라붙어 귀찮게 하다.
[涎水] xiánshuǐ 명〈方〉 침. 군침.
[涎着脸(儿)] xián·zhe liǎn(r) 〈方〉 뻔뻔스럽게[염치없이] 굴다.

咸(鹹)② xián (함) ① 부〈書〉 모두. 전부. ❑~受其益; 모두 그 이익을 받다. ② 형 (맛이) 짜다. ❑不~不淡; 짜지도 싱겁지도 않다.
[咸菜] xiáncài 명 소금에 절인 채소. 짠지.
[咸水] xiánshuǐ 명 함수. 짠물. ❑~湖; 함수호/~鱼; 함수어.

衔(銜) xián (함) A) 동 ① 입에 물다. 머금다. ❑他嘴里~着烟卷; 그의 입에 담배가 물려 있다. ② 마음에 품다. ❑~恨; ⇓ ③ 바로 뒤에 따르다. 계속되다. 잇다. ❑~接; ⇓ B) 명 계급. 직함. ❑头~; 직함/学~; 학위.
[衔恨] xiánhèn 동 마음에 한(恨)을 품다.
[衔接] xiánjiē 동 서로 연결되다[이어지다]. ❑上下文要~; 앞뒤 문장은 서로 연결되어야 한다.
[衔冤] xiányuān 동 억울한 마음을 품다.

嫌 xián (혐) ① 명 의심. 혐의. ❑涉~; 혐의를 받다. ② 명 원한. 증오. 미움. ❑~怨; ⇓ ③ 동 싫어하다. 불만스럽게 생각하다. 꺼리다. ❑对方~他个子不高; 상대방은 그의 키가 크지 않은 것을 꺼려한다.
[嫌犯] xiánfàn 명 (범죄) 혐의자. 용의자.
[嫌弃] xiánqì 동 싫어하여 멀리하다.
[嫌恶] xiánwù 동 싫어하다. 혐오하다. ❑大家都~她太唠叨; 모두 그녀가 수다스럽다고 싫어한다.
[嫌疑] xiányí 명 혐의. ❑~犯; 용의자. 피의자/偷盗的~; 절도 혐의.
[嫌怨] xiányuàn 명 원한. 앙심.

险(險) xiǎn (험) ① 형 (지세가) 험하다. 험요하다. ❑这条路太~; 이 길은 너무 험하다. ② 명 요해(要害). 요새. ❑天~; 천연의 요해. ③ 형 위험하다. ❑脱~; 위험에서 벗어나다. ④ 형 흉악하다. 험악하다. 음험하다. ❑~诈; ⇓ ⑤ 부 하마터면. 자칫하면. ❑~遭毒手; 하마터면 독수에 걸릴 뻔했다.
[险恶] xiǎn'è 형 ① 험하다. 위험하다. 위태롭다. ❑山势~; 산세가 험하다/病情~; 병세가 위태롭다. ② 음흉하다. ❑用心~; 속셈이 음흉하다.
[险峻] xiǎnjùn 형 (산세가) 험준하다.
[险情] xiǎnqíng 명 위험한 상태[상황].
[险些] xiǎnxiē 부 하마터면. ❑~掉进河里; 하마터면 강에 빠질 뻔했다.
[险要] xiǎnyào 형 (지세가) 험요하다. ❑~之地; 험요한 곳.
[险诈] xiǎnzhà 형 음험하고 간사하다.
[险阻] xiǎnzǔ 형 (길이) 험하고 장애물이 있어서 쉽게 지나갈 수 없다. ❑~的山路; 험한 산길.

显(顯) xiǎn (현) ① 형 분명하다. 뚜렷하다. 명백하다. ❑~而易见; ⇓ ② 동 나타내다. 나타나다. 드러나다. ❑脸上~出吃惊的表情; 얼굴에 놀란 표정이 나타나다. ③ 형 명성이 높다. 지위가 높다.
[显达] xiǎndá 형 현달하다.
[显得] xiǎn·de 동 …인 것이 두드러지다. …처럼 보이다. ❑~很高兴; 매우 즐거워 보이다.
[显而易见] xiǎn'éryìjiàn 〈成〉 분명하여 쉽게 알 수 있다.
[显赫] xiǎnhè 형 (권세·명성 따위가) 높이 드러나 빛나다. 현혁하다. ❑~的名声; 현혁한 명성.
[显豁] xiǎnhuò 형 분명하다. 명백하다. 뚜렷하다. ❑内容~; 내용이 분명하다.
[显见] xiǎnjiàn 동 분명히 알 수 있다. 확연히 드러나다. ❑~他是不同意的; 그가 반대한다는 것을 분명히 알 수 있다.
[显露] xiǎnlù 동 (보이지 않던 것이) 나타나다. 나타내다. 드러나다. ❑头角~; 두각이 나타나다.
[显明] xiǎnmíng 형 명백하다. 뚜

렷하다. 분명하다. ❑ 特点~; 특징이 뚜렷하다.
[显然] xiǎnrán 형 분명하다. 명백하다.
[显示] xiǎnshì 동 나타내어 보이다. 겉으로 드러내다. 현시하다. ❑ ~威力; 위력을 나타내다.
[显示器] xiǎnshìqì 명〔電〕 모니터(monitor). 디스플레이 장치.
[显微镜] xiǎnwēijìng 명 현미경.
[显现] xiǎnxiàn 동 나타나다. 드러나다. ❑ ~出一脸的不悦; 얼굴에 온통 불쾌함이 드러나다.
[显像管] xiǎnxiàngguǎn 명〔電〕 브라운관.
[显形(儿)] xiǎn//xíng(r) 동 본모습을 나타내다. 정체를 드러내다.
[显眼] xiǎnyǎn 형 눈에 띄다. 두드러지다. ❑ 把布告贴在~的地方; 공고를 눈에 띄는 곳에 붙이다.
[显要] xiǎnyào 명 지위가 높고 권세가 있는 사람. 형 지위가 높고 권세가 크다.
[显耀] xiǎnyào 동 (명성·권력 따위를) 과시하다. 자랑하다. 뽐내다.
[显影] xiǎn//yǐng 동〔撮〕 현상하다. ❑ ~液 =[~剂]; 현상액.
[显著] xiǎnzhù 형 현저하다. 뚜렷이 드러나다. 두드러지다. ❑ 成绩~; 성적이 두드러지다.

鲜(鮮) xiǎn (선)
형 적다. 드물다. ❑ ~有; 드물게 있다. ⇒ xiān

藓(蘚) xiǎn (선)
명〔植〕 이끼.

苋(莧) xiàn (현)
명〔植〕 비름.

现(現) xiàn (현)
① 명 현재. 지금. ❑ ~状; ⇓ ② 부 그 자리에서. 곧. ❑ ~炸的油饼; 갓 튀긴 과자. ③ 형 바로 쓸 수 있는. ❑ ~金; ⇓ ④ 명 현금. ❑ 兑~; 현금으로 바꾸다. ⑤ 동 나타나다. 드러내다. 보이다. ❑ ~出笑容; 웃는 얼굴을 보이다.
[现场] xiànchǎng 명 ① (사건의) 현장. ❑ ~检验; 현장 검증. ② (생산·실험·공연 따위의) 현장. 현지. ❑ ~参观; 현장 견학 / ~调查; 현지 조사.
[现成(儿)] xiànchéng(r) 형 이미 만들어진. 다 준비된. ❑ ~饭; 이미 지어 놓은 밥. 〈比〉 힘 안 들이고 얻은 이익.
[现存] xiàncún 동 현존하다. ❑ ~的手稿; 현존하는 친필 원고.
[现代] xiàndài 명〔史〕 현대. ❑ ~化; 현대화 / ~舞; 현대 무용 / ~主义; 모더니즘(modernism).
[现货] xiànhuò 명〔商〕 현품. 현물. ❑ ~交易; 현물 거래 / ~市场; 현물 시장.
[现今] xiànjīn 명 현재. 요즈음.
[现金] xiànjīn 명〔經〕 ① 현금. ❑ ~交易; 현금 거래 / ~卡; 현금 카드 / ~账; 현금 출납 장부. ② 은행 준비금.
[现款] xiànkuǎn 명 현금.
[现钱] xiànqián 명〈口〉 현금.
[现任] xiànrèn 동 현재 …을 담당하고 있다. ❑ 他~委员; 그는 현재 위원으로 있다. 형 현임의. ❑ ~主席; 현임 주석.
[现身说法] xiànshēn-shuōfǎ 〈成〉 ①〔佛〕 부처가 현세에 여러 형태로 나타나 사람들에게 설법하다《부처의 힘이 광대하다》. ② 자기의 경험·경우를 예로 들어 설명하거나 설득하다.
[现时] xiànshí 명 현시. 지금. ❑ ~正是农忙时节; 지금이 바로 농번기이다.
[现实] xiànshí 명 현실. ❑ 逃避~; 현실에서 도피하다. 형 현실적이다. ❑ ~的办法; 현실적인 방법.
[现实主义] xiànshí zhǔyì〔哲〕 현실주의. 사실주의. 리얼리즘(realism). =[写实主义]
[现世] xiànshì 명 현세.
[现下] xiànxià 명〈口〉 현재. 지금. 목전(目前).
[现象] xiànxiàng 명 현상. ❑ 自然~; 자연 현상.
[现行] xiànxíng 형 ① 현행의. ❑ ~法; 현행법. ② 현재 범죄에 가담 중인. ❑ ~犯; 현행범.
[现眼] xiàn//yǎn 동 망신을 당하다. 체면을 손상하다.
[现在] xiànzài 명 지금. 현재. ❑ 从~开始; 지금부터 시작하다.
[现状] xiànzhuàng 명 현재의 상황[상태]. 현상. ❑ 维持~; 현상을 유지하다.

县(縣) xiàn (현)
명 현《행정 구획 단위》.

限 xiàn (한)
① 명 한도. 한계. 제한. 기한. ❑ 无~; 무한하다 / 权~; 권한. ② 동 제한하다. 범위를 정하다. ❑ 每人~购两张票; 한 사람당 두 장

으로 표 구입을 제한하다.
[限定] xiàndìng 동 (수량·범위 따위를) 한정하다. 제한하다. ❑ ~参观人数; 참관자 수를 한정하다.
[限度] xiàndù 명 한도. 한계. ❑ 最大~; 최대 한도.
[限额] xiàn'é 명 한정액. 한정 수량.
[限量] xiànliàng 동 양(量)을 한정하다. 한(限)하다. 명 한도. 한량.
[限期] xiànqī 동 기한을 정하다. ❑ ~报到; 기한까지 도착 신고를 하다. 명 기한. ❑ 超过了~; 기한을 넘겼다.
[限于] xiànyú 동 한하다. 한정되다. ❑ 这些规则仅~球类比赛; 이런 규칙은 구기 운동에 한한다.
[限制] xiànzhì 명동 제한(하다). 규제(하다). 제약(하다). ❑ ~行动; 행동을 규제하다 / 年龄~; 나이 제한.

线(綫) xiàn (선) ① (~儿) 명 실. 끈. 줄. ❑ 毛~; 털실. ② 명〔數〕 선. ❑ 曲~; 곡선 / 直~; 직선. ③ 명 가늘고 긴 실 모양의 것. 금. 선. ❑ 光~; 광선. ④ 명 교통 노선. ❑ 航~; 항로. ⑤ 명 경계선. ❑ 海岸~; 해안선 / 水平~; 수평선. ⑥ 명〈比〉 (상황·상태 따위의) 한계. ❑ 饥饿~; 기아선 / 生命~; 생명선. ⑦ 명 실마리. ❑ ~索; ⇩ ⑧ 양 줄기. 가닥《추상적인 사물 앞에 놓여 극소임을 나타냄. 보통 '一'과 함께 쓰임》. ❑ 一~希望; 한 줄기임을 희망.
[线路] xiànlù 명 ①〔電〕 회로. ❑ 集成~; 집적 회로. ② 선로. 노선. ❑ 公共汽车~; 버스 노선.
[线索] xiànsuǒ 명〈比〉 실마리. 단서. ❑ 寻找~; 단서를 찾다.
[线条] xiàntiáo 명 ①〔美〕 (회화에서의) 선. ② (인체·공예품의) 윤곽의 선. ❑ ~美; 곡선미.
[线头(儿)] xiàntóu(r) 명 ① 실마리. 실의 끝. ② 실밥. 실오라기. =[线头子]
[线香] xiànxiāng 명 선향.

宪(憲) xiàn (헌) 명 ①〈書〉 법령. ② 헌법. ❑ 立~; 입헌하다.
[宪兵] xiànbīng 명〔軍〕 헌병.
[宪法] xiànfǎ 명〔法〕 헌법.
[宪章] xiànzhāng 명 ① 헌장. ②〈書〉 장전(章典) 제도.
[宪政] xiànzhèng 명〔政〕 헌정.

陷 xiàn (함) ① 명 함정. ② 동 빠지다. ❑ 双腿~在泥坑里了; 두 다리가 진흙 구덩이 속에 빠졌다. ③ 동 함몰하다. 꺼지다. ❑ 路面~下去三厘米; 노면이 3cm나 꺼졌다. ④ 동 함정에 빠뜨리다. 모함하다. ❑ ~人以罪; 남에게 죄를 씌우다. ⑤ 동 함락하다[당하다]. ❑ ~阵; ⇩ ⑥ 명 결점. ❑ 缺~; 결함.
[陷害] xiànhài 동 모함하다.
[陷阱] xiànjǐng 명 ① 함정. ②〈比〉 계략. 흉계.
[陷坑] xiànkēng 명 함정.
[陷落] xiànluò 동 ① 함몰하다. ❑ 地震使多处地面~; 지진으로 여러 곳의 지면이 함몰되다. ② (영토가) 점령되다. 함락되다.
[陷入] xiànrù 동 ① (불리한 상황에) 빠져들다. 빠지다. ❑ ~僵局; 교착 상태에 빠지다. =[陷于] ②〈比〉 (어떤 경지나 생각에) 빠지다. 빠져들다. ❑ ~沉思; 깊은 생각에 빠지다.
[陷阵] xiànzhèn 동 적진을 함락시키다.

馅(餡) xiàn (함) (~儿) 명 (떡·만두 따위의) 소. ❑ 饺子~; 교자의 소.

羡 xiàn (선) 동 부러워하다. 탐내다.
[羡慕] xiànmù 동 부러워하다. 흠모하다. ❑ 他们都~你的成绩; 그들은 모두 너의 성적을 부러워한다.

献(獻) xiàn (헌) 동 ① 바치다. 드리다. 헌납하다. ❑ ~身; ⇩ ② 보여 주다. 나타내다. ❑ ~技; ⇩
[献宝] xiàn//bǎo 동 ① 귀중한 물건을 바치다. ②〈比〉 (귀중한 경험이나 의견을) 제공하다.
[献策] xiàn//cè 동 헌책하다. 계책을 올리다. =[献计]
[献丑] xiàn//chǒu 동〈謙〉 서투른 재주를 보여 드리다《자기의 재주나 문장 능력을 겸손하게 이름》.
[献词] xiàncí 명 축사.
[献花] xiàn//huā 동 헌화하다.
[献计] xiàn//jì 동 ⇨[献策]
[献技] xiànjì 동 기예(技藝)를 연기해 보이다.
[献礼] xiàn//lǐ 동 선물을 드리다.
[献媚] xiànmèi 동 아양떨다. 아첨하다.
[献身] xiàn//shēn 동 헌신하다. ❑ ~社会; 사회에 헌신하다.

[献殷勤] xiàn yīnqín 알랑거리다. 비위를 맞추다. 아첨하다.

腺 xiàn (선) 명〔生理〕선. 샘. ❑汗～; 땀샘.

霰 xiàn (산) 명 싸라기눈. =[〈方〉雪糁(儿)]

xiang ㄒㄧㄤ

乡(鄉) xiāng (향) 명 ① 촌. 시골. ❑城～; 도시와 농촌. ② 고향. ❑回～; 귀향하다. ③ 향(《행정 구획의 하나》).

[乡愁] xiāngchóu 명 향수.

[乡村] xiāngcūn 명 촌락. 시골.

[乡间] xiāngjiān 명 시골. 촌.

[乡里] xiānglǐ 명 ① 고향. 향리. 마을. ② 동향(同鄕) 사람.

[乡亲] xiāngqīn 명 ① 향친. 동향 사람. ② 동향 사람끼리의 호칭.

[乡思] xiāngsī 명 고향에 대한 그리움. 고향 생각.

[乡土] xiāngtǔ 명 향토.

[乡下] xiāng·xia 명〈口〉 시골. 촌. ❑～人; 시골 사람. 촌사람.

[乡音] xiāngyīn 명 고향 사투리.

[乡镇] xiāngzhèn 명 ① 촌과 읍내. 시골과 읍내. ② 조그만 시골 도시. 지방의 소도시.

相 xiāng (상) ① 부 서로. ❑～视而笑; 서로 보고 웃다. ② 부 한쪽의 다른 한쪽에 대한 행위나 태도를 나타내는 말. ❑～劝; ⇩ ③ 동 (마음에 드는지 안 드는지) 직접 보다. 선보다. 품평하다. ❑他去～对象; 그는 선보러 갔다. ⇒ xiàng

[相爱] xiāng'ài 동 서로 사랑하다.

[相安无事] xiāng'ān-wúshì 〈成〉 서로 다툼 없이 사이좋게 지내다.

[相比] xiāngbǐ 동 비교하다.

[相差] xiāngchà 명 차이. 거리. ❑～无几; 별로 차이가 없다.

[相称] xiāngchèn 형 서로 걸맞다. 조화되다. 어울리다. ❑他的言谈与他的身份很～; 그의 말투는 그의 신분에 걸맞는다.

[相持] xiāngchí 동 대치하다. 서로 대립한 채 버티다. ❑～不下; 〈成〉 서로 버티고 양보하지 않다.

[相处] xiāngchǔ 동 함께 지내다. 함께 생활하다. ❑～得很好; 함께 잘 지내다.

[相传] xiāngchuán 동 ① (오랜 세월 동안) 전해지다. ❑～这儿原来有一条大河; 원래 이곳에 큰 강이 있었다고 전해지고 있다. ② 차례차례 전하다. 전수하다. ❑一脉～; 〈成〉 면면이 전하다.

[相当] xiāngdāng 형 상응하다. 적당하다. 알맞다. ❑他当组长倒是很～; 그가 팀장을 맡는 것이 매우 적당하다. 동 (조건·상황·수량 따위가) 대등하다. 엇비슷하다. 맞먹다. ❑一套房子的价格～于他十年的工资; 집 한 채 가격이 그의 10년 치 봉급과 맞먹는다. 부 상당히. 무척. 매우. 몹시. ❑这里的冬天～冷; 이곳의 겨울은 상당히 춥다.

[相得益彰] xiāngdé-yìzhāng 〈成〉 상부상조하여 쌍방이 더욱 훌륭해지다.

[相等] xiāngděng 동 (숫자·분량·정도 따위가) 상등하다. 같다. ❑两个班的人数～; 두 개 반의 인원수가 같다.

[相抵] xiāngdǐ 동 상쇄하다. 서로 필적하다. ❑收支～; 수지의 균형이 잘 맞다.

[相对] xiāngduì 동 ① 마주하다. 마주 대하다. 상대하다. ② 서로 대립되다. ❑善与恶～; 선과 악은 서로 대립된다. 형 ① 상대적이다. ❑～论; 상대성 이론 / ～真理; 상대적 진리. ② 비교적인. 상대적인. ❑～稳定; 상대적인 안정.

[相反] xiāngfǎn 형 상반되다. 반대이다. ❑～的意见; 상반된 의견. 접 반대로. 오히려. 도리어. ❑他不但没被困难吓倒, ～, 意志越来越坚强了; 그는 어려움이 닥쳐도 놀라지 않았을 뿐만 아니라 오히려 갈수록 의지가 강해졌다.

[相仿] xiāngfǎng 형 엇비슷하다. 대체로 같다. ❑外貌～; 생김새가 비슷하다.

[相逢] xiāngféng 동 마주치다. 만나다. 상봉하다.

[相符] xiāngfú 형 서로 부합하다. ❑名实～; 〈成〉 명실상부하다.

[相辅相成] xiāngfǔ-xiāngchéng 〈成〉 서로 보완하고 협력하다.

[相干] xiānggān 동 관계하다. 상관하다. 관련되다. ❑这事跟我不～; 이 일은 나와는 관계가 없다.

[相隔] xiānggé 동 서로 떨어지다. 서로간에 간격이 있다.

[相关] xiāngguān 동 서로 관련되다. 상관 관계가 있다. ❑ ~资料; 관련 자료.
[相好] xiānghǎo 동 ① 서로 사이가 좋다. 서로 친하다. ② (남녀가) 좋아지내다. 정분나다. 명 ① 친한 친구. ② 정부(情夫). 정부(情婦).
[相互] xiānghù 형 상호의. ❑ ~关系; 상호 관계 / ~作用; 상호 작용. 부 상호. 서로. ❑ ~尊敬; 서로 존경하다.
[相继] xiāngjì 부 연달아. 연이어. 잇달아. ❑ 父母~去世了; 부모가 연이어 세상을 떠났다.
[相交] xiāngjiāo 동 ① 교차하다. ❑ 两线~于一点; 두 선은 한 점에서 교차한다. ② 교제하다. 사귀다. ❑ ~有年; 여러 해 동안 교제하다.
[相近] xiāngjìn 형 ① 엇비슷하다. 거의 비슷하다. ❑ 性格~; 성격이 거의 비슷하다. ② (거리가) 서로 가깝다.
[相敬如宾] xiāngjìng-rúbīn 〈成〉 부부가 서로를 손님처럼 존경하다.
[相距] xiāngjù 동 서로 떨어지다. 서로 거리가 있다. ❑ 我们住的地方~很近; 우리가 사는 곳은 서로 매우 가깝다.
[相连] xiānglián 동 서로 연결되다. 서로 이어지다.
[相瞒] xiāngmán 동 속이다. 숨기다.
[相配] xiāngpèi 형 잘 어울리다. 걸맞다. ❑ 裤子和上衣的颜色不~; 바지와 상의의 색깔이 어울리지 않는다.
[相亲] xiāng∥qīn 동 ① 서로 사이좋게 지내다. ② (결혼 상대의 집에 가서) 선을 보다.
[相劝] xiāngquàn 동 충고하다. 권고하다. 타이르다. ❑ 好言~; 좋은 말로 타이르다.
[相商] xiāngshāng 동 서로 의논하다. 협의하다. 상의하다.
[相识] xiāngshí 동 서로 알다. ❑ 素不~; 전혀 알지 못하다. 명 아는 사이. 지인(知人).
[相思] xiāngsī 동 서로 그리워하다. 상사하다. ❑ ~病; 상사병.
[相似] xiāngsì 형 서로 닮다. 비슷하다. ❑ ~情况; 비슷한 상황.
[相提并论] xiāngtí-bìnglùn 〈成〉 개괄해서 함께 논하다《주로, 부정형으로 쓰임》.
[相通] xiāngtōng 동 서로 통하다. ❑ 我和她的心是~的; 나와 그녀의 마음은 서로 통한다.
[相同] xiāngtóng 형 서로 같다. 상동하다. ❑ 这两篇文章的结论是~的; 이 두 글의 결론은 서로 같다.
[相投] xiāngtóu 형 (생각·마음·따위가) 잘 맞다. 투합(投合)하다. ❑ 气味~; 〈成〉 의기투합하다.
[相像] xiāngxiàng 형 서로 닮다. 서로 비슷하다. ❑ 面貌~; 얼굴이 서로 닮다.
[相信] xiāngxìn 동 믿다. ❑ 我~他说的话全是真的; 나는 그가 한 말이 모두 진실이라고 믿는다.
[相形] xiāngxíng 동 서로 비교하다. ❑ ~见绌; 〈成〉 다른 것과 비교해 보면 못한 것이 드러난다.
[相依] xiāngyī 동 서로 의지하다. ❑ ~为命; 〈成〉 서로 의지하며 살아가다. 생사를 같이하다.
[相宜] xiāngyí 형 적당하다. 적절하다. 알맞다. ❑ 这么安排很~; 이렇게 안배하면 매우 알맞다.
[相应] xiāngyìng 동 상응하다. 호응하다. ❑ 文章要首尾~; 문장은 앞뒤가 호응해야 한다.
[相映] xiāngyìng 동 서로 어울리다. ❑ ~成趣; 〈成〉 서로 대조를 이루고 돋보이게 하여 더욱 정취 있게 되다.
[相遇] xiāngyù 동 마주치다. 만나다. ❑ 两人在火车上~; 두 사람은 기차에서 만났다.
[相知] xiāngzhī 동 서로 잘 알고 친분이 두텁다. 명 친구. 지기.

厢 xiāng (상)
명 ① 곁채. 옆채. ❑ 一正两~; 정방(正房) 하나에 곁채가 둘인 집. ② 방처럼 칸이 나뉘어진 곳. ❑ 包~; (극장의) 특별석. ③ 성벽에 접한 성 밖의 지구. ❑ 关~; 성문 밖의 거리.
[厢房] xiāngfáng 명 곁채.

湘 Xiāng (상)
명〖地〗① 샹장 강(湘江)《광시 성(廣西省)에서 발원하는 강 이름》. ② 후난 성(湖南省)의 별칭.

箱 xiāng (상)
명 ① 궤. 상자. 트렁크(trunk). ❑ 皮~; 가죽 트렁크 / 书~; 책궤. ② 상자같이 생긴 것. ❑ 垃圾~; 휴지통 / 邮~; 우체통.
[箱子] xiāng·zi 명 상자. 트렁크.

香 xiāng (향)
① 형 향기롭다. ❑ 这种香水~得要命; 이 향수는 무척 향기롭다.

X

②형 맛이 좋다. 맛있다. ❑菜炒得很~; 요리를 맛있게 볶았다. ③형 입맛이 좋다. 맛있게 먹다. ❑他吃什么都很~; 그는 무엇을 먹든 매우 맛있게 먹는다. ④형 달게 자다. 잘 자다. ❑我睡得很~; 나는 무척 달게 잤다. ⑤형 환영 받다. 인기 있다. ❑这种货在中国~得很; 이런 상품은 중국에서 매우 인기가 있다. ⑥명 향. 선향(線香). ❑烧~; 향을 피우다 / 蚊~; 모기향. ⑦명 향료. ❑沉~; 침향.

[香槟酒] xiāngbīnjiǔ 명〈音〉 샴페인(champagne).

[香波] xiāngbō 명〈音〉 샴푸(shampoo).

[香菜] xiāngcài 명 ⇨[芫yán荽]

[香肠(儿)] xiāngcháng(r) 명 소시지(sausage).

[香粉] xiāngfěn 명 파우더(powder). 분.

[香港] Xiānggǎng 명〖地〗홍콩.

[香港脚] xiānggǎngjiǎo 명〖醫〗(발의) 무좀.

[香菇] xiānggū 명〖植〗표고버섯. =[香菰]

[香瓜(儿)] xiāngguā(r) 명 ⇨[甜瓜]

[香花] xiānghuā 명 ①향기로운 꽃. ②〈比〉 사람들에게 유익한 언론이나 작품.

[香火] xiānghuǒ 명 ①(~儿) 향불. ②신불(神佛)에 공양하는 선향(線香)과 촛불. ③⇨[香烟③]

[香蕉] xiāngjiāo 명〖植〗바나나(banana).

[香精] xiāngjīng 명 에센스(essence)《방향성 물질》.

[香料] xiāngliào 명 향료.

[香炉] xiānglú 명 향로.

[香喷喷(的)] xiāngpēnpēn(·de) 형 향기가 코를 찌르는 모양. ❑~的鲜花; 향기가 코를 찌르는 생화.

[香气] xiāngqì 명 향기. 향내. ❑~扑鼻; 향기가 코를 찌르다.

[香石竹] xiāngshízhú 명〖植〗카네이션(carnation). =[康乃馨]

[香水(儿)] xiāngshuǐ(r) 명 향수.

[香甜] xiāngtián 형 ①달고 맛있다. 달콤하다. ②(잠이) 달다. 달콤하다. ❑睡得~; 달게 자다.

[香烟] xiāngyān 명 ①향의 연기. ②궐련. 담배. =[卷juǎn烟①][烟卷儿][纸烟] ③자손이 조상을 제사 지내는 일. 〈轉〉 자손. 후손. ❑断了~; 대가 끊겼다. =[香火③]

[香油] xiāngyóu 명 ⇨[芝麻油]

[香皂] xiāngzào 명 세숫비누. 화장비누.

[香獐子] xiāngzhāng·zi 명 ⇨[麝①]

襄 xiāng (양)
동〈書〉 돕다.

[襄助] xiāngzhù 동〈書〉 곁에서 돕다.

镶(鑲) xiāng (양)
동 ①끼워 박다. 상감(象嵌)하다. ❑~嵌; ⇩ ②(가에) 선을 두르다. 테를 두르다. ❑~边; 테를 두르다.

[镶嵌] xiāngqiàn 동 끼워 박다. 박아 넣다. 상감하다.

[镶牙] xiāng∥yá 동 의치(義齒)를 하다.

详(詳) xiáng (상)
①형 상세하다. 자세하다. ❑~备; 상세하고 갖추어지다. ②동 상세히 설명하다. 상술하다. ❑内~; 자세한 것은 안에 적었다. ③형 분명하다. 확실하다. ❑内容不~; 내용이 분명하지 않다.

[详尽] xiángjìn 형 빠짐없이 상세하다. ❑叙述得~; 빠짐없이 상세히 서술하다.

[详密] xiángmì 형 상세하고 주도면밀하다. 상세하고 빠뜨림이 없다.

[详明] xiángmíng 형 상세하고 분명하다[알기 쉽다]. ❑讲解~; 강의가 상세하고 분명하다.

[详情] xiángqíng 명 자세한 사정[상황]. 상세한 정황.

[详实] xiángshí 형 ⇨[翔实]

[详悉] xiángxī 동 상세히 알다.

[详细] xiángxì 형 상세하다. ❑~报告; 상세히 보고하다.

祥 xiáng (상)
형 상서롭다. ❑不~; 불길하다.

[祥瑞] xiángruì 명 상서. 길조.

翔 xiáng (상)
동 선회하며 날다. 활공하다. ❑飞~; 비상하다.

[翔实] xiángshí 형 상세하고 정확[확실]하다. ❑~的材料; 상세하고 정확한 자료. =[详实]

降 xiáng (항)
동 ①항복하다. 투항하다. ❑劝~; 투항을 권유하다. ②제압하다. 길들이다. ❑~伏; ⇩ ⇒jiàng

[降伏] xiáng∥fú 동 굴복시키다. 복종시키다. 길들이다. ❑~烈马; 사나운 말을 길들이다.

[降服] xiángfú 동 항복하다. ❑他死也不肯~敌人; 그는 죽어도 적에게 항복하려 하지 않는다.

[降龙伏虎] xiánglóng-fúhǔ 〈成〉 강한 세력과 싸워 이기다.
[降顺] xiángshùn 동 투항하고 귀순하다. 항복하여 따르다.

享 xiǎng (향)
동 누리다. 향유하다. ❑ 坐~其成; 〈成〉 일하지 않고 남의 성과를 향유하다.
[享福] xiǎng//fú 동 복을 누리다. 행복하게 살다.
[享乐] xiǎnglè 동 향락하다. 즐기다. ❑ 尽情~; 마음껏 즐기다 / ~主义; 향락주의.
[享年] xiǎngnián 명〈敬〉 향년.
[享受] xiǎngshòu 동 (물질적·정신적인) 만족을 얻다. 누리다. ❑ ~款待; 환대를 누리다.
[享用] xiǎngyòng 동 사용하는 즐거움을 누리다.
[享有] xiǎngyǒu 동 (권리·명예·인망 따위를) 누리다. 향유하다. ❑ ~盛名; 명성을 누리다 / ~权利; 권리를 누리다.

响(響) xiǎng (향)
① 명 반향. 반응. 메아리. ❑ 如~斯应; 〈成〉 즉시 반응하다. ② 동 소리가 나다[울리다]. ❑ 挂钟~了三下; 괘종시계가 세 번 울렸다. ③ 동 소리를 내다[울리다]. ❑ ~枪; 총을 쏘다. ④ 형 소리가 크다. 우렁차다. ❑ ~的欢呼声; 우렁찬 환호성. ⑤ (~儿) 명 소리. ❑ 声~; 소리. 음향.
[响板] xiǎngbǎn 명〖樂〗 캐스터네츠(castanets).
[响彻] xiǎngchè 동 (소리가) 드높이 울려 퍼지다. ❑ ~云霄; 〈成〉 소리가 드높이 창공에 울려 퍼지다.
[响动(儿)] xiǎng·dong(r) 명 움직이는 소리. 기척. 동정(動靜).
[响度] xiǎngdù 명 ⇨[音量]
[响遏行云] xiǎng'èxíngyún 〈成〉 드높은 노랫소리가 가는 구름도 멈추게 할 정도로 울려 퍼지다.
[响亮] xiǎngliàng 형 우렁차다. ❑ 嗓音~; 목소리가 우렁차다.
[响声] xiǎngshēng 명 소리. 반향(反響).
[响尾蛇] xiǎngwěishé 명〖動〗 방울뱀.
[响应] xiǎngyìng 동 공명하다. 응하다. 호응하다. ❑ ~号召; 부름에 응하다 / ~征召; 소집에 응하다.

饷(餉) xiǎng (향)
명 (병사의) 급료. 급여. ❑ 发~; 급여를 지급하다.

想 xiǎng (상)
동 ① 생각하다. 사고하다. ❑ 你在~什么? 너 무슨 생각하고 있는 거니? ② 예상하다. 추측하다. ❑ 没~到他长这么高了; 그가 이렇게 키가 커졌을 거라고는 생각지도 못했다. ③ 바라다. 원하다. ❑ 他很~参加这次活动; 그는 이번 활동에 무척 참가하고 싶어한다. ④ 그리워하다. 보고 싶어하다. 걱정하다. ❑ 我很~他; 나는 그가 무척 그립다 / ~家; 집을 그리워하다.
[想必] xiǎngbì 부 분명히. 필시. 틀림없이. ❑ 这件衣服~很贵; 이 옷은 틀림없이 매우 비쌀 것이다.
[想不到] xiǎng·budào 동 미처 생각지도 못하다. 예상치 못하다. ❑ 梦也~; 꿈에도 생각하지 못하다.
[想不开] xiǎng·bukāi 동 이것저것 생각하고 괴로워하다[고민하다]. ❑ 人迟早都要死的, 别~; 사람은 언젠가는 모두 죽는 것이니 이 생각 저 생각으로 괴로워하지 마라.
[想当然] xiǎngdāngrán 동 으레 그러려니 여기다. 당연히 그러리라고 생각하다.
[想得到] xiǎng·dedào 동 생각이 미치다. 생각할 수 있다. 예상할 수 있다《주로, 반문에 쓰임》. ❑ 谁~会发生这种事? 이런 일이 생길 거라고 누가 생각이나 했겠는가?
[想得开] xiǎng·dekāi 동 생각을 넓게 가지다. 대범하게 생각하다. ❑ 他虽然受了委屈, 但是~; 그는 비록 억울한 일을 당했지만 마음에 두지 않는다.
[想法] xiǎng//fǎ 동 방법을 생각하다.
[想法] xiǎng·fǎ 명 생각. 의견. 아이디어(idea). ❑ 我有个好~; 나에게 좋은 생각이 있다.
[想方设法] xiǎngfāng-shèfǎ 〈成〉 갖은 방법을 생각하다[동원하다].
[想见] xiǎngjiàn 동 추측해서 알다. 미루어 알다.
[想来] xiǎnglái 동 생각건대[아마] …일 것이다. ❑ 这个计划~可以完成; 아마 이 계획은 완성될 수 있을 것이다.
[想念] xiǎngniàn 동 그리워하다. 보고 싶어하다. ❑ ~朋友; 친구를 그리워하다.
[想入非非] xiǎngrùfēifēi 〈成〉 망상에 빠지다. 비현실적인 생각에 빠지다. 허튼 생각을 하다.
[想通] xiǎng//tōng 동 생각해서 납

득하다. 이해가 가다.
[想头(儿)] xiǎng·tou(r) 명〈口〉 ① 생각. ② 희망. 가망. ❑没~; 가망이 없다.
[想望] xiǎngwàng 동 ① 희망하다. 바라다. 꿈꾸다. ②〈書〉 동경하다. 경모(敬慕)하다. 앙모하다.
[想象] xiǎngxiàng 명동 상상(하다). ❑不可~; 상상할 수 없다 / ~力; 상상력. =[想像]

向(嚮)①② xiàng (향) ① 명 방향. ❑风~; 풍향. ② 동 향하다. 마주하다. ❑这间房屋~南; 이 집은 남향이다. ③ 동 편들다. 두둔하다. ❑爸爸没~过我; 아빠는 내 편을 들어 주신 적이 없다. ④ 개 …(으)로. …을 향해《동작이 향하는 방향을 나타냄》. ❑~前看; 앞을 보다 / 火车~北京飞奔; 기차가 베이징을 향해 나는 듯이 달리다. ⑤ 개 …에게. …을 향해《동작이 향하는 대상을 나타냄》. ❑~上级打报告; 상부에 보고하다. ⑥ 부 이전부터 죽. 여태까지. 원래부터. ❑我一~不吸烟; 나는 원래부터 담배를 피우지 않는다.
[向背] xiàngbèi 동 지지(支持)와 반대하다.
[向壁虚构] xiàngbì-xūgòu 〈成〉 벽을 향해 망상을 하다《근거 없이 날조하다》. =[向壁虚造]
[向导] xiàngdǎo 명 안내자. 인도자. 길잡이. 동 ⇨[带路]
[向来] xiànglái 부 이제까지. 줄곧. 원래부터. ❑我们的关系~很好; 우리는 원래부터 사이가 매우 좋다.
[向前] xiàngqián 동 앞을 향하다. ❑~推进; 앞으로 밀고 나가다.
[向日葵] xiàngrìkuí 명〔植〕 해바라기. =[朝cháo阳花][葵花][〈方〉转zhuàn日莲]
[向上] xiàngshàng 동 향상하다. 발전하다. 진보하다. ❑天天~; 날마다 진보하다.
[向往] xiàngwǎng 동 동경하다. ❑~新的生活; 새로운 생활을 동경하다.
[向阳] xiàngyáng 동 해를 향하다. 남향(南向)하다.
[向着] xiàng·zhe 동 ① …을 향하다. ❑~他喊起来; 그를 향해 소리를 질러대다. ② 편들다. 두둔하다.

巷 xiàng (항) 명 골목. 골목길. ⇒hàng
[巷子] xiàng·zi 명〈方〉 골목.

项(項) xiàng (항) ① 명 목덜미. ❑~背; (사람의) 뒷모습. ② 양 건. 가지. 항. 종목. ❑三~任务; 세 가지 임무 / 单~运动; 단일 종목 경기. ③ 명 금전. 경비. 금액. 비용. ❑公~; 공금 / 欠~; 빚.
[项链(儿)] xiàngliàn(r) 명 목걸이.
[项目] xiàngmù 명 항목. 종목. 사항. 부문. ❑建设~; 건설 부문.

相 xiàng (상) ① 명 용모. 외모. 생김새. ❑长zhǎng~; 외모. 용모. ② 명 겉모양. 외관. ❑月~; 달의 모양. ③ 명 자세. 모습. ❑睡~; 잠자는 자세 / 坐~; 앉은 자세. ④ 동 외관을 보고 우열을 판단하다. 감정하다. 관상을 보다. ❑~面; ⇩ ⑤ 명 대신(大臣). 재상. ❑宰~; 재상. ⑥ 명 중앙 정부의 장관에 해당하는 관직. ❑外~; 외상. ⇒xiāng
[相册] xiàngcè 명 사진첩. 앨범(album).
[相机] xiàngjī 명 ⇨[照相机] 동 기회를 보다[엿보다]. ❑~行事; 〈成〉 기회를 보아 일을 행하다.
[相貌] xiàngmào 명 얼굴 모습. 용모. ❑~平常; 용모가 평범하다 / ~堂堂; 용모가 훌륭하다. =[容貌]
[相面] xiàng//miàn 동 관상을 보다.
[相片] xiàngpiàn 명 인물의 사진. =[〈口〉相片儿piānr] →[照片]
[相声] xiàng·sheng 명 만담(漫談). ❑对口~; 둘이서 하는 만담.

象 xiàng (상) ① 명〔動〕 코끼리. ② 명 모습. 형상. 모양. 상태. ❑气~; 기상 / 天~; 천문 현상. ③ 동 본뜨다. 모방하다. ❑~形; ⇩
[象棋] xiàngqí 명 장기(將棋). ❑下~; 장기를 두다 / ~盘; 장기판.
[象声词] xiàngshēngcí 명 ⇨[拟nǐ声词]
[象形] xiàngxíng 명 상형《육서(六書)의 하나. ❑~文字; 상형 문자.
[象牙] xiàngyá 명 상아. ❑~之塔 =[~宝塔] [~塔]; 상아탑.
[象征] xiàngzhēng 명동 상징(하다). ❑和平的~; 평화의 상징 / ~性; 상징성 / ~主义; 상징주의.

像 xiàng (상) ① 명 인물의 생김새를 본떠 만든 형상. ❑肖~; 초상. ② 동 닮다. 비슷하다. ❑他长得很~妈妈;

그는 생김새가 어머니와 무척 닮았다. ③ 부 …인[일] 것 같다. …인[일] 듯하다. ❑ 我~在哪儿见过他似的; 나는 어디선가 그를 본 적이 있는 것 같다. ④ 동 (예를 들면) …와 같다. ❑ ~牡丹、君子兰、菊花等都是名贵花木; 모란, 군자란, 국화 같은 것들은 모두 이름나고 진귀한 꽃나무들이다.

[像话] xiàng//huà 형 도리[이치]에 맞다. 말이 되다《주로, 반어적으로 쓰임》. ❑ 不~; 말도 되지 않는다.

[像煞有介事] xiàng shà yǒu jiè shì 〈成〉 과연 있을 법하다. 그럴 듯하다. =[煞有介事]

[像素] xiàngsù 명〔電〕 화소(畫素). 픽셀(pixel).

[像样(儿)] xiàng//yàng(r) 형 그럴듯하다. 괜찮다. 버젓하다. ❑ 没有一件~的衣服; 옷다운 옷이 한 벌도 없다. =[像样子]

橡 xiàng (상)
명〔植〕 ① 도토리나무. 떡갈나무. 상수리나무. ② 고무나무.

[橡胶] xiàngjiāo 명 고무. ❑ 天然~; 천연 고무.

[橡胶树] xiàngjiāoshù 명〔植〕 고무나무.

[橡皮] xiàngpí 명 ① 고무. ❑ ~艇; 고무보트. ② (고무) 지우개.

[橡皮膏] xiàngpígāo 명 반창고. =[〈口〉 胶布②]

[橡皮筋(儿)] xiàngpíjīn(r) 명 고무줄. =[〈口〉 猴皮筋儿][猴筋儿][皮筋儿]

[橡皮圈] xiàngpíquān 명 ① 고무 튜브. ② (~儿) 고무 밴드.

[橡实] xiàngshí 명〔植〕 도토리. 상수리. =[橡子]

xiao ㄒㄧㄠ

削 xiāo (삭)
동 ① (껍질 따위를) 깎다. 벗기다. 까다. ❑ ~梨皮; 배껍질을 깎다 / ~铅笔; 연필을 깎다. ②〔體〕 깎아치다. 커트(cut)하다. ⇒ xuē

[削面] xiāomiàn 명 ⇨[刀削面]

消 xiāo (소)
동 ① 없어지다. 사라지다. ❑ 烟~云散; 〈成〉연기나 구름같이 사라져 없어지다. ② 없애다. 제거하다. 풀다. ❑ ~愁; 시름을 없애다 / ~炎; ⇓ ③ 시간을 보내다. 소일하다. ❑ ~暑; ⇓ ④ 필요로 하다. ❑ 不~说; 말할 나위 없다.

[消沉] xiāochén 형 의기소침하다. 풀이 죽다. ❑ 他近来变得十分~; 그는 요즘 매우 의기소침해졌다.

[消除] xiāochú 동 제거하다. 해소하다. 풀다. ❑ ~顾虑; 걱정을 없애다 / ~误会; 오해를 없애다.

[消毒] xiāo//dú 동 소독하다. ❑ ~剂; 소독약.

[消防] xiāofáng 동 소방하다. ❑ ~车; 소방차 / ~站; 소방서.

[消防队] xiāofángduì 명 소방대. ❑ ~员; 소방대원.

[消费] xiāofèi 동 소비하다. ❑ 节约~; 소비를 줄이다 / ~品; 소비품 / ~税; 소비세 / ~者; 소비자.

[消耗] xiāohào 동 ① 소모하다. 소비하다. ❑ ~能源; 에너지를 소모하다 / ~体力; 체력을 소모하다. ② 소모시키다. ❑ ~战; 소모전.

[消化] xiāohuà 동 ① 소화하다. ❑ ~不良; 소화 불량 / ~系统; 소화 계통. ②〈比〉 (지식을) 소화하다. ③〈比〉 (어떤 일이나 문제를) 스스로 해결하다. 소화해 내다.

[消魂] xiāohún 동 ⇨[销魂]

[消火栓] xiāohuǒshuān 명 소화전.

[消极] xiāojí 형 ① 소극적이다. 수동적이다. ❑ ~态度; 소극적 태도. ② 부정적이다. ❑ ~因素; 부정적 요소.

[消灭] xiāomiè 동 ① 소멸하다. ② 소멸시키다. 없애다. 박멸하다. ❑ ~贫困; 빈곤을 소멸시키다.

[消磨] xiāomó 동 ① (의지·정력 따위를) 소모하다. 약화시키다. ❑ ~意志; 의지를 약화시키다. ② (시간을 헛되이) 보내다. 허비하다. ❑ ~岁月; 세월을 허비하다.

[消气] xiāo//qì 동 노염을 풀다. 화를 삭이다.

[消遣] xiāoqiǎn 동 기분 전환을 하다. 심심풀이하다.

[消融] xiāoróng 동 (얼음이나 눈이) 녹다.

[消散] xiāosàn 동 흩어져 없어지다. 가시다. 걷히다. 풀리다. ❑ 疲劳~了; 피로가 풀렸다 / 浓烟渐渐~了; 짙은 연기가 점차 가셨다.

[消失] xiāoshī 동 (천천히) 사라지다. (점차) 가시다. ❑ 他的身影~在人群中; 그의 모습이 군중들 사이로 사라지다.

[消逝] xiāoshì 동 사라지다.
[消释] xiāoshì 동 (의혹·원한·오해 따위가) 없어지다. 풀리다. 풀다. ❑误会~了; 오해가 풀렸다.
[消受] xiāoshòu 동 ① 받다. 누리다. 향수하다. ❑每天吃这样的菜真~不起; 매일 이런 요리를 먹다니 정말 과분하다. ② 참다. 견디다. ❑我再也~不了啦; 나는 더 이상 견딜 수 없다.
[消瘦] xiāoshòu 형 야위다. 수척해지다.
[消暑] xiāo//shǔ 동 ① 여름을 나다. 여름을 보내다. =[消夏] ② 더위를 쫓다. 더위를 식히다.
[消退] xiāotuì 동 감퇴하다. 점차 사라지다[없어지다]. ❑炎症~; 염증이 점차 완화되다.
[消亡] xiāowáng 동 소멸하다. 없어지다.
[消息] xiāo·xi 명 ① 소식. 정보. ❑关于足球的~; 축구에 관한 소식. ② 소식. 기별. 편지. ❑杳无~; 감감무소식이다.
[消夏] xiāoxià 동 ⇨[消暑①]
[消歇] xiāoxiē 동〈書〉 그치다. 멎다. ❑风雨~了; 비바람이 그쳤다.
[消炎] xiāo//yán 동 소염하다. ❑~制 =[~药]; 소염제.

宵 xiāo (소)
명 밤. ❑通~; 온 밤. 철야.
[宵禁] xiāojìn 동 야간 통행을 금지하다. ❑解除~; 야간 통행 금지를 해제하다.

逍 xiāo (소)
→[逍遥]
[逍遥] xiāoyáo 형 소요하다. 유유히 지내다. ❑~法外; 〈成〉 법을 어기고도 제재를 받지 않고 자유롭게 행동하다 / ~自在; 〈成〉 아무 구속없이 자유롭게 행동하다.

硝 xiāo (초)
① 명〖鑛〗 초석(硝石)·망초(芒硝)·박초(朴硝) 따위의 총칭. ② 동 (박초나 망초로) 무두질하다. ❑~皮子; 가죽을 무두질하다.
[硝石] xiāoshí 명〖化〗 질산칼륨. 초석(硝石). 「초연.
[硝烟] xiāoyān 명 화약의 연기.

销(銷) xiāo (소)
① 동 (금속을) 녹이다. 용해하다. ❑百炼不~; 아무리 해도 녹일 수가 없다. ② 동 취소하다. 삭제하다. 제거하다. ❑取~; 취소하다. ③ 동 팔다. ❑畅~; 잘 팔리다. ④ 명 소비. ❑花~; 소비하다. ⑤ 명 핀(pin). ❑~子; ⇩ ⑥ 동 (기계에) 핀을 끼우다[꽂다].
[销钉] xiāodīng 명 ⇨[销子]
[销毁] xiāohuǐ 동 소각하다. 태워 없애다. ❑~照片; 사진을 태워 없애다 / ~证据; 증거를 태워 없애다.
[销魂] xiāohún 동 넋을 잃다. 넋이 나가다. =[消魂]
[销路] xiāolù 명 판로. 팔림새. ❑~不畅; 팔림새가 좋지 않다 / 打开~; 판로를 열다.
[销声匿迹] xiāoshēng-nìjì 〈成〉 종적을 감추고 나타나지 않다.
[销售] xiāoshòu 동 팔다. 판매하다. ❑~一空; 깨끗이 다 팔다 / ~额; 매상고.
[销行] xiāoxíng 동 팔다. 팔리다. ❑~国内外; 국내외로 팔다.
[销账] xiāo//zhàng 동 장부에서 지우다.
[销子] xiāo·zi 명〖機〗 핀(pin). =[销钉]

霄 xiāo (소)
명 하늘. ❑九~云外; 〈成〉 하늘 끝 저 멀리《까마득히 먼 곳》.
[霄汉] xiāohàn 명〈書〉 높은 하늘과 은하수. 〈轉〉 하늘.
[霄壤] xiāorǎng 명 ① 하늘과 땅. ②〈比〉 매우 큰 차이[격차]. ❑~之别; 천양지차.

枭(梟) xiāo (효)
① 명〖鳥〗 올빼미. ② 형〈書〉 용맹하다. 사납다. ❑~将; 용맹한 장수.

哓(嘵) xiāo (효)
→[哓哓]
[哓哓] xiāoxiāo 의〈書〉 아옹다옹하는 소리. ❑~不休; 〈成〉 끊임없이 아옹다옹하다.

骁(驍) xiāo (효)
형〈書〉 용감하다. 용맹하다. ❑~将; 용맹한 장수.
[骁勇] xiāoyǒng 형〈書〉 사납고 날쌔다. 효용하다. 용맹하다.

萧(蕭) xiāo (소)
형 쓸쓸하다. 호젓하다. 처량하다. 적막하다.
[萧瑟] xiāosè 의 휘휘. 쏴쏴《나무에 부는 바람 소리》. ❑秋风~; 가을 바람이 휘휘 불다. 형 (풍경이) 쓸쓸하다. 적막하다. 스산하다. ❑秋景~; 가을 경치가 스산하다.
[萧索] xiāosuǒ 형 생기가 없다. 활기가 부족하다. 적막하다.

[萧条] xiāotiáo 형 ① 생기가 없다. 적막하다. ❑~的街市; 적막한 거리. ② 불황이다. 불경기이다. ❑市场~; 시장이 불황이다.

[萧萧] xiāoxiāo 의〈書〉① 히잉《말이 우는 소리》. ② 쏴쏴. 휙휙《바람소리》.

潇(瀟) xiāo (소) 형〈書〉물이 깊고 맑다.

[潇洒] xiāosǎ 형 말쑥하다. 시원스럽고 대범하다. 멋있다. ❑他今天显得很~; 그는 오늘 무척 멋있어 보인다.

[潇潇] xiāoxiāo 형 ① 비바람이 몰아치는 모양. ❑风雨~; 비바람이 세차게 몰아치다. ② 이슬비가 내리는 모양.

箫(簫) xiāo (소) 명〖樂〗소. 퉁소.

嚣(囂) xiāo (효) 형 시끄럽다. 어수선하다.

[嚣张] xiāozhāng 형 (나쁜 세력·기염(氣焰)·사기(邪氣) 따위가) 성하다. 판을 치다. 멋대로 날뛰다.

淆 xiáo (효) 형 혼잡하다. 어지럽다. 뒤섞이다. ❑混~; 여러 가지가 뒤섞이다.

[淆惑] xiáohuò 동〈書〉혼란하게 하여 현혹시키다.

小 xiǎo (소) ① 형 작다. 좁다. ❑地方很~; 장소가 매우 좁다 / 声音太~; 소리가 너무 작다 / ~剧场; 소극장. ② 형 나이가 적다. 어리다. ❑她比我~一岁; 그녀는 나보다 한 살 적다. ③ 부 잠깐. 잠시 동안. ❑~坐; 잠깐 앉다. ④ 부 조금. 좀. 약간. ❑~有名气; 명성이 약간 있다. ⑤ 부 거의 …에 가깝다. ❑时候儿已经~十二点了; 시간이 벌써 12 시에 가까워졌다. ⑥ 접두 성(姓)·이름 앞에 붙여서 호칭으로 쓰임. ❑~王; 왕 군. ⑦ 형 (형제자매 중에서) 순서가 가장 끝인. ❑~儿子; 막내아들. ⑧ 명 연소자. 어린이. ❑一家大~; 한 가족의 어른과 아이. ⑨ 접두〈謙〉자기 또는 자기와 관계된 것에 대한 겸칭. ❑~儿; ⇓ ⑩ 명 첩(妾). ❑聚~; 첩을 얻다 / 讨~; 첩을 두다.

[小白菜(儿)] xiǎobáicài(r) 명〖植〗청경채(青莖菜). =[〈方〉青菜①]

[小报告] xiǎobàogào 명〈貶〉밀고. 고자질. ❑打~; 고자질하다.

[小辈(儿)] xiǎobèi(r) 명 손아랫사람.

[小本经营] xiǎo běn jīngyíng 소자본 영업. 소규모 장사.

[小便] xiǎobiàn 명동 소변(보다). 오줌(누다). 명 음경(陰莖).

[小辫儿] xiǎobiànr 명 짧게 땋아 늘인 머리. =[小辫子①]

[小辫子] xiǎobiàn·zi 명 ① ⇨[小辫儿] ②〈比〉약점. ❑抓~; 약점을 잡다.

[小不点儿] xiǎo·budiǎnr〈口〉형 매우 작다. 명 매우 어린 아이. 꼬마.

[小步舞] xiǎobùwǔ 명〖舞〗미뉴에트(minuet). ❑~曲;〖樂〗미뉴에트.

[小菜] xiǎocài 명 ① (~儿)(술안주로 먹는) 간단한 요리. ②〈方〉생선·고기·채소 따위.

[小册子] xiǎocè·zi 명 소책자. 팸플릿(pamphlet).

[小产] xiǎochǎn 동 임신 3개월에 유산되다.

[小肠] xiǎocháng 명〖生理〗소장.

[小车(儿)] xiǎochē(r) 명 ① 손수레. 카트(cart). ② 소형 승용차.

[小吃] xiǎochī 명 ① (음식점에서 파는) 싸고 양이 적은 음식. 가벼운 식사. ② 간단한 먹거리. 간식. 스낵(snack). ❑~店; 스낵바. ③ (서양 요리의) 전채(前菜).

[小丑(儿)] xiǎochǒu(r) 명 ①〖劇〗어릿광대. ②〈比〉행동이 가볍고 남을 잘 웃기는 사람.

[小葱(儿)] xiǎocōng(r) 명〖植〗① 쪽파. ② 어리고 연한 파.

[小聪明] xiǎocōng·ming 명〈貶〉잔꾀. ❑耍~; 잔꾀를 부리다.

[小道儿消息] xiǎodàor xiāo·xi 거리의 소문. 주워들은 소식.

[小调(儿)] xiǎodiào(r) 명 속요. 민간 가락[곡조].

[小豆] xiǎodòu 명 ⇨[赤豆]

[小肚子] xiǎodù·zi 명〈口〉⇨[小腹]

[小恩小惠] xiǎo'ēn-xiǎohuì 명〈成〉(사람을 구워삶기 위해 베푸는) 작은 선심. 작은 이익.

[小儿] xiǎo'ér 명 ① 아이. 소아(小兒). ②〈謙〉제 아들. ⇒ xiǎor

[小儿科] xiǎo'érkē 명〖醫〗소아과. ❑~医生; 소아과 의사.

[小儿麻痹症] xiǎo'ér mábìzhèng〖醫〗소아마비. =[〈簡〉儿麻]

[小贩] xiǎofàn 명 영세 행상인.

[小费] xiǎofèi 명 팁(tip). =[〈口〉小账(儿)][茶钱②]
[小腹] xiǎofù 명〖生理〗아랫배. =[〈口〉小肚子]
[小姑子] xiǎogū·zi 명〈口〉(손아래) 시누이. =[小姑儿]
[小广播] xiǎoguǎngbō 명〈比〉몰래 퍼뜨리는 헛소문. 뒷공론. 유언비어. 동 유언비어를 퍼뜨리다.
[小鬼] xiǎoguǐ 명 ①(~儿) 저승사자. ② 요놈. 요 녀석《아이에 대하여 친근하게 농조(弄調)로 하는 말》.
[小孩儿] xiǎoháir 명〈口〉①어린아이. 아이. 어린애. =[小孩子] ② (미성년의) 자식. 자녀. 「하나」.
[小寒] xiǎohán 명 소한《24 절기의
[小花脸] xiǎohuāliǎn 명 ⇒[丑A)②]
[小皇帝] xiǎohuángdì 명〈比〉꼬마 황제《응석받이로 자란 외자식》.
[小伙子] xiǎohuǒ·zi 명〈口〉젊은이. 청년. 총각. =[小伙儿]
[小家伙(儿)] xiǎojiā·huo(r) 명 자식. 녀석. 놈《아이를 친근하게 부르는 말》.
[小家庭] xiǎojiātíng 명 ① 소가족《식구가 적은 가족》. ② 핵가족.
[小家子气] xiǎojiā·ziqì 형 곰상스럽다. 좀스럽다. 옹졸하다.
[小轿车] xiǎojiàochē 명 (세단형) 소형 승용차.
[小节] xiǎojié 명 ① 지엽적인 일. 사소한 일. ②〖樂〗마디. 소절.
[小结] xiǎojié 명동 중간 요약(하다). 중간 결산(을 하다). ❑做课文~; 본문을 중간 요약하다.
[小解] xiǎojiě 동 소변을 보다.
[小姐] xiǎojiě 명 ① 아가씨. 아기씨《옛날, 하인이 주인의 딸을 칭하던 말》. ② 아가씨. 미스(Miss)《젊은 여성이나 미혼 여성에 대한 호칭》. ❑导游~; 가이드 아가씨 / 王~; 미스 왕.
[小九九(儿)] xiǎojiǔjiǔ(r) 명 ①〖數〗구구단. 구구법. =[九九歌] ②〈比〉마음속 계산. 속셈. 타산.
[小舅子] xiǎojiù·zi 명〈口〉(손아래) 처남.
[小看] xiǎokàn 동〈口〉얕보다. 깔보다. 우습게 보다. 경시하다.
[小康] xiǎokāng 형 중류(中流)의 생활 수준을 유지하다. 먹고 살 만하다. ❑~水平; 먹고 살 만한 정도의 생활 수준 / ~之家; 중산층 가정.
[小考] xiǎokǎo 명 쪽지 시험. 임시 시험.
[小括号] xiǎokuòhào 명〖數〗소괄호. =[括弧①]
[小老婆] xiǎolǎo·po 명〈口〉작은 마누라. 첩.
[小两口(儿)] xiǎoliǎngkǒu(r) 명〈口〉젊은 부부.
[小买卖] xiǎomǎi·mai 명 소자본 장사. 소규모 장사.
[小麦] xiǎomài 명〖植〗소맥. 밀.
[小卖部] xiǎomàibù 명 매점.
[小猫熊] xiǎomāoxióng 명〖動〗레서판다(lesser panda). =[小熊猫]
[小米(儿)] xiǎomǐ(r) 명 좁쌀.
[小名(儿)] xiǎomíng(r) 명 아명(兒名). 유명(幼名). =[奶名(儿)][乳名]
[小拇指] xiǎomǔzhǐ 명〈口〉⇒[小指]
[小脑] xiǎonǎo 명〖生理〗소뇌.
[小朋友] xiǎopéngyǒu 명 ① 아동. 어린이. ② 꼬마. 꼬마 친구《어른이 아이를 친근하게 부르는 말》.
[小品] xiǎopǐn 명 (문예 작품의) 단편. 소품. ❑~文; 소품문.
[小气] xiǎo·qi 형 ① 인색하다. 다랍다. ❑~鬼; 인색한 놈. ②〈方〉좀스럽다. 쩨쩨하다. 옹졸하다.
[小巧] xiǎoqiǎo 형 작고 정교하다. 앙증맞다. ❑~玲珑;〈成〉깜찍하고 정교하다. 아담하고 앙증맞다.
[小球藻] xiǎoqiúzǎo 명〖植〗클로렐라(chlorella).
[小区] xiǎoqū 명 단지. ❑工业~; 공업 단지 / 住宅~; 주택 단지.
[小圈子] xiǎoquān·zi 명 ① (생활의) 좁은 범위. 작은 테두리. ② (서로 관계를 맺고 이용하는) 소집단.
[小儿] xiǎor 명〈口〉① 어린 시절. ② 사내아이. ⇒xiǎo'ér
[小人] xiǎorén 명 ① 옛날, 지위가 낮은 사람. ②〈謙〉저. 소인. ③ 소인. 소인배.
[小人儿] xiǎorénr 명〈口〉아이.
[小时] xiǎoshí 명 시간. ❑每个~; 매시. 시간마다 / 一(个) ~ =[一个钟头]; 1시간.
[小时候(儿)] xiǎoshí·hou(r) 명〈口〉어릴적. 어렸을 때. ❑他是我~的朋友; 그는 나의 어릴적 친구이다.
[小市民] xiǎoshìmín 명 소시민.
[小事] xiǎoshì 명 작은 일.
[小手小脚] xiǎoshǒu-xiǎojiǎo

〈成〉 ① 쩨쩨하다. 좀스럽다. ② 소심하다. 배짱이 없다.
[小暑] xiǎoshǔ 명 소서《24절기의 하나》.
[小数] xiǎoshù 명〖數〗 소수. ❑ ~点; 소수점.
[小说(儿)] xiǎoshuō(r) 명 소설. ❑看~; 소설을 보다 / 武侠~; 무협 소설 / ~家; 소설가.
[小算盘(儿)] xiǎosuàn·pan(r) 명〈比〉 개인이나 일부분의 이익을 위한 타산. 얄팍한 이해 타산.
[小提琴] xiǎotíqín 명〖樂〗 바이올린(violin).
[小题大做] xiǎotí-dàzuò 〈成〉 사소한 일을 큰일처럼 확대시키다. 침소봉대(針小棒大)하다.
[小偷儿] xiǎotōur 명 도둑.
[小腿] xiǎotuǐ 명 정강이. 종아리. ❑~肚子; 장딴지.
[小巫见大巫] xiǎowū jiàn dàwū 〈成〉 선무당이 노련한 무당을 만나다《자기보다 뛰어난 상대를 만나 실력 발휘를 못 하다. 임자 만나다》.
[小五金] xiǎowǔjīn 명 금속 부속품이나 장식《못·나사·철사·자물쇠·경첩·빗장쇠·용수철 따위》.
[小小子(儿)] xiǎoxiǎo·zi(r) 명〈口〉 어린 사내아이.
[小心] xiǎoxīn 동 조심하다. 주의하다. ❑过马路要~; 길을 건널 때는 조심해야 한다. 형 조심성 있다. 신중하다. ❑他做事~极了; 그는 일 처리가 매우 신중하다.
[小心眼儿] xiǎoxīnyǎnr 형 옹졸하다. 속이 좁다. 명 약간의 꿍꿍이. ❑耍~; 꿍꿍이 수작을 부리다.
[小心翼翼] xiǎoxīn-yìyì 〈成〉 ① 엄숙하고 경건하다. ② 행동이 매우 신중하고 조심스럽다.
[小型] xiǎoxíng 형 소형의. 소규모의. ❑~摩托车; 스쿠터(scooter) / ~汽车; 소형 자동차.
[小熊猫] xiǎoxióngmāo 명 ⇒[小猫熊]
[小学] xiǎoxué 명 초등학교.
[小学生] xiǎoxuéshēng 명 초등학생.
[小夜曲] xiǎoyèqǔ 명〖樂〗 세레나데(serenade). 소야곡.
[小姨子] xiǎoyí·zi 명〈口〉 처제.
[小意思] xiǎoyì·si 명 ①〈謙〉 작은 성의. 작은 마음의 표시. ② 대수롭지 않은 일. 별것 아닌 일.
[小账(儿)] xiǎozhàng(r) 명〈口〉 ⇒[小费]
[小指] xiǎozhǐ 명 새끼손가락. 새끼발가락. =[〈口〉 小拇指]
[小子] xiǎozǐ 명〈書〉 젊은이. 연하(年下)의 사람.
[小子] xiǎo·zi 명〈口〉 ① 사내아이. ②〈貶〉 녀석. 놈. 자식.
[小组] xiǎozǔ 명 그룹(group). 동아리. ❑~会; 동아리 모임 / 学习~; 스터디 그룹.

晓(曉) xiǎo (효)
① 명 새벽. 동틀 무렵. ❑破~; 날이 새다. ② 동 이해하다. 알다. ❑通~; 정통하다. ③ 동 알리다. 알게 하다. ❑~谕; ⇓
[晓得] xiǎo·de 동 알다. ❑这件事我~; 이 일을 나는 안다.
[晓谕] xiǎoyù 동〈書〉 (상급자가) 훈시하다. 효시하다. 효유하다.

肖 xiào (초)
형 닮다. ❑子~其父; 아들은 그 아버지를 닮는다.
[肖邦] Xiàobāng 명〖人〗〈音〉 쇼팽《폴란드의 작곡가·피아니스트, 1810-1849》.
[肖像] xiàoxiàng 명 초상. ❑~画; 초상화 / ~权; 초상권.

孝 xiào (효)
① 형 효도하다. 효성스럽다. ❑尽~; 효를 다하다. ② 명 복상(服喪). 상례(喪禮). ❑正在~中; 지금 상중에 있다. ③ 명 상복(喪服). ❑穿~; 상복을 입다.
[孝敬] xiàojìng 동 손윗사람을 잘 섬기고 공경하다. 효경하다. ❑ ~父母; 부모에게 효경하다.
[孝顺] xiào·shùn 동 효성스럽다. 효도하다. ❑~父母; 부모에게 효도하다.
[孝心] xiàoxīn 명 효심.
[孝子] xiàozǐ 명 ① 효자. ② 부모상(喪)을 입고 있는 사람.
[孝子贤孙] xiàozǐ-xiánsūn 〈成〉 ① 효성스럽고 덕이 있는 후손. ② 충실한 후계자.

哮 xiào (효)
① 명 급히 숨을 몰아쉬는 소리. 씩씩거리는 소리. ② 동 소리 높여 부르짖다. ❑咆páo~; 포효하다.
[哮喘] xiàochuǎn 동 천식(喘息)을 앓다.

校 xiào (교)
명 ① 학교. ❑夜~; 야학. ② 〖軍〗 영관(領官). ⇒jiào
[校车] xiàochē 명〈簡〉 스쿨버스(school bus). =[学校班车]

[校风] xiàofēng 명 교풍.
[校服] xiàofú 명 교복.
[校官] xiàoguān 명〔軍〕영관(領官)《소령·중령·대령을 통틀어 일컫는 말》.
[校规] xiàoguī 명 학칙.
[校徽] xiàohuī 명 학교 배지(badge). 「학보.
[校刊] xiàokān 명 학교의 간행물.
[校庆] xiàoqìng 명 개교기념일. =[校庆日] 「사.
[校舍] xiàoshè 명 학교의 사택. 교
[校务] xiàowù 명 교무. ❑ ~会议; 교무 회의.
[校训] xiàoxùn 명 교훈.
[校医] xiàoyī 명 양호 교사.
[校友] xiàoyǒu 명 교우.
[校园] xiàoyuán 명 교정(校庭). 캠퍼스(campus).
[校长] xiàozhǎng 명 학교장. 총장. 교장.

效 xiào (효) ① 명 효과. 효능. 효력. 성능. ❑ 见~; 효과가 나타나다. ② 동 모방하다. 흉내 내다. 본받다. ❑ ~法; ⇩ ③ 동 (힘이나 목숨을) 바치다. 다하다. ❑ ~命; ⇩
[效法] xiàofǎ 동 본받다. 배우다. 따라하다.
[效仿] xiàofǎng 동 흉내 내다. 모방하다. 따라하다.
[效果] xiàoguǒ 명 ① 효과. 성과. ❑ 收到~; 효과를 거두다. ②〔劇〕효과《음향·조명 따위》.
[效劳] xiào//láo 동 진력하다. 힘을 다하다. 봉사하다. ❑ 为祖国~; 조국을 위해서 진력하다. =[效力]
[效力] xiàolì 명 효력. 효과. 효능. (xiào//lì) 동 ⇨[效劳]
[效率] xiàolǜ 명 ① (기계 따위의) 효율. ② (작업 따위의) 능률. ❑ 提高~; 능률을 높이다.
[效命] xiàomìng 동 목숨을 바치다. 목숨을 아끼지 않다.
[效能] xiàonéng 명 효능. 효력.
[效死] xiàosǐ 동 사력(死力)을 다하다. 목숨 바쳐 일하다.
[效验] xiàoyàn 명 효험. 효과.
[效益] xiàoyì 명 효과와 이익.
[效应] xiàoyìng 명 ①〔物·化〕반응. ❑ 化学~; 화학 반응. ② 효력. 효과. ❑ 药的~; 약의 효과.
[效用] xiàoyòng 명 효용. 가치. ❑ 发挥~; 효용을 발휘하다.
[效忠] xiàozhōng 동 충성을 다하다.

笑 xiào (소) 동 ① 웃다. ❑ 他~得合不拢嘴; 그는 웃느라 입을 다물지 못한다. ② 조소하다. 비웃다. ❑ 别~他; 그를 비웃지 마라.
[笑柄] xiàobǐng 명 웃음거리.
[笑哈哈] xiàohāhā 형 하하 웃다《크게 웃는 모양》.
[笑话] xiào·hua 명 (~儿) 우스운 이야기. 우스갯소리. 웃음거리. 동 비웃다. 흉보다. 웃음거리로 삼다.
[笑剧] xiàojù 명 ⇨[闹剧①]
[笑里藏刀] xiàolǐ-cángdāo 〈成〉 겉으로는 웃으면서 속으로는 음흉하다.
[笑脸(儿)] xiàoliǎn(r) 명 웃는 얼굴. 웃음 띤 얼굴. 「거리.
[笑料(儿)] xiàoliào(r) 명 우스갯
[笑骂] xiàomà 동 비웃고 욕하다.
[笑眯眯(的)] xiàomīmī(·de) 형 실눈을 하고 미소 짓는 모양.
[笑面虎] xiàomiànhǔ 명 〈比〉 겉은 부드러우나 속은 음험한 사람.
[笑容] xiàoróng 명 웃는 얼굴[표정]. ❑ ~可掬; 〈成〉 온 얼굴에 넘칠 듯 웃음을 머금은 모양.
[笑窝(儿)] xiàowō(r) 명 보조개. =[笑涡(儿)][酒窝(儿)]
[笑嘻嘻(的)] xiàoxīxī(·de) 형 방긋 미소 짓는 모양.
[笑颜] xiàoyán 명 웃는 얼굴.
[笑逐颜开] xiàozhúyánkāi 〈成〉 얼굴에 웃음꽃이 활짝 피다.

啸(嘯) xiào (소) 동 ① 휘파람을 불다. ② (짐승이나 새가) 길게 울다. ❑ 虎~; 호랑이가 울다.

xie ㄒㄧㄝ

些 xiē (사) 양 ① 얼마간. 몇《대략의 수를 가리키는 말》. ❑ 这~东西; 이 물건들 / 有~人还没到; 몇몇 사람들이 아직 안 왔다. ② (형용사 뒤에 놓여) 얼마쯤. 조금. 약간. ❑ 他比我高~; 그가 나보다 약간 크다.
[些个] xiē·ge 양〈口〉 좀. 조금. 몇몇. …들. ❑ 这~东西谁买的? 이 물건들은 누가 산 것이냐?
[些微] xiēwēi 형 조금의. 약간의. 부 조금. 약간. ❑ ~有点儿冷; 조금 춥다.
[些许] xiēxǔ 형 약간의. 사소한.

❏ ~小事; 사소한 작은 일.

楔 xiē (설)
명 (~儿) ⇨[楔子①②]

[楔子] xiē·zi 명 ① 쐐기. ② (벽에 박아서 물건을 걸 수 있게 한) 나무못. ‖ =[楔] ③ 설자(옛 소설에서 어떤 사건을 이끌어내기 위한 이야기 부분).

歇 xiē (헐)
동 ① 휴식하다. 쉬다. ❏ 这个月他~了三天了; 이번 달에 그는 3일 쉬었다. ② 그만두다. 정지하다. ❏ ~业; ⇓ ③〈方〉자다. ❏ 这么晚了, 你还没~着? 이렇게 늦었는데 아직도 안 자니?

[歇班(儿)] xiē//bān(r) 동 비번이 되다.

[歇乏] xiē//fá 동 (노동 후에) 쉬다. 휴식하다.

[歇工] xiē//gōng 동 ① 일을 멈추고 쉬다. ② 휴업하다.

[歇后语] xiēhòuyǔ 명〔言〕헐후어.

[歇肩] xiē//jiān 동 (어깨의 짐을 내려놓고) 한숨 돌리다. 어깨를 쉬다.

[歇脚] xiē//jiǎo 동 (길 가는 도중에) 발을 멈추어 쉬다.

[歇凉] xiē//liáng 동 ⇨[乘凉]

[歇手] xiē//shǒu 동 손을 멈추다. 하던 일을 멈추다.

[歇斯底里] xiēsīdǐlǐ〈音〉명〔醫〕히스테리(독 hysterie). 형 히스테릭하다.

[歇宿] xiēsù 동 ⇨[住宿]

[歇息] xiē·xi 동 ①⇨[休息①] ② 숙박하다. 묵다. 자다. ❏ 你早点儿~吧; 좀 일찍 자거라.

[歇业] xiē//yè 동 폐업하다. ❏ 那家店~了; 그 가게는 폐업했다.

蝎 xiē (갈)
명〔動〕전갈.

[蝎子] xiē·zi 명〔動〕전갈.

叶 xié (협)
형 사이좋다. 뜻이 맞다. ⇒yè

协(協) xié (협)
동 ① 함께하다. 힘을 합치다. ❏ ~力; ⇓ ② 협조하다. 협력하다. ❏ ~办; 협력하여 처리하다.

[协定] xiédìng 명동 협정(하다). ❏ 贸易~; 무역 협정.

[协会] xiéhuì 명 협회. ❏ 美术家~; 미술가 협회.

[协力] xiélì 부 협력하여. ❏ ~援助灾区; 재해 지역을 협력하여 지원하다.

[协商] xiéshāng 동 협상하다. 협의하다. ❏ ~解决问题; 문제 해결을 협상하다.

[协调] xiétiáo 동 ① (의견을) 조정하다. ② 공동 보조를 취하다. 균형을 잡다.

[协同] xiétóng 동 협동하다. ❏ ~办理; 협동하여 일을 처리하다.

[协议] xiéyì 동 협의하다. 상의하다. 합의하다. ❏ 双方~; 쌍방이 협의하다 / ~离婚; 협의[합의] 이혼. 명 협정. 약속. 의견 일치. ❏ 达成~; 의견 일치를 보다.

[协约] xiéyuē 명동 협약(하다). ❏ ~国; 협약국.

[协助] xiézhù 동 협조하다. 돕다.

[协奏曲] xiézòuqǔ 명〔樂〕협주곡.

[协作] xiézuò 동 협력하다. 협업하다. ❏ 双方~开发新产品; 쌍방이 협력하여 신제품을 개발하다.

胁(脅) xié (협)
① 명〔生理〕옆구리. ② 동 위협하다. 협박하다. 겁주다. ❏ 威~; 위협하다.

[胁持] xiéchí 동 ⇨[挟持]

[胁从] xiécóng 동 (강압에 못 이겨) 협력하다.

[胁肩谄笑] xiéjiān-chǎnxiào〈成〉어깨를 움츠리고 거짓으로 웃다(아첨하는 모양).

[胁迫] xiépò 동 협박하다. ❏ 受坏人~; 나쁜 놈에게 협박을 받다.

邪 xié (사)
① 형 사악하다. 바르지 못하다. ❏ ~说; ⇓ ② 형 이상하다. 비정상적이다. ❏ ~劲儿; 이상한 힘. ③ 명〔中醫〕질병을 일으키는 환경이나 요소. ❏ 风~; 감기. ④ 명 액. 마(魔). ❏ 避~; 액막이.

[邪道(儿)] xiédào(r) 명 나쁜 길. 부정한 길. 사도(邪道). ❏ 引向~; 사도에 끌어넣다. =[邪路]

[邪恶] xié'è 형 사악하다. ❏ 怀有~之念; 사악한 생각을 품다.

[邪路] xiélù 명 ⇨[邪道(儿)]

[邪门儿] xiéménr 형〈方〉이상하다. 괴상하다. 비정상적이다.

[邪门歪道] xiémén-wāidào〈成〉⇨[歪门邪道]

[邪念] xiéniàn 명 사념. 사악한 생각.

[邪气] xiéqì 명 ① 좋지 못한 기풍. ②〔中醫〕사기(질병을 야기하는 요인).

[邪说] xiéshuō 명 사설. 올바르지 않은 논설.

[邪心] xiéxīn 명 사심. 부정한 마음.

挟(挾) xié (협)
동 ① (겨드랑이에) 끼다. ❏他~着一本书; 그는 책 한 권을 겨드랑이에 끼고 있다. ② 남을 협박하여 복종시키다. ❏~制; ⇩ ③ (원한 따위를) 마음에 품다. ❏~怨; 원한을 품다.
[挟持] xiéchí 동 ① 양 옆에 붙잡다. 양 옆에서 팔짱을 끼다《주로, 악인이 무고한 사람을 끌고 가는 경우를 일컬음》. ② 따르도록 위협하다. 협박하다. ‖ =[胁持]
[挟嫌] xiéxián 동〈書〉 원한을 품다. ❏~报复; 〈成〉 원한을 품고 앙갚음하다.
[挟制] xiézhì 동 (힘이나 남의 약점을 가지고) 강박하다. 협박하다.

谐(諧) xié (해)
① 동 화합하다. 조화되다. 어울리다. ❏~调tiáo; ⇩ ② 형 익살스럽다. 해학이 있다. ❏有庄有~; 위엄도 있고 익살스런 면도 있다.
[谐和] xiéhé 형 ① 조화를 이루다. ② 사이가 좋다.
[谐调] xiétiáo 형 조화하다. 어울리다. ❏色彩~; 색채가 조화롭다.
[谐谑] xiéxuè 동 익살떨다. 해학적이다. 「닮다.
[谐音] xiéyīn 동 음(音)이 같거나

偕 xié (해)
동 함께하다. 동반하다. ❏~行; 함께 가다.
[偕老] xiélǎo 동 해로하다. ❏白年~; 〈成〉 백년해로하다.
[偕同] xiétóng 동 함께하다. 동반하다. ❏~前往; 같이 가다.

斜 xié (사)
① 형 비스듬하다. 기울다. ❏这条线划~了; 이 선은 비스듬히 그어졌다. ② 동 기울이다. 비스듬히 하다. ❏~着身子躺下; 몸을 비스듬히 하고 눕다.
[斜路] xiélù 명〈比〉 샛길. 잘못된 길. 그릇된 길.
[斜面] xiémiàn 명 사면. 빗면.
[斜坡] xiépō 명 비탈. 경사. ❏~路; 비탈길.
[斜射] xiéshè 동 비스듬히 비추다.
[斜视] xiéshì 명〔醫〕 사시. 사팔뜨기. =[斜眼①] 동 곁눈질로 보다. 곁눈질하다.
[斜线] xiéxiàn 명 사선. 빗금.
[斜眼] xiéyǎn 명 ① ⇒[斜视] ② (~儿) 사시(斜視)인 눈[사람].
[斜阳] xiéyáng 명 지는 해.

携 xié (휴)
동 ① 지니다. 휴대하다. ❏~酒; 술을 휴대하다 / ~杖; 지팡이를 지니다. ② 동반하다. 거느리다. ❏扶老~幼; 노인과 아이를 동반하다. ③ (손을) 잡다. ❏~手; ⇩
[携带] xiédài 동 휴대하다. ❏随身~; 몸에 지니고 휴대하다 / ~违禁品; 금지품을 휴대하다.
[携手] xiéshǒu 동 ① 손을 잡다. ② 서로 돕다. 협력하다.

鞋 xié (혜)
명 신. 신발. 구두. ❏一双~; 신발 한 켤레 / 穿~; 신을 신다.
[鞋拔子] xiébá·zi 명 구둣주걱.
[鞋带] xiédài 명 신발 끈. 구두끈.
[鞋垫] xiédiàn 명 신발 깔창.
[鞋匠] xié·jiàng 명 제화공.
[鞋刷] xiéshuā 명 구둣솔.
[鞋油] xiéyóu 명 구두약.
[鞋子] xié·zi 명 신. 신발.

写(寫) xiě (사)
동 ① (글씨를) 쓰다. ❏~信; 편지를 쓰다 / ~字; 글씨를 쓰다. ② 기재하다. 적다. ❏~姓名; 이름을 적다. ③ (글을) 쓰다. 짓다. ❏~诗; 시를 쓰다 / ~文章; 글을 짓다. ④ 묘사하다. 그려내다. ❏~景; 풍경을 묘사하다. ⑤ (그림을) 그리다. ❏~生; ⇩
[写生] xiěshēng 동〔美〕 사생하다. ❏~画; 사생화.
[写实] xiěshí 동 사실대로 묘사하다. 「实主义]
[写实主义] xiěshí zhǔyì ⇒[现
[写意] xiěyì 명〔美〕 사의《화법(畫法)의 한 가지로 형식에 구애되지 아니하고 정신을 살려 내는 방법》.
[写照] xiězhào 명동 (사실(寫實)을) 묘사(描寫)(하여 그리다).
[写真] xiězhēn 동 사람의 모습을 그리다. 명 ① 인물 그림. ② 인물 사진. 「빌딩.
[写字楼] xiězìlóu 명〈方〉 사무용
[写字台] xiězìtái 명 사무용 책상.
[写作] xiězuò 동 글을 짓다. 문학 작품을 창작하다.

血 xiě (혈)
명〈口〉 피. ❏流~; 피를 흘리다. ⇒xuè
[血淋淋(的)] xiělínlín(·de) 형 ① 피가 철철 흐르는 모양. ② 〈比〉 참혹한 모양. 가혹한 모양.

泻(瀉) xiè (사)
동 ① 빠르게 흐르다.

❏一～千里之势; 〈成〉 일사천리의 기세. ② 설사하다. ❏～肚; ⇩
[泻肚] xiè∥dù 통〈口〉 ⇨[腹泻]

泄 xiè (설)
통 ①(액체·기체를) 배출하다. 빼다. 새다. 빠지다. ②(비밀 따위가) 새다. 누설하다. 누설시키다. ❏～底; 내막을 폭로하다. ③ 발산하다. 풀다. ❏～愤; ⇩
[泄愤] xiè∥fèn 통 분을 풀다. 분풀이를 하다.
[泄劲(儿)] xiè∥jìn(r) 통 자신을 잃다. 기운이 빠지다. 실망하다.
[泄漏] xièlòu 통 ①(액체·기체 따위가) 새다. ② ⇨[泄露]
[泄露] xièlòu 통 (비밀 따위를) 누설하다. ❏～秘密; 비밀을 누설하다. =[泄漏②]
[泄密] xiè∥mì 통 비밀이 새다. 비밀을 누설하다.
[泄气] xiè∥qì 통 맥이 빠지다[풀리다]. 해이해지다. 낙담하다. (xièqì) 형 야무지지 못하다. 한심하다.

卸 xiè (사)
통 ①(짐을) 내리다. 부리다. ❏～货; ⇩ ②(몸에 부착되어 있던 것을) 벗다. 풀다. 떼다. ❏～装; ⇩ ③(가축의 굴레 따위를) 벗기다. 풀다. ❏～牲口; 가축을 풀어 주다. ④(기계 따위를) 분해하다. 해체하다. 떼어 내다. ❏～螺钉; 나사를 분해하다. ⑤(책임 따위를) 전가시키다. 회피하다. (직책 따위를) 해제시키다. 면제시키다. ❏～任; ⇩
[卸车] xiè∥chē 통 차에서 짐을 내리다.
[卸货] xiè∥huò 통 짐을 내리다. 짐을 부리다. ❏从卡车上～; 트럭에서 짐을 내리다.
[卸任] xiè∥rèn 통 해임되다. 사임하다.
[卸装] xiè∥zhuāng 통 (배우가) 분장을 지우다.

屑 xiè (설)
① 명 찌꺼기. 부스러기. ❏煤～; 석탄 부스러기. ② 형 하찮다. 자잘하다. 자질구레하다. ❏琐～; 자질구레하다. ③ 통 (할 만한) 가치가 있다고 여기다. ❏不～一顾; 한번 돌아볼 가치도 없다.

械 xiè (계)
명 ① 기계. ② 무기. ❏缴～; 무장을 해제하다. ③〈書〉 형구(刑具).

亵(褻) xiè (설)
① 통 버릇없이 대하다. 무례하게 굴다. ❏～慢; 무례하다. ② 형 음란하다. ❏～语; 음담. 음란한 말.
[亵渎] xièdú 통〈書〉 모독하다. 업신여기다.

谢(謝) xiè (사)
통 ① 감사하다. 사의를 표하다. ❏道～; 감사의 말을 하다 / 多～; 대단히 고맙습니다. ② 사과하다. 미안함을 표시하다. ❏～罪; ⇩ ③ 사퇴하다. 사절하다. 사양하다. ❏辞～; 사퇴하다. ④ (꽃·잎 따위가) 지다. 시들다. ❏花儿～了; 꽃이 시들었다.
[谢忱] xièchén 명 사의(謝意). ❏表示～; 사의를 나타내다.
[谢词] xiècí 명 감사의 말. 사사(謝辭). =[谢辞]
[谢绝] xièjué 통 사절하다. 거절하다. ❏～采访; 취재를 거절하다.
[谢客] xièkè 통 손님을 거절하다. 면회를 사절하다. ❏闭门～; 문을 닫고 손님을 거절하다.
[谢幕] xiè∥mù 통 앙코르(프 encore)에 답하다. 커튼콜(curtain call)에 답례하다.
[谢天谢地] xiètiān-xièdì 〈成〉 더 이상 고마울 수가 없다. 감지덕지하다.
[谢谢] xiè·xie 통〈套〉 고맙습니다. 감사합니다. ❏～大家收看; 여러분, 시청해 주셔서 감사합니다.
[谢意] xièyì 명 사의. 감사의 뜻. ❏表示～; 감사의 뜻을 나타내다.
[谢罪] xiè∥zuì 통 사죄하다.

解 xiè (해)
통〈口〉 알다. 이해하다. ❏终于～开了这个道理; 마침내 이 이치를 이해했다. ⇒jiě jiè

懈 xiè (해)
형 해이하다. ❏始终不～; 〈成〉 시종 해이하지 않다.
[懈怠] xièdài 형 태만하다. 해이하다. ❏工作～; 업무에 태만하다.

邂 xiè (해)
→[邂逅]
[邂逅] xièhòu 통〈書〉 우연히 만나다. 해후하다. ❏途中～故友; 길에서 우연히 옛 친구를 만나다.

蟹 xiè (해)
명〔動〕 게. ❏～钳; 게의 집게발.

xin ㄒㄧㄣ

心 xīn (심)
명 ①〔生理〕 심장. ② 마음.

생각. 기분. ❏谈～; 마음을 털어놓다 / 良～; 양심. ❏平～; 기분을 가라앉히다. ③ 중심. 중앙. 가운데. ❏江～; 강 한가운데.

[心爱] xīn'ài 형 진심으로 사랑하다[아끼다]. ❏～的人; 진심으로 사랑하는 사람.

[心安理得] xīn'ān-lǐdé 〈成〉 이치에 맞아서 마음이 편하고 유연하다.

[心病] xīnbìng 명 ① 화병. 울화병. ② 말 못 할 근심. 걱정.

[心不在焉] xīnbùzàiyān 〈成〉 생각이 딴 데 있다. 정신을 딴 데 팔다.

[心肠] xīncháng 명 ① 마음. 마음씨. ❏他的～很好; 그는 마음씨가 매우 좋다. ② (사물을 대하는) 감정. 마음. ❏～软; 마음이 여리다. ③ 〈方〉 흥취. 기분. ❏没有～去郊游; 교외로 나갈 기분이 안 난다.

[心潮] xīncháo 명〈比〉 마음의 동요. 들뜬 마음. ❏～澎湃; 〈成〉 마음이 들뜨다.

[心驰神往] xīnchí-shénwǎng 〈成〉 (어떤 곳으로) 마음이 가다.

[心得] xīndé 명 체득. 심득. 소감. ❏参观的～; 견학한 소감.

[心地] xīndì 명 ① 마음. 마음씨. ② 심정. 심경. 마음 상태. ❏～轻松; 마음이 가볍다.

[心电图] xīndiàntú 명〖醫〗 심전도.

[心烦] xīnfán 형 짜증 나다. ❏他真叫我～; 그는 정말 나를 짜증나게 한다 / ～意乱; 〈成〉 짜증나고 심란하다.

[心房] xīnfáng 명 〖生理〗 심방.

[心扉] xīnfēi 명 마음의 문. ❏打开～; 마음의 문을 열다.

[心服] xīn∥fú 동 심복하다. ❏～口服; 〈成〉 입으로만이 아니라 마음속으로부터 심복하다.

[心浮] xīn∥fú 형 마음이 들뜨다.

[心腹] xīnfù 명 ① 마음속. 가슴속. ❏～话; 마음속에 있는 말. ② 깊이 신뢰하는 사람. 심복.

[心腹之患] xīnfùzhīhuàn 〈成〉 심복지환《내부에 숨어 있는 치명적인 우환》.

[心甘情愿] xīngān-qíngyuàn 〈成〉 (고통·손실 따위를) 달게 받다. 기꺼이 원하다.

[心肝] xīngān 명 ① 양심. ❏没～的人; 양심 없는 인간. ② (～儿) 가장 사랑하는 사람. 애지중지하는 사람《주로, 어린 자식을 지칭함》.

[心广体胖] xīnguǎng-tǐpán 〈成〉 마음이 넓고 몸이 건장하다. =[心宽体胖]

[心寒] xīn∥hán 형 실망하여 마음이 아프다. 한심하게 여기다.

[心狠] xīnhěn 형 마음이 흉악하다[고약하다]. ❏～手辣; 〈成〉 마음이 흉악하고 수단이 악랄하다.

[心花怒放] xīnhuā-nùfàng 〈成〉 마음이 매우 기쁘다[즐겁다].

[心怀] xīnhuái 명 마음. 뜻. 의향. 생각. ❏～叵pǒ测; 〈成〉 마음속을 헤아리기 어렵다. 동 마음에 품다. ❏～鬼胎; 〈成〉 마음속에 못된 속셈을 품다.

[心慌] xīn∥huāng 형 당황하여 침착하지 못하다. 동〈方〉 ⇨[心悸①]

[心灰意懒] xīnhuī-yìlǎn 〈成〉 실망하여 의기소침하다. =[心灰意冷]

[心机] xīnjī 명 생각. 꾀. 궁리. ❏枉费～; 헛되이 궁리하다.

[心肌] xīnjī 명〖生理〗 심근(心筋). ❏～梗死; 심근 경색.

[心急] xīn∥jí 형 마음이 급하다. 초조하다. 조바심나다. ❏～火燎 =[～如火][～如焚]; 〈成〉 마음이 불에 타는 듯 초조하다.

[心计] xīnjì 명 마음속 계산. 타산. 기지(機智). ❏他很有～; 그는 매우 기지가 뛰어나다.

[心悸] xīnjì 동 ① (빈혈·심장병 따위로 인해) 심장이 심하게 뛰다. 동계(動悸)하다. =[〈方〉 心慌] ② 〈書〉 두려워하다. 겁을 내다.

[心焦] xīnjiāo 형 매우 초조하다. 애타다. ❏等得好不～; 애타게 기다리다.

[心惊胆战] xīnjīng-dǎnzhàn 〈成〉 ⇨[胆战心惊]

[心惊肉跳] xīnjīng-ròutiào 〈成〉 매우 두렵고 불안한 모양.

[心境] xīnjìng 명 심경. 기분.

[心坎(儿)] xīnkǎn(r) 명 ① ⇨[心口①] ② 마음속 깊은 곳.

[心口] xīnkǒu 명 ① 가슴팍. 명치. ❏～疼; 명치가 아프다. =[心坎(儿)①] ② 마음과 말. ❏ ～如一; 〈成〉 생각과 말이 일치하다.

[心旷神怡] xīnkuàng-shényí 〈成〉 마음이 편안하고 기분이 유쾌하다.

[心里] xīn·lǐ 명 ① 마음속. 심중(心中). ❏～话; 진담. 진심으로 하는 말. ② 가슴. 가슴속. ❏～乱跳; 가슴이 마구 두근거리다.

[心理] xīnlǐ 명 심리. ❏～测验;

심리 테스트 / ~分析; 심리 분석 / ~学; 심리학.

[心力] xīnlì 명 마음과 힘. 정신력과 체력. 기력.

[心灵] xīnlíng 명 심령. 마음. 정신. 생각. ❑ 眼睛是~的窗户; 눈은 마음의 창이다.

[心领] xīnlǐng 동 ① 마음으로 깨닫다. 마음속으로 이해하다. ❑ ~神会; 〈成〉 마음속으로 충분히 잘 이해하다. ②〈套〉 마음만은 고맙게 받겠습니다《남의 선물 · 초대를 정중히 사양하는 말》.

[心满意足] xīnmǎn-yìzú 〈成〉 매우 만족하다.

[心明眼亮] xīnmíng-yǎnliàng 〈成〉 심사물을 확실히 인식하고 시비를 분별하다.

[心目] xīnmù 명 ① 마음과 눈. 〈轉〉 마음속 느낌. 감상. 기억. 인상. ❑ 犹在~; 아직 기억에 남아 있다. ② 생각. 견해.

[心平气和] xīnpíng-qìhé 〈成〉 마음이 평온하고 온화하다.

[心魄] xīnpò 명 심령. 마음.

[心窍] xīnqiào 명 마음의 눈. 심안(心眼). ❑ 财迷~; 〈成〉 재물이 심안을 흐리게 하다.

[心情] xīnqíng 명 심정. 마음. 기분. ❑ 你的~可以理解; 네 심정은 이해할 수 있다.

[心软] xīn//ruǎn 형 마음이 약하다[여리다].

[心上人] xīnshàngrén 명 마음에 둔 사람. 속으로 좋아하는 사람.

[心神] xīnshén 명 ① 생각과 정력. ② 정신 상태. 마음 상태. ❑ ~不定; 마음이 안정되지 않다.

[心声] xīnshēng 명 마음의 소리.

[心事] xīnshì 명 근심거리. 걱정거리. ❑ ~重重; 걱정거리가 많다.

[心术] xīnshù 명 심술. 심보《주로, 나쁜 뜻으로 쓰임》. ❑ ~不正; 심보가 고약하다.

[心思] xīn·si 명 ① 생각. 마음. 염심사. ❑ 坏~; 나쁜 생각. ② 머리. 지력(智力). ❑ 挖空~; 갖은 궁리를 하다. ③ (하고 싶은) 기분. 마음. ❑ 做什么都没有~; 무엇을 해도 마음이 안 내킨다.

[心酸] xīn//suān 형 가슴이 아프다[쓰리다]. 슬프다.

[心算] xīnsuàn 동 암산하다.

[心疼] xīnténg 동 ① 예뻐하다. 귀여워하다. 몹시 아끼다. ❑ 奶奶最~他; 할머니는 그를 가장 귀여워하신다. ② 애석해 하다. 아깝게 여기다. ❑ ~钱; 돈을 아까워 하다.

[心田] xīntián 명 마음. 마음속. ❑ 滋润~; 마음을 촉촉이 적시다.

[心跳] xīn//tiào 동 가슴이 뛰다[두근거리다].

[心头] xīntóu 명 마음. 마음속. ❑ ~的秘密; 마음속 비밀.

[心窝(儿)] xīnwō(r) 명 ①〖生理〗 명치. ②〈比〉 가슴. 마음. 내심.

[心无二用] xīnwú'èryòng 〈成〉 동시에 두 가지 일에 마음 쓰지 않다. 한 가지 일에 전념하다.

[心细] xīn//xì 형 세심하다. 꼼꼼하다.

[心弦] xīnxián 명 심금(心琴). ❑ 动人~; 〈成〉 심금을 울리다.

[心心相印] xīnxīn-xiāngyìn 〈成〉 마음이 통하다. 생각이 서로 맞다.

[心胸] xīnxiōng 명 ① 마음속 깊은 곳. 심중. 내심. ② 도량. 마음. 속. ❑ ~豁达; 도량이 넓다. ③ 포부. 의지. 뜻. 기개. ❑ 远大的~; 원대한 포부.

[心虚] xīn//xū 형 ① 켕기다. 양심에 찔리다. ❑ 做贼~; 〈成〉 도둑이 제발 저리다. ② 자신이 없다.

[心绪] xīnxù 명 마음. 기분. ❑ 乱纷纷的~; 심란한 마음.

[心血] xīnxuè 명 심혈. 피땀. ❑ 费尽~; 심혈을 쏟다.

[心血来潮] xīnxuè-láicháo 〈成〉 갑자기 어떤 생각이 떠오르다.

[心眼儿] xīnyǎnr 명 ① 마음속. 내심. ❑ 打~里高兴; 마음속으로 기뻐하다. ② 마음. 마음씨. ❑ 好~; 착한 마음씨. ③ 슬기. 기지(機智). 총기. ❑ 有~; 기지가 있다. ④ 생각. 계책. 계산. ❑ ~太多; 생각이 너무 많다. ⑤ 도량. 소갈머리. 속. ❑ ~小 =[~窄]; 속이 좁다.

[心意] xīnyì 명 ① 성의. 마음. 정성. ② 생각. 의사. 뜻. ❑ 表达~; 의사를 표시하다.

[心硬] xīn//yìng 형 냉정하다. 마음이 모질다. 감정이 없다.

[心有灵犀一点通] xīn yǒu língxī yī diǎn tōng 〈成〉 말하지 않고도 서로 마음이 통하다.

[心有余悸] xīnyǒuyújì 〈成〉 (위험한 상황이 지나갔음에도) 떠올리면 여전히 가슴이 두근거린다.

[心猿意马] xīnyuán-yìmǎ 〈成〉 마음이 산만하고 종잡을 수 없다.

[心愿] xīnyuàn 명 염원. 소망. 바람. ❏违背~; 소망을 저버리다.
[心脏] xīnzàng 명 ①〖生理〗 심장. ❏~病; 심장병. ②〈比〉 중심. 중심부.
[心照不宣] xīnzhào-bùxuān 〈成〉 마음으로 이해하여 굳이 말할 필요가 없다.
[心直口快] xīnzhí-kǒukuài 〈成〉 성격이 시원시원해서 할 말이 있으면 바로 하다.
[心中] xīnzhōng 명 마음속. 심중.
[心中无数] xīnzhōng-wúshù 〈成〉 ⇨[胸中无数]
[心中有数] xīnzhōng-yǒushù 〈成〉 ⇨[胸中有数]
[心醉] xīn//zuì 동 심취하다. 도취되다. 매혹되다. 반하다.

芯 xīn (심)
명 ① 초목의 중심 부분. ② (물체의) 중심. 심. ❏笔~; 연필심. ⇒xìn
[芯片] xīnpiàn 명〖電〗 칩(chip).

欣 xīn (흔)
형 기쁘다. 흐뭇하다. 즐겁다.
[欣然] xīnrán 형〈書〉 흔쾌하다. 기꺼이 하다. ❏~接受; 흔쾌히 받아들이다.
[欣赏] xīnshǎng 동 ① 감상하다. ❏~音乐; 음악을 감상하다. ② 좋다고 생각하다. 마음에 들어 하다. 좋아하다. ❏他很~这部电影; 그는 이 영화를 매우 좋아한다.
[欣慰] xīnwèi 형 기뻐하며 안도하다. ❏~的微笑; 기쁨과 안도의 미소.
[欣喜] xīnxǐ 형 기쁘다. ❏~若狂; 〈成〉 미친 듯이 기뻐하다.
[欣欣向荣] xīnxīn-xiàngróng 〈成〉 초목이 무성하다《활기차게 번영하는 모양》.
[欣幸] xīnxìng 동 기뻐하며 다행으로 여기다.

辛 xīn (신)
형 ① 맵다. ❏~辣; ⇩ ② 고생스럽다. ❏~勤; ⇩ ③ 마음 아프다. 괴롭다. ❏~酸; ⇩
[辛苦] xīnkǔ 형 고생스럽다. 수고스럽다. 고되다. ❏工作很~; 일이 매우 고되다 / ~费; 수고비. 동〈套〉 수고하셨습니다. ❏太~了! 수고 많으셨습니다!
[辛辣] xīnlà 형 ① 맵다. ❏~的食物; 매운 음식물. ②〈比〉 신랄하다. ❏~的讽刺; 신랄한 풍자.
[辛劳] xīnláo 형 애쓰다. 고생하다. ❏日夜~; 밤낮으로 고생하다.
[辛勤] xīnqín 형 고생스럽고 근면하다. 수고롭고 부지런하다.
[辛酸] xīnsuān 형 맵고 시다. 〈比〉 슬프고 고통스럽다. 쓰리고 아프다. ❏~的往事; 아픈 과거.

锌(鋅) xīn (신)
명〖化〗 아연(亞鉛)(Zn: zinc).

新 xīn (신)
① 형 새로운. ㉠막 출현한. 이제껏 경험하지 못한. ❏~办法; 새로운 방법. ㉡새롭게 바뀐. 더 나아진. ❏~社会; 새로운 사회. ② 형 새것인. 사용하지 않은. ❏~衣服; 새 옷. ③ 명 새사람. 새로운 것. 새것. ❏翻~; 새것으로 만들다. ④ 형 신혼의. ❏~房; ⇩ ⑤ 부 새로. 막. 갓. 금방. ❏~摘的苹果; 갓 딴 사과 / ~来的人; 새로 온 사람 / ~开的商店; 새로 개업한 상점.
[新兵] xīnbīng 명 신병.
[新陈代谢] xīnchén-dàixiè ①〖生〗 신진대사. ②〈比〉 새로운 것이 생겨나고 발전하여 낡은 것을 대체하는 일.
[新春] xīnchūn 명 신춘《음력 설날 이후의 10 일 내지 20 일간》.
[新词] xīncí 명 신조어. 신어.
[新房] xīnfáng 명 ① 신축한 집. ② 신방. 신혼부부의 침실.
[新妇] xīnfù 명 ⇨[新娘]
[新欢] xīnhuān 명〈貶〉 새로운 정부(情婦·情夫). 새 애인.
[新婚] xīnhūn 동 갓 결혼하다. 신혼이다. ❏~夫妇; 신혼부부.
[新记录] xīnjìlù 명 신기록.
[新纪元] xīnjìyuán 명 신기원.
[新加坡] Xīnjiāpō 명〖地〗〈音〉 싱가포르(Singapore).
[新交] xīnjiāo 명 새로 사귄 친구. 새 친구.
[新近] xīnjìn 부 최근에. 근래에. ❏~发生的事情; 최근에 발생한 일.
[新居] xīnjū 명 새로 이사한 집. 막 지은 집. 새집.
[新来乍到] xīnlái-zhàdào 〈成〉 (다른 곳에서) 갓 오다.
[新郎] xīnláng 명 신랑. 새신랑.
[新苗] xīnmiáo 명〈比〉 신성. 새싹《새롭게 등장한 발전 가능성이 있는 사람이나 사물》.
[新年] xīnnián 명 신년. 새해. ❏~好; 새해 복 많이 받으세요.

[新娘] xīnniáng 명 신부. =[新妇][新娘子][〈口〉新媳妇儿]
[新奇] xīnqí 형 새롭고 색다르다. 신기하다. ❑~的景象; 신기한 광경.
[新人] xīnrén 명 ① 새로운 세대의 사람. 새로운 사람. ❑~新事; 〈成〉새로운 사람과 새로운 일. ② 신인. 뉴 페이스(new face). ③ 신임자(新任者). ④ 거듭난 사람. 새사람. ⑤ 신랑 신부《신부만을 지칭하기도 함》. ❑一对~; 한 쌍의 신랑 신부.
[新锐] xīnruì 명형 신예(의). ❑~导演; 신예 감독 / 棋坛~; 바둑계의 신예. 형 새롭고 예리하다. ❑~机;〖軍〗신예기.
[新生] xīnshēng 형 새로 생긴. 갓 생겨난. ❑~力量; 신생 역량. 신흥 세력. 명 ① 새 생명. ❑获得~; 새 생명을 얻다. ② 신입생.
[新生代] xīnshēngdài 명 ①〖地質〗신생대. ② 신세대(의 젊은이).
[新生儿] xīnshēng'ér 명 신생아.
[新式] xīnshì 형 신식의. ❑~服装; 신식 복장 / ~婚礼; 신식 혼례.
[新手(儿)] xīnshǒu(r) 명 신출내기. 신참. 새내기.
[新书] xīnshū 명 ① 새 책. ② 신간서. 신간 서적.
[新闻] xīnwén 명 ① (신문이나 방송 따위의) 뉴스(news). ❑采访~; 뉴스를 취재하다/ 播送~; 뉴스를 방송하다 / ~广播员; 뉴스캐스터(news caster). ② 새 소식. 최근에 발생한 사건.
[新西兰] Xīnxīlán 명〖地〗〈音義〉뉴질랜드(New Zealand).
[新媳妇儿] xīnxí·fur 명〈口〉⇨[新娘]
[新禧] xīnxǐ 명 신년의 복[기쁨]《새해 인사말로 쓰임》.
[新鲜] xīn·xiān 형 ① (음식물 · 꽃 따위가) 신선하다. 싱싱하다. ❑~的水果; 신선한 과일. ② (공기가) 신선하다. 깨끗하다. 싱그럽다. ❑~的空气; 신선한 공기. ③ (사물이) 새롭다. 신선하다. ❑~经验; 새로운 경험 / ~事物; 새로운 사물.
[新兴] xīnxīng 형 신흥의. ❑~的力量; 신흥 세력 / ~国; 신흥국.
[新星] xīnxīng 명 ①〖天〗신성. ②〈比〉신예 스타. 떠오르는 샛별.
[新型] xīnxíng 형 신형의. 신식의. ❑~打印机; 신형 프린터.
[新秀] xīnxiù 명 우수한 신인.
[新颖] xīnyǐng 형 새롭고 독특하다. 신선하고 색다르다. 참신하다. ❑内容~; 내용이 참신하다.
[新月] xīnyuè 명 ① 초승달. 신월. =[〈口〉月牙(儿)] ②〖天〗⇨[朔月]
[新作] xīnzuò 명 새 작품. 신작.

薪 xīn (신)
명 ① 땔나무. 장작. ❑柴~; 땔나무. ② 급료. 봉급.
[薪水] xīn·shui 명 봉급. 급여. 급료. ❑~生活者; 월급쟁이. 샐러리맨. 봉급생활자. =[薪俸][薪金]

馨 xīn (형)
명〈書〉멀리까지 퍼지는 향기.
[馨香] xīnxiāng 형〈書〉향기가 가득하다. 향기롭다.

囟 xìn (신)
명 숫구멍.
[囟门] xìnmén 명 숫구멍. 숨구멍. 정문.

芯 xìn (심)
→[芯子]
[芯子] xìn·zi 명 (기물의 가운데 박혀 있는) 심. 심지. ⇒xīn

信 xìn (신)
① 형 확실하다. ❑~史; 확실한 역사. ② 명 믿음. 신용. 신의. ❑失~; 신용을 잃다 / 守~; 신용을 지키다. ③ 동 신용하다. 신임하다. 믿다. ❑我~不住他; 나는 그를 믿지 않는다. ④ 동 (종교·학설 따위를) 믿다. 신봉하다. ❑他是~佛教的; 그는 불교를 믿는다. ⑤ 동 …에 맡기다. 마음대로 …하다. ❑~步; ⇓ ⑥ 명 근거. 증거. ❑凭~; 증거. ⑦ 명 편지. ❑寄一封~; 편지를 한 통 부치다. ⑧ (~儿) 명 소식. 기별. 정보. ❑带~儿; 소식을 전해 주다. ⑨ 명 (탄환의) 신관(信管).
[信步] xìnbù 동 발길 닿는 대로 걷다.
[信从] xìncóng 동 믿고 따르다.
[信贷] xìndài 명〖經〗① (은행의) 신용. ❑~保证; 신용 보증 / ~评级机构; 신용 평가 기관. ② 신용 대출.
[信封(儿)] xìnfēng(r) 명 편지 봉투. =[封皮①]
[信奉] xìnfèng 동 신봉하다. ①〖宗〗믿고 받들다. ❑~上帝; 하나님을 믿다. ② 믿고 그대로 행하다. ❑~实用主义哲学; 실용주의 철학을 신봉하다.
[信服] xìnfú 동 신복하다. =[折zhé服②]

[信管] xìnguǎn 명 ⇨[引信]
[信号] xìnhào 명 ① 신호. ❑ 发~; 신호를 보내다 / ~弹; 신호탄 / ~灯; 신호등. ②〖電〗 신호 전파.
[信汇] xìnhuì 명 우편환(郵便換).
[信笺] xìnjiān 명 ⇨[信纸]
[信件] xìnjiàn 명 우편물. =[函件]
[信口] xìnkǒu 부 (말을) 입에서 나오는 대로. 분별없이 함부로. ❑ ~开河; 〈成〉 입에서 나오는 대로 거침없이 지껄여 대다.
[信赖] xìnlài 동 신뢰하다. ❑ 他是个值得~的人; 그는 신뢰할 만한 사람이다.
[信念] xìnniàn 명 신념.
[信任] xìnrèn 동 신임하다. ❑ 大家~我; 모두가 나를 신임한다.
[信实] xìnshí 형 ① 신실하다. 성실하다. ❑ 为人~; 사람됨이 신실하다. ② 진실하고 믿을 수 있다. ❑ 史料~; 사료가 진실하고 믿을 수 있다.
[信使] xìnshǐ 명 사자(使者). 사절.
[信誓旦旦] xìnshì-dàndàn 〈成〉 맹세의 말이 성실하고 믿을 만하다.
[信手] xìnshǒu 부 손 가는 대로. ❑ ~拈来; 〈成〉 손 가는 대로 가져오다《글을 쓸 때 어휘나 재료가 풍부하여 힘들이지 않고 써내다》.
[信守] xìnshǒu 동 성실히 지키다. ❑ ~诺言; 약속을 성실히 지키다.
[信条] xìntiáo 명 신조. ❑ 生活~; 생활신조.
[信筒] xìntǒng 명 우체통. =[邮筒]
[信徒] xìntú 명 ①〖宗〗 신도. 신자. ②〈轉〉 신봉자.
[信托] xìntuō 동 믿고 맡기다. 형〖經〗 위탁 판매 업무를 하다. ❑ ~公司; 신탁 회사.
[信望] xìnwàng 명 신망.
[信物] xìnwù 명 증표. 증거물. ❑ 定情~; 애정의 증표. 정표.
[信息] xìnxī 명 ① 기별. 소식. ❑ ~灵通; 소식통이다. ② (부호로 전달하는) 정보(情報). ❑ 传递~; 정보를 전달하다 / ~产业; 정보 산업 / ~化; 정보화 / ~社会; 정보화 사회 / ~时代; 정보화 시대.
[信息技术] xìnxī jìshù 정보 기술. 아이티(IT).
[信箱] xìnxiāng 명 ① 우편함. 우체통. =[邮箱] ② 사서함. ③ (문 앞에 달아 놓는) 우편함. 수신함.
[信心] xìnxīn 명 자신. 자신감. ❑ 丧失~; 자신감을 잃다 / ~十足; 자신감이 넘치다.
[信仰] xìnyǎng 동 신앙하다. 믿다. ❑ ~天主教; 천주교를 믿다. 명 신앙. ❑ ~危机; 신앙의 위기.
[信以为真] xìnyǐwéizhēn 〈成〉 (거짓을) 진실이라고 믿다.
[信义] xìnyì 명 신의. ❑ 守~; 신의를 지키다.
[信用] xìnyòng 명 ① 신용. ❑ 守~; 신용을 지키다 / 丧失~; 신용을 잃다. ②〖經〗 신용. ❑ ~查询; 신용 조회 / ~等级; 신용 등급 / ~卡; 신용 카드. 형 신용하다.
[信用状] xìnyòngzhuàng 명〖商〗 신용장. L/C.
[信誉] xìnyù 명 신용과 명예. 신망. 위신. ❑ 国际~; 국제적 신망.
[信札] xìnzhá 명 편지. 서신.
[信纸] xìnzhǐ 명 편지지. =[信笺jiān][便biàn笺①]

衅(釁) xìn (흔) 명 분쟁의 발단. 불화의 빌미. 악감정.
[衅端] xìnduān 명〈書〉 싸움의 원인. 분쟁의 발단.

xing ㄒㄧㄥ

兴(興) xīng (흥) ① 동 흥하다. 흥성하다. 성행하다[시키다]. 유행하다[시키다]. ❑ 今年最~这种样式; 올해는 이런 스타일이 가장 유행이다. ② 동 일으키다. 시작하다. ❑ ~办; ⇓ / ~工; ⇓ ③ 동 일어나다. 기상하다. ❑ 夙~夜寐; 〈成〉 아침 일찍 일어나고 밤 늦게 자다. ④ 동 〈方〉 허락하다. 허용하다《주로, 부정형으로 쓰임》. ❑ 不~胡说; 헛소리를 허락하지 않다. ⑤ 부〈方〉 아마. 어쩌면. ❑ 也~那样; 어쩌면 그럴지도 모른다. ⇒xìng
[兴办] xīngbàn 동 (사업을) 일으키다. 일으켜 시작하다. 창설하다. ❑ ~企业; 기업을 창설하다.
[兴奋] xīngfèn 형 흥분되다. 감격스럽다. 격앙되다. 명〖生理〗 흥분. ❑ ~状态; 흥분 상태. 동 흥분시키다. ❑ ~剂; 흥분제.
[兴风作浪] xīngfēng-zuòlàng 〈成〉 풍파를 일으키다.
[兴工] xīnggōng 동 기공(起工)하다. 공사를 일으키다.
[兴建] xīngjiàn 동 (주로, 대규모

로) 건설하다. 창건하다. ❏～核电站; 원자력 발전소를 건설하다.

[兴隆] xīnglóng 형 번창하다. 흥성하다. ❏买卖～; 장사가 번창하다.

[兴起] xīngqǐ 동 ① 흥기하다. 일어나다. ❏学外语的热潮正在～; 외국어 학습 열풍이 일고 있다. ②〈書〉 감동하여 분기하다. ❏闻风～; 〈成〉 소문을 듣고 떨쳐 일어나다.

[兴盛] xīngshèng 형 흥성하다. 번창하다. ❏企业～; 기업이 번창하다.

[兴师动众] xīngshī-dòngzhòng 〈成〉 군대나 인원을 동원하다《많은 인원을 동원하여 일을 치르다》.

[兴亡] xīngwáng 동 흥망하다.

[兴旺] xīngwàng 형 번창하다. 흥성하다. 번성하다. ❏事业日益～; 사업이 날로 번창하다.

[兴修] xīngxiū 동 (주로, 대규모의) 공사를 일으키다. 건조(建造)하다. ❏～铁路; 철도를 부설하다.

[兴许] xīngxǔ 부 어쩌면. 혹시. ❏～他已看过这部电影了; 어쩌면 그는 이미 이 영화를 봤을지도 모른다.

[兴妖作怪] xīngyāo-zuòguài 〈成〉 악인이 못된 짓을 하여 나쁜 영향을 끼치다.

星 xīng (성)
명 ① (하늘의) 별. ❏～空; ⇩ ②〖天〗 천체. 성체. ❏彗～; 혜성 / 行～; 행성. ③ (～儿) 미세한 것. 아주 작은 것. ❏火～儿; 불씨. ④ 저울눈. ⑤ 인기인. 스타(star). ❏歌～; 인기 가수.

[星辰] xīngchén 명 성신. 별. ❏日月～; 〈成〉 일월성신.

[星斗] xīngdǒu 명 성두. 별.

[星光] xīngguāng 명 성광. 별빛. ❏～闪烁; 별빛이 깜빡이다.

[星河] xīnghé 명 ⇨[银河]

[星火] xīnghuǒ 명 ① 불꽃. 불티. ❏～飞贱; 불꽃이 사방으로 튀다. ② 유성(流星)의 빛. 〈比〉 매우 급박함. ❏急如～; 〈成〉 매우 급박하다.

[星级] xīngjí 명 호텔·식당 따위의 등급. ❏四～豪华饭店; 4성급의 호화 호텔. 형 수준 높은. 스타급의. 거물급의. ❏～服务; 수준 높은 서비스 / ～人物; 거물급 인물.

[星际] xīngjì 형〖天〗 천체와 천체 사이의. 행성간의. ❏～旅行; 우주 여행.

[星空] xīngkōng 명 별이 총총한 하늘.

[星罗棋布] xīngluó-qíbù 〈成〉 하늘의 별이나 바둑판의 돌처럼 흩어져 있다《사방에 널리 분포하다》.

[星期] xīngqī 명 ① 주(週). 주일(週日). ❏下～; 다음 주 / 一个～; 일주일. ② 요일. ❏今天～几? 오늘은 무슨 요일입니까? ③ 〈簡〉 ⇨[星期日]

[星期日] xīngqīrì 명 일요일. =[〈口〉 礼拜③][礼拜日][〈口〉 礼拜天][〈簡〉 星期③][星期天]

[星球] xīngqiú 명〖天〗 별. 천체.

[星体] xīngtǐ 명〖天〗 성체. 천체.

[星星] xīngxīng 명 작은 점. 얼룩.

[星星] xīng·xing 명〈口〉 별. ❏几棵～; 몇 개의 별들.

[星夜] xīngyè 명 (야외 활동에서의) 밤. 야간.

[星子] xīng·zi 명 미세한 것. 아주 작은 것. ❏吐沫～; 침방울.

[星座] xīngzuò 명〖天〗 별자리.

惺 xīng (성)
〈書〉 ① 형 총명하다. 똑똑하다. ② 동 깨닫다. 각성하다.

[惺忪] xīngsōng 형 잠에서 막 깨서 게슴츠레한 모양. ❏睡眼～; 잠이 덜 깨어 눈이 게슴츠레하다.

[惺惺] xīngxīng 형〈書〉 ① 총명하다. 똑똑하다. ② 거짓되다. ❏～作态; 〈成〉 거짓으로 태도를 꾸미다. 명 총명한 사람.

猩 xīng (성)
명〖動〗 성성이. 오랑우탄.

[猩红] xīnghóng 형 진홍색이다. 선홍색이다.

[猩猩] xīng·xing 명〖動〗 성성이. 오랑우탄. ❏大～; 고릴라 / 黑～; 침팬지.

腥 xīng (성)
① 명 비린 음식물. ② 형 비린내가 나다. 비리다. ❏这鱼做得有点～; 이 생선 요리는 좀 비리다.

[腥臭] xīngchòu 형 비리고 역하다.

[腥气] xīng·qi 명 비린내. 형 비리다. 비린내가 나다.

[腥臊] xīngsāo 형 비리고 지리다.

刑 xíng (형)
명 ①〖法〗 형. 형벌. ❏徒～; 징역 / 死～; 사형. ② 고문. 체벌. ❏动～; 고문하다.

[刑场] xíngchǎng 명 형장.

[刑罚] xíngfá 명〖法〗 형벌.

[刑法] xíngfǎ 명〖法〗 형법.

[刑法] xíng·fa 명 (범인에 대한)

체형(體刑). 고문.

[刑具] xíngjù 명 형구.

[刑期] xíngqī 명〖法〗형기.

[刑事] xíngshì 형〖法〗형사의. ❏ ~犯; 형사범 / ~诉讼; 형사 소송.

邢 Xíng (형)
명 성(姓)의 하나.

形 xíng (형)
①명 형(形). 형태. 형상. ❏ 地~; 지형. ②명 형체. ❏有~; 형체가 있다. ③동 나타나다. 나타내다. ❏~诸笔墨; 〈成〉 문장으로 나타내다. ④동 비교하다. 대조하다. ❏相~见绌; 〈成〉 다른 것과 비교해 보면 못한 것이 드러나다.

[形成] xíngchéng 동 형성하다. 형성되다. ❏由于地壳变动~的山脉; 지각 변동으로 형성된 산맥.

[形而上学] xíng'érshàngxué 명〖哲〗형이상학.

[形迹] xíngjì 명 ① 행동거지. 형적. ❏~可疑; 〈成〉 행동거지가 수상하다. ② 흔적. 자취. ❏不留~; 흔적을 남기지 않다. ③ 형식. 예의. ❏不拘~; 형식에 구애받지 않다.

[形容] xíngróng 명〈書〉 형체와 용모. 외모. 모습. 동 형용하다. 묘사하다. ❏无法~; 형용할 길이 없다.

[形容词] xíngróngcí 명〖言〗형용사.

[形声] xíngshēng 명〖言〗형성《육서(六書)의 하나》.

[形式] xíngshì 명 형식. 유형. ❏~主义; 형식주의.

[形势] xíngshì 명 ① 지세(地勢). ❏~险要; 지세가 험요하다. ② 형세. 정세. ❏国际~; 국제 정세.

[形似] xíngsì 동 겉보기에 비슷하다. 외관이 닮다.

[形态] xíngtài 명 ① 사물의 형상. 표현된 형식. 형태. ❏~学; 형태학. ② (생물의) 형태. ❏~相似; 형태가 서로 비슷하다.

[形体] xíngtǐ 명 ① 형상과 구조. 형체. 모양. ② (외관상의) 몸. 육체. 신체.

[形象] xíngxiàng 명 ① 형상. 모습. 이미지(image). ❏~设计; 이미지 설계. ② (작품 속에서의) 상(像). 이미지. ❏人物~; 인물상 / 英雄~; 영웅상. 형 (묘사나 표현이) 구체적이다. 생생하다. ❏例证~极了; 예증이 매우 구체적이다.

[形形色色] xíngxíngsèsè 형 형형색색의. 가지각색의.

[形影不离] xíngyǐng-bùlí 〈成〉 그림자가 형체에 따르는 것처럼 조금도 떨어지지 않는다《매우 사이가 좋아 항상 붙어 있다》.

[形影相吊] xíngyǐng-xiāngdiào 〈成〉 그림자와 형체가 서로 위문하다《매우 고독한 모양》.

[形状] xíngzhuàng 명 형상.

型 xíng (형)
명 ①〖工〗모형. 주형. 본. ② 유형(類型). 모양. ❏发fà~; 헤어스타일 / 血~; 혈액형.

[型号] xínghào 명 사이즈. 형. 모델 넘버.

行 xíng (행)
①동 걷다. 가다. ❏~车; ⇓ / ~人; ⇓ ②명 여행. 여행과 관계 있는 것. ❏~装; ⇓ ③동 유행하다. 유통하다. 보급하다. 퍼뜨리다. ❏风~一时; 〈成〉 일세(一世)를 풍미하다. ④동 하다. 행하다. 실행하다. ❏举~; 거행하다 / 执~; 집행하다. ⑤동 (어떤 활동을) 진행하다. 시행하다. ❏先~调查; 먼저 조사를 하다. ⑥명 행위. 행동. ❏罪~; 범죄 행위. ⑦동 괜찮다. 좋다. 되다. ❏这样办就~了; 이렇게 하면 된다. ⑧형 능력 있다. 대단하다. ❏他真~, 八十岁了还能舞剑; 여든이 되어서도 여전히 검무를 출 수 있다니 그는 정말 대단하다. ⑨부〈書〉 이제 곧. 머지않아. ❏~将; ⇓ ⇒háng

[行车] xíngchē 동 차가 다니다. ❏这里不能~; 이곳은 차가 다닐 수 없다.

[行程] xíngchéng 명 ① 노정. 도정. ② 진행 과정. 발전 과정.

[行刺] xíngcì 동 (흉기로) 암살하다. ❏图谋~; 암살을 도모하다.

[行动] xíngdòng 동 ① 걷다. 움직이다. ②행동하다. 활동하다. ❏采取~; 행동을 취하다 / ~指南; 행동 지침. 명 동작. 거동. 움직임. 행동. ❏~自由; 행동이 자유롭다.

[行方便] xíng fāng·bian 융통해 주다. 편의를 봐주다.

[行好] xíng//hǎo 동 은혜를 주다. 자비를 베풀다.

[行贿] xíng//huì 동 뇌물을 쓰다.

[行迹] xíngjì 명 행적. 행동거지. ❏~可疑; 〈成〉 행적이 수상하다.

[行将] xíngjiāng 부〈書〉 바야흐

로. 머지않아. 곧. ❑ ~就木; 〈成〉 머지않아 관 속에 들어가게 된다《목숨이 얼마 남지 않다》.
[行进] xíngjìn 동 행진하다. ❑ ~队; 대오가 행진하다.
[行径] xíngjìng 명〈贬〉 행위. 거동.
[行军] xíng//jūn 동〖軍〗 행군하다. ❑ 夜~; 야간 행군.
[行乐] xínglè 동〈書〉 행락하다. 즐겁게 놀다.
[行礼] xíng//lǐ 동 ① 경례하다. 인사하다. ② 〈方〉 선물을 주다. 선물하다.
[行李] xíng·li 명 (여행) 짐. 수화물. ❑ 打~; 짐을 싸다 / ~处; 수하물 취급소 / ~架; 수화물 선반 / ~牌; 수하물 꼬리표.
[行旅] xínglǚ 명 여행자. 나그네.
[行骗] xíng//piàn 동 사기치다.
[行期] xíngqī 명 출발 기일[날짜].
[行乞] xíngqǐ 동 구걸하다. 동냥하다.
[行窃] xíng//qiè 동 도둑질하다.
[行人] xíngrén 명 행인. 통행인.
[行若无事] xíngruòwúshì 〈成〉 (위험이나 나쁜 일에 대하여) 태연하고 전혀 개의치 않다.
[行色] xíngsè 명 행색. 떠날 때의 모습 또는 분위기. ❑ ~匆匆; 〈成〉 출발 전의 바쁜 모양.
[行善] xíng//shàn 동 선을 행하다. 선행을 베풀다.
[行商] xíngshāng 명 행상. 행상인.
[行尸走肉] xíngshī-zǒuròu 〈成〉 산송장처럼 생각 없이 무위(無爲)하게 그날그날을 보내는 사람.
[行时] xíngshí 동 ① 유행하다. 인기 있다. ② 세력을 얻다. 득세하다.
[行使] xíngshǐ 동 (직권을) 행사하다. ❑ ~职权; 직권을 행사하다.
[行驶] xíngshǐ 동 (차·배 따위가) 다니다. 운행하다. 운항하다.
[行事] xíngshì 명 행위. 행동. ❑ 言谈~; 말과 행동. 동 실행하다. 처리하다. ❑ 看人脸色~; 상대의 안색을 보고 일처리를 하다.
[行头] xíng·tou 명 ①〖劇〗 (소품을 포함한) 무대 의상. ② 〈轉〉 옷. 의상. 복장《해학적인 뜻이 있음》.
[行为] xíngwéi 명 행위. ❑ 不法~; 불법 행위 / ~艺术; 행위 예술.
[行文] xíng//wén 동 ① 문장을 짓다. ❑ ~简练; 문장이 간결하고 세련되다. ② 공문서를 보내다. ❑ ~各地; 각지에 공문을 보내다.
[行销] xíngxiāo 동 각지에 판매하다. 매출하다. 마케팅하다.
[行星] xíngxīng 명〖天〗 행성.
[行凶] xíng//xiōng 동 (폭행·살인 따위의) 흉악한 짓을 저지르다. ❑ ~杀人; 살인을 저지르다.
[行医] xíng//yī 동 의술을 펴다. 의사 노릇을 하다. ❑ 挂牌~; 간판을 내걸고 의사 노릇을 하다.
[行政] xíngzhèng 동 국가 권력을 행사하다. 명 ① (국가의) 행정. ❑ ~机构; 행정 기구 / ~区; 행정 구역. ② (관청·기업·단체 따위의) 관리. 운영. ❑ ~费用; 운영 비용 / ~人员; 관리 직원.
[行止] xíngzhǐ 명〈書〉 ① 거취. 행방. ② 행실. 품행.
[行装] xíngzhuāng 명 행장. 여장.
[行踪] xíngzōng 명 행적. 종적. ❑ ~无定; 행적이 일정치 않다.
[行走] xíngzǒu 동 걷다. 보행하다. ❑ ~如飞; 나는 듯 걷다.

饧(餳) xíng (당)

① 명〈書〉 물엿. ② 동 (사탕·밀가루 반죽 따위가) 말랑말랑해지다. ❑ 面~了; 밀가루 반죽이 말랑말랑해졌다. ③ 형 (눈이) 게슴츠레하다. ❑ 眼睛发~; 눈이 게슴츠레해지다.

省 xǐng (성)

동 ① 성찰하다. 반성하다. ❑ 反~; 반성하다. ② 찾아뵙다. 문안하다. ❑ 归~; 귀성하다. ③ 깨닫다. 자각하다. ❑ 发人深~; 사람을 깊이 깨닫게 해 주다. ⇒ shěng
[省察] xǐngchá 동 성찰하다. 반성하다.
[省亲] xǐngqīn 동 귀성해서 (부모님이나 친지분들께) 문안드리다.
[省视] xǐngshì 동 찾아가서 만나다. 찾아뵙다. ❑ ~双亲; 양친을 찾아뵙다.
[省悟] xǐngwù 동 ⇨[醒悟]

醒 xǐng (성)

① 동 (취기·마취·혼수상태에서) 깨다. 정신 차리다. 의식이 돌아오다. ❑ 他从昏迷中~过来了; 그는 혼수상태에서 깨어났다. ② 동 (잠에서) 깨다. ❑ 别睡了, ~~吧; 그만 자고 정신 좀 차려라. ③ 동 각성하다. 깨닫다. ❑ 提~; 주의를 환기시키다. ④ 형 분명하다. 또렷하다. ❑ ~目; ⇩
[醒豁] xǐnghuò 형 (생각·뜻 따위의 표현이) 분명하다. 뚜렷하다. 명

백하다. ❑意思~; 뜻이 분명하다.
[醒酒] xǐng//jiǔ 동 취기를 깨우다. 술이 깨게 하다. ❑~汤; 해장국.
[醒目] xǐngmù 형 (글자·그림·도안 따위가) 주목을 끌다. 눈에 띄다. 눈에 확 들어오다.
[醒悟] xǐngwù 동 깨닫다. 각성하다. 정신을 차리다. =[省悟]

擤 xǐng (형)
동 (코를) 흥 하고 풀다. ❑~鼻涕; 코를 풀다.

兴(興) xìng (흥)
명 흥미. 흥. 재미. ❑扫~; 흥을 깨다. ⇒xīng
[兴冲冲(的)] xìngchōngchōng(·de) 형 매우 신이 난 모양.
[兴高采烈] xìnggāo-cǎiliè 〈成〉 매우 흥겹고 신바람이 나다.
[兴趣] xìngqù 명 흥미. 재미. 흥취. 취미. ❑感~; 흥미를 느끼다.
[兴头] xìng·tou 명 흥. 흥취. 재미. ❑~十足; 흥이 넘치다.
[兴味] xìngwèi 명 흥미. ❑~索然; 〈成〉 전혀 흥미가 없다.
[兴致] xìngzhì 명 흥미. 흥취. 재미. ❑~勃勃; 〈成〉 흥미진진하다.

杏 xìng (행)
명〖植〗 ① 살구나무. ② (~儿) 살구. ❑~核; 살구 씨.
[杏黄] xìnghuáng 형 살구색을 띠다.
[杏仁(儿)] xìngrén(r) 명 행인. 살구 씨의 알맹이.

性 xìng (성)
① 명 성격. 성품. 본성. ❑个~; 개성 / 天~; 천성. ② 명 성질. 특성. 성능. 성분. ❑碱~; 알칼리성 / 向日~; 향일성. ③ 명사·동사·형용사 뒤에 붙어, 범위·방식·성질·특성 따위를 나타냄. ❑创造~; 창조성 / 积极~; 적극성. ④ 명 (생식·성욕과 관계된) 성. ❑~暴力; 성폭력 / ~丑闻; 성추문 / ~高潮; 오르가슴(orgasm) / ~贿赂; 성상납. 몸로비 / ~生活; 성생활. ⑤ 명 (남녀의) 성별. ❑男~; 남성 / 女~; 여성. ⑥ 명〖言〗 (문법상의 범주로서의) 성. ❑阳~; 남성 / 阴~; 여성 / 中~; 중성.
[性别] xìngbié 명 성별. ❑~比; 성비(性比) / ~歧视; 성차별.
[性病] xìngbìng 명〖醫〗 성병. =[〈俗〉 脏zāng病]
[性感] xìnggǎn 명 ① 성적 매력. 섹시함. ② 성감. ❑~区; 성감대. 형 섹시하다. ❑~美女; 섹시 미녀 / ~明星; 섹시 스타.
[性格] xìnggé 명 (사람의) 성격. ❑~怪癖; 성격이 괴팍하다.
[性激素] xìngjīsù 명〖生〗 성(性)호르몬.
[性急] xìng//jí 형 성급하다.
[性交] xìngjiāo 동 성교하다.
[性教育] xìngjiàoyù 명 성교육.
[性命] xìngmìng 명 (사람과 동물의) 목숨. 생명. ❑~交关; 〈成〉 목숨에 관계되다《관계가 중대하고 긴요하다》.
[性能] xìngnéng 명 성능. ❑~良好; 성능이 좋다.
[性器官] xìngqìguān 명〖生理〗 생식기.
[性侵犯] xìngqīnfàn 동 성범죄를 저지르다.
[性情] xìngqíng 명 성정. 성격. 성품. ❑~温和; 성격이 온화하다.
[性骚扰] xìngsāorǎo 동 성희롱하다.
[性行为] xìngxíngwéi 명 성행위.
[性欲] xìngyù 명 성욕.
[性质] xìngzhì 명 (다른 사물과 구분되는) 성질. 성격.
[性状] xìngzhuàng 명 성상.
[性子] xìng·zi 명 ① 성격. 성질. ❑他是急~; 그는 성격이 급하다. ② (술·약 따위의) 성질. 자극성.

姓 xìng (성)
① 명 성(姓). ② 동 성이 …이다. ❑您贵~? 성씨가 어떻게 되십니까? / ~王的; 왕 씨
[姓名] xìngmíng 명 성명.
[姓氏] xìngshì 명 성(姓). 성씨.

幸 xìng (행)
① 명 행복. 행운. ❑荣~; 영광. ② 동 행복해하다. 기뻐하다. ❑~灾乐祸; ⇩ ③ 동〈書〉 바라다. 희망하다. ④ 부 다행히. 요행히. 운 좋게. ❑~存; 운 좋게 살아남다. ⑤ 동〈書〉 총애하다. ❑~臣; 〈貶〉 행신. 총신. ⑥ 동 천자(天子)가 행차하다.
[幸而] xìng'ér 부 ⇨[幸亏]
[幸福] xìngfú 명형 행복(하다). ❑祝你一生~; 평생 행복하기를 빕니다 / ~的结局; 해피 엔딩.
[幸好] xìnghǎo 부 ⇨[幸亏]
[幸亏] xìngkuī 부 다행히. 요행으로. 운 좋게. ❑~带钱, 否则会出丑了; 다행히 돈을 가지고 있었으니 망정이지 그렇지 않았으면 창피를 당할 뻔했다. =[幸而][幸好]
[幸免] xìngmiǎn 동 행면하다. 다

행히 면하다. ❏ ~于难nàn; 다행히 난을 면하다.
[幸运] xìngyùn 명 행운. 형 운이 좋다. 행운이다. ❏ ~儿ér; 행운아.
[幸灾乐祸] xìngzāi-lèhuò 〈成〉 남의 재난과 불행을 기뻐하다.

悻 xìng (행)
→[悻然][悻悻]
[悻然] xìngrán 형 분노하는 모양.
[悻悻] xìngxìng 형 화내는 모양.

xiong ㄒㄩㄥ

凶 xiōng (흉)
① 형 불행하다. 불길하다. 흉하다. ❏ ~事; 흉한 일. 흉사. ② 형 작황이 나쁘다. 흉작이다. ❏ ~年; 흉년. ③ 형 흉악하다. 험악하다. 사납다. ❏ 外貌长得很~; 외모가 매우 험악하다. ④ 형 심하다. 심각하다. 지독하다. 거세다. ❏ 雨势很~; 빗줄기가 거세다. ⑤ 명 (폭행·살인 따위의) 흉악한 행위. ❏ 行~; 흉악한 짓을 하다. ⑥ 명 악인. 흉악한 놈. ❏ 元~; 원흉.
[凶暴] xiōngbào 형 흉포하다.
[凶残] xiōngcán 형 흉악하고 잔인하다.
[凶恶] xiōng'è 형 (성격·행위·외모 따위가) 흉악하다. 험상궂다.
[凶犯] xiōngfàn 명 흉악범.
[凶悍] xiōnghàn 형 흉악하고 사납다. ❏ 目光~; 눈빛이 흉악하고 사납다.
[凶狠] xiōnghěn 형 (성격·행위 따위가) 흉악하고 사납다.
[凶猛] xiōngměng 형 (기세·힘 따위가) 사납다. 흉맹하다. ❏ ~的野兽; 사나운 야수.
[凶器] xiōngqì 명 흉기.
[凶杀] xiōngshā 동 흉살하다.
[凶神] xiōngshén 명 흉신. 악귀. 흉악한 사람. ❏ ~恶煞; 악마 같은 놈.
[凶手] xiōngshǒu 명 흉수. 흉악한 짓을 하는 사람.
[凶险] xiōngxiǎn 형 ① (정세가) 위태롭다. ② 흉악하고 음험하다.
[凶相] xiōngxiàng 명 흉악한 면모. 흉악한 외모. ❏ ~毕露; 〈成〉 흉악한 정체가 낱낱이 드러나다.
[凶信(儿)] xiōngxìn(r) 명 불길한 소식. 죽음의 소식.
[凶宅] xiōngzhái 명 흉가.
[凶兆] xiōngzhào 명 흉조.

匈 xiōng (흉)
명〈書〉 ⇒[胸]
[匈奴] Xiōngnú 명〖民〗 흉노족(匈奴族).
[匈牙利] Xiōngyálì 명〖地〗〈音〉 헝가리(Hungary).

汹 xiōng (흉)
동 (물이) 용솟음치다.
[汹汹] xiōngxiōng 형 ①〈書〉 파도가 철썩이는 모양. ❏ 波浪~; 파도가 철썩이다. ②〈貶〉 기세가 거센 모양. ❏ 来势~; 밀려오는 기세가 대단하다. ③〈書〉 쟁론하는 모양. ❏ 议论~; 의론이 분분하다.
[汹涌] xiōngyǒng 동 (물이) 세차게 치솟다. 거세게 치다. ❏ ~澎湃; 〈成〉 물결이 세차게 출렁이다《기세가 막을 수 없이 세차다》.

胸 xiōng (흉)
명 ① 가슴. 흉부. ❏ 挺~; 가슴을 펴다. ② 마음. 생각. ❏ 心~; 가슴속. ‖ =[〈書〉 匈xiōng]
[胸部] xiōngbù 명 흉부. 가슴.
[胸怀] xiōnghuái 명 마음. 흉금. 도량. 포부. ❏ ~太窄; 도량이 너무 좁다 / 远大的~; 원대한 포부. =[胸襟] 동 가슴에 품다. ❏ ~大志; 큰뜻을 품다.
[胸襟] xiōngjīn 명 ⇨[胸怀]
[胸口] xiōngkǒu 명〖生理〗 명치.
[胸膜] xiōngmó 명〖生理〗 늑막. ❏ ~炎; 늑막염. =[肋膜]
[胸脯(儿)] xiōngpú(r) 명 가슴. 흉부.
[胸腔] xiōngqiāng 명〖生理〗 흉강.
[胸膛] xiōngtáng 명 가슴. 흉당. ❏ 挺起~; 가슴을 펴다.
[胸围] xiōngwéi 명 가슴둘레.
[胸无点墨] xiōngwúdiǎnmò 〈成〉 무식하고 교양이 없다.
[胸像] xiōngxiàng 명 흉상.
[胸臆] xiōngyì 명 마음속에 품고 있는 생각이나 말. 속마음.
[胸有成竹] xiōngyǒuchéngzhú 〈成〉 어떤 일을 하기 전에 전반적인 생각을 다 해 놓다. =[成竹在胸]
[胸章] xiōngzhāng 명 가슴 배지(badge). 흉장.
[胸罩] xiōngzhào 명 브래지어(brassiere). =[奶罩][乳罩][文胸]
[胸针] xiōngzhēn 명 브로치.
[胸中无数] xiōngzhōng-wúshù 〈成〉 (상황·문제에 대한 이해 부족으로) 일에 대해 자신[확신]이 없다.

=[心中无数]
[胸中有数] xiōngzhōng-yǒushù 〈成〉 (상황·문제에 대해 기본적인 이해가 있어) 일에 대해 자신[확신]이 있다. =[心中有数]

兄 xiōng (형)
명 ① 형. ❏~嫂; 형과 형수 / 胞~; 친형. ② 친척중, 연상(年上)의 남자를 가리킴. ❏堂~; 친사촌형《아버지의 남자 형제의 아들》. ③ 〈敬〉 동년배의 남성에 대한 경칭. ❏洪~; 홍 형.
[兄弟] xiōngdì 명 ① 형제. ② 동급(同級) 집단[기관]에 대한 친근한 호칭. ❏~国家; 형제 국가.
[兄弟] xiōng·di 명〈口〉 ① 동생. 아우. ② 손아래의 친한 사람에 대한 호칭. ③ 〈謙〉 저《자신을 낮추는 말》.
[兄长] xiōngzhǎng 명 ① 형. ② 〈敬〉 형님《남자 선배나 친구에 대한 존칭》.

雄 xióng (웅)
① 형 수컷의. ❏~蜂; 수벌 / ~鸡; 수탉. ② 형 씩씩하다. 당당하다. 웅대하다. ❏~心; ⇩ ③ 형 강하다. 강력하다. ❏~兵; ⇩ ④ 명 강력한 사람[국가].
[雄辩] xióngbiàn 명 웅변. 형 설득력 있다.
[雄兵] xióngbīng 명 강한 군대. =[雄师]
[雄才大略] xióngcái-dàlüè 〈成〉 뛰어난 재지(才智)와 원대한 계획.
[雄厚] xiónghòu 형 (인력·자금 따위가) 충분히 있다. 풍부하다.
[雄花] xiónghuā 명〔植〕수꽃.
[雄浑] xiónghún 형 웅혼하다.
[雄健] xióngjiàn 형 웅건하다. ❏笔力~; 필력이 웅건하다.
[雄赳赳(的)] xióngjiūjiū(·de) 형 위풍당당한 모양. 용맹한 모양.
[雄蕊] xióngruǐ 명〔植〕수술.
[雄师] xióngshī 명 ⇨[雄兵]
[雄图] xióngtú 명 웅대한 계획.
[雄伟] xióngwěi 형 ① 웅위하다. 장대하다. 웅대하다. 웅장하다. ② (체구가) 건장하다. 훤칠하다.
[雄心] xióngxīn 명 웅장한 뜻. 야심. ❏~壮志; 웅대한 이상과 포부.
[雄壮] xióngzhuàng 형 (소리·기세·기백 따위가) 웅장하다. 힘차다.
[雄姿] xióngzī 명 웅자. 웅대하고 장려한 모습.

熊 xióng (웅)
① 명〔動〕곰. ② 동〈方〉 야단치다. 꾸짖다. 나무라다.
[熊胆] xióngdǎn 명 웅담.
[熊猫] xióngmāo 명 ⇨[大熊猫]
[熊熊] xióngxióng 형 불이 활활 타는 모양. ❏~烈火; 활활 타고 있는 거센 불길.
[熊掌] xióngzhǎng 명 곰 발바닥.

xiu ㄒㄧㄡ

休 xiū (휴)
① 동 그만두다. 끝나다. 끝내다. 그치다. ❏~会; ⇩ / ~学; ⇩ ② 동 쉬다. 휴식하다. ❏~假; ⇩ ③ 부 …하지 마라. ❏~要这样性急; 그렇게 성급하게 굴지 마라. ④ 명〈書〉 기쁨. 기쁜 일. ❏~戚; ⇩
[休耕] xiūgēng 동 휴경하다. ❏~地; 휴경지.
[休会] xiū∥huì 동 휴회하다.
[休假] xiū∥jià 동 휴가를 얻다[보내다]. ❏去北京~; 베이징에 가서 휴가를 보내다.
[休克] xiūkè 동〈音〉 쇼크(shock)를 일으키다. ❏~死; 쇼크사.
[休眠] xiūmián 동 휴면하다. ❏~火山 =[休火山]; 휴화산 / ~期; 휴면기 / ~账户; 휴면 계좌.
[休戚] xiūqī 명 기쁨과 근심. 화복(禍福). ❏~相关; 〈成〉 서로의 화복이 관련되다《주로, 서로의 이해가 일치함을 형용함》/ ~与共; 〈成〉 동고동락(同苦同樂).
[休憩] xiūqì 동 휴식하다. 쉬다.
[休息] xiū·xi 동 ① 쉬다. 휴식하다. ❏走了半天了, ~一下儿吧; 한참 동안 걸었으니 잠시만 쉬자 / ~室; 휴게실. =[歇息①] ② 자다. 잠자다.
[休闲] xiūxián 동 ① 쉬다. 휴식하다. 한가하게 지내다. 레저를 즐기다. ❏~场所; 레저 장소. ②〔農〕휴한하다. ❏~地; 휴한지.
[休想] xiūxiǎng 동 쓸데없는 생각하지 마라. 꿈도 꾸지 마라.
[休学] xiū∥xué 동 휴학하다.
[休养] xiūyǎng 동 휴양하다. 정양하다. ❏~所; 요양소.
[休业] xiū∥yè 동 ① 휴업하다. 영업 정지하다. ② (학교에서) 한 단계의 학습을 마치다.
[休战] xiū∥zhàn 동 휴전하다.
[休整] xiūzhěng 동 (주로, 군대가) 휴식하며 정비하다.

[休止] xiūzhǐ 동 휴지하다. 정지하다. 멈추다. ❏ ~状态的火山; 휴지 상태의 화산 / ~符; 〖樂〗 쉼표.

修 xiū (수)
① 동 꾸미다. 장식하다. 수식하다. ❏ ~辞; ⇩ / ~饰; ⇩ ② 동 수리하다. 보수하다. 정비하다. ❏ ~车; 자동차를 정비하다 / ~房; 집을 수리하다. ③ 동 저작하다. 편찬하다. ❏ ~史; 역사책을 편찬하다. ④ 동 학습하다. 연구하다. 수양하다. ❏ 自~; 자습하다. ⑤ 동 건조하다. 부설하다. 건축하다. ❏ ~公路; 도로를 놓다. ⑥ 동 수행(修行)하다. ❏ ~道; ⇩ ⑦ 동 (깎거나 잘라서) 가지런히 하다. 다듬다. ❏ ~指甲; 손톱을 다듬다. ⑧ 형〈書〉 길다. 높다. ❏ ~竹; 길게 자란 대나무.

[修补] xiūbǔ 동 수리하다. 손질하다. 보수하다. ❏ ~渔网; 어망을 손질하다.

[修长] xiūcháng 형 가늘고 길다. 늘씬하다. 호리호리하다. ❏ 身材~; 몸매가 호리호리하다.

[修辞] xiūcí 〖言〗 동 수사하다. 명 수사학. =[修辞学]

[修道] xiū∥dào 동〖宗〗 수도하다. ❏ ~院; 수도원.

[修订] xiūdìng 동 (서적·계획 따위를) 수정하다. ❏ ~条文; 조문을 수정하다 / ~本; 〖印〗 수정본.

[修复] xiūfù 동 ① 수복하다. 복원하다. ❏ ~河堤; 둑을 수복하다. ② (관계를) 회복하다.

[修改] xiūgǎi 동 수정하다. 바로잡다. 고치다. ❏ ~计划; 계획을 수정하다.

[修盖] xiūgài 동 (건물을) 짓다. 건축하다. ❏ ~房屋; 집을 짓다.

[修剪] xiūjiǎn 동 ① (나뭇가지나 손톱 따위를) 가위로 다듬다. ❏ ~指甲; 손톱을 다듬다. ② 〖映〗 수정 편집하다.

[修建] xiūjiàn 동 건설하다. 부설하다. 건조하다. 시공하다. ❏ ~公路; 도로를 놓다.

[修理] xiūlǐ 동 ① 수리하다. ❏ ~厂; 수리 공장. ② (머리카락 · 나뭇가지 · 손톱 따위를) 다듬다.

[修面] xiū∥miàn 동〈方〉 ⇨[刮脸]

[修女] xiūnǚ 명〖宗〗 수녀.

[修配] xiūpèi 동 수리와 부품 교환을 하다. 정비하다. ❏ ~厂; 정비공장.

[修缮] xiūshàn 동 (건조물 따위를) 수리하다. ❏ ~工事; 수리 공사.

[修身] xiūshēn 동 수신하다. 마음과 행실을 바르게 닦다.

[修士] xiūshì 명〖宗〗 수도사. 수사.

[修饰] xiūshì 동 ① 꾸미다. 장식하다. ② 치장하다. 단장하다. ③ (글 따위를) 윤색하다. 손을 보다.

[修行] xiū·xíng 동 도를 닦다. 수행하다.

[修养] xiūyǎng 명 ① 수양. ② 교양. ❏ 没~; 교양이 없다.

[修业] xiūyè 동 (학생이) 수업을 받다.

[修整] xiūzhěng 동 수선(修繕)하다. 수리하여 완전하게 하다. ❏ ~汽车; 자동차를 수리하다.

[修正] xiūzhèng 동 수정하다. 바로잡다. ❏ ~案; 수정안 / ~主义; 수정주의.

[修筑] xiūzhù 동 축조하다. 건설하다. ❏ ~机场; 비행장을 건설하다.

羞 xiū (수)
① 형 부끄럽다. 수줍다. ❏ 她~得低下了头; 그녀는 부끄러워서 고개를 숙였다. ② 동 부끄럽게 하다. 무안하게 하다. ❏ 你别~我了; 나 좀 무안하게 하지 마라. ③ 명 부끄러움. 수치. ❏ 不知~; 수치를 모르다. ④ 동 수치를 느끼다. ❏ ~与为伍; ⇩

[羞惭] xiūcán 형 ⇨[羞愧]

[羞耻] xiūchǐ 형 수치스럽다. 부끄럽다. ❏ ~心; 수치심.

[羞答答(的)] xiūdādā(·de) 형 부끄러워하는 모양. 수줍어하는 모양. =[羞羞答答]

[羞愧] xiūkuì 형 참괴(慚愧)하다. 부끄럽다. 창피하다. =[羞惭]

[羞怯] xiūqiè 형 부끄러워서[겸연쩍어서] 쭈뼛거리다.

[羞人] xiū∥rén 형 부끄럽다. 창피하다. 무안하다. ❏ 羞死人了; 부끄러워 죽겠다.

[羞辱] xiūrǔ 동 치욕[모욕]을 주다. 욕보이다. ❏ 你敢~我! 네가 감히 날 욕보이다니! 명 치욕. 모욕.

[羞涩] xiūsè 형 수줍어서 쭈뼛거리다. 부끄러워 태도가 부자연스럽다.

[羞与为伍] xiūyǔwéiwǔ 〈成〉 같이 일하는 것을 수치로 여기다.

朽 xiǔ (후)
동 ① (나무 따위가) 썩다. 부패하다. ❏ 腐~; 썩다. ② 노쇠하다. 쇠퇴하다. ❏ 老~; 노쇠하다.

[朽木] xiǔmù 명 ① 썩은 나무토막. ②〈轉〉 양성할 가치가 없는 인간.

宿 xiǔ (숙)
양 밤을 세는 말. ❏ 四天三~; 3박 4일. ⇒ sù xiù

秀 xiù (수)
① 동 이삭이 나고 꽃이 피다. ❏ 麦子已经~穗儿了; 보리 이삭이 이미 패었다. ② 형 수려하다. 아름답다. ❏ ~美; ⇓ ③ 형 우수하다. 뛰어나다. ❏ 优~; 우수하다. ④ 명 우수한 사람. 뛰어난 사람. ❏ 后起之~; 〈成〉 뛰어난 신예. ⑤ 명〈音〉 쇼(show). ❏ 时装~; 패션쇼.

[秀才] xiù·cai 명 ① 수재. 재능이 우수한 사람. ② 명대(明代)와 청대(清代)의 생원(生員).

[秀丽] xiùlì 형 수려하다. ❏ 长得~; 용모가 수려하다.

[秀美] xiùměi 형 뛰어나게 아름답다. ❏ 风景~; 풍경이 몹시 아름답다.

[秀媚] xiùmèi 형 수려하고 어여쁘다.

[秀气] xiù·qi 형 ① 아름답다. 청수하다. ② (말·행동 따위가) 고상하다. 우아하다. ③ (물건이) 작고 정교하여 쓰기 편하다.

[秀雅] xiùyǎ 형 수려하고 우아하다.

绣(綉) xiù (수)
① 동 수놓다. 자수하다. ❏ ~鞋; 수놓은 여성용 신발 / ~字; ⓐ글자를 수놓다. ⓑ수놓은 글자. ② 명 자수 제품.

[绣花(儿)] xiù∥huā(r) 동 (그림·도안 따위를) 수놓다. 자수하다. ❏ ~枕头; 〈歇〉 수놓은 베개《겉만 번드르르한 것. 속 빈 강정. 빛 좋은 개살구》/ ~线; 수실.

[绣球] xiùqiú 명 수를 놓은 공 모양의 장식물.

锈(銹) xiù (수)
① 명 녹(綠). ❏ 铁~; 쇠의 녹. ② 동 녹슬다. ❏ 锅~了; 솥이 녹슬었다.

袖 xiù (수)
① (~儿) 명 소매. ❏ 长~; 긴 소매 / 短~; 짧은 소매. ② 동 소매 속에 집어넣다. ❏ ~手旁观; ⇓

[袖口(儿)] xiùkǒu(r) 명 소맷부리.

[袖手旁观] xiùshǒu-pángguān 〈成〉 수수방관하다.

[袖章] xiùzhāng 명 완장(腕章).

[袖珍] xiùzhēn 형 휴대용의. 포켓형의. ❏ ~词典; 포켓형 사전 / ~收音机; 휴대용 라디오.

[袖子] xiù·zi 명 소매.

臭 xiù (취)
① 명 냄새. ❏ 无色无~; 무색무취. ② 동〈書〉 ⇨[嗅] ⇒ chòu

溴 xiù (취)
명〔化〕 브롬(Br: Brom).

嗅 xiù (후)
동 냄새 맡다. ＝[臭xiù②]

[嗅觉] xiùjué 명〔生理〕 후각. ❏ ~灵敏; 후각이 예민하다.

宿 xiù (수)
명〔天〕 옛날, 천문학에서의 몇 개의 별의 집합체. ❏ 星~; 성수 / 二十八~; 이십팔수. ⇒ sù xiǔ

xu ㄒㄩ

吁 xū (우)
〈書〉 ① 동 탄식하다. 한숨 쉬다. ❏ 长cháng~短叹; 〈成〉 길게 한숨 쉬고 짧게 탄식하다. ② 감 아《놀람 따위를 나타냄》. ❏ ~, 何其怪哉! 아, 이렇게 기이할 수가! ⇒ yū yù

[吁吁] xūxū 의 후후. 씩씩《숨을 내쉴 때 내는 소리》.

戌 xū (술)
명 술《십이지(十二支)의 열한 번째. 띠로는 개》.

须(須A), 鬚B)) xū (수)
A) 조동 (반드시[필히]) …해야 한다. ❏ 这种事情~他去办; 이런 일은 필히 그가 처리해야 한다. B) 명 ① 수염. ❏ ~发; 수염과 머리털. ② 동물의 촉수(觸手). 식물의 화수(花鬚). ❏ 胡蝶~; 나비의 촉수 / 花~; 꽃술.

[须根] xūgēn 명〔植〕 수염뿌리.

[须生] xūshēng 명 ⇨[老生]

[须要] xūyào 조동 (반드시) …해야 한다. ❏ 这种大手术~特别细心; 이런 큰 수술은 특히 세심하게 해야 한다.

[须臾] xūyú 명〈書〉 순간. 잠깐.

[须知] xūzhī 명 숙지 사항. 주의 사항. ❏ 投考~; 수험생 주의 사항. 동 꼭[반드시] 알아야 하다.

[须子] xū·zi 명 (동물·식물의) 수염 같은 털. ❏ 玉米~; 옥수수수염.

虚 xū (허)
① 형 공허하다. 비다. ❏ ~浮; ⇓ ② 명 빈 곳. 허. ❏ 乘~而入; 〈成〉 틈을 타서 들어가다. ③ 동 비워 두다. ❏ ~个坐位; 자리를 하

나 비워 두다. ④형 조마조마하다. 소심하다. 자신이 없다. ❏胆~; 담력이 약하다. ⑤부 헛되이. 쓸데없이. ❏~度; ⇩ ⑥형 허위의. 거짓의. ❏~构; ⇩ ⑦형 겸허하다. ❏谦~; 겸허하다. ⑧형 허약하다. ❏这两年身体变~了; 최근 2년 새에 몸이 허약해졌다. ⑨명 (정치사상·방침·정책 따위 방면의) 이치. 이론.

[虚报] xūbào 동 허위로 보고하다. ❏~产量; 생산량을 허위로 보고하다.

[虚词] xūcí 명〖言〗허사.

[虚度] xūdù 동 헛되이 세월을 보내다. ❏~光阴; 허송세월하다.

[虚浮] xūfú 형 부박(浮薄)하다. 피상적이다. 허황되다. 착실하지 않다. ❏~的计划; 피상적인 계획.

[虚构] xūgòu 동 상상에 의해 만들어 내다. 꾸며 내다. ❏这些材料都是~的; 이 자료들은 모두 꾸며낸 것이다.

[虚汗] xūhàn 명 식은땀. 허한.

[虚怀若谷] xūhuái-ruògǔ 〈成〉 마음이 골짜기처럼 깊고 넓다《매우 겸허하다》.

[虚幻] xūhuàn 형 허황된. 가공의. 비현실적인. ❏~的世界; 비현실적인 세계.

[虚假] xūjiǎ 형 허위의. 거짓의. ❏~陈述; 허위 진술 / ~广告; 허위 광고.

[虚惊] xūjīng 명 괜히[실없이] 놀람.

[虚夸] xūkuā 형 (말·글을) 과장하다. 거짓으로 부풀리다.

[虚名] xūmíng 명 허명. 실제와 다른 명성. =[浮名]

[虚拟] xūnǐ 동 꾸며내다. 만들어 내다. 형 ① 가상적인. 가설적인. ❏~资本; 의제(擬制) 자본. ②〖컴〗가상의. 사이버(cyber)의. ❏~空间; 가상 공간 / ~现实; 가상 현실.

[虚胖] xūpàng 형 (주로, 내분비 질환으로 인해) 비정상적으로 지방이 늘고 살이 찌다.

[虚飘飘(的)] xūpiāopiāo(·de) 형 차분히 있지 못하는 모양. 비틀비틀하며 안정되지 않은 모양.

[虚情假意] xūqíng-jiǎyì 〈成〉 겉치레의 호의.

[虚荣] xūróng 명 허영. ❏~心; 허영심.

[虚弱] xūruò 형 ① (몸이) 허약하다. 쇠약하다. ② (국력·병력이) 약하다. ❏国力~; 국력이 약하다.

[虚设] xūshè 동 (기구·직위 따위가) 실질이 없고 형식상 설치되다.

[虚实] xūshí 명 ① 허(虛)와 실(實). 허실. ②〈比〉 실제 정황. 내막.

[虚数] xūshù 명 ①〖數〗허수. ② 거짓 숫자. 실재하지 않는 수.

[虚岁] xūsuì 명 태어나자마자 한 살로 치는 나이.

[虚妄] xūwàng 형 거짓의. 엉터리의. 허위의. ❏~之说; 거짓된 말.

[虚伪] xūwěi 형 위선적이다. ❏~的面目; 위선적인 모습.

[虚无] xūwú 형 허무의. ❏~缥渺;〈成〉 허무맹랑하다.

[虚心] xūxīn 형 허심하다. 겸허하다. ❏~听取群众意见; 겸허하게 군중의 의견을 청취하다.

[虚有其表] xūyǒu-qíbiǎo 〈成〉 겉만 번드르르하고 내실은 없다.

[虚张声势] xūzhāng-shēngshì 〈成〉 허장성세하다.

墟 xū (허) 명 ① 폐허. ❏废~; 폐허 / 殷~; 은허. ②〈方〉 장. 시장.

嘘 xū (허) ①동 천천히 숨을 내쉬다. 입김을 불다. ❏~了一口气; 천천히 숨을 내쉬었다. ②동 (불이나 증기(蒸氣)에) 데다. 데우다. 굽다. ❏小心别~着手; 손을 데지 않게 주의해라. ③감〈方〉 제지하거나 쫓을 때 내는 소리. ❏~! 别说话; 쉬! 말하지 마라. ④동〈方〉 쉬쉬[우우] 소리를 내어 제지하거나 쫓다. ❏把他~出场去; 우우 야유하여 그를 퇴장하게 하다. ⇒shī

需 xū (수) ①동 요구되다. 필요하다. ❏急~; 급히 필요하다. ②명 필요한 물건. ❏军~; 군수품.

[需求] xūqiú 명〖經〗수요. ❏市场~; 시장의 수요 / ~量; 수요량.

[需要] xūyào 명 수요. 필요. 요구. ❏适应~; 요구에 부응하다. 동 ① 필요하다. 필요로 하다. ❏国家~人才; 나라에는 인재가 필요하다. ② …해야 한다. …할 필요가 있다. ❏这个问题~立即解决; 이 문제는 즉시 해결해야 한다.

徐 xú (서) 부〈書〉 서서히. 느릿느릿. 천천히. ❏~步; 천천히 걷다.

[徐徐] xúxú 형〈書〉 느리다. 완만하다. ❏火车~开动; 기차가 느리

게 움직인다.

许(許) xǔ (허) ①동 훌륭한 점을 인정하다. 칭찬하다. ❏称~; 칭찬하다. ②동 (물건을 보내 주거나 어떤 일을 해 줄 것을) 사전에 약속하다. 승낙하다. ❏~愿; ⇓ ③동 약혼하다. ❏这姑娘已经~了人家; 이 아가씨는 이미 약혼한 몸이다. ④동 허가하다. 허락하다. ❏这次活动只~女生参加; 이번 활동은 여학생의 참가만 허락된다. ⑤부 아마. 혹시. 어쩌면. ❏到西瓜地里看看去, 西瓜~熟了; 혹시 수박이 익었을지도 모르니 수박밭에 가서 좀 보거라. ⑥정도를 나타내는 말. ❏~多; ⇓ ⑦조 약. 쯤. 가량. ❏从者百~人; 하인이 백 명 가량 된다.

[许多] xǔduō 형 수많다. 허다하다. ❏~人; 수많은 사람.

[许婚] xǔhūn 동 (여자 쪽에서) 허혼하다. 청혼에 응하다.

[许久] xǔjiǔ 형 (시간이) 매우 오래다. ❏他们~未见面了; 그들은 오랫동안 못 만났다.

[许可] xǔkě 동 허가하다. ❏~证; 허가증.

[许诺] xǔnuò 동 허락하다. 승낙하다.

[许配] xǔpèi 동 약혼하다《여자쪽의 가장이 결정권을 가짐》.

[许愿] xǔ//yuàn 동 ① 신불에 소원을 빌다. ②(어떤 이익이나 대가를 주기로) 사전에 약속[승낙]하다.

诩(詡) xǔ (후) 동〈書〉 큰소리치다. 자랑하다.

栩 xǔ (허) →[栩栩]

[栩栩] xǔxǔ 형 생기가 있는 모양. 생동감이 넘치는 모양. ❏~如生; 〈成〉 살아 있는 것처럼 생생하다.

醑 xǔ (서) 명 ①〈書〉 맛있는 술. ② 주정제(酒精劑). =[醑剂]

旭 xù (욱) 명〈書〉 처음 솟은 아침 햇살.

[旭日] xùrì 명 방금 솟은 태양. ❏~东升; 해가 동쪽에서 떠오르다.

序 xù (서) ①명 순서. 차례. ❏秩~; 질서. ②동〈書〉 순서대로 하다. 순서를 따르다. ❏~齿; ⇓ ③명 서문(序文). ‖ =[叙④] ④형 처음의. 정식으로 시작하기 전의. ❏~幕; ⇓

[序跋] xùbá 명 서문(序文)과 발문(跋文).

[序齿] xùchǐ 동〈書〉 나이순으로 정하다.

[序列] xùliè 명 서열.

[序幕] xùmù 명 ① 서막. ②〈比〉 중대한 일의 시작. 발단.

[序曲] xùqǔ 명 ① 서곡. 전주곡. ②〈比〉 사건·행동의 발단.

[序数] xùshù 명〖數〗 서수.

[序文] xùwén 명 서문. =[叙文]

[序言] xùyán 명 서언. 머리말. 프롤로그. =[〈書〉 弁言][叙言]

叙 xù (서) ①동 말하다. 이야기하다. ❏请来一~; 〈輸〉 오셔서 이야기나 합시다. ②동 기술하다. 서술하다. ❏记~; 기술하다. ③동 (등급·계급·순서 따위를) 평가하여 정하다. ④명동 ⇨[序①②③]

[叙别] xùbié 동 작별 인사를 나누다.

[叙旧] xù//jiù 동 (친구끼리) 옛일을 이야기하다.

[叙事] xùshì 동 일의 경과를 서술하다. ❏~曲; 서사곡 / ~诗; 서사시.

[叙述] xùshù 동 서술하다. 설명하다. ❏~经过; 경과를 서술하다.

[叙说] xùshuō 동 (주로, 구두로) 서술하다.

[叙谈] xùtán 동 이야기하다. 담화하다.

[叙文] xùwén 명 ⇨[序文]

[叙言] xùyán 명 ⇨[序言]

恤 xù (휼) 동 ①〈書〉 고려하다. 우려하다. ② 불쌍하게 여기다. 동정하다. ❏体~; 이해하고 동정하다. ③ 구제하다. ❏抚~; 무휼하다.

[恤金] xùjīn 명 ⇨[抚fǔ恤金]

煦 xù (후) 형〈書〉 따뜻하다. 훈훈하다.

畜 xù (축) 동 동물을 기르다. 가축을 치다. ⇒ chù

[畜产] xùchǎn 명 축산(畜産). ❏~品; 축산품.

[畜牧] xùmù 동 목축하다. ❏~业; 목축업. 축산업.

[畜养] xùyǎng 동 (동물을) 기르다. 치다. 사육하다.

蓄 xù (축) 동 ①쌓아 두다. 모아 두다. 저장하다. ❏储~; 저축하다. ②(자르지 않고) 기르다. ❏~须; 수염

을 기르다. ③ (마음에) 품다. 간직하다. ❏ ~意; ⇓
[蓄电池] xùdiànchí 명〖電〗 축전지.
[蓄积] xùjī 동 축적하다. 모으다.
[蓄谋] xùmóu 동 은밀히 계략을 꾸미다. 음모를 꾸미다.
[蓄水] xù//shuǐ 동 저수하다. ❏ ~池; 저수지.
[蓄养] xùyǎng 동 (힘 따위를) 모아 기르다. ❏ ~力量; 힘을 모아 기르다.
[蓄意] xùyì 동 오래전부터 음모를 꾸미다. 속셈을 품다.

绪(緖) xù (서)
① 명 실마리. 단서. 처음. 시초. 발단. ❏ 事已就~; 〈成〉 일은 이미 실마리가 잡혔다 / 千头万~; 〈成〉 일이 복잡하게 얽혀 있는 모양. ② 형〈書〉 나머지의. 잔여의. ❏ ~余; 나머지. ③ 명 마음. 기분. 생각. 정서. ❏ 情~; 정서 / 心~; 마음. 기분.
[绪论] xùlùn 명 서론. =[导言]
[绪言] xùyán 명 머리말. 서언.

续(續) xù (속)
동 ① 계속하다. 계속되다. 이어지다. ❏ 继~; 계속하다. ② 뒤를 잇다. ❏ ~编; ⇓ ③ 더하다. 보태다. ❏ 茶乏了, ~上茶叶吧; 차가 우러나지 않으니, 찻잎을 더 넣어라.
[续编] xùbiān 명 (책의) 속편.
[续集] xùjí 명 (책이나 영상물의) 속집. 속편.
[续假] xù//jià 동 휴가를 연장하다.
[续篇] xùpiān 명 속편.
[续弦] xù//xián 동 후처(後妻)를 얻다. 재취하다. =[〈方〉 后续]

酗 xù (후)
→[酗酒]
[酗酒] xùjiǔ 동 취해서 난폭하게 굴다. 술주정하다.

婿 xù (서)
명 ① 사위. ② 남편.

絮 xù (서)
① 명 솜. ❏ 被~; 이불솜. ② 명 솜처럼 생긴 것. ❏ 柳~; 버들개지. ③ 동 (옷이나 이불에) 솜을 두다. ❏ ~被子; 이불에 솜을 두다. ④ 형 수다스럽다. 말이 많다.
[絮叨] xù·dao 형〈口〉 수다스럽다. 잔소리가 심하다. 동 귀찮게 잔소리하다. ❏ 他~起来就没完; 그는 잔소리를 시작하면 끝이 없다.
[絮烦] xù·fan 형 싫증나다. 번거롭다. 물리다. 지겹다.

蓿 ·xu (숙)
→[苜mù蓿]

xuan ㄒㄩㄢ

轩(軒) xuān (헌)
① 형 높다. ❏ ~昂; ⇓ ② 명 창문이 있는 복도나 작은 방. 집. ③ 명 옛날, 막이 쳐져 있고 지붕이 비교적 높은 수레.
[轩昂] xuān'áng 형 기개가 드높다. 위풍당당하다.
[轩敞] xuānchǎng 형 (건물이) 높고 널찍하다.
[轩然大波] xuānrán-dàbō 〈成〉 높은 파도(《큰 풍파. 큰 분쟁》).

宣 xuān (선)
동 ① 공개적으로 말하다. 선포하다. ② 물길을 트다.
[宣布] xuānbù 동 선포하다. 공표하다. 발표하다. ❏ ~投票结果; 투표 결과를 발표하다.
[宣称] xuānchēng 동 공언하다. 발표하다. ❏ 他~自己是清白的; 그는 자신의 결백을 공언하였다.
[宣传] xuānchuán 동 선전하다. 홍보하다. ❏ ~活动; 홍보 활동 / ~品; 선전물.
[宣传画] xuānchuánhuà 명 포스터. =[招贴画]
[宣读] xuāndú 동 (결의문·포고문 따위를) 대중 앞에서 낭독하다.
[宣告] xuāngào 동 선고하다. 선포하다. ❏ ~破产; 파산을 선고하다.
[宣讲] xuānjiǎng 동 대중 앞에서 강연하다.
[宣判] xuānpàn 동〖法〗 판결을 언도하다. 선고하다.
[宣誓] xuān//shì 동 선서하다.
[宣言] xuānyán 명동 ① 선언(하다). ② 선고(하다). 성명(하다).
[宣扬] xuānyáng 동 퍼뜨리다. 떠벌리다. ❏ 大肆~; 마구 떠벌리다.
[宣战] xuān//zhàn 동 선전 포고하다.

萱 xuān (훤)
명〖植〗 원추리.
[萱草] xuāncǎo 명〖植〗 훤초. 원추리.

喧 xuān (훤)
형 소란하다. 시끄럽다. ❏ 鼓乐声~; 음악 소리가 시끄럽다.
[喧宾夺主] xuānbīn-duózhǔ 〈成〉 주객(主客)이 전도되다.

[喧哗] xuānhuá 형 (목소리가) 시끄럽다. 왁자지껄하다. 동 시끄럽게 떠들다.
[喧闹] xuānnào 형 떠들썩하다. 시끌벅적하다. 북적거리다. ❑ ~的城市; 북적거리는 도시.
[喧嚷] xuānrǎng 동 큰 소리로 떠들어 대다. 시끄럽게 굴다.
[喧扰] xuānrǎo 동 시끄럽게 해서 방해하다[피해를 주다].
[喧腾] xuānténg 동 왁자지껄하다. 시끌벅적하다.
[喧嚣] xuānxiāo 형 떠들썩하다. 시끄럽다. ❑ 繁华而~的大都市; 번화하고 떠들썩한 대도시. 동 시끄럽게 떠들어 대다.

暄 xuān (훤)
형 ①〈書〉(햇볕이) 따뜻하다. ❑寒~; 인사를 나누다. ②〈方〉폭신폭신하다. 말랑말랑하다. ❑馒头很~; 찐빵이 매우 말랑말랑하다.

玄 xuán (현)
형 ① 검다. ② 심오하다. 심원하다. ❑ ~妙; ⇓ ③〈口〉허무맹랑하다. 터무니없다. ❑ 这话太~了; 이 말은 너무 터무니없다.
[玄乎] xuán·hu 형〈口〉터무니없어서 헤아릴 수 없다.
[玄妙] xuánmiào 형 현묘하다.
[玄武岩] xuánwǔyán 명〔鑛〕현무암.
[玄虚] xuánxū 명 헛갈리게 해서 진상을 숨기는 수단. 뭐가 뭔지 알 수 없게 사람을 속이는 수단. 형 허황되다. 터무니없다.

悬(懸) xuán (현)
①동 걸다. 매달다. ❑ ~上标语; 표어를 내걸다. ② 동 공개적으로 게시(揭示)하다. ❑ ~赏; ⇓ ③ 동 들어 올리다. 바닥에서 떼다. ❑ 把手腕~起来写字; 손목을 바닥에서 떼고 글씨를 쓰다. ④ 동 미해결로 있다. 결과가 아직 없다. ❑ ~案; ⇓ ⑤ 형 걱정하다. 염려하다. ❑ ~念; ⇓ ⑥ 형 가공적이다. 근거 없다. ❑ ~拟; 가정하다. ⑦ 형 거리가 멀다. 차이가 크다. ❑ ~隔; ⇓ ⑧ 형〈方〉위험하다. ❑ 这件事有点儿~; 이 일은 조금 위험하다.
[悬案] xuán'àn 명 ① 현안. 미해결의 사건. ②〈轉〉미해결 문제.
[悬而未决] xuán'érwèijué〈成〉해결되지 않고 현안으로 남아 있다.
[悬浮] xuánfú 동 떠다니다. 부유하다. ❑ 灰尘~在空中; 먼지가 공중에 떠다니다 / 磁~列车; 자기 부상 열차.
[悬隔] xuángé 동 현격하다. 멀리 떨어져 있다.
[悬挂] xuánguà 동 걸다. 매달다. 게양하다. ❑ ~国旗; 국기를 걸다.
[悬梁] xuánliáng 동 들보에 목을 매다. ❑ ~自尽; 들보에 목을 매고 자살하다.
[悬铃木] xuánlíngmù 명〔植〕플라타너스(platanus).
[悬念] xuánniàn 동 ⇒[挂念] 명 (영화·소설 따위의) 손에 땀을 쥐게 하는 긴장감. 서스펜스(suspense).
[悬赏] xuán//shǎng 동 현상하다. 현상금을 걸다. ❑ ~缉拿; 현상 수배하다.
[悬殊] xuánshū 형 현격히 차이가 나다. ❑ 相差~; 차이가 매우 현격하다.
[悬索桥] xuánsuǒqiáo 명 ⇒[吊桥①]
[悬崖] xuányá 명 현애. 낭떠러지. ❑ ~勒马;〈成〉낭떠러지에 이르러 말을 세우다《위험에 임하여서야 정신을 차리고 돌아서다》.

旋 xuán (선)
① 동 돌다. 선회하다. 회전하다. ❑ 车轮~得很快; 차바퀴가 매우 빨리 회전하다. ② 동 돌아가다. 돌아오다. ❑ ~里; 귀향하다. ③ (~儿) 명 원(圓). 동그라미. ❑ 汽车在原地打~儿; 차가 제자리에서 빙빙 돌고 있다. ④ (~儿) 명 (머리의) 가마. ⑤ 부〈書〉오래지 않아. 이윽고. 곧. ❑ ~即告别; 오래지 않아 헤어지다. ⇒ xuàn
[旋律] xuánlǜ 명〔樂〕선율. 멜로디(melody).
[旋绕] xuánrào 동 맴돌다. 감돌다. ❑ 歌声~; 노랫소리가 맴돌다.
[旋涡] xuánwō 명 ① (~儿) 소용돌이. ②〈比〉어떤 일에 말려드는 것. ❑ 陷入爱情的~; 사랑의 소용돌이에 빠져들다. ‖ =[漩涡]
[旋转] xuánzhuǎn 동 (어떤 것을 축으로 하여) 돌다. 회전하다. ❑ ~门; 회전문 / ~木马; 회전 목마.
[旋子] xuán·zi 명 동그라미. 원. ❑ 打~; 원을 그리다. 빙빙 돌다. ⇒ xuàn·zi

漩 xuán (선)
(~儿) 명 소용돌이. ❑ 打~儿; 소용돌이치다.
[漩涡] xuánwō 명 ⇒[旋涡]

选(選) **xuǎn** (선) ①동 고르다. 선택하다. ❑~地方; 장소를 고르다. ②동 선발하다. 선거하다. 뽑다. ❑~代表; 대표를 뽑다. ③명 작품을 선별해서 함께 엮은 작품. ❑诗~; 시선. ④명 선발된[선택된] 사람[것]. ❑入~; 입선하다.

[选拔] **xuǎnbá** 동 (인재를) 선발하다. ❑~赛; 선발 대회[시합]. 콘테스트(contest).

[选本] **xuǎnběn** 명 본래의 저작에서 일부분을 골라서 편집한 책.

[选材] **xuǎn//cái** 동 ① 적합한 인재를 고르다. ② 적당한 재료나 소재를 선택하다.

[选单] **xuǎndān** 명〖컴〗메뉴. =[〈俗〉菜单②]

[选定] **xuǎndìng** 동 선정하다.

[选购] **xuǎngòu** 동 선택 매입하다. 골라서 사다.

[选集] **xuǎnjí** 명 선집.

[选举] **xuǎnjǔ** 동 선거하다. 선출하다. ❑~法; 선거법 / ~权; 선거권 / ~人; 선거인 / ~日; 선거일.

[选美] **xuǎnměi** 동 미인을 선발하다. ❑~比赛; 미인 선발 대회.

[选民] **xuǎnmín** 명 선거인. 유권자. ❑~名册; 선거인 명부 / ~证; 유권자 증명서.

[选派] **xuǎnpài** 동 뽑아서 보내다. 선발 파견하다. ❑~出国留学生; 유학생을 외국으로 선발 파견하다.

[选票] **xuǎnpiào** 명 투표 용지.

[选区] **xuǎnqū** 명 선거구.

[选取] **xuǎnqǔ** 동 골라서 채택[채용]하다.

[选任] **xuǎnrèn** 동 선발하여 임용하다. 선임하다.

[选手] **xuǎnshǒu** 명 선수.

[选修] **xuǎnxiū** 동 선택 이수(履修)하다. 선택 수강하다. ❑~科; 선택 과목.

[选用] **xuǎnyòng** 동 선택하여 사용[운용]하다. 골라 쓰다.

[选择] **xuǎnzé** 동 선택하다. 고르다. ❑~题; 객관식 문제.

烜 **xuǎn** (훼, 훤) 형〈書〉성대하다. 왕성하다.

[烜赫] **xuǎnhè** 형〈書〉명성이 자자하다. 세력이 왕성하다.

癣(癬) **xuǎn** (선) 명〖醫〗사상균(絲狀菌)에 의해 생기는 피부병의 총칭. ❑脚~; 무좀 / 头~; 두부 백선.

炫 **xuàn** (현) 동〈書〉①(강한 빛이) 눈부시게 하다. ❑~目; 눈부시다. ② 뽐내다. 과시하다. ❑~示; ⇩

[炫示] **xuànshì** 동 남 앞에서 과시하다. 자랑삼아 보이다.

[炫耀] **xuànyào** 동 ① 현요하다. 눈부시게 비치다. ② 뽐내다. 과시하다. ❑~武力; 무력을 과시하다.

眩 **xuàn** (현) ①동 (눈이) 침침하다. ❑晕~; 어지럽고 눈이 침침하다. ②형〈書〉현혹되다. 사로잡히다. 미혹되다. ❑~于名利; 명리에 현혹되다.

[眩晕] **xuànyùn** 동〖醫〗현기증이 나다. ❑~症; 현기증.

绚(絢) **xuàn** (현) 형 색채가 화려하다.

[绚烂] **xuànlàn** 형 현란하다. 화려하다. ❑~多彩; 현란하고 색채가 다양하다.

[绚丽] **xuànlì** 형 화려하고 아름답다. 휘황찬란하다. ❑色彩~; 색채가 화려하고 아름답다.

旋 **xuàn** (선) ①형 빙빙 도는. 회전하는. 선회하는. ❑~风; ⇩ ②동 (선반(旋盤)이나 칼 따위로) 돌리면서 깎다[벗기다]. ❑把土豆皮~下去; 감자 껍질을 돌리면 깎다. ⇒**xuán**

[旋风] **xuànfēng** 명〖氣〗선풍. 회오리바람.

[旋子] **xuàn·zi** 명 공중돌기《무술 동작의 하나》. ⇒**xuán·zi**

渲 **xuàn** (선) 동〖美〗선염(渲染)하다.

[渲染] **xuànrǎn** 동 ①〖美〗선염하다. ②〈比〉사실보다 크게 말하다. 과장하다. 부풀리다.

楦 **xuàn** (원) ①명 (신발이나 모자 제조용의) 골. ②동 골을 박아서 늘리다. ❑~帽; 모자에 골을 끼워 늘리다.

[楦子] **xuàn·zi** 명 (신발이나 모자 제조용의) 골. =[楦头]

xue ㄒㄩㄝ

削 **xuē** (삭) 뜻은 '削xiāo'와 같고, 합성어에서만 이와 같이 발음함. ⇒**xiāo**

[削价] **xuējià** 동 가격을 내리다. 가격을 인하하다.

[削减] **xuējiǎn** 동 삭감하다. ❑~

预算; 예산을 삭감하다.

[削弱] xuēruò 동 ①(힘·세력 따위가) 약화되다. 꺾이다. ② 약화시키다. 꺾다. ❏ ~敌人的力量; 적의 힘을 약화시키다.

[削足适履] xuēzú-shìlǚ 〈成〉 발을 깎아서 신발에 맞추다《불합리하게 현재의 조건을 억지로 끼워 맞추다. 구체적인 조건을 고려치 않고 억지로 적용하다》.

靴 xuē (화)
명 장화(長靴). 부츠. ❏ 雨~; 비 올 때 신는 장화.

[靴子] xuē·zi 명 장화. 부츠.

薛 Xuē (설)
명 성(姓)의 하나.

穴 xué (혈)
명 ① 동굴. 구멍. ❏ 洞~; 동굴. ②(동물의) 굴. ❏ 虎~; 호랑이 굴. ③ 묘혈(墓穴). ④〔中醫〕혈(穴). ❏ 经~; 경혈.

[穴道] xuédào 명〔中醫〕혈(穴). 혈도. 경혈(經穴). =[穴位①]

[穴居] xuéjū 동 동굴에서 살다. 혈거하다.

[穴位] xuéwèi 명 ①⇨[穴道] ② 묘혈의 위치.

学(學) xué (학)
① 동 배우다. 학습하다. 공부하다. ❏ ~英语; 영어를 배우다. ② 동 흉내 내다. 모방하다. 따라 하다. ❏ ~牛叫; 소 울음소리를 흉내 내다. ③ 명 학문. 학술. 학식. ❏ 博~; 박학하다. ④ 명 학문의 종류. 학과. ❏ 经济~; 경제학 / 物理~; 물리학. ⑤ 명 학교. ❏ 放~; 방학하다 / 中~; 중학교.

[学报] xuébào 명 학보.

[学步] xuébù 동 ①(아이가) 걸음마를 배우다. ②〈轉〉(어떤 일을) 시작하다. ❏ ~阶段; 걸음마 단계.

[学潮] xuécháo 명 학생 운동. 학원 시위. ❏ 闹~; 학생 운동이 일어나다.

[学而不厌] xué'érbùyàn 〈成〉 싫증을 내지 않고 열심히 배우다.

[学费] xuéfèi 명 ① 수업료. 등록금. ② 학자금. 학비.

[学分] xuéfēn 명 학점.

[学风] xuéfēng 명 학풍.

[学府] xuéfǔ 명 학부.

[学会] xuéhuì 동 배워서 할 수 있게 되다. 마스터하다. 명 학회. ❏ 心理~; 심리 학회.

[学籍] xuéjí 명 학적.

[学界] xuéjiè 명 학계. 학술계.

[学科] xuékē 명 학과. ① 학술의 분과. ② 학교 교육 과목으로서의 학과. ③(군사·체육 훈련 중에서) 이론 분과.

[学力] xuélì 명 학력《학문의 정도》. ❏ ~测验; 학력 테스트.

[学历] xuélì 명 학력《교육 기관을 수료하거나 졸업한 이력》. ❏ 有大学~的人员; 대졸 학력의 직원.

[学龄] xuélíng 명 학령. 취학 연령. ❏ ~儿童; 학령 아동.

[学名] xuémíng 명 ① 아이가 학교에 들어갈 때 정식으로 붙이는 이름. ② 학명. 학문상의 명칭.

[学年] xuénián 명 학년.

[学派] xuépài 명 학파.

[学期] xuéqī 명 학기. ❏ 新~; 새 학기.

[学舌] xué//shé 동 ① 남이 말하는 것을 흉내 내다. 입내 내다. ②〈比〉 주견 없이 남의 말만 따라 하다. ③〈口〉 말을 옮기다. 말을 떠벌리다.

[学生] xué·shēng 명 ① 학생. ❏ ~会; 학생회 / ~证; 학생증. ② 선생이나 선배에게 배우는 사람.

[学时] xuéshí 명 교시. 수업 시간. ❏ 十个~的课; 10교시의 수업.

[学识] xuéshí 명 학식.

[学士] xuéshì 명 학사《대학 졸업자에게 주어지는 학위》.

[学术] xuéshù 명 학술. ❏ ~会议; 학술 회의 / ~讨论会; 학술 토론 회의 / ~团体; 학술 단체.

[学说] xuéshuō 명 학설.

[学徒] xué//tú 동 수습 기간을 거치다. 수습[견습]생이 되어 배우다. (xuétú) 명 수습생. 견습생. 수습 사원. =[学徒工]

[学位] xuéwèi 명 학위. ❏ 取得~; 학위를 따다 / 博士~; 박사 학위.

[学问] xué·wen 명 ① 학문. ② 학식. ❏ 有~的人; 학식 있는 사람.

[学习] xuéxí 동 ① 공부하다. 학습하다. 배우다. ❏ 努力~; 열심히 공부하다 / ~小组; 스터디 그룹. ② 배우다. 본받다. ❏ 你要向她~; 너는 그녀를 본받아야 한다.

[学校] xuéxiào 명 학교. ❏ 职业~; 직업 학교.

[学校班车] xuéxiào bānchē 명 스쿨버스(school bus). =[〈簡〉校车]

[学业] xuéyè 명 학업. ❏ ~成绩; 학업 성적.

[学友] xuéyǒu 명 학우.

[学员] xuéyuán 명 (정규 교육 기관 이외의) 학생. 수강생. 강습생.
[学院] xuéyuàn 명 단과 대학. ❑ 外国语~; 외국어 대학 / 医科~; 의과 대학 / 音乐~; 음악 대학.
[学者] xuézhě 명 학자. 「제도.
[学制] xuézhì 명 학제. 학교 교육

踅 xué (설)
동 ① 서성거리다. 왔다갔다 하다. ❑ 他在大门口~来~去; 그는 대문 앞에서 왔다갔다 하고 있다. ② (중도에) 되돌아오다[가다]. ❑ 没走多远, 就~回来了; 얼마 안 가고 되돌아왔다.

噱 xué (갹)
동〈方〉 웃다. ❑ 发~; 웃음을 터뜨리다.
[噱头] xuétóu 명〈方〉 ① 웃음을 유발하는 말이나 행동. 익살. 우스개. ② 술수. 속임수. 수법. ❑ 摆~; 술수를 부리다.

雪 xuě (설)
① 명〖氣〗 눈. ❑ 下~; 눈이 내리다 / ~山; 설산 / ~仗; 눈싸움. ② 형 (눈처럼) 희다. ❑ ~白; ⇓ ③ 동 (치욕·원한·억울함 따위를) 씻다. 풀다. ❑ ~耻; ⇓
[雪白] xuěbái 형 새하얗다. 눈처럼 희다.
[雪暴] xuěbào 명 폭풍설.
[雪崩] xuěbēng 동 눈사태가 나다.
[雪耻] xuěchǐ 동 치욕을 씻다. 설욕하다.
[雪糕] xuěgāo 명 ① (가는 막대기에 얼린) 아이스바. 아이스캔디. ②〈方〉 ⇨[冰激凌]
[雪恨] xuěhèn 동 원한을 풀다.
[雪花(儿)] xuěhuā(r) 명 (하늘에서 나부끼는) 눈송이. 눈꽃송이.
[雪花膏] xuěhuāgāo 명 배니싱크림(vanishing cream).
[雪茄] xuějiā 명〈音〉 시가(cigar). 엽궐련. 여송연. =[卷烟]
[雪景] xuějǐng 명 설경.
[雪亮] xuěliàng 형 눈처럼 환하다. 반짝반짝 빛나다. ❑ 一双~的眼睛; 초롱초롱한 두 눈.
[雪泥鸿爪] xuění-hóngzhǎo〈成〉 기러기가 눈 위를 밟고 지나간 흔적《지난 일이 남긴 흔적》.
[雪片] xuěpiàn 명 (나부끼는) 눈송이. 〈比〉 대단히 많고 잦은 모양. ❑ 贺电~般飞来; 축하 전보가 눈송이처럼 날아들다.
[雪橇] xuěqiāo 명 (개·사슴 따위가 끄는) 썰매. 눈썰매. =[冰橇]
[雪球] xuěqiú 명 눈덩이. 눈뭉치.
[雪人(儿)] xuěrén(r) 명 ① 눈사람. ❑ 堆~; 눈사람을 만들다. ② 설인.
[雪上加霜] xuěshàng-jiāshuāng〈成〉 설상가상《엎친 데 덮치다》.
[血糁(儿)] xuèshēn(r) 명〈方〉 ⇨[霰]
[雪冤] xuěyuān 동 억울함을 씻다.
[雪原] xuěyuán 명 설원.
[雪中送炭] xuězhōng-sòngtàn〈成〉 다른 사람이 급히 도움을 필요로 할 때에 도와주다.

鳕(鱈) xuě (설)
명〖魚〗 대구.

血 xuè (혈)
① 명 피. 혈액. ❑ 出~; 피가 나다 / 流~; 피를 흘리다. ② 형 혈연 관계의. ❑ ~亲; ⇓ ③ 형〈比〉 (성격이나 의지가) 강하고 열렬하다. ❑ ~气; ⇓ / ~性; ⇓ ⇒xiě
[血癌] xuè'ái 명〈俗〉 ⇨[白血病]
[血案] xuè'àn 명 살인 사건.
[血管] xuèguǎn 명〖生理〗 혈관.
[血海] xuèhǎi 명〈比〉 피바다《피가 낭자한 모습을 비유한 말》. ❑ ~深仇; 〈成〉(피붙이가 살해 당해서 생긴) 피맺힌 원한. 깊은 원한.
[血汗] xuèhàn 명 피땀. 〈比〉 고생과 노력. ❑ ~钱; 피땀 흘려 번 돈.
[血红] xuèhóng 형 새빨갛다. 핏빛이다. 선홍색이다.
[血红蛋白] xuèhóng dànbái〖生〗 헤모글로빈(haemoglobin: Hb). 혈색소. =[血色素]
[血迹] xuèjì 명 혈흔. 핏자국.
[血检] xuèjiǎn 동 혈액을 검사하다. 피검사하다.
[血浆] xuèjiāng 명〖生理〗 혈장.
[血口喷人] xuèkǒu-pēnrén〈成〉 악랄한 말로 남을 중상하다.
[血库] xuèkù 명〖醫〗 혈액 은행.
[血泪] xuèlèi 명 혈루. 피눈물. 〈比〉 비참한 처지. ❑ ~家史; 피눈물 나는 비참한 가족사.
[血脉] xuèmài 명 ①〖中醫〗 혈맥. ② ⇨[血统]
[血泊] xuèpō 명 낭자한 피. 피투성이가 된 곳.
[血气] xuèqì 명 ① 혈기. 정력. 원기. ❑ ~方刚; 〈成〉 혈기가 왕성하다. ② 혈성. 혈기. 기개.
[血亲] xuèqīn 명 혈연관계가 있는 친척. 혈족. ❑ ~关系; 혈족 관계.

[血清] xuèqīng 명〖生理〗 혈청.
[血球] xuèqiú 명 ⇨[血细胞]
[血肉] xuèròu 명 ① 피와 살. ❑~模糊; 〈成〉 피투성이가 되다 / ~之躯; 〈成〉 피와 살을 가진 몸. ② 〈比〉 혈육. 특별히 친밀한 관계. ❑~相连 〈成〉 끊을래야 끊을 수 없는 밀접한 사이이다.
[血色] xuèsè 명 혈색. 핏기. ❑面无~; 얼굴에 핏기가 없다.
[血色素] xuèsèsù 명 ⇨[血红蛋白]
[血书] xuèshū 명 혈서.
[血栓] xuèshuān 명〖醫〗 혈전.
[血水] xuèshuǐ 명 피. 핏물.
[血糖] xuètáng 명〖醫〗 혈당.
[血统] xuètǒng 명 혈통. =[血脉②]
[血细胞] xuèxìbāo 명〖生理〗 혈액 세포. 혈구. =[血球]
[血小板] xuèxiǎobǎn 명〖醫〗 혈소판.
[血腥] xuèxīng 형 피비린내 나다. ❑~的历史; 피비린내 나는 역사 / ~味; 피비린내.
[血型] xuèxíng 명〖生理〗 혈액형.
[血性] xuèxìng 명 혈성. 혈기. 기개. 의협심. 사내다움.
[血压] xuèyā 명〖生理〗 혈압. ❑高~; 고혈압 / ~计; 혈압계.
[血液] xuèyè 명 ①〖生理〗 혈액. ❑~循环; 혈액 순환. ②〈比〉 주요 성분. 주요한 힘.
[血友病] xuèyǒubìng 명〖醫〗 혈우병.
[血缘] xuèyuán 명 혈연. ❑~关系; 혈연 관계.
[血债] xuèzhài 명 사람을 죽이는 악행. 피비린내 나는 죄악. ❑~累累; 〈成〉 피비린내 나는 죄악이 겹겹이 쌓이다.
[血战] xuèzhàn 명동 혈전(을 벌이다). 혈투(를 벌이다).

谑(謔) xuè (학)
동〈書〉 농담하다. 장난치다.

xun ㄒㄩㄣ

勋(勛) xūn (훈)
명 ① 공. 공적. 공훈. ❑~绩; ⇓ ② 훈장.
[勋绩] xūnjì 명 훈적. 공적. 공로.
[勋爵] xūnjué 명 ① 훈작. 훈공에 의한 작위. ② (영국의) 훈공작(勳功爵). 나이트(knight).
[勋劳] xūnláo 명 훈로. 공로.
[勋业] xūnyè 명〈書〉 공적과 사업. ❑不朽的~; 불후의 공적과 사업.
[勋章] xūnzhāng 명 훈장. ❑授予~; 훈장을 수여하다.

熏 xūn (훈)
A) 동 ① 그을다. 그을리다. 훈연하다. ❑蚊帐被~黄了; 모기장이 누렇게 그을렸다. ② 향기[냄새]를 쏘이다[배게 하다]. ❑~叶茶; 찻잎에 향기를 쏘이다. ③ 훈제하다. ❑~鸡; 훈제 닭고기. B) 형 〈書〉 따뜻하다. ❑~风; ⇓ ‖ =[薰②] ⇒xùn
[熏风] xūnfēng 명〈書〉 따뜻한 남풍. 훈풍.
[熏染] xūnrǎn 동 (주로, 나쁜 것에) 배워 물들다. 영향을 받다. ❑~了一些恶习; 악습에 물들었다.
[熏陶] xūntáo 동 (좋은) 영향을 받다. 훈도하다. 감화되다.
[熏衣草] xūnyīcǎo 명〖植〗 라벤더(lavender).
[熏蒸] xūnzhēng 동 ① 푹푹 찌다. 찌는 듯이 덥다. ❑暑气~; 더위가 찌는 듯하다. ② 훈증하다.
[熏制] xūnzhì 동 훈제하다. ❑~食品; 훈제 식품.

薰 xūn (훈)
① 명〈書〉 향초(香草). 〈轉〉 화초의 향기. ② ⇨[熏xūn]

醺 xūn (훈)
동 술에 취하다. ❑微~; 약간 취하다.

旬 xún (순)
① 명 순(《한 달을 셋으로 나눈 열흘 간》). ❑兼~; 20일. ② 양 10년(《주로, 노인의 연령에 쓰는 말》). ❑八~老母; 팔순 노모.
[旬日] xúnrì 명 열흘.

询(詢) xún (순)
동 문의하다. 알아보다. 조회하다. ❑查~; 조회하다.
[询问] xúnwèn 동 문의하다. 알아보다. 물어보다. ❑他打电话来~我的意见; 그는 전화로 나의 의견을 물어왔다 / ~处; 안내소.

峋 xún (순)
→[嶙lín峋]

巡 xún (순)
① 동 순찰하다. 순시하다. ❑~夜; ⇓ ② 양 바퀴. 순배. 일순(一巡)(《술잔이 모든 좌석을 한 바퀴 도는 것을 세는 말》). ❑酒过三~; 모두에게 술이 세 순배 돌았다.

[巡查] xúnchá 동 순찰하며 살피다. ❏严密~; 엄격하게 순찰하다.
[巡航] xúnháng 동 순항하다. ❏~导弹; 〖軍〗 순항 미사일. 크루즈 미사일(cruise missile).
[巡回] xúnhuí 동 순회하다. ❏~演出; 순회 공연 하다 / ~医疗; 순회 진료 하다 / ~剧团; 순회 극단.
[巡礼] xúnlǐ 동 ①(성지(聖地)를) 순례하다. ② 구경하고 다니다. ❏市场~; 시장 구경.
[巡逻] xúnluó 동 순찰하며 경계하다. 순라(巡邏)하다. ❏~队; 순찰대 / ~警车; 순찰차.
[巡视] xúnshì 동 ① 순시하다. 시찰하다. 돌아보다. ② (사방을) 둘러보다. 훑어보다. 「양함.
[巡洋舰] xúnyángjiàn 명〖軍〗 순
[巡夜] xúnyè 동 야간 순찰하다.

寻(尋) xún (심) ① 동 찾다. 탐색하다. ❏~地方; 장소를 찾다. ② 양〖度〗 심《길이의 단위로, 8尺에 해당함》. ❏千~高岭; 〈成〉 천 길 높이나 되는 산봉우리.
[寻常] xúncháng 형 보통이다. 예사롭다. ❏这不是一件~的小事; 이것은 예삿일이 아니다.
[寻短见] xún duǎnjiàn 자살하다. 스스로 목숨을 끊다.
[寻访] xúnfǎng 동 찾아 방문하다. 심방하다. ❏~朋友; 친구를 찾아 방문하다.
[寻根究底] xúngēn-jiūdǐ 〈成〉 일의 경위를 분명히 밝히다. 꼬치꼬치 따지다. =[寻根问底]
[寻呼] xúnhū 동 (무선 호출기로) 호출하다.
[寻呼机] xúnhūjī 명 (무선) 호출기. 삐삐. =[传呼机][〈簡〉 呼机][BP机]
[寻呼台] xúnhūtái 명 무선 호출기 기지국. =[〈簡〉 呼台]
[寻开心] xún kāixīn 〈方〉 놀리다. 장난치다. 웃기다.
[寻觅] xúnmì 동 찾다. ❏他们在丛林中~小径; 그들은 수풀에서 오솔길을 찾아 헤맸다.
[寻求] xúnqiú 동 추구하다. 강구하다. 탐구하다. ❏~自求之路; 자구책을 강구하다.
[寻人] xúnrén 동 사람을 찾다. ❏~启事; 사람 찾는 광고.
[寻死] xún∥sǐ[〈口〉 xín∥sǐ] 동 자살을 기도하다. 자살하다. 죽고 싶어하다.
[寻死觅活] xúnsǐ-mìhuó 〈成〉 죽네사네 하면서 소란을 피우다.
[寻思] xún·si[〈口〉 xín∥si] 동 생각하다. 궁리하다. 고려하다.
[寻味] xúnwèi 동 자세히 이해하다. 뜻을 음미하다. 의미를 깨닫다.
[寻衅] xúnxìn 동 고의로 시비 걸다. 일부러 싸움을 걸다.
[寻章摘句] xúnzhāng-zhāijù 〈成〉 ① 책을 읽을 때 깊은 이해 없이 멋진 구절만 따오다. ② 저작을 할 때 기존에 있던 미사여구들만 사용하여 독창성이 결여되다.
[寻找] xúnzhǎo 동 찾다. ❏~机会; 기회를 찾다 / ~工作; 일자리를 찾다. =[找寻]

鲟(鱘) xún (심) 명〖魚〗 철갑상어. =[鲟鱼]

循 xún (순) 동 (규칙·순서·구습·관례 따위를) 따르다. 지키다. 준수하다.
[循规蹈矩] xúnguī-dǎojǔ 〈成〉 ① 규율을 준수하다. ② 기존의 규칙을 고수하다. 융통성이 없다.
[循环] xúnhuán 동 순환하다. 로테이션하다. ❏~公路; 순환 도로 / ~经济; 순환 경제 / 血液~; 혈액 순환.
[循例] xúnlì 동 전례를 따르다. 관례대로 하다. ❏~办理; 전례대로 처리하다.
[循序] xúnxù 동 순서[차례]에 따르다. ❏~渐进; 〈成〉 차례대로 천천히 나아가다. 일정한 단계대로 점차 심화시키다.
[循循善诱] xúnxún-shànyòu 〈成〉 다른 사람을 차근차근 잘 지도하다[이끌다].

训(訓) xùn (훈) ① 동 가르치고 타이르다. 훈계하다. ❏~他一回才好; 그에게 한 차례 훈계해야겠다. ② 명 교훈. 훈계의 말. ❏校~; 교훈. ③ 명동 훈련(하다). ❏培~; 훈련하여 양성하다. ④ 명 준칙. 규범. ⑤ 명 주해(注解). ❏~诂; ⇩
[训斥] xùnchì 동 훈계하다. 견책(譴責)하다. 야단치고 가르치다. 설교하다.
[训导] xùndǎo 동 훈도하다. ❏~晚辈; 후배를 훈도하다.
[训诂] xùngǔ 동 훈고하다. 명 훈고학. =[训诂学]

[训话] xùn//huà 동 훈화하다. 훈시하다. ❏校长~; 교장이 훈시하다.
[训诫] xùnjiè 동 ① 훈계하다. 가르쳐 경계하다. ②〖法〗훈계 처분하다. ‖ =[训戒]
[训练] xùnliàn 동 훈련하다. ❏~班; 훈련반 / 军事~; 군사 훈련.
[训令] xùnlìng 명 훈령.
[训示] xùnshì 명동 훈시(하다).

讯(訊) xùn (신) ① 동 묻다. 문의하다. 조회하다. ❏问~; 문의하다. ② 동 캐묻다. 심문(審問)하다. ❏审~; 심문하다. ③ 명 소식. 정보. 통신. ❏通~; 통신(하다).
[讯问] xùnwèn 동 ① 묻다. 알아보다. 질문하다. ❏~病情; 병세를 묻다. ② 심문하다. 취조하다. ❏~犯人; 범인을 심문하다.

汛 xùn (신) 명 (하천의) 계절마다의 증수(增水). 계절마다 정기적으로 붇는 물. ❏秋~; 가을의 증수.
[汛期] xùnqī 명 (정기적인) 증수기(增水期).

迅 xùn (신) 형 빠르다. 신속하다. ❏~跑; 빠르게 달리다.
[迅即] xùnjí 부 곧. 즉시. ❏~答复; 즉시 회답하다.
[迅疾] xùnjí 형 ⇨[迅速]
[迅捷] xùnjié 형 재빠르다. 잽싸다. 민첩하다. 날래다. ❏行动~; 행동이 재빠르다.
[迅雷不及掩耳] xùnléi bù jí yǎn ěr 〈成〉 갑작스러운 천둥으로 귀를 막을 틈도 없다《동작·사건이 갑작스레 일어나 미처 손쓸 틈도 없다》.
[迅猛] xùnměng 형 신속하고 세차다. 빠르고 맹렬하다.
[迅速] xùnsù 형 신속하다. 빠르다. ❏他做事很~; 그는 일처리가 매우 신속하다. =[迅疾]

驯(馴) xùn (순) ① 형 (길이 들어) 순하다. 온순하다. 얌전하다. ❏~马; 얌전한 말. ② 동 길들이다. 다루다. ❏~虎; 호랑이를 길들이다.
[驯服] xùnfú 형 말을 잘 듣다. 얌전하다. 순하다. ❏这小狗十分~; 이 강아지는 매우 순하다. 동 말을 잘 듣게 만들다. 길들이다. ❏饲养员把熊~得很听话; 사육사가 곰을 매우 순하게 잘 길들였다.
[驯化] xùnhuà 동 (야생 동물이) 길들여지다.
[驯良] xùnliáng 형 얌전하고 착하다. 다소곳하다. 순하다. ❏这匹马很~; 이 말은 매우 순하다.
[驯鹿] xùnlù 명〖動〗순록.
[驯顺] xùnshùn 형 얌전하다. 고분고분하다. 말을 잘 듣다.
[驯养] xùnyǎng 동 (야생 동물을) 길들이고 사육하다.

逊(遜) xùn (손) ① 동 왕위(王位)를 물려주다. 양위하다. ② 형 겸손하다. 공손하다. ③ 형〈書〉 뒤떨어지다. 못하다. ❏~色; ⇩
[逊色] xùnsè 명 뒤지는 부분. 손색. ❏毫无~; 조금도 손색이 없다. 형 뒤떨어지다. 뒤처지다. 형편없다.

徇 xùn (순) 동 ① 따르다. 굽히고 좇다. ❏~情; ⇩ ②〈書〉 대중에게 가르쳐 보이다. ③〈書〉 ⇨[殉②]
[徇情] xùnqíng 동〈書〉 사사로운 정에 얽매이다. ❏~枉法; 〈成〉 사사로운 정에 얽매여 법을 어기다.
[徇私] xùnsī 동 사사로운 정에 얽매여 옳지 못한 일을 하다. ❏~舞弊; 〈成〉 사사로운 정에 구애되어 부정한 짓을 하다.

殉 xùn (순) 동 ① 순장(殉葬)하다. ② …을 위해 목숨을 바치다. =[〈書〉 徇③]
[殉国] xùn//guó 동 나라를 위하여 목숨을 바치다. 순국하다.
[殉节] xùn//jié 동 절개를 지키기 위하여 목숨을 바치다. 순절하다.
[殉难] xùn//nàn 동 (나라나 정의를 지키려다) 난을 당해 목숨을 잃다. 희생하다.
[殉情] xùn//qíng 동 사랑 때문에 죽다. 사랑을 위해 목숨을 바치다.
[殉葬] xùnzàng 동 순장하다. ❏~品; 부장품.
[殉职] xùn//zhí 동 순직하다.

熏 xùn (훈) 동〈方〉 가스에 질식·중독되다. ❏被煤气~着zháo了; 가스에 중독됐다. ⇒xūn

蕈 xùn (심) 명〖植〗버섯. ❏松~; 송이버섯.

Y

ya 丨丫

丫 yā (아)
명 ① 가장귀. 아귀. ② 〈方〉 여자아이. 계집아이.

[丫杈] yāchà 명 가장귀. =[桠杈]

[丫鬟] yā·huan 명 하녀. 계집종. =[丫头②]

[丫头] yā·tou 명 ① 계집아이. 계집애. ② ⇨[丫鬟]

压(壓) yā (압)
① 동 누르다. 짓누르다. 내리누르다. ❑ 身上~着一块大石头; 큰 돌 하나가 몸을 누르고 있다. ② 명 압력. ❑ 血~; 혈압. ③ 동 압도하다. 능가하다. ❑ 才不~众; 재능이 보통 사람들을 능가하지 못하다. ④ 동 가라앉히다. 억제하다. 누르다. ❑ ~咳嗽; 기침을 가라앉히다 / ~住怒火; 화를 누르다. ⑤ 동 압박하다. 억압하다. ❑ 以势~人; 세력으로 사람을 압박하다. ⑥ 동 다가오다. 가까이 오다. 접근하다. ⑦ 동 묵히다. 썩히다. 방치하고 쓰지 않다. ❑ ~在仓库里; 창고에 방치해 두다. ⇒ yà

[压倒] yā//dǎo 동 압도하다. ❑ ~一切; 모든 것을 압도하다.

[压服] yā//fú 동 힘으로 굴복[복종]시키다.

[压价] yā//jià 동 무리하게 값을 내리다[깎다].

[压卷] yājuàn 명 압권. ❑ ~之作; 압권인 작품.

[压力] yālì 명 ①〔物〕 압력. ② (추상적) 압력. 힘. ❑ 社会~; 사회적 압력. ③ 스트레스. 압박감. 부담.

[压力锅] yālìguō 명 ⇨[高压锅]

[压路机] yālùjī 명〔機〕 로드 롤러 (road roller). =[〈方〉 轧yà道机]

[压迫] yāpò 동 ① (권세로) 압박하다. 억압하다. 위압하다. ② (신체 일부분을) 압박하다. ❑ 肿瘤~神经; 종양이 신경을 압박하다.

[压岁钱] yāsuìqián 명 세뱃돈.

[压缩] yāsuō 동 ① 압축하다. ❑ ~机; 압축기. ② (인원·경비 따위를) 축소하다. 줄이다. ❑ ~开支; 지출을 줄이다.

[压抑] yāyì 동 (감정·힘 따위를) 누르다. 억누르다. 억제하다. ❑ ~痛苦; 고통을 억누르다.

[压榨] yāzhà 동 ① 압착하다. 눌러서 짜내다. ② 〈比〉 억압하고 착취하다.

[压制] yāzhì 동 ① 압제하다. 억압하다. ❑ ~群众; 군중을 억압하다. ②〔機〕 압력을 가하여 만들다.

呀 yā (하)
① 감 아. 야. 어라《놀라거나 이상히 여김을 나타냄》. ❑ ~, 他又回来了! 어라, 그가 또 되돌아왔네! ② 의 삐걱. 삐거덕《문 열릴 때 나는 마찰 소리 따위》. ❑ 门~的一声开了; 문이 삐거덕하고 열렸다. ⇒·ya

鸦(鴉) yā (아)
명〔鳥〕 까마귀.

[鸦片] yāpiàn 명 아편. ❑ ~鬼; 아편쟁이 / ~战争; 아편 전쟁. =[阿ā片][大烟]

[鸦雀无声] yāquè-wúshēng 〈成〉 쥐 죽은 듯 고요하다.

押 yā (압, 갑)
① 동 저당 잡히다. 저당하다. 담보로 하다. ❑ 他把手表~在当铺里; 그는 손목시계를 전당포에 저당 잡혔다. ② 동 구류하다. 구금하다. ❑ 他被~了十个月; 그는 10개월간 구류되었다. ③ 동 호송하다. 압송하다. ❑ ~犯人; 범인을 호송하다. ④ 명동 서명(하다). 사인(하다). 수결(하다).

[押当] yā//dàng 동 저당[전당] 잡히다. (yādàng) 명〈方〉 소규모 전당포.

[押解] yājiè 동 ① (범인·포로를) 압송하다. ② ⇨[押运]

[押金] yājīn 명 보증금. 담보금.

[押送] yāsòng 동 ① (범인·포로를) 호송하다. 압송하다. ❑ ~犯人; 범인을 압송하다. ② ⇨[押运]

[押运] yāyùn 동 (화물을) 호송하다. ❑ ~军粮; 군량을 호송하다. =[押解②][押送②]

[押韵] yā//yùn 동 압운하다.

[押账] yā//zhàng 동 저당 잡히고 빚을 얻다.

鸭(鴨) yā (압)
명〔鳥〕 오리.

[鸭蛋] yādàn 명 ① 오리알. ② (득점의) 영점. 빵점. ❑ 吃~; 빵점을 받다.

[鸭蛋青] yādànqīng 형 엷은 푸른색을 띠다.

[鸭绒] yāróng 명 (가공한) 오리털. ❑～被子; 오리털 이불 / ～背心; 오리털 조끼.
[鸭舌帽] yāshémào 명 헌팅캡.
[鸭子] yā·zi 명〔鳥〕오리.

桠(椏) yā (아)
명 가장귀.
[桠杈] yāchà 명 ⇨[丫杈]

牙 yá (아)
명 ① 이. 치아. ❑拔～; 이를 뽑다 / 刷～; 이를 닦다 / 一颗～; 이 한 개. ② 상아(象牙). ❑～章; 상아 도장. ③ 치아처럼 생긴 것.
[牙齿] yáchǐ 명 이. 치아.
[牙床] yáchuáng 명 ① ⇨[牙龈] ② 상아(象牙) 세공 장식의 침대. 〈轉〉 장식이 아름다운 침대.
[牙雕] yádiāo 명〔美〕상아 조각. 상아 조각품.
[牙膏] yágāo 명 치약.
[牙关] yáguān 명 아관(《입속 양쪽 구석의 위아래 잇몸이 맞닿는 곳》).
[牙科] yákē 명 치과.
[牙科医生] yákē yīshēng 치과 의사. ＝[〈簡〉 牙医]
[牙签(儿)] yáqiān(r) 명 이쑤시개.
[牙刷(儿)] yáshuā(r) 명 칫솔.
[牙痛] yátòng 명 치통(齒痛).
[牙线] yáxiàn 명 치실.
[牙牙] yáyá 의〈書〉 옹알옹알(《아기가 말을 흉내 내는 소리》).
[牙医] yáyī 명〈簡〉⇨[牙科医生]
[牙龈] yáyín 명〔生理〕치은. 잇몸. ＝[牙床①]

芽 yá (아)
(～儿) 명 ① 싹. ② 싹 비슷한 것. ❑肉～; 새살.

蚜 yá (아)
명〔蟲〕진디. 진딧물.
[蚜虫] yáchóng 명〔蟲〕진디. 진딧물.

涯 yá (애)
명 물가. 〈轉〉 끝. 가. 가장자리. ❑天～; 하늘가.

崖 yá (애)
명 ① 낭떠러지. 절벽. 벼랑. ❑山～; 절벽. ②〈書〉 끝. 가. 가장자리. ❑～略; 개략(槪略).

睚 yá (애)
명〈書〉 눈꼬리. 눈초리.
[睚眦] yázì 동〈書〉 화가 나서 눈을 부라리다. 명 아주 사소한 원한.

衙 yá (아)
명 아문(《옛날의 관청》).
[衙门] yá·men 명 관아. 아문.

哑(啞) yǎ (아, 액)
① 형 벙어리이다. 소리가 안 나다. ❑聋～; 농아. ② 형 소리가 없는. ③ 형 목이 잠기다. 목이 쉬다. ❑嗓子喊～了; 소리를 질러 목이 쉬었다. ④ 동 (포탄 따위가) 불발하다. ❑～炮; ⇩
[哑巴] yǎ·ba 명 벙어리.
[哑剧] yǎjù 명〔劇〕무언극. 팬터마임(pantomime). 마임(mime). ＝[默mò剧]
[哑铃] yǎlíng 명〔體〕아령.
[哑谜] yǎmí 명 ① 수수께끼. ❑打～; 수수께끼를 내다. ②〈比〉 맞히기 힘든 문제.
[哑炮] yǎpào 명 불발탄.
[哑然] yǎrán 형〈書〉 ① 조용한 모양. ❑～无声; 〈成〉 아무런 소리도 없이 조용하다. ② 아연한 모양. ❑～失惊; 〈成〉 아연실색하다. ③ 웃음소리의 형용. ❑～失笑; 〈成〉 저도 모르게 소리 내어 웃다.

雅 yǎ (아)
형 ①〈書〉 규범에 맞다. ❑～正; ⇩ ② 점잖다. 고상하다. 우아하다. ❑文～; 고상하다. ③〈敬〉 상대의 언동을 나타냄. ❑～教; ⇩
[雅典] Yǎdiǎn 명〔地〕〈音〉 아테네(Athens).
[雅观] yǎguān 형 (모습이나 행동이) 점잖다. 고상하다(《주로, 부정형으로 쓰임》). ❑要叫人看见, 不大～; 남 보기에 별로 좋지 않다.
[雅教] yǎjiào 명〈敬〉 (당신의) 가르침. 지도. ❑恭请～; 삼가 가르침을 청합니다.
[雅量] yǎliàng 명 ① 아량. 관대한 도량. ② 큰 주량(酒量).
[雅趣] yǎqù 명 풍아한 정취. 아치(雅致). 아취(雅趣).
[雅俗共赏] yǎsú-gòngshǎng 〈成〉 고상한 사람이나 속된 사람이나 모두 감상할 수 있다.
[雅兴] yǎxìng 명 고상한 취미. ❑～不浅; 취미가 고상하다.
[雅正] yǎzhèng 〈書〉 형 ① 규범에 맞다. ② 정직하다. 동〈敬〉 가르침을 바랍니다(《남에게 시문·서화를 보낼 때 쓰는 말》).
[雅致] yǎ·zhi 형 (복식·건물·기물 따위가) 품위 있다. 고상하다.
[雅座(儿)] yǎzuò(r) 명 (요릿집·술집 따위의) 아늑한 별실.

轧(軋) yà (알)
① 동 (롤러 따위로) 밀

다. 다지다. ❏～路; 길을 다지다. ②동 배척하다. 밀어내다. ③의 덜그럭덜그럭. 달달《기계가 가동될 때 내는 소리》. ❏缝纫机～～地响着; 재봉틀이 달달 소리를 내고 있다. ⇒zhá

[轧道机] yàdàojī 명〈方〉⇨[压路机]

亚(亞) yà (아)
①형 못하다. 뒤떨어지다. 뒤지다. ❏你的体力并不～于他; 너의 체력은 결코 그만 못하지 않다. ②형 제2의. 다음의. 버금가는. ❏～军; ⇓ ③형〖化〗원자가가 낮은. ❏～硫酸; 아황산. ④(Yà) 명〈簡〉〈音〉아시아. ❏东南～; 동남아시아.

[亚当] Yàdāng 명〖人〗〈音〉아담(Adam).

[亚军] yàjūn 명 (운동 경기의) 제2위. 준우승. →[冠guàn军]

[亚麻] yàmá 명〖植〗아마. ❏～布;〖紡〗아마포. 리넨(linen).

[亚马孙河] Yàmǎsūnhé 명〖地〗〈音〉아마존 강(Amazon江).

[亚热带] yàrèdài 명〖地理〗아열대. =[副热带]

[亚太经合组织] Yà-Tài jīnghé zǔzhī 명 에이펙(APEC)《아시아 태평양 경제 협력체》.

[亚运会] yàyùnhuì 명〈簡〉아시아 경기 대회. 아시안 게임. =[亚洲运动会]

[亚洲] Yàzhōu 명〖地〗아시아(Asia).

娅(婭) yà (아)
→[姻娅]

讶(訝) yà (아)
동〈書〉의아해하다.

砑 yà (아)
동 (돌로 가죽·천 따위를) 문질러 광을 내다. ❏～光; 광내다.

压(壓) yà (압)
→[压根儿] ⇒yā

[压根儿] yàgēnr 부〈口〉원래. 아예. 도무지. 전혀《주로, 부정형으로 쓰임》. ❏我～就不知道这回事; 나는 이 일을 전혀 알지 못한다.

揠 yà (알)
동〈書〉뽑다.

[揠苗助长] yàmiáo-zhùzhǎng〈成〉빨리 자라라고 싹을 뽑아 늘리다《순리를 무시하고 일을 서두르다 도리어 실패하다》. =[拔苗助长]

呀 ·ya (하)
조 앞의 음절의 운모(韻母)가 a·e·i·o·ü로 끝날 경우의 啊의 변음. ❏这是多好的机会～! 이 얼마나 좋은 기회란 말인가! / 你到底去不去～! 너 대체 갈 거니 안 갈 거니! ⇒yā

yan | ㄢ

淹 yān (엄)
①동 물에 잠기다. ❏庄稼都给水～了; 농작물이 다 물에 잠겼다. ②동 (땀 따위에 젖어 피부가) 쓰리다. 따갑다. 가렵다. ❏眼睛～了睁不开; 눈이 따가워 뜰 수가 없다. ③형〈書〉넓다. 깊다. ❏～博; ⇓ ④동〈書〉오랜 시간이 지나다. 오래 머무르다. ❏～留; ⇓

[淹博] yānbó 형〈書〉(학식 따위가) 깊고 넓다. 해박하다.

[淹留] yānliú 동〈書〉오래 머물다.

[淹没] yānmò 동 ①물에 잠기다. ❏洪水～了庄稼; 홍수에 농작물이 잠겼다. ②〈比〉(소리가) 묻히다.

[淹死] yānsǐ 동 익사하다.

阉(閹) yān (엄)
①동 거세(去勢)하다. ②명〈書〉환관(宦官).

[阉割] yāngē 동 ①거세하다. ②〈比〉(문장·이론의 주요 내용을) 빼 버리다.

腌 yān (엄)
동 (소금·간장 따위에) 절이다. ❏～鱼; 소금에 절인 생선.

恹(懨) yān (염)
→[恹恹]

[恹恹] yānyān 형〈書〉병으로 지친 모양.

咽 yān (인)
명〖生理〗인두. ⇒yàn yè

[咽喉] yānhóu 명 ①〖生理〗인후. 목구멍. ❏～炎; 인후염. ②〈比〉요해지. 요충.

[咽头] yāntóu 명〖生理〗인두.

烟 yān (연)
①명 연기. ❏冒～; 연기를 뿜다. ②명 연기 같은 것. ❏～雾; ⇓ ③동 연기가 눈을 자극하다. ❏～了眼睛了; 연기로 눈이 맵다. ④명〖植〗연초. 담배. ⑤명 담배. ❏吸～; 담배를 피우다. ⑥명 아편(阿片).

[烟草] yāncǎo 명〖植〗연초. 담배.

[烟尘] yānchén 명 ①연진. 연무와 먼지. ②횃불의 연기와 전쟁터의 먼지. 〈比〉전쟁.

[烟囱] yāncōng 명 ⇨[烟筒]

[烟袋] yāndài 명 담뱃대.
[烟蒂] yāndì 명 ⇒[烟头(儿)]
[烟斗] yāndǒu 명 파이프(pipe). 곰방대. 「골초.
[烟鬼] yānguǐ 명 ① 아편쟁이. ②
[烟海] yānhǎi 명 안개가 자욱한 바다《주로, 비유적으로 쓰임》.
[烟盒] yānhé 명 담배합. 담뱃갑.
[烟灰] yānhuī 명 담뱃재. ❑ ~缸; 재떨이.
[烟火] yānhuǒ 명 ① 연기와 불. ❑ 动~; 불을 피워 밥을 하다. ② 익힌 음식.
[烟火] yān·huo 명 불꽃. 폭죽. ❑ 放~; 불꽃을 쏘다. =[焰火]
[烟碱] yānjiǎn 명〖化〗니코틴(nicotine). =[〈音〉尼古丁]
[烟卷儿] yānjuǎnr 명 ⇒[香烟②]
[烟煤] yānméi 명 유연탄.
[烟幕] yānmù 명 ①〖軍〗연막. ②〈比〉진상이나 본의를 숨기는 말이나 행위.
[烟丝] yānsī 명 살담배.
[烟筒] yān·tong 명 굴뚝. 연통. =[烟囱]
[烟头(儿)] yāntóu(r) 명 담배꽁초. =[烟蒂]
[烟雾] yānwù 명 연무. 스모그. ❑ ~弥漫; 연무가 자욱하다.
[烟消云散] yānxiāo-yúnsàn〈成〉흔적도 없이 사라지다. =[云消雾散]
[烟叶] yānyè 명 담뱃잎.
[烟瘾] yānyǐn 명 ① 담배 중독. ② 아편 중독.
[烟雨] yānyǔ 명 안개비.
[烟柱] yānzhù 명 연기 기둥.

胭 yān (연, 인)
명 연지.
[胭脂] yān·zhi 명 연지.

殷 yān (안)
명〈書〉검붉은색. ⇒yīn
[殷红] yānhóng 형 검붉은색을 띠다. ❑ ~的血迹; 검붉은 핏자국.

焉 yān (언)
〈書〉① 대 여기에. ❑ 心不在~; 마음이 여기에 없다. ② 대 어디. 어떻게. 어찌《주로, 반어로 쓰임》. ❑ ~能如此? 어찌 이와 같을 수 있을까? ③ 접 이에. 비로소. 그래서. ❑ 必知疾之所自起, ~能攻之; 병이 생기는 원인을 알아야 비로소 고칠 수 있다. ④ 조 문장 끝에 놓여 강한 어조를 나타냄. ❑ 又何虑~; 무슨 걱정이 있으랴.

嫣 yān (언)
형〈書〉용모가 아리땁고 곱다.
[嫣红] yānhóng 형〈書〉선홍색을 띠다. ❑ 姹chà紫~;〈成〉아름다운 보라, 산뜻한 빨강《갖가지 아름다운 꽃》.
[嫣然] yānrán 형〈書〉아름다운 모양.

湮 yān (연)
동〈書〉① 매몰되다. 묻히다. ② 막히다.
[湮没] yānmò 동 인멸하다. 없애다. ❑ ~罪证; 범죄의 증거를 인멸하다. =[湮灭]

燕 Yān (연)
명 ①〖史〗연《주대(周代)의 나라 이름》. ②〖地〗허베이 성(河北省)의 북부. ⇒yàn

延 yán (연)
동 ① 늘이다. 연장하다. ❑ 蔓~; 만연하다. ② 미루다. 늦추다. 연기하다. ❑ 迟~; 지연하다. ③〈書〉초빙하다. 초청하다. ❑ ~师; 스승을 초빙하다.
[延长] yáncháng 동 연장하다. 늘이다. ❑ ~期限; 기한을 연장하다 / ~线; 연장선.
[延迟] yánchí 동 ⇒[推迟]
[延缓] yánhuǎn 동 연기하다. 늦추다. ❑ ~开工; 착공을 늦추다.
[延年益寿] yánnián-yìshòu〈成〉연년익수하다. 장수하다.
[延聘] yánpìn 동 ①〈書〉초빙하다. ② 임용 기간을 연장하다. 계속 임용하다.
[延期] yán//qī 동 ① (원래 정한 기일을) 미루다. 연기하다. ② (사용 기한 · 유효 기간을) 연장하다.
[延伸] yánshēn 동 연장하다. 뻗다. 확대되다. ❑ 这条铁路一直~到国境线; 이 철도는 국경선까지 쭉 뻗어 있다.
[延误] yánwù 동 지체하다가 놓치다. ❑ ~时机; 지체하다가 시기를 놓치다.
[延续] yánxù 동 연장하다. 계속하다. ❑ 会谈~了三个小时; 회담이 세 시간 연장되었다.

蜒 yán (연)
→[蜿蜒][蚰yóu蜒]

筵 yán (연)
명 ① 자리. 거적. ② 잔치. 연석(宴席). ❑ 喜~; 축하연.
[筵席] yánxí 명 ① 연석(宴席). ②〈轉〉주연. 술자리.

Y

严(嚴) yán (엄) ① 형 빈틈없다. 치밀하다. 엄밀하다. ❏ 敌人守得很~; 적의 수비가 매우 빈틈없다. ② 형 엄하다. 엄격하다. ❏ 规矩很~; 규칙이 매우 엄하다. ③ 형 지독하다. 심하다. ❏ ~霜; 된서리. ④ 명 아버지. ❏ 家~; 가친.

[严办] yánbàn 동 엄하게 징벌하다. 엄벌에 처하다.

[严惩] yánchéng 동 엄중히 처벌하다. 엄벌에 처하다.

[严冬] yándōng 명 엄동. 한겨울.

[严防] yánfáng 동 엄격히 방비하다.

[严格] yángé 형 엄하다. 엄격하다. ❏ ~遵守; 엄격히 지키다. 동 엄격히 하다. 엄하게 하다.

[严寒] yánhán 형 추위가 심하다.

[严紧] yán·jǐn 형 ① 엄격하다. 엄밀하다. ❏ 关防~; 엄밀히 방어하다. ② 빈틈없다. 꼭 맞다. ❏ 门关得~; 문이 꼭 잠겨 있다.

[严谨] yánjǐn 형 ① 엄격하다. 신중하다. ❏ 态度~; 태도가 엄격하다. ② 꽉 짜여 있다. 빈틈없다. ❏ 说话~; 말하는 것이 빈틈없다.

[严禁] yánjìn 동 엄격히 금하다. 엄금하다. ❏ ~烟火; 화기 엄금.

[严峻] yánjùn 형 ① 엄준하다. ② 가혹하다. ❏ ~的考验; 가혹한 시련.

[严酷] yánkù 형 ① 엄하다. 엄격하다. ❏ ~的教训; 엄격한 교훈. ② 잔인하다. 냉혹하다. ❏ ~的现实; 냉혹한 현실.

[严厉] yánlì 형 엄하고 매섭다. ❏ ~禁止; 엄하게 금지시키다.

[严密] yánmì 형 ① 치밀하다. 빈틈없다. ❏ 这瓶酒封装得很~; 이 술은 단단히 밀봉되어 있다. ② 엄밀하다. 엄격하고 세밀하다. ❏ ~地注视; 엄밀히 주시하다. 동 치밀하게 하다. 엄밀하게 하다.

[严明] yánmíng 형 엄정하다. ❏ 纪律~; 규율이 엄정하다. 동 엄정하게 하다.

[严实] yán·shi 형〈口〉 ① 빈틈없다. 단단하다. ② 안전하게 숨기다.

[严守] yánshǒu 동 ① 엄수하다. 엄격히 준수하다. ❏ ~纪律; 규율을 엄수하다 / ~中立; 중립을 엄수하다. ② 엄밀하게 지키다. ❏ ~机密; 기밀을 단단히 지키다.

[严肃] yánsù 형 ① (분위기·표정 따위가) 엄숙하다. 근엄하다. ❏ ~的表情; 엄숙한 표정. ② (태도 따위가) 진지하다. 엄하다. 엄격하다. ❏ ~地对待问题; 문제를 진지하게 다루다. 동 엄숙하게 하다.

[严刑] yánxíng 명 엄형. 혹형.

[严阵以待] yánzhènyǐdài 〈成〉 진용을 갖추고 적을 기다리다.

[严整] yánzhěng 형 ① (대열이) 매우 정연하다. ❏ 秩序~; 질서가 정연하다. ② 빈틈없다. 치밀하다.

[严正] yánzhèng 형 엄정하다. ❏ ~的立场; 엄정한 입장.

[严重] yánzhòng 형 중대하다. 심각하다. 엄중하다. ❏ 病情~; 병세가 위독하다 / ~事故; 심각한 사고.

芫 yán (원) →[芫荽] ⇒ yuán

[芫荽] yán·suī 명〖植〗 고수. =[香菜][胡荽]

妍 yán (연) 형〈書〉 아름답다. 예쁘다.

研 yán (연) 동 ① 갈다. ❏ ~墨; 먹을 갈다. ② 연구하다. 탐구하다. ❏ 钻~; 학문을 연구하다.

[研究] yánjiū 동 ① 연구하다. ❏ ~生; 대학원생. 연구생 / ~室; 연구실 / ~所; 대학원. 연구소 / ~员; 연구원. ② 검토하다. 논의하다. ❏ 这个问题正在~; 이 문제는 지금 검토 중이다.

[研讨] yántǎo 동 연구하고 토론하다. ❏ ~问题; 문제를 연구하고 토론하다 / ~会; 세미나. 심포지엄.

[研制] yánzhì 동 연구 제작하다. ❏ ~新型飞机; 신형 비행기를 연구 제작하다.

言 yán (언) ① 명 언어. 말. ❏ 发~; 발언하다 / 名~; 명언. ② 동 말하다. ❏ 畅所欲~; 〈成〉 하고 싶은 말을 다 털어놓다. ③ 명 한자(漢字)의 한 글자. ❏ 五~诗; 오언시.

[言不及义] yánbùjíyì 〈成〉 말이 이치에 안 맞다. 허튼소리만 하다.

[言不由衷] yánbùyóuzhōng 〈成〉 진심에서 우러나온 말이 아니다.

[言传] yánchuán 동 말로 전하다. 말로 표현하다. ❏ ~身教; 〈成〉 말로 전하고 몸으로 가르치다.

[言辞] yáncí 명 언사. 말. ❏ ~恳切; 언사가 간절하다. =[言词]

[言归于好] yánguīyúhǎo 〈成〉 다시 사이가 좋아지다.

[言归正传] yánguīzhèngzhuàn 〈成〉 각설하고 본론으로 돌아가다.
[言过其实] yánguòqíshí 〈成〉 말이 과장되어 실제와 부합하지 않다.
[言和] yánhé 동 화해하다. ❏ 握手~; 악수하고 화해하다.
[言简意赅] yánjiǎn-yìgāi 〈成〉 말은 간결하지만 뜻한 바는 충분히 표현되어 있다.
[言论] yánlùn 명 언론.
[言人人殊] yánrénrénshū 〈成〉 말하는 것이 사람마다 다르다《동일 사물에 대해 각자의 견해를 갖다》.
[言谈] yántán 명 언사. 말씨. 말투. 동 이야기를 나누다. 대화하다.
[言听计从] yántīng-jìcóng 〈成〉 어떤 말이나 계획이라도 다 들어 주다《신임이 두텁다》.
[言外之意] yánwàizhīyì 〈成〉 언외의 뜻. 속뜻.
[言行] yánxíng 명 언행. 말과 행동. ❏ ~一致; 언행일치.
[言犹在耳] yányóuzài'ěr 〈成〉 남이 한 말이 여전히 귀에 쟁쟁하다.
[言语] yányǔ 명 언어. 말.
[言语] yán·yu 동〈口〉 말하다.
[言之无物] yánzhī-wúwù 〈成〉 글이나 말에 내용이 없다.

沿 yán (연)
① 개 …을 따라[끼고]. ❏ ~着铁路走; 철길을 따라 걷다. ② 동 (이전의 방법·규칙 따위를) 유지하다. 답습하다. ❏ 相~成习; 〈成〉 답습되어 풍속이 되다. ③ 동 가선을[테를] 두르다. ❏ ~边儿; ⇩ ④ (~儿) 명 가. 변. 가장자리. 테두리. ❏ 河~; 강변.
[沿岸] yán'àn 명 연안.
[沿边儿] yán//biānr 동 가선을 두르다. 레이스를 대다.
[沿革] yángé 명 연혁.
[沿海] yánhǎi 명 연해.
[沿路] yánlù 명 연도(沿道). 부 도로를[길을] 따라서. ❏ ~寻找; 길을 따라서 찾다. ‖ =[沿途]
[沿袭] yánxí 동 관행을 답습하다. ❏ ~阵规; 낡은 규정을 답습하다.
[沿用] yányòng 동 (과거의 방법·제도·법령 따위를) 원용하다. 계속해서 사용하다. ❏ ~旧制; 구제도를 원용하다.

岩 yán (암)
명 ① 바위. 암석. ❏ 花岗~; 화강암. ② 암석으로 된 산. ③ 동굴.
[岩壁] yánbì 명 암벽.
[岩层] yáncéng 명 암층. 암석층.
[岩洞] yándòng 명 동굴. 암굴.
[岩浆] yánjiāng 명〖地質〗 암장. 마그마(magma).
[岩石] yánshí 명 암석.

炎 yán (염)
① 형 (날씨가) 몹시 덥다. 뜨겁다. ❏ ~夏; 더운 여름. ② 명 염증(炎症). ❏ 肺~; 폐렴.
[炎凉] yánliáng 명 염량. 더위와 서늘함. 〈比〉 인정의 후하고 박함. ❏ 世态~; 〈成〉 염량세태. 세태염량《세력이 있으면 아첨하여 따르고 세력을 잃으면 푸대접하는 세상인심》.
[炎热] yánrè 형 무덥다. 찌는 듯하다.
[炎炎] yányán 형 ① 여름날 태양이 강렬한 모양. ② 기세가 맹렬한 모양.
[炎症] yánzhèng 명〖醫〗 염증.

盐(鹽) yán (염)
명 ① 소금. ②〖化〗 염.
[盐场] yánchǎng 명 제염소.
[盐分] yánfèn 명 염분.
[盐花(儿)] yánhuā(r) 명 극히 소량의 소금.
[盐碱地] yánjiǎndì 명 알칼리성 토지.
[盐卤] yánlǔ 명 간수. =[卤水①]
[盐酸] yánsuān 명〖化〗 염산.
[盐田] yántián 명 염전. 소금밭.

阎(閻) yán (염)
명〈書〉 마을 어귀의 문.
[阎罗] Yánluó 명〖佛〗〈簡〉 염라대왕. =[阎王①][阎罗王][阎王爷]
[阎王] Yán·wang 명 ① ⇨[阎罗] ② 〈比〉 매우 포악한[흉악한] 사람.

颜(顏) yán (안)
명 ① 얼굴. 표정. ❏ 和~悦色; 〈成〉 온화하고 기쁜 얼굴. ② 체면. 면목. ❏ 无~相见; 볼 낯이 없다. ③ 색(色). ❏ ~料; ⇩
[颜料] yánliào 명 안료. 물감.
[颜面] yánmiàn 명 ① 얼굴. 얼굴 모습. 안면. ❏ ~神经; 안면 신경. ② 체면. 명예. ❏ ~扫地; 체면이 땅에 떨어지다.
[颜色] yánsè 명 ① 색. 색깔. ❏ 落~; 색이 바래다 / 上~; 색을 칠하다. ② 표정. ③ 무서운 행동[얼굴빛]. ❏ 给他们一点~看看; 그들에게 따끔한 맛을 보여 주다.
[颜色] yán·shai 명〈口〉 안료. 염료.

檐 yán (첨)
(~儿) 명 ① 처마. ② 차양. 챙. ❏ 帽~儿; 모자 차양.

[檐子] yán·zi 명〈口〉 처마.

奄 yǎn (엄)
〈書〉 ①동 덮다. 싸다. ❑ ~有四方; 사방을 모두 덮다. ②부 갑자기. 홀연히.

[奄奄] yǎnyǎn 형 숨이 끊어질 듯 약한 모양. ❑ ~一息; 〈成〉 숨이 끊어질 듯 간당간당하다.

掩 yǎn (엄)
동 ① 덮다. 덮어 가리다. 숨기다. ❑ ~盖; ⇩ ② 닫다. ❑ 把门~上; 문을 닫다.

[掩蔽] yǎnbì 동 숨기다. 엄폐하다. 명 엄폐물. 은신처.

[掩藏] yǎncáng 동 숨기다. 감추다. ❑ ~秘密文件; 기밀문서를 숨기다.

[掩耳盗铃] yǎn'ěr-dàolíng 〈成〉 귀를 막고 방울을 훔치다《눈 가리고 아웅하다. 자신을 속이고 감추어지지 않는 일을 감추려 하다》.

[掩盖] yǎngài 동 ①덮어 가리다. 덮어씌우다. ❑ 用塑料薄膜~花苗; 얇은 비닐막으로 꽃모종을 덮어씌우다. ② 가리다. 감추다. 숨기다. ❑ ~错误; 잘못을 숨기다.

[掩护] yǎnhù 동 ①〖軍〗 엄호하다. ❑ ~伤员; 부상병을 엄호하다. ② 몰래 보호하다. 숨겨 주다. ❑ 暗地里~他; 그를 몰래 보호하다. 명 (작전시의) 엄폐물.

[掩埋] yǎnmái 동 묻다. 매장하다. ❑ ~尸体; 시체를 매장하다.

[掩饰] yǎnshì 동 (진실·사실 따위를) 숨기다. 감추다. ❑ ~自己的缺点; 자신의 결점을 숨기다.

[掩映] yǎnyìng 동 서로 돋보이게 하다. 서로 조화를 이루다.

俨(儼) yǎn (엄)
〈書〉 ① 형 엄숙하다. 장중하다. ②형 가지런하다. 정연하다. ③부 마치. 흡사. ❑ 他们俩~若夫妇; 그들 두 사람은 마치 부부 같다.

[俨然] yǎnrán 형〈書〉 ① 엄숙하다. ❑ ~危坐; 엄숙하고 바르게 앉다. ② 가지런하다. 부 마치. 흡사. ❑ 屋舍~; 집들이 가지런하다. ❑ 装扮起来, ~是一个老头儿; 분장하니까 마치 노인 같다.

衍 yǎn (연)
〈書〉 ①동 만연하다. 널리 퍼지다. ❑ 曼~; 만연하다. ② 동 (자구(字句)가) 넘치다. 남다. ❑ ~文; ⇩ ③ 명 낮고 평탄한 땅.

[衍变] yǎnbiàn 동 ⇨[演变]

[衍文] yǎnwén 명 연문.

魇(魘) yǎn (염)
동 가위에 눌리다.

偃 yǎn (언)
동〈書〉 ① (뒤로) 넘어지다. 자빠지다. ② 정지하다. 그치다. 멈추다.

[偃旗息鼓] yǎnqí-xīgǔ 〈成〉 깃발을 쓰러뜨리고 북치기를 멈추다《① 비밀리에 행군하여 목표가 폭로되지 않게 하다. ② 휴전하다. 정전하다. ③ 비평이나 공격을 멈추다》.

眼 yǎn (안)
①명 눈. ❑ 睁~; 눈을 뜨다 / 双~; 두 눈. ② (~儿) 명 작은 구멍. ❑ 肚脐~; 배꼽 / 针~儿; 바늘구멍. ③ (~儿) 명 요점. 키포인트. ❑ 节骨~儿; 중요한 때. ④명 (바둑판의) 눈. (바둑의) 목. ⑤명 중국 음악의 박자. ⑥양 우물·동굴 집 따위를 세는 말. ❑ 一~井; 우물 하나. ⑦양 눈으로 보는 것을 세는 말. ❑ 他看了我一~; 그는 나를 한 차례 쳐다봤다.

[眼巴巴(的)] yǎnbābā(·de) 형 ① 간절히 바라는 모양. 눈 빠지게 기다리는 모양. ❑ 他~地等着我回来; 그는 내가 돌아오기를 눈 빠지게 기다리고 있다. ② 어쩔 도리가 없어 안타깝게 보고 있는 모양. ❑ 他~地看着洪水淹没了村庄; 그는 홍수로 가라앉은 마을을 안타깝게 바라보고 있다.

[眼白] yǎnbái 명〈方〉 ⇨[白眼珠「(儿)]

[眼馋] yǎnchán 형 (마음에 드는 것을 보고) 갖고 싶어하다. 탐내다.

[眼眵] yǎnchī 명 눈곱.

[眼底] yǎndǐ 명 ①〖醫〗 안저. ❑ ~出血; 안저 출혈. ② 눈앞. 눈속. ❑ 满园春色, 尽入~; 정원 가득한 봄 풍경이 한눈에 들어오다.

[眼底下] yǎndǐ·xià 명 ① 눈앞. ❑ 放到~; 눈앞에 가져다 놓다. ② 목전. 현재. 지금. ❑ 先办~的事吧; 목전의 일을 먼저 처리하거라.

[眼福] yǎnfú 명 눈요기. ❑ 以饱~; 실컷 눈요기하다.

[眼高手低] yǎngāo-shǒudī 〈成〉 눈만 높고 실력은 따르지 않다.

[眼光] yǎnguāng 명 ① 시선. 눈길. ❑ 他们的~都集中在台上; 그들의 눈길은 모두 무대 위에 모아졌다. ② 보는 눈. 안목. 식견. ❑ 他很有~; 그는 매우 안목이 있다. ③

관점. 시각. ❏老~; 낡은 시각.
[眼红] yǎnhóng 형 ① 샘나다. 갖고 싶다. 부럽다. ② (화가 나서) 눈에 핏발이 서다.
[眼花] yǎn//huā 형 눈이 침침하다. ❏头昏~; 머리가 핑 돌고 눈이 침침하다 / ~缭乱; 〈成〉 복잡하거나 번화한 것을 보고 머리가 어지럽다.
[眼疾手快] yǎnjí-shǒukuài 〈成〉 ⇨[手疾眼快]
[眼尖] yǎn//jiān 형 눈빛이 예리하다. 눈치가 빠르다.
[眼睑] yǎnjiǎn 명 ⇨[眼皮(儿)]
[眼角(儿)] yǎnjiǎo(r) 명 안각. 눈초리 또는 눈구석.
[眼界] yǎnjiè 명 안계. 시계. 시야. ❏大开~; 시야를 넓히다.
[眼镜(儿)] yǎnjìng(r) 명 안경. ❏戴~; 안경을 쓰다. =[〈口〉 镜子②]
[眼镜蛇] yǎnjìngshé 명〘動〙 코브라(cobra).
[眼睛] yǎn·jing 명 눈. ❏闭上~; 눈을 감다 / 张开~; 눈을 뜨다.
[眼看] yǎnkàn 동 좌시하다. 방관하다. 내버려 두다. ❏我不能~着她走上邪路; 나는 그녀가 나쁜 길로 빠지는 것을 좌시할 수 없다. 부 곧. 금방. 금세. ❏~就要冻死; 금세 얼어 죽을 것 같다.
[眼科] yǎnkē 명〘醫〙 안과. ❏~医生; 안과 의사.
[眼眶] yǎnkuàng 명 ① 눈가. ❏眼泪在~里打转; 눈가에 눈물이 핑 돌다. ② 눈 언저리. 눈 주변. ❏他揉了揉~; 그는 눈 언저리를 비볐다. ‖ =[眼圈(儿)]
[眼泪] yǎnlèi 명 눈물. ❏掉~; 눈물을 떨구다 / 流~; 눈물을 흘리다 / 抹~; 눈물을 닦다. =[泪液]
[眼力] yǎnlì 명 ① 안력. 시력. ❏~差了; 시력이 떨어졌다. ② 보는 눈. 안목. ❏有~; 보는 눈이 있다.
[眼帘] yǎnlián 명 (문학적 묘사에서) 눈꺼풀. 눈. ❏垂下~; 눈꺼풀을 늘어뜨리다.
[眼泡(儿)] yǎnpāo(r) 명 윗눈꺼풀. 눈두덩.
[眼皮(儿)] yǎnpí(r) 명 눈꺼풀. ❏双~; 쌍꺼풀. =[眼皮子][眼睑]
[眼前] yǎnqián 명 ① 눈앞. 코앞. 바로 앞. ❏敌人就在~; 적이 바로 눈앞에 있다. ② 지금. 당장. 목전. ❏~的利益; 눈앞의 이익.
[眼球] yǎnqiú 명〘生理〙 안구. 눈알. =[眼珠(儿)][〈口〉 眼珠子①]
[眼圈(儿)] yǎnquān(r) 명 ⇨[眼眶]
[眼热] yǎnrè 형 탐내다. 갖고 싶어하다. 부러워하다.
[眼色] yǎnsè 명 ① 눈짓. 눈빛. ❏使~; 눈짓하다. / 递~; 눈빛을 보내다. ② 눈치. ❏你这没~的糊涂虫! 이 눈치 없는 멍청한 놈아!
[眼神] yǎnshén 명 ① 눈의 표정. 눈빛. ❏~不对劲; 눈빛이 이상하다. ② (~儿)〈方〉 시력.
[眼生] yǎnshēng 형 눈에 설다. 낯설다.
[眼熟] yǎnshú 형 눈에 익다. 낯익다.
[眼下] yǎnxià 명 목하. 현재. 지금.
[眼线] yǎnxiàn 명 아이라인(eye line). ❏描~; 아이라인을 그리다.
[眼药] yǎnyào 명 안약.
[眼影] yǎnyǐng 명 아이섀도(eye shadow).
[眼罩儿] yǎnzhàor 명 ① (말 따위의) 눈가면. 차안대. ② 안대(眼帶). 눈가리개. ③ 손차양.
[眼睁睁(的)] yǎnzhēngzhēng(·de) 형 눈을 멀뚱멀뚱 뜨고 있는 모양. 빤히 보고 있는 모양.
[眼中钉] yǎnzhōngdīng 명〈比〉 눈엣가시. 가장 싫어하는 사람.
[眼珠(儿)] yǎnzhū(r) 명 ⇨[眼球]
[眼珠子] yǎnzhū·zi 명〈口〉 ① ⇨[眼球] ②〈比〉 가장 소중한 것[사람]. 애지중지하는 것[사람].
[眼拙] yǎnzhuō 형〈套〉 알아보지 못하다. 눈총기가 없다.

演 yǎn (연) 동 ① 변화하다. 진전하다. 변천하다. ❏~化; ⇩ ② 충분히 나타내다. 발휘하다. ❏~说; ⇩ ③ 연기하다. 공연하다. 상연하다. 상영하다. ❏你~什么角色? 너는 어떤 배역을 연기하느냐? ④ (연습·계산 따위를) 일정한 격식에 따라 하다. ❏~算; ⇩
[演变] yǎnbiàn 동 진화하다. 발전 · 변화하다. 변천하다. ❏生物~史; 생물 진화사. =[衍变]
[演唱] yǎnchàng 동 (무대에서) 노래하다. 공연하다. ❏~会; (가수의) 콘서트(concert).
[演出] yǎnchū 동 상연하다. 공연하다. 연기하다. ❏这场~很精彩; 이번 공연은 매우 멋있었다.
[演化] yǎnhuà 동 진전 변화하다. 진화하다《주로, 자연계의 변화를 가리킴》. ❏生物的~过程; 생물의 진화 과정 / ~论; 진화론.

[演技] yǎnjì 명 연기.
[演讲] yǎnjiǎng 동 연설하다. 강연하다. ❑ ~员; 강연자.
[演示] yǎnshì 동 (실물·도표 따위로) 설명하다. 실연[실험]해 보이다. ❑ ~动作; 동작을 설명하다.
[演说] yǎnshuō 명동 연설(하다). ❑ ~词; 연설문 / ~家; 연설자.
[演算] yǎnsuàn 동 연산하다. 운산(運算)하다. ❑ ~法; 연산법.
[演习] yǎnxí 동 연습하다. 실지 훈련을 하다《주로, 군사 방면에 쓰임》. ❑ 军事~; 군사 훈련.
[演戏] yǎn//xì 동 ① 극을 공연하다. 연기하다. 연극하다. ② 〈比〉 꾸며 대다. 연극하다. ❑ 你再~也骗不了liǎo人了; 네가 아무리 연극을 해도 더 이상 속일 수는 없다.
[演义] yǎnyì 동 〈書〉 연의하다. 명 사실(史實)에 근거한 소설. 연의 소설.
[演绎] yǎnyì 명동〖論〗 연역(하다). ❑ ~法; 연역법.
[演员] yǎnyuán 명 배우. 연기자. ❑ 电影~; 영화배우.
[演奏] yǎnzòu 동 연주하다. ❑ ~会; 연주회 / ~家; 연주가.

鼹 yǎn (언)
명〖動〗 두더지.
[鼹鼠] yǎnshǔ 명〖動〗 두더지.

厌(厭) yàn (염)
동 ① 만족하다. ❑ 贪得无~; 〈成〉 욕심에는 한이 없다. ② 싫증 나다. 물리다. 진력나다. 질리다. ❑ 看~了; 보는 데 진력이 났다. ③ 싫어하다. 미워하다. 혐오하다. ❑ ~恨; 미워하다.
[厌烦] yànfán 동 지겹다. 짜증 나다. ❑ 天天吃面条, 真叫人~; 날마다 국수를 먹으니 정말 지겹다.
[厌倦] yànjuàn 동 싫증 나다. 질리다. 염증을 느끼다. ❑ 对平淡的生活感到~; 무미건조한 생활에 염증을 느끼다.
[厌食症] yànshízhèng 명〖醫〗 「거식증.
[厌世] yànshì 동 염세하다. ❑ ~主义; 염세주의.
[厌恶] yànwù 동 싫어하다. 혐오하다. ❑ 我最~那种人; 나는 그런 종류의 인간을 제일 혐오한다.

咽 yàn (연)
동 삼키다. ❑ ~口水; 군침을 삼키다 / 把泪水往肚里~; 눈물을 속으로 삼키다. ⇒yān yè
[咽气] yàn//qì 동 숨을 거두다. 사망하다. ❑ 他在医院咽了气; 그는 병원에서 숨을 거뒀다.

谚(諺) yàn (언)
명 속담. 이언(俚諺).
[谚语] yànyǔ 명 속담. 이언.

砚(硯) yàn (연)
① 명 벼루. ② 형 〈轉〉 동창[동문] 관계의. ❑ ~友; 학우.
[砚池] yànchí 명 ⇨[砚台]
[砚滴] yàndī 명 연적.
[砚台] yàn·tai 명 벼루. =[砚池]

艳(艶) yàn (염)
① 형 (색채가) 선명하다. 화려하다. 곱다. ❑ 这件衣服太~; 이 옷은 너무 화려하다. ② 형 남녀의 애정 방면의. ❑ ~史; ⇩ ③ 동 〈書〉 부러워하다. ❑ ~羡; 염선하다. 부러워하다.
[艳丽] yànlì 형 곱고 아름답다. 선명하고 예쁘다. 산뜻하다.
[艳情] yànqíng 명 염정. 연정(戀情). ❑ ~小说; 염정 소설.
[艳史] yànshǐ 명 염사. 로맨스.

宴 yàn (연)
① 동 연회를 열다. 잔치하다. ❑ 欢~; 환영 연회를 열다. ② 명 연회. 주석(酒席). ❑ 赴~; 연회에 가다. ③ 형〈書〉 안락하다. 편안하다. ❑ ~乐; 안락하다.
[宴安鸩毒] yàn'ān-zhèndú 〈成〉 안일과 향락을 탐하는 것은 독주를 마시고 자살하는 것과 같다.
[宴会] yànhuì 명 연회. ❑ 举行~; 연회를 베풀다 / ~厅; 연회장.
[宴请] yànqǐng 동 연회를 베풀어 초대하다. ❑ ~宾客; 연회를 베풀어 손님을 초대하다.
[宴席] yànxí 명 연석. 연회석.

堰 yàn (언)
명 둑. 댐. ❑ 打~; 둑을 쌓다.

唁 yàn (언)
동 조문하다. 조상하다.
[唁电] yàndiàn 명 애도의 전보. 조전(弔電).

验(驗) yàn (험)
① 동 시험하다. 검사하다. 조사하다. ❑ 试~; 시험하다 / ~货; 화물을 검사하다. ② 형 효과가 있다. ❑ 灵~; 영험하다. ③ 명 효과. 효력. ❑ 效~; 효험.
[验方] yànfāng 명〖醫〗 효험 있는 처방. 잘 듣는 처방.
[验光] yàn//guāng 동 (안경 따위의) 도수(度數)를 검사하다.
[验尸] yàn//shī 동〖法〗 검시하다.

❏ ~官; 검시관 / ~所; 검시소.
[验收] yànshōu 동 검수(檢收)하다. ❏ ~单; 검수증.
[验算] yànsuàn 동 검산하다.
[验证] yànzhèng 동 검증하다. ❏ ~理论; 이론을 검증하다.

雁 yàn (안)
명〖鳥〗 기러기.
[雁行] yànháng 명 기러기 행렬. 〈轉〉 안항(雁行). 형제.

赝(贋) yàn (안)
형〈書〉 가짜의. 위조된.
[赝本] yànběn 명 (명인이 직접 그리거나 쓴 것처럼 만든) 위조 서화.
[赝品] yànpǐn 명 위조품. 가짜 물건.

焰 yàn (염)
명 불꽃. 화염. ❏ 光~; 광염.
[焰火] yànhuǒ 명 ⇨[烟火yān·huo]

酽(釅) yàn (엄)
형 (액체·냄새 따위가) 진하다. ❏ ~茶; 진한 차.

燕 yàn (연)
명〖鳥〗 제비. ⇒ Yān
[燕麦] yànmài 명〖植〗 연맥. 귀리.
[燕尾服] yànwěifú 명 연미복.
[燕窝] yànwō 명 제비 집. 「燕]
[燕子] yàn·zi 명〖鳥〗 제비. =[家

yang | 尢

央 yāng (앙)
① 동 구하다. 간청하다. 부탁하다. ❏ ~人帮忙; 남에게 원조를 구하다. ② 명 중앙. 중심. ❏ 中~; 중앙. ③ 동〈書〉 끝나다. 다하다.
[央求] yāngqiú 동 간원하다. 간청하다. 부탁하다. ❏ ~了半天, 他还是不去; 한참을 부탁했지만 그는 역시 가지 않았다. =[央告]

泱 yāng (앙)
→[泱泱]
[泱泱] yāngyāng 형〈書〉 ① 수면이 넓다. ❏ ~湖水; 호수면이 넓다. ② 기개가 장대하다. 기백이 높다. ❏ ~大国; 강대한 대국.

殃 yāng (앙)
① 명 화. 재앙. 재난. ❏ 遭~; 재앙을 만나다. ② 동 화를 주다. 해를 끼치다. ❏ 祸国~民; 〈成〉 나라와 국민에게 화를 가져오다.

秧 yāng (앙)
① (~儿) 명 모. 모종. 묘목. ② 명 볏모. ❏ 插~; 모를 심다. ③ 명 (어떤 식물의) 줄기. ❏ 白薯~; 고구마 줄기. ④ 명 (어떤 동물의) 새끼. ❏ 鱼~; 치어(稚魚). ⑤ 동 〈方〉 기르다. 재배하다. 가꾸다. ❏ ~一棵树; 나무 한 그루를 기르다.
[秧歌] yāng·ge 명 앙가《중국 북방 농촌 지역에서 유행하는 민간 무용》.
[秧苗] yāngmiáo 명 모. 새싹.
[秧田] yāngtián 명 못자리. 모판.
[秧子] yāng·zi 명 ① 모. 모종. 묘목. ② (어떤 식물의) 줄기. ❏ 花生~; 땅콩 줄기. ③ (어떤 동물의) 새끼. ❏ 猪~; 돼지 새끼. ④ 〈方〉〈比〉〈貶〉 어떤 부류의 사람. ❏ 病~; 약골 / 奴才~; 앞잡이.

鸯(鴦) yāng (앙)
→[鸳yuān鸯]

扬(揚) yáng (양)
① 동 위로 올리다. 위로 솟다. 올라가다. ❏ ~手; 손을 올리다 / ~起一股尘烟; 한 줄기 먼지가 피어오르다. ② 동 흩날리다. 날리다. ③ 동 위로 흩뿌리다. 까부르다. ❏ ~场; 넉가래질하다. 마당질하다. ④ 동 널리 퍼지게 하다[알리다]. ❏ 宣~; 선양하다. ⑤ 형 용모가 잘생기다. ❏ 其貌不~; 그 용모가 보잘것없다.
[扬长] yángcháng 부 유유히. 느긋하게. 태연히. ❏ ~而去; 〈成〉 유유히 사라지다.
[扬帆] yáng//fān 동 돛을 올리다.
[扬眉吐气] yángméi-tǔqì 〈成〉 (억압에서 벗어나) 기를 펴다. 한시름 놓다.
[扬名] yáng//míng 동 명성을 떨치다. 이름을 날리다.
[扬弃] yángqì 동 버리다. 지양하다. ❏ ~旧观念; 낡은 관념을 버리다. 「[洋琴]
[扬琴] yángqín 명〖樂〗 양금. =
[扬声器] yángshēngqì 명 확성기. 스피커.
[扬水] yángshuǐ 동 양수하다. ❏ ~泵; 양수기 / ~站; 양수장.
[扬言] yángyán 동 공공연히 말하고 다니다. 떠벌리다. 떠들어 대다. ❏ 他~说要杀死你; 그는 너를 죽여 버리겠다고 떠벌리고 다닌다.
[扬扬] yángyáng 형 득의양양한 모양. 의기양양한 모양. =[洋洋②]
[扬子鳄] yángzǐ'è 명 ⇨[鼍tuó龙]

杨(楊) yáng (양)
명〖植〗 백양나무.

[杨贵妃] Yáng Guìfēi 명〖人〗 양귀비. =[杨玉环]
[杨柳] yángliǔ 명〖植〗 ① 백양나무와 버드나무. ② 버드나무.
[杨梅] yángméi 명〖植〗 소귀나무.
[杨树] yángshù 명〖植〗 백양나무.

飏(颺) yáng (양) 동 휘날리다. 흩날리다. 나부끼다. 피어오르다.

疡(瘍) yáng (양) 명〈書〉 종기. 상처.

阳(陽) yáng (양) ① 명〖哲〗 양. ② 명 태양. 해. 햇빛. ❏ 朝~; 아침 해 / 向~; 남향. ③ 명 산(山)의 남쪽. 강의 북쪽. ❏ 山的~坡; 산의 남쪽 사면. ④ 형 돌출된. ❏ ~文; ⇩ ⑤ 형 밖으로 드러난. 표면의. ❏ ~奉阴违; ⇩ ⑥ 형 살아 있는 사람과 인간 세계에 속한. ❏ ~间; ⇩ ⑦ 형〖物〗 양극의. ❏ ~电; ⇩ ⑧ 명 남근(男根).
[阳春] yángchūn 명 양춘. 봄.
[阳电] yángdiàn 명 ⇨[正电]
[阳奉阴违] yángfèng-yīnwéi 〈成〉 겉으로는 따르면서 몰래 거스르다.
[阳刚] yánggāng 형 ① (남자의 기질·기백 따위가) 강인하다. 강직하다. 굳세다. ② (문예 작품 따위의 풍격이) 강건하고 힘차다.
[阳关道] yángguāndào 명 ① 통행이 편한 대로. 사통팔달의 대로. ② 〈比〉 앞날이 밝은 길. 전도가 유망한 길. ‖ =[阳关大道]
[阳光] yángguāng 명 햇빛. 햇볕. 볕. ❏ ~灿烂; 햇빛이 눈부시다 / 遮挡~; 햇빛을 가리다. =[日光] 형 ① 진취적이고 활달하다. ② (사물 · 현상 따위가) 공개적이다.
[阳极] yángjí 명〖物〗 양극. =[正极]
[阳间] yángjiān 명 이승. 인간 세상.
[阳历] yánglì 명 양력. 태양력. =[太阳历]
[阳平] yángpíng 명〖言〗 현대 중국어의 제2성.
[阳伞] yángsǎn 명 양산. =[〈方〉旱伞]
[阳台] yángtái 명 베란다(veranda). 발코니(balcony).
[阳痿] yángwěi 동〖醫〗 음위(陰痿)이다. 발기 불능이다.
[阳文] yángwén 명 양각[돋을새김]한 무늬나 문자.
[阳性] yángxìng 명 ①〖醫〗 (의학 검사 따위의) 양성. ②〖言〗 (언어학에서의) 남성.

羊 yáng (양) 명〖動〗 양.
[羊肠小道] yángcháng xiǎodào 꼬불꼬불한 오솔길.
[羊羔] yánggāo 명 새끼 양.
[羊羹] yánggēng 명 양갱.
[羊倌(儿)] yángguān(r) 명 양치기.
[羊角风] yángjiǎofēng 명 ⇨[癫痫]
[羊毛] yángmáo 명 양털. 양모. 울(wool). ❏ ~衫; 양모 셔츠.
[羊皮] yángpí 명 양피. 양가죽. ❏ ~袄; 양피 자켓 / ~纸; 양피지.
[羊绒] yángróng 명〖紡〗 캐시미어(cashmere).
[羊肉] yángròu 명 양고기. ❏ ~串; 양고기 꼬치.
[羊水] yángshuǐ 명〖生理〗 양수.
[羊痫风] yángxiánfēng 명 ⇨[癫痫]

佯 yáng (양) 동 거짓으로 꾸미다. 가장하다. ❏ ~狂; 미친 척하다 / ~死; 죽은 체하다 / ~言; 거짓말하다.
[佯攻] yánggōng 동〖軍〗 양동 작전을 펴다. 위장 공격을 하다.
[佯装] yángzhuāng 동 가장하다. …척하다. …체하다. ❏ ~不知; 모르는 체하다. 시치미 떼다.

洋 yáng (양) ① 형 성대하다. 풍부하다. ❏ ~溢; ⇩ ② 명 큰 바다. 대양. ❏ 太平~; 태평양. ③ 형 외국의. ❏ ~人; ⇩ ④ 형 현대적인. ❏ ~办法; 현대적 방법. ⑤ 명 은화(銀貨).
[洋白菜] yángbáicài 명 ⇨[结球甘蓝]
[洋财] yángcái 명 ① 외국과 장사하여 번 돈. ② 〈轉〉 뜻밖에 얻은 재물. 횡재. ❏ 发~; 횡재하다.
[洋葱] yángcōng 명〖植〗 양파. =[葱头]
[洋房] yángfáng 명 양옥. 양옥집.
[洋服] yángfú 명 ⇨[西服]
[洋鬼子] yángguǐ·zi 명〈罵〉 양놈. 서양놈《중국을 침략한 서양인을 증오하여 일컫던 말》.
[洋行] yángháng 명 중국에 있는 외국인 상사·상점. 외국 상인과 주로 거래하는 상사.
[洋槐] yánghuái 명 ⇨[刺槐]
[洋灰] yánghuī 명 ⇨[水泥]
[洋火] yánghuǒ 명 ⇨[火柴]
[洋流] yángliú 명 해류. =[海流①]

[洋气] yáng·qì 명형 서양식(이다). 서양풍(이다). ❏这身衣服挺~; 이 옷은 매우 서양풍이다.
[洋钱] yángqián 명〈口〉⇨[银圆]
[洋琴] yángqín 명 ⇨[扬琴]
[洋人] yángrén 명 외국인《주로, 서양인을 가리킴》. 「형.
[洋娃娃] yángwá·wa 명 서양 인
[洋相] yángxiàng 명 추태. 꼴불견. →[出洋相]
[洋洋] yángyáng 형 ① 수가 많은 모양. 성대한 모양. ❏~万言; 〈成〉 수없이 많은 말. ②⇨[扬扬]
[洋溢] yángyì 동 (정서·분위기가) 차고 넘치다. 충만하다. ❏礼堂里~着节日的气氛; 강당 안은 명절 분위기로 가득 차 있다.
[洋装] yángzhuāng 명 ⇨[西服] 형 (책의) 양장의. ❏~书; 양장본.

仰 yǎng (앙)
동 ① 고개를 들다. 올려다보다. ❏~头; 고개를 들다. ② 우러러보다. 경모하다. ❏~慕; ⇩ ③ 의존하다. 의지하다. ❏~赖; ⇩
[仰赖] yǎnglài 동 의지하다. 의존하다. ❏~别人; 남에게 의존하다.
[仰面] yǎngmiàn 동 얼굴을 위로 향하게 하다. 얼굴을 쳐들다. ❏~倒下; 뒤로 자빠지다.
[仰慕] yǎngmù 동 앙모하다. 경모하다. ❏~英雄; 영웅을 경모하다. =[企慕]
[仰人鼻息] yǎngrénbíxī 〈成〉 무슨 일을 하든 남의 눈치를 살피다.
[仰望] yǎngwàng 동 ① 우러러보다. ❏~苍天; 하늘을 우러러보다. ②〈書〉 바라다. 삼가 기다리다.
[仰卧] yǎngwò 동 얼굴이 위로 향하게 눕다. ❏~起坐; 〔體〕 윗몸일으키기.
[仰泳] yǎngyǒng 명〔體〕 배영.
[仰仗] yǎngzhàng 동 의지하다. 의존하다. ❏~群众的支持; 군중의 지지에 의존하다.

养(養) yǎng (양)
① 동 기르다. 양육하다. 부양하다. ❏~家; 가족을 부양하다. ② 동 (가축·화초 따위를) 가꾸다. 기르다. ❏~花草; 화초를 가꾸다. ③ 동 출산하다. 낳다. ❏她~了个儿子; 그녀가 아들을 낳았다. ④ 형 핏줄이 아닌. 수양의. ❏~女; ⇩ / ~子; ⇩ ⑤ 동 (습관 따위를) 기르다. 배양하다. ❏~成良好的习惯; 좋은 습관을 기르다. ⑥ 동 요양하다. 휴양하다. ❏~病; ⇩ ⑦ 동 수양하다. ❏教~; 교양. ⑧ 동 유지 보수 하다. ❏~路; ⇩ ⑨ 동 (머리·수염 따위를) 기르다. ❏把头发~长了; 머리를 길렀다.
[养兵] yǎng//bīng 동 양병하다.
[养病] yǎng//bìng 동 요양하다.
[养蚕] yǎng//cán 동 양잠하다.
[养分] yǎngfèn 명 양분. 영양분. =[营养②]
[养蜂] yǎng//fēng 동 양봉하다. ❏~业; 양봉업.
[养父] yǎngfù 동 양부. 양아버지.
[养虎遗患] yǎnghǔ-yíhuàn 〈成〉 호랑이를 키워 후환을 남기다《악인을 살려 두어 재앙을 부르다》.
[养护] yǎnghù 동 ① 양육 보호 하다. ② (철도·도로 따위를) 보수하다. 수리하다. ❏公路~工作; 도로 보수 작업.
[养活] yǎng·huo 동〈口〉 ① 기르다. 부양하다. ❏~妻子; 처자식을 부양하다. ② (동물을) 사육하다. 기르다. ❏~鸡; 닭을 기르다.
[养鸡场] yǎngjīchǎng 명 양계장.
[养精蓄锐] yǎngjīng-xùruì 〈成〉 정기를 배양하고 예기(銳氣)를 모으다.
[养老] yǎng//lǎo 동 ① 노인을 봉양하다. ② 노후를 보내다.
[养老院] yǎnglǎoyuàn 명 양로원. =[敬老院]
[养料] yǎngliào 명 자양물. 양분.
[养路] yǎng//lù 동 철도·도로를 보수 유지하다.
[养母] yǎngmǔ 명 양모. 양어머니.
[养女] yǎngnǚ 명 양녀.
[养神] yǎng//shén 동 휴양하다.
[养生] yǎngshēng 동 보양하다. 양생하다.
[养鱼] yǎng//yú 동 양어하다. ❏~场; 양어장.
[养育] yǎngyù 동 양육하다. 기르다. ❏~子女; 자녀를 양육하다.
[养殖] yǎngzhí 동 양식하다. ❏~场; 양식장 / ~业; 양식업.
[养子] yǎngzǐ 명 양자.
[养尊处优] yǎngzūn-chǔyōu 〈成〉〈貶〉 일하지 않고 사치스러운 생활을 하다.

氧 yǎng (양)
명〔化〕 산소(O).
[氧化] yǎnghuà 동〔化〕 산화(酸化)하다. ❏~剂; 산화제.

Y

[氧气] yǎngqì 명〔化〕산소.

痒(癢) yǎng (양) 형 ① 가렵다. 간지럽다. 근질거리다. ❑ 身上~得难受; 몸이 가려워서 견디기 힘들다. ②〈比〉애가 타다. 근질근질하다. ❑ 技~; 재주를 자랑하고 싶어 근질근질하다.

[痒痒] yǎng·yang 형〈口〉가렵다. 간지럽다. ❑ 挠~; 가려운 데를 긁다 / ~挠儿; 효자손. 등긁이.

怏 yàng (앙) →[怏然][怏怏]

[怏然] yàngrán 형〈書〉시무룩한 모양. 즐겁지 않은 모양.

[怏怏] yàngyàng 형 마음에 차지 않다. 기분이 나쁘다. ❑ ~不乐; 〈成〉앙앙불락하다.

恙 yàng (양) 명〈書〉병. 탈. ❑ 无~; 별 탈 없다.

样(樣) yàng (양) (~儿) ① 명 모양. 형태. 형상. ❑ 走~; 모양이 달라지다. ② 명 모습. 꼴. 태도. 표정. ❑ 瞧你这副~儿; 네 꼴을 좀 봐라. ③ 명 견본. 본. 본보기. 모범. 모형. ❑ 货~; 상품 견본. ④ 양 종류. 가지. ❑ 几~东西; 몇 가지 물건들. ⑤ 명 형세. 형편. 상황. ❑ 看~儿我们队今天要输; 상황을 보아하니 우리 팀이 오늘 질 것 같다.

[样板] yàngbǎn 명 ① 형판(型板). 본. ②〈比〉학습의 모범.

[样板房] yàngbǎnfáng 명 모델하우스(model house). =[样板间]

[样本] yàngběn 명 ① 카탈로그(catalog). 목록. 견본. ②〔印〕견본쇄(刷). 견본책.

[样品] yàngpǐn 명 견본. 견본품. 샘플(sample).

[样式] yàngshì 명 모양. 양식. 스타일(style). 디자인(design). ❑ 新~的帽子; 새로운 디자인의 모자.

[样子] yàng·zi 명 ① 모양. 형태. 형(型). 스타일. ❑ 我喜欢这种~的夹克; 나는 이런 스타일의 자켓을 좋아한다. ② 모습. 꼴. 태도. 표정. ❑ 故意作生气的~; 일부러 화난 표정을 짓다. ③ 견본. 표본. 본. 본보기. 모델. ❑ ~间; 견본 진열실. 쇼룸(showroom). ④〈口〉형세. 상황. 추세. 형편. ❑ 看~, 他的病不轻; (상황을) 보아하니 그의 병세가 가볍지 않은 듯하다.

漾 yàng (양) 동 ① 물이 출렁대다. 물결에 흔들리다. ❑ 小船在水面上荡~; 작은 배가 수면에서 물결을 따라 출렁이고 있다. ② 넘치다. 넘쳐흐르다. ❑ 澡盆里的水都~出来了; 욕조의 물이 넘쳐흘렀다.

yao ㅣ幺

幺 yāo (요) ① 수 일(('一'의 대신으로 전화번호 따위에 쓰임)). ❑ 请你拨~~四; 114를 눌러 주십시오. ② 형〈方〉항렬이 가장 낮은. 막내의. ❑ ~妹; 막내 누이동생.

吆 yāo (요) 동 큰 소리로 부르다[외치다]. ❑ ~牲口; 가축을 큰 소리로 부르다.

[吆喝] yāo·he 동 크게 외치다. 고함을 지르다((물건을 팔거나, 가축을 쫓거나, 누군가를 부름)). ❑ 外头~着的是卖什么的? 밖에서 외치며 팔고 있는 사람은 무엇을 파는 장수이냐?

夭 yāo (요) 동 요절하다. 일찍 죽다.

[夭折] yāozhé 동 ① 요절하다. =[夭亡] ②〈比〉일이 중도에서 실패하다.

妖 yāo (요) ① 명 귀신. 요괴. ❑ ~精; ⇩ ② 형 사악하고 사람을 홀리는. 요사스러운. ❑ ~术; ⇩ ③ 형 (주로, 여자의 복장·태도가) 요사스럽다. 망측하다. ❑ ~里~气; ⇩

[妖风] yāofēng 명 ① 요괴가 일으키는 괴이한 바람. ②〈轉〉사악한 사회 기풍.

[妖怪] yāoguài 명 요괴.

[妖精] yāo·jing 명 ① 요괴. ②〈比〉요부.

[妖里妖气] yāo·liyāoqì 형 요염하다. 요사스럽다. 요기가 풍기다.

[妖魔] yāomó 명 요괴. ❑ ~鬼怪; 〈成〉ⓐ요괴와 악마. ⓑ〈比〉온갖 사악한 세력.

[妖孽] yāoniè 명〈書〉① 괴이하고 불길한 것. ②〈比〉못된 짓만 일삼는 사람.

[妖术] yāoshù 명 요술.

[妖物] yāowù 명 요물.

[妖言] yāoyán 명 요언. 요사스러운 말. ❑ ~惑众; 〈成〉요사스러운 말로 대중을 미혹시키다.

[妖艳] yāoyàn 형 요염하다.

要 yāo (요)
동 ① 요구하다. 구하다. ② 협박하다. 으르다. 위협하다. ⇒yào

[要求] yāoqiú 명동 요구(하다). 요청(하다). ❏满足~; 요구를 만족시키다.

[要挟] yāoxié 동 협박하다. 강요하다. ❏~对方; 상대를 협박하다.

腰 yāo (요)
명 ① 허리. ❏弯~; 허리를 굽히다. ② 바지의 허리 부분. ③ 허리에 차는 주머니. ❏~里没钱; 주머니에 돈이 없다. ④ (사물의) 중간 부분. ❏山~; 산허리. ⑤ 중간이 잘록하게 된 지형. ❏海~; 해협.

[腰板儿] yāobǎnr 명 ① 사람의 허리와 등《자세》. ❏把~挺起来; 허리를 꼿꼿이 펴라. ② 체격. ❏老人~硬朗; 노인의 체격이 건장하다.

[腰包] yāobāo 명 ① 허리춤에 차는 돈주머니. ② 〈轉〉 지갑.

[腰带] yāodài 명 허리띠.

[腰杆子] yāogǎn·zi 명 ① 허리. 허리 부분. ② 〈比〉 뒷배경. 후원자. 백그라운드. ❏撑~; 뒤를 봐주다. ‖ =[腰杆儿]

[腰身] yāoshēn 명 ① (신체의) 허리 둘레. 허리통. ❏~粗; 허리가 굵다. ② (상의의) 허리통.

[腰围] yāowéi 명 허리둘레. 허리 치수.

[腰子] yāo·zi 명〈口〉 ⇨[肾shèn]

邀 yāo (요)
동 ① 초대하다. 초청하다. ❏~客; 손님을 초대하다. ② 〈書〉 받다. 구하다. 얻다. ❏~准; 허가를 얻다. ③ 가로막다. 차단하다.

[邀击] yāojī 동 요격하다.

[邀集] yāojí 동 (많은 사람을) 초청해 모으다. 한자리에 초대하다.

[邀请] yāoqǐng 동 초청하다. 초대하다. ❏~赛; 초청 경기 / ~信; 초대장. 초청장.

[邀约] yāoyuē 동 초대하다. 초청하다.

尧(堯) Yáo (요)
명 요《전설 속의 황제 이름》.

[尧舜] Yáo-Shùn 명 ①〖人〗 요순《중국 전설 속의 성군(聖君)인 요와 순》. ② 〈轉〉 성인(聖人).

肴 yáo (효)
명〈書〉 생선·고기로 만든 요리. ❏菜~; 요리.

[肴馔] yáozhuàn 명〈書〉 (연회석상의) 풍성한 음식.

窑 yáo (요)
명 ① (벽돌·기와·도자기 따위를 굽는) 가마. ❏砖~; 벽돌 가마. ② 탄갱. ❏煤~; 탄갱. ③ 산허리에 주거용으로 파 놓은 동굴.

[窑洞] yáodòng 명 토산(土山) 골짜기의 주거(住居)용 동굴.

[窑子] yáo·zi 명〈方〉 기생집.

谣(謠) yáo (요)
명 ① 노래. 가요. ❏民~; 민요 / 童~; 동요. ② 헛소문. 낭설. ❏造~; 헛소문을 퍼뜨리다.

[谣传] yáochuán 동 헛소문을 퍼뜨리다. 풍설로 전해지다. 명 헛소문. 루머.

[谣言] yáoyán 명 헛소문. 유언비어. ❏造~; 유언비어를 퍼뜨리다.

遥 yáo (요)
형 멀다. 아득하다. 요원하다. ❏千里之~; 아득히 먼 곳.

[遥测] yáocè 동 원격 측정 하다.

[遥感] yáogǎn 동〖電〗 원격 탐사하다.

[遥控] yáokòng 동 원격 조종 하다. 리모트 컨트롤(remote control) 하다. ❏~器; 리모컨.

[遥遥] yáoyáo 형 ① 아득히 먼 모양. ❏~领先; 〈成〉 단연 앞서다. ② 시간이 길고 오래된 모양. ❏~无期; 〈成〉 전도요원하다.

[遥远] yáoyuǎn 형 요원하다. 아득히 멀다. ❏路途~; 노정이 아득히 멀다.

摇 yáo (요)
동 흔들다. 흔들리다. 왔다 갔다 움직이다. ❏~纺车; 물레를 돌리다 / ~铃; 방울을 흔들다.

[摇摆] yáobǎi 동 ① (왔다 갔다 하며) 움직이다. 흔들거리다. 흔들어 움직이다. ② (입장·관점 따위가) 동요하다. 흔들리다. ❏我们的政策不会~; 우리의 정책은 흔들리지 않을 것이다.

[摇荡] yáodàng 동 흔들흔들 움직이다. 흔들리다. ❏杨柳迎着春风微微~; 버드나무가 봄바람에 한들한들 흔들리다. =[摇曳]

[摇动] yáodòng 동 ① 흔들거리다. 움직이다. ② (생각·의지 따위가) 동요하다. 흔들리다. ❏人心~; 민심이 흔들리다. ③ (yáo∥dòng) 움직이게 하다. 흔들다. ❏~摇篮; 요람을 흔들다.

[摇滚乐] yáogǔnyuè 명〖樂〗 로큰롤(rock'n'roll). 록(rock).

[摇晃] yáo·huàng 동 ① 흔들리다. 흔들거리다. ❏道儿不好汽车~; 길이 나빠서 자동차가 흔들린다. ② 흔들다. ❏别~瓶子; 병을 흔들지 마라.

[摇篮] yáolán 명 ① 요람. ❏~曲; 자장가. ② 〈比〉 유년 또는 청년기의 생활 환경. ③ 〈比〉 (문화·운동 따위의) 발상지.

[摇旗呐喊] yáoqí-nàhǎn 〈成〉 뒤에서 기를 흔들고 함성을 질러 전선을 돕다《대신 기세를 올려 주다. 응원하다》.

[摇钱树] yáoqiánshù 명 ① 흔들면 돈이 떨어진다는 신화 속의 나무. ② 〈轉〉 돈을 받아 낼 만한 곳[사람]. 돈 나올 곳. 돈줄. 자금줄.

[摇身一变] yáoshēn-yībiàn 〈成〉 ① 요괴가 순식간에 다른 모습으로 변신하다. ② 사람의 행동·태도 따위가 갑자기 변하다.

[摇手] yáo//shǒu 동 손을 가로젓다《저지·부정의 의미》. (yáoshǒu) 명 (손으로 돌리는 기계의) 핸들.

[摇头] yáo//tóu 동 머리를 가로젓다《저지·부정의 의미》. ❏~反对; 머리를 가로저으며 반대하다.

[摇头摆尾] yáotóu-bǎiwěi 〈成〉 ① 득의양양한 모양. ② 매우 경망스러운 모양.

[摇尾乞怜] yáowěi-qǐlián 〈成〉 개가 주인에게 꼬리를 치다《남의 환심을 사기 위해 아첨하다》.

[摇摇欲坠] yáoyáo-yùzhuì 〈成〉 곧 무너져 내릴 듯 위태로운 모양. 넘어질 듯 말 듯 위험한 모양.

[摇曳] yáoyè 동 ⇨[摇荡]

[摇椅] yáoyǐ 명 흔들의자.

徭 yáo (요)
명〈書〉 부역(賦役).

[徭役] yáoyì 명 노역. 부역.

瑶 yáo (요)
〈書〉 ① 명 아름다운 옥. ② 형 훌륭하다. 아름답다. 진귀하다.

杳 yǎo (묘)
형〈書〉 ① 까마득히 멀다. ② (행방·소식 따위가) 묘연하다.

[杳渺] yǎomiǎo 형〈書〉 아득히 멀다. =[杳眇miǎo]

[杳然] yǎorán 형〈書〉 묘연하다. ❏音信~; 소식이 묘연하다.

[杳无音信] yǎowúyīnxìn 〈成〉 감감무소식이다.

咬 yǎo (교)
동 ① 물다. 깨물다. ❏嘴里~着馒头; 입에 만두를 물고 있다. ② (집게 따위로) 집다. (톱니·나사 따위를) 맞물다. ❏用钳子~住; 펜치로 꽉 물다. ③ (개가) 짖다. ❏狗~得厉害; 개가 심하게 짖다. ④ 죄를 씌우다. 모함하다. ❏反~一口; 〈成〉 잘못한 사람이 피해자에게 도리어 죄를 씌우다. 적반하장. ⑤ 〈方〉 (페인트 따위로 인해 피부나 옷가지가) 상하다. 독이 오르다. ❏碱水把铝盆~坏了; 잿물이 알루미늄 대야를 부식시켰다. ⑥ (자음(字音)을) 정확히 발음하다. ❏字音~得很准; 자음의 발음이 매우 정확하다. ⑦ 지나치게 문구의 의미를 따지다. ❏~文嚼字; ⇩

[咬耳朵] yǎo ěr·duo 〈口〉 귓속말을 하다. 귀엣말을 하다.

[咬文嚼字] yǎowén-jiáozì 〈成〉 자구(字句)의 뜻에 지나치게 구애되어 주지(主旨)를[본질을] 간과하다.

[咬牙] yǎo//yá 동 ① (분노·고통 따위로) 이를 갈다. 이를 악물다. ❏~切齿; 〈成〉 격분해서 이를 갈다. ② (자면서) 이를 갈다.

[咬字(儿)] yǎozì(r) 동 자음을 정확히 발음하다.

舀 yǎo (요)
동 (국자·바가지 따위로) 뜨다. 푸다. ❏~汤; 국을 뜨다 / 拿舀子~水; 바가지로 물을 푸다.

[舀子] yǎo·zi 명 국자·바가지 따위의 뜨는 기구. =[舀儿]

窈 yǎo (요)
형〈書〉 ① 심원(深遠)하다. ② 어둡다. 침침하다. 컴컴하다.

[窈窕] yǎotiǎo 형〈書〉 ① (여자가) 아름답고 정숙한 모양. ❏~淑女; 요조숙녀. ② (궁궐이나 산수(山水)가) 깊숙하고 조용한 모양.

疟(瘧) yào (학)
뜻은 '疟nüè' 와 같으며, 아래 단어에 한해 이렇게 발음함. ⇒nüè

[疟子] yǎo·zi 명〈口〉 ⇨[虐nüè疾]

药(藥) yào (약)
① 명 약. ❏吃~; 약을 먹다 / ~效; 약효. ② 명 어떤 작용을 지닌 화학 제품. ❏火~; 화약. ③ 동 약을 놓아 죽이다. ❏~蟑螂; 약을 놓아 바퀴벌레를 죽이다.

[药材] yàocái 명 약재. ❏~行háng; 약재상.

[药草] yàocǎo 명 약초.

[药厂] yàochǎng 명 제약 공장.
[药店] yàodiàn 명 약국. 약방.
[药方(儿)] yàofāng(r) 명〖藥〗① 약의 처방. ② 처방전. 약화제. =[〈口〉方子②]
[药房] yàofáng 명 ① 약국. 약방. ② 병원·진료소의 약국.
[药费] yàofèi 명 약값.
[药粉] yàofěn 명 가루약.
[药膏] yàogāo 명〖藥〗연고.
[药罐子] yàoguàn·zi 명 ① 약탕기. 약탕관. ②〈比〉병약한 사람.
[药剂] yàojì 명 약제. ❏ ~师; 약제사. 약사.
[药酒] yàojiǔ 명 약술. 약주.
[药棉] yàomián 명 (의료용) 탈지면. 약솜. =[药棉花]
[药片(儿)] yàopiàn(r) 명〖藥〗정제. 알약.
[药品] yàopǐn 명 약품.
[药铺] yàopù 명 한약방.
[药水(儿)] yàoshuǐ(r) 명 물약.
[药丸(儿)] yàowán(r) 명 환약.
[药物] yàowù 명 약물. ❏ ~过敏; 약물 알레르기.
[药箱] yàoxiāng 명 약상자.
[药性] yàoxìng 명 약의 성질. 약성.
[药引子] yàoyǐn·zi 명 ⇨[引子④]
[药用] yàoyòng 동 약용하다. ❏ ~植物; 약용 식물.

要 yào (요)
① 형 중요하다. 중대하다. 요긴하다. ❏ ~务; 중요한 임무. ② 명 요강. 요점. 대요. ❏ 择~; 적요하다. ③ 동 갖고 싶어하다. 원하다. 구하다. ❏ 想~这本书吗? 이 책을 원하느냐? ④ 동 요구하다. 청구하다. 재촉하다. ❏ 他~学校准他三天假; 그는 학교에 사흘간의 휴가를 요구했다. ⑤ 동 바라다. 부탁하다. 요청하다. ❏ 他~我陪他去香山游览; 그는 나에게 함께 샹산 산에 유람을 가자고 했다. ⑥ 조동 …을 하고 싶어하다. …하려하다. …하기를 원하다. ❏ 他~学照相; 그는 사진을 배우고 싶어한다. ⑦ 조동 …해야 하다. ❏ 损坏公物~赔偿; 공공 기물을 훼손하면 마땅히 배상해야 한다. ⑧ 동 필요하다. 수요되다. ❏ 做件上衣~多少布? 상의를 만드는 데는 얼마만큼의 천이 필요합니까? ⑨ 조동 (장차) …하려 하다. …할 듯하다. ❏ 天~黑了; 날이 저물려 하고 있다. ⑩ 조동 비교에 대한 결과를 예상함. ❏ 屋子里太热, 树阴底下~凉快得多; 방 안은 몹시 더우나, 나무 그늘은 훨씬 시원하리라 생각한다. ⑪ 접 만일 …라면《가정(假定)을 나타냄》. ❏ 你~不提醒, 我早忘了; 네가 일깨워 주지 않았더라면 나는 진작에 잊어버렸을 것이다. ⑫ 접 (연용(連用)하고 '就'를 받아서) …하든지 …하든지 하다. ❏ ~就是你, ~就是我, 总得děi去一个人; 너든지 나든지, 어쨌든 한 사람은 가야 한다. ⇒yāo

[要不] yàobù 접 ① (만일) 그렇지 않았다면 (…했을 뻔했다). (만일) 그렇게 하지 않으면 (…될지도 모른다). ❏ 早点来! ~就见不到他了; 일찍 와! 안 그러면 그를 못 만난다. ② 아니면. 혹은. 또는. …하든지 …하다. ❏ 咱们坐地铁去吧! ~, 就坐公共汽车; 우리 지하철 타고 가자! 아니면, 버스 타고 가든가. =[要么] ‖ =[要不然]
[要不得] yào·bu·de 동 형편없다. 받아들일 수 없다. ❏ 你的想法~; 네 생각은 받아들일 수 없다.
[要不然] yàobùrán 접 ⇨[要不]
[要冲] yàochōng 명 요충. 요충지. ❏ 交通~; 교통의 요충지.
[要道] yàodào 명 ① 중요한 도로. 요도. ②〈方〉중요한 수단. 방법.
[要地] yàodì 명 ① 요지. ❏ 军事~; 군사 요지. ②〈書〉중요한 자리.
[要点] yàodiǎn 명 ① 요점. ❏ 抓住~; 요점을 파악하다. ②〖軍〗중요한 거점.
[要饭] yào//fàn 동 구걸하다. ❏ ~的; 거지. =[讨饭]
[要害] yàohài 명 ① (인체의) 급소. ❏ 一拳击中~; 주먹 한 방으로 급소를 맞히다. ②〈比〉(군사상의) 요해. ③〈比〉정곡. 핵심.
[要好] yàohǎo 형 ① 친하다. 사이좋다. 마음이 잘 통하다. ❏ 他是我最~的朋友; 그는 나의 가장 친한 친구이다. ② 좋게 되려고 노력하다. 자신을 채찍질하다.
[要好看] yào hǎokàn 망신을 주다. 망신시키다.
[要价] yào//jià 동 ① (~儿) (상인이) 값을 부르다. 가격을 제시하다. ❏ 漫天~; 터무니없이 비싼 값을 부르다. ②〈轉〉요구를 제시하다. 대가를 요구하다. ‖ =[讨价]
[要紧] yàojǐn 형 ① 요긴하다. 중요하다. 긴요하다. ❏ ~关头; 중요

한 고비. ②심하다. 중하다. 심각하다. ❏擦破点儿皮不~; 살갗이 좀 까진 것 뿐이니 별일 아니다. 부 〈方〉 급히. 서둘러서. ❏我~去看戏, 得děi马上走; 나는 급히 공연을 보러 가야 해서 곧 떠나야 한다.
[要领] yàolǐng 명 ①요점. ②(체육·군사 훈련의) 요령. ❏发球的~; 서브 넣는 요령.
[要么] yào·me 접 ⇨[要不②]
[要面子] yào miàn·zi ⇨[爱面子]
[要命] yào∥mìng 동 ①목숨을 잃게 하다[빼앗다]. ②애태우다. 힘들게 하다. 피를 말리다. ❏真~, 他怎么还不来! 정말 피를 말리는군, 그는 어째서 아직도 안 오는 거냐! 형 …해서 죽을 지경이다. 죽을 만큼 …하다. ❏屋里热得~; 집 안이 쪄 죽을 만큼 덥다. =[要死]
[要目] yàomù 명 주요 항목
[要强] yàoqiáng 형 지지 않으려고 애쓰다. 노력하다. 분발하다.
[要人] yàorén 명 요인. 중요한 지위에 있는 사람.
[要塞] yàosài 명 요새.
[要是] yào·shi 접 만일. 만약. ❏你~不懂, 就去问他; 만일 모르겠으면 그에게 물어보아라.
[要死] yàosǐ 형 ⇨[要命]
[要素] yàosù 명 요소. 요인.
[要言不烦] yàoyán-bùfán 〈成〉 말이나 글이 간명하고 요점이 있어 장황하지 않다.
[要员] yàoyuán 명 요원. 중요한 인원.
[要职] yàozhí 명 요직. ❏担任~; 요직을 맡다.
[要旨] yàozhǐ 명 요지.

钥(鑰) yào (약)
명 열쇠. ❏车~; 차의 키. ⇒yuè
[钥匙] yào·shi 명 ①열쇠. ❏一把~; 열쇠 한 개 / ~环; 열쇠고리. ②〈比〉 해결의 열쇠[방법].

靿 yào (요)
(~儿) 명 장화나 양말의 목. ❏高~儿袜子; 긴 양말.

鹞(鷂) yào (요)
명〖鳥〗 새매.
[鹞子] yào·zi 명 ①〖鳥〗 새매. ②〈方〉 연. ❏放~; 연을 날리다.

曜 yào (요)
명〈書〉 칠요일(七曜日). 요일.

耀 yào (요)
①동 강하게 내리쬐다. ❏照~; 밝게 비추다. ②동 나타내 보이다. 과시하다. ③명 찬란한 빛. ④명 영광. 영예.
[耀武扬威] yàowǔ-yángwēi 〈成〉 무력을 과시하고 위풍을 보이다《득의양양한 모양》.
[耀眼] yàoyǎn 형 눈이 부시다. ❏~的太阳; 눈부신 태양.

ye |せ

耶 yē (야)
음역용 자(字).
[耶和华] Yēhéhuá 명〖宗〗〈音〉 여호와(Jehovah).
[耶路撒冷] Yēlùsālěng 명〖地〗〈音〉 예루살렘(Jerusalem).
[耶稣] Yēsū 명〖宗〗 예수. ❏~会; 예수회 / ~教; 예수교.

倻 yē (야)
→[伽倻琴]

椰 yē (야)
명〖植〗 야자나무. 야자.
[椰菜花] yēcàihuā 명 ⇨[花椰菜]
[椰子] yē·zi 명〖植〗 ①야자나무. ②야자. 코코넛(coconut).

掖 yē (액)
동 (주머니나 틈 속에) 쑤셔 넣다. 끼워 넣다. ❏把东西~在怀里; 물건을 품속에 끼워 넣다. ⇒yè

噎 yē (열)
동 ①(음식물이) 목에 걸리다. 목이 메이다. ❏快给我点水喝, 我~着了; 음식이 목에 걸렸으니 빨리 물을 다오. ②맞바람이 세게 쳐서 숨이 막히다. ❏风大, ~得气也透不过来; 바람이 세서 숨도 제대로 쉴 수 없다. ③〈方〉 상대방의 말을 막다. 찍소리도 못 하게 하다.

爷(爺) yé (야)
명 ①〈方〉 아버지. ②조부. 할아버지. ③〈敬〉 아저씨. 선생님《연상의 남자에 대한 존칭》. ❏王大~; 왕 씨 아저씨. ④나리. 나리 마님《옛날, 주인·관리·지주·부자나 그의 아들에 대한 존칭》. ❏老~; 나리. ⑤신(神). ❏老天~; 하느님.
[爷儿] yér 명〈口〉 손위 남자와 손아래 남녀를 합쳐서 일컫는 말《아버지와 아들딸·숙부와 조카·할아버지와 손자 손녀 따위를 말하며, '~俩'·'~仨'의 형식으로 쓰임》.
[爷儿们] yér·men 명〈口〉 남자들

《연장자인 남자와 연소자인 남자를 합쳐서 칭하는 말》.

[爷爷] yé·ye 명〈口〉 ① 조부. 할아버지. =[祖父] ② 할아버지《조부와 동년배의 남자에 대한 호칭》.

揶 yé (야)
→[揶揄]

[揶揄] yéyú 동〈書〉 야유하다.

也 yě (야)
A) 조〈書〉 ① 판단·설명·해석 따위의 어기(語氣)를 나타냄. ❑ 荀况者, 赵人~; 순자는 조나라 사람이다. ② 의문이나 반문의 어기를 나타냄. ❑ 何其多~? 어찌 그리 많은가? ③ 문장 중간에 쓰여 잠깐 멈추는 역할을 함. ❑ 地之相去~, 千有余里; 두 곳 사이의 거리를 말하자면, 천여 리나 된다. **B)** 부 ① …도. …도 또한. ❑ 你去, 我~去; 네가 가면 나도 간다. ② …도 (하고) …도 (하다)《두 가지 사항의 병렬이나 대응을 강조함》. ❑ 他~会种地, ~会打铁; 그는 농사도 지을 줄 알고, 쇠도 다룰 줄 안다. ③ …도 (하고) …도 (하다)《앞뒤로 병용하여 어떻게 하든 결과는 동일함을 나타냄》. ❑ 你去~可以, 不去~可以, 随你的便; 가도 되고 안 가도 되니 네 마음대로 하거라. ④ …지만 …하다. …하더라도 …하다《전환·양보 따위의 뜻을 나타냄》. ❑ 虽然下起了大雨, 我们~要按时出发; 비록 비가 많이 오지만 우리는 제시간에 출발할 것이다. ⑤ 완곡한 어기(語氣)를 나타냄. ❑ 身体~没毛病; 몸에는 별로 이상이 없습니다. ⑥ …조차(도) …하다. (심지어) …도 …하다《강조를 나타냄》. ❑ 他很忙, 有时连饭~顾不得吃; 그는 매우 바빠서 어떤 때는 밥 먹을 겨를도 없을 정도이다.

[也罢] yěbà 조 ① …이라고 치자. 알았다. 좋다《체념·용인 따위를 나타냄》. ❑ ~, 我去就是了; 좋아, 내가 가지. ② …이든 …이든《연용하여 어떤 정황을 조건으로 삼지 않음을 나타냄》. ❑ 听~看~, 都没有兴趣; 듣는 쪽이든 보는 쪽이든 모두 흥미 없다.

[也许] yěxǔ 부 어쩌면. 혹시. 아마도. 아마. ❑ 他明天~不来; 그는 내일 어쩌면 안 올지도 모른다.

冶 yě (야)
① 동 야금(冶金)하다. ❑ ~铁; 철을 야금하다. ② 형〈貶〉〈書〉 (여자의 치장한 모습이) 화려하다. 요염하다. ❑ 艳~; 요염하다.

[冶金] yějīn 동 야금하다.

[冶炼] yěliàn 동 제련하다. 야금하다. 용해하다. ❑ ~厂; 야금 공장. 제철소 / ~炉; 용광로.

野 yě (야)
① 명 들. 야외. ❑ 荒~; 황야. ② 명 한계. 경계. 범위. ❑ 分~; 분야 / 视~; 시야. ③ 명 민간. 재야(在野). ❑ 在~; 재야. ④ 형 야생의. ❑ ~菜; ⇩ ⑤ 형 예의를 모르다. 난폭하다. 상스럽다. ❑ 说话别这么~好不好? 말 좀 그렇게 상스럽게 안 하면 안 되겠냐? ⑥ 형 구속받지 않다. 마음대로 하다. ❑ 上姥姥家去玩了几天, 都玩~了; 외갓집에 가서 며칠을 마음껏 놀았다.

[野菜] yěcài 명 들나물. 산나물.

[野餐] yěcān 동 야외에서 식사하다. 소풍 가다. 피크닉 가다. 명 소풍 가서 먹는 음식물. 야외 식사.

[野草] yěcǎo 명 들풀.

[野地] yědì 명 들. 벌판.

[野火] yěhuǒ 명 야화. 들불.

[野鸡] yějī 명 ①〔鳥〕 꿩. =[雉zhì] ②〈轉〉 옛날, 길에서 호객하던 매춘부. 형〈比〉 무허가의. 불법의. ❑ ~大学; 무허가 대학.

[野蛮] yěmán 형 ① 야만스럽다. 미개하다. ② 거칠다. 난폭하다. 잔인하다. ❑ ~行为; 난폭한 행위.

[野猫] yěmāo 명 도둑고양이. 들고양이.

[野牛] yěniú 명〔動〕 들소.

[野蔷薇] yěqiángwēi 명〔植〕 찔레나무. 들장미.

[野人] yěrén 명 ① 야인. ② 미개인. ③ 거칠고 몰상식한 사람.

[野生] yěshēng 형 야생의. ❑ ~动物; 야생 동물.

[野史] yěshǐ 명 야사.

[野兽] yěshòu 명 야수. 들짐승.

[野兔] yětù 명〔動〕 산토끼.

[野外] yěwài 명 야외. ❑ ~活动; 야외 활동.

[野心] yěxīn 명 야심. 야욕. ❑ ~勃勃; 〈成〉 야심만만하다 / ~家; 야심가.

[野性] yěxìng 명 야성.

[野鸭] yěyā 명〔鳥〕 청둥오리. 물오리. =[凫①]

[野营] yěyíng 동 야영하다. 캠프하다. ❑ ~训练; 야영 훈련.

[野战] yězhàn 명〔軍〕 야전. ❑ ~

军; 야전군 / ~医院; 야전 병원.
[野猪] yězhū 명〔動〕멧돼지.

叶(葉) yè (엽, 섭) ①(~儿) 명 잎. 잎사귀. ❏落~; 낙엽. ② 명 잎사귀같이 얇은 것. ❏百~窗; 블라인드(blind). ③ ⇒[页] ④ 명 시대의 한 부분. ❏中~; 중엽. ⇒xié
[叶绿素] yèlǜsù 명〔植〕엽록소.
[叶绿体] yèlǜtǐ 명〔植〕엽록체.
[叶落归根] yèluò-guīgēn 〈成〉 잎은 떨어져서 뿌리로 돌아간다(①무슨 일이든지 정해진 귀결이 있음. ② 타향살이를 하는 사람도 결국은 고향으로 돌아가려고 함).
[叶片] yèpiàn 명 ①〔植〕 엽편. 잎의 편평한 부분. ②〔機〕(터빈·펌프 따위의) 날개.
[叶子] yè·zi 명〔植〕잎. 잎사귀.
[叶子烟] yè·ziyān 명 잎담배.

业(業) yè (업) ① 명 업종. 직종. 산업. ❏工~; 공업 / 饮食~; 요식업. ② 명 일. 업무. 사업. ❏创~; 창업하다 / 歇~; 휴업하다. ③ 명 일. 직업. ❏就~; 취업하다 / 转~; 전업하다. ④ 명 학업. ❏毕~; 졸업하다. ⑤ 명 재산. 부동산. ❏家~; 가산(家産). ⑥ 명〔佛〕업. ⑦ 동〈書〉 업으로 삼다. 종사하다. ❏ ~农; 농업에 종사하다. ⑧ 부 이미. ❏~经; ⇩
[业绩] yèjì 명 업적.
[业界] yèjiè 명 업계.
[业经] yèjīng 부 이미. 벌써. ❏~呈报在案; 이미 신고가 끝나 등록되어 있다. =[业已]
[业务] yèwù 명 업무. 실무. 일. ❏~能力; 업무 능력.
[业已] yèyǐ 부 ⇒[业经]
[业余] yèyú 형 ① 여가의. 근무 시간 외의. ❏~时间; 여가 시간. ② 아마추어의. ❏~歌手; 아마추어 가수 / ~演员; 아마추어 배우.
[业主] yèzhǔ 명 업주.

曳 yè (예) 동 끌다. 끌어당기다. ❏~车; 수레를 끌다. 「광탄.
[曳光弹] yèguāngdàn 명〔軍〕예

页(頁) yè (엽) ① 명 페이지. 면(面). ❏活~; 루스리프(loosleaf). ② 양 페이지. 쪽. ❏第八十~; 80 페이지. ‖ =[叶yè③]
[页码(儿)] yèmǎ(r) 명 페이지 번호.

夜 yè (야) ① 명 밤. 밤중. ❏~已经很深了; 밤이 이미 매우 깊었다. ② 양 밤. ❏两天两~; 이틀 밤낮.
[夜班(儿)] yèbān(r) 명 ① 야근. 야간 근무. 밤일. 야간 당직. ② 자동차·기차·항공기 따위의 야간편(夜間便). ❏~车; 밤차.
[夜半] yèbàn 명 한밤. 밤중. 야반. ❏~歌声; 한밤의 세레나데.
[夜餐] yècān 명 야식. 밤참.
[夜叉] yè·cha 명 ①〔佛〕〈梵〉 야차. 악귀(惡鬼). ②〈比〉 흉악하게[험상궂게] 생긴 사람.
[夜长梦多] yècháng-mèngduō 〈成〉 밤이 길어지면 꿈이 많아진다(시간을 오래 끌면 일에 불리한 변화가 생기기 쉽다).
[夜场] yèchǎng 명 야간 공연. 야간 경기. ❏~比赛; 야간 경기. =[晚场]
[夜车] yèchē 명 ① 야간열차. ②〈比〉 밤에 일하거나 공부하는 것. ❏开~; 〈比〉 철야로 일하다. 밤샘 공부하다.
[夜工] yègōng 명 야간작업. 밤일. ❏打~; 야간작업을 하다.
[夜光] yèguāng 형 야광의. ❏~表; 야광 시계 / ~虫; 야광충.
[夜壶] yèhú 명 야간용 변기.
[夜间] yèjiān 명 야간. 밤. ❏~逃走; 야반도주. =[夜晚]
[夜景] yèjǐng 명 야경. 밤 경치.
[夜来香] yèláixiāng 명〔植〕달맞이꽃. 월견초.
[夜阑] yèlán 형〈書〉 밤이 깊다. ❏~人静; 〈成〉 밤이 깊어 인기척도 없이 고요하다.
[夜郎自大] Yèláng-zìdà 〈成〉 분수도 모르고 거만 떨다.
[夜里] yè·lǐ 명 밤. 한밤. 밤중.
[夜盲] yèmáng 명〔醫〕야맹. 야맹증. 밤소경. =[〈方〉 雀qiǎo盲眼][夜盲症]
[夜猫子] yèmāo·zi 명〈口〉 ①〔鳥〕올빼미. =[猫头鹰] ②〈比〉 밤늦도록 안 자는 사람. 「뇨증.
[夜尿症] yèniàozhèng 명〔醫〕야
[夜生活] yèshēnghuó 명 야간 사교 활동. 밤 유흥 생활.
[夜市] yèshì 명 야시. 야시장.
[夜晚] yèwǎn 명 ⇒[夜间]
[夜宵(儿)] yèxiāo(r) 명 야식. 밤참(간식·술안주 따위). =[夜消(儿)]

[夜校] yèxiào 명 야간 학교. 야학.
[夜以继日] yèyǐjìrì 〈成〉 밤낮없이 계속하다. =[日以继夜]
[夜莺] yèyīng 명〖鳥〗나이팅게일(nightingale). 밤꾀꼬리.
[夜总会] yèzǒnghuì 명 나이트클럽(nightclub).

液 yè (액)
명 액. 액체. ❑溶~; 용액.
[液化] yèhuà 동 ①〖物〗액화하다. ❑~石油气; 액화 석유 가스. 엘피지(LPG). ②〖醫〗액화하다.
[液晶] yèjīng 명 액정. ❑~显示; 액정 화면. 엘시디(LCD).
[液态] yètài 명 액체 상태. 액상.
[液体] yètǐ 명〖化〗액체.
[液压] yèyā 명 액압. 액체 압력.

掖 yè (액)
동 ①(손으로 사람을) 부축하다. ② 발탁하다. ❑奖~; 장려하고 발탁하다. ⇒yē

腋 yè (액)
명〖生理〗겨드랑이.
[腋臭] yèchòu 명 액취. 암내.
[腋毛] yèmáo 명〖生理〗겨드랑이털. 액모.
[腋窝] yèwō 명〖生理〗겨드랑이.

靥(靨) yè (엽)
명 보조개.

咽 yè (열)
동 (감정이 북받쳐) 말문이 막히다. 목메다. ❑哽~; 오열하다. ⇒yān yàn

谒(謁) yè (알)
동〈書〉알현하다. 뵙다.
[谒见] yèjiàn 동 알현하다. ❑~国家主席; 국가주석을 알현하다.

yi

一 yī (일)
①수 일. 하나. ❑~本书; 책 한 권. ②명 (차례의) 첫째. ❑第~; 첫째 / 星期~; 월요일. ③형 같다. 동일하다. ❑大小不~; 크기가 각기 다르다 / ~个地方; 같은 곳 / ~家人; 한집안 식구. ④형 다른. 다른 하나의. ❑蝉~名知了liǎo; 매미의 다른 이름은 '知了'이다. ⑤형 모든. 온. 전. ❑他热得~脸汗; 그는 더워서 온 얼굴이 땀투성이다. ⑥형 한결같다. ❑~心; ⇓ ⑦수 '就'와 호응하여 두 동작이 밀접하게 연관되어 발생함을 나타냄. ㉠…하자마자 곧[바로] …하다. ❑会议~结束, 他就回家了; 회의가 끝나자마자 그는 바로 집으로 돌아갔다. ㉡…하기만 하면 …하다. ❑我~喝酒, 就脸红; 나는 술만 마시면 얼굴이 빨개진다. ㉢일단[한번] …하면 …한다. ❑瓶子~摔, 就摔了个粉碎; 병은 일단 떨어졌다 하면 산산조각이 난다. ⑧수 동작·행위가 한 번이거나, 짧거나, 시험 삼아 해 보는 것임을 나타냄. ❑你来试~试吧; 네가 한번 해보거라 / 看~眼; 흘끗 보다. ⑨수 동사 앞에 쓰여 먼저 어떤 동작이 있은 후 다음 문장에 이어서 동작의 결과를 설명함. ❑他在那儿~坐, 谁也不敢说话了; 그가 거기에 앉자 아무도 감히 말을 하지 못했다. ⑩조〈書〉몇몇 단어 앞에 놓여 어기(語氣)를 강하게 함. ❑~何怒也; 어찌 이리도 노하는가. ‖ 注 제4성 앞에서는 제2성으로 발음하고, 제1성·제2성·제3성 앞에서는 제4성으로 발음함.
[一把手] yībǎshǒu ①(활동에 참가하는) 일원(一員). ②〈比〉유능한 사람. =[一把好手] ③(직장에서의) 최고 책임자. =[第一把手]
[一把抓] yībǎzhuā ① 무엇이나 자기 혼자 도맡다. ② 일을 경중 완급을 가리지 않고 한꺼번에 하다.
[一败涂地] yībài-túdì 〈成〉 패하여 다시 일어날 수 없게 되다.
[一般] yībān 형 ①⇨[一样①] ② 일반적이다. 보통이다. ❑下午我~在家休息; 오후에 나는 보통 집에서 쉰다 / ~化; 일반화하다. 수량 일종. 한 가지. ❑别有~风味; 일종의 색다른 맛이 있다.
[一半(儿)] yībàn(r) 수 반. 절반.
[一辈子] yībèi·zi 명〈口〉⇨[一生]
[一本万利] yīběn-wànlì 〈成〉 적은 자본으로 많은 이익을 얻다.
[一本正经] yīběn-zhèngjīng[〈口〉yīběn-zhèngjǐng] 〈成〉 태도가 진지하고 엄숙한 모양.
[一鼻孔出气] yī bíkǒng chūqì 〈比〉〈貶〉 태도와 주장하는 바가 같다. 한패[한통속]이다.
[一笔勾销] yībǐ-gōuxiāo 〈成〉 단번에 빚을 청산하다《단번에 없애다. 무효로 하다》.
[一笔抹杀] yībǐ-mǒshā 〈成〉 경솔하게 장점이나 성과 따위를 전부 부정하다.

[一臂之力] yībìzhīlì 〈成〉 보잘것없는 힘. 미약한 힘.

[一边(儿)] yībiān(r) 명 ① 일면(一面). 일방. 한쪽. 한편. ❏站在正义这~; 정의의 편에 서다 / ~倒dǎo; 한쪽으로 기울다. 일방적이다. ② 곁. 옆. ❏躲在~; 옆으로 비키다. 부 …하면서 …하다. ❏~吃~看; 먹으면서 보다. 형〈方〉 같다.

[一并] yībìng 부 합쳐서. 같이. 모두. 전부. ❏工资与奖金~发放; 임금과 보너스를 합쳐서 지급하다.

[一波未平, 一波又起] yībō-wèipíng, yībō-yòuqǐ 〈成〉 문제가 다 해결되기도 전에 또 다른 문제가 생기다.

[一…不…] yī…bù… ① (한번) …하면 …(하지) 않다《두 개의 동사 앞에 쓰여, 동작 또는 상황이 한번 발생하면 다시 바뀌지 않음을 나타냄》. ❏一借不还; 한번 빌려 가면 갚지 않다 / 一去不返; 한번 가면 돌아오지 않다. ② …도 …(하지) 않다《하나의 명사와 하나의 동사 앞에 쓰여 강조나 과장을 나타냄》. ❏一动不动; 미동도 하지 않다 / 一文不花; 한 푼도 쓰지 않다.

[一步登天] yībù-dēngtiān 〈成〉 ① 단번에 최고의 경지에 이르다. ② 갑자기 출세하다.

[一步一个脚印] yī bù yī gè jiǎoyìn 〈比〉 일처리가 착실하다.

[一不做, 二不休] yī bù zuò, èr bù xiū 〈諺〉 일단 손을 댄 일은 끝까지 해내다.

[一场春梦] yīcháng-chūnmèng 〈成〉 일장춘몽《인생의 덧없음》.

[一场空] yīchángkōng 헛되이 끝나다. 허사가 되다.

[一筹莫展] yīchóu-mòzhǎn 〈成〉 한 가지 방책도 쓰지 못하다. 아무런 방법도 떠오르지 않다.

[一触即发] yīchù-jífā 〈成〉 일촉즉발《형세가 몹시 긴박하여 금방이라도 심각한 일이 벌어질 듯하다》.

[一次] yīcì 수량 한 번. ❏头~; 처음 / 这~; 이번. 형〔數〕 일차(一次)의. ❏~方程; 일차 방정식.

[一蹴而就] yīcù'érjiù 〈成〉 한 걸음 내디디면 곧 성공한다《일이 매우 수월하여 단숨에 성공하다》.

[一带] yīdài 명 일대.

[一旦] yīdàn 명 하루아침《짧은 시간》. ❏毁于~; 하루아침에 무너지다. 부 확실하지 않은 시간. 일단. ㉠아직 일어나지 않은 만일의 상황. ❏油库~失火, 就会引起爆炸; 기름 창고는 일단 불이 났다 하면 폭발로 이어질 수 있다. ㉡이미 일어난 갑작스러운 상황. ❏这么贵重的东西, ~丢了谁能不心疼呢? 이렇게 귀중한 물건을 일단 잃어버리면 누군들 마음이 아프지 않겠느냐?

[一刀两断] yīdāo-liǎngduàn 〈成〉 단호하게 관계를 끊다.

[一刀切] yīdāoqiē 동〈比〉 (실제 상황을 고려치 않고) 같은 방식으로 문제를 처리하다.

[一道(儿)] yīdào(r) 부 함께. 같이. ❏他是和我~来的; 그는 나와 함께 왔다.

[一等] yīděng 명 일등. 으뜸. ❏~奖; 일등상 / ~品; 일등품.

[一点儿] yīdiǎnr 수량 조금. 약간. 좀. ① 확실하지 않은 적은 양을 나타냄. ❏多穿~衣服; 옷을 좀 많이 입어라. ② 비교문에 쓰여 구체적인 정도나 차이를 나타냄. ❏今天比昨天冷~; 오늘은 어제보다 약간 더 춥다. 부 조금도. 전혀《부정문에 쓰여 완전 부정을 나타내며, '也'나 '都'와 연용함》. ❏我~也不累; 나는 조금도 피곤하지 않다.

[一定] yīdìng 부 ① 반드시. 필히. 꼭. ❏我~好好学习; 나는 반드시 열심히 공부하겠다. ② 틀림없이. 분명히. ❏他~会同意; 그는 틀림없이 동의할 것이다. 형 ① 어느 정도의. 상당한. ❏他具有~的文化水平; 그는 어느 정도의 학력이 있다. ② 고정불변의. 필연의. ❏~的关系; 필연적인 관계. ③ 일정한. 정해진. ❏~的规定; 일정한 규칙. ④ 특정한. ❏~的阶级; 특정한 계급.

[一度] yīdù 수량 한번. 한차례. 한바탕. ❏经过~激论之后, 对方终于沉默了; 한바탕 격론을 벌인 끝에, 상대방은 마침내 침묵했다. 부 한동안. 한때. ❏~失业; 한동안 실업한 적이 있다.

[一二] yī'èr 수 한둘. 조금. 약간. ❏略知~; 〈成〉 조금 알 뿐이다.

[一发千钧] yīfà-qiānjūn 〈成〉 머리카락 하나에 삼만 근의 무게를 매달다《위험천만하다》. =[千钧一发]

[一帆风顺] yīfān-fēngshùn 〈成〉 순풍에 돛을 달다《일이 순조롭게 진행되다》.

[一反常态] yīfǎn-chángtài 〈成〉 태도가 평소와 완전히 달라지다.

[一方面] yīfāngmiàn 명 한쪽 방면. 일면. ❑ 只看问题的~; 문제의 일면만을 보다. 접 한편으로는 …하면서 또 한편으로는 …하다. ❑ ~要照顾孩子, ~又要照顾母亲; 아이를 돌보면서 또 한편으로는 어머니를 보살펴야 하다.

[一风吹] yīfēngchuī 동〈比〉 전부 없애 버리다. 모두 취소하다.

[一概] yīgài 부 (예외 없이) 모두. 일체. 일절. 일률적으로. ❑ ~而论; 〈成〉 일률적으로 논하다.

[一干二净] yīgān-èrjìng 〈成〉 깨끗이. 깡그리. 모조리. 씻은 듯이. ❑ 忘得~; 모조리 잊어버리다.

[一个巴掌拍不响] yī gè bā·zhang pāi bù xiǎng 〈諺〉 손바닥도 마주 쳐야 소리가 난다.

[一个心眼儿] yī gè xīnyǎnr ① 온 마음을 다 기울이다. ② 고지식하다.

[一个劲儿] yī·gejìnr 부 쉴 새 없이. 끊임없이. ❑ 大风~地刮; 세찬 바람이 쉴 새 없이 불어 대다.

[一共] yīgòng 부 합계해서. 통틀어서. 전부. 모두. ❑ ~多少钱? 모두 얼마입니까? =[通共]

[一股劲儿] yīgǔjìnr 부 곧장. 단숨에. 일거에. ❑ ~跑回; 단숨에 뛰어 돌아오다.

[一鼓作气] yīgǔ-zuòqì 〈成〉 기세가 올랐을 때 단숨에 일을 해치우다.

[一贯] yīguàn 형 일관된. 한결같은. ❑ ~方针; 일관된 방침.

[一哄而散] yīhòng'érsàn 〈成〉 많은 사람이 단숨에 흩어지다.

[一呼百应] yīhū-bǎiyìng 〈成〉 한 사람이 제창하면 많은 사람이 호응하다.

[一晃] yīhuǎng 동 획 스쳐 가다. ❑ 那黑影~就不见了; 그 검은 그림자가 획 스쳐 가더니 없어졌다.

[一晃] yīhuàng 동 눈 깜짝할 사이에 지나가다. 순식간에 지나가다. ❑ 大学四年~就过去了; 대학 4년이 순식간에 지나갔다.

[一会儿] yīhuìr[〈口〉 yīhuǐr] 수량 ① 잠깐. 잠시. ❑ 咱们在这儿休息~吧; 우리 여기서 잠깐만 쉬자. ② 잠시 후. 곧. 이따가. ❑ 我~再告诉你; 내가 이따가 다시 너에게 말해 줄게. 부 두 개의 반의어(反義語) 앞에 겹쳐 쓰여, 두 가지 상황이 교대로 발생함을 나타냄. ❑ 风~大, ~小, 整整刮了一天; 바람이 커졌다가 작아졌다가 하며 종일 불어 댔다.

[一技之长] yījìzhīcháng 〈成〉 뛰어난 재주. 장기.

[一见如故] yījiàn-rúgù 〈成〉 처음 만나서 금세 친구처럼 친해지다.

[一箭双雕] yījiàn-shuāngdiāo 〈成〉 일석이조.

[一见钟情] yījiàn-zhōngqíng 〈成〉 한눈[첫눈]에 반하다.

[一经] yījīng 부 (한번) …하면. 일단 …하자(('就'·'便'과 호응함)). ❑ 错误~发现, 就立即改正; 잘못을 발견하면 즉시 정정한다.

[一举] yījǔ 부 일거에. 단번에. ❑ ~成名; 〈成〉 단번에 유명해지다. 명 하나의 동작. 한 번의 행동. ❑ ~一动; 〈成〉 일거일동 / ~两得; 〈成〉 일거양득.

[一蹶不振] yījué-bùzhèn 〈成〉 한 번의 좌절이나 실패로 일어설 수 없게 되다. 슬럼프에 빠지다.

[一孔之见] yīkǒngzhījiàn 〈成〉 〈謙〉 좁은 식견. 좁은 소견.

[一口] yīkǒu 명 하는 말 모두. ❑ ~的英语; 하는 말 모두 영어이다. 부 한마디로. 두말 않고. 딱 잘라. ❑ ~答应; 두말 않고 승낙하다 / ~咬定; 〈成〉 한마디로 잘라 말하다.

[一口气(儿)] yīkǒuqì(r) 부 단숨에. ❑ 他~喝了两碗水; 그는 단숨에 물을 두 사발 들이켰다.

[一块儿] yīkuàir 명 같은 곳. 한 곳. 부 함께. 같이. ❑ 跟他~走; 그와 함께 가다.

[一览] yīlǎn 명동 일람(하다). 편람(便覽)(하다). ❑ ~表; 일람표.

[一劳永逸] yīláo-yǒngyì 〈成〉 한 번 고생하면 오래도록 편하다.

[一连] yīlián 부 계속해서. 잇따라. 연달아. 연이어. ❑ ~冷了半个多月; 연이어 보름여 동안 추웠다.

[一连串] yīliánchuàn 형 일련의. 연속적인. 잇단. ❑ ~的问题; 일련의 문제 / ~的胜利; 잇단 승리.

[一溜儿] yīliùr 명 근처. 근방. 일대. 수량 일렬. 한 줄. ❑ ~十间瓦房; 일렬로 늘어선 열 채의 기와집.

[一溜烟(儿)] yīliùyān(r) 부 부리나케. 연기처럼 빠르게. 쏜살같이. ❑ ~地跑了; 쏜살같이 달려갔다.

[一路] yīlù 명 ① 도중(途中). ❑ ~平安; 〈成〉 도중에 평안하시기 바랍니다. ② 같은 종류. 같은 부

류. ❑～货; 같은 종류의 물건. 부 ① 같이. 함께(('来'·'去'·'走' 따위의 동사를 수식함)). ❑我跟他～来的; 나는 그와 함께 왔다. ② 줄곧. 끊임없이. 계속. ❑股价～下跌; 주가가 끊임없이 하락하다.

【一律】yīlǜ 형 일률적이다. 한결같다. ❑千篇～; 〈成〉 천편일률. 부 일률적으로. 예외 없이. 똑같이. ❑～相待; 똑같이 대우하다.

【一落千丈】yīluò-qiānzhàng 〈成〉 (지위·명예·시세 따위가) 급히 떨어지다. 폭락하다.

【一马当先】yīmǎ-dāngxiān 〈成〉 앞에 나서다. 앞장서다.

【一脉相传】yīmài-xiāngchuán 〈成〉 하나의 파에서 이어 내려오다. 같은 계통을 잇다. ＝[一脉相承]

【一毛不拔】yīmáo-bùbá 〈成〉 털 하나도 뽑지 않다((매우 인색하다)).

【一面】yīmiàn 동〈書〉 한 번 만나다. ❑未尝～; 일면식도 없다. 명 ① (～儿) 물체의 한쪽 면. ② 일방. 한쪽. ❑～之词; 한쪽만의 말 / ～儿理; 일방적인 이치[이유]. 부 한편으로 …하다((두 가지 동작을 동시에 진행함)). ❑～听, ～作笔记; 들으면서 필기하다.

【一鸣惊人】yīmíng-jīngrén 〈成〉 (새가) 한번 울면 사람을 놀라게 하다((평소에는 두각을 나타내지 않다가 한번 일을 시작하면 남을 깜짝 놀라게 하다)).

【一命呜呼】yīmìng-wūhū 〈成〉 황천길에 오르다. 저세상으로 가다.

【一模一样】yīmú-yīyàng 〈成〉 모습[모양]이 꼭 닮다. 똑같다.

【一目了然】yīmù-liǎorán 〈成〉 일목요연하다.

【一念之差】yīniànzhīchā 〈成〉 생각 하나의 잘못(이 엄청난 결과를 초래하다).

【一盘散沙】yīpán-sǎnshā 〈成〉 온 쟁반에 흩어진 모래((단결하지 못하고 분산된 상태)).

【一瞥】yīpiē 동 힐끗 보다. 언뜻 보다. 명 ①〈比〉 매우 짧은 시간. 잠깐. ② 일별한 개황(概況).

【一贫如洗】yīpín-rúxǐ 〈成〉 씻은 듯이 가난하다((몹시 가난한 모양)).

【一暴十寒】yīpù-shíhán 〈成〉 열심히 했다 게으름 피웠다 하다. 꾸준히 하지 않다.

【一齐】yīqí 부 일제히. 동시에. ❑～高呼; 일제히 큰 소리로 외치다.

【一起】yīqǐ 명 같은 장소. 한곳. 한데. ❑住在～; 함께 살다. 부 ① 같이. 더불어. 함께. ❑我跟他～去; 나는 그와 함께 간다. ②〈方〉 모두. 합해서. ❑这几个～多少钱? 이것들은 모두 얼마입니까?

【一气呵成】yīqì-hēchéng 〈成〉 ① 문장이 거침없고 수미(首尾)일관해 있다. ② 일을 중단하거나 쉬지 않고 몰아쳐서 하다.

【一钱不值】yīqián-bùzhí 〈成〉 아무런 가치가 없다.

【一窍不通】yīqiào-bùtōng 〈成〉 전혀 모르다. 아무것도 모르다.

【一切】yīqiè 대 ① 일체. 모두. ❑～的条件; 일체의 조건. ② 모든 것. ❑你的～我都知道; 너의 모든 것을 나는 다 알고 있다.

【一清二楚】yīqīng-èrchǔ 〈成〉 확실하다. 분명하다. 명백하다.

【一丘之貉】yīqiūzhīhé 〈成〉 한 굴 속의 오소리((너 나 할 것 없이 똑같이 나쁜 놈이다)).

【一日千里】yīrì-qiānlǐ 〈成〉 진행이나 진보가 매우 빠르다.

【一日游】yīrìyóu 명 일일 관광.

【一如既往】yīrú-jìwǎng 〈成〉 완전히 예전과 같다.

【一身】yīshēn 명 ① 온몸. 전신. ❑出了～的汗; 온몸에 땀이 났다 / ～是胆; 〈成〉 매우 대담하다. ② 일신. 혼자. ❑独自～; 〈成〉 혼자.

【一审】yīshěn 명〈簡〉 ⇒[第一审]

【一生】yīshēng 명 일생. 평생. ❑～一世; 〈成〉 일평생. ＝[〈口〉 一辈子]

【一声不响】yīshēng-bùxiǎng 〈成〉 한마디도 하지 않다.

【一时】yīshí 명 ① 한 시기. 한때. 한동안. ❑～不小心, 闹出想不到的错了; 한때의 부주의로 뜻하지 않은 잘못을 저질렀다. ② 당분간. 잠시. 잠깐. ❑～回不来; 당분간 돌아오지 못한다. 부 ① 문득. 순간. 갑자기. ❑我～真不知道如何回答好; 나는 순간 어떻게 대답해야 할지 정말 알 수가 없었다. ② …했다가 …했다가 하다. ❑他精神失常, ～哭, ～笑; 그는 실성해서 울다가 웃다가 한다.

【一事无成】yīshì-wúchéng 〈成〉 한 가지 일도 이루지 못하다.

【一视同仁】yīshì-tóngrén 〈成〉 차별 없이 공평하게 대하다.

【一手】yīshǒu 명 (～儿) ① (어떤

기능이나 솜씨의) 한 가지. ❏留~; 가장 중요한 비법은 남겨 놓다. ② 수. 수단. 계략. ❏你少跟我来~吧; 나한테 수 쓰지 마라. 부 혼자. 단독으로. ❏~包办; 〈成〉 혼자서 도맡아 하다.

[一手遮天] yīshǒu-zhētiān 〈成〉 한 손으로 하늘을 가리다《권세를 믿고 속임수를 써서 대중의 이목을 가리다》.

[一瞬] yīshùn 명 일순간. 순식간.

[一丝] yīsī 수량 한 줄기. 한 가닥. ❏~不苟; 〈成〉 조금도 빈틈이 없다 / ~不挂; 〈成〉 실 한 오라기도 걸치지 않다. 알몸이다.

[一丝一毫] yīsī-yīháo 〈成〉 털끝만큼도. 추호도.

[一塌糊涂] yītāhútú 〈成〉 엉망이어서 수습이 어렵다. 엉망진창이다.

[一体] yītǐ 명 ① 일체. 한 덩어리. ❏~化; 일체화. ② 모두. 전체.

[一天] yītiān 수량 ① 하루. ❏~吃一顿饭; 하루 한 끼 먹다. ② 하루낮. ❏~一夜; 하루 낮 하루 밤. 명 (과거의) 어느 날. ❏~, 他又来了; 어느 날, 그가 또 왔다.

[一天到晚] yītiān-dàowǎn 〈成〉 아침부터 저녁까지. 하루 종일.

[一条龙] yītiáolóng 명〈比〉 ① 매우 긴 행렬. 장사진. ❏排成~; 장사진을 이루다. ② 생산 공정이나 업무상의 긴밀한 관계.

[一同] yītóng 부 같이. 함께. ❏我们~走吧; 우리 함께 가자.

[一头] yītóu 부 ① …하면서 …하다. ❏~走, ~看; 걸으면서 보다. ② 곧장. 곧바로. ❏~钻进车里; 곧장 차 안으로 비집고 들어가다. ③ 갑자기. 별안간. ❏刚进门, ~撞见了他; 문에 들어서자마자 별안간 그와 맞부딪쳤다. ④ 〈方〉 함께. 같이. ❏他们是~来的; 그들은 같이 왔다. 명 ① (~儿) 한쪽 끝. ❏你拉这~吧! 네가 이 끝을 잡아당겨라! ② 한쪽. ❏我事业和家庭, 哪~都不能放弃; 나는 사업과 가정 어느 한쪽도 포기할 수 없다. ③ (~儿) 한패. 한 무리.

[一团和气] yītuán-héqì 〈成〉 태도가 두루뭉술하다.

[一团糟] yītuánzāo 형 엉망진창이어서 수습하기 어려운 모양.

[一网打尽] yīwǎng-dǎjìn 〈成〉 일망타진하다.

[一往无前] yīwǎng-wúqián 〈成〉 곤란을 두려워하지 않고 용감히 전진하다.

[一望无际] yīwàng-wújì 〈成〉 일망무제. 끝없이 넓다.

[一味] yīwèi 부 오로지. 외곬으로. ❏~读书; 외곬으로 공부하다.

[一文不名] yīwén-bùmíng 〈成〉 한 푼도 없다. 무일푼이다.

[一窝蜂] yīwōfēng 부〈比〉 벌떼처럼《동시에 소란스레 일어나는 행동이나 말》. ❏大家全~似的跑去; 모두 벌떼처럼 뛰어나갔다.

[一无所有] yīwúsuǒyǒu 〈成〉 아무것도 없다. 빈털터리이다.

[一五一十] yīwǔ-yīshí 〈成〉 ① 수를 셀 때 다섯을 단위로 하는 셈법. ② 빠짐없이. 낱낱이.

[一息尚存] yīxī-shàngcún 〈成〉 숨이 아직 붙어 있다.

[一系列] yīxìliè 형 한 계열의. 일련(一連)의. ❏~的变化; 일련의 변화 / ~问题; 일련의 문제.

[一下(儿)] yīxià(r) 수량 ① 한번. 한차례. 좀《동사 뒤에 쓰여 '시험삼아 해 보다'의 의미를 나타냄》. ❏让我看~; 좀 보여 주세요. ② 잠시. 잠깐. ❏等~; 잠깐 기다리다. 부 단숨에. 단번에. 갑자기. ❏多年的老大难问题, ~都解决了; 해묵은 난제가 단숨에 해결되었다. ‖ =[一下子]

[一线] yīxiàn 수량 한 줄기. 한 가닥《매우 미세한 것을 세는 말》. ❏~生机; 한 가닥 삶의 희망. 명 ① 제일선(第一線). 일선. ❏~工人; 일선 근로자. ② 〈軍〉 일선. 최전선. 최전방.

[一相情愿] yīxiāng-qíngyuàn 〈成〉 다른 사람도 그럴 것이라고 일방적으로 생각하다《주관적인 바람뿐이고 객관적인 조건을 고려치 않음》. =[一厢情愿]

[一向] yīxiàng 명 한때《과거의 어떤 시기》. ❏前~我身体不太好; 지난 한때 나는 건강이 안 좋았었다. 부 ① 지금까지. 내내. 줄곧. ❏他~不喜欢逛商店; 그는 줄곧 쇼핑을 싫어했다. ② 그동안. 그간. ❏你~好哇! 그동안 잘 지냈지!

[一笑置之] yīxiào-zhìzhī 〈成〉 일소에 부치다. 웃어넘기다.

[一些] yīxiē 수량 조금. …들. …만큼. 몇몇. ① 정해지지 않은 수량을 나타냄. ❏在某~方面, 他表现很好; 어떤 방면들에 있어서 그의 성적

은 매우 좋다. ②(~儿) 적은 수량을 나타냄. ❏就剩这~了; 이만큼만 남겨라. ③한 종류나 한 번에 그치지 않음을 나타냄. ❏这件事使他产生了~新的想法; 이 일은 그로 하여금 몇 가지 새로운 생각을 떠오르게 했다. ④형용사·동사 따위의 뒤에 쓰여 보어나 부사어를 이룸. ❏他有~生气; 그는 약간 화가 났다.

[一泻千里] yīxiè-qiānlǐ 〈成〉 일사천리(①강물이 세차게 잘 흐르는 모양. ②문필이 거침없는 모양).

[一心] yīxīn 형 마음을 같이하다. 한마음이 되다. ❏万众~; 〈成〉 대중이 한마음이다. 부 일심으로. 전심으로. ❏~服务; 전심으로 봉사하다.

[一行] yīxíng 명 일행(一行). ❏代表团~; 대표단 일행.

[一言] yīyán 명 한마디 (말). ❏~不发; 〈成〉 한마디도 하지 않다.

[一言为定] yīyánwéidìng 〈成〉 한마디로 정하다. 딴말하기 없다.

[一言以蔽之] yī yán yǐ bì zhī 〈成〉 요약해 말하자면. 요컨대.

[一氧化碳] yīyǎnghuàtàn 명 〖化〗 일산화탄소.

[一样] yīyàng 형 ①같다. 마찬가지이다. ❏谁去都~; 누가 가든 마찬가지이다. =[一般①] ②비슷하다. 흡사하다. …같다. ❏像血~红; 피처럼 붉다.

[一一] yīyī 부 하나하나. 일일이. ❏~作回答; 일일이 대답하다.

[一…一…] yī…yī… ①각기 두 개의 동류(同類)의 명사 앞에 쓰임. ㉠전체를 나타냄. ❏一心一意; 〈成〉 일편단심으로. ㉡수량이 매우 적음을 나타냄. ❏一丝一毫; 〈成〉 털끝만큼도. ②각기 두 개의 동류(同類)가 아닌 명사 앞에 쓰임. ❏一龙一猪; 〈成〉 잘난 사람과 멍청이 / 一本一利; 〈成〉 원금과 이자. ③각기 두 개의 동류의 동사 앞에 쓰여 동작이 연속됨. ❏一摇一摆; 비틀비틀하다. ④각기 두 개의 상대적인 동사 앞에 쓰여 두 방면의 행동이 잘 조정되거나, 두 개의 동작이 교대로 진행됨을 나타냄. ❏一问一答; 일문일답. ⑤상반되는 두 개의 방위사(方位詞)·형용사 앞에 각각 쓰여 상반되는 방향·상황을 나타냄. ❏一长一短; 일장일단.

[一衣带水] yīyīdàishuǐ 〈成〉 한 가닥 띠같이 좁은 물(강이나 내를 사이에 두고 있을 만큼 가까워 왕래가 편리함을 형용).

[一意孤行] yīyì-gūxíng 〈成〉 남의 말을 듣지 않고 자기 뜻대로 고집스럽게 밀고 나가다.

[一语破的] yīyǔ-pòdì 〈成〉 한마디로 핵심을 찌르다.

[一元化] yīyuánhuà 동 일원화하다.

[一再] yīzài 부 여러 번. 거듭. 재차. ❏~强调; 재차 강조하다.

[一早(儿)] yīzǎo(r) 명〈口〉 이른 아침. 아침 일찍.

[一朝一夕] yīzhāo-yīxī 〈成〉 일조일석. 하루아침. 단시일. 아주 짧은 시간.

[一针见血] yīzhēn-jiànxiě 〈成〉 (말이나 글이) 단순 명쾌하면서도 정곡을 찌르다.

[一阵(儿)] yīzhèn(r) 수량 잠깐. 한바탕. 한동안. ❏说~笑~; 한바탕 웃고 떠들다. =[一阵子]

[一知半解] yīzhī-bànjiě 〈成〉 깊이 알지 못하다. 어설프게 알다.

[一直] yīzhí 부 ①곧장. 곧바로. ❏~往西走; 서쪽으로 곧장 가다. ②쭉. 내내. 줄곧. ❏他们~在干活儿; 그들은 내내 일하고 있다. ③…까지. ❏从东头~到西头; 동쪽에서 서쪽에 이르기까지.

[一致] yīzhì 형 일치하다. ❏言行~; 언행이 일치하다. 부 일제히. 모두. 일치되게. ❏大家~同意他的意见; 모두가 일제히 그의 의견에 동의했다.

[一总] yīzǒng 부 ①(~儿) 합쳐서. 도합. ❏~来了百来个人; 도합 백여 명 가량이 왔다. ②전부. 모두. 다. ❏把工作~交给他吧; 일을 모두 그에게 넘겨주어라.

伊 yī (이)

①조〈書〉 단어의 앞에 쓰여 어조(語調)를 고르게 하는 작용을 하는 말. ②대 그. 그녀. 그[저] 사람. ❏~人; 그 사람. 그녀.

[伊甸园] Yīdiànyuán 명〈音〉 에덴(Eden) 동산. =[伊甸乐园]

[伊拉克] Yīlākè 명〖地〗〈音〉 이라크(Iraq).

[伊朗] Yīlǎng 명〖地〗〈音〉 이란(Iran).

[伊斯兰教] Yīsīlánjiào 명〖宗〗〈音〉 이슬람교(Islam教). ❏~历; 이슬람력. =[回教]

[伊索寓言] Yīsuǒ Yùyán 명〖書〗

〈音〉이솝 우화. 이솝 이야기.

衣 yī (의)
명 ① 의복. 옷. ❑ 内~; 내의 / 上~; 상의. ② 물건을 싸거나 씌우거나 한 것. ❑ 炮~; 대포의 씌우개. ③〖生理〗포의(胞衣).

[衣胞] yī·bao 명 ⇨[胞bāo衣]

[衣橱] yīchú 명 ⇨[衣柜]

[衣兜(儿)] yīdōu(r) 명 호주머니. 주머니. =[衣袋]

[衣服] yī·fu 명 옷. 의복. ❑ 穿~; 옷을 입다 / 脱~; 옷을 벗다.

[衣冠] yīguān 명 의관. 옷차림. ❑ ~禽兽; 〈成〉 의복을 입고 갓을 쓴 짐승《행위가 금수와 같은 사람》.

[衣柜] yīguì 명 옷장. =[衣橱]

[衣架] yījià 명 ① (~儿) 옷걸이. ② 몸매. 맵시. =[衣架子]

[衣襟] yījīn 명 옷섶.

[衣锦还乡] yījǐn-huánxiāng 〈成〉 금의환향하다.

[衣料(儿)] yīliào(r) 명 옷감.

[衣领] yīlǐng 명 옷깃.

[衣帽间] yīmàojiān 명 (공공장소의) 외투류 보관실. 휴대품 보관소.

[衣裳] yī·shang 명 〈口〉 옷. 의복.

[衣食] yīshí 명 의식. ❑ ~丰足; 의식이 풍족하다 / ~住; 의식주.

[衣物] yīwù 명 옷과 일상용품.

[衣着] yīzhuó 명 차림새. 옷차림.

依 yī (의)
① 동 기대다. 의지하다. ❑ ~墙站着; 벽에 기대고 서 있다. ② 동 따르다. 좇다. ❑ 什么都~着他; 뭐든지 다 그의 뜻에 따르다. ③ 개 …에 따라. …에 의해. ❑ ~法惩办; 법에 따라 징벌하다.

[依傍] yībàng 동 ① 의지하다. 기대다. ❑ ~他人; 남에게 의지하다. ② 흉내 내다. 모방하다. ❑ ~前人; 이전 사람을 모방하다.

[依次] yīcì 부 순서대로. 차례대로. ❑ ~入座; 순서대로 착석하다.

[依从] yīcóng 동 따르다. 복종하다. ❑ ~上级; 상부의 뜻에 따르다.

[依存] yīcún 동 의존하다.

[依附] yīfù 동 ① 달라붙다. 붙다. ❑ 爬山虎~在山崖上; 담쟁이덩굴이 산 절벽에 달라붙어 있다. ② 의지하다. 기대다. 의존하다. ❑ ~别人; 남에게 의지하다.

[依旧] yījiù 동 여전하다. 예전대로이다. ❑ 风物~; 풍물은 예전 그대로이다. =[依然] 부 여전히. ❑ 雨~下着; 비가 여전히 내리고 있다.

[依据] yījù 명 의거. 근거. 동 의거하다. 근거로 하다. ❑ ~先例; 선례를 근거로 하다. 개 …에 의하면. …에 근거하면. ❑ ~他们的推断, 这是唐代瓷器; 그들의 추단에 의하면 이것은 당대의 자기이다.

[依靠] yīkào 동 믿다. 의지하다. 기대다. ❑ ~自己的力量; 자신의 능력을 믿다. 명 의지하는[기대는] 사람이나 물건.

[依赖] yīlài 동 ① 기대다. 의지하다. ❑ ~父母; 부모에게 의지하다. ② 의존하다. ❑ ~关系; 의존 관계.

[依恋] yīliàn 동 연연(戀戀)하다. 헤어지기 아쉬워하다.

[依然] yīrán 동 ⇨[依旧] 부 여전히. 전과 다름없이. ❑ ~如故; 〈成〉 여전히 옛날과 같다. 「하다.

[依顺] yīshùn 동 말을 듣다. 순종

[依偎] yīwēi 동 다정히 기대다.

[依稀] yīxī 형 어렴풋하다. 아련하다. ❑ ~记得; 어렴풋이 기억하다.

[依样葫芦] yīyàng-hú·lu 〈成〉 호리병박 모양대로 호리병박을 그리다《그대로 흉내만 내다》. =[依样画葫芦]

[依依] yīyī 형 ①〈書〉 부드럽게 바람에 흔들리는 모양. ❑ 垂柳~; 수양버들이 한들거리다. ② 아쉬워하는 모양. 서운해하는 모양. ❑ ~不舍; 〈成〉 헤어지기 서운해하다.

[依仗] yīzhàng 동 (세력을) 믿다. 의지하다. ❑ ~势力; 세력을 믿다.

[依照] yīzhào 동 …에 따르다. …대로 하다. ❑ 上下班要~作息时间表; 출퇴근은 일과 시간표에 따라야 한다. 개 …에 따라. …대로. ❑ ~法律办事; 법률에 따라 일을 처리하다.

铱(銥) yī (의)
명〖化〗이리듐(Ir: iridium).

医(醫) yī (의)
① 명 의사. ❑ 名~; 명의 / 兽~; 수의사. ② 명 의학. ❑ 学~; 의학을 배우다. ③ 동 병을 고치다. 치료하다. ❑ 这种病很难~; 이런 병은 매우 고치기 힘들다.

[医道] yīdào 명 의술《주로, 중의학(中醫學)을 말함》.

[医科] yīkē 명 의과. ❑ ~大学; 의과 대학.

[医疗] yīliáo 동 의료하다. 치료하다.. ❑ ~保险; 의료 보험 / ~器械; 의료 기기.

[医生] yīshēng 명 의사. ❑ 请~;

의사를 부르다 / 实习~; 인턴(intern) / 住院~; 레지던트(resident). =[〈口〉 大夫dài·fu]
[医书] yīshū 명 의서.
[医术] yīshù 명 의술.
[医务] yīwù 명 의무. 의료 업무. ❑ ~工作者; 의료 종사자 / ~所; 의무소. 「학계.
[医学] yīxué 명 의학. ❑ ~界; 의
[医药] yīyào 명 의약. 의료와 약품.
[医院] yīyuàn 명 병원. 의원. ❑ 综合~; 종합 병원.
[医治] yīzhì 동 치료하다. ❑ ~疾病; 질병을 치료하다.
[医嘱] yīzhǔ 명 의사의 지시. ❑ 遵~用药; 의사의 지시에 따라 약을 쓰다.

壹 yī (일)
수 '一'의 갖은자.

揖 yī (읍)
동〈書〉 읍하다《양손을 모으고 하는 절》.

迤 yí (이)
→[逶wēi迤]

仪(儀) yí (의)
명 ① 외모. 풍모. 태도. ❑ ~容; ⇩ ② 의식. 예절. ❑ 行礼如~; 의식대로 배례를 하다. ③ 선물. ❑ 贺~; 축하 선물. ④ 기기. 계기(計器). ❑ 浑天~; 혼천의.
[仪表] yíbiǎo 명 ① 의표. 풍채. ❑ ~堂堂; 〈成〉 풍채가 당당하다. ② 계기(計器). 미터(meter).
[仪器] yíqì 명 기기. 계기. ❑ 光学~; 광학 기기.
[仪容] yíróng 명 의용(儀容). 풍채.
[仪式] yíshì 명 의식. ❑ 开幕~; 개막식.

夷 yí (이)
① 형〈書〉 평탄하다. 평온하다. ② 동〈書〉 평평하게 하다. ❑ ~为平地; 땅을 깎아서 평평하게 하다. ③ 동〈書〉 몰살하다. ❑ ~族; 가족을 몰살하다. ④ 명 옛날, 중국 동쪽의 민족을 일컫던 말. ⑤ 명 이민족. 오랑캐《외국을 멸시하여 부르는 말》.

咦 yí (이)
감 잉. 어라. 어. 아니《놀람을 나타냄》. ❑ ~, 你怎么还没走? 어라, 너 어째서 아직도 안 갔니?

姨 yí (이)
명 ① 이모. ❑ 二~; 둘째 이모. ② 처의 자매. ❑ 大~子; 처형 / 小~子; 처제.
[姨表] yíbiǎo 형 이종 사촌의. ❑ ~兄弟; 이종 사촌 형제.
[姨夫] yí·fu 명 이모부. =[姨父] [姨丈]
[姨妈] yímā 명〈口〉 (기혼의) 이모.
[姨母] yímǔ 명 이모.
[姨太太] yítài·tai 명 첩.

胰 yí (이)
명〖生理〗 췌장(膵臟).
[胰岛素] yídǎosù 명〖藥〗 인슐린(insulin).
[胰腺] yíxiàn 명〖生理〗 췌장.
[胰子] yí·zi 명〈方〉 ① (돼지·양 따위의) 췌장. ② 비누. =[肥皂]

痍 yí (이)
명〈書〉 상처. ❑ 疮~; 상처.

怡 yí (이)
형〈書〉 즐겁다. 기쁘다.
[怡然] yírán 형 기뻐하는[즐거워하는] 모양.

饴(飴) yí (이)
명 엿. 물엿.
[饴糖] yítáng 명 엿.

贻(貽) yí (이)
동〈書〉 ① 선사하다. 증정하다. 보내다. ❑ ~赠; 선사하다. ② 남기다. ❑ ~患; 후환을 남기다.
[贻贝] yíbèi 명〖貝〗 홍합. =[壳qiào菜]
[贻害] yíhài 동 해를 남기다.
[贻误] yíwù 동 (잘못이 뒤에 남아) 나쁜 영향을 주다. 지장을 주다. ❑ ~农时; 농사철에 지장을 주다.
[贻笑大方] yíxiào-dàfāng 〈成〉 숙련된 사람들의 웃음거리가 되다.

宜 yí (의)
① 형 적당하다. 알맞다. ❑ 适~; 적당하다. ② 부 응당. 마땅히. ❑ 不~迟; 마땅히 늦어서는 안 된다.
[宜人] yírén 형 사람의 마음에 들다. ❑ 景色~; 경치가 매우 좋다.

颐(頤) yí (이)
〈書〉 ① 명 턱. 뺨. ❑ 支~; 턱을 괴다. ② 동 보양하다. 양생(養生)하다. ❑ ~养; ⇩
[颐和园] Yíhéyuán 명〖地〗 이허위안《청(淸)나라 서태후(西太后)가 세운 이궁(離宮)》.
[颐养] yíyǎng 동〈書〉 보양하다.

移 yí (이)
동 ① 옮기다. 이동하다. ❑ 把坐位~一~! 좌석을 옮겨 주세요! ② 변하다. 바뀌다. ❑ 坚定不~; 확고하여 변함이 없다.
[移动] yídòng 동 이동하다. 옮기다. 움직이다. ❑ ~电话; 이동 전

화. 휴대 전화 / ~通信; 이동 통신.
[移交] yíjiāo 동 ① 넘기다. 인도하다. ❑把案件~法院; 사건을 법원에 넘기다. ② (업무 따위를) 인계하다. ❑~工作; 업무를 인계하다.
[移居] yíjū 동 ⇒[迁qiān居]
[移民] yí//mín 동 이민하다. ❑~局; 이민국. (yímín) 명 이주민.
[移山倒海] yíshān-dǎohǎi 〈成〉 산과 바다의 위치를 바꾸다《자연을 정복하는 인류의 힘과 기백의 위대함을 형용》.
[移植] yízhí 동 ① 이식하다. 옮겨 심다. =[移栽] ②〖醫〗 (인체 부위를) 이식하다. ❑心脏~; 심장 이식 / ~手术; 이식 수술.

遗(遺) yí (유)
① 동 잃다. 유실하다. 분실하다. ❑~失; ⇓ ② 명 유실물. 분실물. ❑路不拾~; 〈成〉 길에 떨어진 물건이 있어도 줍지 않는다《태평성세》. ③ 동 빠뜨리다. 누락하다. ❑补~; 빠진 것을 보충하여 채우다. ④ 동 남기다. 남다. ❑不~余力; 여력을 남기지 않다. ⑤ 형 죽은 사람이 남긴. ❑~产; ⇓ ⑥ 동 (자기도 모르게) 배설하다. 누다. 싸다. ❑~尿; ⇓ ⇒wèi
[遗产] yíchǎn 명 ① 유산. ❑继承~; 유산을 상속받다. ② (역사상의) 유산. ❑文化~; 문화 유산.
[遗臭万年] yíchòu-wànnián 〈成〉 길이 후세에까지 악명을 남기다.
[遗传] yíchuán 동〖生〗 유전하다. ❑~病; 유전병 / ~因子; 유전자.
[遗传工程] yíchuán gōngchéng 〖生〗 유전 공학. =[基因工程]
[遗毒] yídú 명 유독. 남겨진 해독.
[遗风] yífēng 명 유풍.
[遗腹子] yífùzǐ 명 유복자.
[遗稿] yígǎo 명 유고.
[遗孤] yígū 명 (죽은 사람의) 남겨진 자식. 유고. 고아.
[遗骨] yígǔ 명 유골.
[遗憾] yíhàn 형 유감이다. 유감스럽다. ❑深表~; 깊은 유감의 뜻을 나타내다. 명 ⇒[遗恨]
[遗恨] yíhèn 명 유한. 일생의 회한(悔恨). =[遗憾]
[遗迹] yíjì 명 유적.
[遗精] yí//jīng 동〖生理〗 유정하다.
[遗留] yíliú 동 (예전의 것이) 남아 있다. 남기다.
[遗漏] yílòu 동 누락하다. 빠뜨리다.
[遗尿] yí//niào 동 잠결에 오줌을 지리다.
[遗弃] yíqì 동 ① 포기하다. 버리다. ❑一座~的城堡; 버려진 성루 하나. ②〖法〗 유기하다. 버리다. ❑~妻儿; 처자식을 버리다.
[遗容] yíróng 명 ① 사람이 죽은 후의 용모. 죽은 사람의 얼굴. ② ⇒[遗像]
[遗失] yíshī 동 유실하다. 분실하다. ❑~钱包; 지갑을 분실하다.
[遗事] yíshì 명 유사. 사후에 남겨진 사적(事蹟).
[遗书] yíshū 명 ① 유서. ② 저자의 사후에 간행된 책.
[遗体] yítǐ 명 (주로, 존경하는 사람의) 시신. 유체.
[遗忘] yíwàng 동 잊다.
[遗物] yíwù 명 유물. 유품.
[遗像] yíxiàng 명 죽은 사람의 생전의 사진이나 초상. =[遗容②]
[遗言] yíyán 명 유언.
[遗业] yíyè 명 유업.
[遗愿] yíyuàn 명 생전에 못 다 이룬 바람.
[遗照] yízhào 명 생전의 사진.
[遗址] yízhǐ 명 유적(遺跡). 옛터.
[遗志] yízhì 명 유지.
[遗嘱] yízhǔ 명 (사후의 일에 대한) 유언. 유언장.
[遗作] yízuò 명 유작.

疑 yí (의)
① 동 의심하다. 수상히 여기다. ❑怀~; 의심을 품다. ② 명 미심쩍은 것. 해결할 수 없는 것.
[疑案] yí'àn 명 ① 의심스러운 현안. 의안. ② 미스터리(mystery).
[疑惑] yíhuò 동 의혹을 품다. ❑~不解; 의혹이 풀리지 않다. 명 의혹. 의심.
[疑惧] yíjù 동 의구심을 갖다.
[疑虑] yílǜ 동 의심하여 염려하다. 명 의심. 염려.
[疑难] yínán 형 의심스러워서 판단하기 힘들다. 처리하기 곤란하다. ❑~问题; 처리하기 곤란한 문제.
[疑神疑鬼] yíshén-yíguǐ 〈成〉 덮어놓고 이것저것 의심하다.
[疑团] yítuán 명 의심[의문]의 덩어리.
[疑问] yíwèn 명 의문. ❑产生~; 의문이 생기다 / ~句; 의문문.
[疑心] yíxīn 명동 의심(하다). ❑起~; 의심이 생기다.
[疑义] yíyì 명 의문점. 의심스러운 점.

彝 yí (이)
명 ① 옛날, 술을 담던 그릇《종묘에서 사용된 제기(祭器)》. ② (Yí)〖民〗이 족(彝族)《중국 소수 민족의 하나》.

乙 yǐ (을)
명 ① 을《십간(十干)의 둘째》. ② 두 번째. ❏ ~等; 2등.

[乙醇] yǐchún 명〖化〗에탄올(ethanol). 알코올(alcohol). =[酒精]

[乙醚] yǐmí 명〖化〗에테르(ether).

[乙炔] yǐquē 명〖化〗아세틸렌(acetylene). =[电石气]

[乙酸] yǐsuān 명 ⇨[醋酸]

[乙烯] yǐxī 명〖化〗에틸렌(ethylene).

已 yǐ (이)
① 동 그치다. 멈추다. ❏ 相争不~; 서로 다투어 멈추지 않다. ② 부 이미. 벌써. ❏ 博物馆~关门了; 박물관은 이미 문을 닫았다. ③ 부〈書〉 얼마 후. 나중에. ❏ ~忽不见; 얼마 후 갑자기 보이지 않게 되다. ④ 부〈書〉 너무. 지나치게. ❏ 其细~甚; 지나치게 잘다.

[已经] yǐjīng 부 벌써. 이미. ❏ 他们~十年没见面了; 그들은 이미 십 년이나 만나지 못했다.

[已往] yǐwǎng 명 과거. 이전.

以 yǐ (이)
① 개 …로써. …을 가지고《행위에 대한 근거·구실 따위를 나타냄》. ❏ 我~老朋友的身份对你说几句话; 내가 친구로서 너에게 몇 마디 하겠다. ② 개 …이므로. …때문에《원인을 나타냄》. ❏ 我们~有这样的朋友而感到骄傲; 우리는 이런 친구가 있어서 매우 자랑스럽다. ③ 개 …대로. …에 따라서. …으로《동작이나 행위의 방식을 나타냄》. ❏ ~笔画多寡排列; 필획의 많고 적음에 따라 배열하다. ④ 접 …하기 위해《목적을 나타냄》. ❏ 内外勾结~盗窃公物; 공공물을 훔쳐내기 위해 내부와 외부가 결탁하다. ⑤ 접〈書〉 …하고《순접을 나타냄》. ❏ 循原路~归; 원래의 길을 따라서 돌아가다. ⑥ 단순 방위사(單純方位詞) 앞에 쓰여, 시간·방위·수량을 나타내는 말. ❏ 长江~南; 창장강 이남 / ~后; ⇩

[以便] yǐbiàn 접 …하기에 편리하도록. …하기 위해. ❏ 请把地址留下来, ~今后联系; 나중에 연락하기 편하게 주소를 남겨 주십시오.

[以毒攻毒] yǐdú-gōngdú〈成〉 독으로 독을 물리치다《① 독약으로 독으로 인한 질병을 치료하다. ② 악인을 이용하여 악인을 제압하다》.

[以讹传讹] yǐ'é-chuán'é〈成〉 원래부터 정확하지 않은 말을 또 잘못되게 전하다《헛소문이 꼬리에 꼬리를 물고 퍼지다》.

[以后] yǐhòu 명 후. 이후. 나중. ❏ ~有时间, 来我家玩儿吧; 나중에 시간 있으면 우리 집에 놀러 와라 / 从那~; 그때 이후로.

[以及] yǐjí 접 및. 아울러. 그리고. …까지(도). ❏ 犁地、插秧~其他杂活, 她全会; 쟁기질, 모내기 및 그 밖의 허드렛일까지도 그녀는 모두 할 수 있다.

[以来] yǐlái 명 이래. 동안. ❏ 改革开放~; 개혁 개방 이래 / 自古~;〈成〉 자고이래.

[以卵投石] yǐluǎn-tóushí〈成〉 달걀로 바위 치기. =[以卵击石]

[以免] yǐmiǎn 접 …하지 않도록. …않기 위해서. ❏ 举行清洁运动, ~发生传染病; 전염병이 발생하지 않도록 청결 운동을 벌이다.

[以内] yǐnèi 명 이내. ❏ 三天~; 3일 이내 / 千字~的文章; 천 자 이내의 글.

[以前] yǐqián 명 전. 이전. ❏ 很久~; 아주 오래전 / 开学~; 개학 전 / ~不知道, 现在才知道; 이전에는 몰랐는데 이제야 알겠다.

[以权谋私] yǐquán-móusī〈成〉 직권을 이용해 사리를 도모하다.

[以色列] Yǐsèliè 명〖地〗〈音〉 이스라엘(Israel).

[以上] yǐshàng 명 ① …이상. ❏ 50岁~的干部; 50세 이상의 간부. ② 이상. 이상에서 말한 것. ❏ ~是我们公司的情况; 이상이 우리 회사의 상황입니다.

[以身作则] yǐshēn-zuòzé〈成〉 몸소 모범을 보이다.

[以外] yǐwài 명 이외. 외. 밖. ❏ 课堂~; 교실 밖 / 工资~的收入; 봉급 이외의 수입.

[以往] yǐwǎng 명 옛날. 이전. 과거.

[以为] yǐwéi 동 생각하다. 여기다《주로, 추측·예상이 실제와 다른 경우에 쓰임》. ❏ 我原~你一定很喜欢的; 나는 네가 틀림없이 좋아할 줄 알았다.

[以下] yǐxià 명 ① …이하. ❏ 十四

岁~的儿童; 14세 이하의 아동. ② 이하. 다음. ❏ 请你注意~四点; 다음 네 가지 사항을 주의하십시오.

[以眼还眼, 以牙还牙] yǐyǎn-huányǎn, yǐyá-huányá 〈成〉 눈에는 눈, 이에는 이.

[以至] yǐzhì 접 ① …까지. …에 이르기까지. ❏ 青年人、老年人~儿童都参加了; 젊은이·노인·어린아이까지 모두 참가했다. ② …때문에. …로 하여. ❏ 他吃了一惊,~把筷子掉到地上; 그는 놀라서 젓가락을 바닥에 떨어뜨렸다. ‖ =[以至于]

[以致] yǐzhì 접 …하기에 이르다. …하게 되다《주로, 바람직하지 않은 결과》. ❏ 因为他横行霸道, ~人们都躲着他; 그는 잔악무도해서 사람들이 모두 그를 피하게 되었다.

[以子之矛, 攻子之盾] yǐzǐzhīmáo, gōngzǐzhīdùn 〈成〉 상대의 관점·방법·언론 따위로 상대를 반박하다.

苡 yǐ (이)
명〖植〗 율무.

矣 yǐ (의)
조〈書〉 ① 완료를 나타냄. ❏ 五年于兹~; 현재까지 5년이 된다. ② 감탄을 나타냄. ❏ 难~哉; 어렵도다!

尾 yǐ (미)
(~儿) 명 말총. ❏ 马~儿; 말꼬리의 털. ⇒wěi

蚁(蟻) yǐ (의)
명〖蟲〗 개미. ❏ ~巢; 개미집 / 雌~; 여왕개미.

倚 yǐ (의)
동 ① (몸을) 기대다. ❏ ~树而立; 나무에 기대고 서다. ② 의지하다. 믿다. ❏ ~势欺人; 〈成〉 권력을 믿고 남을 괴롭히다. ③〈書〉 치우치다. 기울다. ❏ 不偏不~; 〈成〉 불편부당(不偏不黨).

[倚靠] yǐkào 동 ① 믿다. 의지하다. ❏ ~朋友帮助; 친구의 도움에 의지하다. ② (몸을) 기대다.

[倚赖] yǐlài 동 의뢰하다. 의지하다. 힘입다. ❏ ~别人; 남에게 의지하다.

[倚老卖老] yǐlǎo-màilǎo 〈成〉 나이를 내세워 거만하게 굴다.

[倚仗] yǐzhàng 동 의지하다. 기대다. ❏ ~权势; 권세에 기대다.

[倚重] yǐzhòng 동 신임하다. 중시하다. ❏ ~人才; 인재를 신임하다.

椅 yǐ (의)
명 (등받이가 있는) 의자.

[椅子] yǐ·zi 명 의자.

旖 yǐ (의)
→[旖旎]

[旖旎] yǐnǐ 형〈書〉 부드럽고 아름답다.

刈 yì (예)
동〈書〉 (풀이나 곡식을) 베다. ❏ ~草; 풀을 베다.

艾 yì (예)
동〈書〉 ① 다스리다. 다스려지다. ② 징벌하다. 체벌하다. ⇒ài

义(義) yì (의)
① 명 의(義). 정의. ❏ 道~; 도의. ② 형 정의에 합당한. 의로운. ❏ ~举; ⇩ ③ 명 의리. 정의(情誼). ❏ 情~; 정의. ④ 형 의로 맺은 친족 관계의. ❏ ~父; 의부 / ~母; 의모 / ~女; 의붓딸. ⑤ 형 인공(人工)의. ❏ ~齿; ⇩ ⑥ 명 의미. 의의. ❏ 字~; 글자의 뜻.

[义不容辞] yìbùróngcí 〈成〉 도의상(道義上) 거절할 수 없다.

[义齿] yìchǐ 명 ⇨[假牙]

[义愤] yìfèn 명 의분. ❏ ~填膺; 〈成〉 의분이 가슴에 꽉 차 있다.

[义举] yìjǔ 명 의거.

[义卖] yìmài 동 자선 바자회를 열다.

[义气] yì·qi 명 의협심. 의기. 형 의협심이 있다. 의기가 가득하다.

[义务] yìwù 명 ①〖法〗 의무. ❏ ~教育; 의무 교육. ② (도덕상의) 의무. ❏ 尽jìn~; 의무를 다하다. 형 무보수의. 봉사의. ❏ ~劳动; 근로 봉사 / ~演出; 무료 공연.

[义演] yìyǎn 동 자선 공연을 하다.

[义勇] yìyǒng 형 정의를 위해 용감히 싸우는. ❏ ~军; 의용군.

[义肢] yìzhī 명 ⇨[假肢]

议(議) yì (의)
① 명 의견. ❏ 建~; 건의하다. ② 동 상의하다. 논의하다. ❏ 决~; 결의하다. ③ 명 의론. 비평. ❏ 物~; 대중의 비평.

[议案] yì'àn 명 의안. 안건.

[议程] yìchéng 명 의사(議事) 일정. 의사 진행 과정.

[议定] yìdìng 동 의정하다. ❏ ~书; 의정서.

[议和] yìhé 동 강화(講和)하다.

[议会] yìhuì 명 ① 의회. =[议院] ② (일부 국가의) 최고 권력 기구.

[议价] yì∥jià 동 가격을 협상하다.

[议决] yìjué 동 의결하다.
[议论] yìlùn 명 의론. 평판. 시비. ❏~纷纷; 의론이 분분하다. 동 왈가왈부하다. 비평하다.
[议事] yìshì 동 의사하다. ❏~日程; 의사 일정.
[议题] yìtí 명 의제.
[议员] yìyuán 명 의원.
[议院] yìyuàn 명 의회. ❏上~; 상원 / 下~; 하원. =[议会①]
[议长] yìzhǎng 명 의장.

亿(億) yì (억)
수 억.
[亿万] yìwàn 형 억만의. 무수한. 수많은. ❏~民众; 수많은 민중.

忆(憶) yì (억)
동 ① 기억하다. ❏记~; 기억하다. ② 회상하다. 생각하다. ❏回~; 회상하다.

艺(藝) yì (예)
명 ① 기술. 기예. 솜씨. ❏手~; 솜씨. ② 예능. 예술.
[艺名] yìmíng 명 예명.
[艺人] yìrén 명 ① 예능인. 연예인. ② (수공예의) 직공(職工).
[艺术] yìshù 명 ① 예술. ❏~家; 예술가 / ~品; 예술품 / ~性; 예술성. ② 창조성이 풍부한 방식[방법]. 형 예술적이다.
[艺术体操] yìshù tǐcāo 〖體〗 리듬체조. =[韵律体操] 「계.
[艺苑] yìyuàn 명 예원. 문학 예술

呓(囈) yì (예)
명 잠꼬대. ❏梦~; 잠꼬대를 하다.
[呓语] yìyǔ 명 ⇨[梦话①]

弋 yì (익)
〈書〉 ① 동 (주살로 새를) 잡다. ② 명 주살.

屹 yì (흘) 「은 모양.
형〈書〉 (산봉우리가) 우뚝 솟
[屹立] yìlì 동 ① (산봉우리처럼) 우뚝 솟다. ②〈比〉 확고하여 동요하지 않다. ❏~不动; 〈成〉 흔들림 없이 꿈쩍도 않다.
[屹然] yìrán 형 우뚝 솟은 모양. ❏~挺立; 우뚝 서다.

译(譯) yì (역)
동 번역하다. 통역하다. ❏把文章~成英文; 글을 영문으로 번역하다.
[译本] yìběn 명 역본. 번역본.
[译文] yìwén 명 역문. 번역문.
[译音] yìyīn 명동 음역(하다).
[译员] yìyuán 명 통역원. 통역.
[译者] yìzhě 명 역자. 번역자.
[译制] yìzhì 동 (영화·드라마 따위를) 더빙(dubbing)하다.

绎(繹) yì (역)
동〈書〉 단서를 캐내다. 실마리를 찾다. ❏演~; 연역하다.

驿(驛) yì (역)
명 역참(驛站).
[驿站] yìzhàn 명 역참.

亦 yì (역)
부〈書〉 …도. 또. 또한.
[亦步亦趋] yìbù-yìqū 〈成〉 남이 걸으면 걷고, 남이 뛰면 뛴다《맹목적으로 남을 추종하다》.

奕 yì (혁)
형〈書〉 성대하다.
[奕奕] yìyì 형 활기가 넘치는 모양.

弈 yì (혁)
〈書〉 ① 명 바둑. 장기. ② 동 바둑을 두다. 장기를 두다.

异 yì (이)
① 형 다르다. ❏差~; 차이. ② 형 기이하다. 특이하다. ❏~香; 특이한 향기. ③ 동 이상하게 여기다. ❏惊~; 경이롭다. ④ 형 다른. 딴. ❏~地; ⇩ ⑤ 동 갈라지다. 헤어지다. ❏离~; 이혼하다.
[异彩] yìcǎi 명 이채. 특별한 광채. 〈比〉 특출한 성과. 두드러진 모습.
[异常] yìcháng 형 이상하다. 심상치 않다. ❏神色~; 표정이 심상치 않다 / ~现象; 이상 현상. 부 대단히. 매우. 유난히. ❏教室里~安静; 교실 안이 유난히 조용하다.
[异地] yìdì 명 타지. 외지.
[异端] yìduān 명 이단. ❏~邪说; 〈成〉 이단 사설.
[异国] yìguó 명 이국. 타국.
[异己] yìjǐ 명 이분자. 이색분자.
[异口同声] yìkǒu-tóngshēng 〈成〉 이구동성.
[异曲同工] yìqǔ-tónggōng 〈成〉 곡조는 달라도 솜씨는 똑같다《①사람은 달라도 문장이나 언변은 똑같이 훌륭하다. ② 방법은 다르나 같은 효과를 내다》. =[同工异曲]
[异体字] yìtǐzì 명〖言〗 이체자.
[异同] yìtóng 명 다른 점과 같은 점.
[异物] yìwù 명 ① 이물. 이물질. ②〈書〉 진기한 물건.
[异乡] yìxiāng 명 이향. 타향.
[异想天开] yìxiǎng-tiānkāi 〈成〉 기상천외(奇想天外)하다.
[异性] yìxìng 명 성별이 다른 사

람. 이성. 형 ① 성별이 다른. 이성의. ❏ ~朋友; 이성 친구. ② 성질이 다른.

[异样] yìyàng 형 ① 심상치 않다. 이상하다. ❏ 这几天他有些~; 요 며칠 새 그가 좀 이상하다. ② 다르다. 차이가 나다.

[异议] yìyì 명 이의. 이견. 다른 의견. ❏ 提出~; 이의를 제기하다.

裔 yì (예)
명〈書〉 ① 자손. 후예. ❏ 华~; 중국인의 자손. ② 변경(邊境).

佚 yì (일)
형동 ⇨[逸yì]

轶(軼) yì (일)
① 동 ⇨[逸④] ② 형 ⇨[逸⑤]

抑 yì (억)
A) 동 누르다. 억압하다. ❏ 压~; 억압하다. B) 접〈書〉 ① 그렇지 않으면. 아니면. 혹은. ② 그러나. 단지. 다만. ③ 게다가. 또한.

[抑扬] yìyáng 동 소리에 높낮이가 있다. ❏ ~顿挫; 〈成〉 소리의 높낮이와 곡절이 조화롭고 율동적이다.

[抑郁] yìyù 형 우울하다. ❏ 心情~; 마음이 우울하다 / ~症; 우울증.

[抑制] yìzhì 동 ①〖醫〗(신경 따위를) 억제하다. ❏ ~剂; 억제제. ② 억제하다. 억누르다. ❏ ~怒火; 화를 억제하다 / ~食欲; 식욕을 억제하다. =[抑止]

邑 yì (읍)
명 ①(옛날의) 도시. 읍. ❏ 城~; 도시. ② '县'(현)의 별칭(別稱).

悒 yì (읍)
형〈書〉 걱정되다. 근심스럽다. ❏ ~~不乐; 〈成〉 근심스럽고 즐겁지가 않다.

役 yì (역)
① 명 노동. 노동력을 필요로 하는 일. ❏ 苦~; 고역. ② 명 병역. ❏ 现~; 현역. ③ 동 사역하다. 부리다. ❏ 奴~; 노예처럼 부리다. ④ 명 고용인. 하인. 잡역부. ❏ 杂~; 잡역. ⑤ 명 전쟁.

[役使] yìshǐ 동 ①(가축을) 부리다. ②(인력(人力)을) 혹사하다.

疫 yì (역)
명〖醫〗 역병. 돌림병. ❏ 防~; 방역하다.

[疫病] yìbìng 명 역병.

[疫苗] yìmiáo 명〖醫〗 백신(vaccine).

毅 yì (의)
형 (의지가) 강하다. 굳세다.

[毅力] yìlì 명 의지력. ❏ 顽强的~; 강한 의지력.

[毅然] yìrán 부 의연히. 결연히. ❏ ~辞职; 결연히 사직하다.

诣(詣) yì (예)
〈書〉 ① 동 찾아뵙다. 배알하다. ② 명 (학문 · 기술 따위의) 경지. ❏ 造~; 조예.

易 yì (역, 이)
① 형 쉽다. 용이하다. ❏ ~患感冒; 감기에 걸리기 쉽다. ② 형 온화하다. 부드럽다. ❏ 平~近人; 온화하여 가까이하기 쉽다. ③ 동 바꾸다. 변화시키다. ❏ 万世不~; 〈成〉 만세 후가 되어도 변하지 않다. ④ 동 교환하다. 교역하다. ❏ 以物~物; 물물 교환을 하다.

[易拉罐] yìlāguàn 명 원터치 캔.

[易如反掌] yìrúfǎnzhǎng 〈成〉 손바닥을 뒤집는 것처럼 매우 쉽다. 식은 죽 먹기.

[易于] yìyú 동 쉽게 …할 수 있다. …하기 쉽다. ❏ ~实行; 실행하기 쉽다.

蜴 yì (척)
→[蜥xī蜴]

翌 yì (익)
명〈書〉 (금년이나 오늘의) 다음. ❏ ~年; 이듬해.

[翌日] yìrì 명〈書〉 익일. 이튿날.

谊(誼) yì (의)
명 우정. 교분. 우의. ❏ 厚~; 깊은 우정.

益 yì (익)
①명 이익. 이점. ❏ 有~; 유익하다. ②형 유익하다. ❏ ~友; 유익한 벗. ③동 증가하다. 더하다. ❏ 增~; 증가하다. ④부〈書〉 더욱. ❏ 多多~善; 〈成〉 다다익선.

[益虫] yìchóng 명〖蟲〗 익충.

[益处] yìchù 명 이점. 이익. 좋은 점. 유익한 점.

[益发] yìfā 부 한층 더. 더욱더. 훨씬. ❏ 气候~寒冷了; 기후가 한층 더 추워졌다.

[益鸟] yìniǎo 명 익조《이로운 새》.

溢 yì (일)
동 ① 넘치다. 흘러넘치다. ❏ 潮水~出堤岸; 조수가 둑에서 넘치다. ② 정도를 넘치다. 과도하다. ❏ ~美; 지나치게 칭찬하다.

缢(縊) yì (의)
동〈書〉 줄로 목을 졸라 「죽다.

逸 yì (일) ① 형 편안하다. 안락하다. 안일하다. ❏ 安~; 안일하다. ② 동 달아나다. 도주하다. ❏ 奔~; 달아나다. ③ 동 은둔하다. ④ 동 소실되다. 전해지지 않다. ❏ ~闻; ⇩ =[轶yì①] ⑤ 형 뛰어나다. 빼어나다. ❏ ~群; 무리 중에서 뛰어나다. =[轶yì②] ‖ =[佚yì]

[逸事] yìshì 명 세상에 알려지지 않은 사적(事跡). 일화(逸話).

[逸闻] yìwén 명 (기록에 없는) 세상에 알려지지 않은 진기한 이야기.

意 yì (의) ① 명 의미. 뜻. ❏ 言外之~; 언외의 뜻. ② 명 생각. 마음. 의견. 견해. ❏ 称心如~; 〈成〉 생각대로 되다. ③ 동 예상하다. 짐작하다. ❏ ~料; ⇩

[意表] yìbiǎo 명 의표. 의외. 예상외. ❏ 出人~; 〈成〉 뜻밖이다.

[意大利] Yìdàlì 명〔地〕〈音〉 이탈리아(Italia).

[意会] yìhuì 동 마음으로 이해하다.

[意见] yì·jiàn 명 ① 의견. 생각. ❏ 提出~; 의견을 내다. ② 이의(異議). 불만. 반대. ❏ 对你很有~; 너에게 불만이 많다.

[意境] yìjìng 명 (문학·예술 작품에 표현된) 정서(情緖). 정취.

[意料] yìliào 동 예상하다. 예측하다. 짐작하다. ❏ ~之中; 〈成〉 예상이 들어맞다.

[意气] yìqì 명 ① 의지와 기개. 의기. ❏ ~风发; 〈成〉 기세가 드높다. ② 지향(志向)과 성격. 의기. ❏ ~相投; 〈成〉 의기투합하다. ③ 감정. 격정. ❏ ~用事; 〈成〉 감정적으로 일을 처리하다.

[意识] yì·shí 동 의식하다. 인식하다. 깨닫다. ❏ 他终于~到自己错了; 그는 마침내 자신이 틀렸음을 깨달았다. 명〔哲〕 의식. ❏ 竞争~; 경쟁 의식.

[意识形态] yì·shí xíngtài 명〔哲〕 이데올로기(독 Ideologie). =[观念形态]

[意思] yì·si 명 ① 의미. 뜻. ② 생각. 의견. 뜻. ❏ 我的~与你的~一样; 내 생각은 네 생각과 같다. ③ 마음의 표시. 성의. ❏ 这不过是我的一点~; 이것은 그저 저의 작은 성의에 불과합니다. ④ 추세. 조짐. 형편. 기색. ❏ 天气有点转晴的~了; 날씨가 맑아질 조짐이 있다. ⑤ 재미. 흥미. ❏ 没~; 재미없다 / 有~; 재미있다.

[意图] yìtú 명 의도.

[意外] yìwài 형 의외이다. 뜻밖이다. 명 뜻밖의 사고[재난]. ❏ 发生~; 뜻밖의 사고가 일어나다.

[意味] yìwèi 명 ① (함축된) 의미. 뜻. ❏ ~深长; 〈成〉 의미심장하다. ② 맛. 정취. 재미.

[意向] yìxiàng 명 의향. 의도.

[意义] yìyì 명 ① 의미. 뜻. ② 의의. 의미. ❏ 历史~; 역사적 의의.

[意译] yìyì 동 의역하다.

[意愿] yìyuàn 명 바람. 소원. 염원.

[意旨] yìzhǐ 명 (따라야 할) 의지. 의도. 주지(主旨).

[意志] yìzhì 명 의지. ❏ ~坚强; 의지가 강하다.

[意中人] yìzhōngrén 명 마음속으로 사모하는 사람.

薏 yì (의) →[薏苡]

[薏苡] yìyǐ 명〔植〕 율무.

臆 yì (억) ① 명 가슴. ② 형 주관적이다. ❏ ~见; 주관적 견해.

[臆测] yìcè 동 억측하다.

[臆断] yìduàn 동 억단하다.

[臆造] yìzào 동 (말을) 억측해서 만들어 내다. 추측으로 날조하다.

癔 yì (억) →[癔病]

[癔病] yìbìng 명〔醫〕 히스테리(독 Hysterie).

肄 yì (이) 동 배우다. 공부하다.

[肄业] yìyè 동 ① (교과를) 학습하다. 수업하다. ② (과정을) 이수하다《졸업은 하지 못함》.

翼 yì (익) ① 명 (조류·벌레 따위의) 날개. ❏ 鸟~; 새의 날개. ② 명 (비행기 따위의) 날개. ❏ 机~; 비행기의 날개. ③ 명 익. 측. 쪽. ❏ 由两~进攻; 양쪽에서 진격하다. ④ 동〈書〉 돕다. 보좌하다. ❏ ~助; 보좌하다.

[翼侧] yìcè 명〔軍〕 ⇨[侧翼]

[翼翼] yìyì 형〈書〉 엄숙하고 삼가는 모양. 삼가고 조심하는 모양. ❏ 小心~; 〈成〉 매우 조심스럽다.

翳 yì (예) ① 동〈書〉 가리다. 감추다. ② 명 안구(眼球) 각막증(角膜症)에 걸린 후 남은 흔적.

yin ㄧㄣ

阴(陰) yīn (음) ① 명〖哲〗음. ② 명 달. ❑～历; ⇩ ③ 형 (날씨가) 흐리다. ❑天又～上了; 날이 또 흐려졌다. ④ 명 그늘. 응달. ❑树～; 나무 그늘. ⑤ 명 산의 북쪽 또는 강의 남쪽. ⑥ 명 뒷면. 배면. ❑碑～; 비석의 뒷면. ⑦ 형 숨겨진. 표면에 나타나지 않는. ❑～私; ⇩ ⑧ 형 움푹한. ❑～文; ⇩ ⑨ 형 저승의. 저세상의. ❑～间; ⇩ ⑩ 형〖物〗음전기(陰電氣)를 띤. ❑～极; ⇩ ⑪ 형 음흉하다. 음험하다. ❑～笑; 음험한 웃음. ⑫ 명 (여자의) 생식기. ❑下～; 음부.

[阴暗] yīn'àn 형 어둡다. 음침하다.
[阴部] yīnbù 명〖生理〗음부.
[阴沉] yīnchén 형 ① (하늘이) 흐리다. 우중충하다. ❑天色～; 하늘이 우중충하다. ② (표정이) 어둡다. ❑脸色～; 얼굴이 어둡다.
[阴沉沉(的)] yīchénchén(·de) 형 ① (하늘이) 우중충한 모양. ② (표정이) 어두운 모양.
[阴错阳差] yīncuò-yángchā 〈成〉 우연한 일로 착오가 생기다. =[阴差阳错]
[阴道] yīndào 명〖生理〗질(膣).
[阴电] yīndiàn 명 ⇨[负电]
[阴干] yīngān 동 그늘에서 말리다. 음건하다.
[阴沟] yīngōu 명 ⇨[暗沟]
[阴极] yīnjí 명〖物〗음극. 마이너스의 전극(電極). =[负fù极]
[阴间] yīnjiān 명 저승. =[阴曹][阴司]
[阴茎] yīnjīng 명〖生理〗음경.
[阴离子] yīnlízǐ 명 ⇨[负离子]
[阴历] yīnlì 명 ① 음력. 태음력. =[太阴历] ② ⇨[农历①]
[阴凉] yīnliáng 형 그늘이 져서 서늘하다. 명 (～儿) 그늘지고 시원한 곳.
[阴毛] yīnmáo 명〖生理〗음모.
[阴谋] yīnmóu 명 음모. 흉계. 동 음모를 꾸미다. ❑～暗杀; 암살 음모를 꾸미다.
[阴平] yīnpíng 명〖言〗표준 중국어의 제1성.
[阴森] yīnsēn 형 음산하다. 음침하다. ❑～的树林; 음침한 숲.
[阴私] yīnsī 명 음사. 남에게 말할 수 없는 개인적인 나쁜 일.
[阴文] yīnwén 명 음문. 음각(陰刻)된 문자[무늬].
[阴险] yīnxiǎn 형 음험하다.
[阴性] yīnxìng 명 ①〖醫〗음성. ②〖言〗(언어학에서) 여성.
[阴阳怪气] yīnyáng-guàiqì 〈成〉 (성격 · 언행 따위가) 괴팍하다. 별나다.
[阴影(儿)] yīnyǐng(r) 명 음영. 그늘. 그림자. =[暗影]
[阴郁] yīnyù 형 ① (날씨·분위기가) 음울하다. ❑～的话; 음울한 이야기. ② 우울하다. 찌무룩하다. ❑心情～; 마음이 우울하다.
[阴云] yīnyún 명 비구름. 먹구름.

荫(蔭) yīn (음) 명 나무 그늘. ⇒yìn

[荫蔽] yīnbì 동 ① (나뭇가지에) 가리우다. =[荫翳] ② 은폐하다.

因 yīn (인) ① 동〈書〉따르다. 답습하다. ❑～袭; ⇩ ② 개〈書〉…에 의거하여. …에 근거하여. ❑～材施教; ⇩ ③ 명 원인. 이유. ❑事出有～; 〈成〉 일이 일어나는 데에는 원인이 있다. ④ 개 …때문에. …로 인해. ❑他～病不能参加; 그는 아파서 참가할 수 없다. ⑤ 접 …때문에 …하다. …인 이유로 …하다. ❑～今天下雨, 体育课改为英语课; 오늘 비가 와서 체육 수업이 영어 수업으로 바뀌었다.

[因材施教] yīncái-shījiào 〈成〉 그 사람에게 알맞은 교육을 하다(상대방에 따라 설법하다).
[因此] yīncǐ 접 이로 인해. 그러므로. 이 때문에. ❑由于事先作了充分准备, ～会议开得很成功; 사전에 충분히 준비했으므로 회의는 매우 성공적으로 열렸다.
[因地制宜] yīndì-zhìyí 〈成〉 그 고장의 구체적인 사정에 적합하게 방법을 정하다.
[因而] yīn'ér 접 그러므로. 그 때문에. 그래서. ❑他的体质很差, ～老是得病; 그는 체질적으로 약해서 늘 병을 달고 산다.
[因果] yīnguǒ 명 ① 원인과 결과. 인과. ❑～关系; 인과 관계. ②〖佛〗인과. 인연. ❑～报应; 〈成〉 인과응보.
[因陋就简] yīnlòu-jiùjiǎn 〈成〉 원래의 빈약한 조건을 이용하다.

[因式] yīnshì 명〖數〗 인수. ❏ ~分解; 인수 분해. =[因子②]
[因势利导] yīnshì-lìdǎo 〈成〉 발전 형세에 따라 유리하게 이끌다.
[因数] yīnshù 명 ⇨[约数②]
[因素] yīnsù 명 ① 사물을 구성하는 요소. 성분. ② 승패를 결정하는 원인·조건·요소.
[因特网] Yīntèwǎng 명〖컴〗〈音義〉 인터넷(Internet).
[因为] yīn·wèi 접 …이기 때문에. …로 인해. ❏ ~这里气候好, 所以植物种类很多; 이곳은 기후가 좋기 때문에 식물 종류가 매우 많다. 개 왜냐하면 …때문이다. ❏ 我今天没上学, 是~有病; 내가 오늘 학교에 안 간 것은 병 때문이다.
[因袭] yīnxí 동 (종래의 방법·제도 따위를) 답습하다. 그대로 좇다. ❏ ~陈规; 낡은 규칙을 따르다.
[因小失大] yīnxiǎo-shīdà 〈成〉 작은 것 때문에 큰 것을 잃다.
[因循] yīnxún 동 ① 구습을 고수하다. 답습하다. ❏ ~守旧; 〈成〉 변혁을 추구하지 않고 구습을 답습하다. ② 꾸물거리다. 질질 끌다.
[因噎废食] yīnyē-fèishí 〈成〉 목이 멘다고 아예 안 먹다《문제가 생기는 것이 두려워 아예 하지 않다》.
[因缘] yīnyuán 명 연분. 인연.
[因子] yīnzǐ 명 ① ⇨[约数②] ② ⇨[因式]

洇 yīn (인)
동 번지다. 스미다. 배다. ❏ 这张纸写字容易~; 이 종이에 글씨를 쓰면 번지기 쉽다.

茵 yīn (인)
명 요·방석 따위.

姻 yīn (인)
명 ① 혼인. 결혼. ② 인척 관계.
[姻亲] yīnqīn 명 인척. 사돈.
[姻娅] yīnyà 명〈書〉 ① 사돈과 동서. ② 인척.
[姻缘] yīnyuán 명 결혼의 인연. 부부의 연분.

音 yīn (음)
명 ① 음. 소리. ❏ 发~; 발음. ② 소식. ❏ 回~; 회신
[音标] yīnbiāo 명〖言〗 음성 기호.
[音波] yīnbō 명 ⇨[声波]
[音程] yīnchéng 명〖樂〗 음정.
[音调] yīndiào 명 ① 소리의 높낮이. 음조. ② 어조. 톤(tone). ‖ =[声调①]
[音符] yīnfú 명〖樂〗 음부. 음표.
[音阶] yīnjiē 명〖樂〗 음계.
[音节] yīnjié 명〖言〗 음절.
[音量] yīnliàng 명 음량. 볼륨(volume). =[响度]
[音律] yīnlǜ 명〖樂〗 음률.
[音色] yīnsè 명 음색. =[音质①]
[音速] yīnsù 명 ⇨[声速]
[音素] yīnsù 명〖言〗 낱소리. 음소.
[音响] yīnxiǎng 명 ① 음향. ❏ ~效果; 음향 효과. ② 오디오(audio) 기기. ❏ ~组合; 오디오 세트.
[音信] yīnxìn 명 편지. 소식. ❏ 杳无~; 감감무소식이다. =[音讯]
[音译] yīnyì 동 음역하다.
[音乐] yīnyuè 명 음악. ❏ ~会; 음악회 / ~家; 음악가.
[音质] yīnzhì 명 ① ⇨[音色] ② 음질.

殷 yīn (은)
① 형〈書〉 풍부하다. 풍성하다. ❏ ~富; 유복하다. ② 형〈書〉 깊다. 두텁다. ❏ ~切; ⇩ ③ 형〈書〉 정성스럽다. 극진하다. ❏ 招待甚~; 극진히 대접하다. ④ (Yīn) 명〖史〗 은《중국 고대 왕조의 하나, B.C. 1300-1046》. ⇒yān
[殷切] yīnqiè 형 간곡하다. 간절하다. ❏ ~的希望; 간절한 희망.
[殷勤] yīnqín 형 친절하다. 정성스럽다. 극진하다. ❏ ~招待; 정성껏 접대하다.
[殷实] yīnshí 형 부유하다. 유복하다.
[殷殷] yīnyīn 형〈書〉 매우 간곡한 모양. 매우 간절한 모양. ❏ ~嘱咐; 간곡히 당부하다.

吟 yín (음)
① 동 읊다. ❏ ~诗; 시를 읊다. ② 동〈書〉 신음하다. 탄식하다. ③ 명 고전 시가(詩歌)의 일종.
[吟诵] yínsòng 동 읊다. 음송하다. ❏ ~古诗; 고시를 읊다.
[吟咏] yínyǒng 동 (시나 노래를) 음영하다. 읊다.

垠 yín (은)
명〈書〉 한계. 끝. ❏ 一望无~; 〈成〉 끝이 없고 아득히 멀다.

银(銀) yín (은)
① 명〖化〗 은(Ag: argentum). ② 명 화폐와 관계가 있는 것. ❏ ~行háng; ⇩ ③ 형〖色〗 은색의. 은빛의. ❏ ~色; 은색.
[银白] yínbái 형 은백색을 띠다.
[银币] yínbì 명 은화.
[银行] yínháng 명 은행. ❏ ~家; 은행가 / 中国~; 중국 은행.

[银河] yínhé 명〖天〗 은하. ❏~系; 은하계. =[天河][星河]
[银幕] yínmù 명 스크린(screen). 은막.
[银牌] yínpái 명 은메달. ❏~得主; 은메달리스트.
[银钱] yínqián 명 금전. 돈.
[银杏)] yínxìng 명〖植〗 ① 은행나무. ② 은행. ‖ =[白果]
[银圆] yínyuán 명 중국에 유통되었던 1원짜리 은화. =[银元][银洋][〈口〉 洋钱]
[银子] yín·zi 명 은(銀)의 통칭.

龈(齦) yín (은)
명 잇몸. =[牙龈]

淫 yín (음)
① 형 지나치다. 과도하다. ❏~威; ⇓ ② 형 방종하다. ❏乐而不~; 즐기되 방종하지 않다. ③ 명 남녀 간의 부적절한 관계.
[淫荡] yíndàng 형 음탕하다. ❏~的行为; 음탕한 행위.
[淫秽] yínhuì 형 음란하다. 외설하다. ❏~书画; 외설적인 서화.
[淫乱] yínluàn 형 음란하다. ❏~的曲子; 음란한 노래.
[淫威] yínwēi 명 음위. 남용된 위력.
[淫雨] yínyǔ 명 장마.

寅 yín (인)
명 인(《십이지(十二支)의 세 번째》).
[寅吃卯粮] yínchīmǎoliáng 〈成〉 인년(寅年)에 묘년(卯年)의 식량을 먹어 버리다(《가불하여 먹고살다》). =[寅支卯粮]
[寅时] yínshí 명 인시(寅時)(《새벽 3시부터 5시까지》).

尹 yǐn (윤)
명〈舊〉 옛날, 지방 장관. ❏道~; 도윤.

引 yǐn (인)
동 ① 끌다. 당기다. ❏~弓; 활을 당기다. ② 이끌다. 안내하다. 인도하다. ❏~路; 길 안내를 하다. ③ 물러나다. 떠나다. ❏~退; ⇓ ④〈書〉 길게 빼다. 늘이다. ❏~领; 목을 빼(고 기다리)다. ⑤ 일으키다. 이끌어 내다. ❏把他知道的情况全~出来; 그가 알고 있는 상황을 모두 이끌어 내다. ⑥ 불러일으키다. …하게 만들다. 자아내다. ❏他的话~得大家哄笑; 그의 말이 모두를 한바탕 웃게 만들었다. ⑦ 인용하다. ❏~经据典; ⇓
[引爆] yǐnbào 동 폭발을 일으키다. ❏~装置; 기폭 장치.
[引柴] yǐnchái 명 불쏘시개.
[引导] yǐndǎo 동 ① 안내하다. ❏~参观; 참관을 안내하다. ② 이끌다. 인도하다. 유도하다. ③〖컴〗 부팅(booting)하다.
[引得] yǐndé 명〈音〉 ⇨[索引]
[引渡] yǐndù 동 ① (물을) 건너도록 인도하다. ❏~过江; 강을 건너도록 인도하다. ②〖法〗 인도하다. ❏~犯人; 범인을 인도하다.
[引吭高歌] yǐnháng-gāogē 〈成〉 목청 높여 큰 소리로 노래 부르다.
[引号] yǐnhào 명〖言〗 따옴표.
[引火] yǐn//huǒ 동 인화하다. 불을 일으키다.
[引火烧身] yǐnhuǒ-shāoshēn 〈成〉 ① 스스로 자신을 망칠 길을 택하다. 제 무덤을 제가 파다. =[惹rě火烧身] ② 자신의 결점을 스스로 폭로하여 남의 비판을 받다.
[引见] yǐnjiàn 동 (사람을) 소개해 주다.
[引荐] yǐnjiàn 동 (사람을) 추천하다. =[引进②]
[引进] yǐnjìn 동 ① 들여오다. 도입하다. 유치하다. ❏~外资; 외자를 유치하다. ② ⇨[引荐]
[引经据典] yǐnjīng-jùdiǎn 〈成〉 경서나 전고를 인용하다.
[引咎] yǐnjiù 동 인책(引責)하다.
[引狼入室] yǐnlángrùshì 〈成〉 악인을 자기 진영에 끌어들이다(《재앙을 자초하다》).
[引力] yǐnlì 명〈簡〉 ⇨[万有引力]
[引起] yǐnqǐ 동 일으키다. 야기하다. ❏~争论; 논쟁을 일으키다.
[引擎] yǐnqíng 명〖機〗〈音〉 엔진(engine).
[引人入胜] yǐnrén-rùshèng 〈成〉 사람을 황홀하게 하다.
[引人注目] yǐnrén-zhùmù 〈成〉 사람들의 주의를 끌다.
[引申] yǐnshēn 동〖言〗 뜻을 확대시키다.
[引退] yǐntuì 동 (관직에서) 물러나다. 은퇴하다. 사직하다.
[引文] yǐnwén 명 인용문.
[引信] yǐnxìn 명〖軍〗 신관. =[信管]
[引言] yǐnyán 명 서언(序言). 서문(序文).
[引用] yǐnyòng 동 ① 인용하다. ❏~书中的文句; 책 속의 문구를 인용하다. ② 임용(任用)하다. ❏~私人; 연고자를 임용하다.
[引诱] yǐnyòu 동 ① (나쁜 길로)

유인하다. 유도하다. ❏ ~青少年犯罪; 청소년을 유인하여 범죄를 저지르게 하다. ② 유혹하다. ❏ 他们用金钱~我们; 그들은 돈으로 우리를 유혹한다.

[引证] yǐnzhèng 동 인증하다. 인용하여 증명하다.

[引子] yǐn·zi 명 ①〖劇〗 등장인물의 첫 대사. ②〖樂〗 서주(序奏). 도입부. ③〈比〉 서론. 머리말. ④〖中醫〗 한약을 복용할 때 같이 마시는 약. 보조약. =[药引子]

蚓 yǐn (인) →[蚯qiū蚓]

饮(飮) yǐn (음) ① 동 마시다. ❏ ~酒; 술을 마시다. ② 명 음료. 마실 것. ❏ 冷~; 찬 음료. ③ 동 마음속에 묻다[품다]. ❏ ~恨; ⇓ ⇒ yìn

[饮恨] yǐnhèn 동〈書〉 원한을 품다. ❏~而终; 원한을 품고 죽다.

[饮料] yǐnliào 명 음료. 마실 것.

[饮泣] yǐnqì 동〈書〉 눈물을 삼키다. 흐느껴 울다.

[饮食] yǐnshí 명 먹고 마시는 것. 음식. ❏ ~卫生; 음식 위생 / ~男女; 〈成〉 식욕과 성욕《사람의 본성》/ ~业; 요식업.

[饮水思源] yǐnshuǐ-sīyuán 〈成〉 행복할 때 행복의 근원을 잊지 않다.

[饮用水] yǐnyòngshuǐ 명 식수. 음용수.

[饮鸩止渴] yǐnzhèn-zhǐkě 〈成〉 독주를 마셔 갈증을 풀다《눈앞의 문제를 풀기 위해 후환을 알면서도 임시방편을 취하다》.

隐(隱) yǐn (은) ① 동 숨다. 숨기다. 감추다. ❏ ~蔽; ⇓ ② 형 깊은 곳에 감추어진. 은밀한. ❏ ~情; ⇓ ③ 명 밝힐 수 없는 것. 비밀.

[隐蔽] yǐnbì 동 숨다. 은폐하다. 형 겉으로 드러나 있지 않다. 은폐되다. ❏ ~地形; 은폐된 지형.

[隐藏] yǐncáng 동 숨기다. 숨다. 감추다. ❏ ~证据; 증거를 숨기다.

[隐伏] yǐnfú 동 몰래 숨다. ❏ ~在草丛里; 풀숲에 몰래 숨어 있다.

[隐讳] yǐnhuì 동 꺼리어 숨기고 말하지 않다.

[隐晦] yǐnhuì 형 (의미가) 난해하다. ❏ 这些诗写得十分~; 이 시들은 매우 난해하게 쓰여졌다.

[隐居] yǐnjū 동 은거하다. ❏ 在山林~; 산림에 은거하다.

[隐瞒] yǐnmán 동 (사실을) 은폐하여 속이다. 숨기다. ❏ ~错误; 잘못을 숨기다.

[隐秘] yǐnmì 동 비밀로 하다. 형 은밀하다. ❏ ~的地方; 비밀 장소. 명 비밀. 비밀스러운 일.

[隐没] yǐnmò 동 사라지다. 자취를 감추다. ❏ 他的身影~在人群中; 그의 모습이 군중 속으로 사라졌다.

[隐匿] yǐnnì 동 은닉하다. 숨기다. ❏ ~证据; 증거를 은닉하다.

[隐情] yǐnqíng 명 말 못할 사실[이유]. 속사정.

[隐忍] yǐnrěn 동 몰래 참고 견디다. ❏ ~悲痛; 비통함을 참고 견디다.

[隐士] yǐnshì 명 은사. 은자.

[隐私] yǐnsī 명 개인의 비밀스러운 일. 프라이버시(privacy).

[隐痛] yǐntòng 명 ① 남모르는 고민[고통]. ② 은근한 통증.

[隐形眼镜] yǐnxíng yǎnjìng ⇨[接触镜]

[隐隐] yǐnyǐn 형 ⇨[隐约]

[隐忧] yǐnyōu 명 남모르는 걱정[근심].

[隐喻] yǐnyù 명〖言〗 은유. =[暗喻]

[隐约] yǐnyuē 형 희미하다. 흐릿하다. 어렴풋하다. ❏ 远外~有几声雷响; 멀리서 희미하게 천둥소리가 들린다. =[隐隐]

瘾(癮) yǐn (은) 명 ① (신경계의) 중독. 인. ❏ 吸毒成~; 마약에 중독되다. ② 벽(癖). 광적인 취미나 기호.

[瘾头(儿)] yǐntóu(r) 명 중독된 정도. 인이 박인 정도.

印 yìn (인) ① 명 도장. 인장. ❏ 盖~; 도장을 찍다. ② (~儿) 명 자국. 흔적. ❏ 脚~儿; 발자국. ③ 동 흔적을 남기다. 새기다. ❏ ~记; ⇓ ④ 동 인쇄하다. ❏ ~上字样; 로고를 새기다. ⑤ 동 딱 맞다. 일치하다. ❏ 心心相~; 마음이 서로 딱 맞다.

[印第安人] Yìndì'ānrén 명〖民〗〈音〉 인디언(Indian).

[印度] Yìndù 명〖地〗 인도.

[印度教] Yìndùjiào 명〖宗〗 힌두교.

[印度尼西亚] Yìndùníxīyà 명〖地〗〈音〉 인도네시아(Indonesia). =[〈簡〉 印尼]

[印度洋] Yìndùyáng 명〖地〗 인도양.

[印发] yìnfā 동 인쇄 배포하다.

❑ ~传单; 전단을 인쇄 배포 하다.
[印花] yìnhuā 명 수입 인지. 인지. ❑ ~税; 인지세. =[印花税票] (yìn//huā) (~儿) 동 날염하다.
[印记] yìnjì 동 (마음·머릿속에) 새기다. 명심하다.
[印鉴] yìnjiàn 명 인감.
[印泥] yìnní 명 인주(印朱).
[印染] yìnrǎn 동 날염(捺染)하다. ❑ ~布; 날염천 / ~厂; 날염 공장.
[印刷] yìnshuā 동 인쇄하다. ❑ ~厂; 인쇄소 / ~品; 인쇄물.
[印象] yìnxiàng 명 인상. ❑ 深刻的~; 깊은 인상 / 第一~; 첫인상 / ~派; 인상파.
[印行] yìnxíng 동 인쇄 발행하다.
[印章] yìnzhāng 명 도장. 인장.
[印证] yìnzhèng 명동 입증(하다). 검증(하다). 증명(하다).
[印子] yìn·zi 명 흔적. 자국.

饮(飲) yìn (음) 동 (가축에게) 물을 먹이다. ❑ ~牲口; 가축에게 물을 먹이다. ⇒ yǐn

荫(蔭) yìn (음) ① 형 〈口〉 음습하다. 그늘지다. ❑ 地下室太~了; 지하실이 너무 음습하다. ② 동 〈書〉 비호하다. ❑ ~庇; ⇓ ③ 명 조상의 공로로 자손이 얻는 특혜. ⇒ yīn
[荫庇] yìnbì 동 ① (나무가) 햇볕을 가려 주다. ② 〈比〉 (어른이나 조상이) 비호하다. 보살펴 주다.
[荫凉] yìnliáng 형 그늘져서 시원하다. 서늘하다.

ying | ㄥ

应(應) yīng (응) ① 동 대답하다. 응답하다. ❑ 听见他在里面~了一声, 但没出来; 그가 안에서 대답하는 소리는 들렸는데 나오지는 않는다. ② 동 승낙하다. 응하다. ❑ 他已经~下了这件事; 그는 이미 이 일을 승낙했다. ③ 조동 (당연히[마땅히, 응당]) …하여야[이어야] 한다. 마땅히[틀림없이] …일 것이다. ❑ 自己的事~由自己来做; 자기의 일은 자기가 해야 한다. ⇒ yìng
[应当] yīngdāng 조동 ⇒[应该]
[应该] yīnggāi 조동 당연히[마땅히] …해야 한다. (…하는 것이) 당연[마땅]하다. ❑ 学生~认真学习; 학생은 마땅히 열심히 공부해야 한다. =[应当]
[应届] yīngjiè 형 이번 기(期)의 《졸업생에게만 씀》. ❑ ~毕业生; 이번 기(期)의 졸업생.
[应声(儿)] yīng//shēng(r) 동〈口〉 (소리 내어) 대답하다. ⇒ yìngshēng
[应许] yīngxǔ 동 ① 승낙하다. 응하다. 대답하다. ② 허락하다. 허용하다. 허가하다. ‖ =[应允]
[应有尽有] yīngyǒu-jìnyǒu 〈成〉 있어야 할 것은 모두 있다. 없는 것이 없다.
[应允] yīngyǔn 동 ⇒[应许]

英 yīng (영) 명 ① 〈書〉 꽃. ❑ 落~; 낙화. ② 우수하고 뛰어난 사람. 훌륭한 인재. ③ (Yīng) 〖地〗〈簡〉 영국.
[英镑] yīngbàng 명〖貨〗〈音〉 파운드(pound)《영국의 화폐 단위》. =[镑bàng]
[英才] yīngcái 명 ① 영재. 뛰어난 인재. ② 뛰어난 재능.
[英尺] yīngchǐ 양〖度〗 피트(feet).
[英寸] yīngcùn 양〖度〗 인치(inch).
[英国] Yīngguó 명〖地〗 영국.
[英豪] yīngháo 명 영웅호걸. 영걸. =[英杰]
[英俊] yīngjùn 형 ① 재능이 뛰어나다. ② 용모가 뛰어나고 똑똑하다. 영민하고 준수하다.
[英里] yīnglǐ 양〖度〗 마일(mile).
[英两] yīngliǎng 양 ⇒[盎司]
[英灵] yīnglíng 명 영령.
[英名] yīngmíng 명 영명. 영웅의 이름. 영웅으로서의 명성.
[英明] yīngmíng 형 영명하다. 현명하다. ❑ ~的领导; 영명한 지도자.
[英亩] yīngmǔ 양〖度〗 에이커(acre).
[英气] yīngqì 명 뛰어난 기상.
[英文] Yīngwén 명 영어. 영문. =[英语]
[英雄] yīngxióng 명 영웅. ❑ ~无用武之地; 〈成〉 영웅이 능력을 펼칠 기회를 얻지 못하다 / ~好汉; 영웅호걸. 형 영웅적이다. ❑ ~气概; 영웅적 기개.
[英勇] yīngyǒng 형 용감하고 뛰어나다. 영용하다.
[英语] Yīngyǔ 명 ⇒[英文]
[英姿] yīngzī 명 영준하고 씩씩한 자태.

莺(鶯) yīng (앵) 명〖鳥〗 꾀꼬리.

婴(嬰) yīng (영) ① 명 갓난아이. 영아. ② 동〈書〉 걸리다. 얽매다. 얽히다. ❏ ~疾; 병에 걸리다.

[婴儿] yīng'ér 명 갓난아이. 영아. ❏ ~潮; 베이비 붐. =[婴孩]

嘤(嚶) yīng (앵) 의〈書〉 새가 우는 소리.

缨(纓) yīng (영) 명 ① 옛날, 관(冠)의 끈. 갓끈. ② (~儿) 장식용 술. ③ (~儿) 술처럼 생긴 것.

[缨子] yīng·zi 명 ① 장식용 술. ❏ ~帽; 모자의 술. ② 술처럼 생긴 것. ❏ 萝卜~; 무청.

樱(櫻) yīng (앵) 명〖植〗 ① 앵두나무. 앵두. ② 벚꽃. 벚나무.

[樱花] yīnghuā 명〖植〗 ① 벚나무. ② 벚꽃.

[樱桃] yīng·tao 명〖植〗 ① 버찌나무. 앵두나무. ② 버찌. 앵두.

鹦(鸚) yīng (앵) →[鹦哥(儿)][鹦鹉]

[鹦哥(儿)] yīng·gē(r) 명〈口〉 ⇨ [鹦鹉]

[鹦鹉] yīngwǔ 명〖鳥〗 앵무새. ❏ ~学舌; 〈成〉 앵무새가 말을 흉내내다《남의 말을 앵무새처럼 따라 하다》. =[〈口〉 鹦哥(儿)]

罂(罌) yīng (앵) 명〈書〉 배가 크고 아가리가 좁은 병.

[罂粟] yīngsù 명〖植〗 양귀비.

膺 yīng (응) 〈書〉 ① 명 가슴. ② 동 받다. 맡다. ❏ ~选; ⇩

[膺选] yīngxuǎn 동〈書〉 당선하다.

鹰(鷹) yīng (응) 명〖鳥〗 매.

[鹰钩鼻子] yīnggōubí·zi 명 매부리코.

[鹰犬] yīngquǎn 명 ① (사냥용의) 매와 개. ② 〈比〉 (악인의) 앞잡이.

迎 yíng (영) 동 ① 맞이하다. 마중하다. ❏ 出~; 마중 나가다 / 欢~; 환영하다. ② …를 향하다. …을 마주하다. ❏ ~面(儿); ⇩

[迎春花] yíngchūnhuā 명〖植〗 개나리.

[迎风] yíng//fēng 동 바람을 맞받다[안다]. 부 바람에 따라. ❏ 国旗~飘扬; 국기가 바람에 펄럭이다.

[迎合] yínghé 동 영합하다. 남의 뜻에 맞추다. 비위를 맞추다. ❏ ~顾客的爱好; 손님의 기호에 맞추다.

[迎候] yínghòu 동 마중하다. 맞이「하다.

[迎击] yíngjī 동〖軍〗 영격하다. 요격하다.

[迎接] yíngjiē 동 ① 맞이하다. 영접하다. ❏ ~客人; 손님을 맞이하다. ② 바라고 기다리다. 맞이하다. ❏ ~国庆节; 국경일을 맞이하다.

[迎面(儿)] yíng//miàn(r) 부 얼굴을 마주 대하고. 정면을 향해. ❏ ~走上去打招呼; 정면으로 걸어가서 인사하다.

[迎亲] yíng//qīn 동 신부를 맞다.

[迎刃而解] yíngrèn'érjiě 〈成〉 주요한 문제가 해결되면, 관련된 나머지 문제들은 쉽게 해결된다.

[迎头(儿)] yíng//tóu(r) 부 얼굴을 마주하고. 정면을 향해. ❏ ~痛击; 〈成〉 정면에서 통격(痛擊)을 가하다 / ~相撞; 정면충돌하다.

[迎头赶上] yíngtóu-gǎnshàng 〈成〉 박차를 가해 선두를 따라잡다.

[迎新] yíngxīn 동 신입생[신입 사원]을 환영하다. ❏ ~晚会; 신입 환영 파티.

荧(熒) yíng (형) 〈書〉 ① 형 빛이 희미한 모양. ② 동 현혹하다. 미혹하다. ❏ ~惑; ⇩

[荧光] yíngguāng 명〖物〗 형광.

[荧光灯] yíngguāngdēng 명 형광등. =[〈俗〉 日光灯]

[荧光屏] yíngguāngpíng 명〖物〗 형광판. 스크린(screen).

[荧惑] yínghuò 동〈書〉 현혹하다. 미혹하다. ❏ ~人心; 인심을 현혹하다.

[荧荧] yíngyíng 형 (별빛 · 등불 따위가) 반짝이는 모양.

莹(瑩) yíng (영, 형) 형〈書〉 윤이 나고 투명하다. ❏ 晶~; 투명하게 아름답다.

萤(螢) yíng (형) 명〖蟲〗 개똥벌레. 반딧불이.

[萤火虫] yínghuǒchóng 명〖蟲〗 개똥벌레. 반딧불이.

营(營) yíng (영) ① 동 꾀하다. 모색하다. ❏ ~利; ⇩ ② 동 경영하다. 관리

하다. ❑国~; 국영하다. ③명 군영. 병영. ❑入~; 입영하다. ④명〔軍〕대대(大隊). ❑~长; 대대장.
[营地] yíngdì 명〔軍〕숙영지.
[营房] yíngfáng 명〔軍〕병영. 병사(兵舍).
[营火] yínghuǒ 명 캠프파이어. 모닥불. ❑~会; 캠프파이어(campfire).
[营救] yíngjiù 동 방법을 생각하여 구제하다. 원조 활동을 하다.
[营垒] yínglěi 명 ① 군영과 주위의 보루. ② 진영.
[营利] yínglì 동 영리를 꾀하다.
[营生] yíngshēng 동 생계를 꾸리다. 생활을 도모하다.
[营私] yíngsī 동 사리(私利)를 도모하다. ❑~舞弊; 〈成〉 사리를 꾀하여 마구 부정을 저지르다.
[营养] yíngyǎng 명 ① 영양. ❑~价值; 영양가 / ~失调; 영양실조 / ~素; 영양소. ②⇨[养分]
[营业] yíngyè 동 영업하다. ❑~员; 영업 사원.
[营造] yíngzào 동 ① 건설 업무를 운영하다. ② (계획적으로) 조성하다. ❑~防护林; 방호림을 조성하다.
[营帐] yíngzhàng 명 막사. 캠프.

萦(縈) yíng (영)
동〈書〉휘감다. 에워싸다.
[萦怀] yínghuái 동 마음에 담아 두다. 걱정하다. 염려하다.
[萦回] yínghuí 동 맴돌다. ❑歌声~在耳边; 노랫소리가 귓가에 맴돌다.
[萦绕] yíngrào 동 맴돌다. 감돌다. ❑云雾~; 운무가 감돌다.

潆(瀠) yíng (형)
→[潆洄]
[潆洄] yínghuí 동 물이 소용돌이치다.

盈 yíng (영)
①형 가득 차다. 그득하다. ❑有谷~仓; 곡물이 창고에 가득 차다. ②동 남다. 여분이 생기다.
[盈亏] yíngkuī 명 ① (달의) 참과 이지러짐. ② 손해와 이익. 손익. ❑自负~; 손익을 스스로 부담하다.
[盈利] yínglì 명 ⇨[赢利]
[盈余] yíngyú 명동 잉여(가 생기다). 흑자(가 되다). =[赢余]

楹 yíng (영)
명 옛날, 집 앞의 굵은 두 기둥.
[楹联] yínglián 명 (기둥 위에 거는) 대련(對聯).

蝇(蠅) yíng (승)
명〔蟲〕파리. =[苍蝇]
[蝇拍] yíngpāi 명 파리채.
[蝇头] yíngtóu 명 파리 머리. 〈比〉 매우 작은 것. 매우 사소한 것. ❑~微利; 〈成〉 매우 적은 이익.
[蝇营狗苟] yíngyíng-gǒugǒu 〈成〉 파리처럼 이리저리 날아다니고 개처럼 되는대로 살아가다《염치 불구하고 여기저기 빌붙어 이익을 꾀하다》. =[狗苟蝇营]
[蝇子] yíng·zi 명〈口〉⇨[苍蝇]

赢(贏) yíng (영)
동 ①승리하다. 이기다. ❑红队~了蓝队; 홍팀이 청팀을 이겼다. ② 이익을 보다. 이득을 얻다.
[赢得] yíngdé 동 쟁취하다. 얻어 내다. 획득하다. ❑~支持; 지지를 얻어 내다.
[赢利] yínglì 명 (기업 따위의) 이윤. 이익. ❑~经营; 흑자 경영. 동 이윤을 얻다. =[盈利]
[赢余] yíngyú 명동 ⇨[盈余]

颖(穎) yǐng (영)
①명 일부 화본과(禾本科) 식물 이삭의 껍질. ②명〈書〉 가늘고 긴 물건 끝의 뾰족한 부분. ❑短~羊毫; 끝이 짧고 뾰족한 양털붓. ③형〈書〉총명하다. 영민하다. ❑~悟; ⇓
[颖慧] yǐnghuì 형〈書〉 지혜롭다. 총명하다.
[颖悟] yǐngwù 형〈書〉 총명하다. 영민하다. 영리하다.

影 yǐng (영)
① (~儿) 명 그림자. ❑人~儿; 사람 그림자. ② (~儿) 명 (거울·수면 따위에 반사되어 비치는) 영상. ❑水中倒~; 수면에 비친 그림자. ③ (~儿) 명 (희미한) 형상. 모습. 이미지. ❑背~儿; 뒷모습. ④명 사진. 초상. ❑合~; 단체 사진. ⑤명〈簡〉 영화. ⑥동〈方〉 감추다. 숨기다. 숨다. ❑他到树林子里~起来了; 그는 숲 속에 숨었다. ⑦동 모사하다. 본뜨다. ❑~宋本; 송대 판본의 복제품.
[影集] yǐngjí 명 사진첩. 앨범(album).
[影迷] yǐngmí 명 영화광. 영화팬.
[影片] yǐngpiàn 명 ① 영화 필름. ② 영화. ‖ =[〈口〉影片儿piānr]
[影评] yǐngpíng 명 영화평.
[影射] yǐngshè 동 빗대어 말하다. ❑这话是~他的; 이 말은 그를 빗

대어 말한 것이다. =[暗射]

[影坛] yǐngtán 명 영화계.

[影响] yǐngxiǎng 명동 영향(을 주다). ❏他的作品在全世界产生了~; 그의 작품은 전 세계에 영향을 끼쳤다.

[影像] yǐngxiàng 명 ① 초상. ② 형상. 이미지. ③ 영상(映像).

[影星] yǐngxīng 명 영화계 스타. 인기 영화배우.

[影印] yǐngyìn 동〖印〗영인하다. 사진판 인쇄를 하다.

[影影绰绰(的)] yǐngyǐngchuòchuò(·de) 형 어렴풋한 모양. 희미한 모양.

[影院] yǐngyuàn 명 영화관.

[影展] yǐngzhǎn 명 ① 사진전. 사진 전람. ② 영화제.

[影子] yǐng·zi 명 ① 그림자. ② (거울·수면 따위에 비치는) 모습. ③ 어렴풋한 인상. 희미한 이미지.

应(應) yìng (응)

동 ① 대답하다. 응답하다. ❏一呼百~; 〈成〉 한 사람의 외침에 여러 사람이 대답하다. ② 응하다. 수락하다. 승낙하다. ❏~聘; 초빙에 응하다. ③ 부합하다. 순응하다. 부응하다. ❏完全~了你昨天说的话; 완전히 네가 어제 얘기했던 대로구나. ④ 응대하다. 상대하다. ❏~变; ⇩ ⇒yīng

[应变] yìngbiàn 동 돌발적인 상황에 대처하다. 응변하다. ❏随机~; 〈成〉 임기응변하다.

[应承] yìng·cheng 동 승낙하다. 받아들이다.

[应酬] yìng·chou 명 사교 활동. 사교 모임. 동 사교하다. 교제하다. ❏~不善; 교제가 서투르다 / ~话; 예의상 하는 말. 접대용 멘트.

[应答] yìngdá 동 응답하다. 대답하다.

[应付] yìng·fu 동 ① 대처하다. 대응하다. ❏这个人很难~; 이 사람은 상대하기가 매우 어렵다. ② 적당히 하다. 대충대충 하다. ③ 임시변통하다. 대충 때우다.

[应和] yìnghè 동 (행동·말·소리가) 호응하다. 맞장구치다.

[应急] yìng∥jí 동 급한 요구에 응하다. ❏~措施; 응급 조치.

[应接不暇] yìngjiē-bùxiá 〈成〉 응대하느라 눈코 뜰 새 없다.

[应景(儿)] yìng∥jǐng(r) 동 그때그때 상황에 따라 억지로 대처하다.
(yìngjǐng(r)) 형 계절[절기]에 맞다. ❏~果品; 제철 과일.

[应考] yìngkǎo 동 응시하다. ❏~人; 응시자. =[应试①]

[应诺] yìngnuò 동 응낙하다. 요구를 들어주다.

[应声] yìngshēng 부 소리와 함께. 소리가 나자마자. ❏一声巨响, 大楼~坍塌; 굉음 소리와 함께 빌딩이 무너졌다. ⇒yīng∥shēng(r)

[应声虫] yìngshēngchóng 명 주견 없이 남이 하자는 대로만 하는 사람. 예스맨(yes-man).

[应时] yìngshí 형 계절[시기]에 맞다. ❏~货品; 계절 상품. 부 곧. 즉시. 바로. ❏他刚喝了一杯酒, 脸~就红了起来; 그는 술 한 잔을 마시자마자 곧 얼굴이 빨개졌다.

[应试] yìngshì 동 ①⇨[应考] ② 시험에 대비하다. ❏~教育; 입시교육.

[应验] yìngyàn 동 (예언·예감이) 맞다. 적중하다. ❏她的话全都~了; 그녀의 말은 모두 적중했다.

[应邀] yìngyāo 동 초대나 초청에 응하다.

[应用] yìngyòng 동 쓰다. 사용하다. ❏~新技术; 신기술을 사용하다. 형 응용할 수 있는. ❏~科学; 응용과학 / ~文; 응용문.

[应运而生] yìngyùn'érshēng 〈成〉 시대의 요구에 의해 나타나다.

[应战] yìng∥zhàn 동 응전하다. ① 공격에 맞서다. ② 도전을 받다.

[应征] yìngzhēng 동 ① 징병에 응하다. ② 응모하다.

映 yìng (영)

동 ① 비추다. 비치다. ❏影子~在墙上; 그림자가 담벼락에 비치다. ② 상영하다. 영사하다. ❏放~; 방영하다.

[映衬] yìngchèn 동 서로 돋보이게 하다. 서로 잘 어울리다. ❏红花绿叶, 互相~; 붉은 꽃과 초록색 잎이 잘 어울린다.

[映山红] yìngshānhóng 명 ⇨[杜鹃②]

[映照] yìngzhào 동 빛을 받아 빛나다. 비치다. 비추다. =[映射]

硬 yìng (경)

① 형 단단하다. 딱딱하다. 굳다. ❏这馒头~得简直没法吃; 이 만두는 딱딱해서 도저히 먹을 수가 없다. ② 형 성격이 강하다. 의지가 굳다. 완강하다. ❏态度很~; 태도가 매우 완강하다. ③ 부 억지로.

무리하게. ❏有病不要~撑着; 병이 났으면 억지로 참지 마라. ④ 부 강경하게. 고집스레. 단호히. ❏我劝他不要去, 他~要去; 내가 가지 말라고 그를 말렸는데도 그는 고집스레 가겠다고 한다. ⑤ 형 (재능이) 뛰어나다. (질이) 좋다. ❏功夫很~; 솜씨가 매우 좋다.
[硬邦邦(的)] yìngbāngbāng(·de) 형 ① 매우 딱딱한 모양. ② 빈틈이 없고 단단한 모양.
[硬币] yìngbì 명 금속 화폐. 동전.
[硬磁盘] yìngcípán 명〔컴〕 하드 디스크(hard disk). =[硬盘]
[硬度] yìngdù 명〔物〕 경도.
[硬骨头] yìnggǔ·tou 명〈比〉 강직한 사람. 경골.
[硬汉] yìnghàn 명 의지가 강한 남자. 경골한(硬骨漢). =[硬汉子]
[硬化] yìnghuà 동 ①〔物〕 경화하다. ❏动脉~; 동맥 경화. ②〈比〉 (사상·태도 따위가) 경직되다. ❏思想~; 사상이 경직되다.
[硬件] yìngjiàn 명〔컴〕 하드웨어(hardware). =[硬设备]
[硬结] yìngjié 동 딱딱하게 굳다. 굳어 엉기다. 명〔醫〕 경결. 경화종(硬化腫).
[硬朗] yìng·lang 형〈口〉 ① (노인이) 건강하다. 정정하다. ② (말이나 태도가) 강경하다.
[硬盘] yìngpán 명 ⇒[硬磁盘]
[硬气] yìng·qi 형〈方〉 ① 강직하다. 의지가 강하다. ❏为人~; 사람됨이 강직하다. ② 떳떳하다. 당당하다《주로, 돈을 쓰거나 밥을 먹는 데에 쓰임》.
[硬是] yìngshì 부〈方〉 ① 참으로. 정말. ❏这小子~要不得; 이 녀석은 정말 형편없다. ② 결연히. 단호히. 고집스레. 강경히. ❏明明他错了, 可~不承认; 분명히 그가 틀렸는데도 고집스레 인정하지 않는다.
[硬实] yìng·shi 형〈方〉 (몸이) 튼튼하다. 건장하다.
[硬手(儿)] yìngshǒu(r) 명 수완가. 재주꾼. 실력자. 「물.
[硬水] yìngshuǐ 명〔化〕 경수. 센
[硬挺] yìngtǐng 동 억지로 견디다. 무리하게 버티다. ❏他身体不好, 可是还~着上班; 그는 몸이 안 좋은데도 억지로 견디며 출근했다.
[硬通货] yìngtōnghuò 명〔經〕 경화(硬貨).
[硬卧] yìngwò 명 (기차의) 보통 침대. 일반 침대.
[硬席] yìngxí 명 (기차의) 보통석. 일반석.
[硬性] yìngxìng 형 변경할 수 없는. 융통성이 없는. ❏~规定; 융통성 없는 규정.
[硬座] yìngzuò 명 (기차의) 보통 좌석. 일반 좌석.

yo ㄧㄛ

唷 yō (육)
→[哼hēng唷]

哟(喲) yō (약)
감 어. 어라. 아니《놀람·감탄·의아함 따위를 나타냄》. ❏~, 你也来了? 어, 너도 왔어?

哟(喲) ·yo (약)
조 ① 문장 끝에 쓰여 요구·권유·명령 따위의 어기(語氣)를 나타내는 말. ❏这节目太精彩了, 大家快来看~; 이 프로그램은 너무나도 볼만하니 모두 빨리 와서 봐라. ② 장단을 맞추기 위한 어구나 가사(歌詞) 중간에 첨가하는 말. ❏呼儿嗨~! 에헤야!

yong ㄩㄥ

佣(傭) yōng (용)
① 동 고용하다. 고용되다. ❏雇~; 고용하다. ② 명 고용인. 하인. ❏女~; 하녀. ⇒yòng
[佣工] yōnggōng 명 고용 일꾼.

拥(擁) yōng (옹)
동 ① 껴안다. 끌어안다. ❏~抱; ⇓ ② 에워싸다. 둘러싸다. ❏大家~着他走出了大门; 모두 그를 에워싸고 대문을 나왔다. ③ 붐비다. 몰려들다. ❏人都~到天安门去; 사람들은 모두 톈안먼으로 몰려갔다. ④ 지지하다. 옹호하다. ❏~立; 옹립하다. ⑤〈書〉 보유하다. 지니다. ❏~兵百万; 백만의 병사를 보유하다.
[拥抱] yōngbào 동 부둥켜안다. 포옹하다. 껴안다. ❏热烈~; 뜨겁게 포옹하다.
[拥戴] yōngdài 동 옹호하고 추대하다. 받들어 모시다. ❏~他为领袖; 그를 지도자로 추대하다.
[拥护] yōnghù 동 옹호하다.
[拥挤] yōngjǐ 동 밀치락달치락하

다. 몰리다. 북적대다. ❏ 候车室里~着旅客; 대합실 안은 여행객들로 북적대고 있다. 형 혼잡하다. 붐비다. ❏ 交通~; 교통이 혼잡하다.
[拥塞] yōngsè 동 (길이) 막히다. 정체하다. ❏ 道路~; 길이 막히다.
[拥有] yōngyǒu 동 보유하다. 가지다. ❏ ~丰富的地下资源; 풍부한 지하자원을 보유하다.

痈(癰) yōng (옹) 명〖中醫〗등창.
[痈疽] yōngjū 명〖醫〗독창(毒瘡).

庸 yōng (용) ① 형 평범하다. ❏ 凡~; 범용하다. ② 형 변변치 못하다. ❏ ~医; ⇩ ③ 동〈書〉필요하다. 쓰다.
[庸才] yōngcái 명 용재. 범재.
[庸碌] yōnglù 형 지극히 평범하고 포부가 없다. 범속하다.
[庸人] yōngrén 명 용인. 범인(凡人). ❏ ~自扰; 〈成〉 용인은 스스로 문제를 일으킨다.
[庸俗] yōngsú 형 용속하다. 범속하다. ❏ 作风~; 작풍이 용속하다.
[庸医] yōngyī 명 돌팔이 의사.

慵 yōng (용) 형〈書〉① 귀찮다. 게으르다. ② 고단하다. 피곤하다.

雍 yōng (옹) 형〈書〉화목하다. 정답다.
[雍容] yōngróng 형 의젓하고 침착하다. 온화하고 점잖다. ❏ ~华贵; 〈成〉 온화하고 점잖고 귀티 나다.

壅 yōng (옹) 동 ① 막히다. 정체되다. ❏ 这条河道~住了; 이 강줄기는 막혔다. ② 뿌리에 북을 돋우거나 비료를 주다. ❏ ~土; 북을 돋우다.
[壅塞] yōngsè 동 막히다. 막혀서 소통되지 않다. ❏ 排水管~; 배수관이 막히다.

臃 yōng (옹) 동〈書〉붓다.
[臃肿] yōngzhǒng 형 ① 지나치게 뚱뚱하고 굼뜨다. ②〈比〉(조직·기구 따위가 필요 이상으로) 방대하다. ❏ 机构~; 기구가 방대하다.

喁 yóng (옹) 동〈書〉물고기가 물 위로 입을 내놓다.
[喁喁] yóngyóng 형〈書〉많은 사람이 우러러보는 모양.

永 yǒng (영) 부 영원히. 오래도록. ❏ ~不忘记; 영원히 잊지 않다.
[永别] yǒngbié 동 영별하다.
[永垂不朽] yǒngchuí-bùxiǔ 〈成〉 (이름·사적·정신 따위가) 영원히 없어지지 않고 전해지다.
[永恒] yǒnghéng 형 영원히 변하지 않다. 영구불변하다. 영구하다. ❏ 我们的友谊是~的; 우리의 우정은 영원하다.
[永久] yǒngjiǔ 형 영구하다. 영원하다. ❏ ~不变; 영구불변하다.
[永诀] yǒngjué 동〈書〉영결하다.
[永眠] yǒngmián 동〈婉〉영원히 잠들다. 영면하다. 죽다.
[永生] yǒngshēng 동 영생하다. 명 평생. 일평생. ❏ ~难忘; 평생 잊지 못하다.
[永生永世] yǒngshēng-yǒngshì 〈成〉 영원하다.
[永世] yǒngshì 부 영원히. 평생토록. ❏ ~不忘; 영원히 잊지 않다.
[永远] yǒngyuǎn 부 영원히. 영원토록. 늘. 항상. ❏ 他~活在我们的心中; 그는 영원히 우리의 마음속에 살아 있다.

泳 yǒng (영) 동 헤엄치다. 수영하다.
[泳镜] yǒngjìng 명 물안경.
[泳装] yǒngzhuāng 명 수영복. = [泳衣]

咏 yǒng (영) 동 ① 낭송하다. 읊다. 노래하다. ❏ 吟~; 음영하다. ② 시로 읊다. ❏ ~史; 역사를 시로 읊다.
[咏叹] yǒngtàn 동 영탄하다. ❏ ~调diào; 아리아(이 aria). 영창곡.

俑 yǒng (용) 명 용(俑)《옛날, 순장(殉葬)할 때 사용하던 흙이나 나무로 만든 인형》. ❏ 兵马~; 병마용.

涌 yǒng (용) 동 ① (물이나 구름이) 솟다. 피어나다. ❏ 泉水嘟嘟地向外~着; 샘물이 퐁퐁 밖으로 솟아나고 있다. ② (물처럼) 솟다. 솟아나다. 솟구치다. ❏ 心中~起反感; 마음속에서 반감이 솟다.
[涌现] yǒngxiàn 동 (사람·사물이) 대량으로 나타나다. 한꺼번에 생겨나다. ❏ ~出许多人材; 수많은 인재가 쏟아져 나오다.

恿 yǒng (용) →[怂sǒng恿]

蛹 yǒng (용) 명〖蟲〗번데기.

踊(踴) yǒng (용) 동 뛰다. 도약하다.

[踊跃] yǒngyuè 동 팔짝팔짝 뛰다. 껑충껑충 뛰다. ❏群众~欢呼; 군중이 팔짝팔짝 뛰며 환호하다. 형 활기를 띠다. 적극적이다. ❏~报名; 적극적으로 신청하다.

勇 yǒng (용)
형 용감하다. 용기 있다. ❏有~无谋; 용기만 있고 지혜가 없다.

[勇敢] yǒnggǎn 형 용감하다.
[勇猛] yǒngměng 형 용맹하다.
[勇气] yǒngqì 명 용기. ❏鼓起~; 용기를 북돋아 주다.
[勇士] yǒngshì 명 용사.
[勇往直前] yǒngwǎng-zhíqián 〈成〉 용감하게 앞으로 나아가다.
[勇于] yǒngyú 동 용감하게 …하다. ❏~承认错误; 용감하게 잘못을 인정하다.

用 yòng (용)
① 동 쓰다. 사용하다. ❏西方人~不了筷子; 서양인은 젓가락을 못 쓴다. ② 동 필요하다. 걸리다. ❏坐汽车去北京~了几个小时? 베이징까지 차로 가면 몇 시간이나 걸리느냐? ③ 명 비용. ④ 명 쓸모. ❏有~; 쓸모 있다. ⑤ 조동 …할 필요가 있다《주로, 부정형으로 쓰임》. ❏白天不~开灯; 낮에는 전등을 켤 필요가 없다. ⑥ 동〈敬〉 먹다. 마시다. 들다. ❏~饭; 식사를 하다.

[用兵] yòng//bīng 동 용병하다.
[用场] yòngchǎng 명 용도.
[用处] yòngchù 명 용도. 쓰임새. 쓸모. ❏~很多; 쓸모가 많다.
[用法] yòngfǎ 명 용법. 사용 방법.
[用费] yòngfèi 명 (어떤 일에 대한) 비용. ❏结婚~; 결혼 비용.
[用功] yòng//gōng 동 열심히 공부하다. (yònggōng) 형 (공부에) 열심이다. ❏他很~地学习; 그는 매우 열심히 공부한다.
[用户] yònghù 명 가입자. 사용자. 이용자. ❏电话~; 전화 가입자.
[用户名] yònghùmíng 명 ① 사용자[가입자] 이름. ②〖컴〗 아이디(ID).
[用劲(儿)] yòng//jìn(r) 동 ⇨[用力]
[用具] yòngjù 명 용구. 도구. ❏学习~; 학습 도구.
[用力] yòng//lì 동 힘을 들이다. 힘을 주다. ❏~踢了一脚; 힘을 주어 발로 한 번 차다. =[用劲(儿)]
[用品] yòngpǐn 명 용품. ❏生活~; 생활용품 / 日常~; 일상용품.
[用人] yòng//rén 동 ① 사람을 쓰다[부리다]. ❏~不当; 인선(人選)이 타당하지 않다. ② 사람[일손]을 필요로 하다.
[用人] yòng·ren 명 하인. 사용인.
[用事] yòng//shì 동 ①〈書〉 실권을 쥐다. 권력을 장악하다. ② (감정적으로) 일을 처리하다. ❏感情~; 감정적으로 일을 처리하다.
[用途] yòngtú 명 쓰임새. 용도. ❏~很广; 용도가 매우 넓다.
[用武] yòngwǔ 동 ① 무력을 사용하다. ② 재능을 발휘하다.
[用心] yòngxīn 명 생각. 속셈. 저의. ❏别有~; 속셈이 따로 있다. (yòng//xīn) 형 마음을 쓰다. 주의력을 집중하다. 몰두하다. ❏学习~; 공부에 몰두하다.
[用意] yòngyì 명 의도. 저의. 속셈.
[用语] yòngyǔ 동 단어를 사용하다. ❏~不当; 단어 사용이 부적당하다. 명 (전문) 용어. ❏军事~; 군사 용어.

佣 yòng (용)
명 수수료. 커미션. ⇒yōng

[佣金] yòngjīn 명 수수료. 커미션. =[〈口〉 佣钱]

you | 又

优(優) yōu (우)
① 형 우수하다. 좋다. ❏质~价廉; 품질도 좋고 값도 싸다. ② 형〈書〉 충분하다. 풍부하다. ❏~裕; ⇩ ③ 명〈舊〉 배우.

[优待] yōudài 동 우대하다. ❏~条件; 우대 조건.
[优等] yōuděng 형 우등하다. ❏~生; 우등생.
[优点] yōudiǎn 명 장점. 우수한 점.
[优厚] yōuhòu 형 (대우·조건이) 좋다. 후하다. ❏月薪~; 월급이 후하다.
[优惠] yōuhuì 형 특별 대우의. 우대의. 특혜의. ❏~待遇; 특혜 대우 / ~价格; 우대 가격 / ~券; 우대권.
[优良] yōuliáng 형 우량하다. 우수하다. ❏~品种; 우량 품종.
[优劣] yōuliè 명 우열. 좋고 나쁨.
[优美] yōuměi 형 우미하다. 우아하고 아름답다. ❏~的环境; 아름다운 환경.
[优柔寡断] yōuróu-guǎduàn 〈成〉 우유부단하다.

[优胜] yōushèng 형 우승하다. ❑获得~奖; 우승상을 획득하다.
[优势] yōushì 명 우세. 우위. ❑占~; 우위를 차지하다.
[优先] yōuxiān 동 우선하다. ❑~权; 우선권.
[优秀] yōuxiù 형 우수하다. 뛰어나다. ❑成绩~; 성적이 우수하다.
[优裕] yōuyù 형 풍족하다. 부유하다. ❑生活~; 생활이 풍족하다.
[优越] yōuyuè 형 우월하다. 낫다. ❑~感; 우월감 / ~性; 우월성.
[优质] yōuzhì 형 질이 좋다. 품질이 우수하다.

忧(憂) yōu (우) ① 형 우울하다. 근심스럽다. ② 동 걱정하다. 근심하다.
[忧愁] yōuchóu 형 우울하다. 근심스럽다. ❑~的面容; 근심스러운 얼굴.
[忧患] yōuhuàn 명 우환.
[忧虑] yōulǜ 동 우려하다. 걱정하다.
[忧伤] yōushāng 형 근심하고 비통해하다. 슬퍼하고 걱정하다.
[忧心] yōuxīn 명 걱정스러운 마음. ❑~忡忡; 〈成〉 걱정 근심으로 안절부절못하다.
[忧郁] yōuyù 형 우울하다. 울적하다. ❑~症; 우울증.

悠 yōu (유) ① 형 오래되다. 장구하다. ❑~久; ⇩ ② 동〈口〉 공중에서 흔들다. 매달려서 흔들거리다. ❑~荡; ⇩ ③ 형 유유하다. 한가하다.
[悠长] yōucháng 형 장구하다. 길다. 오래다. ❑~的旅途; 기나긴 여정.
[悠荡] yōudàng 동 공중에서 흔들흔들 움직이다. 매달려서 흔들거리다.
[悠久] yōujiǔ 형 유구하다. 오래다. ❑~的历史; 유구한 역사.
[悠然] yōurán 형 여유 있고 느긋한 모양. 유유한 모양.
[悠闲] yōuxián 형 여유 있고 느긋하다. 한가롭고 편안하다.
[悠扬] yōuyáng 형 소리가 높아졌다 낮아졌다 하다. 은은하다. ❑~的钢琴声; 은은한 피아노 소리.
[悠悠] yōuyōu 형 ① 장구하다. 기나길다. ❑~岁月; 기나긴 세월. ② 유유하다. ❑~自得; 〈成〉 유유자적하다. ③ 〈書〉 황당무계하다. ❑~之谈; 황당무계한 말.
[悠远] yōuyuǎn 형 아득히 멀다. 매우 오래다. ❑年代~; 연대가 아득히 멀다 / 道路~; 길이 아득히 멀다.

呦 yōu (유) 감 야. 앗. 어《놀람을 나타내는 말》. ❑~, 碗怎么破了? 어, 그릇이 왜 깨졌을까?

幽 yōu (유) ① 형 심원하다. 어둡다. ❑~暗; ⇩ ② 동 숨다. 숨기다. 은폐하다. ❑~会; ⇩ ③ 형 조용하다. 고요하다. ❑清~; 맑고 고요하다. ④ 동 유폐(幽閉)하다. 가두다. ❑~囚; 감금하다. ⑤ 명 저승.
[幽暗] yōu'àn 형 어두컴컴하다. ❑~的山谷; 어두컴컴한 산골짜기.
[幽闭] yōubì 동 ① ⇨[幽禁] ② 집 안에 틀어박혀 나오지 않다.
[幽谷] yōugǔ 명 깊은 골짜기. 유곡.
[幽会] yōuhuì 동 (서로 사랑하는 남녀가) 밀회하다.
[幽魂] yōuhún 명 유혼. 유령. =[幽灵]
[幽禁] yōujìn 동 유폐하다. 감금하다. 가두다. ❑~犯人; 범인을 감금하다. =[幽闭①]
[幽静] yōujìng 형 그윽하고 조용하다. 고요하다.
[幽灵] yōulíng 명 ⇨[幽魂]
[幽美] yōuměi 형 그윽하고 아름답다.
[幽默] yōumò 형〈音〉 유머러스(humorous)하다. 유머가 넘치다. ❑~感; 유머 감각.
[幽深] yōushēn 형 (수풀·궁전 따위가) 깊숙하고 고요하다. 후미지다.
[幽香] yōuxiāng 명 그윽한 향기.
[幽雅] yōuyǎ 형 유아하다. 그윽하고 운치 있다. ❑景致~; 경치가 그윽하고 운치 있다.
[幽幽] yōuyōu 형 ① (소리나 빛이) 희미하다. 약하다. ❑~的亮光; 희미한 빛. ② 〈書〉 심원(深遠)하다.
[幽怨] yōuyuàn 명 마음속에 숨겨진 원한《주로, 여성의 애정에 관계된 것을 가리킴》.

尤 yóu (우) ① 형 특출나다. 뛰어나다. ❑~物; ⇩ ② 부 유난히. 특히. ❑~须注意; 특히 주의해야 한다. ③ 명 잘못. 허물. 과실. ④ 동 원망하다. 탓하다. ❑怨天~人; 〈成〉 하늘을 원망하고 남을 탓하다.
[尤其] yóuqí 부 특히. 그 중에서도. 더욱. ❑我喜欢体育, ~喜欢游泳; 나는 스포츠를 좋아하는데

특히 수영을 좋아한다.

[尤物] yóuwù 명〈書〉① 특출난 사람[물건]. ②〈比〉뛰어난 미인.

犹(猶) yóu (유)
〈書〉① 동 …과 같다. ❏～缘木而求鱼也; 나무에 올라가서 물고기를 잡으려는 것과 같다. ② 부 아직. 여전히. ❏话～未了; 이야기는 아직 끝나지 않았다.

[犹如] yóurú 동 …과[와] 같다. ❏二人～兄弟一般; 두 사람은 형제와 같다.

[犹太人] Yóutàirén 명 유태인.

[犹豫] yóuyù 형 망설이다. 주저하다. 머뭇거리다. ❏～不决;〈成〉망설이고 결정하지 못하다. =[犹疑]

疣 yóu (우)
명〖醫〗사마귀. =[赘疣①]

鱿(魷) yóu (우)
→[鱿鱼]

[鱿鱼] yóuyú 명〖魚〗오징어.

由 yóu (유)
① 명 원인. 이유. ❏原～; 원인. ② 개 …로 인하다. …에 기인하다. ❏他～感冒而引起了肺炎; 그는 감기로 인해 폐렴에 걸렸다. ③ 동 경과하다. 경유하다. 거치다. ❏～正门出入; 정문으로 출입하다. ④ 동 (…의 의사에) 맡기다. 따르다. ❏～他去吧; 그가 하고 싶은 대로 하게 두어라. ⑤ 개 …가. …께서《행위의 주체를 나타냄》. ❏一切～我负责; 모든 것은 내가 책임을 진다. ⑥ 개 …으로부터. …에 의해《근거나 구성 요소를 나타냄》. ❏～此可知; 이로써 알 수 있다. ⑦ 개 …(으로)부터. …에서《장소·동작·상태의 기점을 나타냄》. ❏～北京开往上海的特快; 베이징에서 상하이로 가는 특급 열차.

[由不得] yóu·bu·de 동 …의 뜻대로 할 수 없다. ❏这事已～他了; 이 일은 이미 그의 뜻대로 할 수 없다. 부 저도 모르게. ❏～大笑起来; 저도 모르게 크게 웃어 버리다.

[由来] yóulái 명 ① 발생부터 지금까지의 시간. ❏～已久; 유래가 깊다. ② 유래. 내력.

[由头(儿)] yóu·tou(r) 명 구실. 핑계거리. ❏找～; 구실을 찾다.

[由于] yóuyú 개 …때문에. …로 인하여. ❏他～自己的过失而感到难过; 그는 자신의 과실로 인해 괴로워했다. 접 …하기 때문에. …인 관계로. ❏～工作太忙, 因此未能经常来见你; 일이 너무 바빠서 너를 만나러 자주 올 수 없다.

[由衷] yóuzhōng 동 마음에서 우러나다. 진심에서 우러나오다. ❏～之言;〈成〉진심에서 우러나온 말.

邮(郵) yóu (우)
① 동 우편으로 부치다[보내다]. ❏～封信; 편지를 부치다. ② 명 우편 업무. ❏～局; ⇩ ③ 명 우표. ❏集～; 우표 수집.

[邮包(儿)] yóubāo(r) 명 우편 소포.

[邮戳(儿)] yóuchuō(r) 명 우편 소인(消印).

[邮袋] yóudài 명 우편낭.

[邮递] yóudì 동 우송하다.

[邮递员] yóudìyuán 명 집배원. 우체부. =[投递员]

[邮电] yóudiàn 명 체신. 우편과 전신.

[邮费] yóufèi 명 ⇨[邮资]

[邮购] yóugòu 동 우편 구매하다.

[邮汇] yóuhuì 동 우편환으로 송금하다.

[邮寄] yóujì 동 우송하다.

[邮件] yóujiàn 명 ① 우편물. ②〖컴〗메일(mail). ❏电子～; 전자우편. 이메일(email).

[邮局] yóujú 명 우체국. =[邮政局]

[邮票] yóupiào 명 우표.

[邮亭] yóutíng 명 간이 우체국. 우편 취급소.

[邮筒] yóutǒng 명 ⇨[信筒]

[邮箱] yóuxiāng 명 ⇨[信箱①]

[邮政] yóuzhèng 명 우편 행정. 우정. ❏～编码; 우편 번호.

[邮资] yóuzī 명 우편 요금. 우편료. =[邮费]

油 yóu (유)
① 명 기름. ❏～桶; 기름통. ② 동 페인트를[기름을] 바르다[칠하다]. ❏这扇门刚～过; 이 문은 방금 기름을 칠했다. ③ 동 기름[칠]이 묻다. ❏小心点儿, 别把衣服～了; 옷에 기름이 안 묻게 좀 조심해라. ④ 형 뺀질뺀질하다. 교활하다.

[油饼] yóubǐng 명 ① 깻묵. ②(～儿) (주로, 아침 식사로 먹는) 기름에 튀긴 둥글납작한 빵.

[油菜] yóucài 명〖植〗① 유채. 평지. =[芸薹] ② 청경채.

[油层] yóucéng 명〖地質〗유층.

[油船] yóuchuán 명 ⇨[油轮]

[油灯] yóudēng 명 기름불. 기름등. 유등.
[油橄榄] yóugǎnlǎn 명 올리브(olive)(나무). =[橄榄③]
[油光] yóuguāng 형 반들반들하다. 반질반질 윤이 나다.
[油滑] yóuhuá 형 약아빠지다. 뺀질뺀질하다.
[油画] yóuhuà 명〔美〕유화.
[油迹] yóujì 명 기름 자국[얼룩].
[油井] yóujǐng 명 유정(油井).
[油亮] yóuliàng 형 반질반질하다. ❏ 皮鞋擦得~~; 구두가 반질반질 윤이 나게 닦였다.
[油料] yóuliào 명 식물성 기름의 원료. ❏ ~作物; 유료 작물《깨·땅콩·올리브 따위》.
[油轮] yóulún 명 유조선. =[油船]
[油麦] yóumài 명 ⇨[莜yóu麦]
[油墨] yóumò 명 인쇄용 잉크.
[油泥] yóuní 명 기름때.
[油腻] yóunì 형 기름기가 많다. 기름지다. ❏ 我不敢吃太~的东西; 나는 너무 기름진 것은 못 먹는다. 명 기름진 식품.
[油漆] yóuqī 명 (유성) 페인트. ❏ ~未干; 페인트가 아직 안 말랐다 / ~工 =[~匠]; 페인트공. 동 페인트를 칠하다.
[油腔滑调] yóuqiāng-huádiào 〈成〉 말하는 것이 경박하고 닳아빠진 모양.
[油水] yóu·shui 명 ① (음식의) 기름. 기름기. ②〈比〉(부당한) 이득. 이익. ❏ 捞lāo ~; 부당한 이익을 얻다. 재미를 보다.
[油田] yóutián 명 유전.
[油条] yóutiáo 명 ① 발효시켜 소금으로 간을 한 밀가루 반죽을 꽈배기 모양으로 만들어 기름에 튀긴 음식. ②〈比〉처세에 능한 사람.
[油头粉面] yóutóu-fěnmiàn 〈成〉(주로, 남자가) 지나치게 꾸며서 경박해 보이다.
[油头滑脑] yóutóu-huánǎo 〈成〉 교활하고 경박하다.
[油汪汪(的)] yóuwāngwāng(·de) 형 기름 범벅인 모양.
[油印] yóuyìn 동 등사하다. 유인하다. ❏ ~机; 등사기.
[油脂] yóuzhī 명 유지.
[油纸] yóuzhǐ 명 기름종이.
[油子] yóu·zi 명 ① 진(津)《검고 끈적끈적한 것》. ❏ 烟袋~; 담뱃대의 진. ②〈比〉닳고 닳은 인간.
[油嘴] yóuzuǐ 형 말하는 것이 닳고 닳다. 명 말하는 것이 닳고 닳은 사람.

柚 yóu (유)
→[柚木] ⇒yòu
[柚木] yóumù 명〔植〕티크(teak).

铀(鈾) yóu (유)
명〔化〕우라늄(U: uranium).

蚰 yóu (유)
→[蚰蜒]
[蚰蜒] yóu·yán 명〔動〕그리마.

莜 yóu (유)
→[莜麦]
[莜麦] yóumài 명〔植〕메밀. =[油麦]

游 yóu (유)
① 동 헤엄치다. 수영하다. ❏ 他一口气~了五十米; 그는 단숨에 50미터를 헤엄쳤다. ② 동 이리저리 한가로이 다니다. 유람하다. ❏ ~览; ⇩ ③ 동〈書〉교제하다. 왕래하다. 사귀다. ❏ 交~甚广; 교제가 넓다. ④ 형 유동적인. ❏ ~民; ⇩ ⑤ 명 강의 한 부분. ❏ 上~; 상류 / 下~; 하류.
[游伴] yóubàn 명 ① 놀이 친구. ② (여행의) 길동무.
[游标] yóubiāo 명 ① 유표. ②〔컴〕커서(cursor). =[光标]
[游船] yóuchuán 명 유람선.
[游荡] yóudàng 동 ① (직업 없이) 빈둥거리다. 놀다. ❏ 整天~; 종일 빈둥거리다. ② 한가로이 노닐다. ③ 둥둥 떠다니다. ❏ 船在湖上~; 배가 호수 위를 둥둥 떠다니다.
[游逛] yóuguàng 동 한가로이 노닐다.
[游击] yóujī 동 유격전을 하다. 게릴라전을 하다. ❏ ~队; 유격대 / ~战; 유격전.
[游记] yóujì 명 여행기. 기행문.
[游街] yóu∥jiē 동 (죄인이나 영웅을 앞세우고) 거리를 떼지어 걷다. ❏ ~示众; 조리돌리다.
[游客] yóukè 명 ⇨[游人]
[游览] yóulǎn 동 유람하다. ❏ ~长城; 완리창청을 유람하다.
[游乐] yóulè 동 놀며 즐기다. 행락하다. ❏ ~场; 놀이공원. 유원지.
[游离] yóulí 동 ①〔化〕유리하다. ②〈比〉유리되다. 동떨어지다.
[游历] yóulì 동 유람하다. 유력하다.
[游民] yóumín 명 일정한 직업이 없는 사람.

[游牧] yóumù 동 유목하다. ❑~民族; 유목 민족.
[游人] yóurén 명 관광객. 여행객. 유람객. =[游客]
[游手好闲] yóushǒu-hàoxián 〈成〉 빈둥거리며 놀고먹다.
[游水] yóu//shuǐ 동 물속에서 놀다. 헤엄치다. 수영하다.
[游说] yóushuì 동 유세하다.
[游玩] yóuwán 동 ①⇨[游戏②] ② 한가하게 노닐다. 놀러 다니다.
[游戏] yóuxì 동 ① 게임하다. 오락하다. 놀이하다. ❑做~; 게임을 하다 / ~机; 게임기. ② 놀다. 장난하다. =[游玩①]
[游行] yóuxíng 동 ① 정처 없이 떠돌다. ② 가두 행진하다. 퍼레이드하다. ❑~示威; 가두시위하다 / 庆祝~; 축하 퍼레이드.
[游移] yóuyí 동 ① 이리저리 움직이다. ② (태도·방침 따위가) 정해지지 않다. 흔들리다. ❑~不决; 〈成〉 확실하게 결정하지 못하다.
[游弋] yóuyì 동 ① (군함이) 순항하다. 패트롤하다. ② 물속에서 이리저리 움직이다.
[游艺] yóuyì 명 놀이와 오락. 연예. ❑~会; 학예회.
[游泳] yóuyǒng 동 헤엄치다. 수영하다. ❑~池; 풀장. 수영장.
[游资] yóuzī 명〔經〕유휴 자금.
[游子] yóuzǐ 명〈書〉 나그네.

蝣 yóu (유)
→[蜉fú蝣]

蝤 yóu (유)
→[蝤蛑]

[蝤蛑] yóumóu 명 ⇨[梭子蟹]

友 yǒu (우)
① 명 벗. 친구. ❑好~; 좋은 친구. ② 형 사이가 좋다. 친하다. ❑~爱; ⇓ ③ 형 우호적 관계의. 친한 사이의. ❑~军; ⇓
[友爱] yǒu'ài 형 우애롭다. ❑他们非常~; 그들은 매우 우애가 깊다.
[友邦] yǒubāng 명 우방. 우호국.
[友好] yǒuhǎo 형 우호적이다. ❑~关系; 우호 관계 / ~的气氛; 우호적 분위기. 명 절친한 친구.
[友军] yǒujūn 명 우군. 아군.
[友情] yǒuqíng 명 우정. ❑建立~; 우정을 맺다.
[友人] yǒurén 명 친구. 우인.
[友谊] yǒuyì 명 우의. 우정. ❑~很深; 우의가 매우 깊다 / ~赛; 친선 경기.

有 yǒu (유)
① 동 소유하다. 가지고 있다. ❑这本书我也~; 이 책은 나에게도 있다. ② 동 있다. 존재하다. ❑桌子上~书; 탁자 위에 책이 있다. ③ 동 …만큼 되다. …만하다. ❑这个苹果~半斤; 이 사과는 반 근 나간다. ④ 동 생기다. 발생하다. ❑情况~了变化; 상황에 변화가 생겼다. ⑤ 동 (많이) 있다. ❑他~了年纪; 그는 나이를 많이 먹었다. ⑥ 어떤. 어느《불특정의 때·사람·사물·장소 따위를 가리킴》. ❑~一天你会明白的; 언젠가 너는 이해하게 될 것이다. ⑦ '人'·'时候'·'地方'의 앞에 쓰여 일부분을 나타냄. ❑~人不赞成; 어떤 사람은 찬성하지 않는다. ⑧ 일부의 동사 앞에 붙여 존경·겸양의 어기를 나타냄. ❑~劳; ⇓
[有碍] yǒu'ài 동 지장이 있다. 방해되다.
[有备无患] yǒubèi-wúhuàn 〈成〉 유비무환.
[有偿] yǒucháng 형 대가가 있는. 유상의. ❑~服务; 유상 서비스.
[有待] yǒudài 동 …을 기다리다. …이 요구되다. ❑这个情况~证实; 이 상황은 실증이 요구된다.
[有得] yǒudé 동 깨달은 바가 있다.
[有的] yǒu·de 대 어떤 사람. 어떤 것. ❑~已经解决, ~正在解决; 어떤 것은 이미 해결되었고 어떤 것은 해결 중이다.
[有的是] yǒu·deshì 〈口〉 많이 있다. 얼마든지 있다. 쌔고 쌨다. ❑机会~; 기회는 얼마든지 있다.
[有底] yǒu//dǐ 동 (잘 알고 있어서) 자신이 있다. 든든하다. ❑我心里~; 나는 마음속으로 자신이 있다.
[有的放矢] yǒudì-fàngshǐ 〈成〉 과녁이 있어서 활을 쏘다《뚜렷한 목표하에 일을 하다》.
[有点儿] yǒudiǎnr 부 조금. 좀. 약간. ❑我身体~不舒服; 나는 몸이 좀 안 좋다.
[有方] yǒufāng 동 방법이 알맞다. 적절하다. ❑指导~; 지도 방법이 적절하다.
[有关] yǒuguān 동 관계가 있다. ❑~当局; 관계 당국. 개 …에 연관된. …에 관계된. ❑~工作的问题; 업무에 관계된 문제.

[有过之无不及] yǒu guò zhī wú bù jí 〈成〉 더하면 더했지 덜하지는 않다《나쁜 방면에 주로 사용됨》.

[有害] yǒuhài 형 해롭다. 유해하다. ❑ 吸烟对青少年十分~; 흡연은 청소년에게 매우 해롭다.

[有机] yǒujī 형 ①〖化〗 유기의. ❑ ~质; 유기질. ② 유기적인. ❑ ~关系; 유기적인 관계.

[有机体] yǒujītǐ 명 ⇨[机体]

[有劲] yǒu//jìn 동 (~儿) 힘이 세다. ❑ 他真~; 그는 정말 힘이 세다. 형 흥이 나다. 신이 나다. 재미있다. ❑ 他们谈得正~; 그들은 한창 신나게 이야기하고 있다.

[有救] yǒu//jiù 동 (위험한 상황에서) 구해질 가능성이 있다. 구제될 가망이 있다.

[有口皆碑] yǒukǒu-jiēbēi 〈成〉 칭찬이 자자하다.

[有口难分] yǒukǒu-nánfēn 〈成〉 변명하기가 매우 어렵다.

[有赖] yǒulài 동 …에 달려 있다《주로, '~于'의 꼴로 쓰임》. ❑ 自由贸易的实现~两国的协调; 자유무역의 실현은 양국의 협조에 달려 있다.

[有劳] yǒuláo 동〈套〉 수고를 끼치다.

[有理] yǒulǐ 형 이치에 맞다. 일리가 있다. ❑ 说得~; 말하는 것이 일리가 있다.

[有力] yǒulì 형 힘이 있다. 유력하다. 강력하다. ❑ ~的人物; 힘 있는 인물 / ~的支持; 강력한 지지.

[有利] yǒulì 형 유리하다. 이롭다. ❑ 这样做对谁~? 이렇게 하면 누구에게 유리한가?

[有两下子] yǒu liǎng xià·zi 〈口〉 꽤 솜씨가[실력이] 있다.

[有门儿] yǒu//ménr 동〈口〉 방법이 있다. 희망[가망]이 있다.

[有名] yǒu//míng 형 유명하다. ❑ ~无实; 〈成〉 유명무실하다 / 他很~; 그는 매우 유명하다.

[有目共睹] yǒumù-gòngdǔ 〈成〉 누가 보아도 분명하다.

[有期徒刑] yǒuqī túxíng 〖法〗 유기 징역.

[有钱] yǒuqián 형 돈이 (많이) 있다. 부자이다. ❑ ~的人; 돈 많은 사람. 부자.

[有求必应] yǒuqiú-bìyìng 〈成〉 요구하면 반드시 들어준다.

[有趣(儿)] yǒuqù(r) 형 재미있다. 흥미롭다. ❑ ~的故事; 재미있는 이야기.

[有日子] yǒu rì·zi ① 오랫동안. ❑ 咱们~没见面了! 우리는 오랫동안 만나지 못했군요! ② 날짜가 정해지다.

[有如] yǒurú 동 마치 …와 같다. ❑ 他俩好得~同胞兄弟; 그들 둘은 친형제처럼 사이가 좋다.

[有色] yǒusè 형 유색의. ❑ ~金属; 〖化〗 비철(非鐵) 금속 / ~人种; 유색 인종.

[有色眼镜] yǒusè yǎnjìng 〈比〉 편견.

[有神论] yǒushénlùn 명〖哲〗 유신론. ❑ ~者; 유신론자.

[有生力量] yǒushēng lìliàng ① 병사와 말. ②〈轉〉 군대.

[有生以来] yǒushēngyǐlái 〈成〉 태어난 이래. 태어나서. ❑ 我~第一次见到这种人; 나는 이런 사람은 생전 처음 봤다.

[有声有色] yǒushēng-yǒusè 〈成〉 (연기·구변·동작 따위가) 생동감 있다. 실감 나다.

[有时] yǒushí 부 때때로. 때로는. ❑ ~他们也争吵; 때로는 그들도 다툰다. =[有时候(儿)]

[有始无终] yǒushǐ-wúzhōng 〈成〉 시작만 하고 끝까지 해내지 못하다.

[有始有终] yǒushǐ-yǒuzhōng 〈成〉 끝까지 다 해내다. 유종의 미를 거두다.

[有事] yǒushì 동 ① 취업하다. 직업이 있다. ② 볼일이 있다. 할 일이 있다. ③ 일이 생기다. 사고가 나다. ❑ 我看不会~, 你放心去吧; 별일 없을 테니 안심하고 가 보거라.

[有恃无恐] yǒushì-wúkǒng 〈成〉 믿는 구석이 있어 두려워하지 않다.

[有数(儿)] yǒu//shù(r) 동 ① 수량을 파악하다. ② 계획이 있다. 생각이 있다. ❑ 心里早已~; 마음속에 이미 다 생각이 있다. ③ 자신이 있다. 확신이 서다. (yǒushù(r)) 형 얼마 되지 않다. 몇 안 되다. ❑ 离交稿的日期只剩下~的几天了; 원고 제출일까지는 며칠밖에 안 남았다.

[有条不紊] yǒutiáo-bùwěn 〈成〉 질서 정연한 모양.

[有条有理] yǒutiáo-yǒulǐ 〈成〉 조리가 정연하다. 매우 조리 있다.

[有为] yǒuwéi 동 쓸모가 있다. 유망하다. 장래성이 있다. ❑ ~的青

年; 장래성 있는 청년.
[有喜] yǒu//xǐ 동〈口〉 임신하다.
[有隙可乘] yǒuxìkěchéng 〈成〉 이용할 만한 틈이 있다.
[有限] yǒuxiàn 형 ① 한계가 있다. 유한하다. ❑ 时间是~的; 시간은 유한한 것이다. ② (정도나 수량이) 많지 않다. 대단치 않다. ❑ 能力~; 능력이 대단치 않다.
[有限公司] yǒuxiàn gōngsī 〘經〙 유한 회사. 유한 책임 회사. =[有限责任公司]
[有线] yǒuxiàn 형 유선의. ❑ ~电话; 유선 전화 / ~广播; 유선 방송.
[有效] yǒuxiào 형 유효하다. 효과가 있다. 효력이 있다. ❑ 这个方法很~; 이 방법은 매우 효과가 있다 / ~期; 유효 기간.
[有些] yǒuxiē 대 일부. 어떤. ❑ ~生词还没学; 일부 새 단어들은 아직 배우지 않았다. 부 조금. 약간. ❑ 身体~不舒服; 몸이 좀 안 좋다.
[有心] yǒuxīn 동 (…할) 마음이 있다. 의사가 있다. ❑ 他~成全你们, 你们却误会了他; 그는 너희를 도울 생각인데, 너희가 그를 오해한 것이다. 부 일부러. 고의적으로. ❑ 我不是~让你难堪; 나는 고의로 너를 난처하게 하려는 게 아니다. =[有意]
[有心人] yǒuxīnrén 명 뜻 있는 사람. 생각이 있는 사람.
[有幸] yǒuxìng 형 행운이다. 운이 좋다.
[有言在先] yǒuyánzàixiān 〈成〉 미리 말해 두다. 미리 다짐해 두다.
[有眼无珠] yǒuyǎn-wúzhū 〈成〉 보는 눈이 없다. 식별 능력이 없다.
[有益] yǒuyì 형 유익하다.
[有意] yǒuyì 부 ⇒[有心] 동 ① …할 마음[생각]이 있다. …하고 싶다. ❑ 别人都忙得要死, 谁还~跟你去旅游啊; 다른 사람들은 모두 바빠서 죽을 지경인데 누가 너랑 여행을 가려고 하겠니. ② (남녀 간에) 좋아하는 마음이 있다. ❑ 他对你~; 그는 너에게 마음이 있다.
[有意识] yǒuyì·shí 형 의식적이다. 의도적이다. ❑ 他这样做完全是~的; 그가 이렇게 하는 것은 완전히 의도적이다.
[有意思] yǒu yì·si ① 뜻이 깊다. 의미심장하다. ② 재미있다. 흥미롭다. ❑ 今天看的电影很~; 오늘 본 영화는 매우 재미있었다.
[有用] yǒu//yòng 동 유용하다. 쓸모 있다. ❑ ~之材; 쓸모 있는 인재.
[有余] yǒuyú 동 ① 하고도 남다. 여유가 있다. ❑ 绰绰~; 〈成〉 매우 여유가 있다. ② …남짓하다. ❑ 十年~; 십 년 남짓.
[有志者事竟成] yǒu zhì zhě shì jìng chéng 〈諺〉 결심과 의지만 있으면 언젠가는 이룰 수 있다.

酉 yǒu (유) 「째」. 명 유《십이지(十二支)의 열 번
[酉时] yǒushí 명 유시《오후 5시부터 7시까지》.

莠 yǒu (유) 명 ①〘植〙 강아지풀. =[狗尾草] ②〈比〉 질이 나쁜 물건이나 사람. ❑ 良~不齐; 〈成〉 좋은 것 나쁜 것이 뒤섞여 있다.

黝 yǒu (유) →[黝黑]
[黝黑] yǒuhēi 형 ① 거무스레하다. 까무잡잡하다. ② 어두컴컴하다. 깜깜하다.

又 yòu (우) 부 ① 또. 거듭. 다시《중복·반복·계속을 나타냄》. ❑ 你怎么~来了? 너 왜 또 왔니? / 练了~练; 연습하고 또 연습했다. ② 동시에. 또한《몇 가지 상황·성질이 동시에 존재함을 나타냄》. ❑ ~快~安全; 빠르고 안전하다 / 天刮着寒风, ~下着雪; 찬바람이 불고 또한 눈도 내리고 있다. ③ 그 위에. 더하여. 게다가《정도가 차츰 깊어지거나 더해감을 나타냄》. ❑ 非徒无益, 而~害之; 비단 무익할 뿐만 아니라 해를 끼치기까지 한다. ④ 모순되거나 상반된 두 사항을 나타냄. ❑ 你~想爬山, ~说太累, 你到底去不去了? 너는 등산하고 싶다면서 피곤하다고 하니, 대체 갈 것이냐 말 것이냐? ⑤ 그러나. 그렇지만《역접을 나타냄》. ❑ 心里有很多话要说, 可是~说不出来; 마음속에는 하고 싶은 말이 많지만 말로 표현할 수가 없다. ⑥ 부정(否定)이나 의문의 어기를 강하게 함. ❑ 路~不远, 坐什么车! 길이 멀지도 않은데 무슨 차를 타느냐! ⑦ …과. …하고도《우수리를 나타냄》. ❑ 三~五分之三; 3과 5분의 3.

幼 yòu (유) ① 형 어리다. ❑ 年~无知; 〈成〉 어려서 철이 없다. ② 명 어린 아이. ❑ 男女老~; 〈成〉 남녀노소.

[幼虫] yòuchóng 명〔蟲〕 유충.
[幼儿] yòu'ér 명 유아. ❑ ~教育; 유아 교육 / ~园; 유치원.
[幼苗] yòumiáo 명〔農〕 유묘. 어린 모종.
[幼年] yòunián 명 어린 시절. 유년. ❑ ~时代; 유년 시대. 유년기.
[幼小] yòuxiǎo 형 유소하다. 어리다. ❑ ~的年纪; 어린 나이.
[幼稚] yòuzhì 형 ① (나이가) 어리다. ② 유치하다. ❑ 你想得太~了; 너는 생각이 너무 유치하다.

右 yòu (우)
① 명 오른쪽. ❑ 靠~走; 오른쪽으로 걷다. ② 명 서쪽. ❑ 山~; 산시(山西) 지방의 별칭. ③ 형 (지위가) 높다. 뛰어나다. 우수하다. ❑ ~职; 고위직. ④ 형 (정치·사상에서) 보수적이다. ❑ ~派; ⇩
[右边(儿)] yòu·bian(r) 명 오른쪽. =[右面(儿)]
[右派] yòupài 명 우파. 보수파.
[右倾] yòuqīng 형 우경의. 우익의. ❑ ~思想; 우경 사상.
[右手] yòushǒu 명 ① 오른손. ② ⇨[右首]
[右首] yòushǒu 명 (주로, 자리의) 오른쪽. =[右手②]
[右翼] yòuyì 명 ①〔軍〕 우익 (부대). ② (학술·정치·사상 따위의) 우익. ❑ ~势力; 우익 세력.

佑 yòu (우)
동 보우하다.

囿 yòu (유)
〈書〉 ① 명 (짐승의) 우리. ② 동 구속되다. 얽매이다. ❑ ~于成见; 〈成〉 선입견에 얽매이다.

诱(誘) yòu (유)
동 ① 이끌다. 유도하다. 교도하다. ❑ 循循善~; 차근차근 잘 가르쳐 이끌다. ② 꾀다. 유인하다. ❑ ~杀; 유인하여 죽이다.
[诱导] yòudǎo 동 유도하다. 이끌다. ❑ ~学生进行学习; 학생을 이끌어 공부하게 하다. 명〔物〕 유도. ❑ ~反应; 유도 반응. 「미끼.
[诱饵] yòu'ěr 명 유인하는 먹이.
[诱发] yòufā 동 ① 유도 계발(啓發)하다. ② (주로, 질병을) 유발하다. ❑ ~癌症; 암을 유발하다.
[诱拐] yòuguǎi 동 유괴하다. ❑ ~儿童; 아동을 유괴하다.
[诱惑] yòuhuò 동 ① 유혹하다. 꾀다. ❑ 用淫秽书刊~青少年; 음란서적으로 청소년을 유혹하다. ② 매혹시키다. 매료시키다.
[诱骗] yòupiàn 동 유혹해서 속이다. 유혹하여 사기 치다.

柚 yòu (유)
명〔植〕 ① 유자나무. =[柚树] ② 유자. ⇒ yóu
[柚子] yòu·zi 명〔植〕 ① 유자나무. ② 유자.

釉 yòu (유)
명 (도자기의) 유약(釉藥).
[釉子] yòu·zi 명 유약(釉藥).

鼬 yòu (유)
명〔動〕 족제비.

yu ㄩ

迂 yū (우)
형 ① 굽이지다. 구불구불하다. 에돌다. 굽다. ❑ ~曲; 구불구불하다. ② 진부하다. 고리타분하다. ❑ 你这话太~了; 너의 이 말은 너무 고리타분하다.
[迂腐] yūfǔ 형 고리타분하다. 케케묵다. ❑ ~之论; 케케묵은 논리.
[迂回] yūhuí 형 우회하다. ❑ 山路~; 산길을 우회하다. 동〔軍〕 우회하다. ❑ ~战术; 우회 전술.
[迂阔] yūkuò 형 현실과 동떨어지다. 비현실적이다.

吁 yū (우)
의 워워《가축을 멈추게 하거나 진정시키는 소리》. ⇒ xū yù

淤 yū (어)
① 동 토사가 가라앉아 쌓이다. ② 형 진흙이 충적된. ❑ ~地; 진흙이 충적된 땅. ③ 명 (강이나 도랑에) 충적된 진흙. 감탕. ❑ 河~; 강바닥에 쌓인 진흙. ④ 동 어혈(瘀血)이 들다. ❑ ~血; ⇩
[淤积] yūjī 동 진흙이 가라앉아 쌓이다. 토사(土砂)가 침적하다.
[淤泥] yūní 명 침적된 진흙.
[淤塞] yūsè 동 (물길이) 진흙으로 막히다. 「들다.
[淤血] yū//xiě 동〔中醫〕 어혈이
[淤血] yūxuè 명〔中醫〕 어혈.

于 yú (어, 우)
A) 개 ① …에(서)《장소·출처·근원·시간을 나타냄》. ❑ 他生~1979年; 그는 1979년에 태어났다. ② …에게《방향·대상을 나타냄》. ❑ 求救~人; 다른 사람에게 구원을 청하다. ③ …에(게)《동작의 방향·목표를 나타냄》. ❑ 他致力~

翻译工作; 그는 번역 작업에 힘쓰고 있다. ④ …에(게)《대상을 나타냄》. ❏ 忠~祖国; 조국에 충성을 다하다. ⑤ …에서. …부터《원인·근거를 나타냄》. ❏ 青出~蓝; 청출어람. ⑥형용사 뒤에 놓여 비교를 나타냄. ❏ 他的功德高~天; 그의 공덕은 하늘보다 높다. ⑦ …에게(…당하다)《동사 뒤에 놓여 피동을 나타냄》. ❏ 中国队负~韩国队; 중국 팀이 한국 팀에게 졌다. **B)** 접미 동사나 형용사 뒤에 쓰임. ❏ 难~实行; 실행하기 어렵다.

[于今] yújīn 부 지금까지. 이제까지. ❏ 故乡一别, ~二十载; 고향에서 헤어진 이래, 지금까지 20 년이 되었다. 명 지금. 현재.

[于是] yúshì 접 그래서. 그로 인해서. 이에. ❏ 气象预报说明天有大雪, ~他今天就提前出发了; 일기예보에서 내일 폭설이 내린다고 하여, 그는 오늘 일찌감치 떠났다.

盂 yú (우)

(~儿) 명 아가리가 넓고 운두가 낮은 그릇. ❏ 痰~; 타구(唾具).

竽 yú (우)

명〖樂〗 생황(笙簧) 비슷한 옛 날 악기.

予 yú (여)

대〈書〉 나. ⇒yǔ

余(餘)[B] yú (여)

A) 대〈書〉 나. **B)** ① 동 남다. 남기다. ❏ 饭菜~得不多; 요리가 많이 남지 않았다. ② 수 …여[남짓]. ❏ 七十~岁的老人; 70세 남짓 된 노인. ③ 명 여가. 남은 시간. ❏ 课~活动; 과외 활동. ④ 명 …한 나머지. …한 뒤. ❏ 兴奋之~, 高歌一曲; 흥분한 나머지 큰 소리로 노래를 한 곡 불렀다.

[余波] yúbō 명 여파. ❏ ~未平; 〈成〉 여파가 가라앉지 않다.

[余存] yúcún 동 (상쇄하고 난 후에) 남다. 나머지가 생기다.

[余地] yúdì 명 여지.

[余毒] yúdú 명 여독.

[余额] yú'é 명 ① 정원(定員)의 여유. ② 잔액. 잔고.

[余悸] yújì 명 (사후(事後)에) 아직 남아 있는 공포. ❏ ~未消; 공포가 아직 사라지지 않다.

[余粮] yúliáng 명 여분의 식량.

[余年] yúnián 명 만년. 여생.

[余孽] yúniè 명 남아 있는 악인[악한 세력]. 잔당(殘黨).

[余色] yúsè 명 ⇨[补色]

[余生] yúshēng 명 ① 여생. 만년. ❏ 安度~; 여생을 편히 보내다. ② 살아남은 목숨. ❏ 虎口~; 〈成〉 구사일생으로 살아남은 목숨.

[余剩] yúshèng 동 남다. 남아돌다. ❏ 把~的钱存入银行; 남는 돈을 은행에 저축하다.

[余数] yúshù 명〖數〗 나머지.

[余暇] yúxiá 명 여가.

[余下] yúxià 동 남다. 남기다. ❏ 手中~的钱不多了; 수중에 남은 돈이 얼마 없다.

[余兴] yúxìng 명 ① 여흥. ② 회의·연회·모임 따위의 끝에 흥을 더하기 위해 하는 연예.

[余音] yúyīn 명 여음. 여운. ❏ ~绕梁; 〈成〉 여운이 귓전에 맴돌다《음악이나 노랫소리가 무척 아름답다》.

[余勇可贾] yúyǒng-kěgǔ 〈成〉 아직 여력이 있다.

[余裕] yúyù 형 여유 있다. 풍족하다.

舆 yú (유)

→[须xū臾]

谀(諛) yú (유)

동〈書〉 아첨하다. 아부하다.

腴 yú (유)

형 ① (사람이) 통통하다. 살찌다. ❏ 丰~; 풍만하다. ② 비옥하다. ❏ 膏~之地; 비옥한 땅.

鱼(魚) yú (어)

명 물고기. ❏ 一条~; 물고기 한 마리.

[鱼鳔] yúbiào 명 ⇨[鳔①]

[鱼翅] yúchì 명 상어 지느러미. 샥스핀(shark's fin). =[翅子①]

[鱼刺] yúcì 명 생선 가시.

[鱼饵] yú'ěr 명 낚싯밥. 미끼. ❏ 咬~; 미끼를 물다.

[鱼肝油] yúgānyóu 명 간유. 어간유.

[鱼贯] yúguàn 부 (꼬챙이에 꿴 생선처럼) 줄줄이 이어서. 줄지어. ❏ ~而入; 줄지어 들어가다.

[鱼具] yújù 명 ⇨[渔具]

[鱼雷] yúléi 명〖軍〗 어뢰. ❏ ~艇=[~快艇]; 어뢰정.

[鱼鳞] yúlín 명 어린. 물고기 비늘.

[鱼龙混杂] yúlóng-hùnzá 〈成〉 선인과 악인이 한데 섞여 있다.

[鱼米之乡] yúmǐzhīxiāng 〈成〉 물산이 풍부한 살기 좋은 고장.

[鱼苗(儿)] yúmiáo(r) 명 (양식용) 치어.

[鱼目混珠] yúmù-hùnzhū 〈成〉 물고기 눈알을 진주에 섞다《가짜를 진짜로 속이다》.

[鱼漂(儿)] yúpiāo(r) 명 낚시찌. =[浮子]
[鱼肉] yúròu 명 어육. 생선살. ❏~丸子; 생선 완자. 동〈轉〉 폭력으로 괴롭히다. ❏~百姓; 〈成〉 백성을 괴롭히고 해하다.
[鱼水情] yúshuǐqíng 명 물고기와 물처럼 지극히 친밀한 정의(情誼).
[鱼网] yúwǎng 명 ⇨[渔网]
[鱼鲜] yúxiān 명 수산물.
[鱼汛] yúxùn 명 어획기. =[渔汛]
[鱼子] yúzǐ 명 물고기 알. 어란(魚卵). ❏~酱; 캐비아(caviar).

渔(漁) yú (어)
동 ① 고기잡이를 하다. ②(부당하게) 이익을 취하다.
[渔产] yúchǎn 명 수산물.
[渔场] yúchǎng 명 어장.
[渔船] yúchuán 명 어선.
[渔村] yúcūn 명 어촌.
[渔夫] yúfū 명 어부.
[渔具] yújù 명 어구. =[鱼具]
[渔利] yúlì 동 부당한 이익을 도모하다. 명 어부지리. 제삼자가 수고하지 않고 얻은 이익.
[渔民] yúmín 명 어민.
[渔人之利] yúrénzhīlì 〈成〉 어부지리.
[渔网] yúwǎng 명 어망. =[鱼网]
[渔汛] yúxùn 명 ⇨[鱼汛]
[渔业] yúyè 명 어업.

俞 Yú (유)
명 성(姓)의 하나.

渝 yú (유, 투)
① 동 (감정·태도가) 바뀌다. 바꾸다. 변하다. ❏忠诚不~; 충성이 변함없다. ②(Yú) 명〔地〕 충칭(重慶)의 별칭.

愉 yú (유)
형 즐겁다. 기쁘다.
[愉快] yúkuài 형 유쾌하다. 즐겁다. 기쁘다. ❏~地接受邀请; 기쁘게 초청을 받아들이다.

逾 yú (유)
① 동 넘다. 지나다. ❏~额; 정액을 넘다. ② 부〈書〉 더욱. 더욱더. ❏~甚; 더욱더 심하다.
[逾期] yú//qī 동 기일을 넘기다.
[逾越] yúyuè 동 넘다. 초월하다. ❏不可~的界限; 넘을 수 없는 한계.

瑜 yú (유)
명〈書〉 ① 미옥(美玉). ② 옥의 광채. 〈比〉 장점. ❏瑕~互见; 〈成〉 결점도 있고 장점도 있다.
[瑜伽] yújiā 명 요가(범 yoga). =[瑜珈jiā]

榆 yú (유)
명〔植〕 느릅나무. =[榆树]

覦(覦) yú (유)
→[觊jì觎]

隅 yú (우)
명 ① 구석. 모퉁이. ❏四~; 네 귀퉁이. ② 연한 땅. 곁의 땅. 가. ❏海~; 해변.

愚 yú (우)
① 형 우둔하다. 어리석다. ❏~不可及; 〈成〉 어리석기 짝이 없다. ② 동 우롱하다. 속이다. ❏为人所~; 사람들에게 우롱당하다. ③ 대〈謙〉 저. ❏~见; 저의 소견.
[愚笨] yúbèn 형 우둔하다. 미련하다.
[愚蠢] yúchǔn 형 어리석다. 미련하다.
[愚公移山] Yúgōng-yíshān 〈成〉 굳은 의지를 갖고 끈기 있게 해나가면 해내지 못할 일이 없다.
[愚鲁] yúlǔ 형 어리석다. 바보 같다. 미련하다.
[愚昧] yúmèi 형 우매하다.
[愚弄] yúnòng 동 우롱하다. ❏被人~; 남에게 우롱당하다.
[愚人节] Yúrénjié 명 만우절.
[愚顽] yúwán 형 우매하고 완고하다.
[愚拙] yúzhuō 형 어리석고 졸렬하다.

娱 yú (오)
① 동 즐겁게 하다. ② 형 즐겁다.
[娱乐] yúlè 동 오락하다. 즐기다. 유흥하다. ❏~活动; 오락 활동 / ~片; 오락 영화 / ~圈; 연예계. 명 오락. 놀이. 레크리에이션.

虞 yú (우)
동 ① 예상하다. 추측하다. ❏以备不~; 〈成〉 예측할 수 없는 사태에 대비하다. ② 근심하다. 우려하다. 걱정하다. ❏衣食无~; 의식의 걱정은 없다. ③ 속이다. 기만하다. ❏尔~我诈; 〈成〉 서로 속이다.

舆(輿) yú (여)
① 명〈書〉 가마. ② 형 많은 사람의. 대중의. ❏~论; ⇩ ③ 명 토지. 영역.
[舆论] yúlùn 명 여론. ❏制造~; 여론을 조성하다 / ~调查; 여론 조사.
[舆情] yúqíng 명 민정(民情). 대중의 의향.

与(與) yǔ (여)
① 동 주다. 베풀다. ❏赠~; 증여하다. ② 동 사귀다. 교제하다. ❏~国; 우방국. ③ 동 지

지하다. 찬조하다. ④ 개 …와[과]. ❏此事~你无关; 이 일은 너와 무관하다. ⑤ 접 …와[과]. ❏工业~农业; 공업과 농업. ⇒yù

[与其] yǔqí 접 …하느니. …하기보다는. ❏~你去, 还不如我去; 네가 가는 것보다는, 내가 가는 것이 더 낫다.

[与人为善] yǔrén-wéishàn 〈成〉 남에게 선행을 베풀다.

[与日俱增] yǔrì-jùzēng 〈成〉 시간이 감에 따라 끊임없이 증가하다.

[与世长辞] yǔshì-chángcí 〈成〉 서거하다. 세상을 떠나다.

[与众不同] yǔzhòng-bùtóng 〈成〉 남들과 다르다. 남다르게 뛰어나다.

屿(嶼) yǔ (서)
명 작은 섬.

予 yǔ (여)
동 주다. …해 주다. ❏授~; 수여하다. ⇒yú

[予人口实] yǔrén-kǒushí 〈成〉 남에게 약점을 잡히다.

[予以] yǔyǐ 동 …을 주다. …을 하다. ❏~支持; 지지해 주다.

宇 yǔ (우)
명 ① 처마. 〈轉〉 가옥. 건물. ❏屋~; 집. ② 세계. 모든 공간. ❏寰~; 온 세상. ③ 풍모. 풍격. 기개. ❏器~; 풍채.

[宇航] yǔháng 동 우주 비행을 하다. ❏~服; 우주복 / ~员; 우주 비행사.

[宇宙] yǔzhòu 명 ①〔天〕 우주. ❏~飞船; 우주선 / ~人; 우주인. ②〔哲〕 온갖 존재. 세계.

[宇宙观] yǔzhòuguān 명 우주관. 세계관.

[宇宙空间] yǔzhòu kōngjiān 〔天〕 우주 공간. =[外层空间]

羽 yǔ (우)
명 ① 깃털. ② (새 또는 곤충의) 날개. ③ 조류(鳥類). 새.

[羽毛] yǔmáo 명 ① 깃털. ② 새털과 짐승털. 〈比〉 명예. 성망. ❏~未丰; 〈成〉 ⓐ 아직 성숙하지 못하다. ⓑ 경험이 적고 미숙하다.

[羽毛球] yǔmáoqiú 명〔體〕 ① 배드민턴. ❏~拍; 배드민턴 라켓. ② 셔틀콕(shuttlecock).

[羽绒] yǔróng 명 오리나 거위의 털. 다운(down). ❏~服; 다운재킷(down jacket).

雨 yǔ (우)
명 비. ❏下~; 비가 오다.

[雨点(儿)] yǔdiǎn(r) 명 빗방울.

[雨刮器] yǔguāqì 명 와이퍼(wiper). =[雨刷]

[雨过天晴] yǔguò-tiānqíng 〈成〉 비가 지나가고 날이 개다《상황이 나쁜 쪽에서 좋은 쪽으로 변하다》.

[雨后春笋] yǔhòu-chūnsǔn 〈成〉 우후죽순《새로운 것이 대량으로 나타나다》.

[雨季] yǔjì 명 우기(雨期).

[雨具] yǔjù 명 우비. 우구.

[雨量] yǔliàng 명〔氣〕 강우량. 우량. ❏~计; 우량계.

[雨露] yǔlù 명 비와 이슬. 〈比〉 은택. 은혜.

[雨伞] yǔsǎn 명 우산. ❏打~; 우산을 쓰다.

[雨刷] yǔshuā 명 ⇨[雨刮器]

[雨水] yǔshuǐ 명 ① 빗물. 비. ② 우수《24절기의 하나》.

[雨鞋] yǔxié 명 비 올 때 신는 신.

[雨靴] yǔxuē 명 비 올 때 신는 장화.

[雨衣] yǔyī 명 비옷. 우의.

禹 Yǔ (우)
명〔人〕 우《중국 고대 전설상의 하(夏)나라 왕의 이름》.

语(語) yǔ (어)
① 명 말. 언어. ❏国~; 국어 / 俗~; 속어. ② 동 말하다. 이야기하다. ❏默默不~; 〈成〉 아무 말도 하지 않다. ③ 명 속담. 성어(成語). ❏~云; 속담에서 이르다. ④ 명 언어 대신 의사를 표현하는 동작[방식]. ❏手~; 수화.

[语病] yǔbìng 명 어폐(語弊).

[语词] yǔcí 명〔言〕 단어·연어 따위의 언어 성분. 단어. 어구.

[语调] yǔdiào 명〔言〕 억양. 어조.

[语法] yǔfǎ 명〔言〕 ① 어법. 문법. ② 문법 연구. ‖ =[文法]

[语感] yǔgǎn 명 어감.

[语汇] yǔhuì 명 어휘.

[语句] yǔjù 명 어구.

[语录] yǔlù 명 어록.

[语气] yǔqì 명 ① 말투. 어투. ②〔言〕 어기. ❏疑问~; 의문 어기.

[语文] yǔwén 명 ① 어문. 언어와 문자. 말과 글. ② 언어와 문학.

[语无伦次] yǔwúlúncì 〈成〉 말이 뒤죽박죽이고 앞뒤가 맞지 않다.

[语系] yǔxì 명〔言〕 어계. 어족(語族). ❏拉丁~; 라틴어계.

[语序] yǔxù 명 ⇨[词序]

[语言] yǔyán 명 ①〔言〕 언어. ❏~学; 언어학. ② 말. 언사.

[语音] yǔyīn 명〖言〗 말소리. ❏ ~信箱; 음성 사서함 / ~学; 음성학.
[语源] yǔyuán 명〖言〗 어원.
[语重心长] yǔzhòng-xīncháng 〈成〉 말이 간곡하고 의미심장하다.

圄 yǔ (어) →[囹líng圄]

龉(齬) yǔ (어) →[龃jǔ龉]

窳 yǔ (유) 형〈書〉 조악하다. 좋지 않다.
[窳劣] yǔliè 형〈書〉 조악하다. 조잡하다.

与(與) yù (여) 동 참여하다. 참가하다. =[预②] ⇒yǔ
[与会] yùhuì 동 회의에 참가하다. ❏ ~者; 회의 참가자. =[预会]
[与闻] yùwén 동 참가[참여]하여 내용을 알다. ❏ ~其事; 그 일에 참여하여 내용을 알다. =[预闻]

驭(馭) yù (어) 동 ①(거마를) 몰다. 부리다. ❏ ~车; 수레를 몰다 / ~马; 말을 몰다. ②〈書〉 통솔하다.

玉 yù (옥) ① 명〖鑛〗 옥. ❏ 白~; 백옥. ② 형〈比〉 아름답다. 깨끗하다. ❏ ~手; 옥처럼 아름다운 손. ③ 명〈敬〉 상대방의 몸이나 행동을 가리키는 말. ❏ ~体; ⇩
[玉成] yùchéng 동〈敬〉 목적을 이루도록 돕다. ❏ ~其事; 〈成〉 그 일이 성사되도록 도와주시기 바랍니다.
[玉米] yùmǐ 명〖植〗 옥수수. ❏ ~面 =[~粉]; 옥수수 가루 / ~粥; 옥수수죽 / ~油; 옥수수 기름. =[玉蜀黍][〈方〉 棒子②][〈方〉 老玉米]
[玉器] yùqì 명 옥으로 만든 기물.
[玉石] yùshí 명 ① 옥. ② 옥과 돌. 옥석. ❏ ~俱焚; 〈成〉 옥과 돌이 함께 타다《선악이 모두 해를 입다》.
[玉蜀黍] yùshǔshǔ 명 ⇨[玉米]
[玉体] yùtǐ 명 〈敬〉 옥체.
[玉玺] yùxǐ 명 옥새《천자의 도장》.
[玉簪] yùzān 명 ① 옥잠. 옥비녀. ②〖植〗 옥잠화.

芋 yù (우) 명 〖植〗 ① 토란. ② 감자 · 고구마류의 통칭.
[芋艿] yùnǎi 명〖植〗 토란.
[芋头] yù·tou 명〖植〗 ① 토란의 통칭. ②〈方〉 ⇨[甘薯]

吁(籲) yù (우, 유) 동 호소하다. 외치다. ❏ 呼~; 호소하다. ⇒xū yū

妪(嫗) yù (구) 명〈書〉 노부인. 노파. 할머니. ❏ 老~; 노파.

浴 yù (욕) 동 몸을 씻다. 목욕하다. ❏ 淋~; 샤워하다 / ~巾; 목욕 수건.
[浴场] yùchǎng 명 옥외 욕장. 실외 수영장. ❏ 海滨~; 해수욕장.
[浴池] yùchí 명 ①(대중목욕탕의) 욕탕. 대형 욕조. ② 목욕탕《주로, 공중목욕탕의 명칭에 쓰임》.
[浴缸] yùgāng 명 욕조(浴槽).
[浴盆] yùpén 명 ⇨[澡盆]
[浴室] yùshì 명 ① 욕실. ②(대중)목욕탕.
[浴衣] yùyī 명 목욕 가운.

峪 yù (욕) 명 골짜기.

欲 yù (욕) ① 명 욕망. 욕구. ❏ 情~; 정욕 / 食~; 식욕. ② 동 원하다. 희망하다. 바라다. ❏ ~购者; 구입 희망자. ③ 동 …해야 한다. …이 필요하다. ❏ 志~大; 목표는 크게 가져야 한다. ④ 부 장차. 곧. ❏ 天~放晴; 하늘이 곧 갤 것 같다.
[欲罢不能] yùbà-bùnéng 〈成〉 그만두려고 해도 그만둘 수 없다.
[欲盖弥彰] yùgài-mízhāng 〈成〉 진상을 감추려 하다가 도리어 더 드러내게 되다.
[欲壑难填] yùhè-nántián 〈成〉 욕망의 구렁은 메우기 어렵다.
[欲速则不达] yùsùzébùdá 〈成〉 지나치게 성급하게 굴면 도리어 목적을 이룰 수 없다.
[欲望] yùwàng 명 욕망.

裕 yù (유) ① 형 풍부하다. 넉넉하다. ❏ 富~; 부유하다. ② 동〈書〉 풍족하게 하다. ❏ 富国~民; 나라를 부유하게 하고 백성을 풍족하게 하다.

郁(鬱[B)]) yù (욱, 울) **A)** 형 향이 진하다. **B)** ① 형 (초목이) 무성하다. 울창하다. ❏ 葱~; 수목이 울창하다. ② 형 울적하다. 우울하다. ❏ ~闷; ⇩ ③ 동 (걱정·분노 따위가) 쌓이다. 맺히다. ❏ 忧~; 번민하다.
[郁结] yùjié 동 울결하다.
[郁金香] yùjīnxiāng 명〖植〗 튤립(tulip).

[郁闷] yùmèn 형 우울하다. 답답하다. ❑心情～; 마음이 답답하다.
[郁血] yù//xuè 동〔醫〕울혈이 생기다.
[郁郁] yùyù 형〈書〉① 문학적으로 뛰어나다. ❑文采～; 문학적 재능이 뛰어나다. ② 향기가 짙다. 향기롭다. ③ (초목이) 무성하다. 울창하다. ❑～葱葱; 초목이 울창한 모양. ④ 우울하다. 울적하다.

育 yù (육)
① 동 아이를 낳다. 출산하다. ❑节～; 산아 제한을 하다. ② 동 키우다. 기르다. 양육하다. ❑～婴; 아기를 키우다 / ～蚕; 양잠하다. ③ 명 교육. ❑体～; 체육.
[育林] yùlín 동 육림하다.
[育龄] yùlíng 명 출산 적정 연령. 가임 연령. ❑～妇女; 가임 여성.
[育种] yù//zhǒng 동 육종하다.

谕(諭) yù (유)
동 알리다. 고지(告知)하다. 분부하다. ❑～知; 고지하다.

喻 yù (유)
동 ① 설명하다. 고지하다. ❑不可理～; 〈成〉 도리로 설명해도 깨닫게 하지 못하다. ② 이해하다. 알다. ❑家～户晓; 〈成〉 누구나 다 잘 알고 있다. ③ 비유하다. ❑比～; 비유하다.

愈 yù (유)
A) 동 ① (병이) 낫다. 완쾌하다. ❑他已病～出院了; 그는 이미 병이 나아서 퇴원했다. ② (…보다) 낫다. ❑彼～于此; 그것은 이것보다 낫다. **B)** 부 더욱더. 점점 더. 갈수록《중첩해서 쓰임》. ❑雨下得～来～大; 비가 더욱더 거세게 내린다. →[越**B)**]
[愈合] yùhé 동〔醫〕(상처가) 아물다. 유합하다.
[愈加] yùjiā 부 ⇨[越发]

狱(獄) yù (옥)
명 ① 감옥. 형무소. 교도소. ❑入～; 감옥에 들어가다. ② 소송 사건. 범죄 사건.

域 yù (역)
명 ① 일정 경계 내의 땅. ❑领～; 영역. ② 나라의 영역. ❑～外; 국외. 역외. ③〈轉〉범위. 영역. ❑音～; 음역.
[域名] yùmíng 명〔컴〕도메인 네임(domain name).

蜮 yù (역)
명 물속에서 모래를 쏘아 사람을 해친다는 전설 속 괴물.

预(預) yù (예)
① 부 미리. 사전에. ❑～断; 예단하다 / ～知; 미리 알다. ② 동 ⇨[与yù]
[预报] yùbào 명동 예보(하다). ❑天气～; 일기 예보.
[预备] yùbèi 동 예비하다. 준비하다. ❑～过冬; 월동 준비를 하다 / ～役; 예비역.
[预卜] yùbǔ 동 예측하다. 예단하다.
[预测] yùcè 동 예측하다. ❑～地震; 지진을 예측하다.
[预产期] yùchǎnqī 명〔醫〕출산 예정일.
[预订] yùdìng 동 예약 주문하다. ❑～机票; 비행기표를 예약하다.
[预定] yùdìng 동 사전에 정하다. 예정하다. ❑～时间; 예정 시간.
[预防] yùfáng 동 예방하다. ❑～传染病; 전염병을 예방하다 / ～针 =[～注射]; 예방 주사.
[预感] yùgǎn 명동 예감(하다). ❑他已～到情况不妙; 그는 이미 상황이 좋지 않음을 예감했다.
[预告] yùgào 명동 예고(하다). ❑～片piàn; 예고편.
[预购] yùgòu 동 사전 구매하다. 예약 구매하다. 예매하다.
[预会] yùhuì 동 ⇨[与yù会]
[预计] yùjì 동 예상하다. 예측하다. ❑～到达时间; 예상 도착 시간.
[预见] yùjiàn 명동 예견(하다). ❑科学的～; 과학적인 예견.
[预料] yùliào 명동 예상(하다). 예측(하다). 전망(하다). ❑这件事谁都～不到; 이 일은 누구도 예상하지 못했다. =[预想]
[预谋] yùmóu 동 사전에 모의하다.
[预期] yùqī 동 예기하다. 기대하다. ❑～心理; 기대 심리.
[预赛] yùsài 명〔體〕예선. 예선전.
[预示] yùshì 동 예시하다. 예고하다. ❑乌云～着雷雨的到来; 먹구름은 뇌우가 올 것을 예고한다.
[预算] yùsuàn 명동〔經〕예산(하다). ❑编制～; 예산을 짜다.
[预闻] yùwén 동 ⇨[与yù闻]
[预习] yùxí 동 예습하다.
[预先] yùxiān 부 미리. 사전에. ❑～通知; 사전에 통지하다.
[预想] yùxiǎng 명동 ⇨[预料]
[预言] yùyán 명동 예언(하다). ❑～家; 예언가.
[预演] yùyǎn 동 예행 연습을 하다.

[预约] yùyuē 동 예약하다. ❑～挂号; 예약 접수하다.

[预兆] yùzhào 명동 전조(前兆)(를 보이다). 조짐(을 보이다).

豫 yù (예)
형〈書〉 ① 기쁘다. 즐겁다. ② 안일하다. 편안하다.

熨 yù (울, 위)
→[熨贴] ⇒yùn

[熨贴] yùtiē 형 ① (글자나 단어의 사용이) 적절하다. 알맞다. ② (마음이) 평온하다. 편안하다.

寓 yù (우)
① 동 거처하다. ❑～居; ⇓ ② 명 거처. ❑客～; 임시 거처. ③ 동 빗대어 나타내다. ❑～意; ⇓

[寓居] yùjū 동 (주로, 타지 사람이) 우거하다. 거주하다. 기거하다. ❑～海外; 해외에 거주하다.

[寓言] yùyán 명 우언. 우화.

[寓意] yùyì 명 우의.

遇 yù (우)
① 동 마주치다. 만나다. ❑途中相～; 도중에 만나다 / ～雨; 비를 만나다. ② 동 대하다. 대우하다. ❑冷～; 냉대하다 / 优～; 우대하다. ③ 명 기회. ❑佳～; 좋은 기회.

[遇到] yùdào 동 만나다. 마주치다. ❑～困难; 어려움을 만나다.

[遇害] yù//hài 동 살해되다.

[遇见] yù//jiàn 동 (우연히) 만나다. 마주치다. ❑在回家的路上～了他; 집에 가는 길에 그와 마주쳤다.

[遇救] yù//jiù 동 구조되다. 구출되다.

[遇难] yù//nàn 동 ① 사망하다. ② 조난(遭難)하다. 재난을 만나다.

[遇险] yù//xiǎn 동 위험에 부닥치다. 조난하다.

御(禦)[B)] yù (어)
A) ① 동 (거마를) 부리다. 몰다. ❑～者; 마부. ② 동 통치하다. 다스리다. ③ 형 황제와 관련된. ❑告～状; 황제께 올리는 직소장. **B)** 동 막다. 방어하다. ❑～敌; 적을 막다.

[御用] yùyòng 형 ① 황제가 사용하는. ② (통치자의) 어용의(풍자의 뜻으로 씀). ❑～文人; 어용 문인.

鬻 yù (육)
동〈書〉 팔다.

鹬(鷸) yù (휼)
명〖鳥〗 도요새.

[鹬蚌相争, 渔人得利] yùbàng-xiāngzhēng, yúrén-délì 〈成〉 서로 다투다가 제삼자에게 이익을 빼앗기다. 어부지리.

誉(譽) yù (예)
① 명 영예. 명예. ❑～满全球; 명예를 온 세계에 떨치다. ② 동 칭찬하다. 찬탄하다. ❑～不绝口; 〈成〉 칭찬이 끊이지 않다.

yuan ㄩㄢ

鸳(鴛) yuān (원)
명〖鳥〗 원앙. 원앙새.

[鸳鸯] yuān·yāng 명 ①〖鳥〗 원앙. 원앙새. ②〈比〉 부부.

鸢(鳶) yuān (연)
명 ⇒[老鹰]

冤 yuān (원)
① 명 억울함. 원통함. ❑雪～; 억울함을 풀다. ② 명 원수. 원한. ❑结～; 원수를 맺다. ③ 형 속다. 골탕 먹다. 헛수고하다. ❑别花～钱; 괜한 돈 쓰지 마라. ④ 동〈方〉 기만하다. 속이다. ❑你可别～我; 나를 속이지 마라.

[冤仇] yuānchóu 명 원한. 원수.

[冤大头] yuān dàtóu 봉. 바가지 쓰는 사람. 돈을 헛되이 쓰는 사람. ＝[大头③]

[冤魂] yuānhún 명 원혼.

[冤家] yuān·jia 명 원수. 앙숙. ❑～路窄; 〈成〉 원수는 외나무다리에서 만난다.

[冤屈] yuānqū 동 ⇨[冤枉] 형 ⇨[冤枉①] 명 부당한 대우. 억울한 손해.

[冤枉] yuān·wang 동 ① 누명을 씌우다. ② 억울함을 당하다. 누명을 쓰다. ‖＝[冤屈] 형 ① 억울하다. 원통하다. ❑这场比赛输得真～; 이번 시합은 정말 원통하게 졌다. ＝[冤屈] ② 헛되다. 쓸데없다. 허무하다. ❑白来了一趟, 真～; 와서 허탕만 쳤으니 정말 허무하다.

[冤枉路] yuān·wanglù 명 괜한 걸음. 헛걸음. ❑走～; 헛걸음하다.

[冤枉钱] yuān·wangqián 명 괜한 돈. 헛돈.

[冤狱] yuānyù 명 억울한 죄의 재판 사건.

渊(淵) yuān (연)
① 명 물의 깊은 곳. 심연. ② 형 깊다. ❑～深; (학문 따위가) 매우 깊다.

[渊博] yuānbó 형 (학식이) 깊고 넓다. ❑学识～; 학식이 깊고 넓다.

[渊薮] yuānsǒu 명〈比〉 사람이나 사물이 모여드는 곳.
[渊源] yuānyuán 명〈比〉 연원. 근원. ❑历史~; 역사적 근원.

元 yuán (원)
①형 처음의. 첫째의. ❑~年; ⇓ ②형 으뜸의. 우두머리의. 최상의. ❑~帅; ⇓ ③형 기초적인. 근본적인. ❑~素; ⇓ ④명 하나의 전체적인 것으로 구성된 것. ❑单~; 단원. ⑤양 위안《중국의 화폐 단위》. =[圆⑥] ⑥명 ⇨[圆⑦] ⑦(Yuán) 명〔史〕 원나라.
[元旦] Yuándàn 명 원단. 양력설.
[元件] yuánjiàn 명 부속품. 부품. 소자(素子). ❑电子~; 전자 부품.
[元老] yuánlǎo 명 원로.
[元年] yuánnián 명 원년.
[元气] yuánqì 명 원기. 생명력.
[元首] yuánshǒu 명 (국가) 원수.
[元帅] yuánshuài 명〔軍〕 원수. 오성 장군.
[元素] yuánsù 명 ① 요소. ②〔化〕 원소. ❑~符号; 원소 기호.
[元宵] yuánxiāo 명 ① 원소. 원석. 정월 대보름 밤. ② 대보름날에 먹는 소가 들어 있는 새알심.
[元宵节] Yuánxiāo Jié 명 원소절. 정월 대보름날. =[灯节]
[元凶] yuánxiōng 명 원흉.
[元勋] yuánxūn 명 원훈. 공신.
[元音] yuányīn 명〔言〕 모음. =[母音]
[元元本本] yuányuánběnběn 부 ⇨[原原本本]
[元月] yuányuè 명 정월.

园(園) yuán (원)
명 ①(~儿) 동산. 밭. ❑花~儿; 꽃밭. 화원. ② 공공장소. ❑动物~; 동물원 / 公~; 공원.
[园地] yuándì 명 ① 채소밭·꽃밭·과수원 따위의 총칭. ②〈比〉 (어떤 활동의) 범위. 세계. 무대.
[园丁] yuándīng 명 ① 원예사. 정원사. ②〈比〉 교사. 선생님.
[园林] yuánlín 명 원림. 조경림.
[园艺] yuányì 명 원예. ❑~师; 원예사.
[园子] yuán·zi 명 밭. 동산. 화원.

芫 yuán (원)
→[芫花] ⇒yán
[芫花] yuánhuā 명〔植〕 팥꽃나무.

鼋(黿) yuán (원)
명〔動〕 자라.
[鼋鱼] yuányú 명〔動〕 자라. =[癞头鼋]

员(員) yuán (원)
①명 어떤 분야에 종사하는 사람. ❑演~; 연기자 / 运动~; 운동선수. ②명 단체[조직]의 구성원. ❑会~; 회원. ③양 명《무장(武將)·인원을 세는 말》. ❑十~大将; 대장 10명.
[员额] yuán'é 명 인원수. 정원(定員).
[员工] yuángōng 명 직원과 노동자. 종업원.

圆(圓) yuán (원)
①명〔數〕 원. ❑画一个~; 원을 하나 그리다. ②명〈簡〉 ⇨[圆周] ③형 둥글다. 동그랗다. ❑中秋夜的月亮真~; 추석날 밤의 달은 정말 둥글다. ④형 원만하다. 완전하다. 빈틈없다. 주도면밀하다. ❑他做事很~; 그는 일처리가 매우 빈틈없다. ⑤동 원만하게 수습하다. 완전하게 하다. 빈틈없이 하다. ❑~场; ⇓ ⑥양 위안《중국의 기본 화폐 단위》. =[元⑤] ⑦명 둥근 경화(硬貨). ❑铜~; 동전. =[元⑥]
[圆白菜] yuánbáicài 명 ⇨[结jié球甘蓝]
[圆场] yuán∥chǎng 동 원만히 해결하다. 수습하다. 중재하다.
[圆成] yuánchéng 동 ⇨[成全]
[圆规] yuánguī 명 컴퍼스(compass).
[圆滑] yuánhuá 형 약삭빠르다.
[圆满] yuánmǎn 형 원만하다. 만족스럽다. 순조롭다. ❑会议开得很~; 회의가 순조롭게 열리다.
[圆圈(儿)] yuánquān(r) 명 동그라미. 원.
[圆熟] yuánshú 형 숙련되다. 능숙하다. 원숙하다. 노련하다. ❑处事极~; 일처리가 매우 노련하다.
[圆通] yuántōng 형 (성격이나 일처리가) 원만하다. 융통성이 있다. ❑他办事灵活~; 그는 일처리가 민첩하고 융통성이 있다.
[圆舞曲] yuánwǔqǔ 명〔樂〕〈義〉 왈츠(waltz).
[圆心] yuánxīn 명〔數〕 원심.
[圆周] yuánzhōu 명〔數〕 원둘레. 원주. ❑~率; 원주율. =[〈簡〉圆②]
[圆珠笔] yuánzhūbǐ 명 볼펜.
[圆柱] yuánzhù 명〔數〕 원기둥. 원주.
[圆锥] yuánzhuī 명〔數〕 원뿔. 원추.
[圆桌] yuánzhuō 명 둥근 탁자. 원

탁. ❏～会议; 원탁회의.

垣 yuán (원)
명 〈書〉 ① 담. 벽. ② 도시.

援 yuán (원)
동 ① 손에 쥐다. 손으로 당기다. ❏攀～而上; 무엇을 잡고 오르다. ② 인용하다. ❏有例可～; 〈成〉 인용할 전례가 있다. ③ 돕다. 원조하다. ❏支～; 지원하다.

[援救] yuánjiù 동 구원하다. 구조하다. ❏～灾民; 이재민을 구조하다.

[援军] yuánjūn 명 원군. 지원군.

[援引] yuányǐn 동 ① 인용하다. ❏～古书为证; 고서를 인용하여 증거로 삼다. ② 등용하다. 발탁하다. ❏～人才; 인재를 등용하다.

[援助] yuánzhù 동 원조하다. 도움을 주다. ❏ 经济～; 경제 원조.

原 yuán (원)
① 형 최초의. 처음의. 시초의. ❏～生动物; 원생동물. ② 형 원래의. 본래의. ❏～地; 본래의 자리 / ～址; 원주소 / ～主; 원래의 주인. ③ 형 본디대로의. 가공하지 않은. ❏～木; ⇩ ④ 동 용서하다. 양해하다. 이해하다. ❏～谅; ⇩ ⑤ 명 평원. 들판. ❏草～; 초원.

[原版] yuánbǎn 명 ① (서적·음반·영상물의) 원판. ② 번역을 거치지 않은 서적이나 영상물.

[原本] yuánběn 명 ① 저본(底本). ② 초판본(初版本). ③ (번역의) 원서. 부 본래. 원래. ❏我～是教学生的; 나는 원래 학생들을 가르치던 사람이다.

[原材料] yuáncáiliào 명 원료와 재료. 원재료.

[原动力] yuándònglì 명 원동력.

[原封(儿)] yuánfēng(r) 형 개봉하지 않은. ❏～不动; 〈成〉 개봉하거나 손대지 않고 그대로 두다.

[原稿] yuángǎo 명 원고. 초고.

[原告] yuángào 명〔法〕 원고.

[原故] yuángù 명 ⇨[缘故]

[原籍] yuánjí 명 원적. 본적.

[原价] yuánjià 명 (할인 전의) 원래의 가격.

[原来] yuánlái 명 이전. 종전. 옛날. ❏现在的日子比～好多了; 지금의 생활은 이전보다 훨씬 좋아졌다. 형 원래의. 본디의. ❏按～的计划进行; 원래의 계획대로 진행하다. 부 알고 보니. 바로《진실·사실을 발견했음을 나타냄》. ❏～如此; 알고 보니 이렇게 된 것이었다.

[原理] yuánlǐ 명 원리.

[原谅] yuánliàng 동 양해하다. 용서하다. ❏请您～我; 저를 용서해 주세요.

[原料] yuánliào 명 원료.

[原木] yuánmù 명 원목. 원나무.

[原色] yuánsè 명〔色〕 원색.

[原始] yuánshǐ 형 ① 최초의. 일차의. ❏～记录; 일차 기록. ② 원시의. ❏～社会; 원시 사회.

[原委] yuánwěi 명 자초지종. 경위.

[原文] yuánwén 명 원문.

[原先] yuánxiān 명 이전. 원래. 본래. ❏～这里是一片沼泽; 본래 이곳은 온통 늪과 못 지대이다.

[原形] yuánxíng 명 ① 원형. ② 〈轉〉〈貶〉 정체. 본색. ❏～毕露; 〈成〉 정체가 완전히 폭로되다.

[原野] yuányě 명 원야. 평야.

[原意] yuányì 명 본래의 의도.

[原因] yuányīn 명 원인. 이유.

[原由] yuányóu 명 ⇨[缘由]

[原油] yuányóu 명〔鑛〕 원유.

[原原本本] yuányuánběnběn 부 처음부터 끝까지. 일체. 모두. 자세히. ＝[元元本本]

[原则] yuánzé 명 원칙.

[原著] yuánzhù 명 원저. 원작.

[原状] yuánzhuàng 명 원상. ❏恢复～; 원상을 회복하다.

[原子] yuánzǐ 명〔物〕 원자.

[原子能] yuánzǐnéng 명 ⇨[核能]

[原作] yuánzuò 명 원작.

源 yuán (원)
명 ① 수원(水源). 물의 근원. ② (사물의) 근원. 원천. 출처. ❏来～; ⓐ수원(水源). ⓑ기원.

[源流] yuánliú 명 원류. 〈比〉 기원과 발전. ❏汉字～; 한자의 원류.

[源泉] yuánquán 명 원천. 〈比〉 원천. 근원. ❏力量的～; 힘의 원천.

[源源] yuányuán 부 계속하여. 끊임없이. 연달아. ❏～不断; 〈成〉 끊임없이 계속되다.

袁 Yuán (원)
명 성(姓)의 하나.

猿 yuán (원)
명〔動〕 원숭이.

[猿猴] yuánhóu 명〔動〕 유인원과 원숭이.

[猿人] yuánrén 명〔考古〕 원인. ❏北京～; 베이징 원인.

辕(轅) yuán (원)
명 ① (수레의) 끌채. ❏

驾~; 끌채에 매다. ②〈轉〉 관서.
[辕子] yuán·zi 명〈口〉 끌채.

缘(緣) yuán (연)
① 명 이유. 까닭. ❑无~无故; 〈成〉 아무 이유도 없다. ② 개〈書〉 (이유·방법 따위에) 기인하다. 의하다. ❑~何到此? 왜 여기까지 왔는가? ③ 명 연분. 인연. ❑姻~; 부부의 인연. ④ 개〈書〉 …를 따르다. ❑~溪行; 계류를 따라서 가다. ⑤ 접〈書〉 …이기 때문에. …으로 인하여. ⑥ 명 가. 가장자리. ❑外~; 가장자리.
[缘分] yuán·fèn 명 연분. 인연.
[缘故] yuángù 명 연고. 이유. 까닭. 원인. =[原故]
[缘木求鱼] yuánmù-qiúyú 〈成〉 연목구어《불가능한 일을 하려 하다》.
[缘起] yuánqǐ 명 ① 기인. 원인. ② 발기문(發起文). 취지문.
[缘由] yuányóu 명 연유. 유래. 원인. 이유. =[原由]

远(遠) yuǎn (원)
① 형 (거리·시간적으로) 멀다. ❑~处; 먼 곳. ② 형 소원하다. 사이가 멀다. ❑~房; ⇩ ③ 형 (차이가) 크다. 심하다. ❑差得~; 차이가 심하다. ④ 동 멀리하다. ❑~小人; 소인을 멀리하다.
[远程] yuǎnchéng 형 원거리의. 장거리의. ❑~导弹; 장거리 미사일.
[远大] yuǎndà 형 원대하다. ❑~的目标; 원대한 목표.
[远道] yuǎndào 명 원로. 먼 길.
[远东] Yuǎndōng 명 극동(極東).
[远方] yuǎnfāng 명 원방. 먼 곳.
[远房] yuǎnfáng 형 먼 친척 관계의. ❑~叔父; 먼 친척뻘 되는 아저씨.
[远见] yuǎnjiàn 명 선견. 원대한 식견. ❑~卓识; 〈成〉 멀리 보는 탁월한 식견. 선견지명(先見之明).
[远郊] yuǎnjiāo 명 원교. 먼 교외.
[远近] yuǎnjìn 명 ① (거리의) 원근. 거리. ② 먼 곳과 가까운 곳.
[远景] yuǎnjǐng 명 ① 원경. 먼 경치. ② 장래의 전망. 장래. 미래.
[远路] yuǎnlù 명 먼 길.
[远虑] yuǎnlǜ 명 먼 앞날에 대한 생각. 원려. ❑深谋~; 〈成〉 멀리 내다보고 깊이 생각하다.
[远亲] yuǎnqīn 명 먼 친척.
[远视] yuǎnshì 형 ①〔醫〕 원시이다. ② 안목이 원대하다.
[远洋] yuǎnyáng 명 원양. ❑~捕鱼; 원양 어업.
[远征] yuǎnzhēng 동 원정하다. ❑~军; 원정군.
[远走高飞] yuǎnzǒu-gāofēi 〈成〉 멀리 떠나 다른 곳으로 가다.
[远足] yuǎnzú 동 나들이 가다. 소풍 가다.

苑 yuàn (원)
명〈書〉 ① 새·짐승을 기르고 나무를 심은 곳《주로, 황제의 정원을 가리킴》. ② (학술·문예의) 중심지. ❑文~; 문단.

怨 yuàn (원)
① 명 원한. 원수. ❑抱~; 원한을 품다. ② 동 탓하다. 원망하다. ❑别~他; 그를 탓하지 마라.
[怨不得] yuàn·bu·de 부동 ⇨[怪不得]
[怨愤] yuànfèn 형 원망하고 분노하다. 명 원망. 분노.
[怨恨] yuànhèn 동 원한을 품다. 원망하다. 미워하다. 명 원한. 원망. 미움.
[怨气] yuànqì 명 원한. 노기. ❑~冲天; 원한이 하늘을 찌르다.
[怨声载道] yuànshēng-zàidào 〈成〉 원성이 도처에 가득하다.
[怨言] yuànyán 명 원망하는 말. 불평.

院 yuàn (원)
명 ① (~儿) 마당. 뜰. 정원. ② 정부 기관이나 공공장소의 명칭. ❑电影~; 영화관 / 法~; 법원 / 学~; 단과 대학. ③ 병원. ❑出~; 퇴원하다 / 住~; 입원하다
[院士] yuànshì 명 (외국의) 과학원·아카데미(academy)의 회원.
[院子] yuàn·zi 명 뜰. 정원.

愿(願)^A) yuàn (원)
A) ① 명 희망. 바람. 염원. ❑心~; 염원. ② 조동 희망하다. 바라다. ❑情~; 진심으로 원하다. ③ 명 (신불께 비는) 기원. 소원. ❑许~; 소원을 빌다. ④ 동 축원하다. ❑~你早日康复; 하루빨리 건강이 회복되시기를 바랍니다. B) 형〈書〉 성실하고 신중하다. ❑谨~; 신중하고 성의 있다.
[愿望] yuànwàng 명 소원. 소망. 바람.
[愿意] yuànyì 조동 원하다. …하고 싶다. ❑你~不~参加这场比赛? 너는 이번 시합에 참가하고 싶으냐? 동 희망하다. 바라다. ❑我~大家都来参加; 나는 모두 다 와서 참가하기를 바란다.

yue ㄩㄝ

曰 yuē (왈)
동〈書〉 ① 말하다. 이르다. ❑ 孙子~, "兵者, 国家大事"; 손자가 이르되, "전쟁은 국가의 큰일이다." ② …이라고 부르다. …이라 말하다. ❑ 名之~文化社团; 이름하여 문화 단체라 부르다.

约(約) yuē (약)
① 동 약속하다. ❑ 跟他~好了; 그와 약속을 정했다. ② 동 초대하다. 초청하다. ❑ 特~; 특별 초청하다. ③ 명 약속. 계약. 조약. ❑ 草~; 가(假)계약. ④ 동 구속하다. 제약하다. ❑ ~束; ⇩ ⑤ 동 절약하다. 아끼다. ❑ 节~; 절약하다. ⑥ 동 줄이다. 간단히 하다. ❑ 由博返~; 복잡한 것을 간단하게 하다. ⑦ 부 약. 대략. ❑ 重~五十公斤; 무게가 약 50kg이다. ⑧ 동〔數〕 약분하다.

[约定] yuēdìng 동 약속하다. 약정하다. ❑ ~时间; 약속 시간.
[约分] yuē//fēn 동〔數〕 약분하다.
[约会] yuē·huì 동 만남을 약속하다. 만나기로 하다. 명 만남의 약속. 데이트. ❑ 订~; 약속을 정하다.
[约计] yuējì 동 어림으로 계산하다. 개산(概算)하다.
[约略] yuēlüè 부 ① 대략. 대강. 대충. ❑ ~知道; 대강 알다. ② 어렴풋이. 희미하게. ❑ ~记得; 어렴풋이 기억하다.
[约莫] yuē·mo 동 어림잡아 계산하다. 추측하다. 부 어림잡아. 대략. 약. ❑ 现在离开车~还有一刻钟; 차의 출발 시간이 현재 약 15분 정도 남았다. ‖ =[约摸]
[约期] yuēqī 명 ① 약속 기일[날짜]. ② 계약 기한. 동 기일을 약정하다.
[约请] yuēqǐng 동 초대하다.
[约束] yuēshù 동 구속하다. 제약하다. 제한하다. ❑ ~言行; 언행을 구속하다 / ~力; 구속력
[约数] yuēshù 명 ① (~儿) 대략적인 수. ②〔數〕 약수. =[因数][因子①]
[约言] yuēyán 명 언약. 약속.

哕(噦) yuě (얼)
① 의 웩《구토하는 소리》. ② 동〈口〉 구역질하다. 구토하다. ❑ 药全都~出来了; 약을 모두 토해 냈다.

月 yuè (월)
명 ① 달. ❑ 赏~; 달구경하다. ② 월. 달. ❑ 下(个)~; 다음 달. ③ 매달. ❑ ~产量; 월 생산량. ④ 달 모양의 것. ❑ ~饼; ⇩

[月半] yuèbàn 명 15일. 보름.
[月报] yuèbào 명 ① 월보. 월간지. ② 월례 보고.
[月饼] yuè·bing 명 월병《추석에 먹는 과자》.
[月初] yuèchū 명 월초.
[月底] yuèdǐ 명 월말. =[月末]
[月度] yuèdù 명 (계산 단위로서의) 월. 월간(月間). ❑ ~运输量; 월간 수송량.
[月份(儿)] yuèfèn(r) 명 월분. 개월분. 월. 달. ❑ 八~生产量; 8월의 생산량.
[月光] yuèguāng 명 월광. 달빛. 「=[月色]
[月桂] yuèguì 명〔植〕 월계수.
[月经] yuèjīng 명 ① 월경. 생리. 달거리. =[红潮②] ② 월경혈(月經血). 생리혈(生理血).
[月经带] yuèjīngdài 명 월경대. 생리대. =[卫生带]
[月刊] yuèkān 명 월간.
[月老] yuèlǎo 명 ⇨[月下老人]
[月利] yuèlì 명 월리. 월 이자. =[月息]
[月亮] yuè·liang 명 달.
[月末] yuèmò 명 ⇨[月底]
[月票] yuèpiào 명 (버스·지하철 따위의) 월정액권.
[月球] yuèqiú 명〔天〕 달.
[月色] yuèsè 명 ⇨[月光]
[月食] yuèshí 명〔天〕 월식.
[月台] yuètái 명 ⇨[站台]
[月息] yuèxī 명 ⇨[月利]
[月下老人] yuèxià lǎorén 명 월하노인. 월하빙인《부부의 인연을 주관하는 신. 〈轉〉 중매인》. =[月老][月下老儿]
[月薪] yuèxīn 명 월급. 「月①]
[月牙(儿)] yuèyá(r) 명〈口〉 ⇨[新
[月夜] yuèyè 명 월야. 달밤.
[月晕] yuèyùn 명〔天〕 달무리.
[月子] yuè·zi 명 ① 산욕기(産褥期). ❑ 坐~; 산욕기에 있다. ② 출산 시기. 산달.

钥(鑰) yuè (약)
명 열쇠. ⇒ yào

乐(樂) yuè (악)
명 음악. ⇒ lè

[乐池] yuèchí 명〔樂〕(교향악단의) 연주석. 악단석.
[乐队] yuèduì 명〔樂〕악대. 밴드(band).
[乐谱] yuèpǔ 명 악보.
[乐器] yuèqì 명 악기.
[乐曲] yuèqǔ 명〔樂〕악곡.
[乐团] yuètuán 명〔樂〕악단. ❑ 交响～; 교향악단.
[乐章] yuèzhāng 명〔樂〕악장.

岳 yuè (악)
명 ① 높은 산. ② 아내의 부모, 또는 삼촌.
[岳父] yuèfù 명 장인. ＝[岳丈][丈人][泰山②]
[岳家] yuèjiā 명 처가(妻家).
[岳母] yuèmǔ 명 장모. ＝[丈母][丈母娘]

悦 yuè (열)
① 형 즐겁다. 기쁘다. ② 동 기쁘게 하다. 즐겁게 하다.
[悦耳] yuè'ěr 형 듣기에 좋다.
[悦目] yuèmù 형 보기에 아름답다. 눈을 즐겁게 하다.

阅(閱) yuè (열)
동 ① 읽다. 열독하다. ❑ ～报; 신문을 읽다. ② 검열하다. 조사하다. ❑ ～卷; 시험 답안을 평가하다. ③ 겪다. ❑ ～历; ⇩
[阅兵] yuè//bīng 동〔軍〕열병하다. ❑ ～式; 열병식.
[阅读] yuèdú 동 읽다. 열독하다.
[阅览] yuèlǎn 동 열람하다. ❑ ～图书; 도서를 열람하다 / ～室; 열람실.
[阅历] yuèlì 동 체험하다. 겪다. 명 경험에서 얻은 지식. 경험.

越 yuè (월)
A) 동 ① 넘다. 건너다. ❑ ～墙; 담을 넘다. ② (순서나 범위를) 벗어나다. 뛰어넘다. ❑ ～级; ⇩ ③ (음성·감정이) 높아지다. 발양하다. ❑ 激～; 감정이 격앙되다. B) 부 점점 더. 더욱더. …할수록 …하다. ❑ 雨～下～大; 비가 갈수록 많이 내리다. C) (Yuè) 명 ①〔史〕주(周) 말엽의 나라 이름. ②〔地〕저장 성(浙江省) 동부 지방.
[越冬] yuèdōng 동 월동하다. ❑ ～作物; 월동 작물.
[越发] yuèfā 부 ① 더. 더욱더. 한층. ❑ 天气～凉快了; 날씨가 한층 서늘해졌다. ② …할수록 …하다. ❑ 越是紧张, 就～容易出错; 긴장하면 할수록 실수가 생기기 쉽다. ‖ ＝[愈加]
[越轨] yuè//guǐ 동 탈선하다.
[越过] yuè//guò 동 (제한·장애 따위를) 넘다. 건너다. ❑ ～障碍物; 장애물을 넘어가다.
[越级] yuè//jí 동 등급[계급]을 뛰어넘다.
[越境] yuè//jìng 동 (불법적으로) 국경을 넘다.
[越来越…] yuèláiyuè… 더욱더. 점점 더. 갈수록. ❑ 天气～暖和; 날씨가 점점 따뜻해지다.
[越南] Yuènán 명〔地〕베트남(Vietnam).
[越权] yuè//quán 동 월권하다. ❑ ～行为; 월권 행위.
[越野] yuèyě 동 산과 들을 지나다. ❑ ～赛跑; 크로스컨트리(cross-country).
[越狱] yuè//yù 동 탈옥하다. ❑ ～犯; 탈옥수.
[越俎代庖] yuèzǔ-dàipáo 〈成〉 제 직분을 넘어서 남의 일에 간섭하다. 월권 행위를 하다.

跃(躍) yuè (약)
동 비약하다. 도약하다. ❑ 飞～; 비약하다.
[跃进] yuèjìn 동 ① 뛰어나가다. ②〈比〉약진하다. ❑ 大～; 대약진.
[跃然] yuèrán 형 생생하게 나타나는 모양. 살아 움직이는 듯한 모양.
[跃跃欲试] yuèyuè-yùshì 〈成〉 하고 싶어서 안달이 난 모양.

粤 Yuè (월)
명〔地〕① 광둥 성(廣東省)과 광시 성(廣西省). ② 광둥 성(廣東省)의 별칭.
[粤语] Yuèyǔ 명 광둥어(廣東語).

yun ㄩㄣ

晕(暈) yūn (훈)
① 형 '晕yùn①'과 뜻은 같고, '头晕' 및 아래의 경우에 쓰임. ② 동 실신하다. 기절하다. ❑ 吓～了; 놀라서 기절하다. ⇒yùn
[晕厥] yūnjué 동 ⇨[昏厥]
[晕头转向] yūntóu-zhuànxiàng 〈成〉 머리가 어질어질하여 방향을 잃다. 어리벙벙하다.

云(雲)③④ yún (운)
① 동〈書〉말하다. 이르다. ❑ 不知所～; 〈成〉 무어라 말하는지 모르겠다. ② 조〈書〉강

조를 나타냄. ❑ ~何不乐? 어찌 즐겁지 않겠는가? ③ 명 구름. ④ (Yún) 명 〖地〗〈簡〉 윈난 성(雲南省).

[云彩] yún·cai 명〈口〉 구름.

[云层] yúncéng 명 층층의 구름. 구름층. 운층.

[云集] yúnjí 동 운집하다. 구름처럼 모이다.

[云散] yúnsàn 동 구름처럼 흩어지다. 〈比〉 ① 함께 있던 사람이 뿔뿔이 흩어지다. ② 사물이 사라져 없어지다.

[云雾] yúnwù 명 운무. 구름과 안개. 〈比〉 차폐물. 장애물.

[云霞] yúnxiá 명 채색 구름.

[云消雾散] yúnxiāo-wùsàn 〈成〉 ⇨[烟消云散]

芸(蕓)[2] **yún** (운) 명 〖植〗 ① 운향. ② 평지. 유채.

[芸豆] yúndòu 명 ⇨[菜豆]

[芸薹] yúntái 명 ⇨[油菜①]

[芸芸] yúnyún 형〈書〉 많은 모양. 성한 모양. ❑ ~众生; 〈成〉 ⓐ모든 생물. ⓑ일반 사람들.

耘 **yún** (운) 동 제초(除草)하다. 김매다.

匀 **yún** (윤) ① 형 고르다. 균등하다. ❑ 分配得很~; 골고루 나누다. ② 동 고르게 하다. 균등하게 하다. ❑ 咱们~着吃; 우리 고르게 나누어 먹자. ③ 동 융통해 주다. 변통해 주다. ❑ ~出点工夫来; 시간을 좀 내다.

[匀称] yún·chèn 형 균형이 잘 잡히다. ❑ ~的体格; 균형이 잡혀 있는 체격.

[匀和(儿)] yún·huo(r) 형〈口〉 고르다. 알맞다. ❑ 分得不~; 고르게 나누어지지 않다. 동 골고루 섞다.

[匀净] yún·jing 형 (굵기나 농도가) 고르다. 균등하다.

[匀整] yún·zhěng 형 균등하고 정연하다. 고르고 가지런하다.

允 **yǔn** (윤) ① 동 승낙하다. 허가하다. ❑ 应~; 응낙하다. ② 형 타당하다. 공평하다. ❑ 公~; 공평하다.

[允当] yǔndàng 형 적당하다. 타당하다. 온당하다.

[允诺] yǔnnuò 동 허가하다. 승낙하다. ❑ 欣然~; 기꺼이 승낙하다.

[允许] yǔnxǔ 동 허가하다. 윤허하다. 허락하다. ❑ 请~我说几句话; 몇 말씀 드리도록 허락해 주십시오.

陨(隕) **yǔn** (운) 동 추락하다. 떨어지다.

[陨落] yǔnluò 동 (천체나 물체가) 고공(高空)에서 떨어지다.

[陨石] yǔnshí 명〖天〗 운석.

[陨星] yǔnxīng 명〖天〗 운성. 유성.

殒(殞) **yǔn** (운) 동〈書〉 죽다. 사망하다.

[殒命] yǔnmìng 동〈書〉 목숨을 잃다. 죽다.

孕 **yùn** (잉) ① 동 임신하다. ❑ 避~; 피임하다. ② 동 배다. 품다. ❑ 包~; 내포하다.

[孕妇] yùnfù 명 임부. 임신부. =[妊妇]

[孕期] yùnqī 명 임신 기간.

[孕育] yùnyù 동 잉태하여 낳다. 〈比〉 (기존의 것 속에 새로운 것을) 내포하다. 품고 있다.

运(運) **yùn** (운) ① 동 움직이다. 운행하다. ❑ ~行; ⇩ ② 동 나르다. 운반하다. ❑ ~货; 화물을 운반하다. ③ 동 운용하다. 휘두르다. ❑ ~笔; 운필하다. ④ 명 운. 운명. 운세. ❑ 交~; 운이 트이다.

[运筹] yùnchóu 동 계략을 꾸미다. 획책(劃策)하다.

[运单] yùndān 명〖經〗 송장. 운송장.

[运动] yùndòng 명 ①〖物〗 운동. ❑ 直线~; 직선 운동. ②〖體〗 스포츠(sports). 체육 활동. ❑ ~场; 운동장 / ~服 =[~衣]; 운동복 / ~会; 운동회 / ~员; 운동선수. ③ (정치·문화 따위의) 운동. ❑ 五四~; 5·4 운동. 동 운동하다. 움직이다. ❑ 早起~~好; 일찍 일어나서 좀 움직이는 것이 좋다.

[运动] yùn·dong 동 (어떤 목적을 위해) 운동하다. 로비(lobby)하다.

[运费] yùnfèi 명 운임.

[运河] yùnhé 명 운하.

[运气] yùn//qì 동 (몸 일부에) 힘을 집중하다. 기합을 넣다.

[运气] yùn·qi 명 운. 운수. 운세. ❑ 走~; 운이 트이다. 형 행운이다. 운이 좋다.

[运输] yùnshū 동 수송하다. 운송하다. ❑ ~机 =[输送机]; ⓐ수송기. ⓑ컨베이어(conveyor).

[运送] yùnsòng 동 운반하다. 운송하다. 나르다. ❏~肥料; 비료를 운송하다.
[运算] yùnsuàn 동〔數〕운산하다.
[运行] yùnxíng 동 (주로, 별·열차·배 따위가) 운행하다. ❏~轨道; 운행 궤도.
[运用] yùnyòng 동 운용하다. ❏~自如; 〈成〉 자유자재로 운용하다.
[运转] yùnzhuǎn 동 ①(궤도 위를) 돌다. 운행하다. ②운전하다. 기계를 움직이다. ❏~率; 가동률. ③〈比〉 (조직·기구 따위가) 돌아가다. 업무를 진행하다.

酝(醞) yùn (온) 〈書〉 ①동 술을 담그다. 양조하다. ②명 술.
[酝酿] yùnniàng 동 술을 빚다. 양조하다. 〈比〉 준비 작업을 하다. 사전 작업을 하다. 분위기·조건을 조성하다.

韵 yùn (운) 명 ①듣기 좋은 소리. 고운 음성. ②〔言〕운. 운모. ❏押~; 압운하다. ③운치. 정취(情趣).
[韵律] yùnlǜ 명 운율.
[韵律体操] yùnlǜ tǐcāo 〈體〉 ⇨ [艺术体操]
[韵母] yùnmǔ 명〔言〕운모.
[韵文] yùnwén 명 운문.
[韵致] yùnzhì 명 운치.

晕(暈) yùn (훈) ①동 어지럽다. 멀미하다. 현기증이 나다. ❏一坐船就~; 배만 타면 멀미를 한다. ②명〔天〕(달·해의) 무리. ❏月~; 달무리. ③명 사물의 주위를 둘러싼 엷은 빛을 띤 뿌연 부분. ❏脸上的红~; 얼굴의 홍조. ⇒ yūn
[晕车] yùn//chē 동 차멀미하다.
[晕船] yùn//chuán 동 배멀미하다.

愠 yùn (온) 동〈書〉 화내다. 노하다. ❏~色; 화난 얼굴[기색].

蕴(蘊) yùn (온) 〈書〉 ①동 포함하다. 함유하다. 내포하다. ❏石中~玉; 〈成〉 돌 속에 옥을 함유하고 있다. ②명 사리가 깊고 오묘한 곳.
[蕴藏] yùncáng 동 드러나지 않고 축적되다. 매장되다. 잠재하다. ❏这一带~着铁矿; 이 일대에는 철광이 매장되어 있다.
[蕴藉] yùnjiè 형〈書〉 (말·문자·표정에) 함축성이 있다.
[蕴蓄] yùnxù 동 안에 축적되어 겉으로 나타나지 않다. 간직하다.

熨 yùn (울) 동 다림질하다. 다리다. ⇒ yù
[熨斗] yùndǒu 명 인두. 다리미. ❏电~; 전기 다리미.
[熨衣板] yùnyībǎn 명 다리미판.

Z

za ㄗㄚ

扎 zā (찰) ① 동 묶다. 동이다. 매다. ❏ ~辫子; 머리를 묶다 / ~柴火; 장작을 묶다. ② 양〈方〉 묶음. 다발. ⇒ zhā zhá

匝 zā (잡) 〈書〉 ① 양 바퀴. ❏ 绕树四~; 나무를 네 바퀴 돌다. ② 동 둘러싸다. ③ 형 도처에 가득하다. 온통 가득하다. ❏ ~地; 온 바닥에 가득하다.

咂 zā (잡) 동 ① (입술을 대고) 빨다. 빨아 마시다. ❏ ~水; 물을 마시다. ② 혀를 차다. ③ 맛보다.

[咂嘴(儿)] zā//zuǐ(r) 동 혀를 차다(《놀라움·부러움·곤란함·안타까움 따위의 표시》).

杂(雜) zá (잡) ① 형 잡다하다. 복잡하다. ❏ ~食动物; 잡식 동물 / ~事; 잡일. ② 형 정식적인 것 이외의. ❏ ~项开支; 잡다한 지출. ③ 동 섞이다. 섞다. ❏ 黑猫身上~有白毛; 검은 고양이의 몸에 흰털이 섞여 있다.

[杂草] zácǎo 명 잡초.

[杂费] záfèi 명 ① 잡비. ② (학교의) 잡부금. 「화점.

[杂货] záhuò 명 잡화. ❏ ~店; 잡

[杂记] zájì 명 ① 잡기. 잡필. ② 메모. ❏ 学习~; 학습 메모.

[杂技] zájì 명 여러 가지 기예. 곡예. 서커스. 잡기. ❏ ~团; 곡예단. 서커스단 / ~演员; 곡예사.

[杂交] zájiāo 동 〖生〗 잡교하다. 교잡하다. 「잡곡밥.

[杂粮] záliáng 명 잡곡. ❏ ~饭;

[杂乱] záluàn 형 난잡하다. 잡다하다. 어수선하다. ❏ ~无章; 〈成〉 잡다하고 조리가 없다.

[杂念] zániàn 명 잡념.

[杂牌(儿)] zápái(r) 형 비정규의. 무명(無名) 상표의. 비메이커의. ❏ ~货; 무명 상표 제품.

[杂税] záshuì 명 잡세.

[杂文] záwén 명 잡문.

[杂务] záwù 명 잡무.

[杂物] záwù 명 잡다한 물건.

[杂音] záyīn 명 ① 잡음. 노이즈(noise). ② 〖醫〗 (청진기에 들리는 신체 기관의) 잡음.

[杂院儿] záyuànr 명 한 안뜰을 둘러싸고 여러 세대가 사는 형태. =[大杂院儿] 「지사.

[杂志] zázhì 명 잡지. ❏ ~社; 잡

[杂种] zázhǒng 명 ① 〖生〗 잡종. ② 〈罵〉 잡종 새끼. 잡놈. 잡년.

砸 zá (잡) 동 ① (무거운 것으로) 박다. 찧다. 빻다. ❏ ~蒜; 마늘을 빻다 / ~脚; 발을 찧다. ② 깨뜨리다. 부수다. 박살내다. ❏ 玻璃~了; 유리가 깨졌다. ③ 〈口〉 실패하다. 망치다. ❏ 唱~了; 노래를 망쳤다.

[砸饭碗] zá fànwǎn 〈比〉 밥줄이 끊어지다. 실직하다. 실업하다.

[砸锅] zá//guō 동〈口〉〈比〉 망치다. 실패하다.

[砸锅卖铁] záguō-màitiě 〈成〉 가진 것을 다 내놓다.

咋 zǎ (사, 색) 대〈方〉 어째서. 어떻게. ❏ ~办? 어떻게 할까? ⇒ zé zhā

zai ㄗㄞ

灾 zāi (재) 명 ① 재난. 재앙. 재해. ❏ 受~; 재난을 당하다. ② 불행. 화. ❏ 招~惹祸; 〈成〉 화를 자초하다.

[灾害] zāihài 명 재해. ❏ 自然~; 자연재해.

[灾荒] zāihuāng 명 (자연재해로 인한) 흉작. 흉년.

[灾祸] zāihuò 명 재화. 재앙. 화.

[灾民] zāimín 명 이재민.

[灾难] zāinàn 명 재난. 재화(災禍). ❏ 受~; 재난을 당하다.

[灾情] zāiqíng 명 재해 상황.

[灾区] zāiqū 명 재해 지역.

[灾殃] zāiyāng 명 재앙.

甾 zāi (재) 「=[类固醇] 명 〖化〗 스테로이드(steroid)

哉 zāi (재) 조〈書〉 ① 감탄을 나타냄. ❏ 呜呼哀~! 아아, 슬프도다! ② 의문이나 반문을 나타냄. ❏ 谓之何~? 이것을 무엇이라 하는가?

栽 zāi (재) ① 동 심다. 재배하다. ❏ ~花; 꽃을 재배하다 / ~树; 나무를 심다. ② 동 꽂다. 세워 넣다. ❏ ~电线

杆; 전신주를 세우다. ③ 동 (죄 따위를) 뒤집어씌우다. ❏ 把责任~到他头上; 책임을 그에게 뒤집어씌우다. ④ 동 자빠지다. 넘어지다. ❏ ~了一跤; 넘어져 뒹굴다. ⑤ 동 〈方〉〈比〉 실패하다. 망신을 당하다. ⑥ (~儿) 명 모. 모종.

[栽跟头] zāi gēn·tou ① 고꾸라지다. 넘어지다. 곤두박질하다. ② 〈比〉 실패하다. 망신당하다.

[栽培] zāipéi 동 ① 재배하다. 가꾸다. ❏ ~花草; 화초를 재배하다. ② 〈比〉 (인재를) 양성하다. 키우다. ❏ ~人才; 인재를 양성하다.

[栽赃] zāi∥zāng 동 장물이나 금제품(禁制品)을 몰래 남의 집이나 짐에 넣어 죄를 뒤집어씌우다.

[栽种] zāizhòng 동 심다. 재배하다. ❏ ~花木; 꽃나무를 심다.

[栽子] zāi·zi 명 모. 모종. ❏ 树~; 묘목.

宰 zǎi (재)
동 ① 주재하다. 주관하다. ② (가축을) 도살하다. 잡다. ❏ ~牛; 소를 잡다. ③ 〈口〉〈比〉 바가지를 씌우다. 폭리를 취하다. ❏ 挨~; 바가지를 쓰다.

[宰割] zǎigē 동 〈比〉 침략하다. 억압하다. 박해하다. 유린하다.

[宰客] zǎi∥kè 동 손님에게 바가지를 씌우다.

[宰人] zǎi∥rén 동 〈比〉 폭리를 취하다. 바가지를 씌우다.

[宰杀] zǎishā 동 (가축을) 잡다. 도살하다. =[屠tú宰]

[宰相] zǎixiàng 명 재상.

载(載) zǎi (재)
① 명 해. 년(年). ❏ 三年半~; 3년 반. ② 동 기재하다. 게재하다. ❏ 登~; 등재하다. ⇒zài

仔 zǎi (재)
명 〈方〉 ① ⇨[崽] ② (남자) 청년. 젊은이. ⇒zǐ

崽 zǎi (재)
명 〈方〉 ① 아들. ② (~儿) (포유동물의) 새끼. ❏ 下~; 새끼를 낳다. ‖ =[仔zǎi①]

[崽子] zǎi·zi 명 ① (포유동물의) 새끼. ② 〈罵〉 새끼. 자식. ❏ 狗~; 개자식.

再 zài (재)
부 ① 다시. 또. 거듭. 재차. ❏ ~说一遍; 다시 한 번 말하다. ② 더. 더욱. ❏ ~大一些就好了; 조금 더 크면 좋겠다. ③ 이 이상 [더] …하면. ❏ 天气~冷下去, 大白菜就冻坏了; 날씨가 더 추워지면 배추가 얼어서 못 쓰게 될 것이다. ④ …한 뒤에. …하고 나서. ❏ 去了邮局~去图书馆; 우체국에 들렀다가 도서관에 가다. ⑤ 아무리 …하더라도. ❏ 就是~便宜, 我也不买; 아무리 싸다 해도 나는 안 산다. ⑥ 그리고. 그 밖에. 더. ❏ ~没有别的了; 그 밖에 다른 것은 없다. ⑦ 다시는. 더 이상은. ❏ 以后我不~来见你了; 나는 앞으로 다시는 너를 만나러 오지 않겠다.

[再版] zàibǎn 동 〖印〗 재판하다.

[再次] zàicì 부 재차. 다시. ❏ ~说明; 재차 설명하다.

[再度] zàidù 부 재차. 다시 한 번. ❏ ~改组; 조직을 재차 개편하다.

[再会] zàihuì 동 ⇨[再见]

[再婚] zàihūn 동 재혼하다.

[再嫁] zàijià 동 ⇨[改嫁]

[再见] zàijiàn 동 〈套〉 안녕. 다시 만납시다(《헤어질 때의 인사》). ❏ 明天~吧; 내일 또 봅시다. =[再会]

[再接再厉] zàijiē-zàilì 〈成〉 계속해서 노력하다.

[再三] zàisān 부 재삼. 거듭. 여러 번. ❏ ~再四; 〈成〉 재삼재사. 되풀이하여.

[再生] zàishēng 동 ① 다시 살아나다. 소생하다. ② 〖生〗 (유기물이) 재생하다. ❏ ~林; 재생림. ③ (폐품 따위를) 재생시키다. ❏ ~纸; 재생지. =[更gēng生②]

[再生父母] zàishēng fùmǔ 〈比〉 생명의 은인. 구세주. =[重chóng生父母]

[再说] zàishuō 동 ① 다시 말하다. ❏ 请~一遍; 다시 한 번 말씀해 주십시오. ② 나중에 다시 이야기하다. 나중에 생각하기로 하다. ❏ 这事儿以后~吧; 이 일은 나중에 다시 생각해 보자. 접 게다가. 또한. ❏ 时间来不及了, ~他也不一定想去; 시간이 이미 늦은데다가 그가 꼭 가고 싶어하는 것도 아니다.

[再现] zàixiàn 동 재현되다.

[再则] zàizé 접 게다가. 더구나. 더군다나. ❏ 我今天没空, ~事情也不急, 改天再说吧; 오늘은 내가 시간이 없고 게다가 급한 일도 아니니, 다른 날 다시 이야기하자.

在 zài (재)
① 동 존재하다. 생존하다. ❏ 奶奶早已不~了; 할머니는 이미

오래전에 돌아가셨다. ② 동 …에 있다(사람·사물의 위치를 나타냄). ❏ 帽子~哪里? 모자는 어디에 있니? / 他不~家; 그는 집에 없다. ③ 동 …에 몸담다. …에 있다. ❏ ~职; ⇩ ④ 동 (단체에) 속하다. 참여하다. ❏ ~组织; 조직에 속하다. ⑤ 동 …에 달려 있다. ❏ 我同意不同意全~你; 내가 동의하고 안 하고는 모두 너에게 달려 있다. ⑥ 개 …에. …에서(장소·시간·조건·범위 따위를 나타냄). ❏ 住~北京; 베이징에 살다 / 生~一九八八年; 1988년에 태어나다. ⑦ 부 …하고 있다. …하고 있는 중이다. ❏ 他~讲课呢; 그는 강의 중이다.

[在场] zàichǎng 동 그 자리에 있다. 현장에 있다. ❏ 那天我不~; 그날 나는 현장에 없었다.

[在行] zàiháng 형 능통하다. 정통하다. ❏ 他修理电视机很~; 그는 텔레비전 수리에 매우 정통하다.

[在乎] zài·hu 동 ① ⇒[在于] ② 구애되다. 문제 삼다. 개의하다. ❏ 满不~; 〈成〉 조금도 개의치 않다.

[在即] zàijí 동 얼마 안 있어[곧] …이다. ❏ 暑假~; 얼마 안 있으면 여름 방학이다.

[在理] zàilǐ 형 이치에 맞다. 일리가 있다.

[在世] zàishì 동 살아 있다. 생존하다. ❏ 他父母都不~了; 그의 부모님은 모두 돌아가셨다.

[在望] zàiwàng 동 ① 시야에 들어오다. 보이다. ② (좋은 일·바라는 일이) 눈앞에 있다. 머지않다. ❏ 胜利~; 〈成〉 승리가 눈앞에 있다.

[在位] zàiwèi 동 ① (천자로서) 재위하다. ② (높은) 지위에 있다.

[在握] zàiwò 동 쥐고 있다. 수중에 있다. ❏ 大权~; 대권을 쥐고 있다.

[在先] zàixiān 부 ① 먼저. 미리. 앞서. ❏ ~要有个准备; 미리 준비해 두어야 한다. ② 이전. 예전.

[在心] zài∥xīn 동 마음에 두다. 신경을 쓰다. 관심을 갖다.

[在押] zàiyā 동〔法〕 (범인을) 감금 중이다. 구금 중이다.

[在野] zàiyě 동 정부측에 있지 않다. ❏ ~党; 야당.

[在意] zài∥yì 동 마음에 두다. 신경 쓰다. 개의하다. ❏ 毫不~; 전혀 개의치 않다.

[在于] zàiyú 동 ① …에 있다. …이다. ❏ 关键~进度; 관건은 진도이다. ② …에 달려 있다. ❏ 能不能考上大学, 全~你自己了; 대학에 갈 수 있고 없고는 모두 너 자신에게 달려 있다. ‖ =[在乎①]

[在职] zàizhí 동 재직 중이다. ❏ ~期间; 재직 기간.

载(載) zài (재)

① 동 싣다. 태우다. 적재하다. ❏ ~客; 승객을 태우다 / ~货; ⇩ ② 동 (길에) 가득하다. ❏ 风雪~途; 〈成〉 길에 눈바람이 세차게 몰아치다(도중에 어려운 일을 만나다). ③ 부〈書〉 …하면서 …하다(동시에 두 가지 동작을 함을 나타냄). ❏ ~歌~舞; ⇩ ⇒ zǎi

[载歌载舞] zàigē-zàiwǔ 〈成〉 노래하며 춤추다(마음껏 즐기다).

[载荷] zàihè 명〔物〕 하중. =[荷hè载][荷hè重]

[载货] zài∥huò 동 짐을 싣다. 적재하다.

[载运] zàiyùn 동 적재하여 운송하다. 실어 나르다. ❏ ~货物; 화물을 실어 나르다.

[载重] zàizhòng 동 적재 중량을 부담하다. ❏ ~量; 적재 중량 / ~汽车; 트럭.

zan ㄗㄢ

糌 zān (잠)

→[糌粑]

[糌粑] zān·ba 명 '青稞' (쌀보리)를 볶아 빻은 가루.

簪 zān (잠)

(~儿) 명 비녀. ❏ 玉~; 옥비녀.

[簪子] zān·zi 명 비녀.

咱 zán (찰, 차)

대 ① 우리. 우리들. ❏ ~俩; 우리 두 사람. ② 〈方〉 나.

[咱们] zán·men 대 ① 우리(대화하는 상대방을 포함함). ❏ ~都是中国人; 우리는 모두 중국인이다. ② 나. 너. ❏ 小朋友, ~乖, ~不哭; 꼬마야, 착하지, 울지 마라.

攒(攢) zǎn (찬)

동 비축하다. 저축하다. 모으다. ❏ 他~了不少钱; 그는 돈을 꽤 많이 모았다. ⇒ cuán

暂(暫) zàn (잠)

① 형 (시간이) 짧다. ❏ ~时; ⇩ ② 부 잠시. 잠깐. 당분간. 임시로. ❏ 此事~不处理; 이 일은 당분간 처리하지 않는다.

[暂缓] zànhuǎn 동 잠시 연기[보

류]하다. ❑ ~施行; 시행을 잠시 보류하다.
[暂且] zànqiě 부 잠시. 우선. 일단. ❑ 会议~停一停; 회의를 잠시 중단하자.
[暂时] zànshí 명 잠시. 일시. 임시. 당분간. ❑ ~休会; 잠시 휴회하다.
[暂停] zàntíng 동 임시 중단하다. 일시 중지하다. 명〔體〕타임(time).
[暂行] zànxíng 형 잠정적으로 시행하는. 임시로 행해지는. ❑ ~条例; 임시 조례.

赞(贊) zàn (찬) ① 동 지원하다. 찬조하다. ❑ ~助; ⇓ ② 동 찬양하다. 칭찬하다. ❑ 称~; 칭찬하다. ③ 명 찬《문체(文體)의 하나. 인물이나 사물을 찬양하는 내용》.
[赞不绝口] zànbùjuékǒu 〈成〉 칭찬이 자자하다.
[赞成] zànchéng 동 찬성하다. ❑ 我~他的看法; 나는 그의 견해에 찬성한다.
[赞歌] zàngē 명 찬가.
[赞美] zànměi 동 찬미하다. 찬송하다.
[赞美诗] zànměishī 명〔宗〕(기독교의) 찬송가. =[赞美歌]
[赞赏] zànshǎng 동 찬미하고 높이 평가하다. 기리어 칭찬하다.
[赞颂] zànsòng 동 찬양하다. 칭송하다. 찬송하다.
[赞叹] zàntàn 동 찬탄하다. ❑ ~不已; 〈成〉 찬탄해 마지않다.
[赞同] zàntóng 동 찬동하다. 찬성하다.
[赞许] zànxǔ 동 (좋다고 여겨) 칭찬하다. 지지하다.
[赞扬] zànyáng 동 찬양하다. 칭찬하고 표창하다.
[赞语] zànyǔ 명 칭찬의 말. 찬사.
[赞助] zànzhù 동 찬조하다. 협찬하다. 후원하다. ❑ ~商; 협찬 업체. 후원사. 스폰서.

zang ㄗㄤ

赃(贜) zāng (장) 명 ① 뇌물. ② 장물(贜物).
[赃官] zāngguān 명 뇌물을 받는 관리. 탐관.
[赃款] zāngkuǎn 명 훔친 돈. 뇌물로 받은 돈. 부정한 돈.
[赃物] zāngwù 명 장물.

脏(髒) zāng (장) 형 더럽다. 지저분하다. 불결하다. ❑ 衣服~了; 옷이 더러워졌다. ⇒ zàng
[脏病] zāngbìng 명〈俗〉 ⇨[性病]
[脏话] zānghuà 명 저질스러운 말. 상스러운 말.
[脏字(儿)] zāngzì(r) 명 비속(卑俗)한 말. 저속한 말.

臧 zāng (장) 형〈書〉 좋다. 훌륭하다. 옳다.

脏(臟) zàng (장) 명〔生理〕 내장. ❑ 五~六腑; 오장육부. ⇒ zāng
[脏腑] zàngfǔ 명 오장육부.
[脏器] zàngqì 명〔醫〕 장기.

葬 zàng (장) 동 ① (유골을) 묻다. 매장하다. ❑ ~在家乡; 고향에 묻히다. ② 장사를 지내다. ❑ 火~; 화장하다.
[葬礼] zànglǐ 명 장례. 장례식.
[葬埋] zàngmái 동 ⇨[埋葬]
[葬身] zàngshēn 동 시신을 묻다. ❑ ~鱼腹; 〈成〉 고기밥이 되다《물에 빠져 죽다》.
[葬送] zàngsòng 동 파멸시키다. 망치다. ❑ ~前程; 앞길을 망치다.

藏 zàng (장) 명 ① 창고. ② 불교·도교의 경전. ❑ 大~经; 대장경. ③ (Zàng)〔地〕 티베트(Tibet). ④ (Zàng)〔民〕 티베트 족. ⇒ cáng
[藏蓝] zànglán 형 약간 붉은 남색을 띠다.
[藏青] zàngqīng 형 약간 검은 남색을 띠다. 검푸르다.
[藏族] Zàngzú 명〔民〕 티베트 족.

zao ㄗㄠ

遭 zāo (조) ① 동 (불행한 일을) 만나다. 당하다. ❑ ~不幸; 불행을 당하다 / ~灾; 재해를 만나다. ② (~儿) 양 ㉠번. 회《횟수·도수를 세는 말》. ❑ 一~生, 二~熟; 〈諺〉 첫 대면에서는 남이지만, 두 번째는 지인(知人)이다. ㉡바퀴. 둘레. ❑ 跑了两~; 두 바퀴를 돌았다.
[遭逢] zāoféng 동 (우연히) 만나다. 조우하다. ❑ ~意外的事情; 뜻밖의 일을 만나다.
[遭难] zāo∥nàn 동 조난(遭難)하다. 재난을 만나다.

[遭受] zāoshòu 동 (불행·손해를) 만나다. 받다. 입다. ❑ ~打击; 타격을 입다 / ~挫折; 좌절을 겪다.
[遭殃] zāo//yāng 동 재앙을 만나다. 불행을 당하다.
[遭遇] zāoyù 동 (적·불행·불리한 일을) 만나다. 당하다. 조우하다. ❑ ~车祸; 교통사고를 당하다. 명 (불행한) 처지. 상황.
[遭罪] zāo//zuì 동 ⇨[受罪]

糟 zāo (조)
① 명 지게미. 재강. ❑ 酒~; 술지게미. ② 동 (술이나 지게미에) 절이다. 재다. ❑ ~蛋; 지게미에 절인 알. ③ 형 썩다. 상하다. ❑ 房梁全~了; 대들보가 모두 썩었다. ④ 형 (상황·상태가) 안 좋다. 엉망이다. 큰일나다. 야단나다. ❑ 生意越来越~; 장사가 갈수록 안 되다.
[糟糕] zāogāo 형〈口〉 매우 안 좋다. 엉망이다. 개판이다. 큰일이다. 야단나다. ❑ 这地方实在~; 이곳은 정말 엉망이다 / ~, 我的票不见了! 야단났다, 내 표가 없어졌다!
[糟糠] zāokāng 명 지게미와 쌀겨. 〈比〉 거친 음식. ❑ ~之妻; 〈成〉 조강지처《가난을 함께 해 온 아내》.
[糟粕] zāopò 명 ① 술지게미. 재강. ② 〈比〉 찌꺼기. 쓸모없는 것.
[糟蹋] zāo·tà 동 ① 망치다. 엉망으로 만들다. 낭비하다. ❑ ~粮食; 양식을 낭비하다. ② 모욕하다. ❑ 说话别~人; 남을 모욕하는 말은 하지 마라. ③ (부녀자를) 욕보이다. 능욕하다. ❑ ~妇女; 부녀자를 욕보이다. ‖ =[糟踏]

凿(鑿) záo (착)
① 명 끌. 정. ② 동 (끌·정으로) 구멍을 뚫다. ❑ ~井; 우물을 파다 / ~窟窿; 구멍을 뚫다 / ~岩机; 착암기.
[凿子] záo·zi 명 끌. 정.

早 zǎo (조)
① 명 아침. ❑ 从~到晚; 아침부터 저녁까지. ② 부 진작부터. 일찌감치. ❑ 这消息~知道了; 이 소식은 진작부터 알고 있었다. ③ 형 (시기적으로) 빠른. 조기의. ❑ ~期; ⇩ ④ 형 (때가) 이르다. 빠르다. ❑ 时间还~呢; 시간이 아직 이르다. ⑤ 형〈套〉 안녕하세요《아침 인사》. ❑ 您~; 안녕하세요.
[早安] zǎo'ān 동〈套〉 안녕히 주무셨습니까《아침 인사》.
[早餐] zǎocān 명 ⇨[早饭]
[早产] zǎochǎn 동〖醫〗 조산하다. ❑ ~儿ér; 조산아.
[早场] zǎochǎng 명 오전의 공연[상영]. ❑ ~电影; 조조 영화.
[早晨] zǎo·chen 명 (이른) 아침.
[早春] zǎochūn 명 이른 봄.
[早点] zǎodiǎn 명 가벼운 아침 식사. ｢사. =[早餐]
[早饭] zǎofàn 명 아침밥. 아침 식
[早婚] zǎohūn 동 조혼하다.
[早年] zǎonián 명 ① 이전. 여러 해 전. 왕년(往年). ② 젊었을 때. 젊은 시절.
[早期] zǎoqī 명 조기. 초기. ❑ ~白话; 조기 백화 / ~教育; 조기 교육 / ~胃癌; 위암 초기.
[早日] zǎorì 부 빠른 시일 내에. 하루빨리. ❑ 希望~见到你; 너를 하루빨리 만나게 되기를 바란다.
[早上] zǎo·shang 명 아침. ❑ ~好; 안녕히 주무셨습니까. 안녕하십니까《아침 인사》.
[早熟] zǎoshú 형 ① 조숙하다. ② (농작물 따위가) 조생하다. ❑ ~禾; 조생벼.
[早衰] zǎoshuāi 형 일찍 노쇠(老衰)하다. 조기 감퇴하다. ❑ 记忆力~; 기억력 조기 감퇴.
[早退] zǎotuì 동 조퇴하다.
[早晚] zǎowǎn 명 아침저녁. ❑ 每天~各服一次; 매일 아침저녁으로 한 번씩 복용하다. 부 조만간. 언젠가는. ❑ 你~会明白的; 너는 조만간 깨닫게 될 것이다.
[早先] zǎoxiān 명 전. 이전. 종전. 예전. ❑ 你比~瘦多了; 너 전보다 많이 야위었구나.
[早已] zǎoyǐ 부 이미 오래전에. 벌써부터. 진작부터. ❑ 信~收到了; 편지는 이미 오래전에 받았다.
[早早] zǎozǎo 부 일찌감치. 조속히. ❑ 他~就来了; 그는 일찌감치 왔다.

枣(棗) zǎo (조)
명〖植〗 ① 대추나무. =[枣树] ② (~儿) 대추.
[枣红] zǎohóng 형〖色〗 적자색(赤紫色)을 띠다.
[枣子] zǎo·zi 명〈方〉 대추.

蚤 zǎo (조)
명〖蟲〗 벼룩.

澡 zǎo (조) ｢하다.
동 (몸을) 씻다. ❑ 洗~; 목욕
[澡盆] zǎopén 명 목욕통. 욕조. ❑ 木制~; 목제 욕조. =[浴盆]

Z

[澡堂] zǎotáng 명 대중목욕탕. =[澡堂子]

藻 zǎo (조)
명 ①〔植〕 조류(藻類). ❑海~; 해조. ② 화려한 문사(文辭).

[藻类植物] zǎolèi zhíwù〔植〕 조류 식물.

灶(竈) zào (조)
명 ① 부뚜막. ❑砌~; 부뚜막을 쌓다. ②〈轉〉 부엌. 주방. 식당. ❑学生~; 학생 식당.

[灶神] Zàoshén 명 부뚜막의 신. 조왕(竈王). =[灶王爷]

[灶头] zào·tou 명〈方〉 부뚜막.

皂 zào (조)
명 ① 검은색. ② 비누.

[皂白] zàobái 명 흑백. 〈比〉 옳고 그름. 시비. ❑~不分; 다짜고짜.

造 zào (조)
동 ① 만들다. 제작하다. 작성하다. ❑~册; 책자를 만들다 / ~船; 배를 만들다. ② 위조하다. 꾸며 내다. ❑~假; 가짜 물건을 만들다. ③〈書〉 이르다. 도달하다. ❑~门拜访; 집을 방문하다. ④ 육성하다. 양성하다. ❑可~之才; 〈成〉 양성할 가치가 있는 인재.

[造成] zàochéng 동 ① 조성하다. ❑~舆论; 여론을 조성하다. ② (좋지 않은 사태를) 가져오다. 빚어내다. 초래하다. ❑~死亡; 죽음을 가져오다.

[造反] zào//fǎn 동 반란을 일으키다.

[造访] zàofǎng 동〈書〉 ⇨[拜访]

[造福] zàofú 동 행복을 가져오다. 행복하게 해 주다.

[造化] zàohuà 명〈書〉 대자연. 자연계.

[造化] zào·hua 명 행운. 운. 복. ❑有~; 복이 있다.

[造价] zàojià 명 건설 비용. 제조비용.

[造就] zàojiù 동 양성하다. 육성하다. ❑~人材; 인재를 양성하다. 명 (주로, 젊은이의) 조예. 성취.

[造句] zào//jù 동 문장을 만들다. 글을 짓다.

[造林] zào//lín 동 조림하다.

[造孽] zào//niè 동〔佛〕 죄를 저지르다. 나쁜 짓을 하다. =[作孽]

[造物] zàowù 명 만물을 창조하는 신력(神力). ❑~主; 조물주.

[造型] zàoxíng 명 만들어진 물체의 형상. 만듦새. 동 조형하다. ❑~艺术; 조형 예술.

[造谣] zào//yáo 동 유언비어를 퍼뜨리다. 헛소문을 내다. ❑~惑众; 〈成〉 유언비어를 퍼뜨려 대중을 현혹하다 / ~中zhòng伤; 〈成〉 유언비어로 남을 중상하다.

[造诣] zàoyì 명 조예.

[造纸] zàozhǐ 동 제지(製紙)하다. ❑~厂; 제지 공장. 제지소.

[造作] zàozuò 동 제조하다. 제작하다. ❑~模型; 모형을 제작하다.

[造作] zào·zuo 형 ⇨[做zuò作]

噪 zào (조)
동 ①〈書〉 (벌레나 새가) 울다. ❑蝉~; 매미가 울다. ② 큰 소리로 떠들다. 시끄럽게 굴다.

[噪声] zàoshēng 명 ① 소음. ❑~污染; 소음 공해. =[噪音②] ②〔電〕 (통신 시스템 따위의) 잡음.

[噪音] zàoyīn 명 ①〔樂〕 시끄러운음. 조음. ② ⇨[噪声①]

燥 zào (조)
형 건조하다. 메마르다. ❑天气太~; 날씨가 너무 건조하다.

[燥热] zàorè 형 덥고 건조하다.

躁 zào (조)
형 조급하다. 성급하다. ❑脾气太~; 성질이 너무 조급하다.

ze ㄗㄜ

则(則) zé (즉, 칙)
A) ① 명 모범. 규범. ② 명 규칙. 규정. ❑总~; 총칙. ③ 양 조항. 편. ❑一~试题; 시험 문제 하나 / 笑话两~; 우스운 이야기 두 편. B)〈書〉 ① 접 …하자 …하다(《두 가지 일이 시간적으로 이어짐》). ❑春风一吹, ~绿草萌生; 봄바람이 불자 초록 풀들이 돋아났다. ② 접 …하면 …하다(《인과 관계나 조건을 나타냄》). ❑技术一旦革新, ~生产随之增长; 기술이 일단 혁신되면 생산은 그에 따라 증가한다. ③ 접 그러나. 오히려(《대비·역접을 나타냄》). ❑欲速~不达; 서두르면 도리어 이루지 못한다. ④ 접 …는 …(한)데(《같은 단어 사이에서 양보를 나타냄》). ❑晚饭吃~吃了, 但没吃好; 저녁을 먹긴 했는데 제대로 먹지 못했다. ⑤ 조 째(《'一'·'二'·'三' 따위의 뒤에 쓰여 원인·이유를 열거함》). ❑一~无经验, 二~欠钻研; 첫째는 경험이 없고, 둘째는 연찬이 결여돼 있다.

泽(澤) zé (택)
① 명 못. 늪. 호수. ②

형 축축하다. 습하다. ❑润~; 윤습하다. ③ 명 광택. 윤. ❑光~; 광택. ④ 명 은혜. ❑恩~; 은택.
[泽国] zéguó 명〈書〉① 강과 호수가 많은 지역. ② 수몰(水沒) 지역.

择(擇) zé (택) 동 고르다. 택하다. ❑~交; 친구를 골라 사귀다. ⇒zhái
[择偶] zé'ǒu 동 배우자를 고르다.
[择善而从] zéshàn'ércóng 〈成〉 옳은 의견[사람]이나 좋은 방법을 택하여 따르다.
[择优] zéyōu 동 우수한 것을 선택하다. ❑~录取; 〈成〉 우수한 사람을 골라서 채용하다.

咋 zé (색) 동〈書〉 깨물다. ⇒zǎ zhā
[咋舌] zéshé 동〈書〉 혀를 내두르다. 말문이 막히다.

责(責) zé (책) ① 명 책임. ❑负~; 책임을 지다. ② 동 요구하다. 책임지우다. ❑~令; ⇩ ③ 동 문책하다. 힐문하다. ❑~问; ⇩ ④ 동 나무라다. 꾸짖다. 책망하다. ❑~骂; ⇩
[责备] zébèi 동 나무라다. 탓하다. 꾸짖다. ❑~对方; 상대방을 탓하다.
[责成] zéchéng 동 일임하다. 책임지고 완성하게 하다.
[责怪] zéguài 동 탓하다. 책망하다. ❑~别人; 다른 사람을 탓하다.
[责令] zélìng 동 책임지고 하도록 명령하다.
[责骂] zémà 동 호되게 꾸짖다. 무섭게 야단치다.
[责难] zénàn 동 힐난(詰難)하다. 탓하고 비난하다.
[责任] zérèn 명 책임. ❑~感; 책임감.
[责问] zéwèn 동 힐문하다. 문책하다.
[责无旁贷] zéwúpángdài 〈成〉 자기가 져야 할 책임을 남에게 넘겨씌울 수는 없다.

啧(嘖) zé (책) 의 쯧쯧《혀 차는 소리》.
[啧有烦言] zéyǒufányán 〈成〉 많은 사람들이 비난하다.
[啧啧] zézé 의 ① 끌끌. 쯧쯧《혀 차는 소리》. ② 재잘재잘. 웅성웅성《말하는 소리》. ③〈書〉 짹짹《새의 울음소리》.

仄 zè (측) ① 형 좁다. ❑~路; 좁은 길. ② 형 마음에 걸리다. 꺼림칙하다. ③ 명〔言〕 측성.
[仄声] zèshēng 명〔言〕 측성.

zei ㄗㄟ

贼(賊) zéi (적) ① 명 도둑. 도적. ❑闹~; 도둑이 들다. ② 명 적. 반역자. 악인. ❑卖国~; 매국노. ③ 형 부정한. 사악한. ❑~心; ⇩
[贼风] zéifēng 명 웃풍. 웃바람.
[贼喊捉贼] zéihǎnzhuōzéi 〈成〉 도둑이 도둑 잡으라고 소리치다《나쁜 짓을 해 놓고 처벌을 면하기 위해 남의 이목을 속이다》.
[贼眉鼠眼] zéiméi-shǔyǎn 〈成〉 야비하고 천하게 생기다.
[贼人] zéirén 명 ① 도둑. ② 악인.
[贼头贼脑] zéitóu-zéinǎo 〈成〉 거동이 수상하다.
[贼心] zéixīn 명 사악한 생각. 도둑 심보.
[贼眼] zéiyǎn 명 음흉한 눈.
[贼走关门] zéizǒu-guānmén 〈成〉 도둑이 도망간 뒤에 문을 잠그다.

zen ㄗㄣ

怎 zěn (즘) 대〈口〉 어떻게. 왜. 어째서. ❑他~还不来? 그는 어째서 아직도 안 오는 거냐?
[怎么] zěn·me 대 ① 어찌. 왜. 어떻게《방식·원인·정도·상황 따위를 물음》. ❑去火车站~走? 기차역에 가려면 어떻게 가야 합니까? / 你~不去吃饭? 너 왜 밥 먹으러 안 가니? / ~回事? 어찌 된 일이냐? ② 아무리 …해도. ❑~也找不到; 아무래도 못 찾겠다. ③ …하는 대로 …하다《연용해서 씀》. ❑你想~做, 就~做吧! 너 하고 싶은 대로 해라! ④ 별로. 그다지《'不'의 뒤에 쓰여 정도를 나타냄》. ❑他给我的印象不~深; 그가 내게 준 인상은 별로 깊지 않다.
[怎么样] zěn·meyàng 대 ① ⇨[怎样] ② 어떤 말로 표현할 수 없는 동작·상황을 대체하는 말《부정형과 반문형으로 쓰임》. ❑这个节目我看不~; 이 프로그램은 내가 보기엔 좀 별로다.
[怎么着] zěn·me·zhe 대 ① 어쩔 생각인가?《동작·상황을 묻는 말》. ❑明天是假日, 你打算~? 내일이

휴일인데 넌 어떻게 할 거니? ② 어떻게 하다《동작·상황을 가리키는 말》. ❑ 只要你愿意, 我~都行; 너만 원한다면 나는 아무래도 괜찮다.
[怎样] zěnyàng 대 ① 얼마나. 어떻게. 어떠하다《성질·상황·방식 따위를 가리킴》. ❑ 无论~劝, 也劝不住他; 어떻게 설득한다 해도 그를 설득할 수는 없다. ② 어떠한. 어떻게. 어떠하냐《성질·상황·방식 따위를 물음》. ❑ 你觉得~? 넌 어떻게 생각하니? /他的病~了? 그의 병은 어떤가요? ‖ =[怎么样①]

谮(譖) zèn (참) 동〈書〉 비방하다. 헐뜯다. ❑ ~言; 참언(譖言).

zeng ㄗㄥ

曾 zēng (증) 명 한 대(代)가 더 겹치는 혈연 관계. ⇒céng
[曾孙] zēngsūn 명 증손. 증손자. ❑ ~女; 증손녀.
[曾祖] zēngzǔ 명 증조부. 증조할아버지.
[曾祖母] zēngzǔmǔ 명 증조모. 증조할머니. =[〈方〉 太婆]
[曾祖父] zēngzǔfù 명 증조부. 증조할아버지. =[〈方〉 太公]

憎 zēng (증) 동 미워하다. 증오하다.
[憎恨] zēnghèn 동 증오하고 원한을 품다. 「하다.
[憎恶] zēngwù 동 증오하다. 미워

增 zēng (증) 동 증가하다. 늘리다. ❑ 产量又~了不少; 생산량이 또 꽤 많이 늘었다 / ~设; 증설하다.
[增补] zēngbǔ 동 증보하다. 보충하다. ❑ ~人员; 인원을 보충하다.
[增产] zēng//chǎn 동 증산하다.
[增订] zēngdìng 동 증보 수정하다. 증정하다. ❑ ~本; 증정본.
[增高] zēnggāo 동 ① 높아지다. 올라가다. ❑ 血压又~了; 혈압이 또 올라갔다. ② 높이다. 올리다. ❑ ~室温; 실내 온도를 높이다.
[增光] zēng//guāng 동 영광(榮光)을 더하다. 영예를 높이다.
[增加] zēngjiā 동 늘다. 더하다. 증가하다. ❑ ~生产; 생산을 늘리다 / ~信心; 자신감을 더하다.
[增进] zēngjìn 동 증진하다. ❑ ~友谊; 우정을 증진하다.
[增强] zēngqiáng 동 증강하다. 강화하다. ❑ ~国力; 국력을 강화하다.
[增色] zēngsè 동 광채를 더하다. 정취가 더하다.
[增添] zēngtiān 동 늘리다. 더하다. ❑ ~麻烦; 폐를 끼치다.
[增援] zēngyuán 동 증원하다. ❑ ~部队; 증원 부대.
[增长] zēngzhǎng 동 신장(伸張)하다. 증가하다. 높아지다. ❑ ~见识; 견식을 넓히다.
[增值] zēngzhí 동〔經〕 가치를 부가하다. ❑ ~税; 부가 가치세.
[增殖] zēngzhí 동 증식하다.

锃(鋥) zèng (정) 형 (그릇 따위가) 반짝반짝하다.
[锃亮] zèngliàng 형〈口〉 반들반들 윤이 나다. 윤기 있고 빛나다.

甑 zèng (증) 명 ① 밥 찔 때 쓰는 시루. ② 증류나 물체를 분해시키는 데 쓰는 기구. ❑ 曲颈~; 레토르트(retort).

赠(贈) zèng (증) 동 선사하다. 증정하다.
[赠品] zèngpǐn 명 경품. 증정품.
[赠送] zèngsòng 동 증정하다. 선물하다. ❑ ~仪式; 증정식.
[赠言] zèngyán 명 이별할 때 남기는 충고나 격려의 말.
[赠阅] zèngyuè 동 (서적의 저자나 펴낸이가) 서적을 증정하다.

zha ㄓㄚ

扎 zhā (찰) 동 ① (뾰족한 것으로) 찌르다. ❑ ~针; ⇩ ② 〈口〉 파고[비집고] 들어가다. ❑ ~到人群里; 군중 속으로 비집고 들어가다. ③ 자리잡다. 주둔하다. ⇒zā zhá
[扎耳朵] zhā ěr·duo 〈口〉 귀에 거슬리다. 듣기 거북하다.
[扎根] zhā//gēn 동 ① 식물이 뿌리를 뻗다. ②〈比〉 (사람·사물 속에) 뿌리를 박다. 터를 잡다.
[扎实] zhā·shi 형 ① 견고하다. 단단하다. 튼튼하다. ❑ 他身子不大~; 그의 몸은 별로 튼튼하지 못하다. ② (학문·일·태도 따위가) 견실하다. 착실하다.
[扎手] zhā//shǒu 동 (가시 따위에) 손을 찔리다. (zhāshǒu) 형 애먹

다. 다루기[상대하기] 어렵다.
[扎眼] zhāyǎn 형 ⇨[刺cì眼②]
[扎营] zhā∥yíng 동 (군대가) 야영하다. 「놓다.
[扎针] zhā∥zhēn 동〖中醫〗침을
咋 zhā (사, 색)
→[咋呼]⇒zǎ zé
[咋呼] zhā·hu 동〈方〉① 소리 지르다. 고함치다. ② 자랑하다. 잘난척하다. 뽐내다.
渣 zhā (사)
명 (~儿) ① 침전물. 찌끼. 찌꺼기. ❑豆腐~; 비지. ② 부스러기. 가루. ❑煤~; 석탄재.
[渣滓] zhā·zǐ 명 ① 침전물. 찌끼. 찌꺼기. ②〈比〉인간쓰레기. ❑社会~; 사회의 인간쓰레기.
[渣子] zhā·zi 명〈口〉 부스러기. 찌꺼기. 가루.
喳 zhā (사)
① 감 예(《옛날, 하인이 주인에게 대답할 때 쓰던 말》). ② 의 짹짹. 깍깍(《새 우는 소리》). ❑喜鹊~~地叫; 까치가 깍깍 울다. ⇒chā
扎 zhá (찰)
① →[扎挣] ② (Zhá) 명 성(姓)의 하나. ⇒zā zhā
[扎挣] zhá·zheng 동〈方〉 간신히 버티다. 억지로 참다.
札 zhá (찰)
명 ① 옛날에 글씨를 쓰는 데 사용한 얇은 나무쪽. ②〈書〉 편지.
[札记] zhájì 명 찰기. 적바림.
轧(軋) zhá (알) 「yà
동〖工〗압연하다. ⇒
[轧钢] zhá∥gāng 동〖工〗철을 압연(壓延)하다.
闸(閘) zhá (갑)
① 명 수문(水門). ② 동 (물을 가로질러) 막다. ❑水流得太猛, ~不住; 물살이 너무 세서 막을 수가 없다. ③ 명〈口〉 제동기. 브레이크. ❑踩~; 브레이크를 밟다. ④ 명 스위치. 개폐기.
[闸口] zhákǒu 명 수문구(水門口).
[闸门] zhámén 명 수문(水門).
炸 zhá (작)
동 ① (기름에) 튀기다. ❑~土豆条; 프렌치프라이(French fry) / ~虾; 새우 튀김. ②〈方〉 데치다. ❑把野菜~一下; 산나물을 살짝 데치다. ⇒zhà 「자장면.
[炸酱] zhájiàng 명 자장. ❑~面;
铡(鍘) zhá (찰)
① 명 작두. ② 동 작두질하다. ❑~草; 작두로 풀을 썰다.
[铡刀] zhádāo 명 작두.
拃 zhǎ (찰)
① 동 뼘으로 길이를 재다. ② 양 뼘. ❑她比她妈妈矮一~; 그녀는 그녀의 엄마보다 한 뼘만큼 작다.
眨 zhǎ (잡)
동 (눈을) 깜빡거리다. ❑~动眼睛; 눈을 깜빡거리다.
[眨眼] zhǎ∥yǎn 동 (빠른 속도로) 눈을 깜빡거리다. 〈比〉 매우 짧은 시간. ❑一~就看不见了; 눈 깜짝할 사이에 보이지 않게 되었다.
乍 zhà (사)
부 ① 처음. 갓. 방금. ❑~一做, 做不好; 갓 시작해서는 잘 안 된다. ② 갑자기. 돌연. ❑~冷~热; 갑자기 추워졌다 더워졌다 하다.
诈(詐) zhà (사)
동 ① 속이다. 사기치다. ❑欺~; 속이다. ② 위장하다. 가장하다. ❑~作不知; 모르는 척하다.
[诈唬] zhà·hu 동〈口〉 거짓 협박하다. 공갈하다. 「하다.
[诈骗] zhàpiàn 동 사취하다. 편취
[诈降] zhàxiáng 동 거짓으로 투항하다. 가짜로 항복하다.
炸 zhà (작)
동 ① 터지다. 폭발하다. 깨지다. ❑刚一灌开水, 杯子就~了; 뜨거운 물을 붓자, 컵이 깨졌다. ② 폭파하다. 폭격하다. ❑~碉堡; 토치카를 폭파하다. ③〈口〉 분노가 폭발하다. 화를 터뜨리다. ❑大伙儿一听都~了; 모두들 듣자마자 분노를 터뜨렸다. ④〈口〉 (놀라서) 뿔뿔이 달아나다. ⇒zhá
[炸弹] zhàdàn 명〖軍〗폭탄.
[炸药] zhàyào 명 폭약.
蚱 zhà (책)
→[蚱蜢] 「뚜기.
[蚱蜢] zhàměng 명〖蟲〗누리. 메
榨 zhà (자)
① 동 (액즙을) 짜다. ❑~油; 기름을 짜다 / ~汁; 즙을 짜다. ② 명 압착기. ❑油~; 기름틀.
[榨菜] zhàcài 명 ①〖植〗쓰촨 성(四川省)에서 나는 갓의 변종. ② 위와 같은 식물의 줄기를 절여 먹는 짠지 비슷한 반찬.
[榨取] zhàqǔ 동 ① 짜내다. ❑~汁液; 즙을 짜내다. ②〈比〉 착취하다.
咤 zhà (타)
→[叱chì咤]

栅 zhà (책) 명 울타리. 울짱. ⇒shān
[栅栏(儿)] zhà·lan(r) 명 울타리. 울짱.

zhai ㄓㄞ

斋(齋) zhāi (재) ① 동 재계(齋戒)하다. ② 명 정진 요리(精進料理). 소식(素食). ③ 동 (중에게) 식사를 보시(布施)하다. ④ 명 방. 집《주로, 서재나 기숙사를 가리키며, 상점의 명칭에도 쓰임》. ❏ 书～; 서재.
[斋戒] zhāijiè 동 재계(齋戒)하다.
[斋月] zhāiyuè 명〖宗〗(이슬람력의) 라마단(Ramadan).

摘 zhāi (적) 동 ① 꺾다. 뜯다. 떼다. 벗다. ❏ ～眼镜; 안경을 벗다 / ～棉花; 목화를 따다. ② 가려 뽑다. 발췌하다. ❏ ～引; 발췌하여 인용하다.
[摘除] zhāichú 동〖醫〗적출하다. ❏ 肿瘤～手术; 종양 적출 수술.
[摘记] zhāijì 동 ① 적기하다. 메모하다. ② ⇒[摘录]
[摘录] zhāilù 동 발췌하여 기록하다. 적록하다. =[摘记②]
[摘帽子] zhāi mào·zi ① 모자를 벗다. ②〈轉〉오명을 벗다.
[摘要] zhāiyào 동 요점을 뽑아 적다. 적요하다. 명 적요.

宅 zhái (택) 명 (비교적 큰) 집. 주택. 저택. ❏ 住～; 주택.
[宅院] zháiyuàn 명 정원이 있는 저택.〈轉〉주택. 저택. 집.
[宅子] zhái·zi 명〈口〉(일정한 규모를 갖춘) 주택. 집.

择(擇) zhái (택) 뜻은 '择zé'와 같고, 아래와 같은 경우에만 'zhái'로 발음됨. ⇒zé
[择不开] zhái·bukāi 동 ① (엉켜 있는 실이나 끈을) 풀 수 없다. ②〈比〉(시간·몸 따위를) 빼낼 수 없다. 융통할 수 없다. ❏ 这个月忙得我一天也～; 이번 달은 바빠서 하루도 시간을 낼 수 없다.
[择菜] zhái//cài 동 채소를 다듬다.
[择席] zháixí 동 잠자리를 가리다.

窄 zhǎi (착) 형 ① 폭이 좁다. ❏ 走廊很～; 복도가 매우 좁다. ② 속이 좁다. 옹졸하다. ❏ 心眼儿～; 속이 좁다. ③ 궁핍하다. 옹색하다. ❏ 日子过得挺～; 생활이 매우 옹색하다.
[窄轨] zhǎiguǐ 명 협궤.
[窄小] zhǎixiǎo 형 ① 좁고 작다. 협소하다. ❏ ～的房屋; 좁은 집. ② 도량이 좁다. 다랍다.

债(債) zhài (채) 명 부채. 빚. ❏ 还～; 빚을 갚다 / 借～; 빚을 내다.
[债户] zhàihù 명 채무자.
[债权] zhàiquán 명〖法〗채권. ❏ ～人; 채권자.
[债券] zhàiquàn 명 채권. ❏ ～市场; 채권 시장.
[债台高筑] zhàitái-gāozhù〈成〉빚이 산더미이다.
[债务] zhàiwù 명 채무. ❏ ～人; 채무자.
[债主] zhàizhǔ 명 빚쟁이.

寨 zhài (채) 명 ① 방어용 울타리. 방책(防柵). ②〈舊〉군대의 주둔지. ❏ 营～; 군영을 설치하다. ③ 산채(山寨). ④ 울짱·토담을 둘러친 마을.
[寨子] zhài·zi 명 ① 사방에 둘러친 울타리[담장]. ② 사방이 울타리나 담장으로 싸인 마을.

zhan ㄓㄢ

占 zhān (점) 동 점치다. ⇒zhàn
[占卜] zhānbǔ 동 (귀갑(龜甲)이나 동전 따위로) 점치다.
[占卦] zhān//guà 동 (팔괘(八卦)로) 점치다.
[占星] zhān//xīng 동 별점을 치다. 점성하다. ❏ ～术; 점성술.

沾 zhān (첨) 동 ① 젖다. 적시다. ❏ 泪流～襟; 눈물이 흘러 옷깃을 적시다. ② 묻다. 묻히다. ❏ ～油; 기름이 묻다. ③ (살짝) 닿다. 붙다. ❏ 脚不～地; 발이 땅에 닿지 않다. ④ (은혜를) 입다. (이득을) 얻다.
[沾边(儿)] zhān//biān(r) 동 약간 접촉이 있다. 조금 관계하다. 다소 관련되다. ❏ 这事儿他也沾了点儿边儿; 이 일은 그도 약간 관련됐다. 형 실제와 가깝다. 사실에 근접하다. ❏ 你讲的一点儿都不～; 네 말은 조금도 사실에 가깝지 않다.
[沾光] zhān//guāng 동 덕을 보다. ❏ 沾岳家的光; 처가 덕을 보다.

[沾染] zhānrǎn 동 ① 감염되다. ❑ 伤口~了细菌; 상처가 세균에 감염되었다. ② 물들다. 나쁜 영향을 받다. ❑ ~恶习; 악습에 물들다.
[沾手] zhān∥shǒu 동 ① 손을 대다. 만지다. ② 〈比〉 개입하다. 관여하다. 끼어들다.
[沾沾自喜] zhānzhān-zìxǐ 〈成〉 스스로 흡족하여 우쭐거리는 모양.

毡(氈) zhān (전) 명 모직물. 펠트(felt).
[毡帽] zhānmào 명 펠트 모자.
[毡子] zhān·zi 명 펠트(felt). 모전. 모포. 담요.

粘 zhān (점) 동 ① 붙다. 달라붙다. ❑ 三张纸~在一起; 종이 3장이 한데 붙다. ② (풀 따위로) 붙이다. ❑ ~信封; 편지 봉투를 붙이다. ⇒ nián
[粘连] zhānlián 동 ①〖醫〗 유착(癒着)하다. ② 한데 들러붙다.
[粘贴] zhāntiē 동 (풀 따위로) 붙이다. ❑ ~地图; 지도를 붙이다.

谵(譫) zhān (섬) 동〈書〉 허튼소리하다.
[谵语] zhānyǔ 동〈書〉 허튼소리하다.

瞻 zhān (첨) 동 바라보다. 올려다보다. 우러러보다.
[瞻念] zhānniàn 동 (장래의 일을) 전망하고 생각하다. 내다보다. ❑ ~前途; 앞날을 생각하다.
[瞻前顾后] zhānqián-gùhòu 〈成〉 앞뒤를 살피다《① 일을 행하기에 앞서 신중히 생각하다. ② 걱정이 너무 많아 결정하지 못하고 주저하다》.
[瞻望] zhānwàng 동 멀리 바라다보다. 〈比〉 장래를 내다보다.
[瞻仰] zhānyǎng 동 우러러 바라보다. 배견(拜見)하다.

斩(斬) zhǎn (참) 동 베다. 자르다.
[斩草除根] zhǎncǎo-chúgēn 〈成〉 풀을 베고 뿌리를 뽑다《화근을 철저히 제거하다》.
[斩钉截铁] zhǎndīng-jiétiě 〈成〉 (말하는 것이나 일처리가) 결단성 있고 단호하다.
[斩尽杀绝] zhǎnjìn-shājué 〈成〉 남김없이 다 죽여 버리다.
[斩首] zhǎnshǒu 동 참수하다.

崭(嶄) zhǎn (참) 형 ① 〈書〉 높고 험준하다. ② 〈方〉 뛰어나다. 훌륭하다.
[崭新] zhǎnxīn 형 참신하다. 매우 새롭다. ❑ ~的衣裳; 참신한 의상.

盏(盞) zhǎn (잔) ① 명 작은 잔. ② 양 등. 개《등(燈)을 세는 말》. ❑ 一~电灯; 전등 한 개.

展 zhǎn (전) ① 동 펴다. 펼치다. 전개하다. ❑ 开~; 전개하다. ② 동 나타내다. 발휘하다. ❑ 一筹莫~; 〈成〉 한 가지 방법도 발휘할 수 없다. ③ 동 연기하다. 늦추다. ❑ ~限; 기한을 늦추다. ④ 명동 전시(하다). 전람(하다). ❑ 画~; 그림 전시회.
[展翅] zhǎnchì 동 날개를 펼치다. ❑ ~高飞; 〈成〉 날개를 펴고 높이 날다.
[展出] zhǎnchū 동 진열 전시하다. ❑ ~精品; 명품을 진열 전시하다.
[展缓] zhǎnhuǎn 동 연기하다. 늦추다. ❑ ~期限; 기한을 늦추다.
[展会] zhǎnhuì 명 전시회. 전람회.
[展开] zhǎn∥kāi 동 ① 펼치다. 펴다. ❑ ~翅膀; 날개를 펴다. ② (대대적으로) 벌이다. 전개하다. ❑ ~竞争; 경쟁을 벌이다.
[展览] zhǎnlǎn 동 전람하다. 전시하다. ❑ ~馆; 전람관. 전시관 / ~会; 전람회. 전시회.
[展品] zhǎnpǐn 명 전시품.
[展期] zhǎnqī 동 기일을 연기하다. 기한을 늦추다. 명 전시 기간.
[展示] zhǎnshì 동 펼쳐 보이다. 분명히 나타내다. ❑ ~作品的主题; 작품의 주제를 분명히 나타내다.
[展望] zhǎnwàng 동 ① 먼 곳을 바라보다. 조망하다. ② 전망하다. ❑ ~未来; 미래를 전망하다.
[展销] zhǎnxiāo 동 전시 판매하다. ❑ ~会; 전시 판매회.
[展转] zhǎnzhuǎn 동 ⇒[辗转]

搌 zhǎn (전) 동 (물기를) 닦다. 훔치다. ❑ 把眼泪~一~; 눈물을 닦아 내다.
[搌布] zhǎn·bù 명 걸레. 행주.

辗(輾) zhǎn (전) →[辗转]
[辗转] zhǎnzhuǎn 동 ① (몸을) 뒤척이다. 엎치락뒤치락하다. ❑ ~反侧; 〈成〉 (수심으로 잠 못 이루고) 이리저리 몸을 뒤척이다. ② 전전하다. 여기저기를 거치다. ❑ ~传说; 이 사람 저 사람을 거쳐서 귀에 들어오다. ‖ =[展转]

占 zhàn (점) 동 ① 차지하다. 점거하다. ❑

~地方; 공간을 차지하다 / ~位子; 자리를 차지하다. ② (지위·위치·형세 따위를) 점하다. 차지하다. ❏ ~上风; 우위를 점하다 / ~优势; 우세를 차지하다. ⇒zhān
[占据] zhànjù 통 점거하다. 차지하다. ❏ ~要职; 요직을 차지하다.
[占领] zhànlǐng 통 (무력으로 진지나 영토를) 점령하다. ❏ ~城市; 도시를 점령하다.
[占便宜] zhàn pián·yi ① (정당치 못한 방법으로) 자기에게 이롭도록 하다. 잇속을 차리다. ②〈比〉(객관적으로) 유리한 조건을 지니다.
[占先] zhàn∥xiān 통 앞지르다. 앞서다. 우세하다.
[占线] zhàn∥xiàn 통 (전화가) 통화 중이다.
[占有] zhànyǒu 통 ① 점유하다. 차지하다. ❏ ~土地; 토지를 점유하다. ② (지위·위치를) 점하다. 차지하다. ❏ ~重要地位; 중요한 지위를 차지하다. ③ 장악하다. 보유하다. ❏ ~证据; 증거를 보유하다.

战(戰) zhàn (전) ① 명 전쟁. 싸움. ❏ 挑~; 도전하다. ② 통 전쟁하다. 싸우다. 투쟁하다. ❏ 为祖国而~; 조국을 위해 싸우다. ③ 통 시합하다. 겨루다. ❏ 五~三胜; 5전 3승. ④ 통 떨다. ❏ 打~; 떨다.
[战败] zhànbài 통 ① 전쟁에서 지다. 패전하다. ❏ ~国; 패전국. ② (적을) 패배시키다. 무찌르다. ❏ ~敌人; 적을 패배시키다.
[战备] zhànbèi 명 전쟁 준비.
[战场] zhànchǎng 명 ① 전장. 전쟁터. ②〈比〉(생산·노동의) 현장.
[战地] zhàndì 명 전지. 전쟁터.
[战抖] zhàndǒu 통 부들부들 떨다. 덜덜 떨다. ❏ 全身~; 온몸을 부들부들 떨다.
[战斗] zhàndòu 명통〔軍〕 전투(하다). ❏ ~机; 전투기 / ~力; 전투력 / ~员; 전투원. 통 투쟁하다.
[战犯] zhànfàn 명 전범.
[战俘] zhànfú 명 전쟁 포로.
[战功] zhàngōng 명 전공. ❏ 立~; 전공을 세우다.
[战果] zhànguǒ 명 전과. ❏ ~辉煌; 전과가 눈부시다.
[战壕] zhànháo 명 참호.
[战火] zhànhuǒ 명 전화. 전쟁.
[战绩] zhànjì 명 ① 전적. ②〈比〉 시합의 성적. 전적.
[战舰] zhànjiàn 명〔軍〕 전함.
[战局] zhànjú 명 전쟁의 국면. 전세. 「전황.
[战况] zhànkuàng 명 전쟁 상황.
[战力] zhànlì 명 전력.
[战利品] zhànlìpǐn 명 전리품.
[战栗] zhànlì 통 전율하다. 부들부들 떨다. ❏ 浑身~; 온몸을 부들부들 떨다. =[颤zhàn栗]
[战乱] zhànluàn 명 전란.
[战略] zhànlüè 명 ①〔軍〕 전략. ❏ ~物资; 전략 물자. ②〈比〉 전략. 책략. ❏ 革命~; 혁명 전략.
[战胜] zhànshèng 통 ① 전쟁에서 이기다. 전승하다. ② (시합·경기에서) 이기다. 무찌르다. ❏ ~甲队; 갑팀을 무찌르다.
[战士] zhànshì 명 ① 전사. ②〈轉〉 정의로운 일에 종사하는 사람. ❏ 白衣~; 백의의 전사《간호사》.
[战术] zhànshù 명〔軍〕 전술.
[战天斗地] zhàntiān-dòudì〈成〉 대자연과 싸우다.
[战无不胜] zhànwúbùshèng〈成〉 싸우면 반드시 이기다. 백전백승.
[战线] zhànxiàn 명 전선. ❏ 农业~; 농업 전선 / 思想~; 사상 전선.
[战役] zhànyì 명〔軍〕 전역《통일된 작전 계획에 따라 일정한 방향과 시간 안에 진행하는 작전 행동》.
[战友] zhànyǒu 명 전우.
[战云] zhànyún 명〈比〉 전운. 전쟁의 기운.
[战战兢兢] zhànzhànjīngjīng 형 ① 전전긍긍하다. ② 매우 조심스럽고 신중한 모양.
[战争] zhànzhēng 명 전쟁. ❏ 发动~; 전쟁을 일으키다.

站 zhàn (참) ① 통 서다. 일어서다. ❏ 整天~着工作; 하루 종일 서서 일하다 / 不要~起来; 일어나지 마라. ② 통 …의 입장에 서다. 편들다. ❏ ~在他的立场上; 그의 입장에 서다. ③ 통 멈추다. 서다. 정지하다. ❏ 车~住了; 차가 섰다. ④ 명 정거장. 정류소. 역. ❏ 火车~; 기차역. ⑤ 명 기관. 기구. 센터. ❏ 保健~; 보건소.
[站队] zhàn∥duì 통 줄지어 서다. 줄을 서다. 정렬(整列)하다.
[站岗] zhàn∥gǎng 통 보초(步哨) 서다. 망을 보다.
[站柜台] zhàn guìtái 카운터를 보다. 카운터를 맡다.

[站票] zhànpiào 명 입석표.
[站台] zhàntái 명 플랫폼(platform). =[月台]
[站长] zhànzhǎng 명 ① (기차역의) 역장. ② (기관 따위의) 소장.
[站住] zhàn//zhù 동 ① 정지하다. 서다. 멈추다. ❏ 表~了; 시계가 섰다. ② 똑바로 서다. ❏ 我脚发软, 站不住; 나는 다리에 힘이 빠져서, 똑바로 설 수가 없다. ③ (어떤 곳에) 머물다. 체류하다. ④ (이유 따위가) 성립하다. ❏ 这个论点站不住; 이 논점은 성립이 안 된다.

栈(棧) zhàn (잔)
명 ① (가축의) 우리. ❏ 马~; 마구간. ② 잔교(棧橋). 적교(吊橋). ③ 객잔. ❏ 客~; 객잔.
[栈道] zhàndào 명 잔도(棧道)《절벽 따위에 걸쳐 놓은 다리로 된 길》.
[栈房] zhànfáng 명 ① 창고. ② 〈方〉 주막. 객점. 여인숙.

绽(綻) zhàn (탄)
동 벌어지다. 터지다. ❏ 皮开肉~; 피부가 갈라지고 터지다 / 花蕾~放; 꽃봉오리가 벌어지다.

湛 zhàn (잠)
형 ① 깊다. ② 맑다.
[湛蓝] zhànlán 형 짙푸르다. ❏ ~的天空; 짙푸른 하늘.

颤(顫) zhàn (전)
동 부들부들 떨다. 벌벌 떨다. ⇒chàn
[颤栗] zhànlì 동 ⇨[战栗]

蘸 zhàn (잠)
동 (액체·분말·걸쭉한 것 따위에) 찍다. 적시다. 묻히다. ❏ ~酱油; 간장을 찍다.
[蘸火] zhàn//huǒ 동〈口〉 ⇨[淬cuì火]

zhang ㄓㄤ

张(張) zhāng (장)
①동 펴다. 뻗다. 열다. 벌리다. ❏ ~翅膀; 날개를 펴다 / ~嘴; ⇩ ②동 진열하다. 배치하다. 벌이다. ❏ 大~筵席; 연회를 크게 벌이다. ③동 확대하다. 과장하다. ❏ ~扬; ⇩ ④동 보다. 바라보다. ❏ 东~西望; 〈成〉 이리저리 두리번거리다. ⑤동 개점하다. 개업하다. ❏ 开~; 개점하다. ⑥양 ㉠넓은 표면이 있는 것을 세는 말. ❏ 一~纸; 종이 한 장 / 三~桌子; 테이블 세 개. ㉡입·얼굴 따위를 세는 말. ❏ 一~嘴; 입 하나. ㉢활을 세는 말. ❏ 一~弓; 활 하나.
[张本] zhāngběn 명 ① (뒷일을 생각해서 미리 세우는) 방안. 계획. 대책. ② 암시. 복선(伏線).
[张挂] zhāngguà 동 (족자·천막 따위를) 펴서 내걸다. 내걸어 달다. ❏ ~地图; 지도를 내걸어 달다.
[张冠李戴] zhāngguān-lǐdài 〈成〉 대상을 착각하다. 사실을 잘못 알다.
[张皇] zhānghuáng 형〈書〉 당황하다. ❏ ~失措; 〈成〉 당황하여 허둥지둥하다.
[张口结舌] zhāngkǒu-jiéshé 〈成〉 입을 벌린 채로 말이 나오지 않는 모양《이치에 맞지 않아 말문이 막힌 모양. 두려워 말을 못 하는 모양》.
[张狂] zhāngkuáng 형 경망스럽다. 제멋대로이다. 방종하다.
[张力] zhānglì 명〔物〕 장력. ❏ 表面~; 표면 장력.
[张罗] zhāng·luo 동 ① 처리하다. 준비하다. 기획하다. ❏ ~喜事; 혼사를 치르다. ② 마련하다. 변통하다. ❏ 这笔款子到哪里~去? 이 돈을 어디 가서 마련하겠는가? ③ 접대하다. 대접하다. ❏ 我不会~客人; 나는 손님 접대가 서툴다.
[张目] zhāngmù 동 ① 눈을 크게 뜨다. ② 남의 앞잡이 노릇을 하다.
[张三李四] zhāngsān-lǐsì 〈成〉 장삼이사. 누구. 어떤 사람《불특정인(不特定人)을 가리킴》.
[张贴] zhāngtiē 동 (광고·포고·표어 따위를) 붙이다. 내붙이다. ❏ ~告示; 고시를 붙이다.
[张望] zhāngwàng 동 ① (작은 구멍이나 틈으로) 엿보다. 들여다보다. ❏ 探头~; 목을 빼고 들여다보다. ② 둘러보다. 두리번거리다. ❏ 四顾~; 사방을 둘러보다.
[张牙舞爪] zhāngyá-wǔzhǎo 〈成〉 광포하고 흉악한 모양.
[张扬] zhāngyáng 동 (은밀한 사실 따위를) 퍼뜨리다. 떠벌리다. ❏ 四处~; 사방에 퍼뜨리다.
[张嘴] zhāng//zuǐ 동 ① 입을 열다[벌리다]. 〈轉〉 말을 하다. ② 부탁하다. 아쉬운 소리 하다.

章 zhāng (장)
① 명 장《시가·문장의 단락》. ❏ 乐~; 악장. ② 양 장《시가·문장 따위를 세는 말》. ❏ 第一~; 제1

Z

장. ③ 명 규정. 규칙. ❏ 照~办事; 규정대로 일을 처리하다. ④ 명 조리. 질서. ❏ 杂乱无~; 〈成〉 질서가 혼란하여 뒤죽박죽이다. ⑤ 명 도장. ❏ 盖~; 도장을 찍다. ⑥ 명 휘장(徽章). ❏ 臂~; 완장.

[章程] zhāngchéng 명 장정. 정관. ❏ 公司~; 회사의 정관.

[章法] zhāngfǎ 명 ① (글·그림의) 구성. 구도. ② 〈比〉 일의 순서[절차]. 일의 규칙.

[章回体] zhānghuítǐ 명 장회체.

[章节] zhāngjié 명 장절. 장과 절.

彰 zhāng (창)
① 형 분명하다. 현저하다. 뚜렷하다. ❏ 昭~; 현저하다. ② 동 나타내다. 표창하다. ❏ 以~其功; 이에 그 공적을 표창하다.

[彰明较著] zhāngmíng-jiàozhù 〈成〉 매우 명백하다[뚜렷하다].

獐 zhāng (장)
명 〖動〗 노루.

[獐子] zhāng·zi 명 〖動〗 노루.

樟 zhāng (장)
명 〖植〗 녹나무. =[樟树][香樟]

[樟脑] zhāngnǎo 명 〖化〗 장뇌. ❏ ~油; 장뇌유.

蟑 zhāng (장)
→[蟑螂]

[蟑螂] zhāngláng 명 〖蟲〗 바퀴. 바퀴벌레. =[蜚fěi蠊]

长(長) zhǎng (장)
① 형 나이가 위이다. ❏ 他比我~一岁; 그는 나보다 한 살 위이다. ② 형 맏이의. 첫째의. ❏ ~兄; 맏형. ③ 형 항렬이 위이다. 손위이다. ❏ 他比我~一辈; 그는 나보다 항렬이 하나 위이다. ④ 명 책임자. 우두머리. ❏ 家~; 가장 / 校~; 교장. ⑤ 동 자라다. 성장하다. ❏ 杨树~得快; 백양나무는 빨리 자란다 / 她~得很可爱; 그녀는 매우 귀엽게 생겼다. ⑥ 동 나다. 생기다. 돋아나다. ❏ 新芽~出来了; 새싹이 돋아났다. ⑦ 동 증진하다. 증가하다. ❏ ~力气; 힘이 강해지다. ⇒ cháng

[长辈] zhǎngbèi 명 손윗사람.

[长大] zhǎngdà 동 자라다. 크다. 성장하다. ❏ 你~了, 想干什么? 넌 크면 무엇을 하고 싶으냐?

[长进] zhǎngjìn 동 진보하다. 향상하다. ❏ 学习加紧, ~就快; 학습에 힘을 쏟으면 진보가 빠르다.

[长老] zhǎnglǎo 명 ① 〈書〉 나이 많은 사람. 고령자. ② 〈敬〉 나이가 많고 덕이 있는 스님. ③ 〖宗〗 (기독교의) 장로. ❏ ~会; 장로회.

[长势] zhǎngshì 명 (식물의) 성장한 상황. 성장도(成長度). ❏ 禾苗~旺盛; 볏모가 왕성하게 자라다.

[长孙] zhǎngsūn 명 장손(長孫).

[长相(儿)] zhǎngxiàng(r) 명 〈口〉 용모. 생김새. ❏ 看他那~儿就不像个好人; 그의 그 생김새를 보아서는 좋은 사람 같지가 않다.

[长者] zhǎngzhě 명 ① 나이와 항렬이 모두 높은 사람. 윗사람. 어른. ② 나이가 많고 덕이 있는 사람.

[长子] zhǎngzǐ 명 장남. 장자.

涨(漲) zhǎng (창)
동 ① 물이 붇다. ❏ 河里水~了; 강물이 불었다. ② 값이 오르다. ❏ 物价~起来; 물가가 오르기 시작하다. ⇒ zhàng

[涨潮] zhǎng//cháo 동 조수가 차다. 밀물이 들다.

[涨风] zhǎngfēng 명 시세의 오름세.

[涨价] zhǎng//jià 동 값이 오르다.

掌 zhǎng (장)
① 명 손바닥. ❏ 鼓~; 박수 치다. ② 동 손바닥으로 치다. ❏ ~嘴; ⇩ ③ 동 관장하다. 주관하다. ❏ ~财政; 재정을 관장하다. ④ 명 동물의 발바닥. ❏ 鹅~; 거위 발바닥. ⑤ 명 편자. 발굽. ❏ 给马钉~; 말에게 편자를 박다. ⑥ (~儿) 명 신발의 밑창. 구두창. ❏ ~鞋; 신창.

[掌灯] zhǎng//dēng 동 ① 등불을 (손에) 들다. ② 등불을 켜다.

[掌舵] zhǎng//duò 동 ① 배의 키를 잡다. ② 〈比〉 이끌다. 지휘하다.

[掌管] zhǎngguǎn 동 주관하다. 관리하다. ❏ ~两家公司; 회사 두 곳을 관리하다.

[掌柜] zhǎngguì 명 상점의 주인[지배인]. =[掌柜的]

[掌权] zhǎng//quán 동 권력을 쥐다.

[掌上电脑] zhǎngshàng diànnǎo 〖컴〗 ① 팜톱(palmtop). ② 〈俗〉 ⇨[个人数字助理]

[掌上明珠] zhǎngshàng-míngzhū 〈成〉 ① 부모가 애지중지하는 딸. ② 매우 귀중히 여겨지는 물건. =[掌上珠][掌中珠][掌珠]

[掌声] zhǎngshēng 명 박수 소리. ❏ ~如雷; 박수 소리가 우레 같다.

[掌握] zhǎngwò 동 ① 파악하다. 마스터하다. 통달하다. 완전히 습득

하다. ❑ ~动态; 동태를 파악하다 / ~外语; 외국어를 마스터하다. ② 장악하다. 주관하다. 휘어잡다. ❑ ~政权; 정권을 장악하다.

[掌心] zhǎngxīn 명 ① 장심. 손바닥의 한가운데. ②〈比〉통제 범위.

[掌印] zhǎng//yìn 동 인감을 관리하다.〈比〉사무를 맡아보다. 정권을 잡다. 일을 주관하다.

[掌嘴] zhǎng//zuǐ 동 따귀를 때리「다.

丈 zhàng (장)
① 양〔度〕장(《약 3.33m》). ② 동 (토지를) 측량하다. ③ 명〈敬〉옛날, 나이 지긋한 남자에 대한 존칭. ❑ 老~; 노인장. ④ 명 (친족의) 남편. ❑ 姑~; 고모부.

[丈夫] zhàngfū 명 사나이. 대장부. ❑ ~气; 사나이다움.

[丈夫] zhàng·fu 명 남편.

[丈量] zhàngliáng 동 토지를 측량하다. ❑ ~地亩; 전답을 측량하다.

[丈母] zhàng·mu 명 ⇨[岳母]

[丈母娘] zhàng·muniáng 명 ⇨[岳母]

[丈人] zhàng·ren 명 ⇨[岳父]

仗 zhàng (장)
① 명 병기(兵器). ② 명 전쟁. 싸움. ❑ 打~; 전쟁하다. ③ 동 기대다. 의지하다. 힘입다. ❑ ~着大家的力量; 모두의 힘에 의지하다.

[仗势] zhàng//shì 동 세력에 의지하다. 세력을 믿다. ❑ ~欺人;〈成〉세력을 믿고 남을 괴롭히다.

[仗恃] zhàngshì 동 기대다. 의지하다. 믿다.

[仗义] zhàngyì 동 ①〈書〉정의를 받들다. ❑ ~执言;〈成〉정의를 위해 의로운 주장을 하다. ② 의를 중시하다. ❑ ~疏财;〈成〉자신의 재물을 내어 의를 행하다.

杖 zhàng (장)
명 ① 지팡이. ❑ 拄~; 지팡이를 짚다. ② 막대기. 방망이. 몽둥이. ❑ 擀面~; 밀방망이.

帐(帳) zhàng (장)
명 ① 막. 장막. 휘장. ❑ 床~; 침대 휘장 / 蚊~; 모기장. ② ⇨[账]

[帐篷] zhàng·peng 명 텐트. 천막. ❑ 搭~; 천막을 치다.

[帐子] zhàng·zi 명 커튼. 휘장. 막.

账(賬) zhàng (장)
명 ① 회계. 부기. ❑ 算~; 결산하다. ② 장부. ❑ 一本~; 장부 한 권. ③ 외상. 빚. 채무. ❑ 欠~; 빚을 지다. ‖ =[帐②]

[账簿] zhàngbù 명 장부. 회계부. 출납부. =[账本(儿)][账册]

[账单] zhàngdān 명 계산서. 명세서. 청구서.

[账房(儿)] zhàngfáng(r) 명 ① 경리실. 회계실. ② 회계원. 경리.

[账号] zhànghào 명 계좌 번호.

[账户] zhànghù 명 계좌(計座).

[账目] zhàngmù 명 장부에 기재된 항목. 기장 금액.

胀(脹) zhàng (창)
① 동 팽창하다. 부풀다. ❑ 木头受了潮, ~了起来; 나무토막이 습기가 차자 부풀어 올랐다. ② 형 붓다. 터질 듯하다. ❑ 眼觉得有点儿~; 눈이 좀 부은 것 같다.

涨(漲) zhàng (창)
동 ① (부피가) 팽창하다. 붇다. ❑ 红豆~得很大; 팥이 매우 크게 불었다. ② 충혈되다. 상기되다. ❑ 满脸~得通红; 온 얼굴이 새빨갛게 상기되다. ③ 초과하다. 넘다. ❑ 钱花~了; 돈이 초과 지출되었다. ⇒ zhǎng

障 zhàng (장)
① 동 막다. 가로막다. 방해하다. ❑ ~碍; ⇩ ② 명 칸막이. 병풍. 장애물. ❑ 屏~; 병풍.

[障碍] zhàng'ài 명동 방해(하다). 장애(가 되다). 지장(을 주다). ❑ 设置~; 장애물을 설치하다 / ~赛跑; 장애물 달리기 / ~物; 장애물.

[障蔽] zhàngbì 동 막다. 가리다. ❑ ~视线; 시선을 가리다.

[障眼法] zhàngyǎnfǎ 명 눈속임. 속임수. =[遮眼法]

[障子] zhàng·zi 명 바자울.

幛 zhàng (장)
명 축하나 애도의 글을 써 붙인「현수막.

[幛子] zhàng·zi 명 축하나 애도의 글을 써 붙인 현수막.

嶂 zhàng (장)
명 깎아지른 산봉우리.

瘴 zhàng (장)
명 장기(瘴氣). 장독(瘴毒).

[瘴气] zhàngqì 명 장기(瘴氣).

zhao ㄓㄠ

招 zhāo (초)
① 동 손을 흔들다. ❑ ~手; ⇩ ② 동 모집하다. ❑ ~新生; 신입생을 모집하다. ③ 동 (좋지 않은 것

Z

이) 꾀어들다. 끌어들이다. ❑～苍蝇; 파리가 꾀다. ④동 불러일으키다. 야기시키다. 자아내다. ❑～人疑惑; 남의 의심을 사다. ⑤동 괴롭히다. 건드리다. 집적대다. ❑你别～他了; 그를 괴롭히지 마라. ⑥동〈方〉 전염되다. ❑这病～人; 이 병은 사람에게 전염된다. ⑦동 자백하다. ❑把罪状～出来; 죄상을 자백하다. ⑧ 명 표지(標識). ⑨ 명 ⇨[着zhāo]

[招标] zhāo//biāo 동 입찰을 공고하다.

[招兵] zhāo//bīng 동 병사를 모집하다. ❑～买马; 〈成〉 ⓐ조직이나 군사력을 확충하다. ⓑ조직을 확대시키고 인원을 확충하다.

[招待] zhāodài 동 접대하다. 대접하다. ❑～客人; 손님을 대접하다 / ～费; 접대비 / ～券; 초대권.

[招待会] zhāodàihuì 명 초대회. 리셉션(reception). ❑记者～; 기자 회견.

[招待所] zhāodàisuǒ 명 초대소.

[招风] zhāo//fēng 동 말썽을 일으키다. 물의를 빚다.

[招工] zhāogōng 동 직공을 모집하다.

[招供] zhāo//gòng 동 (범죄를) 자백하다.

[招呼] zhāo·hu 동 ① (손짓이나 소리로) 부르다. ❑妈妈～你呢! 엄마가 너를 부르시지 않니! ② 인사하다. ❑打～; 인사하다. ③ 분부하다. 지시하다. 이르다. ❑～他快上车; 그에게 빨리 차에 타라고 이르다. ④ 돌보다. 보살피다. ❑～病人; 환자를 돌보다.

[招集] zhāojí 동 소집하다. ❑～队伍; 부대를 소집하다.

[招架] zhāojià 동 막아 내다. 상대하다. 당해 내다. ❑他们的势力太大, 我们～不住; 그들의 세력이 너무 세서 우리는 당해 내지 못 한다.

[招考] zhāokǎo 동 시험으로 모집하다. ❑～新生; 신입생을 모집하다.

[招徕] zhāolái 동 ⇨[招揽]

[招揽] zhāolǎn 동 (손님을) 끌어모으다. 끌다. 유치하다. ❑～顾客; 손님을 끌다. ＝[招徕]

[招募] zhāomù 동 (인원을) 모집하다. ❑～新兵; 신병을 모집하다.

[招牌] zhāo·pai 명 ① 상점의 간판. ❑挂～; 간판을 걸다. ②〈比〉 체면. 명예. ❑砸～; 명예를 실추하다. ③ 〈比〉 명의. 명목. 가면.

[招聘] zhāopìn 동 초빙하다. 모집하다. ❑～广告; 초빙 광고.

[招亲] zhāo//qīn 동 ① 데릴사위를 들이다. ② 데릴사위가 되다.

[招惹] zhāorě 동 ① (분쟁 따위를) 일으키다. 야기하다. ❑～是非; 〈成〉 문제를 일으키다. ② (말·행위로) 건드리다. 괴롭히다. ❑别～他; 그를 괴롭히지 마라.

[招认] zhāorèn 동 (용의자가) 범행을 인정하다.

[招生] zhāo//shēng 동 학생을 모집하다.

[招收] zhāoshōu 동 모집하여 받아들이다. ❑～学生; 학생을 모집하다.

[招手] zhāo//shǒu 동 손짓하다. 손짓으로 부르다. ❑他向我招了招手; 그가 나를 향해 손짓을 했다.

[招数] zhāoshù 명 ⇨[着zhāo数]

[招贴] zhāotiē 명 (공공장소에 붙이는) 광고. 포스터. ＝[招子①]

[招贴画] zhāotiēhuà 명 ⇨[宣传画]

[招眼] zhāoyǎn 형 눈길을 끌다. 시선을 끌다.

[招摇] zhāoyáo 동 허세를 부려 이목을 끌다. ❑～过市; 〈成〉 사람들 앞에서 허세를 부려 남의 이목을 끌다 / ～撞骗; 〈成〉 과시하며 남의 눈을 끌어 사기를 치다.

[招引] zhāoyǐn 동 끌어들이다. 꾀다. ❑用饵～; 먹이로 꾀다.

[招展] zhāozhǎn 동 (사람의 시선을 끌며) 펄럭이다. 나부끼다.

[招致] zhāozhì 동 ① (인재를) 모으다. 모집하다. ❑～人才; 인재를 모으다. ② (나쁜 결과를) 가져오다. 초래하다. ❑～严重损失; 중대한 손실을 초래하다.

[招子] zhāo·zi 명 ① ⇨[招贴] ② 간판. 표지. ③ 계략. 수단. 방법.

昭 zhāo (소)

① 형 분명하다. 현저하다. ② 동〈書〉 나타내다. 표명하다.

[昭然] zhāorán 형 매우 분명한 모양. ❑～若揭; 〈成〉 (진상이) 낱낱이 밝혀지다.

[昭雪] zhāoxuě 동 (억울함을) 깨끗이 씻다. 설욕하다.

[昭彰] zhāozhāng 형 확실하다. 명확하다. ❑罪恶～; 〈成〉 죄악이 뚜렷이 나타나 있다.

[昭著] zhāozhù 형 분명하다. 현저하다. 확실하다. ❑功绩～; 공적

이 현저하다.

着 zhāo (저, 착)
(~儿) 명 ① (장기·바둑의) 수(手). ❏高~儿; 묘수. ② 〈比〉 방법. 계책. ‖ =[招⑨] ⇒zháo ·zhe zhuó

[着数] zhāoshù 명 ① 장기[바둑]의 수(手). ② 〈比〉 수단. 방법. 책략. ‖ =[招数]

朝 zhāo (조)
명 ① 아침. ② 날. ❏今~; 오늘. ⇒cháo

[朝不保夕] zhāobùbǎoxī 〈成〉 아침에 저녁을 보장할 수 없다《형세가 매우 위급하다》.

[朝晖] zhāohuī 명 아침 햇살.

[朝令夕改] zhāolìng-xīgǎi 〈成〉 아침에 내린 명령을 저녁에 바꾸다《주장이나 방법이 자주 바뀌다》.

[朝气] zhāoqì 명 원기. 생기. 패기. ❏~蓬勃; 〈成〉 생기가 넘치다.

[朝秦暮楚] zhāoQín-mùChǔ 〈成〉 아침에는 진(秦)나라에 붙고 저녁에는 초(楚)나라에 붙는다《이랬다저랬다 하며 변덕스럽게 굴다》.

[朝三暮四] zhāosān-mùsì 〈成〉 조삼모사《① 술책을 써서 사람을 속이다. ② 변덕이 죽 끓듯 하다》.

[朝夕] zhāoxī 부 아침저녁. 항상. 언제나. ❏~相处; 〈成〉 언제나 함께 있다. 명 매우 짧은 시간. ❏只争~; 시간을 다투다.

[朝霞] zhāoxiá 명 조하. 아침놀.

[朝阳] zhāoyáng 명 아침 해. 뜨는 해. 형 신흥의. 유망한. ❏~产业; 유망 산업. ⇒cháoyáng

着 zháo (착)
동 ① 닿다. 접촉하다. ❏他身子矮, 够不~; 그는 키가 작아서 닿지 않는다. ② 맞다. 받다. 느끼다. ❏~霜; 서리를 맞다 / ~凉; ⇓ ③ (불이) 붙다. 타다. 켜지다. ❏~火; ⇓ ④〈口〉 잠들다. ❏他~了吗? 그는 잠들었나요? ⑤ 동사의 뒤에 붙어 동작이 목적을 달성하거나 결과가 있음을 나타냄. ❏找了半天, 也找不~; 아무리 찾아도 찾아낼 수가 없다 / 猜~了; 알아맞혔다. ⇒zhāo ·zhe zhuó

[着慌] zháo∥huāng 동 당황하다. 허둥대다.

[着火] zháo∥huǒ 동 불이 나다.

[着急] zháo∥jí 동 안달하다. 조급하다. 초조하다. 마음을 졸이다. ❏着什么急啊, 他会来的; 그는 올텐데, 뭘 그렇게 안달하니.

[着凉] zháo∥liáng 동 ⇨[受凉]

[着迷] zháo∥mí 동 푹 빠지다. 사로잡히다. ❏他看电视着了迷; 그는 텔레비전에 푹 빠졌다.

爪 zhǎo (조)
명 ① (동물의) 발톱. ❏虎~; 호랑이 발톱. ② (조수(鳥獸)의) 발. ❏鹰~; 매의 발. ⇒zhuǎ

[爪牙] zhǎoyá 명 (금수(禽獸)의) 손톱과 이빨. 〈比〉 (악당의) 수하.

找 zhǎo (조)
동 ① 찾다. 구하다. 방문하다. ❏~对象; 배우자를 찾다 / ~工作; 일자리를 찾다 / 你~我有什么事? 무슨 일로 나를 찾느냐? ② 거슬러 주다. 거스름돈을 주다. ❏~钱; ⇓

[找碴儿] zhǎo∥chár 동 (고의로) 트집을 잡다. =[找茬儿]

[找麻烦] zhǎo má·fan 말썽을 일으키다. 문제를 만들다.

[找钱] zhǎo∥qián 동 거스름돈을 주다. 돈을 거슬러 주다.

[找事] zhǎo∥shì 동 ① 일자리를 구하다. ② 트집을 잡다. 시비를 걸다.

[找死] zhǎosǐ 동 죽음을 자청하다. ❏你~吗! 너 죽고 싶어 환장했어!

[找头] zhǎo·tou 명 〈口〉 거스름돈. 잔돈.

[找寻] zhǎoxún 동 ⇨[寻找]

沼 zhǎo (소)
명 늪. 소.

[沼气] zhǎoqì 명〖化〗 메탄가스 (methane gas).

[沼泽] zhǎozé 명 소택. 늪과 못.

召 zhào (소)
① 동 소집하다. 소환하다. ❏~唤; ⇓ ② 명 사원(寺院).

[召唤] zhàohuàn 동 부르다. 불러들이다《주로, 추상적인 경우에 쓰임》. ❏祖国在~着我们; 조국이 우리들을 부르고 있다.

[召集] zhàojí 동 소집하다. ❏~代表大会; 대표 대회를 소집하다.

[召见] zhàojiàn 동 ① (상급자가 하급자를) 불러들여 회견하다. ② (외교 기관이) 타국의 대사·공사를 소견하다.

[召开] zhàokāi 동 (회의 따위를) 소집하다. 열다. ❏~会议; 회의를 소집하다.

诏(詔) zhào (조)
명 조서. ❏~书; ⇓

[诏书] zhàoshū 명 조서《황제가 내리는 포고(布告)》.

Z

照 zhào (조)
①동 (빛이) 비치다. 비추다. ❑阳光~大地; 햇빛이 대지를 비추다 / 拿手电~一~; 손전등으로 비춰 보다. ②동 (반사되어) 비치다. 비추다. ❑湖水~出了塔影; 호수에 탑의 그림자가 비치다 / ~镜子; 거울에 비추다. ③동 (사진·영화를) 찍다. ❑这张照片~得很自然; 이 사진은 매우 자연스럽게 찍혔다. ④명 사진. ❑拍~; 사진을 찍다. ⑤명 감찰. 증서. 면허증. ❑执~; 면허증. ⑥동 보살피다. 돌봐 주다. ❑~管; ⇓ ⑦동 통지하다. ❑~会; ⇓ ⑧동 대조하다. ❑对~; 대조하다. ⑨동 알다. 이해하다. ❑心~不宣; 〈成〉 알면서도 말하지 않다. ⑩개 …을 향해. …쪽으로. ❑~着马路走; 큰길 쪽으로 가다. ⑪개 …대로. …에 따라. ❑~着他的话做; 그의 말대로 하다.

[照搬] zhàobān 동 그대로 옮겨 놓다. 그대로 따르다. 답습하다. ❑~西方的生活方式; 서양의 생활 방식을 그대로 따르다.

[照办] zhào∥bàn 동 그대로 처리하다. ❑这事无法~; 이 일은 그대로 처리할 수 없다.

[照本宣科] zhàoběn-xuānkē 〈成〉 미리 써 놓은 글이나 원고대로 읽다《융통성 없이 일을 하다》.

[照常] zhàocháng 동 평상시와 같다. 평소대로 하다. 부 평상시와 같이. 평소대로. ❑~营业; 평상시와 같이 영업하다.

[照顾] zhàogù 동 ① 주의를 기울이다. 고려하다. 신경 쓰다. ❑~群众利益; 대중의 이익을 고려하다. ② 살피다. 지키다. ❑你来~行李; 네가 짐 좀 지켜라. ③ 돌보다. 보살피다. ❑~伤号; 부상자를 돌보다. ④ (손님이 상점을) 찾아 주다.

Z

[照管] zhàoguǎn 동 관리하다. 돌보다. ❑~孩子; 아이를 돌보다.

[照会] zhàohuì 동 외교 문서를 보내다. 각서를 보내다. 명 외교 문서. 각서.

[照旧] zhàojiù 동 이전대로 하다. 원래대로 하다. 부 이전대로. 원래대로.

[照看] zhàokàn 동 (사람이나 물건을) 돌보다. 살피다. 지키다. ❑~孩子; 아이를 돌보다.

[照例] zhàolì 부 관례[전례]에 따라. ❑~办; 전례대로 처리하다.

[照料] zhàoliào 동 돌보다. 보살피다. ❑~病人; 환자를 돌보다.

[照面儿] zhào∥miànr 동 얼굴을 보이다. 만나다《주로, 부정형으로 쓰임》. ❑他们彼此不常~; 그들은 서로 자주 만나지 않는다.

[照明] zhàomíng 동 조명하다. ❑舞台~; 무대 조명 / ~弹; 조명탄.

[照片] zhàopiàn 명 사진. ❑印~; 사진을 인화하다. =[〈口〉照片儿 piānr]

[照射] zhàoshè 동 (광선 따위가) 비추다. 쪼이다. ❑阳光~不到的地方; 해가 비추지 않는 곳.

[照相] zhào∥xiàng 동 사진을 찍다. ❑照了一张相; 사진을 한 장 찍었다 / ~馆; 사진관. =[拍照]

[照相机] zhàoxiàngjī 명 사진기. 카메라. ❑数字~; 디지털 카메라. =[相机][摄影机]

[照样(儿)] zhàoyàng(r) 부 그대로. 여전히. 아직도. ❑时候不早了, 街道上~很热闹; 시간이 늦었는데, 거리는 여전히 북적거린다. (zhào∥yàng(r)) 동 견본[양식]대로 하다.

[照耀] zhàoyào 동 (강한 빛이) 밝게 비추다. ❑阳光~着大地; 햇빛이 대지를 비추고 있다.

[照应] zhàoyìng 동 응하다. 호응하다. ❑互相~; 서로 호응하다.

[照应] zhào·ying 동 돌보다. 시중들다. 보살펴 주다.

兆 zhào (조)
①명 징조. 조짐. ❑吉~; 길조. ②동 예시하다. ❑瑞雪~丰年; 눈은 풍년이 될 징조이다. ③수 백만. 메가(mega). ④수 조(兆).

[兆赫] zhàohè 양〖電〗 메가헤르츠 (megahertz). 「징후.

[兆头] zhào·tou 명 징조. 전조.

赵(趙) Zhào (조)
명〖史〗 전국 시대의 나라 이름.

笊 zhào (조)
→[笊篱]

[笊篱] zhào·li 명 (물건을 건져 내는 데 쓰는) 조리.

罩 zhào (조)
①동 씌우다. 싸다. 덮다. 뒤덮다. ❑山顶被~在浓雾中; 산꼭대기가 짙은 안개에 싸여 있다. ②(~儿) 명 덮개. 가리개. 씌우개. ❑灯~; 전등갓. ③명 덧옷. 겉옷.

[罩衫] zhàoshān 명〈方〉 ⇨[罩衣]

[罩袖] zhàoxiù 명〈方〉 ⇨[套袖]
[罩衣] zhàoyī 명 솜옷 위에 덧입는 겹으로 된 덧옷. =[〈方〉 罩衫]
[罩子] zhào·zi 명 덮개. 가리개. 씌우개.
肇 zhào (조)
동 ① 일으키다. 야기하다. ② 〈書〉 시작하다. 개시하다.
[肇始] zhàoshǐ 동〈書〉 시작하다.
[肇事] zhàoshì 동 사건[소동]을 일으키다. ❑ ~者; 사건을 일으킨 장본인.

zhe ㄓㄜ

折 zhē (절)
동〈口〉 ① 회전하다. 구르다. 뒤집다. ❑ ~跟头; 재주넘다. ② (뜨거운 액체를) 부었다 쏟았다 하며 식히다. ❑ 水太热, 用两个碗~一~就凉了; 물이 너무 뜨거우니, 그릇 두 개로 부었다 쏟았다 하며 좀 식히면 된다. ⇒ shé zhé
[折腾] zhē·teng 동 ① 뒤치락거리다. 뒤척이다. ❑ 他~了一夜也没睡着; 그는 밤새도록 뒤척이며 잠을 이루지 못했다. ② 반복하다. 되풀이하다. ❑ 他来回~了大半天; 그는 한참 동안 왔다 갔다를 반복했다. ③ 괴롭히다. 들볶다. 힘들게 하다. ❑ 这病~了他十几年; 이 병은 십수 년간 그를 괴롭혔다.
蜇 zhē (철)
동 ① (벌·전갈 따위가) 찌르다. 쏘다. ❑ 马蜂~人; 말벌이 사람을 쏘다. ② 아리다. 쓰리다. 맵다. ❑ 切洋葱~眼睛; 양파를 써니 눈이 맵다. ⇒ zhé
遮 zhē (차)
동 ① 가로막다. 가리다. ❑ ~太阳; 태양을 가리다. ② 막다. 차단하다. ❑ ~拦; ⇩ ③ 속이다. 숨기다. 감추다. ❑ ~人耳目; 〈成〉 남의 이목을 속이다.
[遮蔽] zhēbì 동 가리다. 가로막다. 차폐하다. ❑ ~物; 차폐물.
[遮挡] zhēdǎng 동 막다. 가리다. 가로막다. 저지하다. ❑ 用帘子~窗子; 커튼으로 창을 가리다. 명 가로막는 것. 차폐물. 차단물.
[遮盖] zhēgài 동 ① (위에서) 덮다. 씌워서 가리다. ❑ 泥土上~着塑料布; 진흙 위에 비닐이 씌워져 있다. ② 감추다. 숨기다. 은폐하다. ❑ ~缺点; 결점을 감추다.
[遮拦] zhēlán 동 막다. 차단하다. ❑ ~风沙; 모래 바람을 막다.
[遮羞] zhē∥xiū 동 ① 몸의 치부(耻部)를 덮어 가리다. ② (부끄러운 짓을 하고) 말로 얼버무리다.
[遮羞布] zhēxiūbù 명 ① 허리에 둘러 하반신을 가리는 천. ②〈比〉 수치스러움을 가리는 것.
[遮掩] zhēyǎn 동 ① 덮어 가리다. ❑ 浓雾~了群山; 짙은 안개가 많은 산을 덮어 가렸다. ② (잘못·결점 따위를) 숨기다. ❑ ~错误; 실수를 숨기다.
[遮眼法] zhēyǎnfǎ 명 ⇨[障眼法]
折 zhé (절)
① 동 부러뜨리다. 끊다. 꺾다. ❑ ~一朵花; 꽃 한 송이를 꺾다. ② 동 손해를 보다. 손실을 입다. ❑ 损兵~将; 〈成〉 장병을 잃다. ③ 동 굽히다. 굴하다. ❑ 百~不挠; 〈成〉 거듭되는 좌절에도 굴하지 않다. ④ 동 (몸을 돌려) 방향을 바꾸다. ❑ 半路又~了回来; 도중에 다시 되돌아왔다. ⑤ 동 심복(心服)하다. ❑ 心~; 진심으로 경탄하다. ⑥ 동 환산하다. ❑ ~价; ⇩ ⑦ 동 할인하다. 깎다. ❑ 打九~; 10% 할인하다. ⑧ 동 접다. 개다. ❑ 把纸~起来; 종이를 접다. ⑨ (~儿) 명 접이식 책자. ❑ 存~; 예금 통장. ⇒ shé zhē
[折半] zhébàn 동 절반으로 가르다. 반값으로 하다.
[折叠] zhédié 동 접다. 개다. ❑ ~衣服; 옷을 개다 / ~伞; 접이식 우산 / ~椅; 접의자.
[折服] zhéfú 동 ① 굴복시키다. 설득하다. ❑ ~对手; 상대를 굴복시키다. ② ⇨[信服]
[折合] zhéhé 동 ① 환산(换算)하다. ❑ ~率; 환산율. ② (동일한 실물을) 단위 환산하다.
[折回] zhéhuí 동 되돌아가다[오다].
[折价] zhé∥jià 동 (실물을) 돈으로 환산하다.
[折旧] zhéjiù 동〔經〕 감가상각을 하다. ❑ ~费; 감가상각비.
[折扣] zhékòu 명 할인(割引). 에누리. ❑ 打~; 할인하다.
[折磨] zhé·mó 동 괴롭히다. 고통을 주다. ❑ 受~; 시련을 겪다.
[折扇] zhéshàn 명 접이식 부채. 접부채. 쥘부채.
[折射] zhéshè 동〔物〕 굴절하다.

Z

[折算] zhésuàn 동 환산하다.
[折账] zhé//zhàng 동 실물(實物)로 빚을 상환하다.
[折纸] zhézhǐ 동 종이접기를 하다.
[折中] zhézhōng 동 절충하다. ❏ ~方案; 절충안. =[折衷]
[折子] zhé·zi 명 접이식 책자. 접책. 접본.

哲 zhé (철)
① 형 사리에 밝다. 지혜롭다. ❏ 明~; 명철하다 / ~人; 명철한 사람. ② 명 철인(哲人).
[哲理] zhélǐ 명 철리.
[哲学] zhéxué 명 철학. ❏ ~家; 철학자.

蜇 zhé (철)
→[海蜇] ⇒ zhē

蛰(蟄) zhé (칩)
동 칩복하다. ❏ 惊~; 경칩.
[蛰伏] zhéfú 동 ① 칩복하다. 동면하다. ② 칩거(蟄居)하다.
[蛰居] zhéjū 동〈書〉 칩거하다. ❏ ~山村; 산촌에 칩거하다.

辄(輒) zhé (첩)
부〈書〉 항상. 늘. 곧.

谪(謫) zhé (적)
동〈書〉 ① 좌천되다. 귀양가다. ② 벌주다. 책하다. 꾸짖다.
[谪居] zhéjū 동 귀양살이하다.

辙(轍) zhé (철)
(~儿) 명 ① 바큇자국. ❏ 车~; 바큇자국. ② 노선 방향. ❏ 上下~; 상행선과 하행선. ③ (가사(歌詞)·희곡 따위의) 운(韻). ❏ 合~; 운이 잘 맞다.

者 zhě (자)
조 ① 형용사·동사 따위의 뒤에 놓여 그러한 성질을 가지고 있음을 나타내거나 어떤 동작을 하는 사람·사물을 나타냄. ❏ 记~; 기자 / 最佳~; 가장 좋은 것. ② 어떤 일에 종사하거나 어떤 사상을 따르는 사람을 나타냄. ❏ 民主主义~; 민주주의자. ③〈書〉 수사(數詞)나 '前'·'后' 따위의 뒤에 놓여 전술(前述)한 사람·사물을 가리킴. ❏ 前~; 전자 / 后~; 후자.

锗(鍺) zhě (게)
명〖化〗 게르마늄(Ge: germanium).

赭 zhě (자)
명 적갈색(赤褐色).

褶 zhě (습)
(~儿) 명 주름. 주름살. 접은 금. ❏ 衣服上净是~; 옷이 주름투성이다 / 拿~儿; 주름을 잡다.
[褶皱] zhězhòu 명 ①〖地質〗 습곡(褶曲). ② (피부의) 주름살. =[皱褶]
[褶子] zhě·zi 명 ① (옷에 접어서 박아 놓은) 주름. ② (종이·천·옷 따위의) 구김. ③ (얼굴의) 주름살.

这(這) zhè (저)
대 ① 이. 이것《비교적 가까운 사람·사물을 가리킴》. ❏ ~本书; 이 책 / ~边; 이쪽 / ~次; 이번 / ~几个人; 이 몇 사람 / ~是什么? 이것은 무엇이냐? ② 지금. 이제. 이때. ❏ 我~就来; 제가 지금 가겠습니다. ⇒ zhèi
[这个] zhè·ge 대 ① 이. ❏ ~地方; 이곳 / ~人; 이 사람. =[这一个] ② 이것. ❏ ~比那个长; 이것은 저것보다 길다. ③ 동사·형용사 앞에 쓰여 과장을 나타냄. ❏ 大家~高兴啊, 就不用说了; 모두가 뛸 듯이 기뻐한 것은 말할 것도 없다.
[这会儿] zhèhuìr 대 지금. 이때. 지금쯤. 이맘때. =[这会子]
[这里] zhè·lǐ 대 여기. 이곳. ❏ 把你的行李放在~; 네 짐은 여기에 놓아라. =[这儿①]
[这么] zhè·me 대 이렇게. 이토록. 이러한《성질·상태·방식·정도 따위를 나타냄》. ❏ 这件事就~办; 이 일은 이렇게 처리하자 / ~大的鞋; 이렇게 큰 신발.
[这么点儿] zhè·mediǎnr 대 요만큼. 요만한 것. 요 정도《수량이 적음을 나타냄》. ❏ ~路, 走着去就行; 요 정도의 길은 걸어가면 된다.
[这么些] zhè·mexiē 대 이만큼. 이만한. 이 정도《수량이 많음을 나타냄》. ❏ 搁~盐就太咸了; 소금을 이만큼이나 넣으면 너무 짜다.
[这么着] zhè·me·zhe 대 이렇게 하다《어떤 동작이나 상황을 가리킴》. ❏ ~合适吗? 이렇게 하면 적당하겠니?
[这儿] zhèr 대〈口〉 ① ⇨[这里] ② 이때. 지금. 이제《'打'·'从'·'由' 뒤에서만 쓰임》. ❏ 打~以后, 他就再也不来了; 이때 이후로 그는 다시는 오지 않았다.
[这些] zhèxiē 대 이것들. 이들. 이 정도《비교적 가까이에 있는 둘 이상의 사람이나 사물》. ❏ ~东西是他送给我的; 이 물건들은 그가 나에게 보낸 것이다. =[这些个]

[这样(儿)] zhèyàng(r) 대 이렇다. 이렇게《성질·상태·상황·정도·방식·동작 따위를 나타냄》. ❏我想也是~; 내 생각도 그렇다 / 我不太穿~的衣服; 나는 이런 옷은 잘 입지 않는다. =[这么样]

柘 zhè (자)
명〔植〕산뽕나무. =[柘树]

浙 Zhè (절)
명〔地〕저장 성(浙江省).

蔗 zhè (자)
명〔植〕사탕수수.

[蔗糖] zhètáng 명 ①〔化〕자당. ② 사탕수수로 만든 설탕.

鹧(鷓) zhè (자)
→[鹧鸪]

[鹧鸪] zhègū 명〔鳥〕자고새.

着 ·zhe (착)
조 ①…하고 있다《동작이 계속됨을 나타냄》. ❏机器飞快地转动~; 기계가 빠르게 돌아가고 있다. ②…한 채로 있다《상태가 지속됨을 나타냄》. ❏教室门锁~; 교실 문은 잠겨져 있다. ③…하면서. …한 채로《동사 뒤에 놓여 방식·수단을 나타내거나 동시에 다른 동작이 진행됨을 나타냄》. ❏走~去; 걸어서 가다 / 站~看报; 서서 신문을 보다. ④ 동사나 형용사 뒤에 쓰여 명령·부탁·주의의 어기를 강하게 함. ❏你听~! 너 잘 들어라! / 你快躺~吧! 어서 눕거라! ⑤ 일부 동사 뒤에 놓여 개사를 만듦. ❏顺~; …을 따라. ⇒zhāo zháo zhuó

zhei ㄓㄟ

这(這) zhèi (저)
'这zhè' 의 구어(口語)음. ⇒zhè

zhen ㄓㄣ

贞(貞) zhēn (정)
① 형 마음이 올바르다. 지조가 굳다. ❏坚~; 마음이 굳고 바르다. ② 명 (여자의) 정조. 정절.

[贞操] zhēncāo 명 정조.

[贞节] zhēnjié 명 ① 바르고 굳은 절개. ② (부녀자의) 정절.

[贞洁] zhēnjié 형 정결하다.

[贞烈] zhēnliè 형 (여자의) 지조나 절개가 곧고 굳다.

侦(偵) zhēn (정)
동 정탐하다. 염탐하다.

[侦查] zhēnchá 동〔法〕(사건이나 범인을) 수사하다. 조사하다.

[侦察] zhēnchá 동〔軍〕정찰하다. ❏~兵; 정찰병 / ~机; 정찰기.

[侦缉] zhēnjī 동 수사하여 체포하다. ❏~队; 수사대.

[侦探] zhēntàn 동 정탐하다. ❏~敌情; 적정을 정탐하다. 명 탐정. 간첩. ❏~小说; 탐정 소설.

针(針) zhēn (침)
명 ① (~儿) 바늘. ❏一根~; 바늘 한 개. ② 바늘처럼 생긴 것. ❏松~; 솔잎. ③ 주사. ❏打~; 주사를 놓다. ④〔中醫〕침(鍼).

[针鼻儿] zhēnbír 명 바늘귀. 바늘구멍. 침공. =[针眼①]

[针对] zhēnduì 동 맞추다. 겨누다. 겨냥하다. ❏他的这番话绝不是~你的; 그의 이 말은 절대 너를 겨냥한 것이 아니다.

[针锋相对] zhēnfēng-xiāngduì 〈成〉 바늘 끝과 바늘 끝이 마주 대하다《쌍방이 날카롭게 대립하다》.

[针剂] zhēnjì 명 ⇨[注射剂]

[针脚] zhēn·jiao 명 ① 꿰맨 자리. 바느질 자리. ② 바늘땀. ❏~细密; 바늘땀이 촘촘하다.

[针灸] zhēnjiǔ 명〔中醫〕침구. 침과 뜸에 의한 치료.

[针头] zhēntóu 명〔醫〕주삿바늘.

[针线] zhēn·xiàn 명 바느질 · 자수 따위의 총칭. ❏~包; 반짇고리 / ~活儿; 바느질.

[针眼] zhēnyǎn 명 ① ⇨[针鼻儿] ② (~儿) 바늘로 찌른 구멍.

[针眼] zhēn·yan 명 ⇨[睑腺炎]

[针叶树] zhēnyèshù 명〔植〕침엽수.

[针织] zhēnzhī 명 편직. ❏~品; 「편직물.

珍 zhēn (진)
① 명 귀한 물건. 보배. 보물. ❏山~海味; 〈成〉 산해진미. ② 형 진귀한. 귀한. ❏~品; ⇩ ③ 동 중시하다. 소중히 하다. ❏~视; ⇩

[珍爱] zhēn'ài 동 소중히 여기다. 아끼고 사랑하다. ❏~生命; 생명을 소중히 여기다.

[珍宝] zhēnbǎo 명 진귀한 보물. 주옥(珠玉)·보석의 총칭. 〈轉〉 귀한 것. 가치 있는 것.

[珍本] zhēnběn 명 진본. 진서.

[珍藏] zhēncáng 동 소중하게 간직하다. 잘 보존하다.

[珍贵] zhēnguì 형 귀하다. 진귀하다. 값지다. ❏～的礼品; 값진 선물.

[珍品] zhēnpǐn 명 진품. 진귀하고 좋은 물건.

[珍奇] zhēnqí 형 진기하다. 희귀하다. ❏～的动物; 진기한 동물.

[珍视] zhēnshì 동 중시하다. 소중히 하다. ❏～友谊; 우의를 소중히 하다.

[珍闻] zhēnwén 명 진기한 소식. ❏海外～; 해외 토픽(topic).

[珍惜] zhēnxī 동 소중히 여기다. 소중히 여겨 아끼다. ❏～时间; 시간을 소중히 여기다.

[珍重] zhēnzhòng 동 ① 소중히 여기다. 아끼고 사랑하다. ❏～人才; 인재를 귀히 여기다. ② 보중하다. 몸조심하다. ❏请多～; 아무쪼록 보중하시기 바랍니다.

[珍珠] zhēnzhū 명 진주(眞珠). ❏～贝; 진주조개. =[真珠]

胗 zhēn (진) (～儿) 명 조류(鳥類)의 위(胃).

真 zhēn (진) ① 형 진실하다. 정말이다. 사실이다. ❏去伪存～; 〈成〉 허위를 버리고 진실을 남기다. ② 부 참. 참으로. 진짜. 정말. ❏文章写得～好; 글을 참 잘 썼다. ③ 형 또렷하다. 똑똑하다. 분명하다. ❏坐在第一排看得～; 맨 앞줄에 앉으니 또렷하게 보인다. ④ 명 해서(楷書).

[真诚] zhēnchéng 형 진심이다. 진실되다. ❏～的态度; 진실된 태도.

[真迹] zhēnjì 명 (서예가·화가의) 진적. 친필.

[真金不怕火炼] zhēnjīn bù pà huǒ liàn 〈諺〉 의지가 굳은 사람은 어떠한 시련도 견딜 수 있다.

[真空] zhēnkōng 명〖物〗① 진공. ❏～包装; 진공 포장 / ～管; 진공관. ② 진공 상태의 공간.

[真理] zhēnlǐ 명 진리. ❏追求～; 진리를 추구하다.

[真凭实据] zhēnpíng-shíjù 〈成〉 확실하고 믿을 만한 증거.

[真切] zhēnqiè 형 ① 똑똑하다. 뚜렷하다. ❏记得很～; 매우 똑똑히 기억하다. ② 진실하다. 성실하다. ❏～的话语; 진실된 말.

[真情] zhēnqíng 명 ① 사실. 진상. ❏隐瞒～; 사실을 숨기다. ② 진심. ❏～流露; 진심이 나타나다.

[真人] zhēnrén 명 ① 진인. 수행하여 득도한 사람. ② 실존 인물. ❏～真事; 〈成〉 실존 인물과 사실.

[真实] zhēnshí 형 진실하다. 정말이다. 사실이다.

[真是] zhēn·shi 부 참. 참으로. 정말《불만·불쾌를 나타냄》. ❏你们也～! 너희들도 참!

[真书] zhēnshū 명 ⇨[楷书]

[真率] zhēnshuài 형 진솔하다. 솔직하다.

[真相] zhēnxiàng 명 진상. ❏～毕露; 〈成〉 진상이 밝혀지다.

[真心] zhēnxīn 명 진심. ❏～实意; 〈成〉 진심. 성심성의 / ～相爱; 진심으로 서로 사랑하다.

[真正] zhēnzhèng 형 진정한. 참된. ❏～的爱情; 진정한 사랑. 부 정말. 진짜. ❏他的歌唱得～好; 그의 노래 솜씨는 정말 좋다.

[真知灼见] zhēnzhī-zhuójiàn 〈成〉 올바르고 깊은 인식과 견해.

[真挚] zhēnzhì 형 진지하다. 진실하다. ❏态度～; 태도가 진지하다.

[真珠] zhēnzhū 명 ⇨[珍珠]

[真主] Zhēnzhǔ 명〖宗〗알라(Allah)《이슬람교의 신》.

砧 zhēn (침) 명 무엇을 두드리거나 으깰 때 아래에 까는 물건.

[砧板] zhēnbǎn 명 나무 도마.

[砧子] zhēn·zi 명〈口〉 모루. 다듬잇돌. 도마.

箴 zhēn (잠) 동〈書〉 훈계하다. 권고하다.

[箴言] zhēnyán 명〈書〉 잠언.

榛 zhēn (진) 명〖植〗① 개암나무. =[榛树] ② 개암. 헤이즐넛(hazelnut).

[榛子] zhēn·zi 명〖植〗① 개암나무. ② 개암. 헤이즐넛(hazelnut).

臻 zhēn (진) 동〈書〉 ① (좋은 경지에) 이르다. 도달하다. ❏渐～佳境; 〈成〉 점입가경. ② 오다. ❏百福并～; 〈成〉 백 가지 복이 함께 오다.

斟 zhēn (짐) 동 (술·차 따위를 잔에) 따르다. ❏～酒; 술을 따르다.

[斟酌] zhēnzhuó 동 고려하다. 따져 보다. 참작하다. 재다. ❏～损益; 〈成〉 손익을 따져 보다.

甄 zhēn (진, 견) 동〈書〉 (우열·진위 여부 따위를) 선별하다. 감정하다. 심사하다.

[甄别] zhēnbié 동 ① (우열·진위

따위를) 심사하여 판별하다. ❑ ~史料; 사료를 심사하여 판별하다. ② (능력·품행 따위를) 심사하다. 검정하다. 평가하다. ❑ 经过专家的~; 전문가의 심사를 거치다.

诊(診) zhěn (진) 동 진찰하다.

[诊察] zhěnchá 동 진찰하다.

[诊断] zhěnduàn 동 진단하다. ❑ 做出~; 진단을 내리다 / ~书; 진단서.

[诊疗] zhěnliáo 동 진료하다. ❑ ~室; 진료실. =[诊治]

[诊脉] zhěn//mài 동 진맥하다. =[按脉][号脉][切qiè脉]

[诊治] zhěnzhì 동 ⇨[诊疗]

轸(軫) zhěn (진) 형〈書〉 비통하다. 가슴 아프다. ❑ ~念; 진념하다.

疹 zhěn (진) 명〖醫〗 발진(發疹). ❑ 湿~; 습진.

[疹子] zhěn·zi 명〈口〉 ⇨[麻疹]

枕 zhěn (침) ① 명 베개. ② 동 (베개 삼아) 베다. ❑ ~枕头; 베개를 베다.

[枕戈待旦] zhěngē-dàidàn 〈成〉 창을 베고 새벽을 기다리다《잠시도 경계를 게을리하지 않다》.

[枕木] zhěnmù 명 (철도의) 침목.

[枕套] zhěntào 명 베갯잇. =[枕头套]

[枕头] zhěn·tou 명 베개.

[枕芯] zhěnxīn 명 베갯속. =[枕头芯儿]

缜(縝) zhěn (진) 형 치밀하다. 세밀하다.

[缜密] zhěnmì 형 세밀하다. 치밀하다. ❑ ~的分析; 치밀한 분석.

阵(陣) zhèn (진) ① 명 (군대의) 진. 진용. ❑ 长蛇~; 장사진. ② 명 진영(陣營). 진지. ❑ 临~指挥; 전쟁터에서 지휘하다. ③ (~儿) 양 한동안. 한때. ❑ 他病了一~; 그는 한동안 앓았다. ④ (~儿) 양 바탕. 차례《잠시 지속되는 일·동작을 세는 말》. ❑ 下了一~雨; 한바탕 비가 내렸다 / 大笑一~; 한바탕 크게 웃다.

[阵地] zhèndì 명〖軍〗 진지.

[阵脚] zhènjiǎo 명〖軍〗 최전방. 진두(陣頭). 〈比〉 정세. 형세. 상황.

[阵容] zhènróng 명 ① 진용. 진영(陣營)의 형편·상태. ② 대열의 힘. 라인 업(line-up).

[阵势] zhèn·shì 명 ① 진형(陣形). 전투 태세. 진지의 상황. ② 정세. 형세. 상황.

[阵痛] zhèntòng 명 ①〖醫〗(출산 시의) 진통. ②〈比〉 사물이 생겨날 때의 어려움.

[阵亡] zhènwáng 동 전사하다. 전몰하다. ❑ ~将士; 전몰 장병.

[阵线] zhènxiàn 명 전선. ❑ 民族统一~; 민족 통일 전선.

[阵营] zhènyíng 명 진영. ❑ 民主~; 민주 진영.

[阵子] zhèn·zi 양〈方〉 ① 잠깐 동안. 한동안. 한때. ② 바탕. 차례.

鸩(鴆) zhèn (짐) 명 ① 짐새《전설상의 독조(毒鳥)》. ② 독주(毒酒). 짐주.

[鸩毒] zhèndú 명〈書〉 짐독.

振 zhèn (진) 동 ① 흔들다. 휘두르다. ❑ ~笔疾书; 붓을 휘둘러 거침없이 써 나가다. ② 분기하다. 진작하다. ❑ ~起精神来; 기운을 내다.

[振荡] zhèndàng 동 ① ⇨[振动] ②〖電〗 전류(電流)가 주기적으로 변화하다. 진동하다.

[振动] zhèndòng 동〖物〗 진동하다. ❑ ~频率; 진동 주파수. =[振荡①]

[振奋] zhènfèn 형 진작되다. 분기하다. 기운이 나다. ❑ 精神~; 기운이 나다. 동 진작시키다. 분기시키다. 분발시키다. ❑ ~人心; 〈成〉 사람들의 마음을 분기시키다.

[振兴] zhènxīng 동 진흥하다. ❑ ~农业; 농업을 진흥하다.

[振振有词] zhènzhèn-yǒucí 〈成〉 이유가 당당하다는 듯 쉴 새 없이 웅변을 토하다. =[振振有辞]

[振作] zhènzuò 동 분기시키다. 분발시키다. 진작하다. 형 진작되다. 분발되다. 분기하다. ❑ 士气~; 사기가 진작되다.

赈(賑) zhèn (진) 동 구제하다. 구휼하다. ❑ ~贫; 가난을 구제하다.

[赈济] zhènjì 동 구제하다. 구휼하다. ❑ ~灾民; 이재민을 구제하다.

[赈灾] zhènzāi 동 이재민을 구제하다.

震 zhèn (진) 동 ① 진동하다. 뒤흔들다. 울리다. ❑ 雷声~耳; 우렛소리가 귀를 진동하다. ② 과도하게 흥분하다. 감정이 고양되다. ❑ ~惊; ⇩

[震荡] zhèndàng 동 울려 퍼지다. 뒤흔들다. ❏ 爆炸声～长空; 폭파의 굉음이 하늘을 뒤흔들다.
[震动] zhèndòng 동 ① 떨다. 진동하다. 울리다. ❏ 大地～起来了; 대지가 진동하기 시작했다. ②(사건·뉴스 따위가) 마음을 뒤흔들다. 충격을 주다. ❏ 他的话～了我; 그의 말은 나에게 충격을 주었다.
[震耳欲聋] zhèn'ěr-yùlóng 〈成〉 귀청을 찢을 듯 소리가 크다.
[震撼] zhènhàn 동 진감하다. 뒤흔들다. ❏ ～人心; 〈成〉 사람의 마음을 뒤흔들다.
[震惊] zhènjīng 동 매우 놀라게 하다. 충격을 주다. 경악하게 하다. ❏ 那个消息～全世界; 그 소식은 전 세계를 경악하게 했다. 형 경악하다. 몹시 놀라다.
[震怒] zhènnù 동 진노하다.
[震源] zhènyuán 명〖地質〗 진원.
[震中] zhènzhōng 명〖地質〗 진앙.

朕 zhèn (짐)
① 대 나. 짐《천자(天子)의 자칭》. ② 명〈書〉 징조. 조짐. 전조.

镇(鎮) zhèn (진)
① 동 누르다. 억제하다. 제압하다. ❏ 他～不住人; 그는 남을 제압하지 못한다. ② 동 진정시키다. 안정시키다. ❏ ～定; ⇓ ③ 동 (무력으로) 안정을 유지하다. 지키다. ❏ 坐～; 주둔하여 지키다. ④ 명 (군대가) 주둔하는 곳. 군사상 요충지. ❏ 重～; 군사상 중요한 곳. ⑤ 명 진《중국의 지방 행정 단위의 하나》. ⑥ 명 읍《비교적 큰 마을》. ⑦ 동 (음료 따위를 얼음·냉수로) 차게 하다. 냉장하다. ❏ 冰～汽水; 얼음으로 차게 한 사이다.
[镇定] zhèndìng 형 침착하다. 차분하다. 냉정하다. ❏ 他～地作了回答; 그는 침착하게 대답했다. 동 (마음을) 진정시키다. ❏ ～自己; 스스로를 진정시키다.
[镇静] zhènjìng 형 침착하다. 냉정하다. 차분하다. ❏ 恢复～; 냉정을 되찾다. 동 진정시키다. 마음을 가라앉히다. ❏ ～药; 진정제.
[镇守] zhènshǒu 동 진수하다. ❏ ～边塞; 변경의 요새를 진수하다.
[镇痛] zhèntòng 동 통증을 가라앉히다. ❏ ～剂; 진통제.
[镇压] zhènyā 동 ① 진압하다. ❏ ～叛乱; 반란을 진압하다. ② 〈口〉 처형하다. 처단하다.
[镇纸] zhènzhǐ 명 문진(文鎭). 서진(書鎭).
[镇子] zhèn·zi 명 소도시. 소읍(小邑).

zheng ㄓㄥ

正 zhēng (정)
명 정월. 음력 1월. ⇒ zhèng
[正月] zhēngyuè 명 음력 1월. 정월. ❏ ～初一; 정월 초하루.

怔 zhēng (정)
→[怔忪] ⇒ zhèng
[怔忪] zhēngzhōng 형〈書〉 놀라고 두려워하다.

征(徵B)) zhēng (정)(징)
A) 동 ①(주로, 군대가) 먼 길을 가다. ❏ 长～; 장정. ② 토벌하다. 정벌하다. ❏ 出～; 출정하다. B) ① 동 (국가가) 징집하다. 징발하다. ❏ 应～; 징집에 응하다. ② 동 (국가가) 거두다. 징수하다. ❏ ～税; 징세하다. ③ 동 모집하다. 구하다. ❏ ～稿; 원고를 모집하다. ④ 동 검증하다. 증명하다. ❏ 足～其伪; 가짜임을 증명할 수 있다. ⑤ 명 현상. 징후. ❏ 特～; 특징 / 象～; 상징.
[征兵] zhēng//bīng 동 징병하다. ❏ ～制; 징병제.
[征调] zhēngdiào 동 (정부가 인원이나 물자를) 징집[징발]하여 전용(轉用)하다.
[征伐] zhēngfá 동 정벌하다.
[征服] zhēngfú 동 정복하다. ❏ ～自然; 자연을 정복하다.
[征购] zhēnggòu 동 (정부가 민간으로부터) 사들이다. 매상(買上)하다. ❏ ～粮食; 식량을 매상하다.
[征候] zhēnghòu 명 징후. 조짐. 기미. ❏ 好转的～; 호전될 기미.
[征婚] zhēng//hūn 동 공개 구혼하다. ❏ ～启事; 공개 구혼 광고.
[征集] zhēngjí 동 ① 모으다. ❏ ～资料; 자료를 모으다. ② 징집하다. ❏ ～新兵; 신병을 징집하다.
[征求] zhēngqiú 동 널리 구하다. 모집하다. ❏ ～专家的意见; 전문가의 의견을 구하다.
[征收] zhēngshōu 동 징수하다. ❏ ～进口税; 수입세를 징수하다.
[征讨] zhēngtǎo 동 정벌하다. 정토하다.
[征途] zhēngtú 명 장도(壯途). 행정(行程). 여정(旅程).

[征询] zhēngxún 동 (의견을) 널리 구하다. ❑～别人的意见; 다른 사람의 의견을 구하다.
[征用] zhēngyòng 동 (토지 따위를) 징발하여 사용하다. 수용(收用)하다. ❑～土地; 토지를 수용하다.
[征兆] zhēngzhào 명 징조.

症(癥) zhēng (징)
명〖中醫〗 적취(積聚). ⇒zhèng

[症结] zhēngjié 명〖中醫〗 적취(積聚). 〈比〉(일이 망쳐지거나 안 풀리는) 관건. 문제점. 장애.

争 zhēng (쟁)
동 ① 다투다. 경쟁하다. ❑大家～着发言; 모두가 앞다투어 발언하다. ② 쟁론하다. 논쟁하다. 언쟁하다.

[争霸] zhēng∥bà 동 패권을 다투다.
[争辩] zhēngbiàn 동 쟁변하다. 논쟁하다. ❑据理～; 이치를 따져 쟁변하다.
[争吵] zhēngchǎo 동 언쟁하다. 옥신각신하다. ❑互相～; 서로 언쟁하다.
[争斗] zhēngdòu 동 ① 싸우다. 치고받다. ② 투쟁하다. 분쟁하다.
[争端] zhēngduān 명 분쟁(紛爭)의 소지. 다툼의 실마리.
[争夺] zhēngduó 동 다투어 빼앗다. 쟁탈하다. ❑～市场; 시장을 쟁탈하다 / ～战; 쟁탈전.
[争光] zhēng∥guāng 동 영예를 쟁취하다. ❑为祖国～; 조국을 위해 영예를 쟁취하다.
[争论] zhēnglùn 동 쟁론하다. 논쟁하다. ❑～得很激烈; 격렬히 논쟁하다.
[争鸣] zhēngmíng 동〈比〉 학술상의 일로 논쟁하다. ❑百家～; 〈成〉 백가쟁명.
[争气] zhēng∥qì 동 발분하여 지지 않으려 애쓰다.
[争取] zhēngqǔ 동 ① 쟁취하다. 따내다. 획득하다. ❑～胜利; 승리를 쟁취하다. ② 실현을 위해 노력하다. ❑～达到生产指标; 생산 지표를 달성하기 위하여 노력하다.
[争权夺利] zhēngquán-duólì 〈成〉 권세와 이익을 다투다.
[争先] zhēngxiān 동 앞을 다투다. ❑～发言; 앞을 다투어 발언하다.
[争先恐后] zhēngxiān-kǒnghòu 〈成〉 뒤질세라 앞을 다투다.
[争议] zhēngyì 동 쟁의하다. 논쟁하다.
[争执] zhēngzhí 동 서로 고집하고 양보하지 않다. ❑～点; 쟁점.

挣 zhēng (쟁)
→[挣扎] ⇒zhèng

[挣扎] zhēngzhá 동 몸부림치다. 발버둥치다. 발악하다. ❑垂死～; 〈成〉 결사적인 몸부림을 치다.

峥 zhēng (쟁)
→[峥嵘]

[峥嵘] zhēngróng 형 ① 높고 가파르다. ❑山势～; 산세가 높고 험준하다. ②〈比〉(재기·품격 따위가) 남다르다. ❑头角～; 〈成〉 재능이 남달라 두각을 나타내다.

狰 zhēng (쟁)
→[狰狞]

[狰狞] zhēngníng 형 (용모가) 흉악하다. ❑～面目; 〈成〉 흉악한 생김새.

睁 zhēng (정)
동 (눈을) 뜨다. ❑～着眼睛睡觉; 눈뜨고 자다.

[睁眼瞎] zhēngyǎnxiā 명〈比〉 눈뜬장님. 까막눈. =[睁眼瞎子]

铮(錚) zhēng (쟁)
→[铮铮] ⇒zhèng

[铮铮] zhēngzhēng 의 쟁쟁《금속이 부딪치는 소리》. 형〈比〉 쟁쟁하다. ❑铁中～; 〈成〉 쟁쟁한 인물.

筝 zhēng (쟁)
→[风筝]

蒸 zhēng (증)
동 ① 증발하다. ❑～气; ⇩ ② 증기를 쬐다. 찌다. ❑～饭; 밥을 찌다 / ～饺(儿); 찐만두.

[蒸发] zhēngfā 동 ①〖物〗 증발하다. ❑海水～; 해수가 증발하다. ②〈比〉 갑자기 사라지다. 자취를 감추다.
[蒸馏] zhēngliú 동〖物〗 증류하다. ❑～水; 증류수.
[蒸笼] zhēnglóng 명 (대나무 따위로 만든) 찜통.
[蒸气] zhēngqì 명〖物〗 증기. 김.
[蒸汽] zhēngqì 명 ⇒[水蒸气]
[蒸腾] zhēngténg 동 (기체가) 오르다. ❑热气～; 열기가 오르다.
[蒸蒸日上] zhēngzhēng-rìshàng 〈成〉 나날이 발전하다.

整 zhěng (정)
① 형 완전하다. 온전하다. ❑十二点～; 12시 정각 / 三十元～; 삼십 위안정. ② 형 반듯하다. 가지런하다. 단정하다. ❑衣冠不～; 옷

매무새가 흐트러져 있다. ③동 정돈하다. 정리하다. ❑把床铺~一~; 침대를 정돈하다. ④동 수리하다. 손질하다. 고치다. ❑~修; ⇩ ⑤동 괴롭히다. 혼내 주다. 손봐 주다. ❑对这样的人就应该好好~~; 이런 사람은 단단히 손봐 줘야 한다. ⑥동〈方〉하다. 만들다. ❑~饭菜; 반찬을 만들다.

[整饬] zhěngchì 〈書〉 동 정돈하다. 바로잡다. ❑~规律; 규율을 바로잡다. 형 단정하다. ❑服装~; 복장이 단정하다.

[整地] zhěng//dì 동〔農〕정지하다.

[整队] zhěng//duì 동 대오를 정돈하다. ❑~出发; 대오를 정돈하여 출발하다.

[整顿] zhěngdùn 동 (조직·규율 따위를) 정돈하다. 정리하다. 바로잡다. ❑~交通; 교통을 정리하다 / ~秩序; 질서를 바로잡다.

[整风] zhěng//fēng 동 사상·기풍을 정돈하다. 정풍하다. ❑~运动; 정풍 운동.

[整个(儿)] zhěnggè(r) 형 전체의. 전반의. 모든. ❑~过程; 모든 과정 / ~儿假期; 휴가 기간 내내.

[整洁] zhěngjié 형 깔끔하다. 깨끗하다. ❑~的街道; 깨끗한 거리.

[整理] zhěnglǐ 동 정리하다. 정돈하다. 치우다. ❑~房间; 방을 치우다.

[整流] zhěngliú 동〔電·物〕정류하다.

[整齐] zhěngqí 형 ①질서 정연하다. 조리 정연하다. 단정하다. ❑服装~; 복장이 단정하다 / ~划一; 〈成〉 조리 정연하고 한결같다. ② 가지런하다. 고르다. ❑牙齿长得很~; 치아가 매우 고르다. ③ 온전하다. 완정하다. ❑~的瓦房; 온전한 기와집. 동 나란히 하다. 맞추다. ❑~步调; 보조를 맞추다.

[整容] zhěng//róng 동 용모를 예쁘게 꾸미다. 미용 성형(成形)하다. ❑~手术; 성형 수술.

[整数] zhěngshù 명 ①〔數〕정수. ②(일정 단위의) 우수리가 없는 수. 딱 떨어지는 수.

[整套] zhěngtào 형 (완전하게 갖춰진) 한 벌의. 한 세트(set)의. ❑~家具; 가구 세트.

[整体] zhěngtǐ 명 전체. ❑~利益; 전체의 이익.

[整天] zhěngtiān 명 ⇒[成天]

[整形] zhěng//xíng 동〔醫〕정형하다. ❑~外科; 정형외과.

[整修] zhěngxiū 동 수리하다. 보수하다.

[整整] zhěngzhěng 부 꼬박. 온전히. 꽉 차게. ❑我母亲去世已经~五年了; 우리 어머니가 돌아가신 지 이미 꼬박 오 년이 되었다.

[整治] zhěngzhì 동 ①정비하다. 손질하다. 보수하다. ❑~农具; 농기구를 보수하다. ②혼내 주다. 따끔한 맛을 보이다. ❑~坏人; 악당을 혼내 주다. ③(어떤 일을) 하다. 행하다. ❑~庄稼; 농사일을 하다.

拯 zhěng (증)
동 구하다. 구제하다.

[拯救] zhěngjiù 동 구하다. 구제하다. ❑~灾民; 이재민을 구제하다.

正 zhèng (정)
①형 똑바르다. 곧다. ❑这座房子不~, 有点儿向西歪; 이 집은 똑바르지가 않고 서쪽으로 약간 기울어졌다. ②형 한가운데이다. 중간이다. ❑~门(儿); ⇩ ③형 정각이다. 딱 그 시간이다. ❑八点~; 8시 정각. ④명 정면. 앞면. ❑~反; 앞면과 뒷면. ⑤형 정직하다. 올바르다. ❑行得~, 走得直; 행실이 올바르고 걷는 길도 똑바르다. ⑥형 정당하다. 옳다. ❑~理; ⇩ ⑦형 (빛깔·맛이) 순정하다. 순수하다. ❑颜色不~; 빛깔이 깨끗하지 않다. ⑧형 법도에 맞다. 바르다. ❑~体; ⇩ ⑨형 기본적인. 주요한. 정식의. ❑~教授; 정교수. ⑩형〔數〕도형의 각 변과 각이 모두 같은. ❑~方; ⇩ ⑪형〔數〕영보다 큰. 정수의. ❑~号(儿); ⇩ ⑫형〔電〕양의. 플러스(plus)의. ❑~电; ⇩ ⑬동 (위치를) 바르게 하다. 바로잡다. ❑~一~帽子; 모자를 바르게 하다. ⑭동 (잘못을) 바로잡다. 교정하다. ❑改~; 개정하다. ⑮부 꼭. 딱. 마침. ❑你来得~好; 너 마침 잘 왔다. ⑯부 바로. 곧《긍정의 어기를 강하게 함》. ❑原因~在这里; 원인은 바로 여기에 있다. ⑰부 한창. 지금. 막《동작의 진행이나 상태의 지속을 나타냄》. ❑妈妈~忙着呢, 别去打扰她; 엄마는 한창 바쁘니 귀찮게 하지 마라. ⇒zhēng

[正比] zhèngbǐ 명 ①〔數〕보통의 비. 정비. ②정비례.

[正常] zhèngcháng 형 정상이다. 정상적이다. ❑精神~; 정신 상태

가 정상이다 / ~化; 정상화하다.

[正大光明] zhèngdà-guāngmíng 〈成〉 ⇨[光明正大]

[正当] zhèngdāng 동 바로 …에 처하다. 마침 …한 때가 되다. ❏~高考期间; 마침 대입 시험 때가 되다.

[正当年] zhèngdāngnián 명 혈기 왕성한 나이. 한창때.

[正当] zhèngdàng 형 ① 정당하다. ❏~防卫; 정당방위. ② (인품이) 바르다. 단정하다. ❏~正派; 바르고 성실하다.

[正道] zhèngdào 명 ① ⇨[正路] ② 정당한 도리. 옳은 이치.

[正点] zhèngdiǎn 동 (배·열차 따위가) 시간에 맞추다. 정시에 …하다. ❏~到达; 정시에 도착하다.

[正电] zhèngdiàn 명〖物〗정전기. 양전기. =[阳电]

[正法] zhèngfǎ 동 처형하다. ❏立即~; 즉각 처형하다.

[正方] zhèngfāng 형 정방형의. 정사각형의. ❏~形; 정사각형 / ~桌子; 정사각형 탁자.

[正房] zhèngfáng 명 ① (중국의 전통 가옥에서) 정면에 위치한 본채. ② 정실(正室). 본처.

[正规] zhèngguī 형 정규의. ❏~军; 정규군 / ~教育; 정규 교육.

[正轨] zhèngguǐ 명 정상 궤도. ❏走上~; 정상 궤도에 오르다.

[正好] zhènghǎo 형 꼭 알맞다. 딱 좋다. 딱이다. ❏你来得~; 딱 맞게 왔구나. 부 마침. 때마침. 공교롭게도. ❏我刚要去找他, ~他就来了; 내가 막 그를 찾아 나서려 하는데, 마침 그가 왔다.

[正号(儿)] zhènghào(r) 명〖數〗플러스 부호《+》.

[正极] zhèngjí 명 ⇨[阳极]

[正襟危坐] zhèngjīn-wēizuò 〈成〉 옷깃을 매만지고 바르게 앉다《엄숙하고 조심스러운 자세를 취하다》.

[正经] zhèng·jing[〈口〉 zhèngjǐng] 형 ① 성실하다. 올바르다. 훌륭하다. ❏正正经经的企业家; 훌륭한 기업가. ② 정당하다. 제대로 되다. ❏~事儿; 정당한 일. ③ 정식이다. 표준[규격]에 맞다. ❏~货; 규격 상품. ④ 엄숙하다. 진지하다. ❏~的脸色; 진지한 표정. 부 확실히. 정말. 「리.

[正理] zhènglǐ 명 정리. 올바른 도

[正路] zhènglù 명〈比〉 정도. ❏走~; 정도를 걷다. =[正道①]

[正门(儿)] zhèngmén(r) 명 정문.

[正面] zhèngmiàn 명 ① 정면. ❏大楼的~; 고층 건물의 정면 / ~图; 정면도. ② (납작한 물건의) 앞면. 표면. 겉. ❏硬币的~; 동전의 앞면. ③ (일·문제 따위의) 드러난 부분. 표면. ❏只看问题的~; 문제의 표면만을 보다. 형 ① 긍정적인. 좋은. ❏~的意见; 긍정적인 의견. ② 직접 마주 대하다. ❏~冲突; 정면으로 충돌하다.

[正派] zhèngpài 형 (품행 따위가) 곧다. 단정하다. 올바르다.

[正品] zhèngpǐn 명 규격품. 정품.

[正气] zhèngqì 명 ① 정기. 바른 기운. ② 바르고 늠름한 기개.

[正巧] zhèngqiǎo 형 매우 공교롭다. 마침 …하다. ❏你来得~, 我们正谈起你呢; 마침 오는구나 한창 네 얘기를 하던 중이었는데. 부 마침. 공교롭게. ❏昨天让你白跑了一趟, 那时~我出去了; 어제 내가 너를 헛걸음하게 했구나 그때 마침 나는 외출 중이었는데.

[正确] zhèngquè 형 정확하다. 확실하다. 틀림없다. ❏~的答案; 정확한 답안.

[正人君子] zhèngrén-jūnzǐ 〈成〉 정인 군자.

[正色] zhèngsè 부 정색하여. ❏~批评; 정색하고 비판하다.

[正式] zhèngshì 형 정식의. 공식의. ❏~比赛; 공식 경기 / ~访问; 공식 방문. 「당한 일.

[正事] zhèngshì 명 올바른 일. 정

[正视] zhèngshì 동 정시하다. 직시하다. ❏~自己的缺点; 자신의 결점을 직시하다. 「정수.

[正数] zhèngshù 명〖數〗양수.

[正题] zhèngtí 명 본제. 주제.

[正体] zhèngtǐ 명 ① (한자의) 정자체. ② ⇨[楷书] ③ (표음 문자의) 인쇄체.

[正统] zhèngtǒng 명 ① (봉건 왕조의) 정통. 정계(正系). ② (당파나 학파 따위의) 정통. ❏~派; 정통파. 형 정통적이다. 보수적이다.

[正文] zhèngwén 명 (저작의) 본문.

[正午] zhèngwǔ 명 정오.

[正误] zhèngwù 동 틀린 것을 바로잡다. 정오하다. ❏~表; 정오표.

[正业] zhèngyè 명 정당한 일[직업]. ❏不务~; 정당한 직업에 종사하지 않다.

[正义] zhèngyì 명 ① 정의. ❏~

感; 정의감. ② 바른 의미. 형 정의로운. ❑ ~的事业; 정의로운 사업.
[正音] zhèngyīn 명 바른 음. 표준음. (zhèng//yīn) 동 발음을 바로잡다. 발음을 교정하다.
[正在] zhèngzài 부 한창 (…하고 있는 중이다). ❑ 他们~上课; 그들은 수업 중이다.
[正直] zhèngzhí 형 정직하다.
[正中] zhèngzhōng 명 한가운데. 한복판.
[正中下怀] zhèngzhòng-xiàhuái 〈成〉 자기 마음과 꼭 들어맞다.
[正字] zhèngzì 명 ① ⇒[楷书] ② 정자. (zhèng//zì) 동 자형(字形)을 바로잡다.
[正宗] zhèngzōng 명〔佛〕 정종. 〈轉〉 정통파. 형 정통의. ❑ ~粤Yuè菜; 정통 광둥 요리.

证(證) zhèng (증) ① 동 증명하다. ② 명 증거. 증명서. ❑ 学生~; 학생증.
[证词] zhèngcí 명 증언.
[证件] zhèngjiàn 명 증명서. 증서.
[证据] zhèngjù 명 증거. 근거.
[证明] zhèngmíng 동 증명하다. ❑ ~书; 증명서. 명 증명서. 증서. ❑ 开个~; 증서를 발급하다.
[证券] zhèngquàn 명〔經〕 증권. ❑ ~交易所; 증권 거래소 / ~市场; 증권 시장.
[证人] zhèng·rén 명 ①〔法〕 증인. ② 증명하는 사람. 증인.
[证实] zhèngshí 동 실증하다.
[证书] zhèngshū 명 증서. 증명서. ❑ 毕业~; 졸업 증명서.
[证物] zhèngwù 명〔法〕 증거물.
[证验] zhèngyàn 동 검증하다. 실증하다. 명 실제적인 효험[효과].
[证章] zhèngzhāng 명 (신분을 증명하는) 배지(badge). 휘장.

怔 zhèng (정) 동〈方〉 얼이 빠지다. 멍해지다. 넋이 나가다. ⇒ zhēng
[怔怔] zhèngzhèng 형〈方〉 멍한 모양. 넋이 나간 모양.

政 zhèng (정) 명 ① 정치. ❑ 专~; 전제 정치. ② 국가의 사무. 행정. ❑ 财~; 재정. ③ (가정·단체의) 일. 사무. ❑ 家~; 가사.
[政变] zhèngbiàn 명 정변. 쿠데타.
[政策] zhèngcè 명 정책.
[政党] zhèngdǎng 명 정당.
[政敌] zhèngdí 명 정적.
[政法] zhèngfǎ 명 정법. 정치와 법률.
[政府] zhèngfǔ 명 정부. ❑ 地方~; 지방 정부 / 市~; 시청.
[政纲] zhènggāng 명 정치 강령.
[政见] zhèngjiàn 명 정치적 견해. 정견.
[政界] zhèngjiè 명 정계.
[政局] zhèngjú 명 정국.
[政客] zhèngkè 명 정객.
[政论] zhènglùn 명 정론.
[政权] zhèngquán 명 ① 정권. ❑ 掌握~; 정권을 장악하다. ② 정권 기관. =[政权机关]
[政体] zhèngtǐ 명 정체.
[政务] zhèngwù 명 정치적 업무. 「정무.
[政治] zhèngzhì 명 정치. ❑ ~犯; 정치범 / ~家; 정치가.

症 zhèng (증) 명 질병. ⇒ zhēng
[症候] zhènghòu 명 ① 병(病). 질병. ② 병상(病狀). 증상.
[症状] zhèngzhuàng 명 병상(病狀). 증상. 병세.

诤(諍) zhèng (쟁) 동〈書〉 충고하다. 간언「하다.
[诤言] zhèngyán 명〈書〉 충고의 말. 간언(諫言).

挣 zhèng (쟁) 동 ① 온 힘을 다해 빠져나오다. ❑ ~脱; 필사적으로 빠져나가다. ② (노동으로) 돈을 벌다. ❑ 我~了三千元; 나는 삼천 위안을 벌었다 / ~钱; 돈을 벌다. ⇒ zhēng

铮(錚) zhèng (쟁) 동〈方〉 (기물의 표면이) 반짝반짝 윤이 나다. ⇒ zhēng

郑(鄭) Zhèng (정) 명 춘추 시대의 나라 이「름.
[郑重] zhèngzhòng 형 엄숙하다. 진지하다. ❑ ~其事; 〈成〉 일에 대한 태도가 진지하다.

zhi ㄓ

之 zhī (지) **A)** 동〈書〉 가다. 이르다. ❑ 你将何~? 너는 어디로 가려 하느냐? **B)** 조 ① 한정어와 중심어 사이에서 수식 관계를 나타냄. ㉠ …의《종속 관계를 나타냄》. ❑ 十分~九; 10분의 9. ㉡ …한《일반적 수식 관계를 나타냄》. ❑ 无价~宝; 값을 따질 수 없는 보물. ② …의.

…이[가]《주술 구조 사이에서 그 독립성을 없애고 수식 관계로 바꿈》. ❏规模~大; 규모가 크다. C) 대 ①그것. 그 사람《사람이나 사물을 대신하며 목적어로만 쓰임》. ❏为~请命; 이를 위해 살려 달라고 애원하다. ②이. 저. ❏~人; 이 사람. ③아무 뜻 없이 문법적 관계만을 나타냄. ❏我年纪最大, 你次~, 他最小; 내가 나이가 가장 많고 네가 그 다음이고 그가 가장 어리다.

[之后] zhīhòu 명 ①뒤. 다음. 후《시간·장소의 뒤를 나타냄》. ❏一小时~; 한 시간 후. ②그 후《단독으로 문장 첫머리에 쓰여 앞 문장 내용의 뒤를 나타냄》. ❏~, 他又参加了学校的活动; 그 후, 그는 또 학교의 행사에 참가하였다.

[之乎者也] zhī-hū-zhě-yě 〈成〉 일부러 어려운 문자를 써 가며 말하는 사람을 비웃는 말.

[之前] zhīqián 명 …의 앞[전]. ❏回国~一定给我来个电话; 귀국하기 전에 꼭 나에게 전화를 해라.

芝 zhī (지)

명〔植〕 영지(靈芝).

[芝加哥] Zhījiāgē 명〔地〕〈音〉 시카고(Chicago).

[芝麻] zhī·ma 명〔植〕 참깨.

[芝麻酱] zhī·majiàng 명 깨장. =[麻酱]

[芝麻油] zhī·mayóu 명 참기름. =[麻油][香油]

胝 zhī (지)

→[胼pián胝]

支 zhī (지)

A) 동 ①받치다. 괴다. 버티다. ❏用一根棍子~起来; 막대기로 받치다. ②세우다. 뻗다. ❏~耳朵; 귀를 쫑긋 세우다. ③지원하다. 지지하다. ❏~援; ⇩ ④지시하다. 하게 하다. ❏把他~走咱们再谈; 그를 보내고 나서 우리 다시 이야기하자. ⑤지불하다. 지출하다. ❏~给他一部分钱; 그에게 돈의 일부를 지급해 주다. B) ①명 갈라져 나간 것. ❏~流; ⇩ ②양 ㉠부대·대오를 세는 말. ❏一~军队; 일대(一隊)의 군대. ㉡개비. 자루. ❏一~香烟; 담배 한 개비 / 一~铅笔; 연필 한 자루. =[枝③] ㉢곡. ❏一~歌; 노래 한 곡. ㉣(방적(紡績)의) 번수(番手). ❏60~纱; 60번수 면사. ③명 지지(地支).

[支部] zhībù 명 지부.

[支撑] zhīchēng 동 ①떠받치다. 지탱하다. 버티다. ❏几个柱子~着整个建筑物; 몇 개의 기둥이 건물 전체를 떠받치고 있다. ②가까스로 버티다. 겨우 지탱하다. ❏全家人的生活由他一人~着; 온 가족의 생활을 그 혼자 지탱하고 있다.

[支持] zhīchí 동 ①억지로 버티다. 지탱하다. 견디다. ❏看样子他~不了多久了; 보아하니, 그는 얼마 버티지 못할 것 같다. ②지지하다. 응원하다. ❏互相~; 서로 응원하다 / ~者; 지지자.

[支出] zhīchū 명동 지출(하다). ❏本月共~三千元; 이번 달에 총 3천 위안을 지출했다.

[支付] zhīfù 동 지불하다. 지급하다. ❏~费用; 비용을 지불하다.

[支架] zhījià 명 받침대. 받침. 지지대. 동 ①받치다. 받쳐서 세우다. ②당해 내다. 막아 내다.

[支教] zhī//jiào 동 교육을 지원하다.

[支解] zhījiě 동 ⇨[肢解]

[支离破碎] zhīlí-pòsuì 〈成〉 지리멸렬하다. 산산조각 나다.

[支流] zhīliú 명 ①지류. ②〈比〉 부차적인 것.

[支派] zhīpài 명 분파. 지파.

[支配] zhīpèi 동 ①배분하다. 할당하다. 배치하다. ❏~时间; 시간을 배분하다 / ~遗产; 유산을 배분하다. ②지배하다. 좌지우지하다. 좌우하다. ❏人体的活动受大脑~; 인체의 활동은 대뇌의 지배를 받는다.

[支票] zhīpiào 명 수표. ❏旅行~; 여행자 수표.

[支气管] zhīqìguǎn 명〔生理〕 기관지(氣管支). ❏~炎; 기관지염.

[支取] zhīqǔ 동 (금전을) 받다. 수령하다. ❏~经费; 경비를 받다 / ~工资; 월급을 받다.

[支使] zhī·shi 동 지시하다. 시키다. 하게 하다. ❏别老是~人; 다른 사람만 시키지 마라.

[支吾] zhī·wu 동 말끝을 흐리다. 얼버무리다. 둘러대다. ❏~其词; 〈成〉 말을 얼버무리다.

[支线] zhīxiàn 명 지선.

[支应] zhīyìng 동 ①대처하다. 처리하다. 감당하다. ②당번을 하다. 지키다. ③공급하다. 지급하다.

[支援] zhīyuán 동 지원하다. ❏~

建设事业; 건설 사업을 지원하다.
[支柱] zhīzhù 명 ① 지주. 버팀목. ②〈比〉 기둥. ❏ 国家的~; 나라의 기둥.
吱 zhī (지)
의 끼익. 삐걱. ⇒ zī
枝 zhī (지)
①(~儿) 명 가지. 나뭇가지. ❏ 树~; 나뭇가지. ② 양 가지《꽃이 달린 가지를 세는 말》. ❏ 一~桃花; 복숭아꽃 한 가지. ③ 양 자루《가늘고 긴 물건을 세는 말》. ❏ 一~枪; 총 한 자루. =[支B)②㉡]
[枝杈] zhīchà 명 가장귀.
[枝节] zhījié 명〈比〉 ① 지엽적인 것. ❏ ~问题; 지엽적인 문제. ② 곤란. 성가심. 귀찮은 일.
[枝条] zhītiáo 명 ⇨[枝子]
[枝叶] zhīyè 명 가지와 잎. 〈比〉 자질구레하고 쓸데없는 일[말].
[枝子] zhī·zi 명 나뭇가지. 가지. =[枝条]
肢 zhī (지)
명 ① 사람의 팔다리. 사지(四肢). ② 동물의 발. ❏ 前~; 앞발.
[肢解] zhījiě 동 ① 팔다리를 찢어 내다《가혹한 형벌의 하나》. =[支解] ②〈比〉 해체되다. 분해되다.
[肢体] zhītǐ 명 ① 사지. 수족(手足). ② 사지와 몸통. 몸. 지체.
只(隻) zhī (척)
① 형 단독의. ❏ ~身; ⇓ ② 양 ㉠짝. 쪽《쌍으로 된 물건의 하나를 세는 말》. ❏ 一~手套儿; 장갑 한쪽 / 一~鞋; 신발 한 짝. ㉡마리. ❏ 三~老虎; 호랑이 세 마리. ㉢개《가구·물건을 세는 말》. ❏ 一~箱子; 상자 하나. ㉣척. ❏ 一~船; 배 한 척. ⇒ zhǐ
[只身] zhīshēn 부 단신(單身)으로. 홀로. ❏ ~独往; 홀로 가다.
[只言片语] zhīyán-piànyǔ 〈成〉 한 마디의 말. 일언반구.
织(織) zhī (직)
동 ① 방직하다. 직조하다. ❏ 纺~; 방직하다. ② 뜨개질하다. 짜다. ❏ ~毛衣; 스웨터를 짜다.
[织锦] zhījǐn 명〔紡〕 ① 채색 무늬 비단. ② 도안·그림·자수 같은 것이 있는 견직물.
[织女] zhīnǚ 명 ① 직녀. ② ⇨[织女星]
[织女星] zhīnǚxīng 명〔天〕 직녀성. =[织女②]
[织品] zhīpǐn 명〔紡〕 방직품.
[织物] zhīwù 명 직물.
栀 zhī (치)
→[栀子]
[栀子] zhī·zi 명〔植〕 ① 치자나무. ② 치자.
汁 zhī (즙)
(~儿) 명 액즙. 즙. ❏ 果~儿; 과즙.
[汁液] zhīyè 명 즙. 액즙.
知 zhī (지)
① 동 알다. 깨닫다. ❏ 无所不~; 〈成〉 모르는 것이 없다. ② 동 알게 하다. 알리다. ❏ 通~; 통지하다. ③ 동 주관하다. ④ 명 지식. ❏ 求~; 지식을 구하다. ⑤ 명〈書〉 지기.
[知彼知己] zhībǐ-zhījǐ 〈成〉 적을 알고 나를 알다. 지피지기. =[知己知彼]
[知道] zhī·dào 동 알다. 이해하다. ❏ 这件事不能让他~; 이 일을 그가 알게 해서는 안 된다.
[知底] zhī//dǐ 동 자세한 사정[내막]을 알다.
[知己] zhījǐ 명 절친한 친구. 지기. =[知交] 형 막역하다. 절친하다. =[知心] ❏ ~的朋友; 막역한 벗.
[知交] zhījiāo 명 ⇨[知己]
[知觉] zhījué 명 ①〔心〕 지각. ② 감각. 의식.
[知了] zhīliǎo 명 ⇨[蝉chán]
[知名] zhīmíng 형 (주로, 사람이) 유명하다. 저명하다. 지명하다. ❏ ~度; 지명도 / ~作家; 유명 작가.
[知情] zhīqíng 동 (주로, 범죄 사건의) 사정을 알다. 내막을 알다.
[知趣] zhīqù 동 사정을 이해하다. 눈치 있게 굴다.
[知识] zhī·shi 명 지식. ❏ ~分子; 지식인 / 业务~; 업무 지식.
[知悉] zhīxī 동 알다. ❏ 详情~; 자세한 사정을 알다.
[知晓] zhīxiǎo 동 알다. 이해하다.
[知心] zhīxīn 형 ⇨[知己] ❏ ~话; 터놓고 하는 말.
[知音] zhīyīn 명 자신을 알아주는 사람. 마음이 통하는 벗.
[知足] zhīzú 형 분수를 지켜 만족할 줄을 알다. 지족하다.
蜘 zhī (지)
→[蜘蛛]
[蜘蛛] zhīzhū 명〔蟲〕 거미. ❏ ~网; 거미줄. 거미집. =[〈口〉 蛛蛛]
脂 zhī (지)
명 ① 지방. ② 연지. ❏ 胭~; 연지.
[脂肪] zhīfáng 명〔生〕 지방. ❏ ~肝; 지방간 / ~组织; 지방 조직.

[脂粉] zhīfěn 명 ① 연지와 분. 화장품. ②〈轉〉 여자. 부녀자.
[脂膏] zhīgāo 명 ① 지방. ②〈比〉 고혈(膏血).

执(執) zhí (집)
① 동 쥐다. 잡다. 들다. ❑ ~枪作战; 총을 잡고 싸우다. ② 동 장악하다. 맡다. 담당하다. ❑ ~政; ⇩ ③ 동 고집하다. 견지하다. ❑ ~意; ⇩ ④ 동 집행하다. ❑ ~法; ⇩ ⑤ 명 증명서. 증서. ❑ 回~; 수령증.
[执笔] zhíbǐ 동 집필하다. 글을 쓰다.
[执法] zhífǎ 동 법을 집행하다. ❑ ~如山; 〈成〉 단호히 법을 집행하다.
[执教] zhíjiào 동 교직을 맡다.
[执迷不悟] zhímí-bùwù 〈成〉 잘못을 고집하고 깨닫지 못하다.
[执泥] zhínì 동 고집하다. 구애되다.
[执拗] zhíniù 형 외고집이다. 고집불통이다.
[执行] zhíxíng 동 집행하다. 실행하다. ❑ ~政策; 정책을 집행하다.
[执意] zhíyì 부 고집스럽게. ❑ ~坚持; 고집스럽게 견지하다.
[执掌] zhízhǎng 동 장악하다. 관장하다.
[执照] zhízhào 명 증명서. 허가증. 면허증. ❑ 驾驶~; 운전 면허증 / 营业~; 영업 허가증.
[执政] zhí//zhèng 동 집정하다. 정권을 쥐다. ❑ ~党; 여당.
[执著] zhízhuó 형 집착하다. 고수하다.

直 zhí (직)
① 형 똑바르다. 곧다. ❑ 这条马路很~; 이 길은 매우 곧다. ② 형 땅에서 수직이다. ❑ ~升机; ⇩ ③ 형 세로의. ❑ ~行书写; 세로로 글을 쓰다. ④ 동 곧게 하다. 곧게 펴다. ❑ ~~身子; 몸을 곧게 펴다. ⑤ 형 바르다. 공정하다. ❑ 正~; 정직하다. ⑥ 형 시원시원하다. 솔직하다. ❑ 说话很~; 말하는 것이 매우 솔직하다. ⑦ 명 세로획《한자의 필획》. ⑧ 부 곧장. 바로. 곧바로. ❑ 一下车我就~奔你这儿来了; 차에서 내리자마자 나는 곧장 너에게 달려왔다 / ~拨电话; 직통전화. ⑨ 부 내리. 계속해서. 줄곧. ❑ 你怎么~哆嗦? 너 왜 자꾸만 부들부들 떠니? ⑩ 부 완전히. 실로. 꼭. ❑ ~像中国人一样; 중국 사람과 꼭 닮다.
[直播] zhíbō 동 ①〔農〕 직파하다. ② 생방송하다. 생중계하다.
[直肠] zhícháng 명〔生理〕 직장.
[直肠子] zhícháng·zi 〈口〉 명 솔직한 사람. 형 성격이 솔직한.
[直达] zhídá 동 직통하다. 직행하다. ❑ ~路线; 직행 노선.
[直达快车] zhídá kuàichē 직통 급행 열차. =[〈簡〉 直快]
[直到] zhídào 동 (주로, 시간적으로) 죽 …에 이르다. ❑ ~现在他还没来; 지금까지도 그는 아직 안 왔다.
[直观] zhíguān 형 직관적이다.
[直角] zhíjiǎo 명〔數〕 직각.
[直接] zhíjiē 형 직접의. 직접적인. ❑ ~关系; 직접적인 관계 / ~税; 직접세 / ~选举; 직접 선거.
[直截] zhíjié 형 단순명쾌하다. 단도직입적이다. 시원시원하다. ❑ ~拒绝; 단칼에 거절하다.
[直截了当] zhíjié-liǎodàng 〈成〉 단순명쾌하다. 시원시원하다.
[直径] zhíjìng 명〔數〕 직경. 지름.
[直觉] zhíjué 명〔心〕 직각. 직관.
[直快] zhíkuài 명〈簡〉 직통 급행 열차. =[直达快车]
[直溜(儿)] zhí·liu(r) 형 곧다. 똑바르다.
[直排滑轮] zhípái huálún 명 인라인 스케이트(inline skate).
[直升机] zhíshēngjī 명 헬리콥터(helicopter).
[直属] zhíshǔ 동 직속하다. 형 직속의. ❑ ~部队; 직속 부대.
[直率] zhíshuài 형 ⇒[直爽]
[直爽] zhíshuǎng 형 시원시원하다. 솔직하다. ❑ 性格~; 성격이 시원시원하다. =[直率]
[直挺挺(的)] zhítǐngtǐng(·de) 형 빳빳한 모양. 꼿꼿한 모양.
[直辖] zhíxiá 동 직할하다. ❑ ~市; 직할시.
[直线] zhíxiàn 명〔數〕 직선. ❑ ~距离; 직선거리. 형 직선의. 급격한. ❑ ~上升; 급격히 상승하다.
[直性(儿)] zhíxìng(r) 형 시원시원하다. 솔직하다. =[直性子]
[直性子] zhíxìng·zi 형 ⇒[直性(儿)] 명 솔직한 사람. 시원시원한 사람.
[直言] zhíyán 동 직언하다. ❑ ~不讳; 〈成〉 꺼리지 않고 직언하다.
[直译] zhíyì 동 직역하다.

值 zhí (치)
① 명 가격. 가치. 수치. ② 동

…한 값에 상당하다. ❏这条裙子~多少? 이 치마는 값이 얼마입니까? ③ 명〖數〗값. ❏求~; 값을 구하다. ④ 형 …할 만하다. …할 가치가 있다. ❏那点小事儿不~一提; 그런 사소한 일은 거론할 가치도 없다. ⑤ 동 …한 때를 맞이하다. ❏特意访问他, 正~外出; 일부러 그를 방문했는데, 마침 외출 중이다. ⑥ 동 순번으로 담당하다.

[值班(儿)] zhí∥bān(r) 동 (차례로) 당직을 맡다. 당번이 되다.

[值得] zhí∥·dé 동 ① …할 가치가 있다. …할 만하다. ❏~试一试; 한번 해 볼 만하다. ② 살 만하다. 가격이 괜찮다. ❏这本词典~买; 이 사전은 살 만하다.

[值钱] zhíqián 형 값어치가 있다. 값나가다. ❏~的东西; 값나가는 물건.

[值勤] zhí∥qín 동 (부대·치안·교통 요원이) 당직을 서다.

[值日] zhírì 동 당번하다.

植 zhí (식) ① 동 심다. 재배하다. ❏~树; 나무를 심다. ② 동 수립하다. 세우다. ③ 명 식물.

[植皮] zhí∥pí 동〖醫〗피부를 이식하다. ❏~术; 피부 이식술.

[植物] zhíwù 명 식물. ❏~园; 식물원.

[植物人] zhíwùrén 명〖醫〗식물인간.

殖 zhí (식) 동 증식하다. 번식하다. 생장하다.

[殖民] zhímín 동 식민하다. ❏~地; 식민지 / ~主义; 식민주의.

侄 zhí (질) 명(~儿) 형제의 자식. 조카. ❏内~; 처조카 / 叔~; 숙질.

[侄女(儿)] zhí·nǚ(r) 명 ① 질녀. 조카딸. ② 친구의 딸.

[侄子] zhí·zi 명 ① 조카. ② 친구의 아들.

职(職) zhí (직) ① 명 직무. 직책. ❏尽~; 직무를 다하다 / 天~; 천직. ② 명 직위. 지위. ❏在~; 재직하다. ③ 동 관장하다.

[职称] zhíchēng 명 직무상의 명칭. 직명.

[职分] zhífèn 명 직분.

[职工] zhígōng 명 직원과 노동자. 직공. 사원. 직원.

[职能] zhínéng 명 직능. 기능. 역할.

[职权] zhíquán 명 직권.

[职守] zhíshǒu 명 직무. 직책. 직분.

[职位] zhíwèi 명 직위.

[职务] zhíwù 명 직무.

[职业] zhíyè 명 직업. ❏~病; 직업병. 형 직업적인. 전문적인. ❏~足球; 프로 축구.

[职员] zhíyuán 명 직원.

[职责] zhízé 명 직무와 책임. 직책. ❏~范围; 직책 범위.

跖 zhí (척) 명〈書〉 발등의 발가락에 가까운 부분.

[跖骨] zhígǔ 명〖生理〗척골.

踯(躑) zhí (척) →[踯躅]

[踯躅] zhízhú 동〈書〉 왔다 갔다 하다. 배회하다.

止 zhǐ (지) ① 동 그치다. 멈추다. 그만두다. ❏~步; ⇓ ② 동 그만두게 하다. 멎게 하다. 저지하다. ❏~痛; 통증을 멎게 하다 / ~血; 지혈하다. ③ 동 끝나다. 끝내다. 마감하다. ❏到此为~; 여기에서 끝내다. ④ 부 다만. 단지. ❏看了不~一遍; 한 번만 본 것이 아니다.

[止步] zhǐ∥bù 동 ① 걸음을 멈추다. ❏~不前; 멈추고 나아가지 않다. ② 통행을 금지하다. ❏游人~; 관람객 출입 금지《게시 용어》.

[止境] zhǐjìng 명 한도. 끝. ❏欲望没有~; 욕심은 한이 없다.

[止息] zhǐxī 동 멈추다. 멎다. 그치다. ❏风到深夜才~; 바람은 깊은 밤이 되어서야 비로소 멎었다.

址 zhǐ (지) 명 (건물의) 위치. 터. 소재지. ❏遗~; 유적지 / 住~; 주소.

趾 zhǐ (지) 명 ① 발가락. ② 발.

[趾高气扬] zhǐgāo-qìyáng 〈成〉 매우 의기양양하다. 기고만장하다.

[趾骨] zhǐgǔ 명〖生理〗발가락뼈.

只(衹) zhǐ (지) 부 ① …만. …뿐. 다만. 단지. 겨우. 오직《범위를 한정함》. ❏~知其一, 不知其二; 하나만 알고 둘은 모른다. ② (오직) …밖에 없다. (오로지) …뿐이다《수량을 제한함》. ❏会说汉语的~他一个; 중국어를 할 줄 아는 사람은 오로지 그 한 사람뿐이다. ⇒ zhī

[只得] zhǐdé 부 할 수 없이. 부득이. ❏他还不来, ~我一个人去了; 그가 아직 오지 않아서 할 수

없이 나 혼자 갔다.

[只读存储器] zhǐdú cúnchǔqì 명 〖컴〗 롬(ROM).

[只顾] zhǐgù 부 오로지 (…에만 정신이 팔려 있다). 그저 (…밖에 모르다). ❑ 他~赚钱, 不讲信义; 그는 돈 버는 것에만 정신이 팔려서, 신의는 신경도 안 쓴다. =[只管②]

[只管] zhǐguǎn 부 ① 주저하지 않고. 얼마든지. ❑ 想吃什么~说; 먹고 싶은 게 있으면 주저 말고 말해라. ② ⇨[只顾]

[只好] zhǐhǎo 부 하는 수 없이. 어쩔 수 없이. ❑ 我们都有事, ~你去了; 우리는 모두 일이 있으니 어쩔 수 없이 네가 가야겠다.

[只是] zhǐshì 접 그러나. 하지만. 그렇지만. 그런데. ❑ 心里有很多话要说, ~嘴里说不出来; 마음속에 하고 싶은 말이 무척 많은데 입에서는 나오지 않는다. 부 ① 그저. 다만. 그냥. ❑ 我~问问, 没有别的意思; 나는 그냥 물어본 것이지 다른 뜻이 있는 것은 아니다. ② 오직. 오로지《상황·범위를 한정함》. ❑ 他~哭, 不说话; 그는 오로지 울기만 할 뿐 아무 말도 안 했다.

[只要] zhǐyào 접 …이기만[하기만] 하면 …하다. …해야만 …하다. ❑ ~功夫深, 铁杵磨成针; 〈成〉 끈기를 가지고 노력하기만 하면 충분히 성공할 수 있다.

[只有] zhǐyǒu 접 …해야만 (…이다). ❑ ~你去请他, 他才会来; 네가 부르러 가야만 그는 올 것이다.

咫 zhǐ (지)
양 둘레 8치《주대(周代)의 척도(尺度)》.

[咫尺] zhǐchǐ 명〈書〉 지척. 아주 가까운 거리. ❑ ~天涯; 〈成〉 가까이 있지만 하늘 끝에 있는 것처럼 만날 수 없다.

旨 zhǐ (지)
① 형〈書〉 좋다. 맛있다. ❑ ~酒; 좋은 술. ② 명 뜻. 취지. 목적. ❑ 主~; 주된 취지. ③ 명 (제왕의) 뜻. 성지(聖旨).

[旨趣] zhǐqù 명 종지(宗旨). 취지.

[旨意] zhǐyì 명 의향. 의도. 뜻.

指 zhǐ (지)
① 명 손가락. ❑ 五~; 다섯 손가락. ② 양 손가락 하나의 깊이·폭을 재는 말. ❑ 有三~宽; 손가락 세 개 정도의 폭이다. ③ 동 (손가락이나 뾰족한 것으로) 가리키다. 지적하다. ❑ ~着地图讲课; 지도를 가리키며 수업하다. ④ 동 (머리카락이) 곤두서다. ❑ 发~; 머리카락이 곤두서다. ⑤ 동 지적하다. 알려주다. ❑ ~出错误; 잘못을 지적하다. ⑥ 동 뜻하다. 가리키다. ❑ 米~了去了皮的稻谷; 쌀은 껍질을 벗긴 벼의 알맹이를 뜻한다. ⑦ 동 믿다. 의지하다. 기대다. ❑ ~着父母生活; 부모에게 기대서 생활하다.

[指标] zhǐbiāo 명 지표. 정한 목표. ❑ 生产~; 생산 지표.

[指导] zhǐdǎo 동 지도하다. ❑ ~方针; 지도 방침 / ~员; 지도원.

[指点] zhǐdiǎn 동 ① 지시하다. 알려 주다. 가르쳐 주다. ❑ ~下山的路; 하산하는 길을 알려 주다. ② 험담하다. 흉보다. ❑ 在背后~他; 뒤에서 그를 흉보다.

[指定] zhǐdìng 동 (시간·장소 따위를) 지정하다. ❑ 到~的地点集合; 지정된 장소에 모이다.

[指画] zhǐhuà 동 손가락으로 가리키다. 손가락질을 하다.

[指环] zhǐhuán 명 ⇨[戒指]

[指挥] zhǐhuī 명동 지휘(하다). ❑ ~作战; 작전을 지휘하다 / ~棒; 지휘봉 / ~部; 지휘부. 명 지휘자. ❑ 乐团~; 악단의 지휘자.

[指鸡骂狗] zhǐjī-màgǒu 〈成〉 ⇨[指桑骂槐]

[指甲] zhǐ·jia[〈口〉 zhī·jia] 명 손톱. 발톱. ❑ 修~; 손톱을 다듬다 / ~刀; 손톱깎이.

[指甲花] zhǐ·jiahuā[〈口〉 zhī·jiahuā] 명〈俗〉 ⇨[凤仙花]

[指教] zhǐjiào 동〈套〉 가르치다. 지도하다. ❑ 以后请你多~; 앞으로도 많은 지도 바랍니다.

[指控] zhǐkòng 동 비난하고 고발하다.

[指令] zhǐlìng 명동 지령(하다). ❑ 接到~; 지령을 받다.

[指明] zhǐmíng 동 명확히 가리키다[지적하다]. ❑ ~方向; 방향을 명확히 가리키다.

[指名(儿)] zhǐ//míng(r) 동 이름을 지정하다. 지명하다.

[指南] zhǐnán 명 ① 지침. ❑ 行动~; 행동 지침. ② 지침서. 안내서.

[指南针] zhǐnánzhēn 명 ① 지남침. 나침(羅針). ②〈比〉 지침(指針).

[指派] zhǐpài 동 (지명하여) 파견하다. 보내다.

[指日可待] zhǐrì-kědài 〈成〉 머지않아 실현될 수 있다.
[指桑骂槐] zhǐsāng-màhuái 〈成〉 이 사람을 가리키며 저 사람을 욕하다. 건넛산 보고 꾸짖기. =[指鸡骂狗]
[指使] zhǐshǐ 동 사주하다. 조종하다. ❏他在暗中~了别人; 그는 몰래 다른 사람을 사주했다.
[指示] zhǐshì 명동 지시(하다). ❏~代词; 지시 대명사.
[指手画脚] zhǐshǒu-huàjiǎo 〈成〉 ① 손짓 발짓을 해 가며 말하다. ② 왈가왈부 비평하다.
[指数] zhǐshù 명 ①〖數〗 지수. ②〖經〗 지수.
[指头] zhǐ·tou[〈口〉 zhí·tou] 명 손가락. 발가락. ❏脚~; 발가락 / 手~; 손가락.
[指望] zhǐ·wàng 동 바라다. 기대하다. ❏~孩子成才; 아이가 훌륭한 사람이 되기를 바라다. (~儿) 명 가망. 희망.
[指纹] zhǐwén 명 지문.
[指引] zhǐyǐn 동 인도하다. 이끌다. 안내하다.
[指印(儿)] zhǐyìn(r) 명 손도장. 지장(指章). ❏按~; 지장을 찍다.
[指责] zhǐzé 동 지적하다. 질책하다. ❏上级~他玩忽职守; 상부에서 그의 직무 태만을 질책했다.
[指摘] zhǐzhāi 동 지적하여 비판하다. ❏时常遭受~; 늘 지적받다.
[指战员] zhǐzhànyuán 명〖軍〗 장병(將兵).
[指针] zhǐzhēn 명 ① (계기·시계의) 바늘. ②〈比〉 지침.
[指正] zhǐzhèng 동 잘못을 지적하여 바로잡다. 질정(叱正)하다. ❏敬请~; 잘못을 지적해 주시기 바랍니다.

酯 zhǐ (지)
명〖化〗 에스테르(ester).

纸(紙) zhǐ (지)
① 명 종이. ❏信~; 편지지. ② 양 매. 통. 장《편지·서류의 매수(枚數)를 세는 말》. ❏一~家信; 편지 한 통.
[纸板] zhǐbǎn 명 판지(板紙).
[纸杯] zhǐbēi 명 종이컵.
[纸币] zhǐbì 명 지폐.
[纸浆] zhǐjiāng 명 (제지용의) 펄프(pulp).
[纸老虎] zhǐlǎohǔ 명 종이 호랑이. 〈比〉 겉은 강해 보이나 실제로는 무력한 사람이나 집단.
[纸捻(儿)] zhǐniǎn(r) 명 종이 노끈. 빔지. 지노.
[纸牌] zhǐpái 명 (카드놀이에 쓰이는) 카드.
[纸上谈兵] zhǐshàng-tánbīng 〈成〉 탁상공론을 하다.
[纸烟] zhǐyān 명 ⇨[香烟②]
[纸张] zhǐzhāng 명 종이의 총칭.
[纸醉金迷] zhǐzuì-jīnmí 〈成〉 호화스럽고 사치한 생활에 빠지다. =[金迷纸醉]

至 zhì (지)
① 동 …에 이르다[도달하다]. ❏自始~终; 〈成〉 처음부터 끝까지. 시종. ② 부 극히 …이다. 가장 …하다. ❏~宝; 더없이 귀한 보물.
[至诚] zhìchéng 형 지성이다. 성실하다. 정성스럽다. ❏~待人; 정성껏 사람을 대하다.
[至迟] zhìchí 부 늦어도. ❏~也得两点钟到那儿; 늦어도 2시에는 그곳에 도착해야 한다.
[至多] zhìduō 부 많아 봤자. 많아야. 기껏해야. ❏~住一个星期; 기껏해야 일주일 머무르다.
[至高无上] zhìgāo-wúshàng 〈成〉 더할 나위 없이 높다. 최고이다.
[至交] zhìjiāo 명 가장 친한 친구.
[至今] zhìjīn 부 지금까지. 여태껏. ❏我和他~没有见过面; 나와 그는 여태껏 만난 적이 없다.
[至理名言] zhìlǐ-míngyán 〈成〉 가장 정확하고 가치 있는 말.
[至亲] zhìqīn 명 가장 가까운 친척.
[至上] zhìshàng 형 (지위·권력 따위가) 가장 높다. 최고이다. ❏顾客~; 고객은 왕이다.
[至少] zhìshǎo 부 적어도. 최소한. ❏~得děi花一万元; 적어도 1만 위안은 든다.
[至于] zhìyú 개 …에 관해서는. …로 말하면. ❏北京不常去, ~上海, 他是经常去的; 베이징에는 자주 안 가지만 상하이로 말하면 그는 자주 간다. 동 …의 지경[정도]에 이르다. ❏平时多复习, 何~考试不及格? 평소에 복습을 많이 했으면, 시험에 불합격했겠느냐?

桎 zhì (질)
명〈書〉 차꼬.
[桎梏] zhìgù 명〈書〉 차꼬와 수갑. 〈比〉 구속하는 것[사람]. 속박.

致(緻)[6] zhì (치)
① 동 (예절·마음 따

위를) 표하다. 주다. 보내다. ❑～敬; ⇩ ②동 (의지·힘 따위를) 다하다. 집중하다. ❑～力; ⇩ ③동 유발하다. 일으키다. ❑～病; 병을 유발하다. ④동 …을 가져오다. …의 결과가 되다. ❑他不听劝告, 以～全军覆没; 그가 충고를 듣지 않아서, 전군이 전멸했다. ⑤명 취향. 취미. 정취. ❑兴～; 흥취. ⑥형 섬세하다. 치밀하다. 세밀하다. ❑精～; 정밀하다.

[致辞] zhì∥cí 동 (의식에서) 인사말을 하다. 치사하다. ＝[致词]

[致敬] zhìjìng 동 경의를 표하다. 경례하다.

[致力] zhìlì 동 진력하다. 힘쓰다. 애쓰다. ❑～研究; 연구에 힘쓰다.

[致密] zhìmì 형 치밀하다. ❑结构～; 구조가 치밀하다.

[致命] zhìmìng 동 치명적이 되다. ❑～伤; 치명상.

[致使] zhìshǐ 동 …하여 …되다. ❑由于经营不善, ～企业连年亏损; 경영 악화로 기업이 여러 해 동안 적자를 입다. 접 …가 되다. …를 초래하다.

[致死] zhìsǐ 동 치사하다. 죽음에 이르다. ❑～量; 치사량.

[致谢] zhìxiè 동 감사의 뜻을 표하다. 감사드리다. 치사하다.

窒 zhì (질)
동 막혀서 통하지 않다.

[窒息] zhìxī 동 질식하다. 숨막히다.

蛭 zhì (질)
명〖動〗거머리.

识(識) zhì (지)
〈書〉①동 기억하다. ❑博闻强～; 〈成〉 견문이 넓고 기억력이 좋다. ②명 기호. ❑款～; 낙관(落款). ⇒shí

帜(幟) zhì (치)
명 기. 깃발. ❑旗～; 「기치.

志 zhì (지)
①명 뜻. 의지. 바람. ❑立～; 뜻을 세우다. ②명 의기. 패기. 기개. ③동 기억하다. ❑永～不忘; 영원히 기억하고 잊지 않다. ④명 문자의 기록. ❑杂～; 잡지. ⑤명 기호. ❑标～; 표지.

[志哀] zhì'āi 동 애도의 뜻을 표하다.

[志大才疏] zhìdà-cáishū 〈成〉 뜻은 크나 재능이 따르지 못하다.

[志气] zhì·qì 명 패기. 기개. 의기.

[志士] zhìshì 명 지사. ❑爱国～; 애국지사.

[志同道合] zhìtóng-dàohé 〈成〉 마음이 맞고 생각이 통하다.

[志向] zhìxiàng 명 포부. 장래의 꿈. ❑～远大; 포부가 원대하다.

[志愿] zhìyuàn 명 포부와 바람. 꿈. 동 지원하다. 자원하다. ❑～参军; 자원 입대하다 / ～兵; 지원병 / ～者; 자원 봉사자.

痣 zhì (지)
명〖生理〗반점. 모반.

制(製)① zhì (제)
①동 제조하다. 만들다. ❑～图; ⇩ / ～药; ⇩ ②동 규정하다. 제정하다. ❑～定; ⇩ ③동 제한하다. 제지하다. 제약하다. ❑压～; 압제하다. ④명 제도. ❑联邦～; 연방제.

[制裁] zhìcái 동 제재하다. ❑给以严厉～; 엄격한 제재를 가하다.

[制订] zhìdìng 동 고안[창안]하여 제정하다. ❑～汉语拼音方案; 한어 병음 방안을 제정하다.

[制定] zhìdìng 동 제정하다. 세우다. ❑～政策; 정책을 세우다.

[制动器] zhìdòngqì 명〖機〗제동기. 브레이크(brake).

[制度] zhìdù 명 제도. ❑社会～; 사회 제도.

[制伏] zhì∥fú 동 굴복시키다. 제압하다. ❑警察～了匪徒; 경찰이 강도를 제압했다. ＝[制服]

[制服] zhì∥fú 동 ⇒[制伏] (zhì-fú) 명 제복.

[制片人] zhìpiànrén 명 (영화나 드라마 따위의) 제작자.

[制品] zhìpǐn 명 제품.

[制胜] zhìshèng 동 승리를 차지하다. 승리를 얻다.

[制图] zhì∥tú 동 제도하다.

[制药] zhìyào 동 제약하다. ❑～厂; 제약 공장.

[制约] zhìyuē 동 제약하다. ❑互相～; 서로 제약하다.

[制造] zhìzào 동 ①제조하다. 만들다. ❑～汽车; 자동차를 제조하다 / ～厂; 제조 공장. ②〈貶〉 (상황·분위기를) 만들다. 조성하다. 조장하다. ❑～舆论; 여론을 조성하다 / ～分裂; 분열을 조장하다.

[制止] zhìzhǐ 동 제지하다. 저지하다. ❑～吵架; 말다툼을 저지하다.

[制作] zhìzuò 동 제작하다. 만들다. ❑～玩具; 완구를 만들다.

治 zhì (치)
동 ①다스리다. 관리하다. 치

수하다. ❏～洪; 홍수를 다스리다. ② 태평하다. 안정되다. ❏国家大～; 국가가 태평하다. ③ 치료하다. 고치다. ❏不～之症; 불치병. ④ 방제(防除)하다. 박멸하다. ❏～蝗; 메뚜기를 방제하다. ⑤ 벌주다. 처벌하다. ❏～罪; ⇓ ⑥ 연구하다. 학문을 닦다. ❏～学; ⇓

[治安] zhì'ān 명 치안. ❏维持～; 치안을 유지하다.

[治病救人] zhìbìng-jiùrén 〈成〉 병을 고쳐 사람을 구하다《결점이나 잘못을 지적하여 고치도록 돕다》.

[治理] zhìlǐ 동 ① 다스리다. 통치하다. 관리하다. ❏～天下; 천하를 다스리다. ② 정리하다. 정비하다. ❏～沙漠; 사막을 정비하다.

[治疗] zhìliáo 동 치료하다. ❏隔离～; 격리 치료 하다.

[治丧] zhìsāng 동 장례를 치르다.

[治水] zhì//shuǐ 동 치수하다. ❏～工程; 치수 공사.

[治学] zhìxué 동 학문을 연구하다.

[治罪] zhì//zuì 동 죄를 처벌하다. ❏依法～; 법률에 의해 처벌하다.

帙 zhì (질) 〈書〉 ① 명 책 싸는 덮개. 서질(書帙). ② 양 질《여러 권으로 된 책의 한 벌을 세는 말》.

秩 zhì (질) 명〈書〉 ① 순서. 차례. ② 10년. ❏七～寿辰; 70세 생신.

[秩序] zhìxù 명 질서. ❏～井然; 질서 정연하다 / 遵守～; 질서를 지키다.

炙 zhì (자, 적) 〈書〉 ① 동 (불에) 굽다. ❏～肉; 고기를 굽다. ② 명 구운 고기.

[炙手可热] zhìshǒu-kěrè 〈成〉 손을 델 정도로 뜨겁다《기염이 왕성하고 권세가 큰 모양》.

质(質) zhì (질) ① 명 성질. 본질. ❏变～; 변질되다. ② 명 질. 품질. ❏～次价高; 질은 떨어지고 값은 비싸다. ③ 명 물질. ❏流～; 유동식 / 铁～; 철제. ④ 형 질박하다. 소박하다. ❏～朴; ⇓ ⑤ 동 캐묻다. 질문하다. ❏～疑; ⇓ ⑥ 동〈書〉 저당 잡히다. ❏以书～钱; 책을 저당 잡히다. ⑦ 명〈書〉 저당물.

[质变] zhìbiàn 명〔哲〕 질적 변화.

[质地] zhìdì 명 ① 재질. ❏～优等; 재질이 우수하다. ② 품성. 자질.

[质量] zhìliàng 명 ①〔物〕 질량. ② 질. 품질. ❏提高～; 질을 높이다 / ～差; 품질이 떨어지다.

[质朴] zhìpǔ 형 질박하다. 수수하다. 꾸밈없다. ❏陈设～; 장식이 수수하다.

[质问] zhìwèn 동 옳고 그름을 따져 묻다. 책문하다.

[质疑] zhìyí 동 질의하다. 의문을 제기하다.

峙 zhì (치) 동〈書〉 우뚝 솟다. 우뚝 서다. ❏～立; 우뚝 서다.

痔 zhì (치) 명〔醫〕 치질. ❏～漏; 치루.

[痔疮] zhìchuāng 명〔醫〕 치질.

栉(櫛) zhì (즐) 〈書〉 ① 명 빗. ② 동 빗다. 빗질하다.

[栉比] zhìbǐ 동〈書〉 즐비하다.

[栉比鳞次] zhìbǐ-líncì 〈成〉 ⇨ [鳞次栉比]

[栉风沐雨] zhìfēng-mùyǔ 〈成〉 비바람 속에서도 동분서주하며 바쁘게 일하다.

挚(摯) zhì (지) 형〈書〉 성실하다. 진실「하다.

[挚友] zhìyǒu 명 진실한 친구.

掷(擲) zhì (척) 동 던지다. 투척하다. ❏～手榴弹; 수류탄을 던지다.

滞(滯) zhì (체) 동 정체하다. 지체하다.

[滞留] zhìliú 동 체류하다. ❏～海外; 해외에 체류하다.

[滞纳] zhìnà 동 체납하다. ❏～金; 체납금.

[滞销] zhìxiāo 동〔商〕 판매가 부진하다. ❏～商品; 판매 부진 상품.

智 zhì (지) ① 형 슬기롭다. 지혜롭다. ❏明～; 현명하다. ② 명 지혜. 지식. ❏～勇双全; 〈成〉 지용을 겸비하다.

[智齿] zhìchǐ 명〔生理〕 사랑니.

[智慧] zhìhuì 명 지혜. 슬기.

[智力] zhìlì 명 지력. 지능. ❏～测验; 지능 검사. 아이큐 테스트.

[智力商数] zhìlì shāngshù 지능 지수. 아이큐(IQ). =[〈簡〉 智商]

[智龄] zhìlíng 명〔心〕 정신 연령.

[智谋] zhìmóu 명 지모. 지혜와 모략.

[智囊] zhìnáng 명〈比〉 지낭. 지혜가 많은 사람. ❏～团; 브레인(brain).

[智能] zhìnéng 명 지혜와 능력. 지능. 형 지능적인. ❏~犯罪; 지능형 범죄. 「商数]
[智商] zhìshāng 명〈簡〉⇨[智力
[智育] zhìyù 명 지식 교육.

置 zhì (치)
동 ① 놓다. 두다. ❏放~; 놓아두다. ② 설치하다. 배치하다. ❏装~; 장치하다. ③ 사다. 장만하다. 마련하다. ❏~一辆车; 차를 한 대 사다.
[置办] zhìbàn 동 마련하다. 구입하다. ❏~设备; 설비를 구입하다.
[置辩] zhìbiàn 동 항변하다. 변명하다.
[置若罔闻] zhìruòwǎngwén〈成〉못 들은 체하고 상관하지 않다.
[置身] zhìshēn 동 치신하다. 몸을 두다. ❏~事外;〈成〉어떤 일에 대해 전혀 관심을 두지 않다.
[置信] zhìxìn 동 믿다《주로, 부정형으로 쓰임》. ❏无法~; 믿을 수 없다.
[置疑] zhìyí 동 의심하다. 회의를 품다《주로, 부정형으로 쓰임》. ❏不容~;〈成〉의심할 여지가 없다.
[置之不理] zhìzhī-bùlǐ〈成〉방치하고 무시하다.
[置之度外] zhìzhī-dùwài〈成〉도외시하다. 전혀 마음에 두지 않다.

雉 zhì (치)
명〖鳥〗꿩. =[〈方〉山鸡][野鸡①]

稚 zhì (치) 「아.
형 나이가 어리다. ❏~子; 유
[稚气] zhìqì 명 ⇨[孩子气]

zhong ㄓㄨㄥ

中 zhōng (중)
① 명 중앙. 한가운데. 중심. ❏~部; 중부 / ~央; ⇩. ② (Zhōng) 명〖地〗중국. ❏~文; ⇩ ③ 명 (어떤 범위의) 안. 속. 내부. ❏心~; 마음속 / 书~; 책 속. ④ 명 (양끝의) 가운데. 중간. ❏~途; ⇩ / ~指; ⇩ ⑤ 형 중등의. 중급의. ❏~等; ⇩ ⑥ 형 치우치지 않다. ❏~庸; ⇩ ⑦ 형 알맞다. 적당하다. ❏~看; ⇩ ⑧ 형〈方〉좋다. 괜찮다. ❏这个法子不~; 이 방법은 좋지 않다. ⑨ 명 …의 가운데. …할 때《주로, '在'와 함께 쓰여, 어떤 일이 진행 중임을 나타냄》. ❏在印刷~; 인쇄 중이다. ⇒zhòng
[中不溜儿] zhōng·buliūr 형〈口〉중간 정도이다. 중간치이다. ❏挑个~的; 중간치의 것을 고르다.
[中餐] zhōngcān 명 중국 요리.
[中产阶级] zhōngchǎn jiējí 중산층. 중산 계급.
[中等] zhōngděng 형 ① 중등의. ❏~教育; 중등 교육. ② (주로, 키가) 중간 정도의. ❏身材~; 키가 중간 정도이다.
[中断] zhōngduàn 동 중단하다. 중단되다. ❏供应~; 공급이 중단되다.
[中队] zhōngduì 명〖軍〗중대.
[中饭] zhōngfàn 명 ⇨[午饭]
[中伏] zhōngfú 명 ⇨[二èr伏]
[中古] zhōnggǔ 명〖史〗① (시대 구분상의) 중고. ② 봉건 시대.
[中国] Zhōngguó 명〖地〗중국. ❏~话; 중국어 / ~通; 중국통《중국의 사정에 정통한 사람》.
[中和] zhōnghé 동 ①〖化·物〗중화하다. ②(성질이 다른 것을) 중화하다. 중화시키다.
[中华] Zhōnghuá 명 중화. 중국. ❏~民族; 중화 민족.
[中华人民共和国] Zhōnghuá Rénmín Gònghéguó〖地〗중화 인민 공화국. 「중급반.
[中级] zhōngjí 형 중급의. ❏~班;
[中坚] zhōngjiān 명 중견. ❏~力量; 중견이 되는 힘.
[中间] zhōngjiān 명 ① 중간. 사이. 가운데. ❏站在~; 중간에 서다. ② 범위 내. 중. 속. 안. ❏在我们~他最有钱; 우리 중에서 그가 가장 부자이다. ③ 중심. 한가운데. ❏他下巴~有颗痣; 그는 턱 한가운데에 점이 있다. ‖ =[〈口〉中间儿jiànr]
[中间人] zhōngjiānrén 명 ⇨[中人①]
[中间儿] zhōngjiànr 명〈口〉⇨[中间] 「중개인.
[中介] zhōngjiè 명 중개. ❏~人;
[中看] zhōngkàn 형 보기 좋다. ❏~不中吃; 보기에는 좋지만 맛은 없다《빛 좋은 개살구》.
[中立] zhōnglì 동 중립을 지키다. ❏~国; 중립국.
[中流] zhōngliú 명 ① 수류(水流)의 중앙. ② ⇨[中游①] ③ 중간 계층. 중류(中流).
[中流砥柱] zhōngliú-Dǐzhù〈成〉매우 강인하여 중임을 맡고 난국을

타개할 영웅적 인물이나 집단.
[中年] zhōngnián 명 중년. ❏~男子; 중년 남자.
[中期] zhōngqī 명 중기. 중엽. ❏十九世纪~; 19세기 중엽.
[中秋] Zhōngqiū 명 추석. 중추절. 한가위《음력 8월 15일》. =[中秋节][团圆节]
[中人] zhōngrén 명 ① 중개인. 중개자. 중매인. =[中间人] ②〈書〉(체격·용모·재능 따위가) 중간 정도의 사람. 보통 사람.
[中山装] zhōngshānzhuāng 명 중산복《중국 남성복의 하나로, 쑨원(孫文)이 고안했음》.
[中式] zhōngshì 형 중국식의. ❏~服装; 중국식 복장.
[中世纪] zhōngshìjì 명〔史〕중세기.
[中枢] zhōngshū 명 중추. ❏~神经; 중추 신경. 신경 중추.
[中提琴] zhōngtíqín 명〔樂〕비올라(viola).
[中听] zhōngtīng 형 듣기에 좋다. ❏他净说不~的话; 그는 듣기 싫은 말만 골라 한다.
[中途] zhōngtú 명 중도. 도중. ❏~而废;〈成〉중도에 그만두다.
[中外] zhōngwài 명 중국과 외국. 국내와 국외.
[中文] Zhōngwén 명 중국어.
[中午] zhōngwǔ 명 정오. 점심. =[〈方〉晌午]
[中心] zhōngxīn 명 ① 한복판. 한가운데. ❏广场~; 광장 한가운데. ② 중심. 사물의 중요 부분. ❏~思想; 중심 사상. ③ 중심지. ❏政治~; 정치의 중심지. ④ 센터(center). ❏文化~; 문화 센터.
[中兴] zhōngxīng 동 중흥하다.
[中型] zhōngxíng 형 중형의. ❏~汽车; 중형 자동차.
[中性] zhōngxìng 명 ①〔化〕중성. ②〔言〕중성.
[中学] zhōngxué 명 중등학교. ❏~生; 중등학교 학생《중학생 및 고등학생》.
[中旬] zhōngxún 명 중순.
[中央] zhōngyāng 명 ① 중앙. 가운데. ❏广场~; 광장 중앙. ②(국가나 당의) 최고 기관. ❏~集权; 중앙 집권 / ~政府; 중앙 정부.
[中央处理器] zhōngyāng chǔlǐqì〔컴〕중앙 처리 장치(CPU).
[中药] zhōngyào 명 중약. 한약.
[中叶] zhōngyè 명 중엽. 중기. ❏17世纪~; 17 세기 중엽.
[中医] zhōngyī 명 ① 중국 의학. ② 한의사.
[中庸] zhōngyōng 명 중용. ❏~之道;〈成〉중용지도. 형〈書〉덕과 재능이 평범하다.
[中用] zhōngyòng 형 유용하다. 쓸모 있다《주로, 부정형으로 쓰임》. ❏这些东西不太~; 이 물건들은 별로 쓸모가 없다.
[中游] zhōngyóu 명 ①(강의) 중류. ❏长江~; 창장 강 중류. =[中流②] ②〈比〉(앞서지도 않고 뒤떨어지지도 않은) 중간 상태. ❏甘居~; 중간 상태에 만족하다.
[中止] zhōngzhǐ 동 도중에 그만두다. 중지하다. ❏~比赛; 경기를 중지하다.
[中指] zhōngzhǐ 명 중지. 가운뎃손가락.
[中转] zhōngzhuǎn 동 중간에 갈아타다. 환승하다. ❏~站; 환승역.
[中装] zhōngzhuāng 명 중국 전통 복장.
[中子] zhōngzǐ 명〔物〕중성자. ❏~弹; 중성자탄.

忠 zhōng (충)
① 형 충성스럽다. 충실하다. ② 명 충성. ❏尽~; 충성을 다하다.
[忠臣] zhōngchén 명 충신.
[忠诚] zhōngchéng 형 충성스럽다. 충실하다.
[忠告] zhōnggào 명동 충고(하다). ❏接受~; 충고를 받아들이다.
[忠厚] zhōnghòu 형 충실하고 후덕하다. 충직하고 온후하다.
[忠实] zhōngshí 형 ① 충실하다. 독실하다. ❏~的信徒; 독실한 신도. ② 사실 그대로이다. ❏~的记录; 사실적인 기록.
[忠心] zhōngxīn 명 충심. 충성심. ❏~耿耿;〈成〉매우 충성스럽다.
[忠言] zhōngyán 명 충언. ❏~逆耳;〈成〉충언은 귀에 거슬린다.
[忠于] zhōngyú 동 …에 충성하다. …에 충실하다. ❏~祖国; 조국에 충성하다.
[忠贞] zhōngzhēn 형 충성스럽고 절의가 있다. ❏~不渝;〈成〉충성심과 지조가 변하지 않다.

盅 zhōng (충)
(~儿) 명 (술이나 차를 마실 때 쓰는 손잡이 없는) 작은 잔. ❏酒~; 술잔. =[钟B)②]

钟(鐘A), 鍾B)) zhōng (종)
A) 명 ① 종.

❏撞~; 종을 치다. ② 시계. ❏挂~; 벽시계 / 坐~; 탁상시계. ③ 시간. 시. ❏早晨六点~; 아침 6시.
B) ① 동 (감정 따위를) 모으다. 집중하다. ❏~情; ⇓ ② 명 ⇒[盅]
[钟爱] zhōng'ài 동 특별히 예뻐하다. 총애하다.
[钟摆] zhōngbǎi 명 시계추.
[钟表] zhōngbiǎo 명 시계의 총칭.
[钟点(儿)] zhōngdiǎn(r) 명〈口〉 ① 시각. 정해진 시간. ❏到~儿了, 开会吧; 시간이 되었으니, 회의를 시작하자. ② ⇒[钟头]
[钟楼] zhōnglóu 명 ① 종을 달아 둔 누각. 종루. ② 시계탑.
[钟情] zhōngqíng 동 애정을 쏟다. 사랑에 빠지다. ❏一见~; 〈成〉 한눈에 반하다.
[钟头] zhōngtóu 명〈口〉 시간. ❏整整等了一个~; 꼬박 한 시간을 기다렸다. =[钟点②]

衷 zhōng (충)
명 ① 속마음. 진심. ❏由~的感谢; 마음으로부터의 감사. ② 가운데. 중간. ❏折~; 절충하다.
[衷情] zhōngqíng 명 내심. 속마음. 마음속의 감정.
[衷心] zhōngxīn 형 마음에서 우러나다. 진심이다. ❏~感谢; 진심으로 감사하다.

忪 zhōng (종)
→[怔zhēng忪] ⇒ sōng

终(終) zhōng (종)
① 명 끝. 최후. 마지막. ❏告~; 끝나다. ② 동 (사람이) 죽다. ❏临~; 임종하다. ③ 부 마침내. 결국. 끝내. ❏~将胜利; 결국 승리할 것이다. ④ 형 처음부터 끝까지 모든 시간의. ❏~身; ⇓
[终场] zhōngchǎng 동 (연극·경기 따위가) 끝나다. 종료하다.
[终点] zhōngdiǎn 명 ① 종점. ❏~站; 종착역. ②〔體〕 결승점. ❏跑到~; 결승점에 골인하다.
[终端] zhōngduān 명〔電〕 단말장치. 단말기. ❏~机; 단말기.
[终伏] zhōngfú 명 ⇒[末伏]
[终归] zhōngguī 부 마침내. 결국. ❏这件事~会圆满解决的; 이 일은 결국 원만하게 해결될 것이다.
[终极] zhōngjí 명 궁극. 최종. ❏~目的; 최종 목적.
[终结] zhōngjié 동 종결하다. 끝나다.
[终究] zhōngjiū 부 결국. 필경. 마침내. ❏~会有这么一天的; 결국은 이런 날이 올 것이다.
[终久] zhōngjiǔ 부 결국에는. ❏~要失败; 결국에는 실패할 것이다.
[终局] zhōngjú 명 종국. 결국.
[终了] zhōngliǎo 동 (어떤 시기나 단계가) 끝나다. 종료하다.
[终年] zhōngnián 부 일 년 내내 줄곧. ❏~不歇; 일 년 내내 쉬지 않다. 명 향년(享年). ❏~八十岁; 향년 80세.
[终日] zhōngrì 부 종일. 하루 종일. ❏~下雨; 종일 비가 오다.
[终身] zhōngshēn 명 일생. 평생. 종신. ❏~大事; 〈成〉 일생의 대사《결혼을 일컬음》.
[终生] zhōngshēng 명 종생. 평생. ❏~难忘; 평생 잊을 수 없다.
[终于] zhōngyú 부 결국. 드디어. 마침내. ❏你~找到他了! 네가 결국 그를 찾아냈구나!
[终止] zhōngzhǐ 동 종지하다. 끝내다. 마치다. ❏~谈判; 회담을 끝내다 / ~符; 종지부. 마침표.

螽 zhōng (종)
→[螽斯]
[螽斯] zhōngsī 명〔蟲〕 여치.

肿(腫) zhǒng (종)
동 (피부 따위의 조직이) 붓다. ❏眼睛~得很厉害; 눈이 심하게 부었다.
[肿瘤] zhǒngliú 명〔醫〕 종양. ❏恶性~; 악성 종양. =[瘤子]
[肿胀] zhǒngzhàng 동 붓다. 부종이 생기다. 부어오르다.

种(種) zhǒng (종)
① 명〔生〕 종. ② 명 인종(人種). ❏黄~; 황인종. ③ 명 종류. ❏语~; 언어의 종류. ④ (~儿) 명 종자. 품종. ❏良~; 우량종. ⑤ 명 배짱. 담력. ❏你有~! 배짱 좋구나! ⑥ 양 종류. 가지. ❏这~人不好对付; 이런 종류의 인간은 상대하기 힘들다. ⇒ zhòng
[种类] zhǒnglèi 명 종류. ❏~繁多; 종류가 매우 많다.
[种种] zhǒngzhǒng 명 갖가지. 각종. 여러 가지. ❏~办法; 각종 방법 / ~困难; 갖가지 어려움.
[种子] zhǒng·zi 명 ① 종자. 씨앗. 씨. ❏下~; 씨를 뿌리다. ②〔體〕 (토너먼트 경기에서) 시드(seed). ❏~队; 시드 팀.
[种族] zhǒngzú 명 종족. 인종. ❏~歧视; 인종 차별 / ~主义; 인종주의. 인종 차별주의.

冢 zhǒng (총)
명 분묘(墳墓). 무덤.

踵 zhǒng (종)
〈書〉 ①명 발뒤꿈치. ❏举~; 발돋움하다. ②동 몸소[친히] 가다. ❏~门; 친히 방문하다. ③동 뒤따르다. ❏~至; 뒤따라 도착하다.

中 zhòng (중)
동 ① 맞다. 명중하다. 적중하다. 당첨되다. 합격하다. ❏~弹; 총탄에 맞다 / 他考~了; 그는 시험에 합격했다. ② …을 당하다. …에 맞다. …에 걸리다. ❏~煤气; 가스에 중독되다. ⇒zhōng

[中毒] zhòng//dú 동 중독되다. ❏药物~; 약물 중독.

[中风] zhòng//fēng 명동 ⇒[卒中]

[中计] zhòng//jì 동 계략에 걸리다. ❏中他的计; 그의 계략에 걸리다.

[中奖] zhòng//jiǎng 동 당첨되다.

[中肯] zhòngkěn 형 (말이) 정곡을 찌르다. 요점을 맞히다. ❏说得~; 말이 요점을 찌르다.

[中伤] zhòngshāng 동 중상하다. ❏恶意~; 악의로 중상하다.

[中暑] zhòng//shǔ 동 더위 먹다. 일사병에 걸리다. 중서에 걸리다. =[受热②] (zhòngshǔ) 명〖中醫〗 일사병. 중서.

[中选] zhòng//xuǎn 동 선발되다. 당선되다. 뽑히다.

[中意] zhòng//yì 동 마음에 들다.

仲 zhòng (중)
①동 가운데에 서다. ❏~裁; ⇓ ②명 한 절기의 두 번째의 달. ❏~秋; 중추. 가을의 두 번째 달 《음력 8월》. ③명 형제 가운데 둘째. ❏~兄; 둘째 형.

[仲裁] zhòngcái 동 중재하다. 조정하다. ❏~委员会; 중재 위원회.

种(種) zhòng (종)
동 ① 심다. 재배하다. 기르다. ❏~菜; 채소를 재배하다. ② 접종하다. ❏~痘; ⇓ ⇒zhǒng

[种地] zhòng//dì 동 밭을 갈다. 농사를 짓다. =[种田]

[种痘] zhòng//dòu 동〖醫〗 종두하다. 우두를 놓다. =[种牛痘]

[种瓜得瓜, 种豆得豆] zhòngguā-déguā, zhòngdòu-dédòu 〈諺〉 콩 심은 데 콩 나고, 팥 심은 데 팥 난다.

[种田] zhòng//tián 동 ⇒[种地]

[种植] zhòngzhí 동 심다. 재배하다. ❏~果树; 과수를 심다.

众(衆) zhòng (중)
①형 매우 많다. ❏~人; ⇓ ②명 많은 사람. 사람들. ❏群~; 군중 / 听~; 청중.

[众多] zhòngduō 형 (주로, 사람이) 매우 많다. 수많다. ❏人口~; 인구가 많다 / ~的人才; 수많은 인재.

[众口难调] zhòngkǒu-nántiáo 명 〈成〉 먹는 사람이 많으면 개개인의 기호에 맞추기 어렵다《모든 사람을 만족시키기는 어렵다》.

[众口铄金] zhònkǒu-shuòjīn 〈成〉 많은 사람들의 말은 쇠도 녹인다《① 여론의 힘이 크다. ② 여러 사람이 이말 저말 해서 시비를 가리기 어렵다》.

[众口一词] zhòngkǒu-yīcí 〈成〉 이구동성으로 말하다.

[众目睽睽] zhòngmù-kuíkuí 〈成〉 사람들이 주시하고 있다.

[众叛亲离] zhòngpàn-qīnlí 〈成〉 사람들은 반대하고 측근들은 떠나다 《완전히 외톨이가 되다》.

[众人] zhòngrén 명 여러 사람. 많은 사람. 군중.

[众矢之的] zhòngshǐzhīdì 〈成〉 여러 사람의 공격의 대상.

[众说纷纭] zhòngshuō-fēnyún 〈成〉 의론이 분분하다.

[众所周知] zhòngsuǒzhōuzhī 〈成〉 모든 사람이 다 알고 있다.

[众望] zhòngwàng 명 대중의 희망. 모두의 바람.

[众志成城] zhòngzhì-chéngchéng 〈成〉 모두가 단결하면 어려움을 극복하고 성취할 수 있다.

重 zhòng (중)
①명 무게. 중량. ❏这只母鸡有三斤~; 이 암탉은 무게가 세 근 나간다. ②형 (무게·부담·의미 따위가) 무겁다. ❏这书包太~了; 이 책가방은 너무 무겁다. ③형 막중하다. 중대하다. 힘들다. 중하다. ❏责任很~; 책임이 막중하다. ④형 (정도가) 크다. 심하다. ❏颜色太~; 빛깔이 너무 짙다 / 损失很~; 손실이 매우 크다. ⑤형 중요하다. ❏~任; ⇓ ⑥동 존중하다. 중시하다. ❏~男轻女; ⇓ ⑦형 신중하다. 진중하다. ❏持~; 신중하다. ⇒chóng

[重兵] zhòngbīng 명 대군(大軍). 강력한 군대. ❏~压境; 대군이 국경까지 압박해 들어오다.

[重大] zhòngdà 형 중대하다. ❏~变化; 중대한 변화 / ~事故; 대

형 사고.
[重担] zhòngdàn 명 무거운 짐. 〈比〉 중임. 「요지.
[重地] zhòngdì 명 중요한 장소.
[重点] zhòngdiǎn 명 ①〖物〗(지렛대의) 중점. ② 중점. 중심. 주안점. ❑建设的~; 건설의 중점. 부 중점적으로. 중심으로. ❑~介绍; 중점적으로 소개하다.
[重读] zhòngdú 동〖言〗강세를 주어 읽다. 악센트(accent)를 두어 읽다. ⇒chóngdú
[重负] zhòngfù 명 중대한 책임. 무거운 짐[부담]. ❑如释~; 〈成〉 무거운 짐을 내려놓은 것 같다.
[重工业] zhònggōngyè 명 중공업.
[重活儿] zhònghuór 명 중노동.
[重力] zhònglì 명〖物〗 중력. =[地心引力]
[重量] zhòngliàng 명 중량. 무게.
[重男轻女] zhòngnán-qīngnǚ 〈成〉 남존여비.
[重任] zhòngrèn 명 중임. 중책.
[重伤] zhòngshāng 명 중상.
[重视] zhòngshì 동 중시하다. ❑当局很~失业问题; 당국은 실업 문제를 매우 중시하고 있다.
[重听] zhòngtīng 형 청각이 둔하다. 귀가 먹다. 난청(難聽)이다.
[重托] zhòngtuō 명 중대한 부탁. ❑不负~; 중대한 부탁을 저버리지 않다.
[重心] zhòngxīn 명 ①〖物〗 무게 중심. 중심. ②〖數〗 무게 중심. ③ 주요 부분. 핵심.
[重型] zhòngxíng 형 (무기·기계 따위의) 대형의. 중형의. ❑~卡车; 대형 트럭(truck).
[重要] zhòngyào 형 중요하다. ❑这对我很~; 이것은 나에게 매우 중요하다 / ~人物; 중요 인물.
[重音] zhòngyīn 명 ①〖言〗 악센트. 강세. ②〖樂〗 악센트. ❑~记号; 악센트 기호.
[重用] zhòngyòng 동 중요한 자리에 임용하다. 중용하다. ❑~优秀人员; 우수한 인원을 중용하다.
[重镇] zhòngzhèn 명 (군사상의) 중요 도시. 요충지.

zhou ㄓㄡ

舟 zhōu (주) 「〈轉〉 배.
명〈書〉 배. ❑~楫; 배와 노.

州 zhōu (주)
명 ① 옛 행정 구획. ② 민족 자치 행정 구획. ❑自治~; 자치주.

洲 zhōu (주)
명 ① 주. 대륙(大陸). ❑亚~; 아시아. ② 주《물 가운데의 모래톱》. ❑三角~; 삼각주.
[洲际] zhōujì 형 대륙간의. ❑~导弹; 대륙간 탄도 유도탄.

诌(謅) zhōu (초, 추)
동 입에서 나오는 대로 꾸며서 말하다. 말을 꾸며 내다.

周 zhōu (주)
① 양 바퀴. ❑绕场一~; 장내를 한 바퀴 돌다. ② 명 주위. 둘레. ❑圆~; 원주. ③ 동 한 바퀴 돌다. ❑~而复始; ⇓ ④ 형 보편적이다. 전반적이다. ❑众所~知; 대중에게 널리 알려져 있다. ⑤ 형 두루 미치다. 철저하다. 세심하다. ❑招待不~; 접대가 고루 미치지 못하다. ⑥ 명 주(週). ❑上~; 지난 주 / 下~; 다음 주. ⑦ 명〖物〗〈簡〉 주파. 사이클(cycle). ❑兆~; 메가사이클(megacycle). ⑧ 동 구제하다. ❑~济; ⇓ ⑨ (Zhōu) 명〖史〗 주《옛 나라 이름》.
[周报] zhōubào 명 주간 신문.
[周边] zhōubiān 명 ⇒[周围]
[周波] zhōubō 명〖物〗 주파. 사이클(cycle).
[周到] zhōudào 형 빈틈없다. 꼼꼼하다. 세심하다. ❑服务~; 서비스가 세심하다.
[周而复始] zhōu'érfùshǐ 〈成〉 끊임없이 순환하다.
[周济] zhōujì 동 (가난한 사람들을) 물질적으로 도와주다. 구제하다.
[周刊] zhōukān 명 (신문·잡지 따위의) 주간. ❑~杂志; 주간지.
[周密] zhōumì 형 주밀하다. 주도 면밀하다. 치밀하다. ❑~的调查; 치밀한 조사.
[周末] zhōumò 명 주말.
[周年] zhōunián 명 주년. ❑结婚五~纪念; 결혼 5주년 기념.
[周期] zhōuqī 명 ① 한 바퀴 도는 시기. 주기. ②〖物·化〗 주기.
[周全] zhōuquán 동 (일이 성사되도록) 돕다. ❑尽力~他们的婚事; 최선을 다해 그들의 혼사를 돕다. 형 빈틈없다. 주도하다. 두루 미치다. ❑想得很~; 생각이 매우 빈틈없다.
[周身] zhōushēn 명 온몸. 전신. ❑~无力; 온몸에 힘이 없다.

[周岁] zhōusuì 명 ① 만 한 살. 돌. ② 만 …살. ❏ 他已三十~了; 그는 이미 만으로 서른이다.
[周围] zhōuwéi 명 주위. 주변. ❏ ~的环境; 주위의 환경. =[周边]
[周详] zhōuxiáng 형 빈틈없고 상세하다. 빠짐없이 자세하다.
[周旋] zhōuxuán 동 ① 주위를 돌다. 맴돌다. 선회하다. ❏ 燕子在天空~; 제비가 하늘에서 맴돌고 있다. ② 교제하다. 응대하다. 접대하다. ③ (적을) 상대하다. 서로 싸우다.
[周游] zhōuyóu 동 주유하다. 편력하다. 돌아다니다. ❏ ~各地; 각지를 돌아다니다.
[周折] zhōuzhé 명 우여곡절. ❏ 几经~; 우여곡절을 몇 차례 겪다.
[周转] zhōuzhuǎn 동 ①〔經〕(자금·물건 따위가) 돌다. 유통되다. 회전되다. ❏ ~货币; 유통 화폐. ② 자금 사정이 좋다. ❏ 手头~不开; 주머니 사정이 여의치 않다.

粥 zhōu (죽)
명 죽. ❏ 熬~; 죽을 끓이다.
[粥少僧多] zhōushǎo-sēngduō 〈成〉 ⇨[僧多粥少]

妯 zhóu (축)
→[妯娌]
[妯娌] zhóu·li 명 형수와 계수. 동서.

轴(軸) zhóu (축)
① 명〔機〕 축. 굴대. ② (~儿) 명 무언가를 감아 두는 기구. 축. 도투마리. ③ 양 축. 패《두루마리·실을 세는 말》. ❏ 两~儿线; 견사(絹絲) 두 패. ④ 형〈方〉 완고하다. 고집스럽다.
[轴承] zhóuchéng 명〔機〕 축받이. 베어링(bearing).
[轴心] zhóuxīn 명 ①〔機〕 축의 중심. 축심. ②〈比〉 추축(樞軸). ❏ ~国; 추축국.
[轴子] zhóu·zi 명 ① 축. 권축(卷軸). ② 현악기의 현(弦)을 죄는 축.

肘 zhǒu (주)
명 ① 팔꿈치. =[肘子②] ② (~儿) ⇨[肘子①]
[肘子] zhǒu·zi 명 ① 돼지의 허벅다리 고기. =[肘②] ② ⇨[肘①]

帚 zhǒu (추)
명 비. 빗자루.

宙 zhòu (주)
명 예부터 지금까지의 시간.
[宙斯] Zhòusī 명〈音〉 제우스(Zeus)《그리스 신화의 최고신》.

绉(縐) zhòu (추)
명 크레이프(crepe).
[绉纱] zhòushā 명〔紡〕 크레이프(crepe).

皱(皺) zhòu (추)
① 명 주름. 구김. 주름살. ② 동 구겨지다. 구기다. ❏ 衣裳~了; 옷이 구겨졌다 / ~眉头; 눈살을 찌푸리다.
[皱巴巴(的)] zhòubābā(·de) 형 쪼글쪼글하다. 쭈글쭈글하다.
[皱纹(儿)] zhòuwén(r) 명 주름. 구김. 주름살. 구김살. ❏ 布满~的脸; 주름이 가득한 얼굴.
[皱褶] zhòuzhě 명 ⇨[褶皱②]

咒 zhòu (주)
① 명 주문(呪文). ❏ 念~; 주문을 외다. ② 동 저주하다. ❏ ~人; 남을 저주하다.
[咒骂] zhòumà 동 악담을 퍼붓다. 욕지거리하다.

昼(晝) zhòu (주)
명 낮. ❏ 白~; 대낮.
[昼夜] zhòuyè 명 밤낮. 주야.

骤(驟) zhòu (취)
① 동 (말이) 빨리 달리다. 질주하다. ❏ 驰~; 질주하다. ② 형 급속하다. 갑작스럽다. ❏ ~雨; ⇩ ③ 부 갑자기. 돌연. 홀연히. ❏ 水位~涨; 수위가 갑자기 불어나다.
[骤然] zhòurán 부 갑자기. 돌연. ❏ ~下起雨来了; 갑자기 비가 오기 시작했다.
[骤雨] zhòuyǔ 명 소나기.

籀 zhòu (주)
명〈書〉 대전(大篆).

zhu ㄓㄨ

朱(硃)[②] zhū (주)
명 ① 주홍색. ②〔鑛〕 주사(朱砂).
[朱红] zhūhóng 형 주홍색을 띠다.
[朱门] zhūmén 명 붉은 칠을 한 대문. 〈轉〉 부잣집. 높은 관리의 집.
[朱墨] zhūmò 명 붉은색과 검은색.
[朱砂] zhūshā 명 ⇨[辰砂]

诛(誅) zhū (주)
동〈書〉 ① (죄인을) 죽이다. ❏ 伏~; 사형에 처해지다. ② 꾸짖어 벌하다. 성토하다. ❏ 口~笔伐; 〈成〉 말과 글로써 죄상을 폭로하고 성토하다.

侏 zhū (주)
형〈書〉(키가) 작다. 왜소하다.
[侏儒] zhūrú 명 주유. 난쟁이.

珠 zhū (주)
명 ① 구슬. 진주. ❏ 夜明~; 야광주. ② (~儿) 진주처럼 생긴 것. 알. 방울. ❏ 水~儿; 물방울.
[珠宝] zhūbǎo 명 진주와 보석. 보석류. ❏ ~店; 보석 가게.
[珠光] zhūguāng 명 진주광택. 펄(pearl).
[珠穆朗玛峰] Zhūmùlǎngmǎfēng 명〔地〕〈音〉 에베레스트(Everest).
[珠算] zhūsuàn 명 주산.
[珠子] zhū·zi 명 ① 진주. ② 진주 모양의 것. 구슬. 방울. 알. ❏ 算盘~; 주판알.

株 zhū (주)
①명 그루. ②명 (식물의) 포기. ③양 그루. ❏ 一~树; 나무 한 그루.
[株连] zhūlián 동 (한 사람의 죄에 여러 사람이) 연좌되다. 연루되다.

铢(銖) zhū (수)
양 옛 중량(重量) 단위.
[铢积寸累] zhūjī-cùnlěi〈成〉 조금씩 조금씩 모으다[축적하다].

蛛 zhū (주)
명〔蟲〕 거미.
[蛛丝] zhūsī 명 거미줄.
[蛛丝马迹] zhūsī-mǎjì〈成〉 희미한 단서(端緖). 약간의 실마리.
[蛛网] zhūwǎng 명 거미집.
[蛛蛛] zhū·zhu 명〈口〉 ⇨[蜘蛛]

诸(諸) zhū (제)
대 ① 온갖. 여러. 많은. ❏ ~将; 여러 장수들. ②〈書〉 '之于' 나 '之乎' 의 합음(合音). ❏ 付~讨论; 토론에 부치다.
[诸多] zhūduō 형 많은. 수많은. 허다한《추상적인 것에 쓰임》. ❏ ~烦恼; 수많은 걱정.
[诸葛亮] Zhūgě Liàng 명〔人〕 제갈 량《자(字)는 공명(孔明). 촉(蜀)나라의 뛰어난 군사 전략가》.
[诸侯] zhūhóu 명 제후.
[诸如] zhūrú 동 예컨대 …따위이다. ❏ ~此类;〈成〉 예컨대 이런 것들이다.
[诸位] zhūwèi 대〈敬〉 여러분. ❏ ~女士先生; 신사 숙녀 여러분.
[诸子百家] zhūzǐ-bǎijiā〈成〉 제자백가.

猪 zhū (저)
명〔動〕 돼지. ❏ 母~; 암퇘지 / ~排骨; 돼지갈비 / 野~; 멧돼지.
[猪圈] zhūjuàn 명 돼지우리.
[猪排] zhūpái 명 포크 찹(pork chop).
[猪肉] zhūròu 명 돼지고기. =[大肉]
[猪油] zhūyóu 명 돼지기름. 라드(lard).

竹 zhú (죽)
명〔植〕 대나무. ❏ ~林; 대숲.
[竹帛] zhúbó 명 죽백《옛날, 글씨를 쓰던 대쪽과 헝겊》.〈轉〉 서적.
[竹竿(儿)] zhúgān(r) 명 대나무 장대.
[竹简] zhújiǎn 명 죽간《종이가 발명되기 전 문자를 기록하던 대쪽》.
[竹帘] zhúlián 명 대나무 발. 대발.
[竹马(儿)] zhúmǎ(r) 명 죽마.
[竹器] zhúqì 명 대나무로 만든 기물《대바구니·대나무 의자 따위》.
[竹笋] zhúsǔn 명 ⇨[笋]

逐 zhú (축)
①동 쫓다. 쫓아가다. 뒤쫓다. ❏ ~鹿; ⇩ ②동 쫓아 버리다. 몰아내다. 내쫓다. ❏ ~出境外; 국경 밖까지 내쫓다. ③개 하나하나. 차례로.
[逐步] zhúbù 부 한발 한발. 차츰차츰. 한 단계 한 단계. ❏ ~消除; 차츰차츰 없애다.
[逐个] zhúgè 부 하나하나. 일일이. ❏ ~检查; 하나하나 검사하다.
[逐渐] zhújiàn 부 점차. 점점. 차츰. ❏ 天色~暗了下来; 하늘이 점점 어두워졌다.
[逐鹿] zhúlù 동〈書〉 사슴을 쫓다.〈比〉 천하를 쟁탈하다.
[逐年] zhúnián 부 해마다. ❏ 物价~上涨; 물가가 해마다 오르다.
[逐日] zhúrì 부 날마다. 하루하루. 나날이. ❏ 收益~减少; 수익이 나날이 감소하다.
[逐一] zhúyī 부 하나하나. 일일이. ❏ ~加以解决; 하나하나 해결하다.
[逐字逐句] zhúzì-zhújù〈成〉 글자마다 구마다. 매 글자 매 문구.

烛(燭) zhú (촉)
①명 초. 양초. ②동〈書〉 비추다. 밝히다. 내다보다. ❏ 火光~天; 불길이 하늘을 환히 밝히다. ③양〔物〕 (전구의) 와트(watt) 수. 촉. 촉광.
[烛光] zhúguāng 양〔物〕 촉광. 촉《광도(光度)의 단위》.
[烛泪] zhúlèi 명 촛농.
[烛台] zhútái 명 ⇨[蜡台]
[烛照] zhúzhào 동〈書〉 비추다. ❏

阳光~万物; 햇빛이 만물을 비추다.

躅 zhú (촉)
→[踯zhí躅]

主 zhǔ (주)
①명 (다른 사람을 맞는) 주인. ❏宾~; 손님과 주인. 주객(主客). ②명 소유주. 임자. 주인. ❏房~; 집주인. ③명 주인. 상전. ❏奴隶~; 노예주. ④명 당사자. ❏失~; 분실자(紛失者). ⑤명〔宗〕(기독교의) 하나님. 주. (이슬람교의) 알라. ⑥형 주된. 가장 중요한. 가장 기본적인. ❏学生应该以学习为~; 학생은 공부가 주가 되어야 한다. ⑦동 주가 되어 …하다. 주관하다. ❏~办; ⇓ ⑧동 주장하다. ❏~和; 평화를 주장하다. ⑨동 전조가 되다. 예시하다. ❏~吉; 길함을 예시하다. ⑩명 주견(主見). 줏대. ❏心里没~; 주견이 없다. ⑪형 주관적인. 자신의. ❏~观; ⇓

[主办] zhǔbàn 동 주최하다. 주관하다. ❏~单位; 주최 기관.

[主笔] zhǔbǐ 명 (신문·잡지의) 주필. 동 저술 업무를 주관하다.

[主编] zhǔbiān 동 편집 업무의 주요 책임을 지다. 책임 편집하다. 명 편집 책임자. 편집장. 주간(主幹).

[主场] zhǔchǎng 명〔體〕홈그라운드. ❏~比赛; 홈경기.

[主持] zhǔchí 동 ①주재하다. 주관하다. 진행하다. ❏~会议; 회의를 진행하다 / ~人; ⓐ주최자. ⓑ진행자. 사회자. ②주장하다. 지지하다. ❏~正义; 정의를 주장하다.

[主次] zhǔcì 명 본말(本末). 경중(輕重). ❏~不分; 경중을 분간하지 않다.

[主从] zhǔcóng 명 주종. ❏~关系; 주종 관계.

[主打] zhǔdǎ 동 중점적으로 밀다. ❏~产品; 주력 상품 / ~歌; 대표곡.

[主导] zhǔdǎo 동 주도하다. ❏~作用; 주도적 역할. 명 주도적 역할을 하는 것.

[主动] zhǔdòng 형 ①자발적이다. 능동적이다. ❏~帮助别人; 자발적으로 남을 돕다. ②주동적이다. 주도적이다. ❏~权; 주도권.

[主动脉] zhǔdòngmài 명 ⇨[大动脉①]

[主队] zhǔduì 명〔體〕홈 팀(home team).

[主犯] zhǔfàn 명〔法〕주범.

[主妇] zhǔfù 명 주부. ❏家庭~; 가정주부.

[主干] zhǔgàn 명 ①〔植〕식물의 주요 줄기. ②〈比〉주된 힘.

[主攻] zhǔgōng 동 ①〔軍〕주공격하다. ②주력하다.

[主顾] zhǔgù 명 고객. 손님. ❏老~; 단골손님.

[主观] zhǔguān 형 주관적이다. ❏他看问题太~了; 그는 사물을 보는 관점이 너무 주관적이다.

[主管] zhǔguǎn 동 주관하다. 관할하다. ❏~部门; 주관 부문. 명 주관(하는 사람). 관리자.

[主见] zhǔjiàn 명 주견. 정견. 자기 생각. ❏没~; 주견이 없다.

[主教] zhǔjiào 명〔宗〕주교.

[主角(儿)] zhǔjué(r) 명 ①〔劇〕주역. 주인공. ②〈比〉주요 인물.

[主力] zhǔlì 명 주력. ❏~部队; 주력 부대.

[主流] zhǔliú 명 ①⇨[干gàn流] ②〈比〉주류. 주요 추세.

[主谋] zhǔmóu 동 주모하다. 명 주모자.

[主权] zhǔquán 명 주권. ❏~国家; 주권국.

[主人] zhǔ·rén 명 ①(손님에 대해) 주인. ②(고용자·하인의 입장에서) 주인. ③소유주. 주인. ❏房子~; 집주인.

[主人公] zhǔréngōng 명 주인공. =[主人翁②]

[主人翁] zhǔrénwēng 명 ①주인 노릇을 하는 사람. 주인. ②⇨[主人公]

[主任] zhǔrèn 명 주임. ❏班~; (학교 따위의) 반 담임.

[主食] zhǔshí 명 주식.

[主使] zhǔshǐ 동 꼬드기다. 교사(教唆)하다.

[主题] zhǔtí 명 주제. ❏~歌; 주제가.

[主体] zhǔtǐ 명 ①주체. 주요 부분. ❏国家的~; 국가의 주체. ②〔哲〕(객체에 대한) 주체.

[主席] zhǔxí 명 ①(회의의) 의장. ❏~团; 의장단. ②주석. 위원장. ❏国家~; 국가 주석.

[主心骨(儿)] zhǔxīngǔ(r) 명 ①의지할 만한 사람 또는 사물. 정신적 지주. ②주견(主見). 줏대.

[主演] zhǔyǎn 명동 주연(하다). ❏这部电影由她~; 이 영화는 그녀가 주연한다.

[主要] zhǔyào 형 주요한. 중요한. 결정적인. ❏~人物; 주요 인물.

[主义] zhǔyì 명 (사상·학설·제

도·체계 따위의) 주의. ❏个人~; 개인주의 / 浪漫~; 낭만주의 / 社会~; 사회주의.

[主意] zhǔ·yi 명 ① 주견. 주장. 생각. ❏打错~; 잘못된 생각을 하다. ② 구상. 의견. 아이디어(idea). 생각. ❏你有什么好~? 너 무슨 좋은 생각이라도 있니?

[主语] zhǔyǔ 명〖言〗주어.

[主宰] zhǔzǎi 동 주재하다. 다스리다. 지배하다. ❏~天下; 천하를 다스리다. 명 주재자. ❏人是万物的~; 사람은 만물의 주재자이다.

[主张] zhǔzhāng 명 주장. 의견. 생각. 동 (견해를) 주장하다. ❏~男女平等; 남녀평등을 주장하다.

[主旨] zhǔzhǐ 명 주지. 요지.

[主子] zhǔ·zi 명 ① 주인. 상전. ②〈貶〉두목. 우두머리.

拄 zhǔ (주) 동 (지팡이 따위로) 짚다. 버티다. ❏~杖; 지팡이를 짚다.

煮 zhǔ (자) 동 삶다. 끓이다. 익히다. ❏~面条; 국수를 삶다.

属(屬) zhǔ (촉) 동〈書〉① 연하다. 접하다. 연결하다. ② (주의나 기대 따위를) 집중하다. 기울이다. ❏~意; ⇩ ⇒shǔ

[属意] zhǔyì 동 마음을 기울이다. 마음이 쏠리다. 기대를 걸다.

嘱(囑) zhǔ (촉) 동 분부하다. 부탁하다. 당부하다. ❏叮~; 당부하다.

[嘱咐] zhǔ·fù 동 당부하다. 알아듣게 이야기하다. ❏再三~; 신신당부하다.

[嘱托] zhǔtuō 동 의뢰하다. 부탁하다. ❏他把这件事~给朋友了; 그는 이 일을 친구에게 부탁했다.

瞩(矚) zhǔ (촉) 동 눈여겨보다. 주시하다.

[瞩目] zhǔmù 동〈書〉주목하다.

伫 zhù (저) 동〈書〉오랫동안 서 있다.

[伫候] zhùhòu 동〈書〉서서 기다리다.〈轉〉기다리다. ❏~佳音; 좋은 소식을 기다리다.

[伫立] zhùlì 동〈書〉오래도록 서 있다. 한참을 서 있다.

苎 zhù (저) →[苎麻]

[苎麻] zhùmá 명〖植〗모시풀. 저마. ❏~布; 모시. 저마포.

贮(貯) zhù (저) 동 비축하다. 저장하다.

[贮备] zhùbèi 동 비축하다. ❏~粮食; 식량을 비축하다.

[贮藏] zhùcáng 동 저장하다. 모아 두다. ❏地下~着大量石油; 지하에 대량의 석유가 저장되어 있다.

[贮存] zhùcún 동 비축해 두다. 저장하다.

住 zhù (주) 동 ① 살다. 거주하다. ❏你家~在哪儿? 어디에 사십니까? ② 묵다. 숙박하다. ❏~一个晚上; 하룻밤 묵다. ③ 멈추다. 그치다. 멎다. ❏雨~了; 비가 그쳤다 / ~嘴; ⇩ ④ 동사의 보어로 쓰임. ㉠ 견고하거나 안정됨을 나타냄. ❏拿~; 꽉 잡다 / 记~; 단단히 기억하다. ㉡중단되거나 정지함을 나타냄. ❏站~! 거기 서라! / 愣~; 멍해지다 / 挡~去路; 가는 길을 막다. ㉢ '得' 나 '不'와 연용하여 역량이 충분하거나 부족함을 나타냄. ❏记得~; 기억할 수 있다 / 忍耐不~; 참아낼 수 없다.

[住处] zhùchù 명 지내는 곳. 묵는 곳. 거처. ❏临时~; 임시 거처.

[住房] zhùfáng 명 주택. 집.

[住户] zhùhù 명 거주자. 입주자. 가구. 세대.

[住口] zhù//kǒu 동 입을 다물다. 입을 닥치다. 말을 멈추다. ❏你给我~! 입 좀 닥쳐라! =[住嘴]

[住手] zhù//shǒu 동 손을 멈추다. 하던 일을 멈추다. ❏~, 不许打人! 멈춰, 때리지 마!

[住宿] zhùsù 동 묵다. 숙박하다. ❏在宾馆~; 호텔에 묵다 / ~卡; 숙박 카드. =[歇xiē宿]

[住院] zhù//yuàn 동 입원하다. ❏~治疗; 입원 치료 하다 / ~费; 입원비. =[入院]

[住宅] zhùzhái 명 (비교적 큰) 주택. ❏~区; 주택가.

[住址] zhùzhǐ 명 (사는 곳의) 주소.

[住嘴] zhù//zuǐ 동 ⇒[住口]

注 zhù (주) A) ① 동 붓다. 주입하다. ❏~射; ⇩ ② 동 (정신·힘 따위를) 모으다. 집중하다. ❏~视; ⇩ / ~意; ⇩ ③ 명 노름돈. 판돈. ❏下~; 돈을 걸다. B) ① 동 주석하다. 주해하다. ❏~解; ⇩ ② 명 주석. 주해. ❏脚~; 각주. ③ 동 기재하다. 등록하다. ❏~册; ⇩

[注册] zhù//cè 동 ① 등기하다. 등록하다. ❏ ~商标; 등록 상표. ②〖컴〗 로그인(login)하다. =[登录②]
[注定] zhùdìng 동 이미[미리] 정해져 있다. ❏ 命中~; 〈成〉 운명에 의해 정해져 있다.
[注解] zhùjiě 명동 주석(注釋)(하다). 주해(하다). =[注释]
[注目] zhùmù 동 시선을 집중하다. 주목하다. ❏ 引人~; 〈成〉 남의 주목을 끌다.
[注入] zhùrù 동 ① 주입하다. 부어 넣다. ② 흘러 들어가다. ❏ 长江~东海; 창장 강은 동해로 흘러 들어간다.
[注射] zhùshè 동 주사하다. ❏ ~器; 주사기 / ~针头; 주삿바늘.
[注射剂] zhùshèjì 명〖藥〗 주사제. =[针剂]
[注视] zhùshì 동 주시하다. ❏ ~屏幕; 화면을 주시하다.
[注释] zhùshì 명동 ⇨[注解]
[注销] zhùxiāo 동 ① (등록을) 취소하다. 말소하다. ❏ ~户口; 주민등록을 말소하다. ②〖컴〗 로그아웃(logout)하다.
[注意] zhù//yì 동 주의하다. 조심하다. ❏ ~安全; 안전에 주의하다 / ~力; 주의력 / ~事项; 주의 사항.
[注音] zhù//yīn 동 (문자·부호 따위로) 발음을 나타내다.
[注音字母] zhùyīn zìmǔ〖言〗 주음부호(1918년에 중국에서 제정한 발음 부호). =[注音符号]
[注重] zhùzhòng 동 중시하다. 중점을 두다. ❏ ~解释语法; 어법 설명에 중점을 두다.

驻(駐) zhù (주)
동 ① 멈추다. 머무르다. ❏ ~足; 걸음을 멈추다. ② 주둔하다. 주재(駐在)하다. ❏ 韩国~中国大使; 중국 주재 한국 대사.
[驻地] zhùdì 명 ① 주둔지. ② (지방 행정 기관의) 소재지.
[驻防] zhùfáng 동 (군대가) 주둔하여 방비(防備)하다.
[驻军] zhùjūn 동 군대를 주둔시키다. 명 주둔군.
[驻守] zhùshǒu 동 주둔하여 지키다.
[驻扎] zhùzhā 동 (군대가) 주둔하다. =[屯扎][驻屯]

炷 zhù (주)
① 명〈書〉 등심(燈心). ② 동〈書〉 (향을) 피우다. 사르다. ❏ ~香; 향을 피우다. ③ 양 개(불 붙인 향(香)을 세는 말). ❏ 一~香; 향 한 개.

柱 zhù (주)
명 ① 기둥. ❏ 支~; 지주. ② 기둥 모양의 것. ❏ 冰~; 고드름.
[柱石] zhùshí 명 기둥과 주춧돌. 주석. 〈比〉 중임을 짊어진 사람.
[柱子] zhù·zi 명 기둥.

疰 zhù (주)
→[疰夏]
[疰夏] zhùxià 명동〖中醫〗 주하증(을 앓다).

蛀 zhù (주)
① 명〖蟲〗 좀. ② 동 좀먹다. ❏ 衣服都~了; 옷이 다 좀먹었다.
[蛀齿] zhùchǐ 명 ⇨[龋qǔ齿]
[蛀虫] zhùchóng 명〖蟲〗 좀.
[蛀牙] zhùyá 명 ⇨[龋qǔ齿]

助 zhù (조)
동 돕다. 협조하다. ❏ 互~; 서로 돕다 / ~残; 장애인을 돕다.
[助产士] zhùchǎnshì 명 조산사.
[助词] zhùcí 명〖言〗 조사.
[助动词] zhùdòngcí 명〖言〗 조동사.
[助教] zhùjiào 명 (대학의) 조교.
[助理] zhùlǐ 형 보조하다. ❏ ~导演; 조감독 / ~研究员; 보조 연구원. 명 보조. 보조원.
[助人为乐] zhùrén-wéilè 〈成〉 남을 돕는 것을 기쁨으로 여기다.
[助手] zhùshǒu 명 조수.
[助听器] zhùtīngqì 명 보청기.
[助威] zhù//wēi 동 응원하다. 성원하다. ❏ 鼓掌~; 박수로 응원하다. =[助战②]
[助兴] zhù//xìng 동 흥을 돋우다.
[助学金] zhùxuéjīn 명 (환경이 어려운 학생에게 주는) 장학금.
[助战] zhù//zhàn 동 ① 전투를 돕다. ② ⇨[助威]
[助长] zhùzhǎng 동 (주로, 좋지 않은 것을) 조장하다. ❏ ~不良的风气; 좋지 않은 기풍을 조장하다.

杼 zhù (저)
명 ① ⇨[筘kòu] ② (베틀의) 북.

祝 zhù (축)
동 ① 축원하다. 기원하다. 축하하다. ❏ ~你万事如意; 만사가 뜻대로 되기를 축원한다 / ~你生日快乐! 생일 축하합니다! ②〈書〉 끊다. 자르다.
[祝词] zhùcí 명 축사. =[祝辞]
[祝福] zhùfú 동 축복하다.

[祝贺] zhùhè 동 축하하다. ❏~新年; 신년을 축하하다.
[祝酒] zhù//jiǔ 동 축배를 들다.
[祝寿] zhùshòu 동 (노인의) 생신을 축하하다.
[祝愿] zhùyuàn 동 축원하다. ❏衷心~; 진심으로 축원하다.

著 zhù (저)
①형 현저하다. 두드러지다. ❏卓~; 매우 뛰어나다. ②동 나타내다. 드러나다. ❏颇~成效; 상당한 성적을 올리다. ③동 저술하다. 저작하다. ❏编~; 편저하다. ④명 저작물. ❏名~; 명저.
[著称] zhùchēng 동 유명하다. 이름나다. ❏以书法~; 서예로 이름나다.
[著名] zhùmíng 형 저명하다. 유명하다. ❏~人士; 저명 인사.
[著述] zhùshù 명동 저술(하다).
[著者] zhùzhě 명 저자.
[著作] zhùzuò 명동 저작(하다). ❏~权; 저작권.

铸(鑄) zhù (주)
동 주조(鑄造)하다. ❏~币; 금속 화폐를 주조하다.
[铸工] zhùgōng 명 ① 주조 작업. ❏~车间; 주물 공장. ② 주조공.
[铸件] zhùjiàn 명 주물. 주조물.
[铸造] zhùzào 동 주조하다. ❏~厂; 주조 공장.

筑(築) zhù (축)
동 건축하다. 건설하다. 축조하다. ❏~堤; 제방을 쌓다 / ~路; 도로를 건설하다.

zhua ㄓㄨㄚ

抓 zhuā (조)
동 ① 잡다. 집다. 움켜잡다. 움켜쥐다. ❏~一把枣; 대추를 한 움큼 집다 / ~住机会; 기회를 잡다. ② (손톱으로) 긁다. 할퀴다. ❏这猫爱~人; 이 고양이는 사람을 잘 할퀸다. ③ 붙잡다. 붙들다. ❏~住小偷; 도둑을 붙잡다. ④ (어떤 방면을) 특히 중시하다. 중점을 두다. 특별히 강조하다. ❏~秩序; 질서를 특히 중시하다. ⑤ 다투어 하다. 다그쳐서 하다. ❏~时间学习; 시간을 다그쳐 공부하다. ⑥ (흥미나 주의를) 잡아끌다. 사로잡다. ❏他的演出~住了观众; 그의 연기는 관객을 사로잡았다.
[抓辫子] zhuā biàn·zi 〈比〉 ⇨ [揪jiū辫子]
[抓耳挠腮] zhuā'ěr-náosāi 〈成〉 ① 조급하여 어찌할 바를 모르는 모양. ② 기뻐서 어쩔 줄 모르는 모양.
[抓紧] zhuā//jǐn 동 바짝 서두르다. 다그치다. 힘을 쏟다. ❏~学习; 정신 바짝 차리고 공부하다.
[抓阄儿] zhuā//jiūr 동 제비를 뽑다.
[抓破脸] zhuāpò liǎn 〈口〉〈比〉 불화가 표면화하다. 감정이 폭발하다. 정면충돌하다.
[抓瞎] zhuā//xiā 동 (미리 준비하지 않아) 닥쳐서 허둥지둥하다.
[抓药] zhuā//yào 동 ① (한방 처방전대로) 약을 조제하다. 약을 지어 주다. ② (한방 처방전을 가지고 약방에 가서) 약을 짓다[사다].

爪 zhuǎ (조)
명 뜻은 '爪zhǎo'와 같으며 아래에 한해 이렇게 발음함. ⇒ zhǎo
[爪儿] zhuǎr 명〈口〉 ①⇨[爪子] ② 기물(器物)의 다리. ❏三~盘子; 발 셋 달린 쟁반.
[爪子] zhuǎ·zi 명〈口〉 (조수(鳥獸)의 날카로운) 발. =[爪儿①]

zhuai ㄓㄨㄞ

拽 zhuāi (예, 열)
동〈方〉 (힘껏) 던지다. 팽개치다. 내던지다. ❏拿砖头~狗; 벽돌을 집어 개에게 던지다. ⇒ zhuài

转(轉) zhuǎi (전)
동 유식한 체하며 어려운 문자를 쓰다. ⇒ zhuǎn zhuàn

拽 zhuài (예, 열)
동 (세게) 잡아당기다. 잡아끌다. ❏别~我的袖子; 내 소매 좀 잡아당기지 마라. ⇒ zhuāi

zhuan ㄓㄨㄢ

专(專) zhuān (전)
①형 전문적이다. 전문가이다. ❏他在这个方面很~; 그는 이 방면에서는 전문가이다. ②부 전문적으로. 오직. 오로지. ❏他~爱管闲事; 그는 오로지 쓸데없는 일에 참견하기만 좋아한다. ③동 전념하다. 몰두하다. 열중하다.

❑学习不~; 공부에 전념하지 않다. ④ 동 독점하다. 독차지하다. ❑~卖; ⇩

[专案] zhuān'àn 명 특정 사건. 특수 사건. ❑~组; 특별 수사반.

[专长] zhuāncháng 명 전문적인 학문·기능. 특기. ❑发挥~; 특기를 발휘하다.

[专车] zhuānchē 명 ① 특별차. 특별 열차. ② 전용차. 전용 열차.

[专诚] zhuānchéng 형 한결같고 진실하다. 성실하다. 부 특별히. 일부러. ❑~拜访; 일부러 방문하다.

[专程] zhuānchéng 부 (그 일만을 위해) 일부러. ❑~赶来; 일부러 서둘러 오다.

[专断] zhuānduàn 동 단독으로 결정하다. 독단하다. 형 행동이 비민주적인.

[专横] zhuānhèng 형 전횡적이다. 독단적이다. ❑~跋扈; 〈成〉 독단적으로 굴며 횡포를 일삼다.

[专机] zhuānjī 명 ① 특별기. ② 전용기. ❑总统~; 대통령 전용기.

[专集] zhuānjí 명 ① 개인 전집. 개인집. ② 특집(特輯).

[专家] zhuānjiā 명 전문가. ❑医学~; 의학 전문가.

[专科] zhuānkē 명 ① 전문 과목[분과]. ❑~医生; 전문의. ② 전문 학교. =[专科学校]

[专款] zhuānkuǎn 명 특별 항목에만 쓸 수 있는 돈. 특별 지출금.

[专栏] zhuānlán 명 (신문 따위의) 특별 기고란. 칼럼(column). ❑~作家; 칼럼니스트(columnist).

[专利] zhuānlì 명 전매특허. 특허. ❑~权; 특허권.

[专卖] zhuānmài 동 전매하다. 독점 판매 하다. ❑~店; 전문점. 전문 판매점 / ~品; 전매품.

[专门] zhuānmén 형 전문적인. ❑~技术; 전문 기술 / ~知识; 전문 지식. 부 일부러. 특별히. ❑我是~来看望你的; 나는 너를 만나러 일부러 온 것이다.

[专名] zhuānmíng 명〖言〗 고유명사.

[专人] zhuānrén 명 ① 전담자. ② 특파원.

[专任] zhuānrèn 동 전임하다. ❑~教授; 전임 교수.

[专题] zhuāntí 명 특정 과제. 특별 제목. ❑~报道; 특별 보도 / ~讨论; 세미나(seminar).

[专线] zhuānxiàn 명 전용선.

[专心] zhuānxīn 형 전심하다. 전념하다. 몰두하다. ❑~致志; 〈成〉 전심전력으로 몰두하다.

[专业] zhuānyè 명 ① 전공 (학과). ❑~课; 전공과목. ② 전문 업무[업종]. ❑~化; 전문화. 형 직업적인. 전업의. ❑~作家; 전업 작가.

[专一] zhuānyī 형 한결같다. ❑心思~; 마음이 한결같다.

[专用] zhuānyòng 동 전용하다. ❑~电话; 전용 전화.

[专政] zhuānzhèng 명 독재 정치.

[专职] zhuānzhí 명 전담 업무. ❑~人员; 전담 요원.

[专制] zhuānzhì 동 (통치자가) 전제하다. ❑~主义; 전제주의. 형 전제적인. 독단적인.

[专注] zhuānzhù 형 집중하다. 전념하다. ❑心神~; 정신을 집중하다.

砖(磚) zhuān (전) 명 ① 벽돌. ❑一块~; 벽돌 한 장. ② 벽돌 모양의 것. ❑冰~; 벽돌 모양 아이스크림.

[砖头] zhuāntóu 명 벽돌 조각.

[砖头] zhuān·tou 명〈方〉 벽돌.

转(轉) zhuǎn (전) 동 ① (방향을) 돌리다. 바꾸다. 전환하다. ❑向右~; 오른쪽으로 돌리다 / 晴~多云; 맑다가 구름이 많이 끼다. ② (물건·편지·의견 따위를) 전달하다. 전하다. 전해 주다. ❑我已把你的意见~上去了; 나는 이미 네 의견을 상부에 전달했다. ⇒zhuǎi zhuàn

[转变] zhuǎnbiàn 동 (생각·상황이) 변하다. 바뀌다. ❑态度~; 태도가 바뀌다.

[转播] zhuǎnbō 동 중계방송하다. ❑实况~; 실황 중계 / ~车; 중계차.

[转车] zhuǎn//chē 동 (차를) 바꿔 타다. 갈아타다.

[转达] zhuǎndá 동 (말이나 뜻을) 전달하다. 전하다. ❑~问候; 안부를 전하다.

[转调] zhuǎndiào 동〖樂〗 조바꿈하다. =[变调②]

[转动] zhuǎndòng 동 움직이다. 돌리다. 방향을 바꾸다. ❑~手臂; 팔을 움직이다 / ~眼珠; 눈알을 굴리다. ⇒zhuàndòng

[转告] zhuǎngào 동 이야기를 전달하다. 전언하다.

[转化] zhuǎnhuà 동 전화하다. 바뀌다.
[转换] zhuǎnhuàn 동 전환하다. 바꾸다. ❑ ~话题; 화제를 바꾸다.
[转会] zhuǎn//huì 동 (선수가) 이적(移籍)하다. ❑ ~费; 이적료.
[转机] zhuǎnjī 명 호전될 조짐. 전기. ❑ 病见~了; 병에 호전의 조짐이 보이다. (zhuǎn//jī) 동 비행기를 갈아타다.
[转基因] zhuǎnjīyīn 동〖生〗유전자 변형을 하다.
[转嫁] zhuǎnjià 동 (책임·잘못 따위를) 전가하다. 떠넘기다. ❑ 把责任~别人; 책임을 남에게 전가하다.
[转交] zhuǎnjiāo 동 (물건을) 전해 주다. 전달하다. ❑ 这张便条请~他; 이 쪽지를 그에게 전해 주세요.
[转卖] zhuǎnmài 동 전매하다. 되팔다.
[转念] zhuǎnniàn 동 생각을 바꾸다. 고쳐 생각하다. ❑ ~一想, 还是去吧; 고쳐 생각해 보니 역시 가야 할 것 같다.
[转让] zhuǎnràng 동 양도하다. ❑ ~技术; 기술을 양도하다 / ~性存款; 양도성 예금.
[转身] zhuǎn//shēn 동 ① 몸을 돌리다. 돌아서다. ② 시간이 짧다.
[转手] zhuǎn//shǒu 동 남의 손을 거쳐서 넘겨 주다.
[转述] zhuǎnshù 동 (남의 말을) 전하다. 전달하다.
[转瞬] zhuǎnshùn 동 ⇨[转眼]
[转弯(儿)] zhuǎn//wān(r) 동 ① 모퉁이를 돌다. ❑ 邮局一~就到; 모퉁이만 돌면 바로 우체국이다. ② 〈比〉 말을 돌리다. (zhuǎnwān(r)) 명 모퉁이. 구석.
[转弯抹角(儿)] zhuǎnwān-mòjiǎo(r) ① 구불구불한 길을 따라 가다. ② 길이 구불구불하다. ③ (말이나 하는 짓이) 딱 부러지지 못하다. 빙빙 돌리다. ❑ 有话直说, 不要这么~; 할 말 있으면 그렇게 빙빙 돌리지 말고 바로 말해라.
[转危为安] zhuǎnwēi-wéi'ān 〈成〉 (정세나 병세가) 위급한 상태에서 벗어나 안전하게 되다.
[转向] zhuǎnxiàng 동 ① 방향을 바꾸다. ❑ 台风~了; 태풍이 방향을 바꿨다. ② 〈比〉 전향하다. 태도를 바꾸다. ⇒ zhuàn//xiàng
[转学] zhuǎn//xué 동 전학하다. ❑ ~生; 전학생.
[转眼] zhuǎnyǎn 동 순간. 순식간. 눈 깜짝할 사이. ❑ 一~, 他就不见了; 눈 깜짝할 사이에 그가 사라졌다. ＝[转瞬]
[转业] zhuǎn//yè 동 ① 전업하다. 직업을 바꾸다. ② (군인이) 제대하여 사회에서 취업하다. ❑ ~军人; 제대 군인.
[转移] zhuǎnyí 동 ① (방향·위치를) 바꾸다. 이동하다. 옮기다. ❑ ~视线; 시선을 옮기다. ② 바꾸다. 전환하다. ❑ ~话题; 화제를 바꾸다. ③〖醫〗전이하다. ❑ 癌~到肺部了; 암이 폐로 전이했다.
[转运] zhuǎnyùn 동 ① 중계(中繼) 운송하다. ② (zhuǎn//yùn) 운이 트이다. 운세가 바뀌다.
[转载] zhuǎnzǎi 동 (이미 발표된 글을) 그대로 옮겨 싣다. 전재하다.
[转战] zhuǎnzhàn 동 여기저기 옮겨가며 싸우다. 전전하다.
[转折] zhuǎnzhé 동 ① (본래의 방향·형세를) 바꾸다. 전환하다. ❑ ~点; 전환점. ②〖言〗역접의 뜻을 갖다.
[转正] zhuǎn//zhèng 동 정식 멤버가 되다. 정규 직원으로 전환되다.

传(傳) zhuàn (전)

명 ① 경전(經典)을 해설한 책. ② 전기(傳記). ❑ 自~; 자서전. ③ 역사적 이야기를 서술한 소설. ❑ 水浒~; 수호전. ⇒ chuán
[传记] zhuànjì 명 전기.
[传略] zhuànlüè 명 약전(略傳).

转(轉) zhuàn (전)

① 동 빙빙 회전하다. 빙글빙글 돌다. ❑ 风车~起来了; 풍차가 돌기 시작했다. ② 동 (무엇을 중심으로) 돌다. 맴돌다. 선회하다. ❑ 绕着湖~了两圈; 호수를 두 바퀴 돌았다. ③ 양〈方〉 바퀴《도는 횟수를 세는 말》. ⇒ zhuǎi zhuǎn
[转动] zhuàndòng 동 ① (한 점을 중심으로) 돌다. 회전하다. ❑ 顺时针方向~; 시계 방향으로 돌다. ② 돌리다. 회전시키다. ❑ 在锁眼中~钥匙; 열쇠 구멍에서 열쇠를 돌리다. ⇒ zhuǎndòng
[转门] zhuànmén 명 회전문.
[转日莲] zhuànrìlián 명〈方〉 ⇨[向日葵]
[转速] zhuànsù 명 회전 속도.
[转向] zhuàn//xiàng 동 방향을 잃다. ❑ 在树林里转了向; 숲에서 방향을 잃었다. ⇒ zhuǎnxiàng

[转椅] zhuànyǐ 명 회전의자.
[转悠] zhuàn·you 동〈口〉 ①(빙글빙글) 돌리다. 굴리다. ❏眼珠不住地~; 눈알을 쉴 새 없이 굴리다. ② 거닐다. 돌아다니다. 어슬렁거리다. ‖ =[转游]

篆 zhuàn (전) ① 명 전자(篆字). 전서(篆書)《글자체의 하나》. ② 동 전서로 쓰다. ③ 명〈轉〉 도장. 관인(官印). ❏~刻; ⇓
[篆刻] zhuànkè 동 도장을 새기다.
[篆书] zhuànshū 명 전서. 전자(篆字). =[篆字]

撰 zhuàn (찬) 동 (글을) 짓다. 쓰다. ❏~文章; 글을 쓰다.
[撰述] zhuànshù 명동〈書〉 저술(하다). 찬술(하다).
[撰写] zhuànxiě 동 (글을) 쓰다. 짓다. ❏~书评; 서평을 쓰다.

赚(賺) zhuàn (잠) ① 동 (장사 따위로) 돈을 벌다. 이윤을 얻다. ❏他做生意~了不少钱; 그는 장사를 해서 꽤 많은 돈을 벌었다. ② 동〈方〉(돈을) 벌다. ❏一天~一百块钱; 하루에 백 위안을 벌다. ③(~儿) 명〈口〉 이윤.
[赚头] zhuàn·tou 명〈口〉 이윤.

zhuang ㄓㄨㄤ

妆(粧) zhuāng (장) ① 동 화장하다. 치장하다. ❏梳~; 머리를 빗고 화장하다. ② 명 치장. 장식. ❏卸~; 장신구를 떼어 내다. ③ 명 혼수. 혼수품. ❏送~; 혼수를 보내다.
[妆奁] zhuānglián 명 ① 화장 도구함. ②〈轉〉 혼수(婚需).
[妆饰] zhuāngshì 동 (몸을) 치장하다. 멋을 내다. 꾸미다. 명 치장한 모습.

庄(莊) zhuāng (장) ①(~儿) 명 마을. 촌락. ② 명 옛날, 군주나 귀족의 사유지. 장원(莊園). ❏皇~; 황제의 장원. ③ 명 가게. 상점《물건을 도매하거나 비교적 규모가 큰 곳》. ❏布~; 포목점. ④ 명 (카드놀이나 마작의) 선(先). ❏是谁的~? 누가 선이냐? ⑤ 형 장중(莊重)하다. 정중하다. ❏~严; ⇓
[庄户] zhuānghù 명 농가(農家). ❏~人; 농사꾼.
[庄家] zhuāng·jiā 명 ① (카드놀이·마작 따위의) 선(先). ② (주식에서의) 큰손. 큰손줄.
[庄稼] zhuāng·jia 명 농작물. ❏收~; 농작물을 수확하다 / ~地; 농지 / ~活儿; 농사일 / ~人; 농민.
[庄严] zhuāngyán 형 장엄하다. 엄숙하다.
[庄园] zhuāngyuán 명 장원《옛날, 군주나 귀족의 사유지》.
[庄重] zhuāngzhòng 형 (언행이) 장중하다. 정중하다.
[庄子] zhuāng·zi 명〈口〉 마을. 촌락. 동네.

桩(樁) zhuāng (장) ① 명 말뚝. 기둥. ❏打~; 말뚝을 박다. ② 양 가지. 건《어떤 일을 세는 말》. ❏一~事; 한 가지 일.
[桩子] zhuāng·zi 명 말뚝. 기둥.

装(裝) zhuāng (장) ① 동 치장하다. 장식하다. 꾸미다. 분장하다. ❏男扮女~; 남자가 여장하다. ② 명 복장. 의상. ❏军~; 군복. ③ 명 행장(行裝). ❏整~; 행장을 갖추다. ④ 동 …인 척하다. 가장하다. ❏躺在床上~着睡觉; 침대에 누워 자는 척하다 / ~病; 꾀병 부리다. ⑤ 동 담다. 싣다. ❏把大的东西先~上去; 큰 물건을 먼저 실어라. ⑥ 동 설치하다. 장치하다. 조립하다. 달다. ❏房门上~了一把锁; 방문에 자물쇠를 달았다. ⑦ 포장.
[装扮] zhuāngbàn 동 ① 치장하다. 꾸미다. ❏~起来越发漂亮了; 치장하니 더욱 예쁘다. ② 분장하다. ❏~成老太婆; 할머니로 분장하다. ③ …척하다. 가장하다. ❏~成好人; 좋은 사람인 척하다.
[装备] zhuāngbèi 명동〔軍〕 장비(하다).
[装裱] zhuāngbiǎo 동 표구하다. 표장(表裝)하다.
[装点] zhuāngdiǎn 동 꾸미다. 장식하다. ❏用鲜花~会场; 생화로 회의장을 꾸미다.
[装订] zhuāngdìng 동 장정하다. 제본하다. ❏~机; 제본 기계.
[装潢] zhuānghuáng 동 (물건이나 집을) 꾸미다. 장식하다. ❏客厅~得很漂亮; 응접실이 예쁘게 꾸며져 있다. 명 물건의 포장[장식].

[装假] zhuāng//jiǎ 동 아니면서도 그런 척하다. 거짓으로 꾸미다.
[装甲车] zhuāngjiǎchē 명〖軍〗장갑차. =[铁甲车]
[装聋作哑] zhuānglóng-zuòyǎ 〈成〉 일부러 거들떠보지 않고 모르는 체하다.
[装门面] zhuāng mén·mian 〈比〉 겉치장하다. 겉모양을 꾸미다.
[装模作样] zhuāngmú-zuòyàng 〈成〉 일부러 어떤 모습으로 꾸며서 남에게 보이다.
[装配] zhuāngpèi 동 (부품을) 조립하다. (기계를) 설치하다.
[装腔作势] zhuāngqiāng-zuòshì 〈成〉 허세 부리다. 폼을 잡다.
[装饰] zhuāngshì 동 장식하다. 치장하다. 꾸미다. ❏ ~品; 장식품. 명 장식품. 장식.
[装束] zhuāngshù 명 옷차림. 차림새. ❏ ~入时; 옷차림이 유행에 맞다. 동〈書〉 행장을 정리하다.
[装蒜] zhuāng//suàn 동〈口〉 시치미 떼다. 모르는 체하다.
[装卸] zhuāngxiè 동 ① (짐을) 싣고 내리다. 하역하다. ❏ ~货物; 화물을 하역하다. ② 조립하고 분해하다. ❏ ~自行车; 자전거를 조립하고 분해하다.
[装修] zhuāngxiū 동 (집안·건물 따위의) 부대 공사를 하다. 내장[외장] 공사를 하다. 인테리어를 하다. ❏ ~门面; (상점의) 외장 공사를 하다 / ~室内; 인테리어를 하다.
[装样子] zhuāng yàng·zi 겉치레를 하다. 형식적으로 꾸미다.
[装运] zhuāngyùn 동 실어 나르다. 선적하여 수송하다.
[装载] zhuāngzài 동 싣다. 적재하다. ❏ ~货物; 짐을 싣다.
[装帧] zhuāngzhēn 명 장정.
[装置] zhuāngzhì 동 장치하다. 설치하다. 달다. ❏ 在墙上~空调; 벽에 에어컨을 달다. 명 장치. 설비. ❏ 冷冻~; 냉동 장치.

壮(壯) zhuàng (장)

① 형 강건하다. 건장하다. 튼튼하다. ❏ 身体很~; 신체가 매우 건장하다. ② 형 크다. 웅대하다. ❏ ~志; ⇓ ③ 동 강하게 하다. 왕성하게 하다. ❏ ~胆; ⇓ ④ 양〖中醫〗 장《뜸을 뜰 때 세는 단위》. ⑤ (Zhuàng) 명〖民〗 좡 족(壯族).
[壮大] zhuàngdà 동 강대해지다. ❏ 国防力量日益~; 국방력이 날로 강대해지다. 형 강대하다. ❏ 力量~; 역량이 강대하다.
[壮胆] zhuàng//dǎn 동 대담해지다. 용기를 북돋다.
[壮丁] zhuàngdīng 명 장정.
[壮观] zhuàngguān 명형 장관(이다). ❏ 景色十分~; 경치가 매우 장관이다.
[壮举] zhuàngjǔ 명 장거. 쾌거.
[壮阔] zhuàngkuò 형 ① 웅장하고 드넓다. ② 장대하다. 웅대하다. ❏ 规模~; 규모가 웅대하다.
[壮丽] zhuànglì 형 웅장하고 아름답다. 장려하다. ❏ 山河~; 산하가 장려하다.
[壮烈] zhuàngliè 형 장렬하다. ❏ ~牺牲; 장렬하게 희생하다.
[壮年] zhuàngnián 명 장년.
[壮士] zhuàngshì 명 장사.
[壮实] zhuàng·shi 형 (몸이) 건장하다. 튼튼하다.
[壮志] zhuàngzhì 명 장지. 웅대한 뜻. ❏ ~未酬; 〈成〉 큰 뜻을 아직 이루지 못하다.

状(狀) zhuàng (상, 장)

① 명 형태. 형상. 모양. ❏ ~态; ⇓ ② 명 상황. 정황. 사정. 형편. ❏ 病~; 병세. ③ 동 진술하다. 형용하다. ❏ ~语; ⇓ ④ 명 사건·사적(事迹)을 기록한 문서. ❏ 供~; 진술서. ⑤ 명 고소장(告訴狀). ❏ 告~; 고소하다. ⑥ 명 포상·위임 따위의 증서. ❏ 奖~; 상장.
[状况] zhuàngkuàng 명 정황. 상황. 상태. 형편. ❏ 社会~; 사회 상황 / 身体~; 건강 상태.
[状态] zhuàngtài 명 상태. ❏ 固体~; 고체 상태 / 心理~; 심리 상태.
[状语] zhuàngyǔ 명〖言〗 부사어.
[状元] zhuàng·yuan 명 ① 장원《과거(科擧) 전시(殿試)에서의 제1위 합격자》. ② 〈比〉 (특정 분야에서) 성적이 가장 좋은 사람. 일인자.
[状子] zhuàng·zi 명〈口〉 ⇨[诉状]

撞 zhuàng (당)

동 ① 부딪치다. 충돌하다. 들이받다. ❏ ~钟; 종을 치다 / 汽车~着电线杆子了; 차가 전신주를 들이받았다. ② (뜻밖에) 마주치다. 우연히 만나다. ❏ 在火车站我~上了他; 기차역에서 나는 그를 우연히 만났다. ③ 시험해 보다. ❏ ~运气; ⇓ ④ 설치고 다니다. 막무가내로 행동하다. ❏ 横冲直~; 〈成〉 제 세상인 양 설치고 다니다.

[撞车] zhuàng//chē 동 차량이 서로 충돌하다. ❑ ~事故; 차량 충돌 사고.
[撞击] zhuàngjī 동 부딪치다. 충돌하다. ❑ 陨石~地球; 운석이 지구에 부딪치다.
[撞见] zhuàngjiàn 동 (뜻밖에) 만나다. 마주치다. ❑ 我~老乡了; 나는 고향 사람과 마주쳤다.
[撞骗] zhuàngpiàn 동 사기(詐欺)치다. 금품을 편취하다.
[撞运气] zhuàng yùn·qi 운수를 시험해 보다.

幢 zhuàng (당) 양 동. 채《건물을 세는 말》. ❑ 一~楼; 건물 한 동(棟). ⇒ chuáng

zhui ㄓㄨㄟ

椎 zhuī (추) 명〖生理〗 등골뼈. 추골.
[椎骨] zhuīgǔ 명〖生理〗 등골뼈. 척추골. 추골. =[脊椎②][脊椎骨]

锥(錐) zhuī (추) ① 명 송곳. ② 명 송곳처럼 생긴 것. ❑ 冰~; 고드름 / 杆~; 드라이버. ③ 동 (송곳이나 송곳처럼 생긴 공구(工具)로) 뚫다.
[锥子] zhuī·zi 명 송곳.

追 zhuī (추) 동 ① 쫓아가다. 따라가다. 추격하다. ❑ 骑着自行车~过汽车; 자전거를 타고 자동차를 따라잡다. ② 추궁하다. 규명하다. ❑ 这件事儿你就别~了; 이 일은 추궁하지 마라. ③ 추구하다. 구하다. 구애하다. ❑ 这小伙子一直~她; 이 젊은이는 줄곧 그녀에게 구애를 한다. ④ 추억하다. 회상하다. ❑ ~念; 추억하다. ⑤ 추후에 보충하다. 추가하다. ❑ ~认; ⇓
[追逼] zhuībī 동 ① 바싹 따라가다. ❑ 乘胜~敌军; 승리의 여세를 몰아 적군을 추격하다. ② 추궁하다. 강요하다. 독촉하다. 몰아대다. ❑ ~他还钱; 돈을 갚으라고 그를 몰아대다.
[追捕] zhuībǔ 동 추격하여 붙잡다. ❑ ~凶手; 살인범을 추격하여 붙잡다.
[追查] zhuīchá 동 추적 조사 하다. 추궁하다. ❑ ~责任; 책임을 추궁하다.
[追悼] zhuīdào 동 추도하다. ❑ ~会; 추도회.
[追赶] zhuīgǎn 동 쫓아가다. 따라잡다. 뒤쫓다. ❑ ~小偷; 도둑을 뒤쫓다.
[追根] zhuīgēn 동 꼬치꼬치 캐묻다. 끝까지 추궁하다.
[追怀] zhuīhuái 동 추억하다. 회상하다. ❑ ~往事; 지난 일을 회상하다.
[追击] zhuījī 동 추격하다.
[追加] zhuījiā 동 추가하다. ❑ ~预算; 추가 예산.
[追究] zhuījiū 동 추궁하다. 규명하다. ❑ ~责任; 책임을 추궁하다.
[追求] zhuīqiú 동 ① 추구하다. 탐구하다. ❑ ~真理; 진리를 추구하다. ② (이성에게) 구애하다. ❑ 他以前~过我; 그는 예전에 나에게 구애했었다.
[追认] zhuīrèn 동 추인하다. 후에 인정하다.
[追溯] zhuīsù 동 거슬러 올라가다. 추소하다. ❑ ~到很久远的年代; 까마득한 연대까지 거슬러 올라가다.
[追随] zhuīsuí 동 추종하다. 따르다. ❑ ~者; 추종자.
[追问] zhuīwèn 동 힐문하다. 추궁하다. ❑ ~下落; 행방을 추궁하다.
[追想] zhuīxiǎng 동 추억하다. 회상하다.
[追星] zhuīxīng 동 스타를 극도로 숭배하고 좋아하다. ❑ ~族; (스타의) 열성팬.
[追寻] zhuīxún 동 자취를 더듬어 찾다. 추적하다.
[追忆] zhuīyì 동 추억하다. ❑ ~往事; 지난 일을 추억하다.
[追逐] zhuīzhú 동 ① 추구하다. 구하다. ❑ ~利润; 이윤을 추구하다. ② 뒤쫓다. ❑ ~野兽; 야수를 뒤쫓다.
[追踪] zhuīzōng 동 추적하다. ❑ ~野兽; 야수를 추적하다.

坠(墜) zhuì (추) ① 동 떨어지다. 낙하하다. ❑ ~下马来; 말에서 떨어지다. ② 동 (무거운 것이) 매달리다. 드리우다. 내려뜨리다. ❑ 果子把树枝~得弯弯的; 가지가 휘어질 정도로 과일이 달려 있다. ③ (~儿) 명 아래로 매달린 것. 드리운 것. ❑ 耳~儿; 귀고리.
[坠毁] zhuìhuǐ 동 (비행기 따위가)

추락하여 파괴되다. ❑飞机~; 비행기가 추락하여 파괴되다.
[坠落] zhuìluò 동 추락하다. 떨어지다. ❑流星~; 유성이 떨어지다.
[坠子] zhuì·zi 명〈口〉 아래로 매달린 것. 드리운 것.

缀(綴) zhuì (철) 동 ① 꿰매다. 얽어매다. ❑~扣子; 단추를 얽어매다. ②〈書〉 (문장을) 잇다. 엮다. ❑~句成篇; 문장을 엮어 글을 짓다. ③ 장식하다. 꾸미다. ❑点~; 장식하다.

惴 zhuì (췌) 형〈書〉 걱정하고 겁내다. ❑~不安; 〈成〉 벌벌 떨며 불안해하다.
[惴栗] zhuìlì 동〈書〉 무서워 벌벌 떨다.

赘(贅) zhuì (췌) ① 형 여분의. 쓸데없는. 불필요한. ❑~疣; ⇩ ② 동 데릴사위로 들어가다. ❑~婿; ⇩ ③ 동〈方〉 귀찮게 하다.
[赘述] zhuìshù 동 쓸데없는 군말을 하다. 장황하게 늘어놓다.
[赘婿] zhuìxù 명 데릴사위.
[赘疣] zhuìyóu 명 ① ⇒[疣yóu] ②〈比〉 남아도는 쓸데없는 것. 군더더기.

zhun ㄓㄨㄣ

谆(諄) zhūn (순) 형 간곡하다. 간절하다.
[谆谆] zhūnzhūn 형 간곡히 타이르는 모양. 간절히 말하는 모양. ❑~告诫; 〈成〉 간곡히 타이르다.

准(準)B) zhǔn (준) A) 동 허가하다. 허락하다. 승인하다. ❑办公室~了一天假; 사무실에서 하루간의 휴가를 허가해 주었다. B) ① 명 표준. 기준. ❑标~; 표준. ② 개 …준하여. …따라서. …의거하여. ❑~前例处理; 전례에 따라 처리하다. ③ 형 정확하다. ❑我的表很~; 내 시계는 매우 정확하다. ④ 부 반드시. 분명히. 꼭. 틀림없이. ❑这次试验~能成功; 이번 실험은 틀림없이 성공할 것이다. ⑤ 접두 준(準)…. ❑~会员; 준회원.
[准保] zhǔnbǎo 부 반드시. 틀림없이. 꼭. ❑明天我~去; 내일 나는 꼭 갈 것이다.
[准备] zhǔnbèi 동 ① 준비하다. ❑我已经~好了; 나는 이미 준비가 다 되었다. ② …할 작정[계획]이다. ❑我~去海南度假; 나는 하이난 섬으로 휴가 갈 작정이다.
[准确] zhǔnquè 형 정확하다. 꼭 맞다. ❑~的统计; 정확한 통계.
[准儿] zhǔnr 명 확신. 확실한 방식. 분명한 생각.
[准绳] zhǔnshéng 명 수준기와 먹줄. 〈比〉 표준. 기준.
[准时] zhǔnshí 형 정시의. 정해진 시간의. 제시간의. ❑~开会; 정시에 개회하다.
[准头(儿)] zhǔn·tou(r) 명〈口〉 (사격·말·하는 일 따위의) 확실한 것. 정확성.
[准星] zhǔnxīng 명 ① 저울의 첫 번째 눈금(('0' 표시의 눈금)). ② (총의) 가늠쇠.
[准许] zhǔnxǔ 동 허가하다. 승인하다. ❑~通行; 통행을 허가하다.
[准予] zhǔnyǔ 동〈公〉 허가하다. ❑~入境; 입국을 허가하다.
[准则] zhǔnzé 명 준칙. 규칙. ❑行为~; 행동의 준칙.

zhuo ㄓㄨㄛ

拙 zhuō (졸) 형 ① 서투르다. 우둔하다. 어리석다. ❑手~; 손재주가 없다 / ~于言辞; 말주변이 없다. ②〈謙〉 저의((자기의 작품·의견 따위에 대해 일컫는 말)). ❑~作; 졸작.
[拙笨] zhuōbèn 형 서투르다. 우둔하다. 솜씨가 없다.
[拙笔] zhuōbǐ 명〈謙〉 졸필.
[拙见] zhuōjiàn 명〈謙〉 저의 견해. 우견(愚見).
[拙劣] zhuōliè 형 졸렬하다. ❑文笔~; 문장이 졸렬하다.

桌 zhuō (탁) ① (~儿) 명 테이블. 탁자. ❑餐~; 식탁. ② 양 상((요리상을 세는 말)). ❑订了一~菜; 요리를 한 상 예약했다.
[桌布] zhuōbù 명 책상보. 테이블보. =[台布]
[桌灯] zhuōdēng 명 ⇒[台灯]
[桌面] zhuōmiàn 명 ① 테이블의 면(面). 테이블 위. ②〖컴〗 (모니터의) 바탕 화면.
[桌面上] zhuōmiàn·shang 명 공개적인 상황[장소]. 공개석상. ❑有

话摆在~说; 할 말이 있으면 공개 석상에서 해라.
[桌子] zhuō·zi 명 탁자. 테이블. =[〈方〉台子②]

捉 zhuō (착)
동 ①(손에) 쥐다. 잡다. ❑~笔; 붓을 잡다. ②붙잡다. 체포하다. 포획하다. ❑活~; 생포하다.
[捉襟见肘] zhuōjīn-jiànzhǒu 〈成〉 옷섶을 여미면 팔꿈치가 나온다《①옷이 다 해지고 남루하다. ②어려움이 많아서 대처하기 힘들다》.
[捉迷藏] zhuōmícáng ①숨바꼭질을 하다. ②〈比〉 말이나 행동을 일부러 얼버무려 헷갈리게 하다.
[捉摸] zhuōmō 동 종잡다. 짐작하다. ❑难以~; 종잡기 어렵다.
[捉拿] zhuōná 동 (범인을) 잡다. 붙잡다. 체포하다. ❑~逃犯; 도망범을 체포하다.
[捉弄] zhuōnòng 동 농락하다. 희롱하다. 놀리다. ❑他净~人; 그는 늘 사람을 농락한다. =[作弄]

灼 zhuó (작)
①동 태우다. 그을리다. ❑~伤; 화상을 입다. ②형 분명하다. 밝다. ❑~见; ⇩
[灼见] zhuójiàn 명 명철한 견해.
[灼热] zhuórè 형 작열하다. 이글거리다. ❑~的太阳; 작열하는 태양.
[灼灼] zhuózhuó 형〈書〉 반짝거리는 모양. 빛나는 모양. ❑目光~; 눈이 반짝반짝 빛나다.

酌 zhuó (작)
①동 (술을) 따르다. 따라 마시다. ❑对~; 대작하다. ②명〈書〉 술과 음식. ❑便~; 조촐한 술자리. ③동 고려하다. 참작하다. ❑~办; 참작해서 처리하다 / ~定; 참작하여 결정하다.
[酌量] zhuó·liang 동 참작하다. 헤아리다. 상황을 보다. ❑你~着办吧; 상황을 보아 가며 처리해라.
[酌情] zhuóqíng 동 사정을 참작하다. 상황을 고려하다. ❑~处理; 상황을 고려하여 처리하다.

卓 zhuó (탁)
형 ①높고 곧다. ❑~立; 높이 우뚝 서다. ②뛰어나다. 탁월하다.
[卓见] zhuójiàn 명 탁견. 훌륭한 견해.
[卓绝] zhuójué 형 탁월하다. 뛰어나다.
[卓然] zhuórán 형 뛰어난[탁월한] 모양. ❑业绩~; 업적이 뛰어나다.
[卓识] zhuóshí 명 탁월한 견식. 탁월한 통찰력.
[卓有成效] zhuóyǒu-chéngxiào 〈成〉 성적·효과가 매우 탁월하다.
[卓越] zhuóyuè 형 탁월하다. 뛰어나다. ❑~的见解; 탁월한 견해.
[卓著] zhuózhù 형 탁월하다. 매우 뛰어나다. 발군(拔群)하다.

茁 zhuó (촬)
동 (초목이) 싹트다. 무럭무럭 자라다.
[茁实] zhuó·shi 형〈方〉 건장하고 튼튼하다.
[茁长] zhuózhǎng 동 (동식물이) 무럭무럭 자라다. 무성하게 우거지다.
[茁壮] zhuózhuàng 형 (젊은이·어린이·동식물이) 건장하다. 튼튼하다. 실하다. 건강하다. ❑~成长; 실하게 자라다. 건강하게 크다.

浊(濁) zhuó (탁)
형 ①(물이) 더럽다. 탁하다. ❑~水; 탁한 물. ②(소리가) 탁하다. 거칠다. ③(세상이) 혼란하다. 어지럽다. ❑~世; ⇩
[浊世] zhuóshì 명〈書〉 어둡고 혼란스러운 시대. 난세(亂世).
[浊音] zhuóyīn 명〖言〗 탁음. 유성음(有聲音).

啄 zhuó (탁, 주)
동 (부리로) 쪼다. 쪼아 먹다. ❑~食; 쪼아 먹다 / 小鸡~米; 병아리가 쌀을 쪼아 먹다.
[啄木鸟] zhuómùniǎo 명〖鳥〗 딱따구리.

琢 zhuó (탁)
동 옥석을 다듬다. ❑把翡翠~成工艺品; 비취를 다듬어 공예품을 만들다. ⇒zuó
[琢磨] zhuómó 동 ①(옥석(玉石)을) 조각하고 갈다. 다듬다. ❑~玉石; 옥석을 다듬다. ②(문장 따위를) 다듬다. 손보다. ❑~字句; 자구를 다듬다. ⇒zuó·mo

着 zhuó (착)
①동 (옷을) 입다. 착용하다. ②동 닿다. 접근하다. 붙다. ❑~陆; ⇩ ③동 (다른 사물에) 대다. 묻히다. 닿게 하다. ❑~色; ⇩ ④명 행방. 소재. ⑤동 보내다. 파견하다. ❑~人前去联系; 사람을 보내 연락하다. ⑥〈公〉 …하라《공문서에 쓰여, 명령의 어기를 나타냄》. ❑~即缉拿; 즉시 체포하라. ⇒zhāo zháo ·zhe
[着力] zhuó∥lì 동 힘쓰다. 애쓰다. 최선을 다하다. ❑~完成任务;

최선을 다해 임무를 완수하다.

[着陆] zhuó∥lù 동 (비행기 따위가) 착륙하다. ❑紧急~; 긴급 착륙.

[着落] zhuóluò 동 (책임 따위가) 떨어지다. 돌아오다. ❑这事务就~在你身上了; 이 일은 결국 네게로 떨어졌다. 명 ① 행방. 소재. ❑他担心孩子没~; 그는 아이의 행방을 몰라 걱정한다. ② 의지할 곳. 생길 곳. ❑工作已有了~; 일자리가 이미 마련되었다.

[着色] zhuó∥sè 동 착색하다. 색을 입히다. 도색하다.

[着实] zhuóshí 부 ① 참으로. 확실히. 정말. ❑此事~难办; 이 일은 정말 하기 어렵다. ② 된통. 호되게. ❑爸爸~揍了他一顿; 아버지는 그를 한바탕 호되게 꾸짖었다.

[着手] zhuóshǒu 동 손을 대다. 착수하다. 시작하다. ❑从调查研究~; 조사 연구부터 착수하다.

[着想] zhuóxiǎng 동 (어떤 쪽의 이익을 위해) 생각하다. 착상하다. 고려하다. ❑为下一代~; 다음 세대를 위해 생각하다.

[着眼] zhuóyǎn 동 착안하다. 고려하다. ❑~点; 착안점.

[着意] zhuóyì 동 마음에 두다. 관심을 갖다. 부 정성껏. 힘껏. 마음을 써서. ❑~钻研; 힘껏 탐구하다.

[着重] zhuózhòng 동 역점[중점]을 두다. 강조하다. ❑~点; 역점. 중점 / ~号; 방점. 곁점.

擢 zhuó (탁)
동〈書〉 ① 뽑다. ❑~发难数; ⇓ ② 선발하다. 발탁하다.

[擢发难数] zhuófà-nánshǔ 〈成〉 죄악이 너무 많아 헤아릴 수 없다.

[擢升] zhuóshēng 동〈書〉 발탁 승진시키다.

[擢用] zhuóyòng 동〈書〉 발탁하여 채용하다.

镯(鐲) zhuó (탁)
명 팔찌. 발찌.

[镯子] zhuó·zi 명 팔찌. 발찌.

zi ㄗ

孜 zī (자)
→[孜孜]

[孜孜] zīzī 형 부지런하다. 근면하다. ❑~不倦; 〈成〉 매우 근면하여 쉴 줄을 모르다.

吱 zī (지)
의 찍찍. 짹짹《쥐·참새 따위의 작은 동물의 소리》. ❑老鼠~~地叫; 쥐가 찍찍거린다. ⇒zhī

[吱声] zī∥shēng 동〈方〉 소리 내다. 찍소리 하다《주로, 부정형으로 쓰임》. ❑没一个人敢~; 누구 하나 감히 소리 내는 사람이 없다.

滋 zī (자)
동 ① 자라다. 번식하다. ❑~殖; 번식하다. ② 증가하다. 많아지다. ❑~补; ⇓ ③〈方〉 내뿜다. 분사하다. ❑往外~水; 밖으로 물을 내뿜다.

[滋补] zībǔ 동 몸에 필요한 양분을 공급하다. 자양하다. 보양하다. ❑~食品; 강장 식품 / ~药; 강장제.

[滋蔓] zīmàn 동〈書〉 무성히 자라다. 만연하다.

[滋润] zīrùn 형 ① 수분이 많다. 촉촉하다. ❑皮肤~; 피부가 촉촉하다. ②〈方〉 편안하다. 윤택하다. 동 촉촉히 적시다. ❑春雨~着大地; 봄비가 대지를 촉촉히 적시다.

[滋生] zīshēng 동 ① 자생하다. 번식하다. ❑防止蚊蝇~; 모기와 파리의 번식을 막다. =[孳生] ② 일으키다. 야기시키다. ❑~事端; 사단을 일으키다.

[滋事] zīshì 동 말썽을 일으키다. 문제를 만들다.

[滋味(儿)] zīwèi(r) 명 ① 맛. ❑甜甜的~; 달콤한 맛. ②〈比〉 기분. 심정. 느낌. ❑尝尝坐牢的~; 감옥살이 하는 심정을 겪어 보다.

[滋养] zīyǎng 동 자양하다. 보양하다. ❑~身体; 몸을 보양하다 / ~品; 자양 식품[약품]. 명 자양분. ❑吸收~; 자양분을 흡수하다.

[滋长] zīzhǎng 동 (주로, 추상적인 것이) 자라나다. 생기다. ❑~骄傲情绪; 교만한 마음이 자라나다.

孳 zī (자)
동 (초목이) 번식하다.

[孳乳] zīrǔ 동〈書〉 ① (포유동물이) 번식하다. ② 파생하다.

[孳生] zīshēng 동 ⇒[滋生①]

咨 zī (자)
동 자문하다. 의논하다. 상의하다.

[咨文] zīwén 명 ①〈舊〉 동급(同級) 관청 간의 공문. ② 대통령이 의회에 제출하는 교서.

[咨询] zīxún 동 자문하다. 조언을 구하다. ❑~机关; 자문 기관 / ~

服务公司; 컨설팅(consulting) 회사.

姿 zī (자)
명 ① 모습. 용모. ❑ ~色; (여인의) 아리따운 모습. ② 자세. 자태. ❑ ~态; ⇩

[姿容] zīróng 명 모습. 용모.

[姿势] zīshì 명 자세. 모습. 포즈(pose). 폼(form). ❑ 摆~; 자세를 잡다. 포즈를 취하다.

[姿态] zītài 명 ① 자태. 자세. 모습. ❑ ~优美; 모습이 아름답다. ② 태도. 마음가짐. 몸가짐. ❑ 作出强硬~; 강경한 태도를 보이다.

资(資) zī (자)
① 명 금전. 자금. 비용. ❑ 投~; 투자하다 / 物~; 물자. ② 동 (물질로) 돕다. ❑ ~敌; 이적 행위를 하다. ③ 동 제공하다. ❑ 以~参考; 참고하도록 제공하다. ④ 명 재료. ⑤ 명 소질. 자질. ⑥ 명 자격. 경력. ❑ ~历; ⇩

[资本] zīběn 명 ①〖經〗자본. ❑ ~家; 자본가 / ~主义; 자본주의. ②〈轉〉자금. 밑천. ❑ 政治~; 정치 자금.

[资财] zīcái 명 자재. 자금과 물자.

[资产] zīchǎn 명 ① 재산. ② 기업 자산. 자산. ❑ 流动~; 유동 자산.

[资产阶级] zīchǎn jiējí 명 자본가 계급. 부르주아지(프 bourgeoisie).

[资格] zīgé 명 ① 자격. ❑ 获得~; 자격을 얻다 / 丧失~; 자격을 상실하다 / ~证书; 자격증. ② 경력. 관록. ❑ 老~; 베테랑.

[资金] zījīn 명〖經〗자금. ❑ ~冻结; 자금 동결.

[资力] zīlì 명 ① 자력. 재력(財力). ② 자질과 능력.

[资历] zīlì 명 자격과 경력. 이력(履歷).

[资料] zīliào 명 ① (생산이나 생활의) 수단. 필수품. ② 자료. 데이터. ❑ 统计~; 통계 자료.

[资源] zīyuán 명 자원. ❑ ~丰富; 자원이 풍부하다 / 开发~; 자원을 개발하다.

[资质] zīzhì 명 자질. 소질.

[资助] zīzhù 동 물질적인 원조를 하다. 금전적인 도움을 주다.

龇(齜) zī (치)
동〈口〉(입을 벌리고) 이를 드러내다.

[龇牙咧嘴] zīyá-liězuǐ〈成〉① 흉악하고 사나운 모양. ② 통증을 참기 힘든 모양.

髭 zī (자)
명 입 주변의 수염. 콧수염.

辎(輜) zī (치)
명 옛날, 짐수레.

锱(錙) zī (치)
양 옛날의 중량 단위.

[锱铢必较] zīzhū-bìjiào〈成〉아주 사소한 것까지도 꼼꼼히 따지다.

子 zǐ (자)
① 명 아들. 자식. ❑ 父~; 부자. ② 명 사람의 통칭. ❑ 男~; 남자 / 女~; 여자. ③ 명 옛날, 남자의 미칭《주로, 학문이 깊은 남자를 가리킴》. ❑ 孔~; 공자. ④ (~儿) 명 (식물의) 씨. 종자. ❑ 西瓜~儿; 수박씨. ⑤ 명 (동물의) 알. ❑ 鸡~儿; 계란. ⑥ 형 어린. 작은. 연한. ❑ ~猪; 새끼 돼지. ⑦ 명 파생되어진 것. 부속의 것. ❑ ~公司; ⇩ ⑧ (~儿) 명 작고 단단한 알맹이[덩어리] 모양의 것. ❑ 棋~儿; 바둑알. ⑨ (~儿) 명 동전. ⑩ (~儿) 양 묶음. 다발. 사리. ❑ 十~儿挂面; 10 묶음의 국수. ⑪ 명 옛날, 5등(五等) 작위(爵位)의 네 번째. ❑ ~爵; 자작.

子 ·zi (자)
접미 ① 명사 뒤에 붙는 말. ❑ 椅~; 의자 / 桌~; 테이블. ② 일부 동사·형용사 뒤에 붙어 명사화(化)함. ❑ 掸~; 먼지떨이 / 胖~; 뚱보. ③ 일부 양사(量詞) 뒤에 붙음. ❑ 一阵~; 한바탕.

[子弹] zǐdàn 명 탄환. 총알. ❑ 装~; 탄환을 장전하다. =[枪弹]

[子弟] zǐdì 명 ① 자제《아들·남동생 및 조카》. ❑ 职工~; 직공의 자제. ② 젊은 후배. 젊은이. 청년.

[子公司] zǐgōngsī 명〖經〗자회사(子會社).

[子宫] zǐgōng 명〖生理〗자궁.

[子规] zǐguī 명 ⇨[杜鹃①]

[子鸡] zǐjī 명 (막 부화된) 병아리. =[仔zǐ鸡]

[子粒] zǐlì 명 ⇨[子实]

[子母弹] zǐmǔdàn 명 ⇨[榴霰弹]

[子母扣儿] zǐmǔkòur 명 똑딱단추. 스냅(snap). =[〈口〉摁扣儿]

[子女] zǐnǚ 명 아들딸. 자녀. 자식.

[子时] zǐshí 명 자시《밤 11시부터 오전 1시까지》.

[子实] zǐshí 명〖農〗알. 알곡. 낟알. 알맹이. =[子粒][籽实]

[子嗣] zǐsì 명〈書〉사자(嗣子). 대를 이을 아들.

[子孙] zǐsūn 명 ① 자식과 손자. ② 자손. 후손. ❑ ~满堂; 〈成〉 자손이 번창하다.
[子午线] zǐwǔxiàn 명〖天〗 자오「선.
[子夜] zǐyè 명 자야. 한밤중.
[子音] zǐyīn 명 ⇨[辅音]

仔 zǐ (자)
형 (가축 따위가) 어리다. ❑ ~鸭; 새끼 오리. ⇒zǎi
[仔鸡] zǐjī 명 ⇨[子zǐ鸡]
[仔细] zǐxì 형 ① 자세하다. 꼼꼼하다. ❑ ~观察; 자세히 관찰하다. ② 〈方〉 검소하다. 알뜰하다. ❑ 过日子很~; 알뜰하게 살다. ③ 조심하다. 주의하다. ❑ 走路~点儿; 조심해서 걸어라.

籽 zǐ (자)
(~儿) 명 종자. 씨. 씨앗. ❑ 菜~; 야채 종자 / 花~儿; 꽃씨.
[籽实] zǐshí 명 ⇨[子zǐ实]

姊 zǐ (자)
명 언니. 누나.
[姊妹] zǐmèi 명 자매. ❑ ~篇; 자매편 / ~市; 자매 도시.

紫 zǐ (자)
형 자색의. 보랏빛의. ❑ ~色; 자색. 보라색.
[紫菜] zǐcài 명〖植〗 김. ❑ ~包饭; 김밥.「①]
[紫丁香] zǐdīngxiāng 명 ⇨[丁香
[紫红] zǐhóng 형〖色〗 자홍색을 띠다.
[紫禁城] Zǐjìnchéng 명 쯔진청. 자금성《베이징(北京)에 있는 명청(明淸) 시대의 궁성》.
[紫罗兰] zǐluólán 명〖植〗 제비꽃. 바이올렛(violet).「선.
[紫外线] zǐwàixiàn 명〖物〗 자외

梓 zǐ (재)
① 명〖植〗 가래나무. ② 동 판목(版木)하다. 판각하다.

滓 zǐ (재)
명 ① 가라앉은 찌끼. 앙금. ❑ 渣~; 찌꺼기. ② 얼룩. 더러움.

字 zì (자)
① 명 글자. 문자. ❑ 识~; 글자를 알다 / 汉~; 한자. ② (~儿) 명 자음(字音). ❑ 咬~儿; 자음을 정확히 발음하다. ③ 명 서체(書體). 자체(字體). ❑ 草~; 초서체. ④ 명 서예 작품. ❑ 藏~; 서예 작품을 소장하다. ⑤ 명 낱말. 단어. ⑥ (~儿) 명 증서. 증명서. ❑ 立~; 증서를 쓰다. ⑦ 명 자(字). ❑ 岳飞~鹏举; 악비(岳飛)의 자는 붕거(鵬擧)이다. ⑧ 동 〈書〉 여자가 결혼을 승낙하다. ❑ 许~; 정혼하다.
[字典] zìdiǎn 명 자전.
[字调] zìdiào 명〖言〗 자음의 높낮이. 성조. ＝[声调②]
[字符] zìfú 명 (컴퓨터 · 무선 통신 따위의) 문자 부호.
[字号] zì·hao 명 ① 상호(商號). 옥호(屋號). ❑ ~注册; 상호 등록. ② 상점. 가게. 점포.
[字迹] zìjì 명 필적. 글자의 자취. ❑ ~工整; 필적이 가지런하다.
[字节] zìjié 명〖컴〗 바이트(byte).
[字句] zìjù 명 문자와 어구. 자구. ❑ ~通顺; 문맥이 잘 통하다.
[字据] zìjù 명 서면상의 증거. 증거 문건. 증서《영수증·계약서·차용증 따위》. ❑ 借款~; 차용증.
[字里行间] zìlǐ-hángjiān 〈成〉 자구의 사이사이. 문장의 이곳저곳.
[字面(儿)] zìmiàn(r) 명 글자 표면상의 뜻. ❑ 光从~上去理解; 글자 그대로의 뜻만으로 해석하다.
[字母] zìmǔ 명〖言〗 자모. ❑ ~表; 자모표.
[字幕] zìmù 명 자막.
[字体] zìtǐ 명 ① 서체. 글씨체. ② 서법(書法)의 유파. ③ 글자의 모양. 글씨체. ❑ ~工整; 글씨가 깔끔하다. ④〖컴〗 글자체. 글꼴. 폰트(font).
[字条(儿)] zìtiáo(r) 명 종이쪽지. 메모. ❑ 留个~; 메모를 남기다.
[字帖] zìtiè 명 서첩(書帖). 글씨본.
[字眼(儿)] zìyǎn(r) 명 글[말] 속에 쓰인 글자[단어].
[字音] zìyīn 명 글자의 음. 자음.
[字纸] zìzhǐ 명 글자가 있는 휴지. ❑ ~篓(儿); (사무용) 휴지통.

自 zì (자)
① 명 자기. 자신. ❑ ~愿; ⇓ ② 부 자연히. 저절로. 당연히. ❑ 久别重逢, ~有乐趣; 오랫동안 헤어졌다가 다시 만나면 자연히 기쁠 수밖에 없다. ③ 개 …에서(부터). ❑ 留学生来~世界各国; 유학생들은 세계 각국에서 왔다.
[自爱] zì'ài 동 자애하다. 자중하다.
[自拔] zìbá 동 (고통이나 죄업에서) 스스로 헤어나다[벗어나다].
[自白] zìbái 동 스스로 표현하다. 자백하다. ❑ ~书; 자백서.
[自暴自弃] zìbào-zìqì 〈成〉 자포자기하다.
[自卑] zìbēi 형 스스로 비하하다.

열등감을 갖다. ❏～感; 열등감.
[自裁] zìcái 동〈書〉 자살하다. 자결하다.
[自惭形秽] zìcán-xínghuì 〈成〉 남에게 뒤지는 것을 스스로 부끄럽게 여기다.
[自称] zìchēng 동 스스로 일컫다. 자칭하다. 자처하다. ❏此人～万事通; 이 사람은 자칭 만물박사이다.
[自成一家] zìchéng-yījiā 〈成〉 스스로 한 파(派)를 이루다.
[自持] zìchí 동 자제(自制)하다. ❏他再也不能～了; 그는 더 이상 자제할 수가 없었다.
[自吹自擂] zìchuī-zìléi 〈成〉 자기선전하다. 자화자찬하다.
[自从] zìcóng 개 …부터. …이래《과거 시간의 기점을 나타냄》. ❏～春节以后, 我还没有见到他; 음력설 이후부터 나는 아직도 그를 만나지 못했다.
[自大] zìdà 형 거만하다. 잘난 체하다.
[自得] zìdé 형 득의하다. 스스로 만족하다. ❏洋洋～; 〈成〉 득의양양하다.
[自动] zìdòng 부 ① 자발적으로. 주체적으로. ❏～参加; 자발적으로 참가하다. ② 자동적으로. 저절로. ❏车～地移动; 차가 저절로 움직이다. 형 자동의. ❏～化; 자동화(하다) / ～扶梯; 에스컬레이터(escalator) / ～柜员机 ＝[～取款机]; 자동 인출기《ATM》/ ～铅笔; 샤프펜슬(sharp pencil) / ～售货机 ＝[～贩卖机]; 자동 판매기.
[自发] zìfā 형 자발적인. ❏～组织; 자발적으로 조직하다 / ～性; 자발성.
[自费] zìfèi 동 비용을 스스로 부담하다. ❏～旅行; 자비 여행.
[自封] zìfēng 동 ①〈貶〉 자처하다. 자임하다. ❏～为艺术家; 예술가를 자처하다. ② 자신을 가두다. 스스로를 억제하다. ❏故步～; 낡은 관습 속에 스스로를 가두다.
[自负] zìfù 동 (책임·부담 따위를) 스스로 짊어지다[지다]. ❏～盈亏; 〈成〉 스스로 손익(損益)의 책임을 지다. 형 자부하다. ❏～不凡; 〈成〉 비범하다고 자부하다.
[自高自大] zìgāo-zìdà 〈成〉 잘난 체하고 교만하다.
[自告奋勇] zìgào-fènyǒng 〈成〉 자진해서 용감히 나서다.
[自个儿] zìgěr 대〈方〉 자기. 자기 자신. ＝[自各儿]
[自古] zìgǔ 부 자고로. 예로부터. ❏～以来; 자고이래.
[自顾不暇] zìgù-bùxiá 〈成〉 자신의 일로 바빠서 마음에 여유가 없다. 내 코가 석 자다.
[自豪] zìháo 형 자부심을 느끼다. 자긍심을 느끼다. ❏感到～; 자부심을 느끼다 / ～感; 긍지. 자부심.
[自画像] zìhuàxiàng 명〖美〗 자화상.
[自己] zìjǐ 대 ① 자기. 자신. 스스로. ❏衣服我～洗吧; 옷은 내가 직접 빨겠다. ② 친한 사이. 허물없는 관계. ❏～人; 자기편. 한식구.
[自给] zìjǐ 동 자급하다. ❏～自足; 자급자족하다.
[自荐] zìjiàn 동 자천하다. 자기를 추천하다.
[自尽] zìjìn 동 자살하다.
[自咎] zìjiù 동〈書〉 ⇨[自责]
[自居] zìjū 동 자임(自任)하다. 자처하다. ❏以功臣～; 자신이 공신이라고 자처하다.
[自觉] zìjué 동 자각하다. 스스로 느끼다[깨닫다]. 형 자각적이다. 자발적이다. ❏～采取行动; 자발적으로 행동하다.
[自夸] zìkuā 동 자랑하다. 잘난 척하다. 자화자찬하다.
[自来水] zìláishuǐ 명 수도. 상수도. ❏～管; 수도관.
[自来水笔] zìláishuǐbǐ 명 만년필.
[自理] zìlǐ 동 ① 스스로 처리하다. 스스로 해결하다. ❏生活不能～; 생활을 스스로 해결하지 못하다. ② 스스로 부담하다. ❏费用～; 비용을 스스로 부담하다.
[自力更生] zìlì-gēngshēng 〈成〉 자력갱생하다.
[自立] zìlì 동 자립하다. 독립하다.
[自量] zìliàng 동 분수를 알다. 자기 자신을 알다.
[自流] zìliú 동 ① 자연히 흐르다. 저절로 흐르다. ②〈比〉 되어 가는 대로 맡기다. 내버려 두다. ❏放任～; 자유방임하다.
[自留地] zìliúdì 명 개인 소유 경작지.
[自律] zìlǜ 동 자율적이다.
[自卖自夸] zìmài-zìkuā 〈成〉 자화자찬하다.
[自满] zìmǎn 형 자만하다.
[自鸣得意] zìmíng-déyì 〈成〉 스스로 우쭐해서 득의양양하다.

[自鸣钟] zìmíngzhōng 명 자명종.
[自命] zìmìng 동 (품격·신분 따위를) 스스로 …라고 여기다. ❏ ~不凡; 〈成〉 스스로를 훌륭하다고 여기다.
[自馁] zìněi 동 위축되다. 기가 죽다.
[自欺欺人] zìqī-qīrén 〈成〉 자기를 속이고 남도 속이다.
[自强] zìqiáng 동 자강하다. 스스로 노력하여 향상하다. ❏ ~不息; 〈成〉 스스로 쉬지 않고 힘쓰다.
[自取灭亡] zìqǔ-mièwáng 〈成〉 멸망을 자초하다.
[自然] zìrán 명 자연. 천연. ❏ 保护~; 자연을 보호하다 / ~界; 자연계 / ~科学; 자연 과학 / ~主义; 자연주의. 부 자연히. 물론. 당연히. ❏ 吸烟过多, ~会影响健康; 담배를 많이 피우면 자연히 건강에 영향을 미친다. 형 천연하다. 자연적이다. ❏ ~美; 자연미 / ~而然; 〈成〉 저절로. 자연스럽게.
[自然] zì·ran 형 자연스럽다. ❏ 你这张照片照得挺~; 너의 이 사진은 매우 자연스럽게 찍혔구나.
[自如] zìrú 형 ① (활동·조작 따위를) 마음대로 하다. 자유자재하다. ❏ 操作~; 자유자재로 조작하다. ② ⇨[〈書〉 自若]
[自若] zìruò 형〈書〉 동하지 않다. 자약하다. 태연하다. ❏ 神情~; 표정에 변화가 없다. =[自如②]
[自杀] zìshā 동 자살하다.
[自身] zìshēn 명 자신. 자기 자신.
[自食其果] zìshí-qíguǒ 〈成〉 나쁜 짓을 하고 스스로 그 화를 입다.
[自食其力] zìshí-qílì 〈成〉 자기의 힘으로 생활하다.
[自始至终] zìshǐ-zhìzhōng 〈成〉 처음부터 끝까지. 시종일관.
[自首] zìshǒu 동〖法〗 자수하다.
[自述] zìshù 동 자술하다. 명 자술서.
[自私] zìsī 형 이기적이다. 자기밖에 모르다. ❏ ~自利; 〈成〉 사리사욕만을 챙기다 / ~心; 이기심.
[自讨苦吃] zìtǎo-kǔchī 〈成〉 사서 고생하다.
[自慰] zìwèi 동 자위하다. 스스로를 위로하다.
[自卫] zìwèi 동 스스로 지키다. 자기 방어하다.
[自问] zìwèn 동 자문하다.
[自我] zìwǒ 대 자기. 자아. ❏ ~服务; 셀프서비스 / ~介绍; 자기소개 / ~批评; 자기비판. 「①
[自习] zìxí 동 자습하다. =[自修①]
[自相] zìxiāng 부 자기편끼리. ❏ ~矛盾; 〈成〉 자가당착[자기모순]이다 / ~残杀; 〈成〉 한패끼리 서로 죽이다.
[自卸卡车] zìxiè kǎchē 명 덤프트럭(dump truck).
[自新] zìxīn 동 스스로 거듭나다. 스스로 새사람이 되다. ❏ 悔过~; 〈成〉 뉘우치고 스스로 거듭나다.
[自信] zìxìn 동 자신하다. 자신있다. ❏ 我~能担任这项工作; 나는 이 업무를 맡아서 해낼 수 있다고 자신한다 / ~心; 자신감. 명 자신감. 형 자신이 있다.
[自行] zìxíng 부 ① 스스로. 자진해서. ❏ ~解决; 스스로 해결하다. ② 저절로. 자동으로. ❏ 阀门~关闭; 밸브가 자동으로 잠기다.
[自行车] zìxíngchē 명 자전거. ❏ 骑~; 자전거를 타다. = [〈方〉 脚踏车][〈方〉 单车]
[自修] zìxiū 동 ① ⇨[自习] ② ⇨[自学]
[自序] zìxù 명 ① 자서(自序). ② 자서전. ‖ =[自叙]
[自选动作] zìxuǎn dòngzuò 〖體〗 자유 종목.
[自选商场] zìxuǎn shāngchǎng ⇨[超级市场]
[自学] zìxué 동 독학하다. ❏ ~高中课程; 고등학교 과정을 독학하다. =[自修②] 「말하다.
[自言自语] zìyán-zìyǔ 〈成〉 혼잣
[自以为是] zìyǐwéishì 〈成〉 스스로 옳다고 생각하다. 독선적이다.
[自缢] zìyì 동〈書〉 목매어 죽다.
[自用] zìyòng 동 ① 〈書〉 스스로 옳다고 여기다. ② 개인이 사용(使用)하다. ❏ ~汽车; 자가용(차).
[自由] zìyóu 명형 자유(롭다). ❏ ~恋爱; 자유연애 / ~泳; (수영의) 자유형 / ~职业; 자유직업. 자유직 / ~职业人员; 프리랜서(freelancer) / ~自在; 〈成〉 자유자재하다.
[自圆其说] zìyuán-qíshuō 〈成〉 자기의 말을 결점이 탄로 나지 않도록 겉꾸미다.
[自愿] zìyuàn 동 자원하다. 스스로 원하다. ❏ ~参加; 참가를 자원하다.
[自怨自艾] zìyuàn-zìyì 〈成〉 ① 자기의 잘못을 뉘우쳐 스스로 고치다. ② 후회하다. 뉘우치다.

[自在] zìzài 형 자유롭다. ❑逍遥～; 〈成〉 유유자적하다.
[自在] zì·zai 형 안락하다. 편하다. 편안하다. ❑我心里有点儿不～; 나는 마음이 조금 불편하다.
[自责] zìzé 동 자책하다. ＝[〈書〉自咎]
[自知之明] zìzhīzhīmíng 〈成〉 자기 자신을 아는 명철함.
[自制] zìzhì 동 ① 자체 제작하다. 직접 만들다. ② 자제(自制)하다. 자신을 억제하다. ❑～力; 자제력.
[自治] zìzhì 동 자치하다. ❑～区; 자치구 / ～权; 자치권.
[自重] zìzhòng 동 ① 자중하다. ❑请大家～一些; 모두 좀 자중하세요. ②〈書〉 자신의 신분[지위]를 높이다. 명〖物〗 자중《자체의 무게》.
[自主] zìzhǔ 동 스스로 결정하다. 자주하다. ❑不由～; 뜻대로 되지 않다 / ～权; 자주권.
[自助餐] zìzhùcān 명 셀프서비스식(式) 식사. 뷔페(프 buffet).
[自传] zìzhuàn 명 자서전.
[自转] zìzhuàn 동〖天〗 자전하다.
[自尊] zìzūn 동 자존하다. ❑～心; 자존심.
[自作] zìzuò 동 ① 스스로 하다. ❑～自受; 〈成〉 자기가 하고서 자기가 피해를 받다. 자업자득. ② 스스로 …이라 여기다. ❑～聪明; 〈成〉 총명하다고 자처하다.

恣 zì (자)
동 방종하다. 제멋대로 굴다.
[恣肆] zìsì 형〈書〉 ① 제멋대로이다. 방자하다. ❑～无忌; 방자하고 거리낌 없다. ② (말이나 저작이) 호방하다.
[恣意] zìyì 부 제멋대로. 마음대로. ❑～妄为; 〈成〉 제멋대로 방자하게 행동하다.

渍(漬) zì (지)
① 동 (액체에) 잠기다. 스미다. 적시다. ❑汗水～黄了内衣; 땀이 속옷을 누렇게 만들다. ② 동 (기름때 따위가) 끼다. 엉겨붙다. ❑灶面都被油垢～黑了; 아궁이가 기름때로 새까맣게 되었다. ③ 명 때. ❑油～; 기름때.

zong ㄗㄨㄥ

宗 zōng (종)
① 명 조상. 선조. ❑祖～; 조상. ② 명 친족. 일족. ❑～法; ⇓ ③ 명 종파. ❑正～; 정통파. ④ 명 주지. 요지. ❑开～明义; 〈成〉 주지를 처음부터 분명하게 하다. ⑤ 동 (학술이나 문예상에서) 본받다. ⑥ 명 모범으로 존경받는 사람. ❑～师; ⇓ ⑦ 양 가지. 종류《물건·일 따위를 세는 말》. ❑一～货物; 상품 한 종류 / 一～心事; 걱정거리 하나.
[宗法] zōngfǎ 명 종법. ❑～社会; 종법 사회.
[宗匠] zōngjiàng 명 거장. 대가(大家). ❑画坛～; 화단의 거장.
[宗教] zōngjiào 명 종교.
[宗庙] zōngmiào 명 종묘.
[宗派] zōngpài 명 종파. 유파. 파벌. 분파.
[宗师] zōngshī 명 (사상·학술상의) 종사. 개조(開祖).
[宗室] zōngshì 명 종실. 제왕의 혈족.
[宗旨] zōngzhǐ 명 종지. 주지(主旨).
[宗主] zōngzhǔ 명 맹주(盟主). 종주. ❑～国; 종주국 / ～权; 종주권.
[宗族] zōngzú 명 ① 종족. 부계(父系)의 일족. ② 종족의 일원.

综(綜) zōng (종)
동 종합하다. 통괄하다.
[综合] zōnghé 동 종합하다. ❑把大家的意见～起来进行报告; 모두의 의견을 종합해서 보고하다 / ～大学; 종합 대학.
[综合征] zōnghézhēng 명〖醫〗 증후군.
[综括] zōngkuò 동 ⇨[总括]
[综述] zōngshù 명동 종합 서술(하다).

棕 zōng (종)
명 ①〖植〗 종려나무. ② 종려모.
[棕榈] zōnglǘ 명〖植〗 종려나무. ＝[棕树]
[棕毛] zōngmáo 명 종려모(棕櫚毛). 종려털.
[棕色] zōngsè 명〖色〗 갈색. 다갈색.

踪 zōng (종)
명 자취. 종적. ❑失～; 실종되다.
[踪迹] zōngjì 명 종적. 자취. 행적. ❑～渺茫; 종적이 묘연하다.
[踪影] zōngyǐng 명 종적. 자취. 모습. 행방《주로, 찾는 대상을 가리키며 부정형으로 많이 쓰임》. ❑毫无～; 〈成〉 아무런 종적도 없다.

鬃 zōng (종)
명 (말의) 갈기. (돼지의) 강모(剛毛). ❑猪～; 돼지의 강모.

总(總) zǒng (총) ① 동 총괄하다. 모으다. 합치다. ❏把每天的收入～到一起; 매일의 수입을 한데 합치다. ② 형 전부의. 총괄적인. 전면적인. ❏～罢工; 총파업 / ～动员; 총동원 / ～攻击; 총공격. ③ 형 우두머리의. 지도적인. ❏～店; 본점 / ～经理; 총지배인. 사장 / ～书记; 총서기. ④ 부 언제나. 줄곧. 내내. 늘. 항상. ❏他～这么热情; 그는 언제나 이렇게 열정적이다. ⑤ 부 결국은. 어쨌든. 좌우간. ❏大家的力量～比一个人大; 모두의 힘은 어쨌든 한 사람의 힘보다는 크다.

[总得] zǒngděi 부 아무래도 …해야 된다. 꼭 …하지 않으면 안 된다. ❏不能老拖着, ～想个办法; 계속 질질 끌고 있을 수 없으니 아무래도 방법을 찾아봐야겠다.

[总督] zǒngdū 명 총독.

[总额] zǒng'é 명 총액. ❏存款～; 예금 총액.

[总而言之] zǒng'éryánzhī 〈成〉 요컨대. 한마디로 말하면. 종합해서 말하자면.

[总共] zǒnggòng 부 도합해서. 다 합쳐서. 전부. ❏～来了20个人; 전부 20명이 왔다. =[共总]

[总归] zǒngguī 부 결국은. 어쨌든. 아무튼. 하여간. 좌우간. ❏这个问题～会得到解决的; 이 문제는 어쨌든 해결될 것이다.

[总和] zǒnghé 명 총액. 총합. ❏产量的～; 생산 총액.

[总汇] zǒnghuì 동 (수류(水流)가) 모이다. 합류하다. ❏几条河流在这里～; 몇 줄기의 하류가 여기에서 모인다. 명 총체. 집합체.

[总机] zǒngjī 명 대표 전화.

[总集] zǒngjí 명 총집.

[总计] zǒngjì 동 총계하다. ❏全校学生～有两千人; 전교 학생 수가 총 2000명이다.

[总结] zǒngjié 명동 총결산(하다). 총결(하다). 개괄(하다). ❏年终～; 연말 총결산.

[总括] zǒngkuò 동 총괄하다. 개괄하다. 통괄하다. =[综括]

[总理] zǒnglǐ 명 총리. ① 국무원의 최고 지위. ②(일부 국가의) 정부 수뇌. ❏日本～; 일본 총리. 동 〈書〉 전체를 관리하다.

[总路线] zǒnglùxiàn 명 총노선.

[总目] zǒngmù 명 총목. 총목록.

[总是] zǒngshì 부 언제나. 줄곧. 늘. 항상. 내내. ❏他～不听我的话; 그는 늘 내 말을 듣지 않는다.

[总数] zǒngshù 명 총수.

[总算] zǒngsuàn 부 ① 마침내. 결국. 드디어. ❏我～找到你了; 내가 마침내 너를 찾아냈구나. ② 대체로[어쨌든] …한 셈이다. 그런대로 …한 편이다. ❏既然没赔钱～成功了; 손해를 보지 않았으니 어쨌든 성공한 셈이다.

[总体] zǒngtǐ 명 총체. 전체.

[总统] zǒngtǒng 명 총통. 대통령.

[总务] zǒngwù 명 ① 총무. ❏～科; 총무과. ② 총무 담당자.

[总则] zǒngzé 명 총칙.

[总之] zǒngzhī 접 요컨대. 결국. 한마디로 말하면. 아무튼.

[总值] zǒngzhí 명〖經〗 총액. 총금액. ❏国民生产～; 국민 총생산. 지엔피(GNP).

纵(縱) zòng (종) **A)** 종의. ① 형(지리상으로) 남북 방향의. ❏～贯; 종관(從貫)하다. ② 형 세로의. 앞에서부터 뒤까지. ❏～深; ⇓ ③ 형 물체의 긴 변과 평행하는. ❏～剖面; ⇓ ④ 명 군대 편제상의 종대(縱隊). **B)** 동 ① 놓아주다. 풀어 주다. ❏～虎归山; ⇓ ② 마음대로 하게 두다. 내버려 두다. ❏～声大笑; 마음껏 소리 내어 크게 웃다. ③(반동을 이용해서) 뛰어오르다. 몸을 솟구치다. ❏他向上一～, 单手投篮命中; 그는 위로 몸을 솟구쳐, 한손으로 골을 바구니에 집어넣었다. **C)** 접〈書〉 설령 …이라 하더라도. ❏～死不悔; 죽어도 후회하지 않는다. **D)** 동〈方〉 주름이 잡히다. 구겨지다. ❏纸都～起来了; 종이가 다 구깃구깃해졌다.

[纵步] zòngbù 동 성큼성큼 걷다. ❏～向前; 앞을 향해 성큼성큼 걷다. 명 앞으로 껑충 뛰는 걸음.

[纵队] zòngduì 명 ① 종대. ❏四路～; 사열 종대. ②〖軍〗 군대 편제의 하나.

[纵横] zònghéng 형 ① 가로세로의. 종횡의. ❏～交错; 〈成〉 종횡으로 교차하다. ② 분방자재(奔放自在)하다. ❏笔意～; 필치가 분방자재하다. 동 자유롭게 넘나들다. 종횡무진하다. ❏～驰骋; 〈成〉 거침없이 자유로이 돌아다니다.

[纵虎归山] zònghǔguīshān 〈成〉

적을 풀어 주어 화근을 남기다. =[放虎归山]

[纵火] zònghuǒ 동 방화(放火)하다. ❑ ~犯; 방화범.

[纵剖面] zòngpōumiàn 명 종단면.

[纵情] zòngqíng 부 마음껏. 실컷. ❑ ~欢乐; 〈成〉 마음껏 즐기다.

[纵然] zòngrán 접 ⇒[纵使]

[纵容] zòngróng 동 제멋대로 하게 하다. 용인하다. 방임하다. ❑ ~非法活动; 불법 활동을 용인하다.

[纵身] zòngshēn 동 (반동을 붙여) 몸을 날리다[솟구치다]. ❑ ~扑向敌人; 몸을 날려 적에게 돌진하다.

[纵深] zòngshēn 명〔軍〕 종심.

[纵使] zòngshǐ 접 (설령) …일지라도. (설사) …라 해도. ❑ 电影~再好, 他也没功夫看; 영화가 아무리 좋다 해도 그는 볼 시간이 없다. =[纵然]

[纵谈] zòngtán 동 거리낌없이 말하다. 기탄없이 이야기하다.

[纵欲] zòngyù 동 절제 없이 육욕(肉慾)을 충족시키다.

粽 zòng (종)
→[粽子]

[粽子] zòng·zi 명 댓잎이나 갈댓잎으로 싸서 쪄 먹는 삼각뿔 모양의 찰밥《단오(端午)에 먹는 중국의 명절 음식》.

zou ㄗㄡ

走 zǒu (주)
동 ① 걷다. 걸어가다. ❑ ~进屋里去; 집 안으로 걸어 들어가다. ②〈書〉 달아나다. 도망치다. ❑ 弃甲曳兵而~; 투구를 버리고 무기를 질질 끌고 패주하다. ③ 이동하다. 움직이다. 운행하다. 가다. ❑ 船~得很慢; 배가 매우 천천히 간다 / 表还~着呢; 시계는 아직 가고 있다. ④ (어떤 상태나 추세로) 향해 가다. …해지다. ❑ ~红; ⇩ ⑤ 가다. 떠나가다. ❑ 你快~吧; 어서 가라. ⑥〈婉〉 죽다. ❑ 他还这么年轻就~了; 그는 아직도 이렇게 젊은데 저세상으로 가 버렸다. ⑦ 교제하다. 왕래하다. 방문하다. ❑ ~亲戚; 친척집을 방문하다. ⑧ 원래의 모양·맛·색깔 따위를 잃다. 변하다. ❑ ~味儿; ⇩ ⑨ 통과하다. 경유하다. …으로 가다. ❑ 咱们~旁门进去吧; 우리 옆문으로 들어가자. ⑩ 새다. 빠지다. 누출하다. 누설되다. ❑ 球~气了; 공에 바람이 빠졌다 / ~风; ⇩

[走板] zǒu∥bǎn 동 ① 박자가 어긋나다. 박자를 놓치다. ② (~儿)〈比〉 이야기가 빗나가다. 주제에서 벗어나다.

[走道] zǒudào 명 보도. 인도. 통로. 통행로.

[走调儿] zǒu∥diàor 동 곡조가 맞지 않다. 음정이 어긋나다.

[走动] zǒudòng 동 ① (몸을) 움직이다. 활동하다. ❑ 别老坐着, 出去~~; 앉아 있지만 말고 나가서 좀 움직여라. ② 서로 왕래하다. 교제하다. 연락하다. ❑ 两家常常~; 두 집안은 자주 왕래한다.

[走读] zǒudú 동 통학(通學)하다. ❑ ~生; 통학생.

[走访] zǒufǎng 동 ① 방문하다. ② 방문 인터뷰하다.

[走风] zǒu∥fēng 동 (소문 따위가) 새 나가다. 퍼지다. 누설되다.

[走狗] zǒugǒu 명 ① 사냥개. ②〈比〉 앞잡이. 끄나풀. 졸개.

[走过场] zǒu guòchǎng ① 배우가 무대에 등장했다가 빨리 사라지다. ②〈比〉 건성으로 해치우다.

[走红] zǒu∥hóng 동 ① 운이 트이다. 좋은 운을 만나다. ② 인기를 얻다. 인기를 끌다. 잘나가다.

[走后门(儿)] zǒu hòumén(r) 〈比〉 연줄을 이용하거나 뇌물을 써서 목적을 이루다. 부정한 뒷거래를 하다. 백(back)을 쓰다.

[走火] zǒu∥huǒ 동 ① 실수로 발사되다. 오발하다. ②〈比〉 심하게 말하다. ③ (전기 누전(漏電)으로) 불이 나다. ④ 불이 나다.

[走江湖] zǒu jiānghú 여기저기 떠돌며 생활하다.

[走廊] zǒuláng 명 ① (처마 밑이나 건물과 건물 사이의 지붕이 있는) 회랑. 낭하. 복도. ②〈比〉 회랑(回廊) 지대.

[走漏] zǒulòu 동 ① (소문 따위를) 퍼뜨리다. 누설하다. ❑ ~风声; 〈成〉 소문을 퍼뜨리다. ② 밀수로 탈세하다. ③ (대량 화물 중에서) 일부가 분실되다[도난당하다].

[走路] zǒu∥lù 동 ① 걷다. ❑ 我们是~来的; 우리는 걸어서 왔다. ② 떠나다. 가 버리다.

[走马] zǒumǎ 동 말을 달리다. ❑

~看花 =[~观花]; 〈成〉 말을 달리면서 꽃구경을 하다《대충 훑어보다. 건성으로 보다》.
[走马灯] zǒumǎdēng 명 주마등.
[走南闯北] zǒunán-chuǎngběi 〈成〉 이곳저곳을 돌아다니다《가 본 곳이 매우 많아 식견이 넓다》.
[走内线] zǒu nèixiàn 상대방의 가족이나 측근을 통해 청탁하다.
[走色] zǒu//shǎi 동 ⇨[落色lào-shǎi]
[走失] zǒushī 동 ① 없어지다. 실종되다. 행방불명되다. ❏孩子在公园里~了; 아이가 공원에서 없어졌다. ② (본래의 모양을) 잃다. 변하다. ❏译文~原意; 번역한 글이 원뜻을 잃다.
[走兽] zǒushòu 명 짐승. 야수.
[走私] zǒu//sī 동 밀수하다. ❏~犯; 밀수범 / ~贩; 밀수꾼 / ~品; 밀수품.
[走投无路] zǒutóuwúlù 〈成〉 막다른 곳에 이르다.
[走味儿] zǒu//wèir 동 맛이나 향이 변하다. 맛이 가다. 향이 날아가다.
[走向] zǒuxiàng 명〖地質〗(암층·광층·산맥 따위의) 주향. 방향. ❏河流~; 하류 방향.
[走眼] zǒu//yǎn 동 잘못 보다. 눈이 삐다.
[走样(儿)] zǒu//yàng(r) 동 원래의 모습[모양]을 잃다. 제 모습을 잃다. 변질되다.
[走运] zǒu//yùn 형〈口〉 운이 트이다. 운이 좋다.
[走着瞧] zǒu·zheqiáo 동 형세를 살펴보다. 두고 보다. 지켜보다.
[走卒] zǒuzú 명 ① 심부름꾼. ② 〈比〉 하수인. 졸개.
[走嘴] zǒu//zuǐ 동 ① (부주의하게) 입 밖에 내놓다. 비밀[기밀]을 누설하다. ② 실언하다. 입을 잘못 놀리다. 말실수하다.

奏 zòu (주)
동 ① 연주하다. ❏合~; 합주하다 / 伴~; 반주하다. ② (결과·효과가) 발생하다. 나타나다. ❏~功; 공을 세우다. ③ 상주(上奏)하다. ❏~章; ⇩ 「기다.
[奏捷] zòujié 동 승리를 얻다. 이
[奏凯] zòukǎi 동 ① 개가(凱歌)를 올리다. ② 〈轉〉 우승하다. 승리를 거두다.
[奏鸣曲] zòumíngqǔ 명〖樂〗 소나타(sonata).
[奏效] zòu//xiào 동 주효하다. 효력이 나타나다. ❏立即~; 즉각 효험을 나타내다. 「다.
[奏乐] zòu//yuè 동 음악을 연주하
[奏章] zòuzhāng 명 상주문.

揍 zòu (주)
동 ①〈口〉 (사람을) 때리다. 두들겨 패다. ❏狠狠~他一顿; 그를 호되게 한차례 때리다. ②〈方〉 때려 부수다.

zu ㄗㄨ

租 zū (조)
① 동 빌리다. 임차하다. 세내다. ❏~不如买; 빌리는 것은 사는 것만 못하다. ② 동 빌려 주다. 임대하다. 세놓다. ❏房子已经~出去了; 집은 이미 임대되었다. ③ 명 임대료. 세(貰). ❏房~; 집세. ④ 명 지조(地租). ❏~税; ⇩
[租船] zū//chuán 동 배를 빌리다. 용선(傭船)하다. ❏~费; 용선료.
[租户] zūhù 명 (토지·가옥의) 빌려 쓰는 사람. 임차인(賃借人).
[租价] zūjià 명 임대 가격. 임대가.
[租界] zūjiè 명 조계《옛날, 외국이 중국 각지에 보유하고 있던 '租借地'(조차지)를 말함》.
[租借] zūjiè 동 ① 차용하다. 임차하다. 세내다. 빌리다. ❏~两间房; 방 두 칸을 세내다 / ~人; 임차인. ② 임대하다. 빌려 주다. ❏他把这座洋房~给那家公司了; 그는 이 양옥집을 그 회사에 임대했다.
[租金] zūjīn 명 임대료. 임차료.
[租赁] zūlìn 동 ① (토지·가옥 따위를) 빌려 쓰다. 임차하다. 대여받다. ❏~汽车; 렌터카(rant-a-car). ② 빌려 주다. 임대해 주다. 대여하다. ❏~业; 임대업.
[租税] zūshuì 명 조세.
[租用] zūyòng 동 임대 받아 사용하다. ❏~汽车; 차를 렌트하다.
[租约] zūyuē 명 임대차 계약.
[租子] zū·zi 명〈口〉 토지 사용료.

足 zú (족)
① 명 발. 다리. ❏手~; 수족. ② 명 기물(器物)의 다리[발]. ❏鼎~; 솥발. ③ 명 축구. ❏女~; 여자 축구. ④ 형 족하다. 넉넉하다. 충분하다. ❏时间不~; 시간이 부족하다. ⑤ 부 족히. 충분히. 넉넉히. ❏他~可以担任这任务; 그

는 충분히 이 임무를 담당할 수 있다. ⑥ 족히 …할 만하다. …하기에 족하다[충분하다]《주로, 부정형으로 쓰임》. ❑ 不~挂齿; 〈成〉 문제 삼을 만한 가치가 없다.

[足赤] zúchì 명 ⇨[足金]

[足够] zúgòu 동 충분하다. 족하다. ❑ 这些粮食~吃一年; 이 정도 식량이면 일 년 먹기에 충분하다.

[足迹] zújì 명 ① 족적. 발자국. ② 〈轉〉 발자취.

[足见] zújiàn 접 (…에 의해) 충분히[잘] 알 수 있다. ❑ 他走不了liǎo了, ~伤得不轻; 그가 걷지 못하는 것을 보아 부상이 가볍지 않음을 잘 알 수 있다.

[足金] zújīn 명 순금. ＝[足赤]

[足球] zúqiú 명〖體〗 ① 축구. ❑ 踢~; 축구를 하다 / ~比赛; 축구 시합 / ~队; 축구팀. ② 축구공.

[足岁] zúsuì 명 만 나이. ❑ 他今年二十~了; 그는 올해 만 스무 살이다.

[足下] zúxià 명〈翰〉〈敬〉 족하. 귀하《친구에 대한 서신용의 존칭》.

[足以] zúyǐ 동 …하기에 족하다. …에 충분하다. ❑ 你的话不~说服他; 너의 말은 그를 설득하기에 충분하지 않다.

[足智多谋] zúzhì-duōmóu 〈成〉 지모(智謀)가 풍부하다.

卒 zú (졸)
① 명 병졸. 병사. ❑ 小~; 병졸. ② 명 말단 관리. ❑ 狱~; 옥졸. ③ 명 졸(卒)《장기말의 하나》. ④ 동〈書〉 끝내다. 마치다. ❑ ~业; ⇩ ⑤ 부〈書〉 결국. 마침내. ❑ ~胜敌军; 마침내 적에게 이겼다. ⑥ 동〈書〉 죽다. 사망하다. ❑ 生~年月; 생몰년. ⇒ cù

[卒业] zúyè 동〈書〉 ⇨[毕业]

族 zú (족)
① 명 친족. 일족. 가족. ❑ 亲~; 친족. ② 동 일가를 몰살하는 형벌을 내리다. ❑ ~九族; 구족을 멸하다. ③ 명 종족. 민족. ❑ 民~; 민족. ④ 명 족《사물의 공통된 속성을 갖는 대분류》. ❑ 上班~; 직장인 / 语~; 어족.

[族谱] zúpǔ 명 족보.

[族长] zúzhǎng 명 족장.

镞(鏃) zú (족)
명〈書〉 화살촉.

诅(詛) zǔ (저)
동〈書〉 저주하다.

[诅咒] zúzhòu 동 저주하다.

阻 zǔ (조)
동 저지하다. 방해하다. 지장을 주다. 막다. ❑ 为风雨所~; 비바람에 막히다.

[阻碍] zǔ'ài 동 지장이 되다. 저해하다. 방해하다. ❑ ~经济发展; 경제 발전을 저해하다. 명 방해물. 장애물.

[阻挡] zǔdǎng 동 막다. 가로막다. 저지하다. ❑ 不可~的历史巨流; 막을 수 없는 역사의 거대한 흐름.

[阻隔] zǔgé 동 (양쪽 땅이 서로 통하지 못하도록) 가로막다. 갈라 놓다. 차단하다. ❑ 这里被大山~; 이곳은 큰 산으로 가로막혀 있다.

[阻梗] zǔgěng 동〈書〉 막혀서 통하지 않다. ❑ 呼吸道~; 기도가 막히다.

[阻击] zǔjī 동〖軍〗 (진격이나 증원 따위를) 저지하다. ❑ ~战; 저지전.

[阻拦] zǔlán 동 저지하다. 방해하다. 제지하다. ❑ 警察用力~着拥挤的人群; 경찰이 몰려드는 사람들을 힘으로 저지하고 있다.

[阻力] zǔlì 명 ①〖物〗 저항. 저항력. ❑ 空气~; 공기 저항. ② 〈轉〉 저해하는 힘. 방해 세력. ❑ 冲破风浪的~; 풍랑의 방해를 뚫다.

[阻难] zǔnàn 동 트집 잡고 훼방하다. 방해하다.

[阻挠] zǔnáo 동 저지하다. 방해하다. 훼방하다. ❑ ~执法; 공무 집행을 방해하다.

[阻塞] zǔsè 동 ① (장애가 있어서) 막히다. 두절되다. ❑ 交通~; 교통이 막히다 / 水管~; 수도관이 막히다. ② 막히게 하다. 두절시키다.

[阻止] zǔzhǐ 동 저지하다. 저해하다. 제지하다. 막다. ❑ ~发言; 발언을 제지하다.

组(組) zǔ (조)
① 동 짜다. 구성하다. 조직하다. ❑ ~队; 팀을 짜다[구성하다] / ~成; ⇩ ② 명 조. 그룹. 팀. ❑ 学习小~; 스터디 그룹 / ~员; 조원. 팀원 / ~长; 조장. 팀장. ③ 양 조·세트로 된 것을 세는 말. ❑ 分为两~; 2 조로 나뉘다. ④ 형 조를 이룬《문학이나 예술 작품》. ❑ ~曲; ⇩

[组成] zǔchéng 동 구성하다. 편성하다. 결성하다. 조직하다. ❑ 代表团由三十人~; 대표단은 30명으로 구성되었다.

[组稿] zǔ//gǎo 동 집필을 의뢰하다. 원고를 맡기다.
[组阁] zǔ//gé 동 내각을 조직하다.
[组合] zǔhé 동 조합하다. 한데 묶다. 짜 맞추다. 세트를 이루다. ❑ ~家具; 가구 세트 / ~价格; 패키지 가격. 명 조합. ❑ 劳动~; 노동조합.
[组曲] zǔqǔ 명〔樂〕조곡. 모음곡.
[组织] zǔzhī 동 조직하다. 결성하다. 짜다. 편성하다. ❑ ~人力; 인력을 조직하다 / ~座谈会; 좌담회를 편성하다. 명 ① 조직. 체계. ❑ ~松散; 조직이 느슨해져 있다. ②〔紡〕조직. ❑ 平纹~; 평직. ③〔生〕조직. ❑ 神经~; 신경 조직 / 细胞~; 세포 조직. ④ 단체. 조직. 기구(機構). ❑ 学术~; 학술 기구 / ~生活; 조직 생활.
[组装] zǔzhuāng 동 조립하다. 짜 맞추다. ❑ ~一台电脑; 컴퓨터 한 대를 조립하다.

俎 zǔ (조)
명 ① 옛날, 제사 때 희생물(犧牲物)을 담아 놓던 기구. ② 도마. ❑ 刀~; 칼과 도마.

祖 zǔ (조)
명 ① 부모의 바로 윗대. ❑ 外~; 외조부모. ② 조상. 선조. ❑ 曾~; 증조. ③ 개조(開祖). 시조. ❑ ~师; ⇩
[祖辈] zǔbèi 명 조상. 선조.
[祖产] zǔchǎn 명 조상 대대로 물려 받은 재산.
[祖传] zǔchuán 동 조상 대대로 전해 내려오다. ❑ ~秘方; 조상 대대로 전해 내려오는 비방.
[祖父] zǔfù 명 조부. 할아버지. = [〈口〉爷爷①][〈方〉公公②]
[祖国] zǔguó 명 조국.
[祖籍] zǔjí 명 본적. 원적.
[祖母] zǔmǔ 명 조모. 할머니.
[祖上] zǔshàng 명 (일족의) 조상. 선조.
[祖师] zǔshī 명 조사. ① 학파나 기술의 창시자. 원조. ② 종파의 창시자. ③ 비밀 결사의 창시자. ④ 옛날, 수공업자가 그 방면의 창시자를 칭하던 말.
[祖孙] zǔsūn 명 조손. 조부모와 손자. ❑ ~三代; 조손 3대.
[祖先] zǔxiān 명 ① 조상. 선조. =[先人①][先世][〈書〉先祖①] ② (각종 생물의) 시조. 조상. ❑ 人类的~; 인류의 조상.
[祖宗] zǔ·zong 명 ① (일족의) 조상. 선조. ②〈轉〉(민족의) 조상. 선조.
[祖祖辈辈] zǔzǔbèibèi 명 조상 대대. ❑ 他家~都是种地的; 그의 집안은 조상 대대로 농사를 지었다.

zuan ㄗㄨㄢ

钻(鑽) zuān (찬)
동 ① (날카로운 물체로) 구멍을 내다[뚫다]. ❑ 用电钻在墙上~洞; 전기 드릴로 벽에 구멍을 뚫다. ② (뚫고) 들어가다. 통과하다. 지나가다. ❑ 火车正~着隧道呢; 기차가 터널을 지나고 있다. ③ 깊이 파고들어 연구하다. ❑ ~研; ⇩ ⇒zuàn
[钻空子] zuān kòng·zi 헛점[약점]을 이용하다. 방심한 틈을 타다.
[钻门子] zuān mén·zi〈口〉권세가에게 아부하다[빌붙다].
[钻牛角尖] zuān niújiǎojiān〈比〉① 연구할 가치가 없거나 해결할 길이 없는 문제에 매달리다. ② 의견이나 관점을 고수하다.
[钻探] zuāntàn 동 시추하다. 시굴하다. ❑ ~地层; 지층을 시추하다.
[钻研] zuānyán 동 깊이 연구하다. 깊이 파고들다. 탐구하다. ❑ ~业务; 업무에 깊이 파고들다.
[钻营] zuānyíng 동 권력자에 알랑거려 사리(私利)를 꾀하다.

纂 zuǎn (찬)
① 동〈書〉편찬하다. 편집하다. ❑ ~修; 편찬하다. ② (~儿) 명〈方〉부녀자의 쪽.

钻(鑽) zuàn (찬)
명 ① 송곳. 드릴(drill). ❑ 电~; 전기 드릴. ② 금강석. 다이아몬드(diamond). ⇒zuān
[钻床] zuànchuáng 명〔機〕드릴링 머신(drilling machine).
[钻机] zuànjī 명〔機〕시추기.
[钻戒] zuànjiè 명 다이아몬드(diamond) 반지.
[钻石] zuànshí 명 ① (보석으로서의) 다이아몬드. ❑ ~项链; 다이아몬드 목걸이. ② (축받이에 쓰이는) 보석.
[钻头] zuàntóu 명〔機〕(천공기 따위의) 비트(bit). 끝 날.

攥 zuàn (찬)
동〈口〉쥐다. 움켜쥐다. 잡다.

❑手里~着一支钢笔; 손에 펜 한 자루를 쥐고 있다.

zui ㄗㄨㄟ

嘴 zuǐ (취)
명 ① 입. ❑闭~; 입을 다물다 / 张~; 입을 열다. ② (~儿) 모양·기능이 입과 같은 것. 아가리. 주둥이. ❑壶~; 주전자 주둥이 / 瓶~儿; 병의 아가리. ③ 말. 말솜씨.

[嘴巴] zuǐ·ba 명 ① 뺨. 따귀. ❑打~; 따귀 때리다. =[嘴巴子] ② 입. ❑~很大; 입이 매우 크다.

[嘴笨] zuǐ∥bèn 형 말솜씨가 없다. 말주변이 없다.

[嘴馋] zuǐchán 형 게걸스럽다. 입정 사납다.

[嘴唇] zuǐchún 명 입술. ❑~干裂; 입술이 트다.

[嘴乖] zuǐ∥guāi 형〈口〉(주로, 아이가) 말을 예쁘게 하다. 예쁜 말만 골라 하다. ❑那孩子嘴很乖; 그 아이는 예쁜 말만 골라서 한다.

[嘴尖] zuǐ∥jiān 형 ① 말을 심하게 하다. 독설(毒舌)이 심하다. 인정사정 없이 말하다. ② 미각(味角)이 예민하다. ③ 입이 짧다.

[嘴角] zuǐjiǎo 명 입아귀. 입가. ❑~流涎; 입가에 침이 흐르다.

[嘴紧] zuǐ∥jǐn 형 입이 무겁다. ❑他~靠得住; 그는 입이 무거워서 믿을 만하다. =[嘴严]

[嘴快] zuǐ∥kuài 형 입이 싸다.

[嘴脸] zuǐliǎn 명〈貶〉상판. 낯짝. 몰골. ❑瞧他那副丑恶的~! 그의 저 추악한 몰골을 좀 봐라!

[嘴皮子] zuǐpí·zi 명〈口〉(말하는) 입술. 입심. ❑耍~; 입을 놀리다.

[嘴碎] zuǐ∥suì 형 잔소리가 심하다.

[嘴甜] zuǐ∥tián 형 말이 달콤하다. 듣기 좋은 말만 하다.

[嘴严] zuǐ∥yán 형 ⇨[嘴紧]

[嘴硬] zuǐ∥yìng 형 (잘못이나 패배를 알면서도) 인정하지 않다. 고집 부리다. ❑认个错就是了, 还这么~; 잘못을 인정만 하면 될 것을 아직도 이렇게 고집을 부리는구나.

[嘴直] zuǐ∥zhí 형 (말이) 솔직하다. 직설적이다. 입바르다.

醉 zuì (취)
동 ① (술에) 취하다. ❑他喝~了; 그는 술에 취했다. ② 마음을 빼앗기다. 도취하다. 빠지다. ❑~人的景色; 사람을 도취시키는 경치. ③ 술에 담가 절이다. ❑~蟹; 술에 담근 게장.

[醉鬼] zuìguǐ 명 취한 사람. 고주망태. 주정뱅이.

[醉汉] zuìhàn 명 (남자) 취객.

[醉生梦死] zuìshēng-mèngsǐ〈成〉취생몽사(술에 취하고 꿈꾸는 것처럼 생각 없고 흐릿하게 살다).

[醉态] zuìtài 명 취태. 취한 모습.

[醉翁之意不在酒] zuìwēng zhī yì bù zài jiǔ〈諺〉본래의 의도는 [본심은] 딴 데 있다.

[醉乡] zuìxiāng 명 술에 취해 몽롱한 경지[상태].

[醉心] zuìxīn 동 도취하다. 심취하다. 빠지다. ❑~文艺; 문예에 심취하다.

[醉醺醺(的)] zuìxūnxūn(·de) 형 술에 곤드레만드레 취한 모양. 거나하게 취한 모양.

[醉意] zuìyì 명 취한 느낌. 취한 기미. 취기. ❑他已经有三分~了; 그는 이미 상당히 취했다.

最 zuì (최)
① 부 가장. 제일. 아주. 매우. ❑~大的幸福; 최대의 행복 / ~前边; 제일 앞쪽. ② 명 최고. 으뜸. ❑世界之~; 세계 최고.

[最初] zuìchū 명 최초. 맨 처음. ❑~不习惯, 现在好了; 처음에는 익숙하지 않았지만, 지금은 익숙해졌다.

[最低] zuìdī 형 최저의. ❑~工资; 최저 임금 / ~价格; 최저가.

[最多] zuìduō 부 ① 많게는. ❑他~一天看一百页; 그는 하루에 많게는 백 페이지를 읽는다. ② 많아야. 많아 봤자. 기껏해야. ❑我在北京~只能呆一个星期; 나는 베이징에서 길어야 일주일밖에 머물지 못한다.

[最高] zuìgāo 형 가장 높은. 최고의. ❑~纪录; 최고 기록 / ~限价; 최고가.

[最好] zuìhǎo 부 가장 좋은 것은 …이다. …이 가장 좋다. ❑咱们~作完练习再去看电影; 제일 좋은 것은 연습을 마치고 나서 영화를 보러 가는 것이다.

[最后] zuìhòu 명 최후. 최종. ❑~办法; 최후의 방법 / ~胜利; 최후 승리 / ~通牒; 최후통첩.

[最惠国] zuìhuìguó 명〖法〗최혜국. ❑~待遇; 최혜국 대우.

[最佳] zuìjiā 형 가장 좋은[훌륭한]. 베스트(best). 최고의. 최적(最適)의. ❏～男主角; 최우수 남우 주연 / ～条件; 최적의 조건.
[最近] zuìjìn 명 최근. 요즘. ❏～身体很好; 최근 몸 상태가 매우 좋다.
[最少] zuìshǎo 부 적어도. 최소한. ❏这件衣服～也值十万元; 이 옷은 최소한 10만 위안은 한다.
[最终] zuìzhōng 명 최종. 최후. ❏～判决; 최종 판결.

罪 zuì (죄)
①명 죄. 범죄. ❏犯～; 죄를 범하다. ②명 과실. 잘못. ❏归～于人; 죄를 남에게 덮어씌우다. ③명 어려움. 곤란. 고통. ❏遭～; 어려움을 만나다. ④동 벌하다. 책하다. 탓하다. ❏～己; 자책하다.
[罪不容诛] zuìbùróngzhū 〈成〉 죄가 커서 사형에 처해도 부족하다.
[罪大恶极] zuìdà-èjí 〈成〉 죄악이 극에 달하다. 극악무도하다.
[罪恶] zuì'è 명 죄악. ❏～滔天; 〈成〉 죄악이 하늘을 뒤덮다.
[罪犯] zuìfàn 명 범죄자.
[罪该万死] zuìgāiwànsǐ 〈成〉 죄가 커서 만 번을 죽어도 마땅하다《큰 죄를 사죄하거나 규탄하는 말》.
[罪过] zuì·guo 명 ①잘못. 죄과. 죄. ②〈謙〉 송구하다. ❏让你这样破费, 真是～; 이렇게 돈을 많이 쓰시게 해서 정말 송구합니다.
[罪魁祸首] zuìkuíhuòshǒu 〈成〉 원흉. 수괴(首魁). 괴수.
[罪名] zuìmíng 명 죄명. 죄목. ❏捏造～; 죄명을 날조하다.
[罪孽] zuìniè 명 죄업(罪業). ❏～深重; 〈成〉 죄업이 깊고 무겁다.
[罪人] zuìrén 명 죄인.
[罪行] zuìxíng 명 범죄 행위. 죄행. ❏揭露～; 죄행을 밝히다.
[罪有应得] zuìyǒuyīngdé 〈成〉 죄를 저질러 응당한 벌을 받다.
[罪责] zuìzé 명 죄책.
[罪证] zuìzhèng 명 범죄의 증거. ❏毁灭～; 범죄 증거를 인멸하다.
[罪状] zuìzhuàng 명 죄상. ❏罗列～; 죄상을 나열하다.

zun ㄗㄨㄣ

尊 zūn (존, 준)
①형 (지위·서열 따위가) 높다. ❏～卑; 존귀와 비천. ②동 존경하다. 숭상하다. ❏～敬; ⇩ ③대〈敬〉 당신《상대와 관련 있는 사람이나 사물을 높여 이르는 말》. ❏～姓大名? 존함이 어떻게 되십니까? ④양 좌《불상(佛像)을 세는 말》. ❏一～佛像; 불상 1좌(座). ⑤양 문《대포를 세는 말》. ❏一～大炮; 대포 1문(門).
[尊称] zūnchēng 동 존칭하다. 높여 부르다. ❏～他为老师; 그를 선생님이라고 존칭하다. 명 존칭.
[尊崇] zūnchóng 동 우러러 받들다. 우러러 존경하다.
[尊贵] zūnguì 형 존귀하다. 귀하다. ❏～的来宾; 귀한 내빈.
[尊敬] zūnjìng 동 존경하다. ❏～老师; 선생님을 존경하다. 형 존경스러운. 존경하는. ❏～的来宾们; 존경하는 내빈 여러분.
[尊严] zūnyán 명형 존엄(하다). ❏民族～; 민족 존엄.
[尊长] zūnzhǎng 명 윗사람. 어른. ❏敬重～; 어른을 공경하다.
[尊重] zūnzhòng 동 ①존중하다. ❏互相～; 서로 존중하다. ②중히 여기다. 중시하다. ❏～事实; 사실을 중시하다. 형 진중하다. 점잖다. ❏你要放～些! 좀 점잖게 굴어라!

遵 zūn (준)
동 …을 따르다. …에 의하다. ❏～令而行; 명령을 따라 행하다.
[遵从] zūncóng 동 따르다. 복종하다. ❏～决议; 결의를 따르다.
[遵命] zūnmìng 동〈敬〉 명령에 따르다. 분부를 좇다. ❏～照办; 명령에 따라 그대로 하겠습니다.
[遵守] zūnshǒu 동 (규칙이나 명령을) 지키다. 준수하다. ❏～时间; 시간을 지키다 / ～公共秩序; 공공질서를 지키다.
[遵行] zūnxíng 동 준행하다. 좇아서 행하다.
[遵照] zūnzhào 동 …에 따르다. …대로 하다. ❏～法律; 법률에 따르다. =[遵循]

zuo ㄗㄨㄛ

作 zuō (작)
명 (수공업의) 작업장. 공장. ❏石～; 석공의 작업장. ⇒zuò
[作坊] zuō·fang 명 (수공업의) 작업장. 공장. ❏木工～; 목공소.

嘬 zuō (최)
동〈口〉 (입술을 오므려) 빨다. ❑ 婴儿~奶; 아기가 젖을 빨다.

昨 zuó (작)
명 ① 어제. ② 이전. 옛날. 과거. ❑ ~非; 과거의 잘못.

[昨天] zuótiān 명 어제. =[昨儿] [昨日]

[昨晚] zuówǎn 명 어제저녁. 어젯밤.

琢 zuó (탁)
→[琢磨] ⇒ zhuó

[琢磨] zuó·mo 동 곰곰이 생각하다. 음미하다. 곱씹다. 궁리하다. ❑ 你再仔细~~; 다시 한 번 곰곰이 생각해 보아라. ⇒ zhuómó

左 zuǒ (좌)
① 명 왼쪽. ❑ 向~转; 왼쪽으로 돌다 / ~腿; 왼쪽 다리. ② 명 동쪽. ❑ 山~; 타이항 산(太行山)의 동쪽《산둥(山東) 지방》. ③ 형 옳지 못하다. 비정상적이다. ❑ ~脾气; 비뚤어진 심보. ④ 형 틀리다. 잘못되다. ❑ 这可是你想~了; 이것은 네가 잘못 생각한 것이다. ⑤ 형 상반되다. 다르다. 엇갈리다. ❑ 意见相~; 의견이 서로 엇갈리다. ⑥ 형 좌익이다. 혁명적이다. ❑ ~派; ⇓ ⑦〈書〉 ⇨[佐]

[左边(儿)] zuǒ·bian(r) 명 왼쪽. 좌측. ❑ 靠~走; 좌측 통행을 하다. =[左面(儿)]

[左道旁门] zuǒdào-pángmén 〈成〉 ① (종교상의) 사교(邪教). 이단(異端). ② (학술상의) 사도. 정통이 아닌 길. ‖ =[旁门左道]

[左顾右盼] zuǒgù-yòupàn 〈成〉 이리저리 두리번거리다.

[左近] zuǒjìn 명 근처. 부근.

[左面(儿)] zuǒmiàn(r) 명 ⇨[左边(儿)]

[左派] zuǒpài 명 좌파. 급진파. 좌익파. ❑ ~势力; 좌파 세력.

[左撇子] zuǒpiě·zi 명 왼손잡이.

[左倾] zuǒqīng 형 좌경하다. ❑ ~思想; 좌경 사상.

[左嗓子] zuǒsǎng·zi 형 음치이다. 명 음치. 음치인 사람.

[左手] zuǒshǒu 명 ① 왼손. ② ⇨[左首]

[左首] zuǒshǒu 명 (좌석의) 왼쪽. 좌측. ❑ 请您~坐; 왼쪽에 앉으십시오. =[左手②]

[左思右想] zuǒsī-yòuxiǎng 〈成〉 이리저리 생각[궁리]하다.

[左袒] zuǒtǎn 동〈書〉〈轉〉 한쪽만 편들다. 한쪽만 두둔하다.

[左舷] zuǒxián 명 (배의) 좌현.

[左翼] zuǒyì 명 ①〔軍〕 좌익. ②〈轉〉 (사상·정치 따위의) 좌익.

[左右] zuǒyòu 명 ① 왼쪽과 오른쪽. 좌우. 양옆. ❑ 两个女儿坐在他~; 두 딸이 그의 양옆에 앉다. ② 시종(侍從). 측근(側近). ③ 내외. 쯤. 가량. 정도. 안팎《대략적인 수》. ❑ 八十元~; 팔십 위안쯤 / 五十岁~; 50세 가량. 부〈方〉 어차피. 어쨌든. 결국. 좌우간. ❑ 这活儿~得有人干; 이 일을 어차피 누군가는 해야 한다. 동 좌우하다. 마음대로 하다. 좌지우지하다. ❑ ~政局; 정국을 좌지우지하다.

[左…右…] zuǒ…yòu… 이렇게 저렇게. 이쪽저쪽. 여기저기《동류(同類)의 행위가 반복됨을 강조함》. ❑ 左盘右算; 이리저리 계산해 보다.

[左右逢源] zuǒyòu-féngyuán 〈成〉 ① 마음먹은 대로 순조롭게 되어 가다. ② 일처리가 매끄럽다.

[左右手] zuǒyòushǒu 명〈比〉 든든한 조력자. 믿음직한 조수. 오른팔. 측근.

[左右为难] zuǒyòu-wéinán 〈成〉 어찌해야 할지 난감한 상황에 처하다. 딜레마에 빠지다.

[左证] zuǒzhèng 명 ⇨[佐证]

佐 zuǒ (좌)
① 동 보조하다. 보좌하다. ❑ ~餐; ⇓ ② 명 보좌관. 보조. 조수. ‖ =[〈書〉 左⑦]

[佐餐] zuǒcān 동〈書〉 반찬으로 하다. 곁들여 먹다.

[佐证] zuǒzhèng 명 증거. =[左证]

撮 zuǒ (촬)
(~儿) 양 움큼. 줌《무성한 모발을 세는 말》. ❑ 一~头发; 머리카락 한 움큼. ⇒ cuō

作 zuò (작)
① 동 일어나다. 분발하다. 분기하다. ❑ 振~; 진작하다. ② 동 하다. 행하다. 만들다. ❑ ~报告; 보고를 하다 / ~调查; 조사를 하다. ③ 동 창작하다. 짓다. ❑ ~歌词; 가사를 짓다 / ~诗; 시를 짓다. ④ 명 작품. 창작. ❑ 杰~; 걸작. ⑤ 동 (태도·모양을) 나타내다. 취하다. ❑ 故~惊讶; 일부러 놀란 척하다. ⑥ 동 …로 하다. …로 삼다. …로 여기다. ❑ 认贼~父; 〈成〉 원수를 아버지로 여기다《적에 붙어 배반함》. ⑦ 동 …을 맡다. …가

되다. …을 하다. ❑ ~模范; 모범이 되다. ⑧ 동 발작하다. 나타나다. ❑ ~呕; ⇓ ⇒zuō

[作案] zuò//àn 동 범죄 행위를 하다. 범죄를 저지르다.

[作罢] zuòbà 동 그만두다. 중지하다. 중단하다. ❑ 既然成功的希望不大, 此事只好~; 어차피 성공할 가망도 적으니 이 일은 그만두는 수밖에 없겠다.

[作弊] zuò//bì 동 ① 부정행위[불법 행위]를 하다. ② (시험에서) 커닝(cunning)하다.

[作词] zuòcí 동 작사하다.

[作对] zuò//duì 동 ① 맞서다. 대항하다. 적이 되다. ② 짝이 되다. 배우자가 되다. ❑ 成双~; 한쌍이 되다. 결혼하다.

[作恶] zuò//è 동 나쁜 짓을 하다. ❑ ~多端; 〈成〉 온갖 못된 짓을 하다.

[作法] zuò·fǎ 명 ① 작문(作文)의 방법. 작법. ② ⇨[做法]

[作废] zuòfèi 동 폐기하다. 폐지하다. 무효로 하다. ❑ 过期~; 기일이 지나면 무효가 된다.

[作风] zuòfēng 명 ① 태도. 기풍. 풍조. 방식. 스타일. ❑ 工作~; 업무 스타일 / 生活~; 생활 방식. ② 풍격. 작풍. ❑ 文章~; 글의 작풍.

[作梗] zuògěng 동 (중간에서) 방해하다. 훼방 놓다.

[作怪] zuòguài 동 해를 끼치다. 훼방을 놓다. 농간을 부리다.

[作家] zuòjiā 명 작가. ❑ 专业~; 전업 작가 / 喜剧~; 코미디 작가.

[作假] zuò//jiǎ 동 ① 가짜를 만들다. 위조하다. ② 속임수를 쓰다. 농간을 부리다. ❑ ~骗人; 속임수로 사람을 속이다. ③ 체면치레하다. 예의상 말하다.

[作价] zuò//jià 동 가격을 매기다. 평가하다. 값을 정하다.

[作茧自缚] zuòjiǎn-zìfù 〈成〉 누에가 고치를 지어 자기를 안에 가두다《어떤 일을 한 것이 도리어 자기를 궁지에 빠뜨리다》.

[作客] zuò//kè 동〈書〉 객지에 머물다. ❑ ~他乡; 타향에 거처하다.

[作乐] zuòlè 동 즐거움을 찾다. 낙으로 삼다. ❑ 苦中~; 〈成〉 고통 중에 즐거움을 찾다.

[作料(儿)] zuò·liao(r) 명 양념《소금·간장·된장·파·마늘 따위》.

[作乱] zuòluàn 동 난(亂)을 일으키다. 반란을 일으키다.

[作美] zuòměi 동 (날씨 따위가) 일이 잘되게 도와주다《주로, 부정형으로 쓰임》. ❑ 老天不~, 刚说要出门儿, 就下起大雨; 외출해야겠다고 말하기가 무섭게 비가 오기 시작하니 하늘이 안 도우시는구나.

[作难] zuònán 동 곤란하다. 당혹하다. 난처하다.

[作孽] zuò//niè 동 ⇨[造孽]

[作弄] zuònòng 동 ⇨[捉弄]

[作呕] zuò'ǒu 동 ① 구역질이 나다. 역겹다. 메스껍다. ❑ 令人~的气味; 역겨운 냄새. ② 역겹다. 싫다. ❑ 这种行为令人~; 이런 행위는 사람을 역겹게 한다.

[作陪] zuòpéi 동 배객(陪客)이 되다. 배빈이 되다.

[作品] zuòpǐn 명 작품. ❑ 文学~; 문학 작품 / 艺术~; 예술 작품.

[作曲] zuòqǔ 동 작곡하다. ❑ ~家; 작곡가.

[作数] zuò//shù 동 유효하다고 보다. 효력이 있다. 책임을 지다. ❑ 他的决定依然~; 그의 결정은 여전히 효력이 있다.

[作死] zuòsǐ 동 죽고 싶어 환장하다. 명을 재촉하다. ❑ 车开得这么快, 你~呀! 차를 이렇게 빨리 몰다니, 너 죽고 싶어 환장했구나!

[作祟] zuòsuì 동 ① (귀신이) 화를 입히다. ② 〈比〉 (나쁜 사람이나 나쁜 사상이) 해를 끼쳐 방해하다. 나쁜 영향을 주다. 훼방을 놓다.

[作威作福] zuòwēi-zuòfú 〈成〉 ① 통치자가 상벌을 마음대로 하며 권력을 휘두르다. ② 권세를 믿고 날뛰다.

[作为] zuòwéi 명 행동. 행위. 소행. 짓. ❑ ~不端; 행동이 바르지 않다. 동 ① 성적을[성과를] 내다. ❑ 有所~; 성과가 있다. ② …으로 하다. …으로 삼다. ❑ ~无效; 무효로 하다 / ~借口; 핑계로 삼다. 개 …로서. …의 신분으로서. ❑ ~老师, 要对学生负责; 선생으로서 학생에 대해 책임을 져야 한다.

[作文] zuòwén 동 (주로, 학생이) 작문하다. 글짓기하다. ❑ ~比赛; 글짓기 대회. 명 작문. 문장. ❑ 写~; 작문을 짓다.

[作物] zuòwù 명〈簡〉 작물. 농작물. ❑ 经济~; 경제 작물 / 越冬~; 월동 작물. =[农作物]

[作息] zuòxī 동 일하고 휴식하다. ❑ 按时~; 시간에 맞춰 일하고 휴

식하다 / ～时间表; 일과 시간표.

[作业] zuòyè 명 숙제. 과제. ❏做～; 숙제를 하다. 동 (군사·생산의) 작업을 하다. ❏～计划; 작업 계획 / ～量; 작업량.

[作揖] zuò//yī 동 읍(揖)하다《양손을 가슴에 공수(拱手)하고 아래위로 움직이는 예》.

[作用] zuòyòng 동 (사물에) 영향을 미치다. 작용하다. 명 ① 작용. ❏化学～; 화학 작용 / ～力; 작용력. ② (사물에 미친) 작용. 영향. 역할. 효과. 효용. ❏起～; 작용하다 / 反～; 반작용 / 副～; 부작용.

[作战] zuòzhàn 동 작전하다. 전투하다. 전쟁하다. ❏～计划; 작전계획 / ～命令; 작전 명령.

[作者] zuòzhě 명 작자. 저자.

[作证] zuòzhèng 동 ① 입증하다. 증명하다. ② 증언하다. ❏在法庭～; 법정에서 증언하다.

酢 zuò (작)
동〈書〉(손님이 주인에게) 술을 따라 주다. ❏酬～; 술잔을 주고받다.

坐 zuò (좌)
① 동 (엉덩이를 대고) 앉다. ❏～一下儿再走吧; 잠시 앉아 있다가 가자 / 请～; 앉으십시오. ② 동 (탈것에) 타다. 탑승하다. ❏～飞机; 비행기를 타다 / ～公共汽车; 버스를 타다. ③ 동 (건물이) 어떤 방향을 등지다. ❏～北朝南; 북쪽을 등지고 남쪽을 향하다. ④ 동 (솥·주전자 따위를 불에) 얹다. 앉히다. ❏快把锅～上; 얼른 솥을 얹어라. ⑤ (～儿) 명 ⇨[座①] ⑥ 동 (무거운 것·건물 따위가) 기울다. 쏠리다. ❏墙往后～了; 담이 뒤쪽으로 기울었다. ⑦ 동 (열매가) 맺다. ⑧ 동 정죄(定罪)하다. 처벌하다. ❏连～; 연좌하다. ⑨ 동 (질병이) 생기다. ⑩ 개〈書〉…로 인해. ❏～此解职; 이 일로 인해 해직되다. ⑪ 부〈書〉아무런 이유 없이.

[坐标] zuòbiāo 명〖數〗좌표.

[坐禅] zuòchán 동〖佛〗좌선하다.

[坐吃山空] zuòchī-shānkōng〈成〉아무리 많은 재산이라도 놀고 먹으면 결국 없어진다.

[坐等] zuòděng 동 앉아서 기다리다. 아무것도 하지 않고 기다리다. ＝[坐待]

[坐地分赃] zuòdì-fēnzāng〈成〉가만히 앉아서 졸개가 훔쳐 온 장물을 나누어 갖다《자신은 손을 안 대고 남이 얻은 것을 빼앗아 가다》.

[坐垫(儿)] zuòdiàn(r) 명 방석. 쿠션(cushion).

[坐骨] zuògǔ 명〖生理〗좌골.

[坐观成败] zuòguān-chéngbài〈成〉남의 성공이나 실패를 앉아서 보기만 하다.

[坐井观天] zuòjǐng-guāntiān〈成〉우물 안에서 하늘을 보다《시야가 좁고 식견이 얕다》.

[坐具] zuòjù 명 (의자 따위의) 앉는 데 쓰는 도구. 앉을 것.

[坐困] zuòkùn 동 곤경에 처해 활로(活路)를 찾을 수 없다. ❏～愁城;〈成〉근심 걱정 속에서 헤어나지 못하다.

[坐牢] zuò//láo 동 수감(收監)되다. 감옥에 갇히다. 징역살이하다.

[坐冷板凳] zuò lěngbǎndèng〈比〉① 한직(閑職)으로 쫓겨나다. ② 냉대를 받다. ‖ ＝[冷板凳]

[坐立不安] zuòlì-bù'ān〈成〉안절부절못하다.

[坐落] zuòluò 동 (토지·건물 따위가) …에 있다. …에 위치[자리]하다. ❏我的学校～在市郊; 우리 학교는 교외에 자리하고 있다.

[坐山观虎斗] zuò shān guān hǔ dòu〈成〉싸움을 옆에서 지켜만 보다가 쌍방이 모두 피해를 입었을 때 중간에서 이득을 취하다.

[坐失良机] zuòshī-liángjī〈成〉좋은 기회를 앉아서 놓치다.

[坐视] zuòshì 동 좌시하다. 앉아서 보기만 하다. ❏～不救;〈成〉보고만 있을 뿐 구해 주려 하지 않다.

[坐探] zuòtàn 명 밀정(密偵). 스파이(spy).

[坐位] zuò·wèi 명 ⇨[座位]

[坐享其成] zuòxiǎng-qíchéng〈成〉아무것도 안 하고 남이 고생해서 얻은 성과를 누리다. 앉아서 재미를 보다.

[坐以待毙] zuòyǐdàibì〈成〉앉아서 죽음을 기다리다《적극적인 행동을 취하지 않고 실패를 기다리다》.

[坐月子] zuò yuè·zi〈口〉(분만 후 1개월 동안) 산후 조리하다.

座 zuò (좌)
① (～儿) 명 자리. 좌석. ❏对号入～儿; 번호대로 자리에 앉다. ＝[坐⑤] ② (～儿) 명 기물 밑에 받치는 것. 받침. ❏茶杯～儿; 찻

잔 받침. ③ 명〖天〗 별자리. ❏ 双鱼～; 물고기자리. ④ 명〈敬〉 옛날, 고급 관리를 칭하던 말. ❏ 军～; 군단장에 대한 존칭. ⑤ 양 채. 동《비교적 크고 고정된 것을 세는 말》. ❏ 一～山; 산 하나 / 两～庙; 절 두 채.

[座次] zuòcì 명 자리의 차례. 석차. ❏ ～表; 좌석표. 석차표.

[座号] zuòhào 명 좌석 번호.

[座谈] zuòtán 동 좌담하다. ❏ ～会; 좌담회.

[座位] zuò·wèi 명 ① 좌석. 자리. ❏ 排～; 좌석을 배정하다 / 换～; 자리를 바꾸다. ② (～儿) (의자 따위의) 앉을 것. ❏ 搬个～儿来; 앉을 것을 가져오다. ‖ ＝[坐位]

[座无虚席] zuòwúxūxí 〈成〉 비어 있는 자리가 없다《관중·청중·참가자 등이 매우 많다》.

[座右铭] zuòyòumíng 명 좌우명.

[座钟] zuòzhōng 명 탁상시계. ＝[〈方〉 台钟]

[座子] zuò·zi 명 ① (기물의) 받침. ② (자전거 따위의) 안장.

做 **zuò** (주)

동 ① 만들다. 제조하다. ❏ ～衣服; 옷을 짓다 / ～菜; 음식을 만들다 / ～饭; 밥을 하다. ② (글을) 쓰다. 짓다. ❏ ～文章; ⇩ ③ (어떤 일을) 하다. 활동하다. 종사하다. ❏ ～宣传工作; 홍보 업무를 하다 / ～坏事; 못된 짓을 하다. ④ 축하[기념] 활동을 하다. ❏ ～生日; 생일 파티를 하다. ⑤ …이 되다. …을 맡다. ❏ 以前他～过记者; 전에 그는 기자였었다. ⑥ …로 쓰다. …로 삼다. ❏ 从那以后这间教室就～了仓库; 그때 이후로 이 교실은 창고로 쓰였다. ⑦ …의 관계가 되다. …의 관계를 맺다. ❏ ～对头; 적이 되다 / ～夫妻; 부부가 되다 / ～朋友; 친구가 되다. ⑧ 거짓으로 꾸며내다. …인 체하다. ❏ ～作; ⇩

[做爱] zuò∥ài 동 성교(性交)하다. 섹스(sex)하다.

[做伴(儿)] zuò∥bàn(r) 동 동행이 되다. 함께하다. 같이하다.

[做东] zuò∥dōng 동 (접대에서) 주인 노릇을 하다. 대접하다.

[做法] zuò·fǎ 명 만드는 방법. 하는 법[식]. ❏ 泡菜的～; 김치 담그는 법. ＝[作法②]

[做工] zuò∥gōng 동 (육체)노동을 하다. 일하다. ❏ 她在工厂～; 그녀는 공장에서 일한다. (zuògōng) 명 ① ⇨[做功] ② 만든 기술. 만듦새. ❏ ～很细; 꼼꼼하게 잘 만들어졌다.

[做功(儿)] zuògōng(r) 명〖劇〗 (배우의) 동작과 표정. 연기. ＝[做工①] (zuò∥gōng) 동〖物〗 힘을 작용하다.

[做鬼] zuò∥guǐ 동 속임수를 쓰다. 부정한 짓을 하다.

[做活儿] zuò∥huór 동 (육체)노동을 하다. 일하다.

[做客] zuò∥kè 동 손님이 되다. 손님으로 가다[오다]. 방문하다.

[做礼拜] zuò lǐbài 〖宗〗 (교회에 가서) 예배를 보다.

[做买卖] zuò mǎi·mai 장사하다. 거래하다. ❏ ～的; 장사꾼.

[做媒] zuò∥méi 동 중매하다. ❏ 他俩是我做的媒; 그들 둘은 내가 중매했다.

[做梦] zuò∥mèng 동 ① 꿈을 꾸다. ❏ ～也想不到; 꿈에도 생각하지 못하다. ② 〈比〉 공상하다. 몽상하다. 망상하다. 꿈꾸다. ❏ 你梦做得真美啊! 너 참 꿈도 크구나!

[做亲] zuò∥qīn 동 ① 사돈을 맺다. ② 결혼하다. 혼인하다.

[做人] zuòrén 동 ① 처세하다. 처신하다. ❏ 他真会～; 그는 정말 처신을 잘한다. ② 인간이 되다. 사람답게 살다. ❏ 重新～; 새사람이 되다.

[做声] zuòshēng 동 (말·기침 따위의) 소리를 내다.

[做生意] zuò shēng·yi 장사하다.

[做事] zuò∥shì 동 ① (어떤) 일을 하다. 용무를 보다. ② 근무하다. 종사하다. 일하다. ❏ 他在贸易公司～; 그는 무역 회사에서 일한다.

[做手脚] zuò shǒujiǎo 몰래 일을 꾸미다. 뒤에서 나쁜 짓을 하다.

[做文章] zuò wénzhāng 〈比〉 (어떤 일을) 문제 삼다. 왈가왈부하다.

[做戏] zuò∥xì 동 ① 연극하다. 연기하다. ② 〈比〉 거짓된 행동을 하다. 가장해서 행동하다.

[做贼心虚] zuòzéi-xīnxū 〈成〉 도둑이 제 발 저리다.

[做主] zuò∥zhǔ 동 책임지고 결정하다. 결정권을 가지다.

[做作] zuò·zuo 형 짐짓 꾸미다. 부자연스럽다. 가식적이다. 작위적이다. ❏ 他的表情太～了; 그의 표정은 너무 가식적이다. ＝[造作 zào·zuo]

자음 색인(字音索引)

가

价(價) jià 348
伽 gā 233
jiā 345
佳 jiā 345
假 jiǎ 347
jià 349
加 jiā 344
卡 kǎ 400
可 kě 409
kè 411
呵 hē 293
咖 gā 233
kā 400
咔 kā 400
哥 gē 245
嘉 jiā 345
坷 kē 408
kě 410
嫁 jià 349
家(傢) jiā 346
·jia 346
旮 gā 233
暇 xiá 739
枷 jiā 345
架 jià 348
歌 gē 245
痂 jiā 345
瘸 qué 584
稼 jià 349
舸 gě 247
苛 kē 408
茄 jiā 345
qié 567
街 jiē 370
袈 jiā 345
诃(訶) hē 293
驾(駕) jià 348

각

刻 kè 411
却 què 584
各 gè 247
咯 gē 245
kǎ 400
壳(殼) ké 409
qiào 566
恪 kè 411
搁(擱) gē 245
gé 246
格 gé 246
榷 què 585
gā 233
胳 gē 245
gé 246
脚 jiǎo 365
觉(覺) jué 397
角 jiǎo 364
jué 396
阁(閣) gé 246

간

侃 kǎn 404
刊 kān 404
啃 kěn 412
垦(墾) kěn 412
奸 jiān 349
干(乾) gān 235
(幹) gàn 239
恳(懇) kěn 413
悭(慳) qiān 560
拣(揀) jiǎn 352
擀 gǎn 238
杆 gān 236
gǎn 237
柬 jiǎn 352
痫(癇) xián 744
看 kān 404
kàn 404
秆 gǎn 237
竿 gān 236
简(簡) jiǎn 353
肝 gān 236
艰(艱) jiān 350
谏(諫) jiàn 357
赶(趕) gǎn 237
间(間) jiān 350
jiàn 356

갈

喝 hē 293
hè 297
拮 jié 371
渴 kě 410
秸 jiē 368
竭 jié 372
葛 gé 247
gě 247
蝎 xiē 759
褐 hè 297

감

减 jiǎn 352
勘 kān 404
坎 kǎn 404
坩 gān 237
堪 kān 404
尴(尷) gān 237
嵌 qiàn 562
感 gǎn 238
憨 hān 284
憾 hàn 287
戡 kān 404
撼 hàn 287
敢 gǎn 238
柑 gān 237
橄 gǎn 238
泔 gān 237
绀(紺) gàn 239
甘 gān 236
疳 gān 237
监(監) jiān 351
jiàn 357
瞰 kàn 405
砍 kǎn 404
碱 jiǎn 353
酣 hān 284
鉴(鑒) jiàn 357
龛(龕) kān 404

갑

匣 xiá 739
岬 jiǎ 347
押 yā 785

甲 jiǎ 347
磕 kē 409
瞌 kē 409
胛 jiǎ 347
钾(鉀)jiǎ 347
闸(閘)zhá 857

강

僵 jiāng 358
刚(剛)gāng 239
冈(岡)gāng 239
岗(崗)gǎng 240
康 kāng 405
强 jiàng 360
qiáng 563
qiǎng 565
慷 kāng 406
扛 gāng 240
káng 406
杠 gàng 241
江 jiāng 357
犟 jiàng 360
疆 jiāng 359
糨 jiàng 360
糠 kāng 406
绛(絳)jiàng 360
纲(綱)gāng 240
缰(繮)jiāng 359
耩 jiǎng 360
腔 qiāng 563
姜(薑)jiāng 358
蜣 qiāng 563
襁 qiǎng 565
讲(講)jiǎng 359
豇 jiāng 358
钢(鋼)gāng 240
gàng 241

降 jiàng 360
鱇(鱇)kāng 406

개

丐 gài 234
个(個)gè 247
介 jiè 373
凯(凱)kǎi 403
尬 gà 233
开(開)kāi 400
忾(愾)kài 404
慨 kǎi 403
揩 kāi 403
改 gǎi 233
概 gài 234
溉 gài 234
疥 jiè 374
皆 jiē 368
磕 kē 409
芥 jiè 374
盖(蓋)gài 234
钙(鈣)gài 234
铠(鎧)kǎi 403

객

喀 kā 400
客 kè 411

갱

坑 kēng 413
更 gèng 251
粳 jīng 384
羹 gēng 250
铿(鏗)kēng 413

갹

噱 xué 781

거

举(舉)jǔ 392
去 qù 581
居 jū 391
巨 jù 393
拒 jù 393
据(據)jū 391
jù 394
渠 qú 580
炬 jù 393
祛 qū 580
苣 jù 393
距 jù 393
踞 jù 394
车(車)chē 91
jū 390
遽 jù 394
锯(鋸)jù 394

건

乾 qián 561
件 jiàn 355
健 jiàn 356
巾 jīn 375
建 jiàn 356
毽 jiàn 357
犍 jiān 352
腱 jiàn 357
虔 qián 561
键(鍵)jiàn 357

걸

乞 qǐ 553
杰 jié 372

검

俭(儉)jiǎn 352
剑(劍)jiàn 357
捡(撿)jiǎn 352
检(檢)jiǎn 352
睑(瞼)jiǎn 352
脸(臉)liǎn 449
黔 qián 561

겁

劫 jié 370
怯 qiè 568

게

憩 qì 557
揭 jiē 369
锗(鍺)zhě 868

격

击(擊)jī 334
嗝 gé 247
恪 kè 411
格 gé 246
檄 xí 736
激 jī 336
膈 gé 247
阒(闃)qù 581
隔 gé 246
骼 gé 246

견

坚(堅)jiān 350
娟 juān 395
掮 qián 562
牵(牽)qiān 559
犬 quǎn 583
甄 zhēn 870
绢(絹)juàn 395

纤(縴)qiàn 563
茧(繭)jiǎn 352
肩 jiān 351
见(見)jiàn 354
谴(譴)qiǎn 562
趼 jiǎn 353
遣 qiǎn 562
鹃(鵑)juān 395

결

决 jué 396
抉 jué 396
洁(潔)jié 371
炔 quē 584
结(結)jiē 368
jié 371
缺 quē 584
诀(訣)jué 396

겸

兼 jiān 351
歉 qiàn 563
谦(謙)qiān 560
钳(鉗)qián 561
镰(鐮)lián 449

겹

掐 qiā 557

경

京 jīng 382
倾(傾)qīng 574
儆 jǐng 384
劲(勁)jìn 379
jìng 385
卿 qīng 575
哽 gěng 250
埂 gěng 250
境 jìng 386
庆(慶)qìng 576
庚 gēng 250
径(徑)jìng 385
惊(驚)jīng 382
擎 qíng 576
敬 jìng 386
景 jǐng 384
更 gēng 250
梗 gěng 251
氢(氫)qīng 574
泾(涇)jīng 381
烃(烴)tīng 686
茕(煢)qióng 577
琼(瓊)qióng 577
痉(痙)jìng 385
硬 yìng 825
磬 qìng 576
竞(競)jìng 386
竟 jìng 386
经(經)jīng 381
jìng 385
罄 qìng 576
耕 gēng 250
耿 gěng 251
胫(脛)jìng 385
茎(莖)jīng 381
警 jǐng 384
轻(輕)qīng 573
镜(鏡)jìng 386
顷(頃)qǐng 576
颈(頸)gěng 251
jǐng 384
鲠(鯁)gěng 251
鲸(鯨)jīng 383

계

启(啓)qǐ 555
契 qì 557
季 jì 342
届 jiè 374
悸 jì 342
戒 jiè 374
桂 guì 276
械 xiè 761
溪 xī 735
界 jiè 374
稽 jī 336
系(繫)jì 342
(係)xì 737
(繫)xì 737
继(繼)jì 343
蓟(薊)jì 344
计(計)jì 340
诫(誡)jiè 374
锲(鍥)qiè 568
阶(階)jiē 368
鸡(鷄)jī 334
髻 jì 344

고

估 gū 259
古 gǔ 261
叩 kòu 416
告 gào 244
咕 gū 259
呱 gū 260
guā 265
固 gù 263
姑 gū 260
孤 gū 260
库(庫)kù 418
拷 kǎo 407
挎 kuà 419
搞 gǎo 243
故 gù 264
敲 qiāo 565
枯 kū 417
沽 gū 259
烤 kǎo 407
牯 gǔ 261
痼 gù 264
睾 gāo 243
稿 gǎo 243
箍 gū 261
篙 gāo 243
糕 gāo 243
贾(賈)gǔ 263
羔 gāo 243
翱 áo 8
考 kǎo 406
股 gǔ 262
膏 gāo 243
gào 244
苦 kǔ 418
菇 gū 260
蛄 gū 260
蛊(蠱)gǔ 263
裤(褲)kù 418
诂(詁)gǔ 261
轱(軲)gū 260
辜 gū 260
钴(鈷)gǔ 261
铐(銬)kǎo 407
锢(錮)gù 264
雇 gù 265
靠 kào 407
顾(顧)gù 264
骷 kū 417

高 gāo 241
鸪(鴣)gū 260
鼓 gǔ 263

곡

哭 kū 417
曲(麯)qū 579
qǔ 580
梏 gù 265
蛐 qū 579
谷(穀)gǔ 262
毂(轂)gǔ 262
鹄(鵠)hú 309

곤

困 kùn 425
坤 kūn 424
捆 kǔn 424
昆 kūn 424
棍 gùn 277
滚 gǔn 277
磙 gǔn 277
衮 gǔn 276
辊(輥)gǔn 277

골

汩 gǔ 261
骨 gū 261
gǔ 262

공

供 gōng 255
gòng 256
公 gōng 253
共 gòng 256
功 gōng 252
孔 kǒng 414
工 gōng 251
巩(鞏)gǒng 255
恐 kǒng 414
恭 gōng 255
拱 gǒng 256
控 kòng 415
攻 gōng 252
空 kōng 413
kòng 414
蚣 gōng 255
贡(貢)gòng 256

과

剐(剮)guǎ 265
垮 kuǎ 419
埚(堝)guō 277
夸(誇)kuā 419
寡 guǎ 265
戈 gē 244
挝(撾)wō 723
果 guǒ 278
棵 kē 408
瓜 guā 265
科 kē 408
窠 kē 408
胯 kuà 419
蝌 kē 408
裹 guǒ 279
课(課)kè 412
跨 kuà 419
踝 huái 315
过(過)guò 279
·guò 279
·guo 279
锅(鍋)guō 277
颗(顆)kē 408

곽

郭 guō 277
霍 huò 332

관

倌 guān 270
关(關)guān 268
冠 guān 270
guàn 271
官 guān 269
宽(寬)kuān 420
惯(慣)guàn 271
掼(摜)guàn 271
棺 guān 270
款 kuǎn 421
灌 guàn 272
盥 guàn 272
管 guǎn 270
绾(綰)wǎn 709
罐 guàn 272
观(觀)guān 269
guàn 271
贯(貫)guàn 271
颧(顴)quán 583
馆(館)guǎn 270
髋(髖)kuān 421
鹳(鸛)guàn 272

괄

刮(颳)guā 265
括 kuò 425
聒 guō 277
鸹(鴰)guā 265

광

光 guāng 272
匡 kuāng 421
哐 kuāng 422
广(廣)guǎng 273
旷(曠)kuàng 422
框 kuàng 423
桄 guàng 274
犷(獷)guǎng 274
磺 huáng 320
狂 kuáng 422
眶 kuàng 423
矿(礦)kuàng 422
筐 kuāng 422
胱 guāng 273
诓(誆)kuāng 422
诳(誑)kuáng 422
逛 guàng 274

괘

卦 guà 265
挂 guà 265
褂 guà 266

괴

乖 guāi 266
傀 kuǐ 424
坏(壞)huài 315
块(塊)kuài 420
怪 guài 267
愧 kuì 424
拐 guǎi 267
槐 huái 315
瑰 guī 275
魁 kuí 424

괵

帼(幗)guó 278
掴(摑)guāi 267

蝈(蟈)guō 277

굉

宏 hóng 303
肱 gōng 255
轰(轟)hōng 301

교

乔(喬)qiáo 565
交 jiāo 360
佼 jiǎo 364
侨(僑)qiáo 566
咬 yǎo 799
啮(嚙)niè 519
娇(嬌)jiāo 363
巧 qiǎo 566
搅(攪)jiǎo 365
教 jiāo 363
jiào 367
校 jiào 366
xiào 757
桥(橋)qiáo 566
橇 qiāo 565
狡 jiǎo 364
皎 jiǎo 365
矫(矯)jiǎo 365
窖 jiào 367
绞(絞)jiǎo 364
缴(繳)jiǎo 366
翘(翹)qiáo 566
qiào 567
胶(膠)jiāo 362
荞(蕎)qiáo 566
觉(覺)jiào 366
跤 jiāo 363
跷(蹺)qiāo 565
较(較)jiào 367
轿(轎)jiào 366
郊 jiāo 362
铰(鉸)jiǎo 365
饺(餃)jiǎo 364
骄(驕)jiāo 363

구

丘 qiū 577
久 jiǔ 387
九 jiǔ 387
仇 chóu 109
佝 gōu 257
俱 jù 393
具 jù 393
勾 gōu 257
gòu 258
区(區)qū 579
厩 jiù 389
口 kǒu 415
句 jù 393
咎 jiù 389
呕(嘔)ǒu 524
垢 gòu 258
够 gòu 259
妪(嫗)yù 839
媾 gòu 258
寇 kòu 417
岖(嶇)qū 579
惧(懼)jù 393
扣 kòu 417
抠(摳)kōu 415
拘 jū 391
救 jiù 389
旧(舊)jiù 388
晷 guǐ 276
构(構)gòu 258
枸 gǒu 258
柩 jiù 389
欧(歐)ōu 524
殴(毆)ōu 524
求 qiú 578
沟(溝)gōu 257
沤(漚)òu 524
灸 jiǔ 388
狗 gǒu 258
玖 jiǔ 388
球 qiú 578
疚 jiù 389
矩 jǔ 392
究 jiū 387
笱 gǒu 257
筘 kòu 417
臼 jiù 389
舅 jiù 389
虬 qiú 577
裘 qiú 578
诟(詬)gòu 258
讴(謳)ōu 524
购(購)gòu 258
躯(軀)qū 579
钩(鉤)gōu 257
韭 jiǔ 388
飓(颶)jù 393
驹(駒)jū 391
驱(驅)qū 579
阄(鬮)jiū 387
鸠(鳩)jiū 387
鸥(鷗)ōu 524

국

国(國)guó 277
局 jú 391
掬 jū 391
菊 jú 392
鞠 jū 391

군

君 jūn 399
皲(皸)jūn 399
窘 jiǒng 387
群 qún 585
裙 qún 585
军(軍)jūn 398
郡 jùn 399

굴

倔 jué 397
juè 398
屈 qū 579
崛 jué 398
掘 jué 398
窟 kū 418

궁

宫 gōng 255
弓 gōng 253
穷 qióng 577
穹(窮)qióng 577
躬 gōng 253

권

倦 juàn 395
券 quàn 584
劝(勸)quàn 583
卷(捲)juǎn 395
juàn 395
圈 juān 395
juàn 395
quān 582
拳 quán 583
权(權)quán 583

眷 juàn 395
蜷 quán 583
鬈 quán 583

궐

厥 jué 398
孓 jué 396
撅 juē 395
橛 jué 398
獗 jué 398
蕨 jué 398
蹶 jué 398
阙(闕)quē 584
què 585

궤

匮(匱)kuì 424
愦(憒)kuì 424
柜(櫃)guì 276
溃(潰)huì 326
篑(簣)kuì 424
诡(詭)guǐ 275
跪 guì 276
轨(軌)guǐ 275
馈(饋)kuì 424

귀

龟(龜)guī 275
岿(巋)kuī 423
归(歸)guī 274
贵(貴)guì 276
鬼 guǐ 275

규

叫 jiào 366
奎 kuí 423
揆 kuí 424
睽 kuí 424
硅 guī 275
窥(窺)kuī 423
纠(糾)jiū 387
葵 kuí 424
规(規)guī 275
赳 jiū 387
闺(閨)guī 275
阄(鬮)jiū 387
鲑(鮭)guī 275
窍(竅)qiào 567

균

均 jūn 399
菌 jūn 399
jùn 399
钧(鈞)jūn 399
龟(龜)jūn 399

귤

橘 jú 392

극

亟 jí 338
克(剋)kè 411
剧(劇)jù 393
屐 jī 336
极(極)jí 337
棘 jí 339
隙 xì 738

근

仅(僅)jǐn 377
勤 qín 570
堇 jǐn 378
斤 jīn 376
根 gēn 249
槿 jǐn 378
筋 jīn 376
芹 qín 570
觐(覲)jìn 381
谨(謹)jǐn 378
跟 gēn 249
近 jìn 380
馑(饉)jǐn 378

글

讫(訖)qì 557

금

今 jīn 375
噙 qín 570
噤 jìn 381
擒 qín 570
檎 qín 570
琴 qín 570
禁 jīn 377
jìn 380
禽 qín 570
衾 qīn 570
襟 jīn 377
金 jīn 376
锦(錦)jǐn 378

급

及 jí 336
圾 jī 334
岌 jí 337
急 jí 338
汲 jí 337
级(級)jí 337
给(給)gěi 248
jǐ 340

긍

兢 jīng 384
矜 jīn 375
肯 kěn 412

기

企 qǐ 555
伎 jì 342
其 qí 552
冀 jì 344
叽(嘰)jī 333
嗜 shì 638
器 qì 557
基 jī 335
奇 jī 334
qí 552
妓 jì 342
寄 jì 343
崎 qí 552
己 jǐ 340
几(幾)jī 333
jǐ 339
弃 qì 557
忌 jì 341
技 jì 342
旗 qí 553
既 jì 342
暨 jì 343
期 qī 551
机(機)jī 333
杞 qǐ 553
棋 qí 553
欺 qī 551
歧 qí 552
气(氣)qì 556
汽 qì 557

자음

畸 jī 335
祈 qí 551
箕 jī 335
纪(紀)jì 341
绮(綺)qǐ 556
羁(羈)jī 336
肌 jī 334
虮(蟣)jǐ 340
觊(覬)jì 343
记(記)jì 341
讥(譏)jī 333
岂(豈)qǐ 553
起 qǐ 553
颀(頎)qí 552
饥(飢)jī 333
骑(騎)qí 552
骥(驥)jì 344
鳍(鰭)qí 553
麒 qí 553

긴

紧(緊)jǐn 377

길

佶 jí 337
吉 jí 337
拮 jié 371
桔 jié 372
jú 392

나

哪 nǎ 507
·na 509
娜 nà 508
nuó 523
懦 nuò 523
拿 ná 507
挪 nuó 523
糯 nuò 523
那 nà 508

낙

诺(諾)nuò 523

난

暖 nuǎn 522
赧 nǎn 511
难(難)nán 510
nàn 511

날

捏 niē 518
捺 nà 509

남

南 nán 510
喃 nán 510
男 nán 509
蝻 nǎn 511

납

呐 nà 508
纳(納)nà 508
钠(鈉)nà 509

낭

囊 náng 511
囔 nāng 511
娘 niáng 518

내

乃 nǎi 509
内 nèi 513
奶 nǎi 509
柰 nài 509
氖 nǎi 509
耐 nài 509

녀

女 nǚ 522

년

年 nián 516
碾 niǎn 517

녈

涅 niè 518

념

念 niàn 517
拈 niān 516
捻 niǎn 517

녕

佞 nìng 519
咛(嚀)níng 519
宁(寧)níng 519
nìng 519
拧(擰)níng 519
nǐng 519
柠(檸)níng 519
泞(濘)nìng 519
狞(獰)níng 519
聍(聹)níng 519

노

努 nǔ 522
奴 nú 521
怒 nǔ 522
瑙 nǎo 512
驽(駑)nú 521

농

农(農)nóng 520
浓(濃)nóng 521
脓(膿)nóng 521

뇌

孬 nāo 511
恼(惱)nǎo 511
脑(腦)nǎo 512
馁(餒)něi 513

뇨

尿 niào 518
suī 663
挠(撓)náo 511
淖 nào 513
袅(裊)niǎo 518
闹(鬧)nào 512

눈

嫩 nèn 514

눌

讷(訥)nè 513

뉴

忸 niǔ 520
扭 niǔ 520
纽(紐)niǔ 520
钮(鈕)niǔ 520

능

能 néng 514

니

你 nǐ 515

呢 ·ne 513
ní 515
尼 ní 514
怩 ní 515
泥 ní 515
nì 515
腻(膩)nì 516

닉

匿 nì 516
溺 nì 516

닌

您 nín 519
纫(紉)rèn 591

닐

昵 nì 515

다

多 duō 190
爹 diē 172
茶 chá 80

단

丹 dān 147
但 dàn 149
单(單)dān 147
团(團)tuán 698
(糰)tuán 698
坍 tān 669
坛(壇)tán 670
断(斷)duàn 186
旦 dàn 149
檀 tán 670
段 duàn 185
湍 tuān 698
煅 duàn 185
短 duǎn 185
端 duān 184
缎(緞)duàn 185
蛋 dàn 150
袒 tǎn 671
锻(鍛)duàn 185

달

挞(撻)tà 667
獭(獺)tǎ 667
疸 dǎn 149
达(達)dá 135

담

啖 dàn 150
忐 tǎn 670
担(擔)dān 149
dàn 150
昙(曇)tán 670
毯 tǎn 671
氮 dàn 150
淡 dàn 150
潭 tán 670
痰 tán 670
坛(壇)tán 670
(罎)tán 670
胆(膽)dǎn 149
谈(談)tán 670

답

耷 dā 135
沓 dá 136
tà 667
瘩 ·da 145
答 dā 135
dá 136
褡 dā 135
踏 tā 667
tà 667
蹋 tà 667

당

倘 tǎng 673
党(黨)dǎng 152
唐 táng 672
堂 táng 672
塘 táng 672
幢 chuáng 121
zhuàng 900
当(當)dāng 150
dàng 152
(噹)dāng 150
挡(擋)dǎng 152
搪 táng 672
撞 zhuàng 899
棠 táng 673
档(檔)dàng 153
溏 táng 672
瞠 chēng 96
糖 táng 672
膛 táng 673
螳 táng 673
裆(襠)dāng 152
躺 tǎng 673
铛(鐺)dāng 152
饧(餳)xíng 769

대

代 dài 145
台(臺)tái 668
(檯)tái 668
大 dà 139
dài 145
对(對)duì 187
带(帶)dài 146
待 dāi 145
dài 147
戴 dài 147
歹 dǎi 145
薹 tái 668
袋 dài 146
贷(貸)dài 146
队(隊)duì 186

덕

德 dé 158

도

倒 dǎo 154
dào 155
刀 dāo 153
到 dào 154
叨 dāo 153
tāo 673
嘟 dū 181
图(圖)tú 696
堵 dǔ 183
导(導)dǎo 153
屠 tú 697
岛(島)dǎo 154
度 dù 184
徒 tú 697
悼 dào 156
掉 diào 171
掏 tāo 673
捣(搗)dǎo 154
桃 táo 674
涂(塗)tú 696
涛(濤)tāo 673
淘 táo 674

渡 dù 184
滔 tāo 673
挑 tiǎo 683
盗 dào 156
睹 dǔ 183
祷(禱)dǎo 154
稻 dào 157
萄 táo 674
赌(賭)dǔ 183
跳 tiào 684
蹈 dǎo 154
逃 táo 674
途 tú 697
道 dào 156
都 dōu 179
dū 181
镀(鍍)dù 184
陶 táo 673
韬(韜)tāo 673
饕 tāo 673

독

毒 dú 182
渎(瀆)dú 183
椟(櫝)dú 183
犊(犢)dú 183
独(獨)dú 181
督 dū 181
秃 tū 696
笃(篤)dǔ 183
读(讀)dú 182
黩(黷)dú 183

돈

吨(噸)dūn 189
囤 dùn 189
tún 701
墩 dūn 189
敦 dūn 189
沌 dùn 189
炖 dùn 189
豚 tún 701
趸(躉)dǔn 189
顿(頓)dùn 189
饨(飩)tún 701

돌

咄 duō 191
突 tū 696

동

冬(鼕)dōng 177
冻(凍)dòng 178
动(動)dòng 177
同 tóng 690
tòng 692
咚 dōng 177
彤 tóng 691
憧 chōng 107
懂 dǒng 177
东(東)dōng 176
栋(棟)dòng 178
桐 tóng 691
洞 dòng 179
疼 téng 676
瞳 tóng 691
童 tóng 691
茼 tóng 691
董 dǒng 177
铜(銅)tóng 691

두

兜 dōu 179
头(頭)tóu 693
·tou 693
抖 dǒu 180
斗 dǒu 179
杜 dù 183
痘 dòu 181
窦(竇)dòu 181
肚 dú 183
dù 183
蚪 dǒu 180
蠹 dù 184
豆 dòu 180
逗 dòu 180
陡 dǒu 180

둔

屯 tún 701
臀 tún 701
遁 dùn 190
钝(鈍)dùn 189

득

得 dé 157
·de 158
děi 158

등

凳 dèng 160
噔 dēng 159
戥 děng 160
橙 chéng 100
灯(燈)dēng 159
登 dēng 159
等 děng 159
藤 téng 677
誊(謄)téng 677
蹬 dēng 159
邓(鄧)dèng 160
镫(鐙)dèng 160
腾(騰)téng 676

라

倮(儸)luó 473
喇 lǎ 427
啰(囉)luō 472
懒(懶)lǎn 431
摞 luò 474
旯 lá 427
瘰 luǒ 473
癞(癩)lài 429
箩(籮)luó 473
罗(羅)luó 472
脶(腡)luó 473
萝(蘿)luó 473
螺 luó 473
裸 luǒ 473
逻(邏)luó 473
锣(鑼)luó 473
骡(騾)luó 473

락

乐(樂)lè 437
洛 luò 473
烙 lào 436
荦(犖)luò 474
珞 luò 473
硌 gè 248
络(絡)lào 436
luò 473
落 là 427
lào 436
luō 472
luò 473
酪 lào 436
铬(鉻)gè 248

骆(駱)luò 473

란

乱(亂)luàn 470
兰(蘭)lán 429
卵 luǎn 470
拦(攔)lán 429
栏(欄)lán 430
澜(瀾)lán 430
烂(爛)lǎn 431
谰(讕)lán 430
阑(闌)lán 430
鸾(鸞)luán 470

랄

剌 là 427
垃 lā 426
捋 lǚ 468
luō 472
瘌 là 427
辣 là 427

람

婪 lán 430
岚(嵐)lán 430
揽(攬)lǎn 430
榄(欖)lǎn 431
滥(濫)làn 431
罱 lǎn 431
篮(籃)lán 430
缆(纜)lǎn 430
蓝(藍)lán 430
褴(襤)lán 430
览(覽)lǎn 430

랍

啦 lā 426
·la 427
拉 lā 426
lá 427
腊(臘)là 427
蜡(蠟)là 427
邋 lā 426
镴(鑞)là 427

랑

啷 lāng 431
廊 láng 431
朗 lǎng 432
榔 láng 431
浪 làng 432
狼 láng 431
琅 láng 432
螂 láng 431
郎 láng 431
锒(鋃)láng 432

래

来(來)lái 427
徕(徠)lái 429
睐(睞)lái 429
莱(萊)lái 429

랭

冷 lěng 439

략

撂 liào 454
掠 lüè 470
略 lüè 471

량

亮 liàng 451
两(兩)liǎng 451
俩(倆)liǎ 446
liǎng 451
凉 liáng 450
liàng 452
晾 liàng 452
梁 liáng 450
粮(糧)liáng 450
良 liáng 450
谅(諒)liàng 452
踉 liàng 452
辆(輛)liàng 452
量 liáng 451
liàng 452

려

丽(麗)lí 441
lì 445
侣 lǚ 468
俪(儷)lì 445
励(勵)lì 444
厉(厲)lì 444
榈(櫚)lǘ 468
吕 lǚ 468
庐(廬)lú 466
虑(慮)lǜ 469
戾 lì 446
旅 lǚ 469
滤(濾)lǜ 469
犁 lí 441
砺(礪)lì 444
膂 lǚ 469
胪(臚)lú 466
荔 lì 446
藜 lí 442
蛎(蠣)lì 444
蠡 lí 442
铝(鋁)lǚ 468
驴(驢)lǘ 468
黎 lí 442

력

力 lì 443
历(歷)lì 444
(曆)lì 444
栎(櫟)lì 446
枥(櫪)lì 444
沥(瀝)lì 444
疬(癧)lì 444
砾(礫)lì 446
跞(躒)lì 446
镉(鎘)gé 247
雳(靂)lì 444

련

孪(孿)luán 470
怜(憐)lián 448
恋(戀)liàn 449
撵(攆)niǎn 517
挛(攣)luán 470
楝 liàn 450
涟(漣)lián 448
炼(煉)liàn 449
练(練)liàn 449
联(聯)lián 448
莲(蓮)lián 448
裢(褳)lián 448
连(連)lián 446
链(鏈)liàn 450
鲢(鰱)lián 448

렬

冽 liè 455
列 liè 455
劣 liè 455

咧 liē 454
liě 455
·lie 456
烈 liè 455
裂 liě 455
liè 455
趔 liè 455

렴

奁(奩)lián 448
帘(簾)lián 448
廉 lián 448
敛(斂)liǎn 449
殓(殮)liàn 449
潋(瀲)liàn 449

렵

猎(獵)liè 455
鬣 liè 456

령

〇 líng 457
令 lǐng 459
lìng 460
伶 líng 457
另 lìng 460
囹 líng 458
岭(嶺)lǐng 459
拎 līn 456
灵(靈)líng 458
玲 líng 458
羚 líng 458
翎 líng 458
聆 líng 458
逞 chěng 100
铃(鈴)líng 458
零 líng 458
领(領)lǐng 459
龄(齡)líng 458

례

例 lì 446
礼(禮)lǐ 442
醴 lǐ 443
隶(隸)lì 446

로

佬 lǎo 436
劳(勞)láo 433
唠(嘮)láo 433
lào 437
姥 lǎo 436
卢(盧)lú 466
捞(撈)lāo 432
掳(擄)lǔ 467
橹(櫓)lǔ 467
涝(澇)lào 437
炉(爐)lú 466
獠 liáo 453
痨(癆)láo 433
老 lǎo 433
芦(蘆)lú 466
虏(虜)lǔ 467
路 lù 468
轳(轤)lú 466
露 lòu 466
lù 468
颅(顱)lú 466
鲁(魯)lǔ 467
鲈(鱸)lú 466
鹭(鷺)lù 468
鸬(鸕)lú 466
卤(鹵)lǔ 466

록

碌 liù 463
录(錄)lù 467
氯 lù 470
漉 lù 467
碌 lù 467
禄 lù 467
绿(綠)lù 467
lǜ 469
辘(轆)lù 467
鹿 lù 467
麓 lù 467

론

抡(掄)lūn 471
lún 471
论(论)lún 471
lùn 472

롱

垄(壟)lǒng 464
弄 lòng 465
nòng 521
拢(攏)lǒng 464
咙(嚨)lóng 464
胧(朧)lóng 464
笼(籠)lóng 464
lǒng 464
聋(聾)lóng 464

뢰

儡 lěi 439
擂 léi 438
lèi 439
牢 láo 432
磊 lěi 438
籁(籟)lài 429
耒 lěi 438
蕾 lěi 439
赂(賂)lù 467
赖(賴)lài 429
镭(鐳)léi 438
雷 léi 438

료

了 ·le 437
(瞭)liǎo 453
僚 liáo 453
嘹 liáo 453
寥 liáo 453
寮 liáo 453
尥 liào 454
撩 liāo 452
liáo 453
料 liào 454
潦 liáo 453
燎 liáo 453
liǎo 454
獠 liáo 453
疗(療)liáo 453
瞭 liào 454
缭(繚)liáo 453
聊 liáo 453
蓼 liǎo 454
辽(遼)liáo 452
镣(鐐)liào 454

룡

龙(龍)lóng 463
眬(矓)lóng 464

루

偻(僂)lóu 465

lǚ 469
喽(嘍)lóu 465
·lou 466
垒(壘)lěi 438
娄(婁)lóu 465
屡(屢)lǚ 469
搂(摟)lōu 465
lǒu 465
楼(樓)lóu 465
泪 lèi 439
漏 lòu 465
瘘(瘻)lòu 465
篓(簍)lǒu 465
累(纍)léi 437
lěi 438
lèi 439
缕(縷)lǚ 469
耧(耬)lóu 465
蝼(螻)lóu 465
褛(褸)lǚ 469
镂(鏤)lòu 466
陋 lòu 465
髅(髏)lóu 465

류

刘(劉)liú 461
柳 liǔ 463
榴 liú 463
浏(瀏)liú 461
流 liú 461
溜 liū 460
liù 463
熘 liū 461
琉 liú 462
留 liú 462
瘤 liú 463
硫 liú 462
类(類)lèi 439
绺(綹)liǔ 463
谬(謬)miù 500
遛 liú 463
liù 463
镏(鎦)liú 463
馏(餾)liú 463
liù 463

륙

六 liù 463
戮 lù 467
陆(陸)liù 463
lù 467

륜

仑(侖)lún 471
伦(倫)lún 471
囵(圇)lún 471
抡(掄)lūn 471
lún 471
沦(淪)lún 471
轮(輪)lún 471
纶(綸)lún 471

률

栗 lì 446
律 lǜ 469
率 lǜ 469

륭

窿 lóng 464
隆 lōng 463
lóng 464

륵

仂 lè 437
勒 lè 437
lēi 437
肋 lèi 439

름

禀 bǐng 52
凛 lǐn 457
檩 lǐn 457

릉

凌 líng 459
愣 lèng 440
棱 lēng 439
léng 439
睖 lèng 440
绫(綾)líng 459
菱 líng 459
陵 líng 459

리

俐 lì 446
俚 lǐ 443
利 lì 445
厘 lí 441
吏 lì 445
哩 lī 441
·li 446
喱 lí 441
娌 lǐ 443
履 lǚ 469
李 lǐ 442
梨 lí 441
漓(灕)lí 441
犁 lí 441
狸 lí 441
理 lǐ 443
璃 lí 441
痢 lì 446
离 lí 441
篱(籬)lí 441
罹 lí 442
羸 léi 438
莅 lì 445
莉 lì 446
蜊 lí 441
里(裏)lǐ 442
·li 442
锂(鋰)lǐ 443
鲤(鯉)lǐ 443
鲡(鱺)lí 441
鹂(鸝)lí 441

린

吝 lìn 457
嶙 lín 457
磷 lín 457
粼 lín 457
躏(躪)lìn 457
遴 lín 457
邻(鄰)lín 456
鳞(鱗)lín 457
麟 lín 457

림

林 lín 456
淋 lín 456
lìn 457
琳 lín 456
临(臨)lín 456
霖 lín 456

립

立 lì 444
笠 lì 445

粒 lì 445

마

么(麼)·me 484
吗(嗎)má 475
mǎ 476
·ma 477
嘛 ·ma 477
妈(媽)mā 475
麻 má 475
摩 mó 500
犸(獁)mǎ 476
玛(瑪)mǎ 476
码(碼)mǎ 476
磨 mó 500
mò 503
蘑 mó 501
蚂(螞)mā 475
mǎ 477
mà 477
蟆 má 475
馍(饃)mó 500
马(馬)mǎ 475
魔 mó 501

막

寞 mò 502
幕 mù 506
漠 mò 502
膜 mó 500
莫 mò 502

만

万(萬)wàn 709
峦(巒)luán 470
幔 màn 481
弯(彎)wān 706
慢 màn 480
挽 wǎn 708
晚 wǎn 708
曼 màn 480
满(滿)mǎn 479
湾(灣)wān 706
漫 màn 480
瞒(瞞)mán 479
娩 miǎn 493
蔓 mán 479
màn 481
wàn 710
螨(蟎)mǎn 480
蛮(蠻)mán 479
谩(謾)màn 480
馒(饅)mán 479
鳗(鰻)mán 479

말

抹 mā 475
mǒ 501
mò 502
末 mò 501
沫 mò 502
秣 mò 502
茉 mò 502
袜 wà 704

망

亡 wáng 710
妄 wàng 712
忙 máng 481
忘 wàng 712
惘 wǎng 711
望 wàng 712
网(網)wǎng 710
罔 wǎng 711
芒 máng 481
茫 máng 481
莽 mǎng 481
蟒 mǎng 481

매

埋 mái 477
mán 479
买(買)mǎi 477
妹 mèi 487
媒 méi 486
寐 mèi 487
昧 mèi 487
枚 méi 485
梅 méi 485
每 měi 486
煤 méi 486
玫 méi 485
莓 méi 485
卖(賣)mài 478
迈(邁)mài 478
酶 méi 486
霾 mái 477
骂(罵)mà 477
魅 mèi 487

맥

麦(麥)mài 478
脉 mài 478
mò 502
陌 mò 502
蓦(驀)mò 502

맹

孟 mèng 490
氓 máng 481
猛 měng 489
盟 méng 489
盲 máng 481
萌 méng 489
虻 méng 489
蜢 měng 490
锰(錳)měng 490

먀

乜 miē 495

멱

幂 mì 492
觅(覓)mì 492

면

免 miǎn 493
冕 miǎn 493
勉 miǎn 493
棉 mián 493
湎 miǎn 493
眠 mián 492
绵(綿)mián 492
缅(緬)miǎn 493
腼 miǎn 493
面(麵)miàn 494

멸

灭(滅)miè 496
篾 miè 496
蔑 miè 496

명

冥 míng 499
名 míng 497
命 mìng 499
明 míng 498
皿 mǐn 496

瞑 míng 499
茗 míng 498
螟 míng 499
酩 mǐng 499
铭(銘)míng 498
鸣(鳴)míng 498

모

侮 wǔ 730
冒 mào 483
募 mù 506
哞 mōu 503
呣 ḿ 475
m̀ 475
姆 mǔ 504
帽 mào 484
慕 mù 506
摹 mó 500
摸 mō 500
暮 mù 506
某 mǒu 504
模 mó 500
mú 504
母 mǔ 504
毛 máo 482
牟 móu 503
牡 mǔ 504
牦 máo 483
眸 móu 503
矛 máo 483
耄 mào 483
耗 hào 292
茅 máo 483
莫 mò 502
蟊 máo 483
谋(謀)móu 503
貌 mào 484

목

木 mù 504
沐 mù 505
牧 mù 505
目 mù 505
睦 mù 505
穆 mù 506
苜 mù 505

몰

没 méi 484
mò 502

몽

梦(夢)mèng 490
懵 měng 490
朦 méng 489
檬 méng 489
蒙(矇)mēng 488
méng 489
měng 490

묘

亩(畝)mǔ 504
卯 mǎo 483
喵 miāo 494
墓 mù 506
妙 miào 495
庙(廟)miào 495
描 miáo 495
杳 yǎo 799
渺 miǎo 495
猫 māo 482
瞄 miáo 495
秒 miǎo 495
苗 miáo 495
藐 miǎo 495
铆(鉚)mǎo 483
锚(錨)máo 483

무

亩(畝)mǔ 504
务(務)wù 731
妩(嫵)wǔ 730
巫 wū 725
怃(憮)wǔ 730
戊 wù 731
抚(撫)fǔ 227
拇 mǔ 504
无(無)wú 725
武 wǔ 730
毋 wú 728
舞 wǔ 730
茂 mào 483
芜(蕪)wú 728
诬(誣)wū 725
贸(貿)mào 484
雾(霧)wù 731
骛(騖)wù 732
鹉(鵡)wǔ 730
鹜(鶩)wù 732

묵

嘿 hēi 299
墨 mò 503
默 mò 503

문

们(們)·men 488
刎 wěn 722
吻 wěn 722
问(問)wèn 722
扪(捫)mén 488
文 wén 720
璺 wèn 723
纹(紋)wén 721
紊 wěn 722
闻(聞)wén 722
蚊 wén 722
门(門)mén 487

물

勿 wù 731
物 wù 731

미

味 wèi 718
咩 miē 496
咪 mī 490
娓 wěi 717
媚 mèi 487
尾 wěi 716
yǐ 814
弥(彌)mí 490
(瀰)mí 490
弭 mǐ 491
微 wēi 713
未 wèi 718
楣 méi 485
眉 méi 485
眯 mī 490
mí 491
米 mǐ 491
糜 mí 491
美 měi 486
薇 wēi 714
谜(謎)mí 491
迷 mí 490
醚 mí 491
镁(鎂)měi 487

靡 mí 491
mǐ 491
霉(黴)méi 486

민

闷(悶)mēn 487
mèn 488
悯(憫)mǐn 496
敏 mǐn 497
民 mín 496
泯 mǐn 496
抿 mǐn 496
焖(燜)mèn 488
闽(閩)mǐn 497

밀

密 mì 492
蜜 mì 492

박

剥 bāo 24
bō 54
博 bó 56
扑(撲)pū 547
拍 pāi 525
搏 bó 56
朴(樸)piáo 540
pǔ 549
泊 bó 55
pō 545
珀 pò 546
箔 bó 55
舶 bó 55
薄 báo 24
bó 56
bò 57
膊 bó 56
迫 pǎi 527
pò 546
铂(鉑)bó 55
雹 báo 24
镈(鎛)bó 232
驳(駁)bó 56

반

伴 bàn 21
半 bàn 20
反 fǎn 204
叛 pàn 528
扳 bān 17
拌 bàn 21
搬 bān 18
攀 pān 527
斑 bān 18
潘 pān 527
班 bān 18
畔 pàn 528
瘢 bān 19
盘(盤)pán 527
盼 pàn 529
磐 pán 528
矾(礬)fán 203
绊(絆)bàn 21
胖 pán 527
pàng 529
般 bān 18
襻 pàn 529
蹒(蹣)pán 528
返 fǎn 205
颁(頒)bān 18
饭(飯)fàn 206

발

发(發)fā 198
(髮)fà 201
勃 bó 55
拔 bá 10
拨(撥)bō 54
泼(潑)pō 545
脖 bó 55
荸 bí 36
跋 bá 11
钵(鉢)bō 54
鲅(鮁)bà 13
鹁(鵓)bó 55

방

仿 fǎng 209
傍 bàng 22
坊 fāng 208
fáng 209
妨 fáng 209
帮(幫)bāng 21
庞(龐)páng 529
彷 páng 529
房 fáng 209
放 fàng 210
方 fāng 207
旁 páng 529
梆 bāng 22
榜 bǎng 22
棒 bàng 22
滂 pāng 529
纺(紡)fǎng 210
绑(綁)bǎng 22
耪 pǎng 529
肪 fáng 209
膀 bǎng 22
páng 529
舫 fǎng 210
磅 bàng 22
páng 529
芳 fāng 208
蚌 bàng 22
螃 páng 529
访(訪)fǎng 209
谤(謗)bàng 22
邦 bāng 21
镑(鎊)bàng 22
防 fáng 208

배

倍 bèi 32
坏 pī 535
培 péi 531
徘 pái 526
扒 bā 9
pá 525
拜 bái 15
pài 17
掰 bāi 13
排 pái 526
pǎi 527
杯 bēi 29
湃 pài 527
焙 bèi 32
背 bēi 29
bèi 31
胚 pēi 531
蓓 bèi 32
裴 péi 532
褙 bèi 31
赔(賠)péi 532
辈(輩)bèi 32
配 pèi 532
陪 péi 531

백

伯 bó 55
佰 bǎi 16
帛 bó 55
柏 bǎi 16
bó 55
白 bái 13
百 bǎi 15
魄 pò 546

번

幡 fān 202
樊 fán 203
潘 pān 527
烦(煩)fán 203
番 fān 201
繁 fán 204
翻 fān 202
蕃 fán 203
藩 fān 202

벌

伐 fá 200
拨(撥)bō 54
筏 fá 200
罚(罰)fá 200
阀(閥)fá 200

범

凡 fán 203
帆 fān 201
梵 fàn 207
泛 fàn 206
犯 fàn 205
范(範)fàn 206

법

法 fǎ 200
珐 fà 201
砝 fǎ 201

벽

僻 pì 538
劈 pī 536
pǐ 537
壁 bì 41
璧 bì 41
癖 pǐ 537
碧 bì 41
辟 bì 40
pì 538
霹 pī 536

변

便 biàn 44
变(變)biàn 43
弁 biàn 43
辫(辮)biàn 46
胼 pián 539
辨 biàn 46
辩(辯)biàn 45
边(邊)biān 41
·bian 41

별

别 bié 48
别(彆)biè 49
憋 biē 48
撇 piē 541
piě 541
瘪(癟)biē 48
biě 49
瞥 piē 541
蹩 bié 49
鳖(鱉)biē 48

병

丙 bǐng 51
娉 pīng 542
兵 bīng 51
姘 pīn 541
屏 bǐng 52
píng 545
并 bìng 52
拼 pīn 541
摒 bìng 53
柄 bǐng 51
炳 bǐng 51
瓶 píng 545
病 bìng 53
碰 pèng 534
秉 bǐng 51
迸 bèng 35
饼(餅)bǐng 52

보

保 bǎo 25
堡 bǎo 26
宝(寶)bǎo 24
普 pǔ 549
步 bù 68
报(報)bào 26
煲 bāo 24
甫 fǔ 227
菩 pú 549
补(補)bǔ 57
谱(譜)pǔ 549
辅(輔)fǔ 227
鸨(鴇)bǎo 26

복

仆(僕)pú 548
伏 fú 225
匐 fú 227
卜(蔔)·bo 57
bǔ 57
噗 pū 548
复(複)fù 230
(復)fù 230
扑(撲)pū 547
服 fú 226
fù 230
福 fú 227
腹 fù 231
蝠 fú 227
蝮 fù 231
袱 fú 225
覆 fù 231
蹼 pǔ 549
辐(輻)fú 227
馥 fù 231

본

本 běn 33

봉

俸 fèng 224
凤(鳳)fèng 223
奉 fèng 223
封 fēng 222
峰 fēng 222
捧 pěng 534
烽 fēng 222
篷 péng 534
缝(縫)féng 223
fèng 224
蓬 péng 534
蜂 fēng 223
逢 féng 223

锋(鋒)fēng 222

부

不 bù 58
仆 pū 547
付 fù 228
俘 fú 225
俯 fǔ 228
傅 fù 232
剖 pōu 547
副 fù 231
否 foǔ 224
咐 fù 229
埠 bù 69
夫 fū 224
妇(婦)fù 230
孵 fū 224
富 fù 231
府 fǔ 228
扶 fú 225
敷 fū 224
斧 fǔ 227
浮 fú 225
父 fù 228
符 fú 226
簿 bù 69
肤(膚)fū 224
腐 fǔ 228
芙 fú 225
蜉 fú 226
复(複)fù 230
(復)fù 230
覆 fù 231
讣(訃)fù 228
负(負)fù 229
赋(賦)fù 232
赴 fù 228
部 bù 69
釜 fǔ 227
钚(鈈)bù 68
阜 fù 230
附 fù 229
驸(駙)fù 229
凫(鳧)fú 225
麸(麩)fū 224

북

北 běi 30

분

份 fèn 219
分 fēn 215
fèn 219
吩 fēn 218
喷(噴)pēn 533
pèn 533
坟(墳)fén 218
奔 bēn 33
bèn 34
奋 fèn 219
忿 fèn 219
愤(憤)fèn 219
扮 bàn 21
氛 fēn 218
焚 fén 218
畚 běn 34
盆 pén 533
笨 bèn 34
粪(糞)fèn 219
粉 fěn 218
纷(紛)fēn 218
芬 fēn 217
苯 běn 34
酚 fēn 218
锛(錛)bēn 33

불

不 bù 58
佛 fó 224
fú 225
拂 fú 225
氟 fú 225

붕

嘣 bēng 35
崩 bēng 35
朋 péng 534
棚 péng 534
泵 bèng 35
甭 béng 35
硼 péng 534
绷(繃)bēng 35
běng 35
bèng 35
蹦 bèng 35
鹏(鵬)péng 534

비

飞(飛)fēi 211
匕 bǐ 36
匪 fěi 214
卑 bēi 29
否 pǐ 537
呸 pēi 531
啡 fēi 213
啤 pí 537
噼 pī 536
妃 fēi 212
妣 bǐ 37
钚(鈈)bù 68
婢 bì 40
媲 pì 537
屁 pì 537
庇 bì 40
悲 bēi 30
惫(憊)bèi 32
扉 fēi 213
批 pī 535
斐 fěi 214
枇 pí 537
备(備)bèi 31
比 bǐ 36
毗 pí 537
泌 mì 492
沸 fèi 214
琵 pí 537
痞 pǐ 537
痹 bì 40
痱 fèi 215
砒 pī 535
碑 bēi 29
秕 bǐ 37
秘 bì 39
mì 492
篦 bì 40
纰(紕)pī 535
绯(緋)fēi 213
翡 fěi 214
腓 féi 214
肥 féi 213
脾 pí 537
臂 bì 41
菲 fēi 213
fěi 214
蓖 bì 40
蜚 fēi 213
fěi 214
裨 bì 40

诽(誹)fěi 214
譬 pì 538
费(費)fèi 215
辔(轡)pèi 533
鄙 bǐ 38
霏 fēi 213
非 fēi 212
鲱(鯡)fēi 213
鼻 bí 36

빈

傧(儐)bīn 49
宾(賓)bīn 49
彬 bīn 49
摈(擯)bìn 50
槟(檳)bīng 51
殡(殯)bìn 50
滨(濱)bīn 49
濒(瀕)bīn 49
牝 pìn 542
缤(繽)bīn 49
苹(蘋)píng 545
贫(貧)pín 541
频(頻)pín 542
鬓(鬢)bìn 50

빙

冰 bīng 50
凭(憑)píng 545
聘 pìn 542
骋(騁)chěng 101

사

乍 zhà 857
事 shì 636
些 xiē 758
仨 sā 600
仕 shì 634
似 shì 636
sì 658
伺 cì 127
sì 658
使 shǐ 633
俟 sì 658
傻 shǎ 606
写(寫)xiě 760
卸 xiè 761
司 sī 655
史 shǐ 633
咋 zǎ 849
zhā 857
咝(噝)sī 656
啥 shá 606
唆 suō 665
喳 chā 80
zhā 857
嗦 suō 665
嗣 sì 658
四 sì 657
士 shì 634
奢 shē 616
寺 sì 658
射 shè 617
巳 sì 657
师(師)shī 628
徙 xǐ 737
思 sī 656
挲 suō 665
斜 xié 760
斯 sī 656
梭 suō 665
死 sǐ 656
沙 shā 605
泻(瀉)xiè 760
渣 zhā 857
猞 shē 616
狮(獅)shī 629
痧 shā 605
砂 shā 606
祀 sì 657
社 shè 617
祠 cí 125
私 sī 655
筛(篩)shāi 606
丝(絲)sī 655
纱(紗)shā 606
肆 sì 658
舍 shě 616
shè 617
(捨)shě 616
蓑 suō 665
蛇 shé 616
蛳(螄)sī 656
裟 shā 606
诈(詐)zhà 857
词(詞)cí 125
谢(謝)xiè 761
赊(賒)shē 616
赐(賜)cì 127
赦 shè 618
辞(辭)cí 126
邪 xié 759
饲(飼)sì 658
驷(駟)sì 658
驶(駛)shǐ 633
鲨(鯊)shā 606
鸶(鷥)sī 656
麝 shè 618

삭

削 xiāo 753
xuē 779
数(數)shuò 655
朔 shuò 655
烁(爍)shuò 655
索 suǒ 666
蒴 shuò 655
铄(鑠)shuò 655

산

伞(傘)sǎn 602
删 shān 607
姗 shān 608
山 shān 607
散 sǎn 602
sàn 602
栅 shān 608
涮 shuàn 650
潸 shān 608
珊 shān 608
产(産)chǎn 83
疝 shàn 609
算 suàn 662
舢 shān 607
蒜 suàn 662
讪(訕)shàn 609
跚 shān 608
酸 suān 662
铲(鏟)chǎn 84
闩(閂)shuān 650
霰 xiàn 748

살

撒 sā 600
sǎ 600
杀 shā 605
煞 shā 606
萨(薩)sà 600

삼

三 sān 601
叁 sān 602
参(參)shēn 619
掺(摻)chān 82
杉 shā 606
shān 608
森 sēn 604
渗(滲)shèn 622
芟 shān 608
衫 shān 608

삽

卅 sà 600
插 chā 79
涩(澀)sè 604
霎 shà 606
飒(颯)sà 600

상

上 shàng 611
伤(傷)shāng 610
偿(償)cháng 86
像 xiàng 752
厢 xiāng 749
商 shāng 610
丧(喪)sāng 602
sàng 603
嗓 sǎng 603
尝(嘗)cháng 86
墒 shāng 611
嫦 cháng 87
孀 shuāng 650
尚 shàng 614
常 cháng 86
床 chuáng 120
想 xiǎng 751
晌 shǎng 611
桑 sāng 602
橡 xiàng 753
湘 xiāng 749
爽 shuǎng 650
状(狀)zhuàng 899
相 xiāng 748
xiàng 752
祥 xiáng 750
箱 xiāng 749
翔 xiáng 750
裳 ·shang 614
详(詳)xiáng 750
象 xiàng 752
赏(賞)shǎng 611
霜 shuāng 650

새

塞 sài 601
玺(璽)xǐ 737
赛(賽)sài 601
鳃(鰓)sāi 600

색

咋 zǎ 849
zé 855
zhā 857
啬(嗇)sè 604
塞 sāi 600
sè 604
索 suǒ 666
色 sè 604
shǎi 606

생

牲 shēng 625
生 shēng 623
甥 shēng 625
省 shěng 625
笙 shēng 625

서

书(書)shū 644
噬 shì 638
墅 shù 648
婿 xù 777
屿(嶼)yǔ 838
序 xù 776
庶 shù 648
徐 xú 775
恕 shù 648
抒 shū 644
叙 xù 776
暑 shǔ 646
曙 shǔ 647
栖 qī 550
犀 xī 735
瑞 ruì 598
絮 xù 777
绪(緒)xù 777
署 shǔ 646
舒 shū 644
薯 shǔ 647
西 xī 733
誓 shì 638
逝 shì 638
醑 xǔ 776
锄(鋤)chú 115
黍 shǔ 647
鼠 shǔ 647
龃(齟)jǔ 392

석

夕 xī 733
席 xí 736
惜 xī 734
昔 xī 734
晰 xī 734
析 xī 734
淅 xī 734
石 dàn 149
shí 630
硕(碩)shuò 655
蜥 xī 734
释(釋)shì 638
锡(錫)xī 735

선

仙 xiān 742
先 xiān 742
善 shàn 609
婵(嬋)chán 83
嬗 shàn 610
宣 xuān 777
扇 shān 608
shàn 609
旋 xuán 778
xuàn 779
漩 xuán 778
渲 xuàn 779
煽 shān 608
癣(癬)xuǎn 779
禅(禪)chán 83
shàn 609
籼 xiān 742
线(綫)xiàn 747
缮(繕)shàn 609
羡 xiàn 747
腺 xiàn 748
膳 shàn 609

船 chuán 119
藓(蘚)xiǎn 746
蝉(蟬)chán 83
蟮 shàn 609
选(選)xuǎn 779
铣(銑)xǐ 736
骟(騸)shàn 609
鲜(鮮)xiān 743
xiǎn 746

설

屑 xiè 761
挈 qiè 568
楔 xiē 759
泄 xiè 761
舌 shé 616
薛 xuē 780
亵(褻)xiè 761
设(設)shè 617
说(說)shuō 654
踅 xué 781
雪 xuě 781
鳕(鱈)xuě 781

섬

歼(殲)jiān 350
睒 shǎn 609
纤(纖)xiān 743
蟾 chán 83
谵(譫)zhān 859
赡(贍)shàn 610
闪(閃)shǎn 608
陕(陝)shǎn 609

섭

慑(懾)shè 618
摄(攝)shè 618
涉 shè 617
蹑(躡)niè 518
镊(鑷)niè 518
叶(葉)yè 803

성

圣(聖)shèng 626
城 chéng 99
声(聲)shēng 625
姓 xìng 770
性 xìng 770
惺 xīng 767
成 chéng 97
星 xīng 767
猩 xīng 767
盛 chéng 99
shèng 626
省 shěng 625
xǐng 769
腥 xīng 767
诚(誠)chéng 99
醒 xǐng 769

세

世 shì 634
势(勢)shì 636
岁(歲)suì 664
洗 xǐ 736
税 shuì 652
细(細)xì 738
蜕 tuì 699
说(說)shuì 652

소

劭 shaò 615
召 zhào 865
哨 shào 616
嗉 sù 662
啸(嘯)xiào 758
塑 sù 662
宵 xiāo 754
小 xiǎo 755
少 shǎo 615
shào 615
巢 cháo 90
所 suǒ 666
扫(掃)sǎo 603
sào 604
捎 shāo 614
搔 sāo 603
昭 zhāo 864
梢 shāo 614
梳 shū 645
沼 zhǎo 865
消 xiāo 753
溯 sù 662
潲 shào 616
潇(瀟)xiāo 755
烧(燒)shāo 614
疏 shū 645
瘙 sào 604
笑 xiào 758
笤 tiáo 683
箫(簫)xiāo 755
素 sù 661
绍(紹)shào 615
缫(繅)sāo 603
艘 sōu 660
艄 shāo 614
苏(蘇)sū 660
萧(蕭)xiāo 754
蔬 shū 646
诉(訴)sù 661
逍 xiāo 754
销(銷)xiāo 754
霄 xiāo 754
韶 sháo 615
骚(騷)sāo 603

속

俗 sú 660
属(屬)shǔ 646
束 shù 647
簌 sù 662
粟 sù 662
续(續)xù 777
赎(贖)shú 646

손

孙(孫)sūn 664
损(損)sǔn 665
狲(猻)sūn 665
逊(遜)xùn 784

솔

摔 shuāi 649
率 shuài 649
窣 sū 660
甩 shuǎi 649
蟀 shuài 649

송

宋 sòng 659
悚 sǒng 659
松(鬆)sōng 658
耸(聳)sǒng 659
讼(訟)sòng 659
诵(誦)sòng 659
送 sòng 659
颂(頌)sòng 659

솨

耍 shuǎ 648

쇄

刷 shuā 648
shuà 649
晒(曬)shài 607
洒(灑)sǎ 600
煞 shà 606
琐(瑣)suǒ 665
碎 suì 664
锁(鎖)suǒ 665

쇠

衰 shuāi 649

수

修 xiū 773
收 shōu 639
受 shòu 642
兽(獸)shòu 643
售 shòu 643
嗖 sōu 660
嗽 sòu 660
嗾 sǒu 660
囚 qiú 578
垂 chuí 122
寿(壽)shòu 642
嫂 sǎo 603
守 shǒu 641
宿 xiù 774
帅(帥)shuài 649
愁 chóu 110
戍 shù 647
手 shǒu 640
授 shòu 643
搜 sōu 660
擞(擻)sǒu 660
数(數)shǔ 647
shù 648
树(樹)shù 647
殊 shū 645
水 shuǐ 651
泅 qiú 578
溲 sōu 660
漱 shù 648
燧 suì 664
狩 shòu 643
瘦 shòu 643
睡 shuì 652
祟 suì 664
秀 xiù 774
穗 suì 664
竖(竪)shù 648
绥(綏)suí 663
绣(綉)xiù 774
羞 xiū 773
虽(雖)suī 663
袖 xiù 774
谁(誰)shéi 618
shuí 651
输(輸)shū 645
遂 suí 664
suì 664
邃 suì 664
酥 sū 660
陲 chuí 122
酬 chóu 110
铢(銖)zhū 891
锈(銹)xiù 774
随(隨)suí 663
隧 suì 664
需 xū 775
须(須)xū 774
馊(餿)sōu 660
首 shǒu 642
髓 suǐ 664

숙

倏 shū 645
叔 shū 644
夙 sù 661
孰 shú 646
宿 sù 662
xiǔ 774
淑 shū 645
熟 shóu 640
shú 646
肃(肅)sù 661
蓿 ·xu 777

순

唇 chún 123
峋 xún 782
巡 xún 782
徇 xùn 784
循 xún 783
旬 xún 782
榫 sǔn 665
殉 xùn 784
淳 chún 124
盾 dùn 190
盹 dǔn 189
瞬 shùn 653
笋 sǔn 665
纯(純)chún 123
莼(蒓)chún 123
询(詢)xún 782
谆(諄)zhūn 901
醇 chún 124
顺(順)shùn 653
鹑(鶉)chún 124
驯(馴)xùn 784

술

戌 xū 774
术(術)shù 647
述 shù 647

숭

崇 chóng 108

쉬

淬 cuì 131

슬

瑟 sè 604
膝 xī 735
虱 shī 629

습

习(習)xí 735
拾 shí 632
湿(濕)shī 629
袭(襲)xí 736
褶 zhě 868

승

丞 chéng 96
乘 chéng 100
僧 sēng 604
胜(勝)shèng 626
升 shēng 622
承 chéng 97
绳(繩)shéng 625
蝇(蠅)yíng 824

시

侍 shì 636
匙 chí 104
·shi 639
厮 sī 656
嘶 sī 656
始 shǐ 633
尸 shī 627
屎 shǐ 634
市 shì 634
弑 shì 636
恃 shì 636
撕 sī 656
施 shī 629
时(時)shí 630
是 shì 638
柿 shì 635
柴 chái 82
猜 cāi 70
矢 shǐ 633
示 shì 635
翅 chì 105
腮 sāi 600
视(視)shì 637
诗(詩)shī 629
试(試)shì 635
豕 shǐ 633
豺 chái 82

식

媳 xí 736
式 shì 635
熄 xī 734
息 xī 734
拭 shì 636
植 zhí 880
殖 zhí 880
蚀(蝕)shí 633
识(識)shí 630
食 shí 632
饰(飾)shì 637

신

伸 shēn 618
信 xìn 765
呻 shēn 619
哂 shěn 622
囟 xìn 765
娠 shēn 620
慎 shèn 622
抻 chēn 93
新 xīn 764
晨 chén 95
汛 xùn 784
烬(燼)jìn 379
申 shēn 618
砷 shēn 619
神 shén 621
绅(紳)shēn 619
肾(腎)shèn 622
臣 chén 93
莘 shēn 619
薪 xīn 765
蜃 shèn 622
讯(訊)xùn 784
身 shēn 619
辛 xīn 764
迅 xùn 784
锌(鋅)xīn 764

실

失 shī 627
实(實)shí 631
室 shì 637
悉 xī 735
窸 xī 735
蟋 xī 735

심

审(審)shěn 622
寻(尋)xún 783
婶(嬸)shěn 622
心 xīn 761
沁 qìn 570
沈(瀋)shěn 622
深 shēn 620
甚 shén 622
芯 xīn 764
xìn 765
葚 shèn 622
蕈 xùn 784
谂(諗)shěn 622
鲟(鱘)xún 783

십

什 shén 620
shí 630
十 shí 629
卅 xì 737

쌍

双(雙)shuāng 650

씨

氏 shì 634

아

儿(兒)ér 195
丫 yā 785
亚(亞)yà 787
俄 é 193
哑(啞)yǎ 786
啊 ā 1
á 1
ǎ 1
à 1
·a 1
哦 ó 524
ò 524
娥 é 193
婀 ē 193
娅(婭)yà 787
我 wǒ 724
桠(椏)yā 786
牙 yá 786
砑 yà 787
芽 yá 786
蚜 yá 786
蛾 é 193
衙 yá 786
讶(訝)yà 787
锇(鋨)é 193
阿 ē 193
雅 yǎ 786
饿(餓)è 194
鸦(鴉)yā 785

악

乐(樂)yuè 845
呃 è 194
喔 wō 724
噩 è 195
垩(堊)è 194
岳 yuè 846
恶(惡)ě 193
è 194
愕 è 194

握 wò 724
渥 wò 724
腭 è 194
萼 è 194
颚(顎)è 194
鳄(鰐)è 194
龌(齷)wò 724

안

安 ān 4
岸 àn 6
按 àn 6
桉 ān 5
氨 ān 5
案 àn 6
殷 yān 788
眼 yǎn 791
铵(銨)ǎn 6
赝(贋)yàn 794
雁 yàn 794
鞍 ān 5
颜(顔)yán 790
鮟(鮟)ān 5

알

嘎 gā 233
戛 jiá 347
挖 wā 704
揠 yà 787
斡 wò 724
谒(謁)yè 804
轧(軋)yà 786
zhá 857
遏 è 195

암

岩 yán 790
庵 ān 6
揞 ǎn 6
暗 àn 6
癌 ái 2
谙(諳)ān 6
鹌(鵪)ān 6
颔(頷)hàn 287
黯 àn 7

압

压(壓)yā 785
yà 787
押 yā 785
狎 xiá 739
鸭(鴨)yā 785

앙

仰 yǎng 796
央 yāng 794
怏 yàng 797
昂 áng 7
殃 yāng 794
泱 yāng 794
盎 àng 7
秧 yāng 794
鸯(鴦)yāng 794

애

哀 āi 1
哎 āi 2
唉 āi 2
嗳(噯)ǎi 2
ài 3
埃 āi 2
崖 yá 786
爱(愛)ài 3
挨 āi 2
ái 2
暧(曖)ài 3
欸 ē[ēi] 195
é[éi] 195
ě[ěi] 195
è[èi] 195
涯 yá 786
皑(皚)ái 2
睚 yá 786
碍(礙)ài 4
艾 ài 3
蔼(藹)ǎi 3
隘 ài 3
霭(靄)ǎi 3

액

厄 è 193
哑(啞)yǎ 786
扼 è 193
掖 yē 801
yè 804
液 yè 804
腋 yè 804
额(額)é 193

앵

嘤(嚶)yīng 823
樱(櫻)yīng 823
罂(罌)yīng 823
莺(鶯)yīng 823
鹦(鸚)yīng 823

야

也 yě 802
冶 yě 802
夜 yè 803
惹 rě 587
揶 yé 802
爷(爺)yé 801
倻 yē 801
耶 yē 801
野 yě 802

약

哟(喲)yō 826
·yo 826
弱 ruò 599
约(約)yuē 845
若 ruò 599
药(藥)yào 799
跃(躍)yuè 846
钥(鑰)yào 801
yuè 845

양

佯 yáng 795
嚷 rāng 586
rǎng 587
壤 rǎng 586
恙 yàng 797
扬(揚)yáng 794
攘 rǎng 586
样(漾)yàng 797
杨(楊)yáng 794
氧 yǎng 796
洋 yáng 795
漾 yàng 797
瓤 ráng 586
疡(瘍)yáng 795
痒(癢)yǎng 797
羊 yáng 795
养(養)yǎng 796
襄 xiāng 750
让(讓)ràng 587

酿(釀)niàng 518
镶(鑲)xiāng 750
阳(陽)yáng 795
飏(颺)yáng 795

어

于 yú 835
圄 yǔ 839
御(禦)yù 841
淤 yū 835
渔(漁)yú 837
语(語)yǔ 838
驭(馭)yù 839
鱼(魚)yú 836
龉(齬)yǔ 839

억

亿(億)yì 815
忆(憶)yì 815
抑 yì 816
瘾 yì 817
臆 yì 817

언

偃 yǎn 791
唁 yàn 793
堰 yàn 793
嫣 yān 788
焉 yān 788
蔫 niān 516
言 yán 789
谚(諺)yàn 793
鼹 yǎn 793

얼

哕(噦)yuě 845
孽 niè 519
臬 niè 518
镍(鎳)niè 519

엄

俨(儼)yǎn 791
严(嚴)yán 789
奄 yǎn 791
掩 yǎn 791
淹 yān 787
腌 yān 787
酽(醃)yàn 794
阉(閹)yān 787

업

业(業)yè 803

여

与(與)yǔ 837
yù 839
予 yú 836
yǔ 838
余(餘)yú 836
如 rú 595
汝 rǔ 596
茹 rú 596
舆(輿)yú 837

역

亦 yì 815
域 yù 840
役 yì 816
易 yì 816
疫 yì 816
绎(繹)yì 815
蜮 yù 840
译(譯)yì 815
逆 nì 516
驿(驛)yì 815

연

吮 shǔn 652
咽 yàn 793
妍 yán 789
娟 juān 395
宴 yàn 793
延 yán 788
捐 juān 394
椽 chuán 119
沿 yán 790
涓 juān 394
涎 xián 745
渊(淵)yuān 841
湮 yān 788
演 yǎn 792
烟 yān 787
然 rán 586
燕 yān 788
yàn 794
研 yán 789
砚(硯)yàn 793
筵 yán 788
缘(緣)yuán 844
胭 yān 788
蜒 yán 788
蠕 rú 596
衍 yǎn 791
软(軟)ruǎn 598
铅(鉛)qiān 560
鸢(鳶)yuān 841

열

咽 yè 804
噎 yē 801
悦 yuè 846
拽 zhuāi 895
zhuài 895
热(熱)rè 588
阅(閱)yuè 846

염

冉 rǎn 586
厌(厭)yàn 793
恹(懨)yān 787
染 rǎn 586
炎 yán 790
焰 yàn 794
艳(艷)yàn 793
盐(鹽)yán 790
苒 rǎn 586
阎(閻)yán 790
髯 rán 586
魇(魘)yǎn 791

엽

叶(葉)yé 803
靥(靨)yè 804
页(頁)yè 803

영

咏 yǒng 827
婴(嬰)yīng 823
嵘(嶸)róng 593
影 yǐng 824
映 yìng 825
楹 yíng 824
荣(榮)róng 593
永 yǒng 827
泳 yǒng 827
营(營)yíng 823
莹(瑩)yíng 823
盈 yíng 824

颖(穎)yǐng 824
萦(縈)yíng 824
缨(纓)yīng 823
英 yīng 822
赢(贏)yíng 824
迎 yíng 823

예

倪 ní 515
刈 yì 814
呓(囈)yì 815
拽 zhuāi 895
zhuài 895
曳 yè 803
睿 ruì 599
秽(穢)huì 326
翳 yì 817
艺(藝)yì 815
艾 yì 814
蕊 ruǐ 598
裔 yì 816
誉(譽)yù 841
诣(詣)yì 816
豫 yù 841
锐(鋭)ruì 598
霓 ní 515
预(預)yù 840
鲵(鯢)ní 515

오

五 wǔ 729
伍 wǔ 730
傲 ào 8
午 wǔ 729
吴 wú 729
吾 wú 729
呜(嗚)wū 725
嗷 áo 8
坞(塢)wù 731
奥 ào 8
娱 yú 837
寤 wù 732
忤 wǔ 729
悟 wù 732
恶(惡)wù 732
懊 ào 8
捂 wǔ 730
晤 wù 732
梧 wú 729
污 wū 725
澳 ào 8
乌(烏)wū 724
熬 āo 8
áo 8
牾 wǔ 730
痦 wù 732
蜈 wú 729
螯 áo 8
袄 ǎo 8
误(誤)wù 731
遨 áo 8
钨(鎢)wū 725
鏖 áo 8
鼯 wú 729

옥

屋 wū 725
沃 wò 724
狱(獄)yù 840
玉 yù 839

온

愠 yùn 848
温 wēn 720
瘟 wēn 720
稳(穩)wěn 722
蕴(蘊)yùn 848
酝(醞)yùn 848

올

兀 wū 731
腽 wà 704

옹

喁 yóng 827
嗡 wēng 723
壅 yōng 827
拥(擁)yōng 826
瓮 wèng 723
痈(癰)yōng 827
翁 wēng 723
臃 yōng 827
蕹 wèng 723
雍 yōng 827
齆 wèng 723

와

卧 wò 724
哇 wā 704
·wa 704
呙(咼)wāi 704
涡(渦)wō 723
洼(窪)wā 704
瓦 wǎ 704
wà 704
窝(窩)wō 723
莴(萵)wō 723
蛙 wā 704
蜗(蝸)wō 724
讹(訛)é 193
娃 wá 704

완

剜 wān 706
婉 wǎn 708
完 wán 707
宛 wǎn 708
惋 wǎn 708
浣 huàn 318
烷 wán 708
玩 wán 707
碗 wǎn 708
缓(緩)huǎn 317
腕 wàn 710
莞 wǎn 708
豌 wān 707
顽(頑)wán 707

왈

曰 yuē 845

왕

往 wǎng 711
旺 wàng 711
枉 wǎng 711
汪 wāng 710
王 wáng 710

왜

倭 wō 723
娃 wá 704
歪 wāi 704
矮 ǎi 2

외

偎 wēi 713
喂 wéi 716
wèi 719

外 wài 705
桅 wéi 715
歪 wāi 704
煨 wēi 713
猥 wěi 717
畏 wèi 719
聩(聵)kuì 424
巍 wēi 713

요

侥(僥)jiǎo 365
尧(堯)yáo 798
凹 āo 7
吆 yāo 797
夭 yāo 797
妖 yāo 797
幺 yāo 797
徭 yáo 799
扰(擾)rǎo 587
拗 ào 8
niù 520
摇 yáo 798
曜 yào 801
浇(澆)jiāo 363
瑶 yáo 799
窈 yǎo 799
窑 yáo 798
绕(繞)rào 587
耀 yào 801
腰 yāo 798
舀 yǎo 799
蛲(蟯)náo 511
要 yāo 798
yào 800
谣(謠)yáo 798
遥 yáo 798
邀 yāo 798
靿 yào 801
饶(饒)ráo 587
鹞(鷂)yào 801

욕

峪 yù 839
欲 yù 839
浴 yù 839
溽 rù 597
缛(縟)rù 598
蓐 rù 598
褥 rù 598
辱 rǔ 597

용

佣(傭)yōng 826
yòng 828
俑 yǒng 827
冗 rǒng 594
勇 yǒng 828
容 róng 593
庸 yōng 827
恿 yǒng 827
慵 yōng 827
榕 róng 594
涌 yǒng 827
溶 róng 594
熔 róng 594
用 yòng 828
耸(聳)sǒng 659
舂 chōng 107
茸 róng 593
蛹 yǒng 827
踊(踴)yǒng 827

우

于 yú 835
忧(憂)yōu 829
佑 yòu 835
偶 ǒu 524
优(優)yōu 828
又 yòu 834
友 yǒu 832
右 yòu 835
吁 xū 774
yū 835
yù 839
圩 wéi 715
宇 yǔ 838
寓 yù 841
尤 yóu 829
怄(慪)òu 524
愚 yú 837
牛 niú 520
疣 yóu 830
盂 yú 836
禹 yǔ 838
竽 yú 836
羽 yǔ 838
耦 ǒu 524
芋 yù 839
藕 ǒu 524
虞 yú 837
迂 yū 835
遇 yù 841
邮(郵)yóu 830
隅 yú 837
雨 yǔ 838
鱿(魷)yóu 830
龋(齲)qǔ 581

욱

旭 xù 776
郁(鬱)yù 839

운

云(雲)yún 846
殒(殞)yǔn 847
耘 yún 847
芸(蕓)yún 847
运(運)yùn 847
陨(隕)yǔn 847
韵 yùn 848

울

熨 yù 841
yùn 848
郁(鬱)yù 839

웅

熊 xióng 772
雄 xióng 772

원

元 yuán 842
冤 yuān 841
原 yuán 843
员(員)yuán 842
园(園)yuán 842
圆(圓)yuán 842
垣 yuán 843
怨 yuàn 844
愿(願)yuàn 844
援 yuán 843
楦 xuàn 779
源 yuán 843
猿 yuán 843
芫 yán 789
yuán 842
苑 yuàn 844
蜿 wān 706

袁 yuán 843
诨(諢)hùn 327
辕(轅)yuán 843
远(遠)yuǎn 844
院 yuàn 844
鸳(鴛)yuān 841
鼋(黿)yuán 842

월

月 yuè 845
粤 yuè 846
越 yuè 846

위

卫(衛)wèi 717
韦(韋)wéi 714
位 wèi 719
伟(偉)wěi 716
伪(僞)wěi 716
危 wēi 712
围(圍)wéi 715
委 wěi 717
威 wēi 713
尉 wèi 719
慰 wèi 719
熨 yù 841
为(爲)wéi 714
wèi 718
猬 wèi 719
痿 wěi 717
纬(緯)wěi 716
胃 wèi 719
苇(葦)wěi 716
萎 wěi 717
蔚 wèi 719
诿(諉)wěi 717
谓(謂)wèi 719
违(違)wéi 714
逶 wēi 713
魏 wèi 720

유

乳 rǔ 596
俞 yú 837
儒 rú 596
呦 yōu 829
唯 wéi 715
喻 yù 840
囿 yòu 835
孺 rú 596
帷 wéi 716
幼 yòu 834
幽 yōu 829
悠 yōu 829
惟 wéi 715
愉 yú 837
懦 nuò 523
愈 yù 840
揉 róu 595
臾 yù 836
有 yǒu 832
柔 róu 594
柚 yóu 831
yòu 835
榆 yú 837
油 yóu 830
游 yóu 831
渝 yú 837
濡 rú 596
犹(猶)yóu 830
瑜 yú 837
由 yóu 830
窳 yǔ 839
吁(籲)yù 839
糅 róu 595
维(維)wéi 716
腴 yú 836
莜 yóu 831
荽 suī 663
莠 yǒu 834
蚰 yóu 831
蝣 yóu 832
蝤 yóu 832
裕 yù 839
觎(覦)yú 837
诱(誘)yòu 835
谕(諭)yù 840
谀(諛)yú 836
蹂 róu 595
逾 yú 837
遗(遺)wèi 720
yí 812
酉 yǒu 834
釉 yòu 835
铀(鈾)yóu 831
鞣 róu 595
黝 yǒu 834
鼬 yòu 835

육

唷 yō 826
肉 ròu 595
育 yù 840
鬻 yù 841

윤

允 yǔn 847
匀 yún 847
尹 yǐn 820
润(潤)rùn 599
闰(閏)rùn 599

융

戎 róng 593
绒(絨)róng 593
融 róng 594

은

嗯 ńg 514
ňg 514
ǹg 514
垠 yín 819
恩 ēn 195
摁 èn 195
殷 yīn 819
瘾(癮)yǐn 821
银(銀)yín 819
隐(隱)yǐn 821
龈(齦)yín 820

을

乙 yǐ 813

음

吟 yín 819
淫 yín 820
荫(蔭)yīn 818
yìn 822
阴(陰)yīn 818
音 yīn 819
饮(飲)yǐn 821
yìn 822

읍

悒 yì 816
揖 yī 811
泣 qì 557
邑 yì 816

응

凝 níng 519
应(應)yīng 822
yìng 825
膺 yīng 823
鹰(鷹)yīng 823

의

义(義)yì 814
仪(儀)yí 811
依 yī 810
倚 yǐ 814
医(醫)yī 810
宜 yí 811
意 yì 817
拟(擬)nǐ 515
旖 yǐ 814
椅 yǐ 814
毅 yì 816
犄 jī 335
疑 yí 812
矣 yǐ 814
缢(縊)yì 816
薏 yì 817
蚁(蟻)yǐ 814
衣 yī 810
谊(誼)yì 816
议(議)yì 814
铱(銥)yī 810

이

二 èr 197
以 yǐ 813
伊 yī 809
咦 yí 811
夷 yí 811
姨 yí 811
尔(爾)ěr 196
已 yǐ 813
弛 chí 103
异 yì 815
彝 yí 813
怡 yí 811
易 yì 816
痍 yí 811
移 yí 811
而 ér 196
耳 ěr 196
肄 yì 817
胰 yí 811
苡 yǐ 814
贰(貳)èr 197
贻(貽)yí 811
迤 yí 811
颐(頤)yí 811
饴(飴)yí 811
饵(餌)ěr 197

익

弋 yì 815
益 yì 816
翌 yì 816

인

人 rén 589
仁 rén 590
刃 rèn 591
印 yìn 821
咽 yān 787
因 yīn 818
姻 yīn 819
胭 yān 788
寅 yín 820
引 yǐn 820
忍 rěn 591
洇 yīn 819
茵 yīn 819
蚓 yǐn 821
认(認)rèn 591
韧(韌)rèn 591

일

一 yī 804
佚 yì 816
壹 yī 811
日 rì 592
溢 yì 816
轶(軼)yì 816
逸 yì 817

임

任 rén 591
rèn 592
壬 rén 591
妊 rèn 592
荏 rěn 591
赁(賃)lìn 457
饪(飪)rèn 592

입

入 rù 597
廿 niàn 517

잉

仍 réng 592
剩 shèng 627
孕 yùn 847
扔 rēng 592

자

仔 zǐ 905
刺 cī 125
cì 127
咨 zī 903
姊 zǐ 905
姿 zī 904
子 zǐ 904
·zi 904
字 zì 905
孜 zī 903
孳 zī 903
恣 zì 908
慈 cí 125
柘 zhè 869
榨 zhà 857
滋 zī 903
炙 zhì 884
煮 zhǔ 893
瓷 cí 125
疵 cī 125
磁 cí 125
积(積)jī 335
耔 zǐ 905
糍 cí 126
紫 zǐ 905
者 zhě 868
自 zì 905
茨 cí 125
蔗 zhè 869
藉 jiè 374
蚝 háo 288
资(資)zī 904
赭 zhě 868
雌 cí 125
髭 zī 904
鹧(鷓)zhè 869
剂(劑)jì 342

작

作 zuō 915
zuò 916
勺 sháo 615
嚼 jiáo 364
jiào 368
jué 398
昨 zuó 916
灼 zhuó 902
炸 zhá 857
zhà 857
焯 chāo 90
爵 jué 398
绰(綽)chāo 90
chuò 124
芍 sháo 615
酌 zhuó 902
酢 zuò 918
雀 qiāo 565
qiǎo 566
què 585
鹊(鵲)què 585

잔

孱 chán 83
栈(棧)zhàn 861
残(殘)cán 74
潺 chán 83
盏(盞)zhǎn 859

잠

暂(暫)zàn 851
湛 zhàn 861
潜 qián 562
箴 zhēn 870
簪 zān 851
糌 zān 851
蘸 zhàn 861
蚕(蠶)cán 74
赚(賺)zhuàn 898

잡

匝 zā 849
卡 qiǎ 558
咂 zā 849
喊 qī 550
杂(雜)zá 849
眨 zhǎ 857
砸 zá 849

장

长(長)cháng 85
zhǎng 862
丈 zhàng 863
仗 zhàng 863
匠 jiàng 360
场(場)cháng 86
chǎng 87
墙(墻)qiáng 564
壮(壯)zhuàng 899
奖(獎)jiǎng 359
戕 qiāng 563
妆(妝)zhuāng 898
将(將)jiāng 358
jiàng 360
嶂 zhàng 863
帐(帳)zhàng 863
赃(贓)zāng 852
幛 zhàng 863
庄(莊)zhuāng 898
张(張)zhāng 861
掌 zhǎng 862
杖 zhàng 863
桩(樁)zhuāng 898
桨(槳)jiǎng 360
樟 zhāng 862
樯(檣)qiáng 564
浆(漿)jiāng 358
状(狀)zhuàng 899
獐 zhāng 862
瘴 zhàng 863
章 zhāng 861
脏(髒)zāng 852
(臟)zàng 852
肠(腸)cháng 86
藏 cáng 75
zàng 852
臧 zāng 852
葬 zàng 852
蔷(薔)qiáng 564
蟑 zhāng 862
装(裝)zhuāng 898
账(賬)zhàng 863
酱(醬)jiàng 360
锵(鏘)qiāng 563
障 zhàng 863

재

再 zài 850
哉 zāi 849
在 zài 850
宰 zǎi 850
崽 zǎi 850
才(纔)cái 70
斋(齋)zhāi 858
材 cái 71
栽 zāi 849
梓 zǐ 905
滓 zǐ 905
灾 zāi 849
甾 zāi 849
裁 cái 71
财(財)cái 71
载(載)zǎi 850
zài 851
仔 zǎi 850

쟁

争 zhēng 873
峥 zhēng 873
挣 zhēng 873
zhèng 876
狰 zhēng 873
筝 zhēng 873
诤(諍)zhèng 876
铮(錚)zhēng 873
zhèng 876

저

伫 zhù 893
低 dī 160
储(儲)chǔ 116
咀 jǔ 392
嘀 dī 161
dí 162
姐 jiě 372
底 dǐ 162
抵 dǐ 163
杵 chǔ 116
杼 zhù 894
沮 jǔ 392
狙 jū 391
猪 zhū 891
疽 jū 391
苎 zhù 893
著 zhù 895
蛆 qū 580

着 zhāo 865
诋(詆)dǐ 162
诅(詛)zǔ 912
贮(貯)zhù 893
躇 chú 116
这(這)zhè 868
zhèi 869
邸 dǐ 162

적

嫡 dí 162
寂 jì 343
摘 zhāi 858
敌(敵)dí 162
滴 dī 161
炙 zhì 884
的 ·de 158
dī 161
dí 162
dì 165
积(積)jī 335
笛 dí 162
籍 jí 339
绩(績)jì 344
藉 jí 339
谪(謫)zhé 868
贼(賊)zéi 855
赤 chì 105
迪 dí 161
迹 jì 342
适(適)shì 637

전

电(電)diàn 167
专(專)zhuān 895
佃 diàn 169
传(傳)chuán 118
zhuàn 897
全 quán 582
典 diǎn 166
前 qián 560
剪 jiǎn 353
填 tián 681
奠 diàn 169
展 zhǎn 859
巅(巔)diān 166
悛 quān 581
战(戰)zhàn 860
拴 shuān 650
搌 zhǎn 859
栓 shuān 650
殿 diàn 170
毡(氈)zhān 859
淀(澱)diàn 169
煎 jiān 351
田 tián 681
痊 quán 583
癜 diàn 170
癫(癲)diān 166
碘 diǎn 166
砖(磚)zhuān 896
笺(箋)jiān 349
篆 zhuàn 898
箭 jiàn 357
缠(纏)chán 83
觍(覥)tiǎn 682
腆 tiǎn 682
膻 shān 608
诠(詮)quán 582
辗(輾)zhǎn 859
转(轉)zhuǎi 895
zhuǎn 896
zhuàn 897
钿(鈿)diàn 169
tián 681
钱(錢)qián 561
镌(鐫)juān 395
隽 juàn 395
靛 diàn 169
颠(顛)diān 166
颤(顫)chàn 84
zhàn 861

절

切 qiē 567
qiè 567
截 jié 372
折 shé 616
zhē 867
zhé 867
沏 qī 550
浙 zhè 869
疖(癤)jiē 368
窃(竊)qiè 568
绝(絶)jué 396
节(節)jiē 368
jié 370

점

占 zhān 858
zhàn 859
垫(墊)diàn 169
店 diàn 169
恬 tián 681
惦 diàn 169
掂 diān 166
渐(漸)jiàn 357
点(點)diǎn 166
玷 diàn 169
粘 nián 517
zhān 859
苫 shān 608
shàn 609
踮 diǎn 167
鲇(鮎)nián 517
黏 nián 517

접

接 jiē 368
碟 dié 172
蹀 dié 172

정

丁 dīng 172
井 jiǐng 384
亭 tíng 687
仃 dīng 173
停 tíng 687
侦(偵)zhēn 869
叮 dīng 173
呈 chéng 99
婷 tíng 687
定 dìng 175
庭 tíng 686
廷 tíng 686
征 zhēng 872
怔 zhēng 872
zhèng 876
情 qíng 575
挺 tǐng 687
政 zhèng 876
整 zhěng 873
旌 jīng 384
晶 jīng 384
正 zhēng 872
zhèng 874
汀 tīng 686
净 jìng 385

盯 dīng 173
睁 zhēng 873
睛 jīng 383
碇 dìng 176
程 chéng 99
精 jīng 383
耵 dīng 173
艇 tǐng 688
菁 jīng 383
蜓 tíng 687
订(訂)dìng 174
贞(貞)zhēn 869
逞(逞)chěng 100
郑(鄭)zhèng 876
酊 dīng 173
钉(釘)dīng 173
dìng 175
锃(鋥)zèng 856
铤(鋌)tǐng 688
锭(錠)dìng 176
阱 jǐng 384
霆 tíng 687
靖 jìng 386
静 jìng 385
顶(頂)dǐng 173
鼎 dǐng 174

제

剂(劑)jì 342
制(製)zhì 883
啼 tí 677
堤 dī 161
帝 dì 165
弟 dì 165
挤(擠)jǐ 340
提 dī 161
tí 677
齐(齊)qí 551
齑(齏)jī 336
梯 tī 677
济(濟)jǐ 340
jì 342
祭 jì 344
第 dì 165
脐(臍)qí 551
荠 jì 342
诸(諸)zhū 891
跻(躋)jī 334
蹄 tí 677
际(際)jì 342
除 chú 115
霁(霽)jì 342
题(題)tí 678

조

佻 tiāo 682
俎 zǔ 913
兆 zhào 866
凋 diāo 170
刁 diāo 170
助 zhù 894
叼 diāo 170
吊 diào 170
嘈 cáo 76
嘲 cháo 91
抓 zhuā 895
找 zhǎo 865
挑 tiāo 682
tiǎo 683
措 cuò 134
操 cāo 76
早 zǎo 853
曹 cáo 76
朝 cháo 90
zhāo 865
条(條)tiáo 682
枣(棗)zǎo 853
槽 cáo 76
澡 zǎo 853
潮 cháo 90
灶(竈)zào 854
照 zhào 866
燥 zào 854
爪 zhǎo 865
zhuǎ 895
皂 zào 854
眺 tiào 684
碉 diāo 170
祖 zǔ 913
租 zū 911
稠 chóu 110
窕 tiǎo 684
笊 zhào 866
粗 cū 129
糟 zāo 853
糙 cāo 76
组(組)zǔ 912
绦(縧)tāo 673
罩 zhào 866
肇 zhào 867
臊 sāo 603
sào 604
藻 zǎo 854
蚤 zǎo 853
诏(詔)zhào 865
调(調)diào 171
tiáo 683
赵(趙)zhào 866
躁 zào 854
造 zào 854
遭 zāo 852
钓(釣)diào 171
阻 zǔ 912
雕 diāo 170
鸟(鳥)niǎo 518

족

族 zú 912
簇 cù 131
足 zú 911

존

存 cún 132
尊 zūn 915

졸

卒 cù 130
zú 912
拙 zhuō 901
猝 cù 130

종

从(從)cóng 128
宗 zōng 908
忪 sōng 658
zhōng 887
怂(慫)sǒng 659
棕 zōng 908
淙 cóng 128
种(種)zhǒng 887
zhòng 888
粽 zòng 910
终(終)zhōng 887
综(綜)zōng 908
纵(縱)zòng 909
肿(腫)zhǒng 887
螽 zhōng 887
踪 zōng 908

踵 zhǒng 888
钟(鐘)zhōng 886
鬃 zōng 908

좌

佐 zuǒ 916
坐 zuò 918
左 zuǒ 916
座 zuò 918
挫 cuò 133
痤 cuó 133
锉(銼)cuò 134

죄

罪 zuì 915

주

丢 diū 176
主 zhǔ 892
住 zhù 893
侏 zhū 890
做 zuò 919
凑 còu 129
厨 chú 115
咒 zhòu 890
周 zhōu 889
啄 zhuó 902
奏 zòu 911
宙 zhòu 890
昼(晝)zhòu 890
州 zhōu 889
拄 zhǔ 893
揍 zòu 911
朱(硃)zhū 890
柱 zhù 894
株 zhū 891
橱 chú 115
注 zhù 893
洲 zhōu 889
炷 zhù 894
珠 zhū 891
畴(疇)chóu 109
疰 zhù 894
籀 zhòu 890
筹(籌)chóu 109
绸(綢)chóu 110
肘 zhǒu 890
舟 zhōu 889
蛀 zhù 894
蛛 zhū 891
诛(誅)zhū 890
走 zǒu 910
蹰 chú 116
踌(躊)chóu 110
遒 qiú 579
酒 jiǔ 388
铸(鑄)zhù 895
驻(駐)zhù 894

죽

竹 zhú 891
粥 zhōu 890

준

俊 jùn 399
准(準)zhǔn 901
尊 zūn 915
峻 jùn 399
浚 jùn 399
皴 cūn 132
竣 jùn 399
蠢 chǔn 124
蹲 dūn 189
逡 qūn 585
遵 zūn 915
隼 sǔn 665
骏(駿)jùn 399

중

中 zhōng 885
zhòng 888
众(衆)zhóng 888
仲 zhòng 888
重 chóng 107
zhòng 888

즉

则(則)zé 854
即 jí 337
唧 jī 336
鲫(鯽)jì 344

즐

栉(櫛)zhì 884

즘

怎 zěn 855

즙

楫 jí 339
缉(緝)jī 336
qī 551
汁 zhī 878

증

增 zēng 856
憎 zēng 856
拯 zhěng 874
曾 céng 78
zēng 856
甑 zèng 856
症 zhèng 876
蒸 zhēng 873
证(證)zhèng 876
赠(贈)zèng 856

지

之 zhī 876
只(衹)zhǐ 880
咫 zhǐ 881
吱 zhī 878
zī 903
地 ·de 158
dì 163
址 zhǐ 880
志 zhì 883
持 chí 103
指 zhǐ 881
挚(摯)zhì 884
支 zhī 877
旨 zhǐ 881
智 zhì 884
枝 zhī 878
止 zhǐ 880
池 chí 103
渍(漬)zì 908
痣 zhì 883
知 zhī 878
纸(紙)zhǐ 882
肢 zhī 878
胝 zhī 877
脂 zhī 878
至 zhì 882
舐 shì 634
芝 zhī 877
蜘 zhī 878
识(識)zhì 883
趾 zhǐ 880

踟 chí 104
迟(遲)chí 103
酯 zhǐ 882

직

直 zhí 879
稷 jì 344
织(織)zhī 878
职(職)zhí 880

진

嗔 chēn 93
尘(塵)chén 93
尽(儘)jǐn 377
(盡)jìn 378
振 zhèn 871
晋 jìn 380
榛 zhēn 870
津 jīn 376
珍 zhēn 869
甄 zhēn 870
疹 zhěn 871
真 zhēn 870
瞋 chēn 93
秦 qín 570
缜(縝)zhěn 871
胗 zhēn 870
臻 zhēn 870
诊(診)zhěn 871
赈(賑)zhèn 871
趁 chèn 95
轸(軫)zhěn 871
辰 chén 95
进(進)jìn 379
镇(鎮)zhèn 872
阵(陣)zhèn 871
陈(陳)chén 94
震 zhèn 871

질

侄 zhí 880
叱 chì 104
嫉 jí 339
帙 zhì 884
桎 zhì 882
疾 jí 339
秩 zhì 884
窒 zhì 883
蛭 zhì 883
质(質)zhì 884
跌 diē 172
迭 dié 172

짐

斟 zhēn 870
朕 zhèn 872
鸩(鴆)zhèn 871

집

执(執)zhí 879
楫 jí 339
辑(輯)jí 339
集 jí 339
什 shí 630

징

征(徵)zhēng 872
惩(懲)chéng 100
澄 chéng 100
dèng 160
症(癥)zhēng 873
瞪 dèng 160

차

且 qiě 567
借 jiè 374
叉 chā 79
叉 chá 80
叉 chǎ 81
咱 zán 851
哆 duō 191
呲 cī 125
姹 chà 81
岔 chà 81
差 chā 79
chà 81
chāi 82
cī 125
扯 chě 92
搓 cuō 133
搽 chá 80
搋 chuāi 117
杈 chā 79
chà 81
楂 chá 81
次 cì 126
此 cǐ 126
磋 cuō 133
碴 chá 81
茶 chá 80
衩 chǎ 81
chà 81
蹉 cuō 133
车(車)chē 91
遮 zhē 867
钗(釵)chāi 82

착

凿(鑿)záo 853
戳 chuō 124
捉 zhuō 902
着 zhāo 865
zháo 865
·zhe 869
zhuó 902
错(錯)cuò 134
齣 chū 111
龊(齪)chuò 124

찬

撰 zhuàn 898
攒(攢)cuán 131
zǎn 851
灿(燦)càn 75
窜 cuàn 131
篡 cuàn 131
纂 zuǎn 913
赞(贊)zàn 852
蹿(躥)cuān 131
钻(鑽)zuān 913
zuàn 913
餐 cān 73

찰

刹 chà 81
shā 605
咱 zán 851
嚓 cā 70
察 chá 81
扎 zā 849
zhā 856
zhá 857
拃 zhǎ 857
擦 cā 70
礤 cǎ 70
札 zhá 857
铡(鍘)zhá 857

참

参(參)cān 73
cēn 78
堑(塹)qiàn 563
崭(嶄)zhǎn 859
巉 chán 83
忏(懺)chàn 84
惨(慘)cǎn 74
惭(慚)cán 74
搀(攙)chān 83
斩(斬)zhǎn 859
站 zhàn 860
谮(譖)zèn 856
谗(讒)chán 83
馋(饞)chán 83

창

仓(倉)cāng 75
倡 chàng 88
伥(倀)chāng 84
创(創)chuāng 120
chuàng 121
唱 chàng 88
呛(嗆)qiāng 563
qiàng 565
娼 chāng 85
厂(廠)chǎng 87
彰 zhāng 862
怅(悵)chàng 88
怆(愴)chuàng 121
戗(戧)qiāng 563
抢(搶)qiāng 563
qiǎng 564
敞 chǎng 87
昌 chāng 84
畅(暢)chàng 88
枪(槍)qiāng 563
氅 chǎng 88
淌 tǎng 673
沧(滄)cāng 75
涨(漲)zhǎng 862
zhàng 863
猖 chāng 84
疮(瘡)chuāng 120
窗 chuāng 120
胀(脹)zhàng 863
菖 chāng 84
苍(蒼)cāng 75
跄(蹌)qiàng 565
鲳(鯧)chāng 85

채

债(債)zhài 858
寨 zhài 858
彩 cǎi 72
睬 cǎi 72
菜 cài 72
踩 cǎi 72
采 cǎi 71

책

册 cè 77
啧(嘖)zé 855
栅 zhà 858
策 cè 78
蚱 zhà 857
责(責)zé 855

처

处(處)chǔ 116
chù 116
凄 qī 550
妻 qī 550
萋 qī 550
觑(覷)qù 581

척

剔 tī 677
只(隻)zhī 878
尺 chǐ 104
惕 tì 679
戚 qī 550
掷(擲)zhì 884
斥 chì 104
涤(滌)dí 162
瘠 jí 339
脊 jǐ 340
蜴 yì 816
跖 zhí 880
踢 tī 677
踯(躑)zhí 880

천

串 chuàn 120
仟 qiān 559
倩 qiàn 563
qìng 576
千 qiān 558
喘 chuǎn 119
天 tiān 679
川 chuān 117
扦 qiān 559
擅 shàn 609
泉 quán 583
浅(淺)qiǎn 562
溅(濺)jiàn 355
箐 qìng 118
舛 chuǎn 119
荐 jiàn 357
贱(賤)jiàn 355
践(踐)jiàn 355
踹 chuài 117
迁(遷)qiān 559
阐(闡)chǎn 84
阡 qiān 559

철

凸 tū 695
哲 zhé 868
啜 chuò 124
彻(徹)chè 92
掇 duō 191
掣 chè 92
撤(撤)chè 93
澈(澈)chè 93
缀(綴)zhuì 901
蜇 zhē 867
zhé 868
辍(輟)chuò 124
辙(轍)zhé 868
醛 quán 583
铁(鐵)tiě 685

첨

尖 jiān 349
檐 yán 790
沾 zhān 858
添 tiān 681
甜 tián 681
瞻 zhān 859
签(簽)qiān 559
舔 tiǎn 682
谄(諂)chǎn 84

첩

喋 dié 172
妾 qiè 568

帖 tiē 684
tiě 685
tiè 686
捷 jié 370
喋 dié 172
叠 dié 172
睫 jié 371
谍(諜)dié 172
贴(貼)tiē 684
辄(輒)zhé 868

청

厅(廳)tīng 686
晴 qíng 576
氰 qíng 576
清 qīng 571
听(聽)tīng 686
菁 jīng 383
蜻 qīng 573
请(請)qǐng 576
青 qīng 570
倩 qiàn 563
qìng 576

체

体(體)tī 677
tǐ 678
剃 tì 679
剔 tī 677
嚏 tì 679
屉 tì 679
掣 chè 92
替 tì 679
涕 tì 679
滞(滯)zhì 884
砌 qì 557
缔(締)dì 165
蒂 dì 165
谛(諦)dì 165
递(遞)dì 165
逮 dǎi 145
dài 147

초

俏 qiào 567
初 chū 114
剿 jiǎo 366
吵 chāo 89
chǎo 91
哨 shào 616
峭 qiào 567
悄 qiāo 565
qiǎo 566
憔 qiáo 566
抄 chāo 88
招 zhāo 863
椒 jiāo 364
楚 chǔ 116
樵 qiáo 566
炒 chǎo 91
焦 jiāo 363
瞧 qiáo 566
础(礎)chǔ 116
硝 xiāo 754
礁 jiāo 364
秒 miǎo 495
梢 shāo 614
稍 shāo 614
shào 616
肖 xiào 757
耖 chào 91
草 cǎo 76
蕉 jiāo 364
诌(謅)zhōu 889
貂 diāo 170
超 chāo 89
迢 tiáo 683
醋 cù 130
钞(鈔)chāo 89
锹(鍬)qiāo 565
鞘 qiào 567
shāo 614

촉

促 cù 130
嘱(囑)zhǔ 893
属(屬)zhǔ 893
烛(燭)zhú 891
瞩(矚)zhǔ 893
矗 chù 117
蜀 shǔ 647
触(觸)chù 117
躅 zhú 892
镞(鏃)zú 912

촌

寸 cùn 133
忖 cǔn 133
村 cūn 132

총

丛(叢)cóng 128
冢 zhǒng 888
匆 cōng 127
囱 cōng 127
宠(寵)chǒng 108
总(總)zǒng 909
聪(聰)cōng 127
葱 cōng 127

촤

锉(銼)cuò 134

촬

撮 cuō 133
zuǒ 916
攥 zuàn 913
茁 zhuó 902

최

催 cuī 131
嘬 zuō 916
崔 cuī 131
摧 cuī 131
最 zuì 914
璀 cuǐ 131

추

坠(墜)zhuì 900
帚 zhǒu 890
惆 chóu 110
抽 chōu 108
推 tuī 698
捶 chuí 122
揪 jiū 387
椎 zhuī 900
槌 chuí 122
枢(樞)shū 645
皱(皺)zhòu 890
秋 qiū 577
瞅 chǒu 111
绉(縐)zhòu 890
刍(芻)chú 115
诌(謅)zhōu 889
趋(趨)qū 580
追 zhuī 900
酋 qiú 579
醜 chǒu 110

锤(錘)chuí 122
锥(錐)zhuī 900
雏(雛)chú 115
鳅(鰍)qiū 578

축

丑 chǒu 110
妯 zhóu 890
搐 chù 117
畜 chù 117
xù 776
祝 zhù 894
筑(築)zhù 895
缩(縮)suō 665
蓄 xù 776
蹙 cù 130
蹴 cù 130
轴(軸)zhóu 890
逐 zhú 891

춘

春 chūn 122
椿 chūn 123

출

出 chū 111
怵 chù 116
秫 shú 646
绌(絀)chù 117
黜 chù 117
黢 qū 580

충

充 chōng 106
冲(衝)chōng 106
chòng 108
忡 chōng 107
忠 zhōng 886
盅 zhōng 886
虫(蟲)chóng 107
衷 zhōng 887

췌

悴 cuì 131
惴 zhuì 901
揣 chuāi 117
chuǎi 117
瘁 cuì 132
萃 cuì 131
啐 cuì 131
赘(贅)zhuì 901

취

取 qǔ 580
吹 chuī 121
嘴 zuǐ 914
娶 qǔ 581
就 jiù 389
溴 xiù 774
炊 chuī 122
翠 cuì 132
聚 jù 394
脆 cuì 132
臭 chòu 111
xiù 774
趣 qù 581
醉 zuì 914
骤(驟)zhòu 890
鹫(鷲)jiù 390

측

仄 zè 855
侧(側)cè 77
厕(厠)cè 77
恻(惻)cè 78
测(測)cè 77

츤

衬(襯)chèn 95

층

层(層)céng 78
蹭 cèng 78

치

侈 chǐ 104
值 zhí 879
哆 duō 191
嗤 chī 102
峙 zhì 884
帜(幟)zhì 883
耻 chǐ 104
栀 zhī 878
治 zhì 883
炽(熾)chì 105
痔 zhì 884
痴 chī 102
稚 zhì 885
致(緻)zhì 882
置 zhì 885
褫 chǐ 104
辎(輜)zī 904
锱(錙)zī 904
雉 zhì 885
驰(馳)chí 103
齿(齒)chǐ 104
龇(齜)zī 904

칙

则(則)zé 854
敕 chì 105
饬(飭)chì 105

친

亲(親)qīn 568
qìng 576

칠

七 qī 550
柒 qī 550
漆 qī 550

침

侵 qīn 569
寝(寢)qǐn 570
忱 chén 94
枕 zhěn 871
沉 chén 93
浸 jìn 380
砧 zhēn 870
针(針)zhēn 869

칩

蛰(蟄)zhé 868

칭

秤 chèng 101
称(稱)chèn 95
chēng 96

쾌

侩(儈)kuài 420
快 kuài 420
筷 kuài 420

타

他 tā 667
剁 duò 192

咤 zhà 857
唾 tuò 703
坨 tuó 703
垛 duǒ 192
duò 192
堕(墮)duò 192
她 tā 667
妥 tuǒ 703
它 tā 667
惰 duò 192
打 dá 135
dǎ 136
拖 tuō 701
朵 duǒ 192
椭(橢)tuǒ 703
沱 tuó 702
舵 duò 192
诧(詫)chà 81
跎 tuó 703
跺 duò 192
躲 duǒ 192
陀 tuó 702
驼(駝)tuó 703
鸵(鴕)tuó 703
鼍(鼉)tuó 703

탁

卓 zhuó 902
啄 zhuó 902
坼 chè 92
度 duó 191
托 tuō 701
拓 tà 667
tuò 703
拆 chāi 82
擢 zhuó 903
桌 zhuō 901
浊(濁)zhuó 902
琢 zhuó 902
zuó 916
踱 duó 191
镯(鐲)zhuó 903

탄

氽 cuān 130
吞 tūn 700
叹(嘆)tàn 671
坦 tǎn 670
弹(彈)dàn 150
tán 670
惮(憚)dàn 150
掸(撣)dǎn 149
摊(攤)tān 669
殚(殫)dān 149
滩(灘)tān 669
炭 tàn 671
痪 huàn 318
瘫(癱)tān 670
碳 tàn 671
绽(綻)zhàn 861
诞(誕)dàn 150

탈

夺(奪)duó 191
脱 tuō 702

탐

探 tàn 671
耽 dān 149
贪(貪)tān 669

탑

嗒 tà 667
塔 tǎ 667
塌 tā 667
搭 dā 135
榻 tà 667
遢 tā 667

탕

汤(湯)tāng 672
烫(燙)tàng 673
荡(蕩)dàng 153
蹚 tāng 672
趟 tàng 673

태

兑 duì 188
呆 dāi 145
大 dà 139
太 tài 668
态(態)tài 669
怠 dài 146
抬 tái 668
殆 dài 140
汰 tài 669
泰 tài 669
笞 chī 102
肽 tài 669
胎 tāi 667
苔 tāi 667
tái 668
蜕 tuì 699
逮 dài 147
钛(鈦)tài 669
驮(馱)duò 192
tuó 702
骀(駘)tái 668
鲐(鮐)tái 668
跆 tái 668

택

宅 zhái 858
择(擇)zé 855
zhái 858
泽(澤)zé 854

탱

撑 chēng 96

토

兔 tù 698
吐 tǔ 697
tù 698
土 tǔ 697
讨(討)tǎo 674

통

恸(慟)tòng 692
恫 dòng 179
捅 tǒng 692
桶 tǒng 692
痛 tòng 692
筒 tǒng 691
统(統)tǒng 692
通 tōng 688
tòng 692
嗵 tōng 689

퇴

堆 duī 186
推 tuī 698
颓(頹)tuí 699
腿 tuǐ 699
褪 tuì 700
tùn 701
退 tuì 700

투

偷 tōu 693
套 tào 675
妒 dù 184
投 tóu 694
渝 yú 837
斗(鬥)dòu 180
透 tòu 695
骰 tóu 695

특

忑 tè 675
忒 tuī 698
特 tè 675

틈

闯(闖)chuǎng 121

파

叵 pǒ 546
吧 bā 10
·ba 13
啪 pā 525
坡 pō 545
婆 pó 546
巴 bā 9
帕 pà 525
怕 pà 525
把 bǎ 11
bà 12
播 bō 55
摆(擺)bǎi 16
(襬)bǎi 16
杷 pá 525
波 bō 53
派 pài 527
爬 pá 525
爸 bà 12
玻 bō 54
琶 pá 525
疤 bā 10
破 pò 546
笆 bā 10
簸 bǒ 57
bò 57
罢(罷)bà 12
耙 bà 12
pá 525
芭 bā 10
菠 bō 54
趴 pā 525
跛 bǒ 57
靶 bǎ 12
颇(頗)pō 545

판

判 pàn 528
板 bǎn 19
版 bǎn 19
瓣 bàn 21
贩(販)fàn 206
办(辦)bàn 19

팔

八 bā 9
捌 bā 10

팡

乓 pāng 529

패

坝(壩)bà 12
佩 pèi 532
呗(唄)·bei 32
悖 bèi 31
败(敗)bài 17
沛 pèi 532
牌 pái 527
狈(狽)bèi 30
稗 bài 17
贝(貝)bèi 30
钡(鋇)bèi 31
霸 bà 13

팽

澎 péng 534
烹 pēng 533
膨 péng 534
砰 pēng 533

편

便 biàn 44
pián 539
偏 piān 538
匾 biǎn 43
扁 biǎn 43
piān 538
片 piān 538
piàn 539
篇 piān 539
编(編)biān 42
翩 piān 539
蝙 biān 42
褊 biǎn 43
遍 biàn 45
鞭 biān 42
骗(騙)piàn 539

폄

贬(貶)biǎn 43

평

坪 píng 545
平 píng 543
怦 pēng 533
抨 pēng 533
苹(蘋)píng 545
萍 píng 545
评(評)píng 544

폐

吠 fèi 214
币(幣)bì 38
废(廢)fèi 215
弊 bì 40
敝 bì 40
毙(斃)bì 40
肺 fèi 215
蔽 bì 40
闭(閉)bì 39
陛 bì 40

포

刨 bào 27
páo 530
包 bāo 22
匍 pú 548
咆 páo 530
圃 pǔ 549
孢 bāo 24
布 bù 68
怖 bù 68
抱 bào 27
抛 pāo 529
捕 bǔ 58
暴 bào 28
泡 pāo 530

pào 530
浦 pǔ 549
瀑 pù 549
炮 bāo 24
páo 530
pào 531
疱 pào 531
胞 bāo 24
脯 fǔ 227
pú 548
苞 bāo 24
葡 pú 548
蒲 pú 548
袍 páo 530
跑 pǎo 530
逋 bū 57
铺(鋪)pū 548
pù 549
饱(飽)bǎo 24
鲍(鮑)bào 28
龅(齙)bāo 24
褒 bāo 24

폭

幅 fú 227
暴 pù 549
曝 bào 29
爆 bào 29

표

剽 piāo 539
婊 biǎo 48
嫖 piáo 540
彪 biāo 46
标(標)biāo 46
漂 piāo 539
piǎo 540
piào 541
瓢 piáo 540
瞟 piǎo 540
票 piào 540
缥(縹)piāo 540
膘 biāo 47
表(錶)biǎo 47
裱 biǎo 48
豹 bào 28
镖(鏢)biāo 47
飘(飄)piāo 540
飙(飆)biāo 46
鳔(鰾)biào 48

품

品 pǐn 542
禀 bǐng 52

풍

枫(楓)fēng 222
丰(豐)fēng 219
疯(瘋)fēng 222
讽(諷)fěng 223
风(風)fēng 220

피

彼 bǐ 37
披 pī 535
疲 pí 537
皮 pí 536
被 bèi 32
跛 bǒ 57
避 bì 40

필

匹 pǐ 537
毕(畢)bì 39
必 bì 38
泌 mì 492
笔(筆)bǐ 37
筚(篳)bì 40

핍

乏 fá 200
逼 bī 36

핑

乒 pīng 542

하

下 xià 739
何 hé 295
厦 xià 742
吓(嚇)xià 742
呀 yā 785
·ya 787
夏 shà 606
xià 742
河 hé 296
瑕 xiá 739
罅 xià 742
荷 hé 296
hè 297
嗬 hē 293
虾(蝦)xiā 738
贺(賀)hè 297
遐 xiá 739
霞 xiá 739

학

壑 hè 298
学(學)xué 780
涸 hé 297
疟(瘧)nüè 523
yào 799
虐 nüè 523
谑(謔)xuè 782
貉 háo 289
hé 297
鹤(鶴)hè 298

한

罕 hǎn 286
娴(嫻)xián 744
寒 hán 285
恨 hèn 299
悍 hàn 287
捍 hàn 287
旱 hàn 287
汉(漢)hàn 286
汗 hàn 286
瀚 hàn 287
焊 hàn 287
翰 hàn 287
闲(閑)xián 744
限 xiàn 746
韩(韓)hán 286
鼾 hān 284

할

割 gē 245
瞎 xiā 738
辖(轄)xiá 739
黠 xiá 739

함

函 hán 285
含 hán 284
咸(鹹)xián 745
喊 hǎn 286
槛(檻)kǎn 404

涵 hán 285
缄(緘)jiān 351
舰(艦)jiàn 355
衔(銜)xián 745
陷 xiàn 747
颔(頷)hàn 287
馅(餡)xiàn 747

합

合 hé 294
呷 xiā 738
哈 hā 282
hǎ 282
嗑 kè 412
盒 hé 295
蛤 gé 247
há 282
阖(闔)hé 297
颌(頜)hé 295
鸽(鴿)gē 245

항

亢 kàng 406
伉 kàng 406
巷 hàng 288
xiàng 752
吭 háng 288
kēng 413
夯 hāng 287
恒 héng 300
抗 kàng 406
杭 háng 288
沆 hàng 288
港 gǎng 241
炕 kàng 406
缸 gāng 240
肛 gāng 240
肮(骯)āng 7
航 háng 288
行 háng 287
降 xiáng 750
项(項)xiàng 752

해

亥 hài 284
偕 xié 760
咳 hāi 282
ké 409
嗨 hāi 282
奚 xī 735
孩 hái 282
害 hài 284
懈 xiè 761
楷 kǎi 403
氦 hài 284
海 hǎi 283
蟹 xiè 761
解 jiě 372
jiè 375
xiè 761
该(該)gāi 233
谐(諧)xié 760
邂 xiè 761
阂(閡)hé 296
骇(駭)hài 284
骸 hái 283

핵

劾 hé 296
核 hé 296
hú 309

행

幸 xìng 770
悻 xìng 771
杏 xìng 770
绗(絎)háng 288
行 xíng 768

향

享 xiǎng 751
向(嚮)xiàng 752
响(響)xiǎng 751
乡(鄉)xiāng 748
饷(餉)xiǎng 751
香 xiāng 749

허

嘘 shī 629
xū 775
墟 xū 775
栩 xǔ 776
虚 xū 774
许(許)xǔ 776

헌

宪(憲)xiàn 747
献(獻)xiàn 747
轩(軒)xuān 777

헐

歇 xiē 759

험

险(險)xiǎn 745
验(驗)yàn 793

혁

吓(嚇)hè 297
奕 yì 815
弈 yì 815
赫 hè 297
革 gé 246

현

县(縣)xiàn 746
弦 xián 744
显(顯)xiǎn 745
悬(懸)xuán 778
炫 xuàn 779
玄 xuán 778
现(現)xiàn 746
眩 xuàn 779
绚(絢)xuàn 779
舷 xián 744
苋(莧)xiàn 746
贤(賢)xián 744

혈

孑 jié 370
穴 xué 780
血 xiě 760
xuè 781

혐

嫌 xián 745

협

侠(俠)xiá 739
协(協)xié 759
叶 xié 759
夹(夾)gā 233
jiā 345
jiá 347
峡(峽)xiá 739
惬(愜)qiè 568
挟(挾)xié 759
狭(狹)xiá 739

胁(脇)xié 759
荚(莢)jiá 347
颊(頰)jiá 347

형

亨 hēng 300
兄 xiōng 772
刑 xíng 767
哼 hēng 300
hng 301
型 xíng 768
形 xíng 768
擤 xǐng 770
桁 héng 300
滢(瀅)yíng 823
潆(瀠)yíng 824
炯 jiǒng 387
荆 jīng 383
萤(螢)yíng 823
衡 héng 300
迥 jiǒng 386
邢 xíng 768
馨 xīn 765

혜

奚 xī 735
彗 huì 326
惠 huì 326
慧 huì 326
蹊 qī 551
xī 735
鞋 xié 760

호

乎 hū 307
互 hù 310
号(號)háo 288
hào 291
呼 hū 307
嗥 háo 289
嚎 háo 289
壕 háo 289
壶(壺)hú 309
好 hǎo 289
hào 292
弧 hú 308
怙 hù 311
户 hù 310
扈 hù 311
护(護)hù 310
毫 háo 288
沪(滬)hù 310
浩 hào 292
湖 hú 309
煳 hú 309
犒 kào 407
狐 hú 308
猢 hú 309
琥 hǔ 310
瑚 hú 309
皓 hào 293
糊 hū 308
hú 309
hù 311
缟(縞)gǎo 243
葫 hú 309
蒿 hāo 288
虎 hǔ 309
蝴 hú 309
豪 háo 289
镐(鎬)gǎo 243
胡(鬍)hú 308

혹

惑 huò 331
或 huò 331
酷 kù 419

혼

婚 hūn 327
昏 hūn 326
混 hún 327
hùn 328
浑(渾)hún 327
馄(餛)hún 327
魂 hún 327

홀

囫 hú 308
忽 hū 307
惚 hū 308
笏 hù 311

홍

哄 hōng 301
hǒng 304
hòng 304
弘 hóng 302
汞 gǒng 255
泓 hóng 302
洪 hóng 303
烘 hōng 302
红(紅)hóng 302
虹 hóng 303
讧(訌)hòng 304
鸿(鴻)hóng 303

화

伙 huǒ 331
化 huà 313
华(華)huá 312
哗(嘩)huā 312
huá 313
和 hé 293
hè 297
huó 328
huò 331
桦(樺)huà 314
火 huǒ 329
画(畫)huà 315
祸(禍)huò 332
禾 hé 293
花 huā 311
话(話)huà 314
货(貨)huò 331
铧(鏵)huá 313
靴 xuē 780

확

劐 huō 328
廓 kuò 425
扩(擴)kuò 425
攫 jué 398
获(獲)huò 332
矍 jué 398
确(確)què 584

환

丸 wán 707
唤 huàn 318
宦 huàn 318
寰 huán 317
幻 huàn 317
患 huàn 318
换 huàn 318
欢(歡)huān 316
涣 huàn 318
焕 huàn 318

獾 huān 316
环(環)huán 317
纨(紈)wán 707
还(還)hái 282
huán 316
鳏(鰥)guān 270

활

活 huó 328
滑 huá 313
猾 huá 313
豁 huō 328
huò 332
阔(闊)kuò 425

황

况 kuàng 422
凰 huáng 319
幌 huǎng 321
恍 huǎng 320
惶 huáng 319
慌 huāng 319
·huang 319
晃 huǎng 321
huàng 321
煌 huáng 320
皇 huáng 319
磺 huáng 320
簧 huáng 320
荒 huāng 318
蝗 huáng 320
蟥 huáng 320
谎(謊)huǎng 321
隍 huáng 319
黄 huáng 320

회

会(會)huì 325
kuài 419
刽(劊)guì 276
回(迴) huí 322
坏(壞)huái 315
徊 huái 315
怀(懷)huái 315
恢 huī 321
悔 huǐ 324
晦 huì 326
汇(匯)huì 324
(彙)huì 324
洄 huí 324
灰 huī 321
烩(燴)huì 326
盔 kuī 423
绘(繪)huì 325
聩(聵)kuì 424
脍(膾)kuài 420
茴 huí 324
荟(薈)huì 325
蛔 huí 324
诙(詼)huī 321
诲(誨)huì 326
贿(賄)huì 326

획

划(劃)huá 313
huà 314
嚄 ǒ 524
画(畫)huà 315
获(獲)huò 332
(穫)huò 332

횡

横 héng 300
hèng 301

효

哮 xiào 757
哓(嘵)xiāo 754
唬 hǔ 310
嚣(囂)xiāo 755
孝 xiào 757
撬 qiào 567
效 xiào 758
晓(曉)xiǎo 757
枭(梟)xiāo 754
淆 xiáo 755
肴 yáo 798
酵 jiào 367
骁(驍)xiāo 754

후

侯 hóu 304
候 hòu 306
厚 hòu 306
后(後)hòu 304
吼 hǒu 304
喉 hóu 304
嗅 xiù 774
朽 xiǔ 773
涸 hé 297
煦 xù 776
猴 hóu 304
眍(瞘)kōu 415
诩(詡)xǔ 776
逅 hòu 306
酗 xù 777

훈

勋(勛)xūn 782
晕(暈)yūn 846
yùn 848
熏 xūn 782
xùn 784
荤(葷)hūn 327
薰 xūn 782
训(訓)xùn 783
醺 xūn 782

훤

喧 xuān 777
暄 xuān 778
烜 xuǎn 779
萱 xuān 777

훼

卉 huì 324
喙 huì 326
毁 huǐ 324
烜 xuǎn 779

휘

汇(匯)huì 324
(彙)huì 324
徽 huī 322
挥(揮)huī 322
讳(諱)huì 324
辉(輝)huī 322
麾 huī 322

휴

亏(虧)kuī 423
休 xiū 722
携 xié 760
畦 qí 553

휼

恤 xù 776
谲(譎)jué 398

鬻(鬻)yù 841

흉

凶 xiōng 771
匈 xiōng 771
汹 xiōng 771
胸 xiōng 771

흑

黑 hēi 298

흔

哏 gén 250
很 hěn 299
掀 xiān 743
欣 xīn 764
狠 hěn 299
痕 hén 299
衅(釁)xìn 766
锨(鍁)xiān 743

흘

吃 chī 101
屹 yì 815
疙 gē 244
迄 qì 557

흠

欠 qiàn 562
钦(欽)qīn 570

흡

吸 xī 733
恰 qià 558
洽 qià 558
翕 xī 735

흥

兴(興)xīng 766
xìng 770

희

喜 xǐ 737
嘻 xī 735
嬉 xī 735
希 xī 733
戏(戲)xì 737
曦 xī 735
熙 xī 735
熹 xī 735
牺(犧)xī 733
禧 xǐ 737
稀 xī 734

힐

诘(詰)jié 371

한어 병음 방안(汉语拼音方案)

※ '中国文字改革委员会(중국문자개혁위원회)' 의 '汉语拼音方案委员会(한어병음방안위원회)' 가 연구 제정하여, 1957년 11월 1일 '国务院全体会议第60次会议(국무원전체회의제60차회의)' 에서 통과되고, 1958년 2월 11일 '第一届全国人民代表大会第五次会议(제1회전국인민대표대회제5차회의)' 에서 비준되었으며, 1982년 '国际标准化组织(국제표준화기구)' 가 중국어 발음 표기의 국제 표준으로 승인하였음.

1. 자모표(字母表)

字母 名稱						
Aa ㄚ	Bb ㄅㄝ	Cc ㄘㄝ	Dd ㄉㄝ	Ee ㄜ	Ff ㄝㄈ	Gg ㄍㄝ
Hh ㄏㄚ	Ii ㄧ	Jj ㄐㄧㄝ	Kk ㄎㄝ	Ll ㄝㄌ	Mm ㄝㄇ	Nn ㄋㄝ
Oo ㄛ	Pp ㄆㄝ	Qq ㄑㄧㄡ	Rr ㄚㄦ	Ss ㄝㄙ	Tt ㄊㄝ	
Uu ㄨ	Vv ㄪㄝ	Ww ㄨㄚ	Xx ㄒㄧ	Yy ㄧㄚ	Zz ㄗㄝ	

※ ① 'V' 는 외래어 · 소수 민족 언어 · 방언을 표기할 때만 쓰인다.
② 자모(字母)의 필기체는 라틴 자모의 일반적인 서체를 따른다.

2. 성모표(聲母表)

b ㄅ玻	p ㄆ坡	m ㄇ摸	f ㄈ佛	d ㄉ得	t ㄊ特	n ㄋ讷	l ㄌ勒
g ㄍ哥	k ㄎ科	h ㄏ喝		j ㄐ基	q ㄑ欺	x ㄒ希	
zh ㄓ知	ch ㄔ蚩	sh ㄕ诗	r ㄖ日	z ㄗ资	c ㄘ雌	s ㄙ思	

※한자의 발음을 표시할 때 'zh, ch, sh'는 'ẑ, ĉ, ŝ'로 줄여 쓸 수도 있다.

3. 운모표(韻母表)

	i 丨 衣	u ㄨ 乌	ü ㄩ 迂
a ㄚ 啊	ia 丨ㄚ 呀	ua ㄨㄚ 蛙	
o ㄛ 喔		uo ㄨㄛ 窝	
e ㄜ 鹅	ie 丨ㄝ 耶		üe ㄩㄝ 约
ai ㄞ 哀		uai ㄨㄞ 歪	
ei ㄟ 欸		uei ㄨㄟ 威	
ao ㄠ 熬	iao 丨ㄠ 腰		
ou ㄡ 欧	iou 丨ㄡ 忧		
an ㄢ 安	ian 丨ㄢ 烟	uan ㄨㄢ 弯	üan ㄩㄢ 冤
en ㄣ 恩	in 丨ㄣ 因	uen ㄨㄣ 温	ün ㄩㄣ 晕
ang ㄤ 昂	iang 丨ㄤ 央	uang ㄨㄤ 汪	
eng ㄥ 亨的韵母	ing 丨ㄥ 英	ueng ㄨㄥ 翁	
ong (ㄨㄥ) 轰的韵母	iong ㄩㄥ 雍		

1) '知, 蚩, 诗, 日, 资, 雌, 思' 등의 7개 음절의 운모는 'i'를 쓴다. 즉, '知, 蚩, 诗, 日, 资, 雌, 思' 등의 글자의 발음은 'zhi, chi, shi, ri, zi, ci, si' 등으로 표기한다.

2) 운모(韻母) '儿'은 'er'로 표기하며, 운미(韻尾)로 쓰일 때에는 'r'로 표기한다.

보기 儿童 → ertong
花儿 → huar

3) 운모 'ㄝ'가 단독으로 쓰일 경우는 'ê'로 표기한다.

4) ① 'i' 행(行)의 운모는 앞에 성모(聲母)가 없을 때에는 'yi(衣)', 'ya(呀)', 'ye(耶)', 'yao(腰)', 'you(忧)', 'yan(烟)', 'yin(因)', 'yang(央)',

'ying(英)', 'yong(雍)' 으로 표기한다.

② 'u' 행의 운모는 앞에 성모가 없을 때에는 'wu(乌)', 'wa(蛙)', 'wo(窝)', 'wai(歪)', 'wei(威)', 'wan(弯)', 'wen(温)', 'wang(汪)', 'weng(翁)' 으로 표기한다.

③ 'ü' 행의 운모는 앞에 성모가 없을 때에는 'yu(迂)', 'yue(约)', 'yuan(冤)', 'yun(晕)' 으로 표기하며, 'ü' 의 두 점은 생략한다.

④ 'ü' 행의 운모는 성모 'j', 'q', 'x' 와 함께 쓰일 때는 'ju(居)', 'qu(区)', 'xu(虚)' 로 표기하며, 'ü' 의 두 점은 생략한다. 단, 성모 'n', 'l' 과 함께 쓰일 때는 점을 생략하지 않고 'nü(女)', 'lü(吕)' 로 표기한다.

5) 'iou', 'uei', 'uen' 앞에 성모가 있을 때에는 'iu', 'ui', 'un' 으로 표기한다.

보기 牛 → niu
归 → gui
论 → lun

6) 한자의 발음을 표기할 때 'ng' 은 'ŋ' 으로 줄여 쓸 수도 있다.

4. 성조 부호(聲調符號)

阴平	阳平	上声	去声
ˉ	ˊ	ˇ	ˋ

※성조 부호는 음절의 주요 모음 위에 표시하며, 경성은 표시하지 않는다.

보기	妈 mā	麻 má	马 mǎ	骂 mà	吗 ma
	(阴平)	(阳平)	(上声)	(去声)	(轻声)

5. 격음 부호(隔音符號)

'a', 'o', 'e' 로 시작하는 음절이 다른 음절 뒤에 이어져 발음에 혼동이 생길 수 있을 때에는 격음 부호 ' ' ' 를 써서 구별해 준다.

보기 皮袄 → pi'ao

중국 민족명(中国民族名)

※한국어 표기는 '외래어 표기법'에 따름.

중국어	한국어	중국어	한국어
阿昌族(Āchāngzú)	아창족	傈僳族(Lìsùzú)	리쑤족
白族(Báizú)	바이족	珞巴族(Luòbāzú)	뤄바족
保安族(Bǎo'ānzú)	바오안족	满族(Mǎnzú)	만주족
布朗族(Bùlǎngzú)	부랑족	毛南族(Máonánzú)	마오난족
布依族(Bùyīzú)	부이족	门巴族(Ménbāzú)	먼바족
朝鲜族(Cháoxiǎnzú)	조선족	蒙古族(Měnggǔzú)	몽골족
达斡尔族(Dáwò'ěrzú)	다우르족	苗族(Miáozú)	먀오족
傣族(Dǎizú)	다이족	仫佬族(Mùlǎozú)	무라오족
德昂族(Dé'ángzú)	더앙족	纳西族(Nàxīzú)	나시족
东乡族(Dōngxiāngzú)	둥샹족	怒族(Nùzú)	누족
侗族(Dòngzú)	둥족	普米族(Pǔmǐzú)	푸미족
独龙族(Dúlóngzú)	두룽족	羌族(Qiāngzú)	창족
俄罗斯族(Éluósīzú)	러시아족	撒拉族(Sālāzú)	싸라족
鄂伦春族(Èlúnchūnzú)	어룬춘족	畲族(Shēzú)	서족
鄂温克族(Èwēnkèzú)	어원커족	水族(Shuǐzú)	수이족
高山族(Gāoshānzú)	고산족	塔吉克族(Tǎjíkèzú)	타지크족
仡佬族(Gēlǎozú)	거라오족	塔塔尔族(Tǎtǎ'ěrzú)	타타얼족
哈尼族(Hānízú)	하니족	土族(Tǔzú)	투족
哈萨克族(Hāsàkèzú)	카자흐족	土家族(Tǔjiāzú)	투자족
汉族(Hànzú)	한족	佤族(Wǎzú)	와족
赫哲族(Hèzhézú)	허저족	维吾尔族(Wéiwú'ěrzú)	위구르족
回族(Huízú)	회족	乌孜别克族(Wūzībiékèzú)	우즈베크족
基诺族(Jīnuòzú)	지눠족	锡伯族(Xībózú)	시보족
京族(Jīngzú)	징족	彝族(Yízú)	이족
景颇族(Jǐngpōzú)	징포족	瑶族(Yáozú)	요족
柯尔克孜族(Kē'ěrkèzīzú)	키르키스족	裕固族(Yùgùzú)	위구족
拉祜族(Lāhùzú)	라후족	藏族(Zàngzú)	티베트족
黎族(Lízú)	여족	壮族(Zhuàngzú)	좡족

단위표(单位表)

	미터법(公制)		기호(記號)
길이	千米(qiānmǐ) 公里(gōnglǐ)	킬로미터(kilometer)	km
	米(mǐ)	미터(meter)	m
	分米(fēnmǐ)	데시미터(decimeter)	dm
	厘米(límǐ)	센티미터(centimeter)	cm
	毫米(háomǐ)	밀리미터(millimeter)	mm
	微米(wēimǐ)	마이크로미터(micrometer)	μm
	纳米(nàmǐ)	나노미터(nanometer)	nm
	飞米(fēimǐ)	페르미(fermi)	fm
면적	平方千米(píngfāng qiānmǐ) 平方公里(píngfāng gōnglǐ)	제곱킬로미터(−kilometer)	km^2
	平方米(píngfāngmǐ) 平米(píngmǐ)	제곱미터(−meter)	m^2
	平方厘米(píngfāng límǐ)	제곱센티미터(−centimeter)	cm^2
부피	立方米(lìfāngmǐ) 立米(lìmǐ)	세제곱미터(−meter)	m^3
	立方厘米(lìfāng límǐ)	세제곱센티미터(−centimeter)	cm^3
	西西(xīxī)	시시(cc)	cc
	千升(qiānshēng)	킬로리터(kiloliter)	kL, k*l*
	升(shēng)	리터(liter)	L, *l*
	分升(fēnshēng)	데시리터(deciliter)	dL, d*l*
	厘升(líshēng)	센티리터(centiliter)	cL, c*l*
	毫升(háoshēng)	밀리리터(milliliter)	mL, m*l*
질량	吨(dūn)	톤(ton)	t
	千克(qiānkè) 公斤(gōngjīn)	킬로그램(kilogram)	kg
	克(kè)	그램(gram)	g
	分克(fēnkè)	데시그램(decigram)	dg
	厘克(líkè)	센티그램(centigram)	cg
	毫克(háokè)	밀리그램(milligram)	mg

이십사절기(二十四节气)

중국어	한국어	중국어	한국어
立春 lìchūn	입춘	立秋 lìqiū	입추
雨水 yǔshuǐ	우수	处暑 chǔshǔ	처서
惊蛰 jīngzhé	경칩	白露 báilù	백로
春分 chūnfēn	춘분	秋分 qiūfēn	추분
清明 qīngmíng	청명	寒露 hánlù	한로
谷雨 gǔyǔ	곡우	霜降 shuāngjiàng	상강
立夏 lìxià	입하	立冬 lìdōng	입동
小满 xiǎomǎn	소만	小雪 xiǎoxuě	소설
芒种 mángzhòng	망종	大雪 dàxuě	대설
夏至 xiàzhì	하지	冬至 dōngzhì	동지
小暑 xiǎoshǔ	소서	小寒 xiǎohán	소한
大暑 dàshǔ	대서	大寒 dàhán	대한

천간(天干)

중국어	한국어	중국어	한국어
甲 jiǎ	갑	己 jǐ	기
乙 yǐ	을	庚 gēng	경
丙 bǐng	병	辛 xīn	신
丁 dīng	정	壬 rén	임
戊 wù	무	癸 guǐ	계

지지(地支)

중국어	한국어	동 물
子 zǐ	자	鼠 shǔ (쥐)
丑 chǒu	축	牛 niú (소)
寅 yín	인	虎 hǔ (호랑이)
卯 mǎo	묘	兔 tù (토끼)
辰 chén	진	龙 lóng (용)
巳 sì	사	蛇 shé (뱀)
午 wǔ	오	马 mǎ (말)
未 wèi	미	羊 yáng (양)
申 shēn	신	猴 hóu (원숭이)
酉 yǒu	유	鸡 jī (닭)
戌 xū	술	狗 gǒu (개)
亥 hài	해	猪 zhū (돼지)

머 리 말

오늘날 중국은 명실공히 미국과 어깨를 나란히 하는 강대국으로 성장하였으며, 그 위상 또한 과거와는 비교도 안 될 만큼 높아졌다. 이에, 자연히 많은 세계인들이 중국어를 배우거나, 갖가지 목적과 이유로 중국을 찾고 있으며, 이런 상황은 우리나라도 크게 다르지 않다. 현재 우리나라는 다른 나라들에 비해 훨씬 많은 사람들이 자유롭고 빈번하게 중국을 오가고 있으며, 중국어 학습자 또한 그 직업과 연령대가 매우 다양해져서, 학교와 학원은 물론이고 지하철이나 버스에서도 중국어 학습자를 쉽게 접할 수 있게 되었다.

이런 상황 하에 중국어 사전에 대한 수요도 하루가 다르게 늘고 있으며, 최근에는 무겁고 휴대하기 힘든 대사전보다 항상 휴대하면서 학습 및 여행 · 비즈니스에 다양하게 활용할 수 있는 소형 사전의 수요가 훨씬 많아지고 있는 추세다.

이 사전은 이러한 시대적 상황과 독자들의 끊임없는 요구를 충족시키기 위해 기획되었으며, 다음과 같은 몇 가지 특징을 가지고 있다.

1) 언제 어디서나 간편하게 휴대하여 학습 및 여행 · 비즈니스에 수시로 활용할 수 있도록 포켓판으로 제작되었다.
2) 크기는 작지만, 기본 어휘 및 전문어, 신조어, 외래어, 관용구, 속담 등 실생활에 필요한 38,000여 개의 어휘들을 엄선하여 수록하였다.
3) 표제어의 모든 대역어는 최대한 중국에서 실제로 쓰이는 단어를 찾아 정확한 중국어 발음과 함께 수록하였다.
4) 모든 용례는 표제어의 의미와 쓰임새를 이해하는 데 도움을 줄 수 있고, 실생활에서 바로 사용할 수 있는 간결하고 실용적인 문장으로 수록하였다.
5) 지면의 제약으로 인해 표제어로 수록하지 못한 일부 복합어와 합성어를 용례와 함께 수록하고, 지명 · 인명 등을 따로 모아 부록에 수록하는 등, 독자들을 위해 가능한 한 많은 단어들을 수록하기 위해 각고의 노력을 기울였다.

아무쪼록 이 사전이 여러분의 학습 · 여행 · 비즈니스에 많은 도움을 줄 수 있기를 바라며, 앞으로도 끊임없는 수정과 개정을 통해 여러분의 기대에 부응할 수 있도록 노력할 것임을 약속한다.

민중서림 편집국

일러두기

표제어와 부표제어

1. 범위

1) 표준어를 중심으로 일상생활에서 흔히 사용하는 기본 어휘와 전문어, 신조어, 외래어, 관용구, 속담 등을 엄선하여 총 38,000여 어휘를 수록하였다. 단, 제한된 지면에 가능한 한 많은 어휘를 수록하기 위하여 일부 복합어와 합성어는 표제어로 내세우지 않고 용례와 함께 수록하였다.

예 **토착**(土着) 명하자 土著 tǔzhù ¶ ~민 土著民 / ~화 土著化

2) 지명과 인명 등의 고유 명사는 특별한 경우를 제외하고는 본문에 표제어로 삽입하지 않고 권말에 부록으로 수록하였다.

2. 배열

1) 한글 맞춤법에 따라 가나다순으로 배열하였으며, 자모의 순서는 다음과 같다.

초성: ㄱ, ㄲ, ㄴ, ㄷ, ㄸ, ㄹ, ㅁ, ㅂ, ㅃ, ㅅ, ㅆ, ㅇ, ㅈ, ㅉ, ㅊ, ㅋ, ㅌ, ㅍ ,ㅎ

중성: ㅏ, ㅐ, ㅑ, ㅒ, ㅓ, ㅔ, ㅕ, ㅖ, ㅗ, ㅘ, ㅙ, ㅚ, ㅛ, ㅜ, ㅝ, ㅞ, ㅟ, ㅠ, ㅡ, ㅢ, ㅣ

종성: ㄱ, ㄲ, ㄳ, ㄴ, ㄵ, ㄶ, ㄷ, ㄹ , ㄺ, ㄻ, ㄼ, ㄽ, ㄾ, ㄿ, ㅀ, ㅁ, ㅂ, ㅄ, ㅅ, ㅆ, ㅇ, ㅈ, ㅊ, ㅋ, ㅌ, ㅍ, ㅎ

2) 자모의 배열 순서에 따라 고유어, 한자어, 외래어의 순으로 놓았고, 한자어는 다시 총획순으로 배열하였으며, 접두사, 접미사, 어미는 순서대로 맨 뒤에 위치하였다. 표기가 동일한 표제어들끼리는 어깨번호로 구분하였다.

예 **선지**
선지(先知)

대 : 검(大劍)
대 : 검(大檢)
대 : 검(帶劍)

생(生)
생-(生)
-생[1](生)
-생[2](生)

3) '-거리다'의 형식을 가진 어휘를 기본 표제어로 삼아 뜻풀이하고 '-대다'는 동의어로 보였으며, 중첩형은 '-거리다'의 부표제어로 삼았다.

예 **달그락-거리다** 자타 咣当咣当 guāngdāngguāngdāng; 呱嗒呱嗒 guādāguādā = 달그락대다 **달그락-달그락** 부하자타

4) 관용구와 속담은 시작 단어를 주표제어로 삼아 해당 표제어 밑에 가나다순으로 배열하였으며, 속담을 먼저 배열하고 그 뒤에 다시 관용구를 배열하는 형식을 취했다.

예 말이 씨가 된다 속담
말 한마디에 천 냥 빚도 갚는다 속담
말(을) 놓다 구
말(을) 돌리다 구
말(을) 듣다 구

5) 부표제어에서 교체 가능한 성분은 '[ ]' 안에 표시하였으며, 생략 가능한 성분은 '( )' 안에 제시하였다. 교체 가능한 성분이 여럿 있을 경우에는 '/'로 구분하여 제시하였다.

㉮ 개같이 벌어서 정승같이 산다[먹는다] 속담

남의 잔치[장/제사]에 감 놓아라 배 놓아라 한다 속담

더위(를) 먹다 구

3. 표기

1) 복합어는 붙임표 '-'로 분석하여 제시하였으며, 복합어이어도 구성 성분이 음절로 나누어지지 않을 때는 붙임표를 제시하지 않았다.

예 **빗-기다**

이등분-선

눌리다

2) 표제어가 장음일 경우는 표제어에 함께 표기하였다.

예 **눈:-보라**

의:무-감

3) 한자 표기가 두 가지 이상일 경우에는 해당 한자를 모두 병기하되, 기본이 되는 한자어를 먼저 제시하였으며, 그 사이를 '·'로 구분하였다. 단, 한자 표기가 두 가지 이상인 한자어가 다른 말과 결합하여 복합어를 이룰 경우 복합어에는 기본이 되는 한자어만을 제시하였다.

예 **사기**(沙器 · 砂器)

사기-그릇(沙器—)

4) 한자어와 외래어는 표제어 뒤 괄호 안에 원어를 밝혔으며, 만일 고유어와 결합한 표제어이면 고유어 부분을 '—'로 표시하였다.

예 **빗-각**(—角)

사과-나무(沙果—)

샴-쌍둥이(Siam雙—)

섹시-하다(sexy-)

5) 외래어의 경우는 원어 앞에 약호를 사용하여 해당 언어명을 제시하였으며, 로마자 이니셜로 이루어진 단어의 원말은 표제어 바로 뒤에 '[ ]'를 써서 제시하였다.

예 **살롱**(프salon)

룸바(에rumba)

시에프(CF)[commercial film]

6) 중국이나 일본어를 원음대로 차용한 경우는 로마자로 표기하고 그 뒤 '[ ]' 안에 한자를 제시하였다.

예 **사무라이**(일samurai[侍])

짜장면(←중zhajiangmian[炸醬麵])

7) 표제어가 해당 언어에 존재하지 않고 우리말에서 쓰는 외래어의 조합일 경우는

원어와 원어 사이에 '+'를 사용하였다.

예 **핸드-폰**(hand+phone)

바나나-킥(banana+kick)

8) 표제어가 원어에 없는 줄어든 형태로 쓰이는 경우나 발음이 현저히 변하였을 경우에는 그 원형을 제시하고 앞에 '←'를 표기하였다.

예 **샐러리-맨**(← salaried man)

짬뽕(←일champon)

콘센트(← concentic plug)

풀 이

1) 전문어와 고유 명사에는 해당 전문 영역을 표시하였으며, 띄어쓰기를 한 표제어에는 품사 표시를 하지 않았다

2) 다의어의 대역어는 품사별로 ㊀, ㊁, ㊂과 같이 나누고 의미별로 1, 2, 3과 같이 나누었으며, 대역어가 여러 개일 경우는 ';'를 써서 사용 빈도순으로 나열하였다.

3) 대역어의 설명이 필요한 경우 대역어 뒤에 '《 》'를 사용해 쓰임새와 의미를 추가 설명하였다.

예 **끌끌** 부 啧啧 zézé《不满的咂舌声》¶ 혀를 ~ 차다 啧啧地咂舌头

4) 대역어 옆에 한어병음을 병기하였으며, 이 표기는 중국의 '한어병음방안'을 근거로 하였다.

5) 한어병음의 모든 성조는 성조 변화에 상관없이 원래 성조대로 표기하였다.

6) 일부 어휘의 풀이는 내용에 따라 대역어 대신 다음과 같이 표기하였다.

준말 → '○○' 的略词

잘못 → '○○' 的错误

구칭 → '○○' 的旧称

속칭 → '○○' 的俗称

방언 → '○○' 的方言

별칭 → '○○' 的别称

비칭 → '○○' 的鄙称

피동사 → '○○' 的被动词

사동사 → '○○' 的使动词

강조어 → '○○' 的强调语

경어, 경칭 → '○○' 的敬词

겸칭, 겸사 → '○○' 的卑词

용 례

1) 가능한 한 실생활에서의 활용 가능성이 높고, 그 단어의 쓰임새를 가장 잘 나타낼 수 있는 용례를 위주로 선별하여 수록하였다.

2) 용례의 시작은 '¶'로 표시하였고, 용례 안에서의 표제어는 글자 수에 관계없이 '～'를 표기하고 생략하였으며, 용례를 여러 개 제시할 경우는 용례와 용례 사이를 '/'로 구분하였다.
3) 이미 열거한 용례와 같은 용례를 더 열거하고자 할 때는 '='표를 하고 보기와 같이 표기하였다

예 **삼루**(三壘) 명 【體】(棒球的) 三垒 sānlěi ¶～수 三垒手 / ～타 三垒打 =[三垒安打]

4) 표제어 및 용례에 쓰인 모든 한글 어휘의 맞춤법과 띄어쓰기는 국립국어연구원의 표준국어대사전을 기준으로 하였다.

품 사

명 명사	의명 의존 명사	대 대명사
자 자동사	부 부사	타 타동사
형 형용사	조 조사	감 감탄사
관 관형사	수 수사	어미 어미
접두 접두사	접미 접미사	보동 보조 동사
보형 보조 형용사	속담 속담	구 관용구

하자 —-**하다** 자 '하다'가 붙어 자동사가 됨
하타 —-**하다** 타 '하다'가 붙어 타동사가 됨
하형 '하다'가 붙어 형용사가 됨
하자타 —-**하다** 자타 '하다'가 붙어 자동사 및 타동사가 됨
하자형 —-**하다** 자형 '하다'가 붙어 자동사 및 형용사가 됨
하타형 —-**하다** 타형 '하다'가 붙어 타동사 및 형용사가 됨
히부 '히'가 붙어 부사가 됨

기 호

㊀, ㊁, ㊂	같은 표제어의 품사가 달라진 경우
1, 2, 3	같은 표제어의 뜻이 달라진 경우
¶	용례 시작
～	용례에서 표제어 부분의 생략 표시
/	여러 용례의 구분
=	동의어
←	원래의 형태에서 변한 외래어
-	복합어의 표시
-	접두사, 접미사, 어미의 표시
—	고유어 음절
:	장음 표시
+	표제어가 우리말에서 쓰는 외래어의 조합일 때
‖	전체 의항에 해당되는 동의어

외래어

그…… 그리스 어	네…… 네덜란드 어	노…… 노르웨이 어
독…… 독일어	라…… 라틴 어	러…… 러시아 어
루…… 루마니아 어	말…… 말레이 어	몽…… 몽골 어
베…… 베트남 어	불…… 불가리아 어	산…… 산스크리트 어
스…… 스웨덴 어	아…… 아랍 어	에…… 에스파냐 어
이…… 이탈리아 어	인…… 인도네시아 어	일…… 일본어
중…… 중국어	체…… 체코 어	타…… 타이 어
터…… 터키 어	페…… 페르시아 어	포…… 포르투칼 어
폴…… 폴란드 어	프…… 프랑스 어	헝…… 헝가리 어
히…… 히브리 어	힌…… 힌디 어	

전문어

〖建〗 건설	〖經〗 경제	〖古〗 고적	〖蟲〗 곤충
〖工〗 공업, 공학	〖鑛〗 광업, 광물	〖教〗 교육	〖交〗 교통
〖軍〗 군사	〖機〗 기계	〖論〗 논리	〖農〗 농업
〖動〗 동물	〖文〗 문학	〖物〗 물리	〖美〗 미술
〖民〗 민속	〖法〗 법률	〖佛〗 불교	〖社〗 사회
〖生〗 생물, 생리	〖手工〗 수공	〖水〗 수산	〖數〗 수학
〖植〗 식물	〖心〗 심리	〖藥〗 약학	〖魚〗 어류
〖言〗 언론	〖語〗 언어	〖史〗 역사	〖演〗 연영
〖藝〗 예술	〖體〗 운동	〖音〗 음악	〖醫〗 의학
〖人〗 인명	〖印〗 인쇄, 출판	〖電〗 전기, 전자	〖政〗 정치
〖鳥〗 조류	〖宗〗 종교	〖地理〗 지리	〖地〗 지명
〖書〗 책명	〖天〗 천문	〖哲〗 철학	〖컴〗 컴퓨터
〖信〗 통신	〖貝〗 패류	〖韓醫〗 한의학	〖航〗 항공
〖海〗 해양	〖化〗 화학		

ㄱ

가:[1] 명 **1** 边 biān; 滨 bīn; 畔 pàn; 沿 yán **2** 旁边 pángbiān; 边 biān ¶이 의자 ～에는 손잡이가 있다 这把椅子的两边有扶手

가[2] 조 **1** 表示主语的助词 ¶제～ 하겠습니다 我来做 **2** 在'되다'或'아니다'前面表示所变化的对象或者所否定的对象 ¶올챙이～ 개구리가 되었다 蝌蚪成了青蛙

가:(可) 명하형 对 duì; 是 shì; 行 xíng; 可能 kěnéng; 可以 kěyǐ

가-(假) 접두 假 jiǎ; 临时 línshí; 实验 shíyàn ¶～계약서 临时合同书 / ～등기 临时登记

-가(哥) 접미 姓 xìng ¶그는 박～입니다 他姓朴

-가(家) 접미 **1** 师 shī; 家 jiā《表示专做的人》¶건축～ 建筑师 / 작곡～ 作曲家 / 평론～ 评论家 **2** 家 jiā《表示在某方面擅长的人》¶외교～ 外交家 / 이론～ 理论家 **3** 家 jiā; 者 zhě《表示拥有某种东西的人》¶장서～ 藏书家 / 자본～ 资本家 **4** 者 zhě; 人 rén《表示有某种特性的人》¶애주～ 爱酒者

-가(街) 접미 街 jiē; 区 qū ¶상점～ 商店街 / 주택～ 住宅街 / 종로 3～ 钟路3街

-가(歌) 접미 歌 gē ¶유행～ 流行歌 / 응원～ 加油歌

-가(價) 접미 价 jià ¶최고～ 最高价 / 상한～ 上限价

가가호호(家家戶戶) 명부 家家 jiājiā; 家家户户 jiājiāhùhù; 每家 měijiā ¶～ 김장을 하느라 바쁘다 家家户户都在忙着做过冬的辣白菜

가감(加減) 명하타 **1** 加减 jiājiǎn ¶～ 없이 말하다 没有加减来说 **2**〖數〗= 가감산 ¶～법 加减法

가감-산(加減算) 명〖數〗加减 jiājiǎn = 가감2

가감승제(加減乘除) 명〖數〗加减乘除 jiājiǎnchéngchú

가:-건물(假建物) 명 临时建筑 línshí jiànzhù; 临时建筑物 línshí jiànzhùwù

가:게 명 **1** 商店 shāngdiàn; 小铺子 xiǎopùzi ¶그 ～는 저녁 9시에 문을 닫는다 那家商店晚上九点关门 **2** 货摊 huòtān; 摊子 tānzi

가격(加擊) 명하타 捶 chuí; 打 dǎ; 击 jī ¶주먹으로 한 대 ～하다 打一拳头

가격(價格) 명 价格 jiàgé; 价钱 jiàqian; 价 jià ¶최고 ～ 最高价格 / 최저 ～ 最低价格 / 출고 ～ 出厂价格 / ～ 경쟁 价格竞争 / ～ 자유화 价格自由化 / ～ 파괴 跳楼价销售 / 저렴한 ～ 低廉的价格 / ～을 내리다 降低价格 / ～을 흥정하다 讲价钱

가격-대(價格帶) 명 价格带 jiàgédài ¶～를 조정하다 调整价格带

가격-표(價格表) 명〖經〗价格表 jiàgébiǎo; 价目表 jiàmùbiǎo; 价目单 jiàmùdān

가:결(可決) 명하타 (会议的案件) 通过 tōngguò ¶법률을 ～하다 通过法律

가계(家系) 명 家系 jiāxì ¶～도 家系图

가계(家計) 명 **1** 家计 jiājì **2** 生计 shēngjì; 家境 jiājìng ¶～가 곤란하다 家境很困难 **3**〖經〗家庭 jiātíng ¶～ 소득 家庭收入

가계-부(家計簿) 명 家庭账簿 jiātíng zhàngbù; 家庭记账簿 jiātíng jìzhàngbù; 家庭记账本 jiātíng jìzhàngběn

가:-계약(假契約) 명하타〖法〗草约 cǎoyuē; 临时合同 línshí hétong; 草合同 cǎohétong ¶～을 체결하다 缔结草约

가곡(歌曲) 명〖音〗歌曲 gēqǔ; 艺术歌曲 yìshù gēqǔ ¶～집 歌曲专集

가공(加工) 명하타 加工 jiāgōng ¶～ 무역 加工贸易 / ～법 加工法 / ～ 식품 加工食品 / ～업 加工业 / ～품 加工品 / ～ 기술 加工技术 / 식품 ～ 食品加工 / 원자재를 ～하다 对原材料进行加工

가공(架空) 명하타 **1** 架空 jiàkōng ¶～ 케이블 架空线 **2** 虚构 xūgòu; 虚假 xūjiǎ ¶～인물 虚构人物 / 용은 ～의 동물이다 龙是虚构的动物

가공-적(架空的) 관명 虚构(的) xūgòu(de) ¶～ 이야기 虚构故事

가:공-하다(可恐—) 형 可怕 kěpà; 可恐 kěkǒng ¶가공할 만한 위력을 지니다 具有可怕的威力

가:관(可觀) 명 **1** 够瞧 gòuqiáo ¶그 사람의 행동은 정말 ～이다 那个人的行动有够瞧的 **2** 可观 kěguān ¶이 영화는 매우 ～이다 这部电影大有可观

가교(架橋) 명하자 **1** 架桥 jiàqiáo; 搭桥 dāqiáo ¶～ 공사 架桥工程 **2** 牵线搭桥 qiānxiàn dāqiáo; 搭桥 dāqiáo ¶사

랑의 ~ 역할을 하다 搭爱情桥

가:교(假橋) 명 〖建〗 临时桥 línshíqiáo

가구(家口) 명 〖法〗 **1** 住户 zhùhù; 住家 zhùjiā ¶~당 한 마리씩만 개를 키울 수 있다 每个住户只能养一只狗 **2** 家 jiā; 户 hù ¶십여 ~의 주민 十几户的居民

가구(家具) 명 家具 jiājù ¶주방 ~ 厨房家具 / ~ 공장 家具厂 / ~점 家具店 / 새로 들여놓은 ~ 新买进的家具

가극(歌劇) 명 〖音〗 = 오페라 ¶~단 歌剧团

가금(家禽) 명 家禽 jiāqín

가:급-적(可及的) 명부 尽可能 jǐnkěnéng; 尽量 jǐnliàng ¶나는 그에게 ~ 많은 도움을 주고 싶다 我要给他尽可能多的帮助

가까스로 부 **1** 将将 jiāngjiāng; 勉强 miǎnqiǎng ¶그는 3일 만에 ~ 그 일을 완성했다 将将三天, 他就把那件事情办完了 **2** 好不容易 hǎobùróngyì; 好容易 hǎoróngyì ¶나는 ~ 반장에 뽑혔다 我好容易当上了班长

가까이 ㊀부 **1** (离一个地点) 近 jìn; 接近 jiējìn; 靠近 kàojìn ¶이쪽으로 ~ 와라 离我这边近点儿 **2** 差不多 chàbuduō; 几乎 jīhū; 近 jìn ¶그는 한 달 ~ 출근을 안 했다 他近一个月没有上班 / 나이가 마흔 ~ 된 남자 年近四十岁的男人 **3** 亲 qīn; 亲近 qīnjìn; 亲密 qīnmì; 近 jìn ¶나는 그와 매우 ~ 지낸다 我跟他走得很近 ㊁명 附近 fùjìn ¶멀리 가지 말고 ~에 있어라 不要走太远就在这附近啊

가까이-하다 타 **1** 亲近 qīnjìn; 亲 qīn; 近 jìn **2** 打交道 dǎ jiāodao; 沾 zhān ¶책을 ~ 跟书打交道

가깝다 형 **1** (距离) 近 jìn; 不远 bùyuǎn ¶여기는 학교에서 아주 ~ 这儿离学校很近 / 그와 나는 매우 가까운 곳에 산다 他和我住在很近的地方 **2** (时间) 不久 bùjiǔ ¶가까운 장래 不久的将来 **3** 接近 jiējìn; 亲近 qīnjìn; 亲密 qīnmì ¶나는 그와 최근에 가까워졌다 我和他最近很亲密

가꾸다 타 **1** 养 yǎng 培育 péiyù; 栽培 zāipéi; 种植 zhòngzhí; 种 zhòng ¶과일나무를 ~ 栽培果树 **2** 打扮 dǎban ¶그녀는 평소에 잘 가꾸지 않는다 她平时不爱打扮

가끔 부 间或 jiànhuò; 偶尔 ǒu'ěr; 有时 yǒushí; 有时候(儿) yǒushíhou(r) = 종종㊁ ¶그는 ~ 학교에 지각을 한다 他偶尔上课迟到

가끔-가다 부 = 가끔가다가

가끔-가다가 부 间或 jiànhuò; 偶尔 ǒu'ěr; 有时 yǒushí; 有时候(儿) yǒushíhou(r) = 가끔가다 ¶그는 ~ 심술을 부리곤 한다 他偶尔也会使坏心眼儿

가난 명하형히부 贫困 pínkùn; 贫穷 pínqióng; 穷 qióng; 穷苦 qióngkǔ; 寒苦 hánkǔ; 贫寒 pínhán ¶~에 쪼들리다 被贫穷所困扰 / ~에 허덕이다 在贫穷中苦苦挣扎 / 그는 어렸을 때 집이 ~했다 他小时家境贫寒

가난 구제는 나라[나라님/임금]도 못한다 속담 救济贫困, 国家也无奈

가난이 죄다 속담 贫穷便是罪

가난-뱅이 명 穷人 qióngrén; 穷汉 qiónghàn; 穷户 qiónghù

가내(家內) 명 = 집안 ¶~ 수공업 家庭手工业

가냘프다 형 **1** (身体) 软弱 ruǎnruò; 瘦弱 shòuruò ¶그녀는 몸이 가냘파서 힘든 일을 할 수 없다 她身体瘦弱, 干不了重活 **2** (声音) 细弱 xìruò; 微弱 wēiruò ¶소리가 ~ 声音细弱

가녀리다 형 **1** (身体) 软弱 ruǎnruò; 瘦弱 shòuruò **2** (声音) 细弱 xìruò; 微弱 wēiruò

가누다 타 **1** 挺 tǐng ¶우리 아기는 지금 벌써 목을 가눌 수 있다 我的宝宝现在都会挺脖子了 **2** 镇定 zhèndìng; 稳定 wěndìng ¶정신을 ~ 镇定精神

가느-다랗다 형 很细 hěn xì; 细细 xìxì; 细长 xìcháng; 微弱 wēi ruò ¶가느다란 목소리 细细的嗓音 / 가느다란 손가락 细长的手指

가는-귀 명 耳背 ěrbèi; 听力欠佳 tīnglì qiànjiā

가는귀-먹다 자 耳背 ěrbèi ¶가는귀 먹은 노인 耳背的老人

가늘다 형 **1** 细 xì; 纤细 xiānxì ¶가는 베 细麻布 / 가는체 细筛子 / 가는허리 细腰 / 그녀는 팔뚝이 ~ 她胳膊很细 **2** (宽度) 窄 zhǎi **3** (声音) 尖细 jiānxì; 细 xì ¶가는 목소리 尖细的声音 **4** (摇动的幅度) 小 xiǎo **5** (颗粒) 细小 xìxiǎo; 细 xì ¶가는 모래 细沙 / 가는 소금 细盐 =[精盐]

가늠 명하타 **1** 瞄准 miáozhǔn ¶~한 후에 다시 총을 쏘다 瞄准以后再开枪 **2** 打量 dǎliang; 掂掇 diānduo; 估计 gūjì; 衡量 héngliáng; 权衡 quánhéng ¶다각도로 상황을 ~하다 多角度打量情况 / 득실을 ~하다 衡量得失

가늠-쇠 명 〖軍〗 准星 zhǔnxīng

가늠-자 명 〖軍〗 准尺 zhǔnchǐ

가:능(可能) 명하형 可能 kěnéng; 有可能 yǒukěnéng ¶실현 ~한 목표 有可能实现的目标

가:능-성(可能性) 명 可能性 kěnéngxìng ¶~이 희박하다 可能性很小 / 실현 ~이 적다 实现的可能性小 / 비가 올 ~이 높다 下雨的可能性大

가다 자 **1** (向前) 去 qù; 走 zǒu; 到

dào ¶식당에 가서 밥을 먹다 到饭馆儿吃饭 / 이 길을 곧장 가면 해변이 나온다 从这条路走就可以到海边儿 **2** (交通工具) 开往 kāiwǎng; 到 dào ¶베이징으로 가는 열차 开往北京的列车 **3** 参加 cānjiā; 去 qù ¶시사회에 ~ 参加试映会 **4** 入 rù; 上 shàng ¶대학에 ~ 上大学 / 군대에 ~ 入伍 **5** 理解 lǐjiě; 同情 tóngqíng ¶나는 그가 그렇게 한 상황에 이해가 간다 我理解他那样做的情况 **6** 等于 děngyú; 相当 xiāngdāng ¶그는 그의 한 달 월급이나 가는 새 핸드폰을 샀다 他买了一个新手机, 相当于他一个月的工资 **7** (时间) 过去 guòqù; 流去 liúqù; 去 qù ¶가는 세월 过去的岁月 **8** (灯光、电力) 熄灭 xīmiè ¶조금 지나자 현관의 등이 갔다 过了一会儿, 门厅的灯光熄灭了 **9** 死亡 sǐwáng ¶병으로 ~ 因病死亡 **10** (味道) 变 biàn ¶김치 맛이 갔다 泡菜味道变了 **11** 吸引 xīyǐn; 引起 yǐnqǐ ¶그에게 호감이 ~ 引起对他的好感 **12** 费 fèi; 花费 huāfèi ¶손이 많이 ~ 费好多工夫 **13** 值 zhí ¶천만 금이 ~ 可值千万金 **14** 嫁 jià; 娶 qǔ ¶장가를 ~ 娶媳妇 / 시집을 ~ 出嫁

가는 말이 고와야 오는 말이 곱다 속담 你不说他秃, 他不说你眼瞎

가는 정이 있어야 오는 정이 있다 속담 人心换人心, 八两换半斤; 人心换人心, 人情换人情; 人情一把锯, 你不来, 我不去; 你对人无情, 人对你薄意

가는[가던] 날이 장날 속담 我去的不是时候

갈수록 태산(이라) 속담 过了一山又一山; 壁坑落井 = 산 넘어 산이다

가다듬다 타 **1** (把精神、想法、心情等) 集中 jízhōng; 振作 zhènzuò; 稳住 wěnzhù; 镇定 zhèndìng; 抖擞 dǒusǒu ¶정신을 ~ 集中精力 **2** (把嗓子) 清理 qīnglǐ; 清 qīng ¶목소리를 ~ 清理一下嗓子

가다랑어 명 〖魚〗 鲣 jiān; 鲣鱼 jiānyú

가닥 명 **1** 分枝 fēnzhī; 分叉 fēnchà; 分支 fēnzhī; 丫枝 yāzhī ¶철로의 ~ 铁路的分叉 **2** 线 xiàn; 股 gǔ; 根(儿) gēn(r); 缕 lǚ ¶한 ~ 희망 一线希望 / 한 ~ 광명 一线光明

가닥을 잡다 구 有眉目

가닥이 잡히다 구 有眉目

가닥-가닥 명부 一支支 yīzhīzhī; 一股股 yīgǔgǔ; 一缕缕 yīlǚlǚ; 一根一根 yīgēnyīgēn ¶실이 ~ 풀려 나왔다 线一根一根地抽出来了

가담(加擔) 명하자 参加 cānjiā; 参与 cānyù; 加入 jiārù; 加担 jiādān ¶~자 参与者 / 시위에 ~하다 加入示威游行 / 공격에 ~하다 加入进攻

가당-연유(加糖煉乳) 명 加糖炼乳 jiātáng liànrǔ

가:당찮다(可當—) 형 欠妥 qiàntuǒ; 十分不妥 shífēn bùtuǒ ¶가당찮은 핑계 欠妥的借口 **가:당찮-이** 부

가:당-하다(可當—) 형 **1** 恰当 qiàdàng; 妥当 tuǒdang ¶일을 가당하게 처리하다 办得很妥当 **2** 般配 bānpèi; 相当 xiāngdāng; 配上 pèishang **가:당-히** 부

가:도(街道) 명 **1** 道路 dàolù; 街道 jiēdào **2** 前途 qiántú; 路 lù; 道 dào ¶성공 ~를 달리다 走成功之路

가:독-성(可讀性) 명 可读性 kědúxìng ¶이 책은 ~이 비교적 높다 这本书的可读性比较高

가동(稼動) 명하자타 开动 kāidòng; 运行 yùnxíng; 运转 yùnzhuǎn ¶~률 开动 率 / 기계를 ~하다 开动机器

가:두(街頭) 명 街头 jiētóu ¶~방송 街头广播 / ~시위 街头示威 / ~연설 街头演讲 / ~집회 街头集会

가두다 타 **1** 关 guān; 圈 juàn; 关押 guānyā; 禁闭 jìnbì; 囚禁 qiújìn; 收监 shōujiān; 收押 shōuyā ¶범인을 감옥에 ~ 把犯人关押在监狱 / 헛간에 ~ 关在堆房里 **2** (水) 积 jī; 积聚 jījù

가:두-판매(街頭販賣) 명하자 街头销售 jiētóu xiāoshòu; 街头出售 jiētóu chūshòu; 街头售货 jiētóu shòuhuò; 街头贩卖 jiētóu fànmài = 가판

가드(guard) 명 〖體〗 **1** (篮球的) 后卫 hòuwèi ¶포인트 ~ 控球后卫 **2** (拳击的) 防御姿势 fángyù zīshì **3** (击剑等的) 防御 fángyù

가드-레일(guard-rail) 명 〖交〗 **1** (铁路的) 护轨 hùguǐ **2** (公路的) 护栏 hùlán

가득 부하형히부 **1** 满 mǎn; 满满 mǎnmǎn ¶술을 잔에 ~ 붓다 满上一杯酒 **2** 充 chōng; 充塞 chōngsè; 塞满 sāimǎn; 满 mǎn ¶회의장이 사람들로 ~ 찼다 会场里人都满了 **3** 满 mǎn; 充满 chōngmǎn

가든-파티(garden party) 명 庭园晚会 tíngyuán wǎnhuì; 游园会 yóuyuánhuì; 花园派对 huāyuán pàiduì

가:-등기(假登記) 명 〖法〗 临时登记 línshí dēngjì; 临时注册 línshí zhùcè

가디건 명 '카디건' 的错误

가뜩 부 = 가뜩이나

가뜩-이나 부 本来就 běnlái jiù; 何况 hékuàng; 已经…也 yǐjīng…yě; 再加上 zàijiāshàng = 가뜩 ¶그는 ~ 몸이 좋지 않은데, 며칠 동안 자지 못하기까지 해서 더욱 초췌해졌다 他本来身体就不好, 再加上几天没睡就更加憔

悴了

가라사대 자 说 shuō; 曰 yuē; 云 yún ¶공자 ~ 孔子曰

가라-앉다 자 **1** 沉 chén; 沦 lún; 沉淀 chéndiàn; 沉入 chénrù; 沉没 chénmò; 沉下 chénxià ¶돌이 바다에 ~ 石沉大海 / 모든 먼지가 컵 밑에 가라앉았다 所有的灰尘都沉淀到杯子底了 **2** (风或水) 静下来 jìngxiàlái; 停 tíng; 住 zhù ¶바람이 가라앉았다 风住了 **3** (心绪或痛苦) 安定 āndìng; 平静 píngjìng; 消失 xiāoshī; 镇定 zhèndìng; 止住 zhǐzhù ¶마음이 가라앉았다 心情镇定了 / 두통이 가라앉았다 头疼消失了 **4** (声音或气氛) 安静 ānjìng; 沉静 chénjìng; 静下来 jìngxiàlái ¶분위기가 ~ 气氛安静下来 **5** 消 xiāo; 消退 xiāotuì ¶부은 것이 가라앉았다 消肿了 / 염증이 가라앉았다 炎症消退了

가라앉-히다 타 '가라앉다' 的使动词 ¶폐선을 해저에 ~ 把废船沉入海底 / 마음을 ~ 使心情平静下来 / 도저히 마음을 가라앉힐 수 없다 心怎么也平静不下来 / 주사로 겨우 아픔을 가라앉혔다 打针才止住了疼

가라오케(일karaoke) 명 卡拉 OK kǎlā OK; 伴奏录音 bànzòu lùyīn; 伴奏器 bànzòuqì

가라테(일karate[唐手]) 명 〖體〗 空手道 kōngshǒudào

가락[1] 명 根(儿) gēn(r); 条 tiáo; 枝 zhī ¶엿 한 ~ 一枝软糖 / 대나무 장대 한 ~ 一根竹竿

가락[2] 명 **1** 调 diào; 调子 diàozi; 腔调 qiāngdiào; 腔(儿) qiāng(r); 曲调 qǔdiào; 音调 yīndiào ¶오래된 ~ 古老曲调 **2** 〖音〗 旋律 xuánlǜ = 선율

가락-국수 명 粗面条 cū miàntiáo

가락지 명 戒指 jièzhǐ; 指环 zhǐhuán

가랑-가랑[1] 부하자 奄奄 yǎnyǎn

가랑-거리다 자 '가르랑거리다' 的略词 = 가랑대다 **가랑-가랑**[2] 부하자 ¶그의 목구멍에서 ~ 소리가 난다 他喉咙里呼噜呼噜地响

가랑-눈 명 小雪 xiǎoxuě ¶어젯밤에 내린 ~ 昨晚下的小雪

가랑-머리 명 双辫 shuāngbiàn ¶~를 한 여자아이 双辫女孩

가랑-비 명 毛毛雨 máomaoyǔ; 细雨 xìyǔ; 小雨 xiǎoyǔ ¶~가 내리다 下细雨

가랑비에 옷 젖는 줄 모른다 속담 细雨能打湿衣裳, 豆腐酒吃掉家当; 杯杯酒吃垮家当, 毛毛雨打湿衣裳; 毛毛细雨湿衣裳, 小事不防上大当

가랑이 명 **1** 叉 chǎ; 大腿叉 dàtuǐchà ¶~를 벌리다 叉腿 **2** 裤腿 kùtuǐ ¶~를 걷어 올리다 卷起裤腿

가랑이(가) 찢어지다[째지다] 구 家贫如洗; 家徒壁立; 家徒四壁 = 똥구멍(이) 찢어지다[째지다]

가랑-잎 명 干叶子 gānyèzi

가랑잎이 솔잎더러 바스락거린다고 한다 속담 乌鸦说猪黑; 乌鸦笑猪黑

가래[1] 명 条(儿) tiáo(r); 根(儿) gēn(r) ¶떡 두 ~ 两根条糕

가래[2] 명 **1** 〖農〗 铁锹 tiěqiāo; 锹铲 qiāochǎn; 铲 chǎn ¶~로 눈을 치우다 用铁锹铲除雪 **2** 锹 qiāo; 铲 chǎn ¶두 ~의 흙을 퍼내다 铲两锹土

가래[3] 명 〖生〗 痰 tán = 가래침2 · 담(痰)1 ¶~를 뱉다 吐痰

가래-떡 명 条糕 tiáogāo

가래-침 명 **1** 痰涎 tánxián; 痰唾 tántuò ¶~을 뱉다 吐痰涎 **2** 〖生〗 = 가래[3]

-가량(假量) 접미 大概 dàgài; 大约 dàyuē; 来 lái; 前后 qiánhòu; 上下 shàngxià; 左右 zuǒyòu ¶1미터~ 쌓인 눈 大约一米厚的雪 / 그는 하루에 다섯 시간~ 잔다 他一天睡五个小时左右

가려-내다 타 **1** (在多数中) 挑出 tiāochū; 分出 fēnchū; 分辨 fēnbiàn ¶불량품을 ~ 挑出残品 **2** 辨别 biànbié; 分辨 fēnbiàn; 分别 fēnbié; 分清 fēnqīng; 区分 qūfēn ¶진짜와 가짜를 ~ 分辨出真假 / 진범을 ~ 辨别真凶

가려움 명 痒痒 yǎngyang; 瘙痒 sàoyǎng; 痒感 yǎnggǎn; 瘙痒感 sàoyǎnggǎn ¶~을 느끼다 感到痒痒 / ~을 덜기 위해 손으로 긁다 为了减轻瘙痒用手挠挠

가려워-하다 자 痒 yǎng; 痒痒 yǎngyang ¶가려워하는 아이를 보니 정말 마음이 아프다 看着孩子痒痒真是心疼

가:련-하다(可憐—) 형 可怜 kělián; 可怜巴巴 kěliánbābā; 可怜见(儿) kěliánjiàn(r); 令人怜悯 lìngrén liánmǐn ¶가련한 신세 可怜的身世 / 가련한 처지에 놓이다 外于可怜的处境 **가:련-히** 부

가:렴-주구(苛斂誅求) 명 苛敛诛求 kēliǎnzhūqiú; 横征暴敛 héngzhēngbàoliǎn

가렵다 형 发痒 fāyǎng; 痒 yǎng; 痒痒 yǎngyang; 瘙痒 sàoyǎng ¶가려운 데를 긁다 挠痒痒 / 온몸이 계속 ~ 全身一直瘙痒

가려운 곳을[데를] 긁어 주듯[주다] 구 搔到痒处; 哪里痒痒, 挠到哪里

가:령(假令) 부 **1** 假如 jiǎrú; 假使 jiǎshǐ; 假若 jiǎruò ¶~ 네가 그라면 너는 어떻게 하겠니? 假如你是他, 你会怎么做? **2** 比如 bǐrú; 例如 lìrú ¶~ 어떤 사람이 칼로 너를 공격했다고 치자 例

如有一个人拿一把刀来攻击你

가로(街路) 명 街道 jiēdào; 马路 mǎlù; 公路 gōnglù

가로 一명 横 héng = 횡 ¶~로 찍은 사진 横拍的照片 / ~ 줄무늬 横条纹 二부 横 héng ¶침대에 ~ 드러누워 잠을 자다 横躺在床上睡觉

가로-글씨 명 横排文字 héngpái wénzì = 횡문(横文)2

가로놓-이다 자 **1** 横摆着 héngbǎizhe; 横放着 héngfàngzhe ¶회의실에 긴 탁자가 가로놓여 있다 会议厅横摆着一张长条桌 **2** (障碍等) 摆 bǎi ¶어려움이 앞에 ~ 困难摆在前面

가로-눕다 자 横躺 héngtǎng; 横卧 héngwò ¶한 남자가 길 가운데 가로누워 있다 一男子横躺在路中间

가로-등(街路燈) 명 街灯 jiēdēng; 路灯 lùdēng ¶길가의 ~이 켜지기 시작했다 路边的街灯亮了起来

가로-막다 타 **1** 挡 dǎng; 拦 lán; 阻隔 zǔgé; 阻断 zǔduàn; 阻拦 zǔlán; 拦挡 lándǎng; 拦截 lánjié; 拦住 lánzhù; 挡住 dǎngzhù; 阻截 zǔjié ¶까만색 승용차 한 대가 갑자기 내 앞길을 가로막았다 突然一辆黑色轿车挡住了我的去路 **2** (行动、语言、进行等) 阻挡 zǔdǎng; 拦阻 lánzǔ; 拦挡 lándǎng; 阻止 zǔzhǐ ¶그들이 나의 행동을 가로막았다 他们阻止了我的行动 **3** 挡 dǎng; 挡住 dǎngzhù; 遮 zhē; 遮蔽 zhēbì ¶시선을 ~ 遮住视线

가로막-히다 자 '가로막다' 的被动词

가로-무늬 명 横纹 héngwén = 횡문(横紋)

가로-세로 명 纵横 zònghéng ¶~ 서로 교차하다 纵横互相交错

가로-수(街路樹) 명 行道树 xíngdàoshù; 街道树 jiēdàoshù; 街树 jiēshù; 林阴树 línyīnshù

가로쓰-기 명하타 横写 héngxiě = 횡서

가로-젓다 타 (把手或头) 摇 yáo ¶그는 쓴웃음을 지으며 고개를 가로저었다 他苦笑着摇摇头

가로-줄 명 横线 héngxiàn = 횡선

가로-지르다 타 **1** 横插 héngchā ¶문 뒤에 빗장을 ~ 把门闩横插在门后 **2** 横穿 héngchuān; 横跨 héngkuà ¶큰길을 가로질러 뛰어가다 跑着横穿马路

가로채-기 명 〖體〗 = 인터셉트

가로-채다 타 **1** 夺 duó; 抢 qiǎng; 抢夺 qiǎngduó ¶공을 ~ 抢球 / 그가 내 지갑을 가로채 갔다 他抢走了我的钱包 **2** 篡夺 cuànduó; 霸占 bàzhàn; 攘 rǎng; 夺获 duóhuò ¶남의 땅을 ~ 霸占别人的土地 **3** 打断 dǎduàn ¶말을 ~ 打断谈话

가로-획(一劃) 명 横 héng; 横划 hénghuà ¶이 글자는 ~을 먼저 그어야 한다 这个字要先画横的

가루 명 粉 fěn; 粉末 fěnmò; 面(儿) miàn(r); 碎末 suìmò = 분(粉)2 · 분말 ¶~분 香粉 / 백색 ~ 白色粉末 / ~를 내다 磨成粉末 / 고추를 빻아서 ~로 만들다 把辣椒捣成粉

가루-받이 명하자 〖植〗 = 수분(受粉)

가루-비누 명 **1** 肥皂粉 féizàofěn **2** 洗衣粉 xǐyīfěn

가루-약(一藥) 명 散剂 sǎnjì; 粉剂 fěnjì; 药粉 yàofěn; 药面 yàomiàn = 산제

가르다 타 **1** 分 fēn; 分割 fēngē; 分开 fēnkāi ¶수박 하나를 두 번 잘라 네 조각으로 ~ 把一个西瓜切两刀分成四块 **2** 穿过 chuānguò; 掠过 lüèguò ¶비행기가 하늘을 ~ 飞机在空中掠过 **3** 区分 qūfēn; 区别 qūbié; 衡量 héngliáng; 分辨 fēnbiàn ¶잘잘못을 ~ 分辨对错 **4** 决定 juédìng ¶그가 승부를 가르는 홈런을 쳐 냈다 他打出了决定胜负的本垒打 **5** 剖 pōu; 剖开 pōukāi ¶칼을 들고 생선의 배를 ~ 操刀剖开鱼肚子

가르랑 부 呼噜呼噜 hūlūhūlū

가르랑-거리다 자타 呼噜呼噜地响 hūlūhūlūde xiǎng = 가르랑대다 ¶감기로 목이 가르랑거린다 因为感冒了, 嗓子呼噜呼噜地响 **가르랑-가르랑** 부하자타

가르마 명 分缝 fēnfèng; 头发分缝 tóufa fēnfèng; 分缝线 fēnfèngxiàn ¶그녀는 항상 가운데에 ~를 탄다 她总是把分缝梳在中间

가르치다 타 **1** 教 jiāo; 指导 zhǐdǎo; 指教 zhǐjiào; 传授 chuánshòu; 教育 jiàoyù ¶내가 너에게 운전하는 법을 가르쳐 주마 我教你开车 / 그는 초등학교에서 1학년 학생들을 가르친다 他在小学里教一年级的小学生 **2** 管教 guǎnjiào ¶버르장머리 없는 아이를 엄히 ~ 对不懂礼貌的孩子严加管教 **3** 教养 jiàoyǎng; 教育 jiàoyù ¶그들은 자식을 가르치기 위해 서울로 이사했다 他们为了教育孩子, 把家搬到了首尔 **4** 指 zhǐ; 指点 zhǐdiǎn; 告诉 gàosu ¶내가 너희에게 비밀 하나를 가르쳐 주마 我要告诉你们一个秘密 **5** 训 xùn; 训诫 xùnjiè; 教导 jiàodǎo; 教育 jiàoyù ¶네가 감히 나를 가르치려 드느냐? 你敢训我?

가르침 명 教导 jiàodǎo; 教诲 jiàohuì; 教育 jiàoyù; 指教 zhǐjiào ¶나는 그의 ~을 잊지 않았다 我没有忘记他的教诲

가리 명 (稻、柴等的) 堆 duī; 垛 duò ¶장작 한 ~ 一堆木柴

가리-가리 부 粉碎 fěnsuì; 凌乱无续 língluànwúxù; 乱七八糟 luànqībāzāo ¶

그의 편지를 ~ 찢어 버리다 把他的信撕得粉碎

가리-개 명 **1** 曲屏 qūpíng **2** 挡板 dǎngbǎn; 屏障 píngzhàng; 挡(儿) dǎng(r); 挡子 dǎngzi ¶에어컨 ~ 空调挡板

가리다[1] 자 被遮 bèi zhē; 被遮蔽 bèi zhēbì; 被挡 bèi dǎng; 被遮盖 bèi zhēgài; 被遮掩 bèi zhēyǎn ¶안개에 가려서 잘 안 보인다 被雾遮着看不清 / 앞 건물에 가려서 햇볕이 잘 안 든다 被前面的建筑物挡着见不着阳光

가리다[2] 타 遮 zhē; 遮蔽 zhēbì; 挡 dǎng; 掩饰 yǎnshì; 掩 yǎn; 掩盖 yǎngài; 遮盖 zhēgài; 遮掩 zhēyǎn; 覆盖 fùgài ¶커튼을 쳐서 햇빛을 ~ 拉上窗帘掩盖阳光 / 방수포로 차를 ~ 用苫布遮盖汽车

가리다[3] 타 **1** 择 zé; 挑选 tiāoxuǎn; 选 xuǎn ¶수단과 방법을 가리지 않다 不择手段 **2** 认生 rènshēng; 怕生 pàshēng ¶아기가 낯을 ~ 宝宝认生 **3** 辨别 biànbié; 分辨 fēnbiàn; 辨 biàn; 分别 fēnbié; 分清 fēnqīng; 划分 huàfēn; 区别 qūbié; 区分 qūfēn ¶시비를 ~ 分清是非 / 진상을 ~ 辨别真相 / 옥석을 ~ 辨别玉石 **4** 懂得 dǒngde ¶대소변을 ~ 懂得大小便 **5** 挑食 tiāoshí; 挑嘴 tiāozuǐ; 偏食 piānshí ¶음식을 가리지 마라 吃饭不要挑食

가리마 명 '가르마' 的错误

가리비 명 〖貝〗 扇贝 shànbèi; 海扇 hǎishàn

가리키다 타 指 zhǐ; 指点 zhǐdiǎn; 指示 zhǐshì ¶지도를 가리키면서 설명하다 指点着地图说明 / 시계가 9시를 ~ 时针指着九点

가마[1] 명 = 가마솥

가마[2] 명 窑 yáo ¶숯~ 煤窑

가마[3] 명 旋(儿) xuán(r) ¶그녀는 ~가 둘이다 她头上有两个旋儿

가마[4] 명 = 가마니

가:마[5] 명 轿子 jiàozi; 轿 jiào ¶~꾼 轿夫 / ~ 한 채 一顶轿子 / ~를 타다 坐轿子 / ~를 메다 扛轿子

가마니 명 **1** 草包 cǎobāo; 草袋 cǎodài ¶~를 짜다 编草袋 **2** 草袋 cǎodài; 袋(儿) dài(r) ¶밀가루 한 ~ 一袋儿面粉 ‖= 가마[4]

가마-솥 명 铁坩埚 tiěgānguō; 铁锅 tiěguō = 가마[1] ¶물을 ~에 넣고 끓이다 水放在铁锅里烧

가마우지 명 〖鳥〗 鸬鹚 lúcí; 水老鸦 shuǐlǎoyā; 鱼鹰 yúyīng

가만 ㊀부 **1** 没有动 méiyǒu dòng; 一动不动 yīdòngbùdòng; 就那样 jiù nàyàng; 就那么 jiù nàme; 一言不发 yīyánbùfā; 默默 mòmò; 默然 mòrán ¶그는 아무것도 하지 않고 ~ 누워만 있다 他什么也不做, 就那么躺着 **2** 放 fàng; 放过 fàngguò; 就那样算 jiù nàyàng suàn; 搁 gē; 视而不见 shì'érbùjiàn; 任便 rènbiàn; 任凭 rènpíng ¶이 일은 그 한 사람이 결정하는 대로 ~ 놔둘 수 없다 这事不能任凭他一人决定 **3** 静静地 jìngjìngde; 默默地 mòmòde ¶지난 일을 ~ 생각해 보다 静静地想着往事 **4** 细心 xìxīn; 仔细 zǐxì ¶~ 살펴보니, 그 둘은 매우 닮았다 仔细看来, 他们俩很像 ‖= 가만히1 ㊁감 等等 děngdeng; 慢着 mànzhe; 且慢 qiěmàn ¶~, 생각 좀 해 보자 等等让我想一想

가만-두다 타 不管 bùguǎn; 客气 kèqi; 放过 fàngguò; 不惹 bùrě; 饶 ráo ¶그를 좀 가만두어라 不要惹他 / 네가 만약 나를 버리면 너를 가만두지 않겠다 如果你抛弃我, 我就不客气了

가만-있다 자 **1** (安静地) 呆在那儿 dāizàinàr; 呆着 dāizhe; 没有动 méiyǒu dòng; 一动不动 yīdòngbùdòng **2** 不出头 bùchūtóu; 袖手旁观 xiùshǒupángguān; 旁观 pángguān ¶친구가 어려움에 처했는데 우리가 가만있을 순 없지 朋友有困难, 咱们不能袖手旁观 **3** 让我想想 ràng wǒ xiǎngxiǎng; 等等 děngdeng; 等想想 děng xiǎngxiang ¶가만있자, 그가 도대체 누구더라? 等想想, 他到底是谁?

가만-히 부 **1** = 가만㊀ **2** 轻手轻脚地 qīngshǒuqīngjiǎode; 悄没声儿地 qiǎomoshēngrde; 静悄悄地 jìngqiāoqiāode ¶아기가 깨지 않게 ~ 걸어가다 怕惊醒入睡的宝宝轻手轻脚地走过去

가:망(可望) 명 可能 kěnéng; 可能性 kěnéngxìng; 指望 zhǐwang ¶이번 사태는 ~이 없다 这次事件没有可能性

가:망-성(可望性) 명 可能 kěnéng; 可能性 kěnéngxìng; 指望 zhǐwang ¶성공할 ~이 매우 많다 成功的可能性很大

가맹(加盟) 명하자 加盟 jiāméng; 加入 jiārù; 参加同盟 cānjiā tóngméng ¶~ 신청 加盟申请 / 유엔에 ~하다 加入联合国

가맹-점(加盟店) 명 特约商店 tèyuē shāngdiàn

가:면(假面) 명 = 탈 ¶~극 面具戏剧 / ~무도회 假面舞会 / ~을 쓰다 戴假面具

가면(을) 벗다 구 撕下伪装

가면(을) 쓰다 구 伪装

가면을 벗기다 구 剥去伪装

가:명(假名) 명 **1** 假名 jiǎmíng **2** 〖佛〗 虚名 xūmíng

가무(歌舞) 명 歌舞 gēwǔ ¶~극 歌舞剧 / ~단 歌舞团 / ~에 능하다 善于歌舞

가무잡잡-하다 형 黑不溜秋 hēibuliūqiū
가무퇴퇴-하다 형 黑不溜秋 hēibuliūqiū
가문(家門) 명 家门 jiāmén; 家世 jiāshì; 门第 méndì; 门阀 ménfá; 门庭 méntíng ¶~의 명예 家门的荣誉 / ~을 빛내다 给家门争光 / ~을 일으키다 振兴家门
가물 명 = 가뭄
가물에 단비 속담 久旱逢甘露
가물에 콩(씨) 나듯 속담 寥寥无几; 寥若晨星
가물-거리다 자 **1** 忽明忽暗 hūmínghū'àn; 明灭 míngmiè; 闪闪 shǎnshǎn; 闪烁不定 shǎnshuòbùdìng ¶가물거리는 불빛 闪烁不定的灯光 **2** 晃动 huàngdòng; 隐约 yǐnyuē; 摇晃 yáohuàng; 摇摆 yáobǎi ¶배들이 부두에서 조금씩 가물거린다 一些船在停泊处微微晃动 **3** (精神) 恍惚 huǎnghū ¶정신이 ~ 精神恍惚 ‖ = 가물대다 **가물-가물** 부하자형
가물다 자 旱 hàn; 干旱 gānhàn ¶날이 ~ 天气干旱
가물치 명 〖魚〗 乌鳢 wūlǐ; 乌鱼 wūyú; 黑鱼 hēiyú
가뭄 명 干旱 gānhàn; 旱 hàn; 旱天 hàntiān = 가물 ¶극심한 ~ 极度干旱 / ~이 들다 天旱
가미(加味) 명하타 加 jiā ¶소금을 조금 더 ~했더니 맛이 훨씬 좋아졌다 再加点盐, 才更有味道
가:발(假髮) 명 假发 jiǎfà; 假头发 jiǎtóufa ¶~을 쓰다 戴假发
가방 명 包 bāo; 书包 shūbāo ¶서류 ~ 文件包 / 가죽 ~ 皮包 / 여행 ~ 旅行包 / ~을 메다 背包
가벼이 부 **1** 轻 qīng; 轻便 qīngbiàn; 轻轻 qīngqīng ¶~ 생각하다 想得很轻 **2** 轻快 qīngkuài; 轻爽 qīngshuǎng; 轻松 qīngsōng ¶공부는 ~ 할 수 있는 일이 아니다 学习不是可以轻松做到的事 **3** 轻率 qīngshuài ¶~ 발언하다 轻率发言
가:변(可變) 명 可变 kěbiàn; 可调 kětiáo ¶~성 可变性 / ~ 차로 可变车道 / ~ 축전기 可变电容器
가볍다 형 **1** (重量) 轻 qīng; 轻便 qīngbiàn ¶체중이 ~ 体重很轻 / 가방이 ~ 书包很轻 / 짐이 ~ 行李轻便 **2** (心情) 轻松 qīngsōng; 轻爽 qīngshuǎng ¶마음이 ~ 心情轻松 **3** (程度) 轻 qīng; 轻微 qīngwēi ¶가벼운 감기 轻微感冒 / 가벼운 실수 轻微错误 / 부상이 비교적 ~ 受伤较轻 **4** 简单 jiǎndān; 轻微 qīngwēi; 简易 jiǎnyì ¶가벼운 아침식사 简单的早餐 / 가벼운 운동 轻微运动 **5** (想法、行动等) 轻薄 qīngbó; 轻浮 qīngfú; 轻率 qīngshuài; 松 sōng ¶입이 ~ 嘴很松 / 가볍게 행동하다 行为轻浮 **6** (动作) 轻 qīng; 轻快 qīngkuài; 轻巧 qīngqiǎo ¶발걸음이 ~ 脚步很轻 **7** 容易 róngyì; 易 yì; 轻易 qīngyì; 轻松 qīngsōng ¶가볍게 이기다 轻松取胜 **8** 轻轻 qīngqīng; 轻微 qīngwēi; 轻 qīng; 微微 wēiwēi; 微 wēi ¶그가 가볍게 내 어깨를 두드렸다 他轻轻拍了拍我的肩膀
가보(家譜) 명 家谱 jiāpǔ
가보(家寶) 명 传家宝 chuánjiābǎo ¶그것을 ~로 삼아 대대로 전하다 把它当作传家宝一代传一代
가:봉(假縫) 명하타 = 시침바느질
가:부(可否) 명 **1** 是非 shìfēi; 可否 kěfǒu ¶~를 밝히다 表明可否 / ~를 가리다 分辨可否 **2** 可否 kěfǒu ¶투표로 ~를 정하다 用投票来决定可否
가부-장(家父長) 명 家长 jiāzhǎng
가부장-적(家父長的) 관명 家长的 jiāzhǎngde; 父权的 fùquánde
가부장-제(家父長制) 명 〖社〗 家长制 jiāzhǎngzhì; 父权制 fùquánzhì; 父系制 fùxìzhì
가부-좌(跏趺坐) 명하자 〖佛〗 跏趺 jiāfū ¶~를 틀고 앉다 结跏趺坐
가부키(일kabuki[歌舞伎]) 명 〖演〗 歌舞伎 gēwǔjì
가:-분수(假分數) 명 〖數〗 假分数 jiǎfēnshù
가:불(假拂) 명하타 预付 yùfù; 预支 yùzhī ¶~금 预付款 =[预支款] / 월급 5만 위안을 ~했다 从工资里预付五万元
가빠-지다 자 (呼吸) 越来越吃力 yuèláiyuè chīlì; 越来越费劲 yuèláiyuè fèijìn; 越来越急促 yuèláiyuè jícù; 越来越难受 yuèláiyuè nánshòu ¶호흡이 ~ 呼吸越来越吃力
가뿐-하다 형 **1** 轻便 qīngbiàn; 轻 qīng ¶그들은 가뿐한 짐만 가지고 떠났다 他们只带着轻便的行李起程了 **2** 轻快 qīngkuài; 轻爽 qīngshuǎng; 轻松 qīngsōng ¶시험이 끝나니 마음이 ~ 结束了考试, 感到很轻快 **가뿐-히** 부
가쁘다 형 **1** 急促 jícù ¶숨이 ~ 呼吸急促 **2** 吃力 chīlì; 辛苦 xīnkǔ
가사(家事) 명 **1** 家务 jiāwù; 家政 jiāzhèng ¶~ 노동 家务劳动 / ~량 家务量 / ~를 맡아 하다 操持家务 **2** 家事 jiāshì
가:사(假死) 명 〖醫〗 假死 jiǎsǐ ¶~ 상태 假死状态
가사(袈裟) 명 〖佛〗 袈裟 jiāshā ¶~를 걸치다 披袈裟
가사(歌詞) 명 〖音〗 歌词 gēcí = 노랫

말 ¶그 노래의 ~를 외우다 背那首歌的歌词

가산(加算) 명하타 **1** 加 jiā; 加算 jiāsuàn; 加上 jiāshàng ¶~점 加分 / 이자를 ~하다 加算利息 **2** 〖數〗 = 덧셈

가산(家産) 명 家财 jiācái; 家产 jiāchǎn; 家当(儿) jiādàng(r); 家资 jiāzī ¶~을 탕진하다 倾家荡产

가:상(假想) 명하타 虚拟 xūnǐ; 假想 jiǎxiǎng; 设想 shèxiǎng; 试想 shìxiǎng ¶~ 공간 假想空间 =[虚拟空间] / ~극 假想剧 / ~ 현실 虚拟现实 / ~의 적 假想的敌人

가상-하다(嘉尙—) 형 嘉 jiā; 可嘉 kějiā; 嘉尚 jiāshàng; 行 xíng ¶용기가 참으로 ~하다 勇气真可嘉 **가상-히** 부

가:상-훈련(假想訓鍊) 명 模拟训练 mónǐ xùnliàn

가:-석방(假釋放) 명하타 〖法〗 假释 jiǎshì

가:-선(—縇) 명 〖手工〗 边(儿) biān(r) ¶치마에 ~을 하나 두르다 在裙子上沿一道边儿

가설(架設) 명하타 架设 jiàshè; 安装 ānzhuāng; 装 zhuāng ¶다리를 ~하다 架设桥梁 / 전화를 ~하다 安装电话 / 전등을 ~하다 装电灯

가:설(假設) 명하타 临时设置 línshí shèzhì; 临时 línshí ¶~무대 临时设置舞台 / ~ 공사 临时工程 / ~극장 临时剧场

가:설(假說) 명 〖論〗 假设 jiǎshè ¶~을 검증하다 检定假设 / ~을 세우다 立假设

가:성(苛性) 명 〖化〗 苛性 kēxìng ¶~칼리 氢氧化钾 / ~ 염기 苛性碱 / ~알코올 苛性酒精

가:성(假性) 명 假性 jiǎxìng ¶~ 근시 假性近视

가:성(假聲) 명 **1** 假嗓子 jiǎsǎngzi **2** 〖音〗 假声 jiǎshēng

가세(加勢) 명하자 助威 zhùwēi; 帮助 bāngzhù

가세(家勢) 명 家道 jiādào; 家境 jiājìng ¶~가 기울다 家道衰落

가:소-롭다(可笑—) 형 好笑 hǎoxiào; 可笑 kěxiào ¶가소로운 녀석 可笑的家伙 **가:소로이** 부

가:소-성(可塑性) 명 〖物〗 可塑性 kěsùxìng

가속(加速) 명하타 加速 jiāsù ¶~ 비행 加速飞行 / ~ 운동 加速运动 / ~화 加速化

가속-기(加速器) 명 〖物〗 = 가속 장치

가-속도(加速度) 명 **1** 加速度 jiāsùdù **2** 〖物〗 速率 sùlǜ

가속 장치(加速裝置) 〖物〗 加速器 jiāsùqì = 가속기

가속 페달(加速pedal) 〖機〗 = 액셀러레이터

가솔린(gasoline) 명 〖化〗 汽油 qìyóu = 휘발유 ¶~ 기관 汽油机 / ~차 汽油车 / ~ 첨가제 汽油添加剂

가:수(假睡) 명하자 假睡 jiǎshuì ¶~ 상태 假睡状态

가수(歌手) 명 歌手 gēshǒu

가수 분해(加水分解) 〖化〗 水解 shuǐjiě

가:-수요(假需要) 명 〖經〗 虚假需求 xūjiǎ xūqiú

가스(gas) 명 **1** 气 qì; 气体 qìtǐ ¶질소 ~ 氮气 **2** 瓦斯 wǎsī; 煤气 méiqì; 燃气 ránqì ¶~ 경보기 煤气报警器 / ~라이터 煤气打火机 / ~ 요금 煤气费 / ~ 중독 煤气中毒 / ~총 煤气枪 / ~를 켜다 点燃煤气 / ~가 누출되다 煤气泄漏 **3** 毒气 dúqì ¶~실 毒气室 / ~를 마시고 자살하다 吸毒气自杀 **4** (消化器管内的)气 qì

가스-관(gas管) 명 煤气管道 méiqì guǎndào; 瓦斯管 wǎsīguǎn

가스-난로(gas暖爐) 명 燃气取暖炉 ránqì qǔnuǎnlú; 煤气取暖炉 méiqì qǔnuǎnlú; 燃气取暖器 ránqì qǔnuǎnqì; 煤气取暖器 méiqì qǔnuǎnqì; 煤气暖炉 méiqì nuǎnlú; 煤气炉子 méiqì lúzi; 瓦斯暖炉 wǎsī nuǎnlú

가스-등(gas燈) 명 煤气灯 méiqìdēng; 汽灯 qìdēng; 瓦斯灯 wǎsīdēng = 와사등

가스-레인지(gas range) 명 煤气灶 méiqìzào; 煤气炉 méiqìlú; 燃气炉 ránqìlú

가스-버너(gas burner) 명 煤气喷灯 méiqì pēndēng; 燃气喷嘴 ránqì pēnzuǐ; 煤气燃烧器 méiqì ránshāoqì

가스-보일러(gas boiler) 명 燃气锅炉 ránqì guōlú; 煤气锅炉 méiqì guōlú

가스-오븐레인지(gas oven range) 명 煤气烤炉 méiqì kǎolú; 燃气烤箱炉 ránqì kǎoxiānglú

가스-탄(gas彈) 명 〖軍〗 毒气弹 dúqìdàn; 煤气弹 méiqìdàn

가스-통(gas桶) 명 煤气罐 méiqìguàn; 煤气桶 méiqìtǒng

가스펠 송(gospel song) 〖音〗 福音歌曲 fúyīn gēqǔ

가스 폭발(gas爆發) 〖化〗 煤气爆炸 méiqì bàozhà; 瓦斯爆炸 wǎsī bàozhà

가슬-가슬 부하형 毛毛的 máomáode

가슴 명 **1** 胸 xiōng; 胸部 xiōngbù; 胸膛 xiōngtáng; 心口 xīnkǒu ¶~ 근육 胸肌 / ~을 쭉 펴다 挺胸 **2** 胸怀 xiōnghuái; 胸 xiōng; 怀 huái; 心里 xīnli; 心 xīn; 心胸 xīnxiōng ¶~이 두근거리다

心里乱跳 / ～이 뿌듯하다 心里很激动 / ～이 떨리다 心里打鼓 / ～이 후련하다 心里很舒畅 / ～이 아프다 心里很痛苦 / ～을 아프게 하다 刺痛心里 / ～이 따뜻하다 心里热乎乎的 / ～을 울리다 动人心弦 / ～이 답답하다 心里沉闷 / ～이 벅차다 心里激动 **3** 胸前 xiōngqián ¶～에 명찰을 달다 在胸前佩戴姓名牌 **4** = 젖가슴 ¶～이 풍만하다 胸部丰满

가슴(을) 저미다 구 心如刀割

가슴(을) 태우다 구 焦心

가슴(을) 펴다 구 挺起胸膛

가슴에 새기다 구 铭记在心

가슴에 손을 얹다 구 扪心; 扪心自问

가슴을 도려내다 구 令人心疼; 叫人心痛

가슴이 뜨겁다 구 心里热乎乎的; 心潮起伏

가슴이 미어지다 구 胸口梗塞; 悲痛欲绝

가슴이[가슴에] 찔리다 구 内疚

가슴이 찢어지다 구 刺心裂肝

가슴-골 명 乳沟 rǔgōu; 胸沟 xiōnggōu

가슴-둘레 명 胸围 xiōngwéi ¶～를 재다 量胸围

가슴-살 명 胸肉 xiōngròu ¶닭 ～ 鸡胸肉

가슴-속 명 = 마음속

가슴-앓이 명하자 烧心 shāoxīn

가슴-지느러미 명 〖魚〗 胸鳍 xiōngqí

가슴-팍 명 胸 xiōng; 胸脯 xiōngpú; 胸膛 xiōngtáng

가습(加濕) 명 加湿 jiāshī ¶～기 加湿器 =[增湿器] / ～ 기능이 있는 에어컨 具有加湿功能的空调

가시 명 **1** 刺(儿) cì(r) ¶철조망의 ～ 铁丝网的刺 / ～가 돋치다 长刺儿 **2** (鱼的) 刺(儿) cì(r) ¶생선 ～를 바르다 剔除鱼刺 **3** (话里的) 刺(儿) cì(r) ¶～ 돋친 말 带刺儿的话 **4** 〖植〗 (植物的) 刺(儿) cì(r); 针 zhēn = 침(針)2 ¶선인장 ～ 仙人掌刺儿

가시(가) 돋다 구 (话里) 带刺儿

가시(가) 돋치다 구 (话里) 带刺儿

가:시(可視) 명 可见 kějiàn; 可视 kěshì ¶～거리 可见距离 =[可视距离] / ～ 상태 可见状态

가시-고기 명 〖魚〗 刺鱼 cìyú; 九刺鱼 jiǔcìyú

가:시-광선(可視光線) 명 〖物〗 可见光 kějiànguāng; 可视光 kěshìguāng; 可视线 kěshìxiàn

가:시-권(可視圈) 명 可见圈 kějiànquān; 可视圈 kěshìquān

가시-나무 명 **1** 荆棘 jīngjí **2** 〖植〗 荆 jīng **3** 〖植〗 青栲 qīngkǎo

가시-넝쿨 명 〖植〗 刺蔓 cìmàn; 刺藤 cìténg = 가시덩굴

가시다 ①자 消失 xiāoshī; 消亡 xiāowáng; 停息 tíngxī; 除掉 chúdiào; 去掉 qùdiào; 消除 xiāochú ¶약을 먹고 난 후 통증이 ～ 吃药后除掉痛症 ②타 涮 shuàn; 洗刷 xǐshuā; 漱 shù ¶우유병을 ～ 涮一下奶瓶 / 물로 입을 ～ 用水漱口

가시-덤불 명 荆棘丛莽 jīngjí cóngmǎng ¶～을 뚫고 가다 穿越荆棘丛莽

가시-덩굴 명 〖植〗 = 가시넝쿨

가시-방석(一方席) 명 = 바늘방석

가시-밭 명 荆棘丛 jīngjícóng

가시밭-길 명 **1** 荆棘路 jīngjílù **2** 苦道儿 kǔdàor ¶～을 가다 走苦道儿

가시-연(一蓮) 명 〖植〗 = 가시연꽃

가시연-꽃(一蓮一) 명 〖植〗 芡 qiàn = 가시연

가시-오갈피 명 〖植〗 刺五加 cìwǔjiā

가:시-적(可視的) 관명 可见的 kějiànde; 可视的 kěshìde

가:시-화(可視化) 명하자타 可见化 kějiànhuà; 可视化 kěshìhuà

가:식(假飾) 명하타 矫揉造作 jiǎoróuzàozuò; 虚情假意 xūqíng jiǎyì; 装假 zhuāngjiǎ; 做作 zuòzuò ¶그의 태도는 ～이 없다 他毫无虚情假意

가십(gossip) 명 闲话 xiánhuà; 闲谈 xiántán; 绯闻 fēiwén; 小道传闻 xiǎodào chuánwén ¶～난 闲话栏 =[闲谈栏]

가:-압류(假押留) 명하타 〖法〗 临时扣押 línshí kòuyā ¶～ 결정 临时扣押决定 / ～ 명령 临时扣押命令

가야-금(伽倻琴) 명 〖音〗 伽倻琴 jiāyēqín ¶～ 병창 伽倻琴弹唱 / ～을 타다 弹伽倻琴

가:약(佳約) 명 佳约 jiāyuē; 海誓山盟 hǎishìshānméng ¶～을 맺다 发海誓山盟

가:언(假言) 명 〖論〗 假设 jiǎshè; 假言 jiǎyán ¶～ 명제 假言命题 / ～적 명령 假言命令 / ～적 추론 假言推理

가업(家業) 명 **1** 家业 jiāyè; 世业 shìyè ¶～을 물려받다 继承世业 **2** 家业 jiāyè; 家产 jiāchǎn

가:-없다 형 漫无边际 mànwúbiānjì; 无边 wúbiān; 无际 wújì; 无涯 wúyá ¶가없는 욕망의 세계 漫无边际的欲望世界 **가:없-이** 부 ¶～ 넓은 사막 无际沙漠

가:역(可逆) 명 〖物〗 可逆 kěnì ¶～ 반응 可逆反应 / ～ 변화 可逆变化

가:연(可燃) 명 可燃 kěrán ¶～성 可燃性

가열(加熱) 명하타 加热 jiārè ¶～기 加热器 / ～ 살균 加热杀菌 / 고온으로 ～한 기름 高温加热的油

가:엾다 형 令人怜悯 lìngrén liánmǐn; 怜悯 liánmǐn; 可怜 kělián ¶나는 그녀가 ~ 我可怜她 / 가엾은 상황에 처하다 处在可怜的境地中 **가:엾-이** 부 ¶ ~ 여기다 感到怜悯
가오리 명 〖魚〗 鳐 yáo; 鳐鱼 yáoyú
가오리-연(一鳶) 명 鱼风筝 yúfēngzheng; 鳐鱼风筝 yáoyú fēngzheng
가옥(家屋) 명 房屋 fángwū; 住房 zhùfáng; 房子 fángzi ¶전통 ~ 传统住房 / ~의 구조 房屋结构
가외(加外) 명 额外 éwài ¶~ 수입 额外收入 / ~의 일을 하다 作额外的工作
가요(歌謠) 명 **1** 〖音〗 = 대중가요 ¶ ~ 순위 流行歌曲排行榜 / 최신 ~ 最新流行歌曲 / ~를 작곡하다 谱写歌曲 **2** 歌谣 gēyáo
가요-계(歌謠界) 명 〖音〗 歌坛 gētán ¶~에 복귀하다 重返歌坛
가요-제(歌謠祭) 명 歌唱比赛 gēchàng bǐsài; 歌手大赛 gēshǒu dàsài ¶ 방송국에서 주최하는 ~에 참가하다 参加电视台主办的歌手大赛
가:용(可用) 명 可用 kěyòng ¶~ 자원 可用资源 / ~ 기한 可用期限 / ~액 可用额
가운(家運) 명 家运 jiāyùn ¶~이 호전되다 家运好转
가운(gown) 명 **1** (法官、律师的) 长外衣 chángwàiyī; 法衣 fǎyī **2** 毕业服 bìyèfú **3** 医生制服 yīshēng zhìfú; 卫生服 wèishēngfú **4** 长袍 chángpáo; 睡袍 shuìpáo; 睡衣 shuìyī
가운데 명 **1** (空间上的) 中间 zhōngjiān; 中央 zhōngyāng; 中心 zhōngxīn; 当中 dāngzhōng; 当间儿 dāngjiànr; 中 zhōng ¶꽃병을 탁자 ~에 놓다 把花瓶放在桌子中间 / 호수 ~에 섬 하나가 있다 湖中心有一个岛 **2** (两边的) 中间 zhōngjiān; 间 jiān; 中 zhōng; 当中 dāngzhōng ¶사진에서 ~가 우리 엄마이시다 照片上, 当中是我妈妈 **3** (一定范围的) 当中 dāngzhōng; 里面 lǐmiàn; 中间 zhōngjiān; 之中 zhīzhōng; 中 zhōng ¶우리들 ~ 그가 제일 똑똑하다 在我们当中他最聪明 / 일 년 ~ 가장 바쁜 계절이 돌아왔다 一年中最忙的季节到了
가운뎃-발가락 명 中趾 zhōngzhǐ; 中脚趾 zhōngjiǎozhǐ
가운뎃-손가락 명 中指 zhōngzhǐ; 中拇指 zhōngmuzhǐ = 장지(長指) · 중지(中指) ¶그는 나에게 ~을 치켜세웠다 他对我竖起了中指
가운뎃-점(一點) 명 〖語〗 间隔号 jiàngéhào = 중점(中點)2
가위[1] 명 **1** 剪刀 jiǎndāo; 剪子 jiǎnzi ¶ ~로 종이를 오리다 拿剪刀剪纸 / 이 ~는 매우 잘 든다 这把剪刀很快 **2** 剪刀 jiǎndāo ¶내가 ~를 내고 그가 보를 냈다 我出了剪刀, 他出了布
가위[2] 명 梦魇 mèngyǎn ¶나는 거의 매일 ~에 눌린다 我几乎每天都梦魇
가위-눌리다 자 发魇 fāyǎn; 梦魇 mèngyǎn ¶나는 몸이 안 좋아서 밤에 자주 가위눌린다 我身体不好, 夜晚常常发魇
가위바위보(一褓) 명 石头剪刀布 shítou jiǎndāo bù; 剪刀石头布 jiǎndāo shítou bù; 划拳 huáquán; 猜拳 cāiquán; 剪包锤 jiǎnbāochuí ¶누가 먼저 들어갈지 ~로 정하다 用石头剪刀布来决定谁先进去
가위-질 명하자 **1** 拿剪刀剪 ná jiǎndāo jiǎn; 剪 jiǎn; 用剪刀 yòng jiǎndāo ¶그는 ~이 매우 능숙하다 他很熟练用剪刀 **2** (把作品或新闻) 剪 jiǎn; 剪裁 jiǎncái ¶이 영화는 많은 부분을 ~당했다 这部电影很多地方被剪掉了
가위-표(一標) 명 叉 chā ¶~를 치다 打叉
가윗-날 명 剪刀刃 jiǎndāorèn; 剪刃 jiǎnrèn
가을 명 秋 qiū; 秋季 qiūjì; 秋天 qiūtiān; 秋令 qiūlìng ¶~밤 秋夜 / ~비 秋雨 / ~ 풍경 秋景 / ~ 날씨 秋季的天气 / 우리는 올 ~에 결혼할 계획이다 我们打算今年秋天结婚
가을-갈이 명하타 〖農〗 秋耕 qiūgēng
가을-걷이 명하타 〖農〗 = 추수 ¶농부들이 ~에 바쁘다 农夫忙着秋收
가을-날 명 秋 qiū; 秋季 qiūjì; 秋天 qiūtiān
가을-바람 명 秋风 qiūfēng = 추풍 ¶ ~이 불다 吹秋风
가을-빛 명 秋色 qiūsè ¶~으로 물들다 染上秋色
가을-철 명 秋季 qiūjì; 秋令 qiūlìng; 秋天 qiūtiān ¶벌써 ~이 되었다 秋天已经到了
가이드(guide) 명 **1** 导游 dǎoyóu ¶~ 자격증 导游资格证 / ~ 자격 시험 导游资格证考试 / 그는 상하이에서 ~ 일을 하고 있다 他在上海做导游 **2** = 가이드북1
가이드-라인(guide-line) 명 〖經〗 指导线 zhǐdǎoxiàn; 指导方针 zhǐdǎo fāngzhēn ¶임금 인상 ~ 工资指导线
가이드-북(guidebook) 명 **1** 旅行指南 lǚxíng zhǐnán = 가이드2 **2** 说明书 shuōmíngshū; 手册 shǒucè ¶구매~ 购物手册
가이-없다 형 '가없다' 的错误
가:인(佳人) 명 **1** = 미인 **2** 佳人 jiārén
가-일층(加一層) 一부 更 gèng; 更加

gèngjiā 二명하타 进一步 jìnyībù
가입(加入) 명하자 参加 cānjiā; 加入 jiārù; 进入 jìnrù; 入 rù; 投 tóu ¶~ 신청서 加入申请书 / 보험에 ~하다 投保 / 조직에 ~하다 加入组织
가입-비(加入費) 명 加入费 jiārùfèi; 入会费 rùhuìfèi
가입-자(加入者) 명 加入者 jiārùzhě; 用户 yònghù; 投…人 tóu…rén; 加入…人 jiārù…rén ¶보험 ~ 投保人 / 휴대전화 ~ 手机用户
가자미 명 〖魚〗 比目鱼 bǐmùyú; 鲽鱼 diéyú; 鲆鱼 píngyú ¶~눈 比目鱼似的眼
가:작(佳作) 명 佳作 jiāzuò ¶~으로 당선되다 被选为佳作
가장 부 最 zuì; 顶 dǐng; 至 zhì; 极 jí; 上 shàng; 首 shǒu; 头 tóu; 头等 tóuděng; 无上 wúshàng ¶~ 좋은 물건 最好的东西 / ~ 좋은 방법 顶好的办法 / 세계에서 ~ 높은 산 世界上最高的山 / 인생에서 ~ 중요한 시기 人生中最重要的时期
가장(家長) 명 家长 jiāzhǎng; 家主 jiāzhǔ ¶~ 노릇을 잘하다 当好家长
가:장(假裝) 명하자타 **1** 假扮 jiǎbàn; 假装 jiǎzhuāng; 伪装 wěizhuāng ¶혁명을 ~하다 伪装革命 **2** 化装 huàzhuāng; 乔装 qiáozhuāng; 装扮 zhuāngbàn ¶~ 행렬 化装游行
가장귀 명 丫杈 yāchà; 杈(儿) chà(r); 杈枝 chàzhī; 枝丫 zhīyā; 树杈 shùchà; 丫枝 yāzhī
가장귀-지다 자 分杈 fēnchà
가:장-무도(假裝舞蹈) 명 化装舞 huàzhuāngwǔ; 化装舞蹈 huàzhuāng wǔdǎo ¶~회 化装舞会
가:장-자리 명 边 biān; 边缘 biānyuán; 沿(儿) yán(r) ¶눈 ~가 빨갛다 眼睛边红 / 길 ~에 차를 세우다 把车停在路边
가:재 명 〖動〗 蝲蛄 làgǔ; 螯虾 áoxiā
가재는 게 편 속담 鱼找鱼, 虾找虾; 乌龟王八结亲家; 螃蟹找螃蟹, 鸽鸭找鸽鸭 = 가재는 게 편이요 초록은 한 빛이라
가재는 게 편이요 초록은 한빛이라 속담 = 가재는 게 편
가재(家財) 명 家财 jiācái
가재-도구(家財道具) 명 家什 jiāshi; 家伙 jiāhuo ¶~를 장만하다 购买家什 / ~를 정리하다 拾掇家伙
가전(家電) 명 = 가전제품 ¶주방 ~ 厨房家电
가전-제품(家電製品) 명 家用电器 jiāyòng diànqì; 家电 jiādiàn = 가전 ¶고급 ~ 高档家电 / ~ 전문 매장 家用电器专卖店
가:절(佳節) 명 **1** 良辰 liángchén **2** 佳节 jiājié
가정(家政) 명 家政 jiāzhèng; 家务 jiāwù ¶~과 家政科 / ~학 家政学
가정(家庭) 명 家庭 jiātíng; 家 jiā ¶~ 폭력 家庭暴力 / ~ 방문 家庭访问 / ~ 법원 家庭法院 / ~상비약 家庭常备药 / ~생활 家庭生活 / ~용품 家庭用品 / ~의례 家庭仪礼 / ~ 통신 家庭通讯 / ~ 파괴범 家庭破坏犯 / ~ 학습 家庭学习 / ~이 화목하다 家庭和睦 / ~을 돌보다 照顾家庭 / 결혼하여 ~을 이루다 结婚成家
가:정(假定) 명하자타 **1** 假定 jiǎdìng; 假设 jiǎshè ¶최악의 상황을 ~하다 假设最恶劣情况 **2** 〖論〗 假说 jiǎshuō
가정 교:사(家庭教師) 〖教〗 家庭教师 jiātíng jiàoshī; 家教 jiājiào ¶그는 우리 집에서 ~로 일한다 他在我家做家庭教师
가정 교:육(家庭教育) 〖教〗 家庭教育 jiā-tíng jiàoyù; 家教 jiājiào ¶이 아이는 ~을 제대로 받지 못했다 这孩子缺少家教
가:정-법(假定法) 명 〖語〗 虚拟式 xūnǐshì; 假定法 jiǎdìngfǎ
가정-부(家政婦) 명 保姆 bǎomǔ; 家庭服务员 jiātíng fúwùyuán ¶~를 구하다 找保姆 / ~로 일하다 做保姆
가정-불화(家庭不和) 명 家庭纠纷 jiātíng jiūfēn; 家庭不和 jiātíng bùhé
가정-적(家庭的) 관명 家庭的 jiātíngde; 有关家庭的 yǒuguānjiātíngde
가정-주부(家庭主婦) 명 = 주부
가정-집(家庭—) 명 普通家庭 pǔtōng jiātíng
가정 환경(家庭環境) 〖社〗 家庭环境 jiātíng huánjìng ¶좋은 ~에서 자란 아이 在良好的家庭环境中长大的孩子
가:제(假題) 명 = 가제목
가제(독Gaze) 명 = 거즈(gauze)
가:-제목(假題目) 명 临时题目 línshí tímù = 가제(假題)
가:-제본(假製本) 명하타 〖印〗 临时装订 línshí zhuāngdìng
가져-가다 타 带走 dàizǒu; 拿去 náqù; 拿走 názǒu; 移走 yízǒu ¶도대체 누가 내 지갑을 가져갔을까? 究竟是谁拿走了我的钱包呢?
가져다-주다 타 **1** 拿给 nágěi; 端来 duānlái; 送去 sòngqù ¶그녀는 노인에게 쌀과 돈을 가져다주었다 她给老人送去米和钱 **2** 带给 dàigěi; 带来 dàilái ¶사람들에게 행복을 ~ 给人带来幸福
가져-오다 타 **1** 搬来 bānlái; 端来 duānlái; 拿来 nálái ¶이 앞치마는 그녀가 주방에서 가져온 것이다 这条围裙是她从橱房里拿来的 **2** 带来 dàilái;

造成 zàochéng ¶좋은 결과를 ～ 带来好结果

가족(家族) 명 家人 jiārén; 家口 jiākǒu; 家 jiā; 家属 jiāshǔ; 家庭 jiātíng; 家族 jiāzú; 眷属 juànshǔ ¶～석 家族席 / ～묘 家族墓 / ～사 家史 / ～회의 家庭会议 / ～ 관계 家庭关系 / ～구성원 家庭成员 / ～을 부양하다 抚养家属 / ～을 먹여 살리다 养活家口

가족-계획(家族計劃) 명 家庭计划 jiātíng jìhuà; 家庭生育计划 jiātíng shēngyù jìhuà; 计划生育 jìhuà shēngyù

가족-력(家族歷) 명 〖醫〗 家族病史 jiāzú bìngshǐ; 家族史 jiāzúshǐ

가족-사진(家族寫眞) 명 全家福 quánjiāfú; 全家合影 quánjiā héyǐng ¶～을 찍다 拍照全家福

가족-적(家族的) 관명 像一家人 xiàngyījiārén ¶분위기가 매우 ～이다 气氛很像一家人

가죽 명 **1** (动物的) 皮 pí ¶토끼의 ～을 벗기다 扒兔子的皮 **2** 皮 pí; 皮革 pígé ¶～끈 皮绳 / ～점퍼 皮夹克 / ～가방 皮包 / ～ 구두 皮鞋 / ～ 지갑 皮钱包 / ～ 벨트 皮带 / 재생 ～ 再生皮革 / ～ 제품 皮革制品 / ～으로 가방을 만들다 用皮革做皮包 **3** (人的) 皮 pí; 皮肤 pífū

가죽만 남다 구 瘦得只剩一层皮

가중(加重) 명하타 加重 jiāzhòng ¶～처벌 加重处罚 / ～되는 스트레스 加重的压力 / 병이 ～되다 病情加重 / 벌을 ～시키다 加重体罚

가중-치(加重值) 명 加权值 jiāquánzhí; 权数 quánshù

가:증-스럽다(可憎—) 형 可恨 kěhèn; 可恶 kěwù; 可憎 kězēng; 讨厌 tǎoyàn ¶가증스러운 표정 可憎的表情 **가:증스레** 부

가지[1] 명 树枝 shùzhī; 枝(儿) zhī(r); 条 tiáo ¶～가 뻗다 长枝儿 / ～를 꺾다 打断树枝 / ～를 치다 剪枝

가지[2] 명 〖植〗 茄子 qiézi ¶～를 심다 种茄子

가지[3] 의명 种 zhǒng; 个 gè; 类 lèi; 条 tiáo; 样儿 yàngr ¶여러 ～ 各种各样 / 두 ～ 방법 两个办法 / 세 ～ 상품 三种产品

가지-가지[1] 명 各式各样 gèshìgèyàng; 各种各样 gèzhǒnggèyàng; 样样 yàngyàng; 种种 zhǒngzhǒng ¶암의 증상도 ～이다 癌症的症状也是各种各样的

가지-가지[2] 명 一枝一枝 yīzhīyīzhī; 一枝枝 yīzhīzhī; 枝枝 zhīzhī

가지-각색(—各色) 명 各色 gèsè; 各色各样 gèsègèyàng; 各式各样 gèshìgèyàng; 五光十彩 wǔguāngshícǎi; 五花八门 wǔhuābāmén; 形形色色 xíngxíngsèsè ¶～의 그릇 形形色色的器皿 / ～의 복장 各色服装

가지다 一타 **1** 带 dài; 拿 ná ¶손에 소설책 한 권을 가지고 있다 手里拿一本小说 / 돈을 가지고 다니다 带着钱 **2** 保有 bǎoyǒu; 持有 chíyǒu; 含有 hányǒu; 具有 jùyǒu; 拥有 yōngyǒu; 有 yǒu ¶풍부한 경험을 ～ 拥有丰富的经验 / 역사적 의의를 ～ 具有历史意义 **3** 抱 bào; 怀 huái ¶믿음을 ～ 怀着信心 / 희망을 ～ 抱着希望 **4** 怀孕 huáiyùn; 有 yǒu; 有喜 yǒuxǐ ¶아기를 ～ 怀孕 **5** 保持 bǎochí; 建立 jiànlì ¶좋은 관계를 ～ 建立良好的关系 / 안정을 ～ 保持安静 **6** 进行 jìnxíng; 举行 jǔxíng; 开 kāi ¶회담을 ～ 举行会谈 / 경기를 ～ 举行比赛 / 토론을 ～ 进行讨论 **7** 用 yòng; 拿 ná; 使用 shǐyòng ¶기계를 가지고 채소를 심다 用机器来种菜 二보형 来 lái; 因为 yīnwèi ¶날씨가 너무 더워 가지고 아기 등에 땀띠가 났다 因为天气太热, 宝宝背上长了痱子

가지런-하다 형 整齐 zhěngqí ¶치아가 ～ 牙齿很整齐 **가지런-히** 부 ¶물건을 ～ 놓다 把东西放得整整齐齐

가지-치기 명 〖農〗 剪枝 jiǎnzhī; 修枝 xiūzhī; 整枝 zhěngzhī = 전지(剪枝)

가짓-수(—數) 명 品种 pǐnzhǒng; 种类 zhǒnglèi ¶～가 늘다 增加品种

가:짜(假—) 명 假 jiǎ; 假的 jiǎde; 假冒 jiǎmào; 冒充 màochōng; 冒牌 màopái ¶～ 신분증 假身份证 / ～ 상품 假冒商品 / 이 물건들은 모두 ～이다 这些东西都是假的

가:차(假借) 명하타 **1** 看情况 kàn qíngkuàng; 姑息 gūxī; 留情 liúqíng; 宽恕 kuānshù; 严惩 yánchéng ¶～ 없이 징계하다 毫不姑息地予以惩戒 **2** 〖語〗 假借 jiǎjiè **3** 〖語〗 假借字 jiǎjièzì = 가차자

가:차-자(假借字) 명 〖語〗 = 가차3

가창(歌唱) 명하자 歌唱 gēchàng

가창-력(歌唱力) 명 唱功 chànggōng ¶그는 뛰어난 ～으로 팬들을 열광시켰다 他那强有力的唱功, 为歌迷所倾倒

가:책(呵責) 명하타 斥责 chìzé; 责备 zébèi ¶양심의 ～을 느끼다 受到良心责备

가:-처분(假處分) 명하타 〖法〗 临时处置 línshí chǔzhì ¶～ 명령 临时处置命令

가:청(可聽) 명 可听 kětīng ¶～ 신호 可听信号 / ～음 可听声 =[可听音]

가축(家畜) 명 牲口 shēngkou; 家畜 jiāchù ¶～을 사육하다 饲养牲口

가축-병원(家畜病院) 명 动物医院 dòngwù yīyuàn

가출(家出) 명하자 离家出走 líjiā chūzǒu; 出走 chūzǒu ¶~ 청소년 离家出走的青少年 / 그는 고등학교 다닐 때 ~한 적이 한 번 있다 他高中时离家出走过一次

가치(價値) 명 价值 jiàzhí; 值 zhí ¶~ 척도 价值尺度 / ~ 판단 价值判断 / 재산 ~ 财产价值 / 가장 ~ 있는 선물 最有价值的礼物 / ~가 높다 价值很高

가치-관(價値觀) 명 〖心〗 价值观 jiàzhíguān ¶도덕적 ~ 道德价值观 / 올바른 ~을 길러 주다 培养良好价值观

가칠-가칠 부하형 粗 cū; 粗糙 cūcāo; 毛 máo; 粗涩 cūsè

가칠-하다 형 粗 cū; 粗糙 cūcāo; 毛 máo; 粗涩 cūsè ¶감촉이 ~ 手感粗糙

가:칭(假稱) 명하타 别称 biéchēng; 外号 wàihào

가:타-부타 부 不哼不哈 bùhēngbùhā; 不置可否 bùzhìkěfǒu

가탈-스럽다 형 '까다롭다' 的错误

가택(家宅) 명 家 jiā; 家宅 jiāzhái; 住宅 zhùzhái ¶~ 연금을 당하다 被软禁在家宅内

가톨릭(Catholic) 명 〖宗〗 **1** 加特力 jiātèlì; 天主教徒 tiānzhǔjiàotú **2** = 가톨릭교1

가톨릭-교(Catholic敎) 명 〖宗〗 **1** 罗马公教 luómǎgōngjiào; 天主教 tiānzhǔjiào; 加特力教 jiātèlìjiào = 가톨릭2 **2** 天主教 tiānzhǔjiào = 천주교

가톨릭-교도(Catholic敎徒) 명 〖宗〗 天主教信徒 tiānzhǔjiào xìntú; 天主教徒 tiānzhǔjiàotú = 천주교도

가파르다 형 陡 dǒu; 陡峭 dǒuqiào; 峻峭 jùnqiào ¶가파른 산길 陡峭的山路

가:판(街販) 명 = 가두판매

가풍(家風) 명 家风 jiāfēng; 家庭风气 jiātíng fēngqì; 门风 ménfēng ¶좋은 ~ 良好的家风

가필(加筆) 명하자 补正 bǔzhèng; 加工 jiāgōng; 删改 shāngǎi; 修改 xiūgǎi ¶문장 한 편을 ~하다 删改一篇文章

가-하다(加—) 타 **1** 加 jiā; 添 tiān; 增添 zēngtiān; 添加 tiānjiā ¶10점을 ~ 加十点 **2** 加 jiā; 加上 jiāshang; 加以 jiāyǐ; 上 shàng; 施加 shījiā ¶통제를 ~ 施加管束 / 압력을 ~ 施加压力 / 형벌을 ~ 上刑

가학(加虐) 명하타 残害 cánhài; 迫害 pòhài ¶~ 행위 残害行为

가해(加害) 명하자 加害 jiāhài ¶~ 행위 加害行为 / 남을 ~하다 加害于人

가해-자(加害者) 명 加害者 jiāhàizhě; 加害人 jiāhàirén ¶교통사고 ~ 交通事故的加害者

가호(加護) 명하자타 保佑 bǎoyòu ¶신의 ~를 빌다 祈求上帝保佑我

가:혹(苛酷) 명하형히부 严酷 yánkù; 苛酷 kēkù; 苛刻 kēkè ¶~한 현실 严酷的现实 / ~한 시련을 당하다 遭受苛酷的折磨 / 처벌이 너무 ~하다 处罚太严酷

가황(加黃) 명하자 〖化〗 硫化 liúhuà ¶~ 고무 硫化橡胶

가훈(家訓) 명 家训 jiāxùn

가:히(可—) 부 可以 kěyǐ; 能够 nénggòu; 足以 zúyǐ ¶그의 기술은 ~ 세계적이라 할 수 있다 他的技术可以说是世界上最高

각(各) 관 各 gè; 各个 gègè; 每 měi; 每个 měige ¶~ 가정 各个家庭 / ~ 학교 每个学校

각(角) 명 **1** 棱角 léngjiǎo; 角 jiǎo; 棱 léng ¶얼굴이 ~이 지다 脸有棱有角 **2** 〖數〗 = 각도2 **3** 〖數〗 角 jiǎo

각각(各各) 명부 各 gè; 各个 gègè; 各自 gèzì; 各别 gèbié ¶개개인의 생각이 ~ 다르다 每个人的想法各不相同

각개(各個) 명 各个 gègè; 每个 měige; 个个 gègè ¶~ 격파 各个击破 / ~ 전투 各个战斗

각계(各界) 명 各界 gèjiè ¶~ 전문가 各界专家 / ~의 의견을 청취하다 听取各界意见

각계-각층(各界各層) 명 各阶层 gèjiēcéng; 各个阶层 gègè jiēcéng; 社会各层 shèhuì gècéng ¶~의 관심을 받다 受到社会各层的关注 / ~의 친구들과 사귀다 交各阶层的朋友

각고(刻苦) 명하자 刻苦 kèkǔ ¶다년에 걸친 ~의 연구 끝에 마침내 신약을 개발해 냈다 经过多年刻苦研究, 终于开发出了新药品

각골(刻骨) 명하자 刻骨 kègǔ ¶~난망 刻骨难忘 / ~통한 刻骨痛恨

각광(脚光) 명 **1** 注目 zhùmù; 瞩目 zhǔmù; 欢迎 huānyíng **2** 〖演〗 脚灯 jiǎodēng; 脚光 jiǎoguāng

각광(을) 받다[입다] 구 受人瞩目

각국(各國) 명 各国 gèguó; 每个国家 měige guójiā ¶세계 ~ 世界各国 / ~ 대표 各国代表

각기(各其) 명부 各自 gèzì; 各 gè ¶~ 다르게 대하다 各别对待 / 저녁 식사 후 ~ 방으로 돌아가 휴식하다 晚饭过后, 各自回到房间休息

각기(脚氣) 명 〖醫〗 脚气 jiǎoqì; 脚风湿 jiǎofēngshī = 각기병

각-기둥(角—) 명 〖數〗 角柱 jiǎozhù

각기-병(脚氣病) 명 〖醫〗 = 각기(脚氣)

각도(角度) 명 **1** 角度 jiǎodù ¶다른 ~에서 문제를 보다 从不同角度看问题 **2**〖數〗角度 jiǎodù; 角 jiǎo ＝ 각(角)2 ¶~기 量角器 / ~를 재다 测角 / ~가 크다 角度大

각-도장(角圖章) 명 **1** 方块图章 fāngkuài túzhāng **2** 角章 jiǎozhāng

각료(閣僚) 명〖政〗阁员 géyuán; 阁僚 géliáo

각막(角膜) 명〖生〗角膜 jiǎomó ¶~염 角膜炎 / ~ 이식 角膜移植

각목(角木) 명 方木 fāngmù; 角材 jiǎocái

각박-하다(刻薄—) 형 **1** 刻薄 kèbó; 薄情 bóqíng ¶인심이 ~ 人情刻薄 **2** (土地) 薄 báo; 瘠薄 jíbó ¶이 땅은 매우 ~ 这块地很薄 **각박-히** 부

각반(脚絆) 명 绑腿 bǎngtuǐ ¶~을 차다 带绑腿

각방(各房) 명 各个房间 gègè fángjiān; 各住一间 gèzhù yījiān ¶부부가 ~을 쓰다 两口子各住一间

각별(各別) 명하형히부 格外 géwài; 非常 fēicháng; 分外 fènwài; 特别 tèbié ¶~한 사이 特别的关系 / 비 오는 날 운전할 때는 ~히 조심해야 한다 雨天开车要格外小心

각본(脚本) 명〖演〗脚本 jiǎoběn; 剧本 jùběn; 戏本 xìběn ＝ 극본 ¶~가 脚本家 / 영화 ~ 电影脚本 / ~을 쓰다 写剧本

각-뿔(角—) 명〖數〗角锥 jiǎozhuī; 角锥体 jiǎozhuītǐ; 棱锥 léngzhuī

각-사탕(角沙糖) 명 ＝ 각설탕

각색(各色) 명 **1** 各色 gèsè; 五色 wǔsè; 五彩 wǔcǎi **2** ＝ 각종

각색(脚色) 명하타 改编 gǎibiān; 改写 gǎixiě ¶소설을 ~하여 드라마 극본을 만들다 将小说改编为电视剧本

각서(覺書) 명 **1** 保证书 bǎozhèngshū ¶~를 쓰다 写保证书 **2**〖政〗备忘录 bèiwànglù; 照会 zhàohuì ¶쌍방이 공식적인 ~를 교환하다 双方交换正式照会

각선-미(脚線美) 명 腿线美 tuǐxiànměi ¶~를 드러내다 显示腿线美

각설(却說) 명부 却说 quèshuō

각-설탕(角雪糖) 명 方糖 fāngtáng ＝ 각사탕

각성(覺醒) 명하자 **1** 唤醒 huànxǐng; 惊醒 jīngxǐng **2** 觉悟 juéwù; 觉寤 juéwù; 觉醒 juéxǐng; 醒觉 xǐngjué ¶~제 觉醒剂

각시 명 **1** '아내'的别称 ¶~를 얻다 娶老婆 **2** ＝ 새색시 **3** 布娃娃 bùwáwa

각양-각색(各樣各色) 명 各色各样 gèsègèyàng; 各式各样 gèshìgèyàng; 各种各样 gèzhǒnggèyàng; 形形色色 xíngxíngsèsè; 五光十色 wǔguāngshísè; 五花八门 wǔhuābāmén ¶~의 사람들과 교류하다 与各式各样的人交流 / ~의 애완동물을 기르다 饲养各色各样的宠物

각오(覺悟) 명하타 决心 juéxīn; 精神准备 jīngshén zhǔnbèi; 思想准备 sīxiǎng zhǔnbèi

각운(脚韻) 명〖文〗脚韵 jiǎoyùn

각인(刻印) 명하자 **1** 刻章 kèzhāng **2** 刻印 kèyìn ¶그의 말은 사람들의 마음속에 깊이 ~되었다 他的话深深刻印在人们的心头

각자(各自) 명부 各自 gèzì; 各 gè; 各各 gègè ¶모두가 ~ 자기 일로 바쁘다 大家各忙各的 / ~의 위치로 가다 各就各位

각종(各種) 명 各项 gèxiàng; 各种 gèzhǒng ＝ 각색(各色)2 ¶~ 형식 各种形式 / ~ 규칙 各项规则 / ~ 게임 各种游戏

각주(脚註·脚注) 명 脚注 jiǎozhù ¶~를 달다 加脚注

각주구검(刻舟求劍) 명 刻舟求剑 kèzhōuqiújiàn

각지(各地) 명 各地 gèdì; 各处 gèchù; 各个地方 gègè dìfang ¶전국 ~ 全国各地 / ~를 순찰하다 各处巡查

각질(角質) 명〖生〗角质 jiǎozhì ¶~층 角质层

각처(各處) 명 各处 gèchù ¶~에서 수집한 골동품 从各处搜集来的古董

각-추렴(各—) 명하타 凑份子 còufènzi

각축(角逐) 명하자 角逐 juézhú ¶~장 角逐场 / ~전 角逐战 / 치열한 ~을 벌이다 展开激烈角逐

각출(各出) 명하타 分担 fēndān; 各自支付 gèzì zhīfù

각층(各層) 명 各层 gècéng; 各阶层 gèjiēcéng ¶사회 ~ 인사 社会各层人士

각하(閣下) 명 阁下 géxià ¶대통령 ~ 总统阁下

각혈(咯血) 명하자〖醫〗＝ 객혈

간 명하타 **1** 调味道 tiáo wèidao ¶소금으로 ~을 하다 放盐调味道 **2** 咸淡 xiándàn ¶~을 맞추다 调剂咸淡 / ~이 딱 맞다 正好咸淡 / ~을 보다 尝咸淡

간:(肝) 명〖生〗肝 gān; 肝脏 gānzàng ＝ 간장(肝臟) ¶~ 이식 肝移植 / ~경화증 肝硬化

간에 붙었다 쓸개[염통]에 붙었다 한다 속담 风大随风, 雨大随雨; 见风转舵; 看风使舵

간(이) 떨어지다 구 吓得半死; 吓一跳

간(이) 붓다 구 胆子太大

간에 기별도 안 가다 구 还不够塞牙缝；连塞牙缝都不够
간이 콩알만 해지다 구 心惊胆战
간(間) 의명 **1** 间 jiān；之间 zhījiān ¶ 서울과 베이징 ~의 거리 汉城和北京之间的距离 / 두 나라 ~ 两国间 / 부부 ~ 夫妻间 **2** 不管 bùguǎn ¶ 어떤 일이 있었던지 ~에 不管有什么事
-간(間) 접미 **1** 来 lái；一段 yīduàn；时间 shíjiān；期间 qījiān ¶ 반년~의 유학 생활 半年来的留学生活 / 나는 이 곳에 사흘~ 머무를 계획이다 我打算在这里呆三天期间 **2** 铺 pù ¶ 대장~ 铁匠铺
간:간-이(間間—) 부 **1** 间或 jiànhuò；偶然 ǒurán；有时 yǒushí ¶ ~ 누군가의 웃음소리가 한두 마디 들렸다 间或有人笑一两声 **2** 零散地 língsǎnde；稀稀拉拉 xīxilālā；稀稀落落 xīxiluòluò ¶ ~ 눈에 띄다 稀稀落落地看到
간간-하다 형 有点咸 yǒudiǎn xián；略咸 lüè xián；稍咸 shāo xián ¶ 음식이 ~ 菜做得有点咸 **간간-히** 부
간격(間隔) 명 **1** (时间) 隔 gé；间隔 jiàngé ¶ 일주일 ~으로 회의를 열다 隔周开会议 **2** (空间) 间隔 jiàngé ¶ 일정한 ~을 유지하다 保持一定间隔 **3** 隔阂 géhé；隔膜 gémó ¶ 두 사람 사이에는 ~이 있다 两人之间有些隔膜
간결-하다(簡潔—) 형 简洁 jiǎnjié；简练 jiǎnliàn ¶ 그의 글은 간결하고 이해하기 쉽다 他的文章简洁易懂
간계(奸計) 명 奸计 jiānjì；奸策 jiāncè；圈套 quāntào ¶ ~에 넘어가다 中了奸计 / ~를 부리다 施奸计
간:곡-하다(懇曲—) 형 恳切 kěnqiè；诚恳 chéngkěn；苦苦 kǔkǔ；苦口 kǔkǒu；谆谆 zhūnzhūn；殷切 yīnqiè **간:곡-히** 부 ¶ ~ 부탁하다 恳切地请求
간과(看過) 명하타 忽视 hūshì；看得过 kàndeguò；忽略 hūlüè；视而不见 shì'érbùjiàn；漠视 mòshì；无视 wúshì；置之不理 zhìzhībùlǐ ¶ 나는 이 문제를 ~할 수 없다 我不能忽视这个问题 / 사람들이 ~하기 쉬운 몇 가지 상식 容易被人忽略的几个常识
간교(奸巧) 명하형히부 奸猾 jiānhuá；奸狡 jiānjiǎo；奸诈 jiānzhà；狡诈 jiǎozhà ¶ ~한 미소 奸猾的微笑 / 음흉하고~하다 阴险狡诈
간:구(懇求) 명하타 恳求 kěnqiú；祈求 qíqiú ¶ 도움을 ~하다 祈求帮助
간극(間隙) 명 缝隙 fèngxì；间隙 jiànxì；空隙 kòngxì ¶ 담에 ~이 생겼다 墙壁裂开了一条缝隙 / ~을 좁히다 缩小间隙
간난(艱難) 명하형히부 艰苦 jiānkǔ；艰难 jiānnán ¶ ~의 세월 艰难的岁月
간난-신고(艱難辛苦) 명하자 艰难辛苦 jiānnán xīnkǔ；艰辛 jiānxīn
간:뇌(間腦) 명 〖生〗间脑 jiānnǎo
간단명료-하다(簡單明瞭—) 형 简单明了 jiǎndān míngliǎo；简明 jiǎnmíng = 간명하다 **간단명료-히** 부
간단-하다(簡單—) 형 **1** 简单 jiǎndān；简易 jiǎnyì ¶ 간단한 조작 简单的操作 / 간단한 방법 简易办法 **2** 简便 jiǎnbiàn；轻便 qīngbiàn ¶ 간단한 짐 轻便行李 **간단-히** 부 ¶ ~ 몇 마디만 하겠다 我简单地说几句话
간:담(肝膽) 명 肝胆 gāndǎn
간담이 서늘하다 구 胆寒；胆战心惊
간:담(懇談) 명하자 恳谈 kěntán；畅叙 chàngxù ¶ ~회 恳谈会
간:-덩이(肝—) 명 '간(肝)' 的俗称
간덩이(가) 붓다 구 胆子太大
간드러-지다 형 娇媚 jiāomèi；娇滴滴 jiāodīdī ¶ 간드러진 목소리 娇滴滴的声音
간들-거리다 자타 摇摇欲坠 yáoyáoyùzhuì；摇曳 yáoyè = 간들대다 ¶ 간들거리는 촛불 摇曳的烛光 / 광고탑이 ~ 广告牌摇摇欲坠 **간들-간들** 부 하자타
간:-디스토마(肝distoma) 명 〖動〗肝吸虫 gānxīchóng；肝蛭 gānzhì
간략-하다(簡略—) 형 简略 jiǎnlüè；简约 jiǎnyuē ¶ 내용이 ~ 内容简略 **간략-히** 부 ¶ ~ 소개해 주세요 请您简略地介绍一下
간만(干滿) 명 〖地理〗涨落 zhǎngluò ¶ 조수 ~의 차 潮水涨落差
간명-하다(簡明—) 형 = 간단명료하다 ¶ 간명한 해답 简明的解答 **간명-히** 부
간:발(間髮) 명 细微 xìwēi
간발의 차이 구 细微差别
간-밤 명 = 지난밤 ¶ ~에 눈이 많이 내렸다 昨夜雪下得很多
간병(看病) 명하타 护理 hùlǐ；陪护 péihù；看护 kānhù = 병시중 ¶ ~인 护理员 =[护工] / 환자를 ~하다 看护病人
간부(幹部) 명 干部 gànbù ¶ ~ 회의 干部会议 / ~급 干部级 / ~진 干部队伍
간:빙-기(間氷期) 명 〖地理〗间冰期 jiānbīngqī
간사(奸詐) 명하형히부 奸诈 jiānzhà；狡猾 jiǎohuá；诡诈 guǐzhà ¶ ~하게 웃다 奸诈地笑
간사(幹事) 명 干事 gànshi ¶ 학생회 ~ 学生会干事
간사-하다(奸邪—) 형 奸 jiān；奸邪 jiānxié ¶ 간사하고 교활한 사람 奸刁的人 **간사-히** 부

간석-지(干潟地) 명 海涂 hǎitú; 滩涂 tāntú

간:선(間選) 명하타 〖政〗 '간접 선거' 的略词 ¶～제 间接选举制

간선(幹線) 명 干线 gànxiàn; 正线 zhèngxiàn; 主线 zhǔxiàn ¶～ 도로 干线公路

간섭(干涉) 명하자타 **1** 干涉 gānshè; 管 guǎn; 干预 gānyù ¶아이의 사생활을 지나치게 ～하다 过多干涉孩子的私生活 / 내 일에 ～하지 마라 你别管我的事 **2** 〖物〗 干扰 gānrǎo

간소-하다(簡素—) 형 简朴 jiǎnpǔ ¶간소한 예식 简朴婚礼 / 그는 옷차림이 매우 ～ 他衣着很简朴 **간소-히** 부

간소-화(簡素化) 명하타 简化 jiǎnhuà; 简缩 jiǎnsuō; 精简 jīngjiǎn ¶수속을 ～하다 简化手续

간수 명하타 保管 bǎoguǎn; 收 shōu; 保藏 bǎocáng; 收放 shōufàng ¶이 책을 잘 ～해 두어라 把这本书好好保藏吧

간수(—水) 명 盐卤 yánlǔ; 卤水 lǔshuǐ; 卤 lǔ; 卤汁 lǔzhī

간수(看守) ㊀명하타 看管 kānguǎn; 看守 kānshǒu; 守卫 shǒuwèi ㊁명 〖法〗 看守 kānshǒu (《'교도관' 的旧称》)

간:식(間食) 명하자 点心 diǎnxin; 零吃 língchī; 零食 língshí ¶～을 먹다 吃零食

간신(奸臣) 명 奸臣 jiānchén

간신-히(艱辛—) 부 好容易(地) hǎoróngyì(de); 好不容易(地) hǎobùróngyì(de); 很吃力地 hěn chīlìde; 很费劲地 hěn fèijìnde; 勉强(地) miǎnqiáng(de) ¶그는 ～ 대학에 합격했다 他好不容易考上大学了 / 그녀의 휴대폰 번호를 ～ 알아냈다 好容易得到她的手机号码

간악(奸惡) 명하형히부 奸恶 jiān'è; 歹毒 dǎidú ¶～한 무리 奸恶之徒

간:암(肝癌) 명 〖醫〗 肝癌 gān'ái

간:언(諫言) 명하타 谏言 jiànyán; 谏 jiàn ¶～을 하다 进谏

간여(干與) 명하자 过问 guòwèn; 干预 gānyù; 干与 gànyù

간:염(肝炎) 명 〖醫〗 肝炎 gānyán

간:유(肝油) 명 〖藥〗 肝油 gānyóu; 鱼肝油 yúgānyóu = 어간유

간:음(姦淫) 명하자타 奸淫 jiānyín ¶～죄를 범하다 犯奸淫罪

간:이(簡易) 명 简易 jiǎnyì; 小 xiǎo ¶～ 병실 简易病房 / ～침대 简易床 / ～ 화장실 简易厕所

간:이-식당(簡易食堂) 명 小吃部 xiǎochībù; 小吃店 xiǎochīdiàn

간:이-역(簡易驛) 명 小站 xiǎozhàn

간장(—醬) 명 酱油 jiàngyóu = 장(醬)1 ¶～독 酱油缸

간장(肝腸) 명 肝肠 gāncháng 간장을 끊다 구 肝肠寸断

간:장(肝臟) 명 〖生〗 = 간(肝)

간:절-하다(懇切—) 형 恳切 kěnqiè; 迫切 pòqiè; 热切 rèqiè; 心切 xīnqiè; 殷切 yīnqiè; 苦苦 kǔkǔ; 苦口 kǔkǒu ¶간절한 바람 热切的心愿 **간:절-히** 부 ¶～ 바라다 恳切地希望

간:접(間接) 명 间接 jiànjiē ¶～ 경험 间接经验 / ～ 목적어 间接宾语 / ～세 间接税 / ～ 인용 间接引用 / ～ 조명 间接照明 / ～ 투자 间接投资 / ～ 화법 间接语法 / ～ 흡연 间接吸烟 =[吸二手烟]

간:접 선:거(間接選擧) 〖政〗 间接选举 jiànjiē xuǎnjǔ

간:접-적(間接的) 관명 间接(的) jiànjiē(de) ¶～인 원인 间接原因 / ～으로 마음을 전하다 间接传达情感

간조(干潮) 명 〖地理〗 落潮 luòcháo; 退潮 tuìcháo

간주(看做) 명하자타 当 dàng; 当做 dàngzuò; 看做 kànzuò; 看成 kànchéng ¶그는 능력 있는 변호사로 ～되었다 他被当做有能力的律师

간:주(間奏) 명 〖音〗 **1** 间奏 jiānzòu **2** = 간주곡2

간:주-곡(間奏曲) 명 〖音〗 **1** 插曲 chāqǔ **2** 间奏曲 jiānzòuqǔ = 간주(間奏)2

간증(干證) 명하타 〖宗〗 表白 biǎobái

간지(干支) 명 〖民〗 干支 gānzhī

간지럼 명 发痒 fāyǎng; 痒 yǎng ¶～을 타다 怕痒

간지럽다 형 **1** 痒 yǎng; 痒痒 yǎngyang; 发痒 fāyǎng ¶피부가 ～ 皮肤发痒 **2** (心、手、嘴) 痒 yǎng; 发痒 fāyǎng

간지럽-히다 타 = 간질이다

간직 명하타 **1** 珍藏 zhēncáng; 收藏 shōucáng; 收存 shōucún; 藏 cáng ¶그가 여러 해 동안 ～하고 있던 사진 他珍藏多年的照片 **2** (想法或记忆) 藏 cáng; 珍藏 zhēncáng ¶영원히 마음속에 ～하다 永远珍藏在心里

간:질(癎疾) 명 〖醫〗 癫痫 diānxián; 痫症 xiánzhèng; 羊痫风 yángxiánfēng; 羊角风 yángjiǎofēng = 간질병

간질-거리다 자타 痒 yǎng; 痒痒 yǎngyang; 发痒 fāyǎng = 간질대다 ¶목구멍이 ～ 嗓子痒痒 **간질-간질** 부하자타형 ¶코가 ～하고 계속 재채기가 나오다 鼻子发痒老是想打喷嚏

간:질-병(癎疾病) 명 〖醫〗 = 간질

간질-이다 타 胳肢 gézhi = 간지럽히다 ¶그의 겨드랑이를 ～ 胳肢他腋窝

간척(干拓) 명하타 围垦 wéikěn; 填海 tiánhǎi ¶～지 填海造地 / 대규모 ～ 사업 大规模围垦工程

간:첩(間諜) 명 间谍 jiàndié; 特务 tèwù; 侦探 zhēntàn = 스파이·첩자 ¶～죄 间谍罪 / ～선 间谍船

간:청(懇請) 명하타 恳求 kěnqiú; 恳请 kěnqǐng; 祈求 qíqiú; 祈请 qíqǐng; 请求 qǐngqiú; 央告 yānggào ¶도움을 ～하다 祈求帮助

간체-자(簡體字) 명 简体字 jiǎntǐzì

간-추리다 타 **1** 收拾 shōushi; 整顿 zhěngdùn; 整理 zhěnglǐ ¶자료를 ～ 整理材料 **2** 摘要 zhāiyào ¶간추려서 기록하다 摘要记录

간:택(揀擇) 명하타 〖史〗 拣择 jiǎnzé; 挑选 tiāoxuǎn

간:통(姦通) 명하자 私通 sītōng; 通奸 tōngjiān ¶～죄 通奸罪 / ～ 행위 私通行为

간파(看破) 명하타 看穿 kànchuān; 看透 kàntòu; 看破 kànpò; 看出 kànchū; 识破 shípò ¶상대방의 속셈을 ～하다 看穿对方的心计 / 한눈에 그의 약점을 ～했다 一眼就看出他的弱点了

간판(看板) 명 牌子 páizi; 招牌 zhāopái ¶～을 걸다 挂上招牌

간판(을) 따다 구 镀金

간판-스타(看板star) 명 王牌 wángpái ¶～ 아나운서 王牌播音员

간편-하다(簡便—) 형 简便 jiǎnbiàn; 轻便 qīngbiàn ¶사용이 ～ 使用简便

간편-히 부

간-하다 타 **1** 调味 tiáowèi; 调味道 tiáo wèidao ¶소금으로 ～ 放盐调味 **2** 腌 yān ¶간한 고기 腌肉

간:-하다(諫—) 타 谏 jiàn; 进谏 jìnjiàn

간행(刊行) 명하타 〖印〗 刊 kān; 刊出 kānchū; 刊行 kānxíng ¶～본 刊本 / 수정판을 ～하다 刊行修订版

간행-물(刊行物) 명 刊物 kānwù ¶정기 ～ 定期刊物

간:헐(間歇) 명하자 间歇 jiànxiē

간:헐-적(間歇的) 관명 间歇(的) jiànxiē(de); 间歇性 jiànxiēxìng ¶～인 두통 间歇性头痛

간호(看護) 명하타 护理 hùlǐ; 看护 kānhù ¶환자를 ～하다 看护病人 / 밤새도록 엄마를 ～하다 通宵看护妈妈

간호-사(看護師) 명 护士 hùshì

간:혹(間或) 부 间或 jiànhuò; 偶尔 ǒu'ěr; 有时 yǒushí = 혹(或)2 ¶그도 ～ 실수할 때가 있다 他偶尔也犯错误

갇히다 자 被关 bèi guān; 禁闭 jìnbì 《'가두다1' 的被动词》 ¶범죄자가 감옥에 ～ 犯罪者被关监狱

갈:-가리 부 '가리가리' 的略词

갈겨-쓰다 타 潦草地写 liáocǎode xiě; 乱写 luàn xiě ¶칠판에 글씨를 ～ 在黑板上乱写字

갈:고-닦다 타 切磋 qiēcuō; 磨炼 móliàn; 切磋琢磨 qiēcuōzhuómó ¶학문을 ～ 切磋学问 / 실력을 ～ 磨炼才干

갈고랑-이 명 钩(儿) gōu(r); 钩子 gōuzi = 갈고리

갈고리 명 = 갈고랑이

갈구(渴求) 명하타 渴求 kěqiú ¶평화를 ～하다 渴求和平

갈근(葛根) 명 〖韓醫〗 葛根 gégēn ¶～차 葛根茶

갈:기 명 鬃 zōng; 鬃毛 zōngmáo

갈기-갈기 부 一条一条 yītiáoyītiáo; 一缕一缕 yīlǚyīlǚ; 碎片 suìpiàn; 粉碎 fěnsuì ¶종이를 ～ 찢다 把纸撕成一条一条

갈기다 타 **1** 鞭打 biāndǎ; 抽打 chōudǎ; 打 dǎ; 揍 zòu ¶따귀를 ～ 打嘴巴 / 말 궁둥이에 채찍을 ～ 鞭打马屁股 **2** 潦草地写 liáocǎode xiě; 乱写 luàn xiě **3** (枪炮) 猛打 měng dǎ; 扫 sǎo; 扫射 sǎoshè ¶기관총을 들고 사람들에게 ～ 持机关枪朝人群扫射 **4** (尿、唾沫等) 撒 sā; 吐 tǔ ¶다리에서 오줌을 ～ 在桥上撒尿

갈-꽃 명 〖植〗 = 갈대꽃

갈다[1] 타 换 huàn; 更换 gēnghuàn; 替换 tìhuàn ¶전구를 ～ 更换灯泡 / 어항의 물을 ～ 换鱼缸里的水 / 부품을 ～ 更换零件

갈:다[2] 타 **1** 磨 mó ¶칼을 ～ 磨刀 / 날을 ～ 磨刃 **2** 碾 niǎn; 磨 mò; 研 yán ¶콩을 갈아 가루를 내다 把豆子磨成粉末 **3** 研 yán ¶먹을 ～ 研墨 **4** (把牙齿) 磨 mó; 咬 yǎo ¶이를 ～ 磨牙齿

갈:다[3] 타 耕 gēng; 翻 fān; 翻耕 fāngēng ¶밭을 ～ 耕地

갈-대 명 〖植〗 芦苇 lúwěi; 芦 lú; 苇 wěi; 苇子 wěizi ¶여자의 마음은 ～와 같다 女人的心像芦苇一样变化无常

갈대-꽃 명 〖植〗 芦花 lúhuā = 갈꽃

갈대-밭 명 芦田 lútián; 芦苇地 lúwěidì; 芦荡 lúdàng; 苇荡 wěidàng

갈댓-잎 명 苇叶 wěiyè; 芦苇叶子 lúwěi yèzi = 갈잎[2]

갈등(葛藤) 명 纠纷 jiūfēn; 纠葛 jiūgé ¶～을 일으키다 惹起纠纷 / ～을 중재하다 排解纠纷 / 그들 사이에는 ～이 있었다 他们之间有过纠葛

갈라-놓다 타 **1** 离间 líjiàn; 拆散 chāisàn ¶그가 우리 사이를 갈라놓으려 하고 있다 他要离间我们的关系 **2** 分割 fēngē; 分开 fēnkāi; 分裂 fēnliè; 隔开 gékāi ¶두 번호 사이를 쉼표로 ～ 两个号码之间用逗号隔开

갈라-서다 자 **1** 分开站 fēnkāi zhàn; 分开排队 fēnkāi páiduì ¶남학생과 여학생으로 ～ 男生女生分开站 **2** 分别 fēnbié; 分开 fēnkāi; 分手 fēnshǒu ¶다른 사람들은 모두 우리가 갈라설 것이

라고 말한다 别人都说我们会分开

갈라-지다 자 **1** 裂 liè; 裂开 lièkāi; 龟裂 jūnliè ¶상처가 ~ 裂痕 / 밭이~ 田地龟裂 **2** 嘶哑 sīyǎ ¶목소리가 ~ 嗓音嘶哑 **3** 分 fēn; 分裂 fēnliè; 分歧 fēnqí ¶의견이 ~ 意见分歧 / 이 길은 여기에서 두 갈래로 갈라진다 此路到这里分成两条 **4** 分开 fēnkāi ¶우리들은 1년여 동안 같이 살고 갈라졌다 我们在相处了一年多之后就分开了

갈락토오스(galactose) 명 〖化〗半乳糖 bànrǔtáng

갈래 명 **1** 分类 fēnlèi; 分支 fēnzhī ¶한국 문학의 ~ 韩国文学的分支 **2** 条 tiáo; 支 zhī ¶세 ~ 길 三条路 / 머리를 두 ~로 묶다 把头发束成两条辫子

갈래-갈래 부 一缕缕 yīlǚlǚ; 一条条 yītiáotiáo

갈래-머리 명 两股辫 liǎnggǔbiàn

갈리다[1] 자 **1** 分 fēn; 分开 fēnkāi 《'가르다1' 的被动词》 ¶그들은 둘로 갈렸다 他们俩分到两个 **2** '가르다4' 的被动词

갈-리다[2] 자 '갈다1' 的被动词

갈-리다[3] 자 '갈다2' 的被动词 ¶모서리가 갈렸다 棱角被磨了 / 쌀이 갈려 가루가 되다 大米被磨成面粉

갈-리다[4] 자 '갈다3' 的被动词

갈림-길 명 岔道(儿) chàdào(r); 岔路 chàlù; 歧路 qílù = 기로 ¶인생의 ~ 人生歧路 / ~에 서다 站在岔路口上

갈마-들다 자 交集 jiāojí; 交加 jiāojiā ¶슬픔과 기쁨이 ~ 悲喜交加 / 바람과 눈이 ~ 风雪交加

갈망(渴望) 명하타 渴望 kěwàng; 盼望 pànwàng; 渴求 kěqiú ¶자유와 평화를 ~하다 渴望自由与和平

갈매기 명 〖鳥〗海鸥 hǎi'ōu; 鸥 ōu; 鸥鸟 ōu'niǎo

갈무리 명하타 **1** 收拾 shōushi; 收 shōu; 保管 bǎoguǎn **2** 收尾 shōuwěi; 收场 shōuchǎng; 扫尾 sǎowěi

갈보 명 娼妇 chāngfù; 娼妓 chāngjì; 卖淫妇 màiyínfù; 野鸡 yějī; 野妓 yějì

갈분(葛粉) 명 葛粉 géfěn; 葛根粉 gégēnfěn

갈비 명 **1** 排骨 páigǔ; 肋骨 lèigǔ; 肋条 lèitiáo ¶~구이 烤排骨 / ~찜 炖排骨 / ~탕 排骨汤 **2** = 갈비씨

갈비-뼈 명 〖生〗= 늑골

갈비-씨(—氏) 명 皮包骨头 píbāo gǔtou = 갈비2

갈빗-대 명 〖生〗肋骨 lèigǔ; 肋巴骨 lèibagǔ ¶~가 부러지다 肋骨折断

갈색(褐色) 명 褐色 hèsè; 黄黑色 huánghēisè; 棕色 zōngsè ¶~ 눈동자 褐色的眼睛 / ~ 인종 褐色人种

갈수록 부 越来越 yuèláiyuè ¶신체가 ~ 풍만해지다 身材越来越丰满 / 기능이 ~ 강해지다 功能越来越强大

갈아-엎다 타 翻地 fāndì; 翻耕 fāngēng ¶우리 지금 바로 땅을 갈아엎자 我们现在就动手翻地吧

갈아-입다 자타 更换 gēnghuàn; 换 huàn; 换穿 huànchuān; 改换 gǎihuàn ¶양복으로 ~ 换穿西装

갈아입-히다 타 '갈아입다' 的使动词 ¶아이에게 새 옷을 ~ 给孩子改换新衣服

갈아-타다 자타 倒车 dǎochē; 换车 huànchē; 转车 zhuǎnchē ¶다음 역에서 ~ 在下一站换车

갈:-잎[1] 명 '가랑잎' 的略词

갈:-잎[2] 명 = 갈댓잎

갈조(褐藻) 명 〖植〗褐藻 hèzǎo

갈조-류(褐藻類) 명 〖植〗褐藻类 hèzǎolèi; 褐藻植物 hèzǎo zhíwù = 갈조식물

갈조-식물(褐藻植物) 명 〖植〗= 갈조류

갈증(渴症) 명 口渴 kǒukě; 干渴 gānkě; 渴 kě; 口干 kǒugān ¶~을 해소하다 消除干渴 / ~을 느끼다 感到口渴 / ~이 나다 口渴

갈지-자(—之字) 명 之字 zhīzì ¶~걸음 之字步

갈지자-형(—之字形) 명 之字形 zhīzìxíng = 지그재그

갈채(喝採) 명하자 喝彩 hècǎi; 欢呼 huānhū ¶관중들이 챔피언에게 ~를 보내다 群众向冠军喝彩

갈취(喝取) 명하타 掠取 lüèqǔ; 抢夺 qiǎngduó ¶그가 그녀의 가방을 ~했다 他抢夺了她的皮包

갈치 명 〖魚〗带鱼 dàiyú; 刀鱼 dāoyú

갈퀴 명 耙子 pázi ¶~질 用耙子归拢

갈탄(褐炭) 명 〖鑛〗褐煤 hèméi; 褐炭 hètàn

갈팡-질팡 부하자 东奔西窜 dōngbēnxīcuàn; 东奔西逃 dōngbēnxītáo; 东逃西窜 dōngtáoxīcuàn; 惊慌失措 jīnghuāngshīcuò ¶사람들은 총성을 듣고 ~했다 人群听到枪声惊慌失措

갈피 명 头绪 tóuxù; 线索 xiànsuǒ ¶~를 잡을 수 없다 找不到头绪

갉다 타 **1** 啃 kěn ¶쥐가 옥수수를 ~ 老鼠啃玉米 **2** 诋毁 dǐhuǐ; 诽谤 fěibàng; 毁谤 huǐbàng; 中伤 zhòngshāng ¶남을 ~ 中伤别人 **3** 剥削 bōxuē; 揩油 kāiyóu

갉아-먹다 타 剥削 bōxuē; 揩油 kāiyóu ¶부자들은 가난한 사람을 갉아먹어 재산을 모은다 富人靠剥削穷人发财

감:[1] 명 **1** 材料 cáiliào; 料儿 liàor; 料子 liàozi ¶이런 ~은 바래지 않는다

这种料子不褪色 **2** 材料 cáiliào; 对象 duìxiàng《选择的对象》¶그는 연극을 할 ~이 아니다 他不是演戏的材料

감:² 명 柿子 shìzi

감:(感) 명 **1** 感觉 gǎnjué **2** = 감도

감:가(減價) 명하타 减价 jiǎnjià

감:가-상각(減價償却) 명 〖經〗 折旧 zhéjiù = 상각2 ¶~비 折旧费

감:각(感覺) 명하타 **1** 感觉 gǎnjué; 感知 gǎnzhī ¶~ 기관 感觉器官 / ~ 기능 感觉机能 / ~ 세포 感知细胞 / ~ 신경 感觉神经 / ~이 무디다 感觉迟钝 / ~이 예민하다 感觉敏锐 **2** 感 gǎn; 感觉 gǎnjué; 品位 pǐnwèi ¶패션 ~ 衣着品位

감감 부하형히부 渺茫 miǎománg; 杳 yǎo; 杳然 yǎorán; 全然 quánrán

감감-무소식(—無消息) 명 杳无音信 yǎowúyīnxìn

감:개(感慨) 명하자 感慨 gǎnkǎi

감:개-무량(感慨無量) 명하형 不胜感慨 bùshèng gǎnkǎi; 感慨万端 gǎnkǎiwànduān; 感慨无量 gǎnkǎi wúliàng; 无限感慨 wúxiàn gǎnkǎi

감:격(感激) 명하자 **1** 激动 jīdòng; 感动 gǎndòng; 兴奋 xīngfèn ¶~의 눈물을 흘리다 激动得流泪 **2** 感激 gǎnjī

감:격-스럽다(感激—) 형 感动 gǎndòng; 激动 jīdòng; 兴奋 xīngfèn

감:격-적(感激的) 관명 感动(的) gǎndòng(de); 激动(的) jīdòng(de); 兴奋(的) xīngfèn(de)

감광(感光) 명하자 〖化〗 感光 gǎnguāng ¶~계 感光计 / ~도 感光度 / ~성 感光性 / ~제 感光乳剂 / ~지 感光纸 / ~ 필름 感光片

감귤(柑橘) 명 〖植〗 柑橘 gānjú

감금(監禁) 명하타 监禁 jiānjìn; 禁闭 jìnbì; 关禁 guānjìn; 关押 guānyā ¶그를 작은 방에 ~했다 把他监禁在小房间里

감:기(感氣) 명 〖醫〗 感冒 gǎnmào; 伤风 shāngfēng; 着凉 zháoliáng ¶~약 感冒药 / ~가 유행하다 时行感冒 / ~에 걸리다 患感冒 / ~를 예방하다 预防感冒

감-기다¹ 자 '감다¹' 的被动词 ¶눈이 저절로 ~ 自然而然地闭上眼睛

감-기다² 자 缠绕 chánrào; 缠住 chánzhù; 卷 juǎn《'감다³1' 的被动词》¶로프가 기어에 ~ 绳把齿轮缠住了 / 뱀이 나무에 감겨 있다 蛇缠绕在树上

감-기다³ 타 洗 xǐ《'감다²' 的使动词》¶어머니가 아이의 머리를 감겼다 妈妈给小孩洗了头

감:-나무 명 〖植〗 柿 shì; 柿子 shìzi

감내(堪耐) 명하타 忍耐 rěnnài; 忍受 rěnshòu

감:다¹ 타 闭 bì; 合上 héshàng ¶눈을 ~ 闭眼

감:다² 타 (头发) 洗 xǐ ¶머리를 ~ 洗头

감:다³ 타 **1** 绊 bàn; 绑 bǎng; 缠 chán; 卷 juǎn; 绕 rào ¶한데 ~ 缠在一起 / 실패에 실을 ~ 把线绕在线板上 **2** 上 shàng ¶태엽을 ~ 上弦

감당(堪當) 명하타 **1** 承担 chéngdān; 承受 chéngshòu; 顶 dǐng; 胜任 shèngrèn; 吃得消 chīdexiāo ¶치료비를 ~할 능력이 없다 无力承受治疗费用 / 책임을 ~하다 承担责任 / 직무를 ~하다 承担职务 **2** 承受 chéngshòu; 经得起 jīngdeqǐ; 支持 zhīchí; 禁受 jīnshòu ¶~할 수 없는 고통 承受不起的痛苦

감:도(感度) 명 感应度 gǎnyìngdù; 灵敏度 língmǐndù = 감(感)2

감독(監督) ⊟명하타 **1** 监督 jiāndū ¶~관 监督官 / 시험 ~ 考试监督 **2** 〖法〗 监督 jiāndū ¶금융 ~ 金融监督 ⊟명 **1** 导演 dǎoyǎn ¶영화~ 电影导演 **2** 主教练 zhǔjiàoliàn; 教练 jiàoliàn ¶축구 대표팀 ~ 足球代表队主教练

감:-돌다 ⊟자타 **1** 缭绕 liáorào; 盘绕 pánrào; 围绕 wéirào ¶연무가 감돌아 올라가다 烟雾缭绕上升 / 산봉우리에 흰 구름이 ~ 山峰上白云缭绕 **2** 浮现 fúxiàn ¶쓴웃음이 그의 얼굴에 ~ 一丝苦笑浮现在他脸上 **3** 萦绕 yíngrào ¶마음에 감도는 선율 萦绕心头的旋律 ⊟타 环绕 huánrào ¶도시를 감돌고 있는 산들 环绕城市的群山

감:동(感動) 명하자 感动 gǎndòng; 打动 dǎdòng; 动人 dòngrén; 激动 jīdòng ¶~하여 눈물을 흘리다 感动得流出眼泪 / 청중이 깊이 ~하다 听众深为感动

감:동-적(感動的) 관명 感动(的) gǎndòng(de); 感人(的) gǎnrén(de); 动人(的) dòngrén(de) ¶~인 이야기 动人的故事 / 그의 편지는 매우 ~이다 他的信很感人

감람-나무(橄欖—) 명 〖植〗 橄榄 gǎnlǎn; 橄榄树 gǎnlǎnshù

감:량(減量) 명하자타 减 jiǎn; 减轻 jiǎnqīng ¶체중을 ~하다 减轻体重 / 5 킬로그램을 ~하다 减轻五公斤

감률(甘栗) 명 **1** = 단밤 **2** 糖炒栗子 tángchǎo lìzi

감리(監理) 명하타 监理 jiānlǐ ¶공사 ~ 工程监理

감리-교(監理敎) 명 〖宗〗 卫理宗 wèilǐzōng

감리 교:회(監理敎會) 〖宗〗 卫理公会 wèilǐ gōnghuì

감마(減磨) 명하타 减摩 jiǎnmó ¶~제 减摩剂

감마(ㄱgamma) 명 伽马 gāmǎ

감마-선(ㄱgamma線) 명 〖物〗 丙种射线 bǐngzhǒng shèxiàn; 伽马射线 gāmǎ shèxiàn

1 **감:면**(減免) 명하타 减免 jiǎnmiǎn ¶소득세를 ~해 주다 减免所得税

감:명(感銘) 명하자 感受 gǎnshòu ¶매우 ~ 깊다 感受很深

감미-롭다(甘味—) 형 甜 tián; 甜蜜 tiánmì; 甜软 tiánruǎn ¶감미로운 목소리 甜蜜的声音 / 작은 새가 감미롭게 노래를 부른다 小鸟甜蜜地歌唱 **감미로이** 부

감미-료(甘味料) 명 甘旨素 gānzhǐsù

감방(監房) 명 监房 jiānfáng; 牢房 láofáng; 囚房 qiúfáng; 囚室 qiúshì ¶사형수 ~ 死刑犯监房 / 범인을 ~에 가두다 把罪犯关在囚室里

감별(鑑別) 명하타 鉴别 jiànbié; 判别 pànbié; 识别 shíbié ¶~력 鉴别力 / ~사 鉴别师 / 보석을 ~하다 鉴别宝石

감:복(感服) 명하자 拜服 bàifú; 佩服 pèifú; 钦佩 qīnpèi; 信服 xìnfú ¶나는 그녀의 용기에 ~한다 我钦佩她的勇气

감:봉(減俸) 명하타 减薪 jiǎnxīn; 减俸 jiǎnfèng ¶~ 처분을 당하다 受到减薪处分

감:사(感謝) 명하자타형히부 感谢 gǎnxiè; 感激 gǎnjī; 谢 xiè; 谢谢 xièxie ¶~ 편지 感谢信 / ~의 뜻을 표하다 表示感谢 / ~합니다! 谢谢你了! / 너는 그에게 ~해야 한다 你应该感激他

감사(監査) 명하타 监查 jiānchá; 审计 shěnjì ¶국정 ~ 国政监查 / ~원 监查院

감:사-장(感謝狀) 명 感谢信 gǎnxièxìn; 感谢状 gǎnxièzhuàng ¶~을 수여하다 授予感谢状

감:사-패(感謝牌) 명 感谢牌 gǎnxièpái ¶그에게 ~를 증정하다 向他赠送感谢牌

감:상(感傷) 명하자 感伤 gǎnshāng ¶~주의 感伤主义 =[多情主义] / ~에 젖다 沾染感伤

감:상(感想) 명 感想 gǎnxiǎng ¶~문 感想文 / 매일의 ~을 적다 写下每天的感想

감상(鑑賞) 명하타 欣赏 xīnshǎng; 观赏 guānshǎng; 鉴赏 jiànshǎng; 玩赏 wánshǎng ¶음악을 ~하다 欣赏音乐 / 명화를 ~하다 观赏名画

감:상-적(感傷的) 관명 感伤(的) gǎnshāng(de)

감색(紺色) 명 天青 tiānqīng; 藏青 zàngqīng ¶~ 옷 藏青的衣服

감:성(感性) 명 感性 gǎnxìng; 感受 gǎnshòu; 感受性 gǎnshòuxìng ¶~주의 感性主义 / ~ 지수 感性指数

감:성-적(感性的) 관명 感性(的) gǎnxìng(de)

감:세(減稅) 명하자 减税 jiǎnshuì; 减租 jiǎnzū

감:소(減少) 명하자타 减少 jiǎnshǎo; 减 jiǎn ¶인구 ~ 人口减少 / ~량 减少量 / ~율 减少率 / ~폭 减幅 / 생산량이 ~하다 减少产量

감:속(減速) 명하타 减速 jiǎnsù ¶~기 减速机 / ~ 기어 减速齿轮 / ~ 장치 减速装置

감수(甘受) 명하타 甘受 gānshòu; 甘心忍受 gānxīn rěnshòu; 愿意接受 yuànyì jiēshòu ¶고통을 ~하다 甘心忍受痛苦

감수(監修) 명하타 监修 jiānxiū ¶~자 监修者

감:수-성(感受性) 명 感受性 gǎnshòuxìng ¶~이 풍부하다 感受性很丰富

감시(監視) 명하타 监视 jiānshì ¶~레이더 监视雷达 / ~망 监视网 / ~선 监视船 / ~자 监视者 / ~를 받다 受到监视 / 적들의 일거일동을 ~하다 监视敌人的一举一动

감식(鑑識) 명하타 鉴别 jiànbié; 鉴定 jiàndìng ¶지문 ~ 指纹鉴定 / 유전자를 ~하다 鉴定基因

감:-싸다 타 **1** 包 bāo; 缠裹 chánguǒ; 裹 guǒ ¶아기를 모포로 ~ 用毛毯把宝宝裹起来 **2** 包庇 bāobì; 庇护 bìhù; 袒护 tǎnhù ¶아이의 잘못을 ~ 袒护孩子的错误

감안(勘案) 명하타 斟酌 zhēnzhuó; 酌 zhuó; 考虑 kǎolǜ ¶그의 상황을 ~해서 일정을 짜다 考虑到他的情况, 按排日程

감언(甘言) 명 甘言 gānyán; 甜言 tiányán

감언-이설(甘言利說) 명 花言巧语 huāyánqiǎoyǔ; 甜言蜜语 tiányánmìyǔ ¶그녀는 무수한 ~로 사람들을 미혹시켰다 她用无数的甜言蜜语迷住了人们

감:염(感染) 명하자 感染 gǎnrǎn; 污染 wūrǎn ¶~ 경로 感染途径 / ~원 感染源 / ~자 感染者

감옥(監獄) 명 监狱 jiānyù; 监牢 jiānláo; 牢狱 láoyù; 囚牢 qiúláo = 옥(獄) ¶~에 갇히다 被关在监狱 / 그를 ~에 보내다 把他送进监狱

감옥-살이(監獄—) 명하자 监狱生活 jiānyù shēnghuó = 옥살이

감:원(減員) 명하타 裁员 cáiyuán; 减员 jiǎnyuán ¶~ 조정 裁员整顿

감:응(感應) 명하자 **1** 感触 gǎnchù; 感应 gǎnyìng; 共鸣 gòngmíng ¶~을 일으키다 引发共鸣 **2** 〖物〗 感应 gǎnyìng = 유도(誘導)2 ¶~ 계수 感应系数

감:-잎 명 柿叶 shìyè ¶~ 차 柿叶茶

감자 명 『植』 土豆 tǔdòu; 马铃薯 mǎlíngshǔ ¶～채 炒土豆丝 / ～떡 土豆饼 / ～전 土豆煎饼 / ～튀김 炸土豆片 / ～를 캐다 挖土豆

감:전(感電) 명하자 『電』 触电 chùdiàn; 电击 diànjī ¶～ 사고 触电事故 / ～사 触电死亡 / 부주의로 ～되다 因为不留神而触电

감:점(減點) 명하타 减分 jiǎnfēn; 扣分 kòufēn ¶～을 받다 被减分

감:정(感情) 명 感情 gǎnqíng; 情绪 qíngxù ¶～싸움 感情摩擦 / ～ 이입 感情引入 / 반미 ～ 反美情绪 / ～이 풍부하다 感情丰富 / ～을 드러내다 表露感情

감:정(憾情) 명 遗憾 yíhàn; 意见 yìjiàn ¶너 나한테 무슨 ～ 있니? 你对我有什么意见吗?

감정(鑑定) 명하타 鉴定 jiàndìng; 评估 pínggū ¶～가 鉴定价 / ～서 鉴定书 / 보석을 ～하다 鉴定宝石

감주(甘酒) 명 甜酒 tiánjiǔ = 단술

감:지(感知) 명하타 感知 gǎnzhī ¶위험을 ～하다 感知危险 / 변화를 ～하다 感知变化

감:지-기(感知器) 명 『物』 传感器 chuángǎnqì; 感知器 gǎnzhīqì; 灵敏装置 língmǐn zhuāngzhì = 센서(sensor)

감:지덕지(感之德之) 부하타 感恩戴德 gǎn'ēndàidé; 感激之至 gǎnjīzhīzhì

감질-나다(疳疾—) 자 着急 zháojí; 急 jí ¶비가 정말 감질나게 온다 这个雨下得太少真让人着急

감쪽-같다 형 巧夺天工 qiǎoduótiāngōng; 巧妙 qiǎomiào; 灵巧 língqiǎo; 神 shén; 神乎其神 shénhūqíshén; 神妙 shénmiào; 神不知鬼不觉 shénbùzhīguǐbùjué ¶감쪽같은 계획 巧妙的计艺 / 감쪽같은 솜씨 巧夺天工的手艺

감쪽같-이 부

감찰(監察) 명하타 监察 jiānchá; 督察 dūchá ¶～제도 监察制度

감청(紺靑) 명 『美』 绀青 gànqīng

감청(監聽) 명하타 『軍』 监听 jiāntīng

감초(甘草) 명 『植』 甘草 gāncǎo

감:촉(感觸) 명하자타 手感 shǒugǎn; 感觉 gǎnjué = 촉감1 ¶부드러운 ～ 软软的手感 / ～이 좋다 手感很好

감추다 타 **1** 藏 cáng; 隐藏 yǐncáng; 隐匿 yǐnnì ¶물건을 ～ 把东西藏起来 **2** 瞒 mán; 掩盖 yǎngài; 掩饰 yǎnshì; 隐瞒 yǐnmán; 遮盖 zhēgài; 遮瞒 zhēmán; 遮掩 zhēyǎn ¶결함을 ～ 掩盖缺陷 / 불안을 ～ 掩饰不安

감:축(減縮) 명하자타 减缩 jiǎnsuō; 缩减 suōjiǎn ¶예산을 ～하다 缩减预算 / 인원을 ～하다 缩减人员

감:-치다 타 缭 liáo; 锁 suǒ ¶단춧구멍을 ～ 锁扣眼

감:칠-맛 명 **1** 合口味 hékǒuwèi; 美味 měiwèi; 有味道 yǒuwèidào ¶～이 있다 有味道 **2** 魅力 mèilì; 吸引力 xīyǐnlì

감:침-질 명하타 缭 liáo; 锁 suǒ

감탄(感歎·感嘆) 명하자 感叹 gǎntàn; 赞叹 zàntàn; 赞许 zànxǔ ¶～문 感叹句 / ～법 感叹法 / ～사 感叹词 / 그의 실력에 ～을 금치 못하다 对他的能力赞叹不已

감탄 부:호(感歎符號) 『語』 = 느낌표

감:퇴(減退) 명하자 减退 jiǎntuì; 减弱 jiǎnruò; 减少 jiǎnshǎo; 衰退 shuāituì ¶시력이 ～하다 视力减弱 / 기억력이 ～하다 记忆力减退

감투 명 **1** 乌纱帽 wūshāmào; 乌纱 wūshā **2** 官职 guānzhí

감투(를) 쓰다 구 戴乌纱帽; 身居高位

감:행(敢行) 명하타 敢干 gǎngàn; 干出 gànchū; 敢于 gǎnyú; 举行 jǔxíng ¶파업을 ～하다 举行罢工

감:형(減刑) 명하자타 『法』 减刑 jiǎnxíng; 减 jiǎn ¶사형을 무기 징역으로 ～하다 死刑减为无期徒刑

감호(監護) 명하타 监护 jiānhù ¶～ 조치 监护措施 / 어린이를 ～하다 监护儿童

감:화(感化) 명하자타 感化 gǎnhuà; 感染 gǎnrǎn; 感召 gǎnzhāo; 熏陶 xūntáo; 影响 yǐngxiǎng ¶～ 교육 感化教育 / 인격으로 사람을 ～시키다 用人格感化人

감:회(感懷) 명 感怀 gǎnhuái; 怀旧 huáijiù ¶～가 깊다 感怀颇深 / 깊은 ～에 젖다 沉浸在深深感怀之中

감:흥(感興) 명 感兴 gǎnxìng ¶～이 일다 生起感兴 / ～을 불러일으키다 激发起感兴

감:-히(敢—) 부 敢 gǎn; 胆敢 dǎngǎn; 敢于 gǎnyú; 竟敢 jìnggǎn ¶～ 어떻게 그런 말을 할 수 있는 거니? 你怎么敢这样说?

갑(匣) 명 **1** 盒(儿) hé(r); 盒子 hézi; 匣 xiá ¶빈 ～ 空盒子 **2** 盒 hé ¶담배 한 ～ 一盒烟

갑(岬) 명 『地理』 岬 jiǎ; 岬角 jiǎjiǎo; 地角 dìjiǎo; 海岬 hǎijiǎ; 海角 hǎijiǎo = 곶

갑각(甲殼) 명 『動』 甲壳 jiǎqiào ¶～류 甲壳类

갑갑-하다 형 憋闷 biēmen; 烦得慌 fándehuāng; 闷气 mēnqì; 烦闷 fánmèn; 闷 mèn; 郁闷 yùmèn ¶장소가 비좁아서 ～ 地方狭窄, 有些闷 **갑갑-히** 부

갑골(甲骨) 명 甲骨 jiǎgǔ

갑골-문(甲骨文) 명 〖語〗 = 갑골 문자

갑골 문자(甲骨文字) 〖語〗 甲骨文 jiǎgǔwén = 갑골문

갑남을녀(甲男乙女) 명 张三李四 zhāngsānlǐsì

갑론을박(甲論乙駁) 명하자 你争我辨 nǐzhēng wǒbiàn; 辩来辩去 biànláibiànqù; 争论不休 zhēnglùnbùxiū

갑문(閘門) 명 〖建〗 闸门 zhámén; 水闸 shuǐzhá

갑부(甲富) 명 富豪 fùháo; 首富 shǒufù

갑상-샘(甲狀—) 명 〖生〗 甲状腺 jiǎzhuàngxiàn ¶~ 저하증 甲状腺功能低下症 =[甲状腺功能不全] / ~ 항진증 甲状腺功能亢进症 / ~ 비대 甲状腺肥大 / ~암 甲状腺癌

갑-오징어(甲—) 명 〖動〗 乌贼 wūzéi

갑-옷(甲—) 명 甲 jiǎ; 铠甲 kǎijiǎ ¶~을 입고 출정하다 穿着铠甲出征

갑자기 부 突然 tūrán; 突然间 tūránjiān; 忽然 hūrán; 陡然 dǒurán; 顿时 dùnshí; 霍然 huòrán; 遽然 jùrán; 蓦地 mòdì; 倏地 shūdì; 骤然 zhòurán; 骤 zhòu ¶그가 ~ 내 손을 잡았다 他突然握住了我的手 / 날씨가 ~ 추워지다 天气忽然转冷 / 기온이 ~ 내려가다 气温骤降

갑작-스럽다 형 突然 tūrán; 突如其来 tūrúqílái; 意外 yìwài; 意想不到 yìxiǎngbùdào ¶갑작스러운 질문 突如其来的提问 / 모든 것이 너무 ~ 一切来得太突然了 **갑작스레** 부

갑절 명 = 배(倍)1

갑주(甲胄) 명 甲胄 jiǎzhòu

갑판(甲板) 명 甲板 jiǎbǎn; 舱面 cāngmiàn

값 명 **1** 价 jià; 价格 jiàgé; 价钱 jiàqián ¶~이 비싸다 价格很贵 / ~이 싸다 价格很便宜 / ~을 깎다 砍价 / ~을 흥정하다 讨价还价 **2** 成效 chéngxiào; 代价 dàijià; 意义 yìyì ¶~을 하다 发挥成效 **3** 值得 zhídé; 价值 jiàzhí ¶~이 없는 일 没价值的事 **4** 费 fèi; 费用 fèiyong ¶신문~ 报费 / 음식~ 餐费 **5** 〖數〗 值 zhí

값-나가다 자 值钱 zhíqián ¶값나가는 물건 值钱的东西

값-비싸다 형 **1** 贵 guì; 价格高 jiàgé gāo; 昂贵 ángguì ¶값비싼 화장품 昂贵的化妆品 **2** 值钱 zhíqián; 沉重 chénzhòng; 宝贵 bǎoguì ¶값비싼 대가 沉重的代价 / 값비싼 경험 宝贵的经验

값-싸다 형 **1** 便宜 piányi ¶값싸고 튼튼한 상품 又便宜又结实的产品 **2** 不值钱 bùzhíqián; 廉价 liánjià ¶값싼 동정 不值钱的同情

값-어치 명 值 zhí; 价值 jiàzhí; 值得 zhídé ¶그 물건은 그만한 ~가 있다 那个东西值那个价钱

값-없다 형 **1** 无价 wújià ¶값없는 보배 无价之宝 **2** 不值钱 bùzhíqián; 没有价值 méiyǒu jiàzhí; 白白 báibái ¶값없는 일 没有价值的事情 **값없-이** 부 ¶~ 죽다 白白送死

값-지다 형 **1** 值钱 zhíqián ¶값진 그림 值钱的图画 **2** 有价值 yǒu jiàzhí; 宝贵 bǎoguì ¶값진 희생 有价值的牺牲

갓[1] 명 **1** 笠子帽 lìzimào ¶~을 쓰다 头戴笠子帽 **2** (灯的) 罩(儿) zhào(r); 罩子 zhàozi

갓[2] 명 〖植〗 盖菜 gàicài; 芥菜 jiècài ¶~김치 芥菜泡菜

갓[3] 부 刚 gāng; 刚刚 gānggāng ¶~ 태어난 아기 刚出生的婴儿

갓:-길 명 路肩 lùjiān; 路边(儿) lùbiān(r) ¶고속 도로 ~ 高速公路路肩 / ~ 주행 在路肩上行驶

갓난-아기 명 婴儿 yīng'ér; 宝宝 bǎobao

갓난-아이 명 婴儿 yīng'ér; 新生儿 xīnshēng'ér = 신생아

갓난-쟁이 명 毛孩子 máoháizi; 娃娃 wáwa; 婴儿 yīng'ér; 婴孩 yīnghái

강(江) 명 江 jiāng; 河 hé; 江河 jiānghé ¶한 줄기 ~ 一条河 / ~을 건너다 过江

강 건너 불 보듯 구 = 강 건너 불구경

강 건너 불구경 구 隔岸观火 = 강 건너 불구경

강(鋼) 명 〖工〗 = 강철

강-(强) 접두 强 qiáng ¶~행군 强行军 / ~타자 强击手

강-가(江—) 명 河边 hébiān; 河沿 héyán; 江边 jiāngbiān = 강변(江邊) ¶~를 거닐다 逛河边

강:간(强姦) 명하타 强奸 qiángjiān ¶~범 强奸犯 / ~죄 强奸罪

강강-술래 명 〖民〗 羌羌水越来 qiāngqiāngshuǐyuèlái

강건-하다(剛健—) 형 刚健 gāngjiàn; 刚强 gāngqiáng; 刚毅 gāngyì ¶강건한 성격 刚毅的性格 / 풍격이 ~ 风格刚健 **강건-히** 부

강건-하다(强健—) 형 强健 qiángjiàn; 强壮 qiángzhuàng; 健壮 jiànzhuàng ¶체질이 ~ 体质健壮 **강건-히** 부

강경(强硬) 명하형히부 坚强 jiānqiáng; 强劲 qiángjìn; 强硬 qiángyìng ¶~론 强劲论 / ~책 强硬政策 / ~파 强硬派 / ~한 태도 强硬的态度 / ~한 어조 强硬的语调

강골(强骨) 명 刚骨 gānggǔ; 硬骨头

yìnggǔtou ¶ ~한 硬骨头
강공(强攻) 명하타 强攻 qiánggōng
강:구(講究) 명하타 谋划 móuhuà; 谋求 móuqiú; 摸索 mōsuǒ; 求索 qiúsuǒ ¶해결책을 ~하다 摸索解决方法
강국(强國) 명 强国 qiángguó ¶세계 ~ 世界强国
강:권(强勸) 명하타 强劝 qiǎngquàn; 硬劝 yìngquàn ¶국민들에게 선거 참여를 ~하다 硬劝国民参加选举
강-기슭(江—) 명 河岸 hé'àn; 江岸 jiāng'àn
강-나루(江—) 명 江津 jiāngjīn; 河渡口 hédùkǒu
강남(江南) 명 江南 jiāngnán
강낭-콩 명 〖植〗 菜豆 càidòu; 四季豆 sìjìdòu; 芸豆 yúndòu
강냉이 명 **1** = 옥수수 **2** 炸玉米 zháyùmǐ
강녕-하다(康寧—) 형 康宁 kāngníng; 安康 ānkāng ¶생활이 ~ 生活安康 **강녕-히** 부
강-다짐 명하타 **1** 干咽 gānyàn **2** 强迫 qiǎngpò; 无理 wúlǐ; 硬 yìng
강단(剛斷) 명 **1** 坚忍不拔的意志 jiānrěnbùbáde yìzhì ¶~이 있다 有坚忍不拔的意志 **2** 果断 guǒduàn
강:단(講壇) 명 讲坛 jiǎngtán; 讲台 jiǎngtái ¶~에 서다 站在讲坛上
강:당(講堂) 명 **1** 讲堂 jiǎngtáng; 礼堂 lǐtáng ¶학교 ~ 学校礼堂 **2** 〖佛〗 讲院 jiǎngyuàn
강:대(講臺) 명 讲台 jiǎngtái
강대-국(强大國) 명 强大国 qiángdàguó; 强大国家 qiángdà guójiā
강:대-상(講臺床) 명 讲桌 jiǎngzhuō
강대-하다(强大—) 형 强大 qiángdà; 强盛 qiángshèng ¶강대한 국가 强盛的国家 / 강대한 세력 强大的势力 **강대-히** 부
강도(剛度) 명 〖物〗 刚度 gāngdù
강:도(强盜) 명 强盗 qiángdào; 盗劫 dàojié; 抢劫 qiǎngjié ¶~ 사건 盗劫案 / 은행 ~ 银行抢劫
강도(强度) 명 **1** 强度 qiángdù ¶~ 높은 훈련 强度大的训练 **2** 〖物〗 强度 qiángdù = 세기
강:도-사(講道師) 명 〖宗〗 讲道师 jiǎngdàoshī
강:도-질(强盜—) 명하자 抢劫 qiǎngjié; 盗劫 dàojié
강:독(講讀) 명하타 讲读 jiǎngdú; 阅读 yuèdú; 精读 jīngdú ¶문학 ~ 文学精读
강-된장(—醬) 명 纯大酱 chúndàjiàng; 纯黄酱 chúnhuángjiàng
강-둑(江—) 명 河堤 hédī ¶~길 河堤路
강:등(降等) 명하자타 降 jiàng; 降低 jiàngdī; 降级 jiàngjí
강력-범(强力犯) 명 〖法〗 凶犯 xiōngfàn
강력-분(强力粉) 명 强力面粉 qiánglì miànfěn
강력-하다(强力—) 형 强力 qiánglì; 强有力 qiángyǒulì; 强硬 qiángyìng; 严重 yánzhòng ¶강력한 엔진 强有力的引擎 / 강력한 조치를 취하다 采取强硬措施 **강력-히** 부 ¶~ 항의하다 严重抗议
강렬-하다(强烈—) 형 强烈 qiángliè ¶강렬한 햇빛 强烈的阳光 / 소망이 ~ 愿望强烈 **강렬-히** 부
강령(綱領) 명 大纲 dàgāng; 纲领 gānglǐng ¶행동 ~ 行动纲领
강:론(講論) 명하타 讲论 jiǎnglùn
강:림(降臨) 명하자 降临 jiànglín ¶신선이 세상에 ~하다 神仙降临人间
강-마르다 형 **1** 干巴 gānba; 干巴巴 gānbābā ¶비가 부족해서 땅이 강말랐다 雨水不足, 地里干巴巴的 **2** 干瘦 gānshòu; 枯瘦 kūshòu ¶강마른 아이 干瘦的孩子
강:매(强買) 명하타 强买 qiǎngmǎi; 硬买 yìngmǎi
강:매(强賣) 명하타 强卖 qiǎngmài; 强售 qiǎngshòu ¶물건을 ~하다 强卖东西
강모(剛毛) 명 **1** 硬毛 yìngmáo **2** 〖生〗 刚毛 gāngmáo
강-모래(江—) 명 江沙 jiāngshā; 河沙 héshā
강-물(江—) 명 江水 jiāngshuǐ; 河水 héshuǐ ¶~이 붇다 江水涨了 / ~이 넘치다 江水溢出来
강물도 쓰면 준다 속담 近水不可枉用水, 近山不可枉烧柴
강-바닥(江—) 명 河槽 hécáo; 河底 hédǐ; 河床 héchuáng
강-바람(江—) 명 江风 jiāngfēng
강:박(强迫) 명하타 强迫 qiǎngpò; 逼迫 bīpò; 强逼 qiǎngbī ¶~ 관념 强迫观念 / 그들이 실수를 인정하게 ~하다 逼迫他们承认错误
강변(江邊) 명 = 강가 ¶~길 河边路 =[江边路] / ~도로 河边道路 =[江边道路]
강:변(强辯) 명하자타 强辩 qiǎngbiàn
강병(强兵) 명 **1** 强兵 qiángbīng **2** 强备武装 qiángbèi wǔzhuāng
강보(襁褓) 명 = 포대기
강북(江北) 명 江北 jiāngběi
강-비탈(江—) 명 河坡 hépō; 江坡 jiāngpō
강:사(講士) 명 讲演者 jiǎngyǎnzhě; 演讲者 yǎnjiǎngzhě
강:사(講師) 명 讲师 jiǎngshī ¶대학

～ 大学讲师 / ～ 자격 讲师资格
강삭(鋼索) 명 钢索 gāngsuǒ; 钢丝绳 gāngsīshéng = 와이어 · 와이어로프
강산(江山) 명 江山 jiāngshān; 河山 héshān; 山河 shānhé ¶아름다운 ～ 美丽的江山
강산(强酸) 명 〖化〗强酸 qiángsuān
강-샘 명하자 = 질투
강:설(降雪) 명하자 降雪 jiàngxuě ¶～량 降雪量
강설(講說) 명하타 讲说 jiǎngshuō
강성-하다(强盛—) 형 强盛 qiángshèng ¶국가가 ～ 国家强盛 / 세력이 날로 강성해지다 势力日益强盛
강세(强勢) 명 **1** 强势 qiángshì **2** 〖經〗上升趋势 shàngshēng qūshì; 强势 qiángshì; 强 qiáng **3** 〖語〗重音 zhòngyīn
강-소주(—燒酒) 명 纯烧酒 chúnshāojiǔ
강-속구(强速球) 명 〖體〗速球 sùqiú ¶시속 150킬로의 ～를 던지다 投出时速150公里的速球
강:수(降水) 명 〖地理〗降水 jiàngshuǐ ¶～계 降水计 / ～량 降水量
강:술(講述) 명하타 讲述 jiǎngshù ¶관련 내용을 ～하다 讲述相关内容
강:습(講習) 명하타 讲习 jiǎngxí; 培训 péixùn ¶～회 讲习会 / ～반 讲习班 / ～생 讲习生 / ～소 讲习所 / 무용 ～ 舞蹈培训
강시(僵屍 · 殭屍) 명 僵尸 jiāngshī; 冻尸 dòngshī
강-심장(强心臟) 명 胆大 dǎndà; 钢铁心脏 gāngtiě xīnzàng ¶감히 이런 말까지 하다니, 너는 정말로 ～이다 你可真是胆大, 连这话也敢说
강아지 명 小狗 xiǎogǒu
강아지-풀 명 〖植〗狗尾草 gǒuwěicǎo; 谷莠子 gǔyǒuzi; 莠 yǒu
강-알칼리(强alkali) 명 〖化〗= 강염기
강:압(强壓) 명하타 高压 gāoyā; 强加 qiángjiā; 强压 qiángyā; 强制 qiángzhì; 压制 yāzhì ¶이웃 나라의 ～을 받다 受到邻国的高压
강:압-적(强壓的) 관명 强压(的) qiángyā(de) ¶～인 방법 强压的方法
강약(强弱) 명 强弱 qiángruò ¶～ 부호 强弱符号 / ～을 조절하다 调节强弱
강-어귀(江—) 명 河口 hékǒu; 江口 jiāngkǒu; 入海口 rùhǎikǒu
강:연(講演) 명하타 讲演 jiǎngyǎn; 演讲 yǎnjiǎng ¶～료 演讲费 / ～장 演讲会场 / ～회 演讲会 / 환경에 대한 ～ 关于环境的讲演
강-염기(强鹽基) 명 〖化〗强碱 qiángjiǎn = 강알칼리
강:요(强要) 명하자타 逼迫 bīpò; 强加 qiángjiā; 硬要 yìngyào; 强迫 qiǎngpò; 强求 qiǎngqiú; 迫 pò; 强逼 qiǎngbī; 逼 bī ¶자백을 ～하다 逼供 / 희생을 ～당하다 被迫牺牲 / 양보를 ～하다 强迫让步 / ～에 못 이겨 결혼하다 被逼无奈结婚
강:우(降雨) 명하자 降雨 jiàngyǔ
강:우-량(降雨量) 명 降雨量 jiàngyǔliàng; 雨量 yǔliàng = 우량(雨量)
강:의(講義) 명하타 讲授 jiǎngshòu; 上课 shàngkè; 课 kè; 教课 jiāokè; 讲课 jiǎngkè; 教学 jiāoxué; 教 jiào ¶～ 계획서 教学计划 / ～실 教室 / ～를 받다 上课 / ～를 하다 讲课
강인-하다(强靭—) 형 坚强 jiānqiáng; 坚韧 jiānrèn; 刚韧 gāngrèn ¶강인한 정신 坚韧的精神
강자(强者) 명 强者 qiángzhě ¶～가 되다 成为强者
강장(强壯) 명하형 强壮 qiángzhuàng ¶～ 효과 强壮效果
강장(腔腸) 명 〖動〗腔肠 qiāngcháng ¶～동물 腔肠动物
강장-제(强壯劑) 명 〖藥〗强壮剂 qiángzhuàngjì ¶자양 ～ 滋养强壮剂
강재(鋼材) 명 〖工〗钢材 gāngcái
강적(强敵) 명 强敌 qiángdí; 劲敌 jìngdí ¶～을 만나다 碰上强敌
강:점(强占) 명하타 强占 qiángzhàn; 霸占 bàzhàn; 侵占 qīnzhàn ¶남의 국토를 ～하다 侵占别国国土
강점(强點) 명 强点 qiángdiǎn; 长处 chángchù; 优点 yōudiǎn ¶～을 살리다 发扬强点
강:점-기(强占期) 명 强占期 qiángzhànqī ¶일제 ～ 日本军国主义强占期
강정 명 江米条 jiāngmǐtiáo
강:제(强制) 명하타 逼迫 bīpò; 强制 qiángzhì; 强迫 qiǎngpò; 强 qiǎng; 硬 yìng ¶～력 强制力 / ～성 强制性 / ～수단 强制手段 / ～ 처분 强制处分 / ～ 집행 强制执行 / ～ 해산 强制解散
강:제 수용(强制收容) 〖社〗强制收容 qiángzhì shōuróng ¶～소 强制收容所
강:제-적(强制的) 관명 强制(的) qiángzhì(de)
강조(强調) 명하타 强调 qiángdiào ¶～법 强调法 / 중요성을 ～하다 强调重要性 / 자기의 의견을 ～하다 强调自己的意见
강:좌(講座) 명 讲座 jiǎngzuò; 课 kè ¶영어 ～ 英语讲座
강-줄기(江—) 명 河流 héliú
강직-하다(剛直—) 형 刚直 gāngzhí; 刚正 gāngzhèng; 耿直 gěngzhí ¶강직한 사람 耿直的人
강진(强震) 명 〖地理〗强震 qiángzhèn ¶～이 발생하다 发生强震

강짜 명하자 吃醋 chīcù; 妒忌 dùjì; 嫉妒 jídù; 赖 lài ¶~를 부리다 要赖
강철(鋼鐵) 명 〖工〗 钢铁 gāngtiě; 钢 gāng = 강(鋼)·철강 ¶~못 钢钉 / ~봉 钢棍 / ~을 만들다 铸造钢铁
강철-판(鋼鐵板) 명 钢板 gāngbǎn = 강판(鋼板)
강촌(江村) 명 江村 jiāngcūn
강-추위(强—) 명 严寒 yánhán; 酷寒 kùhán
강타(强打) 명하타 1 猛打 měngdǎ; 猛击 měngjī 2 席卷 xíjuǎn ¶태풍이 남해안을 ~했다 台风席卷了南海岸 3 〖體〗 猛力击球 měnglì jīqiú
강-타자(强打者) 명 〖體〗 (棒球的) 强打者 qiángdǎzhě; 强击手 qiángjīshǒu
강:탈(强奪) 명하타 抢夺 qiǎngduó; 抢劫 qiǎngjié; 暴掠 bàolüè; 掠夺 lüèduó ¶남의 재물을 ~하다 抢夺别人的财物
강-태공(姜太公) 명 1 〖人〗 姜太公 Jiāngtàigōng 2 钓鱼人 diàoyúrén
강토(疆土) 명 疆土 jiāngtǔ ¶~를 지키다 保护疆土
강-팀(强team) 명 强队 qiángduì ¶~과 결승전을 치르다 与强队决赛
강:판(降板) 명하자 〖體〗 (棒球的) 降板 jiàngbǎn
강판(鋼板) 명 = 강철판
강판(薑板) 명 擦菜板 cācàibǎn ¶양파를 ~에 갈다 把洋葱用擦菜板擦碎
강:평(講評) 명하타 讲评 jiǎngpíng; 评定 píngdìng ¶~회 讲评会
강포-하다(强暴—) 형 强暴 qiángbào ¶강포한 침략 행위 强暴的侵略行为
강포-히 부
강폭(江幅) 명 河宽 hékuān
강-풀(江—) 명 河草 hécǎo; 江草 jiāngcǎo
강풍(强風) 명 1 强风 qiángfēng; 大风 dàfēng ¶~이 불다 刮大风 2 〖地理〗 = 센바람
강:하(降下) 명하자타 1 = 하강 2 下降 xiàjiàng ¶기온이 급격히 ~하다 气温急剧下降
강-하다(剛—) 형 1 (物体) 结实 jiēshi; 坚固 jiāngù; 坚硬 jiānyìng; 硬 yìng ¶저 나무토막들은 아주 ~ 那些木头很结实 2 坚强 jiānqiáng; 刚强 gāngqiáng ¶강한 성격 刚强的性格
강-하다(强—) 형 1 (力气) 大 dà; 强 qiáng ¶손힘이 ~ 握力很强 2 (程度) 强 qiáng; 强大 qiángdà; 强硬 qiángyìng; 强劲 qiángjìng ¶책임감이 ~ 责任心很强
강:해(講解) 명하타 讲解 jiǎngjiě ¶논어 ~ 论语讲解
강:행(强行) 명하타 强行 qiángxíng; 硬干 yìnggàn ¶공사를 ~하다 强行施工
강:-행군(强行軍) 명하자 强行军 qiángxíngjūn
강호(江湖) 명 江湖 jiānghú ¶~를 떠돌다 游走江湖
강호(强豪) 명 强手 qiángshǒu; 强者 qiángzhě ¶새로운 ~가 등장하다 出现新强手
강-호령(—號令) 명하자 无理斥责 wúlǐ chìzé
강:화(講和) 명하자 讲和 jiǎnghé; 媾和 gòuhé ¶~ 회의 讲和会议
강화(强化) 명하타 加强 jiāqiáng; 强化 qiánghuà; 增强 zēngqiáng ¶~ 훈련 强化训练 / ~우유 强化奶 / ~식품 强化食品 / ~ 유리 强化玻璃 / 왕권을 ~하다 加强王权 / 관리를 ~하다 加强管理
강황(薑黃) 명 〖植〗 姜黄 jiānghuáng
갖-가지 명 '가지가지[1]' 的略词 ¶~ 채소를 심다 种植各种蔬菜
갖다 타보동 '가지다' 的略词
갖-바치 명 皮匠 píjiang
갖-옷 명 皮衣 píyī
갖은 관 样样 yàngyàng; 各种 gèzhǒng; 一切 yīqiè; 种种 zhǒngzhǒng ¶~ 양념 样样调料 / ~ 수단을 다 쓰다 用尽一切手段
갖추다 타 1 具备 jùbèi; 齐备 qíbèi; 置备 zhìbèi; 做好 zuòhǎo ¶자격을 ~ 具备资格 / 조건을 ~ 具备条件 / 준비를 ~ 做好准备 2 端正 duānzhèng; 整 zhěng ¶자세를 ~ 端正姿势
갖춘-꽃 명 〖植〗 完全花 wánquánhuā
갖춘-마디 명 〖音〗 完全小节 wánquán xiǎojié
갖-풀 명 = 아교풀
같다 형 1 同样 tóngyàng; 同一 tóngyī; 一样 yīyàng; 相同 xiāngtóng ¶같은 학교 同一学校 / 나와 그는 나이가 ~ 我和他年龄一样大 2 好似 hǎosì; 如同 rútóng; 如 rú; 一样 yīyàng; 般 bān; 仿佛 fǎngfú 3 像 xiàng ¶추석 같은 명절 像中秋这样的节日 / 너 같은 놈 像你这样的家伙 4 如果 rúguǒ; 若是 ruòshì; 要是 yàoshi ¶나 같으면 꼭 가겠다 要是我, 一定会去 5 好像 hǎoxiàng ¶눈이 올 것 ~ 好像要下雪 / 그는 집에 없는 것 ~ 他好像不在家
같아-지다 자 同化 tónghuà; 一样 yīyàng
같-이 ㊀부 1 一起 yīqǐ; 一同 yītóng; 一道 yīdào; 一块儿 yīkuàir; 同时 tóngshí ¶~ 가다 一起去 / ~ 일하다 一起工作 2 照 zhào; 如 rú ¶예상한 바와 ~ 如我所料 ㊁조 1 像…一样 xiàng…yīyàng; 同…一样 tóng…yīyàng; 宛如 wǎnrú; 像…似的 xiàng…shìde; 般 bān ¶쟁반~ 둥근 달 像盘

子一样圆圆的月亮 **2** 一大…yīdà…; 都 dōu; 就 jiù ¶새벽~ 출근하다 一大早上班 / 매일~ 지각하다 每天都迟到

같이-하다 타 **1** 共同 gòngtóng; 一起 yīqǐ; 与共 yǔgòng ¶생사를 ~ 生死与共 / 자리를 ~ 坐在一起 **2** 同一 tóngyī; 一致 yīzhì ¶의견을 ~ 意见一致

같잖다 형 不三不四 bùsānbùsì; 不像样 bùxiàngyàng; 无聊 wúliáo **같잖-이** 부

갚다 타 **1** 还 huán; 偿还 chánghuán; 付 fù ¶빚을 ~ 还债 / 빌린 돈은 이미 갚았다 欠的钱已经还了 **2** 报 bào; 报答 bàodá ¶원수를 ~ 报仇 / 은혜를 원수로 ~ 以怨报德

개: 명 〖動〗 狗 gǒu; 犬 quǎn ¶미친 ~ 疯狗 / ~ 한 마리 一条狗 / ~가 짖다 狗叫

개같이 벌어서 정승같이 산다[먹는다] 속담 狗一般挣钱, 宰相一般吃喝

개 패듯 구 像打狗一样打

개(個·箇·介) 의명 个 gè; 块 kuài; 张 zhāng; 颗 kē ¶귤 세 ~ 三个橘子 / 사탕 한 ~ 一块糖 / 한 ~만 다오 给我一个

개:가(改嫁) 명하자 改嫁 gǎijià; 转嫁 zhuǎnjià; 再嫁 zàijià = 재가 ¶남편이 죽은 후 그녀는 ~하였다 丈夫死后, 她改嫁了

개:가(凱歌) 명 = 개선가

개가(開架) 명하타 (图书馆) 开架 kāijià ¶~식 开架式

개:각(改閣) 명하자 组阁 zǔgé; 内阁改组 nèigé gǎizǔ

개:간(改刊) 명하타 〖印〗 重印 chóngyìn; 改版 gǎibǎn; 改刊 gǎikān

개간(開墾) 명하타 开垦 kāikěn; 开荒 kāihuāng; 拓荒 tuòhuāng ¶~지 拓荒地

개강(開講) 명하타 开讲 kāijiǎng; 开学 kāixué ¶대학은 대체로 3월에 ~한다 大学一般都三月份开学

개:개-인(個個人) 명 每个人 měige rén; 每人 měirén ¶~의 능력 每个人的能力

개:-고기 명 狗肉 gǒuròu; 香肉 xiāngròu

개:-고생(—苦生) 명 遭罪 zāozuì; 受罪 shòuzuì

개골-창 명 沟渠 gōuqú; 水沟 shuǐgōu

개:과(改過) 명하자 改过 gǎiguò; 悔过 huǐguò ¶~천선 改过迁善 / 잘못을 ~하다 改过错误

개관(開館) 명하자타 开馆 kāiguǎn ¶~식 开馆式

개:관(概觀) 명하타 概观 gàiguān; 概述 gàishù

개:괄(概括) 명하타 概括 gàikuò; 总结 zǒngjié ¶~하여 말하다 概括地说

개교(開校) 명하타 开办学校 kāibàn xuéxiào; 建校 jiànxiào ¶~기념일 建校纪念日 =[校庆日]

개구리 명 〖動〗 青蛙 qīngwā; 蛙 wā

개구리 올챙이 적 생각 못한다 속담 丢掉讨饭棍, 忘记叫街时

개구리-눈 명 青蛙眼 qīngwāyǎn

개구리-밥 명 〖植〗 浮萍 fúpíng; 水萍 shuǐpíng; 紫萍 zǐpíng = 부평초

개구리-헤엄 명 蛙泳 wāyǒng

개:-구멍 명 狗洞 gǒudòng ¶~으로 뺑뺑이치다 窜过狗洞逃学

개:구멍-바지 명 开裆裤 kāidāngkù

개구쟁이 명 淘气鬼 táoqìguǐ; 调皮鬼 tiáopíguǐ; 顽童 wántóng

개국(個國) 의명 个国家 gèguójiā ¶삼십 ~ 대표단 三十个国家代表团

개국(開國) 명하타 开国 kāiguó; 建国 jiànguó ¶~ 공신 开国功臣

개굴-개굴 부하자 (青蛙) 呱呱(叫) guāguā (jiào) ¶개구리가 ~ 우는 소리 青蛙呱呱叫的声音

개그(gag) 명 打诨 dǎhùn; 插科打诨 chākēdǎhùn

개그-맨(gagman) 명 喜剧演员 xǐjù yǎnyuán; 搞笑演员 gǎoxiào yǎnyuán

개근(皆勤) 명하자타 全勤 quánqín ¶~상 全勤奖 / ~상장 全勤奖状 / 그는 오 년 동안 회사를 ~했다 五年来他一直全勤

개기(皆既) 명 〖天〗 = 개기식

개:-기름 명 皮脂 pízhǐ

개기-식(皆既蝕) 명 〖天〗 全食 quánshí = 개기

개기 월식(皆既月蝕) 〖天〗 月全食 yuèquánshí

개기 일식(皆既日蝕) 〖天〗 日全食 rìquánshí

개:-꿈 명 乱七八糟的梦 luànqībāzāode mèng

개:나리 명 〖植〗 连翘 liánqiáo; 黄花条 huánghuātiáo

개나리-봇짐 명 '괴나리봇짐' 的错误

개년(個年) 의명 个年 gènián ¶경제 개발 오 ~ 계획 经济开发五个年计划

개:념(概念) 명 概念 gàiniàn ¶~론 概念论 / ~이 명확치 않다 概念不明确

개:-놈 명 狗东西 gǒudōngxi

개:다[1] 자 **1** 晴 qíng; 转晴 zhuǎnqíng ¶날이 ~ 天气放晴 **2** 散 sàn; 消散 xiāosàn ¶시름이 ~ 疲劳消散

개:다[2] 타 和 huò; 搅拌 jiǎobàn; 调 tiáo ¶밀가루 덩어리를 ~ 把面粉块儿和开

개:다[3] 타 叠 dié; 折叠 zhédié = 개키다 ¶이불을 ~ 叠被子 / 옷을 ~ 叠衣服

개도-국(開途國) 명 〖社〗 '개발 도상국' 的略词

개:-돼지 명 猪狗 zhūgǒu

개:-떡 명 1 糠饽饽 kāngbōbō 2 不像话 bùxiànghuà; 一团糟 yītuánzāo

개:-똥 명 1 狗屎 gǒushǐ 2 卑贱的 bēijiànde

개똥도 약에 쓰려면 없다 속담 想人药, 狗屎也找不到《比喻平时到处都有的东西, 一旦急需却很难找到》

개:똥-벌레 명 〖蟲〗 = 반딧불이

개:똥-지빠귀 명 〖鳥〗 斑鸫 bāndōng

개:똥-철학(一哲學) 명 狗屎哲学 gǒushǐ zhéxué

개:략(概略) 명하타 概略 gàilüè; 大致 dàzhì; 扼要 èyào

개:량(改良) 명하타 改良 gǎiliáng ¶~복 改良服 / ~종 改良种 / ~품 改良品种 / ~ 한복 改良韩式服装 / 농기계를 ~하다 改良农具

개런티(guarantee) 명 片酬 piànchóu

개:론(概論) 명하타 概论 gàilùn ¶사회학 ~ 社会学概论

개막(開幕) 명하자타 开幕 kāimù; 启幕 qǐmù ¶~사 开幕词 / ~식 开幕式 / ~을 선언하다 宣布开幕

개:-망나니 명 狗东西 gǒudōngxi

개:-망신(一亡身) 명하자 丢大人 diūdàrén; 丢尽脸 diūjìnliǎn; 丢人现眼 diūrén xiànyǎn

개:머리-판(一板) 명 〖軍〗 枪托 qiāngtuō

개:명(改名) 명하자 改名 gǎimíng; 更名 gēngmíng ¶~ 신청 改名申请

개:미 명 〖蟲〗 蚂蚁 mǎyǐ; 蚁 yǐ ¶~떼 蚁群

개미 새끼 하나 볼 수 없다 구 连人影儿都见不着

개미 새끼 하나도 얼씬 못한다 구 任何人都不允许接近

개:미-구멍 명 1 蚁孔 yǐkǒng; 蚂蚁洞 mǎyǐdòng 2 = 개미집

개:미-굴(一窟) 명 1 蚁穴 yǐxué 2 = 개미집

개:미-집 명 蚂蚁窝 mǎyǐwō = 개미구멍2 · 개미굴2

개:미-핥기 명 〖動〗 食蚁兽 shíyǐshòu

개:미-허리 명 蜂腰 fēngyāo; 蚂蚁腰 mǎyǐyāo; 细腰 xìyāo

개발(開發) 명하타 1 开采 kāicǎi; 开发 kāifā ¶~ 계획 开发计划 / 광산을 ~하다 开采矿山 / 자원을 ~하다 开发资源 2 启发 qǐfā ¶~ 교육 启发教育 / 능력을 ~하다 启发能力 3 开发 kāifā ¶~비 开发费 / ~자 开发者 / 신제품을 ~하다 开发新产品 4 发展 fāzhǎn

개발 도:상국(開發途上國) 〖社〗 发展中国家 fāzhǎnzhōng guójiā

개:발-새발 부 信笔涂鸦 xìnbǐtúyā

개발 제:한 구역(開發制限區域) 〖法〗 绿带 lǜdài; 绿化地带 lǜhuà dìdài = 그린벨트

개:-밥 명 狗食 gǒushí

개밥에 도토리 속담 狗食里的橡子《比喻被众人嫌弃而孤立的人》

개방(開放) 명하자 开放 kāifàng ¶~ 경제 开放性经济 / ~ 정책 开放政策 / ~주의 开放主义 / 문호를 ~하다 开放门户 / 도서관은 내일부터 ~된다 图书馆明天开放

개방-적(開放的) 관명 开放(的) kāifàng(de) ¶~인 성격 开放的性格

개:-벼룩 명 〖蟲〗 狗蚤 gǒuzǎo

개벽(開闢) 명하자 开辟 kāipì ¶천지가 ~하다 开辟天地

개:별(個別) 명 个别 gèbié ¶~ 면담 个别面谈 / ~ 방문 个别访问 / ~검사 个别检查 / ~ 지도 个别指导

개:별-적(個別的) 관명 个别(的) gèbié(de)

개봉(開封) 명하타 1 打开 dǎkāi; 开封 kāifēng; 启封 qǐfēng ¶병마개를 ~하다 开封瓶盖 / 편지를 ~하다 打开信封 2 首次上映 shǒucì shàngyìng; 首映 shǒuyìng ¶~ 박두 首映迫近

개봉-관(開封館) 명 头轮影院 tóulún yǐngyuàn

개:-불 명 〖動〗 海肠 hǎicháng

개비 명 根 gēn; 块 kuài ¶담배 한 ~ 一根烟

개:비(改備) 명하타 改换 gǎihuàn; 更新 gēngxīn; 换新 huànxīn

개:-뿔 명 狗屁 gǒupì ¶사랑은 무슨 ~! 什么狗屁爱情!

개:-살구 명 野杏 yěxìng

개:살구-나무 명 〖植〗 野杏树 yěxìngshù

개:-새끼 명 狗崽子 gǒuzǎizi = 개자식

개:선(改善) 명하타 改善 gǎishàn; 改进 gǎijìn; 改良 gǎiliáng ¶체질을 ~하다 改善体质 / 작업 환경을 ~하다 改善工作环境 / 관계 ~을 위해 노력하다 为改善关系努力

개:선(疥癬) 명 〖醫〗 = 옴

개:선(凱旋) 명하자 凯旋 kǎixuán ¶~문 凯旋门 / ~장군 凯旋将军 / ~ 행진곡 凯旋进行曲 / 축구 대표팀이 ~하여 돌아오다 足球代表队凯旋而归

개:선-가(凱旋歌) 명 凯歌 kǎigē = 개가(凱歌) ¶~를 높이 부르다 高唱凯歌

개:선-충(疥癬蟲) 명 〖蟲〗 疥虫 jièchóng
개설(開設) 명하타 设 shè; 开 kāi; 开办 kāibàn; 开设 kāishè ¶계좌를 ~하다 开户 / 강좌를 ~하다 开讲座 / 새로운 과목을 ~하다 开办新课程
개:성(個性) 명 个性 gèxìng ¶~화 个性化 / ~이 강한 사람 个性很强的人 / 매우 ~ 있는 헤어스타일 很有个性的发型
개:성-적(個性的) 관명 有个性 yǒu gèxìng; 个性(的) gèxìng(de) ¶그는 얼굴이 무척 ~으로 생겼다 他的脸长得很有个性
개:-소리 명하자 放狗屁 fàng gǒupì; 胡说八道 húshuōbādào; 废话 fèihuà
개수 명 = 개숫물
개:수(改修) 명하타 重修 chóngxiū; 改建 gǎijiàn; 改进 gǎijìn ¶~ 공사 改建工程 / 도로를 ~하다 重修道路 / 집을 ~하다 重修房屋
개:수(個數) 명 个数 gèshù; 件数 jiànshù; 个儿 gèr ¶~가 부족하다 个数不够
개수-대(—臺) 명 洗涤槽 xǐdícáo; 水槽 shuǐcáo
개:-수작(—酬酌) 명하자 搞鬼 gǎoguǐ; 胡说 húshuō; 瞎扯 xiāchě ¶~하지 마라 别搞鬼
개수-통(—桶) 명 洗碗桶 xǐwǎntǒng = 설거지통
개숫-물 명 泔水 gānshuǐ; 洗碗水 xǐwǎnshuǐ = 개수 · 설거지물
개시(開市) 명하타 开张 kāizhāng; 开市 kāishì
개시(開始) 명하타 开始 kāishǐ ¶공격을 ~하다 开始攻击 / 작업을 ~하다 开始工作
개:신(改新) 명하타 改新 gǎixīn
개:신-교(改新敎) 명 〖宗〗 新教 xīnjiào
개:-싸움 명 = 투견
개암 명 榛子 zhēnzi; 榛 zhēn; 榛实 zhēnshí
개암-나무 명 〖植〗 榛树 zhēnshù; 榛 zhēn; 榛子 zhēnzi
개업(開業) 명하타 开业 kāiyè; 开张 kāizhāng ¶~식 开业仪式 / 상점이 ~하다 商店开业
개:연(蓋然) 명 盖然 gàirán ¶~성 盖然性 / ~적 판단 盖然的判断
개:요(槪要) 명 概要 gàiyào ¶논문 ~ 论文概要 / 보고서의 ~ 报告概要
개운-하다 형 **1** 轻松 qīngsōng; 舒服 shūfu; 爽快 shuǎngkuai ¶감기에 걸려서 몸이 개운하지 않다 因为感冒了, 身体不舒服 **2** 爽口 shuǎngkǒu ¶국물이 매우 ~ 汤喝着很爽口
개울 명 小溪 xiǎoxī; 小沟 xiǎogōu ¶~에서 물고기를 잡다 在小溪里抓鱼
개울-가 명 小溪边 xiǎoxībiān; 小沟边 xiǎogōubiān ¶~에서 빨래를 하다 在小溪边洗衣服
개울-물 명 溪水 xīshuǐ; 沟水 gōushuǐ
개원(開園) 명하타 开园 kāiyuán ¶이 유치원은 3월에 ~한다 这所幼儿园三月份开园
개원(開院) 명하타 开院 kāiyuàn ¶이 병원은 내일 정식으로 ~한다 这家医院明天正式开院
개월(個月) 의명 个月 gèyuè ¶이 ~ 两个月 / 몇 ~ 几个月
개으르다 형 懒惰 lǎnduò
개:의(介意) 명하타 介意 jièyì; 在意 zàiyì ¶방금 이 말은 제가 무심코 한 말이니, ~치 마십시오 刚才这句话我是无心中说的, 你可别介意
개이다 자 '개다[1]' 的错误
개:인(個人) 명 个人 gèrén; 个体 gètǐ; 单人 dānrén; 私人 sīrén ¶~감정 个人感情 / ~상 个人奖项 / ~ 소유 私人所有 / ~ 정보 个人信息 / ~주의 个人主义 / ~ 회사 私人公司 / ~ 경기 单人竞技 / ~ 기업 个人企业 / ~ 소득 个人所得 / ~ 비서 私人秘书 / ~ 투자가 私人投资者
개:인 교:수(個人敎授) 〖教〗 个别教学 gèbié jiàoxué; 私人教师 sīrén jiàoshī
개:인-기(個人技) 명 个人技术 gèrén jìshù
개:인용 컴퓨터(個人用computer) 〖컴〗 个人电脑 gèrén diànnǎo = 피시
개:인-적(個人的) 관명 个人(的) gèrén(de); 私人(的) sīrén(de) ¶~인 생각 个人想法 / ~인 문제 私人问题
개:인-전(個人展) 명 个人展 gèrénzhǎn
개:인-전(個人戰) 명 〖體〗 个人赛 gèrénsài
개:인-차(個人差) 명 个人差别 gèrén chābié
개:인-택시(個人taxi) 명 个体出租车 gètǐ chūzūchē
개:인-행동(個人行動) 명 单独行动 dāndú xíngdòng
개:입(介入) 명하자 插手 chāshǒu; 介入 jièrù ¶남의 일에 ~하다 插手别人的工作
개:-자식(—子息) 명 = 개새끼
개:작(改作) 명하타 改编 gǎibiān; 改写 gǎixiě
개장(開場) 명하자타 **1** 开场 kāichǎng; 开张 kāizhāng; 开放 kāifàng; 开 kāi; 开门 kāimén; 开始入场 kāishǐ rùchǎng ¶야간 ~ 夜间开场 / 새로 ~한 놀이공원 新开的游乐场 **2** 〖經〗 开盘 kāipán; 开市 kāishì

개점(開店) 명하타 开店 kāidiàn; 开张 kāizhāng ¶이 상점은 내일 ~할 계획이다 这家商店计划明天开张

개점-휴업(開店休業) 명 门可罗雀 ménkěluóquè

개:정(改正) 명하타 修正 xiūzhèng ¶~안 修正案

개:정(改定) 명하타 重订 chóngdìng; 改 gǎi; 改动 gǎidòng ¶맞춤법이 ~되다 缀字法做了改动

개:정(改訂) 명하타 改订 gǎidìng; 修订 xiūdìng ¶~판 修订版 / ~된 교과서 修订了的教科书

개정(開廷) 명하자 〖法〗开庭 kāitíng

개:조(改造) 명하타 改造 gǎizào ¶광장을 주차장으로 ~하다 把广场改造成停车场

개:종(改宗) 명하자 〖宗〗改教 gǎijiào; 改宗 gǎizōng

개:-죽음 명하자 白送死 báisòngsǐ; 无谓牺牲 wúwèi xīshēng

개:중(個中) 명 其中 qízhōng; 个中 gèzhōng; 之中 zhīzhōng ¶~에는 처음 본 사람도 있었다 其中也有初次见面的人

개진(開陳) 명하자 陈述 chénshù; 陈情 chénqíng ¶자기의 의견을 ~하다 陈述自己的意见

개:-집 명 狗窝 gǒuwō; 狗舍 gǒushè

개:-차반 명 臭狗屎 chòugǒushǐ

개:찰(改札) 명하타 检票 jiǎnpiào; 剪票 jiǎnpiào ¶~기 检票机 / ~ 시간 检票时间

개척(開拓) 명하타 1 开垦 kāikěn; 开拓 kāituò ¶황무지를 ~하다 开垦荒地 2 开创 kāichuàng; 开辟 kāipì ¶새로운 분야를 ~하다 开辟新领域 / 판로를 ~하다 开辟销路

개척-기(開拓期) 명 1 开拓期 kāituòqī 2 开辟期 kāipìqī

개척-자(開拓者) 명 1 开拓人 kāituòrén 2 开辟者 kāipìzhě

개척-지(開拓地) 명 1 开拓地 kāituòdì 2 开辟地 kāipìdì

개천(—川) 명 1 河沟 hégōu; 水沟 shuǐgōu 2 = 내[1]

개:체(個體) 명 〖生〗个体 gètǐ ¶~ 변이 个体变异

개최(開催) 명하타 举办 jǔbàn; 主办 zhǔbàn; 举行 jǔxíng; 开办 kāibàn; 召开 zhàokāi ¶~국 主办国 =[东道国] / 올림픽 ~ 도시 奥运会主办城市 / 회의를 ~하다 主办会议 / 행사를 ~하다 举办活动

개최-지(開催地) 명 举办地 jǔbàndì; 主办地 zhǔbàndì ¶월드컵 ~ 世界杯举办地

개:축(改築) 명하타 翻盖 fāngài; 翻建 fānjiàn; 翻修 fānxiū; 改建 gǎijiàn; 改修 gǎixiū; 修葺 xiūqì ¶집을 ~하다 翻修房屋

개:칭(改稱) 명하타 改称 gǎichēng; 改换 gǎihuàn ¶회사의 이름을 ~하다 改换公司的名称

개:코-원숭이 명 〖動〗狒狒 fèifèi = 비비(狒狒)

개키다 타 = 개다[3] ¶옷을 ~ 叠衣服

개:탄(慨歎·慨嘆) 명하자타 慨叹 kǎitàn ¶도덕의 타락을 ~하다 慨叹道德沦亡

개:-털 명 1 狗毛 gǒumáo 2 穷光蛋 qióngguāngdàn

개통(開通) 명하타 开通 kāitōng; 通车 tōngchē ¶~식 通车典礼 / 지하철이 ~되다 地铁开通 / 휴대폰을 ~하다 开通手机

개:-판 명 乱七八糟 luànqībāzāo; 一团糟 yītuánzāo; 狼藉 lángjí; 一锅粥 yīguōzhōu

개펄 명 泥滩 nítān = 펄

개:편(改編) 명하타 改编 gǎibiān ¶조직 ~ 组织改编

개평 명 (赌博时从赢得的钱里抽的)头 tóu

개평(을) 떼다 구 抽头

개평(을) 뜯다 구 抽头

개폐(開閉) 명하타 开闭 kāibì; 开关 kāiguān ¶~식 开闭式 / 자동 ~ 장치 自动开闭装置

개폐-기(開閉器) 명 〖電〗= 스위치

개:표(改票) 명하자 检票 jiǎnpiào; 剪票 jiǎnpiào ¶~구 检票口 / ~ 업무 检票业务

개표(開票) 명하타 开票 kāipiào; 计票 jìpiào ¶~ 결과 计票结果

개학(開學) 명하자 开学 kāixué ¶~식 开学典礼 / 오늘은 ~하는 날이다 今天是开学的日子

개항(開港) 명하타 1 开辟港口 kāipì gǎngkǒu 2 开放港口 kāifàng gǎngkǒu

개:헌(改憲) 명하타 〖法〗改宪 gǎixiàn ¶~안 改宪案

개:-헤엄 명 狗爬式游泳 gǒupáshì yóuyǒng

개:혁(改革) 명하타 改革 gǎigé ¶~파 改革派 / 토지 ~ 土地改革 / 종교 ~ 宗教改革 / 제도를 ~하다 改革制度 / 기구를 ~하다 改革机构

개화(開化) 명하자 开化 kāihuà; 开明 kāimíng ¶문명 ~ 文明开化 / ~사상 开化思想

개화(開花) 명하자 1 开花 kāihuā 2 繁荣 fánróng ¶민족 문화의 ~ 民族文化的繁荣

개화-기(開化期) 명 〖史〗开化期 kāihuàqī

개화-기(開花期) 명 **1** 开花期 kāihuāqī ¶이 꽃의 ~는 5월이다 这种花的开花期是五月 **2** 繁荣发展时期 fánróng fāzhǎn shíqī ¶민족 문화의 ~ 民族文化的繁荣发展时期
개:황(槪況) 명 概况 gàikuàng
개회(開會) 명하자타 开会 kāihuì ¶~사 开会辞 / ~식 开会典礼 / ~를 선언하다 宣布开会 / 정시에 ~하다 准时开会
개-흙 명 河泥 hénì
객(客) 명 **1** 客人 kèrén; 客 kè ¶낯선 ~ 陌生客 **2** 旅客 lǚkè
-객(客) 접미 客 kè; 人 rén; 者 zhě ¶관람~ 观览者 / 등산~ 爬山人 / 불청~ 不速之客
객관(客觀) 명 客观 kèguān ¶~성 客观性 / ~식 客观题 / ~주의 客观主义 / ~화 客观化
객관-적(客觀的) 관명 客观(的) kèguān(de) ¶~인 증거 客观证据 / ~으로 판단하다 客观地判断
객기(客氣) 명 血气 xuèqì; 血性 xuèxìng; 意气 yìqì ¶~를 부리다 意气用事
객사(客死) 명하자 客死 kèsǐ ¶타향에서 ~하다 客死他乡
객석(客席) 명 客座 kèzuò; 客位 kèwèi ¶관중들이 ~을 가득 메웠다 观众们坐满了客座
객-식구(客食口) 명 寄居人 jìjūrén
객실(客室) 명 客房 kèfáng; 客舱 kècāng ¶~을 예약하다 预订客房
객원(客員) 명 客座 kèzuò; 客席 kèxí ¶~ 교수 客座教授 / ~ 지휘자 客座指挥
객지(客地) 명 异乡 yìxiāng; 他乡 tāxiāng; 外乡 wàixiāng; 客地 kèdì ¶~ 생활 异乡生活 / ~에서 생활하다 生活在他乡
객-쩍다(客—) 형 不必要 bùbìyào; 多余 duōyú; 无聊 wúliáo ¶객쩍은 소리를 하다 说多余的话 / 객쩍은 행동 不必要的行为 **객쩍-이** 부
객차(客車) 명 〖交〗 客车 kèchē
객체(客體) 명 客体 kètǐ
객혈(喀血·𪉣血) 명하자 〖醫〗 咯血 kǎxiě; 咳血 kéxiě = 각혈
갤러리(gallery) 명 **1** 画廊 huàláng; 展览走廊 zhǎnlǎn zǒuláng **2** 〖體〗 (高尔夫球赛的) 观众 guānzhòng
갤런(gallon) 의명 加仑 jiālún ¶1~의 가솔린 一加仑汽油
갯-마을 명 海边村庄 hǎibiān cūnzhuāng
갯-바람 명 海风 hǎifēng
갯-바위 명 海边石头 hǎibiān shítou; 海岸岩石 hǎi'àn yánshí
갯-벌 명 泥滩 nítān
갱(坑) 명 〖鑛〗 **1** 坑 kēng; 矿坑 kuàngkēng = 구덩이2 **2** = 갱도
갱(gang) 명 团伙 tuánhuǒ; 匪帮 fěibāng; 黑帮 hēibāng ¶~ 두목 匪帮头目 / ~ 영화 黑帮片
갱구(坑口) 명 〖鑛〗 坑口 kēngkǒu; 矿口 kuàngkǒu
갱:년-기(更年期) 명 更年期 gēngniánqī ¶~ 증상 更年期症状 / ~ 우울증 更年期抑郁症
갱-단(gang團) 명 匪帮 fěibāng; 暴力团伙 bàolì tuánhuǒ
갱도(坑道) 명 〖鑛〗 坑道 kēngdào; 坑路 kēnglù; 巷道 hàngdào = 갱(坑)2
갱:생(更生) 명하자타 重生 chóngshēng; 更生 gēngshēng ¶~의 길 更生的道路 / ~ 보호 更生保护
갱:신(更新) 명하자타 **1** = 경신1 **2** 〖法〗 更新 gēngxīn; 续约 xùyuē ¶계약을 ~하다 续约合同 / 비자를 ~하다 更新签证
갱:지(更紙) 명 劣品纸 lièpǐnzhǐ; 白报纸 báibàozhǐ
갱차(坑車) 명 〖鑛〗 = 광차
갸:륵-하다 형 令人佩服 lìngrén pèifú; 可嘉 kějiā ¶정성이 ~하다 真诚可嘉 **갸:륵-히** 부
갸름-하다 형 略长 lüè cháng; 稍长 shāo cháng ¶갸름한 얼굴형 略长的脸型
갸우뚱-거리다 자타 晃动 huàngdòng; 摇摆 yáobǎi; 摇晃 yáohuàng = 갸우뚱대다 **갸우뚱-갸우뚱** 부하자타형
갸웃 부하타형 稍歪 shāo wāi; 微斜 wēi xié ¶머리를 ~하다 微斜着头
갸웃-거리다 타 (头) 偏 piān; 歪 wāi = 갸웃대다 **갸웃-갸웃** 부하타형
갹출 명하타 凑份子 còu fènzi; 出份子 chū fènzi
걔: 那个孩子 nàge háizi; 那孩子 nà háizi; 他 tā; 她 tā ¶~는 이름이 뭐니? 他叫什么名字?
거 一의명 …的 …de ¶예쁜 ~ 好看的 / 높은 ~ 高的 / 새 ~ 新的 二대 '그거' 的略词 ¶~ 참 좋다 那个真好
거간(居間) 명하자 **1** 介绍买卖 jièshào mǎimai; 居间 jūjiān **2** = 거간꾼
거간-꾼(居間—) 명 经纪人 jīngjìrén; 居间人 jūjiānrén = 거간2
거:구(巨軀) 명 大块头 dàkuàitóu
거:국(擧國) 명 举国 jǔguó; 全国 quánguó
거:국-적(擧國的) 관명 举国(的) jǔguó(de)
거:금(巨金) 명 巨款 jùkuǎn ¶~을 투자하다 投资巨款
거기 대 那边 nàbian; 那儿 nàr; 那里

nàli ¶～까지 가다 到那儿去 / 탁자는 ～에 놓아 주세요 请把桌子放在那边

거꾸러-뜨리다 타 1 使打倒 shǐ dǎdǎo; 使摔倒 shǐ shuāidǎo; 绊倒 bàndǎo 2 打垮 dǎkuǎ; 推翻 tuīfān ¶독재 정부를 ～ 推翻独裁政府 3 打死 dǎsǐ ‖ = 거꾸러트리다

거꾸러-지다 자 1 倒下 dǎoxià; 倒栽葱 dàozāicōng; 跌倒 diēdǎo; 摔倒 shuāidǎo ¶바닥에 ～ 跌倒在地上 2 被推翻 bèi tuīfān; 倒塌 dǎotā; 垮台 kuǎtái; 下台 xiàtái ¶군사 정권이 거꾸러졌다 军事政权垮台了 3 倒下 dǎoxià; 死 sǐ ¶병사가 총탄에 맞아 ～ 士兵中弹倒下

거꾸로 부 倒 dǎo; 倒过来 dǎoguòlái; 颠倒 diāndǎo; 反过来 fǎnguòlái; 反转 fǎnzhuǎn; 转过来 zhuǎnguòlái ¶～ 흐르다 倒流 / ～ 넣다 倒装 / ～ 놓다 倒置 / ～돌다 倒转

거나-하다 형 微醉 wēi zuì; 半醉 bànzuì; 带醉意 dài zuìyì ¶술이 거나하게 취한 사람 喝得半醉的人 **거나-히** 부

거느리다 타 带 dài; 领 lǐng; 率 shuài; 带领 dàilǐng; 率领 shuàilǐng ¶군대를 ～ 率领军队 / 대표단을 ～ 率领代表团

거:닐다 자 逛 guàng; 遛 liù; 溜达 liūda; 漫步 mànbù; 闲逛 xiánguàng; 游荡 yóudàng; 走来走去 zǒuláizǒuqù; 徜徉 chángyáng; 踱步 duóbù; 踱来踱去 duóláiduóqù ¶강가를 ～ 在河边溜达

거:담(祛痰 · 去痰) 명하자 祛痰 qūtán ¶～제 祛痰剂

거:대(巨大) 명하형 巨大 jùdà; 宏大 hóngdà ¶～ 시장 巨大市场 / ～한 규모 巨大规模 / 몸집이 ～하다 身材巨大

거:대 도시 〖社〗 大都会 dàdūhuì = 메트로폴리스

거:동(擧動) 명하자 举动 jǔdòng; 举止 jǔzhǐ; 行动 xíngdòng; 形迹 xíngjì

거:두(巨頭) 명 巨头 jùtóu ¶암흑가의 ～ 黑暗社会的巨头

거두다 타 1 获得 huòdé; 取得 qǔdé; 赢得 yíngdé ¶성과를 ～ 取得成果 2 收集 shōují; 收(起来) shōu(qǐlái) ¶흩어진 책들을 ～ 收起来散落的书籍 3 收割 shōugē; 收获 shōuhuò ¶곡식을 ～ 收割庄稼 4 料理 liàolǐ; 拾掇 shíduo; 收拾 shōushi ¶방 안을 ～ 收拾房间 / 도구를 ～ 收拾工具 5 收取 shōuqǔ; 征收 zhēngshōu ¶세금을 ～ 征收税款 / 임대료를 ～ 收取租金 6 打消 dǎxiāo; 收敛 shōuliǎn; 收住 shōuzhù ¶웃음을 ～ 收住笑容 7 抚养 fǔyǎng; 抚育 fǔyù; 养 yǎng; 养育 yǎngyù ¶아이를 ～ 抚养孩子

거두어-들이다 타 1 收获 shōuhuò 2 撤回 chèhuí

거:두-절미(去頭截尾) 명하타 1 去头截尾 qùtóu jiéwěi 2 掐头去尾 qiātóuqùwěi

거:드름 명 架子 jiàzi; 神气 shénqì ¶～을 피우다 摆架子

거들(girdle) 명 塑身裤 sùshēnkù

거:들다 타 1 帮忙 bāngmáng; 帮助 bāngzhù; 帮 bāng; 助 zhù ¶그를 한몫 ～ 助他一臂之力 / 한 사람도 와서 거들어 주지 않는다 没有一个人来帮忙 2 参与 cānyù; 插嘴 chāzuǐ; 干预 gānyù ¶이 일은 너와 상관없으니, 너는 거들지 마라 这事与你无关, 你不要参与

거들떠-보다 타 理睬 lǐcǎi; 理会 lǐhuì; 理 lǐ ¶아무도 그를 거들떠보지 않다 谁也不理会他

거들먹-거리다 자 得意洋洋 déyìyángyáng; 趾高气扬 zhǐgāoqìyáng = 거들먹대다 ¶그는 머리를 쳐들고 활보하면서 거들먹거렸다 他昂首大步得意洋洋 **거들먹-거들먹** 부하자

거듭 부하타 重复 chóngfù; 再次 zàicì; 反复 fǎnfù ¶～되는 실패 反复更迭的失败 / 같은 동작을 ～하다 重复做同样的动作

거듭-나다 자 1 〖宗〗 重新做人 chóngxīn zuòrén 2 出现新面貌 chūxiàn xīnmiànmào ¶그 회사는 거듭나지 않으면 경쟁력을 잃을 것이다 如果那家公司不出现新面貌的话, 一定会失去竞争力

거뜬-하다 형 1 轻 qīng; 轻便 qīngbiàn ¶거뜬한 신발 轻便的鞋子 2 轻快 qīngkuài; 轻松 qīngsōng; 轻爽 qīngshuǎng ¶일을 다 마치고 나니 마음이 ～ 完成了所有工作, 心里感到很轻松 **거뜬-히** 부

-거라 어미 吧 ba ¶집에 있～ 呆在家里吧 / 어서 자～ 赶快睡吧

거:래(去來) 명하타 1 交易 jiāoyì; 买卖 mǎimai ¶～량 交易量 / ～가 이루어지다 做成交易 2 往来 wǎnglái; 来往 láiwǎng ¶이웃과의 ～가 잦다 和邻居的来往频繁

거:래-소(去來所) 명 〖經〗 交易所 jiāoyìsuǒ ¶증권 ～ 证券交易所

거:래-처(去來處) 명 客户 kèhù

거:론(擧論) 명하타 提 tí; 挂齿 guàchǐ ¶지난 일은 다시 ～하지 마라 往事不要再提

거:룩-하다 형 神圣 shénshèng; 伟大 wěidà ¶거룩한 희생 神圣牺牲 / 거룩한 말씀 神圣的话 **거:룩-히** 부

거룻-배 명 扁舟 piānzhōu; 无帆小船 wúfān xiǎochuán

거류(居留) 명하자 居留 jūliú; 侨居 qiáojū ¶~지 侨居地

거류민-단(居留民團) 명 〖法〗 侨民团 qiáomíntuán; 居留民团 jūliúmíntuán = 민단

거르다[1] 타 滤 lǜ; 过滤 guòlǜ ¶술을 ~ 滤酒 / 물을 ~ 滤水

거르다[2] 타 隔 gé; 漏 lòu; 跳过 tiàoguò; 没有 méiyǒu; 没 méi ¶끼니를 ~ 隔顿 / 이틀 걸러 도서관에 다니다 隔两天去一趟图书馆

거름 명 肥料 féiliào; 肥 féi ¶~을 주다 施肥 **--하다** 자타 施肥 shīféi

거름-종이 명 〖化〗 滤纸 lǜzhǐ = 여과지

거름-통(一桶) 명 粪桶 fèntǒng

거리[1] 명 = 길거리 ¶번화한 ~ 繁华的街道

거리[2] 의명 材料 cáiliào; 的 de; 料 liào; 题 tí; 柄 bǐng ¶마실~ 喝的 / 웃음~ 笑柄 / 반찬~ 做菜的材料

거:리(距離) 명 距离 jùlí ¶~가 매우 가깝다 距离很近 / 일정한 ~를 유지하다 维持一定距离 / ~를 재다 测量距离

거:리-감(距離感) 명 距离感 jùlígǎn; 隔膜 gémó

거리끼다 자타 **1** 碍手碍脚 àishǒu'àijiǎo; 妨碍 fáng'ài; 障碍 zhàng'ài ¶남의 일에 거리끼는 행위 妨碍别人工作的行为 **2** 顾虑 gùlǜ; 内疚 nèijiù ¶과거의 잘못이 마음에 ~ 对过去犯下的错误感到内疚

거리낌 명 **1** 碍手碍脚 àishǒu'àijiǎo; 障碍 zhàng'ài **2** 顾虑 gùlǜ; 顾忌 gùjì; 忌惮 jìdàn ¶~ 없이 말하다 毫无顾忌地说

거마(車馬) 명 车马 chēmǎ ¶~비 车马费

거:만(倨慢) 명하형히부 傲慢 àomàn; 骄傲 jiāo'ào ¶거만한 사람 傲慢的人 / 태도가 ~하다 态度傲慢 / ~하게 행동하다 举止傲慢

거:머리 명 〖動〗 水蛭 shuǐzhì; 蛭 zhì; 蚂蝗 mǎhuáng

거:멀-못 명 绊钉 bàndīng; 搭钉 dādīng

거:멓다 형 深黑 shēnhēi; 黑 hēi ¶거먼 구름 深黑的云彩

거:메-지다 자 变黑 biàn hēi; 发黑 fāhēi ¶이불이 거메졌다 被子变黑了

거:목(巨木) 명 巨木 jùmù ¶한국 문학계의 ~ 韩国文学界的巨木

거무스레-하다 형 = 거무스름하다

거무스름-하다 형 稍黑 shāo hēi; 微黑 wēi hēi = 거무스레하다 · 거뭇하다 ¶햇볕에 그을어서 거무스름한 얼굴 被太阳晒得微黑的脸

거무죽죽-하다 형 黑不溜秋 hēibuliūqiū ¶그는 거무죽죽한 옷을 입고 있다 他穿着黑不溜秋的衣服

거무튀튀-하다 형 又黑又脏 yòu hēi yòu zāng ¶두 손이 ~ 双手又黑又脏

거문-고 명 〖音〗 玄鹤琴 xuánhèqín

거:물(巨物) 명 **1** 巨物 jùwù **2** 大人物 dàrénwù ¶정계의 ~ 政界大人物

거:물-급(巨物級) 명 大牌 dàpái; 老牌 lǎopái ¶~ 선수 老牌运动员

거뭇-하다 형 = 거무스름하다 ¶거뭇한 피부 微黑的皮肤

거미 명 〖蟲〗 蜘蛛 zhīzhū; 蛛蛛 zhūzhū; 蛛 zhū ¶~집 蜘蛛窝

거미-줄 명 蜘蛛丝 zhīzhūsī; 蜘蛛网 zhīzhūwǎng; 蛛丝 zhūsī; 蛛网 zhūwǎng

거:병(擧兵) 명하자 举兵 jǔbīng

거-봐 감 你看 nǐ kàn

거:부(巨富) 명 巨富 jùfù; 百万富翁 bǎiwànfùwēng; 大财主 dàcáizhu

거:부(拒否) 명하타 拒绝 jùjué; 否决 fǒujué ¶~권 否决权 / 승차를 ~하다 拒绝载客 / 환자가 치료를 ~하다 病人拒绝治疗

거:부 반:응(拒否反應) 〖醫〗 排异反应 páiyì fǎnyìng

거북 명 〖動〗 龟 guī; 乌龟 wūguī

거북-선(一船) 명 〖史〗 龟船 guīchuán; 龟甲船 guījiǎchuán

거:북-스럽다 형 别扭 bièniu; 不好意思 bùhǎoyìsi; 尴尬 gāngà; 难为情 nánwéiqíng **거:북스레** 부

거북-이 명 乌龟 wūguī

거북이-걸음 명 龟行 guīxíng

거:북-하다 형 **1** 尴尬 gāngà; 难堪 nánkān; 难为情 nánwéiqíng; 受窘 shòujiǒng **2** 不舒服 bùshūfu; 不自在 bùzìzài; 拘束 jūshù **3** 不得劲(儿) bùdéjìn(r); 不方便 bùfāngbiàn

거:사(巨事) 명 大事 dàshì ¶~를 치르다 办大事

거:사(擧事) 명하자 举事 jǔshì; 起事 qǐshì

거:상(巨商) 명 巨商 jùshāng; 巨贾 jùgǔ

거상(居喪) 명하자 居丧 jūsāng

거:성(巨星) 명 **1** 〖天〗 巨星 jùxīng **2** 巨匠 jùjiàng; 泰斗 tàidǒu

거:세(去勢) 명하타 劁 qiāo; 骟 shàn; 阉割 yāngē

거세다 형 **1** 暴 bào; 猛 měng; 猛烈 měngliè; 汹涌 xiōngyǒng; 猛 měng ¶파도가 ~ 波浪汹涌 **2** 倔强 juéjiàng **3** 强烈 qiángliè; 猛烈 měngliè; 激烈 jīliè ¶거센 저항 激烈抵抗

거:수(擧手) 명하자 举手 jǔshǒu ¶~경례 举手敬礼 / ~로 표결하다 举手表决

거스러미 명 **1** (手指头的) 倒刺 dàocì; 倒欠皮 dàoqiànpí **2** 铁屑 tiěxiè; 毛刺 máocì

거스르다[1] 타 **1** 逆 nì; 溯 sù ¶시대를 ~ 逆时代潮流 **2** 抗 kàng; 对抗 duìkàng; 抗拒 kàngjù; 不听 bùtīng; 违抗 wéikàng ¶명령을 ~ 抗命 / 지시를 ~ 不听指示

거스르다[2] 타 找 zhǎo; 找钱 zhǎoqián ¶백 위안을 내고 칠십 위안을 거슬러 받았다 给了一百元, 找回七十元

거스름-돈 명 找钱 zhǎoqián; 找头 zhǎotou = 잔돈(殘—)2 ¶그에게 ~을 주다 找钱给他

거슬-거슬 부하형 **1** 粗糙 cūcāo; 粗涩 cūsè; 毛糙 máocāo ¶~한 가죽 粗糙的毛皮 **2** 直爽 zhíshuǎng ¶성격이 ~하다 性格直爽

거슬리다 자 不顺耳 bùshùn'ěr; 不中听 bùzhòngtīng; 刺耳 cì'ěr; 碍眼 àiyǎn; 不对眼 bùduìyǎn; 不顺眼 bùshùnyǎn

거슴츠레 부하형 睡眼朦胧 shuìyǎnménglóng; 睡眼惺松 shuìyǎnxīngsōng = 게슴츠레

거:시(巨視) 명 宏观 hóngguān ¶~ 경제학 宏观经济学

거시기 대감 那个 nàge

거:시-적(巨視的) 관명 宏观(的) hóngguān(de) ¶~ 세계 宏观世界

거:식-증(拒食症) 명 『醫』 拒食症 jùshízhèng

거실(居室) 명 **1** 起居室 qǐjūshì **2** 居室 jūshì

거:액(巨額) 명 巨额 jù'é; 巨款 jùkuǎn; 大额 dà'é ¶~을 기부하다 捐献巨款

거:역(拒逆) 명하자타 违抗 wéikàng; 反抗 fǎnkàng; 抗拒 kàngjù ¶명령을 ~하다 违抗命令

거울 명 **1** 镜子 jìngzi; 镜 jìng ¶~에 비추어 보다 照镜子 **2** 榜样 bǎngyàng; 模范 mófàn; 借鉴 jièjiàn ¶~로 삼다 作为借鉴

거울-삼다 타 借鉴 jièjiàn; 借镜 jièjìng ¶다른 기업의 경험을 ~ 借鉴其他企业的经验

거위 명 『鳥』 鹅 é

거의 명부 差不多 chàbuduō; 几乎 jīhū ¶오늘 일은 ~ 끝났다 今天的工作差不多做完了

거:인(巨人) 명 巨人 jùrén = 대인(大人)2 ¶~ 설화 巨人说话 / ~증 巨人症

거:장(巨匠) 명 巨匠 jùjiàng

거저 부 白 bái; 白白地 báibáide; 空 kōng; 空手 kōngshǒu ¶~ 주다 白给 / ~ 받다 白拿

거저먹-기 명 非常容易 fēicháng róngyì; 非常顺利 fēicháng shùnlì; 轻而易举 qīng'éryìjǔ ¶이런 일은 그에게는 ~다 这件事儿对他来说是轻而易举的

거저-먹다 타 非常容易 fēicháng róngyì; 非常顺利 fēicháng shùnlì; 轻而易举 qīng'éryìjǔ ¶이런 일은 거저먹는 일이다 这些工作非常容易

거적 명 草垫子 cǎodiànzi; 草帘 cǎolián; 草苫子 cǎoshānzi

거적-때기 명 草垫子 cǎodiànzi; 草帘 cǎolián; 草苫子 cǎoshānzi

거:절(拒絕) 명하타 拒绝 jùjué ¶그의 요구를 ~하다 拒绝他的要求 / 제안을 ~하다 拒绝提案

거:점(據點) 명 据点 jùdiǎn ¶활동 ~ 活动据点

거주(居住) 명하자 = 주거 ¶~권 居住权 / ~민 居民 / ~자 居住者 / ~ 제한 居住限制 / ~지 居住地

거죽 명 表面 biǎomiàn; 表皮 biǎopí; 外面 wàimiàn

거즈(gauze) 명 薄纱 báoshā; 纱布 shābù = 가제(Gaze)

거:지 명 乞丐 qǐgài; 叫花子 jiàohuāzi; 要饭的 yàofànde; 叫化子 jiàohuāzi = 걸인

거:지-꼴 명 乞丐的样子 qǐgàide yàngzi; 叫花子模样 jiàohuāzi múyàng

거:지-발싸개 명 一钱不值 yīqiánbùzhí ¶~ 같은 놈 一钱不值的家伙

거:짓 명 假 jiǎ; 假的 jiǎde; 伪妄 wěiwàng; 虚伪 xūwěi ¶그의 말은 모두 ~이다 他的话都是假的

거:짓-되다 형 假 jiǎ; 虚假 xūjiǎ; 伪妄 wěiwàng; 虚伪 xūwěi

거:짓-말 명하자 谎 huǎng; 谎话 huǎnghuà; 假话 jiǎhuà; 谎言 huǎngyán; 瞎话 xiāhuà ¶~을 하다 撒谎 = [说谎]

거짓말을 밥 먹듯 하다 구 说谎就像吃饭一样

거:짓말-쟁이 명 谎话鬼 huǎnghuàguǐ; 撒谎者 sāhuǎngzhě

거:짓말 탐지기(—探知機) 『機』 测谎仪 cèhuǎngyí; 测谎器 cèhuǎngqì

거:짓말-투성이 명 瞎话三千 xiāhuà sānqiān

거:-참 감 真是 zhēnshi 《'그것참' 的略词》

거:창-하다(巨創—) 형 宏伟 hóngwěi; 宏大 hóngdà ¶거창한 사업 宏伟的事业 / 거창한 계획 宏伟的计划 **거:창-히** 부

거처(居處) 명 住处 zhùchù; 居所 jūsuǒ ¶그에게 ~를 마련해 주다 给他安排住处

거:추장-스럽다 형 **1** 碍手碍脚 àishǒu'àijiǎo; 难弄 nánnòng ¶거추장스러운 옷차림 碍手碍脚的衣着 **2** 绊手绊脚 bànshǒubànjiǎo; 劳神 láoshén; 麻烦 máfan; 窒手碍脚 zhìshǒu'àijiǎo ¶거추장스러운 일 绊手绊脚的事 **거:추장스레** 부

거:취(去就) 명 **1** 方向 fāngxiàng; 去处 qùchù ¶요즘 그의 ~를 아는 사람은 없다 最近没有人知道他的去处 **2** 去就 qùjiù; 何去何从 héqùhécóng ¶~를 정하다 决定何去何从

거치(据置) 명하타 放置 fàngzhì

거치다 타 **1** 绊 bàn; 绊住 bànzhù ¶돌이 발에 ~ 石头绊住脚 **2** 经 jīng; 经过 jīngguò; 经由 jīngyóu ¶이 일은 내 손을 거쳐 처리되었다 这件事是经我手办的 / 난징을 거쳐 상하이에 가다 经由南京到上海

거치-대(据置臺) 명 放置台 fàngzhìtái ¶휴대폰 ~ 手机放置台

거치적-거리다 자 碍手碍脚 àishǒu-àijiǎo; 绊手绊脚 bànshǒubànjiǎo; 累赘 léizhui ＝ 거치적대다 ¶그 상자가 거치적거리니 치워라 那个箱子碍手碍脚, 拿走吧

거칠다 형 **1** 粗糙 cūcāo; 粗涩 cūsè ¶거친 가죽 粗糙的毛皮 / 바닥이 ~ 底面粗糙 **2** 粗 cū ¶가루가 ~ 粉末粗 **3** 粗暴 cūbào; 粗鲁 cūlǔ; 鲁莽 lǔmǎng ¶성격이 ~ 性格鲁莽 / 거칠게 행동하다 举止粗鲁 **4** 荒芜 huāngwú ¶밭이 ~ 田地荒芜 **5** 不精细 bùjīngxì; 草率 cǎoshuài; 潦草 liáocǎo ¶일을 거칠게 처리하다 草率地处理工作 **6** 粗鲁 cūlǔ ¶거친 욕설 粗鲁的脏话

거칠-하다 형 粗糙 cūcāo; 粗涩 cūsè; 干涩 gānsè; 毛糙 máocāo ¶날씨가 추워져서 피부도 거칠해졌다 天气冷了, 皮肤也粗糙了

거침-없다 형 毫无障碍 háowúzhàng-ài; 毫无顾忌 háowúgùjì; 毫无阻挡 háowúzǔdǎng ¶거침없는 행동 毫无顾忌的行动 **거침없-이** 부

거:포(巨砲) 명 巨炮 jùpào

거푸 부하타 连 lián; 一连 yīlián ¶술잔을 들어 ~ 마시다 连连举杯喝酒

거푸-집 명 铸型 zhùxíng; 铸模 zhùmú; 模板 múbǎn; 模子 múzi

거품 명 泡 pào; 泡沫 pàomò ¶비누 ~ 肥皂泡 / 맥주 ~ 啤酒泡 / ~기 泡沫器 / ~욕 泡沫浴 / ~이 나다 起泡沫

거-하다(居—) 자 定居 dìngjū; 居 jū

거:함(巨艦) 명 巨舰 jùjiàn

거:행(擧行) 명하타 **1** 执行 zhíxíng; 办 bàn ¶분부대로 ~하다 按照吩咐执行 **2** 举行 jǔxíng ¶결혼식을 ~하다 举行婚礼

걱정 명하타 **1** 操心 cāoxīn; 担心 dānxīn; 担忧 dānyōu; 悬念 xuánniàn; 忧虑 yōulǜ; 忧心 yōuxīn ¶~이 많다 忧虑重重 **2** 责备 zébèi ¶~을 듣다 受到责备

걱정이 태산이다 구 心事重重; 忧心忡忡

걱정-거리 명 心事 xīnshì; 烦恼 fánnǎo; 心曲 xīnqū; 心病 xīnbìng; 愁帽 chóumào

걱정-스럽다 형 担心 dānxīn; 担忧 dānyōu; 忧愁 yōuchóu; 忧虑 yōulǜ ¶큰 눈이 내릴까 ~ 担心下大雪 **걱정스레** 부

건(件) 명의명 件 jiàn; 项 xiàng ¶세 ~의 사고 三件事故

건-(乾) 접두 干 gān ¶~울음 干哭 / ~명태 干明太鱼

건:강(健康) 명하형 健康 jiànkāng ¶~미 健康美 / ~식 健康食 / ~ 상태 健康情况 / ~ 검진 健康检查 / ~관리 健康管理 / ~ 보험 健康保险 / ~식품 健康食品 / ~ 증명서 健康证明书 / ~ 진단 健康检查 / ~ 진단서 健康检查书 / ~한 신체 健康的身体 / ~을 회복하다 恢复健康 / ~을 유지하다 维持健康

건곤(乾坤) 명 **1** ＝ 천지1 **2** 堪舆 kānyú; 乾坤 qiánkūn ¶~일척 乾坤一掷

건과(乾果) 명 干果 gānguǒ

건:국(建國) 명하자타 建国 jiànguó ¶~ 시조 建国始祖 / ~ 신화 建国神话 / ~이념 建国理念 / ~ 훈장 建国勋章

건기(乾期) 명 干季 gānjì; 旱季 hànjì; 干燥期 gānzàoqī

건:너 명 **1** 对面 duìmiàn; 对过 duìguò ¶강 ~를 바라보다 望着河对面 **2** 隔 gé ¶이틀 ~ 한 번씩 머리를 감다 每隔两天洗一次头

건:너-가다 자타 渡 dù; 渡过 dùguò; 通过 tōngguò; 越过 yuèguò ¶한길을 ~ 渡过马路 / 강을 ~ 渡过河 / 멀리 외국으로~ 远渡重洋

건:너다 타 **1** 渡 dù; 越 yuè ¶강을 ~ 渡河 / 바다를 ~ 越洋 **2** 传 chuán ¶그 소문은 이 집 저 집을 건너서 퍼졌다 那个消息一个传一个地传开了 **3** 隔 gé ¶이 약은 하루 건너서 먹는다 这药隔天吃一次

건:너-뛰다 타 **1** 跳越 tiàoyuè ¶도랑을 ~ 跳越沟渠 **2** 跳 tiào; 越 yuè ¶2학년에서 4학년으로 ~ 从二年级跳到四年级

건:너-오다 자타 渡过来 dùguòlái; 越过来 yuèguòlái

건:너-편(—便) 명 对面 duìmiàn; 对过 duìguò ¶길 ~ 马路对面

건:넌-방(—房) 명 对面房间 duìmiàn

fángjiān

건:널-목 명 渡口 dùkǒu; 交叉路口 jiāochālùkǒu

건:넛-마을 명 对面的村庄 duìmiànde cūnzhuāng

건:네다 타 **1** 递 dì; 递交 dìjiāo; 传递 chuándì; 交 jiāo; 交给 jiāogěi ¶그에게 명함을 ~ 把名片递给他 **2** 搭 dā ¶말을 ~ 搭话 **3** 渡 dù (《'건너다1' 的使动词》) ¶배로 사람을 ~ 用船渡人

건:네-주다 타 递给 dìgěi; 递过 dìguò ¶그에게 마이크를 ~ 把麦克风递给他

건달(乾達) 명 **1** 游手好闲 yóushǒuhàoxián; 游手好闲的人 yóushǒuhàoxiánde rén **2** 穷光蛋 qióngguāngdàn

건더기 명 **1** 汤里的东西 tānglide dōngxi **2** 材料 cáiliào **3** 把柄 bǎbǐng; 小辫子 xiǎobiànzi **4** 内容 nèiróng ¶무슨 ~도 없다 没有什么内容

건:드리다 타 **1** 碰 pèng; 触 chù; 触动 chùdòng ¶전시품을 함부로 건드리지 마라 别随便碰展品 **2** (用话或行动) 触 chù; 触动 chùdòng; 惹 rě; 招惹 zhāorě ¶그의 심사를 ~ 触动他的心事 / 그의 아픈 곳을 ~ 触到他的痛处 **3** 着手 zhuóshǒu ¶한번 건드린 일은 끝까지 해야 한다 一旦着手就要做到底

건들-거리다 一자 **1** 轻拂 qīngfú **2** 吊儿郎当 diào'erlángdāng 二자타 活动 huódòng; 摇摆 yáobǎi; 摇晃 yáohuàng; 摇摇欲坠 yáoyáoyùzhuì ¶그녀는 요람을 건들거리고 있다 她摇晃着摇篮 ‖ = 건들대다 **건들-건들** 부 하자타

건:들다 타 '건드리다' 的略词

건:립(建立) 명하타 建立 jiànlì; 设立 shèlì ¶~자 建立者 / 공장을 ~하다 建立工厂 / 회사를 ~하다 设立公司

건:망-증(健忘症) 명 〖醫〗 健忘症 jiànwàngzhèng

건면(乾麵) 명 干面 gānmiàn

건-명태(乾明太) 명 = 북어

건:물(建物) 명 建筑物 jiànzhùwù; 建筑 jiànzhù; 楼房 lóufáng ¶콘크리트~ 混凝土建筑物 / ~을 짓다 搭盖建筑物

건물(乾物) 명 干燥食品 gānzào shípǐn

건-미역(乾—) 명 干海带 gānhǎidài

건:반(鍵盤) 명 键盘 jiànpán = 키보드1 ¶~ 악기 键盘乐器

건방 명 (态度) 傲慢 àomàn; 骄傲 jiāo'ào; 自高自大 zìgāozìdà

건방-지다 형 傲慢 àomàn; 骄傲 jiāo'ào; 自高自大 zìgāozìdà ¶건방진 태도 骄傲的态度 / 건방진 말 傲慢的言语

건배(乾杯) 명하자 干杯 gānbēi ¶우정을 위해 ~! 为了友谊, 干杯!

건-빵(乾—) 명 硬饼干 yìngbǐnggān

건사 명하타 **1** 照看 zhàokàn ¶동생을 잘 ~하다 照看好弟弟 **2** 保藏 bǎocáng; 保存 bǎocún ¶그 사진을 잘 ~해 두다 好好保存那张照片

건:설(建設) 명하타 建设 jiànshè ¶기초 ~ 基础建设 / ~ 자재 建设资材

건:설-업(建設業) 명 建设业 jiànshèyè; 建造行业 jiànzào hángyè ¶~자 建设业者

건:설-적(建設的) 관명 建设性 jiànshèxìng

건성 명 表面上 biǎomiànshang; 假意 jiǎyì ¶~으로 대답하다 假意回答

건성(乾性) 명 干性 gānxìng ¶~ 피부 干性皮肤

건성-건성 부 大致 dàzhì; 粗略地 cūlüède ¶~ 설명해 주었다 大致说明了一下

건수(件數) 명 件数 jiànshù

건습(乾濕) 명 干湿 gānshī ¶~계 干湿计 =[干湿表]

건:실-하다(健實—) 형 **1** 可靠 kěkào; 踏实 tāshi; 忠实 zhōngshí ¶건실한 사람 忠实的人 **2** 结实 jiēshi ¶건실한 몸 结实的身体 **건:실-히** 부

건:아(健兒) 명 健儿 jiàn'ér ¶대한의 ~ 大韩的健儿

건어(乾魚) 명 = 건어물

건-어물(乾魚物) 명 干鱼 gānyú; 干鱼物 gānyúwù; 干鱼品 gānyúpǐn = 건어

건:의(建議) 명하타 建议 jiànyì ¶~서 建议书 / ~안 建议案 / ~자 建议者 / ~를 제기하다 提出建议

건:장-하다(健壯—) 형 健壮 jiànzhuàng ¶건장한 몸 健壮的身体 **건:장-히** 부

건:재(建材) 명 〖建〗 '건축 용재' 的略词 ¶~상 建材商

건:재(健在) 명하형 健在 jiànzài; 健存 jiàncún ¶부모님은 모두 ~하시다 父母都健在

건:전(健全) 명하형히부 健全 jiànquán ¶~한 사상 健全的思想

건-전지(乾電池) 명 〖化〗 干电池 gāndiànchí

건:조(建造) 명하타 建造 jiànzào; 制造 zhìzào ¶배를 ~하다 建造轮船

건조(乾燥) 명하자타형 干燥 gānzào; 枯燥 kūzào ¶~기 干燥机 / ~대 干燥台 / ~식품 干燥食品 / ~ 장치 干燥装置 / ~ 주의보 干燥注意报 / ~한 환경 干燥的环境 / 기후가 ~하다 气候干燥 / 목재를 ~시키다 使木材干燥

건조-제(乾燥劑) 명 〖化〗 **1** 干燥剂 gānzàojì; 防潮剂 fángcháojì = 방습제

2 催干剂 cuīgānjì
건지다 타 1 打捞 dǎlāo; 捞 lāo ¶가라앉은 배를 ~ 打捞沉船/물에 빠진 사람을 ~ 捞上落水的人 2 (把本钱) 捞 lāo ¶밑천을 ~ 捞本儿
건초(乾草) 명 干草 gāncǎo
건:축(建築) 명하자 建筑 jiànzhù ¶~가 建筑家/~물 建筑物/~학 建筑学/~ 구조 建筑结构/~ 설계 建筑设计
건:축 용:재(建築用材) 〖建〗建材 jiàncái; 建筑材料 jiànzhù cáiliào; 建筑资材 jiànzhù zīcái = 건축 자재
건:축 자재(建築資材) 〖建〗 = 건축 용재
건:투(健鬪) 명하자 健斗 jiàndòu; 凯旋 kǎixuán ¶~를 빕니다 祝你凯旋而归
건판(乾板) 명 〖化〗底板 dǐbǎn; 底片 dǐpiàn
건:평(建坪) 명 〖建〗建筑面积 jiànzhù miànjī
건:폐-율(建蔽率) 명 〖建〗建筑面积比 jiànzhù miànjībǐ
건-포도(乾葡萄) 명 葡萄干 pútaogān
걷:-기 명 步行 bùxíng; 行走 xíngzǒu; 走 zǒu ¶~ 운동 步行运动
걷다[1] 자 1 (云、雾) 消散 xiāosàn; 散 sàn; 流散 liúsàn ¶잔뜩 끼었던 구름이 걷고 맑은 하늘이 보이기 시작했다 重云散了, 开始见晴天了 2 晴 qíng; 放晴 fàngqíng ¶장마가 걷자마자 바로 무더위가 시작되었다 梅雨刚晴, 就开始了炎热
걷:다[2] 자타 1 走 zǒu; 走路 zǒulù; 行走 xíngzǒu ¶걸어서 가다 走着去/천천히 ~ 慢慢地走 2 走向 zǒuxiàng; 走 zǒu ¶파멸의 길을 ~ 走向灭亡
걷다[3] 타 1 撩 liāo; 搂 lōu; 卷 juǎn; 捋 luō; 绾 wǎn; 挽 wǎn ¶소매를 ~ 挽起袖子 2 拾掇 shíduo; 收 shōu; 收拾 shōushi ¶그물을 ~ 收网 3 收取 shōuqǔ ¶회비를 ~ 收取会费/임대료를 ~ 收取租金
걷어-붙이다 타 捋起 luōqǐ; 卷起 juǎnqǐ; 挽起 wǎnqǐ ¶소매를 ~ 卷起袖子/팔을 ~ 挽起胳膊
걷어-차다 타 踢 tī; 踹 chuài ¶거치적거리는 돌을 ~ 踢开绊脚石
걷어-치우다 타 1 收起 shōuqǐ; 作罢 zuòbà ¶쓸데없는 말은 걷어치워라 收起那些废话 2 收拾 shōushi ¶책상 위에 있는 책들을 ~ 收拾书桌上的书
걷-잡다 타 1 收拾 shōushi; 挽回 wǎnhuí; 挽救 wǎnjiù ¶걷잡을 수 없는 일 不可挽回的事情 2 压抑 yāyì; 压制 yāzhì ¶감정을 ~ 压抑感情
걷-히다[1] 자 '걷다[1]' 的被动词
걷-히다[2] 자 '걷다[3]' 的被动词
걸걸-하다 형 1 大方 dàfang; 豪爽 háoshuǎng ¶성격이 걸걸한 사람 性格豪爽的人 2 (声音) 洪亮而略带嘶哑 hóngliàng ér lüèdài sīyǎ ¶그의 목소리는 ~ 他的声音洪亮而略带嘶哑
걸:다[1] 형 1 稠 chóu ¶쌀죽이 ~ 米粥稠 2 (饮食) 丰盛 fēngshèng ¶음식이 ~ 饮食丰盛 3 不小气 bùxiǎoqi; 大方 dàfang ¶말이 ~ 言谈大方
걸:다[2] 타 1 挂 guà; 搭 dā; 悬 xuán; 悬挂 xuánguà ¶옷을 옷걸이에 ~ 把衣服挂在衣架上/금메달을 목에 ~ 把金牌挂在脖子上 2 闩 shuān; 锁 suǒ ¶창문을 ~ 锁窗户 3 挎 kuà; 挽 wǎn ¶팔에 바구니를 ~ 胳膊上挎着一个篮子 4 (把锅) 坐 zuò ¶솥을 화로에 ~ 把锅坐在炉子上 5 起动 qǐdòng; 发动 fādòng; 拉 lā ¶차에 시동을 ~ 发动汽车/브레이크를 ~ 拉制动器 6 (把钱) 悬 xuán; 下 xià; 下注 xiàzhù; 赌 dǔ ¶현상금을 ~ 悬赏/돈을 ~ 赌钱 7 打 dǎ ¶소송을 ~ 打官司 8 施 shī ¶최면을 ~ 施催眠术 9 凭 píng; 为 wèi ¶명예를 걸고 싸우다 为名誉而战 10 寄托 jìtuō; 寄予 jìyǔ ¶희망을 ~ 寄予希望/기대를 ~ 寄托期待 11 (把话) 搭 dā ¶말을 ~ 搭话 12 (把电话) 打 dǎ ¶전화를 ~ 打电话 13 搬弄 bānnòng; 开 kāi; 惹 rě ¶농을 ~ 开玩笑/시비를 ~ 搬弄是非 14 绊 bàn ¶그가 일부러 내 발을 걸었다 他故意绊了我一下
걸레 명 抹布 mābù ¶~로 닦다 用抹布擦/~를 빨다 洗抹布
걸레-질 명하타 (用抹布) 擦 cā; 抹 mā; 擦拭 cāshì
걸려-들다 자 1 落 luò; 上 shàng ¶그의 올가미에 ~ 落在他的网里 2 受骗 shòupiàn; 上当 shàngdàng; 中计 zhòngjì ¶꾐에 ~ 上当受骗
걸-리다 자 1 '걸다[2]1' 的被动词 ¶옷이 나뭇가지에 ~ 衣服被树枝挂住 2 '걸다[2]2' 的被动词 3 花 huā; 花费 huāfèi; 需要 xūyào; 要 yào ¶두 시간이 ~ 需要两个小时 4 被挡住 bèi dǎngzhù; 被阻碍 bèi zǔ'ài; 被阻止 bèi zǔzhǐ 5 患 huàn; 遭 zāo ¶병에 ~ 患病 6 犯 fàn ¶법에 ~ 犯法 7 抓住 zhuāzhù ¶용의자가 경찰에게 걸렸다 嫌疑犯被警察抓住了 8 过意不去 guòyìbùqù ¶마음에 ~ 过意不去 9 被骗 bèi piàn; 落入 luòrù; 上当 shàngdàng ¶그의 꾀에 ~ 落入他的圈套 10 被发觉 bèi fājué; 查出 cháchū ¶그의 눈에 ~ 被他发觉 11 不顺眼 bùshùnyǎn ¶눈에 ~ 不顺眼
걸리적-거리다 자 碍手碍脚 àishǒu-àijiǎo; 绊手绊脚 bànshǒubànjiǎo; 累赘

léizhui = 걸리적대다
걸림-돌 명 绊脚石 bànjiǎoshí ¶경제 발전의 ~ 经济发展的绊脚石
걸:-망(—網) 명 网袋 wǎngdài
걸:-맞다 형 相称 xiāngchèn; 相配 xiāngpèi
걸머-지다 타 **1** 背负 bēifù; 背 bēi ¶짐을 ~ 背着行李 **2** 担负 dānfù; 负 fù ¶책임을 ~ 担负责任 / 빚을 ~ 负债
걸:-상(—床) 명 凳子 dèngzi ¶~을 들고 꿇어앉아라! 把凳子举起来跪下吧!
걸:-쇠 명 门扣 ménkòu
걸 스카우트(Girl Scouts) 〖社〗女童子军 nǚtóngzǐjūn
걸식(乞食) 명하자 乞食 qǐshí; 讨饭 tǎofàn ¶그는 한때 거리에서 ~했다 他以前在街上讨过饭
걸신(乞神) 명 馋 chán; 馋嘴 chánzuǐ
걸신-들리다(乞神—) 자 馋 chán; 馋嘴 chánzuǐ ¶걸신들린 아이 馋嘴的孩子
걸어-가다 자타 走去 zǒuqù ¶집에서 학교까지 멀지 않아서 걸어갈 수 있다 从家到学校不远, 可以走去
걸어-오다 자타 走来 zǒulái; 走过来 zǒuguòlái ¶그가 맞은편에서 걸어왔다 他从我对面走过来了
걸음 一명 **1** 步伐 bùfá; 步调 bùdiào; 脚步 jiǎobù; 走 zǒu **2** 来往 láiwǎng; 走动 zǒudòng 二의명 步 bù ¶한 ~ 전진하다 一步前进
　걸음아 날 살려라 구 很快地逃跑
　걸음을 떼다 구 迈步
　걸음을 재촉하다 구 = 길을 재촉하다
걸음-걸이 명 脚步 jiǎobù; 步伐 bùfá
걸음-마 一명 学步 xuébù 二감 走吧, 走吧 zǒuba, zǒuba
걸인(乞人) 명 = 거지
걸작(傑作) 명 杰作 jiézuò ¶불후의 ~ 不朽的杰作
걸쭉-하다 형 (液体) 稠 chóu; 浓稠 nóngchóu ¶걸쭉한 기름 浓稠的油 **걸쭉-히** 부
걸출(傑出) 명하형 杰出 jiéchū ¶~한 인물 杰出人物
걸:치다 一자 **1** 架 jià; 连接 liánjiē ¶그 다리는 두 마을 사이에 걸쳐 있다 那座桥架在两个村子之间 **2** 花 huā; 花费 huāfèi ¶두 시간에 걸쳐 공항에 도착하였다 花了两个小时到达机场 **3** 牵涉 qiānshè; 涉及 shèjí ¶고금에 ~ 涉及古今 二타 披 pī ¶옷을 ~ 披着衣服 / 외투를 ~ 披着大衣
걸:터-앉다 자 坐 zuò ¶의자에 ~ 坐在椅子上
걸핏-하면 부 动不动就… dòngbudòng jiù…; 动辄 dòngzhé ¶그는 ~ 화를 낸다 他动不动就生气 / 그녀는 ~ 운다 她动不动就哭
검:(劍) 명 剑 jiàn ¶~ 한 자루 一把剑
검:객(劍客) 명 剑客 jiànkè
검:거(檢擧) 명하타 〖法〗检举 jiǎnjǔ
검:다 형 **1** 黑 hēi ¶검은 연기 黑烟 **2** 阴险 yīnxiǎn ¶검은 마음 阴险的心思
검:도(劍道) 명 〖體〗剑道 jiàndào ¶~복 剑道服 / ~장 剑道场
검둥-개 명 黑狗 hēigǒu
검:문(檢問) 명하타 盘查 pánchá; 盘问 pánwèn; 检查 jiǎnchá ¶~소 检查站
검:-버섯 명 寿斑 shòubān; 老年斑 lǎoniánbān
검:법(劍法) 명 剑法 jiànfǎ
검:-붉다 형 黯红 ànhóng; 黑红 hēihóng; 赭红 zhěhóng
검:사(檢査) 명하타 检查 jiǎnchá; 验yàn ¶~필 检查完毕 / 제품의 질을 ~하다 检查产品的质量
검:사(檢事) 명 〖法〗检察官 jiǎncháguān
검:색(檢索) 명하타 检索 jiǎnsuǒ; 搜索 sōusuǒ ¶~ 엔진 搜索引擎 / 사전에서 관련 내용을 ~하다 在词典里检索相关内容
검:소(儉素) 명하형히부 俭朴 jiǎnpǔ ¶생활이 ~하다 生活俭朴
검:수(檢收) 명하타 验收 yànshōu ¶제품을 ~하다 验收产品
검:술(劍術) 명 剑术 jiànshù
검:시(檢屍) 명하타 〖法〗验尸 yànshī ¶~관 验尸官
검:역(檢疫) 명하타 〖法〗检疫 jiǎnyì ¶~소 检疫所 =[检疫站] / ~원 检疫员 / ~증 检疫证
검:열(檢閱) 명하타 **1** 〖軍〗检阅 jiǎnyuè ¶군대를 ~하다 检阅军队 **2** (工作等) 检查 jiǎnchá ¶위생을 ~하다 检查卫生 **3** 〖法〗(出版物、邮件等) 审查 shěnchá; 审阅 shěnyuè ¶출판물을 ~하다 审查出版物 / 우편물을 ~하다 审查邮件
검은-건반(—鍵盤) 명 〖音〗黑键 hēijiàn
검은-깨 명 黑芝麻 hēizhīma
검은-돈 명 黑钱 hēiqián; 黑金 hēijīn
검은-빛 명 黑色 hēisè
검은-색(—色) 명 黑色 hēisè = 흑(黑) · 흑색 ¶~ 상자 黑色箱子
검은-손 명 黑手 hēishǒu ¶~을 뻗치다 伸出黑手
검은-자위 명 黑眼珠 hēiyǎnzhū; 黑眼珠子 hēiyǎnzhūzi
검은-콩 명 = 검정콩
검:인(檢印) 명 **1** 验讫章 yànqìzhāng ¶~을 찍다 盖验讫章 **2** (作者的) 检

验章 jiǎnyànzhāng ¶작자가 ~을 찍었다 作者盖了检验章

검정 명 黑色 hēisè; 黑色染料 hēisè rǎnliào ¶머리를 ~으로 물들였다 把头发用黑色染料染了

검:정(檢定) 명하타 审定 shěndìng

검:정-고시(檢定考試) 명 同等学历考试 tóngděng xuélì kǎoshì; 学历文凭考试 xuélì wénpíng kǎoshì

검정-콩 명 黑豆 hēidòu; 黑大豆 hēidàdòu; 乌豆 wūdòu = 검은콩

검:증(檢證) 명하타 1 〖法〗对证 duìzhèng 2 查验明白 cháyàn míngbai; 验证 yànzhèn

검:지(一指) 명 = 집게손가락

검:진(檢診) 명하타 〖醫〗诊察病情 zhěnchá bìngqíng

검:찰(檢察) 명하타 〖法〗检察 jiǎnchá ¶~청 检察院 / ~총장 检察总长

검:출(檢出) 명하타 〖化〗检出 jiǎnchū ¶~기 检出器

검:침(檢針) 명하타 检验 jiǎnyàn; 抄表 chāobiǎo ¶~기 抄表器 / ~원 抄表员

검:토(檢討) 명하타 检查 jiǎnchá; 审查研究 shěnchá yánjiū; 研讨 yántǎo ¶방안을 ~하다 研讨方案 / 가능성을 ~하다 审查研究可能性

검:표(檢票) 명하타 查票 chápiào; 检票 jiǎnpiào

검:-푸르다 형 深蓝 shēnlán; 深绿 shēnlǜ ¶검푸른 바다 深蓝的大海

겁(劫) 명 〖佛〗劫 jié

겁(怯) 명 胆怯 dǎnqiè; 害怕 hàipà; 畏惧 wèijù

겁(에) 질리다 구 害怕; 危惧

겁-나다(怯—) 자 胆怯 dǎnqiè; 害怕 hàipà; 畏惧 wèijù ¶나 혼자 집에 있으면 겁난다 我一个人在家真害怕

겁-내다(怯—) 타 胆怯 dǎnqiè; 害怕 hàipà; 畏惧 wèijù ¶겁내지 마, 별거 없어 别害怕, 没有什么东西

겁-먹다(怯—) 자 胆怯 dǎnqiè; 害怕 hàipà; 畏惧 wèijù ¶겁먹지 마, 뭐가 무서워? 别害怕, 害怕什么?

겁-쟁이(怯—) 명 胆小鬼 dǎnxiǎoguǐ

겁-주다(怯—) 타 吓唬 xiàhu; 恫吓 dònghè; 唬住 hǔzhù; 恐吓 kǒnghè

겁탈(劫奪) 명하타 1 抢夺 qiǎngduó ¶길거리에서 여자의 가방을 ~하다 在街上抢夺妇女的皮包 2 强奸 qiángjiān

것 의명 1 的 de ¶마실 ~ 喝的 / 큰 ~ 大的 / 이 책은 그의 ~이다 这本书是他的 2 的 de ¶내가 말한 ~ 我所说的 3 表示命令或规则 ¶담배 피우지 말 ~ 禁止吸烟

겉 명 表面 biǎomiàn; 外表 wàibiǎo ¶편지 봉투 ~에 주소를 쓰다 在信封表面写上地址 / ~으로 보기에는 괜찮은 것 같다 从表面上看还可以

겉 다르고 속 다르다 속담 表里不一

겉-가죽 명 外皮 wàipí = 외피2

겉-감 명 面(儿) miàn(r) ¶이불의 ~ 被面儿

겉-겨 명 粗糠 cūkāng

겉-껍데기 명 表皮 biǎopí; 外壳 wàiké; 外皮 wàipí

겉-껍질 명 表皮 biǎopí; 外壳 wàiké; 外皮 wàipí = 외피1

겉-늙다 자 老相 lǎoxiàng; 显老 xiǎnlǎo ¶겉늙은 사람 显老的人

겉-대 명 菜帮(儿) càibāng(r)

겉-돌다 자 1 (车轮、机器等) 空打转 kōngdǎzhuǎn; 空转圈儿 kōngzhuǎnquānr ¶바퀴가 ~ 轮子空打转 2 隔阂 géhé ¶그는 여러 사람들 사이에서 겉돌고 있다 他和大伙儿有些隔阂 3 浮 fú; 浮游 fúyóu ¶강물에 기름이 ~ 油浮在河水上

겉-멋 명 花架子 huājiàzi ¶~을 부리다 摆架子

겉-면(—面) 명 表面 biǎomiàn; 外表 wàibiǎo; 外面 wàimiàn = 외면[1](外面)1

겉-모습 명 外表 wàibiǎo; 外貌 wàimào ¶~으로 사람을 판단하지 마라 别通过外表判断为人

겉-모양(—模樣) 명 外表 wàibiǎo; 外貌 wàimào = 외양

겉-보기 명 表面 biǎomiàn; 外表 wàibiǎo

겉-봉(—封) 명 封皮 fēngpí; 信封 xìnfēng = 겉봉투 ¶~에 쓰인 주소 信封上写着的地址

겉-봉투(—封套) 명 = 겉봉

겉씨-식물(—植物) 명 〖植〗裸子植物 luǒzǐ zhíwù

겉-옷 명 外衣 wàiyī

겉-자락 명 大襟 dàjīn

겉-장(—張) 명 1 最外面的一张 zuì wàimiànde yīzhāng 2 封面 fēngmiàn ¶~의 제목을 읽어 보아라 把封面的题目念一下

겉-치레 명하자타 装饰门面 zhuāngshì ménmiàn; 装饰外表 zhuāngshì wàibiǎo ¶~만 추구하다 只追求装饰门面

겉-표지(—表紙) 명 封面 fēngmiàn

겉-핥다 타 不求甚解 bùqiúshènjiě; 浅尝 qiǎncháng; 一知半解 yīzhībànjiě

게: 명 〖動〗螃蟹 pángxiè; 蟹 xiè

게 눈 감추듯 구 狼吞虎咽

게 대 那儿 nàr; 那里 nàli 《'거기'的略词》 ¶너 ~ 있어라 你在那里呆着

게:-거품 명 1 螃蟹吐的口沫 pángxiè tǔde kǒumò 2 唾沫 tuòmo ¶그는 화가 나서 ~을 뿜으면서 욕을 했다 他气极了, 满嘴唾沫地骂人

게걸 명 馋 chán; 贪吃 tānchī

게걸-스럽다 형 馋 chán; 贪吃 tānchī; 贪嘴 tānzuǐ ¶네가 이렇게 게걸스럽게 먹어 대니 정말 짜증난다 你这么贪吃让人讨厌 **게걸스레** 부
게:-걸음 명 横着走 héngzhe zǒu; 蟹步 xièbù; 蟹行 xièxíng
게놈(독Genom) 명 〖生〗 = 유전체 ¶~분석 基因组分析
게다가 부 加上 jiāshang; 再说 zàishuō; 加之 jiāzhī; 而且 érqiě; 再加上 zàijiāshang; 又加上 yòujiāshang
게르마늄(독Germanium) 명 〖化〗 锗 zhě
게릴라(에guerilla) 명 〖軍〗 **1** = 유격대 **2** 游击战 yóujīzhàn
게릴라-전(에guerilla戰) 명 〖軍〗 = 유격전
게릴라 전:술(에guerilla戰術) 〖軍〗 游击战术 yóujī zhànshù
게:맛-살 명 蟹棒 xièbàng; 干蟹肉 gānxièròu
게:-살 명 蟹肉 xièròu
게스트(guest) 명 客人 kèrén; 来宾 láibīn ¶오늘 프로그램의 ~ 今天参加节目的来宾
게슴츠레 부하형 = 거슴츠레 ¶그는 어젯밤에 밤을 새워서 하루 종일 눈이 ~했다 他因为昨晚开夜车, 整天睡眼惺松
게:시(揭示) 명하타 布告 bùgào; 公告 gōnggào ¶~문 布告文 / ~판 布告牌
게:양(揭揚) 명하타 升 shēng; 悬挂 xuánguà ¶국기를 ~하다 升国旗
게:양-대(揭揚臺) 명 旗台 qítái
게우다 타 = 토하다1 ¶이 요리는 입맛에 맞지 않아 게우고 싶다 这个菜的味道对我不合适, 想吐
게으르다 형 懒惰 lǎnduò; 懒 lǎn ¶그는 너무 ~ 他太懒惰
게으름 명 懒惰 lǎnduò; 懒 lǎn ¶~을 피우다 偷懒
게으름-뱅이 명 懒鬼 lǎnguǐ; 懒汉 lǎnhàn; 懒人 lǎnrén
게을러-빠지다 형 懒惰 lǎnduò; 懒 lǎn = 게을러터지다 ¶주부가 그렇게 게을러빠져서 어떻게 살림을 하겠니? 主妇这么懒惰, 怎么做家务?
게을러-터지다 형 = 게을러빠지다
게을리 부하타 懒惰(地) lǎnduò(de); 懒洋洋(地) lǎnyángyáng(de)
게이(gay) 명 男性同性恋者 nánxìng tóngxìngliànzhě
게이샤(일geisha[藝者]) 명 艺妓 yìjì
게이지(gauge) 명 〖工〗 标准尺 biāozhǔnchǐ; 规格 guīgé; 量表 liángbiǎo; 量规 liángguī
게이트-볼(gate+ball) 명 〖體〗 门球 ménqiú
게임(game) 명 **1** 游戏 yóuxì; 玩耍 wánshuǎ **2** 赛 sài; 比赛 bǐsài; 竞赛 jìngsài
게임-기(game機) 명 游戏机 yóuxìjī ¶~를 가지고 놀다 玩游戏机
게:-장(—醬) 명 **1** 蟹酱 xièjiàng **2** 蟹酱油 xièjiàngyóu
게:재(揭載) 명하타 登载 dēngzǎi ¶신문에 관련 내용을 ~하다 把相关内容登载在报纸上
겔(독Gel) 명 〖化〗 冻胶 dòngjiāo; 凝胶体 níngjiāotǐ; 凝胶 níngjiāo; 胶 jiāo
겨 명 糠 kāng; 糠稻 kāngdào; 谷糠 gǔkāng
겨:냥 명하타 瞄准 miáozhǔn; 对准 duìzhǔn ¶목표를 ~하다 瞄准目标
겨누다 타 **1** 对准 duìzhǔn; 瞄准 miáozhǔn; 针对 zhēnduì ¶과녁을 ~ 瞄准靶子 **2** 比一比 bǐyibǐ; 量一量 liángyiliáng ¶두 사람이 키를 겨누어 보다 两个人比一比身高
겨드랑-이 명 腋窝 yèwō; 腋下 yèxià; 胳肢窝 gāzhiwō
겨레 명 **1** 同胞 tóngbāo **2** = 겨레붙이
겨레-붙이 명 同族 tóngzú = 겨레2
겨루다 타 比 bǐ; 比试 bǐshì; 比赛 bǐsài; 竞赛 jìngsài; 竞争 jìngzhēng ¶승부를 ~ 比胜负 / 우리 둘 중 누구 힘이 더 센지 겨뤄 보자 我们俩比一比, 看谁的力气大
겨를 의명 工夫 gōngfu; 空儿 kòngr; 余暇 yúxiá; 暇 xiá = 틈⊟ ¶자신을 돌볼 ~도 없다 自顾不暇
겨우 부 **1** 好不容易 hǎobùróngyì; 好容易 hǎoróngyì; 才 cái ¶3년 재수한 끝에 ~ 대학에 합격했다 复读三年, 才考上了大学 **2** 仅仅 jǐnjǐn; 仅 jǐn; 只 zhǐ ¶오늘 회의에 참석한 대표는 ~ 10명밖에 없었다 参加今天会议的代表仅有十人
겨우-내 부 一冬 yīdōng
겨울 명 冬季 dōngjì; 冬天 dōngtiān; 冬 dōng ¶~바람 冬风 / ~밤 冬夜 / ~비 冬雨 / ~ 스포츠 冬季运动 / ~작물 冬季作物
겨울나-기 명 = 월동
겨울 방학(—放學) 〖敎〗 寒假 hánjià
겨울-옷 명 = 동복(冬服)
겨울-잠 명 〖動〗 = 동면
겨울-철 명 冬季 dōngjì; 冬 dōng = 동계(冬季)
겨자 명 **1** 〖植〗 芥菜 jiècài; 芥 jiè ¶~씨 芥子 **2** 芥末 jièmò; 芥黄 jièhuáng ¶냉면에 ~를 치다 在冷面里放芥末
겨잣-가루 명 芥末 jièmo; 芥黄 jièhuáng
격감(激減) 명하자 锐减 ruìjiǎn ¶양이

~하다 数量锐减 / 소득이 ~하다 收入锐减
격납-고(格納庫) 명 飞机库 fēijīkù
격년(隔年) 명하자 隔年 génián
격노(激怒) 명하자 激愤 jīfèn; 激怒 jīnù; 怒不可遏 nùbùkě'è = 격분
격동(激動) 명하자타 **1** 动荡 dòngdàng ¶국제 정세가 ~하다 国际局势动荡 **2** 激动 jīdòng
격려(激勵) 명하타 激励 jīlì; 鼓励 gǔlì ¶~의 말씀 鼓励的话 / 병사들의 투지를 ~하다 激励士兵的斗志
격렬-하다(激烈—) 형 激烈 jīliè ¶전투가 매우 ~ 战斗很激烈 / 격렬한 투쟁 激烈的斗争 **격렬-히** 부
격론(激論) 명하자 激论 jīlùn ¶~을 벌이다 展开激论
격류(激流) 명 激流 jīliú
격리(隔離) 명하타 隔离 gélí ¶~ 환자 隔离患者 / ~ 병동 隔离病房 / 환자를 ~하다 隔离病人
격문(檄文) 명 檄文 xíwén
격물(格物) 명하자 格物 géwù ¶~치지 格物致知
격발(擊發) 명하자타 发射 fāshè; 击发 jīfā ¶~ 장치 击发装置
격변(激變) 명하자 剧变 jùbiàn; 骤变 zhòubiàn; 剧烈变化 jùliè biànhuà ¶~기 骤变期
격분(激忿) 명하자 = 격노 ¶사람들은 그의 행위에 ~했다 大家被他的行为所激怒
격세(隔世) 명하자 隔世 géshì ¶~지감 隔世感 =[隔世之感]
격식(格式) 명 格式 géshì; 规格 guīgé; 规矩 guīju; 礼节 lǐjié; 排场 páichǎng ¶~을 차리다 讲排场 / ~에 맞다 符合规格
격앙(激昂) 명하자 激昂 jī'áng ¶~된 목소리 激昂的声音
격언(格言) 명 格言 géyán
격월(隔月) 명하자 隔一个月 gé yīge yuè; 隔月 géyuè
격월-간(隔月刊) 명 双月刊 shuāngyuèkān
격음(激音) 명 〖語〗 送气音 sòngqìyīn ¶~화 送气音化 =[激音化]
격일(隔日) 명하자 隔日 gérì; 隔天 gétiān; 隔一日 gé yīrì ¶~제 隔日制 / ~로 근무하다 隔天上班
격자(格子) 명 格子 gézi; 方格 fānggé ¶~무늬 方格纹
격전(激戰) 명하자 激战 jīzhàn ¶~지 激战地
격정(激情) 명 激情 jīqíng ¶~을 누르다 抑制激情
격조(格調) 명 格调 gédiào ¶~가 높다 格调高雅
격주(隔週) 명하자 隔周 gézhōu; 隔一个星期 gé yīge xīngqī
격차(隔差) 명 差距 chājù ¶~를 줄이다 缩小差距
격추(擊墜) 명하타 打落 dǎluò; 击落 jīluò ¶적기를 ~하다 击落敌机
격침(擊沈) 명하타 击沉 jīchén; 炸沉 zhàchén ¶적함을 ~하다 击沉敌舰
격퇴(擊退) 명하타 击退 jītuì ¶적들을 ~하다 击退敌人
격투(格鬪) 명하자 格斗 gédòu; 搏斗 bódòu
격투-기(格鬪技) 명 〖體〗 格斗技 gédòujì; 格斗 gédòu ¶~ 선수 格斗运动员
격파(擊破) 명하타 **1** 击毁 jīhuǐ; 击破 jīpò ¶적기를 ~하다 击毁敌机 **2** 击败 jībài; 打垮 dǎkuǎ; 击溃 jīkuì
격-하다(激—) 형 激动 jīdòng; 激烈 jīliè ¶감정이 ~ 感情激动
격화(激化) 명하자 激化 jīhuà; 尖锐化 jiānruìhuà ¶모순이 ~되다 矛盾激化
겪다 타 **1** 经受 jīngshòu; 经历 jīnglì ¶고난을 ~ 经受苦难 / 시련을 겪어 내다 经受考验 **2** 接待 jiēdài; 招待 zhāodài ¶손님을 ~ 接待客人
견(絹) 명 丝绸 sīchóu; 绢 juàn
견갑-골(肩胛骨) 명 〖生〗 = 어깨뼈
견강-부회(牽强附會) 명하자 牵强附会 qiānqiǎngfùhuì
견고-하다(堅固—) 형 坚固 jiāngù; 牢固 láogù; 巩固 gǒnggù; 结实 jiēshi ¶견고한 제방 坚固的堤坝 **견고-히** 부 ¶기초를~ 다지다 基础打得很牢固
견과(堅果) 명 〖植〗 坚果 jiānguǒ; 壳果 kéguǒ
견디다 자타 **1** 坚持 jiānchí; 经受 jīngshòu; 经得起 jīngdeqǐ; 忍耐 rěnnài; 忍受 rěnshòu ¶시련을 ~ 经受考验 / 이를 악물고 끝까지 ~ 咬紧牙关忍耐到底 **2** 耐用 nàiyòng; 搁得住 gédezhù ¶아무리 튼튼한 물건이라도 네가 이렇게 사용하면 견디어 낼 수 없지 않니? 再结实的东西也搁不住你这么使啊
견:문(見聞) 명하타 见闻 jiànwén ¶~록 见闻录
견:물생심(見物生心) 명하자 见财起意 jiàncáiqǐyì
견:본(見本) 명 样本 yàngběn; 样品 yàngpǐn
견:본-품(見本品) 명 样品 yàngpǐn
견사(絹絲) 명 绢丝 juànsī ¶~ 방적 绢丝纺织
견:습(見習) 명하타 '수습(修習)'的旧称
견:식(見識) 명 见识 jiànshi ¶~이 넓다 见识广

견실-하다(堅實—) 형 坚定 jiāndìng; 可靠 kěkào; 踏实 tāshi; 稳健 wěnjiàn ¶견실한 사상 坚定的思想 / 견실한 사람 可靠的人 **견실-히** 부
견우(牽牛) 명 〖文〗 牛郎 niúláng ¶~직녀 牛郎织女
견우-성(牽牛星) 명 〖天〗 牛郎星 niúlángxīng; 牵牛星 qiānniúxīng
견원지간(犬猿之間) 명 冤家对头 yuānjiāduìtou
견인(牽引) 명하타 牵引 qiānyǐn ¶~력 牵引力
견인-자동차(牽引自動車) 명 = 견인차1
견인-차(牽引自動車) 명 **1** 牵引车 qiānyǐnchē = 견인자동차 **2** 火车头 huǒchētóu
견장(肩章) 명 肩章 jiānzhāng
견:적(見積) 명하타 报价 bàojià ¶~서 报价单
견제(牽制) 명하타 牵掣 qiānchè; 牵制 qiānzhì; 钳制 qiánzhì ¶~구 牵制球
견주다 타 比较 bǐjiào; 相比 xiāngbǐ ¶두 상품의 가격을 견주어 보다 比较两种商品的价格
견:지(見地) 명 观点 guāndiǎn; 见地 jiàndì; 看法 kànfǎ
견지(堅持) 명하타 坚持 jiānchí ¶자신의 입장을 ~하다 坚持自己的立场
견직(絹織) 명 〖手工〗 绢织 juànzhī ¶~물 绢织物 =[丝织品]
견:책(譴責) 명하타 谴责 qiǎnzé ¶~소설 谴责小说
견:출-지(見出紙) 명 标贴纸 biāotiēzhǐ
견치(犬齒) 명 〖生〗 = 송곳니
견:학(見學) 명하타 参观 cānguān; 参观学习 cānguān xuéxí; 考察 kǎochá ¶공장 ~ 参观工厂
견:해(見解) 명 见解 jiànjiě ¶자신의 ~를 밝히다 表达自己的见解
겯:다[1] 자타 浸 jìn; 沤 ōu; 渍 zì ¶기름에 겯은 종이 浸了油的纸
겯:다[2] 타 **1** 编 biān ¶삿자리를 ~ 编席子 / 바구니를 ~ 编筐子 **2** 并 bìng; 挽 wǎn ¶손에 손을 ~ 手挽手
결[1] 명 纹 wén; 纹理 wénlǐ ¶~이 곱다 纹理漂亮
결[2] 의명 **1** 时候 shíhou ¶어느 ~에 겨울도 다 갔다 不知不觉的时候, 冬天已经过去了 **2** '겨를' 的略词
결강(缺講) 명하자타 缺课 quēkè
결격(缺格) 명하자 不够格 bùgòugé ¶~사유 不够格的理由
결과(結果) 명하자 **1** 结果 jiēguǒ **2** 结果 jiéguǒ ¶~론 结果论 / 연구 ~ 研究结果 / 노력의 ~ 努力的结果 / 검사 ~가 아주 안 좋다 检查的结果很糟糕
결과-물(結果物) 명 (物质上的) 结果 jiéguǒ; 果实 guǒshí
결과-적(結果的) 관명 结果(的) jiéguǒ(de)
결국(結局) 명 结果 jiéguǒ; 终究 zhōngjiū; 终于 zhōngyú ¶그는 ~ 성공했다 他终于成功了
결근(缺勤) 명하자 缺勤 quēqín; 不上班 bùshàngbān; 请假 qǐngjià ¶~계 请假条
결단(決斷) 명하타 果断 guǒduàn; 决断 juéduàn; 断定 duàndìng ¶~력 果断力 / ~성 果断性 / ~을 내리다 做出决断
결단-코(決斷—) 부 一定 yīdìng; 绝对 juéduì; 决 jué; 断然 duànrán ¶나는 ~ 그를 용서할 수 없다 我绝对不会原谅他
결딴 명 完蛋 wándàn; 糟糕 zāogāo
결딴-나다 자 完蛋 wándàn; 糟糕 zāogāo
결딴-내다 타 搞坏 gǎo huài; 搞糟 gǎo zāo 《'결딴나다' 的使动词》 ¶일을 ~ 把事情搞糟
결렬(決裂) 명하자 破裂 pòliè; 决裂 juéliè
결례(缺禮) 명하자 失礼 shīlǐ; 不礼貌 bùlǐmào ¶~를 용서하십시오 请原谅我的失礼
결론(結論) 명하타 **1** 结束语 jiéshùyǔ; 结语 jiéyǔ = 맺음말 **2** 结论 jiélùn ¶~을 내리다 下结论
결론-짓다(結論—) 타 下结论 xià jiélùn
결리다 자 **1** 受压制 shòu yāzhì **2** 抻得痛 chēnde tòng
결막(結膜) 명 〖生〗 结膜 jiémó ¶~염 结膜炎
결말(結末) 명 结果 jiéguǒ; 结局 jiéjú; 结尾 jiéwěi
결말-짓다(結末—) 타 结束 jiéshù; 结尾 jiéwěi
결맹(結盟) 명하자 结盟 jiéméng
결명-자(決明子) 명 〖韓醫〗 决明子 juémíngzǐ ¶~차 决明子茶
결명-차(決明茶) 명 〖植〗 决明 juémíng
결박(結縛) 명하타 绑 bǎng; 捆 kǔn; 束缚 shùfù
결백(潔白) 명하형히부 清白 qīngbái; 无辜 wúgū; 洁白 jiébái ¶자신의 ~을 주장하다 主张自己清白
결번(缺番) 명하자 空号 kōnghào ¶지금 거신 번호는 ~입니다 您拨打的号码是空号
결벽(潔癖) 명 洁癖 jiépǐ ¶~증 洁癖
결별(訣別) 명하자 **1** 告别 gàobié; 诀别 juébié **2** 决裂 juéliè

결부(結付) 명하타 结合 jiéhé; 连接 liánjiē; 联系 liánxì
결빙(結氷) 명하자 结冰 jiébīng ¶~기 结冰期
결사(決死) 명하자 决死 juésǐ; 誓死 shìsǐ ¶~반대 誓死反对
결사(結社) 명하타 〖法〗结社 jiéshè
결사-대(決死隊) 명 敢死队 gǎnsǐduì
결산(決算) 명하타 **1** 结算 jiésuàn; 结账 jiézhàng; 决算 juésuàn; 清算 qīngsuàn ¶~ 보고 决算报告 **2** 总结 zǒngjié
결석(缺席) 명하자 缺席 quēxí; 缺课 quēkè; 不上课 bùshàngkè ¶~률 缺席率 / ~생 缺席生 / 병이 나서 학교에 ~하다 因病缺课
결석(結石) 명 〖醫〗结石 jiéshí
결선(決選) 명하타 决赛 juésài ¶연말 ~에 진출하다 进入年底总决赛
결성(結成) 명하타 结成 jiéchéng; 组成 zǔchéng ¶단체를 ~하다 结成团体
결속(結束) 명하자타 **1** 捆 kǔn; 束 shù **2** 结束 jiéshù **3** 团结 tuánjié
결손(缺損) 명 亏损 kuīsǔn; 赔钱 péiqián ¶~금 亏损金 / ~액 亏损额
결손 가정(缺損家庭) 〖社〗单亲家庭 dānqīn jiātíng
결승(決勝) 명 = 결승전 ¶~에 오르다 进入决赛
결승-선(決勝線) 명 〖體〗决胜线 juéshèngxiàn; 终点线 zhōngdiǎnxiàn = 골라인1
결승-전(決勝戰) 명 决赛 juésài = 결승
결승-점(決勝點) 명 **1** 终点 zhōngdiǎn ¶~으로 들어오다 跑到终点 **2** 赛末点 sàimòdiǎn
결식(缺食) 명하자 缺粮 quēliáng ¶~아동 缺粮儿童
결실(結實) 명하자 **1** 结果 jiēguǒ; 结实 jiēshí **2** 结果 jiéguǒ; 收获 shōuhuò
결심(決心) 명하자타 决心 juéxīn ¶굳은 ~ 坚定的决心 / 그와 헤어지기로 ~하다 下定决心和他分手
결여(缺如) 명하타 缺乏 quēfá; 缺失 quēshī; 缺少 quēshǎo; 缺 quē
결연(結緣) 명하자 结缘 jiéyuán; 联姻 liányīn
결연-하다(決然—) 형 毅然决然 yìránjuérán **결연-히** 부 ¶그는 ~ 집을 떠났다 他毅然决然地离开了家
결원(缺員) 명하자 空额 kòng'é; 空缺 kòngquē; 缺额 quē'é; 缺 quē ¶~을 채우다 补充缺额 / ~을 보충하다 补缺 / ~이 생기다 出缺
결의(決意) 명하자타 决意 juéyì; 誓师 shìshī; 誓 shì ¶~ 대회 誓师大会 / 복수를 ~하다 决意报仇
결의(決議) 명하타 = 의결(議決) ¶~문 决议书 / ~안 决议案
결의(結義) 명하자 结拜 jiébài; 结义 jiéyì ¶~형제 结拜兄弟
결자해지(結者解之) 명하자 结者解之 jiézhějiězhī
결장(缺場) 명하자 没有上场 méiyǒu shàngchǎng; 缺场 quēchǎng
결장(結腸) 명 〖生〗结肠 jiécháng
결재(決裁) 명하타 裁决 cáijué; 批准 pīzhǔn ¶~권 裁决权
결전(決戰) 명하자 决战 juézhàn ¶~을 벌이다 展开决战
결절(結節) 명 〖醫〗结节 jiéjié ¶성대 ~ 声带结节
결점(缺點) 명 毛病 máobìng; 缺点 quēdiǎn
결정(決定) 명하타 决定 juédìng; 决 jué ¶~권 决定权 / ~권자 决策人 / ~을 내리다 做决定
결정(結晶) 명하자 〖化〗结晶 jiéjīng ¶~ 구조 结晶结构
결정-적(決定的) 관명 决定性(的) juédìngxìng(de); 关键(的) guānjiàn(de) ¶~인 순간 关键时刻 / ~인 실수 决定性错误
결정-짓다(決定—) 자타 下决定 xià juédìng; 决定 juédìng
결정-판(決定版) 명 定本 dìngběn
결제(決濟) 명하타 〖經〗付清 fùqīng; 清账 qīngzhàng
결집(結集) 명하자타 结集 jiéjí
결초-보은(結草報恩) 명하자 结草衔环 jiécǎoxiánhuán; 结草报恩 jiécǎo bào'ēn
결-코(決—) 명 决(不) jué(bù); 绝(不) jué(bù) ¶이것은 ~ 우연한 현상이 아니다 这绝不是偶然现象
결탁(結託) 명하자 勾结 gōujié ¶반대 세력이 서로 ~하다 反对势力彼此勾结
결투(決鬪) 명하자 决斗 juédòu ¶~를 신청하다 申请决斗 / ~를 벌이다 展开决斗
결판(決判) 명하자 定论 dìnglùn; 定胜负 dìng shèngfù
결판-나다(決判—) 자 得出定论 déchū dìnglùn; 有定论 yǒu dìnglùn; 胜负定 shèngfù dìng
결판-내다(決判—) 타 得出定论 déchū dìnglùn; 下定论 xià dìnglùn; 定胜负 dìng shèngfù
결핍(缺乏) 명하자 缺乏 quēfá; 短缺 duǎnquē ¶애정 ~ 爱情缺乏
결함(缺陷) 명 不足之处 bùzúzhīchù; 短处 duǎnchu; 毛病 máobìng; 缺点 quēdiǎn; 缺陷 quēxiàn; 缺欠 quēqiàn
결합(結合) 명하자타 结合 jiéhé
결항(缺航) 명하자 停航 tíngháng

결핵(結核) 명 〖醫〗 结核 jiéhé; 结核病 jiéhébìng = 결핵병 ¶~ 환자 结核病人 / ~에 걸리다 得结核病
결핵-병(結核病) 명 〖醫〗 = 결핵
결행(決行) 명하타 断然进行 duànrán jìnxíng; 决然实行 juérán shíxíng
결혼(結婚) 명하자 结婚 jiéhūn; 婚姻 hūnyīn; 婚 hūn ¶~ 생활 婚姻生活 / ~관 结婚观 / ~사진 结婚照片 =[婚照] / ~기념일 结婚纪念日 / ~반지 结婚戒指 / ~상담소 婚姻介绍所 =[婚介所] / 그 둘은 작년에 ~했다 他们俩去年结婚了
결혼-식(結婚式) 명 婚礼 hūnlǐ; 结婚典礼 jiéhūn diǎnlǐ = 예식2 · 혼례 · 혼례식
겸(兼) 의명 **1** 顺便 shùnbiàn; 就便 jiùbiàn; 捎带 shāodài ¶산보도 하고 영화도 볼 ~ 나왔다 出来散步顺便看电影 **2** 兼 jiān; 兼用 jiānyòng ¶서재 ~ 응접실 书房兼客厅
겸비(兼備) 명하타 兼备 jiānbèi; 双全 shuāngquán ¶문무 ~ 文武双全 / 재능과 미모를 ~하다 才貌双全
겸사-겸사(兼事兼事) 부하자 要…又要… yào…yòuyào…; 顺便 shùnbiàn 《表示同时兼做数事》
겸상(兼床) 명하자 共餐 gòngcān ¶온 식구가 ~하다 全家人共餐
겸손(謙遜) 명하형히부 谦虚 qiānxū; 谦逊 qiānxùn ¶~한 태도 谦虚的态度
겸양(謙讓) 명하자타 谦让 qiānràng
겸양-어(謙讓語) 명 〖語〗 谦语 qiānyǔ
겸연-쩍다(慊然—) 형 不好意思 bùhǎoyìsi
겸용(兼用) 명하타 兼用 jiānyòng
겸임(兼任) 명하타 兼任 jiānrèn ¶~ 교수 兼任教授
겸직(兼職) 명하타 兼职 jiānzhí ¶세 가지 일을 ~하다 兼三个职
겸-하다(兼—) 타 兼 jiān; 兼职 jiānzhí; 兼做 jiānzuò
겸허(謙虛) 명하형히부 谦虚 qiānxū ¶모두의 비판을 ~히 받아들이다 谦虚地接受大家的批评
겹 명 层 céng; 夹 jiá; 重 chóng; 叠 dié ¶이 옷은 ~으로 되어 있다 这件衣服是夹的 / 옷을 두 ~으로 껴입다 穿两层衣服
겹겹 명 重重 chóngchóng; 层层 céngcéng; 重重叠叠 chóngchongdiédié ¶~으로 둘러싸다 重重围住
겹겹-이 부 重重 chóngchóng; 层层 céngcéng; 重重叠叠 chóngchongdiédié ¶~ 포위하다 重重包围
겹-경사(—慶事) 명 双喜 shuāngxǐ
겹-눈 명 〖動〗 复眼 fùyǎn
겹다 형 **1** 充满 chōngmǎn; 满怀 mǎnhuái ¶기쁨에 겨운 목소리 满怀喜悦的声音 **2** 吃力 chīlì; 费劲 fèijìn ¶공부가 힘에 ~ 学习吃力 / 일이 힘에 ~ 工作吃力
겹-사돈(—査頓) 명하자 亲上加亲 qīnshàngjiāqīn; 亲上亲 qīnshàngqīn
겹-실 명 双线 shuāngxiàn; 双股线 shuānggǔxiàn
겹-옷 명 夹衣 jiáyī
겹쳐-지다 자 叠 dié; 叠合 diéhé; 重叠 chóngdié
겹-치다 자타 **1** 叠 dié; 叠合 diéhé; 重叠 chóngdié ¶내용이 ~ 内容重叠 / 책 두 권을 겹쳐 놓다 把两本书叠在一起 **2** 重复 chóngfù; 重叠 chóngdié; 赶 gǎn ¶공휴일이 일요일과 ~ 假日赶在星期日
경(京) 수관 京 jīng
경(卿) 명대 卿 qīng
경(經) 명 **1** = 경서 **2** 〖民〗 咒文 zhòuwén **3** 〖佛〗 = 불경(佛經) ¶~을 읽다 念经
-경(頃) 접미 大约 dàyuē; 左右 zuǒyòu ¶오전 9시~ 上午九点左右
-경(鏡) 접미 镜 jìng ¶망원~ 望远镜 / 보안~ 护目镜 / 반사~ 反射镜
경-(輕) 접두 轻 qīng ¶~공업 轻工业 / ~범죄 轻罪
경각(頃刻) 명 顷刻 qǐngkè; 瞬息 shùnxī; 转瞬间 zhuǎnshùnjiān
경:각(警覺) 명하타 警觉 jǐngjué; 警惕 jǐngtì ¶~심 警觉心
경감(輕減) 명하타 减轻 jiǎnqīng; 减 jiǎn ¶고통을 ~하다 减轻痛苦
경:감(警監) 명 〖法〗 警监 jǐngjiān
경거-망동(輕擧妄動) 명하자 轻举妄动 qīngjǔwàngdòng
경:건-하다(敬虔—) 형 虔敬 qiánjìng; 虔心 qiánxīn ¶경건한 기도 虔敬的祈祷 **경:건-히** 부
경계(境界) 명 边界 biānjiè; 境界 jìngjiè; 界 jiè ¶~선 界线
경:계(警戒) 명하타 戒备 jièbèi; 警戒 jǐngjiè; 警惕 jǐngtì; 戒 jiè ¶~ 태세 戒备状态 / ~망 警戒网 / ~심 戒心 / ~를 강화하다 加强警戒
경:고(警告) 명하타 警告 jǐnggào; 警示 jǐngshì ¶~ 사격 警告射击 / ~장 警告状 =[警告信]
경-공업(輕工業) 명 〖工〗 轻工业 qīnggōngyè
경과(經過) 명하자타 过程 guòchéng; 经过 jīngguò; 经历 jīnglì; 来龙去脉 láilóngqùmài; 原委 yuánwěi ¶~보고 经过报告
경관(景觀) 명 景色 jǐngsè; 景致 jǐngzhì; 景观 jǐngguān
경:관(警官) 명 = 경찰관

경구(經口) 명 〖醫〗 经口 jīngkǒu; 口服 kǒufú ¶~ 감염 经口感染 / ~ 피임약 口服避孕药
경국지색(傾國之色) 명 倾国之色 qīngguózhīsè; 倾国倾城 qīngguóqīngchéng
경극(京劇) 명 〖演〗 京剧 jīngjù
경-금속(輕金屬) 명 〖化〗 轻金属 qīngjīnshǔ
경기(景氣) 명 〖經〗 景气 jǐngqì; 行情 hángqíng; 商况 shāngkuàng; 市面 shìmiàn ¶~ 과열 景气过热 =[经济过热] / ~ 지수 景气指数 / ~ 회복 景气复苏 =[经济复苏]
경:기(競技) 명하자 比赛 bǐsài; 竞技 jìngjì; 赛 sài; 竞赛 jìngsài ¶~ 규칙 比赛规则 / ~에 출전하다 参加比赛 =[参赛] / ~를 벌이다 展开竞技
경기(驚氣) 명하자 〖韓醫〗 惊风 jīngfēng
경:기-장(競技場) 명 赛场 sàichǎng; 比赛场 bǐsàichǎng; 竞技场 jìngjìchǎng
경:단(瓊團) 명 汤圆 tāngyuán; 元宵 yuánxiāo
경:대(鏡臺) 명 镜台 jìngtái; 梳妆台 shūzhuāngtái
경도(硬度) 명 〖鑛〗 = 굳기
경도(經度) 명 〖地理〗 经度 jīngdù
경락(經絡) 명 〖韓醫〗 经络 jīngluò ¶~ 마사지 经络按摩 / 얼굴의 ~을 자극하다 刺激脸部的经络
경량(輕量) 명 轻量 qīngliàng ¶~급 轻量级
경력(經歷) 명하자 经历 jīnglì; 资历 zīlì ¶~자 经历者 / ~직 经历职 / ~이 짧다 资历很浅 / ~을 쌓다 积累经历
경련(痙攣) 명하자 〖醫〗 抽搐 chōuchù; 抽筋 chōujīn; 痉挛 jìngluán ¶얼굴에서 갑자기 ~이 일다 脸部突然抽搐
경:례(敬禮) 명하자감 敬礼 jìnglǐ; 行礼 xínglǐ ¶상관에게 ~하다 向上官行礼
경:로(敬老) 명하자 敬老 jìnglǎo ¶~사상 敬老思想 / ~석 敬老席 / ~잔치 敬老宴
경로(經路) 명 1 路 lù; 路途 lùtú; 路线 lùxiàn 2 途径 tújìng; 渠道 qúdào ¶수출 ~ 出口途径
경:로-당(敬老堂) 명 敬老堂 jìnglǎotáng; 敬老院 jìnglǎoyuàn
경리(經理) 명 1 经营管理 jīngyíng guǎnlǐ 2 会计 kuàijì; 财务 cáiwù; 财务职员 cáiwù zhíyuán ¶~ 장부 财务账簿 / ~ 부서 财务部
경:마(競馬) 명하자 〖體〗 赛马 sàimǎ
경:마-장(競馬場) 명 跑马场 pǎomǎchǎng; 赛马场 sàimǎchǎng = 마장(馬場)2
경망(輕妄) 명하형히부 轻浮 qīngfú; 轻率 qīngshuài; 轻妄 qīngwàng
경망-스럽다(輕妄—) 형 轻浮 qīngfú; 轻率 qīngshuài; 轻妄 qīngwàng ¶경망스러운 태도 轻率的态度 / 행동이 ~ 行动轻率 **경망스레** 부
경:매(競賣) 명하타 拍卖 pāimài ¶~물 拍卖物 / ~ 시장 拍卖市场 / ~인 拍卖人 / 골동품을 ~하다 拍卖古董 / 부동산을 ~하다 拍卖房产
경멸(輕蔑) 명하타 轻蔑 qīngmiè; 蔑视 mièshì; 轻视 qīngshì ¶~하는 눈빛으로 그를 쳐다보다 用轻蔑的眼神看他
경물(景物) 명 景物 jǐngwù
경미-하다(輕微—) 형 轻微 qīngwēi ¶경미한 사고 轻微的事故
경박-스럽다(輕薄—) 형 轻薄 qīngbó; 轻浮 qīngfú; 轻佻 qīngtiāo
경박-하다(輕薄—) 형 轻薄 qīngbó; 轻浮 qīngfú; 轻佻 qīngtiāo ¶경박한 사람 轻浮的人 / 태도가 ~ 态度轻佻 / 경박하게 행동하다 举止轻浮 **경박-히** 부
경:배(敬拜) 명하자 敬拜 jìngbài ¶예수께 ~하다 敬拜耶稣
경-범죄(輕犯罪) 명 〖法〗 轻罪 qīngzuì; 轻微犯罪 qīngwēi fànzuì
경:보(警報) 명 警报 jǐngbào; 警 jǐng ¶~음 警报音
경:보(競步) 명 〖體〗 竞走 jìngzǒu
경:보-기(警報器) 명 警报器 jǐngbàoqì; 报警器 bàojǐngqì ¶도난 ~ 防盗警报器 / ~가 울리다 响报警器
경비(經費) 명 经费 jīngfèi; 花费 huāfei; 费用 fèiyong ¶여행 ~ 旅游费用 / ~를 부담하다 承担费用 / ~를 삭감하다 削减经费
경:비(警備) ㊀명하타 警备 jǐngbèi; 警卫 jǐngwèi; 守卫 shǒuwèi ㊁명 = 경비원
경:비-망(警備網) 명 护卫 hùwèi; 警卫网 jǐngwèiwǎng; 警卫组织 jǐngwèi zǔzhī ¶물 샐 틈 없는 ~ 水泻不通的护卫
경:비-선(警備船) 명 警备船 jǐngbèichuán; 警卫船 jǐngwèichuán
경:비-실(警備室) 명 警备室 jǐngbèishì; 警卫室 jǐngwèishì
경:비-원(警備員) 명 门卫 ménwèi; 保安员 bǎo'ānyuán; 保安 bǎo'ān = 경비(警備)㊁
경:비-정(警備艇) 명 警备艇 jǐngbèitǐng; 警卫艇 jǐngwèitǐng
경-비행기(輕飛行機) 명 〖航〗 轻型飞机 qīngxíng fēijī
경사(傾斜) 명 倾斜 qīngxié ¶~각 倾斜角 / ~도 倾斜度 / ~면 倾斜面

경:사(慶事) 명 喜庆事 xǐqìngshì; 喜事 xǐshì

경:사-스럽다(慶事—) 형 可喜可贺 kěxǐkěhè; 值得庆贺 zhídé qìnghè ¶경사스러운 일 可喜可贺的事 / 유명한 대학에 붙어서 정말 ~ 考上著名大学, 真是可喜可贺 **경:사스레** 부

경사-지다(傾斜—) 자 倾斜 qīngxié

경상(經常) 명 经常 jīngcháng ¶~비 经常费用 / ~ 수입 经常收入 / ~ 수지 经常收支

경상(輕傷) 명하자 轻伤 qīngshāng

경색(梗塞) 명하자 **1** 梗塞 gěngsè **2** 〖醫〗梗死 gěngsǐ; 梗塞 gěngsè ¶심근 ~ 心肌梗死

경서(經書) 명 经书 jīngshū; 经 jīng = 경(經)1

경선(經線) 명 〖地理〗经线 jīngxiàn

경:선(競選) 명 竞选 jìngxuǎn ¶대통령 후보 ~ 总统候选人竞选

경솔(輕率) 명하형히부 轻率 qīngshuài; 轻浮 qīngfú; 轻妄 qīngwàng ¶~한 언행 轻率言行 / 자신의 행동이 ~했음을 인정하다 承认自己行动轻率

경수(輕水) 명 轻水 qīngshuǐ ¶~로 轻水炉

경-승용차(輕乘用車) 명 轻型轿车 qīngxíng jiàochē; 轻轿车 qīngjiàochē = 경차2

경시(輕視) 명하타 轻视 qīngshì

경신(更新) 명하타 **1** 更新 gēngxīn = 갱신1 **2** 刷新 shuāxīn ¶기록을 ~하다 刷新纪录

경악(驚愕) 명하자 吃惊 chījīng; 惊愕 jīng'è ¶~을 금치 못하다 不禁惊愕

경:애(敬愛) 명하타 敬爱 jìng'ài ¶~심 敬爱之情 / ~하는 선생님 敬爱的老师

경-양식(輕洋食) 명 西式便餐 xīshì biàncān

경:어(敬語) 명 敬语 jìngyǔ ¶~법 敬语法

경:연(競演) 명하타 比赛 bǐsài; 比赛会 bǐsàihuì; 赛 sài

경영(經營) 명하타 经营 jīngyíng ¶~권 经营权 / ~난 经营困难 / ~인 经营人 / ~자 经营者 / ~학 经营学

경옥(硬玉) 명 〖鑛〗硬玉 yìngyù

경:외(敬畏) 명하타 敬畏 jìngwèi ¶~심 敬畏之心 =[敬畏心]

경우(境遇) 명 境遇 jìngyù; 情况 qíngkuàng ¶이런 ~에는 어떻게 해야 합니까? 遇到这样的情况我该怎么办?

경운(耕耘) 명하타 〖農〗耕耘 gēngyún ¶~기 耕耘机

경위(經緯) 명 **1** 经纬 jīngwěi **2** 原委 yuánwěi ¶사건의 ~를 밝히다 弄清事件原委

경:위(警衛) 명 〖法〗警卫 jǐngwèi

경유(經由) 명하타 经 jīng; 经由 jīngyóu; 路经 lùjīng ¶~지 经由地 / 그는 홍콩을 ~하여 베이징에 왔다 他经香港来到北京

경유(輕油) 명 〖化〗轻油 qīngyóu

경음(硬音) 명 〖語〗= 된소리

경-음악(輕音樂) 명 〖音〗轻音乐 qīngyīnyuè

경:의(敬意) 명 敬意 jìngyì ¶그들에게 ~를 표하다 向他们表示敬意

경이(驚異) 명하자 惊异 jīngyì ¶~감 惊异感

경이-롭다(驚異—) 형 惊异 jīngyì; 让人惊异 ràngrén jīngyì ¶경이롭게 여기다 觉得惊异 **경이로이** 부

경작(耕作) 명하자 耕作 gēngzuò; 耕种 gēngzhòng ¶~권 耕作权 / ~물 耕作物 / 논밭을 ~하다 耕种田地

경작-지(耕作地) 명 耕地 gēngdì; 耕作地 gēngzuòdì = 경지(耕地)

경:쟁(競爭) 명하자 竞争 jìngzhēng; 竞赛 jìngsài ¶~국 竞争国 / ~력 竞争力 / ~률 竞争率 / ~ 상대 竞争对手 / ~심 竞争心 / ~의식 竞争意识 / ~자 竞争者 / 치열한 ~ 激烈竞争 / ~을 벌이다 展开竞争 / ~이 과열되다 竞争过热

경:적(警笛) 명 警笛 jǐngdí ¶~ 소리 警笛声 / ~을 울리다 响警笛

경전(經典) 명 经典 jīngdiǎn

경제(經濟) 명 〖經〗经济 jīngjì ¶~권 经济权 / ~난 经济难 / ~력 经济力量 / ~성 经济性 / ~인 经济人 / ~ 원조 经济援助 / ~관념 经济观念 / ~ 정책 经济政策 / ~특구 经济特区 / ~가 발전하다 经济发展 / ~를 살리다 使经济复苏

경제 사:범(經濟事犯) 〖法〗经济犯罪 jīngjì fànzuì; 经济犯 jīngjìfàn

경제 성장(經濟成長) 〖經〗经济增长 jīngjì zēngzhǎng ¶~률 经济增长率

경제-적(經濟的) 관명 经济(的) jīngjì(de); 经济上(的) jīngjìshang(de) ¶~인 문제 经济上的问题 / ~으로 어렵다 经济上很困难

경제-학(經濟學) 명 〖經〗经济学 jīngjìxué ¶~ 박사 经济学博士 / ~자 经济学者

경제 활동(經濟活動) 〖經〗经济活动 jīngjì huódòng ¶~ 인구 经济活动人口

경:-조사(慶弔事) 명 红白喜事 hóngbái xǐshì; 红白事 hóngbáishì

경:종(警鐘) 명 警钟 jǐngzhōng ¶사회에 ~을 울리다 给社会敲响警钟

경:주(競走) 명하자 赛跑 sàipǎo; 赛 sài ¶~마 赛马 / ~를 벌이다 展开赛跑 / ~에 참가하다 参加赛跑

경중(輕重) 명 轻重 qīngzhòng ¶일의

~을 가리다 做事分清轻重
경증(輕症) 명 轻症 qīngzhèng ¶~ 환자 轻症患者
경지(耕地) 명 = 경작지 ¶~ 면적 耕地面积
경지(境地) 명 境地 jìngdì; 境域 jìngyù; 境界 jìngjiè ¶최고의 ~에 도달하다 达到最高境界
경직(硬直) 명하자 **1** 僵直 jiāngzhí; 僵硬 jiāngyìng ¶근육이 ~되다 肌肉僵直 **2** 僵化 jiānghuà; 呆板 dāibǎn; 僵硬 jiāngyìng ¶분위기가 ~되다 气氛僵化
경질(更迭·更佚) 명하타 更迭 gēngdié ¶축구 팀 감독을 ~하다 对足球队主教练进行更迭
경차(輕車) 명 **1** 轻车 qīngchē **2** = 경승용차
경:찰(警察) 명 **1** 〖法〗 警察 jǐngchá; 警jǐng ¶~견 警犬 / ~ 기동대 警察机动队 / ~ 대학 警察大学 / ~차 警车 / ~청 警察厅 / ~학교 警察学校 / ~에 신고하다 向警察报案 **2** = 경찰관
경:찰-관(警察官) 명 警察官 jǐngcháguān; 警官 jǐngguān = 경관(警官)·경찰2
경:찰-서(警察署) 명 〖法〗 警察署 jǐngcháshǔ; 警察局 jǐngchájú
경첩 명 〖建〗 合叶 héyè
경청(傾聽) 명하타 倾听 qīngtīng; 静听 jìngtīng ¶그의 말을 ~하다 倾听他的话
경추(頸椎) 명 〖生〗 = 목뼈
경추-골(頸椎骨) 명 〖生〗 = 목뼈
경:축(慶祝) 명하타 庆祝 qìngzhù ¶~ 행사 庆祝活动
경치(景致) 명 风景 fēngjǐng; 风光 fēngguāng; 景色 jǐngsè = 풍경(風景)1·풍광·풍물1 ¶아름다운 ~ 美丽的景色 / ~가 좋다 风景很好
경-치다(黥—) 자 挨打 áidǎ; 挨骂 áimà ¶만약에 그 골동품을 깨뜨리면 틀림없이 경칠 것이다 要是把那古董打破了, 肯定要挨打
경칩(驚蟄) 명 惊蛰 jīngzhé
경쾌-하다(輕快—) 형 轻快 qīngkuài ¶경쾌한 마음 轻快的心情 / 경쾌한 음악 轻快的音乐 / 경쾌한 리듬 轻快的节奏 **경쾌-히** 부
경:품(景品) 명 赠品 zèngpǐn ¶~권 赠品券 / ~을 추첨하다 抽赠品 / ~을 증정하다 送赠品
경향(傾向) 명 倾向 qīngxiàng; 趋势 qūshì; 趋向 qūxiàng
경험(經驗) 명하타 经验 jīngyàn; 经历 jīnglì ¶~담 经验之谈 / 풍부한 ~을 쌓다 积累丰富的经验 / 이런 일은 ~해 본 적이 없다 没有经历过这样的事
경험-자(經驗者) 명 过来人 guòláirén
경혈(經穴) 명 〖韓醫〗 经穴 jīngxué; 气穴 qìxué; 穴 xué
경:호(警護) 명하타 警卫 jǐngwèi; 护卫 hùwèi ¶대통령을 ~하다 护卫总统
경:호-원(警護員) 명 = 보디가드
경화(硬化) 명하자 硬化 yìnghuà ¶~유 硬化油 / ~제 硬化剂 / ~증 硬化症
경화(硬貨) 명 〖經〗 **1** 硬货 yìnghuò **2** 硬币 yìngbì
경황(景況) 명 心思 xīnsi; 心气 xīnqì
경황-없다(景況—) 형 没心思 méi xīnsi ¶몸이 아파서 영화 구경 갈 ~ 身体不舒服, 没心思去看电影 **경황없-이** 부
곁 명 侧 cè; 旁边 pángbiān; 身边 shēnbiān ¶부모 ~을 떠나다 离开父母身边 / 내 ~에 있어 주세요 请你在我身边
곁-가지 명 **1** 分杈 fēnchà; 分枝 fēnzhī ¶나무의 ~ 树木的分枝 **2** 次要的 cìyàode; 枝节 zhījié
곁-길 명 岔路 chàlù
곁-눈 명 侧视 cèshì; 斜视 xiéshì
곁눈-질 명하타 斜视 xiéshì; 斜眼看 xiéyǎn kàn ¶~로 남을 보다 斜眼看人
곁-다리 명 **1** 次要的 cìyàode; 枝节 zhījié **2** 局外人 júwàirén; 旁人 pángrén
곁들-이다 타 **1** 拼放 pīnfàng; 拼配 pīnpèi ¶스테이크에 야채와 과일을 ~ 牛排拼配蔬菜和水果 **2** 兼做 jiānzuò
곁-뿌리 명 〖植〗 侧根 cègēn
계:(契) 명 摇会 yáohuì; 会 huì
-계(系) 접미 系统 xìtǒng; 裔 yì ¶한국~ 미국인 韩国裔美国人
-계(屆) 접미 条 tiáo; 表 biǎo; 单 dān ¶결근~ 请假条
-계(界) 접미 界 jiè ¶출판~ 出版界 / 산업~ 产业界
-계(計) 접미 计 jì; 表 biǎo ¶온도~ 温度计 =[温度表]
계:간(季刊) 명 季刊 jìkān
계:간-지(季刊誌) 명 季报 jìbào; 季刊 jìkān; 季刊杂志 jìkān zázhì
계곡(溪谷) 명 溪谷 xīgǔ
계:관(桂冠) 명 = 월계관
계관(鷄冠) 명 **1** 鸡冠 jīguān **2** 〖植〗 = 맨드라미
계관-화(鷄冠花) 명 〖植〗 = 맨드라미
계급(階級) 명 **1** 阶级 jiējí; 级 jí ¶한 ~ 승진하다 普升一级 **2** 〖社〗 阶级 jiējí ¶~ 사회 阶级社会 / ~ 의식 阶级意识 / ~주의 阶级主义 / ~ 투쟁 阶级斗争
계:기(契機) 명 契机 qìjī ¶~를 마련하다 抓住契机
계:기(計器) 명 仪表 yíbiǎo; 仪器 yíqì ¶~ 비행 仪表飞行 / ~판 仪表板

계단(階段) 명 **1** 阶梯 jiētī; 楼梯 lóutī; 台阶 táijiē ¶~식 阶梯式 / ~을 오르다 上楼梯 **2** 阶 jiē ¶한 번에 두 ~씩 올라가다 一步上两阶

계:도(啓導) 명하타 启迪 qǐdí ¶청소년을 ~하다 启迪青少年

계란(鷄卵) 명 = 달걀 ¶~탕 鸡蛋汤

계란-형(鷄卵形) 명 蛋圆形 dànyuánxíng; 卵形 luǎnxíng

계:략(計略) 명 计谋 jìmóu

계:량(計量) 명하타 计量 jìliàng; 测量 cèliáng; 量 liáng ¶~기 计量器 / ~ 단위 计量单位 / ~스푼 量匙 =[量勺] / ~컵 量杯

계류(溪流·谿流) 명 溪水 xīshuǐ; 溪涧 xījiàn; 溪流 xīliú

계류(繫留) 명하자타 〖海〗 系船 jìchuán

계륵(鷄肋) 명 鸡肋 jīlèi

계:면(界面) 명 界面 jièmiàn; 接触面 jiēchùmiàn ¶~ 활성제 界面活性剂

계명(階名) 명 **1** 阶名 jiēmíng **2** 〖音〗 = 계이름

계:명(誡名) 명 戒命 jièmìng ¶~을 따르다 遵戒命

계:모(繼母) 명 = 의붓어머니

계:몽(啓蒙) 명하타 发蒙 fāméng; 开蒙 kāiméng; 启蒙 qǐméng ¶~ 문학 启蒙文学 / ~사상 启蒙思想 / ~ 운동 启蒙运动

계:발(啓發) 명하타 启发 qǐfā ¶창의력을 ~하다 启发创造力

계:보(系譜) 명 系谱 xìpǔ; 宗谱 zōngpǔ ¶~를 잇다 继承系谱

계:부(繼父) 명 = 의붓아버지

계사(鷄舍) 명 = 닭장

계:산(計算) 명하타 计算 jìsuàn; 算 suàn ¶~기 计算器 / ~원 计算员 / 관련 비용을 ~하다 计算相关费用 / 얼마나 되나 ~해 보세요 算算看有多少

계:산-대(計算臺) 명 柜台 guìtái; 收银台 shōuyíntái

계:산-법(計算法) 명 〖數〗 = 산법

계:산-서(計算書) 명 清单 qīngdān ¶비용 ~ 费用清单

계:선(繫船) 명하자 系船 jìchuán ¶~료 系船费 / ~장 系船场

계:속(繼續) 명부하타 继续 jìxù; 连续 liánxù; 不断 bùduàn; 一直 yīzhí; 连连 liánlián ¶관계를 ~해서 유지하다 继续保持关系 / 그 일을 ~ 해 나가다 把那件事继续做下去 / 비가 ~ 오다 不断下雨

계:수(係數) 명 〖物〗 系数 xìshù

계:수(桂樹) 명 〖植〗 = 계수나무

계:수(計數) 명 计数 jìshù ¶~관 计数管 / ~기 计数器

계:수-나무(桂樹—) 명 〖植〗 桂树 guìshù = 계수(桂樹)

계:승(繼承) 명하타 继承 jìchéng ¶~자 继承人 =[继承者] / 민족 전통을 ~하다 继承民族传统

계:시(啓示) 명하자 启示 qǐshì ¶신의 ~ 神的启示

계:시다 ㊀자 有 yǒu; 在 zài 《'있다㊀2' 的敬词》 ¶할아버지는 집에 계신다 爷爷在家 / 선생님은 학교에 계신다 老师在学校里 ㊁보동 在 zài; 着 zhe; 正 zhèng 《'있다㊁1' 的敬词》 ¶할머니는 지금 주무시고 계신다 奶奶正在睡觉

계:시-록(啓示錄) 명 〖宗〗 = 요한 계시록

계:약(契約) 명하타 合同 hétong; 契约 qìyuē ¶~ 기간 合同期 / ~ 관계 合同关系 / ~을 맺다 订合同 / ~을 체결하다 缔结合同

계:약-금(契約金) 명 〖法〗 预付款 yùfùkuǎn

계:약-서(契約書) 명 合同 hétong; 合同书 hétongshū ¶~를 쓰다 写合同书

계:약-자(契約者) 명 订合同人 dìnghétongrén; 合同签订人 hétong qiāndìngrén

계:엄(戒嚴) 명 〖法〗 戒严 jièyán ¶~령 戒严令

계:열(系列) 명 **1** 系列 xìliè **2** 〖經〗 联营 liányíng ¶~사 联营公司

계:영(繼泳) 명하자 〖體〗 游泳接力赛 yóuyǒng jiēlìsài

계율(戒律) 명 〖佛〗 戒律 jièlǜ

계-이름(階—) 명 〖音〗 唱名 chàngmíng = 계명(階名)2

계:전-기(繼電器) 명 〖電〗 继电器 jìdiànqì

계:절(季節) 명 季节 jìjié = 철¹1 ¶~병 季节病 / ~상품 季节商品 / ~성 季节性

계:절-풍(季節風) 명 〖地理〗 季候风 jìhòufēng; 季风 jìfēng; 季节风 jìjiéfēng = 몬순

계:절풍 기후(季節風氣候) 〖地理〗 季风气候 jìfēng qìhòu = 몬순 기후

계:좌(計座) 명 〖經〗 **1** 账户 zhànghù **2** 存款账户 cúnkuǎn zhànghù; 账户 zhànghù ¶~를 개설하다 开立账户

계:주(繼走) 명 〖體〗 接力赛 jiēlìsài = 이어달리기

계:집 명 **1** 丫头 yātou; 娘儿们 niángrmen **2** '아내' 的鄙称

계:집-아이 명 **1** 丫头 yātou; 女孩(儿) nǚhái(r); 女孩子 nǚháizi **2** 女儿 nǚ'ér

계:집-애 명 '계집아이' 的略词

계:집-종 명 = 여종

계:책(計策) 명 计策 jìcè

계층(階層) 명 阶层 jiēcéng ¶상류 ~

上流阶层

계:통(系統) 명 **1** 系统 xìtǒng **2** 血统 xuètǒng **3** 组织 zǔzhī

계:파(系派) 명 派系 pàixì

계:피(桂皮) 명 〖韓醫〗 桂皮 guìpí ¶ ~차 桂皮茶

계:핏-가루(桂皮—) 명 桂皮粉 guìpífěn

계:획(計劃·計畫) 명하타 计划 jìhuà ¶~ 경제 计划经济 / ~서 计划书 / ~표 计划表 / ~을 세우다 制定计划

계:획-적(計劃的) 관명 计划性(的) jìhuàxìng(de); 有计划(的) yǒu jìhuà(de) ¶~인 범죄 有计划犯罪

곗:-돈(契—) 명 会钱 huìqián

고 관 那 nà ¶~ 놈 那家伙 / ~ 사람 那个家伙

고:(故) 관 故 gù

고:-(古) 접두 古 gǔ; 旧 jiù ¶~가구 古家具 / ~문헌 古文献 / ~미술품 古美术品 / ~시조 古诗调

고-(高) 접두 高 gāo ¶~기능 高功能 / ~농도 高浓度 / ~단수 高招 / ~성능 高性能 / ~품질 高品质

-고(高) 접미 额 é; 量 liàng ¶판매~ 销售额

고가(高價) 명 高价 gāojià ¶~품 高价品 / ~의 상품 高价商品

고가(高架) 명 高架 gāojià ¶~ 도로 高架道路 / ~ 사다리 高架梯

고갈(枯渴) 명하자 **1** 干涸 gānhé; 枯竭 kūjié; 干枯 gānkū; 枯涸 kūhé ¶우물물이 ~되다 井水干涸 / 식수가 ~되다 饮用水干涸 **2** 枯竭 kūjié; 枯耗 kūhào ¶자원이 ~되다 资源枯竭 / 생명력이 ~하다 生命力枯竭了

고-감도(高感度) 명 高感度 gāogǎndù

고개[1] 명 **1** 后颈 hòujǐng; 脖子 bózi ¶ ~가 뻣뻣하다 后颈发硬 **2** 头 tóu; 首 shǒu ¶~를 들다 抬头 / ~를 젓다 摇头 / ~를 끄덕이다 点头 / ~를 숙이고 울다 垂头哭泣

고개[2] 명 **1** 山岗 shāngǎng; 山岭 shānlǐng ¶~를 넘다 翻过山岗 **2** 顶点 dǐngdiǎn; 关头 guāntóu; 极点 jídiǎn ¶ 위기의 ~를 넘기다 渡过危险期的顶点 **3** (年岁的) 关 guān; 大关 dàguān ¶칠십 ~를 넘었다 过了七十大关

고객(顧客) 명 **1** 顾客 gùkè ¶~ 만족 顾客满意 **2** 常客 chángkè; 熟客 shúkè; 回头客 huítóukè; 老客 lǎokè

고갯-길 명 坡道 pōdào; 坡路 pōlù

고갯-마루 명 坡顶 pōdǐng

고갯-짓 명하자 摇头 yáotóu; 点头 diǎntóu

고갱이 명 〖植〗 菜心 càixīn; 树心 shùxīn; 心(儿) xīn(r) ¶배추 ~ 白菜心

고견(高見) 명 高见 gāojiàn ¶~을 부탁합니다 请提出高见

고결(高潔) 명하형히부 高洁 gāojié; 清高 qīnggāo ¶~한 품성 高洁的品质

고고-하다(孤高—) 형 孤高 gūgāo ¶ 고고한 자태 孤高的姿态

고:고-학(考古學) 명 考古学 kǎogǔxué ¶~자 考古学者

고공(高空) 명 高空 gāokōng ¶~병 高空病 / ~비행 高空飞行 / ~ 정찰 高空侦察

고:과(考課) 명하타 考核 kǎohé ¶인사 ~ 人事考核

고관(高官) 명 高官 gāoguān ¶~대작 高官显爵

고-관절(股關節·胯關節) 명 〖生〗 髋关节 kuānguānjié ¶~염 髋关节炎

고교(高校) 명 〖教〗 = 고등학교 ¶~ 시절 高中时光 / ~ 동창 高中同学 / ~를 졸업하다 高中毕业

고교-생(高校生) 명 = 고등학생

고구마 명 〖植〗 红薯 hóngshǔ; 甘薯 gānshǔ; 白薯 báishǔ; 地瓜 dìguā; 番薯 fānshǔ

고:국(故國) 명 故国 gùguó; 祖国 zǔguó ¶~산천 故国山川

고군(孤軍) 명 孤军 gūjūn ¶~분투 孤军奋战

고:궁(古宮) 명 古宫 gǔgōng

고귀-하다(高貴—) 형 高贵 gāoguì ¶ 고귀한 신분 高贵身分

고:금(古今) 명 古今 gǔjīn; 古往今来 gǔwǎngjīnlái ¶~에 드문 일 古今罕见之事

고-금리(高金利) 명 高利率 gāolìlǜ; 高利息 gāolìxī ¶~ 정책 高利率政策

고급(高級) 명하형 **1** 高档 gāodàng; 高级 gāojí ¶~품 高档货 / ~ 상품 高档商品 / ~술 高档酒 **2** 高等 gāoděng; 高级 gāojí ¶~반 高级班 / ~ 장교 高级将校 / ~ 관리 高级官员

고급-스럽다(高級—) 형 显得高档 xiǎnde gāodàng; 高档 gāodàng; 高级 gāojí

고기[1] 명 **1** 肉 ròu; 肉类 ròulèi ¶~만두 肉包子 / ~반찬 肉菜 / ~소 肉馅儿 / ~구이 烤肉 / ~를 먹다 吃肉 **2** 〖動〗 = 물고기 ¶~떼 鱼群 / ~밥 鱼食 / ~ 세 마리 三条鱼

고기[2] 대 那边(儿) nàbian(r); 那儿 nàr; 那里 nàli ¶~서 길만 건너면 바로 은행이다 从那边儿过马路就是银行

고-기압(高氣壓) 명 〖地理〗 高气压 gāoqìyā; 高压 gāoyā ¶~권 高气压圈

고기-잡이 명하자 **1** 捕鱼 bǔyú; 打鱼 dǎyú ¶~로 먹고살다 捕鱼为生 **2** 渔夫 yúfū

고기잡이-배 명 = 어선

고깃-국 명 肉汤 ròutāng
고깃-덩어리 명 **1** 肉块 ròukuài **2** 身躯 shēnqū = 고깃덩이2
고깃-덩이 명 **1** 肉块 ròukuài **2** = 고깃덩어리2
고깃-배 명 = 어선
고깔 명 僧帽 sēngmào; 尖顶帽 jiāndǐngmào
고깔-모자(一帽子) 명 僧帽 sēngmào; 尖顶帽 jiāndǐngmào
고깝다 형 多心 duōxīn; 在意 zàiyì; 不快 bùkuài
고꾸라-지다 자 **1** 绊倒 bàndǎo; 倒下 dǎoxià ¶돌에 걸려 고꾸라졌다 被石头绊倒了 **2** 死 sǐ ¶총알에 맞아 ~ 被子弹射中而死
고난(苦難) 명 苦楚 kǔchǔ; 苦难 kǔnàn; 苦痛 kǔtòng = 고초 ¶~을 겪다 经受苦难 / ~ 주간 苦难周 / ~ 주일 苦难主日
고-난도(高難度) 명 高难度 gāonándù ¶~ 기술 高难度技术
고뇌(苦惱) 명하자 苦恼 kǔnǎo ¶사랑 때문에 ~하다 为爱情苦恼
고니 명 〖鳥〗天鹅 tiān'é = 백조
고:다 타 熬 áo; 炖 dùn ¶사골을 ~ 炖牛骨
고단-하다 형 困乏 kùnfá; 疲乏 pífá; 疲倦 píjuàn; 疲劳 píláo; 疲困 píkùn ¶고단한 모습 疲劳的样子 / 고단한 얼굴 疲倦的脸庞 **고단-히** 부
고달프다 형 累 lèi; 艰难 jiānnán; 苦 kǔ; 艰辛 jiānxīn ¶인생이 매우 ~ 人生很苦 **고달피** 부
고:대(古代) 명 古代 gǔdài ¶~ 국가 古代国家 / ~ 문학 古代文学 / ~사 古代史 / ~ 사회 古代社会
고대(苦待) 명하타 苦待 kǔdài; 苦苦等待 kǔkǔ děngdài; 期盼 qīpàn; 盼望 pànwàng ¶그가 돌아오기를 ~하다 苦苦等待他的归来
고대-광실(高臺廣室) 명 高台广室 gāotái guǎngshì
고데(일kote[鏝]) 명 **1** 火剪 huǒjiǎn; 电棒 diànbàng **2** 用电棒烫 yòng diànbàng tàng
고:도(古都) 명 古都 gǔdū
고도(高度) 명 **1** 高度 gāodù ¶~계 高度计 / ~를 제한하다 限制高度 **2** 高度 gāodù ¶~성장 高度增长 / 문화가 ~로 발달하다 文化高度发达
고독(孤獨) 명하형히부 孤独 gūdú ¶~감 孤独感 / ~한 남자 孤独的男人 / ~을 느끼다 感到孤独
고동 명 汽笛 qìdí ¶~ 소리 汽笛声
고동(鼓動) 명 跳动 tiàodòng ¶심장의 ~ 心脏的跳动
고:동-색(古銅色) 명 古铜色 gǔtóngsè
고동-치다 자 跳动 tiàodòng ¶심장이 ~ 心脏跳动
고-되다 형 辛苦 xīnkǔ; 吃力 chīlì; 费劲 fèijìn ¶생활이 ~ 生活吃力 / 훈련이 매우 ~ 训练很辛苦
고두-밥 명 硬饭 yìngfàn
고둥 명 〖貝〗海螺 hǎiluó; 螺蛳 luósī
고드름 명 冰锥(儿) bīngzhuī(r); 冰锥子 bīngzhuīzi; 冰柱 bīngzhù; 冰溜 bīngliù
고-득점(高得點) 명 高分 gāofēn ¶~으로 대학에 합격하다 高分考上大学
고들-고들 부하형 硬邦邦 yìngbāngbāng ¶밥이 ~ 말랐다 饭干得硬邦邦的
고들-빼기 명 〖植〗苦菜 kǔcài ¶~김치 苦菜泡菜
고등(高等) 명하형 高等 gāoděng ¶~ 교육 高等教育 / ~ 동물 高等动物 / ~ 법원 高等法院
고등어 명 〖動〗高刀鱼 gāodāoyú; 青花鱼 qīnghuāyú ¶~구이 烤青花鱼 / ~조림 炖青花鱼
고등-학교(高等學校) 명 〖教〗高级中学 gāojí zhōngxué; 高中 gāozhōng = 고교
고등-학생(高等學生) 명 〖教〗高中生 gāozhōngshēng; 高中学生 gāozhōng xuéshēng = 고교생
고딕(Gothic) 명 **1** 〖建〗 = 고딕 건축 **2** 〖美〗 = 고딕식2 ¶~ 미술 哥特式美术 **3** 〖印〗 = 고딕체
고딕 건축(Gothic建築) 〖建〗哥特式建筑 gētèshì jiànzhù; 哥特式 gētèshì = 고딕1 · 고딕식1
고딕-식(Gothic式) 명 **1** 〖建〗 = 고딕 건축 **2** 〖美〗哥特 Gētè; 哥特式 Gētèshì = 고딕2
고딕-체(Gothic體) 명 〖印〗哥特体 gētètǐ; 黑体 hēitǐ = 고딕3
고라니 명 〖動〗牙獐 yázhāng; 河鹿 hélù
고락(苦樂) 명 苦乐 kǔlè; 甘苦 gānkǔ ¶~을 같이하다 同甘共苦
고랑 ㊀명 垄沟 lǒnggōu ㊁의명 垄 lǒng
고래 명 〖魚〗鲸鱼 jīngyú; 鲸 jīng
고래-고래 부 大声 dàshēng; 高声 gāoshēng ¶~ 소리 지르다 高声喊叫
고래-잡이 명하자 捕鲸 bǔjīng = 포경(捕鯨)
고래잡이-배 명 = 포경선
고랭-지(高冷地) 명 〖地理〗高冷地 gāolěngdì ¶~ 농업 高冷地农业
고량(高粱) 명 〖植〗高粱 gāoliang
고량-미(高粱米) 명 = 수수쌀
고량-주(高粱酒) 명 高粱酒 gāoliang-

jiǔ; 白酒 báijiǔ; 白干儿 báigānr = 배갈·백주(白酒)2
고려(高麗) 명 〖史〗 高丽 Gāolì ¶~인삼 高丽人参 / ~자기 高丽瓷器 / ~청자 高丽青瓷
고려(考慮) 명하타 考虑 kǎolǜ; 着想 zhuóxiǎng; 斟酌 zhēnzhuó ¶그의 상황을 ~하다 考虑到他的情况
고려-장(高麗葬) 명하타 高丽葬 gāolìzàng
고령(高齡) 명 高龄 gāolíng; 高寿 gāoshòu ¶~자 高龄者
고령-토(高嶺土) 명 〖鑛〗 高岭土 gāolǐngtǔ = 백토2
고령-화(高齡化) 명 高龄化 gāolínghuà ¶~ 사회 高龄化社会
고-로(故—) 부 = 그러므로
고로쇠 명 〖植〗 = 고로쇠나무
고로쇠-나무 명 〖植〗 槭树 qìshù = 고로쇠
고료(稿料) 명 = 원고료
고루 부 1 均等 jūnděng; 均衡 jūnhéng; 均匀 jūnyún; 平均 píngjūn; 平 píng ¶~ 나누다 平分 2 齐 qí; 俱 jù ¶설비를 ~ 갖추다 设备齐全
고루-하다(固陋—) 형 陈旧 chénjiù; 固陋 gùlòu; 墨守成规 mòshǒuchéngguī; 顽固守旧 wángù shǒujiù ¶고루한 견해 顽固守旧的观点 / 고루한 사상을 비판하다 批评顽固守旧的思想
고르다[1] 타 挑 tiāo; 挑选 tiāoxuǎn; 选 xuǎn; 选择 xuǎnzé; 拣 jiǎn ¶그를 위해 선물을 ~ 为他挑选礼物
고르다[2] 타 1 平整 píngzhěng; 填平 tiánpíng; 整平 zhěngpíng ¶땅을 ~ 整平地面 2 (笔) 掭 tiàn ¶붓을 ~ 把毛笔掭掭
고르다[3] 형 1 均衡 jūnhéng; 均匀 jūnyún; 平均 píngjūn; 齐 qí; 匀称 yúnchèn; 匀和(儿) yúnhuo(r); 匀净 yúnjing; 匀整 yúnzhěng ¶나무가 고르게 자랐다 树木长得很均匀 / 색깔이 ~ 色彩均匀 2 正常 zhèngcháng; 常 cháng ¶음계가 ~ 音阶变化正常
고름[1] 명 脓 nóng; 脓水 nóngshuǐ ¶~균 化脓菌 / ~을 짜내다 挤出脓水
고름[2] 명 = 옷고름
고름-집 명 〖醫〗 脓包 nóngbāo; 化脓处 huànóngchù
고리[1] 명 1 环 huán; 圈 quān ¶쇠~ 铁圈 / 문~ 门环 2 关键 guānjiàn; 环节 huánjié
고리[2] 명 1 柳条 liǔtiáo 2 柳条包 liǔtiáobāo; 柳条箱 liǔtiáoxiāng
고리(高利) 명 1 高利息 gāolìxī 2 高利润 gāolìrùn
고리다 형 1 臭 chòu; 腐臭 fǔchòu ¶고린 냄새 臭味 2 吝啬 lìnsè; 小气 xiǎoqi; 心胸狭隘 xīnxiōng xiá'ài
고리-대(高利貸) 명 = 고리대금
고리-대금(高利貸金) 명 高利贷 gāolìdài = 고리대
고리대금-업(高利貸金業) 명 高利贷业务 gāolìdài yèwù; 高利贷业 gāolìdàiyè = 고리대업 ¶~자 放高利贷者 = [高利贷者]
고리대-업(高利貸業) 명 = 고리대금업
고리-버들 명 〖植〗 红皮柳 hóngpíliǔ; 杞柳 qǐliǔ
고리-점(—點) 명 〖語〗 句号 jùhào
고리-채(高利債) 명 高利债 gāolìzhài
고리타분-하다 형 陈腐 chénfǔ
고린-내 명 臭气 chòuqì; 臭味 chòuwèi
고릴라(gorilla) 명 〖動〗 大猩猩 dàxīngxing
고립(孤立) 명하자 孤立 gūlì; 众叛亲离 zhòngpànqīnlí ¶~무원 孤立无援 / ~어 孤立语 / 태풍이 불어서 ~되다 刮台风, 被孤立
고:마움 명 感恩之心 gǎn'ēnzhīxīn; 谢意 xièyì ¶~을 표시하다 表示谢意
고막(鼓膜) 명 〖生〗 耳膜 ěrmó; 耳鼓 ěrgǔ; 鼓膜 gǔmó = 귀청 ¶~염 耳膜炎 / ~ 파열 耳膜破裂 / ~이 울리다 耳膜震动
고만고만-하다 형 差不多 chàbuduō; 相差不多 xiāngchà bùduō
고맘-때 명 差不多那时候 chàbuduō nà shíhou; 就在那个时候 jiùzài nàge shíhou
고:맙다 형 感激 gǎnjī; 感谢 gǎnxiè; 谢谢 xièxie ¶선생님 고맙습니다! 谢谢老师! / 도와줘서 고마워 谢谢你帮助我
고명 명 浇头 jiāotou ¶떡국에 ~을 얹다 在面片汤上加点浇头
고명(高明) 명하형 高明 gāomíng
고명-딸 명 独生女 dúshēngnǚ
고모(姑母) 명 姑姑 gūgu; 姑妈 gūmā; 姑母 gūmǔ
고모-부(姑母夫) 명 姑父 gūfu; 姑夫 gūfu; 姑丈 gūzhàng
고모-할머니(姑母—) 명 姑奶奶 gūnǎinai = 왕고모
고모-할아버지(姑母—) 명 姑爷爷 gūyéye = 왕고모부
고목(枯木) 명 枯木 kūmù; 枯树 kūshù = 고목나무 ¶뜻밖에도 ~에 꽃이 폈다 没想到枯木开花了
고목-나무(枯木—) 명 = 고목
고무 명 橡胶 xiàngjiāo; 橡皮 xiàngpí; 胶 jiāo ¶~보트 橡皮艇 / ~찰흙 橡皮泥 / ~ 밴드 橡皮圈(儿) / ~ 튜브 橡皮圈 / ~공 橡胶球 / ~장화 橡胶靴 / ~

신 胶鞋 / ~장갑 橡胶手套 / ~호스 橡胶软管
고무(鼓舞) 명하타 鼓舞 gǔwǔ
고무-나무 명 〖植〗 橡胶树 xiàngjiāoshù
고무래 명 〖農〗 平耙 píngpá
고무-적(鼓舞的) 관명 鼓舞人心 gǔwǔ rénxīn ¶결과가 ~이다 结果鼓舞人心
고무-줄 명 橡皮筋(儿) xiàngpíjīn(r); 皮筋儿 píjīnr; 猴皮筋儿 hóupíjīnr ¶~놀이 跳皮筋儿
고무-지우개 명 橡皮 xiàngpí; 橡皮擦子 xiàngpí cāzi = 지우개2
고무-풍선(—風船) 명 气球 qìqiú; 橡皮气球 xiàngpí qìqiú = 풍선(風船)2
고:문(古文) 명 古文 gǔwén
고문(拷問) 명하타 拷打 kǎodǎ; 拷问 kǎowèn; 刑讯 xíngxùn ¶~실 刑讯室 / ~치사 拷问致死 / 모진 ~을 당하다 遭到严刑拷打
고문(顧問) 명 顾问 gùwèn ¶법률 ~ 法律顾问 / ~ 변호사 顾问律师
고문-관(顧問官) 명 顾问官 gùwènguān
고물¹ 명 沙 shā; 泥 ní ¶팥~ 豆沙 / 완두~ 豌豆泥 / 대추~ 枣泥
고물² 명 船尾 chuánwěi
고:물(古物·故物) 명 **1** 古董 gǔdǒng; 古玩 gǔwán; 古物 gǔwù **2** 旧东西 jiùdōngxi; 旧货 jiùhuò
고:물-가게(古物—) 명 旧货店 jiùhuòdiàn; 旧货商店 jiùhuò shāngdiàn = 고물상2
고물-거리다 자타 蠕动 rúdòng = 고물대다 **고물-고물** 부하자타
고:물-상(古物商) 명 **1** 打小鼓儿的 dǎxiǎogǔrde; 旧货商 jiùhuòshāng **2** = 고물가게
고민(苦悶) 명하자타 苦闷 kǔmèn; 苦恼 kǔnǎo; 烦恼 fánnǎo; 愁闷 chóumèn ¶~을 해결하다 解决烦恼 / 연애 문제로 ~하다 为恋爱问题苦恼
고민-거리(苦悶—) 명 烦恼 fánnǎo; 心事 xīnshì
고민-스럽다(苦悶—) 형 苦闷 kǔmèn ¶고민스러운 표정 苦闷的表情 / 고민스러운 얼굴 苦闷的脸 **고민스레** 부
고:발(告發) 명하타 **1** 告密 gàomì; 暴露 bàolù **2** 〖法〗 告发 gàofā; 控告 kònggào; 检举 jiǎnjǔ; 举报 jǔbào ¶~장 控告状 / ~인 控告人 / 그를 경찰에 ~하다 向警察举报他
고배(苦杯) 명 苦杯 kǔbēi
고배를 들다[마시다/맛보다] 구 吃苦头
고:백(告白) 명하자타 表白 biǎobái; 告白 gàobái; 坦白 tǎnbái ¶나는 그에게 ~했지만 거절당했다 我向他表白被拒绝了
고:별(告別) 명하자 告别 gàobié ¶~사 告别词 / ~식 告别式
고봉(高峯) 명 高峰 gāofēng
고부(姑婦) 명 婆媳 póxí ¶~간 婆媳间 / ~ 관계 婆媳关系 / ~ 사이 婆媳之间
고:분(古墳) 명 古坟 gǔfén; 古墓 gǔmù ¶~ 벽화 古墓壁画
고분-고분 부하형히부 服帖 fútiē; 服服帖帖 fúfutiētiē; 顺从 shùncóng; 顺顺从从 shùnshuncóngcóng; 乖 guāi; 乖乖(儿) guāiguāi(r); 听话 tīnghuà ¶아이가 참 ~하다 孩子真听话 / ~하게 말을 듣다 乖乖地听话
고-분자(高分子) 명 〖化〗 高分子 gāofēnzǐ ¶~ 무기 화합물 高分子无机化合物 / ~ 유기 화합물 高分子有机化合物
고불-거리다 자 曲曲折折 qūquzhézhé; 弯弯曲曲 wānwanqūqū; 蜿蜒 wānyán = 고불대다 **고불-고불** 부하자형
고비¹ 명 关键 guānjiàn; 关头 guāntóu; 关口 guānkǒu; 关 guān ¶중요한 ~ 紧要关头 / ~를 넘기다 过关
고비² 명 〖植〗 薇 wēi
고뿔 명 感冒 gǎnmào; 伤风 shāngfēng; 着凉 zháoliáng
고삐 명 缰绳 jiāngshéng; 缰 jiāng ¶~를 당기다 拉住缰绳
고삐 놓은[없는/풀린] 말[망아지] 구 脱缰野马
고삐(가) 풀리다 구 脱缰
고삐를 늦추다 구 放松缰绳
고:사(考査) 명하타 **1** 考查 kǎochá **2** 考试 kǎoshì ¶월말~ 月底考试 / 기말~ 期末考试
고:사(告祀) 명하자 〖民〗 祭祀 jìsì ¶~떡 祭祀糕点
고사(固辭) 명하타 推 tuī; 推辞 tuīcí; 辞 cí ¶출연을 ~하다 辞演
고:사(故事) 명 故事 gùshi
고사(枯死) 명하자 枯死 kūsǐ
고사리 명 〖植〗 蕨菜 juécài ¶~나물 炒蕨菜
고사-하고(姑捨—) 부 别说…连… biéshuō…lián…; 别说…就是… biéshuō…jiùshì… ¶밥은 ~ 물도 한 모금 못 마셨다 别说吃饭, 连水都没喝一口
고산(高山) 명 高山 gāoshān ¶~ 기후 高山气候 / ~대 高山带 / ~ 도시 高山城市 / ~병 高山病 / ~ 식물 高山植物 / ~ 지대 高山地带
고상-하다(高尙—) 형 高尚 gāoshàng; 高雅 gāoyǎ **고상-히** 부
고:색(古色) 명 古色 gǔsè ¶~창연 古色苍然
고생(苦生) 명하자 劳苦 láokǔ; 辛苦

xīnkǔ; 辛劳 xīnláo; 风霜 fēngshuāng; 苦难 kǔnàn; 苦 kǔ ¶~길 苦难的道路 / 갖은 ~을 다 겪다 饱经风霜 / 하루 종일 ~하다 整天辛苦
고생 끝에 낙이 온다[있다] 속담 苦尽甘来
고:생-대(古生代) 명 〖地理〗 古生代 gǔshēngdài
고:-생물(古生物) 명 〖生〗 古生物 gǔshēngwù ¶~학 古生物学
고생-스럽다(苦生—) 형 辛苦 xīnkǔ; 辛劳 xīnláo ¶돈 벌기가 매우 ~ 挣钱很辛苦 **고생스레** 부
고:서(古書) 명 **1** 古书 gǔshū = 고서적 **2** 旧书 jiùshū
-고서 어미 才 cái; 就 jiù ¶밥을 먹~ 왔다 吃了饭才来
고:-서적(古書籍) 명 = 고서(古書)1
고:-서화(古書畫) 명 古书画 gǔshūhuà
고:성(古城) 명 古城 gǔchéng
고성(高聲) 명 高声 gāoshēng ¶~방가 高声放歌
고:소(告訴) 명하타 〖法〗 告诉 gàosù; 控诉 kòngsù; 起诉 qǐsù ¶~인 起诉人
고소 공:포증(高所恐怖症) 〖醫〗 恐高症 kǒnggāozhèng
고-소득(高所得) 명 高收入 gāoshōurù
고:소-장(告訴狀) 명 〖法〗 控诉书 kòngsùshū; 起诉书 qǐsùshū; 诉状 sùzhuàng
고소-하다 형 **1** 香 xiāng; 香喷喷 xiāngpēnpēn ¶고소한 참기름 香喷喷的香油 **2** 痛快 tòngkuài; 活该 huógāi
고속(高速) 명 高速 gāosù; 高速度 gāosùdù ¶~ 도로 高速公路 / ~버스 高速公交车 / ~ 철도 高速铁路 / ~화 高速化
고수 명 〖植〗 香菜 xiāngcài; 芫荽 yuánsuī
고수(固守) 명하타 固守 gùshǒu; 坚持 jiānchí; 墨守 mòshǒu ¶기존의 방법을 ~하다 固守成法 / 자신의 입장을 ~하다 坚持自己的立场
고수(高手) 명 高手 gāoshǒu
고수(鼓手) 명 〖音〗 鼓手 gǔshǒu
고수-머리 명 = 곱슬머리
고-수익(高收益) 명 高收益 gāoshōuyì
고스란-하다 형 全部 quánbù; 全然 quánrán; 完整无缺 wánzhěngwúquē; 原封不动 yuánfēngbùdòng; 照原样 zhào yuányàng; 整个儿 zhěnggèr **고스란-히** 부 ¶그녀에게 ~ 돌려주다 原封不动地还给她
고슴도치 명 〖動〗 刺猬 cìwèi
고슴도치도 제 새끼가 제일 곱다고 한다 속담 刺猬也说自己的儿子是棉软的
고승(高僧) 명 〖佛〗 高僧 gāosēng
고:시(古詩) 명 古诗 gǔshī
고:시(告示) 명하타 告示 gàoshì; 公布 gōngbù ¶~ 가격 公布价格
고시(高試) 명 〖法〗 考试 kǎoshì ¶사법 ~ 司法考试 / 행정 ~ 行政考试
고심(苦心) 명하자타 费心 fèixīn; 苦心 kǔxīn
고아(孤兒) 명 孤儿 gū'ér ¶~원 孤儿院
고안(考案) 명하타 创造 chuàngzào; 创制 chuàngzhì; 设计 shèjì; 研制 yánzhì
고압(高壓) 명 **1** 高压 gāoyā ¶~가스 高压气体 **2** 〖物〗 高压 gāoyā **3** 〖電〗 高压 gāoyā; 高电压 gāodiànyā ¶~선 高压线 / ~ 전류 高压电流
고액(高額) 명 高额 gāo'é ¶~지폐 高额纸币
고약(膏藥) 명 膏药 gāoyao
고:약-스럽다 형 讨厌 tǎoyàn; 可恶 kěwù; 可憎 kězēng; 恶劣 èliè; 怪僻 guàipì; 不正 bùzhèng; 坏 huài ¶고약스러운 놈 可恶的家伙 / 성격이 ~ 性格非常坏 / 날씨가 정말 ~ 天气真坏 **고:약스레** 부
고:약-하다 형 **1** (味道、气味) 坏 huài; 讨厌 tǎoyàn ¶고약한 냄새 讨厌的气味 / 맛이 매우 ~ 味道非常坏 **2** 可恶 kěwù; 可憎 kězēng; 怪僻 guàipì; 恶劣 èliè ¶인상이 ~ 印象恶劣 / 성질이 ~ 脾气怪僻 **3** (天气) 不正 bùzhèng; 坏 huài ¶날씨가 ~ 天气很坏 **고:약-히** 부
고양(高揚) 명하타 昂扬 ángyáng; 发挥 fāhuī; 发扬 fāyáng; 提高 tígāo; 高扬 gāoyáng
고양이 명 〖動〗 猫 māo
고양이 앞에 쥐[쥐걸음] 속담 猫前鼠步怯生生
고양이 쥐 생각 속담 猫哭老鼠; 猫哭耗子
고양이한테 생선을 맡기다 속담 把鱼交给猫看管
고:어(古語) 명 = 옛말1
고역(苦役) 명 苦工 kǔgōng; 苦役 kǔyì; 劳役 láoyì
고열(高熱) 명 **1** 高热 gāorè; 高温 gāowēn ¶~ 반응 高温反应 **2** 高烧 gāoshāo ¶~이 나는 환자 发高烧的病人
고엽(枯葉) 명 枯叶 kūyè ¶~제 枯叶剂
고온(高溫) 명 高温 gāowēn ¶~ 처리 高温处理 / ~건조법 高温干燥法 / ~ 압축 高温压缩
고요 명하형히부 安静 ānjìng; 寂静 jìjìng; 静寂 jìngjì; 静静 jìngjìng; 谧静 mìjìng; 宁静 níngjìng; 肃静 sùjìng ¶~

한 산림 寂静的山林
고용(雇用) 명하타 雇用 gùyòng; 雇 gù ¶가정부를 ~하다 雇用保姆
고용(雇傭) 명하타 雇佣 gùyōng ¶~ 계약 雇佣合同 / ~ 정책 雇佣政策 / ~ 조건 雇佣条件
고용-인(雇用人) 명 雇用人 gùyòngrén
고용-인(雇傭人) 명 雇佣人 gùyōngrén; 雇工 gùgōng; 雇员 gùyuán
고용-주(雇用主) 명 雇主 gùzhǔ
고원(高原) 명 『地理』 高原 gāoyuán ¶~ 지대 高原地带
고원-하다(高遠—) 형 高远 gāoyuǎn ¶고원한 이상 高远的理想
고위(高位) 명 高位 gāowèi; 高级 gāojí ¶~ 간부 高级干部
고위-급(高位級) 명 高级 gāojí; 高阶层 gāojiēcéng
고-위도(高緯度) 명 『地理』 高纬度 gāowěidù
고위-층(高位層) 명 **1** 高级 gāojí; 高层 gāocéng ¶~ 인사 高层人士 **2** 高阶层的人 gāojiēcéngde rén
고유(固有) 명하형 固有 gùyǒu ¶~ 명사 固有名词 / ~ 문자 固有文字 / ~문화 固有文化 / ~어 固有语
고육지계(苦肉之計) 명 苦肉计 kǔròujì; 苦肉之计 kǔròuzhījì = 고육지책 · 고육책
고육지책(苦肉之策) 명 = 고육지계
고육-책(苦肉策) 명 = 고육지계
고을 명 『史』 **1** 邑 yì **2** 郡 jùn
고음(高音) 명 高音 gāoyīn = 높은음
고음-부(高音部) 명 『音』 高音部 gāoyīnbù
고음-부(高音符) 명 『音』 = 높은음자리표
고:의(故意) 명 故意 gùyì ¶내가 ~로 너를 밀어뜨린 것은 아니다 我不是故意推倒你的
고:의-범(故意犯) 명 『法』 故意犯 gùyìfàn; 故意犯罪 gùyì fànzuì
고:이 부 **1** 安稳 ānwěn; 安详 ānxiáng; 宁静 níngjìng; 恬静 tiánjìng ¶그는 ~ 잠들었다 他恬静地入睡了 **2** 精心 jīngxīn; 珍惜 zhēnxī; 珍重 zhēnzhòng ¶~ 간직하다 精心收藏 **3** 全然 quánrán; 完整 wánzhěng; 完整无缺 wánzhěngwúquē; 照原样 zhào yuányàng; 整然 zhěngrán ¶그에게 보고서를 ~ 돌려보냈다 把报告照原样送还给他
고이다[1] 자 = 괴다[1] ¶눈에 눈물이 고였다 眼里积满了泪 / 마당에 물이 고였다 院子里积了水
고이다[2] 타 = 괴다[2] ¶턱을 ~ 托腮 / 밑을 ~ 垫底
고:인(故人) 명 死者 sǐzhě; 故人 gùrén
고인-돌 명 『古』 支石墓 zhīshímù
고자(鼓子) 명 阉人 yānrén
고-자세(高姿勢) 명 蛮横态度 mánhèng tàidu; 强硬态度 qiángyìng tàidu ¶그들은 이 문제에 관해서 ~이다 他们对这问题态度强硬
고:자-질(告者—) 명하자타 小报告 xiǎobàogào; 告状 gàozhuàng ¶선생님께 ~하다 向老师打小报告
고작 명부 充其量 chōngqíliàng; 仅仅 jǐnjǐn; 就 jiù; 只 zhǐ; 至多 zhìduō ¶~ 열개를 넘지 못하다 至多也不过十个
고장 명 **1** 地方 dìfāng ¶이 ~ 사람 这地方的人 **2** 产地 chǎndì ¶사과의 ~ 苹果产地
고:장(故障) 명 故障 gùzhàng; 毛病 máobìng ¶기계가 ~ 나서 움직이지 않는다 机器出了毛病不动了 / ~으로 인해 운행이 정지되다 因故障停运
고장-난명(孤掌難鳴) 명 孤掌难鸣 gūzhǎngnánmíng
고쟁이 명 窄裤腿内裤 zhǎikùtuǐ nèikù
고저(高低) 명 = 높낮이
고적(古跡 · 古蹟) 명 古迹 gǔjì
고적-운(高積雲) 명 『地理』 高积云 gāojīyún
고:전(古典) 명 古典 gǔdiǎn ¶~ 무용 古典舞蹈 / ~ 문학 古典文学 / ~미 古典美 / ~주의 古典主义
고전(苦戰) 명하자 苦战 kǔzhàn
고:전 음악(古典音樂) 『音』 古典音乐 gǔdiǎn yīnyuè = 클래식
고:전-적(古典的) 관명 古典(的) gǔdiǎn(de) ¶~인 아름다움 古典的美
고정(固定) 명하타 固定 gùdìng; 锁定 suǒdìng; 定 dìng ¶~ 관념 固定观念 / ~ 자본 固定资本 / ~ 자산 固定资产 / ~ 환율 固定汇率 / 텔레비전 채널을 ~하다 锁定电视频道 / 못으로 거울을 벽에 ~하다 用钉子把镜子固定在墙上
고조(高祖) 명 = 고조할아버지
고조(高潮) 명 **1** 满潮 mǎncháo **2** 高潮 gāocháo
고조(高調) 명하자타 加剧 jiājù; 激越 jīyuè; 昂奋 ángfèn; 热起来 rèqǐlái ¶분위기가 ~되다 气氛热起来 / 위기감이 ~되다 危机感加剧
고-조모(高祖母) 명 = 고조할머니
고-조부(高祖父) 명 = 고조할아버지
고조-할머니(高祖—) 명 高祖母 gāozǔmǔ = 고조모
고조-할아버지(高祖—) 명 高祖父 gāozǔfù = 고조(高祖) · 고조부
고졸(高卒) 高中毕业 gāozhōng bìyè; 高中 gāozhōng《'고등학교 졸업'的略形》¶~ 학력 高中毕业的学历
고종(姑從) 명 姑表 gūbiǎo = 고종사촌 ¶~형 姑表兄

고종-사촌(姑從四寸) 명 = 고종
고주-망태 명 烂醉如泥 lànzuìrúní ¶그는 ~가 되도록 술을 마셨다 他喝得烂醉如泥
고-주파(高周波) 명〖物〗高频 gāopín ¶~ 요법 高频疗法
고즈넉-하다 형 幽静 yōujìng; 寂寥 jìliáo; 雅静 yǎjìng ¶고즈넉한 산골짜기 幽静的山谷
고증(考證) 명하타 考证 kǎozhèng ¶~학 考证学
고:지(告知) 명하자타 告知 gàozhī; 通知 tōngzhī
고지(高地) 명 1 高处 gāochù; 高地 gāodì 2〖軍〗高地 gāodì ¶~를 탈환하다 夺回高地
고:지-서(告知書) 명 告知书 gàozhīshū; 通知书 tōngzhīshū
고지식-하다 형 死心眼儿 sǐxīnyǎnr; 死板 sǐbǎn; 老实 lǎoshi
고지질 혈증(高脂質血症)〖醫〗高脂血症 gāozhīxuèzhèng
고진감래(苦盡甘來) 명하자 苦尽甘来 kǔjìngānlái
고질(痼疾) 명 痼疾 gùjí = 고질병
고질-병(痼疾病) 명 = 고질
고집(固執) 명하타 固执 gùzhi; 犟 jiàng; 犟劲(儿) jiàngjìn(r) ¶~을 부리다 一个劲地固执 / ~이 세다 倔犟
고집불통(固執不通) 명 老顽固 lǎowángù; 顽固不通 wángùbùtōng
고집-스럽다(固執—) 형 固执 gùzhi ¶성격이 ~ 性格固执 고집스레 부
고집-쟁이(固執—) 명 老顽固 lǎowángù
고-차원(高次元) 명 高层次 gāocéngcì; 高次元 gāocìyuán
고착(固着) 명하타 固定 gùdìng; 胶着 jiāozhuó; 粘着 zhānzhe
고:찰(古刹) 명 古刹 gǔchà; 古庙 gǔmiào; 古寺 gǔsì
고찰(考察) 명하타 考察 kǎochá
고:참(古參) 명 老手(儿) lǎoshǒu(r); 老资格 lǎozīgé; 资格老的人 zīgé lǎode rén ¶그는 우리 회사의 최고 ~이다 他是我公司资格最老的人
고:철(古鐵) 명 废铁 fèitiě ¶버려진 ~ 被扔掉的废铁
고체(固體) 명〖物〗固体 gùtǐ
고:체-시(古體詩) 명〖文〗古体诗 gǔtǐshī
고초(苦楚) 명 = 고난
고추 명〖植〗辣椒 làjiāo ¶~기름 辣椒油 =[辣油] / ~장 辣椒酱 / ~씨 辣椒籽
고추-냉이 명 1〖植〗山葵 shānkuí 2 青芥辣 qīngjièlà; 绿芥末 lǜjièmo
고추-잠자리 명〖蟲〗红蜻 hóngqīng
고춧-가루 명 辣椒粉 làjiāofěn; 辣椒面儿 làjiāomiànr ¶~를 넣다 放入辣椒面儿
고충(苦衷) 명 苦衷 kǔzhōng ¶그의 ~을 헤아리다 体谅他的苦衷
고취(鼓吹) 명하타 提倡 tíchàng; 宣传 xuānchuán
고층(高層) 명 高层 gāocéng; 高楼 gāolóu ¶~ 빌딩 高楼大厦 / ~ 건물 高层建筑
고층-운(高層雲) 명〖地理〗高层云 gāocéngyún
고치 명 蚕茧 cánjiǎn
고치다 타 1 修理 xiūlǐ; 修 xiū ¶기계를 ~ 修理机器 / 시계를 ~ 修理钟表 2 改 gǎi; 改正 gǎizhèng; 纠正 jiūzhèng; 修改 xiūgǎi ¶나쁜 버릇을 ~ 纠正不良习惯 / 틀린 글자를 ~ 修改错字 3 重 chóng; 另 lìng ¶잘 보이지 않으니 고쳐쓰세요 看不清楚, 重写一遍吧 4 治 zhì; 治疗 zhìliáo; 医治 yīzhì ¶병을 ~ 治病
고-칼로리(高calorie) 명 高卡路里 gāokǎlùlǐ
고:택(古宅) 명 古宅 gǔzhái
고통(苦痛) 명 苦痛 kǔtòng; 痛苦 tòngkǔ ¶~을 견디다 忍受痛苦 / ~을 겪다 经受痛苦
고통-스럽다(苦痛—) 형 痛苦 tòngkǔ ¶고통스러운 표정 痛苦的表情 / 고통스러운 일 痛苦的事情 고통스레 부
고패 명 滑车 huáchē; 滑轮 huálún
고:풍(古風) 명 古风 gǔfēng; 古气 gǔqì
고:풍-스럽다(古風—) 형 古风盎然 gǔfēng àngrán; 古气盎然 gǔqì àngrán ¶고풍스러운 건물 古气盎然的建筑物 고:풍스레 부
고프다 형 饿 è ¶배가 ~ 肚子饿
고하(高下) 명 1 (年龄的) 大小 dàxiǎo 2 (地位的) 高下 gāoxià 3 (价钱的) 高低 gāodī; 贵贱 guìjiàn
고:-하다(告—) 타 告 gào; 告诉 gàosu
고학(苦學) 명하자 半工半读 bàngōngbàndú; 工读 gōngdú ¶~생 工读生
고-학년(高學年) 명 高年级 gāoniánjí
고-학력(高學歷) 명 高学历 gāoxuélì ¶~자 高学历者
고함(高喊) 명 大叫 dàjiào; 高喊 gāohǎn
고함-지르다(高喊—) 자 大叫 dàjiào; 高喊 gāohǎn
고함-치다(高喊—) 자 大叫 dàjiào; 高喊 gāohǎn
고:해(告解) 명하자〖宗〗= 고해 성사 ¶~소 告解所 / ~실 告解室
고해(苦海) 명〖佛〗苦海 kǔhǎi
고:해 성:사(告解聖事)〖宗〗告解圣

事 gàojiě shèngshì; 告解 gàojiě = 고해(告解)
고행(苦行) 명하자 〖佛〗苦行 kǔxíng ¶ ~자 苦行者
고향(故鄕) 명 故乡 gùxiāng; 故里 gùlǐ; 故土 gùtǔ; 老家 lǎojiā; 家乡 jiāxiāng ¶ ~을 그리워하다 思念故乡
고혈(膏血) 명 膏血 gāoxuè; 血汗 xuèhàn ¶ ~을 짜내다 榨取膏血
고-혈압(高血壓) 명 〖醫〗高血压 gāoxuèyā ¶ ~ 환자 高血压患者
고형(固形) 명 固态 gùtài; 固体 gùtǐ ¶ ~ 비료 固体肥料 / ~ 사료 固体饲料
고혹(蠱惑) 명하자 蛊惑 gǔhuò
고:화(古畫) 명 古画 gǔhuà
고-화질(高畫質) 명 高画质 gāohuàzhì ¶ ~ 텔레비전 高画质电视
고환(睾丸) 명 〖生〗睾丸 gāowán ¶ ~염 睾丸炎
고황(膏肓) 명 膏肓 gāohuāng
고황에 들다 구 病入膏肓
고:희(古稀) 명 古稀 gǔxī ¶ ~연 古稀宴
곡(曲) 명 **1** = 곡조1 **2** 〖音〗= 악곡 **3** 首 shǒu; 支 zhī ¶노래 한 ~을 부르다 唱一首歌
곡(哭) 명하자 **1** 号丧 háosāng; 哭丧 kūsāng **2** 号哭 háokū; 号啕 háotáo
곡-괭이 명 〖農〗十字镐 shízìgǎo
곡류(穀類) 명 谷类 gǔlèi; 谷物 gǔwù
곡마(曲馬) 명 马戏 mǎxì ¶~단 马戏团
곡면(曲面) 명 〖數〗曲面 qūmiàn
곡명(曲名) 명 〖音〗曲名 qǔmíng = 곡목2
곡목(曲目) 명 〖音〗 **1** 节目 jiémù; 曲目 qǔmù **2** = 곡명
곡물(穀物) 명 谷物 gǔwù; 粮食 liángshi = 곡식
곡사(曲射) 명하타 〖軍〗曲射 qūshè ¶ ~포 曲射炮
곡선(曲線) 명 曲线 qūxiàn; 曲线条 qūxiàntiáo ¶ ~미 曲线美 / ~ 운동 曲线运动 / ~자 曲线尺
곡성(哭聲) 명 = 곡소리
곡-소리(哭—) 명 号哭声 háokūshēng = 곡성
곡식(穀食) 명 = 곡물
곡예(曲藝) 명 杂技 zájì ¶ ~비행 杂技飞行
곡예-단(曲藝團) 명 马戏团 mǎxìtuán; 杂技团 zájìtuán
곡예-사(曲藝師) 명 技艺师 jìyìshī; 杂技演员 zájì yǎnyuán
곡우(穀雨) 명 〖民〗谷雨 gǔyǔ
곡절(曲折) 명 **1** 理由 lǐyóu; 情由 qíngyóu; 由来 yóulái; 原因 yuányīn; 缘由 yuányóu **2** 波折 bōzhé; 曲折 qūzhé; 周折 zhōuzhé
곡조(曲調) 명 **1** 腔 qiāng; 腔调 qiāngdiào; 曲 qǔ; 曲调 qǔdiào = 곡(曲)1 **2** 曲 qǔ; 支 zhī; 首 shǒu
곡주(穀酒) 명 谷酒 gǔjiǔ
곡창(穀倉) 명 **1** 谷仓 gǔcāng **2** 谷仓 gǔcāng; 米粮川 mǐliángchuān ¶ ~ 지대 谷仓地带
곡해(曲解) 명하타 曲解 qūjiě ¶그는 내 말을 ~했다 他曲解了我说的话
-곤 어미 用于动词词干后的接续形词尾, 表示反复 ¶그들은 주말이면 공원으로 놀러 가~ 한다 他们周末常去公园玩
곤:경(困境) 명 困境 kùnjìng ¶ ~에 빠지다 陷入困境
곤:고-하다(困苦—) 형 困苦 kùnkǔ
곤:고-히 부
곤:궁(困窮) 명하형히부 穷困 qióngkùn
곤돌라(이gondola) 명 **1** 贡多拉 gòngduōlā; 凤尾船 fèngwěichuán; 公朵拉 gōngduǒlā **2** 吊篮 diàolán
곤두박-이 명 倒栽 dàozāi; 翻跟头 fān gēntou
곤두박-이다 자 倒栽 dàozāi
곤두박이-치다 자 倒栽下去 dǎozāixiàqù; 翻跟头 fān gēntou
곤두박-질 명하자 翻跟头 fān gēntou; 翻筋斗 fān jīndǒu
곤두박질-치다 자 翻跟头 fāngēntou; 翻筋斗 fānjīndǒu
곤두-서다 자 **1** 悚然 sǒngrán; 竖起 shùqǐ; 立起 lìqǐ ¶머리카락이 다 ~ 头发都竖起来 **2** 紧张 jǐnzhāng; 过敏 guòmǐn ¶신경이 ~ 神经紧张
곤두세우다 타 '곤두서다'的使动词
곤드레-만드레 부하자 泥醉 nízuì; 酩酊大醉 mǐngdǐngdàzuì; 烂醉 lànzuì
곤:란(困難) 명하형히부 困难 kùnnan; 尴尬 gāngà; 不便 bùbiàn ¶대답하기 ~한 질문 不便回答的问题 / 호흡이 ~하다 呼吸困难
곤로(일konro[焜爐]) 명 = 풍로
곤:룡포(袞龍袍) 명 〖史〗衮龙袍 gǔnlóngpáo = 용포
곤봉(棍棒) 명 〖體〗棍棒 gùnbàng; 棒 bàng ¶ ~ 체조 棒操
곤약(崑蒻) 명 崑蒻 kūnruò
곤:욕(困辱) 명 侮辱 wǔrǔ
곤:욕-스럽다(困辱—) 형 侮辱 wǔrǔ
곤장(棍杖) 명 棍杖 gùnzhàng
곤죽(—粥) 명 **1** 烂饭 lànfàn ¶밥이 ~이 되다 饭煮成了烂饭 **2** 泥泞 nínìng ¶이 길은 비가 오면 ~이 된다 这条路一下雨就泥泞不堪 **3** 乱七八糟 luànqībāzāo; 一团糟 yītuánzāo **4** 瘫软如泥

tānruǎnrúní ¶술에 취해 ~이 되다 醉得瘫软如泥

곧지 명 吉祥痣 jíxiángzhì

곧충(昆蟲) 명 昆虫 kūnchóng ¶~기 昆虫记 / ~ 채집 昆虫采集 / ~ 표본 昆虫标本 / ~학 昆虫学

곤:-하다(困—) 형 **1** 累 lèi; 疲劳 píláo; 疲倦 píjuàn ¶곤한 몸 疲倦的身体 **2** 酣 hān ¶곤한 잠이 들다 酣睡 **곤:-히** 부

곤:혹(困惑) 명하자 困惑 kùnhuò

곤:혹-스럽다(困惑—) 형 困惑 kùnhuò **곤:혹스레** 부

곧 부 **1** 立刻 lìkè; 立时 lìshí; 马上 mǎshàng; 一…就 yī…jiù ¶그는 집에 돌아가자 ~ 방을 청소했다 他一到家就打扫房间 **2** 眼看 yǎnkàn; 快 kuài; 快要 kuàiyào ¶이제 ~ 개학이다 快要开学了 **3** 就 jiù; 就是 jiùshì ¶이것은 ~ 하늘의 이치다 这就是老天的道理

곧다 형 **1** 直 zhí; 笔直 bǐzhí ¶곧은 소나무 笔直的松树 / 등을 곧게 펴다 把背伸直 **2** 正直 zhèngzhí ¶그는 곧고 성실하다 他正直无私

곧-바로 부 **1** 立即 lìjí; 马上 mǎshàng ¶이 일을 끝내면 ~ 시작할 것이다 做完这件工作, 立即开始 **2** 一直 yīzhí ¶이 길을 따라 ~ 가다 沿着这条路一直走 **3** 径直 jìngzhí ¶그는 다른 데 들르지 않고 ~ 집에 돌아왔다 他没去别的地方, 径直回了家

곧은-창자 명 〖生〗 直肠 zhícháng = 직장(直腸)

곧이 부 听信 tīngxìn; 认真 rènzhēn

곧이-곧대로 부 确确实实地 quèquèshíshíde; 如实地 rúshíde

곧이-듣다 타 听信 tīngxìn ¶그의 말을 ~ 听信他的话

곧-이어 부 接着 jiēzhe; 接下来 jiēxiàlái

곧-잘 부 **1** 相当好 xiāngdāng hǎo ¶글씨를 ~ 쓴다 字写得相当好 **2** 常常 chángcháng; 经常 jīngcháng ¶그는 ~ 놀러 온다 他经常来玩

곧장 부 **1** 一直 yīzhí ¶~ 앞으로 가세요 一直往前走 **2** 立即 lìjí; 马上 mǎshàng

곧추 부 笔直 bǐzhí; 立 lì; 竖 shù; 直 zhí ¶~ 가거라 一直走

곧추-서다 자 笔直站立 bǐzhí zhànlì

골[1] 명 恼怒 nǎonù

골[2] 명 楦子 xuànzi; 楦头 xuàntou; 楦 xuàn

골[3] 명 〖生〗 **1** = 골수1 **2** = 뇌

골(goal) 명 〖體〗 **1** (赛跑等的) 得分 défēn **2** 球门 qiúmén

골격(骨格 · 骨骼) 명 **1** 〖生〗 骨骼 gǔgé **2** 骨架 gǔjià ¶경제 이론의 기본 ~ 经济理论的基本骨架

골고루 부 均 jūn; 平均 píngjūn; 匀 yún ¶~ 나누다 分配得很匀

골골 부하자 呻吟 shēnyín; 哼哼 hēngheng

골골-거리다 자 呻吟 shēnyín; 哼哼 hēngheng = 골골대다

골-나다 자 生气 shēngqì; 发火 fāhuǒ

골-내다 자 发火 fāhuǒ; 发脾气 fā píqi; 生气 shēngqì

골-네트(goal net) 명 〖體〗 球门网 qiúménwǎng

골:다 타 打呼噜 dǎ hūlu; 打鼾 dǎhān ¶코를 ~ 打呼噜

골다공-증(骨多孔症) 명 〖醫〗 骨质疏松症 gǔzhìshūsōngzhèng

골-대(goal—) 명 〖體〗 = 골포스트

골덴 명 '코르덴' 的错误

골동-품(骨董品) 명 古董 gǔdǒng; 古玩 gǔwán ¶~을 감정하다 鉴定古董

골똘-하다 형 专心一意 zhuānxīnyīyì **골똘-히** 부

골-라인(goal line) 명 〖體〗 **1** = 결승선 **2** 球门线 qiúménxiàn

골:라-잡다 타 **1** 选定 xuǎndìng **2** 挑选 tiāoxuǎn

골-머리 명 '머릿골' 的俗称

골머리(를) 앓다 구 伤脑筋

골:목 명 胡同 hútòng; 小巷 xiǎoxiàng = 골목길

골:목-길 명 = 골목

골:목-대장(—大將) 명 孩子头儿 háizitóur; 孩子王 háiziwáng

골몰(汨沒) 명하자히부 埋头 máitóu; 专心 zhuānxīn ¶일에 ~하다 埋头于工作

골무 명 顶针(儿) dǐngzhen(r)

골-문(goal門) 명 〖體〗 球门 qiúmén

골반(骨盤) 명 〖生〗 骨盆 gǔpén = 골반뼈

골반-뼈(骨盤—) 명 〖生〗 = 골반

골:-방(—房) 명 后房 hòufáng

골-백번(—百番) 명 几百次 jǐbǎicì

골뱅이 명 **1** 〖貝〗 玉螺 yùluó **2** 〖컴〗 圈 a quān a

골-병(—病) 명 膏肓 gāohuāng ¶젊어서 고생을 많이 하여 ~이 들었다 年轻时干极度辛苦, 病入膏肓

골병-들다(—病—) 자 病入膏肓 bìngrù gāohuāng

골-세포(骨細胞) 명 〖生〗 骨细胞 gǔxìbāo

골수(骨髓) 명 **1** 〖生〗 骨髓 gǔsuǐ = 골[3]1 · 뼛골 · 뼛속 ¶~ 세포 骨髓细胞 / ~ 이식 骨髓移植 **2** 极限 jíxiàn ¶~팬 极限爱好者

골 에어리어(goal area) 〖體〗 球门区 qiúménqū

골육(骨肉) 명 **1** 骨肉 gǔròu **2** 骨肉之亲 gǔròuzhīqīn; 骨肉 gǔròu = 골육지친 ¶～상잔 骨肉相残
골육지친(骨肉之親) 명 = 골육2
골인(goal+in) 명 〖體〗 **1** 进球 jìnqiú; 破门 pòmén **2** 到达终点 dàodá zhōngdiǎn ¶일등으로 ～하다 第一名到达终点
골자(骨子) 명 要点 yàodiǎn; 要旨 yàozhǐ
골재(骨材) 명 〖建〗 骨材 gǔcái
골절(骨折) 명 〖醫〗 骨折 gǔzhé ¶～상 骨折伤
골조(骨組) 명 骨架 gǔjià
골질(骨質) 명 骨质 gǔzhì
골짜기 명 山谷 shāngǔ; 山沟 shāngōu; 峡谷 xiágǔ
골초(—草) 명 **1** 次烟 cìyān; 坏烟 huàiyān **2** 烟鬼 yānguǐ
골치 명 脑袋 nǎodai; 脑瓜子 nǎoguāzi; 脑子 nǎozi; 脑筋 nǎojīn; 头 tóu ¶～를 썩다 伤脑筋 / ～가 아프다 脑子很疼
골칫-거리 명 伤脑筋的事儿 shāng nǎojīnde shìr
골칫-덩어리 명 = 골칫덩이
골칫-덩이 명 伤脑筋的人 shāng nǎojīnde rén = 골칫덩어리
골-키퍼(goalkeeper) 명 〖體〗 守门员 shǒuményuán
골-킥(goal kick) 명 〖體〗 球门发球 qiúmén fāqiú
골탕 명 大亏 dàkuī; 苦头 kǔtou
 골탕(을) 먹다 구 吃大亏; 吃苦头
골통 명 **1** 脑袋 nǎodai; 脑瓜子 nǎoguāzi; 脑子 nǎozi **2** 狗头 gǒutóu
골:-판지(—板紙) 명 瓦楞纸 wǎléngzhǐ
골패(骨牌) 명 骨牌 gǔpái
골-포스트(goalpost) 명 〖體〗 门柱 ménzhù = 골대
골-풀 명 〖植〗 灯芯草 dēngxīncǎo; 灯心草 dēngxīncǎo
골품(骨品) 명 〖史〗 骨品 gǔpǐn ¶～제도 骨品制度
골프(golf) 명 〖體〗 高尔夫 gāo'ěrfū; 高尔夫球 gāo'ěrfūqiú ¶～공 高尔夫球 / ～장 高尔夫球场
골프-채(golf—) 명 〖體〗 高尔夫球杆 gāo'ěrfūqiúgǎn = 클럽2
곪:다 자 化脓 huànóng; 鼓脓 gǔnóng ¶상처가 ～ 疮口化脓
곯다[1] 자 腐烂 fǔlàn; 坏 huài; 烂 làn ¶계란이 곯았다 鸡蛋烂了
곯다[2] 타 挨饿 ái'è; 饿 è ¶배를 ～ 肚子挨饿
곯아-떨어지다 자 酣睡 hānshuì; 呼呼大睡 hūhū dàshuì; 沉沉入睡 chénchén rùshuì
곰: 명 **1** 〖動〗 熊 xióng **2** 笨蛋 bèndàn
곰:곰 부 仔细(地) zǐxì(de) = 곰곰이
곰:곰-이 부 = 곰곰 ¶이 문제를 ～ 생각해 보세요 请仔细思考这个问题
곰:-국 명 (炖的) 牛肉汤 niúròutāng; 肉汤 ròutāng = 곰탕
곰방-대 명 小烟袋 xiǎoyāndài; 小烟杆 xiǎoyāngǎn
곰:-보 명 麻子 mázi; 麻脸 máliǎn; 麻脸人 máliǎnrén
곰:-삭다 자 **1** 糟了 zāole ¶옷들이 곰삭았다 衣服糟了 **2** (虾酱等) 放坏了 fànghuàile
곰:-살맞다 형 和蔼 hé'ǎi; 和气 héqì; 温和 wēnhé
곰:-탕(—湯) 명 = 곰국
곰:팡-내 명 霉味儿 méiwèir ¶～가 나다 发霉味儿
곰:팡-이 명 〖植〗 霉 méi ¶～가 피다 发霉
곱[1] 명 脓头 nóngtóu ¶～이 끼다 生脓头了
곱[2] 명 **1** = 배(倍)1 **2** = 곱절2
곱:다[1] 형 **1** 好看 hǎokàn; 美 měi; 美丽 měilì; 漂亮 piàoliang ¶고운 여자 漂亮的女人 / 고운 꽃 美丽的花 **2** 善良 shànliáng ¶심성이 ～ 心地善良 **3** 细 xì; 细腻 xìnì ¶살결이 ～ 皮肤细腻 / 밀가루가 ～ 面粉很细 **4** 平安无事 píng'ānwúshì; 平安无恙 píng'ānwúyàng ¶곱게 자라다 平安无事地长大 **5** 原封不动 yuánfēngbùdòng ¶받은 선물을 곱게 돌려주다 把收到的礼物原封不动地退回去 **6** 好听 hǎotīng ¶고운 목소리 好听的嗓音
곱다[2] 형 **1** 冻僵 dòngjiāng ¶손가락이 곱았다 手指冻僵了 **2** (牙) 倒了 dǎole ¶귤을 많이 먹어더니 이가 곱아서 씹지 못하겠다 吃了好多橘子牙倒了, 再也吃不了了
곱다[3] 자형 曲 qū; 弯 wān; 弯曲 wānqū; 驼 tuó ¶등이 ～ 驼背
곱-빼기 명 **1** (饮食) 双培量 shuāngbèiliàng **2** 接连两次 jiēlián liǎngcì; 一连两次 yīlián liǎngcì
곱사-등 명 佝偻 gōulóu; 驼背 tuóbèi
곱사등-이 명 驼子 tuózi; 驼背 tuóbèi = 꼽추
곱-셈 명하타 〖數〗 乘 chéng; 乘法 chéngfǎ ¶～법 乘法 / ～ 부호 乘号
곱슬-곱슬 부하형 卷曲 juǎnqū; 卷卷 juǎnjuǎn; 鬈 quán ¶～한 머리 卷卷的头发
곱슬-머리 명 卷发 juǎnfà = 고수머리
곱-씹다 타 **1** 反复咀嚼 fǎnfù jǔjué **2** 反复 fǎnfù ¶곱씹어 말하다 反复说 /

곱씹어 생각하다 反复想
곱-자 명 〖建〗钩尺 gōuchǐ; 矩尺 jǔchǐ
곱-절 명 1 = 배(倍)1 2 倍 bèi = 곱²2 ¶세 ~ 三倍
곱-창 명 (牛的) 小肠 xiǎocháng
곱-하기 명하타 〖數〗乘 chéng; 乘法 chéngfǎ
곱-하다 타 乘 chéng ¶2에 3을 곱하면 6이 된다 二乘三等于六
곳 명 地方 dìfang; 场所 chǎngsuǒ; 处 chù; 地点 dìdiǎn ¶다른 ~ 别的地方 / 아픈 ~ 痛处 / 조용한 ~ 安静的地方
곳-간(庫間) 명 仓库 cāngkù
곳-곳 명 处处 chùchù; 到处 dàochù; 每个角落 měige jiǎoluò ¶~에 남은 흔적 留下在每个角落的痕迹
곳곳-이 부 处处 chùchù; 到处 dàochù; 每个角落 měige jiǎoluò
공¹ 명 球 qiú ¶~을 던지다 扔球 / ~을 받다 接球 / ~을 차다 踢球 / ~을 치다 拍球
공(公) 명 公 gōng ¶~과 사를 구별하다 公私分明
공(功) 명 = 공로 ¶~을 세우다 立功 / ~이 크다 功劳大
공-(空) 접두 1 空 kōng ¶~방 空房 2 白 bái ¶~밥 白饭 / ~구경 白看 / ~일 白干
-공(工) 접미 工 gōng ¶숙련~ 熟练工 / 인쇄~ 印刷工
공간(空間) 명 空间 kōngjiān ¶~ 개념 空间概念 / 생활 ~ 生活空间 / 우주 ~ 宇宙空间 / 좁은~ 狭窄空间
공:갈(恐喝) 명하자타 1 恐吓 kǒnghè; 威吓 wēihè; 恫吓 dònghè; 讹诈 ézhà ¶~죄 恐吓罪 / ~을 치다 进行讹诈 / ~해서 금품을 우려먹다 恐吓人勒索钱财 2 '거짓말' 的俗称
공:갈-치다(恐喝—) 자 恐吓 kǒnghè; 威吓 wēihè; 恫吓 dònghè; 讹诈 ézhà
공:감(共感) 명하자 共鸣 gòngmíng; 同感 tónggǎn ¶나는 그 말에 크게 ~한다 我对那个说法大有同感 / 그의 주장은 많은 사람의 ~을 불러일으켰다 他的主张引起了许多人的共鸣
공개(公開) 명하타 公开 gōngkāi ¶~강좌 公开讲座 / ~ 방송 公开播放 / ~재판 公开审判 / ~ 투표 公开投票 / 회의에 참석한 사람의 이름을 모두 ~했다 参加会议的人名都公开了
공개-적(公開的) 관명 公开(的) gōngkāi(de) ¶~으로 비난하다 公开批评
공:격(攻擊) 명하타 攻击 gōngjī; 进攻 jìngōng; 攻 gōng ¶~력 攻击力 / ~성 攻击性 / ~수 攻击手 / ~ 개시 攻击开始 / ~을 개시하다 开始进攻 / ~을 받다 遭受攻击
공경(恭敬) 명하타히부 恭敬 gōngjìng; 尊敬 zūnjìng ¶부모를 ~하다 尊敬父母
공고(工高) 명 〖教〗'공업 고등학교' 的略词
공고(公告) 명하타 公布 gōngbù; 公告 gōnggào; 告示 gàoshì ¶~문 公告文 / 관련 내용을 ~하다 公布相关内容
공고-하다(鞏固—) 형 巩固 gǒnggù; 坚固 jiāngù; 牢固 láogù ¶공고한 진지 巩固的阵地 **공고-히** 부
공공(公共) 명 公共 gōnggòng; 公 gōng ¶~건물 公共建筑 / ~시설 公共设施 / ~질서 公共秩序 / ~장소 公共场所 / ~ 기관 公共机构 / ~ 생활 公共生活 / ~의 적 公敌
공공연-하다(公公然—) 형 公开 gōngkāi; 公然 gōngrán ¶공공연하게 주장하다 公开主张 **공공연-히** 부
공과(工科) 명 〖教〗工科 gōngkē
공과-금(公課金) 명 公共费用 gōnggòng fèiyong
공과 대:학(工科大學) 〖教〗工科大学 gōngkē dàxué; 工业大学 gōngyè dàxué; 工大 gōngdà = 공업 대학
공관(公館) 명 公馆 gōngguǎn
공교-롭다(工巧—) 형 巧 qiǎo; 凑巧 còuqiǎo; 碰巧 pèngqiǎo; 恰巧 qiàqiǎo; 正好 zhènghǎo ¶백화점에서 공교롭게 그를 만났다 在百货商店正好碰上他 **공교로이** 부
공-교육(公教育) 명 〖教〗公共教育 gōnggòng jiàoyù
공구(工具) 명 工具 gōngjù
공군(空軍) 명 〖軍〗空军 kōngjūn ¶~기지 空军基地 / ~ 사관 학교 空军士官学校
공권(公權) 명 〖法〗公权 gōngquán ¶~력 公权力
공그르다 타 缲 qiāo
공금(公金) 명 公款 gōngkuǎn ¶~을 횡령하다 贪污公款
공:급(供給) 명하타 供给 gōngjǐ; 供应 gōngyìng; 提供 tígōng ¶~ 곡선 供给曲线 / ~ 과잉 供给过剩 / ~량 供应量 / ~소 供应站 / ~원 供应源 / ~자 供给者 / 물자를 ~하다 供应物资 / 식량을 ~하다 供应粮食
공:기 명하자 抓石子儿 zhuāshízǐr ¶~놀이 抓石子儿 / ~를 놀다 玩抓石子儿
공기(空氣) 명 1 空气 kōngqì; 气 qì ¶~ 냉각 空气冷却 / ~ 저항 空气抵抗 / ~청정기 空气净化器 2 气氛 qìfēn
공기(空器) 명 1 空器皿 kōngqìmǐn 2 饭碗 fànwǎn; 碗 wǎn ¶밥 한 ~ 一碗饭
공기-압(空氣壓) 명 〖物〗空气压力 kōngqì yālì

공-기업(公企業) 명 【經】公共企业 gōnggòng qǐyè
공기-총(空氣銃) 명 气枪 qìqiāng
공:-놀이 명하자 打球 dǎqiú
공단(工團) 명 【工】工业区 gōngyèqū; 工业园区 gōngyè yuánqū
공단(公團) 명 【法】公团 gōngtuán
공:단(貢緞) 명 贡缎 gòngduàn
공대(工大) 명 【教】'공과 대학'的略词
공덕(功德) 명 功德 gōngdé = 덕4
공-돈(空—) 명 白得的钱 báidéde qián
공:동(共同) 명 共同 gòngtóng; 公 gōng; 联合 liánhé; 共 gòng ¶~묘지 公墓 =[公共坟地] / ~ 우승 共享冠军 / ~ 개최 联合举办 / ~ 운영 共同经营 / ~ 관리 共同管理 / ~ 대표 共同代表 / ~ 소유 共同所有 / ~ 수역 共同水域 / ~ 투자 共同投资
공동(空洞) 명 空洞 kōngdòng
공:동-체(共同體) 명 【社】共同体 gòngtóngtǐ
공동-화(空洞化) 명하자 空洞化 kōngdònghuà ¶~ 현상 空洞化现象
공-들다(功—) 자 费工 fèigōng; 苦心 kǔxīn
공든 탑이 무너지랴 속담 老天不负苦心人, 苍天不负有心人
공-들이다(功—) 자 下功夫 xià gōngfu; 用功夫 yòng gōngfu ¶공들인 보람이 없다 白下功夫
공란(空欄) 명 空格 kōnggé; 空栏 kōnglán
공로(功勞) 명 功劳 gōngláo = 공(功)
공론(公論) 명하타 **1** 公议 gōngyì **2** 公论 gōnglùn **3** = 여론
공:룡(恐龍) 명 【動】恐龙 kǒnglóng ¶~ 영화 恐龙影片 / ~ 시대 恐龙时代
공리(公利) 명 公利 gōnglì
공리(功利) 명 功利 gōnglì ¶~심 功利心 / ~주의 功利主义
공립(公立) 명 公立 gōnglì ¶~학교 公立学校 / ~ 대학 公立大学
공명(功名) 명하자 功名 gōngmíng ¶~심 功名心
공:명(共鳴) 명하자 **1** 【物】共鸣 gòngmíng ¶~기 共鸣器 / ~ 상자 共鸣箱 / ~판 共鸣板 **2** 同感 tónggǎn; 共鸣 gòngmíng
공명-선거(公明選擧) 명 【政】公正选举 gōngzhèng xuǎnjǔ
공명-심(功名心) 명 功名心 gōngmíngxīn
공명정대-하다(公明正大—) 형 光明正大 guāngmíng zhèngdà **공명정대-히** 부
공명-하다(公明—) 형 公正 gōngzhèng ¶공명한 판결 公正的判决 **공명-히** 부
공모(公募) 명하타 **1** 征 zhēng; 征招 zhēngzhāo; 征集 zhēngjí ¶~전 征展 **2** 【經】公募 gōngmù
공:모(共謀) 명하타 【法】同谋 tóngmóu; 共谋 gòngmóu ¶~자 同谋者
공무(公務) 명 公务 gōngwù; 公事 gōngshì ¶~원 公务员 / ~를 처리하다 办理公务
공문(公文) 명 = 공문서 ¶~을 보내다 发公函
공-문서(公文書) 명 公函 gōnghán; 公文 gōngwén = 공문
공:물(貢物) 명 【史】贡品 gòngpǐn; 贡物 gòngwù
공민(公民) 명 公民 gōngmín ¶~ 교육 公民教育
공-밥(空—) 명 白吃饭 báichīfàn; 吃闲饭 chī xiánfàn
공밥(을) 먹다 구 不做事白吃饭
공방(工房) 명 工房 gōngfáng
공:방(攻防) 명하타 攻防 gōngfáng ¶~전 攻防战 / ~을 벌이다 展开攻防
공방(空房) 명 空房 kōngfáng
공-배수(公倍數) 명 【數】公倍数 gōngbèishù ¶최소 ~ 最小公倍数
공백(空白) 명 空白 kòngbái; 空白点 kòngbáidiǎn ¶~기 空白期 / ~ 상태 空白状态
공:범(共犯) 명하자 【法】共犯 gòngfàn ¶~자 共犯者 / ~죄 共犯罪
공법(工法) 명 工法 gōngfǎ; 施工法 shīgōngfǎ ¶특수 ~ 特殊施工法
공법(公法) 명 【法】公法 gōngfǎ
공병(工兵) 명 【軍】工兵 gōngbīng ¶~대 工兵队
공병(空甁) 명 空瓶 kōngpíng
공보(公報) 명 公报 gōngbào ¶~ 기관 公报机关
공복(空腹) 명 空腹 kōngfù; 空肚子 kōngdùzi ¶~감 空腹感
공부(工夫) 명하타 学习 xuéxí; 学 xué; 念书 niànshū; 用功 yònggōng ¶~방 学习房间 / 열심히 ~하다 努力学习 / ~를 게을리하다 懒得学习 / 그는 ~를 매우 잘한다 他学习非常好
공분(公憤) 명 公愤 gōngfèn
공비(公費) 명 公费 gōngfèi
공사(工事) 명하자 工程 gōngchéng; 工事 gōngshì; 施工 shīgōng; 工 gōng ¶~비 工程费 / ~를 벌이다 展开施工
공사(公私) 명 公私 gōngsī ¶~를 구분하다 分清公私
공사(公使) 명 【法】公使 gōngshǐ ¶~관 公使馆
공사(公社) 명 【法】公社 gōngshè
공사-장(工事場) 명 工地 gōngdì
공사-판(工事—) 명 工地 gōngdì
공:산(共産) 명 **1** 共产 gòngchǎn **2**

〖社〗 = 공산주의 ¶～ 국가 共产主义国家
공:산-당(共産黨) 명 〖政〗 共产党 gòngchǎndǎng
공:산-주의(共産主義) 명 〖社〗 共产主义 gòngchǎn zhǔyì = 공산2 ¶～자 共产主义者
공산-품(工産品) 명 工业产品 gōngyè chǎnpǐn
공상(工商) 명 工商 gōngshāng
공상(公傷) 명 公伤 gōngshāng
공상(空想) 명하타 空想 kōngxiǎng ¶～가 空想家
공상 과학 소:설(空想科學小說) 〖文〗 科幻小说 kēhuàn xiǎoshuō; 科学幻想小说 kēxué huànxiǎng xiǎoshuō = 에스에프
공상 과학 영화(空想科學映畫) 〖演〗 科幻片 kēhuànpiàn; 科幻电影 kēhuàn diànyǐng; 科学幻想电影 kēxué huànxiǎng diànyǐng
공:생(共生) 명하자 共生 gòngshēng ¶～ 관계 共生关系
공석(公席) 명 **1** 公开的场合 gōngkāide chǎnghé **2** 公座 gōngzuò
공석(空席) 명 = 빈자리
공설(公設) 명하타 公设 gōngshè; 公立 gōnglì ¶～ 운동장 公设运动场
공:세(攻勢) 명 攻势 gōngshì
공소(公訴) 명하타 〖法〗 公诉 gōngsù ¶～권 公诉权 / ～ 사실 公诉事实 / ～ 시효 公诉时效 / ～를 제기하다 提出公诉
공소-장(公訴狀) 명 〖法〗 起诉状 qǐsùzhuàng = 기소장
공손-하다(恭遜—) 형 谦恭 qiāngōng; 恭敬 gōngjìng **공손-히** 부 ¶～ 인사하다 恭敬地行礼
공:수(攻守) 명 攻防 gōngfáng ¶～ 전환이 빠르다 攻防转换很快
공수(空手) 명 = 빈손
공수(空輸) 명하타 空运 kōngyùn ¶보급품을 ～하다 空运补给品
공:수(拱手) 명하자 拱手 gǒngshǒu
공수 부대(空輸部隊) 〖軍〗 空降部队 kōngjiàng bùduì = 낙하산 부대
공-수표(空手票) 명 〖經〗 空头支票 kōngtóu zhīpiào ¶～를 날리다 开空头支票
공습(空襲) 명하타 空袭 kōngxí ¶～ 경보 空袭警报
공시(公示) 명하타 公告 gōnggào; 布告 bùgào; 告示 gàoshì; 公示 gōngshì ¶～가 公告现值 / ～ 지가 公告地价
공식(公式) 명 **1** 正式 zhèngshì ¶～ 방문 正式访问 / ～ 회담 正式谈判 **2** 〖數〗 公式 gōngshì ¶수학 ～ 数学公式
공식-적(公式的) 관명 正式(的) zhèngshì(de) ¶～으로 인정하다 正式承认
공신(功臣) 명 功臣 gōngchén ¶일등 ～ 一等功臣
공신-력(公信力) 명 〖法〗 公信力 gōngxìnlì
공안(公安) 명 公安 gōng'ān
공약(公約) 명하타 承诺 chéngnuò ¶선거 ～ 竞选承诺
공-약수(公約數) 명 〖數〗 公因数 gōngyīnshù; 公约数 gōngyuēshù ¶최대 ～ 最大公因数
공:양(供養) 명하타 **1** 供养 gōngyǎng ¶시부모를 ～하다 供养公婆 **2** 〖佛〗 供养 gòngyǎng; 供奉 gòngfèng ¶～미 供养米
공언(公言) 명하타 声称 shēngchēng; 声言 shēngyán; 宣称 xuānchēng; 公开讲 gōngkāi jiǎng
공업(工業) 명 工业 gōngyè ¶～용수 工业用水 / ～ 지대 工业地带 / ～ 단지 工业区 =[工业园区]
공업 고등학교(工業高等學校) 〖教〗 工业高级中学 gōngyè gāojí zhōngxué; 工业高中 gōngyè gāozhōng
공업 대:학(工業大學) 〖教〗 = 공과 대학
공업-용(工業用) 명 工业用 gōngyèyòng; 工业 gōngyè ¶～ 기름 工业油脂
공연(公演) 명하타 公演 gōngyǎn; 表演 biǎoyǎn; 演出 yǎnchū ¶축하 ～ 庆祝演出 / ～장 表演场 / ～이 시작되다 表演开始
공연-스럽다(空然—) 형 白白的 báibáide; 多余的 duōyúde; 空 kōng; 徒然 túrán; 枉然 wǎngrán; 无谓的 wúwèide; 无用的 wúyòngde = 괜스럽다 **공연스레** 부
공연-하다(空然—) 형 白白的 báibáide; 多余的 duōyúde; 空 kōng; 徒然 túrán; 枉然 wǎngrán; 无谓的 wúwèide; 无用的 wúyòngde = 괜하다 ¶공연한 걱정 多余的担心 / 공연한 일 无谓的事情 **공연-히** 부
공영(公營) 명하타 公营 gōngyíng ¶～ 방송 公营广播 / ～ 기업 公营企业
공예(工藝) 명 工艺 gōngyì ¶～품 工艺品
공용(公用) 명하타 公用 gōngyòng
공:용(共用) 명하타 共用 gòngyòng ¶남녀 ～ 男女共用 / ～ 면적 共用面积
공용-어(公用語) 명 通用语 tōnyòngyǔ
공원(公園) 명 公园 gōngyuán ¶～묘지 公园墓地
공유(公有) 명 〖法〗 公有 gōngyǒu ¶～림 公有林 / ～ 재산 公有财产 / ～지 公有地 =[公地]
공:유(共有) 명하타 共有 gòngyǒu ¶～ 면적 共有面积 / ～물 共有物品 / ～화

共有化
공-으로(空—) 부 白 bái; 白白地 báibáide
공이 명 杵 chǔ
공익(公益) 명 公共利益 gōnggòng lìyì; 公益 gōngyì ¶~ 광고 公益广告 / ~사업 公益事业 / ~성 公益性
공인(公人) 명 公人 gōngrén
공인(公認) 명하타 公认 gōngrèn
공인 회:계사(公認會計士) 〖法〗 高级会计师 gāojí kuàijìshī; 会计师 kuàijìshī
공일(空日) 명 空日 kōngrì; 休日 xiūrì
공임(工賃) 명 工钱 gōngqian; 工资 gōngzī
공자(公子) 명 公子 gōngzǐ
공작(工作) 명하타 **1** 工作 gōngzuò ¶ 특수 ~ 特务工作 **2** 劳作 láozuò; 手工 shǒugōng
공작(公爵) 명 公爵 gōngjué ¶~ 부인 公爵夫人
공:작(孔雀) 명 〖鳥〗 孔雀 kǒngquè = 공작새
공:작-새(孔雀—) 명 〖鳥〗 = 공작(孔雀)
공작-원(工作員) 명 特工 tègōng ¶ 북한 ~ 北朝鲜特工
공장(工場) 명 工厂 gōngchǎng; 工场 gōngchǎng; 厂 chǎng; 制造厂 zhìzàochǎng ¶~도 가격 厂价 / ~장 厂长 / ~ 폐수 工厂废水
공:저(共著) 명하타 合编 hébiān; 合著 hézhù
공-적(公的) 관명 公(的) gōng(de); 公共(的) gōnggòng(de); 公家(的) gōngjia(de) ¶~ 자금 公积金
공적(功績) 명 功绩 gōngjì; 功劳 gōngláo ¶~을 쌓다 建立功绩
공전(工錢) 명 工钱 gōngqian; 工价 gōngjià
공전(公轉) 명하타 〖天〗 公转 gōngzhuàn = 공전 운동 ¶~ 궤도 公转轨道 / ~ 주기 公转周期
공전(空前) 명 空前 kōngqián ¶~의 성공 空前成功
공전(空轉) 명하자 空转 kōngzhuǎn ¶ 바퀴가 ~하다 车轮空转
공전 운:동(公轉運動) 〖天〗 = 공전(公轉)
공정(工程) 명 工序 gōngxù; 流程 liúchéng
공정(公正) 명하형히부 公正 gōngzhèng; 公道 gōngdao; 公平 gōngpíng ¶~ 거래 公平交易 / ~ 보도 公平报道 / ~성 公正性 / ~한 판정 公正判决 / ~히 처리하다 公正地处理
공정(公定) 명하타 公定 gōngdìng; 法定 fǎdìng
공정-가(公定價) 명 〖經〗 = 공정 가격
공정 가격(公定價格) 〖經〗 公定价 gōngdìngjià; 公定价格 gōngdìng jiàgé = 공정가
공:제(控除) 명하타 扣 kòu; 扣除 kòuchú; 减除 jiǎnchú ¶ 수입에서 필요 경비를 ~하다 从收入中减除费用
공:조(共助) 명하자 互济 hùjì; 互助 hùzhù
공:존(共存) 명하자 共处 gòngchǔ; 共存 gòngcún ¶ 평화 ~ 和平共处 / ~공영 共存共荣
공주(公主) 명 公主 gōngzhǔ ¶~병 公主病
공중(公衆) 명 公共 gōnggòng; 公众 gōngzhòng; 公 gōng; 公用 gōngyòng ¶ ~목욕탕 公共浴池 / ~위생 公共卫生
공중(空中) 명 空中 kōngzhōng ¶~그네 空中秋千 / ~ 급유 空中加油 / ~분해 空中解体 / ~ 폭격 空中爆击 / ~회전 空中回转
공중-누각(空中樓閣) 명 空中楼阁 kōngzhōng lóugé = 신기루2
공중-도덕(公衆道德) 명 公共道德 gōnggòng dàodé; 公德 gōngdé
공중-변소(公衆便所) 명 公厕 gōngcè; 公共厕所 gōnggòng cèsuǒ
공중-전(空中戰) 명 〖軍〗 空战 kōngzhàn
공중-전화(公衆電話) 명 公用电话 gōngyòng diànhuà ¶~ 카드 公用电话卡
공중-제비(空中—) 명 跟头 gēntou = 텀블링 ¶~를 하다 翻跟头
공중-화장실(公衆化粧室) 명 '공중변소' 的别称
공증(公證) 명하타 〖法〗 公证 gōngzhèng ¶~ 문서 公证书 / ~인 公证人
공지(公知) 명하자 公告 gōnggào; 通知 tōngzhī ¶~ 사항 通知事项
공직(公職) 명 公职 gōngzhí ¶~자 公职人员
공:진(共振) 명하자 〖物〗 共振 gòngzhèn
공-집합(空集合) 명 〖數〗 空集合 kōngjíhé
공짜(空—) 명 免费 miǎnfèi; 白 bái; 不花钱 bùhuāqián ¶~로 먹다 白吃 / 이것은 모두 ~이다 这一切都是免费的
공채(公採) 명하타 公开招聘 gōngkāi zhāopìn; 公招 gōngzhāo ¶~ 시험 公招考试
공채(公債) 명 公债 gōngzhài ¶~증권 公债证券
공책(空冊) 명 笔记本 bǐjìběn; 本子 běnzi = 노트㊀
공:처-가(恐妻家) 명 妻管严 qīguǎnyán; 惧内男人 jùnèi nánren
공천(公薦) 명하타 **1** 公众推荐 gōng-

zhòng tuījiàn 2 〖政〗公荐 gōngjiàn
공청-회(公聽會) 명 〖政〗公听会 gōngtīnghuì ¶~를 열다 召开公听会
공:-치기 명하자 打球 dǎqiú
공-치다(空—) 자타 白费工夫 báifèi gōngfu ¶사람이 모자라서 하루를 공쳤다 因为缺人, 白费了一天工夫
공-치사(功致辭) 명하타 卖功 màigōng; 自夸 zìkuā
공-치사(空致辭) 명하자타 白表扬 báibiǎoyáng; 空表扬 kōngbiǎoyáng
공-터(空—) 명 空地 kōngdì = 빈터
공:통(共通) 명하자 共同 gòngtóng; 共通 gòngtōng; 公 gōng ¶~분모 公分母 / ~성 共同性 / ~어 共同语 / ~점 共同点
공:통-적(共通的) 관명 共同(的) gòngtóng(de) ¶~인 견해 共同见解
공판(公判) 명하자 〖法〗公判 gōngpàn; 公审 gōngshěn ¶~ 기일 公审日期
공평(公平) 명하형히부 公平 gōngpíng; 公道 gōngdao; 公正 gōngzhèng ¶~한 방식 公平的方式 / ~하게 심사하다 公正地审查
공평-무사(公平無私) 명하형히부 公平无私 gōngpíng wúsī; 大公无私 dàgōng wúsī
공포(公布) 명하자타 公布 gōngbù; 颁布 bānbù; 颁发 bānfā
공포(空砲) 명 空炮 kōngpào; 空枪 kōngqiāng ¶~탄 空炮弹 / ~를 쏘다 开空枪
공:포(恐怖) 명 恐怖 kǒngbù; 恐惧 kǒngjù ¶~감 恐怖感 / ~심 恐怖心理 / ~를 느끼다 感到恐怖
공표(公表) 명하자타 公开发表 gōngkāi fābiǎo
공학(工學) 명 〖工〗工程学 gōngchéngxué; 工学 gōngxué; 工艺学 gōngyìxué ¶~ 박사 工学博士 / ~부 工学部
공:학(共學) 명하자 同学 tóngxué; 同校 tóngxiào ¶남녀 ~ 男女同校
공항(空港) 명 机场 jīchǎng ¶국제 ~ 国际机场 / ~버스 机场大巴 / ~에 마중 나가다 去机场接人
공해(公害) 명 公害 gōnghài ¶~병 公害病 / ~ 산업 公害产业
공해(公海) 명 〖法〗公海 gōnghǎi
공허(空虛) 명하형 空虚 kōngxū ¶인생은 ~하다 人生很空虚
공허-감(空虛感) 명 感到茫然 gǎndào mángrán; 空虚感 kōngxūgǎn
공:헌(貢獻) 명하자 贡献 gòngxiàn ¶사회 발전에 ~하다 贡献社会发展
공:화(共和) 명 〖政〗共和 gònghé ¶~국 共和国 / ~ 정부 共和政府 / ~ 정치 共和政治
공:황(恐慌) 명 恐慌 kǒnghuāng ¶~ 장애 恐慌障碍 / ~ 상태에 빠지다 陷入恐慌状态
공회(公會) 명 公会 gōnghuì; 公共礼堂 gōnggòng lǐtáng
공훈(功勳) 명 功勋 gōngxūn; 功 gōng; 功劳 gōngláo
공휴-일(公休日) 명 公休日 gōngxiūrì; 公休 gōngxiū
곶(串) 명 〖地理〗 = 갑(岬)
곶-감 명 柿饼 shìbǐng; 柿干 shìgān
과 조 和 hé; 同 tóng; 根 gēn; 与 yǔ; 及 jí ¶선생님~ 학생들 老师和学生们 / 친구들~ 같이 놀다 跟朋友们一起玩儿
과(課) 명 1 课 kè; 科 kē ¶우리 ~는 분위기가 좋다 我们课的气氛很好 2 课 kè ¶제1~ 第一课
과(科) 명 1 科 kē ¶소아~ 小儿科 / 마취~ 麻醉科 2 系 xì ¶중문~ 中文系 / 영문~ 英文系
과:감-하다(果敢—) 형 果敢 guǒgǎn ¶과감한 행동 果敢的行动 / 과감하게 행동하다 果敢地行动 **과:감-히** 부
과:객(過客) 명 过客 guòkè
과거(科擧) 명 〖史〗科举 kējǔ; 考 kǎo ¶~ 제도 科举制度 / ~ 급제 科举及第 / ~를 보러 가다 赶考
과:거(過去) 명 1 过去 guòqù; 既往 jìwǎng; 往日 wǎngrì; 往事 wǎngshì ¶말 못할 ~ 不可告人的过去 / ~를 회상하다 回想往事 2 〖語〗过去 guòqù ¶~분사 过去分词 / ~ 완료 过去完成 / ~ 진행 过去进行 / ~형 过去形
과:거-사(過去事) 명 往事 wǎngshì = 과거지사
과:거지사(過去之事) 명 = 과거사
과:격-하다(過激—) 형 过激 guòjī; 激进 jījìn; 过火 guòhuǒ; 激烈 jīliè ¶과격한 행위 过激行为 / 그는 성질이 ~ 他脾气很过火 **과:격-히** 부
과:-꽃 명 〖植〗翠菊 cuìjú; 江西腊 jiāngxīlà; 七月菊 qīyuèjú
과:녁 명 靶 bǎ; 靶子 bǎzi; 鹄的 gǔdì ¶~을 맞히다 打中靶子
과:년(過年) 명하형 已过婚龄 yǐguò hūnlíng ¶~한 처녀 已过婚龄的姑娘
과:다(過多) 명하형히부 过多 guòduō ¶출혈 ~ 出血过多 / ~ 지출 支出过多
과:단(果斷) 명하타 果断 guǒduàn
과:당(果糖) 명 〖化〗果糖 guǒtáng
과:당(過當) 명하형 过度 guòdù; 过当 guòdàng ¶~ 경쟁 过度竞争
과:대(過大) 명하형히부 过大 guòdà; 过高 guògāo
과:대(誇大) 명하타 夸大 kuādà ¶~광고 夸大广告 / ~망상 夸大妄想

과:대-평가(過大評價) 명하타 过于高估 guòyú gāogū; 过高估计 guògāo gūjì; 过高评价 guògāo píngjià
과:도(果刀) 명 水果刀 shuǐguǒdāo
과:도(過度) 명하형히부 过度 guòdù ¶~하게 긴장하다 过度紧张
과:도(過渡) 명 过渡 guòdù ¶~현상 过渡现象 / ~기 过渡期
과:두(寡頭) 명 寡头 guǎtóu ¶~ 정치 寡头政治
과:량(過量) 명하형 过量 guòliàng ¶~ 섭취 过量摄取
과:로(過勞) 명하자 过劳 guòláo; 过度疲劳 guòdù píláo ¶~사 过劳死 / ~로 쓰러지다 因过度疲劳晕倒
과립(顆粒) 명 颗粒 kēlì ¶~제 颗粒剂
과목(科目) 명 【教】科目 kēmù; 课 kè; 课程 kèchéng ¶필수 ~ 必修课
과:묵(寡默) 명하형히부 寡言 guǎyán; 少言寡语 shǎoyán guǎyǔ
과:민(過敏) 명하형히부 过敏 guòmǐn ¶~ 반응 过敏反应 / ~ 체질 过敏体质
과:반(過半) 명 过半 guòbàn ¶~수 过半数
과:-보호(過保護) 명하타 = 과잉보호
과:부(寡婦) 명 寡妇 guǎfù
과부 설움은 홀아비가 안다 속담 = 과부 설움은 과부가 안다
과부 설움은 과부가 안다 속담 寡妇的悲伤[难处]寡妇知道 = 과부 설움은 홀아비가 안다
과:-부하(過負荷) 명 【電】超负荷 chāofùhè ¶~ 전류 超负荷电流
과:분-하다(過分—) 형 过分 guòfèn ¶과분한 칭찬 过分的称赞 **과:분-히** 부
과:-산화(過酸化) 명 【化】过氧化 guòyǎnghuà ¶~나트륨 过氧化钠 / ~물 过氧化物 / ~수소 过氧化氢 / ~수소수 过氧化氢溶液 =[双氢水]
과세(課稅) 명하타 课税 kèshuì ¶~ 표준 课税标准
과세-율(課稅率) 명 【法】税率 shuìlǜ; 课税率 kèshuìlǜ = 세율
과:소(過小) 명하형히부 过低 guòdī; 过小 guòxiǎo
과:-소비(過消費) 명하자 超前消费 chāoqián xiāofèi; 高消费 gāoxiāofèi; 过度消费 guòdù xiāofèi
과:소-평가(過小評價) 명하타 低估 dīgū; 过低估计 guòdī gūjì; 过低评价 guòdī píngjià
과:속(過速) 명하자 超速 chāosù; 超速驾驶 chāosù jiàshǐ ¶~ 차량 超速车辆 / ~하지 마세요 请不要超速驾驶
과:수-원(果樹園) 명 果园 guǒyuán; 果树园 guǒshùyuán
과:시(誇示) 명하타 夸示 kuāshì; 显示 xiǎnshì; 夸耀 kuāyào ¶실력을 ~하다 显示实力 / 자기의 능력을 ~하다 夸耀自己的能力
과:식(過食) 명하타 吃得过多 chīde guòduō
과:신(過信) 명하타 过信 guòxìn; 过于相信 guòyú xiāngxìn; 过于信赖 guòyú xìnlài ¶자신을 ~하다 过于相信自己
과:실(果實) 명 1 = 과일 2 = 열매
과:실(過失) 명 错误 cuòwù; 过失 guòshī = 과오 ¶~ 치사 过失致死 / ~ 치사죄 过失致死罪 / ~ 치상 过失致伤
과:실-나무(果實—) 명 果树 guǒshù = 과실수 · 과일나무
과:실-수(果實樹) 명 = 과실나무
과:실-주(果實酒) 명 果酒 guǒjiǔ; 果子酒 guǒzǐjiǔ
과:실-즙(果實汁) 명 = 과일즙
과:언(過言) 명하자 说得过火 shuōde guòhuǒ; 言过其实 yánguòqíshí; 过分 guòfèn ¶그를 세계적 문호라 해도 ~이 아니다 称他为世界上的文豪也并非说得过火
과업(課業) 명 任务 rènwu
과:연(果然) 부 1 果然 guǒrán; 果然是 guǒránshì; 果真是 guǒzhēnshì ¶그는 ~ 천재로구나 他果然是个天才 2 究竟 jiūjìng; 到底 dàodǐ ¶그는 ~ 어떤 사람일까? 他究竟是什么人?
과:열(過熱) 명하자 过热 guòrè ¶기계가 ~되다 机器过热 / 경쟁이 ~되다 竞争过热
과:오(過誤) 명 = 과실(過失)
과외(課外) 명 1 课外 kèwài; 额外 éwài; 业余 yèyú ¶~ 지도 课外指导 / ~ 활동 课外活动 2 【教】课外辅导 kèwài fǔdǎo; 辅导 fǔdǎo = 과외 수업
과외 수업(課外授業) 【教】= 과외2
과:욕(過慾) 명하형 贪心过渡 tānxīn guòdù
과:용(過用) 명하타 过度使用 guòdù shǐyòng; 过用 guòyòng
과:유불급(過猶不及) 명 过犹不及 guòyóubùjí
과:육(果肉) 명 果肉 guǒròu
과:음(過飮) 명하타 饮酒过量 yǐnjiǔ guòliàng; 喝酒过多 hējiǔ guòduō; 喝过劲 hēguòjìn ¶~해서 머리가 심하게 아프다 喝酒过多头痛得厉害
과:인(寡人) 대 寡人 guǎrén
과:일 명 水果 shuǐguǒ; 果 guǒ = 과실(果实)1
과:일-나무 명 = 과실나무
과:일-즙(—汁) 명 果汁 guǒzhī = 과실즙 · 과즙
과:잉(過剩) 명하자 过剩 guòshèng ¶

~ 인구 过剩人口
과:잉-보호(過剩保護) 명하타 过分保护 guòfèn bǎohù = 과보호
과자(菓子) 명 饼干 bǐnggān; 点心 diǎnxin ¶~를 먹다 吃饼干
과:장(誇張) 명하타 夸张 kuāzhāng ¶~법 夸张法
과장(課長) 명 科长 kēzhǎng
과:점(寡占) 명 『經』 垄断 lǒngduàn
과:정(過程) 명 过程 guòchéng ¶진행~ 进行过程
과정(課程) 명 『教』 课程 kèchéng ¶정규 ~ 正规课程
과제(課題) 명 课题 kètí; 问题 wèntí ¶연구~ 研究课题
과:중-하다(過重—) 형 过重 guòzhòng ¶과중한 업무 过重的工作 **과:중-히** 부
과:즙(果汁) 명 = 과일즙
과:찬(過讚) 명하타 过奖 guòjiǎng
과:채(果菜) 명 果菜 guǒcài ¶~류 果菜类
과:태-료(過怠料) 명 『法』 罚款 fákuǎn
과:-하다(過—) 형 过分 guòfèn; 过度 guòdù ¶말씀이 좀 과하시군요 话说得有点过分了啊
과학(科學) 명 科学 kēxué ¶~계 科学界 / ~ 교육 科学教育 / ~자 科学家
관(官) 명 官 guān
관(棺) 명 棺 guān; 棺材 guāncái ¶~에 들어가다 进棺材 / ~을 짜다 做棺材
관(冠) 명 『史』 冠 guān ¶~을 쓰다 加冠
-관(官) 접미 员 yuán; 官 guān ¶소방~ 消防员 / 검시~ 验尸官
-관(館) 접미 馆 guǎn ¶도서~ 图书馆 / 대사~ 大使馆
-관(觀) 접미 观 guān ¶인생~ 人生观 / 가치~ 价值观
관:개(灌漑) 명하자 灌溉 guàngài; 灌水 guànshuǐ ¶~ 시설 灌溉设备 / ~ 용수 灌溉用水 / ~ 공사 灌溉工程
관객(觀客) 명 观众 guānzhòng ¶~석 观众席
관건(關鍵) 명 关键 guānjiàn ¶문제 해결의 ~은 거기에 있다 解决问题的关键在于那儿
관계(官界) 명 官界 guānjiè
관계(關係) 명 **1** 关系 guānxi ¶국제 ~ 国际关系 / 남녀 ~ 男女关系 / ~를 끊다 断绝关系 **2** 相干 xiānggān; 有关 yǒuguān ¶~자 有关人员 **3** 性交 xìngjiāo; 做爱 zuò'ài ¶그와 ~를 갖다 跟他做爱 **4** 由于…的关系 yóuyú…de guānxi ¶시간 ~로 일부를 생략하다 由于时间的关系省略一部分
관계-없다(關係—) 형 没有关系 méiyǒu guānxi; 无关 wúguān **관계없-이** 부
관계-있다(關係—) 형 有关 yǒuguān; 有关系 yǒu guānxi
관-공서(官公署) 명 官厅 guāntīng; 机关 jīguān
관광(觀光) 명하타 观光 guānguāng; 旅游 lǚyóu; 游览 yóulǎn ¶~객 观光客 / ~ 단지 观光区 / ~ 도시 旅游城市 / ~버스 旅游巴士 / ~ 사업 观光事业 / ~ 산업 旅游产业 / ~ 자원 旅游资源 / ~지 旅游胜地
관군(官軍) 명 『軍』 官军 guānjūn
관기(官妓) 명 官妓 guānjì
관내(管內) 명 管辖区内 guǎnxiáqūnèi
관념(觀念) 명 观念 guānniàn; 意识 yìshí; 思想 sīxiǎng ¶시간 ~ 时间观念 / ~론 观念论
관노(官奴) 명 『史』 官奴 guānnú
관능(官能) 명 官能 guānnéng ¶~미 官能美
관-다발(管—) 명 『植』 维管束 wéiguǎnshù ¶~ 식물 维管束植物
관대-하다(寬大—) 형 宽大 kuāndà; 宽 kuān; 宽容 kuānróng ¶자식에게 매우 ~ 对孩子很宽容 **관대-히** 부
관:-두다 타 不干 bùgàn
관람(觀覽) 명하타 观看 guānkàn; 观览 guānlǎn; 看 kàn; 欣赏 xīnshǎng ¶경기를 ~하다 观看比赛
관람-객(觀覽客) 명 观客 guānkè; 观众 guānzhòng
관람-권(觀覽券) 명 入场券 rùchǎngquàn
관람-료(觀覽料) 명 票价 piàojià; 票钱 piàoqián
관람-석(觀覽席) 명 观众席 guānzhòngxí; 看台 kàntái
관람-자(觀覽者) 명 观看者 guānkànzhě; 观览者 guānlǎnzhě; 观众 guānzhòng
관련(關聯·關連) 명하자 关联 guānlián; 关 guān; 有关 yǒuguān; 关系 guānxi; 联系 liánxì; 牵连 qiānlián; 牵涉 qiānshè; 相关 xiāngguān; 瓜葛 guāgé ¶~자 有关人 / ~ 보도 有关报道 / ~짓다 联系起来 / 서로 밀접한 ~이 있다 相互密切关联
관례(慣例) 명 惯例 guànlì ¶~를 따르다 遵守惯例 / ~를 깨다 打破惯例
관:록(貫祿) 명 威严 wēiyán; 派头 pàitóu; 架子 jiàzi
관료(官僚) 명 官僚 guānliáo ¶~주의 官僚主义
관리(官吏) 명 官吏 guānlì
관리(管理) 명하타 管理 guǎnlǐ; 管 guǎn; 掌管 zhǎngguǎn ¶~원 管理员 / ~인 管理人 / ~비 管理费 / 창고

를 ～하다 管理仓库 / 재산을 ～하다 管理财产
관망(觀望) 명하타 观望 guānwàng ¶ 사태를 ～하다 观望事态
관:목(灌木) 명 【植】 灌木 guànmù ¶ ～림 灌木林
관문(關門) 명 **1** 关门 guānmén **2** 关口 guānkǒu; 关 guān ¶ 입시의 ～을 통과하다 突破入学考试的关口
관복(官服) 명 官服 guānfú
관비(官婢) 명 【史】 官婢 guānbì
관사(官舍) 명 官邸 guāndǐ; 官舍 guānshè
관사(冠詞) 명 【語】 冠词 guàncí
관상(冠狀) 명 冠状 guānzhuàng ¶ ～동맥 冠状动脉
관상(觀相) 명하타 【民】 看相 kànxiàng; 相面 xiàngmiàn ¶ ～을 보다 看相
관상(觀賞) 명하타 观赏 guānshǎng; 赏玩 shǎngwán; 欣赏 xīnshǎng ¶ ～식물 观赏植物 / ～어 观赏鱼 / ～용 观赏用
관상-가(觀相家) 명 相士 xiàngshì; 相面先生 xiàngmiàn xiānsheng; 看相的 kànxiàngde
관성(慣性) 명 【物】 惯性 guànxìng ¶ ～력 惯性力 / ～의 법칙 惯性定律
관세(關稅) 명 【法】 关税 guānshuì ¶ ～ 동맹 关税同盟 / ～법 关税法 / ～율 关税率 / ～ 장벽 关税壁垒 / ～ 정책 关税政策 / ～ 조약 关税条约 / ～ 협정 关税协定
관세음(觀世音) 명 【佛】 = 관세음보살
관세음-보살(觀世音菩薩) 명 【佛】 观世音 guānshìyīn; 观世音菩萨 guānshìyīn púsà; 观音 guānyīn = 관세음
관:솔 명 松明 sōngmíng ¶ ～불 松明火
관습(慣習) 명 规矩 guīju; 习惯 xíguàn ¶ ～법 习惯法
관심(關心) 명하자타 关怀 guānhuái; 关切 guānqiè; 关心 guānxīn; 关注 guānzhù; 过问 guòwèn; 在意 zàiyì; 照顾 zhàogù; 注意 zhùyì ¶ 아무런 ～도 없다 漠不关心
관심-거리(關心—) 명 = 관심사
관심-사(關心事) 명 关心的事情 guānxīnde shìqing; 注目的事 zhùmùde shì = 관심거리
관아(官衙) 명 衙门 yámen; 公衙 gōngyá; 官衙 guānyá
관악(管樂) 명 【音】 管乐 guǎnyuè ¶ ～기 管乐器 / ～대 管乐队 / ～ 합주 管乐合奏
관여(關與) 명하자 干预 gānyù; 管 guǎn; 参与 cānyù; 干涉 gānshè ¶ 내 일에 ～하지 마라 别干预我的事
관엽 식물(觀葉植物) 【植】 观叶植物 guānyè zhíwù
관영(官營) 명 官营 guānyíng; 官办 guānbàn ¶ ～ 기업 官办企业
관용(慣用) 명하타 惯用 guànyòng
관용(寬容) 명하타 宽容 kuānróng; 宽恕 kuānshù ¶ ～을 베풀다 给以宽容
관용-구(慣用句) 명 【語】 惯用语 guànyòngyǔ = 관용어2 · 성어3 · 숙어
관용-어(慣用語) 명 【語】 **1** 惯用词语 guànyòng cíyǔ **2** = 관용구
관원(官員) 명 = 벼슬아치
관인(官印) 명 公印 gōngyìn; 公章 gōngzhāng; 官印 guānyìn
관자-놀이(貫子—) 명 颞颥 nièrú; 太阳穴 tàiyángxué
관장(館長) 명 馆长 guǎnzhǎng ¶ 미술관 ～ 美术馆馆长
관:장(灌腸) 명하자 【醫】 灌肠 guàncháng ¶ ～제 灌肠剂
관장(管掌) 명하타 掌管 zhǎngguǎn; 掌握 zhǎngwò ¶ 사무를 ～하다 掌管事务
관저(官邸) 명 府第 fǔdì; 官邸 guāndǐ
관전(觀戰) 명하타 观战 guānzhàn ¶ ～기 观战记 / ～평 观战点评
관절(關節) 명 【生】 关节 guānjié = 뼈마디 ¶ 무릎 ～ 膝关节 / ～염 关节炎 / ～통 关节痛
관점(觀點) 명 观点 guāndiǎn; 角度 jiǎodù ¶ 새로운 ～으로 사물을 보다 用新观点看事物
관제(管制) 명하타 管制 guǎnzhì ¶ 교통 ～ 시스템 交通管制系统 / ～탑 管制塔
관조(觀照) 명하타 观照 guānzhào ¶ 인생을 ～하다 观照人生
관중(觀衆) 명 观众 guānzhòng ¶ 모든 ～이 기립 박수를 치다 全场观众起立鼓掌
관중-석(觀衆席) 명 观众席 guānzhòngxí; 看台 kàntái
관직(官職) 명 官职 guānzhí
관찰(觀察) 명하타 观察 guānchá; 观看 guānkàn; 观瞻 guānzhān ¶ ～자 观察者 / 주변의 사물을 자세히 ～하다 仔细观察身边的事物
관:철(貫徹) 명하타 贯彻 guànchè; 体现 tǐxiàn ¶ 끝까지 ～하다 贯彻到底
관청(官廳) 명 官府 guānfǔ; 官厅 guāntīng
관측(觀測) 명하타 观测 guāncè ¶ 기상 ～ 气象观测 / ～기 观测器 / ～소 观测站 / ～자 观测者
관:통(貫通) 명하타 贯穿 guànchuān; 穿通 chuāntōng; 打通 dǎtōng; 穿 chuān; 射穿 shèchuān ¶ ～상 贯通伤
관포지교(管鮑之交) 명 管鲍之交 guǎnbàozhījiāo

관-하다(關—) 자 关于 guānyú; 就 jiù; 有关 yǒuguān ¶정치에 관한 견해 关于政治的观点
관할(管轄) 명하타 管辖 guǎnxiá; 掌管 zhǎngguǎn ¶~ 구역 管辖区域 / ~권 管辖权 / ~ 법원 管辖法院
관행(慣行) 명 常规 chángguī; 惯例 guànlì; 习惯做法 xíguàn zuòfǎ ¶잘못된 ~ 错误的习惯做法 / ~을 깨다 打破惯例
관현-악(管絃樂) 명 〖音〗 管弦乐 guǎnxiányuè ¶~기 管弦乐器
관현악-단(管絃樂團) 명 〖音〗 管弦乐队 guǎnxiányuèduì = 오케스트라
관형-사(冠形詞) 명 〖語〗 冠形词 guànxíngcí
관형-어(冠形語) 명 〖語〗 冠形语 guànxíngyǔ
관혼(冠婚) 명 冠婚 guànhūn ¶~상제 冠婚丧祭
괄괄-하다 형 **1** (声音) 粗大 cūdà; 粗声粗气 cūshēngcūqì ¶목소리가 ~ 嗓音粗大 **2** (性格) 又活泼又急躁 yòu huópo yòu jízào; 又开朗又泼辣 yòu kāilǎng yòu pōlà ¶그녀는 성격이 ~ 她性格又开朗又泼辣 **괄괄-히** 부
괄목(刮目) 명하자 刮目 guāmù ¶~상대 刮目相看
괄시(恝視) 명하타 欺侮 qīwǔ; 欺负 qīfu; 歧视 qíshì; 轻视 qīngshì; 小看 xiǎokàn ¶~를 받다 受歧视
괄약-근(括約筋) 명 〖生〗 括约肌 kuòyuējī
괄호(括弧) 명 〖語〗 括号 kuòhào; 括弧 kuòhú
광: 명 仓库 cāngkù; 地窖 dìjiào; 堆房 duīfáng; 库房 kùfáng
광(光) 명 **1** = 빛1 ¶~전도 光导 / ~전류 光电流 / ~전자 光电子 / ~전지 光电池 / ~ 통신 光通信 / ~화학 光化学 =[光化] **2** 光泽 guāngzé; 光亮 guāngliàng; 亮光(儿) liàngguāng(r)
-광(狂) 접미 狂 kuáng; 迷 mí ¶독서~ 读书狂
-광(鑛) 접미 矿 kuàng ¶금~ 金矿
광:각(廣角) 명 广角 guǎngjiǎo ¶~ 렌즈 广角镜头
광견(狂犬) 명 = 미친개
광견-병(狂犬病) 명 〖醫〗 恐水病 kǒngshuǐbìng; 狂犬病 kuángquǎnbìng
광경(光景) 명 情景 qíngjǐng; 光景 guāngjǐng; 景况 jǐngkuàng; 景象 jǐngxiàng; 状况 zhuàngkuàng ¶참혹한 ~ 残酷情景
광:고(廣告) 명하타 广告 guǎnggào; 启事 qǐshì; 招贴 zhāotiē ¶~료 广告费 / ~비 广告费用 / ~지 广告单 / ~주 广告主 / ~ 대행사 广告代理公司 / ~판 广告牌 / 전면 ~ 整页广告 / ~ 효과 广告效果 / ~를 하다 做广告
광기(狂氣) 명 狂 kuáng; 狂气 kuángqì
광-나다(光—) 자 发亮 fāliàng; 光亮 guāngliàng; 亮 liàng
광-내다(光—) 타 使发亮 shǐ fāliàng; 使光亮 shǐ guāngliàng 《'광나다'的使动词》
광녀(狂女) 명 狂女 kuángnǚ; 疯女 fēngnǚ
광년(光年) 의명 〖天〗 光年 guāngnián
광:대 명 〖民〗 戏子 xìzi; 艺人 yìrén; 小丑 xiǎochǒu
광:대(廣大) 명하형히부 广大 guǎngdà ¶~한 우주 广大的宇宙
광:대-뼈 명 〖生〗 颧骨 quángǔ; 孤拐 gūguǎi; 颊骨 jiágǔ
광도(光度) 명 〖物〗 光度 guāngdù
광란(狂亂) 명하자 疯狂 fēngkuáng; 狂乱 kuángluàn ¶~의 파티 疯狂派对
광:맥(鑛脈) 명 〖鑛〗 矿脉 kuàngmài = 맥3
광명(光明) 명하형히부 光明 guāngmíng
광:목(廣木) 명 粗棉布 cūmiánbù
광:물(鑛物) 명 〖鑛〗 矿物 kuàngwù ¶~ 자원 矿物资源 =[矿源] / ~학 矿物学 / ~성 섬유 矿物纤维
광:물-질(鑛物質) 명 **1** 〖鑛〗 矿物质 kuàngwùzhì **2** 〖生〗 = 미네랄
광:-범위(廣範圍) 명하형 广范围 guǎngfànwéi; 广泛 guǎngfàn ¶~하게 조사하다 广泛调查
광:범-하다(廣範—) 형 广大 guǎngdà; 广泛 guǎngfàn ¶광범한 대중 운동 广泛的群众运动 **광:범-히** 부
광복(光復) 명하자타 光复 guāngfù ¶~군 光复军 / ~절 光复节
광:부(鑛夫) 명 矿工 kuànggōng
광분(狂奔) 명하자 狂奔 kuángbēn
광-분해(光分解) 명 〖物〗 光解 guāngjiě ¶~ 반응 光解反应
광:산(鑛山) 명 矿山 kuàngshān; 矿 kuàng ¶~업 矿山业 / ~ 지대 矿区 / ~을 개발하다 开发矿山
광:상(鑛床) 명 〖鑛〗 矿床 kuàngchuáng
광:석(鑛石) 명 〖鑛〗 矿石 kuàngshí ¶~을 캐다 挖掘矿石
광선(光線) 명 〖物〗 光线 guāngxiàn; 光 guāng ¶~ 치료 光疗
광-섬유(光纖維) 명 〖物〗 光导纤维 guāngdǎo xiānwéi; 光学纤维 guāngxué xiānwéi; 光纤 guāngxiān; 光纤维 guāngxiānwéi = 광학 섬유
광속(光速) 명 〖物〗 = 광속도 ¶~계 光束计
광-속도(光速度) 명 〖物〗 光速 guāng-

sù; 光速度 guāngsùdù = 광속

광시-곡(狂詩曲) 명 『音』 狂想曲 kuángxiǎngqǔ

광신(狂信) 명하타 狂信 kuángxìn ¶~도 狂信徒

광:야(曠野·廣野) 명 旷野 kuàngyě; 广野 guǎngyě

광:어(廣魚) 명 『魚』 = 넙치

광:업(鑛業) 명 矿业 kuàngyè ¶~ 도시 矿业城市

광:역(廣域) 명 广域 guǎngyù ¶~시 广域市

광영(光榮) 명 = 영광

광우-병(狂牛病) 명 『醫』 疯牛病 fēngniúbìng

광원(光源) 명 『物』 光源 guāngyuán

광음(光陰) 명 光阴 guāngyīn; 岁月 suìyuè; 时间 shíjiān

광인(狂人) 명 疯子 fēngzi; 狂人 kuángrén

광:장(廣場) 명 广场 guǎngchǎng

광:재(鑛滓) 명 『鑛』 矿渣 kuàngzhā; 矿滓 kuàngzǐ = 슬래그

광저기 명 『植』 豇豆 jiāngdòu

광-적(狂的) 관명 狂热(的) kuángrè(de); 疯狂(的) fēngkuáng(de) ¶~인 축구 팬 狂热球迷

광주리 명 筐 kuāng; 篮 lán; 箩筐 luókuāng

광:차(鑛車) 명 『鑛』 矿车 kuàngchē; 斗车 dǒuchē = 갱차

광채(光彩) 명 光彩 guāngcǎi; 光华 guānghuá; 光辉 guānghuī ¶~를 발하다 放出光彩 / ~를 더하다 增添光彩

광:천(鑛泉) 명 『地理』 矿泉 kuàngquán ¶~수 矿泉水

광-케이블(光cable) 명 『信』 光缆 guānglǎn

광택(光澤) 명 光润 guāngrùn; 光泽 guāngzé; 色泽 sèzé; 光 guāng ¶~ 나는 피부 有光泽的皮肤

광파(光波) 명 『物』 光波 guāngbō

광:폭(廣幅) 명 宽幅 kuānfú

광풍(狂風) 명 狂风 kuángfēng

광학(光學) 명 『物』 光学 guāngxué ¶~ 렌즈 光学镜 / ~ 기기 光学仪器 / ~ 현미경 光学显微镜

광학 섬유(光學纖維) 『物』 = 광섬유

광-합성(光合成) 명 『植』 光合作用 guānghé zuòyòng

광:활-하다(廣闊—) 형 广阔 guǎngkuò ¶광활한 대지 广阔的大地 **광:활-히** 부

괘념(掛念) 명하자타 惦念 diànniàn; 挂心 guàxīn; 挂念 guàniàn

괘도(掛圖) 명 『敎』 挂图 guàtú

괘:선(罫線) 명 格子线 gézixiàn; 横格 hénggé

괘씸-하다 형 可恨 kěhèn; 可恶 kěwù; 可气kěqì ¶정말 ~ 真可恶 **괘씸-히** 부

괘종-시계(掛鐘時計) 명 时钟 shízhōng; 摆钟 bǎizhōng

괜:-스럽다 형 = 공연스럽다 **괜:스레** 부

괜찮다 형 **1** 不错 bùcuò; 还可以 hái kěyǐ; 可以 kěyǐ; 行 xíng; 不大离儿 bùdàlír; 差不离 chàbulí ¶그는 솜씨가 괜찮은 편이다 他手艺还算可以 / 그는 얼굴이 괜찮게 생겼다 他长得还可以 **2** 没关系 méi guānxi; 没什么 méi shénme; 不妨 bùfáng; 不要紧 bùyàojǐn ¶오늘 못하면 내일 해도 ~ 今天不做, 明天做也没关系 **괜찮-이** 부

괜:-하다 형 = 공연하다 ¶괜한 짓 徒劳的行动 **괜:-히** 부 ¶~ 사람을 불안하게 하다 给人造成无谓的不安

괭이 명 『農』 镐 gǎo; 镐头 gǎotou ¶~질하다 用镐刨地

괭:이-갈매기 명 『鳥』 黑尾鸥 hēiwěiōu

괴나리-봇짐(—褓—) 명 (走远路时背的) 包袱 bāofu; 包裹 bāoguǒ; 小包 xiǎobāo

괴:다[1] 자 **1** (眼泪或口水) 盈 yíng; 积 jī; 汪 wāng ¶그녀의 눈에 갑자기 눈물이 가득 괴었다 她的眼里突然盈满了泪水 **2** (水滴) 积 jī; 汪 wāng; 积聚 jījù ¶마당에 빗물이 괴었다 院子里积了雨水 ‖ = 고이다[1]

괴:다[2] 타 垫 diàn; 支 zhī; 托 tuō; 支撑 zhīchēng; 撑 chēng = 고이다[2] ¶손으로 턱을 ~ 用手支下巴 / 돌멩이로 책상 다리를 ~ 拿石头垫桌子腿

괴:담(怪談) 명 奇谈怪论 qítánguàilùn

괴:도(怪盜) 명 怪盗 guàidào

괴:력(怪力) 명 超人的力气 chāorénde lìqi; 强力 qiánglì; 蛮力 mánlì

괴로움 명 痛苦 tòngkǔ; 苦头(儿) kǔtou(r); 苦衷 kǔzhōng; 难过 nánguò ¶~을 이겨 내다 战胜痛苦 / ~을 달래다 消除痛苦

괴로워-하다 자타 难过 nánguò; 难受 nánshòu; 感到痛苦 gǎndào tòngkǔ ¶너무 괴로워하지 마라 你不要太难过

괴롭다 형 难过 nánguò; 难受 nánshòu; 痛苦 tòngkǔ; 苦 kǔ ¶마음이 무척 ~ 心里很难过 **괴로이** 부

괴롭-히다 타 折磨 zhémó; 刁难 diāonàn; 欺负 qīfu; 为难 wéinán; 折腾 zhēteng; 困扰 kùnrǎo ¶너 왜 이렇게 나를 괴롭히는 거니? 你为什么这么折磨我?

괴:뢰(傀儡) 명 = 꼭두각시2 ¶~군 傀儡军 =[伪军] / ~ 정권 傀儡政权 / ~ 정부 傀儡政府

괴리(乖離) 명하자 乖离 guāilí
괴:멸(壞滅) 명하타 覆灭 fùmiè; 毁灭 huǐmiè; 破灭 pòmiè
괴:물(怪物) 명 **1** 怪物 guàiwu **2** 怪人 guàirén
괴:발-개발 명 信笔涂鸦 xìnbǐtúyā
괴:벽(怪癖) 명 怪癖 guàipǐ
괴벽-하다(乖僻—) 형 别扭 bièniu; 古怪 gǔguài; 拐孤 guǎigū; 孤僻 gūpì; 乖僻 guāipì ¶그는 성미가 괴벽해서 모두 다 싫어한다 他性格古怪, 人家都不喜欢他 **괴벽-히** 부
괴:병(怪病) 명 = 괴질
괴:사(壞死) 명〖醫〗坏死 huàisǐ
괴상(怪常) 명하형히부 古怪 gǔguài; 见鬼 jiànguǐ; 奇怪 qíguài; 奇异 qíyì ¶모양이 매우 ~하다 样子很古怪 / ~한 소리가 들리다 听到奇怪的声音
괴상망측-하다(怪常罔測—) 형 怪诞 guàidàn; 怪诞不经 guàidànbùjīng; 离奇古怪 líqígǔguài; 莫明其妙 mòmíngqímiào; 千奇百怪 qiānqíbǎiguài ¶괴상망측한 그림 离奇古怪的画儿 / 괴상망측한 말투 怪诞不经的语调
괴:석(怪石) 명 怪石 guàishí; 奇岩 qíyán; 奇岩怪石 qíyánguàishí
괴:성(怪聲) 명 怪声 guàishēng ¶~을 내다 发出怪声
괴:수(怪獸) 명 怪兽 guàishòu
괴수(魁首) 명 魁首 kuíshǒu; 头目 tóumù; 头子 tóuzi; 罪魁祸首 zuìkuíhuòshǒu
괴이-하다(怪異—) 형 = 이상야릇하다 ¶괴이한 태도 怪异的态度 **괴이-히** 부
괴:질(怪疾) 명 怪病 guàibìng; 怪疾 guàijí = 괴병
괴:짜(怪—) 명 **1** 怪家伙 guàijiāhuo; 怪人 guàirén **2** 怪货 guàihuò; 怪物 guàiwu
괴:팍-스럽다(乖愎—) 형 乖僻 guāipì; 怪僻 guàipì; 乖戾 guāilì **괴팍스레** 부
괴:팍-하다(乖愎—) 형 乖僻 guāipì; 怪僻 guàipì; 乖戾 guāilì ¶성격이 ~ 性格怪僻
괴:한(怪漢) 명 怪汉 guàihàn; 怪家伙 guàijiāhuo
괴:-현상(怪現象) 명 怪现象 guàixiànxiàng
괴:혈-병(壞血病) 명〖醫〗坏血病 huàixuèbìng
굄:-돌 명 垫石 diànshí; 支石 zhīshí
굉음(轟音) 명 轰鸣 hōngmíng; 轰响 hōngxiǎng
굉장-하다(宏壯—) 형 **1** 宏大 hóngdà; 宏伟 hóngwěi; 雄伟 xióngwěi; 庞大 pángdà ¶굉장한 건물 宏伟的建筑 **2** 盛大 shèngdà; 极大 jídà; 了不起 liǎobuqǐ; 厉害 lìhai; 真大 zhēndà ¶굉장한 실력 很了不起的力量 / 비바람이 ~ 风雨真大 **굉장-히** 부
교:가(校歌) 명 校歌 xiàogē
교각(橋脚) 명〖建〗桥脚 qiáojiǎo; 桥柱 qiáozhù; 桥墩 qiáodūn
교감(交感) 명하자 交感 jiāogǎn ¶~신경 交感神经
교:감(校監) 명〖教〗校监 xiàojiān
교:과(教科) 명〖教〗课 kè; 所教科目 suǒjiāo kēmù
교:과 과정(教科課程)〖教〗课程 kèchéng = 교육 과정 · 커리큘럼
교:과-서(教科書) 명〖教〗课本 kèběn; 教科书 jiàokēshū = 교본
교:관(教官) 명 教官 jiàoguān
교:구(教具) 명〖教〗教学用具 jiàoxué yòngjù; 教具 jiàojù
교:구(教區) 명〖宗〗教区 jiàoqū
교:권(教權) 명 教权 jiàoquán
교:내(校內) 명 校内 xiàonèi ¶~ 활동 校内活动 / ~ 방송 校内广播
교:단(教壇) 명 **1** 讲台 jiǎngtái ¶~을 떠나다 离开讲台 **2** 教育机构 jiàoyù jīgòu
교대(交代) 명하자타 轮流 lúnliú; 轮换 lúnhuàn; 倒班 dǎobān; 换班 huànbān; 交班 jiāobān ¶~로 기계를 지키다 轮流守在机器旁
교:대(教大) 명〖教〗教大 jiàodà《'교육 대학' 的略词》
교:도(教徒) 명 教徒 jiàotú ¶기독교 ~ 基督教教徒
교:도(教導) 명하타 教导 jiàodǎo; 指导 zhǐdǎo
교:도-관(矯導官) 명〖法〗狱警 yùjǐng
교:도-소(矯導所) 명〖法〗监狱 jiānyù
교두-보(橋頭堡) 명〖軍〗桥头堡 qiáotóubǎo
교란(攪亂) 명하타 捣乱 dǎoluàn; 搅乱 jiǎoluàn; 扰乱 rǎoluàn; 扰害 rǎohài ¶~ 작전 扰乱作战 / 사회 질서를 ~하다 搅乱社会秩序
교량(橋梁) 명 桥梁 qiáoliáng
교:련(教鍊) 명하타 操练 cāoliàn; 训练 xùnliàn; 上操 shàngcāo
교류(交流) 명하자타 **1** 交流 jiāoliú; 沟通 gōutōng; 通 tōng ¶대외 ~ 对外交流 / 문화 예술 ~ 文艺交流 / 서로 ~하다 互相交流 **2**〖電〗交流电 jiāoliúdiàn; 交流 jiāoliú ¶~기 交流机
교:리(教理) 명〖宗〗教理 jiàolǐ; 教义 jiàoyì ¶~ 문답 教理问答
교만(驕慢) 명하형히부 傲慢 àomàn; 高傲 gāo'ào; 骄傲 jiāo'ào
교목(喬木) 명〖植〗乔木 qiáomù
교묘-하다(巧妙—) 형 巧妙 qiǎomiào; 巧 qiǎo; 妙 miào ¶교묘한 계책 妙计

교묘-히 부
교:무(教務) 명 【教】 教务 jiàowù ¶～실 教务室 / ～ 주임 教务主任 / ～처 教务处
교:문(校門) 명 校门 xiàomén
교미(交尾) 명하자 【動】 交尾 jiāowěi ¶ ～기 交配期
교민(僑民) 명 侨民 qiáomín ¶～회 侨民会
교배(交配) 명하타 【生】 交配 jiāopèi
교배-종(交配種) 명 【生】 杂交种 zájiāozhǒng
교:복(校服) 명 校服 xiàofú
교:본(教本) 명 【教】 = 교과서
교부(交付 · 交附) 명하타 发给 fāgěi; 交付 jiāofù; 交给 jiāogěi ¶증명서를 ～하다 发给证明书
교분(交分) 명 交情 jiāoqing ¶～이 깊다 交情深厚 / ～이 없다 没有交情
교:사(校舍) 명 校舍 xiàoshè
교:사(教唆) 명하타 教唆 jiàosuō; 唆使 suōshǐ ¶～범 教唆犯 / ～죄 教唆罪 / 범죄를 ～하다 教唆犯罪
교:사(教師) 명 教师 jiàoshī ¶영어 ～ 英语教师
교살(絞殺) 명하타 绞杀 jiǎoshā
교:생(教生) 명 【教】 实习教师 shíxí jiàoshī; 实习老师 shíxí lǎoshī ¶～ 실습 教师实习 =[老师实习]
교:서(教書) 명 【政】 国情咨文 guóqíng zīwén
교섭(交涉) 명하자타 交涉 jiāoshè ¶해당 부문과 ～하다 与有关部门交涉
교성(嬌聲) 명 娇声 jiāoshēng
교수(絞首) 명하타 【法】 绞首 jiǎoshǒu; 绞 jiǎo ¶～대 绞架 / ～형 绞刑
교:수(教授) 명하타 教授 jiàoshòu; 教学 jiàoxué ¶영문학과 ～ 英文系教授 / ～법 教学法
교:습(教習) 명하타 辅导 fǔdǎo; 培训 péixùn; 教学 jiàoxué; 传授 chuánshòu ¶～소 培训所 / 개인 ～ 私人辅导 / 운전 ～ 驾驶培训
교신(交信) 명하자 通信 tōngxìn; 互通信息 hùtōng xìnxī
교:실(教室) 명 教室 jiàoshì; 课堂 kètáng
교:양(教養) 명하타 教养 jiàoyǎng; 修养 xiūyǎng ¶～ 서적 修养书籍 / ～ 있는 사람 有修养的人
교언(巧言) 명하자 巧言 qiǎoyán ¶～ 영색 巧言令色
교역(交易) 명하타 交易 jiāoyì; 买卖 mǎimai
교:열(校閱) 명하타 校阅 jiàoyuè ¶원고를 ～하다 校阅稿子
교외(郊外) 명 郊区 jiāoqū; 郊外 jiāowài
교:외(校外) 명 校外 xiàowài ¶～ 실습 校外实习 / ～ 지도 校外指导
교우(交友) 명하자 交友 jiāoyǒu; 交际 jiāojì; 朋友 péngyou ¶～ 관계 交际关系
교:우(校友) 명 校友 xiàoyǒu
교:우(教友) 명 教友 jiàoyǒu
교:원(教員) 명 【教】 教员 jiàoyuán
교:육(教育) 명하타 教育 jiàoyù ¶가정 ～ 家庭教育 =[家教] / ～비 教育费用 / ～ 기관 教育机构 / ～부 教育部 / ～자 教育者 / ～청 教育厅 / ～학 教育学 / ～적 효과 教育效果
교:육 과정(教育課程) 【教】 = 교과과정
교:육 대:학(教育大學) 【教】 教育大学 jiàoyù dàxué
교:인(教人) 명 教徒 jiàotú
교자(餃子) 명 = 만두
교자-상(交子床) 명 方形大饭桌 fāngxíng dàfànzhuō
교잡(交雜) 명하자타 【生】 交配 jiāopèi; 杂交 zájiāo
교:장(校長) 명 【教】 校长 xiàozhǎng ¶ ～실 校长室
교:재(教材) 명 【教】 教材 jiàocái ¶중국어 ～ 汉语教材 / ～비 教材费
교전(交戰) 명하자 交战 jiāozhàn; 会战 huìzhàn; 交兵 jiāobīng; 交锋 jiāofēng ¶～ 지역 交战地区 / ～국 交战国
교점(交點) 명 【數】 交点 jiāodiǎn; 交叉点 jiāochādiǎn
교접(交接) 명하자 接触 jiēchù; 交接 jiāojiē
교:정(校正) 명하타 【印】 校对 jiàoduì; 校正 jiàozhèng; 校 jiào ¶～쇄 校样 / 원고를 ～하다 校对原稿
교:정(校庭) 명 校园 xiàoyuán
교:정(矯正) 명하타 矫正 jiǎozhèng; 纠正 jiūzhèng ¶시력을 ～하다 矫正视力 / 발음을 ～하다 纠正发音
교제(交際) 명하자 交际 jiāojì; 交往 jiāowǎng; 来往 láiwǎng ¶그는 그녀와 8년간 ～했다 他跟她交往了八年
교:주(教主) 명 【宗】 教主 jiàozhǔ
교:지(教旨) 명 教旨 jiàozhǐ
교:직(教職) 명 【教】 教职 jiàozhí ¶～에 몸담다 从事教职
교-집합(交集合) 명 【數】 交集合 jiāojíhé
교차(交叉) 명하자 交叉 jiāochā; 交集 jiāojí; 交汇 jiāohuì ¶～로 交叉路 / ～점 交叉点 / 만감이 ～하다 百感交集 / 한류와 난류가 ～하다 寒流和暖流交汇
교착(膠着) 명하자 胶着 jiāozhuó ¶～ 상태 胶着状态

교체(交替·交遞) 명하타 交替 jiāotì; 替换 tìhuàn; 更替 gēngtì; 更换 gēnghuàn; 更代 gēngdài; 换 huàn; 掉换 diàohuàn; 对调 duìdiào; 倒换 dǎohuàn ¶자동차 부품을 새것으로 ~하다 把汽车的零件更换新的

교:칙(校則) 명 校规 xiàoguī ¶~을 준수하다 遵守校规

교:탁(教卓) 명 讲桌 jiǎngzhuō

교태(嬌態) 명 娇 jiāo; 娇态 jiāotài ¶~를 부리다 撒娇

교통(交通) 명하자 交通 jiāotōng ¶~경찰 交通警察 =[交警] / ~량 交通量 / ~망 交通网 / ~ 법규 交通法规 / ~사고 交通事故 =[车祸] / ~수단 交通手段 / ~ 정보 交通信息 / ~ 신호 交通信号 / ~질서 交通秩序 / ~정리 疏导交通 / ~이 편리하다 交通方便

교통안전 표지(交通安全標識) 〖交〗 交通标识 jiāotōng biāozhì; 交通安全标识 jiāotōng ānquán biāozhì = 교통 표지·도로 표지

교통 표지(交通標識) 〖交〗 = 교통안전 표지

교:파(教派) 명 教派 jiàopài

교:편(教鞭) 명 教鞭 jiàobiān

 교편(을) 놓다 구 辞去教员职务

 교편(을) 잡다 구 任教; 执教

교포(僑胞) 명 侨胞 qiáobāo ¶해외 ~ 海外侨胞 / 재일 ~ 在日侨胞

교:풍(校風) 명 校风 xiàofēng

교향-곡(交響曲) 명 〖音〗 交响曲 jiāoxiǎngqǔ = 심포니

교향-시(交響詩) 명 〖音〗 交响诗 jiāoxiǎngshī

교향-악(交響樂) 명 〖音〗 交响乐 jiāoxiǎngyuè ¶~단 交响乐团

교:화(教化) 명하타 教化 jiàohuà

교환(交換) 명하타 **1** 交换 jiāohuàn ¶~ 교수 交换教授 / ~권 交换券 / ~기 交换机 / ~소 交换所 / ~ 학생 交换生 / 선물을 ~하다 交换礼物 / 반지를 ~하다 交换戒指 **2** 〖信〗 = 교환원 **3** (电话) 接线 jiēxiàn

교환-대(交換臺) 명 电话总机 diànhuà zǒngjī; 交换台 jiāohuàntái

교환-원(交換員) 명 〖信〗 话务员 huàwùyuán = 교환2

교활-하다(狡猾—) 형 狡猾 jiǎohuá ¶교활한 여우 狡猾的狐狸 **교활-히** 부

교:황(教皇) 명 〖宗〗 教皇 jiàohuáng

교:회(教會) 명 〖宗〗 教会 jiàohuì; 教会堂 jiàohuìtáng; 教堂 jiàotáng = 교회당

교:회-당(教會堂) 명 〖宗〗 = 교회

교:훈(教訓) 명하자타 教训 jiàoxùn ¶~을 얻다 得到教训

구(九) 수관 九 jiǔ ¶~ 미터 九米 / ~년 九年

구(具) 의명 具 jù ¶시체 세 ~ 三具尸体

구(區) 명 区 qū ¶선거~ 选举区

구(球) 명 〖數〗 球 qiú

-구(口) 접미 口 kǒu ¶출입~ 出入口 / 분화~ 喷口

구가(謳歌) 명하타 歌颂 gēsòng; 讴歌 ōugē

구간(區間) 명 区间 qūjiān; 段 duàn

구:강(口腔) 명 〖生〗 口腔 kǒuqiāng ¶~ 건조증 口腔干燥症 / ~암 口腔癌 / ~염 口腔炎

구:개(口蓋) 명 〖生〗 = 입천장

구:개-음(口蓋音) 명 〖語〗 颚音 èyīn ¶~화 颚音化

구걸(求乞) 명하자 乞求 qǐqiú; 讨乞 tǎoqǐ; 乞讨 qǐtǎo; 要饭 yàofàn; 讨饭 tǎofàn ¶거리에서 ~하다 沿街讨饭 / 목숨을 ~하다 乞求生命

구겨-지다 자 起皱 qǐzhòu; 皱 zhòu ¶옷이 구겨졌다 衣服皱了

구:경 명하타 参观 cānguān; 观看 guānkàn; 看 kàn; 看热闹 kàn rènao ¶영화를 ~하다 看电影 / 전시회를 ~하다 参观展览

구:경(口徑) 명 口径 kǒujìng

구경(球莖) 명 〖植〗 = 알줄기

구:경-거리 명 可看的 kěkànde; 热闹(儿) rènao(r); 热闹事 rènaoshì ¶동물원에는 ~가 많다 动物园里可看的东西很多

구:경-꾼 명 看热闹的 kànrènaode; 游人 yóurén; 观众 guānzhòng

구:경-나다 자 看热闹 kàn rènao ¶아이들은 악기 소리가 나자 구경났다고 달려 나갔다 乐器一响, 孩子们就跑出去看热闹了

구공-탄(九孔炭) 명 蜂窝煤 fēngwōméi; 九孔炭 jiǔkǒngtàn

구관-조(九官鳥) 명 〖鳥〗 鹩哥 liáogē

구구 부감 咕咕 gūgū 《鸡或鸽子的声音》

구구-단(九九段) 명 〖數〗 九九乘法 jiǔjiǔ chéngfǎ; 九九法 jiǔjiǔfǎ

구구-법(九九法) 명 〖數〗 九九乘法 jiǔjiǔ chéngfǎ; 九九法 jiǔjiǔfǎ

구구절절(句句節節) 명부 句句 jùjù ¶~ 일리가 있다 句句有道理

구구-하다(區區—) 형 **1** 不一致 bùyīzhì; 纷纭 fēnyún; 各种 gèzhǒng ¶구구한 소문 各种传闻 / 의견이 ~ 意见纷纭 **2** 丢脸 diūliǎn; 尴尬 gāngà; 寒碜 hánchen; 可耻 kěchǐ; 难为情 nánwéiqíng; 恬不知耻 tiánbùzhīchǐ ¶구구한 사정을 말하다 说些难为情的话 / 구구하게 변명하다 恬不知耻地辩白 **구구-히** 부

구:국(救國) 명하자 救国 jiùguó ¶~운동 救国运动

구균(球菌) 명 〖生〗球菌 qiújūn; 球状菌 qiúzhuàngjūn

구근(球根) 명 〖植〗= 알뿌리

구금(拘禁) 명하타 〖法〗禁闭 jìnbì; 拘禁 jūjìn; 拘留 jūliú; 监禁 jiānjìn; 扣押 kòuyā; 囚禁 qiújìn

구:급(救急) 명하타 急救 jíjiù; 救急 jiùjí; 抢救 qiǎngjiù ¶~낭 急救包 / ~상자 急救箱 / ~약 急救药

구:급-차(救急車) 명 急救车 jíjiùchē; 救护车 jiùhùchē = 앰뷸런스 · 응급차

구기(球技) 명 〖體〗球技 qiújì; 球类运动 qiúlèi yùndòng ¶~ 시합 球技比赛

구기다 타 捏皱 niēzhòu; 弄皱 nòngzhòu; 揉皱 róuzhòu ¶치마를 ~ 弄皱裙子

구기-자(枸杞子) 명 〖韓醫〗枸杞子 gǒuqǐzǐ

구기자-나무(枸杞子—) 명 〖植〗枸杞 gǒuqǐ

구김 명 = 구김살

구김-살 명 **1** 褶皱 zhězhòu; 褶子 zhězi; 皱纹 zhòuwén ¶다리미로 치마의 ~을 펴다 用熨斗熨平裙子的褶皱 **2** (心里) 阴影 yīnyǐng ‖ = 구김

구깃-거리다 타 捏皱 niēzhòu; 揉皱 róuzhòu = 구깃대다 **구깃-구깃** 부하타

구내(構內) 명 场内 chǎngnèi; 境内 jìngnèi; 区内 qūnèi; 院内 yuànnèi ¶~식당 院内食堂

구단(球團) 명 球队 qiúduì

구더기 명 〖蟲〗蛆 qū

구덩이 명 **1** 土坑 tǔkēng; 坑 kēng **2** 〖鑛〗= 갱(坑)1

구도(構圖) 명 〖美〗构图 gòutú

구독(購讀) 명하타 订阅 dìngyuè; 购阅 gòuyuè ¶~료 订阅费 / ~자 订阅者 / 잡지를 ~하다 订阅杂志

구동(驅動) 명하타 驱动 qūdòng ¶~력 驱动力 / ~ 장치 驱动装置

구두 명 皮鞋 píxié; 鞋 xié ¶~끈 鞋带 / ~약 鞋油 / ~를 닦다 擦皮鞋 / ~를 수선하다 修理皮鞋

구:두(口頭) 명 口头 kǒutóu ¶~ 지시 口头指示 / ~ 보고 口头报告 / ~ 계약 口头合同

구두-닦이 명 擦鞋工 cāxiégōng; 擦鞋匠 cāxiéjiàng

구두쇠 명 吝啬鬼 lìnsèguǐ; 守财奴 shǒucáinú

구두-점(句讀點) 명 〖語〗标点符号 biāodiǎn fúhào

구두-창 명 皮鞋底 píxiédǐ; 鞋底 xiédǐ

구둣-방(—房) 명 鞋铺 xiépù; 修鞋铺 xiūxiépù

구둣-솔 명 皮鞋刷 píxiéshuā; 鞋刷子 xiéshuāzi

구둣-주걱 명 鞋拔子 xiébázi

구들 명 〖建〗火炕 huǒkàng; 炕 kàng; 暖炕 nuǎnkàng

구들-장 명 炕板石 kàngbǎnshí; 炕石 kàngshí

구렁 명 **1** 坑 kēng; 洼地 wādì ¶깊은 ~ 深坑 **2** 深渊 shēnyuān ¶죄악의 ~ 罪恶的深渊

구렁이 명 〖動〗蟒 mǎng

구렁이 담 넘어가듯 속담 大蟒爬墙一样

구렁-텅이 명 **1** 泥坑 níkēng; 深坑 shēnkēng **2** 泥潭 nítán; 深渊 shēnyuān

구레-나룻 명 络腮胡子 luòsāihúzi; 连鬓胡子 liánbìnhúzi

구:령(口令) 명하자 口令 kǒulìng ¶~소리 口令声 / ~을 붙이다 喊口令

구루(佝僂 · 痀瘻) 명하자 佝偻 gōulóu ¶~병 佝偻病

구류(拘留) 명하타 〖法〗拘留 jūliú; 扣押 kòuyā ¶~ 처분 拘留处分

구르다[1] 자타 滚 gǔn; 骨碌 gūlu; 转动 zhuàndòng; 滚动 gǔndòng ¶계단에서 ~ 从楼梯骨碌下来

구:르다[2] 타 跺 duò; 顿 dùn ¶발을 ~ 跺脚

구름 명 云 yún; 云彩 yúncai; 云头 yúntóu ¶달이 ~ 속으로 사라지다 月亮消失在云彩中

구름-다리 명 〖建〗吊桥 diàoqiáo; 天桥 tiānqiáo

구름-판(—板) 명 〖體〗踏板 tàbǎn

구릉(丘陵) 명 = 언덕

구리 명 〖化〗铜 tóng = 동(銅) ¶~합금 铜合金

구리다 형 **1** 臭 chòu; 腐臭 fǔchòu ¶구린 냄새 腐臭的气味 **2** 不磊落 bùlěiluò; 可疑 kěyí ¶구린 데가 있다 可疑 **3** 卑鄙 bēibǐ; 丑恶 chǒu'è; 无耻 wúchǐ ¶구린 짓을 하다 作出无耻的行为

구린-내 명 臭气 chòuqì; 臭味 chòuwèi

구릿-빛 명 古铜色 gǔtóngsè ¶햇볕에 ~으로 그을린 피부 被太阳晒成古铜色的皮肤

구만-리(九萬里) 명 九万里 jiǔwànlǐ

구매(購買) 명하타 购买 gòumǎi; 采购 cǎigòu; 采买 cǎimǎi ¶~력 购买力 / ~욕 购买欲 / ~자 购买者 / ~처 购买处 / 물품을 ~하다 购买物品

구멍 명 **1** 洞 dòng; 孔 kǒng; 眼 yǎn ¶벽에 ~을 내다 在墙上打个孔 / ~을 뚫다 钻孔 / ~을 막다 堵漏洞 **2** 亏空 kuīkōng; 漏洞 lòudòng; 缺点 quēdiǎn ¶~이 나다 出现漏洞 / ~을 메우다 填

补亏空 **3** 出路 chūlù; 活路 huólù; 门路 ménlu ¶ ~이 없다 没有活路
구멍-가게 명 小铺子 xiǎopùzi
구면(球面) 명 〖數〗球面 qiúmiàn
구:면(舊面) 명 老相识 lǎoxiāngshí; 旧相识 jiùxiāngshí; 熟人 shúrén
구명(究明) 명하타 查明 chámíng; 弄清 nòngqīng ¶ 원인을 ~하다 查明原因
구:명(救命) 명하타 救生 jiùshēng; 救命 jiùmìng ¶ ~보트 救生艇 / ~부표 救生圈 / ~조끼 救生衣
구:미(口味) 명 = 입맛1 ¶ ~에 맞다 可口
구미가 당기다[돌다] 구 感兴趣
구미(歐美) 명 欧美 Ōu Měi
구미-호(九尾狐) 명 九尾狐 jiǔwěihú
구민(區民) 명 区民 qūmín
구박(驅迫) 명하타 虐待 nüèdài; 欺负 qīfu; 压迫 yāpò; 折磨 zhémó ¶ ~을 받다 受压迫
구:변(口辯) 명 = 언변
구별(區別) 명하타 区别 qūbié; 分辨 fēnbiàn; 分 fēn ¶ 공사를 ~하다 区别公私
구보(驅步) 명하자 跑步 pǎobù
구부러-뜨리다 타 弄弯 nòngwān = 구부러트리다 ¶ 철사를 ~ 把铁丝弄弯
구부러-지다 자 弯曲 wānqū
구부리다 타 使弯曲 shǐ wānqū
구부스름-하다 형 稍微弯曲 shāowēi wānqū ¶ 구부스름한 철사 稍微弯曲的铁丝 **구부스름-히** 부
구부정-하다 형 稍微弯曲 shāowēiwānqū; 稍微驼背 shāowēi tuóbèi ¶ 앞에서 등이 구부정한 노인이 걸어왔다 前面走来了一位稍微驼背的老人 **구부정-히** 부
구분(區分) 명하타 区分 qūfēn; 分 fēn; 划分 huàfēn ¶ 데이터를 크기에 따라 ~하다 把数据按大小划分
구불-거리다 자 曲曲折折 qūquzhézhé; 弯弯曲曲 wānwanqūqū; 蜿蜒 wānyán = 구불대다 ¶ 구불거리는 오솔길 蜿蜒的小路 **구불-구불** 부하자형
구비(具備) 명하타 具备 jùbèi; 备 bèi; 具有 jùyǒu ¶ 서류를 ~하다 具备文件
구:비(口碑) 명 口碑 kǒubēi; 口传 kǒuchuán
구:비 문학(口碑文學) 〖文〗口承文学 kǒuchéng wénxué; 口传文学 kǒuchuán wénxué; 口头文学 kǒutóu wénxué = 구전 문학
구사(驅使) 명하타 **1** 驱使 qūshǐ; 驱赶 qūgǎn **2** 运用 yùnyòng ¶ 언어 ~력 言语运用力
구사-일생(九死一生) 명하자 九死一生 jiǔsǐyīshēng
구상(具象) 명 具象 jùxiàng ¶ ~ 미술 具象美术 / ~ 예술 具象艺术
구상(球狀) 명 球状 qiúzhuàng ¶ ~ 성단 球状星团
구상(構想) 명하타 构思 gòusī; 构想 gòuxiǎng ¶ 작품을 ~하다 构思作品
구색(具色) 명하타 俱全 jùquán; 齐全 qíquán ¶ ~을 갖추다 具备齐全
구석 명 角落 jiǎoluò; 隅 yú; 旮旯 gālá ¶ 마당의 한쪽 ~ 院子的一个角落
구석-구석 명 到处 dàochù; 每个角落 měige jiǎoluò ¶ ~을 뒤지다 寻遍每个角落
구:-석기(舊石器) 명 〖古〗旧石器 jiùshíqì ¶ ~ 시대 旧石器时代
구석-지다 형 偏 piān; 偏僻 piānpì ¶ 구석진 마을 偏僻的村庄
구성(構成) 명하타 构成 gòuchéng; 组成 zǔchéng ¶ ~단위 构成单位 / ~체 构成体 / ~ 요소 构成因素 / 열 명으로 ~된 위원회 由十人组成的委员会
구성-원(構成員) 명 成员 chéngyuán ¶ 사회 ~ 社会成员
구성-지다 형 有趣 yǒuqù; 动人 dòngrén; 动听 dòngtīng; 悦耳 yuè'ěr ¶ 구성진 노랫소리 悦耳的歌声
구:세(救世) 명하자 救世 jiùshì ¶ ~주 救世主 / ~군 救世军
구:-세대(舊世代) 명 老一辈 lǎoyībèi
구속(拘束) 명하타 **1** 约束 yuēshù; 拘束 jūshù; 束缚 shùfù; 限制 xiànzhì ¶ ~력 约束力 / ~을 받다 受到限制 **2** 〖法〗拘留 jūliú; 拘捕 jūbǔ; 逮捕 dàibǔ ¶ ~ 영장 逮捕证
구수-하다 형 **1** 香 xiāng; 香喷喷 xiāngpēnpēn ¶ 구수한 냄새 香喷喷的气味 **2** 津津有味 jīnjīnyǒuwèi; 有趣 yǒuqù; 有声有色 yǒushēngyǒusè; 有意思 yǒu yìsi ¶ 구수한 옛날이야기 津津有味的故事 / 말이 ~ 话说得有声有色 **구수-히** 부
구:술(口述) 명하타 口述 kǒushù; 口 kǒu ¶ ~시험 口试
구슬 명 **1** 珠(儿) zhū(r); 珠子 zhūzi **2** 弹珠 dànzhū ¶ ~치기 打弹珠
구슬이 서 말이라도 꿰어야 보배(라) 속담 玉不琢不成器
구슬-땀 명 汗珠子 hànzhūzi; 汗珠(儿) hànzhū(r)
구슬리다 타 引逗 yǐndòu; 逗 dòu; 哄 hǒng; 哄逗 hǒngdòu ¶ 아이를 ~ 哄逗孩子
구슬프다 형 凄凉 qīliáng; 悲哀 bēi'āi; 悲惨 bēicǎn; 悲痛 bēitòng
구슬피 부 凄凉 qīliáng; 悲哀 bēi'āi; 悲惨 bēicǎn; 悲痛 bēitòng
구:습(舊習) 명 旧习 jiùxí; 旧习惯 jiùxíguàn

구:-시대(舊時代) 명 旧时代 jiùshídài
구:식(舊式) 명 旧式 jiùshì; 老式 lǎoshì; 老式样 lǎoshìyàng; 旧样式 jiùyàngshì
구실 명 本分 běnfèn; 分内事情 fènnèi shìqing; 作用 zuòyòng ¶자기 ~을 잘 하다 做好自己的分内事情
구:실(口實) 명 借口 jièkǒu; 口实 kǒushí; 由头 yóutóu ¶그는 매일 늦으면서 ~도 많다 他每天迟到, 但借口很多
구심(求心) 명 【物】 向心 xiàngxīn ¶~력 向心力
구심(球心) 명 球心 qiúxīn
구십(九十) 수관 九十 jiǔshí ¶~ 일 九十日 / ~ 그램 九十克
구애(求愛) 명하자 求爱 qiú'ài ¶그녀에게 ~를 하다 向她求爱
구애(拘礙) 명하자 拘泥 jūnì; 顾虑 gùlǜ; 拘束 jūshù; 约束 yuēshù ¶사소한 일에 ~되다 拘泥小节
구:약(舊約) 명 **1** 旧约 jiùyuē **2** 【宗】 = 구약 성경
구:약 성:경(舊約聖經) 【宗】 旧约全书 jiùyuē quánshū; 旧约圣经 jiùyuē shèngjīng = 구약2
구:어(口語) 명 【語】 口语 kǒuyǔ ¶~체 口语体
구역(區域) 명 地段 dìduàn; 区 qū; 区域 qūyù
구역-질(嘔逆—) 명하자 恶心 ěxin; 发呕 fā'ǒu; 作呕 zuò'ǒu
구:연(口演) 명하타 口演 kǒuyǎn
구연-산(枸櫞酸) 명 【化】 = 시트르산
구완 명하타 (患者或产妇) 护理 hùlǐ ¶환자를 ~하다 护理病人
구우-일모(九牛一毛) 명 九牛一毛 jiǔniúyīmáo
구:원(救援) 명하타 救援 jiùyuán; 挽救 wǎnjiù ¶~ 투수 救援投手 / ~자 救援者
구월(九月) 명 九月 jiǔyuè
구유 명 食槽 shícáo; 饮水槽 yǐnshuǐcáo
구이 명 烤 kǎo ¶생선~ 烤鱼
구인(求人) 명하타 招工 zhāogōng; 招聘 zhāopìn ¶~ 광고 招聘启事 / ~난 招工难
구인(拘引) 명하타 【法】 拘捕 jūbǔ
구입(購入) 명하타 购进 gòujìn; 买进 mǎijìn; 购买 gòumǎi; 买 mǎi ¶~가 购买价 / 기계를 ~하다 购进机器
구장(球場) 명 【體】 球场 qiúchǎng
구:전(口傳) 명하자타 口传 kǒuchuán ¶~ 민요 口传民谣 / ~ 설화 口传说话
구전(口錢) 명 佣金 yòngjīn; 佣钱 yòngqián; 牙钱 yáqián
구:전 문학(口傳文學) 【文】 = 구비문학
구절(句節) 명 句 jù; 段 duàn; 章句 zhāngjù; 段落 duànluò; 章节 zhāngjié ¶성경 ~ 圣经章句
구:정(舊正) 명 春节 Chūnjié
구정-물 명 污水 wūshuǐ; 脏水 zāngshuǐ = 오수(汚水)
구:제(救濟) 명하타 救济 jiùjì ¶~품 救济品 / 난민을 ~하다 救济难民
구제(驅除) 명하타 驱除 qūchú; 驱 qū ¶해충을 ~하다 驱除害虫
구:제-역(口蹄疫) 명 【農】 口蹄疫 kǒutíyì
구:조(救助) 명하타 搭救 dājiù; 救护 jiùhù; 救生 jiùshēng; 抢救 qiǎngjiù ¶~대 抢救队 / ~사다리 救生梯 / ~선 救生船 / 인명을 ~하다 抢救人命
구조(構造) 명하타 结构 jiégòu; 构造 gòuzào ¶~도 结构图 / ~ 설계 结构设计 / 내부 ~ 内部结构
구조-물(構造物) 명 构筑物 gòuzhùwù; 构造物 gòuzàowù
구조-적(構造的) 관명 结构(的) jiégòu(de); 结构性(的) jiégòuxìng(de) ¶~인 실업 结构性失业
구:주(救主) 명 【宗】 救主 jiùzhǔ
구중(九重) 명 **1** 九层 jiǔcéng; 九重 jiǔchóng **2** = 구중궁궐
구중-궁궐(九重宮闕) 명 九重宫阙 jiǔchóng gōngquè = 구중2
구직(求職) 명하자 谋职 móuzhí; 求职 qiúzhí; 寻找职业 xúnzhǎo zhíyè ¶~난 求职难 / ~자 求职者
구질-구질 부하형 **1** 污秽 wūhuì; 脏 zāng; 纠缠不清 jiūchánbùqīng **2** 绵绵地 miánmiánde; 一个劲儿地 yīgèjìnrde ¶~ 비가 온다 雨一个劲儿地下
구:차(苟且) 명하형히부 **1** 贫穷 pínqióng; 穷苦 qióngkǔ; 艰难 jiānnán **2** 厚着脸皮 hòuzhe liǎnpí; 恬不知耻 tiánbùzhīchǐ ¶그는 ~하게 변명을 찾았다 他恬不知耻地找了借口
구천(九泉) 명 【佛】 九泉 jiǔquán
구체(具體) 명 具体 jùtǐ ¶~성 具体性 / ~화 具体化
구체-적(具體的) 관명 具体(的) jùtǐ(de) ¶~인 의견을 제시하다 提出具体意见 / ~으로 설명하다 具体解释
구축(構築) 명하타 构筑 gòuzhù; 构建 gòujiàn; 打 dǎ ¶진지를 ~하다 构筑阵地 / 새로운 체계를 ~하다 构建新体系
구축(驅逐) 명하타 驱逐 qūzhú ¶~함 驱逐舰
구:출(救出) 명하타 救出 jiùchū; 拯救 zhěngjiù ¶그들을 ~해 내다 把他们救出来

구충(驅蟲) 명하타 驱虫 qūchóng ¶～제 驱虫剂
구:취(口臭) 명 口臭 kǒuchòu = 입내2
구치(臼齒) 명〖生〗= 어금니
구치(拘置) 명하타〖法〗拘留 jūliú ¶～소 拘留所 =[看守所]
구타(毆打) 명하타 殴打 ōudǎ ¶그들은 나를 사정없이 ～했다 他们无情地殴打了我
구태-여 부 何必 hébì ¶누구나 다 아는 사실을 ～ 더 말할 필요가 있겠니? 众所周知的事实, 何必再说呢?
구:태의연-하다(舊態依然—) 형 依然故我 yīrángùwǒ; 蹈常袭故 dǎochángxígù **구:태의연-히** 부
구토(嘔吐) 명하자 呕吐 ǒutù; 吐 tù ¶～증 呕吐症
구-하다(求—) 타 **1** 求 qiú; 寻求 xúnqiú; 寻找 xúnzhǎo; 找 zhǎo ¶일자리를 ～ 寻找工作 / 집을 ～ 找房子 **2** 请 qǐng; 求 qiú; 请求 qǐngqiú ¶양해를 ～ 请求谅解
구:-하다(救—) 타 救 jiù; 救济 jiùjì; 救命 jiùmìng; 搭救 dājiù; 拯救 zhěngjiù ¶난민을 ～ 救济难民 / 부상자를 구해내다 把伤员救出
구현(具現·具顯) 명하타 贯彻 guànchè; 实现 shíxiàn; 体现 tǐxiàn ¶남녀평등을 ～하다 体现男女平等
구형(求刑) 명하타〖法〗求刑 qiúxíng; 求处 qiúchǔ ¶징역 20년 형을 ～받다 求处20年徒刑
구형(球形) 명 球形 qiúxíng
구:형(舊型) 명 旧式 jiùshì; 老式 lǎoshì ¶～ 자동차 老式汽车 / ～ 냉장고 老式冰箱
구:호(口號) 명 口号 kǒuhào; 标语 biāoyǔ ¶큰 소리로 ～를 외치다 大声呼叫口号
구:호(救護) 명하타 救护 jiùhù; 救济 jiùjì; 接济 jiējì ¶～금 救济金 =[救济款] / ～물자 救济物资 / ～소 救护所
구혼(求婚) 명하자 求婚 qiúhūn ¶공개 ～ 公开求婚 / ～ 광고 求婚广告 / ～자 求婚者 / 그의 ～을 받아들이다 接受他的求婚
구:황(救荒) 명하타 救荒 jiùhuāng ¶～식물 救荒植物 / ～ 작물 救荒作物
구획(區劃) 명하타 **1** 区划 qūhuà ¶행정 ～ 行政区划 / ～ 정리 区划整理 **2** 划定 huàdìng; 划分 huàfēn
구:휼(救恤) 명하타 救济 jiùjì; 救恤 jiùxù ¶～ 사업 救济事业
국 명 汤 tāng ¶～을 끓이다 煮汤
-국(國) 접미 国 guó; 国家 guójiā ¶회원～ 成员国 / 강대～ 强大国
국가(國家) 명 国家 guójiā = 나라1 ¶～ 기관 国家机关 / ～ 대표 国家代表 / ～ 대표 팀 国家队 / ～ 소유 国家所有
국가(國歌) 명 国歌 guógē ¶～를 연주하다 演奏国歌
국경(國境) 명 国境 guójìng; 边境 biānjìng; 境 jìng; 国界 guójiè ¶～ 도시 边境城市 / ～ 분쟁 边境纷争 / ～을 초월한 사랑 超越国境的爱
국경-선(國境線) 명 边界线 biānjièxiàn; 国界线 guójièxiàn; 国境线 guójìngxiàn
국경-일(國慶日) 명 国庆节 guóqìngjié; 国庆日 guóqìngrì; 节日 jiérì
국고(國庫) 명〖經〗国库 guókù ¶～금 国库金
국-공립(國公立) 명 国公立 guógōnglì ¶～학교 国公立学校
국교(國交) 명 国交 guójiāo; 邦交 bāngjiāo ¶～ 정상화 邦交正常化 / ～ 단절 断绝邦交 / ～를 맺다 建立国交
국교(國教) 명 国教 guójiào
국군(國軍) 명 国军 guójūn; 军 jūn ¶～의 날 建军节
국-그릇 명 汤碗 tāngwǎn
국기(國技) 명 国技 guójì
국기(國旗) 명 国旗 guóqí ¶～를 게양하다 升挂国旗
국내(國內) 명 国内 guónèi ¶～ 여행 国内旅游 / ～선 国内线 / ～ 시장 国内市场 / ～ 우편 国内邮件
국내-산(國內產) 명 = 국산
국내-외(國內外) 명 国内外 guónèiwài; 海内外 hǎinèiwài
국내 총:생산(國內總生產)〖經〗国内生产总值 guónèi shēngchǎn zǒngzhí = 지디피
국도(國道) 명〖交〗国道 guódào
국력(國力) 명 国力 guólì ¶～이 강하다 国力强大
국론(國論) 명 国论 guólùn
국립(國立) 명 国立 guólì; 国家 guójiā ¶～ 공원 国家公园 / ～ 극장 国家大剧院 / ～묘지 国家公墓 / ～ 대학 国立大学 / ～ 도서관 国家图书馆 / ～ 박물관 国家博物馆
국면(局面) 명 局面 júmiàn; 定局 dìngjú; 局势 júshì ¶새로운 ～으로 접어들다 进入新局面
국명(國名) 명 国名 guómíng; 国号 guóhào = 국호
국모(國母) 명 国母 guómǔ
국무(國務) 명 国务 guówù ¶～ 위원 国务委员 / ～ 회의 国务会议
국무-총리(國務總理) 명〖法〗国务总理 guówù zǒnglǐ = 총리2
국문(國文) 명 国文 guówén
국-물 명 汤水 tāngshuǐ; 菜汤 càitāng; 汤 tāng ¶～을 마시다 喝汤水
국물도 없다 구 捞不到油水

국민(國民) 명 国民 guómín; 人民 rénmín ¶~감정 国民感情 / ~ 경제 国民经济 / ~성 国民性 / ~ 소득 国民收入 / ~의례 国民仪礼 / ~연금 国民年金

국민 총:생산(國民總生産) 〖經〗 国民生产总值 guómín shēngchǎn zǒngzhí = 지엔피

국민 투표(國民投票) 〖政〗 国民投票 guómín tóupiào ¶~제 国民投票制

국-밥 명 泡饭 pàofàn; 汤泡饭 tāngpàofàn

국방(國防) 명 国防 guófáng ¶~력 国防力量 / ~부 国防部 / ~비 国防费 / ~을 강화하다 加强国防

국번(局番) 명 局号 júhào

국법(國法) 명 〖法〗 国法 guófǎ

국보(國寶) 명 国宝 guóbǎo

국부(局部) 명 局部 júbù

국부 마취(局部痲醉) 〖醫〗 = 국소 마취

국비(國費) 명 公费 gōngfèi; 国家经费 guójiā jīngfèi ¶~생 公费生

국빈(國賓) 명 国宾 guóbīn ¶~ 대우를 받다 享受国宾待遇

국사(國史) 명 国史 guóshǐ

국사(國事) 명 国事 guóshì = 나랏일 ¶~를 돌보다 操劳国事

국산(國産) 명 国产 guóchǎn = 국내산 ¶~ 장비 国产装备

국산-품(國産品) 명 国产品 guóchǎnpǐn; 国货 guóhuò ¶~을 애용하다 爱用国产品

국상(國喪) 명 〖史〗 国丧 guósāng

국새(國璽) 명 国玺 guóxǐ

국선 변:호인(國選辯護人) 〖法〗 指定辩护人 zhǐdìng biànhùrén

국세(國稅) 명 〖法〗 国税 guóshuì ¶~청 国税厅

국소(局所) 명 局部 júbù

국소 마취(局所痲醉) 〖醫〗 局部麻醉 júbù mázuì = 국부 마취 ¶~제 局部麻醉剂

국수 명 面条 miàntiáo; 面 miàn = 면(麵) ¶~를 삶다 煮面条

국수(國手) 명 (棋类等的) 国手 guóshǒu

국수(國粹) 명 国粹 guócuì ¶~주의 国粹主义

국숫-집 명 **1** 切面铺 qiēmiànpù **2** 面馆 miànguǎn; 面条店 miàntiáodiàn

국악(國樂) 명 国乐 guóyuè ¶~기 国乐器

국어(國語) 명 国语 guóyǔ ¶~ 교육 国语教育 / ~ 국문학 国语国文学 / ~ 사전 国语词典

국영(國營) 명하타 国营 guóyíng ¶~ 기업 国营企业 / ~ 방송 国营广播 / ~화 国营化

국왕(國王) 명 国王 guówáng; 国君 guójūn

국외(國外) 명 国外 guówài; 海外 hǎiwài

국외 시:장(國外市場) 〖經〗 国外市场 guówài shìchǎng; 海外市场 hǎiwài shìchǎng

국운(國運) 명 国运 guóyùn ¶~이 기울다 国运衰微

국위(國威) 명 国威 guówēi ¶~를 선양하다 发扬国威

국유(國有) 명 国有 guóyǒu ¶~림 国有林 / ~ 재산 国有财产 / ~지 国有地 / ~ 철도 国有铁道 / ~화 国有化

국-으로 부 老老实实地 lǎolaoshíshíde

국익(國益) 명 国家利益 guójiā lìyì

국자 명 勺子 sháozi; 汤勺 tāngsháo

국장(局長) 명 局长 júzhǎng

국장(國葬) 명하자 国葬 guózàng

국적(國籍) 명 〖法〗 国籍 guójí ¶~ 변경 国籍变更 / ~ 불명의 비행기 国籍不明飞机 / 미국 ~을 취득하다 取得美国国籍

국정(國定) 명하타 国定 guódìng; 国家规定 guójiā guīdìng ¶~ 교과서 国定教科书 / ~ 세율 国定税率

국정(國政) 명 国政 guózhèng ¶~ 감사 国政监查

국정(國情) 명 国情 guóqíng

국제(國際) 명 国际 guójì ¶~결혼 国际结婚 / ~경찰 国际警察 / ~공항 国际机场 / ~ 관계 国际关系 / ~ 금융 国际金融 / ~법 国际法 / ~ 사회 国际社会 / ~선 国际航线 / ~ 영화제 国际电影节 / ~ 우편 国际邮件 / ~ 전화 国际电话 / ~ 정세 国际形势 / ~화 国际化

국제-기관(國際機關) 명 国际机构 guójì jīgòu; 国际机关 guójì jīguān = 국제기구

국제-기구(國際機構) 명 =국제기관

국제 무:역(國際貿易) 〖經〗 = 외국무역

국제 연합(國際聯合) 〖政〗 联合国 Liánhéguó = 유엔 ¶~군 联合国军 / ~기 联合国旗

국제 올림픽 경:기 대:회(國際Olympic競技大會) 〖體〗 国际奥林匹克运动会 Guójì Àolínpǐkè Yùndònghuì; 奥运会 Àoyùnhuì; 奥林匹克运动会 Àolínpǐkè Yùndònghuì; 奥林匹克 Àolínpǐkè; 奥运 Àoyùn = 올림픽 · 올림픽 대회

국제 올림픽 위원회(國際Olympic委員會) 〖體〗 国际奥林匹克委员会 Guójì Àolínpǐkè Wěiyuánhuì; 奥林匹克委员会 Àolínpǐkè Wěiyuánhuì = 아이오시 · 올림픽 위원회

국제-적(國際的) 관명 国际(的) guójì(de); 国际性(的) guójìxìng(de) ¶～인 행사 国际性活动 / ～으로 망신을 당하다 在国际上丢脸
국제 축구 연맹(國際蹴球聯盟) 〖體〗 国际足球联盟 Guójì Zúqiú Liánméng; 国际足球联合会 Guójì Zúqiú Liánhéhuì; 国际足联 Guójì Zúlián
국제 통화 기금(國際通貨基金) 〖經〗 国际货币基金组织 Guójì Huòbì Jījīn Zǔzhī = 아이엠에프
국채(國債) 명 〖經〗 国债 guózhài
국책(國策) 명 国策 guócè ¶～ 사업 国策事业
국토(國土) 명 国土 guótǔ; 疆土 jiāngtǔ ¶～ 개발 国土开发
국학(國學) 명 国学 guóxué
국한(局限) 명하타 局限 júxiàn; 限定 xiàndìng; 限制 xiànzhì; 限于 xiànyú ¶이런 문제는 도시에만 ～된 것이 아니다 这些问题不仅限于城市
국호(國號) 명 = 국명
국화(國花) 명 国花 guóhuā
국화(菊花) 명 〖植〗 菊花 júhuā = 국화꽃 ¶～주 菊花酒 / ～차 菊花茶
국화-꽃(菊花—) 명 〖植〗 = 국화(菊花)
국회(國會) 명 〖政〗 国会 guóhuì ¶～ 의사당 国会大厦 / ～ 의원 国会议员 / ～ 의장 国会议长 / ～ 해산 解散国会
군(君) 의명대 君 jūn; 小 xiǎo ¶김 ～ 小金
군(軍) 명 **1** = 군대 **2** 军 jūn; 军队 jūnduì ¶인민～ 人民军队 / 예비～ 后备军
군ː(郡) 명 郡 jùn 《行政区划之一》
군가(軍歌) 명 军歌 jūngē
군ː것-질 명하자 吃零食 chī língshí; 吃零嘴儿 chī língzuǐr
군견(軍犬) 명 = 군용견
군경(軍警) 명 军警 jūnjǐng
군계-일학(群鷄一鶴) 명 鹤立鸡群 hèlìjīqún
군ː-고구마 명 烤白薯 kǎobáishǔ; 烤甘薯 kǎogānshǔ
군국-주의(軍國主義) 명 〖政〗 军国主义 jūnguó zhǔyì
군권(軍權) 명 军权 jūnquán
군기(軍紀) 명 军纪 jūnjì ¶～가 해이해지다 军纪松散
군기(軍旗) 명 〖軍〗 军旗 jūnqí
군납(軍納) 명하타 军供 jūngōng ¶～품 军供品
군ː-내 명 臭味 chòuwèi; 腐烂味 fǔlànwèi
군단(軍團) 명 〖軍〗 军团 jūntuán; 军 jūn ¶～장 军长
군대(軍隊) 명 军队 jūnduì; 军 jūn = 군(軍)1 ¶～ 생활 军队生活 / ～ 용어 军队用语 / ～에 들어가다 参军
군ː-더더기 명 多余的 duōyúde; 累赘 léizhui; 赘瘤 zhuìliú; 赘物 zhuìwù
군데 의명 处 chù; 地方 dìfang ¶몇 ～ 几处 / 한 ～ 一个地方
군데-군데 명부 处处 chùchù; 这儿那儿 zhèrnàr; 这里一块那里一块 zhèli yīkuài nàli yīkuài ¶시멘트 발라 놓은 것이 ～ 떨어졌다 抹了的水泥这里一块那里一块脱落了
군도(群島) 명 群岛 qúndǎo
군락(群落) 명 群落 qúnluò
군란(軍亂) 명 兵变 bīngbiàn; 兵乱 bīngluàn; 哗变 huábiàn
군량(軍糧) 명 军粮 jūnliáng; 军饷 jūnxiǎng ¶～미 军粮米
군림(君臨) 명하자 高踞 gāojù; 称雄 chēngxióng ¶대중 위에 ～하다 高踞于群众之上
군마(軍馬) 명 **1** 军马 jūnmǎ; 兵马 bīngmǎ **2** 战马 zhànmǎ
군ː-만두(—饅頭) 명 煎饺子 jiānjiǎozi; 锅贴儿 guōtiēr
군ː-말 명하자 多嘴 duōzuǐ; 废话 fèihuà; 唠叨 láodāo; 牢骚话 láosāohuà; 闲话 xiánhuà; 怨言 yuànyán
군모(軍帽) 명 军帽 jūnmào
군무(群舞) 명 集体舞 jítǐwǔ; 群舞 qúnwǔ ¶～를 추다 跳群舞
군무(軍務) 명 军务 jūnwù ¶～원 军务人员
군ː-밤 명 炒栗子 chǎolìzi; 糖炒栗子 tángchǎo lìzi
군번(軍番) 명 〖軍〗 番号 fānhào
군벌(軍閥) 명 军阀 jūnfá ¶～ 정치 军阀政治 / ～주의 军阀主义
군법(軍法) 명 〖法〗 军法 jūnfǎ ¶～ 회의 军法会议
군복(軍服) 명 军服 jūnfú; 军装 jūnzhuāng; 戎装 róngzhuāng
군부(軍部) 명 〖軍〗 军部 jūnbù ¶～ 독재 军部独裁
군-부대(軍部隊) 명 部队 bùduì
군ː-불 명 **1** 炕火 kànghuǒ ¶～을 지피다 烧炕火 **2** 白费的火 báifèide huǒ
군비(軍備) 명 军备 jūnbèi ¶～ 축소 裁减军备 =[裁军]
군비(軍費) 명 〖軍〗 = 군사비
군사(軍士) 명 **1** 士兵 shìbīng; 兵卒 bīngzú; 兵士 bīngshì = 군졸 · 병졸 **2** 〖軍〗 军士 jūnshì
군사(軍事) 명 〖軍〗 军事 jūnshì; 军 jūn ¶～ 기밀 军事机密 / ～ 기지 军事基地 / ～ 교육 军事教育 / ～ 도시 军事城市 / ～ 분계선 军事分界线 / ～ 시설 军事设施 / ～ 우편 军邮
군사-력(軍事力) 명 兵力 bīnglì; 军力

jūnlì; 军事力量 jūnshì lìliang
군-사령관(軍司令官) 명 〖軍〗 军司令 jūnsīlìng; 军司令官 jūnsīlìngguān
군-사령부(軍司令部) 명 〖軍〗 军司令部 jūnsīlìngbù
군사-비(軍事費) 명 〖軍〗 军费 jūnfèi = 군비(軍費)
군사 훈:련(軍事訓鍊) 〖軍〗 军训 jūnxùn; 军事训练 jūnshì xùnliàn; 军操 jūncāo
군:-살 명 赘疣 zhuìyóu; 肥肉 féiròu; 肥 féi
군상(群像) 명 群像 qúnxiàng
군:-소리 명하자 **1** 废话 fèihuà; 牢骚话 láosāohuà **2** 梦话 mènghuà; 梦呓 mèngyì
군수(軍需) 명 军需 jūnxū ¶~ 공업 军需工业 / ~ 공장 军需工厂 / ~ 물자 军需物资 / ~품 军需品
군:수(郡守) 명 郡守 jùnshǒu
군수 산:업(軍需産業) 〖軍〗 = 방위산업
군:-식구(一食口) 명 寄客 jìkè; 食客 shíkè
군신(君臣) 명 君臣 jūnchén ¶~유의 君臣有义
군악(軍樂) 명 〖音〗 军乐 jūnyuè ¶~기 军乐器 / ~대 军乐队
군영(軍營) 명 兵营 bīngyíng; 军营 jūnyíng
군왕(君王) 명 = 임금
군용(軍用) 명 军用 jūnyòng ¶~기 军用飞机 / ~ 담요 军用毛毯 / ~ 트럭 军用卡车 / ~ 열차 军用列车 / ~품 军用品
군용-견(軍用犬) 명 军犬 jūnquǎn = 군견
군웅(群雄) 명 群雄 qúnxióng ¶~할거 群雄割据
군:-음식(一飮食) 명 点心 diǎnxin; 零食 língshí
군의-관(軍醫官) 명 〖軍〗 军医 jūnyī
군인(軍人) 명 军人 jūnrén ¶~ 연금 军人年金 / ~ 아저씨 军人叔叔
군자(君子) 명 君子 jūnzǐ
군자-금(軍資金) 명 〖軍〗 军事资金 jūnshì zījīn
군장(軍裝) 명 军装 jūnzhuāng ¶~을 꾸리다 收拾军装
군제(軍制) 명 〖軍〗 军制 jūnzhì
군졸(軍卒) 명 = 군사(軍士)1
군주(君主) 명 君主 jūnzhǔ ¶~국 君主国
군중(群衆) 명 群众 qúnzhòng ¶~ 심리 群众心理 / ~집회 群众集会
군집(群集) 명하자 群集 qúnjí; 群聚 qúnjù
군:청(郡廳) 명 郡厅 jùntīng
군청(群青) 명 **1** 藏青颜料 zàngqīng yánliào **2** = 군청색
군청-색(群青色) 명 藏青色 zàngqīngsè = 군청(群青)2
군축(軍縮) 명하자 〖軍〗 裁军 cáijūn 《'군비 축소' 的略词》 ¶~ 위원회 联合国裁军审议委员会 / ~ 회의 裁军会议
군:-침 명 涎 xián; 唾沫 tuòmo; 唾液 tuòyè
군침(을) 삼키다[흘리다] 구 **1** 啧啧咂嘴 **2** 垂涎三尺
군침(이) 돌다 구 **1** 产生食欲 **2** 眼馋
군함(軍艦) 명 〖軍〗 兵舰 bīngjiàn; 军舰 jūnjiàn
군항(軍港) 명 〖軍〗 军港 jūngǎng
군화(軍靴) 명 军鞋 jūnxié; 军靴 jūnxuē
굳건-하다 형 坚强 jiānqiáng ¶굳건한 의지 坚强的意志 **굳건-히** 부
굳기 명 〖鑛〗 硬度 yìngdù = 경도(硬度)
굳다 一자 **1** 发硬 fāyìng; 硬结 yìngjié; 凝固 nínggù ¶빵이 ~ 面包发硬 / 시멘트가 아직 굳지 않았다 水泥还没凝固 **2** 发僵 fājiāng; 发硬 fāyìng ¶혀가 ~ 舌头发僵 **3** 绷 běng; 硬 yìng; 死板 sǐbǎn; 生硬 shēngyìng ¶긴장 때문에 얼굴이 굳어 있다 紧张得绷了脸 二형 **1** 坚 jiān; 坚硬 jiānyìng; 坚固 jiāngù; 硬 yìng ¶굳은 바위 坚硬的岩石 **2** 紧紧 jǐnjǐn; 坚固 jiāngù; 紧 jǐn; 坚强 jiānqiáng; 坚定 jiāndìng ¶의지가 ~ 意志坚定 / 입을 굳게 다물다 紧闭嘴巴
굳-세다 형 **1** 强 qiáng; 有力 yǒulì; 结实 jiēshi ¶굳센 팔뚝 有力的臂膀 **2** 坚强 jiānqiáng ¶굳센 의지 坚强的意志
굳어-지다 자 **1** 变硬 biàn yìng; 硬化 yìnghuà ¶돌처럼 ~ 像石头一样变硬 **2** 麻木 mámù; 呆板 dāibǎn; 凝滞 níngzhì; 木然 mùrán ¶표정이 ~ 表情麻木起来 **3** 僵 jiāng; 僵硬 jiāngyìng ¶얼어서 ~ 冻僵 **4** 坚定 jiāndìng; 坚强 jiānqiáng ¶투지가 더욱 굳어졌다 斗争意志更为坚强了
굳은-살 명 茧子 jiǎnzi; 趼子 jiǎnzi; 胼胝 piánzhī; 老茧 lǎojiǎn ¶손바닥에 ~이 박이다 手掌上长了茧子
굳-이 부 一定 yīdìng; 特意 tèyì; 硬 yìng ¶~ 원하신다면 양보해 드리지요 如果您一定要, 就让给您吧
굳-히다 타 **1** 使…凝固 shǐ…nínggù; 坚凝 jiānníng ¶석고를 ~ 使石膏凝固 **2** 坚定 jiāndìng ¶나의 입장을 ~ 坚定我的立场
굴 명 〖貝〗 牡蛎 mǔlì; 蛎黄 lìhuáng; 蚝 háo = 석화(石花)
굴:(窟) 명 **1** 洞穴 dòngxué; 窟 kū; 窑

洞 yáodòng **2** 隧道 suìdào **3** 坑 kēng **4** = 소굴

굴곡(屈曲) 명하형 曲折 qūzhé; 弯曲 wānqū ¶~이 심한 길 弯曲的道路

굴:다 자 用于副词和副词形后, 表示行为动作 ¶못 견디게 ~ 折磨得受不了

굴:-다리(窟—) 명 通道桥 tōngdàoqiáo

굴:-대 명 〖機〗 车轴 chēzhóu

굴:뚝 명 烟筒 yāntong; 烟囱 yāncōng

굴:뚝-같다 형 巴不得 bābude; 迫切 pòqiè **굴:뚝같-이** 부

굴:러-가다 자 滚 gǔn; 滚去 gǔnqù; 滚动 gǔndòng; 旋转 xuánzhuǎn ¶너무 무거워서 굴러가지 않는다 太重, 滚不动

굴:러-다니다 자 **1** 滚来滚去 gǔnlái-gǔnqù ¶발밑에서 ~ 在脚底下滚来滚去 **2** 辗转 zhǎnzhuǎn; 飘泊 piāobó; 漂泊 piāobó

굴렁-쇠 명 铁环 tiěhuán ¶~를 굴리다 滚铁环

굴레 명 **1** (牛马的) 笼头 lóngtou **2** 羁绊 jībàn; 束缚 shùfù ¶구사상의 ~에서 벗어날 수 없다 摆脱不了旧思想的束缚

굴:리다 타 **1** 滚 gǔn ¶공을 ~ 滚球 / 눈덩이를 ~ 滚雪球 **2** 搁置不管 gē-zhìbùguǎn; 乱放 luàn fàng; 乱扔 luàn rēng ¶책을 함부로 ~ 把书随便乱扔

굴복(屈服) 명하자 屈服 qūfú ¶난관 앞에서 ~하지 않다 在障碍面前不屈服

굴비 명 干黄花鱼 gānhuánghuāyú

굴삭-기(掘削機) 명 = 굴착기

굴욕(屈辱) 명 屈辱 qūrǔ; 侮辱 wǔrǔ ¶~감 屈辱感

굴절(屈折) 명하자 〖物〗 折射 zhéshè; 屈折 qūzhé ¶~각 折射角 / ~계 折射计 / ~ 광선 折射光线 / ~률 折射率 / ~면 折射面

굴지(屈指) 명하자 屈指 qūzhǐ; 屈指一算 qūzhǐyīsuàn; 首屈一指 shǒuqūyī-zhǐ; 数一数二 shǔyīshǔ'èr ¶~의 대기업 屈指一算的大企业

굴착(掘鑿) 명하타 掘凿 juézáo; 挖掘 wājué

굴착-기(掘鑿機) 명 挖掘机 wājuéjī; 掘土机 juétǔjī = 굴삭기

굴-하다(屈—) 자 屈 qū; 屈从 qū-cóng; 屈服 qūfú; 屈膝 qūxī ¶운명에 굴하지 않다 不屈服于命运

굵:다 형 粗 cū; 粗大 cūdà; 大 dà ¶굵은 쇠줄 粗铁丝 / 목소리가 ~ 声音粗

굵:은-소금 명 粗盐 cūyán; 大盐 dà-yán

굵직-하다 형 粗大 cūdà; 很粗 hěn cū; 挺粗 tǐng cū ¶다리가 ~ 腿很粗

굶-기다 타 '굶다' 的使动词 ¶아이를 굶겨서 학교에 보내다 让孩子饿着肚子上学

굶:다 자타 不吃 bùchī; 饿 è; 没吃 méi chī; 挨饿 ái'è ¶나는 하루 종일 굶었다 我一整天没吃东西了

굶:-주리다 자 **1** 挨饿 ái'è; 饥饿 jī'è ¶그녀는 헐벗고 굶주린 아이들을 정성껏 보살폈다 她精心照顾了受冻挨饿的孩子们 **2** 渴望 kěwàng ¶배움에 굶주렸던 어린 시절을 돌아보다 回顾渴望学习的童年

굶:주림 명 饥饿 jī'è = 기아 ¶~에 시달리다 被饥饿折磨

굼:-뜨다 형 迟钝 chídùn; 迟缓 chí-huǎn; 慢吞吞 màntūntūn ¶행동이 ~ 行动迟缓

굼:벵이 명 **1** 〖蟲〗 地蚕 dìcán; 地老虎 dìlǎohǔ; 蛴螬 qícáo **2** 老牛破车 lǎoniúpòchē; 慢劲儿 mànjìnr; 慢性子 mànxìngzi

굼벵이도 밟으면 꿈틀한다 속담 是人都有三分火; 割断脖子的鸡还要扑棱一阵子; 蛇死要摆尾, 虎死跳三跳; 剥了皮的蛤蟆, 临死还要跳三下

굽 명 **1** 蹄 tí; 蹄子 tízi **2** 跟(儿) gēn-(r); 后跟(儿) hòugēn(r) ¶~을 갈다 换后跟儿 **3** (碗、杯、碟的) 底 dǐ

굽:다[1] 타 **1** 烤 kǎo; 炙 zhì; 炒 chǎo; 煎炙 jiānzhì; 灼 zhuó ¶고기를 ~ 烤肉 **2** 烧 shāo ¶숯을 ~ 烧炭

굽다[2] 자형 弯曲 wānqū; 曲折 qūzhé; 曲 qū; 弯 wān; 驼 tuó ¶등이 ~ 背驼

굽실 부하자타 (行礼时) 弯腰 wānyāo ¶허리를 ~하며 인사를 하다 弯腰行礼

굽실-거리다 자타 弯腰 wānyāo = 굽실대다 **굽실-굽실** 부하자타

굽어-보다 타 **1** 俯视 fǔshì ¶영마루에 서서 논벌을 굽어봤다 站在山顶上俯视田野 **2** 照顾 zhàogù; 照看 zhào-kàn ¶그를 굽어보아 주다 照顾他

굽-이 명 拐弯处 guǎiwānchù; 曲折之处 qūzhézhīchù; 转弯处 zhuǎnwānchù

굽이-굽이 명부 曲曲折折 qūquzhé-zhé; 弯弯曲曲 wānwanqūqū; 蜿蜒 wān-yán

굽이-돌다 자타 蜿蜒 wānyán ¶이 강은 굽이돌아 바다로 들어간다 这条河蜿蜒流入大海

굽이-치다 자 弯弯曲曲地流 wānwan-qūqūde liú; 蜿蜒前进 wānyánqiánjìn

굽-히다 타 **1** 弄弯 nòngwān; 弯 wān 《'굽다²' 的使动词》 ¶허리를 ~ 弯腰 **2** 屈服 qūfú; 屈 qū

굿 명하자 **1** 热闹事 rènaoshì **2** 〖民〗 跳神(儿) tiàoshén(r)

궁(宮) 명 = 궁궐

궁궐(宮闕) 명 宫殿 gōngdiàn; 宫 gōng;

宫廷 gōngtíng; 宫阙 gōngquè; 阙 què = 궁 · 궁전 · 궁정 · 궐 · 대궐

궁극(窮極) 명 终极 zhōngjí; 终究 zhōngjiū; 最后 zuìhòu; 最终 zuìzhōng ¶～의 목표 终极目标

궁극-적(窮極的) 관명 终极(的) zhōngjí(de); 终究(的) zhōngjiū(de) ¶～인 문제 终极问题

궁금-증(—症) 명 疑问 yíwèn; 疑 yí; 悬疑 xuányí ¶～을 풀다 解疑

궁금-하다 형 1 想知道 xiǎng zhīdào ¶결과가 어떤지 정말 ～ 真想知道结果如何 2 有点儿饿 yǒudiǎnr è **궁금-히** 부

궁녀(宮女) 명 〖史〗 = 나인

궁둥이 명 屁股 pìgu; 臀部 túnbù

궁둥이가 무겁다[질기다] 구 = 엉덩이가 무겁다[질기다]

궁둥이를 붙이다 구 1 坐下来 2 有暇休息 3 扎根

궁리(窮理) 명하타 考虑 kǎolǜ; 思考 sīkǎo; 想 xiǎng; 研究 yánjiū ¶이리저리 ～하다 左思右想

궁문(宮門) 명 = 궐문

궁벽-하다(窮僻—) 형 偏僻 piānpì; 穷僻 qióngpì **궁벽-히** 부

궁상(窮狀) 명 寒酸相 hánsuānxiàng; 穷酸相 qióngsuānxiàng; 穷样子 qióngyàngzi

궁상(窮相) 명 穷相 qióngxiàng

궁상-맞다(窮狀—) 형 穷酸 qióngsuān; 寒酸 hánsuān

궁색-하다(窮塞—) 형 穷困 qióngkùn; 拮据 jiéjū; 窘迫 jiǒngpò ¶생활이 매우 ～ 生活很穷困 **궁색-히** 부

궁수(弓手) 명 〖史〗 弓箭手 gōngjiànshǒu; 弓手 gōngshǒu; 射手 shèshǒu

궁여지책(窮餘之策) 명 不得已之计 bùdéyǐzhījì; 穷于之策 qióngyúzhīcè

궁인(宮人) 명 〖史〗 = 나인

궁전(宮殿) 명 = 궁궐

궁정(宮廷) 명 = 궁궐 ¶～ 시인 宫廷诗人 / ～ 화가 宫廷画家

궁중(宮中) 명 宫中 gōngzhōng; 宫廷 gōngtíng ¶～ 요리 宫廷菜 / ～ 음악 宫廷乐

궁지(窮地) 명 困境 kùnjìng; 穷境 qióngjìng ¶～에 빠지다 陷入困境

궁핍(窮乏) 명하형히부 贫困 pínkùn; 穷困 qióngkùn

궁-하다(窮—) 형 1 贫穷 pínqióng; 穷 qióng ¶궁한 생활 贫穷的生活 2 光 guāng; 空 kōng ¶주머니 속이 ～ 口袋空了 3 窘 jiǒng; 窘迫 jiǒngpò ¶궁한 모습 窘迫的模样

궁합(宮合) 명 〖民〗 命相 mìngxiàng

궁형(宮刑) 명 〖史〗 宫刑 gōngxíng

궂다 형 不好 bùhǎo; 不吉利 bùjílì; 坏 huài ¶날씨가 ～ 天气不好

궂은-비 명 苦雨 kǔyǔ; 阴雨 yīnyǔ

궂은-일 명 1 粗活 cūhuó; 脏活 zānghuó 2 不吉利的事 bùjílìde shì; 丧事 sāngshì

권(卷) 의명 1 本 běn ¶책 두 ～ 两本书 2 册 cè; 卷 juàn

-권(權) 접미 权 quán ¶평등～ 平等权 / 선거～ 选举权

권:고(勸告) 명하타 劝 quàn; 劝告 quàngào; 规劝 guīquàn; 劝勉 quànmiǎn; 劝说 quànshuō ¶～사직 劝退

권능(權能) 명 权能 quánnéng ¶절대적인 ～ 绝对的权能

권력(權力) 명 权力 quánlì; 权柄 quánbǐng; 权势 quánshì ¶～을 잡다 掌握权力

권력-자(權力者) 명 权力家 quánlìjiā; 有权力者 yǒuquánlìzhě

권리(權利) 명 〖法〗 权利 quánlì ¶～를 침해하다 侵害权利 / ～를 행사하다 行使权利

권:면(勸勉) 명하타 劝勉 quànmiǎn; 勉励 miǎnlì

권모-술수(權謀術數) 명 诡计 guǐjì; 权谋 quánmóu; 权术 quánshù; 手腕 shǒuwàn

권문-세가(權門勢家) 명 权门世家 quánménshìjiā

권:법(拳法) 명 〖體〗 拳法 quánfǎ = 권술

권:사(勸士) 명 〖宗〗 劝士 quànshì

권:선(勸善) 명하타 劝善 quànshàn ¶～징악 劝善惩恶

권:설(捲舌 · 卷舌) 명하자 卷舌 juǎnshé ¶～음 卷舌音

권세(權勢) 명 权势 quánshì ¶～를 누리다 享受权势

권수(卷數) 명 册数 cèshù; 卷数 juànshù

권:술(拳術) 명 〖體〗 = 권법

권:양-기(捲揚機) 명 〖機〗 = 윈치

권운(卷雲) 명 〖地理〗 卷云 juǎnyún = 새털구름 ¶～층 卷云层

권위(權威) 명 权威 quánwēi; 威信 wēixìn ¶～서 权威图书 / ～주의 权威主义

권위-자(權威者) 명 权威 quánwēi; 权威人士 quánwēi rénshì

권:유(勸誘) 명하타 劝 quàn; 劝说 quànshuō; 规劝 guīquàn; 劝诱 quànyòu ¶그에게 금연을 ～하다 劝他戒烟

권익(權益) 명 权益 quányì ¶국민의 ～을 보호하다 保护国民权益

권:장(勸奬) 명하타 劝勉 quànmiǎn; 奖励 jiǎnglì; 鼓励 gǔlì ¶독서를 ～하다 奖励读书

권-적운(卷積雲) 명 〖地理〗 卷积云

juǎnjīyún
권:주(勸酒) 명하자 劝酒 quànjiǔ ¶～가 劝酒歌
권:총(拳銃) 명 手枪 shǒuqiāng ¶～집 手枪套 / ～을 쏘다 开手枪
권-층운(卷層雲) 명 【地理】 卷层云 juǎncéngyún
권:태(倦怠) 명 倦怠 juàndài; 厌倦 yànjuàn ¶～기 倦怠期 / ～를 느끼다 感到倦怠
권:태-롭다(倦怠—) 형 倦怠 juàndài; 厌倦 yànjuàn **권:태로이** 부
권:토-중래(捲土重來) 명하자 卷土重来 juǎntǔchónglái
권:투(拳鬪) 명 【體】 拳击 quánjī ＝ 복싱 ¶～ 시합 拳击赛 / ～ 선수 拳击手
권:-하다(勸—) 자타 **1** 劝 quàn; 劝告 quàngào; 劝说 quànshuō ¶의사가 나에게 입원을 권했다 医生劝我住院 **2** 敬 jìng; 劝 quàn; 让 ràng; 请 qǐng ¶술을 ～ 劝酒 / 자리를 ～ 让座
권한(權限) 명 权限 quánxiàn; 权 quán ¶～ 대행 代理权限 / ～을 부여하다 赋予权限
궐(闕) 명 ＝ 궁궐
궐기(蹶起) 명하자 动员 dòngyuán; 奋起 fènqǐ ¶～ 대회 动员大会
궐:련(←卷煙) 명 卷烟 juǎnyān
궐문(闕門) 명 宫门 gōngmén; 阙门 quèmén ＝ 궁문
궤:(櫃) 명 柜 guì; 柜子 guìzi; 箱子 xiāngzi
궤:도(軌道) 명 **1** 轨道 guǐdào **2** 【交】 ＝ 선로1
궤:멸(潰滅) 명하자타 溃灭 kuìmiè; 毁灭 huǐmiè ¶적군이 ～하다 敌军溃灭
궤:변(詭辯) 명 【論】 诡辩 guǐbiàn ¶～론 诡辩论 / ～가 诡辩家
궤:양(潰瘍) 명 【醫】 溃疡 kuìyáng
궤적(軌跡·軌迹) 명 **1** 轨迹 guǐjì **2** 车辙 chēzhé
궤:-짝(櫃—) 명 '궤'的俗称 ¶사과 ～ 苹果箱子
귀 명 **1** 耳 ěr; 耳朵 ěrduo ¶～를 후비다 掏耳朵 / ～에 거슬리다 逆耳 / ～가 먹다 耳聋 / ～가 밝다 耳朵尖 **2** 【生】 ＝ 귓바퀴 ¶～를 뚫다 穿耳 **3** 角 jiǎo ¶～가 나다 有棱角 **4** (针的) 孔 kǒng; 眼(儿) yǎn(r); 针鼻儿 zhēnbír; 针门 zhēnmén ¶바늘～ 针眼儿
귀(가) 따갑다 구 **1** 刺耳 **2** 听腻了
귀(를) 기울이다 구 侧耳; 倾听
귀(에) 익다 구 耳熟
귀가 가렵다[간지럽다] 구 耳朵热
귀가 얇다[엷다] 구 耳朵软; 耳软
귀가 어둡다 구 耳背
귀를 의심하다 구 怀疑自己听错
귀에 들어가다 구 听进去; 传进耳朵
귀에 못이 박이다 구 听腻了; 耳朵听出茧子
귀:(貴) 관 贵 guì ¶～ 학교 贵校 / ～기관 贵机构
귀:가(歸家) 명하자 回家 huíjiā; 归家 guījiā; 还家 huánjiā ¶～를 서두르다 赶着回家
귀각(龜殼) 명 龟壳 guīké ＝ 귀갑1
귀감(龜鑑) 명 榜样 bǎngyàng; 典范 diǎnfàn; 龟鉴 guījiàn; 龟镜 guījìng; 模范 mófàn
귀갑(龜甲) 명 **1** ＝ 귀각 **2** 龟甲 guījiǎ
귀:갓-길(歸家—) 명 回家的路 huíjiāde lù
귀-걸이 명 **1** 耳包儿 ěrbāor; 耳朵帽儿 ěrduomàor; 耳套 ěrtào ＝ 귀마개2 **2** ＝ 귀고리
귀:결(歸結) 명하자 归结 guījié; 归宿 guīsù; 结果 jiéguǒ; 结局 jiéjú ¶～이 나다 有结局
귀:결-점(歸結點) 명 ＝ 귀착점
귀:경(歸京) 명하자 返回京城 fǎnhuí jīngchéng; 归京 guījīng
귀-고리 명 耳环 ěrhuán; 耳坠(儿) ěrzhuì(r); 耳坠子 ěrzhuìzi ＝ 귀걸이2 ¶～를 끼다 戴耳环
귀:곡(鬼哭) 명 鬼哭 guǐkū ¶～성 鬼哭声
귀:-공자(貴公子) 명 **1** 公子哥儿 gōngzǐgēr; 纨绔子弟 wánkùzǐdì **2** 贵公子 guìgōngzǐ
귀:교(貴校) 명 贵校 guìxiào
귀:국(歸國) 명하자 回国 huíguó; 返国 fǎnguó; 归国 guīguó ¶～길에 오르다 踏上回国之路
귀:-금속(貴金屬) 명 贵金属 guìjīnshǔ ¶～공예 贵金属工艺
귀:납(歸納) 명하타 【論】 归纳 guīnà ¶～법 归纳法 / ～ 추리 归纳推理
귀:농(歸農) 명하자 【社】 归农 guīnóng; 返农 fǎnnóng ¶～ 생활 归农生活
귀담아-듣다 타 侧耳倾听 cè'ěrqīngtīng; 倾听 qīngtīng; 洗耳恭听 xǐ'ěrgōngtīng ¶남의 충고를 ～ 倾听别人的忠告
귀:대(歸隊) 명하자 【軍】 归队 guīduì
귀두(龜頭) 명 【生】 龟头 guītóu ¶～염 龟头炎
귀뚜라미 명 【蟲】 蟋蟀 xīshuài; 蛐蛐儿 qūqur
귀뚤-귀뚤 부 唧唧 jījī《蟋蟀叫声》
귀-띔 명하타 暗示 ànshì; 告知 gàozhī; 示意 shìyì; 提醒 tíxǐng
귀:로(歸路) 명 归路 guīlù; 归途 guītú
귀:리 명 【植】 燕麦 yànmài

귀-마개 명 **1** 耳塞 ěrsāi **2** = 귀걸이1
귀-머거리 명 聋子 lóngzi; 聋人 lóngrén
 귀머거리 삼 년이요 벙어리 삼 년(이라) 속담 聋三年哑三年
귀-먹다 자 耳背 ěrbèi; 耳沉 ěrchén; 耳聋 ěrlóng
귀-밑 명 耳根 ěrgēn; 耳朵根子 ěrduogēnzi
귀밑-머리 명 鬓发 bìnfà
귀밑-샘 명 『生』腮腺 sāixiàn = 이하선 ¶~염 腮腺炎
귀밑-털 명 = 살쩍
귀밝이-술 명 『民』耳明酒 ěrmíngjiǔ; 耳聪酒 ěrcōngjiǔ
귀:-부인(貴婦人) 명 贵妇人 guìfùrén
귀:빈(貴賓) 명 贵宾 guìbīn; 贵客 guìkè ¶~석 贵宾席 / ~실 贵宾室
귀-빠지다 자 长尾巴 zhǎng wěiba; 出生 chūshēng
귀-뿌리 명 耳根 ěrgēn; 耳朵根子 ěrduogēnzi
귀:성(歸省) 명하자 归乡 guīxiāng; 归省 guīxǐng ¶~객 归乡客 / ~열차 归乡列车
귀:소(歸巢) 명 归巢 guīcháo ¶~ 본능 归巢性
귀:속(歸屬) 명하자타 归属 guīshǔ; 归于 guīyú
귀:순(歸順) 명하자 归顺 guīshùn; 投诚 tóuchéng ¶~자 归顺者
귀:신(鬼神) 명 **1** 鬼 guǐ; 鬼神 guǐshén **2** 精通 jīngtōng
 귀신 씻나락 까먹는 소리 속담 含糊其辞
 귀신이 곡할 노릇[일](이다) 속담 鬼使神差; 见鬼; 活见鬼
 귀신(이) 씌다 구 被鬼缠住
 귀신도 모르다 구 神不知鬼不觉
귀양 명 『史』发配 fāpèi; 流放 liúfàng; 流配 liúpèi ¶~살이 流放生活 / ~지 流放地
귀엣-말 명하자 耳语 ěryǔ; 私语 sīyǔ; 咬耳朵 yǎo ěrduo = 귓속말 ¶~을 하다 咬耳朵
귀:여워-하다 타 **1** 疼 téng; 疼爱 téng'ài; 宠爱 chǒng'ài
귀:염-둥이 명 小宝贝儿 xiǎobǎobèir; 宝贝(儿) bǎobèi(r); 宝宝 bǎobao
귀:엽다 형 可爱 kě'ài ¶그녀의 딸은 매우 ~ 她的女儿很可爱
귀-울림 명 『醫』耳鸣 ěrmíng = 이명
귀:의(歸依) 명하자 归依 guīyī; 皈依 guīyī
귀-이개 명 耳勺 ěrsháo; 耳挖勺儿 ěrwāsháor; 耳挖子 ěrwāzi
귀:인(貴人) 명 贵人 guìrén
귀:재(鬼才) 명 鬼才 guìcái
귀:족(貴族) 명 贵族 guìzú ¶~ 계급 贵族阶级 / ~주의 贵族主义
귀:중-품(貴重品) 명 贵重品 guìzhòngpǐn
귀:중-하다(貴重—) 형 宝贵 bǎoguì; 贵重 guìzhòng ¶귀중한 선물 贵重的礼物 **귀:중-히** 부
귀:-지 명 耳垢 ěrgòu; 耳屎 ěrshǐ ¶~를 후비다 掏耳垢
귀:착(歸着) 명하자 **1** 返回 fǎnhuí; 回到 huídào; 回来 huílái ¶비행기가 공항에 ~하다 飞机返回机场 **2** 归结于 guījiéyú; 归于 guīyú; 总归于 zǒngguīyú ¶같은 결론에 ~하다 归结于同一结论
귀:착-점(歸着點) 명 归结点 guījiédiǎn; 终点 zhōngdiǎn = 귀결점
귀찮다 형 麻烦 máfan; 讨厌 tǎoyàn; 厌烦 yànfán; 烦 fán; 懒怠 lǎndai; 懒得 lǎnde; 懒洋洋 lǎnyángyáng ¶방을 치우기가 ~ 懒得收拾房间 / 귀찮은 일이 생기다 发生麻烦的事情
귀:천(貴賤) 명 贵贱 guìjiàn
귀-청 명 『生』= 고막
 귀청(이) 떨어지다 구 震耳欲聋
귀:추(歸趨) 명 趋向 qūxiàng ¶~가 주목되다 趋向引人注目
귀퉁이 명 **1** 部分 bùfen; 角(儿) jiǎo(r) **2** 耳边 ěrbiān
귀:하(貴下) 一명 (用在书信上的) 足下 zúxià 二대 您 nín
귀:-하다(貴—) 형 **1** (身份) 贵 guì; 富贵 fùguì; 尊贵 zūnguì ¶귀한 집안 富贵人家 **2** 宝贵 bǎoguì; 贵 guì; 可贵 kěguì; 贵重 guìzhòng ¶귀한 생명 宝贵的生命 / 귀한 시간 宝贵的时间 **3** 稀 xī; 稀罕 xīhan; 罕见 hǎnjiàn; 罕有 hǎnyǒu
귀:항(歸航) 명하자 返航 fǎnháng; 归航 guīháng
귀:항(歸港) 명하자 返回港口 fǎnhuí gǎngkǒu
귀:향(歸鄕) 명하자 归乡 guīxiāng; 回乡 huíxiāng
귀:화(歸化) 명하자 『法』归化 guīhuà; 归顺 guīshùn
귀:환(歸還) 명하자 归回 guīhuí; 归来 guīlái ¶고국으로 ~하다 归回故国
귀-후비개 명 '귀이개' 的方言
귓-가 명 耳边 ěrbiān
 귓가에 맴돌다[돌다] 구 回荡在耳边
귓-구멍 명 耳孔 ěrkǒng
귓-바퀴 명 『生』耳廓 ěrkuò; 耳 ěr = 귀2
귓-밥 명 '귀지' 的方言
귓-병(—病) 명 耳病 ěrbìng
귓-불 명 耳垂 ěrchuí
귓-속 명 **1** 耳朵里 ěrduoli **2** 耳语

ěryǔ; 私语 sīyǔ
귓속-말 명하자 = 귀엣말
귓-전 명 耳边 ěrbiān; 耳轮 ěrlún
귓전에 맴돌다 구 回荡在耳边
규격(規格) 명 规格 guīgé ¶~품 规格品
규격-화(規格化) 명하타 标准化 biāozhǔnhuà; 规格化 guīgéhuà
규명(糾明) 명하타 查明 chámíng; 追究 zhuījiū ¶원인을 ~하다 查明原因
규모(規模) 명 规模 guīmó ¶~가 크다 规模很大
규방(閨房) 명 闺房 guīfáng ¶~ 가사 闺房歌词 / ~ 문학 闺房文学
규범(規範) 명 规范 guīfàn ¶~화 规范化 / 생활 ~生活规范
규사(硅沙 · 珪砂) 명 〖鑛〗 硅沙 guīshā
규산(硅酸 · 珪酸) 명 〖化〗 硅酸 guīsuān ¶~염 硅酸盐
규석(硅石 · 珪石) 명 〖鑛〗 硅石 guīshí
규소(硅素 · 珪素) 명 〖化〗 硅 guī; 硅素 guīsù = 실리콘(silicon) ¶~강 硅钢 / ~철 硅铁
규소 수지(硅素樹脂) 〖化〗 硅树脂 guīshùzhī; 硅酮树脂 guītóng shùzhī = 실리콘(silicone)
규수(閨秀) 명 闺秀 guīxiù
규약(規約) 명 规约 guīyuē; 规章 guīzhāng; 章程 zhāngchéng
규율(規律) 명 规律 guīlǜ; 纪律 jìlǜ
규정(規定) 명하타 规定 guīdìng; 规程 guīchéng ¶심사 ~ 审查规程
규제(規制) 명하타 控制 kòngzhì; 管制 guǎnzhì; 限制 xiànzhì ¶~ 완화 放宽管制 / 학교가 학생들의 복장을 ~하다 学校限制学生的服装
규칙(規則) 명 规则 guīzé; 规程 guīchéng; 规定 guīdìng; 规矩 guīju; 绳墨 shéngmò; 准则 zhǔnzé; 规律 guīlǜ ¶~성 规则性 / ~을 지키다 遵守规则 / ~을 위반하다 违反规则
규칙-적(規則的) 관명 有规律 yǒuguīlǜ ¶~으로 생활하다 有规律地生活
규탄(糾彈) 명하타 诘责 jiézé; 谴责 qiǎnzé; 弹劾 tánhé; 指责 zhǐzé ¶일본의 독도 영유권 주장을 ~하다 谴责日本主张独岛领有圈
규합(糾合) 명하타 搭伙 dāhuǒ; 纠合 jiūhé; 纠集 jiūjí; 拼凑 pīncòu; 团结 tuánjié
균(菌) 명 1 〖生〗 菌 jūn ¶~세포 菌细胞 2 〖植〗 = 균류
균등(均等) 명하형히부 均等 jūnděng; 均匀 jūnyún; 平均 píngjūn ¶기회가 ~하다 机会均等
균류(菌類) 명 〖植〗 菌类 jūnlèi = 균2 ¶~학 菌类学
균사(菌絲) 명 〖植〗 菌丝 jūnsī ¶~체 菌丝体
균열(龜裂) 명하자 1 龟裂 jūnliè; 裂缝 lièfèng; 裂痕 lièhén ¶벽에 ~이 생기다 墙上出现裂缝 2 隔阂 géhé
균일(均一) 명하형 均一 jūnyī; 均等 jūnděng ¶~제 均一制 / ~가 均一价 / ~화 均一化
균형(均衡) 명 均衡 jūnhéng; 平衡 pínghéng; 平均 píngjūn ¶~감 平衡感 / ~ 이론 均衡理论 / ~이 잡히다 均衡
귤(橘) 명 〖植〗 橘子 júzi
귤-나무(橘—) 명 〖植〗 橘子树 júzishù; 橘 jú
귤피(橘皮) 명 〖韓醫〗 橘皮 júpí ¶~차 橘皮茶
그 대관 1 他 tā ¶~는 내 동생이다 他是我弟弟 2 那 nà; 那个 nàge; 它 tā ¶~ 사람 那个人 / ~ 책 那本书 / ~ 회사 那家公司
그 아버지에 그 아들 속담 有其父必有其子
그-간(—間) 명 = 그사이
그-거 대 那 nà; 那个 nàge
그-것 대 那 nà; 那个 nàge ¶~은 내 것이 아니다 那个不是我的
그-곳 대 那儿 nàr; 那个地方 nàge dìfang; 那里 nàli ¶~은 내 고향이다 那里是我的故乡
그-글피 명 大大后天 dàdàhòutiān
그-까짓 관 那样(的) nàyàng(de); 那一类 nàyīlèi ¶~ 일은 나 혼자서도 하겠다 那样的事, 我一个人也能干完
그-끄저께 명부 大前天 dàqiántiān
그-끄제 명부 '그끄저께' 的略词
그-나마 부 连那个 lián nàge ¶이 환자는 죽밖에 못 먹는데 ~ 많이 먹을 수도 없다 这个病人只能吃粥,然而连那个也不能多吃
그-날 명 那天 nàtiān; 那一天 nàyītiān; 当天 dāngtiān ¶~ 저녁 那天晚上
그날-그날 명부 天天 tiāntiān; 每天 měitiān; 日日 rìrì ¶~ 해야 할 일 天天应该做的事情
그-냥 부 1 老是 lǎoshi; 仍旧 réngjiù; 仍然 réngrán; 照样 zhàoyàng ¶하루 종일 비가 ~ 퍼붓는다 整天老是大雨倾盆 2 就那样 jiù nàyàng ¶배를 씻지 않고 ~ 먹었다 没有洗, 就那样把梨吃了
그냥-저냥 부 就那样 jiù nàyàng ¶하루하루를 ~ 지냈다 就那样一天天混日子
그:네 명 〖民〗 秋千 qiūqiān ¶~를 타다 打秋千
그-녀(—女) 대 她 tā ¶나는 ~를 사

랑한다 我爱她

그늘 명 1 阴 yīn; 阴影 yīnyǐng; 荫 yīn; 荫影 yīnyǐng = 음영1 ¶나무 ~ 树荫 2 保护 bǎohù; 抚养 fǔyǎng ¶할머니의 ~ 밑에서 자라나다 在祖母的抚养下长大成人 3 愁容 chóuróng; 忧愁 yōuchóu; 阴影 yīnyǐng ¶얼굴에 비낀 ~ 脸上的愁容

그늘-지다 자 1 成荫 chéngyīn; 成阴 chéngyīn 2 阴郁 yīnyù; 忧郁 yōuyù ¶그의 얼굴에 그늘진 표정이 드러났다 他的脸上显出了忧郁的表情

그-다지 부 1 并不怎么 bìngbùzěnme; 不太 bùtài; 不那么 bùnàme ¶~ 좋지 않다 并不怎么好 / 그 일은 ~ 어렵지 않다 那件工作不那么难 2 那么 nàme; 那样 nàyàng = 그리도 ¶너는 어쩌면 ~도 멍청하니? 你怎么那么笨? ‖= 그리²2

그-대 대 你 nǐ

그-대로 부 1 照样(儿) zhàoyàng(r); 原原本本地 yuányuánběnběnde; 元元本本 yuányuánběnběn; 原封不动地 yuánfēngbùdòngde; 依然 yīrán; 仍然 réngrán; 照旧 zhàojiù; 如实(地) rúshí(de); 照实(地) zhàoshí(de) ¶이번 일을 그에게 ~ 말해라 你把这回事元元本本地对他说一说 2 照搬 zhàobān ¶~ 받아들이다 照搬接受

그-동안 명 那段时间 nàduàn shíjiān

그득 부 丰富地 fēngfùde; 丰盛地 fēngshèngde; 满 mǎn; 满满地 mǎnmǎnde ¶밥을 한그릇 ~ 담았다 满满地盛了一碗饭

그득-그득 부하형히부 满满 mǎnmǎn; 丰富 fēngfù; 丰盛 fēngshèng; 满 mǎn

그득-하다 형 1 丰富 fēngfù; 丰盛 fēngshèng; 满 mǎn; 满满 mǎnmǎn ¶그릇에 밥이 ~ 碗里盛满了饭 2 (肚子) 胀 zhàng ¶먹은 것이 잘 내리지 않아 속이 ~ 吃的东西不消化, 肚子发胀

그득-히 부

그-때 명 那时 nàshí; 那时候 nàshíhou ¶~ 나는 아직 학생이었다 那时候我还是学生

그때-그때 명부 及时 jíshí; 每个时期 měige shíqī ¶제기되는 문제를 ~ 처리하다 及时处理提出的问题

그랑프리(ㅍgrand prix) 명 大奖 dàjiǎng; 大奖赛 dàjiǎngsài

그래 감 1 好 hǎo; 对 duì; 是啊 shì'a ¶~, 그럼 네 의견대로 하자! 好, 就照你的意见做吧! 2 是吗 shìma ¶~? 알았어! 是吗? 我知道了!

그래-도 부 还 hái; 但是 dànshì; 可是 kěshì; 不过 bùguò; 还是 háishi ¶~ 오늘은 따뜻한 편이다 今天还是温和

그래서 부 所以 suǒyǐ; 因此 yīncǐ; 于是 yúshì ¶나 혼자는 어찌해야 좋을지 모르겠다, ~ 너와 의논하러 왔다 我一个人不知道怎么办好, 因此跟你商量来了

그래프(graph) 명 图表 túbiǎo; 曲线图 qūxiàntú

그래픽(graphic) 명 绘画 huìhuà; 图解 tújiě; 图形 túxíng

그래픽 디자이너(graphic designer) 〖印〗平面设计师 píngmiàn shèjìshī

그래픽 디자인(graphic design) 〖印〗平面设计 píngmiàn shèjì

그랜드 피아노(grand piano) 〖音〗三角钢琴 sānjiǎo gāngqín; 大钢琴 dàgāngqín

그램(gram) 의명 克 kè ¶돼지고기 삼백 ~ 三百克猪肉

그러그러-하다 형 1 平常 píngcháng; 普通 pǔtōng; 一般 yībān; 这样那样 zhèyàngnàyàng ¶그의 성적도 ~ 他的成绩也很平常 2 那么些个 nàmexiēgè; 那些 nàxiē ¶그러그러한 문제를 가지고 토론하였다 讨论了那么些个问题

그러나 부 不过 bùguò; 但是 dànshì; 可是 kěshì; 然而 rán'ér; 但 dàn; 可 kě ¶~ 그의 말에도 일리가 있다 不过他说的也有点儿道理

그러니까 부 所以 suǒyǐ; 因此 yīncǐ ¶~ 말이야, 그렇지 않으면 내가 왜 이런 말을 하겠니! 所以呀, 要不然我怎么这么说呢!

그러데이션(gradation) 명 〖美〗= 바림

그러-면 부 那么 nàme; 那 nà; 那样 nàyàng ¶~ 내일 다시 얘기합시다 那么明天再说吧

그러-모으다 타 收捡 shōujiǎn; 收拢 shōulǒng

그러므로 부 因此 yīncǐ; 因而 yīn'ér; 所以 suǒyǐ = 고로¶10은 2의 배수이다, ~ 10은 짝수이다 十是二的倍数, 所以十是偶数

그러저러-하다 형 不怎么样 bùzěnmeyàng; 这样那样 zhèyàngnàyàng

그러-하다 형 那样 nàyàng ¶그러한 상황 那样的情况

그럭-저럭 부하자 凑合着 còuhezhe; 凑凑合合(地) còucouhéhé(de); 就这么 jiù zhème; 一来二去(地) yīlái'èrqù(de); 过一天算一天(地) guò yītiān suàn yītiān(de) ¶이 물건은 낡았지만 아직은 ~ 쓸 수 있다 这个东西虽然旧, 还可以凑合着用

그런 관 那么 nàme; 那样的 nàyàngde ¶~ 일은 없다 没有那样的事

그런-대로 부하자 凑合着 còuhezhe; 凑凑合合(地) còucouhéhé(de); 就这么

jiù zhème; 一来二去(地) yīlái'èrqù(de); 过一天算一天(地) guò yītiān suàn yītiān(de)

그런데 부 不过 bùguò; 但是 dànshì; 可是 kěshì; 只是 zhǐshì ¶나는 너의 제안에 찬성이야. ~ 한 가지 조건이 있어 我倒赞成你的提议, 不过有一个条件

그럴-듯하다 형 1 不错 bùcuò; 有理 yǒulǐ; 不离谱 bùlípǔ ¶말은 그럴듯하지만 행하기는 매우 어렵다 话是不错, 不过很难办到 2 像样 xiàngyàng; 像样子 xiàngyàngzi; 像个样儿 xiànggèyàngr ¶그럴듯한 양복 한 벌 사려면 적어도 백만 원 정도는 써야 된다 要买一件像样的西服, 至少得花一百万多块钱 ‖ = 그럴싸하다

그럴싸-하다 형 = 그럴듯하다

그럼[1] 부 '그러면' 的略词

그럼[2] 감 当然 dāngrán; 可不是 kěbushì; 是啊 shì'a; 可不 kěbù ¶너도 갈 거야? ~, 가야지 你也去吗? 可不, 我应该去

그렁-그렁 부하형 满满 mǎnmǎn; 汪汪 wāngwāng ¶눈물이 ~하다 眼泪汪汪

그렇게 那么 nàme; 那样 nàyàng《'그러하게' 的略形》¶왜 ~ 화를 내니? 你怎么那么生我的气呢?

그렇다 형 是那样 shì nàyàng; 就是 jiùshì

그렇지-만 부 但 dàn; 但是 dànshì; 可是 kěshì; 可 kě; 不过 bùgòu; 然而 rán'ér

그루 ㊀명 = 그루터기1 ¶밀~ 麦茬儿 ㊁의명 1 棵 kē; 株 zhū ¶소나무 한 ~ 一棵松树 2 茬 chá; 次 cì; 回 huí ¶한 해에 벼농사를 두 ~ 짓다 一年种两茬稻子

그루-터기 명 1 茬(儿) chá(r); 茬子 cházi = 그루㊀ 2 桩子 zhuāngzi

그룹(group) 명 1 集团 jítuán; 批 pī; 群 qún; 团体 tuántǐ; 小组 xiǎozǔ ¶한 ~의 사람 一群人 / 사람들이 삼삼오오 ~을 지어 서 있다 人们三五成群地站着 2 集团 jítuán; 财团 cáituán

그룹-사운드(group+sound) 명 〖音〗音乐小组 yīnyuè xiǎozǔ; 小组 xiǎozǔ; 乐团 yuètuán

그르다 ㊀형 不对 bùduì; 错 cuò; 非 fēi ¶옳고 그른 것을 가리다 明辨是非 ㊁자 没有希望 méiyǒu xīwàng; 糟 zāo; 糟糕 zāogāo ¶그 일은 글렀다 那件事没有希望了

그르치다 타 搞错 gǎocuò; 搞坏 gǎohuài; 弄错 nòngcuò; 弄坏 nònghuài ¶너무 덤비면 일을 그르칠 수 있다 太慌张是会把事情搞坏的

그릇[1] 명 1 器皿 qìmǐn; 食具 shíjù; 成器 chéngqì; 碗 wǎn 2 能力 nénglì; 器量 qìliàng; 气量 qìliàng ¶그는 그 정도의 ~은 아니다 他没有那种器量 3 碗 wǎn ¶세 ~ 三碗

그릇[2] 부하타 不好 bùhǎo; 错 cuò; 错误 cuòwù ¶~된 생각 错误思想

그리[1] 부 那边 nàbian; 那里 nàli; 那头 nàtóu ¶~ 가면 우체국이다 往那边走就是邮局

그리[2] 부 1 那么 nàme; 那样 nàyàng 2 = 그다지 ¶~ 멀지 않다 不怎么远 / ~ 좋지 않다 不怎么好

그리고 부 还有 háiyǒu; 又 yòu; 而且 érqiě; 并且 bìngqiě; 以及 yǐjí ¶너 ~ 나 你还有我

그리다[1] 타 怀念 huáiniàn; 思念 sīniàn; 想念 xiǎngniàn; 想 xiǎng ¶고향을 ~ 思念家乡

그:리다[2] 타 1 画 huà; 绘 huì; 描 miáo ¶그림을 ~ 画画儿 2 刻画 kèhuà; 描绘 miáohuì; 描写 miáoxiě ¶미래를 그린 소설 描绘未来的小说 3 憧憬 chōngjǐng; 向往 xiàngwǎng ¶내일의 행복한 생활을 ~ 憧憬明天的幸福生活 4 回忆 huíyì; 回想 huíxiǎng; 追忆 zhuīyì ¶그 사람의 모습을 ~ 回想那个人的模样

그리-도 부 = 그다지2

그리스도(←Kristos) 명 〖宗〗基督 Jīdū ¶예수 ~ 耶稣基督

그리움 명 怀恋 huáiliàn; 怀念 huáiniàn; 想念 xiǎngniàn

그리워-하다 타 想念 xiǎngniàn; 想 xiǎng; 怀念 huáiniàn; 怀恋 huáiliàn; 思恋 sīliàn; 思念 sīniàn ¶집을 ~ 想家 / 모두가 너를 그리워하고 있다 大家都想着你呢

그리-하여 부 结果 jiéguǒ; 所以 suǒyǐ; 因此 yīncǐ; 于是 yúshì; 这么着 zhèmezhe; 这样 zhèyàng

그린-벨트(greenbelt) 명 〖法〗 = 개발 제한 구역

그린-카드(green card) 명 绿卡 lǜkǎ

그릴(grill) 명 1 烤架 kǎojià; 铁格子 tiěgézi 2 烤肉 kǎoròu

그:림 명 画(儿) huà(r); 绘画 huìhuà; 图 tú; 图画 túhuà ¶~일기 绘画日记 / ~을 그리다 画画儿

그림의 떡 구 画饼充饥

그:림-물감 명 〖美〗美术颜料 měishù yánliào = 물감2

그:림-엽서(—葉書) 명 美术明信片 měishù míngxìnpiàn

그:림자 명 影 yǐng; 影子 yǐngzi; 阴影 yīnyǐng ¶수면에 산의 ~가 비치다 水面上倒映着山影

그:림-책(—册) 명 1 画报 huàbào; 画

册 huàcè 2 连环画 liánhuánhuà
그립다 형 1 想念 xiǎngniàn; 想 xiǎng; 怀念 huáiniàn; 怀恋 huáiliàn; 思恋 sīliàn; 思念 sīniàn ¶나는 네가 무척 ~ 我很想你 2 渴求 kěqiú; 希望得到 xīwàng dédào; 需要 xūyào
그-만 부 1 到此为止 dàocǐ wéizhǐ; 到这儿为止 dàozhèr wéizhǐ; 就此 jiùcǐ ¶밤이 깊었으니 ~ 돌아가자 夜已深了, 就此回去吧 2 就 jiù ¶그는 이 말을 듣자마자 ~ 화를 냈다 他一听到这话就生气 3 可以 kěyǐ; 行 xíng ¶이래도 ~, 저래도 ~ 这样也行, 那样也行 4 没办法 méi bànfǎ; 无可奈何 wúkěnàihé ¶극장에 갔다가 만원이 되어 ~ 돌아왔다 到剧场去, 已经客满了, 没办法只好回来
그만그만-하다 형 差不多 chàbuduō; 相差不多 xiāngchà buduō ¶나이는 차이가 있어도 키는 ~ 年龄虽然不同, 但身高差不多
그만-두다 타 放下 fàngxià; 拉倒 lādǎo; 算了 suànle; 作罢 zuòbà; 停止 tíngzhǐ; 废 fèi ¶하던 일을 ~ 手头的工作放下不干了
그-만큼 명부 那么点 nàmediǎn; 那样程度 nàyàng chéngdù ¶~ 있으면 충분하다 有那么点就足够了
그만-하다[1] 타 废 fèi; 别再… bié zài…; 不要再… bùyào zài…; 作罢 zuòbà ¶잔소리 좀 그만해라 不要再唠叨
그만-하다[2] 형 差不多 chàbuduō; 相差不多 xiāngchà buduō; 就那样 jiù nàyàng; 那么多 nàmeduō; 那些 nàxiē
그맘-때 명 差不多那时候 chàbuduō nàshíhou
그물 명 1 网 wǎng ¶~코 网眼 / ~을 치다 撒网 2 圈套 quāntào
그믐 명 = 그믐날
그믐-날 명 晦 huì; 三十一日 sānshí yīrì = 그믐 · 말일2
그-사이 명 那段时间 nàduàn shíjiān; 这期间 zhè qījiān; 这些日子里 zhèxiē rìzili = 그간 ¶~ 무슨 일 없었니? 这期间没发生什么事吗?
그-새 명 '그사이' 的略词
그슬-리다 ㊀자 被烧焦 bèi shāojiāo ¶불에 그슬린 나무 被火烧焦的树木 ㊁타 烧焦 shāojiāo
그야-말로 부 实在 shízài; 确是 quèshì; 简直 jiǎnzhí; 正是 zhèngshì; 的确 díquè ¶이번 승리는 ~ 기적이다 这次胜利简直是奇迹
그윽-하다 형 1 幽静 yōujìng; 幽深 yōushēn ¶그윽한 골짜기 幽静的山谷 2 沉 chén; 深 shēn ¶그윽한 생각에 잠기다 陷入沉思 3 浓郁 nóngyù ¶그윽한 향기 浓郁的香气 **그윽-이** 부
그을다 자 熏 xūn; 熏黑 xūnhēi; 晒 shài; 晒黑 shàihēi ¶연기에 ~ 被烟熏黑了
그을-리다 자 '그을다' 的被动词 ¶햇볕에 검게 ~ 被太阳晒黑
그을음 명 炱 tái; 煤烟子 méiyānzi; 烟子 yānzi
그-이 대 那个人 nàge rén; 他 tā
그-자(―者) 대 那个人 nàge rén; 他 tā
그저 부 1 照旧 zhàojiù; 仍然 réngrán 2 就是 jiùshì; 只是 zhǐshì; 仅仅是 jǐnjǐnshì ¶~ 습관적으로 쓰는 것이다 只是因为写惯了才写的 3 随便 suíbiàn; 无意地 wúyìde ¶~ 물어보는 겁니다 随便问一问的 4 光 guāng; 只顾 zhǐgù ¶~ 한쪽에만 전념해서는 안 된다 只顾一方面不行
그저께 명부 前天 qiántiān = 전전날2
그-전(―前) 명 前 qián; 以前 yǐqián ¶~에는 이런 대풍년을 볼 수 없었다 以前未曾有过这样的大丰收
그제 명부 '그저께' 的略词
그제-야 부 那时才 nàshí cái; 这时才 zhèshí cái; 那才 nà cái; 这才 zhè cái; 这么一来 zhème yīlái ¶그는 창문에 햇살이 비친 것을 보고 ~ 일어났다 他看见阳光从窗户射进来, 这才起了身
그-중(―中) 명 当中 dāngzhōng; 就中 jiùzhōng; 其中 qízhōng
그지-없다 형 无限 wúxiàn; 无穷 wúqióng; 无垠 wúyín; 无止境 wúzhǐjìng; 极 jí ¶그지없는 행복 无限的幸福 **그지없-이** 부
그-쪽 대 那边 nàbian; 那一方 nàyīfāng
그치다 자타 停 tíng; 停息 tíngxī; 停歇 tíngxiē; 停止 tíngzhǐ; 止 zhǐ; 止息 zhǐxī; 住 zhù ¶비가 그쳤다 雨住了 / 바람이 그쳤다 风停了
그-토록 부 那样 nàyàng ¶우리가 ~ 말렸지만, 그는 끝내 떠나갔다 我们那样劝阻他, 可是他终于走掉了
그-해 명 当年 dāngnián; 那年 nànián; 那一年 nàyīnián
극(極) 명 1 极点 jídiǎn; 极端 jíduān ¶긴장이 ~에 달했다 紧张到了极点 2 〖物〗 极 jí 3 〖地理〗 极 jí 4 〖天〗 极 jí
극(劇) 명 〖文〗 剧 jù; 戏剧 xìjù ¶~ 문학 戏剧文学
극구(極口) 부 极口 jíkǒu; 极力 jílì; 高度 gāodù ¶~ 반대하다 极力反对
극기(克己) 명하자 克己 kèjǐ
극단(極端) 명 极端 jíduān ¶~으로 치닫다 走极端
극단(劇團) 명 〖演〗 剧团 jùtuán
극단-적(極端的) 관명 极端(的) jíduān(de) ¶그것은 지나치게 ~인 예이다

那是个过于极端的例子
극도(極度) 명 极度 jídù; 极端 jíduān ¶~로 긴장하다 极度紧张
극동(極東) 명 **1** 极东 jídōng **2**〖地〗远东 Yuǎndōng
극락(極樂) 명〖佛〗极乐 jílè; 极乐世界 jílè shìjiè; 极乐净土 jílè jìngtǔ ¶~왕생 极乐往生
극력(極力) 명하자 极力 jílì; 尽力 jìnlì ¶~ 지지하다 极力支持
극복(克服) 명하타 克服 kèfú ¶어려움을 ~하다 克服困难
극본(劇本) 명〖演〗= 각본
극비(極祕) 명 绝密 juémì ¶~ 문서 绝密档案
극빈(極貧) 명하형 赤贫 chìpín ¶~자 赤贫者
극성(極盛) 명하형 来劲 láijìn; 猖獗 chāngjué; 逞强 chěngqiáng; 逞威 chěngwēi; 逞凶 chěngxiōng ¶~을 피우다 逞强
극성-떨다(極盛—) 자 来劲 láijìn; 猖獗 chāngjué; 逞强 chěngqiáng; 逞威 chěngwēi
극성-맞다(極盛—) 형 逞强 chěngqiáng; 逞威 chěngwēi
극성-스럽다(極盛—) 형 逞强 chěngqiáng; 逞威 chěngwēi; 厉害 lìhai **극성스레** 부
극소(極小) 명하형 极小 jíxiǎo
극소(極少) 명하형 极少 jíshǎo
극-소량(極少量) 명 极少量 jíshǎoliàng
극-소수(極少数) 명 极少数 jíshǎoshù
극심-하다(極甚—·劇甚—) 형 厉害 lìhai; 严重 yánzhòng; 太甚 tàishèn; 极甚 jíshèn ¶교통 체증이 ~ 交通堵塞严重 **극심-히** 부
극악(極惡) 명하형 万恶 wàn'è
극악-무도(極惡無道) 명하형 罪大恶极 zuìdà'èjí; 万恶 wàn'è
극약(劇藥) 명 **1**〖藥〗烈性药 lièxìngyào **2** 极端方式 jíduān fāngshì ¶~ 처방을 내리다 用极端方式解决
극우(極右) 명 极端右倾 jíduān yòuqīng; 极右翼 jíyòuyì; 极右 jíyòu ¶~ 세력 极右势力 / ~파 极右派
극-작가(劇作家) 명 剧作家 jùzuòjiā
극장(劇場) 명 剧场 jùchǎng; 剧院 jùyuàn; 戏院 xìyuàn
극-적(劇的) 관명 戏剧(般的) xìjù(bānde); 戏剧性(的) xìjùxìng(de) ¶~인 효과 戏剧性效果
극점(極點) 명 极点 jídiǎn ¶갈등이 ~에 이르다 矛盾达到极点
극좌(極左) 명 过左 guòzuǒ; 极端左倾 jíduān zuǒqīng; 极左翼 jízuǒyì; 极左 jízuǒ ¶~파 极左派
극진-하다(極盡—) 형 无微不至 wúwēibùzhì; 真挚 zhēnzhì; 真诚 zhēnchéng; 至诚 zhìchéng; 诚恳 chéngkěn ¶극진한 보살핌 无微不至的关怀 **극진-히** 부
극찬(極讚) 명하타 极赞扬 jí zànyáng; 极其称赞 jíqí chēngzàn
극치(極致) 명 顶峰 dǐngfēng; 极致 jízhì ¶미의 ~ 美之极致
극피(棘皮) 명〖動〗棘皮 jípí ¶~동물 棘皮动物
극한(極限) 명 极限 jíxiàn ¶~상황 极限状况 / ~에 달하다 达到极限
극형(極刑) 명 极刑 jíxíng ¶~에 처하다 处以极刑
극화(劇化) 명하타 戏剧化 xìjùhuà ¶그의 일생은 ~되었다 他的人生被戏剧化了
극-히(極—) 부 极 jí; 极为 jíwéi; 极其 jíqí; 极端 jíduān ¶~ 미세한 입자 极其微小的粒子 / ~ 드물다 极其稀少
근(斤) 의명 斤 jīn ¶돼지고기 한 ~ 一斤猪肉
근:(近) 관 近 jìn ¶~ 백 년 近百年
근:간(近間) 명 = 요사이 ¶~의 상황 最近的情况
근간(根幹) 명 **1** 根干 gēngàn **2** 骨干 gǔgàn; 基干 jīgàn ¶사회의 ~ 社会骨干
근거(根據) 명하자 根据 gēnjù ¶~ 없는 말 没有根据的话 / 사실에 ~하다 根据事实
근:-거리(近距離) 명 近距离 jìnjùlí
근거-지(根據地) 명 根据地 gēnjùdì = 본거지·아지트1 ¶투쟁의 ~ 斗争的根据地
근:검(勤儉) 명하형히부 勤俭 qínjiǎn ¶~절약 勤俭节约
근:경(近景) 명 近景 jìnjǐng
근:교(近郊) 명 近郊 jìnjiāo ¶도시 ~ 城市近郊 / ~ 농업 近郊农业
근:근-이(僅僅—) 부 好容易(地) hǎoróngyì(de); 好不容易(地) hǎobùróngyì(de); 很吃力地 hěn chīlìde; 很费劲地 hěn fèijìnde; 勉强(地) miǎnqiǎng(de)
근대 명〖植〗莙荙菜 jūndácài
근:대(近代) 명〖史〗近代 jìndài ¶~ 사회 近代社会 / ~ 국가 近代国家 / ~ 문학 近代文学 / ~사 近代史 / ~화 近代化
근:대 오:종 경:기(近代五種競技)〖體〗五项全能 wǔxiàng quánnéng
근데 부 '그런데' 的略词
근:래(近來) 명 近来 jìnlái; 最近 zuìjìn ¶~에 보기 드물다 近来罕见
근력(筋力) 명 **1** 肌气 jīqì ¶~ 강화 운동 增强肌气锻炼 **2** 精神 jīngshen; 气力 qìlì; 元气 yuánqì ¶~이 없다 没有

气力
근:로(勤勞) 명하자 劳动 láodòng; 勤劳 qínláo; 劳 láo ¶~ 기준법 劳动基准法 / ~ 소득 劳动所得 / ~자 劳动者 / ~자의 날 劳动节
근:린(近隣) 명 **1** 近邻 jìnlín **2** = 근처
근:면(勤勉) 명하형히부 勤勉 qínmiǎn; 勤劳 qínláo
근:무(勤務) 명하자 **1** 工作 gōngzuò ¶~ 시간 工作时间 / ~ 연한 工作年限 =[工龄] / ~자 工作人员 / ~지 工作地点 **2** 班 bān; 值班 zhíbān ¶~ 교대 交班
근:방(近方) 명 = 근처
근본(根本) 명 根本 gēnběn ¶~ 원인을 분석하다 分析根本原因
근본-적(根本的) 관명 根本(的) gēnběn(de); 根本上 gēnběnshang ¶~으로 해결하다 从根本上解决
근:사-치(近似値) 명 〖數〗 近似值 jìnsìzhí
근:사-하다(近似—) 형 **1** 仿佛 fǎngfú; 近似 jìnsì; 相仿 xiāngfǎng **2** 还可以 hái kěyǐ; 较好 jiào hǎo
근성(根性) 명 根性 gēnxìng; 劣根性 liègēnxìng
근소-하다(僅少—) 형 很少 hěn shǎo; 极少 jí shǎo; 微弱 wēiruò ¶근소한 차이 微弱差距
근:속(勤續) 명하자 连续工作 liánxù gōngzuò ¶~ 연한 连续工作年限 =[工龄]
근수(斤數) 명 斤数 jīnshù ¶~를 달다 量斤数
근:시(近視) 명 〖醫〗 近视 jìnshì ¶~경 近视眼镜 =[近视镜]
근:시-안(近視眼) 명 近视 jìnshì; 近视眼 jìnshìyǎn
근:신(謹愼) 명하자 谨慎 jǐnshèn
근심 명하자타 操心 cāoxīn; 担心 dānxīn; 惦念 diànniàn; 挂念 guàniàn; 牵挂 qiānguà; 忧虑 yōulǜ
근심-거리 명 愁事 chóushì; 心上疙瘩 xīnshàng gēda; 心事 xīnshì
근심-스럽다 형 操心 cāoxīn; 担心 dānxīn; 发愁 fāchóu; 忧虑 yōulǜ; 郁悒 yùyì **근심스레** 부
근:엄-하다(謹嚴—) 형 谨严 jǐnyán; 严厉 yánlì; 严肃 yánsù ¶근엄한 표정 严肃的神情 **근:엄-히** 부
근원(根源) 명 根源 gēnyuán ¶~지 根源地
근:위(近衛) 명하타 近卫 jìnwèi ¶~대 近卫队 / ~병 近卫兵
근육(筋肉) 명 〖生〗 肌肉 jīròu; 筋肉 jīnròu; 筋 jīn ¶~ 운동 肌肉运动 / ~ 주사 肌肉注射 / ~통 肌肉酸痛
근절(根絶) 명하타 杜绝 dùjué; 根绝 gēnjué; 根除 gēnchú; 消除 xiāochú ¶부동산 투기를 ~하다 根除房地产投机
근:접(近接) 명하자 接近 jiējìn; 邻近 línjìn; 靠近 kàojìn ¶수출 목표에 ~되다 接近出口目标
근:조(謹弔) 명하타 谨吊 jǐndiào
근종(筋腫) 명 〖醫〗 肌瘤 jīliú ¶자궁 ~ 子宫肌瘤
근질-거리다 자 **1** 痒痒 yǎngyang; 发痒 fāyǎng; 痒 yǎng **2** 手痒 shǒuyǎng ‖=근질대다 **근질-근질** 부하자
근채(根菜) 명 = 뿌리채소 ¶~류 根菜类
근:처(近處) 명 附近 fùjìn; 近处 jìnchù; 左近 zuǒjìn = 근린2 · 근방 ¶우리 집 ~ 我家附近
근처도 못 가다 구 不可相提并论; 望尘莫及
근:친(近親) 명 近亲 jìnqīn; 近族 jìnzú ¶~혼 近亲结婚 / ~ 교배 近亲交配 / ~상간 近亲通奸
근:하-신년(謹賀新年) 명 恭贺新年 gōnghè xīnnián; 恭贺新禧 gōnghè xīnxǐ
근:해(近海) 명 〖地理〗 近海 jìnhǎi ¶~ 어업 近海渔业
근호(根號) 명 〖數〗 根号 gēnhào
근:황(近況) 명 近况 jìnkuàng ¶그의 ~을 알아보다 打听他的近况
글 명 **1** 文章 wénzhāng; 文 wén ¶~을 쓰다 写文章 **2** 学识 xuéshí; 学问 xuéwen **3** = 글자
글-공부(—工夫) 명하자 读书 dúshū; 念书 niànshū; 学习 xuéxí; 学文化 xué wénhuà
글-귀(—句) 명 句 jù; 文句 wénjù; 语句 yǔjù; 字句 zìjù; 字眼 zìyǎn
글라스(glass) 명 = 유리잔
글라이더(glider) 명 〖航〗 滑翔机 huáxiángjī
글래머(←glamour girl) 명 丰腴女人 fēngyú nǚrén; 丰满女人 fēngmǎn nǚrén
글러브(glove) 명 〖體〗 手套 shǒutào; 棒球手套 bàngqiú shǒutào; 拳击手套 quánjī shǒutào
글루텐(gluten) 명 〖化〗 麸质 fūzhì; 面筋 miànjin
글리세린(glycerin) 명 〖化〗 甘油 gānyóu; 丙三醇 bǐngsānchún
글리코겐(glycogen) 명 〖生〗 糖原 tángyuán; 肝糖 gāntáng
글-방(—房) 명 私塾 sīshú; 学堂 xuétáng = 서당 · 학당1
글썽-거리다 자타 (泪水) 汪汪 wāngwāng = 글썽대다 ¶눈물이 ~ 眼泪汪汪 **글썽-글썽** 부하자타형
글썽-이다 자타 (眼水) 汪汪 wāngwāng

글쎄 감 是呀 shìya
글씨 명 **1** 字体 zìtǐ; 字 zì **2** = 글자 **3** 书法 shūfǎ; 写字 xiězì
글씨-체(—體) 명 = 서체
글-자(—字) 명 文字 wénzì; 字 zì = 글3 · 글씨2 · 자²(字)1
글-짓기 명하자 作文 zuòwén; 做文章 zuò wénzhāng
글피 명 大后天 dàhòutiān
긁다 타 **1** 挠 náo; 搔 sāo; 剐 guǎ; 抓 zhuā ¶가려운 데를 ~ 抓痒 **2** 惹 rě; 挑逗 tiǎodòu ¶남의 비위를 ~ 惹人生气 / 그녀의 감정을 긁지 마라 不要惹她 **3** 诋毁 dǐhuǐ; 诽谤 fěibàng ¶제멋대로 상사를 긁어대다 肆意诋毁上司 **4** 扒拉 bāla ¶갈퀴로 낙엽을 ~ 用耙子扒拉落叶 **5** 刮 guā ¶냄비 밑을 긁어내다 刮锅底 **6** 刷 shuā ¶카드를 ~ 刷卡
긁어-모으다 타 **1** 扒拢 bālǒng; 搂 lōu ¶땔나무를 ~ 搂柴火 **2** 搜 sōu; 搜刮 sōuguā; 赚 zhuàn ¶돈을 ~ 搜刮金钱 **3** 七拼八凑 qīpīnbācòu; 收罗 shōuluó; 东拼西凑 dōngpīnxīcòu
긁적-거리다 타 喀哧喀哧地挠痒 kāchīkāchīde náoyǎng = 긁적대다 **긁적-긁적** 부하타
긁-히다 자타 '긁다1' 的被动词 ¶손이 철망에 ~ 手被铁丝网剐破了
금¹ 명하타 价格 jiàgé; 价钱 jiàqián; 价 jià ¶~을 매기다 定价
금² 명 **1** 线 xiàn; 线条 xiàntiáo; 纹路 wénlù ¶~을 긋다 划线 **2** 裂 liè; 裂痕 lièhén; 裂口 lièkǒu; 裂纹 lièwén ¶~이 가다 龟裂
금(金) 명 **1** 〖鑛〗 金 jīn; 黄金 huángjīn; 金子 jīnzi ¶~시계 金表 / ~도금 镀金 / ~가루 金粉 / ~귀고리 金耳环 / ~반지 金戒指 / ~부처 金佛 / ~비녀 金簪 / ~팔찌 金手镯 **2** = 금메달
-금(金) 접미 款 kuǎn; 金 jīn ¶장학~ 奖学金 / 보증~ 押金 / 기부~ 捐款
금-값(金—) 명 **1** 黄金价格 huángjīn jiàgé **2** 高价 gāojià; 贵 guì; 价高 jiàgāo
금강-석(金剛石) 명 〖鑛〗 金刚石 jīngāngshí; 金刚钻 jīngāngzuàn; 钻石 zuànshí = 다이아 · 다이아몬드1
금고(金庫) 명 保险柜 bǎoxiǎnguì; 保险箱 bǎoxiǎnxiāng; 金库 jīnkù
금:고(禁錮) 명 〖法〗 禁锢 jìngù = 금고형
금:고-형(禁錮刑) 명 〖法〗 = 금고(禁錮)
금관(金冠) 명 金冠 jīnguān ¶머리에 ~을 쓰다 头戴金冠
금관 악기(金管樂器) 〖音〗 铜管乐器 tóngguǎn yuèqì
금광(金鑛) 명 〖鑛〗 **1** 金矿 jīnkuàng **2** = 금광석
금-광석(金鑛石) 명 〖鑛〗 金矿石 jīnkuàngshí = 금광2
금괴(金塊) 명 = 금덩이
금권(金權) 명 金权 jīnquán ¶~ 정치 金权政治
금귤(金橘) 명 〖植〗 金橘 jīnjú
금:기(禁忌) 명하타 禁忌 jìnjì
금년(今年) 명 = 올해
금년-도(今年度) 명 今年 jīnnián; 今年度 jīnniándù ¶~ 재무 보고서 今年度财务报告
금-니(金—) 명 金牙 jīnyá
금:단(禁斷) 명하타 戒断 jièduàn ¶~ 증세 戒断综合症
금-덩이(金—) 명 金块 jīnkuài = 금괴
금란지교(金蘭之交) 명 金兰之交 jīnlánzhījiāo
금:령(禁令) 명 禁法 jìnfǎ; 禁令 jìnlìng
금리(金利) 명 〖經〗 利息 lìxī ¶~ 정책 利息政策
금맥(金脈) 명 〖鑛〗 金矿脉 jīnkuàngmài
금-메달(金medal) 명 金牌 jīnpái = 금(金)2 ¶~을 따다 拿到金牌
금-메달리스트(金medalist) 명 金牌得主 jīnpái dézhǔ
금:물(禁物) 명 **1** 〖法〗 违禁品 wéijìnpǐn; 严禁物 yánjìnwù **2** 切忌 qièjì; 忌讳 jìhuì ¶환자에게 술은 ~이다 病人切忌喝酒
금박(金箔) 명 金箔 jīnbó ¶~지 金箔纸 / ~을 입히다 贴上金箔
금발(金髮) 명 金发 jīnfà ¶~의 미녀 金发美女
금방(今方) 부 刚才 gāngcái; 刚 gāng; 马上 mǎshàng ¶부모님은 ~ 오실 것이다 父母马上就要来了
금방(金房) 명 = 금은방
금번(今番) 명 = 이번
금-붕어(金—) 명 〖魚〗 金鱼 jīnyú
금-붙이(金—) 명 金制品 jīnzhìpǐn
금-빛(金—) 명 金光 jīnguāng; 金色 jīnsè ¶~ 모래 金色细沙
금상(金賞) 명 金奖 jīnjiǎng ¶~을 타다 获得金奖
금:상첨화(錦上添花) 명 锦上添花 jǐnshàngtiānhuā
금색(金色) 명 金色 jīnsè ¶~ 단추 金色扣子
금:서(禁書) 명 禁书 jìnshū
금성(金星) 명 〖天〗 金星 jīnxīng; 启明星 qǐmíngxīng = 루시퍼2 · 비너스2
금세 부 立刻 lìkè; 马上 mǎshàng; 一下子 yīxiàzi; 很快(地) hěn kuài(de) ¶방이 ~ 따뜻해졌다 房间一下子暖和起来
금속(金屬) 명 金属 jīnshǔ = 쇠붙이1

¶～ 공예 金属工艺 / ～ 재료 金属材料 / ～ 원소 金属元素 / ～ 활자 金属活字

금속-성(金屬性) 명 金属性 jīnshǔxìng ¶～ 물질 金属性物质

금수(禽獸) 명 禽兽 qínshòu; 飞禽走兽 fēiqínzǒushòu ¶～만도 못한 놈 禽兽不如的家伙

금:수(錦繡) 명 锦绣 jǐnxiù ¶～강산 锦绣河山

금시-초문(今始初聞 · 今時初聞) 명 头一次听到 tóuyīcì tīngdào; 闻所未闻 wénsuǒwèiwén ¶그런 말은 ～이다 那种话还是头一次听到的

금:식(禁食) 명하자 禁食 jìnshí; 不吃 bùchī ¶～ 기도 禁食祷告 / 수술 전에는 ～을 해야 한다 手术前要禁食

금-실(金—) 명 金线 jīnxiàn; 金丝 jīnsī

금실(←琴瑟) 명 琴瑟 qínsè ¶～이 좋다 琴瑟和好 =[琴瑟和谐]

금-싸라기(金—) 명 1 金粒 jīnlì 2 宝贵 bǎoguì; 珍贵 zhēnguì; 黄金 huángjīn ¶～ 땅 黄金地段

금액(金額) 명 金额 jīn'é; 款数 kuǎnshù; 款 kuǎn; 款项 kuǎnxiàng ¶일정한 ～을 지불하다 交一定金额

금:연(禁煙) 명하자 1 禁烟 jìnyān; 禁止吸烟 jìnzhǐ xīyān ¶～ 광고 禁烟广告 / ～ 구역 禁烟区 / ～석 禁烟座 2 戒烟 jièyān ¶～을 결심하다 下定决心戒烟

금요(金曜) 명 星期五 xīngqīwǔ; 礼拜五 lǐbàiwǔ; 周五 zhōuwǔ ¶～ 모임 周五聚会

금-요일(金曜日) 명 星期五 xīngqīwǔ; 礼拜五 lǐbàiwǔ; 周五 zhōuwǔ

금:욕(禁慾) 명하자 禁欲 jìnyù ¶～주의 禁欲主义

금융(金融) 명 〖經〗 金融 jīnróng ¶～가 金融街 / ～ 거래 金融交易 / ～계 金融界 / ～ 기관 金融机关 / ～ 시장 金融市场 / ～ 실명제 金融实名制 / ～업 金融业 / ～ 자본 金融资本 / ～ 자산 金融资产 / ～ 회사 金融公司

금은(金銀) 명 金银 jīnyín ¶～보석 金银宝石 / ～보화 金银宝贝

금은-방(金銀房) 명 金银店 jīnyíndiàn; 金店 jīndiàn = 금방(金房)

금:의-환향(錦衣還鄕) 명하자 衣锦还乡 yījǐnhuánxiāng

금일(今日) 명 1 = 오늘㊀1 2 = 요사이

금-일봉(金一封) 명 红包 hóngbāo

금자-탑(金字塔) 명 金字塔 jīnzìtǎ ¶～을 세우다 修建金字塔

금-잔디(金—) 명 1 〖植〗 结缕草 jiélǚcǎo 2 草坪 cǎopíng

금잔-화(金盞花) 명 〖植〗 金盏花 jīnzhǎnhuā

금장(金裝) 명하타 金装 jīnzhuāng

금:장(襟章) 명 襟章 jīnzhāng; 领章 lǐngzhāng

금전(金錢) 명 1 = 금화 2 〖經〗 = 화폐 ¶～ 등록기 收银机 / ～ 출납부 流水账 / ～ 거래 金钱交易

금제(金製) 명 金制 jīnzhì; 金制品 jīnzhìpǐn ¶～ 장신구 金制首饰

금:제(禁制) 명하타 禁制 jìnzhì; 禁止 jìnzhǐ ¶～품 禁制品 / 밀무역을 ～하다 禁止走私

금주(今週) 명 本周 běnzhōu; 这(个)星期 zhè(ge) xīngqī ¶～내로 임무를 끝낼 계획이다 计划本周内完成任务

금:주(禁酒) 명하자 1 禁酒 jìnjiǔ ¶～령 禁酒令 2 戒酒 jièjiǔ ¶～를 결심하다 决心戒酒

금-줄(金—) 명 1 金链子 jīnliànzi 2 金线 jīnxiàn ¶～을 두르다 镶上金线

금:-줄(禁—) 명 〖民〗 禁绳 jìnshéng

금:지(禁止) 명하타 禁止 jìnzhǐ; 禁 jìn; 免 miǎn ¶출입 ～ 禁止出入 / ～령 禁止令 / ～법 禁止法 / 관계자 외 출입 ～ 闲人免进 / 통행을 ～하다 禁止通行 / 사냥을 ～하다 禁止捕猎

금지-옥엽(金枝玉葉) 명 金枝玉叶 jīnzhīyùyè

금:지-품(禁止品) 명 〖法〗 禁品 jìnpǐn; 违禁品 wéijìnpǐn; 违禁物 wéijìnwù

금쪽-같다(金—) 형 宝贵 bǎoguì; 珍贵 zhēnguì

금칠(金漆) 명하타 金漆 jīnqī; 镀金 dùjīn ¶～한 액자 金漆的相框儿

금침(衾枕) 명 衾枕 qīnzhěn

금-테(金—) 명 金边(儿) jīnbiān(r); 金框(儿) jīnkuàng(r) ¶～ 안경 金边眼镜 / ～를 두르다 镶金边儿

금품(金品) 명 钱财 qiáncái; 金钱 jīnqián ¶～을 요구하다 要求金钱 / ～을 갈취하다 勒索钱财

금:-하다(禁—) 타 1 禁 jìn; 禁止 jìnzhǐ ¶출입을 ～ 禁止出入 2 禁 jīn ¶실소를 금치 못하다 不禁失笑 / 눈물을 금치 못하다 禁不住眼泪

금혼-식(金婚式) 명 金婚庆典 jīnhūn qìngdiǎn; 金婚 jīnhūn

금화(金貨) 명 金币 jīnbì = 금전1 ¶～ 한 닢 一枚金币

금후(今後) 명 今后 jīnhòu ¶～ 10년의 계획 今后十年的计划 / ～의 연구 방향 今后的研究方向

급(級) 명 1 等级 děngjí; 级 jí; 级别 jíbié ¶～이 낮은 사람 级别低的人 / ～이 높다 级别高 2 (职级的) 级 jí ¶장관～ 部长级

급-(急) 접두 急 jí; 冲 chōng; 急忙 jímáng ¶ ~가속 急加速 / ~커브 急弯 / ~출발 急开 / ~강하 俯冲

급감(急減) 명하자 剧减 jùjiǎn; 骤减 zhòujiǎn ¶ 수입이 ~하다 收入剧减 / 공급이 ~하다 供应剧减 / 양이 ~하다 数量骤减

급-강하(急降下) 명하자 **1** 急降 jíjiàng ¶ 기온이 ~하다 气温急降 **2** (飞机) 俯冲 fǔchōng ¶ ~ 폭격 俯冲轰炸

급격-하다(急激—) 형 急剧 jíjù; 急遽 jíjù; 激剧 jījù ¶ 급격한 변화가 일어나다 发生急剧的变化 **급격-히** 부 ¶ 병세가 ~ 악화되다 病情急剧恶化

급-경사(急傾斜) 명 急倾斜 jíqīngxié; 大倾斜 dàqīngxié ¶ ~면 大倾斜面

급구(急求) 명하타 急求 jíqiú

급급-하다(汲汲—) 형 汲汲 jíjí; 急于 jíyú; 忙于 mángyú ¶ 개인의 이익에만 ~ 汲汲于个人的利益 / 돈벌이에 ~ 忙于赚钱 **급급-히** 부

급기야(及其也) 부 终究 zhōngjiū; 终于 zhōngyú; 最后 zuìhòu ¶ ~ 그는 실패하고 말았다 终于他失败了

급등(急騰) 명하자 飞涨 fēizhǎng; 猛涨 měngzhǎng; 激涨 jīzhǎng ¶ ~세 猛涨势 / 가격이 ~하다 价格飞涨 / 물가가 ~하다 物价猛涨

급락(急落) 명하자 剧降 jùjiàng; 猛跌 měngdiē; 猛降 měngjiàng ¶ ~세 猛降势 / 가격이 ~하다 价格猛跌

급랭(急冷) 명하타 激冷 jīlěng

급료(給料) 명하자 工资 gōngzī; 工钱 gōngqian; 薪水 xīnshui ¶ ~를 지급하다 支付薪水 / ~를 삭감하다 削减工资

급류(急流) 명 激流 jīliú; 急流 jíliú; 流 liú ¶ ~ 타기 漂流运动 / ~에 휩쓸리다 被急流冲走

급매(急賣) 명하타 急卖 jímài

급박(急迫) 명하형히부 急迫 jípò; 紧迫 jǐnpò ¶ ~한 국제 정세 急迫的国际局势

급변(急變) 명하자 急变 jíbiàn; 剧变 jùbiàn; 突变 tūbiàn ¶ 정세가 ~하다 形势剧变 / 날씨가 ~하다 天气剧变

급병(急病) 명 急病 jíbìng

급-부상(急浮上) 명하자 **1** 快速浮上 kuàisù fúshàng ¶ 수면으로 ~하다 快速浮上水面 **2** 突然跃升 tūrán yuèshēng ¶ 그가 영웅으로 ~하다 他突然跃升为英雄

급-브레이크(急brake) 명 急刹车 jíshāchē ¶ ~를 걸다 踩急刹车

급사(急死) 명하자 暴死 bàosǐ; 暴毙 bàobì; 暴卒 bàozú; 猝死 cùsǐ ¶ 그는 갑자기 ~했다 他突然猝死了

급살(急煞) 명 『民』 急煞 jíshā

급살(을) 맞다 구 暴死; 猝死

급-상승(急上昇) 명하자 攒升 cuánshēng; 急速上升 jísù shàngshēng

급-선무(急先務) 명 当务之急 dāngwùzhījí

급-선회(急旋回) 명하자 急弯 jíwān; 急转弯 jízhuǎnwān ¶ 자동차가 ~를 해서 북쪽으로 갔다 汽车转了个急弯, 朝着北方跑去

급성(急性) 명 急性 jíxìng ¶ ~ 맹장염 急性盲肠炎 / ~ 위염 急性胃炎 / ~병 急性病 / ~ 전염병 急性传染病

급-성장(急成長) 명하자 急成长 jíchéngzhǎng; 快速成长 kuàisù chéngzhǎng ¶ 중국 경제의 ~ 中国经济的快速成长

급소(急所) 명 **1** (身上的) 要害 yàohài; 致命处 zhìmìngchù ¶ ~를 맞고 쓰러졌다 打中要害倒了下去 **2** 弱点 ruòdiǎn; 要害 yàohài ¶ ~를 찌르다 打中要害 / ~에 명중하다 命中要害

급속(急速) 명하형히부 急速 jísù; 飞速 fēisù; 快速 kuàisù; 迅速 xùnsù; 速 sù ¶ ~ 냉동 速冻 / ~한 발전 飞速发展

급-속도(急速度) 명 急速 jísù; 高速 gāosù; 高速度 gāosùdù ¶ ~로 발전하다 高速发展

급수(級數) 명 级 jí; 级别 jíbié; 级数 jíshù ¶ 등차~ 算术级数

급수(給水) 명하타 给水 jǐshuǐ; 供水 gōngshuǐ ¶ ~ 설비 给水设备 / ~ 펌프 给水泵 / ~ 공사 给水工程 / ~관 给水管

급수-차(給水車) 명 供水车 gōngshuǐchē = 물자동차2 · 물차

급습(急襲) 명하타 奇袭 qíxí; 突袭 tūxí

급식(給食) 명하자 供应食物 gōngyìng shíwù; 伙食 huǒshi ¶ ~비 伙食费 / 학생들에게 무료로 ~하다 免费向学生供应食物

급여(給與) 명하타 **1** 工资 gōngzī; 工钱 gōngqian; 薪俸 xīnfèng; 薪金 xīnjīn; 薪水 xīnshui ¶ ~를 지급하다 支付工资 **2** 供给 gōngjǐ; 供应 gōngyìng ¶ 식량을 ~하다 供给粮食

급우(級友) 명 同班 tóngbān; 同班同学 tóngbān tóngxué

급유(給油) 명하자 加油 jiāyóu; 上油 shàngyóu ¶ ~기 加油机 / ~차 加油车 / ~ 장치 加油装置

급작-스럽다 형 突然 tūrán; 忽然 hūrán; 猛然 měngrán; 骤然 zhòurán ¶ 급작스러운 변화 突然的变化 / 급작스럽게 사고가 났다 突然发生了事故 **급작스레** 부

급전(急電) 명 急电 jídiàn ¶ ~을 치다

发急电
급전(急錢) 명 急用的钱 jíyòngde qián; 应急的钱 yìngjíde qián ¶~을 마련하다 准备应急的钱
급전(急轉) 명하자 急转 jízhuǎn; 突然变化 tūrán biànhuà ¶상황이 ~하다 局面急转
급-정거(急停車) 명하자타 急停车 jítíngchē; 急刹车 jíshāchē
급제(及第) 명하자 〖史〗及第 jídì; 及格 jígé ¶과거에 ~하다 科举及第
급조(急造) 명하타 赶制 gǎnzhì; 抢建 qiǎngjiàn ¶~된 건물 抢建的建筑 / 제품을 ~하다 赶制产品
급증(急增) 명하자 急增 jízēng; 激增 jīzēng; 剧增 jùzēng; 猛增 měngzēng ¶인구가 ~하다 人口激增
급진(急進) 명하자 激进 jījìn; 急进 jíjìn; 激烈 jīliè ¶~ 세력 激进势力 / ~주의 激进主义 / ~파 激进派
급진-적(急進的) 관명 激进(的) jījìn(de); 急进(的) jíjìn(de) ¶~인 정책 激进的政策 / ~ 관념 激进的观念
급-진전(急進展) 명하자 急速进展 jísù jìnzhǎn ¶작업의 ~ 工作的急速进展
급파(急派) 명하타 急派 jípài ¶사고 현장에 구조대를 ~하였다 急派了救援队前往事故现场
급-하다(急—) 형 **1** 急 jí; 急切 jíqiè ¶급하게 뛰다 急跑 / 그 사람은 성미가 ~ 那个人性子急 **2** 着急 zháojí ¶급하게 굴지 말고 문제가 있으면 상의해 보자 别着急,有问题商量商量 **3** 陡峭 dǒuqiào ¶지세가 ~ 地势陡峭 **4** (病情) 急 jí; 危急 wēijí ¶급한 고비를 넘겼다 度过了危急的关头 **급-히** 부
급행(急行) 명하자 **1** 急趋 jíqū; 急行 jíxíng **2** = 급행열차 ¶~을 타다 乘坐快车
급행-열차(急行列車) 명 快车 kuàichē = 급행2
급환(急患) 명 急病 jíbìng; 急症 jízhèng ¶그는 ~으로 입원했다 他因为急症住院了
급-회전(急回轉) 명하자타 急回转 jíhuízhuǎn; 急转弯 jízhuǎnwān
급훈(級訓) 명 班训 bānxùn
긋:다 타 **1** 勾 gōu; 划 huà; 画 huà ¶선을 ~ 划线 / 연필로 종이에 금을 ~ 用铅笔在纸上划线 **2** 擦 cā; 划 huá ¶성냥을 ~ 擦火柴
긍:정(肯定) 명하타 肯定 kěndìng; 赞成 zànchéng ¶~ 명제 肯定命题 / ~문 肯定句
긍:정-적(肯定的) 관명 肯定(的) kěndìng(de); 正面(的) zhèngmiàn(de) ¶~인 효과 正面效应 / ~인 평가 正面评价 / ~인 태도를 보이다 表现出肯定的态度 / ~으로 판단하다 肯定地判断
긍:지(矜持) 명 骄傲 jiāo'ào; 自豪 zìháo; 自豪感 zìháogǎn ¶민족의 ~ 民族的骄傲 / ~를 느끼다 感到自豪
기(氣) 명 **1** 气 qì **2** 傲气 àoqì; 元气 yuánqì ¶~가 센 사람 傲气十足的人 / ~가 부족하다 元气不足 **3** 劲儿 jìnr; 力气 lìqi; 力 lì ¶~를 쓰다 用力
기(基) 의명 座 zuò ¶비석 1~ 一座碑石
기(期) 명 **1** 届 jiè; 期 qī ¶제1~ 졸업생 第一届毕业生 / 같은 ~의 졸업생 同期毕业生 **2** (用于后缀) 期 qī; 期间 qījiān ¶농번~ 农忙期 / 성장~ 成长期 / 발전~ 发展期 / 전성~ 全盛期
기(旗) 명 旗 qí; 旗号 qíhào; 旗帜 qízhì; 旗子 qízi ¶~를 달다 挂旗子 / ~를 흔들다 摇旗
-기(記) 접미 记 jì ¶여행~ 游记 / 체험~ 体验记
-기(期) 접미 期 qī ¶사춘~ 青春期 / 농번~ 农忙期
-기(器) 접미 器 qì ¶주사~ 注射器 / 호흡~ 呼吸器 / 생식~ 生殖器
-기(機) 접미 机 jī ¶발전~ 发电机 / 폭격~ 轰炸机
기가(giga) 의명 〖컴〗千兆 qiānzhào ¶~바이트 千兆字节
기각(棄卻) 명하타 〖法〗驳斥 bóchì; 驳回 bóhuí; 批驳 pībó; 取消 qǔxiāo ¶상소를 ~하다 驳回上诉
기간(基幹) 명 基本 jīběn; 基础 jīchǔ; 基干 jīgàn ¶~산업 基础产业
기간(期間) 명 期 qī; 期间 qījiān ¶휴가 ~ 休假期间 / 계약 ~ 合同期间
기강(紀綱) 명 纪纲 jìgāng; 法度 fǎdù ¶~ 확립 确立纪纲 / ~을 바로잡다 纠正纪纲
기개(氣概) 명 气度 qìdù; 气概 qìgài; 气派 qìpài; 气魄 qìpò; 气宇 qìyǔ ¶~가 있는 사나이 颇有气概的男人 / 영웅적 ~ 英雄气概
기거(寄居) 명하자 寄居 jìjū ¶친척 집에 ~하다 寄居在亲戚家里
기겁(氣怯) 명하자 惊恐 jīngkǒng; 惊吓 jīngxià; 惊慌 jīnghuāng ¶아이가 ~하고 울기 시작했다 孩子受了惊吓,哭起来了
기결(旣決) 명하타 已经处理 yǐjīng chǔlǐ; 已经解决 yǐjīng jiějué; 已决 yǐjué; 既决 jìjué ¶~ 사항 已经解决的事项 / ~ 서류 已经处理的文件 / ~수 既决犯 =[既决囚] / ~안 既决案
기계(機械) 명 机械 jīxiè; 机器 jīqì ¶생산 ~ 生产机械 / 농업 ~ 农业机械 / ~ 공학 机械工程学 / ~실 机器房 / ~유 机械油 / ~를 조작하다 操作

机器
기계(器械) 명 器械 qìxiè ¶운동 ~ 运动器械 / ~ 운동 器械运动 / ~ 체조 器械操 =[器械体操]
기계-적(機械的) 관명 机械(的) jīxiè(de) ¶~인 고장 机械故障 / 일하는 방법이 너무 ~이다 工作方法太机械了
기계-화(機械化) 명하자타 机械化 jīxièhuà; 机器化 jīqìhuà ¶농업의 ~ 农业的机械化 / ~ 작업 机械化作业
기고(起稿) 명하타 打稿子 dǎ gǎozi; 起稿 qǐgǎo
기고(寄稿) 명하타 寄稿 jìgǎo; 投稿 tóugǎo ¶~가 投稿者 / 문학잡지에 ~하다 给文学杂志投稿
기고-만장(氣高萬丈) 명하자형 气势汹汹 qìshìxiōngxiōng; 气焰万丈 qìyànwànzhàng; 气冲斗牛 qìchōngdǒuniú; 趾高气扬 zhǐgāoqìyáng
기골(氣骨) 명 1 骨气 gǔqì; 气节 qìjié ¶~이 있는 사나이 有气节的男子汉 2 骨骼 gǔgé; 体格 tǐgé; 身材 shēncái ¶~이 장대한 사람 身材魁梧的人
기공(氣孔) 명 〖植〗 气孔 qìkǒng
기공(氣功) 명 〖體〗 气功 qìgōng
기공(起工) 명하타 动工 dònggōng; 开工 kāigōng; 兴工 xīnggōng; 起工 qǐgōng ¶흙을 파헤치고 ~하다 破土动工
기공-식(起工式) 명 开工典礼 kāigōng diǎnlǐ
기관(汽管) 명 汽管 qìguǎn
기관(氣管) 명 〖生〗 气管 qìguǎn; 喉管 hóuguǎn = 숨통
기관(器官) 명 〖生〗 器 qì; 器官 qìguān ¶호흡 ~ 呼吸器官 / 감각 ~ 感觉器官
기관(機關) 명 1 机关 jīguān; 机 jī ¶~실 机房 / 증기 ~ 蒸汽机 2 (组织) 机关 jīguān; 机构 jīgòu ¶교육 ~ 教育机关 / 정부 ~ 政府机关 / ~원 机关人员
기관-사(機關士) 명 〖交〗 (火车、轮船等的) 司机 sījī; 驾驶员 jiàshǐyuán = 엔지니어2
기관-지(氣管支) 명 〖生〗 支气管 zhīqìguǎn ¶~염 支气管炎
기관-차(機關車) 명 机车 jīchē; 火车头 huǒchētóu
기관-총(機關銃) 명 〖軍〗 机关枪 jīguānqiāng; 机枪 jīqiāng
기괴-하다(奇怪—) 형 怪异 guàiyì; 奇怪 qíguài; 奇异 qíyì ¶기괴한 현상 奇怪的现象
기교(技巧) 명하형 技巧 jìqiǎo ¶~가 뛰어나다 技巧高超 / ~를 부리다 玩弄技巧
기구(器具) 명 工具 gōngjù; 器具 qìjù; 仪器 yíqì; 用具 yòngjù ¶주방 ~ 厨房用具 / 운동 ~ 运动器具 / 실험 ~ 实验仪器
기구(氣球) 명 气球 qìqiú = 풍선(風船)1 ¶기상 ~ 气象气球 / ~를 띄우다 放气球
기구(機構) 명 机构 jīgòu; 组织 zǔzhī ¶정부 ~ 政府机构 / ~를 설립하다 设立机构
기구-하다(崎嶇—) 형 坎坷 kǎnkě; 坎坷不平 kǎnkěbùpíng; 崎岖 qíqū ¶기구한 운명 坎坷的命运 / 기구한 신세 坎坷不平的身世
기권(棄權) 명하자타 弃权 qìquán ¶~자 弃权者 / ~표 弃权票 / ~승 弃权胜 / 투표에서 ~하다 在投票中弃权
기근(飢饉 · 饑饉) 명 1 饥荒 jīhuang; 饥馑 jījǐn; 荒 huāng ¶~에 대비하다 防荒 2 缺 quē; 缺乏 quēfá ¶물 ~ 缺水
기금(基金) 명 基金 jījīn; 资金 zījīn ¶농업 발전 ~ 农业发展基金 / ~을 마련하다 筹备基金 / ~을 모으다 募集基金
기기(機器 · 器機) 명 机器 jīqì; 仪器 yíqì; 机械 jīxiè ¶생산 ~ 生产机器 / 그 ~는 고장 났다 那台机器坏了
기기묘묘-하다(奇奇妙妙—) 형 奇妙 qímiào; 奇奇妙妙 qíqimiàomiào ¶기기묘묘한 재주 奇妙的才能
기꺼이 부 欣然 xīnrán; 高兴地 gāoxìngde; 情愿地 qíngyuànde; 心甘 xīngān ¶~ 승낙하다 欣然应允 / ~ 동의하다 欣然同意
기껍다 형 高兴 gāoxìng; 欣然 xīnrán; 心甘 xīngān; 甘 gān; 欣喜 xīnxǐ; 愉快 yúkuài ¶실패를 기껍게 여기지 않다 不甘失败
기:-껏 부 尽力 jìnlì; 尽量 jǐnliàng; 尽情 jìnqíng; 拼命 pīnmìng
기:껏-해야 부 充其量 chōngqíliàng; 大不了 dàbùliǎo; 顶多 dǐngduō; 至多 zhìduō; 最多 zuìduō ¶여기서 학교까지는 ~ 100미터밖에 안 된다 从这里到学校顶多也就一百米 / 임금은 ~ 천 위안 정도다 工资顶多也就一千块
기내(機內) 명 飞机 fēijī; 机上 jīshàng ¶~식 飞机餐 / ~ 방송 机上广播
기네스-북(Guinness Book) 명 〖書〗 吉尼斯世界纪录大全 Jínísī Shìjiè Jìlù Dàquán
기:녀(妓女) 명 = 기생(妓生)
기념(記念 · 紀念) 명하타 纪念 jìniàn ¶결혼 ~ 结婚纪念 / ~관 纪念馆 / ~비 纪念碑 / ~사진 纪念照片 =[纪念照] / ~식 纪念典礼 =[纪念仪式] / ~주화 纪念币 / ~ 촬영 纪念摄影 / ~탑 纪念塔 / ~품 纪念品 / ~회 纪念会 /

~으로 간직하다 留个纪念
기념-일(紀念日) 명 纪念日 jìniànrì ¶결혼~ 结婚纪念日
기능(技能) 명 技能 jìnéng; 技术 jìshù ¶노동자의 ~을 훈련시키다 训练工人技能
기능(機能) 명 **1** 机能 jīnéng; 功能 gōngnéng ¶생리적 ~ 生理机能 / 언어의 사회적 ~ 语言的社会功能 / ~이 다양하다 功能多样 **2** 职能 zhínéng ¶기관의 ~이 마비되다 机构的职能麻痹
기능-공(技能工) 명 技工 jìgōng
기능-성(機能性) 명 功能性 gōngnéngxìng
기다 자타 **1** 爬 pá; 爬行 páxíng ¶원숭이가 나무에 기어 올라가다 猴子爬上树 **2** 速度慢 sùdù màn **3** 唯命是从 wéimìngshìcóng; 唯唯诺诺 wéiwéinuònuò ¶그녀는 남에게 설설 기는 사람이다 她是唯命是从的人
기:-다랗다 형 长长 chángcháng ¶기다란 나뭇가지 长长的树枝
기다리다 타 等 děng; 等待 děngdài; 待 dài; 等候 děnghòu; 盼 pàn; 守候 shǒuhòu ¶배를 ~ 等船 / 애타게 ~ 焦急地等待 / 조금만 기다려 주세요 请稍等
기단(氣團) 명 『地理』 气团 qìtuán
기담(奇談 · 奇譚) 명 奇谈 qítán ¶~괴설 奇谈怪说
기대(期待 · 企待) 명하타 期待 qīdài; 企望 qǐwàng; 期望 qīwàng; 指望 zhǐwang ¶~ 심리 期待心理 / 그녀에 대한 ~가 크다 对她的期待很高 / 선생님의 ~를 저버리다 辜负老师的期待
기대-감(期待感) 명 期待感 qīdàigǎn; 期待 qīdài
기:대다 一타 凭倚 píngyǐ; 倚 yǐ; 靠 kào; 倚靠 yǐkào ¶문에 ~ 倚门 / 난간에 몸을 ~ 把身体靠在栏杆上 二자 依靠 yīkào; 依赖 yīlài ¶친구에게 ~ 依靠朋友 / 부모에게 기대어 살다 依靠父母生活
기:대-서다 타 依…站 yī…zhàn ¶책상에 몸을 ~ 把身体依在桌子上站着
기대-주(一株) 명 坯子 pīzi
기대-치(期待值) 명 期望值 qīwàngzhí ¶~에 미치지 못하다 达不到期望值
기도(企圖) 명하타 图 tú; 试 shì; 企图 qǐtú ¶자살을 ~하다 企图自杀
기도(祈禱) 명하타 祷告 dǎogào; 祈祷 qídǎo ¶~문 祈祷文 / ~회 祷告会 / 하나님께 ~하다 祈祷上帝
기도(氣道) 명 『生』 气道 qìdào
기독-교(基督教) 명 『宗』 基督教 Jīdūjiào = 예수교1
기독교-인(基督教人) 명 基督教徒 Jīdūjiàotú = 크리스천
기동(機動) 명하자 机动 jīdòng ¶~성 机动性 / ~력 机动力 / ~ 부대 机动部队 / ~ 작전 机动作战
기둥 명 **1** 柱 zhù; 柱子 zhùzi ¶~을 세우다 立柱子 / ~ 뒤에 숨다 藏在柱子后面 **2** 顶梁柱 dǐngliángzhù; 栋梁 dòngliáng; 支柱 zhīzhù ¶나라의 ~ 国家的栋梁 / 그는 집안의 ~이다 他是家里的顶梁柱
기둥-서방(一書房) 명 男鸨 nánbǎo
기득(既得) 명하타 既得 jìdé ¶~권 既得权 / ~ 이익 既得利益
기량(技倆 · 伎倆) 명 本领 běnlǐng; 本事 běnshi; 技能 jìnéng; 技巧 jìqiǎo ¶~이 뛰어나다 技巧高超 / 마음껏 ~을 발휘하다 尽情发挥本领
기량(器量) 명 器量 qìliàng; 本领 běnlǐng; 能耐 néngnai ¶~을 겨루다 比能耐
기러기 명 『鳥』 大雁 dàyàn; 雁 yàn
기력(氣力) 명 精力 jīnglì; 气力 qìlì; 元气 yuánqì ¶~이 다하다 耗尽气力 / ~이 좋다 精力充沛
기로(岐路) 명 = 갈림길 ¶인생의 ~에 서 있다 站在人生的歧路上
기록(記錄) 명하타 **1** 记录 jìlù; 记 jì ¶사건 ~ 事件记录 / 강의 내용을 ~해 두다 把讲课内容记录下来 **2** 纪录 jìlù; 记录 jìlù ¶세계 ~을 세우다 创造世界纪录 / ~을 깨다 打破纪录
기록-적(記錄的) 관명 记录(的) jìlù(de); 记录性 jìlùxìng ¶~인 증가 记录性增加
기뢰(機雷) 명 『軍』 水雷 shuǐléi ¶~를 설치하다 布水雷
기류(氣流) 명 『地理』 气流 qìliú
기르다 타 **1** 饲养 sìyǎng; 养 yǎng ¶동물을 ~ 饲养动物 / 개를 ~ 养狗 / 닭을 ~ 养鸡 **2** 培养 péiyǎng ¶인재를 ~ 培养人才 **3** 留 liú; 蓄 xù ¶수염을 ~ 留胡子 / 머리를 ~ 留头发 **4** 养成 yǎngchéng ¶좋은 습관을 ~ 养成好习惯
기름[1] 명 **1** 油 yóu ¶식물성 ~ 植物性油 / ~을 바르다 上油 / ~에 튀기다 油炸 **2** 石油 shíyóu; 油 yóu ¶차에 ~을 넣다 给车加油
기름[2] 명 『生』 肥 féi; 肥肉 féiròu ¶~이 많은 고기 很肥的肉
기름-기(一氣) 명 **1** 油 yóu; 油水 yóushuǐ; 油腻 yóunì = 유분 ¶~가 없는 반찬 没油水的菜 / ~가 너무 많다 油太重 **2** 滑腻 huánì; 油光 yóuguāng ¶얼굴에 ~가 가득하다 满面油光
기름-때 명 油垢 yóugòu
기름-종이 명 **1** 油纸 yóuzhǐ **2** 吸油纸 xīyóuzhǐ ¶~로 얼굴의 기름을 제

거하다 用吸油纸吸去脸上的油脂
기름-지다 형 **1** 油腻 yóunì ¶기름진 반찬 油腻的菜 **2** 肥 féi ¶그 고기는 매우 ~ 那块肉很肥 **3** 肥沃 féiwò; 肥 féi ¶땅이 매우 ~ 土地很肥沃
기름-칠(—漆) 명하자타 油漆 yóuqī
기리다 타 褒扬 bāoyáng; 称颂 chēngsòng; 称赞 chēngzàn; 歌颂 gēsòng; 赞誉 zànyù ¶고인의 공적을 ~ 褒扬故人的功绩
기린(麒麟) 명 **1** 〖動〗 长颈鹿 chángjǐnglù **2** 〖民〗 麒麟 qílín
기린-아(麒麟兒) 명 麒麟儿 qílín'ér
기립(起立) 一명하자 起立 qǐlì ¶~ 박수 起立鼓掌 二감 起立 qǐlì
기마(騎馬) 명하자 骑马 qímǎ = 승마 1 ¶~ 자세 骑马姿势
기-막히다(氣—) 형 **1** 气坏 qìhuài; 气死 qìsǐ ¶기막혀서 말이 안 나온다 气死得说不出话来 **2** 不得了 bùdéliǎo; 极为 jíwéi; 极 jí ¶기막히게 훌륭한 작품 极为出色的作品 / 기막히게 아름답다 美极了
기만(欺瞞) 명하타 欺瞒 qīmán; 欺骗 qīpiàn; 欺罔 qīwǎng ¶~행위 欺骗行为 / 독자를 ~하는 신문 광고 欺骗读者的报纸广告
기말(期末) 명 期末 qīmò ¶~고사 期末考试
기명(記名) 명하자 记名 jìmíng; 署名 shǔmíng; 签名 qiānmíng ¶~ 투표 记名投票 / ~ 공채 记名公债 / ~ 증권 记名证券
기모(起毛) 명하타 〖手工〗 起毛 qǐmáo
기묘-하다(奇妙—) 형 奇妙 qímiào ¶기묘한 모습 奇妙的样子 / 기묘한 풍습 奇妙的风俗 **기묘-히** 부
기물(器物) 명 器物 qìwù; 家什 jiāshi; 用具 yòngjù
기미 명 黑痣 hēizhì; 痣 zhì ¶얼굴의 ~ 脸上的黑痣
기미(幾微·機微) 명 = 낌새 ¶비가 올 듯한 ~가 있다 有下雨的兆头
기민-하다(機敏—) 형 机敏 jīmǐn; 灵敏 língmǐn ¶기민한 반응 机敏的反应 / 동작이 ~ 动作灵敏 **기민-히** 부
기밀(機密) 명하형 机密 jīmì; 绝秘 juémì ¶~문서 机密文件 / ~을 누설하다 泄露机密
기반(基盤) 명 基础 jīchǔ; 基地 jīdì; 基盘 jīpán ¶경제적 ~을 닦다 打下经济基础 / ~을 다지다 夯实基础
기발-하다(奇拔—) 형 **1** 出奇 chūqí; 奇特 qítè; 新奇 xīnqí; 新颖 xīnyǐng ¶생각이 매우 ~ 想法很新奇 **2** 超群 chāoqún; 出众 chūzhòng ¶기발한 구상 超群的构想
기백(氣魄) 명 气魄 qìpò ¶~이 없다 没有气魄
기법(技法) 명 手法 shǒufǎ; 方法 fāngfǎ; 技法 jìfǎ ¶표현 ~ 表现手法 / 전통 ~ 传统技法
기별(奇別) 명하자타 通知 tōngzhī; 消息 xiāoxi; 信(儿) xìn(r); 信息 xìnxī; 讯息 xùnxī; 音信 yīnxìn ¶~을 보내다 送信 / ~이 없다 杳无音信 / ~을 받다 接到消息 / 도착하면 곧 ~해라 到了立刻来个信儿
기병(騎兵) 명 〖軍〗 骑兵 qíbīng ¶~대 骑兵队
기복(起伏) 명하자 起伏 qǐfú; 沉浮 chénfú ¶~이 심한 산 连绵起伏的山 / 감정의 ~이 심하다 感情起伏不定
기본(基本) 명 基本 jīběn; 基础 jīchǔ ¶~ 구조 基本构造 / ~권 基本权 / ~기 基本技能 / ~ 단위 基本单位 / ~ 어휘 基本词汇 / ~ 원칙 基本原则 / ~ 자세 基本姿势
기본-급(基本給) 명 基本工资 jīběn gōngzī; 底薪 dǐxīn = 본봉
기본-요금(基本料金) 명 起程价 qǐchéngjià; 起程基价 qǐchéng jījià ¶택시 ~ 出租车起程价
기본-적(基本的) 관명 基本(的) jīběn(de); 根本(的) gēnběn(de) ¶~인 문제 基本问题 / 문제는 ~으로 해결되었다 问题基本解决了
기부(寄附) 명하타 捐 juān; 捐献 juānxiàn; 捐赠 juānzèng; 捐助 juānzhù; 施舍 shīshě; 赠送 zèngsòng ¶~금 捐款 / 돈을 ~하다 捐款 / ~를 권유하다 劝捐 / 재산을 ~하다 捐赠财产
기분(氣分) 명 **1** 心情 xīnqíng; 情绪 qíngxù; 心 xīn; 心境 xīnjìng; 心绪 xīnxù ¶~파 情绪派 / ~이 나쁘다 心情不好 / ~이 좋다 心情很好 / ~ 전환을 하다 散心 **2** 空气 kōngqì; 气氛 qìfēn ¶명절 ~ 节日气氛
기뻐-하다 타 高兴 gāoxìng; 欢快 huānkuài; 欢喜 huānxǐ; 欣喜 xīnxǐ ¶속으로 은근히 ~ 心中暗自高兴 / 내가 돌아온 것을 보고 어머니는 매우 기뻐하셨다 看到我回来, 妈妈非常高兴
기쁘다 형 高兴 gāoxìng; 欢快 huānkuài; 欢欣 huānxīn; 庆幸 qìngxìng; 愉快 yúkuài; 欣喜 xīnxǐ ¶나는 이 소식을 듣고 매우 기뻤다 听到这个消息, 我非常高兴
기쁨 명 高兴 gāoxìng; 欢悦 huānyuè; 喜悦 xǐyuè; 欣喜 xīnxǐ ¶~을 느끼다 感到高兴
기사(技士) 명 = 운전기사 ¶버스 ~ 公共汽车司机
기사(技師) 명 工程师 gōngchéngshī
기사(記事) 명 记事 jìshì; 消息 xiāoxi ¶신문에 난 ~ 报纸上的消息 / ~를

쓰다 写记事

기사(棋士·碁士) 명 棋手 qíshǒu ¶프로 ~ 职业棋手

기사(騎士) 명 骑士 qíshì ¶~도 骑士道 / 백마 탄 ~ 骑着白马的骑士

기사-회생(起死回生) 명하자 起死回生 qǐsǐ huíshēng ¶~의 영약 能起死回生的仙丹

기산(起算) 명하자 起算 qǐsuàn ¶~일 起算日 / 1일부터 ~해서 이자를 셈하다 从一日开始起算计息

기상(氣像) 명 气概 qìgài; 气派 qìpài; 气魄 qìpò = 의기(意氣)2

기상(起床) 명하자 起床 qǐchuáng; 起qǐ ¶~ 시간 起床时间 / ~나팔 起床号 / 매일 5시에 ~하다 每天五点起床

기상(氣象) 명 〖地理〗 气象 qìxiàng; 天气 tiānqì ¶~ 관측 气象观测 / ~ 관측소 气象观测站 / ~대 气象台 =[气象站] / ~도 气象图 / ~ 예보 气象预报 / ~ 위성 气象卫星 / ~ 이변 气象异变 / ~청 气象厅

기상-천외(奇想天外) 명하형 异想天开 yìxiǎngtiānkāi ¶~의 방법 异想天开的方法 / ~한 사건 异想天开的事件

기상-학(氣象學) 명 气象学 qìxiàngxué ¶~자 气象学家

기색(氣色) 명 1 气色 qìsè; 神情(儿) shénqíng(r); 容色 róngsè; 神采 shéncǎi; 神色 shénsè ¶부끄러운 ~ 惭愧的神色 2 迹象 jìxiàng; 苗头儿 miáotour; 征候 zhēnghòu ¶끝날 ~이 전혀 없다 并没有结束迹象

기:생(妓生) 명 妓女 jìnǚ; 艺妓 yìjì = 기녀

기생(寄生) 명하자 〖生〗 寄生 jìshēng ¶체내 ~ 内寄生 / 외부 ~ 外寄生 / ~동물 寄生动物

기:생-오라비(妓生—) 명 小白脸儿 xiǎobáiliǎnr

기:생-집(妓生—) 명 妓馆 jìguǎn; 妓院 jìyuàn; 青楼 qīnglóu

기생-충(寄生蟲) 명 寄生虫 jìshēngchóng

기선(汽船) 명 汽船 qìchuán; 轮船 lúnchuán ¶~을 타다 乘坐轮船

기선(機先) 명 先机 xiānjī ¶~을 잡다 抢占先机

기성(既成) 명하타 既成 jìchéng; 现成 xiànchéng ¶~사실 既成事实 / ~세대 既成世代 / ~세력 既成势力

기성-복(既成服) 명 成衣 chéngyī

기세(氣勢) 명 气势 qìshì; 气焰 qìyàn; 派头(儿) pàitóu(r); 干劲 gànjìn; 劲头(儿) jìntóu(r); 声势 shēngshì; 势焰 shìyàn ¶~가 대단하다 派头好大 / ~가 충천하다 气势冲天

기세등등-하다(氣勢騰騰—) 형 风风火火 fēngfenghuǒhuǒ; 气势磅礴 qìshì pángbó

기소(起訴) 명하타 〖法〗 起诉 qǐsù; 告状 gàozhuàng; 控告 kònggào ¶~ 유예 暂缓起诉 / 그는 수뢰죄로 ~되었다 他被控告犯了受贿罪

기소-장(起訴狀) 명 〖法〗 = 공소장

기수(奇數) 명 〖數〗 = 홀수

기수(既遂) 명하타 1 已经完成 yǐjīng wánchéng 2 〖法〗 既遂 jìsuì; 已遂 yǐsuì ¶~범 既遂犯

기수(旗手) 명 旗手 qíshǒu ¶선수단의 ~ 代表队的旗手 / 개혁의 ~ 改革的旗手

기수(騎手) 명 骑手 qíshǒu; 骑师 qíshī

기숙(寄宿) 명하자 寄居 jìjū; 寄宿 jìsù; 宿 sù; 住 zhù ¶~사 宿舍 / ~생 寄宿生 / ~ 학교 寄宿学校

기술(技術) 명 技术 jìshù ¶~ 도입 引进技术 / ~력 技术力 =[技术力量] / ~ 이전 技术转让 / ~자 技术人员 / ~ 제휴 技术合作 / ~을 배우다 学习技术 / ~이 숙련되다 技术熟练

기술(記述) 명하자타 记述 jìshù ¶~한 내용 记述的内容

기술-적(技術的) 관명 1 技术(的) jìshù(de); 技术上(的) jìshùshang(de) ¶~ 문제 技术上的问题 2 有技术(的) yǒu jìshù(de); 有本事(的) yǒu běnshi(de); 有能耐(的) yǒu néngnai(de) ¶~인 처리 有技术的处理

기슭 명 1 岸 àn; 边 biān ¶맞은편 ~ 对岸 2 麓 lù; 缘 yuán

기습(奇襲) 명하타 奇袭 qíxí; 突袭 tūxí; 偷袭 tōuxí ¶적을 측면에서 ~하다 从侧翼奇袭敌人

기습-적(奇襲的) 관명 奇袭(的) qíxí(de); 突袭(的) tūxí(de)

기승(氣勝) 명하형 1 好强 hàoqiáng; 好胜 hàoshèng 2 逞威 chěngwēi; 厉害 lìhai ¶복더위가 ~을 부리다 伏热逞威

기승전결(起承轉結) 명 〖文〗 起承转合 qǐchéngzhuǎnhé

기십(幾十) 수관 几十 jǐshí ¶~ 대의 기계 几十台机器 / ~ 명의 학생 几十名学生

기-십만(幾十萬) 수관 几十万 jǐshíwàn ¶~ 명의 시민 几十万名市民

기아(飢餓·饑餓) 명 = 굶주림 ¶추위와 ~에 허덕이는 난민 挣扎在寒冷和饥饿中的难民 / ~선상에서 허덕이다 挣扎在饥饿线上

기악(器樂) 명 〖音〗 器乐 qìyuè ¶~곡 器乐曲

기안(起案) 명하타 草拟 cǎonǐ; 起草 qǐcǎo; 起稿 qǐgǎo ¶공문을 ~하다 起草公文稿

기암(奇岩) 명 奇岩 qíyán ¶～괴석 奇岩怪石 / ～절벽 奇岩绝壁

기압(氣壓) 명 〖物〗 气压 qìyā ¶～계 气压计 / ～이 높다 气压高 / ～이 낮다 气压低

기약(既約) 명 〖數〗 不可约分 bùkě yuēfēn; 既约 jìyuē ¶～분수 既约分数

기약(期約) 명하타 约定 yuēdìng ¶다시 만날 날을 ～하다 约定再次相会的日期

기어(gear) 명 〖機〗 **1** = 톱니바퀴 **2** 排挡 páidǎng; 挡 dǎng ¶～를 넣다 挂挡

기어-가다 자타 爬 pá; 爬动 pádòng; 爬行 páxíng ¶아이가 엄마 쪽으로 ～ 小孩子爬向妈妈 / 벌레가 꿈틀꿈틀 ～ 虫子蠕蠕爬行

기어-들다 자 **1** 混(进) hùn(jìn); 爬(进) pá(jìn); 潜入 qiánrù; 钻(进) zuān-(jìn) ¶적의 내부로 ～ 潜入敌人内部 / 침대 밑으로 기어들어 숨다 钻到床底下藏起来 **2** 缩进去 suōjìnqù **3** 压低 yādī ¶기가 죽어 목소리가 ～ 屏住呼吸, 压低嗓门

기어-오르다 자 **1** 爬 pá; 攀 pān ¶나무에 ～ 爬树 / 줄을 잡고 위로 기어오르다 抓着绳子往上爬 **2** 爬到头顶上 pádào tóudǐngshang ¶형에게 ～ 爬到哥哥头顶上

기어-이(期於—) 부 = 기어코 ¶이번 시험은 ～ 합격해야 한다 这次考试一定要及格

기어-코(期於—) 부 **1** 偏 piān; 偏偏 piānpiān; 死活 sǐhuó; 一定要… yīdìng yào…; 非要…(不可) fēiyào…(bùkě) ¶그더러 얘기하지 말라고 해도 그는 ～ 얘기하려고 한다 不让他说, 他偏要说 **2** 到底 dàodǐ; 终于 zhōngyú; 最终 zuìzhōng ¶그들은 ～ 가 버렸다 他们终于还是走了 ‖ = 기어이

기억(記憶) 명하타 记 jì; 想 xiǎng; 记忆 jìyì ¶～력 记忆力 / ～이 나다 想起 / ～이 새롭다 记忆犹新 / 똑똑히 ～하다 清楚地记住

기억-나다(記憶—) 자 回忆 huíyì; 想起 xiǎngqǐ ¶어제 있었던 일이 갑자기 기억났다 突然想起了昨天发生的事

기억 상실(記憶喪失) 〖醫〗 失忆 shīyì; 记忆丧失 jìyì sàngshī

기억 용량(記憶容量) 〖컴〗 内存 nèicún = 메모리1

기억 장치(記憶裝置) 〖컴〗 存储器 cúnchǔqì = 메모리2

기업(企業) 명 〖經〗 企业 qǐyè ¶벤처 ～ 风险企业 / 개인 ～ 私人企业 / 다국적 ～ 跨国企业 / ～가 企业家 / ～인 企业家 / ～주 企业主 / ～체 企业体 / ～을 세우다 创立企业 / ～을 경영하다 经营企业

-기에 어미 表示原因、理由、根据 ¶그가 부르～ 가 봤다 他叫我去, 所以去了

기여(寄與) 명하자 贡献 gòngxiàn ¶～도 贡献度 / 산업 발전에 ～하다 为产业的发展做贡献

기염(氣焰) 명 气概 qìgài; 气势 qìshì; 气焰 qìyàn; 气 qì ¶～을 토하다 吐气

기예(技藝) 명 技艺 jìyì ¶～를 전수하다 传授技艺 / ～가 출중하다 技艺超群

기온(氣溫) 명 气温 qìwēn ¶～ 차이가 심한 지역 气温差异严重的地区 / ～이 낮다 气温低 / ～이 높다 气温高 / ～이 점차 올라가다 气温逐渐升高 / 밤 사이에 ～이 많이 내려갔다 夜间气温下降了很多

기와 명 瓦 wǎ; 屋瓦 wūwǎ ¶～지붕 瓦房顶 / ～로 지붕을 이다 用瓦盖房顶

기와-집 명 瓦房 wǎfáng; 瓦舍 wǎshè; 瓦屋 wàwū

기왓-장(—張) 명 瓦 wǎ; 瓦片 wǎpiàn ¶태풍이 ～을 날려 보냈다 台风刮走了瓦片

기왕(既往) 一명 曾经 céngjīng; 既往 jìwǎng; 以前 yǐqián; 以往 yǐwǎng ¶～의 잘못은 추궁하지 않는다 既往不咎 二부 = 기왕에 ¶～ 왔으니 열심히 일해라 既然来了, 就好好工作吧

기왕-에(既往—) 부 既然 jìrán = 기왕二 ¶～ 가려면 빨리 떠나는 것이 좋다 既然要走, 还是早点动身好

기왕지사(既往之事) 명 往事 wǎngshì; 既往之事 jìwǎngzhīshì; 事已至此 shìyǐzhìcǐ

기용(起用) 명하타 起用 qǐyòng; 任用 rènyòng; 提拔 tíbá ¶우수한 인재를 ～하다 起用优秀人才 / 그는 요직에 ～되었다 他被起用要职

기우(杞憂) 명 杞人之忧 qǐrénzhīyōu; 杞人忧天 qǐrén yōutiān; 杞忧 qǐyōu

기우(祈雨) 명하자 祈雨 qíyǔ; 求雨 qiúyǔ ¶～제 祈雨祭

기우뚱 부하자타형 稍斜 shāo xié; 斜歪着 xiéwāizhe; 摇摇晃晃 yáoyaohuànghuàng; 有点歪 yǒudiǎn wāi ¶그림이 ～하게 걸려 있다 画挂得有点歪

기우뚱-거리다 자타 颠簸 diānbǒ; 晃动 huàngdòng; 踉跄 liàngqiàng; 摇摆 yáobǎi; 摇晃 yáohuàng; 摇摇摆摆 yáoyaobǎibǎi = 기우뚱대다 ¶배가 ～ 船左右摇晃 **기우뚱-기우뚱** 부하자타형

기운 명 **1** 力气 lìqi; 劲头 jìntóu; 精力 jīnglì; 精神 jīngshen ¶～을 내다 振作精神 / ～이 세다 力气大 **2** 气 qì; 味 wèi ¶매운 ～ 辣味 **3** 苗头 miáotou; 兆

头 zhàotou ¶감기 ~이 있다 有着凉的苗头

기운(氣運) 명 空气 kōngqì; 气氛 qìfēn; 气势 qìshì; 趋势 qūshì; 形势 xíngshì; 气 qì ¶불길한 ~ 煞气 / 바른 ~ 正气

기운-차다 형 精神饱满 jīngshen bǎomǎn; 雄赳赳 xióngjiūjiū; 元气旺盛 yuánqì wàngshèng; 有劲 yǒujìn; 有力 yǒulì ¶기운찬 모습 雄赳赳的姿态

기울 명 麸壳 fūké; 麸皮 fūpí; 麸子 fūzi

기울-기 명 〖數〗 横斜度 héngxiédù; 倾斜 qīngxié; 斜率 xiélǜ

기울다 자 **1** 倾 qīng; 倾斜 qīngxié; 偏 piān; 歪 wāi; 歪斜 wāixié ¶해가 서쪽으로 ~ 太阳向西方倾斜 / 배가 기울기 시작했다 船开始倾斜了 **2** 倒向 dǎoxiàng; 倾向 qīngxiàng ¶고전주의로 기운 음악가 倾向古典主义的音乐家 **3** (大势) 已去 yǐ qù ¶대세가 ~ 大势已去 / 국운이 ~ 国势已去

기울어-지다 자 **1** 倾 qīng; 倾斜 qīngxié; 偏 piān; 歪 wāi; 歪斜 wāixié ¶해가 ~ 太阳偏西了 **2** 倒向 dǎoxiàng; 倾向 qīngxiàng ¶마음이 그녀에게 ~ 心倒向了她 **3** (大势) 已去 yǐ qù

기울-이다 타 **1** '기울다1' 的使动词 ¶몸을 오른쪽으로 ~ 向右歪着身子 **2** 贯注 guànzhù; 花费 huāfèi; 集中 jízhōng; 倾注 qīngzhù; 倾 qīng ¶노력을 ~ 倾注努力 / 학문에 심혈을 ~ 把心血倾注在学问上 / 그의 말에 귀를 ~ 倾听他说的话

기웃 부하타형 东张西望 dōngzhāngxīwàng; 探头探脑 tàntóutànnǎo; 偷看 tōukàn ¶그는 이리 ~ 저리 ~ 하고 있다 他四处东张西望

기웃-거리다 타 东张西望 dōngzhāngxīwàng; 探头探脑 tàntóutànnǎo; 偷看 tōukàn; 偷窥 tōukuī = 기웃대다 ¶남의 집을 ~ 偷窥别人家 / 방 안을 기웃거리며 살펴보다 东张西望地向屋里张望 **기웃-기웃** 부하타

기원(祈願) 명하타 祈愿 qíyuàn; 祝 zhù; 祈求 qíqiú ¶당신의 건강을 ~합니다 祝您健康 / 세계의 평화를 ~하다 祈愿世界和平

기원(紀元) 명 **1** 公元 gōngyuán **2** 纪元 jìyuán ¶새로운 ~을 열다 开启新纪元

기원(起源 · 起原) 명하자 起源 qǐyuán ¶생명의 ~ 生命的起源 / 종의 ~ 物种起源 / 현대 인류는 아프리카에서 ~한다 现代人类起源于非洲

기원(棋院 · 碁院) 명 棋院 qíyuàn

기원-전(紀元前) 명 公元前 gōngyuánqián = 비시 ¶~ 5세기 초 公元前5世纪初

기원-후(紀元候) 명 公元后 gōngyuánhòu = 서기(西紀) · 서력2 · 에이디

기율(紀律) 명 纪律 jìlǜ ¶~이 엄하다 纪律严明

기이-하다(奇異—) 형 奇异 qíyì; 奇怪 qíguài ¶기이한 현상 奇异的现象 / 기이한 경험을 하다 有了奇异的经历

기인(奇人) 명 怪人 guàirén; 奇人 qírén ¶그 노인은 ~이다 那位老人是个怪人

기인(起因) 명하자 起因 qǐyīn; 缘由 yuányóu ¶이번 분쟁은 종교 문제에서 ~한다 这次纷争起因于宗教问题

기일(忌日) 명 **1** 祭日 jìrì; 忌辰 jìchén **2** 〖民〗 忌日 jìrì

기일(期日) 명 期限 qīxiàn; 日期 rìqī; 期日 qīrì; 限期 xiànqī; 期 qī ¶~을 지키다 遵守日期 / 정해진 ~ 내에 완성하다 在规定日期内完成

기입(記入) 명하타 记入 jìrù; 记上 jìshàng; 填上 tiánshàng; 填写 tiánxiě ¶장부에 ~하다 记入账簿

기자(記者) 명 记者 jìzhě ¶~단 记者团 / 신문 ~ 报社记者 / 종군 ~ 随军记者 / ~ 회견 记者招待会

기-자재(機資材 · 器資材) 명 器材 qìcái ¶건축 ~ 建筑器材

기장[1] 명 〖植〗 黍 shǔ; 黍子 shǔzi; 黄米 huángmǐ ¶~쌀 黄米 / ~떡 黄米糕

기장[2] 명 (衣服的) 长度 chángdù; 长 cháng ¶소매 ~이 40cm이다 袖长40厘米

기장(記帳) 명하타 记账 jìzhàng; 记 jì ¶가계부에 쇼핑 내용을 ~하다 把购物内容记在家庭账簿里

기장(機長) 명 (飞机的) 机长 jīzhǎng

기재(記載) 명하타 记载 jìzǎi; 载 zǎi ¶~ 사항 记载事项 / 장부에 ~된 내용 账簿上所记载的内容

기재(器才) 명 器材 qìcái ¶실험용 ~ 实验用器材

기저귀 명 尿布 niàobù; 褯子 jièzi ¶종이 ~ 纸尿布 / ~를 갈다 换尿布 / 아이에게 ~를 채우다 给孩子垫上尿布

기적(汽笛) 명 汽笛 qìdí ¶~을 울리다 响汽笛

기적(奇跡 · 奇迹) 명 奇迹 qíjì ¶한강의 ~ 汉江奇迹 / 놀라운 ~을 만들어 내다 创造令人震惊的奇迹

기전(紀傳) 명 纪传 jìzhuàn ¶~체 纪传体

기절(氣絶) 명하자 昏倒 hūndǎo; 昏过去 hūnguòqù; 晕倒 yūndǎo; 晕厥 yūnjué ¶울다가 ~하다 哭得昏过去 / 갑자기 ~하다 突然晕倒

기절-초풍(氣絶—風) 명하자 惊厥 jīngjué; 吓昏 xiàhūn; 吓破胆 xiàpòdǎn

기점(起點) 명 出发点 chūfādiǎn; 起点 qǐdiǎn ¶도로의 ~ 道路的起点
기점(基點) 명 基点 jīdiǎn ¶여기를 ~으로 하다 以这里为基点
기정(既定) 명 既定 jìdìng; 既成 jìchéng; 已定 yǐdìng ¶~방침 既定方针 / ~ 목표 既定目标 / ~사실 既成事实 =[既定事实]
기조(基調) 명 基调 jīdiào ¶작품의 ~ 作品的基调 / ~연설 基调演说
기존(既存) 명하자 既有 jìyǒu; 现成 xiànchéng; 现存 xiàncún; 现有 xiànyǒu ¶~의 풍습 现有的风俗 / ~ 질서를 무너뜨리다 推翻现有的秩序
기-죽다(氣—) 자 消沉 xiāochén; 气馁 qìněi; 灰心 huīxīn; 无精打采 wújīngdǎcǎi
기죽-이다(氣—) 타 '기죽다' 的使动词
기준(基準) 명 基准 jīzhǔn; 标准 biāozhǔn ¶~ 가격 基准价 / ~량 标准量 / ~면 基准面 / ~선 基准线 / ~ 시가 基准时价 / ~점 基准点 / ~에 맞다 符合标准 / 새로운 ~을 만들다 制定新标准
기중-기(起重機) 명 〖機〗 起重机 qǐzhòngjī = 크레인 ¶~선 起重机船
기증(寄贈) 명하타 捐赠 juānzèng; 捐 juān ¶~자 捐赠人 =[捐赠者] / ~품 捐赠品 / 장기를 ~하다 捐赠脏器 / 그는 학교 도서관에 많은 책을 ~하였다 他向学校图书馆捐赠了很多书
기지(基地) 명 基地 jīdì ¶군사 ~ 军事基地 / 공군 ~ 空军基地 / ~촌 基地村 / ~를 건설하다 建设基地
기지(機智) 명 机灵 jīling; 机智 jīzhì ¶~를 발휘하여 위기를 모면하다 发挥机智, 避免危机
기:지개 명하자 懒腰 lǎnyāo ¶그는 ~를 켜며 일어섰다 他伸了一下懒腰站起来了
기지-국(基地局) 명 基地台 jīdìtái; 基站 jīzhàn ¶이동 통신 ~ 移动通信基地台
기진(氣盡) 명하자 力竭 lìjié; 精疲力竭 jīngpílìjié; 筋疲力尽 jīnpílìjìn ¶~하여 바닥에 쓰러지다 精疲力竭, 倒在地上
기진-맥진(氣盡脈盡) 명하자 力竭 lìjié; 精疲力竭 jīngpílìjié; 筋疲力尽 jīnpílìjìn
기질(氣質) 명 脾气 píqi; 品德 pǐndé; 品质 pǐnzhì; 气质 qìzhì; 性情 xìngqíng ¶급한 ~ 急脾气
기차(汽車) 명 火车 huǒchē ¶~역 火车站 / ~표 火车票 / ~가 연착했다 火车误点了 / ~를 타고 여행을 가다 坐火车去旅行
기-차다(氣—) 형 很好 hěn hǎo; 极好 jí hǎo; 挺好 tǐng hǎo; 真棒 zhēn bàng; 真好 zhēn hǎo ¶그는 노래를 기차게 잘 부른다 他唱得真棒
기찻-길(汽車—) 명 铁道 tiědào; 铁轨 tiěguǐ
기척 명 动静 dòngjing; 声息 shēngxī ¶방 안은 쥐죽은 듯 아무런 ~도 없다 屋子里静悄悄的, 没有一点动静 / 그는 방 안에 있으면서 ~도 안 한다 他在屋子里, 却没发出一点动静
기체[1](氣體) 명 福体 fútǐ; 贵体 guìtǐ; 玉体 yùtǐ = 기체후
기체[2](氣體) 명 〖物〗 气体 qìtǐ ¶~ 연료 气体燃料
기체(機體) 명 机身 jīshēn ¶~가 심하게 흔들리다 机身震动得很厉害
기체-후(氣體候) 명 = 기체[1](氣體)
기초(起草) 명하타 草拟 cǎonǐ; 起草 qǐcǎo ¶결의서를 ~하다 起草决议
기초(基礎) 명 基础 jīchǔ ¶~ 공사 基础工程 / ~ 과학 基础科学 / ~ 대사 基础代谢 / ~ 산업 基础产业 / ~화장 基础化妆 / ~ 화장품 基础化妆品 / ~가 튼튼하다 基础牢固 / ~를 다지다 打基础
기초-하다(基礎—) 자 根据 gēnjù; 基于 jīyú ¶사실에 기초한 보고서 基于事实的报告
기축(機軸) 명 机轴 jīzhóu
기층(氣層) 명 〖物〗 大气层 dàqìcéng; 气层 qìcéng
기층(基層) 명 基层 jīcéng ¶~ 조직 基层组织 / ~문화 基层文化
기치(旗幟) 명 旗帜 qízhì ¶민주주의의 ~를 높이 올리다 高举民主主义的旗帜
기침 명하자 〖醫〗 咳嗽 késou ¶~ 소리 咳嗽声 / ~이 멎다 停止咳嗽 / ~을 심하게 하다 咳嗽得很厉害
기타(其他) 명 其他 qítā; 其它 qítā; 其外 qíwài ¶~ 내용 其他内容 / ~ 사항 其他事项
기타(guitar) 명 〖音〗 吉他 jítā ¶~를 치다 弹吉他
기타리스트(guitarist) 명 吉他手 jítāshǒu
기탁(寄託) 명하타 寄存 jìcún; 寄托 jìtuō ¶~금 寄存金 / 짐을 ~하다 寄存行李
기탄(忌憚) 명하타 顾忌 gùjì; 顾虑 gùlǜ
기탄-없다(忌憚—) 형 毫无顾虑 háowú gùlǜ; 毫无束缚 háowú shùfù ¶기탄없는 의견 毫无顾虑的意见 **기탄없-이** 부 ¶사실을 ~ 말해 보아라 毫无顾虑地谈谈事实吧
기통(氣筒 · 汽筒) 명 〖機〗 = 실린더

기특-하다(奇特—) 형 可嘉 kějiā ¶그 아이는 기특한 일을 했다 那个孩子做了可嘉的事情 **기특-히** 부
기틀 명 关键 guānjiàn; 要害 yàohài ¶~을 잡다 抓住要害
기포(氣泡) 명 气泡 qìpào; 泡沫 pàomò ¶~가 생기다 起气泡
기포(起泡) 명하자 起泡 qǐpào ¶~성 起泡性 / ~제 起泡剂
기폭(起爆) 명 起爆 qǐbào ¶~ 장치 起爆装置
기폭-제(起爆劑) 명 **1** 【化】 起爆药 qǐbàoyào; 引爆药 yǐnbàoyào; 引发剂 yǐnfājì **2** 导火线 dǎohuǒxiàn; 导火索 dǎohuǒsuǒ ¶그 사건은 독립운동의 ~가 되었다 那个事件成了独立运动的导火索
기표(記票) 명하자 记票 jìpiào ¶~소 记票站
기품(氣品) 명 秉性 bǐngxìng; 气质 qìzhì; 性格 xìnggé ¶~이 있는 사람 有气质的人
기풍(氣風) 명 风气 fēngqì; 习气 xíqì; 作风 zuòfēng ¶관료적인 ~ 官僚作风
기피(忌避) 명하타 逃避 táobì; 回避 huíbì; 忌避 jìbì; 忌讳 jìhuì ¶의무를 ~하다 逃避义务 / 병역을 ~하다 逃避兵役
기필-코(期必—) 부 = 반드시 ¶이번 협상은 ~ 성사시켜야 한다 这次协商一定要成功
기하(幾何) 명 【數】 = 기하학
기하-급수(幾何級數) 명 几何级数 jǐhé jíshù ¶~적인 속도 几何级数的速度 / ~적으로 증가하다 几何级数上升
기-하다(期—) 타 **1** 作为起点 zuòwéi qǐdiǎn; 为期 wéiqī **2** 以期 yǐqī; 以求 yǐqiú; 求得 qiúdé ¶만전을 ~ 以求万全 / 공정을 ~ 求得公正
기하-학(幾何學) 명 【數】 几何学 jǐhéxué = 기하 ¶~무늬 几何学图案
기한(期限) 명하타 期限 qīxiàn ¶전세 ~ 租赁期限 / 빚을 ~ 안에 갚다 在期限内偿还债务
기합(氣合) 명 **1** 叫喊 jiàohǎn; 喊声 hǎnshēng **2** 纪律训练 jìlǜ xùnliàn; 体罚 tǐfá ¶~을 받다 受体罚
기행(奇行) 명 奇行 qíxíng
기행(紀行) 명 纪行 jìxíng
기행-문(紀行文) 명 【文】 游记 yóujì; 纪行 jìxíng = 여행기
기-현상(奇現象) 명 奇怪现象 qíguài xiànxiàng ¶~이 나타나다 发生奇怪现象
기혈(氣血) 명 【韓醫】 气血 qìxuè
기형(畸形) 명 【生】 畸形 jīxíng ¶~아 畸形儿 / ~적인 발전 畸形发展
기호(記號) 명 符号 fúhào; 记号 jìhao ¶원소 ~ 元素符号 / 곱셈 ~ 乘法符号 / ~를 붙이다 打记号
기호(嗜好) 명하타 嗜好 shìhào; 喜好 xǐhào ¶~ 식품 嗜好食品 / ~품 嗜好品 / 소비자의 ~를 파악하다 搞清楚消费者的嗜好
기혼(旣婚) 명하자 已婚 yǐhūn ¶~자 已婚者 / ~ 여성 已婚妇女 / ~ 남성 已婚男子
기화(氣化) 명하자 【物】 气化 qìhuà ¶~열 气化热
기회(機會) 명 机会 jīhuì ¶절호의 ~ 绝好机会 / ~를 기다리다 等待机会 / ~를 놓치다 错过机会 / ~를 잡다 抓机会
기회-주의(機會主義) 명 机会主义 jīhuì zhǔyì ¶~자 机会主义者
기획(企劃) 명하타 策划 cèhuà; 筹划 chóuhuà; 筹 chóu ¶~부 策划部 / ~서 策划书 / ~력 策划能力
기후(氣候) 명 【地理】 气候 qìhòu ¶대륙성 ~ 大陆性气候 / 변덕스러운 ~ 多变的气候
긴가민가 부하형 然否 ránfǒu; 是否 shìfǒu
긴급(緊急) 명하형 紧急 jǐnjí ¶~ 구속 紧急拘捕 / ~ 명령 紧急命令 / ~ 사태 紧急事态 / ~ 조치 紧急措施 / 회의를 ~ 소집하다 紧急召集会议 **긴급-히** 부
긴:-긴 관 漫长 màncháng ¶~밤 漫长的夜晚 / ~ 여름날 漫长的夏日
긴:-말 명하자 多说 duōshuō; 啰唆话 luōsuohuà ¶~이 필요 없다 没有必要多说
긴말할 것 없다 구 不用多说
긴밀-하다(緊密—) 형 紧密 jǐnmì; 密切 mìqiè ¶긴밀한 관계를 유지하다 保持紧密的关系 / 관계를 더욱 긴밀하게 하다 进一步加强密切关系 **긴밀-히** 부 ¶~ 협조하다 密切协助
긴박(緊迫) 명하형히부 紧急 jǐnjí; 紧迫 jǐnpò; 迫切 pòqiè ¶~한 국내 정세 紧迫的国内局势 / 상황이 매우 ~하다 情况十分紧急
긴박-감(緊迫感) 명 紧迫感 jǐnpògǎn; 迫在眉睫之感 pòzàiméijiézhīgǎn ¶~이 감도는 회의장 充满紧迫感的会场 / ~을 주다 使人感到紧迫感
긴:-병(—病) 명 久病 jiǔbìng
긴병에 효자 없다 속담 久病床前无孝子
긴:-사설(—辭說) 명 长篇大论 chángpiāndàlùn; 啰啰唆唆 luōluosuōsuō ¶그는 늘 ~을 늘어놓는다 他老是长篇大论
긴:-소매 명 长袖 chángxiù; 长袖子 chángxiùzi
긴요-하다(緊要—) 형 紧要 jǐnyào;

要紧 yàojǐn; 重要 zhòngyào = 요긴하다 ¶긴요한 문제부터 해결하다 从要紧的问题开始解决 **긴요-히** 부

긴장(緊張) 명하자 **1** 紧张 jǐnzhāng ¶~감 紧张感 / ~된 마음 紧张的心情 / ~된 분위기 紧张的气氛 / ~이 풀리다 紧张缓和 / 너무 그렇게 ~할 것 없다 不用那么紧张 **2** 〖醫〗 紧张 jǐnzhāng ¶~성 경련 紧张性痉挛

긴축(緊縮) 명하타 紧缩 jǐnsuō; 节约 jiéyuē ¶~ 예산 紧缩预算 / ~ 재정 紧缩财政

긴:-치마 명 长裙 chángqún = 롱스커트

긴:-팔 명 长袖 chángxiù; 长袖子 chángxiùzi ¶~ 티셔츠 长袖T恤

긴-하다(緊—) 형 很必要 hěn bìyào; 紧要 jǐnyào; 要紧 yàojǐn ¶아주 긴하게 썼다 用在紧要之处 / 긴한 물건 要紧的东西 **긴-히** 부

긷:다 타 打 dǎ; 汲 jí ¶그는 우물로 물을 길러 갔다 他到井边打水去了

길[1] 명 **1** 路 lù; 道(儿) dào(r); 道路 dàolù ¶~을 잃다 迷路 / ~을 건너다 过路 / ~을 걷다 走路 / ~을 닦다 铺路 **2** 路 lù; 路程 lùchéng ¶집까지의 ~은 아직 멀다 到家路还远着呢 **3** 途 tú; 中途 zhōngtú ¶돌아오는 ~에 선물을 샀다 在归途买了礼物 **4** 方面 fāngmiàn ¶그 ~의 전문가 那方面的高手 **5** 道路 dàolù; 路 lù; 路径 lùjìng; 门路 ménlu; 途径 tújìng ¶생활의 ~을 강구하다 谋求生活的途径 **6** 方法 fāngfǎ ¶이 문제를 해결할 ~이 없다 这个问题没有方法解决

길(을) 뚫다 구 找门子; 找路子

길을 재촉하다 구 赶路 = 걸음을 재촉하다

길[2] 명 驯 xùn; 使 shǐ ¶~이 잘 든 말 驯好的马

길-가 명 路边 lùbiān; 路旁 lùpáng = 노변(路邊) ¶~에 있는 집 位于路边的房子

길-거리 명 大街 dàjiē; 街道 jiēdào = 거리[1] ¶~에 쌓인 낙엽 堆积在街道上的落叶

길:길-이 부 **1** 如雷 rúléi ¶~ 날뛰다 暴跳如雷 **2** 很高 hěn gāo; 高高地 gāogāode ¶눈이 ~ 쌓이다 雪堆得很高

길-눈 명 认路能力 rènlù nénglì

길눈(이) 밝다 구 会认路

길눈(이) 어둡다 구 不会认路

길:다[1] 자 长 cháng ¶머리가 꽤 많이 길었다 头发长了很多

길:다[2] 형 长 cháng; 漫长 màncháng; 悠长 yōucháng ¶긴 세월 漫长的岁月 / 머리카락이 ~ 头发长 / 다리가 ~ 腿长 / 말하자면 ~ 说来话长

길-동무 명 旅伴 lǚbàn; 同伴 tóngbàn; 同路人 tónglùrén; 同行者 tóngxíngzhě ¶~를 찾다 寻找旅伴

길드(guild) 명 〖社〗 基尔特 jī'ěrtè

길-들다 자 **1** 好使 hǎoshǐ; 好用 hǎoyòng ¶가마솥이 길들었다 锅好使了 **2** 驯 xùn; 巡调 xúntiáo; 驯养 xùnyǎng ¶말이 잘 길들었다 马驯好了 **3** 熟 shú; 习惯 xíguàn; 熟练 shúliàn; 掌握 zhǎngwò ¶나는 기숙사 생활에 길들었다 我习惯宿舍生活了

길-들이다 타 调教 tiáojiào; 驯 xùn; 驯服 xùnfú; 驯养 xùnyǎng ¶호랑이를 ~ 驯虎

길라-잡이 명 = 길잡이1

-길래 어미 因为 yīnwèi; 为 wèi

길-모퉁이 명 路拐弯处 lùguǎiwānchù; 拐角(儿) guǎijiǎo(r); 路拐 lùguǎi

길-목 명 路口 lùkǒu ¶~마다 경찰이 지키고 있다 每个路口都有警察把守

길몽(吉夢) 명 好梦 hǎomèng; 吉梦 jímèng

길-바닥 명 **1** 路面 lùmiàn; 路 lù = 노면 ¶비가 와서 ~이 미끄럽다 由于下雨, 路面很滑 **2** 路上 lùshang; 路 lù ¶~에다 시간을 버리다 在路上浪费时间 ‖= 노상(路上)

길-섶 명 路边 lùbiān; 路旁 lùpáng ¶~에 핀 꽃 开在路边的花

길-손 명 过客 guòkè; 旅客 lǚkè; 过路的 guòlùde ¶먼 곳에서 온 ~ 来自远方的旅客

길쌈 명하자 纺织 fǎngzhī

길:어-지다 자 变长 biàn cháng; 长起来 chángqǐlái; 拉长 lācháng; 拖长 tuōcháng ¶회의가 ~ 会议拖长了

길-옆 명 路两边 lù liǎngbiān; 路两旁 lù liǎngpáng ¶~으로 비켜서다 让到路两边站着

길운(吉運) 명 大运 dàyùn; 好运 hǎoyùn; 红运 hóngyùn

길-이[1] 명 长 cháng; 长度 chángdù; 长短 chángduǎn ¶치마의 ~ 裙子的长度 / ~를 재다 测量长 度

길-이[2] 부 永久 yǒngjiǔ; 永远 yǒngyuǎn ¶이 위대한 업적은 역사에 ~ 남을 것이다 这伟大的业绩将永远载入史册

길이-길이 부 永久 yǒngjiǔ; 永远 yǒngyuǎn

길일(吉日) 명 吉日 jírì ¶~을 택하다 择吉日

길-잡이 명 **1** 带路人 dàilùrén; 向导 xiàngdǎo; 引导 yǐndǎo = 길라잡이 ¶앞에서 ~를 하다 在前面当向导 **2** 马前卒 mǎqiánzú; 前驱 qiánqū

길조(吉兆) 명 吉兆 jízhào

길조(吉鳥) 명 吉鸟 jíniǎo

길-짐승 명 走兽 zǒushòu
길쭉-하다 형 稍长 shāo cháng; 长 cháng ¶당근을 길쭉하게 썰다 把红萝卜切成长条
길-하다(吉—) 형 吉利 jílì ¶까치가 우는 것은 길한 징조다 喜鹊叫是吉利的兆头
길흉(吉凶) 명 吉凶 jíxiōng ¶~화복 吉凶祸福 / ~을 점치다 占卜吉凶
김:[1] 명 **1** 热气 rèqì; 蒸汽 zhēngqì ¶가마에서 ~이 난다 蒸汽从锅里冒出来 **2** 气 qì; 气息 qìxī ¶~이 나가다 有气无力 / ~이 빠지다 泄气 / 입의 ~으로 손을 녹인다 呵口气暖暖手
김:[2] 명 杂草 zácǎo; 草 cǎo ¶~을 매다 除草
김:[3] 명 〖植〗紫菜 zǐcài ¶~구이 烤紫菜
김[4] 의명 乘…机会 chéng…jīhuì; 顺便 shùnbiàn; 捎带 shāodài; 就势 jiùshì; 就便 jiùbiàn ¶가는 ~에 들르다 去的路上顺便进去一趟 / 나가는 ~에 책을 사 왔다 出去的时候, 顺便买了书
김:-매다 타 除草 chúcǎo ¶바쁘게 김매는 농부들 忙着除草的农夫们
김:-밥 명 紫菜饭卷 zǐcài fànjuǎn; 紫菜包饭 zǐcài bāofàn; 紫菜饭 zǐcàifàn
김:-빠지다 자 **1** 漏气 lòuqì; 跑气 pǎoqì ¶김빠진 콜라 跑了气的可乐 **2** 泄气 xièqì; 扫兴 sǎoxìng
김:-새다 자 扫兴 sǎoxìng ¶일이 이렇게 되어서 정말 김샌다 事情弄成这样, 真是扫兴
김장 명하자 过冬泡菜 guòdōng pàocài ¶~독 泡菜缸 / ~철 腌泡菜的时候 / ~을 담그다 腌泡菜
김치 명 泡菜 pàocài; 腌菜 yāncài ¶배추~ 白菜泡菜 / ~전 泡菜煎饼 / ~찌개 泡菜汤 / ~를 담그다 腌泡菜
김칫-국 명 **1** 泡菜汤 pàocàitāng **2** 泡菜汁 pàocàizhī
김칫국부터 마신다 속담 = 떡 줄 사람은 꿈도 안 꾸는데 김칫국부터 마신다
김칫-독 명 泡菜缸 pàocàigāng; 腌菜缸 yāncàigāng
깁: 명 缣 jiān; 纱罗 shāluó
깁:다 타 缝补 féngbǔ; 补 bǔ; 补缀 bǔzhuì ¶옷을 ~ 补衣服
깁스(독Gips) 명 〖鑛〗 **1** = 석고 **2** 〖醫〗 = 석고 붕대
깁스-붕대(독Gips繃帶) 명 〖醫〗 '석고 붕대' 的旧称
깁스-하다(독Gips—) 자타 打石膏绷带 dǎ shígāo bēngdài; 用石膏绷带绑 yòng shígāo bēngdài bǎng ¶부러진 다리를 ~ 打骨折的腿打上石膏绷带
깃[1] 명 **1** = 깃털 ¶새의 ~ 鸟的羽毛 **2** (鸟的) 翅膀 chìbǎng; 翅 chì ¶~을 접다 折翅 / ~을 펴다 展翅
깃[2] 명 **1** = 옷깃 **2** 被头 bèitóu
깃-대(旗—) 명 旗杆 qígān ¶~를 세우다 立旗杆
깃-들다 자 **1** 渗入 shènrù; 渗透 shèntòu **2** 包含 bāohán; 蕴含 yùnhán; 带 dài ¶미소가 깃든 얼굴 带着微笑的脸
깃-발(旗—) 명 **1** 旗 qí; 旗帜 qízhì; 旗子 qízi ¶승리의 ~ 胜利的旗帜 / ~이 휘날리다 旗帜飘扬 **2** 旗脚 qíjiǎo
깃-털 명 羽 yǔ; 羽毛 yǔmáo = 깃[1]1
깊다 형 **1** (深度) 深 shēn ¶깊은 물 深水 / 깊은 산속 深深的山中 / 그 호수는 매우 ~ 那个湖很深 **2** (程度) 深 shēn; 深奥 shēn'ào; 深远 shēnyuǎn; 深沉 shēnchén ¶상처가 매우 ~ 受伤很深 / 그는 나에게 깊은 인상을 남겼다 他给我留下了很深的印象 **3** 深厚 shēnhòu ¶깊은 우정 深厚的友谊 / 깊은 사랑 深厚的爱 **4** 浓 nóng; 浓郁 nóngyù ¶깊은 그늘 浓郁的树荫 / 밤이 ~ 夜色正浓
깊숙-이 부 深深地 shēnshēnde; 幽深地 yōushēnde; 幽邃地 yōusuìde; 深 shēn
깊숙-하다 형 幽暗 yōu'àn; 深沉 shēnchén; 幽深 yōushēn; 幽邃 yōusuì ¶깊숙한 터널 幽深的隧道 / 깊숙한 산골 幽深的山谷
깊-이[1] 명 **1** 深度 shēndù; 深浅 shēnqiǎn ¶우물의 ~ 水井的深度 **2** 深沉 shēnchén; 稳重 wěnzhòng ¶~ 있게 행동하다 举止稳重 **3** (内容) 深刻 shēnkè
깊-이[2] 부 深 shēn; 深为 shēnwéi; 深沉 shēnchén; 深刻(地) shēnkè(de); 深深(地) shēnshēn(de) ¶가슴속에 ~간직한 사랑 深藏在心里的爱情 / 땅을 ~ 파다 深挖地 / 그는 매우 ~ 잠들었다 他睡得十分深沉
까까-머리 명 光头 guāngtóu; 和尚头 héshangtóu ¶머리를 깎고 ~가 되었다 理了头发变成了光头
까까-중 명 光头 guāngtóu; 光头和尚 guāngtóu héshang
까끄라기 명 芒 máng
까나리 명 〖魚〗玉筋鱼 yùjīnyú
까-놓다 타 剖露 pōulù; 摊开 tānkāi; 打开 dǎkāi ¶까놓고 이야기하다 打开天窗说亮话
까다[1] 타 **1** 剥 bāo; 嗑 kē ¶해바라기 씨를 ~ 嗑葵花子 / 콩을 ~ 剥豆子 **2** 孵 fū ¶병아리를 ~ 孵小鸡 / 알을 ~ 孵卵 **3** 打破 dǎpò ¶곤봉으로 대가리를 ~ 用棍棒打破脑袋 **4** 打击 dǎjī; 攻击 gōngjī ¶남을 까지 마라 不要打击别人

까다[2] ㊀자 瘦削 shòuxuē ¶몸이 ~ 身体瘦削 ㊁타 **1** (财产) 减少 jiǎnshǎo **2** 除去 chúqù; 减掉 jiǎndiào; 刨去 páoqù ¶100위안에서 점심값 30위안을 ~ 从一百元里除去三十元午饭钱

까:다롭다 형 **1** 烦难 fánnán; 麻烦 máfan; 伤脑筋 shāng nǎojīn ¶까다로운 산수 문제 烦难的算数题 / 까다로운 규칙 麻烦的规则 **2** 挑剔 tiāotī; 别扭 bièniu ¶까다로운 사람 挑剔的人 / 까다로운 성격 别扭的性格 **까:다로이** 부

까닭 명 原故 yuángù; 原由 yuányóu; 理由 lǐyóu; 原因 yuányīn ¶무슨 ~으로 늦었느냐? 因为什么原因迟到了?

까딱 부하자타 **1** 点 diǎn; 动 dòng ¶고개를 ~하다 点头 **2** 一不小心 yībùxiǎoxīn ¶너 ~ 잘못하다가는 물병을 또 깨뜨리겠다 你一不小心又要把水瓶打碎了

까딱-거리다 타 **1** 摇晃 yáohuàng ¶나뭇가지가 바람에 ~ 树枝在风中摇晃 **2** 点 diǎn ¶고개를 ~ 点头 ‖ = 까딱대다

까딱-없다 형 毫无问题 háowú wèntí ¶심한 지진에도 이 집은 ~ 就算发生严重地震, 这幢房子也毫无问题 **까딱없-이** 부

까딱-하면 부 差一点儿 chàyīdiǎnr; 稍不小心 shāobùxiǎoxīn; 差点 chàdiǎn; 稍一不慎 shāoyībùshèn ¶~ 큰일 난다 差点出大事 / ~ 죽을 뻔했다 差点死了

까르르 부하자 **1** 哈哈 hāhā ¶내 모습을 보고 친구들이 ~ 웃어 댔다 看到我的样子, 朋友们都哈哈笑了起来 **2** 哇哇 wāwā ¶아이가 갑자기 ~하며 울기 시작했다 孩子突然哇哇地哭了起来

까마귀 명 〖鳥〗 乌鸦 wūyā; 老鸹 lǎoguā

까마귀 고기를 먹었나[먹었느냐] 속담 耗子算卦, 搁下爪子就忘

까마귀 날자 배 떨어진다 속담 瓜李之嫌

까마득-하다 형 **1** 久远 jiǔyuǎn; 遥远 yáoyuǎn ¶까마득한 어린 시절 久远的少年时光 / 까마득한 고향 遥远的故乡 / 까마득하게 먼 곳 遥远的地方 **2** (记忆) 模糊 móhu ¶까마득한 추억 模糊的记忆 **까마득-히** 부

까막-과부(—寡婦) 명 女儿寡 nǚ'érguǎ; 望门寡 wàngménguǎ

까막-눈 명 文盲 wénmáng; 睁眼瞎子 zhēngyǎn xiāzi ¶그는 문학에 대해서는 ~이나 다름없다 对于文学, 他就是像睁眼瞎子一样

까:맣다 형 **1** 漆黑 qīhēi; 深黑 shēnhēi; 乌黑 wūhēi; 黝黑 yǒuhēi ¶까만 구슬 乌黑的珠子 / 까만 머리 乌黑的头发 **2** 一干二净 yīgān'èrjìng; 全然 quánrán ¶그의 말을 까맣게 잊어버렸다 把他的话忘了个一干二净

까:매-지다 자 变黑 biàn hēi; 发黑 fāhēi ¶얼굴이 타서 까매졌다 脸被太阳晒得变黑了

까-먹다 타 **1** 剥吃 bāochī; 嗑 kē ¶귤을 ~ 剥橘子吃 **2** 荡尽 dàngjìn; 花光 huāguāng ¶밑천을 다 까먹었다 本钱都花光了 **3** 忘掉 wàngdiào; 忘却 wàngquè ¶중요한 약속을 ~ 忘掉重要的约定

까무러-치다 자 昏倒 hūndǎo; 昏过去 hūnguòqù; 昏厥 hūnjué; 晕厥 yūnjué; 晕倒 yūndǎo ¶그녀는 빈혈 때문에 가끔 까무러친다 她因为贫血, 有时就昏倒 / 그는 더위를 먹고 까무러쳤다 他中暑晕倒了

까무잡잡-하다 형 黑 hēi; 稍黑 shāo hēi; 微黑 wēi hēi ¶까무잡잡한 얼굴 稍黑的脸

까-발리다 타 **1** 剥掉 bāodiào; 剥去 bāoqù ¶귤의 껍질을 ~ 剥掉橘子皮 **2** 揭穿 jiēchuān; 揭底 jiēdǐ; 揭露 jiēlù ¶그의 음모를 ~ 揭露他的阴谋 / 사건의 진상을 ~ 揭穿事件的真相

까부르다 타 **1** 簸 bǒ ¶키로 벼를 ~ 用簸箕簸稻子 **2** 颠簸 diānbǒ; 上下摆动 shàngxià bǎidòng ¶아이를 까부르며 달래다 上下摆动着哄孩子

까-부수다 타 打破 dǎpò; 破碎 pòsuì; 打碎 dǎsuì ¶바위를 ~ 粉碎岩石

까불-거리다 ㊀자 淘气 táoqì; 调皮 tiáopí; 顽皮 wánpí ㊁타 一翘一翘 yīqiàoyīqiào; 上下摆动 shàngxià bǎidòng ‖ = 까불대다 **까불-까불** 부하자타

까불다[1] 자 **1** 得意忘形 déyìwàngxíng ¶그 사람은 정말 까분다 那个人真是得意忘形 **2** 轻浮 qīngfú; 轻佻 qīngtiāo; 调皮 tiáopí; 淘气 táoqì ¶이제 그만 까불어라 现在别淘气了

까불다[2] 타 '까부르다' 的略词

까불-이 명 轻浮的人 qīngfúde rén; 调皮鬼 tiáopíguǐ

까슬-까슬 부하형 毛糙 máocāo; 粗糙 cūcāo; 粗涩 cūsè ¶수염이 ~하게 자랐다 胡子长得毛糙的

까옥 부하자 哑哑 yāyā 《乌鸦叫声》 ¶까마귀가 ~ 울다 乌鸦哑哑地叫

까지 조 **1** 到… dào…; 到…为止 dào…wéizhǐ ¶광장~ 걸어가다 走到广场 / 내일 아침~ 기다리겠다 等到明天早上 **2** 连 lián; 甚至 shènzhì; 也 yě; 加上 jiāshang ¶너~ 내 말을 안 믿는군 连你也不相信我的话 / 눈보라가 치는 데다가 날~ 어두워졌다 起了暴风雪, 加上天也黑了

까-지다 자 破皮 pòpí; 破 pò; 剥落 bōluò ¶무릎이 까졌다 膝盖擦破皮了
까짓 관감 那一类 nàyīlèi; 那样 nàyàng; 那 nà ¶~ 일은 나 혼자서도 할 수 있다 那样的事, 我一个人也能完成
-까짓 접미 那一类 nàyīlèi; 那样 nàyàng; 那 nà ¶그~ 那个家伙 / 저~ 那个东西
까짓-것 명감 那样的 nàyàngde; 那一类 nàyīlèi ¶~ 누가 못하겠나 那样的事, 谁还不会做
까:치 명 〖鳥〗喜鹊 xǐquè; 鹊 què ¶~가 울다 喜鹊叫
까:치-발 명 踮 diǎn; 踮脚 diǎnjiǎo ¶~을 하고 걷다 踮着脚走路
까:치-집 명 **1** 喜鹊巢 xǐquècháo **2** 头发蓬乱 tóufa péngluàn
까칠-하다 형 粗糙 cūcāo; 粗涩 cūsè; 毛糙 máocāo; 憔悴 qiáocuì ¶나이가 들어서 피부가 까칠해 보인다 因为年纪大了, 皮肤看上去很粗糙
까탈 명 障碍 zhàng'ài; 阻碍 zǔ'ài ¶~이 생기다 出现阻碍
까탈-스럽다 형 '까다롭다' 的错误
까투리 명 = 암꿩
까풀 명 = 꺼풀 ¶한 ~ 벗기다 脱一外皮
깍 부하자 喳 zhā 《喜鹊和乌鸦的叫声》
깍-깍 부하자 喳喳 zhāzhā
깍깍-거리다 자 喳喳叫 zhāzhā jiào = 깍깍대다 ¶까치가 나뭇가지에 앉아 ~ 喜鹊坐在树枝上喳喳叫
깍두기 명 泡萝卜块儿 pàoluóbokuàir
깍둑-썰기 명 切块 qiēkuài
깍듯-이 부 诚恳地 chéngkěnde; 恭敬地 gōngjìngde ¶~ 인사하다 恭敬地问候
깍듯-하다 형 诚恳 chéngkěn; 恭敬 gōngjìng ¶노인을 깍듯하게 대하다 对老人恭敬相待
깍쟁이 명 **1** 吝啬鬼 lìnsèguǐ; 小气鬼 xiǎoqìguǐ ¶너 같은 ~는 처음 봤다 第一次见到你这样的小气鬼 **2** 机灵鬼 jīlingguǐ ¶그 애는 나이가 어리지만 여간 ~가 아니다 那个孩子年纪虽小, 却是个地地道道的机灵鬼
깍지[1] 명 荚 jiá ¶콩의 ~ 豆荚
깍지[2] 명 (手指) 紧叉 jǐnchā; 交叉 jiāochā
깍지(를) 끼다 구 两手手指紧叉
깎다 타 **1** 削 xiāo ¶연필을 ~ 削铅笔 / 사과를 ~ 削苹果 **2** 刮 guā; 剪 jiǎn; 推 tuī ¶수염을 ~ 刮胡子 / 머리를 ~ 推头 **3** 减 jiǎn; 杀 shā; 压 yā; 削减 xuējiǎn ¶값을 ~ 杀价 / 예산을 ~ 削减预算 **4** 诋毁 dǐhuǐ; 污损 wūsǔn; 玷污 diànwū; 损害 sǔnhài ¶부모의 위신을 ~ 损害父母的威信
깎아-내리다 타 诋毁 dǐhuǐ; 污损 wūsǔn; 玷污 diànwū; 损害 sǔnhài ¶라이벌을 ~ 诋毁对手
깎아-지르다 형 陡峭 dǒuqiào ¶깎아지른 듯한 절벽 陡峭的绝壁
깎-이다 자 '깎다' 的被动词 ¶소나무가 비바람에 ~ 松树被风雨削平 / 체면이 ~ 丢面子
깐깐-하다 형 慎密 shènmì; 细致 xìzhì; 仔细 zǐxì ¶깐깐해 보이는 사람 看上去很仔细的人 / 그는 일에 대해서는 매우 깐깐한 사람이다 他是一个对工作很仔细的人 **깐깐-히** 부
깔-개 명 垫子 diànzi ¶~를 깔다 铺垫子
깔기다 타 随地大便 suídì dàbiàn; 随地小便 suídì xiǎobiàn ¶개가 오줌을 함부로 ~ 狗随地小便
깔깔 부하자 嘎嘎 gāgā; 咯咯 gēgē; 哈哈 hāhā ¶학생들이 ~ 웃어 대다 学生们哈哈笑了起来
깔깔-거리다 자 哈哈笑 hāhā xiào; 哈哈大笑 hāhā dàxiào = 깔깔대다
깔깔-하다 형 **1** 粗糙 cūcāo; 扎手 zhāshǒu ¶깔깔한 무명옷 粗糙的布衣 / 깔깔한 수염 扎手的胡须 **2** 干涩 gānsè ¶혀가 ~ 舌头干涩
깔끔-하다 형 干净利落 gānjìnglìluo; 精明能干 jīngmíngnénggàn ¶깔끔한 성격 精明能干的性格 / 그 사람은 깔끔하게 생겼다 他长得干净利落 **깔끔-히** 부
깔다 타 **1** 铺 pū ¶양탄자를 ~ 铺地毯 / 바닥에 대리석을 ~ 在地上铺大理石 **2** 垫 diàn ¶옷을 깔고 앉다 垫着衣服坐 **3** 向下看 xiàng xià kàn ¶그는 눈을 아래로 깔며 말했다 他眼睛向下看着说
깔딱 부하자타 奄奄 yǎnyǎn ¶숨이 ~ 넘어가다 奄奄一息
깔딱-거리다 자타 奄奄一息 yǎnyǎnyīxī = 깔딱대다 ¶앓는 아이가 깔딱거리며 숨을 쉰다 生病的孩子奄奄一息
깔때기 명 漏斗 lòudǒu; 漏子 lòuzi
깔-리다 자 '깔다' 的被动词 **1** 铺 pū ¶낙엽이 깔린 산길 铺满落叶的山路 **2** 垫 diàn ¶밑에 깔린 옷 被垫在下面的衣服 **3** 搁置 gēzhì; 压 yā ¶밑에 깔린 사람 被压在下面的人
깔-보다 타 看不起 kànbuqǐ; 瞧不起 qiáobuqǐ; 轻视 qīngshì; 藐视 miǎoshì; 小看 xiǎokàn ¶남을 ~ 看不起别人
깔아-뭉개다 타 **1** 压磨 yāmó; 压碎 yāsuì **2** 克制 kèzhì; 压制 yāzhì ¶감정을 ~ 克制感情
깔-창 명 鞋垫 xiédiàn

깜깜 부하형히부 **1** 漆黑 qīhēi ¶깜깜한 밤 漆黑的夜晚 / 등불이 꺼지자 방 안은 온통 ~해졌다 灯一关, 房间里就变成了一团漆黑 **2** 全然不知 quánrán bùzhī

깜깜-무소식(—無消息) 명 石沉大海 shíchéndàhǎi; 杳无音信 yǎowúyīnxìn ¶ 떠난 후로는 ~이다 离开后就杳无音信了

깜깜-절벽(—絶壁) 명 无法沟通 wúfǎ gōutōng; 全然不知 quánrán bùzhī

깜냥 명 本事 běnshi; 力量 lìliàng; 能力 nénglì ¶내 ~에 무엇을 할 수 있겠니? 凭我的力量能做什么?

깜박 부하자타 **1** 一闪 yīshǎn **2** 眨 zhǎ; 眨眼 zhǎyǎn ¶눈동자를 ~도 하지 않는다 眼睛也不眨一下 **3** 突然 tūrán; 一下子 yīxiàzi; 一下 yīxià ¶~ 정신을 잃다 突然昏过去了 / ~ 졸다 打了一下瞌睡 / ~ 잊었다 一下子给忘了 / ~ 속았다 一下子被骗住了

깜박-거리다 자타 **1** 忽明忽暗 hūmínghū'àn; 忽闪忽闪 hūshǎnhūshǎn; 明灭 míngmiè; 闪烁 shǎnshuò; 一闪一闪 yīshǎnyīshǎn ¶촛불이 ~ 烛光闪烁 / 형광등이 ~ 荧光灯忽闪忽闪的 **2** 眨 zhǎ; 眨眼 zhǎyǎn ¶눈을 ~ 眨眼睛 ‖ = 깜박대다

깜박-이다 타 **1** 忽闪忽闪 hūshǎnhūshǎn; 一闪一闪 yīshǎnyīshǎn ¶등불이 ~ 灯火一闪一闪的 **2** 眨 zhǎ; 眨眼 zhǎyǎn ¶눈을 ~ 眨眼睛

깜부기 명 〖植〗 黑穗 hēisuì

깜빡 부하자타 **1** 明灭 míngmiè **2** 眨眼 zhǎyǎn **3** 完全 wánquán; 一干二净 yīgānèrjìng ¶~ 잊었다 忘了个一干二净

깜빡-거리다 자타 **1** 忽明忽暗 hūmínghū'àn; 忽闪忽闪 hūshǎnhūshǎn; 明灭 míngmiè; 闪烁 shǎnshuò; 一闪一闪 yīshǎnyīshǎn ¶등불이 ~ 灯火一闪一闪的 / 촛불이 ~ 烛光闪烁 **2** 眨 zhǎ; 眨眼 zhǎyǎn ¶그는 아무 말도 하지 않고 눈만 깜빡거린다 他什么话也不说, 只是眼睛一眨一眨的 ‖ = 깜빡대다 **깜빡-깜빡** 부하자타

깜빡-이다 자타 **1** 明灭 míngmiè ¶밤바다에서 깜빡이는 등불 深夜大海里明灭的灯光 **2** 眨 zhǎ; 眨眼 zhǎyǎn

깜장 명 黑色 hēisè; 黑 hēi ¶~ 양복 黑色西装 / ~ 치마 黑裙子

깜짝[1] 부하자타 眨 zhǎ; 眨眼 zhǎyǎn ¶눈도 ~하지 않는다 连眼都不眨一下

깜짝[2] 부하자 吓一跳 xià yītiào ¶~ 놀라다 吓了一跳

깜짝-이야 감 哎呀 āiyā

깜찍-하다 형 **1** 伶俐 línglì ¶깜찍한 아이 伶俐的小孩 **2** 小巧玲珑 xiǎoqiǎolínglóng

깡그리 부 光 guāng; 全部 quánbù; 统统 tǒngtǒng; 整个 zhěnggè; 一干二净 yīgān'èrjìng ¶~ 없어지다 全部没有了 / ~ 잊어버리다 忘得一干二净

깡똥-하다 형 很短 hěn duǎn; 短短 duǎnduǎn ¶깡똥한 치마 很短的裙子

깡-마르다 형 瘦巴巴 shòubābā; 精瘦 jīngshòu; 干瘦 gānshòu ¶깡마른 남자 瘦巴巴的男人

깡충 부 蹦跳 bèngtiào

깡충-거리다 자 蹦蹦跳跳 bèngbengtiàotiào; 一蹦一跳 yībèngyītiào = 깡충대다 **깡충-깡충** 부하자 ¶토끼가 ~ 뛰어오다 兔子蹦蹦跳跳地跑过来

깡통(—筒) 명 **1** 罐头 guàntou; 罐子 guànzi; 罐 guàn ¶~을 따다 开罐头 **2** 饭桶 fàntǒng; 空脑袋 kōngnǎodai

깡패(—牌) 명 恶棍 ègùn; 匪帮 fěibāng; 流氓 liúmáng; 痞子 pǐzi; 无赖 wúlài ¶~들 사이에 벌어진 싸움 在流氓之间展开的争斗

깨 명 芝麻 zhīma; 荏子 rěnzǐ ¶~강정 芝麻糖

깨갱 부 嗷嗷 áo'áo 《狗惨叫声》

깨갱-거리다 자 (狗) 嗷嗷地惨叫 áoáode cǎnjiào = 깨갱대다 **깨갱-깨갱** 부하자

깨끗-하다 형 **1** 干净 gānjìng; 清洁 qīngjié ¶깨끗하게 청소한 집 打扫得干干净净的屋子 / 깨끗하게 빤 옷 洗得干干净净的衣服 **2** 清秀 qīngxiù ¶얼굴이 깨끗하게 생겼다 脸长得清秀 **3** 清醒 qīngxǐng ¶정신이 ~ 神志清醒 **4** 纯洁 chúnjié; 纯净 chúnjìng ¶마음이 ~ 心地纯洁 **5** 全部 quánbù; 完全 wánquán ¶깨끗하게 다 가져갔다 全部拿光了 / 관련 내용을 깨끗하게 정리했다 相关内容完全整理好了 **깨끗-이** 부 ¶집안을 ~ 청소하다 家里打扫得干干净净 / 옷을 ~ 세탁하다 衣服洗得干干净净

깨:다[1] 자 **1** 醒 xǐng ¶잠에서 깨자마자 일어났다 一睡醒就起床了 **2** 觉悟 juéwù; 觉醒 juéxǐng ¶머리가 깬 사람 头脑觉醒的人

깨다[2] 타 **1** 打破 dǎpò ¶유리를 ~ 打破玻璃 / 세계 기록을 ~ 打破世界记录 **2** 破坏 pòhuài ¶기존의 규칙을 ~ 破坏现有规则 / 기존 질서를 ~ 破坏现有秩序

깨:다[3] 자 '까다[1]2' 的被动词 ¶알에서 갓 깬 병아리 刚从卵中孵出的小鸡

깨닫다 타 **1** 觉察 juéchá; 觉悟 juéwù; 理解 lǐjiě; 认识 rènshi ¶자기의 잘못을 ~ 认识到自己的错误 **2** 发现 fāxiàn; 意识 yìshí ¶닥쳐오는 위험을 ~ 意识到即将来临的危险

깨달음 명 觉悟 juéwù; 醒悟 xǐngwù ¶ ~을 얻다 得到觉悟

깨-뜨리다 타 打破 dǎpò; 弄碎 nòngsuì; 摔 shuāi; 砸 zá; 破坏 pòhuài ¶그릇을 ~ 把碗打破了 / 세계 기록을 ~ 打破世界纪录 / 약속을 ~ 破坏约定

깨-물다 타 咬 yǎo ¶입술을 ~ 咬住嘴唇 / 배를 한 입 ~ 咬了一口梨 / 자기의 혀를 ~ 咬自己的舌头

깨:-부수다 타 打破 dǎpò; 打碎 dǎsuì ¶모든 상식을 ~ 打破一切常规 / 접시를 ~ 把碟子打碎

깨-소금 명 芝麻粉 zhīmafěn; 芝麻盐 zhīmayán

깨-알 명 芝麻粒儿 zhīmalìr; 芝麻 zhīma ¶~ 같은 글씨 芝麻大小的字

깨어-나다 자 **1** 醒 xǐng ¶꿈에서 ~ 从梦中醒来 / 마취에서 ~ 从麻醉中醒来 **2** 清醒 qīngxǐng ¶명상에서 ~ 从冥想中清醒过来

깨-우다 타 叫醒 jiào xǐng 《'깨다[1]1'的使动词》¶아이를 ~ 叫醒孩子

깨우치다 타 启发 qǐfā; 开导 kāidǎo; 提醒 tíxǐng; 使明白 shǐ míngbai; 使领悟 shǐ lǐngwù ¶그의 말씀이 우리를 깨우쳐 주었다 他的话启发了我们

깨작-거리다[1] 타 懒洋洋 lǎnyángyáng; 慢吞吞 màntūntūn; 懒得 lǎnde = 깨작대다 **깨작-깨작[1]** 부하타

깨작-거리다[2] 타 乱写 luàn xiě; 随便写 suíbiàn xiě = 깨작대다 ¶되는대로 깨작거려 놓은 글씨 随便乱写的字 **깨작-깨작[2]** 부하타

깨:-지다 자 **1** 破 pò; 碎 suì; 破碎 pòsuì ¶유리병이 ~ 玻璃瓶破了 / 접시가 ~ 碟子碎了 **2** 破灭 pòmiè ¶희망이 ~ 希望破灭 / 혼담이 ~ 婚事破灭

깨-치다 타 领悟 lǐngwù; 明白 míngbai

깩 부 嗷 áo; 哦 ò ¶~~ 소리를 질렀다 嗷嗷叫了起来

깩깩-거리다 자 嗷嗷叫 áo'áo jiào = 깩깩대다

깻-묵 명 芝麻油饼 zhīmayóubǐng; 油饼 yóubǐng

깻-잎 명 芝麻叶 zhīmayè

꺼끌-꺼끌 부하형 粗糙 cūcāo; 毛糙 máocao ¶표면이 꺼끌꺼끌한 벽 表面粗糙的墙壁

꺼:-내다 타 **1** 拿出 náchū; 掏出 tāochū ¶호주머니에서 만년필을 ~ 从口袋里掏出钢笔 / 서랍에서 돈을 ~ 从抽屉里掏出钱来 **2** 说出 shuōchū; 淡起 tánqǐ; 提起 tíqǐ ¶말을 ~ 说出话来

꺼-뜨리다 타 弄灭 nòngmiè; 熄灭 xīmiè ¶불을 ~ 把火弄灭 / 촛불을 ~ 把蜡烛熄灭

꺼:리다 一타 顾忌 gùjì; 忌讳 jìhuì ¶ 꺼리는 말 忌讳的话 二자 (心里) 苛责 kēzé ¶마음에 ~ 内心受到苛责

꺼림칙-하다 형 担心 dānxīn; 很不放心 hěn bùfàngxīn; 歉疚 qiànjiù = 께름칙하다 ¶마음이 ~ 心里歉疚

꺼:멓다 형 黑 hēi; 漆黑 qīhēi ¶꺼먼 연기 黑烟

꺼무스레-하다 형 = 꺼무스름하다

꺼무스름-하다 형 稍黑 shāo hēi; 微黑 wēi hēi = 꺼무스레하다

꺼:벙-이 명 呆子 dāizi

꺼:벙-하다 형 笨 bèn; 呆笨 dāibèn; 呆傻 dāishǎ; 傻 shǎ ¶꺼벙한 모습 呆傻的样子

꺼슬-꺼슬 부하형 粗糙 cūcāo; 粗涩 cūsè; 毛糙 máocao ¶~한 옷 粗糙的衣服

꺼이-꺼이 부 呜呜 wūwū ¶~ 울어 대다 呜呜哭了起来

꺼지다[1] 자 **1** 熄灭 xīmiè ¶등불이 ~ 灯火熄灭 / 촛불이 ~ 烛火熄灭 **2** 断 duàn; 死 sǐ ¶숨이 ~ 断气 **3** 消失 xiāoshī ¶거품이 ~ 泡沫消失 **4** 滚 gǔn; 滚开 gǔnkāi ¶썩 꺼져라! 给我滚开!

꺼지다[2] 자 洼 wā; 陷 xiàn; 塌陷 tāxiàn ¶땅이 ~ 地陷 / 지반이 ~ 地基塌陷

꺼칠-하다 형 粗糙 cūcāo; 粗涩 cūsè; 毛糙 máocao ¶꺼칠한 피부 粗糙的皮肤

꺼풀 명 **1** 表皮 biǎopí; 外皮 wàipí; 皮 pí ¶~이 얇다 表皮薄 **2** 层 céng ¶한 ~ 벗기다 剥掉一层 ‖ = 까풀

꺼풀-지다 자 长出外皮 zhǎngchū wàipí; 形成表皮 xíngchéng biǎopí

꺽다리 명 = 키다리

꺾-꽂이 명하타 〖植〗 插条 chātiáo; 插枝 chāzhī

꺾다 타 **1** 折断 zhéduàn; 折 zhé ¶나뭇가지를 ~ 折断树枝 **2** 拐弯 guǎiwān; 拐 guǎi ¶동쪽 길에서 이쪽으로 꺾어 들어오다 从东边路上向这边拐进来 **3** 弯 wān ¶허리를 꺾고 짐을 들어 올리다 弯腰把行李拿上来 **4** 折叠 zhédié ¶종이를 한 번 더 ~ 把纸再折叠一次 **5** (锐气) 挫 cuò ¶기를 ~ 挫锐气

꺾-쇠 명 〖建〗 绊钉 bàndīng; 锔子 jūzi

꺾어-지다 자 折断 zhéduàn ¶나뭇가지가 ~ 树枝折断了

꺾-이다 자 **1** 折断 zhéduàn ¶태풍에 나무가 꺾였다 树木被台风折断了 **2** 挫败 cuòbài ¶기가 ~ 气势被挫败 **3** 拐弯 guǎiwān ¶이 길은 저기에서 오른쪽으로 꺾인다 这条路从那里向右拐弯

껄껄 부하자 哈哈 hāhā; 呵呵 hēhē; 嘿嘿 hēihēi ¶그는 갑자기 ~ 웃기 시작했다 他突然哈哈笑了起来

껄껄-거리다 자 哈哈大笑 hāhā dàxiào = 껄껄대다

껄껄-하다 형 **1** 粗糙 cūcāo; 毛糙 máocao ¶껄껄한 피부 粗糙的皮肤 **2** (性格) 生硬 shēngyìng ¶성미가 ~ 性格生硬

껄끄럽다 형 **1** 扎 zhā ¶등에 꺼끄러기가 붙어서 ~ 芒刺粘在背上, 扎得很 **2** 粗糙 cūcāo; 毛糙 máocao ¶껄끄러운 표면 粗糙的表面 **3** 别扭 bièniu; 尴尬 gāngà ¶관계가 ~ 关系尴尬

껄렁 부하형 **1** 吊儿郎当 diào'erlángdāng **2** 差劲(儿) chàjìn(r); 次 cì; 坏 huài; 劣 liè ¶그가 하는 말은 ~해서 잘 듣지 않는다 他说的话很差劲儿, 我听都不爱听

껄렁-껄렁 부하형 **1** 吊儿郎当 diào'erlángdāng ¶~ 세월을 보내다 吊儿郎当混日子 **2** 差劲(儿) chàjìn(r); 次 cì; 坏 huài; 劣 liè

껌(←gum) 명 口香糖 kǒuxiāngtáng ¶~을 씹다 嚼口香糖

껌껌-하다 형 **1** 漆黑 qīhēi; 黑黑 hēihēi ¶껌껌한 밤 漆黑的夜 / 껌껌한 골목 漆黑的巷子 **2** 阴险 yīnxiǎn ¶속이 껌껌한 사람 内心阴险的人

껌:다 형 黑 hēi ¶껌은 머리 黑头发 / 껌은 옷 黑衣服

껌뻑 부하타 **1** (灯火) 一闪 yīshǎn **2** 一眨 yīzhǎ

껌뻑-거리다 자타 **1** (灯火) 一闪一闪 yīshǎnyīshǎn ¶먼 곳에서 등불이 ~ 远处灯火一闪一闪的 **2** 一眨一眨 yīzhǎyīzhǎ ¶눈을 ~ 眼睛一眨一眨的 ‖ = 껌뻑대다 **껌뻑-껌뻑** 부하자타

껍데기 명 **1** 外壳 wàiké; 壳 ké ¶호두 ~ 核桃壳 **2** 面 miàn; 外皮 wàipí

껍질 명 皮 pí; 表皮 biǎopí; 外皮 wàipí ¶나무 ~ 树皮 / 과일 ~ 水果皮

-껏 접미 尽 jìn; 尽量 jǐnliàng ¶힘~ 尽力 / 마음~ 尽情

껑충 부 **1** 蹦 bèng; 蹿 cuàn; 蹦跳 bèngtiào ¶그는 ~ 담 위로 뛰어올랐다 他一蹿就跳到墙上去了 **2** 飞 fēi; 一跃 yīyuè; 飞跃 fēiyuè ¶물가가 ~ 뛰다 物价飞涨

껑충-거리다 자 蹦蹦跳跳 bèngbengtiàotiào; 一蹦一跳 yībèngyītiào = 껑충대다 **껑충-껑충** 부하자

껑충-하다 형 细高 xìgāo; 高大 gāodà ¶키가 ~ 个子高大

-께 조 给 gěi; 向 xiàng (('에게'的敬词)) ¶부모님~ 드리는 편지 给父母的信 / 선배님~ 드리는 책 给学长的书

께름칙-하다 형 = 꺼림칙하다

께서 조 对人尊敬的主格助词 ¶선생님~ 하신 말씀 老师说的话 / 아버지~ 오셨다 父亲来了

껴-들다 자타 **1** '끼어들다' 的略词 **2** 夹 jiá; 掖 yē ¶책을 겨드랑이에 ~ 把书掖在腋下

껴-안다 타 **1** 搂 lǒu; 搂抱 lǒubào ¶아이를 껴안고 자다 搂着孩子睡觉 **2** 包揽 bāolǎn ¶혼자서 집안일을 ~ 一个人包揽家务

껴-입다 타 (衣服) 加穿 jiāchuān; 穿 chuān ¶스웨터를 ~ 加穿毛衣 / 옷을 잔뜩 ~ 多穿衣服

꼬깃-거리다 타 捏皱 niēzhòu; 揉皱 róuzhòu = 꼬깃대다 **꼬깃-꼬깃** 부하타형

꼬:까 명 彩色童装 cǎisè tóngzhuāng; 花衣服 huāyīfu

꼬:까-신 명 彩色童鞋 cǎisè tóngxié; 花鞋子 huāxiézi

꼬:까-옷 명 彩色童装 cǎisè tóngzhuāng; 花衣服 huāyīfu

꼬꼬 一명 鸡 jī 二부 咯咯 gēgē; 喈喈 jiējiē; 咕咕 gūgū ((鸡叫声))

꼬꼬댁 부하자 咯咯 gēgē; 喈喈 jiējiē; 咕咕 gūgū ((鸡叫声))

꼬끼오 부 喔喔 wōwō ((雄鸡叫声))

꼬:다 타 **1** 搓 cuō; 捻 niǎn ¶새끼를 ~ 搓草绳 / 노끈을 ~ 捻绳子 **2** (身子) 扭动 niǔdòng; 交叉 jiāochā ¶다리를 꼬고 앉아 있다 双腿交叉坐着 / 그 아이는 몸을 꼬고 있다 那个孩子扭动着身子 **3** = 비꼬다3

꼬드기다 타 撺掇 cuānduo; 鼓动 gǔdòng; 劝诱 quànyòu; 扇动 shāndòng; 唆使 suōshǐ ¶남을 ~ 唆使别人 / 싸움을 하라고 ~ 撺掇别人打架

꼬들-꼬들 부하형 干硬 gānyìng ¶~한 밥 干硬的饭

꼬락서니 명 熊样 xióngyàng ¶그런 ~는 보기도 싫다 那副熊样, 我都不愿意看

꼬르륵 부하자 **1** (肚子) 咕咕 gūgū; 咕噜咕噜 gūlūgūlū **2** (液体) 咕噜 gūlū

꼬르륵-거리다 자 **1** (肚子) 咕咕响 gūgū xiǎng; 咕咕叫 gūgū jiào ¶너무 배고파서 배 속이 계속 꼬르륵거린다 饿极了, 肚子咕咕直叫 **2** (液体) 咕噜咕噜(响) gūlūgūlū (xiǎng) ¶물이 병 부리로 꼬르륵거리며 나온다 水从瓶口咕嘟咕嘟流出来 ‖ = 꼬르륵대다 **꼬르륵-꼬르륵** 부하자

꼬리 명 **1** (动物的) 尾巴 wěiba; 尾 wěi ¶~를 흔들다 摇尾巴 **2** (事物的) 尾巴 wěiba; 尾 wěi ¶혜성의 ~ 彗尾 / 비행기 ~ 飞机的尾巴 **3** 后面 hòumiàn ¶남의 ~만 따라다니다 老跟在别人后面

꼬리가 길면 밟힌다 속담 多行不义必自毙
꼬리(가) 길다 구 1 长期干坏事 2 不关门
꼬리(를) 감추다 구 销声匿迹
꼬리(를) 물다 구 层出不穷; 一个接一个
꼬리(를) 밟히다 구 露出马脚; 露馅儿
꼬리(를) 치다 구 撒娇诱惑
꼬리-곰탕 명 牛尾汤 niúwěitāng
꼬리-뼈 명 〖生〗 尾骨 wěigǔ = 미골
꼬리-지느러미 명 〖魚〗 尾鳍 wěiqí
꼬리-털 명 尾巴毛 wěibamáo
꼬리-표(—票) 명 行李牌 xínglipái; 货签 huòpiān
꼬마 명 1 小朋友 xiǎopéngyou; 小鬼 xiǎoguǐ ¶~야, 네 이름은 뭐니? 小朋友, 你叫什么名字? 2 小 xiǎo; 小的 xiǎode ¶~ 자동차 小汽车 3 矮个儿 ǎigèr
꼬막 명 〖貝〗 蚶子 hānzi; 泥蚶 níhān
꼬맹이 명 '꼬마1 · 3' 的鄙称
꼬물-거리다 ㊀자 1 蠕动 rúdòng ¶벌레가 땅바닥에서 꼬물거리며 기어간다 虫子在地面上蠕动爬行 2 迟缓 chíhuǎn; 缓慢 huǎnmàn; 慢腾腾 mànténgténg ㊁타 一动一动的 yīdòngyīdòngde ‖= 꼬물대다 **꼬물-꼬물** 부 하자타
꼬박 부 一直 yīzhí; 整整 zhěngzhěng; 苦苦 kǔkǔ ¶이틀 밤을 ~ 새웠다 一直熬了两夜
꼬박-꼬박 부 一丝不苟 yīsībùgǒu; 不折不扣 bùzhébùkòu
꼬부라-들다 자 蜷曲 quánqū; 弯 wān ¶철사가 꼬부라들었다 铁丝弯了
꼬부라-지다 자 歪 wāi; 弯 wān; 弯曲 wānqū ¶꼬부라진 산길 弯曲的山路 / 허리가 ~ 腰弯了
꼬부랑 명 弯 wān; 曲 qū ¶~ 할머니 弯腰的老奶奶
꼬부랑-글자(—字) 명 1 洋字儿 yángzìr 2 歪歪扭扭的字 wāiwāiniǔniǔde zì
꼬부랑-길 명 曲径 qūjìng; 羊肠小道 yángcháng xiǎodào
꼬부리다 타 使蜷曲 shǐ quánqū; 使弯曲 shǐ wānqū; 蜷缩 quánsuō ¶몸을 꼬부리고 오랫동안 일을 하다 蜷缩着身体, 长期地工作
꼬불-거리다 자 弯曲 wānqū; 弯 wān = 꼬불대다 ¶꼬불거리는 산길 弯曲的山路 **꼬불-꼬불** 부 하자형
꼬시다 타 '꼬이다⁴' 的错误
꼬이다¹ 자 = 꾀다¹
꼬이다² 자 1 (事情) 不顺利 bùshùnlì; 不顺手 bùshùnshǒu; 不顺 bùshùn ¶일이 꼬여서 시간이 오래 걸렸다 事情不顺利, 花了很长时间 2 拐扭 bièniu; 不顺心 bùshùnxīn ¶그는 마음이 꼬였는지 말을 하지 않는다 他可能是不顺心, 所以不说话
꼬-이다³ 자 1 纠结 jiūjié; 缠绕 chánrào 2 拌蒜 bànsuàn ¶두 다리가 ~ 两脚拌蒜
꼬이다⁴ 타 = 꾀다²
꼬임 명 欺骗 qīpiàn; 诱骗 yòupiàn
꼬장-꼬장 부하형 1 硬朗 yìnglang; 矍铄 juéshuò ¶그 노인은 아직도 ~하다 那位老人依然很硬朗 2 心直 xīnzhí; 耿直 gěngzhí; 死心眼儿 sǐxīnyǎnr ¶성미가 ~한 사람 性格耿直的人
꼬질-꼬질 부하형 肮脏 āngzāng; 脏 zāng
꼬집다 타 1 拧 nǐng; 掐 qiā; 揪 jiū ¶허벅지를 ~ 拧大腿 2 强调 qiángdiào; 揭底 jiēdǐ; 揭露 jiēlù; 指出 zhǐchū
꼬챙이 명 扦(儿) qiān(r); 扦子 qiānzi; 签子 qiānzi = 꼬치2 ¶~에 양고기를 꿰어 굽다 把羊肉穿在扦子上烤
꼬치 명 1 串(儿) chuàn(r) ¶양고기 ~ 羊肉串儿 2 = 꼬챙이 3 串(儿) chuàn(r) ¶오징어 한 ~ 一串鱿鱼
꼬치-꼬치 부 寻根究底(地) xúngēnjiūdǐ(de); 寻根问底 xúngēnwèndǐ ¶그는 사건의 전말을 ~ 캐물었다 他寻根究底地盘问事情的始末
꼬투리 명 1 头绪 tóuxù ¶~를 캐다 弄清头绪 2 话柄 huàbǐng; 柄 bǐng; 话把儿 huàbǎr ¶~를 잡다 抓话柄 3 〖植〗 豆荚 dòujiá
꼭¹ 부 1 使劲(儿) shǐjìn(r); 紧 jǐn; 好好(儿) hǎohǎo(r) ¶~ 누르다 使劲压 / 입을 ~ 다물다 紧闭着嘴 / 문이 ~ 닫혀 있다 门紧闭着 2 极力 jílì; 拼命 pīnmìng ¶두통을 ~ 참다 拼命忍着头疼
꼭² 부 1 一定 yīdìng; 必定 bìdìng; 必 bì; 准 zhǔn; 务必 wùbì ¶오늘 나는 ~ 그에게 고백할 것이다 今天我一定要向他表白 / 내일 ~ 오세요 明天请务必来 2 刚 gāng; 正 zhèng; 完全 wánquán; 刚好 gānghǎo; 正好 zhènghǎo; 恰 qià; 恰好 qiàhǎo ¶옷이 몸에 ~ 맞는다 衣服正合适 / 아버지의 얼굴과 ~ 같다 和爸爸长得完全一样
꼭-꼭¹ 부 1 使劲(儿) shǐjìn(r); 紧 jǐn; 好好(儿) hǎohǎo(r) 2 极力 jílì; 拼命 pīnmìng 3 严实 yánshí
꼭-꼭² 부 务必 wùbì; 一定 yīdìng; 必定 bìdìng; 准 zhǔn ¶그는 날마다 한 번씩 ~ 온다 他每天准来一次
꼭대기 명 1 顶 dǐng; 顶端 dǐngduān; 头 tóu ¶시계탑 ~ 钟楼顶端 / 나무 ~ 树顶 2 = 정수리
꼭두-각시 명 1 木偶 mù'ǒu; 傀儡

kuílěi **2** 傀儡 kuílěi; 伪 wěi = 괴뢰
꼭두-새벽 명 拂晓 fúxiǎo; 黎明 límíng; 破晓 pòxiǎo
꼭지 명 **1** 把手 bǎshou; 龙头 lóngtóu ¶냄비 ~ 锅盖把手/~를 잠그다 关龙头 **2** 蒂 dì ¶감 ~ 柿子蒂/호박 ~ 南瓜蒂
꼭짓-점(—点) 명 〖數〗 顶点 dǐngdiǎn
꼴[1] 명 熊相 xióngxiàng; 样子 yàngzi ¶~이 흉하다 样子难看/저 ~을 보시오 看他那熊相吧
꼴[2] 명 饲草 sìcǎo; 草料 cǎoliào = 목초 ¶소에게 ~을 먹이다 给牛喂草料
-꼴 접미 表示单价 ¶사과 두 근에 십 위안이면 한 근에 오 위안~이다 假如苹果十块钱二斤, 那么一斤就是五块钱
꼴깍 부하자타 **1** 咕嘟 gūdū ¶그는 물 한 모금을 ~ 삼켰다 他咕嘟喝了一口水 **2** 勉强 miǎnqiǎng; 硬 yìng ¶분을 ~ 참다 勉强忍住怒气 **3** 一下子 yīxiàzi ¶숨이 ~ 넘어가다 一下子咽了气
꼴-등(—等) 명 倒数第一 dàoshǔ dìyī; 末位 mòwèi
꼴딱 부하자타 **1** 咕嘟 gūdū ¶물 한 컵을 ~ 삼켰다 咕嘟一声把一杯水吞了下去 **2** 满满(地) mǎnmǎn(de) ¶찻주전자에 물이 ~ 찼다 茶壶里的水满满的 **3** 整整 zhěngzhěng ¶~ 사흘을 굶었다 整整饿了三天 **4** 完全 wánquán ¶해가 ~ 넘어갔다 太阳完全落山了
꼴뚜기 명 〖魚〗 望潮 wàngcháo ¶~젓 望潮酱
꼴-리다 자 生气 shēngqì; 气死 qìsǐ
꼴-불견(—不見) 명 不顺眼 bùshùnyǎn; 不像样(儿) bùxiàngyàng(r); 不像话 bùxiànghuà; 丑样儿 chǒuyàngr; 刺眼 cìyǎn ¶여자가 소리 지르는 모습은 참으로 ~이다 女人大呼小叫的样子实在不像话
꼴-사납다 형 难看 nánkàn; 丑 chǒu; 令人讨厌 lìngrén tǎoyàn ¶그렇게 꼴사납게 굴지 마라 不要那么令人讨厌
꼴찌 명 倒数第一 dàoshǔ dìyī; 末尾 mòwěi; 最后一个 zuìhòu yīge ¶성적이 ~인 학생 成绩倒数第一的学生/달리기에서 ~를 했다 在赛跑中得了倒数第一
꼴통 명 笨蛋 bèndàn; 笨东西 bèndōngxi
꼼꼼 부하형히부 精细 jīngxì; 细致 xìzhì; 仔细 zǐxì; 细心 xìxīn ¶~한 성격 细致的性格/~히 살피다 仔细查看
꼼-수 명 小动作 xiǎodòngzuò; 小手段 xiǎoshǒuduàn ¶~를 부리다 搞小动作
꼼지락 부하자타 蹂动 zàodòng; 一动一动 yīdòngyīdòng; 蠕动 rúdòng
꼼지락-거리다 자타 躁动 zàodòng; 一动一动 yīdòngyīdòng; 蠕动 rúdòng = 꼼지락대다 ¶강아지가 바닥에서 ~ 小狗在地板上蠕动 **꼼지락-꼼지락** 부하자타
꼼짝 부하자타 动弹 dòngtan; 动 dòng; 一动 yīdòng ¶~ 말고 거기에 있어라 不要动, 在那里呆着吧/~도 하지 않다 一动也不动
꼼짝 못하다 구 不敢动
꼼짝-달싹 부하자 动弹 dòngtan; 动 dòng; 一动 yīdòng ¶그 환자는 다리를 다쳐서 ~ 못한다 那个病人腿受伤了, 一动也不能动
꼼짝-없다 형 毫无办法 háowú bànfǎ; 无可奈何 wúkěnàihé **꼼짝없-이** 부
꼽다 타 **1** 扳 bān; 屈 qū ¶손가락을 꼽아가며 날짜를 세다 屈指算日子 **2** 数 shǔ ¶우리 학교에서 노래로는 그를 첫째로 꼽는다 在我们学校里, 唱歌要数他最好
꼽추 명 佝偻 gōulóu; 罗锅(儿) luóguo(r) = 곱사등이
꼽-히다 자 '꼽다2' 的被动词 ¶전국에서 손에 꼽히는 미녀 在全国数得着的美女
꼿꼿-이 부 **1** 笔直(地) bǐzhí(de); 直挺挺(地) zhítǐngtǐng(de) ¶~ 서다 直挺挺地站着 **2** 耿直(地) gěngzhí(de)
꼿꼿-하다 형 **1** 笔直 bǐzhí; 直挺挺 zhítǐngtǐng ¶대나무가 꼿꼿하게 자랐다 竹子长得笔直/꼿꼿하게 앉아 있다 坐得直挺挺的 **2** 耿直 gěngzhí ¶마음이 ~ 心地耿直/성미가 ~ 性格耿直
꽁꽁 부 **1** 紧紧(地) jǐnjǐn(de) ¶~ 묶다 紧紧地捆/짐을 ~ 싸다 把行李包得紧紧的 **2** 硬邦邦 yìngbāngbāng; 硬邦邦 yìngbāngbāng ¶생선이 ~ 얼었다 鱼冻得硬邦邦的
꽁무니 명 **1** 屁股 pìgu; 臀部 túnbù **2** 末尾 mòwěi; 尾 wěi; 尾巴 wěiba = 뒤꽁무니 ¶대열의 ~를 따라가다 尾随队伍而去
꽁무니(를) 빼다 구 拔腿就跑; 抱头鼠窜; 溜走
꽁무니를 따라다니다 구 跟随; 尾随
꽁-생원(—生員) 명 心胸狭窄的人 xīnxiōng xiázhǎide rén; 小气鬼 xiǎoqiguǐ
꽁지 명 **1** (鸟类的) 尾羽 wěiyǔ; 尾巴 wěiba **2** '꼬리' 的鄙称
꽁초 명 = 담배꽁초 ¶~를 아무 데나 버리다 随地乱扔烟蒂
꽁치 명 〖魚〗 秋刀鱼 qiūdāoyú
꽁:-하다 一자 耿耿于怀 gěnggěngyúhuái; 怀恨在心 huáihènzàixīn; 赌气 dǔqì ¶조그마한 일에도 꽁하는 사람

对于一点小事都耿耿于怀的人 二형 心胸狭窄 xīnxiōng xiázhǎi ¶성미가 꽁한 사람 心胸狭窄的人
꽂다 타 插 chā; 别 bié; 簪 zān ¶깃발을 ~ 插旗子 / 꽃을 머리에 ~ 把花簪在头上
꽂-히다 자 '꽂다'的被动词 ¶꽃이 꽃병에 꽂혀 있다 花插在花瓶里
꽃 명 花(儿) huā(r); 花朵 huāduǒ ¶~가마 花轿 / ~가지 花枝 / ~동산 花园 / ~마차 花马车 / ~말 花语 / ~바구니 花蓝 / ~반지 花戒指 / ~병 花瓶 / ~신 花鞋 / ~향기 花香 / ~ 한 송이 一朵花 / ~을 심다 种花 / 아름다운 ~들이 여기저기 피어 있다 美丽的花朵处处开着
꽃-가루 명 〖植〗 花粉 huāfěn = 화분(花粉)
꽃-게 명 〖動〗 梭子蟹 suōzixiè; 蝤蛑 yóumóu
꽃-구경 명하자 观花 guānhuā; 赏花 shǎnghuā
꽃-꽂이 명하자 插花 chāhuā
꽃-나무 명 花树 huāshù; 花木 huāmù
꽃-눈 명 〖植〗 花芽 huāyá
꽃-다발 명 花束 huāshù ¶~을 보내다 送花束
꽃-답다 형 花一般美丽 huā yībān měilì ¶꽃다운 여자 花一般美丽的女子 / 꽃다운 시절 花一般美丽的年华
꽃-대 명 〖植〗 花轴 huāzhóu; 花茎 huājīng
꽃-망울 명 苞 bāo; 花苞 huābāo = 망울2 · 몽우리 ¶~이 터지다 花苞绽放
꽃-무늬 명 花纹 huāwén; 花样 huāyàng; 花 huā = 화문 ¶~ 천 花布 / ~를 수놓다 绣花纹
꽃-받침 명 〖植〗 花萼 huā'è
꽃-밥 명 〖植〗 花药 huāyào
꽃-밭 명 花圃 huāpǔ; 花园 huāyuán
꽃-뱀 명 〖動〗 花蛇 huāshé
꽃-봉오리 명 〖植〗 蓓蕾 bèilěi; 花蕾 huālěi; 花骨朵 huāgūduo = 봉오리
꽃-부리 명 〖植〗 花冠 huāguān = 화관1
꽃-사슴 명 〖動〗 斑鹿 bānlù; 梅花鹿 méihuālù
꽃-삽 명 花铲 huāchǎn
꽃샘-추위 명 倒春寒 dàochūnhán; 春寒 chūnhán
꽃-송이 명 花朵 huāduǒ
꽃-술 명 〖植〗 花蕊 huāruǐ
꽃-잎 명 〖植〗 花瓣 huābàn = 판(瓣)1 · 화판
꽃-자루 명 〖植〗 花柄 huābǐng; 花梗 huāgěng
꽃-집 명 花店 huādiàn
꽃-차례(—次例) 명 〖植〗 花序 huāxù
꽃-피다 자 繁荣发展 fánróng fāzhǎn; 欣欣向荣 xīnxīnxiàngróng
꽃피-우다 타 繁荣发展 fánróng fāzhǎn; 欣欣向荣 xīnxīn xiàngróng 《'꽃피다'的使动词》
꽈당 부 咣当 guāngdāng; 哐当 kuāngdāng; 砰訇 pēnghōng
꽈:리 명 〖植〗 酸浆果 suānjiāngguǒ
꽈:배기 명 麻花 máhuā
꽉 부 **1** 紧 jǐn; 紧紧 jǐnjǐn; 使劲(儿) shǐjìn(r); 用力 yònglì ¶~ 물고 놓지 않다 紧紧咬住不松口 / ~ 잡다 紧紧抓住 **2** 满满 mǎnmǎn; 满 mǎn ¶강당 안에 학생들이 ~ 들어찼다 礼堂里挤满了学生们
꽝[1] 명 没中 méi zhòng; 没抽中 méi chōuzhòng
꽝[2] 부 **1** 咣 guāng; 哐 kuāng; 砰 pēng; 咣当 guāngdāng; 空隆 kōnglóng ¶문이 ~ 닫혔다 门咣当一声, 关上了 **2** 轰 hōng; 轰隆 hōnglōng ¶폭탄이 ~ 터졌다 轰隆一声, 炸弹爆炸了
꽤 부 颇为 pōwéi; 颇 pō; 相当 xiāngdāng ¶~ 멀다 颇远 / ~ 재미있는 이야기 颇为有意思的故事
꽥 부 嗷 áo ¶그녀가 갑자기 소리를 ~ 질렀다 她突然嗷地叫了一声
꽥-꽥 부하자 嗷嗷 áo'áo
꽥꽥-거리다 자 嗷嗷地叫 áo'áode jiào = 꽥꽥대다
꽹과리 명 〖音〗 小锣 xiǎoluó ¶~를 치다 敲小锣
꾀 명 计策 jìcè; 计谋 jìmóu ¶~를 쓰다 用计谋
꾀꼬리 명 〖鳥〗 黄鹂 huánglí; 黄莺 huángyīng
꾀꼴 부 唧哩 jīlǐ 《黄鹂叫声》
꾀꼴-꾀꼴 부하자 唧哩唧哩 jīlǐjīlǐ
꾀:다[1] 자 (虫子) 聚集 jùjí; 爬满 pámǎn = 꼬이다[1] ¶장독에 파리가 ~ 酱缸里爬满苍蝇
꾀:다[2] 타 诱骗 yòupiàn; 引诱 yǐnyòu; 诱 yòu = 꼬이다[4] ¶부잣집 아들을 ~ 诱骗有钱人家的儿子
꾀-병(—病) 명하자 装病 zhuāngbìng = 생병2
꾀-부리다 자 耍滑头 shuǎ huátou; 耍滑 shuǎhuá; 耍奸 shuǎjiān
꾀죄죄-하다 형 肮里肮脏 āngli'āngzāng; 邋遢 lāta; 邋邋遢遢 lālatātā ¶꾀죄죄한 옷차림 邋邋遢遢的衣着
꾀-하다 타 谋 móu; 图 tú; 求 qiú; 策划 cèhuà; 谋划 móuhuà ¶이익을 ~ 图利 / 반역을 ~ 谋逆
꾐: 명 骗局 piànjú; 骗 piàn ¶~에 빠지다 受骗
꾸기다 자타 捏皱 niēzhòu; 弄皱 nòngzhòu; 揉皱 róuzhòu ¶꾸겨진 편지 揉

皱的信 / 옷을 ~ 把衣服弄皱

꾸:다[1] 타 做 zuò ¶꿈을 ~ 做梦 / 악몽을 ~ 做恶梦

꾸다[2] 타 借 jiè ¶돈을 ~ 借钱

꾸덕-꾸덕 부하형 硬邦邦 yìngbāngbāng; 硬梆梆 yìngbāngbāng ¶~ 마르다 干得硬邦邦的

-꾸러기 접미 虫 chóng; 包 bāo; 鬼 guǐ ¶장난~ 淘气包 / 잠~ 瞌睡虫

꾸러미 명 包 bāo; 串 chuàn; 封 fēng; 捆 kǔn ¶열쇠 ~ 钥匙串 / 과자 ~ 点心包 / 옷 한 ~ 一包衣服

꾸리다 타 1 包 bāo; 打 dǎ; 捆 kǔn ¶짐을 ~ 打行礼 / 배낭을 ~ 打背包 2 操持 cāochí; 搞好 gǎohǎo; 办好 bànhǎo; 经营 jīngyíng ¶살림을 ~ 操持家务

꾸물-거리다 자타 1 缓慢 huǎnmàn; 慢腾腾 mànténgténg ¶그렇게 꾸물거리지 말고 빨리 가거라 不要那么慢腾腾的, 快点去吧 2 蠕动 rúdòng ¶달팽이가 ~ 蜗牛蠕动 ‖= 꾸물대다 **꾸물-꾸물** 부하자타

꾸미다 타 1 装饰 zhuāngshì; 布置 bùzhì; 打扮 dǎban; 修 xiū; 修饰 xiūshì ¶방을 ~ 布置房间 / 겉모양을 ~ 装饰外观 2 编造 biānzào; 编 biān; 捏造 niēzào; 假造 jiǎzào; 造 zào ¶그가 꾸며 낸 이야기 他捏造出来的故事 3 搞 gǎo; 谋划 móuhuà; 策划 cèhuà ¶음모를 ~ 策划阴谋 4 编写 biānxiě ¶각본을 ~ 编写剧本

꾸밈-없다 형 毫无掩饰 háowú yǎnshì; 不加雕饰 bùjiā diāoshì; 朴实无华 pǔshíwúhuá **꾸밈없-이** 부

꾸밈-음(—音) 명 『音』装饰音 zhuāngshìyīn

꾸벅 부하타 点 diǎn; 点头 diǎntóu ¶~ 인사하다 点头打招呼

꾸벅-거리다 타 点 diǎn; 点头 diǎntóu = 꾸벅대다 **꾸벅-꾸벅** 부하타 ¶~ 졸다 头一点一点地打瞌睡

꾸불-거리다 자 曲曲折折 qūquzhézhé; 弯弯曲曲 wānwanqūqū; 蜿蜒 wānyán = 꾸불대다 **꾸불-꾸불** 부하자형

꾸준-하다 형 坚持不懈 jiānchíbùxiè; 孜孜不倦 zīzībùjuàn; 孜孜不息 zīzībùxī; 不懈 bùxiè; 坚持 jiānchí; 持续 chíxù ¶꾸준한 노력 不懈的努力 **꾸준-히** 부 ¶~ 일하다 孜孜不倦地工作

꾸중 명하타 = 꾸지람

꾸지람 명하타 训斥 xùnchì; 批评 pīpíng; 责备 zébèi; 骂 mà; 斥责 chìzé; 说 shuō = 꾸중 ¶어머니한테서 ~을 들었다 受到了母亲的责备

꾸짖다 타 训斥 xùnchì; 批评 pīpíng; 责备 zébèi; 骂 mà; 斥责 chìzé; 说 shuō ¶거짓말을 하지 말라고 아이를 꾸짖었다 责备孩子不要说谎

꾹 부 1 使劲(儿) shǐjìn(r); 紧 jǐn; 好好(儿) hǎohǎo(r) ¶~ 누르다 使劲按 / 입을 ~ 다물다 紧紧地闭住嘴 2 极力 jílì; 拼命 pīnmìng ¶아픔을 ~ 참다 极力忍住疼痛 / 화를 ~ 참다 极力忍住怒气

-꾼 접미 人 rén; 子 zi; 的 de ¶사냥~ 猎人 / 구경~ 看热闹的 / 사기~ 骗子

꿀 명 蜂蜜 fēngmì; 蜜 mì = 벌꿀 ¶~단지 蜂蜜罐 / ~떡 蜜糕 / ~물 蜜水

꿀 먹은 벙어리 속담 哑巴吃蜜, 喜在心里

꿀꺽 부하타 1 咕咚 gūdōng ¶침을 ~ 삼키다 咕咚一声咽了口水 2 勉强 miǎnqiǎng ¶눈물이 나는 것을 ~ 참았다 勉强忍住眼泪 3 吞 tūn; 吞吃 tūnchī; 吞没 tūnmò; 私吞 sītūn ¶공금을 ~하다 吞吃公款

꿀꺽-거리다 타 咕咚咕咚地响 gūdōnggūdōngde xiǎng = 꿀꺽대다 **꿀꺽-꿀꺽** 부하타

꿀꿀 부하자 哼哼 hēngheng《猪叫声》 ¶돼지가 ~ 울다 猪哼哼叫

꿀꿀-거리다 자 哼哼叫 hēngheng jiào = 꿀꿀대다

꿀꿀-이 명 1 猪 zhū 2 贪心鬼 tānxīnguǐ = 꿀돼지

꿀-돼지 명 = 꿀꿀이2

꿀떡 부하타 咕咚 gūdōng ¶떡을 ~ 삼켰다 把年糕咕咚咽了下去

꿀떡-거리다 타 咕咚咕咚 gūdōnggūdōng = 꿀떡대다 **꿀떡-꿀떡** 부하타

꿀-맛 명 甜 tián; 甜美 tiánměi; 香 xiāng ¶밥맛이 ~이다 吃饭很香

꿀-밤 명 栗暴 lìbào ¶머리에 ~ 몇 대를 맞았다 头上挨了几个栗暴

꿀밤(을) 먹다 구 挨栗暴

꿀-벌 명 『蟲』蜜蜂 mìfēng

꿇다 타 跪 guì; 下跪 xiàguì ¶바닥에 무릎을~ 跪在地上

꿇-리다[1] 자 '꿇다' 的被动词

꿇-리다[2] 타 '꿇다' 的使动词

꿇어-앉다 자 跪坐 guìzuò; 跪下 guìxià; 跪 guì ¶고개를 숙이고 그의 앞에 ~ 低着头跪坐在他面前

꿇어앉-히다 타 '꿇어앉다' 的使动词 ¶그를 내 앞에 ~ 让他在我面前跪下

꿈 명 1 梦 mèng ¶달콤한 ~ 甜蜜的梦 / 불길한 ~ 噩梦 / ~을 꾸다 做梦 2 梦想 mèngxiǎng; 梦 mèng ¶실현될 수 없는 ~ 不能实现的梦想 / 이것은 나의 오랜 ~이다 这是我多年的梦想

꿈(을) 깨다 구 别梦想; 别做梦

꿈도 못 꾸다 구 做梦也没想到

꿈도 야무지다 구 梦做得真美

꿈-같다 형 如梦 rúmèng; 像做梦一样 xiàng zuòmèng yīyàng ¶꿈같은 세상 如梦的世界 **꿈같-이** 부 ¶30년이 ~ 흘러갔다 三十年就像做梦一样过去了

꿈-결 명 梦中 mèngzhōng; 梦 mèng ¶~에 들은 이야기 梦中听到的故事 / ~같이 흘러간 세월 如梦般流逝的岁月

꿈-꾸다 타 1 做梦 zuòmèng 2 幻想 huànxiǎng; 梦想 mèngxiǎng ¶자유를 ~ 梦想自由

꿈-나라 명 梦乡 mèngxiāng ¶~로 가다 进入梦乡

꿈-나무 명 坯子 pīzi; 新苗 xīnmiáo

꿈-속 명 梦中 mèngzhōng; 梦里 mèngli ¶~을 헤매다 在梦中徘徊

꿈-자리 명 梦兆 mèngzhào

꿈지럭 부하자타 蠕动 rúdòng; 动弹 dòngtan; 慢慢地动 mànmànde dòng

꿈지럭-거리다 자타 蠕动 rúdòng; 动弹 dòngtan; 慢慢地动 mànmànde dòng ＝ 꿈지럭대다 **꿈지럭-꿈지럭** 부하자타

꿈쩍 부하자타 动弹 dòngtan; 动 dòng; 一动 yīdòng

꿈쩍 못 하다 구 不敢动

꿈틀 부하자타 蠕动 rúdòng; 蠕蠕 rúrú; 躁动 zàodòng

꿈틀-거리다 자타 蠕动 rúdòng; 蠕蠕 rúrú; 躁动 zàodòng ＝ 꿈틀대다 **꿈틀-꿈틀** 부하자타

꿉꿉-하다 형 潮湿 cháoshī; 潮 cháo ¶습기가 심해서 옷이 꿉꿉하게 되었다 因为湿气重, 衣服都潮了

꿋꿋-하다 형 坚强 jiānqiáng; 坚定 jiāndìng; 坚贞 jiānzhēn; 坚挺 jiāntǐng ¶꿋꿋한 사람 坚强的人 / 꿋꿋한 성격 坚强的性格 **꿋꿋-이** 부 ¶~ 살아가다 坚强地活下去

꿍 부 1 咣 guāng; 哐 kuāng; 砰 pēng; 咣当 guāngdāng; 空隆 kōnglóng 2 轰 hōng; 轰隆 hōnglōng

꿍꿍-이 명 鬼胎 guǐtāi; 鬼心眼儿 guǐxīnyǎnr; 鬼(儿) guǐ(r); 闷葫芦里的药 mènhúlulide yào

꿍꿍이-수작(—酬酌) 명하자 闷葫芦里的药 mènhúlulide yào; 鬼胎 guǐtāi; 鬼(儿) guǐ(r) ¶~을 부리다 搞鬼

꿍:-하다 一자 耿耿于怀 gěnggěngyúhuái; 怀恨在心 huáihènzàixīn; 赌气 dǔqì 二형 心胸狭窄 xīnxiōng xiázhǎi ¶꿍한 성격 心胸狭窄的性格 / 그는 꿍해서 친구가 없다 因为他心胸狭窄, 所以没有朋友

꿩 명 〖動〗 野鸡 yějī; 雉 zhì; 山鸡 shānjī

꿩 먹고 알 먹는다[먹기] 속담 一举两得

꿰:다 타 1 穿 chuān ¶바늘에 실을 ~ 穿针 / 구슬을 ~ 穿珠子 2 熟悉 shúxī ¶그녀는 나의 사정을 죄다 꿰고 있었다 她熟悉我所有的事情

꿰:-뚫다 타 1 穿过 chuānguò; 穿 chuān; 贯穿 guànchuān; 贯通 guàntōng ¶총알이 과녁을 ~ 子弹贯穿了靶子 / 작은 강이 공원을 ~ 小河贯穿了公园 2 看透 kàntòu; 看穿 kànchuān; 熟悉 shúxī; 精通 jīngtōng ¶적의 음모를 ~ 看穿敌人的阴谋 / 상대방의 마음속을 꿰뚫어 봤다 看透了对方的内心

꿰:-매다 타 补 bǔ; 缝 féng; 缝合 fénghé ¶옷을 ~ 补衣服 / 양말을 ~ 补袜子 / 상처를 ~ 缝合伤口

꿰-이다 자 '꿰다1' 的被动词 ¶바늘에 꿰인 실 穿在针上的线

꿰:-차다 타 取得 qǔdé; 占 zhàn ¶주임 자리를 ~ 取得主任的地位

뀌:다 타 放 fàng ¶방귀를 ~ 放屁

끄나풀 명 1 小绳儿 xiǎoshéngr ¶~로 묶다 用小绳儿捆 2 走狗 zǒugǒu; 奸细 jiānxi; 爪牙 zhǎoyá ¶적의 ~ 敌人的走狗

끄다 타 1 熄 xī; 灭 miè; 熄灭 xīmiè ¶담뱃불을 비벼 ~ 掐灭香烟 / 불을 ~ 灭火 2 关 guān; 关上 guānshang ¶텔레비전을 ~ 关电视 / 라디오를 ~ 关收音机 / 기계를 ~ 关上机器

끄덕 부하타 点 diǎn; 点头 diǎntóu ¶~ 인사하다 点头打招呼

끄덕-거리다 타 点 diǎn; 点头 diǎntóu ＝ 끄덕대다 ¶그는 말은 하지 않고 계속 고개만 끄덕거린다 他不说话, 一个劲地点头 **끄덕-끄덕** 부하타

끄덕-이다 타 点 diǎn; 点头 diǎntóu ¶웃음을 머금고 고개를 ~ 含笑点头

끄떡 부하자타 1 点 diǎn; 点头 diǎntóu 2 动弹 dòngtan; 动 dòng; 一动 yīdòng ¶짐이 얼마나 큰지 ~도 않는다 行李太大了, 动弹不得

끄떡-거리다 一타 点 diǎn; 点头 diǎntóu 二자 动弹 dòngtan; 动 dòng; 一动 yīdòng ‖ ＝ 끄떡대다 **끄떡-끄떡** 부하자타

끄떡-없다 형 坚如磐石 jiānrúpánshí; 毫不动摇 háobù dòngyáo; 稳如泰山 wěnrútàishān ¶끄떡없는 태도 坚如磐石的态度 **끄떡없-이** 부

끄떡-이다 一타 点 diǎn; 点头 diǎntóu ¶고개를 ~ 点头 二자 动弹 dòngtan; 动 dòng; 一动 yīdòng

끄르다 타 打开 dǎkāi; 解 jiě; 解开 jiěkāi ¶보따리를 ~ 打开包袱 / 짐을 ~ 打开行李 / 단추를 ~ 解开纽扣

끄물-거리다 자 1 阴沉 yīnchén; 阴沉沉 yīnchénchén ¶하늘이 끄물거리더니 한차례 소나기가 퍼부었다 天空

阴沉沉的，下了一场雷阵雨 **2** 忽闪忽闪的 hūshǎnhūshǎnde ¶촛불이 바람 속에서 끄물거린다 烛光在风中忽闪忽闪的 ‖ = 끄물대다 **끄물-끄물** 부 하자

끄:집어-내다 타 **1** 抽出 chōuchū; 拿出 náchū; 掏出 tāochū ¶주머니에서 동전을 끄집어냈다 从口袋里掏出硬币 **2** 揭 jiē; 揭穿 jiēchuān; 揭发 jiēfā ¶약점을 ~ 揭发短处 **3** 提起 tíqǐ; 提 tí ¶지나간 일을 다시 ~ 旧事重提 **4** 得出 déchū; 找出 zhǎochū ¶결론을 ~ 得出结论

끄트머리 명 头(儿) tóu(r); 端 duān; 末端 mòduān; 梢(儿) shāo(r); 末尾 mòwěi ¶실의 ~ 线头 / 밧줄의 ~ 绳子头 / 채찍의 ~ 鞭稍

끈 명 **1** 绳子 shéngzi; 绳(儿) shéng(r) ¶세 가닥 ~ 三根绳子 / ~을 풀다 解开绳子 **2** 带子 dàizi; 带(儿) dài(r) ¶모자의 ~ 帽子带儿 / 신발 ~을 매다 系鞋带子

끈-기(一氣) 명 **1** 黏 nián; 黏性 niánxìng; 黏度 niándù **2** 恒心 héngxīn; 耐性 nàixìng; 韧性 rènxìng; 毅力 yìlì ¶~가 없으면 일을 해내지 못한다 没有恒心，事情就不可能完成

끈끈-이 명 苍蝇纸 cāngyingzhǐ; 黏胶纸 niánjiāozhǐ

끈끈이-주걱 명 〖植〗 茅膏菜 máogāocài; 毛毡苔 máozhāntái

끈끈-하다 형 **1** 黏 nián; 黏糊 niánhu; 黏糊糊 niánhūhū ¶끈끈한 풀 黏糊糊的浆糊 / 벌레가 끈끈한 거미줄에 걸렸다 虫子挂在黏糊糊的蜘蛛网上了 **2** (身上) 黏 nián; 黏糊 niánhu; 黏糊糊 niánhūhū ¶땀이 나서 몸이 ~ 出了汗，身上黏糊糊的 **3** 深厚 shēnhòu; 厚厚 hòuhòu ¶끈끈한 우정 深厚的友情 **끈끈-히** 부

끈적-거리다 자 黏 nián; 黏糊 niánhu; 黏糊糊 niánhūhū = 끈적대다 ¶속옷까지 땀에 젖어 끈적거린다 连内衣都被汗水浸湿了，黏黏糊糊的 / 풀이 손에 묻어 끈적거린다 手上沾了浆糊，黏糊糊的 **끈적-끈적** 부하자

끈적-이다 자 黏 nián; 黏糊 niánhu; 黏糊糊 niánhūhū

끈-질기다 형 坚韧不拔 jiānrènbùbá; 不断 bùduàn; 不休 bùxiū; 不停 bùtíng; 坚持不懈 jiānchíbùxiè; 执意 zhíyì ¶끈질긴 의지 坚韧不拔的意志 / 끈질긴 성미 坚韧不拔的性格 / 그는 끈질기게 그녀의 행방을 추적했다 他不断地追踪她的下落

끊-기다 자 **1** '끊다1' 的被动词 ¶실이 갑자기 ~ 线突然断了 **2** '끊다2' 的被动词 ¶연락이 ~ 联系中断 / 소식이 ~ 消息断绝 **3** '끊다4' 的被动词 ¶전기가 ~ 电被掐断了 **4** '끊다5' 的被动词 ¶그는 병원에 이송되자마자 숨이 끊겼다 他刚送到医院就断气了 **5** '끊다6' 的被动词 **6** '끊다10' 的被动词 **7** 没有了 méiyǒule ¶막차가 이미 끊겼다 末班车已经没有了

끊다 타 **1** 断 duàn; 弄断 nòngduàn; 掐 qiā; 剪 jiǎn ¶테이프를 ~ 剪彩 / 끈을 ~ 把带子弄断 **2** 断绝 duànjué; 中断 zhōngduàn; 断 duàn; 绝 jué ¶관계를 ~ 断绝关系 / 왕래를 ~ 断绝往来 / 인연을 ~ 断缘 **3** 戒 jiè; 忌 jì ¶담배를 ~ 戒烟 / 술을 ~ 戒酒 **4** 停止 tíngzhǐ; 断 duàn; 掐断 qiāduàn ¶수도를 ~ 断水 / 지원을 ~ 停止援助 **5** 结束 jiéshù; 断 duàn ¶스스로 목숨을 ~ 结束自己的生命 **6** 切断 qiēduàn ¶보급로를 ~ 切断补给路 **7** 顿 dùn; 停顿 tíngdùn **8** 买 mǎi ¶표를 ~ 买票 **9** 开 kāi ¶수표를 ~ 开支票 / 영수증을 ~ 开发票 **10** 挂 guà; 断 duàn ¶전화를 ~ 挂电话

끊어-지다 자 **1** 断 duàn; 被断 bèi duàn; 掐 qiā; 被掐 bèi qiā ¶끈이 ~ 绳子断了 **2** 断绝 duànjué; 中断 zhōngduàn; 断 duàn; 绝 jué ¶연락이 ~ 断了联系 / 소식이 끊어졌다 消息断了 **3** 停止 tíngzhǐ; 断 duàn; 停 tíng ¶수도가 ~ 水断了 **4** 结束 jiéshù; 断 duàn ¶숨이 ~ 断气 **5** 顿 dùn; 停顿 tíngdùn **6** 挂 guà; 断 duàn ¶전화가 ~ 电话断了

끊-이다 자 中断 zhōngduàn; 绝 jué; 断 duàn ¶주문이 끊이지 않는다 订单不断 / 차량 통행이 끊이지 않는다 车辆通行不断

끊임-없다 형 不断 bùduàn; 绵绵 miánmián; 连连 liánlián; 不绝 bùjué; 绵连 miánlián; 不懈 bùxiè ¶끊임없는 경쟁 连续不断的竞争 / 끊임없는 노력 不懈的努力 **끊임없-이** 부 ¶~ 밀려오는 사람들 不断涌来的人们

끌 명 凿子 záozi; 凿 záo

끌끌 부 啧啧 zézé 《不满的咂舌声》 ¶혀를 ~ 차다 啧啧地咂舌头

끌:다 타 **1** 拉 lā; 拖 tuō; 牵 qiān; 拽 zhuài ¶슬리퍼를 끌면서 걷다 拖着拖鞋走 / 의자를 책상 옆으로 끌어오다 把椅子拉到桌子旁边来 **2** 开 kāi; 驾 jià; 驾驶 jiàshǐ; 牵 qiān; 拉 lā; 挽 wǎn ¶수레를 ~ 拉车 **3** 吸引 xīyǐn; 引 yǐn = 이끌다2 ¶흥미를 ~ 引起兴趣 / 주목을 ~ 引人注目 **4** 磨 mó; 拖延 tuōyán ¶날짜를 ~ 拖延日子 / 시간을 ~ 拖延时间 **5** 拉长 lācháng; 拖长 tuōcháng ¶소리를 ~ 拖长声音 **6** 带 dài; 拉 lā; 扯 chě ¶그들이 그를 끌고 갔다

他们把他拉走了 **7** 引用 yǐnyòng ¶이 말은 다른 작품에서 끌어다 쓴 것이다 这句话是从其他作品中引用的

끌:려-가다 자 被拉(走) bèi lā(zǒu); 被牵(走) bèi qiān(zǒu); 被扯(走) bèi chě(zǒu) ¶경찰서로 ~ 被拉到警察局里

끌:려-오다 자 被拉(来) bèi lā(lái); 被牵(来) bèi qiān(lái); 被扯(来) bèi chě(lái) ¶도살장에 끌려온 돼지 被拉到屠宰场来的猪

끌:-리다 자 **1** '끌다1' 的被动词 ¶바지가 길어 땅에 끌린다 裤子太长, 拖到了地上 **2** '끌다3' 的被动词 ¶마음이 ~ 心被吸引 **3** '끌다6' 的被动词

끌:어-내다 타 **1** 拉出 lāchū; 牵出 qiānchū; 拖出 tuōchū ¶상자를 창고에서 ~ 把箱子从仓库里拖出来 / 학생을 교실에서 운동장으로 ~ 把学生从教室拉出了运动场上 **2** 引出 yǐnchū ¶정확한 결론을 ~ 引出正确的结论

끌:어-당기다 타 **1** 拉 lā; 拉到 lādào; 拉过来 lāguòlái; 拖 tuō; 拖到 tuōdào; 拖过来 tuōguòlái; 牵 qiān; 牵引 qiānyǐn ¶의자를 앞으로 ~ 把椅子向前拉 **2** 吸引 xīyǐn; 吸住 xīzhù; 引动 yǐndòng; 招引 zhāoyǐn

끌:어-들이다 타 扯 chě; 拉 lā; 拖 tuō; 拉进 lājìn; 拉入 lārù; 引 yǐn ¶남을 나쁜 길로 ~ 拖别人下水 / 그를 싸움에 ~ 把他拉进战斗中来

끌:어-안다 타 **1** 搂 lǒu; 抱 bào; 搂抱 lǒubào; 拥抱 yōngbào ¶아이를 ~ 搂抱孩子 / 어머니의 목을 끌어안고 울다 抱着妈妈的脖子哭泣 **2** 包揽 bāolǎn; 包 bāo

끌:어-올리다 타 提高 tígāo ¶시청률을 ~ 提高收视率

끓는-점(一點) 명 【化】沸点 fèidiǎn

끓다 자 **1** 滚 gǔn; 开 kāi; 沸腾 fèiténg ¶물이 펄펄 ~ 水哗哗开 **2** 发热 fārè; 发烧 fāshāo; 烧 shāo ¶몸이 절절 ~ 身子烧得很厉害 **3** 洋溢 yángyì; 沸腾 fèiténg ¶뜨거운 피가 ~ 热血沸腾 / 정열이 ~ 热情洋溢 **4** 冒火 màohuǒ ¶속에서 화가 ~ 心里冒火 **5** 咕噜咕噜响 gūlūgūlū xiǎng ¶배가 ~ 肚子咕噜咕噜响 **6** 扯 chě ¶가래가 ~ 扯痰 **7** 熙攘 xīrǎng; 拥挤 yōngjǐ

끓-이다 타 **1** 烧 shāo; 烧开 shāokāi; 煮 zhǔ; 炖 dùn ¶물을 ~ 烧开水 **2** 焦 jiāo; 焦急 jiāojí ¶속을 ~ 焦急

끔뻑 부하자타 **1** 忽闪忽闪 hūshanhūshan **2** 眨眼 zhǎyǎn; 眨 zhǎ ¶눈을 ~ 하다 眨着眼睛

끔뻑-거리다 자타 **1** 忽闪忽闪 hūshanhūshan **2** 眨眼 zhǎyǎn; 眨 zhǎ ‖ = 끔뻑대다 **끔뻑-끔뻑** 부하자타

끔뻑-이다 자타 **1** 忽闪忽闪 hūshanhūshan **2** 眨眼 zhǎyǎn; 眨 zhǎ

끔찍-스럽다 형 **1** 可怕 kěpà; 厉害 lìhai; 惊人 jīngrén ¶눈이 끔찍스럽게 많이 내린다 雪下得真厉害 **2** 惨不忍睹 cǎnbùrěndǔ; 残酷 cánkù; 骇人听闻 hàiréntīngwén ¶끔찍스러운 장면 惨不忍睹的场面 **3** 热忱 rèchén; 真挚 zhēnzhì **끔찍스레** 부

끔찍-이 부 **1** 可怕地 kěpàde; 厉害 lìhai **2** 惨不忍睹地 cǎnbùrěndǔde **3** 非常 fēicháng; 不得了 bùdéliǎo; 疼 téng ¶자식을 ~ 사랑하다 疼爱孩子

끔찍-하다 형 **1** 可怕 kěpà; 厉害 lìhai; 惊人 jīngrén ¶날씨가 정말 끔찍하게 덥다 天气热得真厉害 **2** 惨不忍睹 cǎnbùrěndǔ; 残酷 cánkù; 骇人听闻 hàiréntīngwén ¶끔찍한 살인 사건 骇人听闻的杀人案 **3** 非常 fēicháng; 热忱 rèchén; 真挚 zhēnzhì; 不得了 bùdéliǎo; 疼 téng ¶할머니는 나를 끔찍하게 사랑하신다 奶奶特别疼我

끗-발 명 手风 shǒufēng; 手气 shǒuqì; 运气 yùnqi

끗발(이) 좋다 구 手气好; 运气好

끙 부 哎哟 āiyō; 哼哼 hēngheng; 吭哧 kēngchi

끙-끙 부하자 哎哟哎哟 āiyō'āiyō; 哼哼 hēngheng; 吭哧吭哧 kēngchikēngchi ¶~ 앓다 病得直哼哼

끙끙-거리다 자 哼哼呻吟 hēngheng shēnyín; 吭哧吭哧响 kēngchikēngchi xiǎng = 끙끙대다

끝 명 **1** (时间、空间、事物的) 端 duān; 尽头 jìntóu; 头 tóu; 末 mò; 末尾 mòwěi; 止境 zhǐjìng; 最后 zuìhòu ¶복도의 맨 ~ 走廊的最尽头 / ~까지 그와 함께하다 陪他到最后 **2** (条状东西的) 尖(儿) jiān(r); 端 duān; 梢 shāo; 头 tóu ¶붓 ~ 笔尖儿 / 손가락 ~ 手指尖 **3** (顺序的) 最后 zuìhòu ¶그들은 맨 ~에 입장한다 他们最后入场 **4** 结果 jiéguǒ; 结束 jiéshù; 终于 zhōngyú; 经过 jīngguò; 以后 yǐhòu ¶오랜 연구 ~에 결론을 내리다 经过长期的研究, 得出了结论

끝-끝내 부 '끝내' 的强调语 ¶그는 ~ 가 버렸다 他终究还是走了

끝-나다 자 结束 jiéshù; 完 wán; 终了 zhōngliǎo; 收场 shōuchǎng; 收 shōu; 完结 wánjié; 完了 wánliǎo ¶회의가 ~ 会议结束 / 시합이 ~ 比赛结束

끝-내 부 **1** 始终 shǐzhōng; 一直 yīzhí; 还是 háishi ¶그는 ~ 입을 열지 않았다 他还是没有开口 / 그녀는 ~ 오지 않았다 她始终没来 **2** 终究 zhōngjiū; 终于 zhōngyú; 最后 zuìhòu ¶그는 ~ 자신의 소원을 이루었다 他终于实现

了自己的愿望

끝내다 타 办完 bànwán; 结束 jiéshù; 完成 wánchéng; 做完 zuòwán; 终止 zhōngzhǐ; 完毕 wánbì《'끝나다' 的使动词》¶작업을 ~ 完成工作 / 숙제를 ~ 做完作业

끝-마무리 명하타 扫尾 sǎowěi; 收尾 shōuwěi; 善后 shànhòu; 结束 jiéshù; 结尾 jiéwěi

끝-마치다 타 办完 bànwán; 结束 jiéshù; 完成 wánchéng; 做完 zuòwán; 终止 zhōngzhǐ; 完毕 wánbì ¶행사를 ~ 结束活动 / 숙제를 ~ 做完作业 / 회의를 ~ 结束会议

끝-맺다 타 办完 bànwán; 结束 jiéshù; 完成 wánchéng; 做完 zuòwán; 终止 zhōngzhǐ; 完毕 wánbì

끝-물 명 末季 mòjì; 最后一茬 zuìhòu yīchá ¶수박이 ~이 되니 맛이 없다 西瓜是最后一茬, 没什么味道

끝-없다 형 无边 wúbiān; 无边无际 wúbiānwújì; 无限 wúxiàn; 无垠 wúyín; 一望无际 yīwàngwújì ¶끝없는 초원 无垠的草原 / 끝없는 바다 一望无际的大海 **끝없-이** 부 ¶~ 펼쳐진 들판 无限延伸的原野

끝-장 명 结束 jiéshù; 最后 zuìhòu; 完蛋 wándàn

끝장(을) 보다 구 见到结束; 做完

끝장-나다 자 1 结束 jiéshù; 完 wán; 终止 zhōngzhǐ 2 完蛋 wándàn ¶내 인생은 끝장났다 我的人生完蛋了

끝장-내다 타 1 做到底 zuò dàodǐ; 结束 jiéshù ¶시작한 일은 끝장내고야 말겠다 已经开始做的工作, 就要做到底 2 使完蛋 shǐ wándàn

끼[1] 명 1 = 끼니1 2 = 끼니2 ¶밥 한 ~ 一顿饭 / 두 ~를 굶다 饿两顿

끼[2] 명 1 素养 sùyǎng; 素质 sùzhí; 才能 cáinéng 2 花心 huāxīn; 风骚 fēngsāo

끼니 명 1 饭 fàn = 끼[1]1 ¶~를 때우다 当饭吃 / ~를 거르다 饿饭 2 顿 dùn; 餐 cān = 끼[1]2 ¶밥 한 ~ 一顿饭 / 매일 세 ~를 먹다 每日吃三餐

끼:다[1] 자 '끼이다' 的略词

끼:다[2] 자 1 笼罩 lǒngzhào; 弥漫 mímàn ¶안개가 산허리에 ~ 云雾弥漫在山腰 2 积 jī; 粘 zhān ¶옷에 때가 ~ 衣服上积污垢 3 长 zhǎng; 生 shēng ¶이끼가 ~ 长苔藓 / 곰팡이가 ~ 长霉菌 / 물때가 ~ 长水垢

끼다[3] 타 1 插 chā; 夹 jiá; 塞 sāi; 插入 chārù ¶가방을 겨드랑이에 끼고 걷다 夹起书包走 2 安 ān; 装 zhuāng; 戴 dài《'끼우다2' 的略词》¶반지를 ~ 戴戒指 / 안경을 ~ 戴眼镜 / 장갑을 ~ 戴手套 3 挎 kuà; 挽 wǎn; 抱 bào; 抄 chāo; 交叉 jiāochā ¶깍지를 ~ 手指交叉 / 그와 팔짱을 끼고 산책을 하다 挎着他的胳膊散步 4 沿 yán ¶강을 끼고 걷다 沿着河流走 / 버스가 산기슭을 끼고 달리다 公共汽车沿着山麓奔驰 5 加 jiā; 加上 jiāshang; 套上 tàoshang ¶양말을 껴 신다 加双袜子

-끼리 접미 伙儿 huǒr; 一起 yīqǐ ¶우리~ 咱们一起

끼리-끼리 부 搭帮结伙地 dābāngjiéhuǒde; 一帮一伙地 yībāngyīhuǒde; 这儿一伙儿那儿一伙儿地 zhèryīhuǒr nàryīhuǒrde; 物以类聚 wùyǐlèijù ¶~ 모이다 物以类聚 / 모두 ~ 무리 지어 여행을 가다 大家搭帮结伙地去旅游

끼어-들다 자 插 chā; 插队 chāduì; 插手 chāshǒu; 掺和 chānhuo; 介入 jièrù ¶한마디 ~ 插一句话 / 남의 일에 ~ 插手别人的事情

끼-얹다 타 泼 pō; 浇 jiāo ¶몸에 물을 ~ 往身上浇水

끼우다 타 1 插 chā; 夹 jiá; 塞 sāi; 插入 chārù ¶열쇠를 열쇠 구멍에 ~ 把钥匙塞进钥匙孔 2 安 ān; 装 zhuāng; 戴 dài ¶전구를 소켓에 ~ 把灯泡装在灯头 3 搭 dā ¶끼워 팔다 搭售

끼-이다 자 1 '끼다[3]1' 的被动词 2 '끼다[3]2' 的被动词 3 塞 sāi ¶잇새에 끼인 고기 塞在牙缝里的肉 4 挤 jǐ; 挤进 jǐjìn

끼치다[1] 자 1 (鸡皮疙瘩) 起 qǐ ¶소름이 ~ 起鸡皮疙瘩 2 (气味、风等) 扑 pū ¶추운 김이 확 끼쳐 들어왔다 凉气一下子扑了进来

끼치다[2] 타 添 tiān; 给 gěi; 叫 jiào ¶폐를 ~ 添麻烦

끽 부하자 '고작' 的俗称

끽-소리 명 哼声 hēngshēng; 哼一声 hēng yīshēng ¶~도 못하다 连哼都不敢哼一声

끽연(喫煙) 명하자 = 흡연 ¶~실 吸烟室

낄낄 부하자 嗤嗤 chīchī; 咯咯 gēgē ¶~ 웃다 嗤嗤地笑

낄낄-거리다 자 嗤嗤地笑 chīchīde xiào = 낄낄대다 ¶그는 텔레비전을 보고 낄낄거렸다 他看着电视嗤嗤地笑

낌새 명 苗头 miáotou; 情况 qíngkuàng; 征兆 zhēngzhào = 기미(幾微) ¶~를 보다 看情况 / ~를 채다 看出苗头 / ~가 수상하다 苗头不寻常

낑낑 부하자 哼哼 hēnghēng; 哼哧 hēngchī

낑낑-거리다 자 哼哼 hēngheng; 哼哧 hēngchī = 낑낑대다 ¶낑낑거리며 고개를 올라가다 爬过山坡, 累得直哼哼

ㄴ

나 ㊀대 我 wǒ; 咱 zán; 俺 ǎn《后面有助词'가', 就变成'내'》㊁명 自己 zìjǐ
나 먹자니 싫고 개 주자니 아깝다 속담 自己吃了怕牙痛, 送别人又心痛; 食之无味, 弃之可惜
나 몰라라 하다 구 见死不救; 袖手傍观
나-가다 자 **1** 出去 chūqù; 上 shàng ¶우리는 나가서 좀 걸어야겠다 我们该出去走走了 **2** 往前走 wǎng qián zǒu ¶차에 시동을 걸자 천천히 앞으로 나갔다 车开动了, 慢慢地往前走了 **3** 推广 tuīguǎng ¶이 제품은 대기업의 유통망을 통해 전국으로 나간다 这个产品通过大企业的流通网向全国推广 **4** 传开 chuánkāi; 散播 sànbō ¶이 말이 밖으로 나가지 않도록 조심하세요 注意不让这话向外传开 **5** 进入社会 jìnrù shèhuì ¶사회로 나가 새로운 체험을 하다 进入社会经历新的体验 **6** 上班 shàngbān; 上工 shànggōng ¶너 요즘 어느 회사에 나가니? 你最近在哪个公司上班? **7** 参加 cānjiā; 赴 fù ¶동창 모임에 ~ 赴同窗聚会 / 그는 이번에도 시의원 선거에 나갔지만 낙선하고 말았다 他这次又参加了市议员的选举, 但是落选了 **8** 退出 tuìchū; 出走 chūzǒu; 离开 líkāi ¶회사에서 ~ 从公司退出 / 아이가 집을 ~ 孩子离家出走 **9** 值…钱 zhí…qián; 有…重 yǒu…zhòng ¶이 그림은 값이 무려 3천만 원이나 나간다 这幅画竟值三千万韩币 / 체중이 100kg이나 ~ 体重竟有一百公斤重 **10** 支出 zhīchū ¶요즘은 물가가 너무 올라서 생활비가 너무 많이 나간다 最近物价暴张, 生活费支出太多 **11** 碎 suì; 裂 liè; 破 pò; 断 duàn ¶접촉 사고로 자동차 범퍼가 나갔다 发生碰撞事故, 汽车保险杠裂了 / 앞니가 모두 나갔다 门牙全颗破了 / 갈비뼈가 두 대나 나갔다 肋骨断了两根 **12** 掉 diào; 失去 shīqù ¶정신이 ~ 失去意识 **13** 租出去 zūchūqù; 卖出去 màichūqù ¶전세를 싸게 놓았더니 놓자마자 방이 나갔다 降低押金后, 房子马上租出去了 **14** (电) 停 tíng; 熄灭 xīmiè ¶전기가 ~ 停电了 **15** 好卖 hǎomài; 畅销 chàngxiāo ¶이 잡지는 요즘에 많이 나간다 这本杂志最近很畅销 **16** 进行到 jìnxíngdào; 上到 shàngdào; 做到 zuòdào ¶영어는 3과까지 나갔다 英语上到第三课 **17** 下去 xiàqù ¶그는 붓을 들고 단숨에 글을 써 나갔다 他提起毛笔一口气写了下去
나가-동그라지다 자 = 나동그라지다
나가-떨어지다 자 **1** 摔倒 shuāidǎo; 跌倒 diēdǎo ¶그는 바닥에 나가떨어졌다 他在地上摔倒了 **2** 累垮 lèikuǎ ¶네가 도와줬기에 망정이지 안 그랬으면 나는 나가떨어졌을 것이다 你能帮助我, 否则我会累垮的 **3** 摔掉 shuāidiào; 跌掉 diēdiào 放弃 fàngqì; 栽倒 zāidǎo ¶투자자의 절반이 나가떨어졌다 投资者被跌掉了一半
나가-자빠지다 자 **1** 摔掉 shuāidiào; 四肢朝天 sìzhīcháotiān; 倒下去 dǎoxiàqù ¶누군가 길바닥에 나가자빠져 있다 有人四肢朝天倒在地上 **2** 抛弃 pāoqì; 弃权 qìquán; 赖 lài; 弃置不顾 qìzhìbùgù ‖ = 나자빠지다
나각(螺角) 명〖音〗螺角 luójiǎo; 螺号 luóhào
나귀 명〖動〗= 당나귀
나그네 명 客 kè; 过客 guòkè; 行旅 xínglǚ; 游子 yóuzǐ
나그넷-길 명 旅途 lǚtú ¶머나먼 ~ 远远的旅途
나긋-나긋 부하형 **1** 软软 ruǎnruǎn; 细嫩 xìnèn **2** 亲切 qīnqiè; 和蔼 hé'ǎi ¶그녀는 ~ 미소를 지으며 다가왔다 她带着亲切的微笑走过来
나긋-하다 형 **1** 软 ruǎn; 细嫩 xìnèn **2** 亲切 qīnqiè; 和蔼 hé'ǎi
나나니 명〖蟲〗泥蜂 nífēng = 나나니벌
나나니-벌 명〖蟲〗= 나나니
나-날 명 日子 rìzi; 一天一天 yītiān yītiān; 一天天 yītiāntiān
나날-이 명 **1** 天天 tiāntiān; 一天天 yītiāntiān **2** 日渐 rìjiàn; 日益 rìyì ¶세상은 ~ 변화하고 있다 世界在日益变化
나노(nano) 명〖物〗毫微 háowēi ¶~그램 毫微克 / ~미터 毫微米 =[纳米] / ~테크놀로지 纳米技术 =[毫微技术]
나누-기 명하자타〖數〗除 chú
나누다 타 **1** 分 fēn; 分开 fēnkāi; 劈 pī; 劈开 pīkāi ¶둘로 ~ 分开两个 **2** 区 qū; 区分 qūfēn; 划分 huàfēn ¶유형을 ~ 区分类型 **3** 分配 fēnpèi; 分 fēn ¶상금을 ~ 分配奖金 **4**〖數〗除 chú ¶

7을 2로 나누면 3하고 1이 남는다 七除二得三余一 **5** 一块吃喝 yīkuài chīhē ¶다과를 함께 ~ 一块吃喝茶果 **6** 交谈 jiāotán ¶서로 대화를 ~ 互相交谈 **7** 共享 gòngxiǎng; 同享 tóngxiǎng; 分享 fēnxiǎng ¶고통을 함께 ~ 共享痛苦 **8** 出于同一血统 chūyú tóngyī xuètǒng ¶피를 나눈 형제 出于同一血统的兄弟

나누-이다 자 '나누다1·2·3·4'的被动词

나눗-셈 명 〖數〗 除法 chúfǎ

나눗셈-표 명 〖數〗 除号 chúhào

나뉘다 자 '나누이다'的略词

나다[1] 자 **1** 生 shēng; 出 chū; 发 fā; 长 zhǎng; 起 qǐ ¶이가 ~ 生牙 / 싹이 ~ 发芽 / 종기가 ~ 起疙瘩 **2** 有 yǒu ¶맛이 ~ 有味道 **3** 产生 chǎnshēng ¶기운이 ~ 产生力气 **4** 出产 chūchǎn; 产 chǎn ¶사과가 나는 지역 出产苹果的地方 **5** 结束 jiéshù; 作出 zuòchū ¶결말이 ~ 结束 / 결론이 ~ 作出结论 **6** 发表 fābiǎo; 登 dēng ¶신문에 ~ 登在报上 **7** 害怕 hàipà ¶겁이 ~ 害怕 **8** 发生 fāshēng; 出 chū; 起 qǐ ¶일이 ~ 出事儿 **9** 辈出 bèichū ¶인재가 ~ 辈出人材 **10** 出生 chūshēng; 生 shēng ¶그는 1970년에 났다 他生于1970年 **11** (从身体里面) 出 chū; 发 fā; 冒 mào ¶땀이 ~ 出汗 / 열이 ~ 发烧

나다[2] 타 **1** 过 guò ¶겨울을 ~ 过冬 **2** 分家 fēnjiā ¶결혼하여 살림을 ~ 结婚分家

나-다니다 자타 出去转 chūqù zhuàn ¶나다니지 말고 집에 있어라 不要出去转, 呆在家里

나-대다 자 **1** (淘气地) 狂来狂去 kuángláikuángqù; (轻佻地) 狂荡 kuángdàng **2** = 나부대다 ¶늦었는데 또 잠을 안 자고 나대는구나 你又淘气了, 这么晚还不睡

나-돌다 자타 **1** 出去转 chūqù zhuàn **2** 传来传去 chuánláichuánqù; 传这传那 chuánzhèchuánnà ¶동네에 이상한 소문이 나돈다 怪闻在邻里之间传来传去 **3** 呈现 chéngxiàn; 露出 lùchū; 露 lù ¶입가에 나도는 웃음 露在嘴角的笑容

나-돌아다니다 자타 出去转 chūqù zhuàn; 乱窜 luàncuàn; 瞎逛 xiāguàng ¶나는 혼자 여기저기 나돌아다니길 좋아한다 我喜欢一个人到处瞎逛

나-동그라지다 자 跌跟头 diē gēntou; 栽跟头 zāi gēntou = 나가동그라지다 ¶길이 미끄러워 ~ 路滑得跌跟头

나-뒹굴다 자 **1** 滚 gǔn ¶그는 발길에 걷어차여 바닥에 나뒹굴었다 他被踢了一脚, 滚在地上 **2** 滚来滚去 gǔnláigǔnqù; 打滚 dǎgǔn; 翻滚 fāngǔn ¶강아지가 마당에서 ~ 小狗在地上打滚儿 **3** 东倒西歪 dōngdǎoxīwāi; 散落 sànluò ¶길바닥에 크고 작은 돌들이 ~ 地上散落着大大小小的石头

나-들다 자타 = 드나들다⊟

나들-목 명 〖交〗 = 인터체인지

나들-이 명하자 串门(儿) chuànmén(r); 串门子 chuànménzi = 바깥나들이

나들이-옷 명 外出服 wàichūfú

나라 명 **1** = 국가(國家) ¶~를 사랑하다 热爱国家 **2** 世界 shìjiè; 境 jìng; 乡 xiāng ¶동화 ~ 童话世界

나락(奈落·那落) 명 **1** 〖佛〗 地狱 dìyù ¶~으로 떨어지다 下地狱 **2** 苦海 kǔhǎi; 火坑 huǒkēng

나란-하다 형 并排 bìngpái; 并 bìng; 整齐 zhěngqí **나란-히** 부 ¶~ 걸어오다 并排走来

나랏-일 명 = 국사(國事)

나래 명 (在文学作品上的) 翅膀 chìbǎng; 羽翅 yǔchì; 翼 yì

나래(를) 펴다 구 = 날개(를) 펴다

나레이션 명 〖演〗 '내레이션'的错误

나레이터 명 〖演〗 '내레이터'的错误

나루 명 渡口 dùkǒu; 渡津 dùjīn

나루-터 명 渡口 dùkǒu ¶~지기 守渡口的

나룻-가 명 渡口附近 dùkǒu fùjìn

나룻-배 명 渡船 dùchuán; 渡轮 dùlún

나르다 타 搬运 bānyùn; 运送 yùnsòng; 搬 bān; 运 yùn ¶목재를 트럭으로 ~ 木材用卡车搬运

나르시스(Narcisse) 명 〖文〗 纳瑟斯 Nàsèsī

나르시시스트(narcissist) 명 自恋者 zìliànzhě

나르시시즘(narrcissism) 명 自我陶醉 zìwǒ táozuì; 自恋 zìliàn

나른-하다 형 发软 fāruǎn; 软 ruǎn; 松软 sōngruǎn; 没劲(儿) méijìn(r); 乏力 fálì; 发懒 fālǎn ¶날씨가 더워지니 몸이 ~ 天热了身体发软 **나른-히** 부

나름 의명 **1** 要看什么 yào kàn shénme ¶책도 책 ~이지 그 따위 책이 무슨 도움이 되겠니? 书也要看是什么书, 那类书能有什么用? **2** 随…便 suí…biàn ¶나는 내 ~대로 일을 하겠다 我随我的便做事儿

나:리 명 老爷 lǎoye

나마 조 尽管 jǐnguǎn; 虽然 suīrán; 虽说 suīshuō ¶네 덕에 늦게~ 일을 마칠 수 있었다 托你的福, 虽说晚了点儿, 事情还是办完了

-나마 접미 尽管 jǐnguǎn; 虽然 suīrán ¶변변치는 못하~ 받아주세요 尽管是不足挂齿的, 也请收下吧

나막-신 명 木屐 mùjī; 木履 mùlǚ; 呱

哒板儿 guādābǎnr; 趿拉板儿 tālabǎnr ¶～을 신다 穿木屐

나머지 명 1 余 yú; 剩 shèng; 剩余 shèngyú = 여분 ¶회비의 ～는 다음으로 돌립시다 剩余的会费转到下届吧 2 〖數〗余 yú ¶10을 3으로 나누면 3이 되고 ～는 1이다 十除以三立三余一 3 …得 …de ¶기쁜 ～ 눈물이 나왔다 高兴得哭了起来

나무 명 1 树 shù; 树木 shùmù ¶～를 심다 种树 / ～가 우거지다 树木茂盛 / ～를 베다 砍树 2 木 mù; 木头 mùtou ¶～ 상자 木箱 / ～로 만든 탁자 用木头做的桌子 3 = 땔나무 **—-하다** 자 打柴 dǎchái

나무-껍질 명 树皮 shùpí

나무-꾼 명 樵夫 qiáofū; 打柴的 dǎcháide ¶～과 선녀 樵夫与仙女

나무-늘보 명 〖動〗树懒 shùlǎn

나무-다리 명 木桥 mùqiáo

나무라다 타 1 责备 zébèi; 责怪 zéguài; 怪 guài; 怪罪 guàizuì ¶컵은 그가 깼는데 왜 저를 나무라십니까? 杯子明明是他打碎的, 为什么怪我? 2 指摘 zhǐzhāi; 挑剔 tiāoti; 非议 fēiyì ¶나무랄 데가 없다 无可非议

나무-못 명 木钉 mùdīng

나무-배 명 = 목조선

나무-뿌리 명 树根 shùgēn

나무-숲 명 树林 shùlín = 수림

나무-아미타불(南無阿彌陀佛) 명 1 〖佛〗南无阿弥陀佛 nāmó'āmítuófó 2 白费工夫 báifèi gōngfu; 一事无成 yīshì wúchéng; 前功尽弃 qiángōngjìnqì; 付诸东流 fùzhūdōngliú ¶10년 공로가 ～이 되었다 十年功劳, 白费工夫了

나무-젓가락 명 木筷子 mùkuàizi ¶～을 쪼개다 分开木筷子

나무-토막 명 木头 mùtou; 木块 mùkuài; 木片 mùpiàn ¶～ 같은 사람 像木头一样的人

나무-통(—桶) 명 木桶 mùtǒng

나무-판자(—板子) 명 = 널빤지

나물 명 1 野菜 yěcài; 蔬菜 shūcài ¶～을 무치다 凉拌野菜 2 凉拌菜 liángbàncài

나뭇-가지 명 树枝 shùzhī ¶～를 꺾다 折断树枝

나뭇-결 명 木纹 mùwén; 木理 mùlǐ; 树纹 shùwén ¶～이 곱다 木纹很漂亮

나뭇-잎 명 树叶 shùyè

나뭇-조각 명 木片 mùpiàn; 木块 mùkuài

나박-김치 명 萝卜片泡菜 luóbopiàn pàocài

나발(←喇叭) 명 1 〖音〗喇叭 lǎba 2 什么的 shénmede ¶돈이고 ～이고 다 필요 없다 钱什么的都不要

나발(을) 불다 구 1 吹牛; 说大话; 吹牛皮 2 胡说; 瞎说; 信口开河 3 拿着瓶喝 4 招认; 供认 ‖ = 나팔(을) 불다

나방 명 〖蟲〗飞蛾 fēi'é; 蛾子 ézi; 蛾 é

나:병(癩病) 명 〖醫〗麻风 máfēng; 麻风病 máfēngbìng; 癞病 làibìng; 汉森氏病 hànsēnshìbìng

나:-병원(癩病院) 명 麻风医院 máfēng yīyuàn

나부끼다 자타 飘扬 piāoyáng; 飘动 piāodòng; 招展 zhāozhǎn ¶태극기가 ～ 太极旗飘扬

나부-대다 자 淘气 táoqì; 折腾 zhēteng = 나대다2 ¶아이가 ～ 小孩子淘气

나부대대-하다 형 (脸蛋) 扁圆 biǎnyuán

나부랭이 명 1 碎块 suìkuài; 碎片 suìpiàn 2 鸡毛蒜皮的 jīmáosuànpíde; 货色 huòsè; 破 pò; 烂 làn ¶소설 ～ 破小说 =[烂小说]

나불-거리다 자타 1 飘动 piāodòng; 飘摇 piāoyáo; 飘 piāo ¶나뭇잎이 ～ 树叶飘飘摇摇的 2 多嘴多舌 duōzuǐduōshé; 喋喋不休 diédiébùxiū ¶그는 쉴 새 없이 나불거린다 他喋喋不休 ‖ = 나불대다 **나불-나불** 부하자타 ¶～ 말도 잘한다 多嘴多舌地很会说话

나-붙다 자 贴出 tiēchū; 张贴 zhāngtiē ¶벽보가 ～ 贴出壁报

나비[1] 명 宽 kuān; 幅 fú

나비[2] 명 〖蟲〗蝴蝶 húdié; 蝶 dié

나비-넥타이(—necktie) 명 蝴蝶领结 húdié lǐngjié; 领结 lǐngjié; 领花 lǐnghuā

나비-매듭 명 〖手工〗蝴蝶结 húdiéjié

나빠-지다 자 坏 huài; 变坏 biàn huài

나쁘다 형 1 不好 bùhǎo; 不灵 bùlíng; 不良 bùliáng; 劣 liè ¶머리가 ～ 脑子不灵 / 발음이 ～ 发音不好 / 안색이 ～ 脸色不好 / 평판이 ～ 名声不好 2 有害 yǒuhài; 不好 bùhǎo ¶밤을 새우는 것은 몸에 ～ 熬夜对身体有害 3 坏 huài; 不好 bùhǎo ¶거짓말은 ～ 说谎是不好的

나사(螺絲) 명 1 螺丝 luósī ¶～를 돌리다 拧螺丝 2 = 나사못

나사가 빠지다 구 糊涂; 晕头转向

나사가 풀리다 구 糊神松懈

나사(羅紗) 명 罗纱 luóshā

나사(NASA)[National Aeronautics and Space Administration] 명 〖航〗美国宇航局 Měiguó Yǔhángjú; 美国国家航空航天局 Měiguó Guójiā Hángkōng Hángtiānjú

나사-돌리개(螺絲—) 명 螺丝刀 luósīdāo; 改锥 gǎizhuī; 螺丝起子 luósī

qǐzi = 드라이버

나사-못(螺絲—) 명 螺钉 luódīng; 螺丝钉 luósīdīng = 나사(螺絲)2

나사-산(螺絲山) 명 螺纹 luówén; 螺丝扣 luósīkòu

나상(螺狀) 명 = 나선형

나-서다 一자 1 站出来 zhànchūlái; 走到前边去 zǒudào qiánbiān qù; 走出来 zǒuchūlái 2 出面 chūmiàn; 出现 chūxiàn; 显现 xiǎnxiàn; 展现 zhǎnxiàn ¶관객 앞에 ~ 出现在观众面前 3 干涉 gānshè; 参与 cānyù ¶이 일에 나서지 마라 不要干涉这件事 4 主导 zhǔdǎo; 挺身而出 tǐngshēn'érchū ¶네가 나선다고 될 일이 아니다 这不是你主导而成的事 二타 出发 chūfā; 离开 líkāi ¶학교를 ~ 从学校出发

나선(螺旋) 명 螺旋 luóxuán ¶~ 계단 螺旋楼梯 / ~ 운동 螺旋运动

나선-상(螺旋狀) 명 = 나선형

나선-형(螺旋形) 명 螺旋形 luóxuánxíng = 나상 · 나선상

나스닥(NASDAQ)[National Association of Securities Dealers Automated Quotation] 명 『經』 那斯达克 Nàsīdákè

나아-가다 자 1 前进 qiánjìn; 往前走 wǎng qián zǒu; 前去 qiánqù; 上前 shàngqián ¶한 발짝 앞으로 ~ 往前走一步 2 进展 jìnzhǎn; 进行 jìnxíng ¶공사가 순조롭게 ~ 工程进行得很顺利

나아-가서 부 乃至 nǎizhì; 进而 jìn'ér

나아-지다 자 好转 hǎozhuǎn; 变好 biàn hǎo; 有起色 yǒu qǐsè ¶병세가 ~ 病情好转

나-앉다 자 1 往…坐 wǎng…zuò ¶앞으로 ~ 往前坐 2 流落 liúluò; 落脚 luòjiǎo ¶가산을 탕진하여 온 가족이 거리에 나앉게 생겼다 荡尽家产，全家要流落街头了

나:약(懦弱 · 愞弱) 명하형히부 懦弱 nuòruò; 软弱 ruǎnruò ¶인간은 ~한 존재다 人类是懦弱的存在

나열(羅列) 명하자타 1 罗列 luóliè ¶사실을 ~하다 罗列事实 / 알고 있는 유명 상표를 ~해 보세요 请罗列出你知道的名牌 2 排列 páiliè; 列入 lièrù; 排 pái ¶상품이 한 줄로 ~되어 있다 商品排成一排

나-오다 一자 1 出 chū; 出来 chūlái ¶방에서 ~ 从房间里走出来 / 복숭아에서 벌레가 한 마리 ~ 桃子里出来一条虫子 2 露出 lùchū ¶웃음이 ~ 露出笑容 3 上班 shàngbān; 参加 cānjiā; 出席 chūxí; 来 lái; 到 dào ¶직장에 ~ 上班 / 회의에 ~ 出席会议 4 出产 chūchǎn; 生产 shēngchǎn; 上市 shàngshì ¶수박이 나오기 시작했다 西瓜上市了 5 辞职 cízhí; 离开 líkāi; 退出 tuìchū ¶직장에서 ~ 离开岗位 6 (书报等) 登出 dēngchū; 刊登 kāndēng; 出自 chūzì ¶그 기사가 어제 신문에 나왔다 那个新闻刊登在昨天的报纸上 7 采取 cǎiqǔ ¶강경한 태도로 ~ 采取强硬的态度 8 (肚子等) 凸起 tūqǐ; 凸出来 tūchūlái ¶아버지는 배가 많이 나오셨다 父亲肚子凸出了不少 二타 毕业 bìyè ¶고등학교를 ~ 高中毕业

나위 의명 余 yú; 余地 yúdì; 必要 bìyào; 再 zài; 更 gèng; 比 bǐ ¶말할 ~ 없다 尤其余事 / 기분이 더할 ~ 없이 좋다 心情无比好

나으리 명 '나리' 的错误

나이 명 年龄 niánlíng; 年纪 niánjì; 年岁 niánsuì = 연령 ¶너는 올해 ~가 몇이니? 今年你几岁了? / ~가 좀 많다 年龄有点大 / ~ 차이가 많이 나는 커플 年龄差距很大的情侣

나이(가) 아깝다 구 年岁怪可惜 《讥讽所作所为幼稚得同年龄不相称》

나이롱 명 『化』 '나일론' 的错误

나이롱-환자(←nylon患者) 명 假装的病人 jiǎzhuāngde bìngrén

나이-테 명 『植』 年轮 niánlún = 연륜 1 ¶나무의 ~ 树木的年轮

나이트(night) 명 = 나이트클럽

나이트-가운(nightgown) 명 长睡衣 chángshuìyī; 睡袍 shuìpáo

나이트-쇼(night+show) 명 夜秀 yèxiù; 夜场演出 yèchǎng yǎnchū

나이트-클럽(nightclub) 명 夜总会 yèzǒnghuì = 나이트

나이팅게일(nightingale) 명 『鳥』 夜莺 yèyīng

나이프(knife) 명 1 小刀 xiǎodāo 2 餐刀 cāndāo ¶포크와 ~ 叉子和餐刀

나:인 명 『史』 宫女 gōngnǚ; 宫人 gōngrén; 宫娥 gōng'é; 女官 nǚguān = 궁녀 · 궁인 · 시녀1

나일론(nylon) 명 『化』 尼龙 nílóng; 耐纶 nàilún ¶~ 스타킹 尼龙长袜

나잇-값 명 与年龄相符 yǔ niánlíng xiāngfú; 懂事 dǒngshì ¶~을 하다 做与年龄相符

나잇-살 명 较大年龄 jiàodà niánlíng; 一把年纪 yībǎ niánjì; 上岁数 shàng suìshu ¶~이나 먹었으면서도 제 할 일을 못한다 较大年龄也做不了自己的责任

나-자빠지다 자 = 나가자빠지다

나전(螺鈿) 명 『手工』 螺钿 luódiàn ¶~ 칠기 螺钿漆器

나절 의명 半天 bàntiān; 半晌 bànshǎng; 晌 shǎng ¶아침 ~ 上半天

나:중 명 以后 yǐhòu; 过后 guòhòu; 下次 xiàcì; 后来 hòulái; 然后 ránhòu ¶

～ 일 以后的事 / ～에 만나자 以后再见 / 나는 그 일을 ～에야 알았다 我那件事情后来才知道了

나중에 보자는 사람[양반] 무섭지 않다 속담 说走着瞧的人并不可怕

나즈막-하다 형 '나지막하다'的错误

나지막-이 부 (声音或高度) 很低地 hěn dīde; 小小地 xiǎoxiǎode

나지막-하다 형 (声音或高度) 很低 hěn dī; 小小 xiǎoxiǎo; 很矮 hěn ǎi

나직-이 부 轻轻地 qīngqīngde; 小小地 xiǎoxiǎode; 很低地 hěn dīde ¶～ 말하다 轻轻地说话

나직-하다 형 轻轻 qīngqīng; 小小 xiǎoxiǎo; 很低 hěn dī; 很矮 hěn ǎi; 矮爬爬 ǎipápá **나직-나직** 부하형

나:체(裸體) 명 = 알몸1 ¶～ 사진 裸体照片 =[裸照] / ～상 裸体像 / ～화 裸体画 / ～로 돌아다니다 裸体走来走去

나:체-쇼(裸體show) 명 = 누드쇼

나치(독Nazi) 명 『史』 1 = 나치스 2 = 나치스트2

나치스(독Nazis) 명 『史』 纳粹党 Nàcuìdǎng = 나치1

나치스트(독Nazist) 명 1 纳粹分子 Nàcuì fènzǐ 2 『史』 纳粹党员 Nàcuìdǎngyuán = 나치2

나치즘(Nazism) 명 纳粹主义 Nàcuì zhǔyì

나침(羅針) 명 指南针 zhǐnánzhēn

나침-반(羅針盤) 명 『物』 罗盘 luópán = 나침판 ¶～으로 방위를 가늠하다 用罗盘测定方位

나침-판(羅針—) 명 『物』 = 나침반

나타-나다 자 1 出现 chūxiàn; 露面(儿) lòumiàn(r) ¶서쪽 하늘에 검은 구름이 나타났다 西方的天空出现了一片乌云 2 表现出 biǎoxiànchū; 露出 lùchū; 显出 xiǎnchū ¶취하면 본성이 나타난다 一醉就暴露了本性 3 产生 chǎnshēng; 发生 fāshēng; 出来 chūlái ¶새로운 사실이 차례로 나타났다 新事实一个接一个地出来了

나타-내다 타 1 出现 chūxiàn ¶회의장에 모습을 ～ 出现在会场 2 显示 xiǎnshì; 显出 xiǎnchū; 表露 biǎolù; 露出 lùchū; 显露出 xiǎnlùchū ¶언짢은 기색을 ～ 显出不高兴的神色 / 감정을 겉으로 ～ 表露感情 3 表达 biǎodá; 表示 biǎoshì ¶이 기호는 맑음을 나타낸다 这个符号表示晴天

나:태(懶怠) 명하형 懒怠 lǎndài; 懒惰 lǎnduò ¶～한 생활을 하다 懒惰生活

나토(NATO)[North Atlantic Treaty Organization] 명 『政』 = 북대서양 조약 기구

나트륨(독Natrium) 명 『化』 钠 nà ¶～ 불꽃 钠火花 / ～ 비누 钠肥皂

나팔(喇叭) 명 『音』 1 喇叭 lǎba 2 号 hào ¶기상～ 起床号

나팔(을) 불다 구 = 나발(을) 불다

나팔-관(喇叭管) 명 『生』 1 半规管 bànguīguǎn 2 喇叭管 lǎbaguǎn

나팔-꽃(喇叭—) 명 『植』 喇叭花 lǎbahuā; 牵牛花 qiānniúhuā

나팔-바지(喇叭—) 명 喇叭裤 lǎbakù

나팔-수(喇叭手) 명 喇叭手 lǎbashǒu; 号手 hàoshǒu

나:포(拿捕) 명하타 1 逮捕 dàibǔ; 捉拿 zhuōná; 捕捉 bǔzhuō 2 扣押 kòuyā; 捕获 bǔhuò; 截获 jiéhuò ¶～선 截获船 / 영해를 침범한 선박을 ～하다 扣押侵犯领海的船舶

나풀-거리다 자 飘动 piāodòng; 飘扬 piāoyáng; 飘摇 piāoyáo; 招展 zhāozhǎn = 나풀대다 ¶국기가 바람에 ～ 国旗仰风招展 **나풀-나풀** 부하자

나프탈렌(naphthalene) 명 『化』 萘 nài; 臭樟脑 chòuzhāngnǎo; 石脑油精 shínǎoyóujīng

나:-환자(癩患者) 명 麻风病人 máfēng bìngrén; 癞病人 lài bìngrén

나흘 명 四天 sìtiān ¶～ 동안 굶었다 四天什么都没吃

낙(樂) 명 乐 lè; 快乐 kuàilè; 乐趣 lèqù; 愉快 yúkuài ¶먹는 ～으로 살다 以吃为乐

낙관(落款) 명하자 落款 luòkuǎn; 款识 kuǎnzhì

낙관(樂觀) 명하자타 乐观 lèguān ¶승리를 ～하다 对胜利持乐观态度

낙관-론(樂觀論) 명 乐观论 lèguānlùn ¶～자 乐观论者 =[乐观家]

낙관-적(樂觀的) 관명 乐观(的) lèguān(de) ¶그는 어떤 일에도 매우 ～이다 他对什么事都很乐观

낙관-주의(樂觀主義) 명 『哲』 = 낙천주의

낙낙-하다 형 稍大 shāo dà; 稍多 shāo duō ¶옷은 좀 낙낙하게 입는 편이 좋다 衣服穿得稍大一点儿比较好 / 돈을 좀 낙낙하게 들고 가거라 拿去稍多的钱 **낙낙-히** 부

낙농(酪農) 명 『農』 = 낙농업 ¶～ 기계 酪农机器 / ～품 酪农品

낙농-업(酪農業) 명 『農』 酪农 làonóng; 酪农业 làonóngyè; 乳制品农业 rǔzhìpǐn nóngyè = 낙농

낙담(落膽) 명하자 灰心 huīxīn; 气馁 qìněi; 丧气 sàngqì ¶시험에 떨어져 ～하다 没考上很灰心

낙동-강(洛東江) 명 『地』 洛东江 Luòdōngjiāng

낙동강 오리알 구 落东江鸭蛋《凄凉得周围一个人也没有》

낙뢰(落雷) 명하자 雷 léi; 落雷 luòléi; 打雷 dǎléi ¶～로 인한 정전 因落雷的停电
낙마(落馬) 명하자 落马 luòmǎ; 坠马 zhuìmǎ ¶～하여 다치다 落马受伤
낙방(落榜) 명하자 1 〖史〗下第 xiàdì; 落榜 luòbǎng; 落第 luòdì ＝ 낙제3 2 不及格 bùjígé; 落榜 luòbǎng; 没考上 méi kǎoshàng
낙법(落法) 명 〖體〗(柔道等的) 安全倒地法 ānquán dǎodìfǎ; 落法 luòfǎ
낙상(落傷) 명하자 跌伤 diēshāng; 摔伤 shuāishāng
낙서(落書) 명하자 乱写 luàn xiě; 乱涂 luàn tú; 胡写乱画 húxiě luànhuà; 信手涂写 xìnshǒu túxiě ¶～ 금지 乱写禁止 / 벽에 ～가 있다 墙上胡写乱画着
낙석(落石) 명하자 落石 luòshí; 滚石 gǔnshí ¶～으로 인한 교통사고 落石引起的交通事故
낙선(落選) 명하자 落选 luòxuǎn ¶～자 落选者 / 그는 이번 선거에서 ～했다 他这次选举落选了
낙성(落成) 명하자타 落成 luòchéng; 竣工 jùngōng; 建成 jiànchéng ¶～식 落成典礼
낙수(落水) 명 屋檐落水 wūyán luòshuǐ; 檐溜 yánliū
낙수-받이(落水—) 명 1 (屋檐下的) 笕槽 jiǎncáo; 水槽 shuǐcáo 2 落水地 luòshuǐdì; 落水盘 luòshuǐpán
낙숫-물(落水—) 명 屋檐水 wūyánshuǐ; 檐溜 yánliù
낙승(樂勝) 명하자 轻取 qīngqǔ; 轻易取胜 qīngyì qǔshèng ¶우리 팀이 이번 경기에서 ～을 거뒀다 这次比赛我们队轻易取胜了
낙심(落心) 명하자 灰心 huīxīn; 失望 shīwàng; 沮丧 jǔsàng; 心灰意冷 xīnhuīyìlěng; 气馁 qìněi ¶～이 크다 极度沮丧
낙엽(落葉) 명 落叶 luòyè ¶～ 관목 落叶灌木 / ～ 교목 落叶乔木 / ～송 落叶松 / ～수 落叶树 / 나무에서 흩날리는 ～ 从树上翻翻飞的落叶
낙오(落伍) 명하자 落伍 luòwǔ; 掉队 diàoduì; 落后 luòhòu ¶～병 落伍兵 / ～자 落伍者 / ～하지 않도록 기운을 내라 抖起精神, 以免落伍
낙원(樂園) 명 乐园 lèyuán; 乐土 lètǔ; 天堂 tiāntáng; 天国 tiānguó; 极乐世界 jílè shìjiè
낙인(烙印) 명 烙印 làoyìn ¶그에 의해 반역자의 ～이 찍히다 被他上叛徒的烙印
낙인-찍다(烙印—) 타 打烙印 dǎ làoyìn
낙인찍-히다(烙印—) 자 被打烙印 bèi dǎ làoyìn《'낙인찍다' 的被动词》
낙장(落張) 명 1 缺页 quēyè; 少页 shǎoyè; 掉页 diàoyè ¶～본 缺页本 ＝ [掉页本] 2 打出的牌 dǎchūde pái; 落地牌 luòdìpái ¶～불입 牌落地不悔
낙점(落點) 명하타 选 xuǎn; 选任 xuǎnrèn; 选定 xuǎndìng ¶주인공으로 ～되다 被选定为主人公
낙제(落第) 명하자 1 (考试) 不及格 bùjígé; 没考上 méi kǎoshàng ¶시험에 ～하다 考试不及格 2 落第 luòdì; 落榜 luòbǎng; 留级 liújí ¶～생 落第生 / ～점 落第分数 3 〖史〗 ＝ 낙방1
낙조(落照) 명 落照 luòzhào; 夕照 xīzhào ¶아름다운 서해의 ～ 美丽的西海落照
낙지 명 〖動〗小章鱼 xiǎozhāngyú; 章鱼 zhāngyú; 八带鱼 bādàiyú ¶～볶음 炒章鱼 / ～전골 章鱼荤杂烩 / ～젓 章鱼酱
낙진(落塵) 명 1 放射性尘埃 fàngshèxìng chén'āi; 放射尘 fàngshèchén ＝ 방사능진 2 落尘 luòchén; 降尘 jiàngchén
낙차(落差) 명 1 (水的) 落差 luòchā ¶～가 큰 하천 落差很大的河川 2 高低差 gāodīchā 3 差距 chājù; 落差 luòchā
낙착(落着) 명하자 着落 zhuóluò; 落实 luòshí; 了结 liǎojié; 解决 jiějué ¶분쟁이 겨우 ～되었다 纠纷好容易才了结
낙찰(落札) 명하타 〖經〗中标 zhòngbiāo; 得标 débiāo; 标落 biāoluò ¶～가 中标价 / ～자 中标人 / 이번 경매에서 우리가 ～ 받았다 在这次拍卖中, 我们中标了
낙천(樂天) 명 乐天 lètiān; 乐观 lèguān ¶～가 乐天家 / ～론 乐天论
낙천-적(樂天的) 관명 乐天(的) lètiān(de) ¶～인 삶 乐天人生
낙천-주의(樂天主義) 명 〖哲〗乐天主义 lètiān zhǔyì ＝ 낙관주의 ¶～자 乐天主义者
낙타(駱駝·駱馳) 명 〖動〗骆驼 luòtuo; 驼 tuó
낙태(落胎) 명하자 〖醫〗1 ＝ 유산(流産)1 2 坠胎 zhuìtāi; 人工流产 réngōng liúchǎn
낙하(落下) 명하자 落下 luòxià; 降落 jiàngluò; 堕 duò; 堕下 duòxià ¶～ 운동 落下运动 / ～지점 落下地点 / 운석이 ～하다 陨石落下来
낙하-산(落下傘) 명 降落伞 jiàngluòsǎn
낙하산 부대(落下傘部隊) 〖軍〗 ＝ 공수 부대
낙향(落鄕) 명하자 下乡 xiàxiāng; 还乡 huánxiāng; 回乡 huíxiāng ¶～하여 여생을 보내다 还乡过余生

낙화(落花) 명하자 落花 luòhuā; 落红 luòhóng
낙화-생(落花生) 명 〖植〗 = 땅콩
낙후(落後) 명하자 落后 luòhòu ¶ ~한 국가 落后国家 / 생산 기술이 ~되다 生产技术落后
낚다 타 **1** 钓 diào ¶ 고기를 ~ 钓鱼 **2** 谋取 móuqǔ; 沽 gū **3** 勾引 gōuyǐn; 引诱 yǐnyòu; 诱骗 yòupiàn ¶ 여자 친구를 ~ 勾引女朋友
낚시 명하자 **1** 钓钩 diàogōu; 钓鱼钩 diàoyúgōu = 낚싯바늘 **2** 钓鱼具 diàoyújù; 钓具 diàojù **3** = 낚시질1 ¶ ~꾼 钓鱼人 / ~회 钓鱼会 / ~를 가다 去钓鱼 **4** 勾引 gōuyǐn; 引诱 yǐnyòu
낚시-질 명하자 **1** 钓鱼 diàoyú; 垂钓 chuídiào = 낚시3 **2** 勾引 gōuyǐn; 引诱 yǐnyòu
낚시-찌 명 鱼漂(儿) yúpiāo(r) = 찌
낚시-터 명 钓鱼处 diàoyúchù; 钓台 diàotái ¶ ~를 물색하다 物色钓鱼处
낚싯-대 명 钓鱼竿 diàoyúgān; 钓竿(儿) diàogān(r); 鱼竿 yúgān
낚싯-바늘 명 = 낚시1
낚싯-밥 명 = 미끼1 ¶ ~을 던지다 投鱼饵
낚싯-배 명 钓船 diàochuán; 钓鱼船 diàoyúchuán
낚싯-줄 명 钓鱼线 diàoyúxiàn; 钓线 diàoxiàn; 钓丝 diàosī
낚아-채다 타 **1** 用力拉钓鱼线 yònglì lā diàoyúxiàn **2** 拽过来 zhuàiguòlái; 一把揪住 yībǎ jiūzhù ¶ 머리채를 ~ 一把揪住头发 **3** 扒 pá; 窃 qiè; 抢 qiǎng; 夺取 duóqǔ; 霸占 bàzhān ¶ 돈가방을 낚아채 달아나다 抢了装钱的包就跑 / 남의 재산을 ~ 霸占别人的财产
낚-이다 자 **1** 被钓 bèi diào (('낚다1' 的被动词)) **2** 被谋取 bèi móuqǔ (('낚다2' 的被动词)) **3** 被勾引 bèi gōuyǐn; 被诱骗 bèi yòupiàn (('낚다3' 的被动词))
난:(亂) 명 = 난리1 ¶ ~을 일으키다 作乱
난(蘭) 명 〖植〗 = 난초
난을 치다 구 画兰草
-난(難) 접미 荒 huāng ¶ 주택~ 房荒 / 인재~ 人才荒
난간(欄干 · 欄杆) 명 〖建〗 栏杆 lángān
난감-하다(難堪—) 형 难堪 nánkān; 难办 nánbàn; 尴尬 gāngà; 难为情 nánwéiqíng ¶ 난감한 처지에 놓이다 处于尴尬境地 **난감-히** 부
난공(難攻) 명 难攻 nángōng
난공불락(難攻不落) 명 坚不可摧 jiānbùkěcuī; 百攻不破 bǎigōngbùpò ¶ ~의 수비 百攻不破的防守
난관(難關) 명 难关 nánguān; 险关 xiǎnguān ¶ ~에 부딪치다 遇到难关 / ~을 극복하다 克服难关 / ~을 뚫다 突破难关
난국(難局) 명 僵局 jiāngjú; 困难局面 kùnnan júmiàn; 难关 nánguān ¶ ~을 타개하다 打开僵局
난:-기류(亂氣流) 명 〖地理〗 乱气流 luànqìliú; 不规则气流 bùguīzé qìliú ¶ 비행기가 ~를 만나다 飞机遇上乱气流
난-놈 명 '난사람' 的鄙称
난:대(暖帶 · 煖帶) 명 〖地理〗 = 아열대
난:대-림(蘭帶林) 명 〖地理〗 暖带林 nuǎndàilín = 아열대림
난:데-없다 형 突如其来 tūrúqílái; 突然出现 tūrán chūxiàn; 来历不明 láilì bùmíng; 无根无据 wúgēnwújù ¶ 난데없는 고함 소리 突如其来的喊叫声 **난:데없-이** 부 ¶ ~ 글꼴이 바뀌었다 无根无据的字体变形了
난:도-질(亂刀—) 명하타 乱砍 luàn kǎn; 细剁 xìduò ¶ 그는 ~을 당한 채 잔인하게 살해됐다 他被残忍一阵乱砍死了
난독(難讀) 명하형 难读 nándú ¶ ~증 难读症
난:동(亂動) 명하자 制造混乱 zhìzào hùnluàn; 捣乱 dǎoluàn; 骚乱 sāoluàn; 暴乱 bàoluàn ¶ 그가 우리 집에 와서 ~을 부렸다 他来我家里捣乱
난:로(暖爐 · 煖爐) 명 暖炉 nuǎnlú; 火炉子 huǒlúzi; 炉 lú; 火炉(儿) huǒlú(r); 取暖炉 qǔnuǎnlú ¶ ~에 불을 지피다 生火炉 / ~를 쬐다 取暖火炉
난:롯-가(煖爐—) 명 炉边 lúbiān ¶ ~에서 이야기를 나누다 炉边谈话
난:롯-불(煖爐—) 명 炉火 lúhuǒ
난:류(暖流 · 煖流) 명 〖地理〗 暖流 nuǎnliú ¶ ~와 한류 暖流与寒流
난:류-성(暖流性) 명 暖流性 nuǎnliúxìng ¶ ~ 어류 暖流性鱼类
난:리(亂離) 명 **1** 乱 luàn; 战乱 zhànluàn; 离乱 líluàn; 变乱 biànluàn = 난(亂) ¶ ~를 겪다 历经离乱 **2** 动乱 dòngluàn; 灾难 zāinàn; 难 nàn ¶ ~를 피하다 避难 **3** 混乱 hùnluàn; 骚乱 sāoluàn
난:무(亂舞) 명하자 **1** 乱舞 luànwǔ; 乱蹦乱跳 luànbēngluàntiào; 狂舞 kuángwǔ **2** 肆无忌惮 sìwújìdàn; 横行霸道 héngxíngbàdào
난민(難民) 명 难民 nànmín; 灾民 zāimín ¶ ~ 수용소 难民收容所 / ~촌 难民村 / ~으로 인정받다 被承认难民
난:방(暖房 · 煖房) 명 供暖 gōngnuǎn; 取暖 qǔnuǎn ¶ ~ 설비 供暖设备 / ~ 시설 供暖设施 / ~ 장치 暖气设备 / ~이 안 되는 방 没有供暖的房间

난:백(卵白) 명 『生』 蛋白 dànbái; 蛋清 dànqīng = 단백 ¶~분 蛋白粉

난봉 명 放荡 fàngdàng; 浪荡 làngdàng; 吃喝嫖赌 chīhēpiáodǔ ¶~을 부려 가산을 탕진하다 吃喝嫖赌, 放荡不羁, 倾了家荡家产

난봉-꾼 명 浪子 làngzǐ

난:사(亂射) 명하자타 1 乱放 luàn fàng; 盲目射击 mángmù shèjī ¶권총을 ~하다 乱放手枪 2 乱射 luàn shè; 乱照 luàn zhào ¶빛이 ~하다 光线乱射

난-사람 명 有出息的 yǒuchūxide; 杰出人物 jiéchū rénwù

난산(難産) 명하자타 难产 nánchǎn ¶첫째 아이는 ~이었다 头生儿是难产 / 법안의 성립은 ~이 예상된다 法案恐怕要难产

난:색(暖色 · 煖色) 명 『美』 暖色 nuǎnsè

난색(難色) 명 难色 nánsè ¶~을 보이다 显出难色

난:생(一生) 부 有生以来 yǒushēng yǐlái; 从来 cónglái

난:생(卵生) 명하자 『動』 卵生 luǎnshēng ¶~ 동물 卵生动物

난:생-처음(一生一) 명 有生以来头一次 yǒushēng yǐlái tóuyīcì; 生来头一次 shēnglái tóuyīcì; 平生第一次 píngshēng dìyīcì ¶~ 지진을 겪다 有生以来头一次经历地震

난:세(亂世) 명 乱世 luànshì ¶~는 영웅을 낸다 乱世出英雄

난센스(nonsense) 명 荒诞 huāngdàn; 荒唐 huāngtáng; 荒谬 huāngmiù; 胡闹 húnào ¶이건 완전히 ~다 这完全是个荒诞

난:소(卵巢) 명 『生』 卵巢 luǎncháo ¶~낭 卵巢囊 / ~암 卵巢癌 / ~염 卵巢炎 / ~ 호르몬 卵巢荷尔蒙

난:시(亂視) 명 『生』 散光 sǎnguāng ¶~안 散光眼 / 나는 두 눈 모두 ~이다 我两眼都是散光

난-시청(難視聽) 명 难视听 nánshìtīng ¶~ 지역 难视听地区

난이-도(難易度) 명 难易度 nányìdù; 难易程度 nányì chéngdù; 难度 nándù ¶일의 ~에 따라 보수가 다르다 按工作的难易程度报酬不同

난:입(亂入) 명하자 (无秩序地) 闯入 chuǎngrù; 闯进 chuǎngjìn; 拥入 yōngrù ¶한 무리의 폭도가 회의장에 ~했다 一帮暴徒闯进了会场

난:자(卵子) 명 『生』 卵子 luǎnzǐ

난:잡-스럽다 형 1 不检点 bùjiǎndiǎn ¶난잡스러운 이성 관계 不检点的异性关系 2 脏乱 zāngluàn; 杂乱 záluàn; 乱七八糟 luànqībāzāo; 紊乱 wěnluàn ¶방 안이 ~ 屋里乱七八糟 **난:잡스레** 부

난:잡-하다(亂雜一) 형 1 不检点 bùjiǎndiǎn; 乌七八糟 wūqībāzāo ¶난잡한 행위 不检点的行为 2 脏乱 zāngluàn; 杂乱 záluàn; 乱七八糟 luànqībāzāo ¶신발짝이 난잡하게 널려 있다 鞋子摆得乱七八糟

난:장-판(亂場一) 명 一团糟 yītuánzāo; 乱糟糟 luànzāozāo; 一塌糊涂 yītāhútú; 乱场 luànchǎng ¶기념식이 ~이 되었다 纪念典礼成了个乱场了

난쟁이 명 矮子 ǎizi; 矬子 cuózi; 侏儒 zhūrú

난적(難敵) 명 难敌 nándí

난점(難點) 명 难点 nándiǎn

난제(難題) 명 难题 nántí

난:조(亂調) 명 混乱 hùnluàn; 乱套 luàntào; 乱手脚 luàn shǒujiǎo; 乱节奏 luàn jiézòu; 不顺 bùshùn

난처-하다(難處一) 형 为难 wéinán; 难为情 nánwéiqíng; 难为 nánwei; 尴尬 gāngà ¶입장이 ~ 立场尴尬 / 그를 난처하게 하지 마라 你不要为难他

난청(難聽) 명 1 收听效果不好 shōutīng xiàoguǒ bùhǎo ¶~ 지역 收听效果不好的地区 2 『醫』 听觉障碍 tīngjué zhàng'ài; 耳背 ěrbèi ¶~아 听觉障碍儿童

난초(蘭草) 명 『植』 兰花 lánhuā; 兰 lán; 兰草 láncǎo = 난(蘭)

난치(難治) 명하형 难治 nánzhì ¶~병 难治之病 =[难治病] / ~성 难治性

난:타(亂打) 명하타 乱打 luàn dǎ; 乱揍 luàn zòu; 乱敲 luàn qiāo ¶종을 ~하다 乱敲钟

난:투(亂鬪) 명하자 乱斗 luàn dòu; 乱打 luàn dǎ; 混战 hùnzhàn ¶~극 混战闹剧

난파(難破) 명하자 (船泊) 难破 nánpò; 遇险 yùxiǎn; 失事 shīshì ¶~선 遇险船只 / 배가 암초에 부딪쳐 ~되었다 船触礁失事了

난:폭(亂暴) 명하형 粗野 cūyě; 粗暴 cūbào; 狂暴 kuángbào; 蛮 mán; 残暴 cánbào; 粗鲁 cūlǔ; 蛮横 mánhèng ¶~한 행위 粗野行为 / 이 아이는 너무 ~하다 这孩子太蛮

난항(難航) 명 1 难航 nánháng; 难行 nánxíng 2 搁浅 gēqiǎn; 不顺 bùshùn; 进展困难 jìnzhǎn kùnnan ¶발굴 계획이 ~을 거듭하다 发掘计划屡次搁浅

난해-하다(難解一) 형 难解 nánjiě; 费解 fèijiě; 难以理解 nányǐ lǐjiě ¶난해한 문제 难解的问题

난:핵(卵核) 명 『生』 卵核 luǎnhé

난향(蘭香) 명 兰香 lánxiāng

난형난제(難兄難弟) 명하형 难兄难弟 nánxiōngnándì

난화(蘭花) 명 兰花 lánhuā

난:황(卵黃) 명 〖生〗 卵黄 luǎnhuáng; 蛋黄 dànhuáng ¶ ~막 卵黄膜 / ~분 卵黄粉 =[蛋黄粉] / ~색 卵黄色

낟: 명 谷粒 gǔlì

낟:-가리 명 谷堆 gǔduī; 稻谷垛 dàogǔduò

낟:-알 명 **1** 谷颗 gǔkē; 谷粒 gǔlì **2** = 쌀알

날[1] 一명 **1** 天 tiān; 一天 yītiān; 一日 yīrì ¶ 어느 ~ 有一天 / ~이 저물었다 天黑了 **2** 白天 báitiān **3** = 날씨 ¶ ~이 우중충한 것이 비가 올 것 같다 天气阴沉沉的, 好像要下雨了 **4** = 날짜 2 **5** 时期 shíqī; 时候 shíhou ¶ 그가 이 사실을 알게 되는 ~이면 우리는 책임을 면하기 어려울 것이다 当他知道这个事实的时候, 我们难免责备 二의명 天 tiān; 日 rì ¶ 여러 ~ 好几天

날(을) 받다 구 择日; 择期; 选定吉日 = 날(을) 잡다

날(을) 잡다 구 = 날(을) 받다

날이면 날마다 구 每天; 天天

날[2] 명 刃(儿) rèn(r); 刀口 dāokǒu; 刀刃 dāorèn ¶ ~을 갈다 开刃儿

날(을) 세우다 구 使刀刃锋利; 把刀磨得锋利

날(이) 서다 구 刀刃锋利

날- 접두 **1** 生 shēng; 青 qīng ¶ ~고기 生肉 **2** 凶恶的 xiōng'ède; 万恶的 wàn'ède ¶ ~강도 凶恶的强盗

날-가죽 명 = 생가죽

날-감자 명 = 생감자

날-개 명 **1** 翅膀 chìbǎng; 羽翅 yǔchì; 翼 yì ¶ ~ 없는 천사 没有翅膀的天使 / ~를 펼치다 展开翅膀 / ~를 치다 拍打翅膀 **2** 机翼 jīyì; 翼 yì **3** (电风扇等的) 叶片 yèpiàn

날개(가) 돋치다 구 **1** 畅销; 走俏 **2** 意气风发; 意气昂然 **3** 不胫而走 **4** (财产等) 骤增

날개(를) 펴다 구 飞扬 = 나래(를) 펴다

날갯-죽지 명 **1** 翅膀根儿 chìbǎnggēnr; 膀(儿) bǎng(r); 膀子 bǎngzi **2** '날개' 的俗称 ¶ ~를 파닥이다 扑棱着翅膀

날갯-짓 명하자 拍打翅膀 pāidǎ chìbǎng; 扇动翅膀 shāndòng chìbǎng

날-건달 명 (万恶的) 流氓 liúmáng ¶ 그는 평생을 ~로 살고 있다 他一生作为一个流氓活着

날-것 명 生的 shēngde; 生东西 shēngdōngxi; 未熟的东西 wèishúde dōngxi ¶ ~을 함부로 먹지 마라 不要乱吃未熟的东西

날-계란(―鷄卵) 명 = 날달걀 ¶ ~을 먹으면 목소리가 좋아진다 吃生鸡蛋, 声音就好了

날-고구마 명 生白薯 shēngbáishǔ = 생고구마

날-고기 명 = 생고기

날고-뛰다 자 才能出众 cáinéng chūzhòng; 能干 nénggàn ¶ 그가 제 아무리 날고뛰어도 나를 따라올 수는 없다 虽然他才能出众, 但是赶不上我

날-김치 명 生泡菜 shēngpàocài; 没发酵的泡菜 méi fājiàode pàocài = 생김치

날-내 명 (没熟好的) 生味 shēngwèi

날다[1] 자타 **1** 飞 fēi; 飞行 fēixíng; 飞翔 fēixiáng ¶ 새가 무리를 지어 ~ 众鸟群飞 **2** 飞奔 fēibēn; 飞 fēi; 飞快地走 fēikuàide zǒu **3** 溜掉 liūdiào; 溜走 liūzǒu; 逃跑 táopǎo; 逃窜 táocuàn; 逃 táo; 跑 pǎo ¶ 도둑이 멀리 날았다 盗贼逃之夭夭

나는 새도 떨어뜨린다 속담 势不可当; 叱咤风云

난다 긴다 하다 구 出类拔萃; 超群; 拔尖

날 것 같다 구 (身体、心情) 轻松; 轻快

날다[2] 자 **1** 褪 tuì; 掉 diào ¶ 색이 ~ 褪色 / 붉은색은 날기 쉽다 红色容易掉色 **2** 蒸发 zhēngfā ¶ 향수가 ~ 香水蒸发 **3** 挥发 huīfā ¶ 휘발유가 ~ 汽油挥发

날-다람쥐 명 〖動〗 飞鼠 fēishǔ; 鼯鼠 wúshǔ ¶ 그는 ~처럼 민첩하다 他像飞鼠一样敏捷

날-달걀 명 生鸡蛋 shēngjīdàn = 날계란

날도둑-놈 명 (男)强盗 (nán)qiángdào ¶ ~ 같으니라고! 像强盗一样的!

날도둑-질 명하타 抢夺 qiǎngduó; 掠夺 lüèduó

날-뛰다 자 **1** 跳上跳下 tiàoshàngtiàoxià; 上跳下蹿 shàngtiàoxiàcuān ¶ 갑자기 말이 날뛰는 바람에 말에서 떨어졌다 马突然跳上跳下的, 从马背上摔了下来 **2** 猖狂 chāngkuáng; 猖獗 chāngjué; 疯狂 fēngkuáng; 嚣张 xiāozhāng ¶ 폭력배가 날뛰는 거리 暴徒猖獗的街道 **3** 雀跃 quèyuè; 蹦跳 bèngtiào; 蹦蹦跳跳 bèngbengtiàotiào ¶ 기뻐 ~ 高兴得蹦蹦跳跳

날라리 명 **1** 小人 xiǎorén; 不可信的人 bùkěxìnde rén **2** 草率 cǎoshuài; 粗糙 cūcāo; 马马虎虎 mǎmǎhūhū ¶ 일을 이렇게 ~로 처리하면 어떻게 하니 做事这么草率怎么行

날래다 형 敏捷 mǐnjié; 灵快 língkuài; 快捷 kuàijié; 麻利 máli ¶ 그는 동작이 매우 ~ 他动作很敏捷

날려-쓰다 타 '갈겨쓰다' 的错误

날:렵-하다 형 **1** 敏捷 mǐnjié; 灵快 língkuài; 快捷 kuàijié; 麻利 máli ¶ 날렵

한 동작 敏捷的动作 **2** (姿态) 美丽 měilì; (样子) 漂亮 piàoliang ¶몸매가 ~ 身材美丽 **날:렵-히** 부

날-로¹ 부 一天比一天 yītiān bǐ yītiān; 天天 tiāntiān; 日益 rìyì; 日渐 rìjiàn; 一天天 yītiāntiān ¶~ 발전하는 과학기술 一天比一天发展起来的科技

날-로² 부 = 생으로 ¶음식을 ~ 먹을 때는 조심해야 한다 要小心生吃食物

날름 부하자타 **1** 伸一下 shēn yīxià ¶혀를 ~ 내밀다 伸一下舌头 **2** 很快 hěn kuài; 倏地 shūde; 迅速 xùnsù; 一下子 yīxiàzi ¶그가 내 손에 든 돈을 ~ 가져갔다 他把我手里的钱倏地拿走了

날름-거리다 자타 **1** 窜来窜去 cuànláicuànqù ¶불길이 ~ 火焰窜来窜去 **2** (舌头) 一伸一伸的 yīshēnyīshēnde; 一伸一缩的 yīshēnyīsuōde ¶뱀이 혀를 ~ 蛇信子一伸一缩的 **3** (舌头) 舔来舔去 tiǎnláitiǎnqù ‖ = 날름대다 **날름-날름** 부하자타

날-리다¹ 자 被放飞 bèi fàngfēi; 被风吹 bèi fēngchuī; 飞扬 fēiyáng; 飘 piāo; 飘飞 piāofēi; 飘扬 piāoyáng; 吹散 chuīsǎn《'날다¹1' 的被动词》¶흙먼지가 바람에 ~ 尘土被风吹起 / 눈발이 ~ 雪花飞扬

날-리다² 타 **1** 放 fàng; 放飞 fàngfēi; 使飞 shǐ fēi; 打出 dǎchū《'날다¹1' 的使动词》¶연을 ~ 放飞筝 / 비둘기를 날려 보내다 放飞鸽子 / 홈런을 ~ 打出本垒打 **2** 任凭吹拂 rènpíng chuīfú ¶옷자락이 바닷바람에 ~ 衣角任凭海风吹拂 **3** 出名 chūmíng; 扬名 yángmíng; 驰名 chímíng ¶그녀는 왕년에 이름을 날리던 가수였다 他是个以前很出名的歌手 **4** 荡尽 dàngjìn; 花光 huāguāng; 亏 kuī; 折 zhé; 输 shū ¶부모님이 물려주신 재산을 ~ 荡尽父母留下来的财产 / 밑천을 ~ 折了本 **5** 草率 cǎoshuài; 马虎 mǎhu ¶그 집은 날려 지어서 이리저리 금이 가 있다 那个房子盖得马虎, 到处有裂缝 **6** 挥动 huīdòng; 挥舞 huīwǔ ¶주먹을 ~ 挥动拳头

날림 명 **1** 草率 cǎoshuài; 马马虎虎 mǎmǎhūhū; 粗糙 cūcāo ¶~ 공사 粗糙施工 **2** 粗制品 cūzhìpǐn; 粗货 cūhuò

날-바닥 명 = 맨바닥 ¶~에서 자다 睡在光地板上

날-밤¹ 명 通宵 tōngxiāo
 날밤(을) 새우다 구 熬通宵; 开夜车

날-밤² 명 生栗子 shēnglìzi = 생률1 · 생밤

날-벌레 명 飞虫 fēichóng

날-벼락 명 **1** 晴天霹雳 qíngtiānpīlì **2** (严厉的) 责备 zébèi

날-변(―邊) 명 日息 rìxī

날-붙이 명 刀具 rènjù; 刀具 dāojù

날-수(―數) 명 日数 rìshù; 天数 tiānshù; 日子 rìzi ¶~가 모자라다 天数不够

날-숨 명 呼气 hūqì

날-실 명 (布匹的) 经线 jīngxiàn; 经丝 jīngsī

날쌔다 형 快捷 kuàijié; 敏捷 mǐnjié; 机敏 jīmǐn; 灵活 línghuó ¶그는 동작이 다람쥐처럼 ~ 他动作像松鼠一样敏捷

날씨 명 天气 tiānqì = 날¹㊀3 · 일기(日氣) ¶~가 좋다 天气很好 / ~가 화창하다 天气晴和

날씬-하다 형 **1** 苗条 miáotiao ¶그녀는 몸매가 ~ 她身材很苗条 **2** 修长 xiūcháng

날아-가다 자타 **1** 飞行 fēixíng; 飞走 fēizǒu; 飞去 fēiqù ¶비둘기가 ~ 鸽子飞走 **2** 飞快地走 fēikuàide zǒu **3** 掉下来 diàoxiàlái; 没了 méile; 化为乌有 huàwéiwūyǒu; 消失 xiāoshī ¶모든 권력이 일순간에 날아갔다 一切权力一刹那间都没了

날아-다니다 자타 飞来飞去 fēiláifēiqù; 来回飞 láihuífēi; 飘来飘去 piāoláipiāoqù ¶모기 한 마리가 웽웽거리며 ~ 有一只蚊子飞来飞去嗡嗡

날아-들다 자 **1** 飞入 fēirù; 飞进 fēijìn ¶새 한 마리가 ~ 有一只鸟飞进来 **2** (突然) 飞来 fēilái; 传来 chuánlái ¶그의 주먹이 나를 향해 ~ 他的拳头朝我飞来 / 그의 사망 소식이 ~ 突然传来他去世的消息

날아-오다 자타 **1** 飞来 fēilái; 飞过来 fēiguòlái ¶나비가 날아왔다 蝴蝶飞来了 **2** (枪弹、球等) 飞来 fēilái; 冲来 chōnglái ¶형의 주먹이 날아왔다 哥哥的拳头飞过来 / 총알이 어디서 날아왔는지 알 수 없다 枪子儿不知道从哪儿飞来 **3** (突然) 传来 chuánlái ¶면접 통지가 ~ 传来面试通知

날아-오르다 자타 飞上 fēishàng; 腾跃 téngyuè ¶새떼가 하늘로 ~ 一群鸟飞上半空

날염(捺染) 명하타 『手工』 捺染 nàrǎn; 印染 yìnrǎn; 印花(儿) yìnhuā(r) ¶~기 印染机 / ~ 공장 印染厂

날인(捺印) 명하자 捺印 nàyìn; 盖章 gàizhāng ¶계약서에 ~하다 在合同上盖章

날조(捏造) 명하타 捏造 niēzào; 假造 jiǎzào; 编造 biānzào ¶~극 捏造剧 / 기록을 ~하다 假造一些记录

날-짐승 명 飞禽 fēiqín

날-짜 명 **1** 时日 shírì; 时间 shíjiān ¶어느 정도 ~가 걸리다 需要一定的时日 **2** 日期 rìqī; 日子 rìzi = 날¹㊀4 ·

일자(日子) ¶~ 변경선 日期变更线 =[日期线] / ~를 정하다 定日子

날치 명 〖魚〗 飞鱼 fēiyú; 文鳐鱼 wényáoyú

날-치기 명하타 抢东西 qiǎng dōngxi; 抢东西的小偷 qiǎng dōngxide xiǎotōu ¶~꾼 抢东西的小偷

날카롭다 형 **1** 尖 jiān; 快 kuài; 锐利 ruìlì; 锋利 fēnglì ¶칼날이 ~ 刀刃锋利 **2** 敏锐 mǐnruì ¶질문이 ~ 问题敏锐 **3** 尖锐 jiānruì; 凌厉 línglì ¶양쪽 의견이 날카롭게 대립하다 双方意见尖锐对立 **4** 过敏 guòmǐn; 神经质 shénjīngzhì; 偏激 piānjī ¶신경이 ~ 神经过敏 **날카로이** 부

날-콩 명 生豆 shēngdòu; 未熟豆 wèishúdòu = 생콩 ¶~가루 生豆粉

날-탕 명 **1** 穷光蛋 qióngguāngdàn ¶나 같은 ~한테 누가 시집을 오려 하겠니? 像我这样的穷光蛋, 谁愿意嫁过来呢? **2** 瞎做 xiāzuò; 瞎干 xiāgàn; 胡乱 húluàn; 胡来 húlái ¶일을 ~으로 하다 胡乱干活

날-품 명 日工 rìgōng; 短工 duǎngōng; 零工 línggōng = 일용(日傭)

날품(을) 팔다 구 打短工; 打零工

날품-삯 명 日工钱 rìgōngqián; 日工资 rìgōngzī

날품팔-이 명하자 **1** 打零工 dǎ línggōng; 打短工 dǎ duǎngōng; 日工 rìgōng; 零工 línggōng ¶~로 생계를 도모하다 打零工谋生 **2** = 날품팔이꾼

날품팔이-꾼 명 打短工的 dǎ duǎngōngde; 日工 rìgōng; 零工 línggōng = 날품팔이2

낡다 동 **1** 旧 jiù; 陈旧 chénjiù; 老旧 lǎojiù ¶낡은 책 旧书 **2** 老 lǎo; 过时 guòshí; 陈腐 chénfǔ ¶낡은 제도와 사상을 타파하다 打破陈腐的制度与思想

남 명 **1** 别人 biéren; 人家 rénjia; 他人 tārén; 旁人 pángrén ¶~의 물건을 가져가다 拿走别人的东西 **2** 外人 wàirén ¶너 스스로 ~이라고 생각하지 마라 你不要认为你自己是个外人

남의 손의 떡은 커 보인다 속담 人家碗里肉肥; 隔墙果子分外甜

남의 잔치[장/제사]에 감 놓아라 배 놓아라 한다 속담 鸭行老板管蛋闲事

남의 장단에 춤춘다 속담 随声附和

남이야 전봇대로 이를 쑤시건 말건 속담 不干己事不张口, 一问摇头三不知; 鸭行老板管蛋闲事

남의 등(을) 쳐 먹다 구 巧取豪夺; 敲竹杠

남(男) 명 **1** = 남자1 **2** = 남성(男性)1

남(南) 명 = 남쪽

남-(男) 접두 男 nán ¶~학생 男生 / ~선생 男老师 =[男教师]

-남(男) 접미 男 nán; 夫 fū ¶유부~ 有妇之夫 / 약혼~ 未婚夫

남가새 명 〖植〗 疾藜 jílí

남가-일몽(南柯一夢) 명 南柯一梦 nánkēyīmèng = 남가지몽

남가지몽(南柯之夢) 명 = 남가일몽

남국(南國) 명 南国 nánguó

남극(南極) 명 **1** 〖物〗 南极 nánjí **2** 〖地理〗 南极 nánjí ¶~광 南极光 / ~권 南极圈 / ~ 기단 南极气团 / ~ 기류 南极气流 / ~ 기지 南极基地 / ~ 대륙 南极大陆 / ~점 南极点 / ~ 지방 南极地区 =[南极洲]

남극-노인성(南極老人星) 명 〖天〗 南极老人星 nánjí lǎorénxīng; 老人星 lǎorénxīng; 南极星 nánjíxīng = 남극성 · 노인성 · 수성(壽星)

남극-성(南極星) 명 〖天〗 = 남극노인성

남극-해(南極海) 명 〖地理〗 南极海 nánjíhǎi; 南极洋 nánjíyáng; 南冰洋 nánbīngyáng; 南大洋 nándàyáng

남근(男根) 명 男根 nángēn; 男茎 nánjīng; 阴茎 yīnjīng

남-기다 타 **1** 剩 shèng; 剩下 shèngxià; 留 liú; 留下 liúxià 《'남다1' 的使动词》 ¶음식을 ~ 剩下饭菜 **2** 获 huò; 挣 zhèng; 赚 zhuàn 《'남다2' 的使动词》 ¶이익을 ~ 获利 **3** (在某处) 留 liú; 留下 liúxià; 遗留 yíliú 《'남다3' 的使动词》 ¶집에 아이들을 남겨 두고 일하러 나가다 把孩子留在家里出去干活 **4** (印象、财产等) 留 liú; 留下 liúxià; 遗留 yíliú; 遗传 yíchuán 《'남다4' 的使动词》 ¶후대에 이름을 ~ 给后人留下英名 / 좋은 인상을 ~ 留下好印象 / 유산을 ~ 遗留财产

남김-없이 부 光 guāng; 光光(地) guāngguāng(de); 毫无保留地 háowúbǎoliúde; 全部(地) quánbù(de); 清 qīng; 尽 jìn; 所有 suǒyǒu; 一切 yīqiè ¶네 몫을 ~ 다 먹어라 把你的份儿吃光了 / 그에 관한 정보를 ~ 나에게 알려 다오 你毫无保留地告诉我有关他的信息

남-남 명 外人 wàirén; 陌生 mòshēng; 陌路 mòlù; 没任何关系 méi rènhé guānxi ¶~이 모여 한 식구가 되다 陌生的聚在一起, 成了一家人 / 나는 벌써 그 사람하고는 ~이 되었다 我已没与他任何关系了

남남-북녀(南男北女) 명 南男北女 nánnánběinǚ

남녀(男女) 명 男女 nánnǚ ¶~ 공학 男女同校 / ~ 관계 男女关系 / ~노소 男女老少 / ~유별 男女有别 / ~ 합반 男女同班 / 한 쌍의 ~ 一对男女

남녀상열지사(男女相悅之詞) 명 〖文〗 男女相悦之词 nánnǚxiāngyuèzhīcí
남녀-추니(男女—) 명 两性人 liǎngxìngrén; 阴阳人 yīnyángrén
남녀칠세부동석(男女七歲不同席) 명 男女七岁不同席 nánnǚ qīsuì bùtóngxí
남녀-평등(男女平等) 명 男女平等 nánnǚ píngděng; 男女同等 nánnǚ tóngděng ¶~권 男女平等权 =[男女同权]
남녘(南—) 명 = 남쪽
남녘-땅(南—) 명 1 南方 nánfāng; 南边 nánbian 2 南韩 nánhán
남:다 자 1 剩 shèng; 剩余 shèngyú; 余 yú; 盈余 yíngyú ¶먹다 남은 밥 吃剩的饭 2 获 huò; 挣 zhèng; 赚 zhuàn 3 (在某处) 留 liú; 留下 liúxià; 遗留 yíliú ¶방과 후에 학교에 ~ 放学后留在学校 4 (名声、印象等) 留 liú; 留下 liúxià; 遗留 yíliú; 遗传 yíchuán ¶이름이 후세에 길이 ~ 留下一世英名 5 余 yú; 剩余 shèngyú ¶5를 2로 나누면 1이 남는다 五被二除余一
남-다르다 형 与众不同 yǔzhòngbùtóng; 特别 tèbié; 独特 dútè ¶그는 생각이 ~ 他想得与众不同
남단(南端) 명 南端 nánduān; 南头(儿) nántóu(r)
남-달리 부 与众不同地 yǔzhòngbùtóngde; 格外 géwài; 分外 fēnwài; 特别 tèbié ¶그의 성적은 ~ 뛰어나다 他的成绩格外优秀
남도(南道) 명 南道 nándào ¶~ 민요 南道民歌
남동(南東) 명 = 남동쪽
남-동생(男—) 명 弟弟 dìdi
남동-쪽(南東—) 명 东南 dōngnán; 东南方 dōngnánfāng = 남동 ¶~에서 날아온 제비 한 마리 一只从东南方飞来的燕子
남동-풍(南東風) 명 = 동남풍
남:루(襤褸) 명하형히부 褴褛 lánlǚ; 破烂 pòlàn; 破旧 pòjiù; 破烂衣服 pòlàn yīfu ¶옷차림이 ~하다 衣裳褴褛 / ~를 걸치다 穿破烂衣服 / 그는 ~한 옷을 입고 있다 他穿着破烂的衣服
남매(男妹) 명 1 兄妹 xiōngmèi; 姐弟 jiědì 2 兄弟姐妹 xiōngdì jiěmèi ¶우리 집은 삼 ~이다 我家有三个兄弟姐妹
남매-간(男妹間) 명 兄妹之间 xiōngmèizhījiān; 姐弟之间 jiědìzhījiān ¶~의 우애 兄妹之爱 =[姐弟之爱]
남면(南面) 명하자 面朝南 miàncháonán; 面向南 miànxiàngnán
남-모르다 형 人家不知 rénjiābùzhī; 偷偷 tōutōu; 暗 àn; 隐 yǐn ¶남모르게 눈물을 흘리다 偷偷流泪
남-몰래 부 人家不知地 rénjiābùzhīde; 偷偷 tōutōu; 暗暗 àn'àn; 暗地里 àndìli ¶그는 ~ 좋은 일을 많이 했다 他暗地里做了不少好事
남문(南門) 명 南门 nánmén
남미(南美) 명 〖地〗 = 남아메리카 ¶~ 대륙 南美大陆
남바위 명 御寒帽 yùhánmào
남-반구(南半球) 명 〖地理〗 南半球 nánbànqiú
남:발(濫發) 명하타 1 滥发 lànfā; 滥颁 lànbān; 乱发 luàn fā; 乱发行 luàn fāxíng ¶신용카드를 ~하다 乱发信用 2 乱说 luàn shuō; 乱承诺 luàn chéngnuò; 说空话 shuō kōnghuà ¶후보자들이 공약을 ~하다 竞选人乱承诺誓言
남방(南方) 명 1 = 남쪽 2 南方 nánfāng; 南部地区 nánbù dìqū 3 = 남방셔츠
남방-셔츠(南方shirts) 명 短袖衬衫 duǎnxiù chènshān; 夏威夷衬衫 xiàwēiyí chènshān = 남방3
남-배우(男俳優) 명 男演员 nányǎnyuán; 男角 nánjué = 남우
남벌(南伐) 명하자 南伐 nánfá; 南征 nánzhēng
남:벌(濫伐) 명하타 滥伐 lànfá; 滥砍滥伐 lànkǎnlànfá
남-보라(藍—) 명 蓝紫 lánzǐ
남부(南部) 명 南部 nánbù ¶~ 지방 南部地方
남-부끄럽다 형 没脸见人 méiliǎn jiànrén; 丢面子 diū miànzi; 丢脸 diūliǎn; 羞愧 xiūkuì; 惭愧 cánkuì ¶남부끄러워 말도 못하겠다 怕没脸见人, 无法说话
남부끄러이 부
남-부럽다 형 羡慕别人 xiànmù biéren ¶남부럽지 않게 잘살다 过着不羡慕别人的幸福生活
남부럽잖다 형 无可羡慕 wúkě xiànmù ¶남부럽잖게 호강하다 好日子过得无可羡慕
남북(南北) 명 1 南北 nánběi ¶~ 격차 南北差距 / ~ 전쟁 南北战争 2 南北韩 nánběihán; 南北 nánběi ¶~ 관계 南北关系 / ~ 대화 南北韩对话 / ~통일 南北韩统一 =[南北统一] / ~ 회담 南北韩会谈
남북-문제(南北問題) 명 1 〖經〗 南北问题 nánběi wèntí 2 〖政〗 南北韩问题 nánběihán wèntí
남-빛(藍—) 명 蓝色 lánsè = 쪽빛
남-사당(男—) 명 〖民〗 男寺堂 nánsìtáng; 男歌舞艺人 nángēwǔyìrén ¶~놀이 男歌舞艺人游戏 / ~패 男歌舞艺人集团
남사-스럽다 형 = 남우세스럽다
남새 명 = 채소
남새-밭 명 = 채소밭
남색(藍色) 명 紫蓝 zǐlán; 紫蓝色 zǐ-

lánsè; 靛色 diànsè
남생-이 명 〖動〗 淡水色龟 dànshuǐsèguī; 水龟 shuǐguī; 石龟 shíguī
남서(南西) 명 = 남서쪽
남서-쪽(南西—) 명 西南 xīnán; 西南方 xīnánfāng = 남서
남서-풍(南西風) 명 = 서남풍
남성(男性) 명 **1** 男性 nánxìng; 男 nán; 男子 nánzǐ; 男人 nánrén = 남(男)2 ¶~ 우월주의 大男子主义 / ~ 전용 상점 男人专用商店 **2** 〖語〗 阳性 yángxìng ¶~ 대명사 阳性代词 / ~ 명사 阳性名词
남성(男聲) 명 〖音〗 男声 nánshēng
남성-관(男性觀) 명 男性观 nánxìngguān ¶모든 여성들은 저마다 다른 ~을 가지고 있다 每个女性各有不同的男性观
남성-미(男性美) 명 男性美 nánxìngměi; 阳刚之气 yánggāngzhīqì ¶그는 ~가 풍부한 사람이다 他是个充满男性美的人
남성-복(男性服) 명 男装 nánzhuāng; 男性服装 nánxìng fúzhuāng; 男士服装 nánshì fúzhuāng
남성-적(男性的) 관명 男性(的) nánxìng(de); 像男人 xiàng nánrén ¶~인 매력 男性魅力
남성 중:창(男聲重唱) 〖音〗 男声重唱 nánshēng chóngchàng ¶~단 男声重唱团
남성 합창(男聲合唱) 〖音〗 男声合唱 nánshēng héchàng ¶~단 男声合唱团
남성 호르몬(男性hormone) 〖生〗 男性荷尔蒙 nánxìng hé'ěrméng; 雄性激素 xióngxìng jīsù
남실-거리다 자타 **1** 翻滚 fāngǔn; 荡漾 dàngyàng; 滚滚 gǔngǔn ¶산들바람에 잔물결이 ~ 微风下涟漪荡漾 **2** 闪动 shǎndòng; 飘动 piāodòng ¶커튼 자락이 바람에 ~ 窗帘角随风飘动 **3** 满满 mǎnmǎn ¶그는 술이 잔에 남실거릴 정도로 따라 마셨다 他斟了满满一杯酒喝了下去 ‖= 남실대다 **남실-남실** 부하자타
남실-바람 명 〖地理〗 轻风 qīngfēng
남아(男兒) 명 **1** = 남자아이 **2** 男儿 nán'ér; 大丈夫 dàzhàngfu; 男子汉 nánzǐhàn
남아-돌다 자 有余 yǒuyú; 富余 fùyú; 余 yú; 多 duō ¶일손이 ~ 人手有余 / 돈이 남아도는 듯 물건을 사들이다 东西买得像钱那么有余一样
남-아메리카(南America) 명 〖地〗 南美 Nán Měi; 南美州 Nánměizhōu = 남미
남:용(濫用) 명하타 滥用 lànyòng; 乱用 luàn yòng ¶약물을 ~하다 滥用药品 / 직권을 ~하다 滥用职权
남우(男優) 명 = 남배우 ¶~ 주연상 最佳男主角奖
남우세-스럽다 형 受人嘲弄 shòurén-cháonòng; 遭人耻笑 zāorén chǐxiào; 被人嘲笑 bèirén cháoxiào = 남사스럽다 ¶남우세스러워서 누구한테 말도 못하겠다 怕受人嘲弄, 不能跟人家说话 **남우세스레** 부
남위(南緯) 명 〖地理〗 南纬 nánwěi ¶~선 南纬线
남의-눈 명 他人眼目 tārén yǎnmù; 众人耳目 zhòngrén ěrmù; 众目 zhòngmù ¶~을 피하다 避开他人眼目
남의집-살다 자 寄人篱下 jìrénlíxià; 做长工 zuò chánggōng
남의집-살이 명하자 **1** 寄人篱下 jìrénlíxià **2** 寄人篱下的人 jìrénlíxiàde rén; 长工 chánggōng
남자(男子) 명 **1** 男子 nánzǐ; 男 nán; 男人 nánrén; 男性 nánxìng = 남(男) ¶~ 친구 男朋友 / ~ 화장실 男厕所 =[男厕] **2** 男儿 nán'ér; 男子汉 nánzǐhàn ¶~답다 像个男子汉 **3** 男人 nánren
남자-관계(男子關係) 명 男子关系 nánzǐ guānxi ¶~가 복잡하다 男子关系暧昧
남자-아이(男子—) 명 男孩(儿) nánhái(r); 男孩子 nánháizi = 남아1 · 동자(童子)
남작(男爵) 명 男爵 nánjué
남장(男裝) 명하자 (女扮) 男装 nánzhuāng ¶~미인 男装美女
남정-네(男丁—) 명 (女人称) 男人们 nánrénmen
남존-여비(男尊女卑) 명 重男轻女 zhòngnánqīngnǚ; 男尊女卑 nánzūnnǚbēi ¶~ 사상 男尊女卑思想
남짓 의명하형 多 duō; 余 yú; 有余 yǒuyú; 有零 yǒulíng; 出头(儿) chūtóu(r); 冒尖(儿) màojiān(r) ¶마흔 ~한 나이 四十出头的年纪 / 두 시간 ~ 기다리다 等两个多小时
남-쪽(南—) 명 南边 nánbian; 南面(儿) nánmiàn(r); 南方 nánfāng; 南 nán = 남(南) · 남녘 · 남방1 ¶~ 나라 南国 / ~ 하늘 南天
남창(男娼) 명 男娼 nánchāng; 男妓 nánjì
남촌(南村) 명 南村 náncūn ¶그는 ~에 산다 他住在南村
남측(南側) 명 **1** 南侧 náncè; 南边 nánbian **2** 南韩 nánhán ¶~ 대표 南韩代表
남침(南侵) 명하자 南侵 nánqīn ¶~으로 인해 전쟁이 시작되었다 因南侵而战争开始了

남탕(男湯) 명 男澡堂 nánzǎotáng
남파(南派) 명하타 向南派遣 xiàng nán pàiqiǎn; 派往南方 pàiwǎng nánfāng
남편(男便) 명 丈夫 zhàngfu; 男人 nánren; 先生 xiānsheng
남편 복 없는 여자는[년은] 자식 복도 없다 속담 没有好丈夫, 没有好子息
남편-감(男便—) 명 可当丈夫的 kědāngzhàngfude; 候补丈夫 hòubǔ zhàngfu ¶훌륭한 ~ 很优秀的候补丈夫
남포-등(—燈) 명 煤油灯 méiyóudēng = 램프(lamp)2 ¶~을 밝히다 照亮一盏煤油灯
남풍(南風) 명 南风 nánfēng
남하(南下) 명하자 南下 nánxià ¶군대를 따라 ~하다 随军南下
남-학교(男學校) 명 男校 nánxiào; 男子学校 nánzǐ xuéxiào
남-학생(男學生) 명 男学生 nánxuéshēng; 男生 nánshēng
남한(南韓) 명 南韩 nánhán = 이남2
남해(南海) 명 **1** 南海 nánhǎi **2** 〖地〗 南海 Nánhǎi
남행(南行) 명하자 南行 nánxíng; 开往南去 kāiwǎngnánqù ¶~ 열차 南行火车
남향(南向) 명하자 向南 xiàngnán; 向阳 xiàngyáng; 南向 nánxiàng; 朝南 cháonán ¶~집 向阳房 / 우리 집은 ~이다 我家房子是向阳的
남-회귀선(南回歸線) 명 〖地理〗 南回归线 nánhuíguīxiàn
남:획(濫獲) 명하타 滥捕 lànbǔ; 滥猎 lànliè ¶밀렵꾼이 동물을 ~하다 偷猎者滥捕动物
납 명 **1** 〖化〗 铅 qiān ¶~독 铅毒 / ~중독 铅中毒 **2** = 땜납
납골(納骨) 명하자 纳骨 nàgǔ; 安放骨灰 ānfàng gǔhuī
납골-당(納骨堂) 명 骨灰堂 gǔhuītáng; 骨灰馆 gǔhuīguǎn
납관(納棺) 명하타 入殓 rùliàn
납기(納期) 명 缴纳期 jiǎonàqī; 缴纳期限 jiǎonà qīxiàn
납-덩이 명 铅块 qiānkuài
납덩이-같다 형 **1** 面无人色 miànwúrénsè; 脸上没有血色 liǎnshang méiyǒu xuèsè **2** 气氛沉闷 qìfēn chénmèn **3** 全身发沉 quánshēn fāchén ¶온몸이 납덩이같이 피곤하다 疲倦得全身发沉
납득(納得) 명하타 理解 lǐjiě; 想通 xiǎngtōng; 谅解 liàngjiě; 领会 lǐnghuì; 领悟 lǐngwù ¶~할 수 없는 일이 일어나다 发生理解不了的事
납-땜 명하타 锡焊 xīhàn ¶~질 做锡焊
납땜-인두 명 烙铁 làotie; 锡焊烙铁 xīhàn làotie = 인두2
납량(納涼) 명하자 纳凉 nàliáng; 乘凉 chéngliáng ¶~ 특집 프로그램 纳凉特辑节目
납부(納付·納附) 명하타 缴纳 jiǎonà; 交纳 jiāonà; 缴 jiǎo ¶세금을 ~하다 缴纳税款
납부-금(納付金) 명 缴纳金 jiǎonàjīn; 缴纳费 jiǎonàfèi; 缴纳钱 jiǎonàqián; 缴纳额 jiǎonà'é = 납입금 · 불입금 · 불입액
납부-증(納付證) 명 缴纳证明 jiǎonà zhèngmíng; 缴纳收据 jiǎonà shōujù = 납입증
납북(拉北) 명하타 绑架到北韩 bǎngjiàdào běihán ¶~ 인사 绑架到北韩的人士
납-빛 명 铅色 qiānsè; 蓝灰色 lánhuīsè ¶얼굴이 놀라서 ~으로 변했다 脸色惊讶得变铅色了
납세(納稅) 명하자 纳税 nàshuì; 缴税 jiǎoshuì ¶~액 纳税额 / ~ 고지 纳税通知 / ~ 의무 纳税义务 / ~ 제도를 개혁하다 改革纳税制度
납세-자(納稅者) 명 **1** 缴税的人 jiǎoshuìde rén **2** 〖法〗 纳税人 nàshuìrén; 纳税义务人 nàshuì yìwùrén; 纳税主体 nàshuì zhǔtǐ
납시다 자 起驾 qǐjià; 回銮 huíluán
납월(臘月) 명 腊月 làyuè
납입(納入) 명하타 缴纳 jiǎonà; 交纳 jiāonà; 上缴 shàngjiǎo ¶~ 고지 纳税通知 / 소득세를 은행에 ~하다 向银行交纳所得税
납입-금(納入金) 명 = 납부금
납입-증(納入證) 명 = 납부증
납작 부하타 贴着地 tiēzhe dì ¶~ 엎드리다 贴着地趴下
납작-코 명 扁鼻子 biǎnbízi; 塌鼻梁 tābíliáng
납작-하다 형 **1** 扁扁 biǎnbiǎn; 扁平 biǎnpíng; 扁圆 biǎnyuán ¶코가 ~ 鼻子扁扁的 / 뒤통수가 ~ 后脑勺扁平 **2** 贴着地 tiēzhe dì ¶그는 몸을 납작하더니 땅에 엎드렸다 他把身体贴着地趴下了
납죽 부 **1** (嘴) 一张一闭 yīzhāngyībì ¶과자를 ~ 받아먹다 嘴巴一张一闭地吃 **2** 贴着地 tiēzhe dì ¶~ 엎드려 사과하다 贴着地磕头道歉
납죽-거리다 타 **1** (嘴) 一张一闭 yīzhāngyībì; (嘴) 吧嗒 bāda **2** 贴着地趴下 tiēzhe dì pāxià ‖ = 납죽대다 **납죽-납죽** 부
납치(拉致) 명하타 绑架 bǎngjià; 绑票(儿) bǎngpiào(r); 劫持 jiéchí ¶어린이를 ~하다 绑架孩子
납치-범(拉致犯) 명 绑匪 bǎngfěi; 绑

票(儿)的 bǎngpiào(r)de; 绑架犯 bǎngjiàfàn; 劫持犯 jiéchífàn

납폐(納幣) 명하자 『民』(婚礼上) 纳币 nàbì; 聘礼 pìnlǐ; 彩礼 cǎilǐ; 送彩礼 sòng cǎilǐ

납품(納品) 명하타 交货 jiāohuò; 送货 sònghuò ¶~ 기일 交货日期

낫 명 镰刀 liándāo ¶~자루 镰刀把 / ~질 用镰刀割

낫 놓고 기역 자도 모른다 속담 目不识丁; 不识一丁

낫:다[1] 자 愈 yù; 好 hǎo; 痊愈 quányù ¶병이 ~ 病好了

낫:다[2] 형 胜过 shèngguò; 胜 shèng; 比…好 bǐ…hǎo; 更好 gènghǎo; 强 qiáng ¶그는 너보다 ~ 他比你好 / 내 아이디어가 더 나을 것이다 我的主意会更好

낫:-살 명 '나잇살' 的略词

낭군(郎君) 명 郎君 lángjūn; 夫君 fūjūn

낭:독(朗讀) 명하타 朗读 lǎngdú; 诵读 sòngdú; 宣读 xuāndú ¶~자 朗读人 / 판결문을 ~하다 宣读判决书

낭-떠러지 명 悬崖 xuányá; 峭壁 qiàobì

낭:랑-하다(朗朗—) 형 瞭亮 liáoliàng; 朗朗 lǎnglǎng ¶낭랑한 목소리로 노래를 부르다 用瞭亮的声音歌唱 **낭:랑-히** 부

낭:만(浪漫) 명 浪漫 làngmàn ¶~이 넘치다 充满浪漫

낭:만-적 관명 浪漫(的) làngmàn(de) ¶이 이야기는 매우 ~이다 这故事很浪漫

낭:만-주의(浪漫主義) 명 『藝』 浪漫主义 làngmàn zhǔyì = 로맨티시즘

낭:만-파(浪漫派) 명 『藝』 浪漫派 làngmànpài; 浪漫主义派 làngmànzhǔyìpài

낭:보(朗報) 명 好消息 hǎo xiāoxi; 喜讯 xǐxùn ¶~가 들려오다 传来好消息

낭:비(浪費) 명하타 浪费 làngfèi; 白费 báifèi 旷费 kuàngfèi ¶~벽 浪费癖 / 헛되이 시간만 ~하다 白白浪费时间 / 재료를 ~하지 마라 不要浪费材料

낭:설(浪說) 명 浪说 làngshuō; 谣言 yáoyán; 瞎说 xiāshuō ¶근거 없는 ~ 没有根据的谣言

낭:송(朗誦) 명하타 朗诵 lǎngsòng; 朗读 lǎngdú ¶시를 ~하다 朗读诗歌

낭자(娘子) 명 小姐 xiǎojiě; 姑娘 gūniang

낭:자-하다(狼藉—) 형 1 狼藉 lángjí; 斑斑 bānbān ¶혈흔이 ~ 血迹斑斑 2 吵吵嚷嚷 chǎochǎorǎngrǎng; 吵吵闹闹 chǎochaonàonào; 闹腾 nàoteng; 响亮 xiǎngliàng ¶매미가 낭자하게 울어 대다 知了叫得很响亮

낭중지추(囊中之錐) 명 囊中之锥 nángzhōngzhīzhuī; 锥处囊中 zhuīchùnángzhōng

낭:패(狼狽) 명하타 狼狈 lángbèi; 糟 zāo; 糟糕 zāogāo ¶벌써 기차가 떠났다니, 이것 참 ~로군 火车已经开走了, 真让人狼狈啊

낭패(를) 보다 구 出岔子; 遭到失败

낭:패-스럽다(狼狽—) 형 狼狈 lángbèi; 糟 zāo; 糟糕 zāogāo ¶정말 ~ 真够狼狈的 **낭:패스레** 부

ㄴ

낮 명 1 白天 báitiān; 白昼 báizhòu ¶~이 짧아졌다 白天短了 2 中午 zhōngwǔ ¶~에는 햇살이 따갑다 中午的阳光很强

낮-교대(—交代) 명하자 白班 báibān; 日班 rìbān

낮다 형 1 (高度) 低 dī; 矮 ǎi; 不高 bùgāo ¶굽이 낮은 구두 低跟皮鞋 / 물은 낮은 곳으로 흐른다 水往低处流 / 비행기가 낮게 날다 飞机飞得很低 / 의자가 좀 ~ 椅子有点矮 2 (数值或程度) 低 dī ¶기온이 ~ 气温很低 / 내 혈압은 비교적 ~ 我的血压较低 / 이번 선거는 투표율이 다소 낮았다 今届选举投票率稍低 3 (水平、能力、质量等) 差 chà; 低 dī ¶품질이 ~ 质量很差 / 성적이 ~ 成绩很差 / 수준이 ~ 水平很差 4 (地位、阶级、等级等) 低微 dīwēi; 低劣 dīliè; 低 dī ¶계급이 낮은 군인 军阶低的军人 / 신분이 ~ 身份低微 5 低 dī; 俏 qiǎo ¶낮은 목소리로 말하다 低声说话

낮-도깨비 명 白天鬼 báitiānguǐ

낮-말 명 白天说话 báitiān shūohuà

낮말은 새가 듣고 밤말은 쥐가 듣는다 속담 白天说话鸟听见, 夜里说话鼠听见; 隔墙有耳, 窗外岂无人; 路上说话, 草里有人; 山前讲话, 山后有人

낮-술 명 白天喝酒 báitiān hējiǔ ¶~에 얼굴이 붉어졌다 白天喝酒, 脸红了

낮은-음(—音) 명 = 저음

낮은음자리-표(—音—標) 명 『音』 低音谱号 dīyīn pǔhào; 低音符号 dīyīn fúhào

낮-일 명하자 白天工作 báitiān gōngzuò

낮-잠 명 午睡 wǔshuì; 午觉 wǔjiào = 오수(午睡) ¶~을 자다 睡午觉

낮-잡다 타 1 (把价格) 压低 yādī; 压 yā ¶판매가를 낮잡아 부르다 压低售价 2 看不起 kànbuqǐ; 小看 xiǎokàn; 低估 dīgū ¶상대를 낮잡아 보다 小看对方

낮-추다 타 1 降低 jiàngdī; 调低 tiáodī; 压低 yādī; 减低 jiǎndī; 降 jiàng; 低下 dīxià 《'낮다' 的使动词》 ¶몸을 ~ 低下身子 / 요금을 ~ 降低收费 / 목소리를 낮춰서 말하다 压低嗓门

说 / 온도를 ~ 调低温度 2 放低 fàngdī; 降低敬阶 jiàngdī jìngjiē; 不使用敬语 bùshǐyòng jìngyǔ ¶말씀을 낮추십시오 说话请放低

낯 명 1 脸 liǎn; 面 miàn; 脸孔 liǎnkǒng; 脸面 liǎnmiàn; 面孔 miànkǒng 2 体面 tǐmiàn; 面子 miànzi; 情面 qíngmiàn; 脸 liǎn = 면목2 ¶나는 그를 볼 ~이 없다 我没面子见他了

낯(을) 들다 구 = 얼굴을 들다

낯(이) 두껍다 구 = 얼굴이 두껍다

낯(이) 뜨겁다 구 不好意思

낯이 깎이다 구 丢脸

낯-가리다 자 认生 rènshēng; 怕生 pàshēng

낯-가림 명하자 认生 rènshēng; 怕生 pàshēng ¶~이 심하다 怕生得很厉害

낯-가죽 명 脸皮 liǎnpí; 面皮 miànpí

낯가죽(이) 두껍다 구 = 얼굴이 두껍다

낯가죽(이) 얇다 구 脸皮薄

낯-간지럽다 형 不好意思 bùhǎoyìsi; 难为情 nánwéiqíng; 没脸见人 méiliǎn jiànrén; 惭愧 cánkuì; 害羞 hàixiū ¶내가 해 놓고도 참 ~ 虽然我自己做了, 但是真不好意思

낯-모르다 자 不认识 bùrènshi ¶낯모를 사람 不认识的人

낯-부끄럽다 형 不好意思 bùhǎoyìsi; 难为情 nánwéiqíng; 没脸见人 méiliǎn jiànrén; 惭愧 cánkuì; 丢脸 diūliǎn; 害羞 hàixiū ¶이런 말을 하자니 참 ~ 说起这种话来, 真不好意思

낯-빛 명 脸色 liǎnsè; 面色 miànsè; 气色 qìsè ¶그 말을 듣는 순간~이 변했다 一听那句话, 脸色就变了

낯-설다 형 1 面生 miànshēng; 陌生 mòshēng ¶낯선 사람 陌生人 2 生 shēng; 生疏 shēngshū ¶낯선 고장 生疏的地方

낯-익다 형 1 面熟 miànshú ¶이 아이는 무척 낯익구나! 这孩子好面熟啊! 2 熟 shú; 熟悉 shúxī ¶낯익은 곳 熟悉的地方

낯-짝 명 '낯1' 的俗称 ¶무슨 ~으로 그런 말을 하느냐? 有什么脸说这句话?

낱: 명 个 gè; 成个 chénggè ¶물건을 ~으로 사다 个个买东西

낱:-개(—個) 명 单个儿 dāngèr; 零个儿 línggèr; 一个 yīge; 个个 gègè ¶~로 떼어서 팔다 个个分开卖

낱:-개비 명 零根 línggēn; 单根 dāngēn; 一根 yīgēn ¶~로 파는 담배 单根卖的香烟

낱:-권(—卷) 명 零卷 língjuàn; 单卷 dānjuàn; 单册 dāncè ¶책을 ~으로 사다 零卷买书

낱:낱-이 부 一一(地) yīyī(de); 一个一个(地) yīgeyīge(de); 一五一十 yīwǔyīshí; 兜底(儿) dōudǐ(r); 无遗漏地 wúyílòude; 不漏 bùlòu ¶위법 행위를 ~ 들추어내다 一一暴露违法行为

낱:-말 명 〖語〗 = 단어

낱:-알 명 单颗 dānkē; 单粒 dānlì; 一颗 yīkē; 一粒 yīlì

낱-자(—字) 명 〖語〗 = 자모(字母)

낱:-잔(—盞) 명 零杯 língbēi; 一杯 yībēi ¶술을 ~으로 팔다 一杯一杯卖酒

낱:-장(—張) 명 单张 dānzhāng; 零张 língzhāng; 一张 yīzhāng

낳:다 타 1 生 shēng; 生下 shēngxià; 产 chǎn; 下 xià ¶쌍둥이를 ~ 生下双胞胎 / 닭이 알을 ~ 鸡生蛋 / 아들딸 낳고 잘 살다 生子女好好生活 2 产生 chǎnshēng; 造成 zàochéng; 酿成 niàngchéng ¶비극을 ~ 造成悲剧 / 좋은 결과를 ~ 产生良好的结果 3 辈出 bèichū; 造就 zàojiù ¶그는 우리나라가 낳은 천재적인 과학자이다 他是我国造就的天才科学家

내:[1] 명 小河 xiǎohé = 개천2 ¶~를 건너다 过小河

내[2] 명 烟 yān; 烟气 yānqì ¶매캐한 ~ 때문에 눈을 뜰 수 없다 为焦辣辣的烟, 睁不开眼

내[3] 명 = 냄새 ¶방 안에서 향긋한 ~가 난다 屋子里有香味

내[4] 一대 我 wǒ ¶~가 읽은 책 由我读过的书 二 我的 wǒde ¶그것은 ~ 시계이다 那是我的表

내 코가 석자 속담 泥菩萨过河, 自身难保; 自顾不暇

내:(內) 의명 内 nèi; 里 lǐ; 之内 zhīnèi ¶이 달 ~에 제출해라 在这个月内交出 / 기한 ~에 끝마치다 限期内完成 / 건물 ~에서는 금연이다 屋内禁止吸烟

-내 접미 始终 shǐzhōng; 一直 yīzhí; 整个 zhěnggè ¶여름~ 整个夏天 / 저녁~ 整个晚上

내:-가다 타 拿出去 náchūqù ¶밥상을 ~ 把饭桌拿出去

내:각(內角) 명 〖數〗 内角 nèijiǎo

내:각(內閣) 명 〖政〗 内阁 nèigé; 阁 gé ¶새 ~의 명단을 발표하다 公布新内阁的名单

내:각 책임제(內閣責任制) 〖政〗 = 의원 내각제

내:-갈기다 타 1 抽打 chōudǎ; 猛打 měng dǎ ¶뺨을 ~ 抽打耳光 2 (书写) 草草 cǎocǎo; 乱七八糟 luànqībāzāo; 乱写 luàn xiě ¶글씨를 ~ 写字写得乱七八糟 3 (枪等) 乱射 luànshè ¶기관총을~ 乱射机枪 4 (粪、尿等) 乱撒 luàn sā

내:객(來客) 명 来客 láikè; 来宾 láibīn

¶～을 맞이하다 接应来宾

내:-걸다 타 1 挂出去 guàchūqù ¶깃발을 하나 ～ 把一面旗挂出去 2 提出 tíchū ¶요구 조건을 ～ 提出要求条件 3 不惜 bùxī; 豁出去 huōchuqu ¶목숨을 내걸고 싸우다 不惜性命打仗

내:-골격(內骨格) 명 〖生〗 内骨格 nèigǔgé

내:공(內攻) 명하자 〖心〗 内攻 nèigōng

내:과(內科) 명 〖醫〗 内科 nèikē ¶～의 内科医生

내:관(內官) 명 〖史〗 ＝ 내시

내:구(耐久) 명하자 耐久 nàijiǔ; 持久 chíjiǔ ¶～력 耐久力 / ～성 耐久性

내:국(內國) 명 1 本国 běnguó; 祖国 zǔguó 2 国内 guónèi; 内国 nèiguó

내:국-인(內國人) 명 国人 guórén; 内国人 nèiguórén; 本国公民 běnguó gōngmín; 本国人 běnguórén

내:규(內規) 명 内部规定 nèibù guīdìng; 内规 nèiguī ¶회사의 ～를 준수하다 遵守公司内部规定

내:근(內勤) 명하자 内勤 nèiqín ¶～직원 内勤职员 / ～ 부서로 옮기다 调到内勤单位

내:-기 명하타 打赌 dǎdǔ; 赌 dǔ ¶～바둑 棋赌 / ～를 걸다 打赌

-내기 접미 1 出身 chūshēn; 人 rén ¶서울～ 首尔人 / 시골～ 乡下人 2 手 shǒu《表示具有什么特点的人》¶풋～ 新手 / 신출～ 新手

내:-깔기다 타 1 胡乱拉屎 húluàn lāshǐ; 胡乱撒尿 húluàn sāniào ¶도랑에 오줌을 ～ 朝沟里胡乱撒尿 2 甩下 shuǎixià; 丢下 diūxià ¶그는 나에게 한마디 툭 내깔기고는 가 버렸다 他朝我甩下一句话就走了 3 (枪等) 乱射 luàn shè ¶적군에게 기관총을 ～ 向敌军乱射机枪

내:-내 부 始终 shǐzhōng; 一直 yīzhí; 一向 yīxiàng; 直 zhí; 总 zǒng ¶아침부터 ～ 그 꼴이다 从早一直这样子

내년(來年) 명 明年 míngnián; 来年 láinián; 过年 guònian ＝ 익년2 ¶우리 아들은 ～에 학교에 간다 我儿子明年要上学了

내년-도(來年度) 명 明年度 míngniándù; 来年度 láiniándù; 明年 míngnián ¶～ 예산안을 짜다 安排明年的预算案

내노라-하다 자 '내로라하다' 的错误

내:-놓다 타 1 拿出来 náchūlái; 搬出来 bānchūlái; 搬去 bānqù ¶화분을 마당에 ～ 把花盆搬到院子去了 2 放出来 fàngchūlái; 放开 fàngkāi; 放 fàng; 释放 shìfàng ¶돼지를 우리에서 ～ 把猪从猪圈里放出来 3 接待 jiēdài; 招待 zhāodài ¶손님에게 차와 과일을 ～ 招待客人吃茶点水果 4 腾 téng; 空 kòng; 卖 mài ¶집을 ～ 腾出房子 5 投放 tóufàng; 推出 tuīchū; 发表 fābiǎo; 出版 chūbǎn ¶신제품을 ～ 投放新商品 / 신작을 ～ 发表新作品 6 提 tí; 提出 tíchū; 提起 tíqǐ ¶타협안을 ～ 提出妥协方案 7 交出 jiāochū; 捐献 juānxiàn; 让出 ràngchū ¶전 재산을 양로원에 ～ 把全部的财产捐献给养老院 / 대표 자리를 ～ 让出代表位子 8 露 lù; 露出 lùchū ¶배꼽을 ～ 露出肚脐 9 撇开 piēkāi; 放弃不管 fàngqì bùguǎn ¶집에서도 내놓은 자식 家里人都放弃不愿管的家伙 10 冒 mào; 不惜 bùxī ¶목숨을 내놓고 싸우다 不惜性命打仗

내:다 ㊀타 1 (路) 开 kāi; 开辟 kāipì ¶길을 ～ 开路 / 숲 속에 산책로를 ～ 树林里开辟散步路 2 钻 zuān; 开 kāi; 挖 wā ¶구멍을 ～ 开洞 / 손가락으로 문풍지에 구멍을 ～ 用手指头在窗纸上挖个洞 3 发 fā; 登 dēng ¶신문에 광고를 ～ 在报纸上登广告 4 (店) 开 kāi ¶다방을 ～ 开茶馆 5 (秧) 插 chā; 移 yí ¶모를 ～ 插秧 6 拿出去 náchūqù; 搬出去 bānchūqù ¶방에 있던 책상을 밖으로 ～ 把房间里的桌子拿出去 7 传播 chuánbō; 散布 sànbù; 扬 yáng ¶동네에 소문을 ～ 在邻里散布传闻 / 전국에 이름을 ～ 扬名于全国 8 出 chū; 提 tí; 提出 tíchū ¶시험 문제를 ～ 出考题 / 문제를 하나 ～ 提一个问题 9 发 fā; 耍 shuǎ; 鼓起 gǔqǐ ¶짜증을 ～ 发脾气 / 화를 ～ 发火 / 용기를 ～ 鼓起勇气 10 交 jiāo; 纳 nà; 提交 tíjiāo; 捐 juān ¶세금을 ～ 交税 / 원서를 ～ 提交志愿书 / 학교에 기부금을 ～ 向学校捐钱 11 请 qǐng; 请客 qǐngkè; 招待 zhāodài ¶동네 사람들에게 점심을 ～ 招待村里人吃午饭 12 造出 zàochū; 引起 yǐnqǐ; 闹出 nàochū ¶사고를 ～ 造出事故 / 희생자를 ～ 闹出人命 13 掀起 xiānqǐ; 扬起 yángqǐ; 发出 fāchū ¶먼지를 ～ 掀起灰尘 / 소리를 ～ 发出声音 14 抽 chōu; 抽出 chōuchū; 休 xiū ¶시간을 ～ 抽出时间 / 3일간의 휴가를 ～ 休三天假 15 显露 xiǎnlù; 露出 lùchū ¶멋을 ～ 显露风姿 / 촌티를 ～ 露出土气 16 得出 déchū; 出现 chūxiàn; 产生 chǎnshēng ¶결론을 ～ 得出结论 / 흑자를 ～ 出现黑字 / 역효과를 ～ 产生逆效果 17 出 chū; 出版 chūbǎn; 发行 fāxíng ¶책을 ～ 出版书 / 시집을 ～ 发行诗集 18 模仿 mófǎng; 仿效 fǎngxiào; 学 xué ¶군인 흉내를 ～ 学军人的样子 19 借 jiè; 贷 dài ¶빚을 내어 병을 고치다 借钱治病 / 은행에서 빚을 ～ 向银行借债 20 (租) 出 chū ¶세를 ～ 出租给别人 ㊁보동 出 chū; 起 qǐ; 住 zhù ¶시련을

견뎌 ~ 经受起考验 / 그의 이름을 생각해 ~ 想出他的名字

내:다-보다 타 1 向外看 xiàng wài kàn ¶창밖을 ~ 向窗外看 2 展望 zhǎnwàng; 眺望 tiàowàng; 料到 liàodào ¶장래를 내다보고 계획하다 展望未来打算 / 한 치 앞을 내다볼 수 없다 料不到眉睫

내:다보-이다 자 1 望得见 wàngdejiàn; 看到 kàndào; 被看到 bèi kàndào 《'내다보다1' 的被动词》 ¶창밖으로 바다가 ~ 从窗外看得见大海 2 望见 wàngjiàn; 预见 yùjiàn ¶앞날이 ~ 预见未来 3 (往里) 看见 kànjiàn; 看出 kànchū; 露出 lùchū ¶치마가 너무 짧아 허벅지가 다 내다보인다 裙子太短, 大腿都露出来了

내:-닫다 자타 快跑 kuàipǎo; 飞奔 fēibēn; 疾步 jíbù ¶다급한 마음에 병원까지 한달음에 내달았다 心理发慌飞奔到医院

내-달(來一) 명 下个月 xiàge yuè; 下月 xiàyuè ¶~ 중순 下月中旬

내:-달리다 자 飞奔 fēibēn; 奔驰 bēnchí ¶필사적으로 ~ 拼命地奔驰

내:-던지다 타 1 (用力) 抛 pāo; 扔 rēng; 甩 shuǎi; 摔 shuāi ¶화가 나서 시계를 ~ 因生气, 把表抛掉 2 放弃 fàngqì; 弃置不顾 qìzhì bùgù; 抛弃 pāoqì ¶직장을 ~ 抛弃职守 3 牺牲 xīshēng; 豁 huō ¶온몸을 ~ 牺牲一身

내:-동댕이치다 타 扔 rēng; 抛 pāo ¶학교에서 오자마자 책가방을 ~ 一从学校回来, 就把书包抛掉

내:-두르다 타 1 挥舞 huīwǔ; 挥动 huīdòng 挥来挥去 huīláihuīqù ¶손을 ~ 把手挥来挥去 2 随意支使 suíyì zhīshi; 任意摆布 rènyì bǎibu ¶부하를 마음대로 ~ 随意支使部下

내:-둘리다 자 '내두르다' 的被动词

내:-드리다 타 1 上呈 shàngchéng; 呈递 chéngdì ¶서류를 ~ 上呈档案 2 让 ràng; 让步 ràngbù ¶노인께 자리를 ~ 向老人让步座位

내:-디디다 타 1 迈 mài; 迈步 màibù; 迈出 màichū ¶천천히 발을 내디뎠다 慢慢迈了一步 2 踏足 tàzú; 开始 kāishǐ; 起步 qǐbù; 着手 zhuóshǒu ¶정계에 발을 ~ 踏足政界

내:-딛다 타 '내디디다' 的略词 ¶앞으로 발을 내딛기가 힘들다 很难向前迈步 / 사회에 발을 ~ 踏足社会

내:-뛰다 자 1 向前跑 xiàng qián pǎo ¶부리나케 앞으로 내뛰기 시작했다 火速地向前跑起来 2 逃走 táozǒu; 逃跑 táopǎo ¶그는 이미 내뛰어 달아났다 他已经逃走了

내:란(內亂) 명 内乱 nèiluàn; 内战 nèizhàn; 内讧 nèihòng ¶~죄 内乱罪 / 소요가 ~으로 번지다 骚扰变成内乱

내레이션(narration) 명 〖演〗 叙述 xùshù; 讲叙 jiǎngxù; 讲述 jiǎngshù; 解说 jiěshuō; 画外音 huàwàiyīn

내레이터(narrator) 명 〖演〗 解说员 jiěshuōyuán; 叙述人 xùshùrén; 讲述者 jiǎngshùzhě

내려-가다 一자 1 下 xià; 下去 xiàqù ¶아래층으로 ~ 下楼 / 어서 내려가라 赶快下去吧 2 下乡 xiàxiāng; 下 xià ¶시골로 ~ 下农村 3 消化 xiāohuà ¶점심 먹은 것이 아직 내려가지 않았다 还没消化中饭 4 下降 xiàjiàng; 下跌 xiàdiē; 降低 jiàngdī; 降落 jiàngluò ¶온도가 ~ 温度下降 / 물가가 ~ 物价下跌 二타 下 xià; 向下挪 xiàng xià nuó; 向下搬 xiàng xià bān ¶계단을 ~ 下楼梯 / 언덕을 ~ 下坡

내려-놓다 타 1 放 fàng; 放下 fàngxià; 搁下 gēxià; 摆下 bǎixià ¶수화기를 ~ 放下受话器 / 짐을 땅에 내려놓아라 把行李放在地上 2 让…下车 ràng…xiàchē ¶승객을 ~ 让乘客下车

내려다-보다 타 1 俯视 fǔshì; 鸟瞰 niǎokàn ¶비행기에서 ~ 在飞机上俯视 2 看不起 kànbuqǐ; 轻视 qīngshì; 小看 xiǎokàn ¶가난한 나라라고 ~ 为贫穷的国家, 就看不起

내려-뜨리다 타 1 往下扔 wǎng xià rēng; 扔下来 rēngxiàlái; 丢下来 diūxiàlái; 摔下来 shuāixiàlái ¶식탁 위의 접시를 내려뜨려 깨다 把饭桌上的碟子扔下来打碎 2 垂下 chuíxià ¶긴 머리를 어깨 위로 ~ 披肩发垂下肩膀来 ‖ = 내려트리다

내려-서다 一자 往…下站 wǎng…xiàzhàn ¶풀밭으로 ~ 往草地下站 二타 站下来 zhànxiàlái; 站在下面 zhànzàixiàmiàn

내려-앉다 자 1 往下坐 wǎng xià zuò; 往下落 wǎng xià luò; 落 luò ¶참새가 나뭇가지에 ~ 麻雀飞落在树枝上 2 坍 tān; 塌 tā; 坍塌 tāntā ¶천장이 ~ 天棚塌下来 3 (夜幕) 降临 jiànglín; 低垂 dīchuí ¶도시에 어둠이 ~ 城市里夜幕降临 4 (雾气) 弥漫 mímàn; 低垂 dīchuí ¶짙은 안개가 ~ 浓雾弥漫 5 (职位) 降 jiàng; 下台 xiàtái ¶부장에서 과장으로 ~ 从部长降到科长 6 (心) 沉重 chénzhòng; 沉下来 chénxiàlái ¶가슴이 덜컥 ~ 心猛地沉下来

내려-오다 一자 1 (从高处) 下来 xiàlái; 下到 xiàdào ¶산에서 ~ 从山上下来 2 (到地方) 下来 xiàlái; 下到 xiàdào ¶서울에서 내려오신 큰아버지 从首尔下来的伯父 3 传下来 chuánxiàlái; 流传下来 liúchuánxiàlái; 相传至今

xiāngchuánzhìjīn ¶조상 대대로 내려온 가보 世世代代传下来的家宝 4 向下传达 xiàng xià chuándá; 下达 xiàdá ¶상부에서 명령이 ~ 从上级下达命令 ㊁타 搬下来 bānxiàlái; 挪下来 nuóxiàlái; 卸下来 xièxiàlái ¶위층에서 의자를 내려오너라 从楼上把椅子挪下来

내력(來歷) 명 1 来历 láilì; 来路 láilu; 经历 jīnglì ¶자기의 ~을 들려주다 给人听自己的来历 2 遗传 yíchuán ¶부지런한 것은 그 집안의 ~이다 勤勉是他家的遗传

내로라-하다 자 自豪 zìháo ¶세상에 내로라하는 장사들 人间有些自豪的大力士

내:륙(內陸) 명 『地理』 内陆 nèilù ¶~국 内陆国家 / ~성 内陆性 / ~ 분지 内陆盆地 / ~ 지방 内陆地区 / ~호 内陆湖

내리 부 1 往下 wǎng xià; 向下 xiàngxià 2 一直 yīzhí; 一连 yīlián; 始终 shǐzhōng ¶~ 세 시간을 서 있다 一直站着三个小时 3 大肆 dàsì; 随便 suíbiàn ¶~ 짓밟다 大肆蹂躏

내리-갈기다 타 1 抽打 chōudǎ ¶채찍을 바닥에 ~ 向地板抽打鞭子 2 (写字) 潦草 liáocǎo ¶글씨를 너무 내리갈겨 쓰다 字写得太潦草

내리-긋다 타 1 向下划 xiàng xià huá 2 一直划线 yīzhí huáxiàn

내리-깔다 타 1 垂眼 chuíyǎn; 向下看 xiàng xià kàn 2 铺在下方 pūzài xiàfāng; 铺在下面 pūzài xiàmiàn

내리-깔리다 자 '내리깔다' 的被动词

내리-꽂다 타 扣 kòu; 摁 èn; 拽 zhuāi ¶상대를 땅바닥에 ~ 把对方摁倒在地 / 공을 코트에 ~ 把球扣在地板上

내리꽂-히다 자 '내리꽂다' 的被动词

내리-누르다 타 1 压 yā; 按 àn ¶작두를 ~ 按铡刀 2 压制 yāzhì; 压迫 yāpò ¶부하를 ~ 压制部下 3 给压力 gěi yālì; 压制 yāzhì; 压住 yāzhù ¶피로가 온몸을 ~ 疲劳压制满身

내리눌리다 자 '내리누르다' 的被动词 ¶쓰러지는 기둥에 온몸이 ~ 全身被塌倒的柱子压制

내리다 ㊀자 1 (物体) 降 jiàng; 下 xià; 落 luò; 降下 jiàngxià ¶비행기가 ~ 飞机降下来 2 (物价、温度等) 降落 jiàngluò; 降 jiàng; 落 luò; 低落 dīluò ¶물가가 ~ 物价降落 3 (雨、雪等) 下 xià; 降 jiàng ¶비가 ~ 下雨 / 이슬이 ~ 降露水 4 (从车或飞机上) 下 xià ¶차에서 ~ 下车 / 비행기에서 ~ 下飞机 5 瘦 shòu; 消瘦 xiāoshòu ¶살이 ~ 身体消瘦 6 (鬼神) 附身 fùshēn ¶신이 내려 병을 앓다 鬼神附身就病了 7 (根) 生 shēng; 扎 zhá ¶뿌리가 ~ 扎根 ㊁타 1 (把物体) 拿下 náxià; 挪下 nuóxià; 拉下 lāxià; 放下 fàngxià; 移下 yíxià ¶커튼을 ~ 拉下窗帘 / 짐을 ~ 拿下行李 2 (把物价、温度等) 降低 jiàngdī; 降 jiàng; 降下 jiàngxià; 减低 jiǎndī ¶값을 ~ 降下价钱 3 下 xià; 发 fā; 加以 jiāyǐ; 给予 jǐyǔ; 下达 xiàdá ¶명령을 ~ 下令 / 상을 ~ 发奖 4 (把判断、评价、结论等) 做 zuò; 下 xià ¶결론을 ~ 下结论 5 筛 shāi; 过 guò ¶밀가루를 체에 ~ 把面粉过筛

내리-닫다 자 1 往下跑 wǎng xià pǎo; 跑下去 pǎoxiàqù ¶산비탈 아래로 ~ 向山脚跑下去 2 奔跑 bēnpǎo ¶무작정 앞으로 ~ 盲目往前奔跑

내리-뛰다 자 1 向下跳 xiàng xià tiào; 往下跳 wǎng xià tiào; 跳下去 tiàoxiàqù ¶지붕에서 아래로 ~ 从屋顶往下跑 2 往下跑 wǎng xià pǎo; 跑下去 pǎoxiàqù ¶언덕 아래로 ~ 往山坡下面跑下去

내리-뜨다 타 向下看 xiàng xià kàn ¶눈을 지그시 내리뜨고 꼼짝도 하지 않다 悄悄向下看一动也不动

내리-막 명 1 下坡 xiàpō 2 滑坡 huápō; 衰退 shuāituì; 下坡 xiàpō; 低潮 dīcháo; 低谷 dīgǔ ¶기승을 부리던 더위도 ~에 접어들었다 猛烈的暑气也开始衰退了

내리막-길 명 1 下坡路 xiàpōlù ¶~을 걷다 走下坡路 2 衰退期 shuāituìqī ¶인생의 ~로 들어서다 进入人生的衰退期

내리-붓다 자타 1 (大雨或大雪等) 覆盆 fùpén; 倾盆 qīngpén ¶비가 온종일 ~ 大雨整天覆盆 2 喷泻 pēnxiè; 往下倒 wǎng xià dào

내리-비추다 타 向下照 xiàng xià zhào; 洒向 sǎxiàng ¶달빛이 고요히 세상을 내리비추고 있다 月光静静地洒向人间

내리-사랑 명 长辈爱晚辈 zhǎngbèi ài wǎnbèi

내리사랑은 있어도 치사랑은 없다 속담 只有爱子之心, 没有爱老怜贫

내리-쬐다 자 直射 zhíshè; 暴晒 bàoshài ¶여름 햇볕이 쨍쨍 ~ 夏天阳光暴晒

내리-찍다 타 (向下) 砍 kǎn ¶도끼로 장작을 ~ 用斧砍劈柴

내리-치다 ㊀타 (向下) 猛打 měng dǎ; 捶打 chuídǎ ¶손바닥으로 책상을 ~ 用手掌猛打书桌 ㊁자 (风雨雷电) 大作 dàzuò; 大起 dàqǐ ¶번개가 ~ 雷电大起

내리-퍼붓다 ㊀자 (雨、雪等) 猛下不停 měngxià bùtíng; 倾盆 qīngpén ¶큰비가 내리퍼붓고 있다 大雨倾盆 ㊁타 倾泻 qīngxiè; 倾倒 qīngdào; 喷洒 pēnsǎ ¶소방차가 물줄기를 ~ 消防车喷

洒水柱
내림-굿 명하자 〖民〗下神祭 xiàshénjì; 请神祭 qǐngshénjì
내림-세(一勢) 명 跌势 diēshì; 跌潮 diēcháo; 跌风 diēfēng ¶쌀값이 ~를 보이다 米价在跌潮
내림-차(一次) 명 〖數〗降幂 jiàngmì ¶ ~순 降幂顺序
내림-표(一標) 명 〖音〗降号 jiànghào; 降音符 jiàngyīnfú; 降半音符号 jiàngbànyīn fúhào = 플랫
내:막(內幕) 명 内幕 nèimù; 底子 dǐzi; 内情 nèiqíng; 底细 dǐxì ¶사건의 ~ 事件内幕 / ~을 캐다 揭开内幕
내:-맡기다 타 **1** 委托 wěituō; 交给 jiāogěi; 委任 wěirèn; 托付 tuōfù ¶운영권 일체를 ~ 委托一切运营的权利 **2** 放任 fàngrèn; 听任 tīngrèn; 推给 tuīgěi ¶운명에 ~ 听任命运
내:면(內面) 명 **1** 里面 lǐmiàn **2** 精神世界 jīngshén shìjiè; 心理 xīnlǐ; 内心 nèixīn ¶~세계 内心世界 / 인간의 ~을 들여다보다 窥视人的精神世界
내:-명부(內命婦) 명 〖史〗内命妇 nèimìngfù
내:-몰다 타 **1** 赶 gǎn; 赶走 gǎnzǒu; 赶上 gǎnshàng; 驱逐 qūzhú ¶청년들을 훈련소로 ~ 把青年人赶上训练所 **2** 疾驶 jíshǐ ¶차를 갑자기 ~ 突然疾驶汽车 **3** 催 cuī; 加速 jiāsù; 促进 cùjìn; 推动 tuīdòng; 推进 tuījìn; 追赶 zhuīgǎn; 催逼 cuībī ¶빨리 가자고 운전기사를 ~ 催逼驾驶员快开
내:몰-리다 자 '내몰다' 的被动词 ¶거리로 내몰린 사람들 被赶出街上的人们
내:무(內務) 명 内务 nèiwù ¶~반 内务班 / ~ 생활 内务生活
내:밀(內密) 명하형히부 秘密 mìmì; 机密 jīmì; 隐密 yǐnmì ¶~한 거래 秘密交易 / ~히 일을 처리하다 隐密地处理事情
내-밀다 타 **1** 出 chū; 伸出 shēnchū; 挺 tǐng; 努 nǔ; 探出 tànchū; 出示 chūshì ¶문 밖으로 손을 ~ 向门外伸出手 / 입을 ~ 努着嘴 **2** 拿出 náchū; 递出 dìchū; 出 chū ¶명함을 ~ 拿出名片
내방(來訪) 명하자타 来访 láifǎng ¶~한 손님을 맞이하다 接待来访的客人
내:-배엽(內胚葉) 명 〖生〗内胚层 nèipēicéng; 内胚叶 nèipēiyè
내:-배유(內胚乳) 명 〖植〗 = 배젖
내:-뱉다 타 **1** 吐 tǔ; 啐 cuì ¶가래침을 ~ 吐掉痰 **2** 没好气地说 méi hǎoqìde shuō; 随口说出 suíkǒu shuōchū ¶그는 욕지거리를 내뱉고는 가 버렸다 他没好气地说了秽语, 就走了
내:버려-두다 타 **1** 搁 gē; 搁置 gēzhì; 放 fàng; 放置 fàngzhì; 置之不理 zhìzhībùlǐ ¶상처를 내버려두면 흉이 지기 쉽다 伤口置之不理就容易留下伤疤 **2** 不管 bùguǎn; 放任 fàngrèn; 放任不管 fàngrèn bùguǎn; 任凭 rènpíng ¶제 자식을 어찌 내버려둘 수 있나 自己的孩子怎么能放任不管呢
내:-버리다 타 **1** 扔 rēng; 丢 diū; 扔掉 rēngdiào; 抛弃 pāoqì; 舍弃 shěqì ¶낡은 깡통을 쓰레기통에 ~ 把老旧的罐头扔在垃圾箱 **2** 不管 bùguǎn; 弃置不顾 qìzhìbùgù ¶나는 목숨을 내버릴 각오가 되어 있다 我有弃置不顾性命的决心
내:벽(內壁) 명 〖建〗内壁 nèibì; 内墙 nèiqiáng ¶건물 ~ 建筑物内墙
내:-보내다 타 **1** 放出 fàngchū; 送出去 sòngchūqù ¶자식을 외국으로 ~ 让孩子送出外国去 **2** 退出 tuìchū; 除名 chúmíng; 解雇 jiěgù ¶가정부를 ~ 解雇保姆 **3** 播出 bōchū ¶텔레비전 광고를 ~ 播出电视广告 **4** 放 fàng; 放走 fàngzǒu; 释放 shìfàng; 放开 fàngkāi ¶인질을 ~ 释放人质
내보-이다 一자 露出 lùchū ¶팬티가 ~ 内裤露出来 二타 出示 chūshì; 表露 biǎolù ¶신분증을 ~ 出示身份证 / 초조한 기색을 ~ 表露焦躁的神情
내:복[1](內服) 명 **1** = 속옷 **2** 保暖内衣 bǎonuǎn nèiyī; 防寒内衣 fánghán nèiyī = 내의2
내:복[2](內服) 명하타 口服 kǒufú; 内服 nèifú ¶~약 口服药 =[内服药]
내:부(內部) 명 **1** 内部 nèibù; 内 nèi; 里面(儿) lǐmiàn(r); 里边(儿) lǐbian(r); 里头 lǐtou ¶방의 ~ 房间里面 / ~ 감각 内部感觉 / ~ 시설 内部设备 **2** (组织的) 内部 nèibù; 内 nèi ¶~ 규칙 内部规则 / ~ 감사 内部监察
내:부 기억 장치(內部記憶裝置) 〖컴〗内存储器 nèicúnchǔqì
내:부-적(內部的) 관명 内部(的) nèibù(de); 内部性 nèibùxìng ¶~ 갈등이 밖으로 드러나다 内部矛盾露出
내:분(內紛) 명 内讧 nèihòng; 内乱 nèiluàn; 内部矛盾 nèibù máodùn ¶~이 일다 起内讧 / 당의 ~을 수습하다 平息党内矛盾
내:-분비(內分泌) 명 〖生〗内分泌 nèifēnmì ¶~물 内分泌物 / ~샘 内分泌腺 / ~ 장애 内分泌失调
내:-비치다 一자 **1** 向外照 xiàng wài zhào; 向前照 xiàng qián zhào; 透亮 tòuliàng ¶불빛이 ~ 灯光向外照 **2** 显露 xiǎnlù; 表露 biǎolù ¶속살이 ~ 显露皮肤 二타 **1** 给人看 gěi rén kàn ¶얼굴을 잠깐 ~ 给人看脸孔一时 **2** 暗含

ànhán; 透露 tòulù; 流露 liúlù ¶가능성을 ~ 暗含可能性
내빈(來賓) 명 来宾 láibīn ¶~석 来宾席 / ~을 접대하다 接待来宾 / ~을 맞이하다 迎接来宾
내:-빼다 자 跑掉 pǎodiào; 溜掉 liūdiào; 逃 táo = 빼다³2 ¶골목으로 ~ 从巷子里溜掉
내:-뻗다 ㅡ자 伸出 shēnchū; 延伸 yánshēn; 伸展 shēnzhǎn; 蔓延 mànyán ¶마을로 곧게 내뻗은 길 一直延伸到村里的路 ㅡ타 伸开 shēnkāi; 伸展 shēnzhǎn ¶팔을 힘껏 ~ 加劲伸开胳膊
내:-뿜다 타 冒 mào; 吐 tǔ; 喷 pēn; 放出 fàngchū; 涌 yǒng ¶담배 연기를 ~ 把烟雾吐出来 / 술 냄새를 ~ 放出酒味儿
내:사(內査) 명하타 内查 nèichá; 暗查 ànchá ¶은밀하게 ~에 들어갔다 隐隐地内查开始了
내:상(內傷) 명 【醫】内伤 nèishāng
내:색(─色) 명하타 声色 shēngsè; 神色 shénsè; 表情 biǎoqíng; 露出 lùchū; 表露 biǎolù ¶싫은 ~을 보이다 表出不喜欢的神色
내:선(內線) 명 (电话的) 内线 nèixiàn ¶~ 전화 内线电话
내:성(內城) 명 内城 nèichéng
내:성(耐性) 명 1 耐受性 nàishòuxìng 2 【生】耐药性 nàiyàoxìng; 抗药性 kàngyàoxìng
내:성-적(內省的) 관명 内向 nèixiàng; 内向性 nèixiàngxìng ¶그는 ~이고 과묵한 사람이다 他是个又内向又寡默的人
내세(來世) 명 【佛】来世 láishì ¶~ 사상 来世思想
내:-세우다 타 1 让站 ràng zhàn ¶반장을 맨 앞 줄에 ~ 让班长站在最前列 2 推出 tuīchū; 推举 tuījǔ ¶그를 대표로 ~ 推举他为代表 3 颂扬 sòngyáng; 宣扬 xuānyáng ¶자신의 업적을 ~ 宣扬自己的业绩 4 提出 tíchū ¶언제나 자기 입장만 ~ 老只提出自己的立场
내:수(內需) 명 内需 nèixū ¶~ 산업 内需产业 / ~ 시장 内需市场 / ~를 늘리다 增加内需 / ~ 경기가 살아나다 内需景气恢复
내:수-용(內需用) 명 内需用 nèixūyòng; 为内需的 wèinèixūde ¶~ 소비재 为内需的消费材
내:숭 명하형 阴险 yīnxiǎn; 笑面虎 xiàomiànhǔ ¶그녀는 속으로 좋으면서 관심이 없는 척 ~이다 她心里很好, 假装阴险
내:-쉬다 타 呼 hū; 出 chū; 叹 tàn ¶긴 한숨을 ~ 长叹一声
내시(內侍) 명 【史】内侍 nèishì; 太监 tàijiān; 宦官 huànguān = 내관 · 환관 ¶~부 内侍府
내:시-경(內視鏡) 명 【醫】内窥镜 nèikuījìng ¶~ 검사 内窥镜检查
내:신(內申) 명하타 1 秘密报告 mìmì bàogào 2 【教】内审 nèishěn; 内审成绩 nèishěn chéngjì ¶~ 성적 内审成绩 / ~ 제도 内申制度 / ~만으로 신입생을 뽑다 只按内审成绩选拔新生
내:신(內信) 명 国内消息 guónèi xiāoxi ¶오늘의 주요 ~ 기사 今日主要国内消息报道
내:실(內實) 명 1 内情 nèiqíng ¶겉모습과 달리 ~은 보잘 것 없다 内情和外表不同, 微不足道 2 内实 nèishí; 实在 shízài; 实际内容 shíjì nèiróng; 内部充实 nèibù chōngshí ¶~을 기하다 求实在 / ~ 있는 삶을 추구하다 求活得实在
내:심(內心) 명 = 속마음 ¶~을 털어놓다 倾吐衷情 / ~ 쾌재를 부르다 从心称快
내:야(內野) 명 【體】(棒球的) 内场 nèichǎng ¶~수 内场手 / ~석 内场席 / ~ 안타 内场安打 / ~ 플라이 内场飞球
내:역(內譯) 명 明细 míngxì; 清单 qīngdān; 细目 xìmù ¶공사비 ~ 工程费用清单
내:연(內緣) 명 1 隐密关系 yǐnmì guānxi 2 【法】事实婚姻 shìshí hūnyīn; 非正式婚姻 fēizhèngshì hūnyīn ¶~의 부부 非正式婚姻的夫妻
내:연(內燃) 명하자 内燃 nèirán ¶~ 기관 内燃机 / ~ 기관차 内燃机车
내:열(耐熱) 명 耐热 nàirè; 抗热 kàngrè ¶~강 耐热钢 / ~성 耐热性 / ~ 유리 耐热玻璃 / ~ 재료 耐热材料 / ~ 금속 耐热金属
내:-오다 타 拿出来 náchūlái; 取出来 qǔchūlái; 上来 shànglai ¶과일을 ~ 上来水果
내왕(來往) 명하자타 1 来往 láiwǎng; 来去 láiqù; 往来 wǎnglái ¶이곳은 사람들의 ~이 잦은 곳이다 这是人家常来常去的地方 2 来往 láiwǎng; 交往 jiāowǎng ¶이웃과 ~을 트다 和邻居开始交往
내:외¹(內外) 명 1 内外 nèiwài; 里外 lǐwài ¶~ 정세 内外局势 / 경기장 ~ 赛场内外 2 左右 zuǒyòu; 上下 shàngxià; 内外 nèiwài ¶200자 ~로 쓰시오 写两百字左右
내:외²(內外) 명 = 부부 ¶김씨 ~가 나란히 걸어간다 老金夫妻并排走
내:외³(內外) 명하자 (男女间) 回避 huí-

bì; 分里外 fēn lǐwài; 磨不开 mòbukāi ¶ 남녀 간에 ~를 하지 않다 男女间不回避

내:외-간(內外間) 명 **1** 内外间 nèiwàijiān **2** 夫妻间 fūqījiān = 내외지간 · 부부간 ¶~에 금실이 좋다 夫妻卿卿

내:외-분(內外—) 명 '부부' 的敬词

내:외지간(內外之間) 명 = 내외간2

내:용(內容) 명 **1** (文章或话里的) 内容 nèiróng ¶기사 ~이 사실과 다르다 报道内容不符其实 **2** (装的) 东西 dōngxi; 内容 nèiróng ¶선물 꾸러미의 ~ 礼物包里的内容 **3** 内幕 nèimù; 底细 dǐxì; 情况 qíngkuàng; 内容 nèiróng ¶사건의 ~ 事件的内容

내:용(耐用) 명 耐用 nàiyòng ¶~ 연한 耐用年限

내:용-물(內容物) 명 内装物品 nèizhuāng wùpǐn; 内容 nèiróng

내:용 증명(內容證明) 〖法〗 邮品内容证明 yóupǐn nèiróng zhèngmíng

내:우(內憂) 명 内忧 nèiyōu; 内患 nèihuàn ¶~외환 内忧外患

내음 명 味儿 wèir; 香气 xiāngqì ¶바다~ 海味儿

내:의(內衣) 명 **1** = 속옷 **2** = 내복[1]2

내:이(內耳) 명 〖生〗 = 속귀 ¶~염 内耳炎

내일(來日) 명부 **1** 明天 míngtiān; 明日 míngrì; 明儿 míngr ¶~은 그의 생일이다 明天是他的生日 / ~ 다시 이야기하자 明天再说吧 **2** 未来 wèilái; 将来 jiānglái; 明天 míngtiān ¶밝은 ~을 기약하다 希望光明的未来

내일-모레(來日—) 명부 **1** = 모레 **2** 即将 jíjiāng ¶~면 벌써 서른이다 即将到三十了

내:장(內粧) 명하타 〖建〗 装潢 zhuānghuáng ¶~ 공사를 마무리하다 结束装潢施工

내:장(內裝) 명하타 内装 nèizhuāng ¶ 자동차의 ~ 汽车内装

내:장(內藏) 명하타 内藏 nèicáng; 内有 nèiyǒu ¶자동 응답 기능을 ~한 전화기 内有录音功能的电话机

내:장(內臟) 명 〖生〗 内脏 nèizàng; (食用动物的) 下水 xiàshui; (食用鸡鸭的) 什件儿 shíjiànr = 장(臟) ¶~ 비만 内脏肥胖

내:재(內在) 명하자 内在 nèizài ¶~되어 있는 모순 内在的矛盾

내:재-적(內在的) 관명 内在 nèizài; 内在性 nèizàixìng ¶~ 요인 内在因素 / ~ 모순 内在矛盾

내:-적(內的) 관명 内在 nèizài; 内在性 nèizàixìng ¶~ 원인 内在原因 / ~ 변화 内在变化

내:전(內戰) 명 内战 nèizhàn; 内乱 nèiluàn ¶오랜 ~을 겪다 经历好久的内战

내:점(來店) 명하자 来店 láidiàn

내:접(內接) 명하자 〖數〗 内接 nèijiē; 内切 nèiqiē ¶~ 다각형 内接多边形 / ~원 内切圆 =[内接圆]

내:-젓다 타 **1** 挥动 huīdòng; 挥舞 huīwǔ; 舞动 wǔdòng ¶팔을 ~ 挥动胳膊 **2** (头) 摇 yáo ¶설레설레 고개를 ~ 摇摇头 **3** 搅动 jiǎodòng; 搅拌 jiǎobàn ¶손가락으로 막걸리를 ~ 用指头搅动马哥力 **4** (桨) 划 huá ¶노를 내저어 앞으로 나가다 划桨往前走

내:정(內定) 명하타 **1** 暗中决定 ànzhōng juédìng **2** 内定 nèidìng ¶후임자를 ~하다 内定继任人

내:정(內政) 명 内政 nèizhèng ¶~을 간섭하다 干涉内政

내:정(內情) 명 内情 nèiqíng

내:조(內助) 명하타 (妻子对丈夫的) 帮助 bāngzhù; 内助 nèizhù ¶그가 성공하기까지는 아내의 ~의 공이 컸다 他终于成功, 太太对他很有帮助

내:주(來週) 명 下周 xiàzhōu; 下星期 xiàxīngqī ¶~ 화요일 下周二

내:-주다 타 **1** 拿出 náchū ¶서랍에서 편지를 ~ 从抽屉里拿出信来 **2** 交给 jiāogěi; 递给 dìgěi ¶거스름돈을 ~ 交给找钱 **3** 让给 rànggěi; 让出 ràngchū; 腾出 téngchū ¶따뜻한 아랫목을 ~ 让出热乎乎的火头

내:지(乃至) 부 **1** 到 dào ¶한 달 ~ 석 달 一个月到三个月 **2** = 또는

내:지(內地) 명 内地 nèidì; 内陆 nèilù; 腹地 fùdì

내:-지르다 타 **1** (拳头、武器等) 刺 cì; 捅 tǒng; 踢 tī ¶허공에 주먹을 ~ 向空中捅拳头 **2** (使劲) 叫 jiào; 叫喊 jiàohǎn; 大喊大叫 dàhǎndàjiào ¶비명을 ~ 惨叫

내:진(內診) 명하자 〖醫〗 内诊 nèizhěn

내:진(來診) 명하자 来诊治 lái zhěnzhì; 出诊 chūzhèn

내:진(耐震) 명하자 耐震 nàizhèn; 抗震 kàngzhèn ¶~ 구조 抗震结构 / ~ 가옥 抗震房屋

내:-짚다 타 (向前) 拄 zhǔ ¶지팡이를 내짚으며 걷다 拄着拐杖走路

내:-쫓기다 자 '내쫓다' 的被动词 ¶ 집 밖으로 ~ 被赶出家外

내:-쫓다 타 **1** 解雇 jiěgù; 排挤 páijǐ ¶직장에서 ~ 在工作单位解雇 **2** 赶走 gǎnzǒu; 赶出 gǎnchū; 驱赶 qūgǎn; 驱逐 qūzhú; 打发 dǎfa ¶강아지를 ~ 赶走小狗

내:처 부 **1** 一口气 yīkǒuqì; 乘势 chéngshì; 顺便 shùnbiàn ¶하던 김에

～ 해 버리다 顺便做到底 **2** 一直 yīzhí; 一个劲儿 yīgejìnr ¶삼 일 ～ 비가 오다 三天一直下雨

내:-출혈(內出血) 명 〖醫〗 内出血 nèichūxuè

내:-치다 타 **1** 赶出 gǎnchū; 撵走 niánzǒu; 驱逐 qūzhú ¶임금은 간신의 말에 속아 어진 신하들을 내쳤다 国王被佞臣的话骗赶出仁爱的臣下 **2** 摔 shuāi; 扔掉 rēngdiào; 抛弃 pāoqì; 丢弃 diūqì ¶잡은 손을 내치고 밖으로 나갔다 摔了抓手就出去了

내:친-걸음 명 既然已出来 jìrán yǐ chūlái; 既然已上路 jìrán yǐ shànglù ¶～에 영화관에 다녀오다 既然已出来, 去电影院一趟

내:친-김 명 既然已着手 jìrán yǐ zhuóshǒu; 既然已开始 jìrán yǐ kāishǐ ¶～에 다 말하겠다 既然已开始, 说到底

내키다 자 情愿 qíngyuàn; 肯 kěn; 动心 dòngxīn; 愿意 yuànyì; 上劲(儿) shàngjìn(r) ¶마음이 내키지 않는다 心里不肯

내:통(內通) 명하자타 **1** 通敌 tōngdí; 内应 nèiyìng; 勾通 gōutōng ¶은밀히 적과 ～하다 秘密通敌 **2** 暗中告诉 ànzhōng gàosu; 秘密告知 mìmì gàozhī **3** (男女) 私通 sītōng; 通奸 tōngjiān

내:-팽개치다 타 **1** 乱摔 luàn shuāi; 扔掉 rēngdiào ¶가방을 ～ 乱摔书包 **2** 抛弃 pāoqì; 丢弃 diūqì ¶처자식을 내팽개치고 떠나다 抛弃妻子和孩子就离开 **3** 腾手 téngshǒu; 释手 shìshǒu ¶농사일은 내팽개치고 낮잠만 자다 腾手农事只睡午觉

내:포(內包) 명하타 **1** 〖論〗 内涵 nèihán **2** 包含 bāohán; 蕴含 yùnhán

내:-풍기다 타 散发 sànfā; 熏人 xūnrén; 喷散 pēnsàn ¶고약한 냄새를 ～ 散发臭味

내:피(內皮) 명 **1** = 속껍질 **2** 〖動〗 内皮层 nèipícéng; 内皮 nèipí **3** 〖植〗 内皮 nèipí

내:한(來韓) 명하자 来韩 láihán; 访韩 fǎnghán ¶～ 공연 访韩演出

내:-행성(內行星) 명 〖天〗 内行星 nèixíngxīng

내:-호흡(內呼吸) 명 〖生〗 内呼吸 nèihūxī

내:홍(內訌) 명 内讧 nèihòng; 内哄 nèihòng ¶～이 일어나다 发生内讧

내:화(耐火) 명하자 耐火 nàihuǒ ¶～ 건축 耐火建筑 / ～ 구조 耐火结构 / ～ 벽돌 耐火砖

내:환(內患) 명 内患 nèihuàn

내-후년(來後年) 명 大后年 dàhòunián = 후후년

내:훈(內訓) 명 内训 nèixùn

낼: 명부 '내일'的略词 ¶～ 보자 明天见

낼:-모레 명부 '내일모레'的略词

냄비 명 锅 guō; 小锅 xiǎoguō ¶～에 라면을 끓이다 锅里煮方便面

냄:새 명 气味 qìwèi; 味(儿) wèi(r) = 내[3] ¶이상한 ～가 나다 闻到奇怪的味儿 / 옷에 ～가 배다 衣服上熏透气味

냄새(를) 맡다 구 闻味儿; 察觉到

냄:새-나다 자 有气味 yǒu qìwèi; 有臭味儿 yǒu chòuwèir; 味道不新鲜 wèidao bùxīnxiān

냅다 부 猛(地) měng(de); 使劲(地) shǐjìn(de); 拼命(地) pīnmìng(de); 狠狠(地) hěnhěn(de) ¶～ 던지다 猛投 / ～ 걷어차다 猛踹 / ～ 도망치다 拼命逃跑

냅킨(napkin) 명 餐巾 cānjīn; 餐纸 cānzhǐ; 餐巾纸 cānjīnzhǐ

냇:-가 명 溪边 xībiān; 小河边 xiǎohébiān ¶～에서 빨래를 하다 在溪边洗衣服

냇:-물 명 溪水 xīshuǐ ¶～에 발을 담그다 把脚浸在溪水里

냇:-버들 명 〖植〗 河柳 héliǔ

냉:(冷) 명 〖韓醫〗 **1** 风寒 fēnghán **2** = 냉병 **3** 带下 dàixià

냉:-(冷) 접두 凉 liáng; 冷 lěng; 冰 bīng ¶～국 冷汤 / ～커피 冰咖啡

냉:-가슴(冷—) 명 **1** 〖韓醫〗 (着凉) 胸痛 xiōngtòng **2** (独自) 窝火 wōhuǒ; 憋气 biēqì; 耿耿于怀 gěnggěngyúhuái

냉가슴(을) 앓다 구 哑巴吃黄连; 吃哑巴亏

냉:각(冷却) 명하자타 **1** 冷却 lěngquè ¶～기 冷却器 / ～수 冷却水 / ～액 冷却液 / ～ 장치 冷却装置 / ～ 처리 冷却处理 / ～ 속도 冷却速度 **2** (关系或气氛) 冷却 lěngquè ¶여야 관계에 ～ 기류가 흐르다 在与野关系上流着冷却气流

냉:각-기(冷却期) 명 = 냉각기간

냉:각-기간(冷却期間) 명 冷却期 lěngquèqī = 냉각기

냉:골(冷—) 명 冷炕 lěngkàng ¶난방이 들어오지 않아 방바닥이 ～이다 没有添火, 屋板成冷炕

냉:-국(冷—) 명 冷汤 lěngtāng; 凉汤 liángtāng ¶오이 ～ 黄瓜冷汤

냉:기(冷氣) 명 **1** 寒气 hánqì; 冷气 lěngqì; 冷空气 lěngkōngqì ¶방에 ～가 들다 房间里寒气逼人 / 방 안의 ～를 없애다 驱除房间里的寒气 **2** 紧张气氛 jǐnzhāng qìfēn; 严肃氛围 yánsù fēnwéi

냉:-난방(冷煖房) 명 冷暖气 lěngnuǎnqì ¶～ 시설을 완비하다 冷暖气齐备

냉:담(冷淡) 명하형히부 冷淡 lěngdàn;

冷漠 lěngmò; 冷眼 lěngyǎn ¶그는 정치 문제에 비교적 ~하다 他对政治问题比较冷漠 / ~한 반응을 보이다 表出冷眼的反映

냉:대(冷待) 명하타 冷待 lěngdài; 怠慢 dàimàn; 冷淡 lěngdàn; 白眼 báiyǎn; 白眼相待 báiyǎn xiāngdài; 慢待 màndài = 푸대접 ¶~를 받다 吃白眼 / 손님을 ~해서 보내다 怠慢客人送回

냉:대(冷帶) 명 〖地理〗 = 아한대

냉:동(冷凍) 명하타 冷冻 lěngdòng; 冻dòng; 制冷 zhìlěng ¶~기 冷冻机 / ~법 冷冻法 / ~선 冷冻船 / ~식품 冷冻食品 / ~실 冷冻室 / ~육 冻肉 =[冷冻肉] / ~차 冷冻货车 =[冷冻车] / ~보관 冷冻保管

냉:랭-하다(冷冷—) 형 **1** (气温)冷 lěng; 冷冷 lěnglěng ¶냉랭한 공기 冷冷的空气 **2** (态度) 冷淡 lěngdàn; 冷漠 lěngmò; 冷冰冰 lěngbīngbīng ¶냉랭한 분위기 冷漠的气氛 / 냉랭한 표정으로 쳐다보다 冷淡的神情来看 **냉:랭-히** 부

냉:매(冷媒) 명 〖物〗 冷媒 lěngméi; 制冷剂 zhìlěngjì

냉:면(冷麵) 명 冷面 lěngmiàn; 凉面 liángmiàn

냉:방(冷房) 명 **1** 冷气 lěngqì ¶~ 시설 冷气设备 **2** 冷房 lěngfáng; 冷房间 lěngfángjiān = 찬방

냉:방-병(冷房病) 명 〖醫〗 空调病 kōngtiáobìng; 空调综合征 kōngtiáo zōnghézhēng; 冷气病 lěngqìbìng

냉:방 장치(冷房裝置) 〖建〗 冷气设备 lěngqì shèbèi; 空调设备 kōngtiáo shèbèi

냉:방-차(冷房車) 명 空调车 kōngtiáochē; 冷气车 lěngqìchē

냉:-병(冷病) 명 〖韓醫〗 冷症 lěngzhèng = 냉(冷)2

냉:소(冷笑) 명하타 冷笑 lěngxiào; 讥笑 jīxiào ¶~를 머금다 带着冷笑

냉:소-적(冷笑的) 관명 冷笑 lěngxiào; 讥笑 jīxiào ¶~으로 대하다 冷笑地看待

냉:소-주의(冷笑主義) 명 〖哲〗 冷笑主义 lěngxiào zhǔyì; 犬儒主义 quǎnrú zhǔyì

냉:수(冷水) 명 = 찬물 ¶~마찰 冷水摩擦 / ~욕 冷水浴 / ~를 단숨에 들이켜다 一下子喝掉冰水

냉수 먹고 속 차려라 속담 喝点冷水, 冰冰心; 振作起精神来

냉:엄-하다(冷嚴—) 형 **1** 严肃 yánsù; 严格 yángé; 严厉 yánlì ¶냉엄하게 말하다 严肃地说 **2** 冷酷 lěngkù; 严峻 yánjùn; 严酷 yánkù ¶냉엄한 현실 冷酷的现实 **냉:엄-히** 부

냉:온(冷溫) 명 **1** 冷温 lěngwēn ¶~겸용 冷温兼用 **2** 冷温度 lěngwēndù

냉이 명 〖植〗 荠菜 jìcài ¶~를 캐다 挖荠菜

냉잇-국 명 荠菜汤 jìcàitāng

냉:장(冷藏) 명하타 冷藏 lěngcáng ¶~차 冷藏车 / ~ 수송 冷藏输送

냉:장-고(冷藏庫) 명 冰箱 bīngxiāng; 电冰箱 diànbīngxiāng

냉:장-실(冷藏室) 명 (冰箱的) 冷藏室 lěngcángshì ¶과일을 ~에 넣어 두다 把水果存在冷藏室

냉:전(冷戰) 명 **1** 〖政〗 冷战 lěngzhàn ¶동서 진영의 ~ 东西阵营的冷战 / ~시대 冷战时代 **2** 冷战 lěngzhàn ¶나는 지금 여자 친구와 ~ 중이다 我和我的女朋友正处在冷战中

냉:정(冷靜) 명하형히부 冷静 lěngjìng ¶~을 잃지 않다 保持冷静 / ~하게 일을 처리하다 冷静办事

냉:정-하다(冷情—) 형 冷淡 lěngdàn; 冷漠 lěngmò; 冷冰冰 lěngbīngbīng; 冷 lěng ¶냉정한 말투 冷淡的口气 / 냉정하게 거절하다 冷漠地拒绝 **냉:정-히** 부

냉:-찜질(冷—) 명하자 〖醫〗 冷敷 lěngfū

냉:차(冷茶) 명 凉茶 liángchá; 冰茶 bīngchá

냉:채(冷菜) 명 凉菜 liángcài ¶해파리 ~ 海蜇凉菜

냉:철-하다(冷徹—) 형 冷静透彻 lěngjìng tòuchè; 冷静深刻 lěngjìng shēnkè ¶냉철하게 사리를 판단하다 冷静透彻地判断事理 **냉:철-히** 부

냉:-커피(冷coffee) 명 凉咖啡 liángkāfēi; 冰咖啡 bīngkāfēi = 아이스커피

냉큼 부 很快地 hěn kuàide; 赶快 gǎnkuài; 赶紧 gǎnjǐn; 马上 mǎshàng; 立刻 lìkè ¶~ 먹어 치우다 很快地吃掉 / ~ 들어오너라 赶快进来吧

냉큼-냉큼 부 立刻 lìkè; 马上 mǎshàng; 快快地 kuàikuàide ¶주는 대로 ~ 잔을 비우다 倒杯马上就喝干

냉:탕(冷湯) 명 凉水澡堂 liángshuǐ zǎotáng

냉:풍(冷風) 명 冷风 lěngfēng; 凉风 liángfēng

냉:-하다(冷—) 형 冷 lěng; 凉 liáng; 寒冷 hánlěng ¶방이 ~ 房间很凉

냉:해(冷害) 명 冷害 lěnghài ¶~를 입다 遭冷害

냉:혈(冷血) 명 **1** 〖韓醫〗 淤血 yūxuè **2** 冷血 lěngxuè; 没有人情味 méiyǒu rénqíngwèi; 无情 wúqíng ¶~ 인간 冷血人

냉:혈 동:물(冷血動物) 〖動〗 = 변온

동물

냉:혈-한(冷血漢) 명 冷血汉 lěngxuèhàn; 铁石人 tiěshírén ¶그는 피도 눈물도 없는 ~이다 他是个铁石人

냉:혹-하다(冷酷—) 형 冷酷 lěngkù; 冷酷无情 lěngkùwúqíng ¶냉혹한 현실을 직시하다 正视冷酷的现实

냠냠 부 吧嗒 bādā《吃东西的声音》

냠냠-거리다 자 1 吧嗒吧嗒 bādabāda ¶아이가 냠냠거리며 밥을 먹는다 孩子吧嗒吧嗒地吃饭 2 吃了还想吃 chīle hái xiǎngchī ¶그는 양이 안 차서 냠냠거린다 他没吃饱, 吃了还想吃 ‖ = 냠냠대다

냥(兩) 의명 两 liǎng ¶은 한 ~ 一两银

너[1] 대 你 nǐ ¶~는 어느 학교에 다니니? 你上哪个学校? / ~ 참 귀엽게 생겼구나! 你长得好可爱! / 그는 ~를 좋아한다 他很喜欢你

너는 용빼는 재주가 있느냐 속담 你也没有回天之力

너 나 할 것 없이 구 无论是谁; 不分彼此

너 죽고 나 죽자 구 你死我活; 决一雌雄; 决一死战

너는 너고 나는 나다 구 你是你, 我是我

너:[2] 관 四 sì ¶~ 말 四斗 / ~ 푼 四分钱

너구리 명 〖動〗 貉 hé; 貉子 háozi

너그럽다 형 宽大 kuāndà; 宽厚 kuānhòu; 宽 kuān ¶너그러운 성품 宽厚的性情 **너그러이** 부

너끈-하다 형 充分 chōngfēn; 足够 zúgòu ¶이만한 집이면 둘이 살기에 ~ 这么大的房子, 两人才够生活 **너끈-히** 부

너나-들이 명하자 不分彼此 bùfēnbǐcǐ; 不分你我 bùfēn nǐ wǒ; 亲密无间 qīnmìwújiàn ¶나와 그는 서로 ~하는 친구다 我和他是亲密无间的朋友

너나없-이 부 无论是谁 wúlùnshìshéi; 不分你我 bùfēn nǐ wǒ; 一律 yīlǜ ¶~ 일에 바쁘다 无论是谁忙于工作

너-댓 수관 '네댓' 的错误

너덜-거리다 자 1 一飘一飘 yīpiāoyīpiāo; 遥遥摆摆 yáoyaobǎibǎi ¶옷이 해져서 ~ 衣裳绽裂, 一飘一飘 2 拨嘴撩牙 bōzuǐliáoyá; 胡诌八扯 húzhōubāchě; 凭口说 píngkǒu shuō ‖ = 너덜대다 **너덜-너덜** 부하자형

너덧 수관 = 네다섯 ¶~ 개 四五个 / 친구 ~이 함께 가다 四五个朋友一起去

너도-나도 부 人人都 rénrén dōu; 争先恐后 zhēngxiānkǒnghòu ¶~ 구호의 손길을 뻗치다 人人都展开救护支援

너도-밤나무 명 〖植〗 山毛榉 shānmáojǔ

너르다 형 1 (空间) 宽 kuān; 宽阔 kuānkuò; 旷 kuàng; 广阔 guǎngkuò ¶너른 들판 旷野 / 너르고 시원한 마루 又宽又凉快的地板 2 (心胸) 宽 kuān; 开阔 kāikuò ¶마음이 ~ 心胸开阔

너머 명 那边 nàbian; 后边 hòubian ¶산 ~ 山那边 / 고개 ~ 岭后边

너무 부 太 tài; 过 guò; 过于 guòyú; 死 sǐ ¶할 일이 ~ 많다 工作过多 / ~ 걱정하지 마세요 别太担心了 / 이 문제는 정말 ~ 어렵다 这个问题可真太难了

너무-나 부 '너무' 的强调语 ¶~ 피곤해서 집에 오자마자 잤다 累死了, 回家来就睡觉了

너무-너무 부 '너무' 的强调语 ¶그 책의 내용은 ~ 부실하다 那本书的内容太不充实了

너무-하다 자형 过分 guòfèn; 过头(儿) guòtóu(r) ¶그것은 너무한 처사다 那是办得太过分

너부데데-하다 형 (脸蛋) 扁圆 biǎnyuán ¶얼굴이 너부데데한 사람 脸蛋扁圆的人

너비 명 宽度 kuāndù; 宽 kuān = 폭(幅)1 ¶강의 ~ 河宽 / 도로의 ~를 재다 量公路的宽度

너비아니 명 烤牛肉片 kǎoniúròupiàn

너스레 명 1 箅子 bìzi; 竹箅子 zhúbìzi 2 天花乱坠 tiānhuāluànzhuì; 瞎白话 xiābáihuà ¶~를 떨다 吹得天花乱坠

너울-거리다 ㊀자 荡漾 dàngyàng; 波涌 bōyǒng ㊁타 摇摇摆摆 yáoyaobǎibǎi ¶나비가 날개를 ~ 蝴蝶摇摇摆摆翅膀 ‖ = 너울대다 **너울-너울** 부하자타

너저분-하다 형 零乱 língluàn; 缤乱 bīnluàn; 凌乱 língluàn; 零七八碎 língqībāsuì; 杯盘狼籍 bēipánlángjí ¶집 안이 너무 ~ 房子里太杯盘狼籍 **너저분-히** 부

너절-하다 형 1 邋遢 lāta; 脏乱 zāngluàn; 肮脏 āngzāng ¶너절한 옷차림 邋遢的衣着 2 不三不四 bùsānbùsì; 粗鄙 cūbǐ; 粗俗 cūsú; 无聊 wúliáo ¶너절한 놈 不三不四的家伙 / 행동이 ~ 举止粗俗 / 너절한 변명을 늘어놓다 列出粗鄙的借口 **너절-히** 부

너털-거리다 자 1 散乱飘动 sǎnluàn piāodòng 2 不自量 bùzìliàng 3 哈哈大笑 hāhā dàxiào ¶허공을 쳐다보며 ~ 望着空中哈哈大笑 ‖ = 너털대다 **너털-너털** 부하자

너털-웃음 명 哈哈大笑 hāhā dàxiào ¶~을 치다 哈哈大笑

너트(nut) 명 〖工〗 螺母 luómǔ; 螺帽 luómào; 螺丝帽 luósīmào = 암나사

너풀-거리다 자타 飘飘扬扬 piāopiaoyángyáng; 飘飘荡荡 piāopiaodàngdàng = 너풀대다 ¶커튼이 바람에 ~ 窗帘迎风飘飘扬扬 **너풀-너풀** 부하자타

너희 대 **1** 你们 nǐmen ¶~는 모두 나의 좋은 친구이다 你们都是我的好朋友 **2** 你 nǐ ¶~ 집 你家 / ~ 엄마 你妈妈

넉: 관 四 sì ¶~ 달 四个月 / 종이 ~ 장 四张纸

넉-가래 명 木锨 mùxiān ¶~질 用木锨铲

넉넉-잡다 자 最多 zuìduō; 顶多 dǐngduō ¶그 일은 넉넉잡아 일주일이면 다 할 수 있다 这件事顶多一周内做得了

넉넉-하다 형 **1** 多 duō; 够 gòu; 足够 zúgòu; 多多有余 duōduō yǒuyú ¶시간이 ~ 时间多多有余 **2** 富裕 fùyù; 丰足 fēngzú; 宽 kuān; 宽裕kuānyù; 厚 hòu ¶집안이 ~ 家境很丰足 **3** 大度 dàdù; 大方 dàfang ¶사람됨이 ~ 为人很大度 **넉넉-히** 부

넉-살 명 厚脸皮 hòu liǎnpí; 厚颜 hòuyán ¶~을 떨다 厚着脸皮 / ~이 좋다 脸皮厚

넋 명 **1** 灵魂 línghún; 魂魄 húnpò; 魂 hún; 魂灵 húnlíng = 혼백 ¶~을 위로하다 安慰魂魄 **2** 精神 jīngshén; 神 shén; 神志 shénzhì ¶서커스 구경에 ~이 빠져 있다 参观杂技入神

넋(을) 놓다 구 失神; 失魂

넋(을) 잃다 구 **1** 失神; 失魂 **2** 入迷; 入神

넋(이) 나가다 구 发呆; 发愣

넋-두리 명하자타 牢骚 láosāo; 怨言 yuànyán; 诉冤 sùyuān ¶부질없는 ~를 늘어놓다 列出无用的怨言

넌 你 nǐ 《'너는' 的略形》 ¶~ 나를 너무 몰라 你太不了解我了

넌더리 명 极甚厌恶 jíshèn yànwù; 讨厌极了 tǎoyàn jíle; 恶心 ěxin ¶~가 나다 极甚厌恶 / 이름만 들어도 ~를 낸다 只听名字也讨厌极了

넌덜-머리 명 '넌더리' 的俗称

넌센스 명 '난센스' 的错误

넌즈시 부 '넌지시' 的错误

넌지시 부 悄悄地 qiāoqiāode; 委婉地 wěiwǎnde ¶그의 생각을 ~ 떠보다 委婉地试探他的想法

널:[1] 명 **1** = 널빤지 **2** 跳板 tiàobǎn = 널판2 ¶~을 뛰다 跳跳板 **3** 棺 guān

널[2] 你 nǐ 《'너를' 的略形》 ¶나는 ~ 사랑하지 않아 我不爱你

널:다 타 晾 liàng; 晾开 liàngkāi; 铺展 pūzhǎn ¶빨래를 ~ 晾衣服 / 고추를 ~ 铺展辣椒

널-따랗다 형 宽宽 kuānkuān; 宽敞 kuānchang; 宽阔 kuānkuò ¶널따란 바위에 걸터앉다 坐在宽宽的岩石上

널:-뛰기 명하자 〖民〗 跳板游戏 tiàobǎn yóuxì; 跳板 tiàobǎn

널:-뛰다 자 跳跳板 tiào tiàobǎn

널리 부 **1** 广泛 guǎngfàn; 普遍 pǔbiàn; 广 guǎng; 遍 biàn ¶~ 전파되다 广为传播 **2** 宽 kuān; 多 duō; 宽大 kuāndà ¶~ 용서하여 주시기 바랍니다 请宽谅一下

널-리다 자 **1** '널다' 的被动词 **2** 遍布 biànbù; 布满 bùmǎn; 散布 sànbù; 遍地 biàndì ¶거리에 쓰레기가 잔뜩 널려 있다 街道上遍布着垃圾

널브러-뜨리다 타 乱仍 luàn rēng; 散乱 sǎnluàn; 乱放 luàn fàng = 널브러트리다 ¶바닥에 옷가지들을 ~ 把衣服乱扔在地上

널브러-지다 자 **1** 乱扔 luàn rēng; 散乱 sǎnluàn; 乱放 luàn fàng ¶마루에 장난감이 널브러져 있다 玩具散乱在地板上 **2** 横七竖八地躺倒 héngqīshùbāde tǎngdǎo; 乱七八糟地趴着 luànqībāzāode pāzhe ¶우리는 모두 기진맥진해서 바닥에 널브러졌다 我们都筋疲力尽, 横七竖八地躺倒在地上

널:-빤지 명 木板 mùbǎn = 나무판자 · 널[1]1 · 널판1 · 판(板)㊀1 · 판자 ¶~를 깔다 摆木板

널어-놓다 타 晾开 liàngkāi; 摆 bǎi; 摊开 tānkāi ¶빨랫줄에 빨래를 ~ 把衣服摆在晾衣绳上

널찍-널찍 부하형 宽宽 kuānkuān; 宽宽松松 kuānkuansōngsōng ¶길이 ~하다 公路宽宽松松的

널찍-이 부 宽宽 kuānkuān; 宽敞 kuānchang ¶~ 자리를 잡다 安排宽敞的位子

널찍-하다 형 宽宽 kuānkuān; 宽敞 kuānchang ¶널찍한 마당 宽敞的院子

널:-판(一板) 명 **1** = 널빤지 **2** = 널[1]2

널-판지(一板一) 명 '널빤지' 的错误

넓다 형 **1** (面积) 大 dà; 宽 kuān; 宽大 kuāndà; 宽敞 kuānchang; 宽阔 kuānkuò; 广 guǎng; 广大 guǎngdà; 广阔 guǎngkuò; 宽绰 kuānchuo ¶마당이 ~ 院子很大 **2** (幅度) 宽 kuān ¶넓은 길 宽路 **3** (性格) 宽大 kuāndà; 大方 dàfāng; 宽宏 kuānhóng ¶도량이 ~ 宽宏大量 **4** (范围) 广 guǎng; 广泛 guǎngfàn; 宏观 hóngguān; 广阔 guǎngkuò; 博 bó ¶식견이 ~ 知识渊博 / 발이 ~ 交游广阔

넓디-넓다 형 无比宽广 wúbǐ kuānguǎng; 无比宽阔 wúbǐ kuānkuò ¶넓디넓은 세상으로 나가 많은 것을 경험하다 走出去无比宽广的世界, 积累多事

넓-이 명 面积 miànjī; 宽窄 kuānzhǎi;

广度 guǎngdù ¶삼각형의 ~를 구하다 求三角形的面积

넓적-넓적 부하형 宽宽 kuānkuān; 扁平 biǎnpíng ¶떡을 ~ 자르다 扁平地切糕

넓적-다리 명 大腿 dàtuǐ; 股 gǔ

넓적다리-뼈 명〖生〗大腿骨 dàtuǐgǔ; 股骨 gǔgǔ

넓적-하다 형 扁 biǎn; 扁宽 biǎnkuān; 扁平 biǎnpíng ¶넓적하고 두툼한 손 又扁宽又厚厚的手

넓-히다 타 展宽 zhǎnkuān; 加宽 jiākuān; 扩展 kuòzhǎn; 广 guǎng; 开阔 kāikuò; 拓宽 tuòkuān; 扩大 kuòdà 《'넓다'的使动词》 ¶길을 ~ 加宽公路 / 견문을 ~ 以广听闻 / 행동반경을 ~ 拓宽活动半径 / 시야를 ~ 开阔眼界

넘겨다-보다 타 1 探头张望 tàntóuzhāngwàng; 窥探 kuītàn = 넘어다보다1 ¶담장을 ~ 窥探院墙 2 眼热 yǎnrè; 觊觎 jìyú; 起贪心 qǐ tānxīn = 넘보다2 ¶남의 재산을 ~ 对人家的财产起贪心 3 揣测 chuāicè; 猜测 cāicè

넘겨-받다 타 接受 jiēshòu; 继承 jìchéng; 承接 chéngjiē ¶자료를 ~ 接受资料 / 경영권을 ~ 继承经营权

넘겨-주다 타 交 jiāo; 交出 jiāochū; 交给 jiāogěi; 让 ràng; 让给 rànggěi; 移交 yíjiāo ¶서류를 ~ 交给档案 / 직위를 ~ 交卸职位

넘겨-짚다 타 乱猜 luàn cāi; 猜想 cāixiǎng; 猜测 cāicè; 揣测 chuǎicè ¶내가 훔쳤을 거라고 넘겨짚지 마세요 别乱猜是我偷的

넘-기다 타 1 (把…) 过去 guòqù; 过 guò; 出 chū; 超过 chāoguò 《'넘다1'的使动词》 2 翻过 fānguò; 越过 yuèguò; 翻 fān 《'넘다2'的使动词》 ¶담 너머로 공을 ~ 把球翻到墙外 3 (让…) 溢 yì; 溢出 yìchū; 漾 yàng 《'넘다3'的使动词》 4 过 guò; 渡过 dùguò; 闯过 chuǎngguò 《'넘다4'的使动词》 ¶추운 겨울을 ~ 过寒冬 / 죽을 고비를 ~ 闯过生死关头 5 翻 fān ¶책장을 ~ 翻书 6 吞下 tūnxià ¶밥을 목구멍으로 ~ 吞下饭 7 推卸 tuīxiè; 移交 yíjiāo; 让 ràng; 让给 rànggěi; 交 jiāo; 交给 jiāogěi ¶네가 할 일을 남에게 넘기지 마라 别把你的事推卸给别人 8 放过去 fàngguòqù ¶이 일은 절대 가볍게 넘길 수 없다 这件事决不能轻易放过去

넘:나-들다 자타 出出进进 chūchujìnjìn; 来来往往 láilaiwǎngwǎng ¶국경을 ~ 出出进进边境

넘:다 자타 1 过 guò; 出 chū; 超过 chāoguò; 逾 yú; 超 chāo ¶모은 돈이 백만 위안을 ~ 存钱超过一百万元 / 나이가 사십이 ~ 年逾四十 2 越 yuè; 翻 fān; 越过 yuèguò; 翻越 fānyuè ¶산을 ~ 翻山 3 溢 yì; 溢出 yìchū; 漾 yàng ¶솥의 물이 ~ 锅里的水溢出来 4 渡过 dùguò; 闯过 chuǎngguò; 过 guò ¶숱한 고비를 ~ 过许多关

넘버(number) 명 数字 shùzì; 号码 hàomǎ; 数码 shùmǎ ¶등 뒤에 ~를 달고 달리기를 하다 背上贴着号码跑步

넘버-원(number one) 명 第一 dìyī; 第一名 dìyīmíng; 头号 tóuhào

넘:-보다 타 1 欺负 qīfu; 鄙视 bǐshì; 看不起 kànbuqǐ ¶상대를 ~ 欺负对方 2 = 넘겨다보다2

넘실-거리다 자타 1 探头探脑 tàntóutànnǎo 2 汹涌 xiōngyǒng; 澎湃 péngpài; 滚滚 gǔngǔn ¶파도가 ~ 波涛汹涌 3 (液体) 满满 mǎnmǎn; 充盈 chōngyíng; 盈溢 yíngyì ‖ = 넘실대다

넘실-넘실 부하자타

넘어-가다 자타 1 倒 dǎo; 摔倒 shuāidǎo; 跌倒 diēdǎo ¶열 번 찍어 넘어가지 않는 나무 없다 砍十次, 没有树不倒 2 过 guò; 超过 chāoguò ¶점심시간이 ~ 过午饭时间 3 (太阳、月亮等) 落 luò; 落下 luòxià ¶서산으로 해가 ~ 太阳落到西山 4 转到 zhuǎndào; 归于 guīyú ¶집의 소유권이 남에게 ~ 房子的所有权转到别人身上 5 上当 shàngdāng; 受骗 shòupiàn ¶잔꾀에 ~ 被小智术受骗 6 转向 zhuǎnxiàng; 转入 zhuǎnrù ¶본론으로 ~ 转入本论 7 (书等) 翻过 fānguò ¶바람에 책장이 ~ 刮风书页翻过 8 迈过 màiguò; 翻过 fānguò; 爬过 páguò; 越过 yuèguò ¶고개를 ~ 翻过山岭 9 过去 guòqù; 渡过 dùguò ¶이것은 그렇게 얼렁뚱땅 넘어갈 문제가 아니다 这不是就那么可以糊弄过去的问题

넘어다-보다 타 1 = 넘겨다보다1 2 眼热 yǎnrè; 窥伺 kuīsì

넘어-뜨리다 타 1 推倒 tuīdǎo; 撂倒 liàodǎo ¶의자를 ~ 推倒椅子 2 推翻 tuīfān; 颠覆 diānfù; 打倒 dǎdǎo ¶독재정권을 ~ 颠覆专政 ‖ = 넘어트리다

넘어-서다 타 1 越过 yuèguò; 翻过 fānguò ¶산을 넘어서면 마을이 있다 翻过山就有村 2 渡过 dùguò; 闯过 chuǎngguò ¶어려운 고비를 ~ 闯过难关 3 超过 chāoguò; 超出 chāochū ¶이 분야에서는 그를 넘어설 사람이 거의 없다 在这领域几乎没有人能超过他 4 过 guò ¶벌써 자정을 넘어섰다 已经过了子夜 5 出乎 chūhū; 超出 chāochū ¶자신의 능력을 ~ 出乎能力之外

넘어-오다 자타 1 越过来 yuèguòlái; 翻过来 fānguòlái ¶산을 ~ 翻过山来 2

(从胃里) 反上来 fǎnshànglái; 吐出来 tǔchūlái ¶점심에 먹은 것이 넘어오는 것 같다 中午吃的东西, 像要吐出来 **3** 转到 zhuǎndào; 回到 huídào ¶토지의 소유권이 나에게 ~ 土地的所有权转到我 **4** 过渡 guòdù ¶20세기로 넘어오다 过渡到二十世纪

넘어-지다 자 **1** 倒 dǎo; 摔 shuāi; 倒塌 dǎotā; 摔倒 shuāidǎo; 跌倒 diēdǎo; 摔跟头 shuāi gēntou ¶길이 미끄러워 넘어졌다 路滑摔跟头了 **2** 倒 dǎo; 倒闭 dǎobì; 失败 shībài; 垮 kuǎ ¶회사가 갑자기 ~ 公司突然倒闭了

넘쳐-흐르다 자 **1** 溢出 yìchū; 溢流 yìliú; 泛滥 fànlàn ¶개천이 ~ 水沟泛滥 **2** 洋溢 yángyì; 充满 chōngmǎn; 充溢 chōngyì; 盎然 àngrán; 充沛 chōngfèi ¶봄기운이 ~ 春意盎然 / 매력이 ~ 魅力充满

넘:-치다 자 **1** 溢出 yìchū; 泛滥 fànlàn; 漾出 yàngchū ¶강물이 ~ 河水泛滥 **2** 过分 guòfèn; 过于 guòyú; 逾 yú ¶분수에 ~ 逾分 **3** 充沛 chōngpèi; 横溢 héngyì; 洋溢 yángyì; 充满 chōngmǎn; 满怀 mǎnhuái ¶박진감 넘치는 경기 迫真感很充满的比赛

넙데데-하다 형 '너부데데하다' 的略词

넙죽 부 **1** (嘴) 一张 yīzhāng ¶술을 주는 대로 ~ 받아 마시다 一倒酒就张嘴喝下去 **2** 一下子趴下 yīxiàzi pāxià ¶~ 엎드리다 一下子趴下

넙치 명 〖魚〗 牙鲆 yápíng; 偏口鱼 piānkǒuyú = 광어

넝마 명 破衣服 pòyīfu; 破烂儿 pòlànr ¶~를 걸친 거지 穿着破衣服的乞丐

넝마-장수 명 估衣商 gùyishāng; 卖破烂儿的 màipòlànrde

넝마-주이 명 捡破烂儿的 jiǎnpòlànr-de

넝쿨 명 〖植〗 = 덩굴

넣:다 타 **1** 装 zhuāng; 装进 zhuāngjìn; 放进 fàngjìn; 插进 chājìn; 投入 tóurù ¶가방에 책을 ~ 把书装在书包里 **2** 加 jiā; 下 xià; 放 fàng; 放进 fàngjìn ¶커피에 설탕을 좀 ~ 咖啡里加点糖 **3** 存 cún; 存入 cúnrù ¶은행에 돈을 ~ 把钱存入银行 **4** 报名 bàomíng; 应征 yìngzhēng; 提出 tíchū ¶회사에 이력서를 ~ 向公司提出履历表 **5** 容纳 róngnà ¶강당에 천 명은 넣을 수 있다 在礼堂里可以容纳一千人 **6** 算上 suànshàng; 包括 bāokuò; 纳入 nàrù ¶올림픽 종목에 태권도를 ~ 把跆拳道纳入奥林匹克比赛项目 **7** 开动 kāidòng; 启动 qǐdòng ¶컴퓨터 본체에 전원을 ~ 启动电脑主机电源 **8** 施加 shījiā; 加劲 jiājìn ¶압력을 ~ 施加压力

네[1] 一대 你 nǐ ¶~가 한 짓이냐? 是你做的吗? 二 你的 nǐde ¶~ 이름은 무엇이냐? 你的名字叫什么?

네:[2] 관 四 sì ¶~ 사람 四个人 / ~ 가지 유형 四个类型

네[3] 감 **1** 是 shì; 是的 shìde **2** 什么 shénme《反问》¶~, 뭐라고요? 什么, 你说什么话? ‖ = 예[2]

-네[1] 접미 **1** 们 men ¶우리~ 我们 / 부인~ 妇人们 **2** 家 jiā; 那儿 nàr ¶친구~ 朋友家

-네[2] 어미 啊 a; 呀 ya《用于谓词词干后, 带有感叹语气》¶벌써 꽃이 피었~ 已经开花了呀 / 집이 참 깨끗하~ 家里真干净呀

네:-거리 명 十字路口 shízì lùkǒu; 十字街头 shízì jiētóu = 사거리(四—) · 십자로 ¶종로 ~ 钟路十字街头

네거티브(negative) 명 〖演〗 负片 fùpiàn; 底片 dǐpiàn; 阴图片 yīntúpiàn

네-까짓 관 你这 nǐzhè ¶~ 놈이 뭘 안다고 你这小子懂什么

네-깟 관 '네까짓' 的略词

네:-다리 명 四肢 sìzhī = 네발2 ¶~ 쭉 뻗고 자다 伸开四肢睡

네:-다섯 수관 四五 sìwǔ = 너덧 · 네댓 ¶바구니에 생선 ~ 마리가 담겨 있다 在笼子里装四五条鱼

네:-댓 수관 = 네다섯

네:댓-새 명 四五天 sìwǔtiān ¶일이 끝나려면 ~ 걸릴 것이다 做完事会得四五天

네:-모 명 **1** 四棱 sìléng **2** 〖數〗 = 사각형

네:모-꼴 명 四角形 sìjiǎoxíng; 方形 fāngxíng

네:모-나다 형 成四方形 chéng sìfāngxíng; 成方形 chéng fāngxíng; 四方 sìfāng; 方形 fāngxíng ¶네모난 얼굴 方形脸 =[四方脸] / 종이를 네모나게 접다 把纸折成四方形

네:모반듯-하다 형 四四方方 sìsifāngfāng; 见棱见角 jiànléngjiànjiǎo ¶옷을 네모반듯하게 접어 놓다 把衣服叠得四四方方的

네:모-지다 형 成四方形 chéng sìfāngxíng; 成方形 chéng fāngxíng; 四方 sìfāng; 方形 fāngxíng ¶네모진 도시락 四方形饭盒

네:발 명 **1** 四脚 sìjiǎo; 四足 sìzú ¶~ 짐승 四足动物 **2** = 네다리

네온(neon) 명 〖化〗 氖 nǎi; 氖元素 nǎiyuánsù; 霓虹 níhóng

네온-등(neon燈) 명 〖電〗 = 네온전구

네온-사인(neon sign) 명 〖電〗 霓虹灯广告 níhóngdēng guǎnggào; 霓虹灯

广告牌 níhóngdēng guǎnggàopái
네온-전구(neon電球) 명 〖電〗 氖灯 nǎidēng; 氖灯泡 nǎidēngpào; 霓虹灯泡 níhóngdēngpào = 네온등
네크-라인(neckline) 명 领口 lǐngkǒu
네트(net) 명 〖體〗 **1** (网球、排球等的) 球网 qiúwǎng; 网 wǎng ¶~ 인 擦网球 / ~ 터치 触网 **2** (足球、手球等的) 球门网 qiúménwǎng
네트워크(network) 명 **1** 〖言〗 广播网 guǎngbōwǎng; 电视网 diànshìwǎng **2** 〖컴〗 网络 wǎngluò; 联网 liánwǎng
네티즌(netizen) 명 〖컴〗 网民 wǎngmín
넥타이(necktie) 명 领带 lǐngdài; 领结 lǐngjié = 타이(tie) ¶양복 색깔과 잘 어울리는 ~ 和西服颜色相配的领带
넥타이-핀(necktie+pin) 명 领带夹 lǐngdàijiā; 领带针 lǐngdàizhēn
넷: 수 四 sì
넷:-째 수관 第四 dìsì; 第四个 dìsìge ¶~ 딸 第四个女儿 / ~ 줄 第四行
-녀(女) 접미 女 nǚ; 妇 fù; 妻 qī《表示女性》 ¶독신~ 单身女 / 유부~ 有夫之妇 / 약혼~ 未婚妻
녀석 의명 **1** 家伙 jiāhuo; 小子 xiǎozi ¶나쁜 ~ 坏小子 / 사내 ~ 男子家伙 **2** 小鬼 xiǎoguǐ; 小家伙 xiǎojiāhuo ¶고 ~ 참 영리하구나 这个小家伙很聪明
년 의명 娘儿们 niángrmen; 婆娘 póniáng; 丫头片子 yātou piànzi ¶못된 ~ 臭婆娘
년(年) 의명 年 nián; 年度 niándù ¶오십 ~ 五十年 / 그와 헤어진 지 삼 ~이 되었다 和他分手有三年了
년-놈 명 '연놈' 的错误
년대(年代) 의명 年代 niándài ¶1990 ~ 1990年代
년도(年度) 의명 年 nián; 年份 niánfèn ¶1980~ 졸업생 1980年毕业生
녘 의명 **1** 时候 shíhou; 时分 shífēn; 时 shí; 际 jì《表示时间》 ¶동틀 ~ 黎明之际 / 황혼 ~ 黄昏时 **2** 方 fāng; 面 miàn; 边 biān《表示方向或地域》
노(櫓) 명 橹 lǔ; 桨 jiǎng ¶~를 젓다 划桨
노(爐) 명 炉子 lúzi; 炉 lú
노:-(老) 접두 老 lǎo ¶~처녀 老姑娘 / ~부부 老夫妇
노가다(←일dokata[土方]) 명 **1** 土木工 tǔmùgōng; 小工(儿) xiǎogōng(r); 壮工 zhuànggōng; 苦力 kǔlì **2** 恶棍 ègùn
노가리 명 小明太鱼 xiǎomíngtàiyú
노:각(老—) 명 老黄瓜 lǎohuángguā
노고(勞苦) 명하자 劳苦 láokǔ; 辛苦 xīnkǔ ¶~를 위로하다 安慰劳苦
노곤-하다(勞困—) 형 疲劳 píláo; 困顿 kùndùn; 疲困 píkùn; 酸软 suānruǎn; 疲惫 píbèi ¶노곤한 몸을 잠깐 쉬다 使疲劳的身体休息一下
노골-적(露骨的) 관명 露骨 lùgǔ ¶~인 표현 很露骨的表现 / ~으로 불만을 드러내다 露骨地表出不满
노:구(老軀) 명 老躯 lǎoqū; 老身 lǎoshēn; 年迈之躯 niánmàizhīqū ¶~를 이끌고 나서다 带着老身出去
노:기(怒氣) 명 怒气 nùqì; 怒火 nùhuǒ ¶~충천하다 怒气冲天
노-끈 명 细绳 xìshéng; 绳子 shéngzi; 捻儿 niǎnr
노:년(老年) 명 老年 lǎonián ¶~기 老年期 / ~에 접어든 나이 进入老年的年龄
노:-닐다 자 闲逛 xiánguàng; 游荡 yóudàng; 游逛 yóuguàng ¶공원에서 ~ 在公园闲逛
노다지 명 **1** 〖鑛〗 富矿脉 fùkuàngmài ¶~를 캐다 挖掘富矿脉 **2** 洋财 yángcái; 滚滚财源 gǔngǔncáiyuán
노닥-거리다 자 喋喋不休 diédiébùxiū; 絮絮不休 xùxùbùxiū = 노닥대다 ¶오랜만에 친구들과 노닥거리느라 시간 가는 줄 몰랐다 好久没跟朋友喋喋不休, 时间过了这么久也不觉得 **노닥-노닥** 부하자
노대(露臺) 명 **1** 〖建〗 = 발코니 **2** 露天舞台 lùtiān wǔtái
노동(勞動) 명하자 劳动 láodòng; 工作 gōngzuò ¶~량 劳动量 / ~법 劳动法 / ~ 시간 劳动时间 / ~ 시장 劳动市场 / ~ 운동 工人运动 =[工运] / ~ 인구 劳动人口
노동-력(勞動力) 명 〖經〗 劳动力 láodònglì = 노력(勞力)⊟
노동-자(勞動者) 명 **1** 劳动者 láodòngzhě; 工人 gōngrén **2** 体力劳动者 tǐlì láodòngzhě
노동 쟁의(勞動爭議) 〖社〗 劳资纠纷 láozī jiūfēn; 劳动争议 láodòng zhēngyì; 工潮 gōngcháo
노동-조합(勞動組合) 명 〖社〗 工会 gōnghuì; 劳动组合 láodòng zǔhé = 노조
노드(node) 명 〖컴〗 节点 jiédiǎn
노:땅(老—) 명 老头子 lǎotóuzi
노란-빛 명 黄色 huángsè
노란-색(—色) 명 黄色 huángsè
노랑 명 黄色 huángsè; 黄颜色 huángyánsè; 黄色染料 huángsè rǎnliào
노랑-나비 명 〖蟲〗 黄蝶 huángdié
노랑-머리 명 **1** 黄头发 huángtóufa; 黄发 huángfà **2** 黄发人 huángfàrén
노랑-물 명 黄颜色 huángyánsè; 黄色

染料 huángsè rǎnliào; 黄 huáng ¶머리카락에 ~을 들이다 把头发染黄 / 은행잎이 ~을 들이기 시작했다 银杏树叶开始变黄

노랑-이 명 1 黄狗 huánggǒu 2 小气鬼 xiǎoqìguǐ; 吝啬鬼 lìnsèguǐ

노:랗다 형 1 黄 huáng ¶노란 꽃 黄花 2 (脸色) 发黄 fāhuáng ¶너무 놀라 얼굴이 노랗게 변했다 吓得脸都发黄 3 (前途) 灰暗 huī'àn ¶앞날이 ~ 前途灰暗

노래 명하자타 1 歌 gē; 歌曲 gēqǔ; 唱歌 chànggē ¶목청껏 ~ 부르다 引吭高歌 / 참새들이 ~하며 담장 위에 앉아 있다 麻雀唱着歌坐在墙上 2 韵文 yùnwén; 诗歌 shīgē; 歌唱 gēchàng; 歌颂 gēsòng ¶그의 시는 자연을 ~하고 있다 他的诗歌歌颂自然

노래기 명 〖蟲〗马陆 mǎlù; 土马陆 tǔmǎlù; 百足虫 bǎizúchóng

노래-방(—房) 명 练歌厅 liàngētīng; 歌厅 gētīng; 卡拉 OK kǎlā OK

노래-자랑 명 歌咏比赛 gēyǒng bǐsài; 赛歌节目 sàigē jiémù

노:래-지다 자 发黄 fāhuáng; 变黄 biànhuáng ¶배가 너무 아파 얼굴이 ~ 肚子痛得连脸色都变黄

노랫-가락 명 曲调 qǔdiào

노랫-말 명 = 가사(歌詞) ¶아름다운 ~을 짓다 作美丽的歌词

노랫-소리 명 歌声 gēshēng

노랭이 명 '노랑이' 的错误

노략(擄掠) 명하타 掳掠 lǔlüè; 掠夺 lüèduó

노략-질(擄掠—) 명하타 掠夺 lüèduó; 强取豪夺 qiángqǔháoduó ¶~을 일삼다 专干掠夺

노려-보다 타 1 瞪 dèng; 盯 dīng; 瞵 lín ¶무서운 눈으로 ~ 虎视鹰瞵 2 虎视眈眈 hǔshìdāndān ¶고양이가 쥐를 ~ 小猫虎视眈眈老鼠

노력(努力) 명하자 努力 nǔlì; 苦功 kǔgōng ¶~을 기울이다 倾注努力 / ~을 쏟다 下苦功 / 첨단 기술 개발에 ~하다 努力于开发尖端技术

노력(勞力) 一명하자 劳力 láolì; 劳动 láodòng 二명 〖經〗= 노동력

노:련-미(老鍊味) 명 老练风味 lǎoliàn fēngwèi ¶요리사가 ~ 넘치는 솜씨를 보이다 厨师表出老练风味的手艺

노:련-하다(老鍊—) 형 老练 lǎoliàn; 熟练 shúliàn ¶노련한 수법 老练的手法

노:령(老齡) 명 老龄 lǎolíng; 高龄 gāolíng ¶~화 老龄化 / 90세의 ~에도 불구하고 건강하다 九十高龄了, 身体依然健朗

노루 명 〖動〗獐子 zhāngzi

노루-발 명 1 (缝纫机的) 压脚 yājiǎo ¶말아 박기 ~ 卷边压脚 2 = 노루발장도리

노루발-장도리 명 羊角锤 yángjiǎochuí = 노루발2

노르께-하다 형 微黄 wēi huáng = 노리끼리하다 ¶핏기 없는 노르께한 얼굴 没有血色的微黄的脸孔

노르딕 경기(nordic競技) 〖體〗= 노르딕 종목

노르딕 종:목(nordic種目) 〖體〗北欧两项 Běi Ōu liǎngxiàng; 北欧滑雪比赛 Běi Ōu huáxuě bǐsài = 노르딕 경기

노르마(라norma) 명 〖社〗劳动定额 láodòng dìng'é

노르스름-하다 형 浅黄 qiǎnhuáng; 淡黄 dànhuáng = 노릇하다 **노르스름-히** 부

노른-자 명 = 노른자위

노른-자위 명 1 蛋黄 dànhuáng; 卵黄 luǎnhuáng ¶달걀의 ~ 鸡蛋黄 2 (事物的) 核心 héxīn; 关键 guānjiàn ¶서울 한복판 ~ 땅 首尔中心的核心地方 ‖ = 노른자

노름 명하자 赌博 dǔbó; 赌钱 dǔqián; 耍钱 shuǎqián; 赌 dǔ = 도박1 ¶~에 빠지다 耽溺于赌博 / ~으로 전 재산을 날리다 赌博输掉了全部财产

노름-꾼 명 赌棍 dǔgùn; 赌徒 dǔtú = 도박꾼

노름-빚 명 赌债 dǔzhài

노름-판 명 赌场 dǔchǎng; 赌局 dǔjú = 도박판 ¶~에 끼다 参加赌场 / ~에서 돈을 다 날리다 在赌场输掉了所有的钱

노릇 명 1 做 zuò; 当 dāng 《指职业或职位》 ¶선생 ~ 当老师 2 做 zuò; 当 dāng 《指身份或义务》 ¶형 ~도 못하겠다 当不了哥哥

노릇-노릇 부하형 处处黄黄 chùchù huánghuáng ¶~하게 구운 빵 处处黄黄烘的面包

노릇-하다 형 = 노르스름하다

노리개 명 1 (女用) 腰佩 yāopèi 2 玩物 wánwù; 玩偶 wán'ǒu; 玩具 wánjù

노리끼리-하다 형 = 노르께하다 ¶노리끼리한 전등 불빛 微黄的电灯

노리다[1] 타 1 瞪 dèng; 怒视 nùshì; 盯 dīng 2 伺 sì; 窥伺 kuīsì; 虎视眈眈 hǔshìdāndān; 钻 zuān ¶기회를 ~ 伺机 / 약점을 ~ 钻空子

노리다[2] 형 1 膻 shān; 膻气 shānqì 2 用心不良 yòngxīn bùliáng; 卑鄙 bēibǐ

노리-쇠 명 〖軍〗枪栓 qiāngshuān; 栓 shuān

노린-내 명 膻味儿 shānwèir; 膻气 shānqì

노린내(가) 나다 구 有膻味儿 《比喻

吝啬的态度》
노림-수(—數) 명 (暗藏的) 目的 mùdì; 诡计 guǐjì; 暗箭 ànjiàn; 圈套 quāntào ¶상대의 ~에 걸려들다 落在对方的圈套
노:-마님(老—) 명 老太太 lǎotàitai
노 마크(no+mark) 〖體〗 无防守状态 wúfángshǒu zhuàngtài
노:망(老妄) 명하자형 老糊涂 lǎohútu; 悖晦 bèihui ¶~한 늙은이 老槽头子 / ~을 부리다 发糊涂
노:망-기(老妄氣) 명 悖晦 bèihui ¶~가 들다 悖晦
노:망-나다(老妄—) 자 老糊涂 lǎohútu; 悖晦 bèihui
노:망-들다(老妄—) 자 老糊涂 lǎohútu; 悖晦 bèihui
노:면(路面) 명 = 길바닥1 ¶~ 보수차 养路车 / ~ 표지 路面标志
노:모(老母) 명 老母 lǎomǔ; 老娘 lǎoniáng ¶~를 봉양하다 奉养老母
노무(勞務) 명 劳务 láowù ¶~ 관리 劳务管理 / ~비 劳务费 / ~자 劳务人员
노:반(路盤) 명 〖建〗 路基 lùjī ¶~ 공사 路基施工
노:발-대발(怒發大發) 명하자 大发雷霆 dàfāléitíng; 暴跳如雷 bàotiàorúléi; 勃然大怒 bóråndànù ¶사장이 이 사실을 알게 되면 ~할 것이 분명하다 经理知道这事实, 肯定会勃然大怒的
노벨(Nobel, Alfred Bernhard) 명 〖人〗 诺贝尔 Nuòbèi'ěr ¶~상 诺贝尔奖
노:변(路邊) 명 = 길가 ¶~에 핀 들국화 路边开的野菊
노변(爐邊) 명 = 화롯가
노:병(老兵) 명 老兵 lǎobīng ¶~은 죽지 않는다. 다만 사라질 뿐이다 老兵不死, 只是凋零
노:병(老病) 명 〖醫〗 老病 lǎobìng; 老衰 lǎoshuāi; 老年病 lǎoniánbìng
노:부(老父) 명 1 老父 lǎofù 2 家父 jiāfù
노:-부모(老父母) 명 老父母 lǎofùmǔ; 白首父母 báishǒu fùmǔ
노:-부부(老夫婦) 명 老夫妇 lǎofūfù; 老夫老妻 lǎofūlǎoqī; 老年夫妇 lǎonián fūfù; 老两口儿 lǎoliǎngkǒur
노비(奴婢) 명 奴婢 núbì ¶~ 문서를 없애다 去掉奴婢籍
노사(勞使) 명 劳资 láozī ¶~ 문제 劳资问题 / ~ 협의회 劳资协议会 / ~ 관계 劳资关系 / ~ 분규 劳资纠纷 / ~ 협약 劳资协议
노:산(老産) 명하자 高龄出产 gāolíng chūchǎn
노상 부 老 lǎo; 老是 lǎoshì; 总是 zǒngshì; 一向 yīxiàng ¶그는 ~ 불평만 한다 他老鸣不平 / 그는 ~ 집에 없다 他老是不在家
노:상(路上) 명 = 길바닥 ¶~강도 拦路强盗 / ~ 방뇨 路上放尿 / ~ 주차 路上停车
노새 명 〖動〗 骡子 luózi
노:선(路線) 명 1 路线 lùxiàn ¶버스 ~ 大巴路线 / 항공 ~ 航空路线 2 (思想、政治、工作上的) 路线 lùxiàn ¶당의 ~ 党的路线 / 독자적인 ~을 걷다 走独自路线
노:선-도(路線圖) 명 路线图 lùxiàntú ¶버스 ~ 公共汽车路线图 / 지하철 ~ 地铁路线图
노:선-버스(路線bus) 명 路线公共汽车 lùxiàn gōnggòng qìchē; 专线公共汽车 zhuānxiàn gōnggòng qìchē
노:소(老少) 명 老少 lǎoshào
노:송(老松) 명 老松树 lǎosōngshù
노:송-나무(老松—) 명 〖植〗 = 편백
노:쇠(老衰) 명하형 衰老 shuāilǎo; 老衰 lǎoshuāi ¶~기 老衰期 / ~한 소 衰老的牛
노숙(露宿) 명하자 露宿 lùsù ¶~자 露宿者 / 산에서 하룻밤을 ~하다 在山中露宿一夜
노:숙-하다(老熟—) 형 老成 lǎochéng; 老练 lǎoliàn; 熟练 shúliàn
노:-스님(老—) 명 〖佛〗 1 祖师 zǔshī 2 老僧 lǎosēng
노스탤지어(nostalgia) 명 乡愁 xiāngchóu; 乡思 xiāngsī; 思乡病 sīxiāngbìng
노:승(老僧) 명 老僧 lǎosēng
노:신(老臣) 명대 老臣 lǎochén
노심-초사(勞心焦思) 명하자 劳心焦思 láoxīnjiāosī; 殚精竭虑 dānjīngjiélǜ ¶거짓말이 탄로 날까 봐 ~하다 怕漏露谎言劳心焦思
노아(Noah) 명 〖宗〗 诺亚 Nuòyà; 挪亚 Nuóyà ¶~ 의 방주 诺亚方舟
노 아웃(no out) 〖體〗 (棒球的) 无出局 wúchūjú = 무사(無死)
노:안(老眼) 명 老花眼 lǎohuāyǎn; 老视眼 lǎoshìyǎn
노:안(老顔) 명 老颜 lǎoyán; 衰颜 shuāiyán ¶~을 뒤덮은 백발 笼罩老颜的白发
노:안-경(老眼鏡) 명 = 돋보기1
노:약(老弱) 명하형 老弱 lǎoruò
노:약-자(老弱者) 명 老弱者 lǎoruòzhě; 老弱 lǎoruò ¶~ 보호석 老弱病残孕专座
노:여움 명 怒气 nùqì; 怒 nù; 火(儿) huǒ(r); 恼怒 nǎonù; 气恼 qìnǎo ¶~을 풀다 息怒
노여움(을) 사다 구 触怒

노:여워-하다 자타 生气 shēngqì; 恼怒 nǎonù; 气恼 qìnǎo ¶내 거짓말에 부모님께서 굉장히 노여워하셨다 由于我的谎言, 父母恼怒得很
노역(勞役) 명하자 劳役 láoyì; 劳务 láowù ¶~에 시달리다 苦于劳役
노:염 명 '노여움' 的略词
노:엽다 형 生气 shēngqì; 气恼 qìnǎo ¶너무 노엽게 생각하지 마라 别那么生气
노예(奴隸) 명 奴隶 núlì; 奴仆 núpú ¶~근성 奴隶根性 =[奴性] / ~ 제도 奴隶制度 / ~ 해방 解放奴隶 / ~로 삼다 当成奴隶 / 돈의 ~가 되다 被钱当奴隶
노을 명 霞 xiá ¶~빛 霞光 / 저녁~ 晚霞 / ~로 물든 서편 하늘 在晚霞中的西天
노이로제(독Neurose) 명 〖醫〗 神经症 shénjīngzhèng; 神经衰弱 shénjīng shuāiruò
노이즈(noise) 명 〖電〗 噪音 zàoyīn; 杂波 zábō
노:-익장(老益壯) 명 老而益壮 lǎo'ér-yìzhuàng; 老当益壮 lǎodāngyìzhuàng ¶~을 과시하다 老当益壮
노:인(老人) 명 老人 lǎorén; 老年人 lǎoniánrén ¶~병 老年病 / ~정 老人亭 / ~ 복지 老年福利 / 팔십이 넘은 ~ 超过八十的老人 / ~을 공경하다 恭敬老人
노:인-네(老人—) 명 = 늙은이 ¶~ 취급을 받다 被当老年人
노:인-성(老人星) 명 〖天〗 = 남극노인성
노:인성 치매(老人性癡呆) 〖醫〗 老年性痴呆症 lǎoniánxìng chīdāizhèng
노:인-장(老人丈) 명 老人家 lǎorén-jia; 老丈 lǎozhàng; 老翁 lǎowēng
노일 전:쟁(露日戰爭) 〖史〗 = 러일전쟁
노임(勞賃) 명 〖經〗 工资 gōngzī; 工钱 gōngqian ¶~이 비싸게 들다 工资要多
노:자(路資) 명 路资 lùzī; 路费 lùfèi; 旅费 lǚfèi; 盘缠 pánchan; 盘费 pánfei ¶~가 떨어지다 花完了路费 / ~를 마련하다 准备旅费
노:잣-돈(路資—) 명 路费 lùfèi; 路资 lùzī
노:장(老將) 명 **1** 老将 lǎojiàng; 宿将 sùjiàng **2** 老练的 lǎoliànde ¶~ 선수 老练的选手
노점(露店) 명 地摊(儿) dìtān(r); 摊子 tānzi; 摊(儿) tān(r); 货摊(儿) huòtān(r) ¶~ 상인 地摊商人
노점-상(露店商) 명 地摊商人 dìtān shāngrén; 摊贩 tānfàn; 摊商 tānshāng
노:정(路程) 명 **1** 里程 lǐchéng **2** 路程 lùchéng; 行程 xíngchéng ¶험난한 ~ 艰难的路程
노:제(路祭) 명 〖民〗 路祭 lùjì; 路奠 lùdiàn
노조(勞組) 명 〖社〗 = 노동조합 ¶출판 ~ 出版工会 / ~를 결성하다 成立工会
노즐(nozzle) 명 〖機〗 管嘴 guǎnzuǐ; 喷嘴 pēnzuǐ; 喷管 pēnguǎn
노지(露地) 명 露地 lùdì; 露天地 lù-tiāndì; 露天 lùtiān ¶~ 재배 露天栽培
노-질(櫓—) 명하자 摇橹 yáolǔ; 划桨 huájiǎng ¶힘에 겨워 ~을 잠시 멈추다 费劲停摇橹一会儿
노:-처녀(老處女) 명 老姑娘 lǎogū-niang; 老处女 lǎochǔnǚ = 올드미스
노천(露天) 명 = 한데[2] ¶~극장 露天剧场 / ~ 수업 露天授课 / ~카페 露天茶吧 =[露天茶座] / ~ 시장 露天市场
노:-총각(老總角) 명 老光棍儿 lǎo-guānggùnr; 老处男 lǎochǔnán
노출(露出) 명하자타 **1** 露出 lùchū; 现出 xiànchū; 裸露 luǒlù ¶~증 裸露癖 / ~ 광맥 露出的矿脉 / 허점을 ~하다 露出要害 / 위험에 ~되다 露出于危险 **2** 〖演〗 曝光 bàoguāng ¶~이 부족하다 曝光不足
노:친(老親) 명 **1** 老亲 lǎoqīn; 老年双亲 lǎonián shuāngqīn; 老父老母 lǎofù-lǎomǔ **2** 老夫人 lǎofūrén
노-코멘트(no comment) 명 无可奉告 wúkěfènggào; 没有意见 méiyǒu yì-jiàn ¶~로 일관하다 一直采取无可奉告的态度
노크(knock) 명하자타 敲 qiāo; 敲门 qiāomén ¶그는 항상 ~도 없이 들어온다 他总是不敲门就进来
노-타이(no+tie) 명 **1** = 노타이셔츠 **2** 不打领带 bùdǎ lǐngdài
노타이-셔츠(no tie+shirt) 명 不必打领带的衬衫 bùbì dǎ lǐngdàide chèn-shān; 开襟衬衫 kāijīn chènshān = 노타이1
노-터치(no touch) 명 〖體〗 (棒球的) 未触球 wèichùqiú
노트(knot) 의명 〖海〗 节 jié
노트(note) 一명 = 공책 ¶강의 ~ 讲课笔记本 二명하타 手记 shǒujì; 笔记 bǐjì; 注解 zhùjiě ¶강의 내용을 매 시간마다 ~하다 每一堂做听课笔记
노트-북(notebook) 명 = 노트북 컴퓨터
노트북 컴퓨터(notebook computer) 〖컴〗 笔记本电脑 bǐjìběn diànnǎo; 笔记本 bǐjìběn = 노트북
노:-티(老—) 명 老相 lǎoxiàng; 老态 lǎotài

노:파(老婆) 명 老婆子 lǎopózi; 老奶奶 lǎonǎinai; 老太婆 lǎotàipó; 老媪 lǎo'ǎo; 老妪 lǎoyù

노:파-심(老婆心) 명 婆心 póxīn ¶~에서 하는 말이지만 인적 없고 어두운 곳에는 가지 마라 我苦口婆心, 别去又荒又暗的地方

노:폐-물(老廢物) 명 〖生〗 老废物 lǎofèiwù; 代谢物 dàixièwù

노:-하다(怒—) 자 发怒 fānù; 怒 nù

노-하우(knowhow) 명 **1** 〖經〗 技术情报 jìshù qíngbào; 技术经验 jìshù jīngyàn **2** 秘诀 mìjué

노:형(老兄) 대 老兄 lǎoxiōng

노:호(怒號) 명하자 **1** 怒号 nùháo; 怒吼 nùhǒu; 怒啸 nùxiào ¶군중이 ~하다 群众怒吼 **2** 怒号(声) nùháo(shēng); 吼(声) hǒu(shēng); 啸(声) xiào(shēng) ¶~하는 바람 소리 啸风声

노:화(老化) 명하자 〖生〗 老化 lǎohuà ¶~ 현상 老化现象 / ~ 방지 防止老化

노:환(老患) 명 老衰 lǎoshuāi; 老病 lǎobìng ¶~으로 고생하다 因老病而吃苦

노:회(老會) 명 〖宗〗 老会 lǎohuì

노획(鹵獲) 명하타 虏获 lǔhuò; 缴获 jiǎohuò; 俘获 fúhuò ¶~물 缴获物品

노:후(老朽) 명하형 破旧无用 pòjiù wúyòng; 陈旧不堪 chénjiù bùkān ¶~한 시설 破旧无用的设备

노:후(老後) 명 老后 lǎohòu; 晚年 wǎnnián ¶~ 대책을 마련하다 准备晚年对策

노:후-화(老朽化) 명하자 化为破旧无用 huàwéi pòjiù wúyòng ¶~된 시내버스 化为破旧无用的市内巴士

노히트 노런(no-hit+no-run) 〖體〗 (棒球) 无安打无得分 wú'āndǎ wúdéfēn

녹(祿) 명 〖史〗 = 녹봉

녹(을) 먹다 구 受到俸禄

녹(綠) 명 锈 xiù ¶~을 닦다 擦锈 / ~이 슬다 生锈

녹각(鹿角) 명 鹿角 lùjiǎo

녹-나무 명 〖植〗 樟 zhāng; 樟树 zhāngshù; 香樟 xiāngzhāng

녹-내(綠—) 명 锈味(儿) xiùwèi(r) ¶~가 나다 发锈味儿

녹-내장(綠內障) 명 〖醫〗 绿内障 lǜnèizhàng; 青光眼 qīngguāngyǎn

녹는-점(—點) 명 〖化〗 熔点 róngdiǎn; 熔解点 róngjiědiǎn = 융해점

녹다 자 **1** (冰、雪等) 融化 rónghuà; 溶化 rónghuà; 融 róng; 溶 róng; 化 huà ¶강의 얼음이 모두 녹았다 河里的冰都化了 / 눈이 완전히 녹아 버렸다 雪完全融化了 **2** (固体) 熔化 rónghuà; 熔解 róngjiě; 溶化 rónghuà; 化 huà ¶주머니 속의 초콜릿이 다 녹았다 口袋里的巧克力都溶化了 / 쇠가 녹아 쇳물이 되다 铁熔化成铁水 **3** (在液体里) 溶化 rónghuà; 溶解 róngjiě; 溶 róng; 化 huà ¶설탕은 뜨거운 물에서 더 빨리 녹는다 糖在热水里化得更快 / 소금이 아직 다 녹지 않았다 盐还没有完全溶解 **4** 暖过来 nuǎnguòlái; 暖和起来 nuǎnhuoqǐlái ¶몸이 ~ 身体暖和起来 **5** 软化 ruǎnhuà; 软下来 ruǎnxiàlái ¶언짢았던 감정이 스르르 녹아 버렸다 不愉快的心情轻轻地软化了 **6** 迷住 mízhù; 沉迷 chénmí; 迷 mí; 迷惑 míhuò ¶그는 그 불여우에게 완전히 녹았다 他被那个狐狸精迷住了 **7** 好甜 hǎotián; 化开 huàkāi ¶생선회가 입 안에서 살살 녹는다 生鱼片在嘴里微微地化开了

녹-다운(knockdown) 명 〖體〗 (拳击的) 击倒 jīdǎo; 打倒 dǎdǎo

녹두(綠豆) 명 〖植〗 绿豆 lǜdòu

녹두-전(綠豆煎) 명 = 빈대떡

녹로(轆轤) 명 **1** 辘轳 lùlu; 滑车 huáchē; 滑轮 huálún **2** 旋盘 xuánpán

녹록-하다(碌碌— · 錄錄—) 형 **1** 碌碌 lùlù; 简单 jiǎndān **2** 好对付 hǎoduìfu; 好欺负 hǎoqīfu《常用否定表现》 ¶그는 결코 녹록한 인물이 아니다 他决不是好对付的人物 **녹록-히** 부

녹-막이(綠—) 명하자 防止铁锈 fángzhǐ tiěxiù; 防锈 fángxiù ¶~ 도료 防锈涂料

녹말(綠末) 명 **1** 淀粉 diànfěn; 团粉 tuánfěn; 芡粉 qiànfěn **2** 〖化〗 淀粉 diànfěn ‖ = 녹말가루 · 전분

녹말-가루(綠末—) 명 = 녹말

녹-물(綠—) 명 锈水 xiùshuǐ ¶~이 들다 弄到锈水

녹변(綠便) 명 绿便 lǜbiàn; 绿屎 lǜshǐ

녹-병(綠病) 명 〖農〗 锈病 xiùbìng; 锈斑病 xiùbānbìng

녹봉(祿俸) 명 〖史〗 俸禄 fènglù = 녹(祿)

녹비(綠肥) 명 绿肥 lǜféi ¶~ 작물 绿肥作物

녹색(綠色) 명 绿色 lǜsè ¶~ 식물 绿色植物 / ~ 혁명 绿色革命

녹색-등(綠色燈) 명 **1** 绿色灯 lǜsèdēng **2** 〖交〗 绿灯 lǜdēng

녹색 조류(綠色藻類) 〖植〗 = 녹조류

녹-슬다(綠—) 자 **1** 生锈 shēngxiù; 长锈 zhǎngxiù; 锈 xiù ¶칼이 ~ 刀生锈 **2** 老 lǎo; 钝滞 dùnzhì; 生锈 shēngxiù ¶머리가 ~ 脑子生锈

녹신-녹신 부하형 软洋洋 ruǎnyángyáng; 软绵绵 ruǎnmiánmián; 酥软 sūruǎn ¶사지가 ~해서 누워 있고만 싶다 四肢软洋洋只想躺下去

녹신-하다 형 软洋洋 ruǎnyángyáng; 软绵绵 ruǎnmiánmián; 酥软 sūruǎn ¶하루 종일 걸었더니 두 다리가 ~ 走了一天路, 累得两腿酥软了

녹-십자(綠十字) 명 绿十字 lǜshízì ¶ ~ 운동 绿十字运动

녹아-내리다 자 **1** 融下去 róngxiàqù; 融下来 róngxiàlái; 融化下来 rónghuàxiàlái ¶얼음이 ~ 冰融化下来 **2** 杀 shā; 减轻 jiǎnqīng; 软下来 ruǎnxiàlái ¶마음이 ~ 心情软下来

녹용(鹿茸) 명 【韓醫】 鹿茸 lùróng; 茸 róng

녹음(綠陰) 명 绿阴 lǜyīn; 树阴 shùyīn ¶~의 계절 绿阴的季节 / ~이 우거지다 绿树成阴

녹음(錄音) 명 录音 lùyīn ¶~기 录音机 / ~ 방송 录音广播 / ~테이프 录音磁带 =[录音带] / ~을 듣다 听录音 / 노래를 ~하다 录音歌曲

녹의-홍상(綠衣紅裳) 명 绿衣红裳 lǜyīhóngcháng; 绿裙绿袄 lǜqúnlǜ'ǎo

녹-이다 타 '녹다1·2·3·4·5·6' 的使动词 ¶설탕을 물에 넣어 ~ 把糖放进水里溶化 / 따뜻한 물을 마셔서 몸을 ~ 喝杯热水暖暖身子 / 남자의 마음을 ~ 让男人的心情软下来

녹작지근-하다 형 酥软 sūruǎn; 软洋洋 ruǎnyángyáng ¶온종일 걸어다녔더니 온몸이 ~ 整天走来走去浑身酥软

녹조-류(綠藻類) 명 【植】 绿藻类 lǜzǎolèi; 绿藻植物 lǜzǎo zhíwù = 녹색조류 · 녹조식물

녹조-식물(綠藻植物) 명 【植】 = 녹조류

녹즙(綠汁) 명 绿汁 lǜzhī; 青汁 qīngzhī

녹즙-기(綠汁機) 명 榨汁机 zhàzhījī

녹지(綠地) 명 绿地 lǜdì ¶~를 조성하다 造成绿地

녹지-대(綠地帶) 명 【地理】 绿化带 lǜhuàdài

녹지 지역(綠地地域) 【法】 绿区 lǜqū

녹차(綠—) 명 绿茶 lǜchá

녹채(鹿砦) 명 【史】 鹿砦 lùzhài; 鹿寨 lùzhài

녹초 명 **1** 瘫软 tānruǎn; 精疲力竭 jīngpílìjié; 垮了 kuǎle ¶~가 되도록 술을 마시다 喝酒喝得瘫软 **2** 破烂不堪 pòlànbùkān

녹초(綠草) 명 绿草 lǜcǎo

녹취(錄取) 명하타 录音 lùyīn ¶학교 방송을 ~한 테이프 录音学校广播的磁带

녹턴(nocturne) 명 【音】 夜曲 yèqǔ = 몽환곡 · 야상곡

녹토(綠土) 명 绿土 lǜtǔ

녹화(綠化) 명하타 绿化 lǜhuà ¶산림 ~ 山林绿化 / ~ 운동 绿化运动

녹화(錄畫) 명하자타 录像 lùxiàng; 录 lù ¶~ 방송 录像广播 / ~ 중계 录像转播 / 비디오카메라로 결혼식을 ~하다 用摄像机录结婚典礼

녹황-색(綠黃色) 명 黄绿色 huánglǜsè

논 명 水田 shuǐtián; 稻田 dàotián

논객(論客) 명 论客 lùnkè; 论士 lùnshì; 辩论家 biànlùnjiā ¶이름난 ~ 著名的辩论家

논거(論據) 명 论据 lùnjù ¶이 결론은 ~가 애매하다 这结论论据很模糊

논-고랑 명 稻田沟 dàotiángōu

논공-행상(論功行賞) 명하타 论功行赏 lùngōngxíngshǎng ¶~에 불만을 품다 不满于论功行赏

논-길 명 田间小路 tiánjiān xiǎolù ¶~을 따라 걷다 随着田间小路走

논-꼬 명 (水田里) 水口 shuǐkǒu ¶~를 트다 放水口

논-농사(—農事) 명 种水稻 zhòngshuǐdào

논-도랑 명 田旁小水沟 tiánpáng xiǎoshuǐgōu

논-두렁 명 田埂 tiángěng

논-둑 명 田埂 tiángěng; 护田堤 hùtiándī

논란(論難) 명하타 论难 lùnnàn; 争论 zhēnglùn; 辩难 biànnàn ¶~을 벌이다 辩难 / ~을 불러일으키다 引起争论

논리(論理) 명 **1** 逻辑 luóji ¶~의 비약 逻辑飞跃 **2** 【論】 = 논리학

논리-성(論理性) 명 【論】 逻辑性 luójixìng

논리-적(論理的) 관명 带有逻辑性(的) dàiyǒu luójixìng(de); 逻辑性(的) luójíxìng(de); 逻辑(的) luóji(de) ¶~ 사고 逻辑思维

논리-학(論理學) 명 【論】 逻辑学 luójixué = 논리2

논-마지기 명 小块水田 xiǎokuài shuǐtián

논-매기 명하자 水田除草 shuǐtián chúcǎo

논-매다 자 水田除草 shuǐtián chúcǎo

논문(論文) 명 论文 lùnwén ¶학위 ~ 学位论文

논-문서(—文書) 명 田契 tiánqì

논문-집(論文集) 명 论文集 lùnwénjí; 论集 lùnjí = 논집

논-물 명 稻田水 dàotiánshuǐ

논-바닥 명 水田 shuǐtián ¶~이 쩍쩍 갈라지다 水田咔喳地裂开

논박(論駁) 명하타 论驳 lùnbó; 辨驳 biànbó; 驳斥 bóchì; 驳倒 bódǎo

논-밭 명 田地 tiándì = 전답

논법(論法) 명 论法 lùnfǎ

논설(論說) 명하타 论说 lùnshuō; 评论 pínglùn; 评说 píngshuō ¶~란 评论

栏 / ~위원 评论员 / ~을 싣다 登载评论 / ~로 사건을 다루다 以评论对待案件
논설-문(論說文) 명 评论文 pínglùnwén; 议论文 yìlùnwén
논술(論述) 명하자타 论述 lùnshù ¶~ 시험 论述考试 / ~ 형식 论述形式
논-스톱(nonstop) 명 **1** 直达 zhídá; 直抵 zhídǐ ¶서울에서 부산까지 ~으로 가는 버스를 타다 坐从首尔到釜山直达的公共汽车 **2** 不停 bùtíng
논어(論語) 명〖書〗论语 Lúnyǔ
논의(論議) 명하타 论议 lùnyì; 议论 yìlùn; 讨论 tǎolùn; 商议 shāngyì ¶~ 끝에 결정을 내리다 经过讨论下决定
논-일 명하자 水田活(儿) shuǐtiánhuó(r)
논쟁(論爭) 명하자타 论争 lùnzhēng; 争论 zhēnglùn; 辩论 biànlùn; 论战 lùnzhàn ¶격렬한 ~을 벌이다 展开激烈的论战
논저(論著) 명하자 论著 lùnzhù
논점(論點) 명 论点 lùndiǎn ¶~을 벗어난 질문 论点以外的问题
논제(論題) 명 论题 lùntí; 议题 yìtí ¶토론회의 ~ 讨论会的论题
논조(論調) 명 论调 lùndiào ¶신문의 ~ 报刊的论调
논지(論旨) 명 论旨 lùnzhǐ ¶~가 매우 명쾌하다 论旨太明快
논집(論集) 명 = 논문집
논파(論破) 명하타 驳倒 bódǎo ¶그릇된 그의 이론을 ~하다 驳倒他的错误理论
논평(論評) 명하타 论评 lùnpíng; 评述 píngshù; 评论 pínglùn ¶호의적인 ~이 실리다 登载好意的评论
논-픽션(nonfiction) 명〖文〗纪实文学 jìshí wénxué; 纪实性电影 jìshíxìng diànyǐng; 非小说 fēixiǎoshuō
논-하다(論—) 타 **1** 论 lùn; 讲 jiǎng; 说明 shuōmíng ¶문학을 ~ 论文学 **2** 争论 zhēnglùn; 讨论 tǎolùn ¶일의 시비를 ~ 争论是非
놀: 명 '노을'的略词 ¶~이 붉게 타다 霞光胭红
놀:고-먹다 자 坐吃 zuòchī; 吃闲饭 chī xiánfàn; 躺着吃 tǎngzhe chī; 游手 yóushǒu; 游手好闲 yóushǒuhàoxián; 无所事事 wúsuǒshìshì
놀:다[1] 자 **1** 玩(儿) wán(r); 游玩 yóuwán; 玩耍 wánshuǎ ¶아이들이 공을 차면서 논다 孩子们踢着球玩 / 시간 있으시면 우리 집에 놀러 오세요 有时间到我家来玩儿吧 **2** 游荡 yóudàng; 闲着 xiánzhe; 冗食 rǒngshí; 没工作 méi gōngzuò; 坐吃 zuòchī ¶부모의 유산으로 놀고 지내다 光靠父母的遗产冗食 **3** 休息 xiūxi; 歇 xiē ¶일요일에는 회사가 논다 星期天公司休息 **4** 闲 xián; 闲散 xiánsǎn; 闲置 xiánzhì; 闲放 xiánfàng; 停放着 tíngfàngzhe ¶노는 돈이 있으면 좀 빌려다오 有闲钱借一下 **5** 松 sōng; 松动 sōngdòng; 活动 huódòng ¶나사가 논다 螺丝松动 **6** 胎动 tāidòng ¶배 속의 아이가 가끔 논다 肚子里的婴儿时时胎动
놀:다[2] 타 耍 shuǎ; 玩 wán; 打 dǎ; 掷 zhì ¶윷을 ~ 掷柶
놀:라다 자 **1** 吃惊 chījīng; 受惊 shòujīng; 吓 xià; 吓人 xiàrén ¶경적 소리에 화들짝 ~ 警号声吓一跳 **2** 惊讶 jīngyà; 惊奇 jīngqí; 惊异 jīngyì ¶그의 박식함과 달변에 ~ 他又饱学又能说感到很惊奇
　놀란 가슴 구 心有余悸
놀:라움 명 吃惊 chījīng; 惊讶 jīngyà ¶~을 금치 못하다 不禁惊讶
놀:랍다 형 **1** 惊人 jīngrén; 令人惊奇 lìngrén jīngqí; 令人惊讶 lìngrén jīngyà ¶놀라운 발전 令人惊奇的发展 **2** 吓人 xiàrén; 骇人 hàirén **3** 出人意料 chūrényìliào
놀:래다 타 吓人 xiàrén; 吓唬 xiàhu; 令人惊讶 lìngrén jīngyà ¶갑자기 폭죽을 터뜨려 주위 사람들을 놀래 주다 突然放鞭炮让周围的人吓唬
놀리다[1] 타 **1** 捉弄 zhuōnòng; 嘲弄 cháonòng; 作弄 zuònòng; 戏弄 xìnòng ¶사람을 ~ 捉弄人 **2** 逗 dòu; 逗弄 dòunong; 取笑 qǔxiào
놀-리다[2] 타 **1** '놀다[1]1'的使动词 ¶아이를 잠시만 ~ 让孩子玩一会儿 **2** '놀다[1]4'的使动词 ¶쓰지 않고 놀리는 기계를 다 팔아 버리다 把闲着不用的机器都卖出去了 **3** 动 dòng; 活动 huódòng ¶손발을 ~ 活动手脚 **4** 动 dòng; 耍 shuǎ ¶펜대를 ~ 耍笔杆儿 **5** 随便说 suíbiàn shuō; 胡说 húshuō ¶입 좀 작작 놀려라 别胡说
놀림 명 戏弄 xìnòng; 捉弄 zhuōnòng; 嘲弄 cháonòng; 取笑 qǔxiào ¶~조 戏弄的语调 / ~을 당하다 被嘲弄
놀림-감 명 笑料 xiàoliào; 捉弄的对象 zhuōnòngde duìxiàng; 取笑的对象 qǔxiàode duìxiàng ¶~이 되다 被当笑料
놀부 명 **1**〖文〗玩夫 Wánfū **2** 贪鬼 tānguǐ; 贪心鬼 tānxīnguǐ
　놀부 심사[심보] 구 坏心眼儿
놀아-나다 자 **1** 被骗 bèi piàn; 听从 tīngcóng ¶사기꾼에게 ~ 被骗子骗了 / 남의 선동에 ~ 听从别人的煽动 **2** 附和 fùhè; 被摆布 bèi bǎibu ¶남의 손에 ~ 听他人摆布 **3** 胡搞 húgǎo; 放荡 fàngdàng; 堕落 duòluò; 鬼混 guǐhùn ¶외간 남자와 ~ 同野男人鬼混

놀이 명하자 **1** 游玩 yóuwán; 玩(儿) wán(r); 游乐 yóulè ¶~기구 游乐设施 / ~동산 游乐园 =[游乐场] / ~ 공간 游乐空间 **2** 游戏 yóuxì ¶주사위 ~ 色子游戏

놀이-마당 명 游戏场 yóuxìchǎng; 一场游戏 yīchǎng yóuxì ¶~을 펼치다 展开一场游戏

놀이-터 명 儿童游乐场 értóng yóulèchǎng; 儿童游戏场 értóng yóuxìchǎng; 游乐场 yóulèchǎng ¶아파트 단지 내 ~ 公寓小区的儿童游戏场

놈 一의명 **1** 家伙 jiāhuo; 小子 xiǎozi《指男人》¶네 이 ~ 你这家伙 **2** 小鬼 xiǎoguǐ; 小家伙 xiǎojiāhuo《指男孩子》 **3** 东西 dōngxi《指事物或动物》¶큰 ~ 大的东西 **4** 佬 lǎo; 蛋 dàn; 货 huò ¶나쁜 ~ 坏蛋 / 미국 ~ 美国佬 **5** 妈的 māde; 他妈的 tāmāde; 鬼 guǐ ¶망할 ~의 세상 这人间, 妈的! 二명 鬼子 guǐzi; 他 tā《指敌对的人》

놈-팡이 명 家伙 jiāhuo; 男人 nánrén ¶또 어떤 ~와 살림을 차린 모양이군 又和一个家伙一起置家了吧

놋 명〖工〗= 놋쇠 ¶~대야 铜盆 / ~숟가락 铜匙子 / ~요강 铜夜壶 / ~젓가락 铜筷子

놋-그릇 명 黄铜器皿 huángtóng qìmǐn; 铜碗 tóngwǎn = 유기(鍮器)

놋-쇠 명〖工〗黄铜 huángtóng; 铜 tóng = 놋 · 황동

농:(弄) 명하자 = 농담(弄談) ¶~을 걸다 开玩笑 / ~이 심하군 开玩笑开得过分

농(籠) 명 **1** 柳条箱 liǔtiáoxiāng **2** 叠箱 diéxiāng **3** = 장롱

농가(農家) 명 农家 nóngjiā; 农户 nónghù ¶~ 소득 农家所得 / ~ 부채 农家负债

농:간(弄奸) 명하타 诡计 guǐjì; 搞鬼 gǎoguǐ; 捣鬼 dǎoguǐ; 耍奸 shuǎjiān ¶~을 부리다 耍奸 / ~에 넘어가다 被诡计上当

농:간-질(弄奸—) 명 捣鬼 dǎoguǐ; 使坏 shǐhuài; 搞诡计 gǎo guǐjì

농경(農耕) 명하자 农耕 nónggēng ¶~ 사회 农耕社会 / ~ 생활 农耕生活 / ~ 시대 农耕时代

농경-기(農耕期) 명 = 농사철

농경-지(農耕地) 명 = 농지

농과(農科) 명〖教〗农科 nóngkē

농과 대:학(農科大學)〖教〗农业学院 nóngyè xuéyuàn

농구(籠球) 명〖體〗篮球 lánqiú ¶~공 篮球 / ~대 篮球架 / ~장 篮球场 / ~화 篮球鞋

농기(農機) 명〖農〗= 농기계

농-기계(農機械) 명〖農〗农机 nóngjī; 农业机械 nóngyè jīxiè = 농기

농-기구(農器具) 명 农具 nóngjù

농노(農奴) 명〖社〗农奴 nóngnú ¶~제 农奴制

농:단(壟斷 · 隴斷) 명하타 垄断 lǒngduàn ¶국정을 ~하다 垄断国政

농:담(弄談) 명하자 玩笑 wánxiào; 戏谈 xìtán; 戏言 xìyán; 闹着玩儿 nàozhe wánr = 농(弄) ¶~조 玩笑的口吻 / 객쩍은 ~을 하다 没出息地玩笑 / 지금 ~할 기분이 아니다 现在没心气开玩笑

농담(濃淡) 명 浓淡 nóngdàn ¶~을 조절하다 调节浓淡

농대(農大) 명〖教〗'농과 대학'的略词

농도(濃度) 명 浓度 nóngdù ¶소금물의 ~ 盐水的浓度

농땡이 명 偷懒 tōulǎn; 懒鬼 lǎnguǐ; 懒虫 lǎnchóng ¶근무 시간에 ~를 치다 在工作时间偷懒

농락(籠絡) 명하타 笼络 lǒngluò; 诱骗控制 yòupiàn kòngzhì ¶순진한 처녀를 ~하다 笼络天真的姑娘

농로(農路) 명 农用道路 nóngyòng dàolù

농림(農林) 명 = 농림업

농림-업(農林業) 명 农林业 nónglínyè; 农林 nónglín = 농림 ¶~에 종사하다 从事农林业

농민(農民) 명 农民 nóngmín; 农夫 nóngfū; 庄稼人 zhuāngjiarén

농밀-하다(濃密—) 형 **1** 浓密 nóngmì **2** 亲密 qīmì; 亲近 qīnjìn ¶두 친구 사이가 ~ 两个朋友关系非常亲密

농번-기(農繁期) 명 农忙期 nóngmángqī; 农忙季节 nóngmáng jìjié ¶~ 일손 农忙期的手儿

농법(農法) 명 农法 nóngfǎ ¶새로운 ~을 개발하다 发明新农法

농본-주의(農本主義) 명 农本主义 nóngběn zhǔyì

농부(農夫) 명 农夫 nóngfū; 农民 nóngmín; 庄稼汉 zhuāngjiahàn ¶~가 农夫歌 =[农歌]

농사(農事) 명하자 农活(儿) nónghuó(r); 农事 nóngshì; 庄稼活儿 zhuāngjiahuór; 农业生产 nóngyè shēngchǎn ¶올해 ~는 잘 되었다 今年的庄稼真好

농사-꾼(農事—) 명 '농부'的别称

농사-일(農事—) 명하자 农活儿 nónghuór; 庄稼活儿 zhuāngjiahuór ¶집에서 ~을 거들다 在家里帮助庄稼活儿

농사-짓다(農事—) 자 种地 zhòngdì ¶직접 땅을 일구어 농사지어 먹고산다 亲自以耕地, 种地做生计

농사-철(農事—) 명 农时 nóngshí; 农季 nóngjì = 농경기

농산-물(農産物) 명 农产品 nóngchǎn-

pǐn; 农产物 nóngchǎnwù
농삿-일(農事—) 명 '농사일' 的错误
농성(籠城) 명하자 1 笼城 lǒngchéng; 守城 shǒuchéng 2 静坐示威 jìngzuò shìwēi ¶~ 투쟁 静做示威斗争 / ~을 풀다 结束静坐示威
농수-로(農水路) 명 农用水路 nóngyòng shuǐlù
농-수산(農水產) 명 = 농수산업
농수산-물(農水產物) 명 农水产物 nóngshuǐchǎnwù
농수산-업(農水產業) 명 农水产业 nóngshuǐchǎnyè = 농수산
농아(聾兒) 명 聋儿 lóng'ér
농아(聾啞) 명 聋哑 lóngyǎ ¶~ 학교 聋哑学校
농악(農樂) 명〖音〗农乐 nóngyuè ¶~대 农乐队 =[农乐团]
농약(農藥) 명 农药 nóngyào ¶~을 치다 撒农药
농어 명〖魚〗鲈鱼 lúyú
농-어민(農漁民) 명 农渔民 nóngyúmín
농-어촌(農漁村) 명 农渔村 nóngyúcūn
농업(農業) 명 农业 nóngyè; 农产业 nóngchǎnyè; 农业生产 nóngyè shēngchǎn ¶~국 农业国家 / ~ 경제 农业经济 / ~ 사회 农业社会 / ~용수 农业用水 / ~ 인구 农业人口
농업 협동조합(農業協同組合)〖農〗农业合作组合 nóngyè hézuò zǔhé
농염(濃艶) 명하형 浓艳 nóngyàn; 艳丽 yànlì ¶~하고 섹시한 여인 又艳丽又有性感的女人
농예(農藝) 명〖農〗农艺 nóngyì
농원(農園) 명〖農〗农园 nóngyuán; 园艺农场 yuányì nóngchǎng
농-익다(濃—) 자 1 熟透 shútòu; 烂熟 lànshú ¶농익은 복숭아 烂熟的桃子 2 浓 nóng; 盛 shèng; 成熟 chéngshú ¶분위기가 서서히 농익어 가다 气氛慢慢浓起来
농작-물(農作物) 명 农作物 nóngzuòwù; 庄稼 zhuāngjia = 작물 ¶~을 수확하다 收获庄稼
농장(農場) 명 农场 nóngchǎng ¶~ 관리 农场管理 / 동물 ~ 动物农场
농:조(弄調) 명 玩笑的口吻 wánxiàode kǒuwěn; 戏弄的语调 xìnòngde yǔdiào; 调侃的语气 diàokǎnde yǔqì ¶~로 말하다 玩笑的口吻来说话
농지(農地) 명 农地 nóngdì; 田地 tiándì; 耕地 gēngdì = 농경지 ¶~ 개간 开垦田地 / ~ 개혁 农地改革 / ~세 农地税 / ~ 전용 转用耕地 / ~조성 造成耕地
농촌(農村) 명 农村 nóngcūn ¶~ 생활 农村生活
농촌 활동(農村活動)〖社〗农村打工 nóngcūn dǎgōng; 农村实习 nóngcūn shíxí
농축(濃縮) 명하타 浓缩 nóngsuō ¶~ 세제 浓缩洗衣粉 / ~ 우라늄 浓缩铀 / 인체에 ~되는 각종 오염 물질 各种浓缩于人体的污染物质
농-축산물(農畜產物) 명 农畜产物 nóngxùchǎnwù; 农畜产品 nóngxùchǎnpǐn
농:-치다(弄—) 자타 玩笑 wánxiào; 开玩笑 kāi wánxiào; 说玩笑 shuō wánxiào
농토(農土) 명 耕地 gēngdì; 农田 nóngtián ¶비옥한 ~ 肥沃的耕地
농학(農學) 명 农学 nóngxué
농한(農閑) 명 农闲 nóngxián ¶~기 农闲期
농협(農協) 명〖農〗'농업 협동조합' 的略词
농활(農活) 명〖社〗'농촌 활동' 的略词
농후-하다(濃厚—) 형 1 (颜色、味道、成分等) 浓 nóng; 深 shēn; 稠 chóu 2 可能性大 kěnéngxìng dà ¶패색이 ~ 败北的可能性很大 3 浓厚 nónghòu; 明显 míngxiǎn; 严重 yánzhòng ¶관료주의 사상이 ~ 官僚主义思想很明显
높-낮이 명 高低 gāodī = 고저 ¶의자의 ~를 조절하다 调节椅子的高低
높다 형 1 (从下向上的距离) 高 gāo ¶굽 높은 신발 高跟儿鞋 / 산이 ~ 山高 / 파도가 ~ 波涛高 2 (在质量、水平、能力、价值上) 高 gāo; 高深 gāoshēn; 高明 gāomíng; 高超 gāochāo ¶수준이 ~ 水平高 / 성적이 ~ 成绩高 3 (在数值上) 高 gāo ¶압력이 ~ 压力高 / 온도가 ~ 温度高 4 (在价格或比率上) 高 gāo ¶물가가 ~ 物价高 5 (在地位或等级上) 高 gāo ¶계급이 ~ 阶级高 6 (声音) 高 gāo ¶높은 소리 高声 7 (名声) 高 gāo ¶명성이 ~ 名声高 8 (气势) 高 gāo ¶투지가 ~ 斗志高 / 합격률이 ~ 及格率高
높-다랗다 형 很高 hěn gāo ¶높다란 담에 둘러싸이다 被很高的墙壁围绕
높새 명 = 높새바람
높새-바람 명 东北风 dōngběifēng = 높새
높아-지다 자 涨 zhàng; 提高 tígāo; 高扬 gāoyáng; 增长 zēngzhǎng; 增高 zēnggāo ¶생산성이 ~ 生产性增加了 / 생활 수준이 ~ 生活水平提高了
높은-음(—音) 명 = 고음
높은음자리-표(—音—標) 명〖音〗高音谱号 gāoyīn pǔhào = 고음부(高音符)
높이 ㊀명 高度 gāodù; 高低 gāodī; 高程 gāochéng ¶산의 ~를 측량하다 测量山的高度 ㊁부 高 gāo; 高度 gāodù;

高高(地) gāogāo(de) ¶해가 ~ 뜨다 太阳高高地出来 / ~ 평가하다 高高地评价
높이 사다 구 高高评价; 敬重
높-이다 타 1 '높다'的使动词 ¶언성을 ~ 扛嗓子 2 尊称 zūnchēng; 用敬语 yòng jìngyǔ ¶부부끼리 서로 말을 ~夫妇之间互相尊称
높이-뛰기 명〖體〗跳高 tiàogāo
높임-말 명〖語〗尊称 zūnchēng; 敬语 jìngyǔ = 존대어 · 존댓말 · 존칭어
놓다[1] 타 1 (从手里) 放 fàng; 放下 fàngxià; 撒 sā; 撒开 sākāi ¶제자리에 ~ 放在原处 / 손 놓지 말고 내 손을 꽉 잡아라 不要放手紧紧抓住我的手 2 (到一定的地方) 放 fàng; 搁 gē ¶화병을 탁자 위에 ~ 把花瓶放在桌子上 3 布置 bùzhì; 设置 shèzhì; 安装 ānzhuāng; 安 ān; 装 zhuāng; 铺设 pūshè; 铺 pū; 搭 dā ¶집에 전화를 ~ 在家里安装电话 / 개울에 다리를 ~ 在小河沟上搭桥 / 방에 구들을 ~ 房间里铺炕 4 (为了捕) 撒 sā; 放 fàng; 下 xià ¶덫을 ~ 放捕兽器 / 쥐약을 ~ 下老鼠药 / 그물을 놓아 고기를 잡다 撒网捕鱼 5 (心) 放 fàng; 松 sōng ¶그가 무사하다는 소식에 나는 비로소 마음을 놓았다 听到他平安无事的消息, 我才放了心 6 (把工作、活儿) 撂 liào; 撂下 liàoxia; 放下 fàngxià ¶일손을 ~ 放下手里的活儿 / 일이 끝나지 않았는데 어떻게 손을 놓을 수 있겠느냐? 事情没有完, 哪能就撂手? 7 对 duì; 拿 ná ¶그 문제를 놓고 의견이 분분하다 对那个问题议论纷纷 8 (算盘) 打 dǎ ¶주판을 ~ 打算盘 9 打 dǎ; 扎 zhā; 注射 zhùshè ¶팔에 주사를 ~ 在胳膊上打针 / 침을 ~ 扎针 10 进行 jìnxíng; 给予 jǐyǔ; 作出 zuòchū ¶훼방을 ~进行捣乱 / 퇴짜를 ~ 作出拒绝 / 아들에게 으름장을 ~ 对儿子进行威吓 11 加 jiā; 加紧 jiājǐn ¶줄행랑을 ~ 加紧 / 속력을 ~ 加快速度 12 (火) 点 diǎn; 放 fàng ¶마당에 모깃불을 ~ 在院子里点熏蚊火 13 (绣) 刺 cì ¶오색실로 수를 ~ 用五色线刺绣 14 调 tiáo ¶자동차를 120km로 놓고 달리다 汽车调到一百二十公里猛开 15 (说话) 随意 suíyì ¶말씀 놓으십시오 说话请随意点儿 / 그는 나와는 서로 말을 놓고 지낸다 他跟我说话比较随意 16 出租 chūzū; 出 chū; 放 fàng ¶전세를 ~ 出租房子 / 사채를 ~ 放私债
놓다[2] 보동 1 着 zhe; 完 wán; 好 hǎo 《'-어 놓다' 之形, 表示已完成的动作或某些特征和状态继续存在》¶더우니 문을 열어 놓아라 天热, 把门开着吧 2 '-어 놓다' 之形, 表示原因 ¶그녀는 워낙 약해 놓아서 겨울이면 꼭 감기가 든다 她本来体弱, 一到冬天就感冒
놓아-기르다 타 = 놓아먹이다
놓아-두다 타 1 放 fàng; 放置 fàngzhì; 搁置 gēzhì ¶핸드백을 테이블 위에 ~ 把提包放在桌子上 2 放任 fàngrèn; 不管 bùguǎn ¶참견 말고 그냥 놓아두어라 别理, 不管它
놓아-먹이다 타 放养 fàngyǎng; 放牧 fàngmù; 放 fàng = 놓아기르다 ¶이 염소들은 모두 산에서 놓아먹인 것들이다 这些山羊都是在山区放养
놓아-주다 타 放走 fàngzǒu; 放开 fàngkāi ¶잡았던 사냥감을 ~ 把捕到的猎物放走 / 그녀를 사랑한다면 그녀를 놓아주세요 爱她就放开她吧
놓-이다 자 '놓다[1]2 · 3 · 4 · 5 · 13'的被动词 ¶책상 위에 놓인 꽃병 放在桌子上的花瓶 / 마음이 놓이지 않는다 没安好心
놓-치다 타 1 失手 shīshǒu; 掉下来 diàoxiàlái ¶접시를 놓쳐서 깨뜨렸다 一失手把碟子摔破了 2 放走 fàngzǒu; 放跑 fàngpǎo; 没抓住 méi zhuāzhù; 放掉 fàngdiào ¶도둑을 ~ 放掉小偷 3 放过 fàngguò; 错过 cuòguò; 失 shī; 失掉 shīdiào; 错失 cuòshī; 误 wù ¶기회를 ~ 错过机会 4 漏掉 lòudiào; 丢掉 diūdiào ¶한 마디도 놓치지 않고 듣다 一句话都不丢掉听
놔:-두다 타 '놓아두다' 的略词
놔:-주다 타 '놓아주다' 的略词
뇌(腦) 명〖生〗脑 nǎo; 脑髓 nǎosuǐ = 골[3]2 · 뇌수 · 두뇌1 · 머릿골 ¶~경색 脑梗塞 / ~수면 脑睡眠 / ~수종 脑水肿 / ~신경 脑神经 / ~종양 脑肿瘤 / ~진탕 脑震荡 / ~혈관 脑血管
뇌관(雷管) 명 雷管 léiguǎn; 信管 xìnguǎn; 引信 yǐnxìn ¶~이 터지다 雷管爆发
뇌까리다 타 1 唠叨 láodao; 叨唠 dāolao ¶했던 말을 자꾸 ~ 把说过的话叨唠个没完 2 嘟囔 dūnang; 发牢骚 fā láosāo
뇌:다 타 唠叨 láodao; 叨念 dāoniàn; 念叨 niàndao ¶같은 말을 자꾸 ~ 总是唠叨着同样的话
뇌리(腦裏) 명 头脑里 tóunǎoli; 脑里 nǎoli; 脑子里 nǎozili; 脑海里 nǎohǎili ¶~에 박혀 있다 印在头脑里 / ~를 스치다 脑里一闪
뇌막(腦膜) 명〖生〗脑膜 nǎomó ¶~염 脑膜炎
뇌물(賂物) 명 贿赂 huìlù; 贿 huì; 红包 hóngbāo; 好处费 hǎochùfèi ¶~ 수수 收受贿赂 / ~을 먹은 공무원 受贿的官员
뇌병(腦病) 명〖醫〗脑病 nǎobìng

뇌사(腦死) 명 【醫】 脑死亡 nǎosǐwáng; 脑死 nǎosǐ ¶～자 脑死病人 =[脑死者]
뇌성(雷聲) 명 = 천둥소리
뇌성 마비(腦性痲痺) 【醫】 脑性瘫痪 nǎoxìng tānhuàn; 脑性麻痹症 nǎoxìng mábìzhèng; 脑性小儿麻痹症 nǎoxìng xiǎo'ér mábìzhèng; 脑瘫 nǎotān
뇌수(腦髓) 명 【生】 = 뇌
뇌실(腦室) 명 【生】 脑室 nǎoshì
뇌압(腦壓) 명 【醫】 脑压 nǎoyā; 颅内压 lúnèiyā
뇌-염(腦炎) 명 【醫】 脑炎 nǎoyán ¶～ 예방 주사 脑炎预防针
뇌염-모기(腦炎—) 명 【蟲】 三带喙库蚊 sāndàihuìkùwén
뇌엽(腦葉) 명 【生】 脑叶 nǎoyè
뇌-졸중(腦卒中) 명 【醫】 脑卒中 nǎocùzhòng; 卒中 cùzhòng; 脑中风 nǎozhòngfēng
뇌-졸증(腦卒症) 명 【醫】 '뇌졸중' 的错误
뇌-척수(腦脊髓) 명 【生】 脑脊髓 nǎojǐsuǐ; 脑脊 nǎojǐ
뇌-출혈(腦出血) 명 【醫】 脑出血 nǎochūxuè; 脑溢血 nǎoyìxuè
뇌파(腦波) 명 【生】 脑波 nǎobō; 脑电波 nǎodiànbō ¶～ 검사 脑波检查
뇌-하수체(腦下垂體) 명 【生】 垂体 chuítǐ; 脑下垂体 nǎoxiàchuítǐ; 脑垂体 nǎochuítǐ
누:(累) 명 累 lèi; 连累 liánlèi; 牵连 qiānlián ¶～를 끼치다 累及 / ～가 되다 牵连
누(壘) 명 【體】 = 베이스[1](base)
누가(프nougat) 명 牛轧糖 niúyàtáng; 果仁蛋白糖 guǒrén dànbáitáng
누각(樓閣) 명 楼阁 lóugé; 阁 gé
누:계(累計) 명하타 累计 lěijì ¶경비의 ～ 费用的累计
누:관(淚管) 명 【生】 泪管 lèiguǎn
누구 대 **1** 谁 shéi; 什么人 shénme rén; 何人 hérén 《指不认识的人》 ¶너는 ～냐? 你是谁? **2** 什么人 shénme rén; 任何人 rènhé rén; 谁 shéi ¶～든지 오너라 无论是谁都过来 / ～나 할 수 있는 일 任何人都能做的工作 **3** 谁 shéi; 某人 mǒurén; 有人 yǒurén ¶누군가가 밖에서 너를 부른다 外面有人在叫你
　누구 코에 바르겠는가[붙이겠는가] 구 不够塞牙缝的; 粥少僧多
　누구 할 것 없이 구 无论是谁 = 누구를 막론하고[물론하고]
　누구를 막론하고[물론하고] 구 = 누구 할 것 없이
누구-누구 대 都是谁 dōu shì shéi; 谁谁 shéishéi
누그러-들다 자 = 누그러지다 ¶목소리가 ～ 嗓音软下来
누그러-뜨리다 타 缓和 huǎnhé; 降低 jiàngdī; 软下来 ruǎnxiàlái; 放松 fàngsōng; 减退 jiǎntuì = 누그러트리다 ¶험악한 분위기를 ～ 缓和凶恶的气氛
누그러-지다 자 缓和 huǎnhé; 降低 jiàngdī; 软下来 ruǎnxiàlái; 减退 jiǎntuì = 누그러들다 ¶격한 감정이 ～ 激烈的感情软下来
누:기(漏氣) 명 潮气 cháoqì; 潮 cháo; 湿气 shīqì ¶～가 찬 방에서 자다 睡在发潮的房间里
　누기(가) 치다 구 发潮; 犯潮
누:나 명 (弟弟称) 姐姐 jiějie; 姐 jiě ¶큰～ 大姐
누:누-이(累累—) 부 累累 lěilěi; 屡屡 lǚlǚ; 一再 yīzài; 再三 zàisān; 反复地 fǎnfùde; 翻来覆去 fānláifùqù ¶～ 타이르다 再三说劝
누:님 명 '누나' 的敬词
누다 타 (屎、尿等) 拉 lā; 撒 sā; 解手 jiěshǒu ¶오줌을 ～ 撒尿 / 똥을 ～ 拉屎
누:대(累代) 명 累代 lěidài; 累世 lěishì; 世世代代 shìshìdàidài ¶～에 걸쳐 살아온 집 世世代代住下来的家
누더기 명 破衣烂衫 pòyīlànshān; 百衲衣 bǎinàyī; 破烂的衣服 pòlànde yīfu ¶～를 걸친 거지 穿着破衣烂衫的乞丐
누덕-누덕 부하형 补丁摞补丁 bǔding luò bǔding; 补了又补 bǔle yòu bǔ ¶～ 기운 바지를 입다 穿补钉摞补钉的裤子
누드(nude) 명 **1** 裸体 luǒtǐ; 赤身 chìshēn ¶～모델 裸体模特儿 / ～ 사진 裸体照 **2** 【美】 裸体画 luǒtǐhuà
누드-쇼(nude show) 명 【藝】 裸体表演 luǒtǐ biǎoyǎn; 裸体秀 luǒtǐxiù = 나체쇼
누:락(漏落) 명하자타 漏 lòu; 落 là; 脱 tuō; 漏记 lòujì; 漏写 lòuxiě; 脱漏 tuōlòu; 遗漏 yílòu ¶그의 이름이 명단에서 ～됐다 他的名字在名单里漏写
누렁 명 深黄色 shēnhuángsè; 深黄染料 shēnhuáng rǎnliào
누렁-개 명 = 누렁이
누렁-이 명 黄狗 huánggǒu = 누렁개 · 황구
누:렇다 형 黄 huáng; 金黄 jīnhuáng ¶벼가 누렇게 익었다 稻谷成熟得很黄
　누렇게 뜨다 구 面黄; 面如土色; 脸色很黄
누:레-지다 자 变黄 biàn huáng; 发黄 fāhuáng
누룩 명 曲 qū; 酒曲 jiǔqū
누룩-곰팡이 명 【植】 曲霉 qūméi; 曲菌 qūjūn

누룽지 명 锅巴 guōbā

누:르다[1] 一타 **1** 按 àn; 摁 èn; 压 yā ¶초인종을 마구 ~ 乱按门铃 **2** 控制 kòngzhì; 压迫 yāpò; 压制 yāzhì ¶권력으로 백성을 ~ 以权力压制老百姓 **3** 抑制 yìzhì; 按捺 ànnà; 控制 kòngzhì; 压抑 yāyì; 捺 nà ¶슬픔을 누르고 미소 짓다 抑制悲哀微笑 **4** 赢 yíng; 打败 dǎbài ¶상대팀을 9 대 5로 ~ 以九比五打败对方 二자 留 liú; 呆 dāi ¶여기에 눌러 살 작정이다 打算呆在这儿

누르다[2] 형 黄 huáng; 金黄 jīnhuáng ¶가을이 되니 나뭇잎이 누르러 보인다 到了秋天树叶金黄

누르스레-하다 형 = 누르스름하다

누르스름-하다 형 浅黄 qiǎnhuáng; 淡黄 dànhuáng = 누르스레하다 ¶누르스름한 재생지 淡黄的更生纸 **누르스름-히** 부

누리 명 世界 shìjiè; 世上 shìshàng; 大地 dàdì ¶온 ~가 눈으로 하얗게 덮이다 大地满被雪罩白

누리끼리-하다 형 微黄 wēi huáng

누리다[1] 타 享受 xiǎngshòu; 享有 xiǎngyǒu; 享 xiǎng; 过 guò; 走 zǒu ¶행복을 ~ 享受幸福 / 장수를 ~ 享有长寿 / 인기를 ~ 走红

누리다[2] 형 膻 shān; 发膻 fāshān ¶양고기에서는 누린 냄새가 많이 난다 羊肉膻味发得比较强

누린-내 명 膻味儿 shānwèir

누릿-하다 형 **1** (味、香) 微膻 wēi shān **2** 黑黄 hēihuáng; 暗黄 ànhuáng

누:명(陋名) 명 冤枉 yuānwang; 不白之冤 bùbáizhīyuān ¶~을 쓰다 蒙受冤枉 / ~을 벗다 平反昭雪

누비 명 绗 háng ¶~ 솜옷 绗棉衣

누비다 타 **1** 绗 háng; 绗缝 hángféng ¶이불을 ~ 绗缝被子 **2** 穿行 chuānxíng; 穿梭 chuānsuō ¶전국을 ~ 穿行全国

누비-옷 명 绗过的衣服 hángguòde yīfu

누비-이불 명 绗过的被子 hángguòde bèizi

누상(壘上) 명 〖體〗(棒球的) 垒上 lěishang ¶~에 주자가 나가 있다 跑手到垒上

누:설(漏泄·漏洩) 명하자타 泄露 xièlòu; 走漏 zǒulòu; 通风 tōngfēng ¶적에게 정보를 ~하다 给敌通风报信

누:수(漏水) 명 漏水 lòushuǐ ¶~를 방지하기 위하여 미리 점검하다 提前检查以防漏水

누심(壘審) 명 〖體〗(棒球的) 垒裁判 lěicáipàn

누에 명 〖蟲〗蚕 cán; 桑蚕 sāngcán ¶~고치 蚕茧 / ~섶 蚕蔟 / ~를 치다 养蚕

누에-나방 명 〖蟲〗蚕蛾 cán'é

누에 농사(一農事) 〖農〗养蚕 yǎngcán = 잠농

누에-치기 명하자 〖農〗= 양잠

누에-콩 명 〖植〗蚕豆 cándòu; 胡豆 húdòu; 罗汉豆 luóhàndòu

누이 명 (男人称) 妹妹 mèimei; 姐姐 jiějie

누이 좋고 매부 좋다 속담 皆大欢喜; 两全其美

누-이다[1] 타 放倒 fàngdǎo; 放躺下 fàngtǎngxià 《'눕다1' 的使动词》 = 눕히다 ¶아기를 담요 위에 ~ 让孩子放躺在毡毯上

누이다[2] 타 把屎 bǎshǐ; 把尿 bǎniào 《'누다' 的使动词》

누이-동생(一同生) 명 (男人称) 妹妹 mèimei

누:적(累積) 명하자 累积 lěijī; 积累 jīlěi ¶피로가 ~되다 疲劳积累

누:전(漏電) 명하자 〖電〗漏电 lòudiàn; 跑电 pǎodiàn ¶~ 차단기 漏电断路器

누:지다 형 潮湿 cháoshī; 发潮 fācháo; 返潮 fǎncháo ¶장마철이라 방이 ~ 因为是雨期, 房间潮湿

누:진(累進) 명하자 累进 lěijìn; 递增 dìzēng ¶~ 과세 累进收税 / ~세 累进税 / ~ 세율 累进税率 / ~율 累进率

누:차(累次) 명부 屡次 lǚcì; 屡次三番 lǚcìsānfān; 累次 lěicì; 多次 duōcì ¶~ 당부하다 屡次三番地叮嘱 / ~ 강조하다 屡次强调

누:추-하다(陋醜—) 형 丑陋 chǒulòu; 简陋 jiǎnlòu; 破旧 pòjiù; 陋 lòu ¶누추한 집 陋房 / 차림이 ~ 装相简陋

누:출(漏出) 명하자 漏出 lòuchū; 泄漏 xièlòu; 泄露 xièlù ¶유독 가스가 ~되다 毒气泄漏 / 회사 기밀을 ~하다 泄露公司的秘密

눅눅-하다 형 **1** 发软 fāruǎn ¶과자가 좀 눅눅해졌다 饼干有点儿发软了 **2** 潮湿 cháoshī; 湿润 shīrùn ¶방이 어둡고 ~ 房间阴暗潮湿 **눅눅-히** 부

눅진-거리다 자 **1** 柔韧 róurèn; 柔软 róuruǎn ¶녹아서 눅진거리는 갱엿 融化为柔韧的牛轧糖 **2** 软粘 ruǎnzhān ‖= 눅진대다 **눅진-눅진** 부하형 ¶뜨거운 태양열에 ~해진 아스팔트 도로 因炎热的太阳热而变得柔柔韧韧的柏油路面

눈[1] 명 **1** 眼 yǎn; 眼睛 yǎnjing; 目 mù ¶~을 감다 闭眼 / ~을 뜨다 睁眼 / ~을 깜빡이다 眨眼 / ~을 흘기다 挤眼 **2** 视力 shìlì; 目力 mùlì; 眼力 yǎnlì ¶~이 나쁘다 视力不好 **3** 眼光 yǎnguāng; 眼力 yǎnlì ¶보는 ~이 있다 有眼力 **4** 眼神 yǎnshén; 眼光 yǎnguāng

¶부드러운 ~으로 바라보다 软软的眼光看 **5** 视线 shìxiàn ¶사람들의 ~을 끌다 吸引人们的视线 **6** (台风的) 眼 yǎn ¶태풍의 ~ 台风之眼
눈 가리고 아웅 속담 掩耳盗铃; 自欺欺人
눈 감으면 코 베어 먹을 세상[인심] 속담 = 눈을 떠도 코 베어 간다
눈에 콩깍지가 씌었다 속담 情人眼里出西施
눈에는 눈(을) 이에는 이(를) 속담 以牙还牙, 以眼还眼
눈을 떠도 코 베어 간다 속담 人心惶惶; 人情不古; 刻薄寡恩 = 눈 감으면 코 베어 먹을 세상[인심]
눈 깜짝할 사이 구 转眼; 一眨眼; 霎时间; 刹那间; 俯仰之间; 弹指之间; 瞬息之间; 瞬间
눈 뜨고 볼 수 없다 구 目不忍睹; 目不忍视
눈 밖에 나다 구 打烙印; 处置眼外
눈 하나 깜짝 안 하다 구 无动于衷; 置之不理; 泰然处置
눈(에) 띄다 구 显眼; 映入眼帘
눈(을) 돌리다 구 转移注意力
눈(을) 맞추다 구 对视; 眉来眼去; 眉目传情
눈(을) 붙이다 구 打盹; 睡一觉
눈(을) 피하다 구 避开眼线
눈(이) 가다 구 注视; 显眼
눈(이) 높다 구 眼高
눈(이) 뒤집히다 구 着魔; 发疯; 丧失理智 = 눈알이 뒤집히다
눈(이) 맞다 구 气味相投; 互相中意; 互相钟情
눈(이) 벌겋다 구 利令智昏; 看不上眼
눈(이) 삐다 구 走眼; 打眼; 输眼力; 有眼无珠
눈에 거슬리다[걸리다] 구 不顺眼; 碍眼; 刺眼
눈에 넣어도 아프지 않다 구 心疼; 心尖; 心头肉; 命根儿; 命根子; 眼花儿
눈에 들다 구 看上眼; 中意
눈에 밟히다 구 牵肠挂肚; 映入眼帘; 眼前闪现
눈에 불을 켜다 구 眼红; 气急眼; 眼里冒金星
눈에 선하다 구 历历在目; 历历在眼前
눈에 쌍심지를 켜다[돋우다/세우다/올리다] 구 眼红; 两眼冒火; 怒目圆睁
눈에 이슬이 맺히다 구 眼里噙着泪花
눈에 익다 구 眼熟
눈에 차다 구 看上(眼); 中意
눈에 흙이 들어가다[덮이다] 구 死; 埋葬; 入土
눈에서 벗어나다 구 摆脱监视
눈을 의심하다 구 不相信自己的眼睛
눈이 빠지게[빠지도록] 기다리다 구 直着眼睛等; 望穿秋水 = 눈알이 빠지게[빠지도록] 기다리다
눈[2] 명 = 눈금 ¶저울의 ~을 속이다 诈骗称星
눈[3] 명 网眼 wǎngyǎn; 网目 wǎngmù
눈:[4] 명 雪 xuě ¶흰 ~ 白雪 / ~이 내리다 下雪 / ~이 쌓이다 积雪 / ~을 쓸다 扫雪 / ~이 다 녹았다 雪都化了
눈[5] 명 〖植〗 芽 yá
눈-가 명 眼边 yǎnbiān; 眼角 yǎnjiǎo = 눈언저리 ¶~에 이슬이 맺히다 眼边噙着泪花
눈-가림 명하타 虚饰 xūshì; 表面掩饰 biǎomiàn yǎnshì; 掩人耳目 yǎnrén'ěrmù ¶~으로 일을 하다 虚饰的方法来做事
눈-감다 자 **1** 瞑目 míngmù; 断气 duànqì; 死 sǐ **2** 睁一眼, 闭一眼 zhēngyīyǎn, bìyīyǎn; 睁只眼, 闭只眼 zhēngzhīyǎn, bìzhīyǎn; 装作没看见 zhuàngzuò méi kànjiàn ¶한 번만 눈감아 달라고 사정하다 恳求装作没看见一次
눈-곱 명 **1** 眼屎 yǎnshǐ; 眼眵 yǎnchī; 眵 chī ¶~이 끼다 有眼眵 / ~을 닦다 擦眼眵 **2** 细小 xìxiǎo; 一点 yīdiǎn; 一点点 yīdiǎndiǎn ¶인정이라곤 ~만큼도 없다 一点人情味儿都没有
눈곱만-하다 형 微乎其微 wēihūqíwēi; 一丁点儿 yīdīngdiǎnr ¶눈곱만한 양심도 없다 一丁点儿的良心都没有
눈:-구덩이 명 雪坑 xuěkēng ¶미끄러져 ~에 처박히다 滑下来倒栽葱在雪坑里
눈:-구름 명 **1** 雪云 xuěyún **2** 雪雾 xuěwù
눈-금 명 (秤) 星 xīng; 刻度 kèdù = 눈[2] ¶~자 星尺 / ~을 재다 秤星
눈-길[1] 명 目光 mùguāng; 视线 shìxiàn; 眼神 yǎnshén ¶~이 마주치다 碰到眼光 / ~을 돌리다 回避视线
눈길(을) 끌다 구 触目; 引人注目; 抢眼
눈:-길[2] 명 雪路 xuělù ¶~에 난 발자국 在雪路上的脚印
눈-까풀 명 = 눈꺼풀
눈-깔 명 '눈알' 的俗称
눈깔(이) 뒤집히다 구 '눈(이) 뒤집히다' 的俗称
눈깔(이) 삐다 구 '눈(이) 삐다' 的俗称
눈깔-사탕(一沙糖) 명 糖球 tángqiú
눈-꺼풀 명 眼皮 yǎnpí; 眼睑 yǎnjiǎn =눈까풀
눈-꼬리 명 外眼角 wàiyǎnjiǎo; 外眦

wàizì = 눈초리2
눈꼴-사납다 형 不顺眼 bùshùnyǎn; 讨人厌 tǎorényàn ¶눈꼴사납게 굴다 讨人厌地做
눈꼴-시다 형 不顺眼 bùshùnyǎn; 讨人厌 tǎorényàn ¶눈꼴시어서 못 보겠다 看得很不顺眼
눈-꼽 명 '눈곱' 的错误
눈ː-꽃 명 雪花 xuěhuā ¶나뭇가지에 ~이 피었다 在树枝上开了雪花
눈-높이 명 **1** 眼的高度 yǎnde gāodù **2** (眼光) 水平 shuǐpíng ¶~를 낮추어 세상을 살다 让水平底下生活
눈-대중 명하타 目测 mùcè; 用眼估量 yòng yǎn gūliang ¶경기장에 모인 사람이 ~으로 삼천은 되어 보인다 赛场的人目测来看有三千
눈ː-덩이 명 雪球 xuěqiú ¶이자가 ~처럼 불어나다 利息像雪球般越滚越大
눈-도장(一圖章) 명 眼睛图章 yǎnjing túzhāng
눈-독(一毒) 명 (贪心) 眼红 yǎnhóng; 眼馋 yǎnchán
눈독(을) 들이다[쏘다/올리다] 구 眼红; 眼馋
눈독(이) 들다[오르다] 구 眼红; 眼馋
눈-동냥 명 耳濡目染 ěrrúmùrán; 耳熏目染 ěrxūnmùrán
눈-동자(一瞳子) 명 瞳孔 tóngkǒng; 瞳人(儿) tóngrén(r); 瞳仁 tóngrén; 眸子 móuzǐ = 동공 · 동자(瞳子)
눈-두덩 명 眼睑 yǎnjiǎn; 眼皮 yǎnpí; 眼泡 yǎnpào ¶~이 퉁퉁 붓다 眼泡肿
눈-뜨다 자 **1** 睡醒 shuìxǐng ¶이제 눈 뜰 시간이다 现在是睡醒的时间 **2** 觉醒 juéxǐng; 觉悟 juéwù; 启蒙 qǐméng; 开眼 kāiyǎn; 开眼界 kāi yǎnjiè ¶문학에 ~ 对文学开眼
눈뜬-장님 명 睁眼瞎 zhēngyǎnxiā; 睁眼瞎子 zhēngyǎnxiāzi
눈-망울 명 眼珠 yǎnzhū ¶부리부리한 ~ 又大又精神的眼珠
눈-매 명 眼睛长相 yǎnjing zhǎngxiàng; 目光 mùguāng; 眼神 yǎnshén ¶고운 ~ 美丽的眼神 / ~가 서글서글하다 目光温厚
눈-멀다 자 **1** 失明 shīmíng; 瞎 xiā; 瞎眼 xiāyǎn; 盲 máng **2** 盲目 mángmù; 迷或 míhuò ¶눈먼 사랑 盲目的爱情
눈먼 자식이 효자 노릇 한다 속담 盲人子息孝顺; 得益于望外
눈먼 돈 구 **1** 无主人的钱 **2** 捞钱
눈-물[1] 명 眼泪 yǎnlèi; 泪水 lèishuǐ; 泪液 lèiyè; 泪 lèi ¶~을 흘리다 流眼泪 / ~이 글썽글썽하다 眼泪汪汪 / ~을 닦다 擦眼泪 / ~이 어리다 噙泪
눈물(을) 거두다 구 收泪; 止住眼泪
눈물(을) 삼키다 구 忍住眼泪
눈물(을) 짜다 구 **1** 流下眼泪 **2** 强挤眼泪
눈물이 앞을 가리다 구 眼泪止不住地流; 泪流满面
눈ː-물[2] 명 雪水 xuěshuǐ
눈물-겹다 형 充满泪水 chōngmǎn lèishuǐ; 辛酸的 xīnsuānde; 令人流泪 lìngrén liúlèi ¶눈물겹도록 아름다운 이야기 令人流泪的美丽故事
눈물-바다 명 眼泪大海 yǎnlèi dàhǎi ¶~가 되다 眼泪流成大海
눈물-방울 명 泪珠 lèizhū ¶~을 떨구다 落下泪珠
눈물-범벅 명 满脸眼泪 mǎnliǎn yǎnlèi ¶얼굴이 ~이 되다 满脸眼泪
눈물-샘 명 『生』 泪腺 lèixiàn ¶~을 자극하다 刺激泪腺
눈물-짓다 자 流泪 liúlèi
눈ː-바람 명 风雪 fēngxuě
눈ː-발 명 雪帘 xuělián; 雪 xuě ¶~이 날리다 飘雪
눈ː-밭 명 雪地 xuědì ¶~을 헤쳐 나아가다 拨开雪地
눈-병(一病) 명 眼病 yǎnbìng; 眼疾 yǎnjí
눈ː-보라 명 暴风雪 bàofēngxuě; 风雪 fēngxuě ¶~가 치다 风雪交加
눈-부시다 형 炫目 xuànmù; 耀眼 yàoyǎn; 辉煌 huīhuáng; 夺目 duómù; 灿烂 cànlàn ¶눈부신 아침 햇살 灿烂的羲光 / 눈부신 활약 耀眼的活动
눈ː-비 명 雨雪 yǔxuě
눈-빛 명 眼神 yǎnshén; 眼色 yǎnsè; 目光 mùguāng ¶차가운 ~으로 바라보다 用冷冷的目光看
눈ː-사람 명 雪人(儿) xuěrén(r) ¶~을 만들다 堆雪人儿
눈ː-사태(一沙汰) 명 雪崩 xuěbēng
눈-살 명 眉头 méitóu; 眉间皱纹 méijiān zhòuwén
눈살(을) 찌푸리다 구 皱眉; 皱眉头
눈-속임 명하타 障眼法 zhàngyǎnfǎ; 欺骗 qīpiàn ¶마술은 ~의 일종이다 魔术是一种障眼法
눈ː-송이 명 雪花 xuěhuā; 雪片 xuěpiàn ¶탐스러운 ~ 令人喜爱的雪花
눈-시울 명 眼角 yǎnjiǎo; 眼眶 yǎnkuàng ¶~을 적시다 眼角润湿 / ~이 뜨겁다 眼眶很热
눈-싸움[1] 명하자 不眨眼比赛 bùzhǎyǎn bǐsài
눈ː-싸움[2] 명하자 雪仗 xuězhàng ¶~을 하다 打雪仗
눈ː-썰매 명 雪橇 xuěqiāo
눈-썰미 명 悟性 wùxìng; 一看就会 yīkàn jiùhuì; 眼力见儿 yǎnlìjiànr; 过目不忘 guòmù bùwàng ¶~가 있어 무엇이

든 잘한다 有眼力见儿什么都很会做
눈썹 명 1 眉毛 méimao; 眉 méi 2 = 속눈썹
눈썹도 까딱하지 않다 구 泰然自若
눈-알 명 眼珠 yǎnzhū; 眼球 yǎnqiú; 眼 yǎn; 眼睛 yǎnjing = 안구 ¶~을 부라리다 瞪眼
눈알(이) 나오다 구 弹起眼珠
눈알이 뒤집히다 구 = 눈(이) 뒤집히다
눈알이 빠지게[빠지도록] 기다리다 구 = 눈이 빠지게[빠지도록] 기다리다
눈-앞 명 1 眼前 yǎnqián; 眼底 yǎndǐ; 眼底下 yǎndǐxia; 跟前 gēnqián ¶~에 펼쳐진 푸른 바다 展现在眼前的蓝海 2 当前 dāngqián; 眉前 méiqián; 目前 mùqián; 眼前 yǎnqián; 眼底 yǎndǐ; 眼底下 yǎndǐxia; 眼下 yǎnxià; 即 jí ¶~의 이익 当前利益 / 위험이 ~에 닥치다 危险在即 ‖ = 목전
눈앞이 캄캄하다 구 前途暗淡; 不知所措
눈-언저리 명 = 눈가 ¶손수건으로 ~를 닦다 用手绢擦干眼边
눈엣-가시 명 眼中钉 yǎnzhōngdīng; 肉中刺 ròuzhōngcì ¶~로 여기다 认为眼中钉
눈여겨-보다 타 留心看 liúxīn kàn; 注意看 zhùyì kàn ¶그의 행동을 눈여겨 보았다 注意看了他的行动
눈-요기(—療飢) 명하타 饱眼福 bǎoyǎnfú
눈-웃음 명 眯笑 mīxiào; 眼笑 yǎnxiào ¶그는 항상 ~을 지으며 인사한다 他常带着眼笑打招呼
눈웃음-치다 자 眯眯眼笑 mīmī yǎnxiào; 眯着眼睛笑 mīzhe yǎnjing xiào
눈-인사(—人事) 명하자 注目礼 zhùmùlǐ; 用眼睛打招呼 yòng yǎnjing dǎzhāohu ¶~를 나누다 交换注目礼
눈-자위 명 眼眶 yǎnkuàng; 眼圈(儿) yǎnquān(r)
눈-짐작(—斟酌) 명하타 目测 mùcè; 用眼估量 yòng yǎn gūliáng
눈-짓 명하자 眉语 méiyǔ; 眼色 yǎnsè ¶~을 주고받다 递眼色 / ~을 보내다 使眼色 =[丢眼色]
눈-초리 명 1 目光 mùguāng; 眼光 yǎnguāng; 眼神 yǎnshén ¶매서운 ~ 严厉的目光 2 = 눈꼬리
눈-총 명 怒目 nùmù; 怒视 nùshì; 瞪 dèng ¶~을 받다 招瞪 / ~을 주다 怒视
눈총(을) 맞다 구 招瞪; 讨人嫌
눈-치 명 1 眼力见儿 yǎnlìjiànr; 眼色 yǎnsè; 眼 yǎn ¶~가 없다 没眼色 / ~를 채다 看出苗头 2 神色 shénsè; 眼色 yǎnsè; 脸色 liǎnsè ¶가고 싶어 하는 ~이다 是想去的脸色 / ~를 주다 表出眼色
눈치(가) 빠르다 구 眼尖; 眼明; 有眼力见儿
눈치(를) 보다 구 看眼色
눈치(를) 살피다 구 观察眼色
눈치-껏 부 尽量看眼色 jǐnliàng kàn yǎnsè ¶~ 대답하다 尽量看眼色回答
눈치-코치 명 '눈치' 的强调语
눈치코치도 모르다 구 不识相; 不懂眉眼高低
눈칫-밥 명 眼下饭 yǎnxiàfàn
눈칫밥(을) 먹다 구 吃眼下饭; 寄人篱下
눈-코 명 眼鼻 yǎnbí《眼睛和鼻子》
눈코 뜰 사이 없다 구 忙不过来; 脱不开身
눋:다 자 烧焦 shāojiāo; 烧煳 shāohú; 焦 jiāo; 煳 hú
눌:러-놓다 타 压 yā ¶돌로 ~ 用石头压
눌:러-쓰다 타 1 抹下来 māxiàlái ¶모자를 눌러쓴 아이 把帽子抹下来的孩子 2 (写字) 使劲 shǐjìn ¶볼펜을 너무 눌러써서 편지지가 찢어졌다 给原子笔过分使劲, 信纸拆开了
눌:러-앉다 자 赖 lài; 待住 dāizhù; 坐占 zuòzhàn; 滞留 zhìliú
눌:리다[1] 자 '누르다[1]⊟1 · 2 · 3' 的被动词 ¶짐짝에 ~ 被行李压 / 기세에 ~ 被气势压制
눌리다[2] 타 弄煳 nònghú; 烤煳 kǎohú; 烧煳 shāohú《'눋다' 的使动词》¶밥을 ~ 把饭弄煳
눌어-붙다 자 1 (锅底儿) 焦煳 jiāohú ¶밥이 ~ 饭焦煳了 2 粘着 zhānzhe; 滞留 zhìliú; 呆着不动 dāizhe bùdòng ¶컴퓨터 앞에 몇 시간째 눌어붙어 앉아 있다 几个小时一直在电脑前粘坐着
눌은-밥 명 锅巴饭 guōbāfàn
눕다 자 1 躺 tǎng; 卧 wò ¶침대에 누워 자다 躺在床上睡觉 2 横 héng; 倒 dǎo; 躺 tǎng ¶태풍에 쓰러진 나무가 길에 누워 있다 由于台风倒下来的树木横在路上 3 病倒 bìngdǎo ¶과로로 자리에 ~ 因过劳而病倒
누울 자리 봐 가며 발을 뻗어라 속담 量体裁衣; 看水放船; 看风下罩
누워서 떡 먹기 속담 以汤沃雪; 瓮中捉鳖, 手到拿来
누워서 침 뱉기 속담 朝粪坑里扔石头, 屎尿溅在自己身上
눕-히다 타 = 누이다[1] ¶아이를 ~ 使孩子躺下
뉘: 谁的 shéide《'누구의' 的略形》
뉘 집 개가 짖어 대는 소리냐 속담 胡说八道

뉘:다 타 放倒 fàngdǎo; 放躺下 fàngtǎngxià 《'누이다[1]' 的略词》 ¶환자를 자리에 ~ 让病人放躺在床上
뉘앙스(프nuance) 명 语气 yǔqì; 语感 yǔgǎn; 色调 sèdiào; 语调 yǔdiào ¶두 단어의 ~ 차이 两个词之间的语调差别
뉘엿-거리다 자 **1** 慢慢西下 mànmàn xīxià **2** 恶心 ěxin ‖ = 뉘엿대다 **뉘엿-뉘엿** 부하자 ¶해가 ~ 저물어간다 太阳慢慢西下
뉘우치다 타 后悔 hòuhuǐ; 悔悟 huǐwù; 回头 huítóu; 懊悔 àohuǐ; 悔 huǐ ¶잘못을 ~ 后悔错误 / 뼈저리게 ~ 悔恨
뉘우침 명 后悔 hòuhuǐ; 悔悟 huǐwù; 回头 huítóu; 懊悔 àohuǐ; 悔 huǐ
뉴스(news) 명 **1** 新闻 xīnwén; 报道 bàodào; 新闻节目 xīnwén jiémù ¶~거리 新闻题材 / 텔레비전 ~ 电视新闻 **2** 消息 xiāoxi ¶좋은 ~ 好消息
뉴스 캐스터(news caster) 〖言〗新闻广播员 xīnwén guǎngbōyuán; 新闻评论员 xīnwén pínglùnyuán
뉴 웨이브(new wave) 〖音〗新浪潮 xīnlàngcháo
뉴턴(newton) 一의명 〖物〗牛顿 niúdùn 二명 〖人〗牛顿 Niúdùn
느글-거리다 자 恶心 ěxin; 腻烦 nìfán = 느글대다 ¶속이 느글거려 못 먹겠다 肚子恶心吃不了 **느글-느글** 부하자형
느긋-이 부 宽松 kuānsong; 迟迟 chíchí; 不慌不忙 bùhuāngbùmáng ¶마음을 ~ 먹다 心情迟迟
느긋-하다 형 宽松 kuānsong; 迟迟 chíchí; 不慌不忙 bùhuāngbùmáng ¶느긋한 성격 宽松的性格
느끼다 타 **1** (身体) 感觉 gǎnjué; 觉得 juéde; 感到 gǎndào ¶추위를 ~ 觉得很冷 **2** (心里) 感到 gǎndào; 感受 gǎnshòu ¶슬픔을 ~ 感到悲哀 / 아픔을 ~ 感到疼痛 **3** 意识到 yìshídào ¶책임감을 ~ 意识到责任感 **4** 体会到 tǐhuìdào ¶군중의 생각과 감정을 ~ 体会到群众的思想感情
느끼-하다 형 **1** 油腻 yóunì; 油 yóu ¶난 중국 음식은 느끼해서 싫다 中国菜很油腻, 我不喜欢 **2** 腻得慌 nìdehuang; 腻 nì ¶삼겹살을 많이 먹었더니 느끼한 게 속이 좋지 않다 五花肉吃多了, 肚子里腻得难受 **3** 恶心 ěxin ¶그 사람은 말하는 게 정말 ~ 那个人说话真让人恶心
느낌 명 感觉 gǎnjué; 感受 gǎnshòu; 感想 gǎnxiǎng ¶경쾌한 ~을 주는 음악 感觉愉快的音乐
느낌-표(—標) 명 〖語〗感叹号 gǎntànhào; 叹号 tànhào = 감탄 부호
느닷-없다 형 突然 tūrán; 忽然 hūrán; 意外 yìwài; 突如其来 tūrúqíláі; 意想不到 yìxiǎngbùdào ¶느닷없는 질문에 순간 당황했다 由于突然的问题慌张一刻了 **느닷없-이** 부
-느라 어미 = -느라고
-느라고 어미 用于动词现在时之后, 表示'原因, 理由' = -느라 ¶급히 출발하~ 밥도 제대로 못 먹었다 急着出发, 饭都没吃
느릅-나무 명 〖植〗榆树 yúshù
느리다 형 **1** 慢 màn; 迟缓 chíhuǎn ¶동작이 ~ 动作很慢 **2** (坡道) 缓慢 huǎnmàn ¶느린 산비탈 缓慢的山坡
느림-보 명 懒汉 lǎnhàn; 懒鬼 lǎnguǐ
느릿-느릿 부하형 **1** 慢慢腾腾 mànmanténgténg; 懒洋洋 lǎnyángyáng ¶~ 걷다 慢慢腾腾走 **2** 松 sōng; 稀疏 xīshū ¶~ 꼰 새끼 打得稀疏的绳子
느릿-하다 형 慢腾腾 màntēngtēng; 缓慢 huǎnmàn ¶할아버지가 느릿하게 걸어가신다 爷爷慢腾腾走路
느물-거리다 자 溜滑 liūhuá; 狡猾 jiǎohuá; 赖皮 làipí; 赖皮赖脸 làipílàiliǎn = 느물대다 ¶느물거리며 말을 붙이다 溜滑地攀谈 **느물-느물** 부하자
느슨-하다 형 **1** 松 sōng; 松散 sōngsǎn; 松弛 sōngchí; 不紧 bùjǐn ¶허리띠가 ~ 腰带松弛 **2** 松劲 sōngjìn; 松懈 sōngxiè; 涣散 huànsǎn ¶사무실 분위기가 ~ 办公室气氛松懈 **느슨-히** 부
느지감치 부 晚点 wǎndiǎn; 较晚 jiàowǎn; 迟些 chíxiē ¶난 ~ 가겠다 我要较晚去
느지막-이 부 晚点 wǎndiǎn; 较晚 jiàowǎn; 迟些 chíxiē ¶~ 저녁을 먹다 晚点吃晚饭
느지막-하다 부 晚点 wǎndiǎn; 较晚 jiàowǎn; 迟些 chíxiē ¶저녁 느지막하게 집에 들어가다 晚上迟些回家去
느직-이 부 晚点 wǎndiǎn; 较晚 jiàowǎn; 迟些 chíxiē ¶~ 일어나다 起得较晚
느직-하다 형 晚点 wǎndiǎn; 较晚 jiàowǎn; 迟些 chíxiē ¶아침을 느직하게 먹고 출발하다 早饭吃得较晚就离开
느타리 명 〖植〗平菇 píngɡū; 糙皮侧耳 cāopícè'ěr =느타리버섯
느타리-버섯 명 〖植〗= 느타리
느티-나무 명 〖植〗榉树 jǔshù; 光叶榉树 guāngyèjǔshù
늑골(肋骨) 명 〖生〗肋骨 lèigǔ = 갈비뼈
늑대 명 〖動〗狼 láng = 이리[2]
늑막(肋膜) 명 〖生〗胸膜 xiōngmó; 肋膜 lèimó ¶~염 胸膜炎

늑장 명 拖拉 tuōlā; 磨蹭 móceng; 磨mó = 늦장 ¶~을 부리다 磨蹭

는 조 **1** 表示强调阵述的对象 ¶나~ 학생이다 我是学生 **2** 表示对照的语气 ¶사과~ 먹어도 배~ 먹지 마라 苹果可以吃, 梨子不要吃 **3** 表示强调 ¶그렇게 천천히 걷다가~ 지각하겠다 走得这么慢呀, 会迟到的

-는걸 어미 表示对某种行为动作或现象的感叹 ¶눈이 꽤 오~ 雪下得还挺大 / 아기가 춥겠~ 孩子会冷的呀

-는구나 어미 表示现在时感叹, 有肯定的口气 ¶너는 책을 굉장히 빨리 읽~! 你看书看得真快啊!

-는군 어미 '-는구나' 的略词

-는다니 어미 **1** 表示意外或惊叹 ¶한 번 들은 것은 잊지 않~ 대단한 기억력이구나! 过耳不忘, 真是好记性啊! **2** 表示不满或异议 ¶이 많은 책을 언제 읽~? 这么多书, 什么时候读完呢?

-는답시고 어미 用于闭音节的动词词干后, 表示轻视 ¶그 사람은 시를 짓~ 방 안에서 빈둥거리기만 한다 那个人以做诗为借口, 在房间里闲得无聊

-는대 어미 **1** 表示疑问 ¶이 많은 책을 언제 읽~? 这么多书什么时候读呢? **2** 表示 '说是…' 的意思 ¶서양 사람들도 김치를 잘 먹~ 说是西方人也很能吃泡菜

늘 부 经常 jīngcháng; 总是 zǒngshì; 总 zǒng; 老 lǎo; 老是 lǎoshì ¶그는 말할 때 ~ 눈을 깜빡거린다 他说话时老眨眼睛

늘그막 명 老来 lǎolái; 晚年 wǎnnián; 晚境 wǎnjìng; 老境 lǎojìng ¶~에 아들을 보다 老来得到儿子

늘다 자 **1** 增加 zēngjiā; 增长 zēngzhǎng; 增 zēng; 增多 zēngduō ¶평균 수명이 ~ 平均寿命增加 **2** 提高 tígāo; 进步 jìnbù; 发展 fāzhǎn ¶실력이 ~ 实力进步

늘-리다 타 增加 zēngjiā; 提高 tígāo; 扩大 kuòdà 《'늘다' 的使动词》 ¶재산을 ~ 增加财产

늘씬 부 痛 tòng; 透 tòu; 惨重 cǎnzhòng ¶~ 두들겨 패다 痛打了一顿

늘씬-늘씬 부하형 细长 xìcháng; 苗条 miáotiao; 修长 xiūcháng

늘씬-하다 형 **1** 细长 xìcháng; 苗条 miáotiao; 修长 xiūcháng ¶몸매가 ~ 身材苗条 **2** 痛 tòng; 透 tòu; 惨重 cǎnzhòng ¶늘씬하게 두들겨 패다 痛打了一顿

늘어-나다 자 增加 zēngjiā; 增长 zēngzhǎng; 扩大 kuòdà; 拉长 lācháng ¶인구가 ~ 人口增加

늘어-놓다 타 **1** 陈 chén; 摆 bǎi; 摆放 bǎifàng; 列出 lièchū; 排列 páiliè; 罗列 luóliè ¶한 줄로 ~ 列出一排 **2** 狼藉 lángjí ¶장난감을 ~ 玩具狼藉 **3** 铺开 pūkāi; 摊开 tānkāi; 分布 fēnbù ¶사방에 늘어놓은 사업이 모두 잘된다 铺开四处的工作都很好 **4** 啰唆 luōsuo; 唠叨 láodao ¶잔소리를 ~ 嘴碎啰唆

늘어-뜨리다 타 垂下 chuíxià; 垂挂 chuíguà; 下垂 xiàchuí; 耷拉 dāla; 搭拉 dāla = 늘어트리다 ¶밧줄을 ~ 把绳垂下

늘어-서다 자 排 pái; 排列 páiliè; 林立 línlì ¶사람들이 매표소 앞에 늘어섰다 人们排列在售票处口

늘어-지다 자 **1** 变长 biàn cháng; 拉长 lācháng ¶고무줄이 ~ 橡胶线拉长 **2** 下垂 xiàchuí; 悬垂 xuánchuí ¶늘어진 버들가지 下垂的柳枝 **3** 瘫软 tānruǎn **4** 无忧无虑 wúyōuwúlǜ ¶팔자가 ~ 八字无忧无虑

늘어지게 자다 구 尽量睡觉

늘-이다 타 **1** 延长 yáncháng; 拉长 lācháng ¶고무줄을 ~ 拉长橡胶线 **2** 垂挂 chuíguà; 下垂 xiàchuí ¶발을 아래로 ~ 把帘垂挂

늘임-표(一標) 명 〖音〗 延长号 yánchánghào

늙다 자 **1** 老 lǎo; 年老 niánlǎo ¶늙으면 늙을수록 잔소리가 많아진다 越老越啰唆 / 이젠 늙어서 체력이 예전 같지 않다 现在老了, 体力没有以前好 **2** (蔬菜) 老 lǎo ¶늙은 호박 老南瓜

늙수그레-하다 형 相当老 xiāngdāng lǎo; 颇老 pō lǎo ¶늙수구레한 남자 颇老的男人

늙은-이 명 老人 lǎorén; 老年人 lǎoniánrén; 老头儿 lǎotóur = 노인네

늙-히다 타 (使之) 变老 biànlǎo ¶꽃다운 청춘을 ~ 花样青春变老

늠:름-하다(凛凛一) 형 凛然 lǐnrán; 威风凛凛 wēifēnglǐnlǐn ¶늠름하고 자신만만한 태도 威风凛凛而满有信心的态度 **늠:름-히** 부

능(陵) 명 〖史〗 陵 líng; 陵墓 língmù; 陵寝 língqǐn

능가(凌駕) 명하타 凌驾 língjià; 超越 chāoyuè; 超过 chāoguò ¶국제 수준을 ~하다 超越国际水平

능-구렁이 명 **1** 〖動〗 赤链蛇 chìliànshé **2** 老奸巨猾 lǎojiānjùhuá; 老江湖 lǎojiānghú ¶그는 이 방면에서 뼈가 굵은 ~다 他是在这个方面缠钢折铁的老鱼

능글-거리다 자 猾头 huátóu; 狡猾 jiǎohuá; 奸猾 jiānhuá = 능글대다 **능글-능글** 부하형 ¶~ 웃다 狡猾地笑

능글-맞다 형 猾头 huátóu; 狡猾 jiǎohuá; 奸猾 jiānhuá ¶능글맞게 굴다 狡

猾地做

능금 명 花红 huāhóng; 林檎 línqín; 沙果 shāguǒ

능금-나무 명 〖植〗 花红树 huāhóngshù; 林檎树 línqínshù; 沙果树 shāguǒshù

능동(能動) 명 **1** 主动 zhǔdòng; 能动 néngdòng ¶~성 主动性 **2** 〖語〗 主动 zhǔdòng; 能动 néngdòng ¶~태 主动态 / ~형 主动形

능동-적(能動的) 관명 主动(的) zhǔdòng(de); 能动(的) néngdòng(de) ¶사태에 ~으로 대처하다 主动对事态应付

능라(綾羅) 명 绫罗 língluó

능란-하다(能爛—) 형 巧 qiǎo; 熟练 shúliàn ¶화술에 ~ 嘴巧舌能 **능란-히** 부

능력(能力) 명 能力 nénglì; 力量 lìliang; 本领 běnlǐng; 本事 běnshi; 才干 cáigàn ¶~자 有能力者 / 문제 해결 ~이 탁월하다 解决后题的能力卓越

능률(能率) 명 效率 xiàolǜ ¶~이 오르지 않다 没提高效率

능률-적(能率的) 관명 效率(的) xiàolǜ(de) ¶~인 회사 경영 有效率的公司经营

능멸(凌蔑·陵蔑) 명하타 凌侮 língwǔ; 蔑视 mièshì ¶감히 나를 ~하느냐? 怎敢蔑视我?

능변(能辯) 명하형 能言善辩 néngyánshànbiàn; 雄辩之辞 xióngbiànzhīcí

능사(能事) 명 **1** 能事 néngshì ¶거짓말을 ~로 삼다 把谎言当作能事 **2** 办法 bànfǎ; 擅长的事 shànchángde shì ¶어려운 일을 피하는 것만이 ~가 아니다 回避难事不是办法

능선(稜線) 명 山梁 shānliáng; 山脊 shānjǐ ¶~을 타다 上山脊

능수(能手) 명 能手 néngshǒu; 高手 gāoshǒu ¶춤의 ~ 跳舞的高手

능수능란-하다(能手能爛—) 형 纯熟 chúnshú ¶능수능란하게 기계를 다루다 纯熟地操纵机器

능수-버들 명 〖植〗 垂柳 chuíliǔ

능숙-하다(能熟—) 형 工 gōng; 善于 shànyú; 熟练 shúliàn; 娴熟 xiánshú ¶영어에 ~ 工于英语

능욕(凌辱·陵辱) 명하타 凌辱 língrǔ; 欺侮 qīwǔ ¶~을 당하다 受欺侮

능이(能栮) 명 〖植〗 芽菌 yájùn; 芽齿菌 yáchǐjùn = 능이버섯

능이-버섯(能栮—) 명 〖植〗 = 능이

능-지기(陵—) 명 守陵人 shǒulíngrén; 守墓人 shǒumùrén

능지-처참(陵遲處斬) 명하타 〖史〗 凌迟 língchí; 陵迟 língchí

능청 명 装假 zhuāngjiǎ; 装蒜 zhuāngsuàn; 假惺惺 jiǎxīngxīng; 不露心机 bùlù xīnjī; 装模作样 zhuāngmúzuòyàng ¶~을 부리다 装蒜

능청(을) 떨다 구 装模作样

능청(을) 피우다 구 装模作样

능청-맞다 형 装相 zhuāngxiàng; 装假 zhuāngjiǎ; 假惺惺 jiǎxīngxīng ¶능청맞게 굴다 装蒜

능청-스럽다 형 装相 zhuāngxiāng; 装假 zhuāngjiǎ; 假惺惺 jiǎxīngxīng **능청스레** 부

능통-하다(能通—) 형 通 tōng; 精 jīng; 精通 jīngtōng; 熟练 shúliàn ¶6개 국어에 ~ 精通于六种语言

능-하다(能—) 형 善于 shànyú; 长于 chángyú; 熟于 shúyú; 擅长 shàncháng ¶임기응변에 ~ 善于机变 **능-히** 부

늦- 접두 晚 wǎn

늦-가을 명 晚秋 wǎnqiū; 深秋 shēnqiū; 暮秋 mùqiū = 만추

늦-겨울 명 晚冬 wǎndōng; 季冬 jìdōng

늦-깎이 명 **1** 半路出家的人 bànlùchūjiāde rén **2** 晚熟(的) wǎnshú(de) ¶나이 사십의 ~ 대학생 四十岁的晚熟大学生

늦다 一형 **1** 迟 chí; 晚 wǎn ¶꽃이 늦게 피다 花开得晚 / 매일 밤 늦게 귀가하다 每天晚上回晚家 **2** 慢 màn ¶일 처리가 ~ 办事办得很慢 二자 迟 chí; 迟到 chídào; 来不及 láibují; 没赶上 méi gǎnshàng ¶기차 시간에 늦었다 没赶上火车

늦게 배운 도둑이 날 새는 줄 모른다 속담 老了才学吹笛, 吹到眼翻白

늦-더위 명 秋老虎 qiūlǎohǔ

늦-되다 자 **1** 晚熟 wǎnshú ¶늦되는 과실 晚熟的果实 **2** 晚成 wǎnchéng ¶늦된 아이 晚成的孩子

늦-둥이 명 晚胎子 wǎntāizi

늦-바람 명 **1** 晚风 wǎnfēng **2** 晚年放荡 wǎnnián fàngdàng; 晚年贪色 wǎnnián tānsè

늦-복(—福) 명 **1** 晚年的福气 wǎnniánde fúqi **2** 迟来的福气 chíláide fúqi

늦-봄 명 晚春 wǎnchūn; 季春 jìchūn; 暮春 mùchūn = 만춘

늦-여름 명 晚夏 wǎnxià; 季夏 jìxià

늦-잠 명 懒觉 lǎnjiào; 大觉 dàjiào ¶~을 자다 睡懒觉

늦잠-꾸러기 명 贪睡的 tānshuìde

늦-장 명 = 늑장

늦-장가 명 娶晚 qǔwǎn ¶형은 나이 사십이 넘어 ~를 갔다 哥哥超了四十岁结婚, 娶晚了

늦-추다 타 **1** 松 sōng; 松开 sōngkāi; 放松 fàngsōng ¶경계심을 늦추지 않다 不放松警惕 **2** 放宽 fàngkuān; 延缓 yánhuǎn; 延迟 yánchí; 推迟 tuīchí ¶

개학 날짜를 ~ 延迟开学日子 **3** 减慢 jiǎnmàn; 放慢 fàngmàn ¶속력을 ~ 减慢速度 / 걸음을 ~ 放慢步儿

늦-추위 명 春寒 chūnhán; 倒春寒 dàochūnhán ¶~가 기승을 부리다 春寒优势

늪 명 池沼 chízhǎo; 泥沼 nízhǎo; 沼泽 zhǎozé ¶~지대 池沼地带 / 자동차가 ~에 빠지다 汽车落在池沼里 / 침체의 ~에서 헤어나다 从死气的泥沼中摆脱出来

-니[1] 어미 **1** 表示原因、根据 ¶비가 오~ 가지 마라 下雨了, 不要去了吧 **2** 表示发现或领悟 ¶서울역에 도착하~ 새벽이더라 到达首尔站, 已是凌晨了

-니[2] 어미 表示疑问的终结词尾 ¶뭘 먹고 있~? 你在吃什么呢? / 이것 좀 네가 해 주겠~? 你能帮我做这个吗?

-니까 어미 '-니[1]' 的强调语

니글-거리다 자 恶心 ěxin; 腻烦 nìfán; 作呕 zuò'ǒu = 니글대다 ¶속이 ~ 肚子恶心 **니글-니글** 부하자

니스(일nisu) 명 〖化〗 = 바니시

니켈(nickel) 명 〖化〗 镍 niè ¶~강 镍钢

니켈크로뮴-강(nickel-chrome鋼) 명 〖化〗 镍铬钢 niègègāng

니코틴(nicotine) 명 〖化〗 尼古丁 nígǔdīng; 烟碱 yānjiǎn ¶~ 중독 尼古丁中毒 =[烟碱中毒]

니트(knit) 명 织物 zhīwù; 编织品 biānzhīpǐn; 针织品 zhēnzhīpǐn

니퍼(nipper) 명 〖工〗 钳子 qiánzi; 剪钳 jiǎnqián

님 의명 先生 xiānsheng; 君 jūn

-님 접미 **1** 用于人称后, 表示尊称 ¶사장~ 总经理 / 부모~ 父母大人 **2** 用在非人称后, 表示拟人 ¶달~ 月亮婆婆 / 별~ 星星伯伯 / 호랑이~ 虎大王 / 해~ 太阳公公

님프(nymph) 명 〖文〗 宁芙 níngfú

닢 의명 分 fēn; 张 zhāng ¶엽전 두 ~ 两分铜币 / 가마니 다섯 ~ 五张草袋

ㄷ

다[1] 一부 **1** 全 quán; 都 dōu; 全都 quándōu; 齐 qí ¶나는 어제 일을 그에게 ~ 말했다 我把昨天的事情全告诉他了 / 올 사람은 ~ 왔다 要来的人都来了 **2** 几乎 jīhū; 快要 kuàiyào ¶사람이 ~ 죽게 되었다 人几乎要死了 / 신이 ~ 닳았다 鞋快要磨破了 **3** 竟然 jìngrán; 竟 jìng; 还有 háiyǒu《表示意外、嘲笑》¶별사람 ~ 보겠군 还有这种人 / 그런 일이 ~ 있었어? 竟有这种事? **4** 不了 bùliǎo; 泡汤 pàotāng; 黄了 huángle ¶비가 오니 소풍은 ~ 갔다 下雨了郊游泡汤了 二명 总共 zǒnggòng; 一切 yīqiè; 所有 suǒyǒu; 全部 quánbù; 完 wán ¶미안하다면 ~야? 说声对不就完了? / 인생에서 돈이 ~가 아니다 金钱不是人生的全部

다[2] 조 不管…还是… bùguǎn…háishi《接在体词后面 '-다 -다' 形式表示并列》¶그는 농구~ 축구~ 못하는 운동이 없다 他不管篮球还是足球, 没有不会的

다[3] 조 '다가' 的略词 ¶침대를 어디에 ~ 둘까? 床放哪儿呢?

다-(多) 접두 多 duō ¶~방면 多方面 / ~기능 多功能

-다[1] 어미 用于谓词词干之后的基本阶阵述式终结形词尾 ¶물이 맑~ 水很清 / 사람은 생각하는 동물이~ 人是思考的动物

-다[2] 어미 **1** '-다가1' 的略词 ¶가~ 되돌아오다 走到半路又回来 **2** '-다가2' 的略词 ¶일어났~ 앉았~ 어쩔 줄을 모르다 一会儿站起来, 一会儿坐下, 不知如何才好

다가 조 副词格助词, 接在体词后, 表示动作的着落点 ¶탁자 위에~ 꽃병을 놓다 把花瓶放到桌子上

-다가 어미 **1** 用于谓词词干之后的接续形词尾, 票示某些动作, 特征和事实的转变 ¶편지를 쓰~ 그 일이 생각났다 写着信想起了那件事 **2** 用于 '-다가 -다가' 的形式表示某种事实反复出现 ¶날씨가 갑자기 더웠~ 추웠~ 한다 天气忽冷忽热

다가-가다 자 走近 zǒujìn; 靠近 kàojìn; 挨近 āijìn; 接 jiē; 接近 jiējìn; 傍 bàng; 傍近 bàngjìn; 走到 zǒudào; 凑 còu ¶그는 천천히 그녀에게 다가갔다 他慢慢地靠近她 / 그가 창문으로 ~ 他靠近窗户

다가-붙다 자 逼近 bījìn; 贴近 tiējìn; 靠近 kàojìn; 靠 kào ¶앞차에 너무 다가붙지 마라 不要跟前面的车贴得太近

다가-서다 자 靠近 kàojìn; 站近 zhànjìn; 靠 kào; 紧靠 jǐnkào; 凑 còu ¶위험물에 다가서지 마세요 不要靠近危险物品

다가-앉다 자 坐近 zuòjìn; 靠近坐 kàojìn zuò; 靠着坐 kàozhe zuò; 贴着坐 tiēzhe zuò ¶할머니의 곁에 ~ 靠近在奶奶身边坐下

다가-오다 자 **1** 走近 zǒujìn; 接近 jiējìn; 靠近 kàojìn; 走过来 zǒuguòlái ¶그가 나에게로 다가왔다 他走近我身边 / 배들이 부두로 ~ 船只靠近码头 **2** 逼近 bījìn; 迫近 pòjìn; 将近 jiāngjìn; 临近 línjìn; 来临 láilín; 快要 kuàiyào ¶연말이 다가왔다 迫近年关了 / 벌써 점심 때가 다가왔다 已经临近中午了

다각(多角) 명 多角度 duōjiǎodù; 多角 duōjiǎo; 多种 duōzhǒng; 多边 duōbiān; 多方面 duōfāngmiàn ¶~ 기둥 多角柱 =[多边柱] / 해결 방법을 ~으로 찾다 从多方面寻找解决方法

다각-도(多角度) 명 多角度 duōjiǎodù; 各个角度 gègè jiǎodù; 多方面 duōfāngmiàn; 全方位 quánfāngwèi

다각도-로(多角度—) 부 = 여러모로 ¶~ 관찰하다 从各个角度观察 / ~ 고려하다 从多方面考虑

다각-적(多角—) 관명 多边 duōbiān; 多种 duōzhǒng; 多方面 duōfāngmiàn; 多种多样 duōzhǒngduōyàng ¶~인 활동 多方面的活动 / 경제를 ~으로 발전시키다 多方面发展经济

다각-형(多角形) 명 〖數〗 多边形 duōbiānxíng; 多角形 duōjiǎoxíng

다각-화(多角化) 명하타 多角化 duōjiǎohuà; 多种化 duōzhǒnghuà; 多样化 duōyànghuà ¶농업 경제의 ~ 农业经济的多样化

다갈-색 명 茶色 chásè; 茶褐色 cháhèsè; 黄褐色 huánghèsè

다감-하다 형 感情丰富 gǎnqíng fēngfù; 多情 duōqíng ¶그는 다감한 사람이다 他是感情丰富的人

-다고 접미 终结词尾 '다' 和表示引用的连接词尾 '고' 的合成形 ¶아이는 아버지가 오신~ 떠들어대며 마당으로 달려나갔다 孩子叫嚷着爸爸来了, 朝着院子跑了出去

다과(茶菓) 명 茶点 chádiǎn; 茶食 cháshí; 茶果 cháguǒ ¶손님들에게 ~를 대접하다 用茶点招待客人
다과-회(茶菓會) 명 茶话会 cháhuàhuì; 茶会 cháhuì
다구(茶具) 명 茶具 chájù
다-국적(多國籍) 명 跨国 kuàguó; 多国 duōguó ¶~ 자본 跨国资本 / ~군 多国部队 / ~ 기업 跨国公司
다그다 타 **1** 挪 nuó; 移 yí; 推 tuī ¶의자를 창 쪽으로 다가 두어라 把椅子挪到窗边 **2** 提前 tíqián ¶계획보다 하루 다가 끝내다 比计划提前一天完成
다그-치다 타 赶 gǎn; 加紧 jiājǐn; 督促 dūcù; 促进 cùjìn; 推进 tuījìn ¶그에게 그 일을 빨리 끝내라고 ~ 督促他赶快做完那件事儿
다극(多極) 명 多极 duōjí ¶~화 시대 多极化时代
다금-바리 명 〖魚〗 赤鲑 chìguī
다급-하다 형 急忙 jímáng; 紧急 jǐnjí; 急促 jícù; 匆忙 cōngmáng; 慌忙 huāngmáng = 박절하다2 ¶다급한 발자국 소리 急促的脚步声 / 그는 다급하게 집을 떠났다 他匆忙出门去了 / 상황이 ~ 情况紧急 **다급-히** 부
다기(茶器) 명 茶具 chájù
다-기능(多技能) 명 多功能 duōgōngnéng; 多技能 duōjìnéng ¶~ 전화기 多功能电话机
다난-하다(多難—) 형 多难 duōnàn; 困难重重 kùnnan chóngchóng ¶다난했던 한 해가 지나갔다 困难重重的一年过去了
다녀-가다 자타 来 lái; 去 qù; 到 dào ¶퇴근길에 잠깐 다녀갔다 下班的路上去了一趟
다녀-오다 자타 去了回来 qùle huílái; 回来 huílái; 走一趟 zǒu yītàng ¶고향에 ~ 回来一趟家乡 / 휴가를 ~ 度假回来
다년(多年) 명 多年 duōnián ¶~의 경험 多年的经验
다년-간(多年間) 명부 多年 duōnián ¶~의 노력 多年的努力
다년-생(多年生) 명 〖植〗 = 여러해살이 ¶~ 식물 多年生植物
-다니 어미 表示意外、惊叹 ¶그가 여기에 오~! 他到这里来啦!
다니다 자타 **1** 上 shàng; 常去 chángqù 《经常去某一特定地方》 ¶병원에 ~ 上医院 / 너는 어느 미용실에 다니니? 你常去哪家发廊? **2** 在…工作 zài…gōngzuò; 在…学习 zài…xuéxí; 上班 shàngbān; 上学 shàngxué ¶그녀의 딸은 대기업에 다닌다 她的女儿在大企业工作 **3** (到处) 去 qù ¶전국으로 구경을 ~ 去全国各地旅游 **4** 过往 guòwǎng; 来回 láihuí; 经过 jīngguò; 走 zǒu ¶나는 늘 이 길로 다닌다 我常走这条路 **5** 通 tōng; 通行 tōngxíng ¶폭설이 오면 그 길로는 차가 다닐 수 없다 下大雪时, 那条路就不能通车了
다다르다 자 **1** 抵达 dǐdá; 到 dào; 到达 dàodá ¶버스가 정류장에 다다랐다 公共汽车到站了 **2** 达到 dádào; 到达 dàodá ¶높은 수준에 ~ 达到高水平
다다-익선(多多益善) 명 多多益善 duōduō yìshàn
다닥-다닥 부하형 **1** 簇簇 cùcù; 满满; 累累 léiléi; 密密麻麻 mìmimámá ¶감나무에 커다란 감이 ~ 붙었다 柿子树上挂满了累累硕果 / 얼굴에 주근깨가 ~하다 脸上长满了雀斑 **2** 补丁摞补丁 bǔding luò bǔding ¶~ 기운 옷 补丁摞补丁补好的衣服
다-단계(多段階) 명 多阶段 duōjiēduàn; 多级 duōjí; 多层次 duōcéngcì
다단계 판매(多段階販賣) 〖經〗 传销 chuánxiāo; 多层次直销 duōcéngcì zhíxiāo
다단-하다(多端—) 형 多端 duōduān ¶사건이 복잡하고 ~ 事情复杂多端
다달-이 부 每月 měiyuè; 每个月 měige yuè; 月月 yuèyuè = 매달㊁ · 매월㊁ ¶생산량이 ~ 증가하다 产量月月增加
다당-류(多糖類) 명 〖化〗 多糖 duōtáng; 多聚糖 duōjùtáng; 多糖类 duōtánglèi; 多聚糖类 duōjùtánglèi
다대기(←일tata[叩]ki) 명 辣椒调料 làjiāo tiáoliào
다도(茶道) 명 茶道 chádào ¶~를 연구하다 研究茶道
다도-해(多島海) 명 〖地理〗 多岛海 duōdǎohǎi
다독(多讀) 명하타 多读 duōdú ¶소설을 ~하다 多读小说
다독-거리다 타 (轻轻) 拍压 pāiyā; 拍打 pāida = 다독대다 ¶아기가 칭얼댈 때는 살살 다독거리면서 달래 주어라 小孩子哭闹的时候, 要轻轻拍打哄哄他 **다독-다독** 부하타
다독-이다 타 (轻轻) 拍压 pāiyā; 拍打 pāida
다-되다 형 完蛋 wándàn; 垮台 kuǎtái; 垮掉 kuǎdiào ¶다된 집안 垮掉的家门
다듬다 타 **1** 抿 mǐn; 修 xiū ¶머리를 ~ 抿头发 / 손톱을 ~ 修指甲 **2** 择 zhái ¶파를 ~ 择葱 **3** 修整 xiūzhěng; 研磨 yánmó; 打磨 dǎmó; 铺平 pūpíng; 滚平 gǔnpíng **4** 推敲 tuīqiāo; 润色 rùnsè; 润饰 rùnshì; 琢磨 zhuómó ¶이 문장은 다시 다듬어야 한다 这篇文章还要再润色一下 **5** 捶平 chuípíng;

捶 chuí ¶옷을 ~ 捶衣服

다듬이 명하타 1 = 다듬잇감 2 = 다듬이질

다듬이-질 명하타 捶衣服 chuí yīfu; 捶平衣物 chuípíng yīwù = 다듬이2 ¶~을 하다 捶衣服

다듬잇-감 명 待捶的衣物 dài chuíde yīwù = 다듬이1

다듬잇-돌 명 (捶平衣物时垫在下面的) 捶布石 chuíbùshí; 砧石 zhēnshí

다듬잇-방망이 명 棒槌 bàngchui

다락 명【建】阁楼 gélóu = 다락방1

다락-방(一房) 명 1 = 다락 2 阁楼房 gélóufáng

다람-쥐 명【動】松鼠 sōngshǔ; 栗鼠 lìshǔ

다람쥐 쳇바퀴 돌듯 속담 松树走筛框一样

다:랍다 형 1 肮脏 āngzāng ¶다라운 환경을 개선하다 改善肮脏的环境 2 小气 xiǎoqi; 吝啬 lìnsè ¶다라운 인간 小气的人

다랑어(一魚) 명【魚】= 참다랑어

다래 명 1【植】= 다래나무 2 猕猴桃 míhóutáo 3 棉桃 miántáo

다래끼 명【醫】针眼 zhēnyan; 睑腺炎 jiǎnxiànyán; 麦粒肿 màilìzhǒng ¶~가 나다 长了针眼

다래-나무 명【植】猕猴桃树 míhóutáoshù = 다래1

다량(多量) 명 大量 dàliàng; 多量 duōliàng ¶물품을 ~으로 구입하다 大量购进物品

다루다 타 1 经营 jīngyíng; 经管 jīngguǎn; 管理 guǎnlǐ; 掌管 zhǎngguǎn; 管 guǎn ¶무역 업무를 ~ 经营贸易业务 2 操纵 cāozòng; 操作 cāozuò; 使用 shǐyòng; 演奏 yǎnzòu ¶기계를 ~ 操作机器 / 악기를 ~ 演奏乐器 3 对待 duìdài; 对付 duìfu; 管教 guǎnjiào ¶아이들을 엄격히 ~ 孩子管教得很严

다르다 형 1 不同 bùtóng; 不一样 bùyīyàng; 异 yì; 殊 shū; 歧 qí ¶서로 다른 관점 彼此不同的观点 2 不同凡响 bùtóngfánxiǎng; 不一样 bùyīyàng; 与众不同 yǔzhòngbùtóng ¶고장 난 문을 감쪽같이 고치다니 기술자는 역시 다르구나 把坏了的门修得完好如初, 技术员果然不同凡响

다른 관 别 bié; 别的 biéde; 其他 qítā; 另外的 lìngwàide; 其他的 qítāde = 딴[2] ¶~ 사람에게 자리를 양보하다 给别人让座 / 그녀는 ~ 여자들과 다르다 她跟别的女人不一样

다름-없다 형 一样 yīyàng; 无异 wúyì; 没有两样 méiyǒu liǎngyàng; 没有区别 méiyǒu qūbié ¶그런 짓은 동물과 ~ 那种行径和动物没有区别 **다름없-이** 부 ¶그는 평소와 ~ 일하고 있다 他和平时一样工作

다리[1] 명 1 (人或动物的) 腿 tuǐ ¶~털 腿毛 / ~통 腿围 / 그는 ~가 매우 길다 他腿很长 / ~에 갑자기 쥐가 났다 腿突然抽筋了 2 (物体的) 腿 tuǐ ¶내 의자는 ~ 하나가 망가졌다 我椅子的一个腿坏了

다리[2] 명 1 桥 qiáo; 桥梁 qiáoliáng; 大桥 dàqiáo ¶~ 난간 桥梁栏杆 / ~를 건너다 过桥 / 세 개의 ~를 놓다 搭三座桥 2 (两个事物或两个人之间的) 桥 qiáo; 桥梁 qiáoliáng ¶~ 역할 桥梁作用

다리다 타 熨 yùn; 烫 tàng ¶남편에게 셔츠를 다려 주다 给老公熨衬衫

다리미 명 熨斗 yùndǒu ¶~로 옷을 다리다 用熨斗熨衣服

다리미-질 명하타 熨 yùn

다리미-판(一板) 명 熨衣板 yùnyībǎn

다리-뼈 명【生】下肢骨 xiàzhīgǔ

다림-질 명하타 '다리미질' 的略词

다림-판(一板) 명 '다리미판' 的略词

다릿-심 명 腿力 tuǐlì; 腿劲儿 tuǐjìnr

다:만 부 1 只 zhǐ; 只是 zhǐshì; 但 dàn; 单 dān; 仅 jǐn; 仅仅 jǐnjǐn; 光 guāng; 独 dú; 就 jiù = 단지(但只) ¶~ 이것뿐이냐? 只有这么一点? / 내게 있는 것은 ~ 동전 한 닢뿐이다 我身边仅有一分钱 2 至少 zhìshǎo; 少算 shǎosuàn ¶공부를 잘하려면 ~ 책이라도 충분히 볼 수 있어야 할 것이 아닌가 要想学习好, 至少有足够的书能看呀

다망(多忙) 명하형 繁忙 fánmáng; 忙碌 mánglù ¶~한 한 해가 지나갔다 忙碌的一年过去了

다모-작(多毛作) 명하자【農】复种 fùzhòng; 一年多茬栽培 yīnián duōchá zāipéi; 一年多茬种植 yīnián duōchá zhòngzhí

다목-적(多目的) 명 多目的 duōmùdì; 多用途 duōyòngtú; 多功能 duōgōngnéng ¶~ 댐 多用途水坝 / 이것은 ~으로 건설된 댐이다 这是作为多用途而建成的水坝

다물다 타 闭 bì ¶입을 ~ 闭嘴

다-민족(多民族) 명 多民族 duōmínzú ¶~ 국가 多民族国家

다반-사(茶飯事) 명 家常便饭 jiāchángbiànfàn; 家常饭 jiāchángfàn = 일상다반사 ¶결근을 ~로 하다 把缺勤当成家常便饭

다발 명 1 束 shù; 捆 kǔn ¶꽃~ 花束 / 수수깡 ~ 秫秸捆 2 束 shù; 捆 kǔn ¶꽃 한 ~ 一束花 / 시금치 두 ~ 两捆菠菜

다발(多發) 명하자 1 多发 duōfā ¶이

곳은 사고 ~ 지역이다 这里是事故多发地段 **2** 多引擎 duōyǐnqíng

다발-성(多發性) 명 多发性 duōfāxìng ¶~ 신경염 多发性神经炎

다방(茶房) 명 茶馆 cháguǎn; 咖啡馆 kāfēiguǎn

다-방면(多方面) 명 多方面 duōfāngmiàn ¶~의 지식 多方面的知识

다방면-적(多方面的) 관명 多方面(的) duōfāngmiàn(de) ¶~으로 연구하다 从多方面的研究

다변(多辯) 명하형 多辩 duōbiàn; 善辩 shànbiàn; 能说会道 néngshuōhuìdào; 能言善辩 néngyánshànbiàn ¶~한 여자 能言善辩的女人

다변(多變) 명하형 多变 duōbiàn ¶~하는 국내 상황 多变的国内状况

다변-화(多邊化) 명하자타 多边化 duōbiānhuà ¶~ 추세 多边化趋势

다복(多福) 명하형 有福气 yǒu fúqi; 多福 duōfú ¶~한 가정 有福气的家庭

다부지다 형 **1** 精明强干 jīngmíngqiánggàn ¶그는 일 하나는 다부지게 잘한다 他做事精明强干 **2** 健壮 jiànzhuàng; 结实 jiēshi ¶키는 작아도 몸은 ~ 个子不高, 但身体很结实

다분-하다(多分—) 형 很多 hěn duō; 较多 jiào duō; 很高 hěn gāo ¶그 아이는 성공할 가능성이 ~ 那个孩子有很多成功的可能性 **다분-히** 부 ¶그럴 가능성이 ~ 있다 这种可能性很高

다사-다난(多事多難) 명하형 多灾多难 duōzāiduōnàn; 多事 duōshì ¶~했던 한 해 多灾多难的一年

다산(多産) 명하타 **1** 多产 duōchǎn; 多生育 duōshēngyù ¶~성 동물 多产性动物 **2** 多生产 duōshēngchǎn

다색(多色) 명 多色 duōsè; 各种颜色 gèzhǒng yánsè ¶~ 인쇄 多色印刷

다섯 수관 五 wǔ; 五个 wǔge ¶~ 명의 아이 五个孩子 / ~ 가지 방법 五个方法 / 우리 집은 식구가 ~이다 我家有五口人

다섯-째 수관명 第五 dìwǔ; 第五个 dìwǔge ¶~ 아들 第五个儿子 / ~ 줄에 서다 排在第五队里

다-세대(多世帶) 명 多户 duōhù

다-세포(多細胞) 명 〖生〗 多细胞 duōxìbāo ¶~ 생물 多细胞生物 / ~ 식물 多细胞植物

다소(多少) ㊀명 多少 duōshǎo ¶~를 불문하고 있는 대로 가져와라 不管多少, 都拿来吧 ㊁부 多少 duōshǎo; 稍微 shāowēi; 若干 ruògān; 稍为 shāowéi; 稍稍 shāoshāo ¶~ 좋은 점이 있다 多少有些优点 / ~ 배울 바가 있다 稍为有些值得学习的地方

다소-간(多少間) ㊀명 多少 duōshǎo; 若干 ruògān ¶~의 의견 차이 多少意见差别 ㊁부 多少 duōshǎo; 若干 ruògān ¶그를 보고 ~ 실망했다 看到他, 多少有些失望

다소곳-이 부 低着头 dīzhe tóu; 低头不语 dītóu bùyǔ; 俯首无言 fǔshǒu wúyán ¶무릎에 두 손을 얹고 ~ 앉아 있다 双手放着膝盖上低着头坐着

다소곳-하다 형 低着头 dīzhe tóu; 低头不语 dītóu bùyǔ ¶그곳에 다소곳한 모습으로 앉아 있다 坐在那里, 摆出一副低头不语的姿态

다수(多數) 명하형히부 多数 duōshù ¶~당 多数党 / ~의 의견에 따르다 遵照多数的意见

다수-결(多數決) 명 多数决 duōshùjué; 多数决定 duōshù juédìng ¶~의 원칙 多数决原则 =[多数规则]

다-수확(多收穫) 명 高产 gāochǎn; 丰产 fēngchǎn; 丰收 fēngshōu ¶~ 작물 高产作物

다스(일dâsu) 의명 打 dá ¶연필 한 ~ 一打铅笔

다스리다 타 **1** 治 zhì; 统治 tǒngzhì; 治理 zhìlǐ; 掌管 zhǎngguǎn ¶나라를 ~ 治理国家 / 가정을 ~ 掌管家庭 **2** 惩治 chéngzhì ¶죄인을 ~ 惩治罪犯 **3** 治疗 zhìliáo; 治 zhì ¶병을 ~ 治疗疾病 **4** 镇定 zhèndìng; 镇静 zhènjìng ¶감정을 ~ 神色镇定

다슬기 명 〖貝〗 川蜷 chuānquán; 放逸短沟蜷 fàngyìduǎngōuquán

다습(多濕) 명하형 多湿 duōshī ¶~한 기후 多湿的气候

다시 부 再 zài; 又 yòu; 再次 zàicì; 再度 zàidù; 重新 chóngxīn ¶~ 시작하다 重新开始 / ~ 한번 설명하다 再说明一次 / ~는 그녀를 보고 싶지 않다 再也不想见到她了

다시-금 부 '다시' 的强调语

다시다 타 **1** 咂 zā; 舔 tiǎn; 吧嗒 bāda ¶입맛을 ~ 咂嘴 **2** 吃 chī ¶하루 종일 일하느라고 아무것도 다시지 못했다 干了一天活, 什么也没吃

다시마 명 〖植〗 海带 hǎidài; 昆布 kūnbù ¶~튀각 油炸海带

다시-없다 형 无比 wúbǐ; 无上 wúshàng; 无限 wúxiàn ¶다시없는 영광 无上的光荣 / 다시없는 기회 无比的机会 **다시없-이** 부

-다시피 어미 在用言词干的后, 表示'和…一样'的意思 ¶회사에서 살~ 하다 和住在公司里一样

다식(多識) 명하형 多识 duōshí; 多闻 duōwén; 学识渊博 xuéshíyuānbó ¶그는 매우 ~하여 모르는 것이 없다 他学识渊博, 没有不知道的东西

다신-교(多神教) 명 〖宗〗 多神教 duō-

shēnjiào
다양-성(多樣性) 명 多样性 duōyàngxìng
다양-하다(多樣—) 형 多样 duōyàng; 多种 duōzhǒng; 多种多样 duōzhǒngduōyàng ¶다양한 내용 多种多样的内容 / 다양한 색깔로 그린 그림 用多种颜色绘制的图画
다양-화(多樣化) 명 多样化 duōyànghuà
다:오 보통 微敬阶命令式, 用于第一人称, 表示'给我吧' ¶그 책을 이리 좀 ~ 把那本书给我吧
다-용도(多用途) 명 多用途 duōyòngtú ¶~ 칼 多用途刀 / ~ 보관함 多用途保管盒
다운(down) 명하자타 1 向下 xiàng xià; 下去 xiàqù; 降低 jiàngdī; 降下 jiàngxià ¶가격을 ~시키다 降低价格 2 【體】 击倒 jīdǎo; 打倒 dǎdǎo 3 【컴】 死机 sǐjī; 停机 tíngjī
다운로드(download) 명하타 【컴】 下载 xiàzài
다운-재킷(down jacket) 명 羽绒夹克 yǔróng jiākè; 羽绒服 yǔróngfú
다운 증후군(Down症候群) 【醫】 唐氏综合症 Tángshì zōnghézhèng; 唐氏综合征 Tángshì zōnghézhēng; 先天愚型 xiāntiānyúxíng
다운타운(downtown) 명 市区 shìqū
다원(多元) 명 多元 duōyuán ¶~론 多元论 / ~ 방송 多元广播 / ~ 방정식 多元方程 / ~주의 多元主义 / ~화 多元化
다육(多肉) 명하형 多肉 duōròu ¶~ 식물 多肉植物
다음 명 1 (顺序的) 下 xià; 下个 xiàge; 下次 xiàcì; 其次 qícì; 下回 xiàhuí; 第二 dì'èr ¶~ 주 下周 / ~ 달 下个月 / ~날 第二天 / ~ 역 下一站 2 以后 yǐhòu; 之后 zhīhòu; 然后 ránhòu ¶일이 끝난 ~에 만나자 工作结束以后, 见个面吧 3 往后 wǎnghòu; 回头 huítóu; 下次 xiàcì; 下回 xiàhuí ¶~에 또 봅시다 回头再见 4 下面 xiàmiàn; 下列 xiàliè ¶~을 읽고 묻는 말에 답하시오 读下面, 回答问题
다음-가다 자 次于 cìyú; 次等 cìděng; 仅次于 jǐncìyú ¶사장 다음가는 지위 仅次于经理的地位
다음-날 명 第二天 dì'èrtiān; 次日 cìrì; 翌日 yìrì ¶~ 다시 오세요 请第二天再来
다음-번(—番) 명 下次 xiàcì
다의(多義) 명하형 多义 duōyì ¶~어 多义词
다이내믹-하다(dynamic—) 형 有活力 yǒu huólì; 有生气 yǒu shēngqì; 生动 shēngdòng
다이너마이트(dynamite) 명 【化】 炸药 zhàyào
다이빙(diving) 명하자 【體】 跳水 tiàoshuǐ = 다이빙 경기 ¶~ 선수 跳水运动员
다이빙 경기(diving競技) 【體】 = 다이빙
다이빙-대(diving臺) 명 【體】 跳台 tiàotái
다이아(←diamond) 명 【鑛】 = 금강석
다이아몬드(diamond) 명 1 【鑛】 = 금강석 ¶~ 반지 钻石戒指 2 【體】 (纸牌的) 方块 fāngkuài
다이어리(diary) 명 1 日记簿 rìjìbù 2 = 일기장
다이어트(diet) 명 减肥 jiǎnféi ¶~ 식단 减肥食谱 / ~ 약 减肥药 / ~ 식품 减肥食品 / 나는 지금 ~ 중이다 我正在减肥中
다이얼(dial) 명 1 (电话机的) 拨号盘 bōhàopán ¶전화의 ~ 电话的拨号盘 2 (各种仪器的) 度盘 dùpán; 标度盘 biāodùpán ¶라디오의 ~을 돌리다 旋转收音机的标度盘
다이옥신(dioxine) 명 【化】 二恶英 èr'èyīng
다작(多作) 명하타 1 多作 duōzuò 2 多产 duōchǎn; 高产 gāochǎn
다잡다 타 1 紧抓 jǐnzhuā; 紧握 jǐnwò ¶총대를 ~ 紧握枪杆 2 管束 guǎnshù; 控制 kòngzhì ¶그의 부모님은 그를 어린애처럼 다잡는다 他父母像管小孩那样管束他 3 定 dìng; 安定 āndìng; 镇定 zhèndìng; 镇静 zhènjìng ¶마음을 다잡고 공부를 시작하다 定下心来开始学习
다재-다능(多才多能) 명하형 多才多艺 duōcáiduōyì ¶여러 방면에 ~한 사람 在多个方面多才多艺的人
다정(多情) 명하형히부 多情 duōqíng; 情深 qíngshēn; 热情 rèqíng; 亲切 qīnqiè ¶~한 사람 多情的人 / ~히 그를 바라보다 情深地望着他
다정-다감(多情多感) 명하형히부 多情善感 duōqíngshàngǎn; 多情多感 duōqíngduōgǎn; 富有感情 fùyǒu gǎnqíng; 感情丰富 gǎnqíng fēngfù ¶그 여자는 정말 ~하다 那个女人实在感情丰富
다종(多種) 명하형 多种 duōzhǒng ¶~의 방식 多种方式
다종-다양(多種多樣) 명하형 多种多样 duōzhǒngduōyàng; 各种各样 gèzhǒnggèyàng ¶~한 선물을 받다 收到多种多样的礼物
다중(多衆) 명 很多人 hěn duō rén; 众人 zhòngrén; 多众 duōzhòng

다중 방:송(多重放送) 〖電〗 多通道广播 duōtōngdào guǎngbō
다지다 타 1 打 dǎ; 轧 yà; 夯 hāng; 压 yā ¶집의 터를 ~ 打房子地基 / 땅을 ~ 轧地 2 加强 jiāqiáng; 巩固 gǒnggù ¶기반을 ~ 巩固基础 3 下 xià; 下定 xiàdìng; 坚定 jiāndìng; 立 lì ¶결의를 ~ 下决心 / 마음을 다져 먹다 心意下定 4 叮嘱 dīngzhǔ ¶꼭 오라고 몇 번씩 ~ 再三叮嘱一定要来 5 剁 duò; 捣 dǎo ¶고기를 ~ 剁肉 / 마늘을 ~ 捣蒜
다짐 명하자타 1 保证 bǎozhèng ¶~을 받다 得到保证 2 决心 juéxīn ¶내일부터 열심히 공부하겠다고 ~을 하다 下定决心从明天开始努力学习
다짜-고짜 부 = 다짜고짜로
다짜고짜-로 부 不管三七二十一 bùguǎn sān qī èrshíyī; 不分青红皂白 bùfēn qīnghóngzàobái; 不由分说 bùyóufēnshuō = 다짜고짜 ¶들어오자마자 ~ 그를 한바탕 꾸짖었다 一进门, 就不分青红皂白地把他教训了一顿
다채-롭다(多彩—) 형 精彩 jīngcǎi; 丰富多彩 fēngfù duōcǎi = 컬러풀하다 ¶다채로운 축하 행사 精彩的庆典活动 **다채로이** 부
다처-제(多妻制) 명 = 일부다처제
다층(多層) 명 多层 duōcéng ¶~ 구조 多层结构 / ~ 건물 多层建物
다치다 자타 1 (身体) 受伤 shòushāng; 伤 shāng; 伤害 shānghài ¶칼에 손을 다쳤다 被刀伤了手 2 (把心情、体面等) 伤 shāng; 伤害 shānghài; 害 hài; 惹 rě; 打扰 dǎrǎo ¶그 사람은 다치지 마라 不要惹他
다큐멘터리(documentary) 명 〖演〗 纪实 jìshí; 实录 shílù; 纪录 jìlù ¶~ 채널 纪录频道 / ~영화 纪录片
다크-호스(dark horse) 명 黑马 hēimǎ ¶그 분야의 ~ 那个领域的黑马
다투다 자타 1 争 zhēng; 竞争 jìngzhēng; 争夺 zhēngduó ¶승부를 ~ 争胜负 / 우승을 ~ 争夺优胜 / 순위를 ~ 争夺名次 2 争吵 zhēngchǎo; 争执 zhēngzhí; 争嘴 zhēngzuǐ; 闹气 nàoqì; 闹别扭 nào bièniu ¶언성을 높여 ~ 提高嗓门争吵 3 争辩 zhēngbiàn ¶그 문제에 대하여 다툴 여지가 없다 对于那个问题, 没有争辩的余地
다툼 명하자타 斗争 dòuzhēng; 争斗 zhēngdòu; 吵嘴 chǎozuǐ; 争吵 zhēngchǎo ¶권력 ~을 하다 进行权利斗争
다트[1](dart) 명 〖手工〗 缝褶 féngzhě
다트[2](dart) 명 〖體〗 飞镖 fēibiāo ¶~ 게임 飞镖游戏 / ~ 놀이를 하다 玩飞镖
다:-하다 一자 尽 jìn; 竭尽 jiéjìn ¶힘이 ~ 力尽 二타 1 结束 jiéshù; 完成 wánchéng; 干完 gànwán; 做完 zuòwán; 完毕 wánbì ¶일을 ~ 结束工作 / 임무를 ~ 完成任务 2 尽 jìn; 竭尽 jiéjìn; 尽力 jìnlì; 竭力 jiélì ¶책임을 ~ 尽责 / 최선을 ~ 竭尽所能 / 있는 힘을 ~ 尽一切力量
다한-증(多汗症) 명 〖醫〗 多汗症 duōhànzhèng
다행(多幸) 명하형히부 幸 xìng; 多幸 duōxìng; 侥幸 jiǎoxìng; 大幸 dàxìng; 幸亏 xìngkuī; 幸运 xìngyùn ¶불행 중 ~이다 不幸中的大幸
다행-스럽다(多幸—) 형 侥幸 jiǎoxìng; 幸亏 xìngkuī; 幸运 xìngyùn; 欣幸 xīnxìng ¶무사히 도착하다니 정말 ~ 平安达到, 真是侥幸 **다행스레** 부
다혈-질(多血質) 명 〖心〗 多血质 duōxuèzhì; 活泼型 huópoxìng ¶~의 성격 多血质性格
다홍(—紅) 명 深红 shēnhóng ¶~색 深红色 / ~치마 深红裙子 =[深红裙]
닥 명 〖植〗 = 닥나무 ¶~종이 楮纸
닥-나무 명 〖植〗 构 gòu; 构树 gòushù; 楮 chǔ = 닥
닥지-닥지 부하형 (尘垢) 厚厚 hòuhòu ¶때가 ~ 낀 손 积满厚厚污垢的手
닥쳐-오다 자 临近 línjìn; 迫近 pòjìn; 降临 jiànglín; 临头 líntóu; 遇到 yùdào; 来到 láidào ¶시험 날짜가 ~ 考试日期临近 / 위험이 ~ 危险临头
닥치다[1] 자 1 面临 miànlín; 来临 láilín; 临近 línjìn; 迫近 pòjìn; 迫 pò; 遇到 yùdào ¶시련이 ~ 面临考验 / 위험이 눈앞에 ~ 危险迫在眉睫 2 抓到 zhuādào ¶물건을 닥치는 대로 집어 던지다 抓到什么扔什么
닥치다[2] 타 闭嘴 bìzuǐ; 住口 zhùkǒu; 住嘴 zhùzuǐ ¶제발 입 좀 닥쳐 줄래? 你给我闭嘴好不好?
닦다 타 1 擦 cā; 拭 shì; 擦拭 cāshì ¶책상을 ~ 擦拭桌子 / 땀을 ~ 擦汗 2 刷 shuā; 抹 mǒ ¶이를 ~ 刷牙 3 奠定 diàndìng; 打 dǎ ¶발전의 기초를 ~ 奠定发展的基础 4 修 xiū; 修筑 xiūzhù ¶길을 ~ 修路 5 钻研 zuānyán; 琢磨 zhuómó; 修炼 xiūliàn ¶학문을 ~ 钻研学问 / 마음을 ~ 修炼心灵
닦달 명하자타 1 训斥 xùnchì; 责备 zébèi; 责骂 zémà ¶그를 심하게 ~하다 严厉地训斥他 2 修整 xiūzhěng; 收拾 shōushi ¶책상을 ~하다 修整桌子
닦아-세우다 타 训斥 xùnchì; 责备 zébèi; 责骂 zémà ¶다시는 거짓말을 하지 말라고 ~ 训斥说再也不许说谎了
닦-이다 자 '닦다' 的被动词 ¶깨끗이

닦인 유리창 擦得干干净净的玻璃窗
단:¹ 명 **1** 捆(儿) kǔn(r); 把(儿) bǎ(r); 束 shù ¶~을 묶다 捆成捆儿 **2** 捆(儿) kǔn(r) ¶볏짚 한 ~ 一捆稻草 / 시금치 두 ~ 两捆菠菜
단:² 명 = 옷단
단:(但) 부 但是 dànshì; 但 dàn
단(段) 一명 **1** (印刷物的) 段 duàn; 段落 duànluò ¶~을 나누다 分段 **2** (运动的) 段 duàn ¶~을 따다 升段 / 그는 바둑이 3~이다 他是围棋三段 **3** 阶段 jiēduàn; 阶梯 jiētī; 台阶 táijiē ¶~이 높다 阶梯很高 **4** 级 jí; 个 gè ¶계단을 한 번에 두 ~씩 뛰다 一步跨两个台阶 二의명 (车的) 挡 dǎng ¶기어를 1~에 넣다 齿轮调到一挡
단(單) 관 只 zhǐ; 只有 zhǐyǒu; 仅 jǐn ¶~ 한 사람 只有一个人 / ~ 한 번 只一次
단(壇) 명 **1** 台 tái; 坛 tán **2** 祭坛 jìtán
단-(短) 접두 短 duǎn ¶~거리 短距离 / ~기간 短期
단-(單) 접두 单 dān ¶~세포 单细胞
-단(團) 접미 团 tuán; 队 duì ¶대표~ 代表团 / 관광~ 旅游团
단가(單價) 명 单价 dānjià; 价格 jiàgé ¶~표 单价标 / ~를 매기다 定单价 / ~가 높다 单价高 / ~를 조정하다 调整单价
단-감 명 〖植〗 甜柿子 tiánshìzi; 甜柿 tiánshì
단감-나무 명 〖植〗 甜柿 tiánshì; 甘柿子树 gānshìzishù; 甜柿树 tiánshìshù
단:-거리(短距離) 명 短距离 duǎnjùlí; 短程 duǎnchéng; 短距 duǎnjù ¶~ 노선 短距离路线 / ~ 경주 短距离赛跑 =[短跑] / ~ 선수 短距离运动员 =[短跑运动员]
단걸음-에(單—) 부 = 단숨에
단:검(短劍) 명 短剑 duǎnjiàn ¶~을 휘두르다 挥舞短剑
단-것 명 甜食 tiánshí
단결(團結) 명하자 团结 tuánjié = 단합 ¶~력 团结力 =[团结力量] / ~심 团结心 / ~의 힘 团结的力量
단계(段階) 명 阶段 jiēduàn ¶준비 ~ 筹备阶段 / 마무리 ~에 이르다 进入收尾阶段
단계-적(段階的) 관명 阶段性 jiēduànxìng; 分阶段 fēn jiēduàn ¶일을 ~으로 하다 工作分阶段进行
단골 명 **1** 熟铺子 shúpùzi; 常去 chángqù = 단골집 **2** = 단골손님 ¶그녀는 그 집의 ~이다 她是那家店的熟客
단골-손님 명 老主顾 lǎozhǔgù; 熟客 shúkè = 단골2
단골-집 명 = 단골1
단과(單科) 명 单科 dānkē ¶~ 학원 单科补习班
단과 대:학(單科大學) 〖教〗 学院 xuéyuàn; 单科大学 dānkē dàxué; 专科大学 zhuānkē dàxué = 대학2
단:교(斷交) 명하자 断交 duànjiāo; 绝交 juéjiāo ¶~를 선포하다 宣布断交
단구(段丘) 명 〖地理〗 阶地 jiēdì ¶해안 ~ 海岸阶地
단궤(單軌) 명 〖交〗 单轨 dānguǐ ¶~ 철도 单轨铁路 =[轨铁道]
단:기(短期) 명 = 단기간 ¶~ 연수 短期进修
단:-기간(短期間) 명 短期 duǎnqī; 短期间 duǎnqījiān = 단기 ¶공사가 ~에 끝났다 工程在短期内完成
단:기-적(短期的) 관명 短期(的) duǎnqī(de) ¶~ 목표 短期目标 / ~ 투자 短期投资
단-꿈 명 甜梦 tiánmèng; 美梦 měimèng ¶~을 꾸다 做美梦
단-내¹ 명 甜味儿 tiánwèir
단:-내² 명 **1** 焦味 jiāowèi ¶솥에서 ~가 났다 锅里发出了焦味 **2** (鼻子里出来的) 热气 rèqì ¶어찌나 급히 달렸는지 코에서 ~가 난다 跑得太快, 鼻子里都冒出了热气
단:념(斷念) 명하타 断念 duànniàn; 死心 sǐxīn; 打消念头 dǎxiāo niàntou ¶나는 그 일을 아직도 ~하지 않았다 对那件事, 我仍不死心
단단-하다 형 **1** 硬 yìng; 坚硬 jiānyìng; 坚固 jiāngù ¶단단한 바위 坚硬的岩石 / 땅이 ~ 地面坚固 **2** 结实 jiēshi ¶그는 몸이 매우 ~ 他身体很结实 / 단단하게 매다 捆得结实 **3** 紧 jǐn; 牢 láo ¶나사가 풀어지지 않도록 단단하게 조여라 螺丝拧紧点儿, 以防脱落 **4** 坚强 jiānqiáng; 坚决 jiānjué; 坚定 jiāndìng; 刚强 gāngqiáng ¶단단한 의지 坚定的意志 / 단단한 결심 坚定的决心 **5** 严重 yánzhòng; 厉害 lìhai ¶감기가 아주 단단하게 걸렸다 感冒很严重 **단단-히** 부
단당(單糖) 명 〖化〗 单糖 dāntáng
단당-류(單糖類) 명 〖化〗 单糖类 dāntánglèi
단:도(短刀) 명 短刀 duǎndāo
단도-직입(單刀直入) 명하자 单刀直入 dāndāozhírù; 直截了当 zhíjiéliǎodàng ¶~으로 말하다 直截了当地说
단도직입-적(單刀直入的) 관명 单刀直入 dāndāozhírù; 直截了当 zhíjiéliǎodàng ¶~인 질문 直截了当的质问 / ~으로 묻다 直截了当地问
단독(單獨) 명 单独 dāndú; 独自 dúzì; 单身 dānshēn; 独 dú ¶~범 单独犯 / ~ 인터뷰 单独采访 / ~으로 결정하다 单独决定

단독 주:택(單獨住宅) 〖建〗 独立式住宅 dúlìshì zhùzhái; 单独住宅 dāndú zhùzhái; 独立屋 dúlìwū; 独立住宅 dúlì zhùzhái

단-돈 명 一分钱 yīfēn qián; 一点钱 yīdiǎn qián ¶지금 나한테는 ~ 1원도 없다 现在我连一分钱都没有

단:두-대(斷頭臺) 명 断头台 duàntóutái; 斩头台 zhǎntóutái ¶~에 오르다 上断头台

단-둘 명 只有两个人 zhǐyǒu liǎngge rén; 只两个人 zhǐ liǎngge rén ¶우리 ~만 아는 비밀 只有我们两个人知道的秘密

단락(段落) 명 **1** (事情的) 段落 duànluò ¶이번 일은 여기서 ~을 맺는다 这次的事到这里告一段落 **2** 〖語〗 (文章的) 段落 duànluò; 分段 fēnduàn; 段 duàn ¶이 글은 세 개의 ~으로 나눌 수 있다 这篇文章可以分成三段

단란-하다(團欒—) 형 幸福 xìngfú; 和睦 hémù; 愉快 yúkuài; 美好 měihǎo ¶단란한 가정 幸福的家庭 / 단란한 시간을 보내다 度过愉快的时光 **단란-히** 부

단련(鍛鍊) 명하타 **1** 炼 liàn; 锻炼 duànliàn; 磨砺 mólì; 砥砺 dǐlì ¶잘 ~된 쇠로 만든 낫 用炼好的铁做的镰刀 **2** 锻炼 duànliàn; 磨炼 móliàn ¶날마다 몸을 ~하다 每天锻炼身体

단리(單利) 명 〖經〗 单利 dānlì ¶~법 单利法

단막-극(單幕劇) 명 〖演〗 独幕剧 dúmùjù; 单幕剧 dānmùjù

단말(端末) 명 〖컴〗 **1** = 단말기 **2** 端口 duānkǒu

단말-기(端末機) 명 〖컴〗 终端 zhōngduān; 终端机 zhōngduānjī = 단말1

단:-말마(斷末摩) 명 **1** 垂死 chuísǐ; 临死 línsǐ; 临终 línzhōng ¶~적인 비명 垂死的惨叫 **2** 〖佛〗 断末魔 duànmòmó; 末魔 mòmó

단-맛 명 甜味 tiánwèi; 甘味 gānwèi; 甜头(儿) tiántou(r); 甜 tián

단면(斷面) 명 **1** 剖面 pōumiàn; 截面 jiémiàn; 断面 duànmiàn; 切面 qiēmiàn ¶지층의 ~ 地层的截面 **2** 片段 piànduàn ¶사회의 한 ~을 나타내다 表现社会的一个片段

단:면-도(斷面圖) 명 剖面图 pōumiàntú; 截面图 jiémiàntú; 断面图 duànmiàntú; 切面图 qiēmiàntú

단:-면적(斷面積) 명 截面积 jiémiànjī

단:명(短命) 명하형 短命 duǎnmìng ¶~한 사람 短命的人

단-모음(單母音) 명 〖語〗 单元音 dānyuányīn; 单母音 dānmǔyīn

단-무지 명 黄萝卜泡菜 huángluóbo pàocài; 黄萝卜 huángluóbo

단문(單文) 명 〖語〗 单句 dānjù = 홑문장

단:문(短文) 명하형 **1** 短句 duǎnjù; 短文 duǎnwén **2** 学识浅薄 xuéshíqiǎnbó

단-물 명 **1** = 민물 **2** 甜水 tiánshuǐ **3** 精华 jīnghuá ¶~만 빨아먹다 只吸取精华 **4** 〖化〗 = 연수(軟水)

단박 명 立刻 lìkè; 立即 lìjí; 一下子 yīxiàzi; 当场 dāngchǎng ¶범인을 ~에 알아보다 一下子认出罪犯

단발(單發) 명 **1** 一发 yīfā; 单发 dānfā ¶~에 명중시키다 一发命中 **2** 一次性 yīcìxìng **3** 单发 dānfā; 单引擎 dānyǐnqíng **4** 〖軍〗 = 단발총

단:발(短髮) 명 短发 duǎnfà

단:발(斷髮) 명하자 剪发 jiǎnfà; 剪头发 jiǎn tóufa; 理发 lǐfà ¶~령 剪发令 / ~머리 中短发

단발-성(單發性) 명 **1** 一次性 yīcìxìng **2** 〖醫〗 单发性 dānfāxìng

단발-총(單發銃) 명 〖軍〗 单发枪 dānfāqiāng = 단발(單發)4

단-밤 명 甜栗子 tiánlìzi; 甜栗 tiánlì = 감률1

단방(單放) 명 **1** 一枪 yīqiāng ¶~에 쏘아 맞히다 一枪命中 **2** = 단번

단:백(蛋白) 명 〖生〗 = 난백 ¶~뇨 蛋白尿

단:백-질(蛋白質) 명 〖生〗 蛋白质 dànbáizhì

단번(單番) 명부 一次 yīcì; 一下子 yīxiàzi = 단방2

단번-에(單番—) 부 一下子 yīxiàzi; 一次 yīcì ¶~ 맞히다 一次打中 / ~ 먹어 치우다 一下子吃光

단-벌(單—) 명 **1** 唯一的一套 wéiyīde yītào ¶~ 양복 唯一的一套西服 **2** 唯一的 wéiyīde; 独一无二的 dúyīwú'èrde

단-봇짐(單褓—) 명 简单行李 jiǎndān xíngli ¶~을 꾸려 집을 떠나다 收拾好简单行李离开家门

단봉-낙타(單峯駱駝) 명 〖動〗 单峰骆驼 dānfēng luòtuo; 单峰驼 dānfēngtuó

단-비 명 喜雨 xǐyǔ; 甘霖 gānlín; 甘雨 gānyǔ ¶~가 내리다 天降喜雨

단:산(斷産) 명하자 绝育 juéyù; 断产 duànchǎn; 不再生育 bùzài shēngyù

단상(壇上) 명 台(上) tái(shang); 主席台(上) zhǔxítái(shang); 讲台(上) jiǎngtái(shang); 讲坛(上) jiǎngtán(shang) ¶~에 오르다 走上讲台

단:상(斷想) 명하자 断想 duànxiǎng; 点滴感想 diǎndī gǎnxiǎng; 随想 suíxiǎng ¶생활의 ~ 生活断想 / ~을 종이에 적다 把随想记在纸上

단색(單色) 명 单色 dānsè; 单一色 dānyīsè; 单一颜色 dānyī yánsè ¶~광 单

色光 =[单光]/~ 인쇄 单色印刷/그림을 ~으로 그리다 画单色画/~ 옷을 입다 穿单色衣服

단:서(但書) 명 但书 dànshū; 附言 fùyán; 附条 fùtiáo; 附记 fùjì ¶계약서에 ~를 붙이다 在合同里附加附言

단서(端緖) 명 端绪 duānxù; 头绪 tóuxù; 线索 xiànsuǒ; 眉目 méimu; 门路 ménlu; 蛛丝马迹 zhūsīmǎjì ¶결정적인 ~ 决定性的线索/~를 남기다 留下蛛丝马迹

단선(單線) 명 = 외줄

단:선(斷線) 명하타 断线 duànxiàn

단선 궤도(單線軌道) 〖交〗 单轨 dānguǐ; 单线轨道 dānxiàn guǐdào

단성(單性) 명 〖生〗 单性 dānxìng ¶~ 생식 单性生殖

단-세포(單細胞) 명 **1** 〖生〗 = 단세포 생물 ¶~ 동물 单细胞动物/~ 식물 单细胞植物 **2** 单细胞 dānxìbāo ¶~ 같은 사고방식 单细胞的思维方式

단세포 생물(單細胞生物) 〖生〗 单细胞生物 dānxìbāo shēngwù; 单细胞 dānxìbāo = 단세포1

단:소(短簫) 명 〖音〗 短箫 duǎnxiāo ¶~를 불다 吹短箫

단속(團束) 명하타 **1** 取缔 qǔdì; 管制 guǎnzhì; 限制 xiànzhì; 拘管 jūguǎn; 检查 jiǎnchá ¶~ 규정 取缔规范/~반 取缔组/불량 제품을 ~하다 取缔不良产品/음주 운전에 대한 ~을 강화하다 加强对酒后驾驶的检查 **2** 管教 guǎnjiào; 管束 guǎnshù; 管 guǎn ¶부하 직원들을 ~하다 管束手下职员

단:속(斷續) 명하자타 断续 duànxù; 间续 jiànxù; 间歇 jiànxiē ¶~음 断续音

단:속-적(斷續的) 관명 间断(的) jiànduàn(de); 断续(的) duànxù(de) ¶~으로 들려오는 개 짖는 소리 断断续续传来的狗叫声

단수(段數) 명 (围棋、柔道等的) 段数 duànshù ¶유도의 ~ 柔道的段数/~가 높다 段数高

단수(單數) 명 **1** 单数 dānshù = 홑수1 ¶~와 복수 单数和复数 **2** 〖語〗 单数 dānshù ¶삼인칭 ~ 형태 第三人称单数形态

단:수(斷水) 명하타 停水 tíngshuǐ; 断水 duànshuǐ; 停止供水 tíngzhǐ gōngshuǐ

단수 여권(單數旅券) 〖法〗 一次性护照 yīcìxìng hùzhào

단순(單純) 명하형히부 单纯 dānchún; 单一 dānyī; 单 dān; 简单 jiǎndān ¶~ 개념 简单概念/~ 골절 单纯骨折/~ 노동 简单劳动/~한 생각 单纯的想法/~하게 생각하다 想得单纯

단-술 명 = 감주

단숨-에(單—) 부 一口气 yīkǒuqì; 一气(儿) yīqì(r); 一下子 yīxiàzi; 一股作气 yīgǔ zuòqì; 一鼓劲儿 yīgǔ jìnr = 단걸음에 ¶찬물 한 그릇을 ~들이켰다 一口气喝了一碗凉水

단:-시간(短時間) 명 短时间 duǎnshíjiān ¶이 일은 ~에 끝낼 수 없다 这件工作短时间内无法完成

단:-시일(短時日) 명 短时间 duǎnshíjiān ¶~에 완성하다 短时间内完成

단식(單式) 명 **1** 单式 dānshì; 简单形式 jiǎndān xíngshì **2** 〖體〗 = 단식 경기

단:식(斷食) 명 断食 duànshí; 绝食 juéshí ¶~ 투쟁 绝食斗争

단식 경:기(單式競技) 〖體〗 单打 dāndǎ; 单打赛 dāndǎsài; 单打比赛 dāndǎ bǐsài = 단식(單式)2 · 싱글3

단:식-법(斷食法) 명 〖醫〗 断食疗法 duànshí liáofǎ; 断食法 duànshífǎ; 绝食疗法 juéshí liáofǎ; 绝食法 juéshífǎ; 饥饿疗法 jī'é liáofǎ = 단식 요법

단:식 요법(斷食療法) 〖醫〗 = 단식법

단신(單身) 명 **1** = 홑몸 **2** 单身 dānshēn; 独身 dúshēn ¶외지에서 ~으로 살다 独身在外

단:신(短身) 명 小个子 xiǎogèzi; 小个儿 xiǎogèr; 矮个儿 ǎigèr; 矮个子 ǎigèzi

단:신(短信) 명 简讯 jiǎnxùn; 简报 jiǎnbào; 零讯 língxùn ¶스포츠 ~ 体育简讯

단심(丹心) 명 丹心 dānxīn; 诚心 chéngxīn

단아-하다(端雅—) 형 端雅 duānyǎ; 端装典雅 duānzhuāng diǎnyǎ ¶단아한 자세 端雅的姿态/용모가 ~ 容貌端雅

단:안(單眼) 명 **1** 独眼 dúyǎn **2** 〖動〗 单眼 dānyǎn

단:안(斷案) 명하타 **1** 判断 pànduàn; 断定 duàndìng ¶최후의 ~을 내리다 做出最后的判断 **2** 断案 duàn'àn

단:애(斷崖) 명 断崖 duànyá ¶험준한 ~ 险峻的断崖

단어(單語) 명 〖語〗 单词 dāncí; 词 cí = 낱말 ¶영어 ~ 英语单词/상용 ~ 常用单词/~를 외우다 背单词

단어-장(單語帳) 명 **1** 单词本 dāncíběn ¶영어 ~ 英语单词本 **2** = 단어집

단어-집(單語集) 명 单词书 dāncíshū = 단어장2

단:언(斷言) 명하타 断言 duànyán; 断语 duànyǔ; 断定 duàndìng ¶~을 내리다 下断言/그 문제는 ~할 수 없다 那个问题不能断言

단역(端役) 명 〖演〗 配角 pèijué = 엑

스트라 ¶～으로 출연하다 出演配角

단역 배우(端役俳優) 〖演〗 临时演员 línshí yǎnyuán

단:연(斷然) 부 断然 duànrán; 断乎 duànhū; 绝对 juéduì; 决然 juérán ＝ 단연코 ¶～ 앞서다 断然挺身而出

단:연-코(斷然—) 부 ＝ 단연

단:연-하다(斷然—) 형 断然 duànrán; 毅然决然 yìránjuérán ¶단연한 표정 断然的表情 **단:연-히** 부 ¶～ 거절하다 断然拒绝

단:열(斷熱) 명하자 〖物〗 绝热 juérè; 隔热 gérè ¶～ 효과 绝热效果 / ～ 공사 隔热工程

단:열-재(斷熱材) 명 〖建〗 绝热材料 juérè cáiliào; 隔热材料 gérè cáiliào

단엽(單葉) 명 〖植〗 单叶 dānyè

단엽-기(單葉機) 명 〖航〗 ＝ 단엽 비행기

단엽 비행기(單葉飛行機) 〖航〗 单翼机 dānyìjī; 单翼飞机 dānyì fēijī ＝ 단엽기

단오(端午) 명 〖民〗 端午 Duānwǔ; 端阳 Duānyáng; 端节 Duānjié; 端午节 Duānwǔjié ＝ 단옷날

단오-절(端午節) 명 〖民〗 端午节 Duānwǔjié; 端阳节 Duānyángjié

단옷-날(端午—) 명 〖民〗 ＝ 단오

단원(單元) 명 **1** 〖教〗 单元 dānyuán ¶～ 학습 单元学习 / 교과 ～ 授课单元 **2** 一元 yīyuán ＝ 일원(一元)1

단원(團員) 명 团员 tuányuán; 队员 duìyuán ¶합창단 ～ 合唱团团员 / ～을 뽑다 选拔团员

단위(單位) 명 单位 dānwèi ¶질량 ～ 质量单位 / ～ 면적 单位面积 / 일 개월 ～로 급여를 지급하다 以一个月为单位支付工资

단음(單音) 명 〖語〗 单音 dānyīn ＝ 홑소리

단:음(短音) 명 〖語〗 短音 duǎnyīn

단:음(斷音) 명하자 断音 duànyīn

단:음 기호(斷音記號) 〖音〗 ＝ 스타가토

단-음절(單音節) 명 〖語〗 单音节 dānyīnjié

단음절-어(單音節語) 명 〖語〗 单音词 dānyīncí; 单音节词 dānyīnjiécí

단일(單一) 명하형 单一 dānyī; 单 dān ¶～ 상품 单一商品 / ～ 후보 单一候选人 / ～ 경제 单一经济 / ～ 국가 单一国家 / ～ 민족 单一民族 / ～팀 单一队

단일-화(單一化) 명하자타 单一化 dānyīhuà; 统一 tǒngyī ¶후보 ～ 候选人单一化

단자(單子) 명 **1** 礼单 lǐdān ¶먼저 ～를 드리다 先送上礼单 **2** 单子 dānzi

단:자(短資) 명 〖經〗 拆款 chāikuǎn; 短期贷款资金 duǎnqī dàikuǎn zījīn

단자(端子) 명 〖電〗 端子 duānzi; 终端 zhōngduān ¶입력 ～ 输入端子 / ～를 꽂다 插入端子

단-잠 명 酣睡 hānshuì; 熟睡 shúshuì; 甜睡 tiánshuì ¶～에 빠지다 熟睡

단장(丹粧) 명하타 **1** 化装 huàzhuāng; 打扮 dǎban ¶～한 여자 化妆的女人 **2** 装饰 zhuāngshì ¶새롭게 ～한 집 装饰一新的房子

단:장(短杖) 명 短手杖 duǎnshǒuzhàng; 短拐棍儿 duǎnguǎigùnr; 文明棍儿 wénmínggùnr ¶～을 짚은 신사 拄着文明棍儿的绅士

단장(團長) 명 团长 tuánzhǎng ¶대표단 ～ 代表团团长 / 방문단 ～ 访问团团长

단장(斷腸) 명 断肠 duàncháng

단-적(端的) 관명 明显(的) míngxiǎn(de); 显然(的) xiǎnrán(de); 确凿(的) quèzáo(de) ¶～인 증거 确凿的证据 / ～인 예 明显的例子

단전(丹田) 명 丹田 dāntián

단:전(斷電) 명하자 断电 duàndiàn; 停电 tíngdiàn ¶～ 조치 停电措施 / ～으로 많은 불편을 겪다 因为停电, 遇到很多不便

단:절(斷絕) 명하타 断绝 duànjué; 中断 zhōngduàn; 断 duàn ¶국교를 ～하다 断绝外交关系 / 대화가 ～되다 对话中断

단:점(短點) 명 短处 duǎnchù; 缺点 quēdiǎn; 不足之处 bùzúzhīchù ¶～을 들추다 揭发短处 / ～을 고치다 改正缺点 / ～을 극복하다 克服缺点

단:정(斷定) 명하타 断定 duàndìng; 判定 pàndìng; 确定 quèdìng ¶그를 범인으로 ～하다 判定他是罪犯

단정-하다(端正—) 형 端正 duānzhèng ¶품행이 ～ 品行端正 **단정-히** 부 ¶태도를 ～ 하다 端正态度

단조(單調) 명하형 单调 dāndiào; 平板 píngbǎn; 无聊 wúliáo; 乏味 fáwèi ¶～한 생활 单调的生活 / ～한 무늬 单调的图案

단조(短調) 명 〖音〗 小调 xiǎodiào

단조-롭다(單調—) 형 单调 dāndiào; 平板 píngbǎn; 无聊 wúliáo; 乏味 fáwèi ¶단조로운 가락 平板的曲调 / 그는 단조로운 생활을 하고 있다 他过着单调的生活 **단조로이** 부

단:죄(斷罪) 명하자 判罪 pànzuì ¶～를 당하다 被判罪 / ～의 대상이 되다 成判罪的对象

단지 명 坛(儿) tán(r); 坛子 tánzi; 罐子 guànzi; 缸子 gāngzi ¶고추장 ～ 辣酱坛子

단:지(但只) 부 ＝ 다만1

단지(團地) 명 区 qū; 小区 xiǎoqū; 地基 dìjī; 园区 yuánqū ¶공업 ~ 工业园区 / 아파트 ~ 公寓小区
단-진자(單振子) 명 〖物〗单摆 dānbǎi
단-짝(單—) 명 挚友 zhìyǒu; 哥们儿 gēmenr; 哥儿们 gērmen; 哥俩儿 gēliǎr; 好朋友 hǎo péngyou ¶그들은 ~이다 他们是挚友
단청(丹靑) 명 丹青 dānqīng
단체(團體) 명 **1** 团体 tuántǐ; 组织 zǔzhī ¶이익 ~ 利益团体 / 민간 ~ 民间团体 **2** 集体 jítǐ ¶~ 사진 集体照片 / ~ 관람 集体观看 / ~상 集体奖 / ~전 集体赛 / ~ 행동 集体行动 / ~ 생활 集体生活
단추 명 **1** 纽扣(儿) niǔkòu(r); 扣子 kòuzi; 衣纽 yīniǔ; 纽子 niǔzi ¶~를 채우다 扣上纽扣 / ~를 달다 钉扣子 / ~가 떨어졌다 扣子掉了 **2** 按钮(儿) ànniǔ(r); 钮 niǔ ¶~를 누르다 按按钮
단:축(短縮) 명하타 缩短 suōduǎn ¶공정을 ~하다 缩短工期 / 시간을 ~하다 缩短时间
단출-하다 형 **1** 少 shǎo; 不多 bùduō ¶식구가 ~ 家里人口少 **2** 简便 jiǎnbiàn; 简陋 jiǎnlòu ¶차림새가 ~ 穿着简便 **단출-히** 부
단춧-고리 명 纽襻(儿) niǔpàn(r)
단춧-구멍 명 扣眼(儿) kòuyǎn(r)
단층(單層) 명 **1** 单层 dāncéng **2** = 단층집
단:층(斷層) 명 〖地理〗断层 duàncéng ¶~면 断层面 / ~ 해안 断层海岸 / ~ 구조 断层结构
단층-집(單層—) 명 平房 píngfáng = 단층(單層)2
단:층 촬영(斷層撮影) 〖醫〗断层摄影 duàncéng shèyǐng
단-칸(單—) 명 单间 dānjiān; 独间 dújiān
단칸-방(單—房) 명 单间 dānjiān; 独间 dújiān
단-칼(單—) 명 一刀 yīdāo ¶~에 자르다 一刀斩断 / ~에 두 동강을 내다 一刀两断
단타(單打) 명 〖體〗= 일루타
단:타(短打) 명 〖體〗短打 duǎndǎ
단:파(短波) 명 〖物〗短波 duǎnbō ¶~ 방송 短波广播
단-판(單—) 명 一次 yīcì ¶~으로 승부를 결정하다 一次决赛定胜负
단-팥죽(—粥) 명 甜小豆粥 tiánxiǎodòuzhōu ¶~을 쑤어 먹다 熬甜小豆粥喝
단:편(短篇) 명 〖文〗**1** 短篇 duǎnpiān ¶~ 작가 短篇作家 **2** = 단편 소설 ¶~을 쓰다 写短篇小说
단:편(斷片) 명 **1** 断片 duànpiàn **2** 片断 piànduàn ¶일상생활의 ~ 日常生活的片断
단:편 소설(短篇小說) 〖文〗短篇小说 duǎnpiān xiǎoshuō = 단편(短篇)2 ¶~집 短篇小说集
단:편 영화(短篇映畫) 〖演〗短片 duǎnpiàn
단:편-적(斷片的) 관명 片断的 piànduànde; 片面的 piànmiànde ¶~ 견해 片面的见解 / ~인 생각 片面的想法
단:편-집(短篇集) 명 〖文〗短篇集 duǎnpiānjí
단:평(短評) 명 短评 duǎnpíng ¶시사 ~ 时事短评
단풍(丹楓) 명 **1** 红叶 hóngyè ¶~이 지다 树叶变红了 **2** 〖植〗= 단풍나무
단풍-나무(丹楓—) 명 〖植〗枫 fēng; 枫香 fēngxiāng; 枫树 fēngshù; 槭 qì = 단풍2
단풍-놀이(丹楓—) 명하자 赏红叶 shǎng hóngyè
단풍-잎(丹楓—) 명 **1** 红叶 hóngyè **2** 枫树叶 fēngshùyè; 枫叶 fēngyè
단합(團合) 명하자 = 단결 ¶우리 팀은 ~이 아주 잘된다 我队团结得很好
단:행(斷行) 명하타 坚决实行 jiānjué shíxíng ¶개각을 ~하다 坚决实行内阁改组
단행-본(單行本) 명 〖印〗单行本 dānxíngběn
단-호박 명 南瓜 nánguā ¶~ 샐러드 南瓜沙拉 / ~ 찜 蒸南瓜
단:호-하다(斷乎—) 형 断然 duànrán; 坚决 jiānjué ¶그의 태도는 매우 ~ 他的态度十分坚决 **단:호-히** 부 ¶~ 거절하다 断然拒绝 / ~ 반대하다 坚决反对
단화(短靴) 명 **1** 短腰皮鞋 duǎnyāo píxié **2** 低跟鞋 dīgēnxié
닫다[1] 자 跑 pǎo; 驰 chí; 疾驰 jíchí ¶전속력으로 ~ 全速疾驰
닫다[2] 타 关 guān; 闭 bì ¶창문을 ~ 关窗户 / 입을 ~ 闭嘴 / 서랍을 ~ 关抽屉 / 문을 ~ 关门
닫아-걸다 타 关了以后闩上 guānle yǐhòu shuānshang ¶방문을 ~ 关了房门以后闩上
닫-히다 자 '닫다²' 的被动词 ¶문이 바람에 ~ 门被风关上
달 一명 **1** 〖天〗月亮 yuèliang; 月球 yuèqiú ¶~이 뜨다 月亮升起 / ~이 지다 月亮落下去 **2** = 달빛 ¶~이 밝다 月色明亮 **3** 月 yuè ¶지난 ~ 上月 二의명 月 yuè ¶한 ~이 갔다 一个月过去了
달가닥 부하자타 咣当 guāngdāng; 呱哒 guādā; 呱嗒 guādā ¶~ 소리가 나다 传来咣当的响声

달가닥-거리다 자타 咣当咣当响 guāngdāngguāngdāng xiǎng; 呱嗒呱嗒响 guādāguādā xiǎng = 달가닥대다 ¶서랍을 ~ 把抽屉拉得咣当咣当响 **달가닥-달가닥** 부하자타

달가워-하다 타 心甘 xīngān; 甘心 gānxīn; 情愿 qíngyuàn; 甘 gān

달갑다 형 甘 gān; 甘心 gānxīn; 心甘 xīngān; 情愿 qíngyuàn; 甘愿 gānyuàn

달걀 명 鸡蛋 jīdàn; 鸡子儿 jīzǐr = 계란 ¶~노른자 鸡蛋黄 / ~흰자 鸡蛋清

달-거리 명하자 〖生〗 = 월경(月經)

달관(達觀) 명하자타 达观 dáguān ¶인생을 ~하다 达观人生

달구 명 〖建〗 夯 hāng

달구다 타 **1** 烧热 shāorè; 弄热 nòngrè ¶쇠를 ~ 把铁烧热 **2** 烧暖 shāonuǎn ¶방을 ~ 把屋子烧暖

달구지 명 牛车 niúchē ¶~를 끌다 拉牛车

달구-질 명하타 打夯 dǎhāng; 夯 hāng ¶건물의 터를 ~하다 夯建筑的地基

달그락 부하타 咣当 guāngdāng; 呱哒 guādā; 呱嗒 guādā

달그락-거리다 자타 咣当咣当响 guāngdāngguāngdāng xiǎng; 呱嗒呱嗒响 guādāguādā xiǎng = 달그락대다 **달그락-달그락** 부하자타

달-나라 명 月宫 yuègōng; 月亮 yuèliang; 月球 yuèqiú

달-님 명 月亮 yuèliang

달:다[1] 자 **1** 热 rè; 烫 tàng; 烧热 shāorè ¶쇠가 달았다 铁烧热了 **2** 发烧 fāshāo ¶그녀는부끄러워서 얼굴이 화끈 달았다 她羞得脸上一阵阵地发烧了 **3** 焦急 jiāojí; 着急 zháojí; 急 jí ¶마음이 ~ 心里焦急 / 애가 ~ 心急

달다[2] 타 **1** 挂 guà; 悬 xuán; 悬挂 xuánguà ¶그림을 벽에 ~ 把画挂在墙上 **2** 钉 dìng; 扣 kòu ¶단추를 ~ 钉扣子 **3** 加 jiā ¶주를 ~ 加注 **4** 记 jì ¶장부에 ~ 记在账簿上 **5** 安 ān; 安装 ānzhuāng; 装 zhuāng ¶전화를 ~ 安电话

달다[3] 타 称 chēng ¶저울로 무게를 ~ 用秤称重量 / 체중을 ~ 称体重

달:다[4] ㊀타 给 gěi; 要 yào; 请求 qǐngqiú ¶아이가 과자를 달라고 보챈다 孩子缠着要点心 ㊁보동 给我 gěi wǒ ¶그 책을 좀 빌려 다오 把那本书借给我吧

달다[5] 형 **1** (味道) 甜 tián; 甘 gān; 甘美 gānměi ¶단 음식 甜食 / 맛이 ~ 味道甜 **2** (对胃口) 香 xiāng ¶밥을 달게 먹다 饭吃得很香 **3** (心情) 好 hǎo; 香 xiāng ¶달게 자다 睡得很香 **4** 甘 gān; 甘愿 gānyuàn ¶벌을 달게 받다 甘愿受罚

달달[1] 부하자타 **1** 哆哆嗦嗦 duōduosuōsuō; 哆嗦 duōsuo ¶몸을 ~ 떨다 身子哆嗦 **2** 吱吱嘎嘎 zhīzhīgāgā ¶세발자전거가 ~ 굴러간다 三轮自行车吱吱嘎嘎地走

달달[2] 부 **1** 哔哔剥剥 bìbibōbō ¶콩을 ~ 볶다 哔哔剥剥地炒豆子 **2** 苦苦 kǔkǔ ¶식구들을 ~ 들볶다 苦苦地折腾家人

달-동네(—洞—) 명 贫民区 pínmínqū; 贫穷社区 pínqióng shèqū = 산동네

달라-붙다 자 **1** 粘 zhān; 粘贴 zhāntiē; 贴 tiē ¶신발에 달라붙은 껌 粘在鞋底的口香糖 **2** 跟随 gēnsuí; 跟着 gēnzhe ¶강아지가 나에게 달라붙어 떨어질 줄을 모른다 小狗紧紧跟着我, 不愿离开 **3** 埋头 máitóu; 投入 tóurù

달라-지다 자 变 biàn; 变化 biànhuà; 改变 gǎibiàn ¶시대가 달라졌다 时代变了 / 그는 몰라보게 달라졌다 他变得让人认不出来了

달랑[1] 부 **1** 叮当 dīngdāng; 当啷 dānglāng ¶방울이 ~ 울리다 铃铛叮当响 **2** 轻妄地 qīngwàngde; 冒失 màoshi; 鲁莽 lǔmǎng

달랑[2] 부 只 zhǐ; 光 guāng; 孤零零 gūlínglíng ¶밥상 위에는 컵 하나만 ~ 놓여 있다 饭桌上只放着一个杯子

달랑-거리다 자타 **1** 叮当叮当响 dīngdāngdīngdāng xiǎng; 当啷当啷响 dānglāngdānglāng xiǎng ¶방울이 바람에 ~ 铃铛在风中叮当叮当响 **2** 轻妄 qīngwàng; 冒失 màoshi; 鲁莽 lǔmǎng ‖ = 달랑대다 **달랑-달랑** 부하자타

달래 명 〖植〗 野蒜 yěsuàn; 山蒜 shānsuàn; 单花葱 dānhuācōng ¶~를 캐다 挖野蒜

달래다 타 **1** 哄 hǒng; 哄逗 hǒngdòu; 安慰 ānwèi; 抚慰 fǔwèi ¶그가 우는 아이를 달랬다 他哄好了哭着的孩子 **2** 压 yā; 解 jiě; 消除 xiāochú; 解除 jiěchú ¶향수를 ~ 解乡愁 / 외로움을 ~ 解除孤独 **3** 劝 quàn; 劝导 quàndǎo

달러(dollar) 명의명 美元 měiyuán = 불(弗) ¶~로 계산하다 用美元结算

달려-가다 자타 跑 pǎo; 跑去 pǎoqù; 跑过去 pǎoguòqù; 奔跑 bēnpǎo; 奔赴 bēnfù ¶목표를 향해 ~ 向着目标跑去 / 언덕길을 ~ 在坡路上奔跑

달려-들다 자 **1** 扑 pū; 扑上去 pūshàngqù; 冲 chōng ¶엄마 품에 ~ 扑进妈妈怀里 / 호랑이가 토끼에게 ~ 老虎向兔子扑上去 **2** 投入 tóurù; 加紧 jiājǐn; 抓紧 zhuājǐn

달려-오다 자타 跑 pǎo; 跑过来 pǎoguòlái ¶먼 길을 달려왔다 跑了很远的路

달력(—曆) 명 月历 yuèlì; 历 lì ¶벽걸

이 ～ 挂历 / 만년 ～ 万年历 / 탁상 ～ 台历

달리 부 不同 bùtóng; 另外 lìngwài; 另 lìng; 别 bié ¶～ 처리하다 另外处理 / ～ 의도가 있다 别有用意 / ～ 방법이 없다 没有别的办法

달리-기 명하자 跑 pǎo; 跑步 pǎobù; 赛跑 sàipǎo ¶～ 선수 赛跑选手 / ～ 시합 赛跑

달-리다[1] 자 **1** 挂 guà; 悬挂 xuánguà; 垂挂 chuíguà; 牵挂 qiānguà ¶벽에 그림이 달려 있다 墙上挂着图画 **2** 基于 jīyú; 取决于 qǔjuéyú ¶합격 여부는 노력에 달렸다 及格与否, 取决于付出的努力 **3** 在(一起) zài(yīqǐ) ¶그는 하루 종일 기계 옆에 달려 있다 他整天在机器旁边

달리는 말에 채찍질 속담 快马加鞭

달리다[2] 자 **1** 缺乏 quēfá; 缺 quē; 乏 fá; 不足 bùzú; 不上 bùshàng ¶일손이 ～ 人手缺乏 / 공급이 ～ 供应不上 / 체력이 ～ 体力不足

달리다[3] 一타 '닫다1'的使动词 ¶말을 ～ 跑马 二자 跑 pǎo; 疾驶 jíshǐ; 奔驰 bēnchí; 驰骋 chíchěng; 奔跑 bēnpǎo ¶말이 ～ 骏马驰骋 / 자동차가 ～ 汽车疾驶 / 전속력으로 ～ 全速奔驰

달리아(dahlia) 명 〖植〗 大丽花 dàlìhuā; 大丽菊 dàlìjú; 西番莲 xīfānlián

달리-하다 타 别有 biéyǒu; 不一致 bùyīzhì; 不同 bùtóng; 另外 lìngwài ¶의견을 ～ 意见不同

달마티안(Dalmatian) 명 〖動〗 大麦町犬 dàmàidīngquǎn; 达尔马提亚狗 dá'ěrmǎtíyàgǒu; 斑点狗 bāndiǎngǒu

달-맞이 명하자 〖民〗 迎月 yíngyuè; 赏月 shǎngyuè

달맞이-꽃 명 〖植〗 月见草 yuèjiàncǎo; 待霄草 dàixiāocǎo; 月苋草 yuèjiàncǎo; 夜来香 yèláixiāng

달무리 명 月晕 yuèyùn ¶～가 지다 有月晕

달-밤 명 月夜 yuèyè

달변(一邊) 명 月息 yuèxī; 月利 yuèlì ＝ 월리

달변(達辯) 명 能说善辩 néngshuōshànbiàn; 能说善道 néngshuōshàndào ¶그의 ～은 따를 사람이 없다 没有人比得上他能说善辩

달-빛 명 月光 yuèguāng; 月色 yuèsè ＝ 달二2 · 월광 ¶밝은 ～ 明亮的月光

달성(達成) 명하타 达到 dádào; 达成 dáchéng; 达 dá ¶목표를 ～하다 达到目标

달아-나다 자 **1** 奔驰 bēnchí; 飞奔 fēibēn ¶말이 벌판을 쏜살같이 ～ 骏马在草原上急速地飞奔 **2** 逃跑 táopǎo; 逃走 táozǒu; 跑 pǎo; 溜走 liūzǒu; 逃 táo; 逃奔 táobèn; 逃脱 táotuō ¶그는 해외로 달아났다 他逃到了海外 / 범인이 달아났다 犯人逃跑了 **3** 掉 diào; 没有 méiyǒu; 丢失 diūshī; 不见 bùjiàn ¶단추가 달아났다 纽扣掉了 / 목이 ～ 掉脑袋 **4** 失 shī; 跑掉 pǎodiào; 消失 xiāoshī ¶잠이 다 달아났다 睡意都跑掉了 / 입맛이 ～ 胃口消失

달아-오르다 자 **1** (铁器、铁片等) 热 rè; 烧 shāo; 烧热 shāorè ¶난로가 빨갛게 ～ 炉子烧得红红的 / 쇠가 달아올랐다 铁烧热了 **2** (脸上) 烧 shāo; 热 rè; 涨 zhàng; 热乎乎 rèhūhū ¶너무 부끄러워서 얼굴이 붉게 달아올랐다 因为过于害羞, 脸都烧得通红 / 지나친 흥분으로 얼굴이 벌겋게 ～ 因为过度兴奋, 脸涨得通红 **3** (气氛等) 热起来 rèqǐlái; 进入高潮 jìnrù gāocháo ¶분위기가 점점 ～ 气氛渐渐热起来

달음박-질 명하자 跑 pǎo; 奔跑 bēnpǎo; 急跑 jípǎo

달음박질-치다 자 跑 pǎo; 奔跑 bēnpǎo; 急跑 jípǎo

달이다 타 **1** 做 zuò ¶간장을 ～ 做酱油 **2** 煎 jiān; 熬 áo ¶약을 ～ 煎药 / 차를 ～ 煎茶

달인(達人) 명 达人 dárén; 高人 gāorén

달짝지근-하다 형 甜甜 tiántián ¶달짝지근한 맛 甜甜的味道 **달짝지근-히** 부

달콤-하다 형 甜 tián; 甜蜜 tiánmì; 香甜 xiāngtián; 甜美 tiánměi; 甜蜜蜜 tiánmìmì; 甜丝丝 tiánsīsī ¶달콤한 맛 甜味 / 달콤한 말 甜言蜜语 / 달콤한 잠에 빠지다 睡得香甜 **달콤-히** 부

달팽이 명 〖動〗 蜗牛 wōniú ＝ 와우

달팽이-관(一管) 명 〖生〗 耳蜗 ěrwō ＝ 와우관

달-포 명 一个多月 yīge duō yuè; 个把月 gèbǎyuè ¶～가 지났다 过了一个多月

달-하다(達一) 자 **1** 达 dá; 达到 dádào ¶관객이 수만 명에 ～ 观众多达数万人 / 불만이 극에 ～ 不满达到极点 **2** 到达 dàodá; 抵达 dǐdá; 到 dào ¶목적지에 ～ 到达目的地

닭 명 〖鳥〗 鸡 jī ¶～ 한 마리 一只鸡 / ～고기 鸡肉 / ～똥집 鸡砂囊 / ～띠 属鸡的 / ～발 鸡爪 / ～볶음탕 炒鸡肉汤 / ～백숙 清汤鸡 / ～죽 鸡肉粥 / ～찜 炖鸡 / ～을 고다 炖鸡 / ～ 모이를 주다 喂鸡 / ～이 울다 鸡叫

닭-살 명 **1** 鸡皮 jīpí **2** 鸡皮疙瘩 jīpí gēda ¶～이 돋다 起鸡皮疙瘩

닭-싸움 명하자 **1** 斗鸡 dòujī **2** 撞拐子 zhuàng guǎizi

닭-장(一欌) 명 鸡舍 jīshè; 鸡笼 jīlóng; 鸡窝 jīwō ＝ 계사

닭-튀김 명 炸鸡 zhájī = 치킨

닮:다 타 1 像 xiàng; 似 sì; 相似 xiāngsì ¶그녀는 어머니를 많이 닮았다 她长得很像母亲 2 学 xué; 学习 xuéxí; 效法 xiàofǎ ¶말썽은 그만 부리고 네 형을 좀 닮아라 不要淘气, 向你哥学着点儿

닮은-꼴 명 『數』 相似形 xiāngsìxíng

닳다 자 1 磨 mó; 磨损 mósǔn; 磨破 mópò; 磨秃 mótū; 磨耗 móhào ¶연필이 다 닳았다 铅笔磨秃了 / 신발이 닳았다 鞋子磨破了 2 (液体等) 干了 gānle; 烧干 shāogān; 熬干 áogān ¶찌개가 닳아서 짜다 汤熬干了变咸了 3 花费 huāfèi; 费 fèi ¶그 차는 기름이 많이 닳는다 这辆车很费油 4 精明 jīngmíng; 圆滑 yuánhuá; 有心计 yǒu xīnjì

닳아-빠지다 형 圆滑 yuánhuá; 精明 jīngmíng ¶닳아빠진 계집 精明的丫头

담[1] 명 墙 qiáng; 围墙 wéiqiáng; 墙壁 qiángbì = 담장 ¶~을 쌓다 垒墙 / ~을 뛰어넘다 翻越围墙

담:[2] 명 '다음' 的略词

담:(痰) 명 1 『醫』 = 가래[3] 2 『韓醫』 痰症 tánzhèng

담:(膽) 명 1 = 담력 ¶~이 크다 胆大 / ~이 작다 胆小 2 『生』 = 쓸개

-담(談) 접미 谈 tán; 之谈 zhītán ¶경험~ 经验之谈

담그다 타 1 泡 pào; 浸 jìn; 沤 òu ¶빨래를 물속에 ~ 把要洗的衣服泡在水里 / 시냇물에 발을 ~ 把脚泡在溪水里 2 腌 yān; 酿 niàng; 泡 pào; 做 zuò ¶김치를 ~ 腌泡菜 / 술을 ~ 酿酒

담금-질 명하타 『工』 淬火 cuìhuǒ; 蘸火 zhànhuǒ ¶~로 쇠를 단단하게 만들다 通过淬火, 让铁变得结实

담-기다 자 1 '담다1' 的被动词 ¶바구니에 담긴 과일 装在篮子里的水果 2 '담다2' 的被动词 ¶정성이 담긴 선물 带着诚意的礼物

담:낭(膽囊) 명 『生』 = 쓸개 ¶~염 胆囊炎

담:다 타 1 盛 chéng; 装 zhuāng; 搁 gē ¶물을 ~ 盛水 / 밥을 그릇에 ~ 把饭盛在碗里 / 사과를 바구니에 ~ 把苹果装在篮子里 2 含 hán; 包含 bāohán; 带 dài; 盛 chéng; 反映 fǎnyìng ¶얼굴에 웃음을 ~ 脸上带着笑容 / 작가의 세계관을 담은 작품 反映作者世界观的作品

담:담-하다(淡淡—) 형 1 平静 píngjìng; 从容不迫 cóngróngbùpò; 平心静气 píngxīnjìngqì ¶담담한 어조 平静的口吻 / 담담한 표정 平静的表情 2 (水) 清澈 qīngchè ¶담담한 호수 清澈的湖水 3 = 담백하다2 4 = 담백하다3 ¶그는 담담한 음식을 좋아한다 他喜欢吃清淡的食物 **담:담-히** 부

담당(擔當) 명하타 1 担当 dāndāng; 担负 dānfù; 担任 dānrèn; 负责 fùzé; 担 dān; 承担 chéngdān 2 = 담당자

담당-자(擔當者) 명 责任人 zérènrén; 负责人 fùzérén = 담당2

담:대-하다(膽大—) 형 胆大 dǎndà; 大胆 dàdǎn; 有胆量 yǒu dǎnliàng ¶담대한 젊은이 胆大的年轻人 **담:대-히** 부

담:력(膽力) 명 胆力 dǎnlì; 胆 dǎn; 胆量 dǎnliàng = 담(膽)1 ¶~이 세다 胆量大 / ~을 기르다 增加胆量

담론(談論) 명하자 谈论 tánlùn; 议论 yìlùn ¶그 사건에 관한 ~을 벌이다 就那一事件展开谈论

담:배 명 1 『植』 烟草 yāncǎo; 烟 yān = 연초(煙草) ¶~를 심다 种植烟草 2 烟 yān; 香烟 xiāngyān; 旱烟 hànyān; 卷烟 juǎnyān; 纸烟 zhǐyān ¶~ 한 갑 一盒烟 / ~ 한 개비 一根烟 / ~ 두 보루 两条烟 / ~를 피우다 抽烟 =[吸烟] / ~를 끊다 戒烟 / ~를 끄다 灭烟

담:배-꽁초 명 烟头(儿) yāntóu(r); 烟蒂 yāndì = 꽁초 ¶~를 함부로 버리지 마세요 不要乱扔烟头

담:백-하다(淡白—) 형 1 坦白 tǎnbái; 坦率 tǎnshuài ¶마음이 ~ 心地坦白 2 (味道) 淡 dàn; 口轻 kǒuqīng = 담담하다3 ¶맛이 좀 ~ 味道有点淡 3 清淡 qīngdàn = 담담하다4 ¶맛이 담백한 음식 味道清淡的菜

담:뱃-갑(—匣) 명 烟盒 yānhé

담:뱃-값 명 1 烟价 yānjià ¶~이 많이 올랐다 烟价上涨了很多 2 零用的小钱 língyòngde xiǎoqián ¶~조차 없다 连零用的小钱都没有

담:뱃-대 명 烟袋 yāndài; 旱烟袋 hànyāndài ¶~를 입에 물다 叼烟袋

담:뱃-불 명 1 (烟头的) 火 huǒ; 烟火 yānhuǒ ¶~을 비벼 끄다 掐灭烟火 2 (点烟的) 火 huǒ ¶~을 붙이다 点火 / 실례합니다만 ~ 좀 빌려 주십시오 劳驾, 给我借个火

담:뱃-잎 명 烟叶 yānyè; 烟 yān

담:뱃-재 명 烟灰 yānhuī ¶재떨이에 ~를 털다 往烟灰缸里弹烟灰

담:뱃-진(—津) 명 烟焦油 yānjiāoyóu

담-벼락 명 1 墙面 qiángmiàn; 墙上 qiángshang; 墙 qiáng ¶~에 낙서하지 마세요 不要在墙上乱写乱画 2 墙壁 qiángbì; 墙 qiáng ¶~에 부딪히다 撞墙 / ~이 무너졌다 墙倒了 3 有犟劲的 yǒu jiàngjìnde; 老顽固 lǎowángù

담보(擔保) 명하타 1 保证 bǎozhèng; 担保 dānbǎo ¶믿음직한 ~ 可靠的担保 2 『法』 抵押 dǐyà; 担保 dānbǎo ¶~물 担保物 / ~ 물권 担保物权 / ~

대출 担保贷款 / 집을 ~로 돈을 빌리다 用房子做抵押借钱
담비 명 〖動〗 貂 diāo
담뿍 부하형 满满(地) mǎnmǎn(de); 满 mǎn; 足足(地) zúzú(de) ¶광주리에 ~ 담다 装了满满一筐 / 붓에 먹물을 ~ 묻히다 毛笔上蘸满了墨水
담석(膽石) 명 〖醫〗 胆石 dǎnshí; 胆结石 dǎnjiéshí ¶~증 胆石病
담소(談笑) 명하자 谈笑 tánxiào; 说笑 shuōxiào ¶모두가 한데 모여 ~를 나누다 大家聚在一起谈笑
담:수(淡水) 명 = 민물
담:수-어(淡水漁) 명 〖魚〗 = 민물고기
담:수-호(淡水湖) 명 〖地理〗 淡水湖 dànshuǐhú
담-쌓다 자 **1** 垒墙 lěiqiáng **2** 绝交 juéjiāo; 隔阂 géhé ¶그녀는 이웃과 담 쌓고 지낸다 她和邻居有隔阂
담:-요(毯—) 명 毯 tǎn; 毯子 tǎnzi; 毛毯 máotǎn ¶~를 덮고 자다 盖着毯子睡觉
담임(擔任) 명하타 担任 dānrèn; 班主任 bānzhǔrèn; 担当 dāndāng ¶학급 ~ 班主任 / ~ 선생님 班主任老师 / ~ 교사 班主任教师 / 졸업반을 ~하다 担任毕业班
담-장(—牆) 명 = 담[1]
담쟁이-넝쿨 명 〖植〗 = 담쟁이덩굴
담쟁이-덩굴 명 〖植〗 爬山虎 páshānhǔ; 地锦 dìjǐn; 爬墙虎 páqiánghǔ; 常春藤 chángchūnténg = 담쟁이넝쿨 · 아이비2
담:즙(膽汁) 명 〖生〗 = 쓸개즙
담:채(淡彩) 명 **1** 淡彩 dàncǎi **2** 〖美〗 = 담채화
담:채-화(淡綵畫) 명 〖美〗 淡彩画 dàncǎihuà = 담채2
담판(談判) 명하타 谈判 tánpàn ¶~이 결렬되다 谈判破裂 / ~을 벌이다 举行谈判
담합(談合) 명하자 串通 chuàntōng ¶~ 행위 串通行为 / 입찰 ~ 串通投标 / ~하여 가격을 인상하다 串通涨价
담화(談話) 명하자 谈话 tánhuà ¶~문 谈话文 / ~를 발표하다 发表谈话
답(答) 명하자 **1** = 대답 ¶그의 질문에 ~하다 回答他的提问 **2** = 해답 ¶~이 틀리다 答案不对 / ~이 정확하다 答案正确 **3** = 회답 ¶아직 ~이 없다 还没有回答
-답다 접미 像 xiàng; 一样 yīyàng; 不愧 bùkuì; 像样 xiàngyàng ¶꽃~ 花一样 / 남자~ 不愧是男人
답답-하다 형 **1** 闷 mèn; 烦 fán; 憋闷 biēmen; 堵 dǔ; 烦闷 fánmèn; 发闷 fāmèn ¶가슴이 ~ 胸口憋闷 / 마음이 너무 ~ 心里堵得慌 **2** 着急 zháojí; 急人 jírén; 憋气 biēqì ¶그것도 모르다니 참 답답하구나! 连那个都不知道, 真急人! **3** 死板 sǐbǎn; 不开窍 bùkāiqiào ¶그는 너무 ~ 他太死板了 **4** 闷 mēn; 憋闷 biēmen; 憋气 biēqì ¶방 안이 너무 답답하고 덥다 房间太闷热 **답답-히** 부
답례(答禮) 명하자 还礼 huánlǐ; 答礼 dálǐ; 回礼 huílǐ; 回 huí; 答谢 dáxiè ¶~의 선물 回礼 / ~품 答谢品
답방(答訪) 명하타 回访 huífǎng
답변(答辯) 명하자 答辩 dábiàn; 回答 huídá; 答复 dáfù ¶~ 내용 答辩内容 / 공식적인 ~ 正式答复 / ~을 기다리다 静候答复
답보(踏步) 명하타 = 제자리걸음2 ¶그 사업은 아직 ~ 상태이다 那项工作还处于停滞不前的状态
답사(答辭) 명하자 答词 dácí; 答辞 dácí ¶~를 하다 致答词
답사(踏査) 명하타 实地调查 shídì diàochá; 勘查 kānchá; 考察 kǎochá ¶현장 ~ 现场实地调查 / 지질 구조를 ~하다 勘查地质结构
답서(答書) 명하자 = 답장
답습(踏襲) 명하타 承袭 chéngxí; 继承 jìchéng; 沿袭 yánxí; 因循 yīnxún; 蹈袭 dǎoxí ¶인습을 ~하다 沿袭因习
답신(答信) 명하자 回信 huíxìn; 复信 fùxìn; 复函 fùhán; 回电 huídiàn; 回音 huíyīn ¶~이 없다 没有回信 / ~이 왔다 回信来了
답안(答案) 명 答案 dá'àn ¶~지 答案纸 / ~을 쓰다 写答案 / ~을 제출하다 提交答案
답장(答狀) 명하자 回信 huíxìn; 复信 fùxìn; 复函 fùhán = 답서 · 답찰 · 회한(回翰) ¶~을 쓰다 写回信 / ~을 받다 受到回信
답찰(答札) 명하자 = 답장
닷 관 五 wǔ ¶~ 되 五升 / ~ 말 五斗 / ~ 냥 五两
닷새 명 **1** 五天 wǔtiān = 닷샛날2 ¶~가 걸리다 花五天工夫 **2** 五日 wǔrì; 五号 wǔhào
닷샛-날 명 **1** 初五 chūwǔ; 五日 wǔrì; 五号 wǔhào ¶~에 집을 떠날 것이다 五号动身 **2** = 닷새1
당(唐) 명 〖史〗 唐 Táng; 唐朝 Tángcháo
당(堂) 명 **1** 〖建〗 = 대청 **2** 书房 shūfáng **3** 〖民〗 = 당집
당(當) 관 **1** 本 běn; 即 jí ¶~ 공장 本工厂 / ~ 회사의 제품 本公司的产品 **2** 现在 xiànzài ¶~ 20세의 젊은이 现在二十岁的年轻人
당(黨) 명 〖政〗 党 dǎng = 정당

당-(堂) [접두] 堂 táng ¶ ~형제 堂兄弟 / ~고모 堂姑
-당(當) [접미] 每 měi; 每一 měiyī ¶ 매호~ 每户 / 일인~ 每人
당겨-쓰다 [타] 提前使用 tíqián shǐyòng; 挪用 nuóyòng; 挪借 nuójiè ¶ 다음 달 급여를 ~ 挪用下个月的工资
당과(糖菓) [명] 糖果 tángguǒ
당구(撞球) [명] 〖體〗 台球 táiqiú; 撞球 zhuàngqiú ¶ ~공 台球 / ~대 台球台 / ~장 台球场 / ~를 치다 打台球
당국(當局) [명][하자] 当局 dāngjú ¶ 행정 ~ 行政当局 / 관계 ~ 关系当局
당국(當國) [명] **1** 本国 běnguó **2** = 당사국 **3** 掌管国家政务 zhǎngguǎn guójiā zhèngwù
당권(當權) [명][하자] 当权 dāngquán; 执政 zhízhèng; 掌权 zhǎngquán = 집권(執權)
당규(黨規) [명] 党纪 dǎngjì; 党规 dǎngguī = 당칙 ¶ ~를 위반하다 违反党纪 / ~를 집행하다 执行党纪
당근 [명] 〖植〗 胡萝卜 húluóbo; 红萝卜 hóngluóbo = 홍당무1
당기다 [一][타] **1** 拉 lā; 拖 tuō; 拽 zhuài; 扣 kòu ¶ 그물을 ~ 拉网 / 방아쇠를 ~ 扣扳机 / 활을 ~ 拉弓 **2** 提前 tíqián ¶ 결혼 날짜를 3월로 ~ 把结婚日期提前到三月 [二][자] **1** 吸引 xīyǐn; 引起 yǐnqǐ; 产生 chǎnshēng ¶ 호기심이 ~ 产生好奇心 **2** 胃口好 wèikǒu hǎo; 引起 yǐnqǐ ¶ 식욕이 ~ 引起食欲
당-나귀(唐—) [명] 〖動〗 驴 lǘ; 驴子 lǘzi; 毛驴 máolǘ = 나귀
당내(黨內) [명] 党内 dǎngnèi
당년(當年) [명] 当年 dàngnián
당뇨(糖尿) [명] 〖醫〗 **1** 糖尿 tángniào **2** = 당뇨병
당뇨-병(糖尿病) [명] 〖醫〗 糖尿病 tángniàobìng = 당뇨2
당당(堂堂) [명][하형][히부] **1** 凛凛 lǐnlǐn ¶ 위풍이 ~하다 威风凛凛 **2** 堂堂 tángtáng; 当之无愧 dāngzhīwúkuì; 理直气壮 lǐzhíqìzhuàng ¶ 기세가 ~하다 气势堂堂
당대(當代) [명] **1** 当代 dāngdài; 当今 dāngjīn ¶ ~ 문학 当代文学 / ~의 대학자 当代的大学者 **2** 该时代 gāi shídài; 今世 jīnshì; 今代 jīndài ¶ ~의 대표적 사건 该时代的代表事件 **3** 一辈子 yībèizi; 一生 yīshēng; 一世 yīshì ¶ ~에 모은 재산 一辈子积攒的财产
당도(當到) [명][하자] 到 dào; 到达 dàodá; 抵达 dǐdá ¶ 목적지에 ~하다 到达目的地
당:돌-하다(唐突—) [형] 唐突 tángtū; 冒失 màoshi; 冒昧 màomèi ¶ 당돌한 태도 唐突的态度 / 말하는 것이 ~ 出言唐突 **당:돌-히** [부]
당류(糖類) [명] 〖化〗 糖类 tánglèi
당리(黨利) [명] 党的利益 dǎngde lìyì ¶ ~만 꾀하다 只谋求党的利益
당면(唐麵) [명] 粉条(儿) fěntiáo(r) ¶ ~을 삶다 煮粉条儿
당면(當面) [명][하자] **1** 当前 dāngqián; 目前 mùqián; 面临 miànlín ¶ ~ 과업 目前的任务 / ~한 문제 面临的问题 **2** = 대면
당명(黨命) [명] 党的命令 dǎngde mìnglìng ¶ ~을 어기다 违抗党的命令
당목(唐木) [명] 细棉布 xìmiánbù; 细白布 xìbáibù; 白市布 báishìbù = 당목면
당목-면(唐木綿) [명] = 당목
당무(當務) [명] 担任工作 dānrèn gōngzuò
당번(當番) [명][하자] 值班 zhíbān; 值勤 zhíqín; 值日 zhírì; 值 zhí ¶ ~이 되다 值班 / 번갈아 ~을 서다 轮值
당벌(黨閥) [명] 党阀 dǎngfá
당부(當付) [명][하자타] 嘱咐 zhǔfù; 吩咐 fēnfù; 叮嘱 dīngzhǔ; 叮咛 dīngníng ¶ 간곡히 ~하다 殷殷叮咛
당분(糖分) [명] 糖分 tángfèn
당분-간(當分間) [부] 临时 línshí; 暂时 zànshí; 暂且 zànqiě; 权且 quánqiě; 姑且 gūqiě ¶ ~ 휴식하다 暂时休息 / ~ 친구 집에서 지내다 暂且住在朋友家里
당비(黨費) [명] 党费 dǎngfèi ¶ ~를 내다 交党费
당사(當社) [명] 该公司 gāi gōngsī; 本公司 běn gōngsī ¶ ~는 하루 휴업합니다 本公司休业一天
당사-국(當事國) [명] 有关国家 yǒuguān guójiā; 当事国 dāngshìguó = 당국(當國)2
당사-자(當事者) [명] 当事者 dāngshìzhě; 事主 shìzhǔ; 当事人 dāngshìrén; 本人 běnrén
당선(當選) [명][하자] 当选 dāngxuǎn; 中选 zhòngxuǎn ¶ ~자 当选者 / ~작 当选作品 / 대표로 ~되었다 中选为代表
당세(黨勢) [명] 党的力量 dǎngde lìliang ¶ ~를 강화하다 加强党的力量
당수(黨首) [명] 党魁 dǎngkuí; 党首 dǎngshǒu
당숙(堂叔) [명] 堂叔 tángshū
당-숙모(堂叔母) [명] 堂叔母 tángshūmǔ; 堂婶 tángshěn
당시(當時) [명] 当时 dāngshí; 那时 nàshí; 那会儿 nàhuìr ¶ ~를 회상하다 回想当时 / ~ 명성을 떨치다 名震当时
당신(當身) [대] 您 nín; 你 nǐ ¶ ~은 누구십니까? 您是谁?
당연-시(當然視) [명][하타] 认为理所当然 rènwéi lǐsuǒdāngrán ¶ 모두가 ~하다 大家都认为理所当然
당연지사(當然之事) [명] 当然之事 dāng-

ránzhīshì; 理所当然的事情 lǐsuǒdāngránde shìqing ¶사람이 만나고 헤어지는 것은 ~이다 人聚散离合是当然之事

당연-하다(當然—) 형 当然 dāngrán; 理所当然 lǐsuǒdāngrán; 应当 yīngdāng; 应该 yīnggāi ¶당연한 결과 当然的结果 / 이렇게 처리하는 것이 ~ 这样处理是当然的 **당연-히** 부

당원(黨員) 명 党员 dǎngyuán

당월(當月) 명하자 当月 dàngyuè ¶~의 생산 계획 当月的生产计划

당위(當爲) 명 当为 dāngwéi; 义务 yìwù; 本分 běnfèn ¶~성 当为性 / ~적 当为的 / 역사적 ~ 历史的义务

당일(當日) 명 当天 dàngtiān; 当日 dàngrì; 即日 jírì ¶~로 돌아오다 当天返回

당일-치기(當日—) 명하타 一日 yīrì; 当天结束 dàngtiān jiéshù; 当天做完 dàngtiān zuòwán ¶~ 여행 当天结束的旅行

당자(當者) 명 本人 běnrén; 当事人 dāngshìrén

당장(當場) 명 **1** 当地 dāngdì; 就地 jiùdì ¶~에서 문제를 해결했다 就地解决了问题 **2** 立即 lìjí; 立刻 lìkè; 马上 mǎshàng ¶지금 ~ 필요하다 现在马上就要用

당쟁(黨爭) 명 『史』 党争 dǎngzhēng

당적(黨籍) 명 党籍 dǎngjí

당정(黨政) 명 党政 dǎngzhèng ¶~협의 党政协商

당정(黨情) 명 党的情况 dǎngde qíngkuàng ¶~을 파악하다 了解党的情况

당좌(當座) 명 『經』 = 당좌 예금

당좌 수표(當座手票) 『經』 活期支票 huóqī zhīpiào

당좌 예:금(當座預金) 『經』 活期存款 huóqī cúnkuǎn; 活期储蓄 huóqī chǔxù = 당좌

당직(當直) 명하자 值班 zhíbān; 值日 zhírì; 值勤 zhíqín ¶~자 值班人 / 돌아가며 ~을 서다 轮流值班

당-집(堂—) 명 『民』 堂 táng; 神殿 shéndiàn = 당(堂)3

당차다 형 刚强 gāngqiáng; 有魄力 yǒu pòlì; 有胆量 yǒu dǎnliàng; 坚强 jiānqiáng ¶당찬 표정 坚强的表情 / 당차게 말하다 很有魄力地说话 / 사람이 ~ 为人刚强

당착(撞着) 명하자 **1** 碰撞 pèngzhuàng **2** 矛盾 máodùn ¶자가~ 自我矛盾 / ~에 빠지다 陷入矛盾之中

당찮다(當—) 형 不当 bùdàng; 没有道理 méiyǒu dàolǐ; 荒谬 huāngmiù; 不合适 bùhéshì; 岂有此理 qǐyǒucǐlǐ ¶그 무슨 당찮은 소리냐? 这是什么荒谬的说法?

당첨(當籤) 명하자 中签 zhòngqiān; 抽中 chōuzhòng; 中奖 zhòngjiǎng ¶~자 中奖者 / 복권에 ~되다 彩票中奖

당첨-금(當籤金) 명 奖金 jiǎngjīn

당초(當初) 명 起初 qǐchū; 当初 dāngchū ¶~의 결심이 흔들리다 当初的决心动摇了

당최 부 根本 gēnběn; 从来 cónglái; 压根儿 yàgēnr ¶무슨 말인지 ~ 모르겠다 压根儿就不明白是什么意思

당칙(黨則) 명 = 당규

당파(黨派) 명 党派 dǎngpài

당-하다(當—) 一자타 **1** 被…骗 bèi…piàn ¶사기꾼에게 ~ 被骗子骗了 **2** 碰到 pèngdào; 遇到 yùdào; 面对 miànduì ¶어려운 때를 ~ 面对困难 **3** 抵挡 dǐdǎng; 对付 duìfu; 比得上 bǐdeshàng; 比得过 bǐdeguò ¶그 사람을 당해 낼 자는 아무도 없다 没有能比得上他的 **4** 蒙受 méngshòu; 遭到 zāodào; 遭受 zāoshòu; 受 shòu ¶부상을 ~ 受伤 **5** 担当 dāndāng; 承担 chéngdān ¶혼자서는 이 많은 일을 당해 낼 도리가 없다 一个人无法担当这么多工作 **6** 相当于 xiāngdāngyú 二형 应当 yīngdāng; 合乎情理 héhū qínglǐ; 有道理 yǒu dàolǐ; 恰当 qiàdàng ¶그게 어디 당할 소린가? 哪有这样道理?

-당하다(當—) 접미 被 bèi; 受 shòu; 遭 zāo ¶거절~ 遭拒绝

당해(當該) 명 该 gāi ¶~ 기관 该机关 / ~ 부서 该部门

당헌(黨憲) 명 党纲 dǎnggāng

당혹(當惑) 명하자 困惑 kùnhuò; 疑惑 yíhuò; 迷惑 míhuò; 作难 zuònán ¶~한 표정 疑惑的表情

당황(唐慌·唐惶) 명하자히부 惊慌 jīnghuāng; 慌张 huāngzhāng ¶그의 얼굴에는 ~한 기색이 역력하다 他的脸上满是惊慌 / 사람을 ~하게 하다 令人慌张

닻 명 锚 máo; 碇 dìng ¶~줄 锚索 / ~을 올리다 起锚 / ~을 내리다 抛锚

닿:다 자 **1** 碰 pèng; 接触 jiēchù; 触及 chùjí ¶손이 천장에 ~ 手碰到天花板 **2** 到达 dàodá; 抵达 dǐdá; 到 dào ¶배가 제시간에 ~ 船准点到达 **3** 传到 chuándào; 传达 chuándá; 得到 dédào ¶소식이 이미 닿았다 消息已经传到了 **4** (机会) 有 yǒu; (力) 尽 jìn ¶기회가 닿으면 연락하죠 有机会的话再联系 **5** (道理) 有 yǒu; (情理) 合乎 héhū ¶그의 말은 이치에 닿는다 他的话合乎情理 **6** 通顺 tōngshùn; 通畅 tōngchàng ¶뜻이 잘 닿지 않는 글 不太通顺的文章 **7** 有瓜葛 yǒu guāgé ¶경제인 단체에 줄이 닿아 있다 企业人团体有瓜葛

대[1] 一명 **1** 茎 jīng; 秸 jiē; 杆 gǎn ¶수

숫~ 高粱杆 / 붓~ 毛笔杆 **2** 细杆 xìgǎn ¶~가 부러졌다 细杆断了 **3** 心地 xīndì ¶~가 곧다 心地正直 ㊁의명 **1** 支 zhī ¶담배 한 ~ 一支烟 **2** 下 xià ¶한 ~ 맞다 挨一下 **3** 针 zhēn ¶주사를 한 ~ 맞다 打一针

대[2] 명〖植〗竹 zhú; 竹子 zhúzi

대:(大) 명 **1** 大号 dàhào ¶나는 ~를 입어야 한다 我要穿大号的 **2** 大 dà ¶소를 버리고 ~를 구하다 舍小取大

대:(代) ㊀명 **1** 代 dài; 世 shì; 辈 bèi ¶~를 잇다 传宗接代 **2** 年代 niándài; 代 dài ¶청 ~ 清代 **3**〖地理〗代 dài ¶고생~ 古生代 / 신생~ 新生代 ㊁의명 **1** 年龄层 niánlíngcéng ¶십 ~ 소녀 十岁年龄层的少女 **2** 代 dài ¶4~ 임금 第四代君王

대(隊) 명 = 대오 ¶~를 지어 나아가다 列队前进

대(對) ㊀명 对(儿) duì(r) ¶~를 이루다 成对 ㊁의명 **1** 对 duì; 比 bǐ ¶1 ~ 1 一比一 **2** 付 fù ¶주련 한 ~ 一付对联

대[1](臺) 명 **1** 台子 táizi; 台 tái ¶~에 오르다 登上台子 **2** 托子 tuōzi; 台 tái; 架 jià ¶화분~ 花盆托子 / 독서~ 看书架

대[2](臺) 의명 架 jià; 辆 liàng; 台 tái; 枚 méi ¶자동차 두~ 两辆车 / 기계 한 ~ 一台机器

-대(代) 접미 款项 kuǎnxiàng; 费 fèi; 钱 qián ¶서적~ 书籍费 / 도서~ 图书费

-대(帶) 접미 带 dài; 地带 dìdài ¶주파수~ 频带 / 화산~ 火山带

대:가(大家) 명 宗师 zōngshī; 权威 quánwēi; 大师 dàshī ¶회화의 ~ 绘画大师

대:가(代價) 명 **1** = 대금(代金) **2** 代价 dàijià ¶노력의 ~ 努力的代价

대가리 명 **1** (人或动物的) 头 tóu; 脑袋 nǎodai ¶~가 아프다 头疼 **2** (物体的) 头 tóu ¶기차 ~ 火车头 / 못~ 钉子头

대:-가족(大家族) 명 大家庭 dàjiātíng; 大家族 dàjiāzú

대:각-선(對角線) 명〖數〗对角线 duìjiǎoxiàn

대:감(大監) 명〖史〗大监 dàjiān

대:감(大鑑) 명 大鉴 dàjiàn ¶미술 ~ 美术大鉴 / 서예 ~ 书法大鉴

대:갓-집(大家—) 명 大户人家 dàhù rénjiā; 大家庭 dàjiātíng

대:강(大綱) ㊀명 大纲 dàgāng = 대개㊀2 ¶논문의 ~ 论文的大纲 ㊁부 大致 dàzhì; 大概 dàgài; 大略 dàlüè ¶~ 이야기를 들었다 大略听到了 / ~ 설명하다 大概说明

대:-강당(大講堂) 명 大讲堂 dàjiǎngtáng

대:강-대강(大綱大綱) 부 草草 cǎocǎo; 马马虎虎 mǎmǎhūhū ¶일을 ~ 마무리하다 事情草草了结了

대:개(大槪) ㊀명 **1** = 대부분 **2** = 대강㊀ ㊁부 大致 dàzhì; 大略 dàlüè; 通常 tōngcháng ¶추석 때는 ~ 고향에 돌아간다 每当中秋, 大致都回家

대:거(大擧) 부 大举 dàjǔ ¶유명 인사가 ~ 참석한 기념식 社会名流大举出席的纪念仪式

대:-거리(對—) 명하자 顶嘴 dǐngzuǐ; 回嘴 huízuǐ ¶감히 내게 ~하다니! 你竟敢和我顶嘴!

대:검(大劍) 명 战刀 zhàndāo

대:검(大檢) 명〖法〗= 대검찰청

대:검(帶劍) 명 枪刺 qiāngcì; 刺刀 cìdāo

대:-검찰청(大檢察廳) 명〖法〗大检察厅 dàjiǎnchátīng = 대검(大檢)

대-게 명〖動〗雪蟹 xuěxiè

대견-스럽다 형 心满意足 xīnmǎnyìzú; 满意 mǎnyì; 自豪 zìháo; 骄傲 jiāo'ào ¶대견스럽게 생각하다 觉得很满意 **대견스레** 부

대견-하다 형 自豪 zìháo; 骄傲 jiāo'ào ¶자기가 한 일에 대해 대견하게 생각하다 对自己所做的事感到骄傲 **대견-히** 부

대:결(對決) 명하자 较量 jiàoliàng; 对决 duìjué ¶~을 펼치다 展开对决

대:경(大驚) 명하자 大惊 dàjīng; 大吃一惊 dàchīyījīng

대:경-실색(大驚失色) 명하자 大惊失色 dàjīngshīsè ¶아들의 말에 어머니는 ~했다 听了儿子的话, 妈妈大惊失色

대:계(大計) 명 大计 dàjì ¶국가의 ~ 国家大计

대:공(對空) 명 对空 duìkōng ¶~ 연습 对空演习 / ~ 사격 对空射击

대:-공원(大公園) 명 大公园 dàgōngyuán

대:-관절(大關節) 부 到底 dàodǐ; 究竟 jiūjìng ¶~ 어찌 된 일이냐? 究竟是怎么回事?

대:-괄호(大括弧) 명 **1**〖語〗六角括号 liùjiǎo kuòhào **2**〖數〗中括号 zhōngkuòhào; 中括弧 zhōngkuòhú; 花括号 huākuòhào

대구(大口) 명〖魚〗鳕鱼 xuěyú

대구-탕(大口湯) 명 = 대구국

대:국(大局) 명 大局 dàjú; 全局 quánjú; 整体 zhěngtǐ ¶~을 좌우하다 左右大局

대:국(大國) 명 大国 dàguó ¶경제 ~ 经济大国 / 군사 ~ 军事大国

대:국-적(大局的) 관명 大局的 dàjúde; 全局的 quánjúde; 整体的 zhěngtǐde ¶~ 차원 全局的层面

대:군(大軍) 명 大军 dàjūn; 大兵 dàbīng = 대병 ¶백만 ~ 百万大军

대굴-대굴 부하자 咕噜噜 gūlūlū ¶공이 ~ 구르다 球咕噜噜直滚

대굿-국(大口—) 명 鳕鱼汤 xuěyútāng = 대구탕

대:권(大權) 명 〖法〗大权 dàquán ¶~을 잡다 掌握大权

대:궐(大闕) 명 = 궁궐

대:-규모(大規模) 명 大规模 dàguīmó ¶~ 집회 大规模集会 / ~ 생산 大规模生产

대:금(大金) 명 巨款 jùkuǎn; 大笔款子 dàbǐ kuǎnzi; 大钱 dàqián ¶~을 모으다 积攒巨款

대:금(大笒) 명 〖音〗大笒 dàjìn

대:금(代金) 명 价款 jiàkuǎn; 货款 huòkuǎn = 대가(代價)1 ¶~을 지불하다 支付货款

대:기(大氣) 명 **1** 〖地理〗大气 dàqì ¶~권 大气圈 / ~ 오염 大气污染 **2** 空气 kōngqì ¶신선한 ~ 新鲜空气

대:기(待機) 명하자 待机 dàijī; 待命 dàimìng; 等待时机 děngdài shíjī ¶~중에 있다 等待时机

대:-기록(大記錄) 명 大纪录 dàjìlù

대:기-실(待機室) 명 候客室 hòukèshì; 候诊室 hòuzhěnshì

대-꼬챙이 명 竹扦子 zhúqiānzi

대:꾸 명하자 = 말대꾸

대:꾼-하다 형 (眼睛) 无神 wúshén ¶힘들어서 두 눈이 ~ 累得两眼无神 **대:꾼-히** 부

대-나무 명 〖植〗竹 zhú; 竹子 zhúzi

대:남(對南) 명 对南 duìnán ¶~ 간첩 对南间谍 / ~ 방송 对南广播

대:납(代納) 명하자타 代付 dàifù; 代缴 dàijiǎo ¶세금을 ~하다 代缴税金

대:-낮 명 白天 báitiān; 白日 báirì; 白昼 báizhòu = 백주(白晝)

대:내(對內) 명 对内 duìnèi ¶~ 정책 对内政策

대:-놓고 부 当面 dāngmiàn ¶~ 욕하다 当面辱骂

대뇌(大腦) 명 〖生〗大脑 dànǎo

대님 명 裤脚带 kùjiǎodài ¶~을 매다 系裤脚带

대다 一자 **1** 到达 dàodá; 抵达 dǐdá; 赶到 gǎndào; 赶 gǎn ¶기차 시간에 대도록 서두르자 快点走, 好赶火车 **2** 对着 duìzhe; 指着 zhǐzhe ¶하늘에 대고 하소연을 하다 对着天空哭诉 二타 **1** 接触 jiēchù; 触动 chùdòng; 触摸 chùmō ¶귀중한 문물이니 손을 대지 마세요 这是贵重的文物, 请不要触摸 **2** 用 yòng; 着手 zhuóshǒu; 开始 kāishǐ ¶일에 손을 ~ 着手干 **3** 停 tíng; 靠 kào; 停泊 tíngbó; 停靠 tíngkào ¶차를 길옆에 ~ 把车停到路边 **4** 接济 jiējì; 提供 tígōng; 供给 gōngjǐ; 供应 gōngyìng ¶비용을 ~ 提供费用 **5** 垫 diàn; 靠 kào; 依靠 yīkào ¶벽에 등을 대고 앉다 背靠着墙坐 **6** 对准 duìzhǔn ¶총을 적의 가슴에 ~ 把枪对准敌人的胸口 **7** 下赌注 xià dǔzhù ¶내기에서 돈 만 원을 ~ 下一万元韩币的赌注 **8** 中介 zhōngjiè; 介绍 jièshào ¶건설 현장에 인부를 ~ 给建筑工地中介劳力 **9** (水) 引 yǐn; 灌 guàn; 灌溉 guàngài ¶논에 물을 ~ 引水灌田 **10** 连接 liánjiē; 接 jiē; 牵线 qiānxiàn ¶장관과 만날 수 있도록 줄을 ~ 牵线引见部长 **11** 依 yī; 依偎 yīwēi; 靠 kào ¶아들의 등에 머리를 ~ 靠在儿子的背上 **12** 比 bǐ; 对比 duìbǐ; 比较 bǐjiào; 相比 xiāngbǐ ¶키를 대어 보다 比比个子 **13** (借口) 找 zhǎo; 拿出 náchū ¶핑계를 ~ 找借口 **14** 告诉 gàosu; 供出 gòngchū; 说出 shuōchū ¶경찰에게 알리바이를 ~ 向警察说出不在犯罪现场的事实

대:-다수(大多數) 명 大多数 dàduōshù

대:-단원(大團圓) 명 **1** = 대미 **2** 〖文〗大团圆 dàtuányuán

대:단찮다 형 没什么了不起的 méi shénme liǎobuqǐde ¶대단찮은 일 没什么了不起的事

대:단-하다 형 **1** 严重 yánzhòng; 重 zhòng; 厉害 lìhai; 得很 dehěn ¶추위가 ~ 寒气很重 / 고집이 ~ 固执得很 **2** 巨大 jùdà; 可观 kěguān; 极了 jíle; 相当 xiāngdāng ¶대단한 규모 巨大规模 **3** 了不起 liǎobuqǐ; 超群 chāoqún; 出众 chūzhòng ¶대단한 인물 了不起的人物 **대:단-히** 부

대:담(大膽) 명하형히부 大胆 dàdǎn ¶~한 행동 大胆的举动

대:담(對談) 명하자 面谈 miàntán ¶~을 나누다 面谈

대:담-스럽다(大膽—) 형 大胆 dàdǎn; 勇敢 yǒnggǎn ¶대담스러운 생각 大胆的想法 **대:담스레** 부

대:답(對答) 명하자 回答 huídá = 답1 ¶질문에 ~하다 回答问题

대:대(大隊) 명 〖軍〗营 yíng; 大队 dàduì

대:대(代代) 명 代代 dàidài; 世世代代 shìshìdàidài

대:대-로(代代—) 부 代代 dàidài; 世世代代 shìshìdàidài ¶~ 농사를 짓던 농민 世世代代务农的农民

대:대손손(代代孫孫) 명 子子孙孙 zǐzǐsūnsūn ¶~ 부귀영화를 누리다 子子孙孙享受荣华富贵

대:대-장(大隊長) 명 〖軍〗营长 yíngzhǎng; 大队长 dàduìzhǎng

대:-도시(大都市) 명 大城市 dàchéngshì; 大都会 dàdūhuì
대:동(大同) 명하자형 **1** 大同 dàtóng ¶~ 세계 大同世界 **2** 相仿 xiāngfǎng; 相似 xiāngsì ¶성격이 ~하다 性格相仿
대:동(帶同) 명하타 带领 dàilǐng; 偕同 xiétóng ¶친구를 ~하고 가다 带领朋友去
대:-동맥(大動脈) 명 **1** 〖生〗 大动脉 dàdòngmài **2** 大动脉 dàdòngmài ¶교통의 ~ 交通大动脉
대:동-소이(大同小異) 명하형 大同小异 dàtóngxiǎoyì ¶그들의 의견은 ~하다 他们的意见大同小异
대두(大豆) 명 〖植〗 大豆 dàdòu
대두(擡頭) 명하자 抬头 táitóu; 兴起 xīngqǐ ¶신흥 세력이 ~하다 新兴势力抬头
대:-들다 자 顶撞 dǐngzhuàng ¶어른에게 ~ 顶撞大人
대-들보(大—) 명 〖建〗 **1** 大梁 dàliáng; 脊檩 jǐlǐn; 正梁 zhèngliáng = 대량(大樑) **2** 栋梁 dòngliáng; 大梁 dàliáng ¶나라의 ~가 되다 成为国家栋梁
대:등(對等) 명하형 对等 duìděng; 平等 píngděng ¶~한 지위 对等的地位
대뜸 부 马上 mǎshàng; 立刻 lìkè; 当即 dāngjí; 当场 dāngchǎng ¶~ 잔소리부터 하다 马上发起牢骚
대:란(大亂) 명하형 大乱 dàluàn ¶~이 일어나다 发生大乱
대:략(大略) 一명 梗概 gěnggài; 大概 dàgài ¶~의 상황 大概的情况 二부 大略 dàlüè; 大致 dàzhì; 约摸 yuēmō; 大体上 dàtǐshàng; 约计 yuējì ¶일이 ~ 끝났다 工作大致结束了 / ~ 백만 원이 들었다 约计花了一百万元
대:량(大量) 명 大量 dàliàng; 大批 dàpī ¶~ 주문 大量订货 / ~ 공급 大量供应
대:량(大樑) 명 〖建〗 = 대들보1
대:련(對鍊) 명하자 〖體〗 对练 duìliàn ¶선수와 ~하다 和运动员对练
대:령(大領) 명 〖軍〗 大校 dàxiào
대로[1] 의명 **1** 多少…多少 duōshǎo…duōshǎo; 几…几 jǐ…jǐ; 什么…什么 shénme…shénme; 怎么…怎么 zěnme…zěnme ¶아는 ~ 말하세요 你知道多少就说多少吧 **2** 一…就 yī…jiù ¶집에 도착하는 ~ 편지를 쓰다 一到家就写信 **3** 至极 zhìjí ¶지칠 ~ 지친 마음 疲累至极的心 **4** 尽可能 jǐnkěnéng ¶될 수 있는 ~ 빨리 와라 尽可能快点来
대로[2] 조 **1** 按照 ànzhào; 照样 zhàoyàng; 遵照 zūnzhào; 依照 yīzhào; 依 yī; 照 zhào ¶법~ 하다 依法处置 **2** 自己 zìjǐ ¶나는 나~ 생각이 있다 我有我自己的想法
대:로(大路) 명 = 큰길 ¶~변 大路旁
대롱-거리다 자 (悬挂的小物) 摇摇晃晃 yáoyaohuànghuàng = 대롱대다 ¶나뭇잎 하나가 가지에 매달려 ~ 树枝上挂着一片树叶摇摇晃晃 **대롱-대롱** 부하자
대:류(對流) 명 〖物〗 对流 duìliú
대:륙(大陸) 명 〖地理〗 大陆 dàlù ¶~붕 大陆架 / ~판 大陆板
대:륙-성(大陸性) 명 大陆性 dàlùxìng ¶~ 기후 大陆性气候
대:륙-적(大陸的) 관명 大陆(的) dàlù(de); 大陆性(的) dàlùxìng(de) ¶~인 기질 大陆的气质 / ~인 면모 大陆性的面貌
대리(代理) 一명하타 代理 dàilǐ; 代办 dàibàn; 代 dài ¶~인 代理人 / ~점 代理店 / ~ 시험 代考 二명 代理 dàilǐ ¶~로 승진하다 升为代理
대:리-석(大理石) 명 〖鑛〗 大理石 dàlǐshí
대:립(對立) 명하자 对立 duìlì ¶의견의 ~ 意见的对立 / ~ 관계 对立关系
대-마루 명 **1** 屋脊 wūjǐ **2** = 대마루판
대마루-판 명 决胜阶段 juéshèng jiēduàn = 대마루2 ¶~에 이르다 进入决胜阶段
대:마-유(大麻油) 명 大麻油 dàmáyóu
대:마-초(大麻草) 명 大麻 dàmá ¶~를 피우다 吸食大麻
대:-만원(大滿員) 명 爆满 bàomǎn; 爆棚 bàopéng
대:망(大望) 명 大志 dàzhì ¶~을 품다 胸怀大志
대:망(待望) 명하타 盼望 pànwàng
대:맥(大麥) 명 〖植〗 = 보리
대:-머리 명 秃头 tūtóu; 秃顶 tūdǐng
대:면(對面) 명하자타 见面 jiànmiàn; 会面 huìmiàn = 당면(當面)2 ¶첫 ~ 初次见面
대:-명사(代名詞) 명 〖語〗 代词 dàicí; 代名词 dàimíngcí
대:명-천지(大明天地) 명 光天化日 guāngtiānhuàrì
대목 명 **1** 忙季 mángjì; 旺季 wàngjì; 旺市 wàngshì ¶설 ~ 春节旺市 / ~을 만나다 逢旺季 **2** 阶段 jiēduàn ¶주목할 만한 ~ 值得注意的阶段 **3** 段落 duànluò; 段 duàn; 部分 bùfen ¶그 ~은 감동적이었다 那段落非常感人
대-못(大—) 명 〖建〗 = 큰못
대:문(大門) 명 大门 dàmén; 正门 zhèngmén ¶~짝 大门扇
대:-물리다(代—) 타 传下 chuánxià;

传给 chuángěi; 留传 liúchuán ¶ 사업을 아들에게 ~ 把事业传给儿子
대:-물림(代—) 명하자타 **1** 传下 chuánxià; 留传 liúchuán; 留给 liúgěi ¶ ~으로 이어받은 땅 传下来的田地 **2** 传家宝 chuánjiābǎo ¶ 우리 집안의 ~ 我们家的传家宝
대:미(大尾) 명 结尾 jiéwěi; 结局 jiéjú = 대단원1
대-바구니 명 竹篮 zhúlán; 竹筐 zhúkuāng; 竹篓 zhúlǒu
대-바늘 명 竹针 zhúzhēn
대-받다 타 反驳 fǎnbó; 驳斥 bóchì ¶ 어른이 하는 말을 ~ 反驳长辈说的话
대-발 명 竹帘 zhúlián
대-밭 명 竹园 zhúyuán; 竹林 zhúlín
대번 부 = 대번에
대번-에 부 一下子 yīxiàzi; 马上 mǎshàng = 대번 ¶ ~ 알아채다 马上就猜到了
대:범-스럽다(大汎—) 형 心胸开阔 xīnxiōng kāikuò; 宽宏大量 kuānhóngdàliàng; 胸襟开阔 xiōngjīn kāikuò; 雍容大度 yōngróng dàdù; 大方 dàfang; 大度 dàdù ¶ 대범스럽게 행동하다 做事大方 **대:범스레** 부
대:범-하다(大汎—) 형 心胸开阔 xīnxiōng kāikuò; 宽宏大量 kuānhóngdàliàng; 胸襟开阔 xiōngjīn kāikuò; 雍容大度 yōngróng dàdù; 大方 dàfang; 大度 dàdù ¶ 대범한 성격 宽宏大量的性格
대:범-히 부
대:법(大法) 명 〖法〗 = 대법원
대:-법원(大法院) 명 〖法〗 大法院 dàfǎyuàn = 대법
대:법원-장(大法院長) 명 〖法〗 大法院院长 dàfǎyuàn yuànzhǎng
대:변(大便) 명 大便 dàbiàn
대:변(代辯) 명하타 代言 dàiyán; 辩护 biànhù
대:변-인(代辯人) 명 发言人 fāyánrén; 代言人 dàiyánrén
대:병(大兵) 명 = 대군
대:-보다 타 相比 xiāngbǐ; 对比 duìbǐ; 比较 bǐjiào; 比 bǐ ¶ 키를 ~ 比个子
대:-보름(大—) 명 〖民〗 = 대보름날
대:보름-날(大—) 명 〖民〗 元宵节 Yuánxiāojié; 上元节 Shàngyuánjié; 灯节 Dēngjié = 대보름
대본(臺本) 명 〖文〗 剧本 jùběn; 台本 táiběn; 脚本 jiǎoběn
대:부(貸付) 명하타 〖經〗 贷款 dàikuǎn; 贷放 dàifàng; 贷给 dàigěi; 借贷 jièdài ¶ ~금 贷款
대:-부분(大部分) 명부 大部分 dàbùfen = 대개⊟1 ¶ ~ 반대하다 大部分反对
대:북(對北) 명 对北 duìběi ¶ ~ 방송 对北广播 / ~ 정책 对北政策
대:비(對比) 명하타 对比 duìbǐ; 对照 duìzhào; 反衬 fǎnchèn ¶ 색채 ~ 色彩对照
대:비(對備) 명하자타 对付 duìfu; 防备 fángbèi; 防 fáng; 预备 yùbèi; 应付 yìngfu; 应对 yìngduì ¶ 노후 ~ 预备养老 / 재난에 ~하다 防备灾害
대:비-책(對備策) 명 对策 duìcè; 应对方案 yìngduì fāng'àn ¶ 안전~ 安全对策 / ~을 세우다 制定应对方案
대:사(大事) 명 **1** = 큰일[1] **2** = 큰일[2]
대:사(大使) 명 〖法〗 大使 dàshǐ ¶ ~관 大使馆
대사(臺詞·臺辭) 명 〖演〗 台词 táicí ¶ ~를 외우다 背台词
대:상(大賞) 명 大奖 dàjiǎng ¶ ~을 받다 获得大奖 / ~을 타다 中大奖
대:상(對象) 명 对象 duìxiàng ¶ ~자 对象 / 연구 ~ 研究对象 / 관심의 ~ 关心的对象
대:서-특필(大書特筆) 명하타 大书特书 dàshū tèshū ¶ 신문에 ~로 게재되다 报纸上被大书特书地登载出来
대:선(大選) 명 〖政〗 大选 dàxuǎn; 总统选举 zǒngtǒng xuǎnjǔ ¶ ~ 후보 大选候选人 / ~에 참가하다 参加大选
대:-선배(大先輩) 명 **1** 老前辈 lǎoqiánbèi; 老先辈 lǎoxiānbèi ¶ 직장 ~ 工作上的老前辈 **2** 老学长 lǎoxuézhǎng; 老前辈 lǎoqiánbèi ¶ 대학 ~ 大学的老前辈
대:설(大雪) 명 大雪 dàxuě
대:성(大成) 명하자 大成就 dàchéngjiù; 大成 dàchéng; 大气候 dàqìhòu ¶ 그런 사람은 ~할 수 없다 那种人成不了大气候
대:성(大聲) 명 大声 dàshēng
대:-성공(大成功) 명하자 大成功 dàchénggōng; 大成就 dàchéngjiù ¶ ~을 거두다 取得大成功
대:성-통곡(大聲痛哭) 명하자 大声痛哭 dàshēng tòngkū; 号啕大哭 háotáo dàkū = 방성대곡 ¶ 바닥에 엎드려 ~을 하다 趴在地上号啕大哭
대:-성황(大盛況) 명 极为热闹 jíwéi rènao; 盛况空前 shèngkuàng kōngqián ¶ ~을 이루다 盛况空前
대:세(大勢) 명 **1** 大势 dàshì; 大局 dàjú; 局势 júshì ¶ ~를 따르다 跟随大局 **2** 大势 dàshì; 大权 dàquán ¶ ~를 쥐다 掌握大势
대:소(大小) 명 大小 dàxiǎo
대:-소변(大小便) 명 大小便 dàxiǎobiàn
대:-소사(大小事) 명 大小事 dàxiǎo-

shì; 大事小事 dàshì xiǎoshì; 大事小情 dàshì xiǎoqíng ¶회사의 ~를 도맡다 包揽公司的大事小情

대-소쿠리 명 竹箩筐 zhúluókuāng

대:수 명 了不起 liǎobuqǐ; 本事 běnshi; 上策 shàngcè 《主要用于疑问句》 ¶돈벌이만 잘하면 ~냐? 只会赚钱, 很了不起吗?

대:수(代數) 명 〖數〗 = 대수학

대수(臺數) 명 (车辆、机器、飞机等的) 台数 táishù; 架数 jiàshù; 数量 shùliàng ¶자동차 ~ 汽车台数

대:수-롭다 형 了不起 liǎobuqǐ; 了不得 liǎobudé; 要紧 yàojǐn; 紧要 jǐnyào; 当事儿 dàngshìr ¶대수롭지 않은 일 无关紧要的小事 **대:수로이** 부 ¶~ 여기지 않다 不当事儿

대:-수술(大手術) 명하타 〖醫〗 大手术 dàshǒushù

대:수-학(代數學) 명 〖數〗 代数学 dàishùxué = 대수(代數)

대-숲 명 竹林 zhúlín

대:승(大勝) 명하자 大胜利 dàshènglì; 大捷 dàjié ¶~을 거두다 取得大胜利

대:-승리(大勝利) 명하자 大胜利 dàshènglì; 大捷 dàjié ¶우리는 최후의 ~를 거두었다 我们取得了最后的大捷

대:식(大食) 명하타 **1** 大吃 dàchī **2** = 대식가

대:식-가(大食家) 명 大肚皮 dàdùpí; 大肚汉 dàdùhàn; 大肚子 dàdùzi = 대식2

대:-식구(大食口) 명 家里人口多 jiāli rénkǒu duō

대:신(大臣) 명 大臣 dàchén

대:신(代身) 명하타 **1** 代替 dàitì; 替代 tìdài; 顶替 dǐngtì ¶모유 ~에 우유를 먹이다 用牛奶代替母乳喂 **2** 替 tì; 代 dài; 代替 dàitì ¶편지를 ~ 써 주다 代写书信

대:안(代案) 명 代案 dài'àn; 代行方案 dàixíng fāng'àn; 替代方案 tìdài fāng'àn ¶~을 제시하다 提出替代方案

대:안(對案) 명하자 对策 duìcè; 应对方案 yìngduì fāng'àn ¶~을 마련하다 准备应对方案

대야 명 脸盆 liǎnpén

대:업(大業) 명 大业 dàyè; 大事业 dàshìyè ¶조국 통일의 ~ 祖国统一大业

대:여(貸與) 명하타 出租 chūzū; 出借 chūjiè; 贷 dài; 借 jiè ¶무료로 ~하다 免费出借

대:여-료(貸與料) 명 租金 zūjīn

대:-여섯 수관 五六 wǔliù ¶젊은 사람 ~이 모였다 聚集了五六个年轻人

대:역(大逆) 명 〖史〗 大逆 dànì ¶~의 죄를 범하다 犯大逆之罪

대:역(代役) 명하타 〖演〗 代演 dàiyǎn; 替角 tìjué; 替身 tìshēn ¶~을 쓰다 使用替身

대:역(對譯) 명하타 对译 duìyì; 对照 duìzhào ¶영한 ~ 소설 英韩对照小说

대열(隊列) 명 队列 duìliè; 行列 hángliè; 队伍 duìwu ¶~을 이루다 组成队列 / ~이 흐트러지다 队伍散了

대오(隊伍) 명 队伍 duìwu; 队 duì = 대(隊) ¶~를 짓다 排队

대-오리 명 竹签 zhúqiān; 竹条 zhútiáo

대:왕(大王) 명 **1** 大王 dàwáng **2** 先王 xiānwáng

대:외(對外) 명 对外 duìwài ¶~ 교류 对外交流 / ~ 관계 对外关系

대:외 무:역(對外貿易) 〖經〗 = 외국무역

대:외-적(對外的) 관명 对外(的) duìwài(de) ¶~ 문제 对外的问题 / ~인 원조 对外的援助

대:요(大要) 명 大要 dàyào; 要点 yàodiǎn ¶사건의 ~ 事件的大要

대:용(代用) 명하타 代用 dàiyòng ¶~ 식품 代用食品 / ~품 代用品

대:-용량(大容量) 명 大容量 dàróngliàng ¶~ 냉장고 大容量冰箱

대:우(待遇) 명하타 **1** 待遇 dàiyù ¶특별 ~ 特殊待遇 **2** (收入的水平或地位) 待遇 dàiyù ¶~가 좋다 待遇好 **3** 款待 kuǎndài; 接待 jiēdài ¶정성 어린 ~를 받다 受到诚挚的款待 **4** 招待 zhāodài ¶부장 ~ 部长级招待

대-울타리 명 竹篱 zhúlí

대원(隊員) 명 队员 duìyuán ¶신입 ~ 新队员 / 소방~ 消防队员

대:위(大尉) 명 〖軍〗 大尉 dàwèi

대:-유행(大流行) 명하자 大流行 dàliúxíng; 盛行 shèngxíng ¶올해는 미니스커트가 ~이다 今年盛行超短裙

대:응(對應) 명하자 **1** 应付 yìngfu; 对付 duìfu; 对应 duìyìng ¶법적으로 ~하다 法律上应对 **2** 相对 xiāngduì; 对立 duìlì ¶서로 ~ 관계를 이루다 形成彼此对立的关系 **3** 〖數〗 对应 duìyìng

대:응-책(對應策) 명 应付方案 yìngfu fāng'àn; 对付方案 duìfu fāng'àn ¶~을 제시하다 提出应付方案

대:의(大意) 명 大意 dàyì = 대의(大義)2 ¶~를 파악하다 了解大意

대:의(大義) 명 **1** 大义 dàyì **2** = 대의(大意)

대:의(代議) 명 〖政〗 代议 dàiyì

대:인(大人) 명 **1** = 성인(成人) **2** = 거인(巨人) **3** = 대인군자 **4** 大人 dàrén

대:인(對人) 명하자 对人 duìrén; 待人 dàirén ¶~ 관계가 원만하다 对人关系融洽

대:인-군자(大人君子) 명 大人君子 dàrén jūnzǐ = 대인(大人)3

대:입(大入) 명 大学入学 dàxué rùxué ¶～ 시험 大学入学考试 =[高考]

대-자리 명 竹席 zhúxí ¶～를 깔다 铺竹席

대:자-보(大字報) 명 大字报 dàzìbào

대:작(大作) 명 **1** 大作 dàzuò《优秀的作品》¶그 소설은 그의 ～이다 那本小说是他的大作 **2** 大作 dàzuò; 巨著 jùzhù; 大著 dàzhù; 大片 dàpiàn ¶～을 내놓다 发表大作

대:작(對酌) 명하자 对酌 duìzhuó; 对饮 duìyǐn ¶두 사람이 ～하다 二人对酌

대:장(大將) 명 **1** 首领 shǒulǐng; 头目 tóumù; 头(儿) tóu(r) ¶그는 아이들의 ～이다 他是孩子头儿 **2** 好…的人 hǎo…derén; 大王 dàwáng ¶거짓말 ～ 说谎大王 **3**〖軍〗大将 dàjiàng

대:장(大腸) 명〖生〗大肠 dàcháng ¶～암 大肠癌 / ～염 大肠炎

대장(臺帳) 명 账簿 zhàngbù; 原账 yuánzhàng; 底账 dǐzhàng; 底册 dǐcè; 簿 bù ¶출납 ～ 出纳簿

대:장-간(—間) 명 铁匠铺 tiějiangpù

대:-장군(大將軍) 명〖史〗大将军 dàjiāngjūn

대:장-균(大腸菌) 명〖生〗大肠菌 dàchángjūn

대:-장부(大丈夫) 명 大丈夫 dàzhàngfu = 장부(丈夫)2

대:장-장이 명 铁匠 tiějiang; 打铁的 dǎtiěde

대:장-질 명하자 打铁活儿 dǎtiěhuór

대:적(大敵) 명 大敌 dàdí; 劲敌 jìngdí ¶～과 맞서다 与大敌对抗

대:적(對敵) 명하자타 **1** 敌 dí; 对敌 duìdí ¶～할 수 없다 敌不过 **2** 抵敌 dǐdí; 应敌 yìngdí

대:전(大戰) 명하자 大战 dàzhàn ¶제1차 세계 ～ 第一次世界大战

대:전(對戰) 명하자 对战 duìzhàn; 交战 jiāozhàn ¶강적과 ～하다 与强敌对战

대:-전제(大前提) 명〖論〗大前提 dàqiántí

대:절(貸切) 명하타 包 bāo; 包租 bāozū ¶차를 ～하다 包车

대:접 명 大碗 dàwǎn; 海碗 hǎiwǎn ¶물 한 ～ 一大碗水

대:접(待接) 명하타 **1** 接待 jiēdài; 招待 zhāodài; 待 dài ¶～이 소홀하다 招待不周 / 손님을 ～하다 招待客人 **2** 以…招待 yǐ…zhāodài; 以…待 yǐ…dài; 待 dài; 招待 zhāodài ¶차를 ～하다 待茶

대:-정맥(大靜脈) 명〖生〗大静脉 dàjìngmài

대:조(對照) 명하타 **1** 对 duì; 核对 héduì; 对照 duìzhào ¶필적을 ～하다 对笔迹 / 번역문을 원문과 ～해 보다 把译文和原文对照一下 **2** 对比 duìbǐ; 对照 duìzhào ¶둘의 성격이 선명한 ～를 이룬다 两人的性格形成鲜明的对比

대:-주주(大株主) 명 大股东 dàgǔdōng ¶회사의 ～ 公司的大股东

대중 명하타 **1** 估摸 gūmo; 估量 gūliang; 估计 gūjì ¶짐의 무게를 ～해 보다 估量行李的重量 **2** 标准 biāozhǔn; 根据 gēnjù ¶북극성을 ～으로 길을 걷다 以北极星为标准走路

대:중(大衆) 명 大众 dàzhòng; 群众 qúnzhòng; 民众 mínzhòng; 众 zhòng; 众人 zhòngrén ¶～ 매체 大众媒体 / ～목욕탕 大众浴池 / ～성 大众性 / ～음악 大众音乐 / ～문화 大众文化

대:중-가요(大衆歌謠) 명〖音〗流行歌曲 liúxíng gēqǔ = 가요1

대:중-교통(大衆交通) 명 公共交通 gōnggòng jiāotōng; 公交 gōngjiāo

대중-없다 형 **1** 无法估计 wúfǎ gūjì; 无法估量 wúfǎ gūliang; 没有把握 méiyǒu bǎwò ¶대중없는 말을 하다 说没有把握的话 **2** 无标准 wúbiāozhǔn ¶차가 출발하는 시간은 ～ 发车无标准 **대중없-이** 부 ¶～ 마신 맥주 喝下无法估量的啤酒

대:중-화(大衆化) 명하자타 大众化 dàzhònghuà ¶예술의 ～ 艺术的大众化

대:지(大地) 명 大地 dàdì

대:지(大志) 명 大志 dàzhì; 宏愿 hóngyuàn; 壮志 zhuàngzhì ¶젊은이는 ～를 품어야 한다 年轻人应该胸怀大志

대지(垈地) 명 地基 dìjī ¶～ 면적 地基面积 / 신축 가옥의 ～ 新建房屋的地基

대지(臺紙) 명 衬纸 chènzhǐ ¶～ 작업이 끝나다 衬纸工作结束

대:진(對陣) 명하자 对阵 duìzhèn; 对垒 duìlěi; 对赛 duìsài ¶～표 对阵表 / 적군과 ～하다 与敌军对阵

대:질(對質) 명하자〖法〗对质 duìzhì; 质证 zhìzhèng ¶～ 신문 对质询问 / ～심문 对质审讯 / 목격자와 ～하다 和目击者对质

대-쪽 명 **1** = 댓조각 **2** 性情刚直 xìngqíng gāngzhí ¶그의 성미는 ～ 같다 他的性情刚直

대:차(貸借) 명하타 借贷 jièdài ¶～ 대조표 借贷对照表

대:책(對策) 명 对策 duìcè; 措施 cuòshī; 方法 fāngfǎ; 策 cè ¶근본적인 ～ 根本的措施 / ～을 세우다 制定对策

대:처(對處) 명하자 对付 duìfu; 应对 yìngduì; 应付 yìngfu; 支应 zhīyìng ¶

효과적으로 ~하다 有效地应对
대:척(對蹠) 명 正反对 zhèngfǎnduì; 正相反 zhèngxiāngfǎn ¶~되는 현상 正相反的现象
대:천(大川) 명 大川 dàchuān
대:첩(大捷) 명하자 大捷 dàjié
대:청(大廳) 명 『建』 走廊 zǒuláng = 당(堂)1 · 대청마루
대:청-마루(大廳—) 명 『建』 = 대청
대:-청소(大淸掃) 명하타 大扫除 dàsǎochú
대:체(大體) 一명 梗概 gěnggài; 大体 dàtǐ; 大概 dàgài; 大致 dàzhì ¶사건의 ~ 事件的梗概 二부 = 도대체1 ¶~ 어찌 된 일이냐? 究竟是怎么回事?
대:체(代替) 명하타 代替 dàitì; 替代 tìdài; 代 dài ¶~ 에너지 替代能源 / ~ 방안 替代方案 / ~ 식량 代用粮食
대:체-로(大體—) 부 大体 dàtǐ; 基本上 jīběnshang; 大抵 dàdǐ; 大致 dàzhì ¶~ 같다 大致相同 / ~ 자리가 잡히다 大致就绪
대:-초원(大草原) 명 大草原 dàcǎoyuán
대:추 명 枣 zǎo ¶~나무 枣树 / ~씨 枣核 / ~차 枣茶
대:출(貸出) 명하타 借 jiè; 贷 dài; 出借 chūjiè; 出租 chūzū; 贷款 dàikuǎn; 借款 jièkuǎn ¶~금 贷款 / ~ 이자 贷款利息 / 책을 ~하다 借书
대충 부 大略 dàlüè; 粗略 cūlüè; 大概 dàgài; 大致 dàzhì; 草草 cǎocǎo; 应付 yìngfu ¶현장 상황을 ~ 이야기하다 把现场的情况大略说 / 일이 ~ 끝나다 事情大致结束
대충-대충 부 大略 dàlüè; 粗略 cūlüè; 大致 dàzhì; 大概 dàgài; 草草 cǎocǎo; 应付 yìngfu ¶~ 끝내다 草草收兵 / 일을 ~ 하다 应付了事
대:치(代置) 명하타 替换 tìhuàn; 代替 dàitì; 取代 qǔdài ¶주판을 계산기로 ~하다 用计算器取代算盘
대:치(對峙) 명하자 对峙 duìzhì; 对垒 duìlěi; 僵持 jiāngchí ¶적과 아군이 ~하다 敌我对峙
대:칭(對稱) 명 1 『物』 对称 duìchèn 2 『語』 第二人称 dì'èr rénchēng 3 『數』 对称 duìchèn ¶~ 곡선 对称曲线 / ~ 이동 对称移动 / ~점 对称点
대-통(—筒) 명 竹筒(儿) zhútǒng(r); 竹管(儿) zhúguǎn(r)
대:통(大通) 명하자 大通 dàtōng ¶만사가 ~하다 凡事大通
대:통(大統) 명 大统 dàtǒng ¶세자가 ~을 잇다 太子继承大统
대:통령(大統領) 명 『法』 总统 zǒngtǒng
대:퇴-골(大腿骨) 명 『生』 大腿骨 dàtuǐgǔ
대:-파(大—) 명 大葱 dàcōng
대:파(大破) 명하타 大破 dàpò; 大败 dàbài ¶적군을 ~하다 大破敌军
대:판(大—) 一명 大规模 dàguīmó; 大场面 dàchǎngmiàn = 대판거리 ¶잔치를 ~으로 차리다 大摆筵席 二부 大 dà ¶나는 어제 친구와 ~ 싸웠다 昨天我和朋友大吵了一架
대:판-거리(大—) 명 = 대판一
대:패 명 『工』 刨子 bàozi; 刮刨 guābào; 推刨 tuībào
대:패(大敗) 명하자 1 大败 dàbài ¶적군을 ~시키다 大败敌军 2 大失败 dàshībài
대:패-질 명하타 (用刨子) 推 tuī; 刨 bào ¶이 나무는 좀 더 ~을 해야겠다 这块木头还得用刨子刨刨
대:포 명 1 大酒杯 dàjiǔbēi; 大酒碗 dàjiǔwǎn 2 = 대폿술 3 (用大碗喝的) 酒 jiǔ
대:포(大砲) 명 1 『軍』 大炮 dàpào; 炮 pào = 포(砲) ¶~ 다섯 문 五门大炮 / ~를 쏘다 放炮 2 吹牛 chuīniú
대:폭(大幅) 一명 大幅度 dàfúdù; 大幅 dàfú 二부 大幅度(地) dàfúdù(de); 大大地 dàdàde; 大幅(地) dàfú(de) ¶계획을 ~ 수정하다 大幅度修改计划
대:폿-술 명 大碗酒 dàwǎnjiǔ = 대포2
대:폿-집 명 酒铺 jiǔpù
대:표(代表) 명하타 代表 dàibiǎo ¶~단 代表团 / ~자 代表者 / ~작 代表作
대:표-적(代表的) 관명 具有代表性(的) jùyǒu dàibiǎoxìng(de); 代表(的) dàibiǎo(de) ¶~ 사례 具有代表性的事例 / ~ 인물 代表人物
대:풍(大風) 명 大风 dàfēng ¶~이 불다 刮大风
대:풍(大豐) 명 大丰收 dàfēngshōu ¶~이 들다 获得大丰收
대:피(待避) 명하자 躲避 duǒbì ¶방공호로 ~하다 躲避防空壕里
대:피-소(待避所) 명 掩蔽所 yǎnbìsuǒ; 掩护所 yǎnhùsuǒ
대:필(代筆) 명하타 代笔 dàibǐ; 代写 dàixiě ¶논문을 ~하다 代写论文
대:하(大河) 명 大河 dàhé; 大江 dàjiāng
대:하(大蝦) 명 『魚』 对虾 duìxiā; 海虾 hǎixiā = 왕새우
대:-하다(對—) 자타 1 面对 miànduì ¶벽을 대하고 앉아 있다 面对墙壁坐着 2 待 dài; 对待 duìdài; 对 duì ¶그는 누구에게나 친절하게 대한다 他对谁都很热情 3 对于 duìyú; 关于 guānyú; 对 duì ¶그 문제에 대한 설명 关于那个问题的说明
대:학(大學) 명 『教』 1 大学 dàxué ¶

~교수 大学教授 / ~생 大学生 / ~ 병원 大学医院 / ~에 다니다 上大学 / ~을 졸업하다 大学毕业 **2** = 단과 대학

대:학-원(大學院) 명 【教】 研究生院 yánjiūshēngyuàn; 研究院 yánjiūyuàn

대:학원-생(大學院生) 명 研究生 yánjiūshēng

대:한(大寒) 명 大寒 dàhán

대:한-민국(大韓民國) 명 【地】 大韩民国 Dàhán Mínguó; 韩国 Hánguó = 한국

대:함(大艦) 명 大舰 dàjiàn

대:합(大蛤) 명 【貝】 = 백합(白蛤)

대:합-실(待合室) 명 候车室 hòuchēshì; 候机室 hòujīshì; 候客室 hòukèshì; 等候室 děnghòushì

대:항(對抗) 명하자타 对抗 duìkàng; 抵抗 dǐkàng ¶~전 对抗赛 / 무력으로 적에게 ~하다 用武力对抗敌人

대:해(大海) 명 大海 dàhǎi; 沧海 cānghǎi ¶망망한 ~ 茫茫大海

대:행(代行) 명하타 代行 dàixíng; 代理 dàilǐ; 代办 dàibàn; 代替 dàitì ¶~회사 代理公司 / ~ 기관 代办机构 / 업무를 ~하다 代办业务

대:형(大型) 명 大型 dàxíng; 大 dà; 重大 zhòngdà ¶~ 버스 大巴 / ~ 기계 大型机械 / ~ 사고 重大事故

대형(隊形) 명 队形 duìxíng ¶~을 짓다 排成队形 / ~을 짜다 编排队形

대:-혼란(大混亂) 명 大混乱 dàhùnluàn; 大乱 dàluàn ¶~에 빠지다 陷入大混乱

대:-홍수(大洪水) 명 大水 dàshuǐ; 大洪水 dàhóngshuǐ; 特大洪水 tèdà hóngshuǐ

대:화(對話) 명하자 对话 duìhuà; 谈话 tánhuà; 交谈 jiāotán; 谈 tán ¶~ 내용 对话内容 / ~문 对话文 / ~체 对话体 / 우리는 많은 ~를 나누었다 我们做了很多的对话

대:-환영(大歡迎) 명하타 热烈欢迎 rèliè huānyíng ¶~을 받다 受到热烈欢迎

대:회(大會) 명 大会 dàhuì; 大赛 dàsài; 会 huì; 赛 sài ¶~장 大会场 / 올림픽~ 奥运会 / ~를 개최하다 主办大会

대:흉(大凶) 명 **1** = 대흉년 **2** = 대흉작

대:-흉년(大凶年) 명 大灾荒 dàzāihuāng; 大荒 dàhuāng; 大灾年 dàzāinián = 대흉1

대:-흉작(大凶作) 명 大歉收 dàqiànshōu = 대흉2

댁(宅) 一명 **1** 府上 fǔshàng ¶~에서 편지가 왔습니다 府上来信了 **2** 夫人 fūrén ¶그 분은 누구의 ~입니까? 那位是谁的夫人? 二대 您 nín; 你 nǐ ¶~은 뉘시오? 您是哪位?

-댁(宅) 접미 家 jiā ¶처남~ 内弟家

댁-내(宅內) 명 府上 fǔshàng ¶~ 두루 평안하신지요? 府上都平安吧?

댁-네(宅—) 명 老婆 lǎopo; 妻子 qīzi ¶그의 ~는 집에 있다 他老婆在家里

댁대구루루 부 咕噜噜 gūlūlū; 骨碌碌 gūlùlù ¶구슬이 마룻바닥에 떨어져 ~ 굴러가다 珠子掉在地板上, 咕噜噜滚

댁대굴-댁대굴 부하자 咕噜噜 gūlūlū; 骨碌碌 gūlùlù ¶공이 ~ 구르다 球咕噜噜直滚

댄서(dancer) 명 **1** 舞蹈家 wǔdǎojiā **2** 舞女 wǔnǚ

댄스(dance) 명 舞蹈 wǔdǎo; 舞 wǔ ¶~파티 舞会 / ~홀 舞厅

댐(dam) 명 【建】 水坝 shuǐbà

댓: 수관 五个左右 wǔge zuǒyòu ¶사과 ~ 개 五个左右苹果

댓-바람 명 **1** 立即 lìjí; 立刻 lìkè; 毫不迟延 háobù chíyán ¶그 소식을 듣자마자 ~에 달려왔다 一听到那个消息, 就立即跑来了 **2** 一举 yījǔ; 一口气 yīkǒuqì ¶~에 도둑놈을 때려눕혔다 一举把小偷打倒了

댓-잎 명 竹叶 zhúyè

댓-조각 명 竹片 zhúpiàn = 대쪽1

댕 부 当 dāng《击打小铁片时的声音》

댕강 부 **1** 咔嚓 kācā ¶나뭇가지를 ~ 꺾었다 树枝咔嚓一声断了 **2** 孤零零 gūlínglíng; 孤丁丁 gūdīngdīng ¶나 혼자 텅빈 교실 안에 ~ 앉아 있다 我孤零零一个人坐着空荡荡的教室里

댕그랑 부하자타 叮当 dīngdāng; 丁当 dīngdāng; 丁零 dīnglíng ¶종이 ~ 소리를 낸다 钟发出叮当声

댕그랑-거리다 자타 叮当叮当地响 dīngdāngdīngdāngde xiǎng = 댕그랑대다 ¶풍경 소리만 ~ 只有风铃声叮当叮当地响 **댕그랑-댕그랑** 부하자타

댕기 명 辫结 biànjié; 辫带 biàndài ¶~를 드리다 结辫带

댕기다 자타 着 zháo; 点 diǎn; 点燃 diǎnrán ¶불을 ~ 点火 / 옷에 불이 ~ 衣服点着了

댕-댕[1] 부하자타 铛铛 dāngdāng ¶종소리가 ~ 울리다 钟声铛铛响

댕댕[2] 부하형 **1** 紧绷绷 jǐnbēngbēng **2** 结实 jiēshi **3** (力气或权势) 大 dà; 强 qiáng

댕댕-거리다 자타 铛铛响 dāngdāng xiǎng = 댕댕대다 ¶종지기가 종탑의 종을 ~ 打钟人把钟楼里的钟敲得铛铛响

더 부 **1** 多 duō; 再 zài ¶~ 많이 먹다 多吃 / 조금만 ~ 기다리자 再等一会儿吧 **2** 更 gèng; 更加 gèngjiā; 多 duō;

还 hái ¶오늘은 어제보다 ~ 덥다 今天比昨天还热

더구나 부 = 더군다나

-더구나 어미 用于谓词词干后的基本阶回忆感叹式终结词尾 ¶오늘 행사는 참 재미있~ 今天的活动真有意思呀

-더구려 어미 用于谓词词干后的不定阶回忆感叹式终结词尾 ¶집을 참 잘 지었~ 房子盖得真好

더군다나 부 尤其 yóuqí; 加之 jiāzhī; 再加上 zàijiāshàng; 再上 zàishàng; 更 gèng; 而且 érqiě = 더구나 ¶그 때 일이 바빴고 ~ 출장중이어서 선생님을 찾아뵙지 못했습니다 那时候工作忙, 再加上又出差, 所以没能去看望老师

-더냐 어미 用于'이다'的词干或词尾'-으시'、'-었'、'-겠'的后面, 表示疑问的终结词尾 ¶집에 아무도 없~? 谁都不在家吗? / 김씨는 잘 있~? 小金好吗?

-더니 어미 用于'이다'的词干或词尾'-으시'、'-었'、'-겠'的后面 **1** 表示过去的事情成为原因或条件 ¶이틀 밤을 꼬박 샜~ 힘들어 죽겠다 一连熬了两天夜, 快累死了 **2** 表示以往的事实与现在的事实相反 ¶잇달아 예니레 비가 오~ 오늘에서야 겨우 개었다 一连下了六七天的雨, 今天总算晴了 **3** 表示除了过去的事实以外还有另外的事实 ¶어제는 그 기계가 없~ 오늘은 있구나 昨天还没有那台机器, 今天就有了

더덕 명 〖植〗沙参 shāshēn

더덕-구이 명 烤沙参 kǎoshāshēn

더덕-더덕 부하형 **1** 补丁摞补丁 bǔding luò bǔding ¶~ 기운 옷 补丁摞补丁的衣服 **2** 簇簇 cùcù; 累累 lěilěi ¶여드름 상처가 ~하다 青春豆疤痕累累

더덩실 부 手舞足蹈 shǒuwǔzúdǎo ¶~ 춤을 추다 手舞足蹈地跳舞

더듬-거리다 자타 **1** 摸 mō; 摸索 mōsuǒ ¶장님이 지팡이로 ~ 盲人用拐棍摸索 **2** (把方向、痕迹等) 摸 mō; 摸索 mōsuǒ ¶한참 동안 더듬거리고서야 그의 숙소를 찾았다 摸了半天才找到他的宿舍 **3** 回想 huíxiǎng; 回忆 huíyì ¶어린 시절의 상황을 ~ 回忆童年的情景 **4** 口吃 kǒuchī; 结巴 jiēba; 磕磕巴巴 kēkebābā ¶말을 ~ 说话结结巴巴 ‖ = 더듬대다 **더듬-더듬** 부하자타

더듬다 타 **1** 摸 mō; 摸索 mōsuǒ ¶호주머니 속을 손으로 ~ 用手摸口袋 **2** (把方向、痕迹等) 摸 mō; 摸索 mōsuǒ ¶길을 더듬어 찾아가다 摸索着找路 **3** 回想 huíxiǎng; 回忆 huíyì ¶과거를 ~ 回忆过去 **4** 口吃 kǒuchī; 结巴 jiēba; 磕磕巴巴 kēkebābā ¶말을 ~ 说话磕磕巴巴

더듬-이 명 〖蟲〗触须 chùxū; 触角 chùjiǎo = 촉각(觸角)

더디 부 慢 màn; 缓慢 huǎnmàn; 迟缓 chíhuǎn ¶시간이 ~ 가다 时间过得很慢 / 일을 ~ 하다 做事很慢

더디다 형 慢 màn; 缓慢 huǎnmàn; 迟缓 chíhuǎn; 迟钝 chídùn ¶행동이 ~ 行动缓慢 / 반응이 ~ 反应迟钝

-더라 어미 用于'이다'的词干或词尾'-으시'、'-었'、'-겠'的后面, 表示回忆和感想的终结词尾 ¶광장에 사람이 정말 많~ 广场上人真多 / 그곳은 경치가 참 좋~ 那个地方风景真好

-더라도 어미 即使 jíshǐ; 不管 bùguǎn; 不论 bùlùn ¶아무리 바쁘~ 점심을 거르면 안 된다 即使再忙, 也不能不吃午饭 / 무슨 일이 있~ 내일 끝나야 한다 不管有什么事, 明天都必须结束

더러[1] 부 **1** 多少 duōshǎo; 一些 yīxiē; 一部分 yībùfen ¶그를 싫어하는 사람도 ~ 있다 有一些不喜欢他的人 **2** 有时 yǒushí; 间或 jiànhuò; 有时候 yǒushíhou; 偶尔 ǒu'ěr ¶그 기계는 ~ 고장이 나기도 한다 那台机器有时会发生故障

더러[2] 조 向 xiàng; 跟 gēn; 叫 jiào; 让 ràng; 使 shǐ ¶그~ 오라고 해라 叫他来一下

더:러움 명 脏 zāng; 肮脏 āngzāng; 污点 wūdiǎn

더:러워-지다 자 **1** 弄脏 nòngzāng ¶더러워진 옷감 弄脏的布匹 **2** 变坏 biànhuài; 丑恶 chǒu'è ¶마음이 ~ 心眼儿变坏 **3** 丧失 sàngshī ¶몸이 ~ 丧失贞操 **4** 玷污 diànwū ¶이름이 ~玷污名声

더럭 부하자 突然 tūrán; 猛然 měngrán ¶화를 ~ 내다 突然生气

더:럽다 형 **1** 脏 zāng; 肮脏 āngzāng; 污秽 wūhuì ¶더러운 옷 脏衣服 / 더러운 그릇 肮脏的器皿 **2** 卑鄙 bēibǐ; 无耻 wúchǐ; 坏 huài ¶더러운 행실 卑鄙的行径 / 심보가 ~ 心眼坏 **3** 糟糕 zāogāo ¶일이 더럽게 변한 것 같다 事情好像变得糟糕 **4** 非常 fēicháng; 格外 géwài ¶날씨가 더럽게 춥다 天气非常冷

더:럽-히다 타 **1** 弄脏 nòngzàng ¶옷을 ~ 弄脏衣服 / 벽을 ~ 弄脏墙壁 **2** 玷污 diànwū; 败坏 bàihuài; 破坏 pòhuài ¶명예를 ~ 玷污名誉 / 가문을 ~ 败坏门楣

더미 명 堆 duī ¶쓰레기~ 垃圾堆 / 석탄~ 煤堆

더벅-머리 명 **1** 蓬头 péngtóu **2** 头发蓬乱的人 tóufa péngluànde rén

더부룩-하다 형 **1** 茂盛 màoshèng;

茂密 màomì ¶나무가 더부룩한 숲 树木茂盛的山林 **2** (头发、胡须) 浓密 nóngmì ¶더부룩한 수염 浓密的胡须 / 머리카락이 ~ 头发浓密 **3** (消化不良) 不舒服 bùshūfu; 不适 bùshì ¶배가 ~ 肚子不舒服 **더부룩-이** 부

더부-살이 명하자 **1** 佣人 yōngrén; 佣工 yōnggōng; 佣 yōng **2** 寄居 jìjū **3** 寄生 jìshēng ¶~ 식물 寄生植物

더불다 자 同 tóng; 跟 gēn; 一起 yīqǐ ¶친구들과 더불어 산에 오르다 和朋友们一起去爬山

더블(double) 명 **1** 两倍 liǎngbèi **2** 双重 shuāngchóng ¶~로 배상하다 双重赔偿 **3** (威士忌等) 一杯双份 yībēishuāngfèn; 两杯量 liǎngbēiliàng

더블-베드(double bed) 명 双人床 shuāngrénchuáng

더블 베이스(double bass) 〖音〗 = 콘트라베이스

더블유에이치오(WHO)[World Health Organization] 명 〖醫〗 = 세계 보건 기구

더블유티오(WTO)[World Trade Organization] 명 〖經〗 = 세계 무역 기구

더블 클릭(double click) 〖컴〗 双击 shuāngjī

더빙(dubbing) 명하타 〖演〗 配音 pèiyīn; 译制 yìzhì

더-없다 형 无上 wúshàng; 再没有 zài méiyǒu; 无比 wúbǐ ¶더없는 영광 无上光荣

더-없이 부 无上 wúshàng; 再没有 zài méiyǒu; 无比 wúbǐ ¶~ 영예로운 일 无上光荣的事情

더욱 부 更 gèng; 更加 gèngjiā; 更为 gèngwéi; 越发 yuèfā; 愈加 yùjiā ¶병세가 ~ 악화되었다 病情更加恶化了

더욱-더 부 更 gèng; 更加 gèngjiā; 愈加 yùjiā; 更为 gèngwéi; 越发 yuèfā ¶~ 힘을 내다 更加用力 / ~ 열심히 일을 하다 更努力工作

더욱-더욱 부 更 gèng; 更加 gèngjiā; 越发 yuèfā; 愈加 yùjiā ¶경제 발전이 ~ 빨라졌다 经济发展越发快了 / 그 아이는 ~ 강하게 자랐다 那个孩子长得更强壮了

더욱-이 부 更 gèng; 更加 gèngjiā; 而且 érqiě; 加上 jiāshàng ¶이 집에는 문이 하나밖에 없는 데다 ~ 매우 좁다 这座房子只有一个门, 更有甚者还很狭窄

더운-물 명 热水 rèshuǐ; 温水 wēnshuǐ = 온수

더운-밥 명 热饭 rèfàn

더위 명 (天气) 热 rè; 暑 shǔ; 暑气 shǔqì ¶심한 ~ 炎热 / ~를 물리치다 祛暑 / ~를 타다 怕热

더위(를) 먹다 구 中暑

더치페이(Dutch+pay) 명 AA 制 AA zhì; 各自付费 gèzì fùfèi

더하기 명하타 〖數〗 加 jiā; 加法 jiāfǎ = 플러스1 ¶삼 ~ 사는 칠이다 三加四等于七

더하기-표(—標) 명 〖數〗 = 덧셈 부호

더-하다 一자 加重 jiāzhòng; 加深 jiāshēn; 更深 gèng shēn; 添 tiān ¶병세가 갈수록 ~ 病情越来越加重 二타 加 jiā; 加上 jiāshang ¶칠에 여섯을 ~ 七加六 三형 更 gèng; 更加 gèngjiā; 更为 gèngwéi ¶더위는 작년보다 올해가 ~ 今年比去年更热

더-한층(—層) 부 更 gèng; 更加 gèngjiā ¶그의 실력은 ~ 향상되었다 他的能力更加提高了

덕(德) 명 **1** 德 dé; 品德 pǐndé; 道德 dàodé ¶~이 높다 品德高尚 **2** 恩德 ēndé; 恩泽 ēnzé ¶백성들에게 ~을 베풀다 向百姓施以恩德 **3** = 덕분 ¶친구의 ~ 托朋友的福 **4** = 공덕 ¶~을 쌓다 积累功德

덕(을) 보다 구 沾光 ¶자식 ~ 沾子女光

덕담(德談) 명하자 祝愿 zhùyuàn; 祝福 zhùfú; 祝词 zhùcí ¶~을 나누다 说些祝福的话

덕더그르르 부하자 **1** 骨碌碌 gūlūlū 《滚动声》 ¶돌이 ~ 굴러떨어졌다 石头骨碌碌地滚下来 **2** 轰轰 hōnghōng; 轰隆 hōnglōng 《雷声》 ¶~하는 천둥소리 轰轰的雷声

덕망(德望) 명 德望 déwàng ¶~이 높은 스승 德望高的大师

덕목(德目) 명 德目 démù

덕분(德分) 명 托福 tuōfú; 亏 kuī; 沾光 zhānguāng; 多亏 duōkuī = 덕3 · 덕택 ¶~에 잘 먹었어요 托您的福, 我吃好了

덕성(德性) 명 德 dé; 品德 pǐndé; 德行 déxíng ¶~이 높고 명망이 크다 德高望重

덕성-스럽다(德性—) 형 仁慈 réncí; 仁厚 rénhòu; 厚道 hòudao; 敦厚 dūnhòu ¶덕성스러워 보이는 얼굴 仁慈的面貌 **덕성스레** 부

덕-스럽다(德—) 형 仁慈 réncí; 仁厚 rénhòu; 厚道 hòudao; 敦厚 dūnhòu ¶덕스러운 사람 敦厚的人 **덕스레** 부

덕장 명 晒鱼的架子 shàiyúde jiàzi

덕지-덕지 부하형 厚厚 hòuhòu ¶바닥에 먼지가 ~ 쌓였다 地面上厚厚地积满了尘土 / 손에 약을 ~ 발랐다 手上抹了厚厚一层药

덕택(德澤) 명 = 덕분

덕행(德行) 명 德行 déxíng ¶~을 쌓다 积累德行

덖다 타 炒 chǎo ¶찻잎을 ~ 炒茶叶

-던1 어미 用于谓词词干后的限定形词尾, 表示'过去持续、回忆' ¶옛날에 있~ 절 以前存在的寺庙 / 먹~ 밥 剩饭

-던2 어미 用于'이다'或谓词词干之后, 表示疑问 ¶그녀가 왔~? 她来了吗? / 오늘 날씨가 춥~? 天气冷了吧?

-던걸 어미 用于'이다'或谓词词干之后回忆过去, 表示自己的想法 ¶정말 말을 잘하~ 真是会说话啊 / 싸움은 벌써 끝났~ 战斗已经结束了啊

-던데 어미 用于'이다'或谓词词干之后 **1** 回顾过去的事实, 提示自己的见解的接续词尾 ¶따님이 내일 시집간다고 하~, 준비가 다 되었습니까? 听说令媛明天过门, 都准备好了吗? **2** 为了听取别人的想法, 提出自己的主张的终结词尾 ¶그도 공부를 잘하~! 他学习也很好啊! / 그 사람 참 잘 달리~! 那个人跑得真好!

던져-두다 타 **1** 扔 rēng; 放下 fàngxià; 置之不理 zhìzhībùlǐ ¶책가방을 방구석에 ~ 把书包扔在屋角 **2** (工作) 搁在一边 gēzài yībiān; 丢开 diūkāi ¶하던 일을 던져두고 휴식을 취하다 把手头的工作搁在一边休息

-던지 어미 **1** 用于'이다'或谓词词干之后, 表示疑问的接续词尾 ¶그때 얼마나 춥~ 이틀이나 앓았다 那时候多么冷, 病了两天

던지-기 명하타 〖體〗 投 tóu; 扔 rēng; 掷 zhì; 投掷 tóuzhì ¶원반~ 掷铁饼

던지다 타 **1** 投 tóu; 扔 rēng; 投掷 tóuzhì; 投放 tóufàng; 抛 pāo ¶공을 ~ 抛球 / 돌을 ~ 扔石头 **2** 投 tóu; 扑 pū; 倒 dǎo ¶강에 몸을 던져 자살하다 投河自尽 **3** 投 tóu ¶반대표를 ~ 投反对票 **4** 抛 pāo; 问 wèn; 提 tí ¶어려운 질문을 ~ 抛出难题 **5** 投 tóu; 送 sòng; 丢 diū ¶추파를 ~ 送秋波 **6** 投 tóu; 放射 fàngshè ¶하늘에는 달이 밝은 빛을 던지고 있다 天空中月亮放射着明亮的光芒 **7** (话) 搭 dā ¶이야기를 ~ 搭话 **8** 扔下 rēngxià; 放下 fàngxià ¶일을 던져 놓고 달려가다 扔下工作就跑去 **9** 献身 xiànshēn; 舍身 shěshēn ¶나라를 위해 목숨을 ~ 为祖国献身

덜: 부 不太 bùtài; 不够 bùgòu; 少 shǎo; 还没完全 hái méi wánquán ¶한 입 ~ 먹다 少吃一口 / 배가 ~ 익다 梨还没完全熟

덜거덕 부하자타 咣当 guāngdāng ¶문이 ~ 열렸다 咣当一声门开了

덜거덕-거리다 자타 咣当咣当响 guāngdāngguāngdāng xiǎng = 덜거덕대다 ¶대문이 ~ 大门咣当咣当响 **덜거덕-덜거덕** 부하자타

덜거덩 부하자타 空隆 kōnglóng ¶철문이 ~ 닫혔다 铁门空隆一声关上了

덜거덩-거리다 자타 空隆空隆响 kōnglóngkōnglóng xiǎng = 덜거덩대다 ¶바람에 대문이 덜거덩거린다 风刮得大门空隆空隆响 **덜거덩-덜거덩** 부하자타

덜그럭 부하자타 空隆 kōnglóng ¶방에서 ~하는 소리가 난다 房间里发出空隆声

덜그럭-거리다 자타 空隆空隆响 kōnglóngkōnglóng xiǎng = 덜그럭대다 ¶짐들이 서로 부딪치며 덜그럭거린다 行李互相碰撞, 空隆空隆响 **덜그럭-덜그럭** 부하자타

덜그렁 부하자타 空隆 kōnglóng; 咣当 guāngdāng ¶~ 소리가 요란스레 들려온다 传来杂乱的咣当声

덜그렁-거리다 자타 空隆空隆响 kōnglóngkōnglóng xiǎng; 咣当咣当响 guāngdāngguāngdāng xiǎng = 덜그렁대다 ¶종이 바람에 흔들려 덜그렁거린다 钟在风中摇晃, 发出咣当咣当响 **덜그렁-덜그렁** 부하자타

덜:다 타 **1** 减 jiǎn; 减少 jiǎnshǎo; 消减 xiāojiǎn ¶다섯에서 둘을 ~ 五减二 / 밥그릇에서 밥을 ~ 减少饭碗里的饭 **2** 减轻 jiǎnqīng; 丢掉 diūdiào; 省 shěng; 解 jiě ¶걱정을 ~ 解忧 / 고통을 ~ 减轻痛苦

덜덜 부하자타 **1** 哆嗦 duōsuo; 索索 suǒsuǒ ¶추워서 ~ 떨다 冷得直打哆嗦 **2** (车轮) 吱吱嘎嘎 zhīzhīgāgā ¶바퀴가 ~ 소리를 낸다 轮子发出吱吱嘎嘎地响

덜덜-거리다 자타 **1** 哆嗦 duōsuo; 索索发抖 suǒsuǒ fādǒu ¶추워서 손이 자꾸 덜덜거린다 冻得手直打哆嗦 **2** (车轮) 吱吱嘎嘎地响 zhīzhīgāgāde xiǎng ¶달구지의 바퀴가 덜덜거린다 牛车的轮子吱吱嘎嘎地响 ‖ = 덜덜대다

덜덜-이 명 冒失鬼 màoshiguǐ; 愣头儿青 lèngtóurqīng ¶그런 ~를 어떻게 믿니? 怎么能相信那个冒失鬼?

덜:-되다 형 不成器 bùchéngqì; 没出息 méi chūxi; 缺德 quēdé ¶덜된 소리 没出息的话 / 덜된 녀석 不成器的家伙

덜렁1 부 **1** (铃声) 当啷 dānglāng; 叮当 dīngdāng ¶방울 소리가 ~ 울렸다 铃铛叮当作响 **2** 轻率 qīngshuài; 冒失 màoshi **3** (因受惊心里) 扑腾 pūteng; 吃惊 chījīng ¶가슴이 ~ 내려앉다 心扑腾扑腾的

덜렁2 부 孤零零 gūlínglíng; 孤单 gūdān ¶혼자만 ~ 남다 只有孤零零一个人

덜렁-거리다 자타 **1** 当啷当啷地响 dānglāngdānglāngde xiǎng; 叮叮当当地响 dīngdīngdāngdāngde xiǎng ¶덜렁거리던 대문이 뚝 떨어졌다 当啷当啷地响的大门哗啦一声掉了下来 **2** 轻率 qīngshuài; 冒失 màoshi ¶덜렁거리며 행동하다 冒失地行动 ‖ = 덜렁대다 **덜렁-덜렁** 부하자타

덜렁-쇠 명 冒失鬼 màoshiguǐ; 愣头儿青 lèngtóurqīng = 덜렁이

덜렁-이 명 = 덜렁쇠

덜레-덜레 부 慢腾腾 mànténgténg ¶ ~ 골목길을 걸어가다 慢腾腾地走进巷子里

덜미 명 = 목덜미

덜미(를) 잡히다 구 触到痛处; 抓辫子

덜커덕 부하자타 哐啷 kuānglāng; 咔哒 kādā; 哗啦 huālā ¶~하고 문이 열렸다 哐啷一声, 门开了

덜커덕-거리다 자타 哐啷哐啷地响 kuānglāngkuānglāngde xiǎng; 哗啦哗啦地响 huālāhuālāde xiǎng; 咔哒咔哒地响 kādākādāde xiǎng = 덜커덕대다 ¶문이 ~ 门哐啷哐啷地响 **덜커덕-덜커덕** 부하자타

덜커덩 부하자타 哗啦 huālā; 哐啷 kuānglāng; 咔哒 kādā ¶창문이 ~ 닫혔다 哗啦一声, 窗户关上了

덜커덩-거리다 자타 咔哒咔哒地响 kādākādāde xiǎng; 哗啦哗啦地响 huālāhuālāde xiǎng; 哐啷哐啷地响 kuānglāngkuānglāngde xiǎng = 덜커덩대다 ¶문짝이 ~ 门哗啦哗啦地响 **덜커덩-덜커덩** 부하자타

덜컥[1] 부하자 **1** (吓得) 扑腾 pūteng ¶가슴이 ~ 내려앉다 心扑腾沉下去 **2** 突然 tūrán; 忽然 hūrán; 一下子 yīxiàzi ¶~ 앓아눕다 突然病倒

덜컥[2] 부하자타 '덜커덕'的略词

덜컹[1] 부하자 (吓得) 扑腾 pūteng

덜컹[2] 부하자타 '덜커덩'的略词

덜:-하다 형 减少 jiǎnshǎo; 减轻 jiǎnqīng; 轻 qīng ¶병세가 ~ 病势减轻 / 맛이 어제보다 ~ 味道比昨天减轻

덤: 명 饶头 ráotou ¶~을 주다 给饶头

덤덤-하다 형 **1** 淡然 dànrán; 冷淡 lěngdàn; 心不在焉 xīnbùzàiyān ¶덤덤한 어조로 말하다 用淡然的语调讲 **2** 沉默 chénmò; 默默 mòmò ¶덤덤하게 앉아만 있다 只是默默地坐着 **3** 淡 dàn; 清淡 qīngdàn ¶술맛이 ~ 酒味儿淡 **덤덤-히** 부

덤벙[1] 부하자타 噗通 pūtōng ¶호수 속에 ~ 뛰어들다 噗通一声跳进湖里

덤벙[2] 부 轻率 qīngshuài; 冒失 màoshi; 毛手毛脚 máoshǒumáojiǎo; 贸然 màorán; 愣头愣脑 lèngtóulèngnǎo

덤벙-거리다[1] 자타 噗通噗通 pūtōngpūtōng = 덤벙대다[1] ¶아이들이 물에서 덤벙거리며 논다 孩子们噗通噗通地玩水 **덤벙-덤벙**[1] 부하자타

덤벙-거리다[2] 자 轻率 qīngshuài; 冒失 màoshi; 毛手毛脚 máoshǒumáojiǎo; 贸然 màorán; 愣头愣脑 lèngtóulèngnǎo = 덤벙대다[2] ¶덤벙거리지 말고 자세히 말해 보아라 不要冒失, 仔细说说看 **덤벙-덤벙**[2] 부하자

덤벼-들다 자 扑 pū; 扑过来 pūguòlái; 猛扑 měng pū ¶나이도 어린 놈이 어른한테 덤벼든다 年幼的家伙朝着大人扑了过来

덤불 명 丛莽 cóngmǎng

덤비다 자 **1** 扑 pū; 猛扑 měng pū; 进犯 jìnfàn ¶발악하며 덤비는 적 疯狂猛扑的敌人 **2** 撒野 sāyě ¶또 덤비겠느냐? 你还要撒野吗? **3** 慌张 huāngzhāng; 着慌 zhuóhuāng; 惊慌 jīnghuāng; 忙乱 mángluàn; 张皇 zhānghuáng; 愣头愣脑 lèngtóulèngnǎo ¶덤비지 말고 문제를 천천히 풀어라 不要着慌, 慢慢解决问题

덤뻑 부 猛然 měngrán; 一下子 yīxiàzi ¶물속에 ~ 뛰어들다 一下子跳进水里 / ~ 나서다 猛然挺身而出

덤터기 명 **1** 连累 liánlěi ¶~를 쓰다 受连累 **2** 冤枉 yuānwang; 委屈 wěiqū

덤프-트럭(dump truck) 명 自卸车 zìxièchē; 自动倾卸车 zìdòng qīngxièchē

덤핑(dumping) 명 〖經〗倾销 qīngxiāo ¶반~ 反倾销 / ~ 정책 倾销政策 / ~ 가격 倾销价格 / ~ 판매 倾销 / 소비자에게 ~ 공세를 펴다 向消费者展开倾销攻势 / ~ 판정을 받다 被判定为倾销

덥:다 형 热 rè; 暑热 shǔrè ¶날씨가 ~ 天气热

덥석 부 猛然 měngrán; 大口地 dàkǒude ¶그의 손을 ~ 잡다 猛然抓住他的手

덥석-거리다 타 猛然咬 měngrán yǎo; 大口大口地吃 dàkǒudàkǒude chī = 덥석대다 ¶주는 대로 ~ 大口大口地吃给的食物 **덥석-덥석** 부하타

덥수룩-하다 형 厚实 hòushi; 密实 mìshí ¶덥수룩한 수염 密实的胡子 **덥수룩-이** 부

덥-히다 자 **1** 热 rè; 温 wēn 《'덥다1'的使动词》¶손을 ~ 把手温一温 **2** 热 rè; 烫 tàng 《'덥다2'的使动词》¶반찬을 ~ 热菜

덧- 어미 用于名词词干之前, 表示重复、添加 ¶~신 套鞋 / ~버선 袜套

덧-나다[1] 자 **1** (病) 加重 jiāzhòng; 更厉害 gèng lìhai; 恶化 èhuà ¶상처가 ~ 伤势加重 **2** 发怒 fānù **3** (胃口) 不好

bùhǎo; 失常 shīcháng ¶입맛이 ~ 胃口不好
덧-나다[2] 자 长重牙 zhǎng chóngyá ¶이가 ~ 长了重牙
덧-니 명 双重牙 shuāngchóngyá; 重牙 chóngyá
덧-대다 타 再加一层 zài jiā yīcéng ¶널빤지를 ~ 再加一层木板
덧-문(—門) 명 **1** 外层门 wàicéngmén; 风门子 fēngménzi; 闸板 zhábǎn **2** 外层窗 wàicéngchuāng
덧-바르다 타 再糊 zài hú; 再抹 zài mǒ; 再涂 zài tú ¶진흙을 한 겹 ~ 再糊一层泥
덧-버선 명 袜套(儿) wàtào(r)
덧-붙다 자 **1** 添加 tiānjiā; 附加 fùjiā; 又贴 yòu tiē; 附上 fùshàng ¶그림 아래 설명이 덧붙었다 在图片下附加了说明 **2** 靠 kào; 依靠 yīkào; 挨着 āizhe ¶친척 집에 덧붙어 살다 靠亲戚家生活
덧-셈 명하타 〖數〗加 jiā; 加法 jiāfǎ = 가산(加算)2
덧셈 부호(—符號) 〖數〗加号 jiāhào =더하기표·플러스4
덧-신 명 套鞋 tàoxié
덧-신다 타 再穿 zài chuān ¶양말 위에 덧신을 ~ 在袜子上再穿套鞋
덧-쓰다 타 再盖上一层 zài gàishàng yīcéng ¶모자 위에 머플러를 ~ 在帽子上再盖上一层围巾
덧-양말(—洋襪) 명 套袜 tàowà
덧-없다 형 **1** 空虚 kōngxū ¶덧없는 세월 空虚的岁月 **2** 头绪纷繁 tóuxù fēnfán; 零乱 língluàn ¶덧없는 상념 속으로 빠져들다 陷入零乱的思绪中 **3** 无常 wúcháng ¶사람이 서로 만나고 헤어짐이 ~ 人的聚散离合实在无常 **덧없-이** 부
덧-옷 명 罩衣 zhàoyī
덧-입다 타 又罩 yòu zhào; 再加 zài jiā ¶양복 위에 코트를 덧입었다 西装上面又罩了一件外套
덧-저고리 명 短外衣 duǎnwàiyī; 罩衫 zhàoshān
덧-칠(—漆) 명하타 再漆一层 zài qī yīcéng; 再刷一层 zài shuā yīcéng ¶색깔을 ~하다 再漆一层颜色
덩굴 명 〖植〗藤蔓 téngwàn; 蔓 wàn; 藤 téng = 넝쿨 ¶포도 ~ 葡萄藤
덩굴-지다 자 牵藤 qiānténg ¶지붕 위의 박이 덩굴지어 탐스러운 열매를 맺고 있다 葫芦在屋顶上牵藤, 结出了喜人的果实
덩그러니 부 **1** 高大 gāodà; 耸立 sǒnglì; 高耸 gāosǒng **2** 空荡荡 kōngdàngdàng; 空落落 kōngluòluò
덩그렇다 형 **1** 高大 gāodà; 耸立 sǒnglì; 高耸 gāosǒng ¶기와집 한 채가 덩그렇게 서 있다 耸立着一幢瓦房 **2** 空荡荡 kōngdàngdàng; 空落落 kōngluòluò ¶방학이라 교실이 덩그렇게 비었다 放假了, 教室里空荡荡的
덩-달다 자 随着 suízhe; 跟着 gēnzhe ¶덩달아서 울다 跟着哭
덩덩 부하자타 咚咚 dōngdōng ¶북소리가 ~나다 发出咚咚的鼓声
덩실 부 手舞足蹈 shǒuwǔzúdǎo ¶~ 춤을 추다 手舞足蹈地跳舞
덩실-거리다 자타 手舞足蹈 shǒuwǔzúdǎo = 덩실대다 ¶어깨를 덩실거리며 춤을 추다 耸着肩膀手舞足蹈地跳舞 **덩실-덩실** 부하자타
덩실-하다 형 高大 gāodà; 巍然 wēirán ¶덩실한 기와집 高大的瓦房
덩어리 명 **1** 块 kuài; 团 tuán; 疙瘩 gēda; 锭 dìng ¶흙~ 土疙瘩 / 얼음~ 冰块 / ~가 지다 成块 **2** (量词) 块 kuài ¶고기 한 ~ 一块肉 / 수박 한 ~ 一块西瓜
덩어리-지다 자 成团 chéng tuán; 成块 chéng kuài; 成疙瘩 chéng gēda ¶덩어리진 흙 成块的泥土 / 밀가루에 물을 부으면 금세 덩어리진다 面粉加水容易成团
덩이 명 **1** 块 kuài; 团 tuán; 朵 duǒ; 疙瘩 gēda; 锭 dìng ¶~뿌리 块根 / 얼음~ 冰块 / 눈~ 雪团 **2** 块 kuài ¶떡 한 ~ 一块年糕
덩치 명 = 몸집 ¶~가 크다 块头大
덩크 슛(dunk shoot) 〖體〗(篮球) 扣篮 kòulán
덫 명 **1**捕捉器 bǔzhuōqì; 捕兽器 bǔshòuqì; 弶 jiàng ¶~을 놓다 安设捕兽器 **2** 圈套 quāntào; 陷阱 xiànjǐng; 陷坑 xiànkēng ¶~에 걸리다 中圈套
덮-개 명 **1** 罩子 zhàozi; 罩 zhào; 罩布 zhàobù ¶~를 덮다 罩罩子 **2** = 뚜껑1 ¶항아리 ~ 缸盖
덮다 타 **1** 盖 gài; 蒙 méng; 覆 fù; 遮 zhē; 搭 dā; 扣 kòu; 封 fēng ¶이불을 ~ 盖被子 **2** 覆盖 fùgài; 弥漫 mímàn ¶눈이 온 세상을 ~ 大雪覆盖着整个世界 **3** 阖 hé ¶책을 ~ 阖上书 **4** 掩盖 yǎngài; 掩蔽 yǎnbì; 隐蔽 yǐnbì; 隐匿 yǐnnì ¶자기의 결함을 덮어 두다 掩盖自己的缺点
덮-밥 명 盖饭 gàifàn; 盖浇饭 gàijiāofàn
덮어-놓다 타 不问情由 bùwènqíngyóu; 盲目 mángmù; 不管三七二十一 bùguǎn sān qī èrshíyī; 一味 yīwèi ¶그는 덮어놓고 화만 낸다 他不管三七二十一只知道发火
덮어-쓰다 타 **1** 蒙 méng ¶이불을 ~ 蒙上被子 / 먼지를 ~ 蒙尘 **2** 蒙受

méngshòu; 遭受 zāoshòu ¶죄를 ~ 遭受惩罚 / 오명을 ~ 蒙受坏名声
덮어씌우다 타 '덮어쓰다'的使动词
덮-이다 자 '덮다'的被动词
덮-치다 一타 1 扑 pū; 捕捉 bǔzhuō ¶굶주린 호랑이가 먹이를 ~ 饿虎扑食 2 袭击 xíjī ¶태풍이 연해 일대를 덮쳤다 台风袭击了沿海一带 二자 加 jiā ¶엎친 데 덮친 격이다 祸上加祸
데 의명 1 处 chù; 地方 dìfang ¶갈 ~가 없다 无处可去 2 时 shí ¶머리 아픈 ~에 먹는 약 头疼时吃的药 3 方面 fāngmiàn ¶노래를 부르는 ~ 소질이 있다 在唱歌方面很有素质
데구루루 부 骨碌碌 gūlùlù ¶산에서 돌이 ~ 굴러 내려오다 石头从山上骨碌碌滚下来
데굴-데굴 부하자 骨碌碌 gūlùlù ¶공이 ~ 굴러갔다 球骨碌碌滚了下来
-데기 접미 用于一部分词的词根之后, 表示轻视某种人的意思 ¶새침~ 装蒜的 / 부엌~ 厨娘
데꺽[1] 부하자타 嘎然 gārán; 咔嚓 kāchā; 喀哒 kādā ¶기계가 ~하며 멎었다 机器嘎然停下了
데꺽[2] 부하자타 立刻 lìkè; 立即 lìjí; 当即 dāngjí; 马上 mǎshàng ¶~ 끝나다 马上结束
데꾼-하다 형 (眼睛) 陷进去无神 xiànjìnqù wúshén ¶눈이 ~ 眼睛陷进去无神 **데꾼-히** 부
데:다 자타 烫 tàng; 烫伤 tàngshāng; 烧伤 shāoshāng ¶손을 ~ 烫手 / 팔을 불에 데었다 胳膊被火烫伤了
데드 볼(dead+ball) 〖體〗 = 사구(死球)
데려-가다 타 带走 dàizǒu; 领走 lǐngzǒu ¶아이를 ~ 把孩子带走
데려-오다 타 带来 dàilái; 领来 lǐnglái; 招来 zhāolái; 领回 lǐnghuí; 接回 jiēhuí ¶친구를 집에 데려왔다 把朋友领回了家
데리다 타 带 dài; 领 lǐng; 带领 dàilǐng; 接 jiē ¶아이를 데리고 공원에 가다 带着孩子去公园
데릴-사위 명 赘婿 zhuìxù ¶~를 삼다 招赘婿
데면-데면 부하형히부 1 冷淡 lěngdàn; 不热情 bùrèqíng ¶나에게 ~하다 待我冷淡 2 粗心 cūxīn; 粗心大意 cūxīndàyì; 粗枝大叶 cūzhīdàyè; 草率 cǎoshuài ¶그는 ~하여 자주 실수를 저지른다 他很粗心, 总是犯错
데모(demo) 一명하자 = 시위운동 ¶~를 벌이다 举行示威游行 二명 〖컴〗 演示 yǎnshì ¶~ 프로그램 演示程序
데뷔(프début) 명 初次登台 chūcì dēngtái; 初出茅庐 chūchūmáolú; 初露头角 chūlùtóujiǎo
데생(프dessin) 명 〖美〗 素描 sùmiáo
데스크(desk) 명 1 新闻部 xīnwénbù 2 服务台 fúwùtái
데시-벨(decibel) 의명 〖物〗 分贝 fēnbèi
데우다 타 热 rè; 烫 tàng; 温 wēn; 暖 nuǎn; 炖 dùn ¶술을 ~ 烫酒 / 남은 반찬을 ~ 热剩菜
데이터(data) 명 数据 shùjù; 材料 cáiliào
데이터-베이스(database) 명 〖컴〗 数据库 shùjùkù; 信息库 xìnxīkù; 资料库 zīliàokù
데이트(date) 명하자 约会 yuēhuì; 交际 jiāojì ¶나는 내일 저녁에 ~가 있다 我明天晚上有约会
데:치다 타 焯 chāo ¶미나리를 ~ 焯芹菜
뎅 부 当 dāng ¶~ 하는 종소리에 깜짝 놀랐다 被当的钟声吓了一跳
뎅그렁 부하자타 当啷 dānglāng; 叮当 dīngdāng ¶~ 울리는 풍경 소리 叮当的风铃声
뎅그렁-거리다 자타 当啷当啷响 dānglāngdānglāng xiǎng; 叮当叮当响 dīngdāngdīngdāng xiǎng = 뎅그렁대다 ¶방울이 ~ 铃铛当啷当啷响 **뎅그렁-뎅그렁** 부하자타
도 조 1 也 yě; 都 dōu ¶일~ 중요하지만 건강~ 중요하다 工作固然重要, 但健康也很重要 2 表示 '强调、感叹' ¶참, 신통~ 하지 真是妙极了
도:(度) 一명 程度 chéngdù; 限度 xiàndù; 度 dù ¶~가 지나치면 해롭다 超过限度就会有害 二의명 度 dù ¶직각 90~ 直角90度 / 섭씨 28~ 摄氏28度
도:[1](道) 명 1 道 dào; 道义 dàoyì; 道德 dàodé ¶~를 어기다 违背道义 2 技艺 jìyì; 方法 fāngfǎ; 法 fǎ; 术 shù 3 道 dào ¶~를 닦다 修道
도:[2](道) 명 1 道 dào 《行政区》 2 = 도청(道廳)
도(이do) 명 〖音〗 哆 duō
-도(度) 접미 年 nián; 年度 niándù ¶금년~ 今年度 / 2013년~ 2013年度
-도(岛) 접미 岛 dǎo ¶제주~ 济州岛 / 강화~ 江华岛
-도(徒) 접미 用于一部分词干之后, 表示 '徒、人群' ¶과학~ 科学工作者
-도(圖) 접미 图 dú ¶설계~ 设计图 / 평면~ 平面图
도:가(道家) 명 道家 Dàojiā
도가니 명 1 〖工〗 坩埚 gānguō; 熔炉 rónglú 2 (兴奋、激动的) 漩涡 xuánwō

¶감격과 흥분의 ~ 激动和兴奋的漩涡中
도감(圖鑑) 명 图鉴 dújiàn
도강(渡江) 명하자타 渡江 dùjiāng
도공(陶工) 명 = 옹기장이
도:관(導管) 명 **1**〖植〗导管 dǎoguǎn ¶나뭇잎의 ~ 树叶的导管 **2** 管 guǎn; 管子 guǎnzi ¶원유 ~ 原油管
도:교(道教) 명〖宗〗道教 Dàojiào = 도학2
도:구(道具) 명 **1** 工具 gōngjù; 用具 yòngjù; 器具 qìjù ¶운반 ~ 运载工具 / 청소 ~ 清洁工具 / ~를 사용하다 使用工具 **2** 手段 shǒuduàn ¶출세의 ~로 삼다 作为人世的手段
도굴(盜掘) 명하타 盗掘 dàojué ¶~꾼 盗掘者 / 많은 문화재들이 ~되고 있다 很多文化遗产正在遭遇盗掘
도그마(dogma) 명 **1** 教条 jiàotiáo; 教理 jiàolǐ **2**〖宗〗教条 jiàotiáo
도:금(鍍金) 명하자타〖工〗镀金 dùjīn; 镀 dù ¶~ 공예 镀金工艺 / ~ 반지 镀金戒指
도급(都給) 명하타 **1** 承包 chéngbāo; 包活 bāohuó; 包工 bāogōng; 包干儿 bāogānr; 承办 chéngbàn ¶~량 包工量 / ~을 주다 包工 / 빌딩 짓는 것을 ~으로 맡다 承包建筑 **2**〖法〗= 도급 계약
도급 계:약(都給契約)〖法〗承包合同 chéngbāo hétong = 도급2
도기(陶器) 명 陶器 táoqì = 오지그릇
도깨비 명 鬼 guǐ; 鬼怪 guǐguài ¶~장난 捣鬼 / ~방망이 鬼棍 / ~가 나오다 闹鬼
도:끼 명 斧子 fǔzi; 斧 fǔ; 斧头 fǔtou
도:끼-눈 명 怒目 nùmù ¶~으로 쏘아보다 怒目而视
도:끼-질 명하자 (用斧头) 劈 pī; 砍 kǎn ¶~을 하다 劈柴
도난(盜難) 명 失盗 shīdào; 失窃 shīqiè; 被盗 bèi dào ¶~을 당하다 被盗
도넛(doughnut) 명 炸面圈 zhámiànquān; 多纳饼 duōnàbǐng; 多纳圈 duōnàquān
도다리 명〖魚〗木叶鲽 mùyèdié
도닥-거리다 타 捶打 chuídǎ; 拍打 pāidǎ = 도닥대다 ¶등을 ~ 拍打背 **도닥-도닥** 부하타
도:달(到達) 명하자 到达 dàodá; 达到 dádào ¶목적지에 ~하다 到达目的地 / 목표에 ~하다 达到目标
도당(徒黨) 명 匪帮 fěibāng; 集团 jítuán; 党徒 dǎngtú; 党羽 dǎngyǔ; 伙 huǒ
도-대체(都大體) 부 **1** 到底 dàodǐ; 究竟 jiūjìng = 대체(大體)㊁ ¶~ 어딜 갔다 온거니? 你到底去哪里了? **2** 根本 gēnběn ¶~ 네 말이 무슨 말인지 모르겠다 根本不知道你说的是什么
도:덕(道德) 명 道德 dàodé ¶~관 道德观 / ~성 道德性 / ~심 道德心 / ~의식 道德意识
도:도-하다 형 傲慢 àomàn; 高傲 gāo'ào; 孤傲 gū'ào ¶도도한 여자 高傲的女人 / 태도가 ~ 态度傲慢 **도:도-히** 부
도도-하다(滔滔—) 형 **1** 滔滔 tāotāo ¶도도하게 흐르는 강물 滔滔流淌的河水 **2** 滔滔不绝 tāotāobùjué ¶도도한 웅변 滔滔不绝的辩论 **3** 不可遏制 bùkě èzhì; 势不可挡 shìbùkědǎng ¶도도한 추세 势不可挡的趋势 **도도-히** 부
도돌이-표(—標) 명〖音〗反复记号 fǎnfù jìhao
도둑 명 小偷(儿) xiǎotōu(r); 窃贼 qièzéi; 盗贼 dàozéi; 贼 zéi = 도적 ¶~을 잡다 捉贼
 도둑이 제 발 저리다 속담 做贼心虚
도둑-고양이 명 贼猫 zéimāo; 街猫 jiēmāo
도둑-놈 명 毛贼 máozéi; 小偷(儿) xiǎotōu(r)
도둑-맞다 타 被盗窃 bèi dàoqiè; 被偷 bèi tōu ¶지갑을 도둑맞았다 钱包被偷了
도둑-질 명하타 偷 tōu; 偷盗 tōudào; 盗窃 dàoqiè ¶남의 지갑을 ~하다 偷别人的钱包
도드라-지다 자형 **1** 鼓起 gǔqǐ; 隆起 lóngqǐ; 翘起 qiàoqǐ; 突出 tūchū ¶도드라진 입술 翘起的嘴唇 **2** 显著 xiǎnzhù; 显然 xiǎnrán; 突出 tūchū; 明显 míngxiǎn ¶학생들과 섞여 있어도 그의 모습은 항상 도드라진다 就算和学生们在一起, 他的面貌还总是经常突出的
도라지 명〖植〗桔梗 jiégěng ¶~나물 桔梗菜 / ~를 캐다 挖桔梗
도:락(道樂) 명 **1** 爱好 àihào; 癖好 pǐhào; 嗜好 shìhào ¶화초 가꾸는 일을 ~으로 삼다 把侍弄花草当成爱好 **2** 吃喝嫖赌 chīhēpiáodǔ; 放荡 fàngdàng; 不务正业 bùwùzhèngyè ¶~에 빠지다 沉迷于吃喝嫖赌
도란-거리다 자 窃窃私语 qièqièsīyǔ; 窃窃耳语 qièqiè'ěryǔ = 도란대다 ¶오랜만에 만난 친구와 밤새도록 ~ 熬夜和好久不见的朋友窃窃私语 **도란-도란** 부하자
도랑 명 沟 gōu; 水沟 shuǐgōu; 水渠 shuǐqú; 沟渠 gōuqú ¶~을 치다 掏水沟
도:래(到來) 명하자 到来 dàolái; 来临 láilín ¶신시대의 ~ 新时代的到来 / 국제화 시대가 ~하다 来临国际化时代

도:량(度量) 명하타 **1** 度量 dùliàng; 胸襟 xiōngjīn; 气量 qìliàng; 器量 qìliàng ¶~이 크다 有度量 **2** (测量长度跟重量的) 度和量 dù hé liàng

도:량-형(度量衡) 명 度量衡 dùliànghéng

도려-내다 타 剜掉 wāndiào; 挖掉 wādiào ¶칼로 감자의 싹을 ~ 拿刀子剜掉土豆的芽

도:련 명 底摆 dǐbǎi; 下摆 xiàbǎi ¶~을 조절할 수 있는 재킷 可调节下摆的夹克

도련-님 명 **1** 公子 gōngzǐ; 少爷 shàoye **2** 小叔 xiǎoshū; 叔子 shūzi

도:령 명 公子 gōngzǐ; 少爷 shàoye

도로 부 **1** 还 huán; 回 huí; 返 fǎn; 返回 fǎnhuí ¶그들은 다음날 ~ 돌아왔다 他们第二天返回来了 **2** 还 huán; 还原 huányuán ¶나는 그가 내게 준 선물을 ~ 그에게 돌려주었다 我把他给我的的礼物还给他了

도로(徒勞) 명하자 徒劳 túláo; 白劳 báiláo ¶몇 년간의 노력이 모두 ~에 그치다 这几年的努力都是白劳的

도:로(道路) 명 公路 gōnglù; 道路 dàolù; 马路 mǎlù; 路 lù ¶~법 公路法 / ~변 路边 / ~망 道路网 / ~를 가로지르다 穿过马路

도로 표지(道路標識) 〖交〗 = 교통안전 표지

-도록 어미 用于谓词词干之后的连接词尾, 表示程度或目标 ¶밤이 깊~ 공부하다 学习到深夜 / 입이 닳~ 얘기했는데 역시나 반응이 없다 说了半天, 还是没有反应

도롱뇽 명 〖動〗 鲵 ní; 鲵鱼 níyú; 东北小鲵 dōngběi xiǎoní

도롱이 명 蓑衣 suōyī ¶~를 걸치다 披蓑衣

도료(塗料) 명 涂料 túliào; 油漆 yóuqī; 颜料 yánliào ¶방수 ~ 防水涂料 / 분말 ~ 粉末涂料

도루(盜壘) 명하자 〖體〗 盗垒 dàolěi; 偷垒 tōulěi ¶~를 시도하다 试图盗垒

도루-묵 명 〖魚〗 叉牙鱼 chàyáyú

도륙(屠戮) 명하타 屠杀 túshā; 杀戮 shālù = 도살1 ¶~이 나다 遭屠杀

도르다 타 **1** 围起 wéiqǐ ¶돌담을 ~ 围起石墙 **2** 暂借 zànjiè; 挪用 nuóyòng ¶임시로 공금을 돌라 쓰다 临时挪用公款 **3** 欺骗 qīpiàn ¶달콤한 말로 사람을 ~ 用甜言蜜语欺骗人家 **4** 分发 fēnfā; 分送 fēnsòng; 分给 fēngěi ¶복숭아를 친구들에게 ~ 把桃子分给朋友们

도르래 명 〖物〗 滑车 huáchē; 滑轮 huálún ¶~를 이용해 물건을 옮기다 利用滑车搬东西

도르르[1] 부 嘟噜噜 dūlūlū ¶신문을 ~ 말다 把报子嘟噜噜卷起来

도르르[2] 부 骨碌碌 gūlūlū; 刷啦啦 shuālālā ¶진주가 쟁반 위를 ~ 굴러간다 珍珠在盘子上骨碌碌滚动

도리 명 〖建〗 檩条 lǐntiáo; 檩子 lǐnzi

도:리(道理) 명 **1** 情理 qínglǐ; 道理 dàolǐ; 道义 dàoyì ¶~에 맞다 有道理 / ~에 맞지 않다 不合情理 **2** 方法 fāngfǎ; 办法 bànfǎ; 途径 tújìng ¶나도 별다른 ~가 없다 我也没有别的办法

도리깨 명 〖農〗 连枷 liánjiā

도리깨-질 명하타 用连枷打场 yòng liánjiā dǎcháng

도리다 타 **1** 剜 wān; 挖 wā ¶복숭아의 상한 부분을 ~ 把桃子烂掉的部分剜掉 **2** 删去 shānqù ¶표제를 ~ 删去标题

도리-도리 감명하자 摇头摇头 yáotóu yáotóu 《小孩摇头的动作》

도리-머리 명하자 **1** 摇头 yáotóu 《表示否定或拒绝》 = 도리질2 ¶약을 먹이려고 하면 ~를 친다 要他吃药, 他就摇头 **2** = 도리질1

도리어 부 反倒 fǎndào; 反而 fǎn'ér; 却 què; 倒 dào; 倒是 dàoshì ¶늦은 것이 ~ 잘됐다 迟到了反倒好了

도리-질 명 **1** (婴儿) 学摇头 xué yáotóu = 도리머리2 **2** = 도리머리1

도:립(道立) 명 道立 dàolì ¶~ 자연공원 道立自然公园

도마 명 菜板(儿) càibǎn(r); 案板 ànbǎn; 墩子 dūnzi; 砧板 zhēnbǎn

도마-뱀 명 〖動〗 蜥蜴 xīyì; 蜥虎 xīhǔ; 四脚蛇 sìjiǎoshé

도막 명 片 piàn; 段 duàn; 块 kuài ¶철사 두 ~ 两段铁丝 / 돼지고기 한 ~ 一块猪肉

도막-도막 명부 段段 duànduàn; 块块 kuàikuài; 片片 piànpiàn ¶감자를 ~ 썰다 把土豆片片切断

도망(逃亡) 명하자 逃跑 táopǎo; 逃 táo; 跑 pǎo; 逃走 táozǒu; 逃亡 táowáng = 도주 ¶강도가 ~을 가다 强盗逃走

도망-가다(逃亡―) 자 = 도망치다

도망-치다(逃亡―) 자 逃走 táozǒu; 逃 táo; 跑 pǎo; 逃跑 táopǎo; 逃奔 táobèn = 도망가다 ¶살인범이 ~ 凶手逃奔

도-맡다 타 承担 chéngdān; 包办 bāobàn; 承包 chéngbāo; 主管 zhǔguǎn ¶판매를 ~ 主管销售 / 네가 책임을 도맡을 필요 없다 你不需承担责任

도매(都賣) 명하타 批发 pīfā ¶~가격 批发价格 / ~상 批发商 / ~업 批发业 / ~점 批发店 / ~ 시장 批发市场

도면(圖面) 명 图纸 túzhǐ; 图样 túyàng

¶건축 ~ 建筑图纸 / 기계 ~ 机械图纸

도모(圖謀) 명하타 谋 móu; 图谋 túmóu; 策划 cèhuà ¶살길을 ~하다 谋生 / 이익을 ~하다 谋利

도무지 부 1 根本 gēnběn; 非常 fēicháng ¶그의 말은 ~ 믿을 수가 없다 他的话根本不能相信 2 完全 wánquán; 全然 quánrán ¶나는 그 일에 대해 ~ 자신이 없다 我对那件事完全没有把握 ‖ = 도통(都統)⊟

도:미 명〖魚〗鲷 diāo; 鲷鱼 diāoyú; 加吉鱼 jiājíyú

도미노(domino) 명 多米诺 duōmǐnuò ¶~ 이론 多米诺理论 / ~ 놀이를 하다 玩多米诺 / 이번 조사로 야기된 ~ 현상 本次调查引发的多米诺现象

도민(島民) 명 岛民 dǎomín; 岛上的居民 dǎoshangde jūmín

도박(賭博) 명하자 1 = 노름 ¶인터넷에서 ~을 하다 网上赌钱 2 冒险 màoxiǎn ¶주식은 ~이다 股票是冒险

도박-꾼(賭博—) 명 = 노름꾼

도박-장(賭博場) 명 赌场 dǔchǎng; 赌局 dǔjú

도박-판(賭博—) 명 = 노름판

도발(挑發) 명하타 挑衅 tiǎoxìn; 挑拨 tiǎobō; 挑动 tiǎodòng ¶전쟁 ~ 战争挑拨

도발-적(挑發的) 관명 挑衅性 tiǎoxìnxìng; 挑动性 tiǎodòngxìng ¶~인 말과 행동 挑动性的语言与行动

도배(塗褙) 명하타 裱糊 biǎohú; 裱 biǎo ¶~장이 裱糊匠 / ~지 裱糊纸 / 천장을 ~하다 裱糊天花板

도벌(盜伐) 명하타 盗伐 dàofá; 滥伐 lànfá; 偷伐 tōufá ¶나무를 ~하다 盗伐树木

도벽(盜癖) 명 盗窃癖 dàoqièpǐ; 偷盗癖 tōudàopǐ ¶~이 있다 有盗窃癖

도보(徒步) 명하자 徒步 túbù; 走着去 zǒuzhe qù ¶그는 매일 ~로 학교에 간다 他每天走着去学校

도:복(道服) 명 道袍 dàopáo; 道服 dàofú

도:붓-장사(到付—) 명하자 行商 xíngshāng; 跑单帮 pǎo dānbāng; 流动贩卖 liúdòng fànmài = 행상⊟

도:붓-장수(到付—) 명 行商 xíngshāng; 货郎 huòláng; 小贩 xiǎofàn; 单帮 dānbāng = 행상⊟ · 행상인

도:사(道士) 명 1 修道者 xiūdàozhě; 道人 dàorén = 도인 2 道士 dàoshì 3 行家 hángjiā ¶컴퓨터라면 그가 ~이다 要说电脑, 他是个行家

도:사(導師) 명〖宗〗导师 dǎoshī

도사리다 자타 1 盘 pán ¶그는 다리를 도사리고 앉아 신문을 보고 있다 他盘腿坐着看报纸 2 镇定 zhèndìng; 振作 zhènzuò ¶마음을 도사리고 임무를 완성하다 振作精神, 完成任务 3 盘踞 pánjù; 踞 jù ¶산속에 도사리고 있는 도적을 소탕하다 讨伐盘踞在山中的盗贼 4 隐藏 yǐncáng ¶성공으로 가는 길목에는 많은 어려움이 도사리고 있다 到成功的路上隐藏着很多困难

도:산(倒産) 명하자 破产 pòchǎn; 倒闭 dǎobì ¶~의 위기에 직면해 있다 面临着破产的危机

도살(屠殺) 명하타 1 = 도륙 2 宰杀 zǎishā; 屠宰 túzǎi ¶가축을 ~하다 宰杀家畜

도살-장(屠殺場) 명 屠场 túchǎng; 屠宰场 túzǎichǎng = 도축장

도:상(道上 · 途上) 명 1 路上 lùshàng; 道上 dàoshàng 2 途中 túzhōng

도색(桃色) 명 1 桃红色 táohóngsè 2 色情 sèqíng; 黄色 huángsè ¶~ 소설 色情小说 / ~ 잡지 色情杂志

도서(島嶼) 명 岛屿 dǎoyǔ ¶크고 작은 ~ 大小岛屿

도서(圖書) 명 = 책1 ¶~관 图书馆 / ~실 图书室 / ~ 목록 图书目录 / ~ 전람회 图书展览会 / 외국 ~ 外国图书 / ~ 출판 图书出版

도:선(導船) 명하자 引航 yǐnháng; 引水 yǐnshuǐ ¶~사 引航员 / ~료 引航费

도:선(導線) 명 导线 dǎoxiàn

도성(都城) 명 都城 dūchéng; 京城 jīngchéng ¶~을 옮기다 迁都城

도:수(度數) 명 1 次数 cìshù; 回数 huíshù ¶~가 줄다 次数减少 2 度数 dùshù ¶~가 높은 안경 度数高的眼镜 / 알코올 ~가 높은 술 酒精度数很高的酒 3 程度 chéngdù ¶~가 갈수록 높아지다 程度越来越高

도수(徒手) 명 = 맨손2

도:술(道術) 명 道术 dàoshù; 妖术 yāoshù ¶~을 부리다 施展道术

도시(都市) 명 城市 chéngshì; 都市 dūshì ¶~ 경관 城市景观 / ~ 생활 都市生活 / ~가스 城市煤气 / ~인 城市人

도시(圖示) 명하타 图示 túshì; 图解 tújiě

도시락 명 1 饭盒 fànhé ¶보온 ~ 保温饭盒 2 盒饭 héfàn; 便当 biàndāng ¶점심에 ~을 먹다 中午吃盒饭

도식(徒食) 명하자 游手好闲 yóushǒuhàoxián; 光吃不做 guāng chī bùzuò; 吃闲饭 chī xiánfàn

도식(圖式) 명 图形 túxíng; 图式 túshì; 图样 túyàng ¶~화 图式化 / ~으로 개괄하다 概括为图式

도심(都心) 명 市中心 shìzhōngxīn; 城市中心 chéngshì zhōngxīn
도안(圖案) 명 『美』 图案 tú'àn ¶의상 ~ 服装图案 / 문신 ~ 纹身图案
도야(陶冶) 명하타 陶冶 táoyě
도약(跳躍) 명하자 1 跳跃 tiàoyuè ¶~ 운동 跳跃运动 2 跃入 yuèrù; 跃进 yuèjìn ¶자동차 산업의 눈부신 ~ 汽车产业的飞速跃进
도열(堵列) 명하자 排成一列 páichéng yīliè ¶아이들을 ~시키다 让孩子排成一列
도예(陶藝) 명 『手工』 陶艺 táoyì; 陶瓷艺术 táocí yìshù ¶~가 陶艺家 / ~ 작품 陶艺作品
도와-주다 타 帮助 bāngzhù; 帮 bāng; 援助 yuánzhù; 帮忙 bāngmáng; 协助 xiézhù; 接济 jiējì ¶외국인을 ~ 帮助外国人
도:외-시(度外視) 명하타 无视 wúshì; 忽视 hūshì; 视之度外 shìzhīdùwài; 置之度外 zhìzhīdùwài; 置之不理 zhìzhībùlǐ ¶현실을 ~하는 태도 无视现实的态度
도요-새 명 『鳥』 鹬 yù
도용(盜用) 명 盗用 dàoyòng ¶문장을 ~하다 盗用文章 / 타인의 명의를 ~하다 盗用他人名义
도우미 명 导姐 dǎojiě
도움 명 帮助 bāngzhù; 帮忙 bāngmáng; 援助 yuánzhù ¶그들은 지금 우리의 ~이 필요하다 他们现在需要我们的帮助
도움-말 명하자 = 조언
도읍(都邑) ㊀명 = 서울1 ¶~지 首都 ㊁명하자 定都 dìngdū
도:의(道義) 명 道义 dàoyì = 의(義)2 ¶~적 책임 道义责任 / 이런 행동은 ~에 어긋난다 这种举动违背道义
도:인(道人) 명 = 도사(道士)1
도:입(導入) 명하타 导入 dǎorù; 采用 cǎiyòng; 引进 yǐnjìn ¶새로운 업무 방식을 ~하다 采用新的工作方式
도자-기(陶瓷器) 명 陶瓷器 táocíqì; 陶瓷 táocí
도:장(道場) 명 练武场 liànwǔchǎng; 馆 guǎn; 道馆 dàoguǎn ¶태권도 ~ 跆拳道馆
도장(圖章) 명 印 yìn; 章 zhāng; 印章 yìnzhāng; 图章 túzhāng; 戳子 chuōzi; 戳 chuō = 인(印)1 · 인장 ¶~을 찍다 盖章
도:저-하다(到底—) 형 1 彻底 chèdǐ; 精深 jīngshēn; 精通 jīngtōng ¶그는 한방 의학에 ~ 他对中医很精通 2 严谨 yánjǐn; 一丝不苟 yīsībùgǒu ¶도저한 행동 严谨的动作
도:저-히(到底—) 부 无论如何 wúlùnrúhé; 怎么也 zěnmeyě; 绝 jué ¶~ 포기할 수 없다 无论如何不能放弃
도적(盜賊) 명 = 도둑
도전(挑戰) 명하자 挑战 tiǎozhàn; 挑衅 tiǎoxìn ¶~자 挑战者 / ~장 挑战书 / ~에 직면하다 面临挑战 / 운명에 ~하다 向命运挑战
도정(搗精) 명 捣米 dǎomǐ; 碾米 niǎnmǐ
도제(徒弟) 명 = 제자
도주(逃走) 명하자 = 도망 ¶~로 逃路
도:중(途中) 명 1 途中 túzhōng; 路上 lùshang; 中途 zhōngtú ¶출근하는 ~에 차 사고가 나다 上班的路上遇车祸 2 正在 zhèngzài; …的时候 …de shíhou; …时 …shí ¶운전 ~에는 휴대폰을 사용할 수 없다 开车的时候不能用手机
도:지다[1] 자 1 复发 fùfā; 重犯 chóngfàn ¶비염이 ~ 复发鼻炎 = 동하다3 2 再发起 zài fāqǐ ¶그의 얼굴을 보니 부아가 도진다 一看他的脸, 就再发起火来 3 再次发作 zàicì fāzuò ¶그의 도벽이 다시 도졌다 他的盗癖再次发作了
도지다[2] 형 1 狠狠 hěnhěn ¶그는 아들을 도지게 때렸다 他狠狠地揍一顿儿子 2 结实 jiēshi; 健壮 jiànzhuàng ¶그의 팔뚝은 바윗돌처럼 ~ 他的手臂像岩石般地很健壮
도:-지사(道知事) 명 道知事 dàozhīshì
도:착(到着) 명하자 到 dào; 到达 dàodá; 抵达 dǐdá ¶~역 到站 / ~지 到达点 / 그들은 방금 미국에 ~했다 他们刚到达了美国
도:착-순(到着順) 명 以到达时间为顺 yǐ dàodá shíjiān wéishùn ¶입장은 ~으로 한다 入场以到达时间为顺
도:처(到處) 명 到处 dàochù; 处处 chùchù ¶~에 쓰레기가 널려 있다 到处都是垃圾
도청(盜聽) 명하타 窃听 qiètīng; 盗听 dàotīng; 偷听 tōutīng ¶~기 窃听器 / ~ 장치 窃听装置 / 휴대폰을 ~하다 偷听手机
도:청(道廳) 명 道办公厅 dàobàngōngtīng = 도[2](道)2
도:체(導體) 명 『物』 导体 dǎotǐ
도축(屠畜) 명하타 屠宰家畜 túzǎi jiāchù
도축-장(屠畜場) 명 = 도살장
도:출(導出) 명하타 导出 dǎochū; 得出 déchū; 找出 zhǎochū ¶결론을 ~하다 得出结论
도취(陶醉) 명하자 1 (酒) 醉 zuì ¶그는 술에 ~하여 노래를 부르기 시작했다 他喝醉酒唱起歌来了 2 陶醉 táo-

zuì; 沉醉 chénzuì; 冲昏头脑 chōnghūntóunǎo ¶아름다운 음악에 ~되다 沉醉在美丽的音乐中

도:치(倒置) 명하타 倒置 dàozhì; 倒装 dàozhuāng ¶~문 倒装句 / ~법 倒装法 / 위에서 아래로 ~되다 从上向下倒置

도탄(塗炭) 명 涂炭 tútàn; 水深火热 shuǐshēnhuǒrè ¶~에 빠진 인생 涂炭的生灵

도탑다 형 深厚 shēnhòu ¶우정이 ~ 友情深厚 **도타이** 부

도태(淘汰·陶汰) 명하자타 淘汰 táotài ¶약자를 ~시키다 淘汰弱者

도토리 명 橡子 xiàngzǐ; 橡实 xiàngshí ¶~묵 橡子凉粉

도토리 키 재기 속담 彼此彼此

도톨-도톨 부하형 (物体表面) 麻 má; 不光滑 bùguānghuá ¶등 뒤에 여드름 같은 것이 몇 개 생겨서 만지면 ~하다 后背上长出了一些像痘痘的东西, 摸起来麻麻的

도톰-하다 형 厚 hòu ¶도톰한 입술 厚嘴唇 **도톰-히** 부

도통(都統) ㊀명 = 도합 ㊁부 = 도무지

도:통(道通) 명하자 深明事理 shēnmíng shìlǐ; 精通 jīngtōng; 通晓 tōngxiǎo ¶그는 고전 음악에 ~하다 他精通古典音乐

도판(圖板) 명 图板 túbǎn

도포(塗布) 명하타 涂抹 túmǒ

도:포(道袍) 명 道袍 dàopáo

도표(圖表) 명 图表 túbiǎo

도피(逃避) 명하자 **1** 逃避 táobì; 逃遁 táodùn; 逃跑 táopǎo ¶~처 逃避处 / ~생활 逃避生活 **2** 回避 huíbì ¶현실에서 ~하다 回避现实

도핑 테스트(doping test) 〖體〗 = 약물 검사

도하(渡河) 명하타 渡河 dùhé ¶~ 공정 渡河工程

도:학(道學) 명 **1** 道学 dàoxué **2** 〖宗〗 = 도교

도:-함수(導函數) 명 〖數〗 导数 dǎoshù

도합(都合) 명 总共 zǒnggòng; 一共 yīgòng; 归总 guīzǒng = 도통(都統)㊀ ¶~ 몇 분이십니까? 你们总共有几个人?

도해(圖解) 명하타 图解 tújiě; 图示 túshì

도형(圖形) 명 **1** 图形 túxíng **2** 〖數〗 图式 túshì

도홍(桃紅) 명 = 도홍색

도홍-색(桃紅色) 명 桃红色 táohóngsè = 도홍

도화(桃花) 명 = 복숭아꽃

도화(圖畫) 명 **1** 图画 túhuà **2** 画画 huàhuà

도:화(導火) 명 **1** 导火 dǎohuǒ **2** 事因 shìyīn

도:화-선(導火線) 명 **1** 导火线 dǎohuǒxiàn; 导火索 dǎohuǒsuǒ; 药捻儿 yàoniǎnr ¶~에 불을 붙이다 点燃导火线 **2** 事因 shìyīn; 导火线 dǎohuǒxiàn ¶제2차 세계 대전의 ~ 第二次世界大战的导火线

도화-지(圖畫紙) 명 图画纸 túhuàzhǐ

도회(都會) 명하자 总会 zǒnghuì

도회-지(都會地) 명 城市 chéngshì; 都市 dūshì; 都会 dūhuì

독 명 缸 gāng; 缸子 gāngzi; 瓮 wèng ¶쌀~ 米缸 / ~에 넣어 보관하다 放在大瓮里储藏

독 안에 든 쥐 구 瓮中之鳖

독(毒) 명 **1** 毒 dú ¶~을 없애다 消毒 **2** = 독약 **3** = 독기2 **4** = 해독(害毒)

독-(獨) 접두 独 dú; 单 dān ¶~자 独生子 / ~차지 独占

독-가스(毒gas) 명 〖化〗 毒气 dúqì; 毒瓦斯 dúwǎsī = 유독 가스

독감(毒感) 명 **1** 重感冒 zhònggǎnmào ¶그는 ~에 걸렸다 他得了重感冒 **2** 〖醫〗 = 유행성 감기

독-개미(毒—) 명 〖蟲〗 毒蚂蚁 dúmǎyǐ

독거(獨居) 명하자 独居 dújū ¶~노인 独居老人

독-그릇 명 陶器 táoqì

독-극물(毒劇物) 명 毒物 dúwù

독기(毒氣) 명 **1** 毒气 dúqì ¶~가 온몸에 퍼지다 毒气散满全身 **2** 怒气 nùqì; 杀气 shāqì = 독(毒)3 ¶~를 풀다 消灭怒气 / 눈에 ~가 서리다 眼神突出杀气

독-나방(毒—) 명 〖蟲〗 毒蛾 dú'é

독녀(獨女) 명 = 외딸

독단(獨斷) 명하타 **1** 独断 dúduàn; 专断 zhuānduàn; 擅自 shànzì; 武断 wǔduàn ¶~으로 결정하다 擅自决定 **2** 〖哲〗 独断 dúduàn

독려(督勵) 명하타 督促鼓励 dūcù gǔlì

독립(獨立) 명하자 独立 dúlì ¶~국 独立国家 / ~군 独立军 / ~심 独立心 / ~운동 独立运动

독-무대(獨舞臺) 명 所向无敌 suǒxiàngwúdí; 无敌的赛场 wúdíde sàichǎng; 独擅胜场 dúshànshèngchǎng; 独占鳌头 dúzhàn áotóu ¶이번 시합은 그녀의 ~였다 这次比赛她独擅胜场了

독물(毒物) 명 毒物 dúwù; 毒品 dúpǐn

독-바늘(毒—) 명 毒针 dúzhēn

독방(獨房) 명 **1** 单人房 dānrénfáng; 单间 dānjiān = 독실 **2** 单人牢房 dān-

rén láofáng
독배(毒杯) 명 毒杯 dúbēi; 毒酒 dújiǔ ¶~를 들다 喝毒酒
독백(獨白) 명하자 1 自言自语 zìyán-zìyǔ 2 〖演〗 独白 dúbái = 모놀로그
독백-체(獨白體) 명 〖文〗 独白体 dúbáitǐ
독-버섯(毒—) 명 〖植〗 毒蕈 dúxùn
독-벌(毒—) 명 〖蟲〗 毒蜂 dúfēng
독보-적(獨步的) 관명 独步(的) dúbù(de); 独一无二 dúyīwú'èr ¶~인 업적을 쌓다 取得独步的业绩
독본(讀本) 명 读本 dúběn
독불-장군(獨不將軍) 명 1 独断专行者 dúduànzhuānxíngzhě ¶그는 ~이라서 다른 사람의 말을 듣지 않는다 他是独断专行者, 不听别人的话 2 孤独的人 gūdúde rén; 孤立无援者 gūlìwúyuánzhě ¶그는 친구 하나 없는 ~이다 他是身边没有一个朋友的孤立无援者 3 独木不成林 dúmù bùchéng lín; 独木难支 dúmùnánzhī; 光杆司令条不起舞来 guānggǎn sīlìng tiàobùqǐwǔlái ¶~이란 말처럼 서로 도와야 한다 独木不成林, 要互相帮助
독사(毒蛇) 명 〖動〗 = 살무사
독살(毒殺) 명하타 毒杀 dúshā; 毒死 dúsǐ ¶~당하다 被毒死
독살(毒煞) 명 凶狠 xiōnghěn; 狠毒 hěndú; 怒气 nùqì ¶~이 가득하다 怒气冲冲
독서(讀書) 명하자 读书 dúshū; 念书 niànshū
독선(獨善) 명 独善 dúshàn ¶~주의 独善主义
독설(毒舌) 명 挖苦话 wākuhuà; 刻搏话 kèbóhuà; 刻毒话 kèdúhuà ¶한바탕 ~을 듣다 听到一连串的刻毒话
독성(毒性) 명 毒性 dúxìng; 毒质 dúzhì
독소(毒素) 명 〖化〗 毒素 dúsù
독수(毒手) 명 毒手 dúshǒu ¶~를 쓰다 下毒手 / ~를 면하다 免遭毒手
독수-공방(獨守空房) 명하자 独守空房 dúshǒu kōngfáng
독-수리(禿—) 명 〖鳥〗 秃鹫 tūjiù; 老雕 lǎodiāo
독식(獨食) 명하타 1 吃独食 chī dúshí 2 独占 dúzhàn ¶이익을 ~하다 独占利益
독신(獨身) 명 独身 dúshēn; 单身 dānshēn ¶~ 자녀 独身子女 / ~ 여성 独身女人 / ~주의 独身主义
독실(獨室) 명 = 독방1
독실-하다(篤實—) 형 笃实 dǔshí; 笃厚 dǔhòu **독실-히** 부
독심(毒心) 명 恶意 èyì
독심-술(讀心術) 명 读心术 dúxīnshù
독액(毒液) 명 毒液 dúyè
독야청청(獨也青青) 명하형 独守节操 dúshǒu jiécāo
독약(毒藥) 명 毒药 dúyào = 독(毒)2
독어(獨語) 명 〖語〗 = 독일어
독음(讀音) 명 1 读书声 dúshūshēng 2 (汉字的) 读音 dúyīn ¶한자 ~ 汉字读音
독일(獨逸) 명 〖地〗 德国 Déguó; 德意志 Déyìzhì
독일-어(獨逸語) 명 〖語〗 德语 Déyǔ = 독어
독자(獨子) 명 = 외아들 ¶그는 4대 ~이다 他是四代独子
독자(讀者) 명 读者 dúzhě ¶~란 读者栏 / ~층 读者层
독재(獨裁) 명하자 1 独裁 dúcái; 专政 zhuānzhèng 2 〖政〗 = 독재 정치
독재 정치(獨裁政治) 〖政〗 独裁政治 dúcái zhèngzhì = 독재2
독점(獨占) 명하타 1 = 독차지 2 〖經〗 独占 dúzhàn; 垄断 lǒngduàn ¶시장을 ~하다 独占市场
독종(毒種) 명 1 恶汉 èhàn 2 恶种 èzhǒng
독주(毒酒) 명 1 烈酒 lièjiǔ 2 毒酒 dújiǔ
독주(獨走) 명하자 1 一个人跑 yīge rén pǎo ¶마라톤은 ~하는 경기이다 马拉松是一个人单独跑的比赛 2 (竞走时) 领先 lǐngxiān ¶우리 팀은 계속 ~하여 우승을 차지했다 我队一路领先, 得了冠军 3 单独行动 dāndú xíngdòng ¶우리는 그의 ~를 견제해야 한다 我们应该牵制他的单独行动
독주(獨奏) 명하타 〖音〗 独奏 dúzòu ¶바이올린 ~ 小提琴独奏 / ~곡 独奏曲 / ~회 独奏会
독지-가(篤志家) 명 笃志家 dǔzhìjiā; 慈善家 císhànjiā ¶한 ~가 백만 위안을 기부했다 一位慈善家捐赠了一百万元
독-차지(獨—) 명하타 独占 dúzhàn; 垄断 lǒngduàn; 独霸 dúbà; 独自占有 dúzì zhànyǒu = 독점1 ¶이익을 ~하다 独占利益
독창(獨唱) 명하자타 〖音〗 独唱 dúchàng ¶~회 独唱会
독창(獨創) 명하타 独创 dúchuàng ¶~력 独创力 / ~성 独创性 / 이것은 그가 ~한 기계이다 这是他独创的机器
독창-적(獨創的) 관명 独创(的) dúchuàng(de) ¶~ 사고 独创的思考 / ~인 발명품 独创的发明物
독-채(獨—) 명 1 独院 dúyuàn 2 单独的房屋 dāndúde fángwū = 독챗집
독챗-집(獨—) 명 = 독채2
독초(毒草) 명 1 = 독풀 2 厉害的香

烟 lìhaide xiāngyān
독촉(督促) 명하타 催 cuī; 催促 cuīcù ¶아이들에게 방을 치우라고 ~하다 催促孩子收拾房间
독충(毒蟲) 명 毒虫 dúchóng ¶~에게 물리다 被毒虫咬
독침(毒針) 명 **1** 〖蟲〗 毒刺 dúcì **2** 毒针 dúzhēn
독침(獨寢) 명하자 **1** 独寝 dúqǐn **2** 分居 fēnjū
독특(獨特) 명하형히부 独特 dútè; 特异 tèyì ¶~한 냄새 特异的气味 / 이름이 ~하다 名字独特
독파(讀破) 명하타 读破 dúpò; 读完 dúwán ¶그는 단숨에 소설책 한 권을 ~했다 他一口气读完了一本小说
독-풀(毒—) 명 毒草 dúcǎo = 독초1
독-하다(毒—) 형 **1** 有毒气 yǒu dúqì **2** 浓烈 nóngliè; 烈 liè; 刺鼻 cìbí ¶독한 냄새를 맡다 闻到刺鼻的味道 **3** 狠毒 hèndú ¶그녀가 이렇게 독할 줄 몰랐다 不知道她竟如此狠毒 **4** 坚强 jiānqiáng ¶다이어트는 정말 마음을 독하게 먹어야 한다 减肥是真的该有坚强的意志了
독학(獨學) 명하타 自学 zìxué; 自修 zìxiū
독해(讀解) 명하타 读解 dújiě; 读懂 dúdǒng ¶~력 读解能力 / 이 책은 ~하기 어렵다 这本书不容易读懂
독행(獨行) 명하자 **1** 独行 dúxíng **2** 独立自主 dúlìzìzhǔ; 自立更生 zìlìgēngshēng
독행(篤行) 명 笃行 dǔxíng
독-화살(毒—) 명 毒箭 dújiàn
독후-감(讀後感) 명 读后感 dúhòugǎn
돈: 一명 **1** 钱 qián; 费用 fèiyong ¶~을 빌리다 借钱 / ~을 계산하다 计算费用 **2** 钱财 qiáncái ¶그는 ~이 많은 사람이다 他是有钱财的人 二의명 钱 qián ¶금 한 ~ 黄金一钱
돈-가스(←일ton[豚]kasu) 명 炸猪肉排 zházhūròupái
돈:-구멍 명 **1** 钱眼 qiányǎn **2** 钱的来路 qiánde láilù
돈:-냥(—兩) 명 = 돈푼
돈:-놀이 명하자 高利贷 gāolìdài; 放债 fàngzhài ¶~를 금하다 禁止放债
돈:놀이-꾼 명 债主 zhàizhǔ; 放债者 fàngzhàizhě
돈:-다발 명 票捆 piàokǔn
돈:-더미 명 钱堆 qiánduī; 大笔款 dàbǐkuǎn ¶~에 올라앉다 赚大笔款
돈독-하다(敦篤—) 형 笃厚 dǔhòu; 深厚 shēnhòu; 敦厚 dūnhòu ¶우정이 ~ 友谊深厚 **돈독-히** 부
돈:-맛 명 钱的甜头 qiánde tiántou ¶그는 ~을 알더니 우리를 모른 체한다 他尝到钱的甜头, 竟然不理我们
돈:-방석(—方席) 명 财富 cáifù
돈방석에 앉다 구 腰缠万贯
돈:-벌이 명하자 赚钱 zhuànqián; 挣钱 zhēngqián ¶~가 시원치 않다 不好赚钱
돈:-벼락 명 横财 héngcái; 暴富 bàofù ¶하루아침에 ~을 맞다 一夜暴富
돈:-세탁(—洗濯) 명하자 洗钱 xǐqián ¶~을 막다 谒制洗钱
돈육(豚肉) 명 猪肉 zhūròu
돈:-주머니 명 **1** 钱包 qiánbāo; 钱袋儿 qiándàir; 腰包 yāobāo **2** 弄钱的来路 nòngqiánde láilù; 摇钱树 yáoqiánshù ¶그들의 집은 부인이 ~를 쥐고 있다 他们家妻子在摇钱树
돈:-줄 명 弄钱的门路 nòngqiánde ménlu; 摇钱树 yáoqiánshù; 财路 cáilù = 자금줄 ¶~이 끊겼다 财路断了
돈:-지갑(—紙匣) 명 钱包 qiánbāo; 钱夹子 qiánjiāzi ¶나는 어제 ~을 잃어버렸다 我昨天丢了钱包
돈:-지랄 명하자 挥霍钱财 huīhuò qiáncái; 挥金如土 huījīnrútǔ ¶해외로 여행 가서 ~을 하다 到国外去旅游挥霍钱财
돈:-타령 명하자 唠叨没钱 láodao méi qián; 唠叨费钱 láodao fèiqián ¶그녀는 나만 보면 ~이다 她一看我, 就唠叨没钱
돈:-푼 명 一点钱 yīdiǎn qián; 钱 qián = 돈냥 ¶~깨나 있는 사람이 더 인색하다 有钱的人更吝啬
돈피(豚皮) 명 猪皮 zhūpí
돋다 자 **1** (日、月) 出 chū; 升 shēng ¶산에 올라 해가 돋는 것을 보다 登山观日出 **2** 冒 mào; 生 shēng; 长 zhǎng ¶싹이 ~ 生芽 **3** 起 qǐ; 显现 xiǎnxiàn; 现出 xiànchū; 鼓起 gǔqǐ ¶얼굴에 여드름이 ~ 脸上起青春痘 **4** 动气 dòngqì; 生气 shēngqì ¶누가 그를 생기 돋게 할 수 있을까? 谁可以让他显得生气勃勃呢? **5** (胃口) 开 kāi ¶여름철 입맛을 돋게 하는 요리 夏季开胃菜
돋보-기 명 **1** 老花镜 lǎohuājìng; 花镜 huājìng = 노안경 · 돋보기안경 **2** 放大镜 fàngdàjìng
돋보기-안경(—眼鏡) 명 = 돋보기1
돋아-나다 자 **1** (日、月) 升 shēng; 出 chū ¶동쪽에서 해가 ~ 从东边升起太阳 **2** 生 shēng; 冒 mào; 长出 zhǎngchū ¶풀이 ~ 长出草来 **3** 起 qǐ; 出现 chūxiàn; 鼓起 gǔqǐ ¶피부에 뾰루지가 ~ 皮肤上起痘痘
돋-우다 타 **1** 捻高 niǎngāo ¶등불 심지를 ~ 捻高灯心 **2** 增强 zēngqiáng; 增加 zēngjiā; 燃旺 ránwàng; 鼓舞 gǔ-

wǔ ¶대원들의 사기를 ～ 增强队员的士气 **3** 培 péi; 提高 tígāo ¶흙을 ～ 培土 **4** 踮 diǎn ¶발을 돋우어 사과를 따다 踮起脚摘下苹果 **5** (胃口) 开 kāi ¶입맛을 ～ 开胃 **6** 激发 jīfā; 引起 yǐnqǐ ¶흥미를 ～ 激发兴趣

돋을-새김 명 〖美〗 浮刻 fúkè; 浮雕 fúdiāo; 阳刻 yángkè; 阳文 yángwén ＝ 부각(浮刻)3 · 부조(浮彫)

돋-치다 자 **1** 冒 mào; 长出 zhǎngchū **2** (价) 涨 zhǎng ¶비가 많이 와서 채소 가격이 두 배나 돋쳤다 下了大雨, 蔬菜的价格涨了两倍

돌[1] 명 **1** 周岁 zhōusuì ¶두 ～ 两周岁 / ～ 사진 周岁照 / ～상 周岁宴桌 **2** 周年 zhōunián ¶해방 열 ～을 기념하다 纪念解放十周年

돌:[2] 명 **1** 石 shí; 石子 shízǐ; 石头 shítou; 沙子 shāzi ¶～계단 石阶 / ～기둥 石柱 / ～길 石路 / ～난간 石栏 / ～다리 石桥 / ～담 石墙 / ～덩이 石块 / ～도끼 石斧 / 밥에 ～이 있다 饭里有沙子 **2** ＝ 석재 **3** ＝ 바둑돌 **4** 火石 huǒshí ¶～을 쳐서 불을 붙이다 打火石点火

돌격(突擊) 명하자타 **1** 突然袭击 tūrán xíjī **2** 〖軍〗 突击 tūjī; 冲锋 chōngfēng; 冲击 chōngjī ¶～대 冲锋队 / 야간 ～ 夜间突击

돌-고래 명 〖動〗 海豚 hǎitún

돌기(突起) 명하자 突起 tūqǐ; 突显 tūxiǎn ¶표면에 많은 ～가 생기다 表面上产生很多突起

돌-날 명 周岁生日 zhōusuì shēngrì

돌:다 一자 **1** 转 zhuàn; 转动 zhuàndòng; 旋 xuán ¶차바퀴가 빨리 ～ 车轮转得很快 **2** 流通 liútōng; 周转 zhōuzhuǎn ¶증권 시장에 거액의 자금이 ～ 在股市上巨资流通 **3** 流行 liúxíng; 流传 liúchuán ¶스캔들이 인터넷상에서 급속도로 ～ 绯闻网上急速流传 **4** 失常 shīcháng ¶정신이 돌아 버리다 精神失常 **5** 闪 shǎn ¶붉은빛이 ～ 闪红色 **6** 浮现 fúxiàn; 显现 xiǎnxiàn; 有 yǒu ¶웃음기가 ～ 浮现笑意 **7** 盈眶 yíngkuàng; 充满 chōngmǎn ¶부모님을 보자 눈물이 핑 돈다 一看父母, 就热泪盈眶 二타 **1** 绕 rào ¶길을 돌아가다 绕路走 **2** 循环 xúnhuán; 巡回 xúnhuí ¶전국을 돌며 콘서트를 열다 巡回全国举行演唱会

돌:-대가리 명 笨脑子 bènnǎozi

돌:-덩어리 명 石块 shíkuài

돌돌 부 **1** 卷 juǎn ¶신문지를 ～ 말다 把报纸卷成一团 **2** 咕噜咕噜 gūlūgūlū ¶마차가 ～거리는 소리가 끊임없이 들려오다 不断传出马车咕噜咕噜的声响

돌-떡 명 岁饼 suìbǐng

돌라-대다 타 **1** 凑合 còuhe; 勉强筹措 miǎnqiǎng chóucuò ¶자금을 ～ 勉强筹措资金 **2** 掩饰 yǎnshì; 粉饰 fěnshì; 巧辩 qiǎobiàn ¶스캔들을 ～ 巧辩绯闻

돌라-막다 타 围住 wéizhù ¶마을 사람들이 도둑을 ～ 村民围住小偷

돌라-매다 타 系 jì; 捆绑 kǔnbǎng ¶허리끈을 ～ 系腰带

돌라-싸다 타 包 bāo; 围住 wéizhù ¶수건으로 강아지를 ～ 用毛巾包小狗

돌라-쌓다 타 围住 wéizhù; 围绕 wéirào; 包围 bāowéi ¶수백 명의 팬들이 그를 ～ 几百名歌迷包围他

돌라-앉다 타 围坐 wéizuò ¶온 가족이 돌라앉아서 이야기를 나누다 全家人围坐在一起谈话

돌려-내다 타 **1** 拐骗 guǎipiàn ¶부녀자를 ～ 拐骗妇女 **2** 甩开 shuǎikāi ¶그는 나를 돌려내고 친구를 만나러 갔다 他把我甩开去看朋友

돌려-놓다 타 **1** 挪到 nuódào; 转向 zhuǎnxiàng ¶침대를 창문 쪽으로 ～ 把床挪到窗户那边 **2** 撇 piē; 抛弃 pāoqì **3** 纠正 jiūzhèng; 改变 gǎibiàn ¶운명을 ～ 改变命运

돌려-보내다 타 **1** 还 huán; 归还 guīhuán ¶빌린 자전거를 주인에게 ～ 把借来的自行车还给主人 **2** 遣返 qiǎnfǎn; 遣送 qiǎnsòng ¶범인을 ～ 遣送犯人

돌려-세우다 타 **1** 转头 zhuǎntóu; 扭转 niǔzhuǎn ¶오른쪽으로 ～ 向右转头 **2** 转念 zhuǎnniàn ¶마음을 돌려세워 그들을 용서하기로 결정하다 转过念来, 决定原谅他们

돌려-쓰다 타 **1** 借用 jièyòng; 通融 tōngróng ¶임시로 ～ 临时借用 **2** 挪用 nuóyòng; 挪借 nuójiè; 转用 zhuǎnyòng ¶자금을 ～ 挪用资金

돌려-주다 타 **1** 还 huán; 归 guī; 归还 guīhuán; 送回 sònghuí; 还给 huángěi ¶돈을 ～ 还钱 **2** 暂借 zànjiè; 通融 tōngróng; 掷还 zhìhuán ¶그는 주인에게 통장을 돌려주었다 他向老板掷还存折 **3** 让 ràng; 转让 zhuǎnràng; 转支 zhuǎnzhī ¶상표를 ～ 转让商标

돌-리다 타 **1** 转 zhuǎn; 转动 zhuǎndòng ¶눈알을 ～ 转动眼球 **2** 扭转 niǔzhuǎn; 转 zhuǎn ¶자세를 ～ 扭转姿势 **3** 分给 fēngěi; 分发 fēnfā ¶문건을 ～ 分发文件 **4** 拨动 bōdòng ¶스위치를 ～ 拨动开关 **5** 松 sōng; 缓 huǎn ¶한숨 ～ 松一口气 **6** 放 fàng; 开 kāi ¶영화를 ～ 放电影 **7** (重视、关心、力量等) 给予 jǐyǔ ¶관심을 ～ 给予关心 **8** 还 huán; 归还 guīhuán; 还原 huányuán ¶원래 주인에게 ~ 归还原主 **9** 拐弯抹角 guǎiwānmòjiǎo ¶돌려서 말하다 拐弯抹角地说 **10** 归功 guīgōng ¶모든 공을 국민에게 ~ 一切归功于人民 **11** 推 tuī; 推后 tuīhòu ¶업무를 뒤로~ 推后工作

돌림 명 **1** 轮流 lúnliú ¶~으로 야근을 하다 轮流加班 **2** = 유행병

돌림-감기(一感氣) 명 流行性感冒 liúxíngxìng gǎnmào; 流感 liúgǎn

돌림 노래 〖音〗轮唱 lúnchàng

돌림-병(一病) 명 = 유행병

돌림-자(一字) 명 排行字 páihángzì; 辈分字 bèifenzì ¶~에 따라 이름을 짓다 按辈分字起名字

돌:-멩이 명 小石头 xiǎoshítou; 石头 shítou ¶~를 던지다 抛石头

돌:-무덤 명 〖古〗= 석총

돌발(突發) 명하자 突然发生 tūrán fāshēng; 突发 tūfā ¶~ 사건이 발생하다 发生突发事件

돌-배 명 沙梨 shālí

돌변(突變) 명하자 突变 tūbiàn; 突然变化 tūrán biànhuà ¶태도가 ~하다 态度突然变化

돌:-보다 타 照顾 zhàogù; 照料 zhàoliào; 关照 guānzhào; 照应 zhàoying; 照看 zhàokàn; 关心 guānxīn = 돌아보다4 ¶아이를 ~ 照顾孩子

돌:-부리 명 石头尖 shítoujiān ¶~에 걸려 넘어지다 绊倒在石头尖上

돌:-부처 명 **1**〖佛〗石佛 shífó = 석불 **2** 不动感情的人 bùdòng gǎnqíngde rén

돌:-산(一山) 명 石山 shíshān

돌:-솥 명 石鼎 shídǐng

돌아-가다 ㊀자 **1** 转 zhuǎn; 转动 zhuǎndòng; 循环 xúnhuán ¶자동차 바퀴가 계속해서 ~ 车轮不断地转动 **2** 绕行 ràoxíng; 迂回 yūhuí ¶이쪽은 차가 밀리니 돌아가자 这边堵车, 我们还是绕行吧 **3** 回 huí; 回去 huíqù; 归还 guīhuán; 返回 fǎnhuí ¶이미 늦었으니 그만 돌아가자 已经晚了, 我们回去吧 **4** 撇 piě ¶입이 ~ 撇嘴 **5** 转来转去 zhuǎnláizhuǎnqù ¶모두들 바쁘게 돌아가고 있었다 大家都忙得转来转去 **6** 分得 fēndé ¶귤이 두 개씩 ~ 分得两个橘子 **7** 流转 liúzhuǎn; 流通 liútōng ¶시장의 자금이 순조롭게 ~ 市场上的资金顺利地流通 **8** 发晕 fāyùn ¶머리가 핑핑 ~ 头发晕 **9** 归 guī; 归还 guīhuán ¶어린 시절로 돌아가고 싶다 希望归到小时候 **10** 正常运转 zhèngcháng yùnzhuǎn ¶공장이 다시 정상적으로 ~ 工厂恢复正常运转 **11** 逝世 shìshì; 去世 qùshì; 已故 yǐgù ¶어제 그의 아버지가 돌아가셨다 昨天他的父亲去世了 **12** 发展 fāzhǎn; 变化 biànhuà ¶일이 돌아가는 전 과정을 살피다 查看事情发展的全过程 ㊁타 拐弯 guǎiwān; 转弯 zhuǎnwān ¶모퉁이로 돌아가면 바로 우리 집이다 一转弯就是我的家

돌아-눕다 자 翻身 fānshēn ¶거북이는 이렇게 돌아눕는다 乌龟是这样翻身的

돌아-다니다 자타 巡游 xúnyóu; 转来转去 zhuǎnláizhuǎnqù; 跑来跑去 pǎoláipǎoqù; 奔波 bēnbō; 兜圈 dōuquān ¶혼자서 전국을 ~ 一个人巡游全国

돌아다-보다 타 回头看 huítóu kàn; 回身看 huíshēn kàn; 回顾 huígù ¶뒤를 돌아다보며 손을 흔들다 回头看后面, 挥挥手

돌아-들다 자타 **1** 转到 zhuǎndào **2** 拐进去 guǎijìnqù; 绕到 ràodào ¶그는 교차로에서 오른쪽으로 돌아들었다 他在十字路口右拐进去

돌아-보다 타 **1** 回头看 huítóu kàn; 转身看 zhuǎnshēn kàn ¶멀어지는 고향을 ~ 回头看远去的故乡 **2** 参观 cānguān; 环视 huánshì; 巡视 xúnshì ¶박물관을 ~ 参观博物馆 **3** 回顾 huígù ¶과거를 ~ 回顾过去 **4** = 돌보다 ¶불쌍한 고아들을 ~ 照顾可怜的孤儿们

돌아-서다 자 **1** 转向 zhuǎnxiàng; 转身 zhuǎnshēn; 回头过来 huítóuguòlái ¶그가 돌아서서 내 이름을 불렀다 他转过身来叫我的名字 **2** 恢复 huīfù; 好转 hǎozhuǎn ¶병세가 이미 많이 돌아섰다 病势已经好转多了 **3** 对立 duìlì; 不和 bùhé ¶남남으로 ~ 判若两人闹起了对立 **4** 改变 gǎibiàn; 变为 biànwéi ¶적으로 ~ 变为敌人

돌아-앉다 자 **1** 转过身来坐 zhuǎnguòshēnlái zuò **2** 背过身去坐 bèiguòshēnqù zuò ¶돌아앉아 눈물을 흘리다 背过身去坐流眼泪

돌아-오다 자 **1** 回 huí; 归 guī; 返 fǎn; 回来 huílái; 返回 fǎnhuí ¶집에 ~ 回家 **2** 绕行 ràoxíng; 迂回 yūhuí ¶저쪽 길은 가기 안 좋아서 돌아올 수밖에 없었다 那边的路不好走, 只好绕行 **3** 轮 lún ¶당직 설 차례가 ~ 轮到值班了 **4** 恢复 huīfù ¶건강이 ~ 恢复健康了 **5** 清醒 qīngxǐng ¶그는 드디어 정신이 돌아왔다 他终于清醒过来了

돌연(突然) 부하형 突然 tūrán; 猛不防 měngbufáng; 冷不防 lěngbufáng; 蓦地 mòdì; 顿然 dùnrán ¶아이가 ~ 울기 시작했다 孩子突然哭起来了

돌연-변이(突然變異) 명 〖生〗突变 tūbiàn

돌연-사(突然死) 명 〖醫〗突然死 tūránsǐ; 猝死 cùsǐ

돌:-옷 명 〖植〗 = 돌이끼

돌-이끼 명 〖植〗 青苔 qīngtái; 苔藓 táixiǎn = 돌옷

돌-이키다 타 **1** 转 zhuǎn ¶몸을 ~ 转过身 **2** 回想 huíxiǎng; 回顾 huígù; 回忆 huíyì ¶어린 시절을 돌이켜 생각하다 回想小时候 **3** 恢复 huīfù; 挽回 wǎnhuí; 挽救 wǎnjiù ¶연인의 마음을 ~ 挽回情人的心

돌입(突入) 명하자 冲进 chōngjìn; 冲入 chōngrù; 攻入 gōngrù; 攻进 gōngjìn; 突入 tūrù ¶적진에 ~하다 冲入敌阵

돌-잔치 명 周岁宴 zhōusuìyàn

돌-잡이 명하타 **1** 抓周 zhuāzhōu **2** 满周岁的孩子 mǎn zhōusuìde háizi

돌:-절구 명 石臼 shíjiù

돌진(突進) 명하자 冲进 chōngjìn; 猛冲 měngchōng; 冲 chōng ¶화물차가 상점으로~했다 货车冲进商店了

돌출(突出) 명하자형 **1** 突出 tūchū; 突起 tūqǐ ¶혈관이 ~하다 血管突起 **2** 突然出现 tūrán chūxiàn

돌:-층계(—層階) 명 石阶 shíjiē; 石头阶梯 shítou jiētī; 石级 shíjí

돌파(突破) 명하타 冲突 chōngtū; 突破 tūpò; 打破 dǎpò ¶~구 突破口 / 세계 기록을 ~하다 打破世界纪录

돌:-팔매 명 **1** (扔的) 石头 shítou **2** = 돌팔매질

돌:팔매-질 명하자 扔石头 rēng shítou = 돌팔매2

돌:-팔이 명 闯荡的人 chuǎngdàngde rén; 闯江湖的人 chuǎng jiānghúde rén; 半瓶醋 bànpíngcù ¶그 의사는 ~다 那个医生是半瓶醋

돌풍(突風) 명 飑 biāo; 急风 jífēng

돕:다 타 **1** 帮 bāng; 助 zhù; 帮助 bāngzhù; 帮忙 bāngmáng; 援助 yuánzhù; 接济 jiējì; 协助 xiézhù ¶서로 ~ 互相帮助 / 독거노인을 ~ 接济孤寡老人 / 무엇을 도와 드릴까요? 请问有什么需要帮忙的吗? **2** 增强 zēngqiáng; 增进 zēngjìn; 促进 cùjìn ¶소화를 ~ 促进消化

돗-자리 명 凉席 liángxí; 席子 xízi; 草席 cǎoxí

동(東) 명 = 동쪽

동(棟) 의명 栋 dòng ¶기숙사 한 ~을 짓다 建一栋宿舍

동(銅) 명 〖化〗 = 구리

동가(同價) 명 同价 tóngjià

동감(同感) 명하자 同感 tónggǎn ¶네 의견에 모두 ~이다 对你的意见大家都有同感

동갑(同甲) 명 **1** 同年 tóngnián; 同庚 tónggēng; 同岁 tóngsuì = 한동갑 ¶그녀는 나와 ~이다 她跟我同岁 **2** = 동갑계

동갑-계(同甲契) 명 同庚会 tónggēnghuì; 同龄会 tónglínghuì = 동갑2

동갑-내기(同甲—) 명 同岁人 tóngsuìrén ¶우리는 모두 ~이다 我们都是同岁人

동강 명 截 jié; 头儿 tóur; 段 duàn ¶두~ 나다 分为两段

동강-동강 부 一截一截地 yījiéyījiéde ¶양초를 ~ 자르다 把蜡烛一截一截地切断

동거(同居) 명하자 **1** 同居 tóngjū ¶~생활 同居生活 **2** 同住 tóngzhù ¶할머니와 ~하다 和祖母同住在一起

동격(同格) 명 **1** 同等的资格 tóngděngde zīgé **2** 〖語〗 同位 tóngwèi

동:결(凍結) 명하타 冻结 dòngjié ¶임금 ~ 工资冻结 / 수량을 ~하다 冻结数量

동경(東經) 명 〖地理〗 东经 dōngjīng

동:경(憧憬) 명하타 憧憬 chōngjǐng ¶~심 憧憬心 / 미래를 ~하다 憧憬未来

동:계(冬季) 명 = 겨울철 ¶~ 스포츠 冬季运动 / ~ 활동 冬季活动

동계(同系) 명 同一系统 tóngyī xìtǒng

동고(同苦) 명하자 同苦 tóngkǔ

동고-동락(同苦同樂) 명하자 同甘共苦 tónggāngòngkǔ ¶~한 친구 同甘共苦的朋友

동곳 명 发簪 fàzān ¶~을 꽂다 插发簪

동:공(瞳孔) 명 = 눈동자 ¶~을 크게 뜨다 叫瞳孔开大

동구(東歐) 명 〖地〗 东欧 Dōng Ōu ¶~권 东欧圈

동:구(洞口) 명 **1** 村口 cūnkǒu **2** 山门 shānmén

동:굴(洞窟) 명 洞窟 dòngkū; 洞穴 dòngxué

동권(同權) 명 同权 tóngquán

동그라미 명 圆 yuán; 圆圈 yuánquān ¶~를 그리다 画圆圈

동그라-지다 자 **1** 打滚 dǎgǔn ¶고양이가 꽃밭에서 동그라지며 놀다 小猫在花园里打滚 **2** 滚倒 gǔndǎo ¶배를 잡고 동그라지도록 웃다 抱着肚子笑得滚倒

동그랗다 형 圆形 yuánxíng; 圆 yuán; 圆圆 yuányuán ¶동그란 달 圆形的月亮 / 동그란 안경 圆圆的眼镜

동그래-지다 자 变圆 biàn yuán; 睁大 zhēngdà ¶눈이 ~ 睁大眼睛

동그스름-하다 형 稍圆 shāo yuán; 微圆 wēi yuán ¶얼굴이 ~ 脸稍圆 **동그스름-히** 부

동글납대대-하다 형 扁圆 biǎnyuán ¶동글납대대한 머리 扁圆的头

동글납작-하다 형 扁圆 biǎnyuán ¶

동글납작한 복부 扁圆的腹部
동글다 형 小而圆 xiǎo ér yuán; 圆 yuán ¶동근 얼굴이 더 귀엽다 小而圆的脸蛋更可爱
동글-동글 부하형 圆圆 yuányuán ¶~한 월병 圆圆的月饼
동급(同級) 명 同级 tóngjí ¶~생 同级生 / ~ 관계 同级关系
동기(同氣) 명 兄弟姐妹 xiōngdì jiěmèi
동기(同期) 명 **1** 同期 tóngqī ¶~ 활동 同期活动 **2** 同年级 tóngniánjí ¶나와 ~인 학생 跟我同年级的学生 **3** = 동기생
동:기(動機) 명 动机 dòngjī ¶학습 ~의 다양화 学习动机的多样化 / ~가 불분명하다 动机不明
동기-간(同氣間) 명 亲兄弟姐妹之间 qīnxiōngdì jiěmèizhījiān
동기-생(同期生) 명 = 동기(同期)3
동-나다 자 卖光 màiguāng; 脱销 tuōxiāo ¶십분도 안 되어 전부 ~ 不到十分钟就全卖光
동남(東南) 명 东南 dōngnán ¶~쪽 东南方
동남-아시아(東南Asia) 명 『地』 东南亚 Dōngnán Yà
동남-풍(東南風) 명 东南风 dōngnánfēng = 남동풍
동:내(洞內) 명 村内 cūnnèi; 街道内 jiēdàonèi
동:냥 명하자타 **1** 乞讨 qǐtǎo; 讨饭 tǎofàn ¶거리에 나와 ~하다 上街乞讨 **2** 『佛』 托钵 tuōbō; 化缘 huàyuán
동:냥-질 명하타 乞讨 qǐtǎo; 讨饭 tǎofàn
동:네(洞—) 명 村落 cūnluò; 社区 shèqū; 邻里 línlǐ
동년(同年) 명 **1** 同年 tóngnián **2** 同庚 tónggēng; 同岁 tóngsuì **3** 同榜 tóngbǎng
동년-배(同年輩) 명 同辈 tóngbèi
동-녘(東—) 명 = 동쪽
동댕이-치다 타 **1** 扔 rēng; 扔掉 rēngdiào; 抛 pāo ¶그는 책가방을 동댕이치고 나가버렸다 他把书包抛到一边就出去了 **2** 放弃 fàngqì; 中断 zhōngduàn; 丢开不管 diūkāi bùguǎn ¶그는 자기가 해야 할 일을 동댕이치고 출근하지 않았다 他把自己要做的事丢开不管, 没有上班
동동[1] 부 咚咚 dōngdōng ¶작은 북이 ~ 울리다 小鼓咚咚响
동동[2] 부 噔噔 dēngdēng 《跺脚貌》 ¶그는 발을 ~ 구르며 천막으로 돌아왔다 他跺脚噔噔地回来帐篷
동동[3] 부 一飘一飘 yīpiāoyīpiāo; 一浮一浮 yīfúyīfú ¶낙엽이 물 위를 ~ 떠가다 落叶在水面上一浮一浮地飘流
동동-거리다 타 跺脚 duòjiǎo; 跌脚 diējiǎo = 동동대다 ¶발을 ~ 跺脚
동동-걸음 명 快步 kuàibù; 大步 dàbù
동동-주(—酒) 명 马格利米酒 mǎgélìmǐjiǔ
동등(同等) 명하형 **1** 同等 tóngděng; 平等 píngděng ¶~권 平等权利 / 남녀가 ~하다 男女平等 **2** 同级 tóngjí
동-떨어지다 형 **1** 远离 yuǎnlí; 有距离 yǒu jùlí ¶우리 집은 마을과 동떨어져 있다 我的家与村子有一段距离 **2** 脱离 tuōlí; 隔绝 géjué ¶외부 세계와 ~ 与外界隔绝
동-뜨다 형 **1** 超越 chāoyuè; 超出 chāochū; 拉开距离 lākāi jùlí ¶우리 편의 힘이 상대편보다 훨씬 ~ 我方的力量大大地超越了对方 **2** 间隔 jiàngé; 间断 jiànduàn ¶두 시간 동떠서 복용하다 间隔两个小时服用
동라(銅鑼) 명 『音』 铜锣 tóngluó; 锣 luó
동:란(動亂) 명 动乱 dòngluàn; 动荡 dòngdàng ¶경제 ~ 经济动荡 / ~을 제지하다 抵制动乱
동량(棟梁 · 棟樑) 명 **1** 栋梁 dòngliáng; 支柱 zhīzhù ¶좋은 나무로 ~을 삼다 用好的木头做支柱 **2** 栋梁之才 dòngliángzhīcái; 支柱 zhīzhù ¶국가 경제의 ~ 산업 国家经济的支柱产业
동:력(動力) 명 动力 dònglì; 推动力 tuīdònglì; 原动力 yuándònglì ¶~ 장치 动力装置 / 호기심은 발전의 ~이다 好奇心是进步的原动力
동렬(同列) 명 **1** 同列 tóngliè; 同一排 tóngyīpái ¶나와 ~에 앉은 사람이 시험 점수가 같다 跟我坐同一排的人得到一样的分数 **2** 同伙 tónghuǒ **3** 同等 tóngděng
동료(同僚) 명 同僚 tóngliáo; 同事 tóngshì; 同伴 tóngbàn
동류(同流) 명 同一流派 tóngyī liúpài
동류(同類) 명 同类 tónglèi; 同种 tóngzhǒng
동:리(洞里) 명 **1** 村里 cūnlǐ; 村庄 cūnzhuāng **2** 洞和里 dòng hé lǐ
동:맥(動脈) 명 **1** 『生』 动脉 dòngmài **2** (交通) 动脉 dòngmài; 干线 gànxiàn ¶철도는 국민 경제의 ~이다 铁路是国民经济的动脉
동맹(同盟) 명하자 同盟 tóngméng; 联盟 liánméng; 盟 méng ¶~ 기업 同盟企业 / ~국 同盟国 / ~군 同盟军
동-메달(銅medal) 명 铜牌 tóngpái; 铜奖牌 tóngjiǎngpái ¶~을 땄다 获得了铜牌
동:면(冬眠) 명하자 『動』 冬眠 dōngmián; 蛰伏 zhéfú = 겨울잠 ¶~에 들어가다 进入蛰伏

동명(同名) 명 同名 tóngmíng ¶ ~이인 同名异人 / ~ 소설을 기초로 하다 以同名小说为基础
동:명(洞名) 명 洞名 dòngmíng; 村名 cūnmíng
동:-명사(動名詞) 명 〖語〗 动名词 dòngmíngcí
동무 명 **1** 朋友 péngyou; 同伴 tóngbàn **2** 同志 tóngzhì
동문(同門) 명 同门 tóngmén; 同学 tóngxué; 师兄弟 shīxiōngdì; 同窗 tóngchuāng
동문서답(東問西答) 명하자 东问西答 dōngwènxīdá; 答非所问 dáfēisuǒwèn
동문-회(同門會) 명 = 동창회
동:물(動物) 명 〖生〗 动物 dòngwù ¶ 야생 ~ 野生动物 / 포유~ 哺乳动物 / ~성 动物性 / ~원 动物园 / ~학 动物学
동:민(洞民) 명 洞民 dòngmín; 村民 cūnmín
동반(同伴) 명하자타 **1** 同伴 tóngbàn; 陪伴 péibàn; 伴同 bàntóng; 偕同 xiétóng; 随同 suítóng ¶ ~자 同伴 / 여자 친구를 ~하여 모임에 참석하다 同伴女朋友去参加聚会 **2** 伴随 bànsuí; 带有 dàiyǒu ¶ ~ 증상 伴随症状 / 모험은 위험을 ~한다 冒险带有危险性
동반(同班) 명 同班 tóngbān
동방(東方) 명 **1** = 동쪽 **2** 东方 dōngfāng ¶ ~ 문화 东方文化
동방(洞房) 명 **1** = 침실 **2** = 신방 **3** = 동방화촉
동:방-화촉(洞房華燭) 명 洞房花烛 dòngfánghuāzhú = 동방(洞房)3
동배(同輩) 명 同辈 tóngbèi; 平辈 píngbèi; 同列 tóngliè
동백(冬栢·冬柏) 명 〖植〗 山茶 shānchá = 동백나무 ¶ ~기름 山茶油 / ~꽃 山茶花
동백-나무(冬柏—) 명 〖植〗 = 동백
동:병-상련(同病相憐) 명하자 同病相怜 tóngbìngxiānglián
동:복(冬服) 명 冬服 dōngfú; 冬装 dōngzhuāng; 冬衣 dōngyī = 겨울옷·동의(冬衣)
동복(同腹) 명 同腹 tóngfù
동봉(同封) 명하타 附寄 fùjì; 同寄 tóngjì; 加封 jiāfēng ¶ 편지에 ~하다 附寄票据
동부(東部) 명 东部 dōngbù
동북(東北) 명 = 동북쪽
동북-아시아(東北Asia) 명 〖地〗 东北亚 Dōngběi Yà
동북-쪽(東北—) 명 东北方 dōngběifāng; 东北 dōngběi = 동북
동북-풍(東北風) 명 东北风 dōngběifēng
동분서주(東奔西走) 명하자 东奔西走 dōngbēnxīzǒu; 奔劳 bēnláo; 奔忙 bēnmáng; 到处奔走 dàochù bēnzǒu = 동서분주 ¶ 하루 종일 ~하다 整天奔劳
동사(凍死) 명하자 冻死 dòngsǐ ¶ 길에서 ~하다 冻死在街上
동:사(動詞) 명 〖語〗 动词 dòngcí
동:-사무소(洞事務所) 명 村办公室 cūnbàngōngshì
동산 명 **1** 小山 xiǎoshān **2** 小花园 xiǎohuāyuán
동상(同上) 명 同上 tóngshàng
동:상(凍傷) 명 〖醫〗 冻伤 dòngshāng ¶ ~에 걸리다 得了冻伤
동상(銅像) 명 铜像 tóngxiàng
동상-이몽(同牀異夢) 명 同床异梦 tóngchuángyìmèng
동색(同色) 명 **1** 同色 tóngsè **2** 同党 tóngdǎng
동생 명 **1** 弟弟 dìdi; 妹妹 mèimei; 弟 dì; 妹 mèi **2** 比自己年纪小的人 bǐ zìjǐ niánjì xiǎode rén
동서(同壻) 명 **1** 妯娌 zhóuli **2** 连襟 liánjīn
동서(東西) 명 东西 dōngxī
동서-고금(東西古今) 명 东西古今 dōngxīgǔjīn; 古今中外 gǔjīnzhōngwài
동서남북(東西南北) 명 东西南北 dōngxīnánběi
동서분주(東西奔走) 명하자 = 동분서주
동서-양(東西洋) 명 东西方 dōngxīfāng; 东西洋 dōngxīyáng
동석(同席) 명하자 同席 tóngxí; 同桌 tóngzhuō; 同座 tóngzuò ¶ 그와 ~하다 和他同席
동:선(動線) 명 〖建〗 动线 dòngxiàn ¶ ~이 복잡하다 动线很复杂
동성(同姓) 명 同姓 tóngxìng; 重姓 chóngxìng ¶ ~동본 同姓同籍
동성(同性) 명 **1** 相同性质 xiāngtóng xìngzhì **2** 同性 tóngxìng ¶ ~연애 同性恋 / ~ 친구 同性朋友
동성-동명(同姓同名) 명 同名同姓 tóngmíng tóngxìng = 동성명
동-성명(同姓名) 명 = 동성동명
동숙(同宿) 명하자 同宿 tóngsù
동승(同乘) 명하자 同乘 tóngchéng; 同坐 tóngzuò; 共乘 gòngchéng ¶ 모르는 사람과 ~하다 跟陌生人同乘一辆计程车
동:승(童僧) 명 〖佛〗 = 동자승
동시(同時) 명 同时 tóngshí; 同期 tóngqī ¶ ~ 녹음 同期录音 / 두 형제가 ~에 대학을 합격하다 两个兄弟同时考上大学
동시-통역(同時通譯) 명하타 同声翻译 tóngshēng fānyì
동:-식물(動植物) 명 动植物 dòngzhí-

wù ¶야생 ~ 野生动植物
동실-동실[1] 부하자 一浮一浮地 yīfú-yīfúde; 轻飘飘地 qīngpiāopiāode ¶나뭇잎이 ~ 떠내려간다 一片树叶一浮一浮地飘去
동실-동실[2] 부하형 圆圆的 yuányuánde ¶~한 얼굴 圆圆的脸
동심(同心) 명하자 同心 tóngxīn
동:심(動心) 명하자 动心 dòngxīn
동:심(童心) 명 童心 tóngxīn ¶~의 세계 童心的世界
동아(東亞) 명 〖地〗东亚 Dōng Yà
동아리 명 同党 tóngdǎng; 同派 tóngpài; 同伙 tónghuǒ; 社团 shètuán ¶~에 가입하다 加入社团
동-아시아(東Asia) 명 〖地〗东亚 Dōng Yà; 东亚细亚 Dōng Yàxìyà; 东亚洲 Dōng Yàzhōu
동아-줄 명 粗绳 cūshéng
동안 명 期间 qījiān; 时间 shíjiān ¶여름 방학 ~ 暑假期间 / 삼 년 ~ 三年时间
동:안(童顔) 명 童颜 tóngyán; 娃娃脸 wáwaliǎn
동양(東洋) 명 东方 Dōngfāng; 东洋 Dōngyáng ¶~인 东方人 / ~화 东洋画
동업(同業) 명하자 **1** 合伙 héhuǒ; 共同经营 gòngtóng jīngyíng **2** 同业 tóngyè; 同行 tóngháng
동업-자(同業者) 명 **1** 同事 tóngshì; 共同经营者 gòngtóng jīngyíngzhě **2** 同行 tóngháng; 同行人 tónghángrén
동여-매다 타 捆 kǔn; 束 shù; 绑 bǎng; 系 xì; 包扎 bāozā; 绕 rào; 捆绑 kǔnbǎng; 捆扎 kǔnzā ¶손발을 ~ 捆住手脚 / 책을 ~ 把书包扎起来
동:요(動搖) 명하자 **1** 摇摆 yáobǎi; 摇动 yáodòng ¶차체가 좌우로 ~되다 车厢左右摇动 **2** 动摇 dòngyáo ¶신념의 ~ 信念的动摇 **3** 动荡 dòngdàng; 动摇 dòngyáo ¶민심이 ~되다 动摇民意
동:요(童謠) 명 童谣 tóngyáo; 儿歌 érgē ¶~를 부르다 唱童谣
동:원(動員) 명하타 动员 dòngyuán; 调动 diàodòng; 动用 dòngyòng; 挖掘 wājué; 调用 diàoyòng ¶온 가족이 물건 옮기는 일에 ~되다 全家人动员搬东西
동위(同位) 명 **1** 同位 tóngwèi; 相同位置 xiāngtóng wèizhi **2** 同级 tóngjí
동위 원소(同位元素) 〖化〗同位素 tóngwèisù; 同位元素 tóngwèi yuánsù = 동위체
동위-체(同位體) 명 〖化〗 = 동위 원소
동-유럽(東Europe) 명 〖地〗东欧 Dōng Ōu
동음(同音) 명 同音 tóngyīn ¶~어 同音词 / ~이의어 同音异议词
동의(冬衣) 명 = 동복(冬服)
동의(同意) 명하자 **1** 同义 tóngyì ¶~문장 同义文章 **2** 同意 tóngyì; 赞同 zàntóng ¶당신은 이러한 견해에 ~합니까? 你赞同这种看法吗? **3** (对别人的行为) 同意 tóngyì ¶~를 구하다 征求同意 / ~를 얻다 得到同意 **4** 〖法〗认可 rènkě; 允许 yǔnxǔ
동:의(動議) 명하타 动议 dòngyì; 提议 tíyì ¶~가 부결되었다 动议被否决 / ~를 제출하다 提出动议
동의-서(同意書) 명 同意书 tóngyìshū
동의-어(同義語 · 同意語) 명 〖語〗同义词 tóngyìcí
동이 명 罐子 guànzi ¶빈~ 空罐子 / 물~ 水罐子
동이다 타 捆 kǔn; 束 shù; 绑 bǎng; 缚 fù; 缠 chán; 拴缚 shuānfù; 拴束 shuānshù; 捆扎 kǔnzā ¶손수건으로 머리를 질끈 ~ 用毛帕绑好头发
동인(同人) 명 **1** 同人 tóngrén; 同仁 tóngrén **2** 同一个人 tóngyīgerén
동:인(動因) 명 动因 dòngyīn; 动机 dòngjī; 起因 qǐyīn ¶폭동의 ~은 무엇입니까? 暴动的起因是什么?
동일(同一) 명하형 **1** 同一 tóngyī; 同样 tóngyàng; 一样 yīyàng; 相同 xiāngtóng ¶~ 상품 同样商品 / ~한 온도를 유지하다 维持同样的温度 **2** 一个 yīge; 同一个 tóngyīge ¶~ 날짜 同一个日子 / ~한 대상 同一个对象
동일(同日) 명 **1** 同日 tóngrì; 同一天 tóngyītiān ¶두 선수가 ~ 출장하다 两个运动员同日出场 **2** 那天 nàtiān; 那一天 nàyītiān
동일-시(同一視) 명하타 等视 děngshì; 同样看待 tóngyàng kàndài = 동일화 ¶모든 생물을 ~하다 等视一切生物 / 모든 의견을 ~하다 同样看待所有的意见
동일-인(同一人) 명 同一人 tóngyīrén
동일-화(同一化) 명하타 = 동일시
동:자(童子) 명 = 남자아이
동:자(瞳子) 명 = 눈동자
동:자-승(童子僧) 명 〖佛〗童子僧 tóngzǐsēng = 동승(童僧)
동작(動作) 명하자 动作 dòngzuò; 举动 jǔdòng; 手脚 shǒujiǎo ¶고난도의 ~을 하다 做出高难度动作
동:-장군(冬將軍) 명 严寒 yánhán; 严冬 yándōng
동-적(動的) 관명 动的 dòngde; 动态的 dòngtàide
동전(銅錢) 명 **1** 铜币 tóngbì = 동화(銅貨) **2** 硬币 yìngbì; 币 bì ¶~ 한 닢 一枚硬币 / ~ 투입구 投币口 / ~을 수

집하다 收藏硬币
동점(同點) 명 分数相同 fēnshù xiāngtóng; 同分 tóngfēn
동정(同情) 명하자타 1 同情 tóngqíng; 可怜 kělián ¶~심 同情心 / 그를 ~하다 同情他 2 帮助 bāngzhù ¶~을 구하다 请求帮助
동:정(動靜) 명 1 动静 dòngjing ¶이곳엔 아무런 ~이 없는 것 같다 这里好像没什么动静 2 动向 dòngxiàng ¶적의 ~을 감시하다 监视敌人的动向
동:정(童貞) 명 童贞 tóngzhēn ¶~을 지키다 保持童贞 / ~을 잃다 失去童贞
동조(同調) 명하자 1 同调 tóngdiào 2 认同 rèntóng; 赞同 zàntóng ¶모두의 ~를 얻다 得到大家的认同 3 〖文〗相同韵律 xiāngtóng yùnlǜ 4 〖物〗调谐 tiáoxié
동조-자(同調者) 명 同路人 tónglùrén; 支持者 zhīchízhě; 同情者 tóngqíngzhě
동족(同族) 명 1 同族 tóngzú ¶~의 운명 同族的命运 / ~상잔 同族相残 2 = 동종(同宗)1
동종(同宗) 명 1 同宗 tóngzōng = 동족2 2 同族 tóngzú; 同一宗派 tóngyī zōngpài
동종(同種) 명 同种 tóngzhǒng; 同类 tónglèi ¶~ 업종 同种行业
동지(冬至) 명 冬至 dōngzhì
동지(同志) 명 同志 tóngzhì
동지-섣달(冬至—) 명 十冬腊月 shídōng làyuè
동질(同質) 명 同质 tóngzhì ¶~성 同质性 / ~화 同质化
동짓-날(冬至—) 명 冬至天 dōngzhìtiān
동짓-달(冬至—) 명 冬至月 dōngzhìyuè; 冬月 dōngyuè = 십이월2
동-쪽(東—) 명 东边(儿) dōngbian(r); 东面(儿) dōngmiàn(r) = 동(東) · 동녘 · 동방(東方)1
동참(同參) 명하자 (共同) 参加 cānjiā ¶모두들 이번 활동에 ~해 주시기 바랍니다 请大家都参加本次活动
동창(同窓) 명 同学 tóngxué ¶~생 同学
동창(東窓) 명 东窗 dōngchuāng
동창-회(同窓會) 명 同学会 tóngxuéhuì = 동문회
동체(同體) 명 1 同体 tóngtǐ; 一体 yītǐ 2 同一体 tóngyītǐ
동체(胴體) 명 1 胴体 dòngtǐ; 躯干 qūgàn 2 机身 jīshēn
동:치미 명 萝卜泡菜 luóbo pàocài
동침(同寢) 명하자 同眠 tóngmián; 同睡 tóngshuì; 同房 tóngfáng
동:태(凍太) 명 冻明太鱼 dòngmíngtàiyú
동:태(動態) 명 动态 dòngtài ¶업계의 ~를 주시하다 注视业界动态 / 적의 ~를 살피다 观察敌人的动态
동-트다(東—) 자 黎明 límíng; 拂晓 fúxiǎo; 天亮 tiānliàng ¶동틀 무렵 天亮的时候
동:파(凍破) 명하자 冻裂 dòngliè; 冻破 dòngpò ¶수도관이 ~되다 水管道冻裂
동판(銅板) 명 铜板 tóngbǎn ¶~화 铜版画
동편(東便) 명 东 dōng; 东边(儿) dōngbian(r)
동포(同胞) 명 同胞 tóngbāo ¶~ 형제 同胞兄弟 / ~애 同胞之爱
동풍(東風) 명 1 东风 dōngfēng 2 = 봄바람
동:-하다(動—) 자 1 动 dòng ¶그녀의 피아노 연주를 듣고 그는 마음이 동했다 听到她演奏的钢琴, 他的心就动了 2 产生 chǎnshēng; 起 qǐ ¶호기심이 ~ 产生好奇 / 식욕이 ~ 产生食欲 3 = 도지다[1]1
동학(同學) 명하자 同学 tóngxué
동해(東海) 명 〖地〗东海 Dōnghǎi
동:해(凍害) 명 冻害 dònghài ¶~를 입다 遭受冻害
동해-안(東海岸) 명 1 东海岸 dōnghǎi'àn 2 〖地〗东海岸 Dōnghǎi'àn
동행(同行) ㊀명하자 同行 tóngxíng; 陪同 péitóng; 跟随 gēnsuí; 同路 tónglù ¶17세 이하는 부모가 ~해야 한다 17岁以下要陪同家长 ㊁명 同路人 tónglùrén; 同伴 tóngbàn; 旅伴 lǚbàn = 동행인 · 동행자 ¶밤이 늦었으니 아무래도 ~을 찾아 같이 가는 것이 좋겠다 夜晚了, 还是找旅伴一起去比较好
동행-인(同行人) 명 = 동행㊁
동행-자(同行者) 명 = 동행㊁
동향(同鄕) 명 同乡 tóngxiāng ¶~인 同乡人 =[同乡][老乡]
동향(東向) 명하자 朝东 cháo dōng; 向东 xiàng dōng
동:향(動向) 명 动向 dòngxiàng; 动态 dòngtài ¶시장의 ~을 분석하다 分析市场动向
동호(同好) 명하자타 1 同好 tónghào 2 = 동호인
동호-인(同好人) 명 同好 tónghào; 同好人 tónghàorén = 동호2 · 동호자
동호-자(同好者) 명 = 동호인
동호-회(同好會) 명 同好会 tónghàohuì; 爱好者协会 àihàozhě xiéhuì ¶~에 가입하다 加入同好会
동화(同化) 명하자 1 同化 tónghuà ¶민족 ~ 民族同化 / ~를 막다 阻止同化 2 〖生〗= 동화 작용2 3 〖心〗同化 tónghuà 4 〖語〗同化 tónghuà

동:화(童話) 명 童话 tónghuà ¶그림 ~ 格林童话
동화(銅貨) 명 = 동전1
동화 작용(同化作用) **1** 〖鑛〗同化作用 tónghuà zuòyòng **2** 〖生〗同化作用 tónghuà zuòyòng = 동화(同化)2
돛 명 帆 fān; 篷 péng; 篷帆 péngfān ¶~을 달다 挂帆
돛단-배 명 帆船 fānchuán = 돛배·범선
돛-대 명 桅 wéi; 桅杆 wéigān; 船桅 chuánwéi; 桅樯 wéiqiáng
돛-배 명 = 돛단배
돼:-먹다 자 '되다1'的俗称
돼:지 명 〖動〗猪 zhū; 豚 tún ¶~고기 猪肉 / ~비계 猪肥肉 / ~우리 猪窝
되 一명 **1** 升 shēng ¶~로 쌀을 되다 用升量米 **2** 一升容量 yīshēng róngliàng 二의명 升 shēng ¶쌀 세 ~ 三升米
되로 주고 말로 받는다 속담 升借斗还
-되 어미 **1** 用于谓词词干之后的连接词尾, 表示对立或转折 ¶나는 네 입장은 이해하~ 네 의견에는 동의할 수 없다 我理解你的立场, 但是不能赞同你的意见 **2** 连接词尾之一, 表示条件 ¶그의 소식을 알아보~ 아무에게도 들키면 안 된다 打听他的消息, 但不能被发现
되:게 부 非常 fēicháng; 很 hěn; 十分 shífēn = 된통 ¶눈이 ~ 크다 眼睛很大
되-넘기다 타 转卖 zhuǎnmài ¶산 땅을 즉석에서 ~ 当场将买的地转卖出去
되-뇌다 타 反复说 fǎnfù shuō ¶계속 해서 같은 말을 ~ 一直反复说一样的话
되는-대로 부 **1** 稀里糊涂 xīlihútú; 混 hùn; 胡乱 húluàn; 苟且 gǒuqiě ¶그는 ~ 시험을 봤다 他稀里糊涂地考完试了 **2** 尽可能 jǐnkěnéng ¶~ 많이 가져와라 尽可能多点拿来吧
되다[1] 자 **1** 当 dāng; 做 zuò ¶요리사가 ~ 做厨师 **2** 变为 biànwéi; 变成 biànchéng ¶백만장자가 하루아침에 알거지가 ~ 百万富翁一夜变为赤贫 **3** 到 dào ¶봄이 되었다 春天到了 **4** 达到 dádào ¶연간 생산액이 20억이 ~ 年产值达到二十亿 **5** 人品好 rénpǐn hǎo ¶인품이 되지 못한 사람 人品不好的人 **6** 成 chéng; 成为 chéngwéi ¶우수한 학생이 ~ 成为优秀学生
되:다[2] 타 (用斗、升等) 量 liáng ¶되로 쌀을 ~ 用斗量米
되:다[3] 형 **1** 硬 yìng; 糨 jiàng; 稠 chóu ¶죽이 너무 ~ 粥煮得太糨 **2** 紧 jǐn ¶줄로 되게 묶어라 用绳子紧紧地捆吧 **3** 艰难 jiānnán; 吃力 chīlì ¶이런 일은 너무 ~ 这种工作太艰难 **4** 厉害 lìhai ¶된 꾸중을 듣다 被骂得厉害
-되다 접미 **1** 词尾之一, 表示被动 ¶사용~ 被使用 / 형성~ 被形成 **2** 词尾之一, 表示形容词 ¶거짓~ 假的 / 참~ 真实
되-도록 부 尽量 jǐnliàng; 尽可能 jǐnkěnéng ¶밤에는 ~ 음식을 먹지 않는다 晚上尽量不吃东西
되-돌다 자 返回 fǎnhuí; 重返 chóngfǎn ¶되돌아 달아나다 返回逃走
되돌-리다 타 **1** '되돌다'的使动词 **2** 反 fǎn; 转 zhuǎn ¶몸을 ~ 转身 **3** 还回 huánhuí ¶원래 자리에 ~ 还回原处 **4** 退回 tuìhuí ¶편지를 그에게 되돌려 주다 把信退回给他
되-돌아가다 자타 **1** 返回 fǎnhuí; 重返 chóngfǎn ¶집에 ~ 返回家 / 독신으로 ~ 重返单身 **2** 还回 huánhuí
되-돌아보다 자타 **1** 回头看 huítóu kàn ¶되돌아보지 마라 不要回头看 **2** 回顾 huígù ¶당시를 ~ 回顾当时
되-돌아서다 자 回转 huízhuǎn; 转身 zhuǎnshēn; 打回头 dǎ huítóu ¶그녀는 차 타기 전에 되돌아서서 나를 바라보았다 她上车前转过身来看我
되-돌아오다 자 返回 fǎnhuí; 折返 zhéfǎn; 重返 chóngfǎn ¶조국으로 ~ 返回祖国
되-묻다 타 **1** 重问 chóng wèn; 再问 zài wèn ¶한 번 더 ~ 重问一次 **2** 反问 fǎnwèn ¶그는 뜻밖에도 나에게 되물었다 他居然反问了我
되-바라지다 형 **1** (碟子) 扁平 biǎnpíng ¶되바라진 접시 扁平的碟子 **2** 自以为是 zìyǐwéishì; 骄傲自大 jiāo'àozìdà ¶되바라진 아이 骄傲自大的孩子 **3** 滑头 huátóu ¶그를 아는 많은 사람들은 모두 그가 되바라졌다고 한다 认识他的很多人都说他滑头
되-받다 타 **1** 收回 shōuhuí; 要回 yàohuí ¶빌려준 돈을 ~ 要回借款 **2** 反驳 fǎnbó; 反击 fǎnjī; 顶撞 dǐngzhuàng ¶학생이 선생님 말씀을 ~ 学生顶撞老师
되받아-치다 타 反击 fǎnjī; 顶撞 dǐngzhuàng; 反驳 fǎnbó ¶그의 주장을 곧바로 ~ 直接反驳他的主张
되-살다 자 **1** 复活 fùhuó **2** 恢复 huīfù; 重现 chóngxiàn; 记起来 jìqǐlai ¶기억이 ~ 恢复记忆
되살-리다 타 '되살다'的使动词
되-살아나다 자 **1** 苏醒 sūxǐng; 苏生 sūshēng ¶그는 몇 시간이 흐른 뒤 마침내 되살아났다 他过了几个小时终于苏生过来了 **2** 重现 chóngxiàn; 复萌 fùméng ¶종교의식이 되살아난 사회

원인 宗教意识复萌的社会原因 **3** 恢复 huīfù ¶예전의 기억이 완전히 ~ 完全恢复以前的记忆

되-새기다 타 **1** 咀嚼 jǔjué; 咬嚼 yǎojiáo **2** 倒嚼 dǎojiào; 反刍 fǎnchú ¶소는 하루에 약 여섯 번 내지 여덟 번을 되새긴다 牛一昼夜约反刍6~8次 **3** 回味 huíwèi; 重新思索 chóngxīn sīsuǒ; 反刍 fǎnchú ¶자신의 행동과 생각을 ~ 反刍着自己的行为、思想

되-씹다 타 **1** 重复 chóngfù ¶상대방의 말을 ~ 重复说一说对方的话 **2** 回味 huíwèi; 重新思索 chóngxīn sīsuǒ ¶어린 시절의 추억을 ~ 回味小时候的回忆

되알-지다 형 **1** 有劲儿 yǒujìnr; 有力 yǒulì ¶대문을 되알지게 밀어붙이다 有力地推门 **2** 吃力 chīlì **3** 饱满 bǎomǎn

되잖다 형 不妥当 bùtuǒdang; 不当 bùdàng ¶되잖은 말 不当的言辞 / 이런 방식은 ~ 这样的方式不妥当

되직-이 부 稍稠 shāo chóu ¶죽을 ~ 끓이다 把粥煮得稍稠

되직-하다 형 稍稠 shāo chóu ¶되직한 옥수수 수프 稍稠的玉米浓汤

되-짚다 타 **1** 再拄 zàizhǔ ¶지팡이를 ~ 再拄拐杖 **2** 回头 huítóu ¶되짚어 보다 回过头来看 **3** 返回 fǎnhuí ¶방금 왔던 길을 되짚어 뛰어내려가다 返回刚才走的路跑下去

되-찾다 타 要回 yàohuí; 收回 shōuhuí; 找回 zhǎohuí; 收复 shōufù ¶잃어버린 지갑을 ~ 找回丢失的钱包

되-팔다 타 转卖 zhuǎnmài ¶기차표를 ~ 转卖火车票

되풀-이 명하타 反复 fǎnfù; 重演 chóngyǎn; 重复 chóngfù ¶~해서 설명하다 反复解释

된:-똥 명 硬屎 yìngshǐ; 干屎 gānshǐ

된:-바람 명 **1** 北风 běifēng **2** 大风 dàfēng; 疾风 jífēng **3** 〖地理〗 强风 qiángfēng; 六级风 liùjífēng

된:-밥 명 硬饭 yìngfàn

된:-서리 명 **1** 严霜 yánshuāng **2** 严重打击 yánzhòng dǎjī

된서리를 맞다 구 遭严霜

된:-소리 명 〖語〗 硬音 yìngyīn = 경음

된:-장(—醬) 명 **1** 大酱 dàjiàng; 黄酱 huángjiàng = 토장 ¶~국 大酱汤 / ~찌개 煎黄酱 / ~을 담그다 腌大酱 **2** 酱油渣 jiàngyóuzhā

된:-통 부 = 되게

됨됨-이 명 人品 rénpǐn; 为人 wéirén; 品质 pǐnzhì ¶그는 ~가 아주 좋다 他人品很好

됫-박 명 **1** '되⊟1' 的俗称 **2** 升 shēng ¶쌀 한 ~ 一升米

두: 관 两 liǎng ¶~ 번 两遍 / ~ 달 两个月

두[1](頭) 명 '머리' 的俗称

두[2](頭) 의명 头 tóu; 匹 pǐ ¶젖소 10 ~ 10头乳牛

두각(頭角) 명 头角 tóujiǎo ¶~을 나타내다 崭露头角

두개-골(頭蓋骨) 명 〖生〗 = 머리뼈

두견(杜鵑) 명 **1** 〖鳥〗 杜鹃 dùjuān = 두견새 **2** 〖植〗 = 진달래

두견-새(杜鵑—) 명 〖鳥〗 = 두견1

두견-화(杜鵑花) 명 〖植〗 = 진달래

두고-두고 부 慢慢地 mànmànde; 长期多次 chángqī duōcì ¶옛날에 그가 보낸 편지를 ~ 꺼내보다 长期多次看他寄给我的信

두근-거리다 자타 怦怦跳 pēngpēng tiào; 忐忑不安 tǎntèbù'ān; 扑通扑通跳 pūtōngpūtōng tiào; 七上八下 qīshàngbāxià = 두근대다 ¶그 일을 생각하니 가슴이 두근거린다 一回想起那件事, 我的心就怦怦跳 **두근-두근** 부하자타

두꺼비 명 〖動〗 癞蛤蟆 làiháma; 蟾蜍 chánchú

두꺼비-집 명 **1** 〖農〗 铧槽 huácáo **2** 〖電〗 保险盒 bǎoxiǎnhé

두껍다 형 **1** 厚 hòu ¶두꺼운 스웨터 厚的毛衣 **2** 厚实 hòushi; 多 duō ¶그는 팬층이 ~ 喜欢他的歌迷们很多 **3** 浓 nóng ¶두꺼운 안개 浓雾

두께 명 厚度 hòudù ¶~를 재다 测量厚度 / ~가 다르다 厚度不一样

두뇌(頭腦) 명 **1** 〖生〗 = 뇌 **2** 头脑 tóunǎo ¶~가 명석하다 头脑聪明 **3** 聪明的人 cōngmingde rén

두다 타 **1** 放 fàng; 置 zhì; 搁 gē; 安放 ānfàng; 设置 shèzhì ¶책가방을 침대에 ~ 把书包放在床上 **2** 雇佣 gùyōng; 雇 gù ¶비서를 ~ 雇佣秘书 / 하인을 ~ 雇佣用人 **3** 加 jiā; 掺 chān; 掺入 chānrù ¶밥에 검은콩을 ~ 在饭里掺入黑豆 **4** 絮 xù ¶솜이불에 솜을 ~ 往棉被里絮棉花 **5** 设 shè; 设立 shèlì; 办 bàn; 创办 chuàngbàn ¶계열사를 ~ 设立分公司 **6** 有 yǒu ¶그는 두 아이를 두고 있다 他有两个孩子 **7** 隔 gé ¶며칠 두고 다시 연락하다 隔几天再联络 **8** 指 zhǐ ¶이건 너희를 두고 하는 말이다 这是指你们说的 **9** 花费 huāfèi ¶그는 오랜 시간을 두고서야 비로소 그녀를 잊었다 他花费很长时间, 才能忘记她 **10** 撇下 piēxià ¶그는 아이를 두고 나가서 돌아오지 않는다 他撇下孩子出去不回来 **11** 下 xià ¶그는 장기 두는 것을 좋아한다 他喜欢下棋

두더지 명 〖動〗 鼹鼠 yǎnshǔ; 地爬子 dìpázi

두두룩-하다 형 鼓起 gǔqǐ; 隆起 lóngqǐ ¶두두룩한 흙더미 隆起的土上

두둑 명 **1** 埂 gěng; 田埂 tiángěng; 土埂子 tǔgěngzi **2** 垄 lǒng

두둑-이 부 **1** 厚实地 hòushide; 厚厚地 hòuhòude ¶옷을 ~ 입다 把衣服厚厚地穿 **2** 丰富地 fēngfùde; 多一点 duōyīdiǎn ¶용돈을 ~ 주다 丰富地给零用钱 **3** 鼓鼓地 gǔgǔde ¶뚜껑이 ~ 부은 듯 튀어나오다 盖子鼓鼓地隆起似的凸出

두둑-하다 형 **1** 很厚 hěn hòu; 厚实 hòushi ¶두둑한 지갑 很厚的钱包 **2** 充足 chōngzú; 丰富 fēngfù ¶예산이 ~ 预算丰富 **3** '두두룩하다' 的略词

두둔(斗頓) 명하타 袒护 tǎnhù; 偏袒 piāntǎn; 左袒 zuǒtǎn; 包庇 bāobì; 庇护 bìhù ¶죄인을 ~하다 包庇罪人

두-둥실 부 漂浮 piāofú; 飘浮 piāofú; 轻飘飘 qīngpiāopiāo; 翩翩 piānpiān ¶배 한 척이 바다 위에 ~ 떠 있다 一只船漂浮在海面上

두드러기 명 荨麻疹 xúnmázhěn; 风疹块 fēngzhěnkuài; 疹 zhěn; 鬼风疙瘩 guǐfēnggēda ¶~가 나다 起鬼风疙瘩

두드러-지다 一자 **1** 凸起 tūqǐ; 隆起 lóngqǐ ¶아랫배가 눈에 띄게 ~ 小腹明显隆起 **2** 显眼 xiǎnyǎn; 突出 tūchū ¶가장 두드러진 위치 最显眼的位置 二형 **1** 凸出 tūchū ¶눈이 두드러진 얼굴 眼睛凸出的脸 **2** 突出 tūchū; 显然 xiǎnrán ¶실력이 가장 ~ 实力最突出

두드리다 타 **1** 敲 qiāo; 打 dǎ; 捶 chuí; 扣 kòu; 敲打 qiāodǎ; 拍打 pāidǎ ¶힘껏 등을 ~ 用力拍打背部 **2** 乱 luàn; 瞎 xiā ¶두드려 패다 乱打

두들기다 타 **1** 敲打 qiāodǎ ¶주먹으로 문을 ~ 用拳头敲打门 **2** 狠打 hěn dǎ; 乱打 luàn dǎ ¶나는 모르는 사람에게 두들겨 맞았다 我被陌生人狠打

두런-거리다 자 唧唧咕咕 jījigūgū; 喃喃不休 nánnán bùxiū = 두런대다 ¶사람들이 집 앞에서 ~ 人们在门前唧唧咕咕 **두런-두런** 부하자 ¶가족들이 함께 모여서 ~ 이야기하다 家人聚集在一起唧唧咕咕地谈话

두렁 명 田埂 tiángěng; 田塍 tiánchéng ¶~길 田埂路

두레 명【農】(农民) 互助组 hùzhùzǔ

두레-박 명 汲水斗 jíshuǐdǒu; 吊桶 diàotǒng; 笆斗 bādǒu

두려움 명 害怕 hàipà; 恐惧 kǒngjù; 畏惧 wèijù; 惊惧 jīngjù ¶~을 극복하다 克服害怕

두려워-하다 타 **1** 怕 pà; 害怕 hàipà; 惶惑不安 huánghuò bù'ān; 畏惧 wèijù ¶어둠을 ~ 害怕黑暗 **2** 敬畏 jìngwèi ¶대자연을 ~ 敬畏大自然

두렵다 형 **1** 怕 pà; 害怕 hàipà; 惊惧 jīngjù; 畏惧 wèijù; 生怕 shēngpà ¶집에 가는 것이 ~ 害怕回家 **2** 担心 dānxīn ¶그는 엄마가 화낼까 매우 ~ 他很担心妈妈会生气

두루 부 **1** 一一地 yīyīde; 全部 quánbù; 四处 sìchù; 大致 dàzhì; 大体上 dàtǐshang ¶~ 갖추다 全部齐备 **2** 一般(地) yībān(de); 广泛(地) guǎngfàn(de) ¶~ 사용하다 广泛地使用

두루-두루 부 **1** 一一地 yīyīde; 广泛地 guǎngfànde ¶~ 조사하다 广泛地调查 **2** 随和地 suíhede ¶다른 사람들과 ~ 사이좋게 지내다 跟别人随和地相处

두루마기 명 (韩国式) 长袍 chángpáo; 罩袍 zhàopáo

두루마리 명 卷纸 juǎnzhǐ; 卷儿 juǎnr ¶~ 화장지 卫生卷纸

두루-뭉수리 명 **1** 模棱两可 móléngliǎngkě; 笼统 lǒngtǒng **2** 含糊的人 hánhude rén; 窝囊废 wōnangfèi

두루뭉술-하다 형 **1** 不方不圆 bùfāngbùyuán ¶이 물건은 ~ 这个东西不方不圆 **2** 笼统 lǒngtǒng; 模棱两可 móléngliǎngkě; 含含糊糊 hánhanhūhū ¶두루뭉술하게 대답하다 模棱两可地回答

두루미 명【鳥】鹤 hè; 丹顶鹤 dāndǐnghè; 仙鹤 xiānhè; 白鹤 báihè = 백학·학(鶴)

두르다 타 **1** 围 wéi ¶앞치마를 두르고 밥을 하다 围围裙做饭 **2** 围 wéi; 围上 wéishang ¶집 둘레에 담을 ~ 家周围围墙 **3** 抱 bào; 搭 dā ¶그녀의 어깨에 팔을 ~ 她的肩膀上搭着手臂 **4** 抹 mǒ; 涂匀 túyún ¶프라이팬에 기름을 ~ 往煎锅里涂匀油 **5** 挥舞 huīwǔ ¶붉은 깃발을 휘휘 ~ 挥舞红旗 **6** 变通 biàntōng; 借用 jièyòng; 暂借 zànjiè; 挪借 nuójiè ¶자금을 ~ 挪借资金 **7** 操纵 cāozòng ¶친구를 마음대로 ~ 随便地操纵朋友 **8** 蒙骗 mēngpiàn ¶군중을 ~ 蒙骗群众 **9** 绕 rào ¶이쪽은 차가 막히니 둘러 가는 것이 가장 좋다 这边堵车最好绕着走

두르르[1] 부 嘟噜噜 dūlulu ¶신문이 ~ 말리다 新闻嘟噜噜卷起来

두르르[2] 부 轱辘轱辘 gūlūgūlū ¶공이 ~ 굴러왔다 球轱辘轱辘滚来了

두름 一명 二十条 èrshítiáo ¶나는 조기 한 ~을 샀다 我买了二十条黄花鱼 二의명 (鱼或干菜) 串(儿) chuàn(r) ¶마늘 한 ~ 一串蒜

두릅-나무 명【植】楤木 sǒngmù

두리번-거리다 타 环视四周 huánshìsìzhōu; 东张西望 dōngzhāngxīwàng;

左顾右盼 zuǒgùyòupàn; 看这看那 kànzhèkànnà = 두리번대다 ¶주위를 ~ 东张西望 **두리번-두리번** 부하타 ¶~ 거리며 걷다 东张西望地走

두:-말 명하자 **1** 二话 èrhuà **2** 多说 duōshuō ¶~하고 싶지 않다 我不想多说

두:말-없다 형 **1** 没二话 méi èrhuà ¶확실하게 말해야 나중에 ~ 清楚地说以后没二话 **2** 不言自明 bùyánzìmíng ¶그가 시험에 통과하는 것은 두말 없는 일이다 他通过考试那是不言自明的事 **두:말없-이** 부 ¶~ 부모님의 말씀을 따르다 没二话地听众父母的话 / 이것은 ~ 그가 쓴 글이다 这是他写的文章, 那是不言自明的

두메 명 偏僻的山区 piānpìde shānqū; 穷乡僻壤 qióngxiāngpìrǎng; 边远山区 biānyuǎn shānqū; 山沟 shāngōu; 深山僻谷 shēnshānpìgǔ = 두메산골

두메-산골(—山—) 명 = 두메

두목(頭目) 명 头目 tóumù; 头儿 tóur; 头子 tóuzi; 头领 tóulǐng; 首领 shǒulǐng

두문불출(杜門不出) 명하자 闭门不出 bìménbùchū ¶그는 집에서 몇 달째 ~이다 他在家已经几个月闭门不出

두발(頭髮) 명 = 머리털

두부(豆腐) 명 豆腐 dòufu ¶연~ 嫩豆腐 / ~ 요리 豆腐料理

두부(頭部) 명 **1** 〖生〗头部 tóubù **2** 顶部 dǐngbù; 前端 qiánduān

두상(頭相) 명 头相 tóuxiàng

두서(頭緖) 명 头绪 tóuxù; 端倪 duānní ¶~가 없다 没有头绪

두서너 관 两三四个 liǎngsānsìge ¶사과 ~개 两三四个苹果

두서넛 수 两三四(个) liǎngsānsì(ge)

두-세 관 二三 èrsān; 两三 liǎngsān ¶~살 二三岁 / ~ 번 两三遍

두세-째 수관 第二三(个) dì'èrsān(ge) ¶그의 성적이 전교에서 ~는 간다 他的成绩在全校第二三名

두-셋 수 二三 èrsān; 两三 liǎngsān

두:-수 명 **1** 两个方法 liǎngge fāngfǎ **2** 余地 yúdì ¶상의할 ~가 없다 没有商量的余地

두어 관 两个左右 liǎngge zuǒyòu ¶~달 정도 시간이 필요하다 需要两个左右月

두어-두다 타 放任不管 fàngrèn bùguǎn; 搁在一边 gēzài yībiān ¶책은 그냥 두어두고 밖으로 나가라 把书搁在一边出去

두엄 명 〖農〗堆肥 duīféi; 积肥 jīféi

두엇 수 两个左右 liǎngge zuǒyòu ¶너희들 중 ~만 와서 나를 도와줘라 你们中两个人左右来帮我

두유(豆乳) 명 豆乳 dòurǔ; 豆奶 dòunǎi

두음(頭音) 명 〖語〗头音 tóuyīn; 初声 chūshēng ¶~ 법칙 头音法则

두절(杜絕) 명하자 (交通、通讯等) 中断 zhōngduàn; 断绝 duànjué ¶연락이 ~되다 联络断绝

두텁다 형 厚 hòu; 肥厚 féihòu; 深厚 shēnhòu ¶두터운 우정 深厚的友情 / 혈육의 정이 ~ 亲情深厚

두통(頭痛) 명 头痛 tóutòng; 头疼 tóuténg ¶~이 심하다 头很痛

두툼-하다 형 **1** 厚厚的 hòuhòude; 厚墩墩的 hòudūndūnde; 厚实的 hòushide ¶두툼한 책 厚厚的书 / 입술이 ~ 嘴唇是厚厚的 **2** 相当多 xiāngdāng duō ¶월급을 받아 주머니가 ~ 领月薪口带里有相当多的钱 **두툼-히** 부

둑 명 **1** 堤 dī ¶~이 무너지다 溃堤 **2** 护堤 hùdī

둑-길 명 堤上的路 dīshangde lù

둔:감(鈍感) 명하형 感觉迟钝 gǎnjué chídùn ¶그는 ~한 사람이다 他是个感觉迟钝的人

둔:갑(遁甲) 명하자 **1** 摇身一变 yáoshēn yībiàn ¶~하여 멋쟁이가 되다 摇身一变成帅哥 **2** 改换面目 gǎihuàn miànmù

둔:갑-술(遁甲術) 명 〖民〗摇身一变的技术 yáoshēn yībiànde jìshù

둔덕 명 丘 qiū; 丘陵 qiūlíng; 岗 gǎng; 坎 kǎn; 小岗 xiǎogǎng; 埂 gěng

둔부(臀部) 명 = 엉덩이

둔:재(鈍才) 명 钝才 dùncái

둔:중-하다(鈍重—) 형 **1** 笨拙 bènzhuō; 笨重 bènzhòng ¶둔중한 느낌이 들다 有很笨重的感觉 **2** (声音) 钝重 dùnzhòng; 低沉 dīchén ¶둔중한 소리가 들려오다 传来钝重的声音 **3** 迟钝 chídùn ¶둔중한 걸음걸이 迟钝的脚步 **4** (气氛) 沉闷 chénmèn ¶방 안의 사람들이 모두 둔중하게 앉아있다 房间里的人都沉闷地坐着

둔:탁-하다(鈍濁—) 형 **1** 笨拙 bènzhuō; 愚笨 yúbèn; 迟钝 chídùn ¶둔탁한 행동 笨拙的行为 / 사람됨이 ~ 为人愚笨 **2** (声音) 钝重 dùnzhòng; 浑厚 húnhòu ¶나무가 바닥에 넘어지는 둔탁한 소리 木材摔在地上的钝重的声音

둔:-하다(鈍—) 형 **1** 笨 bèn; 愚钝 yúdùn ¶그는 머리가 정말 ~ 他头脑真笨 **2** 笨拙 bènzhuō; 笨重 bènzhòng ¶움직임이 ~ 动作笨拙 **3** (感觉) 迟钝 chídùn; (动作) 迟缓 chíhuǎn ¶반응이 ~ 反应迟钝 / 성장 발육이 ~ 生长发育迟缓 **4** 粗糙 cūcāo; 粗 cū ¶무겁고 둔해 보이는 그릇 看起来又重又

粗的碗 **5** 钝重 dùnzhòng ¶둔한 흉기로 때리다 用钝重的凶器打 **6** (声音) 低沉 dīchén; 浑厚 húnhòu ¶목소리가 둔한 남자 가수 声音很低沉的男歌手 **7** 暗暗(的) àn'àn(de) ¶둔하게 빛이 나는 기계 暗暗发亮的机器

둔ː화(鈍化) 명하자 钝化 dùnhuà; 变钝重 biàn dùnzhòng; 变低沉 biàn dīchén ¶수출 증가 ~ 현상이 두드러지다 出口增长钝化现象很明显

둘ː 수 二 èr; 两 liǎng; 俩 liǎ ¶~이 같이 가다 两个人一起去 / ~만 남다 只剩下两个人

둘둘 부 **1** 吐噜噜地 tùlūlūde ¶잡지를 ~ 말다 把杂志吐噜噜地卷起 **2** 轱辘轱辘 gūlugūlu ¶~ 굴러가는 물레방아 轱辘轱辘滚动的水碓

둘러-대다 타 **1** 通融 tōngróng; 暂借 zànjiè; 拼凑 pīncòu ¶부족한 학비를 ~ 拼凑不足的学费 **2** 胡乱编造 húluàn biānzào; 胡诌 húzhōu ¶술 취해서 ~ 醉口胡诌

둘러-막다 타 围住 wéizhù; 围起来 wéiqǐlái ¶경기를 준비하기 위해 운동장을 ~ 为了准备比赛把操场围起来

둘러-말하다 자 拐弯抹角 guǎiwānmòjiǎo ¶둘러말하지 말고 바로 사실을 말해라 不要拐弯抹角, 直接告诉我事实

둘러-매다 타 捆 kǔn; 捆绑 kǔnbǎng ¶땔감을 ~ 捆木柴

둘러-메다 타 背 bèi; 扛 káng ¶책가방을 ~ 背书包

둘러-보다 타 环视 huánshì; 环顾 huángù; 顾盼 gùpàn; 扫 sǎo ¶좌우를 ~ 环顾左右

둘러-서다 자 围绕 wéirào; 围站 wéizhàn ¶공원에 둘러서서 공연을 보다 在公园围站看表演

둘러-싸다 타 **1** 包 bāo ¶외투로 갓난 아이를 ~ 用外套把婴儿包起来 **2** 包围 bāowéi; 簇拥 cùyōng; 围绕 wéirào ¶완전히 ~ 全面包围 / 적을 ~ 包围敌人 **3** 围绕 wéirào ¶이 문제를 둘러싸고 의견이 분분하다 围绕着这一个问题议论纷纷

둘러-싸이다 자 被包围 bèi bāowéi; 被围绕 bèi wéirào ¶강도가 경찰에게 ~ 强盗被警方包围

둘러-쌓다 타 围筑 wéizhù ¶작은 연못을 ~ 围筑小池塘

둘러-쓰다 타 **1** = 뒤집어쓰다1 **2** = 뒤집어쓰다3 **3** = 뒤집어쓰다4

둘러-앉다 자 围坐 wéizuò ¶온가족이 식탁에 ~ 全家人围坐在饭桌子

둘러-업다 타 背 bèi ¶아이를 ~ 背小孩

둘러-엎다 타 **1** 打翻 dǎfān; 推翻 tuīfān ¶어항을 ~ 打翻鱼缸 **2** 撒手不干 sāshǒubùgàn ¶그는 일을 둘러엎고 사직을 준비했다 他撒手不干工作准备辞职了

둘러-치다 타 **1** 用力扔 yònglì rēng; 掷 zhì; 抛 pāo **2** 用力打 yònglì dǎ; 凑 còu ¶떡메를 ~ 用力打糕杵 **3** 围起来 wéiqǐlái ¶주위를 전부 벽돌로 ~ 周围全都用石砖围起来

둘레 명 **1** 边 biān; 沿 yán; 周围 zhōuwéi; 四周 sìzhōu ¶모자 ~가 투명한 안전모 透明帽沿的安全帽 / 학교 ~에 나무가 많다 学校周围有很多树 **2** 周长 zhōucháng ¶머리 ~ 头部的周长 / 나무의 ~를 재다 测量树木的周长

둘레-둘레 부하타 **1** 打眼 dǎyǎn; 左顾右盼 zuǒgùyòupàn 《环视貌》 ¶주위를 ~ 살피다 左顾右盼地看周围 **2** 团团 tuántuán 《围坐貌》 ¶~ 앉아서 밥을 먹다 团团围坐在一起吃饭

둘ː-째 수관 第二 dì'èr; 二则 èrzé; 次 cì ¶~칸 第二间 / ~ 딸 次女

둥[1] 의명 **1** 似…非… sì…fēi… ¶하는 ~ 마는 ~ 似做非做 / 듣는 ~ 마는 ~ 관심이 없다 似听非听, 没有关心 **2** 在以定语形式出现的引语后复用, 表示说法不一 ¶맞다는 ~ 틀리다는 ~ 의견이 분분하다 有人说对了, 有人说错了, 议论纷纷

둥[2] 부 咚 dōng 《鼓声》 ¶북이 ~ ~ 울리다 鼓咚咚响

둥그러-지다 자 摔滚 shuāigǔn; 打滚 dǎgǔn ¶계단에서 둥그러졌다 在台阶上摔滚了下来

둥그렇다 형 圆 yuán; 圆圆的 yuányuánde ¶둥그런 얼굴 圆圆的脸 / 보름달이 ~ 满月圆圆的

둥그레-지다 자 变圆 biàn yuán; 圆起来 yuánqǐlái ¶눈이~ 眼睛变圆

둥그스름-하다 형 稍圆 shāo yuán; 有点圆 yǒudiǎn yuán; 略圆 lüèyuán ¶얼굴이 ~ 脸有点圆 **둥그스름-히** 부

둥글다 ⊟형 **1** 圆 yuán ¶둥글지도 않고 모나지도 않다 不方不圆 **2** 随和 suíhe ¶그녀는 성격이 ~ 她性格比较随和 ⊟자 圆 yuán ¶초승달이 점점 둥글어 가다 月牙渐渐变圆

둥글-둥글 부하형 圆圆 yuányuán; 圆溜溜 yuánliūliū ¶~한 월병 圆圆的月饼

둥-둥[1] 부 咚咚 dōngdōng; 铮铮 zhēngzhēng 《敲鼓声》 ¶큰 북이 ~ 울리다 大鼓咚咚响

둥둥[2] 부 漂 piāo; 漂浮 piāofú; 飘浮 piāofú; 飘荡 piāodàng; 悠悠 yōuyōu; 悠悠忽忽 yōuyōuhūhū ¶나뭇잎이 물 위에 ~ 뜨다 树叶漂浮于水面

둥실-둥실[1] 부 一浮一浮地 yīfúyīfúde;

轻飘飘地 qīngpiāopiāode; 悠悠忽忽地 yōuyouhūhūde ¶~ 뜬 뭉게구름 一浮一浮地云团

둥실-둥실[2] 부하형 胖 pàng; 圆圆的 yuányuánde ¶어린아이의 ~한 얼굴 小孩的圆圆的脸

-둥이 접미 用于名词后, 表示对具有某种特征的人的爱称或俗称 ¶바람~ 花花公子 / 막내~ 老疙瘩

둥지 명 = 보금자리1 ¶~를 틀다 做窝

둥치 명 (大树干的) 底部 dǐbù

둥치다 타 **1** 捆 kǔn; 捆绑 kǔnbǎng ¶짐을 ~ 捆绑行李 **2** 除去 chúqù; 剪掉 jiǎndiào ¶나뭇가지를 ~ 剪掉树枝

뒈:지다 자 死掉 sǐdiào ¶그 사기꾼은 결국 뒈졌다 那个骗子终究死掉了

뒤: 명 **1** 后 hòu; 后面 hòumiàn; 背面 bèimiàn ¶우리 집 ~에는 산이 있다 我家后面有一座山 **2** 后 hòu; 以后 yǐhòu; 后来 hòulái; 之后 zhīhòu ¶가격이 내린 ~에 새 차를 사다 降价之后买新车 **3** 背后 bèihòu; 背地里 bèidìli ¶친구가 ~에서 내 험담을 하다 朋友在背地里说我坏话 **4** 后事 hòushì ¶~는 걱정마라 不用担心后事 **5** 后代 hòudài; 后继 hòujì ¶~를 이을 사람이 없다 后继乏人 **6** 靠山 kàoshān ¶~가 든든하다 靠山很稳 **7** 结果 jiéguǒ; 后果 hòuguǒ ¶수술 ~가 그다지 좋지 않다 手术结果不太好 **8** 记仇 jìchóu ¶나는 ~가 있는 사람이다 我是很记仇的人 **9** 屎 shǐ; 粪便 fènbiàn; 大便 dàbiàn ¶~가 마렵다 想拉屎 **10** 屁股 pìgu ¶~를 의자에 붙이고 앉다 屁股坐在椅子上

뒤- 접두 (用于动词前) **1** 乱 luàn; 胡乱地 húluànde ¶헤드폰 줄이 ~엉키다 耳机线乱缠在一起 **2** 反向 fǎnxiàng; 翻转 fānzhuǎn ¶위아래가 ~바뀌다 上下翻转

뒤:-꼍 명 后庭 hòutíng; 后院 hòuyuàn

뒤:-꽁무니 명 = 꽁무니2

뒤-끓다 자 **1** 沸腾 fèiténg ¶뜨거운 피가 ~ 热血沸腾 **2** 热闹 rènao ¶놀이공원에 많은 인파가 ~ 游乐园里有很多人很热闹

뒤:-끝 명 **1** 最后 zuìhòu; 末尾 mòwěi ¶학기 ~ 学期末尾 / 방학 ~ 假期末尾 **2** 之后 zhīhòu ¶눈 온 ~이라 길이 미끄러우니 조심해라 小心下雪之后路很滑 **3** 记仇 jìchóu ¶~이 없다 不记仇

뒤:-늦다 형 晚 wǎn; 迟 chí ¶뒤늦게 왔다 他迟到了

뒤:-대다 타 支援 zhīyuán; 后援 hòuyuán ¶아버지가 뒤대주어 그는 계속 공부할 수 있었다 父亲支援他, 他可以继续学习

뒤-덮다 타 **1** 遮盖 zhēgài; 覆盖 fùgài; 遮住 zhēzhù ¶흰 구름이 하늘을 ~ 白云覆盖天 **2** 遍布 biànbù; 笼罩 lǒngzhào ¶인파가 광장을 ~ 人潮笼罩广场

뒤덮-이다 자 '뒤덮다' 的被动词 ¶도시가 안개에 ~ 城市被雾气覆盖 / 살기로 ~ 被杀气笼罩

뒤:-돌다 자 转身 zhuǎnshēn ¶뒤돌아 달려가다 转身跑着

뒤:-돌아보다 타 **1** 回头看 huítóu kàn ¶뒤돌아보지 말고 계속 해서 달려라 不要回头看继续往前跑 **2** 回忆 huíyì; 回顾 huígù; 回首 huíshǒu; 回想 huíxiǎng ¶지나간 세월을 ~ 回首逝去的岁月

뒤:-돌아서다 자 转身 zhuǎnshēn ¶그녀는 뒤돌아서서 손을 흔들었다 她转过身来挥手了

뒤:-따라가다 타 跟去 gēnqù; 跟随 gēnsuí; 尾随 wěisuí ¶예쁜 여자를 ~ 尾随一个漂亮的女子

뒤:-따라오다 타 跟来 gēnlái ¶고양이 한 마리가 계속 ~ 一只猫继续跟来

뒤:-따르다 타 **1** 继承 jìchéng ¶나는 부모님을 뒤따라 선생님이 되고 싶다 我想继承父母, 当老师 **2** 跟随 gēnsuí; 伴随 bànsuí; 跟着 gēnzhe ¶새로운 흐름을 ~ 跟随新潮流

뒤-떨다 타 发抖 fādǒu; 哆嗦 duōsuo ¶강아지가 온몸을 뒤떤다 小狗浑身哆嗦

뒤:-떨어지다 자 **1** 落在后面 luòzài hòumiàn ¶다른 팀과 비교해 우리는 뒤떨어졌다 与其他球队相比我们落在了后面 **2** 落伍 luòwǔ; 落后 luòhòu ¶노력하지 않으면 곧 뒤떨어진다 不努力就会落伍 **3** 陈旧 chénjiù ¶시대에 뒤떨어진 교육 방식 陈旧的教学方式

뒤뚝 부하자타 摇晃 yáohuàng; 摇摆 yáobǎi

뒤뚝-거리다 자타 摇摇摆摆 yáoyaobǎibǎi; 摇摇晃晃 yáoyaohuànghuàng = 뒤뚝대다 ¶그녀는 뒤뚝거리며 들어갔다 她摇摇摆摆地走进 **뒤뚝-뒤뚝** 부하자타

뒤뚱 부하자타 摇摆 yáobǎi; 摇晃 yáohuàng

뒤뚱-거리다 자타 摇摇晃晃 yáoyaohuànghuàng; 摇摇摆摆 yáoyaobǎibǎi = 뒤뚱대다 ¶오리가 뒤뚱거리며 걷다 鸭子摇摇摆摆地走路 **뒤뚱-뒤뚱** 부하자타

뒤-뜰 명 后院 hòuyuàn

뒤-바꾸다 타 倒换 dàohuàn; 调换 diàohuàn; 颠倒 diāndǎo ¶단어 순서를

~ 颠倒词序

뒤-바뀌다 자 '뒤바꾸다' 的被动词 ¶ 고객의 신발이 ~ 顾客的鞋子调换

뒤ː-받다 타 **1** 反驳 fǎnbó; 顶撞 dǐngzhuàng ¶ 어른에게 ~ 顶撞大人 **2** 反驳 fǎnbó ¶ 그의 잘못된 말을 ~ 反驳他的错误言论

뒤-범벅 명 混乱 hùnluàn; 混杂 hùnzá; 杂乱无章 záluànwúzhāng; 七颠八倒 qīdiānbādǎo ¶ 얼굴은 눈물과 콧물로 ~이다 混乱满脸眼泪和鼻涕

뒤ː-서다 자 **1** 跟随 gēnsuí; 伴随 bànsuí; 跟着 gēnzhe ¶ 앞선 사람과 뒤선 사람 모두 지쳤다 前边的人和跟随的人都累了 **2** 落后 luòhòu; 落在后面 luòzài hòumiàn ¶ 경제 방면에서 ~ 在经济方面落在后面

뒤-섞다 타 混合 hùnhé; 混淆 hùnxiáo; 混杂 hùnzá; 搅 jiǎo; 搅和 jiǎohuo ¶ 약품을 ~ 混杂药品 / 자신의 의견을 ~ 混杂自己的意见

뒤섞-이다 자 '뒤섞다' 的被动词 ¶ 감정이 ~ 感情混杂 / 각종 색깔이 한데 뒤섞여 있다 各种颜色混合在一起

뒤숭숭 부하형히부 **1** 心乱 xīnluàn ¶ 마음이 ~하다 心乱 **2** 杂乱无章 záluànwúzhāng; 乱糟糟 luànzāozāo ¶ 방이 ~하다 房间乱糟糟

뒤-얽다 타 绕 rào; 纠缠 jiūchán; 绞结 jiǎojié ¶ 밧줄을 도둑의 몸에 ~ 把绳子绕盗贼的身体

뒤얽-히다 자 '뒤얽다' 的被动词 ¶ 덩굴이 뒤얽혀 있다 蔓绕在一起 / 몇 가지 문제가 한데 뒤얽혀 있다 几个问题绞结在一起

뒤-엉키다 자 纠缠 jiūchán; 交织 jiāozhī ¶ 털실 한 덩어리가 ~ 一团毛线纠缠 / 사랑과 미움이 ~ 爱恨交织

뒤-엎다 타 推翻 tuīfān; 颠覆 diānfù ¶ 탁자를 ~ 推翻桌子 / 세상에 대한 인식을 ~ 颠覆对世界的认识

뒤ː-잇다 자타 紧接着 jǐnjiēzhe; 继后 jìhòu; 接续 jiēxù ¶ 회의가 끝난 후 뒤이어 포럼에 출석하다 结束会议之后, 紧接着出席论坛

뒤적-거리다 타 **1** 乱翻 luànfān; 翻找 fānzhǎo ¶ 서랍을 ~ 乱翻抽屉里 **2** 翻来翻去 fānláifānqù ¶ 부침개를 ~ 翻来翻去煎饼 ‖ = 뒤적대다 **뒤적-뒤적** 부하타

뒤적-이다 타 **1** 乱翻 luànfān; 翻找 fānzhǎo ¶ 책가방을 ~ 翻找书包 **2** 翻来翻去 fānláifānqù ¶ 온몸을 ~ 翻来翻去全身

뒤ː-좇다 타 跟踪 gēnzōng ¶ 경찰이 용의자를 ~ 警察跟踪嫌犯

뒤주 명 柜 guì

뒤죽-박죽 명부 混杂 hùnzá; 杂乱无章 záluànwúzhāng; 乱七八糟 luànqībāzāo ¶ 방 안이 ~이다 房间里乱七八糟 / 머릿속이 ~이다 脑子里杂乱无章

뒤ː-지다[1] 자 **1** 掉在后面 diàozài hòumiàn; 落在后面 luòzài hòumiàn ¶ 그는 나보다 뒤져 걸었다 他比我落在后面走了 **2** 落后 luòhòu ¶ 기술이 ~ 技术落后 **3** 迟 chí ¶ 내 생일은 그보다 3일 뒤진다 我的生日比他迟三天 **4** 未及 wèijí; 未达 wèidá ¶ 업적이 기대했던 것에 ~ 业绩未达预期

뒤지다[2] 타 **1** 搜寻 sōuxún; 翻找 fānzhǎo ¶ 책가방을 ~ 翻找书包 **2** 查 chá ¶ 사전을 ~ 查词典

뒤-집다 타 **1** 反 fǎn; 翻 fān; 翻转 fānzhuǎn ¶ 양말을 뒤집어 신다 袜子穿反了 **2** 颠倒 diāndǎo ¶ 위아래를 ~ 颠倒上下 / 차례를 ~ 次序颠倒 **3** 颠覆 diānfù ¶ 전통을 ~ 颠覆传统 / 세상을 ~ 颠覆世界 / 흐름을 ~ 颠覆潮流 **4** 推倒 tuīdǎo; 推翻 tuīfān ¶ 식민주의 통치를 ~ 推翻植民主义的统治 **5** 骚乱 sāoluàn ¶ 그 소식은 온 집안을 뒤집었다 那个消息骚乱了全家 **6** 翻眼 fānyǎn; 瞪眼 dèngyǎn ¶ 눈을 뒤집고 말하다 瞪着眼说

뒤집어-쓰다 타 **1** 戴上 dàishang = 둘러쓰다1 ¶ 모자를 ~ 戴上帽子 **2** 沾满 zhānmǎn ¶ 얼굴에 흙을 뒤집어썼다 脸上沾满了土 **3** 蒙上 méngshang = 둘러쓰다2 ¶ 이불을 ~ 蒙上棉被 **4** 受冤 shòuyuān; 蒙受 méngshòu = 둘러쓰다3 ¶ 죄를 뒤집어쓰고 감옥에 들어가다 受冤入狱

뒤집어씌우다 타 **1** 使戴上 shǐ dàishang 《'뒤집어쓰다1' 的使动词》 **2** 使沾满 shǐ zhānmǎn 《'뒤집어쓰다2' 的使动词》 **3** 使蒙上 shǐ méngshang 《'뒤집어쓰다3' 的使动词》 **4** 使之蒙受 shǐzhīméngshòu; 转嫁 zhuǎnjià 《'뒤집어쓰다4' 的使动词》 ¶ 책임을 ~ 转嫁责任

뒤집어-엎다 타 **1** 翻 fān; 翻转 fānzhuǎn ¶ 카드를 ~ 翻卡 **2** 翻倒 fāndǎo ¶ 국그릇을 ~ 将汤碗翻倒 **3** 改变 gǎibiàn; 打乱 dǎluàn ¶ 계획을 ~ 打乱计划 **4** 打倒 dǎdǎo; 推翻 tuīfān ¶ 사회주의 정부를 ~ 推翻社会主义政府

뒤집-히다 자 **1** 被翻转 bèi fānzhuǎn 《'뒤집다1' 的被动词》 ¶ 화물차가 뒤집혔다 货车被翻转了 **2** 被翻倒 bèi fāndǎo; 被颠倒 bèi diāndǎo 《'뒤집다2' 的被动词》 ¶ 순서가 임시로 뒤집혔다 顺序临时被颠倒了 **3** 被打倒 bèi dǎdǎo; 被推翻 bèi tuīfān 《'뒤집다4' 的被动词》 ¶ 독재 정권이 ~ 独裁政权被推翻 **4** 被打乱 bèi dǎluàn; 被扰乱 bèi rǎoluàn; 被轰动 bèi hōngdòng 《'뒤집다6' 的被动词》 ¶ 납치 사건으로 전국

이 뒤집혔다 绑架事件被轰动了全国
뒤:-쪽 명 后边 hòubian；后面 hòumiàn
뒤:쫓-기다 자 '뒤쫓다'的被动词 ¶도둑이 경찰에게 ~ 小偷被警察追赶
뒤:-쫓다 타 追赶 zhuīgǎn ¶적을 ~ 追赶敌人
뒤:-차(一車) 명 下班车 xiàbānchē；后面的车 hòumiànde chē
뒤:-채 명 后房 hòufáng
뒤:-처리(一處理) 명하타 收尾 shōuwěi；善后 shànhòu ¶~를 깨끗이 하다 做好善后工作
뒤척-거리다 타 **1** 翻找 fānzhǎo ¶책을 ~ 翻找书 **2** 辗转反侧 zhǎnzhuǎnfǎncè ¶뒤척거리며 잠을 이루지 못하다 辗转反侧难以入眠 ‖= 뒤척대다
뒤척-뒤척 부하타
뒤척-이다 타 **1** 翻找 fānzhǎo **2** 辗转反侧 zhǎnzhuǎnfǎncè ¶뒤척이며 밤새 잠을 자지 못하다 辗转反侧, 彻夜未眠
뒤쳐-지다 자 反了 fǎnle；翻转 fānzhuǎn ¶뚜껑이 바람에 ~ 盖子被风反了
뒤:-축 명 **1** (鞋、袜的) 后跟 hòugēn ¶구두 ~이 닳았다 皮鞋后跟磨薄了 **2** 脚后跟 jiǎohòugēn
뒤치다 타 翻转 fānzhuǎn ¶몸을 ~ 翻转身
뒤:-치다꺼리 명하자 **1** 照料 zhàoliào；照顾 zhàogù；伺候 cìhou ¶자식 ~를 하다 照顾孩子 **2** = 뒷수쇄
뒤:-탈(一頉) 명 后患 hòuhuàn ¶엄하게 처벌해서 ~이 생기지 않도록 하다 重罚以免后患
뒤:-통수 명 后脑勺子 hòunǎosháozi = 뒷머리1
뒤-틀다 타 **1** 扭 niǔ；拧 nǐng；捻 niǎn ¶엄지손가락을 밖으로 ~ 把大拇指向外捻 **2** 妨碍 fáng'ài；搅扰 jiǎorǎo ¶다른 사람이 창업하는 것을 뒤틀지 마라 不要妨碍别人创业
뒤틀-리다 자 **1** '뒤틀다' 的被动词 **2** 别扭 bièniu；不痛快 bùtòngkuai ¶심사가 ~ 心理挺别扭的
뒤:-편(一便) 명 **1** 后边 hòubian；后面 hòumiàn **2** 后走的人 hòuzǒude rén；后去的便人 hòuqùde biànrén ¶~에 선물을 보내다 把礼物托给后走的人带走
뒤:-폭(一幅) 명 **1** (衣服的) 后幅 hòufú **2** (家具) 后挡板 hòudǎngbǎn **3** (物品) 后面的宽度 hòumiànde kuāndù
뒤:-풀이 명하자 **1** 注脚 zhùjiǎo **2** 余兴 yúxìng ¶~에 참가하다 参加余兴节目
뒤-흔들다 타 **1** 摇动 yáodòng；摇晃 yáohuàng ¶바람이 나뭇가지를 뒤흔든다 风摇动着树干 **2** 轰动 hōngdòng；震动 zhèndòng；震撼 zhènhàn ¶업계를 ~ 震动业界 **3** 控制 kòngzhì；操纵 cāozòng ¶그는 회사를 손 안에 넣고 뒤흔들었다 他把公司控制了在手中
뒷:-간(一間) 명 厕所 cèsuǒ ¶~에 가다 上厕所
뒷:-감당(一堪當) 명하타 收尾 shōuwěi；善后 shànhòu；善终 shànzhōng ¶~하느라 바쁘다 匆忙善后
뒷:-거래(一去來) 명하타 走后门 zǒu hòumén；后门交易 hòumén jiāoyì；黑市交易 hēishì jiāoyì ¶위조 상품을 ~하다 黑市交易假冒商品
뒷:-걱정 명하자 后顾之忧 hòugùzhīyōu ¶~을 해결하다 解决后顾之忧
뒷:-걸음 명하자 **1** 后退 hòutuì；倒走 dàozǒu ¶~으로 걷다 倒走 **2** 后退 hòutuì；退缩 tuìsuō ¶자신감을 잃어 모든 일에서 ~치다 丧失了自信心, 遇事退缩
뒷:걸음-질 명하자 **1** 倒走 dàozǒu；后退 hòutuì ¶그는 경찰을 보고는 ~쳤다 他看到警察, 就后退了 **2** 后退 hòutuì；退步 tuìbù；退缩 tuìsuō ¶어떤 어려움 앞에서도 ~하지 않다 面对任何困难都不要后退
뒷:걸음-치다 자 **1** 后退 hòutuì；倒退 dàotuì ¶한 걸음 한 걸음 ~ 一步一步地往后退 **2** 落退 luòhòu ¶경제 수준이 갈수록 ~ 越来越落后经济水平
뒷:-경과(一經過) 명 事后的情况 shìhòude qíngkuàng；以后的情况 yǐhòude qíngkuàng ¶수술 후 ~가 좋다 手术以后的情况好
뒷:-골목 명 背巷 bèixiàng；小巷 xiǎoxiàng；小街 xiǎojiē
뒷:-공론(一公論) 명하자 **1** 马后炮 mǎhòupào；事后议论 shìhòu yìlùn ¶~하지 마라 不要做马后炮 **2** 暗话 ànhuà；背后议论 bèihòu yìlùn ¶이번 인사 이동에 대해 ~이 많다 关于这次人事调动人们都背后议论
뒷:-구멍 명 **1** 后面的洞 hòumiànde dòng **2** 后门(儿) hòumén(r) ¶~으로 취업하다 走后门就业
뒷:-귀 명 反应能力 fǎnyìng nénglì；理解力 lǐjiělì ¶~가 밝다 反应能力很快
뒷:-길 명 **1** 后街 hòujiē **2** 前途 qiántú；前程 qiánchéng；将来 jiānglái ¶젊은이의 ~을 생각하다 为年轻人的前途着想 **3** 后门 hòumén
뒷:-날 명 今后 jīnhòu；以后 yǐhòu；将来 jiānglái ¶~ 다시 연락하겠다 以后再联络
뒷:-다리 명 后腿 hòutuǐ；后肢 hòuzhī
뒷:-덜미 명 后颈 hòujǐng；后脖颈 hòubójǐng ¶~를 움켜잡다 掐住后颈

뒷:-돈 명 **1** 接济的钱 jiējìde qián; 资本 zīběn; 后盾 hòudùn **2** 赌本 dǔběn ¶ ~을 대주다 提供赌本 **3** 秘密提供的钱 mìmì tígōngde qián
뒷:-동산 명 后山 hòushān
뒷:-말 명하자 **1** 接着说的话 jiēzhe shuōde huà; 后续的话 hòuxùde huà **2** 后言 hòuyán; 暗话 ànhuà; 马后炮 mǎhòupào; 事后议论 shìhòu yìlùn = 뒷소리1 ¶ ~을 듣다 听到马后炮
뒷:-맛 명 **1** 余味 yúwèi ¶ ~이 쓰다 余味苦涩 **2** (事情结束后的) 回味 huíwèi ¶ ~이 오래가다 令人回味很久
뒷:-머리 명 **1** = 뒤통수 **2** 后脑部的头发 hòunǎobùde tóufa ¶ ~가 매우 길다 后脑部的头发很长 **3** 尾 wěi; 尾巴 wěiba ¶ 배의 ~ 船尾
뒷:-면(—面) 명 后面 hòumiàn; 背面 bèimiàn; 反面 fǎnmiàn = 이면1
뒷:-모습 명 背影 bèiyǐng; 后影 hòuyǐng
뒷:-모양(—模樣) 명 **1** 背影 bèiyǐng **2** (事情的) 结果 jiéguǒ ¶ 일의 ~이 좋지 않다 事情的结果不完美
뒷:-문(—門) 명 **1** 后门(儿) hòumén(r) **2** 后门(儿) hòumén(r) ¶ ~으로 취업하다 走后门就业
뒷:-바라지 명하타 后盾 hòudùn; 支援 zhīyuán; 照料 zhàoliào ¶ 누나의 ~ 덕분에 그는 대학에 들어갔다 因姐姐的照料的好, 他能够上了大学
뒷:-바퀴 명 后轮 hòulún
뒷:-받침 명하타 后援 hòuyuán; 后盾 hòudùn; 支援 zhīyuán ¶ ~해 주다 提共支援
뒷:-발 명 后腿 hòutuǐ; 后脚 hòujiǎo
뒷:발-질 명하자 后蹬 hòudēng; 后踢 hòutī
뒷:-부분(—部分) 명 后部 hòubù; 后面 hòumiàn
뒷:북-치다 자 马后炮 mǎhòupào; 马后屁 mǎhòupì ¶ 일은 이미 발생했으니 뒷북치지 마라 事情已经发生了, 别马后屁
뒷:-사람 명 **1** 后面的人 hòumiànde rén **2** 后代 hòudài ¶ ~에게 물려주다 传给后代
뒷:-산(—山) 명 后山 hòushān
뒷:-소리 명하자 **1** = 뒷말2 **2** 声援 shēngyuán
뒷:-소문(—所聞) 명 传闻 chuánwén; 风声 fēngshēng; 事后的议论 shìhòude yìlùn ¶ ~을 듣다 听到风声
뒷:-수쇄(—收刷) 명하자 事后收拾 shìhòu shōushi; 善后 shànhòu; 收尾 shōuwěi = 뒤치다꺼리2
뒷:-수습(—收拾) 명하자 善后 shànhòu; 收尾 shōuwěi; 事后收拾 shìhòu shōushi; 收场 shōuchǎng
뒷:-심 명 **1** 后台 hòutái; 后盾 hòudùn ¶ ~이 든든하다 后台很稳固 **2** 后劲 hòujìn ¶ ~이 부족하다 后劲不足
뒷:-일 명 后事 hòushì; 以后的事 yǐhòude shì ¶ ~을 부탁한다 拜托以后的事
뒷:-자락 명 后下摆 hòuxiàbǎi
뒷:-자리 명 (座位) 后排 hòupái ¶ ~에 앉다 坐在后排
뒷:-장(—張) 명 后页 hòuyè
뒷:-전 명 **1** 后面 hòumiàn ¶ ~에 앉아서 보다 坐在后面看 **2** 背后 bèihòu; 背地 bèidì ¶ ~에서 원망하다 背后埋怨 **3** 末尾 mòwěi; 最后 zuìhòu **4** 船尾 chuánwěi ¶ 물건을 배 ~에 놓다 把东西放在船尾
뒷:-정리(—整理) 명하타 善后 shànhòu; 收拾 shōushi ¶ 일을 다 한 후에는 ~를 잘해야 한다 做完事以后, 应该收拾好东西
뒷:-조사(—調査) 명하타 暗查 ànchá; 暗中调查 ànzhōng diàochá ¶ 대통령 후보의 ~를 하다 暗查总统候选人的情况
뒷:-주머니 명 **1** 后兜儿 hòudōur **2** 后备 hòubèi
뒷:-줄 명 **1** 后排 hòupái ¶ ~에 아직 자리가 있다 后排还有座位 **2** 后台 hòutái; 后盾 hòudùn
뒷:-짐 명 背手 bèishǒu
뒷:-집 명 后邻 hòulín
뒹굴다 一자타 打滚 dǎgǔn; 滚动 gǔndòng ¶ 고양이가 뒤뜰에서 ~ 小猫在后园打滚 二자 **1** 游手好闲 yóushǒuhàoxián ¶ 그는 일은 안 하고 매일 집에서 뒹군다 他不工作每天在家里游手好闲 **2** 乱扔 luàn rēng
듀엣(duet) 명 『音』 **1** 二重奏 èrchóngzòu **2** 二重唱 èrchóngchàng
드- 접두 用于形容词前面, 表示'很, 非常, 十分' ¶ ~높다 很高 / ~넓다 很宽
드나-들다 一자타 **1** 出入 chūrù; 进进出出 jìnjinchūchū; 来来往往 láilaiwǎngwǎng ¶ 그는 자주 술집에 드나든다 他常常出入酒吧 **2** 跑来跑去 pǎoláipǎoqù ‖ = 나들다 二자 凸凹 tū'āo; 不平 bùpíng; 参差不齐 cēncībùqí; 坑洼不平 kēngwābùpíng
드-넓다 형 很宽 hěn kuān; 宽广 kuānguǎng ¶ 드넓은 마음 宽广的心胸 / 드넓은 바다 宽广的海洋
드-높다 형 很高 hěn gāo; 高昂 gāoáng; 昂扬 ángyáng ¶ 드높은 하늘 很高的天空 **드높-이** 부
드디어 부 终于 zhōngyú ¶ ~ 그를 만나게 되었다 终于跟他见面了

드라마(drama) 명 1 〖文〗脚本 jiǎoběn; 剧本 jùběn 2 〖演〗电视剧 diànshìjù 3 戏剧性事件 xìjùxìng shìjiàn

드라마틱-하다(dramatic—) 형 戏剧性的 xìjùxìngde; 印象深刻的 yìnxiàng shēnkède; 引人注目的 yǐnrénzhùmùde ¶드라마틱한 인생 戏剧性的人生

드라이(dry) 명하타 1 干 gān; 干燥 gānzào 2 = 드라이클리닝

드라이버(driver) 명 螺丝刀 luósīdāo; 改锥 gǎizhuī = 나사돌리개

드라이브(drive) 명하자타 兜风 dōufēng ¶교외로 ~ 갈래? 你要不要开车到郊外兜风去?

드라이어(drier) 명 〖機〗吹风机 chuīfēngjī; 干发器 gānfàqì

드라이-클리닝(dry cleaning) 명 干洗 gānxǐ = 드라이2 ¶이 옷은 반드시 ~ 해야 한다 这件衣服要干洗

드러-나다 자 1 露 lù; 露出 lùchū; 流露 liúlù; 裸露出 luǒlùchū; 显出 xiǎnchū; 显现 xiǎnxiàn ¶배꼽이 드러나는 상의 露出肚脐的上衣 2 暴露 bàolù; 毕露 bìlù; 泄露 xièlù ¶위험이 한 번에 ~ 风险一下子暴露出来

드러내다 타 1 露出 lùchū; 显露 xiǎnlù 《'드러나다1' 的使动词》¶이를 드러내고 크게 웃다 露出牙齿哈哈大笑 2 暴露 bàolù; 泄露 xièlù 《'드러나다2' 的使动词》¶약점을 ~ 泄露弱点

드러-눕다 자 1 躺 tǎng; 躺身 tǎngshēn; 卧倒 wòdǎo ¶그는 침대에 드러누워서 책을 보고 있다 他在床上躺着看书 2 病倒 bìngdǎo; 卧病 wòbìng ¶할아버지께서 또 병으로 드러누우셨다 爷爷又病倒了

드럼(drum) 명 1 〖音〗洋鼓 yánggǔ 2 = 드럼통

드럼-통(drum桶) 명 大油桶 dàyóutǒng; 大铁桶 dàtiětǒng = 드럼2

드렁-거리다 자타 1 呼噜呼噜 hūlūhūlū ¶코를 드렁거리며 자다 睡觉呼噜呼噜地打鼾 2 轰隆隆响 hōnglōnglōng xiǎng ¶문풍지가 ~ 门缝纸轰隆隆响 ‖= 드렁대다 **드렁-드렁** 부하자타

드레스(dress) 명 (女性用) 礼服 lǐfú; 衣裙 yīqún

드레싱(dressing) 명 1 调味汁 tiáowèizhī ¶~을 만들다 做调味汁 2 治疗伤口 zhìliáo shāngkǒu

드로잉(drawing) 명 1 制图 zhìtú; 绘图 huìtú 2 〖美〗素描 sùmiáo 3 〖體〗抽签 chōuqiān

드르렁 부 呼噜呼噜 hūlūhūlū

드르렁-거리다 자타 呼噜呼噜打鼾 hūlūhūlū dǎhān = 드르렁대다 ¶그녀도 가끔 코를 드르렁거린다 她也偶尔呼噜呼噜打鼾 **드르렁-드르렁** 부하자타

드르르[1] 부하자 1 (滚动或转动) 轱辘辘 gūlulu ¶마차가 ~ 앞으로 나아가다 马车轱辘辘地向前走去 2 (抖动) 哗啦哗啦 huālāhuālā

드르르[2] 부하형 流利 liúlì; 流畅 liúchàng; 畅通无阻 chàngtōngwúzǔ ¶긴 시를 ~ 외다 流畅地背诵长诗

드르륵 부하자타 1 哧溜 chīliū; 嘎吱 gāzhī; 轱辘轱辘 gūlūgūlū 《开门声》¶문이 ~ 열렸다 嘎吱一声门被打开了 2 嗒嗒 dādā 《枪声》

드르륵-거리다 자타 哧溜 chīliū; 嘎吱 gāzhī; 轱辘轱辘 gūlūgūlū = 드르륵대다 ¶바퀴가 드르륵거리며 굴러가다 轮子轱辘轱辘地滚动 **드르륵-드르륵** 부하자타

드르릉 부 呼噜呼噜 hūlūhūlū ¶땅바닥에 누워서 ~ 코를 골다 躺在地上呼噜呼噜打鼾

드르릉-거리다 자타 呼噜呼噜打鼾 hūlūhūlū dǎhān = 드르릉대다 ¶밤에 잘 때 코를 ~ 晚上睡觉时呼噜呼噜打鼾 **드르릉-드르릉** 부하자타

드릉-거리다 자타 1 轰隆隆响 hōnglōnglōng xiǎng 2 (打鼾) 呼噜呼噜 hūlūhūlū ¶그는 코를 드릉거린다 他呼噜呼噜打鼾着 ‖= 드릉대다 **드릉-드릉** 부하자타

드리다[1] 타 1 赠 zèng; 献 xiàn; 敬 jìng; 呈递 chéngdì; 奉 fèng; 奉送 fèngsòng; 敬赠 jìngzèng; 敬献 jìngxiàn; 递交 dìjiāo ¶선물을 ~ 奉上礼物 / 증정품을 ~ 奉送赠品 2 至 zhì; 呈 chéng; 道 dào; 问 wèn ¶전화로 문안을 ~ 打电话问安

드리다[2] 타 1 搓 cuō; 捻 niǎn; 拧 níng ¶밧줄을 ~ 搓绳索 2 结 jié; 系 xì; 扎 zā ¶댕기를 ~ 扎发带

드리우다 자타 1 垂下 chuíxià; 耷拉 dāla; 垂耸 chuísǒng; 拖 tuō; 垂挂 chuíguà ¶밧줄을 ~ 垂下一根绳子 2 笼罩 lǒngzhào ¶달빛이 초원에 ~ 月光笼罩着草地 3 传世 chuánshì; 名垂千古 míngchuíqiāngǔ; 名垂青史 míngchuíqīngshǐ ¶그는 역사에 이름을 드리울 과학자이다 他是一位名垂青史的科学家 4 教训 jiàoxùn; 垂训 chuíxùn; 训诫 xùnjiè ¶성인께서 드리우신 가르침 圣人的垂训

드릴(drill) 명 1 钻 zuàn; 钻机 zuànjī; 钻头 zuàntóu 2 〖教〗训练 xùnliàn; 反复练习 fǎnfù liànxí

드문-드문 부하형 1 间或 jiànhuò; 有时 yǒushí; 断断续续 duànduànxùxù ¶그는 ~ 나에게 전화를 한다 间或他给我打电话 2 疏疏落落 shūshuluòluò; 零零星星 línglingxīngxīng; 稀稀拉拉 xīxilālā ¶~ 관중이 남아 있다 有稀稀拉拉的观众

드물다 형 **1** 很少 hěn shǎo; 少有 shǎo yǒu ¶다니는 사람이 ~ 少有人走 **2** 零星 língxīng; 稀疏 xīshū ¶나무가 드물게 심어져 있다 树木植得较稀疏 **3** 罕 hǎn; 罕见 hǎnjiàn; 鲜有 xiǎnyǒu; 难得 nándé ¶보기 드문 동물 罕见的动物

드-세다 형 **1** 强有力 qiángyǒulì; 坚强 jiānqiáng; 强盛 qiángshèng; 倔强 juéjiàng ¶세력이 ~ 势力强盛 **2** (宅基地) 风水差 fēngshuǐ chà; 凶 xiōng ¶이곳은 집터가 ~ 这里宅基很凶 **3** 繁重 fánzhòng; 重 zhòng ¶드센 육체노동 繁重的体力劳动

득 부 **1** 哧啦 chīlā 《划线声》 ¶성냥을 ~ 긋다 哧啦一声划火柴 **2** 硬邦邦地 yìngbāngbāngde 《冰冻状》 **3** 喀哧 kāchī 《挠声》

득(得) 명 收益 shōuyì; 收获 shōuhuò; 收入 shōurù

득남(得男) 명하자 得男 dénán; 得儿子 dé érzi; 生男孩 shēng nánhái ¶그들은 지난달에 ~을 했다 他们上个月生了男孩

득녀(得女) 명하자 得女 dénǚ; 得女儿 dé nǚ'ér; 生女孩 shēng nǚhái ¶그녀는 지난주에 ~를 했다 她上个星期生了女孩

득달-같다 형 马上 mǎshàng; 立即 lìjí **득달같-이** 부 ¶~ 달려왔다 马上跑来了

득-득 부 **1** 嚓嚓地 cācāde; 哧哧地 chīchīde; 哧啦哧啦地 chīlāchīlāde 《划线声或貌》 ¶볼펜으로 ~ 줄을 긋다 用钢笔哧哧地划线 **2** 硬邦邦地 yìngbāngbāngde 《很多液体冻结声或貌》 ¶강물이 ~ 얼어붙다 河水冻结得硬邦邦地 **3** 喀哧喀哧地 kāchīkāchīde 《挠声或貌》 ¶손가락으로 창호지를 ~ 긁다 用手指喀哧喀哧地挠窗户纸

득세(得勢) 명하자 **1** 得势 déshì ¶좌파가 ~하다 左派得势 **2** 局势有利 júshì yǒulì

득시글-거리다 자 熙熙攘攘 xīxīrǎngrǎng; 成群蠕动 chéngqún rúdòng = 득시글대다 ¶거리에 많은 사람들이 ~ 在街上人群熙熙攘攘的 **득시글-득시글** 부하자형

득실(得失) 명 **1** 得失 déshī ¶~을 따지다 计较得失 **2** 损益 sǔnyì ¶투자 ~ 投资损益 **3** 成败 chéngbài **4** 优劣 yōuliè; 长短 chángduǎn ¶~을 분석하다 分析优劣

득실-거리다 자 '득시글거리다' 的略词 = 득실대다 ¶득실거리는 사람들 熙熙攘攘的人流 **득실-득실** 부하자형

득의(得意) 명하자 得意 déyì; 得志 dézhì

득의-만면(得意滿面) 명하형 满脸得意 mǎnliǎndéyì ¶~한 웃음을 띠다 满脸得意地笑

득의-양양(得意揚揚) 명하형 得意扬扬 déyìyángyáng; 春风得意 chūnfēngdéyì; 洋洋自得 yángyángzìdé; 洋洋得意 yángyángdéyì ¶그녀는 ~하게 걸어왔다 她得意扬扬地走进来

득점(得點) 명하타 得分 défēn; 得分数 défēnshù ¶총~ 总得分 / 그는 매번 ~에 성공한다 他每次成功得分

득점-판(得點板) 명 『體』 = 스코어보드

득표(得票) 명하타 得票 dé piào; 获票 huòpiào ¶~율 得票率 / ~ 통계 得票统计

든든-하다 형 **1** 坚实 jiānshí; 踏实 tāshi ¶네가 있으니 마음이 ~ 有你我的心理很踏实 **2** 结实 jiēshi; 牢固 láogù; 硬棒 yìngbàng; 壮实 zhuàngshi ¶몸이 아주 ~ 身材很壮实 **3** 牢牢 láoláo ¶못을 든든하게 박다 牢牢地钉钉子 **4** 充足 chōngzú; 充分 chōngfēn ¶밖이 추우니 든든하게 입고 나가라 外边很冷, 充足地穿点衣服出去吧 / 모두 든든하게 먹었으니 이제 출발해도 되겠다 我们都充足地吃了, 现在可以出发了 **든든-히** 부

든지 조 用于末音节为开音节的体词词干后, 表示无条件包括或任选其一 ¶지하철이~ 버스~ 다 좋다 坐地铁坐公车都行

-든지 어미 用于谓词词干后, 表示无条件包括或任选其一 ¶네가 가~ 말~ 상관하지 않겠다 你去不去我都不管 / 그가 오~ 말~ 나와는 상관없다 他来不来跟我没关系

듣-기 명 『教』 听 tīng ¶~ 연습 听力练习

듣다[1] 타 **1** 听 tīng; 听见 tīngjiàn; 闻 wén ¶음악을 ~ 听音乐 / 소식을 들었다 听到了消息 **2** 挨 ái; 受到 shòudào ¶꾸중을 ~ 挨骂 / 칭찬을 ~ 受到表扬 **3** 听话 tīnghuà; 听从 tīngcóng ¶그는 선생님 말씀을 잘 듣는다 他很听从老师的话 **4** 答应 dāying; 允许 yǔnxǔ; 许可 xǔkě; 同意 tóngyì ¶요구를 들어주다 许可要求

듣다[2] 자 **1** (药物等) 见效 jiànxiào; 生效 shēngxiào; 起作用 qǐ zuòyòng ¶이 약은 두통에 잘 듣는다 这种药治头痛很见效 **2** (机械等) 正常运转 zhèngcháng yùnzhuǎn ¶마우스가 잘 ~ 鼠标正常运转

듣다[3] 자 滴 dī; 滴落 dīluò; 滴下 dīxià ¶빗방울이 듣는 소리를 듣다 听着雨滴声

들:[1] 명 **1** 平原 píngyuán; 平野 píngyě; 原野 yuányě; 野外 yěwài 2 田野 tiányě; 田地 tiándì

들² 의명 等 děng; 等等 děngděng ¶학교, 자동차, 냉장고, 텔레비전 ~은 모두 단어이다 学校、汽车、冰箱、电视等都是词

들³ 조 表示文章的主语是复数 ¶울지 ~ 마라 别哭了 / 벌써 다~ 떠났다 已经都走了

들-¹ 접두 野 yě; 野生 yěshēng ¶~고양이 野猫 / ~개 野狗

들-² 접두 很 hěn; 极 jí; 猛 měng《表示强势》¶물이 ~끓다 水猛地沸腾

-들 접미 们 men ¶우리~ 我们 / 학생~ 学生们

들:-개 명 野狗 yěgǒu; 野犬 yěquǎn

들-것 명 担架 dānjià ¶아픈 사람을 ~에 태우다 把病人扶上担架

들:-고양이 명 〖動〗 = 살쾡이

들고-일어나다 자 奋起 fènqǐ; 行动起来 xíngdòngqǐlái; 奋起斗争 fènqǐ dòuzhēng ¶마을 사람들이 들고일어나 항의하다 村民们奋起抗议

들:-국화(—菊花) 명 〖植〗 野菊花 yějúhuā

들-기름 명 荏子油 rěnzǐyóu; 苏子油 sūzǐyóu; 白苏油 báisūyóu

들-까부르다 타 猛颠 měng diān; 猛簸 měng bǒ ¶길이 평평하지 않아 차가 ~ 路不平车猛颠

들-깨 명 〖植〗 荏 rěn; 苏子 sūzǐ; 白苏 báisū

들:-꽃 명 野花 yěhuā = 야생화

들-끓다 자 熙熙攘攘 xīxīrǎngrǎng ¶길이 온통 사람들로 ~ 马路上到处都是熙熙攘攘的人群

들:-나물 명 野菜 yěcài

들:-녘 명 原野 yuányě; 平原 píngyuán

들다¹ ㊀자 1 搬进 bānjìn; 住进 zhùjìn; 住 zhù; 定居 dìngjū ¶새집으로 이사 ~ 搬进新房 2 入 rù; 进 jìn; 进入 jìnrù ¶사무실에 ~ 进办公室里去 3 染上 rǎnshàng ¶짙은 파란 물이 ~ 染上深蓝色 4 花 huā; 用 yòng; 花费 huāfèi; 需要 xūyào ¶새 차를 사려면 돈이 많이 든다 如果要买新车, 需要很多钱 5 遇 yù; 逢 féng ¶흉년이 ~ 遇凶年 6 中意 zhòngyì; 适意 shìyì; 称心 chènxīn ¶모두들 마음에 들게 잘 했다 大家干得好称心 7 患 huàn; 生 shēng ¶그녀는 병이 들어 병원에 입원했다 她生病住院了 8 合口味 hé kǒuwèi ¶김치가 맛이 ~ 泡菜熟得很合口味 9 养成 yǎngchéng; 具有 jùyǒu ¶아이가 늦게까지 안 자는 나쁜 버릇이 들었다 孩子养成了到很晚不睡觉的坏习惯 10 清醒 qīngxǐng; 懂 dǒng ¶그는 마침내 정신이 들었다 他终于清醒过来了 11 含有 hányǒu; 包含 bāohán ¶우유에는 많은 영양분이 들어 있다 牛奶含有很多营养成分 12 遭偷 zāotōu ¶우리 집은 어젯밤에 도둑이 들었다 我家昨晚遭偷了 13 列 liè; 列为 lièwéi; 列入 lièrù ¶탁구가 정식 경기 종목에 ~ 乒乓球列为正式比赛项目 14 入 rù; 加入 jiārù ¶동아리에 ~ 加入社团 15 陷入 xiànrù; 中 zhòng ¶어려운 처지에 ~ 陷入困境 16 存 cún ¶3년짜리 적금에 ~ 存三年期零存整取 17 到来 dàolái ¶우기가 ~ 到来雨期 18 结 jiē; 饱 bǎo; 成熟 chéngshú ¶벼의 알이 잘 들었다 稻粒很饱 19 产生 chǎnshēng ¶친구들과 정이 ~ 与同学们产生感情 20 入睡 rùshuì ¶잠이 ~ 入睡 21 侍候 shìhòu; 伺候 cìhou ¶환자의 시중을 ~ 伺候病人 ㊁보동 表示欲作 ¶그녀는 내 말도 듣지 않고 때리려고 든다 她不听我的解释, 急着要打

들다² 자 1 (天) 晴 qíng ¶날이 들면 떠나도록 하자 等到天晴, 再走吧 2 (汗) 止 zhǐ ¶방에 들어왔는데도 땀이 들지 않았다 进屋里来, 还是出汗不止了

들다³ 자 快 kuài; 锋利 fēnglì; 锐利 ruìlì ¶칼이 아주 잘 든다 刀剑很锋利

들다⁴ 타 1 拿 ná; 提 tí; 操 cāo; 拎 līn ¶책을 ~ 拿书 2 抬 tái; 举 jǔ ¶고개를 ~ 抬起头 3 举 jǔ; 引用 yǐnyòng ¶적절한 예를 ~ 举适当的例子 4 用 yòng; 用餐 yòngcān; 进餐 jìncān《'먹다²㊀1'的敬词》¶천천히 드세요 请慢用

들들 부 1 哔哔剥剥《炒貌》bìbìbōbō ¶들깨를 ~ 볶다 哔哔剥剥地抄苏子 2 纠缠不休地 jiūchánbùxiūde; 三番五次 sānfānwǔcì ¶주위 사람을 ~ 볶는다 纠缠不休地折磨身边的人 3 胡乱翻找 húluànfānzhǎo; 东找西翻 dōngzhǎoxīfān ¶서랍을 ~ 뒤지다 把抽屉胡乱翻找

들-뜨다 자 1 离核 líhé; 起鼓 qǐgǔ; 鼓包 gǔbāo; 翘起来 qiáoqǐlai ¶바닥이 ~ 地板鼓包 2 心浮 xīnfú; 心不在焉 xīnbùzàiyān; 虚飘飘的 xūpiāopiāode; 心神不宁 xīnshénbùníng ¶마음이 ~ 心浮 3 浮肿 fúzhǒng ¶어젯밤에 잠을 못 잤더니 아침에 얼굴이 들떴다 昨晚没睡, 早上脸浮肿了

들락-거리다 자타 进进出出 jìnjinchūchū = 들락대다 ¶쉴 새 없이 ~ 不停地进进出出

들락-날락 부하자 进进出出地 jìnjìnchūchūde; 来来往往 láilaiwǎngwǎng ¶아이들이 계속해서 학교 앞 상점을 ~하다 孩子们一直在学校前面的商店进进出出

들러리 명 1 伴郎 bànláng; 伴娘 bànniáng ¶친구 결혼식에서 신랑 ~를 서다 在朋友的结婚典礼上做伴郎 **2** 帮腔 bāngqiāng; 附和 fùhè

들러-붙다 자 **1** 附着 fùzhuó; 粘 zhān ¶못이 자석에 ~ 钉子附着于磁石 **2** 一动不动 yīdòngbùdòng ¶그는 책상에 들러붙어 책만 본다 他一动不动地坐在桌子前只看书 **3** 专心 zhuānxīn; 只顾 zhǐgù ¶그녀는 소설 쓰는 일에만 들러붙어 있다 她专心写小说 **4** 纠缠 jiūchán; 缠 chán ¶강아지가 하루 종일 ~ 小狗整天缠着我

들려-오다 자 传来 chuánlái ¶노랫소리가 ~ 传来歌声

들려-주다 타 让听 ràng tīng; 给听 gěi tīng ¶아이에게 음악을 ~ 给孩子听音乐

들르다 자타 顺便去 shùnbiàn qù ¶집에 가는 길에 상점에 들러서 우유를 사다 回家的时候顺便去商店买牛奶

들리다[1] 자 (病魔等) 附身 fùshēn; 缠身 chánshēn ¶감기가 ~ 感冒附身

들리다[2] 자 耗尽 hàojǐn; 用光 yòngguāng; 短缺 duǎnquē; 断货 duànhuò ¶밑천까지 다 ~ 连本钱都用光了

들리다[3] 자 听到 tīngdào; 听见 tīngjiàn 《'듣다[1]' 的被动词》 ¶여자의 비명소리가 ~ 听到女人的尖叫声

들-머리 명 口 kǒu; 入口 rùkǒu; 开头 kāitóu; 头 tóu ¶마을 ~ 村口 / 시장 ~에 있는 가게 在市场入口的商店

들먹-거리다 一자타 **1** 直颠簸 zhí diānbǒ; 直簸动 zhí bǒdòng; 上下直跳动 shàngxià zhí tiàodòng ¶지진이 났을 때는 가구가 다 들먹거린다 发生地震时家具都上下直跳动 **2** (心潮) 直激动 zhí jīdòng; 直激荡 zhí jīdàng; 飘飘然 piāopiāorán ¶그의 성의에 감동해 한 순간 마음이 ~ 被他的诚意所感动, 一时直激荡 **3** 直起伏 zhí qǐfú; 直耸动 zhí sǒngdòng ¶이 노래를 들으니 어깨가 저절로 들먹거린다 听到这首歌肩膀不由得直耸动起来 二타 挑剔 tiāotī; 议论 yìlùn ‖= 들먹대다 **들먹-들먹** 부하자타

들먹-이다 一자 **1** 颠簸 diānbǒ; 簸动 bǒdòng; 跳动 tiàodòng ¶길이 평평하지 않아서 차체가 ~ 路不平车身直颠簸 **2** 耸动 sǒngdòng; 起伏 qǐfú ¶어깨를 들먹이며 울다 肩膀耸动地哭 **3** (心情) 激动 jīdòng; 激荡 jīdàng; 飘飘然 piāopiāorán ¶그의 말을 듣고 나는 마음이 들먹여 정신을 집중할 수 없었다 听到他的话, 我激动得不能集中精神了 二타 挑剔 tiāotī; 议论 yìlùn ¶나를 들먹이지 마라 不要议论我

들-볶다 타 折磨 zhémó; 折腾 zhēteng ¶남편을 ~ 折腾丈夫

들볶-이다 자 被折磨 bèi zhémó; 被折腾 bèi zhēteng 《'들볶다' 的被动词》 ¶상사에게 ~ 被上司折腾

들:-새 명 野鸟 yěniǎo

들:-소 명 野牛 yěniú

들-숨 명 吸气 xīqì

들썩 부하자타 **1** 颠簸 diānbǒ; 跳动 tiàodòng ¶차체가 위아래로 ~하다 车厢上下颠簸 **2** 起伏 qǐfú; 耸动 sǒngdòng ¶그는 영문을 모르겠다는 듯 어깨를 한 번 ~했다 他好像莫名其妙似的, 把肩膀耸动了一下 **3** 激荡 jīdàng; 激动 jīdòng

들썩-거리다 자타 **1** 直颠簸 zhí diānbǒ; 直跳动 zhí tiàodòng ¶지진이 일어나 찻잔이 ~ 发生地震茶杯直跳动 **2** 起伏 qǐfú; 耸动 sǒngdòng ¶어깨를 들썩거리며 춤을 추기 시작하다 耸动着肩膀跳起舞来 **3** 直激荡 zhí jīdàng; 直激动 zhí jīdòng ¶그 소식을 듣고 나는 마음이 들썩거렸다 听到那个消息, 我心里直激动 ‖= 들썩대다 **들썩-들썩** 부하자타

들썩-이다 자타 **1** 直颠簸 zhí diānbǒ; 直跳动 zhí tiàodòng ¶평평하지 않은 길을 가서 수레가 ~ 走不平的路车厢直跳动 **2** 起伏 qǐfú; 耸动 sǒngdòng ¶마을 사람들 모두 어깨를 들썩이며 춤을 추기 시작했다 村民们都耸动着肩膀跳起舞来 **3** 吵吵嚷嚷 chǎochǎorǎngrǎng; 激动 jīdòng ¶연예인이 온 것을 보고 팬들은 들썩이며 흥분했다 看到明星来, 歌迷们都吵吵嚷嚷的, 情绪高涨

들쑥-날쑥 부하형 参差错落 cēncīcuòluò; 参差不齐 cēncībùqí = 들쭉날쭉 ¶수준이 ~하다 水平参差不齐地

들-쓰다 타 **1** 蒙上 méngshàng; 盖上 gàishàng ¶방에서 이불을 들쓰고 나오지 않다 在房间里蒙上被子不出来 **2** 戴上 dàishàng ¶시간이 없어서 모자를 들쓰고 나가다 没有时间, 随便戴上帽子出去 **3** 淋上 línshàng; 浇上 jiāoshàng ¶흙탕물을 ~ 淋上一身泥水 **4** 遭受 zāoshòu; 蒙受 méngshòu ¶누명을 ~ 遭受冤枉

들어-가다 자 **1** 进 jìn; 进入 jìnrù; 进去 jìnqù ¶집에 들어가서 나오지 않다 进屋里去, 不出来 **2** 包括 bāokuò; 包含 bāohán; 列入 lièrù ¶숙박비와 학비가 들어가 있다 住宿费和学费包括在内 **3** 入 rù; 加入 jiārù ¶동호회에 ~ 加入同好会 **4** 花费 huāfèi; 投入 tóurù ¶에어컨을 사려면 돈이 들어간다 要买空调要花费 **5** 理解 lǐjiě; 易懂 yìdǒng ¶머리에 들어가기 쉬운 예를 들어 설명하다 举易懂的例子说明 **6** 踏进 tàjìn; 转入 zhuǎnrù ¶새로운 영역

에 ~ 踏进新领域 **7** 建立 jiànlì; 通 tōng ¶아직 전기가 들어가지 않는 시골 마을 还没通电的乡村 **8** 凹进去 āojìnqù; 塌陷 tāxiàn ¶눈이 약간 ~ 眼睛有点凹进去

들어-내다 타 **1** 拿出来 náchūlái; 搬出来 bānchūlái ¶짐을 ~ 搬出来行李 **2** 赶走 gǎnzǒu; 驱逐 qūzhú ¶거지를 들어내라 把乞丐赶走

들어-맞다 자 中 zhòng; 正中 zhèngzhòng; 说中 shuōzhòng; 言中 yánzhòng; 应验 yìngyàn ¶그의 예언이 들어맞았다 他的预言言中了

들어-먹다 타 **1** 耗尽 hàojǐn; 挥霍光 huīhuòguāng ¶밑천을 ~ 耗尽本钱 **2** 占有 zhànyǒu; 侵吞 qīntūn ¶공금을 ~侵吞公款

들어-박히다 자 **1** 挤满 jǐmǎn; 塞满 sāimǎn ¶다이아몬드가 촘촘히 들어박힌 반지 钻石塞满的戒指 **2** 呆 dāi; 蛰居 zhéjū ¶집에만 ~ 老呆在家里 **3** 扎 zā; 插进 chājìn; 嵌入 qiànrù ¶가시가 손바닥 깊숙이 ~ 刺深深地扎在手掌里

들어-붓다 一자 倾泻 qīngxiè ¶폭우가 ~ 暴雨倾泻 二타 **1** 暴饮 bàoyǐn ¶쉬지 않고 맥주를 ~ 不停地暴饮啤酒 **2** 倒 dào ¶물을 병에 ~ 把水倒进瓶里

들어-서다 자타 **1** 走进 zǒujìn ¶강당에 ~ 走进礼堂里 **2** 站到 zhàndào; 站立 zhànlì ¶빌딩들이 빽빽이 ~ 高楼密密地站立着 **3** 上前 shàngqián ¶들어서서 캐묻다 上前盘问 **4** 接任 jiērèn; 继任 jìrèn ¶새 총리가 들어섰다 接任了新总理 **5** 踏进 tàjìn; 进入 jìnrù ¶새로운 단계에 ~ 进入新阶段

들어-앉다 자 **1** 进去坐 jìnqù zuò; 往里边坐 wǎng lǐbian zuò ¶교실에 ~ 进教室里去坐 **2** 进驻 jìnzhù; 占据位子 zhànjù wèizi ¶회장으로 들어앉아 더 이상 경영문제에 간섭하지 않다 以董事长的身份占据位子不再干涉经营问题 **3** 闷 mēn; 待 dāi; 呆 dāi ¶집에 들어앉아 아이를 기르다 呆在家里养育孩子 **4** 坐落 zuòluò ¶우리 학교는 산 아래에 들어앉아 있다 我们学校坐落在山脚下

들어-오다 자 **1** 进入 jìnrù; 进来 jìnlái ¶어서 들어와라! 赶快进来吧! **2** 参加 cānjiā; 加入 jiārù ¶새로 들어온 대원 新加入的队员 **3** 上任 shàngrèn; 就任 jiùrèn ¶새로 들어온 과장 新上任的科长 **4** 收入 shōurù ¶매달 100만 위안씩 ~ 每月收入100万元 **5** 通 tōng ¶집집마다 전기가 ~ 户户通电

들어-주다 타 答应 dāying; 允许 yǔnxǔ; 许可 xǔkě; 同意 tóngyì ¶그는 내 부탁을 들어주었다 他答应了我的请求

들어-차다 타 挤满 jǐmǎn; 充满 chōngmǎn ¶강당 안에 사람들이 꽉 들어찼다 礼堂里挤满了人

들-엉기다 자 紧贴 jǐntiē ¶그 아이가 나에게 들엉겨 붙다 那个孩子紧贴着我

들여-가다 타 **1** 搬进 bānjìn; 拿进去 nájìnqù ¶짐을 ~ 把行李搬进去 **2** 买来 mǎilái ¶쌀을 ~ 买来米

들여-놓다 타 **1** 放进 fàngjìn; 搬进 bānjìn; 拿进 nájìn ¶집 안에 화분을 ~ 把花盆放进屋里去 **2** 步入 bùrù ¶사회에 발을 ~ 步入社会 **3** 买来 mǎilái ¶월부로 에어컨을 ~ 买回来按月付款的空调

들여다-보다 타 **1** 张望 zhāngwàng; 窥视 kuīshì; 往里看 wǎng lǐ kàn ¶방 안을 ~ 窥视房间内 **2** 仔细看 zǐxì kàn; 端详 duānxiang; 凝视 níngshì ¶그의 사진을 ~ 端详他的照片 **3** 探视 tànshì; 顺便去 shùnbiàn qù ¶병원에 가서 환자를 ~ 去医院探视病人

들여다보-이다 타 暴露 bàolù; 显露 xiǎnlù; 袒露 tǎnlù 《'들여다보다1' 的被动词》 ¶속마음이 ~ 袒露内心

들여-보내다 타 **1** 送进 sòngjìn; 输入 shūrù; 送入 sòngrù ¶그를 방안에 ~ 把他送进房间 **2** 送进 sòngjìn ¶아들을 대학에 ~ 把儿子送进大学

들여앉-히다 타 '들어앉다' 的使动词

들여-오다 타 **1** 搬进来 bānjìnlái; 拿进来 nájìnlái ¶밖에 있는 의자를 ~ 把外面的椅子搬进来 **2** 买来 mǎilái; 买进 mǎijìn; 进口 jìnkǒu ¶일본에서 자동차를 ~ 从日本进口汽车

들이- 접두 往里 wǎng lǐ; 朝里 cháo lǐ ¶문을 ~밀다 把门往里边推 / 서랍을 ~밀다 把抽屉往里推

-들이 접미 表示容量 ¶한 되~ 병 能装一斗的瓶子

들-이다 타 **1** 让进来 ràng jìnlái; 使进去 shǐ jìnqù 《'들다¹一2' 的使动词》 ¶손님을 ~ 让客人进来 **2** 染 rǎn 《'들다¹一3' 的使动词》 ¶머리에 노란 물을 ~ 把头发染成黄色 **3** 花费 huāfèi; 投入 tóurù 《'들다¹一4' 的使动词》 ¶큰 돈을 들여 집을 사다 花费了一大笔钱买房子 **4** 让入睡 ràng rùshuì ¶아이를 잠을 ~ 让孩子入睡觉 **5** 喜欢 xǐhuan; 感兴趣 gǎn xìngqù ¶고기 맛을 ~ 喜欢吃肉 **6** 雇佣 gùyōng ¶새 비서를 ~ 雇佣新秘书 **7** 搬进 bānjìn; 拿进 nájìn ¶화분을 방안으로 ~ 把花盆搬进房间里 **8** 使之加入 shǐzhījiārù; 吸收 xīshōu ¶그들을 새 회원으로 ~ 把他们吸收为新的会员

들이-닥치다 자 迫近 pòjìn; 逼近 bījìn ¶방과 후 아이들이 ~ 下课后孩子们迫近

들이-대다 자 **1** 顶撞 dǐngzhuàng; (强烈) 反抗 fǎnkàng ¶학생이 선생님께 ~ 学生顶撞老师 **2** 靠近 kàojìn; 紧贴 jǐntiē ¶총부리를 상대에게 ~ 把枪口靠近对方 **3** 提供 tígōng; 支援 zhīyuán ¶필요한 자본을 ~ 提供需要的资本 **4** 灌浇 guànjiāo ¶먼 곳에서 물을 ~ 从很远的地方引水灌浇 **5** 急停 jítíng ¶차를 급히 문 앞에 ~ 把车急停在门口前

들이-마시다 타 **1** 喝进 hējìn; 吸入 xīrù ¶공기를 ~ 吸入空气 **2** 猛喝 měng hē ¶술을 ~ 猛喝酒

들이-몰다 타 **1** 赶进 gǎnjìn; 往里边赶 wǎng lǐbian gǎn ¶소를 우리에 ~ 把牛赶进栏来 **2** 猛赶 měng gǎn; 猛开 měng kāi ¶시간에 맞추기 위해 차를 시속 120킬로미터로 ~ 为了赶时间, 把车速猛赶到每小时120公里

들이-밀다 타 **1** 向里推 xiàng lǐ tuī ¶방문을 안으로 ~ 把房门向里推 **2** 乱推 luàn tuī; 猛推 měng tuī ¶사람들이 서로 들이밀며 나가다 人们互相乱推着出去 **3** 深入 shēnrù; 插进 chājìn; 靠近 kàojìn ¶메모를 문틈으로 ~ 把纸条插进门缝里去 **4** 提供 tígōng; 支援 zhīyuán; 投入 tóurù ¶부동산에 모든 돈을 들이밀었다 在房地产上投入了所有钱 **5** 提问 tíwèn

들이-박다 타 **1** 钉到里面 dìngdào lǐmiàn **2** 深钉 shēn dìng ¶쇠못을 ~ 把铁钉深钉 **3** 猛钉 měng dìng; 乱钉 luàn dìng

들이-받다 타 **1** 顶头 dǐngtóu; (用头) 对着撞 duìzhe zhuàng ¶두 마리 소가 머리를 서로 ~ 两只牛直顶头 **2** 乱撞 luàn zhuàng; 猛顶 měng dǐng ¶택시가 전봇대를 ~ 出租汽车一头乱撞在电线杆

들이-부수다 타 猛砸 měng zá; 乱摔 luàn shuāi; 捣毁 dǎohuǐ ¶주방의 식기를 ~ 猛砸厨房里的餐具

들이-불다 자 **1** (风) 吹入 chuīrù; 刮进 guājìn ¶봄바람이 방 안으로 ~ 春风吹入屋里 **2** (风) 猛吹 měng chuī ¶갑자기 날이 어두워지더니 이어서 바람이 들이불었다 突然天昏地暗, 接着狂风猛吹了

들이-붓다 타 **1** 注入 zhùrù; 倒入 dàorù; 倒进 dàojìn ¶술을 병에 ~ 把酒倒入瓶里 **2** 猛倒 měng dào; 倾泻 qīngxiè ¶큰비가 들이붓듯이 쏟아지다 大雨倾泻

들이-쉬다 타 吸气 xīqì ¶천천히 숨을 ~ 慢慢地吸气

들이-치다[1] 자 (风、雨、雪等) 向内吹打 xiàng nèi chuīdǎ ¶문을 열었더니 빗방울이 ~ 开门雨点就向内吹打

들이-치다[2] 타 猛攻进去 měnggōngjìnqù; 猛打进去 měngdǎjìnqù ¶군사를 이끌고 서쪽에서 ~ 率军从西面猛攻进去

들이-켜다 타 狂饮 kuángyǐn; 暴饮 bàoyǐn ¶단숨에 술 한 잔을 들이켰다 暴饮了一杯酒

들이-퍼붓다 一자 (雨、雪等) 狂下 kuángxià; 倾泻 qīngxiè; 猛下 měng xià; 大作 dàzuò ¶큰비가 하늘에서 ~ 大雨从天空倾泻下来 二타 破口 pòkǒu ¶욕을 ~ 破口大骂

들:-일 명하자 农活(儿) nónghuó(r)

들:-장미(—薔薇) 명 〖植〗 野蔷薇 yěqiángwēi

들:-쥐 명 〖動〗 田鼠 tiánshǔ

들:-짐승 명 平原野兽 píngyuán yěshòu

들쭉-날쭉 부하형 = 들쑥날쑥

들쭉-술 명 乌饭子酒 wūfànzǐjiǔ

들-창(—窓) 명 (往上拉的) 吊窗 diàochuāng = 들창문

들창-문(—窓門) 명 = 들창

들창-코(—窓—) 명 翘鼻 qiáobí; 朝天鼻 cháotiānbí; 仰鼻 yǎngbí

들추다 타 **1** 掀起 xiānqǐ ¶이불을 ~ 掀起被子 **2** 翻 fān; 翻找 fānzhǎo ¶가방을 ~ 翻找背包 **3** 揭穿 jiēchuān; 兜底 dōudǐ; 兜翻 dōufān; 挑兜 tiāodōu; 抖搂 dǒulou; 揭露 jiēlù ¶내막을 ~ 揭露内幕

들추어-내다 타 **1** 揭穿 jiēchuān; 揭露 jiēlù; 抖搂 dǒulou ¶상대방의 약점을 ~ 揭露对方的弱点 **2** 翻 fān; 翻找 fānzhǎo

들치다 타 掀起 xiānqǐ ¶치마를 ~ 掀起裙子

들키다 자타 被发觉 bèi fājué; 被觉察 bèi juéchá; 被发现 bèi fāxiàn; 暴露 bàolù ¶돈을 훔치다가 들켰다 在偷钱时被发现了

들통 명 露底 lòudǐ; 暴露 bàolù ¶비밀이 ~나다 暴露秘密

들:-판 명 田野 tiányě; 原野 yuányě; 平野 píngyě; 平原 píngyuán; 野地 yědì

들:-풀 명 野草 yěcǎo ¶~을 다 태워 버리다 烧尽野草

듬뿍 부하형 满满 mǎnmǎn; 满满当当 mǎnmǎndāngdāng ¶술을 ~ 따르다 满满地倒酒 / 어머니가 밥을 ~ 퍼 주셨다 妈妈为我满满地盛了一碗饭

듬뿍-듬뿍 부하형 满满 mǎnmǎn; 满满当当 mǎnmǎndāngdāng ¶쌀밥을 ~ 담았다 满满地盛了一碗米饭

듬성-듬성 부하형 疏疏落落 shūshuluòluò; 稀稀拉拉 xīxilālā; 稀疏 xīshū ¶정원의 꽃이 ~ 피다 庭园的花稀稀拉拉地开
듬성-하다 형 疏疏落落 shūshuluòluò; 稀稀拉拉 xīxilālā; 稀疏 xīshū ¶듬성한 머리털 稀疏的头发 / 듬성한 잡초 稀疏的杂草
듬쑥 부 热情地 rèqíngde; 紧紧地 jǐnjǐnde ¶~ 어깨를 잡다 热情地抓住肩膀
듬직-하다 형 稳重 wěnzhòng; 庄重 zhuāngzhòng ¶그 청년은 참 ~ 那个年轻人很稳重 **듬직-이** 부
듯 의명 用于定语形谓词之后, 表示不确切性、模糊性或者近似性 ¶듣는 ~ 안 듣는 ~ 눈을 감고 있다 似听非听地闭着眼睛
듯이 부 用于定语形谓词之后, 表示比喻或情态 ¶미친 ~ 춤을 추다 疯了似地跳舞 / 재밌는 ~ 큰 소리로 웃기 시작하다 很好笑似的大笑起来
-듯이 어미 接续形词尾, 表示比喻或情态 ¶게임 하~ 문제를 처리하다 像玩游戏似的处理问题 / 그는 도망치~ 그곳을 떠났다 他逃难似地离开了那里 / 하늘이 마치 비가 올~ 어두워지다 天好像要下大雨似的昏暗起来
듯-하다 보형 好像 hǎoxiàng; 似乎 sìhū ¶그녀는 울고 있는 ~ 她好像在哭 / 다른 방법이 없을 ~ 似乎没有别的方法
등 명 **1** 背 bèi; 脊梁 jǐliang; 脊背 jǐbèi; 背部 bèibù **2** 靠背 kàobèi; 背部 bèibù ¶칼의 ~ 刀背部 / ~이 있는 의자 有靠背的椅子
등:[1](等) 一명 等级 děngjí 二의명 等 děng; 位 wèi ¶일 ~ 第一等
등:[2](等) 의명 等 děng; 等等 děngděng ¶잉어, 참치, 연어 ~은 모두 어류이다 鲤、鲔、鲑等都是鱼类
등(燈) 명 灯 dēng ¶~을 켜다 开灯 / ~을 끄다 关灯
등:가(等價) 명 等价 děngjià; 等值 děngzhí
등-가죽 명 脊背皮 jǐbèipí = 등피(—皮)
등-거리 명 背心 bèixīn; 坎肩 kǎnjiān
등:-거리(等距離) 명 等距离 děngjùlí
등걸 명 树桩 shùzhuāng; 树墩 shùdūn
등:고(等高) 명 等高 děnggāo ¶~선 等高线
등-골[1] 명 脊梁沟 jǐlianggōu
등골(이) 서늘하다 구 毛骨悚然
등골(이) 오싹하다 구 不寒而栗; 出一身冷汗
등-골[2] 명 〖生〗 **1** 脊椎 jǐzhuī; 脊柱 jǐzhù; 脊梁骨 jǐlianggǔ **2** = 척수
등골(을) 빨아먹다[빼먹다] 구 剥削
등골(이) 빠지다 구 累弯了腰; 劳伤元气
등교(登校) 명하자 上学 shàngxué ¶그는 매일 걸어서 ~한다 他每天走路去上学
등굣-길(登校—) 명 上学的路 shàngxuéde lù
등극(登極) 명하자 登极 dēngjí; 即位 jíwèi; 登基 dēngjī = 등위 · 등조 ¶어린 황제가 ~하다 小皇帝登基
등:급(等級) 명 等级 děngjí; 级别 jíbié; 等次 děngcì ¶~ 시험 等级考试 / ~ 제도 等级制度
등기(登記) 명하타 **1** 〖法〗 登记 dēngjì; 注册 zhùcè ¶~ 수속 登记手续 **2** 挂号信 guàhàoxìn ¶~ 우편 挂号信 / ~를 부치다 寄挂号信
등-꽃(藤—) 명 藤花 ténghuā
등-나무(藤—) 명 〖植〗 藤树 téngshù
등-널 명 (椅子) 靠背 kàobèi
등단(登壇) 명하자 **1** 登上 dēngshàng ¶2년 전 그는 시인으로 문단에 ~했다 两年前他作为诗人登上文坛 **2** 登台 dēngtái; 上台 shàngtái ¶~하여 공연하다 登台表演 / ~하여 상을 받다 上台领奖
등대(燈臺) 명 灯塔 dēngtǎ ¶~지기 灯塔守卫 / ~에 불을 붙이다 点燃灯塔
등댓-불(燈臺—) 명 灯塔光 dēngtǎguāng
등-덜미 명 上背 shàngbèi; 后脖根 hòubógēn
등:등(等等) 의명 等等 děngděng ¶그는 포도, 바나나 ~ 과일 몇 가지를 샀다 他买了一些水果, 如葡萄、香蕉等等
등등-하다(騰騰—) 형 腾腾 téngténg; 盛气凌人 shèngqìlíngrén; 不可一世 bùkěyīshì ¶노기가 ~ 怒气腾腾
등-딱지 명 背甲 bèijiǎ
등락(騰落) 명하자 (物价) 涨落 zhǎngluò; 起伏 qǐfú ¶주식 시장의 ~을 야기하다 引起股市涨落
등록(登錄) 명하자타 **1** 登记 dēngjì; 登录 dēnglù; 记录在案 jìlùzài'àn; 载入文件 zàirùwénjiàn **2** 〖法〗 登记 dēngjì; 注册 zhùcè ¶주민 ~ 户口登记 / 상표 ~ 商标注册
등록-금(登錄金) 명 注册费 zhùcèfèi; 学费 xuéfèi ¶제때 ~을 내다 按期交学费
등반(登攀) 명하타 登攀 dēngpān; 攀登 pāndēng ¶~객 攀登者 / 빙산을 ~하다 攀登冰山
등-받이 명 靠背 kàobèi
등:변(等邊) 명 〖數〗 等边 děngbiān ¶

～ 삼각형 等边三角形

등본(謄本) 명하타 〖法〗 誊本 téngběn; 副本 fùběn; 抄本 chāoběn; 缮本 shànběn ¶호적 ～ 户籍誊本

등:분(等分) 명하타 **1** 等分 děngfēn; 平分 píngfēn; 平均 píngjūn ¶차액 ～ 差额等分 **2** 等级的区分 děngjíde qūfēn **3** 等份 děngfèn ¶네 ～으로 나누다 分成四等份

등-불(燈—) 명 灯火 dēnghuǒ; 灯光 dēngguāng

등:비(等比) 명 〖數〗 等比 děngbǐ

등-뼈 명 〖醫〗 脊骨 jǐgǔ

등사(謄寫) 명하타 〖印〗 油印 yóuyìn = 유인(油印) ¶～기 油印机

등산(登山) 명하타 登山 dēngshān; 爬山 páshān ¶～객 登山者 / ～로 登山路 / ～모 登山帽 / ～복 登山服 / ～화 登山鞋 / 그들은 매주 일요일마다 ～을 간다 他们每个星期日去登山

등성이 명 **1** 脊背 jǐbèi; 脊梁 jǐliang **2** 山脊 shānjǐ

등:속(等速) 명 等速 děngsù; 匀速 yúnsù

등-솔 명 = 등솔기

등-솔기 명 (衣服后背) 中缝 zhōngféng = 등솔

등:수(等數) 명 等级 děngjí; 级数 jíshù ¶～를 매기다 划定等级

등:식(等式) 명 〖數〗 等式 děngshì

등:신(等神) 명 傻子 shǎzi; 傻瓜 shǎguā

등심 명 里脊肉 lǐjiròu; 牛脊背肉 niújǐbèiròu = 등심살

등심-살(—心—) 명 = 등심

등쌀 명 干扰 gānrǎo; 纠缠 jiūchán ¶아이들 ～에 쉴 수가 없다 孩子们一个劲儿地纠缠不放, 没法休息

등에 명 〖蟲〗 虻 méng; 牛虻 niúméng

등용(登用·登庸) 명하타 录用 lùyòng; 登用 dēngyòng; 任用 rènyòng; 选拔 xuǎnbá; 提拔 tíbá ¶인재를 ～하다 人才登用

등-용문(登龍門) 명 登龙门 dēnglóngmén; 腾达 téngdá; 发迹 fājì

등위(登位) 명하자 = 등극

등유(燈油) 명 灯油 dēngyóu

등자(橙子) 명 橙子 chéngzi

등자(鐙子) 명 马镫子 mǎdèngzi; 镫子 dèngzi

등잔(燈盞) 명 灯盏 dēngzhǎn; 油灯 yóudēng; 灯碗儿 dēngwǎnr

등장(登場) 명하자 **1** 登场 dēngchǎng; 登台 dēngtái; 上台 shàngtái; 上场 shàngchǎng ¶～할 준비를 하다 准备登台 **2** 出现 chūxiàn ¶새로운 인물이 정계에 ～하다 新人物出现于政界 **3** 上市 shàngshì; 问世 wènshì ¶신형 컴퓨터가 ～했다 新型电脑已经问世

등장-인물(登場人物) 명 (舞台上或电影里) 登场人物 dēngchǎng rénwù; 人物 rénwù

등재(登載) 명하타 **1** 登载 dēngzǎi; 刊载 kānzǎi; 刊登 kāndēng ¶광고를 ～하다 刊登广告 **2** 记载 jìzǎi; 记录 jìlù ¶호적에 ～하다 记录于户籍

등정(登頂) 명하타 登顶 dēngdǐng ¶세계 최고봉 ～에 성공하다 成功登顶世界最高峰

등조(登祚) 명하자 = 등극

등-줄기 명 脊柱 jǐzhù; 脊背 jǐbèi

등:지(等地) 의명 等地 děngdì ¶이 상품은 유럽과 동남아시아 ～로 수출된다 这产品出口到欧洲、东南亚等地

등-지느러미 명 〖魚〗 背鳍 bèiqí; 脊鳍 jǐqí

등-지다 一자 对立 duìlì; 闹翻 nàofān; 不和 bùhé ¶그들 둘이 옛날에는 좋은 친구였는데 지금은 서로 등을 졌다 他们俩以前是好朋友, 但是现在关系不和 二타 **1** 背靠 bèikào ¶벽을 등지고 서 있다 背靠墙站着 **2** 背向 bèixiàng ¶산을 등지고 남으로 강을 바라보는 위치 背向山、南眺河水的地方 **3** 远离 yuǎnlí **4** 离开 líkāi ¶고향을 ～ 离开故乡

등-짐 명 背的东西 bèide dōngxi

등짐-장수 명 行商 xíngshāng; 货郎 huòláng

등-짝 명 '등' 的俗称

등-차(等差) 명 **1** 等级差别 děngjí chābié; 等级差异 děngjí chāyì **2** 〖數〗 等差 děngchā ¶～ 급수 等差级数 / ～ 수열 等差数列

등-치다 타 撞骗 zhuàngpiàn; 敲诈 qiāozhà ¶약한 자를 ～ 敲诈弱者

등판(登板) 명하자 〖體〗 (棒球) 投手上场 tóushǒu shàngchǎng; 登板 dēngbǎn ¶선발 ～하다 先发登板

등-피(—皮) 명 = 등가죽

등피(燈皮) 명 灯罩 dēngzhào

등:한-시(等閑視) 명하타 忽视 hūshì; 忽略 hūlüè; 等闲 děngxián; 等闲视之 děngxiánshìzhī ¶환경 보호를 ～하다 等闲视之环保

등:한-하다(等閑—) 형 忽略 hūlüè; 等闲 děngxián; 忽视 hūshì; 不重视 bùzhòngshì ¶가사에 ～ 忽略家事 **등:한-히** 부 ¶공부를 ～ 해서는 안 된다 不能忽略学习

등-허리 명 **1** 背和腰 bèi hé yāo **2** 后腰 hòuyāo

등화(燈火) 명 灯火 dēnghuǒ; 灯光 dēngguāng

-디 어미 **1** 用在重复使用的同一形容词之间, 表示强调的接续词尾 ¶희～

흰 손 白白的手 / 붉~ 붉은 입술 红红的嘴唇 **2** 用于谓词词干后的基本阶问忆疑问式终结词尾, 表示疑问 ¶온다~? 来不来? / 범인이 누구~? 犯人是谁?

디디다 타 踹 chuài; 踏 tà; 踩 cǎi ¶조국 땅을 ~ 踏上祖国的土地

디딤-돌 명 **1** 磴 dèng; 步石 bùshí ¶~을 놓다 铺设步石 **2** 台阶石 táijiēshí; 台阶 táijiē **3** 阶石 jiēshí; 垫脚石 diànjiǎoshí ¶좌절을 성공의 ~로 삼다 让挫折成为成功的垫脚石

디스켓(diskette) 명 『컴』 软盘 ruǎnpán; 软磁盘 ruǎncípán

디스코(disco) 명 迪斯科 dísīkē ¶~를 추다 跳迪斯科

디스크(disk) 명 **1** 唱片 chàngpiàn **2** 『生』 椎间软骨 zhuījiānruǎngǔ **3** 椎间盘突出 zhuījiānpán tūchū ¶~를 치료하다 治疗椎间盘 **4** 『컴』 磁盘 cípán

디스플레이(display) 명 展示 zhǎnshì; 展览 zhǎnlǎn; 陈列 chénliè

디자이너(designer) 명 设计师 shèjìshī ¶패션 ~ 服装设计师

디자인(design) 명하타 **1** 设计 shèjì; 意匠 yìjiàng ¶실내 ~ 室内设计 / 의상 ~ 服装设计 **2** 图样 túyàng; 图案 tú'àn; 花纹 huāwén ¶화폐 ~ 货币图样 / 문신 ~ 纹身图案

디저트(dessert) 명 甜点心 tiándiǎnxin; 甜点 tiándiǎn; 尾食 wěishí

디젤 기관(diesel機關) 『機』 柴油发动机 cháiyóu fādòngjī; 柴油机 cháiyóujī = 디젤엔진

디젤 엔진(diesel engine) 『機』 = 디젤 기관

디지털(digital) 명 『컴』 数码 shùmǎ; 数字 shùzì; 数位 shùwèi ¶~ 카메라 数码相机

딜러(dealer) 명 **1** 商人 shāngrén; 零售商 língshòushāng **2** (牌戏中的) 发牌者 fāpáizhě **3** 『經』 经销店 jīngxiāodiàn

딜레마(dilemma) 명 『論』 **1** 双刀论法 shuāngdāo lùnfǎ; 二难推理 èrnán tuīlǐ **2** 左右为难 zuǒyòuwéinán; 进退两难 jìntuìliǎngnán ¶~에 빠지다 陷入左右为难

따갑다 형 **1** 灼热 zhuórè; 烫 tàng ¶햇볕이 ~ 阳光灼热 **2** 淹 yān; 火辣辣的 huǒlālāde; 刺痛 cìtòng ¶상처가 ~ 伤口火辣辣的 **3** 尖锐 jiānruì; 逼人 bīrén; 严厉 yánlì ¶따가운 시선 严厉的眼神

따:귀 명 脸颊 liǎnjiá; 耳光 ěrguāng = 뺨따귀 ¶그녀는 내 ~를 한 대 때렸다 她打了我一记耳光

따끈-따끈 부하형 暖暖的 nuǎnnuǎnde; 热热的 rèrède; 暖烘烘的 nuǎnhōnghōngde ¶~한 만두 热热的馒头

따끈-하다 형 暖 nuǎn; 热 rè ¶따끈한 차를 한 잔 마시다 喝一杯热茶 **따끈-히** 부

따끔 부하형히부 **1** 灼热 zhuórè; 烫 tàng; 刺痛 cìtòng ¶상처가 ~하다 伤口很刺痛 **2** 狠狠 hěnhěn; 严厉 yánlì ¶~히 비판하다 严厉批评

따끔-거리다 자 **1** 灼热 zhuórè ¶한낮에는 아직 햇살이 따끔거린다 中午太阳还在灼热 **2** 严厉 yánlì ¶따끔거리는 눈총을 받으며 밖으로 나가다 受严厉的眼光而出去 **3** 痛 tòng; 刺痛 cìtòng ¶벌레에 물린 곳이 ~ 虫子咬的部位很痛 ‖ = 따끔대다 **따끔-따끔** 부하자

따-님 명 令爱 lìng'ài

따다 타 **1** 采 cǎi; 摘 zhāi; 摘下 zhāixià ¶사과를 ~ 摘苹果 **2** 破开 pòkāi; 剖开 pōukāi; 割开 gēkāi ¶종기를 ~ 割开脓疮 **3** 启 qǐ; 揭开 jiēkāi ¶생선 통조림을 ~ 启鱼罐头 **4** 选取 xuǎnqǔ; 摘录 zhāilù ¶신문에서 한 단락을 ~ 在新闻摘录一段 **5** 赢 yíng ¶나는 어제 적지 않은 돈을 땄다 我昨天赢了不少钱 **6** 得到 dédào; 获得 huòdé ¶석사 학위를 ~ 获得硕士学位

따 놓은 당상 속담 稳操胜券

따-돌리다 타 **1** 撇开 piēkāi; 甩开 shuǎikāi; 排挤 páijǐ; 排斥 páichì ¶학교에서 따돌림을 당하다 在学校遭到排斥 **2** 甩脱 shuǎituō; 支开 zhīkāi ¶미행하는 경찰을 ~ 甩脱跟踪的警察

따돌림 명 撇开 piēkāi; 甩开 shuǎikāi; 排挤 páijǐ; 排斥 páichì; 掰 bāi ¶학교에서 ~당하다 在学校遭到排斥

따따따 부 嘀嘀嗒 dīdīdā《喇叭声》¶멀리서 나팔 소리가 ~ 들려오다 从远处传来嘀嘀嗒的喇叭声

따따부따 부하자 说三道四(地) shuōsāndàosì(de); 嘀嘀咕咕(地) dídigūgū(de) ¶다른 사람 일에 ~ 하지 마라 不要对别人的事说三道四

따뜻-이 부 **1** 温暖地 wēnnuǎnde; 暖和地 nuǎnhuode **2** 温暖地 wēnnuǎnde; 热情地 rèqíngde ¶그녀는 아이들을 ~ 대한다 她对孩子们很热情

따뜻-하다 형 **1** 温暖 wēnnuǎn; 暖和 nuǎnhuo ¶집 안이 ~ 家里很暖和 **2** 温暖 wēnnuǎn; 热情 rèqíng ¶그는 따뜻한 사람이다 他是个很热情的人

따라 조 用于一部分表示时间的词语后, 表示偏巧与往常不同的意思 ¶오늘~ 왜 이렇게 덥지? 今天怎么这么热 / 그날~ 손님이 없었다 那天偏巧没有客人

따라-가다 타 **1** 跟随 gēnsuí; 跟着 gēnzhe ¶대오를 ~ 跟随队伍 **2** 依附

yīfù; 效仿 xiàofǎng; 效法 xiàofǎ; 追随 zhuīsuí ¶시대의 흐름을 ~ 追随时代潮流 **3** 追赶 zhuīgǎn ¶선진국을 ~ 追赶发达国家

따라-나서다 타 跟着去 gēnzhe qù ¶누구도 따라나서지 않다 谁也不要跟着去

따라-다니다 자타 随从 suícóng; 伴随 bànsuí; 追随 zhuīsuí ¶엄마를 ~ 随从妈妈 / 그때의 기억이 평생 나를 따라다닌다 那时的记忆平生伴随着我

따라-붙다 자타 赶上 gǎnshàng; 紧跟 jǐngēn; 追赶 zhuīgǎn ¶아이가 엄마의 뒤를 바짝 따라붙는다 孩子紧跟在妈妈的身后

따라서 부 因此 yīncǐ; 于是 yúshì; 所以 suǒyǐ ¶이건 네 일이다. ~ 네가 결정해야 한다 这是你的事, 所以应该由你决定

따라-오다 타 **1** 跟来 gēnlái ¶저를 따라오세요 请跟我来 **2** 效仿 xiàofǎng; 跟着做 gēnzhe zuò ¶윗사람이 하면 아랫사람이 따라온다 上行下效仿

따라-잡다 타 赶上 gǎnshàng; 追上 zhuīshàng ¶기차를 따라잡았다 赶上了火车

따라잡-히다 자 被赶上 bèi gǎnshàng; 被追上 bèi zhuīshàng 《'따라잡다' 的被动词》 ¶뒤에 있던 선수에게 ~ 被后面的选手追上

따라지 명 **1** 不起眼的东西 bùqǐyǎnde dōngxi **2** (赌博中的) 一分 yīfēn

따로 부 **1** 单独 dāndú; 分开 fēnkāi ¶가족과 떨어져 ~ 살다 离开家人单独生活 **2** 另外 lìngwài; 别的 biéde; 不同 bùtóng ¶~ 또 다른 방법이 있다 另外还有别的方法

따로-나다 타 分开 fēnkāi; 分家 fēnjiā ¶그들은 결혼 후 살림을 따로날 생각이다 他们打算结婚以后分家

따로-내다 타 '따로나다' 的使动词 ¶살림을 ~ 分家去过

따로-따로 부 各自 gèzì; 个个 gègè; 分别 fēnbié; 分开 fēnkāi ¶재료를 ~ 넣다 把材料分别放进去

따르다[1] 자타 **1** 跟随 gēnsuí; 跟着 gēnzhe; 随 suí ¶그를 따라 안으로 들어갔다 跟着他进里面去了 **2** 恋慕 liànmù; 敬仰 jìngyǎng; 钦慕 qīnmù; 追随 zhuīsuí; 依附 yīfù ¶그는 그 선생님을 잘 따른다 他很敬仰那位老师 **3** 随着 suízhe; 伴随 bànsuí ¶경제가 발전함에 따라 사람들의 생활 수준이 많이 향상되었다 随着经济的发展, 人民的生活水平大大提高了 **4** 沿着 yánzhe; 顺着 shùnzhe ¶길을 따라 계속해서 앞으로 가다 沿着路继续往前走 **5** 依照 yīzhào ¶법률 규정에 따라 처리하다 依照法律的规定处理 **6** 遵守 zūnshǒu; 遵从 zūncóng; 听从 tīngcóng ¶규범을 ~ 遵守规范 **7** 按照 ànzhào; 根据 gēnjù ¶목적에 따라 방법도 다르다 按照目的, 方法也不一样

따르다[2] 타 倒 dǎo; 斟 zhēn ¶술을 ~ 倒酒

따르르[1] 부하자 **1** 骨碌碌 gūlūlū ¶공이 ~ 산비탈을 굴러 내려갔다 球骨碌碌地滚下了山坡 **2** 丁零零 dīnglíngling ¶~ 수업종이 울렸다 丁零零上课铃响了

따르르[2] 부하형 流利 liúlì; 流畅 liúchàng ¶교과서를 ~ 읽어 내려가다 流利地朗读课本

따르릉 부하자 丁零零 dīnglíngling ¶~ 전화벨이 울렸다 丁零零电话铃响了

따름 의명 只不过 zhǐbùguò ¶그건 그 혼자만의 생각일 ~이다 那只不过是他一个人的想法

따-먹다 타 吃子 chīzǐ; 提子 tízǐ

따발-총(一銃) 명 机关枪 jīguānqiāng

따분-하다 형 **1** 枯燥无味 kūzàowúwèi; 无聊 wúliáo ¶이 프로그램은 정말 ~ 这个节目真枯燥无味 **2** 为难 wéinán; 难办 nánbàn ¶이런 분위기는 정말 ~ 这种氛围真为难 **3** 凄凉 qīliáng ¶따분한 노년 생활 凄凉的老年生活

따분-히 부

따사-롭다 형 温暖 wēnnuǎn; 暖和 nuǎnhuo; 暖洋洋 nuǎnyángyáng ¶따사로운 햇볕 温暖的阳光 **따사로이** 부

따사-하다 형 温暖 wēnnuǎn; 暖和 nuǎnhuo; 暖洋洋 nuǎnyángyáng ¶봄 햇살이 매우 ~ 春天的阳光很温暖

따스-하다 형 温暖 wēnnuǎn; 暖和 nuǎnhuo; 暖洋洋 nuǎnyángyáng ¶방안이 매우 ~ 房间里很暖和

따습다 형 温暖 wēnnuǎn; 暖和 nuǎnhuo; 暖洋洋 nuǎnyángyáng ¶이불 속이~ 被窝温暖的

따오기 명 【鳥】朱鹭 zhūlù

따-오다 타 选取 xuǎnqǔ; 摘录 zhāilù ¶책에서 한 단락을 ~ 在书上摘录一段

따옴-표(一標) 명 【語】引号 yǐnhào = 인용부

따위 의명 **1** 号子 hàozi ¶저 ~ 인간이 뭘 알겠어 那号子人知道什么 **2** 类 lèi; 之类 zhīlèi ¶사과, 수박 ~의 과일 苹果、西瓜之类的水果

따지다 타 **1** 算 suàn; 计算 jìsuàn; 计较 jìjiào ¶점수를 ~ 计算分数 **2** 究 jiū; 追究 zhuījiū; 追查 zhuīchá; 追寻 zhuīxún ¶시비를 ~ 追究是非 **3** 考虑 kǎolǜ ¶주변 환경을 ~ 考虑周围环境 **4** 追问 zhuīwèn ¶다른 사람의 과거를 ~ 追问人家的过去

딱[1] 부 咔喳 kāchā; 嘎巴 gābā; 啪 pā ¶나뭇가지가 ~ 부러졌다 树枝咔喳折断了

딱[2] 부 1 毅然 yìrán; 断然 duànrán; 决然 juérán ¶그의 부탁을 ~ 잘라 거절하다 断然拒绝他的请求 2 骤然 zhòurán; 一下子 yīxiàzi ¶약물 복용을 ~ 끊다 骤然停用药物 3 非常 fēicháng; 真 zhēn ¶그와 같은 사람은 ~ 질색이다 真讨厌他那样的人

딱[3] 부 1 敞开地 chǎngkāide; 大大地 dàdàde ¶입을 ~ 벌리고 햄버거를 먹다 大大地张嘴巴吃汉堡 2 正好 zhènghǎo ¶오늘 같은 날씨는 경기를 치르기에 ~ 좋다 今天这样的天气正好举办比赛 3 端正不动地 duānzhèngbùdòngde ¶~ 버티고 서서 상대방을 주시하다 端正不动地站着注视着对方 4 紧紧地 jǐnjǐnde ¶입을 ~ 다물다 紧紧地闭嘴 5 紧贴着 jǐntiēzhe ¶아이가 엄마 곁에~ 붙어 있다 孩子紧贴着妈妈的身旁 6 恰好 qiàhǎo ¶길을 건너다가 친구와 ~ 마주쳤다 恰好在过马路的时候遇见了同学 7 只 zhǐ ¶그는 ~ 한 번 갔다 他只去了一次

딱따구리 명 〖鳥〗 啄木鸟 zhuómùniǎo

딱-딱 부 1 啪啪 pāpā ¶탁자를 ~ 치다 啪啪地拍桌子 2 咔喳咔喳 kāchākāchā ¶젓가락을 ~ 부러뜨리다 咔喳咔喳地折断筷子

딱딱-거리다[1] 자타 啪啪响 pāpā xiǎng = 딱딱대다[1]

딱딱-거리다[2] 자 出言不逊 chūyánbùxùn; 说话生硬 shuōhuà shēngyìng = 딱딱대다[2] ¶젊은 사람이 어른에게 ~ 年轻人对长辈出言不逊

딱딱-하다 형 1 坚硬 jiānyìng ¶딱딱한 호두 坚硬的核桃 2 呆板 dāibǎn; 死板 sǐbǎn; 生硬 shēngyìng ¶연기하는 것이 좀 ~ 演得有点生硬

딱정-벌레 명 〖蟲〗 1 尘芥虫 chénjièchóng 2 步甲 bùjiǎ

딱지 명 1 痂 jiā; 疮痂 chuāngjiā ¶~가 지다 结痂 2 (纸上的) 垢 gòu; 疵点 cīdiǎn 3 壳(儿) ké(r); 甲 jiǎ ¶등~ 背甲 4 表壳 biǎoké

딱지(一紙) 명 1 票 piào; 标签 biāoqiān ¶~를 붙이다 贴上标签 2 画片 huàpiàn 《儿童游戏用》 ¶~를 치다 玩画片 3 外号 wàihào ¶살인자라는~가 붙었다 贴上了杀人犯的外号 4 (交通) 罚款单 fákuǎndān ¶교통경찰이 ~를 떼다 交警开罚款单 5 (公寓) 住房票 zhùfángpiào 6 拒绝 jùjué ¶좋아하는 사람에게 구애했다가 ~를 맞았다 向喜欢的人求爱遭到拒绝了

딱-총(一銃) 명 1 爆竹 bàozhú 2 玩具枪 wánjùqiāng

딱-하다 형 1 可怜 kělián ¶돌봐주는 사람이 없어 참 ~ 没有人照顾很可怜 2 为难 wéinán; 尴尬 gāngà; 难堪 nánkān ¶딱한 입장에 처하다 处于尴尬的处境 **딱-히**[1] 부

딱-히[2] 부 明确地 míngquède; 确切地 quèqiède ¶~ 이유를 설명하기가 어렵다 很难明确地说明理由

딴[1] 의명 自己以为 zìjǐ yǐwéi; 自己认为 zìjǐ rènwéi ¶내 ~에는 이렇게 하는 게 맞는 줄 알았다 我自己以为这样做就对

딴[2] 관 = 다른 ¶~ 이야기 别的故事 / ~ 회사 别的公司

딴딴-하다 형 1 坚硬 jiānyìng ¶딴딴한 벽돌 坚硬的砖头 2 壮实 zhuàngshi ¶팔뚝이 아주 ~ 手臂很壮实 3 结实 jiēshi ¶과실이 딴딴하고 꽉 차 있다 果实结实饱满 **딴딴-히** 부

딴-마음 명 1 别的想法 biéde xiǎngfa ¶그는 ~ 없이 열심히 공부만 한다 他没有别的想法只努力学习 2 异心 yìxīn; 二心 èrxīn ¶아주 오래전부터 줄곧 ~을 품다 很久以来就一直怀有二心

딴-말 명하자 无关的话 wúguānde huà; 废话 fèihuà = 딴소리 ¶이번 일과 관계없는 ~은 하지 마라 别说跟这件事无关的话

딴-사람 명 别的人 biéde rén; 另外的人 lìngwàide rén ¶머리를 자르니 ~ 같다 剪了头发就像换别的人

딴-살림 명하자 分家 fēnjiā; 分居生活 fēnjū shēnghuó; 另居 lìngjū ¶일 때문에 우리 아빠는 가족들과 ~하신다 因工作的关系, 我爸爸与家人另居

딴-소리 명하자 = 딴말

딴은 부 是的 shìde; 那当然 nà dāngrán ¶~ 그의 말도 일리가 있다 是的, 他的话也有道理

딴-전 명 转移话题 zhuǎnyí huàtí; 答非所问 dáfēisuǒwèn; 完全无关的 wánquán wúguānde = 딴청 ¶묻는 말에 대답하지 않고 ~을 부리다 不回答问题, 说完全无关的话

딴-죽 명 〖體〗 (摔跤) 下绊 xiàbàn ¶~을 걸다 下绊

딴-청 명 = 딴전

딴-판 명 1 不同局势 bùtóng júshì; 不同场面 bùtóng chǎngmiàn ¶~으로 변했다 变了不同局势 2 完全不同 wánquán bùtóng; 截然不同 jiéránbùtóng ¶들던 바와는 ~이다 与所听的完全不同

딸 명 女儿 nǚ'ér = 여식

딸가닥 부하자타 叮当叮当 dīngdāngdīngdāng ¶접시끼리 서로 부딪칠 때 ~ 소리가 나다 碟子和碟子碰撞时发出叮当叮当的声音

딸가닥-거리다 자타 叮当叮当地响 dīngdāngdīngdāngde xiǎng = 딸가닥대다 ¶부엌에서 딸가닥거리는 소리가 나다 从厨房里发出叮当叮当地响声音 **딸가닥-딸가닥** 부하자타

딸그락 부하자타 叮当 dīngdāng ¶옆방에서 ~ 소리가 들렸다 从隔壁传来叮当声

딸그락-거리다 자타 叮当叮当地响 dīngdāngdīngdāngde xiǎng = 딸그락대다 ¶설거지할 때 그릇과 접시가 부딪쳐 딸그락거린다 洗碗的时候, 碗子和碟子碰撞, 叮当叮当地响 **딸그락-딸그락** 부하자타

딸그랑 부하자타 铮铮 zhēngzhēng; 叮当 dīngdāng ¶문을 열자 종이 ~ 울린다 一打开门, 就铃儿响叮当

딸그랑-거리다 자타 铮铮响 zhēngzhēng xiǎng; 叮当响 dīngdāng xiǎng = 딸그랑대다 ¶문 앞에 걸려 있는 종이 ~ 挂在门前的铃儿叮当响 **딸그랑-딸그랑** 부하자타

딸:기 명 〖植〗莓 méi; 草莓 cǎoméi

딸꾹-질 명하자 打嗝儿 dǎ gér; 呃逆 ènì; 嗝气 géqì ¶~이 멈추지 않다 打嗝儿不止

딸-내미 명 女儿 nǚ'ér

딸-년 명 女儿 nǚ'ér; 小女 xiǎonǚ

딸랑 부하자타 **1** 当啷 dānglāng; 丁零 dīnglíng ¶방울이 ~ 울리다 铜铃当啷啷响 **2** 冒冒失失地 màomaoshīshīde; 毛手毛脚地 máoshǒumáojiǎode

딸랑-거리다 자타 **1** 当啷当啷响 dānglāngdānglāng xiǎng ¶작은 방울이 바람에 ~ 小铜铃被风吹得当啷当啷响 **2** 冒冒失失 màomaoshīshī; 毛手毛脚 máoshǒumáojiǎo ¶그는 늘 딸랑거린다 他总是冒冒失失的 ‖ = 딸랑대다 **딸랑-딸랑** 부하자타

딸랑-이 명 摇铃 yáolíng; 花棒 huābàng

딸리다 자 **1** 附有 fùyǒu; 带有 dàiyǒu ¶그는 주방이 딸린 방을 빌렸다 他租了一个带有厨房的房子 **2** 属于 shǔyú; 从属 cóngshǔ; 附属 fùshǔ ¶이 초등학교는 사범 대학에 딸려 있다 这所小学附属于师范大学

딸-자식(一子息) 명 小女 xiǎonǚ

땀[1] 명 **1** 汗 hàn; 汗水 hànshuǐ ¶~구멍 汗孔 / ~내 汗味 / ~방울 汗珠 / ~샘 汗腺 / ~을 흘리다 流汗 **2** 汗水 hànshuǐ《比喻努力、费劲》¶성공은 ~의 결정이다 成功是汗水的结晶

땀(을) 빼다 구 辛苦; 费力; 费事

땀을 들이다 구 **1** 消汗 **2** 暂时休息

땀이 빠지다 구 费劲; 努力

땀[2] 명 针脚 zhēnjiǎo = 바늘땀 ¶~이 너무 촘촘하다 针脚太小

땀-띠 명 〖醫〗痱子 fèizi; 汗疹 hànzhěn; 暑疹 shǔzhěn

땀-투성이 명 满身大汗 mǎnshēn dàhàn; 汗水淋漓 hànshuǐ línlí; 大汗淋漓 dàhàn línlí ¶온몸이 ~가 되다 满身大汗

땅[1] 명 **1** 地 dì; 陆地 lùdì = 육지1 ¶~에 묻다 埋在陆地 **2** 田地 tiándì; 土地 tǔdì ¶비옥한 ~ 肥沃的土地 **3** 国土 guótǔ; 领土 lǐngtǔ ¶~을 정복하다 征服领土 **4** 地皮 dìpí ¶~을 개발하다 开发地皮

땅 짚고 헤엄치기 속담 易如反掌

땅[2] 부하자 **1** 当 dāng; 铮 zhēng《金属撞击声》**2** 当 dāng《枪炮声》¶~하고 총소리가 났다 当的一声枪声了

땅-값 명 **1** 地价 dìjià ¶~이 오르다 地价上涨 **2** 赁地税 lìndìshuì ¶~을 내다 缴赁地税

땅-강아지 명 〖蟲〗蝼蛄 lóugū; 拉拉蛄 lālāgǔ

땅거미 명 薄暮 bómù; 夜幕 yèmù; 黄昏 huánghūn ¶~가 질 무렵 黄昏的时分

땅-굴(一窟) 명 **1** 地道 dìdào ¶~에 숨다 躲在地道里 **2** 地窖 dìjiào = 토굴 ¶~을 파고 고구마를 저장하다 挖地窖储存白薯

땅기다 자 发紧 fājǐn; 紧绷绷的 jǐnbēngbēngde ¶뒷목이 ~ 后颈发紧

땅-꾼 명 捕蛇人 bǔshérén

땅-내 명 泥土味 nítǔwèi; 泥土气息 nítǔ qìxī

땅-덩어리 명 = 땅덩이

땅-덩이 명 土地 tǔdì; 领土 lǐngtǔ; 地域 dìyù = 땅덩어리

땅딸막-하다 형 矮胖 ǎipàng; 矮粗 ǎicū; 矮墩墩 ǎidūndūn ¶체격이 땅딸막한 남자 身材矮胖的男人

땅딸-보 명 矮胖子 ǎipàngzi = 땅딸이

땅딸-이 명 = 땅딸보

땅땅[1] 부 **1** 夸张声势地 kuāzhāngshēngshìde; 吹牛 chuīniú ¶그는 능력도 없으면서 큰소리를 ~친다 他没能力却吹牛 **2** 盛气凌人地 shèngqìlíngrénde; 不可一世地 bùkěyīshìde ¶~으르다 盛气凌人地说

땅-땅[2] 부하자타 **1** 哐哐 kuāngkuāng《连续敲击金属时发出的声音》**2** 当当 dāngdāng《连续的枪炮声》

땅땅-거리다[1] 자타 豪奢地生活 háoshēde shēnghuó = 땅땅대다[1] ¶그는 돈을 많이 벌어서 땅땅거리며 산다 他赚了一大笔钱, 豪奢地生活

땅땅-거리다[2] 자타 **1** 哐哐地响 kuāngkuāngde xiǎng **2** 当当地响 dāngdāngde xiǎng ‖ = 땅땅대다[2]

땅-뙈기 명 小块田地 xiǎokuài tiándì
땅-마지기 명 小块地 xiǎokuàidì
땅-문서(一文書) 명 土地证 tǔdìzhèng; 地契 dìqì; 田单 tiándān
땅-바닥 명 **1** 地面 dìmiàn = 지면(地面) ¶~을 파다 挖地面 **2** 地上 dìshang ¶~에 앉다 坐在地上
땅-벌 명〖蟲〗土蜂 tǔfēng
땅-속 명 地下 dìxià; 地里 dìli ¶~에 묻다 埋在地里 / ~에 옥수수를 심다 地里种着玉米
땅-콩 명〖植〗花生 huāshēng = 낙화생 ¶~기름 花生油 / ~버터 花生白脱
땋:다 타 (绳子、辫子) 编 biān ¶인형 머리를 ~ 给娃娃编辫子
때[1] 명 **1** 时间 shíjiān; 时候 shíhou ¶~가 이르다 时间早 / ~가 늦었다 时间晚 **2** 时机 shíjī; 机会 jīhuì ¶가장 좋은 ~이다 最好时机 **3** 顿 dùn ¶한 ~를 굶었다 饿了一顿 **4** 境遇 jìngyù ¶~에 따라 적당히 처리하다 按照境遇适当地处理 **5** 时代 shídài; 年代 niándài; 当时 dāngshí ¶삼국 시대 ~ 三国时代 **6** 节 jié; 时节 shíjié; 节期 jiéqī ¶추석 ~ 仲秋节
때[2] 명 **1** 污垢 wūgòu ¶~를 없애다 清除污垢 **2** 俗气 súqi ¶~ 묻은 정치인 俗气的政治人 **3** 污名 wūmíng ¶강도의 ~를 벗었다 洗清了强盗的污名 **4** 稚气 zhìqì; 乳臭 rǔxiù ¶아직 ~도 안 벗은 계집애 稚气未消的黄毛丫头
때각-거리다 자타 咔嗒咔嗒响 kādākādā xiǎng = 때각대다 ¶상자 안의 목판이 ~ 箱子里的木板咔嗒咔嗒响 **때각-때각** 부하자타
때구루루 부 咕噜噜 gūlūlū ¶공이 ~ 앞으로 굴러가다 球咕噜噜地朝前滚去
때굴-때굴 부하자 咕噜咕噜 gūlūgūlū ¶큰 복숭아 한 알이 앞으로 ~ 굴러가다 一颗大蜜桃向前咕噜咕噜地滚去
때그락 부하자타 咔嗒 kādā ¶창이 ~ 소리를 내다 门窗咔嗒响
때그락-거리다 자타 咔嗒咔嗒响 kādākādā xiǎng = 때그락대다 ¶상자 안의 다이아몬드가 ~ 箱子里的钻石咔嗒咔嗒响 **때그락-때그락** 부하자타
-때기 접미 由于部分名词之后, 使该名词变为俗称 ¶귀~ 耳朵 / 볼~ 脸腮
때깔 명 外观 wàiguān; 表面色泽 biǎomiàn sèzé ¶이 원단들은 ~이 선명하다 这些布料色泽鲜亮
때꾼-하다 형 眍 kōu ¶눈이 ~ 眼睛眍下去 **때꾼-히** 부
때:다 타 烧火 shāohuǒ ¶땔감으로 불을 ~ 用木柴烧火
때때-로 부 经常 jīngcháng; 常常 chángcháng; 时常 shícháng ¶그녀는 ~ 나에게 전화를 한다 她经常给我打电话
때때-옷 명 花衣 huāyī
때려-누이다 타 **1** 打倒 dǎdǎo = 때려눕히다1 ¶맨손으로 강도를 ~ 空手打倒强盗 **2** 击倒 jīdǎo = 때려눕히다2 ¶시합에서 상대 선수를 ~ 比赛中将对手击倒
때려-눕히다 타 **1** = 때려누이다1 **2** = 때려누이다2
때려-잡다 타 **1** 扑 pū; 攻击捕捉 gōngjī bǔzhuō ¶모기를 ~ 扑蚊子 **2** 打垮 dǎkuǎ ¶적들을 ~ 把敌人打垮
때려-치우다 타 作罢 zuòbà; 罢休 bàxiū; 辞 cí ¶회사를 때려치우고 다른 일을 찾다 辞职以后找别的工作
때-로 부 有时候 yǒushíhou ¶~ 그녀가 생각난다 有时候想起她来
때리다 타 **1** 打 dǎ; 击 jī; 抽打 chōudǎ ¶엄마가 아이를 ~ 妈妈打孩子 **2** 批判 pīpàn; 批评 pīpíng; 抨击 pēngjī ¶뉴스에서 뇌물을 받은 정치인을 강하게 때린다 新闻猛烈抨击贿赂的政治人 **3** 吹打 chuīdǎ ¶빗방울이 창문을 때린다 雨滴吹打窗户 **4** 打动 dǎdòng; 刺激 cìjī ¶그 불행한 소식은 그녀의 마음을 때렸다 那个不幸的消息打动了她的心
때-마침 부 正好 zhènghǎo; 碰巧 pèngqiǎo ¶~ 그를 만났다 碰巧遇见了他
때-맞추다 자 及时 jíshí; 应时 yìngshí ¶때맞춰 눈이 왔다 及时雪下
때문 의명 因为 yīnwèi; 由于 yóuyú ¶네가 오지 않았기 ~에 모두들 실망했다 因为你没有来, 大家都失望了
때우다 타 **1** 补 bǔ; 修补 xiūbǔ ¶타이어를 ~ 修补轮胎 **2** 充当 chōngdāng; 充饥 chōngjī ¶빵으로 끼니를 ~ 用面包充饥 **3** 避免 bìmiǎn; 抵消 dǐxiāo ¶액을 ~ 抵消灾难 **4** 顶替 dǐngtì
땔:-감 명 燃料 ránliào = 땔거리
땔:-거리 명 = 땔감
땔:-나무 명 木柴 mùchái = 나무3
땜: 명하타 = 땜질
땜:-납 명 镴 là; 焊锡 hànxī; 锡镴 xīlà = 납2
땜:-질 명하타 **1** 修补 xiūbǔ **2** 缝补 féngbǔ **3** 修改 xiūgǎi ¶임시로 ~하다 临时修改 ‖ = 땜
땟-물[1] 명 脏水 zāngshuǐ; 污水 wūshuǐ
땟-물[2] 명 外形 wàixíng; 外貌 wàimào; 外表 wàibiǎo ¶~이 좋다 外表好
땡-감 명 不熟的柿子 bùshúde shìzi
땡그랑 부하자타 丁丁当当 dīngdingdāngdāng ¶작은 방울이 ~ 소리가 나다 小铃丁丁当当响

땡그랑-거리다 자타 丁丁当当响 dīngdingdāngdāng xiǎng = 땡그랑대다 ¶동전이 철통 안에서 ~ 硬币在铁箱里丁当丁当响 **땡그랑-땡그랑** 부하자타 ¶작은 방울이 바람에 ~ 울린다 小铃铛被风吹得丁丁当当响

땡땡-이 명 偷懒 tōulǎn ¶~치다 偷懒

땡-볕 명 炎阳 yányáng

땡-잡다 자 走运 zǒuyùn ¶나는 오늘 땡잡았다 我今天走运了

떠-가다 자타 飘动 piāodòng; 浮动 fúdòng; 浮游 fúyóu ¶흰 구름이 하늘에 ~ 白云在空中飘动

떠나-가다 자타 1 离开 líkāi; 离去 líqù ¶조국을 ~ 离开祖国 2 震撼 zhènhàn; 吵吵嚷嚷 chǎochǎorāngrǎng ¶모두들 한데 모여 떠나가게 떠들어대다 大家汇聚在一起, 吵吵嚷嚷

떠나다 자타 1 离开 líkāi; 离去 líqù ¶고향을 ~ 离开故乡 2 脱离 tuōlí; 辞 cí ¶회사를 ~ 辞职 3 去世 qùshì ¶세상을 떠났다 去世了 4 消失 xiāoshī ¶그는 이미 내 기억 속에서 떠났다 他已经从我的记忆中消失了 5 出差 chūchāi ¶내일 그는 출장을 떠난다 明天他出差

떠나-보내다 타 送别 sòngbié; 送走 sòngzǒu ¶여동생을 떠나보내기 위해 공항에 가다 为了送别妹妹, 去机场

떠나-오다 자타 动身来 dòngshēnlái; 离开 líkāi ¶농촌을 떠나오는 농민들이 점점 많아진다 离开农村的农民越来越多

떠-내다 타 1 舀 yǎo; 盛 chéng ¶냄비에서 국 한 그릇을 ~ 从锅里舀出一碗汤 2 (把草木) 起 qǐ 3 剔 tī; 剜 wān ¶뼈를 푹 삶아 고기를 ~ 把骨头煮熟, 剔下肉来

떠-내려가다 자 漂走 piāozǒu; 冲走 chōngzǒu ¶종이배가 물에 ~ 纸船在水上漂走

떠-넘기다 타 转嫁 zhuǎnjià ¶책임을 친구에게 ~ 把责任转嫁朋友

떠-다니다 자타 1 飘动 piāodòng; 浮动 fúdòng ¶나뭇잎이 물 위를 ~ 树叶在水面上浮动 2 流浪 liúlàng; 漂泊 piāobó ¶객지를 ~ 漂泊异乡

떠-돌다 자타 1 漂泊 piāobó; 流浪 liúlàng ¶길거리를 ~ 流浪街头 2 传开 chuánkāi; 散播 sànbō; 传播 chuánbō ¶소문이 ~ 消息传开 3 飘动 piāodòng; 浮动 fúdòng ¶하늘에 흰 구름이 ~ 白云在天空飘动 4 浮现 fúxiàn; 露出 lùchū ¶희색이 ~ 露出喜色

떠돌-이 명 游子 yóuzǐ; 流浪汉 liúlànghàn; 江湖人 jiānghúrén

떠:들다[1] 一자 1 吵闹 chǎonào; 喧哗 xuānhuá; 喧吵 xuānchǎo ¶큰 소리로 ~ 大声喧哗 2 吵吵嚷嚷 chǎochǎorāngrǎng ¶밖에서 시끄럽게 떠들어 잠이 깨다 外面吵吵嚷嚷地把我吵醒 二자타 1 传开 chuánkāi; 散播 sànbō; 宣传 xuānchuán; 宣扬 xuānyáng; 声张 shēngzhāng; 声扬 shēngyáng ¶절대 이 일을 떠들고 다녀서는 안 된다 千万不要散播这件事 2 议论 yìlùn ¶모두들 그 일에 대해 떠들고 있다 大家都在议论那件事

떠-들다[2] 타 掀开 xiānkāi; 撬开 qiàokāi ¶이불을 떠들고 손을 넣어 보다 掀开被子把手伸进去

떠들썩-하다 형 1 吵闹 chǎonào; 喧哗 xuānhuá; 喧吵 xuānchǎo ¶방 안에 사람들이 많아서 ~ 房间里有很多人, 很吵闹 2 沸沸扬扬 fèifèiyángyáng; 满城风雨 mǎnchéngfēngyǔ

떠듬-거리다 자타 结结巴巴 jiējiebābā; 断断续续 duànduànxùxù = 떠듬대다 ¶떠듬거리며 글을 읽다 断断续续地朗读文章 **떠듬-떠듬** 부하자타 ¶그는 너무 긴장해서 ~ 말했다 他很紧张, 结结巴巴地说

떠맡-기다 타 使承担 shǐ chéngdān; 交给 jiāogěi; 推给 tuīgěi 《'떠맡다' 的使动词》 ¶책임을 다른 사람에게 ~ 把责任推给别人

떠-맡다 타 包 bāo; 承担 chéngdān; 担负 dānfù ¶여행 경비를 ~ 承担旅行费用

떠-메다 타 1 扛 káng ¶호미 하나를 떠메고 밭으로 가다 扛着一把锄头去田地 2 承担 chéngdān; 担负 dānfù ¶책임을 ~ 承担责任

떠-밀다 타 1 用力推 yòng lì tuī ¶산 아래로 ~ 往山下用力推 2 推委 tuīwěi; 推卸 tuīxiè ¶자기의 책임을 남에게 ~ 把自己的责任推卸给别人

떠-받다 타 顶 dǐng; 撞 zhuàng ¶자동차가 자전거를 떠받았다 汽车把自行车撞倒了

떠-받들다 타 1 举起 jǔqǐ; 托起 tuōqǐ ¶역기를 ~ 举起杠铃 2 恭敬 gōngjìng; 尊崇 zūnchóng; 侍奉 shìfèng ¶노인을 ~ 对老人恭敬 3 珍惜 zhēnxī ¶생명을 ~ 珍惜生命

떠-받치다 타 支撑 zhīchēng; 顶托 dǐngtuō; 撑拄 chēngzhǔ ¶기둥으로 지붕을 ~ 用柱子支撑着屋顶

떠-벌리다 타 夸夸其谈 kuākuāqítán; 大谈特谈 dàtántètán ¶자신의 이력을 ~ 夸夸其谈自己的经历

떠-벌이다 타 大造 dàzào; 大摆 dàbǎi ¶결혼 피로연을 크게 ~ 大摆婚庆宴

떠-보다 타 1 称 chēng; 称量 chēngliáng 2 推测 tuīcè 3 摸底 mōdǐ; 试探 shìtàn ¶다른 사람의 생각을 ~ 试探

别人的想法
떠-안다 타 包 bāo; 承担 chéngdān ¶ 스스로 책임을 ~ 自愿地承担责任
떠-오르다 자 **1** 飘上来 piāoshànglái; 浮上来 fúshànglái; 升起 shēngqǐ ¶물체가 ~ 物体浮上来 **2** 想起 xiǎngqǐ; 浮现 fúxiàn ¶그의 모습이 머릿속에 떠오른다 脑子里浮现出他的身影 **3** 浮漾 fúyàng; 浮泛 fúfàn ¶그의 얼굴에 반가운 빛이 ~ 他的脸上浮泛着高兴的表情 **4** 出现 chūxiàn ¶예술계에 새로운 인물이 떠올랐다 在艺术界出现了新人物
떠올리다 타 **1** 想起 xiǎngqǐ (('떠오르다2'的使动词)) ¶나는 그를 다시 떠올리지 않기로 했다 我决意不再想起他 **2** 浮泛 fúfàn (('떠오르다3'的使动词)) ¶미소를 ~ 浮泛着微笑
떡[1] 명 **1** 糕 gāo ¶~가래 糕条 / ~국 糕汤 / ~소 糕馅 **2** 软心肠 ruǎnxīncháng **3** = 떡밥
떡[2] 부 **1** 大大地 dàdàde ¶입을 ~ 벌리다 大大地张着嘴巴 **2** 正好 zhènghǎo ¶~ 들어맞다 正好紧紧扣住 **3** 端正不动地 duānzhèngbùdòngde ¶~ 버티고 서다 端正不动地站着 **4** 从容地 cóngróngde; 泰然地 tàiránde ¶의자에 ~하니 앉아서 텔레비전을 보다 泰然地坐在椅子上看电视 **5** 恰好 qiàhǎo ¶길을 건너다가 선생님과 ~ 마주쳤다 恰好在过马路的时候遇见了老师 **6** 紧贴着 jǐntiēzhe ¶아이가 아빠 곁에 ~ 붙어있다 孩子紧贴着爸爸的身旁
떡갈-나무 명 〖植〗 橡树 xiàngshù; 柞树 zuòshù
떡-값 명 **1** 节日补助金 jiérì bǔzhùjīn; 节日补贴 jiérì bǔtiē **2** 中标礼金 zhòngbiāo lǐjīn **3** 黑钱 hēiqián; 贿赂 huìlù
떡-고물 명 **1** 豆面 dòumiàn; 豆蓉 dòuróng **2** 饶头 ráotou
떡-떡 부 **1** 嘎巴嘎巴地 gābāgābāde ¶시냇물이 ~ 얼어붙다 溪水嘎巴嘎巴地冻成冰 **2** 咔嗒咔嗒响 kādākādā xiǎng ¶날이 너무 추워서 이가 ~ 마주친다 天气太冷, 连牙碰得咔嗒咔嗒响 **3** 黏糊糊地 niánhūhūde ¶엿이 입천장에 ~ 달라붙는다 麦芽糖黏糊糊地贴在腭上
떡-메 명 糕杵 gāochǔ
떡-밥 명 **1** (豆面加米糠等做的) 面鱼饵 miànyú'ěr = 떡[1]3 **2** (为做糕用的) 饭 fàn
떡-방아 명 糕米碓 gāomǐduì
떡-볶이 명 炒年糕 chǎoniángāo
떡-시루 명 蒸笼 zhēnglóng
떡-잎 명 〖植〗 子叶 zǐyè
떡-하니 부 从容地 cóngróngde; 泰然地 tàiránde ¶그는 ~ 침대에 누워서 자고 있다 他泰然地躺在床上睡觉
떨거덕 부하자타 丁当 dīngdāng; 哐啷 kuānglāng ¶~ 문을 닫았다 门哐啷一声关上了
떨거덕-거리다 자타 丁当响 dīngdāng xiǎng; 哐啷哐啷响 kuānglāngkuānglāng xiǎng = 떨거덕대다 ¶바람이 너무 세서 지붕 위가 심하게 떨거덕거린다 风好大, 屋顶上哐啷哐啷响的厉害 **떨거덕-떨거덕** 부하자타 ¶철로 된 침대가 ~ 흔들린다 把铁床摇得哐啷哐啷响
떨거덩-거리다 자타 丁当丁当响 dīngdāngdīngdāng xiǎng; 哐啷哐啷响 kuānglāngkuānglāng xiǎng = 떨거덩대다 ¶방울이 바람에 떨거덩거린다 两个铃铛被风吹得丁当丁当响 **떨거덩-떨거덩** 부하자타
떨걱-거리다 자타 '떨거덕거리다'的略词 = 떨걱대다 ¶설거지할 때 그릇과 접시가 부딪쳐 ~ 洗碗的时候, 碗子和碟子碰撞, 哐啷哐啷响 **떨걱-떨걱** 부하자타
떨구다 타 俯 fǔ; 低 dī ¶고개를 떨구고 눈물을 흘리다 低头流眼泪
떨그럭-거리다 자타 哐当哐当响 kuāngdāngkuāngdāng xiǎng = 떨그럭대다 ¶그릇과 접시가 부딪쳐 떨그럭거린다 碗子和碟子碰撞, 哐当哐当响 **떨그럭-떨그럭** 부하자타
떨그렁-거리다 자타 咣啷咣啷响 guānglāngguānglāng xiǎng = 떨그렁대다 ¶술병이 바람에 계속 떨그렁거린다 酒瓶子被风吹得咣啷咣啷响 **떨그렁-떨그렁** 부하자타
떨:다[1] 자타 **1** 抖动 dǒudòng ¶모니터화면이 ~ 显示器屏幕抖动 **2** 斤斤计较 jīnjīnjìjiào ¶그는 돈 쓰는 것에 벌벌 떤다 他对花钱斤斤计较 **3** 害怕 hàipà; 恐惧 kǒngjù ¶내가 있으니 떨지 마라 有我在, 别害怕 **4** 颤动 chàndòng ¶온몸을 ~ 全身颤动
떨:다[2] 타 **1** 抖掉 dǒudiào; 掸掉 dǎndiào ¶탁자 위의 먼지를 ~ 掸掉桌子上面的尘土 **2** 扣除 kòuchú ¶숙박비를 ~ 扣除住宿费 **3** 打消 dǎxiāo ¶잡념을 ~ 打消杂念 **4** 卖光 màiguāng; 全卖掉 quán màidiào; 包圆儿 bāoyuánr ¶남은 사과를 모두 떨었다 把剩下的苹果都卖光了 **5** 耍 shuǎ ¶그녀는 아양을 잘 떤다 她很会耍娇
떨떠름-하다 형 **1** 涩涩的 sèsède ¶떨떠름한 감 涩涩的柿子 **2** 不情愿 bùqíngyuàn ¶그는 떨떠름한 얼굴로 대답했다 他不情愿地回答了 **떨떠름-히** 부
떨리다[1] 자 '떨다[1]'的被动词 ¶날씨가 너무 추워서 온몸이 계속 떨린다 天气很冷, 冷得全身都发抖 / 목소리가 ~

声音发抖
떨리다² 자 '떨다²' 的被动词 ¶먼지가 ~ 掉下尘土 / 조직에서 떨리어 나왔다 被组织开除了
떨어-내다 타 抖掉 dǒudiào; 掸掉 dǎndiào ¶커튼의 먼지를 ~ 抖掉窗帘上的灰尘
떨어-뜨리다 타 **1** 落下 luòxià; 坠落 zhuìluò ¶공을 높은 곳에서 ~ 把球从高处落下来 **2** 掉下 diàoxià; 脱落 tuōluò ¶나무를 흔들어 사과를 ~ 摇一摇树把苹果掉下来 **3** 丢失 diūshī ¶지갑을 ~ 丢失钱包 **4** 降下 jiàngxià ¶먼저 브레이크를 밟아 속도를 조금 ~ 先踩刹车, 速度降下一些 **5** 下跌 xiàdiē; 跌落 diēluò ¶주식을 ~ 下跌股票 **6** 磨破 mópò; 穿破 chuānpò ¶양말을 떨어뜨렸다 穿破了袜子 **7** 用光 yòngguāng ¶비축품까지 다 떨어뜨렸다 连储备品都用光了 **8** 落选 luòxuǎn; 落榜 luòbǎng ¶그를 대통령 선거에서 ~ 让他在总统选举落选 **9** 失去 shīqù; 摔牌 shuāipái ¶선생님의 위신을 ~ 失去老师的威信 **10** 垂下 chuíxià; 低下 dīxià ¶그는 고개를 떨어뜨리고 아무 말도 하지 않았다 他低下头什么都不说了 **11** 脱离 tuōlí ¶야수를 군중들과 떨어뜨려 놓다 把野兽与群众脱离 **12** 断绝 duànjué ¶누구도 우리 사이를 떨어뜨릴 수 없다 谁也不能断绝我们之间的关系 **13** 降低 jiàngdī ¶혈압을 ~ 降低血压 ‖ = 떨어트리다
떨어-지다 자 **1** 落 luò; 下 xià; 下降 xiàjiàng ¶2층에서 ~ 从二楼落下来 **2** 掉 diào ¶눈물이 ~ 掉眼泪 **3** 离开 líkāi; 分开 fēnkāi ¶그녀는 가족과 떨어져 혼자 생활한다 她离开家人单独生活 **4** 伤 shāng ¶정이 ~ 伤感情 **5** 丢下 diūxià; 丢失 diūshī ¶지갑이 주머니에서 ~ 钱包从口袋里丢下 **6** 赚下 zhuànxià ¶본전을 제외하고 십만 위안이 떨어진다 除去本钱, 可以赚下十万元 **7** 下跌 xiàdiē; 跌落 diēluò ¶과일 가격이 ~ 水果价格下跌 **8** 磨破 mópò; 穿破 chuānpò ¶양말이 다 떨어졌다 袜子都穿破了 **9** 用光 yòngguāng ¶돈이 떨어졌다 钱用光了 **10** 差 chà; 差劲 chàjìn ¶기술 수준이 매우 ~ 技术水平很差 **11** 相隔 xiānggé ¶5년 정도 떨어져 있다 相隔五年左右 **12** 着落 zhuóluò ¶그 일은 그에게 떨어졌다 那件事就着落在他身上了 **13** 上当 shàngdàng; 受骗 shòupiàn ¶그는 친구의 속임수에 나가 떨어졌다 他被朋友受骗了 **14** 痊愈 quányù ¶이제 감기가 많이 떨어졌다 现在感冒痊愈多了 **15** 考掉 kǎodiào; 落选 luòxuǎn; 落榜 luòbǎng ¶그는 선거에서 또 떨어졌다 他在选举又落选了 **16** 陷入 xiànrù; 陷落 xiànluò ¶요새가 결국 적군에게 떨어졌다 城堡最后被敌军陷落了 **17** 下达 xiàdá ¶지명 수배가 ~ 下达通缉令 **18** 减少 jiǎnshǎo ¶최근에 손님이 많이 떨어졌다 最近客人减少多了 **19** 结束 jiéshù; 完成 wánchéng ¶일이 모레면 떨어진다 工作后天可以完成 **20** 符合 fúhé; 正好 zhènghǎo ¶우리의 요구와 맞아 ~ 符合我们的要求 **21** (气) 断 duàn ¶그는 곧 숨이 떨어지려고 한다 他快要断气了 **22** 远 yuǎn ¶학교는 집에서 좀 떨어져 있다 学校离家比较远 **23** 流产 liúchǎn ¶사고로 아이가 ~ 因事故流产 **24** 整除 zhěngchú ¶10은 2로 나누면 떨어진다 10能被2整除 **25** (信号) 发出 fāchū ¶출발 신호가 ~ 发出出发信号
떨어-트리다 타 = 떨어뜨리다
떨-이 명하타 甩卖 shuǎimài; 包圆儿 bāoyuánr
떨-치다¹ 자타 远扬 yuǎnyáng; 显赫 xiǎnhè; 炫耀 xuànyào ¶그는 일찍이 명성을 떨쳤다 他早已大名远扬
떨-치다² 타 **1** 甩掉 shuǎidiào; 甩开 shuǎikāi ¶동생을 떨쳐 버리고 놀러 가다 甩掉弟弟去玩 **2** 抛开 pāokāi ¶쓸데없는 생각을 ~ 把胡思乱想抛开
떫:다 형 **1** 涩 sè ¶떫은 감을 먹다 吃涩柿子 **2** 不情愿 bùqíngyuàn ¶떫은 표정을 짓다 显露出不情愿的表情
떳떳-하다 형 堂堂正正 tángtángzhèngzhèng; 光明正大 guāngmíngzhèngdà; 无愧 wúkuì ¶그는 떳떳한 사람이다 他是光明正大的人 **떳떳-이** 부
떵떵¹ 부 **1** 夸张声势 kuāzhāngshēngshì ¶그는 돈도 없으면서 큰소리만 ~ 친다 他没有钱却夸张声势地行动 **2** 盛气凌人 shèngqìlíngrén; 不可一世 bùkěyīshì ¶큰돈을 번 이후 ~ 위세를 떤다 赚了一大笔钱以后, 盛气凌人
떵-떵² 부하자타 哐哐 kuāngkuāng ¶철문이 ~ 울리도록 치다 铁门敲得哐哐响
떼¹ 명 帮 bāng; 伙 huǒ; 群 qún ¶소가 ~를 지어 이동하다 牛成群地移动
떼² 명 耍赖 shuǎlài ¶~ 좀 쓰지 마라 不要耍赖
떼³ 명 草皮 cǎopí ¶정원에 ~를 입히다 往庭园上铺草皮
떼-강도(—强盗) 명 匪帮 fěibāng
떼-거리 명 '떼¹'的俗称 ¶한 ~의 사람들이 사무실에 들어오다 一帮人进办公室来
떼:다¹ 형 **1** 摘下 zhāixià; 撕下 sīxià ¶벽지를 ~ 撕下壁纸 **2** 扣除 kòuchú; 除去 chúqù ¶월급의 5퍼센트를 ~ 扣除月薪的百分之五 **3** 分开 fēnkāi ¶아

이를 떼고 집을 나서다 分开孩子出门 **4** 拆开 chāikāi ¶편지 봉투를 ~ 拆开信封 **5** 迈 mài ¶발걸음을 ~ 迈步 **6** 开口 kāikǒu ¶그녀는 마침내 입을 떼었다 她终于开口说话了 **7** 拒绝 jùjué ¶친구의 청을 뗄 수가 없다 不能拒绝朋友的请求 **8** 撒手不管 sāshǒubùguǎn; 洗手不干 xǐshǒubùgàn ¶그는 전에 도둑이었지만, 이제는 손을 뗐다 他以前是小偷，现在洗手不干了 **9** 堕胎 duòtāi ¶수술을 해서 아이를 ~ 做手术堕胎 **10** 结业 jiéyè; 结束 jiéshù ¶일본어를 ~ 结束了日语课程 **11** (票据) 开 kāi ¶백만 원짜리 수표 한 장을 ~ 开一张一百万韩元的支票

떼:다² 타 不还 bùhuán; 赖账 làizhàng ¶그는 꾸어준 돈을 떼고 도망갔다 他不还债逃跑了

떼-돈 명 大笔钱 dàbǐqián ¶그는 주식으로 ~을 벌었다 他炒股票赚了大笔钱

떼:-먹다 타 '떼어먹다' 的略词

떼-쓰다 자 耍赖 shuǎlài ¶돈을 당장 내놓으라고 ~ 耍赖马上拿钱

떼어-먹다 타 **1** 不还 bùhuán; 赖账 làizhàng ¶그는 돈을 떼어먹고 사라져 버렸다 他不还债消失无踪了 **2** 侵吞 qīntūn; 克扣 kèkòu ¶이익을 ~ 侵吞利益

떼-이다 타 '떼다²' 的被动词

떼-죽음 명하자 成群死亡 chéngqún sǐwáng ¶물고기가 ~을 당하다 鱼成群死亡

떼:-치다 타 **1** 甩掉 shuǎidiào; 甩开 shuǎikāi **2** 拒绝 jùjué ¶친구의 부탁을 ~ 拒绝朋友的请求 **3** 推开 tuīkāi; 扔下 rēngxià ¶일을 떼쳐 놓고 상관하지 않다 把工作扔下不管

뗏-목(一木) 명 木排 mùpái

뗑그렁 부하자타 丁当 dīngdāng ¶고양이 목에 걸린 작은 방울이 걸을 때마다 ~ 소리를 낸다 小猫的脖子上挂着的小铃铛走起路来丁当响

뗑그렁-거리다 자타 丁当丁当响 dīngdāngdīngdāng xiǎng = 뗑그렁대다 ¶숟가락이 도시락 안에서 ~ 勺子在饭盒里丁当丁当响 **뗑그렁-뗑그렁** 부하자타

또 부 **1** 又 yòu; 再 zài ¶내일 ~ 보자 明天再见 **2** 还 hái ¶이것 말고 ~ 몇 가지 자료가 필요하다 除此之外，还需要一些资料 **3** 又 yòu ¶어린애라면 ~ 모르겠다 若是小孩子又当别论

또는 부 或 huò; 或者 huòzhě; 或是 huòshì = 내지(乃至)2 ¶내일 ~ 모레 그를 찾아갈 예정이다 打算明天或后天去找他

또-다시 부 **1** 再次 zàicì ¶~ 묻다 再次问 **2** 又一次 yòu yīcì 《'다시' 的强调语》¶~ 거짓말을 했다 又一次说了谎

또닥-거리다 타 拍拍 pāipāi; 梆梆地敲 bāngbāngde qiāo = 또닥대다 ¶어깨를 ~ 拍拍肩膀 **또닥-또닥** 부하타

또랑-또랑 부하형 明亮 míngliàng; 清亮 qīngliàng ¶~한 목소리 清亮的声音 / 눈빛이 ~하다 眼睛明亮

또래 명 (年龄或水平) 类似的 lèisìde; 相仿的 xiāngfǎngde; 同类的 tónglèide; 同辈 tóngbèi ¶우리는 다 같은 ~이다 我们都年龄相仿的

또렷-이 부 清楚地 qīngchude; 明显地 míngxiǎnde; 鲜明地 xiānmíngde ¶그의 얼굴을 ~ 보았다 很明显地看到他的脸

또렷-하다 형 清楚 qīngchu; 明显 míngxiǎn; 鲜明 xiānmíng ¶글자가 또렷하게 보인다 看字看得很清楚

또르르¹ 부 刷啦啦 shuālālā; 吐噜噜 tǔlūlū ¶신문을 ~ 말다 刷啦啦地卷起新闻

또르르² 부 咕噜噜 gūlūlū ¶구슬이 ~ 앞으로 굴러가다 珠子咕噜噜向前滚去

또박-또박 부하형 **1** 清清楚楚 qīngqingchǔchǔ ¶한자를 ~ 잘 쓰다 把汉字写得清清楚楚的 **2** 按期 ànqī; 按时 ànshí ¶날짜에 맞춰 ~ 이자를 잘 내다 按期给利息

또한 부 **1** 也 yě; 还是 háishi = 역시1 ¶너 ~ 해야 한다 你也应该做 **2** 还有 háiyǒu; 而且 érqiě

똑¹ 부하자 **1** 吧嗒 bādā ¶사과가 하나 ~ 떨어지다 吧嗒一声落下一个苹果 **2** 咔嚓 kāchā ¶나뭇가지가 ~ 부러졌다 树枝咔嚓断了 **3** 嘭 pēng 《敲硬物的声音》¶~ ~ 문을 두드리다 嘭嘭敲门 **4** 连连 liánlián ¶배를 ~따먹다 连连摘梨子吃

똑² 부 **1** 突然 tūrán ¶전화를 ~ 끊다 突然挂电话 **2** (言语、行动等) 坚决 jiānjué **3** 用光 yòngguāng ¶양식이 ~ 떨어지다 粮食用光了

똑³ 부 非常 fēicháng; 完全 wánquán ¶그들 부자는 생긴 것이 ~ 닮았다 他们父子长得完全相同

똑-같다 형 完全相同 wánquán xiāngtóng ¶둘이 똑같은 옷을 입다 两个人穿完全相同的衣服 **똑같-이** 부

똑딱-거리다 자타 **1** 咚咚地响 dōngdōngde xiǎng ¶기와를 똑딱거리며 고치다 修瓦咚咚地响 **2** 滴答滴答地响 dīdādīdāde xiǎng ¶시계 소리가 ~ 表声滴答滴答地响 ‖ = 똑딱대다 **똑딱-똑딱** 부하자타

똑딱-단추 명 揿扣 ènkòu = 스냅1

똑딱-배 명 = 똑딱선

똑딱-선(—船) 명 机动船 jīdòngchuán = 똑딱배

똑-떨어지다 자 完全符合 wánquán fúhé; 完全准确 wánquán zhǔnquè ¶나도 잘 모르기 때문에 똑떨어지게 설명할 수 없다 我也不太清楚, 所以不能完全准确地说明

똑-똑 부 1 嗒嗒 dādā; 吧嗒吧嗒 bādābādā ¶빗물이 천장에서 ~ 떨어지다 雨水从天花板上嗒嗒落下来 2 咔嚓咔嚓 kāchākāchā ¶젓가락이 ~ 부러졌다 筷子咔嚓咔嚓断了 3 嘭嘭 pēngpēng ¶누가 한밤중에 문을 ~ 두드린다 有人深夜嘭嘭敲门

똑똑-하다 형 1 清楚 qīngchu; 分明 fēnmíng ¶발음이 똑똑하지 않다 发音不太清楚 2 聪明 cōngming ¶그녀는 아주 ~ 她很聪明 **똑똑-히** 부

똑-바로 부 1 径直 jìngzhí; 直接 zhíjiē ¶수업이 끝난 뒤 ~ 집으로 돌아가다 下课后径直回家 2 直 zhí; 正 zhèng ¶이 길을 따라 ~ 앞으로 가면 바로 우체국이다 沿着这条路一直走, 就是邮局 3 照实 zhàoshí; 如实 rúshí ¶사실을 ~ 말하다 把事实照实直说

똑-바르다 형 1 正 zhèng; 直 zhí ¶길이 아주 ~ 路很直 2 = 올바르다 ¶그녀는 아주 똑바른 사람이다 她是很正直的人

똘똘 부 1 一卷一卷 yījuǎnyījuǎn ¶달력을 필름처럼 ~ 말다 把日历卷成像胶片一样一卷一卷的 2 咕噜咕噜地 gūlūgūlūde 《滚动声》 ¶공이 ~ 굴러가다 球咕噜咕噜地滚

똘똘-하다 형 聪明伶俐 cōngmínglínglì ¶그녀는 아주 ~ 她非常聪明伶俐 **똘똘-히** 부

똥 명 1 屎 shǐ; 粪 fèn ¶~을 누다 拉屎 2 (砚台里的) 墨渣 mòzhā

똥-값 명 廉价 liánjià; 不值钱 bùzhíqián ¶~에 팔다 廉价出售

똥-개 명 杂种狗 zázhǒnggǒu

똥-거름 명 粪肥 fènféi

똥-구멍 명 '항문' 的俗称

똥구멍(이) 찢어지다[째지다] 구 = 가랑이(가) 찢어지다[째지다]

똥그랗다 형 圆 yuán; 圆圆的 yuányuánde ¶똥그란 달덩이 圆圆的月亮

똥그래-지다 자 变圆 biàn yuán ¶깜짝 놀라 눈이 똥그래졌다 吓得眼睛变圆了

똥-끝 명 屎橛子头儿 shǐjuézitóur

똥-독(—毒) 명 粪毒 fèndú

똥-물 명 1 粪便水 fènbiànshuǐ 2 (呕吐的) 黄水 huángshuǐ

똥-배 명 啤酒肚 píjiǔdù

똥-싸개 명 拉裤子的孩子 lā kùzide háizi

똥-줄 명 急解的大便 jíjiěde dàbiàn

똥줄(이) 빠지게 구 1 急忙跑掉 2 费劲; 费力

똥줄(이) 타다 구 心急; 心焦

똥-집 명 1 大肠 dàcháng 2 '몸무게' 的俗称 3 '위(胃)' 的俗称

똥-차(—車) 명 1 粪车 fènchē 2 破车 pòchē

똥-칠(—柒) 명하자 1 抹上屎 mǒshàng shǐ 2 丢脸 diūliǎn; 丢丑 diūchǒu ¶부모님 얼굴에 ~을 하다 丢父母的脸

똥-통(—桶) 명 粪桶 fèntǒng

똥-파리 명 『蟲』 粪蝇 fènyíng

똬:리 명 1 (顶东西时用的) 垫圈 diànquān 2 盘的圈 pánde quān

뙈:기 명 1 一块 yīkuài ¶땅 한 ~를 사다 买一块土地 2 畦 qí; 畈 fàn ¶밭 한 ~ 一畈田

뙤약-볕 명 烈炎 lièyán; 烈日 lièrì ¶~ 아래에서 밭을 갈다 烈日下耕田

뚜껑 명 1 盖(儿) gài(r); 盖子 gàizi = 덮개2 ¶냄비 ~ 锅盖 2 帽 mào ¶펜 ~을 닫다 盖上笔帽 3 '모자(帽子)' 的俗称

뚜덕-거리다 타 吧嗒吧嗒响 bādābādā xiǎng = 뚜덕대다 ¶구두가 ~ 鞋子吧嗒吧嗒响 / 타자기를 ~ 打字机吧嗒吧嗒响 **뚜덕-뚜덕** 부하타

뚜두두둑 부하자 1 唏啦哗啦 xīlahuālā ¶밤에 ~ 비가 내리다 夜里唏啦哗啦地下雨 2 咔嚓咔嚓 kāchākāchā ¶나뭇가지가 ~ 소리를 내며 땅에 떨어지다 树枝咔嚓咔嚓地响, 落在地上

뚜드리다 타 敲打 qiāodǎ; 猛敲 měngqiāo ¶창문을 ~ 猛敲窗户

뚜들기다 타 猛敲打 měng qiāodǎ ¶문을 마구 ~ 猛敲打着门

뚜렷-이 부 清楚地 qīngchude; 明显地 míngxiǎnde; 鲜明地 xiānmíngde ¶실망하는 기색이 ~ 보인다 明显地流露出失望的神色

뚜렷-하다 형 清楚 qīngchu; 明显 míngxiǎn; 鲜明 xiānmíng ¶뚜렷한 태도 明显的态度 / 강연의 주제가 ~ 演讲的主题很鲜明

뚜르르[1] 부 卷 juǎn ¶달력을 ~ 말다 卷起月历

뚜르르[2] 부 咕咕噜噜 gūgūlūlū 《车轮转动声》 ¶수레바퀴가 ~ 앞으로 굴러가다 车轮咕咕噜噜向前滚去

뚜벅-거리다 자 趾高气扬地走 zhǐgāoqìyángde zǒu; 咯噔咯噔地走 gēdēnggēdēngde zǒu = 뚜벅대다 **뚜벅-뚜벅** 부하자 ¶~ 발자국 소리가 점점 더 분명히 들렸다 咯噔咯噔地脚步声越来越清晰

뚜-쟁이 명 拉皮条的 lāpítiáode

뚝[1] 부하자 1 吧嗒 bādā ¶호박이 ~ 떨어졌다 南瓜吧嗒一声落下了 2 咔

嚓 kāchā ¶연필이 ~ 부러졌다 铅笔咔嚓一声断了 **3** 嘭 pēng《敲东西的声音》¶어깨를 ~ 쳤다 嘭地拍了一下肩膀

뚝² 부 **1** 突然 tūrán ¶웃음소리가 ~ 그치다 笑声突然而止 **2** 一下子 yīxiàzi ¶등급이 ~ 떨어졌다 等级一下子降了下来 **3** 果断 guǒduàn; 决然 juérán; 断然 duànrán; 全然 quánrán ¶~ 잘라 말하다 果断地说

뚝-딱¹ 부하자타 嘭嘭 pēngpēng ¶나무 상자의 뚜껑을 ~하고 치다 嘭嘭敲着木箱的盖子

뚝-딱² 부 利落 lìluo; 很快 hěn kuài ¶일을 ~ 해치웠다 工作很快做完了

뚝딱-거리다 자타 **1** 嘭嘭地敲打 pēngpēngde qiāodǎ ¶손바닥으로 탁자를 ~ 用手掌嘭嘭地敲打桌子 **2** (心) 怦怦地跳 pēngpēngde tiào ¶방금 그 순간을 생각하니 가슴이 뚝딱거린다 回想起刚才的一瞬间, 心怦怦地跳起来 ‖= 뚝딱대다 **뚝딱-뚝딱** 부하자타

뚝-뚝¹ 부 **1** 吧嗒吧嗒地 bādābādāde ¶눈물을 ~ 흘리다 吧嗒吧嗒地流眼泪 **2** 咔嚓咔嚓地 kāchākāchāde ¶나뭇가지를 ~ 부러뜨리다 把树枝咔嚓咔嚓地折断 **3** 嘭嘭 pēngpēng

뚝-뚝² 부 明显地 míngxiǎnde ¶채소 가격이 ~ 떨어지다 蔬菜的价格明显地下降

뚝뚝-하다 형 **1** 生硬 shēngyìng ¶뚝뚝한 태도 生硬的态度 **2** = 무뚝뚝하다 ¶이 사람은 너무 ~ 这个人很冷淡

뚝배기 명 沙锅 shāguō

뚝-심 명 **1** 耐力 nàilì; 韧劲 rènjìn ¶그는 ~이 있어서 절대 포기하지 않는다 他很有耐力, 决不放弃 **2** 挣扎 zhēngzhá ¶뭐하러 ~을 쓰나 何必要挣扎

뚫다 타 **1** 钻 zuān; 穿 chuān; 挖 wā ¶구멍을 하나 ~ 挖一个洞 **2** 开凿 kāizáo; 凿通 záotōng ¶해저 터널을 ~ 凿通海底隧道 **3** 钻研 zuānyán **4** 冲突 chōngtū; 突破 tūpò; 冲出 chōngchū ¶난관을 ~ 突破困境 **5** (财路) 打通 dǎtōng ¶판로를 ~ 打通销路 **6** 穿 chuān; 预断 yùduàn; 预料 yùliào ¶마음을 뚫어보다 看穿心思

뚫-리다 자 '뚫다'的被动词 ¶해저 터널이 ~ 海底隧道开通

뚫어-지다 자 **1** 穿 chuān; 破 pò ¶신발에 구멍이 뚫어졌다 鞋子穿破了 **2** 穿通 chuāntōng; 开通 kāitōng ¶해저 터널이 드디어 뚫어졌다 海底隧道终于开通了 **3** 通达 tōngtá **4** 凝视 níngshì; 目不转睛 mùbùzhuǎnjīng ¶눈도 깜박하지 않고 창밖을 뚫어지게 쳐다보다 目不转睛地凝视着窗外

뚱딴지 명 愚蠢的人 yúchǔnde rén

뚱딴지-같다 형 出乎意料 chūhūyìliào; 不着边际 bùzhuóbiānjì; 毫不相关 háobù xiāngguān ¶뚱딴지같은 생각 出乎意料的想法 / 뚱딴지같은 소리 하지 마라 不要说跟这件事毫不相关的话 **뚱딴지같-이** 부

뚱땅-거리다 자타 丁丁冬冬地敲 dīngdingdōngdōngde qiāo = 뚱땅대다 ¶건반을 ~ 丁丁冬冬地敲着琴键 **뚱땅-뚱땅** 부하자타

뚱뚱 부하형히부 **1** 胖乎乎 pànghūhū ¶그는 아주 ~하다 他胖乎乎的 **2** 胀鼓鼓 zhànggǔgǔ

뚱뚱-보 명 胖子 pàngzi; 大胖子 dàpàngzi = 뚱뚱이

뚱뚱-이 명 =뚱뚱보

뚱-보 명 胖子 pàngzi; 大胖子 dàpàngzi

뚱:-하다 형 **1** 沉默寡言 chénmòguǎyán ¶그는 원래 사람이 뚱해서 사귀기가 힘들다 他本来是沉默寡言的, 所以不好交往 **2** 板着脸 bǎnzhe liǎn; 快快不乐 yàngyàngbùlè; 快然不悦 yàngránbùyuè ¶그는 종일 뚱해서 말도 하지 않는다 他整天板着脸不说话

뛰-놀다 자 **1** 蹦蹦跳跳地玩 bèngbengtiàotiàode wán ¶아이들이 운동장에서 ~ 孩子们在操场蹦蹦跳跳地玩 **2** 强烈搏动 qiángliè bódòng

뛰다¹ 자 **1** 飞溅 fēijiàn ¶잉크가 튀어 가방에 묻었다 墨水飞溅到书包上 **2** 逃跑 táopǎo ¶경찰이 다가오는 것을 보고 도둑은 냅다 뛰었다 看到警察过来, 盗窃就逃跑了 **3** 跳动 tiàodòng; 跃动 yuèdòng ¶그녀의 얼굴을 보자 가슴이 쿵쾅쿵쾅 뛰었다 一看她的脸, 心怦怦跳动 **4** (价格) 突然上涨 tūrán shàngzhǎng ¶비가 많이 와서 채소 값이 뛰었다 下了大雨, 蔬菜的价格突然上涨 **5** 腾 téng; 蹦 bèng ¶그 소식을 듣고 모두들 좋아서 펄쩍펄쩍 뛰었다 听到那个消息大家都欢腾起来

뛰다² 자타 **1** 跑步 pǎobù ¶매일 운동장을 ~ 每天在操场跑步 **2** 跳 tiào; 越 yuè ¶담을 뛰어 넘어 들어가다 越墙进入 **3** 跳过 tiàoguò; 越过 yuèguò ¶1페이지에서 10페이지로 ~ 从一页跳过十页 **4** 活动 huódòng ¶그는 연예계에서 뛸 생각이다 他想在演艺圈儿活动起来

뛰다³ 타 **1** (秋千) 荡 dàng ¶놀이터에서 그네를 ~ 在游乐场荡秋千 **2** (跳板) 跳 tiào ¶설날에 널을 ~ 春节的时候, 跳跳板

뛰어-가다 자타 跑去 pǎoqù ¶운동장을 ~ 跑操场去

뛰어-나가다 자타 跑出去 pǎochūqù ¶문 두드리는 소리를 듣고 바로 ~ 听到敲门声, 马上跑出去
뛰어-나다 형 出众 chūzhòng; 卓越 zhuóyuè; 超群 chāoqún ¶인품이 ~ 人品出众
뛰어-나오다 자타 跑出来 pǎochūlái ¶시간이 없으니 빨리 뛰어나와라 没有时间, 赶快跑出来吧
뛰어-내리다 자타 跳下来 tiàoxiàlái ¶이 층에서 ~ 从二楼跳下来
뛰어-넘다 타 1 跳 tiào; 越 yuè 2 跳过 tiàoguò; 越过 yuèguò 3 超越 chāoyuè ¶예상을 뛰어넘는 결과 超越预测的结果
뛰어-다니다 자타 跑来跑去 pǎoláipǎoqù ¶종일 뛰어다니며 아이를 찾다 整天跑来跑去找孩子
뛰어-들다 자 1 跳进 tiàojìn ¶물속에 뛰어들어 아이를 구하다 跳进河里救孩子 2 投入 tóurù ¶적진에 ~ 投入敌营 3 闯入 chuǎngrù ¶오토바이가 느닷없이 가게 안으로 뛰어들었다 摩托车竟然闯入了商店里 4 进入 jìnrù; 投身 tóushēn ¶정치판에 ~ 投身于政治界
뛰어-오다 자타 跑来 pǎolái ¶학교를 ~ 跑到学校来
뛰어-오르다 자타 1 跑上去 pǎoshàngqù; 跳上去 tiàoshàngqù ¶계단을 ~ 跳上去台阶 2 上涨 shàngzhǎng; 上升 shàngshēng ¶과일 가격이 갑자기 ~ 水果的价格突然上涨 / 순위가 ~ 顺位上升
뛰쳐-나가다 자타 跑出去 pǎochūqù ¶밖으로 ~ 到外边跑出去
뛰쳐-나오다 자타 跑出来 pǎochūlái ¶답답해서 병실을 ~ 闷得从病房跑出来
뜀 명 1 双脚跳 shuāngjiǎo tiào 2 跳跃 tiàoyuè
뜀박-질 명하자 1 跳远 tiàoyuǎn; 跳高 tiàogāo 2 跑 pǎo ¶그는 ~을 잘한다 他跑得很好
뜀-틀 명 〖體〗 1 跳箱 tiàoxiāng; 跳马 tiàomǎ 2 = 뜀틀 운동
뜀틀 운:동(—運動) 〖體〗 跳箱运动 tiàoxiāng yùndòng = 뜀틀2
뜨-개 명 1 编织 biānzhī; 针织 zhēnzhī 2 〖手工〗 编织品 biānzhīpǐn; 针织品 zhēnzhīpǐn
뜨개-질 명하자 编织 biānzhī; 针织 zhēnzhī
뜨거워-지다 자 变热 biàn rè; 热起来 rèqǐlái ¶날씨가 갑자기 뜨거워졌다 天气突然变热了
뜨겁다 형 热 rè; 烫 tàng; 热烈 rèliè ¶물이 아주 ~ 水很烫 / 모두들 그를 뜨겁게 환영했다 大家都热烈欢迎他

-뜨기 접미 用于名词后表示对某一部分人的卑称 ¶시골~ 乡巴佬
뜨끈-뜨끈 부하형 热乎乎 rèhūhū ¶~한 쌀밥 热乎乎的米饭
뜨끈-하다 형 热 rè; 热乎乎 rèhūhū ¶뜨끈한 국물 热汤水 **뜨끈-히** 부
뜨끔 부하형 1 刺痛 cìtòng; 针扎似地痛 zhēnzhāshìde tòng ¶손가락에 난 상처가 ~하다 手指上的伤口针扎似地痛 2 (心中) 一揪 yījiū ¶그의 말에 나는 가슴이 ~했다 他的话, 让我心里一揪
뜨끔-거리다 자 刺痛 cìtòng; 针扎似地痛 zhēnzhāshìde tòng = 뜨끔대다 ¶상처가 ~ 伤口针扎似地痛起来 **뜨끔-뜨끔** 부하자
뜨내기 명 1 流浪者 liúlàngzhě; 漂泊者 piāobózhě 2 间或做的事 jiànhuò zuòde shì
뜨다[1] 자 1 飘 piāo; 浮 fú; 漂 piāo ¶물 위에 떠 있는 낙엽 漂在水面的落叶 2 飞 fēi; 起飞 qǐfēi ¶비행기가 떴다 飞机起飞了 3 升 shēng ¶해는 동쪽에서 뜬다 太阳从东边升起 4 翘 qiáo ¶천장의 벽지가 떴다 天花板的壁纸翘起来了 5 有距离 yǒu jùlí; 有间隔 yǒu jiàngé ¶친구 사이가 떴다 朋友关系有距离了 6 被赖账 bèi làizhàng 7 有名 yǒumíng ¶그 배우는 요즘 많이 떴다 那个演员最近很有名了
뜨다[2] 자 1 发霉 fāméi ¶창고 안에 있던 쌀이 떴다 仓库里的大米发霉了 2 发酵 fājiào ¶메주 뜨는 냄새가 정말 고약하다 酱块子发酵的气味真臭 3 浮肿 fúzhǒng ¶잘 못 먹어서 얼굴이 다 떴다 吃得不好, 脸都浮肿了
뜨다[3] 타 1 离开 líkāi; 动身 dòngshēn ¶밤에 몰래 고향을 ~ 夜里偷偷地离开故乡 2 去世 qùshì ¶그는 이미 세상을 떴다 他已经去世了
뜨다[4] 타 1 移 yí; 起 qǐ ¶무덤의 뗏장을 ~ 起坟墓上的草皮 2 捞 lāo ¶국수를 ~ 捞面条 3 舀 yǎo; 盛 shèng ¶국자로 국을 ~ 用勺子舀汤 4 (纸片等) 制 zhì ¶전통적인 방식으로 종이를 ~ 以传统的方式制纸 5 切 qiè; 割 gē ¶회를 ~ 切生鱼片 6 (布) 扯 chě ¶옷을 만들기 위해 옷감을 ~ 为了做衣服扯布料 7 吃 chī ¶밥을 한 술 ~ 吃一口饭
뜨다[5] 타 1 (眼) 睁 zhēng; 睁开 zhēngkāi ¶눈을 부릅뜨고 창밖을 보다 睁开眼睛看窗外 2 (耳朵) 能听见 néng tīngjiàn ¶농인이 수술 후에 귀를 ~ 聋人受手术后能听见了
뜨다[6] 타 1 编织 biānzhī ¶고기를 잡기 위해 그물을 ~ 为了捕编织鱼网 2 缝 féng ¶한 땀 한 땀 떠서 옷을 깁다 缝

了一缝打补丁
뜨다[7] 타 模仿 mófǎng; 效仿 xiàofǎng; 复制 fùzhì ¶다른 사람의 작품을 본~ 模仿别人的作品
뜨다[8] 타 灸 jiǔ
뜨다[9] 형 1 (动作) 缓慢 huǎnmàn ¶그는 동작이 ~ 他行动缓慢 2 (反应) 迟钝 chídùn ¶감각이 뜨고 눈치가 없다 感觉迟钝, 没有眼力见 3 不爱说话 bù'ài shuōhuà ¶이 사람은 원래 말이 ~ 这个人本来不爱说话 4 不锋利 bùfēnglì ¶도끼의 날이 ~ 斧头不锋利 5 (铁器) 抗热 kàngrè 6 (坡度) 缓 huǎn ¶물매가 ~ 坡缓 7 间隔 jiàngé ¶버스의 배차 시간이 떠서 정말 불편하다 公共汽车行车间隔, 真不方便
뜨뜻미지근-하다 형 1 温和 wēnhuo; 温乎 wēnhū; 温暾 wēntūn ¶국이 ~ 汤温暾 2 温吞 wēntūn ¶뜨뜻미지근한 태도를 비판하다 批评温吞的态度
뜨뜻-하다 형 热乎 rèhū; 暖和 nuǎnhuo ¶방 안이 아주 ~ 房间里很暖和
뜨뜻-이 부
뜨르르[1] 부하자 1 咕噜噜 gūlūlū ¶큰 공이 ~ 굴러가다 大球咕噜噜地滚去 2 哗哗啦啦 huāhualālā
뜨르르[2] 부하형 哇啦哇啦 wālāwālā ¶긴 글을 ~ 읽어 내려가다 把很长的文章哇啦哇啦地朗读
뜨문-뜨문 부하형 1 偶尔 ǒu'ěr; 间或 jiànhuò ¶~ 전화해서 안부를 묻다 偶尔打电话问候 2 稀疏 xīshū ¶머리카락이 ~ 있다 头发稀疏
뜨스-하다 형 温乎 wēnhū ¶뜨스한 이불 温乎的被子
뜨습다 형 温乎 wēnhū; 温和 wēnhuo ¶뜨스운 방 温乎的房间
뜨악-하다 형 1 不情愿 bùqíngyuàn; 不满意 bùmǎnyì ¶뜨악한 표정 不满意地表情 2 不可靠 bùkěkào; 不可信 bùkěxìn ¶뜨악한 사이 不可信地关系
뜨-이다 자 1 '뜨다[5]1' 的被动词 ¶자다가 울음소리에 눈이 ~ 被哭泣声惊醒了 2 '뜨다[5]2' 的被动词 ¶눈이 번쩍 ~ 眼睛豁然一亮 3 映入 yìngrù; 被看见 bèi kànjiàn ¶다른 사람 눈에 안 뜨이게 해라 别被人家看见 4 明显 míngxiǎn; 突出 tūchū ¶생활 수준이 눈에 뜨이게 향상되었다 生活水平很明显地提高了
뜬-구름 명 1 浮云 fúyún 2 稍纵即逝 shāozòngjíshì ¶~ 같은 인생 稍纵即逝的人生
뜬금-없다 형 意外 yìwài; 想不到 xiǎngbudào ¶뜬금없는 행동 意外的行动 **뜬금없-이** 부 ¶그는 ~ 나에게 전화를 했다 他意外地给我打电话了
뜬-눈 명 睁着眼睛 zhēngzhe yǎnjing
뜬-소문(—所聞) 명 传闻 chuánwén; 风闻 fēngwén ¶그에 관한 ~을 듣다 听到有关他的风闻
뜯-기다 자 1 被抢夺 bèi qiǎngduó; 被勒索 bèi lèsuǒ ¶깡패에게 돈을 ~ 被流氓抢夺金钱 2 赌输 dǔshū; 输钱 shūqián ¶도박판에서 많은 돈을 ~ 在赌场输了很多钱 3 啃 kěn 《'뜯다5' 的被动词》 ¶소를 풀어 풀을 ~ 放牛啃草 4 '뜯다8' 的被动词 ¶모기에게 ~ 被蚊子叮咬
뜯다 타 1 摘下 zhāixià; 撕下 sīxià; 拆开 chāikāi ¶편지 봉투를 ~ 拆开信封 2 (巧言或强行) 索要 suǒyào ¶도박판에서 개평을 ~ 在赌场索要 3 得到 dédào; 要到 yàodào ¶빈번하게 돈을 ~ 频繁地要到钱 4 弹奏 tánzòu ¶가끔씩 비파를 ~ 偶尔弹奏琵琶 5 啃 kěn; 撕着吃 sīzhe chī ¶소 떼가 목장에서 풀을 ~ 牛群在牧场啃草 6 采 cǎi; 采摘 cǎizhāi ¶동산에 가서 산나물을 ~ 去小山采野菜 7 抢夺 qiǎngduó; 勒索 lèsuǒ ¶고의로 교통사고를 내서 재물을 ~ 故意制造交通事故勒索财物 8 叮咬 dīngyǎo ¶모기가 뜯어 가렵다 被蚊子叮咬很瘙痒
뜯어-고치다 타 革新 géxīn; 改革 gǎigé ¶생각을 ~ 改革思想
뜯어-내다 타 1 摘下 zhāixià; 撕下 sīxià; 采下 cǎixià ¶벽의 사진을 ~ 撕下墙上的照片 2 拆开 chāikāi; 拆卸 chāixiè ¶창문을 ~ 把窗户拆卸 3 得到 dédào; 要到 yàodào ¶손을 내밀어 돈을 ~ 伸手要到钱
뜯어-말리다 자 拉架 lājià ¶싸움을 ~ 拉架
뜯어-먹다 타 索要 suǒyào ¶소상인들의 돈을 ~ 索要小商人的钱
뜯어-보다 타 1 拆开看 chāikāi kàn ¶자동차를 ~ 拆开看汽车 2 仔细打量 zǐxì dǎliang; 端详 duānxiang ¶그의 얼굴을 자세히 ~ 仔细端详他的脸 3 勉强读懂 miǎnqiǎng dúdǒng ¶한자를 간신히 ~ 勉强读懂汉字
뜰 명 庭院 tíngyuàn; 院子 yuànzi
뜸[1] 명 草席子 cǎoxízi; 草帘子 cǎoliánzi
뜸[2] 명 焖 mèn
뜸(을) 들이다 구 1 焖熟; 焖透 2 暂缓
뜸[3] 명 『韓醫』 灸 jiǔ ¶~을 뜨다 灸穴位
뜸부기 명 『鳥』 董鸡 dǒngjī
뜻 명 1 志向 zhìxiàng ¶원대한 ~ 远大的志向 2 意思 yìsi ¶이건 무슨 ~입니까? 这是什么意思? 3 意义 yìyì ¶오늘은 아주 ~깊은 날이다 今天是很有意义的日子
뜻-밖 명 意外 yìwài = 의외 ¶~의 말을 하다 说意外的话

뜻밖-에 부 意外地 yìwàide = 의외로 ¶문제가 ~ 복잡하다 问题意外地复杂

뜻-하다 一자 **1** 打算 dǎsuan; 企图 qǐtú; 意欲 yìyù ¶뜻하는 바가 있다 有打算 **2** 豫想 yùxiǎng; 料到 liàodào ¶길을 가다가 뜻하지 않게 선생님을 만나다 豫想不到街上遇见老师 二타 意味 yìwèi; 象征 xiàngzhēng ¶다이아몬드는 영원한 사랑을 뜻한다 钻石象征着永远的爱情

띄:다 자 '뜨이다'的略词

띄어-쓰기 명하타 〖語〗分写 fēnxiě; 分写法 fēnxiěfǎ

띄엄-띄엄 부하형 **1** 零散 língsǎn; 稀稀落落 xīxiluòluò ¶관람석에 몇 사람이 ~ 앉아 있다 看台上稀稀落落坐了几个人 **2** 慢慢腾腾 mànmantēngtēng; 断断续续 duànduànxùxù ¶~ 편지를 낭독하다 断断续续地朗读信

띄우다 타 传 chuán; 寄 jì ¶부모님께 편지를 ~ 寄信给父母

띠[1] 명 **1** 腰带 yāodài ¶~를 매다 系腰带 **2** 带子 dàizi ¶머리에 단단히 ~를 두르다 把带子紧紧地缠在头上 **3** 布带 bùdài **4** 〖體〗(纸牌中的) 条牌 tiáopái

띠[2] 명 〖民〗属相 shǔxiang; 生肖 shēngxiào; 属 shǔ ¶너는 무슨 ~니? 你属什么?/그는 닭~이다 他属鸡

띠[3] 명 〖植〗茅草 máocǎo; 白草 báicǎo

띠:다 타 **1** 系 jì; 扎 zā ¶가죽 허리띠를 ~ 系皮革腰带 **2** 带有 dàiyǒu; 带 dài; 具有 jùyǒu ¶사회주의적인 색채를 ~ 带有社会主义的色彩 **3** 担负 dānfù; 负有 fùyǒu ¶역사적인 사명을 ~ 担负历史使命 **4** 带 dài; 泛 fàn ¶그녀는 얼굴에 홍조를 띠었다 她脸上泛了红 **5** 挂 guà ¶얼굴에 미소를 ~ 脸上挂着微笑

띵 부하형 (头痛得) 发晕 fāyūn ¶머리가 ~하다 头很痛得发晕

띵띵 부하형 **1** 鼓鼓 gǔgǔ; 胀胀 zhàngzhàng ¶얼굴이 ~ 붓다 脸肿得胀鼓鼓 **2** 结实 jiēshi; 硬实 yìngshi ¶귤이 작고 ~하다 橘子小而结实 **3** 紧绷绷 jǐnbēngbēng ¶줄을 ~하게 당기다 紧绷绷地拉绳子

ㄹ

라 조 '라고¹' 的略词
라(이la) 명 【音】拉 lā; 啦 lā
라고¹ 조 用于表示直接引用的助词 ¶ 그녀가 "너 어디 가니?" ~ 물었다 她问, "你去哪儿?"
라고² 조 特别指出此事物的辅助词 ¶ 어린 아이~ 다 모르나요? 小孩子都不知道吗?
라니냐(에la Niña) 명 【地理】拉尼娜 lānínà
라도 조 **1** 表示强调的辅助词 ¶ 할머니~ 거기에 갔을 것이다 奶奶也会去那儿 **2** 表示用不着区别 ¶ 그~ 할 수 없다 就是他也不能做
-라도 어미 即使 jíshǐ; 再 zài ¶ 비가 오더~ 우리는 가야 한다 即使下雨我们也要去
라듐(radium) 명 【化】镭 léi
라드(lard) 명 拉德 lādé; 猪油 zhūyóu
라든지 조 表示罗列的辅助词 ¶ 바나나~ 사과~ 없는 것이 없다 香蕉啦, 苹果啦, 应有尽有
라디에이터(radiator) 명 【機】= 방열기
라디오(radio) 명 **1** 无线电广播 wúxiàndiàn guǎngbō; 无线电 wúxiàndiàn ¶ ~ 방송 无线电广播 / ~ 프로그램 无线电节目 / ~ 청취자 无线电广播的听众 / ~를 듣다 收听无线电 **2** 【機】收音机 shōuyīnjī; 无线电收音机 wúxiàndiàn shōuyīnjī ¶ 휴대용 ~ 袖珍收音机 / ~를 켜다 开收音机 / ~를 끄다 关收音机
라마¹(lama) 명 【動】美洲驼 měizhōutuó
라마²(lama) 명 【佛】喇嘛 lǎma ¶ ~교 喇嘛教 / ~승 喇嘛僧
라마단(아Ramaḍān) 명 【宗】(回教的) 斋月 zhāiyuè
라마즈-법(Lamaze法) 명 【醫】拉玛泽呼吸法 Lāmǎzé hūxīfǎ; 拉玛泽无痛分娩法 Lāmǎzé wútòng fēnmiǎnfǎ
라면(←일râmen) 명 方便面 fāngbiànmiàn; 方便面条 fāngbiàn miàntiáo; 快速面 kuàisùmiàn; 泡面 pàomiàn; 即食面 jíshímiàn; 快熟面 kuàishúmiàn ¶ ~을 끓이다 煮方便面
라벤더(lavender) 명 【植】薰衣草 xūnyīcǎo; 拉文达 lāwéndá; 欧薄荷 ōubóhé ¶ ~유 薰衣草油 =[拉文达油]
라벨(label) 명 【經】商标纸标签 shāngbiāozhǐ biāoqiān; 系挂标牌 xìguà biāopái; 签条 qiāntiáo; 商标 shāngbiāo
라스트 스퍼트(last spurt) 【體】最后冲刺 zuìhòu chōngcì
라스트 신(last scene) 【演】最后情节 zuìhòu qíngjié ¶ ~을 찍다 拍最后情节
라식(LASIK)[Laser Associated Stromal Insitu Keratomileusis] 명 【醫】准分子激光手术 zhǔnfēnzǐ jīguāng shǒushù
라야 조 只 zhǐ; 只有 zhǐyǒu ¶ 변호사~ 들어갈 수 있다 只有律师才能进去
라야-만 조 '라야' 的强调语 ¶ 너~ 이 문제들을 해결할 수 있다 只有你才能解决这些问题
라운드(round) 명 【體】**1** (拳击的) 轮 lún; 场 chǎng; 回合 huíhé; 巡 xún; 局 jú **2** (高尔夫球的) 轮 lún
라운지(lounge) 명 休息室 xiūxishì; 候机室 hòujīshì
라이벌(rival) 명 对手 duìshǒu; 敌手 díshǒu; 情敌 qíngdí
라이브(live) 명 实况 shíkuàng; 现场 xiànchǎng ¶ ~ 음악 实况音乐 / ~ 방송 实况广播 / ~ 콘서트 现场演唱会
라이선스(license) 명 许可 xǔkě; 许可证 xǔkězhèng
라이터(lighter) 명 打火机 dǎhuǒjī; 自来火 zìláihuǒ; 点烟机 diǎnyānjī ¶ ~를 켜다 开打火机
라이트(light) 명 【演】灯 dēng; 头灯 tóudēng; 大灯 dàdēng; 前照灯 qiánzhàodēng; 照明灯 zhàomíngdēng
라이트-급(light級) 명 【體】轻量级 qīngliàngjí
라이플(rifle) 명 【軍】= 라이플총
라이플-총(rifle銃) 명 【軍】来复枪 láifùqiāng; 步枪 bùqiāng = 라이플
라인(line) 명 **1** = 선(線)1 **2** 【體】线 xiàn ¶ 파울 ~ 边线 **3** 【經】线 xiàn ¶ 생산 ~ 生产线
라인-업(line-up) 명 【體】**1** 阵容 zhènróng; 阵形 zhènxíng; 布阵 bùzhèn **2** 整队 zhěngduì; 排好队 páihǎo duì
라일락(lilac) 명 【植】紫丁香 zǐdīngxiāng; 白丁香 báidīngxiāng; 丁香花 dīngxiānghuā; 丁香 dīngxiāng
라임(lime) 명 【植】酸橙 suānchéng
라조기(←중lajiji[辣椒鷄]) 명 辣椒鸡 làjiāojī

라즈베리(raspberry) 명 【植】 悬钩子 xuángōuzi
라켓(racket) 명 【體】 球拍 qiúpāi ¶ 테니스 ~ 网球球拍
라켓-볼(racket ball) 명 【體】 壁球 bìqiú
라텍스(latex) 명 **1** 【化】 乳胶 rǔjiāo; 胶乳 jiāorǔ; 橡浆 xiàngjiāng **2** 【工】 弹性橡胶 tánxìng xiàngjiāo
라틴(Latin) 명 **1** 【語】 = 라틴 어 **2** 拉丁 Lādīng ¶ ~ 민족 拉丁民族 / ~ 음악 拉丁音乐 / ~ 리듬 拉丁节奏
라틴 문자(Latin文字) 【語】 = 로마자
라틴 아메리카(Latin America) 【地】 拉丁美洲 Lādīng Měizhōu = 중남미
라틴 어(Latin語) 【語】 拉丁语 Lādīngyǔ = 라틴1
락타아제(lactase) 명 【化】 乳糖酶 rǔtángméi = 유당 분해 효소
락토오스(lactose) 명 【化】 = 젖당
란(欄) 명 栏 lán; 栏目 lánmù
란제리(←프lingerie) 명 女内衣 nǚnèiyī
람바다(lambada) 명 【藝】 朗巴得 lǎngbādé; 朗巴得舞 lǎngbādéwǔ; 兰巴达 lánbādá ¶ ~를 추다 跳朗巴得舞
람부탄(rambutan) 명 【植】 **1** 红毛丹树 hóngmáodānshù **2** 红毛丹 hóngmáodān; 红毛丹果 hóngmáodānguǒ
랑 조 和 hé; 跟 gēn 《表示列举的辅助词》 ¶ 엄마~ 함께 가다 和妈妈一起走
랑데부(프rendez-vous) 명 **1** 幽会 yōuhuì; 密会 mìhuì **2** 会合 huìhé; 对接 duìjiē ¶ ~ 비행 对接飞行
래글런(raglan) 명 插肩袖 chājiānxiù; 连肩袖 liánjiānxiù ¶ ~ 티셔츠 插肩袖T恤
랜(LAN)[local area network] 명 【信】 局域网 júyùwǎng
랜턴(lantern) 명 灯笼 dēnglóng; 提灯 tídēng
랠리(rally) 명 【體】 **1** (网球、乓乓球等的) 对击 duìjī; 连续对打 liánxù duìdǎ **2** (汽车的) 拉力赛 lālìsài
램(RAM) 명 【컴】 随机存取内存 suíjī cúnqǔ nèicún; 随机存取存储器 suíjī cúnqǔ cúnchǔqì
램프(lamp) 명 **1** 指示灯 zhǐshìdēng **2** = 남포등 **3** 油灯 yóudēng
램프(ramp) 명 【交】 = 램프웨이
램프웨이(rampway) 명 【交】 斜路 xiélù; 坡道 pōdào = 램프(ramp)
랩(rap) 명 【音】 = 랩뮤직
랩(wrap) 명 保鲜膜 bǎoxiānmó; 塑料泡膜 sùliào pàomó
랩-뮤직(rap music) 명 【音】 饶舌音乐 ráoshé yīnyuè; 说唱音乐 shuōchàng yīnyuè; 说唱 shuōchàng; 说唱乐 shuōchàngyuè = 랩(rap)
랩-스커트(wrap skirt) 명 围裹裙 wéiguǒqún; 卷腰裙 juǎnyāoqún
랭크-되다(rank—) 자 排 pái; 排列 páiliè; 列 liè; 排列顺序 páiliè shùnxù ¶ 한국이 제1위에 ~ 韩国排第一名
랭킹(ranking) 명 排列次序 páiliè cìxù; 名次 míngcì; 等级 děngjí; 顺序 shùnxù; 序列 xùliè; 级别 jíbié
량(輛) 의명 辆 liàng ¶ 객차 세 ~ 车厢三辆
러닝(running) 명 **1** 【體】 赛跑 sàipáo; 竞走 jìngzǒu **2** 【體】 (滑雪的) 滑降 huájiàng **3** = 러닝셔츠

러닝머신(running machine) 명 跑步机 pǎobùjī; 跑步练习器 pǎobù liànxíqì
러닝메이트(running mate) 명 **1** 【體】 伴跑的马 bànpǎode mǎ **2** 【政】 竞选伙伴 jìngxuǎn huǒbàn
러닝-셔츠(running shirt) 명 背心 bèixīn; 运动背心 yùndòng bèixīn = 러닝3
러닝-슈즈(running shoes) 명 跑鞋 pǎoxié
러닝 슛(running shot) 【體】 跑动射门 pǎodòng shèmén
러브 신(love scene) 【演】 爱情情景 àiqíng qíngjǐng; 爱情镜头 àiqíng jìngtóu ¶ ~을 찍다 拍爱情镜头
러브-호텔(love+hotel) 명 恋爱饭店 liàn'ài fàndiàn
러시-아워(rush hour) 명 尖锋时间 jiānfēng shíjiān; 高峰时间 gāofēng shíjiān; 上下班时间 shàngxiàbān shíjiān
러일 전:쟁(←Russia日戰爭) 【史】 俄日战争 É Rì Zhànzhēng = 노일 전쟁
러키-세븐(lucky seven) 명 幸运的七 xìngyùnde qī
럭비(Rugby) 명 【體】 = 럭비 풋볼 ¶ ~공 橄榄球
럭비 풋볼(Rugby football) 【體】 橄榄球 gǎnlǎnqiú = 럭비 · 풋볼2
럭스(lux) 의명 【物】 勒克司 lèkèsī; 米烛光 mǐzhúguāng; 勒 lè
런닝 명 '러닝' 的错误
런닝머신 명 '러닝머신' 的错误
럼(rum) 명 = 럼주
럼-주(rum酒) 명 朗姆酒 lǎngmǔjiǔ; 兰姆酒 lánmǔjiǔ; 糖蜜酒 tángmìjiǔ; 糖酒 tángjiǔ = 럼
레(이re) 명 【音】 来 lái
레게(reggae) 명 【音】 雷鬼 léiguǐ
레귤러-커피(regular coffee) 명 普通咖啡 pǔtōng kāfēi
레깅스(leggings) 명 护腿毛线裤 hùtuǐ máoxiànkù; 裤袜 kùwà

레드-카드(red card) 명 〖體〗 红牌 hóngpái
레디-고(ready go) 감 〖演〗 预备开始 yùbèi kāishǐ
레모네이드(lemonade) 명 柠檬汽水 níngméng qìshuǐ = 레몬수2
레몬(lemon) 명 〖植〗 柠檬 níngméng ¶~주스 柠檬汁 / ~차 柠檬茶
레몬-산(lemon酸) 명 〖化〗 = 시트르산
레몬그라스(lemongrass) 명 〖植〗 柠檬香茅 níngméng xiāngmáo
레몬-수(lemon水) 명 **1** 柠檬水 níngméngshuǐ **2** = 레모네이드
레 미제라블(프Les Misérables) 〖文〗 悲惨世界 Bēicǎn Shìjiè
레미콘(remicon) 명 〖建〗 **1** 混凝土搅拌车 hùnníngtǔ jiǎobànchē **2** 预拌混凝土 yùbàn hùnníngtǔ
레버(lever) 명 = 지렛대
레벨(level) 명 水平 shuǐpíng; 标准 biāozhǔn
레스토랑(프restaurant) 명 西餐馆 xīcānguǎn; 西餐厅 xīcāntīng
레슨(lesson) 명 辅导 fǔdǎo ¶피아노 ~을 받다 接受钢琴辅导
레슬링(wrestling) 명 〖體〗 摔跤 shuāijiāo; 国际摔跤 guójì shuāijiāo
레이더(radar) 명 〖物〗 雷达 léidá = 전파 탐지기 ¶~ 관제 雷达管制 / ~기지 雷达基地 / ~망 雷达网
레이서(racer) 명 车手 chēshǒu; 赛车手 sàichēshǒu; 比赛者 bǐsàizhě
레이스(lace) 명 花边 huābiān; 蕾丝 lěisī
레이스(race) 명 〖體〗 赛跑 sàipǎo; 竞赛 jìngsài
레이아웃(layout) 명 **1** 版面设计 bǎnmiàn shèjì; 版面编排 bǎnmiàn biānpái; 版面安配 bǎnmiàn ānpèi **2** 设计 shèjì; 布局 bùjú; 陈设 chénshè
레이어드 룩(layered look) 〖手工〗 混穿式 hùnchuānshì
레이업 슛(lay-up+shoot) 〖體〗 带球上篮 dàiqiú shànglán
레이온(rayon) 명 〖手工〗 人造丝 rénzàosī; 人造纤维 rénzào xiānwéi
레이저(laser)[light amplification by stimulated emission of radiation] 명 〖物〗 激光 jīguāng; 莱塞 láisè; 镭射 léishè; 激光器 jīguāngqì; 激光放大器 jīguāng fàngdàqì; 莱塞射线 láisèshèxiàn ¶~ 광선 激光 / ~ 무기 激光武器 / ~ 치료 激光治疗 / ~ 프린터 激光打印机
레이저 디스크(laser disk) 〖物〗 光碟片 guāndiépiàn; 光盘 guāngpán
레인(lane) 명 〖體〗 (田径、游泳等的) 跑道 pǎodào; 分道 fēndào; 泳道 yǒngdào ¶삼 ~의 선수 第三分道的选手
레인지(range) 명 煤气灶 méiqìzào; 电灶 diànzào
레인코트(raincoat) 명 = 비옷
레일(rail) 명 **1** 轨条 guǐtiáo; 轨道 guǐdào; 钢轨 gāngguǐ; 铁轨 tiěguǐ **2** = 철도
레저(leisure) 명 余暇 yúxiá; 闲暇 xiánxiá; 休闲 xiūxián; 业余 yèyú; 余暇娱乐 yúxiá yúlè ¶~ 활동 余暇娱乐活动 / ~ 용품 休闲用品 / ~ 스포츠 休闲运动 / ~ 산업 休闲产业
레즈비언(lesbian) 명 女性同性爱者 nǚxìng tóngxìng'àizhě; 女同性恋者 nǚtóngxìngliànzhě
레지던트(resident) 명 〖醫〗 住院医生 zhùyuàn yīshēng
레커-차(wrecker車) 명 救险车 jiùxiǎnchē
레코드(record) 명 **1** = 음반 **2** 〖컴〗 记录 jìlù
레코드-판(record板) 명 = 음반
레코딩 명 '리코딩' 的错误
레퀴엠(라requiem) 명 〖音〗 镇魂曲 zhènhúnqǔ; 安魂曲 ānhúnqǔ = 위령곡
레크리에이션(recreation) 명 娱乐活动 yúlè huódòng; 游戏 yóuxì; 消遣 xiāoqiǎn ¶단체 ~ 团体娱乐活动
레토르트(retort) 명 〖化〗 **1** 曲颈甑 qūjǐngzèng **2** = 레토르트로
레토르트-로(retort爐) 명 〖化〗 蒸馏器 zhēngliúqì = 레토르트2
레토르트 식품(retort食品) 〖工〗 软包装食品 ruǎnbāozhuāng shípǐn
레퍼토리(repertory) 명 保留剧目 bǎoliú jùmù; 保留节目 bǎoliú jiémù; 节目 jiémù
레포츠(←leisure sports) 명 余暇体育 yúxiá tǐyù; 闲休体育 xiánxiū tǐyù
레포트 명 '리포트' 的错误
렌즈(lens) 명 **1** 〖物〗 透镜 tòujìng; 镜头 jìngtóu; 透光镜 tòuguāngjìng **2** 〖醫〗 = 콘택트렌즈 ¶~를 끼다 戴上隐形眼镜
렌치(wrench) 명 〖工〗 = 스패너
렌터카(rent-a-car) 명 租赁车 zūlìnchē ¶~ 한 대를 빌리다 租一辆租赁车
렌트카 명 '렌터카' 的错误
-력(力) 접미 力 lì; 力量 lìliang ¶단결~ 团结力 / 구매~ 购买力 / 경제~ 经济力量
-력(曆) 접미 历 lì ¶태양~ 太阳历 / 로마~ 罗马历
-령(令) 접미 令 lìng ¶체포~ 逮捕令 / 금지~ 禁止令
-령(領) 접미 领土 lǐngtǔ ¶영국~ 英

国领土
-령(嶺) 접미 岭 lǐng ¶ 대관~ 大关岭
로 조 **1** 用 yòng; 拿 ná《表示手段、方法、工具等》¶ 코~ 숨을 쉬다 用鼻子呼吸 **2** 用 yòng; 拿 ná《表示材料》¶ 나무~ 집을 짓다 用木头盖房子 **3** 因 yīn; 因为 yīnwèi《表示理由、原因》¶ 시합이 사고~ 연기되다 比赛因故推迟 **4** 向 xiàng; 去 qù《表示方向、地方等》¶ 나는 서울~ 가서 일하려고 한다 我想去首尔工作 **5** 为 wéi《表示资格、对象等》¶ 친구의 딸을 며느리~ 삼다 把朋友的女儿娶为儿媳妇 **6** 于 yú《表示时间》¶ 회의는 6월 20일~ 결정되었다 会议决定于6月20日 **7** 表示结果 ¶ 여기는 이미 도시~ 변했다 这里已变成一座城市了 **8** 由 yóu《表示比率、结构等》¶ 물은 어떤 원소~ 이루어졌는가? 水是由什么元素组成的?
-로(路) 접미 路 lù; 道 dào ¶ 활주~ 飞机路 / 대학~ 大学路
로고(logo) 명 标志 biāozhì; 标识 biāozhì; 徽标 huībiāo ¶ ~ 송 标志歌
로그(log) 명 〖數〗对数 duìshù ¶ ~ 방정식 对数方程式 / ~ 함수 对数函数
로그아웃(log-out) 명 〖컴〗退出 tuìchū; 注销 zhùxiāo
로그인(log-in) 명 〖컴〗登录 dēnglù; 进入 jìnrù; 注册 zhùcè
로데오(rodeo) 명 牛仔竞技比赛 niúzǎi jìngjì bǐsài
로딩(loading) 명 〖컴〗输入 shūrù
로또(Lotto) 명 '로토' 的错误
로마(Roma) 명 〖地〗罗马 Luómǎ ¶ ~ 가톨릭교 罗马天主教 / ~교 罗马教 / ~ 숫자 罗马数字 / ~ 신화 罗马神话 / ~ 인 罗马人 / ~ 제국 罗马帝国
로마-자(Roma字) 명 〖語〗罗马字母 Luómǎ zìmǔ; 拉丁字母 Lādīng zìmǔ = 라틴 문자 ¶ ~ 표기법 罗马字母标记法
로망(≡roman) 명 〖文〗韵文小说 yùnwén xiǎoshuō; 传奇小说 chuánqí xiǎoshuō = 로맨스2
로맨스(romance) 명 **1** 爱情故事 àiqíng gùshi; 罗曼司 luómànsī; 浪漫史 làngmànshǐ **2** 〖文〗 = 로망 **3** 〖音〗 = 연가2
로맨티시스트(romanticist) 명 浪漫主义者 làngmàn zhǔyìzhě ¶ 이 시대의 마지막 ~ 在这个年代最后一个浪漫主义者
로맨티시즘(romanticism) 명 〖藝〗 = 낭만주의
로맨틱-하다(romantic—) 형 浪漫 làngmàn; 罗曼蒂克 luómàndìkè ¶ 로맨틱한 이야기 浪漫故事
로미오와 줄리엣(Romeo—Juliet) 〖文〗罗密欧与茱丽叶 Luómì'ōu yǔ Zhūlìyè
로바다야키(일robadayaki) 명 炉边烤 lúbiānkǎo
로보트(robot) 명 〖機〗'로봇' 的错误
로봇(robot) 명 **1** 〖機〗机器人 jīqìrén = 인조인간 ¶ ~ 공학 机器人工学 **2** 〖機〗自动机 zìdòngjī
-로부터 조 从 cóng ¶ 친구~ 책 한 권을 빌렸다 从朋友那儿借了一本书
로비(lobby) 명하자 **1** 门廊 ménláng; 门厅 méntīng; 大厅 dàtīng; 前厅 qiántīng **2** 会客室 huìkèshì; 休息室 xiūxishì **3** 幕后活动 mùhòu huódòng; 院外活动 yuànwài huódòng ¶ ~를 벌이다 进行幕后活动
로비스트(lobbyist) 명 〖政〗院外活动家 yuànwài huódòngjiā; 说客 shuōkè
로빈슨 크루소(Robinson Crusoe) 〖文〗鲁宾逊漂流记 Lǔbīnxùn Piāoliújì = 로빈슨 표류기
로빈슨 표류기(Robinson漂流記) 〖文〗 = 로빈슨 크루소
로빈 후드(Robin Hood) 〖文〗罗宾汉 Luóbīnhàn
로서 조 以 yǐ; 为 wéi; 作为 zuòwéi《表示资格、地位等》¶ 보호자~ 참가하다 以保护人的身份参加
로션(lotion) 명 护肤液 hùfūyè; 化妆水 huàzhuāngshuǐ ¶ ~을 바르다 涂护肤液
로스(←roast) 명 = 로스트1
로스-구이(←roast—) 명 烤肉 kǎoròu
로스쿨(low school) 명 〖教〗法学院 fǎxuéyuàn
로스 타임(loss time) 〖體〗损耗时间 sǔnhào shíjiān; 空载时间 kōngzài shíjiān
로스트(roast) 명 **1** 烤 kǎo; 烤肉 kǎoròu = 로스 **2** = 로스트비프
로스트-비프(roast beef) 명 烤牛肉 kǎoniúròu = 로스트2
로얄 젤리 〖農〗'로열 젤리' 的错误
로열 젤리(royal jelly) 〖農〗王浆 wángjiāng; 蜂王浆 fēngwángjiāng
로열-층(Royal層) 명 (公寓中) 最佳楼层 zuìjiā lóucéng
로열티(royalty) 명 特许使用费 tèxǔ shǐyòngfèi; 专利使用费 zhuānlì shǐyòngfèi; 版权使用费 bǎnquán shǐyòngfèi; 版税 bǎnshuì
로열-패밀리(royal family) 명 **1** 贵族 guìzú; 皇族 huángzú; 贵族阶层 guìzú jiēcéng **2** 贵族集团 guìzú jítuán
로즈마리 명 '로즈메리' 的错误
로즈메리(rosemary) 명 〖植〗迷迭香

ㄹ

mídiéxiāng
로커(locker) 명 衣物柜 yīwùguì; 更衣柜 gēngyīguì; 衣帽柜 yīmàoguì
로케(←location) 명 〖演〗 = 현지 촬영
로케이션(location) 명 〖演〗 = 현지 촬영
로케트(rocket) 명 '로켓' 的错误
로켓(rocket) 명 火箭 huǒjiàn ¶~ 발사대 火箭发射台 / ~ 엔진 火箭发动机 / ~ 연료 火箭燃料 / ~ 추진제 火箭推进剂 / ~탄 火箭弹 / ~포 火箭炮 / ~을 발사하다 发射火箭
로코코(프rococo) 명 〖藝〗 洛可可 luòkěkě ¶~ 건축 洛可可建筑 / ~ 미술 洛可可美术 / ~ 음악 洛可可音乐
로큰롤(rock'n'roll) 명 〖音〗 摇滚 yáogǔn; 摇滚乐 yáogǔnyuè; 摇摆 yáobǎi; 摇摆乐 yáobǎiyuè = 록·록 앤드 롤 ¶~ 가수 摇滚歌手
로터리(rotary) 명 〖交〗 环行岛 huánxíngdǎo; 环行交叉 huánxíng jiāochā; 环行交叉口 huánxíng jiāochākǒu
로터리 클럽(Rotary Club) 〖社〗 扶轮社 Fúlúnshè
로테이션(rotation) 명 **1** 循环 xúnhuán; 轮换 lúnhuàn; 轮作 lúnzuò **2** 〖體〗 (棒球中的) 投手轮换 tóushǒu lúnhuàn **3** 〖體〗 (排球中的) 移立 yílì
로토(Lotto) 명 乐透 lètòu; 乐透彩票 lètòu cǎipiào
로프(rope) 명 绳 shéng; 索子 suǒzi; 绞索 jiǎosuǒ
록(rock) 명 〖音〗 = 로큰롤 ¶~ 그룹 摇滚乐团 / ~ 비트 摇滚拍子
-록 접미 录 lù ¶방명~ 芳名录 / 회고~ 回顾录
록 앤드 롤(rock and roll) 〖音〗 = 로큰롤
-론(論) 접미 论 lùn ¶작가~ 作家论 / 유물~ 唯物论
롤(roll) 명 **1** 卷筒 juǎntǒng **2** 〖印〗 滚筒 gǔntǒng
롤러(roller) 명 〖工〗 滚柱 gǔnzhù; 滚筒 gǔntǒng
롤러-스케이트(roller skate) 명 〖體〗 旱冰 hànbīng; 旱冰鞋 hànbīngxié; 轮滑 lúnhuá; 轮滑鞋 lúnhuáxié; 四轮滑冰 sìlún huábīng ¶~를 타다 滑旱冰
롤러-코스터(roller coaster) 명 过山车 guòshānchē
롤-빵(roll—) 명 卷面包 juǎnmiànbāo; 面包卷 miànbāojuǎn
롤-필름(roll film) 명 胶卷 jiāojuǎn
롬(ROM)[read only memory] 명 〖컴〗 只读存储器 zhǐdú cúnchǔqì
롱런(long-run) 명하자 〖演〗 长期上演 chángqī shàngyǎn; 长期放映 chángqī fàngyìng
롱-부츠(long boots) 명 长筒靴 chángtǒngxuē
롱 슛(long shoot) 〖體〗 远射门 yuǎnshèmén; 远距离投篮 yuǎnjùlí tóulán
롱-스커트(long skirt) 명 = 긴치마
롱 패스(long pass) 〖體〗 长传 chángchuán
뢴트겐(독Röntgen) 명 〖物〗 = 엑스선
뢴트겐 사진(독Röntgen寫眞) 〖物〗 = 엑스선 사진
뢴트겐-선(독Röntgen線) 명 〖物〗 = 엑스선
뢴트겐 촬영(독Röntgen撮影) 〖醫〗 = 엑스선 촬영
-료(料) 접미 **1** 费 fèi ¶보험~ 保险费 / 원고~ 稿费 **2** 料 liào ¶조미~ 调味料
루돌프(Rudolf) 명 鲁道夫 Lǔdàofū
루머(rumor) 명 谣言 yáoyán; 谣传 yáochuán
루블(러rubl') 의명 卢布 lúbù
루비(ruby) 명 〖鑛〗 红宝石 hóngbǎoshí = 홍옥[2](紅玉)
루시퍼(Lucifer) 명 **1** 〖宗〗 路西法 Lùxīfǎ; 撒旦 sādàn **2** 〖天〗 = 금성(金星)
루주(프rouge) 명 = 립스틱
루트(root) 명 〖數〗 根 gēn
루트(route) 명 途径 tújìng; 渠道 qúdào ¶판매 ~ 销售途径 / ~를 만들다 建立渠道
룰(rule) 명 规则 guīzé; 规定 guīdìng ¶게임의 ~을 정하다 定下游戏的规则
룰렛(roulette) 명 **1** 轮盘赌 lúnpándǔ **2** 〖手工〗 点线机 diǎnxiànjī
룸메이트(roommate) 명 同屋 tóngwū; 室友 shìyǒu
룸바(에rumba) 명 〖音〗 伦巴 lúnbā
룸-살롱(room+프salon) 명 房间酒巴 fángjiān jiǔbā
룸-서비스(room service) 명 送餐服务 sòngcān fúwù; 房间服务 fángjiān fúwù
룸펜(독Lumpen) 명 流氓 liúmáng; 流浪者 liúlàngzhě; 失业者 shīyèzhě
-류(類) 접미 类 lèi; 之类 zhīlèi ¶금속~ 金属类 / 곤충~ 虫类
류머티스 명 〖醫〗 '류머티즘' 的错误
류머티즘(rheumatism) 명 〖醫〗 风湿症 fēngshīzhèng; 风湿病 fēngshībìng
류머티즘성 관절염(rheumatism性關節炎) 〖醫〗 风湿性关节炎 fēngshīxìng guānjiéyán
-률(率) 접미 率 lǜ; 比例 bǐlì ¶실업~ 失业率 / 경쟁~ 竞争比例 / 출생~ 出生率 / 사고 발생~ 事故发生率 / 합격

～ 及格率
르네상스(프Renaissance) 명 〖史〗 文艺复兴 Wényì fùxīng; 李奈桑斯 Lǐnàisāngsī = 문예 부흥
르포(←프reportage) 명 〖言〗 实地报道 shídì bàodào; 报道 bàodào; 报导 bàodǎo = 르포르타주1
르포르타주(프reportage) 명 1 〖言〗 = 르포 2 〖文〗 报告文学 bàogào wénxué
를 조 宾格助词 ¶바지～ 사다 买裤子 / 이 책은 너～ 주마 这本书给你
리(里) 의명 里 lǐ ¶10～ 길 十里路
리(理) 의명 会 huì; 可能 kěnéng《表示原因、理由等》¶그가 그런 말을 할 ～가 없다 他不可能说这样的话
리(釐·厘) 의명 厘 lí ¶2할 5푼 3～ 二成五分三厘
-리(裏) 접미 中 zhōng ¶암암～ 暗中 / 성황～에 끝나다 在盛况中结束
리그(league) 명 〖體〗 1 联盟 liánméng; 竞赛联合会 jìngsài liánhéhuì 2 = 리그전
리그-전(league戰) 명 〖體〗 联赛 liánsài; 循环赛 xúnhuánsài = 리그2·연맹전
리넨(linen) 명 〖手工〗 亚麻布 yàmábù; 亚麻纱 yàmáshā; 亚麻织物 yàmá zhīwù
리더(leader) 명 领导 lǐngdǎo; 长 zhǎng; 队长 duìzhǎng; 领导者 lǐngdǎozhě; 指挥者 zhǐhuīzhě; 领袖 lǐngxiù ¶밴드의 ～ 乐队的队长 / 기업의 ～ 企业的领导者
리더-십(leadership) 명 领导力 lǐngdǎolì; 指挥力 zhǐhuīlì; 统率力 tǒngshuàilì ¶～이 뛰어난 지도자 领导力卓越的领导
리드(lead) 명하자타 1 领导 lǐngdǎo; 率领 shuàilǐng; 领先 lǐngxiān; 带领 dàilǐng; 指挥 zhǐhuī 2 领先 lǐngxiān ¶우리 팀이 상대 팀을 3 대 1로 ～하고 있다 我队以3比1领先对手 3 〖體〗(棒球中) 离垒 lílěi
리드(reed) 명 〖音〗 簧 huáng; 簧片 huángpiàn ¶～ 악기 簧乐器
리드 기타(reed guitar) 〖音〗 主吉他 zhǔjítā; 主奏吉他 zhǔzòu jítā ¶～리스트 主吉他手
리드미컬-하다(rythmical—) 형 有韵律的 yǒu yùnlǜde; 有节奏的 yǒu jiézòude ¶리드미컬한 음악 有节奏的音乐
리듬(rhythm) 명 1 〖音〗 节奏 jiézòu; 韵律 yùnlǜ ¶～ 댄스 节奏舞 / ～ 악기 节奏乐器 2 节律 jiélǜ; 节奏 jiézòu; 律动 lǜdòng ¶생활의 ～ 生活的节奏
리듬-감(rhythm感) 명 节奏感 jiézòugǎn; 律动感 lǜdònggǎn ¶～이 떨어지다 缺乏节奏感
리듬 앤드 블루스(rhythm and blues) 〖音〗 节奏布鲁斯 jiézòu bùlǔsī; 节奏怨曲 jiézòu yuànqǔ = 아르 앤드 비
리듬 체조(rhythm體操) 〖體〗 艺术体操 yìshù tǐcāo; 韵律体操 yùnlǜ tǐcāo; 韵体操 yùntǐcāo
리메이크(remake) 명하타 重拍 chóngpāi; 翻唱 fānchàng ¶～ 영화 重拍电影 / ～곡 翻唱歌曲
리모컨(←remote control) 명 遥控器 yáokòngqì; 摇控开关 yáokòng kāiguān
리모트 컨트롤(remote control) 〖物〗 遥控 yáokòng; 远距离操纵 yuǎnjùlí cāozòng = 원격 제어

리무진(프limousine) 명 1 大轿车 dàjiàochē; 豪华轿车 háohuá jiàochē 2 机场巴士 jīchǎng bāshì
리바운드(rebound) 명 〖體〗 1 (篮球的) 篮板球 lánbǎnqiú 2 (排球的) 反弹 fǎntán; 弹回 tánhuí 3 (橄榄球的) 反弹 fǎntán
리바운드 슛(rebound+shot) 〖體〗 补篮 bǔlán
리바이벌(revival) 명하자타 重新上演 chóngxīn shàngyǎn
리베이트(rebate) 명 〖經〗 售货回扣 shòuhuò huíkòu; 回扣 huíkòu
리벳(rivet) 명 〖工〗 铆钉 mǎodīng
리보 핵산(←ribose核酸) 〖生〗 核糖核酸 hétáng hésuān
리본(ribbon) 명 1 带 dài; 丝带 sīdài; 缎带 duàndài; 发结 fàjié 2 (打字机的) 色带 sèdài 3 〖體〗 丝带 sīdài ¶～ 체조 丝带操 =[带操]
리볼버(revolver) 명 1 左轮手枪 zuǒlún shǒuqiāng 2 旋转体 xuánzhuǎntǐ
리사이틀(recital) 명 〖音〗 独唱会 dúchànghuì; 独奏会 dúzòuhuì
리셉션(reception) 명 招待会 zhāodàihuì; 欢迎会 huānyínghuì; 宴会 yànhuì
리셋(reset) 명 〖컴〗 1 重新设定 chóngxīn shèdìng; 重启 chóngqǐ 2 重调 chóngtiáo; 复原 fùyuán
리소토(risotto) 명 意大利烩饭 Yìdàlì huìfàn; 意大利调味饭 Yìdàlì tiáowèifàn; 意大利炖饭 Yìdàlì dùnfàn
리스(lease) 명 〖經〗 租赁 zūlìn; 租约 zūyuē; 租借 zūjiè ¶～ 산업 租赁产业
리스트(list) 명 名单 míngdān; 名簿 míngbù; 名册 míngcè; 目录 mùlù; 一览表 yīlǎnbiǎo; 表 biǎo ¶입후보자 ～ 候选人名簿 / ～를 공포하다 公布名单
리시버(receiver) 명 1 接收机 jiēshōujī; 收报机 shōubàojī; 耳机 ěrjī; 听筒

tīngtǒng 2 〖體〗 接球员 jiēqiúyuán; 接手 jiēshǒu

리시브(receive) 명하타 〖體〗 接发球 jiēfāqiú; 接球 jiēqiú

리어-카(rear+car) 명 两轮拖车 liǎnglún tuōchē ¶ ~를 끌다 拉两轮拖车

리얼리즘(realism) 명 1 〖藝〗 = 사실주의 2 〖哲〗 实在论 shízàilùn

리얼리티(reality) 명 现实性 xiànshíxìng

리얼-하다(real—) 형 逼真 bīzhēn; 写实 xiěshí; 现实的 xiànshíde; 实际的 shíjìde ¶ 리얼한 장면 写实的场面 / 묘사가 ~ 描写逼真 / 아주 리얼하게 연기하다 演得十分逼真

ㄹ

리조트(resort) 명 度假村 dùjiàcūn; 度假区 dùjiàqū

리코더(recorder) 명 〖音〗 八孔竖笛 bākǒngshùdí; 直笛 zhídí

리코딩(recording) 명 录音 lùyīn

리콜(recall) 명 〖經〗 = 리콜제1

리콜-제(recall製) 명 1 〖經〗 召回 zhāohuí = 리콜 2 〖政〗 罢免制 bàmiǎnzhì

리터(liter) 의명 升 shēng; 公升 gōngshēng ¶ 20~의 석유 二十公升的石油 / 매일 1~의 물을 마시다 每天喝一升水

리튬(lithium) 명 〖化〗 锂 lǐ ¶ ~ 전지 锂电池

리트머스(litmus) 명 〖化〗 石蕊 shíruǐ

리트머스 시험지(litmus試驗紙) 〖化〗 石蕊试纸 shíruǐ shìzhǐ; 石蕊纸 shíruǐzhǐ = 리트머스 종이

리트머스 종이(litmus—) 〖化〗 = 리트머스 시험지

리파아제(독Lipase) 명 〖化〗 脂酶 zhīméi; 脂肪酶 zhīfángméi

리포터(reporter) 명 报道者 bàodàozhě; 通讯员 tōngxùnyuán; 采访记者 cǎifǎng jìzhě

리포트(report) 명 1 报道 bàodào; 通讯 tōngxùn 2 报告 bàogào ¶ ~를 작성하다 写报告

리프트(lift) 명 1 滑雪缆车 huáxuě lǎnchē; 缆索吊椅 lǎnsuǒ diàoyǐ; 上山吊椅 shàngshān diàoyǐ 2 = 승강기 3 〖鑛〗 矿井水泵 kuàngjǐng shuǐbèng

리플레(←reflation) 명 〖經〗 = 리플레이션

리플레이션(reflation) 관 〖經〗 通货再膨胀 tōnghuò zàipéngzhàng; 反通货膨胀 fǎntōnghuò péngzhàng; 再膨胀 zàipéngzhàng = 리플레

리필-제품(refill製品) 명 补充装 bǔchōngchóng; 补充包 bǔchōngbāo

리허설(rehearsal) 명 彩排 cǎipái; 排练 páiliàn; 排演 páiyǎn

린스(rinse) 명 润丝 rùnsī; 护发素 hùfàsù ¶ 샴푸로 머리를 감고 ~를 바르다 用洗发精洗了头发再抹润丝

린치(lynch) 명 私刑 sīxíng ¶ 라이벌에게 ~를 가하다 给对手私刑

릴(reel) 一명 1 卷轴 juànzhòu 2 绕线轮 ràoxiànlún; 钓丝螺旋轮 diàosī luóxuánlún ¶ ~을 달지 않은 낚싯대 不装绕线轮的钓竿 二의명 (电影胶片的) 卷 juàn

릴레이(relay) 명 〖體〗 = 릴레이 경기

릴레이 경:기(relay競技) 〖體〗 接力赛 jiēlìsài; 接力赛跑 jiēlì sàipǎo = 릴레이

-림(林) 접미 林 lín ¶ 국유~ 国有林 / 보호~ 保护林

림보(limbo) 명 凌波舞 língbōwǔ; 林波舞 línbōwǔ; 林勃舞 línbówǔ

림프(lymph) 명 〖醫〗 淋巴 línbā; 淋巴液 línbāyè = 림프액 ¶ ~관 淋巴管 / ~구 淋巴球

림프-샘(lymph—) 명 〖生〗 淋巴腺 línbāxiàn; 淋巴结 línbājié

림프-선(lymph腺) 명 〖生〗 '림프샘'的旧称

림프-액(lymph液) 명 〖生〗 = 림프

립글로스(lip-gloss) 명 唇彩 chúncǎi

립 라이너(lip liner) 唇线笔 chúnxiànbǐ; 口红笔 kǒuhóngbǐ; 唇笔 chúnbǐ

립스틱(lipstick) 명 口红 kǒuhóng; 唇膏 chúngāo = 루주 ¶ ~을 바르다 抹口红

립싱크(lip sync) 명 对口型 duì kǒuxíng

링(ring) 명 1 环 huán; 圈 quān; 环形 huánxíng ¶ ~ 귀고리 环形耳环 2 〖體〗 拳击台 quánjītái ¶ ~에 오르다 上拳击台 3 〖體〗 (体操的) 吊环 diàohuán

링거(Ringer) 명 〖醫〗 = 링거액

링거-액(Ringer液) 명 〖醫〗 林格式溶液 língéshì róngyè; 林格式液 língéshìyè; 生理盐水 shēnglǐ yánshuǐ = 링거

링거 주:사(Ringer註射) 〖醫〗 林格式注射 língéshì zhùshè; 生理盐水注射 shēnglǐyánshuǐ zhùshè ¶ ~를 맞다 打生理盐水注射

링 운:동(ring運動) 〖體〗 吊环运动 diàohuán yùndòng

링크(link) 명 〖컴〗 连接 liánjiē; 连线 liánxiàn; 键接 jiànjiē

ㅁ

마ː 명 〖植〗 山药 shānyao; 薯蓣 shǔyù

마(麻) 명 〖植〗 = 삼

마(魔) 명 **1** 邪 xié ¶~가 끼다 邪门儿 **2** 鬼地方 guǐdìfang; 魔地 módì **3** 大关 dàguān ¶~의 10초 벽을 깨다 突破十秒大关

마(碼) 의명 = 야드

-마 어미 用于动词词干之后, 表示约定 ¶지금 바로 가서 도와주~ 我马上就过去帮助你 / 오후에 전화하~ 下午给你打电话

마가린(margarine) 명 人造黄油 rénzào huángyóu; 人造奶油 rénzào nǎiyóu

마ː각(馬脚) 명 马脚 mǎjiǎo

마각을 드러내다 구 露出马脚 ¶마각을 드러낸 배신자 露出马脚的叛徒

마각이 드러나다 구 露出马脚

마감 명하타 终结 zhōngjié; 截止 jiézhǐ; 完结 wánjié; 收尾 shōuwěi; 结尾 jiéwěi; 最后 zuìhòu ¶~ 시간 终结时间 / 예약이 이미 ~되었다 预约已经截止 / 7월 말이 등록 ~이다 七月底截止报名

마개 명 塞子 sāizi; 栓 shuān; 盖儿 gàir ¶~를 따다 起塞子 / ~를 단단히 막다 使塞子盖得紧紧的

마고자 명 马褂(儿) mǎguà(r)

마구 부 **1** 大 dà; 厉害 lìhai ¶갓난아이가 ~ 울다 婴儿哭得很厉害 / 비가 ~ 퍼붓다 雨下得很大 **2** 乱 luàn; 胡 hú; 大肆 dàsì; 随便 suíbiàn ¶여기저기 ~ 뛰어다니다 到处乱跑 / 쓰레기를 ~ 버리다 把垃圾随便扔掉

마ː구(馬具) 명 马具 mǎjù

마ː구-간(馬廏間) 명 马厩 mǎjiù; 马棚 mǎpéng; 马圈 mǎjuàn

마구-잡이 명 盲干 mánggàn; 乱来 luàn lái; 胡搞 húgǎo; 随便 suíbiàn ¶법칙을 어기고 ~로 하다 违背法律去盲干

마ː권(馬券) 명 马票 mǎpiào; 赛马彩票 sàimǎ cǎipiào

마귀(魔鬼) 명 魔鬼 móguǐ; 魔 mó; 妖魔 yāomó; 恶魔 èmó; 鬼怪 guǐguài ¶~할멈 魔媪 / ~에 홀리다 着魔

마그네슘(magnesium) 명 〖化〗 镁 měi

마그마(magma) 명 〖地理〗 岩浆 yánjiāng = 암장 ¶화산이 ~를 분출하다 火山喷发岩浆

마ː나-님 명 太太 tàitai; 老妇人 lǎofùrén ¶부잣집 ~ 有钱家的太太

마냥 부 **1** 一直 yīzhí; 依然 yīrán ¶~ 그를 그리워하다 依然怀念他 / 그는 문 앞에서 ~ 기다렸다 他在门口一直等了 **2** 尽情地 jìnqíngde; 足足地 zúzúde ¶~ 울다 尽情地哭 / ~ 먹다 足足地吃 **3** 非常 fēicháng; 十分 shífēn; 很 hěn ¶~ 즐겁다 非常高兴 / 하늘이 ~ 파랗다 天空很蓝

마네킹(mannequin) 명 (商店里的) 人体模型 réntǐ móxíng; 时装模特儿 shízhuāng mótèr

마녀(魔女) 명 魔女 mónǚ

마ː누라 명 老婆 lǎopo; 妻子 qīzi ¶우리 ~는 초등학교 선생님이다 我老婆是小学老师

마는 조 虽然…但(是)… suīrán…dàn(shì)…; 也…但(是)… yě…dàn(shì)… ¶사고 싶지~ 돈이 없다 虽然很想买, 但是没有钱

마늘 명 〖植〗 蒜 suàn; 大蒜 dàsuàn ¶다진 ~ 蒜泥 / ~을 빻다 捣蒜 / ~을 까다 剥蒜 / ~을 좀 많이 넣어라 多放点儿大蒜

마늘-종 명 蒜薹 suàntái; 蒜毫(儿) suànháo(r)

마니아(mania) 명 狂热者 kuángrèzhě; 迷 mí; 癖好 pǐhào; 狂热 kuángrè ¶축구 ~ 足球狂热者 / 로큰롤 ~ 摇滚乐迷

마ː님 명 太太 tàitai; 夫人 fūrén

마다 조 都 dōu; 每 měi; 各 gè ¶나는 날~ 학교에 간다 我每天都去学校 / 사람~ 생각이 다르다 每人都想法不同 / 지방~ 특산품이 있다 每个地方都有其特产

마ː다-하다 타 拒绝 jùjué; 不愿意 bùyuànyì ¶본인이 마다하니 나도 방법이 없다 他本人不愿意, 我也没有办法 / 그녀가 너의 요구를 마다할 리 없다 她肯定不会拒绝你的要求

마담(프madame) 명 (酒家、茶馆等的) 老板娘 lǎobǎnniáng; 女老板 nǚlǎobǎn; 女主人 nǚzhǔrén

마담-뚜(프madame—) 명 媒婆 méipó

마당 一명 **1** 院子 yuànzi; 院 yuàn; 庭园 tíngyuán; 庭院 tíngyuàn ¶아이가 ~에서 놀다 孩子在院子里玩 **2** 场所 chǎngsuǒ ¶놀이 ~ 娱乐场所 二의명

局面 júmiàn; 时候 shíhou; 场合 chǎnghé ¶급한 ~에 누가 그런 작은 일을 신경 쓰겠니? 正在忙碌的时候, 谁管那种小事?

마당-놀이 명 〖民〗 露天娱乐 lùtiān yúlè

마당-발 명 **1** 扁平足 biǎnpíngzú; 大脚板 dàjiǎobǎn **2** 人际关系很广 rénjì guānxi hěn guǎng ¶그녀는 ~이라 그녀를 모르는 사람이 없다 她人际关系很广, 没有人不认识她

마대(麻袋) 명 麻袋 mádài; 麻包 mábāo ¶헌 옷을 ~에 담다 把旧衣服放在麻袋里

마도로스(←네matroos) 명 水手 shuǐshǒu; 船员 chuányuán; 海员 hǎiyuán

마-도요 명 〖鳥〗 白腰杓鹬 báiyāobiāoyù

ㅁ **마돈나**(이Madonna) 명 **1** 夫人 fūrén **2** 〖宗〗 '성모 마리아' 的别称

마디 명 **1** (植物的) 节 jié ¶~가 진 대나무 有节的竹子 **2** 关节 guānjié ¶손가락 ~가 아주 굵다 手指关节很粗 **3** (线等的) 疙瘩 gēda ¶마음이 급해서 ~가 더 잘 풀리지 않는다 心很急, 更不容易解疙瘩 **4** (话、歌等) 句 jù; 段 duàn = 소절3 ¶한 ~도 하지 않다 一句话都不说 **5** 〖動〗 体节 tǐjié **6** 〖音〗 (乐谱中的) 小节 xiǎojié

마디-마디 명 **1** 每节 měijié ¶~가 아프다 每节关节疼痛 **2** 每一句 měiyījù; 句句 jùjù; 每一段 měiyīduàn ¶그가 한 말은 ~ 다 맞다 他说的话句句都对

마디-지다 형 有节 yǒu jié ¶마디진 대나무 有节的竹子 / 손가락이 ~ 手指有节

마땅찮다 형 不恰当 bùqiàdàng; 不妥当 bùtuǒdang; 不满意 bùmǎnyì; 不顺眼 bùshùnyǎn; 不合意 bùhéyì ¶마땅찮은 결과 不满意的结果

마땅-하다 형 **1** 合适 héshì; 适合 shìhé; 恰当 qiàdàng; 妥当 tuǒdang ¶마땅한 상대가 있으면 바로 결혼할 것이다 如果有合适的对象的话就要结婚 / 나에게 마땅한 옷이 없다 没有适合我的衣服 **2** 满意 mǎnyì; 合意 héyì; 可以 kěyǐ ¶이번 시합 결과를 마땅하게 여기다 对这次比赛的结果很满意 **3** 应该 yīnggāi; 应当 yīngdāng ¶반인류 범죄는 처벌받아 ~ 反人类罪行应该受惩罚 **마땅-히** 부 ¶그의 이런 행동은 ~ 비판받아야 한다 他这样的行动应该受批评

마라톤(marathon) 명 〖體〗 马拉松 mǎlāsōng; 马拉松长跑 mǎlāsōng chángpǎo = 마라톤 경주 ¶국제 ~ 대회 国际马拉松赛 / ~ 선수 马拉松选手

마라톤 경주(marathon競走) 〖體〗 = 마라톤

마력(魔力) 명 魔力 mólì ¶그는 사람을 끌어당기는 ~이 있다 他有种吸引人的魔力

마:력(馬力) 의명 马力 mǎlì

마련 一명하타 **1** 准备 zhǔnbèi; 抽出 chōuchū; 筹备 chóubèi; 筹集 chóují; 张罗 zhāngluo; 安排 ānpái ¶필요한 자금을 ~하다 筹备需要的资金 / 생계를 ~하다 安排生计 **2** 打算 dǎsuan; 会 huì ¶그가 이미 대답을 했으니 분명 어떤 ~이 있을 것이다 他既然答应了就一定会有打算 二의명 一定要 yīdìng yào; 免不了 miǎnbuliǎo; 要 yào ¶사람은 다 죽게 ~이다 每个人都免不了死

마렵다 형 (大便或小便) 想 xiǎng; 要 yào ¶긴장했더니 소변이 ~ 因为很紧张, 想小便

마로니에(프marronnier) 명 〖植〗 欧洲七叶树 Ōuzhōu qīyèshù; 马栗树 mǎlìshù

마루[1] 명 **1** 山脊 shānjǐ; 屋脊 wūjǐ ¶태양이 산~에 걸려 있다 太阳挂在山脊上 **2** (事情的) 关键 guānjiàn; 关头 guāntóu

마루[2] 명 〖建〗 地板 dìbǎn; 板炕 bǎnkàng ¶~에 누워 책을 보다 躺在地板上看书 / ~를 닦다 擦地板

마루 운동(—運動) 〖體〗 自由体操 zìyóu tǐcāo

마룻-바닥 명 地板 dìbǎn ¶~을 깨끗하게 닦다 把地板擦干净

마르다[1] 자 **1** 干 gān ¶옷이 벌써 다 말랐다 衣服已经干了 **2** 渴 kě ¶한 바퀴 뛰었더니 목이 ~ 跑了一圈, 口很渴 **3** 瘦 shòu; 干瘦 gānshòu ¶몸이 아주 마른 여자 身体很瘦的女人 **4** 干涸 gānhé; 枯涸 kūhé ¶우물물이 말랐다 井水干涸了 **5** 没钱 méi qián; 用光 yòngguāng; 紧 jǐn ¶주머니가 바싹 ~ 手头很紧 / 돈줄이 완전히 ~ 身上没钱

마르다[2] 타 裁剪 cáijiǎn; 裁 cái ¶옷감을 ~ 裁剪布料

마르모트(프marmotte) 명 〖動〗 = 마멋

마른-걸레 명 干抹布 gānmābù ¶~로 유리창을 닦다 用干抹布擦玻璃窗

마른-기침 명하자 〖醫〗 干咳 gānké; 干咳嗽 gānkésou

마른-나무 명 **1** 干木头 gānmùtou; 干柴 gānchái **2** 枯树 kūshù

마른나무에 꽃이 피랴 속담 枯树开不了花; 枯树焉能开花

마른-반찬(—飯饌) 명 无汤水的菜 wútāngshuǐde cài; 没有汤水的菜 méiyǒu tāngshuǐde cài

마른-버짐 명 〖韓醫〗 干癣 gānxuǎn; 银屑病 yínxièbìng; 牛皮癣 niúpíxuǎn

마른-번개 명 (无雨) 干打雷 gāndǎléi
마른-안주(—按酒) 명 干下酒菜 gānxiàjiǔcài
마른-침 명 干咽唾液 gānyàn tuòyè
마른침을 삼키다 구 干咽唾液《形容紧张焦急的样子》
마른-하늘 명 晴天 qíngtiān
마른하늘에 날벼락[생벼락] 속담 晴天霹雳
마른-행주 명 干抹布 gānmābù
마름 명 【植】菱角 língjiao; 菱 líng
마름-모 명 【數】菱形 língxíng
마름-질 명하타 剪裁 jiǎncái = 재단(裁斷) ¶이 바지는 몸에 잘 맞게 ~되었다 这件裤子剪裁得很合体
마리 의명 头 tóu; 只 zhī; 匹 pǐ ¶소 한 ~ 一头牛 / 개 두 ~ 两只狗 / 말 세 ~ 三匹马
마리오네트(프marionette) 명 【演】牵线木偶 qiānxiàn mù'ǒu
마리화나(marihuana) 명 大麻烟 dàmáyān; 大麻毒品 dàmá dúpǐn
마:마(媽媽) 명 **1** 天花 tiānhuā; 痘疮 dòuchuāng **2** 爷 yé; 娘娘 niángniang ¶왕비 ~ 王妃娘娘
마마-보이(←mama's boy) 명 浑大鲁儿 húndàlǔr《听妈妈的话的乖孩子》
마:맛-자국(媽媽—) 명 痘痕 dòuhén; 麻子 mázi ¶그는 얼굴에 ~이 있다 他脸上有痘痕
마멀레이드(marmalade) 명 橘子酱 júzijiàng
마멋(marmot) 명 【動】土拨鼠 tǔbōshǔ; 旱獭 hàntǎ = 마르모트
마모(磨耗) 명하자 磨损 mósǔn ¶타이어가 ~되다 轮胎磨损 / 치아가 심하게 ~되다 牙齿磨损得很严重
마무르다 타 **1** 收边 shōubiān; 缝完 féngwán ¶상의를 ~ 缝完上衣 **2** 结束 jiéshù; 完成 wánchéng; 收尾 shōuwěi ¶내일이면 일을 마무를 수 있다 工作明天可以完成
마무리 명하타 完成 wánchéng; 结束 jiéshù; 善后 shànhòu; 收尾 shōuwěi ¶공사가 아직 ~되지 않았다 工程还没结束了 / 일이 ~ 단계에 들어가다 工作进入收尾阶段
마법(魔法) 명 魔法 mófǎ; 妖法 yāofǎ; 妖术 yāoshù ¶~사 魔法师 =[魔术家]
마:부(馬夫) 명 马夫 mǎfū
마:분-지(馬糞紙) 명 马粪纸 mǎfènzhǐ ¶~로 학을 접다 用马粪纸折一只鹤
마비(痲痹·麻痹) 명 【醫】麻木 mámù; 麻痹 mábì; 瘫痪 tānhuàn ¶안면 신경 ~ 面部神经麻痹 / 시스템 ~ 系统瘫痪 / 사지가 ~되다 四肢麻木 / 대설로 인해 교통이 ~ 상태에 빠지다 因大雪交通陷入瘫痪状态
마사지(massage) 명하타 **1** = 안마(按摩) ¶발을 ~하다 按摩脚部 **2** 美容按摩 měiróng ànmó; 按摩 ànmó ¶~크림 按摩霜 / 피부 ~ 护肤按摩 / 매주 피부 관리실에 가서 ~를 받다 每周到美容院做按摩
마수(魔手) 명 魔手 móshǒu; 魔掌 mózhǎng; 毒手 dúshǒu; 魔爪 mózhǎo ¶~를 뻗치다 伸出魔手
마수-걸이 명하자타 开张 kāizhāng; 头笔生意 tóubǐ shēngyi ¶벌써 12시가 되었는데 아직 ~도 못했다 已经到了十二点, 还没开张
마:술(馬術) 명 = 승마술 ¶~ 경기 马术赛
마술(魔術) 명하자 魔术 móshù; 戏法(儿) xìfǎ(r) ¶~ 도구 魔术的道具 / 모자를 이용해 ~을 부리다 用帽子变魔术
마술-사(魔術師) 명 魔术演员 móshù yǎnyuán; 魔术师 móshùshī; 幻士 huànshì
마스카라(mascara) 명 染睫毛膏 rǎnjiémáogāo; 染睫毛油 rǎnjiémáoyóu; 睫毛油 jiémáoyóu; 睫毛膏 jiémáogāo ¶~를 칠하다 涂睫毛油 / ~가 뭉치다 睫毛油结块
마스코트(mascot) 명 吉祥物 jíxiángwù; 福神 fúshén ¶올림픽의 ~ 奥运会的吉祥物
마스크(mask) 명 **1** = 탈1 **2** 口罩 kǒuzhào ¶방진 ~ 防尘口罩 / 외출할 때는 반드시 ~를 써야 한다 出门的时候一定要戴口罩 **3** 外表 wàibiǎo; 外貌 wàimào ¶그 배우는 개성 있는 ~를 가졌다 那个演员的外表很有个性 **4** 【體】(棒球、击剑的) 护面 hùmiàn; 防护面具 fánghù miànjù
마스터(master) 명하타 掌握 zhǎngwò; 精通 jīngtōng; 熟练 shúliàn ¶필요한 기술을 ~하다 掌握需要的技术 / 그녀는 컴퓨터를 ~했다 她对电脑很精通
마시다 타 **1** 喝 hē; 饮 yǐn ¶음료수를 ~ 喝饮料 / 냉수를 ~ 喝冷水 / 맥주를 ~ 喝啤酒 **2** 呼吸 hūxī; 吸 xī ¶신선한 공기를 ~ 吸新鲜的空气
마약(痲藥·麻藥) 명 毒品 dúpǐn; 毒 dú ¶신종 ~ 新型毒品 / ~을 복용하다 吸毒 / ~을 만들어 판매하다 制贩毒品
마약 중독(痲藥中毒) 【醫】毒品中毒 dúpǐn zhòngdú; 吸毒成瘾 xīdú chéngyǐn ¶~자 毒品中毒者 =[吸毒成瘾者]
마왕(魔王) 명 魔王 mówáng
마요네즈(프mayonnaise) 명 蛋黄酱

dànhuángjiàng

마우스(mouse) 명 『컴』 鼠标 shǔbiāo; 滑鼠 huáshǔ ¶~로 한 번 클릭하다 用鼠标点一下

마우스피스(mouthpiece) 명 **1** 『體』 (拳击的) 护齿套 hùchǐtào **2** 『音』 (管乐器的) 吹口 chuīkǒu

마운드(mound) 명 『體』 (棒球的) 投手土墩 tóushǒu tǔdūn; 土墩 tǔdūn; 投手踏板 tóushǒu tàbǎn ¶~에 서다 站在投手土墩上 / ~에서 내려오다 从投手土墩上下来

마을 명 **1** 村 cūn; 村庄 cūnzhuāng; 乡村 xiāngcūn; 庄子 zhuāngzi ¶~ 사람 村民 / 우리 ~에는 많은 외국인들이 있다 我们村子里有很多外国人 **2** 串门(儿) chuànmén(r) ¶그는 매일 이웃집에 ~을 간다 他每天到邻居家去串门儿

마음 명 **1** 心肠 xīncháng; 心地 xīndì; 心眼儿 xīnyǎnr; 心灵 xīnlíng; 心胸 xīnxiōng ¶~이 따뜻한 사람 热心肠的人 / ~이 넓다 心胸宽广 / 그녀는 ~이 착하다 她心地很善良 **2** 心情 xīnqíng; 心绪 xīnxù; 心气 xīnqì ¶지금 나는 ~이 아주 무겁다 现在我心情很沉重 / ~이 아주 편하다 心情很舒服 **3** 诚意 chéngyì; 诚心诚意 chéngxīnchéngyì ¶~을 다해 학생을 가르치다 诚心诚意教学生 **4** 意向 yìxiàng; 心思 xīnsi; 念头 niàntou ¶~이 있는 사람은 신청할 수 있다 有意向的人可报名 / ~을 움직이다 动心思 **5** 心 xīn; 心意 xīnyì ¶~이 들뜨고 어지럽다 心浮意乱 / 어젯밤 비가 부슬부슬 내려 내 ~이 싱숭생숭했다 昨夜雨绵绵, 我心意乱 **6** 心 xīn; 感情 gǎnqíng ¶그에게 존경하는 ~이 생기다 对他生起尊敬心

마음(을) 놓다 구 放心 ¶자유롭게 마음 놓고 길을 다닐 수 있다 可以自由地放心地走路

마음(을) 붙이다 구 安心; 扎根(儿)

마음(을) 사다 구 讨欢心; 得到好感 ¶친구들의 마음을 사기 위해 노력하다 为了讨同学们的欢心而努力

마음(을) 쓰다 구 **1** 操心; 费心 ¶마음을 쓰게 해 드려 죄송합니다 真让您费心了, 我都有点儿不好意思了 **2** 关心; 关注 ¶마음 써 주셔서 감사합니다 谢谢你们的关心

마음(을) 졸이다 구 提心吊胆; 非常担心 ¶마음을 졸이며 시험 결과를 기다리다 提心吊胆地等待考试的结果

마음(이) 가다 구 勾魂; 倾心 ¶같은 반 친구에게 ~ 倾心于同班同学

마음(이) 내키다 구 甘心; 心甘情愿

마음(이) 들뜨다 구 心神不定; 心浮 ¶마음이 들떠서 수업을 할 수가 없다 心浮, 不能上课

마음(이) 쓰이다 구 费心; 提心; 记挂; 放心不下 ¶그의 일에 줄곧 마음이 쓰인다 他的事儿一直让我放心不下

마음에 걸리다 구 惦念; 牵挂; 放心不下; 牵肠挂肚 ¶나는 그때의 일이 늘 마음에 걸린다 那天的事儿总是让我放心不下

마음에 두다 구 牢记在心; 放在心上; 记在心里 ¶그가 한 모든 말을 마음에 두지 마라 他所说的一切话, 你不要放在心上

마음에 들다 구 称心; 称意; 中意; 合意 ¶마음에 드는 옷을 한 벌 사다 买一件合意的衣服

마음에 없다 구 没有心思; 不感兴趣 ¶그는 이미 내 ~ 我已经对他不感兴趣了

마음에 있다 구 有心; 感兴趣

마음에 차다 구 满足; 合意

마음은 굴뚝 같다 구 力不从心; 心有余而力不足

마음이 돌아서다 구 **1** 想法变了; 改变想法 **2** 回心转意

마음이 통하다 구 彼此心照; 合得来; 心心相通

마음-가짐 명 内心准备 nèixīn zhǔnbèi; 情绪 qíngxù; 气质 qìzhì; 决心 juéxīn; 心术 xīnshù ¶선수들의 ~이 아주 좋다 选手们的情绪很高

마음-고생(一苦生) 명 费心 fèixīn; 操心 cāoxīn; 吃苦 chīkǔ; 辛苦 xīnkǔ; 辛劳 xīnláo; 困苦 kùnkǔ ¶이런 작은 일로 ~하지 마라 不要为这么点小事费心

마음-껏 부 尽量 jǐnliàng; 尽情 jìnqíng; 尽兴 jìnxìng; 放量 fàngliàng; 充分 chōngfèn; 足够 zúgòu ¶모두들 ~ 놀아라 大家尽情地玩吧 / ~ 웃다 尽情欢笑 / 자유 시간을 ~ 누리다 充分享受自由时间

마음-대로 부 随便 suíbiàn; 随意地 suíyìde; 胡乱 húluàn; 撒开 sākāi; 随心所欲地 suíxīnsuǒyùde ¶다른 사람 물건을 ~ 쓰지 마라 不要随便用别人的东西 / ~ 정해라 随便决定吧 / ~ 생각하다 胡乱地想

마음-먹다 자타 决心 juéxīn; 立心 lìxīn; 立志 lìzhì; 决计 juéjì ¶나는 이미 미국에 유학가기로 마음먹었다 我已经决心到美国去留学

마음-보 명 心术 xīnshù; 心眼儿 xīnyǎnr; 存心 cúnxīn = 심보 ¶그 사람은 ~가 고약하니 그와 상대하지 마라 那个人心眼儿坏, 不要理他

마음-속 명 心里 xīnli; 心中 xīnzhōng; 心底 xīndǐ; 心怀 xīnhuái; 心上 xīnshàng; 心思 xīnsi; 心意 xīnyì = 가슴속 · 심중 · 염두 · 의중 · 회중2 ¶~에 있는 말 心中的话 / 그 소식을 들은 후 나는 ~이 편치 않다 听到那个消息以后, 我心里不太舒服

마음-씨 명 心眼儿 xīnyǎnr; 心性 xīnxìng; 心地 xīndì; 心肠 xīncháng; 心田 xīntián; 心意 xīnyì; 心底 xīndǐ ¶~가 고약한 젊은이 心地坏的年轻人 / 그는 ~가 고운 사람이다 他是个热心肠的人

마음-잡다 자 安心 ānxīn ¶지금 그는 마음잡고 공부한다 现在他安心地学习

마이너스(minus) 명 **1** 赤字 chìzì; 不利 bùlì ¶~ 요인 不利的因素 / 50만 위안의 ~ 五十万元赤字 **2** 〖物〗 = 음극 **3** 〖數〗 = 빼기 ¶10 ~ 3은 7이다 十减三是七 **4** 〖數〗 = 뺄셈표 **5** 〖數〗 = 음(陰)2 **6** 〖醫〗 负 fù; 阴性 yīnxìng ¶바이러스 테스트에서 ~ 반응이 나오다 对病毒的测试呈阴性反应

마:이동풍(馬耳東風) 명 耳旁风 ěrpángfēng; 耳边风 ěrbiānfēng

마이신(mycin) 명 〖藥〗 米辛 mǐxīn; 链霉素 liànméisù

마이크(mike) 명 麦克风 màikèfēng; 话筒 huàtǒng; 扩音器 kuòyīnqì; 传声器 chuánshēngqì; 微音器 wēiyīnqì ¶무선 ~ 无线麦克风 / ~를 들고 노래 부르다 拿着麦克风唱歌

마이크로-버스(microbus) 명 小型公共汽车 xiǎoxíng gōnggòng qìchē; 面包车 miànbāochē; 中客车 zhōngkèchē

마이크로-파(micro波) 명 〖物〗 微波 wēibō; 超高频波 chāogāopínbō

마이크로-필름(microfilm) 명 〖演〗 缩微胶卷 suōwēi jiāojuǎn; 缩微胶片 suōwēi jiāopiàn

마일(mile) 의명 英里 yīnglǐ; 哩 lǐ

마임(mime) 명 〖演〗 = 무언극

마작(麻雀) 명 〖體〗 麻将 májiàng; 麻雀 máquè; 竹林之战 zhúlínzhīzhàn ¶~을 두다 打麻将

마장(馬場) 명 **1** 牧马场 mùmǎchǎng **2** = 경마장

마저 ⊟부 全部 quánbù; 都 dōu; 完 wán ¶그것까지 ~ 다 먹어라 那个也都吃吧 / 숙제를 ~ 다 하고 나서 나가 놀아라 先把作业都做好, 然后再出去玩吧 ⊟조 连 lián ¶엄마~ 내 생일을 잊어버리셨다 连妈妈都忘了我的生日

마적(馬賊) 명 马贼 mǎzéi

마주 부하타 相对 xiāngduì; 面对 miànduì; 相 xiāng; 迎面 yíngmiàn; 对面 duìmiàn; 相向 xiāngxiàng ¶그들은 서로 ~ 보고 앉았다 他们相对而坐 / 아이와 얼굴을 ~하고 이야기를 나누다 和孩子面对面地谈话

마주(馬主) 명 马主 mǎzhǔ

마주-치다 자 **1** 遇见 yùjiàn; 碰到 pèngdào ¶나는 오늘 영화관에서 우연히 그와 마주쳤다 我今天在电影院偶然碰到他了 **2** 相碰 xiāngpèng ¶그와 시선이 ~ 与他的视线相碰 **3** 遇到 yùdào; 面临 miànlín ¶뜻밖의 일에 ~ 遇到意外的事

마주-하다 타 相对 xiāngduì; 正对 zhèngduì; 面对 miànduì ¶나는 그와 마주하고 싶지 않다 我不想跟他相对 / 학교 정문은 큰길을 마주하고 있다 学校大门正对大街

마중 명하타 接 jiē; 迎接 yíngjiē; 出迎 chūyíng ¶내일 친구를 ~하러 공항에 가야 한다 明天要去机场接朋友

마-지기 의명 **1** 斗落地 dǒuluòdì **2** 一些 yīxiē; 一点 yīdiǎn ¶우리 집은 논 ~ 조금 가진 걸로 먹고 산다 我们家靠着一点田地做为生

마지노-선(Maginot線) 명 〖史〗 麦吉诺线 Màijínuòxiàn; 马基挪线 Mǎjīnuóxiàn; 马吉诺线 Mǎjínuòxiàn

마지막 명 最后 zuìhòu; 结尾 jiéwěi; 最终 zuìzhōng; 终局 zhōngjú ¶~ 한마디 最后一句话 / ~ 기회 最后的机会 / 그들은 ~에 모두 눈물을 흘렸다 他们最后都流了眼泪

마:지-못하다 형 不得不 bùdébù; 不得已 bùdéyǐ; 只好 zhǐhǎo ¶마지못해 그의 요구를 들어주다 只好答应他的要求

마지-않다 보동 不已 bùyǐ ¶모두의 도움에 감격해 ~ 大家都帮帮忙, 让我感激不已

마직(麻織) 명 〖手工〗 麻织品 mázhīpǐn

마진(margin) 명 〖經〗 **1** 利润 lìrùn; 赚头 zhuàntou; 差额 chā'é; 买卖差价 mǎimai chājià ¶큰 ~을 남기다 大有赚头 **2** 押金 yājīn; 保证金 bǎozhèngjīn **3** = 수수료

마차(馬車) 명 马车 mǎchē ¶~를 몰다 赶马车 / ~를 타다 乘坐马车

마찬가지 명 一样 yīyàng; 一般 yībān; 一码事 yīmǎshì; 同样 tóngyàng; 相同 xiāngtóng ¶어떻게 하든 결과는 ~다 无论怎么做结果都相同 / 네가 가나 내가 가나 ~다 你去我去都一样 / 여느 때와 ~로 등교를 하다 和平时一般去上学

마찰(摩擦) 명하자 **1** 摩擦 mócā ¶~계수 摩擦系数 / ~력 摩擦力 **2** 冲突 chōngtū; 对立 duìlì; 矛盾 máodùn ¶동료와 일하는 과정에서 ~이 생기다 和同事在工作中发生矛盾

마천-루(摩天樓) 명 摩天大厦 mótiān dàshà; 摩天大楼 mótiān dàlóu

마취(痲醉) 명하타 麻醉 mázuì ¶～ 요법 麻醉疗法 / 부분 ～ 局部麻醉/전신 ～ 全身麻醉 / ～총 麻醉枪 / ～에서 깨어나다 从麻醉中醒来 / ～를 하다 打麻醉

마취-제(痲醉劑) 명 〖藥〗 麻醉剂 mázuìjì; 麻药 máyào

마치 부 好像 hǎoxiàng; 像 xiàng; 似乎 sìhū; 恰如 qiàrú; 仿佛 fǎngfú; 好似 hǎosì; 好比 hǎobǐ; 宛如 wǎnrú ¶나는 ～ 꿈을 꾸고 있는 것 같다 我好像做梦一样 / 그들의 이야기는 ～ 한 편의 소설 같다 他们的故事恰如一篇小说 / ～ 소녀 때로 돌아간 것 같다 仿佛回到少女时代

마치다 자타 1 结束 jiéshù; 完 wán; 做完 zuòwán; 干完 gànwán; 收工 shōugōng ¶일을 ～ 做完工作 / 방금 빨래를 다 마쳤다 刚刚洗完了衣服 2 去世 qùshì; 逝世 shìshì ¶그는 어제 병원에서 생을 마쳤다 他昨天在医院去世了

마침 부 恰好 qiàhǎo; 恰 qià; 恰恰 qiàqià; 正巧 zhèngqiǎo; 刚好 gānghǎo; 正好 zhènghǎo; 恰巧 qiàqiǎo; 刚巧 gāngqiǎo ¶내가 막 그를 부르려던 참에 ～ 그가 왔다 我刚要叫他, 恰好他来了 / 너 ～ 잘 왔다 你来得正好

마침-내 부 终于 zhōngyú; 最后 zuìhòu; 到底 dàodǐ; 到了儿 dàoliǎor ¶그들은 ～ 다시 만났다 他们终于再相见了 / 그는 ～ 자기의 꿈을 이루었다 他最后实现了自己的梦想

마침-표(—標) 명 1 〖語〗 句号 jùhào; 终结符号 zhōngjié fúhào 2 〖音〗 终止符 zhōngzhǐfú; 休止符 xiūzhǐfú ‖＝종지부

마침표를 찍다 구 终结 ＝종지부를 찍다

마카로니(이macaroni) 명 通心粉 tōngxīnfěn; 意大利空心面 Yìdàlì kōngxīnmiàn; 通心面 tōngxīnmiàn

마케팅(marketing) 명 〖經〗 营销 yíngxiāo; 行销 xíngxiāo; 销售 xiāoshòu; 销卖 xiāomài; 消售 xiāoshòu; 市场交易 shìchǎng jiāoyì

마크(mark) 명 1 记号 jìhao; 标记 biāojì; 符号 fúhào 2 〖經〗 商标 shāngbiāo; 牌 pái; 牌子 páizi 3 徽章 huīzhāng; 纪念章 jìniànzhāng ¶학교 ～가 있는 교복 有学校徽章的制服 —**-하다** 자타 〖體〗 1 阻挡 zǔdǎng ¶전력을 다해 상대 선수를 마크하다 尽管全力阻挡对手 2 记录 jìlù; 拿到 nádào ¶시합에서 1위를 마크했다 在比赛中, 拿到了冠军

마파-두부(麻婆豆腐) 명 麻婆豆腐 mápó dòufu

마-파람 명 南风 nánfēng
마파람에 게 눈 감추듯 속담 狼吞虎咽

마:패(馬牌) 명 〖史〗 马牌 mǎpái

마포(麻布) 명 ＝ 삼베

마피아(이Mafia) 명 黑手党 Hēishǒudǎng

마하(Mach) 의명 〖物〗 马赫 mǎhè; 马赫数 mǎhèshù; 超音速 chāoyīnsù; 超声速 chāoshēngsù; 马氏数 mǎshìshù

마호가니(mahogany) 명 〖植〗 桃花心木 táohuāxīnmù; 红木 hóngmù

마흔 수관 四十 sìshí ¶그는 올해 ～이다 他今年四十岁 / 전부 ～ 명이다 一共有四十个人

막[1] 부 1 马上 mǎshàng; 立刻 lìkè; 眼看就 yǎnkàn jiù; 将 jiāng; 正 zhèng; 刚 gāng; 刚刚 gānggāng ¶차가 ～ 출발하려고 한다 车马上要出发 / 3일간의 휴가가 ～ 끝났다 三天假眼看就过完了 2 刚 gāng; 那时 nàshí ¶～ 문을 나서려는데 비가 오기 시작했다 刚要出门, 下起雨来了

막[2] 부 1 '마구1' 的略词 2 '마구2' 的略词 ¶그는 갑자기 미친 사람처럼 ～ 달리기 시작했다 他突然开始疯了一样地乱跑

막(幕) 一명 1 草棚 cǎopéng; 棚子 péngzi; 窝棚 wōpeng ¶～을 짓다 搭窝棚 2 帐篷 zhàngpeng; 幕布 mùbù 二 의명 〖演〗 幕 mù ¶제2～ 第二幕
막을 열다[올리다] 구 开始; 开幕
막을[막이] 내리다 구 演出结束; 闭幕
막이 오르다 구 (演出) 开始; 开幕

막(膜) 명 膜 mó

막-[1] 접두 1 粗 cū; 低质 dīzhì; 劣质 lièzhì ¶～과자 粗点心 / ～담배를 피우다 抽劣质的烟 2 随便 suíbiàn; 粗 cū; 杂 zá ¶～일 粗活儿 / ～말 粗话 3 乱 luàn; 随便 suíbiàn; 胡乱 húluàn ¶～살다 随便生活

막-[2] 접두 最后 zuìhòu; 末 mò ¶～차 末班车

막-가다 자 肆意妄为 sìyìwàngwéi; 撒野 sāyě ¶이렇게 막가서는 안 된다 不可以这样肆意妄为

막간(幕間) 명 1 〖演〗 幕间 mùjiān; 小憩 xiǎoqì; 换幕时 huànmùshí ¶～에 배우가 무대 뒤로 와서 옷을 갈아입다 换幕时演员跑回后台换衣服 2 (事情的) 间隙 jiànxì ¶～을 이용해 나는 그에게 전화를 했다 趁这间隙, 我打电话给他

막강(莫强) 명하형 无比强 wúbǐ qiáng; 强大 qiángdà; 无比强大 wúbǐ qiángdà; 莫强 mòqiáng ¶경제력이 ～하다 经济

力量很强大 / ～한 군사력을 갖추다 具备强大的军事实力
막걸리 명 马格利酒 mǎgélìjiǔ; 浊醪 zhuóláo; 稠酒 chóujiǔ; 米酒 mǐjiǔ = 탁주
막-국수 명 荞麦面 qiáomàimiàn
막내 명 最小的 zuìxiǎode; 老小 lǎoxiǎo; 老 lǎo; 幺 yāo ¶내 ～ 여동생 我的幺妹
막내-딸 명 小女儿 xiǎonǚ'ér; 老姑娘 lǎogūniang; 幺女 yāonǚ; 老闺女 lǎoguīnü; 老生女 lǎoshēngnǚ
막내-며느리 명 小儿媳妇 xiǎo'érxífu
막내-아들 명 老儿子 lǎo'érzi; 小儿子 xiǎo'érzi
막내-아우 명 季弟 jìdì = 막냇동생
막냇-동생(一同生) 명 = 막내아우
막-노동(一勞動) 명하자 = 막일1
막다 타 **1** 堵 dǔ; 堵塞 dǔsè; 挡 dǎng; 捂 wǔ ¶구멍을 ～ 堵洞 / 손으로 입을 ～ 用手捂住了嘴巴 / 나가는 길을 ～ 挡住了出路 **2** 围住 wéizhù ¶높은 담으로 마당을 ～ 以高墙围住院子 **3** 隔 gé; 隔开 gékāi ¶칸을 ～ 隔间 **4** 阻拦 zǔlán; 阻挡 zǔdǎng; 阻止 zǔzhǐ ¶그들의 결혼을 ～ 阻拦他们的结婚 **5** 预防 yùfáng; 提防 tífáng ¶화재를～ 预防火灾 / 홍수를 ～ 预防水灾 **6** 防止 fángzhǐ; 防 fáng ¶추위를 ～ 防寒 / 햇빛을 ～ 防止阳光 **7** 抵抗 dǐkàng; 抵御 dǐyù ¶외국의 침입을 ～ 抵御外国入侵 / 상대 선수의 공격을 ～ 抵御对手的攻击
막-다르다 형 不通 bùtōng; 到头 dàotóu; 死路 sǐlù; 绝路 juélù; 穷途末路 qióngtúmòlù
막다른 골목[골] 구 死胡同; 穷途末路; 走投无路
막-달 명 临月 línyuè
막-담배 명 劣质烟 lièzhìyān; 次烟 cìyān
막대 명 '막대기' 的略词
막대-그래프(一graph) 명 〖數〗直方图 zhífāngtú; 柱形图 zhùxíngtú; 直线图表 zhíxiàn túbiǎo; 直线图解 zhíxiàn tújiě
막대기 명 杆 gān; 杆子 gānzi; 竿 gān; 竿子 gānzi; 棍子 gùnzi; 杖 zhàng
막대-자석(一磁石) 명 条形磁铁 tiáoxíng cítiě; 磁铁棒 cítiěbàng
막대-하다(莫大一) 형 莫大 mòdà; 相当多 xiāngdāng duō; 巨大 jùdà ¶그는 막대한 재산을 갖고 있다 他拥有一笔莫大的财产 **막대-히** 부
막-도장(一圖章) 명 (不留印鉴的) 私人印章 sīrén yìnzhāng
막돼-먹다 형 '막되다' 的俗称
막-되다 형 粗鲁 cūlǔ; 胡来 húlái; 老粗 lǎocū; 无礼 wúlǐ ¶막된 사람 粗鲁的人
막-둥이 명 小儿子 xiǎo'érzi; 小女儿 xiǎonǚ'ér
막론-하다(莫論一) 타 不管 bùguǎn; 不论 bùlùn; 不问 bùwèn ¶이유 여하를 막론하고 우리는 거기에 가야 한다 不管怎样, 我们得去那里 / 남녀노소를 막론하고 모두들 이 노래를 좋아한다 不管男女老幼, 都喜欢这首歌
막료(幕僚) 명 幕僚 mùliáo; 参谋 cānmóu
막막-하다(寞寞一) 형 **1** 寂静 jìjìng ¶산중의 밤은 아주 ～ 山中的夜晚很寂静 **2** 落寞 luòmò; 冷落 lěngluò; 孤独 gūdú; 沉闷 chénmèn; 郁闷 yùmèn; 惆怅 chóuchàng; 寂寞 jìmò ¶막막한 심정 孤独的心情 **막막-히** 부
막-말 명하자 粗话 cūhuà; 脏话 zānghuà; 下流话 xiàliúhuà; 乱说 luàn shuō; 胡言乱语 húyánluànyǔ; 胡说 húshuō ¶다른 사람 일에 대해 ～하지 마라 对别人的事, 不要乱说 / 아이들에게 ～하지 마라 不要对孩子说脏话
막무가내(莫無可奈) 명하형 无可奈何 wúkěnàihé; 无可不得 wúkě bùdé; 根本不听 gēnběn bùtīng ¶그는 ～로 옷을 벗고는 바닥에 누웠다 他无可奈何地脱衣服, 躺在地板上
막-바지 명 **1** 最后 zuìhòu; 关头 guāntóu; 最后阶段 zuìhòu jiēduàn; 最后环节 zuìhòu huánjié ¶회담이 ～에 이르다 谈判进人最后阶段 **2** 尽头 jìntóu; 到头(儿) dàotóu(r)
막사(幕舍) 명 **1** 棚子 péngzi; 窝棚 wōpeng ¶그들은 숲 속에 ～를 지었다 他们在山林里搭起了一个窝棚 **2** 〖軍〗营帐 yíngzhàng ¶사병 ～ 士兵营帐
막-살다 자 混日子 hùn rìzi
막상 부 实际(上) shíjì(shang); 真的 zhēnde; 真 zhēn ¶～ 해 보니 생각했던 것보다 더 어렵다 真干起来比我想的更难
막상막하(莫上莫下) 명 不相上下 bùxiāngshàngxià; 好坏难分 hǎohuàinánfēn; 难兄难弟 nánxiōngnándì; 相当 xiāngdāng ¶두 사람의 체력이 ～이다 两个人的体力不相上下 / 실력이 ～이다 实力难兄难弟
막심(莫甚) 명하형히부 极甚 jíshèn; 极严重 jíyánzhòng; 莫甚 mòshèn; 极大 jídà; 甚大 shèndà ¶손해가 ～하다 损失极大 / 많은 사람들에게 막심한 피해를 끼쳤다 极大地损害了很多人
막아-내다 타 挡住 dǎngzhù; 阻止 zǔzhǐ; 防止 fángzhǐ; 打退 dǎtuì; 守住 shǒuzhù ¶적의 습격을 ～ 打退敌人的袭击

막아-서다 타 拦住 lánzhù; 拦阻 lánzǔ; 阻挡 zǔdǎng; 挡住 dǎngzhù ¶차 앞으로 가서 몸으로 길을 막아섰다 冲到车前, 用身体拦住了去路

막역지우(莫逆之友) 명 莫逆之友 mònìzhīyǒu

막연-하다(漠然—) 형 **1** 茫然 mángrán; 渺茫 miǎománg ¶앞날이 ~ 前途渺茫 **2** 模糊 móhu; 不清晰 bùqīngxī; 笼统 lǒngtǒng; 不着边际 bùzhuóbiānjì ¶막연한 생각 不着边际的想法 / 그녀는 막연하게 대답했다 她模糊地回答说 **막연-히** 부

막-일 명하자 **1** 零工 línggōng; 苦力 kǔlì = 막노동 ¶~로 생계를 유지하다 打零工维持生活 **2** 粗活儿 cūhuór; 杂活儿 záhuór ¶회사에서 ~을 하다 在公司里干杂活儿

막일-꾼 명 打零工的 dǎ línggōngde; 苦力 kǔlì; 苦工 kǔgōng

막장[1] 명하자 〖鑛〗 **1** 掌子 zhǎngzi; 掌子面 zhǎngzimiàn **2** = 막장일

막-장[2] 명 '끝장'的错误

막-장(—醬) 명 粗制黄酱 cūzhì huángjiàng

막장-일 명하자 〖鑛〗 井下作业 jǐngxià zuòyè; 掌子面作业 zhǎngzimiàn zuòyè = 막장2

막중-하다(莫重—) 형 极为贵重 jíwéi guìzhòng; 极重大 jí zhòngdà; 极为重要 jíwéi zhòngyào ¶막중한 임무 极为重要的任务 / 막중한 책임 极重大的责任 **막중-히** 부

막-차(—車) 명 末班车 mòbānchē; 末趟车 mòtàngchē; 末次车 mòcìchē; 末车 mòchē ¶~를 타다 坐末班车 / 하마터면 ~를 놓칠 뻔했다 差点儿不能赶上末班车

막-판 명 最后 zuìhòu; 最后时刻 zuìhòu shíkè; 最后一局 zuìhòu yījú; 最后关头 zuìhòu guāntóu ¶~ 승부 最后胜负 / ~까지 끌고 가다 拖到最后时刻

막후(幕後) 명 幕后 mùhòu; 后台 hòutái; 背后 bèihòu ¶~교섭 幕后交涉 / ~에서 지시하다 在幕后指示

막-히다 자 **1** 堵住 dǔzhù; 堵塞 dǔsè; 闭塞 bìsè; 受阻 shòuzǔ; 憋 biē 《'막다1'的被动词》 ¶이 길은 저녁까지 막힌다 这段路堵塞到晚上 / 혈관이 완전히 ~ 血管完全闭塞 / 가슴이 답답하고 숨이 ~ 胸闷憋气 **2** 哽 gěng; 结舌 jiéshé ¶말문이 ~ 张口结舌 **3** 不顺 bùshùn; 不通 bùtōng ¶혼삿길이 ~ 婚事不顺

만[1] 의명 表示时段的终点 ¶그는 일 년 ~에 귀국했다 他一年之后才回国了 / 기차로 다섯 시간 ~에 도착했다 坐了五个小时的火车才到了

만[2] 의명 **1** 难怪 nánguài; 不怪 bùguài 《表示有妥当的理由》 ¶그가 화낼 ~도 하다 不怪他生气 / 그녀가 울 ~도 하다 难怪她哭泣 **2** 可 kě; 可以 kěyǐ 《表示有可能性》 ¶그가 그러는 것도 이해할 ~은 하다 他那样做也可以理解 **3** 值得 zhídé ¶태국 요리는 한 번 먹어볼 ~은 하다 泰国菜也可以值得一尝

만[3] 조 **1** 只 zhǐ; 只有 zhǐyǒu 《表示限制》 ¶너~ 오지 않았다 只有你没有来 / 너에게~ 말해 주겠다 我只告诉你 / 그녀는 웃기~ 할뿐 아무 말도 하지 않았다 她只笑着没有说什么 **2** 只 zhǐ; 一下 yīxià 《表示局限》 ¶하루에 한 잔~ 마시다 一天只喝一杯 / 한 번 ~ 도와주세요 请帮我一下忙 **3** 只要 zhǐyào; 一定 yīdìng 《表示强调》 ¶나는 그를 만나러 가야~ 한다 我一定要去看他 / 네가 시험에 통과하기~ 하면 무엇이든 다 사 주겠다 只要你通过考试, 我就什么都买给你 **4** 如 rú; 比 bǐ 《表示比较》 ¶그의 능력은 그녀~ 못하다 他的能力不如她 / 내 일본어 실력은 그~ 못하다 我的日文水平比不上他 **5** 一…(就…) yī…(jiù…) ¶그녀는 술~ 마시면 운다 她一喝酒就哭 / 그는 나를 보기~ 하면 화를 낸다 他一看我就生气

만[4] 조 '마는'的略词 ¶비록 나이는 들었지~ 그래도 그녀는 여전히 아름답다 虽然她上了年纪, 但还是很漂亮 / 나도 가고 싶지~ 지금은 바빠서 시간이 없다 我也很想去, 但现在很忙没有时间

만(滿) 관명 满 mǎn; 周 zhōu; 整 zhěng ¶~ 스무 살 满二十岁 =[二十周岁] / ~ 한 달 整一个月

만(灣) 명 〖地理〗 湾 wān

만:(萬) 수관 万 wàn; 一万 yīwàn ¶~ 위안 一万元 / ~ 명 十万人

만에 하나 구 万一

만:감(萬感) 명 百感 bǎigǎn; 万感 wàngǎn; 百端 bǎiduān ¶~이 교차하다 百感交集

만개(滿開) 명하자 盛开 shèngkāi; 齐放 qífàng ¶~한 장미 盛开的玫瑰

만:경-창파(萬頃蒼波) 명 万顷苍波 wànqǐngcāngbō; 万顷碧波 wànqǐngbìbō; 一碧万顷 yībìwànqǐng; 波涛万顷 bōtāowànqǐng

만:고(萬古) 명 万古 wàngǔ; 万世 wànshì; 千古 qiāngǔ ¶~에 이름을 전하다 万古流芳

만:고불변(萬古不變) 명하자 千古不变 qiāngǔ bùbiàn ¶~의 사랑 千古不变的爱情

만:국(萬國) 명 万国 wànguó; 全世界

quánshìjiè = 만방
만:국-기(萬國旗) 명 万国旗 wànguóqí ¶~가 펄럭이다 万国旗招展
만:국 박람회(萬國博覽會) 〖經〗 万国博览会 wànguó bólǎnhuì; 国际博览会 guójì bólǎnhuì; 世界博览会 shìjiè bólǎnhuì = 엑스포
만:금(萬金) 명 万金 wànjīn; 万贯 wànguàn; 重金 zhòngjīn; 巨款 jùkuǎn ¶~으로도 살 수 없는 우정 用万金也买不到的友谊
만기(滿期) 명 满期 mǎnqī; 期满 qīmǎn; 到期 dàoqī; 期 qī ¶~ 어음 到期票据 / ~ 제대 期满退伍 / 십 년 ~ 보험 十年期保险 / ~ 날짜 期满的日期 / 적금이 ~가 되다 定期存款期满
만기-일(滿期日) 명 期满日期 qīmǎn rìqī; 到期日 dàoqīrì; 截止日 jiézhǐrì ¶계약 ~ 合同期满日期
만끽(滿喫) 명하타 尽享 jìnxiǎng; 享受 xiǎngshòu ¶자유 시간을 ~하다 享受自由时间 / 대자연의 아름다움을 ~하다 尽享大自然的美丽
만나다 一타 **1** (人和人) 见 jiàn; 见到 jiàndào; 见面 jiànmiàn; 碰见 pèngjiàn; 碰头 pèngtóu; 遇见 yùjiàn; 相遇 xiāngyù; 相逢 xiāngféng; 会见 huìjiàn ¶나는 오늘 선생님을 만나기로 했다 我今天要跟老师见面 / 벌써 오랫동안 그를 만나지 못했다 已经好久没见到他了 **2** (和有些实事或事物) 遭遇 zāoyù; 接触 jiēchù; 面对 miànduì ¶쓰라린 운명과 ~ 遭遇悲惨的命运 / 다양한 삶을 ~ 面对各种各样的人生 **3** 适逢 shìféng; 赶上 gǎnshàng ¶좋은 시기를 ~ 赶上好时光 **4** (雨、雪、风浪等) 赶上 gǎnshàng; 碰上 pèngshang; 遇到 yùdào ¶돌아오는 길에 소나기를 만났다 回来的路上赶上骤雨了 / 배가 바다에서 풍랑을 ~ 船在海上遇到风浪 **5** (事故、事情等) 遭 zāo; 碰 pèng; 遭到 zāodào ¶뜻밖의 사고를 ~ 遭到意外的事故 **6** 得到 dédào ¶좋은 아내를 ~ 得到好妻子 二자 连接 liánjiē; 接 jiē ¶두 강이 만나는 곳 在两条可连接的地方
만남 명 见面 jiànmiàn; 会面 huìmiàn; 交际 jiāojì ¶팬들과의 ~ 与影迷们的会面 / 그와의 ~을 고대하다 期盼着与他见面
만년(晚年) 명 晚年 wǎnnián; 老年 lǎonián; 晚境 wǎnjìng ¶~을 편안하게 보내다 安享晚年
만:년(萬年) 명 万年 wànnián; 老 lǎo ¶~ 과장 老科长
만:년-설(萬年雪) 명 〖地理〗 万年雪 wànniánxuě; 常年雪 chángniánxuě
만:년-필(萬年筆) 명 钢笔 gāngbǐ; 自来水钢笔 zìláishuǐ gāngbǐ; 金笔 jīnbǐ ¶~ 한 자루를 사다 买一支自来水钢笔
만:능(萬能) 명하형 全才 quáncái; 全能 quánnéng; 万能 wànnéng ¶~선수 全能运动员 / 그는 스포츠에 ~이다 他是体育运动的全才
만:담(漫談) 명하자 相声 xiàngsheng ¶~가 相声艺人 =[相声演员]
만:대(萬代) 명 万代 wàndài; 万世 wànshì ¶이름을 ~에 빛내다 流芳万世 / ~까지 계속 이어지다 一直传到万世
만돌린(mandolin) 명 〖音〗 曼陀林 màntuólín; 曼多林 mànduōlín
만두(饅頭) 명 饺子 jiǎozi; 包子 bāozi; 饺 jiǎo; 包 bāo = 교자 ¶~소 饺子馅 / ~피 饺子皮儿 =[面皮] / ~를 찌다 蒸包子 / ~를 빚다 包饺子
만둣-국(饅頭—) 명 馄饨 húntun; 带汤水饺 dàitāng shuǐjiǎo; 饺子汤 jiǎozitāng
만들다 타 **1** 做 zuò; 造 zào; 制造 zhìzào; 制 zhì ¶자동차를 ~ 制造汽车 / 나무로 의자를 ~ 用木头做椅子 / 엄마가 나에게 맛있는 음식을 많이 만들어 주셨다 妈妈给我做了很多好吃的菜 **2** 制定 zhìdìng; 订 dìng ¶규칙을 ~ 制定规则 **3** 组织 zǔzhī; 开办 kāibàn ¶동호회를 ~ 组织同好会 / 회사를 ~ 开办公司 **4** 造成 zàochéng ¶좋은 환경을 ~ 造成一个良好的环境 **5** 准备 zhǔnbèi; 筹措 chóucuò; 安排 ānpái ¶필요한 자금을 ~ 筹措需要的资金 / 그에게 일거리를 좀 만들어 주다 给他安排点活儿 **6** (机会、空等) 找 zhǎo; 抽 chōu ¶적당한 기회를 만들어 그와 만나다 找合适的机会跟他见面 **7** 引起 yǐnqǐ; 惹起 rěqǐ; 惹 rě ¶논쟁을 ~ 引起争论 / 오해를 ~ 引起误解 **8** 写 xiě; 作 zuò; 编 biān ¶보고서를 ~ 写报告 / 사전을 ~ 编词典 **9** 占有 zhànyǒu; 据为…有 jùwéi…yǒu ¶그를 자기 사람으로 ~ 将他据为己有 **10** 使 shǐ; 叫 jiào; 让 ràng; 令 lìng ¶그들이 정식으로 사과하게 ~ 让他们正式道歉 / 그가 패배를 인정하게 ~ 让他认输
만료(滿了) 명하자 期满 qīmǎn; 满期 mǎnqī; 到期 dàoqī; 届满 jièmǎn; 满 mǎn ¶회사와의 계약이 ~되었다 与公司的合同期满了 / 임기가 이미 ~되다 任期已满
만루(滿壘) 명 〖體〗 (棒球的) 满垒 mǎnlěi ¶~ 홈런 满垒全垒打
만류(挽留) 명하타 挽留 wǎnliú; 留住 liúzhù; 慰留 wèiliú; 劝解 quànjiě; 劝阻 quànzǔ; 劝止 quànzhǐ ¶그는 우리의 ~에도 불구하고 회의장을 떠났다 他不顾我们的挽留, 离开了会场 / 그는 내가 그곳에 가는 것을 ~했다 他挽留我不要去那里

만:리-장성(萬里長城) 명 【古】 万里长城 Wànlǐ Chángchéng; 长城 Chángchéng = 완리창청
만:리-타향(萬里他鄕) 명 万里他乡 wànlǐ tāxiāng ¶~에서 아는 사람을 만나다 万里他乡遇故知
만:-만세(萬萬歲) 감 万万岁 wànwànsuì ¶만세! 만세! ~! 万岁! 万岁! 万万岁!
만만찮다 형 **1** 不可小看 bùkě xiǎokàn; 不可轻视 bùkě qīngshì ¶너도 대단하지만 그녀 역시 ~ 你很厉害, 但她也不可轻视 **2** 不容易 bùróngyì; 费劲儿 fèijìnr ¶집안일 하는 것도 ~ 做家务也不容易 **3** 不少 bùshǎo; 多 duō ¶그는 어제 돈을 만만찮게 썼다 他昨天花了不少钱
만만-하다 형 好对付 hǎo duìfu; 好惹 hǎorě; 好欺负 hǎo qīfu; 容易 róngyì; 不费劲儿 bùfèijìnr ¶너는 내가 그렇게 만만하니? 你以为我那么好欺负吗? / 개를 기른다는 것은 그렇게 만만한 일이 아니다 养狗不是那么容易的事儿 **만만-히** 부 ¶그를 ~ 보지 마라 你不要以为他好惹
만만-하다(滿滿—) 형 充满 chōngmǎn; 满满 mǎnmǎn; 足够 zúgòu ¶자신이 ~ 自信满满 **만만-히** 부
만면(滿面) 명 满面 mǎnmiàn; 满脸 mǎnliǎn ¶~에 희색이 가득하다 满面喜色
만:무(萬無) 명하형 不会 bùhuì; 决不会 juébùhuì; 不可能 bùkěnéng ¶그가 그런 말을 했을 리가 ~하다 他决不会说那种话
만:물(萬物) 명 万物 wànwù; 一切东西 yīqiè dōngxi ¶우주 ~ 宇宙万物 / 인간은 ~의 척도이다 人是万物的尺度
만:물-박사(萬物博士) 명 万事通 wànshìtōng; 百事通 bǎishìtōng; 知识里手 zhīshi lǐshǒu
만:물-상(萬物商) 명 杂货商 záhuòshāng; 杂货店 záhuòdiàn
만:민(萬民) 명 万民 wànmín; 百姓 bǎixìng; 人人 rénrén ¶~은 법 앞에 평등하다 法律之前人人平等
만:반(萬般) 명 万般 wànbān; 一切 yīqiè; 各种 gèzhǒng ¶~의 준비를 다 하다 做完一切准备工作
만:발(滿發) 명하자 盛开 shèngkāi; 齐放 qífàng ¶벚꽃이 ~하다 樱花盛开
만:방(萬邦) 명 = 만국
만:-백성(萬百姓) 명 所有百姓 suǒyǒu bǎixìng; 全体人民 quántǐ rénmín; 万民 wànmín
만:병(萬病) 명 百病 bǎibìng; 一切疾病 yīqiè jíbìng ¶비만은 ~의 근원이다 肥胖是一切疾病的根源
만:병-통치(萬病通治) 명하자 百病皆治 bǎibìng jiēzhì; 百病有效 bǎibìng yǒuxiào; 通治百病 tōngzhì bǎibìng
만:병통치-약(萬病通治藥) 명 万应良药 wànyìng liángyào; 万应灵丹 wànyìnglíngdān; 万应灵药 wànyìng língyào; 灵丹妙药 língdān miàoyào
만:보-계(萬步計) 명 = 만보기
만:보-기(萬步機) 명 计步器 jìbùqì; 测步器 cèbùqì = 만보계
만:-부득이(萬不得已) 부하형 万不得已 wànbùdéyǐ; 实不得已 shíbùdéyǐ; 迫不得已 pòbùdéyǐ 《'부득이'的强调语》 ¶이런 방법은 ~한 상황에서 쓰는 것이다 这种方法是在迫不得已的情况下才用
만:사(萬事) 명 万事 wànshì; 诸事 zhūshì; 凡事 fánshì; 一切 yīqiè; 什么事都 shénme shì dōu ¶~가 뜻대로 되지 않다 万事不如意 / ~를 제쳐 두다 不顾一切 / 지금은 ~가 다 귀찮다 现在什么事都不想做
만:사-여의(萬事如意) 명하형 万事如意 wànshìrúyì
만:사-태평(萬事太平 · 萬事泰平) 명하형 **1** 万事太平 wànshì tàipíng **2** 无忧无虑 wúyōuwúlǜ; 满不在乎 mǎnbùzàihu; 不知发愁 bùzhī fāchóu ¶우리는 모두 그를 위해 걱정하는데 정작 본인은 ~이다 我们都为他担心, 他本人却无忧无虑
만:사-형통(萬事亨通) 명하자 万事亨通 wànshìhēngtōng ¶모두들 ~하시길 바랍니다 祝大家万事亨通
만삭(滿朔) 명하자 (怀孕) 足月 zúyuè; 临产 línchǎn; 临盆 línpén = 만월2 ¶~의 임산부 临产的孕妇 / 그의 부인은 ~이 되었다 他的妻子足月了
만:석-꾼(萬石—) 명 大粮户 dàliánghù; 大地主 dàdìzhǔ
만선(滿船) 명하자 满船 mǎnchuán; 满舱 mǎncāng; 满载 mǎnzài ¶~하여 돌아오는 고깃배 满船归来的渔船
만성(慢性) 명 **1** 【醫】 慢性 mànxìng ¶~ 장염 慢性肠炎 / ~ 간염 慢性肝炎 / ~ 위염 慢性胃炎 / ~ 피로 慢性疲劳 **2** 痼习 gùxí; 固习 gùxí; 痼癖 gùpǐ ¶이미 ~이 되어 고치기가 쉽지 않다 已经成了痼癖, 不容易改正
만성-병(慢性病) 명 【醫】 慢性病 mànxìngbìng = 만성 질환 ¶~으로 사망하다 因慢性病而死亡
만성-적(慢性的) 관명 慢性的 mànxìngde ¶~인 폐단 慢性的弊端
만성 질환(慢性疾患) 【醫】 = 만성병
만:세(萬歲) 一명 万年 wànnián; 千秋万代 qiānqiūwàndài 二감명 万岁 wànsuì ¶대한 독립 ~! 大韩独立万岁! /

~를 부르는 소리가 전국을 뒤흔들다 万岁的呼声震撼全国

만:세불변(萬世不變) 명하자 永世不变 yǒngshì bùbiàn; 亘古不变 gèngǔ bùbiàn

만:수(滿水) 명 水满 shuǐmǎn

만:수-무강(萬壽無疆) 명하자 万寿无疆 wànshòuwújiāng ¶~을 기원합니다 祝您万寿无疆

만:신-창이(滿身瘡痍) 명 **1** 遍体鳞伤 biàntǐlínshāng; 浑身受伤 húnshēn shòushāng ¶그는 싸우다가 ~가 되었다 他在搏斗中, 浑身受伤 **2** 百孔千疮 bǎikǒngqiānchuāng; 疮痍满目 chuāngyímǎnmù ¶~가 된 폐허 위에서 기적을 만들어 내었다 在疮痍满目的废墟上创造了奇迹

만:약(萬若) 명 = 만일1 ¶~ 무슨 일이 생기면 내가 책임지겠다 万一发生什么事的话, 我会负责 / ~ 당신이 못 올 것 같으면 먼저 제게 전화를 주세요 如果你不能来, 先给我打电话 / ~ 네가 내 동생이었으면 얼마나 좋았을까 假如你是我妹妹, 该多好

만연(蔓延 · 蔓衍) 명하자 蔓延 mànyán ¶전염병이 ~하다 传染病蔓延 / 이런 나쁜 풍조가 지금 전 세계에 ~해 있다 这种不良风气, 正在全球蔓延

만용(蠻勇) 명 蛮勇 mányǒng ¶~을 부리는 사람 蛮勇之人

만:우-절(萬愚節) 명 愚人节 Yúrénjié ¶4월 1일은 ~이다 四月一号是愚人节

만원(滿員) 명 满员 mǎnyuán; 满座 mǎnzuò; 座满 zuòmǎn ¶마침 퇴근 시간이라 버스는 이미 ~이었다 刚好是下班时间, 公车已经座满了

만:월(滿月) 명 **1** = 보름달 **2** = 만삭

만:유-인력(萬有引力) 명 〖物〗 万有引力 wànyǒuyǐnlì

만:인(萬人) 명 万人 wànrén; 万众 wànzhòng; 所有人 suǒyǒurén ¶~이 주목하는 스타 万众关目的明星 / 그는 ~의 존경을 받는다 他受万人尊敬

만:일(萬一) 명 **1** 万一 wànyī; 如果 rúguǒ; 假如 jiǎrú; 要是 yàoshi; 意外 yìwài = 만약 ¶~ 그가 동의하지 않으면 어떻게 하지? 万一他不同意, 那怎么办? / ~ 내일 비가 오면 시합은 취소된다 如果明天下雨, 比赛就取消 / ~을 위해 보험에 들다 为意外投保 / ~에 대비해 우산을 가져가라 为了以防万一, 还是带去雨伞吧 **2** 万一 wànyī

만:장(滿場) 명하자 满场 mǎnchǎng; 全场 quánchǎng ¶개막식에서 ~의 박수를 받았다 在开幕式上受到了全场的鼓掌

만:장-일치(滿場一致) 명 全场一致 quánchǎng yīzhì ¶~로 결의안을 통과시켰다 全场一致通过了决议案

만:전(萬全) 명하형 万全 wànquán; 万无一失 wànwúyīshī ¶준비에 ~을 기하다 万无一失地准备

만점(滿點) 명 **1** 满分 mǎnfēn ¶그는 기말고사에서 ~을 받았다 他在期末考试中得到了满分 **2** 很好 hěn hǎo; 顶好 dǐng hǎo; 完美 wánměi ¶우리 엄마 음식 솜씨는 ~이다 我妈妈做菜的手艺顶好

만족(滿足) 명하형히부 满足 mǎnzú; 满意 mǎnyì; 足够 zúgòu ¶경기 결과에 모두들 ~한다 对比赛结果大家都很满意 / 시험 결과에 아주 ~하다 对考试结果感到非常满意

만족-감(滿足感) 명 满足感 mǎnzúgǎn ¶현재 상태에 대한 ~이 비교적 강하다 对现状的满足感比较强

만족-도(滿足度) 명 满足度 mǎnzúdù; 满意度 mǎnyìdù ¶고객 ~를 조사하다 调查客户满足度 / ~가 아주 높다 满足度很高

만족-스럽다(滿足—) 형 满意 mǎnyì; 满足 mǎnzú ¶성능이 만족스럽지 못하다 对性能不满意 / 만족스러운 표정을 짓다 露出满足的表情 **만족스레** 부

만주(滿洲) 명 〖地〗 满洲 Mǎnzhōu

만지다 타 **1** 触 chù; 碰 pèng; 摸 mō; 抚摸 fǔmō; 触摸 chùmō ¶그의 얼굴을 만져 보다 摸一摸他的脸 / 젖은 손으로 스위치를 ~ 用湿手碰开关 **2** 弄 nòng; 摆弄 bǎinòng; 鼓捣 gǔdao ¶그는 어려서부터 기계 만지는 것을 좋아했다 他从小就喜欢摆弄机器 **3** 赚钱 zhuànqián; 挣钱 zhèngqián ¶나는 지금까지 그렇게 큰돈을 만져 본 적이 없다 我从来没有赚过那么多钱

만지작-거리다 타 摸来摸去 mōláimōqù; 摆弄 bǎinòng = 만지작대다 ¶손으로 그의 머리를 ~ 把手放在他的头上摸来摸去 / 문 앞에 서서 옷자락을 만지작거리고 있다 站在门口摆弄着衣角 **만지작-만지작** 부하타

만질만질-하다 형 (手感) 软绵绵 ruǎnmiánmián; 柔软 róuruǎn ¶만질만질한 옷감 柔软的布料 / 표면이 ~ 表面很柔软

만:찬(晩餐) 명 晚餐 wǎncān; 晚饭 wǎnfàn ¶함께 모여 ~을 들다 聚集在一起吃晚餐

만:-천하(滿天下) 명 普天下 pǔtiānxià; 全世界 quánshìjiè; 天下 tiānxià ¶오늘 여기서 ~에 고하다 今天将在这里大白于天下

만:추(晩秋) 명 = 늦가을

만:춘(晩春) 명 = 늦봄

만:취(漫醉 · 滿醉) 명하자 大醉 dàzuì;

烂醉 lànzuì; 酩酊大醉 mǐngdǐngdàzuì ¶～한 친구를 부축해 집으로 돌아갔다 扶着酩酊大醉的朋友回到家 / 술을 ～하도록 마시다 喝酒喝得烂醉

만치 의명조 = 만큼

만큼 一의명 **1** 表示程度 ¶할 ～ 다 했다 该做的都做了 / 라면은 매일 싫증 날 ～ 먹었다 天天吃泡面, 我都吃腻了 **2** 表示原因、根据 ¶날씨가 더운 ～ 수분 보충에 주의해야 한다 天热, 注意补充水分 二조 一般 yībān; 一样 yīyàng; 像 xiàng; 差不多 chàbuduō《表示程度、限定》¶그는 키가 나～ 크다 他身高和我一般高 / 집을 대궐～ 크게 짓다 房子建得像宫殿那么大 ‖ = 만치

만:평(漫評) 명하타 漫评 mànpíng ¶～을 쓰다 写漫评

만-하다 보형 **1** 足 zú; 足以 zúyǐ; 可以 kěyǐ; 可 kě; 正是 zhèngshì ¶그녀는 벌써 결혼할 만한 나이가 되었다 她已经到了可以结婚的年龄 **2** 值得 zhídé; 可 kě ¶믿을 만한 친구 可靠的朋友 / 이 노래는 한번 들어 볼 ～ 这首歌可尝试听一下 / 그곳은 가 볼 만한 가치가 없다 那里不值得一去

만:학(晚學) 명하자타 晚学 wǎnxué ¶～의 즐거움에 깊이 빠지다 深深陷进晚学的乐趣中

만행(蠻行) 명 野蛮行为 yěmán xíngwéi; 暴行 bàoxíng ¶잔혹한 ～을 저지르다 实施残酷的暴行

만:혼(晚婚) 명하자 晚婚 wǎnhūn ¶그는 마흔에 결혼했으니 ～인 셈이다 他四十岁才结婚, 算晚婚

만:화(漫畫) 명 漫画 mànhuà; 卡通 kǎtōng ¶시사 ～ 时事漫画 / ～가 漫画家 / ～책 漫画书 / 인터넷에 ～를 연재하다 在网上连载漫画 / ～를 그리다 画卡通

만:화-경(萬華鏡) 명 万花筒 wànhuātǒng

만:화-방(漫畫房) 명 = 만홧가게

만:화 영화(漫畫映畫) 〖演〗 动画片 dònghuàpiàn; 卡通片 kǎtōngpiàn ¶～를 제작하다 制作动画片

만:홧-가게(漫畫―) 명 漫画租书店 mànhuà zūshūdiàn = 만화방

만회(挽回) 명하타 挽回 wǎnhuí; 补回 bǔhuí; 扳回 bānhuí ¶우리 팀은 2세트에서 1점을 ～했다 我队在第二局扳回了一分 / 손실을 ～하다 补回损失

많:다 형 多 duō; 丰富 fēngfù; 大 dà ¶경험이 많은 사람 经验很丰富的人 / 길에 사람이 ～ 路上人很多 / 그녀는 나이가 ～ 她年纪很大

많:-이 부 多 duō; 大 dà; 很 hěn ¶오늘 너무 ～ 먹었다 今天吃得太多了 / 약이 ～ 쓰다 药很苦 / ～ 걸었더니 발이 아프다 走了很多路, 脚很痛

많:아-지다 자 增加 zēngjiā; 多 duō ¶신청하는 사람이 갈수록 ～ 申请的人越来越多

맏- 접두 **1** 长 zhǎng; 大 dà ¶～아들 长子 / ～사위 大女婿 **2** 头 tóu; 新 xīn ¶～물 新下来的

맏-딸 명 大女儿 dànǚ'ér; 长女 zhǎngnǚ = 장녀 · 큰딸

맏-며느리 명 长媳 zhǎngxí; 大儿媳妇 dà'érxífu = 큰며느리

맏-사위 명 大女婿 dànǚxu = 큰사위

맏-손녀(―孫女) 명 长孙女 zhǎngsūnnǚ = 장손녀 · 큰손녀

맏-손자(―孫子) 명 长孙 zhǎngsūn = 큰손자

맏-아들 명 长子 zhǎngzǐ; 大儿子 dà'érzi = 장남 · 장자 · 큰아들 ¶재산을 ～이 물려받다 财产由长子继承

맏-이 명 **1** 老大 lǎodà = 첫째二2 **2** 年长 niánzhǎng ¶그녀는 나보다 10년 ～이다 她比我年长十岁

맏-형(―兄) 명 长兄 zhǎngxiōng; 大哥 dàgē = 큰형

말:[1] 명 **1** 语言 yǔyán; 话 huà; 言辞 yáncí ¶～을 못하는 벙어리 不能说话的哑巴 **2** 说话 shuōhuà; 话 huà = 소리2 ¶그는 ～이 매우 빠르다 他说话很快 **3** 故事 gùshi; 话 huà ¶～을 건네다 搭话 / 하고 싶은 ～이 많다 想说的话很多 / 우선 내 ～을 좀 들어 봐라 先听听我的话 **4** 传闻 chuánwén ¶나는 너에 관한 ～을 들었다 我听到有关你的传闻 **5** 表示强调或弄清楚 ¶그가 정말 나보고 그런 일을 하라고 했단 ～이야? 他真的让我做那种事吗? **6** 正好 zhènghǎo ¶네가 마침 제때에 왔으니 ～이지 안 그랬으면 널 못 볼 뻔했다 你来得正好, 不然就不能看到你 **7** 表示叹息 ¶몇 번이나 말했는데 들어야 ～이지 说了几次, 还是不听 **8** 就是 jiùshì《强调在前面提到的事实》¶너 그 사람이랑 아는 사이니? 어제 왔었던 그 사람 ～이야 你认识他吗? 就是昨天来的那个人

말 한마디에 천 냥 빚도 갚는다 속담 能言者无难事

말이 씨가 된다 속담 话语成真

말(도)[말(을)] 마라 구 甭提了

말(을) 놓다 구 (说话) 不客套; 不客气

말(을) 돌리다 구 转话题

말(을) 듣다 구 **1** 听话 ¶이 아이는 정말 말을 잘 듣지 않는다 这个孩子真不听话 **2** 听闲话; 受责备; 挨批评 ¶큰 실수를 해서 상사로부터 말을 들었다 因为犯了重大的错误, 受了上司的

责备 3 听使唤; 好用 ¶발이 말을 듣지 않는다 脚不听使唤

말(을) 못하다 구 不能说; 说不出话来 ¶말 못할 비밀 不能说的秘密 / 감동해서 ~ 感动得说不出话来

말(을) 옮기다 구 传话 ¶함부로 다른 사람 말을 옮기지 마라 不要随便去传别人的话

말(이) 나다 구 1 提起; 说起 ¶이왕 말이 난 김에 자세히 말하겠다 既然提起那件事, 我就仔细告诉你 2 走漏; 传开了; 传出去了 ¶벌써 말이 났다 已经走漏风声了

말(이) 되다 구 1 言之有理; 像话 ¶시간도 아직 안 되었는데 경기를 시작한다는 게 말이 됩니까? 时间还没到, 比赛就开始, 这像话吗? 2 有言约; 约好 ¶오늘 오후에 만나기로 말이 되어 있다 约好今天下午见面

말(이) 떨어지다 구 (指示、许可、评价等的话) 说出; 说下来

말(이) 많다 구 1 多嘴 ¶말이 많은 아주머니 多嘴的阿姨 2 风闻多; 话柄多 ¶그 사람에 관한 ~ 有关那个人的风闻很多

말(이)[말(도)] 아니다 구 1 不像话 ¶그런 말이 아닌 소리는 더 이상 하지 마라 不要再说那不像话的话 2 不像样子 ¶그곳은 지금 갈수록 말이 아니다 那个地方现在越来越不像样子了

말이 통하다 구 说话投机

말[2] 의명 斗 dǒu ¶찹쌀 세 ~ 糯米三斗

말[3] 명 〖動〗 马 mǎ ¶~ 한 필 一匹马 / ~을 타다 骑马

말 타면 경마 잡히고 싶다 속담 得陇望蜀; 得寸进尺

말[4] 명 〖體〗 棋子(儿) qízǐ(r)

말(末) 의명 末 mò ¶학기 ~ 学期末 / 20세기 ~ 二十世纪末

말:갛다 형 1 清澈 qīngchè; 明亮 míngliàng ¶그녀의 말간 눈동자 她那明亮的眼睛 / 강물이 ~ 河水清澈 2 淡 dàn; 清 qīng; 清淡 qīngdàn ¶말간 국물 清汤 3 (神志) 清醒 qīngxǐng; 清爽 qīngshuǎng ¶한잠 푹 잤더니 머리가 아주 ~ 睡了一个好觉, 头脑很清醒了

말:개-지다 자 变清 biàn qīng ¶혼탁한 흙탕물이 말개졌다 混浊的泥水变清了

말-고삐 명 马缰绳 mǎjiāngshéng ¶~를 꽉 잡다 紧握马缰绳

말괄량이 명 泼妇 pōfù; 野丫头 yěyātou

말-구유 명 马槽 mǎcáo

말-굽 명 马蹄 mǎtí; 蹄 tí ¶~ 소리 马蹄声 / ~자석 蹄形磁铁 / ~을 갈다 换马蹄

말:-귀 명 1 话意 huàyì; 语义 yǔyì ¶~를 알아듣다 听懂话意 2 语言理解力 yǔyán lǐjiělì ¶~가 밝은 사람 语言理解力强的人 / 그는 ~가 어둡다 他语言理解力很差

말기(末期) 명 1 末期 mòqī; 末叶 mòyè; 末年 mònián ¶19세기 ~ 十九世纪末叶 2 晚期 wǎnqī ¶위암 ~ 胃癌晚期

말:-꼬리 명 = 말끝

말꼬리(를) 물고 늘어지다 구 抓住话柄刨根问底

말꼬리(를) 잡다 구 抓住话把儿找茬儿 = 말끝(을) 잡다

말:-꼬투리 명 话柄 huàbǐng; 话把儿 huàbǎr ¶아내에게 ~가 잡히다 被妻子抓住话柄

말끔-하다 형 干净 gānjìng; 洁净 jiéjìng; 晴朗 qínglǎng ¶말끔한 거리 干净的街头 / 말끔한 옷차림 干净的穿着 / 방 안이 아주 ~ 房间里很洁净 **말끔-히** 부

말:-끝 명 话尾 huàwěi; 结束语 jiéshùyǔ; 结语 jiéyǔ = 말꼬리 ¶~을 맺기도 전에 모두 가 버렸다 把话尾还没说完, 大家都离开了

말끝(을) 잡다 구 = 말꼬리(를) 잡다

말끝(을) 흐리다 구 含糊其辞

말년(末年) 명 1 晚年 wǎnnián; 暮年 mùnián ¶고향에서 ~을 행복하게 보내다 在故乡幸福地过晚年 2 末年 mònián; 末期 mòqī

말다[1] 타 卷 juǎn ¶머리를 ~ 卷头发 / 신문지를 ~ 把报纸卷起来

말다[2] 타 (饭、冷面等) 泡 pào ¶된장국에 밥을 말아 먹다 大酱汤里泡饭吃

말다[3] 一타 1 没…完 méi…wán; 不完 bùwán; 停 tíng; 中断 zhōngduàn; 停止 tíngzhǐ; 作罢 zuòbà ¶먹다 만 사과 没吃完的苹果 / 말을 하다 ~ 把话说不完 / 잠시 일하다 말고 커피를 마시다 暂时停下工作喝咖啡 2 不要 bùyào; 别 bié ¶걱정 마세요 不要担心 / 내 일에 상관 말고 네 갈 길이나 가라 你走你的路, 别管我 3 …不… …bù… ¶갈지 말지 아직 결정하지 않았다 去不去, 还没决定 / 지금 그곳의 상황은 보나 마나 뻔하다 现在那里的情况, 看不看都很清楚 二보동 1 不要 bùyào; 别 bié ¶그런 말 하지 마라 不要说那种话 / 그를 믿지 마라 不要相信他 2 终于 zhōngyú; 结果 jiéguǒ; 一定要 yīdìng yào ¶그는 끝내 죽고 말았다 他终于死了 / 나는 반드시 내 꿈을 이루고야 말겠다 我一定要实现我的梦想

말:-다툼 명하자 吵架 chǎojià; 吵嘴 chǎozuǐ; 争吵 zhēngchǎo; 舌战 shézhàn; 口舌 kǒushé; 口角 kǒujué; 抬杠

táigàng = 말싸움 · 설전 · 언쟁 · 입씨름2 ¶나는 오늘 친구와 ~을 했다 我今天跟朋友吵架了

말단(末端) 명 1 末端 mòduān; 末尾 mòwěi; 末梢 mòshāo; 梢头 shāotóu ¶~에 서다 站在末端 / 이름을 ~에 쓰다 把名字写在末端 2 基层 jīcéng; 下级 xiàjí ¶~ 공무원 基层公务员 / ~ 기구 基层单位 / ~ 부서 下级部门

말:-대꾸 명하자 顶撞 dǐngzhuàng; 顶嘴 dǐngzuǐ; 回嘴 huízuǐ; 还嘴 huánzuǐ = 대꾸 ¶선생님께 ~하면 못쓴다 不许同老师顶嘴

말:-대답(一對答) 명하자 顶撞 dǐngzhuàng; 顶嘴 dǐngzuǐ; 回嘴 huízuǐ; 还嘴 huánzuǐ ¶어른에게 ~나 하고 정말 버릇이 없구나 跟大人顶嘴, 真没礼貌

말:더듬-이 명 结巴 jiēba

말:-동무 명하자타 说话的伴儿 shuōhuàde bànr; 陪…说话 péi…shuōhuà ¶나는 가끔 할머니의 ~가 되어 할머니를 기쁘게 해 드린다 我偶尔陪奶奶说话, 让她高兴

말-똥 명 马粪 mǎfèn

말똥에 굴러도 이승이 좋다 속담 好死不如赖活

말똥-구리 명 『蟲』 = 쇠똥구리

말똥-말똥[1] 부하타 目不转睛 mùbùzhuǎnjīng; 滴溜溜 dīliūliū ¶그의 얼굴을 ~ 쳐다보다 目不转睛地看着他的脸

말똥-말똥[2] 부하형 1 (精神) 清醒 qīngxǐng ¶정신이 ~해서 조금도 잘 생각이 없다 头脑很清醒, 一点都不想睡 2 圆睁睁 yuánzhēngzhēng; 滴溜溜 dīliūliū ¶눈을 ~하게 뜨고 계속해서 묻다 眼睛睁得滴溜溜的, 继续问

말뚝 명 桩子 zhuāngzi; 木桩 mùzhuāng; 橛子 juézi ¶소가 ~에 매어 있다 牛被拴在桩子上

말뚝(을) 박다 구 1 打桩子 2 定界限 3 固定

말:-뜻 명 语意 yǔyì; 语中之意 yǔzhōngzhīyì; 意思 yìsi ¶모두들 내 ~을 이해하지 못했다 大家没理解我的意思

말라-깽이 명 瘦子 shòuzi; 瘦长条子 shòuchángtiáozi; 瘦条子 shòutiáozi ¶그의 여자 친구는 ~다 他的女朋友是个瘦条子

말라리아(malaria) 명 『醫』 疟疾 nüèji = 학질 ¶~를 치료하다 治疗疟疾

말라-붙다 자 干涸 gānhé; 枯涸 kūhé ¶가뭄으로 우물물이 말라붙었다 由于天旱井水干涸了

말라-비틀어지다 자 1 干瘪 gānbiě; 枯瘦 kūshòu; 瘦骨棱棱 shòugǔléngléng ¶차갑고 말라비틀어진 손 一双冰凉枯瘦的手 / 나뭇가지처럼 말라비틀어진 환자 枯瘦如柴的病人 2 无赖 wúlài ¶그런 말라비틀어진 소리 좀 하지 마라 不要说那种无赖的话

말라-빠지다 자 1 干瘪 gānbiě; 枯瘦 kūshòu; 瘦骨棱棱 shòugǔléngléng 2 无赖 wúlài

말랑-거리다 자 松软 sōngruǎn; 软软 ruǎnruǎn; 柔软 róuruǎn = 말랑대다 ¶우리 할머니는 말랑거리는 감을 좋아하신다 我奶奶喜欢软软的柿子 **말랑-말랑** 부하형 ¶~한 빵 松软的面包

말랑-하다 형 1 软 ruǎn; 松软 sōngruǎn; 柔软 róuruǎn ¶토마토가 ~ 西红柿很软 2 软弱 ruǎnruò; 温柔 wēnróu; 温顺 wēnshùn ¶말랑한 사람 软弱的人

말려-들다 자 1 被卷入 bèi juǎnrù; 被卷进 bèi juǎnjìn; 陷进 xiànjìn ¶돌아가는 기계에 장갑이 ~ 被转动的机器卷进手套 2 卷入 juǎnrù; 被拖进 bèi tuōjìn; 被扯进 bèi chějìn ¶성추문에 ~ 卷入性丑闻 / 송사에 ~ 被扯进官司

말로(末路) 명 1 晚年 wǎnnián; 暮年 mùnián ¶그의 ~는 비참했다 他的晚年生活是很悲惨的 2 末路 mòlù; 下场 xiàchǎng; 结局 jiéjú ¶배신자의 ~ 背叛者的下场

말-리다[1] 자 1 (被)卷入 (bèi) juǎnrù; (被)卷进 (bèi) juǎnjìn; (被)卷起 (bèi) juǎnqǐ 《'말다[1]' 的被动词》 ¶신문이 ~ 报纸卷起来了 2 卷入 juǎnrù; 被拖进 bèi tuōjìn; 被扯进 bèi chějìn ¶정치적 사건에 ~ 被拖进政治性事件

말리다[2] 타 劝 quàn; 劝说 quànshuō; 劝阻 quànzǔ; 阻拦 zǔlán ¶친구가 그 옷을 사지 말라고 말렸다 朋友劝说不要买那件衣服 / 그들의 결혼을 ~ 阻拦他们的结婚

말리다[3] 타 晒 shài; 晾(干) liàng(gān) 《'마르다[1]' 的使动词》 ¶옷을 ~ 晒衣服 / 베란다에서 이불을 ~ 在阳台晾被子

말:-문(一門) 명 (说话的) 口 kǒu

말문(을) 막다 구 堵嘴; 不让人开口 ¶그는 그 이야기를 꺼내서 내 말문을 막았다 他提起那件事, 不让我开口

말문(을) 열다 구 开口; 启齿 ¶어렵게 말문을 열었다 好不容易开了口

말문이 막히다 구 张口结舌; 哑口无言; 有口难言 ¶그의 한마디에 상대방은 말문이 막혔다 他的一句话, 让对方哑口无言

말미 명 假 jià; 休假 xiūjià ¶어렵사리 사흘간의 ~를 얻어서 부모님을 만나러 갔다 好不容易得到三天假期去看父母

말미(末尾) 명 末尾 mòwěi; 结尾 jiéwěi ¶자기의 느낌을 ~에 기록하다 将自己的感受记录在末尾处 / ~에 배치하

다 排在末尾

말미암다 자 因 yīn; 由于 yóuyú; 因为 yīnwèi ¶한순간의 실수로 말미암은 사고 因一不小心引发的事故 / 그의 오해로 말미암아 충돌이 생겼다 因为他误解引起了冲突

말미잘 명 〖動〗 海葵 hǎikuí

말:-발 명 话的作用 huàde zuòyòng; 口气 kǒuqì ¶그 사람은 ~이 세다 那个人的口气真不小

말발(이) 서다 구 言必行

말-발굽 명 马蹄 mǎtí ¶갑자기 ~ 소리가 들렸다 突然间听到了马蹄声

말:-버릇 명하자 口气 kǒuqì; 口头禅 kǒutóuchán ¶그 젊은이는 ~이 고약하다 那个年轻人口气不好 / ~을 고치다 改口头禅

말-벌 명 〖蟲〗 马蜂 mǎfēng; 胡蜂 hú-fēng

말복(末伏) 명 末伏 mòfú

말살(抹殺·抹撥) 명하타 抹杀 mǒshā; 扼杀 èshā; 抹掉 mǒdiào ¶민족 문화의 전통과 특색을 ~하다 抹杀民族文化的传统与特色

말석(末席) 명 1 末席 mòxí; 末座 mò-zuò ¶일부러 그를 ~에 앉히다 故意安排他坐在末席 2 末位 mòwèi; 低职位 dīzhíwèi

말세(末世) 명 末世 mòshì; 末日 mòrì; 末代 mòdài

말소(抹消) 명하타 抹掉 mǒdiào; 抹去 mǒqù; 注销 zhùxiāo; 勾账 gōuzhàng; 勾销 gōuxiāo ¶중요한 기록을 ~하다 抹去重要的记录 / 국적을 ~하다 注销国籍

말:-소리 명 1 说话声 shuōhuàshēng; 话音 huàyīn; 嗓音 sǎngyīn ¶~가 너무 크다 说话声太大 2 〖語〗 语音 yǔ-yīn; 音声 yīnshēng

말:-솜씨 명 口才 kǒucái ¶그는 ~가 아주 좋다 他口才很好

말:-수(—數) 명 话 huà; 言 yán ¶그는 취기가 오를수록 ~가 적어진다 他酒意越来越浓, 话越来越少

말-술 명 1 一斗酒 yīdǒu jiǔ 2 海量 hǎiliàng; 大量的酒 dàliàngde jiǔ ¶그는 완전히 ~이다 他的酒量简直是海量

말:-실수(—失手) 명하자 走嘴 zǒuzuǐ; 失言 shīyán; 失口 shīkǒu ¶나는 그 앞에서 하마터면 ~할 뻔했다 我在他的面前, 差点说走了嘴

말:-싸움 명하자 = 말다툼

말:썽 명 麻烦 máfan; 纠纷 jiūfēn; 口舌 kǒushé; 祸端 huòduān; 是非 shìfēi ¶그는 늘 ~을 일으킨다 他总是惹是生非

말:썽-꾸러기 명 爱惹事的人 ài rěshì-de rén; 惹事包 rěshìbāo; 捣乱分子 dǎoluàn fènzǐ = 말썽쟁이

말:썽-쟁이 명 = 말썽꾸러기

말쑥-이 부 整齐地 zhěngqíde; 干净利落地 gānjìnglìluode ¶옷을 ~ 차려입고 선보러 가다 干净利落地穿衣服去相亲

말쑥-하다 형 干净 gānjìng; 整齐 zhěngqí; 利落 lìluo ¶말쑥한 복장 整齐的服装

말:씀 명 1 话 huà 《尊敬的表现》 ¶아버지의 ~ 父亲的话 / 선생님 ~을 듣다 听老师的话 2 话 huà 《谦虚的表现》 ¶드릴 ~이 있습니다 我有话跟您说 —하다 자타 说话 shuōhuà; 说 shuō; 讲 jiǎng; 讲话 jiǎnghuà 《'말하다 1' 的敬词》 ¶다시 한번 말씀해 주세요 请你再说一遍

말:-씨 명 1 口气 kǒuqì; 口吻 kǒuwěn ¶부드러운 ~ 温和的口气 2 话音 huà-yīn; 口音 kǒuyīn; 腔调 qiāngdiào; 腔 qiāng ¶지방 ~ 地方口音 / 상하이 ~ 上海腔

말:-씨름 명하자 = 입씨름1

말아-먹다 타 花光 huāguāng; 挥霍 huīhuò ¶도박으로 전 재산을 ~ 因赌博把所有的财产都挥霍掉

말-안장(—鞍裝) 명 马鞍 mǎ'ān; 马鞍子 mǎ'ānzi; 鞍子 ānzi

말:-없이 부 不言不语地 bùyánbùyǔde; 一声不响地 yīshēngbùxiǎngde; 不声不响地 bùshēngbùxiǎngde; 默默无言地 mòmòwúyánde ¶~ 떠나다 一声不响地离开 / 그녀는 ~ 내 얼굴을 바라보았다 她默默无言地看着我的脸

말엽(末葉) 명 末叶 mòyè; 末期 mòqī ¶19세기 ~ 十九世纪末期 / 고려 ~ 高丽末叶

말일(末日) 명 1 最后一天 zuìhòu yī-tiān; 末日 mòrì ¶이번 달 ~이 그의 생일이다 这个月的最后一天就是他的生日 2 = 그믐날

말:-장난 명하자 玩弄词藻 wánnòng cízǎo; 玩弄文字游戏 wánnòng wénzì yóuxì

말:-재간(—才幹) 명 = 말재주

말:-재주 명 口才 kǒucái; 辩才 biàn-cái; 口辩 kǒubiàn = 말재간·화술 ¶~가 있는 사람 有口才的人 / 이 사람은 ~가 좋다 这个人很有辩才

말:-조심(—操心) 명하자 说话谨慎 shuōhuà jǐnshèn; 慎言 shènyán ¶~해야지 말 한 마디 잘못했다가 큰 곤욕을 치를 수 있다 说话要谨慎, 说错一句话, 影响是很大的

말:-주변 명 口才 kǒucái; 辩才 biàn-cái; 口辩 kǒubiàn ¶그는 ~이 아주 좋다 他口才很好

말:-줄임표(—標) 명 〖語〗 = 줄임표

말짱 부 全部 quánbù; 完全 wánquán; 都 dōu ¶모든 게 ~ 헛수고다 一切都是白费工夫而已

말짱-하다 형 **1** 好好的 hǎohǎode; 没毛病 méi máobìng ¶이 세탁기는 아직 말짱해서 새것을 살 필요가 없다 这台洗衣机还好好的, 不用买新的 **2** 清醒 qīngxǐng ¶나는 술을 조금 마시긴 했지만 정신은 아주 ~ 我虽然喝了一点酒, 但头脑很清醒 **3** 荒诞 huāngdàn; 荒诞无稽 huāngdànwújī ¶누구도 그런 말짱한 거짓말은 믿지 않는다 谁也不相信那么荒诞的谎言 **말짱-히** 부

말:-참견(—参見) 명하자 插嘴 chāzuǐ; 抢嘴 qiǎngzuǐ; 插话 chāhuà; 插口 chākǒu ¶그녀는 ~하는 것을 좋아한다 她很爱插话

말초(末梢) 명 **1** 末梢 mòshāo; 末尾 mòwěi ¶~ 신경 末梢神经 **2** 树梢 shùshāo

말초-적(末梢的) 관명 枝节(的) zhījié(de); 无关紧要(的) wúguānjǐnyào(de) ¶이건 다만 ~인 문제일 뿐이다 这只是枝节问题

말-총 명 马尾毛 mǎwěimáo; 马鬃 mǎ-zōng; 尾 yǐ

말:-투(—套) 명 口气 kǒuqì; 语气 yǔqì; 口吻 kǒuwěn = 어투 ¶화난 ~로 말하다 用生气的语气说

말:-하다 자타 **1** 说 shuō; 说话 shuōhuà; 讲 jiǎng; 讲话 jiǎnghuà ¶큰 소리로 ~ 大声说 / 모두들 그녀가 아름답다고 말한다 大家都说她很漂亮 **2** 告诉 gàosu; 告知 gàozhī ¶아무도 나에게 그 소식을 말해 주지 않았다 谁也没告诉我那个消息 **3** 委托 wěituō; 托付 tuōfù; 托 tuō ¶돈과 관련된 일은 남에게 말하기 어렵다 有关钱的事, 不好托付给别人 **4** 劝说 quànshuō; 劝quàn; 说 shuō ¶모두들 그를 만나지 말라고 말했다 大家都劝说不要见他 **5** 说明 shuōmíng; 意味着 yìwèizhe; 表明 biǎomíng; 指 zhǐ ¶그의 이런 행동은 무엇을 말하는 것입니까? 他这种行动意味着什么? **6** 就是说 jiùshì shuō; 换言之 huànyánzhī ¶말하자면 세상에 공짜는 없다 换言之, 世上没有白吃的午餐 **7** 提起 tíqǐ; 谈起 tánqǐ ¶머리 좋기로 말하면 그를 따를 자가 없다 提起聪明的人, 谁都比不上他

말할 것도 없다 구 不用说; 当然 ¶이번 시합의 우승자는 말할 것도 없이 우리들이다 这次比赛的冠军当然是我们

말할 수 없다 구 非常 ¶오늘 너를 만나서 이루 말할 수 없이 기쁘다 今天见到你非常高兴

맑다 형 **1** 清 qīng; 清爽 qīngshuǎng; 明净 míngjìng; 明澈 míngchè; 清新 qīngxīn; 清净 qīngjìng; 清朗 qīnglǎng; 新鲜 xīnxiān ¶맑은 눈동자 清朗的眼眸 / 냇물이 아주 ~ 溪水很清 / 맑은 공기를 마시다 呼吸新鲜空气 **2** 晴 qíng; 晴朗 qínglǎng ¶맑은 하늘 晴朗的天空 / 오늘 날씨가 참 ~ 今天天气好晴朗 **3** 清澈 qīngchè; 美丽 měilì ¶맑고 투명한 마음 清澈透明的心 **4** 清脆 qīngcuì; 清朗 qīnglǎng; 清亮 qīngliàng ¶수정처럼 맑은 목소리 像水晶那样清脆的声音 **5** 清醒 qīngxǐng; 清朗 qīnglǎng ¶아침에 머리가 특히 ~ 早上头脑特别清醒

맘: 명 '마음'的略词

맘:-고생(—苦生) 명 '마음고생'的略词 ¶선생님은 늘 학생들 때문에 ~을 하신다 老师总是为学生操心

맘:-껏 부 '마음껏'的略词 ¶오늘은 내가 사는 것이니 모두들 ~ 먹어라 今天我请客, 大家都尽量吃吧

맘:-대로 부 '마음대로'的略词 ¶이곳의 물건은 ~ 써도 된다 这里的东西都可以随便用

맘마 명 奶 nǎi; 吃的 chīde ¶아가야, ~ 먹자! 孩子, 吃奶吧!

맘:-먹다 자타 '마음먹다'的略词

맘:-보 명 '마음보'的略词

맘보(에mambo) 명 〖音〗 曼博舞 mànbówǔ; 曼博舞曲 mànbówǔqǔ

맘:-속 명 '마음속'的略词

맘:-씨 명 '마음씨'的略词

맙:-소사 감 我的天 wǒde tiān; 天啊 tiān'a ¶~, 지갑이 없어졌다 天啊, 我的钱包不见了

맛 명 **1** 味道 wèidao; 滋味 zīwèi; 味儿 wèir ¶이 국수는 ~이 아주 좋다 这一碗面条味道很好 / 매운~이 강하다 辣味儿太强 **2** 趣味 qùwèi; 乐趣 lèqù ¶최근 들어 독신 생활의 ~을 알게 되었다 最近才懂得了单身生活的乐趣 **3** 风味 fēngwèi; 气息 qìxī; 气氛 qìfēn; 意思 yìsi ¶우리끼리만 가면 무슨 ~이냐? 只有我们几个人去, 有什么意思?

맛(을) 들이다 구 感兴趣 ¶테니스에 맛을 들였다 对网球感兴趣了

맛(이) 가다 구 (精神、性格) 变坏 ¶연달아 며칠 야근을 했더니 그의 얼굴이 맛이 갔다 连续几天加班, 他的脸色都变坏了

맛-깔 명 味 wèi; 味道 wèidao

맛깔-스럽다 형 好吃 hǎochī; 适口 shìkǒu; 可口 kěkǒu ¶맛깔스러운 음식 好吃的菜 / 그녀가 담근 김치는 아주 ~ 她做的泡菜很好吃 **맛깔스레** 부

맛-나다 형 可口 kěkǒu; 好吃 hǎochī; 味道好 wèidao hǎo; 津津有味(儿) jīnjīnyǒuwèi(r) ¶나는 오늘 맛난 것이 먹고 싶다 我今天想吃好吃的

맛-보다 타 **1** 尝 cháng; 品味 pǐnwèi; 品尝 pǐncháng ¶포도주를 ~ 品尝葡萄酒 **2** 尝 cháng; 体验 tǐyàn; 体会 tǐhuì ¶행복을 ~ 尝到幸福 / 고난을 ~ 体会艰辛

맛-소금 명 加味盐 jiāwèiyán; 味精盐 wèijīngyán

맛-술 명 料酒 liàojiǔ

맛-없다 형 **1** 不好吃 bùhǎochī; 难吃 nánchī; 无味道 wúwèidao ¶그녀가 만든 요리는 정말 ~ 她做的菜真难吃 **2** 没兴趣 méi xìngqù; 没意思 méi yìsi ¶나 혼자 가면 ~ 只有我一个人去, 真没意思 **맛없-이** 부

맛-있다 형 好吃 hǎochī; 可口 kěkǒu; 味道好 wèidao hǎo; 有味道 yǒu wèidao ¶엄마가 해 주신 음식은 모두 ~ 妈妈做的菜都很好吃

망:(望) 명 放哨 fàngshào; 守望 shǒuwàng; 望风 wàngfēng ¶돌아가며 ~을 보다 轮流放哨

망(網) 명 网 wǎng ¶닭장 안 양쪽에 ~을 치다 鸡舍内两侧设网

-망(網) 어미 网 wǎng ¶교통~ 交通网 / 통신~ 通信网

망가-뜨리다 타 弄坏 nònghuài; 打坏 dǎhuài; 打碎 dǎsuì ¶아이가 컴퓨터를 망가뜨렸다 孩子把电脑弄坏了

망가-지다 자 坏 huài; 破 pò; 碎 suì; 出故障 chū gùzhàng ¶탁자가 망가졌다 桌子坏了 / 새로 산 휴대폰이 망가졌다 新买的手机坏了

망각(忘却) 명하타 忘却 wàngquè; 忘记 wàngjì ¶자신의 본분을 ~해서는 안 된다 不能忘记自己的本分

망간(독Mangan) 명 〖化〗 锰 měng

망건(網巾) 명 网巾 wǎngjīn; 幧头 qiāotóu; 帩头 qiàotóu

망건 쓰자 파장 속담 磨蹭误事

망고(mango) 명 〖植〗 杧果 mángguǒ; 芒果 mángguǒ

망국(亡國) 명하자 **1** 亡国 wángguó ¶~민 亡国之民 **2** 国家沦亡 guójiā lúnwáng

망극-하다(罔極—) 형 罔极 wǎngjí

망나니 명 **1** 刽子手 guìzishǒu **2** 二流子 èrliúzi; 混蛋 húndàn; 浑蛋 húndàn

망년-회(忘年會) 명 岁末宴会 suìmò yànhuì; 岁末聚会 suìmò jùhuì; 年会 niánhuì

망:**대**(望臺) 명 瞭望台 liàowàngtái; 望楼 wànglóu

망:**동**(妄動) 명하자 妄动 wàngdòng; 妄举 wàngjǔ ¶선불리 ~하지 마라 不要轻易妄动

망:**둑어** 명 〖魚〗 望瞳鱼 wàngtóngyú; 望月童鱼 wàngyuètóngyú; 蛇鱼 shéyú = 망둥이

망:**둥-이** 명 〖魚〗 = 망둥어

망둥이가 뛰면 꼴뚜기도 뛴다 속담 盲目追随

망라(網羅) 명하타 网罗 wǎngluó; 收罗 shōuluó; 包罗 bāoluó; 包括 bāokuò; 收集 shōují ¶정치계를 ~한 모임 政治界包括在内的集会

망령(亡靈) 명 亡魂 wánghún; 亡灵 wánglíng ¶제국주의의 ~ 帝国主义的亡灵

망:**령**(妄靈) 명 老糊涂 lǎohútu ¶그는 ~이 들었다 他老糊涂了

망:**령-되다**(妄靈—) 형 (老得) 糊涂 hútu; 糊里糊涂 húlihútú **망**:**령되-이** 부 ¶~ 행동하다 糊里糊涂地行动

망:**루**(望樓) 명 望楼 wànglóu; 瞭望台 liàowàngtái ¶병사들이 ~에 서 있다 兵士站在望楼

망막(網膜) 명 〖生〗 网膜 wǎngmó; 视网膜 shìwǎngmó

망망-대해(茫茫大海) 명 茫茫大海 mángmángdàhǎi ¶~에서 길을 잃어버리다 在茫茫大海上迷失航向 / ~를 떠다니다 在茫茫大海上飘荡

망망-하다(茫茫—) 형 **1** 茫茫 mángmáng ¶망망한 평야 茫茫的平野 **2** 渺茫 miǎománg ¶망망한 미래 渺茫的未来 **망망-히** 부

망명(亡命) 명하자 亡命 wángmìng; 流亡 liúwáng; 逃亡 táowáng ¶~자 亡命者 / ~지 流亡地

망:**발**(妄發) 명하자 **1** 言行有失 yánxíng yǒushī ¶어른들 앞에서 ~할까 두렵다 在大人面前, 怕自己言行有失 **2** 胡说 húshuō; 胡说八道 húshuōbādào; 胡言乱语 húyánluànyǔ ¶너 지금 무슨 ~을 하는 것이냐? 你在胡说什么?

망:**-보다**(望—) 타 放哨 fàngshào; 望风 wàngfēng ¶다른 사람이 도둑질할 때 밖에서 ~ 别人盗窃时, 为他在外面放哨

망:**부-석**(望夫石) 명 望夫石 wàngfūshí

망사(網紗) 명 罗纱 luóshā; 丝网 sīwǎng ¶검정 ~ 스타킹 黑丝网袜 / ~팬티 丝网内裤

망:**상**(妄想) 명하타 **1** 妄想 wàngxiǎng; 妄念 wàngniàn ¶~을 버리다 放弃妄想 **2** 〖心〗 妄想 wàngxiǎng ¶피해~ 被害妄想 / ~증 妄想症

망설-이다 타 踌躇 chóuchú; 犹豫 yóuyù ¶종일 망설이다가 드디어 그에게 전화하기로 결정했다 犹豫了半天, 终于决定打电话给他

망설임 명 踌躇 chóuchú; 犹豫 yóuyù ¶아무런 ~ 없이 옥상에서 뛰어내리

다 没有丝毫的犹豫, 从楼顶跳下来
망신(亡身) 명하자 丢脸 diūliǎn; 丢人 diūrén; 丢丑 diūchǒu; 丢面子 diū miànzi ¶일부러 그에게 ~을 주다 故意让他丢脸 / 그는 아들 앞에서 ~을 당했다 他在儿子面前丢了面子
망신-살(亡身煞) 명 倒霉 dǎoméi; 倒霉运 dǎoméiyùn
망신살(이) 뻗치다 구 一再丢人现眼; 没脸见人
망신-스럽다(亡身—) 형 丢人 diūrén; 丢脸 diūliǎn; 丢丑 diūchǒu; 丢面子 diū miànzi ¶대학생이 고등학생에게 맞다니 정말 ~ 大学生被高中生打, 真丢脸 **망신스레** 부
망아지 명 小马 xiǎomǎ; 马驹子 mǎjūzi
망언(妄言) 명하자 妄言 wàngyán; 胡说 húshuō ¶~을 일삼다 常常满嘴胡说
망연-자실(茫然自失) 명하자 茫然自失 mángránzìshī; 茫然若失 mángránruòshī ¶친구가 갑자기 죽었다는 소식을 듣고 나는 ~할 수밖에 없었다 听到朋友突然死亡的消息, 我只是茫然自失
망연-하다(茫然—) 형 **1** 茫茫 mángmáng ¶길이 ~ 路茫茫 **2** 茫然 mángrán; 惘然 wǎngrán **망연-히** 부 ¶문 앞에 ~ 서서 어찌할 바를 모르다 茫然地站在门口, 不知所措
망울 명 **1** 小疙瘩 xiǎogēda ¶~이 지다 结了小疙瘩 **2** = 꽃망울
망:원-경(望遠鏡) 명 〖物〗 望远镜 wàngyuǎnjìng ¶~으로 먼 곳을 보다 用望远镜看远方
망:원 렌즈(望遠lens) 〖演〗 望远透镜 wàngyuǎn tòujìng; 长焦镜头 chángjiāo jìngtóu
망자(亡者) 명 亡者 wángzhě; 死者 sǐzhě ¶~의 영혼 亡者的灵魂
망정 의명 幸亏 xìngkuī; 幸好 xìnghǎo 《用于'-니'、'-기에'之后》 ¶일찍 출발했기에 ~이지 안 그랬으면 늦을 뻔했다 幸好早点出发, 要不然就迟到了
망종(亡種) 명 亡种 wángzhǒng; 杂种 zázhǒng; 坏种 huàizhǒng
망중(忙中) 명 忙中 mángzhōng; 百忙中 bǎimángzhōng ¶~한 忙中闲 / ~에 잠시 시간을 내어 여행을 가다 百忙中抽点时间去旅游
망측-하다(罔測—) 형 怪异 guàiyì; 古怪 gǔguài; 丢人 diūrén; 难堪 nánkān; 难看 nánkàn ¶망측한 행동 古怪的举动 **망측-히** 부
망치 명 铁锤 tiěchuí; 锤子 chuízi ¶~로 벽에 못을 박다 用锤子向墙里钉钉子
망치다 타 弄坏 nònghuài; 搞糟 gǎozāo; 断送 duànsòng; 搞坏 gǎohuài; 糟zāo; 破坏 pòhuài; 毁坏 huǐhuài ¶아주 쉬운 일을 완전히 망쳐 버렸다 把一件十分容易的事办得糟透了 / 앞길을 ~ 断送前程 / 가뭄으로 농작물을 망쳤다 旱灾毁坏了农作物
망치-질 명하자타 抡锤 lūnchuí; 抡铁锤 lūntiěchuí
망태기(網—) 명 大网兜 dàwǎngdōu
망토(프manteau) 명 斗篷 dǒupeng; 披肩 pījiān
망-하다(亡—) 자 **1** 灭亡 mièwáng; 破产 pòchǎn; 垮台 kuǎtái; 完蛋 wándàn; 倒闭 dǎobì ¶집안이 ~ 全家破产 / 나라가 망할 위기에 처하다 国家面临灭亡 / 그 회사는 결국 망했다 那家公司终于倒闭了 **2** 臭 chòu; 该死的 gāisǐde; 坏 huài ¶망할 계집애 臭丫头 / 망할 자식 该死的家伙
맞- 접두 相 xiāng; 对 duì; 面对面 miànduìmiàn ¶~고소 对诉 / ~담배 面对面抽烟 / ~닿다 相接
맞-고소(—告訴) 명하자타 〖法〗 对诉 duìsù; 反诉 fǎnsù; 互诉 hùsù ¶피고가 ~를 하다 被告提出反诉
맞-교환(—交換) 명하타 相互交换 xiānghù jiāohuàn; 互相交换 hùxiāng jiāohuàn; 互换 hùhuàn; 对换 duìhuàn ¶신랑과 신부가 반지를 ~하다 新郎新娘互相交换戒指
맞다[1] 자 **1** 正确 zhèngquè; 对 duì; 准 zhǔn ¶그의 말이 ~ 他说得对 / 계산이 ~ 计算得对 / 이 시계는 맞지 않는다 这块表不准 **2** 合适 héshì; 适合 shìhé; 相称 xiāngchèn; 合 hé ¶온도가 딱 ~ 温度正合适 / 이 음식은 내 입맛에 딱 맞는다 这道菜正合我的口味 **3** 合 hé; 协调 xiétiáo ¶이 구두는 내 발에 딱 맞는다 这双鞋正合我的脚 **4** 一致 yīzhì ¶나는 그와 생각이 ~ 我跟他想法一致 / 앞뒤가 ~ 前后一致 **5** 情投意合 qíngtóuyìhé; 合得来 hédelái ¶우리 둘은 마음이 잘 맞는다 我们俩很合得来
맞다[2] 타 **1** 迎接 yíngjiē; 接 jiē ¶손님을 ~ 迎接客人 **2** 迎来 yínglái; 迎 yíng ¶봄을 ~ 迎来春天 / 황금시대를 ~ 迎来一个黄金时代 **3** 娶 qǔ; 招 zhāo ¶며느리를 ~ 娶儿媳妇 **4** 淋 lín; 着 zháo ¶비를 ~ 淋雨 / 바람을 ~ 着风 **5** 得 dé ¶만점을 ~ 得满分 **6** 遭 zāo ¶뜻밖에 퇴짜를 ~ 居然遭到拒绝
맞다[3] 타 **1** 挨 ái; 挨打 áidǎ; 被打 bèi dǎ ¶따귀를 한 대 맞았다 挨了一个耳光 **2** 打 dǎ ¶아이들은 주사 맞는 것을 무서워한다 小孩很怕打针 **3** 打中 dǎzhòng; 正中 zhèngzhòng ¶그가 쏜

화살이 과녁에 정확히 맞았다 他射的箭正中了靶

맞-닥뜨리다 자타 相遇 xiāngyù；相碰 xiāngpèng；遭遇 zāoyù；碰上 pèngshang ¶길에서 강도와 ~ 路上遭遇强盗 / 어려움에 ~ 碰上困难

맞-담배 명 面对面抽烟 miànduìmiàn chōuyān ¶친구와 ~를 피우다 跟朋友面对面抽烟

맞-닿다 자 相连 xiānglián；相接 xiāngjiē ¶바다와 하늘이 맞닿은 곳 海天相接的地方 / 마음과 마음이 ~ 心与心相连

맞-대결(—對決) 명하자 相比 xiāngbǐ；比一比 bǐyibǐ ¶나는 그녀와 누가 더 높이 뛰는지 ~을 벌였다 我和她比一比谁跳得高

맞-대다 타 **1** 相接 xiāngjiē；相触 xiāngchù；紧挨着 jǐn'āizhe ¶두 손을 ~ 相触双手 / 무릎을 ~ 膝盖相触 **2** 面对面 miànduìmiàn ¶얼굴을 맞대고 앉아 밥을 먹다 面对面坐着吃饭 **3** (放在一起) 对照 duìzhào；相比 xiāngbǐ ¶누가 더 큰지 그와 맞대어 보다 谁更高，和他相比

맞-대면(—對面) 명하자타 会见 huìjiàn；会面 huìmiàn；面对面 miànduìmiàn ¶피고와 ~하다 与被告会面

맞-대하다(—對—) 타 面对面 miànduìmiàn；当面 dāngmiàn；会面 huìmiàn ¶얼굴을 맞대하고 이야기하다 当面说话

맞-들다 타 两人抬 liǎngrén tái ¶두 사람이 밥상을 ~ 两人抬饭桌 / 두 사람이 냉장고를 ~ 两人抬冰箱

맞-먹다 자 相似 xiāngsì；相近 xiāngjìn；相当 xiāngdāng；近似 jìnsì；差不多 chàbuduō ¶주식으로 내 연봉과 맞먹는 돈을 벌었다 炒股票赚到了相当于我的年薪的钱 / 두 팀의 실력이 서로 맞먹는다 两队实力相近

맞물-리다 자 (被)衔接 (bèi) xiánjiē ¶두 톱니바퀴가 서로 ~ 两个齿轮相衔接

맞-바꾸다 타 对换 duìhuàn；以物换物 yǐwùhuànwù；拿…换 ná…huàn ¶연필을 볼펜과 ~ 拿铅笔换钢笔

맞-바람 명 迎面风 yíngmiànfēng ¶~이 불어오다 迎面风吹来

맞-받다 타 **1** 相撞 xiāngzhuàng ¶오토바이와 택시가 정면으로 ~ 摩托车和出租汽车正面相撞 **2** 迎着 yíngzhe；迎面 yíngmiàn ¶바람을 맞받으며 앞으로 가다 迎着风往前走 **3** 对答 duìdá；对唱 duìchàng ¶여자 친구와 노래를 맞받아 부르다 跟女友对唱 **4** 顶撞 dǐngzhuàng；对打 duìdǎ；迎战 yíngzhàn ¶얻어맞아도 감히 맞받지 못하다 挨打不敢对打

맞받아-치다 타 还手 huánshǒu；打过去 dǎguòqù ¶그가 왼손을 휘두르려 할 때 얼른 맞받아쳤다 当他准备挥动左手的时候，赶快打过去

맞-벌이 명하자 双职工 shuāngzhígōng；夫妇都工作 fūfù dōu gōngzuò ¶~ 가정 双职工家庭 / ~와 외벌이 双职工和单职工

맞-부딪치다 자타 相撞 xiāngzhuàng；遭遇 zāoyù；相碰 xiāngpèng ¶두 차가 맞부딪쳐 세 명이 다치다 两车相撞三个人受伤

맞-불 명 **1** 迎着火区放火 yíngzhe huǒqū fànghuǒ；对面放火 duìmiàn fànghuǒ ¶불이 계속 확산되는 것을 막기 위해 ~을 놓았다 为了防止火势继续扩散，在火区对面放了火 **2** (抽烟时) 对火 duìhuǒ

맞불(을) 놓다 구 互相开火；对射

맞-붙다 자 **1** 相接 xiāngjiē；相连 xiānglián；接邻 jiēlín ¶하늘과 땅이 맞붙은 지평선 天与地相连的地平线 **2** 较量 jiàoliàng；交手 jiāoshǒu；扭打 niǔdǎ ¶4강전에서 브라질과 프랑스가 맞붙는다 在四强赛，巴西和法国交手 **3** 一起 yīqǐ ¶저 두 사람은 늘 맞붙어 다닌다 他们两个人总是在一起

맞붙-이다 타 把…相接 bǎ…xiāngjiē；把…相连 bǎ…xiānglián ¶색종이 두 장을 ~ 把两张彩纸相接

맞-상대(—相對) 명하자타 相对 xiāngduì；面对 miànduì；对手 duìshǒu；作对 zuòduì ¶누가 감히 우리와 ~하겠느냐 谁要敢来和我们作对

맞-서다 자 **1** 面对面站着 miànduìmiàn zhànzhe ¶맞서서 그녀의 눈을 바라보다 面对面站着看她的眼睛 **2** 作对 zuòduì；相对 xiāngduì；对抗 duìkàng；对峙 duìzhì ¶나는 그와 맞서고 싶지 않다 我不想和他作对

맞-선 명 相亲 xiāngqīn；相看 xiāngkàn ¶이번 주 토요일에 그는 ~을 보러 간다 这个星期六他要去相亲

맞-수(—手) 명 对手 duìshǒu；敌手 díshǒu ¶너는 내 ~가 아니다 你不是我的对手

맞아-들이다 타 **1** 接 jiē；迎 yíng；迎接 yíngjiē ¶손님을 집 안으로 ~ 把客人接到屋里去 **2** 娶 qǔ；招 zhāo ¶친구의 딸을 며느리로 ~ 将朋友的女儿娶为儿媳妇

맞아-떨어지다 자 对上 duìshàng；吻合 wěnhé；完全相同 wánquán xiāngtóng；不差累黍 bùchālěishǔ ¶일의 발전 상황이 예상과 꼭 ~ 事情的发展情况和预想的完全相同

맞은-편(—便) 명 **1** 对过儿 duìguòr；对面 duìmiàn ¶내 ~에 앉아 있는 사

람이 바로 내 동생이다 坐在我对面的人就是我弟弟 / 나는 학교 바로 ~에 산다 我住在学校正对面 **2** 对方 duìfāng

-맞이 접미 迎 yíng; 接 jiē ¶봄~ 대청소 迎春大扫除 / 그는 손님~에 한창 바쁘다 他正忙着接客

맞이-하다 타 **1** 迎接 yíngjiē; 迎候 yínghòu; 迎 yíng; 接 jiē ¶손님을 ~ 迎接客人 / 새해를 ~ 迎接新年 **2** 娶 qǔ; 招 zhāo ¶옆집 아가씨를 며느리로 ~ 将邻居的姑娘娶为儿媳妇

맞-잡다 자타 拉 lā; 握 wò; 携 xié ¶반갑게 손을 ~ 高兴地握着手 / 그 두 사람은 손을 맞잡고 앉아 다정하게 이야기를 나눴다 他俩拉着手坐下来亲密地交谈

ㅁ

맞-장구 명 迎合 yínghé; 帮腔 bāngqiāng; 附和 fùhè

맞장구-치다 자 应和 yìnghè; 随声附和 suíshēng fùhè; 打帮腔 dǎ bāngqiāng ¶그의 건의에 맞장구치며 찬성하다 对他的建议随声附和表示同意

맞-절 명하자 对拜 duìbài; 互相行礼 hùxiāng xínglǐ; 相对行礼 xiāngduì xínglǐ

맞추다 타 **1** 配合 pèihé; 合着 hézhe ¶음악에 맞추어 춤을 추다 合着音乐跳舞 / 박자를 맞추어 노래 부르다 合着节拍唱歌 **2** 接 jiē; 相接 xiāngjiē ¶길에서 입을 ~ 在街上接吻 **3** 装配 zhuāngpèi; 安装 ānzhuāng ¶컴퓨터 부품을 ~ 装配电脑的零件 **4** 调配 tiáopèi; 调 tiáo ¶요리할 때는 간을 맞추는 것이 가장 중요하다 烹饪的时候, 调咸淡最重要 **5** 投合 tóuhé ¶상사의 비위를 ~ 投合上司的心意 **6** 对 duì; 配对 pèiduì ¶자기 전에 시계를 ~ 睡觉之前, 对表 **7** 定做 dìngzuò ¶한복을 ~ 定做韩服 / 생일 케이크를 ~ 定做生日蛋糕 **8** 校对 jiàoduì ¶정답을 맞추어 보다 校对答案

맞춤 명하타 **1** 装配 zhuāngpèi; 安装 ānzhuāng **2** 定做 dìngzuò ¶~ 양복 定做的西装 / ~ 구두 定做的皮鞋 / ~옷 定做的衣服

맞춤-법(一法) 명 〖語〗 缀字法 zhuìzìfǎ; 正字法 zhèngzìfǎ

맞-히다[1] 타 猜中 cāizhòng; 猜出 cāichū; 打中 dǎzhòng; 说中 shuōzhòng 《'맞다[1]1' 的使动词》 ¶그는 뜻밖에도 답을 맞혔다 他居然猜出答案了 / 아주 쉽게 수수께끼를 ~ 很容易地猜中谜语

맞-히다[2] 타 **1** 使…淋 shǐ…lín; 让…淋 ràng…lín 《'맞다[2]4' 的使动词》 ¶일부러 그에게 비를 ~ 故意让他淋着雨 **2** 让…遭 ràng…zào 《'맞다[2]6' 的使动词》 **3** 给…打 gěi…dǎ 《'맞다[3]2' 的使动词》 ¶갓난아이에게 주사를 ~ 给婴儿打针 **4** 打中 dǎzhòng 《'맞다[3]3' 的使动词》 ¶그가 쏜 화살이 과녁을 ~ 他射的箭打中了靶

맡-기다 타 **1** 委托 wěituō; 托付 tuōfù; 交给 jiāogěi; 托 tuō 《'맡다[1]1' 的使动词》 ¶아이를 할머니에게 ~ 把孩子委托给奶奶 / 일을 다른 사람에게 ~ 把事托给别人 **2** 存放 cúnfàng; 寄存 jìcún; 存 cún 《'맡다[1]2' 的使动词》 ¶여행 중에 짐을 ~ 旅行中存放行李 **3** 任凭 rènpíng ¶오든지 말든지 그의 뜻에 ~ 来还是不来, 任凭他自己

맡다[1] 타 **1** 担负 dānfù; 担当 dāndāng; 担任 dānrèn; 承担 chéngdān; 负责 fùzé; 接受 jiēshòu; 受托 shòutuō; 负 fù ¶중요한 임무를 ~ 担负重要的任务 / 변호사가 사건을 ~ 律师接受案件 **2** 保存 bǎocún; 保管 bǎoguǎn ¶네 짐은 내가 너 대신 맡아 주마 你的行李我替你保存 **3** 占 zhàn ¶도서관에 가서 자리를 ~ 去图书馆占位子 **4** 得到 dédào; 取得 qǔdé ¶부모님의 허락을 ~ 得到父母的许可

맡다[2] 타 **1** 闻 wén; 嗅 xiù ¶향기를 ~ 闻到香味儿 **2** 觉察 juéchá ¶그들이 벌써 냄새를 맡은 게 아닐까? 是不是他们已经有所察觉?

매[1] 명 打 dǎ; 鞭 biān; 棍 gùn; 棒 bàng ¶부모님께 ~를 맞다 被父母挨打

매 위에 장사 있나 속담 棍杖底下无好汉

매도 먼저 맞는 놈이 낫다 속담 既然要挨打, 晚挨不如早挨好

매:[2] 명 〖鳥〗 **1** 鹰 yīng; 隼 sǔn **2** 游隼 yóusǔn = 송골매

매:[3] 부 咩咩 miēmiē 《羊叫声》

매:(每) 관 每 měi; 每个 měigè; 每次 měicì ¶~ 경기마다 중계방송이 있다 每次比赛都有转播 / ~ 교실마다 세계 지도가 걸려 있다 每个教室里都挂着世界地图

매(枚) 의명 枚 méi; 张 zhāng ¶편지지 10~ 十张信纸

매:각(賣却) 명하타 卖掉 màidiào; 出售 chūshòu; 销售 xiāoshòu ¶주식의 ~ 가격 股份的出售价格 / 은행을 ~하다 把银行卖掉

매개(媒介) 명하타 媒介 méijiè; 桥梁 qiáoliáng; 中介 zhōngjiè ¶~ 역할을 하다 发挥媒介作用

매개-물(媒介物) 명 媒介物 méijièwù; 介质 jièzhì; 媒介体 méijiètǐ

매개-체(媒介體) 명 媒介体 méijiètǐ; 媒体 méitǐ

매:관-매직(賣官賣職) 명하자 卖官买

职 màiguānmǎizhí; 卖官鬻爵 màiguān-yùjué

매:국(賣國) 명하자 卖国 màiguó ¶~ 행위 卖国行为 / ~노 卖国贼

매기다 타 定 dìng; 打 dǎ ¶품질에 따라 가격을 ~ 按品质定价 / 선생님이 점수를 ~ 老师打分数

매끄럽다 형 **1** 滑 huá; 光滑 guānghuá; 平滑 pínghuá ¶바닥이 ~ 地板很滑 / 이 화장품을 쓰고 난 뒤 피부가 매끄러워졌다 把这个化妆品用后身上皮肤很光滑 **2** 流利 liúlì; 通顺 tōngshùn ¶그는 글을 매끄럽게 잘 쓴다 他把文章写得很通顺

매끈-거리다 자 光滑 guānghuá; 滑溜溜 huáliūliū = 매끈대다 ¶매끈거리는 바닥 滑溜溜的地板 / 피부가 매우 ~ 皮肤很光滑 **매끈-매끈** 부하형

매끈-하다 형 **1** 光滑 guānghuá ¶매끈한 피부 光滑的皮肤 / 표면이 ~ 表面光滑 **2** 干净 gānjìng; 利落 lìluo ¶사무실을 매끈하게 치우다 把办公室收拾得很干净 **3** 清秀 qīngxiù ¶그는 매끈하게 생겼다 他长得很清秀 **매끈-히** 부

매끌-매끌 부하형 光滑 guānghuá; 滑滑 huáhuá; 滑溜溜 huáliūliū ¶피부를 ~하게 관리하다 护理皮肤, 保持滑滑的

매:-끼(每—) 명부 每顿 měidùn; 每餐 měicān; 每顿饭 měidùn fàn ¶그녀는 ~ 밥을 반 공기만 먹는다 她每餐只吃半碗饭

매너(manner) 명 **1** 态度 tàidu; 举止 jǔzhǐ; 样子 yàngzi ¶저 선수는 경기 ~가 안 좋다 那个球员的竞赛态度不好 **2** 礼节 lǐjié; 礼貌 lǐmào ¶~가 없는 사람 没礼貌的人

매너리즘(mannerism) 명 匠气 jiàngqì; 风格主义 fēnggé zhǔyì; 墨守成规 mòshǒuchéngguī

매:년(每年) 명부 = 매해 ¶나는 ~ 중국에 간다 我每年去中国

매뉴얼(manual) 명 说明书 shuōmíngshū; 便览 biànlǎn; 简介 jiǎnjiè; 手册 shǒucè

매니저(manager) 명 **1** (演员、运动员等人的) 经纪人 jīngjìrén ¶그는 유명 연예인의 ~이다 他是明星的经纪人 **2** 经营者 jīngyíngzhě; 经理 jīnglǐ; 管理人员 guǎnlǐ rényuán; 管账的 guǎnzhàngde ¶호텔 ~ 饭店的经理 / 식당 ~ 餐厅的经理

매니큐어(manicure) 명 指甲油 zhǐjiayóu ¶빨간색 ~를 바르다 涂红色的指甲油

매:다[1] 타 **1** 系 jì ¶신발 끈을 꽉 ~ 系紧鞋带 / 안전띠를 ~ 系安全带 / 넥타이를 ~ 系领带 **2** 拴 shuān ¶소를 기둥에 ~ 把牛拴在柱子上 **3** 上浆 shàngjiāng ¶날실을 하나하나 따로 ~ 每根经纱分开上浆 **4** 架 jià; 吊 diào; 悬 xuán; 绑 bǎng ¶선반을 ~ 绑架子 **5** 热衷 rèzhōng; 忙于 mángyú ¶영어 공부에 목을 ~ 热衷于学习英语

매:다[2] 타 铲除 chǎnchú; 锄 chú ¶호미를 들고 밭의 김을 ~ 拿锄头锄田里的草

매:-달(每—) ㊀명 每月 měiyuè; 月月 yuèyuè = 매월㊀ ¶~ 수입이 천 위안이 못 된다 每月的收入不到一千元 ㊁부 = 다달이 ¶그녀는 ~ 오백 위안을 집에 보낸다 她每月寄回家五百元

매:-달다 타 吊 diào; 悬 xuán; 挂 guà; 悬挂 xuánguà; 系 jì ¶풍경을 창문 앞에 ~ 把风铃悬挂在窗前 / 고양이 목에 작은 방울을 ~ 猫脖子上系小铃

매:달-리다 자 **1** 吊 diào; 悬 xuán; 打坠 dǎzhuì; 悬挂 xuánguà 《'매달다'的被动词》 ¶사람이 밧줄에 매달려 있다 有人吊在绳索上 **2** (抓着别的事物) 吊 diào ¶철봉에 매달려서 흔들흔들하다 吊在铁杠上晃来晃去 **3** 缠 chán; 纠缠 jiūchán ¶나한테 매달리지 마라 不要缠着我 **4** 依靠 yīkào; 靠 kào ¶온 가족이 그녀에게 매달려 생활한다 全家人都靠着她过日子 **5** 埋头 máitóu; 热衷 rèzhōng; 忙于 mángyú ¶연구 개발에 ~ 埋头研发

매:도(罵倒) 명하타 责骂 zémà; 斥骂 chìmà ¶모두들 그를 부패 공무원이라고 ~했다 大家斥骂他是贪污公务员

매:도(賣渡) 명하타 出售 chūshòu; 出让 chūràng; 销售 xiāoshòu; 出卖 chūmài ¶주택 ~ 가격 房屋销售价格 / 아파트를 ~하다 出售公寓

매:도-인(賣渡人) 명 出卖人 chūmàirén

매:도 증서(賣渡證書) 〖法〗 卖契 màiqì; 卖据 màijù; 售货单 shòuhuòdān

매독(梅毒) 명 〖醫〗 梅毒 méidú; 淫疮 yínchuāng; 杨梅疮 yángméichuāng

매듭 명 **1** 结 jié; 扣儿 kòur; 疙瘩 gēda ¶~을 짓다 打结 / ~을 풀지 못하다 解不开结 **2** 结束 jiéshù; 了结 liǎojié; 装束 zhuāngshù; 终结 zhōngjié ¶그 일은 아직 ~이 지어지지 않았다 那件事还没结束了

매듭-짓다 타 **1** 打结 dǎjié **2** 结束 jiéshù; 终结 zhōngjié; 了结 liǎojié ¶경찰 조사가 이미 매듭지어졌다 警方的调查工作已了结

매력(魅力) 명 魅力 mèilì; 吸引力 xīyǐnlì ¶~ 있는 얼굴 有魅力的脸 / 치명적인 ~ 致命的吸引力 / 그녀는 아주 ~ 있다 她很有魅力

매력-적(魅力的) 관명 有魅力 yǒu mèilì ¶~인 남자 有魅力的男人 / 그는 눈빛이 ~이다 他的眼神有魅力

매료(魅了) 명하타 迷 mí; 入迷 rùmí; 迷惑 míhuò; 吸引 xīyǐn; 夺人魂魄 duórénhúnpò ¶나는 그에게 ~되었다 我对他入了迷

매립(埋立) 명하타 填 tián; 填平 tiánpíng ¶바다를 ~해 밭을 만들다 填海造田

매립-지(埋立地) 명 填筑地 tiánzhùdì

매-만지다 타 **1** 理 lǐ; 整理 zhěnglǐ; 整 zhěng; 修饰 xiūshì ¶머리를 ~ 理一理头发 / 나가기 전에 옷차림을 ~ 出门前整整穿戴 **2** 抚摸 fǔmō; 抚摩 fǔmó; 摸弄 mōnòng ¶엄마가 내 머리를 가볍게 매만지며 말씀하셨다 妈妈轻轻地抚摸着我的头说

매매(賣買) 명하타 买卖 mǎimai; 交易 jiāoyì ¶~ 가격 买卖价 / ~ 계약 买卖合同 / ~ 계약서 买卖证书 / 자동차 ~ 汽车买卖 / 부동산을 ~하다 买卖房地产

매머드(mammoth) 명 〖動〗 猛犸 měngmǎ; 猛犸象 měngmǎxiàng; 毛象 máoxiàng

매몰(埋沒) 명하타 埋 mái; 埋没 máimò ¶~ 사고 埋没事故 / 땅속에 ~되다 被埋在地下

매몰-차다 형 冷酷 lěngkù; 无情 wúqíng; 冷淡 lěngdàn ¶그녀는 성격이 좀 ~ 她性格比较冷淡 / 매몰차게 거절하다 冷淡地拒绝

매무새 명 仪表 yíbiǎo; 衣着 yīzhuó; 穿戴 chuāndài ¶~가 단정하다 穿戴得整整齐齐

매무시 명하타 打扮 dǎban; 装束 zhuāngshù ¶다시 ~를 고치다 再改一改装束

매:물(賣物) 명 待售(的) dàishòu(de); 待售商品 dàishòu shāngpǐn; 出售物 chūshòuwù; 出售品 chūshòupǐn ¶부동산 ~ 待售商品房

매:미 명 〖蟲〗 蝉 chán; 知了 zhīliǎo ¶~채 捕蝉网

매:번(每番) 一명 每次 měicì; 每回 měihuí; 每一次 měiyīcì ¶~의 기회를 놓쳐 버리다 错过每一次的机会 二부 = 번번이 ¶그는 ~ 늦게 온다 他每次都迟到 / ~ 같은 말을 하다 每回说一样的话

매복(埋伏) 명하자 埋伏 máifú; 设伏 shèfú ¶~에 걸려들다 中了埋伏 / 그는 집 앞에서 ~해 있던 경찰에 체포되었다 他在家门口就被埋伏的警察逮捕了

매부(妹夫) 명 **1** 妹夫 mèifu; 妹婿 mèixù; 妹丈 mèizhàng **2** 姐夫 jiěfu; 姐婿 jiěxù; 姐丈 jiězhàng

매:부리-코 명 鹰钩鼻子 yīnggōu bízi

매:분(每分) 명부 每分 měifēn; 每分钟 měifēnzhōng ¶거의 ~ 시계를 보고 있다 几乎每分钟都在看表

매:사(每事) 명부 每件事 měijiàn shì; 每事 měishì; 事事 shìshì ¶그는 ~ 나와 부딪친다 他事事都跟我作对

매:상(買上) 명하타 (政府) 收购 shōugòu ¶정부가 옥수수를 ~하다 政府收购玉米

매:상(賣上) 명하타 **1** 征购 zhēnggòu; 销售 xiāoshòu **2** = 판매액 ¶한 달~이 일억 위안에 달한다 一个月的销售额达一亿元

매:상-고(賣上高) 명 = 판매액

매:상-액(賣上額) 명 = 판매액 ¶하루 ~ 日销售额

매:석(賣惜) 명하자 〖經〗 居奇 jūqí ¶물건을 ~하다 囤货居奇

매설(埋設) 명하타 埋设 máishè ¶수도관을 ~하다 埋设水管道

매섭다 형 **1** 可怕 kěpà; 凶狠 xiōnghěn ¶매서운 눈초리로 나를 보다 以可怕的目光看我 **2** 厉害 lìhai ¶바람이 매섭게 분다 风刮得很厉害 **3** 严厉 yánlì ¶매섭게 범인을 심문하다 很严厉地询问罪犯

매:수(枚數) 명 张数 zhāngshù; 页数 yèshù ¶원고의 ~를 세다 数一数原稿的张数

매:수(買收) 명하타 **1** 收买 shōumǎi; 收购 shōugòu ¶~ 가격 收购价格 / 농산품을 ~하다 收购农产品 **2** 收买 shōumǎi; 买通 mǎitōng ¶심판을 돈으로 ~하다 花钱买通裁判

매:수(買受) 명하타 买进 mǎijìn; 购进 gòujìn; 购买 gòumǎi ¶대량 ~하다 大量买进 / 주식을 ~하다 买进股票

매:수-인(買受人) 명 买主 mǎizhǔ

매스 게임(mass game) 〖體〗 团体操 tuántǐcāo; 团体舞 tuántǐwǔ

매스껍다 형 **1** 恶心 ěxin; 作呕 zuò'ǒu ¶요 며칠 계속 속이 ~ 最近几天经常有恶心的感觉 **2** 厌恶 yànwù; 恶心 ěxin ¶그의 거들먹거리는 모습은 정말 ~ 他那得意的样子真令人厌恶

매스 미디어(mass media) 〖言〗 大众媒体 dàzhòng méitǐ

매스-컴(←mass communication) 명 〖社〗 大众传播 dàzhòng chuánbō; 大众传播媒介 dàzhòng chuánbō méijiè; 大众传媒 dàzhòng chuánméi; 媒体 méitǐ

매슥-거리다 자 恶心 ěxin; 作呕 zuò'ǒu = 매슥대다 ¶매일 아침 양치질할 때 속이 매슥거린다 每天早上刷牙总感到恶心 **매슥-매슥** 부하자

매:시(每時) 명부 = 매시간

매:-시간(每時間) 명부 每小时 měixiǎoshí; 每个时间 měige shíjiān = 매시 ¶~마다 자동으로 업데이트되다 每小时自动更新 / ~ 한 번씩 혈압을 측정하다 每个时间测定一次血压
매실(梅實) 명 梅子 méizi; 梅实 méishí ¶~주 梅子酒 / ~차 梅子茶
매실-나무(梅實—) 명 〖植〗 梅树 méishù; 梅花树 méihuāshù; 梅 méi = 매화2 · 매화나무
매연(煤烟) 명 **1** 黑烟 hēiyān; 废气 fèiqì ¶공장에서 배출하는 ~ 工厂排出的黑烟 / ~을 뿜어내는 차량을 단속하다 查处冒黑烟车辆 **2** 煤炱 méitái; 炱 tái
매우 부 很 hěn; 挺 tǐng; 十分 shífēn; 非常 fēicháng ¶오늘은 ~ 졸리다 今天觉得很困 / ~ 감동적이다 十分感动 / ~ 즐겁다 十分开心 / 이 아이는 ~ 귀엽다 这个小孩挺可爱
매운-맛 명 **1** 辣味 làwèi ¶~이 너무 강하다 辣味太浓 / ~을 약간 가미하다 加一点辣味 **2** 辛苦 xīnkǔ; 苦 kǔ ¶~을 보다 受苦
매운-탕(—湯) 명 辣汤 làtāng; 辣汤菜 làtāngcài
매워-하다 타 感觉辣 gǎnjué là; 觉得辣 juéde là ¶아이가 고추를 ~ 孩子觉得辣椒很辣
매:월(每月) ㊀명 = 매달㊀ ㊁부 = 다달이
매:음(賣淫) 명하자 卖淫 màiyín = 매춘 ¶~굴 卖淫窟 =[卖淫窝]
매-이다 자 **1** 被拴 bèi shuān 《'매다[1]2'的被动词》 ¶말이 기둥에 매여 있다 马被拴在柱子上 **2** 束缚 shùfù; 隶属 lìshǔ; 依附 yīfù ¶과거에 ~ 束缚在过去 / 집안일에 매여 몸을 뺄 수가 없다 束缚在家务里无法脱身
매:일(每日) 명부 每天 měitiān; 每日 měirì; 天天 tiāntiān; 日日 rìrì = 일일(日日) ¶그는 ~ 출근한다 他每天去上班 / 요즘 ~ 이 노래를 듣는다 最近每天听这首歌 / 그녀는 ~ 늦는다 她每天迟到 / 요즘은 ~ 비가 온다 最近每天都下雨 / ~이 즐겁다 天天快乐
매-일반(——般) 명 同样 tóngyàng; 一样 yīyàng = 매한가지 ¶오늘 가든 내일 가든 결과는 ~이다 今天去还是明天去结果都一样
매:입(買入) 명하타 买入 mǎirù; 购买 gòumǎi; 收购 shōugòu; 采购 cǎigòu; 买进 mǎijìn; 购进 gòujìn ¶목재를 ~하다 采购木材 / 대량의 농산품을 ~하다 收购大量的农产品
매:입 원가(買入原價) 〖經〗 买入成本 mǎirù chéngběn; 购进成本 gòujìn chéngběn = 원가2
매장(埋葬) 명하타 **1** 埋葬 máizàng ¶깊은 땅속에 ~하다 埋葬在深深的地底下 **2** 埋没 máimò; 排斥 páichì ¶다른 사람의 논문을 베껴서 학계에서 ~되다 由于抄袭别人的论文, 被学界所排斥
매장(埋藏) 명하타 **1** 埋藏 máicáng ¶보물이 ~되어 있는 곳 埋藏着宝物的地方 **2** 蕴藏 yùncáng; 储藏 chǔcáng ¶바다에 ~되어 있는 자원 海洋蕴藏的资源
매:장(賣場) 명 售货处 shòuhuòchù; 出售处 chūshòuchù; 商场 shāngchǎng
매장-량(埋藏量) 명 储藏量 chǔcángliàng; 蕴藏量 yùncángliàng ¶~이 풍부하다 蕴藏量很丰富
매:점(買占) 명하타 〖經〗 囤积 túnjī ¶식량을 ~하다 囤积粮食
매:점(賣店) 명 小卖部 xiǎomàibù; 小卖店 xiǎomàidiàn; 小铺 xiǎopù ¶교내 ~ 校内的小卖部
매정-하다 형 冷淡 lěngdàn; 无情 wúqíng; 冷漠 lěngmò; 冷漠无情 lěngmò wúqíng ¶다른 사람들을 매정하게 대하다 冷淡地对待别人 / 그는 매정한 사람이다 他是冷漠无情的人 **매정-히** 부
매제(妹弟) 명 妹夫 mèifu; 妹婿 mèixù
매:주(每周) 명부 每周 měizhōu; 每个星期 měige xīngqī; 每个礼拜 měige lǐbài; 每星期 měi xīngqī; 每礼拜 měi lǐbài ¶우리는 ~ 한 번 내지 두 번 함께 식사를 한다 我们每星期一到两次在一起吃饭 / 그 프로그램은 ~ 토요일 저녁 7시에 방송된다 那个节目每周六晚上七点播出
매직(magic) 명 = 매직펜
매직-펜(magic+pen) 명 记号笔 jìhaobǐ = 매직
매:진(賣盡) 명하자 卖光 màiguāng; 卖完 màiwán; 出售一空 chūshòuyīkōng ¶기차표는 이미 거의 다 ~되었다 火车票已经基本卖光
매:진(邁進) 명하자 迈进 màijìn ¶원대한 목표를 향해 ~하다 向宏伟的目标迈进
매-질 명하타 打 dǎ; 揍 zòu; 抽打 chōudǎ; 鞭打 biāndǎ ¶그는 화가 나서 아이에게 ~을 했다 他很生气打了孩子 / 선생님이 수업 시간에 학생에게 ~을 하다 老师上课抽打学生
매체(媒体) 명 **1** 媒体 méitǐ ¶다중 ~ 多媒体 / 인터넷 ~를 통해 음악을 듣다 通过网络媒体收听音乐 **2** 〖物〗 介质 jièzhì; 媒介 méijiè ¶~ 역할을 하다 发挥媒介作用
매:초(每秒) 명부 每秒 měimiǎo ¶~

열 장씩 연달아 사진을 찍다 每秒十张连拍照

매:춘(賣春) 명하자 = 매음

매:춘-부(賣春婦) 명 卖淫妇 màiyínfù; 娼妇 chāngfù

매:출(賣出) 명하타 卖出 màichū; 销卖 xiāomài; 销售 xiāoshòu ¶~이 계속 증가하다 销售继续增加

매치(match) 명하타 **1** 相配 xiāngpèi; 相称 xiāngchèn ¶붉은 입술과 흰색이 ~되어 더 젊어 보인다 红色口唇与白色相配更显得年轻 **2** 竞赛 jìngsài; 比赛 bǐsài; 赛 sài ¶세계 타이틀 ~ 世界锦标赛

매치 포인트(match point) 〖體〗决胜分 juéshèngfēn

매캐-하다 형 (烟气、霉味) 呛人 qiàngrén; 刺鼻 cìbí ¶매캐한 화약 냄새가 나다 闻到刺鼻的火药味

매콤-하다 형 稍辣 shāo là; 辣丝丝 làsīsī ¶그녀는 매콤한 음식을 좋아한다 她很喜欢辣丝丝的菜

매트(mat) 명 **1** = 매트리스 **2** 〖體〗垫子 diànzi; 垫 diàn ¶~ 운동 垫上运动 **3** 地席 dìxí; 席子 xízi ¶~를 텐트 안에 깔다 把地席铺在帐篷里面 **4** 擦鞋垫 cāxiédiàn ¶문 앞 ~에서 신발을 털다 在门口擦鞋垫上擦一擦鞋子

매트리스(mattress) 명 床垫 chuángdiàn = 매트1

매파(媒婆) 명 媒婆 méipó

매:판(買辦) 명 〖經〗买办 mǎibàn ¶~ 자본가 买办资本家 / ~ 행위 买办行为

매:표(賣票) 명하타 卖票 màipiào; 售票 shòupiào ¶~구 售票口 / ~소 售票处 / ~원 售票员 / ~ 상황 售票情况 / ~ 시스템 售票系统 / 인터넷 ~ 网上售票

매-한가지 명 = 매일반 ¶나에게 있어서 두 가지 일 모두 중요하기는 ~이다 两件事对我都同样重要

매:-해(每—) 명부 每年 měinián; 年年 niánnián = 매년 · 연년(年年) ¶~ 한 번씩 열리는 박람회 每年一度的博览会

매:혈(賣血) 명하자 卖血 màixuè ¶그는 ~로 먹고산다 他以卖血为生

매형(妹兄) 명 姐夫 jiěfu; 姐丈 jiězhàng = 자형(姊兄)

매혹(魅惑) 명하타 迷住 mízhù; 着迷 zháomí; 陶醉 táozuì; 醉心 zuìxīn ¶그곳의 풍경은 나를 ~시켰다 那里的风景让我着了迷 / 사람들은 그녀의 아름다운 노랫소리에 ~되었다 人们被她的美妙的歌声迷住了

매혹-적(魅惑的) 관명 迷人(的) mírén(de); 醉人(的) zuìrén(de); 吸引人(的) xīyǐnrén(de) ¶~인 눈 一双迷人的眼睛 / 그녀의 외모는 아주 ~이다 她的外貌很吸引人

매화(梅花) 명 **1** = 매화꽃 **2** 〖植〗= 매실나무

매화-꽃(梅花—) 명 梅花 méihuā = 매화1

매화-나무(梅花—) 명 〖植〗= 매실나무

매:회(每回) 명부 每回 měihuí; 每次 měicì; 每届 měijiè ¶그는 마라톤 경기에 ~ 참가하였다 他每次都参加了马拉松赛跑

맥(脈) 명 **1** 劲儿 jìnr; 力气 lìqi ¶~이 없다 没劲儿 / ~을 잃고 드러눕다 没力气, 躺着 **2** = 맥락2 ¶~을 같이하다 一脉相通 / ~이 끊기다 断了脉络 / 오랜 전통의 ~을 잇다 继承悠久传统之脉 **3** 〖鑛〗= 광맥 **4** 〖生〗= 맥박 ¶~이 고르다 脉搏均匀 / ~이 약하다 脉息微弱 / ~을 짚다 诊脉 **5** 〖生〗= 혈맥2 ¶간호사가 ~을 찾아 주사를 놓다 护士找到血管注射

맥(을) 놓다 구 放松; 松劲儿

맥(을) 못 추다 구 使不上劲

맥(을) 보다 구 **1** 诊脉 **2** 看眼色

맥(이) 빠지다 구 精疲力竭; 筋疲力尽; 力尽筋疲

맥(이) 풀리다 구 泄气; 松劲

맥락(脈絡) 명 **1** 〖生〗脉络 màiluò **2** 脉络 màiluò; 条理 tiáolǐ; 头绪 tóuxù; 脉 mài = 맥2 ¶일의 ~을 파악하다 摸清事情头绪

맥문-동(麥門冬) 명 **1** 〖植〗麦冬 màidōng; 麦门冬 màiméndōng **2** 〖韓醫〗麦冬根 màidōnggēn

맥박(脈搏) 명 〖生〗脉搏 màibó; 脉息 màixī; 脉 mài = 맥4 ¶~을 재다 测脉搏 / ~이 뛰다 脉搏跳动 / ~이 약하다 脉搏微弱 / ~이 고르지 않다 脉搏不均

맥반-석(麥飯石) 명 〖鑛〗麦饭石 màifànshí

맥시멈(maximum) 명 最大 zuìdà; 最高 zuìgāo; 最高限度 zuìgāo xiàndù; 最大值 zuìdàzhí

맥아(麥芽) 명 = 엿기름

맥아-당(麥芽糖) 명 〖化〗= 엿당

맥-없다(脈—) 형 无精打采 wújīngdǎcǎi; 无力 wúlì; 没劲 méijìn; 瘫软 tānruǎn; 有气无力 yǒuqìwúlì **맥없-이** 부 ¶~ 앉아 있다 无精打采地坐着 / ~ 쓰러지다 瘫软地倒下了

맥주(麥酒) 명 啤酒 píjiǔ ¶~를 한 병 마시다 喝一瓶啤酒

맥주-병(麥酒瓶) 명 **1** 啤酒瓶 píjiǔpíng **2** 旱鸭子 hànyāzi

맥주-잔(麥酒盞) 명 啤酒杯 píjiǔbēi

맥줏-집(麦酒—) 명 啤酒馆 píjiǔguǎn; 啤酒店 píjiǔdiàn

맨:[1] 관 最 zuì; 第一 dìyī; 首 shǒu; 头 tóu ¶~ 처음 头一次 / ~ 앞 最前面 / ~ 뒤 最后面

맨[2] 부 都是 dōushì; 净是 jìngshì; 全是 quánshì ¶이 산에는 ~ 소나무뿐이다 这山上全是松树

맨- 접두 光 guāng; 赤 chì; 空 kōng ¶~다리 光腿 / ~머리 光头

맨:-날 부 每天 méitiān; 天天 tiāntiān; 老 lǎo; 老是 lǎoshì; 总 zǒng; 总是 zǒngshì ¶그는 ~ 컴퓨터만 한다 他总是玩电脑

맨-눈 명 肉眼 ròuyǎn = 육안 ¶너무 작아서 ~으로는 잘 안 보인다 太小了, 用肉眼看不清楚

맨드라미 명 〖植〗 鸡冠花 jīguānhuā; 鸡冠草 jīguāncǎo = 계관(鷄冠)2 · 계관화

맨-땅 명 1 光地 guāngdì; 地面 dìmiàn ¶~에 앉다 坐在地面上 2 (没施过肥的) 生荒 shēnghuāng; 生荒地 shēnghuāngdì; 生地 shēngdì ¶우리는 화초를 ~에 심었다 我们把花草种在生荒地上了

맨-몸 명 1 = 알몸1 2 空身 kōngshēn; 空手 kōngshǒu ¶~으로 시집가다 空身嫁过去 / 밑천 없이 ~으로 사업을 시작하다 没有本钱空手起家创业 / 그는 ~으로 중국에 갔다 他空身去了中国

맨-몸뚱이 명 '맨몸' 의 俗称

맨-바닥 명 地面 dìmiàn; 光地板 guāngdìbǎn = 날바닥 ¶차가운 ~에 드러눕다 横躺在冰凉的地面上

맨-발 명 光脚 guāngjiǎo; 赤脚 chìjiǎo ¶~로 모래사장을 걷다 赤着脚在沙滩上走

맨-밥 명 (没有菜的) 白饭 báifàn ¶~을 먹다 吃白饭

맨-살 명 (裸露的) 皮肤 pífū; 裸露部分 luǒlù bùfen ¶큰 수건으로 ~을 가리다 用大毛巾遮住裸露部分

맨션(mansion) 명 高级公寓 gāojí gōngyù; 豪华公寓 háohuá gōngyù; 公寓大厦 gōngyù dàshà

맨-손 명 1 (不戴手套的) 手 shǒu ¶전기가 통하는 물건을 ~으로 만지면 위험하다 直接用手摸导电的东西是很危险的 2 空手 kōngshǒu; 赤手 chìshǒu; 徒手 túshǒu; 白手 báishǒu; 赤手空拳 chìshǒukōngquán = 도수(徒手) ¶~ 체조 徒手体操 / ~으로 가기가 좀 뭣하다 空手去有点不好意思

맨송-맨송 부하형히부 1 没毛 méi máo; 光光的 guāngguāngde ¶머리털이 ~ 다 빠졌다 头发掉得光光的 2 光秃秃 guāngtūtū ¶~ 나무가 없는 황야 光秃秃的没有树木的荒原 3 清醒 qīngxǐng; 无醉意 wúzuìyì; 没醉意 méi zuìyì ¶많이 마셨는데도 왠지 ~하다 喝了不少了, 竟然还没醉意 4 乏味 fáwèi; 无聊 wúliáo; 混 hùn ¶요즈음은 그냥 하는 일 없이 ~ 세월만 보내고 있다 最近没事可做, 在混日子

맨-입 명 1 空口 kōngkǒu; 白嘴儿 báizuǐr; 干吃 gānchī ¶~에 술만 마셨더니 속이 쓰리다 空口喝了酒, 胃里不舒服 2 空手 kōngshǒu ¶~으로 취직을 부탁하다 空手请求求职

맨-정신(—精神) 명 精神不迷糊 jīngshén bùmíhu; 脑子清醒 nǎozi qīngxǐng ¶~으로 그런 짓을 할 수 있겠니? 脑子清醒的情况下能做出那种事儿吗?

맨-주먹 명 1 手无寸铁 shǒuwúcùntiě; 空拳 kōngquán ¶~으로 맞서 싸우다 手无寸铁地迎面作战 2 赤手空拳 chìshǒukōngquán; 空手 kōngshǒu; 赤手 chìshǒu ¶~으로 일어서다 空手起家

맨투맨(man-to-man) 명 〖體〗(篮球、足球等) 人盯人 réndīngrén

맨틀(mantle) 명 〖地理〗 地幔 dìmàn

맨홀(manhole) 명 窨井 yìnjǐng ¶~ 뚜껑 窨井盖

맴:-돌다 자타 1 打转(儿) dǎzhuàn(r) ¶제자리에서 ~ 在原地打转儿 2 盘旋 pánxuán; 回旋 huíxuán; 旋绕 xuánrào; 徘徊 páihuái; 萦绕 yíngrào; 萦回 yínghuí; 打转(儿) dǎzhuàn(r) ¶솔개가 허공을 ~ 老鹰在空中盘旋 / 많은 생각이 머릿속을 ~ 脑子里萦绕着许多念头 3 绕着走 ràozhe zǒu ¶탑 주변을 ~ 绕着石塔走

맴매 명하타 1 戒尺 jièchǐ; 鞭子 biānzi ¶~ 가져오너라 把戒尺拿过来 2 打 dǎ; 鞭打 biāndǎ ¶자꾸 울면 엄마가 ~한다! 你再哭的话, 妈妈就打你!

맴-맴 부 知了知了 zhīliǎozhīliǎo《蝉叫声》

맵다 형 1 辣 là ¶국이 너무 매워서 못 먹겠다 汤太辣, 不能吃 2 毒辣 dúlà; 凶狠 xiōnghěn; 恶劣 èliè ¶어머니는 매운 시집살이를 하셨다 母亲曾经侍奉过凶狠的婆婆 3 酷寒 kùhán; 寒冷 hánlěng; 凛冽 lǐnliè; 严寒 yánhán ¶날씨가 몹시 ~ 天气异常寒冷 4 刺眼 cìyǎn; 刺鼻 cìbí ¶매운 담배 연기 刺鼻的香烟雾

맵시 명 美姿 měizī; 俏丽 qiàolì; 风采 fēngcǎi; 风姿 fēngzī; 雅致 yǎzhi = 태(態)1 ¶옷을 ~ 있게 입다 衣着雅致

맷-돌 명 磨 mò; 石磨 shímò; 磨子 mòzi ¶~을 돌리다 推磨

맷돌-질 명하자 推磨 tuīmò; 使磨 shǐmò; 拉磨 lāmò

맷-집 명 禁得住打 jīndezhù dǎ; 抗打 kàngdǎ; 禁打 jīndǎ ¶이 권투 선수는 ~이 정말 좋다 这位拳击运动员真禁得住打

맹- 접두 白 bái; 清 qīng; 淡 dàn《用于有些名词的前面》¶~물 白水 / ~탕 清汤

맹:-(猛) 접두 猛 měng; 猛烈 měngliè ¶~공격 猛攻 / ~훈련 猛训练

맹:견(猛犬) 명 猛犬 měngquǎn ¶~주의 小心猛犬

맹:공(猛攻) 명하타 = 맹공격

맹:-공격(猛攻擊) 명하타 猛击 měng jī; 猛打 měng dǎ; 猛攻 měng gōng = 맹공 ¶~을 가하다 给以猛击

맹:금(猛禽) 명 猛禽 měngqín

맹:꽁-맹꽁 부하자 呱呱 guāguā《狭口蛙的叫声》

맹:꽁이 명 1 〖動〗 狭口蛙 xiákǒuwā 2 笨蛋 bèndàn; 傻子 shǎzi; 糊涂虫 hútuchóng

맹:꽁이-자물쇠 명 挂锁 guàsuǒ

맹:독(猛毒) 명 剧毒 jùdú

맹:독-성(猛毒性) 명 剧毒性 jùdúxìng ¶~ 농약 剧毒性农药 / ~ 물질 剧毒性物质

맹:랑-하다(孟浪—) 형 不简单 bùjiǎndān; 不寻常 bùxúncháng; 非同小可 fēitóngxiǎokě; 精明 jīngmíng ¶그 꼬마는 아이답지 않게 아주 ~ 那个小孩不像个孩子, 很不寻常 **맹:랑-히** 부

맹:렬-하다(猛烈—) 형 猛烈 měngliè; 激烈 jīliè; 轰轰烈烈 hōnghōnglièliè ¶맹렬한 적의 공격을 막을 수가 없다 抵挡不住敌人的猛烈攻击 **맹:렬-히** 부 ¶불길이 ~ 타오르다 火猛烈燃烧起来

맹맹-하다[1] 형 1 淡 dàn; 淡而无味 dàn'érwúwèi ¶국이 ~ 汤太淡 2 乏味 fáwèi; 无聊 wúliáo; 淡而无味 dàn'érwúwèi ¶결혼 생활이 물처럼 ~ 婚姻生活像白水淡而无味得很 **맹맹-히** 부

맹맹-하다[2] 형 (鼻子) 不通气 bùtōngqì ¶코가 맹맹하니 감기가 들었나 보다 鼻子不通气, 像是感冒了

맹:모삼천지교(孟母三遷之敎) 명 孟母三迁之教 mèngmǔsānqiānzhījiào

맹목(盲目) 명 盲目 mángmù

맹목-적(盲目的) 관명 盲目(的) mángmù(de) ¶~ 사랑 盲目的爱情 / 그녀는 부모님께 ~으로 순종한다 她盲目地服从父母

맹-물 명 1 白水 báishuǐ; 清水 qīngshuǐ ¶~만 마시고 단식하다 只喝点儿清水, 进行断食 2 无聊的人 wúliáode rén; 不精明的人 bùjīngmíngde rén

맹세(盟誓) 명하자타 发誓 fāshì; 誓言 shìyán; 起誓 qǐshì; 明誓 míngshì; 盟誓 méngshì; 誓 shì ¶~를 저버리다 违背誓言 / 하늘에 ~하다 对天盟誓 / 아내에게 금연을 ~하다 向妻子发誓不再吸烟

맹세-코(盟誓—) 부 绝对 juéduì; 发誓 fāshì; 起誓 qǐshì ¶나는 ~ 그 물건을 훔치지 않았다 我发誓我没有偷那东西

맹:수(猛獸) 명 猛兽 měngshòu ¶사나운 ~ 凶猛的猛兽 / ~에게 공격을 당하다 被猛兽攻击

맹신(盲信) 명하타 盲目相信 mángmù xiāngxìn; 迷信 míxìn ¶남의 말을 ~하다 盲目相信别人的话

맹아(盲啞) 명 盲哑 mángyǎ ¶~ 교육 盲哑教育 / ~ 학교 盲哑学校

맹아(萌芽) 명 1 = 움[1] 2 萌芽 méngyá ¶~기 萌芽期 / 문명의 ~ 文明的萌芽

맹약(盟約) 명하자타 1 盟约 méngyuē; 坚誓 jiānshì; 发誓 fāshì; 誓约 shìyuē ¶~을 지키다 遵守盟约 2 (盟邦之间的) 盟约 méngyuē

맹:-연습(猛練習) 명하자 猛练 měng liàn; 高强度训练 gāoqiángdù xùnliàn

맹:위(猛威) 명 威猛 wēiměng; 威严 wēiyán; 威风 wēifēng ¶무더위가 ~를 떨치다 炎热耍威风

맹인(盲人) 명 盲人 mángrén; 瞎子 xiāzi

맹인 학교(盲人學校) 〖教〗 盲人学校 mángrén xuéxiào; 盲校 mángxiào; 盲学校 mángxuéxiào = 맹학교

맹장(盲腸) 명 〖生〗 盲肠 mángcháng; 阑尾 lánwěi ¶~ 수술 阑尾切除术

맹:장(猛將) 명 猛将 měngjiàng; 强将 qiángjiàng

맹장-염(盲腸炎) 명 〖醫〗 阑尾炎 lánwěiyán; 盲肠炎 mángchángyán

맹점(盲點) 명 1 〖生〗 盲点 mángdiǎn; 盲斑 mángbān 2 漏洞 lòudòng; 空子 kòngzi; 虚点 xūdiǎn; 空白点 kòngbáidiǎn ¶~을 노리다 钻空子 / ~이 드러나다 爆出漏洞

맹종(盲從) 명하자타 盲从 mángcóng; 盲目服从 mángmù fúcóng ¶상사에게 ~하다 盲目服从上司

맹추 명 糊涂虫 hútuchóng; 傻瓜 shǎguā; 笨蛋 bèndàn; 蠢猪 chǔnzhū ¶이런~ 같은 녀석 봤나 你这个傻瓜

맹:-추격(猛追擊) 명하타 猛烈追击 měngliè zhuījī

맹:타(猛打) 명하타 猛打 měng dǎ; 猛攻 měng gōng ¶~를 가하다 加以猛攻

맹-탕(—湯) 一명 1 清淡的汤 qīngdànde tāng; 清汤 qīngtāng; 淡汤 dàntāng 2 无能的人 wúnéngde rén; 无聊的人 wúliáode rén; 庸碌之辈 yōnglùzhībèi ¶그 사람은 정말 ~이다 那个

人真无能的人 ⊟부 只是 zhǐshì; 只顾 zhǐgù ¶공부는 하지 않고 ~ 놀기만 한다 不学习, 只顾玩儿

맹-하다 형 傻乎乎 shǎhūhū; 傻头傻脑 shǎtóushǎnǎo ¶맹한 눈 傻乎乎的眼睛 / 그는 행동이 좀 맹해 보인다 他看起来行动有些傻乎乎的

맹-학교(盲學校) 명〖教〗= 맹인 학교

맹:호(猛虎) 명 猛虎 měnghǔ ¶~와 같은 기세 犹如猛虎之势

맹:-활약(猛活躍) 명하자 大力活动 dàlì huódòng; 积极活动 jījí huódòng; 积极表现 jījí biǎoxiàn ¶~을 펼치다 积极开展活动 / 그의 ~에 힘입어 우리 팀이 우승하였다 借助他的积极表现, 我们队取得了冠军

맹:-훈련(猛訓練) 명하자 猛训练 měngxùnliàn; 强化训练 qiánghuà xùnliàn

맺다 ⊟자 挂 guà; 凝 níng; 结 jiē ¶나무에 열매가 ~ 树上结果子 / 이마에 땀방울이 ~ 额头上挂着汗珠 ⊟타 1 结 jiē ¶이 나무는 열매를 맺을 수 없다 这棵树不能结果子 2 结束 jiéshù; 结尾 jiéwěi; 结 jié ¶하던 일의 끝을 ~ 结束手上的活儿 3 打结 dǎjié; 结 jié ¶바느질을 마치고 실을 ~ 做完针线活儿把线打上结 4 建立 jiànlì; 订立 dìnglì; 订 dìng; 缔结 dìjié; 结 jié ¶계약을 ~ 订合同 / 협정을 ~ 订立协定 / 친분을 ~ 结交情 / 부부의 인연을 ~ 结下夫妻的缘分

맺고 끊다 구 (言行) 一板一眼; 一丝不苟; 一步一个脚印; 有条有理, 无懈可击

맺음-말 명 = 결론1

맺-히다 자 1 凝 níng; 凝结 níngjié; 凝聚 níngjù; 挂 guà《'맺다⊟'的被动词》¶풀잎에 맺힌 이슬 凝结在草叶上的露珠 / 이마에 땀이 ~ 额头上挂着汗珠 2 结 jiē《'맺다⊟1' 的被动词》¶장미에 꽃망울이 ~ 玫瑰结着花骨朵 3 郁结 yùjié; 积郁 jīyù; 压 yā ¶가슴에 맺힌 한을 풀다 洗除压在心中的冤屈 4 淤 yū ¶피가 맺히도록 맞다 被打得淤血了

머그-잔(mug盞) 명 茶缸 chágāng; 茶缸子 chágāngzi

머금다 타 1 (在嘴里) 含(着) hán(zhe); 噙(着) qín(zhe) ¶물을 한 입 ~ 嘴里含着一口水 2 (在眼中) 含(着) hán(zhe); 噙(着) qín(zhe) ¶눈물을 머금고 떠나다 噙着眼泪离开了 3 带(着) dài(zhe); 含(着) hán(zhe); 挂(着) guà(zhe) ¶얼굴에 웃음을 ~ 脸上带着笑容 =[面带笑容] / 입가에 엷은 미소를 ~ 嘴角挂着浅浅的微笑 4 (水气) 润湿 rùnshī; 滋润 zīrùn ¶봄비를 머금은 버드나무 春雨润湿的柳树

머:나-멀다 형 遥远 yáoyuǎn; 漫长 màncháng; 很久很久 hěn jiǔ hěn jiǔ ¶머나먼 옛날 很久很久以前 / 머나먼 여정 漫长的旅程

머루 명〖植〗山葡萄 shānpútao; 野葡萄 yěpútao; 紫葛 zǐgé ¶~주 山葡萄酒

머리 명 1 头部 tóubù; 脑袋 nǎodai; 头 tóu ¶~가 아프다 头很疼 / ~를 숙여 인사하다 低下头行礼 / ~에 모자를 쓰다 头上戴帽子 2 头脑 tóunǎo; 脑筋 nǎojīn; 脑子 nǎozi; 脑海 nǎohǎi ¶~가 좋다 脑子好 / ~가 나쁘다 脑子笨 3 = 머리털 ¶그녀는 ~가 길다 她头发很长 / ~를 감다 洗头发 / ~를 빗다 梳头 / ~를 길게 기르다 留长头发 / ~를 염색하다 染头发 / ~를 자르다 剪头发 4 头领 tóulǐng; 头儿 tóur; 头子 tóuzi ¶그는 우리 모임의 ~ 노릇을 하고 있다 他是我们聚会的头儿 5 前头 qiántou; 尖端 jiānduān; 顶 dǐng; 巅 diān; 头部 tóubù ¶장도리 ~ 부분 榔头的头部

머리(가) 굳다 구 1 保守; 顽固 2 头脑迟钝; 笨头笨脑

머리(가) 굵다 구 = 머리(가) 크다

머리(가) 크다 구 长大成人 = 머리(가) 굵다

머리(를) 굴리다 구 动脑筋

머리(를) 깎다 구 1 理发 2 坐牢

머리(를) 맞대다 구 碰头; 聚头; 聚会

머리(를) 식히다 구 冷静下来; 镇静

머리(를) 싸매다 구 聚精会神; 专心致志; 全神贯注

머리(를) 쓰다 구 开动脑筋

머리가 가볍다 구 感到轻松; 精神爽快

머리가 무겁다 구 脑袋迷糊; 头昏脑胀

머리가 (잘) 돌아가다 구 头脑灵活; 反应快

머리를 쥐어짜다 구 绞尽脑汁; 费尽心思

머리에 새겨 넣다 구 刻在脑子里

머리에 피도 안 마르다 구 乳臭未干; 口尚乳臭; 羽毛未丰

머리-글자(一字) 명 1 = 이니셜 2 头字 tóuzì; 头文字 tóuwénzì; 首字 shǒuzì

머리-기사(一記事) 명 头条新闻 tóutiáo xīnwén; 头条消息 tóutiáo xiāoxi = 톱(top)2

머리-끄댕이 명 '머리끄덩이' 的错误

머리-끄덩이 명 (成绺头发的) 发梢 fàshāo; 辫梢 biànshāo ¶~를 잡아당기며 싸우다 揪着头发梢打架

머리-끝 명 头发梢 tóufashāo
머리끝에서 발끝까지 구 从头到脚; 全身; 全身上下
머리-띠 명 头箍 tóugū; 发箍 fàgū; 发带 fàdài ¶~를 두른 여자아이 戴着头箍的女孩
머리-말 명 序言 xùyán; 前言 qiányán; 导言 dǎoyán; 叙论 xùlùn; 卷头语 juàntóuyǔ; 引语 yǐnyǔ = 서문1·서언
머리-맡 명 枕头边 zhěntoubiān; 枕边 zhěnbiān ¶책을 ~에 펴 둔 채 잠들었다 枕边翻着书睡着了
머리-빗 명 = 빗 ¶~으로 머리를 빗다 用梳子梳头
머리-뼈 명〖生〗头骨 tóugǔ; 头盖骨 tóugàigǔ; 脑盖子 nǎogàizi; 头颅 tóulú = 두개골
머리-숱 명 头发 tóufa ¶~이 많다 头发很密
머리-싸움 명 动脑筋的事儿 dòng nǎojīnde shìr; 费脑的事儿 fèi nǎode shìr ¶장사도 결국 ~이다 做生意也是动脑筋的事儿
머리-채 명 辫子 biànzi ¶~를 감아쥐다 揪辫子
머리-카락 명 头发 tóufa; 发 fà ¶흰 ~ 白头发 / ~을 뒤로 쓸어 넘기다 掠一掠头发
머리-칼 명 '머리카락' 的略词
머리-털 명 头发 tóufa; 发 fà; 毛发 máofà; 头 tóu = 두발·머리3
머리털이 곤두서다 구 毛骨悚然
머리-통 명 **1** 头围 tóuwéi ¶~이 크다 头围大 **2** 脑瓜儿 nǎoguār; 脑袋瓜儿 nǎodaiguār; 脑瓜子 nǎoguāzi; 脑壳 nǎoké《'머리' 的鄙称》¶돌에 맞아 ~이 깨졌다 被石头打破了脑瓜儿
머리-핀(—pin) 명 发夹 fàjiā; 发卡 fàqiǎ
머리-하다 자 做头发 zuò tóufa; 修整头发 xiūzhěng tóufa ¶미용실에 가서 ~ 去美容院做头发
머릿-결 명 发质 fàzhì ¶~이 곱다 发质好 / ~이 거칠다 发质干枯
머릿-골 명〖生〗= 뇌
머릿-니 명〖蟲〗头虱 tóushī = 이[1]2
머릿-돌 명 奠基石 diànjīshí
머릿-속 명 头脑里 tóunǎoli; 脑子里 nǎozili; 脑海里 nǎohǎili ¶그는 지금 ~이 매우 복잡하다 他现在脑子里很复杂 / 그의 그 말이 갑자기 내 ~에 떠올랐다 他的那句话忽然浮现在我脑海里
머릿-수(—數) 명 **1** 人数 rénshù ¶~를 세어 보다 数人数 **2** 钱数 qiánshù ¶돈의 ~가 모자라다 钱数不够
머무르다 자 **1** 停 tíng; 留 liú; 住 zhù; 待 dāi; 呆 dāi; 停止 tíngzhǐ; 停留 tíngliú; 逗留 dòuliú ¶호텔에 며칠 ~ 在宾馆逗留几天 **2** 停留 tíngliú ¶현재 수준에 ~ 停留在目前的水平 / 성적이 하위권에 ~ 成绩停留在下层水平
머물다 자 '머무르다' 的略词 ¶제 곁에 영원히 머물러 주세요 请你永远停留在我的身边
머뭇-거리다 자 踌躇 chóuchú; 犹豫 yóuyù; 磨蹭 móceng = 머뭇대다 ¶문 앞에서 한참을 ~ 在门口踌躇了半天 / 결단을 못 내리고 ~ 犹豫不决 **머뭇-머뭇** 부하자 ¶~하며 말을 잇지 못하다 犹犹豫豫的, 不敢接话
머스터드(mustard) 명 芥菜 jiècài; 芥末 jièmo; 芥黄 jièhuáng ¶~소스 芥末酱
머슴 명 长工 chánggōng; 雇农 gùnóng; 雇工 gùgōng
머슴(을) 살다 구 当长工; 吃长工; 扛长工
머슴-살이 명하자 长工生活 chánggōng shēnghuó; 当雇工 dāng gùgōng; 扛长工 káng chánggōng ¶남의 ~를 하다 给人家当雇工
머쓱-하다 형 **1** 憨 hān; 傻 shǎ ¶키만 머쓱하게 큰 사람 憨大个子 **2** 尴尬 gāngà; 扫兴 sǎoxìng; 没趣 méiqù ¶그는 자신의 마음을 들킨 것이 머쓱해서 웃고 말았다 被人看破了心思, 他有点尴尬地笑了 **머쓱-히** 부
머위 명〖植〗蜂斗菜 fēngdòucài; 款冬 kuǎndōng
머저리 명 傻瓜 shǎguā; 蠢货 chǔnhuò; 呆子 dāizi; 二百五 èrbǎiwǔ ¶이 ~ 같은 녀석아! 你这个蠢货!
머지-않다 형 不久 bùjiǔ; 即将 jíjiāng; 不日 bùrì; 很快 hěn kuài ¶머지않아 소식이 올 것이다 不久就会有消息来 / 머지않아 사실이 밝혀질 것이다 很快事实就会揭晓
머큐로크롬(mercurochrome) 명〖藥〗汞溴红 gǒngxiùhóng; 红药水 hóngyàoshuǐ; 红汞 hónggǒng; 红汞水 hónggǒngshuǐ
머플러(muffler) 명 = 목도리
머핀(muffin) 명 玛芬 mǎfēn; 玛芬蛋糕 mǎfēn dàngāo; 松饼 sōngbǐng; 小松糕 xiǎosōnggāo
먹 명 **1** 墨 mò ¶~ 한 정 一块墨 / ~을 갈다 磨墨 **2** = 먹물1 ¶~이 옷에 묻다 墨水溅到衣服上了
먹- 접두 乌 wū; 黑 hēi; 墨 mò ¶~구름 乌云 / ~빛 墨色
먹-거리 명 吃的 chīde; 食品 shípǐn; 食物 shíwù
먹고-살다 자 过日子 guò rìzi; 吃饭 chīfàn; 维持生计 wéichí shēngjì; 生活 shēnghuó; 糊口 húkǒu ¶요즘은 먹고살

기가 정말 힘들다 最近日子过得真艰难

먹-구름 명 乌云 wūyún; 黑云 hēiyún ¶하늘에 ~이 잔뜩 끼다 天上布满乌云

먹다[1] 자타 聋 lóng; 齉 nàng; 齆鼻儿 wèngbír ¶귀가 ~ 耳聋 / 코 먹은 소리를 내다 说话有点齆鼻儿

먹다[2] ㊀타 **1** 吃 chī; 喝 hē; 服 fú; 食 shí ¶밥을 ~ 吃饭 / 약을 ~ 服药 / 술을 한 모금 ~ 喝一口酒 / 음식을 배불리 ~ 吃饱饭菜 **2** 怀 huái; 怀有 huáiyǒu; 抱 bào; 打 dǎ ¶나쁜 마음을 ~ 打坏主意 / 마음을 굳게 먹고 술을 끊다 抱定决心戒酒 **3** (岁数) 上 shàng; 长 zhǎng ¶나이를 ~ 长岁数 **4** 吃惊 chījīng; 害怕 hàipà ¶겁을 ~ 害怕 **5** 挨 ái; 受 shòu; 遭 zāo; 遭受 zāoshòu ¶한바탕 욕을 먹었다 挨了一顿骂 **6** 侵吞 qīntūn; 贪污 tānwū; 受 shòu ¶공금을 ~ 侵吞公款 / 뇌물을 ~ 受贿 **7** 得 dé; 拿 ná ¶남은 이익은 모두 네가 먹어라 剩下的利润你都拿走吧 **8** 吸 xī; 吃 chī; 吸收 xīshōu ¶김이 습기를 먹어 눅눅해졌다 紫菜吸了水气变潮了 / 솜이 물을 먹어 무겁다 棉絮吸了水, 很重 **9** 取得 qǔdé; 获得 huòdé; 得 dé; 获 huò ¶1등을 먹었다 得了第一名 / 우승을 먹었다 获得了冠军 **10** (球) 输 shū ¶상대편에게 먼저 한 골을 먹었다 我方先输了一个球 **11** 中 zhòng; 受 shòu ¶더위를 ~ 中暑 ㊁자 **1** (锯、刨子等) 锋利 fēnglì; 快 kuài ¶대패가 잘 먹는다 刨子很快 **2** (油、粉) 上 shàng; 吃 chī ¶얼굴에 화장이 잘 먹지 않는다 脸上皮肤不吃粉 **3** (虫子) 咬 yǎo; 蛀 zhù; 磕 kē ¶벌레 먹은 사과 虫子咬过的苹果 / 옷에 좀이 먹었다 衣服被虫蛀了 ㊂보동 用于动词的后面, 强调前 面的行动《多用于不称心的情况》¶약속 시간을 잊어 먹었다 把约好的时间给忘了 / 야구공으로 유리를 깨 먹었다 棒球把玻璃打碎了

먹고 들어가다 구 具备有利条件; 先下一手; 占优势地位; 占先

먹고 떨어지다 구 得了好处就离开

먹먹-하다 형 (震耳) 欲聋 yùlóng; 听不清 tīngbuqīng ¶폭죽 소리에 귀가 ~ 爆竹的声音震耳欲聋 **먹먹-히** 부

먹-물 명 **1** 墨汁 mòzhī; 墨水 mòshuǐ; 墨 mò = 먹2 ¶붓을 ~에 찍어 글씨를 쓰다 用毛笔蘸墨汁写字 **2** 墨水 mòshuǐ《比喻很有学问的人》¶~ 깨나 먹은 사람 喝了不少墨水的人

먹-보 명 贪嘴 tānzuǐ; 吃货 chīhuò; 馋鬼 chánguǐ; 吃主 chīzhǔ; 大肚子 dàdùzi

먹-빛 명 黑色 hēisè; 墨色 mòsè; 乌黑 wūhēi

먹-색(—色) 명 墨色 mòsè

먹-성(—性) 명 **1** 胃口 wèikǒu; 食性 shíxìng ¶그는 ~이 좋아서 아무 음식이나 잘 먹는다 他食性好, 吃什么都香 **2** 饭量 fànliàng ¶~이 크다 饭量大

먹을-거리 명 吃的 chīde; 食品 shípǐn; 食物 shíwù ¶~를 마련하다 准备食物

먹음직-스럽다 형 看着好吃 kànzhe hǎo chī; 很香 hěn xiāng; 引人胃口 yǐnrén wèikǒu; 诱人胃口 yòurén wèikǒu; 诱人 yòurén ¶먹음직스럽게 익은 포도 熟得诱人的葡萄 **먹음직스레** 부

먹-이 명 食物 shíwù; 食(儿) shí(r) = 식이1 ¶~ 그물 食物网 =[食物链网] / ~ 사슬 食物链 / ~ 피라미드 食物金字塔 / 새가 새끼에게 ~를 물어다 주다 鸟给雏儿喂食 / 늑대가 ~를 찾아 마을까지 내려왔다 狼竟到村里来找食物了

먹-이다 타 **1** 喂 wèi《'먹다[2]㊀1' 的使动词》¶아이에게 밥을 ~ 喂孩子吃饭 / 아기에게 젖을 ~ 给婴儿喂奶 **2** 养 yǎng; 喂 wèi; 喂养 wèiyǎng; 饲养 sìyǎng ¶소를 먹여 생계를 유지하다 靠喂牛维持生计 **3** (贿) 行 xíng《'먹다[2]㊀6' 的使动词》¶판사에게 뇌물을 ~ 向法官行贿 **4** 使…遭 shǐ…zāo; 让…受 ràng…shòu; 抹黑 mǒhēi《'먹다[2]㊀5' 的使动词》¶남에게 애를 ~ 让人遭罪 / 부모에게 욕을 ~ 给父母脸上抹黑 **5** 涂 tú; 上 shàng; 打 dǎ《'먹다[2]㊁2' 的使动词》¶마룻바닥에 왁스를 ~ 地板上打蜡 **6** 打 dǎ; 击 jī; 扇 shān ¶주먹을 한 대 ~ 击了一拳

먹여 살리다 구 喂养

먹잇-감 명 食物 shíwù; 食 shí ¶굶주린 사자가 ~을 구하러 다니다 饥饿的狮子到处寻找食物

먹-자 명 墨尺 mòchǐ; 矩尺 jǔchǐ

먹자-골목 명 美食街 měishíjiē; 小吃街 xiǎochījiē

먹자-판 명 大吃大喝 dàchīdàhē ¶~을 벌이다 大吃大喝一番

먹-줄 명 墨线 mòxiàn; 准绳 zhǔnshéng; 绳墨 shéngmò

먹-지(—紙) 명 复写纸 fùxiězhǐ; 炭纸 tànzhǐ

먹-칠(—漆) 명하자타 **1** 涂墨 túmò; 抹黑 mǒhēi **2** (名誉、名声等) 辱没 rǔmò; 抹黑 mǒhēi ¶더 이상 부모 얼굴에 ~하지 마라 别再给父母脸上抹黑了

먹-통 명 笨蛋 bèndàn; 不灵 bùlíng ¶이 ~아! 你这个笨蛋! / 전화가 ~이다 电话不灵

먹-히다 자 **1** 被吃掉 bèi chīdiào ¶호랑이에게 먹혔다 被老虎吃掉了 **2** 需

要 xūyào; 花 huā; 花费 huāfèi; 耗费 hàofèi ¶이 공사에는 100만 원이 먹힌다 这个工程花费100万韩元 **3** 想喝 xiǎnghē; 想吃 xiǎngchī; 能吃 néngchī ¶밥이 잘 ~ 很能吃饭

먼:-동 명 (黎明的) 东方 dōngfāng; 东方天边 dōngfāng tiānbiān; 鱼肚白 yúdùbái ¶~이 트다 东方呈鱼肚白 / ~이 밝아 오다 东方即将破晓

먼:-발치 명 稍远处 shāo yuǎnchù; 稍远的地方 shāo yuǎnde dìfang ¶~에서 바라보다 从稍远的地方望着

먼저 ㊀명 在先 zàixiān; 上次 shàngcì; 以前 yǐqián; 先前 xiānqián ¶~의 일은 네가 이해해라 以前的事你就多多谅解吧 ㊁부 先 xiān; 首先 shǒuxiān ¶나 ~ 갈게 我先走了 / 도착하면 ~ 전화부터 해라 到了以后先打电话

먼젓-번(一番) 명 = 지난번

먼지 명 灰尘 huīchén; 尘土 chéntǔ ¶~가 쌓이다 积满灰尘

먼지-떨이 명 掸子 dǎnzi; 拂尘 fúchén

먼지-털이 명 '먼지떨이' 的错误

먼지-투성이 명 满是灰尘 mǎnshì huīchén; 满身灰尘 mǎnshēn huīchén ¶방 안이 온통 ~이다 房间里满是灰尘

멀거니 부 呆呆地 dāidāide; 愣愣地 lènglèngde; 茫然地 mángránde ¶그를 ~ 바라보다 呆呆地望着他

멀:겋다 형 **1** 微浑 wēi hún ¶개울물이 ~ 溪水微浑 **2** 稀 xī; 稀溜溜 xīliūliū ¶멀겋게 쑨 죽 稀溜溜的粥 **3** (眼睛) 失神 shīshén; 无神 wúshén; 茫然 mángrán ¶눈을 멀겋게 뜨고 천장만 바라보다 眼睛无神地望着天花板

멀끔-하다 형 干净 gānjìng; 清秀 qīngxiù; 白净 báijing ¶멀끔하게 생긴 젊은이 长相清秀的年轻人 / 방을 멀끔하게 치우다 把屋里收拾得干干净净 **멀끔-히** 부

멀:다[1] 자 **1** 瞎 xiā; 聋 lóng; 失明 shīmíng ¶사고로 눈이 멀었다 因事故眼瞎了 / 귀가 멀어서 무슨 말인지 모르겠다 耳朵聋了, 不知道说了什么 **2** 蒙瞎 mēngxiā; 瞎 xiā ¶그들은 사랑에 눈이 멀었다 他们被爱情蒙瞎了眼

멀:다[2] 형 **1** (距离) 远 yuǎn; 遥远 yáoyuǎn ¶우리 집은 버스 정류장에서 매우 ~ 我家离公交车站很远 / 공항은 여기서 얼마나 멉니까? 机场离这儿有多远? **2** (时间) 久 jiǔ; 久远 jiǔyuǎn; 远 yuǎn; 遥远 yáoyuǎn ¶먼 옛날 很久以前 / 동이 트려면 아직 멀었다 离天亮还远呢 **3** (关系) 疏远 shūyuǎn; 生疏 shēngshū; 生分 shēngfen ¶그가 멀게 느껴진다 感觉跟他很生疏 **4** 远 yuǎn; 差得远 chàde yuǎn ¶우리는 성공하려면 아직 멀었다 我们离成功还远呢 **5** 远房 yuǎnfáng; 远 yuǎn ¶먼 친척 远亲 **6** (时间) 隔不了 gébuliǎo; 还不到 háibudào ¶그는 사흘이 멀다하고 병원에 다닌다 隔不了三天, 他就上医院

먼 사촌보다 가까운 이웃이 낫다 속담 远亲不如近邻

멀뚱-멀뚱 부하형 **1** 直愣愣 zhí lèng-lèng; 愣睁睁 lèngzhēngzhēng ¶그는 그녀를 ~ 바라보았다 他愣睁睁地望着她 **2** 清汤寡水 qīngtāng guǎshuǐ

멀뚱-하다 형 直愣愣 zhí lènglèng; 呆呆 dāidāi ¶그녀는 한동안 멀뚱한 표정으로 그의 얼굴을 쳐다보았다 她表情呆呆的, 盯了他半天 **멀뚱-히** 부

멀:리 부 远远地 yuǎnyuǎnde; 远 yuǎn; 遥遥 yáoyáo ¶너무 ~ 가지 마라 别走得太远 / 앞일을 ~ 내다보다 高瞻远瞩

멀:리-뛰기 명 〖體〗 跳远 tiàoyuǎn

멀:리-멀리 부 远远地 yuǎnyuǎnde ¶노랫소리가 ~ 울려 퍼지다 歌声远远地飘去

멀:리-하다 타 **1** 避开 bìkāi; 远离 yuǎnlí; 疏远 shūyuǎn; 敬而远之 jìng'éryuǎnzhī ¶동네 사람들은 모두 그를 멀리했다 邻里人都疏远他 **2** 戒 jiè; 忌 jì; 远离 yuǎnlí ¶여색을 ~ 远离女色 / 술을 ~ 戒酒

멀미 명하자 **1** 晕 yùn ¶~약 抗晕药 =[晕车药] / 그는 차만 타면 ~를 한다 他一坐汽车就晕 **2** 厌恶 yànwù ¶이제 그의 잔소리엔 ~가 난다 对他的唠叨已感到厌恶

멀쑥-하다 형 **1** 白净 báijing; 整洁 zhěngjié; 清秀 qīngxiù; 秀气 xiùqi; 干净 gānjìng ¶옷차림이 ~ 衣着整洁 **2** (个子) 傻高 shǎgāo ¶허우대만 멀쑥한 청년 身材傻高的青年 **멀쑥-이** 부

멀쩡-하다 형 **1** 好端端 hǎoduānduān; 完好 wánhǎo; 完整 wánzhěng; 好好儿 hǎohǎor; 齐全 qíquán ¶멀쩡한 물건을 내버리다 把好端端的东西扔掉了 / 멀쩡한 사람을 바보 취급하다 把好端端的人看成傻子 **2** 清醒 qīngxǐng; 头脑清晰 tóunǎo qīngxī ¶술에 취해 몸을 가누지 못하면서도 정신은 멀쩡하다고 한다 身子醉得支撑不住, 还说头脑很清醒 **3** 煞有介事 shàyǒujièshì; 厚颜 hòuyán; 觍颜 tiǎnyán ¶멀쩡하게 거짓말을 꾸미다 煞有介事地编谎话 **멀쩡-히** 부

멀찌감치 부 稍远地 shāo yuǎnde; 远远地 yuǎnyuǎnde = 멀찍이

멀찍-이 부 = 멀찌감치

멀찍-하다 형 稍远 shāo yuǎn; 远一点 yuǎnyīdiǎn ¶멀찍한 곳에서 구경을

하다 在稍远的地方观赏

멀티-미디어(multimedia) 명 【컴】 多媒体 duōméitǐ

멀티비전(multivision) 명 多画面 duōhuàmiàn; 多影像 duōyǐngxiàng

멀티-탭(multi-tap) 명 【電】 多插头插座 duōchātóu chāzuò; 转接插座 zhuǎnjiē chāzuò

멀티플렉스(multiplex) 명 【建】 多功能娱乐中心 duōgōngnéng yúlè zhōngxīn

멈추다 자타 停 tíng; 止 zhǐ; 住 zhù; 停止 tíngzhǐ; 停留 tíngliú; 刹住 shāzhù = 멎다 ¶비가 멈췄다 雨停了 = [雨住了] / 차를 ~ 停车 / 일손을 ~ 停止工作 / 발걸음을 ~ 停止脚步

멈칫 부하자타 突然停住 tūrán tíngzhù ¶그를 보자 ~했다 一见到他就突然停住了脚步

멈칫-거리다 자타 **1** 反复停止 fǎnfù tíngzhǐ; 老是停下 lǎoshì tíngxià ¶나도 모르게 걸음이 멈칫거렸다 我不知不觉地老是停下脚步 **2** 踌躇不前 chóuchúbùqián; 犹豫不定 yóuyùbùdìng; 迟疑 chíyí; 磨蹭 móceng ¶그는 잠시 멈칫거리더니 겨우 입을 열었다 他迟疑片刻, 才开口说话了 ‖ = 멈칫대다 **멈칫-멈칫** 부하자타

멋 명 **1** 姿态 zītài; 神采 shéncǎi; 风采 fēngcǎi; 风度 fēngdù; 丰姿 fēngzī ¶~을 부리려고 한겨울에 짧은 치마를 입다 为了炫耀丰姿, 大冬天穿短裙子 / ~으로 안경을 쓰다 为了有风度而戴眼镜 **2** 风韵 fēngyùn; 韵味 yùnwèi; 雅致 yǎzhi; 风雅 fēngyǎ; 风趣 fēngqù ¶이 도자기는 우리 고유의 ~을 지니고 있다 这陶瓷蕴含着我国传统的风韵

멋-대가리 명 '멋'的俗称

멋-대로 부 任意 rènyì; 随便 suíbiàn; 随意 suíyì; 随心所欲 suíxīnsuǒyù; 妄自 wàngzì; 胡来 húlái ¶~ 행동하다 任意行动 / 네 ~ 해라 随你的便

멋-모르다 자 不知原委 bùzhī yuánwěi; 不知内情 bùzhī nèiqíng; 不知底细 bùzhī dǐxì; 稀里糊涂 xīlihútú; 盲目 mángmù ¶멋모르고 주식 투자를 했다가 큰 손해를 보았다 盲目地炒股, 结果吃了大亏

멋-스럽다 형 漂亮 piàoliang; 优美 yōuměi ¶멋스럽게 콧수염을 기른 남자 留着漂亮小胡子的男人

멋-없다 형 无聊 wúliáo; 乏味 fáwèi; 没意思 méi yìsi; 不带劲 bùdàijìn; 不好看 bùhǎokàn ¶멋없는 정치 이야기 乏味的政治话题 **멋없-이** 부

멋-있다 형 好看 hǎokàn; 漂亮 piàoliang; 帅 shuài; 酷 kù; 优美 yōuměi ¶멋있게 생기다 长得很帅 / 옷차림이 ~ 衣着很漂亮

멋-쟁이 명 爱打扮的(人) ài dǎbande (rén); 赶时髦的(人) gǎn shímáode (rén); 有风采的(人) yǒu fēngcǎide (rén) ¶~ 아가씨 爱打扮的小姐

멋-지다 형 **1** 美 měi; 优美 yōuměi; 漂亮 piàoliang; 帅 shuài; 酷 kù ¶경치가 ~ 风景优美 / 옷을 멋지게 차려입다 衣服穿得很漂亮 **2** 棒 bàng; 漂亮 piàoliang ¶이 아이디어는 정말 ~ 这个主意真棒 / 우리는 오늘 멋지게 싸웠다 今天我们打了一场漂亮仗

멋-쩍다 형 不好意思 bùhǎoyìsi; 尴尬 gāngà; 难为情 nánwéiqíng ¶혼자 가기가 ~ 一个人不好意思去 / 나는 그들을 다시 보기가 멋쩍었다 我不好意思再跟他们见面了

멋:-하다 형 '무엇하다'的略词 ¶앉아 있기가 멋해서 나와 버렸다 坐在那儿有点那个, 所以出来了

멍[1] 명 青肿 qīngzhǒng; 青块 qīngkuài; 青伤 qīngshāng; 淤血 yūxuè ¶넘어져서 다리에 ~이 들었다 摔了一跤, 腿上起了青块

멍[2] 명 【體】 = 멍군

멍게 명 【動】 海鞘 hǎiqiào = 우렁쉥이

멍군 감명하자 【體】(下象棋) 避将 bìjiàng; 逃将 táojiàng; 堵将 dǔjiàng = 멍[2]

멍-들다 자 (心灵)受伤害 shòu shānghài; 留下创伤 liúxià chuāngshāng ¶멍든 이내 가슴을 누가 알아주랴? 谁能理解我这受过伤害的心?

멍멍 부 汪汪 wāngwāng 《狗叫声》

멍멍-거리다 자 汪汪叫 wāngwāng jiào = 멍멍대다 ¶개가 ~ 狗汪汪叫

멍멍-이 명 汪汪狗 wāngwānggǒu

멍석 명 席子 xízi; 草席 cǎoxí; 晒席 shàixí ¶~을 깔다 铺席子

멍에 명 **1** 轭 è ¶소에 ~를 메우다 给牛套上轭 **2** 枷锁 jiāsuǒ; 羁绊 jībàn ¶~를 벗어던지다 挣脱枷锁

멍에(를) 메다[쓰다] 구 被套上枷锁

멍울 명 **1** (牛奶、糨糊之类中的) 小疙瘩 xiǎogēda ¶풀을 ~이 지지 않게 쑤어야 한다 熬糨糊, 不能有小疙瘩 **2** 【醫】 结节 jiéjié; 硬块 yìngkuài **3** 心里疙瘩 xīnli gēda

멍청-이 명 傻瓜 shǎguā; 呆子 dāizi; 蠢货 chǔnhuò; 笨蛋 bèndàn; 二百五 èrbǎiwǔ = 멍텅구리

멍청-하다 형 **1** 傻 shǎ; 呆 dāi; 蠢 chǔn; 愚 yú; 笨 bèn; 愚蠢 yúchǔn ¶그 애는 멍청해서 아무리 설명해도 이해하지 못한다 那孩子很笨, 怎么解释也不明白 **2** 发呆 fādāi; 发愣 fālèng; 木然 mùrán; 愣乎乎 lènghūhū ¶멍청하게 먼 곳을 바라보다 木然地望着远方 **멍**

청-히 [부] ¶너는 왜 여기서 ~ 서 있니? 你怎么站在这儿发愣呢?

멍키 스패너(monkey spanner) 〖工〗 活动扳手 huódòngbānshǒu; 万能螺丝钳 wànnéng luósīqián; 活扳手 huóbānshǒu

멍텅구리 [명] = 멍청이

멍:-하니 [부] 呆呆地 dāidāide; 发愣地 fālèngde; 木然地 mùránde; 茫然地 mángránde ¶~ 바라보다 呆呆地望着 / 그는 어찌할바를 몰라 ~ 서 있다 他不知所措, 呆呆地站着

멍:-하다 [형] 发呆 fādāi; 发愣 fālèng; 愣神儿 lèngshénr ¶그렇게 멍하게 앉아 있지 말고 빨리빨리 움직여라 别那样坐着发呆, 快点儿行动 **멍:-히** [부]

멎다 [자] = 멈추다 ¶비가 ~ 雨停了 / 기침이 ~ 停止咳嗽 / 총소리가 ~ 枪声停了

메 [명] 锤子 chuízi; 榔头 lángtou ¶~로 떡을 치다 用木锤打糕

메가-바이트(megabyte) [의명] 〖컴〗 兆字节 zhàozìjié; 百万字节 bǎiwàn zìjié

메가-비트(megabit) [의명] 〖컴〗 兆位 zhàowèi; 百万位 bǎiwànwèi

메가-톤(megaton) [의명] 〖物〗 兆吨 zhàodūn; 百万吨 bǎiwàndūn

메가폰(megaphone) [명] 扩音器 kuòyīnqì; 手持扩音器 shǒuchí kuòyīnqì; 喊话器 hǎnhuàqì; 喇叭筒 lǎbatǒng

메가폰을 잡다 [구] 担任导演

메가-헤르츠(megahertz) [의명] 〖物〗 兆赫 zhàohè; 兆赫兹 zhàohèzī

메:기 [명] 〖魚〗 鲇鱼 niányú; 胡子鱼 húziyú

메기다[1] [타] 领唱 lǐngchàng; 先唱 xiānchàng

메기다[2] [타] (把箭) 上弦 shàngxián; 搭 dā ¶화살을 ~ 搭箭

메꾸다 [타] **1** (时间) 填 tián; 补 bǔ **2** (不够的) 填 tián; 补 bǔ **3** = 메우다[2]1

메뉴(menu) [명] **1** = 메뉴판 **2** 饭菜 fàncài; 菜 cài; 餐 cān ¶세트 ~ 套餐 / ~를 고르다 选菜 / ~를 주문하다 点菜 / 오늘 저녁 ~는 무엇입니까? 今天晚饭是什么菜? **3** 〖컴〗 选单 xuǎndān

메뉴-판(menu板) [명] 菜单 càidān; 菜谱 càipǔ = 메뉴1

메:다[1] [자] **1** 堵住 dǔzhù; 堵 dǔ; 塞 sāi; 不通 bùtōng ¶하수도가 ~ 下水道堵住 **2** 挤 jǐ; 挤满 jǐmǎn ¶강당이 메어 터지게 사람들이 모이다 礼堂挤满了人 **3** 哽 gěng; 噎 yē; 哽噎 gěngyē; 哽咽 gěngyè ¶감격에 목이 메어 말이 안 나오다 激动得哽噎着说不出话来

메:다[2] [타] 背 bēi; 抬 tái; 挑 tiāo; 扛 káng ¶가마를 ~ 抬轿 / 어깨에 배낭을 ~ 肩上背着背包

메달(medal) [명] 奖牌 jiǎngpái; 牌 pái; 章 zhāng ¶기념 ~ 纪念章 / ~ 순위 奖牌榜 / ~을 따다 获奖牌 / ~을 목에 걸다 挂上奖牌

메달리스트(medalist) [명] 〖體〗 奖牌得主 jiǎngpái dézhǔ; 奖牌获得者 jiǎngpái huòdézhě

메두사(Medusa) [명] 〖文〗 美杜莎 Měidùshā

메들리(medley) [명] 〖音〗 混成曲 hùnchéngqǔ; 连奏曲 liánzòuqǔ; 混合曲 hùnhéqǔ

메뚜기 [명] 〖蟲〗 蝗虫 huángchóng; 飞蝗 fēihuáng; 蚂蚱 màzha; 蚱蜢 zhàměng

메뚜기도 유월이 한 철이다 [속담] **1** 猖獗一时 **2** 花无百日红

메롱 [감] 麦咙 màilóng 《伸着舌头弄对方时发出的声音》

메리야스(←에medias) [명] 〖手工〗 棉毛布 miánmáobù

메리트(merit) [명] 〖經〗 使用价值 shǐyòng jiàzhí; 经济效益 jīngjì xiàoyì; 价值 jiàzhí; 效益 xiàoyì ¶~가 높다 经济效益高

메-마르다 [형] **1** 贫瘠 pínjí; 瘠薄 jíbó ¶메마른 논에 물을 대다 给贫瘠的田地灌水 **2** 干瘦 gānshòu; 干涩 gānsè; 粗糙 cūcāo ¶메마른 살결 粗糙的皮肤 **3** 淡薄 dànbó; 刻薄 kèbó; 枯燥 kūzào ¶인정이 ~ 人情淡薄 **4** (嗓音) 干涩 gānsè; 干瘪 gānbiě ¶메마른 음성 干涩的声音

메모(memo) [명][하타] **1** 便条 biàntiáo; 条子 tiáozi; 字条 zìtiáo; 留言 liúyán; 备忘录 bèiwànglù ¶~를 남기다 留个字条 **2** 摘记 zhāijì; 笔记 bǐjì; 记 jì; 记录 jìlù ¶회의 내용을 수첩에 ~하다 把会议内容记在手册上

메모리(memory) [명] 〖컴〗 **1** = 기억 용량 **2** = 기억 장치

메모-지(memo紙) [명] 便条 biàntiáo; 纸条 zhǐtiáo ¶~에 전화번호를 적어 두다 在便条上写下电话号码

메모-판(memo板) [명] **1** 留言板 liúyánbǎn; 留言牌 liúyánpái **2** 记事板 jìshìbǎn

메밀 [명] 〖植〗 荞麦 qiáomài ¶~가루 荞麦粉 =[荞麦面] / ~국수 荞麦面条 / ~꽃 荞麦花 / ~묵 荞麦凉粉

메-벼 [명] 粳稻 jīngdào

메스(네mes) [명] 〖醫〗 手术刀 shǒushùdāo

메스껍다 [형] 恶心 ěxin; 作呕 zuò'ǒu ¶메스꺼운 냄새 令人作呕的气味 / 돈 좀 있다고 거들먹거리는 꼴이 정말 ~

有几个钱就耀武扬威的, 真让人恶心
메스-실린더(←measuring cylinder) 명〖化〗量筒 liángtǒng
메스-플라스크(←measuring flask) 명〖化〗量瓶 liángpíng; 容量瓶 róngliàngpíng
메슥-거리다 자 恶心 ěxin; 作呕 zuò'ǒu = 메슥대다 ¶속이 메슥거려 아무것도 못 먹겠다 胃里直作呕, 什么也吃不下 **메슥-메슥** 부하자
메시아(Messiah) 명〖宗〗弥赛亚 Mísàiyà; 救世主 jiùshìzhǔ
메시지(message) 명 **1** 留言 liúyán; 留话 liúhuà; 口信 kǒuxìn; 短信 duǎnxìn; 消息 xiāoxi; 音信 yīnxìn ¶그에게 ~를 남기다 给他留个口信 / 그는 핸드폰 ~를 확인했다 他查了一下手机短信 **2** (文学艺术作品的) 宗旨 zōngzhǐ; 主题 zhǔtí; 寓意 yùyì; 要旨 yàozhǐ ¶이 작품이 주는 ~ 这部作品的主题思想
메아리 명 回声 huíshēng; 回音 huíyīn; 回响 huíxiǎng = 산울림2 ¶~가 울리다 回声响起
메아리-치다 자 回响 huíxiǎng; 回荡 huídàng; 反响 fǎnxiǎng; 响回声 xiǎng huíshēng ¶온 나라에 기쁨의 노랫소리가 ~ 全国上下回荡着愉快的歌声
메어-꽂다 타 越肩摔 yuèjiān shuāi; 扛摔 kángshuāi ¶상대를 마룻바닥에 ~ 把对手扛摔在地板上
메우다[1] 타 **1** 箍 gū ¶독에 테를 ~ 在缸上箍箍儿 **2** 蒙 méng ¶북통에 가죽을 ~ 用皮子蒙鼓 **3** (轭) 套 tào ¶멍에를 ~ 套轭 **4** (弓) 搭 dā ¶활에 시위를 ~ 把箭搭在弓弦上
메-우다[2] 타 **1** 填 tián; 填充 tiánchōng; 填平 tiánpíng; 堵住 dǔzhù 《'메다[1]1' 的使动词》 = 메꾸다3 ¶구덩이를 ~ 把坑填平 / 공란을 ~ 填空 **2** 挤满 jǐmǎn 《'메다[1]2' 的使动词》 ¶수천 명의 학생들이 광장을 가득 메웠다 广场上挤满了数千名的学生
메이저 리그(Major League) 〖體〗美国职业棒球联赛 Měiguó Zhíyè Bàngqiú Liánsài; 美国职业棒球大联盟 Měiguó Zhíyè Bàngqiú Dàliánméng
메이지 유신(Meiji[明治]維新) 〖史〗明治维新 Míngzhì wéixīn
메이커(maker) 명 **1** 制造者 zhìzàozhě; 制造商 zhìzàoshāng; 制造厂 zhìzàochǎng ¶유명 ~ 著名制造商 **2** 精品 jīngpǐn; 名牌货 míngpáihuò; 名牌 míngpái ¶그는 ~ 아닌 옷은 안 입는다 不是名牌衣服, 他不穿
메이크업(makeup) 명하타 **1** 彩妆 cǎizhuāng; 化妆 huàzhuāng ¶~ 아티스트 彩妆师 **2** (演员的) 化装 huàzhuāng
메일(mail) 명〖컴〗= 전자 우편 ¶~을 보내다 发送电子邮件
메조-소프라노(이mezzo-soprano) 명〖音〗女中音 nǚzhōngyīn; 女中音歌手 nǚzhōngyīn gēshǒu
메조 포르테(이mezzo forte) 〖音〗中强 zhōngqiáng
메조 피아노(이mezzo piano) 〖音〗中弱 zhōngruò
메주 명 酱引子 jiàngyǐnzi; 豆豉 dòuchǐ; 豆酱饼 dòujiàngbǐng; 酱糗子 jiàngqiǔzi
메주-콩 명 (作酱用的) 黄豆 huángdòu
메추라기 명〖鳥〗鹑 chún; 鹌鹑 ānchún = 메추리
메추리 명〖鳥〗= 메추라기
메카(Mecca) 명 麦加 màijiā; 中心 zhōngxīn ¶반도체 산업의 ~ 半导体产业的麦加
메커니즘(mechanism) 명 结构 jiégòu; 机制 jīzhì ¶소화 과정의 ~ 消化过程的结构
메케-하다 형 (烟气、霉味儿) 呛人 qiàngrén; 刺鼻 cìbí ¶사무실 안이 매케한 담배 냄새로 가득하다 办公室里弥漫着呛人的烟味儿
메탄(methane) 명〖化〗甲烷 jiǎwán; 沼气 zhǎoqì = 메탄가스
메탄-가스(methane gas) 명〖化〗= 메탄
메탄올(methanol) 명〖化〗甲醇 jiǎchún; 木精 mùjīng; 木醇 mùchún = 메틸알코올
메트로놈(metronome) 명〖音〗节拍器 jiépāiqì
메트로폴리스(metropolis) 명〖社〗= 거대 도시
메틸(methyl) 명〖化〗= 메틸기
메틸-기(methyl基) 명〖化〗甲基 jiǎjī = 메틸
메틸-알코올(methyl alcohol) 명〖化〗= 메탄올
멘델의 법칙(Mendel—法則) 〖生〗孟德尔定律 Mèngdé'ěr dìnglǜ; 孟德尔遗传法则 Mèngdé'ěr yíchuán fǎzé
멘스(←menstruation) 명〖生〗= 월경(月經)
멘톨(독Menthol) 명〖化〗= 박하뇌
멜:-대 명 扁担 biǎndān ¶~를 메다 挑扁担
멜라닌(melanin) 명〖生〗黑色素 hēisèsù; 黑素 hēisù; 麦拉宁 màilāníng
멜라민(melamine) 명〖化〗三聚氰胺 sānjùqíng'àn; 蜜胺 mì'àn; 蛋白精 dànbáijīng ¶~ 수지 蜜胺树脂
멜로-드라마(melodrama) 명〖演〗情节剧 qíngjiéjù; 爱情剧 àiqíngjù

멜로디(melody) 명 『音』 旋律 xuánlǜ; 曲调 qǔdiào

멜로디언(melodion) 명 『音』 口风琴 kǒufēngqín

멜론(melon) 명 『植』 甜瓜 tiánguā; 香瓜 xiāngguā

멜:빵 명 背带 bēidài ¶~바지 背带裤

멤버(member) 명 成员 chéngyuán; 会员 huìyuán; 队员 duìyuán ¶임시 ~ 临时成员 / ~를 교체하다 换队员

멤버십(membership) 명 会员资格 huìyuán zīgé; 成员身份 chéngyuán shēnfèn; 成员资格 chéngyuán zīgé ¶~ 카드 会员卡

멥쌀 명 粳米 jīngmǐ

멧-돼지 명 『動』 野猪 yězhū; 山猪 shānzhū = 산돼지

-며 어미 **1** 用在开音节的谓词词干或体词的谓词形之后, 表示并列 ¶이것은 감이~ 저것은 사과이다 这是柿子, 那是苹果 **2** = -면서1 ¶음악을 들으~ 공부를 하다 边听音乐边学习

며느리 명 儿媳妇(儿) érxífu(r); 媳妇 xífù ¶~를 맞다 迎娶儿媳妇

며느리 사랑은 시아버지 사위 사랑은 장모 속담 公公疼媳妇, 岳母疼女婿

며느리-발톱 명 『鳥』 距 jù

며칠 명 **1** 几日 jǐrì; 几号 jǐhào ¶오늘이 ~이니? 今天几号? **2** 几天 jǐtiān; 有些日子 yǒuxiē rìzi ¶~ 전 几天前 / ~ 동안 못 만났다 好几天没见了

멱[1] 명 前颈 qiánjǐng; 前脖 qiánbó; 脖子 bózi ¶~을 따서 닭을 잡다 把鸡脖子割了宰鸡

멱:[2] 명 '미역1'的略词 ¶강에서 ~을 감다 在河里游泳

멱-따다 타 割脖子 gē bózi; 宰 zǎi ¶돼지를 ~ 宰猪

멱따는 소리 구 驴叫

멱-살 명 **1** 前脖 qiánbó; 脖子 bózi **2** 领口 lǐngkǒu; 脖领子 bólǐngzi ¶서로 ~을 잡고 다투다 互相揪着领口打斗

멱살-잡이 명하자타 揪领口 jiū lǐngkǒu

면:[1](面) 명 **1** 面 miàn 《行政区划之一》 **2** = 면사무소

면:[2](面) 명 **1** 表面 biǎomiàn; 面 miàn ¶~이 고르지 않은 땅 表面不平坦的地 **2** (立体的) 面 miàn ¶벽 한 ~에 멋있는 그림이 걸려 있다 墙的一面上挂着美丽的图画 **3** 边 biān; 面 miàn ¶군인들이 서북 ~을 방어하다 军人们防卫西北面 **4** 方面 fāngmiàn; 一面 yīmiàn ¶경제적인 ~ 经济方面 / 긍정적인 ~ 肯定的一面 **5** 面子 miànzi; 脸面 liǎnmiàn; 颜面 yánmiàn ¶~이 깎이다 丢面子 **6** (报纸的) 版 bǎn; 版面 bǎnmiàn ¶제 일 ~에 실리다 登在第一版

면(綿) 명 棉 mián; 棉布 miánbù; 棉纱 miánshā ¶~내의 棉内衣 / ~바지 棉裤 / ~섬유 棉纤维 / ~양말 棉袜子 / ~제품 棉织品 / ~ 티셔츠 棉T恤

면:(麵·麪) 명 = 국수 ¶~을 삶다 煮面条

-면 어미 **1** 假如 jiǎrú; 如果 rúguǒ; 要是 yàoshi; …的话 …dehuà 《表示假定条件》 ¶내일 눈이 오~ 스키를 타러 갈 거다 明天下雪的话就去滑雪 / 네가 가~ 난 가지 않겠다 如果你去, 我就不去了 **2** 一…就 yī…jiù; 只要 zhǐyào 《表示契机或先决条件》 ¶누구나 부지런히 일하~ 성공한다 不管谁, 只要勤恳工作就会成功 / 그녀는 눈만 뜨~ 책을 읽는다 她一睁开眼就看书

면:담(面談) 명하자 面谈 miàntán; 会谈 huìtán ¶단독 ~ 单独面谈 / 내일 사장과 ~하기로 되어 있다 明天将与老板进行会谈

면:도(面刀) 명하타 刮脸 guāliǎn; 刮胡子 guā húzi; 剃须 tìxū ¶그는 아침마다 ~한다 他每天早上刮胡子

면:도-기(面刀器) 명 刮脸刀 guāliǎndāo; 剃须刀 tìxūdāo; 刮胡刀 guāhúdāo; 剃刀 tìdāo ¶전기 ~ 电动剃须刀

면:도-날(面刀—) 명 **1** 剃须刀刃 tìxū dāorèn **2** 刮脸刀片 guāliǎn dāopiàn; 剃须刀片 tìxū dāopiàn; 保险刀片 bǎoxiǎn dāopiàn ¶날카로운 ~ 锋利的刮脸刀片 / ~에 베다 被剃须刀片刮破了

면:도-칼(面刀—) 명 剃须刀 tìxūdāo; 剃刀 tìdāo; 刮脸刀 guāliǎndāo

면:류-관(冕旒冠) 명 『史』 冕旒冠 miǎnliúguān

면:면(面面) 명 **1** 各个人 gègè rén; 每个人 měige rén **2** 各方面 gè fāngmiàn; 各个方面 gègè fāngmiàn; 多方面 duō fāngmiàn ¶그는 아들의 자랑스러운 ~을 나에게 모두 보여 주려고 애를 썼다 他费劲地给我看他儿子令人骄傲的各个方面

면면-하다(綿綿—) 형 连绵 liánmián; 绵绵 miánmián; 绵延 miányán ¶수천 년 면면하게 이어져 내려온 역사와 전통 绵绵数千年的历史和传统 **면면-히** 부

면:모(面貌) 명 **1** 相貌 xiàngmào; 面貌 miànmào; 面目 miànmù ¶~가 수려하다 面目清秀 **2** 面貌 miànmào; 面目 miànmù ¶~가 일신되다 面目一新

면:목(面目) 명 **1** 相貌 xiàngmào; 面目 miànmù; 面貌 miànmào **2** = 낯2 ¶~이 서다 有脸见人 **3** 面貌 miànmào; 面目 miànmù ¶서울은 세계적인 도시의 ~을 지녔다 首尔具有世界大都市的面貌

면목(이) 없다 구 没脸; 没有脸面

면밀-하다(綿密—) 형 周密 zhōumì; 细致 xìzhì; 绵密 miánmì; 细心 xìxīn ¶ 면밀한 계획 周密的计划 **면밀-히** 부 ¶～ 관찰하다 细致地观察

면:박(面駁) 명하타 驳面子 bómiànzi; 当面驳斥 dāngmiàn bóchì; 当面斥责 dāngmiàn chìzé ¶그에게 ～을 주다 驳他的面子

면-발(麵—) 명 (一根根的) 面条(儿) miàntiáo(r) ¶～이 굵다 面条很粗 / ～이 쫄깃쫄깃하다 面条很有韧劲

면봉(綿棒) 명 棉花棒 miánhuābàng; 棉签(儿) miánqiān(r)

면사(綿絲) 명 棉丝 miánsī; 棉线 miánxiàn; 棉纱 miánshā

면:-사무소(面事務所) 명 面行政事务所 miànxíngzhèng shìwùsuǒ; 面事务所 miànshìwùsuǒ; 面办公处 miànbàngōngchù = 면¹2

면:사-포(面紗布) 명 面纱 miànshā; 头纱 tóushā; 纱盖头 shāgàitou ¶얼굴에 ～를 쓴 신부 脸蒙面纱的新娘

면:상(面上) 명 脸上 liǎnshang; 脸 liǎn ¶상대방의 ～에 주먹을 날리다 往对方的脸上打了一拳

-면서 어미 1 边…边… biān…biān…; 既…又… jì…yòu…; 着 zhe《表示同时进行的动作或并存的事实》= -며2 ¶신문을 보～ 밥을 먹는다 边看报纸边吃饭 / 눈물을 흘리～ 이야기하다 流着眼泪诉说 2 可是 kěshì; 而 ér; 却 què《表示转折》¶자기는 놀～ 남만 시키다 自己玩, 却支使别人

면:세(免稅) 명하타 免税 miǎnshuì ¶～ 품목 免税货单

면:세-점(免稅店) 명 免税店 miǎnshuìdiàn; 免税商店 miǎnshuì shāngdiàn ¶공항 ～ 机场免税店

면:세-품(免稅品) 명 免税品 miǎnshuìpǐn; 免税商品 miǎnshuì shāngpǐn

면:수(面數) 명 面数 miànshù; 页数 yèshù = 쪽수 ¶신문의 ～가 늘었다 报纸的页数增加了

면:식(面識) 명 认识 rènshi; 一面之交 yīmiànzhījiāo ¶～이 있다 认识 / ～이 없다 不认识

면:식-범(面識犯) 명 『法』面熟的犯人 miànshúde fànrén

면양(緬羊·綿羊) 명 『動』= 양(羊)2

면:역(免疫) 명하자 1 『醫』免疫 miǎnyì ¶인체의 ～ 기능 人体的免疫机能 2 免疫力 miǎnyìlì ¶비행기 소음에도 이젠 ～이 생겼다 对飞机噪音也已产生免疫力

면:역-력(免疫力) 명 『生』免疫力 miǎnyìlì ¶～ 저하 免疫力低下 / ～이 떨어지다 免疫力下降 / ～을 높이다 提高免疫力

면:역-성(免疫性) 명 免疫性 miǎnyìxìng; 免疫力 miǎnyìlì ¶～ 질환 免疫性疾病 / ～이 약해진 노인 免疫力降低的老人

면:역-체(免疫體) 명 『生』= 항체

면:장(面長) 명 面长 miànzhǎng

면-장갑(綿掌匣) 명 棉手套 miánshǒutào = 목장갑

면:적(面積) 명 『數』面积 miànjī ¶～이 넓다 面积大 / ～이 좁다 面积小

면:전(面前) 명 当着面 dāngzhe miàn; 当面 dāngmiàn; 面前 miànqián ¶～에서 욕하다 当面咒骂

면:접(面接) 명하타 1 = 면접시험 2 会见 huìjiàn; 会面 huìmiàn; 见面 jiànmiàn

면:접-시험(面接試驗) 명 面试 miànshì; 面考 miànkǎo = 면접1 ¶～을 보다 考面试

면:제(免除) 명하타 免除 miǎnchú; 免 miǎn ¶세금 ～ 免税 / 병역이 ～되다 免服兵役

면:죄(免罪) 명하타 免罪 miǎnzuì ¶～부 免罪符

면:지(面紙) 명 『印』封面衬纸 fēngmiàn chènzhǐ

면:직(免職) 명하타 免职 miǎnzhí; 罢官 bàguān; 解职 jiězhí; 解雇 jiěgù ¶실수를 저질러 ～당하다 因失误遭到解雇

면직(綿織) 명 『手工』= 면직물

면직-물(綿織物) 명 『手工』棉织品 miánzhīpǐn; 棉织物 miánzhīwù = 면직(綿織)

면:책(免責) 명하타 免责 miǎnzé; 免去责任 miǎnqù zérèn; 不受责备 bùshòu zébèi; 避免责备 bìmiǎn zébèi ¶～특권 责任豁免权 / ～ 사유 免责理由

면:-치레(面—) 명하자 装门面 zhuāng ménmian; 装饰外表 zhuāngshì wàibiǎo = 체면치레

면:피(免避) 명하타 避免 bìmiǎn ¶사고를 ～하다 避免事故

면:-하다(免—) 타 1 免 miǎn; 免除 miǎnchú; 摆脱 bǎituō; 脱离 tuōlí; 避免 bìmiǎn ¶책임을 ～ 免除责任 2 避免 bìmiǎn; 免 miǎn ¶화를 ～ 免祸 / 재앙을 ～ 避免灾难 3 摆脱 bǎituō; 脱离 tuōlí; 幸免 xìngmiǎn ¶낙제를 ～ 幸免落榜 / 셋방살이 신세를 ～ 摆脱租房的日子

면:-하다(面—) 자타 1 面向 miànxiàng; 靠 kào; 朝 cháo; 面 miàn; 临 lín ¶그의 집은 한길에 면해 있어서 몹시 시끄럽다 他家靠着马路, 很吵 2 面临 miànlín ¶위기에 ～ 面临危机

면:학(勉學) 명하자 努力学习 nǔlì xuéxí; 勤奋学习 qínfèn xuéxí; 勤学 qínxué ¶～ 분위기 勤奋学习的氛围

면:허(免許) 명하타 〖法〗 **1** 执照 zhízhào; 照 zhào **2** 许可 xǔkě; 批准 pīzhǔn; 特许 tèxǔ ¶총기 소지 ～ 持枪许可 / 수출 ～ 出口许可

면:허-세(免許稅) 명 〖法〗 特许税 tèxǔshuì; 专利税 zhuānlìshuì

면:허 정지(免許停止) 〖法〗 吊销 diàoxiāo; 吊扣 diàokòu; 停止许可 tíngzhǐ xǔkě

면:허-증(免許證) 명 〖法〗 执照 zhízhào; 许可证 xǔkězhèng ¶운전 ～ 驾驶执照 / ～을 발급하다 发给执照

면:허 취:소(免許取消) 〖法〗 取消执照 qǔxiāo zhízhào; 取消许可 qǔxiāo xǔkě; 吊销执照 diàoxiāo zhízhào

면화(綿花) 명 〖植〗 = 목화

면:회(面會) 명하타 会面 huìmiàn; 会客 huìkè; 见面 jiànmiàn; 看 kàn ¶～실 会客室 =[会面室] / ～ 시간 会客时间 / ～ 사절 谢绝会客 =[谢客]

멸균(滅菌) 명하타 = 살균 ¶～된 우유 灭菌的牛奶

멸망(滅亡) 명하자 灭亡 mièwáng; 消亡 xiāowáng ¶～의 길을 걷다 走上灭亡的道路 / ～을 초래하다 导致灭亡

멸시(蔑視) 명하타 蔑视 mièshì; 卑视 bēishì; 轻蔑 qīngmiè; 鄙视 bǐshì ¶～의 눈초리 轻蔑的眼光 / 가난 때문에 ～를 당하다 因贫穷就得受人鄙视

멸종(滅種) 명하타 绝种 juézhǒng; 灭种 mièzhǒng; 灭绝 mièjué ¶～ 위기에 놓인 동물 濒临灭绝的动物

멸치 명 〖魚〗 鳀鱼 tíyú; 海蜒 hǎiyán ¶～젓 腌鳀鱼 / ～조림 酱鳀鱼

멸-하다(滅—) 타 灭 miè; 消灭 xiāomiè; 抄灭 chāomiè; 诛灭 zhūmiè ¶삼족을 ～ 抄灭三族

명[1](名) 명 名 míng ¶곡～ 曲名 / 작품～ 作品名

명[2](名) 의명 名 míng; 个 gè ¶삼십 ～의 학생 三十个学生

명[1]:(命) 명 **1** = 목숨 ¶～이 다하다 寿命终尽 / ～이 길다 寿命长 **2** = 운명(運命)

명[2]:(命) 명 命令 mìnglìng; 命 mìng; 令 lìng ¶～을 내리다 下达命令 / ～을 받들다 奉命

명-(名) 접두 著名 zhùmíng; 名 míng ¶～감독 名导演 / ～배우 著名演员

명가(名家) 명 **1** 名家 míngjiā; 名门 míngmén; 名门大家 míngmén dàjiā **2** 名家 míngjiā; 大家 dàjiā; 名人 míngrén; 名牌 míngpái ¶서화의 ～ 书画名家 / 구두의 ～ 皮鞋名牌

명-가수(名歌手) 명 名歌手 mínggēshǒu; 歌星 gēxīng; 红歌星 hónggēxīng; 名歌星 mínggēxīng

명검(名劍) 명 名剑 míngjiàn; 名刀 míngdāo

명견(名犬) 명 名犬 míngquǎn

명경-지수(明鏡止水) 명 明镜止水 míngjìngzhǐshuǐ

명곡(名曲) 명 名曲 míngqǔ ¶불후의 ～ 不朽名曲 / ～을 감상하다 欣赏名曲

명기(名妓) 명 名妓 míngjì

명기(名技) 명 = 명연기

명기(明記) 명하타 明记 míngjì; 明确记载 míngquè jìzǎi; 标明 biāomíng ¶원작자의 이름을 ～하다 明确记载原作者的姓名

명단(名單) 명 名单 míngdān ¶합격자 ～에 그의 이름이 있다 合格者名单中有他的名字 / 대표 선수 ～을 발표하다 公布代表选手的名单

명당(明堂) 명 **1** 明堂 míngtáng; 正殿 zhèngdiàn **2** 〖民〗 风水宝地 fēngshuǐ bǎodì; 吉地 jídì; 宝地 bǎodì; 风水好的地方 fēngshuǐ hǎode dìfang = 명당자리 ¶부모님 산소를 ～에 쓰다 把父母的坟安葬在风水好的地方

명당-자리(明堂—) 명 〖民〗 = 명당2

명-대사(名臺詞) 명 〖演〗 经典台词 jīngdiǎn táicí

명도(明度) 명 〖美〗 明度 míngdù ¶～ 대비 明度对比 / ～가 높다 明度高 / ～가 낮다 明度低

명란(明卵) 명 明太鱼子 míngtàiyúzǐ; 明太鱼卵 míngtàiyúluǎn ¶～젓 明太鱼子酱

명랑(明朗) 명하형히부 明朗 mínglǎng; 爽朗 shuǎnglǎng; 开朗 kāilǎng; 欢快 huānkuài ¶아이들의 ～한 웃음소리 孩子们爽朗的笑声 / 성격이 ～하다 性格开朗

명:령(命令) 명하타 命令 mìnglìng; 令 lìng ¶공격 ～ 攻击令 / ～을 내리다 下命令 =[下令] / 당신은 내게 ～할 권한이 없다 你无权命令我

명:령-문(命令文) 명 **1** 命令书 mìnglìngshū **2** 〖語〗 祈使句 qíshǐjù; 命令句 mìnglìngjù

명:령-어(命令語) 명 〖컴〗 命令语 mìnglìngyǔ

명:령-조(命令調) 명 命令的语调 mìnglìngde yǔdiào; 命令的口气 mìnglìngde kǒuqì ¶그는 ～로 말했다 他以命令的口气说了

명:령-형(命令形) 명 〖語〗 祈使形 qíshǐxíng; 命令式 mìnglìngshì

명료-하다(明瞭—) 형 明了 míngliǎo; 明确 míngquè; 明白 míngbai; 清楚 qīngchu ¶간단하고 명료한 대답 简单明了的回答 / 개념이 ～하다 概念明确

명료-히 부

명마(名馬) 명 名马 míngmǎ
명망(名望) 명 名望 míngwàng; 名声 míngshēng; 声誉 shēngyù ¶~가 有名望的人 / ~이 높다 名望高
명:맥(命脈) 명 1 命脉 mìngmài 2 生存 shēngcún; 生命 shēngmìng ¶사업이 겨우 ~을 유지하고 있다 事业勉强维持生存
명:명(命名) 명하타 命名 mìngmíng; 定名 dìngmíng; 起名 qǐmíng ¶해군은 이번에 새로 만든 배의 이름을 '이순신'이라고 ~하였다 海军把这次新造的船起名为'李舜臣'
명명백백-하다(明明白白—) 형 明明白白 míngmingbáibái; 清清楚楚 qīngqingchǔchǔ ¶명명백백한 증거 清清楚楚的证据 **명명백백-히** 부
명목(名目) 명 名目 míngmù; 名义 míngyì; 名 míng; 招牌 zhāopai ¶각종 ~으로 세금을 거두다 以各种名目抽税
명문(名文) 명 名文 míngwén; 名篇 míngpiān ¶그의 글은 당대의 ~이다 他的文章是当代的名篇
명문(名門) 명 1 名门 míngmén ¶~자제 名门子弟 / ~ 출신 名门出身 2 名牌 míngpái; 名校 míngxiào ¶야구의 ~ 棒球名校 / ~ 대학을 나오다 毕业于名牌大学
명문(明文) 명 明文 míngwén; 明条 míngtiáo ¶~ 규정 明文规定
명문-가(名門家) 명 名门 míngmén; 名门望族 míngmén wàngzú
명문-교(名門校) 명 名校 míngxiào; 著名学校 zhùmíng xuéxiào; 名牌学校 míngpái xuéxiào ¶그는 ~ 출신이다 他是名校出身
명문-대(名門大) 명 名牌大学 míngpái dàxué; 著名大学 zhùmíng dàxué
명물(名物) 명 1 名产 míngchǎn; 特产 tèchǎn; 珍物 zhēnwù ¶대구의 ~은 사과이다 大邱的特产是苹果 2 名人 míngrén ¶그녀는 우리 사무실의 ~이다 她是我们办公室的名人
명민-하다(明敏—) 형 明敏 míngmǐn; 聪明机敏 cōngming jīmǐn ¶이 아이는 아주 ~ 这孩子真明敏
명반(名盤) 명 名唱片 míngchàngpiàn
명반(明礬) 명『化』= 백반(白礬)
명-배우(名俳優) 명 著名演员 zhùmíng yǎnyuán; 名优 míngyōu; 名演员 míngyǎnyuán; 名伶 mínglíng
명백-하다(明白—) 형 明白 míngbai; 明了 míngliǎo; 清楚 qīngchu; 明显 míngxiǎn; 明晰 míngxī; 确凿 quèzáo ¶명백한 사실 明了的事实 / 명백한 증거가 드러나다 确凿的证据浮现出来 **명백-히** 부 ¶진상이 ~ 밝혀지다 真相被清楚地揭露
명복(冥福) 명 冥福 míngfú ¶삼가 고인의 ~을 빕니다 敬祈故人之冥福
명부(名簿) 명 名簿 míngbù; 名册 míngcè; 名录 mínglù; 名籍 míngjí ¶선거인 ~ 选举人名籍
명분(名分) 명 1 名分 míngfèn; 本分 běnfèn ¶~을 지키다 守本分 / ~을 중시하다 重视名分 2 由头 yóutou; 口实 kǒushí; 名目 míngmù; 托词 tuōcí; 借口 jièkǒu ¶~ 없는 싸움 没有由头的争吵 / ~을 찾다 找由头 / 그럴듯한 ~을 내세우다 搬出个像样儿的名目
명불허전(名不虛傳) 명 名不虚传 míngbùxūchuán
명사(名士) 명 名士 míngshì; 知名人士 zhīmíng rénshì; 名流 míngliú ¶학계의 ~ 学术界的知名人士
명사(名詞) 명『語』名词 míngcí ¶~절 名词节 / ~형 名词形
명-사수(名射手) 명 名射手 míngshèshǒu; 神枪手 shénqiāngshǒu ¶백발백중의 ~ 百发百中的神枪手
명산(名山) 명 名山 míngshān ¶중국의 십대 ~ 中国的十大名山
명-산지(名産地) 명 名产地 míngchǎndì ¶배의 ~인 나주 梨的名产地罗州
명상(冥想·瞑想) 명하자타 冥想 míngxiǎng ¶~곡 冥想曲 / ~록 冥想录 / ~에 잠기다 陷入冥想 / ~에서 깨어나다 从冥想中醒过来
명색(名色) 명 名目 míngmù; 名义 míngyì ¶내가 ~이 사장인데, 돈을 떼먹겠느냐? 我名义上是老板, 难道会赖账吗?
명석-하다(明晳—) 형 明晰 míngxī; 明 míng ¶두뇌가 ~ 头脑明晰 / 명석한 판단을 내리다 作出明断
명성(名聲) 명 名声 míngshēng; 名气 míngqi; 声望 shēngwàng; 声名 shēngmíng ¶~을 얻다 有了名声 / ~이 자자하다 名声大震
명세(明細) 명하형히부 细目 xìmù; 明细 míngxì ¶~서 明细表 =[清单] / 비용 ~ 费用明细 / 재산 ~ 财产细目
명소(名所) 명 名胜 míngshèng; 景点 jǐngdiǎn ¶관광 ~ 旅游景点
명수(名手) 명 名手 míngshǒu; 能手 néngshǒu; 强手 qiángshǒu; 名人 míngrén ¶바둑의 ~ 围棋名手
명수(名數) 명 = 인원수 ¶~를 헤아리다 数人数
명승-고적(名勝古跡) 명 名胜古迹 míngshèng gǔjì
명-승부(名勝負) 명 名胜负 míngshèngfù
명승-지(名勝地) 명 名胜地 míngshèngdì; 名胜 míngshèng; 胜地 shèngdì

명시(名詩) 명 名诗 míngshī
명시(明示) 명하타 明示 míngshì; 标明 biāomíng; 明确指出 míngquè zhǐchū ¶장소와 시간을 ~하다 标明地点和时间
명실-공히(名實共—) 부 名副其实 míngfùqíshí; 名符其实 míngfúqíshí
명실-상부(名實相符) 명하형 名实相符 míngshíxiāngfú; 名实相副 míngshíxiāngfù; 名副其实 míngfùqíshí; 名符其实 míngfúqíshí ¶브라질은 ~한 축구 강국이다 巴西是名符其实的足球强国
명심(銘心) 명하타 牢记 láojì; 铭心 míngxīn; 铭记 míngjì ¶선생님의 말씀을 ~하겠습니다 我会牢记老师的教导
명아주 명〖植〗藜 lí; 红心藜 hóngxīnlí
명암(明暗) 명 **1** 明暗 míng'àn; 浓淡 nóngdàn ¶이 사진은 ~이 매우 뚜렷하다 这张照片明暗很分明 **2** 悲喜 bēixǐ; 幸与不幸 xìngyǔ bùxìng ¶인생의 ~ 人生的幸与不幸 / ~이 엇갈리다 悲喜交集
명약(名藥) 명 名药 míngyào
명약관화(明若觀火) 명하형 洞若观火 dòngruòguānhuǒ; 明若观火 míngruòguānhuǒ ¶~한 사실 明若观火的事实
명언(名言) 명 名言 míngyán ¶훌륭한 ~을 남기다 留下经典名言
명-연기(名演技) 명 出色的演技 chūsède yǎnjì; 出色的表演 chūsède biǎoyǎn = 명기(名技)
명예(名譽) 명 **1** 名誉 míngyù; 声誉 shēngyù; 荣誉 róngyù; 光荣 guāngróng ¶~욕 名誉欲 / ~퇴직 光荣退休 =[名誉退职] / ~를 회복하다 恢复名誉 / 가문의 ~를 더럽히다 污辱家门名誉 **2** 名誉 míngyù ¶~ 교수 名誉教授 / ~박사 名誉博士 / ~시민 名誉市民 / ~직 名誉职 / ~ 회장 名誉会长
명예-롭다(名譽—) 형 光荣 guāngróng; 荣誉 róngyù; 光彩 guāngcǎi ¶명예로운 훈장 荣誉勋章 / 명예롭게 퇴진하다 光荣地下台 **명예로이** 부 ¶조국을 위하여 ~ 희생하다 为祖国光荣牺牲
명예 훼:손(名譽毁損)〖法〗损害名誉 sǔnhài míngyù ¶~죄 损害名誉罪
명왕-성(冥王星) 명〖天〗冥王星 míngwángxīng
명:운(命運) 명 = 운명(運命)
명월(明月) 명 明月 míngyuè
명의(名義) 명 名义 míngyì; 名下 míngxià = 이름4 ¶~ 변경 名义变更 / 집을 부인 ~로 등기하다 把房子登记在妻子名下 / ~를 바꾸다 换名义 =[过户]
명의(名醫) 명 名医 míngyī
명의-인(名義人) 명 **1** 名义者 míngyìzhě; 名义人 míngyìrén = 명의자 **2**〖法〗名义代表 míngyì dàibiǎo
명의-자(名義者) 명 = 명의인1
명인(名人) 명 名家 míngjiā; 名手 míngshǒu; 高手 gāoshǒu ¶바둑의 ~ 围棋高手
명작(名作) 명 名作 míngzuò; 名著 míngzhù ¶불후의 ~을 남기다 留下不朽的名作
명장(名匠) 명 名匠 míngjiàng; 名工 mínggōng
명장(名將) 명 名将 míngjiàng
명-장면(名場面) 명 名场景 míngchǎngjǐng; 经典场面 jīngdiǎn chǎngmiàn; 著名场面 zhùmíng chǎngmiàn ¶영화의 ~ 电影的经典场面
명절(名節) 명 节日 jiérì; 节 jié ¶~을 쇠다 过节
명:제(命題) 명하자 命题 mìngtí
명조(明朝) 명〖印〗= 명조체
명조-체(明朝體) 명〖印〗明体 míngtǐ = 명조 ¶~ 글자 明体字
명주(明紬) 명 丝绸 sīchóu; 绵绸 miánchóu
명주(名酒) 명 名酒 míngjiǔ
명주(銘酒) 명 特制名酒 tèzhì míngjiǔ
명주-실(明紬) 명 蚕丝 cánsī; 丝线 sīxiàn
명:-줄(命—) 명 寿命 shòumìng; 生命 shēngmìng ¶~이 길다 寿命长
명:중(命中) 명하자 命中 mìngzhòng; 打中 dǎzhòng; 射中 shèzhòng; 击中 jīzhòng ¶~률 命中率 / 화살이 과녁에 ~했다 箭射中靶子了
명차(名車) 명 名车 míngchē; 名牌汽车 míngpái qìchē
명차(名茶) 명 名茶 míngchá; 著名茶叶 zhùmíng cháyè
명찰(名札) 명 姓名牌(儿) xìngmíngpái(r); 姓名卡 xìngmíngkǎ; 名签 míngqiān ¶~을 달다 佩戴姓名卡
명창(名唱) 명 **1** 名唱 míngchàng; 名人名曲 míngrén míngqǔ **2** 名歌手 mínggēshǒu
명철-하다(明哲—) 형 明哲 míngzhé; 明智 míngzhì; 精辟 jīngpì ¶현상에 대해 명철한 분석을 하다 对现象进行精辟的分析 **명철-히** 부
명:치 명〖生〗心窝(儿) xīnwō(r); 心口 xīnkǒu ¶~가 아프다 心口疼
명칭(名稱) 명 名称 míngchēng; 称谓 chēngwèi; 称呼 chēnghu ¶~을 바꾸다 改换名称
명-콤비(名←combination) 명 好搭档 hǎodādàng; 佳伴 jiābàn
명쾌-하다(明快—) 형 **1** (语言、文章

等) 明快 míngkuài; 明白通畅 míngbai tōngchàng ¶명쾌한 설명 明白通畅的说明 **2** 明朗 mínglǎng; 爽朗 shuǎnglǎng; 明快 míngkuài ¶기분이 ~ 心情爽朗 **명쾌-히** 부

명-탐정(名探偵) 명 名侦探 míngzhēntàn; 神探 shéntàn

명태(明太) 명 〖魚〗明太鱼 míngtàiyú

명탯-국(明太—) 명 明太鱼汤 míngtàiyútāng

명패(名牌) 명 **1** 名牌 míngpái **2** = 이름표 **3** = 문패

명-포수(名砲手) 명 **1** 神炮手 shénpàoshǒu **2** 著名炮手 zhùmíng pàoshǒu

명품(名品) 명 名品 míngpǐn; 精品 jīngpǐn ¶~ 가방 精品包 / ~ 매장 精品店 / ~을 전시하다 展览名品

명필(名筆) 명 **1** 名笔 míngbǐ; 好字 hǎo zì ¶정자의 현판에는 천하의 ~이 걸려 있다 亭子匾额上挂着天下名笔 **2** = 명필가 ¶~은 붓을 가리지 않는다 大书法家对毛笔不挑剔

명필-가(名筆家) 명 著名书法家 zhùmíng shūfǎjiā; 大书法家 dàshūfǎjiā = 명필2

명-하다(名—) 타 命名 mìngmíng; 称呼 chēnghu

명:-하다(命—) 타 **1** 命 mìng; 命令 mìnglìng ¶장군이 병사들에게 돌격을 ~ 将军命令士兵们进行猛攻 **2** 任命 rènmìng ¶대통령이 그를 수석대표로 명했다 总统任命了他为首席代表

명함(名銜) 명 名片 míngpiàn; 名帖 míngtiě ¶~을 주고받다 交换名片

명함도 못 들이다 구 望尘莫及; 差一大截

명함을 내밀다 구 抛头露面

명함-판(名銜判) 명 三寸照片 sāncùn zhàopiàn

명화(名畫) 명 **1** 名画 mínghuà ¶~를 전시하다 展览名画 **2** 经典影片 jīngdiǎn yǐngpiàn; 经典电影 jīngdiǎn diànyǐng ¶~를 방영하다 放映经典影片

명확-하다(明確—) 형 明确 míngquè; 正确 zhèngquè; 确切 quèqiè ¶명확한 대답 明确的答复 / 책임이 명확하지 않다 责任不明确 **명확-히** 부 ¶진상을 ~ 밝히다 确切地揭露真相

몇 ㊀관 几 jǐ; 多少 duōshao; 若干 ruògān; 些 xiē; 好几 hǎojǐ ¶귤 ~ 개만 사 오너라 买些橘子回来吧 / 너는 나이가 ~ 살이냐? 你几岁了? ㊁수 几 jǐ; 多少 duōshao ¶아이들 ~이 더 왔다 又来了几个孩子

몇-몇 ㊀관 '몇㊀' 的强调语 ¶~ 사람 某些人 / 그 물건은 ~ 시장에서만 구할 수 있다 那东西只能在一些市场里买到 ㊁수 '몇㊁' 的强调语 ¶그는 친구 ~과 함께 여행을 다녀왔다 他和几个朋友一起去旅游了

모[1] 명 **1** 稻秧 dàoyāng; 秧 yāng ¶~를 심다 插秧 **2** = 모종

모(를) 찌다 구 起秧

모[2] ㊀명 **1** 棱 léng; 角 jiǎo; 棱角 léngjiǎo ¶~가 나 있지 않은 자갈 没有棱角的石头 **2** 角度 jiǎodù; 方面 fāngmiàn ¶어느 ~로 보나 그가 제일 적임자이다 无论从哪方面讲还是他最合适 **3** (性格上的) 棱角 léngjiǎo; 刺 cì ¶~가 없는 사람 没棱角的人 **4** 块(儿) kuài(r) ¶두부 ~가 크다 豆腐块很大 ㊁의명 块 kuài ¶두부 한 ~ 一块豆腐

모:(某) ㊀대 某人 mǒurén; 某 mǒu ¶김 ~ 교수 金某教授 ㊁관 某 mǒu ¶~ 회사 某公司 / ~ 단체 某团体

-모(帽) 접미 帽 mào ¶등산~ 登山帽 / 운동~ 运动帽

모가지 명 **1** '목' 的鄙称 **2** 解雇 jiěgù; 罢免 bàmiǎn; 免职 miǎnzhí; 炒鱿鱼 chǎo yóuyú; 开除 kāichú; 辞退 cítuì ¶회사에서 ~를 당하다 被公司开除

모가지가 떨어지다 구 **1** 脑袋搬家; 被杀; 被死 **2** 撤职; 免职

모가지(가) 잘리다 구 被解雇

모가지를 자르다 구 解雇; 撤职; 炒鱿鱼

모:계(母系) 명 母系 mǔxì ¶~ 사회 母系社会 / ~ 혈족 母系亲属

모골(毛骨) 명 毛骨 máogǔ

모골이 송연하다 구 毛骨悚然

모공(毛孔) 명 = 털구멍 ¶~을 축소하다 缩小毛孔

모:과(←木瓜) 명 木瓜 mùguā

모:과-나무(←木瓜—) 명 〖植〗木瓜树 mùguāshù

모:교(母校) 명 母校 mǔxiào ¶~를 방문하다 拜访母校

모:국(母國) 명 祖国 zǔguó; 母国 mǔguó ¶~을 방문하다 访问祖国

모:국-어(母國語) 명 母语 mǔyǔ; 本国语 běnguóyǔ

모:권(母權) 명 母权 mǔquán

모근(毛根) 명 〖生〗毛根 máogēn

모금 의명 口 kǒu ¶술을 한 ~ 마시다 喝一口酒 / 담배를 한 ~ 빨다 抽一口烟

모금(募金) 명하타 募捐 mùjuān; 募款 mùkuǎn ¶~ 운동 募捐活动 / ~함 募捐箱

모:기 명 〖蟲〗蚊子 wénzi; 蚊 wén ¶~약 杀蚊剂 / ~떼 蚊子群 / ~가 물다 蚊子叮人 =[蚊子咬人] / ~한테 물리다 被蚊子叮咬

모:-기업(母企業) 명 母公司 mǔgōngsī

모:기-장(—帳) 명 蚊帐 wénzhàng ¶ ~을 치고 자다 挂蚊帐睡觉

모:기-향(—香) 명 蚊香 wénxiāng; 蚊烟香 wényānxiāng; 杀蚊香 shāwénxiāng ¶ ~을 피우다 点蚊香

모:깃-불 명 蚊香火 wénxiānghuǒ; 熏蚊烟火 xūnwén yānhuǒ

모:깃-소리 명 蚊子叫声 wénzi jiàoshēng; 蚊声 wénshēng ¶ 목소리가 ~만 하다 声音像蚊子叫声

모-나다 형 **1** 方 fāng; 方块 fāngkuài; 有棱角 yǒu léngjiǎo ¶ 모난 돌 方块石头 / 모난 얼굴 方方的脸 **2** (性格、作风) 有棱角 yǒu léngjiǎo; 尖锐 jiānruì; 带刺(儿) dàicì(r) ¶ 모난 성격 带刺的性格 / 모나게 굴다 行为有棱角

모난 돌이 정 맞는다 속담 **1** 过刚必折 **2** 枪打出头鸟; 出头椽子先烂

모나리자(Mona Lisa) 명 〖美〗 蒙娜丽莎 Méngnàlìshā

모낭(毛囊) 명 〖生〗 毛囊 máonáng ¶ ~염 毛囊炎

모-내기 명하자 〖農〗 插秧 chāyāng = 이앙

모-내다 자 〖農〗 插秧 chāyāng; 移苗 yímiáo

모:녀(母女) 명 母女 mǔnǚ

모:년(某年) 명 某年 mǒunián ¶ ~ 모월 모일 某年某月某日

모노-드라마(monodrama) 명 〖演〗 单人剧 dānrénjù; 独角戏 dújiǎoxì

모노-레일(monorail) 명 〖交〗 单轨铁路 dānguǐ tiělù; 单轨列车 dānguǐ lièchē

모놀로그(monologue) 명 〖演〗 = 독백2

모-눈 명 〖數〗 方格 fānggé; 方眼 fāngyǎn ¶ ~자 方格尺

모눈-종이 명 〖數〗 方格纸 fānggézhǐ; 方眼纸 fāngyǎnzhǐ; 坐标纸 zuòbiāozhǐ = 방안지

모니터(monitor) 명 **1** (广播等的) 监听员 jiāntīngyuán **2** (电视等的) 监听器 jiāntīngqì; 监视员 jiānshìyuán **3** (商品的) 评论员 pínglùnyuán **4** 〖컴〗 显示器 xiǎnshìqì

모니터링(monitering) 명하타 〖言〗 评价调查 píngjià diàochá; 监测调查 jiāncè diàochá ¶ 신제품에 대해 ~을 실시하다 对新产品进行评价调查

모닝-커피(morning+coffee) 명 早晨咖啡 zǎochen kāfēi; 晨咖啡 chénkāfēi

모닝-콜(morning call) 명 叫醒服务 jiàoxǐng fúwù; 叫早服务 jiàozǎo fúwù

모닥-불 명 篝火 gōuhuǒ; 营火 yínghuǒ ¶ ~을 피우다 点起篝火 / ~을 쪼이다 烤篝火

모더니즘(modernism) 명 〖藝〗 现代主义 xiàndài zhǔyì

모던 재즈(modern jazz) 〖音〗 现代爵士乐 xiàndài juéshìyuè

모델(model) 명 **1** 模型 móxíng; 型 xíng; 型号 xínghào ¶ 이 차는 우리 회사에서 독자적으로 개발한 ~이다 这款车的模型是我们公司独立开发的 **2** 模范 mófàn; 典型 diǎnxíng ¶ 우리 시는 지방 자치제의 ~이라 할 만하다 我市称得上是地方自治的模范 **3** = 패션모델 **4** 〖美〗 人模 rénmó; 人体模特 réntǐ mótè; 模特(儿) mótè(r) ¶ 누드 ~ 裸体模特 **5** 〖美〗 人物原型 rénwù yuánxíng

모델 하우스(model house) 〖建〗 样品房 yàngpǐnfáng; 样板房 yàngbǎnfáng

모뎀(modem) 명 〖컴〗 调制解调器 tiáozhì jiětiáoqì

모:독(冒瀆) 명하타 冒渎 màodú; 亵渎 xièdú ¶ ~ 행위 亵渎行为 / 신을 ~하다 亵渎神灵

모두 명부 全部 quánbù; 全 quán; 都 dōu; 全都 quándōu; 全体 quántǐ; 大家 dàjiā; 所有 suǒyǒu; 总共 zǒnggòng; 一共 yīgòng ¶ ~에게 설명하다 向大家说明 / 우리 ~의 책임이다 是我们所有人的责任 / ~ 얼마냐? 一共多少钱? / ~ 15명이다 总共有15名

모드(mode) 명 **1** 款式 kuǎnshì; 款 kuǎn; 形式 xíngshì; 样式 yàngshì ¶ 새로운 ~의 패션 新款时装 **2** (机器等的) 模式 móshì ¶ 절전 ~ 节电模式 / 자동 ~ 自动模式

모:든 관 所有(的) suǒyǒu(de); 一切 yīqiè; 全 quán; 全部 quánbù ¶ ~ 자료는 여기에 있다 全部资料都在这里 / ~ 사람들이 집으로 돌아갔다 所有的人都回家去了

모락-모락 부 袅袅 niǎoniǎo; 缕缕 lǚlǚ ¶ 굴뚝에서 밥 짓는 연기가 ~ 피어오른다 烟囱里炊烟袅袅

모란(←牡丹) 명 〖植〗 牡丹 mǔdan

모란-꽃(←牡丹—) 명 牡丹花 mǔdanhuā

모래 명 沙子 shāzi; 沙 shā; 砂 shā ¶ ~땅 沙地 / ~벌판 沙场 / ~시계 沙漏 =[沙钟] / ~알 沙粒 / ~찜질 沙浴 =[沙疗]

모래-밭 명 **1** 沙滩 shātān; 沙场 shāchǎng **2** 沙地 shādì; 沙田 shātián; 沙土田 shātǔtián

모래-사장(—沙場) 명 沙滩 shātān; 沙场 shāchǎng = 모래톱 · 사장(沙場)

모래-성(—城) 명 **1** 沙城 shāchéng ¶ ~을 쌓으며 놀다 筑沙城玩儿 **2** 落空 luòkōng ¶ 그의 꿈은 ~이 되었다 他的梦想落空了

모래-주머니 명 **1** 沙包 shābāo; 沙袋

shādài 2 〖生〗 砂囊 shānáng
모래-톱 명 = 모래사장
모래-판 명 1 沙池 shāchí; 沙坑 shākēng 2 摔跤场 shuāijiāochǎng; 摔跤界 shuāijiāojiè
모략(謀略) 명하자 1 阴谋 yīnmóu; 诡计 guǐjì ¶ 적의 ~에 빠지다 中敌人的诡计 / ~을 꾸미다 使诡计 2 谋略 móulüè; 计谋 jìmóu
모:레 명부 后天 hòutiān = 내일모레1 ¶ ~부터 방학이다 从后天起放假
모:로 부 1 斜(着) xié(zhe) ¶ ~ 자르다 斜着切 2 侧(着) cè(zhe); 横(着) héng(zhe) ¶ ~ 누워 자다 侧着睡 / 게가 ~ 기어가다 螃蟹横行
모로 가도 서울만 가면 된다 속담 殊途同归; 同归殊途; 骑马也到, 起驴也到
모:르다 타 1 不知 bùzhī; 不知道 bùzhīdào; 不懂 bùdǒng; 不明白 bùmíngbai ¶ 이유를 ~ 不知所以然 =[不知所以] / 아무것도 ~ 什么都不知道 / 어떻게 해야 할지 모르겠다 不知该怎么办 2 不会 bùhuì ¶ 그 사람은 운전을 할 줄 모른다 他不会开车 / 그는 술을 마실 줄 모른다 他不会喝酒 3 不记得 bùjìde; 不认识 bùrènshi ¶ 나는 그 사람을 모른다 我不认识他 4 可能 kěnéng; 未必 wèibì; 说不定 shuōbudìng ¶ 그 사람은 이미 죽었을지도 모른다 那人可能已经死了 / 뼈가 부러지지 않았나 모르겠다 说不定骨折了 5 不得了 bùdeliǎo; 不知所措 bùzhīsuǒcuò ¶ 바라던 대학에 붙어서 얼마나 기쁜지 모른다 考上了梦寐以求的大学, 高兴得不知所措 6 只知道 zhǐ zhīdào; 只管 zhǐguǎn; 只顾 zhǐgù 《用在 '밖에' 后面》 ¶ 그녀는 자기밖에 모른다 她只管自己 / 그는 일밖에 모르는 사람이다 他是个只顾工作的人 7 不管 bùguǎn; 管不了 guǎnbuliǎo ¶ 네가 가건 말건 나는 모르겠다 你去不去, 我不管了 8 不知觉地 bùzhījuéde; 不觉地 bùjuéde; 无意识地 wúyìshíde ¶ 골인하는 순간 나도 모르게 소리를 질렀다 球破门入网的那一瞬, 我无意识地叫了起来
모르면 약이요 아는 게 병 속담 知事少时烦恼少, 识人多处是非多
모르면 몰라도 구 恐怕; 大概
모:르-쇠 명 一概说不知道 yīgài shuō bùzhīdào; 一问三不知 yīwèn sānbùzhī
모르쇠(를) 잡다[대다] 구 装不知; 一口咬定不知道; 一问三不知; 假装什么都不知道
모르타르(mortar) 명 〖建〗 砂浆 shājiāng; 灰浆 huījiāng
모르핀(morphine) 명 〖藥〗 吗啡 mǎfēi ¶ ~ 중독 吗啡中毒

모름지기 부 该 gāi; 须 xū; 应该 yīnggāi; 必须 bìxū ¶ ~ 학생은 공부를 열심히 해야 한다 学生就应该努力学习
모면(謀免) 명하타 脱 tuō; 逃脱 táotuō; 摆脱 bǎituō; 逃避 táobì; 避免 bìmiǎn ¶ 책임을 ~하다 逃避责任 / 위기를 ~하다 摆脱危机
모:멸(侮蔑) 명하타 侮蔑 wǔmiè; 侮辱 wǔrǔ; 轻蔑 qīngmiè; 蔑视 mièshì ¶ ~감 侮蔑感 / ~을 당하다 受到蔑视
모밀 명 '메밀' 的错误
모반(謀反) 명하자 谋反 móufǎn; 造反 zàofǎn; 背叛 bèipàn ¶ ~을 꾀하다 策谋造反 / ~에 가담하다 参与谋反
모발(毛髮) 명 1 毛发 máofà 2 头发 tóufa
모방(模倣 · 摸倣 · 摹倣) 명하타 模仿 mófǎng; 仿效 fǎngxiào; 效仿 xiàofǎng; 效法 xiàofǎ ¶ 남의 작품을 ~하다 模仿他人作品 / 아이가 어른의 행동을 ~하다 孩子模仿大人的行动
모범(模範) 명 模范 mófàn; 榜样 bǎngyàng; 典范 diǎnfàn; 师表 shībiǎo; 标准 biāozhǔn ¶ ~생 模范生 / ~수 模范囚犯 / ~택시 模范出租车 / ~ 답안 标准答案 / 타의 ~이 되다 为人师表 / 부모는 자식에게 ~이 되어야 한다 父母应该为子女作出榜样
모범-적(模範的) 관명 模范(的) mófàn(de); 典范(的) diǎnfàn(de) ¶ ~인 행동 模范的行为
모병(募兵) 명하자 募兵 mùbīng; 招兵 zhāobīng
모빌(mobile) 명 〖美〗 活动雕塑 huódòng diāosù; 活动雕刻 huódòng diāokè
모사(模寫) 명하타 摹写 móxiě; 临摹 línmó; 描摹 miáomó; 照抄 zhàochāo
모색(摸索) 명하타 摸索 mōsuǒ; 寻求 xúnqiú; 寻找 xúnzhǎo; 探索 tànsuǒ; 探寻 tànxún ¶ 해결 방안을 ~하다 寻求解决方案 / 살길을 ~하다 寻找生路
모서리 명 1 棱 léng; 角(儿) jiǎo(r); 棱角 léngjiǎo ¶ 책상 ~ 书桌角儿 / 침대 ~ 床棱角 2 〖數〗 棱 léng
모:성(母性) 명 母性 mǔxìng ¶ ~ 본능 母性本能
모:성-애(母性愛) 명 母爱 mǔ'ài; 母性之爱 mǔxìngzhī'ài ¶ 여자의 ~를 자극하다 激发女人的母爱
모세-관(毛細管) 명 1 〖生〗 = 모세혈관 2 〖物〗 毛细管 máoxìguǎn
모세 혈관(毛細血管) 〖生〗 毛细血管 máoxì xuèguǎn; 毛细管 máoxìguǎn = 모세관1 · 실핏줄
모션(motion) 명 1 动作 dòngzuò; 举止 jǔzhǐ; 行为 xíngwéi; 活动 huódòng ¶ 슬로 ~ 慢动作 2 姿势 zīshì; 手势 shǒushì; 示意动作 shìyì dòngzuò

모순(矛盾) 명 矛盾 máodùn ¶사회의 구조적 ~ 社会结构上的矛盾 / ~을 드러내다 暴露矛盾

모순-적(矛盾的) 관명 矛盾(的) máodùn(de) ¶과학과 종교의 ~인 관계 科学和宗教的矛盾关系

모스 경도계(Mohs硬度計) 〖鑛〗莫氏硬度计 Mòshì yìngdùjì; 莫氏硬度表 Mòshì yìngdùbiǎo

모스 부:호(Morse符號) 〖信〗莫尔斯电码 Mò'ěrsī diànmǎ

모습 명 **1** (人的) 长相 zhǎngxiàng; 相貌 xiàngmào; 面貌 miànmào; 容貌 róngmào ¶그에게는 아직도 어릴 때 ~이 조금 남아 있다 他还留有一些孩时的容貌 **2** 样子 yàngzi; 模样 múyàng; 形象 xíngxiàng; 景象 jǐngxiàng ¶조국의 발전된 ~ 祖国发展的景象 / 아이의 잠든 ~이 무척 귀엽다 孩子熟睡的样子很可爱 **3** 身影 shēnyǐng; 影子 yǐngzi; 痕迹 hénjì; 踪影 zōngyǐng; 踪迹 zōngjì ¶~이 사라지다 消失踪影 / ~을 드러내다 显露痕迹 / ~을 감추다 隐匿踪迹

모시 명 **1** 苎麻布 zhùmábù; 夏布 xiàbù ¶~ 두 필 两匹苎麻布 / ~ 적삼 夏布衫子 **2** 〖植〗= 모시풀

모:시(某時) 명 某时 mǒushí ¶모일 ~ 某日某时

모:시다 타 **1** 侍奉 shìfèng; 奉侍 fèngshì; 奉养 fèngyǎng; 伺候 cìhou; 服侍 fúshi ¶시부모를 모시고 살다 侍奉公婆 / 고객을 정성껏 ~ 热情服侍顾客 **2** 奉陪 fèngpéi; 陪同 péitóng; 陪 péi ¶그는 부모님을 모시고 중국으로 여행을 갔다 他陪同父母去中国旅游了 **3** 引导 yǐndǎo; 引 yǐn; 领 lǐng; 请 qǐng ¶손님을 거실로 ~ 把客人领到客厅 **4** 祭祀 jìsì; 祭 jì ¶할아버지 제사를 ~ 祭爷爷 **5** 推举 tuījǔ; 推带 tuīdài; 拥戴 yōngdài ¶김 교수를 고문으로 ~ 拥戴金教授当顾问

모시-조개 명 〖貝〗青蛤 qīnggé; 蛤蜊 géli

모시-풀 명 〖植〗苎麻 zhùmá = 모시 2

모양(模樣) ㊀명 **1** 模样 múyàng; 样子 yàngzi ¶갖가지 ~의 물고기들 各种样子的鱼 / 사는 ~이 말이 아니다 日子过得很不像样子 **2** 打扮 dǎban; 装扮 zhuāngbàn ¶~을 잔뜩 내고 외출하다 打扮漂亮后出门 **3** 像 xiàng; 好像 hǎoxiàng; 犹如 yóurú; 仿佛 fǎngfú ¶벙어리 ~으로 입을 꼭 다물고 열지 않다 像哑巴一样闭着嘴不开口 **4** 体面 tǐmiàn; 体统 tǐtǒng ¶너 때문에 내 ~이 엉망이다 因为你我大失体面 ㊁의명 看来 kànlái; 看样子 kàn yàngzi; 好像 hǎoxiàng; 像 xiàng; 一定 yīdìng 《表示推测》 ¶비가 올 ~이다 像要下雨了 / 그의 어두운 표정을 보니 무슨 일이 있었던 ~이다 看他表情暗淡, 一定有什么事

모양(이) 사납다 구 样子难看

모양(이) 아니다 구 不像样子

모양-내다(模樣—) 자 打扮 dǎban; 装扮 zhuāngbàn ¶그는 아침마다 모양내는 데 시간이 많이 걸린다 他每天早上要花很长时间打扮

모양-새(模樣—) 명 **1** 模样 múyàng; 样子 yàngzi ¶겉으로 드러난 ~만 보고 판단하다 只看外表的样子就作判断 **2** 体面 tǐmiàn; 体统 tǐtǒng ¶~가 말이 아니다 不成体统

모여-들다 자 聚集 jùjí; 聚拢 jùlǒng; 挤拢 jǐlǒng; 围拢 wéilǒng; 云集 yúnjí ¶축하객이 ~ 云集前来道贺的人

모:욕(侮辱) 명하타 侮辱 wǔrǔ; 羞辱 xiūrǔ; 辱没 rǔmò; 凌辱 língrǔ; 侮蔑 wǔmiè ¶~죄 侮辱罪 / ~을 주다 羞辱 / 부모님을 ~하다 侮辱父母 / ~을 당하다 受到侮辱

모:욕-감(侮辱感) 명 羞辱(感) xiūrǔ(gǎn); 侮辱(之感) wǔrǔ(zhīgǎn); 受辱(之感) shòurǔ(zhīgǎn) ¶~을 느끼다 感到受辱

모:욕-적(侮辱的) 관명 受辱(的) shòurǔ(de); 侮辱性(的) wǔrǔxìng(de) ¶~인 언사 侮辱性言辞

모:월(某月) 명 某月 mǒuyuè ¶~ 모일 某月某日

모:유(母乳) 명 母乳 mǔrǔ; 母奶 mǔnǎi

모으다 타 **1** 合 hé; 合拢 hélǒng; 并 bìng; 并拢 bìnglǒng ¶두 손을 모으고 기도드리다 双手合拢祈祷 / 다리를 모으고 다소곳이 앉다 并腿端坐 **2** 收集 shōují; 集 jí; 收藏 shōucáng; 凑集 còují; 搜集 sōují ¶우표를 ~ 收集邮票 =[集邮] / 골동품을 ~ 收藏古董 **3** 攒 zǎn; 存 cún ¶그는 많은 돈을 모았다 他攒下了不少的钱 **4** (把精神、意见等) 集 jí; 集中 jízhōng ¶정신을 ~ 集中精神 **5** 召集 zhàojí; 聚集 jùjí; 集合 jíhé; 聚 jù ¶학생들을 운동장으로 ~ 把学生集合到操场 **6** (把力量) 合 hé ¶힘을 모아 난국을 헤쳐 나가다 合力冲破乱局 **7** (把视线、关心) 聚集 jùjí; 受 shòu ¶사람들의 시선을 ~ 聚集人们的视线

모:음(母音) 명 〖語〗元音 yuányīn; 母音 mǔyīn = 홀소리 ¶~조화 元音调和

모음-곡(—曲) 명 〖語〗组曲 zǔqǔ; 套曲 tàoqǔ

모의(模擬·摸擬) 명하타 模拟 mónǐ;

摹拟 mónǐ ¶～고사 模拟考试 / ～국회 模拟国会 / ～재판 模拟裁判 / ～ 작전 模拟作战 / ～ 훈련 模拟训练

모의(谋議) 명하타 谋划 móuhuà; 策划 cèhuà ¶～에 가담하다 参与谋划 / 사전에 범행을 ～하다 事前策划犯罪计划

모이 명 饲料 sìliào; 食(儿) shí(r) ¶～통 饲料桶 =[饲料槽] / ～를 쪼다 啄食 / 닭에게 ～를 주다 给鸡喂饲料

모이다 자 **1** (被)收集 (bèi) shōují; (被)堆积 (bèi) duījī; 聚齐 jùqí ¶재료가 다 모이면 한데 섞어라 材料都聚齐的话拌在一起 **2** 攒 zǎn; 攒齐 zǎnqí ¶돈이 다 모이면 컴퓨터를 사겠다 钱攒齐的话就买电脑 **3** (被)集中起来 (bèi) jízhōngqǐlái; (被)积聚 (bèi) jījù ¶작은 힘이 모여 큰 힘이 된다 力量积聚在一起, 积小成大 **4** 聚集 jùjí; 聚合 jùhé; 集聚 jíjù; 齐集 qíjí; 汇集 huìjí; 聚 jù ¶유세장에 모인 유권자들 聚集在游说场上的选民 / 우리는 한 달에 한 번씩 모인다 我们一个月聚一次 **5** (被)集中 (bèi) jízhōng ¶사람들의 시선은 새로 출시된 자동차로 모여 있다 人们把视线集中到刚出世的汽车上

모이-주머니 명 〖鳥〗 嗉囊 sùnáng; 嗉子 sùzi

모:일(某日) 명 某日 mǒurì ¶～ 모시 某日某时

모임 명 聚会 jùhuì; 集会 jíhuì; 会 huì ¶오늘 저녁에 ～이 있다 今天晚上有一个聚会

모:자(母子) 명 母子 mǔzǐ ¶～간 母子间 / ～ 관계 母子关系

모자(帽子) 명 帽子 màozi; 帽 mào ¶～를 쓰다 戴帽子 / ～를 벗다 脱帽子

모:자라다 자 **1** 不够 bùgòu; 不足 bùzú; 缺 quē; 缺乏 quēfá; 缺少 quēshǎo; 少 shǎo; 差 chà; 亏 kuī; 短 duǎn; 短少 duǎnshǎo ¶일손이 ～ 缺少人手 / 백원이 ～ 缺一百韩元 / 잠이 모자라서 늘 피곤하다 睡眠不足, 老感到疲累 **2** 智能低下 zhìnéng dīxià; 十三点 shísāndiǎn; 二百五 èrbǎiwǔ ¶그는 좀 모자라는 사람처럼 보인다 他看起来他有点儿二百五

모자이크(mosaic) 명 〖美〗 马赛克 mǎsàikè; 镶嵌工艺 xiāngqiàn gōngyì; 镶嵌图案 xiāngqiàn tú'àn

모자-챙(帽子—) 명 帽舌 màoshé; 帽檐 màoyán

모:정(母情) 명 母情 mǔqíng

모조(模造) 명하타 仿造 fǎngzào; 仿制 fǎngzhì; 仿 fǎng; 仿真 fǎngzhēn ¶～진주 仿造珍珠 =[人造珍珠] / 남의 그림을 ～하다 仿制别人的画

모조리 부 全 quán; 全部 quánbù; 全都 quándōu; 一概 yīgài ¶～ 가져가다 全都拿走 / 죄상을 ～ 털어놓다 把罪状全招出来

모조-지(模造紙) 명 模造纸 mózàozhǐ; 道林纸 dàolínzhǐ

모조-품(模造品) 명 仿造品 fǎngzàopǐn; 仿制品 fǎngzhìpǐn; 赝品 yànpǐn; 冒牌货 màopáihuò

모종(—種) 명하타 幼苗 yòumiáo; 秧苗 yāngmiáo; 秧儿 yāngr; 苗 miáo = 모[1]2 ¶고추 ～ 辣椒秧儿 / 배추 ～ 白菜秧儿

모:종(某種) 명 某种 mǒuzhǒng ¶～의 조치 某种措施

모종-삽(—種—) 명 花铲 huāchǎn; 苗铲 miáochǎn

모-지다 형 **1** 有角 yǒu jiǎo; 成角 chéngjiǎo; 有棱子 yǒu léngzi ¶모진 탁자 有角的桌子 **2** (性格) 有棱角 yǒu léngjiǎo; 带刺儿 dàicìr; 刻薄 kèbó ¶그는 모진 사람이라 친구가 거의 없다 他性格有棱角, 几乎没有朋友

모직(毛織) 명 〖手工〗 毛织 máozhī; 毛料 máoliào ¶～물 毛织物 / ～으로 짠 외투 毛织的外套

모:질다 형 **1** 坚强 jiānqiáng; 坚韧 jiānrèn; 顽强 wánqiáng; 刚强 gāngqiáng ¶모진 목숨 顽强的生命 / 온갖 고생을 모질게 이겨 내다 顽强地战胜一切困难 **2** 厉害 lìhai; 狠 hěn; 严 yán; 严峻 yánjùn; 严重 yánzhòng; 猛烈 měngliè; 凶猛 xiōngměng ¶모진 파도 凶猛的波涛 / 모진 시련을 겪다 经过严峻考验 **3** 凶狠 xiōnghěn; 残忍 cánrěn; 残酷 cánkù; 残苛 cánkē; 冷酷 lěngkù; 冷酷无情 lěngkùwúqíng ¶성격이 ～ 性格凶狠 / 말을 모질게 하다 说话冷酷无情 **4** 狠 hěn; 凶狠 xiōnghěn; 毒辣 dúlà ¶어머니는 모질게 내 종아리를 때리셨다 妈妈狠狠地抽打了我的小腿肚子

모집(募集) 명하타 招 zhāo; 征 zhēng; 征求 zhēngqiú; 招聘 zhāopìn; 招募 zhāomù; 招收 zhāoshōu; 募集 mùjí; 征集 zhēngjí ¶원고 ～ 征稿 / 직원을 ～하다 招聘职员

모쪼록 부 尽 jǐn; 尽量 jǐnliàng; 尽可能 jǐnkěnéng; 千万 qiānwàn; 务必 wùbì = 아무쪼록 ¶～ 건강하십시오 千万保重身体 / ～ 빨리 돌아오세요 你要尽快回来

모창(模唱) 명하자타 模仿唱 mófǎng chàng; 拟唱 nǐchàng ¶그는 인기 가수의 ～을 잘한다 他很善于模仿歌星唱歌

모:처(某處) 명 某处 mǒuchù; 某地 mǒudì ¶모월 모시 ～에서 만나기로 약속하다 约好某月某时某地见面

모-처럼 부 难得 nándé; 好容易 hǎoróngyì; 好不容易 hǎobùróngyì ¶~ 잡은 기회를 놓칠 수 없다 不能错过这难得的机会 / ~ 가족이 외식을 했다 难得一家人出去下馆子了

모:체(母體) 명 1 母体 mǔtǐ ¶태아의 건강은 ~의 건강에 달려 있다 胎儿的健康取决于母体 2 母 mǔ; 总 zǒng; 母体 mǔtǐ ¶의회는 내각의 ~이다 议会是内阁的母体

모충(毛蟲) 명 毛虫 máochóng

모:친(母親) 명 母亲 mǔqīn; 母 mǔ

모:친-상(母親喪) 명 母丧 mǔsāng; 母忧 mǔyōu; 母亲丧事 mǔqīn sāngshì ¶~을 당하다 遭母忧

모카-커피(Mocha coffee) 명 摩卡咖啡 mókǎ kāfēi

모:태(母胎) 명 1 娘胎 niángtāi; 母胎 mǔtāi ¶~ 내의 환경 母胎内的环境 2 母胎 mǔtāi; 前身 qiánshēn

모터(motor) 명 1 〖機〗 马达 mǎdá; 摩托 mótuō 2 〖電〗 电动机 diàndòngjī

모터-보트(motorboat) 명 〖海〗 快艇 kuàitǐng; 摩托艇 mótuōtǐng; 汽艇 qìtǐng; 汽船 qìchuán

모터사이클(motorcycle) 명 = 오토바이

모터-쇼(motor show) 명 汽车展 qìchēzhǎn; 车展 chēzhǎn

모텔(motel) 명 汽车旅馆 qìchē lǚguǎn

모토(motto) 명 口号 kǒuhào; 座右铭 zuòyòumíng; 格言 géyán; 箴言 zhēnyán ¶그는 정직을 평생 ~로 삼았다 他把正直作为终生信奉的格言

모퉁이 명 1 边角 biānjiǎo; 角落 jiǎoluò; 一隅 yīyú; 角 jiǎo ¶마당 ~에 감나무 한 그루가 자라고 있다 院子的角落里长着一棵柿子树 2 拐角(儿) guǎijiǎo(r); 拐 guǎi; 拐弯处 guǎiwānchù; 拐角处 guǎijiǎochù ¶~를 돌다 拐弯 / ~에서 차 한 대가 불쑥 튀어나왔다 一辆汽车突然从拐角处闯过出来

모퉁잇-돌 명 1 〖建〗 = 주춧돌 2 〖宗〗 房角石 fángjiǎoshí

모티브(motive) 명 1 〖藝〗 = 모티프1 2 〖音〗 = 모티프2

모티프(프motif) 명 1 〖藝〗 中心思想 zhōngxīn sīxiǎng; 主题 zhǔtí; 动机 dòngjī = 모티브1 2 〖音〗 乐旨 yuèzhǐ = 모티브2

모-판(一板) 명 〖農〗 秧田 yāngtián; 苗床 miáochuáng = 묘판2

모포(毛布) 명 毡 zhān; 毯 tǎn; 绒毯 róngtǎn; 毛毯 máotǎn

모피(毛皮) 명 = 털가죽 ¶~ 코트 毛皮大衣

모함(謀陷) 명하타 陷害 xiànhài; 暗害 ànhài; 谋陷 móuxiàn; 诬陷 wūxiàn ¶~을 당하다 遭受陷害 / 남을 함부로 ~하지 마라 不要随便诬陷别人

모:험(冒險) 명하자타 冒险 màoxiǎn; 历险 lìxiǎn; 走险 zǒuxiǎn ¶~가 冒险家 / ~기 冒险记 =[历险记] / ~담 冒险故事 =[冒险谈] / ~심 冒险之心 =[冒险心] / 생사를 건 ~ 冒生死之险 / 이것은 너무 위험한 ~이다 这是太危险的冒险

모형(模型 · 模形) 명 1 模子 múzi; 模型 móxíng 2 模型 móxíng; 小样 xiǎoyàng ¶~도 模型图 / ~ 비행기 模型飞机 / 거북선의 ~ 龟船的模型 3 〖美〗 图样 túyàng; 图案帖 tú'àntiē

모호-하다(模糊—) 형 模糊 móhu; 含糊 hánhu; 含糊不清 hánhu bùqīng; 模棱两可 móléngliǎngkě ¶모호한 설명 模糊的说明 / 문장이 모호하여 의미를 알 수 없다 句子含糊不清, 不知道是什么意思

모:-회사(母會社) 명 〖經〗 母公司 mǔgōngsī

목 명 1 脖子 bózi; 脖 bó; 颈项 jǐngxiàng; 颈 jǐng ¶~이 긴 여자 长脖子女人 / ~을 움츠리다 缩着脖子 / ~을 매다 吊颈 =[上吊] / ~을 빼고 창밖을 내다보다 伸长脖子往窗外看 2 = 목구멍 ¶~이 아프다 嗓子疼 / ~ 메다 喉咙哽咽 3 嗓音 sǎngyīn; 嗓门儿 sǎngménr; 嗓子 sǎngzi ¶~이 쉬도록 울다 哭得嗓子都哑了 / ~이 꽉 잠기다 嗓子沙哑得厉害 4 靿 yào; 脖 bó; 颈 jǐng ¶~이 긴 유리병 长颈玻璃瓶 / ~이 긴 양말 高靿袜子 5 要道 yàodào; 关口 guānkǒu; 路口 lùkǒu ¶~ 좋은 점포 路口好的店铺 / ~을 지키다 守住要道

목(을) 놓아[놓고] 구 放声; 号啕

목(을) 자르다 구 革职; 撤职; 免职; 炒鱿鱼

목(이) 마르게 구 渴望; 盼望; 心焦

목(이) 잘리다 구 被炒鱿鱼; 被解雇

목(이) 타다 구 口干舌燥

목에 거미줄 치다 구 喉咙结蛛网《比喻经常挨饿》

목에 칼이 들어와도 구 刀子架在脖子上也不

목에 핏대를 세우다[올리다] 구 脸红脖子粗; 面红耳赤

목에 힘을 주다 구 摆架子

목을 조이다[죄다] 구 扼住喉咙; 扼脖子

목을 축이다 구 润润嗓子; 解解渴; 喝点水

목이 날아가다[달아나다] 구 1 脑袋搬家; 被死; 被杀 2 被革职; 被解雇

목이 붙어 있다 구 1 免死; 未死 2 未被解雇

목이 빠지게 기다리다 구 引领而待; 望眼欲穿
목가(牧歌) 명 『文』 牧歌 mùgē; 田园诗 tiányuánshī
목가-적(牧歌的) 관명 牧歌(般的) mùgē(bānde); 田园诗(般的) tiányuánshī(bānde) ¶~ 시풍 田园诗风格 / ~인 전원생활 牧歌般的田园生活
목각(木刻) 명하타 木刻 mùkè; 木偶 mù'ǒu ¶~ 불상 木刻佛像 / ~ 인형 木偶人
목-걸이 명 项链 xiàngliàn; 项圈 xiàngquān ¶진주 ~ 珍珠项链 / 그는 목에 ~를 걸고 있다 他脖子上戴着项链
목검(木劍) 명 木剑 mùjiàn
목격(目擊) 명하타 目击 mùjī; 见到 jiàndào; 亲睹 qīndǔ; 亲眼看 qīnyǎn kàn; 目睹 mùdǔ ¶~담 目击之谈 / 범행 현장을 ~하다 目睹犯罪现场
목격-자(目擊者) 명 目击者 mùjīzhě; 目睹者 mùdǔzhě; 见证人 jiànzhèngrén
목공(木工) 명 1 木工 mùgōng; 木工活儿 mùgōnghuór ¶~ 기술 木工技术 / ~ 기계 木工机械 2 = 목수 ¶~이 가구를 만들다 木匠做家具
목공-소(木工所) 명 木工场 mùgōngchǎng; 木工所 mùgōngsuǒ
목-공예(木工藝) 명 『手工』 木工艺 mùgōngyì
목공-품(木工品) 명 木制品 mùzhìpǐn
목관 악기(木管樂器) 『音』 木管乐器 mùguǎn yuèqì
목-구멍 명 嗓子 sǎngzi; 咽喉 yānhóu; 喉咙 hóulóng = 목2 ¶~이 아프다 嗓子痛
목구멍이 포도청 속담 肚子是冤家
목구멍에 풀칠하다 구 糊口熬日
목구멍의 때(를) 벗기다 구 饱餐一顿
목기(木器) 명 木器皿 mùqìmǐn
목-덜미 명 脖颈儿 bógěngr; 后颈 hòujǐng; 脖梗儿 bógěngr; 颈窝 jǐngwō = 덜미 ¶~를 쓰다듬다 抚摸脖颈儿
목덜미를 잡히다 구 1 被抓住后颈; 被人抓住辫子 2 罪行的物证被拿住了
목-도리 명 围巾 wéijīn; 围脖儿 wéibór = 머플러 ¶~를 두르다 围围巾 =[打围巾]
목도리-도마뱀 명 『動』 澳洲伞蜥 Àozhōu sǎnxī; 褶伞蜥 zhěsǎnxī
목-도장(木圖章) 명 木印 mùyìn; 木制印章 mùzhì yìnzhāng
목-돈 명 大笔款子 dàbǐ kuǎnzi; 一大笔钱 yīdàbǐqián; 大钱 dàqián; 整笔钱 zhěngbǐqián = 뭉칫돈2 ¶~을 벌다 挣一大笔钱 =[挣大钱] / ~이 들다 需要一大笔款子
목동(牧童) 명 牧童 mùtóng; 牛郎 niúláng; 牧工 mùgōng; 牧牛童 mùniútóng ¶~이 소를 몰고 오다 牧童把牛赶过来
목-둘레 명 1 脖围 bówéi; 脖子周围 bózi zhōuwéi ¶~에 두드러기가 나다 脖子周围起疹子 2 领围 lǐngwéi; 领子 lǐngzi; 领口 lǐngkǒu ¶~가 깊이 파인 옷 领子很低的衣服
목-뒤 명 后颈 hòujǐng; 后脖梗儿 hòubógěngr ¶~가 뻣뻣하다 后颈僵硬
목련(木蓮) 명 『植』 木莲 mùlián; 玉兰 yùlán ¶~화 木莲花 =[玉兰花]
목례(目禮) 명하자 注目礼 zhùmùlǐ; 以目致意 yǐmù zhìyì ¶~를 하다 行注目礼 / 그는 나에게 가볍게 ~하며 지나갔다 他向我以目致意后便走了过去
목로-주점(木壚酒店) 명 简易小酒铺 jiǎnyì xiǎojiǔpù
목록(目錄) 명 目录 mùlù; 清单 qīngdān ¶도서 ~ 图书目录 / 재산 ~ 财产清单 / ~을 작성하다 制作目录
목마(木馬) 명 木马 mùmǎ ¶트로이의 ~ 特洛伊木马
목-마르다 一형 1 渴 kě; 口渴 kǒukě; 口干 kǒugān; 口干舌燥 kǒugān shézào ¶좀 짜게 먹었더니 ~ 吃咸了点, 口干 2 渴望 kěwàng; 渴盼 kěpàn; 急切 jíqiè ¶오래전에 헤어진 가족을 목마르게 기다리다 急切地等待离散多年的亲人 二자 渴望 kěwàng; 盼望 pànwàng; 愿望 yuànwàng ¶사랑에 목말라 있다 渴望爱情
목마른 놈이 우물 판다 속담 谁渴谁掘井《谁着急, 谁先干》
목-말 명 骑肩膀 qí jiānbǎng; 骑脖子 qí bózi ¶~을 타다 骑肩膀 / 아이에게 ~을 태우다 让孩子骑脖子
목-매다 자타 = 목매달다
목-매달다 자타 1 上吊 shàngdiào; 吊死 diàosǐ ¶그는 죄책감을 못 이겨 스스로 목매달아 죽었다 他没能克服负罪感, 上吊自杀了 2 系生命于 xì shēngmìng yú; 在一棵树上吊死 zài yīkē shùshang diàosǐ ¶나는 그녀에게 목매달고 싶지 않다 我可不想跟她在一棵树上吊死 ‖ = 목매다
목-메다 자 哽 gěng; 哽咽 gěngyè; 抽咽 chōuyè; 噎住 yēzhù ¶목메어 울다 哽咽地哭 / 목메어 말을 잇지 못하다 抽咽着说不下去了
목-발(木—) 명 (腋下拄的) 拐 guǎi; 拐子 guǎizi; 双拐 shuāngguǎi ¶~을 짚다 架拐子
목본(木本) 명 『植』 = 목본 식물
목본 식물(木本植物) 『植』 木本 mùběn; 木本植物 mùběn zhíwù = 목본
목불식정(目不識丁) 명하형 目不识丁 mùbùshídīng

목불인견(目不忍見) 명 目不忍睹 mùbùrěndǔ ¶~의 참상 目不忍睹的惨状

목-뼈 명 〖生〗颈椎 jǐngzhuī; 颈骨 jǐnggǔ = 경추·경추골

목사(牧師) 명 〖宗〗牧师 mùshī

목상(木像) 명 〖美〗木雕像 mùdiāoxiàng

목석(木石) 명 木石 mùshí; 铁石心肠 tiěshíxīncháng

목석-같다(木石—) 형 木石般 mùshíbān; 木石心肠 mùshíxīncháng; 麻木不仁 mámùbùrén; 心如铁石 xīnrútiěshí ¶목석같은 사람 木石心肠的人 **목석같-이** 부

목선(木船) 명 = 목조선

목성(木星) 명 〖天〗木星 mùxīng; 岁星 suìxīng

목-소리 명 **1** 嗓音 sǎngyīn; 嗓子 sǎngzi; 嗓门儿 sǎngménr; 声音 shēngyīn; 话音 huàyīn ¶고운 ~ 优美的嗓音 / 떨리는 ~로 말을 하다 用颤抖的声音说 **2** 呼声 hūshēng; 意见 yìjiàn ¶비판의 ~가 높다 批判的呼声很高 / 주민들의 ~에 귀를 기울이다 倾听居民们的意见

목수(木手) 명 木工 mùgōng; 木匠 mùjiang = 목공2

목-숨 명 生命 shēngmìng; 性命 xìngmìng; 寿命 shòumìng; 命 mìng = 명[1](命)1 ¶~을 구하다 救命 / ~이 길다 寿命长 / ~이 다하다 结束生命

목숨(을) 걸다 구 舍死忘生; 舍生忘死; 拼命; 拼死

목숨(을) 끊다 구 **1** 死 **2** 杀死

목숨(을) 바치다 구 献出生命; 牺牲

목숨을 거두다 구 咽气; 死亡; 身亡; 身死

목숨을 버리다 구 **1** 死亡; 丧生 **2** 冒死; 拼死

목숨을 잃다 구 丧生; 死亡

목숨이 왔다 갔다 하다 구 危在旦夕; 性命难保

목-쉬다 자 嘶哑 sīyǎ; 沙哑 shāyǎ; 嗓音嘶哑 sǎngyīn sīyǎ; 嗓子哑 sǎngzi yǎ ¶목쉰 소리 嘶哑的声音

목-요일(木曜日) 명 星期四 xīngqīsì; 礼拜四 lǐbàisì; 周四 zhōusì

목욕(沐浴) 명하자 洗澡 xǐzǎo; 沐浴 mùyù; 冲澡 chōngzǎo ¶~물 洗澡水 / ~재계 沐浴斋戒 / 공중목욕탕에서 ~하다 在公用澡堂洗澡

목욕-탕(沐浴湯) 명 浴室 yùshì; 澡堂 zǎotáng; 汤池 tāngchí; 浴池 yùchí = 욕탕 ¶~에서 몸을 씻다 在澡堂洗澡

목욕-통(沐浴桶) 명 澡盆 zǎopén; 浴盆 yùpén; 洗澡桶 xǐzǎotǒng; 浴缸 yùgāng = 욕통

목 운:동(—運動) 〖體〗脖子运动 bózi yùndòng; 颈部运动 jǐngbù yùndòng

목이(木耳·木栮) 명 〖植〗木耳 mù'ěr = 목이버섯

목이-버섯(木耳—) 명 〖植〗= 목이

목자(牧者) 명 **1** 牧人 mùrén; 牧羊人 mùyángrén **2** 〖宗〗圣职人员 shèngzhí rényuán; 牧师 mùshī

목장(牧場) 명 牧场 mùchǎng; 牧地 mùdì

목-장갑(木掌匣) 명 = 면장갑

목재(木材) 명 木材 mùcái; 木头 mùtou; 木料 mùliào; 材木 cáimù ¶~상 木材商 =[木贩]

목적(目的) 명하타 目的 mùdì; 目标 mùbiāo; 标的 biāodì ¶~의식 目的意识 / ~을 이루다 实现目标 / ~을 달성하다 达成目的 / ~을 향해 나아가다 向着目标前进

목적-격(目的格) 명 〖語〗宾格 bīngé; 宾位 bīnwèi ¶~ 조사 宾格助词

목적-어(目的語) 명 〖語〗宾语 bīnyǔ ¶간접 ~ 间接宾语 / 직접 ~ 直接宾语

목적-지(目的地) 명 目的地 mùdìdì; 发往地 fāwǎngdì ¶~에 도달하다 到达目的地

목전(目前) 명 = 눈앞 ¶위기가 ~에 닥치다 危机迫在眉前 / 승리를 ~에 두다 胜利就在眼前

목-젖 명 〖生〗小舌 xiǎoshé; 悬雍垂 xuányōngchuí

목제(木製) 명하타 木 mù; 木制 mùzhì; 木造 mùzào = 목조 ¶~품 木制品 / ~ 그릇 木制皿 / ~ 가구 木制家具

목조(木造) 명하타 = 목제 ¶~ 불상 木造佛像 / ~ 건물 木造建筑 =[木造房屋]

목조-선(木造船) 명 木船 mùchuán; 木制船 mùzhìchuán; 木舟 mùzhōu = 나무배·목선

목-줄 명 牵引带 qiānyǐndài; 牵引绳 qiānyǐnshéng

목지(牧地) 명 牧地 mùdì; 牧场 mùchǎng

목질(木質) 명 木质 mùzhì

목차(目次) 명 目次 mùcì; 目录 mùlù ¶책의 ~를 찬찬히 훑어보다 仔细查阅图书目录

목책(木柵) 명 = 울짱1

목청 명 **1** 〖生〗= 성대 **2** 嗓音 sǎngyīn; 嗓子 sǎngzi; 嗓门儿 sǎngménr ¶~을 가다듬다 清一清嗓子 / ~을 높여 소리 지르다 扯开嗓子喊

목청(을) 돋우다 구 提高嗓音; 加大嗓门; 扯开嗓门儿

목청을 뽑다 구 放声歌唱

목청-껏 부 放声 fàngshēng; 破声 pòshēng; 引吭 yǐnháng ¶~ 노래하다 引吭高歌 / ~ 소리 지르다 放声大叫

목초(牧草) 명 = 꼴²

목초-지(牧草地) 명 草场 cǎochǎng; 放牧地 fàngmùdì ¶~를 조성하다 造草场

목축(牧畜) 명하자 畜牧 xùmù; 牧畜 mùxù ¶~업 畜牧业 =[牧业]

목침(木枕) 명 木枕 mùzhěn

목탁(木鐸) 명〖佛〗木鱼 mùyú ¶~ 소리 木鱼声 / ~을 두드리다 敲木鱼

목탄(木炭) 명 = 숯 ¶~화 木炭画 =[炭画]

목탑(木塔) 명〖建〗木塔 mùtǎ

목판(木板) 명 木盘 mùpán; 木托盘 mùtuōpán

목판(木版·木板) 명〖印〗=판각본 ¶~화 木版画 / ~ 인쇄 木版印刷

목표(目標) 명하타 目标 mùbiāo; 目的 mùdì; 指标 zhǐbiāo ¶~ 지점 目标地点 / ~를 달성하다 达到目标 / ~를 세우다 树立目标 / 우승을 ~로 하다 冠军作为目标

목표-물(目標物) 명 目标物 mùbiāowù; 目标 mùbiāo; 靶子 bǎzi ¶~을 조준하다 对准目标

목표-치(目標) 명 目标额 mùbiāo'é; 目标指数 mùbiāo zhǐshù ¶~를 달성하다 达到目标额 / ~에 도달하지 못하다 没有完成目标指数

목하(目下) 명부 目下 mùxià; 当前 dāngqián; 目前 mùqián; 正在 zhèngzài; 正 zhèng ¶그녀는 ~ 열애 중이다 她正处在热恋之中

목화(木花) 명〖植〗草棉 cǎomián; 棉花 miánhua; 木棉 mùmián = 면화

목화-솜(木花—) 명 原棉 yuánmián; 棉花 miánhua ¶~으로 이불을 만들다 用棉花制作棉被

목화-씨(木花—) 명 棉子 miánzǐ; 棉籽 miánzǐ

목회(牧會) 명〖宗〗牧会 mùhuì

몫 명 **1** 份 fèn; 份儿 fènr; 份额 fèn'é ¶~을 나누다 分成小份 / 자기 ~을 챙기다 拿自己的份儿 **2**〖數〗商数 shāngshù; 商 shāng ¶6을 3으로 나누면 ~은 2이다 六除以三, 商为二

몬순(monsoon) 명〖地理〗= 계절풍

몬순 기후(monsoon氣候)〖地理〗= 계절풍 기후

몰-개성(沒個性) 명 没有个性 méiyǒu gèxìng

몰개성-적(沒個性的) 관명 没有个性(的) méiyǒu gèxìng(de) ¶그의 옷차림은 ~이다 他的穿着没有个性

몰골 명 样子 yàngzi; 相 xiàng; 面目 miànmù; 模样 múyàng; 嘴脸 zuǐliǎn ¶초라한 ~ 一副寒酸相 / ~이 말이 아니다 不成样子

몰다 타 **1** 驱 qū; 赶 gǎn; 驱赶 qūgǎn; 轰 hōng; 轰赶 hōnggǎn; 带 dài; 陷入 xiànrù ¶가축을 ~ 轰赶牲口 / 소를 축사로 ~ 把牛赶进牛棚 / 궁지로 ~ 使人陷入窘境 / 수비수가 공을 몰고 나아가다 防守队员带球进攻 **2** 驾 jià; 驶 shǐ; 开 kāi; 赶 gǎn ¶차를 ~ 开车 =[驾车] / 마차를 ~ 赶马车 =[驾马车] **3** 合 hé; 集中 jízhōng; 合起来 héqǐlái; 集拢 jílǒng; 聚拢 jùlǒng ¶자기 고장 출신 후보에게 표를 몰아 주다 对自己家乡出身的候选人集中投票 **4** 当作 dàngzuò; 当成 dàngchéng; 看成 kànchéng; 定为 dìngwéi; 诬为 wūwéi ¶무고한 사람을 도둑으로 몰지 마라 别把无辜的人看成盗贼

몰두(沒頭) 명하자 埋头 máitóu; 专心 zhuānxīn; 专神 zhuānshén; 醉心 zuìxīn; 热衷 rèzhōng ¶시험 공부에 ~하다 专心准备考试 =[埋头备考] / 일에 ~하다 专心致志地工作 =[埋头干活]

몰딩(moulding) 명〖建〗装饰线条 zhuāngshì xiàntiáo; 线脚 xiànjiǎo; 线条 xiàntiáo

몰:라-보다 타 **1** 认不出 rènbuchū; 看不出来 kànbuchūlái; 没认出 méi rènchū ¶친구를 ~ 没认出朋友 / 아이들이 정말 몰라보게 자랐다 孩子们长得简直让人认不出了 **2** 不尊重 bùzūnzhòng; 不尊敬 bùzūnjìng; 没有礼貌 méiyǒu lǐmào; 没大没小的 méidàméixiǎode ¶어른을 몰라보는 못된 녀석 对长辈没礼貌的臭小子 **3** 判断不出 pànduànbùchū; 没判断出 méi pànduànchū; 没看出 méi kànchū ¶당신 같은 인재를 몰라보다니 怎么没看出像你这样的人材

몰:라-주다 타 不理解 bùlǐjiě; 不体谅 bùtǐliàng ¶어쩌면 그렇게도 남의 속을 몰라주니? 怎么那么不理解别人的心意呢?

몰락(沒落) 명하자 **1** 没落 mòluò; 沦落 lúnluò; 衰落 shuāiluò; 败落 bàiluò; 破落 pòluò ¶~한 귀족 衰落的贵族 / 집안이 ~하다 家道败落 **2** 覆灭 fùmiè; 灭亡 mièwáng ¶독재 정치의 ~ 独裁政治的覆灭

몰:래 부 暗中 ànzhōng; 暗地里 àndìli; 偷 tōu; 偷偷(地) tōutōu(de); 悄悄(地) qiāoqiāo(de); 私自 sīzì; 私底下 sīdǐxia; 私下里 sīxiàli ¶~ 엿듣다 偷听 / ~ 도망가다 偷偷逃走 / ~ 감추다 偷偷藏起来 / ~ 훔치다 暗中偷盗

몰려-가다 자 **1** 拥 yōng; 一拥而去 yīyōng ér qù; 蜂拥而去 fēngyōng ér qù ¶우르르 운동장으로 ~ 呼啦啦拥向操场 **2** 涌过去 yǒngguòqù ¶먹구름이 산 너머로 ~ 一团黑云涌过山去

몰려-나오다 자 蜂拥而出 fēngyōng ér chū; 蜂拥走出 fēngyōng zǒuchū ¶시험

이 끝나자 교실 밖으로 수많은 학생들이 우르르 몰려나왔다 考试一结束, 许多学生们呼啦啦地蜂拥走出教室

몰려-다니다 자 (成群结队地) 来来往往 láilaiwǎngwǎng ¶끼리끼리 ~ 成群结队地来来往往

몰려-들다 자 **1** 拥过来 yōngguòlái; 拥上来 yōngshànglái; 聚拢来 jùlǒnglái; 聚拥过来 jùyōngguòlái ¶구경꾼들이 광장으로 ~ 看热闹儿的人向广场聚拥过来 **2** 拥进 yōngjìn; 蜂拥而来 fēngyōng ér lái; 袭过来 xíguòlái; 侵袭 qīnxí; 涌过来 yǒngguòlái ¶피곤이 갑자기 ~ 疲倦突然侵袭 **3** (云、波浪等) 涌过来 yǒngguòlái ¶먹구름이 이쪽으로 몰려드는 것을 보니 비가 올 것 같다 乌云向这边涌过来, 看来要下雨了

몰려-오다 자 **1** 涌过来 yǒngguòlái; 涌上来 yǒngshànglái; 拥进 yōngjìn; 蜂拥而来 fēngyōng ér lái ¶사람들이 운동장으로 몰려왔다 人们都向操场拥过来了 **2** 侵袭而来 qīnxí'érlái; 袭过来 xíguòlái ¶잠이 ~ 睡意侵袭而来

몰-리다 자 **1** '몰다1'的被动词 ¶구석으로 ~ 赶到角落里 **2** '몰다4'的被动词 ¶범인으로 ~ 被当作罪犯 / 생사람이 도둑으로 ~ 不相干的人被诬为盗贼 **3** 拥到 yōngdào; 聚集 jùjí ¶전시회에 사람들이 ~ 人们聚集到展览会上

몰-매 명 围打 wéidǎ; 群殴 qún'ōu; 乱棍痛打 luàngùn tòngdǎ = 뭇매 ¶초주검이 되도록 ~를 맞다 遭到围打, 被打得半死不活

몰살(沒殺) 명하타 杀光 shāguāng; 杀尽 shājìn; 歼灭 jiānmiè; 全部消灭 quánbù xiāomiè; 斩尽杀绝 zhǎnjìnshājué ¶일가를 ~하다 把一家人斩尽杀绝

몰-상식(沒常識) 명하형 没有常识 méiyǒu chángshí; 毫无常识 háowú chángshí; 不通情理 bùtōng qínglǐ ¶~한 사람 没有常识的人

몰수(沒收) 명하타 〖法〗没收 mòshōu; 抄没 chāomò; 收回 shōuhuí; 收缴 shōujiǎo; 归公 guīgōng; 抄押 chāoyā; 收归 shōuguī ¶장물을 ~하다 没收赃物 / 재산이 ~되다 财产被没收

몰수 게임(沒收game) 〖體〗 = 몰수 경기

몰수 경:기(沒收競技) 〖體〗弃权比赛 qìquán bǐsài = 몰수 게임

몰아-내다 타 **1** 驱逐 qūzhú; 驱走 qūzǒu; 赶出去 gǎnchūqù; 轰出去 hōngchūqù; 轰走 hōngzǒu; 逐出 zhúchū ¶침략자를 ~ 驱逐侵略者 **2** 驱除 qūchú; 驱散 qūsàn ¶머릿속에서 잡념을 ~ 驱除头脑里的杂念

몰아-넣다 타 **1** 赶进(去) gǎnjìn(qù) ¶돼지를 우리 안에 ~ 把猪赶进圈里 **2** 逼进 bījìn; 使陷入 shǐ xiànrù ¶적을 궁지에 ~ 把敌人逼进窘境

몰아-붙이다 타 **1** 聚拢 jùlǒng; 聚集 jùjí; 堆积 duījī ¶물건을 벽으로 ~ 把东西堆积到墙边 **2** 诬陷 wūxiàn; 诬为 wūwéi; 凭空视为 píngkōng shìwéi ¶죄없는 사람을 범인으로 ~ 把无罪的人诬陷成罪犯

몰아-세우다 타 **1** 蛮横训斥 mánhèng xùnchì; 横加斥责 héngjiā chìzé ¶아이들을 몰아세울 뿐 따뜻하게 대해 준 적이 없다 对孩子总是横加斥责, 从不温言相待 **2** 驱使 qūshǐ; 驱赶 qūgǎn; 赶 gǎn ¶목동이 양 떼를 길옆으로 ~ 牧童把羊群往路边赶 **3** 诬陷 wūxiàn; 诬为 wūwéi; 凭空捏造 píngkōng niēzào ¶그는 나를 거짓말쟁이로 몰아세웠다 他凭空捏造说我是骗子

몰아-쉬다 타 呼吸急促 hūxī jícù; 气喘吁吁 qìchuǎnxūxū; 喘息 chuǎnxī ¶숨을 가쁘게 ~ 气喘吁吁

몰아-주다 타 **1** 一次给齐 yīcì gěiqí; 一次交齐 yīcì jiāoqí; 一次性付给 yīcìxìng fùgěi ¶밀린 방세를 ~ 一次交齐拖欠的房租 **2** 集中给 jízhōng gěi; 聚在一起给 jùzài yīqǐ gěi ¶한 사람에게 표를 ~ 把票集中投给一个人

몰아-치다 자타 **1** 大作 dàzuò; 集中发作 jízhōng fāzuò; 交加 jiāojiā ¶눈보라가 ~ 风雪交加 **2** 急着干 jízhe gàn; 赶着干 gǎnzhe gàn; 集中突击 jízhōng tūjī ¶한 달 걸릴 일을 몰아쳐서 일주일 만에 끝냈다 把一个月的活儿赶着在一星期内干完了 **3** 逼迫 bīpò; 追逼 zhuībī; 催逼 cuībī ¶인부들을 ~ 催逼工人们

몰-염치(沒廉恥) 명하형 无耻 wúchǐ; 少廉寡耻 shǎolián guǎchǐ; 没廉耻 méiliánchǐ; 死皮赖脸 sǐpílàiliǎn ¶~한 행위 无耻的行为

몰-이해(沒理解) 명하형 不理解 bùlǐjiě ¶예술에 대한 ~ 对艺术的不理解

몰-인정(沒人情) 명하형 不人道 bùréndào; 无情无义 wúqíng wúyì; 无情 wúqíng; 绝情 juéqíng; 冷酷 lěngkù ¶~한 사람 无情无义的人 / 간절한 부탁을 ~하게 거절하다 无情地拒绝恳切的请求

몰입(沒入) 명하자 投入 tóurù; 陷入 xiànrù; 沉浸 chénjìn ¶감정 ~ 感情投入 / 학문 연구에 ~하다 投入到学问研究中

몰-지각(沒知覺) 명하형 不懂道理 bùdǒng dàolǐ; 不懂事 bùdǒngshì; 不知趣 bùzhīqù ¶~한 행동 不知趣的行为

몰티즈(Maltese) 명 〖動〗马尔济斯

Mǎ'ěrjìsī

몸-표(一票) 명 选票集中 xuǎnpiào jízhōng ¶후보자의 출생 지역에서 ~ 현상이 나타났다 在候选人的出身地区出现了选票集中的现象

몸 명 **1** 身体 shēntǐ; 身 shēn; 体 tǐ; 身子 shēnzi; 身子骨儿 shēnzigǔr; 躯干 qūgàn; 身躯 shēnqū; 身架 shēnjià; 块儿 kuàir ¶~에 좋은 약 对身体好的药 / ~이 건강하다 身体健康 / ~이 안 좋다 身体不好 / ~이 허락지 않다 身不由主 =[身不由己] **2** 身份 shēnfèn; 身 shēn; 体 tǐ ¶여자의 ~ 身为女人 / 귀하신 ~ 贵体

몸 둘 바를 모르다 구 手足无措; 不知如何是好; 无地自容

몸(을) 바치다 구 **1** 杀身成人; 舍身取义; 献身; 投身 **2** (女子) 献贞操

몸(을) 빼다 구 脱身; 抽空

몸(을) 팔다 구 卖身; 卖淫

몸(이) 달다 구 坐立不安; 坐卧不宁; 芒刺在背

몸에 배다[익다] 구 熟练; 成为习惯

몸으로 때우다 구 用身体抵债

몸을 더럽히다 구 (女子) 失节; 有辱贞节

몸을 던지다 구 献身; 忘我

몸을 버리다 구 **1** 损害健康 **2** (女子) 失身; 失节

몸-가짐 명 举止 jǔzhǐ; 仪态 yítài; 风度 fēngdù; 仪容 yíróng ¶~이 얌전한 여자 举止文静的女子

몸-값 명 **1** 赎金 shújīn; 赎价 shújià; 身价 shēnjià ¶유괴범이 일억 원의 ~을 요구해 왔다 拐骗犯索要了一亿韩元的赎金 **2** 身价 shēnjià ¶축구 선수들의 ~이 한창 오르고 있다 足球运动员的身价正在涨

몸-길이 명 〖動〗身长 shēncháng; 体长 tǐcháng

몸-놀림 명하자 动作 dòngzuò; 行动 xíngdòng ¶가벼운 ~ 轻巧的动作 / ~이 둔하다 行动不灵活

몸-단장(一丹粧) 명하자 = 몸치장

몸-담다 자 供职 gòngzhí; 投身 tóushēn; 从事 cóngshì; 做事 zuòshì ¶30년 동안 세관에 ~ 在海关供职三十年

몸-동작(一動作) 명 身体动作 shēntǐ dòngzuò; 身手 shēnshǒu ¶~이 우아하다 身体动作优美

몸-뚱이 명 躯干 qūgàn; 身体 shēntǐ; 身子 shēnzi; 身躯 shēnqū; 臭皮囊 chòupínáng; 皮囊 pínáng; 块头 kuàitóu; 块儿 kuàir ¶~가 크다 块头大 / ~가 작다 块头小

몸-매 명 身材 shēncái; 身段 shēnduàn; 体型 tǐxíng; 体态 tǐtài ¶~가 날씬하다 身材苗条 / 그 여자는 ~가 좋다 那女子身材好

몸-무게 명 体重 tǐzhòng = 체중 ¶~를 재다 称体重 / ~가 늘다 体重增加 / ~가 줄다 体重减少

몸-보신(一補身) 명하자 = 보신(補身) ¶~하려고 보약을 먹다 为补养身体, 吃滋补药

몸-부림 명하자 **1** 挣扎 zhēngzhá; 拼命扭动 pīnmìng niǔdòng ¶빠져나오려고 ~을 해 보았으나 소용이 없었다 拼命扭动着想逃出来, 但没有用 **2** 想尽办法 xiǎngjìn bànfǎ; 使尽全身解数 shǐjìn quánshēn jiěshù ¶재기를 위해 ~하다 为了东山再起使尽全身解数 **3** (睡觉时) 翻身 fānshēn; 动弹 dòngtan; 辗转反侧 zhǎnzhuǎnfǎncè ¶우리 아들 녀석은 잘 때 ~을 심하게 친다 我儿子睡觉时动弹个不停

몸부림-치다 자 **1** 挣扎 zhēngzhá; 拼命扭动 pīnmìng niǔdòng ¶손에 묶인 끈을 풀려고 ~ 为了摆脱捆在手上的绳, 身体拼命扭动 / 이상과 현실 사이에서 ~ 在理想和现实之间挣扎 **2** 受煎熬 shòu jiān'áo; 想尽办法 xiǎngjìn bànfǎ; 使出全身解数 shǐchū quánshēn jiěshù ¶외로움에 ~ 受孤独的煎熬

몸뻬(←일monpe) 명 宽松裤 kuānsōngkù ¶~ 차림으로 일하다 穿着宽松裤干活

몸살 명 (过劳引起的四肢酸疼、恶寒的) 病痛 bìngtòng; 四肢酸痛 sìzhī suāntòng; 浑身酸痛 húnshēn suāntòng ¶그는 ~이 나서 결석했다 他因浑身酸痛而缺席

몸살(이) 나다 구 急不可待; 按捺不住

몸살-감기(一感氣) 명 (过劳引起的) 感冒 gǎnmào ¶~로 결근하다 因过劳感冒而缺勤

몸살-기(一氣) 명 病痛 bìngtòng; 四肢酸痛 sìzhī suāntòng《过劳引起的四肢酸疼、恶寒的症状》¶~가 있다 四肢酸痛, 像是要感冒了

몸-서리 명 冷战 lěngzhan; 冷颤 lěngzhan; 战栗 zhànlì; 颤栗 zhànlì; 寒噤 hánjìn; 心惊肉跳 xīnjīngròutiào

몸서리-나다 자 = 몸서리치다

몸서리-치다 자 打寒噤 dǎ hánjìn; 起鸡皮疙瘩 qǐ jīpígēda; 战栗 zhànlì; 打哆嗦 dǎ duōsuo = 몸서리나다 ¶그는 전쟁이라면 몸서리친다 一提到战争, 他就浑身战栗

몸-성히 부 健全地 jiànquánde; 无恙 wúyàng; 好好地 hǎohǎode; 舒服 shūfu; 舒坦 shūtǎn ¶~ 지내다 生活得很舒服 / ~ 지내라 你要好好地过日子

몸-소 부 亲自 qīnzì; 亲身 qīnshēn; 躬身 gōngshēn; 躬亲 gōngqīn; 切身

qièshēn = 친히 ¶~ 실천하다 亲自实践

몸-속 명 体内 tǐnèi ¶~의 병균 体内的病菌

몸-수색(—搜索) 명하타 搜身 sōushēn; 抄身 chāoshēn ¶경찰이 용의자를 ~하다 警察对嫌疑犯搜身

몸-싸움 명하자 肉搏战 ròubózhàn ¶~을 벌이다 展开肉搏战

몸져-눕다 자 病倒 bìngdǎo; 病卧 bìngwò; 卧病 wòbìng ¶과로로 몸져누웠다 因过于劳累而病倒了

몸-조리(—調理) 명하자 调养身体 tiáoyǎng shēntǐ; 调养 tiáoyǎng; 休养 xiūyǎng; 保健 bǎojiàn

몸-조심(—操心) 명하자 **1** 保重 bǎozhòng; 注意健康 zhùyì jiànkāng ¶여행 중에 ~하십시오 旅途中请多多保重 **2** 谨言慎行 jǐnyán shènxíng

몸-종 명 丫鬟 yāhuan; 婢女 bìnǚ; 侍女 shìnǚ

몸-집 명 身材 shēncái; 身量(儿) shēnliang(r); 身条儿 shēntiáor; 身躯 shēnqū; 个头儿 gètóur; 块头 kuàitóu; 块儿 kuàir = 덩치 · 체구 ¶~이 크다 身材高大 / ~이 좋다 身材好

몸-짓 명하자 身体动作 shēntǐ dòngzuò; 动作 dòngzuò ¶~으로 의사를 표현하다 用身体动作表达意思

몸-체(—體) 명 身 shēn; 机身 jīshēn ¶비행기의 ~ 飞机机身

몸-치장(—治粧) 명하자 装扮 zhuāngbàn; 打扮 dǎban; 衣着打扮 yīzhuó dǎban; 装束 zhuāngshù; 穿戴 chuāndài; 妆扮 zhuāngbàn; 梳妆打扮 shūzhuāng dǎban = 몸단장 ¶요란하게 ~을 한 여자 装扮得让人眼花缭乱的女子

몸-통 명 身躯 shēnqū; 躯干 qūgàn

몹:시 부 很 hěn; 太 tài; 极 jí; 甚 shèn; 非常 fēicháng; 十分 shífēn; 极了 jíle; 透了 tòule ¶~ 힘든 일 非常累的活儿 / ~ 춥다 冷极了 / 기분이 ~ 상하다 心情糟糕透了

몹:쓸 관 坏(的) huài(de); 恶毒(的) èdú(de); 可恶 kěwù; 狠毒(的) hěndú(de); 歹毒(的) dǎidú(de) ¶~ 놈 可恶的家伙 / ~ 짓 恶毒行为

못[1] 명 钉 dīng; 钉子 dīngzi ¶벽에 ~을 박다 在墙上钉钉子 / ~을 빼다 拔钉子

못(을) 박다 구 **1** 伤人心; 造成心灵创伤 **2** 一口咬定; 斩钉截铁

못(이) 박히다 구 **1** 刻骨 **2** 站住不动; 牢牢站立

못[2] 명 趼子 jiǎnzi; 茧子 jiǎnzi; 趼 jiǎn; 老趼 lǎojiǎn; 老茧 lǎojiǎn; 胼胝 piánzhī ¶손바닥에 ~이 박이다 手掌上生趼子 / 그 말은 귀에 ~이 박이도록 들었다 那句话听得耳朵都磨出老趼了

못[3] 명 塘 táng; 池塘 chítáng; 水池 shuǐchí; 池子 chízi = 연못2 ¶~에서 물고기가 논다 鱼儿在池塘里嬉戏

못:[4] 부 不 bù; 没 méi; …不了 …buliǎo; …不着 …buzháo; 不能 bùnéng ¶오늘은 ~ 간다 今天去不了 / 너무 시끄러워 잠을 ~ 자겠다 太吵了, 睡不着

못 먹는 감 찔러나 본다 속담 螺蛳肚里, 心肠歪

못 오를 나무는 쳐다보지도 마라 속담 上不去的树别往上看《用以劝人要量力而行, 不要好高务远》

못 말리다 구 无可奈何; 救不了; 没办法

못 먹어도 고 구 一意孤行; 强制进行

못 이기는 척[체] 구 假装万般无奈地

못:-나다 동 **1** 丑 chǒu; 难看 nánkàn ¶얼굴이 ~ 长得丑 **2** 没出息 méi chūxi; 不争气 bùzhēngqì; 愚蠢 yúchǔn ¶못난 소리 하지 마라 你别说那些不争气的话

못:난-이 명 不争气的 bùzhēngqìde; 没出息的 méi chūxide; 蠢货 chǔnhuò

못:내 부 **1** 说不出来的 shuōbuchūláide; 非常 fēicháng; 实在 shízài ¶합격 소식에 ~ 기뻐하다 得知合格的消息, 心里有说不出来的高兴 **2** 依依 yīyī; 始终 shǐzhōng ¶~ 그리워하다 思念依依 / ~ 이별을 아쉬워하다 依依惜别

못:-다 부 没能… méi néng…; 没完 méi wán; 没…完 méi…wán; …不完…buwán ¶~ 이룬 꿈 没能实现的梦想 / ~ 읽은 책 没读完的书 / ~ 한 말 没说完的话

못-대가리 명 钉帽 dīngmào; 钉子帽 dīngzimào; 钉子头 dīngzitóu

못:-되다 형 **1** 恶劣 èliè; 可恶 kěwù; 坏 huài ¶못된 녀석 坏蛋 =[坏家伙] / 못된 심보 坏心眼 / 못된 짓만 골라 하다 净干坏事 **2** 搞糟 gǎo zāo; 搞坏 gǎo huài ¶그 일이 못된 게 남의 탓이겠어? 那件事情搞糟了, 难道是别人的错吗?

못되면 조상 탓 (잘되면 제 탓) 속담 好事便归花大姐, 坏事总是毛丫头; 好往身上揽, 坏向门外推 = 잘되면 제 탓[복] 못되면 조상[남] 탓

못된 송아지 엉덩이에 뿔이 난다 속담 歪种牛犊屁股上长角《比喻越是不成器的人越爱惹是生非》

못:마땅-하다 형 不满意 bùmǎnyì; 不称心 bùchènxīn; 不如意 bùrúyì ¶못마땅하게 여기다 觉得不满意 / 그는 내 말이 못마땅한 듯이 이맛살을 찌푸렸다 对我的话, 他似乎不太满意, 皱了

皱眉头 못:마땅-히 ㈜

못-뽑이 ㊔ 拔钉器 bádīngqì; 拔钉钳子 bádīng qiánzi

못:-살다 ㉿ 1 穷 qióng; 贫 pín; 贫穷 pínqióng; 受穷 shòuqióng; 过穷日子 guò qióng rìzi ¶못사는 집 穷人家/못사는 형편에 외식이라니? 家里穷, 还说要下馆子? 2 折磨 zhémó; 欺负 qīfu; 整 zhěng; 刁难 diāonàn ¶남을 못살게 굴다 折磨别人/왜 강아지를 못살게 구니? 为什么欺负小狗?

못:-생기다 ㉸ 难看 nánkàn; 丑 chǒu ¶못생긴 여자 丑女人/못생긴 얼굴 难看的脸

못:-쓰다 ㉿ 1 不行 bùxíng; 不对 bùduì; 不好 bùhǎo; 不妥 bùtuǒ ¶거짓말을 하면 못써 说谎可不好/그는 너무 게을러서 못쓰겠다 他太懒了, 不行 2 (身体) 不健康 bùjiànkāng; (气色) 不好 bùhǎo ¶며칠 앓더니 얼굴이 못쓰게 되었다 病了几天, 气色很不好

못-자리 ㊔ 〖農〗 秧田 yāngtián; 苗床 miáochuáng = 묘판1

못:지-않다 ㊓ 不亚于 bùyàyú; 不下于 bùxiàyú; 不次于 bùcìyú ¶전문가 못지않은 솜씨 不亚于专家的手艺/그는 화가 못지않게 그림을 잘 그린다 他画得很好, 不次于画家

못-질 ㊔㉻㉿ 1 钉钉子 dìng dīngzi ¶벽에 ~하다 在墙上钉钉子 2 (往心里) 钉钉子 dìng dīngzi; (使心里) 刺痛 cìtòng ¶부모의 가슴에 ~하다 往父母的心里钉钉子

못:-하다[1] ㊀㉺ 不会 bùhuì; 不能 bùnéng; 不好 bùhǎo ¶술을 ~ 不会喝酒/대답을 제대로 ~ 回答得不怎么好 ㊁㊓ 1 不如 bùrú; 差 chà ¶음식 맛이 예전보다 ~ 饭菜味道不如以前/이 옷은 저 옷만 ~ 这件衣服不如那件衣服好 2 起码 qǐmǎ; 至少 zhìshǎo ¶못해도 한 달은 걸릴 것이다 起码也得一个月的时间 ㊂㊷ 不 bù; 不能 bùnéng; …不了 …buliǎo ¶배가 아파 밥을 먹지 ~ 肚子疼, 吃不了饭

못:-하다[2] ㊸ 1 不 bù; 不太 bùtài 《表示程度不够》 ¶편안하지 ~ 不太舒服/음식 맛이 좋지 ~ 饭菜不太可口/그런 태도는 옳지 ~ 那种态度不对 2 表示行为或程度到达极限 ¶참다 못해 울다 忍不住哭了/기다리다 못하여 돌아갔다 没法再等了, 回去了/배가 고프다 못해 아프다 肚子饿得都疼了

몽고(蒙古) ㊔ 〖地〗 = 몽골2

몽고-반점(蒙古斑點) ㊔ 〖生〗 蒙古斑 Měnggǔbān; 胎斑 tāibān

몽골(←Monglia) ㊔ 〖地〗 1 蒙古 Měnggǔ 2 蒙古国 Měnggǔguó; 蒙古 Měnggǔ = 몽고

몽달-귀신(—鬼神) ㊔ 童子鬼 tóngzǐguǐ

몽당-연필(—鉛筆) ㊔ 铅笔头儿 qiānbǐtóur

몽둥이 ㊔ 棍子 gùnzi; 棒子 bàngzi; 棰 chuí; 棒槌 bàngchui

몽둥이-맛 ㊔ 挨棍子 ái gùnzi; 挨打 áidǎ ¶~을 봐야 정신을 차리겠니? 挨了一顿棍子才能清醒过来吗?

몽둥이-세례(—洗禮) ㊔ 棒打 bàngdǎ ¶~를 받다 挨棒打 =[吃棍子]

몽둥이-찜질 ㊔㉻㉺ 打乱棍 dǎ luàngùn

몽땅 ㈜ 1 全 quán; 都 dōu; 全部 quánbù; 全都 quándōu ¶돈을 ~ 잃었다 钱全丢了/재산을 ~ 날렸다 财产全飞了 2 一下子 yīxiàzi; 一股脑儿 yīgǔnǎor; 一锅端 yīguōduān ¶긴 머리를 ~ 잘랐다 一下子把长头发剪掉了

몽땅-하다 ㊓ 秃短 tūduǎn; 短 duǎn ¶몽땅한 연필 秃短的铅笔/치마가 ~ 裙子很短

몽롱-하다(朦朧—) ㊓ 1 朦胧 ménglóng ¶달빛이 ~ 月色朦胧 2 发花 fāhuā; 模糊 móhu ¶눈이 몽롱하여 잘 볼 수 없다 眼睛发花, 看不清楚 3 恍惚 huǎnghū; 迷糊 míhu; 模糊 móhu; 昏沉 hūnchén; 昏头昏脑 hūntóuhūnnǎo ¶정신이 ~ 精神恍惚

몽:매(夢寐) ㊔ 梦寐 mèngmèi; 睡梦 shuìmèng ¶~에도 그리던 조국 梦寐向往的祖国

몽매(蒙昧) ㊔㉻㊓ 蒙昧 méngmèi; 愚昧 yúmèi ¶~한 사람들을 깨우쳐 주다 唤醒蒙昧的人们

몽:상(夢想) ㊔㉻㉺ 梦想 mèngxiǎng; 痴梦 chīmèng; 妄想 wàngxiǎng ¶~가 梦想家/~에 잠기다 沉浸在妄想中

몽실-몽실 ㈜㉻㊓ 胖乎乎 pànghūhū; 胖墩墩 pàngdūndūn; 肥嫩 féinèn ¶아이가 ~ 살이 쪘다 孩子胖乎乎的

몽우리 ㊔ = 꽃망울

몽:유-병(夢遊病) ㊔ 〖醫〗 梦游症 mèngyóuzhèng; 梦行症 mèngxíngzhèng; 夜游症 yèyóuzhèng; 睡游病 shuìyóubìng ¶~ 환자 梦游症患者

몽:정(夢精) ㊔㉻㉿ 梦遗 mèngyí

몽타주(프montage) ㊔ 〖演〗 1 蒙太奇 méngtàiqí; 剪辑 jiǎnjí 2 = 몽타주 사진

몽타주 사진(프montage寫眞) 〖演〗 组接照片 zǔjiē zhàopiàn = 몽타주2 ¶범인의 ~이 거리에 나붙다 街上贴出了罪犯的组接照片

몽:환(夢幻) ㊔ 梦幻 mènghuàn; 幻境 huànjìng ¶~에 빠지다 醉在梦幻中

몽:환-곡(夢幻曲) ㊔ 〖音〗 = 녹턴

몽:환-적(夢幻的) 관명 梦幻般的 mènghuàn bānde; 非现实的 fēixiànshíde; 幻想的 huànxiǎngde ¶～인 분위기 梦幻般的氛围

묏:-자리 명 墓地 mùdì; 坟地 féndì = 묫자리 ¶～를 잡다 选墓地

묘:(墓) 명 墓 mù; 坟 fén; 坟墓 fénmù; 冢 zhǒng; 墓茔 mùyíng; 坟茔 fényíng

묘:기(妙技) 명 绝技 juéjì ¶공중 ～ 空中绝技 / ～를 부리다 耍绝技 / 고난도의 ～를 선보이다 表演高难度的绝技

묘:령(妙齡) 명 妙龄 miàolíng; 妙年 miàonián ¶～의 여인 妙龄女子

묘:목(苗木) 명 苗木 miáomù; 树秧(儿) shùyāng(r); 树苗 shùmiáo; 幼树 yòushù ¶～ 한 그루를 심다 种植一株树苗

묘:미(妙味) 명 妙趣 miàoqù; 妙味 miàowèi; 乐趣 lèqù ¶인생의 ～를 느끼다 感受人生的乐趣

묘:비(墓碑) 명 墓碑 mùbēi = 비(碑)2 ¶～명 墓碑铭 / ～를 세우다 立墓碑

묘:사(描寫) 명하타 描写 miáoxiě; 描述 miáoshù; 描绘 miáohuì; 写照 xiězhào; 刻画 kèhuà ¶심리 ～ 心理描写 / 상황 ～ 状况描写 / 군대 생활을 생생하게 ～하다 生动形象地描述兵营生活

묘:소(墓所) 명 = 산소(山所)

묘:수(妙手) 명 1 妙招 miàozhāo; 妙着 miàozhāo; 妙诀 miàojué; 巧计 qiǎojì ¶～를 쓰다 用妙招 / ～가 떠오르지 않다 想不出妙招 2 〖體〗(象棋或围棋的) 妙招 miàozhāo; 妙着 miàozhāo ¶～를 놓다 巧下妙着

묘:안(妙案) 명 妙案 miào'àn; 妙法 miàofǎ; 妙计 miàojì; 好方案 hǎo fāng'àn; 好办法 hǎo bànfǎ; 好主意 hǎo zhǔyi ¶～을 생각해 내다 想出好办法 / ～이 떠오르다 想出一个妙计

묘:약(妙藥) 명 妙药 miàoyào; 灵丹妙药 língdānmiàoyào ¶사랑의 ～ 爱情的灵丹妙药

묘:역(墓域) 명 墓区 mùqū; 陵园 língyuán ¶선왕의 ～ 先帝陵园

묘:연-하다(杳然—) 형 杳然 yǎorán; 杳渺 yǎomiǎo; 模糊 móhu; 杳无 yǎowú ¶소식이 ～ 杳无音信 / 행방이 ～ 行踪杳然 / 종적이 ～ 踪迹杳然 **묘:연-히** 부

묘:지(墓地) 명 1 = 무덤 2 坟地 féndì ¶～에 매장하다 埋葬在坟地里

묘:-지기(墓—) 명 坟丁 féndīng; 看坟的 kānfénde; 守冢 shǒuzhǒng; 守墓人 shǒumùrén

묘:책(妙策) 명 妙策 miàocè; 妙诀 miàojué; 妙计 miàojì; 妙算 miàosuàn; 巧计 qiǎojì ¶～이 떠오르다 想出了妙计

묘:판(苗板) 명 〖農〗 1 = 못자리 2 = 모판

묘:-하다(妙—) 형 1 妙 miào; 奇妙 qímiào; 美妙 měimiào; 巧妙 qiǎomiào; 巧 qiǎo ¶묘한 꾀를 쓰다 施巧计 2 微妙 wēimiào ¶묘한 광경 微妙的景象 / 묘한 말을 하다 说话微妙 / 기분이 ～ 心情很微妙 3 碰巧 pèngqiǎo; 凑巧 còuqiǎo; 巧 qiǎo ¶오늘 묘하게 그를 만났다 今天很巧, 碰见他了

묘:혈(墓穴) 명 墓穴 mùxué; 坟坑 fénkēng

묘혈을 파다 구 自掘坟墓; 自取灭亡

묫:-자리(墓—) 명 =묏자리

무: 명 〖植〗 萝卜 luóbo; 白萝卜 báiluóbo

무-(無) 접두 无 wú ¶～계획 无计划 / ～가치 无价值

무-가당(無加糖) 명 无糖 wútáng; 不加糖 bùjiātáng ¶～ 오렌지 주스 无糖橙子汁

무가-지(無價紙) 명 免费报纸 miǎnfèi bàozhǐ

무-가치(無價値) 명하형 无价值 wújiàzhí; 毫无价值 háowú jiàzhí; 没有价值 méiyǒu jiàzhí ¶～한 일 毫无价值的事 / ～하게 여기다 认为没有价值

무간-지옥(無間地獄) 명 〖佛〗 无间地狱 wújiàn dìyù; 阿鼻地狱 ābí dìyù

무-감각(無感覺) 명하형 1 麻木不仁 mámùbùrén; 麻木 mámù; 毫无感觉 háowú gǎnjué; 没感觉 méi gǎnjué; 钝木 dùnmù ¶동상으로 발가락이 ～해졌다 脚趾因为冻疮都没感觉了 2 漠不关心 mòbùguānxīn; 麻木不仁 mámùbùrén; 麻木 mámù ¶그는 이제 그런 일에는 ～하게 되었다 现在他对这种事已麻木了

무겁다 형 1 重 zhòng; 沉 chén; 沉重 chénzhòng ¶무거운 돌 沉重的石头 / 체중이 ～ 体重很重 / 가방이 무거워서 들 수가 없다 包很重, 拿不动 2 重大 zhòngdà; 重要 zhòngyào ¶맡은 책임이 매우 ～ 担负的责任非常重大 / 무거운 사명을 지니다 肩负重要使命 3 (病或罪) 重 zhòng; 严重 yánzhòng ¶죄가 ～ 罪行很严重 / 병이 ～ 病很重 4 严 yán; 严紧 yánjǐn; 紧 jǐn ¶입이 ～ 嘴严 =[口紧] 5 沉重 chénzhòng; 不舒服 bùshūfu; 发沉 fāchén ¶무거운 발걸음 沉重的脚步 / 몸이 ～ 身体不舒服 / 머리가 좀 ～ 脑袋有点发沉 6 缓慢 huǎnmàn; 迟钝 chídùn; 缓缓 huǎnhuǎn ¶기차 바퀴가 무겁게 움직이기 시작했다 火车的车轮开始缓缓启动 7 (气氛) 低沉 dīchén; 沉闷 chénmèn; 阴郁

yīnyù ¶분위기가 너무 ~ 气氛太沉闷 **8** (因怀孕, 身体) 笨重 bènzhòng; 重zhòng ¶만삭이라 몸이 ~ 快临盆了, 身体很笨重 **9** (心情) 沉重 chénzhòng; 沉闷 chénmèn; 沉 chén; 发沉 fāchén; 不舒服 bùshūfu ¶마음이 ~ 心情很沉重

무게 명 **1** 重量 zhòngliàng; 轻重 qīngzhòng; 分量 fènliàng; 重 zhòng = 중량 ¶~를 달다 称分量 / ~를 줄이다 减轻重量 / ~를 이기지 못하다 撑不住重量 / ~가 많이 나가다 分量重 **2** 分量 fènliàng; 斤两 jīnliǎng ¶~ 있는 작품 有分量的作品 **3** 有威信 yǒu wēixìn; 稳重 wěnzhòng; 分量 fènliàng; 斤两 jīnliǎng ¶~ 있게 행동하다 举止稳重 / 그의 말에는 ~가 있다 他话说得很有分量 **4** 程度 chéngdù; 重 zhòng ¶슬픔의 ~ 伤心的程度 / 세월의 ~ 岁月之重

무게(를) 잡다 구 装稳重

무게 중심(—中心) 〖物〗 重心 zhòngxīn

무결-하다(無缺—) 형 无缺 wúquē; 无瑕 wúxiá

무-계획(無計劃) 명하형 无计划 wújìhuà ¶~한 소비 행태 无计划的消费行为

무고(無故) 명하형히부 **1** 无故 wúgù ¶~ 결근 无故缺勤 **2** 安好 ānhǎo; 平安无事 píng'ān wúshì; 平安无恙 píng'ān wúyàng; 安然无恙 ānrán wúyàng ¶그동안 댁내 두루 ~하셨습니까? 近来府内可安好?

무:고(誣告) 명하타 〖法〗 诬告 wūgào; 诬控 wūkòng; 诬诉 wūsù ¶~죄 诬告罪 / ~ 혐의로 구속되다 以涉嫌诬告陷害罪被拘留

무고-하다(無辜—) 형 无辜 wúgū ¶무고한 백성 无辜的百姓 **무고-히** 부 ¶많은 사람이 ~ 죽임을 당하였다 许多人无辜地遭到杀害

무:곡(舞曲) 명 〖音〗 = 춤곡

무:공(武功) 명 武功 wǔgōng; 军功 jūngōng ¶~ 훈장 武功勋章 / ~을 세우다 立武功

무-공해(無公害) 명 无公害 wúgōnghài ¶~ 농산물 无公害农产品 / ~ 채소 无公害蔬菜 / ~ 재배 无公害栽培

무:과(武科) 명 〖史〗 武举 wǔjǔ; 武科 wǔkē

무:관(武官) 명 武官 wǔguān

무관(無冠) 명하형 无冕 wúmiǎn; 没有职位 méiyǒu zhíwèi

무관의 제왕 구 无冕之王《舆论界人士》

무-관심(無關心) 명하형 不关心 bùguānxīn; 漠不关心 mòbùguānxīn; 毫不关心 háobù guānxīn; 不在乎 bùzàihu ¶정치에 ~한 사람 对政治不关心的人 / 남편은 가정에 전혀 ~하다 丈夫对家庭毫不关心

무관-하다(無關—) 형 无关 wúguān; 无干 wúgān ¶나와는 무관한 일 跟我无关的事 **무관-히** 부

무광(無光) 명하형 无光 wúguāng ¶~ 코팅 无光涂层

무교(無教) 명 不信宗教 bùxìn zōngjiào; 不信教 bùxìnjiào

무궁(無窮) 명하형히부 无穷 wúqióng; 无限 wúxiàn; 无尽 wújìn; 无量 wúliàng ¶귀사의 ~한 발전을 기원합니다 祝愿贵公司前途无量

무궁-무진(無窮無盡) 명하형히부 无穷无尽 wúqióngwújìn; 取之不尽 qǔzhībùjìn ¶~한 자원 取之不尽用之不竭的资源

무궁-화(無窮花) 명 **1** 〖植〗 木槿 mùjǐn; 木槿树 mùjǐnshù = 무궁화나무 **2** 木槿花 mùjǐnhuā

무궁화-나무(無窮花—) 명 〖植〗 = 무궁화1

무-궤도(無軌道) 명하형 **1** 无轨 wúguǐ ¶~ 전차 无轨电车 / ~ 열차 无轨列车 **2** 无规矩 wúguīju; 无规律 wúguīlǜ ¶~한 생활 无规律的生活

무균(無菌) 명 无菌 wújūn ¶~ 처리 无菌处理 / ~ 병실 无菌病房

무급(無給) 명 无薪 wúxīn; 无报酬 wúbàochou; 无偿 wúcháng ¶~ 휴가 无薪休假

무:기(武器) 명 武器 wǔqì; 兵器 bīngqì ¶불법으로 ~를 소지하다 非法携持武器 / 새로운 ~를 개발하다 开发新式武器

무기(無期) 명 = 무기한 ¶~수 无期犯 / ~정학 无期停学 / ~ 징역 无期徒刑 / ~ 연기하다 无期限延期

무기(無機) 명 无机 wújī ¶~물 无机物 / ~ 비료 无机肥料 / ~ 염류 无机盐 / ~질 无机质 / ~ 화학 无机化学 / ~ 화합물 无机化合物

무:기-고(武器庫) 명 〖軍〗 武库 wǔkù; 武器库 wǔqìkù; 军械库 jūnxièkù; 军火库 jūnhuǒkù; 兵器库 bīngqìkù = 병기고

무-기력(無氣力) 명하형 没力气 méi lìqi; 不争气 bùzhēngqì; 没有活力 méiyǒu huólì; 呆板 dāibǎn; 无力 wúlì ¶~감 无力感 / ~한 상태에 빠지다 陷入无力状态 / 그 사람은 정말 ~하다 他这个人真不争气

무-기명(無記名) 명 无记名 wújìmíng; 不记名 bùjìmíng; 匿名 nìmíng ¶~으로 투서하다 匿名投信

무기명 투표(無記名投票) 〖政〗 无记

名投票 wújìmíng tóupiào; 不记名投票 bùjìmíng tóupiào; 匿名投票 nìmíng tóupiào

무-기한(無期限) 명하형 无期 wúqī; 无限期 wúxiànqī; 无期限 wúqīxiàn = 무기(無期) ¶~ 농성 无限期静坐示威

무기-형(無期刑) 명 〖法〗 无期刑 wúqīxíng; 无期徒刑 wúqī túxíng

무난-하다(無難—) 형 **1** 不难 bùnán; 容易 róngyì; 顺利 shùnlì ¶무난하게 목표를 달성하다 顺利达成目的 **2** 说得过去 shuōdeguòqù; 过得去 guòdeqù; 没大问题 méi dàwèntí ¶무난한 글 没大问题的文章 / 차림새가 ~ 穿戴还说得过去 **3** (性格) 厚道 hòudào; 仁厚 rénhòu; 圆满 yuánmǎn; 宽厚 kuānhòu; 不错 bùcuò ¶그는 성격이 무난해서 친구가 많다 他性格仁厚, 所以朋友很多

무난-히 부 ¶~ 합격하다 顺利合格

무남-독녀(無男獨女) 명 独生女 dúshēngnǚ ¶~로 귀염을 받다 作为独生女倍受疼爱

무너-뜨리다 타 **1** 推倒 tuīdǎo; 毁坏 huǐhuài; 破坏 pòhuài ¶담을 ~ 把墙推倒 **2** (制度、秩序等) 破坏 pòhuài ¶공공질서를 ~ 破坏公共秩序 **3** 推翻 tuīfān; 打垮 dǎkuǎ ¶독재 정권을~ 推翻独裁政权 **4** (计划、构想、想法等) 摧垮 cuīkuǎ; 破坏 pòhuài; 推翻 tuīfān; 辜负 gūfù ¶신념을 ~ 破坏信念 / 부모의 기대를 ~ 辜负父母的期望 **5** (运动比赛中) 打赢 dǎyíng; 打败 dǎbài; 取胜 qǔshèng ¶그는 지난 대회의 우승자를 무너뜨리고 결승에 진출했다 他打败了上届冠军, 进入决赛

무너-지다 자 **1** 倒下来 dǎoxiàlái; 坍塌 tāntā; 倒塌 dǎotā; 崩塌 bēngtā; 溃灭 kuìmiè; 垮 kuǎ ¶다리가 무너졌다 桥坍塌了 / 홍수로 제방이 무너졌다 堤防被洪水冲垮了 **2** (秩序、体系等) 被破坏 bèi pòhuài ¶질서가 ~ 秩序被破坏 **3** (权力或国家) 垮台 kuǎtái; 瓦解 wǎjiě ¶소련이 무너지자 많은 독립국가가 생겨났다 苏联一垮台, 出现了许多独立国家 **4** (计划、构想等) 落空 luòkōng; 垮台 kuǎtái; 崩溃 bēngkuì ¶희망이 ~ 希望落空 **5** (精神) 瘫倒 tāndǎo; 崩溃 bēngkuì; 垮 kuǎ ¶그녀는 헤어지자는 말에 가슴이 무너졌다 她一听到要分手的话, 精神一下子垮了 **6** (运动比赛中) 输 shū; 被打败 bèi dǎbài; 败下阵来 bàixiàzhènlái ¶선발투수가 힘없이 ~ 选拔投手无力地败下阵来

무:녀(巫女) 명 〖民〗 = 무당

무념-무상(無念無想) 명 〖佛〗 无念无想 wúniàn wúxiǎng

무-논 명 〖農〗 水田 shuǐtián

무능(無能) 명하형 无能 wúnéng; 没本事 méi běnshi ¶~한 지도자 无能的领导

무-능력(無能力) 명하형 无能 wúnéng; 没本事 méi běnshi ¶남편은 돈 버는 데 ~하다 丈夫没本事赚钱

무늬 명 **1** 纹 wén; 纹路 wénlu ¶나무의 ~ 树的纹路 =[树纹] **2** 花纹 huāwén; 花样 huāyàng ¶~를 놓다 绣花纹 / ~를 새기다 雕花纹 ‖ = 문양

무늬-목(—木) 명 **1** 木片 mùpiàn **2** 印花板 yìnhuābǎn ¶~으로 마룻바닥을 깔다 用印花板铺地板

무:단(武斷) 명 用武力实行 yòng wǔlì shíxíng; 强制实行 qiángzhì shíxíng; 强行 qiángxíng ¶총장실을 ~으로 점거하다 强行占据校长室

무단(無斷) 명하형히부 擅自 shànzì; 乱 luàn; 无故 wúgù; 未经允许 wèijīng yǔnxǔ ¶~가출 无故离家出走 / ~출입 擅自出入 / ~ 횡단 乱穿马路 / ~ 외출 擅自外出 / ~ 복제 未经允许复制

무단-결근(無斷缺勤) 명하자타 擅自缺勤 shànzì quēqín; 旷工 kuànggōng; 旷职 kuàngzhí

무단-결석(無斷缺席) 명하자타 逃课 táokè; 逃学 táoxué; 旷课 kuàngkè

무단-이탈(無斷離脫) 명하자타 无故离队 wúgù líduì; 擅离职守 shànlí zhíshǒu

무-담보(無担保) 명하자 无担保 wúdānbǎo; 不提供担保 bùtígōng dānbǎo ¶~ 대출 无担保贷款

무:당 명 〖民〗 巫婆 wūpó; 女巫 nǚwū = 무녀

무:당-벌레 명 〖蟲〗 瓢虫 piáochóng

무:대 명 **1** 舞台 wǔtái ¶~ 감독 舞台监督 / ~ 미술 舞台美术 =[舞美] / ~ 의상 舞台服装 =[戏衣] / ~ 효과 舞台效果 / ~ 예술 舞台艺术 / ~ 조명 舞台照明 / 배우가 ~에 오르다 演员登上舞台 **2** 舞台 wǔtái; 场地 chǎngdì ¶정치 ~ 政治舞台 / 활동 ~ 活动场地 / 세계 ~에 진출하다 向世界舞台迈进

무:대 연:습(舞臺練習) 〖演〗 排练 páiliàn; 排戏 páixì

무:대 장치(舞臺裝置) 〖演〗 舞台设施 wǔtái shèshī; 布景 bùjǐng; 内景 nèijǐng

무더기 ㊀명 堆 duī; 垛 duò; 簇 cù ¶장작 ~ 柴火堆 / 풀 ~ 草堆 ㊁의명 堆 duī; 垛 duò; 簇 cù ¶한 ~에 천 원 一千韩元一堆

무-더위 명 炎热 yánrè; 酷热 kùrè; 酷暑 kùshǔ; 闷热 mēnrè; 暑气 shǔqì ¶~가 기승을 부리다 酷热炎炎 / ~가 한풀 꺾이다 暑气大减 / 본격적인 ~가 시작되다 开始真正的酷热

무던-하다 형 **1** 尚可 shàngkě; 还行 háixíng; 还可以 hái kěyǐ; 还好 hái hǎo; 差强人意 chāqiángrényì; 够 gòu; 很 hěn; 颇为 pōwéi; 相当 xiāngdāng ¶ 그만하면 ~ 那样的话还行 / 음식 솜씨가 ~ 做菜手艺还可以 **2** 厚道 hòudào; 宽厚 kuānhòu ¶성품이 ~ 性情宽厚 **무던-히** 부 ¶~ 고생하다 够辛苦的

무덤 명 坟墓 fénmù; 坟 fén; 墓 mù; 坟地 féndì; 土冢 tǔzhǒng = 묘지1·분묘 ¶~가 坟墓边 / ~에 묻히다 埋在坟墓里 / ~을 파다 掘墓 / ~을 옮기다 迁移坟墓

무덤덤-하다 형 满不在乎 mǎnbùzàihu; 平淡 píngdàn; 不动声色 bùdòngshēngsè ¶무덤덤한 표정 满不在乎的表情 / 무덤덤한 어조로 말하다 平淡地说

무-덥다 형 闷热 mēnrè; 炎热 yánrè; 酷热 kùrè; 暑热 shǔrè ¶무더운 여름 酷热的夏季

무:도(武道) 명 **1** 武道 wǔdào **2** 武艺 wǔyì; 武术 wǔshù ¶~에 능하다 懂武术

무:도(舞蹈) 명하자 **1** 跳舞 tiàowǔ **2** = 무용(舞踊)

무:도-곡(舞蹈曲) 명 『音』 = 춤곡

무:도-장(武道場) 명 比武场 bǐwǔchǎng; 练武场 liànwǔchǎng

무:도-장(舞蹈場) 명 舞厅 wǔtīng; 舞场 wǔchǎng

무도-하다(無道—) 형 无道 wúdào; 胡来 húlái; 无礼 wúlǐ ¶천하의 무도한 놈 天下第一无礼的家伙

무:도-회(舞蹈會) 명 舞会 wǔhuì ¶~에 초대 받다 受到参加舞会的邀请

무:동(舞童) 명 『民』 舞童 wǔtóng

무동(을) 서다 구 骑在别人的肩上; 骑肩 = 무동(을) 타다

무동(을) 타다 구 = 무동(을) 서다

무:두-장이 명 鞣皮匠 róupíjiàng; 熟皮匠 shúpíjiàng

무:두-질 명하타 鞣皮 róupí; 鞣制 róuzhì; 制革 zhìgé; 熟皮 shúpí ¶쇠가죽을 ~하여 북을 만들다 把牛皮鞣制后做成皮鼓

무드(mood) 명 气氛 qìfēn; 情调 qíngdiào; 情趣 qíngqù ¶~를 조성하다 营造气氛 / ~에 젖다 沉浸在气氛中 / ~ 있는 음악을 듣다 听有情调的音乐

무-득점(無得點) 명 没有得分 méiyǒu défēn; 无得分 wúdéfēn ¶경기가 ~으로 끝나다 比赛以双方皆无得分而结束 / ~으로 비기다 没有得分打了平局

무디다 형 **1** 不快 bùkuài; 钝 dùn; 不锋利 bùfēnglì ¶무딘 면도날 钝钝的剃须刀片 / 칼이 너무 무디어 도무지 썰어지지 않는다 刀太钝了, 根本切不动 **2** 迟钝 chídùn; 鲁钝 lǔdùn; 木僵僵 mùjiāngjiāng ¶감각이 ~ 感觉迟钝 / 반응이 ~ 反应迟钝 **3** 不爽快 bùshuǎngkuai; 吞吐 tūntǔ ¶말을 무디게 하다 说话吞吞吐吐

무뚝뚝-이 부 生硬 shēngyìng; 冷淡 lěngdàn; 冷冰冰 lěngbīngbīng ¶~ 바라만 보다 只是冷冰冰地瞧着

무뚝뚝-하다 형 生硬 shēngyìng; 冷淡 lěngdàn; 冷冰冰 lěngbīngbīng = 뚝뚝하다2 ¶말투가 ~ 语气生硬 / 그는 아무에게나 ~ 他对谁都很冷淡

무량(無量) 명하형 无量 wúliàng; 无限 wúxiàn ¶감개가 ~하다 感慨无限 / 전도가 ~하다 前途无量

무럭-무럭 부 **1** 茁壮地 zhuózhuàngde; 茂盛地 màoshèngde; 茁然 zhuórán ¶아이들이 ~ 자라다 孩子们茁壮地成长 **2** (烟、气) 股股地 gǔgǔde; 一团团地 yītuántuánde; 呼呼地 hūhūde; 腾腾 téngténg ¶안개가 ~ 피어오르다 雾气腾腾升起

무려(無慮) 부 竟 jìng; 足有 zúyǒu; 足足 zúzú ¶물가가 한 달 새에 ~ 세 배나 올랐다 物价一个月内竟上涨了三倍 / ~ 세 시간이나 기다렸다 足足等了三个小时

무:력(武力) 명 武力 wǔlì; 武 wǔ; 武装 wǔzhuāng ¶~을 행사하다 行使武力

무력(無力) 명하형 无力 wúlì; 乏力 fálì; 没劲儿 méijìnr; 软弱无力 ruǎnruò wúlì; 无能为力 wúnéngwéilì; 无能 wúnéng ¶~한 사나이 无能的男人 / 적의 공격에 ~하다 对敌人的攻击无力抵抗

무력-감(無力感) 명 无力感 wúlìgǎn; 乏力感 fálìgǎn; 虚脱感 xūtuōgǎn ¶~에 빠지다 陷入一种无力感中

무렵 의명 时分 shífēn; 之际 zhījì; 时候 shíhou ¶동생이 해 질 ~에 돌아왔다 弟弟傍晚时分回来了

무례(無禮) 명하형히부 无礼 wúlǐ; 不礼貌 bùlǐmào; 没礼貌 méi lǐmào; 不逊 bùxùn ¶~한 언행 无礼的言行 / ~하게 굴다 举止不逊

무뢰-한(無賴漢) 명 无赖汉 wúlàihàn; 无赖之徒 wúlàizhītú; 无赖子 wúlàizi; 赖子 làizi; 恶棍 ègùn

무료(無料) 명 **1** 免费 miǎnfèi; 无偿 wúcháng ¶~ 관람 免费参观 / ~ 강습 免费授课 / ~ 서비스 无偿服务 =[免费服务] / ~입장 免费入场 / ~ 입장권 免费入场券 / ~로 제공하다 免费提供 =[无偿提供] **2** 义务 yìwù 《不要报酬的》 ¶~ 상담원 义务咨询员 / ~ 봉사 义务劳动

무료(無聊) 명하형히부 无聊 wúliáo ¶텔레비전을 보며 ~함을 달래다 看电视打发无聊 / ~하게 시간을 보내다 无聊地打发时间 / 그는 종일 ~히 집에 있었다 他整日无聊地整在家里

무르다[1] 자 熟 shú; 熟透 shútòu; 烂熟 lànshú ¶감이 너무 물러 맛이 변했다 柿子熟过头, 变味了

무르다[2] 자타 **1** 退 tuì; 退货 tuìhuò; 退还 tuìhuán ¶이 옷은 품이 좀 큰데 무를 수 있습니까? 这件衣服有点儿肥, 能不能退货? **2** (围棋、象棋) 悔 huǐ; 反悔 fǎnhuǐ ¶한 수만 물러 주게 只让你悔一着 / 한번 둔 수는 무를 수 없다 棋走了就不能悔 **3** 后退 hòutuì; 退移 tuìyí; 退 tuì ¶뒤로 물러 벽 쪽으로 앉아라 退到墙边坐吧

무르다[3] 형 **1** 软 ruǎn; 稀烂 xīlàn; 稀 xī; 烂 làn ¶무른 음식 软饭软菜 / 반죽이 약간 ~ 面和得有点稀 **2** (意志、力量等) 软 ruǎn; 软弱 ruǎnruò ¶성질이 ~ 性情软弱 / 마음이 그렇게 물러서야 어떻게 이 험한 세상을 살겠느냐? 心那么软, 怎么在这凶险的世上生活?

무르-익다 자 **1** 熟 shú; 熟透 shútòu; 烂熟 lànshú; 成熟 chéngshú ¶오곡백과가 무르익는 계절 百果成熟的季节 **2** 成熟 chéngshú; 正是时候 zhèngshì shíhou ¶때가 ~ 时机成熟 / 사랑이 ~ 爱情成熟 / 분위기가 ~ 气氛成熟

무르팍 명 '무릎'的俗称 ¶넘어져 ~이 깨졌다 摔得膝盖破了

무릅-쓰다 타 冒着 màozhe; 顶着 dǐngzhe; 不顾 bùgù; 不避 bùbì ¶그들은 주위의 반대를 무릅쓰고 결혼식을 올렸다 他们不顾周围人的反对, 举行了婚礼

무릇 부 凡 fán; 凡是 fánshì; 大凡 dàfán; 大抵 dàdǐ; 一般说来 yībān shuōlái ¶~ 필요는 발명의 어머니이다 大凡说需要乃发明之母

무:릉-도원(武陵桃源) 명 〖文〗 世外桃源 shìwài táoyuán; 桃花源 táohuāyuán; 桃源 táoyuán

무릎 명 〖生〗 膝 xī; 膝盖 xīgài ¶~ 반사 膝跳反射 / ~베개 枕膝盖 / ~을 꿇다 跪下膝盖 / 아이가 엄마의 ~을 베고 잔다 孩子枕着妈妈的膝盖睡觉

무릎(을) 꿇다 구 屈膝; 屈服; 降服

무릎(을) 치다 구 拍案

무릎-뼈 명 〖生〗 膝盖骨 xīgàigǔ; 髌骨 bìngǔ = 슬개골

무리[1] 명 群 qún; 帮 bāng; 伙 huǒ; 队 duì ¶교복을 입은 학생들의 ~ 一群穿着校服的学生 / 말들이 ~를 지어 달리다 骏马成群地奔跑

무리[2] 명 〖天〗 晕 yùn

무리(無理) 명하자형 **1** 无理 wúlǐ; 没道理 méi dàolǐ; 过分 guòfèn ¶~한 요구 无理的要求 / 화를 내는 것도 ~는 아니다 生气发火也不能说没道理 **2** 硬撑 yìngchēng; 勉强 miǎnqiǎng; 过劳 guòláo ¶이 일은 여자가 하기는 ~다 这活女的干有点勉强 / ~해서 할 필요는 없다 没必要硬撑 **3** 〖數〗 无理 wúlǐ ¶~ 방정식 无理方程式

무리-수(無理數) 명 **1** 〖數〗 无理数 wúlǐshù **2** 险招 xiǎnzhāo; 奇招 qízhāo ¶~를 두다 下险招

무리-식(無理式) 명 〖數〗 无理式 wúlǐshì; 根式 gēnshì

무:림(武林) 명 武林 wǔlín ¶~의 고수 武林高手

무:마(撫摩) 명하타 **1** 抚摩 fǔmó **2** 安抚 ānfǔ; 安慰 ānwèi ¶흥분한 군중을 ~하다 安抚激动的群众 **3** 平息 píngxī; 绥靖 suíjìng ¶뇌물을 주고 사건을 ~하려 하다 送贿想平息事件

무:-말랭이 명 萝卜干(儿) luóbogān(r)

무-면허(無免許) 명 无照 wúzhào; 无牌 wúpái; 无证 wúzhèng; 没有执照 méiyǒu zhízhào ¶~ 영업 无照营业 / ~로 운전하다 无照驾驶

무명 명 棉布 miánbù

무명(無名) 명하형 无名 wúmíng; 不知名 bùzhīmíng ¶~ 가수 无名歌手 / ~ 작가 无名作家

무명-실 명 棉纱 miánshā; 棉线 miánxiàn

무명-지(無名指) 명 = 약손가락

무모(無謀) 명하형히부 无谋 wúmóu; 盲目 mángmù; 贸然 màorán; 轻率 qīngshuài; 欠考虑 qiàn kǎolǜ; 莽撞 mǎngzhuàng; 冒险 màoxiǎn ¶~한 행동 冒险行为 / ~한 짓 하지 마라 不要贸然行动 / 강물에 ~하게 뛰어들다 莽撞地跳进河水里

무모-증(無毛症) 명 〖醫〗 无毛症 wúmáozhèng

무미-건조(無味乾燥) 명하형 无味 wúwèi; 乏味 fáwèi; 索然无味 suǒránwúwèi; 干燥无味 gānzào wúwèi; 枯燥无味 kūzào wúwèi; 干巴巴 gānbābā ¶~한 생활 枯燥无味的生活 / 글이 너무 ~하다 文章写得无味

무-반주(無伴奏) 명 无伴奏 wúbànzòu

무-방비(無防備) 명하형 不设防 bùshèfáng; 无防备 wúfángbèi; 没有防备 méiyǒu fángbèi ¶적의 공격에 ~한 상태에 놓이다 对敌人的攻击处于无防备状态

무방-하다(無妨—) 형 无妨 wúfáng; 不妨 bùfáng; 无碍 wú'ài; 没关系 méi guānxi ¶남이 들어도 무방한 이야기 别人听见也无妨的话 **무방-히** 부

무-배당(無配當) 명 〖經〗 不分红 bùfēnhóng; 无息 wúxī ¶~ 보험 不分红保险

무법(無法) 명하형 1 无法制 wúfǎzhì; 没有法制 méiyǒu fǎzhì ¶~ 지대 没有法制的地区 2 无法无天 wúfǎwútiān; 不懂事 bùdǒngshì; 没礼数 méi lǐshù

무법-자(無法者) 명 歹徒 dǎitú

무법-천지(無法天地) 명 无法无天的世界 wúfǎwútiānde shìjiè; 混乱的天地 hùnluànde tiāndì ¶밤이 되면 그곳은 깡패가 설치는 ~가 된다 一到晚上, 那个地方就成了流氓无赖们无法无天的世界

무병(無病) 명하형 无病 wúbìng; 无疾 wújí ¶가족들의 ~을 기원하다 祝愿家人无病健康

무병-장수(無病長壽) 명하자 无病长寿 wúbìng chángshòu; 健康长寿 jiànkāng chángshòu; 延年益寿 yánniányìshòu ¶~를 빌다 祝健康长寿

무-보수(無報酬) 명 无报酬 wúbàochou; 无偿 wúcháng ¶~로 일하다 无偿劳动 / 야학에서 ~로 가르치다 在夜校无报酬地授课

무-분별(無分別) 명하형 不顾前后 bùgù qiánhòu; 不分皂白 bùfēnzàobái; 不予辨别 bùyǔ biànbié; 盲目 mángmù; 莽撞 mǎngzhuàng; 轻率 qīngshuài; 鲁莽 lǔmǎng; 冒失 màoshi ¶~한 도시개발 盲目的城市开发 / 외래문화를 ~하게 수용하다 对外来文化不予辨别, 全盘吸收

무:사(武士) 명 武士 wǔshì ¶~도 武士道

무사(無死) 명 『體』 = 노 아웃 ¶~ 만루 未出局满垒

무사(無事) 명하형히부 1 无事 wúshì 2 平安 píng'ān; 平安无事 píng'ān wúshì; 太平无事 tàipíng wúshì; 无灾无病 wúzāi wúbìng; 无恙 wúyàng; 安然 ānrán; 无事故 wúshìgù ¶~ 귀환 平安归来 / 전쟁터에서 ~히 돌아오다 从战争中平安回来 / ~히 임무를 마치다 平安完成任务

무-사고(無事故) 명 无事故 wúshìgù; 安全 ānquán ¶10년 ~ 운전사 十年无事故的驾驶员

무-사마귀 명 『醫』 瘊子 hóuzi; 疣 yóu

무사-안일(無事安逸) 명하형 息事宁人 xīshìníngrén; 多一事不如少一事 duō yīshì bùrú shǎo yīshì ¶~한 태도 息事宁人的态度

무사-태평(無事太平) 명하형 1 平安无事 píng'ān wúshì; 太平无事 tàipíng wúshì; 平平稳稳 píngpingwěnwěn; 安闲 ānxián; 安泰 āntài ¶~을 빌다 祝愿平安无事 2 处之泰然 chǔzhītàirán; 泰然处之 tàiránchǔzhī; 没事似的 méishì shìde; 不搁事 bùgēshì ¶그는 모든 일에 ~이다 他什么事儿都泰然处之

무사-통과(無事通過) 명하자타 顺利通过 shùnlì tōngguò; 无事通过 wúshì tōngguò ¶검문소를 ~하다 顺利通过盘查站

무산(無産) 명 无产 wúchǎn ¶~ 노동자 无产劳动者 / ~ 계급 无产阶级

무:산(霧散) 명하자 烟消云散 yānxiāoyúnsàn; 告吹 gàochuī; 落空 luòkōng; 泡汤 pàotāng ¶외자 유치 계획이 ~되었다 招引外资的计划泡汤了

무상(無常) 명하형 1 无常 wúcháng; 虚无 xūwú; 虚妄 xūwàng ¶인생이 ~하게 느껴지다 感到人生虚无无常 2 变化无常 biànhuàwúcháng; 不固定 bùgùdìng; 不定 bùdìng ¶워낙 출입이 ~한 사람이라 그를 만나기란 쉽지 않다 他出入的时间不固定, 很难碰到他

무상(無償) 명 无偿 wúcháng; 免费 miǎnfèi ¶~ 분배 无偿分配 / ~ 증자 无偿增资 / ~ 점검 서비스 免费检查服务 / ~ 원조를 받다 接受无偿援助 / 밀가루를 ~으로 배급하다 免费提供面粉

무상 교:육(無償教育) 『教』 无偿教育 wúcháng jiàoyù; 免费教育 miǎnfèi jiàoyù; 义务教育 yìwù jiàoyù

무상-주(無償株) 명 『經』 无偿股份 wúcháng gǔfèn; 红利股 hónglìgǔ; 红股 hónggǔ

무색-투명(無色透明) 명하형 无色透明 wúsè tòumíng ¶~한 액체 无色透明的液体

무색-하다(無色—) 형 1 难为情 nánwéiqíng; 不好意思 bùhǎoyìsi; 尴尬 gāngà; 窘 jiǒng ¶무색한 웃음을 짓다 不好意思地笑 2 羞愧 xiūkuì; 无颜 wúyán; 没脸 méiliǎn ¶그녀가 어찌나 고운지 천궁의 선녀들도 무색하게 될 지경이었다 她非常美丽, 美得连天上的仙女也感到无颜

무생-물(無生物) 명 『生』 非生物 fēishēngwù ¶~체 非生物体

무:-생채(—生菜) 명 凉拌萝卜丝 liángbàn luóbosī

무서움 명 恐惧感 kǒngjùgǎn; 害怕 hàipà ¶~을 타다 害怕 / ~에 떨다 害怕得发抖

무서워-하다 타 怕 pà; 害怕 hàipà; 恐惧 kǒngjù; 畏怯 wèiqiè; 忌怕 jìpà; 畏惧 wèijù ¶죽음을 ~ 怕死 / 호랑이를 ~ 怕老虎 / 밤길을 ~ 怕走夜路

무선(無線) 명 1 无线 wúxiàn; 无线电 wúxiàndiàn ¶~ 마이크 无线麦克风 / ~ 방송 无线电广播 / ~ 송신기 无线电发报 / ~ 호출기 无线传呼机 / ~ 전

보 无线电报 2〖信〗= 무선 전신 3〖信〗= 무선 전화
무선 수신기(無線受信機) 〖信〗无线电受信机 wúxiàndiàn shòuxìnjī; 无线电收报机 wúxiàndiàn shōubàojī; 报话机 bàohuàjī
무선 전:신(無線電信) 〖信〗无线电 wúxiàndiàn; 无线电信 wúxiàn diànxìn = 무선2 ¶~국 无线电台
무선 전:화(無線電話) 〖信〗无线电话 wúxiàn diànhuà; 无绳电话 wúshéng diànhuà = 무선3 ¶~기 无线电话机
무선 조종(無線操縱) 〖物〗无线电操纵 wúxiàndiàn cāozòng
무선 통신(無線通信) 〖信〗无线通信 wúxiàn tōngxìn; 无线电通迅 wúxiàndiàn tōngxùn
무선-파(無線波) 명〖物〗无线电波 wúxiàn diànbō
무섭다 형 **1** 怕 pà; 可怕 kěpà; 害怕 hàipà ¶나는 뱀이 ~ 我怕蛇 / 그는 아버지 대하기가 ~ 他害怕面对父亲 **2** 怕 pà; 担心 dānxīn; 唯恐 wéikǒng ¶지각할까 무서워 새벽같이 길을 떠났다 怕迟到, 一大早就上路了 / 선생님에게 혼날까 봐 ~ 怕挨老师骂 **3** 惊人 jīngrén; 骇人 hàirén; 厉害 lìhai; 凌厉 línglì; 猛烈 měngliè ¶차가 무서운 속도로 달린다 车以惊人的速度奔驰 / 비가 무섭게 내린다 雨下得很厉害 **4** 就马上 jiù mǎshàng ¶아이는 돈이 생기기가 무섭게 매점으로 달려갔다 孩子有了钱就马上向小卖部跑去了
무성(無性) 명 无性 wúxìng ¶~ 생식 无性生殖
무성(無聲) 명 无声 wúshēng; 没有声音 méiyǒu shēngyīn
무성 영화(無聲映畫) 〖演〗默片 mòpiàn; 无声片 wúshēngpiàn; 无声电影 wúshēng diànyǐng
무성-음(無聲音) 명 〖語〗清音 qīngyīn; 不带音 bùdàiyīn = 청음2
무-성의(無誠意) 명하형 无诚意 wúchéngyì; 不诚恳 bùchéngkěn; 敷衍 fūyǎn ¶~한 태도 无诚意的态度 / ~하게 대답하다 回答得很不诚恳
무:성-하다(茂盛—) 형 **1** 茂盛 màoshèng; 茂密 màomì; 浓密 nóngmì; 蔚然 wèirán ¶무덤에 잡초가 ~ 坟地上杂草茂盛 / 몸에 털이 ~ 身上体毛浓密 **2** (消息、传闻等) 沸沸扬扬 fèifèiyángyáng ¶소문이 온 동네에 ~ 传闻在整个村里闹得沸沸扬扬 **무:성-히** 부 ¶초목이 ~ 자라다 草木长得很茂盛
무소 명〖動〗= 코뿔소
무-소득(無所得) 명하형 无所得 wúsuǒdé; 无收获 wúshōuhuò; 无收益 wúshōuyì; 无收入 wúshōurù
무-소속(無所屬) 명 无党派 wúdǎngpài; 无所属 wúsuǒshǔ ¶~ 출마자 无党派竞选者 / ~ 국회 의원 无党派国会议员
무-소식(無消息) 명하형 无消息 wúxiāoxi; 没有消息 méiyǒu xiāoxi; 没有音信 méiyǒu yīnxìn ¶집을 나간 지 한 달 가까이 되었는데 아직도 ~이다 离家出走快一个月了, 至今没有消息
 무소식이 희소식 속담 无消息即好消息
무-소유(無所有) 명 一无所有 yīwúsuǒyǒu
무:속(巫俗) 명 巫俗 wūsú ¶~ 신앙 巫俗信仰
무쇠 명 **1**〖工〗铸铁 zhùtiě **2** 铁 tiě; 钢铁般的 gāngtiě bānde; 铁一样的 tiě yīyàngde ¶~ 다리 铁腿 / ~ 주먹 铁拳
무수리 명〖史〗(宫中的) 丫鬟 yāhuan; 女仆 nǚpú
무수-하다(無數—) 형 无数 wúshù; 许多 xǔduō; 不计其数 bùjìqíshù; 数不清的 shǔbuqīngde; 数不胜数 shǔbùshèngshǔ; 不胜枚举 bùshèngméijǔ ¶밤하늘에 별이 ~ 夜晚的星空上星星不计其数 **무수-히** 부 ¶나는 죽을 고비를~ 넘겼다 我经历了无数的生死关头
무:-순(—筍) 명 萝卜芽 luóboyá
무:술(巫術) 명 巫术 wūshù
무:술(武術) 명 武术 wǔshù; 拳术 quánshù; 武功 wǔgōng; 武打 wǔdǎ ¶~ 영화 武打片 / ~ 시범 武术表演 = [武术示范] / ~을 연마하다 练习武术 = [练武] / ~이 뛰어나다 武功高强
무스(프mousse) 명 **1** 摩丝 mósī ¶머리에 ~를 바르다 往头上抹摩丝 **2** 慕斯 mùsī ¶~ 케이크 慕斯蛋糕
무슨 관 **1** 什么 shénme; 何 hé; 啥 shá《表示疑问对象》¶~ 일 있니? 有什么事? / 이게 ~ 냄새지? 这是什么气味? **2** 什么 shénme; 啥 shá《表示不满时的强调》¶지금 ~ 말씀을 하고 계시는 겁니까? 您现在说什么话呀? **3** 什么 shénme《表示反对时的强调》¶대낮에 술은 ~ 술이냐 大白天的, 还喝什么酒啊 **4** 什么 shénme; 任何 rènhé《表示不确定的任指》¶그는 ~ 일이든 척척 해낸다 不管什么事, 他都干得很出色
 무슨 바람이 불어서 구 刮了什么风 ¶오늘 ~ 여기까지 왔니? 今天什么风把你刮到这儿来啦?
 무슨 뾰족한 수 있나 구 有什么法子呢
무-승부(無勝負) 명 平局 píngjú; 和局 héjú; 战平 zhànpíng; 不分胜负 bùfēn shèngfù ¶경기가 ~로 끝나다 比赛以平局结束

무시(無視) 명하타 **1** 无视 wúshì; 不理 bùlǐ; 置之不理 zhìzhībùlǐ; 漠视 mòshì ¶남의 의견을 ～하다 对别人的意见置之不理 / 신호등을 ～하고 길을 건너다 无视红绿灯过马路 **2** 轻视 qīngshì; 小看 xiǎokàn; 瞧不起 qiáobuqǐ ¶동료에게 ～당하다 遭到同事的轻视 / 사람 ～하는 거냐? 你这是在小看人吗?

무시-로(無時—) 부 时常 shícháng; 不时地 bùshíde; 随时 suíshí; 无时无刻 wúshíwúkè ¶～ 내왕하다 随时往来

무시무시-하다 형 可怕 kěpà; 恐怖 kǒngbù; 阴森森 yīnsēnsēn ¶무시무시한 이야기 恐怖故事 / 형상이 ～ 样子很可怕 / 얼굴이 무시무시하게 생겼다 脸长得很可怕

무-시험(無試驗) 명 『教』 免考 miǎnkǎo; 免试 miǎnshì; 不考试 bùkǎoshì ¶～ 선발 免考选拔 / ～으로 입학하다 免试入学

무식(無識) 명하형 无知 wúzhī; 无知识 wúzhīshi; 一字不识 yīzìbùshí; 没文化 méi wénhuà ¶～한 사람 没文化的人 / ～을 드러내다 显示出没文化 / ～하게 먹다 吃得很没文化

무식-쟁이(無識—) 명 无知的人 wúzhīde rén; 愚昧的人 yúmèide rén; 文盲 wénmáng; 老粗 lǎocū; 没文化的 méi wénhuàde

무:신(武臣) 명 武臣 wǔchén

무신경-하다(無神經—) 형 **1** 迟钝 chídùn; 不敏感 bùmǐngǎn ¶그는 보통 무신경한 사람이 아니다 他这人不是一般的迟钝 **2** 无反应 wúfǎnyìng; 不在意 bùzàiyì ¶그는 사소한 일에는 무신경한 편이다 他对细小琐碎的事不太在意

무신-론(無神論) 명 『哲』 无神论 wúshénlùn ¶～자 无神论者

무-실점(無失點) 명 无丢分 wúdiūfēn; 无失分 wúshīfēn ¶～으로 방어하다 防守不丢分

무심(無心) 명하형히부 **1** 无心 wúxīn; 无意 wúyì; 不思不想 bùsī bùxiǎng ¶그는 ～한 표정으로 창밖만 바라보고 있다 他用一副不思不想的表情直直地望着窗外 **2** 不关心 bùguānxīn; 漠不关心 mòbùguānxīn; 无情 wúqíng; 无情无意 wúqíng wúyì ¶형제끼리 어쩌면 그렇게 ～할 수 있니? 兄弟间怎么能这么无情?

무심-결(無心—) 명 无意中 wúyìzhōng; 无意之中 wúyìzhīzhōng; 无心之中 wúxīnzhīzhōng; 不经意地 bùjīngyìde ¶해서는 안 될 말을 ～에 해 버렸다 不经意地说出了不该说的话

무심-코(無心—) 부 无心地 wúxīnde; 无意中 wúyìzhōng; 有意无意地 yǒuyìwúyìde ¶～ 한 말이 큰 파문을 몰고 왔다 无意中说的话引发了轩然大波

무아(無我) 명 忘我 wàngwǒ; 无我 wúwǒ

무아지경(無我之境) 명 忘我之境 wàngwǒzhījìng; 无我之境 wúwǒzhījìng ¶～에 빠지다 陷入忘我之境

무안(無顔) 명하형히부 无颜 wúyán; 羞愧 xiūkuì; 惭愧 cánkuì; 没脸 méiliǎn; 难为情 nánwéiqíng; 不好意思 bùhǎoyìsi ¶～을 느끼다 感到惭愧 / 그는 ～할 정도로 나를 빤히 쳐다보았다 他直直地盯着我看, 看得我都难为情

무안(을) 주다 구 使人丢脸; 使得难为情

무-안타(無安打) 명 『體』 无安打 wúāndǎ

무언(無言) 명하형 无言 wúyán; 无声 wúshēng; 沉默 chénmò ¶～의 저항 无声的抵抗 / ～의 압력 无言的压力

무언-극(無言劇) 명 『演』 哑剧 yǎjù; 默剧 mòjù = 마임

무엄-하다(無嚴—) 형 没大没小 méidàméixiǎo; 没礼数 méi lǐshù; 放肆 fàngsì ¶어른에게 무엄하게 굴다 在长辈面前没大没小的 **무엄-히** 부

무엇 대 **1** 什么 shénme; 何 hé; 啥 shá ¶그게 ～이냐? 那是什么? / 그는 ～을 하는 사람일까? 他是干什么的? **2** 什么 shénme《表示泛指或不用说明的事物》 ¶～이라 말할 수 없는 감동을 받았다 感动得不知说什么好 / 배가 고프니 ～이라도 좀 먹어야겠다 肚子饿, 该吃点什么了

무엇-하다 형 难为情 nánwéiqíng; 不好意思 bùhǎoyìsi; 为难 wéinán; 有点(儿)那个 yǒudiǎn(r) nàge ¶말하기가 무엇해서 그만두었다 说出来有点不好意思就没说了

무:역(貿易) 명하타 『經』 贸易 màoyì ¶～ 수지 贸易收支 / ～업 贸易业 / ～ 불균형 贸易不均衡 / ～ 마찰 贸易摩擦 / ～ 백서 贸易白皮书 / 대외 ～ 对外贸易 / ～ 회사 贸易公司 / 외국과 ～하다 和外国贸易往来

무:역-풍(貿易風) 명 『地理』 贸易风 màoyìfēng; 信风 xìnfēng

무:역-항(貿易港) 명 贸易港 màoyìgǎng; 商港 shānggǎng; 通商口岸 tōngshāng kǒu'àn; 通商港 tōngshānggǎng ¶국제 ～ 国际商港

무연-탄(無煙炭) 명 『鑛』 无烟煤 wúyānméi; 白煤 báiméi; 硬煤 yìngméi

무연 휘발유(無鉛揮發油) 『化』 无铅汽油 wúqiān qìyóu

무염(無鹽) 명 无盐 wúyán; 不加盐 bùjiāyán ¶～식 无盐饮食

무:예(武藝) 명 武艺 wǔyì; 武技 wǔjì; 武 wǔ ¶～를 닦다 磨练武艺 =[练武] / ～를 겨루다 较量武艺 =[比武] / ～가 뛰어나다 武艺高强

무:용(武勇) 명 勇武 yǒngwǔ; 英勇 yīngyǒng ¶～을 떨치다 显耀勇武

무:용(舞踊) 명 跳舞 tiàowǔ; 舞踊 wǔyǒng; 舞蹈 wǔdǎo = 무도(舞蹈)2 ¶～가 舞蹈家 / ～단 舞蹈团 / ～수 舞蹈演员 / 민속 ～ 民俗舞蹈 / 현대 ～의 대가 现代舞蹈的大师

무:용-극(舞踊劇) 명 〖演〗 舞蹈剧 wǔdǎojù; 舞剧 wǔjù

무:용-담(武勇談) 명 战斗英雄故事 zhàndòu yīngxióng gùshi

무용지물(無用之物) 명 无用之物 wúyòngzhīwù; 废物 fèiwù; 渣滓 zhāzǐ

무-원칙(無原則) 명하형 无原则 wúyuánzé ¶～한 인사 문제에 불만을 품다 对无原则的人事调动心怀不满

무위(無爲) 명하형 无所作为 wúsuǒzuòwéi ¶～하게 세월을 보내다 无所作为, 虚度光阴

무위-도식(無爲徒食) 명하자 不劳而食 bùláo ér shí; 吃干饭 chī gānfàn; 饱食终日无所用心 bǎoshí zhōngrì wúsuǒ yòngxīn

무-의미(無意味) 명하형 **1** 没什么意思 méi shénme yìsi ¶～한 말을 지껄이다 说了一通没什么意思的话 **2** 没意义 méi yìyì; 无意义 wúyìyì; 没价值 méi jiàzhí ¶건강을 잃는다면 성공도 ～하다 如果失去健康, 成功也是无意义的

무-의식(無意識) 명 **1** 无意识 wúyìshí ¶～ 상태 无意识状态 / ～ 세계 无意识世界 **2** 〖心〗 潜意识 qiányìshí; 下意识 xiàyìshí

무의식-적(無意識的) 관명 无意识的 wúyìshíde; 无意的 wúyìde; 无心的 wúxīnde ¶～인 행동 无意识的行为 / ～으로 말이 튀어나오다 话无意识中冒出来

무의식-중(無意識中) 명 无意中 wúyìzhōng; 无心中 wúxīnzhōng ¶～에 저지른 행동 无意中犯的错误行为 / ～에 한 말 无意中说出的话

무-의탁(無依託) 명 无依无靠 wúyīwúkào; 孤苦伶仃 gūkǔlíngdīng ¶～ 노인을 부양하다 赡养无依无靠的老人

무-이자(無利子) 명 无息 wúxī; 无利息 wúlìxī ¶～로 돈을 빌려 주다 无息放款

무익-하다(無益—) 형 无益 wúyì; 无好处 wúhǎochu; 无利 wúlì ¶무익한 논쟁 无益的争辩

무:인(拇印) 명 = 지장(指章) ¶서명을 하고 다시 ～을 찍었다 签了名, 还按上了个拇印

무:인(武人) 명 武人 wǔrén; 武夫 wǔfū

무인(無人) 명 无人 wúrén; 没人 méi rén ¶～ 비행기 无人飞机 / ～ 우주선 无人宇宙飞船 / ～ 감시 카메라 无人监视摄像头 / ～ 단속 카메라 无人监控摄像头 / ～ 판매대 无人售货台

무인-도(無人島) 명 荒岛 huāngdǎo; 无人岛 wúréndǎo ¶아무도 살지 않는 ～ 没人居住的无人岛

무-일푼(無一—) 명하형 毫无分文 háowú fēnwén; 身无分文 shēnwúfēnwén; 没有一分钱 méiyǒu yīfēn qián; 一文不名 yīwénbùmíng ¶수중에 ～이라 당장 집에 갈 차비도 없다 手里毫无分文, 连回家的车费也没有

무임(無賃) 명 **1** 没有工钱 méiyǒu gōngqian **2** 不付钱 bùfùqián; 逃票 táopiào ¶～ 승객을 적발하다 揭发逃票的乘客

무임-승차(無賃乘車) 명하자타 无票乘车 wúpiào chéngchē; 逃票乘车 táopiào chéngchē; 逃票 táopiào

무-자격(無資格) 명하형 无资格 wúzīgé; 无照 wúzhào ¶～ 의사를 구속하다 拘捕无照行医的医生

무자비-하다(無慈悲—) 형 冷酷无情 lěngkùwúqíng; 冷酷 lěngkù; 无情 wúqíng; 毫不留情 háobùliúqíng; 狠辣 hěnlà; 狠毒 hěndú; 狠心 hěnxīn; 残酷 cánkù; 残忍 cánrěn ¶무자비한 고문 残酷的拷问 / 민중을 무자비하게 탄압하다 残酷地镇压民众

무-자식(無子息) 명하형 无子女 wúzǐnǚ; 无儿女 wú'érnǚ; 没儿没女 méi'ér méinǚ

무자식 상팔자 속담 无子无忧; 无子女为好八字

무-자위 명 水车 shuǐchē = 수차2

무-작위(無作爲) 명 随意 suíyì; 随机 suíjī; 任意 rènyì ¶～로 표본을 추출하다 随意抽出标本 / ～로 다섯 명을 선정하다 任意选出五名

무-작정(無酌定) 명하형 **1** 无计划 wújìhuà; 无打算 wúdǎsuan; 盲目 mángmù; 无目的 wúmùdì ¶～ 상경하다 盲目上京 **2** 不分好坏 bùfēnhǎohuài; 不分青红皂白 bùfēn qīnghóngzàobái; 不管三七二十一 bùguǎn sān qī èrshíyī ¶～ 화를 내다 不分青红皂白地发火 / ～ 때리다 不管三七二十一地打

무:장(武將) 명 武将 wǔjiàng ¶지략이 뛰어난 ～ 智略出众的武将

무:장(武裝) 명하자 武装 wǔzhuāng ¶～간첩 武装间谍 / ～봉기 武装起义 / ～ 해제 解除武装 / ～ 경찰 武装警察 / ～ 군인 武装军人 / ～ 병력 武装兵力 / 정신 ～ 精神武装 / 정신력으로 ～하다 用意志武装起来

무-저항(無抵抗) 명하자 不抵抗 bùdǐkàng; 无抵抗 wúdǐkàng ¶～주의 不抵抗主义 / ～ 운동 不抵抗运动

무적(無敵) 명하형 无敌 wúdí; 不可战胜 bùkězhànshèng; 无敌手 wúdíshǒu ¶～함대 无敌舰队 / ～의 용사들 不可战胜的勇士们

무적(無籍) 명하형 无籍 wújí; 没入籍 méi rùjí ¶～ 선수 没入籍的运动员

무전(無電) 명 〖信〗 **1** '무선 전신' 的略词 ¶～을 치다 打无线电 **2** '무선 전화' 的略词

무전-기(無電机) 명 无线电发射机 wúxiàndiàn fāshèjī; 无线电收发报机 wúxiàndiàn shōufābàojī; 无线电 wúxiàndiàn ¶～ 주파수를 맞추다 调整无线电频率 / ～에 대고 말을 하다 对着无线电讲话

무전-여행(無錢旅行) 명 无钱旅行 wúqián lǚxíng; 不带钱旅行 bùdàiqián lǚxíng; 穷逛 qióngguàng ¶그는 배낭 하나 달랑 메고 ～을 떠났다 他只背了个背包去无钱旅行了

무전-취식(無錢取食) 명하자 骗饭吃 piànfànchī; 吃饭不给钱 chīfàn bùgěiqián ¶～을 일삼다 专门骗饭吃

무-절제(無節制) 명하형 无节制 wújiézhì; 没有节制 méiyǒu jiézhì; 无度 wúdù ¶～한 생활을 하다 生活没有节制

무정-란(無精卵) 명 〖生〗 无精卵 wújīngluǎn; 寡蛋 guǎdàn

무정부-주의(無政府主義) 명 〖社〗 无政府主义 wúzhèngfǔ zhǔyì; 安那其主义 ānnàqí zhǔyì ¶～자 无政府主义者

무정자-증(無精子症) 명 〖醫〗 无精子症 wújīngzǐzhèng

무정-하다(無情—) 형 无情 wúqíng; 冷酷 lěngkù; 不讲人情 bùjiǎng rénqíng; 没有情义 méiyǒu qíngyì; 不近人情 bùjìn rénqíng ¶무정한 세월 无情岁月 / 무정하게도 일언지하에 청을 거절했다 无情地一口拒绝了请求 **무정-히** 부

무제(無題) 명 无题 wútí

무-제한(無制限) 명하형 无限制 wúxiànzhì ¶～ 공급 无限制供给

무제한-급(無制限級) 명 〖體〗 无限制级 wúxiànzhìjí ¶레슬링 ～ 无限制级摔跤

무-조건(無條件) ㊀명하형 无条件 wútiáojiàn; 无保留 wúbǎoliú; 非条件 fēitiáojiàn ¶～ 반사 非条件反射 =[无条件反射] / ～ 항복 无条件投降 / 부모가 아이를 ～으로 사랑하다 父母无条件地爱孩子 ㊁부 一味地 yīwèide; 总是 zǒngshì ¶그의 의견을 ～ 받아들이다 一味地接受他的见解

무조건-적(無條件的) 관명 无条件(的) wútiáojiàn(de) ¶～인 사랑 无条件的爱

무좀 명 〖醫〗 脚癣 jiǎoxuǎn; 脚气 jiǎoqì; 香港脚 xiānggǎngjiǎo ¶～에 걸리다 患脚癣

무죄(無罪) 명하형 **1** 无过错 wúguòcuò; 无辜 wúgū; 清白 qīngbái ¶～한 사람을 도둑으로 몰다 把清白无辜的人当成窃贼 **2** 〖法〗 无罪 wúzuì ¶～ 판결 判决无罪 / ～로 석방되다 无罪释放 =[无罪开释] / ～를 증명하다 证明无罪

무-중력(無重力) 명 〖物〗 无重力 wúzhònglì; 失重 shīzhòng ¶～ 상태 无重力状态 =[失重状态]

무지 부하형 很 hěn; 非常 fēicháng ¶돈을 ～ 벌다 挣很多钱 / 날씨가 ～ 춥다 天气非常冷

무지(無地) 명 单色 dānsè; 单色物 dānsèwù ¶～의 천 单色布

무지(無知) 명하형 **1** 无知 wúzhī ¶법에 ～한 농민 对法律无知的农民 **2** 愚鲁 yúlǔ; 愚钝 yúdùn

무지개 명 彩虹 cǎihóng; 虹 hóng; 虹霓 hóngní ¶하늘에 ～가 나타났다 天上出现了一道彩虹

무지갯-빛 명 虹彩 hóngcǎi; 虹色 hóngsè ¶～ 청춘 虹色青春

무지막지-하다(無知莫知—) 형 粗暴 cūbào; 泼辣 pōla; 蛮横 mánhèng; 蛮横无理 mánhèngwúlǐ; 蛮不讲理 mánbùjiǎnglǐ ¶하는 짓이 ～ 做事蛮横无理

무지-몽매(無知蒙昧) 명하형 愚昧无知 yúmèiwúzhī; 蒙昧无知 méngmèiwúzhī ¶～한 사람을 깨우치다 唤醒愚昧无知的人

무지-무지(無知無知) 부하형 惊人 jīngrén; 很 hěn; 极 jí; 非常 fēicháng; 厉害 lìhai ¶～ 아프다 疼得很厉害 / ～ 덥다 非常热 / 나는 그를 ～하게 좋아한다 我非常非常喜欢他

무직(無職) 명하형 无职 wúzhí; 无职业 wúzhíyè; 无业 wúyè ¶～자 无职业者 =[无业者]

무진(無盡) 부하형히부 **1** 无穷 wúqióng; 无尽 wújìn **2** 非常 fēicháng; 很 hěn ¶～ 고생을 하다 受很多苦 / ～ 애를 먹다 费很大的劲儿

무진-장(無盡藏) 명하형 无尽 wújìn; 用之不竭 yòngzhībùjié; 取之不尽 qǔzhībùjìn; 无穷无尽 wúqióngwújìn ¶～한 지하자원 无穷无尽的地下资源 / 광석이 ～ 묻혀 있다 埋藏着取之不尽的矿石

무-질서(無秩序) 명하형 无秩序 wúzhìxù; 无规律 wúguīlǜ; 杂乱 záluàn; 混乱 hùnluàn; 凌乱无章 língluànwúzhāng; 杂乱无章 záluànwúzhāng ¶～한 생활 无规律的生活 / ～하게 나붙

은 거리의 간판 街头杂乱无章的广告招牌

무찌르다 타 **1** 消灭 xiāomiè; 歼灭 jiānmiè; 打垮 dǎkuǎ; 击败 jībài; 击毁 jīhuǐ ¶적을 ~ 歼灭敌人 **2** 猛攻 měnggōng; 猛烈打击 měngliè dǎjī

무-차별(無差別) 명하형 不加区别 bùjiā qūbié; 乱 luàn; 滥 làn; 不分青红皂白 bùfēn qīnghóngzàobái; 一律 yīlǜ; 一概 yīgài ¶~ 공격 乱攻击 / ~ 폭격 狂轰滥炸

무참-하다(無慘—) 형 惨不忍睹 cǎnbùrěndǔ; 惨无人道 cǎnwúréndào; 残酷 cánkù; 残忍 cánrěn; 残暴 cánbào **무참-히** 부 ¶무고한 백성을 ~ 학살하다 惨无人道地屠杀无辜百姓

무:-채 명 萝卜丝 luóbosī

무채-색(無彩色) 명 〖美〗 无彩色 wúcǎisè

무-책임(無責任) 명하형 **1** 无责任 wúzérèn; 没有责任 méiyǒu zérèn ¶그는 그 일에는 ~하다 他在那件事上没有责任 **2** 不负责任 bùfù zérèn; 无责任感 wúzérèngǎn ¶그런 ~한 대답이 어디 있냐? 哪有这么不负责任的回答?

무척 부 相当 xiāngdāng; 特别 tèbié; 出奇 chūqí; 极为 jíwéi; 很 hěn; 非常 fēicháng ¶~ 기뻐하다 非常高兴 / ~ 가난하다 特别穷

무척추-동물(無脊椎動物) 명 〖動〗 无脊椎动物 wújǐzhuī dòngwù

무:-청 명 萝卜缨 luóboyīng; 萝卜叶茎 luóbo yèjīng

무취(無臭) 명하형 无味 wúwèi; 无臭 wúxiù ¶공기는 ~의 기체이다 空气是无臭的气体

무치다 타 凉拌 liángbàn; 拌 bàn ¶시금치를 무쳐 먹다 把菠菜凉拌吃

무침 명 凉拌菜 liángbàncài; 凉拌 liángbàn ¶골뱅이 ~ 凉拌田螺 / 콩나물 ~ 凉拌豆芽

무탈-하다(無頉—) 형 **1** 无恙 wúyàng; 健康 jiànkāng; 平安 píng'ān ¶아이가 무탈하게 잘 자라다 孩子健康地成长 **2** 亲密无间 qīnmìwújiàn; 没有隔阂 méiyǒu géhé; 和洽 héqià; 融洽 róngqià

무턱-대고 부 胡乱 húluàn; 瞎 xiā; 胡 hú; 盲目地 mángmùde; 不加考虑地 bùjiā kǎolǜde; 不管三七二十一地 bùguǎn sānqī'èrshíyīde ¶~ 야단치다 胡乱批评 / 동생은 무슨 일만 생기면 ~ 그에게 달려갔다 弟弟一有什么事就不加考虑地跑去找他

무-테(無—) 명 无框 wúkuàng; 没边 méi biān ¶~안경 无框眼镜

무통 분만(無痛分娩) 〖醫〗 无痛分娩 wútòng fēnmiǎn

무패(無敗) 명 无败 wúbài; 常胜不败 chángshèngbùbài; 全胜无败 quánshèngwúbài; 无败绩 wúbàijì ¶3승 ~로 결승전에 나가다 以三胜无败的成绩进入决赛

무-표정(無表情) 명하형 毫无表情 háowúbiǎoqíng; 呆板 dāibǎn; 没有表情 méiyǒu biǎoqíng ¶~한 얼굴 没有表情的脸

무풍(無風) 명 **1** 无风 wúfēng **2** 平安无事 píng'ān wúshì

무풍-지대(無風地帶) 명 无风地带 wúfēng dìdài; 平安地带 píng'ān dìdài

무한(無限) 명하형히부 无限 wúxiàn; 无量 wúliàng; 无尽 wújìn; 无穷 wúqióng; 无垠 wúyín ¶~한 영광 无限的荣耀 / ~한 잠재력 无限的潜在力

무한-궤도(無限軌道) 명 〖建〗 履带 lǚdài; 链轨 liànguǐ

무한-대(無限大) 명하형 **1** 无限广阔 wúxiàn guǎngkuò; 宽大无穷 kuāndà wúqióng; 无限 wúxiàn ¶그의 창의력은 거의 ~에 가깝다 他的创意能力趋于无限 **2** 〖數〗 无穷大 wúqióngdà; 无限大 wúxiàndà

무-한정(無限定) 명하형 无限 wúxiàn; 无限制 wúxiànzhì; 没完没了 méiwánméiliǎo ¶그는 ~ 기다릴 수 없어서 집으로 돌아왔다 他不能无限制地等下去, 就回家来了

무해(無害) 명하형 无害 wúhài ¶인체에 ~하다 对人体无害

무-허가(無許可) 명 无许可 wúxǔkě; 无照 wúzhào; 无执照 wúzhízhào ¶~ 영업 无照营业 / ~ 건물 无许可建筑物

무혈(無血) 명 无血 wúxuè; 不流血 bùliúxuè; 未流血 wèiliúxuè ¶~ 혁명 不流血革命

무-혐의(無嫌疑) 명하형 无嫌疑 wúxiányí ¶~로 풀려나다 无嫌疑地释放

무:협(武俠) 명 武侠 wǔxiá ¶~지 武侠书 / ~ 소설 武侠小说 / ~ 영화 武侠电影 =[工夫片]

무형(無形) 명 无形 wúxíng ¶~ 문화재 无形文化财富 =[精神文化财产] / ~ 자본 无形资本 / ~의 재산 无形财产

무화-과(無花果) 명 **1** 无花果 wúhuāguǒ **2** 〖植〗 = 무화과나무

무화과-나무(無花果—) 명 〖植〗 无花果树 wúhuāguǒshù = 무화과2

무효(無效) 명하형 无效 wúxiào; 作废 zuòfèi; 失效 shīxiào ¶~표 无效票 / 백약이 ~다 百药无效 / 당선을 ~로 하다 当选作废

무효-화(無效化) 명하자타 无效化 wúxiàohuà; 使失效 shǐ shīxiào; 使无效 shǐ wúxiào; 作废 zuòfèi; 注销 zhùxiāo;

撤销 chèxiāo ¶계약을 ~하다 撤销合同

무휴(無休) 명하형 不休息 bùxiūxi; 不休假 bùxiūjià

무:희(舞姬) 명 舞女 wǔnǚ; 舞姬 wǔjī

묵 명 凉粉 liángfěn ¶도토리 ~ 橡子凉粉 / ~을 쑤다 熬制凉粉

묵계(默契) 명하자 默契 mòqì; 不谋而合 bùmóu'érhé; 私下约定 sīxià yuēdìng ¶그들 사이에는 ~가 있었다 他们之间有一个默契

묵과(默過) 명하타 视而不见 shì'érbùjiàn; 默认 mòrèn; 睁一(只)眼闭一(只)眼 zhēng yī(zhī)yǎn bì yī(zhī)yǎn; 熟视无睹 shúshìwúdǔ; 不闻不问 bùwénbùwèn ¶이번 일은 도저히 ~할 수 없다 这次的事决不能睁一眼闭一眼了

묵념(默念) 명하자 1 沉思 chénsī; 默想 mòxiǎng 2 默哀 mò'āi; 默祷 mòdǎo ¶순국열사에 대한 ~을 올리다 向殉国烈士们默哀

묵다 자 1 陈 chén; 旧 jiù; 陈旧 chénjiù; 老 lǎo; 积 jī ¶백 년 묵은 여우 百年老狐狸 / 묵은 습관을 버리다 抛开旧的习俗 2 闲置 xiánzhì; 窝着 wōzhe; 荒废 huāngfèi ¶묵은 밭 荒废的田地 3 住宿 zhùsù; 投宿 tóusù; 住 zhù; 逗留 dòuliú; 寄居 jìjū; 停留 tíngliú ¶산행을 하다가 절에서 하루를 묵었다 山里行路, 在寺庙里投宿了一夜

묵도(默禱) 명하자 默祷 mòdǎo; 默哀 mò'āi ¶머리를 숙이고 ~하다 低头默哀

묵독(默讀) 명하타 默读 mòdú; 默诵 mòsòng; 默念 mòniàn ¶책을 ~하다 默读书

묵례(默禮) 명하자 默礼 mòlǐ ¶선생님께 ~하다 向老师行默礼

묵묵부답(默默不答) 명하자 默默不答 mòmò bùdá ¶~으로 일관하다 总是默默不答

묵묵-하다(默默—) 형 默默 mòmò; 默默无言 mòmò wúyán; 不声不响 bùshēngbùxiǎng ¶묵묵하게 일을 하다 默默地工作 **묵묵-히** 부 ¶~ 걷다 不声不响地走

묵비-권(默祕權) 명 〖法〗 缄默权 jiānmòquán; 沉默权 chénmòquán; 拒绝回答权 jùjué huídáquán

묵-사발(—沙鉢) 명 1 盛凉粉的碗 chéng liángfěnde wǎn 2 鼻青脸肿 bíqīngliǎnzhǒng; 烂虾酱 lànxiājiàng; 稀巴烂 xībalàn; 打破脸 dǎpò liǎn ¶~이 되도록 얻어터지다 被打得鼻青脸肿的 3 惨败 cǎnbài; 稀巴烂 xībalàn; 烂虾酱 lànxiājiàng; 落花流水 luòhuāliúshuǐ ¶적을 ~로 만들다 把敌人打成烂虾酱 / 이번 경기에서 우리 팀은 ~이 되었다 这次比赛中我队被打得稀巴烂

묵살(默殺) 명하타 不理睬 bùlǐcǎi; 置之不顾 zhìzhībùgù; 置之不理 zhìzhībùlǐ; 听而不闻 tīng'érbùwén ¶사장은 나의 의견을 ~했다 老板对我的意见听而不闻

묵상(默想) 명하자타 1 沉思 chénsī; 默想 mòxiǎng; 冥想 míngxiǎng ¶~에 잠기다 陷人沉思 / 조용히 앉아 ~하다 静坐默想 2 〖宗〗 默祷 mòdǎo; 默默祈祷 mòmòqídǎo ¶~ 기도 默默祈祷

묵시(默示) 명하타 1 暗示 ànshì; 默示 mòshì 2 〖宗〗 启示 qǐshì; 默示 mòshì

묵시-록(默示錄) 명 〖宗〗 = 요한 계시록

묵은-쌀 명 陈米 chénmǐ; 老米 lǎomǐ

묵인(默認) 명하타 默认 mòrèn; 默允 mòyǔn; 默许 mòxǔ ¶실수를 ~하다 对失误默认 / 불법 영업을 ~하다 默许非法经营

묵주(默珠) 명 〖宗〗 默珠 mòzhū; 圣珠 shèngzhū

묵직-하다 형 1 沉甸甸 chéndiàndiàn; 沉沉 chénchén; 沉重 chénzhòng; 较重 jiào zhòng ¶묵직한 가방 沉甸甸的包 2 稳重 wěnzhòng; 稳健 wěnjiàn ¶묵직한 성격 稳重的性格 / 사람이 ~ 为人很稳重 **묵직-이** 부

묵찌빠 명 '가위바위보' 的俗称

묵-히다 타 1 放 fàng; 放置 fàngzhì; 积压 jīyā; 压 yā 《'묵다1' 的使动词》 ¶감은 좀 묵혔다 먹어야 달다 柿子要放一段时间再吃才甜 2 荒 huāng; 荒废 huāngfèi; 休闲 xiūxián 《'묵다2' 的使动词》 ¶그 아까운 솜씨를 그냥 묵혀 두면 되나 这么好的手艺岂能荒废

묶다 타 1 捆 kǔn; 扎 zā; 捆绑 kǔnbǎng; 绑 bǎng; 缚 fù; 系 jì; 拴 shuān ¶끈으로 짐을 ~ 用绳子捆行李 / 손발을 ~ 绑住手脚 / 신발 끈을 ~ 系鞋带 2 汇总 huìzǒng; 汇集 huìjí; 总括 zǒngkuò; 编 biān ¶그는 그동안 썼던 단편소설을 책으로 묶어 내기로 했다 他把那段时间写的短篇小说汇集成书 3 法令禁止 fǎlìng jìnzhǐ; 限制 xiànzhì ¶공원 용지로 묶어 개발을 제한하다 法令禁止开发公园用地

묶-음 명 1 一捆 yīkǔn; 一堆 yīduī ¶~ 단위로 판매하다 一捆一捆地卖 2 束 shù; 捆 kǔn; 把儿 bǎr ¶신문지 한 ~ 一捆报纸 / 땔나무 한 ~ 一捆柴火

묶-이다 자 1 被捆 bèi kǔn; 被绑 bèi bǎng; 被缚 bèi fù 《'묶다1' 的被动词》 ¶손발이 ~ 手脚被捆 2 被总括 bèi zǒngkuò; 被汇总 bèi huìzǒng; 被汇集 bèi huìjí 《'묶다2' 的被动词》 ¶지금까지 발표된 논문들이 한 권의 책으로

묶여서 출판되었다 将已发表的论文汇总编成书出版了 **3** 被禁止 bèi jìnzhǐ; 受限制 shòu xiànzhì 《'묶다3' 的被动词》 ¶규제에 묶여 사업이 중단되었다 事业受规定限制被中断了

문¹(門) 명 **1** 门 mén; 户 hù; 门户 ménhù; 出入口 chūrùkǒu ¶~을 두드리다 敲门 / ~을 잠그다 锁门 / ~을 닫다 闭门 **2** 难关 nánguān; 窄门 zhǎimén ¶취업의 좁은 ~을 뚫다 突破就业的窄门

문(을) 닫다 구 **1** 关门 **2** 倒闭; 歇业

문(을) 열다 구 **1** 开门 **2** 开业 **3** 门户开放

문²(門) 의명 门 mén ¶대포 다섯 ~ 五门炮

-문(文) 접미 文 wén; 信 xìn; 记 jì ¶인용~ 引用文 / 기행~ 游记

문-가(門—) 명 门口 ménkǒu; 门旁 ménpáng; 门边 ménbiān ¶~에 기대어 서서 그를 기다리다 靠在门边等着他

문갑(文匣) 명 文件柜 wénjiànguì; 文件箱 wénjiànxiāng; 文具盒 wénjùhé ¶~ 서랍에 넣어 두다 放在文件柜的抽屉里

문건(文件) 명 文件 wénjiàn ¶기밀 ~ 机密文件

문고(文庫) 명 **1** 书箱 shūxiāng; 书柜 shūguì **2** = 서고 **3** 文库 wénkù; 小丛书 xiǎocóngshū ¶~판 文库版

문-고리(門—) 명 门环 ménhuán; 门扣儿 ménkòur; 门钩 méngōu; 门钩环 méngōuhuán ¶~를 벗기다 把门环拉开

문과(文科) 명 文科 wénkē ¶~ 대학 文科大学 / 그는 ~ 출신이다 他是文科毕业的

문관(文官) 명 〖史〗文官 wénguān

문구(文句) 명 文句 wénjù; 句子 jùzi; 字样 zìyàng ¶문에는 '관계자 외 출입 금지'란 ~가 적혀 있다 门上写着 '闲人免进' 的字样

문구(文具) 명 = 문방구1

문-구멍(門—) 명 门孔 ménkǒng; 门缝 ménfèng; 门洞 méndòng ¶~으로 바람이 들어온다 风从门缝里吹进来

문구-점(文具店) 명 = 문방구2

문단(文段) 명 段落 duànluò ¶글을 몇 개의 ~으로 나누다 把文章分成几个段落

문단(文壇) 명 文坛 wéntán; 文苑 wényuàn = 문학계2 ¶~에 진출하다 登上文坛

문-단속(門團束) 명하자 锁好门 suǒhǎo mén; 守卫门户 shǒuwèi ménhù ¶외출할 때는 ~을 철저히 해라 出门时千万要把门锁好

문:답(問答) 명하자 问答 wèndá ¶~법 问答法 / ~식 问答式 / ~형 문제 问答题 / ~이 오고 가다 一问一答 = [你问我答]

문대다 타 擦 cā; 蹭 cèng ¶기름 묻은 손을 아무 데나 ~ 沾了油的手到处乱擦

문둥-병(—病) 명 '나병' 的鄙称

문드러-지다 자 **1** 朽掉 xiǔdiào; 烂掉 làndiào; 腐烂掉 fǔlàndiào ¶썩어 문드러졌다 腐烂掉了 **2** (悲痛得心都) 裂 liè ¶오장육부가 문드러지는 듯하다 悲痛得五脏六腑俱裂

문득 부 猛然 měngrán; 顿时 dùnshí; 忽然 hūrán; 突然 tūrán; 恍然 huǎngrán; 不由得 bùyóude ¶~ 떠오르다 忽然想起来 / ~ 깨닫다 恍然大悟 / ~ 고개를 들어 하늘을 올려다보았다 忽然抬起头看了看天空

문득-문득 부 不时地 bùshíde; 时常不由地 shícháng bùyóude ¶지금도 그 때의 일이 ~ 머릿속에 떠오른다 那时的事情现在还不时地浮现在我的脑海

문뜩 부 猛然 měngrán; 顿时 dùnshí; 忽然 hūrán; 突然 tūrán

문뜩-문뜩 부 不时地 bùshíde; 时常不由地 shícháng bùyóude

문:란(紊亂) 명하형히부 紊乱 wěnluàn; 混乱 hùnluàn; 乱 luàn; 涣散 huànsàn ¶질서가 ~하다 秩序紊乱 / 군기가 ~하다 军纪涣散 / 사생활이 ~하다 私生活很乱

문맥(文脈) 명 〖語〗文脉 wénmài; 文理 wénlǐ; 上下文 shàngxiàwén ¶~을 파악하다 把握文脉 / 이 구절은 ~이 잘 맞지 않는다 这个句子不太合乎文理

문맹(文盲) 명 文盲 wénmáng ¶~률 文盲率 / ~을 퇴치하다 扫除文盲 = [扫盲] / ~에서 벗어나다 脱离文盲

문명(文明) 명 文明 wénmíng ¶~국 文明国家 / ~사회 文明社会 / ~인 文明人 / 현대 ~ 现代文明 / ~ 생활 文明生活 / ~의 이기 文明的利器

문무(文武) 명 文武 wénwǔ ¶~를 겸비하다 文武兼备 =[文武双全]

문물(文物) 명 文化 wénhuà; 文物 wénwù ¶~제도 文化制度 / 외국 ~을 들여오다 引进外国文化

문-밖(門—) 명 门外 ménwài ¶~에서 인기척이 났다 门外发出了动静

문밖-출입(門—出入) 명 出门 chūmén; 外出 wàichū ¶그는 ~을 잘 하지 않는다 他不大出门

문방-구(文房具) 명 **1** 文具 wénjù = 문구(文具) **2** 文具店 wénjùdiàn =문구점 ¶퇴근길에 ~에 들러 연필 한 자루를 샀다 下班路上顺便去文具店买了一支铅笔

문방-사우(文房四友) 名 文房四宝 wénfángsìbǎo

문벌(門閥) 名 门阀 ménfá; 门第 méndì ¶~ 정치 门阀政治 / ~이 높다 门第很高

문법(文法) 名 『語』 语法 yǔfǎ; 文法 wénfǎ ¶~에 맞다 合乎语法 / ~을 따지다 讲究文法

문:병(問病) 名하타 探病 tànbìng; 探望 tànwàng ¶~객 探病人 =[探病者] / 환자를 ~하다 探望病人 / ~을 가다 去探病

문-빗장(門—) 名 门闩 ménshuān; 门栓 ménshuān; 门插关儿 ménchāguānr; 门插销 ménchāxiāo = 빗장 ¶~을 걸다 插上门闩 / ~을 열다 拉开门闩

문-살(門—) 名 门窗棂 ménchuānglíng; 门窗格子 ménchuāng gézi; 门棂 ménlíng; 棂 líng; 门格 méngé ¶격자무늬 ~ 格纹棂 / ~을 맞추다 安装门棂

문:상(問喪) 名하타 = 조문(弔問) ¶초상집에 ~을 가다 去丧家吊丧

문:상-객(問喪客) 名 吊丧者 diàosāngzhě

문서(文書) 名 **1** 文件 wénjiàn; 文书 wénshū; 公文 gōngwén ¶~를 위조하다 伪造文书 / ~를 작성하다 写文件 **2** 文契 wénqì ¶토지 ~ 土地文契

문서-화(文書化) 名하타 写成文件 xiěchéng wénjiàn; 文书化 wénshūhuà ¶합의 사항을 ~해 두다 把协定的事项写成文件

문-설주(門—柱) 名 『建』 门柱 ménzhù

문-소리(門—) 名 门声 ménshēng ¶~가 나지 않도록 조심해라 小心, 别发出门声

문-손잡이(門—) 名 门把 ménbǎ; 门钮 ménniǔ

문신(文臣) 名 『史』 文臣 wénchén

문신(文身) 名하자타 文身 wénshēn; 纹身 wénshēn; 刺青 cìqīng ¶몸에 ~을 새기다 身上刺文身

문안(文案) 名 文案 wén'àn ¶광고 ~ 广告文案 / ~을 작성하다 编写文案

문:안(問安) 名하자 问安 wèn'ān; 问候 wènhòu; 请安 qǐng'ān; 问好 wènhǎo ¶~ 편지 问候信 / 할아버지께 ~ 인사를 드리다 向老爷爷请安 / 시부모님께 ~드리다 给公公婆婆请安

문양(文樣) 名 = 무늬 ¶다양한 ~의 도자기 花纹多种多样的瓷器

문어(文魚) 名 『魚』 章鱼 zhāngyú; 八爪鱼 bāzhǎoyú

문어(文語) 名 『語』 书面语 shūmiànyǔ; 文言 wényán ¶~문 文言文 / ~체 书面语体

문예(文藝) 名 『文』 文艺 wényì ¶~ 작품 文艺作品 / ~ 잡지 文艺杂志 / ~란 文艺栏 / ~ 사조 文艺思潮

문예 부:흥(文藝復興) 『史』 = 르네상스

문외-한(門外漢) 名 门外汉 ménwàihàn; 外行 wàiháng ¶나는 그 방면에는 완전 ~이다 对于那个方面, 我是个不折不扣的门外汉

문:의(問議) 名하타 查询 cháxún; 询问 xúnwèn; 咨询 zīxún; 打听 dǎting ¶~ 사항 查询事项 / 전화 ~ 사절 谢绝电话咨询 / 담당자에게 ~하다 向经办人查询

문인(文人) 名 文人 wénrén ¶당대 최고의 ~ 当代最红的文人

문자[1](文字) 名 文言文 wényánwén; 成语 chéngyǔ ¶~를 섞어 말하다 夹着文言文说话

문자(를) 쓰다 구 用文言; 用成语

문자[2](文字) 名 **1** 『語』 文字 wénzì ¶언어와 ~ 语言与文字 **2** 学识 xuéshí; 学问 xuéwen ¶~깨나 배웠다는 놈 学了不少学问的家伙 **3** 『컴』 字符 zìfú

문자 그대로 구 顾名思义; 名副其实

문장(文章) 名 **1** = 문장가 ¶당대의 ~으로 이름이 나다 作为当代文笔大家, 他扬名于世 **2** 『語』 句子 jùzi; 文句 wénjù; 文 wén ¶~ 성분 句子成分 / ~ 구조 句子结构 / ~이 간결하다 文句简短 **3** 文章 wénzhāng ¶~력 文章表现力

문장-가(文章家) 名 大手笔 dàshǒubǐ; 文笔大家 wénbǐ dàjiā = 문장1

문장 부:호(文章符號) 『語』 标点符号 biāodiǎn fúhào

문재(文才) 名 文才 wéncái; 笔底下 bǐdǐxia; 写作才能 xiězuò cáinéng ¶~가 있다 有文才 / ~가 뛰어나다 文才过人 / ~를 발휘하다 发挥写作才能

문전(門前) 名 门前 ménqián ¶~에서 쫓겨나다 在门前被赶出来

문전-성시(門前成市) 名 门庭若市 méntíngruòshì ¶복날 삼계탕집은 ~를 이룬다 大伏天里参鸡汤店门庭若市

문:제(問題) 名 **1** 题目 tímù; 题 tí; 问题 wèntí ¶시험 ~ 考试题目 =[考题][试题] / ~ 은행 题库 / 수학 ~ 数学题 / ~를 내다 出题 / ~가 어렵다 题很难 **2** 问题 wèntí ¶~의식 问题意识 / ~가 생기다 出问题 / ~를 해결하다 解决问题 / ~에 부딪히다 遇到问题 **3** 事 shì; 事端 shìduān; 事故 shìgù ¶그는 늘 ~를 일으키는 학생이다 他是一个老爱惹事的学生

문:제-시(問題視) 名하타 视为问题 shìwéi wèntí; 当作问题 dāngzuò wèntí; 成问题 chéng wèntí ¶사람들이 그의 과거를 ~한다 人们把他的过去视为

问题

문:제-아(問題兒) 명 〖心〗 问题儿童 wèntí értóng; 问题少年 wèntí shàonián

문:제-없다(問題—) 형 没问题 méi wèntí; 不成问题 bùchéng wèntí; 毫无疑问 háowú yíwèn ¶이제 직장을 잡았으니 먹고사는 것은 ~ 如今找到了工作, 生活就不成问题了 **문:제없-이** 부 ¶내일은 ~우리가 이긴다 毫无疑问, 我们明天会赢

문:제-작(問題作) 명 热门作品 rèmén zuòpǐn ¶화단의 ~ 画坛的热门作品

문:제-점(問題點) 명 问题 wèntí ¶~을 지적하다 指出问题所在 / 많은 ~을 드러내다 抖出一连串问题

문:제-집(問題集) 명 习题集 xítíjí

문:젯-거리(問題—) 명 **1** 事端 shìduān ¶~를 만들다 制造事端 **2** 问题 wèntí; 难题 nántí ¶쓰레기 처리는 ~다 处理垃圾是个难题

문중(門中) 명 家门 jiāmén; 本家 běnjiā ¶~ 회의 本家会议 / 김씨 ~ 金家家门

문-지기(門—) 명 门卫 ménwèi; 门丁 méndīng; 看门的(人) kānménde (rén); 把门的(人) bǎménde (rén); 守门的(人) shǒuménde (rén)

문지르다 타 抹 mǒ; 擦 cā; 搓 cuō ¶수건으로 등을 ~ 用毛巾擦背

문-지방(門地枋) 명 〖建〗 门槛(儿) ménkǎn(r); 门坎(儿) ménkǎn(r) ¶~을 넘다 跨过门槛儿 / ~에 걸터앉다 骑坐在门槛上

문진(文鎭) 명 文镇 wénzhèn ¶종이를 ~으로 누르고 글씨를 쓰다 用文镇压着纸写字

문:진(問診) 명하타 〖醫〗 问诊 wènzhěn ¶~만으로는 정확한 병명을 알기 어렵다 只通过问诊而确认病情, 这并不容易

문집(文集) 명 文集 wénjí; 集子 jízi ¶개인 ~ 个人文集 / 세 사람의 글을 모아 한 권의 ~으로 간행했다 把三人的文章合编成一本文集发表刊行

문-짝(門—) 명 门扇 ménshàn; 门板 ménbǎn; 门扉 ménfēi ¶~을 두드리다 扣门扉 / ~을 부수다 把门板砸碎

문:책(問責) 명하타 责问 zéwèn; 追究责任 zhuījiū zérèn ¶~을 당하다 受到责问 / 책임자를 ~하다 向负责人追究责任

문체(文體) 명 〖文〗 **1** (作品的)风格 fēnggé; 文风 wénfēng; 文采 wéncǎi ¶간결한 ~ 简洁的文风 / ~가 화려하다 文采华丽 **2** 文体 wéntǐ

문:초(問招) 명하타 审问 shěnwèn; 审讯 shěnxùn ¶~를 당하다 遭到审问 / 주동자를 ~하다 审问领头人

문-턱(門—) 명 **1** 门槛(儿) ménkǎn(r); 门坎(儿) ménkǎn(r) ¶~을 넘다 跨门坎儿 **2** 眼前 yǎnqián; 临近 línjìn ¶가을이 ~에 와 있다 秋天就在眼前

문턱이 높다 구 门槛高《比喻不容易进去, 或不好相处》

문턱이 닳도록 드나들다 구 踏破门槛《比喻经常出入》

문-틀(門—) 명 〖建〗 门框 ménkuàng

문-틈(門—) 명 门缝 ménfèng ¶~으로 찬 바람이 들어온다 冷风从门缝里吹进来

문패(門牌) 명 门牌 ménpái = 명패3 ¶~를 달다 挂门牌

문-풍지(門風紙) 명 糊门风纸 húménfēngzhǐ

문필(文筆) 명 写作 xiězuò ¶~ 활동 写作活动 / ~로 이름을 날리다 以写作出名

문필-가(文筆家) 명 作家 zuòjiā; 写作家 xiězuòjiā

문하(門下) 명 **1** 门下 ménxià **2** = 문하생

문하-생(門下生) 명 门徒 méntú; 弟子 dìzǐ; 门生 ménshēng; 门人 ménrén = 문하2 ¶~을 두다 培养门徒

문학(文學) 명 文学 wénxué ¶~가 文学家 / ~ 개론 文学概论 / ~ 박사 文学博士 / ~사 文学史 / ~소녀 文学少女 / ~ 작품 文学作品 / 사실주의 ~ 写实主义文学 / ~에 뜻을 두다 立志于文学

문학-계(文學界) 명 **1** 文学领域 wénxué lǐngyù **2** = 문단(文壇) ¶~의 거장 文坛巨匠

문학-상(文學賞) 명 文学奖 wénxuéjiǎng ¶노벨 ~ 诺贝尔文学奖

문:항(問項) 명 问项 wènxiàng; 问题 wèntí; 题 tí ¶이번 중간고사에 수학은 몇 ~이나 나왔습니까? 这次期中考试数学出了几个问项?

문헌(文獻) 명 文献 wénxiàn ¶~ 자료 文献资料 / 관계 ~을 참고하다 参考有关文献

문형(文型) 명 句型 jùxíng ¶기본 ~ 基本句型

문호(文豪) 명 文豪 wénháo ¶러시아의 ~ 톨스토이 俄罗斯大文豪托尔斯泰

문호(門戶) 명 **1** 门 mén **2** 门户 ménhù ¶~를 개방하다 开放门户

문화(文化) 명 文化 wénhuà ¶~계 文化界 / ~ 교류 文化交流 / ~권 文化圈 / ~생활 文化生活 / ~ 센터 文化中心 =[文化站] / ~ 시설 文化设施 / ~유산 文化遗产 / 새로운 ~를 접하다 接触新文化 / 찬란한 ~의 꽃을 피우다 开出灿烂的文化之花

문화-인(文化人) 명 **1** 文化人 wénhuàrén; 知识分子 zhīshi fènzǐ **2** 文化工作者 wénhuà gōngzuòzhě

문화-재(文化财) 명 文化财产 wénhuà cáichǎn; 文化财富 wénhuà cáifù; 文化遗产 wénhuà yíchǎn ¶~를 보호하다 保护文化财产

문화-적(文化的) 관명 文化(的) wénhuà(de) ¶~ 충격 文化冲击 / ~ 차이 文化差别

묻다[1] 자 **1** 沾 zhān; 附着 fùzhuó ¶손에 기름이 묻었다 手上沾了油 / 옷에 흙이 ~ 衣服上沾着泥巴 **2** 跟着 gēnzhe; 一起 yīqǐ ¶가는 김에 나도 좀 묻어 타자 我也顺便跟着一起坐车吧

묻다[2] 타 **1** 埋 mái; 埋葬 máizàng; 埋没 máimò; 掩埋 yǎnmái ¶시신을 땅에 ~ 把尸体埋在地里 **2** 藏 cáng; 掩盖 yǎngài; 遮盖 zhēgài; 埋藏 máicáng; 隐瞒 yǐnmán; 隐藏 yǐncáng ¶가슴속에 비밀을 ~ 心中藏着秘密 **3** 埋 mái ¶베개에 얼굴을 ~ 脸埋在枕头里

묻:다[3] 타 **1** 问 wèn; 询问 xúnwèn; 打听 dǎting ¶안부를 ~ 问安 / 지나가는 사람에게 길을 ~ 向过路人问路 **2** 追究 zhuījiū ¶관계자에게 책임을 ~ 向有关人士追究责任

묻어-가다 자 跟着去 gēnzhe qù; 一起走 yīqǐ zǒu ¶가는 김에 나도 묻어가자 我也顺便跟着一起走吧

묻어-나다 자 沾 zhān; 沾上 zhānshang; 沾染 zhānrǎn ¶신문지의 잉크가 손에 ~ 报纸上的印墨沾在手上

묻-히다[1] 타 沾 zhān; 沾上 zhānshang; 沾染 zhānrǎn; 蹭 cèng; 蘸 zhàn 《'묻다1'的使动词》 ¶독을 묻힌 화살 蘸了毒的箭头 / 팥고물을 묻힌 떡 沾着豆沙的米糕 / 손에 물을 ~ 手上沾水

묻-히다[2] 자 **1** '묻다²1' 的被动词 ¶땅속에 ~ 被埋在地里 **2** 묻다²2' 的被动词 ¶역사 속으로 묻힌 진실 被埋藏在历史中的真相 / 가슴속에 묻힌 비밀 藏在心里的秘密 **3** '묻다²3' 的被动词 ¶의자에 깊숙이 묻힌 채 움직이지 않다 身体埋在椅子里一动不动 **4** 淹没 yānmò ¶어둠에 ~ 淹没在黑暗中 / 인파에 ~ 淹没在人海中 **5** 隐没 yǐnmò; 躲藏 duǒcáng ¶초야에 묻혀 지내다 隐没在草野之中

물[1] 명 **1** 水 shuǐ ¶~ 한 모금 一口水 / ~을 긷다 打水 / ~을 마시다 喝水 / ~을 뿌리다 洒水 / ~이 끓다 水开了 / ~이 맑다 水很清 **2** 河 hé; 河流 héliú; 江水 jiāngshuǐ; 水 shuǐ ¶산 넘고 ~ 건너 越山过河 / ~에 빠지다 掉进水里 **3** 熏染 xūnrǎn; 熏陶 xūntáo; 受影响 shòu yǐngxiǎng; 沾染 zhānrǎn ¶외국 ~을 먹다 受外国环境的影响

물에 물 탄 듯 술에 술 탄 듯 속담 墙头草《比喻没有主见或态度行动不明确》

물에 빠지면 지푸라기라도 잡는다[움켜쥔다] 속담 落水者捞稻草; 捞稻草

물에 빠진 놈 건져 놓으니까 내 봇짐 내라 한다 속담 以怨报德; 恩将仇报

물이 너무 맑으면 고기가 아니 모인다[산다] 속담 水至清则无鱼, 人至察则无友; 水至清则无鱼; 水清无鱼

물 끓듯 하다 구 人声鼎沸

물 만난[얻은] 고기 구 如鱼得水

물 뿌린 듯이 구 鸦雀无声; 万籁俱寂 = 물을 끼얹은 듯

물 쓰듯 구 用钱如用水; 挥金如土

물 찬 제비 구 轻盈点水的燕子《比喻身材苗条, 动作轻快》

물 퍼붓듯 구 **1** 倾盆大雨 **2** 口若悬河; 滔滔不绝

물과 불 구 水火不相容

물로 보다 구 不看在眼里; 瞧不起

물에 빠진 생쥐 구 落水的老鼠; 落汤鸡

물을 끼얹은 듯 구 = 물 뿌린 듯이

물인지 불인지 모르다 구 不知天高地厚

물[2] 명 颜色 yánsè; 色 shǎi; 色 sè ¶~을 들이다 染色 / ~이 바래다 褪色 / ~이 빠지다 掉色

물[3] 명 新鲜 xīnxiān 《指新鲜程度》 ¶~이 좋은 생선 新鲜的鱼

-물(物) 접미 物 wù ¶분실~ 遗失物 / 첨가~ 添加物

물-가 명 水边 shuǐbiān; 岸边 ànbiān ¶배가 ~에 닿다 船靠在岸边

물가(物價) 명 【經】 物价 wùjià; 行市 hángshì ¶~ 동향 物价动向 / ~ 정책 物价政策 / ~ 지수 物价指数 / ~ 상승률 物价上涨率 / ~가 비싸다 物价高 / ~가 오르다 物价上涨 / ~가 내리다 物价下跌 / ~가 안정되다 物价稳定

물-갈이 명하타 **1** 换水 huànshuǐ ¶금붕어를 잘 기르려면 무엇보다도 ~에 신경을 써야 한다 要想养好金鱼, 最需注意的是换水 **2** 交替 jiāotì; 变动 biàndòng ¶이번 인사이동 때 대폭적인 ~가 예상된다 这次人事调动估计会有大的变动

물-갈퀴 명 **1** 【動】 蹼 pǔ; 蹼趾 pǔzhǐ **2** 脚蹼 jiǎopǔ = 오리발1 ¶~를 신다 穿上脚蹼

물-감 명 **1** 染料 rǎnliào; 颜料 yánliào **2** 【美】 = 그림물감

물-개 명 【動】 海狗 hǎigǒu; 腽肭兽 wànàshòu = 해구

물-거품 명 **1** 水泡 shuǐpào; 泡沫 pàomò = 포말 ¶~이 일다 泛起泡沫 **2**

落空 luòkōng; 泡影 pàoyǐng ¶계획이 ~으로 돌아가다 计划化为泡影 ‖ = 수포(水泡)

물건(物件) 명 **1** 东西 dōngxi; 物品 wùpǐn; 物件 wùjiàn ¶남의 ~을 훔치다 偷别人的东西 / ~을 아무 데나 놓다 乱放东西 **2** 商品 shāngpǐn; 货物 huòwù; 货 huò; 货色 huòsè; 东西 dōngxi ¶~ 값을 깎다 砍货价 / ~을 구입하다 购买商品 **3** 人物 rénwù ¶저 녀석은 정말 ~이다 那个家伙真是个人物

물-걸레 명 湿抹布 shīmābù ¶~로 바닥을 닦다 用湿抹布擦地板

물걸레-질 명하타 用湿抹布擦 yòng shīmābù cā ¶방바닥을 ~하다 用湿抹布擦地板

물-결 명 **1** 水波 shuǐbō; 波浪 bōlàng; 波涛 bōtāo ¶~이 일렁이다 水波荡漾 / ~이 잔잔하다 波涛平静 / ~이 일다 起波浪 **2** 流 liú; 潮 cháo; 浪潮 làngcháo; 潮流 cháoliú ¶시대의 ~ 时代的潮流

물결-치다 자 起浪 qǐlàng; 荡漾 dàngyàng; 起伏 qǐfú; 翻滚 fāngǔn ¶황금 벼가 물결치는 들판 金色稻浪起伏的田野 / 가슴속에서 신선한 감동이 ~ 心中荡漾着鲜活的感动

물결-표(—標) 명 〖語〗 代字号 dàizìhào; 波浪号 bōlànghào

물고(物故) 명하자타 **1** (名人) 逝世 shìshì **2** (罪人) 死去 sǐqù; 处决 chǔjué

물고(가) 나다 구 死去; 死

물고(를) 내다 구 处死; 杀死

물-고기 명 〖動〗 鱼 yú = 고기[1]2 ¶~ 두 마리 两条鱼 / ~ 떼 鱼群 / ~를 잡다 捕鱼 =[捞鱼][打鱼]

물고기는 물을 떠나 살 수 없다 속담 鱼离不开水

물고기(의) 밥이 되다 구 淹死

물고기-자리 명 〖天〗 双鱼座 shuāngyúzuò

물-고문(—拷問) 명 水刑讯 shuǐxíngxùn

물구나무-서기 명 〖體〗 倒立 dàolì; 拿大顶 nádàdǐng; 拿顶 nádǐng

물구나무-서다 자 〖體〗 倒立 dàolì; 拿大顶 nádàdǐng; 拿顶 nádǐng ¶물구나무서서 팔로 걷다 倒立着用手走路

물-굽이 명 水湾 shuǐwān; 河湾 héwān; 海湾 hǎiwān

물권(物權) 명 〖法〗 物权 wùquán

물-귀신(—鬼神) 명 〖民〗 水鬼 shuǐguǐ; 水怪 shuǐguài; 落水鬼 luòshuǐguǐ

물귀신(이) 되다 구 落水而死; 成落水鬼

물-그릇 명 水碗 shuǐwǎn

물-기(—氣) 명 水分 shuǐfèn; 水气 shuǐqì = 수분(水分) ¶~가 마르다 水分干了 / ~를 닦다 擦去水气

물-기둥 명 水柱 shuǐzhù ¶~이 하늘 높이 솟아오르다 水柱冲天而起

물-길 명 **1** 水路 shuǐlù; 水程 shuǐchéng; 水道 shuǐdào ¶~을 트다 开通水路 **2** 水渠 shuǐqú; 引水道 yǐnshuǐdào = 수로1 ¶~을 내다 开水渠

물-김치 명 水泡菜 shuǐpàocài

물-꼬 명 **1** (水田里的) 水口 shuǐkǒu; 水门 shuǐmén ¶~를 막다 堵住水口 / ~를 트다 打通水口 **2** 门 mén; 通口 tōngkǒu ¶남북 교류의 ~를 트다 打开南北交流之门

물끄러미 부 呆呆地 dāidāide; 怔怔地 zhèngzhèngde ¶~ 먼 산을 바라보다 呆呆地望着远山

물-난리(—亂離) 명 **1** 水灾 shuǐzāi; 水患 shuǐhuàn ¶갑작스런 집중 호우로 ~가 나다 突如其来的集中暴雨引起了水灾 **2** 水荒 shuǐhuāng ¶~가 나다 闹水荒 / 가뭄으로 ~가 극심하다 因干旱加剧水荒

물-냉면(—冷麵) 명 水冷面 shuǐlěngmiàn

물-놀이 명하자 **1** 涟漪 liányī ¶~가 일다 起涟漪 **2** 水上游戏 shuǐshàng yóuxì; 玩水 wánshuǐ ¶~를 가다 去玩水

물다[1] 타 **1** 叼 diāo; 衔 xián ¶담배를 입에 ~ 嘴里衔着烟 / 족제비가 병아리를 물어 갔다 黄鼠狼叼走了小鸡 **2** 含 hán ¶사탕을 입에 ~ 嘴里含着糖块儿 / 물을 한 모금 입에 ~ 含着一口水 **3** (用牙齿) 咬 yǎo ¶개가 사람을 ~ 狗咬人 **4** (虫子) 叮 dīng; 咬 yǎo ¶모기가 문 자리가 가렵다 蚊子叮的地方发痒 **5** 占便宜 zhàn piányi; 吃豆腐 chī dòufu ¶돈 많은 과부를 ~ 占了一个有钱寡妇的便宜

물고 늘어지다 구 **1** 紧持到底 **2** 咬字眼儿

물고 뜯다 구 **1** 狗咬狗; 相互搏斗 **2** 恶口伤人; 钩心斗角

물다[2] 타 **1** 缴 jiǎo; 交 jiāo; 付 fù; 还 huán; 偿还 chánghuán; 缴纳 jiǎonà ¶외상값을 ~ 还欠账 / 이자를 ~ 偿还利息 / 벌금을 ~ 交罚款 **2** 赔偿 péicháng; 赔 péi ¶피해자에게 치료비를 ~ 赔偿受害者医疗费

물-독 명 水缸 shuǐgāng ¶~에 물을 붓다 往水缸里倒水

물-동이 명 水罐 shuǐguàn ¶~를 머리에 이다 头顶水罐

물-들다 자 **1** 染 rǎn; 染色 rǎnsè ¶하늘이 저녁노을로 붉게 ~ 天空被晚霞染红 **2** 沾染 zhānrǎn; 熏染 xūnrǎn ¶

자본주의 사상에 ~ 沾染资本主义思想

물들-이다 타 **1** 染 rǎn; 渍染 zìrǎn (《'물들다1' 的使动词》) ¶머리를 검게 ~ 把头发染黑 / 저녁노을이 온 마을을 붉게 물들였다 晚霞把整个村子映染得通红 **2** 沾染 zhānrǎn; 把…染成 bǎ…rǎnchéng (《'물들다2' 的使动词》) ¶그들은 공산주의 혁명을 일으켜 나라 전체를 붉게 물들였다 他们掀起共产主义革命, 把整个国家念染成红色

물-때[1] 명 潮涨潮落时 cháozhǎng cháoluòshí ¶~에 맞추어 개펄로 조개잡이를 나가다 算好潮涨潮落时, 去沙滩采贝壳

물-때[2] 명 水垢 shuǐgòu; 水碱 shuǐjiǎn; 水锈 shuǐxiù ¶~가 끼다 积了水垢 / ~를 벗기다 清除水锈

물-떼새 명 『鳥』 鸻 héng

물-똥 명 = 물찌똥

물량(物量) 명 物量 wùliàng; 产品数量 chǎnpǐn shùliàng; 量 liàng ¶~ 공세를 펴다 采取物量攻势 / 수출 ~이 늘었다 出口量增加了

물러-가다 자 **1** 退出 tuìchū ¶방에서 ~ 从房间里退出去 **2** 消退 xiāotuì; 退去 tuìqù; 消失 xiāoshī; 过去 guòqù; 消逝 xiāoshì ¶더위가 이미 물러갔다 暑气已经退去 / 장마가 물러갔다 梅雨期过去了 **3** 退职 tuìzhí; 辞退 cítuì; 撤退 chètuì ¶적군이 ~ 敌军撤退 **4** 退 tuì; 告退 gàotuì ¶저는 이만 물러가겠습니다 我先告退了

물러-나다 자 **1** 让开 ràngkāi; 躲开 duǒkāi; 闪开 shǎnkāi ¶길옆으로 좀 물러나시오 往路边让开一下 **2** 退 tuì; 退下 tuìxia ¶어전에서 ~ 从御前退下 **3** 退职 tuìzhí; 退下 tuìxia; 辞退 cítuì; 引退 yǐntuì ¶사장 자리에서 ~ 辞退总经理职务 **4** 散架 sǎnjià; 松散 sōngsǎn ¶사지의 뼈마디가 물러난 듯한 느낌을 받다 感觉四肢关节好像散了架一样

물러-서다 자 **1** 退 tuì; 后退 hòutuì; 退后 tuìhòu; 躲开 duǒkāi; 让开 ràngkāi; 让 ràng ¶한 발자국만 뒤로 물러서 주십시오 请往后退一步 **2** 辞职 cízhí; 辞退 cítuì; 辞去 cíqù; 引退 yǐntuì; 退职 tuìzhí ¶관직에서 ~ 辞去官职 **3** 退让 tuìràng; 罢休 bàxiū ¶물러서지 않고 끝까지 버티다 坚持到底, 决不罢休

물러-앉다 자 **1** 往后坐 wǎng hòu zuò; 往后挪 wǎng hòu nuó ¶조금 뒤로 ~ 稍往后坐 **2** 辞职 cízhí; 退下 tuìxià; 退职 tuìzhí ¶공직에서 물러앉아 고향에서 조용히 여생을 보냈다 退下公职后回乡安度晚年 **3** 倒塌 dǎotā; 坍塌 tāntā; 沉陷 chénxiàn; 沉降 chénjiàng

물러-지다 자 **1** 熟透 shútòu; 烂熟 lànshú; 变软 biàn ruǎn ¶너무 오래 데쳐서 시금치가 물러졌다 菠菜焯得时间太长, 熟透了 **2** (心情) 软下来 ruǎnxiàlái; 松懈 sōngxiè ¶마음이 물러지면 사고가 나기 쉽다 松懈的话容易出事故

물렁-거리다 자 发软 fāruǎn; 软软 ruǎnruǎn; 软乎乎 ruǎnhūhū = 물렁대다 ¶배가 너무 익어 물렁거린다 梨熟透了, 软乎乎的 **물렁-물렁** 부하형 ¶~한 찰떡 软软的糯米糕

물렁-뼈 명 『生』 = 연골

물렁-살 명 软塌塌的肌肉 ruǎntātāde jīròu

물렁-하다 형 **1** 软 ruǎn; 软软 ruǎnruǎn; 稀软 xīruǎn ¶물렁한 홍시 软软的柿子 **2** 软 ruǎn; 软弱 ruǎnruò; 软骨头 ruǎngǔtou ¶그는 사람이 물렁해서 남에게 싫은 소리를 못한다 他性格软, 不敢对别人说个不字

물레 명 『手工』 纺车 fǎngchē ¶~로 실을 뽑다 用纺车抽线

물레-방아 명 水碓 suǐduì; 水车 shuǐchē = 수차1

물레-질 명하자 纺线 fǎngxiàn

물려-받다 타 继承 jìchéng; 承继 chéngjì; 承袭 chéngxí ¶물려받은 유산 继承的遗产 / 재산을 ~ 继承财产

물려-주다 타 传给 chuángěi; 传授 chuánshòu; 遗留 yíliú ¶자식에게 재산을 ~ 把财产传给子女

물력(物力) 명 物力 wùlì

물론(勿論) 명부 当然 dāngrán; 那还用说 nà hái yòng shuō; 自不必说 zìbùbìshuō; 固然 gùrán; 诚然 chéngrán; 别说 biéshuō ¶~ 가고말고 当然去 / 이 문제는 초등학생은 ~이고 중학생도 모른다 这个问题别说是小学生, 就是中学生也不知道 **—-하다** 타 无论 wúlùn; 不论 bùlùn; 不分 bùfēn ¶남녀노소를 물론하고 만세를 불렀다 不论男女老少, 都齐呼万岁

물리(物理) 명 **1** 物理 wùlǐ **2** 『物』 = 물리학

물리다[1] 자 腻 nì; 厌 yàn; 厌烦 yànfán ¶세 끼 꼬박 국수를 먹어서 이젠 국수에 물렸다 连着吃了三顿面条, 现在吃腻了

물-리다[2] 자타 **1** 被…咬 bèi…yǎo (《'물다1 3' 的被动词》) ¶독사에 ~ 被毒蛇咬 **2** 被…叮 bèi…dīng (《'물다1 4' 的被动词》) ¶어젯밤 모기에게 코를 물렸다 昨晚鼻子被蚊子叮了一下

물리다[3] 타 **1** (把货) 退 tuì; 退还 tuìhuán ¶새로 산 구두가 잘 맞지 않아 도로 물렸다 新买的皮鞋不合脚, 就给

退了 2 退棋 tuìqí; 退 tuì《'무르다²2'的使动词》¶바둑 한 수를 ~ 围棋退了一步 3 推后 tuīhòu; 推迟 tuīchí; 推延 tuīyán ¶약속 날짜를 하루 뒤로 ~ 把约定的日子往后推迟一天 4 撤 chè; 挪开 nuókāi; 搬开 bānkāi ¶그는 식사를 마치자 곧 밥상을 물렸다 他一吃完饭就把饭桌撤了 5 传给 chuángěi; 遗留 yíliú; 让给 rànggěi ¶재산을 자식에게 ~ 把财产传给子女

물-리다4 타 1 让…衔 ràng…xián《'물다¹1'的使动词》¶어머니가 아이에게 젖을 ~ 母亲让孩子衔着奶头 2 让…含 ràng…hán《'물다¹2'的使动词》3 让…咬 ràng…yǎo《'물다¹3'的使动词》

물-리다5 타 1 索要 suǒyào; 罚 fá《'물다²1'的使动词》¶국민에게 세금을 ~ 向国民索要税金 / 벌금을 ~ 罚款 2 索赔 suǒpéi; 使之赔偿 shǐzhī péicháng《'물다²2'的使动词》¶가해자에게 치료비를 ~ 向肇事者索赔医疗费

물리 요법(物理療法)【醫】物理疗法 wùlǐ liáofǎ; 物理治疗 wùlǐ zhìliáo; 理疗 lǐliáo = 물리 치료

물리-적(物理的) 관명 1 物理(的) wùlǐ(de) ¶~ 현상 物理现象 / ~ 변화 物理变化 2 武力(的) wǔlì(de) ¶~인 방법으로 범인의 입을 열다 用武力让罪犯开口

물리-치다 타 1 击退 jītuì; 打退 dǎtuì; 战胜 zhànshèng ¶결승전에서 상대팀을 ~ 在决赛中战胜了对方队 2 克服 kèfú ¶난관을 ~ 克服困难 3 拒绝 jùjué; 回绝 huíjué; 退却 tuìquè ¶뇌물을 ~ 拒绝贿赂 / 유혹을 ~ 拒绝诱惑

물리 치료(物理治療)【醫】= 물리 요법

물리 치료사(物理治療士)【醫】物理治疗师 wùlǐ zhìliáoshī; 理疗师 lǐliáoshī

물리-학(物理學) 명【物】物理学 wùlǐxué = 물리2 · 이학3 ¶~자 物理学家

물-막이 명하자 防洪 fánghóng; 防潮 fángcháo; 防浸 fángjìn ¶~ 공사 防潮堤工程

물-만두(—饅頭) 명 水饺 shuǐjiǎo

물망(物望) 명 物望 wùwàng; 声望 shēngwàng; 名望 míngwàng; 盛名 shèngmíng

물망-초(勿忘草) 명【植】勿忘草 wùwàngcǎo; 勿忘我 wùwàngwǒ

물-먹다 자 1 吸水 xīshuǐ ¶물먹은 토란대가 토실토실하다 吸了水的芋头茎圆实圆实的 2 蘸水 zhànshuǐ; 湿水 shīhuǐ ¶물먹은 솜처럼 몸이 무겁다 身体像湿水的棉花一样沉重无力 3 失败 shībài; 考不上 kǎobushàng; 没考上 méi kǎoshang; 考不中 kǎobuzhòng ¶지금까지 운전면허 시험에서 세 번 물먹었다 到现在驾照考了三次, 都没考上

물물 교환(物物交換)【經】物物交换 wùwù jiāohuàn; 以物易物 yǐwùyìwù; 以物换物 yǐwùhuànwù; 以货易货 yǐhuòyìhuò; 以货换货 yǐhuòhuànhuò; 易货 yìhuò = 바터 ¶~을 하다 进行物物交换

물-밀다 자 1 涨潮 zhǎngcháo 2 潮水般涌来 cháoshuǐ bān yǒnglái ¶물밀듯이 밀려오는 외래 문물 潮水般涌来的外来文化

물-밑 명 1【建】水底 shuǐdǐ 2 秘密 mìmì; 隐秘 yǐnmì ¶~ 작업에 들어가다 进入秘密作业

물-바가지 명 水瓢 shuǐpiáo; 水舀子 shuǐyǎozi ¶~로 물을 뜨다 用水瓢舀水

물-바다 명 (洪水造成的) 一片汪洋 yīpiàn wāngyáng ¶온 마을이 ~가 되었다 整个村子成了一片汪洋

물-받이 명 房檐水槽 fángyán shuǐcáo; 檐沟 yángōu

물-발 명 水势 shuǐshì

물-방개 명【蟲】龙虱 lóngshī; 水龟子 shuǐguīzi

물-방아 명 水碓 shuǐduì

물방앗-간(—間) 명 水碓房 shuǐduìfáng; 水碾房 shuǐniǎnfáng

물-방울 명 水珠 shuǐzhū; 水滴 shuǐdī ¶~이 맺히다 挂着水珠 / ~이 튀다 水珠飞溅

물-배 명 喝水 hēshuǐ《指饮饱水的肚子》¶~를 채우다 喝水填肚子

물-뱀 명【動】水蛇 shuǐshé

물-벼락 명 突然浇水 tūrán jiāoshuǐ; 突然泼水 tūrán pōshuǐ = 물세례1 ¶온몸에 ~을 맞았다 全身突然被浇水了 / ~을 안기다 突然给人泼了水

물-벼룩 명【蟲】水蚤 shuǐzǎo; 鱼虫 yúchóng; 隆线蚤 lóngxiànzǎo

물-병(—瓶) 명 水瓶 shuǐpíng

물병-자리(—瓶—) 명【天】宝瓶座 bǎopíngzuò

물-보라 명 (飞溅的) 浪花 lànghuā; 水花 shuǐhuā ¶~가 일다 溅起浪花 / ~가 치다 浪花飞溅

물-볼기 명【史】水杖刑 shuǐzhàngxíng; 水笞刑 shuǐchīxíng ¶~를 때리다 施水杖刑 / ~를 맞다 受水笞刑

물-불 명 水火 shuǐhuǒ
　물불을 가리지 않다 구 赴汤蹈火

물-비누 명 液体肥皂 yètǐ féizào; 水肥皂 shuǐféizào

물-비린내 명 水腥味儿 shuǐxīngwèir ¶~가 나다 有水腥味儿

물-빨래 명하타 水洗 shuǐxǐ = 물세탁 ¶면바지를 ~하다 棉裤子用水洗

물-뿌리개 명 喷壶 pēnhú; 喷桶 pēntǒng ¶~로 꽃에 물을 주다 用小喷壶给花浇水

물산(物産) 명 物产 wùchǎn ¶~이 풍부하다 物产丰富

물-살 명 水流 shuǐliú; 水势 shuǐshì; 流势 liúshì ¶~을 가르다 拨开水流 / ~이 세다 水势很急 / ~에 휩쓸리다 卷入水流 / ~이 빠르다 水流湍急

물상(物象) 명 1 物态 wùtài 2 物象 wùxiàng 3 物象学 wùxiàngxué

물-새 명 〖鳥〗 1 水鸟 shuǐniǎo; 水禽 shuǐqín 2 = 물총새

물색(物色) 명하타 1 (物品的) 颜色 yánsè ¶~이 좋은 옷감을 고르다 挑选颜色好的衣料 2 物色 wùsè; 寻找 xúnzhǎo ¶마땅한 일자리를 ~하다 寻找合适的工作 3 来由 láiyóu; 缘由 yuányóu; 内情 nèiqíng ¶~도 모르고 좋아하다 没来由地喜欢

물색-없다 형 (讲话、举止) 不讲理 bùjiǎnglǐ; 不得体 bùdétǐ; 欠妥 qiàntuǒ **물색없-이** 부 ¶~ 설치다가 큰코다친다 做事蛮不讲理, 难免遭殃

물샐틈-없다 형 水泄不通 shuǐxièbùtōng; 点水不漏 diǎnshuǐ bùlòu; 滴水不漏 dīshuǐbùlòu; 没有漏洞 méiyǒu lòudòng; 没有空子可钻 méiyǒu kòngzi kězuān ¶물샐틈없는 준비 准备得滴水不漏 / 물샐틈없는 경비망을 치다 布下水泄不通的警戒网 **물샐틈없-이** 부

물-세(—稅) 명 水费 shuǐfèi; 用水费 yòngshuǐfèi ¶~를 내다 交水费

물-세례(—洗禮) 명 1 = 물벼락 2 〖宗〗 水洗礼 shuǐxǐlǐ

물-세탁(—洗濯) 명하타 = 물빨래

물-소 명 〖動〗 水牛 shuǐniú

물-소리 명 水声 shuǐshēng; 流水声 liúshuǐshēng ¶~가 나다 有流水声

물-속 명 水中 shuǐzhōng; 水里 shuǐli; 水下 shuǐxià = 수중(水中)

물-수건(—手巾) 명 1 湿手巾 shīshǒujīn; 湿毛巾 shīmáojīn ¶이마에 ~을 얹다 额头上放湿毛巾 / ~으로 손을 닦다 用湿手巾擦手 2 湿餐巾 shīcānjīn

물수제비-뜨다 자 打水漂儿 dǎ shuǐpiāor ¶강가에서 물수제비뜨며 놀다 在河边打水漂儿玩

물-시계(—時計) 명 漏壶 lòuhú; 水漏 shuǐlòu; 漏刻 lòukè

물심-양면(物心兩面) 명 物质和精神上 wùzhì hé jīngshénshang; 从各方面 cónggèfāngmiàn; 物心两面 wùxīn liǎngmiàn ¶우리를 ~으로 돕다 给予我们物质和精神上的帮助

물씬 부 1 (气味) 浓烈 nóngliè; 浓 nóng; 扑鼻 pūbí ¶술 냄새가 ~ 풍겨오다 酒味儿扑鼻而来 / 젖비린내가 ~ 나다 奶腥味儿很浓 2 (烟、气等) 呼呼地 hūhūde; 蒸腾 zhēngténg ¶연기가 ~ 피어오르다 呼呼地冒烟

물씬-물씬 부 1 (气味) 浓烈 nóngliè; 阵阵扑鼻 zhènzhèn pūbí ¶생선 비린내가 ~ 난다 散发着阵阵扑鼻的鱼腥味儿 2 (烟、气等) 呼呼地 hūhūde; 蒸腾 zhēngténg ¶검은 연기가 ~ 피어오르다 呼呼地冒着黑烟

물아(物我) 명 〖哲〗 物我 wùwǒ ¶~일체 物我一体

물-안개 명 水雾 shuǐwù; 雨雾 yǔwù ¶강 수면에 ~가 피어오르다 江面上升腾起雨雾

물-안경(—眼鏡) 명 泳镜 yǒngjìng; 潜水镜 qiánshuǐjìng = 수경(水鏡) ¶~을 쓰다 戴上潜水镜

물-약(—藥) 명 〖藥〗 水剂 shuǐjì; 药水 yàoshuǐ ¶~을 마시다 喝药水

물어-내다 타 赔 péi; 赔钱 péiqián; 赔偿 péicháng ¶깬 유리창 값을 ~ 赔打碎的窗玻璃钱

물어-뜯다 타 1 啃 kěn; 咬 yǎo; 啄 zhuó; 叮 dīng ¶개가 신발을 ~ 狗啃鞋 2 诽谤 fěibàng; 诋毁 dǐhuǐ

물어-물어 부 到处问 dàochù wèn; 问了又问 wènle yòu wèn; 一路走一路问 yīlù zǒu yīlù wèn ¶우리는 ~ 겨우 그의 집을 찾았다 一路走一路问, 我们才找到了他家

물어-보다 자타 问 wèn; 询问 xúnwèn; 打听 dǎting ¶행인에게 길을 ~ 向过路人问路 / 이름을 ~ 询问名字

물-엿 명 糖稀 tángxī; 饴糖 yítáng

물-오르다 자 1 返青 fǎnqīng; 复苏 fùsū ¶물오른 나뭇가지 返青的树枝 2 成熟 chéngshú; 肥美 féiměi ¶물오른 나이 成熟的年龄 / 물오른 싱싱한 생선이 시장에 나왔다 新鲜肥美的鱼上市了

물-오리 명 〖鳥〗 =청둥오리

물-오징어 명 鲜乌贼鱼 xiānwūzéiyú

물-옥잠(—玉簪) 명 〖植〗 雨久花 yǔjiǔhuā

물-웅덩이 명 水坑 shuǐkēng ¶~에 빠지다 陷进水坑

물음 명 问 wèn; 问题 wèntí; 询问 xúnwèn ¶다음 ~에 답하시오 请回答下一个问题

물음-표(—標) 명 〖語〗 问号 wènhào; 疑问号 yíwènhào = 의문부 · 의문 부호

물의(物議) 명 物议 wùyì; 议论 yìlùn ¶~를 빚다 招惹物议 / ~를 일으키다 引起议论

물-이끼 명 〖植〗 水苔 shuǐtái; 泥炭藓

nítànxiǎn
물자(物資) 명 物资 wùzī ¶~가 풍부하다 物资丰富
물-자동차(—自動車) 명 **1** 洒水车 sǎshuǐchē = 살수차 **2** = 급수차
물-장구 명 (游泳时) 用脚击水 yòng jiǎo jīshuǐ; 用脚打水 yòng jiǎo dǎshuǐ ¶아이들이 물가에서 ~를 치며 논다 孩子们在河里用脚打水玩
물장구-질 명하자 (游泳时) 用脚击水 yòng jiǎo jīshuǐ; 用脚打水 yòng jiǎo dǎshuǐ
물장구-치다 자 (游泳时) 用脚击水 yòng jiǎo jīshuǐ; 用脚打水 yòng jiǎo dǎshuǐ ¶여름만 되면 샛강에서 물장구치며 놀았다 一到夏天, 我就到小河里用脚打水玩儿
물-장난 명하자 玩水 wánshuǐ; 戏水 xìshuǐ ¶아이들이 ~을 하고 있다 孩子们在玩水
물-장사 명하자 **1** 卖水 màishuǐ; 有偿供水 yǒucháng gòngshuǐ **2** 卖酒水 mài jiǔshuǐ ¶~로 돈을 벌다 卖酒水赚钱
물-장수 명 卖水的 màishuǐde
물-적(物的) 관명 〖哲〗物质(的) wùzhì(de) ¶~ 손실이 막심하다 物质损失惨重
물적 증거(物的證據) 〖法〗物证 wùzhèng ¶~를 제시하다 拿出物证
물정(物情) 명 人情世故 rénqíng shìgù; 世事 shìshì; 世情 shìqíng ¶세상 ~에 어둡다 不谙世情 / ~을 모르다 不懂人情世故
물주(物主) 명 **1** 业主 yèzhǔ; 东家 dōngjiā; 投资者 tóuzīzhě **2** (赌博的) 庄家 zhuāngjia
물-줄기 명 **1** 水流 shuǐliú ¶~를 따라 내려가다 顺着水流而下 **2** 水柱 shuǐzhù ¶세찬 ~ 强劲的水柱
물증(物證) 명 〖法〗'물적 증거' 的略词 ¶~을 잡다 获取物证
물-지게 명 水桶背架 shuǐtǒng bèijià; 背水架 bēishuǐjià ¶~를 지다 背着背水架
물질(物質) 명 物质 wùzhì ¶~문명 物质文明 / ~ 만능의 시대 物质至上的时代
물질-적(物質的) 관명 物质(的) wùzhì(de) ¶~ 보상 物质补偿 / ~으로 도움을 주다 给予物质上的帮助
물질-주의(物質主義) 명 〖哲〗**1** 拜物主义 bàiwù zhǔyì **2** = 유물론
물-짐승 명 水中兽类 shuǐzhōng shòulèi; 水栖动物 shuǐqī dòngwù; 水生动物 shuǐshēng dòngwù
물-집 명 水疱 shuǐpào ¶손에 ~이 잡혔다 手上起了水疱 / ~을 터뜨리다 挑水疱
물찌-똥 명 **1** 稀屎 xīshǐ; 水泻 shuǐxiè **2** (溅起的) 水珠 shuǐzhū ‖ = 물똥
물-차(—車) 명 = 급수차
물-청소(—淸掃) 명하자 洒扫 sǎsǎo ¶정원을 ~하다 洒扫庭院
물체(物體) 명 **1** 物体 wùtǐ ¶무거운 ~ 沉重的物体 **2** 形体 xíngtǐ
물-총(—銃) 명 水枪 shuǐqiāng
물총-새(—銃—) 명 〖鳥〗翠鸟 cuìniǎo; 翡翠 fěicuì; 鱼狗 yúgǒu = 물새2
물-침대(—寢臺) 명 水床 shuǐchuáng
물컹-거리다 자 软 ruǎn; 烂 làn; 烂乎乎 lànhūhū; 稀软 xīruǎn; 烂熟 lànshú = 물컹대다 ¶아스팔트가 물컹거릴 정도로 햇빛이 뜨겁다 阳光毒辣, 晒得柏油路快要软了 **물컹-물컹** 부하형 ¶시금치가 너무 삶아져서 ~하다 菠菜煮过了头, 烂熟烂熟的
물컹-하다 형 烂糊 lànhu; 烂乎乎 lànhūhū; 软乎乎 ruǎnhūhū
물-켜다 자 大量喝水 dàliàng hēshuǐ; 暴饮水 bàoyǐnshuǐ; 牛饮水 niúyǐnshuǐ ¶벌컥벌컥 물켜는 소리 咕嘟咕嘟暴饮水的声音
물-탱크(—tank) 명 水箱 shuǐxiāng; 水槽 shuǐcáo ¶~에 물을 가득 채우다 往水箱里灌满水
물-통(—桶) 명 **1** 水桶 shuǐtǒng ¶~에 물을 가득 받아 두다 水桶里装满了水 **2** 提桶 títǒng ¶~으로 물을 긷다 用提桶打水 **3** 水瓶 shuǐpíng; 水壶 shuǐhú ¶~을 메고 소풍을 가다 背着水壶去郊游
물-파스(—←독Pasta) 명 摩擦露 mócālù
물표(物標 · 物票) 명 存放证 cúnfàngzhèng; 存物牌 cúnwùpái = 체크2
물-풀 명 〖植〗= 수초
물품(物品) 명 物品 wùpǐn; 货品 huòpǐn
묽다 형 **1** 稀 xī ¶죽이 ~ 粥很稀 / 팥죽을 묽게 끓이다 红豆粥熬得很稀 **2** 淡 dàn; 稀 xī ¶물감을 묽게 타다 把颜料调稀 **3** 软弱 ruǎnruò; 脆弱 cuìruò ¶사람이 ~ 为人软弱
뭇 관 群 qún; 众 zhòng; 许多 xǔduō; 众多 zhòngduō ¶~ 백성 许多百姓 / ~ 사건 众多事件
뭇:-국 명 萝卜汤 luóbotāng
뭇-매 명 = 몰매
뭇-별 명 繁星 fánxīng; 众星 zhòngxīng
뭇-사람 명 众人 zhòngrén ¶~의 입에 오르내리다 引来众人议论
뭉개다 一타 **1** 压碾 yāniǎn; 压碎 yāsuì; 涂掉 túdiào; 踩碎 cǎisuì ¶담배꽁초를 발로 밟아 ~ 用脚踩碎烟头 / 글자를 ~ 把字涂掉 **2** 挪动 nuódòng ¶

엉덩이를 뭉개면서 옮겨 앉다 屁股往前挪动 ②자 磨蹭 móceng ¶그는 일할 때 조금 뭉개는 편이다 他做事有点儿磨蹭

뭉게-구름 명〖地理〗= 적운

뭉게-뭉게 부 (云、烟) 一团一团地 yītuányītuánde ¶뭉게구름이 ~ 피어오르다 云团一团一团地升腾

뭉그러-뜨리다 타 推倒 tuīdǎo; 弄坍 nòngtān; 弄倒 nòngdǎo = 뭉그러트리다 ¶돌탑을 ~ 把石塔推倒

뭉그러-지다 자 倒塌 dǎotā; 坍塌 tāntā; 倒下来 dǎoxiàlái; 塌下来 tāxiàlái ¶흙담이 ~ 土墙塌了下来

뭉그적-거리다 ①자 磨蹭 móceng; 磨磨蹭蹭 mómocèngcèng; 慢腾腾 mànténgténg; 慢慢腾腾 mànmanténgténg ¶뭉그적거리지 말고 빨리 따라와라 别磨蹭了, 快跟我来吧 ②타 转来转去 zhuǎnláizhuǎnqù; 扭来扭去 niǔláiniǔqù ¶엉덩이를 뭉그적거릴 뿐 일어나려 하지 않다 只是屁股扭来扭去, 不肯站起来 ‖= 뭉그적대다 **뭉그적-뭉그적** 부하자타

뭉근-하다 형 文火 wénhuǒ; 微火 wēihuǒ ¶뭉근한 불로 약을 달이다 用文火熬药 **뭉근-히** 부

뭉떵 부 大块(地) dàkuài(de) ¶천을 ~ 끊다 扯了一大块布

뭉떵-뭉떵 부 大块大块地 dàkuàidàkuàide ¶나무들이 ~ 잘려 나갔다 树木被大块大块地砍了下来

뭉뚝 부하형 钝秃 dùntū; 短粗 duǎncū; 又短又粗 yòu duǎn yòu cū ¶~한 몽둥이 又短又粗的棍子 / 연필 끝이 ~해졌다 笔尖钝秃了

뭉뚝-뭉뚝 부하형 (个个都) 钝秃 dùntū; 短粗 duǎncū; 一段一段 yīduànyīduàn ¶빗자루가 ~해서 바닥이 잘 쓸리지 않는다 扫帚都钝秃了, 扫不了地板了

뭉뚱-그리다 타 **1** (随便) 包起(来) bāoqǐ(lái); 团起(来) tuánqǐ(lái); 卷起(来) juǎnqǐ(lái) ¶짐을 뭉뚱그리고는 서둘러 귀가하다 卷起行李赶紧回家 **2** 总括 zǒngkuò; 包罗 bāoluó; 囊括 nángkuò ¶회의에서 나온 의견을 뭉뚱그려 말하자면 작업 환경을 개선하자는 것이다 把会议中提出来的意见总括成一句就是希望改善工作环境

뭉실-뭉실 부하형 **1** 丰满(地) fēngmǎn(de); 胖乎乎(地) pànghūhū(de); 圆胖(地) yuánpàng(de); 肥嘟嘟(地) féidūdū(de) ¶~ 살진 돼지 肥嘟嘟的猪 **2** 一朵朵 yīduǒduǒ; 一团团 yītuántuán ¶하늘에 솜구름이 ~ 떠다닌다 天空上飘着一朵朵云团

뭉치 명 捆 kǔn; 沓 dá; 团 tuán; 束 shù ¶신문 ~ 一捆报纸 / 지폐 한 ~ 一沓钞票

뭉치다 ①자타 凝结 níngjié; 凝聚 níngjù; 团 tuán; 成团 chéngtuán ¶눈을 뭉쳐 눈사람을 만들다 把雪滚成团堆雪人 ②자 团结 tuánjié ¶온 국민이 한마음으로 ~ 全国人民团结一心 / 뭉치면 살고 흩어지면 죽는다 团结就生存, 分散就死亡

뭉칫-돈 명 **1** 一大笔钱 yīdàbǐ qián **2** = 목돈

뭉크러-뜨리다 타 弄烂 nònglàn; 弄坍 nòngtān; 弄倒 nòngdǎo = 뭉그러트리다

뭉크러-지다 자 烂熟 lànshú; 软塌塌 ruǎntātā; 腐烂变形 fǔlàn biànxíng

뭉클 부하형 **1** 发胀 fāzhàng ¶속이 ~하여 음식을 먹고 싶은 생각이 없다 肚子发胀, 不想吃东西 **2** (心头) 一热 yīrè; 激动 jīdòng; 热乎乎 rèhūhū ¶가슴이 ~하다 心里热乎乎的

뭉텅 부 大块(地) dàkuài(de)

뭉텅-뭉텅 부 大块大块(地) dàkuàidàkuài(de)

뭉툭 부하형 秃 tū; 钝秃 dùntū; 短粗 duǎncū ¶끝이 ~한 연필 笔头秃秃的铅笔

뭉툭-뭉툭 부하형 (个个都) 钝秃 dùntū; 短粗 duǎncū; 一段一段 yīduànyīduàn ¶떡을 ~ 썰다 把米糕切成一段一段的

뭍 명 陆 lù; 陆地 lùdì; 大陆 dàlù ¶~에 오르다 登陆 / ~으로 시집가다 嫁到陆地去

뭍-짐승 명 陆地禽兽 lùdì qínshòu

뭐: ①대 什么 shénme ¶그게 ~냐? 那是什么? ②감 **1** 什么 shénme ¶~, 서울에 간다고? 什么, 去首尔? **2** 呗 bei ¶이러면 됐지, ~ 这就行了呗 **뭐니 뭐니 해도** 구 说一千道一万

뭐:-하다 형 '무엇하다' 的略词 ¶빈손으로 가기가 좀 ~ 空手去总有点儿不好意思

뭘 ①감 哪里 nǎli ¶"이렇게 와 주어서 고마워." "~, 당연히 와야지." "真谢谢你来了" "哪里呀, 当然要来啦" ② '무엇을' 的略形 ¶너 지금 ~ 먹느냐? 你在吃什么呢? / 그는 ~ 하는 사람이냐? 他是干什么的?

뭣: 대 '무엇' 的略词 ¶그것은 대체 ~에 쓰는 물건이냐? 那个东西到底作什么用的?

뭣:-하다 형 '무엇하다' 的略词 ¶모르는 사람만 있는 곳에서 기다리기 뭣해서 밖에 있었다 等在全是陌生人的地方有点儿不好意思, 所以呆在外面了

뮤지컬(musical) 명〖音〗歌舞剧 gēwǔjù; 音乐剧 yīnyuèjù; 音乐片 yīnyuèpiàn

뮤직 드라마(music drama) 〖演〗= 악극2

뮤직-비디오(music video) 명 〖演〗 音乐录影 yīnyuè lùyǐng

-므로 어미 表示原因、根据的连接词尾 ¶그는 부지런하~ 성공할 것이다 他很勤勉, 会成功的 / 나는 비가 오~ 외출하지 않았다 下雨了, 所以我没出去

미:(美) 명 **1** 美 měi; 美丽 měilì ¶자연의 ~를 추구하다 追求自然美 **2** 〖教〗 美 měi 《评分之一》 ¶미술에서 ~를 받았다 美术得了美

미(이mi) 명 〖音〗 咪 mī

미:-(未) 접두 未 wèi; 没有 méiyǒu ¶~성년 未成年 / ~개척 未开垦 / ~해결 未解决

미각(味覺) 명 〖生〗 味觉 wèijué ¶~신경 味觉神经 / ~이 발달한 사람 味觉灵敏的人 / ~을 자극하다 刺激味觉

미간(眉間) 명 = 양미간 ¶~을 찌푸리다 皱着眉头

미:개(未開) 명하형 **1** 野蛮 yěmán; 未开化 wèikāihuà ¶~ 민족 未开化的民族 **2** (花等) 未开 wèikāi

미:-개발(未開發) 명하타 未开发 wèikāifā ¶~ 지역 未开发地区

미:개-인(未開人) 명 野蛮人 yěmánrén; 野人 yěrén; 原始人 yuánshǐrén

미:-개척(未開拓) 명 未开垦 wèikāikěn; 未开拓 wèikāituò ¶생물학의 ~ 분야 生物学未开拓的领域

미:개척-지(未開拓地) 명 **1** 未开垦地 wèikāikěndì; 未开拓地 wèikāituòdì; 处女地 chǔnǚdì **2** 空白点 kòngbáidiǎn ¶의술 분야의 ~ 医术领域的空白点

미:결(未決) 명하타 **1** 未决 wèijué; 未决定 wèijuédìng; 未解决 wèijiějué; 有待解决 yǒudài jiějué ¶~로 남은 문제 有待解决的问题 / 그 안건은 아직 ~된 상태이다 那件议案尚处于未决状态 **2** 〖法〗 = 미결수 **3** 〖法〗 未决犯牢房 wèijuéfàn láofang

미:결-수(未決囚) 명 〖法〗 未决犯 wèijuéfàn = 미결2

미곡(米穀) 명 **1** 米谷 mǐgǔ; 谷物 gǔwù ¶~상 米谷商 **2** 大米 dàmǐ

미골(尾骨) 명 〖生〗 = 꼬리뼈

미:관(美觀) 명 美观 měiguān; 美景 měijǐng ¶도시의 ~을 해치다 破坏城市的美观

미관(微官) 명대 微官 wēiguān; 小官 xiǎoguān ¶~말직 微官末职 =[芝麻官]

미:관-상(美觀上) 명 美观上 měiguānshang ¶가로수는 여름에 그늘을 줄 뿐 아니라 ~으로도 좋다 街道树不仅仅在夏天带来绿荫, 而且给人予美观上的享受

미국(美國) 명 〖地〗 美国 Měiguó ¶~인 美国人

미군(美軍) 명 美军 měijūn ¶~ 기지 美军基地

미:궁(迷宮) 명 迷宫 mígōng ¶살인 사건 수사가 ~에 빠졌다 杀人案件的搜查陷入了迷宫

미그 전:투기(MIG戰鬪機) 〖軍〗 米格战斗机 Mǐgé zhàndòujī

미꾸라지 명 **1** 〖魚〗 泥鳅 níqiu; 鳅鱼 qiūyú = 추어 **2** 油头滑脑 yóutóu huánǎo; 滑头 huátóu ¶저 ~ 같은 놈 때문에 괜히 헛고생했다 因为那个油头滑脑的家伙, 白辛苦了一趟

미꾸라지 용 됐다 속담 鱼变成龙, 一步登天

미꾸라지 한 마리가 온 웅덩이를 흐려 놓는다 속담 一条鱼弄得满锅腥; 一条臭鱼腥了一锅汤; 一泡鸡屎坏一缸酱; 一块臭肉, 弄坏一锅汤; 一颗耗子屎, 带坏一锅饭

미끄러-뜨리다 타 (使人) 滑倒 huádǎo = 미끄러트리다

미끄러-지다 자 **1** 滑倒 huádǎo; 打滑 dǎhuá; 溜 liū; 滑 huá ¶빙판에서 ~ 在冰上滑倒 **2** 滑出 huáchū; 滑动 huádòng ¶차는 천천히 터미널을 미끄러져 나갔다 车缓缓地滑出车站 **3** 落榜 luòbǎng; 落选 luòxuǎn; 没考上 méi kǎoshang ¶대학 입시에서 미끄러졌다 没考上大学

미끄럼 명 滑 huá; 溜 liū ¶미끄럼틀에서 ~을 타다 滑滑梯

미끄럼-틀 명 滑梯 huátī; 滑板 huábǎn

미끄럽다 형 滑 huá; 溜 liū ¶바닥이 ~ 地面很滑 / 이끼 때문에 바위가 ~ 石头上长着青苔, 很滑

미끈-거리다 자 溜滑 liūhuá; 滑腻 huánì; 滑不溜手 huábuliūshǒu; 滑不唧溜 huábujīliū = 미끈대다 ¶손에 기름이 묻어서 미끈거린다 手上沾了油, 滑不唧溜的 **미끈-미끈** 부하형

미끈-하다 형 **1** 光滑 guānghuá; 滑溜 huáliū ¶겉이 미끈한 감자알 外皮光滑的土豆 **2** 修长 xiūcháng; 流畅 liúchàng; 清秀 qīngxiù; 漂亮 piàoliang ¶미끈하게 생긴 청년 长相清秀的青年 / 몸매가 ~ 身材修长 **3** 利落 lìluo; 整齐 zhěngqí; 有条理 yǒu tiáolǐ ¶미끈하게 꾸며 놓은 찻집 装饰得整洁利落的茶屋 **미끈-히** 부

미끌-미끌 부하형 滑不唧溜 huábujīliū; 滑溜溜 huáliūliū ¶비 온 뒤라 길이 ~하여 걷기가 어렵다 刚下过雨, 地

上滑不唧溜的不好走

미끼 명 1 鱼饵 yú'ěr; 食饵 shí'ěr; 钓饵 diào'ěr; 鱼食 yúshí = 낚싯밥 2 诱饵 yòu'ěr ¶돈을 ~로 사람을 유혹하다 以金钱为诱饵诱惑人

미나리 명 〖植〗 水芹 shuǐqín; 芹菜 qíncài ¶~꽝 水芹田

미:남(美男) 명 美男子 měinánzǐ; 美男 měinán

미:납(未納) 명하타 未纳 wèinà; 未交 wèijiāo; 没交 méi jiāo ¶~금 没交的钱 =[未交的钱款] / ~자 未交钱者 / 등록금을 ~하다 未交学费 / 전기 요금이 ~되어 전기 공급이 끊겼다 没交电费, 所以被断电了

미네랄(mineral) 명 〖生〗 矿物营养素 kuàngwù yíngyǎngsù; 矿物质 kuàngwùzhì = 광물질2

미네랄-워터(mineral water) 명 矿泉水 kuàngquánshuǐ

미:녀(美女) 명 美女 měinǚ; 美人 měirén

미뉴에트(minuet) 명 〖音〗 米奴哀舞曲 mǐnú'āi wǔqǔ; 小步舞曲 xiǎobù wǔqǔ

미늘 명 1 (鱼钩) 倒刺 dàocì; 倒钩 dàogōu 2 铠甲叶片 kǎijiǎ yèpiàn

미니(mini) 명 迷你 mínǐ; 小型 xiǎoxíng; 微型 wēixíng

미니멈(minimum) 명 最小量 zuìxiǎoliàng; 最低限度 zuìdī xiàndù; 极小值 jíxiǎozhí

미니버스(minibus) 명 小公共汽车 xiǎogōnggòngqìchē; 小公车 xiǎogōngchē; 迷你巴士 mínǐbāshì; 迷你巴 mínǐbā

미니스커트(miniskirt) 명 迷你裙 mínǐqún; 超短裙 chāoduǎnqún

미니어처(miniature) 명 缩小模型 suōxiǎo móxíng = 소품3

미니카(minicar) 명 微型车 wēixíngchē

미:-닫이 명 推拉门 tuīlāmén; 横推门 héngtuīmén ¶~문 推拉门

미:달(未達) 명하자 未达到 wèidádào; 不够 bùgòu; 未满 wèimǎn ¶함량 ~ 含量不够 / 신입생 모집 정원 ~ 招生名额未满

미:담(美談) 명 美谈 měitán; 佳话 jiāhuà

미:대(美大) 명 〖教〗 美院 měiyuàn ¶~생 美院生

미더덕 명 〖動〗 柄海鞘 bǐnghǎiqiào

미:덕(美德) 명 美德 měidé ¶겸손의 ~ 谦虚的美德

미덥다 형 可信 kěxìn; 可靠 kěkào; 靠得住 kàodezhù ¶미더운 사람 可靠的人 / 저 사람은 미덥지 못하다 那个人不可靠

미동(微動) 명하자 微动 wēidòng; 稍动 shāo dòng; 一动 yīdòng ¶~도 하지 않고 그림처럼 앉아 있다 一动也不动地坐着, 像一幅画似的

미드필더(midfielder) 명 〖體〗 中场队员 zhōngchǎng duìyuán; 中场 zhōngchǎng

미드필드(midfield) 명 〖體〗 中场 zhōngchǎng ¶~를 장악하다 控制中场

미들-급(middle級) 명 〖體〗 中量级 zhōngliàngjí

미등(尾燈) 명 尾灯 wěidēng; 后灯 hòudēng

미:-등기(未登記) 명하타 未登记 wèidēngjì; 未注册 wèizhùcè ¶~ 건물 未注册的楼房

미디어(media) 명 媒体 méitǐ

미라(포mirra) 명 木乃伊 mùnǎiyī; 干尸 gānshī

미란다 원칙(Miranda原则) 〖法〗 米兰达规则 Mǐlándá guīzé; 米兰达警告 Mǐlándá jǐnggào

미:래(未來) 명 未来 wèilái; 将来 jiānglái ¶~ 완료 未来完成时态 / ~ 지향성 未来指向性 / ~ 진행 未来进行时态 / ~의 세계 未来的世界 / ~에 대한 희망 对未来的希望 / ~를 설계하다 设计将来

미:래-상(未來像) 명 蓝图 lántú; 展望 zhǎnwàng ¶통일 한국의 ~을 그리다 描绘统一韩国的蓝图

미량(微量) 명 微量 wēiliàng ¶사체의 위에서 ~의 독극물이 검출되었다 尸体的胃里检出了微量的剧毒物品

미:려-하다(美麗—) 형 美丽 měilì; 秀丽 xiùlì; 秀美 xiùměi ¶미려한 용모 秀丽容貌 / 경관이 ~ 风景美丽 **미:려-히** 부

미력(微力) 명하형 微薄之力 wēibózhīlì; 绵薄之力 miánbózhīlì ¶~하나마 노력해 보겠습니다 虽力量微薄, 但一定会尽力的

미련 명하형 愚笨 yúbèn; 愚蠢 yúchǔn; 笨 bèn; 蠢 chǔn; 傻 shǎ ¶~한 생각 愚蠢的想法 / ~을 떨다 干蠢事 / 그런 말을 하다니 너도 참 ~하다 竟然说那种话, 你也太愚蠢了

미:련(未練) 명 留恋 liúliàn; 迷恋 míliàn; 眷恋 juànliàn; 舍不得 shěbude; 恋恋不舍 liànliànbùshě ¶아무런 ~ 없이 사직서를 던지고 회사를 떠나다 毫不留恋地扔下辞职书, 离开公司 / 나는 그에게 아직도 ~이 있다 我对他还心存迷恋

미련-스럽다 형 愚笨 yúbèn; 愚蠢 yúchǔn; 笨 bèn; 傻 shǎ; 糊涂 hútu **미련스레** 부

미련-통이 명 蠢家伙 chǔnjiāhuo
미:로(迷路) 명 迷宫 mígōng ¶~와 같은 골목길 像迷宫一样的小巷
미루-나무 명 〖植〗 美州黑杨 Měizhōu hēiyáng = 포플러
미루다 타 **1** 推迟 tuīchí; 推延 tuīyán; 推 tuī ¶오늘 일을 내일로 미루지 마라 今天的事不要推到明天 **2** 推委 tuīwěi; 推卸 tuīxiè; 推 tuī ¶자기 할 일을 남에게 ~ 把自己份内的事推给别人做 **3** 类推 lèituī; 推知 tuīzhī; 推导 tuīdǎo; 推测 tuīcè ¶여러 정황으로 미루어 무슨 일이 벌어지고 있는 게 분명하다 从各种情况可以推测到某件事准在发生
미륵(彌勒) 명 〖佛〗 = 미륵보살
미륵-보살(彌勒菩薩) 명 〖佛〗 弥勒佛 mílèfó; 弥勒菩萨 mílè púsa = 미륵·미륵불
미륵-불(彌勒佛) 명 〖佛〗 = 미륵보살
미리 부 预先 yùxiān; 事前 shìqián; 事先 shìxiān; 在先 zàixiān ¶~ 준비하다 预先准备 / ~ 연락하다 事先联系 / 비행기표를 ~ 예약하다 预先订购机票
미리-미리 부 预先 yùxiān; 事先 shìxiān; 在先 zàixiān ¶~ 준비를 갖추다 事先做好准备
미립(微粒) 명 微粒 wēilì ¶~자 微粒子
미:만(未滿) 명하형 未满 wèimǎn; 不满 bùmǎn ¶오 세 ~ 어린이는 무료입장이다 未满五岁的小孩子免费入场
미:망-인(未亡人) 명 未亡人 wèiwángrén; 寡妇 guǎfu; 遗孀 yíshuāng
미:명(未明) 명하형 黎明 límíng; 拂晓 fúxiǎo ¶내일 새벽 ~에 출발한다 明天拂晓出发
미:명(美名) 명 美名 měimíng; 名目 míngmù ¶개발이라는 ~ 아래 독재 정치를 펴다 开发的名目下实行独裁政治
미:모(美貌) 명 美貌 měimào ¶~의 젊은 여인 美貌的年轻女人 / 그녀는 ~가 빼어나다 她长得十分美貌
미목(眉目) 명 眉目 méimù ¶~이 수려하다 眉目清秀
미:몽(迷夢) 명 迷梦 mímèng; 梦幻 mènghuàn ¶~에서 깨어나다 从迷梦之中清醒过来
미묘-하다(微妙—) 형 微妙 wēimiào ¶미묘한 변화 微妙的变化 / 미묘한 의견 차이 微妙的意见差异 **미묘-히** 부
미물(微物) 명 **1** 微物 wēiwù **2** 动物 dòngwù; 畜生 chùsheng ¶개는 말 못하는 ~이지만 주인에게 충직하다 狗虽是不能说话的动物, 但对主人忠心耿耿
미미-하다(微微—) 형 微小 wēixiǎo; 微不足道 wēibùzúdào; 微乎其微 wēihūqíwēi ¶미미한 존재 微不足道的存在 **미미-히** 부
미:-발표(未發表) 명하타 未发表 wèifābiǎo ¶~의 논문 未发表的论文
미:백(美白) 명하타 美白 měibái ¶~ 화장품 美白化妆品 / ~ 효과가 뛰어나다 美白效果非常显著
미봉(彌縫) 명하타 弥缝 míféng; 补救 bǔjiù ¶과실을 ~하다 弥缝过失
미봉-책(彌縫策) 명 权宜之策 quányízhīcè; 权宜之计 quányízhījì
미분(微分) 명하타 〖數〗 微分 wēifēn
미:-분양(未分讓) 명 未售出 wèishòuchū ¶~ 아파트 未售出公寓
미:불(未拂) 명하타 未支付 wèizhīfù ¶~ 임금 未支付的工资
미:비(未備) 명하형 未具备 wèijùbèi; 不完备 bùwánbèi; 不齐全 bùqíquán ¶안전시설의 ~로 대형 사고가 발생하였다 因为安全设施不完备, 发生了大事故
미사(라Missa) 명 **1** 〖宗〗 弥撒 mísa ¶~를 드리다 做弥撒 **2** 〖音〗 = 미사곡
미사-곡(라Missa曲) 명 〖音〗 弥撒曲 mísaqǔ = 미사2
미:사-여구(美辭麗句) 명 美辞丽句 měicílìjù; 美丽词藻 měilìcízǎo
미사일(missile) 명 〖軍〗 = 유도탄 ¶적기를 향해 ~을 쏘다 向敌机发射飞弹
미:상(未詳) 명하형 未详 wèixiáng; 不详 bùxiáng ¶작자 ~의 작품 作者未详的作品
미색(米色) 명 米色 mǐsè; 米黄色 mǐhuángsè
미:색(美色) 명 美色 měisè; 美女 měinǚ; 美貌 měimào ¶~이 출중하다 美貌出众 / ~에 빠지다 迷恋美色
미-생물(微生物) 명 〖生〗 微生物 wēishēngwù
미:성(美聲) 명 美声 měishēng ¶~의 가수 美声歌手
미:-성년(未成年) 명 〖法〗 未成年 wèichéngnián
미:성년-자(未成年者) 명 〖法〗 未成年者 wèichéngniánzhě ¶~ 관람 불가 未成年者不可观赏
미:-성숙(未成熟) 명하형 未成熟 wèichéngshú; 不成熟 bùchéngshú
미세(微細) 명하형 微细 wēixì; 细微 xìwēi; 微弱 wēiruò ¶~한 입자 微细粒子 / ~한 차이 细微的差别
미션 스쿨(mission school) 〖教〗 **1** 教会学校 jiàohuì xuéxiào **2** 神学院 shénxuéyuàn
미소(微笑) 명하자 微笑 wēixiào ¶회심

의 ~ 会心的微笑 / 얼굴에 ~를 띠다 面带微笑

미소(微小) 명하형 微小 wēixiǎo; 细小 xìxiǎo ¶~한 차이 微小的差异

미소(微少) 명하형 微少 wēishǎo; 细微 xìwēi ¶~ 분량 微少分量

미:-소녀(美少女) 명 美少女 měishàonǚ

미:-소년(美少年) 명 美少年 měishàonián

미:수(未收) 명하타 **1** 未收取 wèishōuqǔ; 没收回 méi shōuhuí ¶아직 대금을 ~하여서 자금이 부족하다 钱款还没收回, 所以资金不足 **2** 『經』 = 미수금

미:수(未遂) 명하타 『法』 未遂 wèisuì ¶~범 未遂犯 / ~죄 未遂罪 / 살인 ~ 杀人未遂

미:수-금(未收金) 명 未收的钱 wèishōude qián; 待收的款 dàishōude kuǎn = 미수(未收)2

미:숙-아(未熟兒) 명 『醫』 未成熟儿 wèichéngshú'ér; 未熟儿 wèishú'ér; 早产儿 zǎochǎn'ér ¶~를 낳다 生了早产儿

미:숙-하다(未熟—) 형 **1** 未熟 wèishú; 不成熟 bùchéngshú ¶미숙한 열매 未熟的果实 **2** 不熟练 bùshúliàn; 不老练 bùlǎoliàn ¶미숙한 솜씨 不熟练的手艺 / 일 처리가 ~ 办事不老练

미:술(美術) 명 美术 měishù ¶~가 美术家 / ~계 美术界 =[美术坛] / ~관 美术馆 / ~ 대학 美术学院 / ~품 美术品 / ~ 전람회 美术展览会 / ~ 교육 美术教育

미숫-가루 명 炒米粉 chǎomǐfěn

미스(miss) 명 错误 cuòwù; 失误 shīwù; 失策 shīcè ¶서브 ~ 发球失误 / 패스 ~ 传球失误 / ~를 범하다 犯错误

미스(Miss) 명 **1** 密斯 mìsī; 小姐 xiǎojiě ¶~ 리, 나 점심 먹고 올게 李小姐, 我去吃中饭 **2** 姑娘 gūniang ¶"결혼하셨습니까?" "아니오, 아직 ~예요." "结婚了吗?" "没有, 还是个姑娘" **3** 小姐 xiǎojiě; 皇后 huánghòu ¶~ 코리아 韩国小姐

미스터(Mister, Mr.) 명 先生 xiānsheng; 君 jūn; 氏 shì ¶~ 김 金先生

미스터리(mystery) 명 神秘 shénmì; 不可思议 bùkěsīyì; 不解之迷 bùjiězhīmí ¶~로 남다 成为不解之迷 / ~가 풀렸다 神秘被揭开了

미시(微視) 명 微观 wēiguān ¶~ 경제학 微观经济学 / ~ 경제 정책 微观经济政策

미시-적(微視的) 관명 微观(的) wēiguān(de) ¶~ 세계 微观世界 / ~인 관점에서 인간의 이성을 분석하다 微观的角度

미시-족(missy族) 명 新潮时尚女士 xīncháo shíshàng nǚshì; 少妇族 shàofùzú

미시즈(Mrs.) 명 夫人 fūrén; 女士 nǚshì

미:식(美食) 명하자 美食 měishí; 美餐 měicān; 美味佳肴 měiwèi jiāyáo

미:식-가(美食家) 명 美食家 měishíjiā

미식-축구(美式蹴球) 명 『體』 美式足球 měishì zúqiú

미:신(迷信) 명하타 迷信 míxìn ¶~을 타파하다 破除迷信

미:심-스럽다(未審—) 형 不放心 bùfàngxīn; 怀疑 huáiyí; 不清楚 bùqīngchu ¶미심스러우면 직접 확인해 보세요 不放心的话究自己查吧

미:심-쩍다(未審—) 형 疑惑 yíhuò; 不放心 bùfàngxīn; 怀疑 huáiyí; 可疑 kěyí ¶그의 행동에는 미심쩍은 데가 있다 他的行动有可疑之处 **미:심쩍-이** 부

미싱(일mishin) 명 = 재봉틀

미아(迷兒) 명 迷路儿童 mílù értóng; 迷童 mítóng; 走失的儿童 zǒushīde értóng ¶~ 보호소 迷路儿童保护所

미안(未安) 명하형히부 对不起 duìbuqǐ; 抱歉 bàoqiàn; 不好意思 bùhǎoyìsi; 过意不去 guòyìbùqù ¶나는 아내에게 무척 ~하다 我很对不起妻子 / 오랫동안 기다리게 해서 ~합니다 很抱歉让你久等了

미안-스럽다(未安—) 형 对不起 duìbuqǐ; 抱歉 bàoqiàn; 不好意思 bùhǎoyìsi; 过意不去 guòyìbùqù ¶거짓말을 한 것이 아내에게 좀 ~ 说了谎话, 对妻子有点过意不去

미약-하다(微弱—) 형 微弱 wēiruò; 微小 wēixiǎo; 薄弱 bóruò ¶미약한 호흡 소리 微弱的气息声 / 세력이 ~ 势力微弱

미어-지다 자 **1** 挤破 jǐpò; 撕裂 sīliè ¶어깻죽지의 살이 미어져서 피가 흘러나왔다 肩膀上的肉撕裂了, 血流了出来 **2** 挤满 jǐmǎn; 挤破 jǐpò; 涨破 zhàngpò; 塞满 sāimǎn ¶영화관이 관객으로 미어졌다 电影院里挤满了观众 / 자루가 미어지도록 쌀을 넣었다 袋子里塞满了米 **3** 心痛 xīntòng; 心酸 xīnsuān; 心痛欲裂 xīntòngyùliè; 心碎 xīnsuì ¶가슴이 미어지는 듯한 슬픔을 느꼈다 悲痛得心都碎了

미어-터지다 자 挤满 jǐmǎn; 挤破 jǐpò ¶해마다 여름철이면 피서지는 사람들로 미어터진다 每年夏季避暑地挤满了人

미역[1] 명 (在海、河、湖里) 洗澡 xǐzǎo; 游泳 yóuyǒng ¶강에서 ~을 감다

洗河水澡

미역[2] 명 〖植〗 裙带菜 qúndàicài

미역-국 명 裙带菜汤 qúndàicàitāng

미역국(을) 먹다 구 **1** 不及格; 落榜 **2** 被拒绝; 被退回

미:연(未然) 명 预先 yùxiān; 事先 shìxiān; 未然 wèirán ¶재해를 ~에 방지하다 事先防备灾害

미열(微熱) 명 微热 wēirè; 低烧 dīshāo ¶~이 있다 发低烧

미온(微溫) 명하형 微温 wēiwēn; 略温 lüè wēn ¶~수 微温的水

미온-적(微溫的) 관명 消极(的) xiāojí(de); 不冷不热 bùlěngbùrè ¶~인 태도 消极的态度 / 반응이 ~이다 反应不冷不热

미:완(未完) 명하타 = 미완성 ¶~의 원고 未完成的稿子

미:-완성(未完成) 명하타 未完 wèiwán; 未完成 wèiwánchéng; 未竟 wèijìng = 미완 ¶~의 작품 未完的作品 / ~ 교향곡 未完成交响曲

미:용(美容) 명하타 美容 měiróng ¶햇볕에 장시간 노출되는 것은 ~에 해롭다 长时间在阳光下暴晒对美容不利

미:용-사(美容師) 명 美容师 měiróngshī

미:용-술(美容術) 명 美容术 měiróngshù; 美容技术 měiróng jìshù ¶~이 뛰어나다 美容术高超 / ~을 배우다 学习美容技术

미:용-실(美容室) 명 美容室 měiróngshì; 美容院 měiróngyuàn; 美发店 měifàdiàn; 美发厅 měifàtīng = 미장원

미:용 체조(美容體操) 〖體〗 健美操 jiànměicāo

미운-털 명 令人生厌的 lìngrén shēngyànde ¶그는 선배에게 ~이 박혔다 他在学长的眼里成了一个令人生厌的

미움 명 憎恶 zēngwù; 嫌恶 xiánwù; 厌恶 yànwù; 讨厌 tǎoyàn; 厌 yàn; 嫌 xián ¶~을 받다 讨人厌 =[讨人嫌] / ~이 커지다 愈加憎恶 / ~받을 짓을 하다 做了令人厌恶的事

미워-하다 타 憎恨 zēnghèn; 厌恶 yànwù; 讨厌 tǎoyàn; 憎恶 zēngwù; 恨 hèn ¶원수를 ~ 憎恨仇人 / 죄를 ~ 憎恨罪恶 / 사람들은 모두 그를 미워한다 人们都厌恶他

미음(米飮) 명 米汤 mǐtāng; 稀粥 xīzhōu ¶~을 끓이다 熬米汤

미이라 명 '미라' 的错误

미:인(美人) 명 美人 měirén; 美女 měinǚ = 가인1 ¶~계 美人计 / ~ 대회 选美女比赛 =[选美大会] / 절세의 ~ 绝世美人

미:인-박명(美人薄命) 명 佳人薄命 jiārén bómìng; 美人薄命 měirén bómìng; 红颜薄命 hóngyánbómìng

미장 명하타 抹墙 mǒqiáng; 泥水活儿 níshuǐhuór

미:장-원(美粧院) 명 = 미용실

미장-이 명 泥瓦匠 níwǎjiàng; 泥水匠 níshuǐjiàng

미:-적(美的) 관명 美 měi; 美的 měide; 审美 shěnměi ¶~ 기준 审美标准 / ~ 감각이 뛰어나다 对美的感觉很灵敏

미적-거리다 타 **1** 一点一点推 yīdiǎnyīdiǎn tuī; 一点一点挪动 yīdiǎnyīdiǎn nuódòng ¶아이가 끙끙대며 커다란 가방을 미적거리고 있다 孩子吭哧吭哧地把大包一点一点挪动着 **2** 拖拉 tuōlā ¶일을 미적거리다 보니 어느새 마감일이 다가왔다 干活儿拖拖拉拉的, 不知不觉就到截止日期了 **3** 踌躇 chóuchú; 犹豫 yóuyù ¶미적거리며 눈치만 살피다 犹犹豫豫的, 只看脸色 ‖ = 미적대다 **미적-미적** 부하타

미-적분(微積分) 명 〖數〗 微积分 wēijīfēn

미적지근-하다 형 **1** 略温 lüè wēn; 不冷不热 bùlěngbùrè; 温吞 wēntun; 温吞吞 wēntūntūn; 温乎乎 wēnhūhū ¶물이 ~ 水温吞吞的 **2** 不疼不痒 bùténgbùyǎng; 不冷不热 bùlěngbùrè; 消极 xiāojí; 暧昧 àimèi; 模棱两可 móléngliǎngkě ¶반응이 ~ 反应不冷不热 **미적지근-히** 부

미:정(未定) 명하타 未定 wèidìng; 待定 dàidìng ¶행선지는 아직 ~이다 目的地还未定

미:제(未濟) 명 未了 wèiliǎo; 未完 wèiwán ¶~ 사건 未了案件

미제(美製) 명 美产 Měichǎn; 美制 Měizhì; 美国产 Měiguóchǎn; 美国制造 Měiguó zhìzào ¶~ 자동차 美国产的汽车

미주(美洲) 명 美洲 Měizhōu

미주알-고주알 부 刨根(儿)问底(儿) páogēn(r)wèndǐ(r); 追根究底 zhuīgēnjiūdǐ ¶~ 캐묻지 마라 别刨根问底了

미즈(Ms.) 명 女士 nǚshì

미:-증유(未曾有) 명하형 未曾有 wèicéngyǒu; 空前 kōngqián; 前所未有 qiánsuǒwèiyǒu ¶~의 사건 前所未有的事件

미:지(未知) 명하타 未知 wèizhī ¶~의 세계 未知的世界

미지근-하다 형 **1** 略温 lüè wēn; 不冷不热 bùlěngbùrè; 温吞 wēntun; 温吞吞 wēntūntūn; 温乎乎 wēnhūhū ¶국이 식어 ~ 汤凉了, 温吞吞的 **2** 不疼不痒 bùténgbùyǎng; 不冷不热 bùlěngbùrè; 消极 xiāojí; 暧昧 àimèi; 模棱两可 móléngliǎngkě ¶그렇게 미지근하게 굴지

말고 분명히 대답을 해라 不要模棱两可的, 回答清楚些 **미지근-히** 부

미:-지급(未支給) 명하타 未支给 wèizhījǐ; 未支付 wèizhīfù ¶~ 임금 未支给的工资

미:지-수(未知數) 명 未知数 wèizhīshù ¶성공 여부는 아직 ~다 成功与否还是未知数

미:진-하다(未盡—) 형 未尽 wèijìn; 未完 wèiwán; 不足 bùzú; 不充分 bùchōngfèn ¶미진한 부분은 추후에 보완한다 不足的部分事后补全

미처 부 未及 wèijí; 还没 hái méi; 没来得及 méi láidejí; 来不及 láibují ¶나는 바빠서 ~ 그 일을 끝내지 못했다 我忙得没来得及做完那项工作 / 그는 ~ 피하지 못하고 차에 치였다 他来不及躲开, 被车撞上了

미천-하다(微賤—) 형 卑贱 bēijiàn; 微贱 wēijiàn; 低贱 dījiàn ¶미천한 가문 低贱的家门 / 출신이 ~ 出身微贱

미:-취학(未就學) 명하자 未就学 wèijiùxué; 未上学 wèishàngxué ¶~ 아동 未就学儿童

미치광-이 명 疯子 fēngzi; 疯人 fēngrén; 狂人 kuángrén ¶전쟁 ~ 战争狂人

미치다[1] 자 **1** 疯 fēng; 发疯 fāfēng; 疯狂 fēngkuáng; 发狂 fākuáng ¶심리적 충격으로 ~ 因心里受到打击而发疯了 **2** 迷 mí; 入迷 rùmí; 着迷 zháomí; 迷住 mízhù; 着魔 zháomó ¶축구에 ~ 被足球迷住 / 도박에 ~ 着魔于赌博 **3** 要命 yàomìng; 死了 sǐle; 疯了 fēngle ¶그땐 정말 화가 나서 미칠 지경이었다 那时候我简直要气疯了 / 나는 그녀가 미치도록 보고 싶다 我想她想疯了 **4** 发神经 fā shénjīng; 神经病 shénjīngbìng; 疯 fēng ¶그런 일을 하다니 너 미쳤니? 你竟然做出那种事, 你疯了吗?

미쳐 날뛰다 구 疯狂; 猖狂; 疯狂肆虐

미치다[2] ㊀자 **1** 及 jí; 到 dào; 够 gòu; 达 dá; 达到 dádào ¶힘이 미치지 못하다 力所不及 / 그 수준에는 미치지 못한다 还不到那个水平 **2** 涉及 shèjí; 波及 bōjí; 牵连到 qiānliándào; 及 jí ¶화가 가족에게 ~ 祸及家人 ㊁타 招来 zhāolái; 带来 dàilái; 招致 zhāozhì ¶큰 영향을 ~ 带来很大影响

미친-개 명 疯狗 fēnggǒu; 狂犬 kuángquǎn = 광견 ¶~에 물렸다 被疯狗咬了

미친-년 명 疯婆子 fēngpózi; 疯女人 fēngnǚrén; 疯妇 fēngfù

미친-놈 명 疯子 fēngzi; 疯人 fēngrén; 神经病 shénjīngbìng

미키 마우스(Mickey Mouse) 〖演〗 米老鼠 Mǐlǎoshǔ; 米奇老鼠 Mǐqí lǎoshǔ

미터(meter) 의명 米 mǐ; 公尺 gōngchǐ ¶삼 ~ 높이에서 뛰어내리다 从三米高的地方跳下

미터-기(meter器) 명 **1** 计量器 jìliàngqì **2** 计程器 jìchéngqì; 计程表 jìchéngbiǎo ¶~에 따라 요금을 받다 按计程器收费

미터-법(meter法) 명 〖物〗 公尺制 gōngchǐzhì; 米制 mǐzhì

미팅(meeting) 명 **1** (男女之间的) 见面会 jiànmiànhuì ¶나는 대학 첫 ~에서 그녀를 만났다 我在大学第一次的见面会上遇到了她 **2** 会议 huìyì; 集会 jíhuì; 聚会 jùhuì; 会 huì ¶팬 ~ 歌迷会

미:풍(美風) 명 美风 měifēng; 美好风尚 měihǎo fēngshàng; 好风气 hǎo fēngqì; 好作风 hǎo zuòfēng ¶~양속 美风良俗

미풍(微風) 명 微风 wēifēng; 细风 xìfēng ¶한 줄기 ~ 一缕微风 / ~이 불어오다 微风吹来

미:필(未畢) 명하타 未完 wèiwán; 未服 wèifú; 未结束 wèijiéshù ¶~자 未服者 / 병역을 ~하다 未服兵役

미:학(美學) 명 〖哲〗 美学 měixué; 审美学 shěnměixué = 심미학

미:-해결(未解決) 명하타 未解决 wèijiějué; 待解决 dàijiějué; 悬而未决 xuán'érwèijué ¶~의 문제 待解决的问题

미행(尾行) 명하타 跟踪 gēnzōng; 钉梢 dīngshāo; 盯梢 dīngshāo ¶경찰이 용의자를 ~하다 警察跟踪嫌疑犯 / 남에게 ~당하고 있음을 눈치채다 发现自己被人跟踪

미혹(迷惑) 명하자 迷惑 míhuò; 蛊惑 gǔhuò ¶아름다운 여인에게 ~되다 被美女迷惑 / 민심을 ~시키다 蛊惑民心

미:혼(未婚) 명 未婚 wèihūn; 不结婚 bùjiéhūn; 没结婚 méi jiéhūn ¶~ 남녀 未婚男女 / ~으로 평생을 살다 不结婚过一辈子

미:혼-모(未婚母) 명 未婚母亲 wèihūn mǔqīn; 未婚妈妈 wèihūn māma

미:혼-자(未婚者) 명 未婚者 wèihūnzhě; 未婚人 wèihūnrén

미:화(美化) 명하타 美化 měihuà; 粉饰 fěnshì ¶환경 ~ 环境美化 / 그에 관한 이야기는 지나치게 ~되어 있다 有关他的故事被过分美化了

미화(美貨) 명 〖經〗 美元 měiyuán; 美金 měijīn ¶~를 불법으로 반출하다 非法带出美元

미:화-원(美化員) 명 清洁工 qīngjiégōng; 清洁工人 qīngjié gōngrén

미:-확인(未確認) 명하타 未确认 wèiquèrèn; 不确定 bùquèdìng ¶~ 보도 不确定的报道
미:확인 비행 물체(未確認飛行物體) 〖物〗不明飞行物 bùmíng fēixíngwù; 飞碟 fēidié = 유에프오
미:흡(未洽) 명하형 不足 bùzú; 不够 bùgòu; 不满意 bùmǎnyì; 不满足 bùmǎnzú ¶설명이 ~하다 说明不足 / 조치가 ~하다 措施不够
믹서(mixer) 명 **1** 果汁机 guǒzhījī; 搅拌机 jiǎobànjī ¶딸기를 ~로 갈아 주스를 만들다 用果汁机把草莓搅成果汁 **2** 〖建〗(混凝土) 搅拌机 jiǎobànjī
민- 접두 **1** 纯 chún; 素 sù; 单色 dānsè ¶~얼굴 素面 / ~저고리 单色袄 **2** 光 guāng; 秃 tū; 无 wú ¶~무늬 无花纹 / ~소매 无袖衣 / ~머리 光头
-민(民) 접미 民 mín; 百姓 bǎixìng; 人 rén ¶실향~ 离乡百姓 / 유목~ 游牧民 / 이재~ 灾民
민가(民家) 명 老百姓家 lǎobǎixìngjiā; 民家 mínjiā; 民户 mínhù
민간(民間) 명 **1** 民间 mínjiān; 野 yě ¶~ 신앙 民间信仰 / ~요법 民间疗法 / ~ 문화 民间文化 / ~에 전승되다 传承于民间 **2** 私人 sīrén; 民营 mínyíng; 民间 mínjiān ¶~ 기업 民营企业 / ~ 단체 民间团体 / ~ 외교 民间外交 / ~ 자본 民间资本
민간 설화(民間說話) 〖文〗= 민담
민간-인(民間人) 명 老百姓 lǎobǎixìng; 普通百姓 pǔtōng bǎixìng ¶영내에 ~ 출입을 금지하다 军营内禁止普通百姓出入
민간 항:공(民間航空) 〖航〗民用航空 mínyòng hángkōng; 民航 mínháng
민감-하다(敏感—) 형 敏感 mǐngǎn ¶민감한 피부 敏感的皮肤 / 유행에 ~ 对流行很敏感 **민감-히** 부
민-낯 명 (没化妆的) 素面 sùmiàn
민단(民團) 명 〖法〗= 거류민단
민담(民譚) 명 〖文〗民间故事 mínjiān gùshi; 民间传说 mínjiān chuánshuō = 민간 설화
민둥-민둥 부하형히부 (山) 光秃秃(的) guāngtūtū(de) ¶산에 나무가 너무 없어 ~하다 山上树非常少, 光秃秃的
민둥-산(—山) 명 秃山 tūshān; 童山 tóngshān = 벌거숭이산
민둥-하다 형 **1** 难为情 nánwéiqíng; 不自在 bùzìzai; 尴尬 gāngà **2** (山) 光秃秃(的) guāngtūtū(de) ¶민둥한 야산 光秃秃的小山岗
민들레 명 〖植〗蒲公英 púgōngyīng
민란(民亂) 명 民变 mínbiàn; 民众暴动 mínzhòng bàodòng ¶~이 일어나다 激起民变
민망-하다(憫惘—) 형 心里难受 xīnli nánshòu; 难为情 nánwéiqíng; 不好意思 bùhǎoyìsi; 过意不去 guòyìbùqù; 不过意 bùguòyì ¶나는 그런 부탁을 하기가 민망해서 도저히 말을 꺼내지 못하겠다 我对作那样的请求感到难为情, 实在开不了口 **민망-히** 부
민-머리 명 秃头 tūtóu; 光头 guāngtóu
민-며느리 명 童养媳 tóngyǎngxí; 等郎媳 děnglángxí
민무늬 토기(—土器) 〖古〗无纹陶器 wúwén táoqì
민-물 명 淡水 dànshuǐ = 단물1 · 담수 ¶~낚시 淡水垂钓 =[淡水钓鱼]
민물-고기 명 淡水鱼 dànshuǐyú = 담수어
민박(民泊) 명하자 民宿 mínsù; 投宿民家 tóusù mínjiā ¶바닷가 근처에서 ~하다 投宿在海边的民家
민-방공(民防空) 명 民间防空 mínjiān fángkōng
민-방위(民防衛) 명 民防 mínfáng; 民间防卫 mínjiān fángwèi ¶~대 民间防卫队 =[民防队]
민법(民法) 명 〖法〗民法 mínfǎ
민병(民兵) 명 〖軍〗民兵 mínbīng ¶~대 民兵队 / ~을 조직하다 组织民兵
민본-주의(民本主義) 명 〖政〗民本主义 mínběn zhǔyì
민사(民事) 명 〖法〗民事 mínshì ¶~법 民事法 / ~ 사건 民事案件 =[民事案] / ~ 소송 民事诉讼 / ~ 재판 民事裁判 / ~ 책임 民事责任
민생(民生) 명 民生 mínshēng; 人民生计 rénmín shēngjì ¶~ 치안 民生治安 / ~이 피폐해지다 民生凋敝 / ~이 도탄에 빠지다 民生涂炭
민생-고(民生苦) 명 民生苦 mínshēngkǔ; 民生苦难 mínshēng kǔnàn; 民隐 mínyǐn ¶~를 해결하다 解救民生苦
민선(民選) 명하타 〖政〗民选 mínxuǎn ¶~ 시장 民选市长
민-소매 명 无袖 wúxiù; 无袖衣 wúxiùyī ¶~ 원피스 无袖连衣裙
민속(民俗) 명 民俗 mínsú; 民风 mínfēng ¶~극 民俗剧 / ~놀이 民俗游戏 =[民间游戏] / ~ 무용 民俗舞蹈 =[民间舞蹈] / ~ 음악 民俗音乐 =[民乐] / ~촌 民俗村 / ~학 民俗学
민심(民心) 명 民心 mínxīn; 民意 mínyì ¶~이 동요하다 民心动摇 / ~을 수습하다 稳定民心
민심은 천심 속담 民心是天心
민어(民魚) 명 〖魚〗鮸鱼 miǎnyú
민영(民營) 명 民营 mínyíng; 民办 mínbàn; 私营 sīyíng ¶~ 방송 民办广播 / ~ 철도 民营铁路 / ~ 주택 民营住宅

민영-화(民營化) 명하타 民营化 mínyínghuà; 民办化 mínbànhuà; 私营化 sīyínghuà ¶공기업을 ~하다 把公营企业民办化

민요(民謠) 명 〖音〗 民谣 mínyáo; 民歌 míngē ¶~곡 民谣曲

민원(民願) 명 信访 xìnfǎng ¶~서류 信访文件 / ~실 信访室 =[信访处] / ~인 信访人 / ~ 업무 信访业务 / ~을 해결하다 解决信访问题

민의(民意) 명 民意 mínyì ¶~를 수렴하다 搜集民意 / ~를 대변하다 代言民意 / ~를 반영하다 反映民意

민자(民資) 명 民间投资 mínjiān tóuzī; 民资 mínzī ¶~ 고속도로 民间投资高速公路 / ~를 유치하다 引进民间投资

민정(民情) 명 民情 mínqíng ¶~을 살피다 视察民情 / ~에 어둡다 不谙民情

민족(民族) 명 民族 mínzú ¶단일 ~ 单一民族 / ~ 문화 民族文化 / ~사 民族史 / ~ 국가 民族国家 / ~상잔 民族相残 / ~성 民族性 / ~의상 民族服装 / ~의식 民族意识 / ~ 자본 民族资本 / ~정신 民族精神 / ~주의 民族主义 / ~혼 民族魂

민주(民主) 명 民主 mínzhǔ ¶~ 공화국 民主共和国 / ~ 국가 民主国家 / ~ 정치 民主政治 / ~ 제도 民主制度 / ~주의 民主主义

민주-적(民主的) 관명 民主(的) mínzhǔ(de) ¶이번 선거는 ~ 절차에 의해 치러졌다 这次选举是依照民主的程序进行的

민주-화(民主化) 명하타 民主化 mínzhǔhuà ¶~ 과정 民主化过程 / ~ 운동 民主化运动

민중(民衆) 명 〖政〗 民众 mínzhòng; 群众 qúnzhòng ¶~가요 民众歌曲 / ~ 운동 群众运动 / ~의 힘 群众的力量

민첩-성(敏捷性) 명 敏捷性 mǐnjiéxìng

민첩-하다(敏捷—) 형 敏捷 mǐnjié ¶움직임이 ~ 动作敏捷 **민첩-히** 부

민초(民草) 명 民草 míncǎo

민트(mint) 명 〖植〗 = 박하

민폐(民弊) 명 民瘼 mínmò; 麻烦 máfan ¶남에게 ~를 끼치다 给别人添麻烦

민항(民航) 명 〖航〗 '민간 항공'的略词

민화(民畫) 명 〖美〗 民画 mínhuà

민화(民話) 명 民间故事 mínjiān gùshi; 民间传说 mínjiān chuánshuō

민활-하다(敏活—) 형 灵活 línghuó; 敏捷 mǐnjié ¶민활한 두뇌 灵活的头脑 / 민활하게 움직이다 行动敏捷 **민활-히** 부

믿-기다 자 (让人) 信 xìn; 相信 xiāngxìn ¶그 소식은 도무지 믿기지 않는다 那消息怎么也无法让人相信

믿다 타 **1** 信 xìn; 相信 xiāngxìn; 置信 zhìxìn ¶나는 이 말을 믿지 않는다 这话我不信 / 믿기 어렵다 难以置信 / 나는 그의 말을 철석같이 믿었다 我对他的话深信不疑了 **2** 信任 xìnrèn; 信赖 xìnlài; 靠 kào; 依靠 yīkào; 指望 zhǐwang; 指靠 zhǐkào; 仗 zhàng; 凭仗 píngzhàng; 仗恃 zhàngshì ¶우리 팀은 너만 믿는다 我们队就靠你啦 / 머리만 믿고 공부를 안 하다 仗着自己的聪明不好好学习 **3** 信仰 xìnyǎng; 信奉 xìnfèng; 信 xìn; 迷信 míxìn ¶불교를 ~ 信奉佛教 / 우리 어머니는 미신을 너무 믿으신다 我妈妈很迷信

믿는 도끼에 발등 찍힌다 속담 所信之人反露其丑

믿음 명 **1** 信 xìn; 信任 xìnrèn; 信赖 xìnlài ¶사람들의 ~을 저버리다 辜负人们的信任 **2** 〖宗〗 信仰 xìnyǎng ¶~을 가지다 有信仰 / ~이 깊다 信仰笃实

믿음직-스럽다 형 可靠 kěkào; 可信 kěxìn; 靠得住 kàodezhù; 信得过 xìndeguò ¶일 처리가 ~ 办事很可靠 **믿음직스레** 부

믿음직-하다 형 可靠 kěkào; 可信 kěxìn; 靠得住 kàodezhù; 信得过 xìndeguò ¶사람이 믿음직해 보인다 人看上去很可靠 / 그의 단호한 태도가 ~ 他坚决的态度让人觉得靠得住

밀 명 〖植〗 小麦 xiǎomài; 麦子 màizi; 麦 mài = 소맥

밀-가루 명 面 miàn; 面粉 miànfěn; 小麦粉 xiǎomàifěn; 白面 báimiàn ¶~를 반죽하다 和面 / ~ 한 포대를 사다 买一袋面粉

밀감(蜜柑) 명 〖植〗 蜜柑 mìgān; 橘子 júzi

밀-거래(密去來) 명하타 非法买卖 fēifǎ mǎimai; 秘密买卖 mìmì mǎimai ¶마약을 ~하다 非法买卖毒品

밀고(密告) 명하타 密告 mìgào; 告密 gàomì; 密报 mìbào ¶~자 告密者 / ~장 告密信 =[黑帖] / 파업 모의를 ~하다 密告罢工策谋

밀-기울 명 麦糠 màikāng; 麦麸子 màifūzi

밀다 타 **1** 推 tuī ¶문을 ~ 推门 / 수레를 ~ 推车 **2** 刨 bào; 刮 guā; 推 tuī; 搓 cuō ¶머리를 ~ 推头 / 수염을 ~ 刮胡子 / 때를 ~ 搓澡 / 대패로 판자를 ~ 用刨子刨木板 / 내 등 좀 밀어 줘 帮我搓背 **3** 推平 tuīpíng; 铲平 chǎnpíng ¶불도저로 ~ 用铲土机推平 **4** 擀 gǎn; 熨 yùn; 烫 tàng; 压 yā; 轧 yà ¶밀가루 반죽을 ~ 擀面 / 만두피를 ~

擀饺子皮 / 다리미로 구김살을 ~ 用熨斗把皱折烫 **5** 推荐 tuījiàn; 推举 tuījǔ; 推戴 tuīdài ¶그를 반장으로 ~ 推举他当班长 **6** 支持 zhīchí; 鼓励 gǔlì; 帮助 bāngzhù ¶자신을 밀어준 사람들에게 고마움을 표하다 向支持自己的人们表示感谢 **7** 推进 tuījìn; 坚持 jiānchí ¶계획대로 밀고 나가다 按计划推进下去

밀담(密談) 명하자 密谈 mìtán ¶두 사람은 한동안 ~을 나누었다 两个人密谈了一阵

밀도(密度) 명 密度 mìdù ¶인구 ~ 人口密度 / ~가 높다 密度高

밀-도살(密屠殺) 명하타 私宰 sīzǎi

밀랍(蜜蠟) 명 蜜蜡 mìlà; 蜂蜡 fēnglà; 黄蜡 huánglà; 蜡 là ¶~ 인형 蜡像 / ~ 인형 전시관 蜡像馆

밀려-나다 자 **1** 被挤 bèi jǐ; 被挤出去 bèi jǐchūqù; 被挤走 bèi jǐzǒu ¶길옆으로 ~ 被挤到路边 **2** 被赶出去 bèi gǎnchūqù; 被赶下台 bèi gǎnxiàtái; 被撤去 bèi chèqù; 被排挤 bèi páijǐ ¶한직으로 ~ 被排挤到闲职 / 공직에서 ~ 被撤去公职

밀려-들다 자 拥来 yōnglái; 拥进 yōngjìn; 侵袭 qīnxí; 蜂拥而来 fēngyōng'érlái ¶군중이 광장으로 밀려들었다 群众拥进广场来了 / 외로움이 온몸에 밀려들었다 孤独感侵袭了全身

밀려-오다 자 **1** 推来 tuīlái; 涌进来 yǒngjìnlái; 拥过来 yōngguòlái ¶파도가 항구에 ~ 浪涛涌进港口来 **2** 拥过来 yōngguòlái; 拥上来 yōngshànglái; 蜂拥而来 fēngyōng'érlái; 袭来 xílái ¶소녀 팬들이 공연장으로 ~ 少女歌迷们向演出场纷拥而来

밀렵(密獵) 명하타 偷猎 tōuliè; 私猎 sīliè ¶~꾼 偷猎者 / ~이 성행하다 偷猎十分猖獗

밀리(←millimeter) 의명 = 밀리미터

밀리그램(milligram) 의명 毫克 háokè

밀리다[1] 자 **1** 堆积 duījī; 积压 jīyā; 被拖 bèi tuō ¶방세가 ~ 房租被拖下来 / 일이 산더미같이 ~ 工作多得堆积如山 / 그녀는 일주일 동안 밀린 빨래를 한꺼번에 해치웠다 她把堆积了一星期的衣物一下子洗掉了 **2** 堵车 dǔchē; 拥挤 yōngjǐ ¶출퇴근 시간에 이 도로는 늘 차가 밀린다 上下班时这条路老是堵车

밀-리다[2] 자 被推 bèi tuī 《'밀다1'的被动词》¶파도에 밀려 여기까지 왔다 被浪涛推到这里来的 / 인파에 밀려 넘어지다 被人群推倒了

밀리리터(milliliter) 의명 毫升 háoshēng

밀리미터(millimeter) 의명 毫米 háomǐ = 밀리

밀림(密林) 명 密林 mìlín = 정글 ¶~ 지대 密林地带

밀매(密賣) 명하타 私卖 sīmài; 私售 sīshòu; 秘密出售 mìmì chūshòu ¶마약을 ~하다 私售毒品

밀-무역(密貿易) 명하타 走私 zǒusī ¶그들은 주로 보석류를 ~한다 他们主要走私珠宝类物品

밀-물 명 『地理』涨潮 zhǎngcháo; 来潮 láicháo ¶~과 썰물 涨潮和落潮

밀-반입(密搬入) 명하타 偷运(进来) tōuyùn(jìnlái); 私运(进来) sīyùn(jìnlái); 走私 zǒusī ¶국내에 ~된 총기류 走私到国内的武器

밀-반출(密搬出) 명하타 偷运(出去) tōuyùn(chūqù); 私运(出去) sīyùn(chūqù); 走私 zǒusī ¶외화 ~ 偷运出外币

밀:-방망이 명 擀面杖 gǎnmiànzhàng

밀봉(密封) 명하타 密封 mìfēng; 封闭 fēngbì ¶~한 기밀 서류 密封的机密文件 / 봉랍으로 병 주둥이를 ~하다 用火漆封闭瓶口

밀사(密使) 명 密使 mìshǐ ¶~를 파견하다 派遣密使

밀서(密書) 명 密信 mìxìn; 密件 mìjiàn; 密函 mìhán

밀선(密船) 명 非法船只 fēifǎ chuánzhī ¶~을 타고 밀입국하다 搭乘非法船只偷渡入境

밀수(密輸) 명하타 走私 zǒusī ¶~선 走私船 / ~품 走私品 / 마약을 ~하다 走私毒品 / 보석을 국내로 ~해 들여오다 把珠宝走私到国内

밀수업-자(密輸業者) 명 走私者 zǒusīzhě; 走私贩 zǒusīfàn; 走私的 zǒusīde

밀-수입(密輸入) 명하타 走私进口 zǒusī jìnkǒu ¶외국에서 보석을 ~하다 从国外走私进口珠宝

밀-수출(密輸出) 명하타 走私出口 zǒusī chūkǒu ¶금괴를 ~하다 走私出口金块

밀실(密室) 명 密室 mìshì ¶~ 정치 密室政治 / ~에 감금하다 囚禁密室

밀-알 명 麦粒 màilì

밀약(密約) 명하타 密约 mìyuē ¶~을 맺다 签订密约

밀어(蜜語) 명 蜜语 mìyǔ; 甜言蜜语 tiányánmìyǔ; 情话 qínghuà ¶사랑의 ~ 爱情密语 / ~를 속삭이다 情话绵绵

밀어-내다 타 **1** 挤出 jǐchū; 推出 tuīchū ¶문밖으로 ~ 推出门外 **2** 赶出 gǎnchū; 赶下台 gǎnxiàtái; 排挤 páijǐ; 撤去 chèqù ¶부패한 공무원을 공직에서 ~ 将腐败的公务员撤去公职

밀어-붙이다 타 **1** 推到一角 tuīdào

yījiǎo; 推到一边 tuīdào yībiān; 用力推 yònglì tuī ¶그녀를 거칠게 한쪽으로 밀어붙였다 把她粗暴地推到一边 **2** 紧逼 jǐnbī; 推行 tuīxíng ¶우리 팀은 상대 팀을 계속 밀어붙였다 我们队一直紧逼着对方 / 자기의 계획을 ~ 推行自己的计划

밀어-젖히다 타 **1** 推开 tuīkāi ¶문을 ~ 把门推开 **2** 拨开 bōkāi ¶사람들을 밀어젖히고 앞으로 나아가다 拨开人群向前进

밀어-주다 타 **1** (积极地) 支持 zhīchí **2** 推荐 tuījiàn; 推举 tuījǔ; 推 tuī ¶그를 회장으로 ~ 推他为会长

밀월(蜜月) 명 蜜月 mìyuè = 허니문1

밀월-여행(蜜月旅行) 명 = 신혼여행 ¶~을 떠나다 去蜜月旅行

밀-입국(密入國) 명하자 偷渡 tōudù; 偷渡入境 tōudù rùjìng ¶~자 偷渡客 =[偷渡者] / 우리나라에 ~하다 偷渡我国

밀-전병(—煎餠) 명 白面煎饼 báimiàn jiānbing

밀접(密接) 명하형히부 密切 mìqiè; 紧密 jǐnmì; 紧连 jǐnlián ¶양국 간의 관계가 ~하다 两国关系很密切 / 이 일은 그 일과 ~한 관련이 있다 这件事和那件事有密切关系

밀정(密偵) 명하자 **1** 密探 mìtàn ¶~을 잠입시키다 派密探潜入 **2** 秘密侦察 mìmì zhēnchá; 秘密侦探 mìmì zhēntàn

밀주(密酒) 명하자 **1** 私酿酒 sīniàngjiǔ; 私酒 sījiǔ ¶~를 빚다 酿私酒 **2** 私自酿酒 sīzì niàngjiǔ

밀집(密集) 명하자 密集 mìjí; 稠密 chóumì; 茂密 màomì ¶인구 ~ 지역 人口密集的地区 / 인가가 ~해 있다 住户密集

밀-짚 명 麦秸 màijiē; 麦秆(儿) màigǎn(r)

밀짚-모자(—帽子) 명 草帽 cǎomào; 草织帽 cǎozhīmào

밀:-차(—車) 명 手推车 shǒutuīchē; 手车 shǒuchē ¶책을 ~에 싣다 把书装在手推车上

밀착(密着) 명하자 **1** 贴紧 tiējǐn; 紧贴 jǐntiē; 贴身 tiēshēn; 近距离 jìnjùlí ¶~ 취재 近距离采访 / ~ 수비 贴身防守 / 껌이 바닥에 ~하여 떨어지지 않는다 口香糖紧贴在地上, 弄不下来 **2** (关系) 紧密 jǐnmì; 密切 mìqiè ¶중세의 예술은 종교와 ~되어 있었다 中世纪的艺术是与宗教密切相关的

밀:-치다 명 猛推 měng tuī; 推搡 tuīsǎng; 用力推 yònglì tuī ¶문을 ~ 用力推门

밀:치락-달치락 부하자 推推搡搡 tuītuisǎngsǎng; 推来推去 tuīláituīqù; 推推拉拉 tuītuilālā ¶사람들이 서로 먼저 타려고 ~하다 人们推推搡搡地争着上车

밀크-셰이크(milk shake) 명 奶昔 nǎixī; 泡沫牛奶 pàomò niúnǎi; 泡沫奶 pàomònǎi

밀크-캐러멜(milk+caramel) 명 牛奶糖 niúnǎitáng

밀통(密通) 명하자 私通 sītōng; 通奸 tōngjiān ¶적과 ~하다 私通敌寇 / 유부녀와 ~하다 与有夫之妇私通

밀파(密派) 명하타 暗中派遣 ànzhōng pàiqiǎn; 秘密派遣 mìmì pàiqiǎn ¶간첩을 ~하다 秘密派遣间谍

밀폐(密閉) 명하타 密封 mìfēng; 密闭 mìbì ¶~된 공간 密封空间 / ~ 용기 密闭容器

밀항(密航) 명하자 秘密航行 mìmì hángxíng; 偷渡 tōudù ¶~선 偷渡船 / ~자 偷渡者 =[偷渡客]

밀회(密會) 명하타 密会 mìhuì; 幽会 yōuhuì; 秘密聚会 mìmì jùhuì ¶한밤중의 ~ 半夜幽会 / 연인들이 ~를 즐기다 恋人们钟情于幽会

밉다 형 **1** 难看 nánkàn; 丑 chǒu; 丑陋 chǒulòu ¶밉지도 곱지도 않은 얼굴 不丑也不好看的脸 **2** 讨厌 tǎoyàn; 可恶 kěwù; 可恨 kěhèn; 厌恶 yànwù ¶나는 정말 그가 ~ 我真的很讨厌他

미운 아이[놈] 떡 하나 더 준다 속담 可恶的人, 多给他一个饽饽

미운 일곱 살 속담 七岁讨人嫌

미운 정 고운 정 속담 又爱又恨; 欢喜冤家

밉-보다 타 看着讨厌 kànzhe tǎoyàn; 视为讨厌鬼 shìwéi tǎoyànguǐ ¶그녀가 나를 너무 밉보기만 해서 정말 고민이다 她看着我就讨厌, 真让我犯愁

밉보-이다 자 讨人嫌 tǎorénxián; 被视为眼中钉 bèi shìwéi yǎnzhōngdīng; 讨厌 tǎoyàn ¶그에게 밉보여서 좋을 건 없다 讨他嫌, 没有好处的

밉살-스럽다 형 讨厌 tǎoyàn; 可恶 kěwù; 厌恶 yànwù ¶밉살스러운 녀석 讨厌鬼 / 하는 짓이 정말 ~ 行为真可恶 **밉살스레** 부

밉-상(—相) 명 丑相 chǒuxiàng; 丑脸 chǒuliǎn; 令人讨厌 lìngrén tǎoyàn; 难看 nánkàn ¶얼굴이 그렇게 ~은 아니다 脸没那么难看

밋밋-하다 형 **1** 平缓 pínghuǎn; 平平 píngpíng; 缓缓 huǎnhuǎn ¶하늘과 맞닿은 밋밋한 능선 与天交际的平缓的山脊 **2** 平凡 píngfán; 平淡 píngdàn; 平平 píngpíng ¶그 배우는 연기가 너무 ~ 那个演员演技太平平

밍밍-하다 형 **1** (味道) 淡 dàn ¶국이

너무 ~ 汤太淡了 **2** 不浓 bùnóng; 淡而无味 dàn'érwúwèi ¶밍밍한 술 淡而无味的酒

밍크(mink) 명 〖動〗 水貂 shuǐdiāo; 貂 diāo ¶~코트 水貂大衣 =[水貂皮大衣][貂皮大衣]

및 부 及 jí; 以及 yǐjí; 与 yǔ; 和 hé ¶입사 원서 교부 ~ 접수 人社申请书的发给与接收

밑 명 **1** 下 xià; 下边 xiàbian; 下面 xiàmiàn; 底下 dǐxia ¶처마 ~ 屋檐下 / 책상 ~ 书桌底下 **2** (程度、地位) 低 dī; (年纪) 小 xiǎo ¶동생은 나보다 두 살 ~이다 弟弟比我小两岁 **3** 膝下 xīxià; 手下 shǒuxià ¶나는 어려서부터 할머니 ~에서 자랐다 我自小在奶奶膝下长大了 **4** 基础 jīchǔ ¶~이 튼튼해야 한다 基础应该扎实 **5** 屁股 pìgu; 肛门 gāngmén = 밑구멍2 ¶똥을 누고 ~을 닦다 大便后擦屁股 **6** = 밑바닥1 ¶~ 빠진 독 没底儿的缸

밑 빠진 독[가마/항아리]에 물 붓기 속담 挑雪填井; 竹篮打水—场空

밑(이) 구리다 구 作贼心虚; 做贼人心惊, 偷食人嘴腥; 做贼心惊, 吃鱼嘴腥

밑도 끝도 없다 구 语无伦次; 茫无头绪

밑-거름 명 **1** 〖農〗 底肥 dǐféi; 基肥 jīféi ¶~을 주다 施底肥 **2** 基础 jīchǔ; 底子 dǐzi ¶국가 발전의 ~ 国家发展的基础

밑-구멍 명 **1** 底洞 dǐdòng; 底眼 dǐyǎn **2** = 밑5

밑구멍으로 호박씨 깐다 속담 表面文雅, 背里行为丑恶

밑-그림 명 **1** 草图 cǎotú **2** (绣花的) 底样 dǐyàng ¶~대로 수를 놓다 照底样绣花 **3** 〖美〗 图稿 túgǎo; 画稿 huàgǎo

밑-넓이 명 〖數〗 底面积 dǐmiànjī

밑-돌다 자타 达不到 dábudào; 低于 dīyú; 下滑 xiàhuá ¶상품 가격이 생산비를 ~ 产品价格低于成本

밑-동 명 **1** (长物体的) 底部 dǐbù; 底端 dǐduān ¶나무 ~을 자르다 锯掉树的底部 **2** (蔬菜的) 根部 gēnbù

밑-면(—面) 명 底 dǐ; 底面 dǐmiàn

밑-바닥 명 **1** 底(儿) dǐ(r); 底面 dǐmiàn; 底子 dǐzi = 밑6 ¶구두가 오래되어 ~에 구멍이 뚫렸다 皮鞋太旧了, 鞋底磨了个洞 **2** 最底层 zuì dǐcéng; 最下层 zuì xiàcéng ¶~ 생활을 면치 못하다 逃脱不了最底层生活 **3** 根本 gēnběn; 基础 jīchǔ; 底 dǐ; 底子 dǐzi ¶~이 드러나다 见底

밑-바탕 명 底子 dǐzi; 根基 gēnjī; 基础 jīchǔ ¶가정의 화목은 성공의 ~이다 家庭和睦是成功的基础

밑-반찬(—飯饌) 명 小菜 xiǎocài; 酱菜 jiàngcài; 咸菜 xiáncài

밑-받침 명 **1** 垫子 diànzi; 垫板 diànbǎn ¶화분 ~ 花盆垫子 **2** 基础 jīchǔ; 底子 dǐzi; 根本 gēnběn ¶저축은 경제 성장의 ~이 된다 储蓄是经济发展的根本

밑-밥 명 食饵 shí'ěr; 诱饵 yòu'ěr

밑-변(—邊) 명 〖數〗 底边 dǐbiān

밑-불 명 底火 dǐhuǒ ¶~이 시원치 않다 底火不够烈

밑-실 명 (缝纫机的) 底线 dǐxiàn

밑-줄 명 字下线 zìxiàxiàn; 底线 dǐxiàn; 着重线 zhuózhòngxiàn; 重点线 zhòngdiǎnxiàn ¶~을 치다 划着重线

밑-지다 타 赔本 péiběn; 吃亏 chīkuī; 亏本 kuīběn; 蚀本 shíběn; 折本 shéběn ¶밑지고 팔다 亏本卖 / 이 가격에 팔면 밑진다 这个价钱卖的话就赔本了

밑져야 본전 속담 办不成也赔不了本

밑지는 장사 구 赔本生意; 亏本买卖

밑-창 명 **1** 鞋底 xiédǐ ¶~이 다 닳은 구두 鞋底都磨破了的皮鞋 / ~을 갈다 换鞋底 **2** 最底层 zuì dǐcéng; 最底 zuì dǐ; 底 dǐ ¶화물선 ~ 货船的最底层

밑-천 명 老本 lǎoběn; 资本 zīběn; 资金 zījīn; 本钱 běnqián; 本金 běnjīn ¶~을 대 주다 提供资金 / ~을 뽑다 抽出老本 / ~을 날리다 把老本都亏光了

밑천도 못 찾다[건지다] 구 连本钱都没捞着; 偷鸡不成蚀把米; 偷鸡不着蚀把米

밑천이 드러나다 구 **1** 露了底; 露了馅儿 **2** 把老本亏光; 赔光本钱

밑-판(—板) 명 底 dǐ; 底板 dǐbǎn

ㅂ

바[1](bar) 명 1 酒吧 jiǔbā 2〖體〗横杆 hénggān 3〖音〗竖线 shùxiàn; 小节线 xiǎojiéxiàn

바[2](bar) 의명〖物〗巴 bā

바가지 명 1 瓢(儿) piáo(r); 水瓢(儿) shuǐpiáo(r) ¶~로 물을 푸다 用水瓢舀水 2 瓢(儿) piáo(r) ¶물 한 ~를 뜨다 舀一瓢水

바가지(를) 긁다 구 唠叨

바가지(를) 쓰다 구 1 受上当; 挨宰; 花冤; 枉钱; 上当; 受骗 2 受怨枉; 背黑锅

바가지-요금(—料金) 명 宰人的高价 zǎirénde gāojià; 漫天要价 màntiānyàojià

바게트(프baguette) 명 法式长棍面包 fǎshì chánggùn miànbāo

바겐-세일(bargain sale) 명 大减价 dàjiǎnjià; 大甩卖 dàshuǎimài; 廉价销售 liánjià xiāoshòu; 廉价出售 liánjià chūshòu

바구니 명 1 篮子 lánzi; 筐子 kuāngzi ¶~를 짜다 编篮子 / ~를 끼고 시장에 가다 带着篮子去市场 2 篮 lán ¶과일을 한 ~ 사다 买一篮水果

바:구미 명〖蟲〗米象 mǐxiàng

바글-거리다 자 1 咕嘟咕嘟地开 gūdūgūdūde kāi 2 蠕动 rúdòng; 咕容 gūróng; 挤满 jǐmǎn; 熙熙攘攘 xīxīrǎngrǎng; 挤挤挨挨 jǐji'āi'āi ¶차 안이 학생들로 ~ 车内挤满了学生 ‖ = 바글대다 **바글-바글** 부하자

바깥 명 1 外边(儿) wàibian(r); 外面(儿) wàimiàn(r) ¶~ 날씨 外边的天气 / ~에는 비가 오고 있다 外面在下雨 / ~ 공기가 매우 차다 外边儿的空气很冷 2 = 한데[2]

바깥-귀 명〖生〗外耳 wài'ěr = 외이

바깥-나들이 명하자 = 나들이

바깥-문(—門) 명 1 外大门 wàidàmén 2 外扇门 wàishànmén

바깥-바람 명 外风 wàifēng ¶창문을 열고 신선한 ~을 들이마시다 开了窗户呼吸从外面吹来的新鲜外风

바깥-사돈(—查頓) 명 亲家公 qìngjiagōng; 亲家老爷 qìngjialǎoyé; 亲家老儿 qìngjialǎor; 亲翁 qìngwēng

바깥-세상(—世上) 명 1 外界 wàijiè 2 国外 guówài

바깥-양반(—兩班) 명 1 男主人 nán zhǔrén; 老爷们儿 lǎoyémenr; 当家的 dāngjiāde 2 老公 lǎogōng; 丈夫 zhàngfu; 男人 nánren

바깥-어른 명 '바깥양반'的敬词

바깥-일 명 1 在外干的活儿 zàiwài gànde huór 2 外面的事儿 wàimiànde shìr; 外边的事情 wàibiande shìqing ¶~에는 관심이 없다 对外边的事情没有感兴趣 3 室外劳动 shìwài láodòng ¶추운 겨울날 ~을 하다 在寒冷的冬天搞室外劳动

바깥-지름 명〖數〗外径 wàijìng = 외경(外徑)

바깥-쪽 명 外边(儿) wàibian(r); 外面(儿) wàimiàn(r) ¶~을 내다보다 看望外边儿

바깥-채 명 外房 wàifáng

바깥-출입(—出入) 명하자 外出 wàichū; 出门走动 chūmén zǒudòng; 出去 chūqù ¶최근에는 병이 많이 좋아져서 가끔 ~도 할 수 있다 最近病好多了, 有时可以出去了

바께쓰(일byaketsu) 명 洋铁桶 yángtiětǒng; 水桶 shuǐtǒng

바꾸다 타 1 换 huàn; 交换 jiāohuàn; 替换 tìhuàn ¶자리를 ~ 替换座位 / 옷을 바꾸어 입다 换上衣服 2 掉换 diàohuàn; 兑换 duìhuàn ¶달러를 중국 돈으로 ~ 用美金兑换人民币 / 수표를 현금으로 ~ 把支票兑换现款 3 改变 gǎibiàn; 变更 biàngēng; 变换 biànhuàn; 改换 gǎihuàn; 转 zhuǎn ¶말투를 ~ 改变口气 / 머리 모양을 ~ 变换发型 / 방향을 ~ 转方向

바꿔 말하면 구 换句话说

바뀌다 자 变 biàn; 改变 gǎibiàn; 换 huàn; 变化 biànhuà; 更换 gēnghuàn ¶풍향이 ~ 改变风向 / 그의 전화번호가 바뀌었다 他的电话号码改变了

바나나(banana) 명〖植〗香蕉 xiāngjiāo; 甘蕉 gānjiāo

바나나-킥(banana+kick) 명〖體〗香蕉球 xiāngjiāoqiú

바느-질 명하타 针线活(儿) zhēnxianhuó(r); 针线 zhēnxian ¶~을 하다 做针线 / ~을 배우다 学针线

바늘 명 1 (缝衣用的) 针 zhēn ¶~에 실을 꿰다 穿针 / 옷을 ~로 꿰매다 用针缝出衣服 2 (刻度盘上的) 针 zhēn; 指针 zhǐzhēn = 침(針)1 3 织针 zhīzhēn 4 (注射用的) 针 zhēn

바늘 가는 데 실 간다 속담 形影不

ㅂ

离; 针不离线, 线不离针; 线穿针来针连线 = 실 가는 데 바늘도 간다
바늘 도둑이 소도둑 된다 속담 做贼只为偷针起; 小时偷菖蒲, 大了偷牵牛; 小时偷针, 大时偷金; 小时偷油, 大时偷牛
바늘로 찔러도 피 한 방울 안 난다 속담 三锤子扎不出一滴血来
바늘-구멍 명 1 针眼 zhēnyǎn; 针孔 zhēnkǒng 2 = 바늘귀
바늘-귀 명 针鼻儿 zhēnbír; 针眼 zhēnyǎn = 바늘구멍2
바늘-꽂이 명 插针垫 chāzhēndiàn
바늘-땀 명 = 땀²
바늘-방석(一方席) 명 针毡 zhēnzhān = 가시방석 ¶~에 앉은 것 같다 如坐针毡 =[坐立不安]
바니시(varnish) 명 〖化〗 清漆 qīngqī; 凡立水 fánlìshuǐ; 亮光漆 liàngguāngqī = 니스
바닐라(vanilla) 명 〖植〗 香草 xiāngcǎo; 香子兰 xiāngzǐlán; 华尼拉 huánílā ¶~ 아이스크림 香草冰淇淋
바다 명 〖地理〗 海 hǎi; 大海 dàhǎi; 海洋 hǎiyáng
바다(와) 같다 구 像大海一样; 像海大
바다-거북 명 〖動〗 海龟 hǎiguī
바다-낚시 명 海上钓鱼 hǎishàng diàoyú; 钓海鱼 diào hǎiyú
바다-사자(一獅子) 명 〖動〗 北海狮 běihǎishī; 海狮 hǎishī
바다-표범(一豹一) 명 〖動〗 海豹 hǎibào
바닥 명 1 地 dì; 地面 dìmiàn; 底面 dǐmiàn ¶모래 ~ 沙地 / ~이 고르지 않다 底面不平 / 짐을 ~에 놓아라 把行李放在地上 2 底(儿) dǐ(r); 底子 dǐzi ¶구두 ~ 皮鞋底 / 강~ 河底 3 一带 yīdài ¶서울 ~ 首尔一带 / 어려서부터 시장 ~에서 자란 사람 从小在市场一带长大的人 4 面 miàn; 布面 bùmiàn ¶~이 고운 천 布面很细的布
바닥-나다 자 1 穿破露底 chuānpò lùdǐ 2 (钱或东西) 用光 yòngguāng; 吃光 chīguāng; 花光 huāguāng; 光 guāng ¶쌀마저 ~ 连大米也吃光了
바닥-내다 타 (钱或东西) 用光 yòngguāng; 花光 huāguāng; 吃光 chīguāng
바닷-가 명 海边 hǎibiān; 海滨 hǎibīn; 海岸 hǎi'àn = 해변 ¶~로 바람을 쐬러 가다 到海边吹风去
바닷-물 명 海水 hǎishuǐ = 해수
바닷-바람 명 海风 hǎifēng = 해풍
바닷-새 명 〖鳥〗 海鸟 hǎiniǎo
바대 명 衬布 chènbù; 贴边 tiēbiān ¶~를 대다 垫衬布
바동-거리다 一타 手脚乱动 shǒujiǎo luàndòng ¶아기가 바동거리면서 운다 小孩儿手脚乱动着哭 二자 挣扎 zhēngzhá ‖ = 바동대다 **바동-바동** 부하자타
바둑 명 〖體〗 1 棋 qí; 围棋 wéiqí ¶~ 기사 棋手 / ~을 두다 下围棋 / ~을 두면서 시간을 보내다 下着围棋打发时间 2 = 바둑돌
바둑-강아지 명 小花狗 xiǎohuāgǒu
바둑-돌 명 〖體〗 围棋子 wéiqízǐ; 棋子儿 qízǐr = 돌²3 · 바둑2 · 바둑알
바둑-알 명 〖體〗 = 바둑돌
바둑-이 명 花狗 huāgǒu
바둑-판(一板) 명 围棋盘 wéiqípán; 棋盘 qípán
바둑판-같다(一板一) 형 如棋盘般 rú qípán bān
바둑판-무늬(一板一) 명 方格 fānggé; 格子纹 géziwén
바둥-거리다 一타 手脚乱动 shǒujiǎo luàn dòng 二자 挣扎 zhēngzhá ‖ = 바둥대다 **바둥-바둥** 부하자타
바드득 부하자타 咯吱 gēzhī; 吱吱 zhīzhī ¶이를 ~ 갈다 把牙齿磨得咯吱响
바드득-거리다 자타 咯吱响 gēzhī xiǎng; 吱吱响 zhīzhī xiǎng = 바드득대다 **바드득-바드득** 부하자타
바득-바득 부하자 一个劲儿 yīgejìnr; 固执地 gùzhide; 硬 yìng
바들-거리다 자타 发抖 fādǒu = 바들대다 **바들-바들** 부하자타
바라다 타 希望 xīwàng; 盼望 pànwàng ¶당신이 대학에 합격하길 바랍니다 我希望你考上大学 / 이 일은 우리가 몇 년 동안 바라던 일입니다 这件事我们盼望了好几年了
바라다-보다 타 望 wàng; 看 kàn; 眺望 tiàowàng ¶창밖을 물끄러미 ~ 面无表情地望着窗外的情景
바라-보다 타 1 望 wàng; 看 kàn; 眺望 tiàowàng; 展望 zhǎnwàng ¶먼 곳을 ~ 眺望远处 2 寄托 jìtuō; 盼望 pànwàng ¶그녀는 아들만 바라보고 산다 她把所有希望寄托在儿子身上 3 观望 guānwàng 4 快要 kuàiyào ¶곧 80세를 바라본다 快要80岁了
바라보-이다 자 '바라보다1' 的被动词
바라지 명하타 料 liào; 照应 zhàoying; 照管 zhàoguǎn; 照顾 zhàogù; 照料 zhàoliào ¶아이를 ~하다 照应孩子
바:라-지다 一자 1 宽 kuān ¶그의 어깨는 딱 바라졌다 他的肩膀很宽 2 裂缝 lièfèng; 裂开 lièkāi 3 伸展 shēnzhǎn; 蔓延 mànyán 二형 1 浅 qiǎn ¶바라진 접시 浅的盘子 2 油滑 yóuhuá ¶그는 아주 바라졌다 他很油滑
바락 부 突然 tūrán; 勃然 bórán ¶~ 소리를 지르다 突然大叫

바락-바락 부하자 用死劲 yòng sǐjìn; 拼命 pīnmìng

바람1 一명 1 风 fēng ¶~이 불다 刮风 =[吹风]/~이 세다 风很大/~이 일다 起风/낙엽이 ~에 날려 가다 落叶被风吹走 2 气 qì ¶공에 ~을 넣다 给球打气/타이어의 ~이 샜다 车轮漏了气了 3 热 rè; 风 fēng; 风潮 fēngcháo; 风势 fēngshì ¶최근 한국은 중국어 ~이 불고 있다 最近韩国兴起了汉语热 4 飞快 fēikuài; 很快 hěn kuài ¶그는 ~같이 사라졌다 他很快地消失了 二의명 1 由于 yóuyú; 因为 yīnwèi ¶너무 급하게 먹는 ~에 체했다 由于吃得太快, 伤食了/그가 갑자기 뛰어들어오는 ~에 깜짝 놀랐다 因为他突然跑进来, 所以我吓了一大跳了 2 穿着 chuānzhe ¶그는 잠옷 ~으로 나갔다 他穿着睡衣出去了

바람(을) 넣다 구 煽动; 鼓动

바람(을) 등지다 구 背风

바람(을) 쐬다 구 吹风; 受风; 兜风

바람(을) 잡다 구 煽动; 鼓动

바람(이) 들다 구 1 糠 2 出岔子; 出毛病

바람2 명 期望 qīwàng; 愿望 yuànwàng ¶그의 ~이 마침내 실현되었다 他的愿望终于实现了

바람-개비 명 = 팔랑개비1

바람-결 명 1 风 fēng; 风吹 fēngchuī; 风情 fēngqíng ¶그윽한 꽃향기가 ~에 실려 온다 浓浓的花香被风飘过来 2 风闻 fēngwén; 风传 fēngchuán ¶그가 결혼한다는 말을~에 들었다 风闻他要结婚

바람-기(—氣) 명 1 风 fēng; 风势 fēngshì ¶~ 하나 없는 날씨 连一点风也没有的天气 2 爱情不专一 àiqíng bùzhuānyī ¶~ 있는 남편 爱情不专一的丈夫

바람-나다 자 1 爱情不专一 àiqíng bùzhuānyī; 心不定 xīn bùdìng ¶바람난 처녀 心不定的姑娘 2 带劲 dàijìn

바람-둥이 명 花花公子 huāhuāgōngzǐ; 爱情不专一的人 àiqíng bùzhuānyīde rén

바람-막이 명하자 防风 fángfēng; 挡风 dǎngfēng = 방풍

바람-맞다 자 1 被放鸽子 bèi fàng gēzi; 受骗 shòupiàn ¶여자 친구한테 바람맞았다 被女朋友受骗了 2 中风 zhòngfēng

바람맞-히다 타 '바람맞다1' 的使动词

바람직-하다 형 可望 kěwàng; 有指望 yǒu zhǐwang ¶유명인으로서 바람직한 행동이 아니다 做为名人不是可望的行为

바람-피우다 자 外遇 wàiyù; 戴绿帽子 dài lǜmàozi; 打野食 dǎ yěshí; 风流 fēngliú ¶바람피우는 남편 风流的丈夫

바:랑 명 1 背包 bēibāo 2 〖佛〗钵囊 bōnáng

바:래다1 一자 退色 tuìshǎi; 掉色 diàoshǎi; 捎色 shàoshǎi; 变色 biànsè ¶빛바랜 옷 退色的衣服/이 옷감은 바래지 않는다 这种料子不掉色/커튼이 이미 바랬다 窗帘已经变色了 二타 漂白 piǎobái; 脱色 tuōsè

바래다2 타 送 sòng ¶제가 공항까지 바래다 드릴게요 我送你去机场

바래다-주다 타 送 sòng ¶그를 큰길까지 바래다주어라 把他送到马路去吧

바램 명 '바람2' 的错误

바로 부 1 直 zhí; 端 duān; 端正 duānzhèng; 端直 duānzhí; 正经 zhèngjing ¶옷을 ~ 입어라 把衣服穿端正一些 2 照实 zhàoshí ¶~ 말해라 照实说吧 3 准确 zhǔnquè; 正确 zhèngquè ¶학생들이 모두 ~ 맞혔다 学生都回答正确 4 就 jiù; 即 jí; 当下 dāngxià; 马上 mǎshàng; 立刻 lìkè; 当时 dàngshí; 直接 zhíjiē ¶그는 보자마자 ~ 알았다 他一看就知道了/~ 역으로 갑니까? 直接到车站去吗? 5 正 zhèng; 就 jiù ¶~ 맞은편 正对面 6 就是 jiùshì; 正是 zhèngshì ¶이것이 ~ 제 책입니다 这就是我的书/그가 ~ 중국 사람입니다 他就是中国人

바로-바로 부 就 jiù; 及时 jíshí

바로-잡다 타 1 弄正 nòngzhèng ¶자세를 ~ 把姿势弄正 2 矫正 jiǎozhèng; 纠正 jiūzhèng ¶틀린 글자를 ~ 矫正错字/발음을 ~ 纠正发音

바로잡-히다 자 '바로잡다' 的被动词

바로크(프baroque) 명 〖藝〗巴洛克 bāluòkè; 巴罗克 bāluókè ¶~ 건축 巴洛克建筑/~ 양식 巴洛克风格/~미술 巴洛克美术/~ 음악 巴洛克音乐

바르다1 타 1 涂 tú; 涂抹 túmǒ; 擦 cā ¶그에게 약을 발라 줘라 给他擦药吧 2 糊 hú ¶창문 틈에 종이를 ~ 用纸糊窗缝

바르다2 타 1 剥 bāo; 剥开 bāokāi ¶오렌지 껍질을 ~ 把橙子皮剥开 2 剔 tī; 挑 tiāo ¶생선의 가시를 ~ 剔鱼刺

바르다3 형 1 直 zhí; 端 duān; 整齐 zhěngqí; 正 zhèng; 挺直 tǐngzhí ¶바르게 앉아야 한다 要挺直坐 2 公道 gōngdao; 端正 duānzhèng; 正当 zhèngdàng; 方正 fāngzhèng ¶바른 태도 端正态度/사람됨이 ~ 为人方正 3 简直 jiǎnzhí; 正直 zhèngzhí; 率真 shuàizhēn; 据实 jùshí ¶바르게 보고하다 据实报告 4 向阳 xiàngyáng ¶양지가 바른 곳 向阳地

바르르 부하자 1 兹兹 zīzī 2 冲冲 chōngchōng; 瑟瑟缩缩 sèsesuōsuō ¶~성을 내다 怒气冲冲 3 哆哆嗦嗦 duōduosuōsuō ¶손을 ~ 떨다 手哆哆嗦嗦直发抖 4 噼哩啪啦 pīlipālā ¶마른 나뭇잎이 타기 시작하더니 ~하는 소리를 낸다 干的树叶烧起来噼哩啪啦地响

바른-길 명 1 直路 zhílù 2 正道 zhèngdào ¶~을 걷다 走正道

바른-대로 부 照实 zhàoshí; 明说 míngshuō; 说实话 shuō shíhuà ¶~ 말하다 照实说

바른-말 명 正经话 zhèngjinghuà

바리-때 명 〖佛〗钵盂 bōyú

바리-바리 부 好几驮 hǎojǐ duò ¶신부가 혼수를 ~ 싣고 가다 新娘满载着好几驮结婚物品而归

바리캉(프bariquant) 명 推子 tuīzi; 推剪 tuījiǎn; 理发机 lǐfàjī

바리케이드(barricade) 명 街垒 jiēlěi; 路障 lùzhàng; 防寨 fángzhài ¶~를 치다 设置路障 / ~를 뚫고 들어가다 闯过街垒而进去

바리톤(baritone) 명 〖音〗 1 男中音 nánzhōngyīn; 男中音歌手 nánzhōngyīn gēshǒu 2 萨克斯号 sàkèsīhào

바림 명 〖美〗(颜色的) 浓淡层次 nóngdàn céngcì = 그러데이션

바바리(←Burberry) 명 = 바바리코트

바바리-코트(←Burberry coat) 명 巴宝莉大衣 Bābǎolì dàyī = 바바리

바베큐 명 '바비큐' 的错误

바벨(barbell) 명 〖體〗杠铃 gànglíng = 역기(力器)

바벨-탑(Babel塔) 명 1 〖宗〗巴别塔 Bābiétǎ; 通天塔 tōngtiāntǎ 2 空想计划 kōngxiǎng jìhuà; 架空计划 jiàkōng jìhuà

바:보 명 傻子 shǎzi; 白痴 báichī; 傻瓜 shǎguā; 笨蛋 bèndàn; 蠢人 chǔnrén; 呆子 dāizi; 愚人 yúrén ¶이렇게 간단한 문제도 못 풀다니, 그는 정말 ~다 这么简单的问题都不能解决, 他真是个笨蛋

바:보-스럽다 형 愚笨 yúbèn; 愚傻 yúshǎ; 傻 shǎ; 傻乎乎 shǎhūhū; 傻呵呵 shǎhēhē; 傻不愣登 shǎbùlèngdēng ¶그는 자신이 한 바보스러운 행동을 후회했다 他后悔自己做愚笨的行为 / 바보스럽게 웃기만 하다 傻呼呼地直笑

바:보-짓 명 糊涂事 hútushì; 傻事 shǎshì

바비큐(barbecue) 명 烤全猪 kǎoquánzhū; 烤全牛 kǎoquánniú; 烤肉 kǎoròu

바쁘다 형 1 忙 máng; 忙碌 mánglù; 繁忙 fánmáng ¶나는 지금 매우 ~ 我现在很忙 2 急 jí; 急促 jícù ¶너는 왜 이렇게 바쁘게 걷니? 你怎么走得这样急促?

바삐 부 忙着 mángzhe; 匆促 cōngcù; 急忙 jímáng ¶~ 걸어가다 走得匆促

바삭 부하자타 沙沙 shāshā; 簌簌 sùsù; 窸窣 xīsū ¶~하는 소리 沙沙的响声

바삭-거리다 자타 沙沙地响 shāshāde xiǎng; 沙沙作响 shāshā zuòxiǎng = 바삭대다 ¶바람이 부니 나뭇잎이 바삭거린다 风吹树叶沙沙作响 **바삭-바삭** 부하자타

바삭바삭-하다 형 脆 cuì; 脆生 cuìshēng; 松脆 sōngcuì; 焦脆 jiāocuì; 酥脆 sūcuì ¶바삭바삭한 과자 松脆的饼干

바삭-하다 형 脆 cuì; 脆生 cuìshēng; 松脆 sōngcuì; 焦脆 jiāocuì; 酥脆 sūcuì

바셀린(vaseline) 명 〖化〗凡士林 fánshìlín; 矿脂 kuàngzhī; 石油冻 shíyóudòng

바수다 타 捣碎 dǎosuì; 打碎 dǎsuì; 粉碎 fěnsuì; 破碎 pòsuì ¶돌덩이를 ~ 把石头块儿捣碎

바순(bassoon) 명 〖音〗巴松 bāsōng; 大管 dàguǎn

바스락 부하자타 沙沙 shāshā; 簌簌 sùsù; 窸窣 xīsū

바스락-거리다 자타 沙沙地响 shāshāshāde xiǎng; 簌簌地响 sùsùde xiǎng; 窸窣地响 xīsūde xiǎng = 바스락대다 ¶가을이 되니 가랑잎이 바스락거린다 到了秋天, 干叶子窸窣地响 **바스락-바스락** 부하자타

바스러-뜨리다 타 粉碎 fěnsuì; 弄碎 nòngsuì; 冲碎 chōngsuì; 打碎 dǎsuì ¶레이저로 돌을 ~ 通过激光把石头打碎

바스러-지다 자 碎 suì; 破碎 pòsuì; 碎裂 suìliè ¶큰 바위가 바스러져 작은 돌멩이가 되다 大石头碎裂成小石子

바스스 부하형 1 悄悄地 qiāoqiāode; 轻轻地 qīngqīngde ¶~ 일어나다 悄悄地站起来 2 (头发、毛等) 蓬松 péngsōng; 乱蓬蓬 luànpéngpéng ¶~한 머리카락 蓬蓬松松的头发

바스켓(basket) 명 〖體〗(篮球场的) 篮 lán

바싹 부 1 干巴 gānba; 干巴巴 gānbābā ¶몇 달 동안 비가 내리지 않아 농작물들이 ~ 말랐다 几个月没下雨, 农稼都干巴了 2 紧紧 jǐnjǐn; 紧靠 jǐnkào; 靠近 kàojìn ¶~ 다가앉다 紧靠着坐 3 使劲(儿) shǐjìn(r); 用力 yònglì; 硬 yìng; 勒紧 lēijǐn ¶목을 ~ 움츠리다 使劲缩脖子 / 정신을 ~ 차리다 用

力定了定神 **4** 猛然 měngrán; 骤然 zhòurán ¶수치가 ~ 줄어들다 数据猛然下降 **5** 干瘦 gānshòu; 瘦巴巴 shòubābā ¶~ 마른 여자 瘦巴巴的女人 **바싹-바싹** 부

바야흐로 부 正 zhèng; 正在 zhèngzài ¶~ 꽃들이 만개하는 봄이 되었다 正进入了鲜花盛开的春天

바운드(bound) 명하자 〖體〗(球) 弹 tán; 跳 tiào

바위 명 **1** 岩 yán; 岩石 yánshí **2** 石头 shítou; 拳头 quántou ¶나는 ~를 내고 그는 가위를 냈다 我出石头他出剪刀

바위-산(一山) 명 岩石山 yánshíshān

바위-섬 명 岩岛 yándǎo

바위-틈 명 岩缝 yánfèng ¶~에서 자란 풀 从岩缝里长出来的小草

바이러스(virus) 명 **1** 〖生〗 病毒 bìngdú ¶~성 간염 病毒性肝炎 **2** 〖컴〗 病毒 bìngdú

바이브레이션(vibration) 명 〖音〗 = 비브라토

바이블(bible) 명 经典 jīngdiǎn

바이어(buyer) 명 〖經〗 买主 mǎizhǔ; 客户 kèhù; 买方 mǎifāng ¶외국 ~ 外国买主

바이어스(bias) 명 **1** 斜线 xiéxiàn; 斜痕 xiéhén; 斜裁 xiécái **2** 〖手工〗 = 바이어스 테이프

바이어스 테이프(bias tape) 〖手工〗 斜布条 xiébùtiáo; 斜裁布料 xiécái bùliào = 바이어스2

바이오리듬(biorhythm) 명 〖生〗 **1** 生命节律 shēngmìng jiélǜ; 生态节律 shēngtài jiélǜ; 生物节奏 shēngwù jiézòu **2** 人体节律 réntǐ jiélǜ ‖ = 생체 리듬

바이올리니스트(violinist) 명 〖音〗 小提琴手 xiǎotíqínshǒu; 小提琴家 xiǎotíqínjiā

바이올린(violin) 명 〖音〗 小提琴 xiǎotíqín ¶~을 켜다 拉小提琴

바이킹(Viking) 명 北欧海盗 Běi Ōu hǎidào

바이트(bite) 명 〖工〗 切削刀 qiēxiāodāo; 车刀 chēdāo

바이트(byte) 一명 〖컴〗 字节 zìjié; 二进位组 èrjìnwèizǔ; 信息组 xìnxīzǔ 二 의명 字节 zìjié

바인더(binder) 명 **1** 纸夹 zhǐjiā; 夹子 jiāzi **2** 〖農〗 割捆机 gēkǔnjī

바자 명 篱笆 líba ¶수숫대로 ~를 엮다 用高粱秆儿编篱笆

바자(ⓟbazar · ⓔbazaar) 명 义卖 yìmài; 义卖会 yìmàihuì = 바자회 ¶부상병 돕기 ~를 열다 为伤兵而举办义卖

바자-회(ⓟbazar會) 명 = 바자(bazar)

바주카-포(bazooka砲) 명 〖軍〗 火箭筒 huǒjiàntǒng; 火箭炮 huǒjiànpào

바지 명 裤子 kùzi ¶~를 입다 穿裤子 / ~ 한 벌을 사다 买一条裤子

바지(barge) 명 平底载货船 píngdǐ zàihuòchuán; 驳船 bóchuán = 바지선

바지락 명 〖貝〗 花蛤 huāgé; 文蛤 wéngé = 바지락조개 · 참조개

바지락-조개 명 〖貝〗 = 바지락

바지랑-대 명 竿子 gānzi = 장대2 바지랑대로 하늘 재기 속담 以竿测天, 不知天有多高

바지런 명하형히부 勤快 qínkuai; 勤勉 qínmiǎn ¶~을 떨다 勤快做事

바지-선(barge船) 명 = 바지(barge)

바지-저고리 명 **1** 裤子和袄 kùzi hé ǎo **2** 脓包 nóngbāo; 草包 cǎobāo

바지직 부하자 **1** 嗞喇地 zīlāde **2** 嚓嚓 cācā

바지직-거리다 자 嗞喇地响 zīlāde xiǎng = 바지직대다 ¶기름이 솥에서 ~ 油在锅里嗞喇地响 **바지직-바지직** 부하자

바지-춤 명 裤腰 kùyāo ¶~을 여미다 把裤腰扣好

바지-통 명 裤腿(儿) kùtuǐ(r); 裤管 kùguǎn; 裤脚管 kùjiǎoguǎn ¶~이 넓다 裤管阔 / ~이 좁다 裤管窄

바짓-가랑이 명 裤腿 kùtuǐ; 裤裆 kùdāng

바짓-단 명 裤边 kùbiān ¶~을 뜯다 把裤边拆开

바짝 부 **1** 干巴 gānba; 干巴巴 gānbābā ¶빨래가 ~ 말랐다 洗的衣服都晒干巴了 **2** 紧紧 jǐnjǐn; 紧靠 jǐnkào; 靠近 kàojìn ¶그를 ~ 따라 걷다 紧紧地跟着他走 **3** 干瘦 gānshòu; 瘦巴巴 shòubābā ¶몸이 ~ 말랐다 身体干瘦了 **4** 抖 dǒu; 振作 zhènzuò ¶정신을 ~ 차리고 해보자 抖起精神赶吧

바치다[1] 타 **1** 缴纳 jiǎonà; 缴付 jiǎofù; 交给 jiāogěi; 献 xiàn ¶조상에게 햇곡식을 ~ 向祖先缴纳新谷 **2** 献 xiàn; 献出 xiànchū; 献给 xiàngěi ¶조국에 목숨을 ~ 把生命献给祖国 **3** 纳 nà; 交 jiāo ¶세금을 ~ 纳税

바치다[2] 타 爱吃 àichī; 贪 tān; 沉湎 chénmiǎn; 沉溺 chénnì ¶술을 ~ 沉湎于酒

바캉스(ⓟvacance) 명 假期 jiàqī; 休假 xiūjià; 假 jià; 暑假 shǔjià

바-코드(bar code) 명 条码 tiáomǎ; 条形码 tiáoxíngmǎ

바퀴[1] 一명 轮 lún; 车轮 chēlún; 轮子 lúnzi ¶자동차 ~ 车轮 二 의명 圈 quān; 匝 zā ¶운동장을 한 ~ 돌다 绕着运动场转一圈

바퀴[2] 명 〖蟲〗 蟑螂 zhāngláng; 蜚蠊

fēilián = 바퀴벌레
바퀴-벌레 명〖蟲〗= 바퀴²
바퀴-살 명 轮辐 lúnfú; 轮条 lúntiáo
바큇-자국 명 车辙 chēzhé; 辙迹 zhéjì
바탕¹ 명 1 成分 chéngfèn; 出身 chūshēn; 本质 běnzhì ¶그는 ~이 선량한 사람이다 他是个本质善良的人 2 架子 jiàzi ¶수레 ~ 车架子 3 底子 dǐzi; 根底 gēndǐ; 地儿 dìr ¶흰 ~에 검은 무늬의 바지 白底子黑花的裤子 4 根据 gēnjù ¶그의 이론은 과학이 ~이 되었다 他的理论有科学的根据
바탕² 의명 阵 zhèn; 场 cháng; 顿 dùn ¶비가 한 ~ 내렸다 下了一阵雨 / 욕을 몇 ~ 하다 骂了几顿
바탕-색(—色) 명 1 原色 yuánsè 2〖美〗底色 dǐsè
바탕-음(—音) 명〖音〗基音 jīyīn
바터(barter) 명하타〖經〗= 물물 교환
바텐더(bartender) 명 (酒吧的) 调酒师 tiáojiǔshī; 调酒员 tiáojiǔyuán
바통(프bâton) 명〖體〗= 배턴
바투 부 1 靠近 kàojìn ¶~ 앉아라 坐得靠近点儿 2 短 duǎn; 紧 jǐn ¶고삐를 더 ~ 잡아라 把缰绳握得更短吧 / 결혼 날짜를 너무 ~ 잡았다 把婚期定得太紧
바특-하다 형 1 近 jìn; 接近 jiējìn; 相近 xiāngjìn 2 短 duǎn; 短暂 duǎnzàn; 短浅 duǎnqiǎn ¶시간이 너무 ~ 时间太短暂 3 熬浓 áonóng ¶국을 바특하게 끓이다 把汤熬浓
박 명〖植〗匏瓜 páoguā; 葫芦 húlu; 瓠子 hùzi
박(泊) 의명 夜 yè; 宿 xiǔ ¶1~ 2일 两天一夜 / 여관에서 1~을 하다 在旅馆住一宿
박격-포(迫擊砲) 명〖軍〗迫击炮 pǎijīpào
박다 타 1 钉 dìng; 打 dǎ; 砸 zá; 捶 chuí ¶못 하나를 벽에 박아 넣다 将一根钉子钉进一堵墙 2 嵌 qiàn ¶자개를 박은 장롱 嵌了贝壳的衣柜 3 加 jiā ¶송편에 콩소를 ~ 把黄豆加在蒸糕 4 印 yìn; 印刷 yìnshuā; 照 zhào ¶명함을 ~ 印名片 / 사진을 ~ 照相 5 缉 qī; 扎 zhā ¶재봉틀로 바짓단을 ~ 用缝纫机缉裤脚 6 制成 zhìchéng ¶박아낸 다식 덩어리가 모두 균일하다 制成的印糕均匀 7 植根 zhígēn; 扎根 zhāgēn 8 写得清楚 xiěde qīngchu ¶남글씨를 박아서 쓰다 字写得很清楚 9 盯 dīng; 盯视 dīngshì ¶그의 두 눈은 모니터 화면에 박혀 있다 他的两只眼睛都盯住了显示器 10 撞 zhuàng; 冲撞 chōngzhuàng; 撞击 zhuàngjī; 碰 pèng; 碰上 pèngshang ¶유리문에 박아서 이마를 여섯 바늘 꿰맸다 撞到玻璃门上额头缝了六针
박달-나무 명〖植〗赛黑桦 sàihēihuà; 檀木 tánmù
박대(薄待) 명하타 1 = 푸대접 ¶손님을 ~하다 薄待客人 2 苛待 kēdài
박동(搏動) 명하자 搏动 bódòng; 跳动 tiàodòng ¶심장이 ~하다 心脏搏动
박두(迫頭) 명하자 (时间上) 迫近 pòjìn; 临近 línjìn; 邻近 línjìn; 在即 zàijí ¶개봉 ~ 开映在即 / 새해가 ~하다 春节临近
박람(博覽) 명하타 博览 bólǎn; 广泛阅览 guǎngfàn yuèlǎn ¶여러 서적을 ~하다 博览群书
박람-회(博覽會) 명 博览会 bólǎnhuì ¶무역 ~ 贸易博览会
박력(迫力) 명 魄力 pòlì; 力 lì; 力量 lìliang ¶일 처리가 대단히 ~ 있다 办事很有魄力
박력-분(薄力粉) 명 薄力粉 báolìfěn
박리(剝離) 명하타 剥离 bōlí
박리(薄利) 명 薄利 bólì ¶~ 판매 薄利出售
박리-다매(薄利多賣) 명하타 薄利多销 bólì duōxiāo
박멸(撲滅) 명하타 扑灭 pūmiè; 消灭 xiāomiè ¶쥐를 ~하다 扑灭老鼠
박명(薄命) 명하형 1 薄命 bómìng 2 短命 duǎnmìng
박물(博物) 명 博物 bówù
박물-관(博物館) 명 博物馆 bówùguǎn; 博物院 bówùyuàn
박박¹ 부 1 喀哧喀哧 kāchīkāchī; 嚓嚓 chāchā ¶쉬지 않고 몸을 여기저기 ~ 문질렀다 喀哧喀哧地不停地把身子搓了个遍 2 刺啦刺啦 cīlācīlā; 咔嚓咔嚓 kāchākāchā; 哧哧 chīchī ¶종이 한 무더기를 ~ 찢어 바닥에 던졌다 刺啦刺啦撕撕一堆纸, 扔到地上 3 搔抓 sāozhuā; 刮 guā ¶~ 긁거나 뜨거운 물로 머리를 감아서도, 비누를 사용해서도 안 됩니다 切忌搔抓, 热水洗发和使用肥皂 4 光 guāng ¶머리를 ~ 깎다 头剃得光光的 5 固执地 gùzhide; 执意地 zhíyìde; 坚意地 jiānyìde; 犟地 jiàngde ¶그가 나를 해쳤다고 ~ 우겼다 固执地硬说是他害死了我
박박² 부 (脸上) 有很多麻子 yǒu hěn duō mázi
박복(薄福) 명하형 没福气 méi fúqi; 薄命 bómìng
박봉(薄俸) 명 薄薪 bóxīn; 低薪 dīxīn; 低工资 dīgōngzī ¶~에 시달리다 被低工资所困扰
박빙(薄氷) 명 1 = 살얼음 2 不相上下 bùxiāngshàngxià ¶~의 경기 不相上下的比赛

박사(博士) 명 1 〖教〗博士 bóshì ¶~학위를 따다 取得博士学位 2 博学之士 bóxuézhīshì; 专家 zhuānjiā; 通 tōng ¶그 아이는 공룡 ~이다 那个孩子是恐龙的专家
박사(薄紗) 명 薄纱 báoshā
박살 명 破碎 pòsuì; 碎 suì; 粉碎 fěnsuì; 毁灭 huǐmiè; 摧毁 cuīhuǐ; 砸碎 zásuì; 打破 dǎpò ¶꽃병을 ~ 내다 粉碎花瓶 / 계란이 모두 ~ 났다 鸡蛋都破碎了
박색(薄色) 명 丑脸 chǒuliǎn ¶차마 눈뜨고 못 볼 ~이다 惨不忍睹的丑脸
박수 명 〖民〗巫师 wūshī; 男巫 nánwū = 박수무당
박수(拍手) 명하자 鼓掌 gǔzhǎng; 拍手 pāishǒu; 拍掌 pāizhǎng; 拍巴掌 pāi bāzhang ¶관중들이 ~를 치며 환호하다 观众鼓掌欢呼
박수-갈채(拍手喝采) 명하자 拍手喝彩 pāishǒu hècǎi; 拍手叫好 pāishǒu jiàohǎo ¶~를 보내다 拍手喝彩
박수-무당 명 〖民〗= 박수
박스(box) 명 1 = 상자1 ¶라면 두 ~ 两箱方便面 2 = 칸2
박식(博識) 명하형 博识 bóshí; 博学 bóxué; 渊博 yuānbó; 博学多闻 bóxuéduōwén; 多闻博识 duōwénbóshí ¶~한 학자 博识的学者
박애(博愛) 명하타 博爱 bó'ài
박애-주의(博愛主義) 명 〖哲〗博爱主义 bó'ài zhǔyì ¶~자 博爱主义者
박약(薄弱) 명하형 1 薄弱 bóruò; 单薄 dānbó; 虚弱 xūruò ¶의지가 ~하다 意志薄弱 2 不足 bùzú; 缺乏 quēfá ¶근거가 ~하다 缺乏根据
박음-질 명하타 缉 qī
박이다 자 1 习惯 xíguàn; 上瘾 shàngyǐn ¶일찍 일어나는 것이 몸에 ~ 习惯早起 / 커피를 마시는 데 인이 박였다 喝咖啡喝上了瘾 2 生茧 shēngjiǎn; 长出茧 zhǎngchū jiǎn ¶손바닥에 못이 ~ 手掌上生茧
박자(拍子) 명 〖音〗拍子 pāizi; 拍 pāi ¶~를 맞추다 打拍子 / ~가 맞지 않다 不合拍子
박작-거리다 자 拥挤 yōngjǐ; 喧闹 xuānnào = 박작대다 ¶넓은 공원이 사람들로 ~ 大公园里聚了很多人非常拥挤 **박작-박작** 부하자
박장(拍掌) 명하자 拍手 pāishǒu; 鼓掌 gǔzhǎng; 拍掌 pāizhǎng; 拊掌 fǔzhǎng
박장-대소(拍掌大笑) 명하자 拊掌大笑 fǔzhǎng dàxiào; 鼓掌大笑 gǔzhǎng dàxiào
박절-하다(迫切—) 형 1 冷淡 lěngdàn; 无情 wúqíng ¶박절하게 거절하다 冷淡地拒绝 2 = 다급하다 **박절-히** 부
박정-하다(薄情—) 형 薄情 bóqíng; 冷淡 lěngdàn; 无情 wúqíng; 冷峭 lěngqiào ¶넌 어쩜 그렇게도 박정하니? 你怎么这么薄情? **박정-히** 부
박제(剝製) 명하타 剥制 bāozhì; 剥制标本 bāozhì biāoběn
박제-품(剝製品) 명 剥制标本 bāozhì biāoběn
박:-쥐 명 〖動〗蝙蝠 biānfú
박지(薄紙) 명 薄纸 báozhǐ; 薄页纸 báoyèzhǐ ¶~로 포장한 과자 用薄纸包装的饼干
박진(迫眞) 명하형 逼真 bīzhēn; 迫真 pòzhēn ¶연기가 매우 ~하다 演得十分逼真
박진-감(迫眞感) 명 逼真感 bīzhēngǎn; 迫真感 pòzhēngǎn ¶~ 넘치는 연기 迫真感很强的演技
박차(拍車) 명 1 马刺 mǎcì 2 加紧 jiājǐn; 快马加鞭 kuàimǎjiābiān ¶신약 개발에 ~를 가하다 加紧开发新药
박-차다 타 1 猛踢 měng tī; 猛踹 měng chuài ¶그는 문을 박차고 나가 버렸다 他猛踢出门去了 2 克服 kèfú; 冲破 chōngpò; 排除 páichú; 闯过 chuǎngguò ¶역경을 박차고 앞으로 나아가다 克服困难前进
박-치기 명하자타 (以头)顶 dǐng; 撞 zhuàng ¶범인이 경찰의 머리에 ~를 했다 犯人以头撞警察之头部
박탈(剝脫) 명하자타 剥脱 bāotuō
박탈(剝奪) 명하타 剥夺 bōduó ¶자유를 ~하다 剥夺自由 / 권리를 ~하다 剥夺权利
박탈-감(剝奪感) 명 剥夺感 bōduógǎn ¶상대적 ~ 相对剥夺感
박테리아(bacteria) 명 〖生〗= 세균
박토(薄土) 명 薄土 báotǔ
박편(薄片) 명 薄片 báopiàn ¶~으로 쪼개다 切成薄片
박피(剝皮) 명하타 剥皮 bāopí; 去皮 qùpí
박피(薄皮) 명 薄皮 báopí
박하(薄荷) 명 〖植〗薄荷 bòhe = 민트
박하-뇌(薄荷腦) 명 〖化〗薄荷脑 bòhenǎo; 薄荷醇 bòhechún = 멘톨
박-하다(薄—) 형 1 不厚道 bùhòudào; 不厚 bùhòu; 薄情 bóqíng; 刻薄 kèbó; 薄 báo ¶그가 이렇게 박할 줄 누가 알았을까? 谁知他这样刻薄? 2 (利益、所得等) 少 shǎo; 微薄 wēibó ¶이윤이 ~ 利润少 3 (厚度) 薄 báo ¶얼음이 ~ 冰很薄
박하-사탕(薄荷沙糖) 명 薄荷糖 bòhetáng
박학(博學) 명하형 博学 bóxué ¶~한 사람 博学之士

ㅂ

박학-다식(博學多識) 명하형 博学多识 bóxuéduōshí
박해(迫害) 명하타 迫害 pòhài ¶종교적인 ~ 宗教迫害 / 갖은 ~를 받다 备受迫害
박-히다 자 '박다'的被动词
밖 명 **1** 外 wài; 外面 wàimiàn; 外边 wàibian ¶문~ 门外 / ~에 나가서 놀다 去外面玩 **2** 表面 biǎomiàn ¶그는 ~으로 보기에는 착한 것 같다 他表面上看起来很善良 **3** 除了… chúle…; 除… chú…; 以外 yǐwài; 之外 zhīwài; 外 wài ¶그 ~의 문제 其外的问题 / 나 ~에는 아무도 모른다 除了我, 没有人知道 **4** = 한데[2]
밖에 조 只 zhǐ; 只有 zhǐyǒu; 唯有 wéiyǒu ¶이 임무를 완성할 수 있는 사람은 너~ 없다 能完成这个任务的人只有你
반:(半) 명 半 bàn; 一半 yībàn ¶한 달 ~ 一个半月 / 한 시간 ~ 一个半小时 / 재산의 ~ 一半财产 / 시작이 ~이다 好的开始是成功的一半
반(班) 명 **1** 班 bān ¶음악~ 音乐班 **2** 〖軍〗 班 bān **3** 班级 bānjí ¶1학년은 10개 ~으로 되어 있다 一年级由十个班级组成
반:-(反) 접두 反 fǎn; 反对 fǎnduì ¶~비례 反比例 / ~작용 反作用 / ~독재 反独裁
반:가(半價) 명 = 반값
반가움 명 喜悦 xǐyuè; 高兴 gāoxìng ¶~을 표현하다 表现高兴
반가워-하다 타 高兴 gāoxìng ¶만약 그가 너를 만난다면 무척 반가워할 것이다 要是他见到你, 肯定会很高兴的
반가이 부 高兴地 gāoxìngde; 欣喜地 xīnxǐde; 欣然地 xīnránde ¶그들은 우리를 ~ 맞아 주었다 他们高兴地迎接了我们
반:감(反感) 명 反感 fǎngǎn ¶~을 사다 引起反感 / ~이 생기다 产生反感
반:감(半減) 명하자타 减半 jiǎnbàn ¶흥미가 ~되다 兴趣减半 / 세금 징수를 ~하다 减半征税 / 생산량이 ~되다 生产量减半
반갑다 형 高兴 gāoxìng; 喜悦 xǐyuè; 喜欢 xǐhuan; 喜 xǐ ¶반가운 소식 令人高兴的消息 / 만나서 반갑습니다 见到你很高兴 / 반가운 마음으로 맞이하다 怀着喜悦的心情迎接
반:-값(半—) 명 半价 bànjià = 반가 ¶철 지난 옷을 ~에 사다 过季节的衣服花半价买
반:-걸음(半—) 명 半步 bànbù = 반보 ¶~ 물러서다 往后退半步
반:격(反擊) 명하자타 反击 fǎnjī; 回击 huíjī; 还击 huánjī; 反攻 fǎngōng; 反扑 fǎnpū ¶적에게 ~을 가하다 对敌人给予反击
반:격-전(反擊戰) 명 反击战 fǎnjīzhàn ¶~을 벌이다 打一场反击战
반:경(半徑) 명 〖數〗 半径 bànjìng 《'반지름' 的旧称》 ¶~ 30km 이내 三十公里半径内
반:-고체(半固體) 명 半固体 bàngùtǐ
반:고형-식(半固形食) 명 = 연식(軟食)
반:골(反骨·叛骨) 명 反骨 fǎngǔ ¶~ 정신 反骨精神 / ~ 성향 反骨倾向
반:공(反共) 명하자 反共 fǎngòng; 反对共产主义 fǎnduì gòngchǎn zhǔyì ¶~ 교육 反共教育 / ~ 의식 反共意识
반:공(反攻) 명하타 反攻 fǎngōng; 反击 fǎnjī ¶적을 ~하다 反攻敌人
반:-공일(半空日) 명 半休日 bànxiūrì
반:구(半句) 명 半句 bànjù
반:구(半球) 명 半球 bànqiú
반군(叛軍) 명 = 반란군 ¶~을 소탕하다 扫荡叛军
반:기(反旗) 명 **1** 反旗 fǎnqí; 叛旗 pànqí **2** 表示反对 biǎoshì fǎnduì ¶그의 이론에 ~를 들다 对他的理论表示反对
반:기(半旗) 명 = 조기(弔旗)1
반기다 타 高兴地迎接 gāoxìngde yíngjiē; 欢迎 huānyíng ¶그는 내가 그의 집에 가는 것을 반기지 않는다 他不欢迎我访问他的家
반:-나절(半—) 명 半天 bàntiān; 半日 bànrì; 半晌 bànshǎng ¶~이나 기다렸다 等了半天
반:-나체(半裸體) 명 半裸 bànluǒ; 半裸体 bànluǒtǐ = 반라 ¶~로 침대에 눕다 半裸躺在床上
반:납(返納) 명하타 还 huán; 交还 jiāohuán ¶책을 ~하다 还书
반:년(半年) 명 半年 bànnián
반:-달[1](半—) 명 **1** 半月 bànyuè; 弦月 xiányuè = 반월1 ¶밤하늘에 ~이 걸려 있다 半月挂在夜空 **2** (指甲的)健康圈 jiànkāngquān
반:-달[2](半—) 명 半个月 bànge yuè; 半月 bànyuè
반:달가슴-곰(半—) 명 〖動〗 黑熊 hēixióng; 狗熊 gǒuxióng = 반달곰
반:달-곰(半—) 명 〖動〗 = 반달가슴곰
반:당(反黨) 명하자 反党 fǎndǎng; 叛党 pàndǎng
반:대(反對) 명하자타 **1** (样子、方向等) 相反 xiāngfǎn; 倒 dào; 反 fǎn ¶~ 방향 相反的方向 / ~로 돌다 反转 **2** 反对 fǎnduì; 相反 xiāngfǎn ¶나의 견해와 ~되다 与我的想法是相反的

반:대-말(反對—) 명 〖語〗 = 반의어
반:대-자(反對者) 명 反对者 fǎnduìzhě
반:대-쪽(反對—) 명 对面 duìmiàn
반:대-파(反對派) 명 反对派 fǎnduìpài
반:대-편(反對便) 명 **1** 对面 duìmiàn **2** 对方 duìfāng
반:대-표(反對票) 명 反对表 fǎnduìpiào ¶~를 던지다 投反对票
반:-덤핑(反dumping) 명 〖經〗 反倾销 fǎnqīngxiāo
반:덤핑 관세(反dumping關稅) 〖經〗 反倾销关税 fǎnqīngxiāo guānshuì
반:도(半島) 명 〖地理〗 半岛 bàndǎo
반:도(叛徒) 명 叛徒 pàntú ¶~를 타도하다 打倒叛徒
반:-도체(半導體) 명 〖物〗 半导体 bàndǎotǐ ¶~ 공업 半导体工业 / ~ 공학 半导体工学
반:동(反動) 명하자 **1** 反作用 fǎnzuòyòng; 反冲 fǎnchōng; 后坐 hòuzuò; 反冲力 fǎnchōnglì; 后坐力 hòuzuòlì ¶그 총은 ~이 너무 크다 那支枪后坐力太大 **2** 反动 fǎndòng ¶~사상 反动思想 / ~ 세력 反动势力 / 억압에 대한 ~ 对压迫反动
반:동-력(反動力) 명 〖物〗 = 반작용힘
반:동-적(反動的) 관명 反动(的) fǎndòng(de) ¶~ 경향 反动的倾向
반드럽다 형 **1** 光滑 guānghuá; 平滑 pínghuá ¶반드러운 대리석 바닥 光滑的大理石地面 **2** (人) 圆滑 yuánhuá; 油滑 yóuhuá; 世故 shìgù ¶그는 무척 ~ 他很圆滑
반드르르 부하형 光滑 guānghuá; 油光 yóuguāng; 油光光 yóuguāngguāng; 光溜溜 guāngliūliū; 油亮 yóuliàng ¶그의 머리는 늘 ~하다 他的头发总是油光光的
반드시 부 一定 yīdìng; 必然 bìrán; 务必 wùbì; 必须 bìxū; 必定 bìdìng; 准 zhǔn = 기필코 ¶나는 그가 ~ 성공하리라 믿는다 我相信他一定会成功
반들-거리다[1] 자 **1** 光滑 guānghuá; 油亮 yóuliàng; 平滑 pínghuá; 油光 yóuguāng ¶책상을 반들거리도록 닦다 书桌擦得光滑 **2** 圆滑 yuánhuá; 滑头 huátóu; 油滑 yóuhuá ‖ = 반들대다[1] **반들-반들**[1] 부하형
반들-거리다[2] 자 游手好闲 yóushǒuhàoxián; 游荡 yóudàng; 浪当 làngdāng; 浪荡 làngdàng = 반들대다[2] ¶반들거리지만 말고 마음을 좀 잡아라 不要老那么游手好闲, 要定下心来 **반들-반들**[2] 부하자
반듯-반듯 부하형 平平正正 píngpingzhèngzhèng; 端端正正 duānduanzhèngzhèng ¶~하게 개다 叠得平平正正
반듯-이 부 平平地 píngpíngde; 正正地 zhèngzhèngde; 整齐 zhěngqí ¶~ 놓여진 책 摆放整齐的图书
반듯-하다 형 **1** 整齐 zhěngqí; 直 zhí; 规正 guīzhèng; 规整 guīzhěng; 端正 duānzhèng; 平正 píngzheng; 笔直 bǐzhí ¶반듯한 사각형 规整的方形 / 글자를 반듯하게 쓰다 字写得端端正正 / 품행이 ~ 品行端正 **2** (长得) 帅 shuài; 端正 duānzhèng; 潇洒大方 xiāosǎ dàfang; 漂亮 piàoliang ¶반듯하게 생기다 五官端正 **3** 正当 zhèngdàng; 方正 fāngzhèng
반:등(反騰) 명하자 〖經〗 反弹 fǎntán; 反腾 fǎnténg; 回升 huíshēng; 回涨 huízhǎng ¶국제 유가가 계속 ~하다 国际油价不迭回升 / 주가가 ~하다 股价回涨
반디 명 〖蟲〗 = 반딧불이
반딧-불 명 **1** 萤火 yínghuǒ; 萤光 yíngguāng = 인화(燐火)2 · 형광1 **2** 〖蟲〗 = 반딧불이
반딧-불이 명 〖蟲〗 萤火虫 yínghuǒchóng = 개똥벌레 · 반디 · 반딧불2
반:라(半裸) 명 = 반나체 ¶~의 여인 半裸女人
반:란(叛亂 · 反亂) 명하자 叛乱 pànluàn; 造反 zàofǎn ¶~을 일으키다 发动叛乱 / ~을 진압하다 镇压叛乱
반:란-군(叛亂軍) 명 叛军 pànjūn = 반군 ¶~을 진압하다 镇压叛军
반:란-죄(叛亂罪) 명 〖法〗 叛乱罪 pànluànzuì
반:려(伴侶) 명 伴侣 bànlǚ
반:려(返戾) 명하타 = 반환1 ¶사표가 ~되다 辞呈被退回
반:려-자(伴侶者) 명 伴侣 bànlǚ; 伴侣者 bànlǚzhě; 伴(儿) bàn(r) ¶인생의 ~ 人生的伴侣
반론(反論) 명하자타 反驳 fǎnbó; 驳斥 bóchì; 批驳 pībó ¶~을 제기하다 提出反驳
반:-만년(半萬年) 명 半万年 bànwànnián; 五千年 wǔqiānnián ¶~의 역사 半万年历史
반:-말(半—) 명하자 〖語〗 非敬语 fēijìngyǔ; 半语 bànyǔ ¶처음 만난 사람에게 ~을 하다 对初次见面的人使用非敬语
반:말-지거리(半—) 명하자 用非敬语说话 yòng fēijìngyǔ shuōhuà; 说话不礼貌 shuōhuà bùlǐmào; 说话没大没小 shuōhuà méidàméixiǎo
반:면(反面) 명 反面 fǎnmiàn; 反之 fǎnzhī; 另一方面 lìngyī fāngmiàn; 相反 xiāngfǎn ¶많은 장점이 있는 ~에 단점도 있다 有很多优点, 但另一方面也有缺点

ㅂ

반면(盤面) 명 1 盘面 pánmiàn 2 形势 xíngshì; 局势 júshì ¶바둑을 둘 때는 ~을 잘 파악해야 한다 下棋要把握准局势

반:-모음(半母音) 명 〖語〗 半元音 bànyuányīn

반:목(反目) 명하자 反目 fǎnmù; 不和 bùhé ¶부부가 ~하다 夫妻反目

반:문(反問) 명하자타 反问 fǎnwèn; 反诘 fǎnjié ¶그에게 질문의 뜻을 ~하다 反问他问题的意思

반:미(反美) 명 反美 fǎnměi ¶~ 감정 反美情绪 / ~ 집회 反美集会

반:-미치광이(半—) 명 半疯子 bànfēngzi; 半疯儿 bànfēngr

반:-민족(反民族) 명 反民族 fǎnmínzú; 背叛民族 bèipàn mínzú

반:-민주(反民主) 명 反民主 fǎnmínzhǔ; 反对民主主义 fǎnduì mínzhǔ zhǔyì

반:-바지(半—) 명 短裤 duǎnkù

반:박(反駁) 명하타 反驳 fǎnbó; 辩驳 biànbó; 驳斥 bóchì; 驳 bó ¶다른 사람의 주장을 ~하다 反驳别人的主张 / ~ 성명을 발표하다 发表反驳声明

반:박(半拍) 명 半拍子 bàn pāizi

반:박-문(反駁文) 명 反驳文 fǎnbówén

반:반(半半) 명 1 一半 yībàn ¶~씩 나누다 各分一半 2 = 반의반

반반-하다 형 1 平 píng; 平坦 píngtǎn; 平平 píngpíng ¶길을 반반하게 닦다 路修得很平坦 2 (长得) 好看 hǎokàn; 秀丽 xiùlì; 漂亮 piàoliang ¶얼굴이 ~ 脸长得好看 3 (东西) 好 hǎo; 不错 bùcuò; 像样 xiàngyàng ¶반반한 물건 好的东西 4 (出身、地位) 高 gāo

반반-히 부

반:발(反撥) 명하자 1 反弹 fǎntán; 弹回 tánhuí 2 逆反 nìfǎn; 反抗 fǎnkàng; 抗拒 kàngjù ¶더 큰 ~을 낳다 引起更大的反抗

반:발-력(反撥力) 명 弹力 tánlì; 反弹力 fǎntánlì

반:발-심(反撥心) 명 逆反心 nìfǎnxīn; 逆反心理 nìfǎn xīnlǐ ¶~을 가지다 具有逆反心理

반:백(半白) 명 = 반백(斑白)

반:백(半百) 명 半百 bànbǎi

반백(斑白·頒白) 명 斑白 bānbái; 花白 huābái = 반백(半白) ¶~의 노인 头发斑白的老人 / ~의 머리 头发斑白

반:-벙어리(半—) 명 半哑巴 bànyǎba

반:병(半瓶) 명 半瓶 bànpíng ¶소주 ~을 마시다 喝半瓶烧酒

반:-병신(半病身) 명 半残废 bàncánfèi

반:-보(半步) 명 = 반걸음 ¶~ 앞으로! 向前半步走!

반:복(反復) 명하타 反复 fǎnfù; 重复 chóngfù; 重做 chóngzuò ¶그는 했던 말을 다시 한번 ~했다 他把说过的话又重复了一遍

반:분(半分) 명하타 分一半 fēn yībàn; 对半(儿) duìbàn(r) ¶그는 이윤을 ~하여 가져갔다 他把利润分一半拿过去

반:-비례(反比例) 명하자 〖數〗 反比例 fǎnbǐlì

반:사(反射) 명하자타 1 〖物〗 反射 fǎnshè; 反照 fǎnzhào ¶빛의 ~ 光的反射 2 〖生〗 反射 fǎnshè

반:사-각(反射角) 명 〖物〗 反射角 fǎnshèjiǎo

반:사 거울(反射—) 〖物〗 = 반사경

반:사-경(反射鏡) 명 〖物〗 反射镜 fǎnshèjìng = 반사 거울

반:사-광(反射光) 명 〖物〗 = 반사 광선

반:사 광선(反射光線) 〖物〗 反射光线 fǎnshè guāngxiàn; 反射光 fǎnshèguāng = 반사광

반:사-면(反射面) 명 反射面 fǎnshèmiàn

반:사-열(反射熱) 명 〖物〗 反射热 fǎnshèrè

반:사 운:동(反射運動) 〖生〗 反射运动 fǎnshè yùndòng

반:사-율(反射率) 명 〖物〗 反射率 fǎnshèlǜ; 反射比 fǎnshèbǐ

반:사 작용(反射作用) 〖物·心〗 反射作用 fǎnshè zuòyòng ¶감정적인 ~ 情感的反射作用

반:사-적(反射的) 관명 反射(的) fǎnshè(de) ¶우리도 ~으로 눈을 깜박일 수 있다 我们也会反射地眨眼

반:사-체(反射體) 명 〖物〗 反射体 fǎnshètǐ

반:-사회적(反社會的) 관명 反社会(的) fǎnshèhuì(de) ¶~ 행위 反社会的行为

반상-기(飯床器) 명 成套餐具 chéngtào cānjù

반-상회(班常會) 명 居民会 jūmínhuì

반색 명하자 高兴 gāoxìng; 欣喜 xīnxǐ; 喜欢 xǐhuan ¶손님을 ~하며 맞다 很高兴地迎接一位客人

반:생(半生) 명 半生 bànshēng; 半辈子 bànbèizi

반석(盤石·磐石) 명 磐石 pánshí ¶~같이 굳은 신념 坚如磐石的信念

반:성(反省) 명하타 反省 fǎnxǐng; 反思 fǎnsī; 检查 jiǎnchá; 检讨 jiǎntǎo; 悔过 huǐguò ¶자신의 행동을 ~하다 反省自己的行动

반:성-문(反省文) 명 检查 jiǎnchá; 检讨书 jiǎntǎoshū; 悔过书 huǐguòshū

반:세(半世) 명 半生 bànshēng; 半辈

子 bànbèizi
반:-세기(半世紀) 명 半世纪 bànshìjì
반:소(反訴) 명하자 〖法〗 反诉 fǎnsù = 맞고소
반:소(半燒) 명하자 半烧 bànshāo; 半焦 bànjiāo; 烧一半 shāo yībàn
반:-소경(半—) 명 **1** = 애꾸눈 **2** 半瞎子 bànxiāzi **3** 半文盲 bànwénmáng
반:-소매(半—) 명 短袖 duǎnxiù = 반팔
반:송(返送) 명하타 = 환송(還送) ¶ 소포가 ~되다 包裹被退回
반송(搬送) 명하타 搬运 bānyùn; 运送 yùnsòng
반:-송장(半—) 명 半死人 bànsǐrén
반:수(半數) 명 半数 bànshù ¶~ 이상의 학생이 동의하다 半数以上的学生同意
반:숙(半熟) 명하자타 半熟 bànshú ¶ 계란 ~ 半熟鸡蛋
반:-승낙(半承諾) 명하타 半答应 bàndāying; 半许可 bànxǔkě; 半允许 bànyǔnxǔ
반:-식민지(半植民地) 명 半植民地 bànzhímíndì
반:신(半身) 명 半身 bànshēn
반:신(返信) 명 回信 huíxìn; 回电 huídiàn; 回条 huítiáo; 回单 huídān
반:신-반:의(半信半疑) 명하타 半信半疑 bànxìnbànyí; 将信将疑 jiāngxìnjiāngyí
반:신-불수(半身不隨) 명 半身不遂 bànshēn bùsuí; 偏瘫 piāntān; 瘫痪 tānhuàn
반:신-상(半身像) 명 半身像 bànshēnxiàng
반:신-욕(半身浴) 명 〖醫〗 半身浴 bànshēnyù ¶~을 하다 泡半身浴
반:실(半失) 명하자 失掉一半 shīdiào yībàn; 损失一半 sǔnshī yībàn
반:액(半額) 명 **1** 半额 bàn'é ¶~ 장학금 半额奖学金 **2** 半价 bànjià ¶~ 판매 半价销售
반:야(半夜) 명 = 한밤중
반야(般若) 명 〖佛〗 般若 bōrě
반야-심경(般若心經) 명 〖佛〗 般若心经 Bōrě Xīnjīng
반:-양장(半洋裝) 명 **1** 半西装 bànxīzhuāng **2** 〖印〗 半精装 bànjīngzhuāng
반:어(反語) 명 〖語〗 反语 fǎnyǔ = 아이러니1
반:어-법(反語法) 명 **1** 〖論〗 反诘 fǎnjié **2** 〖語〗 反语法 fǎnyǔfǎ
반:역(反逆·叛逆) 명하자타 叛逆 pànnì; 背叛 bèipàn; 反叛 fǎnpàn ¶~ 행위 叛逆行为 / ~자 叛逆者 / ~죄 叛逆罪
반열(班列) 명 班列 bānliè; 阶级 jiējí
반:영(反映) 명하자타 反映 fǎnyìng
반:영(反影) 명 倒影 dàoyǐng
반:-영구(半永久) 명 半永久 bànyǒngjiǔ
반:영구-적(半永久的) 관명 半永久(的) bànyǒngjiǔ(de); 半永久性(的) bànyǒngjiǔxìng(de)
반:-올림(半—) 명하타 〖數〗 四舍五入 sìshè wǔrù
반:원(半圓) 명 〖數〗 半圆 bànyuán ¶ ~을 그리다 划半圆
반원(班員) 명 班员 bānyuán
반:원-형(半圓形) 명 〖數〗 半圆形 bànyuánxíng
반:월(半月) 명 **1** = 반달[1]1 **2** 半个月 bànge yuè
반:음(半音) 명 〖音〗 半音 bànyīn = 반음정
반:음-계(半音階) 명 〖音〗 半音阶 bànyīnjiē
반:-음정(半音程) 명 〖音〗 = 반음
반:응(反應) 명하자 **1** 反应 fǎnyìng ¶ ~이 없다 没有反应 / ~을 일으키다 起反应 **2** 〖化〗 反应 fǎnyìng
반:응-식(反應式) 명 〖化〗 化学方程式 huàxué fāngchéngshì; 反应式 fǎnyìngshì
반:의(叛意) 명 异心 yìxīn ¶ 그는 ~를 품고 있다 他怀有异心
반:의-반(半—半) 명 一半的一半 yībànde yībàn = 반반2
반:의-어(反義語·反意語) 명 〖語〗 反义词 fǎnyìcí = 반대말
반:일(反日) 명하자 反日 fǎnrì ¶~ 감정 反日情绪 / ~ 시위 反日示威
반:일(半日) 명 = 한나절 ¶~ 근무 半天工作
반입(搬入) 명하타 搬进 bānjìn; 搬入 bānrù; 运进 yùnjìn; 带 dài ¶ 음식물 ~ 금지 禁止自带食物 / 중국산 물품이 많이 ~되고 있다 多运进中国货品来
반입-량(搬入量) 명 运进量 yùnjìnliàng
반입-품(搬入品) 명 运进的物品 yùnjìnde wùpǐn
반:-자동(半自動) 명 半自动 bànzìdòng ¶~ 세탁기 半自动洗衣机
반:자동-화(半自動化) 명 半自动化 bànzìdònghuà ¶~ 설비 半自动化设备
반:-작용(反作用) 명하자 **1** 反作用 fǎnzuòyòng ¶~이 생기다 起反作用 **2** 〖物〗 反作用 fǎnzuòyòng
반:작용 힘(反作用—) 〖物〗 反作用力 fǎnzuòyònglì = 반동력
반장(班長) 명 **1** (组织的) 班长 bānzhǎng ¶ 작업반 ~ 作业班班长 **2** 〖敎〗 班长 bānzhǎng ¶ 3학년 1반 ~ 三年级一班班长 / ~ 선거 班长竞选
반:전(反戰) 명하자 反战 fǎnzhàn; 反

对战争 fǎnduì zhànzhēng ¶～ 시위 反战示威

반:전(反轉) 명하자 **1** 反转 fǎnzhuǎn ¶톱니바퀴가 ～하다 齿轮反转 **2** 扭转 niǔzhuǎn; 反转 fǎnzhuǎn; 逆转 nìzhuǎn; 转 zhuǎn ¶상황이 ～되다 情况逆转

반:절(半切·半截) 명하타 **1** 切半 qiēbàn; 半截 bànjié; 一半 yībàn ¶사과를 ～하다 切半苹果 **2** 对开 duìkāi ¶～ 신문지 对开报纸

반:절(半折) 명하타 = 절반

반:점[1](半點) 명 **1** 半个点 bànge diǎn **2** 半个小时 bànge xiǎoshí **3** 半点 bàndiǎn; 一点 yīdiǎn ¶～의 구름도 없다 一点云彩也没有

반:점[2](半點) 명 〖語〗逗号 dòuhào; 逗点 dòudiǎn = 콤마 ¶～을 찍다 打逗号

반점(斑點) 명 斑点 bāndiǎn

반:-정립(反定立) 명 〖哲〗反命题 fǎnmìngtí; 反题 fǎntí

반:-정부(反政府) 명 反政府 fǎnzhèngfǔ ¶～ 인사 反政府人士/～ 시위 反政府示威

반:제(半製) 명 = 반제품

반:제-품(半製品) 명 半成品 bànchéngpǐn; 半制品 bànzhìpǐn = 반제

반:조(返照) 명하자타 返照 fǎnzhào; 反照 fǎnzhào

반:주(伴走) 명하자 陪跑 péipǎo

반:주(伴奏) 명하자 〖音〗伴奏 bànzòu ¶피아노 ～에 맞추어 노래를 부르다 随钢琴伴奏唱歌

반주(飯酒) 명 (吃饭时配的)酒 jiǔ ¶그는 식사를 할 때 항상 ～를 한다 他吃饭的时候, 一定喝酒

반:주-자(伴奏者) 명 〖音〗伴奏者 bànzòuzhě

반죽 명하타 **1** 和 huó; 揉 róu ¶밀가루 ～하다 和面 **2** (和好的)面 miàn; 面团 miàntuán ¶～이 너무 무르다 面和得太软

반:-죽음(半—) 명하자 半死 bànsǐ; 半死不活 bànsǐbùhuó; 濒死 bīnsǐ = 빈사 ¶～이 되도록 때리다 打得半死不活

반:증(反證) 명하타 反证 fǎnzhèng

반지(半指·斑指) 명 戒指 jièzhi ¶커플 ～ 情侣戒指/다이아몬드 ～ 钻石戒指/～를 끼다 戴戒指

반지랍다 형 油光 yóuguāng; 油亮 yóuliàng; 光滑 guānghuá; 光润 guāngrùn

반지레 부하형 油光 yóuguāng; 油亮 yóuliàng; 光滑 guānghuá; 光润 guāngrùn

반지르르 부하형 **1** 油光光 yóuguāngguāng; 油亮亮 yóuliàngliàng; 油光水滑 yóuguāngshuǐhuá ¶얼굴에 기름기가 ～ 돌다 脸上油光光的/머리에 ～ 윤이 돌다 头发油光光地好光亮 **2** 阔气 kuòqi; 漂亮 piàoliang ¶말은 ～하게 잘한다 说得很漂亮

반:-지름(半—) 명 〖數〗半径 bànjìng

반:-지하(半地下) 명 半地下 bàndìxià ¶～방 半地下房子

반짇-고리 명 针线盒 zhēnxiànhé; 针线包 zhēnxiànbāo; 针线笸箩 zhēnxiàn pǒluo

반질-거리다 자 **1** 光滑 guānghuá; 油亮 yóuliàng **2** 滑头 huátóu; 滑头滑脑 huátóuhuánǎo; 偷懒 tōulǎn ‖= 반질대다 **반질-반질** 부하자형

반짝[1] 부 **1** 一仰 yīyǎng; 一抬 yītái **2** 猛 měng; 一下 yīxià ¶～ 들어 올리다 猛地举起来/갑자기 ～ 눈을 뜨다 突然猛地争开眼睛

반짝[2] 부하자타 闪 shǎn; 闪耀 shǎnyào

반짝[3] 부 突然 tūrán ¶정신이 ～ 들다 突然来精神

반짝-거리다 자타 闪闪 shǎnshǎn; 闪耀 shǎnyào; 光闪闪 guāngshǎnshǎn; 烁烁 shuòshuò; 灿灿 càncàn; 晶亮 jīngliàng; 亮晶晶 liàngjīngjīng; 亮闪闪 liàngshǎnshǎn = 반짝대다 ¶별빛이 ～ 星光在闪耀着 **반짝-반짝** 부하자타

반짝-이다 자타 闪闪 shǎnshǎn; 闪耀 shǎnyào; 光闪闪 guāngshǎnshǎn; 烁烁 shuòshuò; 灿灿 càncàn; 晶亮 jīngliàng; 亮晶晶 liàngjīngjīng; 亮闪闪 liàngshǎnshǎn ¶내 말을 듣고 그녀의 눈이 반짝였다 听我的话, 她的眼睛闪耀着

반:-쪽(半—) 명 **1** 一半 yībàn; 半拉 bànlǎ; 半截 bànjié ¶나에게 사과 ～만 주세요 给我半拉苹果 **2** 消瘦 xiāoshòu; 瘦了一半 shòule yībàn ¶병치레를 하고 나더니 얼굴이 ～이 되었다 病后脸变瘦了一半

반찬(飯饌) 명 下饭菜 xiàfàncài; 家常菜 jiāchángcài; 菜肴 càiyáo; 菜 cài = 밥반찬·찬

반찬-거리(飯饌—) 명 做菜的材料 zuòcàide cáiliào; 菜 cài = 찬거리

반창-고(絆瘡膏) 명 创可贴 chuāngkětiē; 创口贴 chuāngkǒutiē; 橡皮膏 xiàngpígāo

반:-체제(反體制) 명 反体制 fǎntǐzhì ¶～ 운동 反体制运动

반:추(反芻) 명하타 **1** 〖動〗反刍 fǎnchú; 倒嚼 dǎojiào; 倒噍 dǎojiào ¶소가 ～하고 있다 牛在反刍 **2** 反刍 fǎnchú; 回想 huíxiǎng ¶지난 세월을 ～하다 反刍过去的岁月

반출(搬出) 명하타 搬出 bānchū; 搬运 bānyùn ¶문화재를 몰래 해외로 ～하

다 偷偷地将文化财产搬出国外
반출-량(搬出量) 명 搬出量 bānchūliàng
반:취(半醉) 명하자 半醉 bànzuì; 微醉 wēi zuì
반:측(反側) 명하자 **1** 反侧 fǎncè; 辗转反侧 zhǎnzhuǎnfǎncè **2** 背叛 bèipàn; 背信 bèixìn
반:칙(反則) 명하자 犯规 fànguī ¶공격자 ~ 进攻犯规 / ~하여 퇴장당하다 犯规罚下场
반:칙-패(反則敗) 명 【體】 犯规败 fànguībài
반:-코트(半coat) 명 短大衣 duǎndàyī; 短风衣 duǎnfēngyī; 半大衣 bàndàyī
반:-타작(半打作) 명하타 【農】 收成减一半 shōucheng jiǎn yībàn
반:-투명(半透明) 명하형 半透明 bàntòumíng ¶~ 유리 半透明玻璃
반:파(半破) 명하자 半破 bànpò ¶선박이 ~되다 船舶半破
반:-팔(半—) 명 = 반소매 ¶~ 셔츠 半袖衬衫
반:-평생(半平生) 명 半生 bànshēng; 半辈子 bànbèizi ¶그는 ~ 새만 연구하였다 他半生只研究鸟类
반:포(反哺) 명하자 反哺 fǎnbǔ
반포(頒布) 명하타 颁布 bānbù; 公布 gōngbù; 发表 fābiǎo ¶훈민정음은 1446년에 ~되었다 训民正音于1446年颁布了
반:-품(半—) 명 半个工 bàngègōng ¶~을 들여서 책상을 하나 만들었다 花半个工做了一张桌子
반:품(返品) 명하타 退货 tuìhuò; 退回 tuìhuí; 退还 tuìhuán ¶불량품을 ~하다 退回次品
반:-하다[1] 자 入迷 rùmí; 迷住 mízhù; 看上 kànshang; 看中 kànzhòng; 钟情 zhōngqíng ¶첫눈에 ~ 一见钟情 / 나는 그녀에게 반했다 我被她迷住了
반:-하다[2] 형 **1** 照亮 zhàoliàng; 晴 qíng; 明朗 mínglǎng ¶하늘이 반했다 天晴了 **2** 清楚 qīngchu; 明了 míngliǎo; 明显 míngxiǎn; 明白 míngbái; 明若观火 míngruòguānhuǒ ¶그는 실패할 것이 ~ 他的失败是明若观火的 **3** 闲 xián; 有空 yǒukòng; 空闲 kòngxián **4** (病势) 有所好转 yǒusuǒ hǎozhuǎn; 有起色 yǒu qǐsè ¶병세가 잠시 반하더니 다시 악화되었다 病情暂时有所好转, 而又恶化了 **반:-히** 부
반:-하다(反—) 자 相反 xiāngfǎn; 反之 fǎnzhī ¶결과가 우리의 바람과 ~ 结果跟我们愿望相反 / 반한 방향으로 달려가다 向相反的方向驶去
반합(飯盒) 명 (军用) 饭盒 fànhé
반:항(反抗) 명하자 反抗 fǎnkàng; 逆反 nìfǎn; 叛逆 pànnì; 顶 dǐng; 顶撞 dǐngzhuàng ¶~ 심리 逆反心理
반:항-기(反抗期) 명 【心】 反抗期 fǎnkàngqī; 叛逆期 pànnìqī; 逆反期 nìfǎnqī
반:항-심(反抗心) 명 反抗心 fǎnkàngxīn; 逆反心 nìfǎnxīn; 叛逆心 pànnìxīn ¶~을 불러일으키다 引起反抗心
반:항-아(反抗兒) 명 逆反者 nìfǎnzhě
반:항-적(反抗的) 관명 反抗的 fǎnkàngde ¶~인 태도 反抗的态度
반:핵(反核) 명 反核 fǎnhé ¶~ 시위 反核示威
반:향(反響) 명 **1** 反响 fǎnxiǎng; 反应 fǎnyìng ¶그의 보고서는 큰 ~을 불러일으켰다 他的报告引起了很大的反应 **2** 【物】 回声 huíshēng
반:-허락(半許諾) 명하타 半许可 bànxǔkě; 半允许 bànyǔnxǔ; 半答应 bàndāying ¶~을 받다 得到半允许
반:환(返還) 명하자타 **1** 返还 fǎnhuán; 归还 guīhuán; 退还 tuìhuán; 退回 tuìhuí = 반려(返戾) ¶입장료를 관객들에게 ~하다 把门票退回给观众 **2** 返回 fǎnhuí; 还回 huánhuí
반:환-점(返還點) 명 【體】 返回点 fǎnhuídiǎn; 返还点 fǎnhuándiǎn
반:휴(半休) 명하자 半休 bànxiū
반:-휴일(半休日) 명 半休日 bànxiūrì
반흔(瘢痕) 명 瘢痕 bānhén
받다 一타 **1** 领 lǐng; 接 jiē; 受 shòu; 收 shōu; 吸收 xīshōu; 接收 jiēshōu; 接受 jiēshòu ¶편지를 ~ 收信 / 공을 ~ 接球 **2** 得 dé; 赢得 yíngdé; 博得 bódé; 博取 bóqǔ; 接受 jiēshòu; 受 shòu ¶그의 공연은 관중들의 박수 갈채를 받았다 他的表演赢得了观众的喝彩 / 절대적인 사랑과 신뢰를 ~ 接受绝对的信赖和信任 **3** (钱或文件) 接 jiē; 接受 jiēshòu; 吸收 xīshōu; 接到 jiēdào ¶신청서를 ~ 接受申请书 **4** (分数或学位) 拿 ná; 得 dé ¶10점을 ~ 得十分 **5** (光、热气、风) 受 shòu; 晒 shài ¶햇볕을 ~ 晒太阳 **6** 批购 pīgòu ¶물건을 받아다가 판다 批购产品来而卖 **7** 接 jiē 《装进器物里》 ¶수돗물을 ~ 接自来水 **8** (把从上倒下的) 接着 jiēzhe ¶내가 아래로 던질 테니 너는 아래에서 받아라 我往下扔, 你在下面接着 **9** 打 dǎ; 撑 chēng; 举 jǔ ¶우산을 받고 가다 打着雨伞走 **10** 顶 dǐng; 顶撞 dǐngzhuàng ¶소가 뿔로 사람을 ~ 牛用角顶人 **11** 接着 jiēzhe; 接上 jiēshang; 跟着 gēnzhe; 继而 jì'ér ¶네가 그 책을 다 보면, 내가 받아서 보고 싶다 你看完了那本书, 我要接着看 **12** 容许 róngxǔ; 容忍 róngrěn; 容纳 róng

nà; 纵容 zòngróng; 允许 yǔnxǔ; 承认 chéngrèn; 批准 pīzhǔn; 许可 xǔkě; 准许 zhǔnxǔ; 准予 zhǔnyǔ; 证实 zhèngshí ¶나는 결코 그의 사과를 받지 않겠다 我决不容许他的歉意 **13** 接待 jiēdài ¶손님을 ~ 接待客人 **14** 分娩 fēnmiǎn; 接 jiē ¶아이를 ~ 接生孩子 **15** 决定 juédìng; 择 zé ¶날을 잘못 ~ 没有择到好日子 / 결혼 날짜를 ~ 决定结婚日子 ㊁자 **1** 胃口好 wèikǒu hǎo; 能喝 nénghē ¶요사이 음식이 잘 받는다 最近胃口好 / 오늘은 술이 잘 받는다 今天真能喝酒 **2** 谐调 xiétiáo; 相称 xiāngchèn; 和谐 héxié; 适合 shìhé; 配合 pèihé ¶이 색은 너에게 잘 받는다 这种颜色对你很配合

받아 놓은 밥상 속담 不能回避的事情

-받다 접미 被 bèi; 受 shòu; 挨 ái

받-들다 타 **1** 拥戴 yōngdài; 爱戴 àidài; 侍奉 shìfèng ¶늙은 부모님을 ~ 拥戴老父母 **2** 遵照 zūnzhào; 遵 zūn; 遵从 zūncóng ¶명령을 ~ 遵命 / 국민의 뜻을 ~ 遵从人民的意见 **3** 捧 pěng; 端 duān; 捧托 pěngtuō ¶그는 술잔을 받들고 들어왔다 他端着酒杯走进来

받들어-총(—銃) 감명하자 〖軍〗举枪 jǔqiāng

받아-넘기다 타 **1** 对答 duìdá; 顶倒 dǐngdǎo; 顶嘴 dǐngzuǐ ¶받아넘기지 못했다 对答不上来 **2** 传给 chuángěi

받아-들이다 타 **1** 接受 jiēshòu; 收下 shōuxià; 招收 zhāoshōu; 吸收 xīshōu; 采用 cǎiyòng; 推广 tuīguǎng; 容纳 róngnà; 接纳 jiēnà ¶대륙 문화를 받아들이지 않는다 不接受大陆文化 / 이 대강당은 1000여 명을 받아들일 수 있다 这间大礼堂可容纳一千多人 **2** 承诺 chéngnuò; 答应 dāying; 采纳 cǎinà; 听从 tīngcóng; 搁下 gēxià ¶그의 충고를 ~ 听从他的忠告 / 학생들의 의견을 ~ 采纳学生的意见

받아-먹다 타 **1** 接来吃 jiēlái chī; 接住吃 jiēzhù chī ¶새가 모이를 ~ 鸟把食儿接住吃 **2** 接受 jiēshòu; 接收 jiēshōu; 收下 shōuxià ¶뇌물을 ~ 收下贿赂

받아쓰-기 명하타 听写 tīngxiě ¶~ 시험 听写考试

받아-쓰다 타 听写 tīngxiě; 笔记 bǐjì ¶학생들이 선생님의 설명을 ~ 学生们笔记老师的解释

받자 명하타 迁就 qiānjiù; 宽容 kuānróng; 宽大为怀 kuāndàwéihuái; 宽仁 kuānrén ¶할머니가 아이를 ~하니까 너무 버릇이 없다 奶奶宽容小孩子, 他太没有礼貌

받치다 ㊀타 **1** 举 jǔ; 打 dǎ; 撑 chēng ¶우산을 ~ 撑着伞 **2** 托 tuō; 捧 pěng; 衬 chèn; 支 zhī; 撑 chēng; 垫 diàn; 支撑 zhīchēng ¶찻그릇을 받쳐 들다 托着茶具 ㊁자 **1** 硌 gè ¶의자에 앉을 때 방석을 깔면 엉덩이가 그다지 받치지 않는다 坐在椅子上, 垫上个坐垫就不太硌屁股 **2** 冒 mào; 上 shàng; 涌上 yǒngshàng; 上来 shànglái ¶분이 ~ 气儿上来 / 설움이 받쳐서 목 놓아 울다 心理头涌上悲哀, 放声大哭 **3** (吃下的食物) 往上翻 wǎng shàng fān; 反胃 fǎnwèi; 翻胃 fānwèi ¶먹은 것이 자꾸 ~ 吃的东西老往上翻

받침 명 **1** 托子 tuōzi; 托(儿) tuō(r); 垫(儿) diàn(r) ¶화분 ~ 花盆托子 **2** 〖語〗终声 zhōngshēng

받침-대(—臺) 명 支架 zhījià; 支柱 zhīzhù; 支子 zhīzi; 台 tái; 座儿 zuòr

받침-돌 명 垫石 diànshí

받-히다 ㊀자 '받다㊀10' 的被动词 ㊁타 '받다㊀6' 的使动词

발[1] 명 **1** (人、动物的) 脚 jiǎo; 足 zú; 爪儿 zhuǎr; 爪子 zhuǎzi ¶손과 ~ 手和脚 / 맨~ 赤脚 / 이 구두는 내 ~에 꼭 맞는다 这双皮鞋对我脚挺合适 **2** (器物的) 脚 jiǎo; 足 zú; 腿 tuǐ ¶장롱의 ~ 柜脚 / 솥의 ~ 鼎足 **3** 步 bù; 步伐 bùfá; 步子 bùzi; 步调 bùdiào; 脚步 jiǎobù ¶이 아이는 ~이 무척 빠르다 这孩子脚步很快 **4** 步 bù ¶한 ~ 뒤로 물러서다 往后退一步

발:[2] 명 帘子 liánzi; 帘(儿) lián(r); 门帘 ménlián; 窗帘 chuānglián

발:[3] 명 粗细 cūxì

발(發) 의명 发 fā ¶총을 한 ~ 쏘다 打了一发子弹

-발 접미 **1** 表示产生的力量 ¶빗~ 雨脚 / 끗~ 最后的运气 **2** 效果 xiàoguǒ; 功效 gōngxiào; 效应 xiàoyìng ¶화장~ 化妆效果

-발(發) 접미 **1** 发 fā; 开航 kāiháng; 起飞 qǐfēi ¶서울~ 비행기 从首尔发的飞机 **2** 讯 xùn

발-가락 명 脚指 jiǎozhǐ; 脚指头 jiǎozhǐtou; 趾 zhǐ; 脚趾 jiǎozhǐ

발가벗-기다 타 '발가벗다' 的使动词

발가-벗다 자 **1** 脱光 tuōguāng; 裸luǒ; 裸露 luǒlù; 赤身 chìshēn ¶발가벗은 몸 赤身裸体 **2** 光秃秃 guāngtūtū

발가-숭이 명 **1** 裸体 luǒtǐ; 赤身 chìshēn; 赤身裸体 chìshēn luǒtǐ; 赤条条 chìtiáotiáo **2** 秃山 tūshān **3** 穷光蛋 qióngguāngdàn

발각(發覺) 명 察觉 chájué; 发觉 fājué

발간(發刊) 명하타 发刊 fākān; 刊行 kānxíng; 创刊 chuàngkān; 创办 chuàngbàn; 发行 fāxíng; 刊出 kānchū; 印行

yìnxíng ¶ ~이 금지된 책 禁止刊行的书 / 잡지를 ~하다 发行杂志

발:갛다 형 鲜红 xiānhóng; 嫩红 nènhóng ¶발갛게 된 얼굴 嫩红的脸
발간 거짓말 구 = 새빨간 거짓말

발:개-지다 자 发红 fāhóng; 变红 biàn hóng ¶얼굴이 ~ 脸变红

발-걸음 명 步 bù; 脚步 jiǎobù; 步伐 bùfá ¶~을 멈추다 停住脚步 / ~을 빨리하다 加快脚步

발-걸이 명 1 (桌子、椅子的) 踏板 tàbǎn 2 (自行车的) 脚蹬(子) jiǎodēng(zi)

발견(發見) 명하타 发现 fāxiàn ¶새로운 항로의 ~ 新航线的发现 / 신석기 시대의 유적이 ~되다 新石器时代的遗迹被发现

발광(發光) 명하자 发光 fāguāng ¶~물질 发光物质

발광(發狂) 명하자 1 发狂 fākuáng; 疯狂 fēngkuáng; 发疯 fāfēng 2 猖獗 chāngjué; 猖狂 chāngkuáng

발군(拔群) 명하형 拔群 báqún; 超群 chāoqún; 出众 chūzhòng; 超绝 chāojué; 出色 chūsè; 超群绝伦 chāoqúnjuélún ¶~의 성적을 거두다 取得出众的成绩

발굴(發掘) 명하타 发掘 fājué; 挖掘 wājué ¶고분을 ~하다 发掘古墓 / 인재를 ~하다 发掘人才

발-굽 명 蹄 tí; 蹄子 tízi ¶말~ 马蹄

발권(發券) 명하타 发行 fāxíng; 发行证券 fāxíng zhèngquàn

발그레 부하형 淡红 dànhóng; 浅红 qiǎnhóng; 微红 wēi hóng ¶~한 얼굴 淡红的脸色

발-그림자 명 足迹 zújì; 人影 rényǐng

발그스레-하다 형 = 발그스름하다

발그스름-하다 형 淡红 dànhóng; 浅红 qiǎnhóng; 微红 wēi hóng; 红喷喷(的) hóngpēnpēn(de); 红扑扑(的) hóngpūpū(de) = 발그스레하다 **발그스름-히** 부

발급(發給) 명하타 发 fā; 发给 fāgěi; 发出 fāchū = 발부 ¶여권을 ~하다 发护照 / 신분증을 ~하다 发身份证

발기(勃起) 명하자 『醫』 勃起 bóqǐ ¶~부전 勃起不坚 =[阳痿]

발기(發起) 명하타 发起 fāqǐ; 倡议 chàngyì; 倡导 chàngdǎo; 提议 tíyì ¶이번 회의는 그가 ~한 것이다 这次会议是由他发起的

발:기다 타 1 剥开 bāokāi; 打开 dǎkāi; 张开 zhāngkāi ¶밤송이를 ~ 把毛栗子剥开 2 撕碎 sīsuì; 掰开 bāikāi ¶서류를 발겨서 버리다 把文件撕碎而丢掉

발기-발기 부 碎碎的 suìsuìde

발기-인(發起人) 명 发起人 fāqǐrén; 创办人 chuàngbànrén

발-길 명 1 脚步 jiǎobù; 脚 jiǎo; 步 bù ¶~을 옮기다 挪动脚步 2 往来 wǎnglái ¶~이 끊기다 断绝往来 / ~이 뜸하다 往来少 3 脚力 jiǎolì; 脚 jiǎo ¶~로 차다 用脚踢

발길-질 명하자타 踢 tī ¶~을 한차례 하다 踢一脚

발-꿈치 명 = 발뒤꿈치

발끈 부하자 勃然 bórán; 猛然 měngrán; 突然 tūrán; 一下子 yīxiàzi ¶~화를 내며 돌아서다 勃然发怒而转身

발-끝 명 脚尖(儿) jiǎojiān(r)

발-놀림 명하자 脚头 jiǎotóu ¶~이 아주 빠르다 脚头很快

발단(發端) 명하자 发端 fāduān; 开端 kāiduān; 肇端 zhàoduān; 起头 qǐtóu; 起始 qǐshǐ; 起首 qǐshǒu ¶사건의 ~ 事件的发端

발달(發達) 명하자 1 (身体等) 发达 fādá ¶운동 신경이 ~한 사람 运动神经发达的人 / 두뇌가 ~하다 头脑发达 2 (技术等) 发达 fādá; 发展 fāzhǎn ¶과학 기술의 ~ 科学技术的发展 / 의학이 ~한 국가 医学发达的国家

발-돋움 명하자 1 踮 diǎn ¶~을 해서 보다 踮着脚望了一阵 2 踏板 tàbǎn; 跳板 tiàobǎn 3 企踵 qǐzhǒng; 企望 qǐwàng; 跂望 qǐwàng

발동(發動) 명하자타 1 (欲望或想法等) 发生 fāshēng; 起 qǐ; 发挥 fāhuī ¶호기심이 ~하다 起好奇心 2 发动 fādòng; 启动 qǐdòng ¶~이 잘 안 걸리는 차 不好发动的车 3 发挥 fāhuī; 行使 xíngshǐ; 启动 qǐdòng ¶공권력 ~ 公权力启动

발동-기(發動機) 명 发动机 fādòngjī; 动力机 dònglìjī

발-뒤꿈치 명 后跟 hòugēn; 足跟 zúgēn; 踵 zhǒng = 발꿈치

발-등 명 脚背 jiǎobèi
발등에 불(이) 떨어지다 구 火烧眉毛
발등의 불을 끄다 구 火烧眉毛, 先顾眼前; 先解决当务之急

발딱 부 猛然 měngrán; 突然 tūrán; 一下子 yīxiàzi ¶~ 일어나다 猛然站起来

발딱-거리다 자타 1 跳动 tiàodòng ¶맥이 ~ 脉搏跳动 2 挣扎 zhēngzhá; 挣揣 zhèngchuài; 扎挣 zházheng ‖= 발딱대다 **발딱-발딱** 부하자타

발라-내다 타 剔 tī; 剥 bāo; 剔出 tīchū; 剥出 bāochū ¶가시를 ~ 剔出刺

발라당 명하자 忽地 hūdì; 忽然 hūrán; 一下子 yīxiàzi ¶그는 빙판길에 ~넘어졌다 他忽地摔倒在冰地上

발라드(프ballade) 명 『音』 抒情歌曲 shūqíng gēqǔ

발랄-하다(潑剌—) 형 活泼 huópo; 朝气蓬勃 zhāoqìpéngbó; 生气勃勃 shēngqìbóbó; 有生气 yǒu shēngqì
발랑 부 '발라당' 的略词
발레(프ballet) 명 〖藝〗 芭蕾舞 bālěiwǔ; 芭蕾 bālěi ¶~를 추다 跳芭蕾舞
발레리나(이ballerina) 명 芭蕾舞女演员 bālěiwǔ nǚyǎnyuán; 芭蕾舞女 bālěiwǔnǚ
발레리노(이ballerino) 명 芭蕾舞男演员 bālěiwǔ nányǎnyuán
발렌타인-데이 명 '밸런타인데이' 的错误
발령(發令) 명하자타 1 任命 rènmìng; 调令 diàolìng; 下令 xiàlìng; 任免 rènmiǎn 2 发 fā; 发布 fābù ¶재해 경보를 ~하다 发灾害警报
발리다1 자 바르다1 的被动词
발리다2 자 바르다2 的被动词
발림 명 迎合 yínghé
발매(發賣) 명하타 发售 fāshòu; 发客 fākè; 出售 chūshòu; 售出 shòuchū; 发行 fāxíng ¶그의 새 앨범은 오늘 ~된다 他的新专辑今天发行
발명(發明) 명하타 发明 fāmíng; 创造 chuàngzào ¶~가 发明家 / ~왕 发明王 / ~품 发明品 / 전화기를 ~하다 发明电话
발모(發毛) 명하자 生发 shēngfà ¶~제 生发水 =[生发剂]
발-목 명 脚腕子 jiǎowànzi; 脚腕儿 jiǎowànr; 脚脖子 jiǎobózi; 腿腕子 tuǐwànzi ¶~이 삐었다 脚腕子扭伤了
발-밑 명 1 = 발바닥 2 脚下 jiǎoxià; 脚底下 jiǎodǐxià
발-바닥 명 脚掌 jiǎozhǎng; 脚板 jiǎobǎn; 脚底 jiǎodǐ; 脚底板 jiǎodǐbǎn = 발밑1
발바리 명 〖動〗 哈巴狗(儿) hǎbagǒu(r); 狮子狗 shīzigǒu; 巴儿狗 bārgǒu
발발 부 1 哆哆嗦嗦 duōduosuōsuō; 颤抖 chàndǒu; 颤巍巍 chànwēiwēi; 颤巍 chànwēi ¶찬바람에 ~ 떨다 在寒风中颤抖 2 舍不得 shěbude; 战战兢兢 zhànzhànjīngjīng 3 匍匐 púfú; 爬行 páxíng
발발(勃發) 명하자 勃发 bófā; 爆发 bàofā ¶전쟁이 ~하다 战争爆发了
발-버둥 명 1 乱蹬脚 luàndēngjiǎo 2 挣扎 zhēngzhá; 挣命 zhèngmìng; 扎挣 zházheng; 垂死挣扎 chuísǐzhēngzhá ¶파산을 면하려고 ~ 치다 挣扎企图摆脱倒闭
발-병(—病) 명 脚病 jiǎobìng ¶~이 나다 生脚病
발병(發病) 명하자 发病 fābìng; 生病 shēngbìng; 受病 shòubìng ¶~률 发病率
발본-색원(拔本塞源) 명하타 拔本塞源 báběnsèyuán; 铲除 chǎnchú
발부(發付) 명하타 = 발급 ¶구속 영장을 ~하다 发出逮捕证
발-부리 명 脚尖 jiǎojiān ¶돌에 ~가 걸려 넘어졌다 脚尖被石头摔倒了
발분(發憤 · 發奮) 명하자 = 분발(奮發)
발-붙이다 자 1 插脚 chājiǎo; 插足 chāzú ¶버스가 너무 붐벼서 거의 발붙일 틈도 없다 公共汽车太拥挤, 几乎没有插足的地方 2 立足 lìzú ¶이곳은 우리가 발붙일 곳이 없다 这里没有我们立足的地方
발-뺌 명하자 抵赖 dǐlài; 赖账 làizhàng; 推卸 tuīxiè; 逃避 táobì
발사(發射) 명하타 发射 fāshè; 发 fā; 射 shè ¶~기 发射机 / ~대 发射台 / ~장 发射场 / 미사일을 ~하다 发射导弹 / 총을 ~하다 发枪
발산(發散) 명하자타 1 发散 fāsàn; 放出 fàngchū; 散发 sànfā ¶빛을 ~하다 放出光来 / 향기를 ~하다 散发芳香 2 发挥 fāhuī; 表现 biǎoxiàn; 发出 fāchū ¶매력을 ~하다 发挥魅力
발상(發祥) 명하자 发祥 fāxiáng ¶~지 发祥地
발상(發喪) 명하자 发丧 fāsāng; 举哀 jǔ'āi
발상(發想) 명하타 想起 xiǎngqǐ; 发想 fāxiǎng; 想法 xiǎngfa; 构想 gòuxiǎng ¶시대착오적인 ~ 时代错误的想法 / ~을 전환하다 改变想法
발생(發生) 명하자 发生 fāshēng; 产生 chǎnshēng ¶~률 发生率 / ~지 发生地 / 사건이 ~하다 事件发生了 / 사고가 ~하다 事故发生了 / 소음이 ~하다 噪音产生
발설(發說) 명하자타 泄漏 xièlòu; 泄露 xièlù; 说出 shuōchū; 透露 tòulù ¶극비 사항을 ~하다 泄漏绝密事项
발성(發聲) 명하자 发声 fāshēng; 发音 fāyīn ¶~법 发声法 / ~ 연습 发声练习
발성 기관(發聲器官) 〖語〗 = 발음 기관
발-소리 명 脚步声 jiǎobùshēng ¶~가 들리다 听到脚步声 / ~를 죽이다 压低脚步声
발송(發送) 명하타 发送 fāsòng; 发 fā; 发出 fāchū; 送出 sòngchū; 发运 fāyùn; 发货 fāhuò ¶공문을 ~하다 发送公函 / 화물을 ~하다 发送货物
발송-인(發送人) 명 发货人 fāhuòrén; 发运人 fāyùnrén
발신(發信) 명하타 发信 fāxìn; 发 fā; 发报 fābào; 寄信 jìxìn; 发送 fāsòng ¶~국 发信局 / ~기 发报机 / ~음 发信

音 / ～인 发信人 / ～지 发信地 / ～ 정지 서비스 停止发信服务 / 전파를 ～하다 发出电波

발-싸개 명 包脚布 bāojiǎobù; 裹脚布 guǒjiǎobù

발아(發芽) 명하자 〖植〗 发芽 fāyá; 萌芽 méngyá; 出芽 chūyá ¶～기 发芽期 / 심은 꽃이 막 ～했다 种的花刚发芽

발-아래 명 脚下 jiǎoxià; 脚底下 jiǎodǐxià ¶～ 엎드리다 趴在脚底下

발악(發惡) 명하자 挣扎 zhēngzhá; 扎挣 zházheng; 挣揣 zhèngchuài; 发狂 fākuáng ¶최후의 ～ 最后的挣扎

발암(發癌) 명하자 致癌 zhì'ái ¶～ 성분 致癌成分 / ～ 물질 致癌物质 / ～을 억제하다 抑制致癌

발양(發揚) 명하타 发扬 fāyáng ¶애국심을 ～하다 发扬爱国心

발언(發言) 명하자타 发言 fāyán ¶～권 发言权 / 무책임한 ～ 不负责任的发言 / ～할 기회를 얻다 得到发言机会

발연(發煙) 명하자 冒烟 màoyān; 发烟 fāyān

발열(發熱) 명하자 **1** 发热 fārè ¶～체 发热体 **2** 〖醫〗 发烧 fāshāo

발염(拔染) 명하타 〖手工〗 拔染 bárǎn ¶～제 拔染助剂

발원(發源) 명하자 **1** (河流) 发源 fāyuán; 水源 shuǐyuán **2** = 발원지

발원(發願) 명하타 发愿 fāyuàn; 愿望 yuànwàng; 宿愿 sùyuàn

발원-지(發源地) 명 发源地 fāyuándì = 발원(發源)2

발육(發育) 명하자 发育 fāyù ¶～이 왕성하다 发育旺盛 / ～ 상태가 양호하다 发育情况良好

발육-기(發育期) 명 = 성장기

발음(發音) 명하타 〖語〗 发音 fāyīn ¶～이 정확하다 发音正确 / ～을 교정하다 纠正发音

발음 기관(發音器官) 〖語〗 发音器官 fāyīn qìguān = 발성 기관

발음 기호(發音記號) 〖語〗 音标 yīnbiāo; 发音符号 fāyīn fúhào = 발음 부호

발음 부:호(發音符號) 〖語〗 = 발음 기호

발의(發議) 명하타 (会议上) 提出议案 tíchū yì'àn; 提议 tíyì

발인(發靷) 명하자 发引 fāyǐn; 出殡 chūbìn; 出丧 chūsāng; 执绋 zhífú ¶～제 发引祭

발-자국 명 **1** 脚印(儿) jiǎoyìn(r); 足迹 zújì; 脚迹 jiǎojì ¶동물의 ～ 动物的脚印 **2** 步 bù; 脚 jiǎo ¶몇 ～ 뒤로 물러서다 往后退几步

발-자취 명 足迹 zújì; 脚印(儿) jiǎoyìn(r) = 족적 ¶역사의 ～ 历史的足迹 / ～를 남기다 留下足迹

발작(發作) 명하자 发作 fāzuò ¶～을 일으키다 引起发作

발-장구 명 **1** 用脚打水 yòng jiǎo dǎshuǐ **2** (婴儿) 要爬动脚 yào pá dòngjiǎo

발-장단 명 用脚打拍子 yòng jiǎo dǎ pāizi

발-재간(—才幹) 명 脚艺 jiǎoyì

발전(發展) 명하자 **1** 发展 fāzhǎn; 进步 jìnbù ¶경제가 ～하다 经济发展 / 산업을 ～시키다 发展产业 **2** (事情、状态等) 发展 fāzhǎn; 开展 kāizhǎn ¶더 깊은 관계로 ～하다 发展到更深的关系

발전(發電) 명하자 发电 fādiàn ¶～기 发电机 / ～소 发电厂 / ～ 장치 发电装置

발전-성(發展性) 명 发展前途 fāzhǎn qiántú; 发展性 fāzhǎnxìng

발전-적(發展的) 관명 发展(的) fāzhǎn(de) ¶～인 전통 계승 发展的传统继承

발정(發情) 명하자 〖動〗 发情 fāqíng ¶～기 发情期 / ～이 나다 发情

발-족(發足) 명하자타 成立 chénglì; 诞生 dànshēng; 创立 chuànglì ¶협회가 ～되다 协会成立了 / 위원회를 ～하다 创立委员会

발주(發注) 명하타 订购 dìnggòu; 订定 dìng; 订货 dìnghuò; 定货 dìnghuò ¶기계를 ～하다 订购机器

발진(發振) 명하자 〖物〗 振荡 zhèndàng ¶～기 振荡器

발진(發疹) 명하자 〖醫〗 发疹 fāzhěn; 斑疹 bānzhěn; 出疹子 chūzhěnzi

발-짓 명하자 动脚 dòngjiǎo

발-짝 의명 步 bù; 脚步 jiǎobù ¶한 ～ 한 ～ 앞으로 걸어가다 一步一步地往前走

발찌 명 脚镯 jiǎozhuó ¶전자 ～ 电子脚镯 / ～를 차다 戴脚镯

발차(發車) 명하자 发车 fāchē; 开车 kāichē ¶～ 시간 发车时间

발-차기 명 〖體〗 踢脚 tījiǎo

발췌(拔萃) 명하타 摘录 zhāilù; 摘记 zhāijì; 摘抄 zhāichāo; 选录 xuǎnlù; 节录 jiélù ¶그 책에서 몇 구절을 ～했다 在那本书中摘录了几段

발-치 명 **1** 脚底下 jiǎodǐxià; 脚下 jiǎoxià **2** 下部 xiàbù; 尾部 wěibù

발치(拔齒) 명하자 拔牙 báyá

발칙-하다 형 不礼貌 bùlǐmào; 没礼貌 méi lǐmào; 可恶 kěwù

발칵 부 **1** 勃然 bórán; 猛然 měngrán; 突然 tūrán ¶화를 ～ 내다 勃然大怒 **2** 乱哄哄 luànhōnghōng; 闹哄哄 nàohōnghōng ¶마을 전체가 ～ 뒤집히다 整个村子闹哄哄的

발코니(balcony) 명 〖建〗 晒台 shàitái; 阳台 yángtái; 露台 lùtái; 平台 píngtái; 凉台 liángtái = 노대1

발탁(拔擢) 명하타 提拔 tíbá; 提升 tíshēng ¶간부로 ~되다 提升为干部 / 그를 부사장으로 ~하다 提升他当副经理

발-톱 명 脚指甲 jiǎozhǐjia; 趾甲 zhǐjiǎ; 脚趾甲 jiǎozhǐjiǎ ¶~을 깎다 剪脚趾甲

발파(發破) 명하타 爆破 bàopò ¶~ 장치 爆破装置

발-판(—板) 명 1 (车、船等的) 跳板 tiàobǎn; 踏板 tàbǎn 2 踏脚板 tàjiǎobǎn; 踏脚凳 tàjiǎodèng 3 立脚点 lìjiǎodiǎn; 桥头堡 qiáotóubǎo; 垫脚石 diànjiǎoshí; 立足点 lìzúdiǎn ¶그때의 노력이 그가 성공하는 ~이 되었다 那时的努力成了他成功的桥头堡 4 (缝纫机等的) 踏板 tàbǎn 5 〖體〗 跳板 tiàobǎn; 踏板 tàbǎn

발포(發泡) 명하자 发泡 fāpào; 冒泡 màopào ¶~제 发泡剂

발포(發砲) 명하자 开炮 kāipào ¶~ 명령 开炮命令

발표(發表) 명하타 发表 fābiǎo; 揭晓 jiēxiǎo; 公布 gōngbù; 发布 fābù ¶~회 发表会 / 합격자 ~ 合格者公布 / 투표 결과가 ~되다 投票结果揭晓

발-품 명 脚劲儿 jiǎojìnr ¶~을 팔다 费脚劲儿

발-하다(發—) 타 发 fā; 发出 fāchū; 起 qǐ; 散发 sànfā ¶빛을 ~ 发光 / 향기를 ~ 散发着香

발한(發汗) 명하자 〖韓醫〗 发汗 fāhàn ¶~제 发汗剂

발행(發行) 명하타 发行 fāxíng ¶~인 发行人 / ~처 发行处 / 잡지를 ~하다 发行杂志 / 기념우표를 ~하다 发行纪念邮票

발현(發現·發顯) 명하자타 表现 biǎoxiàn; 显现 xiǎnxiàn; 体现 tǐxiàn ¶애국심을 ~하다 表现爱国主义精神

발화(發火) 명하자 着火 zháohuǒ; 起火 qǐhuǒ; 发火 fāhuǒ; 走火 zǒuhuǒ ¶자연 ~ 自然发火 / ~ 온도 着火温度

발화-점(發火點) 명 〖化〗 燃点 rándiǎn; 着火点 zháohuǒdiǎn; 发火点 fāhuǒdiǎn

발효(發效) 명하자 生效 shēngxiào ¶새 조약이 정식 ~되다 新条约正式生效

발효(醱酵) 명하자 〖化〗 发酵 fājiào ¶반죽을 ~시키다 使面团发酵

발휘(發揮) 명하타 发挥 fāhuī; 显示 xiǎnshì ¶능력을 ~하다 发挥能力 / 음식 솜씨를 ~하다 显示做菜的手艺

밝-기 명 亮度 liàngdù; 明度 míngdù; 光度 guāngdù

밝다 ㊀자 破晓 pòxiǎo; 亮 liàng ¶날이 밝았다 天亮了 ㊁형 1 明亮 míngliàng; 光亮 guāngliàng; 亮 liàng; 明朗 mínglǎng ¶등불이 ~ 灯火明亮 2 (色彩) 鲜艳 xiānyàn; 鲜明 xiānmíng ¶색이 ~ 颜色鲜艳 3 (视力、听力) 好 hǎo; 灵 líng ¶귀가 ~ 耳朵好 4 (想法、态度等) 明晓 míngxiǎo; 晓 xiǎo; 明达 míngdá; 有 yǒu ¶사리가 ~ 明达事理 / 예의가 ~ 有礼貌 5 (气氛、表情等) 明朗 mínglǎng; 开朗 kāilǎng; 轻快 qīngkuài ¶표정이 ~ 表情开朗 6 (未来) 光明 guāngmíng 7 懂得 dǒngde; 通晓 tōngxiǎo; 了解 liǎojiě ¶정치 상황에 ~ 了解政治的情况

밝-히다 타 1 '밝다㊁1' 的使动词 2 拔亮 báliàng; 点 diǎn; 开 kāi ¶등을 ~ 开灯 / 촛불을 ~ 点蜡 3 特别喜欢 tèbié xǐhuan; 敏感 mǐngǎn ¶그는 돈을 밝힌다 他特别喜欢钱 4 查明 chámíng; 判明 pànmíng ¶사고의 원인을 ~ 查明事故的原因 5 表明 biǎomíng; 阐明 chǎnmíng; 搞清楚 gǎo qīngchu ¶입장을 ~ 阐明立场 / 신분을 ~ 表明身份

밟:다 타 1 踩 cǎi; 踏 tà ¶네가 내 발을 밟았다 你踩着我的脚了 / 브레이크를 ~ 踩刹车 2 欺负 qīfu; 压伏 yāfú; 压迫 yāpò 3 办 bàn; 办理 bànlǐ ¶수속을 ~ 办手续 4 追踪 zhuīzōng; 跟踪 gēnzōng ¶용의자의 뒤를 ~ 跟踪疑犯 5 到 dào; 到达 dàodá; 踏上 tàshang ¶조국 땅을 ~ 踏上祖国的土地 6 到 dào ¶고국 땅을 다시 ~ 回到故国

밟-히다 자타 '밟다1·2·4' 的被动词

밤[1] 명 夜 yè; 夜晚 yèwǎn; 晚上 wǎnshang; 夜间 yèjiān; 晚 wǎn; 宵 xiāo ¶~거리 夜街 / ~경치 夜景 / ~공기 夜间的空气 / ~교대 夜班 / ~길 夜路 / ~낚시 夜钓鱼 / ~바람 夜风 / ~배 夜船 / ~비 夜雨 / ~안개 夜雾 / ~이슬 夜露 / ~하늘 夜空

밤:[2] 명 栗子 lìzi; 栗 lì ¶군~ 炒栗子 / ~을 까다 剥栗子

밤:-나무 명 〖植〗 栗树 lìshù; 栗 lì

밤-낮 ㊀명 昼夜 zhòuyè; 日夜 rìyè; 日日夜夜 rìrìyèyè = 일야·주야1 ㊁부 老是 lǎoshì; 经常 jīngcháng; 净 jìng; 总是 zǒngshì; 老 lǎo

밤낮-없이 부 老是 lǎoshì; 经常 jīngcháng; 净 jìng; 总是 zǒngshì; 老 lǎo

밤-눈 명 夜间视力 yèjiān shìlì; 夜眼(儿) yèyǎn(r) ¶~이 어둡다 夜间视力不好 / ~이 밝다 有夜眼

밤-늦다 형 夜深 yèshēn; 夜阑 yèlán; 半夜 bànyè; 三更半夜 sāngēngbànyè ¶밤늦은 시간 夜深的时候 / 매일 밤늦게까지 일하다 每天工作到半夜

밤-사이 명 夜间 yèjiān; 通宵 tōngxiāo; 一夜之间 yīyèzhījiān; 整夜 zhěngyè
밤-새 명 '밤사이' 的略词
밤새-껏 부 通宵 tōngxiāo; 彻夜 chèyè; 通宿 tōngxiǔ; 彻宵 chèxiāo
밤-새다 자 通宵 tōngxiāo; 彻夜 chèyè; 通宿 tōngxiǔ; 彻宵 chèxiāo
밤-새우다 자 熬夜 áoyè; 开夜车 kāi yèchē; 打通宵 dǎ tōngxiāo
밤:-색(—色) 명 栗色 lìsè
밤-샘 명 通宵 tōngxiāo; 彻夜 chèyè; 熬夜 áoyè; 开夜车 kāi yèchē = 철야
밤:-송이 명 毛栗子 máolìzi; 栗苞 lìbāo; 栗蓬 lìpéng
밤-일 명하자 **1** 夜工 yègōng; 夜活(儿) yèhuó(r); 夜作 yèzuò; 夜间工作 yèjiān gōngzuò; 夜班 yèbān = 야간작업 **2** 性交 xìngjiāo; 做爱 zuò'ài
밤-잠 명 夜里睡 yèlishuì; 夜眠 yèmián ¶~이 부족하다 夜眠不足
밤-중(—中) 명 深夜 shēnyè; 半夜 bànyè; 夜半 yèbàn; 夜里 yèli; 子夜 zǐyè = 야반
밤-차(—車) 명 夜班车 yèbānchē; 夜车 yèchē
밤-참 명 夜餐 yècān; 夜宵(儿) yèxiāo(r); 夜消(儿) yèxiāo(r) = 야식 · 야참
밤:-톨 명 栗子 lìzi
밥 명 **1** 饭 fàn; 米饭 mǐfàn ¶~을 하다 做饭 / ~을 푸다 盛饭 **2** 饭 fàn; 餐 cān; 膳食 shànshí ¶~을 차리다 开饭 **3** 饲料 sìliào; 吃食 chīshi; 食(儿) shí(r) ¶물고기에게 ~을 주다 给鱼吃食 **4** 那一分 nàyīfēn ¶제 ~도 못 찾아 먹다 连自己那一分也拿不到 **5** 牺牲者 xīshēngzhě; 牺牲品 xīshēngpǐn ¶그는 내 ~이다 他是我的牺牲者
밥-값 명 饭钱 fànqián; 伙食费 huǒshifèi; 主食费 zhǔshífèi; 膳费 shànfèi ¶~을 내다 交饭钱
밥-그릇 명 **1** 饭碗 fànwǎn; 食器 shíqì; 碗碟 wǎndié **2** 职业 zhíyè; 工作 gōngzuò; 饭碗 fànwǎn; 利益 lìyì ¶~을 잃다 丢饭碗 / 그는 자기 ~ 챙기기에 바쁘다 他忙着争取自己的利益
밥-맛 명 **1** 饭味 fànwèi ¶이 쌀의 ~은 매우 좋다 这种米的饭味很好 **2** 胃口 wèikǒu; 食欲 shíyù ¶~이 없다 没有胃口 / ~이 떨어지다 没了食欲
밥맛-없다 형 讨厌 tǎoyàn; 不顺眼 bùshùnyǎn; 不愿面对 bùyuàn miànduì ¶밥맛없는 자식 让人讨厌的家伙 **밥맛없-이** 부
밥-물 명 **1** 煮饭水 zhǔfànshuǐ ¶~과 쌀의 비율은 얼마나 되어야 하나요? 煮饭水和米的比例应该是多少? **2** (煮饭时取出来的) 米汤 mǐtāng; 饭水 fànshuǐ
밥-반찬(—飯饌) 명 = 반찬
밥-벌레 명 饭桶 fàntǒng; 饭囊 fànnáng; 酒囊饭袋 jiǔnángfàndài
밥-벌이 명하자 **1** 挣饭吃 zhēngfànchī ¶~도 안 되는 일 连挣饭吃也不够的工作 **2** 饭碗 fànwǎn ¶~를 찾다 找饭碗
밥-상(—床) 명 饭桌 fànzhuō ¶~머리 饭桌边儿 / ~을 차리다 摆饭桌 / ~을 치우다 收拾饭桌
밥-솥 명 饭锅 fànguō
밥-숟가락 명 **1** 匙子 chízi **2** 儿口饭 jǐkǒu fàn ‖ = 밥숟
밥-숟 명 = 밥숟가락
밥-알 명 饭粒 fànlì = 밥풀2
밥-장사 명하자 卖饭 màifàn
밥-장수 명 卖饭的 màifànde
밥-주걱 명 饭勺子 fànsháozi = 주걱
밥-줄 명 **1** 饭碗 fànwǎn **2** 〖生〗= 식도
밥줄이 끊어지다[떨어지다] 구 失掉饭碗
밥-집 명 饭铺 fànpù; 锅伙儿 guōhuor
밥-통(—桶) 명 **1** 饭桶 fàntǒng **2** '위(胃)' 的俗称 **3** 酒囊饭袋 jiǔnángfàndài; 饭桶 fàntǒng
밥-투정 명하자 挑嘴 tiāozuǐ; 挑食 tiāoshí ¶그는 식성이 까다로워 늘 ~을 한다 他胃口很复杂, 总是挑嘴
밥-풀 명 **1** (替浆糊使用的) 饭粒 fànlì **2** = 밥알
밥-하다 자 做饭 zuòfàn; 炊 chuī
밧데리(일patteri) 명 '건전지' 的错误
밧-줄 명 绳 shéng; 绳子 shéngzi; 绳索 shéngsuǒ
방(房) 명 房间 fángjiān; 屋子 wūzi; 房子 fángzi; 房 fáng ¶~이 좁다 房间很窄 / ~을 구하다 寻找房子
방:(放) 의명 **1** 发 fā ¶총을 한 ~ 쏘다 打一发子弹 **2** 拳 quán; 个 gè; 次 cì ¶주먹을 한 ~ 먹였다 打了一拳 / 두 ~의 홈런을 치다 击出两个本垒打 **3** 张 zhāng ¶우리 함께 사진 한 ~ 찍자 我们一起照一张相吧
방:(榜) 명 = 방문(榜文) ¶~이 나붙다 贴出榜来了
방갈로(bungalow) 명 **1** (屋前有平台的) 平房 píngfáng; 小屋 xiǎowū **2** 海边小屋 hǎibiān xiǎowū; 沙滩屋 shātānwū; 别墅 biéshù; 休闲小屋 xiūxián xiǎowū; 度假小屋 dùjià xiǎowū
방계(傍系) 명 旁系 pángxì ¶~ 혈족 旁系血族
방-고래(房—) 명 炕道 kàngdào
방공(防空) 명하자 防空 fángkōng ¶~호 防空洞 / ~ 훈련 防空训练 / ~ 시설 防空设施

방:과(放課) 명하자 下课 xiàkè; 放学 fàngxué; 下学 xiàxué ¶～ 시간 下课时间 / 우리 ～ 후에 영화 보러 가자! 我们下课以后, 去看电影吧!
방관(傍觀) 명하타 旁观 pángguān; 袖手旁观 xiùshǒupángguān ¶～자 旁观者
방관-적(傍觀的) 관명 旁观(的) pángguān(de) ¶～인 태도를 취하다 采取旁观的态度
방광(膀胱) 명 『生』 膀胱 pángguāng ¶～ 결석 膀胱结石 / ～암 膀胱癌 / ～염 膀胱炎
방-구들(房—) 명 = 온돌1
방-구석(房—) 명 **1** 屋角落 wūjiǎoluò; 房间角落 fángjiān jiǎoluò ¶～을 살피다 观察屋角落 **2** 屋子 wūzi; 屋 wū; 房间 fángjiān ¶～에만 쳐박혀 있다 只闷在屋里
방:귀 명 屁 pì ¶～ 냄새 屁味儿 / ～소리 放屁声 / ～를 뀌다 放屁
방귀 뀐 놈이 성낸다 속담 贼喊捉贼
방글-거리다 자 嫣然微笑 yānrán wēixiào; 笑盈盈 xiàoyíngyíng; 笑吟吟 xiàoyínyín; 笑容可掬 xiàoróngkějū = 방글대다 **방글-방글** 부하자
방금(方今) 명부 刚才 gāngcái; 刚 gāng; 刚刚 gānggāng; 将才 jiāngcái; 方才 fāngcái ¶나는 그 소식을 ～에야 들었다 我刚才听到那消息
방긋 부하자 莞尔 wǎn'ěr; 微笑 wēixiào ¶～ 웃다 莞尔一笑
방긋-거리다 자 笑盈盈 xiàoyíngyíng; 笑吟吟 xiàoyínyín; 嫣然微笑 yānrán wēixiào = 방긋대다 **방긋-방긋** 부하자
방긋-이 부 莞尔 wǎn'ěr; 微笑 wēixiào
방끗 부하자 莞尔 wǎn'ěr; 微笑 wēixiào
방끗-거리다 자 笑盈盈 xiàoyíngyíng; 笑吟吟 xiàoyínyín; 嫣然微笑 yānrán wēixiào = 방끗대다 **방끗-방끗** 부하자
방끗-이 부 莞尔 wǎn'ěr; 微笑 wēixiào
방년(芳年) 명 芳龄 fānglíng; 芳年 fāngnián ¶～ 십팔 세 芳龄十八
방:뇨(放尿) 명하자 小便 xiǎobiàn; 撒尿 sāniào; 小解 xiǎojiě ¶노상 ～ 路边小便
방:대-하다(厖大— · 尨大—) 형 庞大 pángdà ¶방대한 자료 庞大的资料 **방:대-히** 부
방도(方道 · 方途) 명 方法 fāngfǎ; 办法 bànfǎ; 途径 tújìng ¶해결 ～를 찾다 寻找解决途径
방독(防毒) 명하자 防毒 fángdú ¶～면 防毒面具 =[防毒面罩]
방:랑(放浪) 명하자타 漂泊 piāobó; 漂流 piāoliú; 漂游 piāoyóu; 流浪 liúlàng; 漫游 mànyóu ¶～객 流浪者 / ～벽 漫游癖 / ～ 생활 漂泊生活
방:류(放流) 명하타 放流 fàngliú ¶폐수를 ～하다 放流废水 / 치어를 ～하다 放流鱼苗
방:만-하다(放漫—) 형 松弛 sōngchí; 懈弛 xièchí; 懈怠 xièdài; 稀松 xīsōng ¶방만한 경영으로 회사가 도산했다 松弛的经营, 使公司倒闭了 **방:만-히** 부
방망이 명 棒子 bàngzi; 棒 bàng; 棍子 gùnzi; 棍(儿) gùn(r)
방망이-질 명하자타 **1** 捣 dǎo; 捶 chuí; 锤 chuí **2** 心跳 xīntiào
방면(方面) 명 **1** 方向 fāngxiàng ¶인천 ～으로 가는 지하철 开往仁川方向的地铁 **2** 方面 fāngmiàn; 分野 fēnyě; 领域 lǐngyù; 部门 bùmén ¶나는 경제 ～에는 문외한이다 我对经济方面完全外行
방:면(放免) 명하타 放免 fàngmiǎn; 释放 shìfàng ¶무죄 ～ 无罪放免
방명(芳名) 명 芳名 fāngmíng
방명-록(芳名錄) 명 来客留言簿 láikè liúyánbù; 留言簿 liúyánbù
방:목(放牧) 명하타 『農』 放牧 fàngmù; 牧放 mùfàng; 牧 mù ¶～장 放牧场 / ～지 牧区 / 소와 양을 ～하다 放牧牛羊
방문(方文) 명 『藥』 = 약방문
방문(房門) 명 房门 fángmén; 房间门 fángjiānmén ¶～을 닫다 把房门关上 / ～을 두드리다 敲房门
방:문(訪問) 명하타 访问 fǎngwèn; 来访 láifǎng; 访 fǎng ¶～객 访客 / ～단 访问团 / ～자 访问者 =[来访者] / 대통령이 미국을 ～하다 总统访问美国
방:문(榜文) 명 榜 bǎng; 大字报 dàzìbào = 방(榜)
방물 명 妇女日用品 fùnǚ rìyòngpǐn; 女货 nǚhuò
방물-장수 명 货郎 huòláng
방-바닥(房—) 명 房间地面 fángjiān dìmiàn; 地板 dìbǎn ¶～을 닦다 擦地板
방방곡곡(坊坊曲曲) 명 各个角落 gègè jiǎoluò; 各处 gèchù; 到处 dàochù; 处处 chùchù; 各地 gèdì ¶～에 알려지다 到处皆知
방백(傍白) 명 『演』 旁白 pángbái
방범(防犯) 명하자 防犯 fángfàn; 防备犯罪 fángbèi fànzuì
방범-대(防犯隊) 명 巡逻队 xúnluóduì; 巡察队 xúnchāduì
방범대-원(防犯隊員) 명 巡察员 xúncháyuán; 巡逻人员 xúnluó rényuán

방법(方法) 명 方法 fāngfǎ; 办法 bànfǎ; 手段 shǒuduàn; 法子 fǎzi ¶ ~론 方法论 / 사용 ~ 使用方法 / 해결 ~ 解决方法 / ~을 모색하다 谋求办法 / 확인할 ~이 없다 没有办法确认
방벽(防壁) 명 防壁 fángbì
방부(防腐) 명하타 防腐 fángfǔ ¶ ~제 防腐剂
방:불-하다(彷佛— · 髣髴—) 형 **1** 相似 xiāngsì; 相类 xiānglèi **2** 仿佛 fǎngfú **방:불-히** 부
방비(防備) 명하타 防备 fángbèi; 防范 fángfàn; 提防 dīfang ¶ ~책 防备措施 / ~를 강화하다 加强防备
방사(房事) 명하자 房事 fángshì; 性交 xìngjiāo; 性行为 xìngxíngwéi
방:사(放射) 명하타 **1** 放射 fàngshè **2** 〖物〗 = 복사(輻射)
방:사-기(放射器) 명 放射器 fàngshèqì
방:사-능(放射能) 명 〖物〗 放射能 fàngshènéng; 放射性 fàngshèxìng
방:사능-진(放射能塵) 명 = 낙진1
방사-림(防沙林) 명 防沙林 fángshālín
방:사-상(放射狀) 명 辐射状 fúshèzhuàng; 放射形 fàngshèxíng = 방사형 ¶ ~ 도로 辐射状公路
방:사-선(放射線) 명 〖物〗 放射线 fàngshèxiàn; 射线 shèxiàn ¶ ~과 放射线科 / ~ 사진 射线照相
방:사-성(放射性) 명 〖物〗 放射性 fàngshèxìng ¶ ~ 물질 放射性物质 / ~ 오염 放射性污染 / ~ 폐기물 放射性废物
방:사-열(放射熱) 명 〖物〗 = 복사열
방:사-형(放射形) 명 = 방사상
방:생(放生) 명하타 〖佛〗 放生 fàngshēng ¶ 물고기를 ~하다 把鱼放生
방석(方席) 명 坐垫(儿) zuòdiàn(r); 褥垫 rùdiàn; 垫子 diànzi
방설(防雪) 명하자 防雪 fángxuě ¶ ~림 防雪林
방:성(放聲) 명하자 放声 fàngshēng
방:성-대곡(放聲大哭) 명하자 = 대성통곡
방세(房貰) 명 房租 fángzū; 房钱 fángqián ¶ ~를 내다 交房钱
방:송(放送) 명하타 广播 guǎngbō; 播送 bōsòng; 播音 bōyīn; 播放 bōfàng; 放送 fàngsòng ¶ ~국 广播台 / 안내 ~ 广播通知 / ~실 播音室 =[广播室] / ~ 위성 广播卫星 / ~인 广播人 / ~ 주파수 广播频率 / 경기 실황을 ~하다 播放比赛实况
방수(防水) 명하자 防水 fángshuǐ ¶ ~복 防水服 / ~지 防水纸 / ~ 시계 防水表 / ~포 防水布
방:수(放水) 명하타 放水 fàngshuǐ ¶ ~ 시설 放水设施
방습(防濕) 명하자 防潮 fángcháo
방습-제(防濕劑) 명 〖化〗 = 건조제1
방식(方式) 명 方式 fāngshì; 方法 fāngfǎ; 形式 xíngshì ¶ 생활 ~ 生活方式 / 표현 ~ 表达方式 / 자기 ~을 고집하다 坚持自己的方式
방실-거리다 자 笑盈盈 xiàoyíngyíng; 笑吟吟 xiàoyínyín = 방실대다 **방실-방실** 부하자
방:심(放心) 명하자 大意 dàyi; 失神 shīshén; 不注意 bùzhùyì ¶ 잠깐 ~한 사이에 그가 도망갔다 一时大意, 他跑了
방아 명 碾子 niǎnzi; 碾 niǎn; 碓 duì
방아-깨비 명 〖蟲〗 中华蚱蜢 Zhōnghuá zhàměng
방아-쇠 명 板机 bǎnjī; 枪机 qiāngjī ¶ ~를 당기다 扣动板机
방안(方案) 명 方案 fāng'àn; 计划 jìhuà ¶ 해결 ~을 제시하다 提出解决方案
방안-지(方眼紙) 명 〖數〗 = 모눈종이
방앗-간(—間) 명 磨坊 mòfáng; 磨房 mòfáng; 碾坊 niǎnfáng; 碾房 niǎnfáng
방어(防禦) 명하타 防御 fángyù; 防守 fángshǒu ¶ ~력 防御力 / ~망 防御网 / ~선 防御线 =[防线] / ~율 防御率 / ~전 防御战 / ~ 진지 防御阵地 / ~ 태세를 갖추다 转入防御态势
방어(魴魚) 명 〖魚〗 鲕鱼 shīyú
방어-진(防禦陣) 명 〖軍〗 = 수비진
방언(方言) 명 **1** 〖語〗 (社会的) 方言 fāngyán **2** 〖語〗 = 사투리 **3** 〖宗〗 方言 fāngyán
방:언(放言) 명하타 肆口 sìkǒu; 肆口妄言 sìkǒu wàngyán; 放诞 fàngdàn
방역(防疫) 명하타 防疫 fángyì ¶ ~차 防疫车 / ~ 사업 防疫事业 / ~ 조치 防疫措施
방:열(放熱) 명하자 放热 fàngrè; 散热 sànrè
방:열-기(放熱器) 명 〖機〗 **1** 暖气片 nuǎnqìpiàn; 暖气设备 nuǎnqì shèbèi; 散热器 sǎnrèqì **2** 冷却器 lěngquèqì ‖ = 라디에이터
방:영(放映) 명하타 播放 bōfàng; 播映 bōyìng; 放映 fàngyìng ¶ 영화를 ~하다 播映电影
방울[1] 명 **1** 点 diǎn; 滴 dī; 珠 zhū; 珠子 zhūzi; 星(儿) xīng(r); 泡(儿) pào(r) ¶ 이슬~ 露珠 / 침~ 唾沫星儿 **2** 滴 dī ¶ 땀 한 ~ 一滴汗 / 기름 두 ~ 两滴油
방울[2] 명 铃铛 língdang; 铃 líng ¶ ~소리 铃铛声
방울-방울 명부 一滴滴 yīdīdī; 滴滴 dīdī; 淋淋 línlín ¶ 빗물이 ~ 떨어지다 雨水淋淋
방울-뱀 명 〖動〗 响尾蛇 xiǎngwěishé

방울-새 명 〖鳥〗 金翅雀 jīnchìquè
방울-지다 자 滴答 dīda; 圆滚滚 yuángǔngǔn ¶눈물이 방울져 떨어지다 眼珠圆滚滚地流下来
방위(方位) 명 方位 fāngwèi; 定位 dìngwèi ¶~각 方位角
방위(防圍) 명하타 防卫 fángwèi; 防御 fángyù ¶~력 防卫力量 / ~비 防卫费
방위 산:업(防衛産業) 〖軍〗 国防工业 guófáng gōngyè; 军事工业 jūnshì gōngyè; 军工 jūngōng = 군수 산업
방음(防音) 명하자 隔音 géyīn ¶~ 시설 隔音设备 / ~벽 隔音墙 / ~ 유리 隔音玻璃 / ~ 장치 隔音装置 / ~재 隔音材料
방:임(放任) 명하타 放任 fàngrèn; 放任自流 fàngrènzìliú ¶~주의 放任主义 / 자녀를 ~하다 放任子女
방:자-하다(放恣—) 형 放肆 fàngsì; 放纵 fàngzòng; 放姿 fàngzī ¶어른 앞에서 방자하게 굴면 안 된다 不能在长辈面前放肆 **방:자-히** 부
방재(防災) 명하자 防灾 fángzāi ¶~설비 防灾设备
방적(紡績) 명하자 纺纱 fǎngshā; 纺线 fǎngxiàn ¶~ 기계 纺纱机器
방:전(放電) 명하자 〖物〗 放电 fàngdiàn ¶~관 放电管 / ~등 放电灯
방점(傍點) 명 着重号 zhuózhònghào ¶~을 찍다 打着重号
방정 명 轻浮 qīngfú; 轻佻 qīngtiāo; 轻脱 qīngtuō; 轻薄 qīngbó ¶~을 떨다 举止轻佻
방정-맞다 형 **1** 轻浮 qīngfú; 轻佻 qīngtiāo; 轻脱 qīngtuō; 轻薄 qīngbó ¶행동이 ~ 举动轻浮 **2** 晦气 huìqì; 倒霉 dǎoméi
방정-식(方程式) 명 〖數〗 方程 fāngchéng; 方程式 fāngchéngshì
방정-하다(方正—) 형 端正 duānzhèng; 规矩 guīju; 正经 zhèngjing ¶품행이 ~ 品行端正 **방정-히** 부
방제(防除) 명하타 防除 fángchú ¶병충해를 ~하다 防除病虫害
방조(防潮) 명하자 放潮 fàngcháo ¶~제 放潮堤
방조(幇助·幫助) 명하타 〖法〗 帮助 bāngzhù; 帮凶 bāngxiōng ¶살인 ~ 혐의 帮助杀人嫌疑 / ~ 행위 帮助行为
방조-범(幇助犯) 명 〖法〗 从犯 cóngfàn
방:종(放縱) 명하형 放纵 fàngzòng; 放肆 fàngsì; 放恣 fàngzī ¶~한 생활 放纵生活 / 행동이 ~하다 行为放纵
방주(方舟) 명 方舟 fāngzhōu ¶노아의 ~ 诺亚方舟
방지(防止) 명하타 防止 fángzhǐ; 防 fáng ¶~책 防止对策 / 노화를 ~하다 防止老化
방직(紡織) 명하타 纺织 fǎngzhī ¶~공 纺织工人 / ~ 공업 纺织工业 / ~ 공장 纺织厂 / ~ 기계 纺织机 =[纺织机器]
방진(防塵) 명 防尘 fángchén ¶~ 마스크 防尘口罩
방책(方策) 명 计策 jìcè; 策略 cèlüè
방책(防柵) 명 〖軍〗 防栅 fángzhà
방첩(防諜) 명하자 〖軍〗 防特 fángtè
방청(傍聽) 명하타 旁听 pángtīng ¶~객 旁听者 / ~권 旁听券 / ~석 旁听席 / 재판을 ~하다 旁听审判
방초(芳草) 명 香草 xiāngcǎo; 芳草 fāngcǎo
방추(紡錘) 명 〖手工〗 **1** 纺锤 fǎngchuí ¶~형 纺锤形 **2** = 북²1
방축(防縮) 명하타 防缩 fángsuō ¶~가공 防缩处理
방:출(放出) 명하타 **1** 发放 fāfàng; 放出 fàngchū ¶자금을 ~하다 发放资金 **2** 〖物〗 释放 shìfàng; 放出 fàngchū ¶에너지를 ~하다 释放能量
방충(防蟲) 명하타 防虫 fángchóng ¶~망 防虫网
방:치(放置) 명하타 放置 fàngzhì; 搁 gē; 搁置 gēzhì; 弃置 qìzhì ¶쓰레기를 길가에 ~하다 把垃圾放置在路边
방침(方針) 명 方针 fāngzhēn ¶교육 ~ 教育方针 / ~을 정하다 制定方针
방탄(防彈) 명하자 防弹 fángdàn; 避弹 bìdàn ¶~벽 防弹墙 / ~복 防弹衣 =[避弹衣] / ~유리 防弹玻璃 / ~조끼 防弹背心 =[避弹背心] / ~차 防弹车
방:탕(放蕩) 명하형히부 放荡 fàngdàng; 狂荡 kuángdàng; 浪荡 làngdàng ¶~아 浪荡公子 =[浪子] / 생활이 ~하다 生活放荡
방파-제(防波堤) 명 〖建〗 防波堤 fángbōdī
방패(防牌·旁牌) 명 盾 dùn; 盾牌 dùnpái; 挡箭牌 dǎngjiànpái ¶~연 盾状风筝 / 나를 ~로 삼지 마라 不要拿我当盾牌
방패-막이(防牌—) 명하타 挡箭牌 dǎngjiànpái
방편(方便) 명 手段 shǒuduàn; 方法 fāngfǎ; 办法 bànfǎ; 权宜之计 quányízhījì
방풍(防風) 명하자 = 바람막이 ¶~림 防风林
방학(放學) 명하자 〖敎〗 放假 fàngjià; 假 jià; 假期 jiàqī ¶여름 ~ 暑假 / 겨울 ~ 寒假 / ~ 숙제 假期作业
방한(防寒) 명하자 防寒 fánghán; 御寒 yùhán; 挡寒 dǎnghán ¶~ 용품 御寒用品 / ~모 防寒帽 / ~복 防寒服 / ~화 防寒鞋

방한(訪韓) 명하자 访韩 fǎnghán ¶～일정 访韩日程

방해(妨害) 명하타 妨碍 fáng'ài; 妨害 fánghài; 打搅 dǎjiǎo; 打扰 dǎrǎo; 干扰 gānrǎo; 扰乱 rǎoluàn ¶공무 집행을 ～하다 妨碍执行公务 / 수면을 ～하다 扰乱睡眠

방해-물(妨害物) 명 妨碍物 fáng'àiwù; 绊脚石 bànjiǎoshí; 挡头 dǎngtou

방향(方向) 명 方向 fāngxiàng ¶～을 잃다 迷失方向

방향(芳香) 명 芳香 fāngxiāng ¶～제 芳香剂

방향-키(方向—) 명 〖航〗 ＝ 방향타

방향-타(方向舵) 명 〖航〗 方向舵 fāngxiàngduò ＝ 방향키

방형(方形) 명 方形 fāngxíng

방호(防護) 명하타 防护 fánghù ¶～벽 防护墙 / ～ 진지를 구축하다 构筑防护阵地

방화(防火) 명하자 防火 fánghuǒ ¶～시설 防火设施 / ～문 防火门

방화(邦畫) 명 国片 guópiān

방:화(放火) 명하자 放火 fànghuǒ; 纵火 zònghuǒ ¶～ 사건 放火案件 / ～범 放火犯 / 산에 ～하다 放火烧山

방화-벽(防火壁) 명 **1** 防火墙 fánghuǒqiáng **2** 〖컴〗 防火墙 fánghuǒqiáng

방황(彷徨) 명하자타 彷徨 pánghuáng ¶거리에서 ～하다 彷徨在街头

밭 명 **1** 旱田 hàntián; 旱地 hàndì; 田 tián; 田地 tiándì; 地 dì ¶～을 갈다 翻耕田地 **2** (植物茂盛的) 地 dì; 田 tián ¶인삼～ 人参田 / 감자～ 土豆田 **3** 平地 píngdì; 场 chǎng; 地 dì ¶모래～ 沙场

밭-고랑 명 垄沟 lǒnggōu

밭다[1] 타 滤 lǜ; 漉 lù; 过滤 guòlǜ ¶한약을 망사 천으로 한 번 ～ 把中药用纱布过滤一下

밭다[2] 형 **1** (时间或空间) 近 jìn; 接近 jiējìn; 将近 jiāngjìn; 紧迫 jǐnpò; 急迫 jípò ¶약속 날짜가 너무 ～ 约定的日子很紧迫 **2** (长度) 短 duǎn; 低 dī; 矮 ǎi; 浅薄 qiǎnbó ¶밭은 키 很矮的个子 **3** 挑嘴 tiāozuǐ; 挑食 tiāoshí ¶입이 밭으면 건강에 좋지 않다 挑食对健康不利

밭-뙈기 명 小块地 xiǎokuàidì ¶그는 ～나 있다고 잘난 체 한다 他有小块地, 自以为了不起

밭-매기 명하자 〖農〗 除草 chúcǎo; 锄草 chúcǎo

밭-일 명하자 旱田农活儿 hàntián nónghuór

밭-작물(—作物) 명 旱田作物 hàntián zuòwù; 旱地作物 hàndì zuòwù

밭장-다리 명 八字脚 bāzìjiǎo

배[1] 一명 **1** 〖生〗 肚(儿) dù(r); 肚子 dùzi; 腹 fù; 腹部 fùbù ¶～가 나오다 腹部突出 / ～가 부르다 肚子饱 / ～가 아프다 肚子疼 / ～가 고프다 肚子饿 **2** (物体的) 肚子 dùzi **3** 〖動〗 腹部 fùbù 二의명 窝 wō; 胎 tāi ¶이 고양이는 한 ～에 다섯 마리를 낳았다 这只猫一胎下了五只小猫

배(가) 아프다 구 嫉妒; 忌妒

배[2] 명 船 chuán; 船舶 chuánbó; 船只 chuánzhī; 船艘 chuánsōu; 舟 zhōu ＝ 선박

배[3] 명 梨 lí; 梨子 lízi

배(胚) 명 〖生〗 胚 pēi ＝ 씨눈

배:(倍) 명 **1** 加倍 jiābèi; 倍加 bèijiā ＝ 갑절 · 곱[2]1 · 곱절1 ¶～로 힘들다 倍加艰难 **2** 倍 bèi ¶속도를 세 ～로 올리다 把速度提高三倍

배:가(倍加) 명하자타 加倍 jiābèi; 倍加 bèijiā ¶노력을 ～하다 加倍努力

배갈(중baigar[白干儿]) 명 ＝ 고량주

배격(排擊) 명하타 排斥 páichì; 抨击 pēngjī; 反对 fǎnduì ¶의견이 다른 사람을 ～하다 排斥意见不同的人

배:경(背景) 명 **1** 背景 bèijǐng; 后景 hòujǐng ¶꽃밭을 ～으로 사진을 찍다 以花圃为背景拍照 **2** (事件、情况等的) 背景 bèijǐng ¶역사적인 ～ 历史上的背景 / 사회적 ～ 社会背景 **3** 后盾 hòudùn; 靠山 kàoshān; 背景 bèijǐng ¶～이 든든하다 背景很硬 **4** 〖文〗 背景 bèijǐng ¶작품의 ～ 作品背景 **5** 〖演〗 布景 bùjǐng ¶～ 음악 布景音乐

배-고프다 형 **1** 饿 è ¶점심을 걸렀더니 ～ 没吃过午饭, 很饿 **2** 穷乏 qióngfá; 贫困 pínkùn; 穷困 qióngkùn ¶배고팠던 날을 회상하다 回想穷乏的日子

배-고픔 명 饥 jī; 饥饿 jī'è

배-곯다 자 挨饿 ái'è

배:관(配管) 명하자 铺管 pūguǎn; 配管 pèiguǎn ¶～공 配管工 / ～도 配管图 / ～ 공사 配管工程

배구(排球) 명 〖體〗 排球 páiqiú ¶～공 排球 / ～ 선수 排球运动员 / ～ 시합 排球比赛 / ～를 하다 打排球

배:금(拜金) 명하자 拜金 bàijīn ¶～주의 拜金主义

배:급(配給) 명하타 配给 pèijǐ; 配售 pèishòu ¶～량 配给量 / ～소 配给站 / ～제 配给制 / ～표 配给证 / ～품 配给品 / 음식을 ～하다 配给食物

배기(排氣) 명하타 〖工〗 排气 páiqì; 乏汽 fáqì; 废气 fèiqì ¶～관 排气管 / ～구 排气口 / ～량 排气量 / ～통 排气筒

배기-가스(排氣gas) 명 废气 fèiqì ¶자동차 ～ 汽车废气

배기다¹ 자 硌 gè ¶엉덩이가 ～ 硌屁股 / 등이 배겨 불편하다 硌背硌得难受

배기다² 자타 经得住 jīngdezhù; 经得起 jīngdeqǐ; 禁得起 jīndeqǐ; 禁得住 jīndezhù; 顶得住 dǐngdezhù; 忍耐 rěnnài; 忍住 rěnzhù ¶아파서 배길 수가 없다 酸痛得忍耐不住 / 나는 그의 등쌀에 배겨 낼 수가 없다 我被他的折磨禁不住

배-꼽 명 **1** 〖生〗 肚脐(儿) dùqí(r); 肚脐眼儿 dùqíyǎnr **2** 〖植〗 蒂 dì; 蒂把儿 dìbǎr

배-나무 명 〖植〗 梨树 líshù

배:낭(背囊) 명 背包 bèibāo; 背囊 bèináng ¶등산 ～ 登山背包 / ～여행 背包旅行 / ～여행객 背包客 / ～을 메다 背背囊

배낭(胚囊) 명 〖植〗 胚囊 pēináng

배:내-똥 명 胎便 tāibiàn

배:내-옷 명 = 배냇저고리

배:냇-니 명 = 젖니

배:냇-머리 명 胎发 tāifà; 胎毛 tāimáo

배:냇-저고리 명 婴儿和尚服 yīng'ér héshangfú; 和尚服 héshangfú = 배내옷

배:냇-짓 명하자 婆婆娇 pópojiāo ¶～을 하다 睡婆婆娇

배너 광:고(banner廣告) 〖컴〗 横幅广告 héngfú guǎnggào

배뇨(排尿) 명하자 排尿 páiniào ¶～기능 장애 排尿功能障碍

배:다¹ 자 **1** 渗入 shènrù; 浸透 jìntòu; 湿透 shītòu; 浸渍 jìnzì ¶담배 냄새가 이미 옷에 뱄다 烟味已经湿透了衣服 **2** 习惯 xíguàn; 习以为常 xíyǐwéicháng; 成为习惯 chéngwéi xíguàn; 习惯成自然 xíguànchéng zìrán; 熟练 shúliàn ¶일찍 일어나는 것이 몸에 ～ 习惯早起 / 욕이 입에 ～ 习惯说骂人话

배:다² 타 **1** 怀孕 huáiyùn; 怀胎 huáitāi; 妊娠 rènshēn; 身孕 shēnyùn; 有孕 yǒuyùn ¶우리 집 개가 새끼를 뱄다 我家狗怀孕了 **2** 孕穗 yùnsuì; 秀穗(儿) xiùsuì(r)

배-다르다 형 同父异母 tóngfùyìmǔ ¶배다른 형제 同父异母的兄弟

배-다리 명 **1** 浮桥 fúqiáo = 선교(船橋) **2** 木板桥 mùbǎnqiáo; 浮栈桥 fúzhànqiáo

배:달(配達) 명하타 送 sòng; 送递 sòngdì; 投递 tóudì; 送达 sòngdá; 送到 sòngdào; 送货 sònghuò ¶신문을 ～하다 送报

배:달-부(配達夫) 명 = 배달원

배:달-원(配達員) 명 送货员 sònghuòyuán; 投递员 tóudìyuán = 배달부

배:당(配當) 명하타 **1** 分配 fēnpèi; 分fēn; 调度 diàodù ¶일을 ～하다 分配工作 / 능력에 따라 ～하다 按力量分配 **2** 〖經〗 分 fēn; 分红 fēnhóng ¶이윤을 주주들에게 ～하다 把利润分给股东

배:당-금(配當金) 명 红利 hónglì; 红 hóng; 股息 gǔxī; 股利 gǔlì

배드민턴(badminton) 명 〖體〗 羽毛球 yǔmáoqiú ¶～ 채 羽毛球拍 / ～을 치다 打羽毛球

배드민턴-공(badminton—) 명 〖體〗 = 셔틀콕

배란(排卵) 명하자 〖生〗 排卵 páiluǎn ¶～기 排卵期

배럴(barrel) 의명 桶 tǒng ¶석유 1～ 一桶石油

배:려(配慮) 명하타 照顾 zhàogù; 关照 guānzhào; 关怀 guānhuái; 关心 guānxīn; 关切 guānqiè; 关注 guānzhù ¶노인을 ～하다 关注老年人

배미 명 **1** 水田地块 shuǐtián dìkuài **2** 丘 qiū ¶논 한 ～ 一丘水田

배-밀이 명하자타 (婴儿) 匍匐 púfú; 匍匐前进 púfú qiánjìn; 匍匐爬行 púfú páxíng ¶아기가 ～를 할 수 있다 宝宝会匍匐爬行

배:반(背反 · 背叛) 명하타 背叛 bèipàn; 叛逆 pànnì; 反叛 fǎnpàn; 叛 pàn ¶～자 背叛者 / 조국을 ～한 매국노 反叛祖国的卖国贼 / 친구에게 ～ 당하다 被朋友背叛

배변(排便) 명하자 排便 páibiàn; 拉屎 lāshǐ

배:부(配付) 명하타 发 fā; 分发 fēnfā; 发给 fāgěi; 分给 fēngěi ¶입학 원서를 ～하다 分发入学报名表

배-부르다 명 **1** 饱 bǎo; 肚子饱 dùzi bǎo; 吃饱 chībǎo ¶배부르면 그만 먹어라 吃饱了, 就不要再吃了 **2** (孕妇) 肚子大 dùzi dà **3** 饱暖 bǎonuǎn; 丰裕 fēngyù

배:분(配分) 명하타 分配 fēnpèi; 分给 fēngěi; 分 fēn; 拨发 bōfā; 摊 tān = 분배 ¶이익을 ～하다 分配利润

배-불뚝이 명 鼓肚的 gǔdùde; 大肚子 dàdùzi

배불리 부 饱饱地 bǎobǎode; 饱 bǎo ¶～ 먹다 吃饱

배:상(拜上) 명하타 拜上 bàishàng

배상(賠償) 명하타 〖法〗 赔 péi; 赔偿 péicháng; 抵偿 dǐcháng; 赔款 péikuǎn; 退赔 tuìpéi ¶～금 赔款 =[赔偿金] / ～액 赔款额 / ～을 요구하다 要求赔偿 / 손실을 ～하다 抵偿损失

배:색(配色) 명하자타 配色 pèisè ¶이 옷은 ～이 좋다 这件衣服配色配得很好

배:서(背書) 명하자 **1** 背面签字 bèimiàn qiānzì **2**〖法〗背书 bèishū = 이서 ¶수표를 사용하려면 반드시 ~해야 한다 用支票必须背书

배:석(陪席) 명하자 陪席 péixí; 陪坐 péizuò

배:선(配線) 명하타〖電〗**1** 配线 pèixiàn; 架线 jiàxiàn; 配电线 pèi diànxiàn ¶~공 配线工 / ~도 配线图 **2** = 배전선

배설(排泄) 명하타 **1** 排泄 páixiè; 排除 páichú; 排出 páichū ¶오수를 강으로 ~하다 把污水排泄到河里 **2**〖生〗排泄 páixiè ¶~ 기관 排泄器官 / ~물 排泄物 / ~ 작용 排泄作用 / 체내의 노폐물을 ~하다 排泄体内的废物

배:속(配屬) 명하타 **1** 布置 bùzhì; 布局 bùjú; 安排 ānpái **2** (人员的) 分配 fēnpèi; 从属 cóngshǔ; 配备 pèibèi ¶규모에 따라 인력을 ~하다 按规模分配人力

배:송(配送) 명하타 配送 pèisòng; 送 sòng; 送货 sònghuò ¶무료 ~ 免费送货 / ~ 시간 送货时间 / ~비 配送费

배:수(背水) 명 背水 bèishuǐ ¶~의 진 背水阵

배:수(配水) 명하자 **1** 供水 gōngshuǐ; 配水 pèishuǐ ¶~관 配水管 / ~지 配水池 **2** 灌 guàn; 灌溉 guàngài; 灌田 guàntián

배:수(倍數) 명〖數〗倍数 bèishù

배수(排水) 명하타 排水 páishuǐ ¶~관 排水管 / ~구 排水口 / ~량 排水量 / ~로 排水沟 / ~장 排水场 / ~ 장치 排水装置 / ~펌프 排水泵 / ~ 시설 排水设施

배:수-진(背水陣) 명 **1**〖軍〗背水阵 bèishuǐzhèn **2** 背水阵 bèishuǐzhèn; 背城借一 bèichéngjièyī; 背城一战 bèichéngyīzhàn; 背水一战 bèishuǐyīzhàn

배:식(配食) 명하자타 分配食物 fēnpèi shíwù; 开饭 kāifàn ¶~ 시간 开饭时间

배:식(陪食) 명하자타 陪餐 péicān

배:식-구(配食口) 명 售饭口 shòufànkǒu; 售饭窗口 shòufàn chuāngkǒu

배:신(背信) 명하자타 背信 bèixìn; 背信弃义 bèixìnqìyì; 背叛 bèipàn; 背弃 bèiqì; 出卖 chūmài ¶~감 背信感 / ~ 행위 背信行为 / 친구를 ~하다 背弃朋友 / 여자 친구에게 ~을 당하다 被女友背叛

배:심(陪審) 명하자〖法〗陪审 péishěn ¶~원 陪审员 / ~ 재판 陪审审判 / ~제도 陪审制

배아(胚芽) 명〖植〗胚芽 pēiyá ¶~미 胚芽米

배알 명 **1** 肠子 chángzi; 肠 cháng **2** '속마음' 的鄙称 **3** '배짱' 的鄙称

배:알(拜謁) 명하타 拜谒 bàiyè; 拜见 bàijiàn

배-앓이 명하자 腹痛 fùtòng; 闹肚子 nào dùzi

배:양(培養) 명하타 **1** (把植物) 培育 péiyù; 培植 péizhí ¶우량 품종을 ~하다 培育优良品种 **2** (人才等) 培训 péixùn; 培养 péiyǎng; 培育 péiyù; 培植 péizhí ¶인재를 ~하다 培训人才 / 국력을 ~하다 培养国力 / 학습 능력을 ~하다 培养学习能力 **3**〖生〗培养 péiyǎng ¶세균을 ~하다 培养细菌

배:양-기(培養器) 명〖生〗培养箱 péiyǎngxiāng; 培养器 péiyǎngqì

배:양-액(培養液) 명〖生〗培养基 péiyǎngjī; 培养液 péiyǎngyè

배:양-토(培養土) 명〖植〗培养土 péiyǎngtǔ

배어-나다 자 **1** 渗 shèn; 渗出 shènchū; 渍 zì; 渍出 zìchū; 津津 jīnjīn ¶땀이 ~ 汗津津 **2** (感觉或想法) 浸透 jìntòu; 露 lòu ¶그의 입가에 미소가 ~ 他的嘴角露了微笑

배어-들다 자 渗 shèn; 渗进 shènjìn; 渗入 shènrù; 浸透 jìntòu; 浸染 jìnrǎn; 透进 tòujìn ¶옷에 땀이 ~ 汗水浸透了衣服

배:역(配役) 명하타〖演〗角色 juésè; 扮演 bànyǎn ¶~을 정하다 分配角色

배:열(配列·排列) 명하타 排列 páiliè; 陈列 chénliè; 陈设 chénshè ¶~ 순서 排列顺序 / 상품을 ~하다 陈列产品

배엽(胚葉) 명〖生〗胚叶 pēiyè; 胚层 pēicéng

배:영(背泳) 명〖體〗仰泳 yǎngyǒng

배외(排外) 명하타 排外 páiwài ¶~사상 排外思想 / ~주의 排外主义

배우(俳優) 명〖演〗演员 yǎnyuán ¶영화~ 电影演员 / 연기파 ~ 演技派演员

배우다 타 **1** 学 xué; 学习 xuéxí ¶영어를 ~ 学英语 / 수영을 ~ 学习游泳 **2** 体味 tǐwèi ¶자유의 소중함을 ~ 体味自由的珍贵

배:우-자(配偶者) 명 配偶 pèi'ǒu

배움-터 명 学习园地 xuéxí yuándì; 校园 xiàoyuán; 学园 xuéyuán

배웅 명하타 送 sòng; 送行 sòngxíng; 送别 sòngbié ¶나는 그녀를 공항까지 ~했다 我把她送到机场

배유(胚乳) 명〖植〗= 배젖

배:율(倍率) 명 倍率 bèilǜ; 放大率 fàngdàlǜ

배:은-망덕(背恩忘德) 명하형 忘恩负义 wàng'ēnfùyì; 忘恩背义 wàng'ēnbèiyì; 背恩忘义 bèi'ēnwàngyì; 恩将仇报 ēnjiāngchóubào

배:임(背任) 명하자 渎职 dúzhí ¶～죄 渎职罪 / ～ 행위 渎职行为
배:자(褙子) 명 坎肩 kǎnjiān; 背心 bèixīn
배:전(倍前) 명 倍加 bèijiā ¶～의 노력을 기울이다 倍加努力
배:전(配電) 명하자 〖電〗配电 pèidiàn; 分电 fēndiàn ¶～기 分电器 / ～반 分电盘
배:전-선(配電線) 명 〖電〗配电线 pèidiànxiàn ＝배선2
배:점(配點) 명하자 打分数 dǎ fēnshù; 分配分数 fēnpèi fēnshù
배:정(配定) 명하타 按排 ānpái; 排 pái; 分配 fēnpèi ¶좌석을 ～하다 按排座位
배-젖(胚—) 명 〖植〗胚乳 pēirǔ ＝내배유·배유
배제(排除) 명하타 排除 páichú; 消除 xiāochú; 回避 huíbì ¶실패할 가능성을 ～할 수 없다 不能回避失败的可能性
배:증(倍增) 명하자타 倍增 bèizēng ¶인원이 ～되다 人数倍增
배지(badge) 명 徽章 huīzhāng; 证章 zhèngzhāng; 像章 xiàngzhāng
배-지느러미 명 〖魚〗腹鳍 fùqí; 臀鳍 túnqí
배:집다 자타 挤 jǐ; 扒拉 bālā ¶배집고 들어가다 挤进去
배짱 명 **1** 想法 xiǎngfǎ; 心眼儿 xīnyǎnr; 居心 jūxīn; 用心 yòngxīn **2** 胆量 dǎnliàng; 胆子 dǎnzi; 骨气 gǔqì; 骨力 gǔlì; 志气 zhìqì ¶～이 없다 没有胆量 / ～이 좋다 胆子大
배:차(配車) 명하자타 调车 diàochē; 车辆调度 chēliàng diàodù; 配车 pèichē ¶～ 시간 调车时间 / ～원 调车员 / ～간격 车辆调度间隔
배척(排斥) 명하타 排斥 páichì; 排挤 páijǐ; 抵制 dǐzhì ¶외세를 ～하다 排斥外势
배:추 명 〖植〗白菜 báicài; 大白菜 dàbáicài ¶～김치 白菜泡菜
배:추-벌레 명 〖蟲〗青虫 qīngchóng
배:추-흰나비 명 〖蟲〗菜粉蝶 càifěndié; 菜青虫 càiqīngchóng
배출(排出) 명하타 排出 páichū; 排泄 páixiè; 排放 páifàng ¶～구 排出口 / 폐수를 ～하다 排出废水 / 체내의 독소를 ～하다 排出体内毒素
배:출(輩出) 명하타 辈出 bèichū; 涌现 yǒngxiàn ¶유능한 인재를 ～하다 辈出能干的人才
배:춧-국 명 白菜汤 báicàitāng
배:치(背馳) 명하자 相反 xiāngfǎn; 背离 bèilí; 背道而驰 bèidào'érchí ¶평소의 주장과 ～되는 행위 跟平时常说的主张相反的行为
배:치(配置) 명하타 布置 bùzhì; 配置 pèizhì; 安排 ānpái; 配备 pèibèi; 分配 fēnpèi; 调配 diàopèi; 布局 bùjú ¶～도 布置图 / 전시품을 ～하다 布置展品 / 병력을 ～하다 布置兵力 / 인원을 ～하다 配置人员
배타(排他) 명하자 排他 páitā ¶～성 排他性 / ～심 排他心 / ～주의 排他主义
배타-적(排他的) 관명 排他(的) páitā(de); 有排他性(的) yǒupáitāxìng(de) ¶～ 경제 수역 排他性经济水域
배-탈(—頉) 명 腹痛 fùtòng; 腹泻 fùxiè; 肚子痛 dùzitòng
배터리(battery) 명 **1** 〖化〗电池 diànchí《'건전지' 的错误》¶휴대폰 ～ 手机电池 / ～를 충전하다 充电电池 **2** 〖體〗投接手组 tóujiēshǒuzǔ
배턴(baton) 명 〖體〗接力棒 jiēlìbàng; 接棒 jiēbàng ＝바통
배트(bat) 명 〖體〗球棒 qiúbàng; 球棍 qiúgùn
배팅(batting) 명 〖體〗＝타격3 ¶～오더 打击顺序
배-편(—便) 명 趁有船之便 chèn yǒuchuánzhībiàn; 用船 yòngchuán ＝선편
배:포(配布) 명하타 散发 sànfā; 分发 fēnfā; 发给 fāgěi ¶인쇄물을 ～하다 散发印刷品
배포(排布·排鋪) 명하타 想法 xiǎngfǎ; 用意 yòngyì; 心计 xīnjì; 度量 dùliàng; 主意 zhǔyì ¶～가 좋다 用意甚善 / ～가 크다 度量大
배-표(—票) 명 船票 chuánpiào
배:필(配匹) 명 配偶 pèi'ǒu; 伴侣 bànlǚ
배:합(配合) 명하타 配 pèi; 配合 pèihé; 调配 tiáopèi; 配搭 pèidā; 搭配 dāpèi ¶～률 配合率 / ～ 사료 配合饲料 / 원료를 ～하다 配搭原料
배회(徘徊) 명하자타 徘徊 páihuái ¶거리를 홀로 ～하다 在街头独自徘徊
배:후(背後) 명 **1** 背后 bèihòu; 后边 hòubian; 后面 hòumiàn ¶～ 공격 背后攻击 / 물건을 ～에 숨기다 把东西藏在背后 **2** 背地里 bèidìli; 背后 bèihòu; 后台 hòutái; 幕后 mùhòu; 背地 bèidì ¶～ 세력 背后的势力 / 그의 ～가 누구냐? 他的幕后是谁?
백(百) 수관 一百 yībǎi; 百 bǎi ＝일백 ¶～ 미터 一百米 / ～ 살 一百岁 / 장미 ～ 송이 一百朵玫瑰 / ～ 명이 넘는 사람들 一百多个人
백(bag) 명 手提包 shǒutíbāo; 提包 tíbāo
백-(白) 접두 白 bái ¶～포도주 白葡萄酒 / ～장미 白玫瑰 / ～구두 白皮鞋
백가(百家) 명 百家 bǎijiā ¶～쟁명 百

家争鸣
백골(白骨) 명 白骨 báigǔ
백-곰(白—) 명 白熊 báixióng; 北极熊 běijíxióng
백과(百果) 명 百果 bǎiguǒ
백과(百科) 명 百科 bǎikē ¶~사전 百科辞典
백관(百官) 명 百官 bǎiguān ¶문무~ 文武百官
백구(白狗) 명 白狗 báiigǒu; 白犬 báiquǎn
백군(白軍) 명 白队 báiduì; 白军 báijūn
백금(白金) 명 〖化〗白金 báijīn; 铂 bó
백기(白旗) 명 白旗 báiqí ¶~를 달다 打白旗 / ~를 들다 奉起白旗
백-김치(白—) 명 白泡菜 báipàocài
백-날(百—) ㊀명 = 백일 ㊁부 **1** 再久 zàijiǔ; 再 zài; 许久 xǔjiǔ ¶~ 해 봐야 성공할 수 없다 再努力也不能成功 **2** 老 lǎo; 总 zǒng; 老是 lǎoshì; 总是 zǒngshì ¶이 사람은 ~ 이 모양이다 这人老是这样
백-내장(白內障) 명 〖醫〗白内障 báinèizhàng
백년-가약(百年佳約) 명 百年之约 bǎiniánzhīyuē; 佳约 jiāyuē
백년-대계(百年大計) 명 百计大计 bǎiniándàjì
백년지계(百年之計) 명 百年之计 bǎiniánzhījì
백년-해로(百年偕老) 명하자 白头偕老 báitóuxiélǎo
백도(白桃) 명 〖植〗白桃 báitáo
백두-산(白頭山) 명 〖地〗白头山 Báitóushān; 长白山 Chángbáishān
백-등유(白燈油) 명 白灯油 báidēngyóu
백랍(白蠟) 명 〖藥〗白蜡 báilà
백로(白露) 명 白露 báilù《二十四节气之一》
백로(白鷺) 명 〖鳥〗白鹭 báilù; 鹭鸶 lùsī
백마(白馬) 명 白马 báimǎ = 흰말
백만(百萬) 수관 一百万 yībǎiwàn; 百万 bǎiwàn ¶~ 원 一百万韩元 / 관객이 ~이 넘었다 观众超过一百万
백만-장자(百萬長者) 명 百万富翁 bǎiwàn fùwēng
백모(伯母) 명 = 큰어머니
백-목련(白木蓮) 명 〖植〗玉兰 yùlán; 望春花 wàngchūnhuā; 木兰花 mùlánhuā
백묘(白描) 명 〖美〗**1** 白描 báimiáo **2** = 백묘화
백묘-화(白描畫) 명 〖美〗白描画 báimiáohuā = 백묘2
백묵(白墨) 명 = 분필
백미(白米) 명 = 흰쌀
백미(白眉) 명 白眉 báiméi; 优秀作 yōuxiùzuò; 佼佼者 jiǎojiǎozhě ¶고전 문학의 ~ 古典文学的佼佼者
백-미러(back+mirror) 명 后视镜 hòushìjìng
백반(白斑) 명 **1** 白斑 báibān **2** 〖醫〗 = 백반증 **3** 〖天〗光斑 guāngbān
백반(白飯) 명 **1** = 흰밥 **2** 米饭套餐 mǐfàn tàocān
백반(白礬) 명 〖化〗白矾 báifán; 明矾 míngfán = 명반(明礬)
백반-증(白斑症) 명 〖醫〗白斑病 báibānbìng; 白癜病 báidiànbìng = 백반(白斑)2
백발(白髮) 명 白发 báifà; 白头发 báitóufa; 白头 báitóu; 白首 báishǒu ¶~ 노인 白发老人
백발-백중(百發百中) 명하자 百发百中 bǎifābǎizhòng; 百步穿杨 bǎibùchuānyáng ¶~의 사수 百发百中的射手
백방(百方) 명 百方 bǎifāng; 千方百计 qiānfāngbǎijì; 百般 bǎibān; 到处 dàochù; 四处 sìchù ¶~으로 수소문하다 到处打听 / ~으로 그들을 돕다 千方百计帮助他们
백배(百拜) 명하자 百拜 bǎibài ¶~사례 百拜致谢 / ~사죄 百拜谢罪
백배(百倍) 부 百倍 bǎibèi; 一百倍 yībǎibèi ¶~ 노력하다 百倍努力 / 그녀가 너보다 ~ 예쁘다 她比你漂亮一百倍 **—-하다** 자 百倍 bǎibèi
백번(百番) 부 **1** 一百次 yībǎicì; 好多次 hǎoduōcì ¶~ 죽어 마땅하다 死一百次也应该的 **2** 完全 wánquán ¶~ 옳은 말씀입니다 你说得完全对
백병(白兵) 명 白刃 báirèn ¶~전 白刃战
백부(伯父) 명 = 큰아버지
백분(白粉) 명 **1** 白面儿 báimiànr **2** = 분(粉)1 ¶그녀는 얼굴에 ~을 발랐다 她脸上涂白粉
백분-비(百分比) 명 = 백분율
백분-율(百分率) 명 百分比 bǎifēnbǐ; 百分率 bǎifēnlǜ = 백분비 · 퍼센티지
백분-표(百分標) 명 百分号 bǎifēnhào; 百分符 bǎifēnfú
백사(白沙 · 白砂) 명 白沙 báishā
백사(白蛇) 명 〖動〗白蛇 báishé
백-사장(白沙場) 명 白沙滩 báishātān; 沙滩 shātān ¶끝없이 넓은 ~ 无边无际的沙滩
백색(白色) 명 白色 báisè; 白颜色 báiyánsè; 白 bái ¶~ 가루 白色粉末 / ~ 소음 白噪音 / ~ 시멘트 白水泥 / ~ 테러 白色恐怖
백색 인종(白色人種) 白色人种 báisè rénzhǒng; 白种 báizhǒng = 백인종 ·

유럽 인종

백서(白書) 명 〖政〗 白皮书 báipíshū ¶경제 ~ 经济白皮书 / 교육 ~ 教育白皮书

백선(白癬) 명 〖醫〗 白癣 báixuǎn; 发癣 fàxuǎn

백선(百選) 명 百选 bǎixuǎn ¶명시 ~ 名诗百选

백설(白雪) 명 白雪 báixuě ¶~이 온 땅을 뒤덮고 있다 白雪覆盖着满地

백-설기(白一) 명 米粉蒸糕 mǐfěn zhēnggāo = 설기

백-설탕(白雪糖) 명 白糖 báitáng; 白沙糖 báishātáng

백성(百姓) 명 百姓 bǎixìng; 老百姓 lǎobǎixìng; 人民 rénmín; 黎民 límín

백세(百歲) 명 百年 bǎinián; 万年 wànnián

백-소주(白燒酒) 명 白烧酒 báishāojiǔ

백송(白松) 명 〖植〗 白皮松 báipísōng; 白骨松 báigǔsōng

백수(白手) 명 = 백수건달

백수(百獸) 명 百兽 bǎishòu ¶사자는 ~의 왕이다 狮子是百兽之王

백수-건달(白手乾達) 명 二流子 èrliúzi; 二混子 èrhùnzi; 二赖子 èrlàizi = 백수(白手)

백숙(白熟) 명하타 清炖 qīngdùn; 白煮 báizhǔ ¶영계~ 清炖小鸡 / 오리 ~ 清炖鸭汤

백신(vaccine) 명 **1** 〖醫〗 疫苗 yìmiáo; 菌苗 jūnmiáo ¶~ 주사 疫苗针 / ~을 주사하다 注射疫苗 / ~을 접종하다 接种疫苗 **2** 〖컴〗 防毒软件 fángdú ruǎnjiàn; 杀毒软件 shādú ruǎnjiàn

백악(白堊) 명 〖地理〗 白垩 bái'è; 白土子 báitǔzi ¶~계 白垩系 / ~기 白垩纪

백악-관(白堊館) 명 〖政〗 白宫 Báigōng

백안-시(白眼視) 명하타 白眼看 báiyǎn kàn; 轻视 qīngshì; 轻看 qīngkàn; 蔑视 mièshì; 冷眼 lěngyǎn ¶그들을 ~하다 白眼看他们

백야(白夜) 명 〖地理〗 白夜 báiyè

백양(白羊) 명 白羊 báiyáng

백업(back-up) 명하타 **1** 〖體〗 后援 hòuyuán ¶~ 투수 后援投手 **2** 〖컴〗 备份 bèifèn; 后备 hòubèi ¶~ 시스템 后备系统 / ~ 파일 备份文件

백-여우(白一) 명 **1** 白狐 báihú **2** 狐狸精 húlijīng

백열(白熱) 명 〖物〗 白热 báirè; 白炽 báichì ¶~등 白炽灯 / ~전구 白炽灯泡 / ~전등 白炽电灯

백옥(白玉) 명 白玉 báiyù ¶피부가 ~ 같이 희다 皮肤像白玉一样白

백운(白雲) 명 白云 báiyún

백-운모(白雲母) 명 〖鑛〗 白云母 báiyúnmǔ; 银云母 yínyúnmǔ

백의(白衣) 명 **1** = 흰옷 ¶~민족 白衣民族 **2** = 베옷

백의의 천사 구 白衣天使

백의-종군(白衣從軍) 명하자 白衣从军 báiyīcóngjūn

백인(白人) 명 白种人 báizhǒngrén; 白人 báirén

백-인종(白人種) 명 = 백색 인종

백일(百日) 명 (宝宝的) 百日 bǎirì; 百晬 bǎizuì; 百岁 bǎisuì = 백날⊟ ¶~기도 百日祈祷 / ~ 떡 百日糕 / ~ 사진 百日照 / ~잔치 百日宴

백일-몽(白日夢) 명 白日梦 báirìmèng

백일-장(白日場) 명 作文比赛 zuòwén bǐsài

백일-하(白日下) 명 光天化日之下 guāngtiānhuàrìzhīxià; 完全 wánquán; 清楚 qīngchu; 明露 mínglù

백일-해(百日咳) 명 〖醫〗 百日咳 bǎirìké

백일-홍(百日紅) 명 〖植〗 百日草 bǎirìcǎo; 百日菊 bǎirìjú

백자(白瓷·白磁) 명 〖手工〗 白瓷 báicí; 白磁 báicí

백작(伯爵) 명 伯爵 bójué ¶~ 부인 伯爵夫人

백전(百戰) 명 百战 bǎizhàn ¶~노장 百战老将 / ~의 용사 百战的壮士

백전-백승(百戰百勝) 명하자 百战百胜 bǎizhànbǎishèng; 战无不胜 zhànwúbùshèng; 百战不殆 bǎizhànbùdài ¶적을 알고 나를 알면 ~이다 知己知彼, 百战不殆

백정(白丁) 명 屠户 túhù; 屠夫 túfū

백조(白鳥) 명 〖鳥〗 = 고니 ¶~자리 天鹅座

백주(白酒) 명 **1** 白色的酒 báisède jiǔ **2** = 고량주

백주(白晝) 명 = 대낮 ¶도둑이 ~에 대로를 활보하다 白天盗贼在街上大踏走步

백중(伯仲) 명하형 伯仲 bózhòng; 不分上下 bùfēnshàngxià; 伯仲之间 bózhòngzhījiān ¶~지세 伯仲之势 / 실력이 ~하다 实力伯仲

백지(白紙) 명 **1** 白纸 báizhǐ **2** 空白纸 kōngbáizhǐ; 空纸 kōngzhǐ; 白纸 báizhǐ **3** 外行 wàiháng; 外教 wàijiào; 一无所知 yīwúsuǒzhī **4** 白卷(儿) báijuàn(r) ¶~ 답안을 내다 交白卷儿 **5** 空白 kōngbái ¶~ 수표 空白支票 / ~ 어음 空白票据

백지-장(白紙張) 명 **1** 白纸 báizhǐ; 白纸张 báizhǐzhāng **2** 白色脸 báisèliǎn

백지장도 맞들면 낫다 속담 众擎易举; 人多力量大

백지-화(白紙化) 명하타 白纸化 báizhǐhuà; 化为乌有 huàwéiwūyǒu ¶그는 갑자기 계약을 ~했다 他突然将合同白纸化了
백척-간두(百尺竿頭) 명 百尺竿头 bǎichǐgāntóu
백출(百出) 명하자 百出 bǎichū
백치(白痴·白癡) 명 白痴 báichī ¶~미 白痴美
백태(白苔) 명 〖韓醫〗 白苔 báitái
백태(百態) 명 百态 bǎitài; 百样 bǎiyàng
백토(白土) 명 **1** 白土 báitǔ **2** 〖鑛〗 = 고령토
백-포도주(白葡萄酒) 명 白葡萄酒 báipútaojiǔ
백학(白鶴) 명 〖鳥〗 = 두루미
백합(白蛤) 명 〖貝〗 文蛤 wéngé; 蛤蜊 géli = 대합
백합(百合) 명 〖植〗 百合 bǎihé ¶~꽃 百合花
백-혈구(白血球) 명 〖生〗 白细胞 báixìbāo; 白血球 báixuèqiú
백혈-병(白血病) 명 〖醫〗 白血病 báixuèbìng; 白血症 báixuèzhèng; 血癌 xuè'ái
백호(白狐) 명 〖動〗 北极狐 běijíhú; 白狐 báihú
백호(白虎) 명 白毛虎 báimáohǔ; 白虎 báihǔ
백화(白話) 명 白话 báihuà ¶~문 白话文 / ~ 소설 白话小说
백화(百花) 명 百花 bǎihuā ¶바야흐로 ~가 만개하는 봄이다 正是百花盛开的春天
백화-점(百貨店) 명 百货大楼 bǎihuò dàlóu; 百货商店 bǎihuò shāngdiàn; 百货店 bǎihuòdiàn
밴드[1](band) 명 乐队 yuèduì; 乐团 yuètuán ¶5인조 ~ 五人乐队
밴드[2](band) 명 带(儿) dài(r); 圈(儿) quān(r) ¶고무 ~ 橡皮圈
밸: 명 '배알' 的略词
밸런타인-데이(Valentine's Day) 명 情人节 Qíngrénjié; 圣华伦泰节 Shènghuálúntàijié
밸브(valve) 명 〖工〗 阀 fá; 阀门 fámén; 活门 huómén
뱀: 명 〖動〗 蛇 shé; 长虫 chángchong ¶~술 蛇酒 / ~독 蛇毒 / ~에게 물리다 被蛇咬
뱀:-장어(—長魚) 명 〖魚〗 鳗鲡 mánlí; 白鳝 báishàn; 鳗 mán = 장어
뱁:-새 명 〖鳥〗 棕头鸦雀 zōngtóuyāquè
뱁새가 황새를 따라가면 다리가 찢어진다 속담 东施效颦
뱁:새-눈 명 三角小眼 sānjiǎoxiǎoyǎn ¶~을 깜박거리다 眨巴着三角小眼
뱃-가죽 명 **1** 肚子皮 dùzipí; 腹肌 fùjī; 肚皮 dùpí **2** '뱃살' 的俗称
뱃가죽이 등에 붙다 구 肚皮贴着脊梁骨
뱃-고동 명 (船上的) 汽笛 qìdí; 船叫声 chuánjiàoshēng
뱃-길 명 船路 chuánlù; 水路 shuǐlù ¶~이 열리다 开辟船路 / ~이 끊겼다 水路断了
뱃-노래 명 〖音〗 船歌 chuángē; 船夫曲 chuánfūqǔ
뱃-놀이 명하자 划船 huáchuán; 乘船游玩 chéngchuán yóuwán
뱃-머리 명 艏 shǒu; 船首 chuánshǒu; 船头 chuántóu ¶~를 돌리다 调转船首
뱃-멀미 명하자 晕船 yùnchuán
뱃-사공(—沙工) 명 艄公 shāogōng = 사공
뱃-사람 명 船夫 chuánfū; 船员 chuányuán; 船工 chuángōng; 船户 chuánhù; 水手 shuǐshǒu
뱃-삯 명 船钱 chuánqián; 船费 chuánfèi = 선임(船賃)
뱃-살 명 肚皮 dùpí; 腹肌 fùjī
뱃-속 명 '마음' 的俗称 ¶~을 알 수 없다 心不可测
뱃-심 명 胆子 dǎnzi; 骨气 gǔqì; 骨力 gǔlì; 志气 zhìqì ¶~ 있게 말하다 很有志气地说
뱃-일 명하자 船上工作 chuánshang gōngzuò
뱃-전 명 船舷 chuánxián; 船边 chuánbiān; 舷 xián; 船帮 chuánbāng ¶파도가 ~을 두드리다 波浪拍打着船帮
뱃-짐 명 船货 chuánhuò; 船上的货物 chuánshangde huòwù = 선화
뱅 부 **1** 滴溜溜 dīliūliū **2** 围绕 wéirào **3** 昏眩 hūnxuàn; 眩晕 xuànyùn; 晕眩 yùnxuàn
뱅그르르 부하자 滴溜溜 dīliūliū ¶~ 돌다 滴溜溜地转
뱅글-뱅글 부 骨溜溜 gūliūliū; 滴溜溜 dīliūliū ¶팽이가 ~ 돌다 陀螺滴溜溜地转
뱅-뱅 부하자 **1** 转圈 zhuànquān; 团团 tuántuán; 滴溜溜 dīliūliū; 一圈一圈 yīquānyīquān; 盘 pán; 兜圈子 dōu quānzi; 围绕 wéirào ¶강아지가 내 주위를 ~ 돈다 小狗绕着我转圈 **2** 转来转去 zhuǎnláizhuǎnqù ¶아이가 세발자전거를 타고 마당에서 ~ 돌고 있다 孩子骑着三轮车在院子里转来转去 **3** 昏眩 hūnxuàn; 眩晕 xuànyūn; 晕眩 yūnxuàn
뱅:어 명 〖魚〗 银鱼 yínyú ¶~포 银鱼脯

뱉:다 타 **1** 吐 tǔ; 啐 cuì ¶침을 ~ 吐唾沫 **2** 吐 tǔ ¶뇌물로 받은 돈을 뱉어내다 吐出赃款 **3** (话) 啐 cuì; 吐 tǔ ¶욕설을 마구 ~ 乱啐脏话

버겁다 형 吃力 chīlì; 费劲(儿) fèijìn(r); 劳累 láolèi; 困难 kùnnan ¶짐이 너무 무거워 들기에 매우 ~ 行李太重, 拿起来很吃力

버그(bug) 명 〖컴〗 缺陷 quēxiàn; 毛病 máobìng; 错误 cuòwù

버금 명 第二名 dì'èrmíng; 第二 dì'èr; 其次 qícì; 次 cì

버금-가다 자 仅次于 jǐncìyú ¶중국의 조선업은 한국에 버금간다 中国造船业仅次于韩国

버너(burner) 명 〖化〗 煤气炉 méiqìlú; 燃烧器 ránshāoqì

버둥-거리다 자타 **1** 乱蹬脚 luàn dèngjiǎo; 手脚乱动 shǒujiǎo luàn dòng **2** 挣扎 zhēngzhá; 竭尽全力 jiéjìn quánlì ¶버둥거리며 살아가다 挣扎着活下去 ‖= 버둥대다 **버둥-버둥** 부하자타

버드-나무 명 〖植〗 柳树 liǔshù; 杨柳 yángliǔ = 버들

버들 명 〖植〗 = 버드나무

버들-가지 명 柳枝 liǔzhī; 柳条(儿) liǔtiáo(r); 柳拐子 liǔguǎizi; 柳丝 liǔsī

버들-강아지 명 〖植〗 = 버들개지

버들-개지 명 〖植〗 柳絮 liǔxù = 버들강아지

버들-고리 명 柳条箱 liǔtiáoxiāng

버들-잎 명 柳叶(儿) liǔyè(r)

버들-피리 명 柳哨(儿) liǔshào(r)

버디(birdie) 명 〖體〗 (高尔夫球的) 小鸟球 xiǎoniǎoqiú; 博蒂 bódì

버라이어티 쇼(variety show) 〖演〗 综艺节目 zōngyì jiémù; 杂耍表演 záshuǎ biǎoyǎn

버러지 명 = 벌레

버럭 부 猛然 měngrán; 勃然 bórán ¶~ 성을 내다 勃然大怒

버려-두다 타 **1** 抛舍 pāoshě; 抛弃 pāoqì; 抛荒 pāohuāng; 放置 fàngzhì; 弃置 qìzhì ¶그는 누군가가 길에 버려둔 차량을 발견했다 他找到了有人在街上抛舍的汽车 **2** 抛 pāo; 撇下 piēxià ¶그는 가족들을 버려두고 혼자 외국으로 갔다 他撇下家人, 一个人跑到国外去了

버르장-머리 명 '버릇' 的俗称 ¶~가 없다 没有礼貌

버릇 명 **1** 习惯 xíguàn; 习气 xíqì; 习性 xíxìng ¶~을 들이다 培养习惯 / ~을 고치다 修改习惯 **2** 礼貌 lǐmào; 规矩 guīju; 礼仪 lǐyí; 礼节 lǐjié ¶그에게 ~을 좀 가르쳐라 教他学点规矩

버릇-되다 자 习惯 xíguàn; 习以为常 xíyǐwéicháng

버릇-없다 형 没(有)礼貌 méi(yǒu) lǐmào; 不礼貌 bùlǐmào; 没教养 méi jiàoyǎng; 不懂规矩 bùdǒng guīju ¶버릇없는 행동 没有礼貌的行动 **버릇없-이** 부

버리다 一타 **1** (把东西) 扔 rēng; 扔掉 rēngdiào; 丢 diū; 抛弃 pāoqì ¶쓰레기를 아무 데나 ~ 随地扔垃圾 **2** (性格、习惯) 纠正 jiūzhèng; 改掉 gǎidiào ¶나쁜 버릇을 ~ 纠正坏习惯 **3** 抛 pāo; 离弃 líqì; 抛弃 pāoqì; 遗弃 yíqì; 抛离 pāolí ¶고향을 ~ 抛离家乡 / 가정을 ~ 抛弃家庭 **4** 弄坏 nònghuài; 损坏 sǔnhuài; 破坏 pòhuài; 毁坏 huǐhuài ¶밤을 새서 몸을 버렸다 熬夜弄坏了身体 **5** 放弃 fàngqì; 断念 duànniàn; 死心 sǐxīn ¶아무리 힘들어도 희망을 버리지 마라 再苦也不要放弃希望 二보동 掉 diào; 光 guāng; 完 wán ¶나는 그녀를 차 버렸다 我把她甩掉了 / 그가 냉장고 안에 있던 것을 다 먹어 버렸다 他把冰箱里的东西都吃光了

버림-받다 자 被遗弃 bèi yíqì; 被抛弃 bèi pāoqì ¶그 아이는 부모에게 버림받았다 那孩子被父母抛弃了

버무리다 타 拌 bàn; 拌和 bànhuò; 混合 hùnhé; 掺杂 chānzá; 掺合 chānhuo ¶고추장으로 오이를 ~ 用辣酱拌黄瓜

버선 명 布袜 bùwà ¶~목 布袜筒 / ~코 布袜尖儿

버선-발 명 只穿着布袜子 zhǐ chuānzhe bùwàzi ¶너무 반가워서 ~로 달려나오다 高兴得只穿着布袜子跑出来

버섯 명 〖植〗 蘑菇 mógu; 菇 gū; 蕈 xùn

버스(bus) 명 公共汽车 gōnggòng qìchē; 巴士 bāshì; 公交车 gōngjiāochē; 公车 gōngchē ¶~표 公共汽车票 / ~정류장 公车站 / ~ 노선 公共汽车路线 / ~ 터미널 公共汽车总站 / ~를 갈아타다 换公共汽车

버스럭 부하자타 沙沙 shāshā; 簌簌 sùsù; 簌地 sùde; 窸窣 xīsū ¶갈대가 ~ 소리를 내다 芦苇簌簌地响

버스럭-거리다 자타 沙沙作响 shāshā zuòxiǎng = 버스럭대다 **버스럭-버스럭** 부하자타

버저(buzzer) 명 〖物〗 蜂鸣器 fēngmíngqì; 蜂音器 fēngyīnqì ¶~가 울리다 响蜂鸣器 / ~를 누르다 按蜂鸣器

버전(version) 명 〖컴〗 版本 bǎnběn

버젓-하다 형 **1** 堂堂 tángtáng; 堂堂正正 tángtángzhèngzhèng; 理直气壮 lǐzhíqìzhuàng; 光明正大 guāngmíngzhèngdà ¶버젓하게 말하다 光明正大地说 **2** 像样(儿) xiàngyàng(r) ¶버젓한 졸업장은 없지만 일은 잘한다 没有像

样的文凭但工作还行 **버젓-이** 부

버짐 명 〖韓醫〗 癣 xuǎn

버찌 명 樱桃 yīngtáo ＝ 체리

버클(buckle) 명 皮带扣 pídàikòu; 带扣 dàikòu

버터(butter) 명 黄油 huángyóu

버튼(button) 명 〖電〗 钮 niǔ; 电钮 diànniǔ; 按钮 ànniǔ ¶～을 누르세요 按一下按钮吧

버티다 자타 **1** 坚持 jiānchí; 挺住 tǐngzhù; 挺 tǐng; 承受 chéngshòu; 撑持 chēngchí; 支持 zhīchí; 支撑 zhīchēng; 禁得住 jīndezhù; 吃得消 chīdexiāo; 经得起 jīngdeqǐ; 经得住 jīngdezhù ¶조금만 더 버티면 이길 수 있다 再坚持一下就能胜利 / 그는 얼마 버티지 못할 것이다 我看他支持不了多久了 **2** 挺立 tǐnglì; 站着不动 zhànzhe bùdòng **3** 支护 zhīhù; 支架 zhījià; 支 zhī; 支撑 zhīchēng; 撑 chēng ¶기둥으로 담을 ～ 用柱子支撑着墙 **4** 固执 gùzhi; 硬顶 yìngdǐng; 对抗 duìkàng; 反抗 fǎnkàng

버팀-목(一木) 명 支撑棍 zhīchēnggùn; 支棍 zhīgùn

버퍼링(buffering) 명 〖컴〗 缓冲 huǎnchōng

벅차다 형 **1** 吃力 chīlì; 费劲 fèijìn; 困难 kùnnan; …不起 …buqǐ ¶나에게는 이 일이 무척 ～ 这件事对我来说很吃力 **2** 沸腾 fèiténg; 沸扬 fèiyáng; 充满 chōngmǎn; 洋溢 yángyì ¶벅찬 감동을 느끼다 感到沸扬的感动

번(番) 一명 轮班 lúnbān; 值班 zhíbān ¶～을 서다 值班 二의명 **1** 次 cì; 回 huí ¶나는 중국에 두 ～ 가 봤다 我去过两次中国 / 밤에 여러 ～ 깨다 半夜醒来好几次 **2** 号 hào; 路 lù ¶5～ 선수 5号选手 / 4～ 타자 四号击球手 / 301～ 버스 301路公交车

번-갈다(番—) 자 轮换 lúnhuàn; 轮番 lúnfān; 轮流 lúnliú; 轮拨儿 lúnbōr ¶번갈아 가며 쉬다 轮流休息

번개 명 **1** 闪 shǎn; 闪电 shǎndiàn ¶～가 치다 打闪 **2** 飞快 fēikuài

번갯-불 명 闪电 shǎndiàn; 电光 diànguāng

번거-롭다 형 **1** 麻烦 máfan; 繁杂 fánzá; 烦杂 fánzá; 费事 fèishì ¶절차가 너무 ～ 程序太麻烦 **2** 烦 fán; 烦人 fánrén; 麻烦 máfan; 不耐烦 bùnàifán ¶매일 빨래하는 일은 정말 ～ 天天洗衣服真烦人 **번거로이** 부

번뇌(煩惱) 명하자 **1** 烦恼 fánnǎo; 烦虑 fánlǜ; 烦闷苦恼 fánmènkǔnǎo **2** 〖佛〗 烦恼 fánnǎo; 妄念 wàngniàn

번데기 명 **1** 〖蟲〗 蛹 yǒng **2** 〖農〗 蚕蛹 cányǒng

번드레-하다 형 华而不实 huá'érbùshí; 铺张 pūzhāng; 摆空架子 bǎi kōngjiàzi; 漂亮 piàoliang ¶겉만 ～ 只外面漂亮

번드르르 부하형 光滑 guānghuá; 光润 guāngrùn; 光亮 guāngliàng

번득 부하자타 一闪 yīshǎn; 一晃 yīhuǎng; 闪闪 shǎnshǎn; 晃晃 huǎnghuǎng

번득-거리다 자타 闪耀 shǎnyào; 闪光 shǎnguāng; 发光 fāguāng; 闪烁 shǎnshuò; 一闪一闪 yīshǎnyīshǎn ＝ 번득대다 ¶어둠 속에서 맹수의 두 눈이 번득거리고 있다 黑暗里猛兽的两只眼睛闪耀着 **번득-번득** 부하자타

번득-이다 자타 闪耀 shǎnyào; 闪烁 shǎnshuò; 一闪一闪 yīshǎnyīshǎn; 晃 huǎng; 发光 fāguāng; 闪光 shǎnguāng ¶두 눈이 ～ 两眼闪闪光光

번들-거리다[1] 자 光滑 guānghuá; 滑 huá ＝ 번들대다[1] ¶땀이 얼굴 곡선을 따라 번들거리는 턱으로 흘러내렸다 汗水顺着脸部的曲线滑到光滑的下巴 **번들-번들**[1] 부하형

번들-거리다[2] 자 偷懒 tōulǎn; 游手好闲 yóushǒuhàoxián; 吊儿郎当 diào'erlángdāng ＝ 번들대다[2] ¶번들거리지 말고 일을 좀 해라 别吊儿郎当的, 来干点活儿 **번들-번들**[2] 부하자

번듯-하다 형 **1** 平正 píngzheng **2** 端正 duānzhèng; 端端 duānduān; 端然 duānrán ¶이목구비가 ～ 五官端正 **3** 像样(儿) xiàngyàng(r) ¶번듯한 일자리를 찾다 找个像样的工作 **번듯-이** 부

번뜩 부하자타 **1** 闪 shǎn; 闪耀 shǎnyào; 一闪 yīshǎn; 一晃 yīhuǎng **2** 忽然 hūrán; 猛然 měngrán ¶갑자기 좋은 생각이 ～ 머리에 떠올랐다 脑海里忽然产生了好想法

번뜩-이다 자타 **1** 闪 shǎn; 闪耀 shǎnyào; 一闪 yīshǎn; 一晃 yīhuǎng **2** 忽然想起 hūrán xiǎngqǐ; 猛然想起 měngrán xiǎngqǐ

번민(煩悶) 명하자 烦闷 fánmèn; 烦恼 fánnǎo ¶～에 싸이다 陷入烦闷中

번번-이(番番—) 부 每次 měicì; 每回 měihuí; 屡次 lǚcì; 屡屡 lǚlǚ; 累次 lěicì ＝ 매번二 ¶～ 좋은 기회를 놓치다 屡次失掉过好机会

번복(飜覆 · 翻覆) 명하자타 翻 fān; 推翻 tuīfān; 推倒 tuīdǎo ¶진술을 ～하다 翻供 / 판정을 ～하다 推翻判定

번성(蕃盛 · 繁盛) 명하자형 繁盛 fánshèng; 兴隆 xīnglóng; 兴盛 xīngshèng; 兴旺 xīngwàng ¶집안이 ～하다 全家兴旺 / 사업이 ～하다 事业兴盛

번식(繁殖 · 蕃殖 · 蕃息) 명하자 繁殖 fánzhí; 生殖 shēngzhí; 滋生 zīshēng ¶

~기 繁殖期 / ~ 기관 繁殖器官 / ~능력 繁殖能力 / ~력 繁殖力 / ~률 繁殖率 / 세균의 ~을 억제하다 遏止细菌的繁殖

번안(飜案) 명하타 改写 gǎixiě; 改编 gǎibiān; 改作 gǎizuò ¶~ 소설 改编小说

번역(飜譯·翻譯) 명하타 翻译 fānyì; 译 yì ¶~가 翻译家 / ~기 翻译器 / ~문 译文 / ~판 翻译版 / 이 소설을 한국어로 ~하다 把这本小说翻译成韩文

번영(繁榮) 명하자형 繁荣 fánróng; 兴盛 xīngshèng; 昌盛 chāngshèng; 兴旺 xīngwàng; 茂盛 màoshèng; 兴荣 xīngróng; 兴隆 xīnglóng ¶날로 ~하는 국가 日趋兴盛的国家

번잡(煩雜) 명하형 杂乱 záluàn; 繁杂 fánzá; 乱哄哄 luànhōnghōng; 乱 luàn; 烦 fán

번잡-스럽다(煩雜—) 형 杂乱 záluàn; 乱哄哄 luànhōnghōng; 繁杂 fánzá; 乱 luàn; 烦 fán ¶번잡스러운 일 繁杂的工作 **번잡스레** 부

번지(番地) 명 编号 biānhào; 号 hào

번:지다 자 **1** 洇 yīn; 浸 jìn; 渗 shèn ¶잉크가 종이에 ~ 墨水洇纸 **2** 扩展 kuòzhǎn; 蔓延 mànyán; 传 chuán; 传开 chuánkāi ¶전염병이 온 마을에 ~ 疫病传遍全村

번지르르 부하형 **1** 光滑 guānghuá; 油光光 yóuguāngguāng; 油亮亮 yóuliàngliàng; 油光水滑 yóuguāngshuǐhuá ¶기름이 ~한 얼굴 油光光的脸 **2** 摆阔 bǎikuò; 漂亮 piàoliang ¶말은 ~하게 한다 话说得倒很漂亮

번지-수(番地數) 명 地址 dìzhǐ

번지 점프(bungee jump) 〖體〗 蹦极 bèngjí; 蹦极跳 bèngjítiào

번질-거리다 자 **1** 油光光 yóuguāngguāng; 油亮 yóuliàng ¶입술이 ~ 嘴唇油光光的 **2** 偷懒 tōulǎn; 游手好闲 yóushǒuhàoxián; 吊儿郎当 diào'erlángdāng ‖ = 번질대다 **번질-번질** 부하자형

번-째(番—) 의명 次 cì; 第…次 dì…cì ¶첫 ~ 第一次 / 몇 ~ 第几次

번쩍[1] 부하자 **1** 闪 shǎn; 一闪 yīshǎn; 闪耀 shǎnyào; 忽闪 hūshǎn ¶번갯불이 ~ 비치다 电光一闪 **2** (精神) 陡 dǒu; 陡然 dǒurán ¶정신이 ~ 들다 精神陡然振作

번쩍[2] 부 **1** 轻地 qīngde; 轻盈地 qīngyíngde; 轻松地 qīngsōngde ¶물통을 ~ 들다 很轻松地拿水桶 **2** 高高地 gāogāode ¶손을 ~ 들다 高高地举手 **3** 猛然 měngrán; 猛地 měngde; 一下子 yīxiàzi; 倏地 shūdì; 蓦地 mòdì ¶눈을 ~ 뜨다 倏地睁开眼睛

번쩍-거리다 자타 闪 shǎn; 闪烁 shǎnshuò; 闪耀 shǎnyào = 번쩍대다 ¶번쩍거리는 금 목걸이 闪耀的金项链 **번쩍-번쩍**[1] 부하자타

번쩍-번쩍[2] 부 **1** 轻地 qīngde; 轻盈地 qīngyíngde; 轻松地 qīngsōngde **2** 高高地 gāogāode **3** 猛然 měngrán; 猛地 měngde; 一下子 yīxiàzi; 倏地 shūdì; 蓦地 mòdì

번쩍-이다 자타 闪 shǎn; 闪烁 shǎnshuò; 闪耀 shǎnyào

번창(繁昌) 명하자 兴旺 xīngwàng; 兴盛 xīngshèng; 兴隆 xīnglóng; 繁盛 fánshèng; 昌盛 chāngshèng; 繁荣 fánróng; 茂盛 màoshèng; 旺盛 wàngshèng ¶수출 산업이 ~하다 出口产业繁盛

번트(bunt) 명하타 〖體〗 触击 chùjī; 触击球 chùjīqiú

번호(番號) 명 号码 hàomǎ; 号(儿) hào(r); 号头 hàotóu; 号数 hàoshù ¶좌석 ~ 座位号码 / 차량 ~ 车牌号码 / 수험 ~ 准考证号 / ~표 号码条 / ~를 매기다 打号

번호-판(番號版) 명 **1** 车牌 chēpái **2** 拨号盘 bōhàopán

번화-가(繁華街) 명 闹市 nàoshì; 繁华街 fánhuájiē; 大街 dàjiē

번화-하다(繁華—) 형 繁华 fánhuá; 热闹 rènao; 闹热 nàorè ¶번화한 밤거리 繁华的夜街

벋-나가다 자 **1** (向外) 突出 tūchū; 伸展 shēnzhǎn ¶가지가 밖으로 벋나간 나무 树技向外伸展的树木 **2** 走错路 zǒu cuòlù; 走邪路 zǒu xiélù

벌[1] 명 平原 píngyuán; 原野 yuányě

벌[2] 의명 **1** 件 jiàn ¶스웨터 두 ~ 两件毛衣 **2** 套 tào ¶양복 한 ~ 一套西服

벌:[3] 명 〖蟲〗 蜂 fēng ¶~ 떼 蜂群 / ~에 쏘이다 被蜂蜇到

벌(罰) 명하타 罚 fá; 惩 chéng; 处罚 chǔfá; 惩办 chéngbàn ¶~을 세우다 罚站 / ~을 받다 受罚

벌거벗-기다 타 '벌거벗다' 的使动词

벌거-벗다 자 **1** 脱光 tuōguāng; 赤身 chìshēn; 脱得精光 tuōde jīngguāng ¶벌거벗은 알몸 赤身裸体 **2** 光秃秃 guāngtūtū ¶벌거벗은 산 光秃秃的山

벌거-숭이 명 **1** 裸体 luǒtǐ; 赤身 chìshēn; 光着身子 guāngzhe shēnzi **2** 光秃秃(的) guāngtūtū(de) **3** 赤贫 chìpín; 穷光蛋 qióngguāngdàn; 一贫如洗 yīpínrúxǐ ¶화재로 하루아침에 ~가 되었다 因火灾一旦变成穷光蛋了

벌거숭이-산(—山) 명 = 민둥산

벌:겋다 형 红 hóng; 微红 wēi hóng; 淡红 dànhóng ¶술을 마시자 얼굴이 벌겋게 되었다 喝酒就脸微红了

벌:게-지다 자 变红 biàn hóng ¶부끄러워 얼굴이 ~ 羞得脸变红了
벌금(罰金) 명 **1** 罚款 fákuǎn; 罚钱 fáqián ¶지각을 하면 ~을 내야 한다 迟到要交罚款 **2** 〖法〗罚金 fájīn; 罚款 fákuǎn ¶~형 罚金刑 / ~을 물다 交罚金
벌:-꿀 명 = 꿀
벌:다 타 **1** 赚 zhuàn; 挣 zhèng; 赚取 zhuànqǔ ¶돈을 많이 ~ 赚很多钱 / 스스로 학비를 ~ 自己挣学费 **2** 节约 jiéyuē; 节省 jiéshěng; 省 shěng ¶시간을 ~ 节省时间 **3** 自找 zìzhǎo; 自讨 zìtǎo ¶매를 ~ 自讨挨打
벌떡 부 猛地 měngde; 霍地 huòdì; 猛然 měngrán; 突然 tūrán; 一骨碌 yīgūlu ¶침대에서 ~ 일어나다 霍地从床上弹了起来
벌떡-거리다 자타 **1** 猛跳 měngtiào **2** 咕嘟咕嘟 gūdūgūdū ¶물을 벌떡거리며 마시다 咕嘟咕嘟喝水 **3** 挣扎 zhēngzhá ‖ = 벌떡대다 **벌떡-벌떡** 부하자타
벌러덩 부 一下子 yīxiàzi ¶땅바닥에 ~ 드러눕다 一下子躺在地上
벌렁 부 '벌러덩' 的略词
벌렁-거리다 자타 呼扇 hūshan; 一动一动 yīdòngyīdòng; 耸动 sǒngdòng; 蹦蹦跳 bèngbèng tiào = 벌렁대다 ¶심장이 ~ 心蹦蹦跳 **벌렁-벌렁** 부하자타
벌레 명 虫子 chóngzi; 虫 chóng; 昆虫 kūnchóng = 버러지 ¶~ 한 마리 一只虫子
벌레잡이 식물(—植物) 〖植〗食虫植物 shíchóng zhíwù
벌:리다[1] 타 **1** 张 zhāng; 张开 zhāngkāi; 裂开 lièkāi; 叉开 chǎkāi; 叉 chǎ; 拉开 lākāi ¶입을 크게 ~ 张大口 / 두 다리를 ~ 叉开两腿 / 간격을 ~ 拉开距离 **2** 撑开 chēngkāi; 打开 dǎkāi ¶자루를 ~ 撑开袋子
벌:-리다[2] 자 '벌다1' 的被动词
벌목(伐木) 명하타 伐木 fámù; 砍伐 kǎnfá; 砍树 kǎnshù ¶~장 伐木场
벌벌 부 **1** (因冷或怕) 哆哆嗦嗦 duōduosuōsuō; 瑟瑟 sèsè; 战战兢兢 zhànzhànjīngjīng ¶추워서 ~ 떨다 冷得哆哆嗦嗦 **2** 舍不得 shěbude
벌:-새 명 〖鳥〗蜂鸟 fēngniǎo
벌-서다(罰—) 자 罚站 fázhàn ¶두 손을 들고 ~ 举起两手罚站
벌세우다(罰—) 타 '벌서다' 的使动词 ¶선생님이 학생을 ~ 老师让学生罚站
벌써 부 **1** 已经 yǐjīng; 就 jiù; 这么早 zhème zǎo ¶너 어떻게 ~ 왔니? 你怎么来得这么早? **2** 早就 zǎojiù; 早已 zǎoyǐ; 早经 zǎojīng ¶그는 ~부터 그 일을 알고 있었다 他早已知道那件事了

벌:어-들이다 타 赚进 zhuànjìn; 赚取 zhuànqǔ; 抓弄 zhuānòng ¶외화를 ~ 赚进外币
벌:어-먹다 자 维持生活 wéichí shēnghuó ¶막일로 근근이 벌어먹고 있다 打劳工勉强维持生活
벌:어-지다[1] 자 **1** 裂 liè; 裂开 lièkāi; 裂口(儿) lièkǒu(r); 绽开 zhànkāi ¶틈이 ~ 裂缝儿 **2** 宽 kuān; 宽宽 kuānkuān; 宽绰 kuānchuò ¶딱 벌어진 어깨 宽宽的肩膀 **3** 绽放 zhànfàng ¶꽃봉오리가 ~ 花蕾绽放 **4** 疏远 shūyuǎn; 不和 bùhé; 别扭 bièniu ¶그녀와 사이가 점점 ~ 跟她的关系渐渐疏远 **5** (差异、差别) 大 dà ¶빈부 격차가 점점 더 벌어졌다 贫富差别越来越大了 **6** 豁然 huòrán ¶너른 목장이 눈앞에 ~ 一大片牧场出现在眼前
벌:어-지다[2] 자 展开 zhǎnkāi; 发生 fāshēng; 爆发 bàofā; 起来 qǐlái ¶전투가 ~ 战斗展开了 / 살인 사건이 ~ 发生杀人案
벌:-이 명하자 挣 zhèng; 赚 zhuàn; 挣钱 zhèngqián ¶~가 짭짤하다 钱挣得很好
벌:이다 타 **1** 开 kāi; 设 shè; 摆 bǎi; 搞 gǎo; 弄 nòng; 干 gàn; 办 bàn; 展开 zhǎnkāi ¶잔치를 ~ 设宴 / 사업을 ~ 搞企业 / 춤판을 ~ 开舞会 **2** 摆 bǎi; 摆开 bǎikāi; 摊开 tānkāi; 摆放 bǎifàng; 铺开 pūkāi; 罗列 luóliè ¶상품을 벌여 놓다 铺开货品 / 좌판을 ~ 摆摊子 **3** 展开 zhǎnkāi; 起来 qǐlái ¶결투를 ~ 展开决斗 / 싸움을 ~ 打架起来
벌점(罰點) 명 罚分 fáfēn
벌주(罰酒) 명 罚酒 fájiǔ; 罚爵 fájué ¶~를 마시다 喝罚酒
벌-주다(罰—) 타 罚 fá
벌:-집 명 蜂窝 fēngwō; 蜂巢 fēngcháo
벌채(伐採) 명하타 采伐 cǎifá; 砍伐 kǎnfá ¶~ 작업 砍伐工作
벌초(伐草) 명하자타 (到墓) 割草 gēcǎo ¶산소에 가서 ~하다 到坟地去割草
벌충 명하타 补充 bǔchōng; 弥补 míbǔ
벌칙(罰則) 명 罚则 fázé
벌:-침(—針) 명 蜂针 fēngzhēn
벌컥 부 突然 tūrán; 猛然 měngrán; 勃然 bórán; 一下子 yīxiàzi; 蓦地 mòdì; 霍地 huòdì; 猛地 měngde; 陡地 dǒudì; 陡然 dǒurán ¶문을 ~ 열다 猛地打开门 / ~ 화를 내다 勃然大怒
벌:-통(—桶) 명 蜂箱 fēngxiāng
벌-판 명 原野 yuányě; 田野 tiányě ¶드넓은 ~ 一片阔的原野
범: 명 〖動〗= 호랑이 ¶~띠 属老虎
범:(犯) 의명 犯 fàn ¶전과 3~ 前科3犯

범:-(汎) 접두 凡 fán; 全 quán ¶～여성 운동 凡妇女运动 / ～국민적 全国民的

-범(犯) 접미 犯 fàn ¶정치～ 政治犯

범:람(汎濫·氾濫) 명하자 **1** (水) 泛滥 fànlàn ¶강물이 ～하다 河水泛滥 **2** 充斥 chōngchì; 泛滥 fànlàn ¶외래어가 ～하다 充斥外来语

범:례(凡例) 명 = 일러두기

범:례(範例) 명 范例 fànlì

범벅 명 **1** 糊糊 húhu ¶메밀 ～ 荞糊糊 **2** 杂乱 záluàn; 混杂 hùnzá; 乱七八糟 luànqībāzāo; 一团糟 yītuánzāo **3** 满 mǎn; 全 quán; 浑 hún ¶온몸이 진흙～이다 浑身粘满泥土

범:법(犯法) 명하자 犯法 fànfǎ; 违法 wéifǎ ¶～자 犯法者 / ～ 행위 犯法行为

범:사(凡事) 명 凡事 fánshì ¶～에 감사하다 凡事感恩

범:상-하다(凡常—) 형 寻常 xúncháng; 平常 píngcháng; 平凡 píngfán ¶그는 범상한 사람이 아닌 것 같다 我觉得他不是平凡的人 **범:상-히** 부

범:선(帆船) 명 = 돛단배

범:속(凡俗) 명하형 凡俗 fánsú; 庸俗 yōngsú ¶그는 매우 ～한 사람이다 他是一个很庸俗的人

범:어(梵語) 명 〖語〗 梵语 fànyǔ; 梵文 fànwén

범:용(凡庸) 명하형 凡庸 fányōng

범:위(範圍) 명 范围 fànwéi ¶활동 ～ 活动范围 / 출제 ～ 出题范围 / ～가 넓다 范围很广 / ～를 좁히다 缩小范围 / 일정한 ～를 넘어서다 超出一定范围

범:인(凡人) 명 凡人 fánrén; 凡夫 fánfū; 庸人 yōngrén

범:인(犯人) 명 〖法〗 = 범죄자 ¶～을 체포하다 逮捕犯人 / ～을 은닉하다 窝藏罪犯

범:접(犯接) 명하자 接近 jiējìn; 触犯 chùfàn; 触动 chùdòng ¶함부로 ～하지 못하다 不敢乱接近

범:죄(犯罪) 명 犯罪 fànzuì; 案 àn ¶～형 犯罪型 / ～ 단체 犯罪团体 / ～ 심리학 犯罪心理学 / ～ 행위 犯罪行为 / ～를 저지르다 作案 / ～를 단속하다 控制犯罪

범:죄-인(犯罪人) 명 〖法〗 犯人 fànrén; 犯罪者 fànzuìzhě; 罪犯 zuìfàn = 범인(犯人)·범죄자

범:죄-자(犯罪者) 명 〖法〗 = 범죄인

범:주(範疇) 명 范畴 fànchóu ¶같은 ～에 속하다 属于一个范畴

범:칙(犯則) 명하자 犯规 fànguī; 违规 wéiguī

범:칙-금(犯則金) 명 〖法〗 罚款 fákuǎn

범퍼(bumper) 명 〖機〗 保险杠 bǎoxiǎngàng

범퍼-카(bumper car) 명 碰碰车 pèngpèngchē

범:-하다(犯—) 타 **1** 违 wéi; 违犯 wéifàn; 违背 wéibèi; 违逆 wéinì ¶계율을 ～ 违犯戒律 **2** 犯 fàn; 出 chū ¶잘못을 ～ 犯错误 **3** 蹂躏 róulìn; 糟蹋 zāotà; 践踏 jiàntà ¶여자를 ～ 践踏妇女

범:행(犯行) 명하자 作案 zuò'àn; 犯罪 fànzuì; 罪行 zuìxíng ¶～ 동기 作案动机 / ～ 수법 作案手法 / ～ 도구 作案工具 / ～ 현장 作案现场 / ～을 저지르다 犯下罪行

법(法) ㊀명 法 fǎ; 法律 fǎlǜ = 법률 ¶～을 지키다 守法 / ～을 어기다 违法 ㊁의명 **1** 法(儿) fǎ(r); 法子 fǎzi; 方法 fāngfǎ; 办法 bànfǎ ¶계산하는 ～ 计算方法 **2** 道理 dàolǐ; 情理 qínglǐ; 事理 shìlǐ ¶너 혼자 먹다니, 그런 ～이 어디 있니? 你一个人吃, 哪儿有这样的道理? **3** 时候 shíhou; 从来 cónglái ¶그는 어떤 사람의 부탁도 거절하는 ～이 없다 他从来不拒绝任何人的请求 **4** 必 bì; 必然 bìrán ¶사람이 늙으면 멍청해지는 ～이다 人老必糊涂 **5** 可能 kěnéng; 大概 dàgài; 会 huì ¶이미 내 말을 이해했을 ～도 하다 大概已经听懂我的话

-법(法) 접미 法 fǎ; 方法 fāngfǎ ¶사용～ 使用方法 / 연주～ 演奏法

법과 대:학(法科大學) 〖教〗 法学院 fǎxuéyuàn

법관(法官) 명 〖法〗 法官 fǎguān

법권(法權) 명 〖法〗 法权 fǎquán ¶치외 ～ 治外法权

법규(法規) 명 〖法〗 法规 fǎguī ¶～를 제정하다 制定法规

법당(法堂) 명 〖佛〗 佛堂 fótáng; 佛殿 fódiàn

법대(法大) 명 〖教〗 '법과 대학' 的略词

법도(法度) 명 法度 fǎdù ¶～에 맞지 않다 不合法度 / ～를 따르다 遵守法度

법랑(琺瑯) 명 〖手工〗 珐琅 fàláng; 搪瓷 tángcí; 洋瓷 yángcí = 에나멜2 ¶～ 냄비 珐琅锅

법령(法令) 명 〖法〗 法令 fǎlìng ¶～집 法令汇编

법률(法律) 명 = 법㊀ ¶～가 法律家 / ～ 고문 法律顾问 / ～관계 法律关系 / ～ 사무소 法律事务所 / ～ 용어 法律用语 / ～혼 法律婚

법률-안(法律案) 명 〖法〗 **1** 法律案 fǎlǜ'àn **2** = 법안

법률-학(法律學) 명 〖法〗 = 법학

법리(法理) 명 〖法〗 法理 fǎlǐ ¶～학 法理学

법망(法網) 명 法网 fǎwǎng ¶～에 걸리다 落人法网 / ～을 빠져나가다 逃出法网
법명(法名) 명 〖佛〗 法名 fǎmíng
법무(法務) 명 法务 fǎwù ¶～부 法务部 / ～사 法务师
법문(法門) 명 〖佛〗 法门 fǎmén; 佛门 fómén ¶～에 귀의하다 归依于法门
법복(法服) 명 **1** 法官袍 fǎguānpáo **2** 〖佛〗 = 법의
법사(法師) 명 〖佛〗 法师 fǎshī
법서(法書) 명 法律书籍 fǎlǜ shūjí; 法律书 fǎlǜshū
법석 명하자 吵闹 chǎonào; 喧闹 xuānnào; 喧嚣 xuānxiāo; 喧嚷 xuānrǎng ¶작은 일로 ～을 떨다 为小事吵闹
법안(法案) 명 〖法〗 法案 fǎ'àn = 법률안2 ¶～을 제출하다 提出法案
법원(法院) 명 〖法〗 法院 fǎyuàn = 재판소2 ¶대～ 最高法院 / ～장 法院院长
법의(法衣) 명 〖佛〗 法衣 fǎyī; 法服 fǎfú = 법복2
법-의학(法醫學) 명 〖醫〗 法医学 fǎyīxué ¶～자 法医学者
법인(法人) 명 〖法〗 法人 fǎrén ¶～ 소득 法人所得 / ～세 法人税 / ～화 法人化
법-적(法的) 관명 法律(的) fǎlǜ(de); 法律上(的) fǎlǜshang(de) ¶～ 의무 法律上的义务 / ～ 조치 法律措施 / ～ 효력 法律效力 / ～으로 보장되어 있다 法律上有保障
법전(法典) 명 〖法〗 法典 fǎdiǎn
법정(法廷 · 法庭) 명 〖法〗 法庭 fǎtíng; 庭 tíng; 公堂 gōngtáng = 재판정 ¶～에 나가 증언하다 走进法庭作证 / ～에 출두하다 出庭
법정(法定) 명하타 法定 fǎdìng ¶～ 가격 法定价格 / ～ 공휴일 法定节假日 / ～ 금리 法定利息 / ～ 대리인 法定代理人 / ～ 통화 法定货币
법제(法制) 명 〖法〗 法制 fǎzhì ¶～화 法制化
법조-계(法曹界) 명 法律界 fǎlǜjiè
법조-인(法曹人) 명 法律工作者 fǎlǜ gōngzuòzhě
법-질서(法秩序) 명 〖法〗 法律秩序 fǎlǜ zhìxù; 法秩序 fǎzhìxù ¶～를 확립하다 确立法律秩序
법치(法治) 명하타 法治 fǎzhì ¶～ 국가 法治国家 / ～주의 法治主义
법칙(法則) 명 法则 fǎzé; 定律 dìnglǜ; 法则 fǎzé; 规律 guīlǜ ¶관성의 ～ 惯性定律 / 만유인력의 ～ 万有引力定律 / 멘델의 ～ 孟德尔定律
법통(法統) 명 法统 fǎtǒng
법-하다(法—) 보형 可能 kěnéng; 大概 dàgài; 会 huì; 像是 xiàngshì ¶눈이 올 법한 날씨 会下雪的天气
법학(法學) 명 〖法〗 法学 fǎxué; 法律学 fǎlǜxué = 법률학 ¶～ 개론 法学概论 / ～도 法律学徒 / ～자 法学家
법호(法號) 명 〖佛〗 法号 fǎhào
법회(法會) 명 〖佛〗 法会 fǎhuì
벗: 명 朋友 péngyou; 友人 yǒurén
벗겨-지다 자 **1** (被)揭开 (bèi) jiēkāi; (被)掉 (bèi) diào; (被)脱 (bèi) tuō ¶껍질이 벗겨진 자라 被脱了壳的甲鱼 **2** 洗雪 xǐxuě; 洗 xǐ ¶누명이 ～ 洗雪冤屈
벗-기다 타 **1** '벗다1' 的使动词 ¶그가 나의 옷을 벗겼다 他脱上了我的衣服 / 가면을 ～ 摘下假面具 / 아이의 책가방을 ～ 把孩子的书包取下来 **2** 剥 bāo; 刮 guā ¶바나나 껍질을 ～ 剥香蕉 / 가죽을 ～ 剥皮 **3** 搓 cuō ¶때를 ～ 搓污垢 **4** 拉开 lākāi ¶문고리를 ～ 把门扣拉开 **5** 揭开 jiēkāi; 掀开 xiānkāi ¶비밀을 ～ 揭开秘密 **6** 摆脱 bǎituō ¶자신의 혐의를 ～ 摆脱自己的嫌疑
벗다 타 **1** 脱 tuō; 摘 zhāi; 取 qǔ; 拉 lā ¶옷을 ～ 脱衣服 / 모자를 ～ 脱帽子 / 신발을 ～ 脱鞋 **2** 卸下 xièxià; 放下 fàngxià ¶가방을 ～ 卸下书包 / 짐을 벗으니 매우 가뿐하다 卸下担子很轻松 **3** 推卸 tuīxiè; 推脱 tuītuō ¶사회적 책임을 벗을 수 없다 社会责任不容推卸 **4** 洗雪 xǐxuě; 解脱 jiětuō; 洗 xǐ ¶누명을 ～ 洗雪坏名声 **5** 摆脱 bǎituō ¶혐의를 ～ 摆脱嫌疑 **6** 丢掉 diūdiào; 抛弃 pāoqì ¶구습을 ～ 丢掉旧习
벗어-나다 자타 **1** 脱离 tuōlí; 离开 líkāi; 摆脱 bǎituō; 解脱 jiětuō; 解放 jiěfàng ¶나쁜 습관에서 ～ 摆脱坏习惯 **2** 卸掉 xièdiào ¶책임에서 ～ 卸掉责任 **3** 受不到 shòubudào **4** 不合乎 bùhéhū; 不合 bùhé; 不符值 bùfúzhí; 违背 wéibèi; 偏离 piānlí; 越 yuè ¶인공위성이 궤도에서 ～ 人造卫星偏离了运行轨道 **5** 脱离 tuōlí ¶현실을 ～ 脱离现实 **6** 辜负 gūfù; 违背 wéibèi ¶기대에 ～ 辜负企望
벗어-지다 자 **1** 脱 tuō; 掉 diào; 掉落 diàoluò; 开 kāi ¶구두가 ～ 皮鞋掉落 **2** 秃 tū; 变秃 biàn tū; 光秃秃 guāngtūtū ¶머리가 ～ 头秃了 **3** 刷破 guāpò; 蹭掉 cèngdiào; 剥离 bōlí; 剥落 bōluò; 磕 kē ¶껍질이 벗어진 나무 一棵剥落皮的树
벗:-하다 자 打交道 dǎ jiāodao; 交朋友 jiāo péngyou
벙끗 부하타 张 zhāng; 开 kāi; 发 fā ¶입도 ～하지 않다 一言不发
벙끗-거리다 타 一合一开 yīhéyīkāi; 一张一合 yīzhāngyīhé = 벙끗대다 ¶그는 입만 벙끗거리고 있다 他只在嘴

巴一张一合 **벙끗-벙끗** 부하타
벙벙-하다[1] 형 目瞪口呆 mùdèngkǒudāi; 发愣 fālèng; 发怔 fāzhèng; 发呆 fādāi; 木然 mùrán; 呆呆 dāidāi **벙벙-히**[1] 부 ¶～ 앉아 있다 呆呆地坐着
벙벙-하다[2] 형 (水) 满满 mǎnmǎn; 汪汪 wāngwāng **벙벙-히**[2] 부
벙어리 명 哑巴 yǎba; 哑子 yǎzi
벙어리 냉가슴 앓듯 속담 吃哑巴亏; 哑巴吃黄连, 有苦说不出
벙어리-장갑(一掌匣) 명 连指手套 liánzhǐ shǒutào; 二指手套 èrzhǐ shǒutào
벙어리-저금통(一貯金筒) 명 扑满 pūmǎn; 闷葫芦罐儿 mènhúlu guànr
벙커(bunker) 명 **1** 燃料库 ránliàokù; 煤仓 méicāng **2** (高尔夫球的) 沙坑 shākēng ¶공을 ～에 빠뜨렸다 把球击入了沙坑 **3** 〖軍〗 = 엄폐호
벚-꽃 명 樱花 yīnghuā
벚-나무 명 〖植〗 樱花树 yīnghuāshù; 樱花 yīnghuā
베 명 麻布 mábù
베-개 명 枕头 zhěntou; 枕 zhěn ¶～를 베다 枕枕头
베갯-머리 명 枕边 zhěnbiān; 枕头边 zhěntoubiān
베갯머리-송사(一訟事) 명 枕头风 zhěntoufēng; 枕边风 zhěnbiānfēng; 枕头状 zhěntouzhuàng
베갯-속 명 枕芯 zhěnxīn; 枕头芯儿 zhěntouxīnr
베갯-잇 명 枕头套 zhěntoutào; 枕套 zhěntào
베고니아(begonia) 명 〖植〗 秋海棠 qiūhǎitáng
베끼다 타 抄 chāo; 抄写 chāoxiě; 抄录 chāolù ¶다른 사람의 숙제를 베끼지 마세요 不要抄别人的作业
베니어(veneer) 명 **1** 薄板 báobǎn; 薄木版 báomùbǎn = 베니어판1 **2** = 베니어합판
베니어-판(veneer板) 명 **1** = 베니어 1 **2** = 베니어합판
베니어-합판(veneer合板) 명 胶合板 jiāohébǎn; 三合板 sānhébǎn = 베니어2 · 베니어판2 · 합판
베:다[1] 타 枕 zhěn ¶베개를 ～ 枕枕头 / 그의 다리를 베고 자다 枕着他的腿睡
베:다[2] 타 **1** 割 gē; 切 qiē; 裁 cái; 刎 wěn; 抹 mǒ; 砍伐 kǎnfá ¶풀을 ～ 割草 / 나무를 ～ 砍伐树木 / 목을 ～ 抹脖子 **2** 拉 lá; 拉破 lápò ¶손을 ～ 拉破了手
베드 신(bed scene) 〖演〗 床戏 chuángxì; 床上戏 chuángshàngxì ¶～을 찍다 拍床戏
베란다(veranda) 명 阳台 yángtái; 晒台 shàitái; 露台 lùtái; 凉台 liángtái
베레-모(프béret帽) 명 贝雷帽 bèiléimào
베스트-셀러(best seller) 명 畅销书 chàngxiāoshū; 畅销货 chàngxiāohuò; 畅销品 chàngxiāopǐn
베어링(bearing) 명 〖機〗 轴承 zhóuchéng
베-옷 명 麻布衣 mábùyī = 백의2
베-이다 자타 '베다[2]' 的被动词 ¶나는 종이에 손을 베였다 我被纸割破手了
베이스(base) 명 〖體〗 垒 lěi = 누(壘) ¶～를 밟다 踩垒
베이스(bass) 명 〖音〗 **1** 男低音 nándīyīn **2** 低音部 dīyīnbù
베이스-캠프(base camp) 명 〖體〗 营地 yíngdì
베이지(beige) 명 米色 mǐsè; 米黄色 mǐhuángsè; 淡棕色 dànzōngsè; 骆驼色 luòtuosè
베이컨(bacon) 명 咸猪肉 xiánzhūròu; 熏猪肉 xūnzhūròu; 腊肉 làròu
베이킹-파우더(baking powder) 명 焙粉 bèifěn; 发粉 fāfěn; 发酵粉 fājiàofěn; 起子 qǐzi
베일(veil) 명 面纱 miànshā ¶신비의 ～을 벗기다 揭去神秘的面纱
베짱이 명 〖蟲〗 梭鸡 suōjī; 似织螽 sìzhīzhōng; 斑螽娘 bānzhōngniáng; 蚱蜢 zhàměng
베타(그beta) 명 〖語〗 贝塔 bèitǎ
베테랑(프vétéran) 명 老手(儿) lǎoshǒu(r); 老资格 lǎozīgé
베-틀 명 织布机 zhībùjī
베풀다 타 **1** 摆 bǎi; 设 shè; 开 kāi; 摆设 bǎishè ¶연회를 ～ 设宴 **2** 施 shī; 施与 shīyǔ; 给与 jǐyǔ ¶은혜를 ～ 施恩 / 호의를 ～ 施好心
벤젠(benzene) 명 〖化〗 苯 běn
벤처 기업(venture企業) 〖經〗 风险企业 fēngxiǎn qǐyè
벤치(bench) 명 长凳 chángdèng; 长椅子 chángyǐzi
벤치마킹(benchmarking) 명하타 〖經〗 标杆管理 biāogān guǎnlǐ
벨(bell) 명 钟 zhōng; 铃 líng; 门铃 ménlíng ¶～을 누르다 按门铃
벨벳(velvet) 명 天鹅绒 tiān'éróng; 丝绒 sīróng; 羽毛缎 yǔmáoduàn; 羽缎 yǔduàn = 비로드
벨트(belt) 명 **1** 腰带 yāodài **2** 输送带 shūsòngdài; 皮带 pídài ¶～ 컨베이어 皮带输送机
벼 명 〖植〗 **1** 稻 dào; 稻子 dàozi ¶～ 농사 稻作 / ～ 이삭 稻穗 / ～를 수확하다 收割稻子 **2** 稻谷 dàogǔ; 稻米 dàomǐ

벼락 명 **1** 霹雳 pīlì; 霹雷 pīléi; 落雷 luòléi = 벽력 ¶맑은 하늘에 ~이 치다 晴天打霹雳 **2** 痛骂 tòngmà; 大发雷霆 dàfā léitíng; 呵斥 hēchì ¶아버지에게 ~ 맞다 被父亲痛骂一顿 **3** 闪电似的 shǎndiàn shìde

벼락-같다 형 **1** (动作) 快如闪电 kuàirúshǎndiàn **2** (声音) 雷动 léidòng; 犹如霹雳 yóurú pīlì; 雷鸣般的 léimíng bānde **벼락같-이** 부

벼락-공부(—工夫) 명하자 突击学习 tūjī xuéxí ¶시험 전에 ~를 하다 考前突击学习

벼락-부자(—富者) 명 = 졸부

벼락-치기 명 临阵磨枪 línzhènmóqiāng

벼랑 명 悬崖 xuányá; 削壁 xuēbì; 峭壁 qiàobì; 山崖 shānyá; 悬崖峭壁 xuányáqiàobì

벼루 명 砚 yàn; 砚台 yàntai; 砚池 yànchí

벼룩 명 〖蟲〗 跳蚤 tiàozao; 虼蚤 gèzao

벼르다 타 打算 dǎsuan; 准备 zhǔnbèi; 一心想 yīxīnxiǎng; 盼 pàn ¶나는 그를 혼내려고 벼르고 있다 我准备骂他

벼슬 명 官 guān; 官职 guānzhí; 乌纱帽 wūshāmào ¶~을 지내다 当官 **—하다** 자 出山 chūshān; 做官 zuòguān

벼슬-길 명 仕途 shìtú; 仕路 shìlù; 官场 guānchǎng; 仕进之路 shìjìnzhīlù; 官路 guānlù ¶~에 오르다 走仕途

벼슬-아치 명 官吏 guānlì; 臣僚 chénliáo; 官宦 guānhuàn; 官僚 guānliáo = 관원

벼슬-자리 명 官职 guānzhí; 官位 guānwèi ¶~에서 물러나다 退官职

벽(壁) 명 **1** 墙 qiáng; 壁 bì; 墙壁 qiángbì ¶~에 기대고 서다 靠着墙壁站 / ~에 못을 박다 在墙上钉钉子 **2** 障碍 zhàng'ài; 障碍物 zhàng'àiwù **3** 壁障 bìzhàng ¶우리들 사이의 ~을 없애다 扫除我们之间的壁障

벽-걸이(壁—) 명 壁挂 bìguà; 壁饰 bìshì; 壁 bì; 挂墙式 guàqiángshì ¶~ 선풍기 壁扇 / ~ 전화기 挂墙式电话机

벽-난로(壁暖爐) 명 壁炉 bìlú

벽-돌(甓—) 명 〖建〗 砖 zhuān; 砖头 zhuāntou; 砖块 zhuānkuài ¶~ 백 장 一百块砖 / ~을 쌓다 垒砖 / ~집 砖房

벽두(劈頭) 명 开头 kāitóu; 开始 kāishǐ; 起头 qǐtóu ¶신년 ~ 新年开头

벽력(霹靂) 명 = 벼락1

벽보(壁報) 명 壁报 bìbào; 墙报 qiángbào

벽-시계(壁時計) 명 挂钟 guàzhōng; 壁钟 bìzhōng

벽안(碧眼) 명 碧眼 bìyǎn

벽자(僻字) 명 僻字 pìzì

벽-장(壁欌) 명 〖建〗 壁橱 bìchú; 壁柜 bìguì ¶~문 壁橱门

벽지(僻地) 명 僻地 pìdì; 僻壤 pìrǎng ¶시골 ~ 穷乡僻壤

벽지(壁紙) 명 壁纸 bìzhǐ; 墙纸 qiángzhǐ ¶~를 바르다 贴墙纸

벽창-호(壁昌—) 명 老顽固 lǎowángù; 死顽固 sǐwángù

벽촌(僻村) 명 偏僻的村庄 piānpìde cūnzhuāng; 僻壤 pìrǎng

벽해(碧海) 명 碧海 bìhǎi

벽화(壁畫) 명 壁画 bìhuà

변(便) 명 大小便 dàxiǎobiàn; 大便 dàbiàn; 粪 fèn; 屎 shǐ ¶~을 보다 拉屎

변[1](邊) 명 (汉字的) 偏旁儿 piānpángr

변[2](邊) 명 **1** 边(儿) biān(r); 沿儿 yánr; 边沿 biānyán ¶한강~ 汉江边 **2** 〖數〗 边 biān

변:(變) 명 事变 shìbiàn; 事故 shìgù; 灾殃 zāiyāng; 灾难 zāinàn ¶~이 생기다 发生事故 / ~을 당하다 遭遇灾难

변경(邊境) 명 边境 biānjìng; 边疆 biānjiāng; 边域 biānyù; 边界 biānjiè = 변방

변:경(變更) 명하타 变更 biàngēng; 改变 gǎibiàn; 更改 gēnggǎi; 变动 biàndòng; 更换 gēnghuàn; 变换 biànhuàn ¶계획을 ~하다 改变计划 / 비밀번호를 ~하다 更改密码

변:고(變故) 명 变故 biàngù; 长短 chángduǎn; 三长两短 sānchángliǎngduǎn ¶집안에 ~가 있다 家里有个三长两短的

변기(便器) 명 马桶 mǎtǒng; 便器 biànqì; 便桶 biàntǒng; 便盆 biànpén; 马子 mǎzi

변:덕(變德) 명 变心 biànxīn; 变卦 biànguà; 好变 hàobiàn; 多变 duōbiàn; 情绪反复无常 qíngxù fǎnfùwúcháng

변:덕-스럽다(變德—) 형 变化无常 biànhuàwúcháng; 翻云覆雨 fānyúnfùyǔ; 善变 shànbiàn; 好变 hàobiàn; 多变 duōbiàn; 见异思迁 jiànyìsīqiān; 情绪反复无常 qíngxù fǎnfùwúcháng ¶날씨가 점점 더 변덕스럽게 변한다 天气变得越来越变化无常 **변:덕스레** 부

변:덕-쟁이(變德—) 명 好变的人 hàobiànde rén; 好变卦的人 hàobiànguàde rén; 变化无常的人 biànhuà wúchángde rén

변:동(變動) 명하자 变动 biàndòng; 变化 biànhuà; 改变 gǎibiàn; 改动 gǎidòng; 更改 gēnggǎi ¶~성 变动性 / 물가 ~이 심하다 物价变动很厉害 / 상황이 이미 ~되었다 情况已经发生变化

변-두리(邊—) 명 郊外 jiāowài; 周围 zhōuwéi; 边缘 biānyuán; 外围 wàiwéi ¶서울 ～ 首尔郊外 / ～ 마을 边缘村庄 / 공장 ～ 工厂周围

변:란(變亂) 명 变乱 biànluàn ¶～이 일어나다 发生变乱

변:론(辯論) 명하타 〖法〗 辩论 biànlùn; 论辩 lùnbiàn ¶최후 ～을 전개하다 展开最后辩论

변:리(辨理) 명하타 辨理 biànlǐ ¶～사 辨理士

변리(邊利) 명 利息 lìxī

변:명(辨明) 명하타 辩白 biànbái; 辨白 biànbái; 分辩 fēnbiàn; 解释 jiěshì; 申辩 shēnbiàn; 遁辞 dùncí; 支吾 zhīwu; 搪塞 tángsè; 分说 fēnshuō ¶～을 용납하지 않다 不容分辩

변:모(變貌) 명하자 变样(儿) biànyàng(r); 改观 gǎiguān; 改变 gǎibiàn; 变化 biànhuà ¶오늘날 모습이 크게 ～하였다 如今面貌大有改观

변:발(辮髮 · 編髮) 명 辫发 biànfà; 发辫 fàbiàn

변방(邊方) 명 = 변경(邊境)

변변찮다 형 不像样 bùxiàngyàng; 不太好 bùtàihǎo; 不大好 bùdàhǎo ¶변변찮은 음식 不太好的饭菜

변변-하다 형 **1** (脸) 好看 hǎokàn **2** 好 hǎo; 像样(儿) xiàngyàng(r); 够好 gòuhǎo ¶변변한 옷 하나 없다 没有一个像样的衣服 **3** 门户高 ménhù gāo **변변-히** 부

변:별(辨別) 명하타 辨别 biànbié; 分别 fēnbié; 区别 qūbié; 分辨 fēnbiàn ¶～력 辨别力

변비(便秘) 명 〖醫〗 便秘 biànmì; 便闭 biànbì; 便秘症 biànmìzhèng ¶～약 便秘药

변:사(辯士) 명 **1** 辩士 biànshì **2** = 연사 **3** (电影) 解说员 jiěshuōyuán

변:사(變死) 명하자 横死 hèngsǐ; 死于非命 sǐyúfēimìng ¶～자 横死者 / ～체 横死尸体

변:상(辨償) 명하타 **1** 还债 huánzhài; 赔还 péihuán; 清偿 qīngcháng; 清理 qīnglǐ = 변제 **2** 赔 péi; 赔偿 péicháng; 赔补 péibǔ; 赔款 péikuǎn; 赔账 péizhàng

변:색(變色) 명하자타 变色 biànsè; 改色 gǎisè ¶이 그림은 이미 ～되었다 这张画已经变色了

변:성(變性) 명하자 **1** 改变性质 gǎibiàn xìngzhì **2** 〖醫〗 变性 biànxìng

변:성(變聲) 명하자 变声 biànshēng ¶～기 变声期

변:성-암(變成巖) 명 〖地理〗 变质岩 biànzhìyán

변소(便所) 명 厕所 cèsuǒ; 茅房 máofáng; 便所 biànsuǒ; 卫生间 wèishēngjiān ¶공중～ 公共厕所 =[公厕] / 수세식 ～ 水冲式厕所 / ～에 가다 上厕所

변:속(變速) 명하자타 变速 biànsù ¶～ 기어 变速齿轮

변:속-기(變速機) 명 〖機〗 变速器 biànsùqì; 变速装置 biànsù zhuāngzhì = 변속 장치

변:속 장치(變速裝置) 〖機〗 = 변속기

변:수(變數) 명 **1** 变数 biànshù ¶새로운 ～가 나타나다 出现新变数 **2** 〖數〗 变数 biànshù; 自变数 zìbiànshù

변:신(變身) 명하자 变身 biànshēn; 化形 huàxíng; 变 biàn; 变成 biànchéng ¶대～ 大变身 / ～술 变身术 / 추녀가 미녀로～하다 丑女变成美女

변:심(變心) 명하자 变心 biànxīn ¶～한 남자 친구 变了心的男朋友

변:압(變壓) 명하타 变压 biànyā ¶～기 变压器

변:온 동:물(變溫動物) 〖動〗 变温动物 biànwēn dòngwù; 冷血动物 lěngxuè dòngwù = 냉혈 동물

변:이(變異) 명하자 **1** = 이변 **2** 〖生〗 变异 biànyì ¶돌연～ 突然变异

변:이(變移) 명하자 = 변천

변:장(變裝) 명하자 化装 huàzhuāng; 变装 biànzhuāng; 装扮 zhuāngbàn; 伪装 wěizhuāng ¶～술 伪装术 / ～에 능하다 善于伪装 / 여자가 남자로 ～하다 女的装扮为男的

변:전(變電) 명하자 〖電〗 变电 biàndiàn ¶～소 变电站

변:절(變節) 명하자 变节 biànjié; 叛变 pànbiàn ¶～한 여인 变节的女人 / ～행위 变节行为 / ～자 变节者

변:제(辨濟) 명하타 = 변상1 ¶채무를 ～하다 清理债务

변:조(變造) 명하타 〖法〗 伪造 wěizào; 变造 biànzào; 假冒 jiǎmào; 假造 jiǎzào ¶신분증을 ～하다 伪造身份证

변:조(變調) 명하타 **1** 变样 biànyàng **2** 〖物〗 调制 tiáozhì; 调频 tiáopín **3** 〖音〗 转调 zhuǎndiào; 移调 yídiào; 变调 biàndiào

변:종(變種) 명하타 **1** 〖生〗 变种 biànzhǒng **2** 变种 biànzhǒng ¶애국주의의 ～ 爱国主义的变种

변:주(變奏) 명하타 〖音〗 变奏 biànzòu ¶～곡 变奏曲

변죽(邊—) 명 边(儿) biān(r); 边角 biānjiǎo

변죽(을) 울리다 구 旁敲侧击

변:증(辨證) 명하타 辩证 biànzhèng; 辨证 biànzhèng ¶～법 辩证法 / ～법적 유물론 辩证唯物主义

변:질(變質) 명하자 变质 biànzhì; 发

坏 fāhuài ¶우유가 ～되다 牛奶变质了

변:천(變遷) 명하자 变迁 biànqiān; 演变 yǎnbiàn; 转移 zhuǎnyí; 推移 tuīyí = 변이(變移) ¶모든 것은 끊임없이 ～하고 있다 万事万物都在不断演变

변:칙(變則) 명 不规则 bùguīzé; 不正常 bùzhèngcháng; 不规范 bùguīfàn

변:태(變態) 명 1 (状态) 异常 yìcháng; 不正常 bùzhèngcháng; 变态 biàntài ¶～ 성욕 变态性欲 / ～ 심리 变态心理 / ～ 행위 变态行为 2 〖動〗 变态 biàntài ¶완전 ～ 完全变态 3 〖植〗 变态 biàntài 4 〖心〗 变态 biàntài ¶그는 정말 ～다 他真是个变态

변:태-적(變態的) 관명 变态(的) biàntài(de); 异常(的) yìcháng(de); 不正常(的) bùzhèngcháng(de); 变态性 biàntàixìng ¶～인 심리 变态性心理

변:통(變通) 명하타 1 变通 biàntōng; 通融 tōngróng; 回旋 huíxuán; 凑合 còuhe ¶임시～ 暂时通融 / ～하여 처리하다 变通处理 2 通融 tōngróng; 张罗 zhāngluo; 筹集 chóují; 挪用 nuóyòng; 筹款 chóukuǎn ¶자금을 ～하다 通融资金

변:-하다(變—) 자 变 biàn; 变化 biànhuà; 改变 gǎibiàn; 改 gǎi; 转变 zhuǎnbiàn ¶마음이 ～ 心情改变了

변:함-없다(變—) 형 不变 bùbiàn; 如常 rúcháng; 一成不变 yīchéngbùbiàn; 依然如故 yīránrúgù; 没有变化 méiyǒu biànhuà; 一贯 yīguàn ¶변함없는 우정 不变的友情 **변:함없-이** 부

변:혁(變革) 명하타 变革 biàngé; 改革 gǎigé ¶사회 ～ 社会变革

변:형(變形) 명하자타 走形 zǒuxíng; 变形 biànxíng; 变相 biànxiàng; 变样 biànyàng ¶가구가 물을 먹어 ～되었다 家具受潮走形了

변:호(辯護) 명하타 1 辩护 biànhù ¶자신을 ～하다 为自己辩护 2 〖法〗 辩护 biànhù ¶～권 辩护权 / ～인 辩护人

변:호-사(辯護士) 명 〖法〗 律师 lǜshī

변:화(變化) 명하자 变化 biànhuà; 改变 gǎibiàn; 变 biàn ¶～가 생기다 发生变化 / ～가 많다 变化很多 / ～에 적응하다 适应变化

변:화-구(變化球) 명 〖體〗 变化球 biànhuàqiú

변:환(變換) 명하자타 变换 biànhuàn; 改变 gǎibiàn; 转换 zhuǎnhuàn; 改换 gǎihuàn ¶～기 变换器 / 생산 시스템을 ～하다 转换生产机制

별: 명 〖天〗 星星 xīngxing; 星 xīng; 星辰 xīngchén; 星斗 xīngdǒu ¶～나라 星星世界 / ～무늬 星纹 / ～들이 반짝이다 繁星闪耀

별(別) 관 另外 lìngwài; 特别 tèbié; 别致 biézhì ¶우리는 ～ 사이가 아니다 我们不是特别的关系

-별(別) 접미 按… àn…; 以…为 yǐ…wéi ¶학교～ 按学校 / 성적～ 按成绩

별개(別個) 명 另外 lìngwài; 别的 biéde; 两回事 liǎnghuíshì; 两码事 liǎngmǎshì ¶연애와 결혼은 ～이다 恋爱和结婚是两码事

별-거(別—) 명 1 特别的 tèbiéde; 新鲜的 xīnxiānde; 异乎寻常的 yìhūxúnchángde 2 各种各样的 gèzhǒnggèyàngde; 各式各样的 gèshìgèyàngde

별거(別居) 명하자 分居 fēnjū; 另过 lìngguò; 另居 lìngjū ¶그 부부는 지금 ～ 중이다 他们两口子现在分居

별-것(別—) 명 1 特别的 tèbiéde; 新鲜的 xīnxiānde; 异乎寻常的 yìhūxúnchángde ¶～ 아니네 不是特别的 2 各种各样的 gèzhǒnggèyàngde; 各式各样的 gèshìgèyàngde

별고(別故) 명 特别的事故 tèbiéde shìgù; 恙 yàng ¶댁에는 ～ 없으신지요? 你家都无恙吗?

별관(別館) 명 分馆 fēnguǎn; 别馆 biéguǎn

별-꼴(別—) 명 怪样子 guàiyàngzi; 怪怪 guàiguài; 讨厌 tǎoyàn; 烦人 fánrén; 可笑 kěxiào ¶참 ～이네 真讨厌

별-나다(別—) 형 奇怪 qíguài; 古怪 gǔguài; 怪异 guàiyì; 稀奇 xīqí; 离奇 líqí ¶그는 정말 별난 사람이다 他是真古怪的人 / 별난 일이 생겼다 发生一个奇怪的事情

별-놈(別—) 명 1 怪家伙 guàijiāhuo; 别种 biézhǒng 2 奇怪 qíguài; 异常 yìcháng

별-다르다(別—) 형 特别 tèbié; 特殊 tèshū; 有区别 yǒu qūbié; 不一样 bùyīyàng; 诡 guǐ ¶별다른 방법이 없다 没有特别的方法

별-달리(別—) 부 特别(地) tèbié(de) ¶이제는 ～ 할 말이 없다 现在没有什么特别要说的话

별당(別堂) 명 厢房 xiāngfáng; 耳房 ěrfáng

별도(別途) 명 另 lìng; 另外 lìngwài; 别的 biéde; 另行 lìngxíng; 额外 éwài; 项外 xiàngwài ¶～의 수입 另外的收入

별-도리(別道理) 명 另外妙计 lìngwài miàojì; 别的办法 biéde bànfǎ ¶지금은 ～가 없다 现在没有别的办法

별동-대(別動隊) 명 〖軍〗 别动队 biédòngduì

별:똥-별 명 流星 liúxīng

별-로(別—) 부 不太 bùtài; 不怎么 bùzěnme; 不怎么样 bùzěnmeyàng; 差 chà; 不特别 bùtèbié; 不是什么 bùshì shénme; 没有什么 méiyǒu shénme ¶

기분이 ～ 안 좋다 心情不太好 / 살만한 물건이 ～ 없다 没有什么可买的东西
별-말(別—) 명 **1** 别的话 biéde huà; 其他的话 qítāde huà; 可说的 kěshuōde ¶안부 이외에는 ～이 없다 除了问好以外, 没有别的话 **2** 意外的话 yìwàide huà; 奇怪的话 qíguàide huà; 废话 fèihuà; 哪里的话 nǎlide huà ¶～을 다 하는군 这你说到哪里去了 ‖ = 별소리
별-말씀(別—) 명 '별말' 的敬词
별명(別名) 명 外号 wàihào; 绰号 chuòhào; 诨名 hùnmíng; 别名 biémíng; 诨号 hùnhào ¶그의 ～은 뚱보이다 她的外号叫胖子 / ～을 붙이다 给人起外号
별-문제(別問題) 명 **1** 两回事 liǎnghuíshì; 两码事 liǎngmǎshì; 别的问题 biéde wèntí; 另外的问题 lìngwàide wèntí ¶듣는 것과 보는 것은 ～이다 听和看是两回事 **2** 特别的问题 tèbiéde wèntí ¶먹고사는 데는 ～가 없다 生活上没有特别的问题
별미(別味) 명 特别风味 tèbié fēngwèi; 别有风味 biéyǒufēngwèi ¶이 집의 불고기는 ～이다 这家的烤肉有特别风味
별반(別般) ㊀명 特别的 tèbiéde; 特殊的 tèshūde ¶～ 대책 特别的措施 ㊁부 不太 bùtài; 不特别 bùtèbié; 不怎么 bùzěnme ¶～ 좋지 않다 不怎么好
별별(別別) 관 = 별의별 ¶헌책방에 가 보니 ～ 책이 다 있다 我到旧书店去一下, 那里各种各样的书都有
별:-빛 명 星光 xīngguāng = 성광 ¶반짝이는 ～ 闪耀的星光
별세(別世) 명하자 去世 qùshì; 过世 guòshì; 故去 gùqù; 故世 gùshì; 下世 xiàshì; 辞世 císhì; 归天 guītiān; 逝世 shìshì ¶그의 할머니는 어젯밤에 ～하셨다 他的祖母昨晚去世了
별-세계(別世界) 명 **1** 另一个世界 lìngyīge shìjiè **2** 别有天地 biéyǒutiāndì = 별천지 ¶바다 밑 세계는 정말 ～이다 海底世界简直是别有天地
별-소리(別—) 명하타 = 별말
별-수(別—) 명 **1** 别的方法 biéde fāngfǎ; 妙计 miàojì; 妙招 miàozhāo ¶이젠 ～ 없게 되었다 现在已经没有别的方法了 **2** 各式各样的方法 gèshìgèyàngde fāngfǎ; 一切方法 yīqiè fāngfǎ ¶살을 빼기 위해 ～를 다 썼다 要减肥, 用尽了各式各样的方法
별-스럽다(別—) 형 特别 tèbié; 特殊 tèshū; 反常 fǎncháng; 出奇 chūqí ¶올 겨울은 별스럽게 춥다 今年冬天冷得出奇 **별스레** 부
별식(別食) 명 特别餐 tèbiécān
별실(別室) 명 别室 biéshì
별안-간(瞥眼間) 명 转眼间 zhuǎnyǎnjiān; 眨眼(间) zhǎyǎn(jiān); 突然(间) tūrán(jiān); 忽然 hūrán; 倏地 shūdì; 忽地 hūdì; 霍地 huòdì; 陡然 dǒurán; 骤然 zhòurán; 蓦地 mòdì ¶～에 벌어진 일이라 손쓸 겨를이 없었다 因是转眼间发生的事情, 没有空儿动手
별의-별(別—別) 관 各式各样 gèshìgèyàng; 各色各样 gèsègèyàng; 各色 gèsè; 各种各样 gèzhǒnggèyàng = 별별 ¶～ 소문이 다 떠돌다 各式各样的谣言漫天飞舞
별-일(別—) 명 **1** 奇怪的事 qíguàide shì; 怪事 guàishì; 奇事 qíshì ¶～을 다 보겠다 真是个怪事 **2** 特别的事 tèbiéde shì; 什么 shénme ¶～ 아니니 걱정 마세요 别担心, 这也没什么
별:-자리 명 〖天〗星座 xīngzuò; 星宿 xīngxiù = 성좌
별장(別莊) 명 别墅 biéshù
별종(別種) 명 **1** 特种 tèzhǒng **2** 怪人 guàirén; 怪物 guàiwu
별지(別紙) 명 另纸 lìngzhǐ; 另张 lìngzhāng
별-채(別—) 명 另外一幢 lìngwài yīzhuàng; 另外一栋房子 lìngwài yīdòng fángzi; 别馆 biéguǎn ¶그는 ～에서 공부한다 他在另外一栋房子里学习
별책(別冊) 명 别卷 biéjuàn; 另册 lìngcè
별-천지(別天地) 명 = 별세계2
별첨(別添) 명하타 另付 lìngfù; 附加 fùjiā; 附有 fùyǒu ¶～ 서류 附加文件
별칭(別稱) 명 别称 biéchēng; 代称 dàichēng ¶삼다도는 제주도의 ～이다 三多岛是济州道的别称
별:-표(—標) 명 星号 xīnghào ¶～를 달다 标着星号
별표(別表) 명 另表 lìngbiǎo ¶～를 참조하다 参看另表
별항(別項) 명 另一项目 lìngyī xiàngmù; 另项 lìngxiàng ¶～을 참고하시오 请参考别项
별행(別行) 명 另外一行 lìngwài yīháng; 另一行 lìngyīháng
볍씨 명 〖農〗稻种 dàozhǒng
볏 명 冠子 guānzi; 肉冠 ròuguān; 冠 guān ¶닭의 ～ 鸡冠子
볏-가리 명 稻垛 dàoduò; 稻草捆 dàocǎokǔn ¶～를 쌓다 堆稻垛
볏-단 명 稻捆儿 dàokǔnr; 稻束 dàoshù
볏-짚 명 稻草 dàocǎo = 짚2
병(兵) 명 〖軍〗兵 bīng; 士兵 shìbīng ¶탈영～ 逃兵
병:(病) 명 **1** 病 bìng; 疾病 jíbìng ¶～이 나다 生病 / ～을 고치다 治病 **2** 故

障 gùzhàng; 毛病 máobìng **3** 缺点 quēdiǎn; 短处 duǎnchù; 毛病 máobìng
병(瓶) 명 **1** 瓶(儿) píng(r); 瓶子 píngzi ¶～이 깨지다 瓶子碎了 **2** 瓶 píng ¶ 나는 맥주 세 ～을 마셨다 我喝了三瓶啤酒
병가(兵家) 명 兵家 bīngjiā ¶～상사 兵家常事
병:가(病暇) 명 病假 bìngjià ¶～를 내다 请病假
병:-간호(病看護) 명하타 看护 kānhù; 护理 hùlǐ ¶어머니를 ～하다 护理母亲
병과(兵科) 명 〖軍〗 兵种 bīngzhǒng
병:-구완(病—) 명하타 护理 hùlǐ; 看护 kānhù; 侍侯 shìhòu; 服侍 fúshì
병권(兵權) 명 兵权 bīngquán; 兵柄 bīngbǐng ¶～을 장악하다 掌握兵权
병:균(病菌) 명 〖醫〗 = 병원균 ¶～에 감염되다 被病菌感染
병기(兵器) 명 兵器 bīngqì; 火器 huǒqì; 武器 wǔqì; 军火 jūnhuǒ
병:기(倂記 · 竝記) 명하타 并记 bìngjì ¶한자와 한글을 ～하다 并记汉字与韩文
병기-고(兵器庫) 명 〖軍〗 = 무기고
병:-나다(病—) 자 生病 shēngbìng; 受病 shòubìng; 患病 huànbìng; 得病 débìng; 闹病 nàobìng; 害病 hàibìng ¶ 병나지 않도록 조심하다 注意身体, 以免生病
병-나발(←瓶喇叭) 명 对着瓶嘴儿喝 duìzhe píngzuǐr hē
병나발(을) 불다 구 对着瓶嘴儿喝
병:독(病毒) 명 〖醫〗 病毒 bìngdú ¶～을 제거하다 除掉病毒
병:동(病棟) 명 病房 bìngfáng ¶내과 ～ 内科病房 / 격리 ～ 隔离病房
병:-들다(病—) 자 **1** 生病 shēngbìng; 受病 shòubìng; 患病 huànbìng; 得病 débìng; 闹病 nàobìng ¶나이 먹어 병들어 고생하다 有了年纪, 生病受苦 **2** 不正常 bùzhèngcháng ¶마음이 ～ 心情不正常
병-따개(瓶—) 명 起子 qǐzi; 开瓶器 kāipíngqì
병-뚜껑(瓶—) 명 瓶盖 pínggài
병란(兵亂) 명 兵乱 bīngluàn; 兵变 bīngbiàn
병력(兵力) 명 〖軍〗 兵力 bīnglì; 军力 jūnlì; 兵额 bīng'é
병:력(病歷) 명 病史 bìngshǐ; 病历 bìnglì ¶～서 病历 / 환자의 ～을 조사하다 查病人的病史
병:렬(竝列) 명하자타 **1** 并列 bìngliè; 并行 bìngxíng ¶～ 구조 并列结构 / ～문 并列句 **2** 〖電〗 并联 bìnglián ¶～회로 并联电路
병:리(病理) 명 病理 bìnglǐ ¶～ 생리학 病理生理学 / ～학 病理学 / ～ 해부 病理解剖 / ～ 해부학 病理解剖学
병:립(竝立) 명하자 并立 bìnglì
병마(兵馬) 명 兵马 bīngmǎ; 人马 rénmǎ
병:마(病魔) 명 病魔 bìngmó; 病邪 bìngxié ¶～를 물리치다 打退病魔 / ～에 시달리다 受到病邪的折磨
병-마개(瓶—) 명 瓶盖子 pínggàizi; 瓶塞子 píngsāizi ¶～를 따다 打开瓶盖子 / ～를 비틀어 열다 拧开瓶盖子
병-맥주(瓶麥酒) 명 瓶装啤酒 píngzhuāng píjiǔ; 瓶啤 píngpí
병:명(病名) 명 病名 bìngmíng
병-목(瓶—) 명 瓶颈 píngjǐng ¶가는 ～ 细细的瓶颈 / ～ 현상 瓶颈效应
병무(兵務) 명 兵务 bīngwù ¶～청 兵务厅
병:-문안(病問安) 명하타 探病 tànbìng; 探视病人 tànshì bìngrén ¶～을 가다 探视病人去
병법(兵法) 명 〖軍〗 兵法 bīngfǎ; 兵策 bīngcè
병법-서(兵法書) 명 兵书 bīngshū
병사(兵士) 명 〖軍〗 兵士 bīngshì; 士兵 shìbīng ¶해군 ～ 海军士兵
병사(兵舍) 명 营房 yíngfáng; 兵营 bīngyíng = 병영 ¶～를 짓다 盖兵营
병:사(病死) 명하자 病故 bìnggù; 病死 bìngsǐ ¶～자 病故者 / 감옥에서 ～하다 在监狱病死
병:상(病床) 명 病床 bìngchuáng; 病榻 bìngtà ¶～에 눕다 卧在病床上 / 혼자서 ～을 지키다 一个人独守病床
병:색(病色) 명 病容 bìngróng ¶～이 돌다 脸带病容 / 얼굴에 병색이 완연하다 脸上病容明显
병서(兵書) 명 兵书 bīngshū; 兵符 bīngfú
병:석(病席) 명 病床 bìngchuáng; 病榻 bìngtà ¶～에 누워 계신 할아버지 躺在病榻上的爷爷
병:설(竝設 · 倂設) 명하타 并设 bìngshè ¶～ 학교 并设学校
병:세(病勢) 명 病势 bìngshì; 病情 bìngqíng; 病况 bìngkuàng ¶～가 악화되다 病情恶化 / ～가 호전되다 病势好转
병-술(瓶—) 명 瓶装酒 píngzhuāngjiǔ
병:-시중(病—) 명하타 = 간병 ¶환자의 ～을 들다 侍候病人
병:신(病身) 명 **1** 残废 cánfèi; 残疾 cánjí **2** 白痴 báichī; 傻瓜 shǎguā; 笨蛋 bèndàn; 糊涂虫 hútuchóng ¶이 ～아! 你这个笨蛋! **3** 废物 fèiwù; 残货 cánhuò; 残品 cánpǐn
병:실(病室) 명 病房 bìngfáng; 病室

bìngshì
병아리 명 小鸡 xiǎojī; 仔鸡 zǐjī; 子鸡 zǐjī; 鸡雏 jīchú
병:약-자(病弱者) 명 病弱者 bìngruòzhě
병:약-하다(病弱) 형 病弱 bìngruò ¶몸이 ~ 身体病弱
병어 명 〖魚〗银鲳 yínchāng; 鲳鱼 chāngyú; 平鱼 píngyú
병역(兵役) 명 〖法〗兵役 bīngyì ¶~기피 回避兵役 / ~법 兵役法 / ~ 제도 兵役制 / ~의 의무를 이행하다 履行兵役义务
병영(兵營) 명 = 병사(兵舍) ¶~ 생활 军营生活
병:용(竝用·倂用) 명하타 并用 bìngyòng ¶양약과 한약을 ~하다 将西药和韩药并用
병:원(病院) 명 医院 yīyuàn; 病院 bìngyuàn ¶~장 医院院长 / ~에 일주일간 입원하다 在医院住院一个星期
병:원-균(病原菌) 명 〖醫〗病菌 bìngjūn; 病原菌 bìngyuánjūn = 병균
병:원-비(病院費) 명 医疗费 yīliáofèi ¶~를 지불하다 付医疗费
병:원-체(病原體) 명 〖醫〗病原体 bìngyuántǐ
병:인(病因) 명 病因 bìngyīn; 病原 bìngyuán ¶~을 밝히다 查明病因
병:자(病者) 명 病人 bìngrén; 患者 huànzhě; 病号 bìnghào ¶~를 치료하다 治疗病人
병장(兵長) 명 〖軍〗兵长 bīngzhǎng
병:-적(病的) 관명 病态(的) bìngtài(de) ¶~으로 집착하다 执着到病态
병정(兵丁) 명 兵丁 bīngdīng; 士兵 shìbīng; 兵士 bīngshì ¶장난감 ~ 玩具士兵
병정-개미(兵丁—) 명 〖蟲〗兵蚁 bīngyǐ
병-조림(瓶—) 명하타 瓶装 píngzhuāng; 瓶装罐头 píngzhuāng guàntou; 坛装 tánzhuāng ¶과일 ~ 瓶装水果
병:존(竝存) 명하자 并存 bìngcún; 两立 liǎnglì ¶보수와 진보가 ~하다 保守与进步是并存的
병졸(兵卒) 명 = 군사(軍士)1
병:중(病中) 명 病中 bìngzhōng; 卧病中 wòbìngzhōng; 带病 dàibìng ¶~에 계신 아버지 卧病中的父亲
병참(兵站) 명 〖軍〗兵站 bīngzhàn ¶~ 기지 兵站基地
병:창(竝唱) 명하타 〖音〗弹唱 tánchàng ¶가야금 ~ 伽倻琴弹唱
병:충-해(病蟲害) 명 病虫害 bìngchónghài ¶~를 방지하다 防止病虫害
병:-치레(病—) 명하자 生病 shēngbìng; 得病 débìng; 患病 huànbìng ¶~가 잦은 아이 动不动就生病的孩子
병:폐(病弊) 명 弊病 bìbìng; 弊端 bìduān; 弊害 bìhài ¶사회의 ~를 극복하다 克服社会的弊端
병풍(屛風) 명 屏风 píngfēng; 屏 píng ¶~을 두르다 围屏风
병:합(倂合) 명하자타 = 합병(合倂)
병:해(病害) 명 病害 bìnghài
병:행(竝行) 명하자타 1 并进 bìngjìn 2 并行 bìngxíng; 并举 bìngjǔ; 同时进行 tóngshí jìnxíng ¶일과 공부를 ~하다 工作学习同时进行
병:환(病患) 명 '병(病)1'的敬词
볕 명 = 햇볕 ¶~이 들다 阳光照进来 / ~을 쬐다 晒太阳
보(步) 의명 步 bù ¶다섯 ~ 전진 前进五步
보(洑) 명 1 水塘 shuǐtáng; 水池 shuǐchí; 蓄水池 xùshuǐchí 2 = 봇물
보(褓) 명 1 包袱 bāofu; 包袱皮儿 bāofupír; 包 bāo ¶~를 풀다 打开包袱 2 布 bù ¶나는 ~를 내고 그는 가위를 냈다 我出布, 他出剪刀
-보 접미 子 zi; 鬼 guǐ; 包 bāo; 大王 dàwáng ¶뚱뚱~ 胖子 / 울~ 爱哭鬼 / 떡~ 年糕大王
보:감(寶鑑) 명 宝鉴 bǎojiàn
보:강(補强) 명하타 增强 zēngqiáng; 加强 jiāqiáng; 增进 zēngjìn; 扩充 kuòchōng; 加固 jiāgù ¶체력 ~에 힘쓰다 用力加强体力
보:강(補講) 명하타 补课 bǔkè; 补讲 bǔjiǎng
보:건(保健) 명 保健 bǎojiàn; 卫生保健 wèishēng bǎojiàn ¶~소 保健所 / ~시설 保健设施 / ~ 체조 保健操
보:검(寶劍) 명 宝剑 bǎojiàn
보:결(補缺) 명하타 补缺 bǔquē; 补 bǔ = 보궐 ¶~ 시험 补缺考试
보:결 선:거(補缺選擧) 〖政〗 = 보궐 선거
보고 조 让 ràng; 对 duì; 向 xiàng ¶나 ~ 이걸 먹으라고? 你让我吃这个?
보:고(報告) 명하자타 1 报告 bàogào; 报 bào; 汇报 huìbào ¶상황 ~ 情况报告 / 경과를 ~하다 报告经过 2 = 보고서 ¶~를 올리다 打报告
보:고(寶庫) 명 1 保管库 bǎoguǎnkù 2 宝库 bǎokù ¶지식의 ~ 知识宝库
보:고-서(報告書) 명 报告书 bàogàoshū; 报告 bàogào; 报告单 bàogàodān; 报表 bàobiǎo = 보고(報告)2
보:관(保管) 명하타 保管 bǎoguǎn; 存cún; 存放 cúnfàng; 寄存 jìcún ¶~료 保管费 / ~소 寄存处 / 화물을 창고에 ~하다 把货物存在仓库里 / 물품 ~에 주의하다 注意保管物品

보궐(補闕) 명하타 = 보결
보:궐 선:거(補闕選擧) 〖政〗 补选 bǔxuǎn = 보결 선거
보:균(保菌) 명하타 带菌 dàijūn ¶~자 带菌者
보글-거리다 자 咕嘟咕嘟 gūdūgūdū = 보글대다 **보글-보글** 부하자 ¶물이 ~끓고 있다 水咕嘟咕嘟地开着
보금-자리 명 **1** 巢 cháo; 巢穴 cháoxué; 巢窟 cháokū; 窝巢 wōcháo; 窝 wō = 둥지 **2** 乐园 lèyuán ¶사랑의 ~ 爱情乐园
보:급(普及) 명하자타 普及 pǔjí; 推广 tuīguǎng ¶~률 普及率 / 이 사전은 이미 전국에 ~되었다 这本词典已普及全国 / 신기술을 ~하다 推广新技术
보:급(補給) 명하타 补给 bǔjǐ; 供应 gōngyìng; 供给 gōngjǐ ¶~ 기지 补给基地 / ~소 供应站 / ~품 补给品 / ~선 补给线 / 물자를 ~하다 补给物资
보내다 타 **1** 送 sòng; 寄 jì; 递 dì; 供 gōng ¶그들에게 선물을 ~ 给他们寄礼物 **2** 派 pài; 派遣 pàiqiǎn; 打发 dǎfā; 差 chāi ¶대표단을 ~ 派代表团 **3** 嫁 jià; 娶 qǔ ¶서울로 시집을 ~ 嫁到首尔去 **4** 送 sòng ¶아이를 대학에 ~ 送孩子上大学 **5** 报 bào; 给 gěi; 看 kàn; 传递 chuándì ¶사랑의 눈길을 ~ 传递爱的眼神 **6** 度 dù; 过 guò; 度过 dùguò; 花费 huāfèi ¶그와 함께 여름 휴가를 ~ 跟他一起度暑假
보너스(bonus) 명 红利 hónglì; 奖金 jiǎngjīn; 奖 jiǎng; 津贴 jīntiē; 红包 hóngbāo ¶연말 ~ 年终奖
보다[1] 타 **1** 看 kàn; 观 guān; 视 shì; 瞧 qiáo ¶시계를 ~ 看表 / 거울을 ~ 看镜子 / 눈을 크게 뜨고 ~ 张大眼睛看 **2** 观看 guānkàn; 观赏 guānshǎng; 赏玩 shǎngwán; 欣赏 xīnshǎng; 参观 cānguān ¶공연을 ~ 观看演出 **3** 读 dú; 看 kàn ¶신문을 ~ 看报 / 책을 ~ 看书 **4** 见 jiàn; 见面 jiànmiàn; 相看 xiāngkàn ¶나는 그를 보러 서울에 갔다 我为见他一面跑到首尔 / 다음에 봅시다! 下次见! **5** 照顾 zhàogù; 关照 guānzhào; 照应 zhàoying; 看管 kānguǎn; 看 kān ¶집을 ~ 看家 / 아이들을 잘 ~ 好好关照孩子们 **6** (情况) 看 kàn; 瞧 qiáo ¶상황을 보고 결정하다 看情况决定 / 두고 ~ 走着瞧 **7** 相面 xiàngmiàn; 算命 suànmìng; 看 kàn ¶관상을 ~ 相面 / 점을 ~ 算命 / 궁합을 ~ 看合婚 **8** 考 kǎo; 考试 kǎoshì ¶시험 잘 봤니? 考试考得怎么样? **9** 办 bàn; 做 zuò; 担当 dāndāng; 担任 dānrèn ¶사무를 ~ 办公 **10** 达成 dáchéng; 算 suàn ¶합의를 ~ 达成协议 / 끝장을 ~ 算账 **11** 解手 jiěshǒu; 解 jiě; 拉 lā; 撒 sā ¶소변을 ~ 解小手 =[解小便] / 대변을 ~ 解大手 =[解大便] **12** 抱 bào; 娶 qǔ ¶며느리를 ~ 娶媳妇 **13** 得 dé; 占 zhàn; 受 shòu; 获 huò ¶이익을 ~ 得利 / 그의 덕을 ~ 占他的便宜 / 손해를 ~ 受损失 **14** 尝 cháng ¶맛을 ~ 尝味道 **15** 看 kàn; 看来 kànlái; 看样子 kàn yàngzi; 看做 kànzuò ¶나는 이 일이 별로 가능하지 않다고 본다 我看这件事不太可能
보다[2] 부 更 gèng; 更加 gèngjiā; 加倍 jiābèi ¶~ 큰 성과 更大的成就
보다[3] 조 比 bǐ ¶내가 그~ 더 크다 我比他还高 / 그녀~ 훨씬 예쁘다 比她更漂亮 / 작년~ 더 춥다 比去年更冷
보:답(報答) 명하자타 报答 bàodá; 酬报 chóubào; 报 bào; 答报 dábào; 回报 huíbào; 还报 huánbào ¶부모님의 길러주신 은혜에 ~하다 报答父母的养育之恩
보:도(步道) 명 步道 bùdào; 人行道 rénxíngdào; 便道 biàndào = 인도(人道) ¶~블록 人行道地砖
보:도(報道) 명하자타 报道 bàodào; 报导 bàodǎo ¶~진 报道阵 / 각 신문이 모두 이 소식을 ~했다 各报都报道了这一消息
보드득 부하자타 嘎吱嘎吱 gāzhīgāzhī; 咔嚓咔嚓 kāchākāchā; 吱吱 zhīzhī; 咯吱 kǎzhī; 扑哧 pūchī ¶얼음을 ~ 깨물다 嘎吱嘎吱地嚼冰块
보드득-거리다 자타 吱吱响 zhīzhī xiǎng; 嘎吱嘎吱响 gāzhīgāzhī xiǎng = 보드득대다 **보드득-보드득** 부하자타 ¶이를 ~갈다 嘎吱嘎吱地咬着牙
보드랍다 형 **1** 细嫩 xìnèn; 细软 xìruǎn; 细腻 xìnì; 松软 sōngruǎn ¶보드라운 피부 细嫩的皮肤 **2** (粉末等) 细 xì; 细腻 xìnì ¶비누 거품이 정말 ~ 肥皂泡确实很细腻
보드-지(board紙) 명 纸板 zhǐbǎn
보드카(vodka) 명 伏特加(酒) fútèjiā(jiǔ)
보들-보들 부하형 细嫩 xìnèn; 细软 xìruǎn; 软乎乎 ruǎnhūhū; 软绵绵 ruǎnmiánmián ¶~한 양털 양탄자 软乎乎的羊毛地毯
보듬다 타 紧抱 jǐnbào; 紧拥 jǐnyōng ¶아이를 ~ 紧抱孩子
보디가드(bodyguard) 명 保镖 bǎobiāo; 紧身保镖 jǐnshēn bǎobiāo; 贴身保镖 tiēshēn bǎobiāo = 경호원
보디-랭귀지(body language) 명 〖語〗 肢体语言 zhītǐ yǔyán; 身体语言 shēntǐ yǔyán
보디-로션(body lotion) 명 润肤乳 rùnfūrǔ
보디빌더(body-builder) 명 〖體〗 健

美运动员 jiànměi yùndòngyuán

보디빌딩(body-building) 명 〖體〗 健美 jiànměi; 健美运动 jiànměi yùndòng

보-따리(褓—) 명 **1** 包(儿) bāo(r); 包袱 bāofu; 包裹 bāoguǒ ¶~를 싸다 打包裹 **2** 包 bāo ¶헌 옷 한 ~ 一包旧衣

보따리-장수(褓—) 명 单帮 dānbāng; 货郎 huòláng

보라 명 紫 zǐ; 紫色 zǐsè ¶~색 紫色

보라-매 명 〖鳥〗 猎鹰 lièyīng

보람 명 意义 yìyì; 价值 jiàzhí; 成效 chéngxiào; 熬头儿 áotóur; 成果 chéngguǒ; 有效 yǒuxiào; 效果 xiàoguǒ; 自豪 zìháo ¶삶의 ~을 느끼다 感受到生活的意义

보람-되다 형 有意义 yǒu yìyì; 有价值 yǒu jiàzhí

보람-차다 형 有意义 yǒu yìyì; 有成就感 yǒu chéngjiùgǎn; 有价值 yǒu jiàzhí

보랏-빛 명 紫色 zǐsè

보로통-하다 형 **1** 肿 zhǒng; 肿大 zhǒngdà; 肿胀 zhǒngzhàng **2** 撅嘴 juēzuǐ; 不悦 bùyuè; 不满 bùmǎn; 生气 shēngqì ¶아이가 보로통하게 엄마를 바라보고 있다 孩子嘴不满地看着妈妈 **보로통-히** 부

보:료 명 褥垫(儿) rùdiàn(r); 褥子 rùzi; 褥 rù

보:루(堡壘) 명 〖軍〗 堡垒 bǎolěi; 碉堡 diāobǎo; 营垒 yínglěi; 垒壁 lěibì ¶이 구조물을 최후의 ~로 삼다 把这个建筑物当作是最后的堡垒

보루(일bôru) 의명 条(儿) tiáo(r) ¶담배 한 ~ 一条儿烟

보:류(保留) 명하타 保留 bǎoliú; 留着 liúzhe = 유보 ¶집행을 ~하다 保留执行

보름 명 **1** 十五天 shíwǔ tiān; 半个月 bànge yuè **2** = 보름날

보름-날 명 十五日 shíwǔ rì; 望日 wàngrì; 月望 yuèwàng = 보름2

보름-달 명 满月 mǎnyuè; 圆月 yuányuè; 望月 wàngyuè = 만월1

보리 명 〖植〗 大麦 dàmài; 麦 mài = 대맥 ¶~떡 麦饼 / ~밥 大麦饭 / ~밭 大麦地 / ~쌀 大麦米 / ~차 大麦茶 / ~를 심다 种大麦

보리-수(菩提樹) 명 〖佛·植〗 菩提树 pútíshù

보릿-고개 명 春荒 chūnhuāng; 麦口期 màikǒuqī; 青黄不接 qīnghuángbùjiē; 麦岭 màilíng

보링(boring) 명 〖鑛〗 = 시추

보:모(保姆) 명 保育员 bǎoyùyuán

보:물(寶物) 명 **1** 宝 bǎo; 宝物 bǎowù; 宝贝 bǎobèi; 财宝 cáibǎo; 珍宝 zhēnbǎo = 보화 ¶~섬 宝岛 / ~ 상자 宝物箱 **2** 文化财产 wénhuà cáichǎn; 文物 wénwù ¶~ 1호로 지정되다 指定为文物第1号

보:배 명 宝贝 bǎobèi; 宝 bǎo; 珍宝 zhēnbǎo ¶모든 아이들은 ~이다 每个孩子都是宝贝

보:배-롭다 형 宝贵 bǎoguì; 贵重 guìzhòng; 珍贵 zhēnguì **보:배로이** 부

보:법(步法) 명 步法 bùfǎ; 步伐 bùfá

보:병(步兵) 명 〖軍〗 步兵 bùbīng ¶~대 步兵队

보:복(報復) 명하자타 = 앙갚음 ¶~ 공격 报复性攻击 / ~ 조치 报复措施 / ~ 관세 报复关税 / ~을 당하다 遭受报复

보살(菩薩) 명 〖佛〗 菩萨 púsà

보-살피다 타 **1** 照顾 zhàogù; 照料 zhàoliào; 照应 zhàoying; 关照 guānzhào; 关怀 guānhuái; 侍候 shìhòu; 扶持 fúchí; 看顾 kàngù ¶환자를 ~ 看顾病人 **2** 张罗 zhāngluo; 周旋 zhōuxuán; 打理 dǎlǐ; 操持 cāochí ¶살림을 ~ 操持家务

보:상(報償) 명하타 **1** 偿还 chánghuán **2** 报酬 bàochou; 报施 bàoshī; 报偿 bàocháng ¶~금 报酬金

보:상(補償) 명하타 补偿 bǔcháng; 赔偿 péicháng; 弥补 míbǔ ¶~금 补偿金 / 손실을 ~하다 补偿损失

보:색(補色) 명 〖美〗 互补色 hùbǔsè; 补色 bǔsè; 余色 yúsè ¶~ 대비 补色对比

보:석(保釋) 명하타 〖法〗 保释 bǎoshì ¶~금 保释金 / ~으로 감옥에서 풀려나다 保释出狱

보:석(寶石) 명 〖鑛〗 宝石 bǎoshí; 珠宝 zhūbǎo ¶~상 珠宝商 / ~ 가게 珠宝店 / ~함 珠宝盒 / 반지에 ~을 박다 把宝石镶在戒指上

보:선(補選) 명하타 〖政〗 '보궐 선거' 的略词

보:세(保稅) 명 〖法〗 保税 bǎoshuì ¶~ 공장 保税工厂 / ~ 구역 保税区 / ~ 창고 保税库 =[保税仓库] / ~품 保税品

보송-보송 부하형 **1** 干松 gānsōng ¶~한 수건 干松的毛巾 **2** 细嫩 xìnèn; 细发 xìfā; 细腻 xìnì; 软乎乎 ruǎnhūhū; 软糊糊 ruǎnhūhū ¶피부를 ~하게 만들다 使皮肤细腻

보:수(保守) 명하타 保守 bǎoshǒu; 守旧 shǒujiù ¶~ 세력 保守势力 / ~당 保守党 / ~성 保守性 / ~주의 保守主义 / ~파 保守派

보:수(報酬) 명하자 **1** 酬报 chóubào; 酬答 chóudá **2** 工资 gōngzī; 薪水 xīnshui; 薪金 xīnjīn; 报酬 bàochou; 酬金 chóujīn; 酬劳 chóuláo ¶~를 지급하다 发给工资

보:수(補修) 명하타 修 xiū; 修补 xiūbǔ; 整修 zhěngxiū; 维修 wéixiū; 修缮 xiūshàn; 保养 bǎoyǎng; 养护 yǎnghù; 修理 xiūlǐ ¶도로를 ~하다 保养公路/주택을 ~하다 修房子

보:수-적(保守的) 관명 保守 bǎoshǒu ¶~인 태도 保守态度/그는 너무 ~이다 他太保守了

보스(boss) 명 首领 shǒulǐng; 领袖 lǐngxiù; 头子 tóuzi; 头(儿) tóu(r); 头目 tóumù

보슬-거리다 자 蒙蒙 méngméng; 析沥 xīlì = 보슬대다 **보슬-보슬** 부하자 ¶봄비가 ~ 내리다 春雨蒙蒙地下

보슬-비 명 毛毛雨 máomaoyǔ; 毛毛细雨 máomáo xìyǔ ¶~가 내리다 下毛毛雨

보습 명 〖農〗 犁 lí; 犁铧 líhuá; 犁头 lítóu

보:습(補習) 명하타 补习 bǔxí ¶~ 학원 补习班

보:습(補濕) 명하타 保湿 bǎoshī ¶~제 保湿露/~ 크림 保湿霜/~ 효과 保湿效果/피부 ~ 皮肤保湿

보:시(布施) 명하타 〖佛〗 布施 bùshī; 施斋 shīzhāi

보:신(保身) 명하자 保身 bǎoshēn; 明哲保身 míngzhébǎoshēn

보:신(補身) 명하타 补养身体 bǔyǎng shēntǐ; 补身 bǔshēn = 몸보신 ¶~용 영양제 补身用营养剂

보:신-탕(補身湯) 명 香肉汤 xiāngròutāng; 狗肉汤 gǒuròutāng

보-쌈[1](褓—) 명 菜包白切肉 càibāo báiqièròu

보-쌈[2](褓—) 명하자 〖民〗 抢婚 qiǎnghūn; 抢亲 qiǎngqīn

보쌈-김치(褓—) 명 包泡菜 bāopàocài

보아-주다 타 饶 ráo; 原谅 yuánliàng; 宽恕 kuānshù; 饶恕 ráoshù; 容情 róngqíng; 留情 liúqíng; 容忍 róngrěn ¶이번 한 번만 보아주십시오 请饶了这一次吧

보아-하니 부 看样子 kàn yàngzi; 看来 kànlái; 看起来 kànqǐlái; 据我看 jù wǒ kàn ¶~ 내가 틀린 것 같다 看来我错了

보:안(保安) 명하타 保安 bǎo'ān; 公安 gōng'ān ¶~ 요원 保安员/~을 유지하다 维持保安

보:안(保眼) 명하자 护眼 hùyǎn; 护目 hùmù ¶~경 护目镜

보:안-관(保安官) 명 郡治安官 jùnzhì'ānguān

보:약(補藥) 명 补药 bǔyào; 补剂 bǔjì ¶~을 먹다 吃补药

보:양(保養) 명하타 保养 bǎoyǎng ¶몸을 ~하는 방법 保养身体的方法

보:어(補語) 명 〖語〗 补语 bǔyǔ

보:온(保溫) 명하타 保温 bǎowēn; 保暖 bǎonuǎn ¶~컵 保温杯/~ 도시락 保温饭盒/~력 保温力/~밥통 保温锅/~성 保温性/~재 保温材料/날씨가 추워졌으니 ~에 주의해야 한다 天冷了,要注意保暖

보:온-병(保溫瓶) 명 暖水瓶 nuǎnshuǐpíng; 保温瓶 bǎowēnpíng; 暖壶 nuǎnhú; 热水瓶 rèshuǐpíng

보:완(補完) 명하타 弥补 míbǔ; 补救 bǔjiù; 补充 bǔchōng ¶~책 补充策/결함을 ~하다 弥补缺陷

보:우(保佑) 명하타 保佑 bǎoyòu ¶하느님이 우리를 ~하시다 老天保佑我们

보:위(保衛) 명하타 保卫 bǎowèi; 捍卫 hànwèi; 守卫 shǒuwèi ¶국가를 ~하다 保卫国家

보:위(寶位) 명 = 왕위

보:유(保有) 명하타 保有 bǎoyǒu; 保持 bǎochí; 持有 chíyǒu; 拥有 yōngyǒu ¶~자 保持者/~량 保有量/핵무기를 ~하다 持有核武器/세계 기록을 ~하다 保持世界纪录

보:육(保育) 명하타 保育 bǎoyù ¶~교사 保育教师/~ 시설 保育设施/~원 保育院

보:육-기(保育器) 명 〖醫〗 = 인큐베이터

보:은(報恩) 명하자 报恩 bào'ēn; 报德 bàodé ¶부모님께 ~하다 向父母报恩

보-이다[1] 자 **1** 看到 kàndào; 看得见 kàndejiàn; 在望 zàiwàng 《'보다[1]1'的被动词》 ¶대문이 ~ 看得见大门 **2** 看上去 kànshàngqù; 看起来 kànqǐlái; 看得 kànde ¶안색이 좋아 보인다 脸色看起来很好

보-이다[2] 타 给人看 gěirén kàn; 让看 ràng kàn ¶남에게 허점을 ~ 给人看缺点

보이 스카우트(Boy Scouts) 〖社〗 童子军 tóngzǐjūn; 少年团 shàoniántuán

보일러(boiler) 명 〖機〗 锅炉 guōlú; 汽锅 qìguō; 蒸汽锅炉 zhēngqì guōlú ¶~실 锅炉房/~를 설치하다 安装锅炉

보자기(褓—) 명 包袱 bāofu; 包袱皮儿 bāofupír ¶~를 풀다 打开包袱

보잘것-없다 형 渺小 miǎoxiǎo; 低微 dīwēi; 微不足道 wēibùzúdào; 没什么可看 méi shénme kěkàn; 不值一提 bùzhíyītí; 微乎其微 wēihūqíwēi; 不足挂齿 bùzúguàchǐ ¶보잘것없는 수입 低微的工资/출신이 ~ 出身低微 **보잘것없-이** 부

보:장(保障) 명하타 保障 bǎozhàng; 保证 bǎozhèng ¶안전을 ~하다 保障

安全

보:전(保全) 명하타 保全 bǎoquán; 保持 bǎochí ¶환경을 ~하다 保持环境 / 목숨을 ~하다 保全生命

보:정(補正) 명하타 补正 bǔzhèng; 调整 tiáozhěng ¶카메라의 자동 ~ 기능 相机的自动补正功能 / ~ 속옷 调整型内衣

보:조(步調) 명 步调 bùdiào; 步伐 bùfá; 步子 bùzi ¶~를 맞추다 整齐步调

보:조(補助) 명하타 **1** 补助 bǔzhù; 补充 bǔchōng; 贴补 tiēbu ¶학비를 ~하다 补助学费 / 국가에서 ~를 받다 接受国家贴补 **2** 辅助 fǔzhù; 助理 zhùlǐ; 帮手 bāngshou ¶요리사 ~ 厨师帮手 / ~ 기억 장치 辅助存储器 / ~ 날개 辅助翼 / ~ 동사 辅助动词 / ~ 수단 辅助手段 / ~ 장치 辅助装置

보조개 명 酒窝(儿) jiǔwō(r); 笑窝(儿) xiàowō(r); 酒涡 jiǔwō; 笑涡 xiàowō

보:조-금(補助金) 명 〖法〗 补助金 bǔzhùjīn; 补贴费 bǔtiēfèi; 补贴 bǔtiē; 津贴 jīntiē ¶~을 타다 领补助金

보:존(保存) 명하타 保存 bǎocún; 保藏 bǎocáng; 保留 bǎoliú; 保全 bǎoquán ¶문화재를 ~ 하다 保存文物 / 범행 현장을 ~하다 保全犯罪现场

보:좌(補佐·輔佐) 명하타 辅佐 fǔzuǒ; 助理 zhùlǐ ¶신임 사장을 ~하다 辅佐新任总经理

보:좌(寶座) 명 **1** = 옥좌 **2** 〖宗〗 宝座 bǎozuò

보:좌-관(補佐官) 명 助理 zhùlǐ; 助手 zhùshǒu ¶국회 의원 ~ 国会议员助手

보증(保證) 명하타 **1** 保 bǎo; 担保 dānbǎo; 保证 bǎozhèng; 保险 bǎoxiǎn ¶품질을 ~하다 保质 / 그가 좋은 사람이라는 것은 내가 ~한다 我保证他是个好人 **2** 〖法〗 保证 bǎozhèng; 担保 dānbǎo; 保 bǎo ¶~ 보험 保证保险

보증-금(保證金) 명 〖法〗 押金 yājīn; 押款 yākuǎn; 担保款 dānbǎokuǎn; 保证金 bǎozhèngjīn ¶~을 내다 出押金

보증-서(保證書) 명 〖法〗 保证书 bǎozhèngshū; 保修卡 bǎoxiūkǎ

보증-인(保證人) 명 〖法〗 保人 bǎoren; 保证人 bǎozhèngrén; 保 bǎo = 증인3

보:지 명 屄 bī

보:직(補職) 명하타 任职 rènzhí; 职务 zhíwù ¶~에서 해임되다 解除职务 / ~이 변경되다 变更任职

보채다 자 **1** 哭闹 kūnào ¶아기가 밤마다 보챈다 宝宝每天晚上哭闹 **2** 磨烦 mòfan; 缠磨 chánmo; 磨 mó; 磨人 mórén; 纠缠 jiūchán ¶요구를 들어주지 않으면 그는 끝없이 보챈다 不答应要求, 他就没完没了地纠缠

보:철(補綴) 명하타 **1** 补缀 bǔzhuì **2** 〖醫〗 镶牙 xiāngyá; 补牙 bǔyá

보:청-기(補聽器) 명 〖醫〗 助听器 zhùtīngqì ¶~를 끼다 戴助听器

보:초(步哨) 명 〖軍〗 步哨 bùshào; 哨兵 shàobīng; 哨 shào; 岗 gǎng; 岗哨 gǎngshào = 보초병 ¶~를 서다 放哨 =[站岗]

보:초-병(步哨兵) 명 〖軍〗 = 보초

보:충(補充) 명하타 补充 bǔchōng; 补 bǔ; 填补 tiánbǔ ¶~ 설명 补充说明 / 인원 ~ 人员补充 / ~ 수업 补课 / 영양을~하다 补充营养

보태다 타 **1** 补 bǔ; 补充 bǔchōng; 搭补 dābǔ; 填补 tiánbǔ; 补贴 bǔtiē ¶자금을 ~ 填补资金 / 살림에 ~ 搭补家用 / 힘을 ~ 补充力量 **2** 添 tiān; 添加 tiānjiā; 加 jiā; 加上 jiāshang ¶쓸데없는 말을 ~ 添加一段废话

보탬 명 添补 tiānbǔ; 帮助 bāngzhù; 小补 xiǎobǔ; 裨益 bìyì

보:통(普通) ㊀명 普通 pǔtōng; 一般 yībān; 平常 píngcháng ¶그는 ~ 사람이 아니다 他不是一般人 ㊁부 通常 tōngcháng; 一般 yībān ¶그는 ~ 7시에 기상한다 他通常七点起床

보:통 명사(普通名辭) 〖語〗 = 일반명사

보:통 은행(普通銀行) 〖經〗 = 일반은행

보트(boat) 명 船 chuán; 小艇 xiǎotǐng; 小船 xiǎochuán

보:편(普遍) 명 普遍 pǔbiàn; 一般 yībān; 共同 gòngtóng ¶~성 普遍性 / ~화 普遍化 / ~ 타당하다 普遍妥当

보:편-적(普遍的) 관명 普遍(的) pǔbiàn(de); 普遍性 pǔbiànxìng ¶~인 가치 普遍价值 / ~으로 적용하다 普遍适用

보:폭(步幅) 명 步幅 bùfú; 脚步 jiǎobù = 컴퍼스2 ¶~이 넓다 脚步大

보푸라기 명 起毛 qǐmáo; 起毛头 qǐ máotóu

보풀 명 起毛 qǐmáo; 起毛球 qǐ máoqiú ¶스웨터에 ~이 일면 어떻게 하나요? 毛衣起毛球怎么办?

보:필(輔弼) 명하타 辅弼 fǔbì; 辅佐 fǔzuǒ

보:-하다(補—) 타 补 bǔ ¶몸을 보하는 약 补身体的药品

보:행(步行) 명하자 步行 bùxíng; 行走 xíngzǒu ¶~자 步行者

보:행-기(步行器) 명 学步车 xuébùchē; 学步器 xuébùqì

보:험(保險) 명 〖經〗 保险 bǎoxiǎn; 保 bǎo ¶~ 계약 保险合同 / ~금 保险金额 / ~ 기간 保期 / ~료 保险费 / ~ 약관 保险条款 / ~ 증권 保险单 / ~

회사 保险公司 / 생명~ 人寿保险 / ~에 들다 投保

보:호(保護) 명하타 保护 bǎohù; 维护 wéihù; 护 hù ¶환경 ~ 环境保护 = [环保] / ~ 관세 保护关税 / ~막 保护膜 / ~ 무역 保护贸易 / ~색 保护色 / ~자 保护人 / 시력을 ~하다 保护视力 / ~를 받다 受到保护 / 동물을 ~하다 保护动物

보:화(寶貨) 명 = 보물1

복 명【魚】'복어' 的略词

복(伏) 명【民】= 복날

복(福) 명 福气 fúqi; 福 fú; 福分 fúfen; 幸运 xìngyùn ¶~을 누리다 享福 / ~을 받다 有福气

-복(服) 접미 服 fú; 衣服 yīfu; 装 zhuāng ¶학생~ 学生服 / 작업~ 工作服

복강(腹腔) 명【生】腹腔 fùqiāng ¶~경 腹腔镜

복개(覆蓋) 명하타【建】覆盖 fùgài; 掩盖 yǎngài ¶하천 ~ 공사 覆盖河川的工程

복고(復古) 명하자 复古 fùgǔ; 反古 fǎngǔ ¶~주의 复古主义 / ~풍 复古风

복구(復舊) 명하타 修复 xiūfù; 恢复 huīfù; 重建 chóngjiàn ¶~공사 修复工程

복권(福券) 명 彩票 cǎipiào; 彩券 cǎiquàn; 奖券 jiǎngquàn; 白鸽票 báigēpiào; 彩 cǎi ¶~에 당첨되다 中彩

복귀(復歸) 명하자 恢复 huīfù; 重返 chóngfǎn; 复归 fùguī; 回 huí; 归 guī ¶원상 ~ 恢复原状 / 부대로 ~하다 归队 / 무대에 ~하다 重返舞台

복근(腹筋) 명【生】腹肌 fùjī ¶~을 단련하다 锻炼腹肌

복-날(伏—) 명【民】伏天 fútiān; 伏日 fúrì; 伏 fú = 복(伏)

복닥-거리다 자 拥挤 yōngjǐ; 喧闹 xuānnào; 闹哄哄 nàohōnghōng = 복닥대다 **복닥-복닥** 부하자

복당(復黨) 명하자 恢复党籍 huīfù dǎngjí

복대(腹帶) 명 腹带 fùdài ¶~를 두르다 带腹带

복-더위(伏—) 명 = 삼복더위

복덕-방(福德房) 명 房地产交易所 fángdìchǎn jiāoyìsuǒ

복도(複道) 명 **1** 游廊 yóuláng; 廊子 lángzi **2** 走廊 zǒuláng; 回廊 huíláng; 甬道 yǒngdào; 过道(儿) guòdào(r)

복-되다(福—) 형 有福气 yǒu fúqi

복리(福利) 명 福利 fúlì ¶직원들의 ~에 힘쓰다 为职工谋福利

복리(複利) 명【經】复利 fùlì

복막(腹膜) 명【生】腹膜 fùmó ¶~염 腹膜炎

복면(覆面) 명하자 蒙面 méngmiàn; 面罩 miànzhào ¶~강도 蒙面强盗

복무(服務) 명하자 服 fú; 服务 fúwù; 工作 gōngzuò; 服勤 fúqín; 当 dāng ¶~규정 服务规则 / ~연한 服务年限 / 군에 ~하다 服役

복문(複文) 명【語】复句 fùjù; 复合句 fùhéjù

복-받치다 자 涌 yǒng; 涌出 yǒngchū; 涌上 yǒngshàng; 冒出 màochū ¶가슴 속에서 슬픔이 복받쳐 오르다 心里的悲哀涌上来

복병(伏兵) 명하자【軍】伏兵 fúbīng; 伏甲 fújiǎ ¶~을 배치하다 埋下伏兵 / ~을 만나다 遇到伏兵

복부(腹部) 명【醫】腹部 fùbù; 腹 fù ¶~ 비만 腹部肥胖 / ~에 통증을 느끼다 腹部感到疼痛

복분-자(覆盆子) 명【植】覆盆子 fùpénzǐ ¶~술 覆盆子酒

복사(複寫) 명 **1** 复写 fùxiě **2** 复印 fùyìn = 카피1 ¶~기 复印机 / 이 서류를 세 부 ~해 주세요 请把这份文件复印三份 **3**【컴】拷贝 kǎobèi ¶불법 ~한 프로그램 非法拷贝的软件

복사(輻射) 명하자【物】辐射 fúshè = 방사(放射)2 ¶~ 에너지 辐射能

복사-꽃 명 = 복숭아꽃

복사-뼈 명 踝 huái; 踝子骨 huáizigǔ; 踝骨 huáigǔ = 복숭아뼈

복사-열(輻射熱) 명【物】辐射热 fúshèrè; 放射热 fàngshèrè = 방사열

복사-지(複寫紙) 명 **1** 复写纸 fùxiězhǐ **2** 复印纸 fùyìnzhǐ

복사-판(複寫版) 명 **1** 复印板 fùyìnbǎn **2** 翻版 fānbǎn

복상(服喪) 명하자 服丧 fúsāng; 戴孝 dàixiào

복상-사(腹上死) 명하자 腹上死 fùshàngsǐ; 马上疯 mǎshàngfēng

복선(伏線) 명【文】伏线 fúxiàn; 伏笔 fúbǐ; 暗线 ànxiàn ¶~을 깔다 留伏笔

복선(複線) 명 **1** 双线 shuāngxiàn **2**【交】= 복선 궤도

복선 궤:도(複線軌道)【交】复线 fùxiàn; 双轨 shuāngguǐ = 복선(複線)2 ¶~를 놓다 铺设复线

복성(複姓) 명 复姓 fùxìng; 双姓 shuāngxìng

복속(服屬) 명하자 服属 fúshǔ

복수(復讐) 명하자 报仇 bàochóu; 复仇 fùchóu; 报复 bàofù ¶~심 报仇之心 / 그에게 ~하다 向他报仇

복수(腹水) 명【醫】腹水 fùshuǐ

복수(複數) 명 **1**【數】复数 fùshù **2**【語】复数 fùshù **3** 多次 duōcì ¶~비자 多次往返签证 / ~ 여권 多次有效护照

복수-전(復讐戰) 명 复仇战 fùchóuzhàn; 雪耻战 xuěchǐzhàn = 설욕전
복숭아 명 桃(儿) táo(r); 桃子 táozi
복숭아-꽃 명 桃花 táohuā = 도화(桃花) · 복사꽃
복숭아-나무 명 〖植〗 桃树 táoshù; 桃 táo
복숭아-뼈 명 = 복사뼈
복-스럽다(福—) 형 有福相 yǒu fúxiàng; 有福气 yǒu fúqi ¶복스럽게 생기다 长得有福相 **복스레** 부
복슬-복슬 부하형 毛茸茸 máoróngróng ¶털이 ~한 강아지 毛茸茸的小狗
복습(復習) 명하타 复习 fùxí; 温习 wēnxí ¶오늘 배운 내용을 반드시 다시 한 번 ~해라 一定把今天学过的内容再温习一遍吧
복식(服飾) 명 服饰 fúshì; 穿戴 chuāndài; 服装 fúzhuāng; 装束 zhuāngshù
복식(複式) 명 **1** 复式 fùshì; 双式 shuāngshì **2** 〖體〗 = 복식 경기 ¶남녀 ~ 混合双打
복식 경:기(複式競技) 〖體〗 双打 shuāngdǎ = 복식(複式)2
복식 호흡(腹式呼吸) 〖醫〗 腹式呼吸 fùshì hūxī; 腹部呼吸 fùbù hūxī
복싱(boxing) 명 〖體〗 = 권투
복안(腹案) 명 腹案 fù'àn ¶~을 다 세웠다 打好腹案
복약(服藥) 명하타 = 복용 ¶~ 지도 服用指导
복어(—魚) 명 〖魚〗 河豚 hétún
복역(服役) 명하자 **1** 服兵役 fúbīngyì; 服役 fúyì **2** 服刑 fúxíng ¶~ 기간 服刑期间 / 3년간 ~하다 服刑了三年
복용(服用) 명하타 服用 fúyòng; 服药 fúyào; 吃 chī; 服 fú; 内服 nèifú = 복약 ¶매일 같은 시간에 한 알씩 ~하다 每天都在同一时间服用一颗
복원(復元 · 復原) 명하타 复原 fùyuán; 复元 fùyuán; 重建 chóngjiàn ¶~ 공사 重建工程 / 훼손된 문화재를 ~하다 复原残缺不全的文物
복위(復位) 명하자 复位 fùwèi
복음(福音) 명 **1** 喜讯 xǐxùn; 喜报 xǐbào; 好消息 hǎoxiāoxi **2** 〖宗〗 福音 fúyīn ¶~ 성가 福音歌曲 **3** 〖宗〗 = 복음서
복음-서(福音書) 명 〖宗〗 福音书 fúyīnshū = 복음(福音)3
복잡다단-하다(複雜多端—) 형 错综复杂 cuòzōngfùzá ¶복잡다단한 상황 错综复杂的情况
복잡-하다(複雜—) 명 **1** 复杂 fùzá; 繁复 fánfù; 纷乱 fēnluàn; 纷杂 fēnzá; 纷繁 fēnfán ¶복잡한 인간관계 复杂的人际关系 / 마음이 ~ 心绪纷乱 **2** 乱luàn; 混乱 hùnluàn; 挤 jǐ; 拥挤 yōngjǐ; 熙熙攘攘 xīxīrǎngrǎng ¶복잡한 대도시 熙熙攘攘的大城市
복장 명 胸膛 xiōngtáng; 心怀 xīnhuái; 胸 xiōng
　복장(이) 터지다 구 气死
복장(服裝) 명 = 옷차림
복제(複製) 명하타 **1** 复制 fùzhì; 翻印 fānyìn; 翻版 fānbǎn; 翻录 fānlù; 翻拍 fānpāi ¶자동차 열쇠를 ~하다 复制汽车钥匙 **2** 〖法〗 复制 fùzhì; 盗版 dàobǎn ¶불법 ~ 非法复制 / ~ 시디 盗版光盘 / ~품 复制品 =[盗版]
복-조리(福笊籬) 명 〖民〗 福笊篱 fúzhàoli
복종(服從) 명하자 服从 fúcóng; 服气 fúqì ¶~심 服从心 / 명령에 ~하다 服从命令
복중(腹中) 명 腹中 fùzhōng ¶~ 태아 腹中胎儿
복지(福祉) 명 福利 fúlì ¶~ 국가 福利国家 / ~ 사업 福利事业 / ~ 사회 福利社会 / ~ 시설 福利设施 / ~를 증진하다 增进福利
복직(復職) 명하자 复职 fùzhí; 复岗 fùgǎng ¶~ 신청서를 제출하다 提交复职申请 / 일부 퇴직한 직공들은 이미 ~했다 部分下岗职工已经复岗了
복창(復唱) 명하타 复述 fùshù; 重说 chóngshuō; 复诵 fùsòng ¶명령을 ~하다 复诵命令
복채(卜債) 명 算命费 suànmìngfèi; 占卜费 zhānbǔfèi; 算命酬金 suànmìng chóujīn
복통(腹痛) 명하자 **1** 腹痛 fùtòng; 肚痛 dùtòng; 肚子痛 dùzi tòng; 肚子疼 dùzi téng ¶~ 설사 腹痛腹泻 / ~이 심하다 肚子疼得厉害 **2** 可恨 kěhèn; 可气 kěqì; 冤枉 yuānwang ¶정말 ~할 노릇이다 真是冤枉
복판 명 正中 zhèngzhōng; 当中 dāngzhōng; 正当中 zhèngdāngzhōng; 中 zhōng; 心 xīn; 当间儿 dāngjiànr; 中心 zhōngxīn ¶길 ~ 大街当中 / 마당 ~ 院子当间儿
복학(復學) 명하자 复学 fùxué ¶~생 复学生
복합(複合) 명하자타 复合 fùhé; 合成 héchéng; 混合 hùnhé ¶~ 영양제 复合营养剂 / ~ 명사 复合名词 / ~어 复合词 / 이것은 몇 가지 약재가 ~된 보약이다 这是几种药料复合的补药
복합-적(複合的) 관명 复合(的) fùhé(de); 复合性 fùhéxìng; 多维 duōwéi ¶~인 문제 复合性问题 / ~인 원인 多维原因
복화-술(腹話術) 명 〖演〗 腹语术 fùyǔshù

볶다 타 **1** 炒 chǎo; 炮 bāo ¶커피를 ~ 炒咖啡 / 감자채를 ~ 炒土豆丝 **2** 折磨 zhémó; 折腾 zhēteng; 磨人 mórén; 磨 mó; 缠人 chánrén ¶날마다 식구들을 볶아 대다 天天折腾家人 **3** 烫 tàng ¶머리를 ~ 烫头发

볶아-치다 타 紧催 jǐncuī; 磨人 mórén; 催逼 cuībī; 催促 cuīcù ¶그가 빚을 갚으라고 나를 볶아친다 他催逼我还债

볶-음 명 炒 chǎo; 炒菜 chǎocài ¶~밥 炒饭 / 소고기 ~ 炒牛肉

볶-이다 자 **1** '볶다1' 的被动词 ¶가지가 덜 볶였다 茄子没有炒熟 **2** '볶다2' 的被动词 ¶아이에게 ~ 被孩子折腾

본[1](本) 명 **1** = 본보기2 **2** 型 xíng; 样(儿) yàng(r); 图样 túyàng; 纸样 zhǐyàng; 样板 yàngbǎn; 样本 yàngběn ¶바지의 ~을 뜨다 画裤子纸样 **3** 籍贯 jíguàn; 本籍 běnjí ¶~이 다르다 籍贯不同

본[2](本) 관 本 běn; 这 zhè ¶~ 사건 本事件 / ~ 회의에서 在这会议

본-(本) 접두 本 běn; 原 yuán ¶~뜻 原义 / ~고장 本地 / ~마음 本心

본가(本家) 명 **1** 老家 lǎojiā **2** 娘家 niángjiā

본거-지(本據地) 명 = 근거지

본격(本格) 명 正式 zhèngshì; 真正 zhēnzhèng; 正规 zhèngguī

본격-적(本格的) 관명 正式(的) zhèngshì(de); 真正(的) zhēnzhèng(de); 正规(的) zhèngguī(de) ¶~으로 더워지기 시작했다 真正热起来了 / ~으로 영어 공부를 시작하다 正式开始学习英语

본격-화(本格化) 명하자타 正规化 zhèngguīhuà; 正式化 zhèngshìhuà

본-고장(本—) 명 本地 běndì; 本产地 běnchǎndì; 故乡 gùxiāng = 제고장 ¶영국은 축구의 ~이다 英国是足球的故乡

본과(本科) 명 〖教〗 本科 běnkē ¶~생 本科生

본관(本貫) 명 籍贯 jíguàn; 本籍 běnjí

본관(本館) 명 本馆 běnguǎn; 主楼 zhǔlóu ¶~ 3층 主楼三楼

본교(本校) 명 **1** 主校 zhǔxiào; 总校 zǒngxiào ¶~와 분교 主校和分校 **2** 本校 běnxiào

본국(本國) 명 **1** 本国 běnguó ¶그는 ~으로 돌아갔다 他回本国去了 **2** 宗主国 zōngzhǔguó **3** 此国 cǐguó

본-궤도(本軌道) 명 **1** 主轨 zhǔguǐ **2** 正常轨道 zhèngcháng guǐdào; 正轨 zhèngguǐ ¶사업이 ~에 들어서다 生意步入正常轨道

본-남편(本男便) 명 原夫 yuánfū; 前夫 qiánfū

본능(本能) 명 〖生·心〗 本能 běnnéng ¶성적 ~ 性本能 / 동물적인 ~ 动物本能 / ~을 억제하다 控制本能

본능-적(本能的) 관명 本能(的) běnnéng(de) ¶~인 욕구 本能欲求 / ~으로 느끼다 本能地感觉到

본당(本堂) 명 〖宗〗 本堂 běntáng; 主教堂 zhǔjiàotáng

본데-없다 형 没有见识 méiyǒu jiànshi; 没有礼貌 méiyǒu lǐmào ¶이것은 매우 본데없는 행동이다 这是一种很没有礼貌的行为 **본데없-이** 부

본드(bond) 명 黏着剂 niánzhuójì; 黏合剂 niánhéjì

본디(本—) 명부 原来 yuánlái; 本来 běnlái; 原本 yuánběn = 원래 ¶그는 ~ 착한 사람이다 他本来是个好人

본때(本—) 명 **1** 榜样 bǎngyàng; 典范 diǎnfàn; 本领 běnlǐng; 本事 běnshì; 厉害 lìhai **2** 风度 fēngdù

본때(를) 보이다 구 给人看看厉害

본-뜨다(本—) 타 **1** 效仿 xiàofǎng; 仿照 fǎngzhào; 模仿 mófǎng; 仿效 fǎngxiào; 学 xué; 学习 xuéxí ¶동생이 형을 본떠 같은 일을 하다 弟弟效仿哥哥也做同样的事 **2** 仿 fǎng; 模仿 mófǎng; 仿造 fǎngzào; 摹 mó ¶남의 그림을 ~ 模仿别人的画

본래(本來) 명부 原来 yuánlái; 原本 yuánběn; 本来 běnlái ¶~의 모습 本来的样子 / 그는 ~ 말이 없는 사람이다 他本来就是不爱说话的人

본론(本論) 명 本论 běnlùn; 正题 zhèngtí

본류(本流) 명 **1** (河川的) 干流 gànliú; 主流 zhǔliú **2** 主流 zhǔliú ¶문학의 ~ 文学的主流

본-마누라(本—) 명 大老婆 dàlǎopo; 正房 zhèngfáng; 正室 zhèngshì; 元配 yuánpèi; 原配 yuánpèi

본-마음(本—) 명 = 본심

본말(本末) 명 **1** 始末 shǐmò; 始终 shǐzhōng **2** 本末 běnmò; 主次 zhǔcì

본말이 전도(顚倒)되다 구 本末倒置

본명(本名) 명 本名 běnmíng; 原名 yuánmíng; 真名 zhēnmíng

본-모습(本—) 명 本来面目 běnlái miànmù; 原貌 yuánmào; 真相 zhēnxiàng; 原形 yuánxíng

본-무대(本舞臺) 명 **1** 本舞台 běnwǔtái; 原舞台 yuánwǔtái **2** 主舞台 zhǔwǔtái

본문(本文) 명 **1** 正文 zhèngwén ¶~ 내용 正文内容 **2** 原文 yuánwén; 本文 běnwén = 원문2 ¶주역의 ~과 해석 周易原文及解释

본-바탕(本—) 명 底子 dǐzi; 本性 běnxìng; 本质 běnzhì

본-받다(本—) 타 效法 xiàofǎ; 仿效 fǎngxiào; 师法 shīfǎ ¶모두가 본받을 만한 언행 值得大家效法的言行 / 이런 행위는 본받지 마라 这种行为别仿效

본보-기(本—) 명 **1** 榜样 bǎngyàng; 模范 mófàn; 典范 diǎnfàn; 轨范 guǐfàn = 표상1 ¶나는 선생님을 내 삶의 ~로 삼으려 한다 我要把老师当作我人生的榜样 **2** 示范 shìfàn; 范例 fànlì; 典型 diǎnxìng = 본[1](本)1 ¶선진국의 하나의 ~ 发达国家的一个典型 **3** 样品 yàngpǐn; 样货 yànghuò; 样本 yàngběn

본봉(本俸) 명 = 기본급

본부(本部) 명 本部 běnbù; 本营 běnyíng; 总部 zǒngbù

본부-석(本部席) 명 贵宾席 guìbīnxí

본-부인(本夫人) 명 **1** 前妻 qiánqī; 原妻 yuánqī **2** 大老婆 dàlǎopo; 正房 zhèngfáng; 正室 zhèngshì; 元配 yuánpèi; 原配 yuánpèi

본분(本分) 명 本分 běnfèn ¶학생의 ~을 지키다 守学生的本分

본사(本社) 명 **1** 总公司 zǒnggōngsī; 总店 zǒngdiàn **2** 本公司 běngōngsī

본새(本—) 명 **1** 长相 zhǎngxiàng **2** 样子 yàngzi; 样(儿) yàng(r); 式子 shìzi; 态度 tàidù; 作法 zuòfǎ

본색(本色) 명 **1** 本色(儿) běnshǎi(r); 原色 yuánsè **2** 本色 běnsè; 原形 yuánxíng; 本面目 běnmiànmù ¶~을 드러내다 露出本色

본선(本選) 명 本选 běnxuǎn; 正式选拔 zhèngshì xuǎnbá ¶~에 진출하다 进入本选

본성(本性) 명 本性 běnxìng; 禀性 bǐngxìng ¶그는 ~은 착하다 他本性善良

본심(本心) 명 本心 běnxīn; 本意 běnyì; 真心 zhēnxīn; 真情 zhēnqíng; 素心 sùxīn = 본마음 · 본의 ¶~에서 우러나다 出于本心 / 그의 ~을 알아차리다 看出他的本心 / 자신의 ~을 숨기다 隐藏自己的本意

본안(本案) 명 **1** 主要事项 zhǔyào shìxiàng; 主项 zhǔxiàng **2** 〖法〗 本案 běn'àn

본업(本業) 명 本职 běnzhí; 本业 běnyè; 正业 zhèngyè

본연(本然) 명하형히부 本来 běnlái; 天然 tiānrán; 本然 běnrán; 自然 zìrán ¶~의 모습 本来面目

본원(本院) 명 **1** 总院 zǒngyuàn ¶~과 분원 总院和分院 **2** 本院 běnyuàn

본위(本位) 명 本位 běnwèi; 中心 zhōngxīn; 为主 wéizhǔ ¶고객 ~의 서비스 以顾客为主的服务 / ~ 제도 本位制 / ~ 화폐 本位货币 =[本币]

본의(本意) 명 = 본심 ¶이것은 나의 ~가 아니다 还不是我的真心

본인(本人) ㊀명 本人 běnrén; 当事者 dāngshìzhě; 当事人 dāngshìrén; 正身 zhèngshēn ¶~의 의사를 존중하다 尊重本人的意见 ㊁대 本人 běnrén; 我自己 wǒ zìjǐ

본적(本籍) 명〖法〗= 본적지

본적-지(本籍地) 명 〖法〗 籍贯 jíguàn; 原籍 yuánjí = 본적

본전(本錢) 명 本钱 běnqián; 本金 běnjīn; 本(儿) běn(r); 母金 mǔjīn ¶~도 못 건지다 连本钱都收不回来 / ~을 뽑다 收回本钱 / ~을 되찾다 得回本钱

본점(本店) 명 **1** 总店 zǒngdiàn; 总行 zǒngháng **2** 本店 běndiàn; 本行 běnháng

본제(本題) 명 **1** 本题 běntí; 主题 zhǔtí **2** = 원제

본지(本旨) 명 **1** 主旨 zhǔzhǐ **2** 本旨 běnzhǐ; 本趣 běnqù; 原旨 yuánzhǐ

본지(本誌) 명 本报 běnbào; 本杂志 běnzázhì

본질(本質) 명 本质 běnzhì; 实质 shízhì ¶문제의 ~ 问题的本质

본질-적(本質的) 관명 本质(的) běnzhì(de); 本质上 běnzhìshang ¶너의 생각과 나의 생각은 ~ 으로 다르다 你的想法跟我的想法本质上不同

본-채(本—) 명 正房 zhèngfáng; 主楼 zhǔlóu; 正殿 zhèngdiàn

본처(本妻) 명 大老婆 dàlǎopo; 正房 zhèngfáng; 正室 zhèngshì; 原配 yuánpèi; 元配 yuánpèi

본체(本体) 명 **1** (机器的) 本体 běntǐ; 主机 zhǔjī ¶컴퓨터의 ~ 电脑主机 / 내연 기관의 ~ 内燃机的本体 **2** 原貌 yuánmào; 真相 zhēnxiàng **3** 〖哲〗 实体 shítǐ; 本体 běntǐ; 本质 běnzhì ¶우주의 ~ 宇宙的本质

본토(本土) 명 **1** 本土 běntǔ **2** 本地 běndì ¶미국 ~ 발음 美国本地口音

본토-박이(本土—) 명 土著 tǔzhù; 本地人 běndìrén; 土生土长的 tǔshēngtǔzhǎngde = 토박이

본향(本鄕) 명 本土 běntǔ; 本乡 běnxiāng; 故乡 gùxiāng; 乡土 xiāngtǔ

본회(本會) 명 **1** 本会 běnhuì **2** = 본회의

본-회의(本會議) 명 正式会议 zhèngshì huìyì; 全体会议 quántǐ huìyì = 본회2

볼[1] 명 脸蛋(儿) liǎndàn(r); 脸蛋子 liǎndànzi; 面颊 miànjiá; 脸颊 liǎnjiá; 腮

sāi; 腮颊 sāijiá; 腮帮子 sāibāngzi ¶~을 붉히며 수줍어하다 羞得脸颊通红

볼[2] 명 (脚、鞋等的) 肥瘦(儿) féishòu(r); 宽 kuān ¶발의 ~이 넓다 脚肥

볼(ball) 명 【體】(棒球的) 坏球 huàiqiú

볼-거리[1] 명 可看的 kěkànde; 可看的东西 kěkànde dōngxi; 看头儿 kàntour; 热闹(儿) rènao(r) ¶이곳에는 ~가 아주 많다 这里有很多可看的东西

볼-거리[2] 명 【韓醫】痄腮 zhàsai

볼그레-하다 형 淡红 dànhóng; 浅红 qiǎnhóng; 稍红 shāo hóng

볼그스레-하다 형 = 볼그스름하다

볼그스름-하다 형 淡红 dànhóng; 浅红 qiǎnhóng; 稍红 shāo hóng = 볼그스레하다 ¶볼그스름한 빰 浅红的面颊 **볼그스름-히** 부

볼:기 명 臀部 túnbù; 屁股 pìgu; 屁股蛋儿 pìgudànr; 屁股蛋子 pìgudànzi ¶~를 치다 打屁股

볼:기-짝 명 '볼기' 的鄙称

볼-넷(ball—) 명 【體】四坏球 sìhuàiqiú

볼-따구니 명 '볼[1]' 的鄙称 = 볼때기

볼-때기 명 = 볼따구니

볼록 부하자타 鼓鼓囊囊 gǔgunāngnāng; 鼓鼓 gǔgǔ; 凸 tū; 凸出 tūchū; 一鼓 yīgǔ ¶그의 주머니가 ~하다 他的衣袋鼓鼓的

볼록-거리다 자타 鼓鼓 gǔgǔ; 鼓鼓囊囊 gǔgunāngnāng = 볼록대다 **볼록-볼록** 부하자타

볼록 거울 【物】凸镜 tūjìng; 凸面镜 tūmiànjìng

볼록 렌즈(—lens) 【物】凸透镜 tūtòujìng; 放大镜 fàngdàjìng

볼륨(volume) 명 **1** 体积 tǐjī; 体积感 tǐjīgǎn ¶머리에 ~을 주다 让头发有体积 **2** 音量 yīnliàng; 响度 xiǎngdù ¶~을 줄이다 降低音量 / ~을 높이다 提高音量 **3** = 성량 **4** 【美】量感 liànggǎn

볼링(bowling) 명 【體】保龄球 bǎolíngqiú ¶~공 保龄球 / ~장 保龄球场 =[保龄球馆]

볼만-하다 형 值得一看 zhídé yīkàn; 可观 kěguān; 可看 kěkàn ¶볼만한 영화 值得一看的电影

볼-메다 형 赌气 dǔqì; 气呼呼 qìhūhū; 气鼓鼓 qìgǔgǔ; 气哼哼 qìhēnghēng

볼멘-소리 명 赌气的话 dǔqìde huà; 生气的口吻 shēngqìde kǒuwěn

볼모 명 **1** 低押品 dīyāpǐn **2** 人质 rénzhì = 인질2 ¶~를 잡다 扣留人质

볼-썽 명 外貌 wàimào; 外表 wàibiǎo; 样子 yàngzi

볼썽-사납다 형 (外表) 难看 nánkàn; 不体面 bùtǐmiàn

볼:-일 명 **1** 事(儿) shì(r); 要做的事 yào zuòde shì; 要办的事 yào bànde shì = 용건 · 용무 ¶~을 처리하다 办好要办的事 / ~이 있어서 잠깐 나갔다 오겠습니다 我有事要出去一下 **2** 解手 jiěshǒu; 上一号 shàngyīhào

볼트(bolt) 명 【工】螺栓 luóshuān = 수나사

볼트(volt) 의명 【物】伏特 fútè; 伏打 fúdǎ; 伏 fú

볼-펜(ball pen) 명 圆珠笔 yuánzhūbǐ; 原子笔 yuánzǐbǐ

볼-품 명 外观 wàiguān; 外貌 wàimào; 样子 yàngzi; 外表 wàibiǎo; 看头儿 kàntour

볼품-없다 형 粗陋 cūlòu; 没样子 méi yàngzi; 其貌不扬 qímàobùyáng; 不成样子 bùchéng yàngzi; 没有看头儿 méiyǒu kàntour ¶이 구두는 정말 ~ 这双鞋实在没有什么看头儿 **볼품없-이** 부

봄 명 春天 chūntiān; 春 chūn; 春季 chūnjì ¶~갈이 春耕 / ~기운 春色 / ~나들이 春游 / ~날 春天 / ~볕 春光 / ~방학 春假 / ~비 春雨 / ~눈 春雪 / ~옷 春装 / ~철 春天

봄-맞이 명하자 迎春 yíngchūn ¶~대청소 迎春大扫除

봄-바람 명 春风 chūnfēng = 동풍2 · 춘풍 ¶~이 솔솔 불다 春风习习

봇-물(洑—) 명 水池里的水 shuǐchílide shuǐ; 蓄水池的水 xùshuǐchíde shuǐ = 보(洑)2

봇-짐(褓—) 명 包袱 bāofu; 包裹 bāoguǒ; 小行李 xiǎoxíngli

봉(封) 명 **1** 纸包 zhǐbāo **2** 袋(儿) dài(r); 包 bāo; 封 fēng ¶가루약 세 ~ 三袋面儿药

봉(棒) 명 **1** 棍 gùn; 棍子 gùnzi; 棒子 bàngzi; 棒 bàng **2** 【體】棍棒 gùnbàng; 杆(儿) gān(r); 杆子 gānzi

봉:(鳳) 명 **1** = 봉황 **2** 凤 fèng **3** 冤大头 yuāndàtóu; 大头 dàtóu ¶~으로 삼다 拿大头

봉건(封建) 명 【史】封建 fēngjiàn ¶~국가 封建国家 / ~사상 封建思想 / ~사회 封建社会 / ~ 시대 封建时代 / ~제도 封建制度 / ~주의 封建主义

봉건-적(封建的) 관명 有封建性(的) yǒufēngjiànxìng(de); 封建(的) fēngjiàn(de) ¶~ 통치 사상 封建的统治思想

봉:급(俸給) 명 工资 gōngzī; 薪水 xīnshui; 薪金 xīnjīn; 工薪 gōngxīn; 工钱 gōngqian; 薪资 xīnzī; 薪俸 xīnfèng; 薪 xīn ¶~날 发薪日 / ~을 주다 发薪水 / ~을 받다 受工资

봉:급생활-자(俸給生活者) 명 工薪族

gōngxīnzú; 工薪阶层 gōngxīn jiēcéng = 샐러리맨

봉급-쟁이(俸給—) 명 '봉급생활자' 的鄙称

봉긋 부하형 冒尖(儿) màojiān(r); 满满(的) mǎnmǎn(de); 鼓鼓(的) gǔgǔ(de) ¶ 밥을 공기에 ~하게 담았다 碗里的饭盛得冒尖儿了

봉기(蜂起) 명하자 蜂起 fēngqǐ; 起义 qǐyì; 群起 qúnqǐ ¶농민 ~가 발생하다 农民起义发生

봉:독(奉讀) 명하타 奉读 fèngdú; 拜读 bàidú; 敬读 jìngdú ¶성경을 ~하다 奉读圣经

봉변(逢變) 명하자 骚扰 sāorǎo; 遭殃 zāoyāng ¶지하철에서 ~을 당하다 在地铁上遭骚扰

봉분(封墳) 명하자 坟堆 fénduī; 坟包 fénbāo; 坟丘 fénqiū

봉:사 명 盲人 mángrén

봉:사(奉仕) 명하자 服务 fúwù; 效力 xiàolì; 贡献 gòngxiàn; 奉献 fèngxiàn ¶~ 정신 奉献精神 / ~료 服务费 / 자원~ 义务服务 / ~자 服务人员 / 사회 ~ 활동 社区服务活动 / 국민을 위해 ~하다 为国民服务

봉:선-화(鳳仙花) 명 〖植〗 凤仙花 fèngxiānhuā; 指甲花 zhǐjiahuā; 小桃红 xiǎotáohóng = 봉숭아

봉송(奉送) 명하타 奉送 fèngsòng; 运送 yùnsòng; 拖运 tuōyùn; 传递 chuándì ¶성화를 ~하다 传递圣火

봉쇄(封鎖) 명하타 封锁 fēngsuǒ; 围堵 wéidǔ; 封闭 fēngbì ¶모든 출입구를 ~하다 封闭所有出入口

봉:숭아 명 〖植〗 = 봉선화

봉:안(奉安) 명하타 安置 ānzhì; 供奉 gōngfèng ¶위패를 ~하다 供奉牌位

봉:양(奉養) 명하타 侍奉 shìfèng; 奉养 fèngyǎng; 侍养 shìyǎng; 供养 gōngyǎng ¶시부모님을 ~하다 侍奉公婆

봉오리 명 〖植〗 = 꽃봉오리

봉우리 명 = 산봉우리

봉인(封印) 명하자 封印 fēngyìn ¶~한 편지 봉투 封印的信封

봉제(縫製) 명하타 缝制 féngzhì; 缝纫 féngrèn ¶~ 인형 缝制娃娃 / ~완구 缝制玩具 / ~ 공장 缝纫厂 / ~품 缝制品

봉지(封紙) 명 **1** 袋子 dàizi; 袋(儿) dài(r) ¶비닐~ 塑料袋 / 쓰레기 ~ 垃圾袋 / 사과를 ~에 담다 把苹果装到袋子里 **2** 包(儿) bāo(r); 封 fēng; 袋(儿) dài(r) ¶라면 한 ~ 一包方便面 / 사탕 두 ~ 两包糖果

봉착(逢着) 명하자 碰到 pèngdào; 遭遇 zāoyù; 遭到 zāodào; 遇到 yùdào; 碰上 pèngshàng; 逢遇 féngyù ¶난관에 ~하다 遭遇关难 / 위기에 ~하다 遭到危机 / 돌발적인 사건에 ~하다 碰上突发事件

봉창(封窓) 명하타 **1** 封窗户 fēng chuānghù **2** 〖建〗 小纸窗 xiǎozhǐchuāng

봉:축(奉祝) 명하타 庆祝 qìngzhù; 庆贺 qìnghè ¶부처님 오신 날 ~ 행사 佛诞节庆祝大会

봉투(封套) 명 封套 fēngtào; 信封 xìnfēng; 袋 dài ¶서류 ~ 文件袋 / 편지 ~ 信封 / 월급~ 工资袋 / 종이~ 纸袋

봉-하다[1](封—) 타 **1** (把物体) 封 fēng; 封闭 fēngbì; 密封 mìfēng; 封口 fēngkǒu ¶병 아가리를 ~ 封瓶口 **2** 闭嘴 bìzuǐ; 闭口 bìkǒu; 封口 fēngkǒu ¶입을 봉하고 아무것도 말하지 않다 封口什么都不说 **3** 盖土 gàitǔ; 堆土 duītǔ

봉-하다[2](封—) 타 (帝王) 加封 jiāfēng; 封 fēng; 分封 fēnfēng; 封爵 fēngjué; 册封 cèfēng; 封拜 fēngbài ¶그를 세자로 ~ 封他为太子

봉함(封緘) 명하타 封缄 fēngjiān ¶~엽서 封缄信片

봉합(封合) 명하타 封合 fēnghé

봉합(縫合) 명하타 〖醫〗 缝合 fénghé ¶상처를 ~하다 缝合伤口

봉:헌(奉獻) 명하타 奉献 fèngxiàn ¶~기도 奉献祈祷

봉화(烽火) 명 〖史〗 烽火 fēnghuǒ; 烽烟 fēngyān ¶~대 烽火台

봉:황(鳳凰) 명 凤凰 fènghuáng; 凤 fèng = 봉(鳳)1 · 봉황새

봉:황-새(鳳凰—) 명 = 봉황

봐:-주다 타 '보아주다' 的略词

뵈:다 타 看望 kànwàng; 拜见 bàijiàn; 见到 jiàndào; 拜访 bàifǎng; 谒见 yèjiàn ¶여러분을 뵈니 아주 기쁩니다 看望大家, 我很高兴 / 선생님을 뵈러 오다 来拜见老师

뵙:다 타 看望 kànwàng; 拜见 bàijiàn; 见到 jiàndào; 拜访 bàifǎng; 谒见 yèjiàn ¶장인어른을 ~ 拜见岳父大人 / 뵙게 되어 영광입니다 很高兴见到你

부(部) 一명 部 bù ¶각 ~의 장관들 各部部长 二의명 **1** 幕 mù ¶콘서트 제1~가 곧 끝난다 演唱会第一幕即将结束 **2** 份 fèn; 册 cè; 部 bù; 本 běn ¶소설 십여 ~ 十多部小说

부:(富) 명 财富 cáifù ¶~를 축적하다 积累财富

부-(不) 접두 不 bù ¶~도덕 不道德 / ~자유 不自由 / ~적절 不妥当

부:-(副) 접두 副 fù ¶~사장 副经理 / ~교수 副教授 / ~회장 副董事长 / ~반장 副班长 / ~국장 副局长 / ~시장 副市长

-부(附) 접미 **1** 起 qǐ; 从…起 cóng…

qǐ ¶나는 오늘~로 정식 당원이 되었다 从今天起我是一名党员 **2** 有 yǒu ¶조건~ 有条件的 / 시한~ 有时间限制的

부:가(附加) 명하타 附加 fùjiā; 增加 zēngjiā; 增 zēng ¶~세 附加税 / ~ 기능 附加功能 / ~ 가치 附加价值

부각 명 油炸海带 yóuzhá hǎidài

부각(浮刻) 명하자타 **1** 刻画 kèhuà; 凸现 tūxiàn ¶이미지를 ~하다 形象刻画 **2** 出现 chūxiàn; 露出 lòuchū; 显出 xiǎnchū; 抬头 táitóu; 成为 chéngwéi ¶그의 정치상의 업적과 재능이 비로소 ~되다 才显出他的政绩和才能 **3** 〖美〗 = 돋을새김

부:강(富强) 명하형 富强 fùqiáng ¶~한 나라가 되다 成为富强的国家

부:검(剖檢) 명하타 剖检 pōujiǎn; 检尸 jiǎnshī; 验尸 yànshī ¶사체를 ~하다 剖检尸体

부:결(否決) 명하타 否决 fǒujué ¶이번 방안은 ~되었다 这次方案被否决了

부계(父系) 명 父系 fùxì; 父辈 fùbèi ¶~ 사회 父系社会 / ~ 가족 父系家族

부:고(訃告) 명하타 讣告 fùgào; 讣文 fùwén; 讣闻 fùwén; 丧 sāng ¶~를 내다 发丧 / ~를 받다 接到讣告

부:과(賦課) 명하타 **1** 赋 fù; 课 kè ¶수입품에 세금을 ~하다 对进口品课税 **2** 委 wěi; 交给 jiāogěi ¶그에게 중임을 ~하다 委他重任

부:관(副官) 명 〖軍〗 副官 fùguān

부교(浮橋) 명 浮桥 fúqiáo

부:국(富國) 명 富国 fùguó ¶~강병 富国强兵

부군(夫君) 명 夫君 fūjūn

부군(府君) 명 府君 fǔjūn

부권(父權) 명 父权 fùquán

부:귀(富貴) 명하형 富贵 fùguì ¶~공명 富贵功名 / ~영화 富贵荣华 =[荣华富贵]

부:근(附近) 명 附近 fùjìn; 近前 jìnqián; 近旁 jìnpáng; 近处 jìnchù ¶우리 집 ~ 我家附近 / 공항 ~의 마을 机场附近的村庄

부글-거리다 자 **1** (液体) 咕嘟咕嘟地沸腾 gūdūgūdūde fèiténg; 滚沸 gǔnfèi **2** (心里) 忐忑不安 tǎntèbù'ān; 沸扬 fèiyáng ¶속이 ~ 心情沸扬 ‖ = 부글대다 **부글-부글** 부하자

부:금(賦金) 명 分期付款 fēnqī fùkuǎn ¶보험 ~ 保险分期付款

부기(浮氣) 명 〖醫〗 浮肿 fúzhǒng; 肿 zhǒng; 肿胀 zhǒngzhàng ¶얼굴에 ~가 있다 脸上浮肿 / ~를 빼다 消除浮肿

부:기(簿記) 명 〖經〗 簿记 bùjì

부끄러움 명 羞耻 xiūchǐ; 害羞 hàixiū; 害臊 hàisào; 惭愧 cánkuì ¶~을 모르다 不知羞耻 / ~을 느끼다 感到羞耻 / 그녀는 ~을 잘 탄다 她好害羞

부끄러워-하다 一자 害羞 hàixiū; 害臊 hàisào; 怕臊 pàsào; 怕羞 pàxiū; 羞怯 xiūqiè; 羞臊 xiūsào ¶이 아이는 낯선 사람을 보면 부끄러워한다 这孩子一见生人就害羞 二타 (为某事) 感到羞耻 gǎndào xiūchǐ; 害羞 hàixiū; 惭愧 cánkuì; 羞惭 xiūcán ¶가난을 ~ 为贫穷感到羞耻

부끄럽다 형 **1** 惭愧 cánkuì; 羞耻 xiūchǐ; 丢脸 diūliǎn; 寒碜 hánchen; 羞愧 xiūkuì; 不好意思 bùhǎoyìsi; 愧心 kuìxīn ¶나를 부끄럽게 만들지 마라 不要给我丢脸 **2** 害羞 hàixiū; 害臊 hàisào; 怕臊 pàsào; 怕羞 pàxiū; 羞 xiū ¶그녀는 부끄러워서 얼굴이 새빨개졌다 她羞得满脸通红

부녀(父女) 명 父女 fùnǚ

부녀(婦女) 명 = 부녀자 ¶~회 妇女会

부녀-자(婦女子) 명 妇女 fùnǚ; 女性 nǚxìng = 부녀(婦女)

부:농(富農) 명 富农 fùnóng

부닥-치다 자 **1** 撞 zhuàng; 碰 pèng; 撞击 zhuàngjī; 冲击 chōngjī; 冲撞 chōngzhuàng; 撞上 zhuàngshàng; 碰上 pèngshàng ¶배가 빙산에 ~ 轮船撞上冰山 **2** 面临 miànlín; 遇到 yùdào; 碰到 pèngdào; 遭遇 zāoyù ¶난관에 ~ 面临难关

부단-하다(不斷—) 형 不断 bùduàn; 不懈 bùxiè; 不歇 bùxiē ¶부단한 노력 不懈的努力 **부단-히** 부 ¶~ 노력하다 不懈地努力

부:담(負擔) 명하타 负担 fùdān; 担负 dānfù; 拖累 tuōlèi ¶~감 负担感 / ~금 负担款 / ~이 없다 没有负担 / ~을 덜다 减轻负担 / 비용을 ~하다 负担费用 / 심리적인 ~이 매우 크다 心理负担很大

부:담-스럽다(負擔—) 형 感到负担 gǎndào fùdān; 为难 wéinán; 有负担 yǒu fùdān; 不舒服 bùshūfu; 有压力 yǒu yālì; 不轻松 bùqīngsōng ¶이 임무는 아주 ~ 这个任务很不轻松 / 부담스러워하지 마라! 你不要有负担! **부:담스레** 부

부당(不當) 명하형히부 不当 bùdàng; 不妥 bùtuǒ; 不正当 bùzhèngdàng; 不妥当 bùtuǒdang; 不合理 bùhélǐ ¶~한 판결 不当判决 / ~ 행위 不当行为 / ~ 해고 不正当解雇 / ~한 이익을 꾀하다 谋取不正当利益

부:대(附帶) 명하타 附带 fùdài; 附加 fùjiā ¶~조건 附带条件 / ~ 비용 附带费用 / ~시설 附带设施

부:대(負袋) 명 袋子 dàizi; 包 bāo; 袋(儿) dài(r) = 포(包)·포대(包袋) ¶밀가루 ~ 面粉袋

부대(部隊) 명 1 〖軍〗 部队 bùduì ¶포병 ~ 炮兵部队 2 队 duì; 团 tuán; 队伍 duìwu ¶응원 ~ 拉拉队

부대끼다 자 1 被折磨 bèi zhémó; 被折腾 bèi zhēteng; 受苦 shòukǔ ¶생활에 ~ 受生活之苦 / 아이들에게 ~ 被孩子折腾 2 消化不良 xiāohuà bùliáng; 不舒服 bùshūfu

부대-장(部隊長) 명 〖軍〗 部队长 bùduìzhǎng; 部队首长 bùduì shǒuzhǎng

부대-찌개(部隊—) 명 部队汤 bùduìtāng; 火腿汤 huǒtuǐtāng

부덕(不德) 명하형 无德 wúdé; 无修养 wúxiūyǎng ¶~의 소치 无德所致

부도(不渡) 명 〖經〗 拒绝兑付 jùjué duìfù; 拒付 jùfù

부:도(附圖) 명 附图 fùtú; 附表 fùbiǎo ¶지리~ 地理附图

부도-나다(不渡—) 자 拒付 jùfù; 倒闭 dǎobì; 破产 pòchǎn ¶부도난 회사 倒闭的企业

부도-내다(不渡—) 타 拒付 jùfù; 倒闭 dǎobì; 破产 pòchǎn

부동(不動) 명하자 1 不动 bùdòng; 固定 gùdìng; 静止 jìngzhǐ ¶~자세 固定姿势 2 不动摇 bùdòngyáo; 坚定 jiāndìng; 坚持 jiānchí ¶~의 신념 坚定的信念

부동(浮動) 명하자 1 浮动 fúdòng; 浮游 fúyóu 2 流动 liúdòng; 浮动 fúdòng ¶~ 인구 流动人口 / ~ 자금 浮动资金

부동-산(不動産) 명 〖法〗 不动产 bùdòngchǎn; 房地产 fángdìchǎn; 恒产 héngchǎn; 房产 fángchǎn ¶~ 투자 不动产投资 / ~ 투기 房地产投机 / ~업 房地产业 / ~ 소득 房地产收入

부동-액(不凍液) 명 〖化〗 防冻液 fángdòngyè

부동-표(浮動票) 명 浮动选票 fúdòng xuǎnpiào; 不定选票 bùdìng xuǎnpiào; 浮动票 fúdòngpiào

부동-항(不凍港) 명 〖地理〗 不冻港 bùdònggǎng

부두(埠頭) 명 码头 mǎtou; 埠头 bùtóu; 船埠 chuánbù

부둣-가(埠頭—) 명 码头边 mǎtoubiān; 码头附近 mǎtou fùjìn

부둥켜-안다 타 (紧紧地) 抱住 bàozhù; 拥抱 yōngbào; 紧抱 jǐnbào; 搂住 lǒuzhù; 搂抱 lǒubào ¶서로 부둥켜안고 입을 맞추다 相互搂抱亲吻

부드럽다 형 1 (表面) 柔软 róuruǎn; 柔和 róuhé; 柔嫩 róunèn; 柔腻 róunì; 柔润 róurùn; 柔滑 róuhuá; 细嫩 xìnèn; 细腻 xìnì; 软乎乎 ruǎnhūhū ¶부드러운 옷감 柔软的布料 2 (性格、态度、声音) 温柔 wēnróu; 柔顺 róushùn; 温厚 wēnhòu; 文静 wénjìng; 温暖 wēnnuǎn; 委婉 wěiwǎn; 和蔼 hé'ǎi; 柔和 róuhé ¶부드러운 마음씨 温厚的心底 / 말씨가 ~ 话语温柔

부득-부득 부하자 执拗 zhíniù; 执着 zhízhuó; 固执 gùzhi; 执意 zhíyì; 坚意 jiānyì ¶~ 우기다 执意坚持

부득불(不得不) 부 不得不 bùdébù; 只好 zhǐhǎo; 只得 zhǐdé; 无奈 wúnài; 无可奈何 wúkěnàihé; 无奈何 wúnàihé ¶~ 사직하게 되었다 不得不辞职了

부득이(不得已) 부하형 不得已 bùdéyǐ; 无可奈何 wúkěnàihé; 无奈 wúnài; 迫不得已 pòbùdéyǐ ¶~한 상황 不得已的情况

부들 명 〖植〗 香蒲 xiāngpú

부들-거리다 자타 哆嗦 duōsuo; 战抖 zhàndǒu; 颤抖 chàndǒu; 战栗 zhànlì = 부들대다 **부들-부들** 부하자타

부등-식(不等式) 명 〖數〗 不等式 bùděngshì

부등-호(不等號) 명 〖數〗 不等号 bùděnghào

부:디 부 千万 qiānwàn; 务必 wùbì; 一定 yīdìng; 切切 qièqiè; 但愿 dànyuàn; 切 qiè ¶~ 몸조심하세요 请务必注意身体 / ~ 빨리 돌아오시기 바랍니다 但愿你能早日回来

부딪다 자타 1 碰 pèng; 冲击 chōngjī; 碰撞 pèngzhuàng; 冲撞 chōngzhuàng; 碰到 pèngdào; 撞 zhuàng; 撞击 zhuàngjī; 触动 chùdòng 2 面临 miànlín; 遇到 yùdào; 碰到 pèngdào; 遭遇 zāoyù

부딪-치다 자타 1 '부딪다' 的强调语 2 (和别人) 碰 pèng; 碰见 pèngjiàn; 撞见 zhuàngjiàn 3 顶撞 dǐngzhuàng; 抵触 dǐchù ¶부모와 ~ 和父母顶撞 4 见 jiàn; 见面 jiànmiàn; 对面 duìmiàn

부딪-히다 자 '부딪다' 的被动词 ¶냉혹한 현실에 ~ 面临冷酷的现实

부뚜막 명 锅台 guōtái; 灶头 zàotou; 炉台 lútái

부라리다 타 瞪 dèng; 睁大 zhēngdà ¶눈을 부라리며 대들다 瞪着眼睛顶嘴

부락(部落) 명 村落 cūnluò; 部落 bùluò; 村子 cūnzi; 村庄 cūnzhuāng; 聚落 jùluò

부랑(浮浪) 명하자 浮浪 fúlàng; 流浪 liúlàng; 浪荡 làngdàng; 流荡 liúdàng; 漂游 piāoyóu; 漂流 piāoliú ¶~자 流浪者

부랴-부랴 부 急忙 jímáng; 急急忙忙 jíjimángmáng; 匆忙 cōngmáng; 匆匆忙忙 cōngcongmángmáng; 紧急 jǐnjí ¶~ 병원으로 가다 急急忙忙赶到医院 / 회

의가 끝나자마자 그는 ~ 떠났다 会议一结束, 他匆匆忙忙就走

부러-뜨리다 타 打断 dǎduàn; 折 zhé; 折断 zhéduàn; 撅断 juēduàn; 弄断 nòngduàn; 攀折 pānzhé; 摧折 cuīzhé ¶ 누가 내 연필을 부러뜨렸느냐? 谁弄断了我的铅笔?

부러워-하다 타 羡慕 xiànmù ¶ 사람들이 부러워하는 직업 令人羡慕的职业

부러-지다 자 1 断 duàn; 折 zhé; 折断 zhéduàn ¶ 나뭇가지가 강풍에 부러졌다 树枝被大风折断了 2 断然 duànrán; 坚决 jiānjué; 清楚 qīngchu; 明显 míngxiǎn ¶ 우물거리지 말고 딱 부러지게 말해라 你不要吞吞吐吐, 就说得清楚吧

부럽다 형 羡慕 xiànmù ¶ 나는 그가 정말 ~ 我真羡慕他

부레 명 1 〖魚〗鳔 biào; 鱼鳔 yúbiào; 鱼白 yúbái 2 = 부레풀

부레-풀 명 鱼胶 yújiāo; 鳔胶 biàojiāo = 부레2 · 어교

부력(浮力) 명 〖物〗浮力 fúlì

부:록(附錄) 명 1 附录 fùlù; 附页 fùyè; 附载 fùzǎi 2 (刊物的) 附录 fùlù; 附册 fùcè; 附刊 fùkān ¶ 별책 ~ 附录分册

부루퉁-하다 형 气呼呼 qìhūhū; 气鼓鼓 qìgǔgǔ; 闹性子 nào xìngzi **부루퉁-히** 부

부류(部類) 명 部类 bùlèi; 种类 zhǒnglèi; 类 lèi; 类型 lèixíng; 种 zhǒng ¶ 같은 ~에 속하다 属于同类 / 나는 이런 ~의 남자를 제일 싫어한다 我最讨厌这种男人

부르다[1] 타 1 叫 jiào; 呼 hū; 唤 huàn; 喊 hǎn; 呼叫 hūjiào; 招呼 zhāohu; 呼喊 hūhǎn; 呼唤 hūhuàn ¶ 그를 큰 소리로 ~ 大声叫他 2 点 diǎn; 叫 jiào ¶ 출석을 ~ 点名 3 唱 chàng ¶ 노래를 ~ 唱歌 4 (价格) 要 yào; 开 kāi; 讨 tǎo; 喊 hǎn; 叫 jiào ¶ 값을 너무 높게 ~ 讨价太高 5 叫唤 jiàohuan; 喊 hǎn; 呼唤 hūhuàn ¶ 만세를 ~ 喊万岁 6 召唤 zhàohuàn; 呼唤 hūhuàn ¶ 조국이 우리를 부르고 있다 祖国在呼唤我们 7 (情况) 招 zhāo; 招来 zhāolái ¶ 화를 ~ 招祸 8 请 qǐng; 邀请 yāoqǐng; 聘请 pìnqǐng; 约 yuē ¶ 의사를 ~ 请医生 / 손님을 ~ 请客 9 称为 chēngwéi; 叫做 jiàozuò; 称 chēng; 称做 chēngzuò; 谓 wèi; 叫 jiào ¶ 나는 그를 삼촌이라고 부른다 我叫他叔叔

부르다[2] 형 1 饱 bǎo ¶ 배가 심하게 ~ 肚子饱得不得了 2 鼓 gǔ; 胀 zhàng

부르르 부하자 1 哆哆嗦嗦 duōduosuōsuō; 哆嗦嗦 duōsuōsuō ¶ 온몸이 ~ 떨리다 全身哆哆嗦嗦地发抖 2 (火) 呼呼 hūhū 3 咕嘟咕嘟 gūdūgūdū; 咕噜咕噜 gūlūgūlū; 噗噜噜 pūlūlū; 啵啵 bōbō 4 (气) 冲冲 chōngchōng

부르릉 부 隆隆 lónglóng; 轰隆 hōnglóng; 咚咚 dōngdōng; 咕隆 gūlōng ¶ 차가 ~ 시동을 걸다 车子隆隆发动了

부르릉-거리다 자타 隆隆响 lónglóng xiǎng; 咚咚响 dōngdōng xiǎng = 부르릉대다 **부르릉-부르릉** 부하자타

부르주아(프bourgeois) 명 1 〖社〗资产阶级分子 zīchǎn jiējí fènzǐ; 资本家 zīběnjiā; 有产者 yǒuchǎnzhě; 布尔乔亚 bù'ěrqiáoyà 2 '부자(富者)'的俗称

부르-짖다 자타 1 大声大叫 dàshēngdàjiào; 大声疾呼 dàshēngjíhū; 呼叫 hūjiào; 喊叫 hǎnjiào; 叫喊 jiàohǎn; 高呼 gāohū; 呼吁 hūyù; 呼喊 hūhǎn; 嚷 rǎng ¶ 구호를 ~ 呼叫口号 2 诉说 sùshuō; 呼号 hūhào; 主张 zhǔzhāng; 宣扬 xuānyáng; 述说 shùshuō ¶ 애국심을 ~ 宣扬爱国精神

부르트다 자 起泡 qǐpào; 打泡 dǎpào ¶ 입이 부르트도록 말하다 说得嘴角起泡

부름 명 召 zhào; 传唤 chuánhuàn; 召唤 zhàohuàn; 号召 hàozhào; 应召 yìngzhào

부릅뜨다 타 瞪 dèng; 圆睁 yuánzhēng ¶ 눈을 부릅뜨고 보지 마라 你甭跟我瞪眼睛

부리 명 1 (鸟兽的) 嘴 zuǐ; 喙 huì; 鸟嘴 niǎozuǐ ¶ 새가 ~로 사람을 쪼다 鸟用嘴啄人 2 (物体的) 头(儿) tóu(r); 尖(儿) jiān(r); 尖端 jiānduān 3 (器物的) 口(儿) kǒu(r); 嘴(儿) zuǐ(r) ¶ 주전자 ~ 水壶嘴

부리나케 부 急急忙忙 jíjimángmáng; 急忙 jímáng; 火速 huǒsù; 快速 kuàisù; 急速 jísù ¶ 숙제를 마치자 ~ 달려갔다 做完作业急忙跑去

부리다[1] 타 1 使 shǐ; 使役 shǐyì; 驱使 qūshǐ; 劳役 láoyì; 使唤 shǐhuan; 役使 yìshǐ; 驱遣 qūqiǎn; 役 yì ¶ 하인을 ~ 使唤下人 / 종처럼 그를 부려 먹다 像奴仆般地驱使他 2 驾御 jiàyù; 操纵 cāozòng; 驾驶 jiàshǐ ¶ 기계를 ~ 操纵机器 3 卸 xiè; 卸下 xièxià ¶ 짐을 ~ 卸货

부리다[2] 타 1 玩 wán; 玩弄 wánnòng; 耍弄 shuǎnòng; 施展 shīzhǎn; 显 xiǎn; 表现 biǎoxiàn; 耍 shuǎ ¶ 수작을 ~ 玩手段 2 闹 nào; 弄 nòng; 撒 sā; 惹起 rěqǐ ¶ 성질을 ~ 闹脾气 / 애교를 ~ 撒娇

부리-부리 명하형 又大又圆 yòu dà yòu yuán; 炯炯有神 jiǒngjiǒngyǒushén ¶ 그는 눈이 ~하다 他的眼睛又大又圆

부:마(駙馬) 명 驸马 fùmǎ; 国婿 guóxù

부메랑(boomerang) 명 飞镖 fēibiāo ¶～ 효과 飞镖效能

부모(父母) 명 父母 fùmǔ; 爹妈 diēmā; 爹娘 diēniáng; 二老 èrlǎo ¶양가 ～ 两家父母 / ～를 공경하다 恭敬父母

부모-님(父母—) 명 '부모' 的敬词

부:목(副木) 명 〖醫〗 夹板 jiābǎn ¶～을 대다 上夹板

부문(部門) 명 部门 bùmén; 方面 fāngmiàn; 部分 bùfen; 门 mén

부:본(副本) 명 副本 fùběn

부부(夫婦) 명 夫妻 fūqī; 夫妇 fūfù; 两口子 liǎngkǒuzi; 一对儿 yīduìr; 鸾凤 luánfèng = 내외[2] ¶～ 관계 夫妻关系 / ～ 싸움 夫妻吵架 / 맞벌이 ～ 双职工夫妇 / ～애 夫妻之爱

부부-간(夫婦間) 명 = 내외간2

부분(部分) 명 部分 bùfen; 局部 júbù; 环节 huánjié; 地方 dìfang; 片段 piànduàn; 份 fèn ¶～ 조명 局部照明 / 이 말에는 틀린 ～이 있다 这话有不对的地方

부분 월식(部分月蝕) 〖天〗 月偏食 yuèpiānshí

부분 일식(部分日蝕) 〖天〗 日偏食 rìpiānshí

부분-적(部分的) 관명 局部(的) júbù(de); 部分(的) bùfen(de); 片 piàn ¶～인 현상 部分现象 / ～으로 실행하다 部分实行

부:사(副詞) 명 〖語〗 副词 fùcí

부:사-어(副詞語) 명 〖語〗 状语 zhuàngyǔ

부산 명하형히부 乱 luàn; 忙乱 mángluàn; 手忙脚乱 shǒumángjiǎoluàn; 吵闹 chǎonào; 闹哄哄 nàohōnghōng; 乱哄哄 luànhōnghōng; 慌慌 huānghuang ¶모두들 ～을 떨며 불을 껐다 大家手忙脚乱地救火了

부:-산물(副産物) 명 副产品 fùchǎnpǐn; 副产物 fùchǎnwù

부-삽 명 火铲 huǒchǎn = 화삽

부:상(負傷) 명하자 伤 shāng; 负伤 fùshāng; 受伤 shòushāng; 挂彩 guàcǎi ¶～병 伤兵 / ～자 受伤者 / ～을 당해 피를 흘리다 负伤流血

부상(浮上) 명하자 1 浮上 fúshang; 上浮 shàngfú; 浮起来 fúqǐlái ¶잠수함이 ～하다 潜水艇上浮 2 飞跃 fēiyuè; 跃升 yuèshēng; 升高 shēnggāo ¶8위에서 2위로 ～하다 由第8位跃升到第2位

부:상(副賞) 명 附加奖品 fùjiā jiǎngpǐn; 附加奖 fùjiājiǎng; 附奖 fùjiǎng

부서(部署) 명 单位 dānwèi; 部门 bùmén; 科室 kēshì; 岗位 gǎngwèi; 机构 jīgòu ¶담당 ～ 责任单位

부서-지다 자 1 破 pò; 碎 suì; 破碎 pòsuì; 粉碎 fěnsuì; 被破坏 bèi pòhuài; 拆 chāi ¶의자가 부서졌다 椅子破坏了 2 破灭 pòmiè ¶희망이 ～ 希望破灭

부:설(附設) 명하타 附设 fùshè; 附属 fùshǔ; 配套 pèitào ¶학교에 기숙사를 ～하다 学校里附设宿舍

부:설(敷設) 명하타 敷设 fūshè; 铺设 pūshè; 架 jià; 修建 xiūjiàn ¶철도를 ～하다 铺设铁路

부성(父性) 명 父性 fùxìng

부성-애(父性愛) 명 父爱 fù'ài

부:속(附屬) 명하자 1 附属 fùshǔ; 挂靠 guàkào; 卫星 wèixīng ¶～물 附属物 / ～ 병원 附属医院 / ～ 건물 附属建筑物 / ～ 중학교 附属中学 / ～ 초등학교 附属小学 2 = 부속품 ¶자동차 ～ 汽车附件

부:속-품(附屬品) 명 附件 fùjiàn; 零件 língjiàn; 配件 pèijiàn = 부속2

부:수(附隨) 명하자타 附随 fùsuí; 伴随 bànsuí; 附带 fùdài ¶～하여 발생하는 부작용 伴随发生的副反应

부수(部首) 명 部首 bùshǒu

부수(部數) 명 部数 bùshù; 份数 fènshù; 册数 cèshù ¶발행 ～ 发行份数

부수다 타 打破 dǎpò; 毁 huǐ; 毁坏 huǐhuài; 砸碎 zásuì; 砸 zá; 拆 chāi; 碎 suì; 打碎 dǎsuì; 粉碎 fěnsuì; 破 pò; 损毁 sǔnhuǐ ¶흙덩이를 잘게 ～ 把土块细细打碎 / 집을 ～ 拆房子

부:-수입(副收入) 명 1 副收入 fùshōurù; 附加收入 fùjiā shōurù; 额外收入 éwài shōurù 2 外快 wàikuài; 外水 wàishuǐ; 外财 wàicái; 活钱(儿) huóqián(r)

부:수-적(附隨的) 관명 附随(的) fùsuí(de); 伴随(的) bànsuí(de); 附带(的) fùdài(de); 附加(的) fùjiā(de) ¶～ 서류 附随的文件 / ～ 조건 附带条件

부스러기 명 渣(儿) zhā(r); 碎屑 suìxiè; 碎渣 suìzhā; 渣滓 zhāzi; 渣子 zhāzi; 屑 xiè ¶빵 ～ 面包渣儿

부스러-뜨리다 타 碎 suì; 打碎 dǎsuì; 粉碎 fěnsuì; 弄碎 nòngsuì; 砸碎 zásuì ¶흙덩이를 ～ 打碎土块

부스러-지다 자 碎 suì; 被破碎 bèi pòsuì; 被打碎 bèi dǎsuì

부스럭 부하자타 沙沙 shāshā; 嘎嘎 gāgā; 沙拉 shālā

부스럭-거리다 자타 沙沙作响 shāshā zuòxiǎng; 沙沙地响 shāshāde xiǎng = 부스럭대다 ¶나뭇잎이 ～ 树叶沙沙地响 **부스럭-부스럭** 부하자타

부스럼 명 疮 chuāng; 疖子 jiēzi; 疔疮 dīngchuāng; 疙瘩 gēda ¶얼굴에 ～이 나다 脸上长疮

부스스 부하형 1 慢慢地 mànmànde;

轻轻地 qīngqīngde; 悄悄地 qiāoqiāode; 懒洋洋 lǎnyángyáng; 慢腾腾 mànténgténg ¶잠자리에서 ~ 일어나다 悄悄地起了床 **2** 乱蓬蓬 luànpéngpéng; 散乱 sànluàn; 蓬乱 péngluàn ¶~한 머리털 乱蓬蓬的头发 ‖ = 푸시시

부슬-부슬[1] 부하자 淅沥 xīlì; 淅淅沥沥 xīxīlìlì; 稀稀落落 xīxiluòluò; 纷纷地 fēnfēnde ¶봄비가 ~ 내리다 春雨淅沥

부슬-부슬[2] 부하형 酥酥地 sūsūde; 酥软地 sūruǎnde; 松散地 sōngsǎnde; 酥松 sūsōng; 簌簌地 sùsùde ¶옥토가 ~해지다 沃土变得酥松

부슬-비 명 细雨 xìyǔ; 小雨 xiǎoyǔ; 毛毛雨 máomáoyǔ; 蒙松雨 méngsōngyǔ ¶~가 내리다 下细雨

부시 명 火镰 huǒlián; 燧 suì; 火刀 huǒdāo

부시다[1] 타 洗 xǐ; 涮 shuàn ¶밥그릇을 ~ 洗饭碗

부시다[2] 형 晃 huǎng; 耀 yào; 闪 shǎn; 炫目 xuànmù; 刺 cì; 照 zhào; 炫 xuàn ¶햇빛에 눈이 ~ 阳光耀眼

부시다[3] 자 '부수다' 的错误

부시럭 부 '부스럭' 的错误

부:식(副食) 명 = 부식물

부:식(腐植) 명하타 〖農〗 腐殖 fǔzhí ¶~토 腐殖土

부:식(腐蝕) 명하자타 〖化〗 腐蚀 fǔshí; 销蚀 xiāoshí; 锈蚀 xiùshí ¶하수도관이 ~되어 물이 샌다 下水管道腐蚀漏水了

부:-식물(副食物) 명 副食 fùshí; 副食品 fùshípǐn; 副食物 fùshíwù; 菜 cài = 부식(副食)

부:식-비(副食費) 명 副食费 fùshífèi; 菜金 càijīn

부:신(副腎) 명 〖生〗 肾上腺 shènshàngxiàn; 副肾 fùshèn ¶~ 피질 肾上腺皮质

부:-신경(副神經) 명 〖生〗 副神经 fùshénjīng ¶~ 마비 副神经麻痹

부실(不實) 명하형 **1** 不结实 bùjiēshi; 不健壮 bùjiànzhuàng; 不健全 bùjiànquán; 单薄 dānbó ¶몸이 ~하다 身子不结实 **2** 不充实 bùchōngshí; 不踏实 bùtāshi; 劣质 lièzhì; 亏损 kuīsǔn; 不善 bùshàn; 不良 bùliáng ¶~ 공사 劣质工程 / ~기업 亏损企业 / 일 처리가 ~하다 工作不踏实

부:심(副審) 명 〖體〗 副裁判 fùcáipàn

부:심(腐心) 명하자 焦心 jiāoxīn; 费心 fèixīn; 费尽心思 fèijìnxīnsī; 煞费苦心 shàfèikǔxīn

부싯-돌 명 燧石 suìshí; 火石 huǒshí; 打火石 dǎhuǒshí = 화석(火石)

부아 명 肝火 gānhuǒ; 火头 huǒtóu; 气愤 qìfèn; 恼怒 nǎonù; 怒气 nùqì; 怒火 nùhuǒ; 气 qì; 火 huǒ ¶~가 끓다 怒火燃烧 / ~를 돋우다 惹人生气

부양(扶養) 명하타 扶养 fúyǎng; 赡养 shànyǎng; 养活 yǎnghuó; 抚养 fǔyǎng; 养 yǎng ¶노모를 ~하다 赡养老母

부양(浮揚) 명하자타 **1** 悬浮 xuánfú; 上浮 shàngfú ¶공중 ~ 空中悬浮 **2** 刺激 cìjī; 重振 chóngzhèn; 振兴 zhènxīng; 复兴 fùxīng; 恢复 huīfù ¶~책 复兴策

부어-오르다 자 发肿 fāzhǒng; 肿起来 zhǒngqǐlái; 肿胀 zhǒngzhàng; 肿大 zhǒngdà ¶눈이 ~ 眼睛肿起来

부:업(副業) 명 副业 fùyè ¶농가 ~ 农家副业 / ~을 하다 搞副业

부엉-새 명 〖鳥〗 = 부엉이

부엉-이 명 〖鳥〗 鸱鸮 chīxiāo; 猫头鹰 māotóuyīng; 夜猫子 yèmāozi; 鸱鸺 chīxiū = 부엉새

부엌 명 厨房 chúfáng; 伙房 huǒfáng ¶~문 厨房门 / ~살림 厨房用具 / ~일 厨房劳动 / ~에서 요리를 하다 在厨房炒菜

부엌-데기 명 厨娘 chúniáng; 厨房丫头 chúfáng yātou; 做饭丫头 zuòfàn yātou

부엌-칼 명 = 식칼

부:여(附與) 명하타 赋 fù; 赋予 fùyǔ; 交给 jiāogěi; 给予 jǐyǔ ¶권리를 ~하다 赋予权利

부여-잡다 타 抓住 zhuāzhù; 揪住 jiūzhù ¶그의 팔을 ~ 抓住他的胳膊

부:역(賦役) 명하자 徭役 yáoyì; 劳役 láoyì; 差役 chāiyì; 公益劳动 gōngyì láodòng ¶~을 하다 服劳役

부:연(敷衍·敷演) 명하타 敷衍 fūyǎn; 敷演 fūyǎn; 敷陈 fūchén

부:옇다 형 灰蒙蒙 huīméngméng; 灰白 huībái; 灰暗 huī'àn; 乳白 rǔbái ¶부옇게 보이다 看上去灰蒙蒙的 / 하늘이 ~ 天空灰蒙蒙的

부:예-지다 자 变灰白 biàn huībái; 变得灰蒙蒙的 biànde huīméngméngde ¶색이 ~ 颜色变灰白

부왕(父王) 명 父王 fùwáng

부용(芙蓉) 명 **1** = 연꽃2 **2** 〖植〗 木芙蓉 mùfúróng; 芙蓉花 fúrónghuā

부원(部員) 명 部员 bùyuán; 成员 chéngyuán; 队员 duìyuán ¶신입 ~ 新来的队员

부위(部位) 명 部位 bùwèi; 部分 bùfen; 地方 dìfang ¶다친 ~ 受伤部位

부유(浮遊·浮游) 명하자타 浮游 fúyóu; 飘浮 piāofú; 漂浮 piāofú; 悬浮 xuánfú ¶~물 浮游物 / ~ 식물 浮游植物

부:유(富裕) 명하형 富裕 fùyù; 富有 fùyǒu; 富足 fùzú; 富饶 fùráo; 富实 fùshí; 富 fù; 丰裕 fēngyù; 殷实 yīnshí;

厚实 hòushi; 有钱 yǒuqián; 优裕 yōuyù; 厚 hòu; 宽松 kuānsōng; 宽 kuān ¶ ~한 가정 富裕之家 / ~한 사람 有钱的人 / ~층 富裕阶层

부:음(訃音) 명 讣闻 fùwén; 讣告 fùgào

부:응(副應) 명하자 顺应 shùnyìng; 不负 bùfù; 不辜负 bùgūfù ¶국민의 기대에 ~하다 顺应国民期待

부:의(賻儀) 명 赙仪 fùyí; 奠仪 diànyí ¶~금 赙仪金 / ~를 보내다 致送赙仪

부:익부(富益富) 명하자 富者愈富 fùzhěyùfù; 富者越富 fùzhěyuèfù ¶~ 빈익빈 富者愈富贫者愈贫

부인(夫人) 명 夫人 fūrén; 太太 tàitai

부:인(否認) 명하타 否认 fǒurèn; 否定 fǒudìng ¶범행 사실을 ~ 하다 否认犯罪事实

부인(婦人) 명 妇人 fùrén; 妇女 fùnǚ; 妇 fù ¶중년 ~ 中年妇人 / ~과 妇科 / ~병 妇女病 / ~복 妇女装

부:임(赴任) 명하자 赴任 fùrèn; 上任 shàngrèn; 到任 dàorèn; 到职 dàozhí ¶새로 ~한 관리 新到任的官吏

부:임-지(赴任地) 명 = 임지

부자(父子) 명 父子 fùzǐ ¶~ 관계 父子关系 / ~간 父子之间

부:자(富者) 명 有钱人 yǒuqiánrén; 富人 fùrén; 财主 cáizhǔ; 阔佬 kuòlǎo; 富翁 fùwēng; 财东 cáidōng

부자연-스럽다(不自然—) 형 不自然 bùzìrán; 尴尬 gāngà; 造作 zàozuò; 做作 zuòzuo; 别扭 bièniu; 生硬 shēngyìng; 怯场 qièchǎng ¶부자연스러운 태도 不自然的态度 **부자연스레** 부

부자유-스럽다(不自由—) 형 不自由 bùzìyóu; 不方便 bùfāngbiàn **부자유스레** 부

부자-유친(父子有親) 명하형 父子有亲 fùzǐyǒuqīn

부:-자재(副資材) 명 副资材 fùzīcái

부:-작용(副作用) 명 副作用 fùzuòyòng; 反效果 fǎnxiàoguǒ

부:잣-집(富者—) 명 富家 fùjiā; 富户 fùhù; 有钱人家 yǒuqián rénjiā

부장(部長) 명 部长 bùzhǎng

부재(不在) 명하자 不在 bùzài; 没有 méiyǒu

부재-자(不在者) 명 不在者 bùzàizhě; 不在场者 bùzàichǎngzhě

부재-중(不在中) 명 不在 bùzài; 不在时 bùzàishí; 不在期间 bùzài qījiān

부:적(符籍) 명〖民〗护身符 hùshēnfú; 符 fú; 符箓 fúlù

부-적격(不適格) 명하형 不合格 bùhégé ¶~자 不合格者

부적당-하다(不適當—) 형 不适当 bùshìdàng; 不合适 bùhéshì; 不合当 bùhédāng; 不妥 bùtuǒ; 不妥当 bùtuǒdang; 不适于 bùshìyú; 失宜 shīyí ¶이런 방법은 ~ 这种做法是不妥的

부-적응(不適應) 명하자 不适应 bùshìyìng

부적절-하다(不適切—) 형 不妥当 bùtuǒdang; 不适合 bùshìhé; 不恰当 bùqiàdàng ¶이 요구는 매우 ~ 这个要求很不恰当

부-적합(不適合) 명하형 不合适 bùhéshì; 不适合 bùshìhé; 不恰当 bùqiàdàng; 不适宜 bùshìyí

부전(不全) 명하형 不全 bùquán; 不完全 bùwánquán; 不齐 bùqí ¶발육 ~ 发育不全

부전-승(不戰勝) 명하자〖體〗不战而胜 bùzhàn'érshèng; 轮空 lúnkōng ¶~으로 결승에 오르다 不战而胜进入决赛

부전-자전(父傳子傳) 명하자 代代相传 dàidàixiāngchuán; 父传子承 fùchuánzǐchéng; 世代相传 shìdàixiāngchuán; 一辈传一辈 yībèi chuán yībèi

부-젓가락 명 火筷子 huǒkuàizi; 火箸 huǒzhù

부정(不正) 명하형 弊 bì; 不正当 bùzhèngdàng; 违法 wéifǎ; 非法 fēifǎ; 不正 bùzhèng ¶~ 선거 不正当选举 / ~투표 不正当投票 / ~한 수단 不正当手段 / ~을 저지르다 作弊

부정(不定) 명하형 不定 bùdìng; 不固定 bùgùdìng ¶~ 관사 不定冠词

부정(不貞) 명하형 不贞洁 bùzhēnjié; 不守贞洁 bùshǒu zhēnjié ¶~한 여자 不贞洁的女子 =[破鞋]

부정(父情) 명 父情 fùqíng

부정(不淨) 명하형히부 **1** 不净 bùjìng; 不洁 bùjié; 污秽 wūhuì **2** 不吉利 bùjílì

부:정(否定) 명하타 否 fǒu; 否定 fǒudìng; 否认 fǒurèn ¶~문 否定句 / ~할 수 없는 사실 无法否定的事实

부-정기(不定期) 명 不定期 bùdìngqī ¶~ 간행물 不定期刊物

부정-맥(不整脈) 명〖生〗促脉 cùmài; 不整脉 bùzhěngmài

부정-부패(不正腐敗) 명하자 贪污腐败 tānwū fǔbài

부:정-적(否定的) 관명 否定 fǒudìng; 消极 xiāojí; 反面 fǎnmiàn ¶~ 태도 否定态度

부정-행위(不正行爲) 명 作弊 zuòbì; 舞弊 wǔbì

부-정확(不正確) 명하형 不正确 bùzhèngquè; 不准确 bùzhǔnquè ¶내 기억은 ~하다 我的记忆不准确

부:제(副題) 명 副题 fùtí; 副标题 fùbiāotí; 小标题 xiǎobiāotí ¶~를 달다 加上副标题

부조(扶助) 명하타 **1** (送)份子 (sòng) fènzi; (送)份子钱 (sòng) fènziqián; 赙赠 fùzèng ¶결혼식 ~ 婚礼份子钱 **2** 扶助 fúzhù; 贴补 tiēbu; 帮助 bāngzhù; 接济 jiējì ¶난민을 ~ 하다 接济难民

부조(浮彫) 명하타 〖美〗 = 돋을새김

부조-금(扶助金) 명 赙仪金 fùyíjīn; 赙钱 fùqián; 赙金 fùjīn; 奠仪 diànyí; 奠金 diànjīn; 份子 fènzi; 份子钱 fènziqián = 부좃돈 ¶~을 보내다 送份子钱

부-조리(不條理) 명하형 不合理 bùhélǐ; 荒谬 huāngmiù; 非条理 fēitiáolǐ; 无条理 wútiáolǐ; 背理 bèilǐ; 悖理 bèilǐ ¶사회의 ~ 社会的不合理 / ~한 현실 不合理的现实

부-조화(不調和) 명하형 不调和 bùtiáohé; 不和谐 bùhéxié; 不协调 bùxiétiáo; 脱节 tuōjié

부족(不足) 명하형 不足 bùzú; 不够 bùgòu; 缺 quē; 缺少 quēshǎo; 缺乏 quēfá; 乏 fá; 亏 kuī; 亏欠 kuīqiàn; 亏短 kuīduǎn; 差 chà; 打不住 dǎbuzhù; 短 duǎn; 短少 duǎnshǎo; 短欠 duǎnqiàn; 欠少 qiànshǎo; 少 shǎo; 欠 qiàn; 欠缺 qiànquē; 浅 qiǎn; 紧张 jǐnzhāng; 紧缺 jǐnquē; 单弱 dānruò; 单薄 dānbó ¶경험이 ~하다 缺乏经验 / 아직 한 사람이 ~하다 还差一个人 / 용기가 ~하다 勇气不够

부족(部族) 명 部族 bùzú; 部落 bùluò ¶~ 국가 部族国家 / ~ 사회 部族社会

부족-분(不足分) 명 不足部分 bùzú bùfen; 短缺部分 duǎnquē bùfen ¶~을 채우다 补充不足部分

부좃-돈(扶助一) 명 = 부조금

부종(浮腫) 명 〖韓醫〗 浮肿 fúzhǒng; 水肿 shuǐzhǒng

부-주의(不注意) 명하형 不注意 bùzhùyì; 不小心 bùxiǎoxīn; 疏忽 shūhū; 粗心 cūxīn; 大意 dàyì; 粗心大意 cūxīndàyì; 不慎 bùshèn; 失神 shīshén ¶~로 생긴 사고 因不小心而造成的事故

부지(扶支·扶持) 명하타 维持 wéichí; 硬撑 yìngchēng; 苦苦坚持 kǔkǔ jiānchí; 支撑 zhīchēng ¶목숨을 ~하다 维持生命

부지(敷地) 명 地基 dìjī; 占地 zhàndì; 园地 yuándì; 用地 yòngdì; 宅基 zháijī; 地皮 dìpí ¶공장 ~ 工厂占地 / 건설 ~ 建筑用地

부지기수(不知其數) 명 不计其数 bùjìqíshù; 不胜枚举 bùshèngméijǔ; 不可胜数 bùkěshèngshù; 数不胜数 shǔbùshèngshǔ; 不知凡几 bùzhīfánjǐ; 不可胜计 bùkěshèngjì

부지깽이 명 烧火棍 shāohuǒgùn; 拨火棍 bōhuǒgùn

부지런 명하형히부 勤 qín; 勤奋 qínfèn; 勤勉 qínmiǎn; 勤快 qínkuai; 孜孜 zīzī; 勤谨 qínjǐn; 腿勤 tuǐqín; 勤劳 qínláo ¶~한 사람 勤快的人 / ~히 일하다 勤奋工作

부지불식-간(不知不識間) 명 不知不觉 bùzhībùjué; 无意之中 wúyìzhīzhōng; 不由自主 bùyóuzìzhǔ ¶많은 일들이 ~에 일어났다 很多事在不知不觉中发生了

부직-포(不織布) 명 〖手工〗 无纺织布 wúfǎngzhībù; 不织布 bùzhībù

부진(不振) 명하형 不振 bùzhèn; 不兴旺 bùxīngwàng; 不良 bùliáng; 不佳 bùjiā; 冷淡 lěngdàn; 不活跃 bùhuóyuè; 不景气 bùjǐngqì; 减色 jiǎnsè; 萎缩 wěisuō ¶발육 ~ 发育不良 / 성적 ~ 成绩不佳 / 식욕 ~ 食欲不振 / 사업이 ~하다 事业不景气 / 판매가 ~하다 销售冷淡

부질-없다 형 徒劳 túláo; 徒劳无益 túláowúyì; 毫无意义 háowúyìyì; 无益 wúyì; 无用 wúyòng; 多余 duōyú; 虚无缥缈 xūwúpiāomiǎo; 不足道 bùzúdào ¶부질없는 걱정 毫无意义的担心 **부질없-이** 부

부-집게 명 火钳 huǒqián; 火剪 huǒjiǎn

부쩍 부 猛地 měngde; 猛然 měngrán; 一下子 yīxiàzi; 剧 jù; 锐 ruì; 骤然 zhòurán; 不少 bùshǎo; 陡然 dǒurán ¶쌀값이 ~ 올랐다 米价猛地涨上去了 / 강물이 ~ 늘어났다 江水涨了不少 / 실력이 ~ 늘다 实力剧增

부:차(副次) 명 = 이차1

부:차-적(副次的) 관명 次要(的) cìyào(de) ¶~인 문제 次要的问题

부:착(附着·付着) 명하자타 粘贴 zhāntiē; 贴 tiē; 附着 fùzhuó; 黏着 niánzhuó; 上 shàng; 粘 zhān ¶포스터를 ~하다 粘贴海报 / 스티커를 냉장고에 ~하다 把贴纸贴在冰箱上

부창-부수(夫唱婦隨) 명하자 夫唱妇随 fūchàngfùsuí

부채 명 扇 shàn; 扇子 shànzi

부:채(負債) 명하자 负债 fùzhài; 欠债 qiànzhài; 债务 zhàiwù; 债 zhài; 账 zhàng ¶~를 갚다 还债 / ~를 상환하다 偿还债务

부채-꼴 명 〖數〗 扇形 shànxíng

부채-질 명하자 **1** 扇 shān; 扇扇子 shān shànzi; 扇风 shānfēng; 摇扇 yáoshàn; 打扇 dǎshàn ¶그에게 ~을 해 주다 给他打扇 **2** 煽动 shāndòng; 扇动 shāndòng; 推波助澜 tuībōzhùlán ¶반미 감정을 ~하다 煽动反美情绪

부챗-살 명 扇骨(儿) shàngǔ(r); 扇骨子 shàngǔzi

부처 명 〖佛〗 **1** 佛陀 Fótuó; 佛 Fó; 佛爷 Fóye; 老佛爷 lǎofóye; 佛祖 Fózǔ; 释迦牟尼 Shìjiāmóuní (《'석가모니' 的别称》 **2** = 불상 ¶~에 절하다 拜佛像

부처(部處) 명 部处 bùchù; 部处机关 bùchù jīguān

부처-님 명 〖佛〗 '부처' 的敬词

부처님 오신 날 = 석가 탄신일

부:촌(富村) 명 富村 fùcūn; 富裕村 fùyùcūn; 富裕村庄 fùyù cūnzhuāng

부:추 명 〖植〗 韭菜 jiǔcài ¶~전 韭菜煎饼 / ~김치 韭菜泡菜

부:추기다 타 唆使 suōshǐ; 煽动 shāndòng; 挑唆 tiǎosuō; 调唆 tiáosuō; 扇动 shāndòng; 撺掇 cuānduo; 鼓煽 gǔshān; 挑拨 tiǎobō; 调弄 tiáonòng; 调拨 tiáobō; 捅咕 tǒnggu ¶싸움을 걸도록 그를 ~ 挑唆他打架 / 물가 상승을 ~ 煽动物价上涨

부:축 명하타 扶 fú; 扶持 fúchí; 搀 chān; 搀扶 chānfú ¶노인을 ~하고 길을 건너다 扶着老人过马路

부츠(boots) 명 靴子 xuēzi; 长靴 chángxuē; 长筒靴 chángtǒngxuē; 皮靴 píxuē

부치다[1] 자 不及 bùjí; 不足 bùzú; 吃力 chīlì; 力不从心 lìbùcóngxīn; 不起 bùqǐ ¶아마도 정말 늙었나 보다. 힘이 부친다 也许真的有些老了, 力不从心

부치다[2] 타 **1** 寄 jì; 邮 yóu ¶편지를 ~ 寄信 / 돈을 ~ 寄钱 / 짐을 ~ 寄行李 **2** 交 jiāo; 提交 tíjiāo; 交付 jiāofù ¶표결에 ~ 提交表决 / 회의에 ~ 提交会议 / 인쇄에 ~ 交付印刷 **3** 处置 chǔzhì; 决定 juédìng ¶불문에 ~ 决定不追究

부치다[3] 타 耕种 gēngzhòng; 耕作 gēngzuò

부치다[4] 타 煎 jiān; 烙 lào; 摊 tān ¶두부를 ~ 煎豆腐 / 부침개를 ~ 煎煎饼

부치다[5] 타 扇 shān ¶부채를 ~ 扇扇子

부친(父親) 명 父亲 fùqīn; 父 fù; 老爷子 lǎoyézi ¶~상 父丧

부침(浮沈) 명하자 **1** 浮沉 fúchén; 沉浮 chénfú; 浮没 fúmò **2** 兴衰 xīngshuāi; 荣辱 róngrǔ ¶~이 많은 인생 兴衰的人生

부침-개 명 煎饼 jiānbǐng; 煎糕 jiāngāo; 烙饼 làobǐng ¶~를 부치다 煎煎饼

부케(프bouquet) 명 花束 huāshù; 婚礼花束 hūnlǐ huāshù; 新娘花束 xīnniáng huāshù

부:탁(付託) 명하타 拜托 bàituō; 托付 tuōfù; 托人 tuōrén; 付托 fùtuō; 委托 wěituō; 请求 qǐngqiú; 请托 qǐngtuō; 托嘱 tuōzhǔ; 托 tuō; 寄托 jìtuō; 请 qǐng; 求 qiú ¶그녀의 ~을 거절하다 拒绝她的请求 / 그에게 취직을 ~하다 委托他找工作 / 잘 좀 ~드리겠습니다 拜托您了

부탄(butane) 명 〖化〗 丁烷 dīngwán ¶~가스 丁烷气

부터 조 从 cóng; 起 qǐ; 打 dǎ; 自 zì; 自从 zìcóng; 先 xiān; 由 yóu; 打从 dǎcóng; 打自 dǎzì ¶처음~ 끝까지 自始至终 / 오늘~ 从今天起 / 너~ 들어가라 你先进去吧

부:-통령(副統領) 명 〖法〗 副总统 fùzǒngtǒng

부팅(booting) 명 〖컴〗 启动 qǐdòng

부:패(腐敗) 명하자 腐败 fǔbài; 腐烂 fǔlàn; 腐朽 fǔxiǔ; 朽败 xiǔbài; 腐化 fǔhuà ¶~된 음식 腐烂的食物 / ~한 정치가 腐败的政治家 / 돼지고기가 이미 ~되었다 猪肉已腐败了

부평-초(浮萍草) 명 〖植〗 = 개구리밥

부:표(否票) 명 否决票 fǒujuépiào; 反对票 fǎnduìpiào ¶~를 던지다 投反对票

부표(浮標) 명 浮标 fúbiāo; 浮筒 fútǒng

부풀다 자 **1** 肿 zhǒng; 胀 zhàng; 肿胀 zhǒngzhàng; 发胀 fāzhàng; 发肿 fāzhǒng ¶손이 ~ 手肿了 / 배가 조금 부풀어 올랐다 肚子有点儿发胀了 **2** (希望、期待等) 充塞 chōngsè; 洋溢 yángyì; 充满 chōngmǎn; 充盈 chōngyíng; 充溢 chōngyì; 澎湃 péngpài ¶희망에 부푼 가슴 充满希望的心 **3** 发泡 fāpào ¶빵 반죽이 잘 부풀었다 面包好好地发泡 **4** 夸大 kuādà; 夸张 kuāzhāng; 浮夸 fúkuā

부풀-리다 타 '부풀다' 的使动词 ¶사실을 ~ 夸张事实

부품(部品) 명 部件 bùjiàn; 附件 fùjiàn

부피 명 体积 tǐjī = 체적 ¶~를 줄이다 缩小体积

부:하(負荷) ㊀명하자 〖物〗 负荷 fùhé; 负载 fùzài ¶~ 전압 负荷电压 ㊁명하타 担任 dānrèn

부하(部下) 명 部下 bùxià; 手下 shǒuxià; 属下 shǔxià; 底下人 dǐxiarén; 跑腿子 pǎotuǐzi = 수하2 ¶~ 직원 手下职员 / ~를 거느리다 带领部下

부:-하다(富—) 형 **1** 富 fù; 富足 fùzú; 富裕 fùyù **2** 胖 pàng; 肥胖 féipàng ¶몸이 ~ 身体肥胖

부:합(符合) 명하자 符合 fúhé; 契合 qìhé; 吻合 wěnhé; 切合 qièhé; 符 fú; 合 hé; 应 yìng ¶사실에 ~하다 符合事实

부:항(附缸) 명 **1** 拔罐子 bá guànzi ¶~을 뜨다 拔罐子 **2** = 부항단지

부:항-단지(附缸—) 명 火罐儿 huǒguànr; 罐子 guànzi = 부항2
부:호(符號) 명 符号 fúhào; 记号 jìhao; 号 hào; 码 mǎ; 代码 dàimǎ; 代号 dàihào ¶문장~ 标点符号 / 전신 ~ 电码
부:호(富豪) 명 富豪 fùháo; 富翁 fùwēng; 阔佬 kuòlǎo
부화(孵化) 명하자타 孵化 fūhuà; 孵卵 fūluǎn; 孵育 fūyù; 孵 fū; 抱 bào; 卵翼 luǎnyì ¶인공 ~ 人工孵化 / ~기 孵化器 =[孵卵器] / ~장 孵化场 / 갓 ~된 병아리 刚孵化的小鸡
부:활(復活) 명하자 **1** 复活 fùhuó; 复生 fùshēng ¶예수의 ~ 耶稣的复活 **2** 恢复 huīfù; 复辟 fùbì; 重振 chóngzhèn; 复活 fùhuó ¶군국주의가 ~하다 军国主义复活
부:활-절(復活節) 명 〖宗〗复活节 Fùhuójié ¶~ 달걀 复活节彩蛋
부황(浮黃) 명 皮肤发黄 pífū fāhuáng
부:흥(復興) 명하자타 复兴 fùxīng; 兴复 xīngfù ¶~회 复兴会 / 나라를 ~시키다 复兴国家 / 영화 산업이 ~하다 电影产业复兴
북[1] 명 培土 péitǔ
북[2] 명 〖手工〗**1** 梭 suō; 梭子 suōzi = 방추2 **2** (缝纫机的) 梭心 suōxīn; 梭 suō ¶~집 梭匣
북[3] 명 〖音〗鼓 gǔ ¶~소리 鼓声 / ~춤 鼓舞 / ~을 치다 敲鼓 =[打鼓]
북(北) 명 = 북쪽
북극(北極) 명 〖地理〗北极 běijí ¶~권 北极圈 / ~대 北极带 / ~성 北极星 / ~ 지방 北极地区 / ~ 탐험 北极探险 / ~해 北极海
북극-곰(北極—) 명 〖動〗北极熊 běijíxióng; 白熊 báixióng = 흰곰
북-녘(北—) 명 **1** = 북쪽 **2** (韩国的) 北 běi; 北方 běifāng; 北边 běibiān
북단(北端) 명 北端 běiduān ¶서울 ~에 위치하다 位于首尔北端
북대서양 조약 기구(北大西洋條約機構) 〖政〗北大西洋公约组织 Běidàxīyáng Gōngyuē Zǔzhī = 나토
북-돋다 타 '북돋우다'的略词
북-돋우다 타 鼓励 gǔlì; 鼓起 gǔqǐ; 激发 jīfā; 激励 jīlì; 激奋 jīfèn; 激扬 jīyáng ¶사기를 ~ 激励士气
북동(北東) 명 = 북동쪽 ¶~풍 东北风
북동-쪽(北東—) 명 东北 dōngběi; 东北边 dōngběibiān = 북동
북두-칠성(北斗七星) 명 〖天〗北斗七星 běidǒuqīxīng; 北斗星 běidǒuxīng
북미(北美) 명 〖地〗北美 Běi Měi
북-반구(北半球) 명 〖地理〗北半球 běibànqiú
북-받치다 자 涌 yǒng; 涌上 yǒngshàng; 涌出 yǒngchū; 冒出 màochū ¶북받쳐 오르는 울분 涌上心头的郁愤 / 슬픔이 ~ 悲伤涌出来
북방(北方) 명 **1** = 북쪽 **2** 北方 běifāng; 北边 běibiān; 北部 běibù; 朔方 shuòfāng ¶~ 민족 北方民族
북벌(北伐) 명하자 北伐 běifá ¶~ 정책 北伐政策 / ~ 전쟁 北伐战争
북부(北部) 명 北部 běibù; 北方 běifāng ¶~ 지방 北部地区
북상(北上) 명하자 **1** 北上 běishàng ¶태풍이 ~하다 台风北上 **2** = 북진
북새 명 闹哄 nàohōng; 喧闹 xuānnào; 吵嚷 chǎorǎng
북새-통 명 闹哄 nàohong; 乱哄哄 luànhōnghōng; 吵闹 chǎonào
북서(北西) 명 = 북서쪽 ¶~풍 西北风
북서-쪽(北西—) 명 西北 xīběi; 西北边 xīběibiān = 북서
북-아메리카(北America) 명 〖地〗北美洲 Běi Měizhōu; 北美 Běi Měi
북-아프리카(北Africa) 명 〖地〗北非 Běi Fēi
북어(北魚) 명 干明太鱼 gānmíngtàiyú; 明太鱼干 míngtàiyúgān = 건명태
북엇-국(北魚—) 명 明太鱼汤 míngtàiyútāng
북위(北緯) 명 〖地理〗北纬 běiwěi ¶~선 北纬线
북-유럽(北Europe) 명 〖地〗北欧 Běi Ōu
북적-거리다 자 人声鼎沸 rénshēngdǐngfèi; 闹嚷嚷 nàorāngrāng; 闹盈盈 nàoyíngyíng; 熙攘 xīrǎng; 熙熙攘攘 xīxīrǎngrǎng; 喧哗 xuānhuá = 북적대다 **북적-북적** 부하자
북진(北進) 명하자 北进 běijìn = 북상2
북-쪽(北—) 명 北 běi; 北方 běifāng; 北边(儿) běibiān(r); 北面(儿) běimiàn(r) = 북(北) · 북녘 · 북방1 · 북측
북-채 명 鼓槌(儿) gǔchuí(r)
북측(北側) 명 = 북쪽
북풍(北風) 명 北风 běifēng; 朔风 shuòfēng; 寒风 hánfēng
북한(北韓) 명 北朝鲜 běicháoxiǎn; 北韩 běihán = 이북2 ¶~ 동포 北韩同胞 / ~ 주민 北韩居民
북향(北向) 명하자 向北 xiàng běi; 朝北 cháo běi ¶그녀의 방은 ~이다 她的房间向北
북-회귀선(北回歸線) 명 〖地理〗北回归线 běihuíguīxiàn
분 의명 位 wèi ¶손님 한 ~ 一位客人 / 어느 ~이 단장이십니까? 团长是哪一位啊?

분(分) 의명 **1** 分 fēn; 分钟 fēnzhōng 《时间单位》 ¶12시 20~ 十二点二十分钟 **2** 〖數〗 (角度) 分 fēn **3** 〖地理〗 (经度或纬度) 分 fēn

분(扮) 명하자 〖演〗 = 분장

분(粉) 명 **1** 白粉 báifěn = 백분2 ¶~을 바르다 抹白粉 **2** = 가루

분:(憤·忿) 명 忿恨 fènhèn; 愤怒 fènnù; 气愤 qìfèn; 火气 huǒqì ¶~을 삭이다 消除气愤 / ~을 참다 控制愤怒

-분(分) 접미 **1** 分 fēn ¶4~의 1 四分之一 **2** 份(儿) fèn(r); 客 kè ¶2인~의 식사 两份儿菜

분가(分家) 명하자 分家 fēnjiā; 分爨 fēncuàn; 异爨 yìcuàn ¶~하여 독립하다 分家单过

분간(分揀) 명하타 辨 biàn; 辨认 biànrèn; 认 rèn; 分 fēn; 看出来 kànchūlái; 区分 qūfēn; 分辨 fēnbiàn; 辨别 biànbié; 识别 shíbié ¶옳고 그름을 ~하지 못하다 不能分辨是非 / 진위를 ~하다 识别真伪

분:**개**(憤慨·憤愾) 명하자타 愤慨 fènkǎi; 气愤 qìfèn; 动怒 dòngnù; 动愤 dòngfèn ¶나는 이 일에 매우 ~한다 对这件事情我很愤慨 / 그의 어머니는 그의 행동에 ~했다 他母亲为他这举动很气愤

분계(分界) 명 分界 fēnjiè ¶~선 分界线

분골-쇄신(粉骨碎身) 명하자타 粉骨碎身 fěngǔsuìshēn; 粉身碎骨 fěnshēnsuìgǔ = 분신쇄골

분과(分科) 명하타 分科 fēnkē; 小组 xiǎozǔ

분관(分館) 명 分馆 fēnguǎn

분광(分光) 명하자 〖物〗 分光 fēnguāng ¶~계 分光计 / ~ 사진 分光照片

분교(分校) 명 〖教〗 分校 fēnxiào ¶~생 分校生

분규(紛糾) 명 纠纷 jiūfēn; 争端 zhēngduān; 纷纠 fēnjiū ¶~가 일어나다 发生纠纷 / ~를 해결하다 解决纷纠

분기(分期) 명 季度 jìdù ¶~별로 이자를 계산하다 按季度计算利息

분:**기**(奮起) 명하자 奋起 fènqǐ

분기-점(分岐点) 명 岔口 chàkǒu; 岔 chà

분-꽃(粉—) 명 〖植〗 紫茉莉 zǐmòlì; 草茉莉 cǎomòlì; 胭脂花 yānzhihuā

분납(分納) 명하타 分期交纳 fēnqī jiāonà; 分期付款 fēnqī fùkuǎn; 分期缴纳 fēnqī jiǎonà

분:**노**(憤怒) 명하자 愤怒 fènnù; 气愤 qìfèn; 怒火 nùhuǒ; 愤慨 fènkǎi; 气忿 qìfèn; 愤火 fènhuǒ ¶참을 수 없는 ~ 压不住的愤怒 / ~의 화신 愤怒化神 / ~가 폭발하다 愤怒爆发 / ~가 치밀다 愤怒涌上心头

분뇨(糞尿) 명 粪便 fènbiàn; 粪尿 fènniào; 粪 fèn ¶~ 처리 시설 粪便处理设施 / ~차 粪车

분단(分段) 명하타 分段 fēnduàn

분단(分團) 명하타 **1** 分团 fēntuán **2** 〖教〗 分团 fēntuán

분단(分斷) 명하타 分裂 fēnliè; 断离 duànlí; 割断 gēduàn; 分割 fēngē ¶남북 ~ 南北分裂

분담(分擔) 명하타 分担 fēndān; 分摊 fēntān; 分头 fēntóu; 摊 tān ¶~금 分摊金 / 비용을 ~하다 分摊费用 / 업무를 ~하다 分担工作 / 집안일을 ~하다 分担家务

분대(分隊) 명하자 〖軍〗 班 bān; 分队 fēnduì ¶~장 分队长 / ~원 分队队员

분란(紛亂) 명하형 纷乱 fēnluàn; 纷扰 fēnrǎo; 矛盾 máodùn ¶~을 일으키다 引起纷乱

분:**량**(分量) 명 分量 fènliang; 量 liàng ¶~을 줄이다 减少分量 / ~이 적지 않다 分量不少

분류(分流) 명하자 **1** 支流 zhīliú; 支水 zhīshuǐ **2** 分流 fēnliú

분류(分類) 명하타 分类 fēnlèi; 分 fēn ¶용도에 따라 ~하다 按用途分类

분리(分離) 명하자타 分离 fēnlí; 分别 fēnbié; 脱离 tuōlí; 隔开 gékāi; 分开 fēnkāi ¶~기 分离器 / ~ 불안 分离焦虑 / ~수거 分离回收 / 쓰레기를 ~하다 分离垃圾

분립(分立) 명하자 分立 fēnlì ¶삼권 ~ 三权分立

분만(分娩) 명하타 = 해산(解産) ¶~ 대기실 待产室 / ~실 产房 =[分娩室] / ~ 과정 产程 / ~대 产床

분말(粉末) 명 = 가루

분명(分明) 부 分明 fēnmíng; 肯定 kěndìng; 明明 míngmíng; 显然 xiǎnrán; 确实 quèshí ¶그것은 ~ 네가 한 짓이다 那明明是你干的

분명-하다(分明—) 형 **1** (样子或声音) 清楚 qīngchu; 清晰 qīngxī; 鲜明 xiānmíng ¶발음이 ~ 发音很清楚 **2** 分明 fēnmíng; 明 míng; 明显 míngxiǎn; 明白 míngbai; 显然 xiǎnrán; 明确 míngquè; 肯定 kěndìng ¶분명한 사실 明白的事实 / 한계가 ~ 界限分明 **분명-히** 부 ¶그는 ~ 너를 싫어할 것이다 他肯定不会喜欢你

분모(分母) 명 〖數〗 分母 fēnmǔ

분묘(墳墓) 명 = 무덤

분:**무-기**(噴霧器) 명 喷雾瓶 pēnwùpíng; 喷枪瓶 pēnqiāngpíng; 喷雾器 pēnwùqì; 喷雾机 pēnwùjī; 喷枪 pēnqiāng; 雾化器 wùhuàqì

분반(分班) 명하타 分班 fēnbān ¶~

시험 分班考试
분:발(奮發) 명하자 奋发 fènfā; 奋起 fènqǐ; 振作 zhènzuò; 发奋 fāfèn; 振奋 zhènfèn = 발분 ¶~하여 다시 시작하다 振作起来, 重新开始
분방(奔放) 명하형 奔放 bēnfàng ¶~한 성격 奔放的性格
분배(分配) 명하타 = 배분 ¶재산을 ~하다 分配财产
분별(分別) 명하타 **1** 分辨 fēnbiàn; 分别 fēnbié; 辨别 biànbié; 分 fēn; 辨 biàn ¶시비를 ~하다 辨别是非 / 그는 발소리로 누군지 ~할 수 있다 他可以凭脚步声辨别出是哪一个人 **2** 心数 xīnshù; 轻重 qīngzhòng; 深浅 shēnqiǎn; 分寸 fēncun ¶그 사람은 말하는 데 ~이 없다 那个人说话不知轻重
분별-력(分別力) 명 分辨力 fēnbiànlì
분별-없다(分別—) 형 **1** 不识相 bùshíxiàng; 不知趣 bùzhīqù; 不知深浅 bùzhīshēnqiǎn **2** 没分寸 méi fēncun; 莽撞 mǎngzhuàng; 没有分别 méiyǒu fēnbié; 混 hùn; 狂妄 kuángwàng **분별없-이** 부
분:부(分付·吩咐) 명하타 吩咐 fēnfù; 分付 fēnfù; 嘱咐 zhǔfu ¶~대로 처리하겠습니다 遵您的吩咐办 / ~대로 거행하다 照所吩咐的去做
분분-하다(紛紛—) 형 纷纷 fēnfēn; 纷纭 fēnyún; 纷杂 fēnzá; 混乱 hùnluàn ¶의견이~ 意见纷纷 **분분-히** 부
분비(分泌) 명하타 〖生〗分泌 fēnmì ¶~물 分泌物 / ~샘 分泌腺 / ~액 分泌液 / 호르몬을 ~하다 分泌激素 / ~를 촉진하다 促进分泌
분사(分詞) 명 〖語〗分词 fēncí ¶과거~ 过去分词
분:사(噴射) 명하타 喷射 pēnshè; 喷放 pēnfàng ¶~기 喷射器 / 액체를 ~하다 喷射液体
분산(分散) 명하자타 分散 fēnsàn; 疏散 shūsàn; 散 sàn; 散开 sànkāi ¶~투자 分散投资 / 주의력을 ~하다 分散注意力 / 병력을 ~하다 分散兵力
분서(焚書) 명 焚书 fénshū
분석(分析) 명하타 分析 fēnxī ¶~력 分析力 / ~표 分析表 / 자료 ~ 资料分析 / 심리 ~ 心理分析 / 성분을 ~하다 分析成分
분소(分所) 명 分部 fēnbù ¶~ 근무 在分部上班
분쇄(粉碎) 명하타 **1** 粉碎 fěnsuì; 破碎 pòsuì ¶~기 粉碎机 / 광석을 ~하다 粉碎矿石 **2** 功破 gōngpò; 粉碎 fěnsuì ¶적의 음모를 ~하다 粉碎敌人阴谋
분:수[1](分數) 명 **1** 分寸 fēncun; 深浅 shēnqiǎn; 本分 běnfèn; 分 fèn ¶~를 모르다 不知分寸 **2** 程度 chéngdù; 分寸 fēncun ¶농담도 ~가 있어야지! 开玩笑也要有分寸哦!
분수[2](分數) 명 〖數〗分数 fēnshù ¶~식 分数式
분:수(噴水) 명 喷水 pēnshuǐ; 喷泉 pēnquán ¶~대 喷水池
분수-령(分水嶺) 명 **1** 〖地理〗分水岭 fēnshuǐlǐng; 分水线 fēnshuǐxiàn **2** 分水岭 fēnshuǐlǐng
분식(粉食) 명하자 面食 miànshí ¶~집 面食店
분식(粉飾) 명하타 粉饰 fěnshì
분신(分身) 명하자 **1** 〖佛〗分身 fēnshēn; 化身 huàshēn **2** 分身 fēnshēn; 一部分 yībùfen
분신(焚身) 명하자 焚身 fénshēn; 烧身 shāoshēn ¶~자살 自焚
분신-쇄골(焚身碎骨) 명하자 = 분골쇄신
분실(紛失) 명하타 丢失 diūshī; 遗失 yíshī; 失 shī; 失落 shīluò ¶~물 失物 / ~ 신고 报失 / 신분증을 ~하다 丢失身份证 / 여권을 ~하다 丢失护照
분야(分野) 명 分野 fēnyě; 领域 lǐngyù; 方面 fāngmiàn; 部门 bùmén ¶전공 ~ 专业领域 / 새 ~를 개척하다 开拓新领域
분양(分讓) 명하타 分开出让 fēnkāi chūràng; 出让 chūràng; 楼盘预售 lóupán yùshòu ¶~가 楼盘预售价 / 아파트를 ~하다 出让公寓
분업(分業) 명하타 分工 fēngōng; 分业 fēnyè ¶~화 分工化
분열(分裂) 명하자 **1** 分裂 fēnliè ¶사회가 ~하다 社会分裂 **2** 〖生〗分裂 fēnliè ¶세포 ~ 细胞分裂
분원(分院) 명 分院 fēnyuàn
분위기(雰圍氣) 명 **1** 气氛 qìfēn; 空气 kōngqì; 氛围 fēnwéi ¶어색한 ~ 尴尬的气氛 / ~가 좀 이상하다 气氛有点怪 / 공포 ~를 조성하다 制造恐怖气氛 **2** 情调 qíngdiào ¶이국적인 ~ 异国情调 / ~ 있는 음악 有情调的音乐 **3** 风气 fēngqì ¶사회적 ~ 社会风气
분유(粉乳) 명 奶粉 nǎifěn
분자[1](分子) 명 **1** 〖化〗分子 fēnzǐ ¶~구조 分子结构 / ~량 分子量 / ~식 分子式 **2** 分子 fènzǐ ¶반동~ 反动分子 / 극우 ~ 极右分子
분자[2](分子) 명 〖數〗分子 fēnzǐ
분장(扮裝) 명하자 〖演〗扮 bàn; 饰 shì; 装 zhuāng; 化装 huàzhuāng; 装扮 zhuāngbàn = 분(扮) ¶~사 化装师 / ~실 化装室 / ~을 지우다 卸装 / 그는 거지로 ~을 했다 他化装成乞丐
분재(盆栽) 명하타 盆栽 pénzāi; 盆景(儿) pénjǐng(r)

분쟁(紛爭) 명하자 纷争 fēnzhēng; 纠纷 jiūfēn; 争议 zhēngyì; 纠葛 jiūgé ¶ 국제 ~ 国际纷争 / 영토 ~ 领土纷争 / ~을 해결하다 排解纠纷

분점(分店) 명 分店 fēndiàn; 分行 fēnháng; 分号 fēnhào ¶ ~을 개설하다 设分店

분주-하다(奔走—) 一자 奔忙 bēnmáng ¶ 사방으로 ~ 四处奔忙 二형 忙碌 mánglù; 匆忙 cōngmáng; 紧忙 jǐnmáng ¶ 그녀는 항상 ~ 她总是很忙碌 **분주-히** 부

분지(盆地) 명 『地理』 盆地 péndì

분진(粉塵) 명 = 티끌1

분첩(粉貼) 명 粉扑儿 fěnpūr

분:출(噴出) 명하자타 喷 pēn; 喷出 pēnchū; 喷涌 pēnyǒng ¶ ~구 喷出口 / 석유가 ~하다 喷出石油 / 화염을 ~하다 喷出火焰

분칠(粉漆) 명하자타 1 涂粉 túfěn 2 化妆 huàzhuāng

분침(分針) 명 分针 fēnzhēn

분칭(分秤) 명 药秤 yàochèng = 약저울

분:통(憤痛) 명하형 愤恨 fènhèn; 痛恨 tònghèn; 气愤 qìfèn; 气 qì ¶ ~이 터지다 痛恨不已

분:투(奮鬪) 명하자 奋斗 fèndòu; 奋战 fènzhàn

분파(分派) 명하자 分派 fēnpài; 派别 pàibié; 派系 pàixì; 宗派 zōngpài; 分支 fēnzhī; 支派 zhīpài = 지류2

분:패(憤敗) 명하자 惜败 xībài; 愤败 fènbài

분포(分布) 명하자 分布 fēnbù ¶ ~도 分布图 / ~율 分布率 / 인구 ~ 人口分布

분:-풀이(憤—) 명하자 撒气 sāqì; 出气 chūqì; 解气 jiěqì; 泄愤 xièfèn ¶ 사진을 찢어도 ~가 되지 않는다 我撕了照片还不解气

분필(粉筆) 명 粉笔 fěnbǐ = 백묵 ¶ ~통 粉笔盒

분:-하다(憤— · 忿—) 형 1 冤 yuān; 冤枉 yuānwang; 窝囊 wōnang; 窝火 wōhuǒ; 可气 kěqì; 可恨 kěhèn; 憋气 biēqì; 发恨 fāhèn 2 可惜 kěxī; 惋惜 wǎnxī; 遗憾 yíhàn **분:-히** 부

분할(分割) 명하타 割 gē; 分割 fēngē; 分开 fēnkāi; 划分 huàfēn; 瓜分 guāfēn; 分期 fēnqī ¶ ~ 상환 分期偿还 / 영토를 ~하다 分割领土 / 재산을 ~하다 分割财产

분해(分解) 명하자타 1 分解 fēnjiě; 拆开 chāikāi; 拆 chāi; 拆解 chāijiě; 卸 xiè; 卸开 xièkāi; 拆卸 chāixiè; 解体 jiětǐ ¶ 공중 ~ 空中解体 / 시계를 ~하다 拆表 / 폐기 차량을 ~하다 拆卸废旧车辆 2 『化』 分解 fēnjiě

분향(焚香) 명하자 焚香 fénxiāng; 烧香 shāoxiāng; 上香 shàngxiāng ¶ 불전에 ~하다 佛前焚香

분:홍(粉紅) 명 粉红 fěnhóng ¶ ~색 粉红色 / ~치마 粉红裙

분화(分化) 명하자타 分化 fēnhuà ¶ 사회 계층의 ~ 社会阶层的分化

분:화(噴火) 명하자 『地理』 喷发 pēnfā ¶ 화산이 ~하다 火山喷发

분:화-구(噴火口) 명 『地理』 火山口 huǒshānkǒu

불:다 자 1 涨 zhàng; 发胀 fāzhàng ¶ 불은 국수를 먹다 吃发胀了的面条 / 콩이 매우 크게 불었다 黄豆涨得很大 2 增长 zēngzhǎng; 增加 zēngjiā; 涨 zhǎng ¶ 재산이~ 财产增加 / 체중이 불었다 体重增加了 / 강물이 많이 불었다 河水涨得很多

불 명 1 火 huǒ ¶ ~을 붙이다 点火 / ~을 끄다 灭火 / ~이 활활 타다 火烧得很旺 / ~을 피우다 烧火 2 火灾 huǒzāi; 火 huǒ ¶ ~이 나다 起火 3 灯光 dēngguāng; 灯 dēng; 灯火 dēnghuǒ ¶ ~을 켜다 开灯 / ~을 끄다 关灯 / ~이 약간 어둡다 灯光稍微暗淡

불(弗) 의명 = 달러(dollar)

불- 접두 红 hóng ¶ ~개미 红蚂蚁 / ~여우 红狐狸

불-(不) 접두 不 bù ¶ ~가능 不可能 / ~공정 不公正 / ~투명 不透明

불가(不可) 명하형 不可 bùkě; 不可以 bùkěyǐ; 禁止 jìnzhǐ; 谢绝 xièjué; 不许 bùxǔ ¶ 미성년자 관람 ~ 未成年者禁止观看

불가(佛家) 명 『佛』 佛家 fójiā; 佛门 fómén; 释家 shìjiā; 释门 shìmén = 불문(佛門)

불가-결(不可缺) 명하형 不可缺少 bùkě quēshǎo; 不可缺 bùkěquē; 必不可少 bìbùkěshǎo ¶ ~한 조건 不可缺少的条件

불-가능(不可能) 명하형 不可能 bùkěnéng ¶ ~한 일 不可能的事 / 우리에게 ~은 없다 对我们来说, 没有什么不可能

불-가분(不可分) 명하형 不可分 bùkěfēn; 不能分 bùnéngfēn; 分不开 fēnbukāi ¶ ~의 관계 不可分的关系

불가사리 명 『動』 海星 hǎixīng; 海盘车 hǎipánchē

불가사의(不可思議) 명하형 不可思议 bùkěsīyì; 奇迹 qíjì ¶ 세계 7대 ~ 世界七大奇迹 / ~한 사건이 발생하다 发生不可思议的事件

불가-침(不可侵) 명 不可侵犯 bùkě qīnfàn ¶ 신성~ 神圣不可侵犯 / ~ 조약 互不侵犯条约

불가피-하다(不可避—) 형 不可避免 bùkě bìmiǎn; 无法避免 wúfǎ bìmiǎn; 难免 nánmiǎn; 免不了 miǎnbuliǎo; 在所难免 zàisuǒnánmiǎn; 在所不免 zàisuǒbùmiǎn ¶경쟁이 ~ 难免竞争 / 실수는 ~ 错误在所不免

불가항-력(不可抗力) 명 不可抗力 bùkěkànglì; 不可阻挡 bùkě zǔdǎng; 不可抗拒 bùkě kàngjù ¶~의 자연재해 不可抗力的自然灾害

불가항력-적(不可抗力的) 관명 不可抗力(的) bùkěkànglì(de); 不可阻挡(的) bùkě zǔdǎng(de) ¶~인 사고 不可抗力事故

불-간섭(不干涉) 명하자타 不干涉 bùgānshè; 不干预 bùgānyù ¶내정 ~ 不干涉内政 / 상호 ~ 互不干涉

불감(不感) 명하타 没感觉 méi gǎnjué; 感觉不到 gǎnjuébùdào; 麻木 mámù

불감-증(不感症) 명 **1** 『醫』 性冷淡 xìnglěngdàn; 冷情症 lěngqíngzhèng; 性交无快感 xìngjiāo wúkuàigǎn; 性感缺失症 xìnggǎn quēshīzhèng **2** 麻木症 mámùzhèng ¶안전 ~ 安全麻木症

불-같다 형 **1** 火暴 huǒbào; 火躁 huǒzào; 暴躁 bàozào ¶성미가 ~ 脾气火暴 **2** 炽烈 chìliè; 炽盛 chìshèng ¶불같은 투지 炽烈的斗志 **불같-이** 부

불-개미 명 『蟲』 红蚂蚁 hóngmǎyǐ; 法老蚁 fǎlǎoyǐ; 红蚁 hóngyǐ

불거-지다 자 **1** 暴 bào; 暴突 bàotū; 鼓起 gǔqǐ; 突出 tūchū ¶힘줄이 불거진 손 青筋暴突的手 **2** 暴露 bàolù; 冒出 màochū; 突现 tūxiàn; 突发 tūfā ¶많은 문제들이 불거져 나오다 暴露出不少问题

불건전-하다(不健全—) 형 不健全 bùjiànquán; 不健康 bùjiànkāng; 不良 bùliáng ¶내용이 ~ 内容不健康

불결(不潔) 명하형히부 不洁 bùjié; 不干净 bùgānjìng; 肮脏 āngzāng; 脏乱 zāngluàn; 脏 zāng; 污秽 wūhuì; 龌龊 wòchuò ¶~한 손을 내밀다 伸出肮脏的手 / 환경이 ~하다 环境脏乱

불경(不敬) 명하형 不敬 bùjìng; 不恭 bùgōng; 不恭敬 bùgōngjìng ¶~한 행동 不敬行为 / ~죄 不敬罪

불경(佛經) 명 『佛』 佛经 fójīng; 释典 shìdiǎn; 经 jīng = 경(經)3

불-경기(不景氣) 명 『經』 不景气 bùjǐngqì; 萧条 xiāotiáo = 불황 ¶영화 산업이 내내 ~이다 电影业一直不景气

불경-스럽다(不敬—) 형 不敬 bùjìng; 不恭 bùgōng; 不恭敬 bùgōngjìng **불경스레** 부

불-고기 명 烤肉 kǎoròu

불-곰 명 『動』 棕熊 zōngxióng

불공(佛供) 명하자 『佛』 供佛 gòngfó

불공대천(不共戴天) 명하자 不共戴天 bùgòngdàitiān

불공-드리다(佛供—) 자 供佛 gòngfó

불-공정(不公正) 명하형 不公正 bùgōngzhèng; 不公道 bùgōngdao ¶~ 거래 不公正交易

불-공평(不公平) 명하형 不公平 bùgōngpíng; 不平 bùpíng; 不公道 bùgōngdao ¶~한 대우 不公平的待遇

불공-하다(不恭—) 형 不恭 bùgōng; 不敬 bùjìng; 不礼貌 bùlǐmào

불과(不過) 부하형 不过 bùguò; 只不过 zhǐbuguò; 只 zhǐ; 不到 bùdào ¶추측에 ~하다 不过是个猜测 / 사용한 지 ~ 한 시간 만에 고장 났다 用了不到一个小时就坏了 / 그녀는 올해 ~ 열 여섯이다 她今年不过16岁

불교(佛教) 명 『佛』 佛教 Fójiào; 释教 Shìjiào ¶~계 佛教界 / ~도 佛教徒 / ~문화 佛教文化 / ~ 미술 佛教美术

불구(不具) 명 残废 cánfèi; 残疾 cánjí ¶그는 왼쪽 다리가 ~이다 他左脚残废

불-구경 명하자 观火 guānhuǒ; 看火灾 kàn huǒzāi

불-구덩이 명 火坑 huǒkēng ¶~에 빠지다 掉进火坑

불-구속(不拘束) 명하타 『法』 不拘留 bùjūliú ¶~ 기소 不拘留起诉

불구-자(不具者) 명 残疾人 cánjírén; 残废人 cánfèirén; 残废 cánfèi

불구-하다(不拘—) 자 尽管 jǐnguǎn; 不顾 bùgù ¶그럼에도 불구하고 그는 여전히 단념하지 않았다 尽管如此, 他还是不死心

불굴(不屈) 명하자 不屈 bùqū; 不挠 bùnáo ¶~의 정신 不屈的精神

불-규칙(不規則) 명하형 不规则 bùguīzé; 不规律 bùguīlǜ; 无规律 wúguīlǜ ¶~ 동사 不规则动词 / 수면 시간이 ~하다 睡眠时间不规律

불-균등(不均等) 명하형 不均等 bùjūnděng; 不均匀 bùjūnyún ¶기회가 ~하다 机会不均等

불-균형(不均衡) 명하형 不平衡 bùpínghéng; 不均衡 bùjūnhéng ¶문화 발전의 ~ 文化发展的不均衡

불그스레-하다 형 = 불그스름하다

불그스름-하다 형 淡红 dànhóng; 浅红 qiǎnhóng; 微红 wēi hóng = 불그스레하다 · 불긋하다 **불그스름-히** 부

불그죽죽-하다 형 红不溜秋 hóngbuliūqiū; 红不棱登 hóngbulēngdēng **불그죽죽-히** 부

불긋-불긋 부하형 一块红一块红地 yīkuàihóngyīkuàihóngde; 斑红 bānhóng

불긋-하다 형 = 불그스름하다

불-기(—氣) 명 = 불기운

불-기둥 명 火柱 huǒzhù ¶~이 솟다 火柱冲天

불-기소(不起訴) 명 〖法〗 不起诉 bùqǐsù; 免诉 miǎnsù

불-기운 명 火势 huǒshì; 火候(儿) huǒhou(r) = 불기·화기(火氣)1 ¶~이 매우 세다 火势非常紧急

불-길 명 **1** 火焰 huǒyàn; 火苗 huǒmiáo; 火势 huǒshì; 炎焰 yányàn ¶~이 치솟다 火苗上窜 / ~을 잡다 控制火焰 **2** 烈火 lièhuǒ ¶혁명의 ~ 革命的烈火 / 증오의 ~ 憎恨的烈火

불길-하다(不吉—) 형 不祥 bùxiáng; 不吉利 bùjílì; 不吉 bùjí; 凶 xiōng ¶불길한 징조 不祥之兆 / 그런 불길한 말 하지 마! 别说这种不吉利的话!

불-꽃 명 **1** 火焰 huǒyàn; 火苗 huǒmiáo; 烟火 yānhuo; 焰火 yànhuǒ; 火头 huǒtóu; 焰 yàn ¶~이 일다 燃起火焰 **2** 火花 huǒhuā; 火星(儿) huǒxīng(r) ¶전깃줄에서 ~이 튀다 电线迸出火星 **3** 〖物〗 = 스파크

불꽃-놀이 명 放烟火 fàng yānhuo

불끈 부하자타 **1** 一下子 yīxiàzi; 忽地 hūdì ¶아침 해가 바다 위로 ~ 솟아오르다 早晨的太阳忽地冒出海面 **2** 紧紧 jǐnjǐn; 握紧 wòjǐn; 暴出 bàochū ¶주먹을 ~ 쥐다 紧握拳头 **3** 突然 tūrán; 猛然 měngrán

불-나다 자 起火 qǐhuǒ; 着火 zháohuǒ; 失火 shīhuǒ

불-나방 명 〖蟲〗 灯蛾 dēng'é; 飞蛾 fēi'é; 扑灯蛾 pūdēng'é

불능(不能) 명하형 不能 bùnéng; 无法 wúfǎ; 难以 nányǐ ¶회복 ~ 无法恢复 / 재기 ~ 不能东山再起

불:다 一자 **1** 刮 guā; 吹 chuī; 吹动 chuīdòng ¶바람이 ~ 刮风 =[吹风] / 태풍이 ~ 刮台风 **2** 流行 liúxíng 二타 **1** 哈 hā; 吹 chuī ¶입김을 호 ~ 哈了一口气 **2** (乐器) 吹 chuī ¶피리를 ~ 吹笛 / 나팔을 ~ 吹喇叭 / 호루라기를 ~ 吹哨子 **3** (口哨儿) 吹 chuī ¶휘파람을 ~ 吹口哨儿 **4** 供出 gòngchū; 说出 shuōchū; 揭露 jiēlù ¶공범의 이름을 ~ 供出共犯名字 / 사실대로 불어라 你要如实说出

불당(佛堂) 명 〖佛〗 佛堂 fótáng; 佛殿 fódiàn

불-덩어리 명 火炭 huǒtàn; 火团 huǒtuán; 火球 huǒqiú = 불덩이

불-덩이 명 = 불덩어리

불도저(bulldozer) 명 推土机 tuītǔjī

불-똥 명 **1** 灯花(儿) dēnghuā(r); 蜡花(儿) làhuā(r) **2** 火星(儿) huǒxīng(r); 火花 huǒhuā ¶~이 튀다 火星迸发

불량(不良) 명하형 **1** (品行) 不良 bùliáng; 不端 bùduān ¶~소년 不良少年 / 품행이 ~하다 品行不良 **2** (成绩) 不佳 bùjiā ¶성적 ~ 成绩不佳 **3** (质量、状态) 不良 bùliáng; 不佳 bùjiā; 劣质 lièzhì; 欠佳 qiànjiā; 残次 cáncì ¶~ 식품 劣质食品 / 품질 ~ 品质欠佳

불량-기(不良氣) 명 流气 liúqi; 流氓习气 liúmáng xíqì

불량-배(不良輩) 명 不良之辈 bùliángzhībèi; 流氓团伙 liúmáng tuánhuǒ; 流氓 liúmáng; 流氓团 liúmángtuán

불량-스럽다(不良—) 형 不良 bùliáng; 流气 liúqì; 不正派 bùzhèngpài **불량스레** 부

불량-품(不良品) 명 劣质品 lièzhìpǐn; 次品 cìpǐn; 次货 cìhuò; 剔庄货 tīzhuānghuò

불러-내다 타 叫出来 jiàochūlái; 唤出来 huànchūlái ¶친구를 ~ 把朋友叫出来

불러-들이다 타 **1** 叫进来 jiàojìnlái; 叫进去 jiàojìnqù; 唤进来 huànjìnlái; 让进来 ràngjìnlái; 叫进 jiàojìn **2** 传唤 chuánhuàn

불러-오다 타 **1** 叫来 jiàolái; 请来 qǐnglái ¶의사를 ~ 请来大夫 / 택시를 ~ 叫来出租车 **2** 引来 yǐnlái; 招来 zhāolái ¶재난을 ~ 招来灾难

불러-일으키다 타 唤起 huànqǐ; 唤醒 huànxǐng; 逗动 dòudòng; 激起 jīqǐ; 挑动 tiǎodòng; 勾 gōu; 招引 zhāoyǐn; 勾动 gōudòng; 动 dòng ¶그의 호기심을 ~ 逗动他的好奇心 / 엄마에 대한 그리움을 ~ 勾起对妈妈的怀念

불로 소:득(不勞所得) 〖經〗 非劳动收入 fēiláodòng shōurù; 非劳动所得 fēiláodòng suǒdé; 不劳而获 bùláo'érhuò; 现成饭 xiànchéngfàn ¶~세 非劳动所得税

불로장생(不老長生) 명하자 长生不老 chángshēngbùlǎo ¶~약 长生不老药

불로-초(不老草) 명 长生不老之草 chángshēngbùlǎozhīcǎo; 长生不老草 chángshēngbùlǎocǎo

불룩 부하자타형 鼓 gǔ; 鼓鼓 gǔgǔ; 鼓鼓囊囊 gǔgunāngnāng; 鼓绷绷 gǔbēngbēng; 鼓凸 gǔtū ¶그의 주머니가 ~하다 他的口袋鼓鼓的

불룩-거리다 자타 鼓起 gǔqǐ; 凸起 tūqǐ; 鼓鼓囊囊 gǔgunāngnāng; 一鼓一鼓 yīgǔyīgǔ = 불룩대다 **불룩-불룩** 부하자타

불륜(不倫) 명하형 不合人伦 bùhé rénlún; 外遇 wàiyù; 不正当 bùzhèngdàng ¶~ 행위 不合人伦的行伪 / ~을 저지르다 做外遇

불리(不利) 명하형 不利 bùlì ¶~한 조건 不利条件 / 나에게 좀 ~하다 对我有些不利

불리다[1] 자 被叫 bèi jiào; 被唤 bèi huàn; 号称 hàochēng; 称为 chēngwéi 《'부르다[1]1·2·3·9' 的被动词》
불-리다[2] 타 '불다㊀1' 的被动词
불리다[3] 타 '부르다[2]1' 的使动词
불리다[4] 타 **1** 泡 pào; 发 fā; 涨 zhǎng 《'붇다1' 的使动词》 **2** 使增多 shǐ zēngduō; 使增长 shǐ zēngzhǎng; 使增殖 shǐ zēngzhí 《'붇다2' 的使动词》
불리-우다 자 '불리다[1]' 的错误
불만(不滿) 명하형히부 不满 bùmǎn; 意见 yìjiàn; 不满意 bùmǎnyì = 불만족 ¶~을 품다 心怀不满 / 너 나한테 ~ 있니? 你对我有意见吗? / ~을 털어놓다 发泄不满
불만-스럽다(不滿—) 형 不满意 bùmǎnyì; 有意见 yǒu yìjiàn; 不满 bùmǎn = 불만족스럽다 **불만스레** 부
불-만족(不滿足) 명하형 = 불만
불만족-스럽다(不滿足—) 형 = 불만스럽다 **불만족스레** 부
불매(不買) 명하타 拒购 jùgòu; 抵制 dǐzhì ¶~ 운동 联合抵制
불면(不眠) 명하자 失眠 shīmián; 睡不着 shuìbuzháo ¶~증 失眠症
불멸(不滅) 명하자 不灭 bùmiè; 不朽 bùxiǔ; 永世不灭 yǒngshì bùmiè ¶~의 업적 永世不灭的业绩
불명(不明) 명하형 不详 bùxiáng; 不明 bùmíng; 不清楚 bùqīngchu ¶주소 ~ 地址不详 / 원인 ~ 原因不详 / 수취인 ~ 收件人不详
불-명예(不名譽) 명하형 不名誉 bùmíngyù; 不光荣 bùguāngróng; 不光彩 bùguāngcǎi
불명예-스럽다(不名譽—) 형 不名誉 bùmíngyù; 不光荣 bùguāngróng; 不光彩 bùguāngcǎi **불명예스레** 부
불모(不毛) 명 不毛 bùmáo ¶~의 땅 不毛之地 / ~지 不毛之地
불문(不問) 명하타 **1** 不问 bùwèn; 不追究 bùzhuījiū ¶과거 ~ 不问过去 **2** 不分 bùfēn; 不论 bùlùn; 不管 bùguǎn; 无论 wúlùn; 不问 bùwèn ¶남녀노소를 ~하고 不论男女老少 / 장소를 ~하고 소리를 질러대다 不分场合乱叫
불문(佛文) 명 法文 Fǎwén ¶~과 法文系
불문(佛門) 명 〖佛〗 = 불가(佛家) ¶~에 귀의하다 归依佛门
불문-법(不文法) 명 〖法〗 不成文法 bùchéngwénfǎ = 불문율
불문-율(不文律) 명 〖法〗 = 불문법
불미-스럽다(不美—) 형 丑恶 chǒu'è; 丑 chǒu; 卑鄙 bēibǐ; 肮脏 āngzāng; 龌龊 wòchuò **불미스레** 부
불미-하다(不美—) 형 丑恶 chǒu'è; 丑 chǒu; 卑鄙 bēibǐ; 肮脏 āngzāng; 龌龊 wòchuò ¶불미한 스캔들 卑鄙的丑闻
불-바다 명 火海 huǒhǎi
불발(不發) 명하자 **1** 不爆炸 bùbàozhà; 瞎火 xiāhuǒ; 臭火 chòuhuǒ; 哑火 yǎhuǒ; 哑 yǎ; 瞎 xiā; 臭 chòu ¶총을 한 방 쏘았는데 ~이었다 打了一枪, 瞎火了 **2** 不动身 bùdòngshēn; 不出发 bùchūfā; 未发结束 wèifājiéshù
불발-탄(不發彈) 명 瞎火 xiāhuǒ; 臭子儿 chòuzǐr; 臭子弹 chòuzǐdàn; 臭炮弹 chòupàodàn; 哑炮 yǎpào; 瞎炮 xiāpào
불법(不法) 명하형 非法 fēifǎ; 不法 bùfǎ ¶~ 복제 非法复制 / ~ 시위 非法示威 / ~ 감금 非法监禁 / ~ 체류 不法滞留 =[不法逗留] / ~ 행위 非法行为
불법(佛法) 명 **1** 〖宗〗 '불교' 的别称 **2** 〖佛〗 佛法 fófǎ; 大宝 dàbǎo; 法道 fǎdào; 禅法 chánfǎ
불법-적(不法的) 관명 非法(的) fēifǎ(de); 不法(的) bùfǎ(de) ¶~인 방법 非法的办法
불-벼락 명 严厉斥责 yánlì chìzé; 痛骂 tòngmà
불변(不變) 명하자 不变 bùbiàn ¶~의 법칙 不变法则 / ~성 不变性
불-볕 명 烈日 lièrì; 炎阳 yányáng ¶뜨거운 ~ 아래에서 在炎炎的烈日下
불볕-더위 명 酷暑 kùshǔ; 酷热 kùrè; 炎暑 yánshǔ
불복(不服) 명하자 不服 bùfú; 不服从 bùfúcóng; 不服气 bùfúqì ¶명령에 ~하다 不服从命令 / 판정에 ~하다 不服裁判
불분명-하다(不分明—) 형 不清楚 bùqīngchu; 不明 bùmíng; 不明确 bùmíngquè; 不分明 bùfēnmíng; 没准儿 méizhǔnr ¶기억이 ~ 记忆不清楚 / 사인이 ~ 死因不明
불-붙다 자 **1** 着火 zháohuǒ; 起火 qǐhuǒ; 失火 shīhuǒ **2** 激烈 jīliè; 热烈 rèliè ¶논쟁이 다시 ~ 又热烈争论起来
불붙-이다 타 **1** 点火 diǎnhuǒ; 点燃 diǎnrán 《'불붙다1' 的使动词》 **2** '불붙다2' 的使动词
불-빛 명 **1** 火光 huǒguāng **2** 灯光 dēngguāng; 灯亮儿 dēngliàngr; 光 guāng; 亮 liàng ¶창문으로 ~이 새다 从窗户透出灯光来 / ~이 어둡다 灯光昏暗
불사(不辭) 명하타 不辞 bùcí; 不推辞 bùtuīcí; 不惜 bùxī ¶일전을 ~하다 不辞一战
불-사르다 타 **1** 烧毁 shāohuǐ; 烧掉 shāodiào; 销毁 xiāohuǐ; 焚毁 fénhuǐ ¶

옛 편지를 ~ 烧掉以前的信 / 폐품들을 전부 불살라 버리다 把废品全部烧掉 **2** 清除 qīngchú; 丢掉 diūdiào; 消除 xiāochú ‖ = 사르다

불사-신(不死身) 명 **1** 不死之身 bùsǐzhīshēn **2** 铜头铁臂 tóngtóutiěbì; 铁人 tiěrén; 铁汉子 tiěhànzi

불사-조(不死鳥) 명 **1** 铁人 tiěrén; 铁汉子 tiěhànzi **2** 〖文〗 不死鸟 bùsǐniǎo; 长生鸟 chángshēngniǎo = 불새

불상(佛像) 명 〖佛〗 佛像 fóxiàng = 부처2

불상-사(不祥事) 명 不祥之事 bùxiángzhīshì; 凶事 xiōngshì; 逆事 nìshì ¶~가 생기다 发生凶事

불-새 명 〖文〗 = 불사조2

불-성실(不誠實) 명하형 不诚实 bùchéngshí; 不老实 bùlǎoshi ¶~한 태도 不诚实的态度

불-세출(不世出) 명하형 不世出 bùshìchū; 稀世 xīshì; 独一无二 dúyīwú'èr ¶~의 영웅 不世出的英雄

불소(弗素) 명 〖化〗 氟 fú; 氟素 fúsù ¶~ 함유 치약 含氟牙膏

불손(不遜) 명하형히부 不逊 bùxùn; 不谦逊 bùqiānxùn; 放肆 fàngsì ¶~한 언행 放肆言行 / 오만하고 ~하다 傲慢不逊

불수(不隨·不遂) 명 不遂 bùsuì ¶반신~ 半身不遂

불순(不純) 명하형히부 **1** 不纯 bùchún; 不纯洁 bùchúnjié ¶~물 不纯物质 / 동기가 ~하다 动机不纯 / 사상이 ~하다 思想不纯 **2** 不良 bùliáng ¶~분자 不良分子

불순(不順) 명하형히부 **1** 不温顺 bùwēnshùn; 不和顺 bùhéshùn; 不恭敬 bùgōngjìng ¶~한 태도 不温顺的态度 **2** 不调 bùtiáo; 不顺 bùshùn; 不顺利 bùshùnlì ¶월경 ~ 月经不调

불시(不時) 명 不时 bùshí; 不测 bùcè; 突然 tūrán ¶~의 습격 突然袭击

불시-착(不時着) 명하자 〖航〗 = 불시 착륙 ¶비행기가 ~하다 飞机迫降

불시 착륙(不時着陸) 〖航〗 迫降 pòjiàng = 불시착

불식(拂拭) 명하타 清除 qīngchú; 消除 xiāochú; 打消 dǎxiāo ¶선입견을 ~하다 清除成见 / 오해를 ~하다 消除误会

불신(不信) 명하타 不信 bùxìn; 不相信 bùxiāngxìn; 不信任 bùxìnrèn ¶~자 不信者 / 상대방을 ~하다 不信任对方 / 오해와 ~이 생기다 产生误解和不信任

불-신임(不信任) 명하타 不信任 bùxìnrèn ¶~ 투표 不信任投票 / ~안 不信任案

불심(佛心) 명 〖佛〗 佛心 fóxīn; 圣心 shèngxīn

불심 검:문(不審檢問) 〖法〗 盘查 pánchá ¶길에서 ~을 당하다 在路上遭盘查

불쌍-하다 형 可怜 kělián; 可悯 kěmǐn; 令人怜悯 lìngrénliánmǐn; 可怜见(儿) kěliánjiàn(r) ¶불쌍한 고아들 可怜的孤儿们 / 그는 참 ~ 他真可怜 **불쌍-히** 부

불-쏘시개 명 火煤(儿) huǒméi(r); 火媒 huǒméi; 引火柴 yǐnhuǒchái; 火捻(儿) huǒniǎn(r) = 쏘시개

불쑥 부하자타 突然 tūrán; 忽然 hūrán; 冷不防(地) lěngbufáng(de); 突出 tūchū; 突地 tūdì ¶손을 ~ 내밀다 冷不防地伸出手来 / 그의 집에 청년 몇 명이 ~ 왔다 他家突然来了几个青年人

불-씨 명 **1** 火种 huǒzhǒng; 底火 dǐhuǒ ¶~를 잘 간수하다 看好火种 / ~가 꺼졌다 火种灭了 **2** 导火线 dǎohuǒxiàn; 火种 huǒzhǒng ¶혁명의 ~ 革命的火种 / 충돌의 ~ 冲突的导火线

불안(不安) 명하형히부 不安 bù'ān; 不宁 bùníng; 揪心 jiūxīn; 紧张 jǐnzhāng ¶~한 기색 不安的容色 / 사회 ~ 社会不安 / 마음이 ~하다 心里不安 / ~한 마음을 가라앉히다 让不安的心情平静下来

불안-감(不安感) 명 不安之感 bù'ānzhīgǎn; 担忧 dānyōu; 不安 bù'ān

불-안정(不安定) 명하형 不安定 bù'āndìng; 不安稳 bù'ānwěn; 不稳定 bùwěndìng; 不稳 bùwěn; 多变 duōbiàn ¶그는 정서가 ~하다 他情绪不稳定 / 생활이 매우 ~하다 生活很不安定

불-알 명 睾丸 gāowán; 精巢 jīngcháo; 肾 shèn

불야-성(不夜城) 명 不夜城 bùyèchéng ¶~을 이룬 거리 成为不夜城的街道

불어(佛語) 명 〖語〗 法语 fǎyǔ

불어-나다 자 **1** 增加 zēngjiā; 增长 zēngzhǎng; 增多 zēngduō; 上涨 shàngzhǎng; 涨 zhǎng ¶강물이 ~ 江水上涨 / 인구가 급속히 ~ 人口迅速增多 **2** 膨大 péngdà; 发胖 fāpàng ¶몸이 많이 ~ 身体发胖很多

불어-넣다 타 打气 dǎqì; 鼓吹 gǔchuī

불어-오다 자 吹来 chuīlái; 刮来 guālái ¶시원한 바람이 불어왔다 凉风吹来了

불-여우 명 **1** 〖動〗 红狐 hónghú; 赤狐 chìhú; 火狐 huǒhú **2** 狐狸精 húlijīng

불연(不燃) 명 不燃 bùrán ¶~성 不燃性

불-연속(不連續) 명 不连续 bùliánxù; 间断 jiànduàn ¶～면 不连续面 / ～성 不连续性

불온(不穩) 명하형 不安分 bù'ānfēn; 危险 wēixiǎn; 不纯 bùchún ¶～ 사상 危险思想

불-완전(不完全) 명하형 不完全 bùwánquán; 不完备 bùwánbèi; 不完美 bùwánměi; 残 cán; 残缺 cánquē ¶～한 계획 不完全计划 / ～ 동사 不完全动词 / ～ 변태 不完全变态 / ～ 연소 不完全燃烧 / ～ 타동사 不完全及物动词

불요불굴(不撓不屈) 명하형 不屈不挠 bùqūbùnáo ¶～의 정신 不屈不挠的精神

불우(不遇) 명하형 **1** 怀才不遇 huáicáibùyù; 不幸 bùxìng; 遭遇不佳 zāoyùbùjiā; 遭遇不幸 zāoyùbùxìng ¶일생을 ～하게 살다 一生怀才不遇 **2** 凄苦 qīkǔ; 困难 kùnnan ¶～ 이웃 困难邻居 / 가정 환경이 ～하다 家庭环境困难

불운(不運) 명하형 不幸运 bùxìngyùn; 不走运 bùzǒuyùn; 倒霉 dǎoméi; 不幸 bùxìng; 背运 bèiyùn; 背字儿 bèizìr; 苦命 kǔmìng; 黑运 hēiyùn ¶～의 연속 连续走背运

불원(不遠) ㊀명하형 不远 bùyuǎn ㊁부 不久 bùjiǔ; 即将 jíjiāng; 行将 xíngjiāng

불원-간(不遠間) 명 不久 bùjiǔ; 即将 jíjiāng; 行将 xíngjiāng ¶～ 완성될 것이다 不久就要完成

불원-천리(不遠千里) 명하자 不远千里 bùyuǎnqiānlǐ; 千里迢迢 qiānlǐtiáotiáo

불응(不應) 명하자타 不应从 bùyìngcóng; 不答应 bùdāying; 拒绝 jùjué; 拒绝接受 jùjué jiēshòu; 不接受 bùjiēshòu ¶검문에 ～하다 拒绝接受盘查 / 조사에 ～하다 拒绝调查

불의(不意) 명 不料 bùliào; 不意 bùyì; 不虞 bùyú; 意外 yìwài; 出其不意 chūqíbùyì; 意料之外 yìliàozhīwài ¶～의 사고 意外事故

불의(不義) 명하형 **1** 不义 bùyì; 非正义 fēizhèngyì **2** 不道德 bùdàodé

불-이익(不利益) 명하형 吃亏 chīkuī; 无利 wúlì; 无益 wúyì; 没有好处 méiyǒu hǎochù; 不利益 bùlìyì

불-이행(不履行) 명하타 不履行 bùlǚxíng ¶계약 ～ 不履行合同

불일-간(不日間) 명 = 불일내

불일-내(不日內) 명 不日 bùrì; 近日内 jìnrìnèi; 几天内 jǐtiānnèi = 불일간

불-일치(不一致) 명하형 不一致 bùyīzhì; 不一 bùyī; 分歧 fēnqí ¶언행 ～ 言行不一 / 두 사람의 관점이 ～하다 两人的观点不一致

불임(不妊·不姙) 명하자 〖醫〗 不孕 bùyùn; 不育 bùyù; 不孕不育 bùyùnbùyù; 绝育 juéyù ¶여성 ～ 女性不孕 / ～ 수술 绝育手术 / ～ 치료 不孕不育治疗 / ～증 不孕症

불입(拂入) 명하타 纳入 nàrù; 交付 jiāofù; 交纳 jiāonà; 缴纳 jiǎonà; 缴付 jiǎofù; 缴 jiǎo ¶방세를 ～하다 缴付房费

불입-금(拂入金) 명 = 납부금

불입-액(拂入額) 명 = 납부금

불자(佛子) 명 〖佛〗 **1** 佛陀弟子 Fótuó dìzǐ **2** '보살' 的别称 **3** 佛教徒 fójiàotú

불-자동차(—自動車) 명 = 소방차

불-장난 명하자 **1** 玩火 wánhuǒ; 弄火 nònghuǒ; 耍火 shuǎhuǒ ¶아이들의 ～ 小孩们的玩火游戏 / ～은 위험하다 玩火是危险的 **2** 玩火 wánhuǒ; 冒险 màoxiǎn **3** (男女间的) 胡搞 húgǎo

불-조심(—操心) 명하자 小心火灾 xiǎoxīn huǒzāi; 小心失火 xiǎoxīn shīhuǒ; 小心火烛 xiǎoxīn huǒzhú ¶자나 깨나 ～ 时时刻刻小心火烛

불찰(不察) 명 疏失 shūshī; 疏忽 shūhū; 过失 guòshī; 过错 guòcuò; 错误 cuòwù; 过误 guòwù ¶이것은 저의 ～입니다 这是我的过错

불참(不參) 명하자 不参加 bùcānjiā; 不出席 bùchūxí; 不到场 bùdàochǎng ¶～을 선언하다 宣布不参加 / 회의에 ～하다 不参加会议

불철-주야(不撤晝夜) 명하자 夜以继日 yèyǐjìrì; 日以继夜 rìyǐjìyè; 不分昼夜 bùfēnzhòuyè; 不舍昼夜 bùshězhòuyè; 昼夜不停 zhòuyèbùtíng ¶～로 일하다 不分昼夜地工作

불청-객(不請客) 명 不速之客 bùsùzhīkè

불초(不肖) ㊀명 不肖 bùxiào ㊁대 = 불초자 —**-하다** 자 不肖 bùxiào

불초-자(不肖子) 대 不肖子 bùxiàozǐ; 不肖之子 bùxiàozhīzǐ = 불초㊁

불-출마(不出馬) 명하자 不出马 bùchūmǎ; 不竞选 bùjìngxuǎn

불충(不忠) 명하자형 不忠 bùzhōng ¶임금께 ～하다 对君主不忠

불-충분(不充分) 명하형 不充分 bùchōngfèn; 不够充分 bùgòu chōngfèn; 欠充分 qiàn chōngfèn ¶논거가 ～하다 论据不充分

불치(不治) 명하자 不治 bùzhì; 治不好 zhìbuhǎo

불치-병(不治病) 명 不治之症 bùzhìzhīzhèng; 不治之病 bùzhìzhībìng; 绝症 juézhèng ¶～에 걸렸다 得了一个不治之病 / ～을 앓다 患上绝症

불-친절(不親切) 명하형 不热情 bùrèqíng; 冷落 lěngluò; 冷冰冰 lěngbīngbīng; 不亲切 bùqīnqiè ¶～한 목소리 冷冰冰的声音 / 손님에게 ～하다 对顾

客不热情
불침-번(不寢番) 명 夜班 yèbān
불쾌-감(不快感) 명 不快感 bùkuàigǎn; 不快 bùkuài ¶~을 주다 令人不快
불쾌-지수(不快指數) 명 人体舒适度指数 réntǐ shūshìdù zhǐshù; 温湿指数 wēnshī zhǐshù
불쾌-하다(不快—) 형 **1** 不快 bùkuài; 不愉快 bùyúkuài; 不高兴 bùgāoxìng; 不平 bùpíng ¶불쾌한 일 不愉快的事/그는 늘 나를 불쾌하게 한다 他总是让我不高兴 **2** (身体) 不爽 bùshuǎng; 不舒服 bùshūfu; 不得劲(儿) bùdéjìn(r) **불쾌-히** 부
불-타다 자 **1** 燃烧 ránshāo; 焚 fén; 着火 zháohuǒ; 起火 qǐhuǒ **2** 火热 huǒrè; 炽烈 chìliè; 炽盛 chìshèng; 激昂 jī'áng ¶불타는 애국심 激昂的爱国热情/불타는 청춘 火热的青春
불-태우다 타 **1** 燃烧 ránshāo; 烧 shāo; 焚 fén《'불타다1'的使动词》¶편지를 ~ 燃烧书信 **2** '불타다2'的使动词
불통(不通) 명하자타 不通 bùtōng; 堵塞 dǔsè; 闭塞 bìsè ¶소식이 ~이다 消息不通/전화가 ~되다 电话不通
불-투명(不透明) 명하형 **1** (物体) 不透明 bùtòumíng ¶~ 액체 不透明液体/~색 不透明色/~체 不透明体/~한 유리 不透明的玻璃 **2** (态度、情况) 不透明 bùtòumíng; 不明 bùmíng; 吃不准 chībuzhǔn; 不明确 bùmíngquè; 不明朗 bùmínglǎng ¶태도가 ~하다 态度不明/참가 여부가 아직 ~하다 能否参加尚不明确
불-특정(不特定) 명 不特定 bùtèdìng; 不确定 bùquèdìng; 非特定 fēitèdìng ¶~ 다수 不特定多数
불-티 명 星火 xīnghuǒ; 火星(儿) huǒxīng(r)
불티-나다 자 畅销 chàngxiāo; 旺销 wàngxiāo; 飞快 fēikuài ¶불티나게 팔려 나가다 飞快地卖出
불-판 명 火格子 huǒgézi; 炉排 lúpái; 炉箅子 lúbìzi
불패(不敗) 명하자 不败 bùbài; 战无不胜 zhànwúbùshèng; 不可战胜 bùkězhànshèng ¶~ 신화 不败神话
불편(不便) 명하형 **1** 不便 bùbiàn; 不便利 bùbiànlì; 不方便 bùfāngbiàn ¶교통이 ~하다 交通不便/휴대가 ~하다 携带不便 **2** 不适 bùshì; 不舒服 bùshūfu; 不方便 bùfāngbiàn; 不得劲(儿) bùdéjìn(r) ¶걷기가 ~하다 走路不方便/심기가 ~하다 心情不舒服/요며칠 나는 온몸이 ~하다 这几天我浑身不得劲儿
불편부당(不偏不黨) 명하형 不偏不党 bùpiānbùdǎng; 不偏不倚 bùpiānbùyǐ
불평(不平) 명하타 不平 bùpíng; 牢骚 láosāo; 怨言 yuànyán; 埋怨 mányuàn; 甩闲话 shuǎi xiánhuà ¶그는 한참 동안 ~을 늘어놓았다 他牢骚了半天/누구에게 ~하는 거야? 你这是对谁甩闲话啊?
불-평등(不平等) 명하형 不平等 bùpíngděng ¶~ 조약 不平等条约
불평-불만(不平不滿) 명 不平不满 bùpíngbùmǎn; 牢骚 láosāo; 埋怨 mányuàn
불-포화(不飽和) 명하자 〖化〗不饱和 bùbǎohé ¶~ 지방산 不饱和脂肪酸/~ 화합물 不饱和化合物
불-필요(不必要) 명하형 不必要 bùbìyào; 没必要 méi bìyào; 不需要 bùxūyào ¶~한 물건 不需要的东西/~한 절차 不需要的程序/~한 낭비를 줄이다 减少不必要的浪费
불한-당(不汗黨) 명 **1** 匪帮 fěibāng; 匪徒 fěitú = 화적 **2** 流氓团伙 liúmáng tuánhuǒ; 歹徒 dǎitú
불-합격(不合格) 명하자 **1** (在考试) 不及格 bùjígé; 没考中 méi kǎozhòng; 考不上 kǎobushàng ¶~자 不及格者/자격증 시험에 ~하다 资格考试不及格 **2** 不合格 bùhégé ¶~품 不合格品/신체검사에서 ~하다 体检不合格
불-합리(不合理) 명하형 不合理 bùhélǐ ¶~한 제도 不合理制度/~한 요구 不合理的要求/~성 不合理性
불행(不幸) 명하형히부 不幸 bùxìng; 倒霉 dǎoméi ¶~을 당하다 遭遇不幸/그는 ~히도 병으로 요절했다 他不幸患病早逝
불행 중 다행 구 不幸中的万幸
불허(不許) 명하타 不许 bùxǔ; 不准 bùzhǔn; 不容 bùróng; 不可 bùkě; 无可 wúkě ¶사용을 ~하다 不准使用/흡연을 ~하다 不许吸烟/예측을 ~하다 不可预测/타의 추종을 ~하다 无可匹敌
불현-듯 부 =불현듯이
불현-듯이 부 忽然 hūrán; 突然 tūrán; 突地 tūdì; 突然间 tūránjiān; 骤然间 zhòuránjiān; 猛然 měngrán; 翻然 fānrán = 불현듯 ¶~ 집에 가고 싶은 생각이 들다 忽然想回家
불협화-음(不協和音) 명 **1** 〖音〗不协和音 bùxiéhéyīn; 不谐和音 bùxiéhéyīn **2** 冲突 chōngtū; 矛盾 máodùn; 不和 bùhé ¶친구와 ~이 생기다 与朋友发生意见冲突
불-호령(—號令) 명하자 呵斥 hēchì; 呵叱 hēchì; 大声呵叱 dàshēng hēchì; 痛骂 tòngmà ¶아버지의 ~이 떨어지다 爸爸大声呵叱

불혹(不惑) ㊀명하자 不惑 bùhuò ㊁명 不惑 bùhuò《四十岁》¶~의 나이 不惑之年

불화(不和) 명하자 不和 bùhé; 不睦 bùmù; 不和睦 bùhémù; 不相容 bùxiāngróng; 失和 shīhé ¶~를 일으키다 引起不和睦

불-확실(不確實) 명하형 不确实 bùquèshí; 没准儿 méizhǔnr; 不确切 bùquèqiè ¶~한 뉴스 不确实的新闻

불황(不況) 명〖經〗= 불경기 ¶경제 ~ 经济萧条

불효(不孝) 명하자형 不孝 bùxiào; 不孝敬 bùxiàojìng; 忤逆 wǔnì ¶~막심하다 极为不孝 / 아들이 부모에게 ~하다 儿子不孝父母

불효-자(不孝子) 명 不孝子 bùxiàozǐ; 不孝之子 bùxiàozhīzǐ; 逆子 nìzǐ; 忤逆儿 wǔnì'ér = 불효자식

불효-자식(不孝子息) 명 = 불효자

불후(不朽) 명하자 不朽 bùxiǔ ¶~의 명작 不朽的名作

붉다 형 红 hóng; 红色 hóngsè; 赤红 chìhóng; 丹 dān; 赤 chì ¶붉은 꽃송이 红色花朵 / 붉은 색 红色 / 입술이 매우 ~ 嘴唇很红

붉어-지다 자 红了 hóngle; 变红 biàn hóng ¶얼굴이 한순간에 붉어졌다 脸一下子变红了

붉으락-푸르락 부하자 青一阵红一阵 qīngyīzhènhóngyīzhèn; 一清一红 yīqīngyīhóng; 青一阵紫一阵 qīngyīzhènzǐyīzhèn; 急赤白脸 jíchibáiliǎn ¶얼굴을 ~하며 값을 흥정하다 急赤白脸地讨价还价

붉은-빛 명 红色 hóngsè; 赤色 chìsè

붉은-팥 명 赤豆 chìdòu; 红小豆 hóngxiǎodòu; 赤小豆 chìxiǎodòu; 小豆 xiǎo dòu

붉-히다 타 红脸 hóngliǎn ¶얼굴을 ~ 红着脸

붐(boom) 타 潮 cháo; 热 rè; 热潮 rècháo; 风气 fēngqì ¶건축 ~ 建筑潮 / 베이비 ~ 婴儿潮 / ~을 일으키다 掀起热潮

붐비다 자 拥挤 yōngjǐ; 挤 jǐ; 挨挤 āijǐ ¶시장이 매우 ~ 市场内很拥挤 / 버스 안이 ~ 车内很挤 / 토요일에는 거리가 많이 붐빈다 星期六街道非常拥挤

붓 명 毛笔 máobǐ; 笔 bǐ ¶~ 한 자루 一枝毛笔 / ~걸이 笔架 / ~글씨 毛笔字 / ~대 笔杆子 =[笔杆儿] / ~두겁 笔帽

붓-꽃 명〖植〗溪荪 xīsūn

붓-끝 명 笔端 bǐduān; 笔头儿 bǐtóur; 笔尖(儿) bǐjiān(r); 笔锋 bǐfēng ¶~이 날카롭다 笔锋锐利

붓:다[1] 자 **1** 肿 zhǒng; 发肿 fāzhǒng ¶울어서 눈이 ~ 哭肿了眼 / 발등이 모기에 물려서 부었다 脚背被蚊子咬肿了 **2** 生气 shēngqì; 撅嘴 juēzuǐ ¶왜 그렇게 잔뜩 부어 있니? 为什么生那么大的气啊?

붓:다[2] 타 **1** 倒 dào; 倾倒 qīngdào; 浇注 jiāozhù; 浇 jiāo; 注 zhù; 灌注 guànzhù; 斟 zhēn; 沃 wò; 浇灌 jiāoguàn ¶독에 물을 ~ 往缸里倒水 **2** 交 jiāo; 交付 jiāofù; 存入 cúnrù ¶매달 곗돈을 ~ 每月交帮会金

붕 부 **1** 噗 pū **2** 嗡 wēng; 呜 wū **3** 呼地 hūde **4** 蹦 bèng

붕괴(崩壞) 명하자 崩溃 bēngkuì; 崩塌 bēngtā; 倒塌 dǎotā; 崩 bēng; 崩坏 bēnghuài; 崩毁 bēnghuǐ; 垮 kuǎ; 垮塌 kuǎtā; 塌 tā ¶~ 사고 垮塌事故 / 주식 시장이 ~되기 시작했다 股市开始崩溃 / 집이 ~되려고 한다 房屋就倒塌了

붕대(繃帶) 명 绷带 bēngdài ¶~를 감다 缠绷带 / ~를 풀다 解开绷带

붕산(硼酸) 명〖化〗硼酸 péngsuān

붕소(硼素) 명〖化〗硼 péng

붕:어 명〖魚〗鲫鱼 jìyú; 鲫 jì

붕:어-빵 명 鲫鱼点心 jìyú diǎnxin

붙다 자 **1** 贴 tiē; 粘 zhān ¶지도가 벽에 붙어 있다 地图在墙上贴着 **2** 及格 jígé; 考上 kǎoshàng; 考中 kǎozhòng ¶시험에 ~ 考试及格 / 그녀는 베이징 대학교에 붙었다 她考上了北大 **3** (火)着 zháo ¶집에 불이 붙었다 房屋着火了 **4** 附带 fùdài; 附设 fùshè; 带 dài; 附属 fùshǔ ¶침대차가 붙어 있는 열차 带卧铺车厢的列车 **5** 附加 fùjiā ¶조건이 ~ 附加条件 **6** 呆 dāi ¶집에 붙어 있다 在家里呆着 **7** 靠 kào; 靠拢 kàolǒng; 贴 tiē ¶몸에 딱 붙는 옷 贴身衣服 / 나한테 너무 가깝게 붙지 마라 不要靠我太近 **8** 依附 yīfù; 依靠 yīkào; 投靠 tóukào; 寄生 jìshēng ¶매형한테 붙어서 살다 依靠姐夫过日子 **9** 提高 tígāo; 增加 zēngjiā ¶중국어 실력이 붙었다 汉语水平提高了 **10** 生 shēng; 长 zhǎng; 加 jiā ¶살이 ~ 长肉 / 이자가 ~ 生利息 **11** 性交 xìngjiāo; 交尾 jiāowěi; 交配 jiāopèi; 交媾 jiāogòu

붙-들다 타 **1** 抓住 zhuāzhù; 攥住 zuànzhù; 揪住 jiūzhù ¶손목을 ~ 抓住手腕 **2** 逮住 dǎizhù; 捉住 zhuōzhù; 抓住 zhuāzhù ¶도둑을 ~ 抓住小偷 **3** 留住 liúzhù; 挽留 wǎnliú ¶가겠다는 사람을 자꾸 ~ 一个劲儿挽留要走的人

붙들-리다 ㊀타 被抓住 bèi zhuāzhù; 被揪住 bèi jiūzhù《'붙들다1'的被动词》¶그녀에게 팔을 ~ 胳膊被她抓住 ㊁자 **1** 被捉住 bèi zhuōzhù; 被逮住 bèi dǎizhù; 被抓住 bèi zhuāzhù《'붙들다2'

的被动词》¶경찰에 ～ 被警察逮住 **2** 被留住 bèi liúzhù; 被挽留 bèi wǎnliú《'붙들다3' 的被动词》¶그에게 붙들려서 하루 더 묵었다 被他留住多呆了一天

붙-박다 타 固定 gùdìng

붙박-이 명 固定 gùdìng; 不动 bùdòng; 一动不动 yīdòngbùdòng; 固定式 gùdìngshì ¶～장 固定式衣柜 / ～ 가구 固定式家具 / 그는 거기에서 ～로 앉아 있다 他坐在那儿一动不动

붙어-살다 자 **1** 寄居 jìjū; 寄食 jìshí; 寄人篱下 jìrénlíxià ¶아들을 데리고 친정집에 ～ 带儿子寄居在娘家 **2** 不出门 bùchūmén ¶그는 공부하느라 바빠서 집에서 붙어산다 他学习忙, 坐家不出门

붙-이다 타 **1** 贴 tiē; 粘 zhān; 粘贴 zhāntiē; 张贴 zhāngtiē; 糊 hú ¶우표를 ～ 粘邮票 / 포스터를 벽에 ～ 把海报粘贴在墙上 **2** 点 diǎn; 引 yǐn ¶불을 ～ 点火 **3** 加 jiā; 交付 jiāofù; 附加 fùjiā ¶조건을 ～ 附加条件 **4** 靠 kào; 靠着 kàozhe ¶책상을 ～ 把书桌靠起来 / 붙어 앉으세요 您靠着坐 **5** 使结合 shǐ jiéhé; 撮合 cuōhe ¶두 남녀를 붙여 주다 撮合一对男女 **6** 使交配 shǐ jiāopèi; 使交尾 shǐ jiāowěi **7** 派 pài; 配备 pèibèi **8** 促成 cùchéng; 唆使 suōshǐ ¶흥정을 ～ 促成生意 / 싸움을 ～ 唆使打架 **9** 养成 yǎngchéng; 产生 chǎnshēng; 引起 yǐnqǐ; 培养 péiyǎng ¶취미를 ～ 产生兴趣 **10** 起 qǐ; 命 mìng ¶미영이라고 이름을 ～ 起名叫美英 **11** 打 dǎ ¶따귀를 한 대 ～ 打一耳光 **12** 搭话 dāhuà; 攀谈 pāntán; 攀话 pānhuà ¶말을 ～ 搭话

붙임-성(一性) 명 人缘儿 rényuánr; 随和 suíhe; 打交道 dǎ jiāodao ¶～이 있다 有人缘 / 그는 ～이 좋다 他好打交道

붙임-표(一標) 명 〖語〗 连接号 liánjiēhào; 连字号 liánzìhào = 하이픈

붙-잡다 타 **1** 抓 zhuā; 扒 bā; 扯住 chězhù; 抓住 zhuāzhù; 攥住 zuànzhù; 握住 wòzhù; 拿住 názhù; 揪 jiū ¶소매를 ～ 抓住袖子 / 그의 어깨를 ～ 扒住他的肩膀 **2** 逮住 dǎizhù; 捉住 zhuōzhù; 逮捕 dàibǔ; 抓 zhuā; 揪 jiū; 捕捉 bǔzhuō; 逮 dǎi; 扭 niǔ; 拿 ná; 捉拿 zhuōná ¶현장에서 범인을 ～ 当场捉住罪犯 **3** 挽留 wǎnliú; 留住 liúzhù **4** 找到 zhǎodào

붙잡-히다 자 **1** 被抓住 bèi zhuāzhù; 被揪住 bèi jiūzhù《'붙잡다1' 的被动词》 **2** 被捉住 bèi zhuōzhù; 被逮住 bèi dǎizhù; 被抓住 bèi zhuāzhù; 被捕 bèi bǔ《'붙잡다2' 的被动词》¶도둑질하다가 붙잡혔다 正偷东西时被逮住了 **3** 被挽留 bèi wǎnliú《'붙잡다3' 的被动词》

뷔페(프buffet) 명 自助餐 zìzhùcān; 冷餐 lěngcān; 冷餐会 lěngcānhuì; 冷餐区 lěngcānqū; 自助餐厅 zìzhù cāntīng

브라보(이bravo) 감 好 hǎo; 好啊 hǎo'a; 太棒了 tàibàngle; 好极了 hǎojíle

브라우스 명 '블라우스' 的错误

브라우저(browser) 명 〖컴〗 浏览器 liúlǎnqì; 浏览程序 liúlǎn chéngxù

브라운-관(Braun管) 명 **1** 〖物〗 显像管 xiǎnxiàngguǎn **2** 电视 diànshì

브래지어(brassiere) 명 胸罩 xiōngzhào; 乳罩 rǔzhào; 奶罩 nǎizhào; 文胸 wénxiōng

브랜드(brand) 명 〖物〗 = 상표 ¶유명 ～ 有名品牌 / ～ 이미지 商标印象 / 중저가 ～ 中低档品牌

브랜디(brandy) 명 白兰地 báilándì; 勃兰地 bólándì

브러시(brush) 명 = 솔[1]

브레이크(brake) 명 **1** 〖機〗 制动器 zhìdòngqì; 制动装置 zhìdòng zhuāngzhì; 刹车 shāchē; 车闸 chēzhá; 闸 zhá = 제동기 ¶～를 걸다 刹车 / ～가 말을 안 듣다 刹车不灵 **2** 阻碍 zǔ'ài; 阻止 zǔzhǐ; 制止 zhìzhǐ ¶기념행사에 ～를 걸다 阻止纪念活动

브로치(brooch) 명 (装饰用) 胸针 xiōngzhēn; 领针 lǐngzhēn; 饰针 shìzhēn; 别针 biézhēn

브로커(broker) 명 〖經〗 **1** 经纪人 jīngjìrén; 经纪 jīngjì **2** 中人 zhōngrén; 中间人 zhōngjiānrén; 掮客 qiánkè ¶여권 ～ 伪造护照掮客

브로콜리(broccoli) 명 〖植〗 花椰菜 huāyēcài; 花菜 huācài

브론즈(bronze) 명 青铜 qīngtóng; 青铜制品 qīngtóng zhìpǐn

브리핑(briefing) 명하타 简要报告 jiǎnyào bàogào; 简报 jiǎnbào

브이시아르(VCR) 명 = 비디오카세트리코더

브이티아르(VTR) 명 = 비디오테이프리코더

블라우스(blouse) 명 女衬衫 nǚchènshān; 女罩衫 nǚzhàoshān

블라인드(blind) 명 百叶窗帘 bǎiyèchuānglián

블랙-리스트(blacklist) 명 黑名单 hēimíngdān ¶～에 오르다 上黑名单

블랙-박스(black box) 명 **1** 黑匣子 hēixiázi **2** 黑箱 hēixiāng

블랙-커피(black coffee) 명 黑咖啡 hēikāfēi; 清咖啡 qīngkāfēi

블랙-홀(black hole) 명 〖天〗 黑洞 hēidòng

블로그(blog) 명 〖컴〗 博客 bókè
블로킹(blocking) 명하타 〖體〗 1 (篮球) 阻挡犯规 zǔdǎng fànguī 2 (排球) 拦网 lánwǎng; 封网 fēngwǎng
블록(block) 명 1 积木 jīmù ¶~을 쌓다 堆积木 2 区段 qūduàn; 街区 jiēqū 3 〖建〗 块料 kuàiliào; 砌块 qìkuài 4 〖컴〗 数据块 shùjùkuài; 信息组 xìnxīzǔ; 程序块 chéngxùkuài
블루스(blues) 명 〖音〗 1 布鲁斯 bùlǔsī; 布鲁斯舞曲 bùlǔsī wǔqǔ; 慢四舞曲 mànsì wǔqǔ 2 布鲁斯舞 bùlǔsīwǔ; 慢四步 mànsìbù
블루-칩(blue chips) 명 〖經〗 蓝筹股 lánchóugǔ; 热门证券 rèmén zhèngquàn
블루-칼라(blue-collar) 명 蓝领 lánlǐng; 蓝领工人 lánlǐng gōngrén
비[1] 명 雨 yǔ ¶~가 내리다 下雨 / ~가 그치다 雨停了 / ~를 피하다 避雨 / ~에 젖다 被雨淋湿 / ~를 맞다 淋雨
비[2] 명 扫帚 sàozhou; 笤帚 tiáozhou; 扫把 sàobǎ = 빗자루2 ¶~를 들고 땅을 쓸다 拿扫帚扫地
비:(比) 명 〖數〗 比 bǐ; 比例 bǐlì
비(妃) 명 〖史〗 妃子 fēizi; 王妃 wángfēi
비(碑) 명 1 碑 bēi ¶~를 하나 세우다 立了一块碑 2 = 묘비
비:-(非) 접두 非 fēi ¶~공식 非公式 / ~무장 非武装 / ~과학적 非科学的
-비(費) 접미 费 fèi ¶숙박~ 住宿费 / 교통~ 交通费 / 생활~ 生活费
비:강(鼻腔) 명 〖生〗 鼻腔 bíqiāng; 鼻窦 bídòu
비:겁-하다(卑怯—) 형 卑怯 bēiqiè; 卑鄙怯懦 bēibǐ qiènuò; 卑鄙 bēibǐ; 怯胆 qièdǎn ¶비겁한 행동 卑怯行为
비:견(比肩) 명하자 比肩 bǐjiān; 相比 xiāngbǐ; 媲 pì; 比得上 bǐdeshàng; 赶得上 gǎndeshàng; 跟得上 gēndeshàng ¶그와 ~할 만한 사람은 아무도 없다 没有谁能与他比肩
비:결(秘訣) 명 秘诀 mìjué; 窍门 qiàomén; 诀窍 juéqiào; 门路 ménlu; 门道 méndao ¶성공의 ~ 成功的秘诀
비계 명 肥肉 féiròu = 비곗살
비계(飛階) 명 〖建〗 脚手架 jiǎoshǒujià
비곗-덩어리 명 1 肥肉块 féiròukuài 2 大胖子 dàpàngzi
비곗-살 명 = 비계
비:고(備考) 명 备考 bèikǎo; 备注 bèizhù ¶~란 备注栏
비:-공개(非公開) 명하타 非公开 fēigōngkāi; 不公开 bùgōngkāi ¶~ 회의 非公开会议 / ~ 정보 非公开信息
비:-공식(非公式) 명 非正式 fēizhèngshì ¶~ 방문 非正式访问 / ~ 통계 非正式统计
비:-과세(非課稅) 명하자 非应税 fēiyīngshuì; 免税 miǎnshuì; 非税收 fēishuìshōu ¶~ 소득 非应税收入 / ~ 저축 免税储蓄
비:관(悲觀) 명하타 悲观 bēiguān; 厌世 yànshì ¶~론 悲观论 / ~주의 悲观主义 / 세상을 ~하여 투신자살하다 悲观厌世跳楼自杀
비:관-적(悲觀的) 관명 悲观(的) bēiguān(de) ¶~인 태도 悲观态度 / 나는 이 일에 대해 매우 ~이다 我对这件事很悲观
비:교(比較) 명하타 比较 bǐjiào; 相比 xiāngbǐ; 相较 xiāngjiào; 比 bǐ; 较 jiào ¶~급 比较级 / ~ 대상 比较对象 / ~법 比较法 / ~ 분석 比较分析 / ~표 比较表 / 크기를 ~하다 比较大小
비:교-적(比較的) 부 比较 bǐjiào; 较 jiào; 还 hái; 较为 jiàowéi; 相对 xiāngduì; 较比 jiàobǐ ¶이곳의 기후는 ~ 습하다 这里的气候比较潮湿 / 이 가격은 ~ 싼 편이다 这个价格算是比较低了
비:구-니(比丘尼) 명 〖佛〗 比丘尼 bǐqiūní; 尼姑 nígū; 尼 ní
비:굴(卑屈) 명하형히부 卑躬屈膝 bēigōngqūxī; 卑鄙 bēibǐ; 卑屈 bēiqū ¶~한 태도 卑鄙态度
비:극(悲劇) 명 1 〖演〗 悲剧 bēijù 2 悲剧 bēijù ¶역사적 ~ 历史的悲剧 / ~이 일어나다 发生悲剧
비:극-적(悲劇的) 관명 悲剧性(的) bēijùxìng(de); 悲剧(的) bēijù(de) ¶~인 운명 悲剧命运
비:근-하다(卑近—) 형 浅显 qiǎnxiǎn; 卑近 bēijìn; 浅近 qiǎnjìn ¶비근한 예 浅显的例子
비:-금속(非金屬) 명 非金属 fēijīnshǔ ¶~ 원소 非金属元素 / ~ 광물 非金属矿物 / ~성 非金属性
비기다[1] 자 打成平局 dǎchéng píngjú; 不分胜负 bùfēn shèngfù; 拉平 lāpíng; 打平手 dǎ píngshǒu; 和 hé ¶중국 팀과 5 대 5로 ~ 与中国队打成5比5平局
비기다[2] 자 1 比 bǐ; 比较 bǐjiào 2 比拟 bǐnǐ; 比喻 bǐyù; 比作 bǐzuò
비껴-가다 자타 掠过 lüèguo; 擦过 cāguo
비:-꼬다 타 1 拧 nǐng; 扭 niǔ; 捻 niǎn ¶그는 짚을 비꼬아 새끼줄 한 가닥을 만들었다 他把稻草拧成了一股绳 2 扭 niǔ ¶몸을 ~ 扭身子 3 挖苦 wāku; 讥讽 jīfěng; 讥嘲 jīcháo; 讥刺 jīcì; 俏皮 qiàopi; 说风凉话 shuō fēngliánghuà = 꼬다3 ¶비꼬는 말투 讥讽的口吻 / 너 지금 나 비꼬는 거지? 你这是在挖苦我吧?
비:꼬-이다 자 1 '비꼬다1' 的被动词 2 '비꼬다2' 的被动词 3 乖戾 guāilì;

别扭 bièniu; 歪 wāi; 拗 niù; 乖僻 guāipì ¶비꼬인 성격 拗性格 4 不顺利 bùshùnlì; 不顺当 bùshùndang

비끼다 자 1 斜照 xiézhào; 侧映 cèyìng; 映照 yìngzhào; 照射 zhàoshè; 斜映 xiéyìng ¶아침 햇살이 물에 ~ 早晨的太阳斜照水上 2 闪现 shǎnxiàn; 透露 tòulù

비:난(非難) 명하타 非难 fēinàn; 责难 zénàn; 指责 zhǐzé; 说话 shuōhuà; 讲话 jiǎnghuà ¶~을 받다 受到指责 / ~할 수 없다 无可非难

비너스(Venus) 명 1 〖文〗维纳斯 Wéinàsī 2 〖天〗= 금성

비녀 명 簪子 zānzi; 簪 zān ¶~를 꽂다 插簪子

비:-논리적(非論理的) 관명 不合逻辑(的) bùhéluóji(de); 非逻辑(的) fēiluóji(de) ¶~인 사고방식 非逻辑的思维方式 / ~인 글 非逻辑的文章

비:뇨-기(泌尿器) 명〖生〗泌尿器 mìniàoqì; 泌尿系统 mìniào xìtǒng

비:뇨기-과(泌尿器科) 명〖醫〗泌尿科 mìniàokē

비누 명 肥皂 féizào; 胰子 yízi; 皂 zào

비눗-갑(—匣) 명 肥皂盒 féizàohé

비눗-기 명 肥皂成分 féizào chéngfèn; 肥皂沫儿 féizàomòr

비눗-물 명 肥皂水 féizàoshuǐ

비눗-방울 명 肥皂泡 féizàopào ¶~을 불다 吹肥皂泡

비늘 명 鳞 lín; 鱼鳞 yúlín ¶~을 벗기다 刮鱼鳞

비:능률-적(非能率的) 관명 低效率(的) dīxiàolǜ(de); 效率低(的) xiàolǜdī(de); 没有效率(的) méiyǒu xiàolǜ(de); 非效率性(的) fēixiàolǜxìng(de) ¶~ 작업 방식 低效率工作方式 / 사실상 이런 방식이 가장 ~이다 事实上这种方式是最没有效率的了

비닐(vinyl) 명〖化〗塑料 sùliào; 乙烯基 yǐxījī; 塑料薄膜 sùliào bómó ¶~봉지 塑料袋 / ~우산 塑料雨伞 / ~장갑 塑料手套 / ~ 장판 塑料地板 / ~하우스 塑料大棚 =[塑料拱棚] / ~로 싸다 用塑料薄膜包起来

비:다 자 1 空 kōng; 空荡荡 kōngdàngdàng; 空洞洞 kōngdòngdòng; 空闲 kòngxián ¶빈 그릇 空碗 / 빈 의자 空椅子 / 텅 빈 사무실 空荡荡的办公室 2 (手、身体) 空 kōng; 赤 chì; 没带 méi dài ¶빈 몸으로 오다 没带东西过来 3 空 kòng; 空余 kòngyú ¶시간이 비면 다시 오세요 有空再来 4 (头脑) 空空 kōngkōng; 笨 bèn ¶골이 ~ 脑袋空空 5 空洞 kōngdòng; 空虚 kōngxū ¶마음이 텅 ~ 心里空虚 6 缺 quē; 差 chà ¶100위안이 빈다 缺一百元 7 空缺 kòngquē; 空 kōng ¶과장 자리가 비어 있다 科长的位置空着

비단(非但) 부 不但 bùdàn; 不仅 bùjǐn; 不仅仅 bùjǐnjǐn; 非但 fēidàn ¶이것은 ~ 나 혼자만의 문제가 아니다 这不仅仅是我一个人的问题

비:단(緋緞) 명 丝绸 sīchóu; 绸子 chóuzi; 绸缎 chóuduàn; 绸 chóu; 缎 duàn; 锦 jǐn; 缎子 duànzi; 锦缎 jǐnduàn ¶~옷 丝绸衣服 / ~신 丝绸鞋

비:단-결(緋緞—) 명 1 绸缎纹理 chóuduàn wénlǐ; 丝绸组织 sīchóu zǔzhī 2 (像)绸子似的 (xiàng) chóuzi shìde; (像)绸子般的 (xiàng) chóuzi bānde ¶피부가 ~이다 皮肤像绸子般的细腻

비:단-길(緋緞—) 명〖史〗丝绸之路 sīchóuzhīlù = 실크 로드

비:대(肥大) 명하형 1 肥大 féidà; 肥厚 féihòu; 臃肿 yōngzhǒng ¶편도샘 ~ 扁桃腺肥大 / ~증 肥大症 / 몸이 ~하다 身体肥大 2 庞大 pángdà; 臃肿 yōngzhǒng ¶~한 조직 臃肿的组织

비:-도덕적(非道德的) 관명 不道德(的) bùdàodé(de); 缺德(的) quēdé(de); 违背人伦 wéibèi rénlún ¶~인 처사 办缺德事

비둘기 명〖鳥〗鸽子 gēzi; 鸽 gē

비듬 명 头皮屑 tóupíxiè; 头屑 tóuxiè; 头皮 tóupí ¶~약 去头屑剂 / ~이 생기다 长头皮屑

비:등(沸騰) 명하자 沸腾 fèiténg ¶여론이 ~하다 舆论沸腾

비:등-비등(比等比等) 부하형 相似 xiāngsì; 差不多 chàbuduō; 相当 xiāngdāng; 颉颃 xiéháng

비:등-하다(比等—) 형 相仿 xiāngfǎng; 相似 xiāngsì; 相近 xiāngjìn; 差不多 chàbuduō; 相当 xiāngdāng; 颉颃 xiéháng ¶그들은 실력이 ~ 他们实力差不多

비디오(video) 명 1 录像 lùxiàng; 录影 lùyǐng ¶~를 보다 看录像 2 = 비디오테이프 3 = 비디오테이프리코더

비디오-카메라(video camera) 명 电视摄影机 diànshì shèyǐngjī; 摄像机 shèxiàngjī

비디오카세트-리코더(video casstte recorder) 명 盒式磁带录像机 héshì cídài lùxiàngjī; 录像机 lùxiàngjī = 브이시아르

비디오-테이프(video tape) 명 录像带 lùxiàngdài; 盒式磁带 héshì cídài; 录像磁带 lùxiàng cídài; 影带 yǐngdài = 비디오2

비디오테이프-리코더(video tape recorder) 명 磁带录像机 cídài lùxiàngjī; 录像机 lùxiàngdjī = 브이티아르 · 비디오3

비딱-하다 형 **1** 歪 wāi; 斜 xié; 歪斜 wāixié ¶모자를 비딱하게 쓰다 歪戴着帽子 / 벽에 시계가 비딱하게 걸렸다 墙上的钟挂斜了 **2** 乖僻 guāipì; 别扭 bièniu ¶그는 성격이 비딱한 사람이다 他是一个性格乖僻的人

비뚜로 부 **1** 歪斜 wāixié; 歪着 wāizhe; 斜着 xiézhe ¶너희들은 ~ 줄을 섰다 你们歪斜地排队了 **2** 心路不正 xīnlù bùzhèng

비뚤-거리다 자타 **1** 直歪斜 zhí wāixié; 歪歪斜斜 wāiwaixiéxié **2** 直打弯 zhí dǎwān; 直弯曲 zhí wānqū ‖ = 비뚤대다 **비뚤-비뚤** 부하형자타

비뚤다 형 歪 wāi; 斜 xié; 歪斜 wāixié; 歪扭 wāiniǔ ¶코가 약간 ~ 鼻子有点儿歪了

비뚤어-지다 자 **1** 歪 wāi; 斜 xié; 歪斜 wāixié ¶줄이 ~ 线斜了 / 입이 ~ 嘴巴歪了 **2** 不正 bùzhèng; 乖僻 guāipì; 别扭 bièniu; 走弯路 zǒu wānlù ¶마음이 ~ 心术不正 / 그녀는 성격이 아주 비뚤어졌다 她的脾气真别扭

비:련(悲戀) 명 悲恋 bēiliàn; 爱情悲剧 àiqíng bēijù

비:례(比例) 명하자 比例 bǐlì ¶~ 대표 比例代表 / ~ 대표제 比例代表制 / ~ 상수 比例系数 / ~식 比例式

비로드(←포veludo) 명 = 벨벳

비로소 부 才 cái; 终于 zhōngyú; 始 shǐ; 方 fāng; 方才 fāngcái ¶나는 이제야 ~ 그의 마음을 이해했다 我现在才能理解他的心情

비록 부 虽然 suīrán; 虽 suī; 虽说 suīshuō; 尽管 jǐnguǎn ¶나는 ~ 가난하지만 네 도움을 받을 수는 없다 虽然我很穷, 但是我不会接受你的帮助

비롯-되다 자 出于 chūyú; 起始 qǐshǐ; 始于 shǐyú; 源于 yuányú; 起于 qǐyú ¶모든 문제는 오해에서 비롯된 것이다 一切问题都是出于误解的

비롯-하다 자타 **1** 出于 chūyú; 始于 shǐyú; 源于 yuányú; 起于 qǐyú ¶이것은 그의 역사적 사명감에서 비롯한 것이다 这是出于他的历史使命感 **2** 为主 wéizhǔ; 以及 yǐjí; 为首 wéishǒu ¶할머니를 비롯하여 온 가족이 모이다 以奶奶为首的全家聚在一起

비:료(肥料) 명 肥料 féiliào; 肥 féi ¶~를 뿌리다 施肥

비룡(飛龍) 명 飞龙 fēilóng

비루 명 〖農〗 (牲畜身上生的) 癞癣 làixuǎn ¶~ 오르다 生癞癣

비:루-하다(鄙陋—) 형 鄙陋 bǐlòu; 鄙薄 bǐbó; 低俗 dīsú; 庸劣 yōngliè; 卑劣 bēiliè; 可鄙 kěbǐ; 俗陋 súlòu

비름 명 〖植〗 苋菜 xiàncài; 苋 xiàn ¶~나물 凉拌苋菜

비:리(非理) 명 不正之风 bùzhèngzhīfēng; 不法行为 bùfǎ xíngwéi; 丑行 chǒuxíng; 违背情理 wéibèi qínglǐ; 非理 fēilǐ ¶사회의 ~를 파헤치다 挖解社会不正之风

비리다 형 腥 xīng; 腥臭 xīngchòu; 腥气 xīngqi; 腥臊 xīngsāo ¶생선구이가 좀 ~ 烤鱼有点腥

비리-비리 부하형 瘦弱 shòuruò; 虚弱 xūruò

비린-내 명 腥味儿 xīngwèir; 腥气 xīngqi ¶~가 코를 찌르다 腥气刺鼻 / ~를 없애다 去腥味儿

비릿-하다 형 腥 xīng; 腥臊 xīngsāo; 腥气 xīngqi; 腥臭 xīngchòu; 发腥 fāxīng

비:만(肥滿) 명하형 肥胖 féipàng ¶~아 肥胖儿 / ~ 아동 肥胖儿童 / ~증 肥胖症 / ~형 肥胖型 / 아동 ~ 儿童肥胖 / ~을 치료하다 治疗肥胖

비말(飛沫) 명 飞沫 fēimò; 水沫 shuǐmò

비:망(備忘) 명 备忘 bèiwàng ¶~록 备忘录

비:매-품(非賣品) 명 非卖品 fēimàipǐn; 非销售品 fēixiāoshòupǐn

비:명(非命) 명 非命 fēimìng ¶~에 가다 死于非命

비:명(悲鳴) 명 悲鸣 bēimíng; 惨叫 cǎnjiào; 叫苦 jiàokǔ; 惊呼 jīnghū; 尖叫 jiānjiào ¶끊임없이 ~을 지르다 叫苦不迭 / ~ 소리가 들리다 听到惨叫声

비명(碑銘) 명 碑铭 bēimíng; 碑文 bēiwén; 碑记 bēijì

비:명-횡사(非命橫死) 명하자 死于非命 sǐyú fēimìng

비:몽사몽(非夢似夢) 명 似梦非梦 sìmèngfēimèng; 似睡非睡 sìshuìfēishuì

비:몽사몽-간(非夢似夢間) 명 似梦非梦(地) sìmèngfēimèng(de); 似睡非睡(地) sìshuìfēishuì(de)

비:-무장(非武裝) 명 非武装 fēiwǔzhuāng; 非军事 fēijūnshì

비:무장 지대(非武裝地帶) 〖軍〗 非武装地带 fēiwǔzhuāng dìdài; 非军事区 fēijūnshìqū; 非武装区 fēiwǔzhuāngqū

비문(碑文) 명 碑文 bēiwén; 碑铭 bēimíng; 碑记 bēijì

비:-민주적(非民主的) 관명 非民主 fēimínzhǔ ¶~ 제도 非民主制度

비:밀(祕密) 명하형히부 **1** 秘密 mìmì; 隐密 yǐnmì; 秘 mì; 密 mì ¶~ 결사 秘密结社 / ~경찰 秘密警察 / ~문서 秘密文件 / ~을 지키다 保守秘密 / ~을 밝히다 揭开秘密 / ~을 누설하다 泄漏秘密 / ~을 폭로하다 揭露秘密 / ~이 탄로나다 秘密被揭露 **2** 奥秘 àomì ¶우주의 ~ 宇宙的奥秘

비:밀-리(祕密裏) 명 不公开 bùgōngkāi; 暗地里 àndìli; 暗中 ànzhōng; 秘密地 mìmìde; 隐密地 yǐnmìde ¶～에 시장 조사를 하다 暗中进行市场调查 / ～에 그의 소식을 알아보다 暗地里打听他的消息
비:밀-스럽다(祕密—) 형 隐密 yǐnmì; 秘密 mìmì ¶비밀스러운 내막 隐秘的内幕 **비:밀스레** 부
비-바람 명 = 풍우 ¶～이 몰아치다 风雨交加
비:방(祕方) 명 **1** 诀窍 juéqiào; 秘诀 mìjué = 비법 **2** 〖韓醫〗 秘方 mìfāng
비방(誹謗) 명하타 诽谤 fěibàng; 毁谤 huǐbàng; 诋毁 dǐhuǐ ¶～을 당하다 遭受诽谤 / 동료를 ～하다 诽谤同事
비버(beaver) 명 〖動〗 河狸 hélí; 海狸 hǎilí
비:번(非番) 명 不值班 bùzhíbān ¶오늘은 ～이다 今天不值班
비:범-하다(非凡—) 형 非凡 fēifán; 不凡 bùfán ¶비범한 인물 非凡人物 / 실력이 ～ 实力不凡 **비:범-히** 부
비:법(祕法) 명 = 비방(祕方)1 ¶～을 전수하다 传授诀窍
비보(飛報) 명하타 飞报 fēibào; 快报 kuàibào; 急告 jígào
비:보(悲報) 명 噩耗 èhào; 凶信(儿) xiōngxìn(r); 凶耗 xiōnghào
비:분(悲憤) 명하자 悲愤 bēifèn ¶마음속의 ～을 토로하다 抒发心中的悲愤
비:분-강개(悲憤慷慨) 명하자 愤慨 fènkǎi; 悲愤慷慨 bēifènkāngkǎi
비브라토(이vibrato) 명 〖音〗 颤音 chànyīn; 颤抖效果 chàndǒu xiàoguǒ = 바이브레이션
비비(狒狒) 명 〖動〗 = 개코원숭이
비비다 타 **1** 搓 cuō; 揉 róu; 蹭 cèng; 擦 cā; 磨 mó ¶손을 ～ 搓手 / 눈을 비비지 마라 不要揉眼睛 **2** 拌 bàn; 搅拌 jiǎobàn ¶국수를 ～ 拌面条 **3** 扭 niǔ; 拧 níng; 捻 niǎn ¶송곳을 ～ 捻锥子
비빔 명 拌 bàn; 凉拌 liángbàn ¶～국수 拌面 / ～냉면 拌冷面 / ～밥 拌饭
비:상(非常) 명하형히부 **1** 紧急 jǐnjí; 非常 fēicháng; 紧急状态 jǐnjí zhuàngtài ¶～경보 紧急警报 / ～ 대책 紧急措施 / ～사태 紧急事态 / ～소집 紧急召集 / ～수단 非常手段 / ～ 시기 非常时期 / ～ 착륙 紧急着陆 / ～을 해제하다 解除紧急状态 **2** 异乎寻常 yìhūxúncháng; 特殊 tèshū; 非常 fēicháng ¶～한 관심 异乎寻常的关心 **3** 不一般 bùyībān; 不凡 bùfán; 非凡 fēifán; 不平凡 bùpíngfán; 了不得 liǎobudé ¶능력이 ～하다 能力非凡
비:상(砒霜) 명 〖藥〗 砒霜 pīshuāng; 信石 xìnshí; 白砒 báipī; 红砒 hóngpī; 红矾 hóngfán
비상(飛翔) 명하자타 飞翔 fēixiáng ¶하늘로 ～하는 독수리 在天飞翔的秃鹫
비:상-구(非常口) 명 太平门 tàipíngmén; 安全门 ānquánmén
비:상-금(非常金) 명 私房钱 sīfangqián; 压兜儿 yādōur; 压兜儿钱 yādōurqián
비:상-등(非常燈) 명 应急灯 yìngjídēng
비:상-벨(非常bell) 명 紧急铃 jǐnjílíng; 应急铃 yìngjílíng ¶～을 누르다 按紧急铃 / ～을 설치하다 安装应急铃
비:상-시(非常時) 명 非常时期 fēicháng shíqī; 紧急时刻 jǐnjí shíkè
비:상-식량(非常食糧) 명 应急食物 yìngjí shíwù; 备用食物 bèiyòng shíwù
비:상-용(非常用) 명 应急 yìngjí; 备用 bèiyòng ¶～ 약품 备用药品 / ～ 열쇠 备用钥匙
비:서(祕書) 명 秘书 mìshū ¶～관 秘书官 / ～실 秘书室 / 여～ 女秘书
비석(碑石) 명 碑石 bēishí; 碑 bēi; 石碑 shíbēi
비:소(砒素) 명 〖化〗 砷 shēn; 砒 pī
비:속(卑俗) 명하형 卑俗 bēisú; 庸俗 yōngsú; 鄙俗 bǐsú; 低俗 dīsú; 下流 xiàliú; 俗 sú; 粗俗 cūsú ¶～한 문화 庸俗文化 / ～한 사람 卑俗之人
비:속-어(卑俗語) 명 = 속어1
비:수(匕首) 명 匕首 bǐshǒu ¶날카로운 ～ 锋利的匕首
비:수-기(非需期) 명 〖經〗 淡季 dànjì ¶여행 ～에 접어들다 进入旅游淡季
비스듬-하다 형 歪 wāi; 斜 xié; 坡 pō; 歪斜 wāixié; 倾斜 qīngxié **비스듬-히** 부 ¶침대에 ～ 눕다 斜躺到床上
비스킷(biscuit) 명 饼干 bǐnggān
비슷비슷-하다 형 相似 xiāngsì; 近似 jìnsì; 类似 lèisì; 相仿 xiāngfǎng; 差不多 chàbuduō; 相类 xiānglèi; 大同小异 dàtóngxiǎoyì; 半斤八两 bànjīnbāliǎng ¶비슷비슷한 물건 相似的东西 / 두 사람은 생김새가 ～ 两个人长相近似
비슷-하다 형 相似 xiāngsì; 近似 jìnsì; 像 xiàng; 相仿 xiāngfǎng; 类似 lèisì; 差不多 chàbuduō; 仿佛 fǎngfú; 类同 lèitóng; 相近 xiāngjìn ¶디자인이 비슷한 원피스 款式差不多的连衣裙 / 두 기계의 기능은 매우 ～ 两台机器的功能十分相似
비슷한-말 명 〖語〗 = 유의어
비시(B.C.)[Before Christ] 명 = 기원전
비시지(BCG)[Bacillus Calmette Guérin] 명 〖醫〗 卡介苗 kǎjièmiáo ¶～를 접종하다 接种卡介苗

비실-거리다 자 踉踉跄跄 liàngliangqiàngqiàng; 跌跌撞撞 diēdiēzhuàngzhuàng; 摇摇晃晃 yáoyaohuànghuàng; 蹒跚 pánshān; 病病歪歪 bìngbingwāiwāi ¶비실거리며 걸어가다 蹒跚地行走 **비실-비실** 부하자

비싸다 형 **1** (价钱) 贵 guì; 高 gāo; 昂贵 ánggui; 高价 gāojià ¶값이 ~ 价钱贵 / 이 옷은 너무 ~ 这件衣服太贵了 **2** 架子大 jiàzi dà; 傲慢 àomàn; 自豪 zìháo; 拿架子 ná jiàzi; 卖关子 mài guānzi

비아냥-거리다 자타 讥讽 jīfěng; 讽刺 fěngcì; 挖苦 wāku; 说风凉话 shuō fēngliánghuà; 嘲讽 cháofěng; 嘲笑 cháoxiào = 비아냥대다

비:애(悲哀) 명 悲哀 bēi'āi; 伤感 shānggǎn ¶인생의 ~ 人生的悲哀 / ~에 잠기다 沉浸在悲哀之中

비약(飛躍) 명하자 **1** 飞跃 fēiyuè; 腾飞 téngfēi ¶경제의 ~ 经济的飞跃 **2** 飞跃 fēiyuè ¶논리의 ~ 逻辑的飞跃

비약-적(飛躍的) 관명 飞跃(的) fēiyuè(de); 腾飞(的) téngfēi(de) ¶~으로 발전하다 飞跃发展

비:-양심적(非良心的) 관명 不讲良心(的) bùjiǎng liángxīn(de); 没良心(的) méi liángxīn(de); 非良心 fēiliángxīn ¶~인 일 没良心的事

비엔날레(이biennale) 명 〖美〗 双年展 shuāngniánzhǎn

비:열(比熱) 명 〖物〗 比热 bǐrè

비:열-하다(卑劣— · 鄙劣—) 형 卑劣 bēiliè; 卑鄙 bēibǐ; 低劣 dīliè; 可鄙 kěbǐ; 下流 xiàliú; 猥劣 wěiliè; 猥陋 wěilòu ¶이 비열한 자식! 你这个卑鄙的家伙! / 행동이 ~ 行为可鄙

비:염(鼻炎) 명 〖醫〗 鼻炎 bíyán ¶만성 ~ 慢性鼻炎

비:옥(肥沃) 명하형 肥沃 féiwò; 肥饶 féiráo; 肥腴 féiyú; 肥 féi; 沃 wò; 腴 yú ¶~한 토지 肥腴的土地

비올라(이viola) 명 〖音〗 维尔拉 wéiěrlā; 中提琴 zhōngtíqín

비-옷 명 雨衣 yǔyī = 레인코트 · 우의(雨衣) ¶~을 입다 穿雨衣

비:용(費用) 명 费用 fèiyong; 费 fèi; 开支 kāizhī ¶이사 ~ 搬家费用 / ~을 마련하다 筹措费用 / 수술 ~을 부담하다 负担手术费用

비-우다 타 **1** (把事物或空间) 空 kòng; 腾 téng; 空出 kòngchū; 腾出 téngchū; 空着 kòngzhe ¶병을 ~ 把瓶子空出来 / 방을 ~ 腾出房间 **2** (把时间) 空 kòng; 腾 téng; 空出 kòngchū; 腾出 téngchū ¶시간을 비워 놓고 그를 기다리다 空出时间等他

비:운(悲運) 명 悲惨命运 bēicǎn mìngyùn; 悲运 bēiyùn; 苦命 kǔmìng ¶~의 왕비 悲惨命运的王妃

비:웃다 타 讥笑 jīxiào; 嘲笑 cháoxiào; 耻笑 chǐxiào; 冷笑 lěngxiào; 讥诮 jīqiào; 讥讽 jīfěng ¶그의 무지를 ~ 嘲笑他的无知 / 절대로 남을 비웃지 마라 千万不要讥笑别人

비:웃-음 명 讥笑 jīxiào; 嘲笑 cháoxiào; 耻笑 chǐxiào; 冷笑 lěngxiào; 讥讽 jīfěng = 조소(嘲笑) ¶남의 ~을 사다 令人耻笑 / ~을 당하다 遭受嘲笑

비:위(脾胃) 명 **1** 口味 kǒuwèi; 胃口 wèikǒu; 脾胃 píwèi; 脾味 píwèi ¶~에 안 맞다 不合口味 **2** 脾气 píqi; 耐性 nàixìng; 心意 xīnyì; 脾胃 píwèi ¶~ 좋은 사람 脾气好的人 / 이런 일은 ~에 맞지 않다 这样的事, 不合脾胃

비:-위생적(非衛生的) 관명 不卫生(的) bùwèishēng(de) ¶~인 환경 不卫生环境 / 이 식당은 너무 ~이다 这家饭馆太不卫生了

비:유(比喩 · 譬喩) 명하타 比喻 bǐyù; 比 bǐ; 譬喻 pìyù; 比方 bǐfang; 打比 dǎbǐ ¶~법 比喻法 / ~를 들다 打比方

비:율(比率) 명 〖數〗 比值 bǐzhí; 比率 bǐlǜ; 比例 bǐlì; 率 lǜ ¶~이 높다 比率高 / ~이 낮다 比率低 / 1 대 2의 ~로 배합하다 按1比2的比例调和

비:음(鼻音) 명 鼻音 bíyīn = 콧소리

비:인간-적(非人間的) 관명 非人(的) fēirén(de) ¶~인 대우를 받다 遭遇非人待遇

비:-인도적(非人道的) 관명 非人道(的) fēiréndào(de); 不人道(的) bùréndào(de) ¶~ 행위 不人道的行为

비:일비:재(非一非再) 명하형 不是一次两次 bùshì yīcì liǎngcì; 不仅一两次 bùjǐn yīliǎngcì; 不是一两次 bùshì yīliǎngcì; 一而再再而三 yī ér zài zài ér sān ¶이런 일은 ~하게 일어난다 这样的事情不是一两次发生了

비자(visa) 명 〖法〗 = 사증 ¶입국 ~ 入境签证 / ~를 신청하다 申请签证 / ~를 발급받다 获得 签证

비:-자금(祕資金) 명 〖經〗 秘密资金 mìmì zījīn

비:장(祕藏) 명하타 秘藏 mìcáng; 隐藏 yǐncáng ¶~의 무기 隐藏武器 / ~의 솜씨 隐藏的手艺

비장(脾臟) 명 〖生〗 脾脏 pízàng

비:장-하다(悲壯—) 형 悲壮 bēizhuàng; 壮烈 zhuàngliè ¶비장한 결심 悲壮的决心 **비:장-히** 부

비:적(匪賊) 명 盗匪 dàofěi; 匪徒 fěitú; 土匪 tǔfěi; 匪盗 fěidào ¶~을 소탕하다 清剿土匪

비전(vision) 명 希望 xīwàng; 前途 qiántú; 蓝图 lántú; 出息 chūxi ¶인재가

없는 기업은 ~이 없다 没有人才的企业是没有前途的

비:정(非情) 명하형 无情 wúqíng; 无人情 wúrénqíng; 绝情 juéqíng; 薄情 bóqíng ¶~한 사람 绝情的人

비:-정규(非正規) 명 非正规 fēizhèngguī ¶~군 非正规军

비:-정규직(非正規職) 명 非正规就业 fēizhèngguī jiùyè ¶~ 근로자 非正规就业人员

비:-정상(非正常) 명 不正常 bùzhèngcháng; 反常 fǎncháng; 失常 shīcháng; 异常 yìcháng

비:정상-적(非正常的) 관명 不正常(的) bùzhèngcháng(de); 反常 fǎncháng; 失常 shīcháng; 异常 yìcháng ¶ 지능 발달이 ~이다 智能发达是不正常的

비:-좁다 형 狭窄 xiázhǎi; 窄 zhǎi; 窄小 zhǎixiǎo ¶비좁은 골목길 狭窄的胡同 / 비좁은 방 窄小的房间

비:준(批准) 명하타 〖法〗 批准 pīzhǔn ¶국회 ~ 国会批准 / ~을 거부하다 拒绝批准

비:중(比重) 명 **1** 〖物〗 比重 bǐzhòng ¶ ~계 比重计 **2** 比重 bǐzhòng; 比例 bǐlì ¶~이 높다 比重高 / ~이 낮다 比重低 / 교통비가 전체 생활비에서 차지하는 ~은 매우 크다 交通费在总生活费所占的比重很大

비즈니스(business) 명 生意 shēngyi; 交易 jiāoyì; 商务 shāngwù; 业务 yèwù; 工作 gōngzuò; 营业 yíngyè; 商业 shāngyè; 实业 shíyè ¶~호텔 商务酒店

비즈니스맨(businessman) 명 实业家 shíyèjiā; 商业家 shāngyèjiā

비지 명 豆腐渣 dòufuzhā; 豆渣 dòuzhā ¶~찌개 豆渣汤

비지-땀 명 大汗 dàhàn ¶~을 흘리다 流大汗

비지-떡 명 **1** 豆渣饼 dòuzhābǐng **2** 粗货 cūhuò; 劣货 lièhuò

비-질 명하자타 扫 sǎo; 扫地 sǎodì ¶ 마당을 ~하다 扫院子

비:집다 타 **1** 开个缝 kāige fèng ¶문을 비집어 열다 开个门缝 **2** 挤 jǐ; 拨开 bōkāi ¶필사적으로 지하철 안으로 비집고 들어가다 拼命挤进地铁车厢 **3** 睁大 zhēngdà; 瞪大 dèngdà ¶눈을 비집고 보아도 찾을 수 없다 瞪大了眼也找不到

비쩍 부 瘦瘦的 shòushòude; 瘦巴巴(的) shòubābā(de); 瘦精精(的) shòujīngjīng(de); 瘦呱呱(的) shòuguāguā(de); 消瘦 xiāoshòu ¶몸이 ~ 마르다 身体瘦精精的

비:참(悲慘) 명하형히부 悲惨 bēicǎn; 惨 cǎn; 凄惨 qīcǎn ¶~한 모습 悲惨的样子 / ~한 생활 悲惨的生活 / ~한 광경 悲惨的情境

비:책(秘策) 명 秘策 mìcè; 秘计 mìjì; 秘密策划 mìmì cèhuà ¶~을 짜내다 拟秘密策划

비:천-하다(卑賤—) 형 卑贱 bēijiàn; 低贱 dījiàn; 卑微 bēiwēi; 低卑 dībēi; 轻贱 qīngjiàn ¶비천한 직업 卑贱的职业 / 신분이 ~ 身份低贱 / 출신이 ~ 出身低贱

비:철 금속(非鐵金屬) 〖工〗 非铁金属 fēitiě jīnshǔ

비추다 타 **1** 照 zhào; 照射 zhàoshè; 映 yìng; 映照 yìngzhào; 光照 guāngzhào; 照耀 zhàoyào ¶달빛이 대지를 ~ 月光照耀大地 / 손전등으로 입안을 ~ 用手电往嘴里照 **2** 照 zhào ¶거울에 몸을 ~ 用镜子照身体 **3** 比照 bǐzhào; 对照 duìzhào; 比较 bǐjiào

비추-이다 자 '비추다1·2' 的被动词

비:축(備蓄) 명하타 储备 chǔbèi; 储存 chǔcún; 储积 chǔjī; 贮存 zhùcún; 贮备 zhùbèi ¶식량을 ~하다 储备粮食 / 힘을 ~해 두다 把力量储存起来

비:취(翡翠) 명 〖鑛〗 = 비취옥 ¶~색 翠绿

비:취-옥(翡翠玉) 명 〖鑛〗 翡翠 fěicuì; 翠 cuì = 비취

비:치(備置) 명하타 设置 shèzhì; 配备 pèibèi; 备办 bèibàn; 置办 zhìbàn; 准备 zhǔnbèi; 备 bèi ¶기숙사 내에 운동기구를 ~하다 宿舍内配备运动器材

비치다 ㊀자 **1** 照 zhào; 投射 tóushè; 照射 zhàoshè ¶달빛이 창문으로 비쳐 들어오다 月光从窗照进来 **2** 映 yìng; 投映 tóuyìng; 照出 zhàochū; 映出 yìngchū ¶그의 그림자가 호수면에 ~ 他的身影投映在湖面上 **3** 透出 tòuchū; 透 tòu; 露出 lùchū ¶셔츠가 너무 얇아서 속옷이 ~ 衬衫太薄露出内衣 **4** 露出 lùchū; 披露 pīlù; 显露 xiǎnlù ¶얼굴에 불안해하는 기색이 ~ 脸上显露出不安的神色 **5** 露面 lòumiàn; 照面儿 zhàomiànr ¶얼굴만 잠깐 비치고 돌아갔다 露了一面就回去了 ㊁타 暗示 ànshì; 示意 shìyì; 流露 liúlù; 透话 tòuhuà; 吹风(儿) chuīfēng(r) ¶결혼 생각을 ~ 暗示结婚想法

비:칭(卑稱) 명 〖語〗 鄙称 bǐchēng

비커(beaker) 명 〖化〗 烧杯 shāobēi

비:켜-나다 자타 躲开 duǒkāi; 避开 bìkāi; 闪开 shǎnkāi; 闪避 shǎnbì; 让开 ràngkāi; 闪 shǎn; 让 ràng ¶한쪽으로 ~ 闪在一边 / 재빨리 비켜났다 赶紧躲开了

비:켜-서다 자 躲开 duǒkāi; 避开 bìkāi; 闪开 shǎnkāi; 闪避 shǎnbì; 让开

ràngkāi; 闪 shǎn; 让 ràng
비키니(bikini) 명 比基尼 bǐjīní; 三点式泳装 sāndiǎnshì yǒngzhuāng
비:키다 一자 让 ràng; 躲 duǒ; 躲开 duǒkāi; 避开 bìkāi; 闪开 shǎnkāi; 让开 ràngkāi; 闪避 shǎnbì; 躲避 duǒbì ¶한 옆으로 ~ 躲到一边 二타 移开 yíkāi; 挪开 nuókāi
비타민(vitamin) 명 〖化〗 维生素 wéishēngsù; 维他命 wéitāmìng ¶~제 维生素制剂 / ~ 결핍증 维生素缺乏症
비:탄(悲歎·悲嘆) 명하타 悲叹 bēitàn; 哀叹 āitàn
비탈 명 坡(儿) pō(r); 倾斜 qīngxié; 斜坡 xiépō; 山坡 shānpō; 陡坡 dǒupō ¶~이 심하다 倾斜得很厉害 / ~을 오르다 爬上陡坡
비탈-길 명 坡道 pōdào; 坡路 pōlù; 斜坡路 xiépōlù
비탈-지다 형 倾斜 qīngxié; 倾侧 qīngcè; 倾 qīng
비:통(悲痛) 명하형히부 悲痛 bēitòng; 伤心 shāngxīn; 沉痛 chéntòng; 惨痛 cǎntòng; 哀痛 āitòng ¶~한 표정 悲痛的表情 / ~에 빠지다 沉在悲痛中
비트(beat) 명 〖音〗 拍子 pāizi; 节拍 jiépāi; 节奏 jiézòu
비트(bit) 의명 〖컴〗 位 wèi; 比特 bǐtè
비틀 부하타 踉跄 liàngqiàng; 趔趄 lièqie; 蹒跚 pánshān; 打晃儿 dǎhuàngr; 东倒西歪 dōngdǎoxīwāi; 歪歪倒倒 wāiwaidǎodǎo
비틀-거리다 타 踉跄 liàngqiàng; 蹒跚 pánshān; 打晃儿 dǎhuàngr; 趔趄 lièqie; 东倒西歪 dōngdǎoxīwāi = 비틀대다 ¶술을 다 마신 남자가 일어나 비틀거리며 입구 쪽으로 걸어간다 喝完酒的男人起身趔趔趄趄往门口走 **비틀-비틀** 부하타
비:틀다 타 扭 niǔ; 拧 níng ¶수도꼭지를 비틀어 열다 拧开水龙头 / 손목을 ~ 拧住手腕子
비:틀-리다 자 '비틀다' 的被动词
비:틀어-지다 자 **1** 扭曲 niǔqū; 歪了 wāile; 斜了 xiéle **2** 告吹 gàochuī; 吹 chuī; 黄了 huángle; 出岔子 chū chàzi; 出岔儿 chūchàr
비파(琵琶) 명 〖音〗 琵琶 pípa ¶~를 타다 弹琵琶
비:판(批判) 명하타 批判 pīpàn; 批评 pīpíng ¶~ 정신 批判精神 / 신랄한 ~ 辛辣的批判 / ~을 받아들이다 接受批评 / 사회를 ~하다 批判社会
비:판-적(批判的) 관명 批判(的) pīpàn(de); 批评(的) pīpíng(de) ¶~인 태도 批判的态度
비:평(批評) 명하타 批评 pīpíng; 评论 pínglùn ¶그의 작품을 ~하다 评论他的作品
비:평-가(批評家) 명 评论家 pínglùnjiā
비:-포장도로(非鋪裝道路) 명 土路 tǔlù; 非柏油路 fēibǎiyóulù
비:-폭력주의(非暴力主義) 명 〖政〗 非暴力主义 fēibàolì zhǔyì
비:품(備品) 명 备品 bèipǐn; 备用品 bèiyòngpǐn; 常备品 chángbèipǐn
비프-스테이크(beef-steak) 명 牛排 niúpái = 스테이크2
비:하(卑下) 명하타 **1** 自卑 zìbēi **2** 贬低 biǎndī; 贬损 biǎnsǔn; 贬抑 biǎnyì ¶흑인을 ~하다 贬低黑人
비:-하다(比―) 자타 比 bǐ; 较 jiào; 相比 xiāngbǐ; 比较 bǐjiào; 比拟 bǐnǐ ¶이곳은 다른 식당에 비하면 가격이 싼 편이다 这里和其他饭馆比起来, 价格还算便宜
비:합리-적(非合理的) 관명 不合理(的) bùhélǐ(de); 非合理(的) fēihélǐ(de) ¶~인 요구 不合理要求
비:합법-적(非合法的) 관명 不合法(的) bùhéfǎ(de); 非合法(的) fēihéfǎ(de) ¶~인 활동 非合法活动
비:핵무장 지대(非核武裝地帶) 〖政〗 无核武器区 wúhéwǔqìqū; 无核区 wúhéqū = 비핵 지대
비:핵 지대(非核地帶) 〖政〗 = 비핵무장 지대
비:행(非行) 명 错误行为 cuòwù xíngwéi; 不轨行为 bùguǐ xíngwéi; 恶行 èxíng; 失足 shīzú; 胡作非为 húzuòfēiwéi ¶~ 청소년 失足青少年 / ~ 소년 失足少年
비행(飛行) 명하자타 飞行 fēixíng; 飞 fēi ¶우주 ~ 航天飞行 / 야간 ~ 夜间飞行 / 저공~ 低空飞行 / ~ 고도 飞行高度 / ~ 시간 飞行时间 / 시험 ~ 试飞
비행-기(飛行機) 명 飞机 fēijī
비행기(를) 태우다 구 戴高帽子
비행 기지(飛行基地) 〖軍〗 飞行基地 fēixíng jīdì; 航空基地 hángkōng jīdì
비행-사(飛行士) 명 飞行员 fēixíngyuán; 飞机驾驶员 fēijī jiàshǐyuán
비행-선(飛行船) 명 飞艇 fēitǐng; 飞船 fēichuán
비행-장(飛行場) 명 飞机场 fēijīchǎng; 机场 jīchǎng; 飞行场 fēixíngchǎng
비행-접시(飛行―) 명 飞碟 fēidié
비행-정(飛行艇) 명 〖航〗 水上飞机 shuǐshàng fēijī
비:-현실적(非現實的) 관명 非现实(的) fēixiànshí(de); 不现实(的) bùxiànshí(de) ¶네 생각은 너무 ~이야 你的想法太不现实了
비:호(庇護) 명하타 庇护 bìhù; 包庇

bāobì; 袒护 tǎnhù; 回护 huíhù; 庇佑 bìyòu ¶악인을 ~하다 包庇恶人

비호(飛虎) 명 飞虎 fēihǔ; 猛虎 měnghǔ

비호-같다(飛虎—) 형 飞虎般的 fēihǔ bānde; 猛虎般的 měnghǔ bānde **비호같-이** 부

비화(飛火) 명하자 波及 bōjí; 导致 dǎozhì ¶사건은 의외의 방향으로 ~했다 事件波及意外的方向

비:화(祕話) 명 秘闻 mìwén; 秘话 mìhuà ¶정계 ~ 政界秘闻

비:-회원(非會員) 명 非会员 fēihuìyuán; 非成员 fēichéngyuán

비:효율-적(非效率的) 관명 非效率(的) fēixiàolǜ(de); 低效(的) dīxiào(de)

빅-뉴스(big news) 명 重要新闻 zhòngyào xīnwén

빈객(賓客) 명 宾客 bīnkè; 重客 zhòngkè; 贵客 guìkè

빈곤(貧困) 명하형히부 **1** 贫困 pínkùn; 贫乏 pínfá; 贫穷 pínqióng; 贫寒 pínhán ¶~감 贫困感 / 농촌의 ~ 가정 农村的贫困家庭 / 생활이 ~하다 生活贫困 **2** 缺乏 quēfá; 贫乏 pínfá ¶상상력의 ~ 想像力贫乏

빈농(貧農) 명 贫农 pínnóng

빈뇨-증(頻尿症) 명 〖醫〗 尿频 niàopín; 尿频症 niàopínzhèng

빈대 명 〖蟲〗 臭虫 chòuchong; 壁虱 bìshī

빈대-떡 명 绿豆煎饼 lǜdòu jiānbing = 녹두전

빈도(頻度) 명 频度 píndù; 频率 pínlǜ; 频次 píncì = 빈도수 ¶사용 ~ 使用频度 / ~가 높다 频率高

빈도-수(頻度數) 명 = 빈도

빈둥-거리다 자 游荡 yóudàng; 游手好闲 yóushǒuhàoxián; 打闲(儿) dǎxián(r); 偷懒 tōulǎn; 吊儿郎当 diào'erlángdāng = 빈둥대다 ¶그녀는 항상 빈둥거린다 她总是偷懒 / 하루종일 ~ 整天游游荡荡 **빈둥-빈둥** 부하자

빈:-말 명하자 空话 kōnghuà; 空炮 kōngpào; 空谈 kōngtán

빈모(鬢毛) 명 = 살쩍 ¶~가 희끗희끗하다 鬓发苍白

빈민(貧民) 명 贫民 pínmín; 穷民 qióngmín; 细民 xìmín ¶~굴 贫民窟 / ~촌 贫民村 / ~층 贫民层

빈민-가(貧民街) 명 贫民街 pínmínjiē; 贫民区 pínmínqū = 슬럼가

빈발(頻發) 명하자 频发 pínfā; 频繁发生 pínfán fāshēng; 一再发生 yīzài fāshēng; 频仍 pínréng; 频频发生 pínpín fāshēng ¶지진이 ~하다 地震频发

빈:-방(—房) 명 空房间 kòngfángjiān; 闲房 xiánfáng; 空屋 kòngwū

빈번-하다(頻繁—) 형 频繁 pínfán; 勤密 qínmì; 频频 pínpín ¶왕래가 ~ 来往频繁 / 고장이 ~ 故障频繁 **빈번-히** 부 ¶화재가 ~ 발생하다 火灾频频发生

빈부(貧富) 명 贫富 pínfù; 穷富 qióngfù ¶~귀천 贫富贵贱 / ~ 격차가 매우 심하다 贫富差距很悬殊 =[贫富悬殊]

빈사(瀕死) 명 = 반죽음 ¶~ 상태 濒死状态

빈소(殯所) 명 灵堂 língtáng ¶~를 차리다 设灵堂 / ~를 지키다 守灵堂

빈:-속 명 空腹 kōngfù; 空肚子 kōngdùzi; 空心(儿) kòngxīn(r)

빈:-손 명 **1** 空手 kōngshǒu; 徒手 túshǒu; 素手 sùshǒu ¶그는 할 수 없이 ~으로 돌아왔다 他只好空手而归 **2** 赤手空拳 chìshǒukōngquán ‖= 공수(空手)

빈약(貧弱) 명하형 **1** 贫弱 pínruò **2** 贫乏 pínfá; 薄弱 bóruò; 微弱 wēiruò ¶~한 지식 贫乏的知识 / ~한 자본 薄弱的资本 / 내용이 ~하다 内容贫乏

빈익빈(貧益貧) 명하자 穷者愈穷 qióngzhěyùqióng; 穷者越穷 qióngzhěyuèqióng ¶부익부 ~ 富者愈富穷者愈穷

빈:-자리 명 **1** 空位子 kōngwèizi; 空座位 kōngzuòwèi ¶저기 ~에 앉아도 되나요? 我可以坐到那边的空位子上吗? **2** 空缺 kòngquē; 空职位 kōngzhíwèi; 空位 kōngwèi; 空额 kòng'é ‖= 공석(空席)

빈정-거리다 자타 挖苦 wāku; 嘲讽 cháofěng; 讥刺 jīcì; 讥笑 jīxiào = 빈정대다 ¶빈정거리며 말하다 嘲讽地说 **빈정-빈정** 부하자타

빈:-주먹 명 赤手 chìshǒu; 空手 kōngshǒu; 徒手 túshǒu; 白手 báishǒu; 赤手空拳 chìshǒukōngquán; 手无寸铁 shǒuwúcùntiě

빈:-집 명 空房 kōngfáng; 闲房 xiánfáng; 空屋 kōngwū; 空房子 kōngfángzi

빈촌(貧村) 명 贫村 píncūn; 穷村 qióngcūn; 穷乡 qióngxiāng

빈축(嚬蹙·顰蹙) 명하자 颦蹙 píncù; 皱眉 zhòuméi; 嫌 xián; 厌恶 yànwù ¶~을 사다 让人皱眉 / ~을 받다 讨人嫌

빈:-칸 명 空格 kònggé; 空(儿) kòng(r); 空白 kòngbái

빈:-터 명 = 공터

빈:-털터리 명 穷光蛋 qióngguāngdàn

빈:-틈 명 **1** (空间上的) 空隙 kòngxì; 漏缝 lòufèng; 空子 kòngzi; 漏洞 lòudòng; 空缺 kòngquē; 缝隙 fèngxì ¶~을 막다 堵住漏缝 **2** 漏洞 lòudòng; 缺口 quēkǒu; 漏子 lòuzi; 空子 kòngzi ¶그의 말에는 ~이 있다 他说的话有些

漏洞

빈:틈-없다 형 1 严 yán; 紧 jǐn; 严密 yánmì 2 一丝不苟 yīsībùgǒu; 周到 zhōudào; 万无一失 wànwúyīshī; 周全 zhōuquán; 严密 yánmì; 周密 zhōumì; 严 yán; 严谨 yánjǐn; 紧凑 jǐncòu ¶빈틈없는 사람 一丝不苟的人 **빈:틈없-이** 부

빈-티(貧—) 명 穷相 qióngxiàng; 贫相 pínxiàng

빈혈(貧血) 명 〖醫〗贫血 pínxuè ¶~증 贫血症

빌:다 타 1 讨 tǎo; 要 yào; 乞 qǐ; 乞讨 qǐtǎo ¶사방으로 밥을 빌러 다니다 四处讨饭 2 祈祷 qídǎo; 祈求 qíqiú; 祝愿 zhùyuàn; 祝 zhù; 祈 qí; 祷 dǎo ¶너의 성공을 빈다 祝你成功 3 乞求 qǐqiú; 乞 qǐ ¶다른 사람에게 ~ 向别人乞求

빌딩(building) 명 高楼 gāolóu; 大厦 dàshà; 楼厦 lóushà; 大楼 dàlóu

빌라(villa) 명 1 别墅 biéshù 2 楼房 lóufáng

빌리다 타 1 借 jiè; 出租 chūzū ¶불을 ~ 借火 / 다른 사람에게서 돈을 ~ 向别人借钱 2 借助 jièzhù; 求助 qiúzhù ¶친구의 손을 ~ 借助朋友之手 3 借用 jièyòng; 借 jiè; 用 yòng; 借以 jièyǐ ¶그의 말을 빌려 말하자면 用他的话来说 / 저는 이 기회를 빌려 우선 여러분에게 감사의 말씀을 드리고 싶습니다 我还是想借这个机会, 先要感谢你们

빌미 명 病因 bìngyīn; 祸根 huògēn; 祸因 huòyīn; 借口 jièkǒu; 起因 qǐyīn

빌:-붙다 자 奉承 fèngcheng; 投靠 tóukào; 恭维 gōngwei; 阿谀 ēyú; 谄媚 chǎnmèi; 逢迎 féngyíng; 讨好 tǎohǎo; 巴结 bājie ¶굶어죽어도 그에게 빌붙을 순 없다 饿死, 我不能去巴结他

빌어-먹다 타 讨吃 tǎochī; 乞讨 qǐtǎo; 乞食 qǐshí; 讨饭 tǎofàn; 要饭 yàofàn ¶빌어먹으며 살다 靠讨饭过活

빌어-먹을 관감 该死的 gāisǐde; 倒霉的 dǎoméide; 他妈的 tāmāde ¶이 ~ 놈의 자식! 你这个该死的东西!

빗 명 梳子 shūzi = 머리빗 ¶~으로 머리를 빗다 用梳子梳头

빗- 접두 斜 xié; 歪 wāi; 偏 piān ¶~나가다 方向偏了

빗-각(—角) 명 〖數〗斜角 xiéjiǎo

빗-금 명 斜线 xiéxiàn; 偏线 piānxiàn

빗-기다 타 (给别人) 梳 shū; 梳头 shūtóu ¶딸의 머리를 빗겨 주다 给女儿梳头

빗-길 명 雨路 yǔlù; 雨天 yǔtiān ¶~ 운전 雨天开车

빗-나가다 一자 1 错 cuò; 出乎 chūhū; 不对 bùduì; 不中 bùzhòng; 差 chà ¶오늘의 예측은 완전히 빗나갔다 今天预测完全错了 2 不正 bùzhèng; 错 cuò; 邪 xié ¶생각이 빗나간 사람 思想不正的人 二자타 歪 wāi; 斜 xié; 偏 piān; 偏离 piānlí ¶총알이 빗나갔다 子弹打歪了

빗다 타 梳 shū; 拢 lǒng ¶양손으로 머리를 ~ 用两只手梳头发

빗-대다 타 影射 yǐngshè; 暗射 ànshè; 隐射 yǐnshè; 拐弯抹角 guǎiwānmòjiǎo; 婉转地说 wǎnzhuǎnde shuō; 寓 yù; 绕弯儿 ràowānr; 绕弯子 rào wānzi ¶알아차리도록 빗대어 말하다 婉转地说以便理会

빗-맞다 자 1 打偏 dǎpiān; 打歪 dǎwāi; 没打中 méi dǎzhòng ¶화살 한 발이 ~ 一支箭没打中 2 错 cuò; 出乎 chūhū; 不对 bùduì; 不中 bùzhòng; 差 chà

빗-면(—面) 명 〖數〗斜面 xiémiàn

빗-물 명 雨水 yǔshuǐ = 우수(雨水)1 ¶~이 방 안까지 스며들다 雨水渗到房间里

빗-발 명 雨脚 yǔjiǎo ¶~이 굵어지다 雨脚变大

빗발-치다 자 1 如雨 rúyǔ; 雨点般(的) yǔdiǎn bān(de) ¶총알이 빗발치듯 떨어지다 子弹如雨点般倾泻 2 接二连三 jiē'èrliánsān; 急如星火 jírúxīnghuǒ ¶빗발치는 독촉 전화 急如星火的督促电话

빗-방울 명 雨滴 yǔdī; 雨点(儿) yǔdiǎn(r); 雨珠(儿) yǔzhū(r) ¶굵은 ~이 떨어졌다 掉大雨点儿了

빗-살 명 梳齿 shūchǐ = 살²3 ¶~이 촘촘하다 梳齿很密

빗-소리 명 雨声 yǔshēng; 下雨声 xiàyǔshēng

빗-속 명 雨中 yǔzhōng; 雨里 yǔli ¶~을 한가롭게 거닐다 在雨中漫步

빗-자루 명 1 扫帚把 sàozhoubǎ; 扫把柄 sàobǎbǐng 2 = 비² ¶~로 바닥을 쓸다 用扫帚扫地

빗장 명 = 문빗장 ¶대문에 ~을 지르다 插上大门栓

빗장-뼈 명 〖生〗锁骨 suǒgǔ; 锁子骨 suǒzigǔ = 쇄골

빗-줄기 명 1 雨柱 yǔzhù; 雨脚 yǔjiǎo; 雨丝 yǔsī ¶~가 굵어지다 雨脚变大 2 一阵骤雨 yīzhèn zhòuyǔ

빗-질 명하타 梳 shū; 梳理 shūlǐ; 梳头 shūtóu; 拢 lǒng; 拢发 lǒngfà ¶머리카락이 너무 짧아서 ~할 수가 없다 头发太短, 梳不上去

빙 부 1 兜圈地 dōuquānde; 旋转 xuánzhuǎn; 一圈 yīquān ¶운동장에 가서 한 바퀴 ~ 돌다 去操场转一圈 2 围着 wéizhe; 绕着 ràozhe; 圆圆地 yuányuánde ¶~ 둘러앉다 围着坐成一圈 3 滴溜 dīliū; 滴溜溜 dīliūliū《打转或绕圈》¶눈물이 ~ 돈다 泪水在眼里滴溜溜打转

빙고(bingo) 명 〖體〗 宾戈 bīngē; 宾戈游戏 bīnggē yóuxì

빙과(氷菓) 명 = 얼음과자

빙그레 부하자 莞尔 wǎn'ěr; 微笑 wēixiào; 笑眯眯 xiàomīmī; 喜滋滋 xǐzīzī ¶~ 웃다 莞尔一笑

빙그르르 부하자 滴溜溜 dīliūliū; 滴溜儿 dīliūr

빙글-빙글 부 滴溜溜 dīliūliū; 滴溜儿 dīliūr ¶쟁반이 그의 손가락 위에서 ~ 돌았다 盘子在他手指上滴溜溜地转动

빙긋 부하자 微笑 wēixiào; 吟吟 yínyín; 微微一笑 wēiwēi yīxiào; 莞尔 wǎn'ěr ¶혼자서 ~ 웃다 自己微微笑了一下

빙벽(氷壁) 명 冰壁 bīngbì ¶~을 타다 爬上冰壁

빙-빙 부 团团 tuántuán; 滴溜滴溜地 dīliūdīliūde; 一圈一圈地 yīquānyīquānde; 盘 pán; 兜圈子 dōu quānzi; 旋转 xuánzhuǎn; 旋轮 xuánlún; 盘旋 pánxuán; 围绕 wéirào ¶헬리콥터가 하늘에서 ~ 돌고 있다 直升机在天空盘旋

빙산(氷山) 명 〖地理〗 冰山 bīngshān

빙산의 일각(一角) 구 冰山一角

빙상(氷上) 명 冰上 bīngshàng

빙상 경:기(氷上競技) 〖體〗 冰上运动 bīngshàng yùndòng; 冰上项目 bīngshàng xiàngmù

빙상 경:기장(氷上競技場) 〖體〗 滑冰场 huábīngchǎng; 溜冰场 liūbīngchǎng = 아이스 링크

빙설(氷雪) 명 冰雪 bīngxuě

빙수(氷水) 명 1 冰水 bīngshuǐ 2 刨冰 bàobīng ¶과일 ~ 水果刨冰 / 팥~ 红豆刨冰 / ~기 刨冰机

빙어 명 〖魚〗 公鱼 gōngyú; 黄瓜鱼 huángguāyú

빙자(憑藉) 명하타 借口 jièkǒu; 以…为由 yǐ…wéiyóu; 假托 jiǎtuō ¶혼인 ~ 간음죄 借口婚姻奸淫罪 / 병을 ~하여 출근하지 않다 借口生病, 没有去上班

빙점(氷點) 명 〖物〗 = 어는점1

빙-초산(氷醋酸) 명 〖化〗 冰乙酸 bīngyǐsuān; 冰醋酸 bīngcùsuān

빙판(氷板) 명 (路上的) 一层冰 yīcéng bīng; 冰上 bīngshang; 冰面 bīngmiàn ¶~에 자빠지다 在冰上滑倒

빙하(氷河) 명 〖地理〗 冰川 bīngchuān; 冰河 bīnghé ¶~기 冰川期 =[冰期] / ~ 시대 冰川时代 =[冰河时代]

빚 명 债 zhài; 债务 zhàiwù; 账 zhàng; 欠债 qiànzhài; 负债 fùzhài; 亏空 kuīkong; 债款 zhàikuǎn ¶~을 지다 欠债 =[欠账] / ~을 갚다 还债 / ~을 내다 借债 / ~을 청산하다 还清债款

빚-내다 자 借债 jièzhài; 借钱 jièqián ¶치료를 위해 8천여 위안을 ~ 为治病借债8000多元

빚다 타 1 (用泥土等) 塑 sù; 揉 róu; 捏 niē ¶진흙 인형을 ~ 捏泥人儿 / 석고상을 ~ 塑石膏像 2 包 bāo; 捏 niē; 做 zuò ¶만두를 ~ 包饺子 3 酿造 niàngzào; 酿 niàng ¶술을 ~ 酿酒 4 造成 zàochéng; 导致 dǎozhì; 招致 zhāozhì; 酿成 niàngchéng; 招惹 zhāorě ¶물의를 ~ 招惹物议 / 계획에 차질을 ~ 导致计划搁浅

빚-더미 명 债台 zhàitái ¶~에 올라앉다 债台高筑

빚-쟁이 명 债主 zhàizhǔ; 放债人 fàngzhàirén; 债权人 zhàiquánrén; 讨债鬼 tǎozhàiguǐ; 账主 zhàngzhǔ

빚-지다 자 欠债 qiànzhài; 负债 fùzhài; 欠 qiàn; 欠账 qiànzhàng; 该账 gāizhàng; 该欠 gāiqiàn ¶그에게 빚진 돈은 이미 다 갚았다 欠他的钱已经偿清了

빛 명 1 光 guāng; 光线 guāngxiàn; 光芒 guāngmáng; 亮 liàng; 光亮 guāngliàng = 광(光)1 ¶밝은 ~ 明亮的光线 / 한 줄기 ~이 새어 나오다 一道光射出来 2 颜色 yánsè; 色 shǎi ¶~이 바래다 掉色 3 脸色 liǎnsè; 气色 qìsè; 神色 shénsè ¶얼굴~이 백지장 같다 脸色好像白纸 4 光明 guāngmíng ¶어둠 속의 한 줄기 밝은 ~ 黑暗中的一线光明

빛-깔 명 色 sè; 颜色 yánsè; 色彩 sècǎi = 색깔1 · 색채1

빛-나다 자 1 发光 fāguāng; 发亮 fāliàng; 辉映 huīyìng; 放光 fàngguāng; 闪光 shǎnguāng; 闪烁 shǎnshuò ¶별들이 반짝반짝 ~ 群星闪闪发光 2 辉煌 huīhuáng; 灿烂 cànlàn; 光荣 guāngróng ¶빛나는 성공 辉煌的成功

빛내다 타 1 使发光 shǐ fāguāng《'빛나다1' 的使动词》 2 增光 zēngguāng; 争光 zhēngguāng; 添彩 tiāncǎi《'빛나다2' 的使动词》¶조국을 ~ 为祖国增光

빛-바래다 형 退色 tuìshǎi; 掉色 diàoshǎi ¶빛바랜 추억 退色的回忆

빠드득 부하자타 咯咯 gēgē; 咯吱 gēzhī ¶이를 ~ 갈다 咬牙咯咯响

빠드득-거리다 자타 咯咯响 gēgē xiǎng; 咯吱响 gēzhī xiǎng **빠드득-빠드득** 부하자타

빠득-빠득 부하자 执拗地 zhíniùde; 拚命地 pīnmìngde

빠듯-하다 형 紧 jǐn; 紧梆梆 jǐnbāngbāng; 紧巴巴 jǐnbābā; 紧缺 jǐnquē; 紧

张 jǐnzhāng ¶자금이 ~ 资金紧缺 / 일정이 매우 빠듯하게 짜여졌다 日程安排得很紧 / 시험 준비에 시간이 ~ 备考的时间很紧张 **빠듯-이** 부

빠:-뜨리다 타 **1** 把…掉进 bǎ…diàojìn; 把…沉入 bǎ…chénrù; 使…掉进 shǐ…diàojìn ¶하모니카를 강에 빠뜨렸다 把口琴掉进河里了 **2** 把…陷入 bǎ…xiànrù; 使…陷入 shǐ…xiànrù; 把…落入 bǎ…luòrù ¶그를 곤경에 ~ 把他陷入困境 **3** 漏掉 lòudiào; 遗漏 yílòu; 漏 lòu; 掉 diào; 脱 tuō ¶명단에서 ~ 从名单中漏掉 / 내용을 좀 빠뜨렸다 遗漏了一点儿内容 **4** 落 là; 丢失 diūshī; 失掉 shīdiào; 掉 diào ¶지갑을 ~ 丢了钱包

빠르다 형 **1** 快 kuài; 迅速 xùnsù; 迅 xùn; 速 sù; 急 jí ¶속도가 ~ 速度很快 / 발이 ~ 走路走得很快 / 그는 두뇌 회전이 ~ 他脑子快 / 성장이 매우 ~ 成长很快 **2** 早 zǎo ¶기뻐하기에는 너무 ~ 高兴太早 **3** (时间或顺序上) 快 kuài; 早 zǎo ¶그는 나보다 졸업이 일 년 ~ 他比我早一年毕业 / 이 시계는 1분 ~ 这只表走快一分钟

빠른-우편(一郵便) 명 『信』 快信 kuàixìn; 快递邮件 kuàidì yóujiàn; 快递信件 kuàidì xìnjiàn

빠삭-하다 형 了如指掌 liǎorúzhǐzhǎng; 精通 jīngtōng; 精于 jīngyú ¶그는 컴퓨터에 ~ 他精通电脑 **빠삭-히** 부

빠이빠이(←bye-bye) 감 拜拜 bàibài; 再见 zàijiàn

빠:져-나가다 자타 摆脱 bǎituō; 逃脱 táotuō; 溜走 liūzǒu

빠:져-나오다 자타 脱出来 tuōchūlái; 溜出来 liūchūlái; 逃出来 táochūlái

빠:지다[1] 자 **1** 崩 bēng; 褪 tuì; 脱落 tuōluò; 脱节 tuōjié; 掰 bāi ¶이가 빠졌다 崩了牙了 / 머리카락이 빠졌다 头发脱落了 **2** 掉 diào; 脱 tuō; 落 là; 漏 lòu; 脱落 tuōluò ¶여기에 한 글자가 빠졌다 这里落了一个字 **3** 泄 xiè; 排 pái; 漏 lòu ¶물이 잘 ~ 水排得很畅 **4** 松劲 sōngjìn; 没劲 méijìn **5** 掉 diào; 瘦掉 shòudiào; 瘦 shòu; 瘦削 shòuxuē ¶살이 5킬로그램 빠지다 瘦掉5多公斤肉 **6** 掉 diào; 下去 xiàqù; 退 tuì; 跑 pǎo ¶김 빠진 맥주 跑了气的啤酒 / 세탁 후 물에 줄어들지도 않고 색이 빠지지도 않는다 洗涤后不缩水、不掉色 **7** 退出 tuìchū; 脱身 tuōshēn; 不参加 bùcānjiā; 出组 chūzǔ ¶그는 시합에 빠졌다 他不参加比赛 **8** 差 chà; 次于 cìyú; 不如 bùrú; 逊色 xùnsè; 亚于 yàyú ¶이 차는 저렴하지만 성능이 빠지지 않는다 这种车尽管便宜, 但性能毫不逊色 **9** 上当 shàngdàng; 上钩 shànggōu; 上圈套 shàng quāntào; 中计 zhòngjì

빠:지다[2] 一자 **1** 淹 yān; 陷没 xiànmò; 吞没 tūnmò; 掉进 diàojìn; 抛进 pāojìn ¶호출기와 장갑이 모두 물에 빠졌다 BP机、手套都掉进水里 **2** 沉迷 chénmí; 陷进 xiànjìn; 落入 luòrù; 堕入 duòrù; 迷 mí; 浸沉 jìnchén; 沦 lún; 耽溺 dānnì; 上 shàng; 陷入 xiànrù; 耽 dān; 堕于 duòyú; 陷于 xiànyú ¶주색에 ~ 陷于酒色 / 그는 술에 빠졌다 他沉迷于喝酒 / 환락에 ~ 浸沉在欢乐之中 **3** 堕入 duòrù; 陷入 xiànrù; 落入 luòrù; 堕于 duòyú; 陷于 xiànyú ¶함정에 ~ 堕入陷阱 / 곤경에 ~ 陷入困境 二보동 以 '-아(어、여) 빠지다' 的形式, 表示程度很深 ¶썩어 ~ 烂掉了 / 낡아 ~ 异常陈旧

빠:짐-없다 형 无遗漏 wúyílòu; 无例外 wúlìwài; 俱全 jùquán; 不漏 bùlòu; 都 dōu; 齐 qí; 齐全 qíquán; 有一得一 yǒuyīdéyī **빠:짐없-이** 부 ¶선생님이 하신 말씀을 한 글자도 ~ 그에게 읽어 주었다 把老师的话一字不漏地念给他听

빡빡 부 **1** 吧嗒吧嗒 bādābādā; 叭哒 bāda ¶담배를 ~ 피우다 叭哒地抽烟 **2** 嘎吱嘎吱地 gāzhīgāzhīde ¶이를 ~ 갈다 嘎吱嘎吱地咬牙 **3** 嚓嚓 cācā **4** (头发) 短短 duǎnduǎn; 光 guāng ¶~ 깎은 머리 剃光的头 / 머리를 ~ 깎았다 头剃得短短的 **5** 煞费 shàfèi; 吧嗒 bādā ¶~ 애를 쓰다 吧嗒苦心 **6** 光溜溜 guāngliūliū

빡빡-하다 형 **1** 干 gān; 干巴 gānba; 干巴疵咧 gānbacīliě; 稠 chóu ¶김치찌개가 너무 ~ 泡菜汤炖得太干了 / 팥죽이 ~ 红豆粥很稠 **2** 紧 jǐn ¶신발끈이 너무 ~ 鞋带太紧 **3** 满满登登 mǎnmǎndēngdēng; 紧 jǐn; 紧张 jǐnzhāng ¶일정이 ~ 日程太紧 / 이번 학기 수업은 ~ 这个学期的课很紧 **4** 死性 sǐxìng; 呆板 dāibǎn; 生硬 shēngyìng ¶그는 마음이 빡빡하지 않다 他心眼儿不死性 **5** 紧 jǐn; 紧梆梆 jǐnbāngbāng; 紧紧巴巴 jǐnjinbābā **빡빡-이** 부

빤지르르 부하형 **1** 油光闪闪 yóuguāng shǎnshǎn; 油光锃亮 yóuguāng zèngliàng **2** 冠冕堂皇 guānmiǎntánghuáng; 徒有其表 túyǒuqíbiǎo

빤질-거리다 자 **1** 油光闪亮 yóuguāng shǎnliàng; 油光锃亮 yóuguāng zèngliàng; 油光光 yóuguāngguāng **2** 油滑 yóuhuá; 滑头 huátóu; 狡猾 jiǎohuá; 光滑 guānghuá ‖ = 빤질대다 **빤질-빤질** 부하자형

빤:-하다 형 明显 míngxiǎn; 显然 xiǎnrán; 显而易见 xiǎn'éryìjiàn; 明摆着

míngbǎizhe; 明明白白 míngmingbáibái; 不言而喻 bùyán'éryù; 铁板钉钉 tiěbǎndìngdīng; 板上钉钉 bǎnshàngdìngdīng; 清清楚楚 qīngqingchǔchǔ ¶거짓말임이 ~ 显然是谎话 / 이유는 ~ 理由是显而易见的 **빤:-히** 부

빨간-색(—色) 명 红色 hóngsè; 红颜色 hóngyánsè; 赤色 chìsè

빨강 명 **1** 红 hóng; 红色 hóngsè; 红颜色 hóngyánsè; 赤色 chìsè **2** 〖美〗红 hóng

빨:갛다 형 红 hóng; 红色 hóngsè; 绯 fēi; 通红 tōnghóng; 深红 shēnhóng; 深红色 shēnhóngsè ¶빨간 사과 深红色苹果 / 빨간 립스틱 红色唇膏

빨:개-지다 자 红 hóng; 变红 biànhóng; 发红 fāhóng ¶그의 얼굴이 빨개졌다 他的脸都发红了

빨갱이 명 赤色分子 chìsè fènzǐ

빨다[1] 타 **1** 吮 shǔn; 嗍 suō; 吸 xī; 抽 chōu; 吮吸 shǔnxī; 咂 zā; 嘬 zuō ¶젖을 ~ 吮乳 **2** 嘬 zuō; 舔 tiǎn ¶손가락을 ~ 嘬手指

빨다[2] 타 洗 xǐ; 洗涤 xǐdí ¶옷을 ~ 洗衣服 / 속옷을 ~ 洗内衣

빨-대 명 吸管 xīguǎn; 麦管 màiguǎn ¶~를 꽂다 插吸管 / ~로 주스를 마시다 用吸管喝果汁

빨래 명하자 **1** 洗衣服 xǐ yīfu; 洗衣 xǐyī ¶~집게 洗衣夹 / ~터 洗衣处 **2** 要洗的衣服 yào xǐde yīfu; 洗完的衣服 xǐwánde yīfu

빨래-판(—板) 명 搓板(儿) cuōbǎn(r); 洗衣板(儿) xǐyībǎn(r)

빨랫-감 명 要洗的衣物 yàoxǐde yīwù = 세탁물

빨랫-돌 명 搓衣石 cuōyīshí; 捣衣石 dǎoyīshí

빨랫-방망이 명 捣衣棒槌 dǎoyī bàngchui; 洗衣棒 xǐyībàng; 棒槌 bàngchui

빨랫-비누 명 = 세탁비누

빨랫-줄 명 挂衣绳 guàyīshéng; 晾衣绳 liàngyīshéng; 晒衣绳 shàiyīshéng

빨리 부하타 快 kuài; 迅速 xùnsù; 赶快 gǎnkuài; 加快 jiākuài; 早早儿 zǎozǎor; 及早 jízǎo ¶~ 걷다 走得很快 / 걸음을 ~하다 加快步子 / ~ 결정해라 你要赶快决定

빨-리다[1] 一타 '빨다[1]1' 的被动词 二자 被吸引 bèi xīyǐn

빨-리다[2] 자 '빨다[2]' 的被动词

빨-리다[3] 타 '빨다[1]1' 的使动词

빨-리다[4] 타 '빨다[2]' 的使动词

빨리-빨리 부 快快(地) kuàikuài(de) ¶~ 해라 快快干吧

빨빨 부 匆匆 cōngcōng

빨빨-거리다 자 东游西逛 dōngyóuxīguàng; 吊儿郎当 diào'erlángdāng; 到处乱窜 dàochù luàn cuàn; 东奔西跑 dōngbēnxīpǎo; 东奔西走 dōngbēnxīzǒu = 빨빨대다 ¶온종일 ~ 整天东奔西跑的

빨아-내다 타 拔 bá; 吸出 xīchū; 抽出 chōuchū ¶입으로 뱀독을 ~ 用嘴吸出蛇毒

빨아-들이다 타 **1** 吸进 xījìn; 吸入 xīrù; 吸引 xīyǐn; 吸取 xīqǔ; 吸收 xīshōu; 吮吸 shǔnxī ¶해면이 물을 ~ 海绵吸水 / 신선한 공기를 ~ 吸入新鲜空气 **2** 吸引 xīyǐn ¶독자들을 ~ 吸引读者

빨아-먹다 타 榨取 zhàqǔ; 剥削 bōxuē ¶백성의 재물을 ~ 榨取百姓钱财 / 고혈을 ~ 榨取膏血

빨-판 명 〖動〗吸盘 xīpán

빨판-상어 명 〖魚〗鲫鱼 yìnyú; 吸盘鱼 xīpányú

빳빳-이 부 僵 jiāng; 硬硬地 yìngyìngde; 僵直地 jiāngzhíde; 直挺地 zhítǐngde; 直僵僵 zhíjiāngjiāng; 直挺挺 zhítǐngtǐng ¶고개를 ~ 세우다 硬硬地挺着脖子 / ~ 누운 채 움직이지 않다 直僵僵地躺着不动

빳빳-하다 형 **1** 僵 jiāng; 硬 yìng; 僵直 jiāngzhí; 挺 tǐng; 硬撅撅 yìngjuējuē; 僵硬 jiāngyìng ¶빳빳한 새 지폐 挺挺的新纸币 / 풀을 먹여 빳빳한 셔츠 浆硬的衬衫 **2** 生硬 shēngyìng ¶태도가 ~ 态度生硬

빵[1] 명 面包 miànbāo ¶~가루 面包糠 / ~집 面包店 / ~ 한 조각 一片面包 / ~을 굽다 烤面包

빵[2] 부 砰 pēng; 嘟 dū; 呜 wū ¶공을 ~ 찼다 砰地踢了球 / ~ 하는 총소리를 들었다 听见了砰的一声枪响

빵-빵 부하자타 砰砰 pēngpēng; 嘟嘟 dūdū; 呜呜 wūwū ¶문밖의 차가 ~ 소리를 내다 门外汽车嘟嘟响

빵빵-거리다 자타 砰砰响 pēngpēng xiǎng; 嘟嘟响 dūdū xiǎng = 빵빵대다

빵-점(—點) 명 零蛋 língdàn; 零分 língfēn; 鸭蛋 yādàn 《'영점' 的俗称》 ¶~을 맞다 得零分

빻:다 타 捣 dǎo; 磨 mò; 碾 niǎn; 舂 chōng; 推 tuī ¶고추를 ~ 舂辣椒

빼곡 부하형히부 密密麻麻 mìmimámá; 满满当当 mǎnmǎndāngdāng; 密匝匝 mìzāzā

빼:기 명하타 〖數〗减 jiǎn; 减法 jiǎnfǎ = 마이너스3 ¶7 ~ 3은 4이다 七减三是四

빼:-내다 타 **1** 拔取 báqǔ; 拔除 báchú; 拔出 báchū; 抽出 chōuchū; 逐出 zhúchū ¶가시를 ~ 拔出刺 **2** 弄到手 nòngdàoshǒu ¶비밀 서류를 ~ 把秘密文件弄到手 **3** 挖出 wāchū; 骗取 piànqǔ; 拐 guǎi; 挖 wā; 抽调 chōudiào ¶기술자를 ~ 挖出技术人员 **4** 解救 jiějiù; 放出 fàngchū; 解 jiě; 营救 yíngjiù ¶감옥에서 ～ 从监狱解救

빼:다[1] 타 1 抽 chōu; 拔 bá; 起 qǐ; 掣 chè; 挑 tiǎo; 卸 xiè ¶이를 ～ 拔牙 / 가시를 ～ 拔刺 / 주머니에서 손을 ～ 从兜里抽手 2 扣 kòu; 减 jiǎn; 扣除 kòuchú; 扣减 kòujiǎn; 删除 shānchú; 刨 páo; 刨除 páochú; 扣除 kòuchú; 删掉 shāndiào; 去掉 qùdiào ¶불필요한 부분을 ～ 删除不必要的部分 / 월급에서 ～ 从工资中扣除 3 取 qǔ; 取出 qǔchū; 取回 qǔhuí; 要回 yàohuí ¶그는 돈을 빼러 은행에 갔다 他去银行取钱 4 泄 xiè; 漏 lòu; 放 fàng ¶타이어의 바람을 ～ 放出轮胎内的空气 5 弄掉 nòngdiào; 起 qǐ; 洗掉 xǐdiào ¶때를 ～ 把污垢弄掉 6 放松 fàngsōng; 松懈 sōngxiè; 使出 shǐchū; 耗力 hàolì ¶몸의 힘을 ～ 放松身体 7 引 yǐn; 放开 fàngkāi; 拉长 lācháng; 拖长 tuōcháng; 伸长 shēncháng; 拔 bá ¶목청을 길게 빼며 부르다 拉长声喊 8 减 jiǎn; 减去 jiǎnqù; 除去 chúqù ¶살을 ～ 减肥 9 活脱儿 huótuōr

빼:다[2] 타 1 讲究穿戴 jiǎngjiu chuāndài; 打扮得漂亮 dǎbànde piàoliang 2 作态 zuòtài; 故作 gùzuò; 假装 jiǎzhuāng; 做作 zuòzuo ¶얌전을 ～ 故作斯文

빼:다[3] 자 1 往后缩 wǎng hòu suō; 缩手缩脚 suōshǒusuōjiǎo 2 ＝ 내빼다

빼:-닮다 타 活脱儿 huótuōr ¶저 아이 좀 봐. 엄마를 꼭 빼닮았네 你看这孩子, 活脱儿就是他妈妈

빼:-돌리다 타 抽逃 chōutáo; 挖走 wāzǒu; 骗取 piànqǔ; 拐 guǎi ¶유능한 사원을 ～ 把能干的职员挖走 / 자금을 ～ 抽逃资金 / 보험금을 ～ 骗取保险金

빼:-먹다 타 1 (字句) 漏掉 lòudiào ¶한 글자를 ～ 漏掉一个字 2 旷 kuàng; 逃 táo ¶수업을 ～ 逃课

빼빼 一부하형 瘪瘪地 biěbiěde; 瘦瘦地 shòushòude; 干瘦 gānshòu ¶몸이 ～하다 身材干瘦 二명 瘦子 shòuzi; 瘦猴儿 shòuhóur

빼앗-기다 타 '빼앗다' 的被动词 1 被抢 bèi qiǎng; 被夺 bèi duó; 夺去 duóqù; 被捞 bèi lāo 2 被剥夺 bèi bōduó; 被夺取 bèi duóqǔ 3 被勾引 bèi gōuyǐn

빼앗다 타 1 抢 qiǎng; 夺 duó; 占 zhàn; 抢劫 qiǎngjié; 抢掠 qiǎnglüè; 夺掉 duódiào; 抢夺 qiǎngduó; 攫 jué ¶돈을 ～ 抢钱 / 영토를 ～ 抢夺领土 / 남의 물건을 ～ 抢夺他人的东西 2 (把别人的事、座位、时间等) 夺取 duóqǔ; 剥夺 bōduó; 夺掉 duódiào ¶다른 사람의 자유를 마음대로 ～ 随意地剥夺别人的自由 3 (把心情或想法) 抓住 zhuāzhù; 笼络 lǒngluò ¶남자의 마음을 ～ 抓住男人的心 4 蹂躏 róulìn; 糟践 zāojian; 糟踏 zāotà ¶여자의 정조를 ～ 蹂躏了女人的贞洁

빼어-나다 형 高明 gāomíng; 高出 gāochū; 俊俏 jùnqiào; 杰出 jiéchū; 出众 chūzhòng; 超群 chāoqún; 突出 tūchū; 特出 tèchū; 优秀 yōuxiù; 超拔 chāobá ¶그녀는 용모가 ～ 她容貌俊俏 / 솜씨가 ～ 手段高明

빼:-입다 타 穿得笔挺 chuānde bǐtǐng

빽빽-이 부 密密麻麻(地) mìmimámá(de); 满满当当(地) mǎnmǎndāngdāng(de); 挤挤挨挨 jǐji'āi'āi ¶사람들이 무대 아래에 ～ 서 있다 人们挤挤挨挨地站在舞台下

빽빽-하다 형 密丛丛 mìcóngcóng; 密密麻麻 mìmimámá; 满满当当 mǎnmǎndāngdāng; 挤挤挨挨 jǐji'āi'āi; 密密层层 mìmicéngcéng; 密麻麻 mìmámá; 密匝匝 mìzāzā; 丛密 cóngmì

뺀질-거리다 자 油滑 yóuhuá; 游手好闲 yóushǒuhàoxián; 滑头滑脑 huátóuhuánǎo ＝ 뺀질대다 **뺀질-뺀질** 부하자

뺄:-셈 명하자 〖數〗 减法 jiǎnfǎ

뺄:셈-표(—標) 명 〖數〗 减号 jiǎnhào ＝ 마이너스4

뺏:-기다 타 '빼앗기다' 的略词

뺏:다 타 '빼앗다' 的略词

뺑-뺑 부 滴溜溜 dīliūliū; 滴溜儿 dīliūr

뺑뺑-이 명 转盘 zhuǎnpán; 转盘游戏 zhuǎnpán yóuxì

뺑소니 명 溜掉 liūdiào; 溜 liū; 溜走 liūzǒu; 滑脚 huájiǎo; 逃脱 táotuō; 逃跑 táopǎo; 跑掉 pǎodiào; 逃逸 táoyì ¶～사고 肇事逃逸案件 / ～차 肇事逃逸车辆

뺑소니-치다 자 溜掉 liūdiào; 溜 liū; 溜走 liūzǒu; 滑脚 huájiǎo; 逃脱 táotuō; 逃跑 táopǎo; 跑掉 pǎodiào; 逃逸 táoyì ¶그는 몰래 뺑소니쳤다 他私下地溜走了

뺨 명 1 面颊 miànjiá; 脸颊 liǎnjiá; 腮帮子 sāibāngzi; 嘴巴 zuǐba; 脸蛋(儿) liǎndàn(r); 腮 sāi; 颊 jiá; 耳光 ěrguāng; 耳刮子 ěrguāzi ¶～이 사과처럼 빨갛다 脸蛋儿红得像苹果 / 눈물이 ～을 타고 아래로 흐르다 眼泪顺着腮帮子往下流 2 宽度 kuāndù

뺨-따귀 명 '뺨' 的鄙称 ＝ 따귀

뺨-치다 타 超过 chāoguò; 不亚于 bùyàyú; 胜似 shèngsì; 胜过 shèngguò; 不次于 bùcìyú ¶전문가 뺨치는 솜씨 不亚于专家的手艺

빼근-하다 형 1 酸软 suānruǎn; 不舒服 bùshūfu; 酸痛 suāntòng; 酸懒 suānlǎn ¶어깨가 ～ 肩膀酸软 / 허리가 ～ 腰部酸痛 2 澎湃 péngpài; 充满 chōngmǎn ¶가슴이 뻐근하고 만감이 교차하다 心潮澎湃, 百感交集 **뻐근-히** 부

뻐기다 자 拿架子 ná jiàzi; 摆架子 bǎi jiàzi; 卖弄 màinong; 骄傲 jiāo'ào; 傲慢 àomàn; 趾高气扬 zhǐgāoqìyáng

뻐꾸기 명 〖鳥〗大杜鹃 dàdùjuān; 杜鹃 dùjuān; 布谷 bùgǔ; 布谷鸟 bùgǔniǎo = 뻐꾹새

뻐꾸기-시계(—時計) 명 布谷鸟钟 bùgǔniǎozhōng

뻐꾹 부 哱咕 bōgū; 咕咕 gūgū

뻐꾹-새 명 〖鳥〗= 뻐꾸기

뻐끔[1] 부하형히부 裂开 lièkāi; 裂痕累累 lièhén lěilěi ¶갑자기 큰 틈이 ~ 생기다 突然裂开好大的一条裂缝

뻐끔[2] 부하타 **1** 吧嗒 bāda; 吧唧 bāji **2** (嘴) 一张一合 yīzhāngyīhé; 翕动地 xīdòngde

뻐끔-거리다 타 **1** 吧嗒 bāda; 吧唧 bāji ¶담배를 ~ 吧嗒着烟 **2** (嘴) 一张一合 yīzhāngyīhé ¶물고기가 입을 쉬지 않고 ~ 鱼嘴在不停地一张一合 ‖ = 뻐끔대다 **뻐끔-뻐끔**[1] 부하타

뻐끔-뻐끔[2] 부하형 处处裂开 chùchù lièkāi; 裂痕累累 lièhén lěilěi

뻐드러-지다 자 伸出 shēnchū; 伸展 shēnzhǎn; 支 zhī; 翘起 qiàoqǐ ¶앞니가 ~ 门牙翘起

뻐드렁-니 명 龅牙 bāoyá

뻑뻑-하다 형 **1** 干巴巴 gānbābā; 干涩 gānsè; 硬 yìng ¶눈이 ~ 眼睛干涩 / 밀가루 반죽이 조금 ~ 面和得有点硬 **2** 紧 jǐn; 紧巴巴 jǐnbābā ¶바퀴가 약간 ~ 轮子有点紧 **3** 生硬 shēngyìng; 呆板 dāibǎn **뻑뻑-이** 부

뻑적지근-하다 형 酸痛 suāntòng; 酸软 suānruǎn; 不舒服 bùshūfu; 酸懒 suānlǎn **뻑적지근-히** 부

뻔뻔-스럽다 형 脸皮厚 liǎnpí hòu; 厚颜无耻 hòuyánwúchǐ; 没皮没脸 méipíméiliǎn; 不要脸 bùyàoliǎn; 脸厚 liǎnhòu; 觍颜 tiǎnyán; 好意思 hǎoyìsi; 赖皮 làipí ¶너 정말 ~ 你真不要脸 / 난 너만큼 그렇게 뻔뻔스럽지는 않다 我没你那么厚脸皮 **뻔뻔스레** 부

뻔뻔-하다 형 脸皮厚 liǎnpí hòu; 厚颜无耻 hòuyánwúchǐ; 没皮没脸 méipíméiliǎn; 不要脸 bùyàoliǎn; 脸厚 liǎnhòu; 觍颜 tiǎnyán; 好意思 hǎoyìsi; 赖皮 làipí **뻔뻔-히** 부

뻔지르르 부하형 **1** 油光闪亮 yóuguāngshǎnliàng; 油光锃亮 yóuguāngzèngliàng; 油光光 yóuguāngguāng; 亮闪闪 liàngshǎnshǎn; 油润 yóurùn; 发滑 fāhuá; 油光水滑 yóuguāngshuǐhuá **2** 华而不实 huá'érbùshí; 倒挺像样 dàotǐngxiàngyàng; 滑舌 huáshé; 光趟 guāngtang

뻔질-나다 형 频繁 pínfán; 接连不断 jiēliánbùduàn; 三天两头 sāntiānliǎngtóu ¶뻔질나게 외출하다 接连不断地出门

뻔-하다[1] 보형 差(一)点儿 chà(yī)diǎnr; 险些 xiǎnxiē ¶넘어질 ~ 差一点儿摔倒 / 기절할 ~ 险些昏倒

뻔:-하다[2] 형 明显 míngxiǎn; 显然 xiǎnrán; 显而易见 xiǎn'éryìjiàn; 明明白白 míngmingbáibái; 不言而喻 bùyán'éryù; 明摆着 míngbǎizhe; 铁板钉钉 tiěbǎndìngdīng; 板上钉钉 bǎnshàngdìngdīng; 清清楚楚 qīngqingchǔchǔ ¶어차피 우리가 이길 것은 ~ 不管如何, 我们显然赢定了 / 이 일도 뻔해 此事也就铁板钉钉 **뻔:-히** 부

뻗다 자타 **1** 伸展 shēnzhǎn; 延伸 yánshēn; 蔓延 mànyán; 扩展 kuòzhǎn; 扎煞 zhāsha; 爬 pá ¶그는 몸을 일으켜 두 팔을 뻗었다 他起身伸展了一下双臂 **2** 伸直 shēnzhí; 伸出 shēnchū; 张 zhāng ¶구원의 손길을 ~ 伸出救援之手 **3** 翘辫子 qiào biànzi; 蹬腿 dēngtuǐ; 死了 sǐle; 伸腿 shēntuǐ

뻗-치다 자타 '뻗다' 的强调语 ¶마수를 ~ 伸出魔掌

-뻘 접미 辈 bèi; 辈分 bèifen; 行辈 hángbèi ¶아저씨~ 叔辈

뻘:겋다 형 通红 tōnghóng; 大红 dàhóng; 深红 shēnhóng ¶얼굴이 얼어서 ~ 脸冻得通红

뻘:게-지다 자 变红 biàn hóng; 红起来 hóngqǐlái; 红 hóng; 发红 fāhóng ¶얼굴이 ~ 脸红起来了

뻘뻘 부 哗哗 huāhuā; 汗淋淋 hànlínlín; 涔涔 céncén; 汗漉漉 hànlùlù; 淋漓 línlí ¶땀을 ~ 흘리다 大汗淋漓

뻣뻣-이 부 **1** 硬邦邦地 yìngbāngbāngde; 僵硬地 jiāngyìngde; 硬硬地 yìngyìngde; 僵直地 jiāngzhíde; 直挺地 zhítǐngde; 直挺挺 zhítǐngtǐng **2** 生硬地 shēngyìngde

뻣뻣-하다 형 **1** 硬 yìng; 硬邦邦 yìngbāngbāng; 僵硬 jiāngyìng; 直 zhí; 僵 jiāng; 僵直 jiāngzhí; 挺 tǐng; 硬板 yìngbǎn; 挺 tǐng; 死挺挺 sǐtǐngtǐng ¶뻣뻣한 종이 硬纸 / 사지가 ~ 四肢僵硬 / 몸이 ~ 身体僵硬 **2** 生硬 shēngyìng ¶말투가 ~ 语气很生硬

뻥[1] 명 吹牛 chuīniú; 大话 dàhuà; 假话 jiǎhuà; 谎话 huǎnghuà ¶그는 늘 ~만 친다 他老是吹牛

뻥[2] 부 乒 pīng; 嘣 bēng; 砰地 pēngdì

뻥긋 부하타 (嘴或门) 裂开着 lièkāizhe; 打开着 dǎkāizhe; 发 fā ¶입도 ~ 하지 않다 一声不发

뻥-까다 자 撒谎 sāhuǎng; 说谎话 shuō huǎnghuà; 说假话 shuō jiǎhuà

뻥-뻥 부 **1** 砰砰 pēngpēng; 乒乒 pīng-

pīng; 嘣嘣 bēngbēng **2** 胡吹 húchuī; 夸海口 kuā hǎikǒu

뻥-치다 자 吹牛 chuīniú; 说大话 shuō dàhuà; 夸张 kuāzhāng ¶그는 뻥치는 사람을 가장 싫어한다 他最腻烦说大话的人

뻥-튀기 명하타 **1** 爆米花 bàomǐhuā **2** 吹大气 chuī dàqì

뻬빠(←일pêpâ) 명 '사포' 的错误

뻰찌(←일penchi) 명 '펜치' 的错误

뼁끼(←일penki) 명 **1** 骗 piàn; 欺骗 qīpiàn ¶나한테 ~ 치지 마 不要骗我 **2** 〖化〗 '페인트' 的错误

뼈 명 **1** 〖生〗 骨 gǔ; 骨头 gǔtou; 骸 hái ¶~가 부러졌다 弄断了骨头 **2** 骨架 gǔjià; 主干 zhǔgàn; 核心 héxīn; 框架 kuàngjià; 架子 jiàzi = 뼈대2 **3** 本意 běnyì; 真意 zhēnyì; 意味 yìwèi; 深意 shēnyì; 刺(儿) cì(r) ¶말속에 ~가 있다 话中有深意 =[话中有话][话里有话] **4** 骨气 gǔqì ¶~가 없는 사람 没有骨气的人

뼈에 사무치다 구 彻骨; 切骨

뼈-다귀 명 骨头 gǔtou; 骨头棒子 gǔtoubàngzi

뼈-대 명 **1** 〖生〗 骨骼 gǔgé; 骨架 gǔjià ¶~가 굵다 骨骼粗 **2** = 뼈2 ¶문장의 ~ 文章的框架 **3** 骨子 gǔzi; 架子 jiàzi; 架体 jiàtǐ ¶집의 ~ 房架子

뼈-마디 명 〖生〗 = 관절 ¶~가 쑤시다 关节酸痛

뼈-아프다 형 彻骨 chègǔ; 痛切 tòngqiè; 切肤 qièfū; 深切 shēnqiè; 切骨 qiègǔ; 严酷 yánkù; 痛苦 tòngkǔ; 悔恨 huǐhèn = 뼈저리다 ¶뼈아픈 현실 严酷的现实 / 뼈아프게 반성하다 痛切反省

뼈-저리다 자 = 뼈아프다 ¶뼈저리게 뉘우치다 痛切地悔过

뼘: ⊟명 拃 zhǎ ⊟의명 拃 zhǎ ¶한 ~의 길이 一拃长

뼛-가루 명 骨粉 gǔfěn

뼛-골(一骨) 명 〖生〗 = 골수

뼛-속 명 〖生〗 = 골수 ¶~까지 스며들다 渗透到骨子里

뽀드득 부하자타 **1** 嘎吱 gāzhī **2** 噗噗 pūpū; 咕叽 gūjī 《拉屎声》 **3** 咯吱咯吱 gēzhīgēzhī 《踏雪声》

뽀드득-거리다 자타 **1** 嘎吱嘎吱 gāzhīgāzhī **2** 噗噗 pūpū; 咕叽咕叽 gūjīgūjī **3** 咯吱咯吱 gēzhīgēzhī ‖ = 뽀드득대다 **뽀드득-뽀드득** 부하자타

뽀로통-하다 형 气呼呼 qìhūhū; 气鼓鼓 qìgǔgǔ; 撅着嘴 juēzhe zuǐ

뽀뽀 명하자 亲 qīn; 亲嘴 qīnzuǐ; 亲吻 qīnwěn; 接吻 jiēwěn ¶아기의 볼에 ~하다 亲吻宝宝的脸蛋

뽀송-뽀송 부하형 **1** 干松 gānsōng **2** 细嫩 xìnèn; 细发 xìfā; 细腻 xìnì; 软儿儿 ruǎnjījī; 软乎乎 ruǎnhūhū; 软糊糊 ruǎnhūhū

뽀:얗다 형 **1** 灰蒙蒙 huīméngméng; 灰白 huībái; 混浊 hùnzhuó; 空蒙 kōngméng ¶뽀얀 하늘 灰蒙蒙的天空 **2** 白净 báijìng; 乳白 rǔbái ¶뽀얀 피부 乳白的皮肤

뽀:얘-지다 자 **1** 变得灰白 biànde huībái; 变得灰蒙蒙 biànde huīméngméng **2** 变化白 biànhuà bái; 变乳白 biàn rǔbái

뽐-내다 ⊟자 自傲 zì'ào ⊟타 炫耀 xuànyào; 卖弄 màinong; 自吹 zìchuī; 神气 shénqi; 炫弄 xuànnòng; 摆架子 bǎi jiàzi; 扬威 yángwēi; 逞能 chěngnéng; 自夸 zìkuā ¶기교를 ~ 卖弄技巧

뽑다 타 **1** 拔 bá; 薅 hāo; 起 qǐ; 镊 niè; 抽 chōu; 退 tuì; 引 yǐn ¶잡초를 ~ 拔除杂草 / 털을 ~ 镊毛 **2** 伸 shēn; 拉 lā; 抻 chēn ¶목을 길게 뽑고 바라보다 伸长脖子张望 **3** 选 xuǎn; 选拔 xuǎnbá; 挑选 tiāoxuǎn; 拔擢 bázhuó; 简拔 jiǎnbá; 采拔 cǎibá ¶우수 선수를 ~ 选拔优秀运动员 **4** 收回 shōuhuí; 捞回 lāohuí ¶밑천을 ~ 捞回老本 / 본전을 뽑았다 收回了本钱 **5** 抽出 chōuchū; 放 fàng ¶피를 ~ 放血 **6** 根绝 gēnjué; 去根(儿) qùgēn(r) **7** 招收 zhāoshōu ¶임시직을 ~ 招收临时工 **8** 取出 qǔchū

뽑아-내다 타 **1** 拔出 bōchū; 薅 hāo; 起 qǐ; 镊 niè ¶손가락의 가시를 ~ 拔出手指上的刺 **2** 抽 chōu; 提取 tíqǔ; 挑选出来 tiāoxuǎnchūlái; 挑出来 tiāochūlái ¶영화 속의 고전적인 대화를 ~ 把影片中经典的对白提取出来 **3** 抽出 chōuchū ¶복강 속에서 복수를 ~ 从腹腔中抽出腹水 **4** 收回 shōuhuí; 捞回 lāohuí ¶일 년 내에 투자금 모두를 ~ 一年内收回全部投资资金 **5** 得到 dédào; 获得 huòdé ¶경기에서 좋은 점수를 ~ 在比赛得到好成绩

뽑-히다 자 **1** 被拔出 bèi báchū ¶못이 ~ 钉子被拔出来 **2** 被选 bèi xuǎn; 中选 zhòngxuǎn; 入选 rùxuǎn ¶반장으로 ~ 被选为班长

뽕[1] 명 〖植〗 **1** = 뽕잎 **2** = 뽕나무

뽕도 따고 임도 보고[본다] 속담 一举两得; 两全其美 = 임도 보고 뽕도 딴다

뽕[2] 부 嘣 bēng 《放屁声》

뽕[3] 명 '필로폰' 的俗称

뽕-나무 명 〖植〗 桑树 sāngshù; 桑 sāng = 뽕[1]2

뽕-밭 명 桑田 sāngtián = 상전(桑田)

뽕-뽕 부하자타 **1** (放屁) 嘣嘣 bēngbēng **2** 嘀嘀 dīdī; 鸣鸣 míngmíng; 嘟嘟 dūdū

뽕-잎 명 〖植〗 桑叶 sāngyè = 뽕¹1
뾰로통-하다 형 气呼呼 qìhūhū; 气哼哼 qìhēnghēng; 气鼓鼓 qìgǔgǔ
뾰루지 명 小疖子 xiǎojiēzi; 小疙瘩 xiǎogēda; 粉刺 fěncì; 痤疮 cuóchuāng
뾰족 부하형 尖 jiān; 尖利 jiānlì; 尖锐 jiānruì ¶～한 턱 尖下巴 / ～구두 尖利皮鞋
뾰족-뾰족 부하형 尖尖 jiānjiān ¶～나온 보리 이삭 尖尖的大麦穗 / ～한 탑 꼭대기 尖尖的塔顶
뾰족-하다 형 好 hǎo; 妙 miào ¶별 ～한 수가 없다 没什么好办法
뿌듯-하다 형 充实 chōngshí; 满意 mǎnyì; 满足 mǎnzú ¶마음이 ～ 心里很满意 =[心满意足]
뿌리 명 **1** 〖植〗 根(儿) gēn(r); 根子 gēnzi **2** 根源 gēnyuán; 根本 gēnběn; 根子 gēnzi ¶민족의 ～를 찾다 寻找民族的根源
뿌리(가) 깊다 구 根深蒂固; 由来已久
뿌리(를) 뽑다 구 根除; 根绝
뿌리-내리다 자 扎根 zhāgēn ¶60년대 초 그들은 이곳에 뿌리내렸다 60年代初, 他们就在这里扎根了
뿌리다 ㊀자타 散落 sǎnluò; 落下 luòxià; 下 xià; 潲 shào ¶때때로 가랑비가 ～ 不时落下毛毛细雨 ㊁타 **1** 撒 sǎ; 散布 sànbù; 浇 jiāo; 泼 pō; 洒 sǎ ¶씨를 ～ 撒种 / 바닥에 물을 ～ 在地上洒着水 **2** 乱花钱 luàn huāqián; 大把花钱 dàbǎ huāqián ¶술집에서 돈을 ～ 在酒吧乱花钱 **3** (眼泪) 流 liú; 挥 huī; 洒 sǎ; 弹泪 tánlèi ¶눈물을 뿌리며 떠나다 流泪离开 **4** 声张 shēngzhāng; 外扬 wàiyáng; 造谣 zàoyáo; 张扬 zhāngyáng; 散布 sànbù ¶루머를 뿌리는 행위 散布传闻的行为
뿌리-박다 자타 扎根 zhāgēn; 根植 gēnzhí; 生根 shēnggēn
뿌리-채소(—菜蔬) 명 〖植〗 根菜 gēncài = 근채
뿌리-치다 타 **1** 拂 fú; 甩 shuǎi; 推开 tuīkāi; 拨开 bōkāi; 摔 shuāi; 甩开 shuǎikāi; 甩掉 shuǎidiào; 挣脱 zhēngtuō ¶그의 손을 ～ 甩开他的手 **2** 回绝 huíjué; 拒绝 jùjué ¶유혹을 ～ 拒绝诱惑 **3** 甩掉 shuǎidiào ¶경쟁자를 ～ 甩掉竞争者
뿌:옇다 형 灰白 huībái; 灰蒙蒙 huīméngméng; 雾蒙蒙 wùméngméng ¶하늘이 뿌연 걸 보니 비가 올 것 같다 天灰蒙蒙的, 要下雨
뿌:예-지다 자 变灰白 biàn huībái; 变得灰蒙蒙 biànde huīméngméng; 模糊 móhu ¶갑자기 눈이 뿌예졌다 一瞬间, 眼睛模糊了
뿌지직 부하자 **1** 咕叽 gūjī 《拉屎声》 **2** 吱啦 zhīlā 《淬火声》
뿐¹ 의명 只 zhǐ; 只是 zhǐshì; 不过 búguò; 就是 jiùshì; 罢了 bàle; 而已 éryǐ ¶나는 마땅히 해야 할 일을 했을 ～이다 我只做了我应做的事罢了
뿐² 조 只有 zhǐyǒu; 只 zhǐ; 就 jiù ¶둘～이다 只有两个 / 이것～이냐? 就这些吗?
뿔 명 〖動〗 角 jiǎo; 犄角 jījiao ¶～이 돋다 长角
뿔-나다 자 生气 shēngqì; 恼火 nǎohuǒ; 冒火 màohuǒ; 恼怒 nǎonù; 发脾气 fā píqi
뿔뿔-이 부 纷纷 fēnfēn; 四散 sìsàn; 七零八落 qīlíngbāluò; 五零四散 wǔlíngsìsàn; 零散 língsǎn ¶가족이 ～ 흩어졌다 全家五零四散 / 모두 ～ 도망갔다 全都四散逃跑了
뿔-테 명 粗框 cūkuàng ¶～ 안경 粗框眼镜
뿜:다 타 喷 pēn; 吐 tǔ; 排放 páifàng; 冒 mào; 发出 fāchū ¶연기를 뿜는 굴뚝 冒烟的烟囱 / 불을 ～ 喷火
뿜어-내다 타 喷出 pēnchū; 喷放 pēnfàng; 排放 páifàng; 冒 mào; 散发 sànfā ¶연기를 ～ 喷出烟气
뿡 부 嘣 bēng
뿡-뿡 부하자타 **1** 嘣嘣 bēngbēng **2** 嘀嘀 dīdī; 嘟嘟 dūdū; 呜呜 míngmíng
삐걱 부하자타 嘎吱 gāzhī; 叽叽嘎嘎 jījigāgā; 咯吱 gēzhī
삐걱-거리다 자타 嘎吱响 gāzhī xiǎng; 叽叽嘎嘎响 jījigāgā xiǎng; 咯吱响 gēzhī xiǎng = 삐걱대다 ¶이 의자는 늘 상 삐걱거린다 这把椅子老叽叽嘎嘎响 **삐걱-삐걱** 부하자타
삐끗 부하자타 **1** 晃荡 huàngdang; 松弛 sōngchí **2** 扭 niǔ ¶허리를 ～하다 扭腰了
삐:다 자타 扭 niǔ; 扭伤 niǔshāng; 蹩 bié ¶목을 삐었다 扭伤了脖子
삐딱-이 부 歪斜(地) wāixié(de); 歪(着) wāi(zhe) ¶모자를 ～ 쓰다 歪戴着帽子
삐딱-하다 형 歪 wāi; 斜 xié; 偏 piān; 歪斜 wāixié
삐뚜로 부 歪着 wāizhe; 斜着 xiézhe; 偏着 piānzhe
삐뚤-거리다 자타 **1** 歪歪斜斜 wāiwaixiéxié; 歪歪扭扭 wāiwainiǔniǔ **2** 一跛一跛 yībǒyībǒ; 一拐一拐 yīguǎiyīguǎi; 一瘸一拐 yīquéyīguǎi ‖ = 삐뚤대다 **삐뚤-삐뚤** 부하형자타
삐뚤다 형 歪 wāi; 斜 xié; 歪斜 wāixié; 歪扭 wāiniǔ
삐뚤-빼뚤 부하형자타 歪歪斜斜(地) wāiwaixiéxié(de); 歪歪扭扭(地) wāi-

wainiǔniǔ(de) ¶공책에 ~ 글씨를 쓰다 在本子上歪歪斜斜地写字

삐뚤어-지다 [부] **1** 歪斜 wāixié; 倾斜 qīngxié ¶삐뚤어진 치아 歪斜的牙齿 **2** 心路不正 xīnlùbùzhèng **3** 闹别扭 nào bièniu

삐라(←일bira) [명] '전단(傳單)' 的错误

삐악 [부] 唧唧 jījī; 唧唧喳喳 jījizhāzhā

삐악-거리다 [자] 唧唧地叫 jījīde jiào = 삐악대다 ¶병아리가 ~ 小鸡唧唧地叫 **삐악-삐악** [부][하자]

삐죽[1] [부][하형] 尖锐 jiānruì; 尖利 jiānlì; 锐利 ruìlì; 锋利 fēnglì

삐죽[2] [부][하타] **1** 一撇 yīpiě; 一撅 yījuē **2** 露面 lòumiàn; 露一下 lòuyīxià; 一露 yīlòu

삐죽-거리다 [타] 撅嘴 juēzuǐ; 撇嘴 piězuǐ = 삐죽대다 **삐죽-삐죽** [부][하타]

삐쩍 [부] 瘦瘦的 shòushòude; 瘦巴巴(的) shòubābā(de); 瘦精精(的) shòujīngjīng(de); 瘦呱呱(的) shòuguāguā(de); 消瘦 xiāoshòu

삐쭉[1] [부][하형] 尖锐 jiānruì; 尖利 jiānlì; 锐利 ruìlì; 锋利 fēnglì

삐쭉[2] [부][하타] **1** 一撇 yīpiě; 一撅 yījuē **2** 露面 lòumiàn; 露一下 lòuyīxià; 一露 yīlòu ¶얼굴을 ~ 내밀고 갔다 露一下脸就走了

삐쭉-거리다 [타] 撅嘴 juēzuǐ; 撇嘴 piězuǐ = 삐쭉대다 ¶삐쭉거리지 마 别撅嘴了 **삐쭉-삐쭉**[1] [부][하타]

삐쭉-삐쭉[2] [부][하형] 都尖尖地 dōu jiānjiānde

삐:치다[1] [자] 闹性子 nào xìngzi; 闹别扭 nào bièniu ¶그는 조그마한 일에도 잘 삐친다 他连一点小事都闹性子

삐:치다[2] [타] 写一撇 xiě yīpiě

삐:침 [명] 撇 piě

삑 [부] 嘀 dī; 哇 wā

삥 [부] **1** 团团 tuántuán ¶그를 ~ 에워싸다 将他团团围住 **2** 滴溜溜 dīliūliū ¶왼쪽 발을 축으로 하여 ~ 동그랗게 돌다 以左脚为轴, 滴溜溜转了个圆圈 **3** 晕晕忽忽 yūnyunhūhū; 晕头转向 yūntóuzhuǎnxiàng; 眩晕 xuànyùn; 昏昏沉沉 hūnhunchénchén

사:(四) 수관 四 sì ¶~ 년 四年 / ~ 킬로그램 四公斤 / ~ 일 四天
사:(死) 명 = 죽음 ¶생과 ~의 갈림길 生与死的十字路口
사(私) 명 私 sī ¶공과 ~ 公和私
사(詞) 명 〖文〗 词 cí
-사(士) 접미 师 shī; 员 yuán 《取得专门资格的人》 ¶변호~ 律师 / 회계~ 会计师 / 운전~ 驾驶员
-사(史) 접미 史 shǐ ¶문학~ 文学史 / 음악~ 音乐史 / 서양~ 西洋史
-사(事) 접미 事 shì ¶인간~ 人事 / 세상~ 世事
-사(社) 접미 社 shè ¶신문~ 报社 / 출판~ 出版社
-사(師) 접미 师 shī; 员 yuán 《表示把某种事当职业的人》 ¶요리~ 厨师 / 이발~ 理发师
-사(詞) 접미 词 cí ¶감탄~ 叹词 / 형용~ 形容词
-사(辭) 접미 词 cí; 辞 cí ¶개회~ 开幕词 / 환영~ 欢迎辞
사각 부 1 嘎吱 gāzhī 《吃水果或点心时的声音》 2 沙拉 shālā; 刷拉 shuālā 《摩擦时的声音》
사:각(四角) 명 1 四个角 sìge jiǎo 2 四角 sìjiǎo; 方形 fāngxíng; 方 fāng ¶~ 탁자 方桌 / ~팬티 四角内裤 3 〖數〗 = 사각형
사:각(死角) 명 死角 sǐjiǎo
사각-거리다 자타 1 嘎吱嘎吱 gāzhī-gāzhī ¶입에 넣고 사각거리며 씹다 放进嘴里, 嘎吱嘎吱地嚼 2 沙拉沙拉 shālāshālā; 刷拉刷拉 shuālāshuālā ‖ = 사각대다 **사각-사각** 부하자타
사:각-기둥(四角—) 명 〖數〗 四棱柱 sìléngzhù
사:각-지대(死角地帶) 명 死角 sǐjiǎo; 死角地带 sǐjiǎo dìdài ¶범죄 단속의 ~ 控制犯罪的死角地带
사:각-형(四角形) 명 〖數〗 四角形 sìjiǎoxíng = 네모2 · 사각(四角)3 · 사변형 ¶~으로 자르다 切成四角形
사감(舍監) 명 舍监 shèjiān ¶기숙사의 ~이 되다 做宿舍的舍监
사:-거리(四—) 명 = 네거리 ¶~의 주유소 十字路口的加油站
사-거리(射距離) 명 〖軍〗 = 사정거리
사:건(事件) 명 1 事件 shìjiàn; 事 shì; 案件 ànjiàn ¶역사적인 ~ 历史事件 / 형사 ~ 刑事案件 2 〖法〗 诉讼案 sùsòng'àn
사격(射擊) 명하자타 射 shè; 射击 shèjī ¶실탄 ~ 实弹射击 / ~ 경기 射击比赛 / ~ 훈련을 하다 进行射击训练
사격-술(射擊術) 명 射击术 shèjīshù; 枪法 qiāngfǎ ¶~이 뛰어난 사람 枪法非常准确的人
사격-장(射擊場) 명 射击场 shèjī-chǎng; 射击场地 shèjī chǎngdì; 打靶场 dǎbǎchǎng ¶실내 ~ 室内射击场
사견(私見) 명 私见 sījiàn ¶~을 배제하다 排除私见
사:경(死境) 명 死亡线 sǐwángxiàn; 绝境 juéjìng ¶~을 헤매다 挣扎在死亡线上
사:계(四季) 명 = 사철
사:-계절(四季節) 명 = 사철 ¶~이 뚜렷하다 四季分明
사:고(事故) 명 1 事故 shìgù; 失事 shīshì; 意外 yìwài ¶~사 意外死亡 / ~율 事故发生率 / 비행기 ~ 飞机失事 / ~가 발생하다 发生事故 2 事端 shìduān; 岔子 chàzi; 问题 wèntí ¶~를 치다 滋生事端
사고(思考) 명하타 1 思考 sīkǎo ¶~능력 思考能力 / ~의 영역을 넓히다 扩大思考的范围 2 〖哲〗 思维 sīwéi
사고-력(思考力) 명 思考力 sīkǎolì; 思考能力 sīkǎo nénglì ¶논리적인 ~을 기르다 培养逻辑的思考力
사:고-무친(四顧無親) 명하형 举目无亲 jǔmùwúqīn; 无依无靠 wúyīwúkào
사:고-뭉치(事故—) 명 惹祸精 rěhuò-jīng
사고-방식(思考方式) 명 思考方法 sīkǎo fāngfǎ ¶그는 ~이 고루하다 他思考方法顽固守旧
사고-팔다 타 买卖 mǎimai ¶온갖 물건을 ~ 买卖各种东西
사:골(四骨) 명 牛足 niúzú; 牛脚骨 niújiǎogǔ ¶~을 고다 炖牛足
사공(沙工 · 砂工) 명 = 뱃사공
사공이 많으면 배가 산으로 간다[올라간다] 속담 艄工多, 船上山; 艄工多, 撑翻船; 船工多了打烂船
사과(沙果 · 砂果) 명 苹果 píngguǒ ¶~주 苹果酒 / ~즙 苹果汁 / ~잼 苹果酱
사:과(謝過) 명하자타 道歉 dàoqiàn; 认错 rèncuò; 赔罪 péizuì; 赔不是 péi-

bùshi; 谢罪 xièzuì; 歉意 qiànyì ¶~문 谢罪书 / 네가 그녀에게 ~해야 한다 你应该向她道歉
사과-나무(沙果—) 명 〖植〗 苹果树 píngguǒshù
사:관(士官) 명 〖軍〗 军官 jūnguān ¶ ~생도 军官生徒 / ~학교 军官学校 / ~후보생 候补军官
사:관(史官) 명 〖史〗 史官 shǐguān
사:관(史觀) 명 = 역사관 ¶식민 ~ 殖民史观
사교(社交) 명하자 社交 shèjiāo; 交际 jiāojì; 应酬 yìngchou ¶~계 社交界 / ~성 社交性 / ~장 社交场 / ~춤 交际舞 =[交谊舞] / ~ 활동 社交活动 / ~ 모임 社交聚会 / 그는 ~에 능하다 他善于社交
사-교육(私教育) 명 〖教〗 私人教育 sīrén jiàoyù; 个人教育 gèrén jiàoyù ¶~비 私人教育费
사교-적(社交的) 관명 会交际 huì jiāojì; 善于交际 shànyú jiāojì; 友好 yǒuhǎo; 社交性的 shèjiāoxìngde; 应酬性的 yìngchouxìngde ¶그는 매우 ~이다 他很会交际
사:구(死球) 명 〖體〗 (棒球) 死球 sǐqiú = 데드 볼
사구(沙丘·砂丘) 명 〖地理〗 沙丘 shāqiū
사:-군자(四君子) 명 〖美〗 四君子 sìjūnzǐ
사귀다 자타 交 jiāo; 交际 jiāojì; 来往 láiwǎng; 往来 wǎnglái; 交往 jiāowǎng; 结交 jiéjiāo; 结识 jiéshí; 交接 jiāojiē ¶ 새 친구를 ~ 交新朋友 / 우리는 사귄 지 벌써 4년 되었다 我们交往已经四年了
사그라-뜨리다 타 消除 xiāochú; 打消 dǎxiāo = 사그라트리다 ¶분노를 ~ 打消愤怒
사그라-지다 자 消除 xiāochú; 灭miè; 打消 dǎxiāo; 烧灭 shāomiè ¶울분이 ~ 郁愤消除 / 불길이 사그라졌다 火焰灭了
사극(史劇) 명 〖演〗 = 역사극
사근사근-하다 형 温和 wēnhé; 和气 héqi; 和蔼 hé'ǎi; 柔顺 róushùn ¶그는 손님에게 매우 ~ 他对顾客很和气 **사근사근-히** 부
사글-세(—貰) 명 **1** = 월세1 **2** = 월세방
사글셋-방(—貰房) 명 = 월세방 ¶~에서 살다 住在月租房
사금(沙金·砂金) 명 〖鑛〗 沙金 shājīn ¶~광 沙金矿 / ~석 沙金石 / ~을 캐다 淘沙金
사:기(士氣) 명 士气 shìqì ¶~충천 士气冲天 / ~를 북돋다 鼓舞士气 / ~가 높다 士气高昂
사기(沙器·砂器) 명 = 사기그릇
사기(詐欺) 명하타 骗 piàn; 欺诈 qīzhà; 诈骗 zhàpiàn; 欺骗 qīpiàn; 蒙骗 mēngpiàn ¶~죄 诈骗罪 / ~횡령 骗取 / 그들은 ~를 당했다 他们被骗了 / ~행각을 벌이다 进行欺骗行为
사기-그릇(沙器—) 명 瓷器 cíqì = 사기(沙器)
사기-꾼(詐欺—) 명 骗子 piànzi ¶~의 거짓말을 믿다 相信骗子的谎言
사-기업(私企業) 명 〖經〗 个人企业 gèrén qǐyè; 私营企业 sīyíng qǐyè
사나이 명 男人 nánrén; 汉子 hànzi; 男子汉 nánzǐhàn ¶그는 진정한 ~다 他是个真正的汉子
사-나흘 명 三四天 sānsìtiān = 삼사일
사:납다 형 **1** (性格) 凶 xiōng; 凶暴 xiōngbào; 凶恶 xiōng'è; 凶猛 xiōngměng; 粗暴 cūbào ¶사나운 적 凶恶的敌人 / 성질이 ~ 性子粗暴 **2** (状态) 恶 è; 恶劣 èliè ¶최근 들어 날씨가 매우 ~ 近来天气十分恶劣 **3** (某种事情) 不好 bùhǎo; 不顺利 bùshùnlì ¶오늘은 일진이 ~ 今天日子不好
사내 명 **1** '사나이'的略词 **2** 男子 nánzǐ; 男人 nánrén
사내(社內) 명 公司内 gōngsī nèi; 同事之间 tóngshìzhījiān ¶~ 연애 同事之间谈恋爱 / ~ 결혼 同事之间结婚
사내-대장부(—大丈夫) 명 男子汉 nánzǐhàn; 大丈夫 dàzhàngfu; 男子汉大丈夫 nánzǐhàn dàzhàngfu ¶이것은 ~끼리의 약속이다 这是男子汉之间的诺言
사내-아이 명 男孩子 nánháizi; 男孩(儿) nánhái(r)
사내-자식(—子息) 명 **1** '사내'的俗称 **2** '아들'的俗称
사냥 명하타 **1** 打猎 dǎliè; 狩猎 shòuliè = 수렵 ¶산에서 ~하다 在山里打猎 **2** (动物) 狩猎 shòuliè ¶~ 본능 狩猎本能
사냥-감 명 猎物 lièwù
사냥-개 명 猎狗 liègǒu; 猎犬 lièquǎn
사냥-꾼 명 猎人 lièrén; 猎手 lièshǒu; 打猎的 dǎliède
사냥-철 명 狩猎期 shòulièqī = 수렵기
사냥-총(—銃) 명 猎枪 lièqiāng = 엽총
사냥-터 명 猎场 lièchǎng
사념(邪念) 명 邪念 xiéniàn ¶~이 생기다 起邪念 / ~을 쫓다 排除邪念
사다 타 **1** 买 mǎi; 购买 gòumǎi ¶물건을 ~ 买东西 / 컴퓨터를 한 대 ~ 购买一台电脑 **2** 雇 gù ¶짐꾼을 ~ 雇脚

夫 3 自找 zìzhǎo; 自讨 zìtǎo ¶고생을 사서 하다 自讨苦吃 4 讨 tǎo; 惹 rě ¶친구의 환심을 ~ 讨朋友的欢心 / 의심을 ~ 惹人怀疑 5 受 shòu; 得 dé ¶아버지의 노여움을 ~ 得罪父亲 6 赞赏 zànshǎng; 评价 píngjià; 认定 rèndìng ¶선생님이 나의 재주를 높이 사셨다 老师赞赏我的才华

사서 고생(을) 하다 ㉠ 自讨苦吃

사-다리 명 梯子 tīzi = 사닥다리 ¶~를 오르다 上梯子 =[爬梯子]

사다리-꼴 명 〖數〗梯形 tīxíng

사다리-차(—車) 명 云梯车 yúntīchē

사닥-다리 명 = 사다리

사:단(事端) 명 '사달' 的错误

사단(社團) 명 〖法〗社团 shètuán ¶~법인 社团法人

사단(師團) 명 〖軍〗师 shī ¶~장 师长

사달 명 事故 shìgù; 事端 shìduān; 岔子 chàzi ¶~이 나다 出岔子

사담(私談) 명하자 私自会谈 sīzì huìtán ¶회의 중에 ~은 삼가해 주십시오 开会时, 不要私自会谈

사당(祠堂) 명 祠堂 cítáng

사대(師大) 명 〖教〗'사범 대학' 的略词

ㅅ

사:-대부(士大夫) 명 〖史〗士大夫 shìdàfū

사:대-주의(事大主義) 명 事大主义 shìdàzhǔyì

사:도(使徒) 명 1 〖宗〗使徒 shǐtú ¶~신경 使徒信经 / ~행전 使徒行传 2 使者 shǐzhě ¶평화의 ~ 和平的使者

사돈(查頓) 명 亲家 qìngjia ¶~을 맺다 结成亲家

사돈의 팔촌 ㉠ 八杆子打不着的远亲

사돈-댁(查頓宅) 명 1 亲家府 qìngjiafǔ 2 = 안사돈

사:-동사(使動詞) 명 〖語〗使动词 shǐdòngcí = 사역 동사

사-들이다 타 买进 mǎijìn; 买入 mǎirù; 购进 gòujìn; 收买 shōumǎi ¶옷을 ~ 收买衣服

사:또(←使道) 명 〖史〗使道 shǐdào

사라지다 자 1 消 xiāo; 消失 xiāoshī; 消逝 xiāoshì; 消去 xiāoqù; 消灭 xiāomiè ¶불빛이 점점 사라졌다 灯光渐渐消了 / 아픔이 ~ 疼痛消失 2 死 sǐ ¶형장의 이슬로 ~ 像草露一样地死在绞刑架上

사:람 명 人 rén; 人类 rénlèi ¶~을 찾는 광고 寻人启事 / ~은 만물의 영장이다 人是万物之灵 / ~마다 다르다 人人不同

사람은 죽으면 이름을 남기고 범은 죽으면 가죽을 남긴다 속담 人死留名, 虎死留皮; 雁过留声, 人过留名

사람 같지 않다 ㉠ 狗彘不如; 猪狗不如; 非人的; 不像个人 = 인간 같지 않다

사람 살려 ㉠ 救命; 救命啊

사람(을) 잡다 ㉠ 1 杀人 2 坑人; 宰人; 害人

사람(이) 좋다 ㉠ 为人好

사:람-됨 명 为人 wéirén; 人品 rénpǐn; 品性 pǐnxìng ¶~이 정직하다 为人正直

사랑 명하타 1 (对异性的) 爱 ài; 情 qíng; 爱情 àiqíng; 爱恋 àiliàn ¶~싸움 爱情纠纷 / 그녀에 대한 ~ 对她的爱 / ~을 고백하다 表白爱情 / ~을 속삭이다 谈情说爱 / ~이 싹트다 产生爱情 2 (对异性以外的) 爱 ài; 热爱 rè'ài ¶어머니의 ~ 母亲的爱 / 조국을 ~하다 热爱祖国 3 爱好 àihào; 爱惜 àixī; 爱护 àihù ¶자연을 ~하다 爱护自然 / 음악을 ~하다 爱好音乐

사랑(舍廊) 명 厢房 xiāngfáng ¶~에 묵다 住在厢房

사랑-니 명 〖生〗智齿 zhìchǐ; 智牙 zhìyá; 尽根牙 jìngēnyá

사랑-방(舍廊房) 명 厢房 xiāngfáng

사랑-스럽다 형 可爱 kě'ài ¶이 아이는 정말 ~ 这孩子真可爱 **사랑스레** 부

사랑-채(舍廊—) 명 厢房 xiāngfáng

사:레 명 呛 qiāng

사:레-들다 자 = 사레들리다

사:레-들리다 자 呛 qiāng = 사레들다 ¶물을 너무 급히 마시다가 사레들렸다 水喝得太急, 呛了出来

사려(思慮) 명하타 思虑 sīlǜ; 考虑 kǎolǜ; 思索 sīsuǒ ¶~ 깊지 못한 행위 欠慎重思虑的行为

사:력(死力) 명 死力 sǐlì; 拼命 pīnmìng ¶그는 한번 일을 하면 ~을 다해서 한다 他一干起活来就拼命

사령(司令) 명하타 〖軍〗司令 sīlìng ¶~관 司令官 / ~부 司令府 / ~탑 司令塔

사:령(使令) 명하자 使令 shǐlìng

사:례(事例) 명 事例 shìlì ¶구체적인 ~를 들어 설명하다 举个具体的事例说明

사:례(謝禮) 명하자타 谢 xiè; 谢礼 xièlǐ; 酬谢 chóuxiè; 报酬 bàochou; 道谢 dàoxiè ¶그에게 ~로 만 위안을 보냈다 谢了他一万块钱

사:례-금(謝禮金) 명 礼金 lǐjīn; 酬金 chóujīn

사로-잡다 타 1 活捉 huózhuō; 生擒 shēngqín; 生俘 shēngfú ¶적군을 ~ 活捉敌军 2 迷惑 míhuò; 迷人 mírén; 抓住 zhuāzhù; 吸引住 xīyǐnzhù ¶그의 연기가 관중을 사로잡았다 他的表演抓住了观众

사로잡-히다 자 1 被俘 bèi fú; 被活

捉 bèi huózhuō; 被擒 bèi qín 《'사로잡다1' 的被动词》 ¶적에게 ~ 被敌人活捉 **2** 被吸引住 bèi xīyǐnzhù; 被抓住 bèi zhuāzhù; 沉浸 chénjìn 《'사로잡다2' 的被动词》 ¶심한 공포에 ~ 被强烈的恐怖吸引住 / 승리의 기쁨에 ~ 沉浸在胜利的欢乐中

사:료(史料) 명 史料 shǐliào ¶~를 수집하다 收集史料

사료(思料) 명하타 思量 sīliang; 考虑到 kǎolǜdào ¶내일 행사에 많은 사람들이 참여할 것으로 ~된다 考虑到明天的活动有很多人参加

사:료(飼料) 명 饲料 sìliào; 喂料 wèiliào ¶~ 작물 饲料作物 / ~를 먹이다 喂饲料

사:륜(四輪) 명 **1** 四个轮 sìge lún; 四轮 sìlún ¶~구동 四轮驱动 **2** 〖佛〗 四轮 sìlún

사르다 타 = 불사르다 ¶불필요한 서류를 ~ 焚毁无用的文件

사르르 부 **1** 慢慢地 mànmànde; 自然地 zìránde ¶눈이 ~ 녹았다 雪慢慢地化了 **2** 静静地 jìngjìngde; 渐渐地 jiànjiànde ¶~ 잠이 들다 静静地入睡 / 노여움이 ~ 풀리다 怒气渐渐地消散 **3** 轻轻地 qīngqīngde; 轻巧地 qīngqiǎode ¶배가 수면을 ~ 미끄러져 간다 船轻巧地划过水面

사리 명 **1** (面条、绳、线等的) 把(儿) bǎ(r) **2** 把 bǎ ¶국수 두 ~ 两把面条

사리(私利) 명 私利 sīlì ¶~사욕 私利私欲 / ~를 도모하다 图私利

사:리(事理) 명 道理 dàolǐ; 事理 shìlǐ; 理 lǐ ¶~가 밝다 懂道理 / ~에 맞다 有道理

사리(舍利·奢利) 명 〖佛〗 舍利 shèlì; 舍利子 shèlìzi

사리다 타 **1** 盘 pán; 盘曲 pánqū; 绕 rào ¶새끼를 ~ 把绳子盘起来 / 국수를 ~ 绕面 **2** (把身子) 盘 pán; 蜷曲 quánqū ¶뱀이 빠르게 몸을 ~ 蛇迅速蜷曲身子 **3** 顾前顾后 gùqiángùhòu; 吝惜 lìnxī ¶그는 여태껏 몸을 사린 적이 없다 他从来不吝惜自己的身体 **4** (把尾巴) 夹 jiā ¶개가 꼬리를 ~ 狗夹着尾巴 **5** 砸弯 záwān ¶못 끝을 ~ 把钉尖砸弯

사립 명 = 사립문

사립(私立) 명 私立 sīlì; 私设 sīshè ¶~ 대학 私立大学

사립-문(―門) 명 柴门 cháimén; 柴扉 cháifēi = 사립

사립 학교(私立學校) 〖教〗 私立学校 sīlì xuéxiào = 사학(私學)

사:마귀[1] 명 〖蟲〗 螳螂 tángláng; 刀螂 dāoláng

사:마귀[2] 명 〖生〗 疣 yóu; 疣子 yóuzi; 瘊子 hóuzi; 肉赘 ròuzhuì; 赘疣 zhuìyóu ¶~가 나다 长了疣子

사막(沙漠·砂漠) 명 〖地理〗 沙漠 shāmò ¶~화 沙漠化 / ~ 기후 沙漠气候 / ~ 지대 沙漠地带

사:망(死亡) 명하자 死 sǐ; 死亡 sǐwáng; 去世 qùshì ¶~률 死亡率 / ~자 死亡者 / ~ 신고 死亡申报 / ~ 진단서 死亡诊断书 / 그는 병으로 병원에서 ~했다 他病死在医院里

사:면(四面) 명 四面 sìmiàn; 四方 sìfāng ¶~에서 적의 공격을 받다 四面受敌

사면(斜面) 명 斜面 xiémiàn

사:면(赦免) 명하타 〖法〗 赦 shè; 赦免 shèmiǎn ¶특별 ~ 特赦 / 정치범을 ~하다 赦免政治犯

사:면-체(四面體) 명 〖數〗 四面体 sìmiàntǐ

사:면-초가(四面楚歌) 명 四面楚歌 sìmiànchǔgē ¶~에 빠지다 陷于四面楚歌之中

사:명(使命) 명 使命 shǐmìng; 任务 rènwù ¶~감 使命感 / 중요한 ~을 가지고 중국을 방문하다 带着重要的使命访问中国

사모(思慕) 명하타 **1** 思慕 sīmù; 爱慕 àimù; 怀念 huáiniàn ¶그녀에 대한 ~의 마음 对她的爱慕之情 **2** 敬仰 jìngyǎng; 仰慕 yǎngmù; 敬慕 jìngmù ¶나는 늘 이 노학자분을 ~해 왔다 我一向敬仰这位老学者

사모(師母) 명 师母 shīmǔ

사모-님(師母―) 명 **1** '사모(師母)' 的敬词 **2** 夫人 fūren; 太太 tàitai; 女士 nǚshì

사:무(事務) 명 事务 shìwù; 办公 bàngōng; 办事 bànshì; 工作 gōngzuò ¶~관 事务官 / ~국 办事处 / ~기기 办公设备 / ~ 자동화 办公自动化 / ~를 보다 办公

사무라이(일samurai[侍]) 명 〖史〗 日本武士 Rìběn wǔshì

사:무-소(事務所) 명 办事处 bànshìchù; 办公处 bàngōngchù; 办公所 bàngōngsuǒ

사:무-실(事務室) 명 办公室 bàngōngshì; 写字间 xiězìjiān ¶유학생 ~ 留学生办公室

사:무-적(事務的) 관명 **1** 事务(的) shìwù(de) **2** 事务性(的) shìwùxìng(de); 业务性(的) yèwùxìng(de) ¶그는 나에게 너무 ~이다 他对我太事务性的

사:무-직(事務職) 명 白领工人 báilǐng gōngrén; 坐办公室的 zuò bàngōngshìde

사:무-총장(事務總長) 명 秘书长 mìshūzhǎng

사무치다 자 痛切 tòngqiè; 彻骨 chègǔ; 入骨 rùgǔ; 刻骨 kègǔ ¶원한이 뼈에 ~ 恨之入骨

사-문서(私文書) 명 〖法〗 私人档案 sīrén dàng'àn; 私人文件 sīrén wénjiàn

사:물(事物) 명 事物 shìwù

사:물-놀이(四物―) 명 〖音〗 四物游戏 sìwù yóuxì

사물-함(私物函) 명 私物柜 sīwùguì; 衣物柜 yīwùguì ¶~을 정리하다 收拾私物柜

사뭇 부 **1** 一直 yīzhí; 始终 shǐzhōng ¶이번 주말은 ~ 바빴다 这个周末一直很忙 **2** 完全 wánquán; 极为 jíwéi; 迥然 jiǒngrán ¶예상하던 것과는 ~ 다르다 与料到的迥然不同 **3** 非常 fēicháng ¶~ 놀라다 非常惊讶

사:-박자(四拍子) 명 〖音〗 四拍子 sìpāizi

사발(沙鉢) 명 碗 wǎn ¶냉면 한 ~ 一碗冷面 / ~에 밥을 푸다 在碗盛饭

사:방(四方) 명 四方 sìfāng; 四处 sìchù; 四周 sìzhōu; 到处 dàochù; 各处 gèchù ¶~을 다 뒤지다 四处寻找 / ~을 둘러보다 环顾四周

ㅅ **사:방-팔방**(四方八方) 명 四面八方 sìmiànbāfāng; 到处 dàochù; 各地 gèdì; 各处 gèchù; 处处 chùchù ¶적군이 ~에서 쏟아져 나오다 敌军从四面八方涌出来

사:범(事犯) 명 〖法〗 犯罪 fànzuì; 犯罪行为 fànzuì xíngwéi; 犯法行为 fànfǎ xíngwéi ¶경제 ~ 经济犯罪

사범(師範) 명 **1** 师范 shīfàn; 榜样 bǎngyàng; 师表 shībiǎo **2** 教练 jiàoliàn ¶태권도 ~ 跆拳道教练

사범 대:학(師範大學) 〖教〗 师范大学 shīfàn dàxué

사법(司法) 명 〖法〗 司法 sīfǎ ¶~권 司法权 / ~부 司法府 / ~ 경찰 司法警察 / ~ 기관 司法机关 / ~ 시험 司法考试 =[司试] / ~ 연수생 司法进修生

사:변(四邊) 명 **1** 四边 sìbiān; 四周 sìzhōu; 四面 sìmiàn **2** 〖數〗 四边 sìbiān

사:변(事變) 명 **1** 事变 shìbiàn; 变革 biàngé **2** 变故 biàngù; 灾祸 zāihuò

사:변-형(四邊形) 명 〖數〗 = 사각형

사:별(死別) 명하자타 死别 sǐbié ¶그녀는 남편과 ~했다 她和丈夫死别了

사병(士兵) 명 〖軍〗 士兵 shìbīng

사:병(私兵) 명 私兵 sībīng; 私人士兵 sīrén shìbīng

사보(社報) 명 公司志 gōngsīzhì

사복(私服) 명 便衣 biànyī; 便服 biànfú ¶~ 경찰 便衣警察 / ~으로 갈아입고 퇴근하다 换上便服下班

사복(私腹) 명 私囊 sīnáng ¶지위를 이용해 ~을 채우다 利用自己的地位中饱私囊

사본(寫本) 명하타 抄本 chāoběn; 写本 xiěběn; 副本 fùběn ¶주민 등록증 ~ 身分证副本

사부(師父) 명 师父 shīfu

사-부인(査夫人) 명 亲家母 qìngjiamǔ

사:분(四分) 명하타 四分 sìfēn ¶~쉼표 四分休止符 / ~오열 四分五裂 / ~음표 四分音符 / ~의 삼을 차지하다 占四分之三

사:분-기(四分期) 명 季度 jìdù

사:분의사 박자(四分―四拍子) 〖音〗 四分之四拍 sìfēnzhīsì pāi

사:분의삼 박자(四分―三拍子) 〖音〗 四分之三拍 sìfēnzhīsān pāi

사:분의이 박자(四分―二拍子) 〖音〗 四分之二拍 sìfēnzhī'èr pāi

사비(私費) 명 自费 zìfèi ¶~로 유학 가다 自费留学

사뿐 부하형히부 轻快 qīngkuài; 轻盈 qīngyíng; 盈盈 yíngyíng; 轻移 qīngyí

사뿐-사뿐 부하자형 轻快 qīngkuài; 轻盈 qīngyíng; 盈盈 yíngyíng; 轻移 qīngyí ¶~ 걷다 轻快地走

사사(師事) 명하타 拜师 bàishī; 拜老师 bàilǎoshī ¶유명한 화가에게 ~하여 그림을 배우다 向有名的画家拜师学画儿

사:사(賜死) 명하자타 赐死 cìsǐ ¶황제가 크게 노하여 왕비를 ~하다 皇帝大怒之下将王妃赐死

사:사건건(事事件件) 명부 事事 shìshì; 件件事情 jiànjiàn shìqing; 每件事 měijiàn shì ¶~ 따지다 事事计较 / ~ 간섭하다 事事干涉

사사-롭다(私私―) 형 私 sī; 私下 sīxià; 私人的 sīrénde; 个人的 gèrénde ¶사사로운 이야기 私话 **사사로이** 부 ¶~ 만나다 私下见面

사:-사분기(四四分期) 명 第四季度 dìsì jìdù; 四季度 sìjìdù

사산(死産) 명 〖醫〗 死产 sǐchǎn ¶~아 死产儿 / 아기를 ~하다 死产婴儿

사살(射殺) 명하타 射杀 shèshā; 击毙 jībì ¶범인이 경찰에게 ~되었다 犯人被警察射杀了

사:상(史上) 명 = 역사상 ¶~ 최대의 규모 历史上最大的规模

사:상(死傷) 명하자 伤亡 shāngwáng; 死伤 sǐshāng ¶천여 명이 ~했다 伤亡了一千余人

사:상(思想) 명 思想 sīxiǎng ¶~가 思想家 / ~ 체계 思想体系 / 철학 ~ 哲学思想

사상-누각(砂上樓閣) 명 空中楼阁 kōngzhōnglóugé; 沙上楼阁 shāshànglóugé; 海市蜃楼 hǎishìshènlóu

사:상-자(死傷者) 명 死伤者 sǐshāngzhě; 伤亡 shāngwáng; 伤亡者 shāngwángzhě; 死伤 sǐshāng ¶교통사고로 다섯 명의 ~가 발생했다 车祸造成五人死伤

사:색(死色) 명 发青 fāqīng; 面如土色 miànrútǔsè ¶얼굴이 ~이 되다 脸色发青

사색(思索) 명하타 思索 sīsuǒ; 寻思 xúnsi; 思虑 sīlǜ ¶~에 잠기다 沉浸在思索中

사생(寫生) 명하타 写生 xiěshēng ¶~화 写生画 / ~ 대회 写生大赛 / 산수를 ~하다 写生山水

사:생-결단(死生決斷) 명하자 不顾死活 bùgùsǐhuó; 决一死战 juéyīsǐzhàn ¶~으로 덤비다 不顾死活地挑战

사생-아(私生兒) 명 私生子 sīshēngzǐ; 私孩子 sīháizi ¶~로 태어나다 生为私生子

사-생활(私生活) 명 私生活 sīshēnghuó; 个人生活 gèrén shēnghuó ¶~이 문란하다 私生活不严肃 / ~이 침해당하다 私生活受侵犯 / ~을 간섭하다 干涉私生活

사서(司書) 명 司书 sīshū

사서(辭書) 명 = 사전(辭典)

사서-함(私書函) 명 〖信〗私人信箱 sīrén xìnxiāng; 信箱 xìnxiāng; 邮政信箱 yóuzhèng xìnxiāng = 우편 사서함

사석(私席) 명 私下 sīxià; 私下里 sīxiàli; 非正式的场合 fēizhèngshìde chǎnghé; 非公开的场合 fēigōngkāide chǎnghé ¶그와 나는 ~에서는 흉허물 없이 지낸다 他和我在非正式的场合相处得亲密无间

사:선(死線) 명 生死关头 shēngsǐ guāntóu ¶~을 넘다 冲过生死关头

사선(射線) 명 1 射程线 shèchéngxiàn; 弹道 dàndào 2 〖軍〗射击座子线 shèjī zuòzixiàn

사선(斜線) 명 斜线 xiéxiàn; 偏线 piānxiàn ¶~을 긋다 画斜线

사설(私設) 명하타 私营 sīyíng; 私人 sīrén ¶~탐정 私人探侦 / ~ 도서관 私人图书馆

사설(社說) 명 社论 shèlùn; 社评 shèpíng

사설(辭說) 명하자 啰唆话 luōsuohuà; 唠叨话 láodaohuà ¶~이 너무 길다 罗唆话太多

사소-하다(些少—) 형 细微 xìwēi; 些小 xiēxiǎo; 细小 xìxiǎo; 区区 qūqū; 琐碎 suǒsuì ¶사소한 문제 细小问题 / 사소한 변화 细微的变化 / 사소한 일로 다투다 为区区小事吵架 **사소-히** 부

사:수(死守) 명하타 死守 sǐshǒu; 坚守 jiānshǒu; 困守 kùnshǒu ¶진지를 ~하다 坚守阵地

사수(射手) 명 射手 shèshǒu; 枪手 qiāngshǒu

사:순(四旬) 명 四旬 sìxún; 四十岁 sìshísuì ¶~절 四旬节

사슬 명 1 = 쇠사슬 ¶개를 ~로 묶어 두다 用铁链锁住狗 2 〖化〗链 liàn

사슴 명 〖動〗鹿 lù ¶~뿔 鹿角

사:시(四時) 명 = 사철

사시(斜視) 명 〖醫〗斜视 xiéshì; 斜眼 xiéyǎn

사시-나무 명 〖植〗山杨 shānyáng
사시나무 떨듯 구 抖如筛糠

사:시-사:철(四時四—) 명 四季 sìjì; 一年四季 yīnián sìjì ¶~ 꽃이 피다 四季开花

사:신(使臣) 명 使臣 shǐchén ¶~을 보내다 派使臣 / 외국의 ~을 맞이하다 迎接外国使臣

사:실(史實) 명 史实 shǐshí; 历史事实 lìshǐ shìshí ¶~에 바탕을 둔 사극 基础于历史事实的历史片

사:실(事實) 一명 事实 shìshí; 实 shí; 实际 shíjì ¶~혼 事实婚 / ~대로 말하다 说实话 / 그가 말하는 것은 모두 ~이 아니다 他说的都是没有事实 二부 = 사실상二 ¶이 일은 ~ 처리하기 어렵다 这件事情确实难办

사:실-무근(事實無根) 명하형 无事实根据 wúshìshí gēnjù ¶~의 소문 无事实根据的风闻

사:실-상(事實上) 一명 事实上 shìshíshang ¶~의 승인 事实上的承认 二부 实际上 shíjìshang; 事实上 shìshíshang; 确实 quèshí; 的确 díquè; 其实 qíshí; 实在 shízài = 사실二 ¶~ 그렇지 않다 事实上不是那样

사실-적(寫實的) 관명 真实(的) zhēnshí(de); 逼真(的) bīzhēn(de) ¶이 그림은 매우 ~으로 그려졌다 这幅画画得十分逼真

사실-주의(寫實主義) 명 〖藝〗写实主义 xiěshí zhǔyì = 리얼리즘1

사심(私心) 명 私心 sīxīn; 私念 sīniàn ¶~이 없다 不存私心 / ~을 버리다 消除私念

사:십(四十) 수관 四十 sìshí ¶~ 일 四十天 / ~ 미터 四十米 / ~ 킬로그램 四十公斤

사악(邪惡) 명하형 邪恶 xié'è ¶~한 속셈 邪恶的用心 / ~한 인간 邪恶的人

사:안(事案) 명 案件 ànjiàn; 事情 shìqing ¶시급한 ~ 紧急事情

사암(沙巖·砂巖) 명 〖地理〗砂岩 shāyán

사:약(賜藥) 명하자 〖史〗赐药 cìyào ¶~을 받다 接赐药

사양(斜陽) 명 1 = 석양 2 衰落 shuāiluò; 没落 mòluò; 衰退 shuāituì; 夕阳 xīyáng
사양(辭讓) 명하타 客气 kèqi; 客套 kètào; 谦让 qiānràng; 礼让 lǐràng; 推让 tuīràng; 辞让 círàng ¶~하지 마시고 많이 드세요 别客气, 多吃点吧
사양-길(斜陽—) 명 没落道路 mòluò dàolù ¶~로 향해 가다 走向没落道路
사양 산:업(斜陽産業) 〖經〗 夕阳产业 xīyáng chǎnyè; 夕阳工业 xīyáng gōngyè; 衰退工业 shuāituì gōngyè; 衰落产业 shuāiluò chǎnyè
사:업(事業) 명하자 生意 shēngyi; 卖买 mǎimai; 工作 gōngzuò; 企业 qǐyè; 事业 shìyè ¶~주 企业主 / 교육 ~ 教育事业 / ~을 일으키다 创办企业
사:업-가(事業家) 명 实业家 shíyèjiā; 企业家 qǐyèjiā; 事业家 shìyèjiā
사:업-자(事業者) 명 营业人 yíngyèrén; 营业者 yíngyèzhě ¶~ 등록 营业登记 =[工商登记]
사:역(使役) 명하타 役使 yìshǐ; 驱使 qūshǐ ¶~에 차출되다 被差出役使
ㅅ
사:역 동:사(使役動詞) 〖語〗 = 사동사
사:연(事緣) 명 事由 shìyóu; 情由 qíngyóu; 经过 jīngguò; 原委 yuánwěi; 理由 lǐyóu ¶~을 묻지 않다 不问情由 / ~을 충분히 알다 深知原委
사연(辭緣·詞緣) 명 (书信等的) 内容 nèiróng ¶편지의 ~을 읽다 读信的内容
사열(査閱) 명하타 〖軍〗 检阅 jiǎnyuè ¶~대 检阅台 / ~식 检阅仪式 / 부대를 ~하다 检阅部队
사:오-일(四五日) 명 四五天 sìwǔtiān
사옥(社屋) 명 公司大楼 gōngsī dàlóu; 公司房屋 gōngsī fángwū
사욕(私慾) 명 私欲 sīyù ¶~을 채우다 满足私欲
사:용(使用) 명하타 1 使用 shǐyòng; 用 yòng ¶~량 使用量 / ~법 用法 / ~금지 禁止使用 / ~을 제한하다 限制使用 / 볼펜을 ~하여 글자를 쓰다 使用圆珠笔写字 / 마음대로 ~하다 尽量使用 2 雇用 gùyòng; 雇 gù; 佣 yōng
사:용-료(使用料) 명 使用费 shǐyòngfèi; 用费 yòngfèi; 租金 zūjīn
사:용-자(使用者) 명 1 使用者 shǐyòngzhě; 用户 yònghù ¶전화 ~ 电话用户 2 〖法〗 雇主 gùzhǔ
사우나(sauna) 명 桑拿浴 sāngnáyù; 桑那浴 sāngnàyù; 三温暖 sānwēnnuǎn; 芬兰浴 fēnlányù; 桑拿 sāngná ¶~실 桑拿浴房
사운드 카드(sound card) 〖컴〗 声卡 shēngkǎ; 声音卡 shēngyīnkǎ; 音效卡 yīnxiàokǎ
사운드 트랙(sound track) 〖演〗 声带 shēngdài ¶오리지널 ~ 原声带
사원(寺院) 명 1 寺院 sìyuàn ¶고대 ~ 古代寺院 2 = 절[1]
사원(社員) 명 职员 zhíyuán; 工作人员 gōngzuò rényuán
사:월(四月) 명 四月 sìyuè
사위 명 女婿 nǚxu; 子婿 zǐxù; 半子 bànzi; 东床 dōngchuáng; 姑爷 gūye ¶~를 삼다 招女婿
사위 사랑은 장모 속담 岳母疼女婿
사위는 백 년 손이라 속담 女婿是娇客
사위도 반자식(이라) 속담 女婿为半子; 一个姑爷半个儿; 女婿半边子
사윗-감 명 未来女婿 wèilái nǚxu; 将来女婿 jiānglái nǚxu
사유(私有) 명하타 私有 sīyǒu ¶~ 재산 私有财产 / ~지 私有地 / ~물 私有物 =[私人物品]
사:유(事由) 명 事由 shìyóu; 情由 qíngyóu; 原因 yuányīn; 理由 lǐyóu; 缘由 yuányóu = 연고(緣故)1 · 연유(緣由) ¶~를 묻다 问事由 / ~를 밝히다 弄清缘由
사유(思惟) 명하타 思维 sīwéi; 思惟 sīwéi
사육(飼育) 명하타 饲养 sìyǎng; 饲育 sìyù; 畜养 xùyǎng; 喂养 wèiyǎng ¶돼지를 ~하다 饲养猪 / 토끼를 ~하다 饲养兔子
사:육-제(謝肉祭) 명 〖宗〗 谢肉祭 xièròujì; 狂欢节 kuánghuānjié = 카니발
사은(謝恩) 명하자 谢恩 xiè'ēn; 酬宾 chóubīn ¶고객 ~ 행사 酬宾活动
사:은-품(謝恩品) 명 免费赠品 miǎnfèi zèngpǐn; 赠品 zèngpǐn ¶물건을 사면 ~을 준다 购物送赠品
사은-회(師恩會) 명 谢师会 xièshīhuì; 谢师宴 xièshīyàn
사:의(謝意) 명 1 谢意 xièyì ¶깊은 ~를 표하다 深表谢意 2 歉意 qiànyì
사의(辭意) 명 辞职之意 cízhízhīyì ¶~를 밝히다 表明辞职之意
사이 명 1 (空间上的) 间 jiān; 之间 zhījiān; 中间 zhōngjiān ¶광화문과 동대문 ~에는 몇 정거장이 있습니까? 光化门和东大门之间有几站? 2 (时间上的) 间 jiān; 之间 zhījiān ¶불과 삼 년 ~에 생산고가 2배 늘었다 仅仅三年间, 产量就增加了两倍 3 闲空 xiánkòng; 闲暇 xiánxiá ¶그는 편지 쓸 ~조차도 없다 他连写信的闲空也没有 4 关系 guānxi; 间 jiān; 之间 zhījiān; 当中 dāngzhōng ¶부부 ~ 夫妻之间 / 서로 사랑하는 ~ 相爱的关系

사이다(cider) 명 汽水(儿) qìshuǐ(r)
사이드 미러(side mirror) 〖交〗 侧镜 cèjìng
사이렌(siren) 명 警笛 jǐngdí; 警报声 jǐngbàoshēng; 报警器 bàojǐngqì ¶～을 울리다 鸣放警笛
사이버 공간(cyber空間) 〖컴〗 虚拟世界 xūnǐ shìjiè; 虚拟电子社区 xūnǐ diànzǐ shèqū
사이보그(cyborg) 명 电子人 diànzǐrén; 半机械人 bànjīxièrén
사:이비(似而非) 명하형 似是而非 sìshì'érfēi; 假 jiǎ; 冒牌 màopái ¶～ 종교 似是而非的宗教
사이-사이 명 间 jiān; 之间 zhījiān; 中间 zhōngjiān; 当中 dāngzhōng ¶사람들 ～에 많은 학생들이 있다 人群中间有不少学生
사이-좋다 형 友好 yǒuhǎo; 融洽 róngqià; 友善 yǒushàn ¶두 사람은 매우 사이좋게 지낸다 俩人相处得很友善
사이즈(size) 명 大小 dàxiǎo; 尺寸 chǐcun; 尺码 chǐmǎ; 号 hào; 型号 xínghào ¶～가 꼭 맞다 大小正合适 / ～를 재다 量尺寸
사이코드라마(psychodrama) 명 〖心〗 心理剧 xīnlǐjù
사이클(cycle) 명 **1** 自行车 zìxíngchē ¶～ 경기 自行车比赛 **2** 〖物〗 周 zhōu; 周期 zhōuqī; 循环 xúnhuán
사이트(site) 명 〖컴〗 网站 wǎngzhàn
사:인(死因) 명 死因 sǐyīn ¶～을 밝히다 查明死因
사인(sign) 명하자 **1** 签名 qiānmíng; 签字 qiānzì; 署名 shǔmíng; 签署 qiānshǔ ¶스타의 ～ 明星签名 / 서류에 ～하다 在文件上签字 **2** 暗号(儿) ànhào(r); 信号 xìnhào ¶코치로부터 도루 ～이 나왔다 由教练发出了偷垒的暗号
사인(sine) 명 〖數〗 正弦 zhèngxián
사인-펜(sign+pen) 명 签字笔 qiānzìbǐ
사임(辭任) 명하자타 辞职 cízhí; 退职 tuìzhí ¶병으로 ～하다 因病辞职
사:자(死者) 명 死人 sǐrén
사:자(使者) 명 使者 shǐzhě ¶～를 보내다 派遣使者
사자(獅子) 명 〖動〗 狮子 shīzi
사자-후(獅子吼) 명하자 〖佛〗 狮子吼 shīzihǒu
사:장(死藏) 명하타 积压 jīyā; 搁置 gēzhì ¶많은 기재들이 창고에 ～되어 있다 很多器材积压在仓库里
사장(沙場 · 砂場) 명 = 모래사장
사장(社長) 명 总经理 zǒngjīnglǐ; 经理 jīnglǐ; 老板 lǎobǎn ¶우리 회사 ～ 我们公司的老板 / ～에 취임하다 就任总经理
사재(私財) 명 个人财产 gèrén cáichǎn; 私产 sīchǎn; 私有财产 sīyǒu cáichǎn ¶～를 털어 학교를 세우다 用私有财产建立学校
사재-기 명하타 囤积 túnjī; 抢购 qiǎnggòu ¶양식을 ～하다 囤积粮食
사저(私邸) 명 私邸 sīdǐ; 私人住宅 sīrén zhùzhái
사:-적(史的) 관명 = 역사적
사-적(私的) 관명 私(的) sī(de); 私人(的) sīrén(de); 私用(的) sīyòng(de) ¶～인 전화 私人电话 / ～인 감정 私人感情
사:적(史跡 · 史蹟) 명 史迹 shǐjì ¶～지 史迹地
사:적(事跡 · 事迹) 명 事迹 shìjì
사:전(事典) 명 事典 shìdiǎn ¶중국 역사 대～ 中国历史大事典
사:전(事前) 명 事前 shìqián; 事先 shìxiān ¶～에 알리다 事前通知 / 우리는 ～에 이미 알고 있었다 我们事先已知道了
사전(辭典) 명 词典 cídiǎn; 辞典 cídiǎn = 사서(辭書) ¶영어 ～ 英语词典 / 포켓 ～ 袖珍词典 / ～을 편찬하다 编纂词典 / ～을 찾다 查词典
사:절(使節) 명 〖法〗 使节 shǐjié; 使者 shǐzhě ¶～단 使节团 / 외교～ 外交使节 / 각국의 ～ 各国使节
사:절(謝絕) 명하타 谢绝 xièjué; 辞谢 cíxiè; 推辞 tuīcí; 谢 xiè ¶외상 ～ 谢绝赊账 / 면회를 ～하다 谢绝会客
사:절-지(四折紙) 명 四开纸 sìkāizhǐ
사정(司正) 명하타 审查 shěnchá
사정(私情) 명 私情 sīqíng; 私人情感 sīrén qínggǎn; 情面 qíngmiàn ¶～에 이끌리지 않다 不徇私情
사:정(事情) 명하자타 **1** 情况 qíngkuàng; 状况 zhuàngkuàng; 情形 qíngxíng; 事情 shìqing ¶집안 ～ 家里的情况 **2** 恳求 kěnqiú; 求情 qiúqíng ¶네가 가서 그에게 ～해 봐라 你去向他求个情吧
사정(射程) 명 〖軍〗 = 사정거리
사정(射精) 명하자 〖生〗 射精 shèjīng
사정-거리(射精距離) 명 〖軍〗 射程 shèchéng = 사거리(射距離) · 사정(射程) ¶～에서 100미터 벗어나다 射程超过100米
사:정-사정(事情事情) 명하자타 恳求 kěnqiú; 恳请 kěnqǐng; 哀求 āiqiú ¶그가 눈물을 머금고 ～했지만, 그녀는 마음을 돌리지 않았다 他含泪哀求, 她也不回心转意
사:정-없다(事情—) 형 不讲情面 bùjiǎng qíngmiàn; 不留情 bùliúqíng; 无情

wúqíng ¶적에게 사정없는 공격을 가하다 对敌人进行无情的打击 **사:정없-이** 부 ¶~ 비판하다 不留情地批判

사제(司祭) 명 〖宗〗 祭司 jìsī; 神甫 shénfu

사제(私製) 명하타 私制 sīzhì

사제(師弟) 명 师弟 shīdì; 师生 shīshēng ¶~지간 师生关系

사조(思潮) 명 思潮 sīcháo ¶문학 ~ 文学思潮 / 새로운 ~ 新思潮

사조(詞藻 · 辭藻) 명 〖文〗 词藻 cízǎo

사:족(四足) 명 **1** 四只脚 sìzhī jiǎo **2** '사지(四肢)' 的俗称

사족(을) 못 쓰다 구 迷得骨软筋酥; 神魂颠倒

사족(蛇足) 명 = 화사첨족

사:죄(謝罪) 명하자타 谢罪 xièzuì; 道歉 dàoqiàn; 赔礼 péilǐ ¶당신에게 깊이 ~드리니 용서해 주시기 바랍니다 我要深深地向你谢罪, 希望得到宽恕

사:주(四柱) 명 〖民〗 **1** 八字 bāzì; 生辰八字 shēngchénbāzì ¶~가 좋다 生辰八字好 / ~를 보다 看生辰八字 **2** = 사주단자

사주(沙洲 · 砂洲) 명 〖地理〗 沙洲 shāzhōu

사:주(使嗾) 명하타 嗾使 sǒushǐ; 指使 zhǐshǐ; 教唆 jiàosuō; 唆使 suōshǐ ¶사람을 ~하여 문제를 일으키다 嗾使人闹事 / 누군가의 ~를 받다 受人指使

사주(社主) 명 公司老板 gōngsī lǎobǎn

사:주-단자(四柱單子) 명 〖民〗 八字帖(儿) bāzìtiě(r) = 사주(四柱)2

사:주-팔자(四柱八字) 명 〖民〗 **1** 生辰八字 shēngchénbāzì **2** 命 mìng; 命运 mìngyùn

사:중-주(四重奏) 명 〖音〗 四重奏 sìchóngzòu

사:중-창(四重唱) 명 〖音〗 四重唱 sìchóngchàng

사증(查證) 명 〖法〗 签证 qiānzhèng = 비자 · 입국 사증

사:지(四肢) 명 四肢 sìzhī; 肢体 zhītǐ ¶~를 쭉 펴다 伸开四肢 / ~가 멀쩡하다 四肢齐全

사:지(死地) 명 死地 sǐdì ¶~로 몰아넣다 置于死地

사직(社稷) 명 社稷 shèjì

사직(辭職) 명하자타 辞职 cízhí; 退职 tuìzhí ¶~서 辞职书 =[辞呈] / 책임을 지고 ~하다 引咎辞职 / 병으로 ~하다 因病退职

사진(寫眞) 명 照片 zhàopiàn; 相片 xiàngpiàn; 相 xiàng; 照 zhào ¶~관 照相馆 / 졸업 ~ 毕业照片 / 상반신 ~ 半身照 / 컬러 ~ 彩色照片 / ~을 현상하다 洗照片 / ~을 찍다 照相 =[拍照] / 이 ~을 확대해 주세요 把这张照片给我放大一下

사진-기(寫眞機) 명 〖演〗 照相机 zhàoxiàngjī; 相机 xiàngjī = 카메라1

사진-사(寫眞師) 명 摄影师 shèyǐngshī; 照相师 zhàoxiàngshī

사진-첩(寫眞帖) 명 影集 yǐngjí; 相册 xiàngcè; 照相簿 zhàoxiàngbù = 앨범1

사:-차원(四次元) 명 〖數〗 四维 sìwéi; 四度 sìdù

사:차원 공간(四次元空間) 〖物〗 = 시공간

사:차원 세:계(四次元世界) 〖物〗 = 시공간

사찰(寺刹) 명 = 절[1]

사찰(査察) 명하타 监察 jiānchá ¶핵 ~ 核监察 / ~ 위원회 监察委员会

사창(私娼) 명 私娼 sīchāng; 暗娼 ànchāng ¶~가 私娼街

사채(私債) 명 〖法〗 私债 sīzhài ¶~ 시장 私债市场 / ~를 쓰다 借私债

사채(社債) 명 〖法〗 公司债 gōngsīzhài; 公司债券 gōngsī zhàiquàn ¶~를 발행하다 发行公司债

사:-철(四—) 명 四季 sìjì = 사계 · 사계절 · 사시(四時) ¶~의 변화 四季变化 / ~ 꽃이 피다 四季开花

사:체(死體) 명 尸体 shītǐ; 尸身 shīshēn; 尸首 shīshou ¶~ 부검 尸体剖检 / ~를 유기하다 遗弃尸体 / 길에서 강아지 ~ 한 구를 발견하다 在马路上看到一只小狗的尸体

사:촌(四寸) 명 表 biǎo; 堂 táng; 表亲 biǎoqīn; 堂亲 tángqīn ¶~ 누나 表姐 / ~ 동생 表弟

사촌이 땅을 사면 배가 아프다 속담 自己不喝酒, 嫉妒人脸红

사춘-기(思春期) 명 青春期 qīngchūnqī ¶~ 청소년 青春青少年

사출(射出) 명 射出 shèchū ¶~ 성형 射出成形

사취(詐取) 명하타 诈取 zhàqǔ; 诈骗 zhàpiàn; 讹诈 ézhà; 骗取 piànqǔ ¶남의 재물을 ~하다 诈骗别人的钱财

사치(奢侈) 명하자형 奢侈 shēchǐ; 奢华 shēhuá; 阔绰 kuòchuò; 侈靡 chǐmí; 排场 páichǎng ¶~품 奢侈品 / ~가 심하다 过度奢侈

사치-스럽다(奢侈—) 형 奢侈 shēchǐ; 奢华 shēhuá; 阔绰 kuòchuò; 侈靡 chǐmí; 排场 páichǎng ¶사치스러운 생활 奢侈的生活 **사치스레** 부

사:칙(四則) 명 〖數〗 四则 sìzé ¶~ 연산 四则运算

사칙(社則) 명 公司规则 gōngsī guīzé

사칭(詐稱) 명하자타 冒充 màochōng; 假冒 jiǎmào; 假托 jiǎtuō ¶유명 상품을 ~하다 冒充名优产品 / 전문가를 ~하

다 假冒专家

사카린(saccharin) 명 〖化〗 糖精 tángjīng

사타구니 명 胯 kuà; 胯股 kuàgǔ; 大腿叉 dàtuǐchā (‘샅1’ 的鄙称)

사탄(Satan) 명 〖宗〗 撒旦 sādàn

사탑(斜塔) 명 斜塔 xiétǎ ¶피사의 ~ 比萨斜塔

사탕(←沙糖·砂糖) 명 **1** 糖 táng; 糖果 tángguǒ = 캔디 ¶~ 한 알 一颗糖果 **2** = 설탕

사탕-무(沙糖—) 명 〖植〗 甜菜 tiáncài

사탕-발림(沙糖—) 명하자 甜言蜜语 tiányánmìyǔ; 花言巧语 huāyánqiǎoyǔ ¶그의 ~에 현혹되지 마라 不要被他的甜言蜜语所迷惑

사탕-수수(沙糖—) 명 〖植〗 甘蔗 gānzhe

사태(沙汰·沙汰) 명 **1** 山崩 shānbēng; 雪崩 xuěbēng **2** 大批 dàpī

사:태(事態) 명 事态 shìtài; 情势 qíngshì; 局面 júmiàn ¶만일의 ~ 万一的事态 / ~를 수습하다 扭转局面 / ~를 관망하다 观望事态 / ~가 갈수록 심각해지다 事态日趋严重

사택(舍宅) 명 公司住宅 gōngsī zhùzhái

사토(沙土·砂土) 명 〖地理〗 沙土 shātǔ

사통(私通) 명하자타 **1** 私通 sītōng ¶관부와 ~하다 私通官府 **2** 通奸 tōngjiān; 私通 sītōng ¶옆집 남자와 ~하다 和隔壁的男人通奸

사:통-팔달(四通八達) 명하자 四通八达 sìtōngbādá ¶~의 도시 四通八达的城市

사퇴(辭退) 명하자타 **1** 辞 cí; 辞退 cítuì ¶의원직을 ~하다 辞退议员职 **2** 辞谢 cíxiè; 谢绝 xièjué; 推辞 tuīcí ¶고문을 맡아 달라는 권고를 ~하다 辞谢担任顾问的劝告

사:투(死鬪) 명하자 死战 sǐzhàn; 拼死拼活 pīnsǐpīnhuó; 拼命战斗 pīnmìng zhàndòu

사:투리 명 〖語〗 方言 fāngyán; 土语 tǔyǔ = 방언(方言)2 ¶전라도 ~ 全罗道方言

사파리(safari) 명 狩猎旅游 shòuliè lǚyóu; 狩猎游 shòulièyóu

사파이어(sapphire) 명 〖鑛〗 蓝宝石 lánbǎoshí; 蓝水晶 lánshuǐjīng; 青玉 qīngyù

사:팔-눈 명 斜视 xiéshì; 斜眼 xiéyǎn

사:팔-뜨기 명 斜眼(儿) xiéyǎn(r)

사:포(沙布·砂布) 명 砂纸 shāzhǐ ¶~로 윤을 내다 用砂纸磨光

사표(辭表) 명 辞呈 cíchéng; 辞职书 cízhíshū ¶~를 내다 提出辞呈 / ~를 수리하다 接受辞呈

사:필귀정(事必歸正) 명하자 事必归正 shìbìguīzhèng

사:-하다(赦—) 타 赦 shè ¶죄를 ~ 赦罪

사:학(史學) 명 = 역사학 ¶~자 历史学家

사학(私學) 명 〖敎〗 = 사립 학교 ¶명문 ~ 名门私立学校

사:항(事項) 명 事项 shìxiàng = 항2 ¶주의 ~ 注意事项 / 관련 ~ 有关事项

사행(射倖) 명하자 射幸 shèxìng; 侥幸 jiǎoxìng ¶~ 행위 射幸行为

사:행-시(四行詩) 명 〖文〗 四行诗 sìhángshī

사행-심(射倖心) 명 侥幸心理 jiǎoxìng xīnlǐ ¶~을 조장하다 鼓动侥幸心理

사:향(麝香) 명 〖韓醫〗 麝香 shèxiāng

사:향-고양이(麝香—) 명 〖動〗 麝香猫 shèxiāngmāo

사:향-노루(麝香—) 명 〖動〗 麝 shè; 香獐子 xiāngzhāngzi

사:형(死刑) 명하타 〖法〗 死刑 sǐxíng ¶~을 집행하다 执行死刑

사형(師兄) 명 师兄 shīxiōng

사:형 선고(死刑宣告) 〖法〗 宣布死刑 xuānbù sǐxíng; 判处死刑 pànchǔ sǐxíng

사:형-수(死刑囚) 명 〖法〗 死囚 sǐqiú

사:형-장(死刑場) 명 〖法〗 刑场 xíngchǎng = 형장

사:-화산(死火山) 명 〖地理〗 死火山 sǐhuǒshān

사:환(使喚) 명 差役 chāiyì

사:활(死活) 명 生死 shēngsǐ; 死活 sǐhuó ¶~이 걸린 문제 生死的问题

사회(司會) 명하자 **1** 主持 zhǔchí ¶오늘 모임은 내가 ~를 본다 今天的会我来主持 **2** = 사회자

사회(社會) 명 社会 shèhuì ¶상류 ~ 上流社会 / 자본주의 ~ 资本主义社会 / ~ 문제 社会问题 / ~ 교육 社会教育 / ~ 복지 社会福利 / ~면 社会版 / ~봉사 社会服务 / ~사업 社会福利工作 / ~생활 社会生活 / ~주의 社会主义 / ~화 社会化 / ~ 현상 社会现象 / ~에 진출하다 走向社会

사회-부(社會部) 명 (报纸) 社会部 shèhuìbù ¶~ 기자 社会部记者

사회-상(社會相) 명 社会面貌 shèhuì miànmào ¶당시의 ~을 반영하다 反映当时的社会面貌

사회-성(社會性) 명 〖心〗 社会性 shèhuìxìng ¶~이 부족하다 社会性不足

사회-악(社會惡) 명 社会丑恶现象 shèhuì chǒu'è xiànxiàng ¶~을 없애다 消灭社会丑恶现象

사회-인(社會人) 명 社会人 shèhuìrén; 公民 gōngmín

사회-자(司會者) 명 司仪 sīyí; 主持人 zhǔchírén = 사회(司會)2 ¶~가 폐막식이 시작됨을 선포하다 主持人宣布闭幕式开始

사회-적(社會的) 관명 社会(的) shèhuì(de) ¶~ 존재 社会存在 / ~ 지위 社会地位 / 인간은 ~ 동물이다 人是社会动物

사:후(死後) 명 死后 sǐhòu ¶~ 세계 死后世界 / ~ 경직 死后僵硬

사후 약방문[청심환] 속담 死后送药方, 时间已晚; 雨后拿伞, 贼去送门; 马后炮

사:후(事後) 명 事后 shìhòu ¶~ 처리 事后处理 / ~에 일의 진상을 알다 事后才知真相

사훈(社訓) 명 社训 shèxùn ¶정직을 ~으로 삼다 以正直为社训

사흘 명 三天 sāntiān ¶연속해서 ~ 동안 폭우가 내리다 连续三天下暴雨

사흘이 멀다 하고 구 三天两头

삭감(削減) 명하타 削减 xuējiǎn; 扣除 kòuchú; 裁减 cáijiǎn ¶임금을 ~하다 削减工资 / 예산을 ~하다 扣除预算

삭다 자 1 糟 zāo; 烂 làn ¶이 끈은 삭아서 사용할 수 없다 这根绳子糟了, 不能用了 2 獬 xiè ¶죽이 삭았다 粥獬了 3 熟 shú; 酿 niàng; 发酵 fājiào ¶김치가 삭았다 泡菜熟了 / 곡주가 삭았다 米酒酿好了 4 消化 xiāohuà ¶음식물이 위에서 ~ 食品在胃里消化 5 消 xiāo ¶분노가 삭았다 消气了

삭둑 부 嚓 chā ¶머리카락이 ~ 잘리다 头发剪得嚓嚓响

삭둑-거리다 자타 直嚓 zhí chā; 嚓嚓 chāchā **삭둑-삭둑** 부하자타 ¶칼로 ~ 채를 썰다 拿着刀嚓嚓地切成了丝

삭막-하다(索莫— · 索寞— · 索漠—) 형 1 凄凉 qīliáng; 荒凉 huāngliáng ¶태풍이 섬을 덮친 후에 섬은 더욱 삭막하게 변했다 台风袭击小岛以后, 小岛变得更加凄凉了 2 渺茫 miǎománg; 模糊 móhu ¶삭막한 기억 模糊的记忆

삭발(削髮) 명하자타 剃光 tìguāng; 剃光头 tì guāngtóu; 削发 xuēfà ¶그는 여름에 종종 ~한다 夏天他常常把头剃光

삭-삭 부 1 咔嚓 kāchā《割声》¶가위로 천을 ~ 오리다 拿起剪刀咔嚓咔嚓地剪布 2 唰唰 shuāshuā ¶마당을 ~ 쓸다 唰唰地扫院子 3 全部 quánbù ¶남은 밥을 ~ 긁어 먹다 把剩饭全部吃掉

삭신 명 浑身肌肉骨头 húnshēn jīròu gǔtou; 浑身 húnshēn; 全身 quánshēn ¶~이 쑤시다 浑身肌肉骨头酸痛

삭-이다 타 1 消化 xiāohuà《'삭다4'的使动词》¶그는 위장이 좋지 않아 이런 음식을 삭이지 못한다 他肠胃不好, 消化不了这样的食物 2 捺 nà; 消 xiāo; 压制 yāzhì《'삭다5'的使动词》¶담배를 피며 분을 ~ 抽烟消愤怒的心情 3 化 huà ¶가래를 ~ 化痰

삭제(削除) 명하타 1 删除 shānchú; 删 shān; 消除 xiāochú; 删节 shānjié; 删去 shānqù; 抹掉 mǒdiào ¶불필요한 글자를 ~하다 删除多余的字句 2 〖컴〗 删除 shānchú

삭탈-관직(削奪官職) 명하타 〖史〗 削籍 xuējí; 削职 xuēzhí

삭풍(朔風) 명 朔风 shuòfēng; 北风 běifēng

삭-히다 타 熟 shú; 酿熟 niàngshú《'삭다3'的使动词》¶새우젓을 ~ 酿熟虾酱

삯 명 1 工钱 gōngqian; 工资 gōngzī ¶~으로 쌀을 받다 领以米代工钱 2 费 fèi; 使用费 shǐyòngfèi

삯-바느질 명하자 缝穷 féngqióng

삯-일 명하자 零工 línggōng; 短工 duǎngōng ¶~을 하다 打零工

산(山) 명 山 shān ¶드높은 ~ 高高的山 / ~에 오르다 爬山 / ~ 하나를 넘다 翻过一座山

산 넘어 산이다 속담 = 갈수록 태산(이라)

산에 가야 범을 잡지 속담 不入虎穴, 焉得虎子

산 설고 물 설다 구 人地生疏; 人生面不熟

산(酸) 명 〖化〗 酸 suān

-산(産) 접미 产 chǎn ¶중국~ 中国产

산간(山間) 명 山间 shānjiān; 山里 shānli; 山 shān ¶~ 마을 山间小村 / ~ 지대 山区

산간-벽지(山間僻地) 명 穷山沟 qióngshāngōu; 偏僻山区 piānpì shānqū; 偏僻山沟 piānpì shāngōu; 山旮旯儿 shāngālár; 山旮旯子 shāngālázi

산:개(散開) 명하자타 散开 sànkāi ¶~ 대형 散开队形 / 먹구름이 천천히 ~하다 乌云漫漫散开

산:고(産苦) 명 分娩的痛苦 fēnmiǎnde tòngkǔ ¶~를 겪다 经受分娩的痛苦

산-골(山—) 명 1 (偏僻的) 山中 shānzhōng; 山里 shānli; 山间 shānjiān ¶~ 마을 山间小村 / ~ 처녀 山里姑娘 2 = 산골짜기

산-골짜기(山—) 명 山谷 shāngǔ; 山沟 shāngōu; 山窝 shānwō = 산골2 ¶깊은 ~ 深邃的山谷

산:기(産氣) 명 产兆 chǎnzhào ¶아직 ~가 없다 还没有产兆

산-기슭(山—) 명 山脚 shānjiǎo; 山麓 shānlù; 山根(儿) shāngēn(r) = 산록 ¶

～ 아래에 작은 마을이 있다 山脚下有一个小村庄

산-길(山—) 명 山路 shānlù; 山径 shānjìng

산-꼭대기(山—) 명 顶峰 dǐngfēng; 山顶 shāndǐng; 山巅 shāndiān; 山头 shāntóu = 산머리

산-나물(山—) 명 山菜 shāncài; 野菜 yěcài = 산채(山菜) ¶～ 비빔밥 山菜拌饭 / ～을 캐다 挖山菜

산:-달(産—) 명 分娩月 fēnmiǎnyuè

산-더미(山—) 명 堆积如山 duījīrúshān; 山积 shānjī ¶해야 할 일이 ～처럼 많다 要做的事堆积如山

산:도(産道) 명 〖生〗 产道 chǎndào

산도(酸度) 명 〖化〗 = 산성도

산-동네(山洞—) 명 = 달동네

산-돼지(山—) 명 〖動〗 = 멧돼지

산들 부 (风吹) 飒飒 sàsà; 飒然 sàrán; 微微 wēiwēi; 轻轻 qīngqīng

산들-거리다 자 (风) 飒飒 sàsà; 飒然 sàrán; 微微地吹 wēiwēide chuī; 轻轻地吹 qīngqīngde chuī = 산들대다 ¶가을바람이 ～ 秋风飒飒 **산들-산들** 부 하자

산들-바람 명 1 轻风 qīngfēng; 微风 wēifēng; 软风 ruǎnfēng ¶～이 얼굴을 스치다 微风拂面 2 〖地理〗 微风 wēifēng

산-등성이(山—) 명 山脊 shānjǐ; 山梁 shānliáng

산-딸기(山—) 명 1 〖植〗 = 산딸기나무 2 山莓 shānméi; 树莓 shùméi; 牛迭肚 niúdiédù

산딸기-나무(山—) 명 〖植〗 山莓树 shānméishù; 山莓 shānméi = 산딸기1

산뜻-하다 형 1 鲜艳 xiānyàn; 鲜明 xiānmíng; 鲜亮 xiānliang ¶그는 늘 산뜻한 옷을 입고 있다 他总是穿着鲜艳的服装 2 清爽 qīngshuǎng; 清新 qīngxīn; 凉快 liángkuai; 凉爽 liángshuǎng ¶비 온 후에는 공기가 ～ 雨后空气清爽 **산뜻-이** 부

산:란(産卵) 명하자 产卵 chǎnluǎn ¶～관 产卵管 / ～기 产卵期 / 연어는 ～을 위하여 바다에서 강으로 거슬러 올라간다 鲑鱼为产卵从海洋逆江而上

산:란-하다(散亂—) 형 1 乱 luàn; 散乱 sànluàn; 乱七八糟 luànqībāzāo ¶방이 너무 ～ 屋里太乱了 2 不宁 bùníng; 乱 luàn; 乱糟糟 luànzāozāo; 乱纷纷 luànfēnfēn ¶정신이 ～ 精神不宁 / 마음이 ～ 心情乱糟糟的 **산:란-히** 부

산록(山麓) 명 = 산기슭

산림(山林) 명 山林 shānlín ¶～녹화 山林绿化 / ～ 보호 山林保护 / ～ 개발 山林开发 / ～ 자원 山林资源

산림-욕(山林浴) 명 = 삼림욕

산-마루(山—) 명 山脊 shānjǐ; 山梁 shānliáng

산:만-하다(散漫—) 형 散漫 sǎnmàn; 松散 sōngsǎn; 涣散 huànsàn; 零乱 língluàn ¶문장이 ～ 文章写得散漫 / 그는 주의가 ～ 他注意力松散 / 정신이 ～ 精神涣散

산맥(山脈) 명 〖地理〗 山脉 shānmài

산-머리(山—) 명 = 산꼭대기

산:모(産母) 명 产妇 chǎnfù = 산부 ¶～를 돌보다 照顾产妇

산-모퉁이(山—) 명 山角 shānjiǎo; 山弯 shānwān ¶～를 돌면 마을이 보인다 拐过山角就能看得见村落

산:-목숨 명 活人 huórén

산:문(散文) 명 〖文〗 散文 sǎnwén ¶～시 散文诗 / ～체 散文体

산:물(産物) 명 1 产品 chǎnpǐn; 物产 wùchǎn ¶사과는 바로 우리 마을의 대표적인 ～이다 苹果就是我们乡村的代表产品 2 产物 chǎnwù ¶시대의 ～ 时代的产物

산-바람(山—) 명 〖地理〗 山风 shānfēng

산:발(散發) 명하자 零星 língxīng; 偶尔发生 ǒu'ěr fāshēng; 无规律 wúguīlǜ

산:발(散髮) 명하자 披发 pīfà; 披头散发 pītóusànfà; 披散 pīsan ¶～한 노인 披头散发的老人

산:발-적(散發的) 관명 零星(的) língxīng(de); 偶尔发生(的) ǒu'ěr fāshēng(de); 无规律(的) wúguīlǜ(de) ¶～인 총성 零星的枪声

산:법(算法) 명 〖數〗 算法 suànfǎ = 계산법 · 산수(算數)2 · 셈법

산:보(散步) 명하자타 = 산책 ¶식사 후에 ～하는 것은 건강에 좋다 饭后散步, 有益健康

산-봉우리(山—) 명 山峰 shānfēng; 顶峰 dǐngfēng; 峰 fēng = 봉우리 ¶～에 오르다 登上顶峰

산부(産婦) 명 = 산모

산:부인-과(産婦人科) 명 〖醫〗 妇产科 fùchǎnkē; 产科 chǎnkē ¶～ 병원 产科医院

산-불(山—) 명 山火 shānhuǒ ¶～ 조심 小心山火 / ～이 났다 发生了山火

산-비둘기(山—) 명 〖鳥〗 山斑鸠 shānbānjiū

산-비탈(山—) 명 山坡 shānpō ¶～이 가파르다 山坡很陡

산사(山寺) 명 山寺 shānsì ¶조용한 ～ 宁静的山寺

산-사람(山—) 명 山民 shānmín

산-사태(山沙汰) 명 〖地理〗 山崩 shānbēng ¶～로 길이 막히다 因山崩而路被堵上

산:산-이(散散—) 부 粉碎 fěnsuì; 破碎 pòsuì; 纷纷 fēnfēn ¶~ 부서지다 打得粉碎 / ~ 흩어지다 纷纷散去

산:산-조각(散散—) 명 粉碎 fěnsuì; 破碎 pòsuì; 支离破碎 zhīlípòsuì; 稀烂 xīlàn; 破片 pòpiàn ¶그릇이 ~ 나다 碗摔得粉碎 / 유리컵이 ~으로 부서지다 玻璃杯砸得稀烂

산삼(山蔘) 명 〖植〗 山参 shānshēn ¶~을 캐다 挖山参

산-새(山—) 명 山鸟 shānniǎo

산성(山城) 명 山城 shānchéng ¶~을 쌓다 修建山城

산성(酸性) 명 〖化〗 酸性 suānxìng ¶~ 반응 酸性反应 / ~ 비료 酸性肥料 / ~을 띠다 带酸性

산성-도(酸性度) 명 〖化〗 酸度 suāndù = 산도(酸度)

산성-비(酸性—) 명 〖地理〗 酸雨 suānyǔ

산성-화(酸性化) 명하자타 酸性化 suānxìnghuà; 酸化 suānhuà ¶토지가 ~되다 土地酸性化

산세(山勢) 명 山势 shānshì ¶~가 험하다 山势险峻

산소(山所) 명 坟 fén; 墓 mù; 坟墓 fénmù = 묘소 ¶~에 가다 上坟墓 / ~를 찾다 扫墓

산소(酸素) 명 〖化〗 氧 yǎng; 氧气 yǎngqì ¶~마스크 氧气面罩 =[氧气罩儿] / ~ 용접 氧炔焊接 =[气焊] / ~통 氧气瓶 / 방 안의 ~가 부족하다 房间内氧气缺乏

산소 호흡기(酸素呼吸器) 〖醫〗 = 인공호흡기

산-속(山—) 명 山中 shānzhōng; 山里 shānli = 산중 ¶~에서 길을 잃다 在山中迷路

산:-송장 명 行尸走肉 xíngshīzǒuròu; 棺材瓤子 guāncai rángzi

산수(山水) 명 1 山水 shānshuǐ; 风景 fēngjǐng ¶~가 수려하다 山水秀丽 2 山水 shānshuǐ ¶~로 논에 물을 대다 用山水浇灌农田 3 〖美〗 = 산수화

산:수(算數) 명 〖數〗 1 算术 suànshù; 算学 suànxué 2 = 산법

산-수유(山茱萸) 명 〖韓醫〗 山茱萸 shānzhūyú

산수유-나무(山茱萸—) 명 〖植〗 山茱萸 shānzhūyú

산수-화(山水畫) 명 〖美〗 山水画 shānshuǐhuà; 山水 shānshuǐ = 산수(山水)3

산:술(算術) 명 〖數〗 算术 suànshù ¶~ 평균 算术平均

산:술-적(算術的) 관명 算术(的) suànshù(de)

산:식(算式) 명 〖數〗 = 식(式)⊟3

산신(山神) 명 〖民〗 = 산신령 ¶~제 山神祭

산-신령(山神靈) 명 〖民〗 山神 shānshén; 山君 shānjūn = 산신

산:실(産室) 명 1 产房 chǎnfáng 2 发源地 fāyuándì; 发祥地 fāxiángdì ¶혁명의 ~ 革命的发源地

산:아(産兒) 명하자 1 分娩 fēnmiǎn; 生育 shēngyù 2 产儿 chǎn'ér

산:아 제:한(産兒制限) 〖社〗 计划生育 jìhuà shēngyù; 节制生育 jiézhì shēngyù; 节育 jiéyù

산악(山岳·山嶽) 명 山岳 shānyuè ¶~ 지대 山岳地带 / ~ 기후 山岳气候

산야(山野) 명 山野 shānyě ¶조국의 ~ 祖国的山野

산양(山羊) 명 〖動〗 1 = 염소 ¶~유 山羊乳 2 羚羊 língyáng

산:업(産業) 명 〖經〗 产业 chǎnyè; 工业 gōngyè ¶~계 产业界 / ~ 디자인 工业设计 / ~ 폐기물 工业废物 / ~공해 产业公害 / ~ 도시 工业城市 / 문화 ~ 文化产业 / 정보 ~ 信息产业 / 자동차 ~ 汽车工业

산:업 도:로(産業道路) 〖交〗 货运路 huòyùnlù; 货运公路 huòyùn gōnglù

산:업 박람회(産業博覽會) 〖經〗 工业交易会 gōngyè jiāoyìhuì; 产业博览会 chǎnyè bólǎnhuì

산:업 스파이(産業spy) 〖經〗 商业间谍 shāngyè jiàndié; 工业间谍 gōngyè jiàndié; 技术间谍 jìshù jiàndié

산:업 재해(産業災害) 〖社〗 职业灾害 zhíyè zāihài; 产业灾害 chǎnyè zāihài; 劳动灾害 láodòng zāihài; 工伤 gōngshāng

산:업-체(産業體) 명 企业组织 qǐyè zǔzhī

산:업 혁명(産業革命) 〖史〗 产业革命 chǎnyè gémìng; 工业革命 gōngyè gémìng

산:업-화(産業化) 명하자타 产业化 chǎnyèhuà; 工业化 gōngyèhuà ¶~를 추진하다 推进产业化

산:욕(産褥) 명 1 产褥 chǎnrù 2 〖醫〗 = 산욕기

산:욕-기(産褥期) 명 〖醫〗 产褥期 chǎnrùqī = 산욕2

산:욕-열(産褥熱) 명 〖醫〗 产褥热 chǎnrùrè; 产褥感染 chǎnrù gǎnrǎn; 月子病 yuèzibìng

산-울림 명 1 山响 shānxiǎng 2 = 메아리

산:유(産油) 명 石油生产 shíyóu shēngchǎn; 产油 chǎnyóu ¶~국 产油国

산-자락(山—) 명 山脚 shānjiǎo

산장(山莊) 명 山庄 shānzhuāng ¶해가 져서 ~에 묵다 落太阳住山庄

산:재(産災) 명 〖社〗'산업 재해'的略词 ¶～ 보험 产业灾害补偿保险

산:재(散在) 명하자 散 sǎn; 散在 sǎnzài; 分散 fēnsàn ¶～하여 거주하는 소수 민족 散居的少数民族

산적(山賊) 명 山贼 shānzéi; 山匪 shānfěi ¶최근 ～ 출몰이 빈번하다 最近山贼出没频繁

산적(山積) 명하자형 山积 shānjī; 成堆 chéngduī; 堆积如山 duījīrúshān ¶～한 문제들 堆积如山的难题 / 쓰레기가 ～해 있다 垃圾成堆

산:적(散炙) 명 烤肉串 kǎoròuchuàn

산:전(産前) 명 产前 chǎnqián ¶～ 휴가 产前假期

산전-수전(山戰水戰) 명 尽尝世味 jìnchángshìwèi; 曾经沧桑 céngjīngcāngsāng; 饱经风霜 bǎojīngfēngshuāng

산:정(算定) 명하타 估定 gūdìng ¶판매 가격을 ～하다 估定销售价格

산:제(散劑) 명 = 가루약

산:조(散調) 명 〖音〗 散调 sǎndiào ¶대금～大笒散调

산-줄기(山―) 명 山峦 shānluán

산중(山中) 명 = 산속 ¶～호걸 山中豪杰 / ～ 생활 山中生活

산:-증인(―證人) 명 活证人 huózhèngren

산지(山地) 명 山地 shāndì ¶～를 개간하다 开垦山地

산:지(産地) 명 产地 chǎndì; 出产地 chūchǎndì ¶그곳은 유명한 바나나 ～이다 那儿是有名的香蕉出产地

산-지기(山―) 명 守山人 shǒushānrén

산:-지식(―知識) 명 活的知识 huóde zhīshi; 活知识 huózhīshi

산-짐승(山―) 명 野兽 yěshòu ¶～의 울부짖음 野兽的嗥叫

산채(山菜) 명 = 산나물

산채(山寨·山砦) 명 **1** 山寨 shānzhài **2** 贼寨 zéizhài

산:책(散策) 명하자타 散步 sànbù; 溜达 liūda; 遛弯儿 liùwānr = 산보 ¶～로 散步路 / 식사 후에 친구와 함께 거리를 ～하다 饭后跟朋友一块儿到街上溜达

산천(山川) 명 山川 shānchuān; 山河 shānhé = 산하(山河) ¶조국의 ～ 祖国的山河 / ～이 아름답다 山川秀丽

산초(山椒) 명 花椒 huājiāo

산초-나무(山椒―) 명 〖植〗 花椒 huājiāo

산촌(山村) 명 山村 shāncūn; 山乡 shānxiāng; 山庄 shānzhuāng ¶～에 살다 住在山村

산:출(産出) 명하타 出产 chūchǎn; 生产 shēngchǎn ¶쌀이 ～되다 出产大米 / 석탄을 ～하다 生产煤炭

산:출(算出) 명하타 算出 suànchū; 计算 jìsuàn ¶～가 计算价格 / 원가를 ～하다 算出成本

산타(←Santa Claus) 명 = 산타클로스

산타클로스(Santa Claus) 명 圣诞老人 Shèngdàn Lǎorén = 산타

산:탄(霰彈) 명 〖軍〗 榴霰弹 liúxiàndàn; 子母弹 zǐmǔdàn; 群子弹 qúnzǐdàn

산-토끼(山―) 명 〖動〗 野兔 yětù

산:통(産痛) 명 〖醫〗 = 진통(陣痛)1

산:통(算筒) 명 签筒 qiāntǒng; 卦筒 guàtǒng

산통(을) 깨다 구 功亏一篑

산통이 깨지다 구 事情受阻

산:파(産婆) 명 收生婆 shōushēngpó; 接生婆 jiēshēngpó; 助产士 zhùchǎnshì

산하(山河) 명 = 산천 ¶고국의 ～ 故国山河

산하(傘下) 명 所属 suǒshǔ; 领导下 lǐngdǎoxià; 手下 shǒuxià; 管辖下 guǎnxiáxià ¶～의 각 기관 所属各机构

산해진미(山海珍味) 명 山珍海味 shānzhēnhǎiwèi; 山珍海错 shānzhēnhǎicuò ¶～를 맛보다 品尝山珍海味

산행(山行) 명하자 山行 shānxíng; 爬山 páshān ¶그는 매일 ～을 간다 他每天去爬山

산-허리(山―) 명 山腰 shānyāo; 半山腰 bànshānyāo; 山腹 shānfù ¶～에 동굴이 하나 있다 山腰上有一个山洞

산호(珊瑚) 명 〖動〗 珊瑚 shānhú ¶～섬 珊瑚岛 / ～초 珊瑚礁

산:화(散花·散華) 명하자 牺牲 xīshēng ¶조국을 위해 장렬히 ～하다 为祖国而壮烈牺牲

산화(酸化) 명하자 〖化〗 氧化 yǎnghuà ¶～물 氧化物 / ～제 氧化剂 / ～칼슘 氧化钙 / ～마그네슘 氧化镁 / ～알루미늄 氧化铝 / ～질소 氧化氮 / ～작용 氧化作用 / 밀봉된 용기에 두면 ～되지 않는다 放在密封的容器中就氧化不了

산:회(散會) 명하자 散会 sànhuì ¶～를 선포하다 宣布散会

산:후(産後) 명 产后 chǎnhòu ¶～ 조리 产后护理 / ～ 출혈 产后出血 / ～의 붓기 产后浮肿

산:후-풍(産後風) 명 〖醫〗 产后风 chǎnhòufēng; 月子病 yuèzibìng

살[1] 명 **1** (人或动物的) 肉 ròu; 肥 féi; 肌肉 jīròu ¶～을 빼다 减肥 **2** (蛤蚌等的) 肉 ròu ¶조갯～ 蛤蚌肉 **3** (果实的) 肉 ròu **4** 皮肤 pífū ¶～이 아주 하얗다 皮肤很白 / ～이 탔다 皮肤晒黑了

살[2] 명 **1** (扇、伞、风筝等的) 骨子

gǔzi; 格子 gézi ¶우산~ 伞骨子 / 창~ 窗格子 **2** (太阳、水等的) 阳光 yángguāng; 水势 shuǐshì **3** = 빗살 **4** = 화살

살³ 의명 岁 suì ¶서른 ~ 三十岁 / 너 몇 ~이니? 你几岁?

살갑다 형 **1** 宽广 kuānguǎng **2** 温和 wēnhé; 和气 héqi ¶살갑게 대하다 待人温和 / 선생님은 우리에게 아주 살가우시다 老师对我们很和气

살-갗 명 皮肤 pífū; 肉皮儿 ròupír ¶~이 거칠어지다 皮肤变粗糙 / ~이 아주 부드럽다 皮肤很嫩

살-결 명 肌理 jīlǐ; 皮肤纹 pífūwén ¶~이 고운 피부 肌理细腻的皮肤

살구 명 杏(儿) xìng(r); 杏子 xìngzi ¶~꽃 杏花

살구-나무 명 〖植〗 杏 xìng; 杏树 xìngshù

살균(殺菌) 명하타 杀菌 shājūn; 灭菌 mièjūn = 멸균 ¶~력 杀菌力 =[灭菌力] / ~제 杀菌剂 / ~ 작용 杀菌作用 / ~효과 灭菌效果

살그머니 부 悄悄(地) qiāoqiāo(de); 轻轻(地) qīngqīng(de); 不声不响(地) bùshēngbùxiǎng(de) ¶그는 ~ 자리로 돌아왔다 他悄悄地回到座位上 / 문을 ~ 닫다 把门轻轻地关上

살금-살금 부 悄悄(地) qiāoqiāo(de); 轻轻(地) qīngqīng(de) ¶~ 다가가다 悄悄靠近

살기(殺氣) 명 杀气 shāqì ¶~충천 杀气冲天 / ~등등하다 杀气腾腾 / 두 눈에 ~가 가득하다 两眼含满杀气

살:-길 명 活路 huólù; 生路 shēnglù; 生机 shēngjī ¶~을 찾다 找一条生路

살:-날 명 **1** 活的日子 huóde rìzi ¶~이 아직 많다 活的日子还很长 **2** 富日子 fùrìzi ¶언젠가는 ~이 올 것이다 有一天肯定到来富日子

살:다 一자 **1** 活 huó; 生存 shēngcún ¶그는 아직 죽지 않고 살아 있다 他还活着, 没有死 **2** 生活 shēnghuó; 过 guò ¶나는 부모님과 함께 살고 있다 我和父母生活在一起 / 그들은 평온하게 살고 있다 他们过着平静的日子 **3** 住 zhù; 居 jū; 居住 jūzhù ¶당신은 어디에서 살고 있습니까? 你住在哪儿? / 그녀는 6층에 산다 她住在六楼 **4** 活生生 huóshēngshēng; 活灵灵 huólínglíng; 活 huó ¶산 교훈을 남기다 留下一个活生生的教训 **5** 存在 cúnzài; 活 huó ¶그는 영원히 내 가슴속에 살아 있다 他永远活在我的心中 **6** 不熄 bùxī; 燃 rán ¶불씨가 살아 있다 火种不熄 二타 **1** 当 dāng; 做 zuò ¶머슴을 ~ 当长工 **2** 服刑 fúxíng ¶그는 감옥에서 3년을 살았다 他在监狱里服刑三年了 **3** 经营 jīngyíng ¶행복한 삶을 ~ 经营幸福人生

산 (사람) 입에 거미줄 치랴 속담 活人嘴里不能长青草; 天生一个人, 必有一份粮; 天上没有堕落龙, 地上没有饿煞虫

살뜰-하다 형 **1** 勤俭 qínjiǎn; 俭省 jiǎnshěng ¶살뜰하게 살림을 꾸리다 勤俭持家 **2** 细心 xìxīn; 精心 jīngxīn ¶다친 사람을 살뜰하게 보살피다 细心护理伤员 **살뜰-히** 부

살랑 부 (风) 轻轻地 qīngqīngde ¶봄바람이 ~ 불어오다 春风轻轻地吹来

살랑-거리다 一자 (风) 轻轻地吹 qīngqīngde chuī; 习习 xíxí ¶가을바람에 나뭇잎이 살랑거리며 움직인다 秋风轻轻地吹动着树叶 二타 轻轻地摇动 qīngqīngde yáodòng ¶강아지가 꼬리를 ~ 小狗轻轻地摇动尾巴 ‖ = 살랑대다 **살랑-살랑** 부하자타

살롱(프salon) 명 **1** 客厅 kètīng; 谈话室 tánhuàshì; 会客室 huìkèshì **2** 沙龙 shālóng ¶문예 ~ 文艺沙龙 **3** 酒吧 jiǔbā; 美发室 měifàshì; 茶馆 cháguǎn

살-리다 타 **1** 救 jiù; 救命 jiùmìng; 饶命 ráomìng; 活命 huómìng; 救活 jiùhuó; 活 huó ¶사람 살려! 救命啊! / 제발 목숨만 살려 주세요 求你饶了我的命吧 / 나 혼자의 월급으로는 집안 식구들을 먹여 살릴 수 없다 我一个人的工资养活不了家人 **2** 发挥 fāhuī; 运用 yùnyòng ¶자신의 능력을 ~ 发挥自己的能力 / 경험을 ~ 运用经验 **3** 振兴 zhènxīng ¶경제를 ~ 振兴经济 **4** 吸收 xīshōu; 采取 cǎiqǔ ¶실패의 교훈을 ~ 吸收失败的教训 **5** 保持 bǎochí ¶좋은 습관을 살려 나가다 把好的习惯保持下去 **6** 复燃 fùrán ¶불을 ~ 使火复燃

살림 명하자 **1** 过日子 guò rìzi; 过活 guòhuó; 家务 jiāwù; 生活 shēnghuó ¶~을 매우 잘 하다 挺会过日子 / 엄마는 일하지 않고 집에서 ~을 하신다 妈妈不工作, 在家里做家务 **2** 家道 jiādào; 生活 shēnghuó; 家境 jiājìng ¶~이 넉넉하다 家道富足 / ~이 궁하다 生活很穷 **3** 家什 jiāshi; 家具 jiājù ¶~을 장만하다 置办家什

살림-꾼 명 **1** 管家的 guǎnjiāde; 当家的 dāngjiāde **2** 好管家 hǎo guǎnjiā; 好当家 hǎo dāngjiā

살림-살이 명하자 **1** 生活 shēnghuó; 生计 shēngjì; 过日子 guò rìzi; 经济生活 jīngjì shēnghuó ¶~가 괜찮다 生活不错 **2** 家什 jiāshi; 生活用品 shēnghuó yòngpǐn ¶~가 상당히 늘었다 家什增加了不少

살림-집 명 住房 zhùfáng; 住宅 zhùzhái ¶새로운 ～으로 이사갔다 搬进了新的住宅

살:-맛 명 活头儿 huótour ¶네가 내 곁에 없는데 내가 무슨 ～이 나겠느냐? 你不在我身边, 我还有什么活头儿?

살며시 부 轻轻(地) qīngqīng(de); 悄悄(地) qiāoqiāo(de) ¶두 눈을 ～ 감다 轻轻地闭上双眼 / 그는 ～ 내 손을 잡았다 他悄悄地握住了我的手

살모넬라-균(salmonella菌) 명 〖生〗 沙门氏菌 shāménshìjūn

살모-사(殺母蛇) 명 〖動〗 = 살무사

살무사 명 〖動〗 蝮蛇 fùshé = 독사(毒蛇)2 · 살모사

살벌(殺伐) 명하형 充满杀机 chōngmǎn shājī; 杀气腾腾 shāqìténgténg ¶～한 분위기 杀气腾腾的气氛

살살[1] 부 1 轻轻(地) qīngqīng(de); 悄悄(地) qiāoqiāo(de); 徐徐(地) xúxú(de); 微微(地) wēiwēi(de); 习习 xíxí ¶눈치를 ～ 보다 悄悄地看眼色 / 봄바람이 ～ 불어오다 春风习习吹来 / 사탕이 입에서 ～ 녹는다 糖在嘴里微微地化了 2 巧妙(地) qiǎomiào(de) ¶아이를 ～ 달래다 巧妙地哄孩子 3 渐渐 jiànjiàn ¶아랫목이 ～ 따뜻해지다 炕头渐渐热起来

살살[2] 부 隐隐 yǐnyǐn; 丝丝拉拉 sīsilālā ¶배가 ～ 아프다 腹部隐隐作痛

살살-거리다 자 拍马屁 pāi mǎpì; 谄媚 chǎnmèi = 살살대다

살상(殺傷) 명하타 杀伤 shāshāng; 伤亡 shāngwáng ¶～ 무기 杀伤武器 / ～력 杀伤力 / 많은 사람을 ～하다 杀伤多人

살-색(—色) 명 肤色 fūsè; 肉色 ròusè ¶～이 검다 肤色很黑

살생(殺生) 명하자 杀生 shāshēng; 伤生 shāngshēng; 伤命 shāngmìng ¶～부 杀生簿 / ～유택 杀生有择 / ～을 금하다 禁止杀生

살수(撒水) 명하자 洒水 sǎshuǐ

살수-기(撒水器) 명 洒水器 sǎshuǐqì = 스프링클러

살수-차(撒水車) 명 = 물자동차1

살신성인(殺身成仁) 명하자 杀身成仁 shāshēnchéngrén

살아-가다 자타 过活 guòhuó; 活下去 huóxiàqù; 度日 dùrì; 过日子 guò rìzi; 谋生 móushēng; 吃饭 chīfàn; 生活 shēnghuó ¶꾼 돈으로 하루하루 ～ 天天靠借钱过日子 / 너를 잃고 내가 어떻게 살아갈 수 있겠느냐? 失去了你, 我怎能活下去呢?

살아-나다 자 1 活过来 huóguòlái; 复活 fùhuó; 复生 fùshēng; 复苏 fùsū; 苏生 sūshēng; 获救 huòjiù; 救活 jiùhuó; 返青 fǎnqīng ¶죽었다고 여겨졌던 사람이 다시 살아났다 以为死了的人又活过来了 2 燃起 ránqǐ ¶불꽃이 다시 살아났다 火苗又燃起来了 3 想起 xiǎngqǐ; 记起 jìqǐ ¶그 사진들을 보고 있자니 과거의 기억들이 살아났다 看着那些照片, 就想起了过去的回忆

살아-남다 자 活下来 huóxiàlái; 生存 shēngcún ¶전란 중에 그 한 사람만 살아남았다 战乱中只有他一个人活下来 / 치열한 생존 경쟁에서 ～ 在激烈的生存竞争中活下来

살아-생전(—生前) 명 生前 shēngqián; 生平 shēngpíng; 活着时 huózhe shí ¶이것은 그가 ～에 자주 하던 말이다 这是他生前经常说的话

살아-오다 자타 1 活下去 huóxiàqù ¶평생 정직하게 살아왔다 一生正直地活下去 2 活下来 huóxiàlái ¶전쟁터에서 구사일생으로 ～ 从战场一生九死地活下来 3 生活下来 shēnghuóxiàlái

살-얼음 명 薄冰 báobīng = 박빙1 ¶～이 얼었다 结薄冰了

살얼음을 밟다 구 如履薄冰; 提心吊胆; 忐忑不安; 七上八下

살얼음-판 명 薄冰 báobīng ¶～을 건너가다 在薄冰上走过去

살육(殺戮) 명하타 杀戮 shālù; 屠戮 túlù; 屠杀 túshā ¶수많은 부녀자들이 처참하게 ～ 당하다 许多妇女惨遭杀戮

살의(殺意) 명 杀机 shājī ¶～를 품다 怀有杀机 / 얼굴에 ～가 가득하다 满脸杀机

살인(殺人) 명하자 杀人 shārén ¶～죄 杀人罪 / ～강도 杀人强盗 / ～ 미수 杀人未遂 / ～을 일삼다 专干杀人 / 대낮에 ～ 사건이 발생했다 白天发生了杀人案 / 눈 하나 깜짝하지 않고 ～하다 杀人不乏眨眼

살인-마(殺人魔) 명 杀人鬼 shārénguǐ; 杀人魔王 shārén mówáng; 刽子手 guìzishǒu ¶희대의 ～ 稀代的杀人鬼

살인-범(殺人犯) 명 〖法〗 杀人犯 shārénfàn; 杀人凶手 shārén xiōngshǒu = 살해범

살인-자(殺人者) 명 凶手 xiōngshǒu; 杀人犯 shārénfàn

살인-적(殺人的) 관명 残酷(的) cánkù(de); 杀人(的) shārén(de) ¶～인 더위 残酷的暑热

살-점(—點) 명 肉片 ròupiàn; 肉块 ròukuài

살-지다 형 1 肥 féi; 胖 pàng; 肥胖 féipàng ¶살진 돼지 肥猪 2 肥 féi; 肥沃 féiwò ¶이 땅은 매우 살졌다 这块地很肥

살-집 명 胖瘦 pàngshòu《肉的程度》 ¶~이 적당하다 胖瘦适宜

살짝 부 **1** 稍稍(地) shāoshāo(de); 轻轻(地) qīngqīng(de); 悄悄(地) qiāoqiāo(de); 微微(地) wēiwēi(de) ¶~ 다치다 轻轻地受伤了 / 그는 나를 향하여 ~ 웃었다 他朝我微微一笑 **2** 偷偷(地) tōutōu(de); 暗中 ànzhōng ¶~ 한 입 먹고 내려놓았다 偷偷地吃了一口而放下了

살쩍 명 鬓 bìn; 鬓发 bìnfà = 귀밑털 · 빈모 ¶양쪽 ~이 희끗희끗하다 两鬓苍苍

살-찌다 자 胖 pàng; 发胖 fāpàng; 肥 féi; 肥胖 féipàng; 长膘 zhǎngbiāo ¶그는 작년부터 살찌기 시작했다 他从去年起就发胖了 / 이 말은 요즘 살쪘다 这条马近来长膘了

살-찌우다 타 养肥 yǎngféi; 喂肥 wèiféi; 育肥 yùféi《'살찌다' 的使动词》 ¶돼지를 살찌워서 팔아 버리다 把猪养肥后卖掉

살충(殺蟲) 명하자 杀虫 shāchóng ¶~제 杀虫剂 / ~ 작용 杀虫作用

살-코기 명 瘦肉 shòuròu

살-쾡이 명 【動】 豹猫 bàomāo; 山猫 shānmāo; 狸猫 límāo; 狸子 lízi = 들고양이 · 삵

살:판-나다 자 **1** 好运 hǎoyùn; 红运 hóngyùn; 鸿运 hóngyùn ¶크게 ~ 大走红运 **2** 扬眉吐气 yángméitǔqì; 直起腰 zhíqǐ yāo

살펴-보다 타 观察 guānchá; 观看 guānkàn; 察看 chákàn; 观望 guānwàng ¶주위 환경을 ~ 观察周围环境

살포(撒布) 명하타 散 sàn; 撒 sǎ; 喷撒 pēnsǎ; 喷洒 pēnsǎ; 散发 sànfā ¶비료를 ~하다 撒肥 / 농약을 ~하다 喷洒农药 / 전단을 ~하다 散发传单

살포시 부 轻轻地 qīngqīngde; 安静地 ānjìngde ¶아기가 어머니에게 ~ 안겨 있다 孩子给母亲安静地抱着

살-풀이(煞—) 명하자 【民】 祛煞跳神 qūshà tiàoshén

살-풍경(殺風景) 명하형 **1** 杀风景 shāfēngjǐng; 煞风景 shāfēngjǐng **2** 冷漠 lěngmò; 凄凉 qīliáng

살피다 타 看 kàn; 察看 chákàn; 观察 guānchá; 观看 guānkàn; 探望 tànwàng; 伺 sì ¶남의 안색을 ~ 看人脸色 / 현장을 ~ 察看现场 / 동정을 ~ 探望动静

살해(殺害) 명하타 杀 shā; 杀害 shāhài; 杀死 shāsǐ ¶그는 술집에서 ~되었다 他在酒吧被杀了 / 그를 ~한 범인은 이미 잡혔다 杀害他的罪犯已被抓住了

살해-범(殺害犯) 명 【法】 = 살인범

삵 명 【動】 = 살쾡이

삶: 명 **1** 生存 shēngcún; 生活 shēnghuó; 生 shēng; 活 huó; 日子 rìzi = 생(生)1 ¶~의 지혜 生活的智慧 / ~이 힘에 겹다 日子不好过 **2** 生命 shēngmìng; 生 shēng ¶~의 진정한 가치 生命的真正价值 / ~과 죽음의 기로 生死的岐路

삶:다 타 **1** 煮 zhǔ; 烹 pēng; 炖 dùn; 熬 āo ¶빨래를 ~ 煮衣服 / 계란을 ~ 煮鸡蛋 / 고기를 ~ 炖肉 **2** 买通 mǎitōng; 买关节 mǎi guānjié

삼 명 【植】 麻 má; 大麻 dàmá = 마(麻)

삼(三) 수관 三 sān ¶~ 년 三年 / ~ 개월 三个月 / ~ 학년 三年级 / ~ 미터 三米

삼(蔘) 명 【植】 **1** 参 shēn ¶~을 캐다 挖参 / ~을 심다 种参 **2** = 인삼

삼가 부 谨 jǐn; 敬 jìng ¶~ 사의를 표하다 谨表谢忱

삼가다 타 **1** 谨 jǐn; 谨慎 jǐnshèn; 慎重 shènzhòng; 小心 xiǎoxīn ¶언행을 ~ 谨言慎行 / 말을 ~ 说话谨慎 **2** 节制 jiézhì ¶담배와 술을 ~ 节制烟酒

삼가-하다 타 '삼가다' 的错误

삼각(三角) 명 **1** 三角 sānjiǎo ¶~근 三角肌 / ~기둥 三角柱 / ~뿔 三角锥 / ~자 三角尺 / ~주 三角洲 / ~함수 三角函数 / ~팬티 三角内裤 **2** 【數】 = 삼각형

삼각-관계(三角關係) 명 **1** 三角恋爱 sānjiǎo liàn'ài; 三角恋 sānjiǎoliàn ¶~에 빠지다 陷入三角恋 **2** 三角关系 sānjiǎo guānxi

삼각-대(三脚臺) 명 三脚架 sānjiǎojià

삼각-형(三角形) 명 【數】 三角形 sānjiǎoxíng; 三边形 sānbiānxíng = 삼각2 · 세모2 · 세모꼴2

삼강(三綱) 명 三纲 sāngāng ¶~오륜 三纲五伦

삼-거리(三—) 명 丁字街 dīngzìjiē; 三岔路口 sānchà lùkǒu; 三岔路 sānchàlù

삼겹-살(三—) 명 五花肉 wǔhuāròu ¶~을 굽다 烤五花肉

삼계-탕(蔘鷄湯) 명 参鸡汤 shēnjītāng

삼고-초려(三顧草廬) 명 三顾茅庐 sāngùmáolú

삼관-왕(三冠王) 명 【體】 三连冠 sānliánguān ¶수영에서 ~을 차지하다 游泳夺得三连冠

삼국(三國) 명 【史】 三国 sānguó ¶~시대 三国时代 / ~사기 三国史记 / ~유사 三国遗事 / ~지 三国志

삼권(三權) 명 【法】 三权 sānquán ¶~분립 三权分立

삼극(三極) 명 【物】 三极 sānjí

삼-끈 명 麻绳 máshéng; 麻索 másuǒ

삼-나무(杉—) 명 〖植〗 杉 shān; 杉木 shānmù = 삼목

삼남(三男) 명 **1** 第三儿子 dìsān érzi; 三儿 sān'ér **2** 三儿 sān'ér; 三男 sānnán ¶~이녀 三男二女

삼녀(三女) 명 **1** 第三女儿 dìsān nǚ'ér; 三女 sānnǚ **2** 三女 sānnǚ ¶일남 ~ 一男三女

삼년-상(三年喪) 명 三年居丧 sānnián jūsāng; 居丧三年 jūsāng sānnián

삼:다[1] 타 **1** 编 biān; 打 dǎ ¶짚신을 ~ 编草鞋 **2** 绩 jì ¶삼을 ~ 绩麻

삼:다[2] 타 **1** 收 shōu; 招 zhāo; 娶 qǔ ¶제자로 ~ 收徒弟 / 사위로 ~ 招女婿 / 며느리로 ~ 娶媳妇儿 **2** 当 dàng; 当作 dàngzuò; 看做 kànzuò; 作为 zuòwéi ¶책을 베개 삼아 자다 用书当枕头睡觉 / 아버지를 자신의 본보기로 ~ 把爸爸作为自己的榜样

삼-단 명 麻捆 mákǔn

삼단 같은 머리 구 头发如麻捆

삼단 논법(三段論法) 〖論〗 三段论法 sānduàn lùnfǎ; 三段论 sānduànlùn; 三段论式 sānduàn lùnshì

삼단-뛰기(三段—) 명 〖體〗 三级跳远 sānjí tiàoyuǎn

삼대(三代) 명 三代 sāndài; 三世 sānshì ¶~가 한집에서 살다 三世同堂

삼대-독자(三代獨子) 명 三代独子 sāndài dúzǐ; 三世单传 sānshì dānchuán

삼-등분(三等分) 명하타 三等分 sānděngfēn ¶재산을 ~하다 将财产作三等分

삼라-만상(森羅萬象) 명 森罗万象 sēnluówànxiàng

삼루(三壘) 명 〖體〗 (棒球的) 三垒 sānlěi ¶~수 三垒手 / ~타 三垒打 = [三垒安打]

삼류(三流) 명 三类 sānlèi; 三流 sānliú; 下等 xiàděng; 下乘 xiàchéng ¶~극장 三类电影院 / 그의 소설은 ~ 소설이다 他写的是小说中的下乘之作

삼륜(三輪) 명 **1** 三轮 sānlún ¶~차 三轮车 **2** 〖佛〗 三轮 sānlún

삼림(森林) 명 森林 sēnlín ¶~ 자원 森林资源 / ~ 보호 森林保护 / ~ 지대 森林地带

삼림-욕(森林浴) 명하자 森林浴 sēnlínyù; 空气淋浴 kōngqì línyù = 산림욕

삼매(三昧) 명 〖佛〗 三昧 sānmèi; 三昧境 sānmèijìng = 삼매경

삼매-경(三昧境) 명 〖佛〗 = 삼매 ¶독서 ~에 빠지다 陷入读书三昧境

삼면(三面) 명 三面 sānmiàn; 三个方面 sānge fāngmiàn ¶~이 바다로 둘러싸이다 三面环海

삼모-작(三毛作) 명하타 〖農〗 三熟 sānshú ¶일 년 ~ 一年三熟

삼목(杉木) 명 〖植〗 = 삼나무

삼민-주의(三民主義) 명 〖政〗 三民主义 sānmín zhǔyì

삼바(samba) 명 〖音〗 桑巴 sāngbā; 桑巴舞 sāngbāwǔ

삼-박자(三拍子) 명 **1** 〖音〗 三拍子 sānpāizi **2** 三拍子 sānpāizi ¶~를 완전히 갖추다 完备三拍子

삼발-이(三—) 명 **1** 三脚火支子 sānjiǎo huǒzhīzi; 三脚火架儿 sānjiǎo huǒjiàr **2** 三脚架 sānjiǎojià

삼-베 명 麻 má; 麻布 mábù = 마포 ¶~옷 麻衣

삼복(三伏) 명 三伏 sānfú

삼복-더위(三伏—) 명 伏暑 fúshǔ; 伏热 fúrè = 복더위

삼-부자(三父子) 명 三父子 sānfùzǐ

삼사(三四) 관 三四 sānsì ¶~ 년 三四年 / ~ 일 三四天

삼사-분기(三四分期) 명 第三季度 dìsān jìdù ¶~ 순 이윤 第三季度净利润

삼사-월(三四月) 명 三四月 sānsìyuè

삼사-일(三四日) 명 = 사나흘

삼삼오오(三三五五) 명 三三五五 sānsānwǔwǔ; 三五成群 sānwǔchéngqún; 三三一伙 sānsānyīhuǒ ¶~ 함께 모여 술을 마시다 三三五五聚在一起喝酒

삼삼-하다[1] 형 历历 lìlì ¶눈에 ~ 历历在目 **삼삼-히**[1] 부

삼삼-하다[2] 형 **1** 淡 dàn ¶대구탕 맛이 좀 ~ 大头鱼汤稍淡一点 **2** 有吸引力 yǒu xīyǐnlì; 像样 xiàngyàng ¶삼삼하게 생긴 얼굴 有吸引力的脸 **삼삼-히**[2] 부

삼-세번(三—番) 명 整整三次 zhěngzhěng sāncì; 整整三回 zhěngzhěng sānhuí 《不折不扣的三次》

삼-세판(三—) 명 整整三回 zhěngzhěng sānhuí ¶~으로 결판내다 整整三回定胜负

삼수(三修) 명하자 三修 sānxiū ¶~해서 대학에 들어가다 三修考上大学

삼신(三神) 명 〖民〗 (送子的) 三神 sānshén ¶~할머니 三神奶奶

삼십(三十) 수관 三十 sānshí ¶~ 명 三十个人 / ~ 년 三十年 / ~ 센티미터 三十厘米

삼십육-계(三十六計) 명 三十六计 sānshíliùjì; 三十六策 sānshíliùcè; 三十六着 sānshíliùzhāo

삼십육계 줄행랑이 제일[으뜸] 속담 三十六策, 走为上计; 三十六计, 走为上计; 三十六策, 走为上策

삼십육계(를) 놓다[부르다/찾다] 구 逃之夭夭; 三十六策, 走为上计

삼엄-하다(森嚴—) 형 森严 sēnyán ¶ 분위기가 ~ 气氛森严 / 이 일대의 경비는 아주 ~ 这一带的戒备很森严 **삼엄-히** 부

삼엽-충(三葉蟲) 명 【動】 三叶虫 sānyèchóng

삼우-제(三虞祭) 명 三虞祭 sānyújì

삼-원색(三原色) 명 【美】 三原色 sānyuánsè

삼월(三月) 명 三月 sānyuè ¶ ~ 중순 三月中旬

삼위(三位) 명 【宗】 三位 sānwèi 《圣父、圣子、圣灵》 ¶ ~일체 三位一体

삼인-조(三人組) 명 三人组 sānrénzǔ; 三人一组 sānrén yīzǔ ¶ ~ 강도를 만나다 遭遇强盗三人组

삼인-칭(三人稱) 명 【語】 第三人称 dìsānrénchēng ¶ ~ 소설 第三人称小说 / ~ 시점 第三人称视角

삼일-장(三日葬) 명 三日葬礼 sānrì zànglǐ ¶ ~을 지내다 举行三日葬礼

삼일-천하(三日天下) 명 1 【史】 三日天下 sānrì tiānxià 2 五日京兆 wǔrì jīngzhào

삼자(三者) 명 1 = 제삼자 ¶ ~가 개입해서는 안 된다 第三者不能介入 2 三者 sānzhě; 三方 sānfāng ¶ ~ 대면 三者对质 / ~ 범퇴 三者凡退 / ~가 협의하다 三方进行协商

삼장(三藏) 명 【佛】 1 三藏 sānzàng 2 = 삼장 법사1

삼장 법사(三藏法師) 1 【佛】 三藏法师 sānzàng fǎshī = 삼장2 2 【人】 三藏法师 Sānzàng Fǎshī 《指玄奘》

삼재(三災) 명 【佛】 三灾 sānzāi ¶ ~년 三灾年

삼족(三族) 명 三族 sānzú ¶ ~을 멸하는 형벌 诛三族的刑罚

삼중(三重) 명 三重 sānchóng ¶ ~ 충돌 三重冲突

삼중-고(三重苦) 명 三重痛苦 sānchóng tòngkǔ ¶ ~에 시달리다 被三重痛苦折磨

삼중-주(三重奏) 명 【音】 三重奏 sānchóngzòu

삼중-창(三重唱) 명 【音】 三重唱 sānchóngchàng

삼지-창(三枝槍) 명 1 三齿枪 sānchǐqiāng 2 叉子 chāzi

삼진(三振) 명 【體】 三振 sānzhèn ¶ ~ 아웃 三振出局

삼차(三次) 명 【數】 三次 sāncì ¶ ~ 곡선 三次曲线 / ~ 방정식 三次方程式

삼차 산:업(三次産業) 【經】 第三产业 dìsān chǎnyè; 三产 sānchǎn

삼-차원(三次元) 명 三维 sānwéi; 三度 sāndù; 三次元 sāncìyuán; 立体的 lìtǐde ¶ ~ 공간 三维空间 / ~ 세계 三维世界

삼창(三唱) 명하타 三呼 sānhū ¶ 만세 ~ 三呼万岁

삼척-동자(三尺童子) 명 三尺童子 sānchǐtóngzǐ; 三尺童蒙 sānchǐtóngméng ¶ ~도 다 안다 连三尺童子都知道

삼천-갑자(三千甲子) 명 【民】 三千甲子 sānqiān jiǎzǐ

삼천갑자 동방삭 구 三千甲子东方朔 《指长寿的人》

삼천-리(三千里) 명 三千里 sānqiānlǐ ¶ ~ 강산 三千里江山 / ~ 금수강산 三千里锦绣江山

삼촌(三寸) 명 叔父 shūfù; 叔叔 shūshu

삼치 명 【魚】 鲅鱼 bàyú; 蓝点鲅 lándiǎnbà ¶ ~구이 烤鲅鱼

삼키다 타 1 咽 yàn; 吞 tūn; 吞咽 tūnyàn; 咽下 yànxià ¶ 침을 ~ 咽下唾沫 / 음식물을 ~ 咽食物 / 약을 한 입에 삼켰다 一口把药吞了下去 2 侵吞 qīntūn; 私吞 sītūn; 贪污 tānwū; 吞没 tūnmò; 吞 tūn ¶ 공금을 ~ 侵吞公款 3 忍住 rěnzhù; 咽 yàn ¶ 눈물을 ~ 忍住泪水 / 하고 싶은 말을 ~ 把要说的话咽回去

삼태기 명 簸箕 bǒji; 畚 běn

삼투(滲透) 명하자 【物】 渗透 shèntòu ¶ ~압 渗透压 / ~ 작용 渗透作用

삼파-전(三巴戰) 명 三方交手 sānfāng jiāoshǒu

삼판-양승(三一兩勝) 명하타 三战两胜 sānzhàn liǎngshèng; 三局两胜 sānjú liǎngshèng

삼팔-선(三八線) 명 【地理】 三十八度线 sānshíbādùxiàn; 三八线 sānbāxiàn

삼한 사:온(三寒四溫) 【地理】 三寒四温 sānhán sìwēn

삽 명 铲 chǎn; 锨 xiān; 锹 qiāo; 铁铲 tiěchǎn; 铲子 chǎnzi

삽살-개 명 【動】 狮子狗 shīzigǒu; 哈巴狗 hǎbagǒu; 巴儿狗 bārgǒu

삽시-간(揷時間) 명 霎时 shàshí; 霎时间 shàshíjiān; 一瞬间 yīshùnjiān ¶ ~에 광풍이 몰아치고 천둥이 쳤다 霎时, 狂风骤起, 雷声大作

삽입(揷入) 명하타 插入 chārù; 塞 sāi; 塞进 sāijìn ¶ ~한 후에 비틀어 열다 插入后扭开 / 설명서에 한 구절을 ~했다 说明书里插入一句

삽입-곡(揷入曲) 명 【音】 = 에피소드 3 ¶ 드라마 ~ 电视剧插曲

삽-질 명하자 铲 chǎn; 铲土 chǎntǔ ¶ 내가 ~을 할 테니 너는 꽃을 심어라 我铲土, 你种花吧

삽화(揷畫) 명 【印】 插图 chātú; 插画 chāhuà ¶ ~가 插图家 / 이 책에는 이

십 장의 ~가 있다 这本书中有二十幅插图
샂-갓 명 **1** 斗笠 dǒulì; 草笠 cǎolì ¶~을 쓰다 戴上斗笠 **2**〖植〗蕈菌 xùnjùn
샂:대 명 '상앗대'的略词 ¶뱃사공이 ~로 배를 젓다 船工用篙撑船
샂:대-질 명하자 **1** 撑篙 chēnggāo; 撑船 chēngchuán **2** 指画 zhǐhuà; 指着 zhǐzhe; 指手画脚 zhǐshǒuhuàjiǎo ¶~하며 말하다 指画着说 / 그는 말을 하기만 하면 사람들에게 ~한다 他一说话就对群众指手画脚的
상:(上) 명 上 shàng; 上等 shàngděng; 上品 shàngpǐn ¶품질이 ~이다 品质是上等
상(床) 명 **1** 饭桌 fànzhuō; 餐桌 cānzhuō; 桌子 zhuōzi; 桌 zhuō ¶~을 차리다 摆饭桌 / ~을 치우다 收拾饭桌 **2** 桌 zhuō ¶한 ~의 음식 一桌菜
상(相) 명 相 xiàng; 长相 zhǎngxiàng ¶가련한 ~ 一副可怜相
상(喪) 명 丧 sāng; 居丧 jūsāng ¶~을 치르다 治丧
상(像) 명 **1** (雕刻等的) 像 xiàng ¶성모~ 圣母之像 **2** 像 xiàng《指榜样》¶교사~ 教师像 **3**〖物〗像 xiàng
상(賞) 명 奖 jiǎng; 赏 shǎng ¶일등~ 一等奖 / 노벨~ 诺贝尔奖 / ~을 받다 得奖 / ~을 수여하다 授奖 / ~을 주다 发奖
-상(上) 접미 上 shang ¶사실~ 事实上 / 인터넷~ 网上
-상(狀) 접미 状 zhuàng; 形 xíng ¶포도~ 葡萄状 / 나선~ 螺旋形
-상(商) 접미 商 shāng ¶무기~ 军火商 / 잡화~ 杂货商
상가(商家) 명 商店 shāngdiàn; 商家 shāngjiā
상가(商街) 명 商街 shāngjiē; 商业街 shāngyèjiē; 商店区 shāngdiànqū ¶지하~ 地下商街
상가(喪家) 명 丧家 sāngjiā = 상갓집
상각(償却) 명하타 **1** 抵偿 dǐcháng **2**〖經〗= 감가상각
상:감(上監) 명 皇帝 huángdì; 国王 guówáng
상감(象嵌) 명하타〖手工〗镶嵌 xiāngqiàn ¶~ 청자 镶嵌青瓷
상감-마마(上監媽媽) 명 '상감(上監)'的敬词
상갓-집(喪家—) 명 = 상가(喪家)
상-거래(商去來) 명〖經〗商务 shāngwù; 商业往来 shāngyè wǎnglái
상견-례(相見禮) 명 相见礼 xiāngjiànlǐ ¶신랑 신부의 ~ 新郎和新娘的相见礼
상:경(上京) 명하자 上京 shàngjīng; 进京 jìnjīng ¶~하여 과거를 보다 上京应举
상:고(上古) 명〖史〗上古 shànggǔ ¶~ 시대 上古时代
상고(上告) 명하타〖法〗上诉 shàngsù; 上告 shànggào ¶~심 上诉审
상고(商高) 명〖敎〗'상업 고등학교'的略词
상고-머리 명 平头 píngtóu ¶~로 깎다 推平头
상:공(上空) 명 上空 shàngkōng; 天空 tiānkōng ¶여객기가 수백 미터 ~을 날고 있다 客机在几百米的上空上飞着
상공(商工) 명 = 상공업 ¶~ 회의소 工商联合会
상-공업(商工業) 명 工商业 gōngshāngyè; 工商 gōngshāng = 상공(商工)
상:관(上官) 명 上司 shàngsī; 上官 shàngguān ¶직속~ 顶头上司 / ~에게 대들다 顶撞上司
상관(相關) 명하자타 **1** 相关 xiāngguān; 关系 guānxi; 相干 xiānggān ¶~성 相关性 / ~관계 相关关系 / 이것이 너와 무슨 ~이 있느냐? 这与你有什么关系? **2** 管 guǎn; 干预 gānyù; 干与 gānyù ¶네 일이 아니니 ~하지 마라 没你的事, 你别管
상관-없다(相關—) 형 **1** 不相干 bùxiānggān; 无关 wúguān; 没有关系 méiyǒu guānxi ¶이 일은 너와 전혀 ~ 这件事跟你毫不相干 **2** 没关系 méi guānxi; 不要紧 bùyàojǐn; 无所谓 wúsuǒwèi ¶그가 나를 싫어해도 ~ 他不喜欢我也没关系 **상관없-이** 부
상궁(尙宮) 명〖史〗尚宫 shànggōng
상:권(上卷) 명 上卷 shàngjuǎn; 上册 shàngcè
상권(商圈) 명〖經〗商圈 shāngquān; 商业圈 shāngyèquān ¶새로운 ~이 형성되다 形成新的商圈
상권(商權) 명〖法〗商权 shāngquán ¶~을 장악하다 掌握商权
상궤(常軌) 명 常轨 chángguǐ ¶너의 방법은 이미 ~를 벗어났다 你的做法已越出了常轨
상규(常規) 명 常规 chángguī
상극(相剋) 명하자 相克 xiāngkè; 不相容 bùxiāngróng ¶그 두 사람은 서로 ~이다 那两个人相互相克 / 물과 불은 서로 ~이다 水火互不相容
상금(賞金) 명 奖金 jiǎngjīn ¶~을 타다 领到奖金 / 오만 위안의 ~을 받다 获得五万元的奖金
상:급(上級) 명 上级 shàngjí ¶~ 기관 上级机关 / ~ 법원 上级法院 / ~자 上级者 / ~의 명령을 받다 接到上级命令

상:급-반(上級班) 명 **1** 高年班 gāoniánbān **2** 高级班 gāojíbān
상:급-생(上級生) 명 高年生 gāoniánshēng; 高年级同学 gāoniánjí tóngxué
상:기(上氣) 명하자 红 hóng; 涨红 zhànghóng; 通红 tōnghóng ¶붉게 ~된 얼굴 通通红了的脸
상:기(上記) 명하자 上面记载 shàngmiàn jìzǎi; 上述 shàngshù ¶~한 내용 上面记载的内容
상:기(想起) 명하타 想起 xiǎngqǐ; 回忆 huíyì ¶그와의 옛일을 ~하다 回忆跟他的旧事
상기(詳記) 명하타 详注 xiángzhù
상:납(上納) 명하타 上缴 shàngjiǎo; 缴 jiǎo; 缴纳 jiǎonà ¶~금 上缴金 / 윗사람에게 금품을 ~하다 把钱物激给上级领导
상냥-하다 형 和蔼 hé'ǎi; 和气 héqi; 温柔 wēnróu; 温和 wēnhé; 好声好气 hǎoshēnghǎoqì ¶그는 고객에게 매우 ~ 他对顾客很和气 **상냥-히** 부
상:념(想念) 명 想念 xiǎngniàn; 浮想 fúxiǎng ¶~에 잠기다 陷入浮想
상-놈(常—) 명 **1** 贱民 jiànmín **2** 混蛋 hùndàn; 坏蛋 huàidàn
상-다리(床—) 명 桌腿 zhuōtuǐ
상다리가 부러지다[휘어지다] 속담 食前方丈
상:단(上段) 명 上段 shàngduàn; 上层 shàngcéng
상:단(上端) 명 上端 shàngduān
상:달(上達) 명하타 禀告 bǐnggào; 禀报 bǐngbào ¶즉시 조정에 ~하다 立即向朝廷禀报
상담(相談) 명하타 咨询 zīxún; 商谈 shāngtán; 洽商 qiàshāng ¶심리 ~ 心理咨询 / 건강 ~ 健康咨询 / 인생 ~ 人生咨询
상담-소(相談所) 명 咨询处 zīxúnchù; 咨询中心 zīxún zhōngxīn ¶법률 ~ 法律咨询处
상담-원(相談員) 명 咨询员 zīxúnyuán = 카운슬러 ¶서비스 센터의 ~ 服务中心的咨询员
상당(相當) 명 相当 xiāngdāng ¶5만 위안 ~의 상품 相当于五万元的商品
상당-수(相當數) 명 相当数 xiāngdāngshù ¶~의 학생들이 담배를 피운 적이 있다고 한다 听说相当数的学生抽过烟
상당-액(相當額) 명 相当额 xiāngdāng'é ¶~을 투자하다 投资相当额
상당-하다(相當—) 형 **1** 相当 xiāngdāng; 相应 xiāngyìng ¶그의 문화 수준은 초등학교 2학년에 상당한다 他的文化程度相当于小学二年级 **2** 相当 xiāngdāng; 颇 pō《程度高》¶상당한 성과를 얻다 取得相当的成就 / 그들의 수입은 ~ 他们的收入相当多 **상당-히** 부 ¶우리는 이번 결과에 ~ 만족한다 我们对这次结果颇为满意
상대(相對) 명하자타 **1** 对 duì; 对待 duìdài; 对象 duìxiàng; 对付 duìfu; 理 lǐ; 答理 dāli ¶결혼 ~ 结婚对象 / ~하기 어려운 손님 很难对付的客人 / 그런 사람은 ~하지 마라 那种人就别答理 **2** 对手 duìshǒu; 敌手 díshǒu; 较量 jiàoliàng; 较劲(儿) jiàojìn(r) ¶그는 나의 ~가 안 된다 他不是我的对手 / 아주 강한 ~를 만나다 遇到很强的对手 **3** 相对 xiāngduì ¶~ 개념 相对概念 / ~ 평가 相对评价 / ~ 속도 相对速度 **4**〖哲〗相对 xiāngduì
상대-방(相對方) 명 对方 duìfāng = 상대편 ¶~의 의견을 묻다 征求对方的意见
상대-성(相對性) 명〖哲〗相对性 xiāngduìxìng ¶~ 원리 相对性原理 / ~ 이론 相对论
상대-역(相對役) 명 配角 pèijué
상대-적(相對的) 관명 相对(的) xiāngduì(de) ¶~인 가치 相对的价值
상대-편(相對便) 명 = 상대방 ¶~의 의견을 존중하다 尊重对方的意见
상도(常道) 명 常道 chángdào; 常轨 chángguǐ; 常理 chánglǐ ¶~를 벗어나다 越出常轨
상도(商道) 명 = 상도덕
상-도덕(商道德) 명 商业道德 shāngyè dàodé; 商德 shāngdé = 상도(商道) ¶~을 지키다 遵守商业道德
상:동(上同) 명 同上 tóngshàng
상:등(上等) 명 上等 shàngděng; 上色 shàngsè; 高级 gāojí; 高档 gāodàng; 上料 shàngliào ¶~석 上等座位
상:등-병(上等兵) 명〖軍〗上等兵 shàngděngbīng = 상병
상:등-품(上等品) 명 上等品 shàngděngpǐn; 上品 shàngpǐn; 上等货 shàngděnghuò
상등-하다(相等—) 형 相等 xiāngděng ¶기회가 ~ 机会相等
상례(常例) 명 常例 chánglì = 항례(恒例)
상례(常禮) 명 常礼 chánglǐ
상례(喪禮) 명 丧礼 sānglǐ
상록(常綠) 명 常绿 chánglǜ ¶~수 常绿树 =[常青树] / ~ 관목 常绿灌木 / ~ 교목 常绿乔木
상:류(上流) 명 **1** 上游 shàngyóu; 上流 shàngliú ¶한강의 ~ 汉江的上游 / ~의 물은 매우 맑다 上流的水非常清 **2** 上层 shàngcéng; 上流 shàngliú ¶~층 上层阶层 / ~ 계급 上层阶级 / ~ 사회 上层社会 =[上流社会]

상:륙(上陸) 명하자 登陆 dēnglù; 上岸 shàng'àn ¶~ 작전 登陆作战 / 태풍이 ~하다 台风登陆

상-말(常—) 명 下流话 xiàliúhuà; 粗话 cūhuà = 속어2

상모(象毛) 명 〖民〗 象毛 xiàngmáo 《跳农乐舞时戴的帽子》

상무(常務) 명 **1** 常务 chángwù **2** 〖經〗 = 상무위원 **3** = 상무이사

상무(商務) 명 商务 shāngwù

상무-위원(常務委員) 명 常务委员 chángwù wěiyuán = 상무(常務)2

상무-이사(常務理事) 명 〖經〗 常务理事 chángwù lǐshì = 상무(常務)3

상:박(上膊) 명 〖生〗 = 위팔 ¶~근 上臂肌

상반(相反) 명하자 相反 xiāngfǎn ¶그 두 사람의 의견은 완전히 ~된다 他们俩的意见完全相反

상:-반기(上半期) 명 上半期 shàngbànqī ¶내년 ~ 明年上半期

상:-반신(上半身) 명 上身 shàngshēn; 上半身 shàngbànshēn; 上体 shàngtǐ ¶~이 비에 젖었다 上半身被雨打湿了

상벌(賞罰) 명하타 奖惩 jiǎngchéng; 赏罚 shǎngfá ¶~ 규정 奖惩规定 / ~이 엄격하고 분명하다 赏罚严明

상법(商法) 명 **1** 经商之道 jīngshāngzhīdào **2** 〖法〗 商法 shāngfǎ

상:병(上兵) 명 〖軍〗 = 상등병

상-보(床褓) 명 桌布 zhuōbù; 台布 táibù; 饭桌布 fànzhuōbù ¶~를 덮다 盖桌布

상복(喪服) 명 丧服 sāngfú; 孝衣 xiàoyī; 孝服 xiàofú; 素服 sùfú

상봉(相逢) 명하자타 相逢 xiāngféng; 相遇 xiāngyù; 重逢 chóngféng ¶부자가 ~하다 父子相逢

상:부(上部) 명 **1** 上部 shàngbù; 上面 shàngmiàn ¶~ 구조 上面结构 **2** 上级 shàngjí; 上层 shàngcéng ¶~의 지시 上层指示

상부-상조(相扶相助) 명하자 互相帮助 hùxiāng bāngzhù; 相辅相成 xiāngfǔxiāngchéng

상비(常備) 명하타 常备 chángbèi ¶~군 常备军 / ~약 常备药 / 집 안에 해열제를 ~해 두다 在家里常备退烧药

상:사(上士) 명 〖軍〗 上士 shàngshì

상:사(上司) 명 **1** 上层 shàngcéng; 上级 shàngjí **2** 上司 shàngsī ¶직장 ~ 单位上司

상사(商社) 명 商社 shāngshè; 公司 gōngsī ¶무역 ~ 贸易公司

상사(常事) 명 = 예사

상사(喪事) 명 丧事 sāngshì; 白事 báishì ¶집안에 ~가 나다 家里有丧事

상사-병(相思病) 명 相思病 xiāngsībìng ¶~을 앓다 患相思病

상상(想像) 명하타 想象 xiǎngxiàng; 想像 xiǎngxiàng; 设想 shèxiǎng; 意想 yìxiǎng; 空想 kōngxiǎng ¶~을 초월하다 超乎想象 / 10년 후의 네 모습이 어떨지 ~해 봐라 想象一下十年后的你会是什么样子

상:상-력(想像力) 명 想象力 xiǎngxiànglì; 想像力 xiǎngxiànglì ¶~을 발휘하다 发挥想象力 / 풍부한 ~을 가지고 있다 具有丰富的想象力

상:상 임:신(想像妊娠) 〖醫〗 假孕 jiǎyùn; 想象妊娠 xiǎngxiàng rènshēn

상:서(上書) 명하자 上书 shàngshū; 致函 zhìhán

상서-롭다(祥瑞—) 형 吉祥 jíxiáng; 祥瑞 xiángruì; 吉利 jílì ¶상서로운 숫자 吉祥数 / 상서로운 징조 吉利的兆头 **상서로이** 부

상:석(上席) 명 = 윗자리1 ¶~에 앉다 在上席坐

상선(商船) 명 商船 shāngchuán; 商轮 shānglún ¶~ 회사 商船公司

상설(常設) 명하타 常设 chángshè ¶~ 기구 常设机构 / ~ 할인 매장 常设折扣商店

상세-하다(詳細—) 형 详细 xiángxì; 详 xiáng; 详实 xiángshí; 翔实 xiángshí ¶조사가 비교적 ~ 调查比较详细 **상세-히** 부 ¶상황을 매우 ~ 기록하다 把情况记得很详细

상:소(上疏) 명하자 〖史〗 上疏 shàngshū; 奏疏 zòushū; 奏章 zòuzhāng

상:소(上訴) 명하자 〖法〗 上诉 shàngsù ¶~심 上诉审 / 상급 법원에 ~하다 向上级法院提起上诉

상:소-문(上疏文) 명 〖史〗 上疏 shàngshū; 奏疏 zòushū; 奏章 zòuzhāng

상속(相續) 명하타 〖法〗 继承 jìchéng; 承继 chéngjì; 承受 chéngshòu ¶~권 继承权 / ~법 继承法 / ~세 继承税 / ~ 재산 继承财产 / 부친의 유산을 ~받다 承受父亲遗产

상속-인(相續人) 명 〖法〗 继承人 jìchéngrén; 继嗣 jìsì; 继承者 jìchéngzhě = 상속자

상속-자(相續者) 명 〖法〗 = 상속인

상쇄(相殺) 명하타 抵消 dǐxiāo; 相抵 xiāngdǐ; 两抵 liǎngdǐ; 对消 duìxiāo

상:수(上水) 명 **1** 上水 shàngshuǐ; 自来水 zìláishuǐ **2** = 상수도

상수(常數) 명 **1** 〖物〗 常数 chángshù **2** 〖數〗 常数 chángshù

상:수-도(上水道) 명 上水道 shàngshuǐdào; 自来水 zìláishuǐ = 상수(上水)2 · 수도(水道)1 ¶~관 自来水管

상:수리 명 橡实 xiàngshí; 橡子 xiàngzǐ; 栎实 lìshí; 柞实 zuòshí

상:수리-나무 명 〖植〗 橡树 xiàngshù; 栎树 lìshù; 柞树 zuòshù = 참나무

상:순(上旬) 명 上旬 shàngxún = 초순 ¶3월 ~ 三月上旬

상:술(上述) 명하타 上述 shàngshù ¶~한 내용 上述内容 / ~한 바와 같다 正如上述

상술(商術) 명 商略 shānglüè; 商道 shāngdào ¶~에 능하다 善于商略

상술(詳述) 명하타 详述 xiángshù ¶사건의 경위를 ~하다 详述案件的原委

상-스럽다(常—) 형 下流 xiàliú; 卑贱 bēijiàn; 卑下 bēixià; 下贱 xiàjiàn; 低劣 dīliè ¶상스러운 농담을 하다 开下流的玩笑 / 언행이 ~ 言行低劣 **상스레** 부

상습(常習) 명 惯常 guàncháng; 痼习 gùxí; 固习 gùxí; 惯 guàn ¶~범 惯犯 / ~ 절도범 惯窃 =[惯偷] / ~ 도박 惯赌

상습-적(常習的) 관명 惯习(的) guànxí(de); 惯用(的) guànyòng(de); 痼习(的) gùxí(de) ¶~인 수법 惯用的手法

상:승(上昇 · 上升) 명하자 上升 shàngshēng; 上涨 shàngzhǎng; 升 shēng; 扬升 yángshēng; 腾 téng; 涨 zhǎng; 提高 tígāo ¶~폭 涨幅 / ~ 기류 上升气流 / 온도가 ~하다 温度上升 / 물가가 ~하다 物价上涨

상승(相乘) 명하타 **1** 〖數〗 相乘 xiāngchéng **2** 相乘 xiāngchéng ¶~ 작용 相乘作用 / ~효과 相乘效果

상승(常勝) 명하자 常胜 chángshèng

상승 가도를 달리다 구 一帆风顺

상:승-세(上昇勢) 명 升势 shēngshì; 上升势 shàngshēngshì ¶~가 지속되다 升势持续 / ~가 꺾이다 升势被挫

상시(常時) 명 **1** 经常 jīngcháng; 总是 zǒngshì; 总 zǒng; 老 lǎo; 老是 lǎoshì = 항시⊟ **2** = 평상시

상식(常識) 명 常识 chángshí ¶법률 ~ 法律常识 / ~이 있다 具有常识 / ~이 풍부하다 常识丰富 / ~이 부족하다 缺乏常识

상식-적(常識的) 관명 常识(的) chángshí(de); 常识性 chángshíxìng

상실(喪失) 명하타 丧失 sàngshī; 失去 shīqù; 失掉 shīdiào; 丧 sàng; 失 shī ¶이성을 ~하다 丧失理性 / 자격을 ~하다 失去资格 / 기억을 ~하다 失去记忆

상실-감(喪失感) 명 丧失感 sàngshīgǎn; 失落感 shīluògǎn

상심(傷心) 명하자타 伤心 shāngxīn; 伤神 shāngshén; 难过 nánguò; 难受 nánshòu ¶너무 ~하지 마라 你不要太伤心了 / 그녀는 ~하여 울었다 她伤心地哭了

상아(象牙) 명 象牙 xiàngyá ¶~질 象牙质 / ~탑 象牙之塔 =[象牙塔] / ~ 조각 象牙雕刻

상아-색(象牙色) 명 米色 mǐsè; 米黄 mǐhuáng; 乳白色 rǔbáisè; 象牙色 xiàngyásè = 아이보리1

상:악(上顎) 명 〖生〗 = 위턱

상:악-골(上顎骨) 명 〖生〗 = 위턱뼈

상앗-대 명 篙 gāo; 篙头 gāotou

상어 명 〖魚〗 鲨鱼 shāyú; 沙鱼 shāyú; 鲛 jiāo

상업(商業) 명하자 商业 shāngyè; 商 shāng ¶~성 商业性 / ~화 商业化 / ~ 지역 商业区 / ~ 활동 商业活动 / ~ 미술 商业美术 / ~ 방송 商业广播 / ~ 은행 商业银行 / ~에 종사하다 从事商业工作 / ~이 발전하다 商业发展

상업 고등학교(商業高等學校) 〖教〗 商业高中学校 shāngyè gāozhōng xuéxiào

상업-적(商業的) 관명 商业(的) shāngyè(de); 商业性 shāngyèxìng; 商业上(的) shāngyèshang(de) ¶~인 성공을 거두다 取得商业上的成功

상여(喪輿) 명 丧舆 sāngyú; 丧车 sāngchē ¶~를 메다 抬丧舆

상여(賞與) 명하타 **1** 奖 jiǎng; 奖赏 jiǎngshǎng; 奖金 jiǎngjīn **2** 红包 hóngbāo; 红利 hónglì

상여-금(賞與金) 명 红利 hónglì; 奖金 jiǎngjīn; 赏金 shǎngjīn; 红包 hóngbāo

상여-꾼(喪輿—) 명 杠夫 gàngfū

상:연(上演) 명하타 演出 yǎnchū; 演 yǎn; 上演 shàngyǎn; 表演 biǎoyǎn; 公演 gōngyǎn ¶이 연극은 단 두 차례 ~했다 这台戏剧只演出了两场

상:영(上映) 명하타 上映 shàngyìng; 放映 fàngyìng ¶이 영화는 여기에서 꽤 여러 차례 ~했다 这部电影我们这儿放映好多遍了

상:오(上午) 명 上午 shàngwǔ; 前半天 qiánbàntiān; 上半天 shàngbàntiān

상온(常溫) 명 **1** 恒温 héngwēn = 항온 **2** 常温 chángwēn ¶~에서 보관하다 在常温下保管

상:완(上腕) 명 〖生〗 = 위팔

상용(常用) 명하타 常用 chángyòng ¶~어 常用语 / ~한자 常用汉字 / ~ 글자 常用字 / 영어를 ~하다 常用英语

상:원(上院) 명 〖政〗 上议院 shàngyìyuàn = 상의원 ¶~ 의원 上议院议员

상:위(上位) 명 上位 shàngwèi; 上游 shàngyóu; 前 qián ¶~ 개념 上位概念 / 여성 ~ 시대 女性上位的时代 / ~ 3등이 준결승에 진출한다 前三名进入半决赛

상:위-권(上位圈) 명 上位圈 shàng-

wèiquān; 上位 shàngwèi; 上游 shàngyóu ¶～에 들다 属于上位圈
상응(相應) 명하자 相应 xiāngyìng; 相称 xiāngchèn; 相配 xiāngpèi ¶규율을 위반한 학생에게 이미 ～하는 처벌을 내렸다 对违反纪律的学生已作了相应的处罚
상:의(上衣) 명 = 윗옷 ¶～ 주머니 上衣口袋 / 흰색 ～ 白色上衣
상의(相議·商議) 명하타 商量 shāngliang; 商议 shāngyì; 商讨 shāngtǎo; 合计 héji ¶오랫동안 ～했지만 좋은 방법을 찾지 못했다 商量了半天也没出一个好办法来
상:-의원(上議院) 명 〖政〗 = 상원
상이(傷痍) 명 伤残 shāngcán; 负伤 fùshāng; 受伤 shòushāng
상이-하다(相異—) 형 相异 xiāngyì; 不同 bùtóng; 两样 liǎngyàng; 分岐 fēnqí ¶목적은 같아도 방법은 ～ 目的一样, 方法不同
상인(商人) 명 商人 shāngrén; 商贾 shānggǔ; 贾人 gǔrén; 商贩 shāngfàn; 行商 xíngshāng; 买卖人 mǎimairén
상임(常任) 명하타 常任 chángrèn ¶～ 이사 常任理事 / ～ 위원 常任委员 / ～ 위원회 常任委员会 / ～ 이사국 常任理事国
상자(箱子) 명 **1** 箱子 xiāngzi; 箱 xiāng; 箱匣 xiāngxiá = 박스1 ¶과일 ～ 水果箱 / ～를 열다 打开箱子 / 사과를 ～에 담다 把苹果装在箱子里 **2** 箱 xiāng ¶라면 두 ～ 两箱方便面
상잔(相殘) 명하자 互相残杀 hùxiāng cánshā ¶동족끼리 ～하는 비극 同族互相残杀的悲剧
상:장(上場) 명하타 〖經〗 上市 shàngshì; 挂牌 guàpái ¶～주 上市股票 / ～ 증권 上市证券 / ～ 회사 挂牌公司 / 주식이 ～되다 股票上市
상장(賞狀) 명 奖状 jiǎngzhuàng ¶～을 주다 发奖状 / ～을 받다 得到奖状
상:전(上典) 명 主子 zhǔzi ¶～을 모시다 侍奉主子
상전(桑田) 명 = 뽕밭
상전-벽해(桑田碧海) 명 沧海桑田 cānghǎisāngtián; 沧桑 cāngsāng; 桑田碧海 sāngtiánbìhǎi
상점(商店) 명 商店 shāngdiàn; 店铺 diànpù; 铺户 pùhù; 商场 shāngchǎng; 店 diàn; 铺(儿) pù(r) ¶～ 간판 商店字号 / 국영 ～ 国营商场 / 학교 정문 옆에 과일 ～이 있다 学校大门旁边有一个水果商店
상접(相接) 명하자 相接 xiāngjiē ¶피골이 ～하다 皮骨相接
상:정(上程) 명하타 提报 tíbào; 提交 tíjiāo ¶국회에 ～하다 提报到国会上
상조(相助) 명하자 互助 hùzhù; 相扶 xiāngfú ¶～하고 협동하다 互助合同
상존(常存) 명하자 常在 chángzài ¶도로에는 교통사고의 위험이 ～한다 马路上常在交通事故的危险
상종(相從) 명하자 交往 jiāowǎng; 往来 wǎnglái; 接触 jiēchù; 打交道 dǎ jiāodao; 交际 jiāojì ¶그런 소인배와는 절대로 ～하지 마라 千万不要跟那种小人交往
상:-종가(上終價) 명 〖經〗 (在股市的) 上限价 shàngxiànjià
상주(常住) 명하자 常住 chángzhù ¶～ 인구 常住人口 / 우리나라에 ～하고 있는 외국인 常住我国的外国人
상주(常駐) 명하자 常驻 chángzhù ¶군대가 ～하다 军队常驻
상주(喪主) 명 丧主 sāngzhǔ
상중(喪中) 명 服丧中 fúsāngzhōng; 居丧中 jūsāngzhōng
상:중하(上中下) 명 上中下 shàngzhōngxià ¶～로 나누다 分为上中下
상징(象徵) 명하타 象征 xiàngzhēng; 标志 biāozhì; 标识 biāozhì ¶～성 象征性 / 비둘기는 평화의 ～이다 鸽子是和平的象征 / 이 조각상은 민주주의를 ～하고 있다 这座雕像象征着民主主义
상징-적(象徵的) 관명 象征性(的) xiàngzhēngxìng(de) ¶～ 표현 象征性表现
상-차림(床—) 명 摆饭 bǎifàn
상:책(上策) 명 上策 shàngcè; 上计 shàngjì; 上着 shàngzhāo ¶피곤할 때는 일찍 자는 것이 ～이다 劳累时, 早睡为上着
상:처(喪妻) 명하자 丧妻 sàngqī; 断弦 duànxián ¶～의 고통은 참기 어렵다 难忍丧妻之痛 / 그는 ～한 후에 다시 장가가지 않았다 他丧妻后不再娶
상처(傷處) 명 伤口 shāngkǒu; 伤处 shāngchù; 伤 shāng; 创伤 chuàngshāng ¶～ 자국 伤痕 =[伤疤] / ～를 입다 受伤 / ～가 곪다 伤口化脓 / ～가 아물다 伤口愈合 / ～가 악화되다 伤口恶化
상:체(上體) 명 上身 shàngshēn; 上体 shàngtǐ ¶～ 운동 上身运动 / ～를 굽히다 弯曲上体
상추 명 〖植〗 莴苣 wōjù; 生菜 shēngcài
상:충(相衝) 명하자 相冲 xiāngchōng; 互相冲突 hùxiāng chōngtū ¶의견이 ～하다 意见相冲
상:층(上層) 명 **1** = 위층 **2** 上层 shàngcéng; 上流 shàngliú ¶～ 계급 上层阶级
상:쾌-하다(爽快—) 형 爽快 shuǎng-

kuai; 舒畅 shūchàng; 畅快 chàngkuài; 痛快 tòngkuai ¶목욕을 하니 몸이 아주 ~ 洗了个澡, 身上爽快多了 **상:쾌-히** 부

상큼-하다 형 **1** 爽口 shuǎngkǒu ¶상큼한 맛 爽口的味道 / 오이는 무쳐 먹으면 아주 ~ 黄瓜拌着吃很爽口 **2** 凉快 liángkuai; 凉爽 liángshuǎng

상태(狀態) 명 状态 zhuàngtài; 状况 zhuàngkuàng; 情况 qíngkuàng ¶정신 ~ 精神状态 / 고체 ~ 固体状态 / 건강~가 좋지 않다 健康状况不佳

상통(相通) 명하자 相通 xiāngtōng; 互通 hùtōng ¶예술은 모두 서로 ~한다 艺术都是相通的

상투 명 髻 jì; 发髻 fàjì ¶~를 틀다 挽髻

상투 위에 올라앉다 속담 爬到人家的头上

상투(常套) 명 惯用 guànyòng; 老一套 lǎoyītào; 落套 luòtào; 老套 lǎotào; 老套子 lǎotàozi

상투-어(常套語) 명 套话 tàohuà; 套语 tàoyǔ; 套句 tàojù

상투-적(常套的) 관명 惯用(的) guànyòng(de); 老一套(的) lǎoyītào(de); 落套 luòtào; 老套(的) lǎotào(de); 老套子(的) lǎotàozi(de) ¶~인 수법 惯用的伎俩

상-판(相—) 명 = 상판대기

상-판대기(相—) 명 嘴脸 zuǐliǎn; 嘴巴架子 zuǐbājiàzi = 상판 ¶모두 와서 그의 ~를 좀 봐라 大家来看看他的嘴脸

상:-팔자(上八字) 명 好福气 hǎo fúqi; 命相好 mìngxiàng hǎo; 好命 hǎomìng ¶무자식이 ~이다 没有子孙, 就是好福气

상패(賞牌) 명 奖牌 jiǎngpái ¶~를 수여하다 授予奖牌

상:편(上篇) 명 上篇 shàngpiān; 上册 shàngcè; 上卷 shàngjuǎn

상표(商標) 명 【經】 商标 shāngbiāo; 牌 pái; 牌子 páizi; 品牌 pǐnpái; 牌号 páihào =브랜드 ¶등록 ~ 注册商标 / 유명 ~ 名牌 / 이 만년필은 무슨 ~입니까? 这支钢笔是什么牌子的?

상:품(上品) 명 上品 shàngpǐn; 上等品 shàngděngpǐn; 头等货 tóuděnghuò

상품(商品) 명 商品 shāngpǐn; 货物 huòwù; 货 huò; 货色 huòsè ¶~ 거래 商品交易 / 품질이 좋은 ~ 优质货 / ~을 판매하다 出售商品

상품(賞品) 명 奖品 jiǎngpǐn ¶~을 타다 获得奖品 / ~을 주다 发给奖品

상품-권(商品券) 명 【經】 礼品券 lǐpǐnquàn; 购物券 gòuwùquàn

상:피(上皮) 명 【生】 上皮 shàngpí ¶~ 세포 上皮细胞

상:하(上下) 명하타 **1** (空间上的) 上下 shàngxià ¶그는 나를 ~로 한번 훑어보았다 他把我上下打量了一番 **2** = 위아래2 ¶~의 의견이 일치하다 上下的意见一致 **3** (书籍的) 上下 shàngxià ¶이 책은 ~로 나뉘어 있다 这本书分为上下

상-하다(傷—) ㊀자 **1** (东西) 坏 huài; 破 pò; 碎 suì **2** (食物) 坏 huài; 腐烂 fǔlàn ¶상한 과일은 팔 수 없다 坏的水果不能卖 / 음식물은 냉장고에 넣지 않으면 금방 상한다 食物不放进冰箱, 很快就腐烂了 **3** 伤 shāng; 伤害 shānghài; 瘦 shòu ¶술을 너무 많이 마시면 몸이 상할 수 있다 吃酒太多会伤身体 ㊁자타 (心情) 伤 shāng; 伤害 shānghài ¶마음이 ~ 伤心 / 감정이 ~ 伤感情

상:-하수도(上下水道) 명 上下水 shàngxiàshuǐ ¶~ 시설 上下水设施

상:한(上限) 명 上限 shàngxiàn ¶~가 上限价 / ~선 上限线 / 액수의 ~ 数额上限

상해(傷害) 명하타 【法】 伤害 shānghài; 损伤 sǔnshāng ¶~죄 伤害罪 / ~ 보험 伤害保险 / ~ 치사 伤害致死 / ~를 입다 受伤害 / ~를 가하다 施伤害

상:행(上行) 명하자 上去 shàngqù; 上行 shàngxíng ¶~선 上行线 / ~ 열차 上行列车

상-행위(商行爲) 명 【法】 商行为 shāngxíngwéi; 经商 jīngshāng; 商业行为 shāngyè xíngwéi ¶불공정한 ~를 규제하다 限制不公正的商行为

상:향(上向) 명하자 向上 xiàngshàng; 往上 wǎngshàng ¶유가의 ~ 조정 油价的向上调整

상:현(上弦) 명 【天】 上弦 shàngxián ¶~달 上弦月

상형(象形) 명 【語】 **1** 象形 xiàngxíng 《汉字六书之一》 **2** = 상형 문자

상형 문자(象形文字) 【語】 象形文字 xiàngxíng wénzì = 상형2

상호(相互) 명부 相互 xiānghù; 互相 hùxiāng ¶~ 관계 相互关系 / ~ 간 相互之间 =[互相之间] / ~ 작용 相互作用 / ~ 이해 相互理解 / ~ 존중하다 互相尊重

상호(商號) 명 【法】 商号 shānghào; 牌号 páihào ¶~ 등록 商号注册 / ~를 변경하다 变更商号

상호 신:용 금고(相互信用金庫) 【經】 相互信用合作社 xiānghù xìnyòng hézuòshè; 信用社 xìnyòngshè = 신용 금고

상환(償還) 명하타 偿还 chánghuán; 偿付 chángfù; 抵还 dǐhuán ¶~ 기한

偿还期限 / 전액 ～ 如数偿还 / 채무를 ～하다 偿还债务

상황(狀況) 명 情况 qíngkuàng; 状况 zhuàngkuàng; 情形 qíngxíng; 处境 chǔjìng; 局面 júmiàn; 情状 qíngzhuàng ¶～실 状况室 / 그곳의 ～은 매우 복잡하다 那里的情况很复杂 / ～이 심상치 않다 情况不对劲儿 / 돌발적인 ～이 발생하다 突然出现情况

상황(桑黃) 명 『植』 桑黄 sānghuáng; 胡孙眼 húsūnyǎn = 상황버섯

상황-버섯(桑黃—) 명 『植』 = 상황(桑黃)

상:회(上廻) 명하타 超出 chāochū; 超过 chāoguò ¶목표치를 ～하다 超过目标值

상회(商會) 명 商行 shāngháng

상흔(傷痕) 명 伤痕 shānghén; 伤疤 shāngbā ¶전쟁의 ～ 战争伤痕 / ～이 남다 留下伤痕

샅 명 1 胯 kuà; 胯股 kuàgǔ 2 夹缝 jiāfèng 3 『生』 腹股沟 fùgǔgōu; 鼠蹊 shǔxī

샅-바 명 『體』 腿绳 tuǐshéng ¶～를 매다 结腿绳 / ～를 잡다 抓腿绳

샅샅-이 부 彻底 chèdǐ; 到处 dàochù; 完全 wánquán; 全部 quánbù; 一一 yīyī ¶～ 뒤지다 到处翻找 / 이 일은 반드시 ～ 조사해야 한다 这件事一定要彻底调查

새[1] 명 '사이'的略词 ¶쉴 ～가 없다 没有空休息

새[2] 명 『鳥』 鸟 niǎo; 鸟儿 niǎor ¶～똥 鸟粪 / ～소리 鸟声 / ～ 둥지 鸟巢儿 / ～가 날다 鸟飞 / ～가 울다 鸟儿啼叫

새 발의 피 속담 鸟足之血

새[3] 관 新 xīn; 生 shēng ¶～ 옷 新衣服 / ～ 단어 生词 / ～ 학기 新学期

새:-가슴 명 1 鸡胸 jīxiōng 2 胆小 dǎnxiǎo; 胆子小 dǎnzi xiǎo; 胆小鬼 dǎnxiǎoguǐ

새-것 명 新 xīn; 新的 xīnde ¶이것은 한 번도 입지 않은 ～이다 这是一次也没穿过的新的 / 이 신발은 아직 ～이니 버리지 마라 这双鞋还很新的, 别扔了呀

새겨-듣다 타 1 好好地听 hǎohǎode tīng; 注意听 zhùyì tīng ¶선생님 말씀을 잘 ～ 好好地听老师的话 2 认真听 rènzhēn tīng; 细听 xìtīng ¶그는 아버지의 말씀을 늘 잘 새겨듣는다 他总是认真地听父亲的话

새:-그물 명 捕鸟网 bǔniǎowǎng

새근-거리다 자타 1 喘息 chuǎnxī; 气喘 qìchuǎn; 喘吁吁 chuǎnxūxū ¶새근거리며 달려가다 跑得喘息 2 安静地呼吸 ānjìngde hūxī ¶아이가 새근거리며 잠을 자다 孩子安静地呼吸着睡觉 ‖ = 새근대다 **새근-새근** 부하자타

새기다 타 1 刻 kè; 雕刻 diāokè; 镂 lòu; 镂刻 lòukè; 刻印 kèyìn ¶도장을 ～ 刻图章 / 이 비석에는 비문이 새겨져 있다 这块石碑刻着碑文 2 铭记 míngjì; 牢记 láojì; 铭刻 míngkè; 镂 lòu; 镂刻 lòukè ¶평생 마음에 ～ 终身铭记在心

새-까맣다 형 1 乌黑 wūhēi; 漆黑 qīhēi; 黑糊糊 hēihūhū; 黑漆漆 hēiqīqī ¶새까만 머리 乌黑的头发 / 하늘이 ～ 天空黑漆漆 2 渺茫 miǎománg ¶앞길이 ～ 前途非常渺茫 3 全然 quánrán ¶내가 그에게 말한 것을 그는 새까맣게 잊고 있다 我跟他说的话, 他竟全然忘记了

새까매-지다 자 变黑 biàn hēi; 黑 hēi ¶피부가 타서 새까매졌다 皮肤晒黑了

새끼[1] 명 草绳 cǎoshéng; 绳子 shéngzi ¶～를 꼬다 搓草绳

새끼[2] 명 1 崽(儿) zǎi(r); 崽子 zǎizi; 苗 miáo; 羔 gāo ¶돼지 ～ 猪崽 / 암퇘지가 막 ～한 배를 낳았다 老母猪刚下了一窝崽儿 2 孩子 háizi; 孩儿 háir ¶자기 ～가 예쁘지 않다고 말하는 사람은 없다 没有人说自己的孩子不可爱 3 东西 dōngxi; 蛋 dàn; 羔子 gāozi《骂人的话》¶나쁜 ～ 坏蛋

새끼-발가락 명 小趾 xiǎozhǐ; 小脚指头 xiǎojiǎozhǐtou

새끼-발톱 명 小脚指甲 xiǎojiǎozhǐjia

새끼-손가락 명 小指 xiǎozhǐ; 小拇指 xiǎomuzhǐ ¶～을 걸고 약속하다 挎小指约定了

새끼-손톱 명 小指甲 xiǎozhǐjia

새-내기 명 新生 xīnshēng

새다[1] 자 1 漏 lòu; 泄 xiè; 跑 pǎo ¶지붕이 망가져서 비만 오면 샌다 房顶坏了, 一下雨就漏了 / 자전거 타이어의 바람이 샜다 自行车胎跑气了 2 漏 lòu; 泄露 xièlù; 泄漏 xièlòu ¶비밀이 ～ 泄露秘密 3 溜 liū ¶아직 수업이 끝나지 않았는데 그가 샜다 还没下课他就溜了

새:다[2] 자 亮 liàng ¶곧 날이 샐 것이다 快天亮了

새다[3] 자 '새우다'的错误

새:-대가리 명 鸟头 niǎotóu《比喻愚钝的人》

새-댁(—宅) 명 '새색시'的敬词

새-되다 형 (声音) 尖 jiān

새-로 부 1 新 xīn ¶텔레비전 한 대를 ～ 샀다 新买了一台电视台 / 선생님 한 분이 ～ 오셨다 新来了一位老师 2 重新 chóngxīn ¶～ 시작하다 重新开始

새록-새록 부 1 层出不穷 céngchūbùqióng; 一个接一个 yīge jiē yīge ¶～ 새로운 상황이 생기다 新情况层出不穷

2 鲜明地 xiānmíngde ¶지난날이 ~ 눈앞에 떠올랐다 过去的事情鲜明地浮现在眼前

새-롭다 형 1 新 xīn ¶새로운 소식 新的消息 / 새로운 기술 新技术 2 新鲜 xīnxiān; 新颖 xīnyǐng; 崭新 zhǎnxīn ¶주제가 ~ 主题新鲜 / 모든 것이 다 새롭게 보이다 一切都显得崭新 3 切要 qièyào ¶한 푼도 정말 ~ 一分钱也实在切要

새벽 명 凌晨 língchén; 黎明 límíng; 清晨 qīngchén; 晓 xiǎo; 拂晓 fúxiǎo ¶~닭 拂晓鸡 / ~종 拂晓钟 / 나는 매일 ~ 다섯 시에 일어난다 每天我凌晨5点起床

새벽-같이 부 一早 yīzǎo ¶그들은 ~ 일어나서 산에 갔다 他们一早起来上山去了

새벽-길 명 晓行 xiǎoxíng; 晓路 xiǎolù

새벽-녘 명 拂晓 fúxiǎo; 黎明 límíng; 晓天 xiǎotiān ¶~에 갑자기 총소리가 났다 拂晓时分, 突然响起了枪声

새-봄 명 新春 xīnchūn = 신춘

새-빨갛다 형 鲜红 xiānhóng; 通红 tōnghóng; 绯红 fēihóng; 血红 xuèhóng; 红彤彤 hóngtóngtóng; 红艳艳 hóngyànyàn ¶새빨갛게 칠하다 抹得鲜红 / 그녀는 방금 울어서 눈이 ~ 她刚哭过, 眼睛通红的

새빨간 거짓말 구 弥天大谎 = 발간 거짓말

새빨개-지다 자 变红 biàn hóng ¶부끄러워서 얼굴이 ~ 羞得脸变红

새-사람 명 1 新人 xīnrén《新来的人》 2 新人 xīnrén《改过自新的人》¶잘못을 뉘우치고 ~이 되다 改过做新人

새-살 명 新肉 xīnròu = 생살1 ¶~이 돋아나다 长出新肉了

새삼 부 重新 chóngxīn ¶나와 함께 공부하던 동창이 ~ 그립다 我重新想念和我一起学习的同学

새삼-스럽다 형 1 犹新 yóuxīn ¶기억이 ~ 记忆犹新 2 格外 géwài; 特意 tèyì; 特意 tèbié ¶그는 그녀에게 새삼스럽게 꽃을 선물했다 他特意给她送去鲜花 **새삼스레** 부

새-색시 명 (刚结婚的) 新娘 xīnniáng; 新妇 xīnfù; 新人 xīnrén = 각시2 · 색시1 ¶갓 결혼한 ~ 刚结婚的新娘

새-순(—筍) 명 新芽 xīnyá ¶~이 나다 长出新芽

새시(sash) 명 窗框 chuāngkuàng; 窗架 chuāngjià; 框格 kuànggé ¶알루미늄 ~ 铝制窗框

새-신랑(—新郞) 명 (刚结婚的) 新郎 xīnláng

새-싹 명 幼芽 yòuyá; 新芽 xīnyá; 萌芽 méngyá ¶나라의 ~ 国家的新芽 / ~이 돋아나다 幼芽长出

새-아기 명 新媳妇 xīnxífù

새:-알 명 1 鸟蛋 niǎodàn 2 麻雀蛋 máquèdàn

새앙-쥐 명 〖動〗'생쥐' 的错误

새-어머니 명 继母 jìmǔ; 后母 hòumǔ

새-언니 명 嫂子 sǎozi

새-엄마 명 继母 jìmǔ; 后母 hòumǔ

새옹지마(塞翁之馬) 명 塞翁失马 sàiwēngshīmǎ ¶인간 만사는 ~이다 人间万事就是塞翁失马

새우 명 〖動〗虾 xiā ¶~ 살 虾仁 = [虾米] / 말린 ~ 虾干

새우다 타 熬夜 áoyè; 通宵 tōngxiāo; 开夜车 kāi yèchē; 守夜 shǒuyè ¶환자를 돌보느라 하룻밤을 새웠다 照看病人熬了一夜 / 밤을 새우며 새해를 맞다 通宵守岁

새우-잠 명 蜷睡 quánshuì ¶그는 습관적으로 ~을 잔다 他习惯蜷着睡

새우-젓 명 虾酱 xiājiàng; 虾露 xiālù; 卤虾 lǔxiā ¶~을 담그다 做虾酱

새-잎 명 新叶 xīnyè; 嫩叶 nènyè ¶~이 돋아나다 长出新叶

새:-장(—欌) 명 鸟笼 niǎolóng; 樊笼 fánlóng ¶~에 갇힌 새 关在鸟笼里的鸟儿

새-장가 명 (男人的) 再婚 zàihūn; 再娶 zàiqǔ

새-집[1] 명 新居 xīnjū; 新屋 xīnwū; 新房 xīnfáng ¶얼마 안 있으면 그는 ~으로 이사간다 不久他将搬到新居

새:-집[2] 명 鸟巢 niǎocháo; 鸟窝 niǎowō

새:-참 명 打尖 dǎjiān ¶오후 3시에 ~을 먹다 下午三点打午尖

새:-총(—銃) 명 鸟枪 niǎoqiāng ¶아이들이 ~을 가지고 새를 잡다 孩子们拿鸟枪捉鸟儿

새:치 명 少白发 shàobáifà ¶그는 서른 살도 되지 않았지만 ~가 적지 않다 他不到三十岁, 不过少白发不少

새:-치기 명하자 插队 chāduì; 加塞儿 jiāsāir ¶순서대로 줄을 선 것이니 ~하지 마세요 排好了队, 别加塞儿

새침-하다 一형 装蒜 zhuāngsuàn; 正经 zhèngjing ¶새침한 표정을 짓다 露出装蒜的表情 二자 不高兴 bùgāoxìng; 不乐意 bùlèyì

새-카맣다 형 漆黑 qīhēi; 乌黑 wūhēi; 黝黑 yǒuhēi; 黑漆漆 hēiqīqī ¶머리카락이 ~ 头发乌黑 / 눈썹을 새카맣게 그리다 眉毛画得黑漆漆的

새카매-지다 자 变黑 biàn hēi; 黑 hēi; 漆黑 qīhēi ¶하늘이 갑자기 ~ 天空突然变得一片漆黑

새콤달콤-하다 형 酸甜 suāntián; 酸甘 suāngān ¶새콤달콤한 사탕 酸甜的

糖球
새콤-새콤 부하형 酸酸 suānsuān
새콤-하다 형 酸 suān; 酸酸 suānsuān; 酸溜溜 suānliūliū ¶새콤한 레몬주스 酸酸的柠檬汁
새ː-털 명 羽毛 yǔmáo ¶~처럼 많은 날 像羽毛一样很多天
새ː털-구름 명〖地理〗= 권운
새-파랗다 형 **1** 蔚蓝 wèilán; 湛碧 zhànbì; 湛蓝 zhànlán; 蓝湛湛 lánzhànzhàn ¶새파란 하늘 蔚蓝的天空 / 새파란 호수 湛蓝的湖水 **2** 发青 fāqīng; 铁青 tiěqīng ¶낯빛이 ~ 面色发青 **3** 年轻 niánqīng; 活生生的 huóshēngshēngde ¶새파란 학교 후배 年轻的师妹 **4** 铁青 tiěqīng ¶새파란 칼날 铁青的刀刃
새파래-지다 자 变青 biàn qīng; 变蓝 biàn lán; 发青 fāqīng ¶얼굴이 갑자기 ~ 脸突然发青
새-하얗다 형 雪白 xuěbái; 洁白 jiébái; 皓 hào; 乳白 rǔbái; 煞白 shàbái; 白皑皑 bái'ái'ái ¶새하얀 식탁보 洁白的桌布 / 치아가 ~ 牙齿洁白 / 피부가 ~ 皮肤雪白
새하얘-지다 자 变白 biàn bái; 变得雪白 biànde xuěbái
새-해 명 新年 xīnnián = 신년 ¶~ 복 많이 받으세요 新年快乐 / ~를 맞이하다 迎新年
색(色) 명 **1** 色 sè; 颜色 yánsè; 色彩 sècǎi; 颜 yán ¶~이 바래다 走色 =[退色] / ~이 산뜻하다 色彩鲜艳 / ~이 너무 진하다 颜色太深了 **2** 色 sè; 女色 nǚsè; 色情 sèqíng ¶~을 밝히다 好色 / ~에 빠지다 沉湎于女色
색(sack) 명 背包 bèibāo; 包 bāo; 囊 náng ¶어깨에 ~을 메다 肩上挎着包
색감(色感) 명 色感 sègǎn; 色觉 sèjué
색계(色界) 명〖佛〗色界 sèjiè
색골(色骨) 명 好色家 hàosèjiā; 探花的 tànhuāde
색광(色狂) 명 色狼 sèláng; 色鬼 sèguǐ; 色情狂 sèqíngkuáng = 색마
색깔(色—) 명 **1** = 빛깔 ¶이 옷은 ~이 아주 예쁘다 这件衣服的颜色好看极了 **2** 色彩 sècǎi ¶정치적인 ~ 政治色彩 / 종교적인 ~ 宗教色彩
색-다르다(色—) 형 新奇 xīnqí; 别致 biézhì; 异样 yìyàng; 别异 biéyì; 与众不同 yǔzhòngbùtóng; 独到 dúdào ¶색다른 모습 异样的景象 / 색다른 견해 独到的见解 / 모양이 ~ 花样别致 / 이 건물은 상당히 색다르게 설계되었다 这幢大楼设计得十分新奇
색도(色度) 명〖物〗色度 sèdù ¶~계 色度计
색동(色—) 명 彩缎 cǎiduàn; 七色彩缎 qīsè cǎiduàn ¶~저고리 彩缎上衣
색마(色魔) 명 = 색광
색맹(色盲) 명〖醫〗色盲 sèmáng
색상(色相) 명 **1**〖美〗色相 sèxiàng; 色彩 sècǎi; 颜色 yánsè; 色调 sèdiào ¶선명한 ~ 鲜艳的色彩 / ~이 산뜻하다 色调淡雅 **2**〖佛〗色相 sèxiàng
색색(色色) 명 **1** 各种颜色 gèzhǒng yánsè ¶~의 색종이 各种颜色的彩纸 **2** 各种各样 gèzhǒnggèyàng; 各式各样 gèshìgèyàng ¶~의 시계 各种各样的钟表
색색-이(色色—) 부 各种颜色 gèzhǒng yánsè ¶~ 물들이다 染了各种颜色
색소(色素) 명 色素 sèsù ¶인공 ~ 人工色素 / ~ 세포 色素细胞 / ~ 침착 色素沉着 / ~ 결핍증 色素缺乏症
색소폰(saxophone) 명〖音〗萨克管 sàkèguǎn; 萨克斯管 sàkèsīguǎn
색ː시 명 **1** = 새색시 **2** 姑娘 gūniang; 小姐 xiǎojiě **3** 女服务员 nǚfúwùyuán; 女招待 nǚzhāodài
색-안경(色眼鏡) 명 **1** 太阳镜 tàiyángjìng; 黑镜 hēijìng **2** 有色眼镜 yǒusè yǎnjìng
　색안경(을) 쓰다 구 戴有色眼镜
　색안경을 끼고 보다 구 戴有色眼镜看人; 以成见待人
색약(色弱) 명〖醫〗色弱 sèruò
색-연필(色鉛筆) 명 彩色铅笔 cǎisè qiānbǐ; 五色铅笔 wǔsè qiānbǐ ¶~로 글자를 쓰다 用彩色铅笔写字
색욕(色慾) 명 肉欲 ròuyù; 性欲 xìngyù
색-유리(色琉璃) 명 色玻璃 sèbōli; 彩色玻璃 cǎisè bōli
색인(索引) 명 索引 suǒyǐn; 引得 yǐndé = 찾아보기 ¶인명 ~ 人名索引
색정(色情) 명 色情 sèqíng; 情 qíng; 春 chūn; 黄色 huángsè ¶~ 문학 黄色文学
색조(色調) 명 **1**〖美〗色调 sèdiào ¶차가운 ~ 寒色调 **2** = 색채2
색-종이(色—) 명 彩纸 cǎizhǐ; 色纸 sèzhǐ; 彩色纸 cǎisèzhǐ = 색지 ¶~를 접다 把彩纸折起来
색즉시공(色卽是空) 명〖佛〗色即是空 sèjíshìkōng
색지(色紙) 명 = 색종이
색채(色彩) 명 **1** = 빛깔 ¶~감 色彩感 / 화려한 ~ 缤纷的色彩 **2** 色彩 sècǎi = 색조2 ¶민족 ~ 民族色彩 / 종교적인 ~ 宗教色彩
색출(索出) 명하타 搜查 sōuchá; 查出 cháchū; 找出 zhǎochū ¶범인을 ~하다 查出罪犯
색칠(色漆) 명하자타 上色 shàngshǎi;

上漆 shàngqī; 涂色 túsè; 涂染 túrǎn; 着色 zhuósè; 上颜色 shàng yánsè ¶그림에 ~하다 在画儿上涂染颜色

색한(色漢) 명 1 好色之徒 hàosèzhītú; 好色汉 hàosèhàn = 호색한 2 流氓 liúmáng

샌:-님 명 书呆子 shūdāizi; 迂夫子 yūfūzi

샌드백(sandbag) 명 〖體〗 沙袋 shādài

샌드위치(sandwich) 명 三明治 sānmíngzhì; 夹面包 jiāmiànbāo ¶~맨 三明治人

샌들(sandal) 명 凉鞋 liángxié

샐러드(salad) 명 色拉 sèlā; 沙拉 shālā; 沙拉子 shālāzi ¶야채 ~ 蔬菜色拉 / 과일 ~ 水果色拉

샐러리-맨(←salaried man) 명 = 봉급생활자

샘:[1] 명하타 忌妒 jìdu; 嫉妒 jídù; 妒忌 dùjì; 醋 cù; 醋劲儿 cùjìnr ¶~을 내다 吃醋 / 그녀는 ~이 많다 她的醋劲儿不少

샘:[2] 명 1 泉 quán 2 = 샘터

샘:-나다 자 起忌妒心 qǐ jìduxīn; 妒忌 dùjì

샘:-내다 자타 忌妒 jìdu; 吃醋 chīcù; 嫉妒 jídù; 妒忌 dùjì

샘:-물 명 泉水 quánshuǐ; 泉 quán ¶~을 긷다 打泉水 / ~을 마시다 喝泉水

샘:-솟다 자 涌出 yǒngchū; 涌上来 yǒngshànglái; 涌现 yǒngxiàn ¶용기가 ~ 勇气涌上来

샘:-터 명 泉水边 quánshuǐbiān = 샘[2]2

샘플(sample) 명 样品 yàngpǐn; 样本 yàngběn; 货样 huòyàng; 标本 biāoběn ¶화장품 ~ 化妆品样品 / 계약서 ~ 合同样本 / ~을 채취하다 采集标本

샘플링(sampling) 명 〖數〗 取样 qǔyàng; 抽样 chōuyàng; 采样 cǎiyàng = 표본 추출

샛:-강(—江) 명 岔流 chàliú; 汊流 chàliú

샛:-길 명 间道 jiàndào; 岔路 chàlù; 小路 xiǎolù; 捷径 jiéjìng ¶~로 가다 走岔路

샛-노랗다 형 深黄 shēnhuáng; 黄澄澄 huángdēngdēng ¶샛노란 개나리 黄澄澄的迎春花

샛노래-지다 자 变黄 biàn huáng

샛:-별 명 1 金星 jīnxīng; 启明星 qǐmíngxīng; 晨星 chénxīng ¶~ 같은 두 눈 晨星般的双眼 2 新星 xīnxīng ¶테니스계의 ~ 网球新星

생(生) 명 1 = 삶1 ¶~과 사 生与死 2 〖佛〗 生 shēng

생-(生) 접두 1 不熟 bùshú; 生 shēng ¶~쌀 生米 / ~감자 生土豆 2 未干 wèigān; 生 shēng ¶~나무 未干的木头 3 (未经加工的) 生 shēng ¶~철 生铁 4 勉强 miǎnqiǎng; 无理 wúlǐ; 赖 lài; 硬 yìng ¶~고집 硬脖子 5 活 huó ¶~지옥 活地狱 6 白 bái; 生 shēng ¶~고생 白劳 / ~이별 生别

-생[1](生) 접미 1 生于 shēngyú; 生人 shēngrén ¶그는 1982년~이다 他是1982年生人 2 生 shēng ¶6년~ 인삼 六年生人参

-생[2](生) 접미 生 shēng; 学生 xuésheng ¶신입~ 新生 / 실습~ 实习生

생가(生家) 명 出生的家 chūshēngde jiā

생-가죽(生—) 명 生皮 shēngpí = 날가죽 · 생피

생각 명하자타 1 想法 xiǎngfa; 念头 niàntou; 心思 xīnsi; 打算 dǎsuan ¶나는 그의 ~에 동의한다 我同意他的想法 / 그녀의 ~을 나는 진작에 꿰뚫어 보았다 她的心思我早就猜透了 2 回忆 huíyì; 回想 huíxiǎng ¶어린 시절에 대한 ~ 对童年生活的回忆 3 念头 niàntou; 心思 xīnsi ¶이사하고 싶은 ~이 갈수록 강해졌다 想搬家的念头越来越强烈 4 考虑 kǎolǜ; 照顾 zhàogù ¶다수의 이익을 ~하다 考虑多数人的利益 5 思维 sīwéi; 思索 sīsuǒ; 思量 sīliang; 思想 sīxiǎng ¶그의 ~은 진보적이다 他的思想很进步 6 认为 rènwéi; 以为 yǐwéi ¶나는 그가 훌륭하다고 ~한다 我认为他不错 7 想 xiǎng; 思 sī ¶방법을 ~하다 想办法 / 다시 잘 ~해 보아라 你再好好儿想一想 8 想 xiǎng; 思 sī; 怀念 huáiniàn; 想念 xiǎngniàn; 思念 sīniàn ¶어머니는 밤낮 아들을 ~하고 있다 母亲日夜怀念着儿子 / 고향의 가족들을 ~하다 思念家乡的亲人 9 想 xiǎng; 估计 gūjì; 意料 yìliào; 料到 liàodào; 推测 tuīcè ¶나는 네가 오늘 올 것이라고 ~한다 我料到你今天会来 / 나는 그가 이 일을 능히 감당할 수 있다고 ~한다 我想他可以胜任这个工作 10 想 xiǎng; 记得 jìde ¶몇 해 전의 일이어서 생각이 잘 나지 않는다 很多年以前的事了, 都记不得了

생각-나다 자 1 想出(来) xiǎngchū(lái); 想起(来) xiǎngqǐ(lái) ¶그녀의 이름이 생각나지 않는다 想不起她的名字 2 记得 jìde ¶그는 십 년 전의 일이 아직도 생각난다 十年前的事他还记得

생-감자(生—) 명 生土豆 shēngtǔdòu = 날감자

생강(生薑) 명 〖植〗 生姜 shēngjiāng; 姜 jiāng ¶~즙 姜汁 / ~차 生姜茶

생겨-나다 자 产生 chǎnshēng; 发生

fāshēng; 出现 chūxiàn ¶하늘에서 먹구름이 생겨났다 天空里出现了乌云

생경-하다(生硬—) 형 生硬 shēngyìng ¶이 문장은 비교적 ~ 这篇文章写得比较生硬

생계(生計) 명 生计 shēngjì; 生活 shēnghuó; 生 shēng ¶~비 生活费 / ~를 도모하다 谋生 =[谋生计] / 온 가족의 ~를 위하여 밤낮 바쁘게 보내다 为全家的生活日夜奔忙

생계-비(生計費) 명 〖經〗 生活费 shēnghuófèi = 생활비

생-고기(生—) 명 生肉 shēngròu = 날고기

생-고무(生—) 명 生胶 shēngjiāo

생-고생(生苦生) 명하자 白吃苦头 báichī kǔtóu; 白受罪 báishòuzuì; 白劳 báiláo

생-고집(生固執) 명 (撒赖的) 固执 gùzhi; 强词夺理 qiǎngcíduólǐ; 硬脖子 yìngbózi ¶너는 왜 이렇게 ~을 부리니? 你怎么这么强词夺理呢?

생-과부(生寡婦) 명 活寡 huóguǎ; 生寡 shēngguǎ; 孀妇 shuāngfù

생-과일(生—) 명 鲜果 xiānguǒ ¶~주스 鲜榨果汁

생-과자(生菓子) 명 软饼干 ruǎnbǐng-gān

생-굴(生—) 명 生牡蛎 shēngmǔlì

생글-거리다 자 笑吟吟 xiàoyínyín; 笑盈盈 xiàoyíngyíng; 笑眯眯 xiàomīmī; 微笑 wēixiào = 생글대다 **생글-생글** 부하자

생긋 부하자 笑吟吟 xiàoyínyín; 笑盈盈 xiàoyíngyíng; 笑眯眯 xiàomīmī; 微笑 wēixiào

생긋-거리다 자 笑吟吟 xiàoyínyín; 笑盈盈 xiàoyíngyíng; 笑眯眯 xiàomīmī; 微笑 wēixiào = 생긋대다 **생긋-생긋** 부하자

생긋-이 부 笑吟吟 xiàoyínyín; 笑盈盈 xiàoyíngyíng; 笑眯眯 xiàomīmī; 微笑 wēixiào

생기(生氣) 명 生气 shēngqì; 生机 shēngjī; 活力 huólì; 朝气 zhāoqì ¶봄바람이 불자 대지는 ~가 충만했다 春风吹过, 大地上充满了生机 / ~가 넘치다 富有朝气

생기다 一자 **1** 生 shēng; 产生 chǎn-shēng; 起 qǐ; 长 zhǎng; 有 yǒu; 出现 chūxiàn ¶녹이 ~ 生锈 / 종기가 ~ 起疮 / 아이가 ~ 有了孩子 / 병이 생겼다 有病了 / 이것은 최근에 생긴 기구이다 这是最近设立的机构 **2** (事情) 发生 fāshēng; 起 qǐ; 出 chū; 产生 chǎn-shēng; 有 yǒu ¶결함이 ~ 出毛病 / 오해가 ~ 产生误解 / 형세에 변화가 생겼다 形势有了变化 **3** 有 yǒu; 进 jìn; 入手 rùshǒu; 到手 dàoshǒu ¶돈이 ~ 有钱了 / 남자 친구가 ~ 有男朋友了 / 생각지도 않은 거금이 생겼다 进了一笔意外的巨款 **4** 长 zhǎng ¶예쁘게 ~ 长得很漂亮 二보동 要 yào ¶당장 굶어 죽게 ~ 快要饿死了

생기발랄-하다(生氣潑剌—) 형 生气勃勃 shēngqìbóbó; 朝气蓬勃 zhāoqì-péngbó; 生机勃勃 shēngjībóbó ¶생기발랄한 대학생 生气勃勃的大学生

생김-새 명 相貌 xiàngmào; 长相 zhǎngxiàng; 容貌 róngmào; 模样 mú-yàng; 样子 yàngzi ¶~가 평범하다 相貌平平常常 / ~가 특이하다 长相奇特

생-김치(生—) 명 = 날김치

생-나무(生—) 명 **1** 活树 huóshù **2** 未干的木头 wèigānde mùtou

생-난리(生亂離) 명 乱子 luànzi; 闹嚷嚷 nàorāngrāng ¶~가 나다 惹乱子 / ~를 일으키다 闹乱子

생년(生年) 명 出生年 chūshēngnián

생년월일(生年月日) 명 出生年月日 chūshēngniányuèrì ¶~을 기재하다 记上出生年月日

생-니(生—) 명 好牙齿 hǎo yáchǐ; 好牙 hǎo yá ¶~를 뽑아 버리다 拔掉好牙

생도(生徒) 명 〖教〗 生徒 shēngtú ¶육군 사관 학교 ~ 陆军军官学校生徒

생-돈(生—) 명 冤枉钱 yuānwangqián; 冤钱 yuānqián ¶~을 쓰다 花冤钱

생동(生動) 명하자형 生动 shēngdòng; 活泼 huópo; 活生生 huóshēngshēng; 传神 chuánshén; 有声有色 yǒushēng-yǒusè; 栩栩如生 xǔxǔrúshēng; 有血有肉 yǒuxuèyǒuròu; 活灵活现 huólíng-huóxiàn ¶~하는 표정 活生生的表情 / ~하는 필치 传神的笔致 / ~하게 묘사하다 描写得很生动

생때-같다(生—) 형 (身体) 强壮 qiángzhuàng; 健壮 jiànzhuàng ¶생때같은 아들을 잃다 丧失强壮的儿子

생-떼(生—) 명 赖 lài; 犟劲(儿) jiàng-jìn(r); 无理 wúlǐ ¶~를 쓰다 撒赖

생뚱-맞다 형 风马牛不相及 fēngmǎ-niúbùxiāngjí; 毫不相干 háobùxiānggān ¶생뚱맞은 말을 하다 讲毫不相干的话

생략(省略) 명하타 省略 shěnglüè; 略 lüè; 省 shěng; 减去 jiǎnqù ¶인사말을 ~하다 省略客套话 / 이 글자는 ~할 수 없다 这个字不能省

생략-표(省略標) 명 〖語〗 = 줄임표

생로병사(生老病死) 명 〖佛〗 生老病死 shēnglǎobìngsǐ

생률(生栗) 명 **1** = 날밤[2] **2** (剥皮的) 生栗子 shēnglìzi

생리(生理) 명 **1** 生理 shēnglǐ ¶~ 작용 生理作用 / ~ 활동 生理活动 **2** 生

活方式 shēnghuó fāngshì 3 〖生〗 = 생리학 4 〖生〗 = 월경(月經) ¶～ 불순 月经不调

생리-대(生理帶) 명 卫生带 wèishēngdài; 卫生巾 wèishēngjīn; 月经带 yuèjīngdài; 月经布 yuèjīngbù = 월경대 ¶～를 차다 戴卫生带

생리 식염수(生理食鹽水) 〖藥〗 生理食盐水 shēnglǐ shíyánshuǐ; 生理盐水 shēnglǐ yánshuǐ = 식염수2

생리-일(生理日) 명 月经日 yuèjīngrì; 月经期 yuèjīngqī; 例假 lìjià

생리-적(生理的) 관명 生理(的) shēnglǐ(de) ¶～ 현상 生理的现象 / ～ 특징 生理特点

생리-통(生理痛) 명 〖醫〗 月经痛 yuèjīngtòng; 痛经 tòngjīng; 经痛 jīngtòng = 월경통 ¶～이 심하다 月经痛很厉害

생리-학(生理學) 명 〖生〗 生理学 shēnglǐxué = 생리3

생리 휴가(生理休暇) 〖法〗 例假 lìjià; 经期休假 jīngqī xiūjià

생-매장(生埋葬) 명하타 1 活埋 huómái ¶～당하다 遭活埋 2 (在社会) 活埋 huómái ¶사회에서 ～당하다 社会里遭活埋

생-맥주(生麥酒) 명 生啤酒 shēngpíjiǔ; 鲜啤酒 xiānpíjiǔ; 扎啤 zhāpí ¶～를 마시다 喝生啤酒

생면부지(生面不知) 명 素不相识 sùbùxiāngshí; 面生 miànshēng ¶그는 ～의 사람이다 他是素不相识的人

생명(生命) 명 1 生命 shēngmìng; 生 shēng; 命 mìng; 活命 huómìng; 性命 xìngmìng ¶～의 은인 活命之恩 / ～을 바치다 献出生命 / ～의 위협을 느끼다 感到生命受威胁 / ～이 위태롭다 生命垂危 2 生命 shēngmìng ¶～을 잉태하다 怀孕生命 3 生命 shēngmìng ¶정치적 ～ 政治生命 4 命根 mìnggēn; 命根子 mìnggēnzi ¶농업의 ～은 당연히 수리라고 할 수 있다 农业的命根子应该说就是水利

생명 보:험(生命保險) 〖經〗 人寿保险 rénshòu bǎoxiǎn; 生命保险 shēngmìng bǎoxiǎn

생명-선(生命線) 명 1 生命线 shēngmìngxiàn ¶안전벨트는 승객의 ～이다 安全带是乘客的生命线 2 〖民〗 (手相的) 生命线 shēngmìngxiàn ¶～이 길다 生命线很长

생명-체(生命體) 명 生命体 shēngmìngtǐ ¶화성에는 ～가 없다 火星里没有生命体

생모(生母) 명 = 친어머니 ¶～를 찾다 寻找生母

생목(生一) 명 酸水 suānshuǐ ¶～이 오르다 冒酸水

생-목숨(生一) 명 1 命 mìng; 生命 shēngmìng; 性命 xìngmìng ¶～을 끊다 断生命 2 (无辜人的) 生命 shēngmìng ¶～을 앗아가다 夺去生命

생물(生物) 명 1 生物 shēngwù = 생물체1 ¶해양 ～ 海洋生物 / ～의 진화 生物的进化 2 〖生〗 = 생물학 ¶～ 선생님 生物学老师

생물 공학(生物工學) 〖生〗 生物工程 shēngwù gōngchéng; 生物工艺学 shēngwù gōngyìxué = 생체 공학

생물-체(生物體) 명 1 = 생물1 2 生物体 shēngwùtǐ

생물-학(生物學) 명 〖生〗 生物学 shēngwùxué = 생물2 ¶～자 生物学家 / ～ 나이 生物学年龄

생-미역(生一) 명 (未干的) 裙带菜 qúndàicài

생-밤(生一) 명 = 날밤[2]

생방(生放) 명하타 〖言〗 = 생방송

생-방송(生放送) 명 〖言〗 直播 zhíbō; 现场直播 xiànchǎng zhíbō = 생방 ¶축구 시합을 ～으로 중계하다 直播足球比赛

생병(生病) 명 1 累病 lèibìng ¶어제 너무 과로를 해서 결국 ～이 났다 昨天太过劳, 终于累病了 2 = 꾀병 ¶그는 학교에 가기 싫어 ～을 앓는다 不想去学校, 他装病

생부(生父) 명 = 친아버지

생사(生死) 명 生死 shēngsǐ; 死活 sǐhuó; 存亡 cúnwáng ¶～고락 生死苦乐 / ～존망 生死存亡 / ～를 같이하다 生死与共 / ～의 기로에 서다 面临生死关头 / ～를 모르다 不知死活

생사(生絲) 명 生丝 shēngsī

생-사람(生一) 명 1 无辜的人 wúgūde rén; 好人 hǎorén ¶～에게 누명을 씌우다 把屎盆子扣在无辜的人身上 2 无关的人 wúguānde rén ¶이 일은 그와 상관없으니 ～ 끌어들이지 마라 这件事跟他毫无相关, 不要牵扯无关的人 3 强壮的人 qiángzhuàngde rén ¶멀쩡하던 ～이 갑자기 교통사고로 죽었다 强壮的人突然被撞车事故死了

생사람(을) 잡다 구 诬陷好人; 置人于死地

생산(生産) 명하타 1 生产 shēngchǎn; 出产 chūchǎn; 产 chǎn ¶～가 生产价格 =[生产价] / ～력 生产力 / ～비 生产费用 / ～자 生产者 / ～ 공정 生产工序 / ～ 과정 生产过程 / ～ 관리 生产管理 / ～ 능력 生产能力 / ～ 기술 生产技术 / ～ 계획 生产计划 2 生育 shēngyù; 生产 shēngchǎn; 生 shēng ¶왕비가 건강한 왕자를 ～했다 王后生产了健康的王子

생산-고(生産高) 명 〖經〗 **1** = 생산액 **2** = 생산량

생산-량(生産量) 명 〖經〗 产量 chǎnliàng; 生产量 shēngchǎnliàng = 생산고2 ¶~이 감소하다 产量减少 / ~을 높이다 提高产量

생산-성(生産性) 명 〖經〗 生产性 shēngchǎnxìng; 生产率 shēngchǎnlǜ; 生产效率 shēngchǎn xiàolǜ

생산-액(生産額) 명 〖經〗 产值 chǎnzhí; 产额 chǎn'é = 생산고1

생산-적(生産的) 관명 生产(的) shēngchǎn(de); 生产性 shēngchǎnxìng ¶~인 지출 生产性支出 / ~ 사고 有生产的思考

생산-지(生産地) 명 产地 chǎndì; 产区 chǎnqū ¶커피의 주요 ~ 咖啡的主要产地

생-살(生—) 명 **1** = 새살 **2** 肉 ròu ¶~을 째다 撕破肉

생살(生殺) 명하타 生杀 shēngshā ¶~여탈 生杀与夺

생색(生色) 명 **1** 有面子 yǒu miànzi; 露脸 lòuliǎn; 体面 tǐmiàn; 增光 zēngguāng **2** 生色 shēngsè

생색-나다(生色—) 자 有面子 yǒu miànzi; 增光 zēngguāng

생색-내다(生色—) 자 卖人情 mài rénqíng; 争面子 zhēng miànzi; 争脸 zhēngliǎn

생생-하다(生生—) 형 **1** 鲜活 xiānhuó; 新鲜 xīnxiān ¶생생한 새우 鲜活的虾 **2** 活生生 huóshēngshēng; 鲜灵 xiānlíng; 活灵活现 huólínghuóxiàn; 犹新 yóuxīn ¶생생한 기억 鲜灵的记忆 / 생생한 증언 活生生的证言 / 기억이 ~ 记忆犹新 **생생-히** 부 ¶사람들의 생활을 아주 ~ 묘사했다 人们的生活描写得非常活灵活现

생선(生鮮) 명 鱼 yú; 鲜鱼 xiānyú ¶~장수 鱼贩 / ~ 가게 鱼店 / ~ 비린내 鲜鱼的腥味 / ~ 두 마리를 사다 买两条鱼

생선-회(生鮮膾) 명 生鱼片 shēngyúpiàn

생성(生成) 명하자타 生成 shēngchéng; 形成 xíngchéng; 产生 chǎnshēng ¶비의 ~ 雨的生成 / 우주의 ~ 과정 宇宙形成过程

생소-하다(生疏—) 형 **1** 陌生 mòshēng; 生疏 shēngshū; 生 shēng; 面生 miànshēng; 眼生 yǎnshēng ¶이 이름은 아주 ~ 这个名字生疏极了 **2** 不熟练 bùshúliàn; 生疏 shēngshū; 生 shēng ¶오랫동안 일을 하지 않았더니 업무가 많이 ~ 好久不工作, 业务生疏了许多

생수(生水) 명 生水 shēngshuǐ; 矿泉水 kuàngquánshuǐ ¶~를 사서 마시다 买矿泉水喝

생시(生時) 명 **1** 生时 shēngshí **2** 醒着 xǐngzhe ¶꿈이냐 ~냐? 是在做梦, 还是醒着? **3** 生前 shēngqián ¶그의 ~의 모습 他生前的样子

생식(生食) 명하타 生食 shēngshí; 生吃 shēngchī ¶그는 ~한 지 오래지 않아 건강을 되찾았다 他生食不久, 恢复了健康

생식(生殖) 명하타 〖生〗 生殖 shēngzhí; 生育 shēngyù ¶~ 기능 生殖机能 / ~ 불능 生育不能

생식-기(生殖器) 명 〖生〗 = 생식 기관

생식 기관(生殖器官) 〖生〗 生殖器 shēngzhíqì; 生殖器官 shēngzhí qìguān = 생식기

생신(生辰) 명 寿辰 shòuchén; 寿诞 shòudàn; 大庆 dàqìng ¶아버지의 ~ 父亲的寿辰

생-쌀(生—) 명 生米 shēngmǐ

생애(生涯) 명 生涯 shēngyá; 一生 yīshēng; 平生 píngshēng; 生平 shēngpíng; 一辈子 yībèizi ¶예술가의 ~ 艺术家的生涯

생약(生藥) 명 〖藥〗 生药 shēngyào

생업(生業) 명 生业 shēngyè; 职业 zhíyè; 生涯 shēngyá ¶~에 종사하다 从事生业

생-우유(生牛乳) 명 生牛奶 shēngniúnǎi; 鲜牛奶 xiānniúnǎi

생원(生員) 명 〖史〗 生员 shēngyuán

생육(生育) 명하자타 生长 shēngzhǎng; 生育 shēngyù

생-으로(生—) 부 **1** 生 shēng ¶오이는 ~ 먹을 수 있다 黄瓜是可以生吃的 **2** 硬 yìng; 生 shēng ¶할 수 없는 일을 ~ 하지 마라 不能做的事不要硬做 ‖ = 날로[2]

생-이별(生離別) 명하자타 (不得不) 离别 líbié; 生别 shēngbié; 生离 shēnglí

생일(生日) 명 生日 shēngrì; 生辰 shēngchén ¶~ 선물 生日礼物 / ~ 케이크 生日蛋糕 / ~ 파티 生日派对 / ~ 축하 카드 生日卡片 =[生日卡] / ~을 맞다 过生日 / ~ 축하합니다 祝你生日快乐

생일-날(生日—) 명 生日 shēngrì; 生辰 shēngchén

생일-상(生日床) 명 生日桌 shēngrìzhuō ¶~을 차리다 摆生日桌

생일-잔치(生日—) 명하자 生日宴会 shēngrì yànhuì; 寿宴 shòuyàn

생장(生長) 명하자 生长 shēngzhǎng ¶~점 生长点 / ~ 과정 生长过程

생전(生前) 명부 生前 shēngqián; 有生 yǒushēng; 平生 píngshēng ¶나는 ~ 처음 비행기를 타 본다 我有生以来第

一次坐上了飞机
생존(生存) 명하자 生存 shēngcún; 生 shēng; 存 cún; 活 huó; 生活 shēnghuó ¶～권 生存权 / ～ 경쟁 生存竞争 / 공기와 물이 없으면 인류는 ～할 수 없다 没有空气和水, 人类就无法生存
생존-자(生存者) 명 幸存者 xìngcūnzhě ¶사고 ～ 事故幸存者 / 10명의 ～를 구해 내다 救出十名幸存者
생:-쥐 명 〖動〗 小家鼠 xiǎojiāshǔ; 小鼠 xiǎoshǔ; 鼷鼠 xīshǔ
생-지옥(生地獄) 명 活地狱 huódìyù; 人间地狱 rénjiān dìyù
생채(生菜) 명 生拌 shēngbàn; 生拌菜 shēngbàncài ¶오이～ 生拌黄瓜 / 무～ 生拌萝卜
생-채기 명 伤痕 shānghén; 伤疤 shāngbā ¶이마에 할퀸 ～가 나다 额头上有抓破的伤痕
생체(生體) 명 活体 huótǐ ¶～ 해부 活体解剖 / ～ 실험 活体实验 / ～검사 活体组织检查 =[活检] / ～ 반응 活体反应
생체 공학(生體工學) 〖生〗 = 생물 공학
생체 리듬(生體rhythm) 〖醫〗 = 바이오리듬
생-콩 명 = 날콩
생-크림(生cream) 명 鲜奶油 xiānnǎiyóu ¶～ 케이크 鲜奶油蛋糕
생태(生太) 명 鲜明太鱼 xiānmíngtàiyú
생태(生態) 명 生态 shēngtài ¶～계 生态系统 / ～ 변화 生态变化 / ～ 기후 生态气候
생-트집(生—) 명하자 挑剔 tiāoti; 挑刺儿 tiāocìr; 疵 cī ¶그는 걸핏하면 사람들에게 ～을 잡는다 他动不动找人家的疵
생판(生—) 부 1 完全 wánquán; 根本 gēnběn; 全然 quánrán ¶～ 모르는 사람 根本不认识的人 2 无理地 wúlǐde ¶～ 떼를 쓰다 无理地抵赖
생포(生捕) 명하타 活捉 huózhuō; 活拿 huóná; 生俘 shēngfú; 生擒 shēngqín ¶적군의 대장을 ～하다 生擒敌军的大将
생피(生皮) 명 = 생가죽
생필-품(生必品) 명 = 생활필수품 ¶～이 부족하다 短少生活必需品 / ～ 가격이 안정되다 生活必需品价格平稳
생화(生花) 명 鲜花 xiānhuā ¶～ 한 다발 一束鲜花 / ～ 한 송이 一枝鲜花
생-화학(生化學) 명 〖化〗 生物化学 shēngwù huàxué ¶～ 검사 生物化学检验
생환(生還) 명하자 生还 shēnghuán ¶포로가 무사히 ～되다 俘虏安全生还
생활(生活) 명하자 1 生活 shēnghuó; 过日子 guò rìzi ¶～권 生活圈 =[生活区] / ～력 生活能力 / ～ 수준 生活水平 / ～ 양식 生活模式 / ～ 하수 生活污水 / ～화 生活化 =[日常化] / ～ 방식 生活方式 / ～ 공간 生活场地 / ～쓰레기 生活垃圾 / 행복한 ～ 幸福的生活 / ～을 개선하다 改善生活 / 나는 부모님과 함께 ～한다 我和父母生活在一起 2 生计 shēngjì; 生活 shēnghuó ¶빈곤한 ～ 贫困的生活 / ～이 넉넉하다 生活优裕 3 (组织的) 生活 shēnghuó ¶교원 ～ 教师生活 / 단체 ～ 团体生活 4 活动 huódòng ¶취미 ～ 娱乐活动
생활-고(生活苦) 명 生活困难 shēnghuó kùnnan; 生活关 shēnghuóguān; 饥荒 jīhuang ¶～를 잘 견뎌 내다 过好生活关
생활 기록부(生活記錄簿) 〖教〗 学籍簿 xuéjíbù = 학적부
생활-비(生活費) 명 〖經〗 = 생계비 ¶그는 한 달 ～로 겨우 150위안을 쓴다 他一个月生活费只花150元
생활-상(生活相) 명 生活面貌 shēnghuó miànmào; 生活情况 shēnghuó qíngkuàng; 生活状态 shēnghuó zhuàngtài
생활-필수품(生活必需品) 명 生活必需品 shēnghuó bìxūpǐn; 日用品 rìyòngpǐn; 日常必需品 rìcháng bìxūpǐn = 생필품
생후(生後) 명 生后 shēnghòu; 出生以来 chūshēng yǐlái; 出生 chūshēng; 有生以来 yǒushēng yǐlái ¶～ 오 개월 된 영아 出生五个月的婴儿
샤머니즘(shamanism) 명 〖宗〗 萨满教 Sàmǎnjiào
샤워(shower) 명하자 淋浴 línyù; 洗淋浴 xǐlínyù; 洗澡 xǐzǎo; 冲凉 chōngliáng; 冲身 chōngshēn ¶그는 지금 ～ 중이다 他在洗澡 / 찬물로 ～하다 拿冷水冲个凉
샤워-기(shower器) 명 淋浴器 línyùqì; 莲蓬头 liánpengtóu
샤워-실(shower室) 명 淋浴室 línyùshì
샤워-장(shower場) 명 淋浴房 línyùfáng; 淋浴室 línyùshì; 洗澡间 xǐzǎojiān
샤프[1](sharp) 명 = 샤프펜슬
샤프[2](sharp) 명 〖音〗 = 올림표
샤프-펜슬(sharp+pencil) 명 自动铅笔 zìdòng qiānbǐ; 活动铅笔 huódòng qiānbǐ = 샤프[1] ¶～심 自动铅笔芯 =[活动铅笔芯]
샴-쌍둥이(Siam雙—) 명 联体双胎 liántǐ shuāngtāi; 联体双胞胎 liántǐ shuāngbāotāi

샴페인(champagne) 명 香槟酒 xiāngbīnjiǔ; 香槟 xiāngbīn ¶~을 터뜨리다 开一瓶香槟酒

샴푸(shampoo) 명하타 1 洗发 xǐfà; 洗头 xǐtóu ¶~ 후에 수건으로 머리를 말리다 洗发之后用毛巾擦干头发 2 洗发水 xǐfàshuǐ; 洗发露 xǐfàlù; 洗发剂 xǐfàjì; 洗发液 xǐfàyè; 洗发精 xǐfàjīng; 香波 xiāngbō

샹들리에(프chandelier) 명 吊灯 diàodēng; 枝形吊灯 zhīxíng diàodēng; 枝形烛台 zhīxíng zhútái; 装饰灯 zhuāngshìdēng

샹송(프chanson) 명〖音〗香颂 xiāngsòng; 法国香颂 Fǎguó xiāngsòng

서(西) 명 = 서쪽

서(序) 명 1〖文〗= 서문2 2 = 서론

서:(署) 명 官署 guānshǔ

서가(書架) 명 书架 shūjià; 书架子 shūjiàzi ¶~에 책이 가득 쌓였다 书架上堆满了书

서간(書簡·書柬) 명 = 편지

서간-문(書簡文) 명〖文〗= 서한문

서간-체(書簡體) 명〖文〗书信体 shūxìntǐ; 书信文体 shūxìn wéntǐ; 书信体裁 shūxìn tǐcái

서:거(逝去) 명하자 逝世 shìshì; 去世 qùshì; 过世 guòshì ¶지도자의 ~ 领袖的逝世

서고(書庫) 명 书库 shūkù; 书仓 shūcāng = 문고2 ¶도서관의 ~ 图书馆的书库

서:곡(序曲) 명〖音〗序曲 xùqǔ; 前奏曲 qiánzòuqǔ

서:광(曙光) 명 曙光 shǔguāng ¶~이 비치다 曙光照 / 어둠이 지나간 후에 ~이 보이다 黑暗过后见曙光

서구(西歐) 명 1 西洋 Xīyáng 2〖地〗西欧 Xī Ōu

서구-화(西歐化) 명하자타 西洋化 Xīyánghuà; 欧化 Ōuhuà; 洋化 yánghuà; 西化 xīhuà ¶그들의 생활 방식은 완전히 ~되었다 他们的生活方式完全西洋化了

서글서글-하다 형 爽快 shuǎngkuai; 爽朗 shuǎnglǎng; 灼灼 zhuózhuó ¶그녀는 성격이 아주 ~ 她的性格非常爽朗

서글프다 형 1 凄凉 qīliáng; 悲伤 bēishāng; 凄然 qīrán; 哀伤 āishāng; 黯然 ànrán ¶서글픈 모습 凄凉的景象 / 너무 서글퍼하지 마라 不要过于悲伤 2 遗憾 yíhàn ¶일이 이렇게 되어서 정말 ~ 事情弄成这个样子, 我们感到很遗憾

서글픔 명 凄凉 qīliáng; 悲伤 bēishāng; 凄然 qīrán; 哀伤 āishāng; 黯然 ànrán ¶누가 내 마음속의 ~을 알까? 谁知我心中的悲伤?

서글피 부 凄凉地 qīliángde; 悲伤地 bēishāngde; 难过地 nánguòde ¶~ 울다 悲伤地哭

서기(西紀) 명 = 기원후

서기(書記) 명 (会议、审判等的) 书记 shūjì; 记录 jìlù ¶그녀는 법원에서 ~ 일을 담당하고 있다 她在法院担任书记员工作

서까래 명〖建〗椽木 chuánmù; 椽子 chuánzi; 椽条 chuántiáo; 房椽子 fángchuánzi

서남-쪽(西南—) 명 西南 xīnán; 西南方 xīnánfāng

서남-풍(西南風) 명 西南风 xīnánfēng = 남서풍

서낭 명〖民〗1 城隍 chénghuáng 2 = 서낭신

서낭-당(—堂) 명〖民〗城隍庙 chénghuángmiào

서낭-신(—神) 명〖民〗城隍 chénghuáng; 城隍神 chénghuángshén; 城隍老爷 chénghuáng lǎoye = 서낭2

서-너 관 三四 sānsì ¶~ 명 三四个人 / ~ 개 三四个 / ~ 번 三四次

서넛 수 三四 sānsì ¶교실에 학생 ~이 서 있다 教室里站着三四个学生

서늘-하다 형 1 凉 liáng; 凉快 liángkuai; 风凉 fēngliáng; 寒 hán; 寒凉 hánliáng; 凉丝丝 liángsīsī ¶가을이 되자 날씨가 바로 서늘해졌다 秋天一到, 天气就变得凉快一些了 2 寒 hán; 凉 liáng ¶그의 말은 정말 가슴을 서늘하게 한다 他说的话真让人心寒 **서늘-히** 부

서다 一자 1 (用脚) 立 lì; 站 zhàn ¶너는 왜 아직 거기에 서 있니? 你怎么还立在那儿? / 똑바로 서라 身体站直 2 耸 sǒng; 竖 shù ¶토끼의 기다란 두 귀가 갑자기 쫑긋 섰다 小兔子的一对长耳朵突然耸起来了 / 무서워서 머리카락이 쭈뼛쭈뼛 섰다 害怕得头发都竖起来了 3 (计划、方针、决心等) 订 dìng; 有 yǒu; 下定 xiàdìng; 拟定 nǐdìng; 制定 zhìdìng ¶결심이 섰다 有了决心 / 계획이 ~ 拟定计划 4 锋利 fēnglì; 锐利 ruìlì ¶날이 선 강철 칼 锋利的钢刀 5 (规律、秩序等) 有 yǒu ¶질서가 ~ 有秩序 / 조리가 ~ 有条理 6 怀孕 huáiyùn; 有 yǒu; 有喜 yǒuxǐ ¶그녀에게 아이가 선 것 같다 她大概是有了喜 7 (物体) 立 lì; 竖立 shùlì; 竖 shù ¶입구에 전봇대 하나가 서 있다 门口竖立着一根电线杆子 8 (国家、机构等) 成立 chénglì; 建立 jiànlì ¶임시 정부가 선 지 이미 5년이 되었다 临时政府已经成立五年了 9 停 tíng; 停止 tíngzhǐ ¶손목시계가 섰다 手表停

了 / 차가 갑자기 대로 중앙에 섰다 车突然停在马路中央 **10** 带 dài; 站 zhàn; 处 chǔ; 上 shàng ¶그가 선두에 ~ 他带头 / 피해자의 입장에 ~ 站在受害者的立场 / 중요한 기로에 서 있다 处在一个重要的十字路口 **11** 逢 féng ¶우리 마을은 5일 걸러 장이 선다 我们村是每隔五天逢集 **12** 布 bù; 出 chū ¶눈에 핏발이 가득 섰다 眼睛里布满了血丝 / 비 온 뒤에 무지개가 ~ 雨后出虹 **13** (面子、体面、威信等) 有 yǒu ¶위신이 ~ 有威信 / 면목이 ~ 有面子 ㉢타 **1** 作 zuò; 站 zhàn; 打 dǎ ¶중매를 ~ 作媒 / 보증을 ~ 作保 / 들러리를 ~ 作女傧相 / 보초를 ~ 站岗 **2** 排 pái ¶줄을 ~ 排队 **3** 受到 shòudào ¶벌을 ~ 受到处罚

서당(書堂) 명 = 글방 ¶~ 훈장 私塾老师 / ~에서 공부하다 读私塾

서당 개 삼 년에 풍월(을) 한다[읊는다/짓는다] 속담 狗住书院三年也会吟风弄月; 跟着瓦匠睡三天, 不会盖房也会 搬砖

서:두(序頭) 명 **1** (说话或文章的) 开头 kāitóu; 开端 kāiduān ¶이야기의 ~ 故事的开端 / ~를 떼다 提起开头 **2** 开头 kāitóu ¶모든 일은 ~가 어렵다 万事开头难

서두르다 자타 赶忙 gǎnmáng; 赶紧 gǎnjǐn; 抢做 qiǎngzuò; 急着 jízhe; 忙着 mángzhe; 赶 gǎn; 赶快 gǎnkuài; 急 jí; 急忙 jímáng ¶책가방을 메고 서둘러 학교에 갔다 背上书包赶忙上学去了 / 시간이 아직 많이 남았으니 서두르지 마라 时间还有很多, 不要急

서둘다 자타 '서두르다' 的略词

서랍 명 抽屉 chōuti ¶~장 抽屉柜子 / ~을 열다 拉开抽屉

서:러움 명 = 설움

서:러워-하다 타 伤心 shāngxīn; 委屈 wěiqu; 悲惨 bēicǎn; 悲怆 bēichuàng; 悲伤 bēishāng ¶너무 서러워하지 마라 别太伤心了

서:럽다 형 伤心 shāngxīn; 悲伤 bēishāng; 委屈 wěiqu ¶마음이 아주 ~ 心理觉得很悲伤 / 아이들이 서럽게 울고 있다 孩子们悲伤地哭着

서력(西曆) 명 **1** 公元 gōngyuán; 西元 xīyuán; 西历 xīlì **2** = 기원후

서로 명부 互相 hùxiāng; 相互 xiānghù; 相 xiāng; 交互 jiāohù; 互 hù; 相与 xiāngyǔ; 双方 shuāngfāng ¶~ 사랑하다 相爱 / ~ 돕다 互相帮助 / 이 일의 책임은 ~에게 있다 这件事的责任在双方

서로-서로 명부 '서로' 的强调语 ¶~ 양보하다 互相让步

서:론(序論 · 緖論) 명 序论 xùlùn; 序言 xùyán; 导言 dǎoyán; 绪论 xùlùn; 引言 yǐnyán; 叙言 xùyán; 前言 qiányán = 서(序)2

서류(書類) 명 文件 wénjiàn; 文卷 wénjuǎn; 文书 wénshū; 档 dàng; 档案 dàng'àn; 件 jiàn ¶~ 봉투 文件袋 / ~ 위조 伪造文件 / 중요한 ~ 重要文件 / ~를 찾다 查档

서류-철(書類綴) 명 文件簿 wénjiànbù; 档案册 dàng'àncè; 文件夹子 wénjiàn jiāzi; 夹子 jiāzi = 파일 ¶~을 뒤적이다 查一查档案册

서류-함(書類函) 명 文件箱 wénjiànxiāng; 档案箱 dàng'ànxiāng; 文件盒 wénjiànhé ¶서류를 ~에 넣다 把文件存入档案箱

서른 수관 三十 sānshí ¶~ 개 三十个 / ~ 명 三十个人 / ~ 살 三十岁

서리 명 〖地理〗 霜 shuāng ¶어젯밤에 한바탕 ~가 내렸다 昨天夜里下了一场霜

서리(를) 맞다 구 受到打击; 遭殃

서:리(署理) 명하타 署理 shǔlǐ ¶국무총리 ~ 署理国务院总理

서리다[1] 자 **1** (雾、烟等) 弥漫 mímàn; 充满 chōngmǎn ¶유리창에 김이 가득 ~ 玻璃窗上蒸汽弥漫 **2** 含 hán; 带 dài; 含蕴 hányùn ¶그의 말에는 불만의 기색이 서려 있다 他的话里含着不满情绪 **3** 萦绕 yíngrào; 深怀 shēnhuái; 怀 huái ¶마음에 한이 ~ 怀恨在心 **4** (香味儿) 散发 sànfā ¶향기가 서려 있는 생화 散发着花香的鲜花

서리다[2] 타 缠绕 chánrào; 盘绕 pánrào; 盘 pán; 蜷曲 quánqū ¶나무에 뱀 한 마리가 서리고 있다 树上盘着一条蛇

서릿-발 명 霜 shuāng; 霜花 shuānghuā ¶나뭇가지에 ~이 앉다 树枝上凝着霜

서:막(序幕) 명 **1** 〖演〗 序幕 xùmù **2** 序幕 xùmù; 先声 xiānshēng ¶이것은 사건의 ~에 불과하다 这只不过揭开了事件的序幕

서머-스쿨(summer school) 명 〖教〗 暑假学校 shǔjià xuéxiào; 暑期补习班 shǔqī bǔxíbān

서머 타임(summer time) 〖社〗 夏时制 xiàshízhì; 日光节约时制 rìguāng jiéyuēshízhì; 夏令时间 xiàlìng shíjiān ¶~을 실시하다 实行夏时制

서먹서먹-하다 형 生疏 shēngshū; 疏远 shūyuǎn; 不自然 bùzìrán ¶그들은 여러 이유로 서로 서먹서먹하게 되었다 他们由于很多原因彼此生疏了

서먹-하다 형 生疏 shēngshū; 疏远 shūyuǎn; 不自然 bùzìrán ¶우리 사이가 약간 서먹해진 것 같다 我们之间似

乎有些疏远了

서면(書面) 명 书面 shūmiàn ¶~ 보고 书面报告 / ~ 자료 书面材料 / 의견을 ~으로 제출하다 提出书面意见

서명(書名) 명 = 책명

서:명(署名) 명하자 签名 qiānmíng; 签字 qiānzì; 署名 shǔmíng; 签署 qiānshǔ ¶~ 운동 签名运动 / 수표에는 반드시 본인의 ~이 있어야 한다 支票上必须有本人签字

서:명 날인(署名捺印) 〖法〗 签名盖章 qiānmíng gàizhāng; 签名盖印 qiānmíng gàiyìn; 签字盖章 qiānzì gàizhāng

서:무(庶務) 명 庶务 shùwù; 庶事 shùshì; 事务 shìwù; 总务 zǒngwù ¶~실 庶务室 =[总务室] / ~에 바쁘다 忙于庶务

서:문(序文) 명 1 = 머리말 2 〖文〗 序 xù = 서(序)1

서:민(庶民) 명 庶民 shùmín; 平民 píngmín; 百姓 bǎixìng; 老百姓 lǎobǎixìng ¶~층 庶民阶层

서:민-적(庶民的) 관명 平民(的) píngmín(de)

서방(西方) 명 1 = 서쪽 2 西部 xībù 3 西方 xīfāng ¶~ 국가 西方国家 / ~ 문명 西方文明

서방(書房) 명 1 丈夫 zhàngfu; 老公 lǎogōng; 先生 xiānsheng ¶우리 ~ 我的老公 2 老 lǎo ¶김 ~ 老金 / 이 ~ 老李

서방-님(書房—) 명 1 '남편' 的敬词 2 小叔 xiǎoshū; 叔叔 shūshu《对结了婚的丈夫的弟弟的称呼》

서방-질(書房—) 명하자 养野汉 yǎngyěhàn; 卖大炕 màidàkàng

서버[1](server) 명 〖體〗 发球员 fāqiúyuán; 发球方 fāqiúfāng

서버[2](server) 명 〖컴〗 服务器 fúwùqì

서법(書法) 명 写法 xiěfǎ; 笔法 bǐfǎ

서부(西部) 명 西部 xībù ¶~ 영화 西部片 =[牛仔片]

서북-쪽(西北—) 명 西北 xīběi; 西北方 xīběifāng

서브(serve) 명하자 〖體〗 发球 fāqiú; 开球 kāiqiú = 서비스3 ¶~권 发球权 / ~ 득점하다 发球直接得分

서비스(service) 명하자 1 服务 fúwù; 帮助 bāngzhù; 招待 zhāodài; 接待 jiēdài ¶~업 服务行业 / ~ 산업 服务产业 / ~ 센터 服务站 =[服务中心] / ~ 태도 服务态度 / ~가 좋은 백화점 热情招待客人的百货商店 2 搭头(儿) dātou(r); 饶头 ráotou ¶이 비곗살은 ~이다 这块肥肉是搭头 3 〖體〗 = 서브

서빙(serving) 명 端盘子 duānpánzi; 端菜 duāncài

서:사(敍事) 명 叙事 xùshì; 记叙 jìxù ¶~시 叙事诗

서산(西山) 명 西山 xīshān ¶해가 ~으로 넘어가다 太阳落下西山

서:서-히(徐徐—) 부 徐 xú; 徐徐 xúxú; 徐缓地 xúhuǎnde; 慢慢地 mànmànde; 缓慢地 huǎnmànde; 迟慢地 chímànde ¶장막이 ~ 내려가다 帏幕徐徐落下 / 열차가 ~ 역으로 들어갔다 列车缓慢地进站了

서성-거리다 자타 走来走去 zǒuláizǒuqù; 踱来踱去 duóláiduóqù; 转来转去 zhuǎnláizhuǎnqù; 徘徊 páihuái; 盘旋 pánxuán; 踯躅 zhízhú = 서성대다 ¶그는 길에서 초조하게 서성거리고 있다 他焦燥地在路上徘徊着 **서성-서성** 부하자타

서:수(序數) 명 〖數〗 序数 xùshù

서:-수사(序數詞) 명 〖語〗 序数词 xùshùcí

서:술(敍述) 명하타 叙述 xùshù ¶그 일을 상세하게 ~하다 把那件事详细叙述

서:술-문(敍述文) 명 〖語〗 = 평서문

서:술-어(敍述語) 명 〖語〗 谓语 wèiyǔ; 述语 shùyǔ = 술어2

서:술-형(敍述形) 명 〖語〗 = 평서형

서슬 명 1 刃 rèn; 锋 fēng ¶~이 시퍼런 칼 锋刃汹汹的刀 2 气势 qìshì; 杀气 shāqì; 锐气 ruìqì

서슬(이) 푸르다[퍼렇다] 구 = 서슬이 시퍼렇다

서슬이 시퍼렇다 구 气势汹汹; 锋芒逼人; 杀气腾腾 = 서슬(이) 푸르다[퍼렇다]

서슴-없다 형 毫不犹豫 háobù yóuyù; 毫不迟疑 háobù chíyí; 毫不踌躇 háobù chóuchú **서슴없-이** 부 ¶그는 ~ 물에 뛰어들어 아이를 구해냈다 他毫不犹豫跳进水里, 把孩子救了上来

서:시(序詩) 명 〖文〗 序诗 xùshī = 프롤로그1

서식(書式) 명 格式 géshì; 表格 biǎogé; 程式 chéngshì ¶편지 ~ 书信的格式 / 공문 ~ 公文程式

서:식(棲息) 명하자 栖息 qīxī ¶~지 栖息地 / 밀림 속에는 각종 새들이 ~하고 있다 密林中栖息着各种鸟类

서신(書信) 명 = 편지 ¶그들은 늘 ~ 왕래를 한다 他们常有书信往来

서:약(誓約) 명하자타 誓约 shìyuē ¶~서 誓约书 / ~을 지키다 遵守誓约

서양(西洋) 명 西洋 Xīyáng; 西方 Xīfāng; 西 Xī; 洋 Yáng ¶~사 西洋史 / ~ 무용 西方舞 / ~ 미술 西方美术 / ~ 음악 西方音乐 =[西乐] / ~ 음식 西餐

서양-식(西洋式) 명 西洋方式 xīyáng fāngshì; 西式 xīshì = 양식(洋式) ¶그

의 집에 있는 가구는 모두 ~이다 他家的家具全是西式的

서양-인(西洋人) 명 西洋人 xīyángrén; 西方人 xīfāngrén; 洋人 yángrén = 양인(洋人)

서양-화(西洋化) 명하자타 西方化 xīfānghuà; 西化 xīhuà

서양-화(西洋畫) 명〖美〗西洋画 xīyánghuà; 西画 xīhuà ¶~가 西洋画家

서:언(序言·緖言) 명 =머리말

서역(西域) 명〖史〗西域 xīyù

서:열(序列) 명 序 xù; 序列 xùliè; 次序 cìxù; 位次 wèicì; 位列 wèiliè ¶~을 따지지 않다 不计位次

서예(書藝) 명 书法 shūfǎ ¶~가 书法家 / ~를 배우다 学习书法

서운-하다 형 舍不得 shěbude; 可惜 kěxī; 遗憾 yíhàn ¶이번 기회를 놓친 것이 서운하지 않니? 错过了这次机会, 你不觉得可惜吗? **서운-히** 부

서울 명 **1** 首都 shǒudū; 国都 guódū; 都城 dūchéng; 京都 jīngdū; 京城 jīngchéng = 도읍⊟ ¶중국의 ~은 베이징이다 中国的首都是北京 **2**〖地〗首尔 Shǒu'ěr ¶~특별시 首尔特别市

서울 (가서) 김서방 찾는다[찾기] 속담 到首尔找姓金的; 茫无涯岸

서원(書院) 명〖史〗书院 shūyuàn

서:원(誓願) 명하타 **1** 誓愿 shìyuàn **2**〖宗〗发誓 fāshì

서유-기(西遊記) 명〖文〗西游记 Xīyóujì

서:자(庶子) 명 庶子 shùzǐ; 孽子 nièzǐ ¶~로 태어난 홍길동 庶子所生的洪吉童

서:장(署長) 명 署长 shǔzhǎng ¶경찰~ 警察署长

서재(書齋) 명 书斋 shūzhāi; 书房 shūfáng; 书屋 shūwū ¶아버지의 ~ 父亲的书斋

서적(書籍) 명 = 책(冊)1 ¶중고 ~ 二手书籍

서:전(緖戰) 명 初战 chūzhàn; 序战 xùzhàn; 绪战 xùzhàn

서점(書店) 명 书店 shūdiàn; 书局 shūjú; 书铺 shūpù = 책방 ¶아동 ~ 儿童书店 / ~에서 책을 사다 在书店买书

서:정(抒情·敍情) 명 抒情 shūqíng ¶~시 抒情诗

서:정-적(抒情的·敍情的) 관명 抒情(的) shūqíng(de) ¶곡조가 아주 ~이다 曲调满抒情的

서-쪽(西一) 명 西 xī; 西边 xībian; 西面 xīmiàn; 西方 xīfāng = 서(西)·서방(西方)1 ¶태양은 동쪽에서 나와 ~으로 진다 太阳从东边升上来, 从西边落下去

서쪽에서 해가 뜨다 구 太阳从西边出来

서찰(書札) 명 = 편지

서책(書冊) 명 = 책(冊)1

서첩(書帖) 명 字帖 zìtiē

서체(書體) 명 字体 zìtǐ = 글씨체·필체 ¶~가 독특하다 字体独特

서치라이트(search-light) 명 = 탐조등

서캐 명 虱卵 shīluǎn; 虮子 jǐzi

서커스(circus) 명 杂技 zájì; 马戏 mǎxì; 杂技表演 zájì biǎoyǎn ¶~단 杂技团 =[马戏团]

서클(circle) 명 伙伴 huǒbàn; 小组 xiǎozǔ ¶독서 ~ 读书小组 / 폭력 ~ 暴力小组

서:투르다 형 **1** 不熟练 bùshúliàn; 生 shēng; 手生 shǒushēng; 生疏 shēngshū ¶업무가 ~ 业务不熟练 **2** 草率 cǎoshuài

서투른 무당이 장구만 나무란다 속담 拉不出屎嫌坑臭; 不会拉屎怪马桶; 不会撑船怪河弯

서:툴다 형 '서투르다' 的略词 ¶서툰 솜씨 不熟练的手艺

서편(西便) 명 西边 xībian ¶달이 ~에서 떠오르다 月亮从西边出来

서평(書評) 명 书评 shūpíng ¶~을 쓰다 写书评

서풍(西風) 명 西风 xīfēng

서핑(surfing) 명 = 파도타기 ¶~ 보드 冲浪板

서한(書翰) 명 = 편지

서한-문(書翰文) 명〖文〗书信体文章 shūxìntǐ wénzhāng = 서간문

서해(西海) 명 西海 xīhǎi ¶~안 西海岸

서:행(徐行) 명하자 徐行 xúxíng; 慢行 mànxíng; 缓行 huǎnxíng ¶~ 운전하다 开得徐行

서향(西向) 명하자 朝西 cháo xī; 向西 xiàng xī ¶창문이 ~이다 窗户朝西

서화(書畫) 명 书画 shūhuà ¶~가 书画家 / ~전 书画展览

석: 관 三 sān ¶~ 자 三尺 / ~ 장 三张 / ~ 달 三个月

석(石) 의명 = 섬[1]⊟

석(席) 의명 个 gè ¶오백 ~의 자리가 가득 차다 五百个座位座无虚席

-석(席) 접미 席 xí ¶귀빈~ 贵宾席 / 연회~ 宴会席

석가(釋迦) 명〖佛〗= 석가모니

석가-모니(釋迦牟尼) 명〖佛〗释迦 Shìjiā; 释迦牟尼 Shìjiāmóuní; 释 Shì = 석가

석가 탄:신일(釋迦誕辰日) 佛诞节 Fódànjié = 부처님 오신 날

석가-탑(釋迦塔) 명〖佛〗释迦塔 shìjiātǎ

석간(夕刊) 명 = 석간신문
석간-신문(夕刊新聞) 명 晚报 wǎnbào = 석간 · 석간지
석간-지(夕刊紙) 명 = 석간신문
석고(石膏) 명 〖鑛〗石膏 shígāo = 깁스1 ¶~ 보드 石膏板
석고-대죄(席藁待罪) 명 〖史〗负荆请罪 fùjīng qǐngzuì
석고 붕대(石膏繃帶) 〖醫〗石膏绷带 shígāo bēngdài = 깁스2
석고-상(石膏像) 명 〖美〗**1** 石膏雕塑 shígāo diāosù = 석고 조각 **2** 石膏像 shígāoxiàng
석고 조각(石膏彫刻) 〖美〗= 석고상1
석공(石工) 명 石工 shígōng; 石匠 shíjiang
석-굴(石—) 명 〖貝〗石牡蛎 shímǔlì
석굴(石窟) 명 岩洞 yándòng; 石窟 shíkū
석궁(石弓) 명 石弓 shígōng
석권(席卷 · 席捲) 명하타 席卷 xíjuǎn ¶세계 시장을 ~하다 席卷世界市场
석기(石器) 명 石器 shíqì ¶~ 시대 石器时代
석류(石榴) 명 **1** 〖植〗= 석류나무 ¶~꽃 石榴花 **2** 石榴 shíliu ¶~를 먹다 吃石榴
석류-나무(石榴—) 명 〖植〗石榴树 shíliushù; 石榴 shíliu = 석류1
석면(石綿) 명 〖鑛〗石绵 shímián
석방(釋放) 명하타 〖法〗释放 shìfàng ¶체포된 학생의 ~을 요구하다 要求把被捕的学生释放出来
석별(惜別) 명하자타 惜别 xībié ¶~의 정 惜别之情
석불(石佛) 명 〖佛〗= 돌부처1
석사(碩士) 명 〖教〗硕士 shuòshì ¶~ 학위 硕士学位 / ~ 논문 硕士论文
석:-삼년(—三年) 명 数年 shùnián; 多年 duōnián
석상(石像) 명 石像 shíxiàng ¶~을 세우다 立石像
석상(席上) 명 席上 xíshàng; 上 shàng ¶연회 ~ 酒席上 / 회의 ~ 会上
석-쇠 명 烤架儿 kǎojiàr; 铁支子 tiězhīzi; 炙子 zhìzi
석순(石筍) 명 〖鑛〗石笋 shísǔn
석양(夕陽) 명 **1** 夕阳 xīyáng; 落日 luòrì; 残阳 cányáng; 斜阳 xiéyáng = 사양(斜陽)1 ¶~이 하늘을 붉게 물들였다 夕阳映红了天空 / 서쪽 산으로 ~이 지다 西山落日 **2** 傍晚 bàngwǎn; 夕 xī; 薄暮 bómù; 夕景 xījǐng
석양-녘(夕陽—) 명 傍晚 bàngwǎn; 夕 xī; 薄暮 bómù ¶아침에 떠나 ~에 도착하다 朝发夕至
석양-빛(夕陽—) 명 夕照 xīzhào; 夕晖 xīhuī
석연-하다(釋然—) 형 释然 shìrán ¶석연치 않은 것이 없다 没有什么无法释然 **석연-히** 부
석영(石英) 명 〖鑛〗石英 shíyīng = 차돌1 ¶~암 石英岩
석유(石油) 명 〖鑛〗石油 shíyóu; 煤油 méiyóu ¶~ 난로 石油炉 =[煤油炉] / ~ 가스 石油气 / ~ 매장량 石油储量 / ~ 화학 石油化学 / 지하에 풍부한 ~가 매장되어 있다 地下埋着丰富的石油
석이(石耳 · 石栮) 명 〖植〗石耳 shí'ěr = 석이버섯
석이-버섯(石耳—) 명 〖植〗= 석이
석재(石材) 명 石料 shíliào; 石材 shícái = 돌²2
석조(石造) 명 石造 shízào ¶~ 건물 石造建筑
석좌 교:수(碩座教授) 〖教〗讲座教授 jiǎngzuò jiàoshòu
석차(席次) 명 **1** 席次 xícì; 座次 zuòcì; 位次 wèicì ¶~를 정하다 安排好席次 **2** 名次 míngcì; 位次 wèicì ¶그는 ~가 늘 전체 학년의 상위권에 있다 他名次一直在全年级前几名
석총(石塚) 명 〖古〗石墓 shímù = 돌무덤
석탄(石炭) 명 〖鑛〗石炭 shítàn; 煤 méi = 탄(炭)1 ¶~ 가스 煤气 / ~을 때다 烧煤 / ~을 채굴하다 采煤 / ~덩어리 煤核儿
석탄-광(石炭鑛) 명 〖鑛〗= 탄광
석탄-층(石炭層) 명 〖鑛〗煤层 méicéng
석탑(石塔) 명 石塔 shítǎ
석판(石板) 명 石板 shíbǎn ¶~에 글씨를 쓰다 在石板上写字
석패(惜敗) 명하타 输得可惜 shūde kěxī
석학(碩學) 명 硕学 shuòxué
석화(石花) 명 〖貝〗= 굴
석회(石灰) 명 〖化〗**1** 石灰 shíhuī ¶~동 石灰洞 / ~분 石灰粉 / ~ 비료 石灰肥 / ~암 石灰岩 / ~질 石灰质 / ~층 石灰层 **2** = 수산화칼슘
섞다 타 混 hùn; 搀 chān; 混合 hùnhé; 搀和 chānhuo; 搀杂 chānzá; 糅合 róuhé; 糅杂 róuzá; 杂糅 záróu; 搅 jiǎo; 搅拌 jiǎobàn; 搅和 jiǎohuo ¶이 두 종류의 약은 섞어서 먹으면 안 된다 这两种药不能混着吃 / 우유에 설탕 한 숟갈을 넣고 섞으세요 牛奶里放一勺糖, 搅一下 / 달걀 노른자와 흰자를 골고루 ~ 把蛋黄和蛋清搅拌均匀
섞-이다 자 '섞다' 的被动词 ¶쌀 속에 돌이 섞여 있다 米里搀和着沙子 / 표준말에 사투리가 섞여 있다 普通话里搀杂着方言

선: 명 相看 xiāngkàn; 相亲 xiāngqīn ¶ 그녀는 ~을 보러 갔다 她相看去了

선(先) 명하자 (赌博时) 庄 zhuāng; 庄家 zhuāngjia ¶돌아가며 ~을 잡다 轮流坐庄

선:(善) 명하형 善 shàn; 善良 shànliáng ¶~과 악 善和恶 / ~을 쌓다 积善 / 그녀는 ~한 마음을 가지고 있다 她有一颗善良的心

선(線) 명 **1** 线 xiàn = 라인1 ¶~을 긋다 划线 / 이 ~은 비뚤게 그어졌다 这条线画得不直 **2** (用金属制成的) 线 xiàn ¶이 ~은 너무 짧아서 콘센트에 닿지 않는다 这根电线太短了, 够不着插座 **3** (火车或电话的) 线 xiàn; 线路 xiànlù ¶이번 기차는 ~을 따라 있는 역에서 모두 멈춘다 这趟火车在沿线各站都停 **4** 线 xiàn; 界线 jièxiàn《比喻所接近的某种边际》¶그 두 사람의 관계는 이미 일반적인 친구의 ~을 넘었다 他俩的关系已超越了一般朋友的界线 **5** 联系 liánxì **6** 射线 shèxiàn; 线 xiàn; 光 guāng ¶엑스~ 爱克斯射线 **7** 〖數〗 线 xiàn ¶점과 ~ 点和线

-선(船) 접미 船 chuán ¶여객~ 客船 / 수송~ 轮船

선각(先覺) 一명하타 先觉 xiānjué; 先知 xiānzhī 二명 = 선각자

선각-자(先覺者) 명 先觉者 xiānjuézhě; 先觉 xiānjué = 선각二

선거(船渠) 명 〖建〗 船坞 chuánwù; 船渠 chuánqú

선:거(選擧) 명하타 **1** 选举 xuǎnjǔ; 选 xuǎn ¶~일 选举日 / ~ 제도 选举制度 / 보통 ~ 普选 / ~에서 패한 후보자 选举中败北的候选人 **2** 〖政〗 选举 xuǎnjǔ ¶대통령 ~ 总统选举 / ~ 공약 选举诺言 / ~ 관리 위원회 选举管理委员会

선:거-구(選擧區) 명 〖法〗 选区 xuǎnqū

선:거-권(選擧權) 명 〖法〗 选举权 xuǎnjǔquán ¶~을 행사하다 行使选举权

선:거-법(選擧法) 명 〖法〗 选举法 xuǎnjǔfǎ ¶~을 위반하다 违犯选举法

선:거-인(選擧人) 명 〖法〗 选民 xuǎnmín; 选举人 xuǎnjǔrén = 유권자 ¶~단 选民团 / ~ 명부 选举人的名簿

선견(先見) 명하타 预见 yùjiàn; 先见 xiānjiàn

선견지명(先見之明) 명 先见之明 xiānjiànzhīmíng

선결(先決) 명하타 先决 xiānjué ¶~ 조건 先决条件 / ~ 문제 先决问题

선경(仙境) 명 仙境 xiānjìng; 仙乡 xiānxiāng; 仙界 xiānjiè

선고(宣告) 명하타 **1** 宣告 xuāngào; 宣布 xuānbù ¶파산을 ~하다 宣告破产 **2** 〖法〗 宣判 xuānpàn ¶판사가 피고에게 무죄를 ~하다 审判长宣判被告无罪

선:곡(選曲) 명하타 点歌 diǎngē ¶그가 ~한 이 노래는 모두가 좋아한다 他点的这支歌儿大家都喜欢听

선공(先攻) 명하자타 〖體〗 先攻 xiāngōng

선공-후사(先公後私) 명하자 先公后私 xiāngōnghòusī

선교(宣敎) 명하타 〖宗〗 传教 chuánjiào ¶~ 활동 传教活动

선교(船橋) 명 = 배다리1

선교-사(宣敎師) 명 〖宗〗 传教士 chuánjiàoshì; 教士 jiàoshì; 宣教师 xuānjiàoshī

선구(先驅) 명 = 선구자

선구-자(先驅者) 명 先驱 xiānqū; 先驱者 xiānqūzhě; 先觉 xiānjué; 先知 xiānzhī = 선구

선글라스(sunglass) 명 太阳镜 tàiyángjìng; 黑镜 hēijìng ¶~를 끼다 戴太阳镜

선금(先金) 명 定金 dìngjīn; 定钱 dìngqián ¶먼저 ~을 내다 先交定金

선:남-선:녀(善男善女) 명 善男善女 shànnán shànnǚ

선납(先納) 명하타 预缴 yùjiǎo; 预交 yùjiāo ¶세액을 ~하다 预缴税款

선녀(仙女) 명 仙女 xiānnǚ; 仙娥 xiān'é ¶그녀는 ~처럼 아름답다 她漂亮得像仙女

선대(先代) 명 前代 qiándài; 先世 xiānshì; 祖先 zǔxiān ¶~가 물려준 토지 先世传给的土地

선도(先導) 명하자 先导 xiāndǎo; 前导 qiándǎo ¶대장이 앞에서 ~하자 전 대원이 바짝 뒤를 따랐다 队长在前面先导, 全队紧紧跟上

선:도(善導) 명하타 善导 shàndǎo ¶ 청소년을 ~하다

선도(鮮度) 명 新鲜程度 xīnxiān chéngdù ¶~가 높은 생선 新鲜程度很高的鱼

선도-자(先導者) 명 先导 xiāndǎo; 先导者 xiāndǎozhě; 前导人 qiándǎorén

선도-적(先導的) 관명 先导(的) xiāndǎo(de); 前导(的) qiándǎo(de) ¶지도자는 ~인 역할을 해야 한다 领导应该起先导作用

선동(煽動) 명하타 煽动 shāndòng; 扇动 shāndòng; 煽惑 shānhuò; 鼓动 gǔdòng; 挑动 tiǎodòng ¶배후에서 ~하다 在背后煽动 / 학생을 ~하여 수업을 거부하다 鼓动学生罢课

선두(先頭) 명 先头 xiāntóu; 前头 qiántóu ¶~ 부대 先头部队 / 지도자가 ~

에 서다 领导者站在前头

선뜻 부 痛快地 tòngkuàide; 爽快地 shuǎngkuaide; 干脆地 gāncuìde; 直率地 zhíshuàide ¶그는 우리의 요구에 ~ 승낙했다 他痛快地答应了我们的要求 / 그녀는 ~ 돈을 되돌려 주었다 她干脆地把钱送了回去

선:량(善良) 명하형 善良 shànliáng; 和善 héshàn ¶본성이 ~하다 本性善良

선례(先例) 명 先例 xiānlì; 前例 qiánlì; 成例 chénglì ¶~를 인용하다 援引成例

선로(線路) 명 1 〖交〗轨道 guǐdào = 궤도2 ¶지하철 ~ 地铁轨道 2 〖交〗线路 xiànlù 3 〖電〗线路 xiànlù ¶전화 ~ 电话线路

선:린(善隣) 명 善邻 shànlín; 睦邻 mùlín ¶~ 우호 善邻友好 / ~ 외교 睦邻外交 / ~ 정책 睦邻政策

선:망(羨望) 명하타 羡慕 xiànmù ¶~의 대상 羡慕的对方 / 사람들은 ~의 눈으로 그를 바라본다 人们都用羡慕的眼光看着他

선:-머슴 명 愣小子 lèngxiǎozi; 愣头儿青 lèngtóurqīng; 冒失鬼 màoshiguǐ

선명(鮮明) 명하형히부 鲜明 xiānmíng; 鲜亮 xiānliang; 清楚 qīngchu; 明显 míngxiǎn; 明确 míngquè; 明白 míngbai ¶~한 대비 鲜明的对比 / 색이 ~하다 颜色鲜明

선:-무당 명 〖民〗二把刀巫婆 èrbǎdāo wūpó; 蹩脚巫婆 biéjiǎo wūpó

선무당이 사람 잡는다[죽인다] 속담 蹩脚的巫师害死人

선물(先物) 명 〖經〗期货 qīhuò ¶~ 거래 期货交易

선:물(膳物) 명하자타 礼物 lǐwù; 礼 lǐ; 仪 yí; 礼品 lǐpǐn; 赠品 zèngpǐn ¶감사의 ~ 谢仪 / 생일 ~ 生日礼物 / ~을 받다 收到礼物 / ~을 주다 送礼物

선미(船尾) 명 船尾 chuánwěi; 船艄 chuánshāo

선박(船舶) 명 = 배[2] ¶이십여 척의 ~ 二十多艘船只

선반 명 搁板 gēbǎn ¶~을 달다 搭搁板

선반(旋盤) 명 〖機〗车床 chēchuáng; 旋床 xuánchuáng ¶~공 车床工 / ~을 돌리다 开动车床

선:발(先發) 一명하자 先遣 xiānqiǎn; 先动身 xiāndòngshēn ¶~대 先遣队 / ~ 인원을 파견하다 派出先遣人员 二 명 〖體〗(棒球的) 先上场 xiān shàngchǎng; 第一 dìyī ¶~ 투수 第一投手

선:발(選拔) 명하타 选 xuǎn; 选拔 xuǎnbá; 挑选 tiāoxuǎn; 甄拔 zhēnbá ¶~ 경기 选拔赛 / ~ 시험 选拔考试 / 미인 ~ 대회 选美大赛 / 인재를 ~하다 选拔人才

선:방(善防) 명하타 好防 hǎofáng 《善于防守》 ¶골키퍼가 ~해서 간신히 비겼다 由于守门员好防好不容易打了平手了

선배(先輩) 명 1 先辈 xiānbèi; 前辈 qiánbèi ¶학계의 ~ 学界先辈 2 学长 xuézhǎng; 师兄 shīxiōng; 师姐 shījiě ¶대학 ~ 大学学长

선:별(選別) 명하타 选 xuǎn; 挑 tiāo; 拣 jiǎn; 挑选 tiāoxuǎn; 拣选 jiǎnxuǎn; 挑拣 tiāojiǎn ¶~ 작업 挑选工作 / 상한 과일을 ~해 내다 把坏了的水果挑拣出来

선:-보다 타 1 相 xiāng; 相亲 xiāngqīn; 相看 xiāngkàn ¶며느릿감을 ~ 相儿媳妇儿 / 그는 봄에 한 번 선봤다 他春天相了一次亲 2 鉴别 jiànbié

선:보-이다 타 1 让相看 ràng xiāngkàn; 让相亲 ràng xiāngqīn 《'선보다1'的使动词》 ¶아들을 ~ 让相看儿子 2 展出 zhǎnchū; 展示 zhǎnshì 《'선보다2'的使动词》 ¶신형 자동차를 ~ 展示新型汽车

선봉(先鋒) 명 1 先锋 xiānfēng; 先锋军 xiānfēngjūn; 先锋队 xiānfēngduì = 선봉군 2 先锋 xiānfēng; 前锋 qiánfēng ¶~대 先锋队 / ~장 先锋大将 / 그들이 전면에서 ~을 맡다 他们在前面打先锋

선봉-군(先鋒軍) 명 = 선봉1

선불(先拂) 명하타 预付 yùfù; 预支 yùzhī; 先付 xiānfù ¶~ 카드 预付卡 / 예약금을 ~하다 预付定金

선비 명 1 儒生 rúshēng; 书生 shūshēng 2 白面书生 báimiàn shūshēng

선사(先史) 명 史前 shǐqián; 先史 xiānshǐ ¶~ 시대 史前时代

선:사(膳賜) 명하타 赠送 zèngsòng; 赠 zèng; 送 sòng; 馈赠 kuìzèng; 馈 kuì ¶책을 ~하다 赠书 / 기념품을 ~하다 赠送记念品

선산(先山) 명 祖坟 zǔfén; 先茔 xiānyíng ¶~에 가서 성묘하다 去祖坟地扫墓

선상(船上) 명 1 船上 chuánshang ¶~에서 노래하다 在船上唱歌 2 船上 chuánshang 《在乘船》 ¶~ 생활 삼 년째이다 船上生活了三年了

선상(線狀) 명 线形 xiànxíng ¶기아 ~ 饥饿线上

선생(先生) 명 1 老师 lǎoshī ¶수학 ~ 数学老师 2 师傅 shīfu ¶장기는 김 씨가 ~이다 对象棋来说, 老金是师傅 3 先生 xiānsheng ¶김 ~ 金先生 / 의사 ~ 大夫先生

선생-님(先生—) 명 '선생'的敬词 ¶과학 ~ 科学老师 / 장 ~, 질문을 하나 여쭙고자 합니다 张先生, 向您请教一个问题
선서(宣誓) 명하자타 宣誓 xuānshì; 发誓 fāshì ¶손을 들고 ~하다 举手宣誓 / 제가 말하는 것이 모두 진실임을 ~합니다 我宣誓我所说的一切都是真的
선서-문(宣誓文) 명 誓词 shìcí ¶~을 낭독하다 朗读誓词
선선-하다 형 **1** 凉 liáng; 凉快 liángkuai; 凉爽 liángshuǎng; 凉丝丝 liángsīsī ¶비가 온 후에 날씨가 많이 선선해졌다 下了雨以后, 天气凉快多了 **2** 痛快 tòngkuài **선선-히** 부 ¶그는 자리를 할머니에게 ~ 양보했다 他痛快地把座儿让给了老太太
선수(先手) 명 **1** 先动手 xiān dòngshǒu; 先下手 xiān xiàshǒu ¶~를 빼앗기다 被人先下手 **2** 〖體〗先手 xiānshǒu; 先着 xiānzhāo
선수(를) 쓰다 구 先动手; 先下手 = 선수(를) 치다
선수(를) 치다 구 = 선수(를) 쓰다
선수(選手) 명 **1** 选手 xuǎnshǒu; 运动员 yùndòngyuán ¶~단 选手团 / ~촌 选手村 / 야구 ~ 棒球运动员 / 프로 ~ 职业运动员 / 10번 ~ 十号选手 **2** 能手 néngshǒu; 好手 hǎoshǒu ¶다림질에 ~가 되었다 烫衣服成为能手
선:수-권(選手權) 명 〖體〗冠军 guānjūn; 锦标 jǐnbiāo; 选手权 xuánshǒuquán = 타이틀2 ¶~ 보유자 冠军保持者 / ~ 대회 锦标赛 =[冠军赛]
선수-금(先受金) 명 〖經〗预收金 yùshōujīn
선술-집 명 小酒店 xiǎojiǔdiàn ¶퇴근길에 ~에서 술 한잔 했다 下班时在小酒店喝了一杯酒
선실(船室) 명 客舱 kècāng; 船舱 chuáncāng; 船房 chuánfáng
선:심(善心) 명 善心 shànxīn
선심(을) 쓰다 구 发善心
선심(線審) 명 〖體〗司线员 sīxiànyuán; 边线裁判员 biānxiàn cáipànyuán
선:악(善惡) 명 善恶 shàn'è ¶~을 가리다 分别善恶
선:악-과(善惡果) 명 〖宗〗禁果 jìnguǒ; 善恶果 shàn'èguǒ ¶~나무 禁果树
선약(先約) 명하자타 预定 yùdìng; 约定 yuēdìng ¶~이 있어서 먼저 실례하겠습니다 有预定我失配了
선양(宣揚) 명하타 宣扬 xuānyáng ¶국위를 ~하다 宣扬国威
선양(禪讓) 명하타 = 양위
선언(宣言) 명하자타 **1** 宣布 xuānbù; 声明 shēngmíng ¶위원장은 대회가 시작했음을 ~했다 主席宣布大会开始 **2** 宣言 xuānyán ¶독립 ~ 独立宣言 **3** 宣告 xuāngào; 宣布 xuānbù ¶그에게 절교를 ~하다 向他宣布绝交
선언-문(宣言文) 명 宣言 xuānyán ¶~을 발표하다 发表宣言
선언-서(宣言書) 명 宣言书 xuānyánshū; 宣言 xuānyán ¶독립~ 独立宣言书
선열(先烈) 명 先烈 xiānliè ¶~의 유지를 계승하다 继承先烈的遗志
선왕(先王) 명 先王 xiānwáng
선:용(善用) 명하타 善用 shànyòng ¶여가를 ~하다 善用余暇
선원(船員) 명 船员 chuányuán; 海员 hǎiyuán ¶~실 船员室
선위(禪位) 명하자 = 양위
선율(旋律) 명 = 가락[2]2 ¶경쾌한 ~ 轻快的旋律
선:의(善意) 명 善意 shànyì; 好意 hǎoyì ¶~의 충고 善意的忠告 / 이렇게 하는 것은 ~에서 나온 것이다 这么做是出于好意
선-이자(先利子) 명 〖經〗先利息 xiānlìxī ¶~를 떼다 扣先利息
선인(仙人) 명 **1** = 신선 **2** 道士 dàoshì
선인(先人) 명 **1** = 선친 **2** 前人 qiánrén
선인-장(仙人掌) 명 〖植〗仙人掌 xiānrénzhǎng
선임(先任) ㊀명하타 前任 qiánrèn ¶~ 대통령 前任总统 ㊁명 = 선임자
선임(船賃) 명 = 뱃삯
선:임(選任) 명하타 选任 xuǎnrèn ¶이사는 회장이 ~한다 董事由会长选任
선임-자(先任者) 명 前任 qiánrèn = 선임(先任)㊁ ¶그의 ~는 내 남자 친구이다 他的前任是我的男朋友
선임 하사(先任下士) 〖軍〗 = 선임 하사관
선임 하사관(先任下士官) 〖軍〗先任下士官 xiānrèn xiàshìguān = 선임 하사
선입-견(先入見) 명 = 선입관 ¶나는 그에 대해 ~이 없다 我对他没有成见
선입-관(先入觀) 명 成见 chéngjiàn; 偏见 piānjiàn = 선입견 ¶~을 갖고 사람을 대하다 以成见待人
선:-잠 명 浅睡 qiǎn shuì ¶~ 자다 睡得浅
선장(船長) 명 船长 chuánzhǎng
선적(船積) 명하타 装船 zhuāngchuán; 装载 zhuāngzài; 装货 zhuānghuò ¶~ 서류 装船单 / ~항 装货港 / 화물을 ~하다 装载货物
선전(宣傳) 명하타 宣传 xuānchuán ¶~물 宣传物品 / ~용 宣传用 / 신제품

을 ~하다 宣传新产品
선:전(善戰) 명하자 善战 shànzhàn ¶ 용맹하게 ~하다 勇猛善战
선전 포:고(宣戰布告) 〖政〗 宣战 xuānzhàn; 宣布开战 xuānbù kāizhàn; 发布宣战 fābù xuānzhàn
선점(先占) 명하타 先占 xiānzhàn ¶ 그 지역의 시장을 ~하다 先占那地区的市场
선:정(善政) 명하자 善政 shànzhèng ¶ ~을 베풀다 施行善政
선:정(選定) 명하타 选定 xuǎndìng ¶ 제목을 ~하다 选定题目 / 대표를 ~하다 选定代表
선정-적(煽情的) 관명 调情性 tiáoqíngxìng; 色情(的) sèqíng(de); 黄色(的) huángsè(de); 煽情(的) shānqíng(de) ¶ ~인 장면 调情性镜头
선제-공격(先制攻擊) 명하타 先发制人 xiānfāzhìrén
선조(先祖) 명 祖先 zǔxiān; 先祖 xiānzǔ
선주(船主) 명 船主 chuánzhǔ; 船东 chuándōng
선지 명 牛血 niúxuè
선지(先知) ㊀명하타 **1** 先知 xiānzhī **2** 先觉 xiānjué ㊁명 〖宗〗 = 선지자
선지-자(先知者) 명 〖宗〗 先知 xiānzhī = 선지(先知)㊁
선진(先進) 명 先进 xiānjìn ¶ ~ 기술 先进技术 / ~ 기업 先进企业 / ~화 先进化 / ~ 사회 先进社会 / ~ 기술을 도입하다 引进外国先进技术 / 세계 ~ 대열에 들어서다 进入世界先进行列
선진-국(先進國) 명 发达国家 fādá guójiā; 先进国家 xiānjìn guójiā
선:집(選集) 명 〖文〗 选集 xuǎnjí
선짓-국 명 牛血汤 niúxuètāng
선착(先着) 명하자타 先到 xiāndào
선착-순(先着順) 명 先来后到 xiānláihòudào ¶ ~으로 서십시오 请按先来后到排队
선착-장(船着場) 명 渡口 dùkǒu; 渡头 dùtóu
선창(先唱) 명하타 领唱 lǐngchàng; 带头唱 dàitóuchàng ¶ 그가 한 소절 ~하자 모두들 따라 부르기 시작했다 他先带头唱一句, 大家都跟着唱起来
선창(船倉) 명 船舱 chuáncāng; 货舱 huòcāng
선창(船窓) 명 船窗 chuánchuāng
선:처(善處) 명하자타 善处 shànchù ¶ ~를 바랍니다 希望善处
선천(先天) 명 先天 xiāntiān
선천-성(先天性) 명 先天性 xiāntiānxìng ¶ ~ 심장병 先天性心脏病 / ~ 질환 先天性疾病 / ~ 기형 先天性畸形
선천-적(先天的) 관명 先天(的) xiāntiān(de); 生来 shēnglái; 天生 tiānshēng; 生就 shēngjiù; 天赋的 tiānfùde ¶ ~으로 머리가 좋다 生来就聪明
선체(船體) 명 船体 chuántǐ; 船身 chuánshēn ¶ ~를 인양하다 起吊船体
선:출(選出) 명하타 选 xuǎn; 选出 xuǎnchū; 选举 xuǎnjǔ; 选拔 xuǎnbá ¶ 대표를 ~하다 选出代表 / 국회 의원은 국민이 ~한다 国会议员是由人民选的
선취(先取) 명하타 先取 xiānqǔ; 先得 xiāndé ¶ ~점 先取分数 / ~ 득점하다 先取得分
선친(先親) 명 先考 xiānkǎo; 先父 xiānfù = 선인(先人)1
선:택(選擇) 명하타 选择 xuǎnzé; 选 xuǎn; 挑 tiāo; 择 zé; 挑选 tiāoxuǎn; 抉择 juézé ¶ ~ 과목 选修课 / ~권 选择权 / ~의 여지가 없다 没有选择的余地
선탠(suntan) 명 (皮肤) 晒黑 shàihēi ¶ ~ 오일 晒黑油
선편(船便) 명 = 배편 ¶ ~에 짐을 부치다 用船邮货
선포(宣布) 명하타 宣布 xuānbù; 宣告 xuāngào; 发布 fābù; 公布 gōngbù ¶ 계엄령을 ~하다 宣布戒严令
선풍(旋風) 명 **1** 〖地理〗 = 회오리바람 **2** 旋风 xuànfēng; 风潮 fēngcháo ¶ 화단에 일대 ~을 일으키다 在画坛上卷起了一阵大旋风
선풍-기(扇風機) 명 〖機〗 电扇 diànshàn; 电风扇 diànfēngshàn
선풍-적(旋風的) 관명 旋风(的) xuànfēng(de) ¶ ~인 인기를 끌다 引起旋风的欢迎
선:-하다 형 历历 lìlì; 清楚 qīngchu; 分明 fēnmíng; 鲜明 xiānmíng ¶ 눈앞에 ~ 历历在目 **선:-히** 부
선하 증권(船荷證券) 〖經〗 = 선화 증권
선행(先行) 명하자타 **1** 先行 xiānxíng 《走在前面》 ¶ ~ 부대 先行部队 **2** 先行 xiānxíng; 先决 xiānjué 《预先进行》 ¶ ~하여 준비하다 先行筹备
선:행(善行) 명 善行 shànxíng ¶ ~을 베풀다 施善行
선-헤엄 명 踩水 cǎishuǐ; 立泳 lìyǒng = 입영(立泳)
선혈(鮮血) 명 鲜血 xiānxuè ¶ ~이 낭자하다 鲜血淋漓
선형(線形) 명 线形 xiànxíng ¶ ~동물 线形动物
선:호(選好) 명하타 偏爱 piān'ài; 喜欢 xǐhuan; 喜爱 xǐ'ài ¶ 남아 ~ 사상 偏爱男孩儿的思想 / 한국인은 남향집을 ~한다 韩国人喜欢朝南的房子
선:호-도(選好度) 명 好感度 hǎogǎn-

dù ¶～가 높다 好感度很高
선-홍색(鮮紅色) 명 鲜红 xiānhóng ¶～ 입술 鲜红的嘴唇
선화(船貨) 명 = 뱃짐
선화 증권(船貨證券) 〖經〗 轮船货单 lúnchuán huòdān; 提货单 tíhuòdān; 提单 tídān = 선하 증권
선회(旋回) 명하자 **1** 盘旋 pánxuán; 回旋 huíxuán; 旋转 xuánzhuǎn ¶비행기가 공중에서 ～하다 飞机在空中盘旋 **2** 扭转 niǔzhuǎn ¶강경 노선으로 ～되다 扭转强硬路线
선후(先後) 명하타 先后 xiānhòu ¶～순서 先后次序 / ～를 분명히 구분하다 分清先后
선-후배(先後輩) 명 先后辈 xiānhòubèi; 前后辈 qiánhòubèi ¶대학 ～ 사이 大学先后辈关系
섣:달 명 腊月 làyuè; 十二月 shí'èryuè; 季月 jìyuè = 십이월2
섣:달-그믐 명 除夕 chúxī; 除日 chúrì; 大年三十(儿) dànián sānshí(r); 岁除 suìchú
섣:-부르다 형 轻率 qīngshuài; 冒失 màoshi ¶너의 결론은 너무 ～ 你的结论太轻率
섣:불리 부 轻率地 qīngshuàide; 冒失地 màoshide ¶너는 ～ 그를 책망해서는 안 된다 你不该轻率地责备他
설: 명 **1** 元旦 Yuándàn; 正旦 Zhēngdàn; 春节 Chūnjié **2** 岁首 suìshǒu; 开岁 kāisuì
설(說) 명하타 **1** 说法 shuōfǎ; 学说 xuéshuō; 见解 jiànjiě ¶이 일에 대해서는 사람마다 ～이 다르다 关于这件事, 各人说法不同 / 새로운 ～을 제기하다 提出新的见解 **2** 传闻 chuánwén; 谣言 yáoyán; 风声 fēngshēng ¶사회에는 현재 많은 ～들이 떠돌고 있다 社会上现在流传着好多谣言
설거지 명하자타 洗碗 xǐwǎn; 刷碗 shuāwǎn ¶～를 끝내고 연속극을 보다 洗完碗以后, 看连续剧
설거지-물 명 = 개숫물
설거지-통(一桶) 명 = 개수통
설경(雪景) 명 雪景 xuějǐng ¶산 위의 ～은 매우 아름답다 山上的雪景很美
설계(設計) 명하타 **1** 计划 jìhuá ¶인생을 ～하다 制定人生计划 **2** 设计 shèjì; 打图 dǎtú ¶～사 设计师 / ～자 设计者 / 건축 ～ 建筑设计 / 건물을 ～하다 设计建筑物 **3** = 설계도1
설계-도(設計圖) 명 **1** 设计图 shèjìtú; 图纸 túzhǐ; 蓝图 lántú = 설계3 ¶～를 그리다 画设计图 **2** 蓝图 lántú ¶인생의 ～를 그리다 描绘人生的蓝图
설교(說教) 명하자 **1** (向宗教信徒) 说教 shuōjiào ¶목사의 ～ 牧师的说教 **2** 说教 shuōjiào; 教诲 jiàohuì ¶그런 ～는 이젠 지겹다 那样的说教已经听烦了
설기 명 = 백설기
설:-날 명 元旦 Yuándàn; 正旦 Zhēngdàn; 春节 Chūnjié
설:다[1] 자 **1** 半生不熟 bànshēngbùshú; 夹生 jiāshēng ¶선 밥 夹生饭 **2** 不熟 bùshú ¶잠이 ～ 睡得不熟
설:다[2] 형 生 shēng; 不熟 bùshú; 生疏 shēngshū ¶사람도 설고 땅도 ～ 人生地不熟
설득(說得) 명하타 说服 shuōfú; 劝 quàn; 劝说 quànshuō ¶～력 说服力 / 끈질기게 ～하다 耐心劝说 / 나는 그를 ～할 수 없다 我说服不了他
설렁-탕(—湯) 명 清炖牛骨肉汤 qīngdùnniúgǔròutāng; 雪浓汤 xuěnóngtāng
설레다 자 激动 jīdòng; 激荡 jīdàng; 澎湃 péngpài ¶그녀의 뒷모습은 그의 마음을 설레게 하였다 她的背影激荡着他的心 / 마음이 ～ 心潮澎湃
설레-발 명 乱闹 luàn nào; 乱动 luàn dòng
설레발-치다 자 手忙脚乱 shǒumáng jiǎoluàn
설레-설레 부하타 摇摇 yáoyáo; 摇摇摆摆 yáoyaobǎibǎi ¶그는 웃으며 고개를 ～ 저었다 他笑着摇了摇头
설레-이다 자 '설레다' 的错误
설령(設令) 부 即使 jíshǐ; 即便 jíbiàn; 就算 jiùsuàn; 就是 jiùshì; 纵然 zòngrán; 哪怕 nǎpà = 설사(設使)·설혹 ¶～ 그가 틀렸다 하더라도 이런 태도로 그를 대해서는 안 된다 就算他错了, 也不能以这种态度对待他
설립(設立) 명하타 设立 shèlì; 创立 chuànglì; 创办 chuàngbàn; 成立 chénglì; 建立 jiànlì ¶～자 创立者 / 연구소를 ～하다 设立研究所
설마 부 难道 nándào; 莫非 mòfēi; 岂 qǐ = 설마하니 ¶너 ～ 아직도 모르는 거니? 难道你还不明白吗? / 그녀가 오늘 오지 않았는데, ～ 또 병이 났나? 她今天没有来, 莫非又生病了?
설마가 사람 죽인다[잡는다] 속담 大意失荆州
설마-하니 부 = 설마
설명(說明) 명하자 说明 shuōmíng; 解释 jiěshì; 解说 jiěshuō ¶모두에게 ～하다 向大家说明 / 그는 나에게 늦은 이유를 ～했다 他向我解释了迟到的理由
설명-문(說明文) 명 〖文〗 说明文 shuōmíngwén; 议论文 yìlùnwén
설명-서(說明書) 명 说明书 shuōmíngshū; 简介书 jiǎnjièshū ¶사용 ～ 使用说明书

설문(設問) 명하타 设问 shèwèn; 提问 tíwèn ¶~ 조사 设问调查 =[问卷调查]
설문-지(設問紙) 명 问卷 wènjuàn ¶~를 제출하다 提交问卷
설법(說法) 명하자 〖佛〗说法 shuōfǎ
설복(說伏·說服) 명하타 说服 shuōfú
설비(設備) 명하타 设备 shèbèi; 设施 shèshī; 装备 zhuāngbèi ¶안전 ~ 安全设施 / ~ 자금 设备资金 / ~ 투자 设备投资 / 수영장의 ~가 매우 좋다 游泳馆的设备很不错
설:-빔 명하자 新年服装 xīnnián fúzhuāng
설사(泄瀉) 명하자 〖醫〗腹泻 fùxiè; 拉肚子 lādùzi; 拉稀 lāxī
설사(設使) 부 = 설령
설사-약(泄瀉藥) 명 〖藥〗= 지사제
설산(雪山) 명 雪山 xuěshān
설상-가상(雪上加霜) 명 雪上加霜 xuěshàngjiāshuāng; 祸不单行 huòbùdānxíng
설설 부 **1** 徐徐地 xúxúde ¶물이 ~ 끓고 있다 水徐徐地开着 **2** 暖烘烘 nuǎnhōnghōng ¶~ 끓는 온돌방 暖烘烘的火炕房 **3** 轻轻地 qīngqīngde ¶송충이가 ~ 기어간다 松毛虫轻轻地爬去 **4** (头) 摇摇 yáoyáo ¶고개를 ~ 흔들다 摇摇头
  설설 기다 구 惟命是听; 惟命是从; 唯唯诺诺 ¶그는 상사 앞에서 늘 설설 긴다 他在上司面前总是惟命是听的
설왕설래(說往說來) 명하자 说来说去 shuōláishuōqù; 你一言我一语 nǐ yīyán wǒ yīyǔ ¶~하다가 결국 크게 말다툼을 했다 说来说去最后竟吵了大架
설욕(雪辱) 명하타 雪耻 xuěchǐ ¶재도전하여 마침내 ~하다 再度挑战终于雪耻
설욕-전(雪辱戰) 명 = 복수전
설:움 명 委屈 wěiqu; 悲伤 bēishāng; 伤感 shānggǎn = 서러움 ¶~을 당하다 受委屈 / ~을 겪다 抱委屈 / 그는 ~을 참고 묵묵히 일한다 他忍住悲伤, 默默地工作
설원(雪原) 명 **1** 〖地理〗雪原 xuěyuán ¶히말라야의 ~ 喜马拉雅的雪原 **2** 雪原 xuěyuán ¶~에서 스키를 타다 在雪原滑雪
설:-음식(一飮食) 명 年饭 niánfàn ¶~을 차리다 摆年饭
설-익다 자 半生不熟 bànshēngbùshú ¶설익은 과일 半生不熟的水果
설인(雪人) 명 雪人 xuěrén
설-자리 명 〖體〗(射箭) 射位 shèwèi
설전(舌戰) 명하자 = 말다툼 ¶격렬한 ~을 벌이다 展开激烈的舌战 / ~이 끝이 없다 争辩没完没了
설정(設定) 명하타 **1** 设定 shèdìng; 定 dìng; 制定 zhìdìng ¶목표를 ~하다 设定目标 / 상황을 ~하다 设定情况 **2** 〖法〗制定 zhìdìng ¶저당권을 ~하다 制定抵压权
설치(設置) 명하타 设置 shèzhì; 安 ān; 装 zhuāng; 安装 ānzhuāng; 设立 shèlì ¶~ 미술 设置美术 / 전화를 ~하다 安装电话 / 연구 센터를 ~하다 设立研究中心 / 횡단보도에 신호등을 ~하다 在人行横道上设置红绿灯
설-치다[1] 자 **1** 乱 luàn; 横行 héngxíng; 猖狂 chāngkuáng ¶불량배가 또 설치기 시작했다 流氓又开始横行 **2** 匆匆忙忙 cōngcongmángmáng; 急急忙忙 jíjimángmáng
설-치다[2] 타 不足 bùzú; 不好 bùhǎo; 不够 bùgòu ¶어젯밤에 잠을 설쳤다 昨天晚上睡不好觉
설치-류(齧齒類) 명 〖動〗齧齿类 nièchǐlèi
설컹-거리다 자 嘎吱嘎吱 gāzhīgāzhī 《嚼半生不熟的豆子、栗子时的声音》= 설컹대다 **설컹-설컹** 부하자형
설탕(雪糖) 명 糖 táng; 白糖 báitáng; 砂糖 shātáng = 사탕2 ¶~물 糖水 / ~을 우유에 넣다 把糖放到牛奶里
설태(舌苔) 명 〖醫〗舌苔 shétāi ¶~가 끼다 起舌苔
설파(說破) 명하타 道破 dàopò; 说破 shuōpò ¶중생들에게 진리를 ~하다 向众生把真理道破
설혹(設或) 부 = 설령
설화(說話) 명 **1** 传奇 chuánqí; 传说 chuánshuō **2** 〖文〗故事 gùshi ¶민간 ~ 民间故事 / ~ 문학 说话文学 / ~ 소설 说话小说
섬[1] ㊀명 大草包 dàcǎobāo ¶~에 쌀을 담다 在大草包装大米 ㊁의명 石 dàn = 석(石) ¶밀 석 ~ 三石小麦
섬:[2] 명 〖地理〗岛 dǎo; 海岛 hǎidǎo; 岛屿 dǎoyǔ ¶~나라 岛国 / ~사람 海岛人 / ~의 경치가 아주 아름답다 岛屿上的风景优美
섬광(閃光) 명 闪光 shǎnguāng ¶~ 전구 闪光灯泡 / ~이 번쩍이다 熠熠闪光
섬기다 타 **1** 侍 shì; 拜 bài; 侍奉 shìfèng; 服侍 fúshi; 侍候 shìhòu; 奉养 fèngyǎng ¶부모를 ~ 服侍父母 / 스승으로 ~ 拜师 / 노인을 ~ 侍候老人 **2** 帮助 bāngzhù; 服务 fúwù
섬돌 명 台阶 táijiē ¶~을 오르다 踏入台阶
섬뜩 부하형 打冷战 dǎ lěngzhan; 打寒噤 dǎ hánjìn; 悚然 sǒngrán ¶사람을 ~하게 만드는 울음소리 令人打冷战的哭声

섬멸(殲滅) 명하타 歼灭 jiānmiè ¶~전 歼灭战 / 우리들은 어제 적군 삼천 명을 ~했다 我们昨日歼灭敌军三千人
섬모(纖毛) 명 **1** 细毛 xìmáo **2**〖生〗纤毛 xiānmáo ¶~충 纤毛虫 / ~ 운동 纤毛运动
섬섬-옥수(纖纖玉手) 명 纤纤玉手 xiānxiānyùshǒu
섬세-하다(纖細—) 형 纤细 xiānxì; 细腻 xìnì; 精细 jīngxì ¶인물 묘사가 섬세하면서 생동감 있다 人物描写细腻而生动 **섬세-히** 부
섬유(纖維) 명 **1**〖生〗纤维 xiānwéi ¶~질 纤维质 / ~ 조직 纤维组织 **2** 纤维 xiānwéi ¶인조 ~ 人造纤维 / 화학 ~ 化学纤维 / 천연 ~ 天然纤维 / ~ 제품 纤维制品
섬유-소(纖維素) 명〖化〗= 셀룰로오스
섭렵(涉獵) 명하타 涉猎 shèliè ¶거문고 · 바둑 · 글 · 그림을 ~하다 涉猎琴棋书画
섭리(攝理) 명 天理 tiānlǐ; 天意 tiānyì ¶자연의 ~自然的天理
섭생(攝生) 명하자 = 양생1 ¶항상 ~에 힘쓰다 经常在养生上下功夫
섭섭-하다 형 **1** 依依不舍 yīyībùshě; 留恋 liúliàn; 依恋 yīliàn; 舍不得 shěbude ¶헤어지기 ~ 舍不得离开 **2** 惋惜 wǎnxī; 可惜 kěxī ¶중도에 하차하다니 정말 너무 ~ 半途而废, 实在太可惜了 **3** 遗憾 yíhàn ¶그녀가 교통사고로 회의에 참석하지 못하게 되자 모두들 섭섭해 했다 她因车祸未能出席大会, 大家都感到遗憾 **섭섭-히** 부
섭식(攝食) 명하타 摄食 shèshí
섭씨(攝氏) 명〖物〗摄氏 shèshì ¶~온도계 摄氏温度计 / ~ 3도 摄氏三度
섭외(涉外) 명하타 涉外 shèwài; 交涉 jiāoshè ¶이 일은 이미 ~가 끝났다 这件事已经交涉好了
섭정(攝政) 명하자 摄政 shèzhèng ¶왕비가 ~하다 由王妃摄政
섭취(攝取) 명하타 摄取 shèqǔ; 吸取 xīqǔ; 吸收 xīshōu ¶충분한 영양을 ~하다 摄取足够的营养 / 유익한 지식을 ~하다 吸取有益的知识
성: 명 气 qì; 火 huǒ; 怒气 nùqì; 怒火 nùhuǒ ¶~을 내다 发火
성:(姓) 명 姓 xìng; 姓氏 xìngshì ¶그의 ~은 박씨이다 他的姓是朴
　성을 갈다 구 该是忘八的
성:(性) 명 **1** 性 xìng《性格或性能》**2**〖佛〗天性 tiānxìng; 人性 rénxìng **3** 性 xìng; 性别 xìngbié = 섹스1 **4** 性 xìng; 性欲 xìngyù
　성(에)[성(이)] 차다 구 心满意足
성(城) 명 城 chéng; 城池 chéngchí ¶~을 쌓다 筑城 / ~을 함락시키다 沦陷城池
성(省) 명 **1**〖地理〗省 shěng ¶산둥~ 山东省 **2**〖政〗省 shěng ¶외무~ 外务省
성:-(聖) 접두〖宗〗圣 shèng ¶~만찬 圣晚宴
-성(性) 접미 性 xìng ¶적극~ 积极性 / 양면~ 两面性
성:가(聖歌) 명 **1** 圣歌 shènggē **2**〖宗〗赞美歌 zànměigē
성:가-대(聖歌隊) 명〖宗〗唱诗班 chàngshībān = 찬양대
성가시다 형 讨厌 tǎoyàn; 麻烦 máfan; 烦人 fánrén; 讨嫌 tǎoxián ¶이 아이는 정말 성가시구나! 这孩子真烦人! / 스팸 메일은 정말 ~ 垃圾邮件真讨嫌
성-가퀴(城—) 명 城垛口 chéngduǒkǒu
성:감-대(性感帶) 명 性敏感区 xìngmǐngǎnqū ¶~를 자극하다 刺激性敏感区
성:게 명〖動〗海胆 hǎidǎn
성:격(性格) 명 **1** 性格 xìnggé; 性情 xìngqíng; 性子 xìngzi; 脾气 píqi; 性气 xìngqì ¶~ 묘사 性格描写 / ~ 이상 性格异常 / 그는 ~이 급하다 他性情急躁 **2** 性质 xìngzhì ¶문제의 ~ 问题的性质
성:결(聖潔) 명하형 圣洁 shèngjié
성:경(聖經) 명 **1** 圣典 shèngdiǎn; 圣经 shèngjīng **2**〖宗〗= 성서
성공(成功) 명하자 成功 chénggōng ¶~한 사람 成功人士 / 실험에 ~하다 实验成功 / 그들은 마침내 ~했다 他们终于取得了成功
성공-적(成功的) 관명 成功(的) chénggōng(de) ¶통신 위성을 ~으로 발사했다 成功地发射了一颗通信卫星
성과(成果) 명 成果 chéngguǒ ¶연구 ~ 研究成果 / 커다란 ~를 거두었다 取得了丰硕的成果
성과-급(成果給) 명〖經〗按件计酬 ànjiàn jìchóu; 计件工资 jìjiàn gōngzī
성곽(城郭 · 城廓) 명 城郭 chéngguō ¶~을 쌓다 筑城郭
성:-관계(性關係) 명하자 性交 xìngjiāo; 房事 fángshì; 做爱 zuò'ài ¶~를 맺다 结性交 / ~를 가지다 进行做爱
성광(星光) 명 = 별빛
성:교(性交) 명하자 性交 xìngjiāo; 房事 fángshì; 做爱 zuò'ài; 性行为 xìngxíngwéi = 성행위
성:-교육(性教育) 명〖教〗性教育 xìngjiàoyù
성:군(聖君) 명 圣君 shèngjūn; 圣上 shèngshàng; 圣主 shèngzhǔ

성:극(聖劇) 명 〖演〗 圣剧 shèngjù
성글다 형 = 성기다
성금(誠金) 명 捐款 juānkuǎn ¶~을 모으다 募捐款
성:급-하다(性急—) 형 急躁 jízào; 性急 xìngjí; 急忙 jímáng ¶이 일은 네가 너무 성급하게 했다 这件事你做得太性急了 **성:급-히** 부 ¶그는 ~ 갔다 他走得急急忙忙
성:기(性器) 명 生殖器 shēngzhíqì; 性器 xìngqì; 性器官 xìngqìguān
성:-기능(性機能) 명 性机能 xìngjīnéng ¶~이 쇠퇴하다 性机能衰退
성기다 형 稀疏 xīshū; 稀少 xīshǎo = 성글다 ¶초목이 성기게 자랐다 草木长得稀少
성:-깔(性—) 명 脾气 píqi; 性子 xìngzi; 性气 xìngqì ¶남자 친구에게 ~을 부리다 对男友发脾气 / 조그만 아이가 정말 ~ 있네! 这小孩子可有脾气了!
성:-나다 자 **1** 生气 shēngqì; 发火 fāhuǒ; 发怒 fānù; 冒火 màohuǒ ¶호랑이가 성나서 큰 소리로 포효하다 老虎发怒了, 大声咆哮 **2** 恶化 èhuà; 更厉害 gèng lìhai ¶상처가 또 성났다 伤处又恶化了 **3** 厉害 lìhai; 激烈 jīliè; 汹涌 xiōngyǒng ¶성난 파도 汹涌的波涛
성:-내다 자 **1** 生气 shēngqì; 发火 fāhuǒ; 发怒 fānù; 冒火 màohuǒ ¶그런 일로 성내지 마라 别为那种事发火 **2** 厉害 lìhai; 激烈 jīliè
성냥 명 火柴 huǒchái; 洋火 yánghuǒ ¶~갑 火柴盒 / ~개비 火柴棍 / ~불 火柴火 / ~ 한 개비 一根火柴 / ~을 긋다 划火柴 =[擦火柴]
성:녀(聖女) 명 〖宗〗 圣女 shèngnǚ
성년(成年) 명 〖法〗 成人 chéngrén ¶~식 成年仪式 =[冠礼]
성:능(性能) 명 性能 xìngnéng ¶~ 테스트를 하다 进行性能测试 / ~이 뛰어나다 性能出色
성:당(聖堂) 명 〖宗〗 圣堂 shèngtáng; 教堂 jiàotáng; 天主堂 tiānzhǔtáng = 성전2 ¶~에 다니다 上教堂
성대(聲帶) 명 〖生〗 声带 shēngdài = 목청1
성대-모사(聲帶模寫) 명 仿声 fǎngshēng
성:대-하다(盛大—) 형 盛大 shèngdà; 隆重 lóngzhòng ¶성대한 개막식을 거행하다 举办盛大的开幕式 / 이번 전람회는 이전 어느 때보다 ~ 这次展览会比历次隆重 **성:대-히** 부
성:도(聖徒) 명 〖宗〗 圣徒 shèngtú
성량(聲量) 명 音量 yīnliàng; 声量 shēngliàng = 볼륨3 ¶그는 ~이 약하다 他音量弱
성:령(聖靈) 명 〖宗〗 圣灵 shènglíng = 성신
성루(城樓) 명 城楼 chénglóu
성루(城壘) 명 **1** 城墙 chéngqiáng **2** 城堡 chéngbǎo
성:리-학(性理學) 명 〖哲〗 性理学 xìnglǐxué; 理学 lǐxué = 이학4
성립(成立) 명하자 成立 chénglì ¶이 결론은 ~되기 어렵다 这个结论难以成立
성망(聲望) 명 声望 shēngwàng; 声誉 shēngyù
성:명(姓名) 명 姓名 xìngmíng = 이름3 ¶~학 姓名学 / 당신의 ~과 연락처를 남기세요 留下您的姓名和联系电话
성명(聲明) 명하타 声明 shēngmíng ¶~을 발표하다 发表声明
성:모(聖母) 명 **1** 圣母 shèngmǔ **2** '국모' 的敬词 **3** 〖宗〗 = 성모 마리아 ¶~상 圣母像
성:모 마리아(聖母Maria) 〖宗〗 圣母 shèngmǔ = 성모(聖母)3
성묘(省墓) 명하자 扫墓 sǎomù; 省墓 xǐngmù; 上坟 shàngfén ¶조상의 무덤에 가서 벌초하고 ~하다 到祖坟去伐草和省墓
성문(成文) 명하타 成文 chéngwén ¶~법 成文法 / ~ 헌법 成文宪法
성문(城門) 명 城门 chéngmén ¶~을 열다 打开城门
성:물(聖物) 명 〖宗〗 圣具 shèngjù
성:미(性味) 명 脾气 píqi; 性子 xìngzi; 性情 xìngqíng; 性格 xìnggé; 性气 xìngqì ¶이 사람은 ~가 매우 괴팍하다 这个人的脾气很古怪
성:배(聖杯) 명 **1** 圣杯 shèngbēi **2** 〖宗〗 圣杯 shèngbēi
성:-범죄(性犯罪) 명 性犯罪 xìngfànzuì; 性侵犯 xìngqīnfàn
성:벽(性癖) 명 癖好 pǐhào; 癖子 pǐzi ¶이런 ~은 그의 일생에 영향을 주었다 这种癖好影响了他的一生
성벽(城壁) 명 城墙 chéngqiáng; 城壁 chéngbì
성:별(性別) 명 性别 xìngbié ¶이름은 같지만 ~이 다른 두 학생 同名不同性别的两名学生
성:병(性病) 명 〖醫〗 性病 xìngbìng; 脏病 zāngbìng; 花柳病 huāliǔbìng ¶~에 걸리다 得性病
성:부(聖父) 명 〖宗〗 圣父 shèngfù
성분(成分) 명 **1** 成分 chéngfèn; 成份 chéngfèn ¶~비 成分比例 / 화학 ~ 化学成分 / 주요 ~ 主要成分 / 온천수에는 광물 ~이 함유되어 있다 温泉水里含有矿物成分 **2** (个人的) 成分 chéngfèn; 成份 chéngfèn ¶출신 ~ 出身成分 **3** 〖語〗 成分 chéngfèn; 成份 chéngfèn

¶문장 ~ 句子成分
성:불구(性不具) 명 性残废 xìngcánfèi
성:비(性比) 명 性别比 xìngbiébǐ ¶~가 심하게 불균형이다 性别比严重失衡
성사(成事) 명하자 成 chéng; 办成 bànchéng; 成全 chéngquán; 完成 wánchéng ¶그 두 사람의 결혼은 큰형이 가운데서 ~시킨 것이다 他俩的婚事, 有大哥从中成全
성:-생활(性生活) 명 性生活 xìngshēnghuó ¶문란한 ~ 紊乱的性生活
성:서(聖書) 명 〖宗〗圣经 shèngjīng = 성경2
성:선-설(性善說) 명 〖哲〗性善说 xìngshànshuō
성성-이(猩猩—) 명〖動〗= 오랑우탄
성성-하다(星星—) 형 (须发) 苍苍 cāngcāng ¶백발이 성성한 노인 白发苍苍的老头儿
성:세(盛世) 명 盛世 shèngshì ¶~를 누리다 享有盛世
성:쇠(盛衰) 명 盛衰 shèngshuāi
성:수(聖水) 명〖宗〗圣水 shèngshuǐ ¶~를 뿌리다 洒圣水
성:수-기(盛需期) 명 旺季 wàngjì ¶여행 ~ 旅游旺季 / ~에 들어가다 进入旺季
성숙(成熟) 명하자 **1** 成熟 chéngshú ¶보리가 ~한 이후에 때맞춰 수확해야 한다 麦子成熟以后, 要及时收割 **2** 成熟 chéngshú ¶몇 년 보지 않았더니 그녀가 이미 ~한 아가씨로 변했다 几年没见, 她已经变成一个成熟的大姑娘了 **3** 成熟 chéngshú《发展到完善的程度》¶~한 조건을 구비하다 具备成熟的条件
성:-스럽다(聖—) 형 神圣 shénshèng; 圣洁 shèngjié ¶성스러운 사명 神圣的使命 **성:스레** 부
성:신(聖神) 명〖宗〗= 성령
성실(誠實) 명하형히부 诚实 chéngshí; 老实 lǎoshi; 认真 rènzhēn ¶선생님은 ~한 학생을 좋아한다 老师喜欢诚实的学生 / 너는 그의 지휘를 ~히 따라야 한다 你必须老实地听从他的指挥
성심(誠心) 명 诚心 chéngxīn; 诚意 chéngyì; 真心 zhēnxīn ¶~을 다하여 처리하다 尽诚心办理
성심-껏(誠心—) 부 诚心(地) chéngxīn(de); 诚意(地) chéngyì(de); 真心(地) zhēnxīn(de) ¶그녀는 우리를 ~ 도우려 한다 她是真心想帮助咱们
성심-성의(誠心誠意) 명 诚心诚意 chéngxīnchéngyì; 真心诚意 zhēnxīnchéngyì
성심성의-껏(誠心誠意—) 부 诚心诚意(地) chéngxīnchéngyì(de); 真心诚意(地) zhēnxīnchéngyì(de) ¶그가 ~ 많은 음식을 차렸다 他诚心诚意地做了很多菜
성-싶다 보형 可能 kěnéng; 也许 yěxǔ; 会 huì ¶그는 이 일을 허락하지 않을 ~ 这事他会不答应
성:씨(姓氏) 명 姓 xìng; 姓氏 xìngshì ¶그들은 같은 ~이다 他们是同姓
성악(聲樂) 명〖音〗声乐 shēngyuè ¶~가 声乐家
성:악-설(性惡說) 명 〖哲〗性恶说 xìng'èshuō
성:애(性愛) 명 性爱 xìng'ài
성어(成語) 명하자 **1** 构成语言 gòuchéng yǔyán **2** 典故 diǎngù; 故事 gùshi **3**〖語〗= 관용구
성:업(盛業) 명 (事业) 兴隆 xīnglóng; 兴旺 xīngwàng; 兴盛 xīngshèng ¶이 시장은 현재 매우 ~ 중이다 这个市场现在兴旺得很
성에 명 **1** 霜花 shuānghuā ¶~가 끼다 结霜花 **2** = 성엣장
성에-꽃 명 冰花 bīnghuā ¶차창에 ~이 피었다 车窗上结了冰花
성엣-장 명 浮冰 fúbīng; 流冰 liúbīng = 성에2·유빙
성:역(聖域) 명 圣地 shèngdì; 圣域 shèngyù ¶~ 없는 수사 没有圣地的搜查
성:-염색체(性染色體) 명 〖生〗性染色体 xìngrǎnsètǐ
성:욕(性慾) 명 性欲 xìngyù ¶~이 왕성하다 性欲旺盛 / ~이 감퇴하다 性欲减退
성우(聲優) 명 〖演〗配音演员 pèiyīn yǎnyuán; 广播剧演员 guǎngbōjù yǎnyuán
성운(星雲) 명〖天〗星云 xīngyún
성원(成員) 명 **1** 成员 chéngyuán ¶조직의 ~ 组织的成员 **2** 法定人数 fǎdìng rénshù ¶~ 미달이다 法定人数不够
성원(聲援) 명하타 声援 shēngyuán; 助威 zhùwēi; 捧场 pěngchǎng ¶지지와 ~을 보내다 给予支持和声援
성:은(聖恩) 명 圣恩 shèng'ēn; 圣上之恩 shèngshàngzhī'ēn ¶~이 망극하옵니다 圣恩无以复加
성의(誠意) 명 诚意 chéngyì; 诚心 chéngxīn; 精诚 jīngchéng ¶~를 보이다 表示诚意 / ~가 없다 没有诚心 / 이것은 그저 저의 조그만 ~일 뿐이니 받아 주세요 这不过是我的一点儿小意思, 请收下吧
성의-껏(誠意—) 부 竭诚(地) jiéchéng(de); 诚意(地) chéngyì(de); 诚心(地) chéngxīn(de); 精诚(地) jīngchéng-

(de) ¶그들은 ~ 나를 도와주고 있다 他们是在诚意地帮助我

성인(成人) 명 成人 chéngrén; 大人 dàrén = 대인(大人)1 ¶~병 成人病 / ~영화 成人电影

성:인(聖人) 명 圣人 shèngrén

성:자(聖子) 명【宗】圣子 shèngzi

성장(成長) 명하자 成长 chéngzhǎng; 生长 shēngzhǎng; 长大 zhǎngdà; 增长 zēngzhǎng ¶~ 과정 成长过程 / ~ 호르몬 生长激素 / 경제 ~ 经济增长 / 여기에서는 한대 식물이 ~할 수 없다 这里生长不了寒带植物 / 그는 서울에서 ~했다 他是在首尔长大的

성장-기(成長期) 명 1 成长期 chéngzhǎngqī; 发育期 fāyùqī ¶~의 어린이 成长期的儿童 2 生长周期 shēngzhǎng zhōuqī ¶~가 짧은 식물 生长周期短植物 ‖= 발육기

성장-률(成長率) 명 【生】成长率 chéngzhǎnglǜ

성:-적(性的) 관명 性(的) xìng(de) ¶~ 본능 性本能 / ~ 매력 性魅力 / ~ 충동이 생기다 产生性冲动 / ~인 농담을 하다 作出性挑逗

성적(成績) 명 1 成果 chéngguǒ; 成就 chéngjiù; 成绩 chéngjì 2【教】成绩 chéngjì ¶시험 ~ 考试成绩 / 그는 최근에 ~이 좀 떨어졌다 他最近成绩有些下降

성적-표(成績表) 명 成绩单 chéngjìdān; 成绩通知书 chéngjì tōngzhīshū

성:전(聖殿) 명 1 圣殿 shèngdiàn 2【宗】= 성당

성:-전환(性轉換) 명 变性 biànxìng; 性转换 xìngzhuǎnhuàn ¶~ 수술 变性手术

성:정(性情) 명 性情 xìngqíng; 品性 pǐnxìng; 性灵 xìnglíng ¶~이 온유하다 性情温柔 / 좋은 ~을 기르다 养成优良的品性

성조(聲調) 명 1 声调 shēngdiào 2【語】声调 shēngdiào ¶중국어의 ~ 汉语的声调

성조-기(星條旗) 명 星条旗 xīngtiáoqí; 花旗 huāqí

성좌(星座) 명【天】= 별자리

성주(城主) 명 城主 chéngzhǔ

성지(城地) 명 城地 chéngdì

성:지(聖地) 명 1 圣地 shèngdì ¶혁명 ~ 革命圣地 2【宗】圣地 shèngdì ¶~ 순례 圣地巡礼

성:지(聖旨) 명 圣旨 shèngzhǐ ¶~를 받들다 奉戴圣旨

성:직(聖職) 명【宗】圣职 shèngzhí ¶~자 圣职者 =[圣职人员] / ~에 종사하다 从事圣职

성:질(性質) 명 1 性子 xìngzi; 脾气 píqi; 性气 xìngqì ¶그는 ~이 급하다 他性子很急 / 나쁜 ~을 고치다 改一改坏脾气 2 性质 xìngzhì ¶사건의 ~ 事件的性质

성:질-나다(性質—) 자 生气 shēngqì ¶너는 무슨 일로 성질났느냐? 你为什么事生气呀?

성:질-내다(性質—) 자 生气 shēngqì; 发火 fāhuǒ; 发脾气 fā píqi; 发怒 fānù = 성질부리다 ¶성질내지 말고 좋게 말해라 别发火, 有话好好说

성:질-부리다(性質—) 자 = 성질내다

성:징(性徵) 명【生】性征 xìngzhēng

성:-차별(性差別) 명 性别歧视 xìngbié qíshì ¶~을 받다 受到性别歧视

성:찬(聖餐) 명【宗】圣餐 shèngcān ¶~식 圣餐式

성찰(省察) 명하타 省察 xǐngchá; 反省 fǎnxǐng ¶자신을 ~하다 反省自己

성채(城砦) 명 城寨 chéngzhài

성체(成體) 명【動】成体 chéngtǐ

성:-추행(性醜行) 명하자타 猥亵 wěixiè ¶교사가 여학생을 ~하다 教师猥亵女生

성충(成蟲) 명【蟲】成虫 chéngchóng

성취(成就) 명하타 成就 chéngjiù; 成果 chéngguǒ; 成功 chénggōng; 实现 shíxiàn; 达到 dádào ¶소원을 ~하다 实现愿望 / 그는 기술 혁신 방면에서 대단한 ~를 이루었다 他在技术革新方面取得了很大的成就

성층-권(成層圈) 명【地理】平流层 píngliúcéng; 同温层 tóngwēncéng

성큼 부 1 阔步 kuòbù; 大步 dàbù; 大踏步 dàtàbù ¶그는 ~ 앞으로 가서 노인을 부축했다 他阔步走上前去, 把老人扶起来 2 霍地 huòdì; 忽然 hūrán ¶~ 몸을 돌리다 霍地转过身来 3 一晃 yīhuàng; 一下子 yīxiàzi ¶겨울이 ~ 다가왔다 冬天一晃就到了

성:탄(聖誕) 명 1 圣诞 shèngdàn 2【宗】= 성탄절 ¶~ 예배 圣诞礼拜 / ~ 선물 圣诞节礼物

성:탄-절(聖誕節) 명 【宗】圣诞节 Shèngdànjié; 圣诞 shèngdàn = 성탄 2 · 크리스마스

성토(聲討) 명하타 声讨 shēngtǎo ¶~ 대회를 벌이다 进行声讨大会

성패(成敗) 명 成败 chéngbài ¶이 일의 ~는 아직 알 수 없다 此事的成败尚未可知

성:-폭력(性暴力) 명 性暴力 xìngbàolì

성:-폭행(性暴行) 명하타 性暴行 xìngbàoxíng; 强奸 qiángjiān ¶부녀자에 대한 ~ 对妇女的性暴行

성:품(性品) 명 品性 pǐnxìng; 性子

xìngzi; 性情 xìngqíng; 禀性 bǐngxìng; 秉性 bǐngxìng ¶ ~이 유순하다 性情随和

성-하다 형 **1** 完整 wánzhěng; 完全 wánquán; 完好 wánhǎo ¶ 집 안에 성한 물건이 하나도 없다 家里没有一个完好的东西 **2** (身体) 完全 wánquán; 结实 jiēshi; 无恙 wúyàng ¶ 사지가 ~ 四肢完全 **성-히** 부

성:-하다(盛—) 一형 **1** 旺 wàng; 旺盛 wàngshèng; 兴旺 xīngwàng; 兴盛 xīngshèng; 繁盛 fánshèng ¶ 불이 갈수록 ~ 火越来越旺 **2** 茂盛 màoshèng; 旺盛 wàngshèng; 繁盛 fánshèng; 旺 wàng ¶ 초목이 ~ 草木茂盛 二자 昌盛 chāngshèng ¶ 자손이 ~ 子孙昌盛 **성:-히** 부

성:함(姓銜) 명 贵姓 guìxìng; 尊姓大名 zūnxìngdàmíng ¶ 저에게 ~을 알려 주십시오 请告诉我尊姓大名

성:행(盛行) 명하자 盛行 shèngxíng ¶ 이런 춤이 한동안 ~했다 这种舞蹈盛行一时

성:-행위(性行爲) 명 = 성교

성:향(性向) 명 取向 qǔxiàng; 倾向 qīngxiàng; 趋向 qūxiàng ¶ 소비 ~ 消费取向 / 성적 ~ 性取向 / 보수적 ~ 保守取向

성:현(聖賢) 명 圣贤 shèngxián ¶ ~의 가르침 圣贤的教诲

성형(成形) 명하타 **1** 成形 chéngxíng ¶ ~ 기계 成形机 **2** 〖醫〗 整形 zhěngxíng; 整容 zhěngróng ¶ ~ 수술 整形手术 / 미용 ~ 수술 整容手术 / ~외과 整形外科

성:호(聖號) 명 〖宗〗 圣号 shènghào ¶ ~를 긋다 划圣号

성:-호르몬(性hormone) 명 〖生〗 性激素 xìngjīsù

성혼(成婚) 명하자 成婚 chénghūn; 结婚 jiéhūn

성홍-열(猩紅熱) 명 〖醫〗 猩红热 xīnghóngrè

성화(成火) 명하자 **1** 憋躁 biēzào; 急躁 jízào ¶ 어쩔 줄 몰라 하며 매우 ~를 내다 坐立不安, 憋躁极了 **2** 纠缠 jiūchán; 磨蹭 móceng; 缠磨 chánmo; 蘑菇 mógu ¶ 아이가 공원에 가고 싶어서 나에게 하루 종일 ~다 孩子要去公园, 跟我磨蹭了半天

성:화(聖火) 명 **1** 圣火 shènghuǒ **2** 〖宗〗 圣火 shènghuǒ **3** 〖體〗 圣火 shènghuǒ; 火炬 huǒjù ¶ ~대 圣火台 / 올림픽 ~ 奥运会圣火 / ~ 릴레이 火炬接力跑 / ~를 봉송하다 传递火炬

성:화(聖畫) 명 〖美〗 圣画 shènghuà

성:황(盛況) 명 盛况 shèngkuàng; 红火 hónghuǒ ¶ 공전의 ~을 이루다 盛况空前

성:황-리(盛況裡) 명 盛况中 shèngkuàngzhōng ¶ 음악회가 ~에 끝났다 音乐会在盛况中结束了

성회(成會) 명하자 开成会议 kāichéng huìyì ¶ ~를 선포하다 宣布开成会议

성:-희롱(性戱弄) 명하자타 性骚扰 xìngsāorǎo ¶ ~ 사건 性骚扰事件 / ~을 당하다 遭受性骚扰

섶[1] 명 = 옷섶 ¶ ~을 여미다 整整衣襟

섶[2] 명 柴 chái; 柴禾 cháihe; 柴火 cháihuo = 섶나무

섶-나무 명 = 섶[2]

세: 관 三 sān ¶ ~ 사람 三个人 / ~ 살 三岁 / ~ 가지 三种 / ~ 편의 논문 三篇论文

세 살 적 버릇[마음]이 여든까지 간다 속담 三岁定八十, 八岁定终身; 三岁到老, 百岁勿改

세:(世) 의명 世 shì ¶ 리처드 일~ 理查德一世

세:(稅) 명 **1** 〖法〗 = 조세 **2** 〖史〗 税 shuì

세:(貰) 명 **1** 租金 zūjīn ¶ ~를 올리다 抬高租金 **2** 租 zū ¶ ~를 주다 出租 / 집을 살 수 없으니 ~를 얻는 수밖에 없다 买不起房子, 只能租

세:(勢) 명 = 세력 ¶ ~를 믿고 남을 업신여기다 仗势欺人

세:(歲) 의명 岁 suì ¶ 오 ~ 아동 五岁儿童

세:가(世家) 명 世家 shìjiā; 世族 shìzú = 세족 ¶ 그는 명문 ~ 출신이다 他出身名门世家

세:간 명 家什 jiāshi; 家具 jiājù = 세간살이 ¶ ~을 갖추다 具备家什

세:간(世間) 명 世间 shìjiān; 世上 shìshàng; 世 shì; 人世 rénshì; 人间世 rénjiānshì ¶ ~의 이목을 끌다 引世间的注目

세간-살이 명 = 세간

세:계(世界) 명 **1** 世界 shìjiè; 全球 quánqiú; 天下 tiānxià ¶ ~화 世界化 / ~사 世界史 / ~인 世界人 / ~정세 世界形势 / ~ 지도 世界地图 / ~ 대전 世界大战 / ~ 제일 世界第一 / ~ 경제 世界经济 / ~ 평화 世界和平 **2** 世界 shìjiè; 天地 tiāndì 《指领域或范围》 ¶ 정신 ~ 精神世界 / 문학 ~ 文学世界 / 현실 ~ 现实世界 / 동물의 ~ 动物世界 / 미지의 ~ 未知的世界

세:계-관(世界觀) 명 〖哲〗 世界观 shìjièguān; 宇宙观 yǔzhòuguān

세:계 기록(世界記錄) 〖體〗 世界纪录 shìjiè jìlù = 세계 신기록 ¶ ~ 보유자 世界纪录保持者 / ~을 세우다 创造世界纪录

세:계-무대(世界舞臺) 명 世界舞台 shìjiè wǔtái ¶～에 진출하다 走上世界舞台

세:계 무:역 기구(世界貿易機構) 〖經〗 世界贸易组织 Shìjiè Màoyì Zǔzhī = 더블유티오

세:계 보:건 기구(世界保健機構) 〖醫〗 世界卫生组织 Shìjiè Wèishēng Zǔzhī = 더블유에이치오

세:계 시:장(世界市場) 〖經〗 世界市场 shìjiè shìchǎng ¶우리나라 상품이 ～에 진출하다 我国的产品进入世界市场

세:계 신기록(世界新記錄) 〖體〗 = 세계 기록

세:계-적(世界的) 관명 世界(的) shìjiè(de); 世界性 shìjièxìng; 全球(的) quánqiú(de); 全球性 quánqiúxìng ¶기술이 ～인 수준에 도달했다 技术达到了世界水平

세:공(細工) 명하타 细工 xìgōng; 细活 xìhuó; 手工 shǒugōng ¶～이 정교하다 手工精细

세:관(稅關) 명 〖法〗 海关 hǎiguān ¶～원 海关人员 / ～ 수속 海关手续 / ～ 압수 海关扣押 / ～ 검사 海关检查 = [验关]

세:관 신고(稅關申告) 〖法〗 报关 bàoguān; 海关登记 hǎiguān dēngjì

세:관 신고서(稅關申告書) 〖法〗 报关单 bàoguāndān; 保税单 bǎoshuìdān; 海关申报单 hǎiguān shēnbàodān

세:균(細菌) 명 〖生〗 细菌 xìjūn; 菌 jūn = 박테리아 ¶～이 번식하다 细菌繁殖 / 상처가 ～에 의해 감염되다 伤口被细菌感染

세:균-성(細菌性) 명 细菌性 xìjūnxìng ¶～ 이질 细菌性痢疾

세:금(稅金) 명 = 조세 ¶～을 내다 纳税 =[交税] / ～을 체납하다 拖税 =[拖欠税款]

세:기 명 〖物〗 = 강도(强度)2

세:기(世紀) 명 世纪 shìjì ¶20～ 二十世纪 / ～의 영웅 世纪的英雄 / ～를 뛰어넘다 跨世纪

세:기-말(世紀末) 명 世纪末 shìjìmò; 末世 mòshì; 季世 jìshì ¶～이 곧 다가온다 世纪末即将来临

세:-내다(貰—) 타 租 zū; 赁 lìn; 租借 zūjiè; 租赁 zūlìn ¶차를 ～ 租车 = [赁车] / 집 한 채를 세냈다 租借了一套房子

세:-놓다(貰—) 타 租 zū; 出租 chūzū; 租借 zūjiè; 租赁 zūlìn ¶점포를 ～ 把店铺租出去

세:뇌(洗腦) 명하타 洗脑 xǐnǎo ¶～ 교육 洗脑教育 / 그는 적에게 ～된 것이 틀림없다 他肯定是被敌人洗脑了

세:다[1] 자 (头发等) 变白 biàn bái; 发白 fābái ¶머리가 ～ 头发变白

세:다[2] 타 数 shǔ; 点 diǎn; 算 suàn; 计算 jìsuàn ¶수를 ～ 数数儿 / 인원을 ～ 数人数 / 돈을 ～ 点钱 / 모두 몇 개인지 세어 보다 数一数一共多少个 / 셀 수 없이 많다 多得数不清

세:다[3] 형 **1** (力气) 强 qiáng; 大 dà; 猛 měng; 用力 yònglì ¶키는 작지만 힘은 ～ 个子小, 力气大 / 문을 세게 닫다 用力地关门 **2** (酒量) 大 dà ¶술이 ～ 酒量大 **3** (性格、意志、态度) 强 qiáng; 硬 yìng ¶자존심이 ～ 自尊心很强 **4** 硬 yìng ¶가시가 ～ 刺硬 **5** (风速或流速) 大 dà; 猛 měng; 猛烈 měngliè ¶바람이 정말 ～ 风可大 **6** (风水或命运) 不好 bùhǎo; 硬 yìng; 凶 xiōng ¶팔자가 ～ 八字不好 **7** (水平) 高 gāo ¶그는 장기 실력이 상당히～ 他象棋水平非常高

세단(sedan) 명 轿车 jiàochē ¶고급 ～ 高级轿车

세:대(世代) 명 **1** 世代 shìdài ¶～로 전해지다 世代相传 **2** 代 dài; 辈 bèi; 世代 shìdài ¶～ 차이 代沟 / 다음～ 下一代 / ～교체 世代交替 =[换代] **3** 世代 shìdài; 世上 shìshàng; 社会 shèhuì ¶～가 달라지다 世代交替

세:대(世帶) 명 〖法〗 住户 zhùhù; 户口 hùkǒu; 户 hù ¶우리 아파트에는 삼천 ～가 있다 我公寓里有三千家住户

세:대-주(世帶主) 명 户主 hùzhǔ; 家长 jiāzhǎng

세:도(勢道) 명하자 权势 quánshì; 派头 pàitóu; 霸道 bàdào; 威 wēi ¶～를 부리다 作威作福 / ～를 잡다 横行霸道

세:도-가(勢道家) 명 专权者 zhuānquánzhě

세라믹(ceramics) 명 陶器 táoqì; 陶瓷 táocí ¶～ 냄비 陶瓷锅

세레나데(serenade) 명 〖音〗 小夜曲 xiǎoyèqǔ = 소야곡 · 야곡

세:력(勢力) 명 势力 shìlì; 力量 lìliang; 势 shì = 세(勢) ¶～가 有权有势的人 / ～권 势力范围 / 정치 ～ 政治势力 / ～이 강하다 势力很强

세:련(洗練 · 洗鍊) 명하타 **1** 精练 jīngliàn; 洗练 xǐliàn ¶수정한 문장은 이전보다 ～됐다 修改后的文章比以前精练了 **2** 时髦 shímáo; 潇洒 xiāosǎ ¶그는 매우 ～되게 입었다 他穿得非常时髦

세:례(洗禮) 명 **1** 〖宗〗 洗礼 xǐlǐ; 洗 xǐ ¶～식 洗礼仪式 / 유아 ～ 婴儿洗礼 / ～를 받다 受洗 =[接受洗礼] **2** 洗礼 xǐlǐ; 雨 yǔ ¶질문 ～를 받다 接受问题的洗礼 / 주먹 ～를 받다 惨遭拳头雨

세:례-명(洗禮名) 명 〖宗〗 圣名 shèngmíng; 教名 jiàomíng
세:로 명부 纵 zòng; 竖 shù; 直 zhí ¶ ~무늬 纵纹 / ~쓰기 竖写 / ~줄 竖线 / ~축 纵轴 / ~로 쓰다 竖着写 / 이 탁자는 ~가 50cm이다 这个桌子纵边 50厘米
세:면(洗面) 명하자 = 세수(洗手)
세:면-기(洗面器) 명 洗脸盆 xǐliǎnpén; 脸盆 liǎnpén
세:면-대(洗面臺) 명 洗脸台 xǐliǎntái
세:면-도구(洗面道具) 명 洗脸用具 xǐliǎn yòngjù
세:-모 명 **1** 三角 sānjiǎo; 三角形 sānjiǎoxíng ¶종이를 ~로 접다 把纸折成三角形 **2** 〖數〗 = 삼각형
세:모(歲暮) 명 = 세밑
세:모-꼴 명 **1** 三角形 sānjiǎoxíng; 三角 sānjiǎo ¶~ 얼굴 三角脸 **2** 〖數〗 = 삼각형
세:-모시(細—) 명 细夏布 xìxiàbù
세:모-지다 형 成三角形 chéng sānjiǎoxíng
세:목(細目) 명 细目 xìmù ¶지출을 ~별로 나누다 把支出分成细目
세:무(稅務) 명 税务 shuìwù ¶~사 税务师 / ~서 税务局 / ~ 조사 税务检查 =[税检] / ~ 비리를 폭로하다 揭露税务不合理
세미나(seminar) 명 〖教〗 专题讨论会 zhuāntí tǎolùnhuì; 研讨会 yántǎohuì ¶~를 열다 召开研讨会
세미콜론(semicolon) 명 〖語〗 分号 fēnhào
세:밀-하다(細密—) 형 细密 xìmì; 细致 xìzhì; 细腻 xìnì; 周密 zhōumì; 精密 jīngmì; 精细 jīngxì ¶세밀한 조사를 하다 这件事必须进行细致的调查 / 묘사가 상당히 ~ 描写相当细腻 / 분석이 ~ 分析精密 / 세밀하게 조각하다 雕刻得精细 **세:밀-히** 부 ¶~ 분석하다 细密分析
세:-밑(歲—) 명 岁末 suìmò; 岁暮 suìmù; 岁底 suìdǐ = 세모(歲暮)
세:발-자전거(—自轉車) 명 三轮自行车 sānlún zìxíngchē; 三轮童车 sānlún tóngchē
세:배(歲拜) 명하자 拜年 bàinián ¶부모님께 ~ 드리다 向父母拜年 / 어제 할아버지 댁에 가서 ~를 드렸다 昨天到爷爷家拜了个年
세:뱃-돈(歲拜—) 명 压岁钱 yāsuìqián ¶~을 받다 收到压岁钱
세:법(稅法) 명 〖法〗 税法 shuìfǎ = 조세법
세:부(細部) 명 细部 xìbù ¶~ 계획 细部计划 / ~ 묘사 细部描写
세:부-적(細部的) 관명 细部(的) xìbù(de) ¶~인 부분까지도 검토하다 连细部部分也进行研讨
세:분(細分) 명하타 细分 xìfēn ¶내용을 항목별로 ~하다 把内容按项目细分
세:상(世上) 명 **1** 世 shì; 世上 shìshàng; 世界 shìjiè; 世间 shìjiān; 天下 tiānxià = 세속1 ¶~ 사람 世人 / 온 ~ 整个世界 / ~을 뒤흔들다 轰动世界 **2** 一生 yīshēng; 一辈子 yībèizi; 平生 píngshēng ¶그녀는 이렇게 한 ~을 마쳤다 她就这样结束了自己的一生 **3** 外边 wàibian; 社会 shèhuì ¶~ 소식이 궁금하다 想知道社会消息 **4** = 세상인심 ¶야속한 ~ 无情的世道 / ~이 매우 각박하다 世道非常刻薄 **5** 无比 wúbǐ; 再 zài ¶그 물건이 ~ 좋더라도 나는 필요 없다 那东西再好我也不要
세상(을) 떠나다[뜨다] 구 逝世; 去世; 与世长辞; 弃世; 离世 = 세상(을) 버리다2 · 세상을 등지다2 · 세상을 하직하다
세상(을) 버리다 구 **1** = 세상을 등지다1 **2** = 세상(을) 떠나다[뜨다]
세상을 등지다 구 **1** 遁世; 离世 = 세상(을) 버리다1 **2** = 세상(을) 떠나다[뜨다]
세상을 하직하다 구 = 세상(을) 떠나다[뜨다]
세상-만사(世上萬事) 명 世上万事 shìshàng wànshì ¶~가 뜻대로 되는 것은 아니다 世上万事不可能都有如意
세:상-모르다(世上—) 자 **1** 不懂事 bùdǒngshì **2** 死死的 sǐsǐde; 死 sǐ ¶세상모르고 잔다 睡得很死
세:상-사(世上事) 명 世事 shìshì = 세상일 ¶~에 정통하다 精于世事
세:상-살이(世上—) 명 处世 chǔshì; 社会生活 shèhuì shēnghuó ¶고달픈 ~ 艰苦的社会生活
세:상-없어도(世上—) 부 死也 sǐyě; 不管怎么样(一定) bùguǎn zěnmeyàng (yīdìng); 无论如何(一定) wúlùnrúhé (yīdìng) ¶~ 오늘 안으로 이 일을 끝내야 한다 不管怎么样, 今天之内一定要完成这件工作
세:상없-이(世上—) 부 再…不过 zài…bùguò; 无比 wúbǐ ¶~ 좋은 사람 再好不过的人
세:상-에(世上—) 감 天啊 tiān'a; 天哪 tiānna ¶~, 이런 일이 있다니! 天啊, 还有这样的事!
세상-인심(世上人心) 명 世上人心 shìshàng rénxīn; 世道 shìdào = 세상4 ¶~이 예전 같지 않다 世上人心和从前不一样

세:상-일(世上—) 명 = 세상사 ¶~에 무관심하다 对世事不关心
세:상-천지(世上天地) 명 '세상1'的强调语 ¶이런 일이 ~에 또 있을까? 天下还有这种事?
세:세-하다(細細—) 형 **1** 细 xì; 详细 xiángxì; 仔细 zǐxì; 细细 xìxì ¶세세하게 검사하다 检查得仔细 **2** 细小 xìxiǎo; 琐碎 suǒsuì ¶이렇게 세세한 일은 따지지 마라! 这么细小的事不要计较了吧! **세:세-히** 부
세:속(世俗) 명 **1** = 세상1 ¶~을 등지다 避世 **2** 世俗 shìsú ¶~ 오계 世俗五戒 **3** 〖佛〗 = 속세
세:속-적(世俗的) 관명 世俗(的) shìsú(de); 庸俗(的) yōngsú(de); 俗气(的) súqi(de) ¶~인 견해 世俗的见解 / ~인 기준 世俗标准
세:손(世孫) 명 = 왕세손
세:수(洗手) 명하자 洗脸 xǐliǎn; 盥洗 guànxǐ = 세면 ¶~ 수건 洗脸毛巾 / 깨끗이 ~하다 洗脸洗得很干净
세:수(稅收) 명 = 세수입
세:-수입(稅收入) 명 税收 shuìshōu = 세수(稅收)
세:숫-대야(洗手—) 명 洗脸盆 xǐliǎnpén
세:숫-물(洗手—) 명 洗脸水 xǐliǎnshuǐ ¶~을 데우다 烧热洗脸水
세:숫-비누(洗手—) 명 香皂 xiāngzào = 화장비누
세:습(世習) 명 世俗 shìsú ¶~을 지키다 遵守世俗
세:습(世襲) 명하타 世袭 shìxí ¶왕위를 ~하다 世袭王位
세:시(歲時) 명 岁时 suìshí; 年中 niánzhōng ¶~ 풍속 岁时风俗
세:심-하다(細心—) 형 细心 xìxīn; 精心 jīngxīn; 仔细 zǐxì ¶세심하게 관찰하다 观察得细心 **세:심-히** 부 ¶너는 이 환자를 ~ 돌봐야 한다 这个病人你要精心照顾
세:-쌍둥이(—雙—) 명 三胞胎 sānbāotāi
세:안(洗顔) 명하자 洗脸 xǐliǎn; 洗面 xǐmiàn ¶비누로 ~하다 用肥皂洗脸
세:액(稅額) 명 税额 shuì'é ¶~ 감면 税额减免 / ~을 산출하다 算出税额
세우다 타 **1** 站 zhàn; 立 lì ¶비스듬하게 하지 말고, 몸을 바로 세워라 身体站直, 别歪着 **2** 立 lì; 竖 shù ¶비석을 ~ 立碑 / 동상을 ~ 立铜像 / 광고판을 곧게 ~ 把广告牌立直了 **3** 建 jiàn; 修建 xiūjiàn; 建立 jiànlì; 建筑 jiànzhù ¶고층 건물을 ~ 建高楼 **4** 立 lì; 树立 shùlì; 制定 zhìdìng ¶뜻을 ~ 立志 / 목표를 세웠다 目标树立了 / 정책을 ~ 制定政策 / 학습 계획을 ~ 制定教学计划 **5** 立 lì; 建立 jiànlì; 树立 shùlì ¶공을 ~ 立功 / 가설을 ~ 立假设 / 위신을 ~ 树立威信 / 인생관을 ~ 树立人生观 **6** 停 tíng ¶건물 앞에 차를 세워서는 안 된다 楼前不准停车 **7** 排队 páiduì ¶사람들을 줄 ~ 让大家排队 **8** 拥戴 yōngdài; 拥立 yōnglì; 打 dǎ; 布置 bùzhì; 作为 zuòwéi ¶그를 선봉에 ~ 把他打先锋 / 보초를 ~ 布置步哨 / 목격자를 증인으로 ~ 把目击者作为证人 **9** 竖 shù ¶옷깃을 ~ 竖起衣领 **10** 开 kāi ¶칼날을 ~ 开刃儿 **11** 维持 wéichí ¶생계를 ~ 维持生活 **12** 坚持 jiānchí; 固执 gùzhi ¶자신의 주장만 ~ 固执己见 **13** 带 dài ¶핏발을 ~ 带血丝
세월(歲月) 명 **1** 岁月 suìyuè; 日子 rìzi; 光阴 guāngyīn; 年月 niányue; 年华 niánhuá ¶기나긴 ~ 漫长的岁月 / ~을 헛되이 보내다 虚度年华 / ~이 흐르다 岁月流逝 / ~이 정말 빠르다 日子过得真快 **2** 景气 jǐngqì; 景况 jǐngkuàng; 世道 shìdào ¶~이 갈수록 좋아진다 景气越来越好
세:율(稅率) 명 〖法〗 = 과세율
세이프(safe) 명 〖體〗 **1** (棒球的) 安全进垒 ānquán jìnlěi **2** (网球的) 线内球 xiànnèiqiú
세:인(世人) 명 世人 shìrén ¶~의 주목을 받다 受到世人注目
세일(sale) 명하타 **1** 销售 xiāoshòu; 出售 chūshòu ¶자동차 ~ 汽车销售 **2** 甩卖 shuǎimài; 大减价 dàjiǎnjià; 廉价出售 liánjià chūshòu; 打折 dǎzhé ¶백화점 ~이 시작되다 开始百货大楼甩卖
세일러-복(sailor服) 명 **1** = 해군복 **2** 水手服 shuǐshǒufú; 水兵服 shuǐbīngfú
세일즈-맨(salesman) 명 = 외판원 ¶자동차 ~ 汽车售货员
세:입(稅入) 명 〖經〗 税收 shuìshōu ¶~이 고갈되다 税收枯竭
세:입-자(貰入者) 명 房客 fángkè
세:자(世子) 명 〖史〗 = 왕세자 ¶~로 책봉하다 册封为太子
세:정(洗淨) 명하타 洗净 xǐjìng; 洗清 xǐqīng ¶~력 洗净力
세:정-제(洗淨劑) 명 〖藥〗 = 세제(洗劑)1
세:제(洗劑) 명 **1** 洗衣粉 xǐyīfěn = 세정제 ¶중성 ~ 中性洗衣粉 **2** 〖藥〗 = 세척제
세:제(稅制) 명 〖法〗 税制 shuìzhì ¶~ 개혁 税制改革
세:-제곱 명하타 〖數〗 立方 lìfāng ¶~근 立方根 / ~미터 立方米
세:족(世族) 명 = 세가

세:-주다(貰―) 타 出租 chūzū ¶방을 ~ 出租房子
세:차(洗車) 명하타 洗车 xǐchē ¶~장 洗车场 / 전자동 ~ 시설 全自动洗车设备
세:-차다 형 激 jī; 激烈 jīliè; 猛 měng; 猛烈 měngliè; 疾 jí; 烈 liè; 奔 bēn ¶세찬 바람 疾风 / 세찬 불길 烈火 / 세차게 흐르다 奔流
세:척(洗滌) 명하타 洗涤 xǐdí; 清洗 qīngxǐ; 洗濯 xǐzhuó ¶~력 洗涤力 / ~효과 洗涤效果 / 식기를 ~하다 洗涤餐具 / 위를 ~하다 清洗胃肠
세:척-제(洗滌劑) 명 〖藥〗 洗涤剂 xǐdíjì = 세제(洗劑)2
세:칙(細則) 명 细则 xìzé ¶~을 마련하다 制定细则
세:탁(洗濯) 명하타 洗衣服 xǐ yīfu; 洗衣 xǐyī ¶옷을 ~하다 洗衣服
세:탁-기(洗濯機) 명 洗衣机 xǐyījī ¶자동 ~ 自动洗衣机
세:탁-물(洗濯物) 명 = 빨랫감
세:탁-비누(洗濯―) 명 洗衣皂 xǐyīzào = 빨랫비누
세:탁-소(洗濯所) 명 洗衣店 xǐyīdiàn; 洗染店 xǐrǎndiàn ¶~를 차리다 开一间洗衣店
세:태(世態) 명 世态 shìtài ¶~ 풍속 世态风俗 / ~를 풍자하다 讽刺世态
세트(set) 명 **1** 套 tào; 组 zǔ; 副 fù; 成套 chéngtào ¶선물 ~ 成套礼品 / ~메뉴 套餐 / ~로 된 것을 사다 买成套的 **2** 舞台装置 wǔtái zhuāngzhì; 布景 bùjǐng ¶야외 ~를 설치하다 布置露天布景 **3** 梳整发型 shūzhěng fàxíng **4** 〖體〗 盘 pán; 局 jú ¶~ 스코어 得胜局数 / 테니스 시합의 첫 번째 ~ 第一局网球比赛
세팅(setting) 명하타 **1** 布置 bùzhì; 摆 bǎi; 配置 pèizhì; 安放 ānfàng; 设置 shèzhì ¶회의장은 ~이 다 되었습니까? 会场布置好了吗? **2** 梳整发型 shūzhěng fàxíng **3** 〖演〗 舞台装置 wǔtái zhuāngzhì; 布景 bùjǐng
세:파(世波) 명 世上风波 shìshàng fēngbō; 世上折磨 shìshàng zhémó ¶온갖 ~를 다 겪다 经受各种世上风波
세:포(細胞) 명 〖生〗 细胞 xìbāo ¶~막 细胞膜 / ~벽 细胞壁 / ~질 细胞质 / ~ 조직 细胞组织 / ~ 배양 细胞培养 / ~ 분열 细胞分裂
세:포-핵(細胞核) 명 〖生〗 = 핵4
섹스(sex) 명 **1** = 성(性)3 **2** 做爱 zuò'ài; 性行为 xìngxíngwéi; 性交 xìngjiāo ¶~ 상대 做爱对象 / ~로 감염된 성병 因性行为感染的性病
섹스-어필(sex-appeal) 명하자 性魅力 xìngmèilì; 性感 xìnggǎn
섹시-하다(sexy―) 형 性感 xìnggǎn; 色情 sèqíng; 肉感 ròugǎn ¶섹시한 스타 性感明星 / 섹시한 입술 肉感的嘴唇 / 그녀는 섹시하게 생겼다 她长得很性感
센:-말 명 〖語〗 强势词 qiángshìcí
센:-물 명 〖化〗 硬水 yìngshuǐ
센:-바람 명 〖地理〗 强风 qiángfēng = 강풍2
센서(sensor) 명 〖物〗 = 감지기
센세이션(sensation) 명 轰动 hōngdòng ¶일대 ~을 일으키다 引起了极大的轰动
센스(sense) 명 感觉 gǎnjué; 知觉 zhījué ¶그는 ~가 없다 他没有感觉
센터(center) 명 **1** 〖體〗 中锋 zhōngfēng **2** 中心 zhōngxīn ¶무역 ~ 贸易中心
센터링(centering) 명 〖體〗 传中 chuánzhōng; 向中锋传球 xiàng zhōngfēng chuánqiú
센티(←centimeter) 의명 = 센티미터 ¶170~의 키 一百七十厘米的个子
센티멘털-하다(sentimental―) 형 感伤 gǎnshāng; 感情 gǎnqíng; 多愁善感 duōchóushàngǎn = 센티하다 ¶이런 날씨는 사람을 센티멘털하게 만든다 这种天气使人感伤
센티-미터(centimeter) 의명 厘米 límǐ = 센티
센티-하다(←sentimental―) 형 = 센티멘털하다
셀러리(celery) 명 〖植〗 芹菜 qíncài
셀로판(cellophane) 명 〖工〗 玻璃纸 bōlizhǐ; 赛璐玢 sàilùfēn; 胶膜 jiāomó = 셀로판지 ¶~테이프 玻璃纸胶带
셀로판-지(cellophane紙) 명 〖工〗 = 셀로판
셀룰로오스(cellulose) 명 〖生〗 纤维素 xiānwéisù = 섬유소
셀프-서비스(self-service) 명 自助 zìzhù; 顾客自理 gùkè zìlǐ; 无人售货 wúrén shòuhuò ¶이 식당은 ~ 음식점이다 这家食堂是自助餐馆
셈 ㊀명하타 **1** 计算 jìsuàn; 算 suàn ¶~이 빠르다 计算得很快 **2** 结算 jiésuàn; 还 huán ¶~이 분명하다 结算得清楚 / ~이 흐리다 借钱不还 ㊁의명 **1** 打算 dǎsuan; 想 xiǎng; 想法 xiǎngfa ¶어쩔 ~인지 정말 모르겠다 真不知道有什么打算 **2** 算 suàn; 算是 suànshì; 算作 suànzuò; 认作 rènzuò ¶좋은 선생님을 만났으니 네 운은 좋은 ~이다 遇上一位好老师, 算你运气好 **3** 算 suàn ¶속은 ~ 치자 就算上当了
셈:-법(―法) 명 〖數〗 = 산법
셈:-속 명 **1** 内幕 nèimù **2** 内心 nèixīn

셋: ㊀ 三 sān; 三个 sānge ¶~으로 나누다 分成三个
셋:-방(貰房) 명 出租房 chūzūfáng ¶~을 구하다 寻找出租房 / ~에 살다 租住在出租房
셋:방-살이(貰房—) 명하자 租房间住 zū fángjiān zhù
셋:-집(貰—) 명 出租房 chūzūfáng ¶~을 구하다 求出租房 / ~에 들다 租住出租房
셋:-째 수관 第三 dìsān ¶~ 아들 第三个儿子 / ~ 줄에 앉다 坐在第三排
셔츠(←shirt) 명 衬衫 chènshān; 衬衣 chènyī ¶흰색 ~를 입고 있는 남자 穿着白衬衫的男人
셔터(shutter) 명 1 〖演〗 (照相机) 快门 kuàimén ¶~를 누르다 摁快门 2 卷门 juǎnmén; 百叶门 bǎiyèmén ¶폐점 시간이 되어 ~를 내리다 到了关门时间拉下卷门
셔틀-버스(shuttle bus) 명 区间公共汽车 qūjiān gōnggòng qìchē ¶~를 타고 출퇴근하다 乘区间公共汽车上下班
셔틀콕(shuttlecock) 명 〖體〗 羽毛球 yǔmáoqiú = 배드민턴공
셰퍼드(shepherd) 명 〖動〗 德国狼犬 Déguó lángquǎn; 德国牧羊犬 Déguó mùyángquǎn
소[1] 명 1 馅(儿) xiàn(r) ¶~를 너무 적게 넣었다 把馅儿放得太少了 2 (泡菜里的) 作料 zuòliào
소[2] 명 〖動〗 牛 niú ¶~ 한 마리 一头牛 / ~가 밭을 갈고 있다 牛在耕地
소 닭 보듯 (닭 소 보듯) 속담 牛看鸡, 无动于衷
소 잃고 외양간 고친다 속담 马后炮; 贼走了关门
소(訴) 명 〖法〗 诉 sù; 诉讼 sùsòng ¶~를 제기하다 起诉
소:-(小) 접두 小 xiǎo ¶~규모 小规模 / ~사전 小词典
-소(所) 접미 所 suǒ ¶연구~ 研究所 / 사무~ 事务所
소:-가족(小家族) 명 1 小户 xiǎohù; 小家子 xiǎojiāzi 2 = 핵가족
소-가죽 명 = 쇠가죽 ¶~ 장갑 牛皮手套
소각(燒却) 명하타 烧毁 shāohuǐ; 焚烧 fénshāo; 烧掉 shāodiào ¶~장 焚烧场 / 쓰레기를 ~하다 焚烧垃圾 / 문서를 ~하다 把文件烧掉了
소-간(—肝) 명 = 쇠간
소:갈-머리 명 心眼儿 xīnyǎnr; 心地 xīndì; 心思 xīnsi ¶~가 좁다 心眼儿小
소-갈비 명 = 쇠갈비
소:감(所感) 명 感想 gǎnxiǎng; 感言 gǎnyán; 所感 suǒgǎn ¶수상 ~ 受奖感言 / ~을 말해 주실 수 있습니까? 能谈谈你的感想吗?
소:강(小康) 명하형 1 (病情) 好转 hǎozhuǎn 2 安定 āndìng; 平稳 píngwěn
소:강-상태(小康狀態) 명 平稳状态 píngwěn zhuàngtài; 好转 hǎozhuǎn ¶치열했던 전투가 ~에 들어갔다 激烈的战斗进入了平稳状态
소개(紹介) 명하타 介绍 jièshào ¶~비 介绍费 / ~소 介绍所 / ~장 介绍信 / 직업 ~ 职业介绍 / 우리는 친구의 ~로 알게 된 사이다 我们是经朋友介绍认识的 / 책의 내용을 ~하다 介绍书的内容 / 제 ~를 하겠습니다 自我介绍一下
소:견(所見) 명 意见 yìjiàn; 看法 kànfǎ; 见解 jiànjiě ¶제 ~은 이렇습니다 我的意见就是这样
소:경 명 盲人 mángrén; 瞎子 xiāzi
소경 문고리 잡듯[잡은 격] 속담 瞎子摸门环儿, 靠运气; 瞎鸡啄虫, 靠造化
소:계(小計) 명 小计 xiǎojì
소:고(小鼓) 명 〖音〗 小鼓 xiǎogǔ ¶~채 小鼓槌
소-고기 명 = 쇠고기
소-고집(—固執) 명 = 쇠고집
소곤-거리다 자타 唧咕 jīgu; 唧哝 jīnong; 叽咕 jīgu; 打喳 dǎchā; 喁喁私语 yúyúsīyǔ; 窃窃私语 qièqièsīyǔ; 说悄悄话 shuō qiāoqiāohuà = 소곤대다 ¶두 사람은 만나기만 하면 쉴 새 없이 소곤거린다 他们俩一见面就唧咕没完
소곤-소곤 부하자타
소:관(所管) 명 管 guǎn; 管辖 guǎnxiá ¶이곳은 서울시의 ~이다 这个地方在首尔管辖之内
소-괄호(小括弧) 명 〖語·數〗 小括号 xiǎokuòhào
소:국(小國) 명 小国 xiǎoguó
소굴(巢窟) 명 巢穴 cháoxué; 窝子 wōzi; 老巢 lǎocháo = 굴(窟)4 ¶이 집은 도적의 ~이다 这间屋子是贼窝子
소-귀 명 = 쇠귀
소:-규모(小規模) 명 小规模 xiǎoguīmó; 小型 xiǎoxíng; 小 xiǎo ¶우리 공장은 ~ 기업이다 我们厂是个小型企业
소:-극장(小劇場) 명 小剧场 xiǎojùchǎng
소극-적(消極的) 관명 消极 xiāojí; 不主动 bùzhǔdòng ¶~인 태도 消极态度 / 그는 너무 ~이다 他这个人太消极 / 너 왜 이렇게 ~으로 변했니? 你为什么变得如此消极?
소금 명 盐 yán; 食盐 shíyán = 염(鹽)1 ¶~기 盐分 / ~물 盐水 / ~을

뿌리다 撒盐 / ~을 조금만 넣어라 少放点儿盐

소금-구이 명하자 1 熬盐 āoyán; 煮盐 zhǔyán 2 盐烤 yánkǎo; 加盐烤 jiāyánkǎo

소금-물 명 = 식염수1

소금쟁이 명 【蟲】 沼泽水黾 zhǎozé shuǐmǐn

소급(遡及) 명하자타 补发 bǔfā; 追 zhuī; 追溯 zhuīsù ¶인상된 월급을 ~하여 지급하다 补发增加工资

소:기(所期) 명 预期 yùqī; 所期待 suǒqīdài ¶~의 목적을 달성하다 达到预期目的

소:-기업(小企業) 명 小企业 xiǎoqǐyè

소:-꼬리 명 = 쇠꼬리

소꿉 명 (过家家时用的) 玩具 wánjù

소꿉-놀이 명하자 过家家 guòjiājia; 过家家玩儿 guòjiājia wánr ¶남자아이와 여자아이가 함께 ~하고 있다 男孩和女孩在一起过家家

소꿉-동무 명 青梅竹马 qīngméizhúmǎ = 소꿉친구

소꿉-장난 명하자 过家家 guòjiājia; 过家家玩儿 guòjiājia wánr ¶어릴 적 ~하던 친구 小时候过家家的朋友

소꿉-친구 명 = 소꿉동무

소나기 명 1 骤雨 zhòuyǔ; 急雨 jíyǔ; 雷阵雨 léizhènyǔ; 阵雨 zhènyǔ = 소낙비 ¶갑자기 ~가 쏟아졌다 突然下了一场骤雨 2 阵雨 zhènyǔ ¶~ 펀치를 맞다 挨打像阵雨似的攻击

소-나무 명 【植】 松树 sōngshù; 松 sōng = 솔[2] ¶~ 한 그루 一棵松树

소나타(이sonata) 명 【音】 奏鸣曲 zòumíngqǔ

소나티네(독Sonatine) 명 【音】 小奏鸣曲 xiǎozòumíngqǔ

소낙-비 명 = 소나기1

소:녀(小女) 一명 小女孩 xiǎonǚhái 二대 小女 xiǎonǚ ¶~ 할아버님께 문안드리옵니다 小女, 向爷爷问安

소:녀(少女) 명 少女 shàonǚ ¶문학 ~ 文学少女 / ~ 가장 少女家长 / 귀여운 ~ 可爱的少女

소:년(少年) 명 少年 shàonián ¶~ 시절 少年时代 / ~ 범죄 少年犯罪

소:년-기(少年期) 명 少年时期 shàonián shíqī; 少年时代 shàonián shídài ¶~를 서울에서 보내다 少年时期生活在首尔

소:년-원(少年院) 명 【法】 少年管教所 shàonián guǎnjiàosuǒ

소:뇌(小腦) 명 【生】 小脑 xiǎonǎo

소다(soda) 명 【化】 苏打 sūdá; 纯碱 chúnjiǎn

소다-수(soda水) 명 【化】 = 탄산수

소-달구지 명 牛车 niúchē

소담-스럽다 형 丰腴 fēngyú ¶소담스럽게 쌓인 눈이 길을 가득 덮고 있다 丰腴的积雪满铺在路径上 **소담스레** 부

소담-하다 형 1 丰美 fēngměi ¶음식을 소담하게 담다 饭菜盛得很丰美 2 丰腴 fēngyú ¶소담한 꽃송이 丰腴的花朵儿 **소담-히** 부

소:대(小隊) 명 【軍】 小队 xiǎoduì; 排 pái ¶~원 小队员 / ~장 排长

소:-도구(小道具) 명 【演】 道具 dàojù; 小道具 xiǎodàojù = 소품4

소-도둑 명 1 偷牛的 tōuniúde 2 盗牛贼 dàoniúzéi ¶~같이 생겼다 长得像盗牛贼一样

소:-도시(小都市) 명 小城市 xiǎochéngshì

소독(消毒) 명하타 【醫】 消毒 xiāodú ¶~기 消毒器 / ~차 消毒车 / 고온 ~ 高温消毒 / 수건을 ~하다 消毒毛巾 / 상처를 ~하다 消毒伤口

소독-면(消毒綿) 명 【醫】 = 탈지면

소독-약(消毒藥) 명 【藥】 消毒药 xiāodúyào; 消毒剂 xiāodújì ¶~을 바르다 上消毒药

소독-저(消毒—) 명 卫生筷子 wèishēng kuàizi = 위생저

소동(騷動) 명하자 骚动 sāodòng; 骚乱 sāoluàn; 闹事 nàoshì ¶~을 피우다 闹事 / ~을 일으키다 引起骚动

소:-동맥(小動脈) 명 【生】 小动脉 xiǎodòngmài

소:득(所得) 명 1 所得 suǒdé; 收获 shōuhuò; 收入 shōurù ¶개인 ~ 个人收入 / ~ 수준 收入水平 2 【法】 所得 suǒdé ¶불법 ~ 非法所得 / ~ 공제 所得控除 / ~ 분배 所得分配

소:득-세(所得稅) 명 【經】 所得税 suǒdéshuì ¶~를 징수하다 征收所得税 / ~를 납부하다 缴纳所得税

소:득-액(所得額) 명 【經】 所得额 suǒdé'é; 收入额 shōurù'é

소등(消燈) 명하자 熄灯 xīdēng; 灭灯 mièdēng; 息灯 xīdēng ¶우리 기숙사는 밤 12시에 ~한다 我们宿舍晚上十二点熄灯

소-똥 명 = 쇠똥[2]1

소:라 명 【貝】 螺 luó; 海螺 hǎiluó

소란(騷亂) 명하형히부 骚乱 sāoluàn; 吵闹 chǎonào; 喧闹 xuānnào; 喧嚣 xuānxiāo; 乱 luàn; 乱腾腾 luànténgténg; 嘈杂 cáozá ¶~한 환경 吵闹的环境 / ~을 피우다 捣乱 / 한바탕 ~이 지나가고서야 사람들이 조용해졌다 一阵骚乱过后, 人们开始安定下来了

소란-스럽다(騷亂—) 형 喧闹 xuānnào; 喧嚣 xuānxiāo; 乱腾腾 luànténgténg; 嘈杂 cáozá ¶거리가 ~ 街市喧闹 **소란스레** 부 ¶아이들 몇 명이 ~

뛰어왔다 几个孩子喧闹着过来

소:량(少量) 명 少量 shǎoliàng ¶~의 약물 少量药物 / ~ 생산 少量生产

소:령(少領) 명 〖軍〗少校 shàoxiào

소:로(小路) 명 小路 xiǎolù

소:름 명 寒心 hánxīn; 鸡皮疙瘩 jīpígēda; 毛骨悚然 máogǔsǒngrán ¶그 일은 지금 생각해도 ~이 끼친다 那件事现在想起来还寒心 / ~이 돋을 정도로 춥다 冻得起鸡皮疙瘩

소리 명 **1** 声 shēng; 声音 shēngyīn; 音响 yīnxiǎng = 음(音)2 ¶피아노 ~ 钢琴声 / ~를 죽이다 压声 / 이게 무슨 ~지? 这是什么声音? **2** = 말¹2 ¶쓸데없는 ~ 废话 / 무슨 ~를 하는 거니? 说什么话? **3** (人的) 声音 shēngyīn; 声 shēng ¶큰 ~로 말하다 大声说话 / 크게 ~를 지르다 大声喊叫 **4** 〖音〗唱曲(儿) chàngqǔ(r); 歌 gē ¶그는 할아버지께 ~를 배운 적이 있다 他跟爷爷学习过唱曲儿 **5** 舆论 yúlùn; 消息 xiāoxi ¶정부는 국민의 ~를 매우 중시한다 政府很重视公民的舆论

소리 소문도 없이 구 悄悄地; 不声不响地

소리-꾼 명 **1** 说唱能手 shuōchàng néngshǒu **2** 唱曲儿的 chàngqǔrde

소리-치다 자 喊 hǎn; 叫喊 jiàohǎn; 喊叫 hǎnjiào; 叫唤 jiàohuan; 叫嚷 jiàorǎng ¶복도에서 소리치지 마라 别在楼道里喊叫

소:림-사(小林寺) 명 〖佛〗小林寺 xiǎolínsì

소:립(小粒) 명 小颗粒 xiǎokēlì

소:립-자(素粒子) 명 〖物〗基本粒子 jīběn lìzǐ

소:만(小滿) 명 小满 xiǎomǎn

소:망(所望) 명하타 希望 xīwàng; 愿望 yuànwàng; 期望 qīwàng; 心愿 xīnyuàn ¶~이 이루어지다 希望实现 / ~을 품다 怀抱一个希望 / 간절히 ~하다 殷切地希望 / 조국 통일의 그날을 ~하다 期望祖国统一的那一天

소:망(素望) 명 宿愿 sùyuàn; 夙愿 sùyuàn ¶이 ~은 결국 이루어졌다 这种宿愿终于实现了

소매 명 袖子 xiùzi; 袖(儿) xiù(r); 袖筒 xiùtǒng = 옷소매 ¶짧은 ~ 短袖 / ~가 너무 길다 袖子太长 / ~를 걷어 올리다 挽起袖子

소매(를) 걷어붙이다 구 = 소매를 걷다

소매를 걷다 구 奋袂而起; 奋勇当先 = 소매(를) 걷어붙이다

소:매(小賣) 명하타 零售 língshòu; 零卖 língmài ¶~상 零售商 / ~업 零售业 / ~점 零售店 / ~상점 零售商店 / ~ 시장 零售市场

소:매-가(小賣價) 명 = 소매가격

소:매-가격(小賣價格) 명 零售价格 língshòu jiàgé; 零售价 língshòujià = 소매가

소매-치기 명하타 **1** 扒手 páshǒu; 小绺 xiǎoliǔ ¶그 ~는 이미 잡혔다 那个扒手已经被抓住了 **2** 扒窃 páqiè; 偷 tōu ¶지갑을 ~하다 扒窃钱包

소매-통 명 袖幅 xiùfú ¶~이 헐렁하다 袖幅宽大

소:맥(小麥) 명 〖植〗= 밀

소:맥-분(小麥粉) 명 小麦粉 xiǎomàifěn; 面粉 miànfěn

소맷-부리 명 袖口 xiùkǒu ¶~는 특히 쉽게 더러워진다 袖口特别容易脏

소맷-자락 명 衣袖 yīxiù ¶그는 ~으로 눈물을 닦았다 他用衣袖擦了擦泪水

소-머리 명 = 쇠머리

소:면(素麵) 명 白面 báimiàn

소멸(消滅) 명하자 消灭 xiāomiè; 消失 xiāoshī; 消亡 xiāowáng ¶저절로 ~하다 自行消灭 / 많은 동물들이 이미 지구상에서 ~되었다 很多动物已经地球上消失了

소명(召命) 명 **1** (皇帝的) 召命 zhàomìng ¶~을 받다 奉召命 **2** 〖宗〗召命 zhàomìng

소모(消耗) 명하타 消耗 xiāohào; 耗费 hàofèi; 耗 hào; 损耗 sǔnhào; 耗损 hàosǔn ¶~량 耗量 / ~전 消耗战 / ~품 消费品 / 에너지를 ~하다 消耗能源 / 체력 ~가 너무 많다 体力消耗太大了 / 쓸데없이 시간을 ~하다 瞎耗时间

소-몰이 명하자 **1** 赶牛 gǎnniú **2** 赶牛人 gǎnniúrén

소몰이-꾼 명 赶牛人 gǎnniúrén

소:묘(素描) 명하타 〖美〗素描 sùmiáo

소:문(所聞) 명 传闻 chuánwén; 风声 fēngshēng; 风闻 fēngwén; 小道儿消息 xiǎodàor xiāoxi; 风 fēng ¶~이 퍼지다 传闻四起 / ~이 새나가다 走漏风声

소:문-나다(所聞—) 자 出名 chūmíng; 闻名 wénmíng ¶그는 힘이 세다고 소문났다 他以力大而出名

소문난 잔치에 먹을 것 없다 속담 好名气的宴会, 糟糠饼一盘

소:문-내다(所聞—) 타 声张 shēngzhāng; 露风 lòufēng; 走漏风声 zǒulòu fēngshēng; 外扬 wàiyáng ¶제발 소문내지 마라 千万不要声张 / 그는 고의로 이 일을 소문내려고 한다 他故意要声张一下这件事

소:-문자(小文字) 명 小写 xiǎoxiě

소박(疏薄) 명하타 冷落 lěngluò; 薄待 bódài; 受气 shòuqì; 苛待 kēdài; 亏待 kuīdài ¶~데기 受气婆 / 조강지처를

~하다 薄待糟糠之妻
소박-맞다(疏薄—) 자 被丈夫冷落 bèi zhàngfu lěngluò
소박-하다(素朴—) 형 朴素 pǔsù; 素朴 sùpǔ; 朴实 pǔshí; 质朴 zhìpǔ ¶옷차림이 ~ 穿戴朴素 / 소박하게 지내다 日子过得朴素
소:반(小盤) 명 小饭桌 xiǎofànzhuō
소방(消防) 명하타 消防 xiāofáng; 救火 jiùhuǒ ¶~관 消防官员 / ~서 消防站 / ~펌프 消防泵 =[救火泵] / ~ 시설 消防设备 / ~ 훈련 消防演习
소방-대(消防隊) 명 〖法〗 消防队 xiāofángduì; 救火队 jiùhuǒduì ¶~원 消防队员 =[救火队员]
소방-차(消防車) 명 消防车 xiāofángchē; 救火车 jiùhuǒchē = 불자동차 ¶두 대의 ~가 출동하다 出动两辆消防车
소:변(小便) 명 小便 xiǎobiàn; 尿 niào ¶~기 小便斗 / ~ 검사 小便检查 / ~이 마렵다 想小便
소:변-보다(小便—) 자 解小便 jiě xiǎobiàn; 小便 xiǎobiàn; 解小手 jiě xiǎoshǒu; 小解 xiǎojiě; 撒尿 sāniào; 尿 niào ¶밤에 일어나 ~ 夜间起床解小便 / 여기에서 소변보면 안 된다 这儿不能撒尿
소:복(素服) 명 素服 sùfú; 丧服 sāngfú; 白衣 báiyī; 孝服 xiàofú ¶~을 입은 여인 穿丧服的女人
소복-소복 부하형 **1** 满 mǎn; 满满 mǎnmǎn **2** 鼓鼓 gǔgǔ
소복-이 부 **1** 满满(地) mǎnmǎn(de) **2** 鼓鼓(地) gǔgǔ(de)
소복-하다 형 **1** (盛得) 满 mǎn; 满满 mǎnmǎn ¶소복하게 담은 쌀밥 盛得满满的米饭 **2** (因发胖或发肿) 鼓起 gǔqǐ ¶눈이 소복하게 부었다 眼睛肿得鼓起
소비(消費) 명하타 **1** 消费 xiāofèi; 消耗 xiāohào; 耗费 hàofèi; 花费 huāfèi ¶~를 줄이다 减少消耗 / 시간을 노는 데 ~하다 把时间花费在玩耍上 **2** 〖經〗 消费 xiāofèi ¶~세 消费税 / ~품 消费品 / ~ 수준 消费水平 / ~ 생활 消费生活 / ~ 경제 消费经济
소비-량(消費量) 명 〖經〗 消费量 xiāofèiliàng ¶일인당 평균 맥주 ~ 人均啤酒消费量
소비-자(消費者) 명 **1** 〖經〗 消费者 xiāofèizhě; 用户 yònghù ¶~ 가격 消费者价格 / ~ 보호법 消费者权益保护法 / ~ 단체 消费者协会 / ~ 물가 지수 消费者物价指数 / ~의 권익을 보호하다 保护消费者的权益 **2** 〖生〗 消费者 xiāofèizhě ¶초식 동물은 일차 ~이다 草食动物是第一次消费者

소-뼈 명 = 쇠뼈
소-뿔 명 = 쇠뿔
소:산(所産) 명 = 소산물 ¶연구의 ~ 研究的产物
소:산-물(所産物) 명 **1** 产品 chǎnpǐn; 产物 chǎnwù **2** 产物 chǎnwù ¶시대의 ~ 时代的产物 ‖ = 소산
소:-상인(小商人) 명 小商贩 xiǎoshāngfàn; 小商人 xiǎoshāngrén
소상-하다(昭詳—) 형 详细 xiángxì; 详明 xiángmíng ¶소상하게 기록하다 详细地记录 **소상-히** 부 ¶일의 과정을 ~ 말해 보세요 事情的过程请讲得详细
소:생(所生) 명 亲生 qīnshēng ¶본처 ~ 正妻亲生
소생(蘇生·甦生) 명하자 复苏 fùsū; 苏醒 sūxǐng; 回生 huíshēng; 复生 fùshēng = 회생 ¶만물이 ~하는 봄 万物复苏的春天 / 대지가 ~하다 大地复苏 / 환자가 ~하다 病人苏醒
소:생(小生) 대 鄙人 bǐrén; 在下 zàixià; 弊人 bìrén ¶~은 죄가 없습니다 鄙人没有得罪
소:서(小暑) 명 小暑 xiǎoshǔ
-소서 어미 表示请求或祈愿的尊敬式语尾 ¶성공하~ 谨祝成功 / 고이 잠드~ 祈祷冥福
소-석회(消石灰) 명 〖化〗 = 수산화칼슘
소:설(小雪) 명 小雪 xiǎoxuě
소:설(小說) 명 **1** 〖文〗 小说 xiǎoshuō ¶현대 ~ 现代小说 / ~의 줄거리 小说的情节 **2** = 소설책 ¶~을 쓰다 写小说 / ~을 읽다 看小说
소:설-가(小說家) 명 小说家 xiǎoshuōjiā; 小说作家 xiǎoshuō zuòjiā
소:설-책(小說册) 명 小说 xiǎoshuō = 소설(小說)2 ¶~ 한 권 一本小说
소:설-화(小說化) 명하자타 写成小说 xiěchéng xiǎoshuō ¶그들의 이야기를 ~하다 把他们的故事写成小说
소:소-하다(小小—) 형 小小 xiǎoxiǎo; 细小 xìxiǎo; 零碎 língsuì; 琐碎 suǒsuì ¶소소한 문제 小小的问题 / 소소한 변화 细小的变化 **소:소-히** 부
소:속(所屬) 명하자 所属 suǒshǔ; 隶属 lìshǔ; 归属 guīshǔ ¶~ 기관 所属单位 / 정치부 ~ 기자 政治部所属记者
소:속-감(所屬感) 명 归属感 guīshǔgǎn; 隶属感 lìshǔgǎn ¶~을 가지다 拥有归属感
소송(訴訟) 명하타 〖法〗 诉讼 sùsòng ¶~법 诉讼法 / ~ 비용 诉讼费用 / ~ 절차 诉讼程序 / 법원에 ~을 제기하다 向法院提起诉讼 / ~을 취하하다 撤回诉讼

소송-장(訴訟狀) 명 〖法〗 = 소장(訴狀)
소:수(小數) 명 〖數〗 小数 xiǎoshù
소:수(少數) 명 少数 shǎoshù; 少数人 shǎoshùrén ¶~당 少数政党 / ~ 민족 少数民族 / ~파 少数派 / ~ 정예 少数精锐 / 반대한 사람은 ~에 불과하다 反对的人只不过是少数 / ~의 의견을 존중하다 尊重少数人的意见
소수(素數) 명 〖數〗 素数 sùshù
소:수-점(小數點) 명 〖數〗 小数点 xiǎoshùdiǎn ¶~을 찍다 打小数点
소스(sauce) 명 调味汁 tiáowèizhī; 沙司 shāsī; 酱汁 jiàngzhī; 酱 jiàng ¶~를 뿌리다 放沙司
소스(source) 명 来源 láiyuán; 出处 chūchù; 资料 zīliào; 情报 qíngbào
소스라-치다 타 打冷战 dǎ lěngzhan; 打寒噤 dǎ hánjìn ¶소스라치게 놀라다 吓得打冷战
소슬-바람(蕭瑟—) 명 萧瑟秋风 xiāosè qiūfēng
소슬-하다(蕭瑟—) 형 萧瑟 xiāosè ¶소슬한 바람이 불어오다 吹来萧瑟的风 **소슬-히** 부 ¶산바람이 ~ 불어오다 山风萧瑟地刮来
소:승(小乘) 명 〖佛〗 小乘 xiǎochéng ¶~ 불교 小乘佛教
소:승(小僧) 대 小僧 xiǎosēng
소:시(少時) 명 小时候 xiǎoshíhou; 小 xiǎo ¶아버지는 ~부터 음악을 좋아하셨다 父亲从小就喜欢音乐
소:-시민(小市民) 명 〖社〗 小市民 xiǎoshìmín ¶~ 계급 小市民阶级
소:시민-적(小市民的) 관명 小市民的 xiǎoshìmínde ¶~인 생활 小市民的生活
소시지(sausage) 명 香肠 xiāngcháng; 腊肠 làcháng; 灌肠 guàncháng
소:식(小食) 명하자 少吃 shǎochī; 少食 shǎoshí ¶건강을 위해 ~하다 为健康少吃
소식(消息) 명 消息 xiāoxi; 音信 yīnxìn; 信息 xìnxī; 信(儿) xìn(r) ¶~란 消息栏 / 좋은 ~ 好消息 / ~이 빠르다 消息灵通 / ~을 전하다 送信儿 / 그의 ~을 알아보다 打听他的消息
소식-불통(消息不通) 명 **1** 消息不通 xiāoxi bùtōng **2** 消息不灵通 xiāoxi bùlíngtōng; 不知道 bùzhīdào
소식-통(消息通) 명 消息通 xiāoxitōng; 消息灵通人士 xiāoxi língtōng rénshì ¶정계의 ~ 政界的消息灵通人士
소:신(小臣) 대 小臣 xiǎochén; 卑臣 bēichén
소:신(所信) 명 信念 xìnniàn; 信心 xìnxīn ¶확고한 ~을 가지다 有坚定的信念
소:신-껏(所信—) 부 有信念地 yǒuxìnniànde ¶~ 밀고 나가다 有信念地往前推进
소실(消失) 명하자타 消失 xiāoshī; 消逝 xiāoshì; 散失 sànshī ¶전쟁 통에 많은 문화재가 ~되었다 战争中许多文物消失了
소실(燒失) 명하자타 烧毁 shāohuǐ; 焚毁 fénhuǐ ¶절의 본당이 ~되었다 寺院的正殿焚毁了
소:심-하다(小心—) 형 胆小 dǎnxiǎo ¶그는 소심한 사람이다 他是个胆小鬼 **소:심-히** 부
소:싯-적(少時—) 명 年轻时 niánqīngshí; 年纪小的时候 niánjì xiǎode shíhou ¶~에는 아이스크림을 정말 좋아했다 年纪小的时候, 我真喜欢吃冰淇淋
소-싸움 명 〖民〗 斗牛 dòuniú
소:아(小兒) 명 = 어린아이 ¶~의 성장 발육 小儿的成长发育
소:아-과(小兒科) 명 〖醫〗 儿科 érkē; 小儿科 xiǎo'érkē ¶그는 ~ 의사이다 他是个儿科医生
소:아-마비(小兒痲痺) 명 〖醫〗 小儿麻痹症 xiǎo'ér mábìzhèng; 小儿麻痹 xiǎo'ér mábì; 儿麻 érmá ¶~를 앓다 患小儿麻痹症
소:액(少額) 명 小额 xiǎo'é; 小 xiǎo ¶~권 小额券 / ~ 대출 小额贷款 / ~ 투자자 小额投资者 / ~ 거래 小额交易 / ~ 주주 小股东 / ~ 지폐 小额纸币
소:야-곡(小夜曲) 명 〖音〗 = 세레나데
소양(素養) 명 素养 sùyǎng; 素质 sùzhì; 修养 xiūyǎng ¶예술적 ~이 부족하다 艺术素养差
소염(消炎) 명하타 〖醫〗 消炎 xiāoyán ¶~제 消炎剂 / ~ 진통제 消炎镇痛药
소외(疏外) 명하타 疏远 shūyuǎn; 冷落 lěngluò ¶~ 계층 被疏远阶层 / 친구에게 ~를 당하다 为朋友所疏远
소외-감(疏外感) 명 疏远感 shūyuǎngǎn; 疏远 shūyuǎn; 冷落感 lěngluògǎn ¶~을 느끼다 感到疏远
소:요(所要) 명하타 所需 suǒxū; 需要 xūyào; 需求 xūqiú ¶~량 需要量 / ~ 인원 所需人员 / ~ 시간 所需时间 / 기차로 세 시간이 ~된다 坐火车需要三个小时
소요(騷擾) 명하자 〖法〗 骚扰 sāorǎo; 骚乱 sāoluàn ¶~를 일으키다 引起骚扰
소:용(所用) 명 用处 yòngchu; 所用 suǒyòng ¶~이 있는 물건 有用处的东西
소용-돌이 명 **1** 旋涡 xuánwō; 漩涡

xuánwō; 涡 wō; 水涡 shuǐwō ¶ ~가 배를 삼켜 버렸다 旋涡把船卷进去了 / 분쟁의 ~에 말려 들다 被卷人纷争的旋涡里 2 〖物〗 涡流 wōliú; 旋流 xuánliú

소용돌이-치다 ㉶ 1 涡旋 wōxuán; 打漩 dǎxuán; 起旋涡 qǐ xuánwō ¶ 소용돌이치며 흐르는 강물 打漩的流水 2 (感情等) 打漩 dǎxuán; 起旋涡 qǐ xuánwō; 激动 jīdòng ¶ 소용돌이치는 정국 打漩的政局 / 뜨거운 피가 가슴속에서 ~ 热血在胸中激动

소:용-되다(所用—) ㉶ 有用 yǒuyòng; 有用处 yǒu yòngchu

소:용-없다(所用—) ㉻ 没用 méiyòng; 无用 wúyòng; 没用处 méi yòngchu ¶ 후회해도 ~ 后悔也没用了 / 네가 아무리 그를 설득해도 ~ 你再劝他也没用 **소:용없-이** ㉾

소:원(所願) ㉹㉻㉵ 愿 yuàn; 愿望 yuànwàng; 宿愿 sùyuàn; 心愿 xīnyuàn = 원(願) ¶ ~ 성취 如愿以偿 / ~을 빌다 发愿 / ~이 이루어졌다 愿望实现了

소원(訴願) ㉹㉻㉵ 〖法〗 诉愿 sùyuàn ¶ 헌법 ~ 宪法诉愿

소원-하다(疏遠—) ㉻ 疏远 shūyuǎn ¶ 결혼한 이후에 오랜 친구와 소원해졌다 婚后疏远了老朋友

소:위(少尉) ㉹ 〖軍〗 少尉 shàowèi ¶ 육군 ~ 陆军少尉

소:위(所謂) ㉾ = 이른바 ¶ ~ 어법이란 단어를 조합하고 문장을 만드는 규칙이다 所谓语法就是组词造句的规则

소:유(所有) ㉹㉻㉵ 所有 suǒyǒu; 拥有 yōngyǒu; 领有 lǐngyǒu ¶ 이 차는 그의 개인 ~이다 这辆车是他个人所有

소:유-권(所有權) ㉹ 〖法〗 所有权 suǒyǒuquán ¶ ~의 이전 所有权的转移 / ~을 가지다 拥有所有权

소:유-물(所有物) ㉹ 所有物 suǒyǒuwù; 所有 suǒyǒu

소:유-욕(所有慾) ㉹ 占有欲 zhànyǒuyù; 所有欲 suǒyǒuyù ¶ ~이 강하다 占有欲强

소:유-자(所有者) ㉹ 1 所有者 suǒyǒuzhě 2 所有者 suǒyǒuzhě; 物主 wùzhǔ = 소유주

소:유-주(所有主) ㉹ = 소유자2

소:유-지(所有地) ㉹ 所有地 suǒyǒudì; 领地 lǐngdì

소음(消音) ㉹㉻㉶ 消音 xiāoyīn ¶ ~기 消音器 / ~ 장치 消音装置

소음(騷音) ㉹ 噪声 zàoshēng; 噪音 zàoyīn ¶ ~계 噪音计 / ~ 공해 噪声污染 / ~ 측정 噪声测试

소:인(小人) ㊀㉹ 1 孩子 háizi; 小孩(儿) xiǎohái(r) ¶ 대인과 ~ 大人和孩子 2 矮人 ǎirén; 小人 xiǎorén ¶ ~국 小人国 3 (人格低下的) 小人 xiǎorén ¶ ~배 小人之辈 / ~을 상대하지 않다 不理小人 ㊁㉺ 鄙人 bǐrén; 在下 zàixià; 小人 xiǎorén; 弊人 bìrén

소인(消印) ㉹㉻㉵ 1 盖章注销 gàizhāng zhùxiāo 2 邮戳 yóuchuō; 日戳 rìchuō = 스탬프 ¶ 우체국 ~ 邮局的邮戳 / 편지 봉투에 ~이 찍혀 있지 않다 信封上没有盖邮戳

소인(燒印) ㉹ 烙印 làoyìn ¶ ~을 찍다 打烙印

소일(消日) ㉹㉻㉶ 1 虚度时光 xūdù shíguāng; 打发日子 dǎfā rìzi; 消磨 xiāomó ¶ 할아버지는 매일 노인정에서 ~하신다 爷爷每天在老人亭虚度时光 2 消遣 xiāoqiǎn; 消闲 xiāoxián ¶ 꽃을 가꾸며 ~하다 养花消遣

소일-거리(消日—) ㉹ (用以消遣的东西) 消遣 xiāoqiǎn ¶ 호수나 산을 구경하는 것이 가장 좋은 ~이다 欣赏湖光山色是最好的消遣

소:임(所任) ㉹ 任务 rènwu; 职责 zhízé ¶ 학생의 ~은 공부이다 学生的任务是学习

소:자(小子) ㊀㉹ 小子 xiǎozǐ 《对弟子的爱称》 ㊁㉺ 1 不肖 bùxiào; 不肖子弟 bùxiàozǐdì; 小子 xiǎozǐ ¶ ~ 문안드리옵니다 不肖问安 2 寡人 guǎrén

소:-자본(小資本) ㉹ 小资本 xiǎozīběn; 小本 xiǎoběn

소:작(小作) ㉹㉻㉵ 佃 diàn; 租佃 zūdiàn; 租田 zūtián; 租耕 zūgēng; 租种 zūzhòng ¶ 땅 네 마지기를 ~으로 부치다 租佃四亩地

소:작-농(小作農) ㉹ 〖農〗 佃农 diànnóng; 佃户 diànhù

소:작-료(小作料) ㉹ 佃租 diànzū; 佃额 diàn'é ¶ ~를 내다 支付佃租

소:작-인(小作人) ㉹ 佃夫 diànfū; 佃农 diànnóng; 佃户 diànhù

소:작-지(小作地) ㉹ 租地 zūdì

소:장(小腸) ㉹ 〖生〗 = 작은창자

소:장(少壯) ㉹㉻㉻ 少壮 shàozhuàng ¶ ~파 少壮派

소:장(少將) ㉹ 〖軍〗 少将 shàojiàng

소:장(所長) ㉹ 所长 suǒzhǎng ¶ 연구소 ~ 研究所所长

소:장(所藏) ㉹㉻㉵ 收藏 shōucáng ¶ 그의 작품은 박물관에 ~되어 있다 他的作品由博物馆收藏着

소장(訴狀) ㉹ 〖法〗 诉状 sùzhuàng; 诉纸 sùzhǐ; 诉讼状 sùsòngzhuàng = 소송장 ¶ ~을 제출하다 呈递诉状

소:장-품(所藏品) ㉹ 藏品 cángpǐn ¶ 개인 ~ 私人藏品

소:재(所在) ㉹㉻㉶ 1 所在 suǒzài; 所在的位置 suǒzàide wèizhi ¶ 책임의 ~를 밝히다 搞清楚责任所在 / 그의

~를 아는 사람이 한 사람도 없다 没有一个人晓得他所在的位置 **2** = 소재지

소재(素材) 명 **1** 材料 cáiliào ¶첨단 ~ 尖端材料 **2** 〖文〗素材 sùcái ¶일상생활을 ~로 한 작품 以日常生活为素材的作品

소:재-지(所在地) 명 所在地 suǒzàidì; 地址 dìzhǐ = 소재(所在)2 ¶도청 ~ 道政府所在地

소:-전제(小前提) 명 〖論〗小前提 xiǎoqiántí

소:절(小節) 명 **1** 小礼节 xiǎolǐjié **2** = 마디4 **3** 〖音〗= 마디5 ¶첫째 ~ 第一小节

소:정(所定) 명 所定 suǒdìng; 规定 guīdìng ¶~의 양식 所定样式 / ~의 수수료 规定的手续费

소:제(掃除) 명하타 = 청소 ¶교실을 ~하다 打扫教室

소:-제목(小題目) 명 小题目 xiǎotímù; 小标题 xiǎobiāotí

소:조(塑造) 명하타 〖美〗塑造 sùzào; 雕塑 diāosù

소주(燒酒) 명 烧酒 shāojiǔ ¶~병 烧酒瓶 / ~잔 烧酒杯 =[烧酒盅] / ~ 한 병을 마시다 喝一瓶烧酒

소:-주주(小株主) 명 小股东 xiǎogǔdōng

소-죽(—粥) 명 = 쇠죽

소:중-하다(所重—) 형 宝贵 bǎoguì; 珍贵 zhēnguì; 贵重 guìzhòng; 珍惜 zhēnxī ¶소중한 문화유산 宝贵的文化遗产 / 당신의 소중한 의견을 남겨 주십시오 请留下您的宝贵意见 **소:중-히** 부 ¶생명을 ~ 여기다 珍惜生命

소:지(所持) 명하타 带 dài; 携带 xiédài; 持有 chíyǒu ¶몸에 거금을 ~하고 있다 身上带着巨款 / 무기를 불법으로 ~하다 非法携带武器

소지(素地) 명 底子 dǐzi; 根底 gēndǐ; 可能性 kěnéngxìng ¶특혜의 ~를 없애다 消除优惠的底子 / 실패할 ~가 있다 有失败的可能性

소:지-인(所持人) 명 携带者 xiédàizhě; 持有者 chíyǒuzhě ¶수표의 ~ 支票的携带者

소:지-자(所持者) 명 携带者 xiédàizhě; 持…人 chí…rén; 持有者 chíyǒuzhě ¶운전면허 ~ 驾驶执照持有者 / 여권 ~ 持照人

소:지-품(所持品) 명 随身物品 suíshēn wùpǐn; 携带品 xiédàipǐn ¶~ 검사 随身物品检查 / 그는 간단한 ~ 몇 개를 챙겨 집을 나왔다 他收拾了一些简单的随身物品离开了家

소진(消盡) 명하자타 耗尽 hàojìn ¶체력을 ~하다 耗尽体力

소질(素質) 명 素质 sùzhì; 天赋 tiānfù; 资质 zīzhì; 天资 tiānzī ¶~을 계발하다 启发素质 / 나는 음악에 ~이 없다 我没有音乐天赋

소집(召集) 명하타 召集 zhàojí; 集合 jíhé ¶~령 召集令 / 이번 회의는 그가 ~한 것이다 这次会议由他召集

소쩍-새 명 〖鳥〗红角鸮 hóngjiǎoxiāo

소:-책자(小冊子) 명 小册子 xiǎocèzi

소철(蘇鐵) 명 〖植〗苏铁 sūtiě

소:첩(小妾) 대 妾 qiè

소:청(所請) 명 请求 qǐngqiú ¶그의 ~을 거절하다 拒绝他的请求

소:총(小銃) 명 〖軍〗步枪 bùqiāng ¶~ 사격 步枪射击

소추(訴追) 명하타 〖法〗**1** 提起公诉 tíqǐ gōngsù; 追诉 zhuīsù **2** 上诉 shàngsù

소:치(所致) 명 所致 suǒzhì ¶무식의 ~ 无知所致

소켓(socket) 명 插座 chāzuò; 插口 chākǒu

소쿠리 명 笸箩 pǒluó

소탈-하다(疏脫—) 형 洒脱 sǎtuō; 潇洒 xiāosǎ ¶말하고 행동하는 것이 모두 소탈해 보인다 言谈举止都显得洒脱

소:탐대실(小貪大失) 명하자 贪小失大 tānxiǎoshīdà

소탕(掃蕩) 명하타 扫荡 sǎodàng ¶~전 扫荡战 / 적을 ~하다 把敌人扫荡

소-털 명 = 쇠털

소통(疏通) 명하자타 **1** 疏通 shūtōng; 疏导 shūdǎo; 通行 tōngxíng ¶차량 ~이 원활하다 车辆通行顺畅 **2** (意思) 疏通 shūtōng; 沟通 gōutōng ¶쌍방 간의 생각과 감정이 ~되다 沟通双方的感情

소파(sofa) 명 沙发 shāfā ¶~에 앉다 坐在沙发上

소:포(小包) 명 包裹 bāoguǒ; 邮包 yóubāo ¶~를 부치다 寄包裹 / ~를 받다 收到邮包 / 우체국에 가서 ~를 찾다 到邮局取包裹

소:폭(小幅) 명부 小幅度 xiǎofúdù; 小幅 xiǎofú; 低幅 dīfú ¶생산량이 ~ 증가하다 产量小幅度增长 / 국제 유가가 ~ 오르다 国际油价小幅上涨

소:품(小品) 명 **1** 小品 xiǎopǐn ¶가정용 인테리어 ~ 家用装饰小品 **2** 零碎(儿) língsuì(r) **3** = 미니어처 **4** 〖演〗= 소도구 ¶마술 ~ 魔术小道具

소풍(逍風·消風) 명하자 **1** 〖教〗野游 yěyóu; 郊游 jiāoyóu ¶봄·가을마다 초등학교는 ~을 간다 每逢春、秋季小学都要组织小学生们郊游 **2** 远足 yuǎnzú; 散心 sànxīn; 兜风 dōufēng

소프라노(이soprano) 명 〖音〗女高音

nǚgāoyīn; 女高音歌手 nǚgāoyīn gēshǒu

소프트 렌즈(soft lens) 〖醫〗软性接触透镜 ruǎnxìng jiēchù tòujìng; 软镜片 ruǎnjìngpiàn

소프트볼(softball) 명 〖體〗垒球 lěiqiú; 垒球运动 lěiqiú yùndòng

소프트웨어(software) 명 〖컴〗软件 ruǎnjiàn; 软设备 ruǎnshèbèi

소:피(所避) 명 小便 xiǎobiàn

소:피-보다(所避—) 자 小便 xiǎobiàn ¶소피보러 화장실 가야지 要小便上厕所

소:한(小寒) 명 小寒 xiǎohán

소:행(所行) 명 行为 xíngwéi; 所作所为 suǒzuòsuǒwéi; 所作的 suǒzuòde

소:-행성(小行星) 명 〖天〗小行星 xiǎoxíngxīng

소:형(小型) 명 小型 xiǎoxíng ¶~견 小型犬 =[小型狗] / ~ 컴퓨터 小型计算机 / ~ 아파트 小型公寓

소:형 자동차(小型自動車) 〖交〗小型汽车 xiǎoxíng qìchē; 小型车 xiǎoxíngchē = 소형차

소:형-차(小型車) 명 〖交〗 = 소형 자동차

소홀(疏忽) 명하형히부 疏忽 shūhū; 忽视 hūshì; 忽略 hūlüè; 马虎 mǎhu; 粗心 cūxīn; 粗心大意 cūxīndàyì ¶안전에 ~하다 疏忽安全 / 아무리 바빠도 체력 단련을 ~히 해서는 안 된다 不管多忙, 都不能忽视体育锻炼

소화(消化) 명하자타 1 〖醫〗消化 xiāohuà ¶~력 消化能力 / ~액 消化液 / ~제 消化剂 =[消化药] / ~ 불량 消化不良 / ~ 효소 消化酶 / ~가 안 된다 消化不好 / 죽은 금방 ~된다 粥很快就消化了 2 消化 xiāohuà; 理解 lǐjiě ¶하루에 이렇게 많이 공부하는데 다 ~할 수 있느냐? 一天学这么多, 消化得了吗? 3 (工作) 完成 wánchéng ¶반드시 제시간에 작업을 ~시켜야 한다 一定要按时完成作业

소화(消火) 명하타 救火 jiùhuǒ; 灭火 mièhuǒ; 消火 xiāohuǒ ¶~ 설비 消火设备

소화-기(消化器) 명 〖生〗 = 소화 기관

소화-기(消火器) 명 灭火器 mièhuǒqì; 消火器 xiāohuǒqì ¶~로 불을 끄다 用灭火器扑灭火

소화 기관(消化器官) 〖生〗消化器官 xiāohuà qìguān = 소화기(消化器)

소:-화물(小貨物) 명 小件行李 xiǎojiàn xíngli; 包裹 bāoguǒ

소환(召喚) 명하타 〖法〗传唤 chuánhuàn ¶증인을 법정으로 ~하다 把证人传唤到法庭

소환(召還) 명하타 〖法〗召回 zhàohuí ¶대사를 본국으로 ~하다 把大使召回本国

소환-장(召喚狀) 명 〖法〗传唤状 chuánhuànzhuàng; 传票 chuánpiào ¶~을 발부하다 发出传唤状

속: 명 1 里 lǐ; 里面 lǐmiàn; 中 zhōng; 内 nèi ¶상자 ~ 箱子里 / ~이 비어 있다 里面是空的 / 서랍 ~에서 꺼내다 从抽屉里拿出来 2 心里 xīnli; 内心 nèixīn; 心胸 xīnxiōng; 心眼儿 xīnyǎnr ¶~이 좁다 心胸狭窄 / 네가 이렇게 말하니 내 ~이 편하다 你这么一说, 我心里就踏实了 / 그는 ~으로는 그 사람을 싫어한다 他打心眼儿里讨厌这个人 3 馅(儿) xiàn(r) ¶만두 ~ 饺子馅儿 4 肚子 dùzi ¶~이 편치 않다 肚子不舒服

속 빈 강정(의 잉어등 같다) 속담 马屎皮面光, 里头一包糠

속(을) 긁다 구 伤人心; 伤感情

속(을) 끓이다 구 令人心焦

속(을) 뜨다[떠보다] 구 摸底; 试探

속(을) 썩이다 구 苦恼; 苦闷

속(을) 주다[터놓다] 구 开诚相见; 推心置腹

속(을) 차리다 구 1 懂事 2 为自己打算

속(을) 태우다 구 忧虑不安; 忧愁烦恼

속(이) 뒤집히다 구 1 恶心; 作呕 2 厌烦; 讨厌

속(이) 보이다 구 看得出心眼儿; 心跡昭然

속(이) 시원하다 구 痛快

속(이) 타다 구 忧心如焚

속(이) 풀리다 구 1 解气; 消气 2 消气

속을 달래다 구 舒服胃肠

속이 끓다 구 发火; 发脾气

속개(續開) 명하타 继续召开 jìxù zhàokāi ¶몇 분이 지나자 재판이 ~되었다 过了几分裁判就继续召开了

속결(速決) 명하타 速决 sùjué; 迅速处理 xùnsù chǔlǐ ¶~을 요하다 要迅速处理

속:공(速攻) 명하타 〖體〗速攻 sùgōng; 快攻 kuàigōng ¶~ 작전 速攻战术

속국(屬國) 명 〖政〗 = 종속국 ¶이곳은 영국의 ~이었다 这里曾经是英国的属国

속:-귀 명 〖生〗内耳 nèi'ěr = 내이

속기(速記) 명하타 1 快速记录 kuàisù jìlù 2 速记 sùjì ¶~록 速记录 / ~법 速记法 / ~사 速记员 / ~술 速记技术 / ~를 배우다 学速记

속:-껍질 명 内皮 nèipí; 内皮层 nèipícéng = 내피1

속:-내 명 心里 xīnli; 内心 nèixīn; 内情 nèiqíng; 底细 dǐxì; 底里 dǐlǐ ¶~를 털어놓다 吐露内心

속:-눈썹 명 睫毛 jiémáo ¶그녀의 긴 ~은 정말 아름답다 她长长的睫毛真美

속다 자 上当 shàngdàng; 受骗 shòupiàn; 被骗 bèi piàn ¶나는 하마터면 그에게 속을 뻔했다 我差点受了他的骗

속닥-거리다 자타 窃窃私语 qièqièsīyǔ; 嘀嘀咕咕 dídigūgū; 喁喁私语 yúyúsīyǔ = 속닥대다 ¶한쪽에서 속닥거리지 말고, 할 말이 있으면 모두에게 말해라 有话当着大家说, 不要在一旁窃窃私语 **속닥-속닥** 부하자타

속단(速斷) 명하타 草率判断 cǎoshuài pànduàn; 轻率判断 qīngshuài pànduàn; 轻率断定 qīngshuài duàndìng; 草率下结论 cǎoshuài xià jiélùn ¶~은 금물이다 轻率的判断是要不得的

속달(速達) 명하타 **1** 快递 kuàidì **2** 〖信〗 = 속달 우편 ¶~로 부치다 寄快信

속달 우편(速達郵便) 〖信〗(邮政) 快件 kuàijiàn; 快信 kuàixìn; 快邮 kuàiyóu = 속달2

속담(俗談) 명 谚语 yànyǔ; 常言 chángyán ¶그의 작품에는 ~이 자주 인용된다 他的作品中经常引用谚语

속도(速度) 명 **1** 速度 sùdù; 速 sù ¶~ 제한 速度限制 / ~가 빠르다 速度很快 / ~가 느리다 速度很慢 / 일정한 ~를 유지하다 保持一定的速度 / ~를 높이다 提高速度 =[提速] / ~를 줄이다 减慢速度 / ~를 측정하다 测量速度 / ~를 조절하다 调整速度 =[调速] **2** 〖物〗 速度 sùdù **3** 〖音〗 速度 sùdù

속도-감(速度感) 명 速度感 sùdùgǎn ¶~을 즐기다 畅享速度感

속도-계(速度計) 명 〖物〗 速度计 sùdùjì

속도-위반(速度違反) 명하자 **1** 〖交〗 超速行驶 chāosù xíngshǐ; 超速驾驶 chāosù jiàshǐ **2** 婚前怀孕 hūnqián huáiyùn

속독(速讀) 명하타 速读 sùdú ¶~법 速读法

속-되다(俗—) 형 **1** 俗 sú; 庸俗 yōngsú; 俗气 súqi ¶속된 그림 俗画 **2** 世俗 shìsú ¶그는 정말 속된 사람이다 他是一个很世俗的人

속:-뜻 명 **1** 心里 xīnli; 内心 nèixīn **2** 含意 hányì; 含义 hányì ¶~을 설명해 보세요 请你说明一下它的含意

속력(速力) 명 速度 sùdù ¶~을 높이다 提高速度 / ~을 내다 加快速度

속:-마음 명 心里 xīnli; 内心 nèixīn; 心中 xīnzhōng = 내심 ¶~에 있는 말을 털어놓다 吐露心里话

속물(俗物) 명 俗物 súwù ¶생각한 것과 달리 그 역시 ~이었다 没想到, 他也是个俗物

속물-근성(俗物根性) 명 庸俗习气 yōngsú xíqì; 俗气 súqi ¶그의 ~은 금방 드러났다 他的俗气很快就表现出来了

속물-적(俗物的) 관명 庸俗(的) yōngsú(de) ¶~인 사고방식 庸俗的思想方式

속:-바지 명 衬裤 chènkù; 内裤 nèikù

속박(束縛) 명하타 束缚 shùfù ¶~에서 벗어나다 摆脱束缚 / 자유를 ~하다 束缚自由

속:-병(—病) 명 **1** 内疾 nèijí; 内病 nèibìng **2** 胃肠病 wèichángbìng **3** 心病 xīnbìng

속보(速步) 명 快步 kuàibù ¶~로 걷다 快步走

속보(速報) 명하타 快讯 kuàixùn; 快报 kuàibào ¶뉴스 ~ 新闻快讯 / ~를 듣다 快讯收听

속사(速射) 명하타 速射 sùshè ¶~포 速射炮

속:-사정(—事情) 명 内幕 nèimù; 就里 jiùlǐ; 底细 dǐxi; 隐情 yǐnqíng ¶~을 털어놓다 倾诉隐情 / 그의 ~이 매우 궁금하다 很想知道他的底细

속삭-이다 자타 嗒嗒 chāchā; 打耳嗒 dǎ ěrchā; 耳语 ěryǔ; 窃窃私语 qièqièsīyǔ; 交头接耳 jiāotóujiē'ěr

속:-살 명 **1** (被衣服遮盖的) 肌肤 jīfū; 衣下肌肤 yīxià jīfū **2** (不显胖的) 肉 ròu **3** (植物的) 瓤子 rángzi; 肉 ròu ¶수박의 ~ 西瓜瓤子

속:-상하다(—傷—) 형 伤心 shāngxīn; 伤痛 shāngtòng; 伤情 shāngqíng; 难过 nánguò; 难受 nánshòu; 糟心 zāoxīn ¶너는 나를 너무 속상하게 했다 你太伤我的心了 / 그는 말하지 않았지만 내심 속상했다 他默默无语, 内心伤痛

속설(俗說) 명 传说 chuánshuō

속성(速成) 명하자타 速成 sùchéng ¶삼 개월 ~ 三个月速成 / 영어 ~반 英语速成班

속성(屬性) 명 属性 shǔxìng; 性质 xìngzhì

속세(俗世) 명 〖佛〗 尘世 chénshì = 세속3 ¶~를 떠나다 离开尘世

속:-셈 명하타 **1** 打算 dǎsuan; 盘算 pánsuàn; 心里打算 xīnli dǎsuan; 小九九(儿) xiǎojiǔjiǔ(r); 主意 zhǔyi = 심산(心算) ¶나는 그의 ~을 도저히 모르겠다 我怎么也猜不出他心里的打算 **2** 心算 xīnsuàn; 暗算 ànsuàn ¶~ 학원 心算补习班

속속(續續) 부 陆续 lùxù; 续续 xùxù ¶~ 입장하다 陆续入场

속:속-들이 부 彻底 chèdǐ; 完全 wánquán; 一清二楚地 yīqīng'èrchǔde ¶~ 조사하다 彻底调查 / ~ 이해하다 完全理解

속수-무책(束手無策) 명 束手无策 shùshǒuwúcè ¶이런 철없는 아이들은 정말 ~이다 对这些不懂事的孩子们实在束手无策

속:-싸개 명 内包层 nèibāocéng

속:씨-식물(一植物) 명 〖植〗被子植物 bèizǐ zhíwù

속-앓이 명 '속병' 的错误

속어(俗語) 명 **1** 俚语 lǐyǔ = 비속어 **2** = 상말

속언(俗諺) 명 **1** 下流话 xiàliúhuà; 粗话 cūhuà **2** 俗话 súhuà; 俗语 súyǔ

속:-없다 형 **1** 没主见 méi zhǔjiàn; 无心无肺 wúxīnwúfèi **2** 没有恶意 méiyǒu èyì **속:없-이** 부

속:-옷 명 内衣 nèiyī; 衬衣 chènyī = 내복[1]1 · 내의1 ¶~을 갈아입다 换一件内衣 / ~ 바람으로 왔다갔다하다 穿着内衣走来走去

속요(俗謠) 명 俗歌 súgē; 俚歌 lǐgē

속-이다 타 骗 piàn; 欺骗 qīpiàn; 欺瞒 qīmán; 瞒 mán; 诈骗 zhàpiàn; 哄 hǒng; 哄骗 hǒngpiàn; 蒙 mēng; 蒙骗 mēngpiàn; 隐瞒 yǐnmán 《'속다' 的使动词》 ¶사람을 ~ 骗人 / 그는 두 살을 속였다 他瞒了两岁

속인(俗人) 명 **1** 俗人 súrén; 俗子 súzǐ **2** 〖佛〗俗人 súrén

속임-수(一數) 명 骗术 piànshù; 骗局 piànjú = 암수(暗數) ¶~를 쓰다 耍骗术 / 그의 ~는 금방 간파되었다 他的骗局很快被识破了

속자(俗字) 명 俗字 súzì

속전(速戰) 명하타 速战 sùzhàn ¶~속결 速战速决

속절-없다 형 无可奈何 wúkěnàihé; 不得已 bùdéyǐ **속절없-이** 부

속:-정(一情) 명 **1** 内幕 nèimù; 隐情 yǐnqíng **2** 深情 shēnqíng

속죄(贖罪) 명하자타 赎罪 shúzuì ¶죽음으로 ~하다 以死赎罪

속출(續出) 명하자 不断发生 bùduàn fāshēng; 层出不穷 céngchūbùqióng; 继起 jìqǐ ¶사고가 ~하다 事故不断发生 / 새로운 상황이 ~하다 新情况层出不穷

속:-치마 명 衬裙 chènqún

속칭(俗稱) 명하타 俗称 súchēng

속편(續篇) 명 续篇 xùpiān

속:-표지(一表紙) 명 扉页 fēiyè; 内封 nèifēng

속-하다(屬一) 자 属 shǔ; 属于 shǔyú; 归 guī ¶상류 사회에 속한 사람 属于上流社会的人

속행(續行) 명하자타 继续进行 jìxù jìnxíng ¶경기를 ~하다 继续进行比赛

속-히(速一) 부 赶快 gǎnkuài; 火速 huǒsù; 赶紧 gǎnjǐn ¶~ 돌아오거라 你赶快回来吧

솎다 타 间 jiàn; 间苗 jiànmiáo ¶배추를 ~ 间白菜苗

손[1] 명 **1** 手 shǒu ¶두 ~ 两只手 =[一双手] / ~을 씻다 洗手 / ~으로 파리를 잡다 用手抓住苍蝇 / ~을 흔들며 인사하다 挥手打招呼 **2** = 손가락 ¶~에 반지를 끼고 있다 手指上戴着戒指 **3** = 일손3 ¶~이 달리다 人手不够 **4** 力气 lìqi; 力量 lìliang ¶조국 통일은 우리의 ~으로 실현해야 한다 祖国统一用我们的力量要实现 **5** 助 zhù; 帮助 bāngzhù ¶~을 빌리다 求助 **6** 手腕 shǒuwàn; 手段 shǒuduàn ¶~을 써서 실권을 탈취하다 运用手腕夺实权

손 안 대고 코 풀기 속담 手到擒拿; 不费吹灰之力

손이 발이 되도록[되게] 빌다 속담 求爷爷告奶奶

손(에) 익다 구 手熟

손(을) 끊다 구 一刀两断; 罢手

손(을) 내밀다 구 **1** 伸手; 要求; 乞讨 = 손(을) 벌리다 **2** 干涉; 插手

손(을) 떼다 구 **1** 住手; 撒手; 罢手 **2** 完工

손(을) 벌리다 구 = 손(을) 내밀다1

손(을) 빼다 구 罢手; 撒手

손(을) 씻다[털다] 구 断绝关系; 罢手; 洗手

손(이) 맵다 구 **1** 手重 **2** 干活儿精明 ‖ = 손끝(이) 맵다

손(이) 빠르다 구 **1** 手快 **2** 卖得很快

손(이) 여물다 구 做事周到; 手艺熟练 = 손끝(이) 여물다

손(이) 작다 구 **1** 小手小脚; 小气 **2** 手段很少

손(이) 크다 구 **1** 大手大脚; 大方 **2** 手段很多

손에 걸리다 구 **1** 落入手中 **2** 有的是; 满天飞

손에 땀을 쥐다 구 捏把汗

손에 손(을) 잡다 구 手携手; 手拉手

손에 잡히다 구 没心情工作; 手里抓不住

손에 잡힐 듯하다 구 近在眼前

손에 장을 지지다 구 根本不相信

손을 놓다 구 放手; 撒手

손을 맞잡다 구 携手

손[2] 명 客 kè; 客人 kèrén

손[3] 명 〖民〗(妨碍人间的) 凶神 xiōngshén

손[4] 의명 对 duì; 把 bǎ ¶조기 한 ~ 一对黄鱼
손(孫) 명 = 후손 ¶~이 귀하다 子孙很稀少
손-가락 명 手指 shǒuzhǐ; 手指头 shǒuzhǐtou; 指 zhǐ; 指头 zhǐtou = 손[1] 2 · 수지(手指) ¶~뼈 指骨 / 열 ~ 十个手指头 / ~ 마디 手指节 / ~이 가늘다 手指很细
손가락 안에 꼽히다[들다] 구 数一数二
손가락 하나 까딱 않다 구 横针不拈; 竖线不动 = 손끝 하나 까딱 안 하다
손가락-질 명하자타 **1** 指画 zhǐhuà; 指着 zhǐzhe ¶~하며 말하다 指画说 **2** 指点 zhǐdiǎn; 指着 zhǐzhe ¶뒤에서 남에게 ~하다 在背后对人指指点点
손가락질(을) 받다 구 非笑于人; 受人指摘
손-가방 명 小提包 xiǎotíbāo; 手提包 shǒutíbāo
손-거스러미 명 倒刺 dàocì
손-거울 명 小镜子 xiǎojìngzi ¶~ 한 개 一面小镜子
손-금 명 手相 shǒuxiàng; 掌纹 zhǎngwén; 手纹 shǒuwén ¶~을 보다 看手相 / ~이 좋다 手相很好
손-길 명 **1** (伸出的) 手 shǒu; 关怀 guānhuái; 帮助 bāngzhù; 支援 zhīyuán ¶따뜻한 ~을 내밀다 伸出温暖的手 **2** 手艺 shǒuyì ¶이 골동품은 조상의 ~이 느껴진다 这古董让人感到祖先的手艺
손길을 뻗치다 구 插手; 伸手
손-꼽다 자 **1** 屈指 qūzhǐ ¶손꼽아 세어 보다 屈指算算 **2** 数一数二 shǔyīshǔ'èr; 屈指可数 qūzhǐkěshǔ ¶그의 기술은 우리 공장에서 본다면 손꼽을 만하다 他的技术, 在我们厂里算得上是数一数二的
손꼽아 기다리다 구 屈指盼望
손꼽-히다 자 数一数二 shǔyīshǔ'èr; 数得着 shǔdezháo; 数得上 shǔdeshàng 《'손꼽다2' 的被动词》 ¶중국에서 손꼽히는 미인 在中国属于数一数二的美女
손-끝 명 **1** 手指尖 shǒuzhǐjiān ¶~ 하나 까딱하기 싫다 连手指尖也不想动 **2** 手艺 shǒuyì ¶~이 야무지다 手艺熟练
손끝 하나 까딱 안 하다 구 = 손가락 하나 까딱 안 하다
손끝(이) 맵다 구 = 손(이) 맵다
손끝(이) 여물다 구 = 손(이) 여물다
손녀(孫女) 명 孙女 sūnnǚ ¶~사위 孙女婿
손녀-딸(孫女―) 명 孙女 sūnnǚ
손-놀림 명하자 手的动作 shǒude dòngzuò; 手 shǒu ¶~이 날쌔다 手的动作灵巧
손-님 명 **1** 客 kè; 客人 kèrén; 宾 bīn ¶귀한 ~ 贵宾 / ~을 맞이하다 迎接客人 / ~을 치르다 招待客人 **2** 顾客 gùkè; 客 kè ¶~은 왕이다 顾客就是上帝
손-대다 자 **1** 触 chù; 触动 chùdòng; 触摸 chùmō; 触碰 chùpèng; 动手 dòngshǒu ¶내 물건에 손대지 마라 不要触碰我的东西 **2** 动手 dòngshǒu; 着手 zhuóshǒu; 下手 xiàshǒu; 起手 qǐshǒu ¶이 일에 손댄지 이미 몇 개월 되었다 这项工作已着手好几个月了 **3** 动手 dòngshǒu; 打 dǎ ¶선생님이 어떻게 마음대로 학생들에게 손댈 수 있는가? 老师怎么能随便打学生呢? **4** 修理 xiūlǐ; 修改 xiūgǎi ¶내가 보기에 이 소설은 손댈 필요가 없다 我看这篇小说不用修改了 **5** 染指 rǎnzhǐ ¶공금에 이미 여러 차례 손댔다 对公共资金已染指多次
손-대중 명하타 掂 diān; 掂算 diānsuàn ¶~을 해 보니 10킬로그램은 되겠다 掂一掂, 约有十公斤
손-도장(―圖章) 명 = 지장(指章) ¶~을 찍다 按手印
손-독(―毒) 명 指甲毒 zhǐjiadú ¶피부를 긁은 후에 ~이 올랐다 抓破皮肤之后中了指甲毒以致发肿
손-동작(―動作) 명하자 手的动作 shǒude dòngzuò; 手 shǒu ¶~이 빠르다 手的动作很快
손-들다 자 **1** 举手 jǔshǒu ¶손들고 발언하세요 请举手发言 **2** 赞成 zànchéng ¶나는 그의 의견에 손들어 주었다 我赞成了他的意见 **3** 投降 tóuxiáng; 认输 rènshū; 没法子 méi fǎzi; 降服 xiángfú ¶난 정말 이 문제에는 손들었다 这事我可没法子了
손-등 명 手背 shǒubèi ¶~으로 땀을 닦다 用手背擦汗
손-때 명 **1** (使用时) 顺手 shùnshǒu ¶~가 탄 작은 칼 用顺了手的小刀 **2** 手垢 shǒugòu; 手泥 shǒuní
손때(가) 묻다[먹다] 구 用惯; 用顺手
손-목 명 手腕子 shǒuwànzi; 手腕(儿) shǒuwàn(r); 手脖子 shǒubózi; 腕 wàn ¶~뼈 腕骨 / 그가 ~에 차고 있는 시계 戴在他手腕上的表 / ~이 시큰거리다 手腕子酸痛
손목-시계(―時計) 명 手表 shǒubiǎo ¶새로 ~를 하나 샀다 买了一块新手表
손-바느질 명하타 针线活儿 zhēn-

xianhuór

손-바닥 명 手掌 shǒuzhǎng; 掌 zhǎng; 手心 shǒuxīn; 巴掌 bāzhang; 掌心 zhǎngxīn ¶~만 한 땅 窄如手掌的土地 / ~을 비비다 搓手掌 / ~에 물집이 잡히다 手掌起疱

손바닥(을) 뒤집듯 구 1 一反常态 2 易如反掌

손-발 명 1 手脚 shǒujiǎo; 手足 shǒuzú ¶밧줄로 그의 ~을 묶어 놓다 用绳子绑住他的手脚 2 左右手 zuǒyòushǒu; 爪牙 zhǎoyá; 手下 shǒuxià ¶사장의 ~이 되어 일하다 作为总经理的左右手从事工作 ‖ = 수족(手足)

손발(이) 맞다 구 合拍; 配合融洽

손-버릇 명 1 手的习惯 shǒude xíguàn 2 偷东西的习惯 tōu dōngxide xíguàn 3 打人的习惯 dǎ rénde xíguàn

손버릇(이) 사납다 구 手脚不干净; 手不稳

손-보다 타 1 维修 wéixiū; 修缮 xiūshàn; 修理 xiūlǐ; 收拾 shōushi ¶이 자전거는 좀 손봐야 한다 这辆自行车该修理修理了 2 (把人) 收拾 shōushi; 整治 zhěngzhì ¶그를 한 차례 손봐 주었다 把他收拾了一顿

손부(孫婦) 명 = 손자며느리

손-빨래 명하타 用手洗衣服 yòng shǒu xǐ yīfu; 用手洗 yòng shǒu xǐ = 손세탁

손-뼉 명 鼓掌 gǔzhǎng; 拍手 pāishǒu; 拍掌 pāizhǎng ¶모두 일어나 ~치며 환영하다 大家站起来鼓掌欢迎

손-사래 명 摇手 yáoshǒu; 摆手 bǎishǒu

손사래(를) 치다 구 摇手; 摆手

손:상(損傷) 명하타 1 (物体) 损坏 sǔnhuài ¶기계 내부에 ~된 곳이 있다 机器内部有损坏的地方 2 (因病或受伤) 损伤 sǔnshāng; 损害 sǔnhài ¶뇌세포가 심하게 ~되었다 脑细胞损伤得厉害 3 (体面、名誉等) 损害 sǔnhài; 损伤 sǔnshāng; 折损 zhésǔn ¶이미지가 ~되다 折损形象 / 명예가 ~되다 名誉被损害

손:색(遜色) 명 逊色 xùnsè ¶국산품은 수입품과 비교해서 조금도 ~이 없다 国产品和进口货比较, 一点儿都不逊色

손:색-없다(遜色—) 형 毫无逊色 háowú xùnsè; 丝毫不减 sīháo bùjiǎn

손-세탁(—洗濯) 명하타 = 손빨래

손수 부 亲手 qīnshǒu; 亲自 qīnzì ¶~ 밥을 짓다 亲手做饭 / 그녀가 나를 위해 ~ 이 스웨터를 짰다 她亲手为我织了这件毛衣

손-수건(—手巾) 명 手帕 shǒupà; 手绢 shǒujuàn ¶~ 한 장 一块手帕 / ~으로 눈물을 닦다 用手帕擦眼泪

손-수레 명 手推车 shǒutuīchē

손-쉽다 형 容易 róngyì; 轻易 qīngyì; 轻而易举 qīng'éryìjǔ ¶그는 손쉽게 상대방을 이겼다 他轻而易举赢了对方

손:실(損失) 명하타 损失 sǔnshī ¶경제적인 ~ 经济损失 / ~을 보다 受损失

손-쓰다 자 采取措施 cǎiqǔ cuòshī; 措手 cuòshǒu ¶여러모로 손써서 가격 상승을 막다 采取多种措施制止涨价

손-아귀 명 1 虎口 hǔkǒu 2 手劲(儿) shǒujìn(r) 3 掌心 zhǎngxīn; 手心 shǒuxīn; 手中 shǒuzhōng ¶정권을 ~에 넣다 把政权掌握在手中 / 그의 ~에서 벗어날 수 없다 逃不出他的手心

손아귀에 넣다 구 掌握; 握在手里; 据为已有 = 손안에 넣다

손-아래 명 下辈 xiàbèi; 小辈 xiǎobèi; 晚辈 wǎnbèi; 手下 shǒuxià = 수하1 ¶~ 동서 下辈连襟

손아랫-사람 명 小辈 xiǎobèi; 晚辈 wǎnbèi; 下辈 xiàbèi; 下级 xiàjí = 아랫사람1

손-안 명 = 수중(手中) ¶권력은 그의 ~에 있다 权力在于他的手中

손안에 넣다 구 = 손아귀에 넣다

손-위 명 长辈 zhǎngbèi; 前辈 qiánbèi ¶~ 동서 长辈连襟

손윗-사람 명 长辈 zhǎngbèi; 前辈 qiánbèi = 윗사람1

손:익(損益) 명 损益 sǔnyì; 盈亏 yíngkuī ¶~ 계산 盈亏会计 / ~ 계산서 盈亏清单 =[盈亏计算表]

손:익 분기점(損益分岐點) 〖經〗 盈亏平衡点 yíngkuī pínghéngdiǎn; 盈亏转折点 yíngkuī zhuǎnzhédiǎn; 盈亏点 yíngkuīdiǎn

손자(孫子) 명 孙子 sūnzi

손자-며느리(孫子—) 명 孙媳妇 sūnxífù = 손부

손-잡다 자 1 携手 xiéshǒu; 手拉手 shǒulāshǒu; 把手 bǎshǒu; 拉手 lāshǒu ¶손잡고 해변을 거닐다 手拉手散步海边 2 携手 xiéshǒu; 连手 liánshǒu; 合作 hézuò; 协作 xiézuò

손-잡이 명 把手 bǎshou; 柄 bǐng; 把 bǎ; 把柄 bǎbǐng; 拉手 lāshǒu; 提手 tíshǒu ¶문 ~ 门把手 / 서랍 ~ 抽屉的把手

손-장단 명 手拍子 shǒupāizi ¶~에 맞춰 노래 부르다 配合着手拍子唱歌

손-재주 명 手巧 shǒuqiǎo; 手艺 shǒuyì ¶그는 ~가 좋다 他的手很巧

손-전등(—電燈) 명 手电筒 shǒudiàntǒng; 手电 shǒudiàn; 电棒 diànbàng = 플래시1 · 회중전등 ¶~을 비추다 打手电筒 / ~을 하나 휴대하다 随身带一把手电

손주(孫—) 명 孙子孙女 sūnzi sūnnǚ; 孙 sūn

손-질 명하타 修理 xiūlǐ; 修补 xiūbǔ; 修整 xiūzhěng; 整治 zhěngzhì; 修 xiū ¶어망을 ~하다 修补渔网 / 머리를 ~하다 修理头发

손-짓 명하자 手势 shǒushì; 招手 zhāoshǒu; 比画 bǐhuà ¶~ 발짓을 하다 比手画脚 / 교통경찰이 ~으로 차량을 지휘하다 交通警打手势指挥车辆 / 그가 ~하며 나를 불렀다 他招手叫我了

손-찌검 명하자타 动手 dòngshǒu; 动手动脚 dòngshǒudòngjiǎo ¶동생에게 ~해서는 안 된다 不应该对弟弟动手

손-칼국수 명 手切面 shǒuqiēmiàn; 刀削面 dāoxiāomiàn

손-톱 명 指甲 zhǐjia; 手指甲 shǒuzhǐjia ¶~깎이 指甲刀 / ~자국 指甲印 / ~을 깎다 剪指甲 / ~이 날카롭다 手指甲很尖

손톱만큼도 구 一丝一毫

손:해(損害) 명 损害 sǔnhài; 损失 sǔnshī; 亏 kuī; 亏损 kuīsǔn ¶~ 배상 赔偿损失 / ~ 보험 损害保险 / 회사의 이익에 커다란 ~를 끼치다 严重损害公司利益 / 나와 함께 하면 절대 ~ 보지 않을 것이다 跟我一起干, 绝对亏不了

솔:[1] 명 刷子 shuāzi = 브러시 ¶~로 구두를 닦다 用刷子刷皮鞋

솔[2] 명 〖植〗 = 소나무

솔(이sol) 명 〖音〗 唆 suō

솔-가지 명 松枝 sōngzhī

솔개 명 〖鳥〗 黑耳鸢 hēi'ěryuān

솔기 명 缝(儿) féng(r); 衣缝 yīféng ¶~가 터지다 缝儿开绽

솔깃-하다 명 感兴趣 gǎn xìngqù; 关注 guānzhù ¶그의 말에 ~ 对他的那句话感兴趣

솔로(이solo) 명 〖音〗 独奏 dúzòu; 独唱 dúchàng ¶피아노 ~ 钢琴独奏

솔로몬(Solomon) 명 〖人〗 所罗门 Suǒluómén ¶~의 지혜 所罗门的智慧

솔리스트(프soliste) 명 〖音〗 独唱者 dúchàngzhě; 独奏者 dúzòuzhě

솔-방울 명 松球 sōngqiú ¶~을 따다 摘松球

솔선(率先) 명하자 带头 dàitóu; 领头 lǐngtóu; 率先 shuàixiān ¶~해서 일하다 带头干活儿

솔선-수범(率先垂範) 명하자 率先垂范 shuàixiānchuífàn ¶지도자는 ~해야 한다 领导必须率先垂范

솔솔 부 1 簌簌地 sùsùde ¶쌀이 ~ 흘러나왔다 大米簌簌地漏了出来 2 (风) 微微地 wēiwēide; 轻轻地 qīngqīngde; 溜溜 liūliū; 絮絮 xùxù ¶봄바람이 ~ 불어오다 春风微微地吹来 3 慢慢地 mànmànde ¶꽃향기가 ~ 풍기다 慢慢地散发着花香

솔솔-바람 명 微风 wēifēng

솔-숲 명 松林 sōnglín

솔-잎 명 松针 sōngzhēn

솔직-하다(率直—) 형 直率 zhíshuài; 坦率 tǎnshuài; 坦白 tǎnbái; 率直 shuàizhí ¶사람됨이 ~ 为人直率 / 솔직하게 자신의 의견을 밝히다 直率地阐明自己的意见 **솔직-히** 부 ¶~ 말하다 坦白地说

솔:-질 명하자타 刷 shuā ¶~하여 먼지를 털다 刷掉灰尘

솜: 명 棉 mián; 棉花 miánhuā; 絮 xù ¶~사탕 棉花糖 / 이불~ 被絮 / ~이불 棉被 / ~바지 棉裤

솜씨 명 1 手艺 shǒuyì ¶요리 ~ 做菜手艺 / ~가 뛰어나다 手艺高超 2 本事 běnshì; 能耐 néngnai; 才干 cáigàn; 两手 liǎngshǒu; 手段 shǒuduàn ¶개개인의 ~를 발휘하다 发挥每个人的才干

솜:-옷 명 棉衣 miányī; 棉袄 mián'ǎo

솜:-털 명 汗毛 hànmáo; 寒毛 hánmáo ¶얼굴의 ~을 제거하다 除去脸上的汗毛

솜:-틀 명 弹花机 tánhuājī

솟구-치다 一자 1 升腾 shēngténg; 涌上 yǒngshàng; 冒 mào ¶불길이 ~ 火焰升腾 / 짙은 연기가 솟구치고 있다 冒着浓浓的烟 2 涌起 yǒngqǐ; 鼓起 gǔqǐ; 充满 chōngmǎn ¶부아가 ~ 涌起一股怒火 / 용기가 ~ 鼓起勇气 二타 往上冲 wǎng shàng chōng ¶물속에서 몸을 위로 ~ 在水里身子往上冲

솟다 자 1 涌 yǒng; 冒 mào ¶샘물이 ~ 涌泉 2 耸立 sǒnglì; 高耸 gāosǒng ¶높은 산이 솟아 있다 高山耸立 3 涌 yǒng; 充满 chōngmǎn ¶자신감이 ~ 充满信心 4 冒 mào ¶땀이 ~ 冒汗 / 눈물이 ~ 冒泪

솟아-나다 자 1 涌出 yǒngchū; 冒出 màochū ¶눈물이 ~ 泪水涌出来 2 涌出 yǒngchū; 充满 chōngmǎn; 涌现 yǒngxiàn ¶얼굴에 행복한 미소가 솟아났다 脸上涌出幸福的笑容 / 용기가 ~ 勇气涌现出来

솟아-오르다 자 1 涌出 yǒngchū; 升起 shēngqǐ ¶하늘에 달이 ~ 天空涌出一轮明月 / 해가 ~ 太阳升起 2 涌起 yǒngqǐ; 充满 chōngmǎn ¶얼굴에 미소가 솟아올랐다 脸上涌起了笑容

송:가(頌歌) 명 颂歌 sònggē; 赞歌 zàngē

송골-매(松鶻—) 명 〖鳥〗 = 매[2]2

송골-송골 부하형 一颗颗 yīkēkē; 一粒粒 yīlìlì; 一滴滴 yīdīdī 《汗珠、露

珠等出貌）¶얼굴에 ～ 땀이 맺혔다 脸上一滴滴地冒汗了

송:곳 명 锥子 zhuīzi; 锥 zhuī

송:곳-니 명 『生』 尖牙 jiānyá; 犬齿 quǎnchǐ; 犬牙 quǎnyá = 견치

송:구(送球) 명하자 『體』 传球 chuánqiú

송:구-스럽다(悚懼—) 형 歉疚 qiànjiù; 不好意思 bùhǎoyìsi; 难为情 nánwéiqíng ¶제가 도와드릴 수 없어서 정말 송구스럽습니다 我没能帮上忙，实在难为情 **송:구스레** 부

송:구-영신(送舊迎新) 명하자 辞旧迎新 cíjiùyíngxīn ¶～ 예배 辞旧迎新礼拜

송:구-하다(悚懼—) 형 歉疚 qiànjiù; 不好意思 bùhǎoyìsi; 难为情 nánwéiqíng

송:금(送金) 명하타 汇款 huìkuǎn; 寄钱 jìqián ¶집에 ～하다 汇一笔款给家里

송:금-환(送金換) 명 『經』 汇兑 huìduì

송:년(送年) 명하자 辞旧岁 cí jiùsuì

송:년-호(送年號) 명 (报刊杂志的) 年终号 niánzhōnghào; 送旧号 sòngjiùhào

송:년-회(送年會) 명 年终聚会 niánzhōng jùhuì

송:달(送達) 명하타 递送 dìsòng; 传递 chuándì; 投递 tóudì; 发送 fāsòng ¶우편물을 ～하다 传递邮件

송두리-째 부 整个 zhěnggè; 全部 quánbù; 全都 quándōu ¶홍수로 인해 ～ 떠내려갔다 被洪水全部冲走了

송두리-채 부 '송두리째' 的错误

송:별(送別) 명하타 送 sòng; 送别 sòngbié; 送行 sòngxíng ¶～식 送别仪式 / ～연 送别宴 / 그는 공항에 친구를 ～하러 갔다 他到机场去送朋友

송:별-회(送別會) 명 送别会 sòngbiéhuì; 欢送会 huānsònghuì ¶그를 위해 ～를 열다 为他开欢送会

송:부(送付) 명하타 发送 fāsòng; 寄送 jìsòng ¶계약서를 ～하다 发送合同书

송:사(訟事) 명하타 『法』 官司 guānsi; 诉讼 sùsòng ¶형제지간에 ～를 벌이다 兄弟之间打官司

송:사리 명 『魚』 青鳉 qīngjiāng; 阔尾鳉鱼 kuòwěijiāngyú

송송 부 **1** 嚓嚓地 chāchāde ¶대파를 ～ 썰다 嚓嚓地切大葱 **2** 密密麻麻 mìmimámá ¶구멍이 ～ 났다 密密麻麻破了许多洞 **3** 颗颗 kēkē; 滴滴 dīdī ¶땀이 ～ 솟다 冒出颗颗汗珠

송:수(送水) 명하자 送水 sòngshuǐ ¶～관 送水管

송:-수신(送受信) 명 收发 shōufā

송:신(送信) 명하타 发报 fābào; 发信 fāxìn; 发射 fāshè ¶～소 发射台 =[发射站] / ～탑 发射塔

송:신-기(送信機) 명 『信』 发报机 fābàojī; 发射机 fāshèjī ¶라디오 ～ 无线电发报机

송아지 명 小牛 xiǎoniú; 牛崽 niúzǎi; 牛犊 niúdú ¶～ 한 마리 一头小牛

송알-송알 부 颗颗 kēkē; 滴滴 dīdī ¶이마에 땀이 ～ 솟아났다 额头上冒出了一颗颗的汗珠

송어(松魚) 명 『魚』 鳟鱼 zūnyú

송:연-하다(竦然—·悚然—) 형 悚然 sǒngrán ¶모골이 ～ 毛骨悚然 **송:연-히** 부

송:유-관(送油管) 명 输油管 shūyóuguǎn

송이 명 **1** 朵 duǒ; 团 tuán; 苞 bāo ¶꽃～ 花朵 / 밤～ 栗苞 **2** 朵 duǒ ¶장미 한 ～ 一朵玫瑰

송이(松耳) 명 『植』 松菌 sōngjùn; 松茸 sōngróng; 松蕈 sōngxùn; 松菇 sōnggū; 松蘑 sōngmó = 송이버섯

송이-버섯(松耳—) 명 『植』 = 송이(松耳)

송이-송이 부 朵朵 duǒduǒ; 团团 tuántuán ¶복숭아꽃이 ～ 활짝 피었다 朵朵桃花盛开

송:장 명 尸体 shītǐ; 尸身 shīshēn; 尸首 shīshǒu; 尸 shī = 시체 · 주검 ¶～ 한 구 一具尸首

송장(을) 치다 구 葬埋尸体

송:장(送狀) 명 发货单 fāhuòdān; 发货票 fāhuòpiào; 发货清单 fāhuò qīngdān

송:전(送電) 명하자 『電』 输电 shūdiàn ¶～선 输电线

송진(松津) 명 松香 sōngxiāng; 松脂 sōngzhī

송:축(頌祝) 명하타 祝颂 zhùsòng

송:출(送出) 명하타 **1** 遣派 qiǎnpài ¶인력 ～ 人力遣派 **2** 播出 bōchū ¶방송국의 프로그램이 순조롭게 ～되다 广播电台的节目顺利播出

송충-이(松蟲—) 명 『蟲』 松毛虫 sōngmáochóng; 火毛虫 huǒmáochóng

송충이는 솔잎을 먹어야 한다 속담 要安分守己

송:치(送致) 명하타 **1** 『法』 扭送 niǔsòng; 解送 jiěsòng ¶범인을 ～하다 扭送犯人 **2** 送达 sòngdá

송판(松板) 명 松木板材 sōngmù bǎncái; 松木板 sōngmùbǎn

송편(松—) 명 蒸糕 zhēnggāo; 松糕 sōnggāo

송:풍(送風) 명하자 送风 sòngfēng; 鼓风 gǔfēng ¶～기 送风机 =[鼓风机]

송:환(送還) 명하타 遣返 qiǎnfǎn ¶포로를 ~하다 遣返俘虏
솥 명 锅 guō ¶~뚜껑 锅盖
솨 부 **1** 唰唰 shuāshuā; 呼呼 hūhū; 嘶嘶 sīsī; 飒 sà《风雨声》**2** 哗哗 huāhuā; 唰唰 shuāshuā《水流声》
솨-솨 부 唰唰 shuāshuā; 呼呼 hūhū; 飒飒 sàsà
쇄:(刷) 명 〖印〗 第…次印刷 dì…cì yìnshuā ¶3판 5~ 第3版第5次印刷
쇄:골(鎖骨) 명 〖生〗 = 빗장뼈
쇄:국(鎖國) 명하자 锁国 suǒguó ¶~정책 锁国政策 / ~주의 锁国主义
쇄:도(殺到) 명하자 蜂拥 fēngyōng; 蜂拥而至 fēngyōng'érzhì; 蜂拥而上 fēngyōng'érshàng; 纷纷 fēnfēn; 纷至沓来 fēnzhìtàlái ¶주문이 ~하다 购买订货蜂拥而至 / 적군이 ~해 오다 敌人蜂拥而上
쇄:빙(碎氷) 명하자 破冰 pòbīng ¶~선 破冰船
쇄:석(碎石) 명하타 碎石 suìshí ¶~기 碎石机
쇄:신(刷新) 명하타 刷新 shuāxīn; 更新 gēngxīn ¶기강을 ~하다 更新纲纪
쇠: 명 **1** 铁 tiě ¶이 그릇들은 모두 ~로 만든 것이다 这些器皿都是用铁做的 **2** 金属 jīnshǔ
쇠:-가죽 명 牛皮 niúpí = 소가죽 · 우피
쇠:-간(—肝) 명 牛肝 niúgān = 소간
쇠:-갈비 명 牛排 niúpái = 소갈비
쇠:-고기 명 牛肉 niúròu = 소고기 · 우육
쇠-고랑 명 手铐 shǒukào ¶그에게 ~을 채웠다 给他戴上了手铐
쇠:-고집 명 牛脾气 niúpíqi; 牛气 niúqì; 牛性 niúxìng; 死顽固 sǐwángù; 顽固不化 wángùbùhuà = 소고집 · 황소고집
쇠:-귀 명 牛耳 niú'ěr = 소귀
쇠귀에 경 읽기 속담 对牛弹琴
쇠:-기름 명 牛脂 niúzhī = 우지
쇠:-꼬리 명 牛尾 niúwěi = 소꼬리
쇠-꼬챙이 명 铁条 tiětiáo
쇠다[1] 자 **1** (蔬菜等) 老 lǎo; 不嫩 bùnèn ¶무가 ~ 萝卜老了 **2** 恶化 èhuà ¶감기가 ~ 感冒恶化
쇠:다[2] 타 过 guò ¶생일을 ~ 过生日 / 설을 ~ 过年
쇠-딱지 명 (婴儿) 头垢 tóugòu = 쇠똥[2]2
쇠-똥[1] 명 (冶铁时的) 铁屑 tiěxiè
쇠:-똥[2] 명 **1** 牛粪 niúfèn = 소똥 **2** = 쇠딱지
쇠:똥-구리 명 〖蟲〗 蜣螂 qiāngláng = 말똥구리
쇠락(衰落) 명하자 衰落 shuāiluò; 衰败 shuāibài ¶가업이 ~하다 家业衰落
쇠-막대기 명 铁杆 tiěgǎn; 铁棒 tiěbàng; 铁棍 tiěgùn
쇠망(衰亡) 명하자 衰亡 shuāiwáng; 衰败 shuāibài ¶왕조가 ~하다 王朝衰亡
쇠-망치 명 铁锤 tiěchuí; 锤子 chuízi
쇠:-머리 명 牛头 niútóu = 소머리
쇠-못 명 铁钉 tiědīng
쇠-문(—門) 명 铁门 tiěmén = 철문
쇠-붙이 명 **1** = 금속 **2** 铁 tiě
쇠:-뼈 명 牛骨 niúgǔ = 소뼈 · 우골
쇠:-뿔 명 牛角 niújiǎo = 소뿔 · 우각
쇠뿔도 단김에 빼랬다[빼라] 속담 趁热打铁; 乘热打铁
쇠-사슬 명 链 liàn; 链子 liànzi; 锁链 suǒliàn; 铁链 tiěliàn = 사슬1 · 체인1 ¶~을 끊다 打断锁链
쇠스랑 명 〖農〗 铁耙 tiěpá; 三股叉 sāngǔchā
쇠:-심 명 **1** 牛筋 niújīn = 쇠심줄 **2** 牛力 niúlì
쇠:-심줄 명 = 쇠심1
쇠약(衰弱) 명하형 衰弱 shuāiruò ¶몸이 ~하다 身体衰弱
쇠잔(衰殘) 명하자 衰残 shuāicán; 衰落 shuāiluò; 衰萎 shuāiwěi; 衰败 shuāibài ¶~한 왕조 衰落的王朝
쇠:-죽(—粥) 명 牛食 niúshí = 소죽
쇠진(衰盡) 명하자 衰竭 shuāijié ¶기력이 점점 ~해 가다 气力一天天地衰竭下去
쇠-창살(—窓—) 명 铁窗棂 tiěchuānglíng
쇠:-코뚜레 명 牛鼻环(儿) niúbíhuán(r); 桊(儿) juàn(r) = 코뚜레
쇠:-털 명 牛毛 niúmáo = 소털
쇠털 같은 날 속담 = 쇠털같이 하고많은[허구한] 날
쇠털같이 하고많은[허구한] 날 속담 千个明朝, 万个后天 = 쇠털 같은 날
쇠-톱 명 钢锯 gāngjù
쇠퇴(衰退 · 衰頹) 명하자 衰退 shuāituì; 衰败 shuāibài; 衰弱 shuāiruò ¶기억력이 눈에 띄게 ~하다 记忆力明显衰退
쇠:-파리 명 〖蟲〗 牛蝇 niúyíng
쇠-하다(衰—) 자 衰弱 shuāiruò; 衰退 shuāituì; 衰落 shuāiluò; 衰萎 shuāiwěi; 减退 jiǎntuì ¶국력이 ~ 国力衰弱了 / 기억력이 ~ 记忆力衰退
쇳-가루 명 铁粉 tiěfěn; 铁屑 tiěxiè
쇳-덩어리 명 铁块 tiěkuài
쇳-덩이 명 铁块 tiěkuài
쇳-독(—毒) 명 铁毒 tiědú
쇳-물 명 **1** 铁锈水 tiěxiùshuǐ **2** 铁水 tiěshuǐ; 液态铁 yètàitiě
쇳-소리 명 **1** 金属声 jīnshǔshēng **2** 尖嗓音 jiānsǎngyīn

쇳-조각 명 铁片 tiěpiàn
쇼(show) 一명 1 热闹(儿) rènao(r); 洋相 yángxiàng 2 表演 biǎoyǎn; 演出 yǎnchū; 秀 xiù ¶~를 관람하다 观看表演 二명하자 装样子 zhuāng yàngzi
쇼맨십(showmanship) 명 演示技巧 yǎnshì jìqiǎo; 主技演出技巧 zhǔjì yǎnchū jìqiǎo
쇼-윈도(show window) 명 陈列窗 chénlièchuāng; 橱窗 chúchuāng
쇼크(shock) 명 1 打击 dǎjī; 冲击 chōngjī 2 〖醫〗休克 xiūkè ¶~사 休克死亡 / ~요법 休克疗法
쇼크(를) 먹다 구 深受冲击
쇼킹-하다(shocking—) 형 令人震惊 lìngrén zhènjīng; 骇人听闻 hàiréntīngwén; 冲击 chōngjī; 惊人 jīngrén ¶오늘은 쇼킹한 뉴스가 정말 많다 今天令人震惊的新闻真多
쇼트닝(shortening) 명 起酥油 qǐsūyóu
쇼트-커트(short cut) 명 超短发 chāoduǎnfà; 超短发发型 chāoduǎnfà fàxíng
쇼트 트랙(short track) 〖體〗短道速滑 duǎndào sùhuá
쇼트 패스(short pass) 〖體〗短传 duǎnchuán; 短递 duǎndì
쇼핑(shopping) 명하자 购物 gòuwù; 买东西 mǎi dōngxi ¶~가 购物街 / ~객 购物人 / ~백 购物袋 / 인터넷 ~ 网上购物 / ~ 욕구를 자극하다 刺激购物欲
쇼핑-몰(shopping mall) 명 = 쇼핑센터
쇼핑-센터(shopping center) 명 购物中心 gòuwù zhōngxīn = 쇼핑몰
숄(shawl) 명 披肩 pījiān; 披巾 pījīn
숄더-백(shoulder bag) 명 挂肩式皮包 guàjiānshì píbāo
수[1] 명 雄 xióng; 公 gōng ¶암~ 雌雄
수[2] 一명 办法 bànfǎ; 法子 fǎzi; 方法 fāngfǎ ¶좋은 ~가 생각났다 想出了一个好办法 / 별 ~가 없다 没法子 二의명 能 néng; 会 huì; 可能 kěnéng; 只能 zhǐnéng; 只好 zhǐhǎo ¶너 어떻게 그럴 ~ 있니? 你怎么会这样呢? / 우리는 여기에서 그를 기다릴 ~밖에 없다 我们只能在这儿等他
수(手) 명의명 (围棋、象棋的) 着 zhāo; 招 zhāo; 着数 zhāoshù ¶다음 ~ 下一着棋 / 이 ~는 정말 대단하다 这一招真厉害
수(首) 의명 1 首 shǒu ¶시 한 ~ 一首诗 2 只 zhī ¶오리 한 ~ 一只鸭
수:(數) 一명 1 数 shù; 数目 shùmù; 数量 shùliàng ¶사람 ~ 人数 / 여행객 ~ 旅客的数量 2 〖數〗数 shù 二관 数 shù; 几 jǐ; 好多 hǎoduō ¶~ 킬로미터 好多公里
수:(繡) 명 绣 xiù; 刺绣 cìxiù; 绣花 xiùhuā
수:- 접두 公 gōng; 雄 xióng ¶~개미 雄蚂蚁 / ~거미 雄蜘蛛 / ~게 雄螃蟹 / ~고양이 公猫 =[雄猫] / ~나비 雄蝶 / ~벌 雄蜂 / ~토끼 公兔 =[雄兔]
수:-(數) 접두 数 shù; 几 jǐ ¶~차례 数次 / 상품이 ~십 종에 달하다 商品达数十种
-수(手) 접미 手 shǒu; 工 gōng; 员 yuán ¶공격~ 攻击手 / 운전~ 驾驶员
수-간호사(首看護師) 명 护士长 hùshizhǎng
수감(收監) 명하타 收监 shōujiān; 囚禁 qiújìn ¶여죄수만을 ~하는 감옥 专门收监女囚犯的监狱
수감-자(收監者) 명 囚犯 qiúfàn
수갑(手匣) 명 手铐 shǒukào ¶죄인에게 ~을 채우다 给犯人带上手铐
수강(受講) 명하타 听课 tīngkè; 听讲 tīngjiǎng ¶~료 听课费 / ~생 听课生 / ~을 신청하다 报名听课
수:-개월(數箇月) 명 几个月 jǐge yuè; 数月 shùyuè ¶~ 전에 그는 이미 서울을 떠났다 几个月前他已经离开首尔了
수거(收去) 명하타 收 shōu; 收走 shōuzǒu ¶쓰레기를 ~해 가다 收走垃圾
수:건(手巾) 명 毛巾 máojīn; 手巾 shǒujīn ¶~걸이 毛巾架 / ~ 한 장을 새로 샀다 新买了一条毛巾 / ~으로 물기를 닦다 用手巾把水分擦干
수경(水耕) 명하자 〖農〗水培 shuǐpéi; 水耕 shuǐgēng ¶~ 채소 水培蔬菜
수경(水鏡) 명 = 물안경
수:고 명하자 辛苦 xīnkǔ; 受苦 shòukǔ; 受累 shòulèi; 麻烦 máfan; 劳累 láolèi ¶~하셨습니다! 您辛苦了! / 이 일은 네가 ~를 좀 해야겠다 这件事你得辛苦一下 / ~하셨으니 빨리 좀 쉬세요 您受了累, 快休息一会儿吧
수:고-롭다 형 辛苦 xīnkǔ; 受苦 shòukǔ; 受累 shòulèi; 麻烦 máfan; 劳累 láolèi **수:고로이** 부
수:고-비(—費) 명 小费 xiǎofèi; 服务费 fúwùfèi ¶~를 받다 收小费
수:고-스럽다 형 辛苦 xīnkǔ; 受苦 shòukǔ; 受累 shòulèi; 麻烦 máfan; 劳累 láolèi **수:고스레** 부
수공(手工) 명 1 手工艺 shǒugōngyì ¶~품 手工艺品 2 手工 shǒugōng ¶~을 들이다 做手工 3 手工 shǒugōng ¶이 옷은 ~이 얼마입니까? 这件衣服多少手工?
수공-업(手工業) 명 手工业 shǒugōngyè ¶~자 手工业者

수-공예(手工藝) 명 手工艺 shǒugōngyì
수교(修交) 명하자 建交 jiànjiāo ¶한중 ~ 韩中建交
수구(水球) 명 【體】 水球 shuǐqiú
수구(守舊) 명하자 守旧 shǒujiù ¶~파 守旧派
수구-초심(首邱初心) 명 首丘之情 shǒuqiūzhīqíng
수국(水菊) 명 【植】 绣球花 xiùqiúhuā; 紫阳花 zǐyánghuā; 八仙花 bāxiānhuā
수군-거리다 자타 唧咕 jīgu; 唧哝 jīnong; 叽咕 jīgu; 打喳 dǎchā = 수군대다 ¶두 사람이 수군거리며 은밀한 이야기를 하다 有俩人唧咕唧咕说悄悄话 **수군-수군** 부하자타
수그러-들다 자 **1** 低下 dīxià **2** 低落 dīluò ¶사기가 ~ 士气低落
수그러-지다 자 **1** 低下 dīxià ¶머리가 ~ 低下头 **2** 低落 dīluò; 收敛 shōuliǎn ¶불길이 ~ 火焰低落 / 미소가 ~ 微笑收敛
수그리다 타 **1** 低 dī ¶머리를 ~ 低头 =[低首] **2** 低落 dīluò
수금(收金) 명하타 收款 shōukuǎn; 收银 shōuyín ¶~원 收款员 =[收银员]
수급(需給) 명 供求 gōngqiú; 供需 gōngxū ¶인력 ~ 人力资源供需 / ~이 불균형하다 供求不平衡
수긍(首肯) 명하타 首肯 shǒukěn; 肯定 kěndìng; 同意 tóngyì; 赞成 zànchéng ¶누구한테 말해도 ~하는 사람이 없다 和谁说谁不首肯
수기(手記) 명 手记 shǒujì ¶생활 ~ 生活手记 / 체험 ~ 体验手记
수기(手旗) 명 手旗 shǒuqí ¶~ 신호 手旗通迅
수-꽃 명 【植】 雄花 xiónghuā
수-꿩 명 雄稚 xióngzhì = 장끼
수-나귀 명 = 수탕나귀
수-나무 명 【植】 雄树 xióngshù
수-나사(一螺絲) 명 【工】 = 볼트(bolt)
수난(受難) 명 **1** 受难 shòunàn; 苦难 kǔnàn; 受苦 shòukǔ ¶~기 受难时期 / 온갖 ~을 다 겪다 受尽各种苦难 **2** 【宗】 受难 shòunàn ¶~일 受难日 / ~곡 受难曲
수납(收納) 명하타 收取 shōuqǔ; 收纳 shōunà; 收款 shōukuǎn; 接收 jiēshōu ¶~ 기관 收纳机关 / ~ 창구 收款台 / 세금을 ~하다 收取税金
수납(受納) 명하타 储藏 chǔcáng ¶~ 공간 储藏空间 / ~장 储藏柜 / 잡동사니를 ~하다 储藏杂物
수녀(修女) 명 【宗】 修女 xiūnǚ ¶~원 修女院
수:년(數年) 명 数年 shùnián; 几年 jǐnián
수:년-래(數年來) 명 数年来 shùniánlái; 几年来 jǐniánlái
수-놈 명 雄的 xióngde; 公的 gōngde
수:-놓다(繡—) 자 绣 xiù; 刺绣 cìxiù; 绣花 xiùhuā; 扎花 zhāhuā
수뇌(首腦) 명 首脑 shǒunǎo; 领导 lǐngdǎo ¶각 국 ~들이 모두 회의에 출석했다 各国首脑都出席了会议
수뇌 회:담(首腦會談) 【政】 = 정상회담
수:다 명하형 啰唆 luōsuo; 唠叨 láodao; 贫嘴 pínzuǐ ¶~를 한번 떨기 시작하면 끝이 없다 一啰唆起来就没完没了
수:다-스럽다 형 啰唆 luōsuo; 唠叨 láodao; 贫嘴 pínzuǐ ¶그녀는 너무 수다스러워서 짜증 난다 她说话唠唠叨叨的, 真讨厌 **수:다스레** 부
수:다-쟁이 명 啰唆人 luōsuorén
수단(手段) 명 **1** 手段 shǒuduàn; 方法 fāngfǎ; 方式 fāngshì ¶자신의 목적을 이루기 위해서 ~을 가리지 않는다 为了达到自己的目的不择手段 **2** 本事 běnshi; 本领 běnlǐng; 手段 shǒuduàn; 手腕 shǒuwàn ¶~만 있으면 돈을 벌 수 있다 只要有本事就可以赚钱
수달(水獺·水㺚) 명 【動】 水獭 shuǐtǎ
수당(手當) 명 津贴 jīntiē ¶초과 근무 ~ 加班津贴
수더분-하다 형 温顺 wēnshùn; 温和 wēnhé ¶성격이 ~ 性格温顺
수도(水道) 명 **1** = 상수도 ¶~를 설치하다 安装自来水 **2** = 하수도 **3** = 수도꼭지 ¶~를 틀다 开水龙头
수도(首都) 명 首都 shǒudū; 都 dū ¶~권 首都圈 / ~를 옮기다 迁都
수도(修道) 명하자 修道 xiūdào ¶~승 修道僧 / ~원 修道院 / ~자 修道者
수도-관(水道管) 명 自来水管 zìláishuǐguǎn; 水管 shuǐguǎn
수도-꼭지(水道—) 명 水龙头 shuǐlóngtou = 수도(水道)3
수도-사(修道士) 명 【宗】 = 수사(修士)
수돗-물(水道—) 명 自来水 zìláishuǐ ¶~의 공급이 중단되다 自来水供应中断
수동(手動) 명 手动 shǒudòng ¶~ 기어 手动挡 / ~ 변속기 手动变速器 / ~으로 조절하다 手动调节
수동(受動) 명 被动 bèidòng
수동-식(手動式) 명 手动式 shǒudòngshì; 手动 shǒudòng ¶~ 제품 手动式产品 / ~ 세탁기 手动洗衣机
수동-적(受動的) 관명 被动(的) bèidòng(de) ¶~ 태도 被动的态度 / ~으

로 일하다 被动地工作 / ~으로 대처하다 被动地应付
수두(水痘) 명 【醫】 水痘 shuǐdòu
수두룩-이 부 很多 hěn duō; 满满地 mǎnmǎnde
수두룩-하다 형 很多 hěn duō; 有的是 yǒudeshì; 多得很 duōde hěn ¶이런 물건은 우리 집에 ~ 这种东西, 我家里有的是
수라(水剌) 명 御膳 yùshàn ¶~간 御膳房 / ~상 御膳桌
수라-장(修羅場) 명 1 乱七八糟 luànqībāzāo; 仰马人翻 yǎngmǎrénfān; 一塌糊涂 yītāhútú 2 【佛】 修罗场 xiūluóchǎng ‖ = 아수라장
수락(受諾) 명하타 接受 jiēshòu; 承诺 chéngnuò; 答应 dāying ¶제의를 ~하다 接受提议 / 그들이 제시한 조건을 ~하다 接受他们提出的条件
수란(水卵) 명 卧果儿 wòguǒr; 荷包蛋 hébāodàn
수량(水量) 명 水量 shuǐliàng
수:량(數量) 명 数量 shùliàng ¶~이 감소하다 数量减少 / ~이 부족하다 数量不够
수렁 명 泥坑 níkēng; 泥塘 nítáng; 泥沼 nízhǎo ¶~에 빠지다 陷在泥坑里
수레 명 车 chē; 车子 chēzi ¶~바퀴 车轮 / ~를 끌다 拉车
수려-하다(秀麗―) 형 秀丽 xiùlì ¶용모가 ~ 容貌秀丽
수력(水力) 명 【物】 水力 shuǐlì ¶~ 발전 水力发电 =[水电] / ~ 발전소 水力发电站 =[水电站]
수련(修鍊·修練) 명하타 修炼 xiūliàn; 进修 jìnxiū; 实习 shíxí ¶정신 ~ 精神修炼 / 심신을 ~하다 修炼身心
수련(睡蓮) 명 【植】 睡莲 shuìlián
수련-의(修鍊醫) 명 【醫】 = 전공의
수렴(收斂) 명하타 1 收 shōu 2 收集 shōují; 集中 jízhōng ¶의견을 ~하다 收集意见 3 收敛 shōuliǎn ¶~제 收敛剂
수렴-청정(垂簾聽政) 명 【史】 垂帘 chuílián; 垂帘听政 chuíliántīngzhèng
수렵(狩獵) 명하타 = 사냥1 ¶~ 생활 狩猎生活
수렵-기(狩獵期) 명 = 사냥철
수령(守令) 명 【史】 守令 shǒulìng
수령(受領) 명하타 领取 lǐngqǔ ¶장학금을 ~하다 领取奖金
수령(首領) 명 首领 shǒulǐng ¶지하 조직의 ~ 黑世界的首领
수령-인(受領人) 명 领取人 lǐngqǔrén; 接收人 jiēshōurén
수령-증(受領證) 명 收据 shōujù
수로(水路) 명 1 = 물길2 ¶~를 내다 开水路 2 船道 chuándào; 船线 chuánxiàn; 船路 chuánlù; 水路 shuǐlù 3 【體】 (游泳的) 泳道 yǒngdào
수록(收錄) 명하타 收录 shōulù ¶이 책에는 그의 작품이 ~되어 있다 这本书中收录了他的作品
수뢰(水雷) 명 【軍】 水雷 shuǐléi
수뢰(受賂) 명하자 受赂 shòulù ¶~ 혐의로 기소되다 嫌受赂被起诉
수료(修了) 명하타 结业 jiéyè ¶~생 结业生 / ~증 结业证书 / ~식 结业典礼 / 대학원 과정을 ~하다 研究院课程结业
수류(水流) 명 水流 shuǐliú
수류탄(手榴彈) 명 【軍】 手榴弹 shǒuliúdàn ¶~을 던지다 掷手榴弹 / ~ 한 개가 폭발했다 一颗手榴弹爆炸了
수륙(水陸) 명 水陆 shuǐlù ¶~ 양용 水陆两用 / ~ 양용 장갑차 水陆两用战车
수리 명 【鳥】 鹰 yīng
수리(水利) 명 水利 shuǐlì ¶~ 시설 水利设施 / ~ 공사를 하다 兴修水利工程
수리(受理) 명하타 接受 jiēshòu; 受理 shòulǐ ¶사표를 ~하다 接受辞呈
수리(修理) 명하타 修 xiū; 维修 wéixiū; 修理 xiūlǐ; 修缮 xiūshàn ¶~공 维修员 =[维修工] / ~비 维修费 / ~ 공장 修理厂 / 집을 ~하다 维修房屋
수:리(數理) 명 数理 shùlǐ ¶~ 경제학 数理经济学
수리-부엉이 명 【鳥】 雕枭 diāoxiāo
수림(樹林) 명 = 나무숲 ¶~이 무성하다 树林茂盛
수립(樹立) 명하타 建立 jiànlì; 树立 shùlì; 制订 zhìdìng ¶외교 관계를 ~하다 建立外交关系 / 경제 계획을 ~하다 制订经济计划
수마(水魔) 명 水魔 shuǐmó; 洪魔 hóngmó; 水害 shuǐhài ¶이번 ~는 매우 심하다 这次水魔很严重
수마(睡魔) 명 睡魔 shuìmó ¶~와 싸워 이기다 战胜睡魔
수:만(數萬) 수관 数万 shùwàn; 几万 jǐwàn ¶~ 관중 数万观众 / ~ 명이 다치다 数万人受伤
수:-많다(數―) 형 许多 xǔduō; 数多 shùduō; 众多 zhòngduō; 很多 hěn duō; 无数 wúshù ¶수많은 인재 众多的人才 / 수많은 별들 无数颗星星
수-말 명 公马 gōngmǎ; 牡马 mǔmǎ
수매(收買) 명하타 收买 shōumǎi; 收购 shōugòu ¶~가 收购价 / 농산물을 ~하다 收购农产物
수맥(水脈) 명 【地理】 水脉 shuǐmài
수면(水面) 명 水面 shuǐmiàn ¶~ 위로 떠오르다 在水面上浮起来
수면(睡眠) 명하자 睡眠 shuìmián ¶~

부족 睡眠不足 / 누군가가 내 ~을 방해했다 有人打扰我的睡眠

수면-제(睡眠劑) 명 〖藥〗 安眠药 ānmiányào; 催眠剂 cuīmiánjì = 최면제 ¶ ~를 먹다 服用安眠药

수명(壽命) 명 **1** (生物的) 寿 shòu; 寿命 shòumìng ¶인간의 ~ 人的寿命 / ~이 길다 寿命很长 / ~을 연장하다 延长寿命 **2** 寿命 shòumìng ¶이 제품의 ~은 5년이다 这种产品的寿命为五年

수모(受侮) 명하타 侮辱 wǔrǔ; 欺侮 qīwǔ ¶~를 당하다 遭受侮辱 / 그에게 ~를 주다 使他受到侮辱

수:목(數目) 명 数目 shùmù ¶~을 세다 数数目

수목(樹木) 명 〖植〗 树 shù; 树木 shùmù ¶~이 우거지다 树木茂盛

수몰(水沒) 명하자 淹没 yānmò ¶마을이 모두 ~되었다 村子都被淹没了

수묵(水墨) 명 **1** 水墨 shuǐmò **2** 〖美〗 = 수묵화

수묵-화(水墨畫) 명 〖美〗 水墨画 shuǐmòhuà = 수묵2

수문(水門) 명 〖建〗 水闸 shuǐzhá; 闸门 zhámén ¶~을 열다 把水闸打开

수문(守門) 명하자 守门 shǒumén ¶~장 守门将

수:-바늘(繡—) 명 绣花针 xiùhuāzhēn

수:박 명 〖植〗 西瓜 xīguā ¶~씨 西瓜子

수박 겉 핥기 속담 隔皮猜瓜, 难知好坏

수반(水盤) 명 水盆 shuǐpén

수반(首班) 명 元首 yuánshǒu; 首脑 shǒunǎo ¶국가 ~ 国家元首

수반(隨伴) 명하자타 伴随 bànsuí ¶모든 투자는 다 위험을 ~하고 있다 所有的投资都伴随着风险

수발 명하타 陪侍 péishì; 服侍 fúshi ¶환자를 ~하다 服侍病人

수발-들다 타 陪侍 péishì; 服侍 fúshi ¶그가 앓아 누웠을 때 줄곧 딸이 수발들었다 他卧病期间, 一直由女儿陪侍

수배(手配) 명하타 通缉 tōngjī ¶~령 通缉令 / ~자 通缉犯 / 강도 혐의로 ~되다 因抢劫被通缉

수:백(數百) 수관 数百 shùbǎi ¶~ 개 数百个 / ~ 년 数百年 / ~ 가지 数百种

수:-백만(數百萬) 수관 数百万 shùbǎiwàn ¶~ 관중 数百万观众 / ~ 달러 数百万美元

수법(手法) 명 **1** 手法 shǒufǎ; 手段 shǒuduàn; 伎俩 jìliǎng ¶상투적인 ~ 惯用伎俩 / 교묘한 ~ 巧妙的手法 / 이런 ~은 매우 비열하다 这种手法很卑鄙 **2** 手法 shǒufǎ; 技巧 jìqiǎo ¶상징적인 ~ 象征的手法

수병(水兵) 명 〖軍〗 水兵 shuǐbīng

수복(收復) 명하타 收复 shōufù ¶잃어버린 땅을 ~하다 收复失地

수북-이 부 满满(地) mǎnmǎn(de); 鼓鼓(地) gǔgǔ(de); 厚厚(地) hòuhòu(de) ¶밥을 ~ 담다 饭盛得满满的 / 어제 눈이 ~ 내렸다 昨天雪下得厚厚的

수북-하다 형 **1** 满满 mǎnmǎn; 厚厚 hòuhòu; 鼓鼓 gǔgǔ ¶물건을 수북하게 담다 东西装得满满的 **2** 肿 zhǒng ¶눈두덩이 수북해졌다 眼泡肿起来了 **3** 丛生 cóngshēng ¶잡초가 ~ 杂草丛生

수분(水分) 명 水分 shuǐfèn = 물기 ¶ ~ 부족 水分不足 / ~을 흡수하다 吸收水分 / ~을 섭취하다 摄取水分

수분(受粉) 명하자 〖植〗 受粉 shòufěn = 가루받이

수비(守備) 명하타 防守 fángshǒu; 守备 shǒubèi; 守卫 shǒuwèi ¶~군 守备军 / ~대 守备队 / ~력 防守力 / 국경을 ~하다 守卫国境

수비-수(守備手) 명 〖體〗 防守球员 fángshǒuqiúyuán; 守备员 shǒubèiyuán; 后卫 hòuwèi

수비-진(守備陣) 명 〖軍〗 防守阵营 fángshǒu zhènyíng; 守备阵营 shǒubèi zhènyíng = 방어진

수사(修士) 명 〖宗〗 修士 xiūshì = 수도사

수사(修辭) 명하자 修辞 xiūcí

수사(搜査) 명하타 〖法〗 搜查 sōuchá; 侦查 zhēnchá ¶~관 侦查人员 / ~ 기관 侦查机关 / ~력 搜查力量 / ~본부 搜查本部 / 범인을 ~하다 搜查犯人 / 사건의 내용을 ~하다 侦查案情

수:사(數詞) 명 〖語〗 数词 shùcí

수사-망(搜査網) 명 搜查网 sōucháwǎng ¶~을 펴다 布下搜查网 / ~을 바싹 좁히다 缩紧搜查网

수산(水産) 명 水产 shuǐchǎn ¶~물 水产品 / ~ 시장 水产市场 / ~ 자원 水产资源

수산-업(水産業) 명 水产业 shuǐchǎnyè ¶~ 협동조합 水产业合作社 / ~이 매우 발달하다 水产业很发达

수산-화(水酸化) 명 〖化〗 氢氧化 qīngyǎnghuà ¶~ 나트륨 氢氧化钠 =[苛性碱] / ~물 氢氧化物 / ~ 바륨 氢氧化钡 / ~ 칼륨 氢氧化钾

수산화 칼슘(水酸化calcium) 〖化〗 氢氧化钙 qīngyǎnghuàgài = 석회2 · 소석회

수삼(水蔘) 명 生参 shēngshēn

수상(水上) 명 **1** 水上 shuǐshàng ¶~ 교통수단 水上交通工具 / ~ 경기 水上竞赛 **2** 上游 shàngyóu

수상(受賞) 명하타 受奖 shòujiǎng; 获奖 huòjiǎng; 受赏 shòushǎng; 领奖 lǐngjiǎng ¶~ 작품 获奖作品 / ~ 소감 获奖感言 / 대상을 ~하다 受大奖

수상(首相) 명 〖政〗 首相 shǒuxiàng ¶ ~ 관저 首相官邸

수상 경:찰(水上警察) 〖法〗 水上警察 shuǐshàng jǐngchá = 해상 경찰

수상-기(受像機) 명 〖電〗 显示器 xiǎnshìqì ¶텔레비전 ~电视显示器

수상 스키(水上ski) 〖體〗 滑水 huáshuǐ

수상-자(受賞者) 명 获奖者 huòjiǎngzhě ¶~ 명단 获奖者名单 / 노벨상 ~ 诺贝尔奖获奖者 / ~를 발표하다 发表获奖者

수상-쩍다(殊常—) 형 可疑 kěyí; 反常 fǎncháng ¶수상쩍은 행동 可疑的举动 / 수상쩍은 물건 可疑物品

수상-하다(殊常—) 형 可疑 kěyí; 反常 fǎncháng ¶최근에 그의 행동은 매우 ~ 他近来的行动很可疑 **수상-히** 부

수색(搜索) 명하타 **1** 搜索 sōusuǒ; 搜 sōu ¶~대 搜索队 / 실종자를 ~하다 搜索失踪者 **2** 〖法〗 搜查 sōuchá; 抄 chāo; 抄查 chāochá ¶~영장 搜查证 / 몸을 ~하다 抄身 / 가택을 ~하다 搜查住宅

수생(水生) 명하자 〖生〗 水生 shuǐshēng

수생 동:물(水生動物) 〖動〗 水生动物 shuǐshēng dòngwù = 수서 동물

수생 식물(水生植物) 〖植〗 = 수중 식물

수서(水棲) 명하자 水栖 shuǐqī

수서 동:물(水棲動物) 〖動〗 = 수생 동물

수석(水石) 명 **1** 水石 shuǐshí **2** 水石风景 shuǐshí fēngjǐng; 泉水 quánshuǐ **3** 观赏石 guānshǎngshí ¶그가 수집한 ~ 他收集的观赏石

수석(首席) 명 首席 shǒuxí; 首座 shǒuzuò; 第一名 dìyīmíng; 头名 tóumíng ¶~ 지휘자 首席指挥 / ~ 합격 头名考上 / ~대표 首席代表

수선 명하형 闹 nào; 吵闹 chǎonào; 喧闹 xuānnào ¶~을 떨다 吵闹

수선(垂線) 명 〖數〗 垂线 chuíxiàn; 垂直线 chuízhíxiàn = 수직선

수선(修繕) 명하타 修补 xiūbǔ; 修 xiū; 补 bǔ; 补缀 bǔzhuì ¶~공 修补工 / ~비 修补费 / ~집 修补店 / 구두를 ~하다 修补皮鞋 / 핸드백을 ~하다 修补手提包 / 헌 옷을 ~하다 修补旧衣服

수선-스럽다 형 吵闹 chǎonào; 喧闹 xuānnào **수선스레** 부

수선-화(水仙花) 명 〖植〗 水仙 shuǐxiān

수성(水性) 명 水性 shuǐxìng ¶~ 잉크 水性油墨 / ~ 펜 水性笔 / ~ 사인펜 水性签字笔 / ~ 페인트 水性涂料

수성(水星) 명 〖天〗 水星 shuǐxīng

수성(壽星) 명 〖天〗 = 남극노인성

수세(守勢) 명 守势 shǒushì ¶~에 몰리다 处于守势

수세미 명 **1** 洗碗刷 xǐwǎnshuā; 洗碗布 xǐwǎnbù **2** 〖植〗 = 수세미외

수세미-외 명 〖植〗 丝瓜 sīguā = 수세미2

수세-식(水洗式) 명 水冲式 shuǐchōngshì ¶~ 화장실 水冲式厕所

수-소 명 公牛 gōngniú; 牡牛 mǔniú

수소(水素) 명 〖化〗 氢 qīng ¶~ 이온 氢离子 / ~ 이온 농도 氢离子浓度 / ~ 폭탄 氢弹

수-소문(搜所聞) 명하타 打听 dǎting; 探听 tàntīng; 查访 cháfǎng; 探寻 tànxún; 搜寻 sōuxún ¶그의 행방을 ~하다 打听他的下落

수속(手續) 명하타 手续 shǒuxù ¶입국 ~ 出入境手续 / 입원 ~ 住院手续 / ~ 절차 手续程序 / ~을 밟다 办手续

수송(輸送) 명하타 运输 yùnshū; 输送 shūsòng; 运送 yùnsòng ¶~차 运输车 / ~기 运输机 / ~량 运输量 / ~력 运输能力 / ~로 运输线 / ~선 运输船 / 물자들을 재난 지역으로 ~하다 把物资输送到灾区

수수 명 〖植〗 高粱 gāoliang; 蜀黍 shǔshǔ; 秫 shú ¶~쌀 秫米 / ~경단 高粱面团

수수(收受) 명하타 〖法〗 收受 shōushòu ¶금품을 ~하다 收受金钱

수수(授受) 명하타 授受 shòushòu ¶뇌물을 ~하다 授受贿赂

수수-깡 명 高粱秆 gāoliānggǎn; 秫秸 shújie

수수께끼 명 **1** 谜 mí; 谜语 míyǔ ¶~를 풀다 猜谜 / 모두에게 ~를 내다 给大家说一个谜语 **2** 谜 mí; 神秘 shénmì ¶우주의 ~ 宇宙之谜 / ~의 인물 神秘人物

수수-료(手數料) 명 手续费 shǒuxùfèi = 마진3 ¶~를 내다 交手续费

수수-방관(袖手傍觀) 명하타 袖手旁观 xiùshǒupángguān

수수-쌀 명 高粱米 gāoliangmǐ = 고량미

수수-하다 형 朴素 pǔsù; 朴质 pǔzhì; 质朴 zhìpǔ ¶수수한 옷차림 朴素的衣着 / 수수하게 입다 穿得朴朴素素的 **수수-히** 부

수-술 명 〖植〗 雄蕊 xióngruǐ

수술(手術) 명하타 〖醫〗 手术 shǒushù; 术 shù ¶~대 手术台 / ~비 手术费 / ~실 手术室 / 심장 ~ 心脏手术 / ~을 하다 动手术

수습(收拾) 명하타 1 收拾 shōushi; 整理 zhěnglǐ; 整顿 zhěngdùn ¶상자 속에 있는 물건을 ~하다 整理箱子里的东西 2 收拾 shōushi ¶~책 收拾办法 / 교통사고를 ~하다 收拾交通事故 3 收 shōu; 收住 shōuzhù; 安定 āndìng ¶민심을 ~하다 收住民心

수습(修習) 명하타 实习 shíxí; 见习 jiànxí ¶~공 实习工 =[见习工] / ~기자 实习记者 =[见习记者] / ~사원 实习职员 / ~생 实习生 =[见习生] / ~기간 实习期间

수시(隨時) 명하자 随时 suíshí ¶~ 점검 随时检点

수시-로(隨時—) 부 随时 suíshí; 经常 jīngcháng ¶~ 보고하다 随时报告 / ~ 전화를 걸다 经常打电话

수식(修飾) 명하타 1 修饰 xiūshì 2 〖語〗 修饰 xiūshì ¶문장을 ~하다 修饰句子

수:식(數式) 〖數〗 数式 shùshì

수식-어(修飾語) 명 〖語〗 定语 dìngyǔ

수신(受信) 명하타 1 收信 shōuxìn; 收 shōu ¶~ 업무 收信业务 / 전보를 ~하다 收报 2 接收 jiēshōu; 收音 shōuyīn; 收 shōu ¶~기 接收机 / ~ 안테나 接收天线 / 전파를 ~하다 收电波

수신(修身) 명하자 修身 xiūshēn

수신-인(受信人) 명 收信人 shōuxìnrén = 수신자

수신-자(受信者) 명 = 수신인

수신-제가(修身齊家) 명하자 修身齐家 xiūshēnqíjiā ¶~ 치국평천하 修身齐家治国平天下

수신-함(受信函) 명 收信箱 shōuxìnxiāng

수:-실(繡—) 명 绣线 xiùxiàn

수심(水深) 명 水深 shuǐshēn ¶~이 깊다 水深 / ~을 측정하다 测量水深

수심(愁心) 명하자 愁 chóu; 愁闷 chóumèn; 忧心 yōuxīn ¶~에 찬 얼굴 愁眉苦脸 / 얼굴에 ~이 가득하다 愁容满面

수:십(數十) 수관 数十 shùshí; 几十 jǐshí ¶~ 명 数十人 / ~ 년 数十年

수압(水壓) 명 〖物〗 水压 shuǐyā ¶~이 높다 水压高 / ~이 약하다 水压弱

수액(樹液) 명 树液 shùyè; 树汁 shùzhī

수양(收養) 명하타 收养 shōuyǎng

수양(修養) 명하타 养气 yǎngqì; 陶冶 táoyě; 修 xiū ¶인격 ~ 人格陶冶 / 심신을 ~하다 陶冶身心

수양-딸(收養—) 명 养女 yǎngnǚ; 干女儿 gānnǚr = 양녀1 · 양딸

수양-버들(垂楊—) 명 〖植〗 垂柳 chuíliǔ

수양-부모(收養父母) 명 养父母 yǎngfùmǔ

수양-아들(收養—) 명 养子 yǎngzǐ; 干儿子 gān'érzi

수양-아버지(收養—) 명 养父 yǎngfù; 义父 yìfù; 干爹 gāndiē = 의부2

수양-어머니(收養—) 명 养母 yǎngmǔ; 干娘 gānniáng = 의모2

수어지교(水魚之交) 명 鱼水 yúshuǐ; 鱼水情 yúshuǐqíng

수:억(數億) 수관 数亿 shùyì; 几亿 jǐyì ¶~ 달러 数亿美元 / ~의 인구 数亿人口 / ~에 달하는 재산 达数亿的财产

수업(修業) 명하타 进修 jìnxiū ¶작가 ~ 作家进修

수업(授業) 명하타 〖教〗 课 kè; 上课 shàngkè; 授业 shòuyè; 讲课 jiǎngkè ¶~ 시간 上课时间 / ~ 거부 罢课 / ~ 분위기 上课气氛 / 우리는 토요일에 ~이 없다 我们星期六没有课 / 학생들이 ~을 받고 있다 学生们正在听课

수업-료(授業料) 명 学费 xuéfèi ¶~를 내다 交学费

수:-없다(數—) 형 无数 wúshù; 数不清 shǔbuqīng; 数不胜数 shǔbùshèngshǔ; 不可胜数 bùkěshèngshǔ ¶우리나라의 수없는 명산들 我国无数的名山

수:없-이 부 ¶~ 많은 별들 无数的星星

수여(授與) 명하타 授予 shòuyǔ; 颁发 bānfā; 授 shòu ¶~식 授予仪式 / 우수한 학생에게 상장을 ~하다 给优秀的学生颁发奖状

수역(水域) 명 水域 shuǐyù ¶공동 ~ 公共水域

수:열(數列) 명 〖數〗 数列 shùliè

수염(鬚髥) 명 1 胡子 húzi; 胡须 húxū; 须 xū ¶~을 깎다 刮胡子 / ~이 자라다 长胡子 / ~을 기르다 把胡子留起来 2 须子 xūzi; 须 xū ¶옥수수 ~ 玉米须子 / 쥐 ~ 老鼠须子

수염-뿌리(鬚髥—) 명 〖植〗 须根 xūgēn = 실뿌리

수영(水泳) 명하자 〖體〗 游泳 yóuyǒng ¶~ 경기 游泳比赛 / ~모 游泳帽 / ~복 游泳衣 / 강에서 ~하다 在江里游泳

수영-장(水泳場) 명 游泳池 yóuyǒngchí = 풀(pool) · 풀장

수예(手藝) 명 手工艺 shǒugōngyì; 绣艺 xiùyì ¶~품 手工艺品

수온(水溫) 명 水温 shuǐwēn ¶~계 水温计 / ~을 재다 测水温 / ~이 상승하다 水温上升

수완(手腕) 명 手腕 shǒuwàn; 手段 shǒuduàn; 才干 cáigàn ¶사업 ~을 발휘하다 发挥经商手腕 / ~이 대단하다 手腕厉害

수요(需要) 명 〖經〗 需求 xūqiú; 求 qiú

¶～ 곡선 需求曲线 / ～량 需求量 / ～자 需求者 / ～ 공급의 법칙 供求法则 / ～가 줄어들다 需求减少 / 공급이 ～를 따라가지 못하다 供不应求

수-요일(水曜日) 명 星期三 xīngqīsān; 礼拜三 lǐbàisān; 周三 zhōusān

수용(收用) 명하타 征用 zhēngyòng ¶ 정부가 토지를 ～하다 政府征用土地

수용(收容) 명하타 收容 shōuróng; 容róng; 容纳 róngnà ¶이재민을 ～하다 收容灾民 / 이 체육관은 삼만 명을 ～할 수 있다 这个体育场可以容纳三万人

수용(受容) 명하타 接受 jiēshòu; 容纳 róngnà ¶의견을 ～하다 接受意见 / 그들의 요구를 ～하다 容纳他们的要求

수용-성(水溶性) 명 〖化〗 水溶性 shuǐróngxìng ¶～ 비타민 水溶性维生素

수용-소(收容所) 명 收容所 shōuróngsuǒ ¶포로 ～ 俘虏收容所 / ～를 설치하다 设立收容所

수원(水源) 명 水源 shuǐyuán ¶～지 水源池

수월찮다 형 **1** 不容易 bùróngyì **2** 不少 bùshǎo **수월찮-이** 부 ¶돈을 ～ 벌었다 挣钱挣得不少

수월-하다 형 容易 róngyì; 轻易 qīngyì; 轻而易举 qīng'éryìjǔ ¶대도시는 일자리를 찾기가 비교적 ～ 大城市比较容易找到工作

수위(水位) 명 **1** 水位 shuǐwèi ¶～를 조절하다 调节水位 / 저수지의 ～가 낮아졌다 水库的水位下降了 **2** 强度 qiángdù; 程度 chéngdù ¶오염은 이미 매우 심각한 ～에 달했다 污染已达到非常严重的程度

수위(守衛) 명하타 **1** 守卫 shǒuwèi **2** 门卫 ménwèi ¶～실 门卫室

수위(首位) 명 首位 shǒuwèi ¶～를 유지하다 坚持首位 / 성적이 반 전체에서 ～를 차지하다 成绩居全班首位

수유(授乳) 명하자 哺乳 bǔrǔ; 喂奶 wèinǎi; 喂 wèi ¶모유 ～ 母乳喂养 / ～기 哺乳期 / ～실 哺乳室 / 아기에게 ～하다 给婴儿喂奶

수육(一肉) 명 熟肉 shúròu

수은(水銀) 명 〖化〗 水银 shuǐyín; 汞 gǒng ¶～등 汞灯 =[水银灯] / ～ 온도계 水银温度计 / ～ 전지 水银电池 / ～주 水银柱 / ～ 중독 水银中毒

수음(手淫) 명하자 手淫 shǒuyín; 自慰 zìwèi = 자위(自慰)2

수의(囚衣) 명 囚衣 qiúyī = 죄수복

수의(壽衣) 명 寿衣 shòuyī

수의(隨意) 명하자 随意 suíyì ¶～ 계약 随意合同

수의과 대:학(獸醫科大學) 〖教〗 兽医学院 shòuyī xuéyuàn; 兽医大学 shòuyī dàxué = 수의대

수의-근(隨意筋) 명 〖生〗 随意肌 suíyìjī

수의-대(獸醫大) 명 〖教〗 = 수의과 대학

수-의사(獸醫師) 명 兽医 shòuyī

수의-학(獸醫學) 명 兽医学 shòuyīxué

수익(收益) 명하자 〖經〗 收益 shōuyì ¶회사의 ～ 公司的收益 / ～금 收益金额 / ～률 收益率 / ～ 자산 收益财产 / ～이 아주 적다 收益甚少

수익-성(收益性) 명 〖經〗 效益 xiàoyì ¶～이 대폭 올라가다 效益大幅度提高

수:일(數日) 명 数日 shùrì; 几天 jǐtiān ¶～ 전 数日前

수입(收入) 명하타 收入 shōurù ¶～이 증가하다 收入增加

수입(輸入) 명하타 进口 jìnkǒu; 输入 shūrù ¶～ 관세 进口关税 / ～상 进口商 / ～ 신고서 进口报单 / ～품 进口货 / ～을 개방하다 开放进口 / 원자재를 ～하다 进口原材料

수입-원(收入源) 명 收入源 shōurùyuán ¶우리 회사의 주요 ～은 바로 광고 수입이다 我公司的主要收入源就是广告收入

수입 인지(收入印紙) 〖法〗 印花 yìnhuā ¶～를 붙이다 贴印花

수-자원(水資源) 명 水资源 shuǐzīyuán ¶～을 보호하다 保护水资源

수작(秀作) 명 优秀作品 yōuxiù zuòpǐn

수작(酬酌) 명하자 **1** 酬酢 chóuzuò **2** 过话 guòhuà; 交谈 jiāotán **3** 把戏 bǎxì; 花招 huāzhāo; 鬼 guǐ ¶못된 ～ 鬼把戏 / 무슨 ～을 부리는 거냐? 搞什么鬼?

수-작업(手作業) 명 手工 shǒugōng

수장(水葬) 명하타 水葬 shuǐzàng

수장(收藏) 명하타 收藏 shōucáng ¶그의 작품은 박물관에 ～되어 있다 他的作品由博物馆收藏着

수장(首長) 명 首长 shǒuzhǎng ¶부대의 ～ 部队首长

수재(水災) 명 水灾 shuǐzāi ¶～민 水灾民 / ～ 의연금 水灾捐款 / ～를 당하다 遭受水灾

수재(秀才) 명 秀才 xiùcái

수저 명 **1** 匙筷 chíkuài; 勺筷 sháokuài ¶～통 勺筷桶 / ～를 들다 拿起勺筷 **2** 调羹 tiáogēng; 汤匙 tāngchí; 羹匙 gēngchí

수:-적(數的) 관명 数量上 shùliàngshang ¶～으로 불리하다 数量上不利

수전-노(守錢奴) 명 守财奴 shǒucáinú; 看财奴 kāncáinú; 守钱奴 shǒuqiánnú

수전-증(手顫症) 명 〖醫〗 手抖 shǒudǒu; 手颤症 shǒuchànzhèng

수절(守節) 명하자 守节 shǒujié ¶～과부 守节寡妇

수젓-집 명 匙筷盒 chíkuàihé; 匙筷袋 chíkuàidài; 筷袋 kuàidài

수정(水晶) 명 〖鑛〗 水晶 shuǐjīng; 晶 jīng = 크리스털1 ¶～ 반지 水晶戒指

수정(受精) 명하자 〖生〗 受精 shòujīng ¶인공 ～ 人工受精

수정(修正) 명하타 修正 xiūzhèng; 修改 xiūgǎi; 改正 gǎizhèng ¶～안 修正案 / 계획을 ～하다 修改计划 / 잘못을 ～하다 修正错误 / 내용을 ～하다 修改内容

수정(修訂) 명하타 修订 xiūdìng ¶～판 修订版 / 전문가들이 교재를 한 차례 ～했다 专家们把课本修订了一下

수-정과(水正果) 명 水正果 shuǐzhèngguǒ

수정-관(輸精管) 명 〖生〗 = 정관

수정-란(受精卵) 명 〖生〗 受精卵 shòujīngluǎn

수정-체(水晶體) 명 〖生〗 晶状体 jīngzhuàngtǐ

수제(手製) 명하타 **1** 手制 shǒuzhì; 手工 shǒugōng ¶～ 구두 手工皮鞋 / ～비누 手制皂 **2** = 수제품

수제비 명 片儿汤 piànrtāng; 拉片儿汤 lāpiànrtāng

수제비(를) 뜨다 구 **1** 做片儿汤 **2** 打水漂(儿)

수-제자(首弟子) 명 大弟子 dàdìzǐ; 首席弟子 shǒuxí dìzǐ

수제-품(手製品) 명 手工制品 shǒugōng zhìpǐn = 수제2

수조(水槽) 명 水槽 shuǐcáo ¶～에 물이 가득 찼다 水槽里水都满了

수조(水藻) 명 水藻 shuǐzǎo

수:조(數兆) 수관 数兆 shùzhào ¶～ 달러 数兆美元

수족(手足) 명 = 손발

수족(水族) 명 水族 shuǐzú ¶～관 水族馆

수:종(數種) 명 数种 shùzhǒng; 几种 jǐzhǒng ¶～에 달하는 제품 达几种的产品

수종(隨從) 명하타 随从 suícóng; 侍从 shìcóng

수주(受注) 명하타 接单 jiēdān; 接受订货 jiēshòu dìnghuò

수준(水準) 명 水平 shuǐpíng; 水准 shuǐzhǔn ¶～을 높이다 提高水平 / ～이 낮다 水平很低 / 일정한 ～에 도달하다 达到一定水平 / 생활 ～이 비교적 높다 生活水准较高

수준-급(水準級) 명 水平相当高 shuǐpíng xiāngdāng gāo

수준-기(水準器) 명 〖物〗 水准仪 shuǐzhǔnyí

수줍다 형 害羞 hàixiū; 害臊 hàisào; 怕羞 pàxiū; 腼腆 miǎntiǎn ¶여인이 수줍게 손으로 눈을 가리고 있다 女人害羞地用手捂着眼睛

수줍어-하다 자 害羞 hàixiū; 害臊 hàisào; 怕羞 pàxiū; 腼腆 miǎntiǎn ¶그녀는 남학생만 보면 수줍어한다 她看见男同学就害羞

수줍-음 명 害羞 hàixiū ¶～을 잘 타다 爱害羞

수중(水中) 명 = 물속 ¶～ 탐사 水下勘探 / ～ 촬영 水下摄影 / ～ 분만 水中分娩 / ～ 카메라 水下摄影机

수중(手中) 명 手中 shǒuzhōng; 手里 shǒuli; 手头 shǒutóu = 손안 ¶물건이 ～에 없다 东西不在手头 / 그의 ～에 들어가다 落在他的手中

수중 발레(水中프ballet) 〖體〗 = 싱크로나이즈드 스위밍

수중 식물(水中植物) 〖植〗 水生植物 shuǐshēng zhíwù = 수생 식물

수-증기(水蒸氣 · 水烝氣) 명 水蒸气 shuǐzhēngqì; 蒸气 zhēngqì = 증기2 ¶～가 서리다 水蒸气凝聚

수지(手指) 명 = 손가락 ¶～침 手指针

수지(收支) 명 **1** 收支 shōuzhī ¶국제 ～를 조절하다 调节国际收支 **2** 合算 hésuàn; 划算 huásuàn; 上算 shàngsuàn ¶이 장사는 너무 ～가 맞지 않는다 这笔买卖太不合算了

수지(樹脂) 명 树脂 shùzhī

수지-맞다 자 合算 hésuàn; 划算 huásuàn; 上算 shàngsuàn ¶수지맞는 장사 合算的生意 / 수지맞는 가격 划算的价格

수직(垂直) 명 **1** 垂直 chuízhí; 竖 shù ¶～ 기류 垂直气流 / ～ 분포 垂直分布 / ～으로 날아 올라가다 垂直起飞 / ～으로 내려가다 垂直下降 **2** 〖數〗 垂直 chuízhí ¶～ 거리 垂直距离 / ～면 垂直面

수직-선(垂直線) 명 〖數〗 = 수선(垂線)

수직-적(垂直的) 관명 垂直(的) chuízhí(de) ¶～인 조직 구조 垂直的组织结构

수질(水質) 명 水质 shuǐzhì ¶～ 오염 水质污染 / ～을 개선하다 改善水质

수집(收集) 명하타 收集 shōují; 集 jí ¶폐품을 ～하다 收集废品

수집(蒐集) 명하타 搜集 sōují; 收集 shōují ¶～가 搜集家 / ～광 搜集狂 / ～벽 搜集癖 / ～상 搜集商 / 우표를 ～하다 搜集邮票 / 자료를 ～하다 收集资料 / 골동품을 ～하다 搜集古玩

수차(水車) 명 **1** = 물레방아 **2** = 무자위

수:-차례(數次例) 명 数次 shùcì; 几次 jǐcì; 好几次 hǎojǐcì ¶～ 방문했다 访问了数次 / 이 문제를 ～ 물어보았다 这个问题问过好几次了

수채 명 下水道 xiàshuǐdào

수채(水彩) 명 〖美〗 水彩 shuǐcǎi ¶～물감 水彩颜料 / ～화 水彩画

수채-통(一筒) 명 下水管 xiàshuǐguǎn; 污水筒 wūshuǐtǒng ＝ 하수관 · 하수통

수챗-구멍 명 下水道口 xiàshuǐdàokǒu

수척-하다(瘦瘠一) 형 瘦瘠 shòují; 瘦弱 shòuruò; 消瘠 xiāojí ¶몸이 마른 나무처럼 ～ 身子瘦瘠得像枯木 / 환자가 나날이 수척해진다 患者一天天变得瘦瘠

수:천(數千) 수관 数千 shùqiān; 几千 jǐqiān ¶～ 명 数千人 / ～ 년 数千年

수:-천만(數千萬) 수관 1 数千万 shùqiānwàn ¶～ 명이 참여하다 数千万的人参加 2 成千上万 chéngqiānshàngwàn ¶그의 부친이 남긴 가산은 ～이다 他父亲留下的家业成千上万

수첩(手帖) 명 1 小本子 xiǎoběnzi; 手册 shǒucè 2 手册 shǒucè ¶업무 ～ 工作手册

수청(守廳) 명 〖史〗 侍候 shìhòu ¶～을 들다 侍候

수초(水草) 명 〖植〗 水草 shuǐcǎo ＝ 물풀

수축(收縮) 명하자 收缩 shōusuō ¶동공이 ～하다 瞳孔收缩 / 부피가 많이 ～되었다 体积收缩得多

수출(輸出) 명하타 出口 chūkǒu; 输出 shūchū ¶～ 관세 出口关税 / ～ 송장 出口送货单 / ～ 신고서 出口报单 / ～품 出口产品 / 이 회사는 매년 자동차를 거의 백만 대나 ～한다 该公司每年出口汽车近百万辆

수-출입(輸出入) 명 进出口 jìnchūkǒu ¶～ 은행 进出口银行

수취(受取) 명하타 领取 lǐngqǔ; 接收 jiēshōu ¶우편물을 ～하다 领取邮件

수취-인(受取人) 명 1 领取人 lǐngqǔrén 2 〖法〗 接收者 jiēshōuzhě

수치(羞恥) 명 羞耻 xiūchǐ; 羞辱 xiūrǔ; 耻辱 chǐrǔ ¶그는 이것들을 최대의 ～로 여겼다 他把这些都当作最大的耻辱

수:치(數値) 명 〖數〗 数值 shùzhí

수치-감(羞恥感) 명 羞耻 xiūchǐ ¶～을 느끼다 感到羞耻

수치-스럽다(羞恥一) 형 羞耻 xiūchǐ; 耻辱 chǐrǔ ¶～심 羞耻心 / 그는 이것 때문에 아주 수치스러웠다 他为此觉得很羞耻 **수치스레** 부

수-치질(一痔疾) 명 〖醫〗 外痔 wàizhì

수칙(守則) 명 守则 shǒuzé ¶안전 ～ 安全守则 / 업무 ～ 工作守则

수캉아지 명 小公狗 xiǎogōnggǒu; 小雄狗 xiǎoxiónggǒu

수캐 명 公狗 gōnggǒu; 雄狗 xiónggǒu

수컷 명 雄(的) xióng(de); 公(的) gōng(de); 牡(的) mǔ(de) ¶그 말은 ～이다 那匹马是公的

수키와 명 筒瓦 tǒngwǎ

수탁(受託) 명하타 受托 shòutuō ¶～매매 受托买卖 / ～인 受托人

수탈(收奪) 명하타 掠夺 lüèduó; 抢夺 qiǎngduó; 夺掠 duólüè; 剥夺 bōduó ¶백성의 재물을 ～하다 掠夺百姓的财物

수탉 명 公鸡 gōngjī; 雄鸡 xióngjī

수탕나귀 명 公驴 gōnglǘ; 雄驴 xiónglǘ ＝ 수나귀

수태(受胎) 명하타 受胎 shòutāi; 受孕 shòuyùn; 怀妊 huáirèn; 怀孕 huáiyùn

수퇘지 명 公猪 gōngzhū; 雄猪 xióngzhū

수:-틀(繡一) 명 绣绷 xiùbēng; 绣架 xiùjià ＝ 자수틀

수-틀리다 자 不顺心 bùshùnxīn; 不如意 bùrúyì ¶만약 수틀리면 전부 때려치울 거다 如果不顺心全部要放弃

수:판(數板) 명 算盘 suànpán ＝ 주판 ¶～으로 계산하다 用算盘计算

수판(을) 놓다 구 打算盘 ＝ 주판(을) 놓다

수:판-알(數板一) 명 算盘子儿 suànpánzǐr ＝ 주판알 ¶～을 튀기다 拨动算盘子儿

수평(水平) 명 水平 shuǐpíng; 平行 píngxíng; 平 píng ¶～각 水平角 / ～거리 水平距离 / ～면 水平面 / ～을 유지하다 保持平行

수평-선(水平線) 명 1 海平线 hǎipíngxiàn; 水平线 shuǐpíngxiàn ¶아득한 ～ 远远的水平线 2 〖數〗 水平线 shuǐpíngxiàn

수평아리 명 小公鸡 xiǎogōngjī; 小雄鸡 xiǎoxióngjī

수포(水泡) 명 ＝ 물거품 ¶모든 희망이 ～로 돌아가다 所有的希望都化为泡影

수포(水疱) 명 〖醫〗 '물집' 的旧称

수표(手票) 명 〖經〗 支票 zhīpiào ¶～를 발행하다 开支票 / ～를 현금으로 바꾸다 兑现支票

수풀 명 1 树丛 shùcóng; 树林 shùlín 2 草丛 cǎocóng ¶우거진 ～ 茂密的草丛

수프(soup) 명 汤 tāng; 羹 gēng; 羹汤 gēngtāng; 菜汤 càitāng; 肉汤 ròutāng

수필(隨筆) 명 〖文〗 随笔 suíbǐ ＝ 에세이 ¶～가 随笔家 / ～집 随笔集

수하(手下) 명 1 = 손아래 2 = 부하(部下) 3 手下 shǒuxià ¶그의 ~의 군사 他手下的军士
수-하물(手荷物) 명 随身行李 suíshēn xíngli; 小件行李 xiǎojiàn xíngli; 行李 xíngli = 수화물
수학(受學) 명하타 受学 shòuxué; 受教 shòujiào ¶그는 젊었을 때 저명한 화가에게 ~했다 他早年受教于著名画家
수학(修學) 명하타 修学 xiūxué; 学习 xuéxí ¶~여행 修学游
수:학(數學) 명 【數】数学 shùxué ¶~공식 数学公式
수해(水害) 명 水害 shuǐhài; 水灾 shuǐzāi ¶~를 입다 遭受水害 / ~를 방지하다 防止水灾
수행(修行) 명하자 修 xiū; 修行 xiūxíng ¶절에서 ~하다 在寺庙修行
수행(遂行) 명하타 执行 zhíxíng; 履行 lǚxíng; 实行 shíxíng ¶임무를 ~하다 执行任务
수행(隨行) 명하타 随从 suícóng; 随行 suíxíng; 跟随 gēnsuí; 随同 suítóng ¶총장을 ~하여 외국을 방문하다 随从校长访问外国
수행-원(隨行員) 명 随从 suícóng; 随员 suíyuán; 跟随 gēnsuí; 随从人员 suícóng rényuán
수험(受驗) 명하타 报考 bàokǎo; 应考 yìngkǎo; 投考 tóukǎo ¶~ 준비 应考准备 / ~ 자격 报考资格
수험-료(受驗料) 명 报考费 bàokǎofèi; 应考费 yìngkǎofèi; 投考费 tóukǎofèi ¶~를 내다 交报考费
수험-생(受驗生) 명 报考生 bàokǎoshēng; 应考生 yìngkǎoshēng; 投考生 tóukǎoshēng
수험-표(受驗票) 명 准考证 zhǔnkǎozhèng
수혈(輸血) 명하자 【醫】输血 shūxuè
수혜(受惠) 명 受惠 shòuhuì ¶~자 受惠者 / ~ 대상 受惠对象
수호(守護) 명하타 守护 shǒuhù; 维护 wéihù; 守卫 shǒuwèi; 保卫 bǎowèi ¶~신 守护神 / ~자 守护者 / ~천사 守护天使 / 평화를 ~하다 维护和平
수화(手話) 명 手语 shǒuyǔ; 手指语 shǒuzhǐyǔ ¶~로 이야기를 나누다 用手语交谈
수화(受話) 명하자 受话 shòuhuà; 接电话 jiē diànhuà
수화-기(受話器) 명 受话器 shòuhuàqì; 听筒 tīngtǒng; 话筒 huàtǒng ¶~를 들어 귀에 대다 拿起听筒放到耳边
수-화물(手貨物) 명 = 수하물
수확(收穫) 명하타 1 收成 shōucheng; 收获 shōuhuò; 收割 shōugē ¶~기 收割期 / ~량 收获量 / 벼를 ~하다 收割水稻 2 成果 chéngguǒ; 收获 shōuhuò ¶이번 참관에서 우리는 모두 큰 ~이 있었다 这次参观, 我们都有很大收获
수:회(數回) 명 数次 shùcì; 数回 shùhuí; 几次 jǐcì
수:효(數爻) 명 数量 shùliàng ¶~가 맞지 않다 数量不对
수훈(殊勳) 명 殊勋 shūxūn; 功勋 gōngxūn ¶여러 차례 ~을 세우다 屡建殊勋
숙고(熟考) 명하타 熟虑 shúlǜ; 熟思 shúsī
숙녀(淑女) 명 1 淑女 shūnǚ ¶재색을 겸비한 ~ 才貌双全的淑女 2 女士 nǚshì ¶~복 女士服装 / 신사 ~ 여러분! 女士们, 先生们!
숙달(熟達) 명하자타 熟练 shúliàn; 精通 jīngtōng; 娴熟 xiánshú ¶~된 기술 熟练的技术 / 이 일에 대하여 아직 많이 ~되지 않았다 对这个工作还很不熟练
숙덕-거리다 자타 窃窃私语 qièqièsīyǔ; 叽咕 jīgu; 喁喁私语 yúyúsīyǔ = 숙덕대다 ¶너희 두 사람은 무엇을 숙덕거리고 있느냐? 你们俩在叽咕什么? **숙덕-숙덕** 부하자타
숙덕-이다 자타 窃窃私语 qièqièsīyǔ; 叽咕 jīgu; 喁喁私语 yúyúsīyǔ
숙독(熟讀) 명하타 熟读 shúdú ¶명작을 ~하다 熟读名作
숙려(熟慮) 명하타 熟虑 shúlǜ; 熟思 shúsī
숙련(熟鍊·熟練) 명하자 熟练 shúliàn ¶~공 熟练工人 / 기술이 ~되다 技术熟练
숙맥(菽麥) 명 1 菽麦 shūmài 2 二百五 èrbǎiwǔ; 半彪子 bànbiāozi
숙면(熟眠) 명하자 熟睡 shúshuì; 熟眠 shúmián; 沉睡 chénshuì; 酣睡 hānshuì ¶다른 사람은 모두 깼지만 그는 여전히 ~을 취하고 있다 别人都醒了, 他还沉睡着
숙명(宿命) 명 宿命 sùmìng; 命中注定 mìngzhōngzhùdìng ¶~의 대결 宿命的决战 / ~의 라이벌 命中注定的竞争对手
숙명-적(宿命的) 관명 宿命(的) sùmìng(de); 命中注定(的) mìngzhōngzhùdìng(de) ¶~ 관계 宿命关系 / ~인 사랑 命中注定的爱情
숙모(叔母) 명 = 작은어머니1
숙박(宿泊) 명하자 住宿 zhùsù; 投宿 tóusù; 住 zhù ¶~료 住宿费 / ~부 住宿登记簿 / ~ 시설 住宿设施 / ~업 住宿业 / 여관에서 ~하다 在旅馆住宿
숙변(宿便) 명 宿便 sùbiàn ¶~을 제거하다 去除宿便

숙부(叔父) 명 = 작은아버지
숙성(熟成) 명하자타 1 成熟 chéngshú ¶~한 여인 成熟的女人 2〖化〗酿熟 niàngshú; 熟成 shúchéng
숙소(宿所) 명 住处 zhùchù; 住所 zhùsuǒ ¶~를 정하다 定好住处 / 그의 ~는 학교에서 멀지 않다 他的住处离学校不远
숙식(宿食) 명하자 食宿 shísù; 吃住 chīzhù ¶~을 제공하는 여관 提供食宿的旅馆 / 친구 집에서 ~하다 食宿在朋友家
숙어(熟語) 명〖語〗= 관용구 ¶중국어 ~ 사전 汉语熟语词典
숙어-지다 자 1 下垂 xiàchuí; 低垂 dīchuí ¶졸음으로 머리가 점점 ~ 困劲儿来了头渐渐下垂 2 减弱 jiǎnruò; 消沉 xiāochén; 消退 xiāotuì; 低落 dīluò ¶바람의 기세가 숙어졌다 风势减弱了 / 더위가 숙어졌다 热消退了
숙연-하다(肅然—) 형 肃然 sùrán; 肃穆 sùmù ¶분위기가 ~ 气氛肃然 **숙연-히** 부 ¶~ 머리 숙여 명복을 빌다 肃然低头祈祷冥福
숙영(宿營) 명하자〖軍〗宿营 sùyíng ¶~지 宿营地
숙원(宿怨·夙怨) 명 夙怨 sùyuàn; 夙嫌 sùxián; 宿怨 sùyuàn; 宿嫌 sùxián ¶~을 풀다 消夙怨
숙원(宿願) 명 夙愿 sùyuàn; 宿愿 sùyuàn ¶오랜 ~을 이루다 了却多年的宿愿
숙-이다 타 低 dī; 垂 chuí; 低垂 dīchuí ¶그녀는 미안해하며 고개를 숙였다 她不好意思地低下了头
숙적(宿敵) 명 1 夙仇 sùchóu; 宿仇 sùchóu 2 夙敌 sùdí; 宿敌 sùdí ¶~을 쓰러뜨리다 打倒夙敌
숙제(宿題) 명 1 作业 zuòyè ¶~를 하다 做作业 / ~를 내다 布置作业 2 (等待解决的) 课题 kètí ¶공기 오염은 당면한 ~ 중의 하나이다 空气污染是当前课题之一
숙주(宿主) 명〖生〗宿主 sùzhǔ; 寄主 jìzhǔ
숙주-나물 명 1 绿豆芽 lǜdòuyá 2 凉拌绿豆芽 liángbàn lǜdòuyá
숙지(熟知) 명하타 熟知 shúzhī ¶주의 사항을 ~하다 熟知注意事项
숙직(宿直) 명하자 值夜 zhíyè; 值班 zhíbān; 值宿 zhísù ¶돌아가며 ~하다 轮流值夜
숙직-실(宿直室) 명 夜间值班室 yèjiān zhíbānshì; 值宿室 zhísùshì
숙질(叔姪) 명 叔侄 shūzhí ¶~간 叔侄之间
숙청(肅淸) 명하타 肃清 sùqīng ¶반대파를 한꺼번에 ~하다 一举肃清反对派
숙취(宿醉) 명 宿醉 sùzuì; 宿酒 sùjiǔ ¶~로 머리가 띵하다 因宿醉头脑昏沉
숙환(宿患) 명 宿疾 sùjí; 老病 lǎobìng ¶~으로 돌아가시다 因宿疾去世
순 부 纯 chún; 纯粹 chúncuì; 完全 wánquán ¶~ 거짓말 纯粹的鬼话 / ~ 악질 完全的坏蛋
순(純) 관 纯 chún; 净 jìng ¶~ 한국식 요리 纯韩国风味的菜
순(筍·笋) 명 芽 yá ¶~이 나다 发芽
-순(順) 접미 顺序 shùnxù ¶나이~ 年龄顺序 / 선착~ 先来后到的顺序
순간(瞬間) 명 1 瞬间 shùnjiān; 瞬时 shùnshí; 瞬息 shùnxī; 刹那 chànà; 一刹那 yīchànà ¶~ 속도 瞬时速度 / 극적인 ~ 戏剧性的瞬间 / 인생의 매 ~ 人生的每个瞬间 / 마지막 ~ 最后的一刹那 2 那时 nàshí; 一时 yīshí
순간-적(瞬間的) 관명 瞬间(的) shùnjiān(de); 瞬息 shùnxī ¶~으로 일어난 교통사고 瞬间发生的交通事故
순간-접착제(瞬間接着劑) 명 快速胶粘剂 kuàisù jiāozhānjì
순견(純絹) 명 纯绢 chúnjuàn; 纯丝绸 chúnsīchóu
순결(純潔) 명하형 1 纯洁 chúnjié; 纯粹 chúncuì ¶~한 마음 纯洁的心灵 2 贞操 zhēncāo; 童贞 tóngzhēn ¶~을 지키다 守贞操 / ~을 잃다 失去贞操
순경(巡警) 명〖法〗巡警 xúnjǐng
순교(殉教) 명하자〖宗〗殉教 xùnjiào ¶~자 殉教者
순국(殉國) 명하자 殉国 xùnguó ¶~ 선열 殉国先烈 / ~열사 殉国烈士
순금(純金) 명 纯金 chúnjīn; 赤金 chìjīn ¶~ 반지 纯金戒指
순대 명 米肠 mǐcháng
순댓-국 명 米肠汤 mǐchángtāng ¶~밥 米肠汤饭
순도(純度) 명 纯度 chúndù ¶이 황금의 ~는 99%에 달한다 这种黄金的纯度达百分之九十九
순-두부(—豆腐) 명 豆腐脑(儿) dòufunǎo(r) ¶~찌개 豆腐脑汤
순례(巡禮) 명하타〖宗〗巡礼 xúnlǐ ¶~자 巡礼者 / 성지를 ~하다 巡礼圣地
순록(馴鹿) 명〖動〗驯鹿 xùnlù
순:리(順理) 명하자 顺理 shùnlǐ; 顺其自然 shùnqízìrán ¶~를 따르다 顺其自然
순망치한(脣亡齒寒) 명 唇亡齿寒 chúnwángchǐhán
순면(純綿) 명 纯棉 chúnmián ¶~ 제품 纯棉制品 / ~ 속옷 纯棉内衣
순모(純毛) 명 纯毛 chúnmáo ¶~ 스웨터 纯毛毛衣

순-무 명 〖植〗 芜菁 wújīng; 蔓菁 mánjing

순박-하다(淳朴—·淳樸—·醇朴—) 형 淳朴 chúnpǔ; 纯朴 chúnpǔ ¶순박한 얼굴 淳朴的面孔 / 순박한 성격 淳朴的性格

순발-력(瞬發力) 명 〖體〗 爆发力 bàofālì ¶~을 발휘하다 发挥爆发力

순방(巡訪) 명하타 巡访 xúnfǎng ¶유럽을 ~하다 巡访欧洲

순배(巡杯) 명하자 巡杯 xúnbēi ¶서넛 ~가 돌다 巡杯过三四巡

순백(純白·醇白) 명 **1** = 순백색 ¶~의 설원 纯白的雪原 **2** 纯粹 chúncuì; 纯白 chúnbái

순-백색(純白色) 명 纯白 chúnbái; 雪白 xuěbái; 纯白色 chúnbáisè = 순백1 ¶온 산이 ~으로 변하다 满山变得雪白

순:번(順番) 명 顺序 shùnxù; 次序 cìxù ¶~을 정하다 定顺序 / ~에 따라 앉으세요 请按照次序入席

순:산(順産) 명하타 顺产 shùnchǎn; 安产 ānchǎn ¶~을 기원하다 祝愿顺产

순:서(順序) 명 顺序 shùnxù; 次序 cìxù; 次 cì ¶배열 ~ 排列顺序 / ~대로 입장하다 顺次入场 / ~를 지키다 遵守次序 / ~가 바뀌다 顺序颠倒 / ~에 따라 한 사람씩 발언하세요 请按照次序一个一个发言

순수(純粹) 명하형 **1** 纯 chún; 纯粹 chúncuì; 纯正 chúnzhèng; 地道 dìdao ¶~성 纯粹性 / ~ 문학 纯文学 / 그는 ~한 농민이다 他是地地道道的老农民 **2** 纯 chún; 纯粹 chúncuì; 纯正 chúnzhèng ¶동기가 ~하지 않다 动机不纯 / 그는 ~한 사람이다 他是个纯粹的人

순:순-하다(順順—) 형 **1** 温顺 wēnshùn; 乖乖 guāiguāi; 温驯 wēnxùn; 服帖 fútiē; 驯服 xùnfú; 顺从 shùncóng ¶그의 성질은 순순해졌다 他的脾气温顺起来了 **2** (味道) 醇和 chúnhé **순:순-히** 부 ¶~ 그를 따라가다 顺从地跟着他 / ~ 내놓다 乖乖地交出

순시(巡視) 명하타 巡视 xúnshì ¶건설 현장을 ~하다 巡视建设现场

순식-간(瞬息間) 명 瞬息间 shùnxījiān; 瞬息 shùnxī; 瞬间 shùnjiān; 瞬时 shùnshí; 瞬刻 shùnkè; 霎时 shàshí ¶화염이 ~에 2층으로 올라갔다 火焰瞬间冲上了二楼

순애(殉愛) 명하자 殉情 xùnqíng

순양(巡洋) 명하타 巡洋 xúnyáng ¶~함 巡洋舰

순:연(順延) 명하타 顺延 shùnyán ¶비가 오면 ~한다 遇雨顺延

순:위(順位) 명 名次 míngcì; 位次 wèicì ¶~를 다투다 争名次 / ~를 정하다 定位次

순은(純銀) 명 纯银 chúnyín

순:응(順應) 명하자 **1** 顺应 shùnyìng; 适应 shìyìng ¶자연에 ~하다 顺应自然 / 현실에 ~하다 顺应现实 **2** 〖生〗 顺应 shùnyìng

순-이익(純利益) 명 纯利 chúnlì; 纯利益 chúnlìyì = 순익

순이익-금(純利益金) 명 纯利钱 chúnlìqián = 순익금

순익(純益) 명 = 순이익

순익-금(純益金) 명 = 순이익금

순장(殉葬) 명하타 〖史〗 殉葬 xùnzàng

순전-하다(純全—) 형 纯 chún; 纯粹 chúncuì; 完全 wánquán ¶극의 줄거리는 순전한 허구이다 剧情纯粹虚构 **순전-히** 부 ¶이것은 ~ 오해이다 这完完全全是个误会

순정(純正) 명하형 纯正 chúnzhèng; 纯 chún ¶~ 부품 纯正零部件

순정(純情) 명 纯情 chúnqíng ¶~파 纯情派 / ~을 바치다 献上纯情

순:조-롭다(順調—) 형 顺利 shùnlì; 顺当 shùndang; 顺 shùn ¶일이 순조롭게 진행되다 事情进行得很顺利 / 모든 것이 ~ 一切很顺利 **순:조로이** 부 ¶조약이 ~ 체결됐다 顺利地签订了条约

순:종(順從) 명하자타 顺从 shùncóng; 听从 tīngcóng ¶부모의 뜻에 ~하다 顺从父母的意思

순종(純種) 명 〖生〗 纯种 chúnzhǒng ¶이 진돗개는 ~이다 这只珍岛狗是纯种的

순직(殉職) 명하자 殉职 xùnzhí ¶공무로 ~하다 因公而殉职

순진무구-하다(純眞無垢—) 형 纯真无邪 chúnzhēnwúxié ¶어린아이처럼 ~ 纯真无邪得像个孩子

순진-하다(純眞—) 형 **1** 纯真 chúnzhēn **2** 天真 tiānzhēn ¶그는 너무 순진해서 다른 사람의 말을 잘 믿는다 他太天真, 容易相信别人的话

순:차(順次) 명 依次 yīcì; 顺次 shùncì ¶~대로 앉다 依次入座

순:차-적(順次的) 관명 依次 yīcì; 顺次 shùncì ¶~으로 발언하다 依次发言

순찰(巡察) 명하타 巡逻 xúnluó; 巡察 xúnchá; 巡查 xúnchá ¶~을 강화하다 加强巡逻

순:탄-하다(順坦—) 형 **1** 温和 wēnhé ¶그의 성격은 아주 ~ 他的性格十分温和 **2** 平坦 píngtǎn ¶순탄한 길 平坦的马路 **3** 顺利 shùnlì; 顺当 shùndang; 平坦 píngtǎn ¶인생은 늘 순탄한 것이 아니다 人生的道路并不都平坦 **순:탄-히** 부 ¶일이 ~ 진행되다 事

情进行得顺利

순:풍(順風) 명 **1** 微风 wēifēng **2** 顺风 shùnfēng ¶~에 배가 순조롭게 간다 遇上顺风, 船走得顺利

순:-하다(順—) 형 **1** 温顺 wēnshùn; 温和 wēnhé; 驯顺 xùnshùn; 驯良 xùnliáng ¶그의 태도가 순하게 변했다 他的态度变得温和了 / 이 강아지는 아주 ~ 这只小狗特别驯良 **2** 醇和 chúnhé ¶술이 ~ 酒醇和 **순:-히** 부

순:항(順航) 명하자 顺利航行 shùnlì hángxíng ¶~ 중인 배가 태풍을 만났다 正在顺利航行的船遇上了台风

순항 미사일(順航missile) 『軍』 = 크루즈 미사일

순행(順行) 명하자 顺行 shùnxíng

순화(純化) 명하타 纯化 chúnhuà; 净化 jìnghuà ¶사람들의 영혼을 ~시키다 净化人们的灵魂

순화(醇化) 명하타 **1** 感化 gǎnhuà ¶청소년 ~ 교육 青少年感化教育 **2** 醇化 chúnhuà; 净化 jìnghuà ¶언어를 ~하다 净化语言

순환(循環) 명하자 循环 xúnhuán ¶~ 계통 循环系统 / ~ 과정 循环过程 / ~ 도로 循环公路 / ~선 循环线 / ~ 장애 循环障碍 / 혈액이 체내에서 ~하다 血液在体内循环

순회(巡廻) 명하타 巡回 xúnhuí ¶~공연 巡回演出 / 유럽 각 나라를 ~하다 巡回欧洲各国

숟-가락 명 **1** 匙子 chízi; 勺子 sháozi; 羹匙 gēngchí; 调羹 tiáogēng; 汤匙 tāngchí ¶~으로 밥을 먹다 用勺子吃饭 **2** 勺 sháo; 匙 chí ¶밥 한 ~ 一勺饭

숟가락(을) 놓다 구 去世; 死亡

숟가락을 들다 구 吃饭; 进餐

숟가락-질 명하자 用勺子 yòng sháozi ¶그는 ~을 잘 못한다 他勺子用得不太好

숟-갈 명 '숟가락' 的略词

술[1] 명 酒 jiǔ ¶~ 한 병을 마시다 喝一瓶酒 / ~을 끊다 戒酒 / ~을 따르다 倒酒 / ~을 권하다 劝酒 / 그녀는 ~에 취했다 她喝酒喝醉了 / 제가 ~ 한 잔 올리겠습니다 我敬你一杯酒

술:[2] 명 穗子 suìzi; 缨子 yīngzi

술[3] 의명 勺 sháo; 匙 chí ¶밥 한 ~ 들어 보세요 吃一匙饭吧

-술(術) 접미 术 shù ¶최면~ 催眠术 / 사격~ 射击术

술-값 명 酒资 jiǔzī; 酒费 jiǔfèi

술-고래 명 酒鬼 jiǔguǐ; 酒囊 jiǔnáng; 酒豪 jiǔháo

술-국 명 下酒汤 xiàjiǔtāng

술-기운 명 酒劲(儿) jiǔjìn(r); 酒意 jiǔyì; 醉意 zuìyì; 酒力 jiǔlì ¶~이 오르다 酒劲上来 / ~을 이기지 못하다 不胜酒力 / ~을 빌려 속에 있는 말을 하다 借着酒劲儿说心里话

술-김 명 醉中 zuìzhōng; 酒中 jiǔzhōng ¶~에 하는 말 醉中之言

술-꾼 명 酒徒 jiǔtú; 酒客 jiǔkè; 酒鬼 jiǔguǐ

술-내 명 酒味(儿) jiǔwèi(r)

술-독 명 酒缸 jiǔgāng; 酒槽 jiǔcáo

술독에 빠지다 구 落在酒缸里; 喝酒喝得太多

술-독(—毒) 명 『韓醫』 酒毒 jiǔdú

술래 명 (玩捉迷藏时的) 捉家 zhuōjiā

술래-잡기 명하자 捉迷藏 zhuōmícáng; 藏猫儿 cángmāor ¶~를 하다 玩捉迷藏

술렁-거리다 자 骚乱 sāoluàn; 骚动 sāodòng; 乱腾腾 luànténgténg; 慌乱 huāngluàn = 술렁대다 ¶사람들이 갑자기 술렁거리기 시작했다 人群忽然骚乱起来了 **술렁-술렁** 부하자

술렁-이다 자 骚乱 sāoluàn; 骚动 sāodòng; 乱腾腾 luànténgténg; 慌乱 huāngluàn

술-버릇 명 酒脾气 jiǔpíqi; 酒疯 jiǔfēng = 주벽 ¶~을 드러내다 耍酒脾气 / ~이 나쁘다 酒疯不好

술-병(—病) 명 因酒生病 yīnjiǔ shēngbìng

술-병(—瓶) 명 酒瓶 jiǔpíng; 酒壶 jiǔhú

술-상(—床) 명 酒桌 jiǔzhuō; 酒席 jiǔxí = 주안상 ¶~을 차리다 摆酒席

술수(術數) 명 **1** 『民』 术数 shùshù; 方术 fāngshù **2** = 술책 ¶적의 ~를 간파하다 识破敌人的计谋 / 사기꾼의 ~에 넘어갔다 中了骗子的圈套

술술 부 **1** 哗啦 huālā; 哗哗 huāhuā ¶물이 ~ 샌다 水哗啦哗啦地漏 **2** 习习 xíxí; 拂拂 fúfú ¶시원한 바람이 ~ 불다 凉风习习 **3** 流利(地) liúlì(de); 流畅(地) liúchàng(de) ¶그는 외국인이지만 한국어로 ~ 잘 말한다 别看他是外国人, 他用韩语流利地表达清楚 **4** 顺利(地) shùnlì(de) ¶그는 어느 문제든 ~ 풀 수 있다 他什么问题都能顺利地解释

술-안주(—按酒) 명 酒菜 jiǔcài; 下酒菜 xiàjiǔcài; 酒肴 jiǔyáo = 안주(按酒)

술어(述語) 명 **1** 『論』 术语 shùyǔ **2** 『語』 = 서술어

술-자리 명 酒席 jiǔxí; 酒宴 jiǔyàn ¶~를 마련하다 设酒席

술-잔(—盞) 명 酒杯 jiǔbēi; 酒盅 jiǔzhōng = 잔2 ¶~을 돌리다 传递酒杯

술잔을 기울이다 구 = 잔을 기울이다

술잔을 나누다 구 一起喝酒

술잔을 비우다 구 = 잔을 비우다
술-장사 명하자 卖酒 màijiǔ
술-주정(—酒酊) 명하자 酒疯 jiǔfēng ¶～을 하다 撒酒疯 / 그는 술에 취하기만 하면 ～을 부린다 他一喝醉就耍酒疯
술-주정뱅이(—酒酊—) 명 = 주정뱅이
술-지게미 명 酒糟 jiǔzāo
술-집 명 酒吧 jiǔbā; 酒吧间 jiǔbājiān; 酒馆(儿) jiǔguǎn(r); 酒馆子 jiǔguǎnzi; 酒店 jiǔdiàn; 酒家 jiǔjiā = 주점
술-찌끼 명 酒糟 jiǔzāo
술책(術策) 명 计策 jìcè; 计谋 jìmóu; 圈套 quāntào = 술수2 ¶비열한 ～을 부리다 耍卑鄙的计谋
술-친구(—親舊) 명 酒友 jiǔyǒu; 酒肉朋友 jiǔròu péngyou
술-타령 명하자 好酒贪杯 hàojiǔtānbēi ¶밤낮없이 ～이다 不分昼夜好酒贪杯
술-통(—桶) 명 酒缸 jiǔgāng; 酒桶 jiǔtǒng
술-판 명 酒席 jiǔxí ¶～을 벌이다 摆酒席
숨: 명 **1** 气 qì; 气息 qìxī; 呼吸 hūxī ¶～을 쉬다 呼吸 / ～을 헐떡이다 气喘 / ～이 몹시 가쁘다 上气不接下气 **2** (蔬菜等的) 新鲜劲儿 xīnxiānjìnr ¶소금으로 배추를 절였지만 아직 ～이 살아 있다 用盐腌白菜, 但还有着它的新鲜劲儿
숨 쉴 사이 없다 구 气都喘不过来
숨(을) 거두다[걷다] 구 断气; 咽气; 死亡
숨(을) 돌리다 구 喘气; 喘息; 松口气
숨(이) 가쁘다 구 气喘; 憋气
숨(이) 끊어지다 구 断气; 咽气; 死亡
숨(이) 넘어가는 소리 구 一命呜呼
숨(이) 막히다 구 **1** 憋气; 憋闷 **2** 紧张
숨(이) 붙어 있다 구 活着
숨:-결 명 **1** 呼吸 hūxī; 气息 qìxī ¶～이 거칠다 呼吸急促 / ～이 미약하다 气息微弱 **2** (事物的) 气息 qìxī ¶봄의 ～ 春天的气息
숨:-구멍 명 **1** = 숫구멍 **2** 呼吸道 hūxīdào ¶～이 트이다 开通呼吸道 **3** 〖動〗 气孔 qìkǒng; 气门 qìmén
숨-기다 타 **1** '숨다1' 的使动词 ¶할아버지는 그녀를 동굴에 숨겼다 爷爷把她藏在山洞里 **2** 藏 cáng; 隐 yǐn; 隐藏 yǐncáng; 隐瞒 yǐnmán; 掩盖 yǎngài; 隐匿 yǐnnì; 藏匿 cángnì; 掩藏 yǎncáng ¶너는 내 책을 어디에 숨겼느냐? 你把我的书藏到哪儿了? / 사건의 진상을 ～ 隐瞒事情的真相
숨김-없다 형 毫无隐藏 háowú yǐncáng **숨김없-이** 부 ¶자신의 잘못을 ～ 털어놓다 把自己的错误毫无隐藏地说出了
숨:-넘어가다 자 断气 duànqì; 死去 sǐqù
숨:다 자 **1** 藏 cáng; 躲 duǒ; 隐藏 yǐncáng; 躲藏 duǒcáng; 隐蔽 yǐnbì; 隐遁 yǐndùn; 藏躲 cángduǒ ¶지하실에 ～ 藏在地下室 / 그가 숨은 곳이 경찰에게 발각되었다 他躲藏的地方被警察发见了 **2** 埋设 máishè; 潜在 qiánzài; 潜藏 qiáncáng ¶숨은 재능을 찾다 发掘埋设的才能
숨바꼭-질 명하자 **1** 捉迷藏 zhuōmícáng; 藏猫儿 cángmāor **2** 隐现 yǐnxiàn ¶～하던 별들이 사라져 버렸다 一些隐现着的星星消失了
숨:-소리 명 呼吸声 hūxīshēng; 喘气声 chuǎnqìshēng ¶～를 죽이고 듣다 屏住呼吸声听着
숨어-들다 자 偷偷地进 tōutōude jìn
숨:-죽이다 자 屏气 bǐngqì; 屏息 bǐngxī ¶숨죽이고 가만히 듣다 屏息静听
숨:-지다 자 断气 duànqì; 咽气 yànqì; 气绝 qìjué; 去世 qùshì; 死 sǐ ¶교통사고로 ～ 因交通事故断气 / 그는 결국 병원에서 숨졌다 他终于在医院咽了气
숨:-차다 형 **1** 气喘 qìchuǎn; 气喘吁吁 qìchuǎnxūxū; 喘息 chuǎnxī ¶산 정상에 오르니 ～ 爬到山顶气喘吁吁 **2** 气喘 qìchuǎn ¶숨차게 달려온 한 해 跑得气喘的一年
숨:-통(—筒) 명 〖生〗 = 기관(氣管)
숨통을 끊어 놓다 구 杀死
숨:-표(—標) 명 〖音〗 呼吸记号 hūxī jìhao ¶～를 찍다 点呼吸记号
숫-구멍 명 囟门 xìnmén; 顶门(儿) dǐngmén(r); 囟脑门 xìnnǎomén = 숨구멍1
숫-기(—氣) 명 大方 dàfang; 不害羞 bùhàixiū; 不脸嫩 bùliǎnnèn ¶우리 집 아이는 낯선 사람 앞에서는 ～가 없다 在生人面前, 我家小孩儿大方不起来
숫기(가) 좋다 구 大方; 不怯场
숫-놈 명 '수놈' 的错误
숫-돌 명 磨刀石 módāoshí; 砥石 dǐshí ¶～에 스케이트 날을 갈다 在磨刀石上磨冰刀
숫-양(—羊) 명 公羊 gōngyáng
숫-염소 명 公山羊 gōngshānyáng
숫:자(數字) 명 数字 shùzì; 数 shù; 数目 shùmù ¶아라비아 ～ 阿拉伯数字 / 천문학적 ～ 天文数字 / ～를 세다 数数字
숫-쥐 명 公鼠 gōngshǔ

숫-처녀(一處女) 명 童女 tóngnǚ; 处女 chǔnǚ; 黄花闺女 huánghuā guīnǚ = 처녀3

숫-총각(一總角) 명 童男 tóngnán; 处男 chǔnán; 黄花后生 huánghuā hòushēng = 총각2

숭고-하다(崇高一) 형 崇高 chónggāo ¶숭고한 정신 崇高的精神 / 숭고한 희생 崇高的牺牲

숭늉 명 锅巴水 guōbāshuǐ; 锅巴汤 guōbātāng

숭덩-숭덩 부하타 **1** 大块大块地 dàkuàidàkuàide ¶배추를 ~ 썰다 大块大块地切白菜 **2** 粗糙 cūcāo ¶이불깃을 ~ 꿰매다 把被头缝得粗糙

숭배(崇拜) 명하타 崇拜 chóngbài ¶우상을 ~하다 崇拜偶像 / 사람들의 ~를 받다 受到人们的崇拜

숭상(崇尙) 명하타 崇尚 chóngshàng ¶정의를 ~하다 崇尚正义

숭숭 부 **1** 大块大块地 dàkuàidàkuàide ¶~ 썬 무를 탕에 넣다 把大块大块地切成的萝卜放进汤中 **2** (窟窿) 密密麻麻 mìmimámá ¶구멍이 ~ 뚫리다 密密麻麻尽是窟窿 **3** (毛、汗等) 密密麻麻 mìmimámá ¶털이 ~ 난 다리 毛密密麻麻地长的腿

숭:어 명 『魚』 鲻鱼 zīyú; 梭鱼 suōyú

숭어가 뛰니까 망둥이도 뛴다 속담 一犬吠形, 百犬吠声; 一个婆婆歪嘴, 个个婆婆嘴歪

숯 명 炭 tàn; 木炭 mùtàn = 목탄 ¶~불 炭火 / ~가마 炭窑 / ~검정 木炭烟子 / ~을 굽다 烧炭

숱 명 (毛发等的) 量 liàng ¶머리의 ~이 적다 头发量少

숱-하다 형 很多 hěn duō; 许多 xǔduō; 好多 hǎoduō ¶숱한 경험 很多经验 / 하늘에 별이 숱하게 많다 天上的星星多得很

숲 명 林 lín; 树林 shùlín; 树丛 shùcóng ¶~길 树林路 / 소나무 ~ 松林 / ~이 우거지다 树林很茂密

쉬:1 부 '쉬이'的略词

쉬:2 감 嘘 xū《要求安静下来的声音》

쉬:3 一명하자 (小孩儿) 撒尿 sāniào; 尿 niào ¶~를 하다 撒尿 二감 嘘 xū《催小孩儿撒尿的声音》‖ = 쉬야

쉬:다1 자 馊 sōu ¶쉰밥 馊饭 / 쉰 음식 馊菜

쉬:다2 자 哑 yā; 嘶哑 sīyā ¶쉰 목소리 嘶哑的声音 / 목이 쉬었다 嗓子哑了

쉬:다3 자타 **1** 休息 xiūxi; 歇 xiē; 歇息 xiēxi; 停歇 tíngxiē ¶쉬는 시간 休息时间 / 매우 피곤할 테니 좀 쉬어라 你太累了, 还是休息休息吧 **2** (物体) 停 tíng; 休 xiū ¶기계가 쉬지 않고 돌아가다 机器不停地转动 **3** 睡 shuì; 睡觉 shuìjiào; 歇息 xiēxi ¶어제 저녁은 잘 쉬지 못했다 昨晚睡得不太好 **4** 缺勤 quēqín; 缺课 quēkè ¶나는 어제 직장을 쉬었다 我昨天缺了勤 **5** 停留 tíngliú ¶우리들은 오늘 밤 할 수 없이 여기에서 쉬어야 한다 我们今晚只好在这儿停留 **6** 放假 fàngjià; 放工 fànggōng; 休息 xiūxi ¶우리 회사는 토요일과 일요일에 쉰다 我们公司休息星期六和星期日

쉬:다4 타 呼吸 hūxī; 喘气 chuǎnqì ¶숨을 ~ 呼吸

쉬:쉬-하다 타 隐瞒 yǐnmán; 隐藏 yǐncáng; 掖着 yēzhe; 藏掖 cángyē ¶모두 아는데 그는 여전히 쉬쉬하려고 한다 大家都知道了, 他还想隐瞒

쉬야 명하자감 = 쉬3

쉬엄-쉬엄 부하자타 慢慢地 mànmànde《一会儿歇一会儿干》¶~ 하세요 慢慢地干吧

쉬이 부 **1** 容易 róngyì ¶위생을 중시하지 않으면 ~ 병이 생긴다 不讲卫生容易生病 **2** 就 jiù; 马上 mǎshàng; 不久 bùjiǔ ¶~ 일이 끝나다 马上就下班

쉬-파리 명 『蟲』 绿豆蝇 lǜdòuyíng

쉰: 수관 五十 wǔshí ¶~ 명 五十个人 / ~ 살 五十岁

쉰:-내 명 馊味 sōuwèi; 馊气 sōuqì ¶~가 나는 음식 有馊味的食物

쉼:-표(一標) 명 **1** 『語』 逗号 dòuhào **2** 『音』 休止符 xiūzhǐfú

쉽:다 형 **1** 容易 róngyì ¶이 문제들은 모두 ~ 这些问题都很容易 / 말하기는 쉬워도 하기는 어렵다 说起来容易做起来难 **2** 容易 róngyì《很可能》¶더러워지기 ~ 容易脏 / 속기 ~ 很容易上当

쉽:-사리 부 容易 róngyì; 轻易 qīngyì

슈-크림(프chou+영cream) 명 泡芙 pàofú; 奶油泡芙 nǎiyóu pàofú

슈팅(shooting) 명하타 『體』 射门 shèmén; 投篮 tóulán

슈퍼(←supermarket) 명 = 슈퍼마켓

슈퍼마켓(supermarket) 명 超级市场 chāojí shìchǎng; 超市 chāoshì = 슈퍼

슈퍼맨(superman) 명 超人 chāorén

슈퍼스타(superstar) 명 超级明星 chāojí míngxīng; 超级偶像 chāojí ǒuxiàng

슈퍼 헤비급(super heavy級) 『體』 超重量级 chāozhòngliàngjí

슛(shoot) 명하타 『體』 射 shè; 射门 shèmén; 投篮 tóulán

스낵-바(snack bar) 명 小吃店 xiǎochīdiàn; 点心店 diǎnxindiàn; 快餐馆 kuàicānguǎn

스냅(snap) 명 1 = 똑딱단추 2 〖演〗 = 스냅사진
스냅 사진(snap寫眞) 〖演〗 快照 kuàizhào; 快拍 kuàipāi; 快相 kuàixiàng = 스냅2
스노보드(snowboard) 명 〖體〗 雪板 xuěbǎn
스노-타이어(snow tire) 명 〖交〗 防滑轮胎 fánghuá lúntāi; 雪地轮胎 xuědì lúntāi
스님 명 〖佛〗 1 和尚 héshang 2 师父 shīfu
스라소니 명 〖動〗 猞猁 shēlì
스르르 부 1 自动地 zìdòngde ¶끈이 ~ 풀리다 绳子自动地散开了 2 轻轻地 qīngqīngde ¶사탕이 ~ 녹았다 糖轻轻地消融了 / 눈이 ~ 감기다 眼睛轻轻地闭上
스릴(thrill) 명 惊险 jīngxiǎn; 战栗 zhànlì; 紧张感 jǐnzhānggǎn ¶이 영화는 아주 ~ 있다 这部电影非常惊险
스릴러(thriller) 명 惊险片 jīngxiǎnpiàn; 惊险小说 jīngxiǎn xiǎoshuō; 恐怖片 kǒngbùpiàn; 恐怖小说 kǒngbù xiǎoshuō
스마트-폰(smart phone) 명 〖信〗 智能手机 zhìnéng shǒujī
스마트-하다(smart—) 형 潇洒 xiāosǎ; 端庄 duānzhuāng; 时髦 shímáo ¶스마트한 신사 潇潇洒洒的男士
스매시(smash) 명하타 〖體〗 扣球 kòuqiú; 扣杀 kòushā; 高压球 gāoyāqiú = 스매싱
스매싱(smashing) 명하타 〖體〗 = 스매시
스며-들다 자 渗 shèn; 浸 jìn; 渗入 shènrù; 浸入 jìnrù ¶빗물은 모두 땅으로 스며들었다 雨水都渗到地里去了 / 구두에 빗물이 스며들었다 皮革被雨水浸透了
스모그(smog) 명 〖地理〗 烟雾 yānwù
스무 관 二十 èrshí ¶~ 명 二十个人 / ~ 살 二十岁
스물 수 二十 èrshí ¶갓 ~의 젊은이 刚二十岁的青年
스미다 자 1 (液体) 渗 shèn; 浸 jìn; 渗入 shènrù; 浸入 jìnrù ¶물이 진흙에 ~ 水渗入泥土 2 (气体) 透进 tòujìn ¶찬 바람이 옷 속으로 ~ 冷风透进衣服里边 3 蕴藏 yùncáng ¶그의 마음속에 스며 있는 열정을 발휘하다 要发挥他心中蕴藏的热情
스산-하다 형 1 (环境) 凄凉 qīliáng; 冷清 lěngqīng ¶거리는 더욱 스산하게 변했다 街道变得更加凄凉了 2 (天气) 萧瑟 xiāosè; 阴凉 yīnliáng; 肃杀 sùshā ¶스산한 가을바람 萧瑟的秋风 3 (心情) 烦乱 fánluàn ¶마음이 ~ 心理烦乱
스스럼-없다 형 不拘束 bùjūshù; 亲密 qīnmì; 亲近 qīnjìn; 不分彼此 bùfēnbǐcǐ ¶그들 두 사람은 이번 일을 통해 스스럼없게 변했다 他们俩经过这件事变得亲密起来 **스스럼없-이** 부
스스로 ㊀명 自己 zìjǐ; 自身 zìshēn; 亲身 qīnshēn ¶~를 믿다 相信自己 ㊁부 自 zì; 自觉 zìjué; 自愿 zìyuàn; 自己 zìjǐ; 亲自 qīnzì ¶이 일은 네가 ~ 해결해야 한다 这事你应该亲自去解决
스승 명 老师 lǎoshī; 导师 dǎoshī ¶~의 가르침을 지키다 遵守老师的训诲
스웨이드(suede) 명 绒面革 róngmiàngé
스웨터(sweater) 명 毛衣 máoyī; 毛线衣 máoxiànyī
스위치(switch) 명 〖電〗 开关 kāiguān; 电门 diànmén; 电闸 diànzhá = 개폐기 ¶~를 끄다 关上开关 / ~를 올리다 拨动开关
스위트-룸(suite room) 명 套房 tàofáng; 豪华套房 háohuá tàofáng
스윙(swing) 명 〖體〗 1 (拳击) 摆拳 bǎiquán 2 (棒球) 挥动 huīdòng; 挥击 huījī 3 (滑雪) 旋转 xuánzhuǎn
스치다 자타 1 擦 cā; 掠 lüè ¶자전거가 내 옆을 스치며 지나갔다 自行车从我身边擦过去了 / 봄바람이 얼굴에 ~ 春风掠面 2 掠 lüè ¶그 나쁜 소식을 듣자 마음속에 어두운 그림자가 스쳤다 听到那坏消息, 心里掠过一片阴影
스카우트(scout) 명하타 1 物色人才 wùsè réncái; 发掘 fājué; 选拔 xuǎnbá 2 童子军 tóngzǐjūn
스카이다이버(skydiver) 명 跳伞运动员 tiàosǎn yùndòngyuán; 跳伞员 tiàosǎnyuán
스카이다이빙(skydiving) 명 〖體〗 跳伞 tiàosǎn; 高空跳伞 gāokōng tiàosǎn; 跳伞运动 tiàosǎn yùndòng
스카치-위스키(Scotch whisky) 명 苏格兰威士忌 Sūgélán wēishìjì
스카치-테이프(Scotch tape) 명 透明胶带 tòumíng jiāodài
스카프(scarf) 명 围巾 wéijīn; 披巾 pījīn; 头巾 tóujīn
스캐너(scanner) 명 〖컴〗 扫描仪 sǎomiáoyí; 扫描器 sǎomiáoqì
스캔들(scandal) 명 丑闻 chǒuwén; 丑事 chǒushì ¶~에 휘말린 스타 被丑闻纠缠的明星
스커트(skirt) 명 裙子 qúnzi; 衬裙 chènqún; 裙服 qúnfú
스컹크(skunk) 명 〖動〗 臭鼬 chòuyòu
스케이트(skate) 명 〖體〗 1 冰鞋 bīngxié; 滑冰 huábīng; 溜冰 liūbīng ¶~ 경

기 滑冰比赛 / 강에서 많은 사람들이 ~를 타고 있다 河上有很多人在滑冰 2 ＝스케이팅

스케이트보드(skateboard) 명 〖體〗 滑板 huábǎn

스케이트-장(skate場) 명 〖體〗 滑冰场 huábīngchǎng; 溜冰场 liūbīngchǎng ¶실내 ~ 室内滑冰场

스케이팅(skating) 명하자 〖體〗 滑冰 huábīng; 溜冰 liūbīng ＝스케이트2

스케일(scale) 명 **1** 规模 guīmó ¶~이 큰 공사 规模宏大的工程 **2** 气度 qìdù; 度量 dùliàng ¶~이 큰 인물 气度不凡的大人物

스케일링(scaling) 명하타 〖醫〗 洗牙 xǐyá; 牙齿洁治 yáchǐ jiézhì

스케줄(schedule) 명 日程 rìchéng; 日程表 rìchéngbiǎo; 时间表 shíjiānbiǎo ¶~을 짜다 安排日程 / ~이 꽉 차다 日程排满

스케치(sketch) 명하타 **1** 〖美〗 写生 xiěshēng; 速写 sùxiě; 素描 sùmiáo **2** 〖文〗 小品 xiǎopǐn **3** 〖音〗 短曲 duǎnqǔ

스케치북(sketchbook) 명 〖美〗 写生簿 xiěshēngbù; 图画簿 túhuàbù

스코어(score) 명 〖體〗 得分 défēn; 得分表 défēnbiǎo; 分数 fēnshù

스코어보드(scoreboard) 명 〖體〗 示分牌 shìfēnpái; 记分牌 jìfēnpái ＝득점판

스쿠버(scuba) 명 水肺 shuǐfèi; 自携式水中呼吸器 zìxiéshì shuǐzhōng hūxīqì; 斯库巴 sīkùbā

스쿠버 다이빙(scuba diving) 〖體〗 水肺潜水 shuǐfèi qiánshuǐ; 斯库巴潜水 sīkùbā qiánshuǐ

스쿠터(scooter) 명 踏板车 tàbǎnchē

스쿨-버스(school bus) 명 校车 xiàochē; 学校班车 xuéxiào bānchē

스쿼시(squash) 명 **1** 果汁汽水 guǒzhī qìshuǐ **2** 〖體〗 壁球 bìqiú

스크랩(scrap) 명하타 剪贴 jiǎntiē; 剪报 jiǎnbào

스크랩북(scrapbook) 명 剪贴簿 jiǎntiēbù

스크린(screen) 명 幕 mù; 银幕 yínmù; 荧屏 yíngpíng; 屏幕 píngmù; 画面 huàmiàn

스키(ski) 명 〖體〗 滑雪 huáxuě; 滑雪板 huáxuěbǎn ¶~장 滑雪场 / ~ 경기 滑雪比赛 / 우리들은 매년 겨울마다 ~ 타러 간다 我们每年冬天都去滑雪

스킨-로션(skin lotion) 명 润肤水 rùnfūshuǐ; 化妆水 huàzhuāngshuǐ

스킨십(skin+ship) 명 肌肤之亲 jīfūzhīqīn; 肌肤相亲 jīfūxiāngqīn

스타(star) 명 **1** 明星 míngxīng; 红星 hóngxīng ¶영화 ~ 电影明星 / 해외 ~ 海外明星 / 스포츠 ~ 运动明星 **2** 将星 jiàngxīng ¶군대의 ~ 军队的将星

스타덤(stardom) 명 明星界 míngxīngjiè; 明星 míngxīng ¶~에 오르다 登上明星界

스타디움(라stadium) 명 〖體〗 体育场 tǐyùchǎng; 运动场 yùndòngchǎng

스타일(style) 명 **1** 样式 yàngshì; 款式 kuǎnshì; 式样 shìyàng ¶다양한 ~의 옷 各种样式的服装 / 이런 ~은 이미 시대에 뒤떨어졌다 这种式样早已过时了 **2** 方式 fāngshì ¶독특한 경영 ~ 独特的经营方式

스타카토(이staccato) 명 〖音〗 断音 duànyīn; 断奏 duànzòu ＝단음 기호

스타킹(stocking) 명 长袜 chángwà; 丝袜 sīwà

스태프(staff) 명 〖演〗 编导人员 biāndǎo rényuán; 制作人员 zhìzuò rényuán

스탠드(stand) 명 **1** 台 tái; 架 jià **2** 观众席 guānzhòngxí; 看台 kàntái ¶야외 ~ 外场看台 **3** ＝ 전기스탠드

스탠바이(←stand-by) 명 〖言〗 **1** 准备 zhǔnbèi; 待命 dàimìng **2** 备用节目 bèiyòng jiémù **3** 准备信号 zhǔnbèi xìnhào

스탬프(stamp) 명 ＝ 소인(消印)2

스턴트(stunt) 명 〖演〗 特技 tèjì ¶~맨 特技演员

스테레오(stereo) 명 〖言〗 立体声的 lìtǐshēngde; 立体声装置 lìtǐshēng zhuāngzhì ¶~ 방송 立体声广播

스테로이드(steroid) 명 〖化〗 类固醇 lèigùchún ¶~제 类固醇药品

스테이크(steak) 명 **1** 肉排 ròupái; 排 pái **2** ＝ 비프스테이크

스테이플러(stapler) 명 订书机 dìngshūjī

스테인리스(stainless) 명 不锈钢 bùxiùgāng

스테인리스-강(stainless鋼) 명 〖工〗 不锈钢 bùxiùgāng

스텝(step) 명 (保龄球、舞蹈的) 步 bù; 跨步 kuàbù; 舞步 wǔbù

스토리(story) 명 故事 gùshi; 情节 qíngjié; 梗概 gěnggài ¶이 소설의 ~는 매우 생동감이 있다 这部小说的情节很生动

스토커(stalker) 명 跟踪者 gēnzōngzhě

스톱워치(stopwatch) 명 秒表 miǎobiǎo; 停表 tíngbiǎo; 跑表 pǎobiǎo

스툴(stool) 명 凳子 dèngzi

스튜(stew) 명 焖菜 mèncài; 煨炖菜 wēidùncài

스튜디오(studio) 명 **1** 摄影室 shèyǐngshì; 画室 huàshì **2** 制片厂 zhìpiànchǎng; 摄影棚 shèyǐngpéng **3** 播音室 bōyīnshì; 演播室 yǎnbōshì

스튜어디스(stewardess) 명 空姐 kōngjiě; 空中小姐 kōngzhōng xiǎojiě; 女乘务员 nǚchéngwùyuán

스트라이크(strike) 명 〖體〗 **1** (棒球的) 正道球 zhèngdàoqiú; 好球 hǎoqiú **2** (保龄球) 全中 quánzhòng

스트레스(stress) 명 〖醫〗 压力 yālì; 重压 zhòngyā; 紧张状态 jǐnzhāng zhuàngtài ¶~를 해소하다 消除压力

스트레칭(stretching) 명 伸展运动 shēnzhǎn yùndòng

스트립-쇼(strip+show) 명 脱衣舞 tuōyīwǔ; 裸体舞 luǒtǐwǔ; 四脱舞 sìtuōwǔ

스티로폼(styrofoam) 명 保利龙 bǎolìlóng; 泡沫塑料 pàomò sùliào; 泡沫 pàomò ¶~ 상자 泡沫箱

스티커(sticker) 명 贴纸 tiēzhǐ; 胶纸 jiāozhǐ; 胶粘标签 jiāozhān biāoqiān

스팀(steam) 명 蒸汽 zhēngqì; 汽 qì; 水蒸气 shuǐzhēngqì ¶~ 다리미 蒸汽熨斗

스파게티(이spaghetti) 명 意大利面条 Yìdàlì miàntiáo

스파르타 교육(Sparta教育) 〖教〗 斯巴达式教育 Sībādáshì jiàoyù

스파링(sparring) 명 〖體〗 拳击陪练 quánjī péiliàn

스파이(spy) 명 = 간첩

스파이크(spike) 명하자 〖體〗 **1** (排球的) 扣球 kòuqiú **2** = 스파이크 슈즈

스파이크 슈즈(spike shoes) 〖體〗 钉鞋 dīngxié; 跑鞋 pǎoxié = 스파이크2

스파크(spark) 명 〖物〗 火花 huǒhuā; 闪火 shǎnhuǒ = 불꽃3 ¶변압기에서 ~가 일어나다 变压器发出火花

스판덱스(spandex) 명 氨纶 ānlún; 氨纶纤维 ānlún xiānwéi

스패너(spanner) 명 〖工〗 扳手 bānshou; 扳钳 bānqián; 扳子 bānzi = 렌치

스퍼트(spurt) 명 〖體〗 冲刺 chōngcì ¶라스트 ~ 最后冲刺

스펀지(sponge) 명 海绵 hǎimián; 多孔塑料 duōkǒng sùliào ¶~ 수세미 洗刷用海绵

스페어(spare) 명 备件 bèijiàn; 备用 bèiyòng; 备品 bèipǐn ¶~타이어 备用轮胎

스페이드(spade) 명 〖體〗 (纸牌的) 黑桃 hēitáo

스펙터클-하다(spectacle—) 형 壮观 zhuàngguān; 巨大 jùdà

스펙트럼(spectrum) 명 〖物〗 光谱 guāngpǔ; 波谱 bōpǔ

스펠링(spelling) 명 拼写 pīnxiě; 缀字 zhuìzì ¶이 단어의 ~은 어떻게 됩니까? 这个词怎么拼写?

스포이트(네spuit) 명 〖化〗 滴管 dīguǎn

스포츠(sports) 명 〖體〗 = 운동 경기 ¶~ 뉴스 体育新闻 / ~ 댄스 体育舞蹈

스포츠-맨(sportsman) 명 = 운동선수 ¶그는 만능 ~이다 他是个全才运动员

스포츠 센터(sports center) 〖體〗 体育中心 tǐyù zhōngxīn; 综合体育场 zōnghé tǐyùchǎng

스포츠-카(sports car) 명 跑车 pǎochē ¶~를 몰다 开跑车

스포트라이트(spotlight) 명 **1** 〖演〗 聚光灯 jùguāngdēng **2** 注目 zhùmù ¶이번 무대에서 ~를 가장 많이 받은 사람은 그다 这台节目最引人注目的是他

스폰서(sponsor) 명 **1** 资助者 zīzhùzhě; 赞助者 zànzhùzhě; 发起人 fāqǐrén **2** 广告主 guǎnggàozhǔ

스푼(spoon) 명 匙 chí; 勺 sháo; 汤匙 tāngchí; 调羹 tiáogēng ¶커피 ~ 咖啡勺

스프레이(spray) 명 喷发胶 pēnfàjiāo

스프링(spring) 명 = 용수철

스프링클러(sprinkler) 명 = 살수기

스피드(speed) 명 速度 sùdù; 速率 sùlǜ ¶~ 스케이팅 速度滑冰 / ~를 내다 加快速度

스피커(speaker) 명 = 확성기 ¶컴퓨터 ~ 电脑扩音器 / ~ 음량 扩音器音量

스핑크스(Sphinx) 명 **1** 〖古〗 狮身人面巨像 shīshēn rénmiàn jùxiàng **2** 〖文〗 斯芬克斯 Sīfēnkèsī

슬개-골(膝蓋骨) 명 〖生〗 = 무릎뼈

슬그머니 부 **1** 悄悄(地) qiāoqiāo(de); 偷偷(地) tōutōu(de); 暗中 ànzhōng ¶~ 일어나다 悄悄站起来 / 그들은 ~ 극장을 빠져나왔다 他们悄悄地从剧场里溜了出来 **2** 暗自 ànzì ¶그가 나를 놀려서 나는 ~ 화가 났다 他嘲弄我, 我暗自生气了

슬금-슬금 부 悄悄(地) qiāoqiāo(de); 偷偷(地) tōutōu(de) ¶~ 도망치다 偷偷地跑出来

슬기 명 智慧 zhìhuì; 机智 jīzhì ¶~를 발휘하다 发挥智慧

슬기-롭다 형 聪明 cōngming; 机灵 jīling; 机智 jīzhì ¶슬기로운 아이 聪明的孩子 **슬기로이** 부

슬다[1] 자 **1** 生 shēng; 长 zhǎng ¶녹이 ~ 生锈 **2** 发 fā; 长 zhǎng ¶곰팡이가 ~ 发霉

슬다[2] 타 产 chǎn; 产卵 chǎnluǎn ¶벌레가 나무에 알을 ~ 虫子把卵产在树上

슬라이드(slide) 명 〖演〗 幻灯片 huàndēngpiàn
슬라이딩(sliding) 명하자 〖體〗 **1** (排球的) 滑 huá; 滑动 huádòng **2** (棒球的) 滑垒 huálěi; 滑进 huájìn
슬라이스(slice) 명 薄片 báopiàn; 切片 qiēpiàn ¶～ 치즈 奶酪切片
슬래그(slag) 명 〖鑛〗 = 광재
슬럼(slum) 명 贫民窟 pínmínkū; 贫民区 pínmínqū
슬럼-가(slum街) 명 = 빈민가
슬럼프(slump) 명 **1** 低迷 dīmí; 下降 xiàjiàng; 萎靡 wěimǐ; 消沉 xiāochén ¶～를 극복하다 克服低迷 **2** 〖經〗 低迷 dīmí; 不景气 bùjǐngqì; 萧条 xiāotiáo
슬레이트(slate) 명 〖建〗 石板 shíbǎn; 石板瓦 shíbǎnwǎ
슬로건(slogan) 명 标语 biāoyǔ; 口号 kǒuhào ¶～을 외치며 행진하다 高呼口号游行
슬로 모션(slow motion) 〖演〗 慢动作 màndòngzuò; 慢镜头 mànjìngtóu
슬로-비디오(slow video) 명 〖演〗 慢动作磁带录象 màndòngzuò cídài lùxiàng
슬롯-머신(slot machine) 명 老虎机 lǎohǔjī; 吃角子老虎 chījiǎozi lǎohǔ
슬리퍼(slipper) 명 拖鞋 tuōxié; 便鞋 biànxié ¶～를 신다 穿拖鞋 / ～를 질질 끌며 걷다 趿着拖鞋走
슬립(slip) 명 长衬裙 chángchènqún
슬며시 부 **1** 悄悄(地) qiāoqiāo(de) **2** 暗自 ànzì
슬슬 부 **1** 偷偷(地) tōutōu(de); 悄悄(地) qiāoqiāo(de) ¶～ 눈치를 보다 偷偷地看眼色 **2** 渐渐(地) jiànjiàn(de) ¶사탕이 ～ 녹았다 糖渐渐地溶化了 **3** 巧妙(地) qiǎomiào(de) ¶아이를 ～달래다 巧妙地哄孩子 **4** (风) 轻轻(地) qīngqīng(de) ¶봄바람이 ～ 분다 春风轻轻地吹 **5** (揉、骚) 轻轻(地) qīngqīng(de) ¶～ 문지르다 轻轻地揉 **6** 慢慢(地) mànmàn(de) ¶시간이 되었으니 ～ 출발합시다 时间到了, 慢慢地出发吧
슬쩍 부 **1** 快速地 kuàisùde; 迅速地 xùnsùde ¶～ 그에게 약간의 돈을 주다 迅速地给他一些钱 **2** 轻轻地 qīngqīngde; 微微地 wēiwēide ¶그녀는 ～ 눈살을 찌푸렸다 她微微地皱了一下眉头 **3** 草草地 cǎocǎode ¶～ 한 차례 보다 草草地看一遍
슬쩍-하다 타 偷 tōu ¶어릴 때 물건을 슬쩍한 적이 있다 小时候偷过东西
슬퍼-하다 타 悲哀 bēi'āi; 悲痛 bēitòng; 哀痛 āitòng; 伤心 shāngxīn ¶너무 슬퍼하지 마라 不要过分悲哀
슬프다 형 悲哀 bēi'āi; 悲痛 bēitòng; 哀痛 āitòng; 伤心 shāngxīn; 伤痛 shāngtòng ¶슬픈 표정 悲哀的表情 / 슬프게 울다 悲痛地哭
슬픔 명 悲哀 bēi'āi; 悲痛 bēitòng; 哀痛 āitòng; 伤痛 shāngtòng ¶～을 잊어버리다 忘掉悲哀 / ～을 억제하다 控制悲哀 / ～을 해소하다 解消伤痛
슬피 부 悲哀地 bēi'āide; 悲痛地 bēitòngde; 哀痛地 āitòngde; 伤心地 shāngxīnde ¶～ 울다 悲哀地哭
슬하(膝下) 명 膝下 xīxià ¶～에 자식이 없다 膝下无儿
습격(襲擊) 명하타 袭击 xíjī ¶상대방의 진지를 ～하다 袭击对方的阵地 / 적의 ～을 받다 遭到敌人的袭击
습곡(褶曲) 명 〖地理〗 褶曲 zhěqū; 褶皱 zhězhòu
습관(習慣) 명 习惯 xíguàn ¶생활 ～ 生活习惯 / 일찍 일어나는 ～을 기르다 养成早起的习惯
습관-성(習慣性) 명 习惯性 xíguànxìng ¶～ 천식 习惯性气喘
습관-적(習慣的) 관명 习惯性(的) xíguànxìng(de); 习惯(的) xíguàn(de) ¶그는 ～으로 안경을 위로 올린다 他习惯地把眼镜往上推了一推
습기(濕氣) 명 潮气 cháoqì; 湿气 shīqì ¶～가 많다 潮气大 / ～를 제거하다 除去潮气
습도(濕度) 명 〖物〗 湿度 shīdù ¶～계 湿度计 =[湿度表] / 공기의 ～가 높다 空气湿度很大
습득(拾得) 명하타 拾 shí; 捡 jiǎn ¶지갑을 하나 ～하다 拾到一个钱包
습득(習得) 명하타 学会 xuéhuì; 掌握 zhǎngwò ¶조작 방법을 ～하다 学会操作方法
습성(習性) 명 **1** 习性 xíxìng; 习惯 xíguàn ¶～은 고치기 어렵다 习性难改 **2** 习性 xíxìng ¶동물의 ～ 动物的习性
습속(習俗) 명 习俗 xísú
습식(濕式) 명 湿式 shīshì ¶～ 구조 湿式构造
습윤-하다(濕潤—) 형 湿润 shīrùn
습자(習字) 명하자 习字 xízì ¶～지 习字纸 / ～ 연습 习字练习
습작(習作) 명하타 习作 xízuò ¶소설을 ～하다 习作小说
습지(濕地) 명 湿地 shīdì; 沼泽地 zhǎozédì ¶～ 식물 湿地植物 / 생태 ～ 공원 生态湿地公园
습진(濕疹) 명 〖醫〗 湿疹 shīzhěn ¶그는 ～에 걸렸다 他得了湿疹
습포(濕布) 명하자 〖醫〗 湿布 shībù
습-하다(濕—) 형 湿 shī; 潮湿 cháoshī ¶날씨가 ～ 天气潮湿 / 방이 아주 ～ 房间特别潮湿

승(勝) ㊀명 胜 shèng; 胜利 shènglì ¶ 첫 ~을 올리다 取头一胜 ㊁의명 胜 shèng ¶3~ 2패 三胜二败

승강-기(昇降機) 명 升降机 shēngjiàngjī; 电梯 diàntī = 리프트2 ¶~를 타다 坐电梯 / ~ 운행을 잠시 멈추다 暂停升降机运行

승강-이(昇降—) 명하자 抬杠 táigàng; 争 zhēng; 争辩 zhēngbiàn; 争论 zhēnglùn = 실랑이2 ¶사소한 일인데 왜 ~를 벌이냐? 区区小事, 何必进行争论呢?

승강-장(乘降場) 명 月台 yuètái; 站台 zhàntái

승객(乘客) 명 乘客 chéngkè ¶버스 ~ 公共汽车乘客 / ~을 가득 태운 기차 满载着乘客的火车

승격(昇格) 명하자타 升格 shēnggé; 提升 tíshēng ¶공사가 대사로 ~되다 公使升格为大使

승계(承繼) 명하타 〖法〗 继承 jìchéng; 承继 chéngjì

승급(昇級 · 陞級) 명하자 升级 shēngjí; 晋升 jìnshēng; 晋级 jìnjí; 提级 tíjí; 提升 tíshēng ¶과장에서 부장으로 ~하다 由科长升级为部长

승기(勝機) 명 获胜的机会 huòshèngde jīhuì ¶~를 잡다 抓住获胜的机会 / ~를 놓치다 错过获胜的机会

승낙(承諾) 명하타 承诺 chéngnuò; 答应 dāying; 同意 tóngyì; 允诺 yǔnnuò; 允许 yǔnxǔ ¶흔쾌히 ~하다 欣然允诺 / 선생님의 ~을 받았다 得到了老师的承诺 / 아버지는 내가 여행가는 것을 ~하셨다 爸爸答应我去旅行

승냥이 명 〖動〗 豺 chái; 豺狼 cháiláng

승려(僧侶) 명 〖佛〗 僧侣 sēnglǚ

승률(勝率) 명 胜率 shènglǜ ¶~을 올리다 提高胜率 / 5할 대의 ~을 기록하다 胜率达五成

승리(勝利) 명하자 胜利 shènglì ¶~감 胜利感 / ~ 투수 胜利投手 / ~를 거두다 取得胜利 / 우리가 마침내 ~했다 我们终于胜利了

승리-자(勝利者) 명 = 승자

승마(乘馬) 명하자 **1** = 기마(騎馬) ¶ ~복 骑马服 / 그의 취미는 ~이다 他的爱好是骑马 **2** 〖體〗 骑马 qímǎ

승마-술(乘馬術) 명 骑马术 qímǎshù; 马术 mǎshù = 마술(馬術)

승무(僧舞) 명 〖藝〗 僧舞 sēngwǔ

승무-원(乘務員) 명 乘务员 chéngwùyuán ¶비행기 ~ 飞机乘务员

승복(承服) 명하자 信服 xìnfú; 服气 fúqì; 折服 zhéfú ¶사람들을 ~시키다 让人们信服

승복(僧服) 명 僧衣 sēngyī; 僧袭 sēngqiú

승부(勝負) 명 胜负 shèngfù; 胜败 shèngbài ¶~에 너무 연연하지 마라 不要太在意胜负

승부-수(勝負手) 명 (围棋、象棋等的)关键着儿 guānjiànzhāor ¶~를 두다 下关键着儿

승부-욕(勝負慾) 명 好胜心 hàoshèngxīn ¶~이 강하다 好胜心强

승부-차기(勝負—) 명 〖體〗 互射点球 hùshèdiǎnqiú

승부-처(勝負處) 명 胜负关键 shèngfù guānjiàn

승산(勝算) 명 胜算 shèngsuàn ¶우리 쪽에 ~이 있다 我方有胜算

승선(乘船) 명하자 乘船 chéngchuán; 上船 shàngchuán; 坐船 zuòchuán; 搭船 dāchuán ¶화물선에 ~하여 인천으로 가다 搭轮船到仁川

승소(勝訴) 명하자 〖法〗 胜诉 shèngsù ¶원고가 ~하다 原告胜诉

승수(乘數) 명 〖數〗 乘数 chéngshù

승승-장구(乘勝長驅) 명하타 乘胜长驱 chéngshèngchángqū; 乘胜直追 chéngshèngzhízhuī

승용-차(乘用車) 명 轿车 jiàochē ¶~를 한 대 샀다 买了一辆轿车

승은(承恩) 명하자 承恩 chéng'ēn

승인(承認) 명하타 **1** 承认 chéngrèn; 认可 rènkě; 许可 xǔkě; 同意 tóngyì ¶ ~서 承认书 / 선생님의 ~이 없으면 누구도 나갈 수 없다 没有老师许可, 谁也不能出去 **2** 〖法〗 承认 chéngrèn; 批准 pīzhǔn ¶새로운 국가를 ~하다 承认新国家

승자(勝者) 명 胜者 shèngzhě = 승리자 ¶두 시합의 ~가 결승에 오를 것이다 两场比赛的胜者将进入总决赛

승전(勝戰) 명하자 战胜 zhànshèng ¶ 장군에게 ~ 소식을 알리다 告诉将军战胜消息

승전-고(勝戰鼓) 명 胜利的战鼓 shènglìde zhàngǔ ¶~를 울리다 鸣胜利的战鼓

승점(勝點) 명 〖體〗 胜利得分 shènglì défēn; 决胜分 juéshèngfēn ¶~을 올리다 获得决胜分 / ~을 확보하다 确保胜利得分

승진(昇進 · 陞進) 명하자 晋升 jìnshēng; 晋级 jìnjí; 晋职 jìnzhí ¶~ 시험 晋升考试 / ~ 제도 晋升制度 / 과장으로 ~하다 晋升成科长

승차(乘車) 명하자 **1** 上车 shàngchē; 乘车 chéngchē ¶줄 서서 ~하세요 排队上车吧 **2** 载客 zàikè ¶~ 거부 拒绝载客

승차-권(乘車券) 명 = 차표 ¶~을 사다 买车票

승천(昇天) 명하자 升天 shēngtiān

승:패(勝敗) 명 胜败 shèngbài；胜负 shèngfù；输赢 shūyíng ¶경험과 능력이 ~를 결정한다 经验和能力决定胜败
승하(昇遐) 명하자 升遐 shēngxiá；驾崩 jiàbēng
승-하차(乘下車) 명하자 上下车 shàngxiàchē
승합(乘合) 명하자 ＝ 합승
승합-차(乘合車) 명 小面包车 xiǎomiànbāochē
승화(昇華) 명하자 1 升华 shēnghuá ¶생활이 예술로 ~되다 生活升华成艺术 2 〖物〗升华 shēnghuá ¶~열 升华热 / ~ 작용 升华作用
시:(市) 명 1 市 shì 2 ＝ 시청(市廳)
시:(是) 명 是 shì；对 duì ¶~와 비를 가리다 分清是非
시(時) 一명 (出生的) 时 shí 二의명 1 点 diǎn ¶오전 열 ~ 삼십 분 上午十点三十分 / 지금은 몇 ~입니까? 现在几点了? 2 时 shí；时候 shíhou ¶전쟁 ~에 그는 기자였다 战争时他是记者
시(詩) 명〖文〗诗 shī；诗歌 shīgē ¶~ 한 수 一首诗 / ~를 짓다 作诗 / ~를 낭송하다 朗诵诗歌
시(이si) 명〖音〗西 xī
시:가(市街) 명 1 大街 dàjiē；街道 jiēdào；市区 shìqū ¶~행진 市区行进 / 이 도시의 ~는 아주 깨끗하다 这座城市的街道很干净 2 街 jiē；街市 jiēshì ¶~에 나가 많은 물건을 샀다 上街市买点儿很多东西
시:가(市價) 명 市价 shìjià；市场价格 shìchǎng jiàgé；行市 hángshi ¶~에 따라 매입하다 按市价买入
시가(媤家) 명 ＝ 시집(媤―)
시가(詩歌) 명 诗 shī；诗歌 shīgē
시가(cigar) 명 ＝ 엽궐련
시:가-지(市街地) 명 市区 shìqū；街市 jiēshì ¶번화한 ~ 繁华的街市
시각(時刻) 명 1 时刻 shíkè ＝ 시간2 ¶약속한 ~ 约定的时刻 2 刻 kè；片刻 piànkè ¶~을 다투다 刻不容缓
시:각(視角) 명 1 视角 shìjiǎo ¶~의 차이 视觉的差异 2〖物〗视角 shìjiǎo
시:각(視覺) 명〖生〗视觉 shìjué ¶~화 视觉化 / ~ 디자인 视觉设计 / ~장애인 视觉残疾人 / ~을 잃다 失去视觉
시:각-적(視覺的) 관명 视觉(的) shìjué(de) ¶~인 효과를 높이다 提升视觉效果
시간(時間) 一명 1 时间 shíjiān ¶~대 时间段 / ~문제 时间问题 / 일하는 ~ 工作时间 / ~을 낭비하다 浪费时间 / ~이 많이 걸리다 需要很长时间 2 ＝ 시각(時刻)1 ¶마감 ~ 最后时刻 / ~을 지체하지 마라 别误了时刻 3 空kòng；时间 shíjiān ¶바빠서 신문 볼 ~도 없다 忙得连看报纸的时间都没有 二의명 小时 xiǎoshí；钟头 zhōngtóu ¶하루에 여덟 ~ 일한다 一天工作八小时 / 퇴근까지 아직 한 ~이 남아 있다 离下班还有一个小时
 시간 가는 줄 모르다 구 不知东方之已白
 시간을 벌다 구 掌握时间
시간-관념(時間觀念) 명 时间观念 shíjiān guānniàn ¶그는 ~이 철저하다 他时间观念很强
시간-급(時間給) 명〖經〗计时工资 jìshí gōngzī；钟点收费 zhōngdiǎn shōufèi ＝ 시급
시간 외: 근:무(時間外勤務)〖社〗加班 jiābān；加工 jiāgōng；加点工作 jiādiǎn gōngzuò
시간-적(時間的) 관명 时间(的) shíjiān(de) ¶~ 여유 时间的余地
시간-제(時間制) 명 时间制 shíjiānzhì；计时 jìshí ¶~ 근무 时间制工作
시간차 공:격(時間差攻擊)〖體〗时间差扣球 shíjiānchā kòuqiú
시간-표(時間表) 명 1 时间表 shíjiānbiǎo；时刻表 shíkèbiǎo ¶열차 운행 ~ 列车运行时刻表 2 课程表 kèchéngbiǎo；功课表 gōngkèbiǎo ¶~를 짜다 排课程表
시-건방지다 형 骄慢 jiāomàn；自高自大 zìgāozìdà；骄慢自大 jiāomàn zìdà；傲慢 àomàn ¶시건방진 말투 傲慢的口气
시계(時計) 명 表 biǎo；钟 zhōng；钟表 zhōngbiǎo ¶~추 钟摆 / ~탑 钟塔 / ~태엽 钟表发条 / 이 ~는 매우 정확하다 这座钟走得很准
시:계(視界) 명 ＝ 시야 ¶~가 넓다 视野广阔
시곗-바늘(時計―) 명 表针 biǎozhēn
시곗-줄(時計―) 명 表带 biǎodài
시-고모(媤姑母) 명 姑婆 gūpó
시골 명 1 乡下 xiāngxia；乡村 xiāngcūn ¶~ 생활 乡村生活 / ~ 사람 乡下人 / ~ 풍경 乡村风景 / 나는 어려서부터 ~에서 살았다 我从小住在乡村 2 故乡 gùxiāng；家乡 jiāxiāng ¶올해 설날에 또 ~에 갔다 今年春节又回到了故乡
시골-구석 명 ＝ 촌구석1
시골-내기 명 乡下人 xiāngxiarén
시골-뜨기 명 土包子 tǔbāozi；乡巴佬儿 xiāngbalǎor；乡下佬 xiāngxialǎo；土豆子 tǔdòuzi
시골-집 명 1 村舍 cūnshè 2 老家 lǎojiā
시골-티 명 ＝ 촌티
시:공(施工) 명하타 施工 shīgōng ¶~

자 施工者 / ~ 업체 施工单位 / 아파트를 ~하다 施工公寓

시공(時空) 명 时空 shíkōng ¶~을 초월하다 超越时空

시-공간(時空間) 명 〖物〗四维空间 sìwéi kōngjiān; 四度空间 sìdù kōngjiān = 사차원 공간 · 사차원 세계

시:구(始球) 명하자 〖體〗(棒球) 开球 kāiqiú

시구(詩句) 명 〖文〗诗句 shījù

시국(時局) 명 时局 shíjú ¶~이 어수선하다 时局动荡

시:굴(試掘) 명하타 〖鑛〗试掘 shìjué; 探井 tànjǐng; 钻探 zuāntàn

시궁 명 脏水沟 zàngshuǐgōu; 污水坑 wūshuǐkēng

시궁-창 명 臭水沟 chòushuǐgōu; 脏水沟 zāngshuǐgōu; 污水坑 wūshuǐkēng

시그널 뮤직(signal music) 〖演〗信号音乐 xìnhào yīnyuè; 标题音乐 biāotí yīnyuè

시금치 명 〖植〗菠菜 bōcài ¶~나물 凉拌菠菜

시금칫-국 명 菠菜汤 bōcàitāng

시급(時給) 명 〖經〗= 시간급

시급-하다(時急—) 형 急迫 jípò; 紧急 jǐnjí; 紧迫 jǐnpò ¶시급한 과제 急迫课题 / 이 일은 아주 ~ 这件事情非常急迫 **시급-히** 부 ¶~ 해결하다 急迫解决

시기(時期) 명 时期 shíqī; 时候 shíhou ¶청소년 ~ 青少年时期

시기(時機) 명 时机 shíjī ¶~를 기다리다 等待时机 / ~를 놓치다 错过时机

시기(猜忌) 명하타 猜忌 cāijì; 猜嫌 cāixián; 忌妒 jìdu; 嫉妒 jídù ¶다른 사람의 재능을 ~하다 嫉妒别人的才能

시기-상조(時機尙早) 명 为时尚早 wéishíshàngzǎo; 为时过早 wéishíguòzǎo ¶이 계획을 시행하는 것은 아직 ~이다 做这个计划还为时尚早

시기-심(猜忌心) 명 猜忌心 cāijìxīn; 忌妒心 jìduxīn ¶~이 강하다 猜忌心强

시-꺼멓다 형 **1** 漆黑 qīhēi; 黑糊糊 hēihūhū; 黑洞洞 hēidòngdòng ¶머리카락이 ~ 头发漆黑 **2** (心、行为) 黑 hēi; 漆黑 qīhēi ¶마음씨가 ~ 心眼儿黑

시꺼메-지다 자 变得漆黑 biànde qīhēi ¶개천의 물이 ~ 沟里的水变得漆黑

시끄럽다 형 **1** 吵 chǎo; 吵闹 chǎonào; 嘈杂 cáozá; 喧闹 xuānnào; 喧哗 xuānhuá ¶바깥의 시끄러운 소리 外面的吵闹声 / 거리에 접해 있어서 아주 ~ 临街十分喧闹 **2** 乱 luàn; 混乱 hùnluàn; 麻烦 máfan; 厌烦 yànfán ¶일이 시끄럽게 되었다 事情变得麻烦了

시끌벅적-하다 형 吵 chǎo; 喧闹 xuānnào; 吵闹 chǎonào; 嘈杂 cáozá ¶교실 안이 갑자기 시끌벅적해졌다 教室里的声音忽然变得嘈杂起来

시끌시끌-하다 형 **1** 喧闹 xuānnào; 吵闹 chǎonào; 嘈杂 cáozá ¶홀 전체가 사람 소리로 ~ 整个大厅人声嘈杂 **2** 心烦意乱 xīnfányìluàn

시나리오(scenario) 명 **1** 〖演〗电影剧本 diànyǐng jùběn ¶~를 쓰다 写电影剧本 **2** (事先安排好的) 计划 jìhuà ¶전쟁 ~ 战争计划

시:내 명 溪 xī; 小溪 xiǎoxī; 小河 xiǎohé; 溪流 xīliú ¶한 줄기 ~가 산 위에서 흘러 내려오다 一条小溪从山上穿流而下

시:내(市內) 명 市内 shìnèi; 市区 shìqū; 城里 chéngli ¶~ 전화 市内电话 / 서울 ~ 首尔市内

시:내-버스(市內bus) 명 市内公共汽车 shìnèi gōnggòng qìchē; 市内巴士 shìnèi bāshì; 市内公交车 shìnèi gōngjiāochē ¶~ 정거장 市内公共汽车站 / ~를 타다 乘坐市内公共汽车

시:냇-가 명 小溪边 xiǎoxībiān

시:냇-물 명 溪水 xīshuǐ

시너(thinner) 명 〖化〗冲淡剂 chōngdànjì; 烯料 xīliào; 信那水 xìnnàshuǐ

시:녀(侍女) 명 **1** 〖史〗= 나인 **2** 侍女 shìnǚ

시-누이(媤—) 명 姑 gū; 姑子 gūzi ¶손위 ~ 大姑子 / 손아래 ~ 小姑子

시늉 명하타 装 zhuāng; 假装 jiǎzhuāng; 仿效 fǎngxiào; 模仿 mófǎng ¶그는 침대에 누워 병난 ~을 한다 他躺在床上假装生病

시니컬-하다(cynical—) 형 玩世不恭 wánshìbùgōng; 愤世嫉俗 fènshìjísú; 冷嘲热讽的 lěngcháorèfěngde ¶시니컬한 태도 玩世不恭的态度

시다 형 **1** 酸 suān ¶귤이 ~ 橘子很酸 / 김치가 먹지 못할 정도로 ~ 泡菜酸得没法吃 **2** 刺眼 cìyǎn; 刺目 cìmù; 眩目 xuànmù ¶강한 햇살에 눈이 ~ 因阳光太强刺眼 **3** 酸 suān; 酸痛 suāntòng ¶발목이 ~ 脚脖子酸痛 **4** 不顺眼 bùshùnyǎn; 碍眼 àiyǎn ¶정말 눈꼴이 ~ 实在看不顺眼

시:달(示達) 명하타 下达 xiàdá ¶명령을 ~하다 下达命令

시달리다 자 折磨 zhémó; 磨折 mózhé ¶병에 ~ 被病折磨

시대(時代) 명 时代 shídài; 时期 shíqī ¶~상 时代面貌 / ~착오 时代错误 / 석기 ~ 石器时代 / ~가 변했다 时代变了 / ~에 뒤떨어지다 落后于时代 /

～의 조류에 부합하다 符合时代潮流
시대-적(時代的) 관명 时代(的) shídài(de) ¶～ 배경 时代的背景 / ～ 산물 时代的产物
시댁(媤宅) 명 '시집(媤—)' 的敬词 ¶결혼 후에 그녀는 줄곧 ～에서 살았다 结婚以后, 她一直住在婆家
시:도(試圖) 명하타 试图 shìtú; 试 shì; 图谋 túmóu; 企图 qǐtú; 打算 dǎsuan ¶탈옥을 ～하다 试图越狱 / 적의 공격 ～를 간파하다 识破敌人的攻击企图
시:동(始動) 명하자타 发动 fādòng; 启动 qǐdòng; 开动 kāidòng ¶자동차가 ～이 걸리지 않는다 汽车发动不起来
시-동생(媤同生) 명 小叔子 xiǎoshūzi
시들다 자 **1** 蔫 niān; 枯萎 kūwěi; 干枯 gānkū; 谢 xiè; 凋谢 diāoxiè ¶꽃이 ～ 花蔫了 / 나뭇잎이 금방 시들었다 树叶很快就枯萎了 **2** (精神或精力) 蔫 niān; 萎靡 wěimǐ **3** (气势) 衰退 shuāituì; 衰弱 shuāiruò; 下降 xiàjiàng ¶인기가 ～ 人气下降
시들-하다 형 **1** 蔫 niān; 枯萎 kūwěi; 干枯 gānkū **2** 鸡毛蒜皮 jīmáosuànpí; 无关紧要 wúguānjǐnyào; 无足轻重 wúzúqīngzhòng **3** 不称意 bùchènyì; 不乐意 bùlèyì; 不满意 bùmǎnyì
시디[1](CD)[compact disk] 명 〖物〗 = 콤팩트디스크
시디[2](CD)[cash dispenser] 명 〖經〗 = 현금 인출기
시디-롬(CD-ROM)[compact disk read only memory] 명 〖컴〗 光盘驱动器 guāngpán qūdòngqì; 光驱 guāngqū
시디-플레이어(CD player) 명 激光唱机 jīguāng chàngjī
시래기 명 干菜 gāncài
시래깃-국 명 干菜汤 gāncàitāng
시럽(syrup) 명 **1** 果子露 guǒzilù **2** 〖藥〗 糖浆 tángjiāng
시렁 명 搁板 gēbǎn
시:력(視力) 명 视力 shìlì ¶～ 검사 视力检查 / ～ 검사표 视力表 / ～이 좋다 视力良好 / ～을 측정하다 测量视力
시련(試鍊 · 試練) 명하타 考验 kǎoyàn ¶혹독한 ～ 严峻的考验 / ～을 겪다 经受考验 / ～을 이기다 战胜考验
시:료(試料) 명 〖化〗 试验物质 shìyàn wùzhì
시루 명 蒸笼 zhēnglóng; 蒸盒 zhēnghé; 蒸屉 zhēngtì; 笼屉 lóngtì ¶찐빵을 ～에 넣고 찌다 把馒头放在蒸笼蒸一蒸
시루-떡 명 蒸糕 zhēnggāo
시류(時流) 명 时流 shíliú; 时代潮流 shídài cháoliú; 时尚 shíshàng; 时俗 shísú ¶～에 따르다 顺应时代潮流
시름 명 忧愁 yōuchóu; 忧心 yōuxīn; 忧虑 yōulǜ; 愁苦 chóukǔ; 担心 dānxīn; 担忧 dānyōu ¶깊은 ～에 잠기다 陷入深深的忧虑之中
시름-시름 부 (病) 缠绵 chánmián ¶몇 년 동안 ～ 앓다 缠绵病榻好几年
시리다 형 **1** 冷 lěng; 凉 liáng ¶손발이 ～ 手脚冷 **2** (牙齿) 发冷 fālěng ¶이가 ～ 牙齿发冷 **3** 刺眼 cìyǎn; 刺目 cìmù; 眩目 xuànmù
시리즈(series) 명 **1** 系列片 xìlièpiàn; 丛书 cóngshū **2** 循环赛 xúnhuánsài
시:립(市立) 명 市立 shìlì ¶～ 병원 市立医院 / ～ 대학 市立大学
시:말-서(始末書) 명 悔过书 huǐguòshū; 检讨书 jiǎntǎoshū
시멘트(cement) 명 〖建〗 水泥 shuǐní; 洋灰 yánghuī; 水门汀 shuǐméntīng ¶～ 공장 水泥厂 / ～ 벽돌 水泥石专 / ～를 반죽하다 搅拌水泥
시모(媤母) 명 = 시어머니
시:무(始務) 명하자 开始工作 kāishǐ gōngzuò; 开始办公 kāishǐ bàngōng
시무룩-이 부 不高兴地 bùgāoxìngde; 不满意地 bùmǎnyìde; 怏怏不乐地 yàngyàngbùlède ¶～ 잔디밭에 앉아 있다 不高兴地坐在草地上 / ～ 고개를 끄덕였다 不满意地点了点头
시무룩-하다 형 不高兴 bùgāoxìng; 不满意 bùmǎnyì; 怏怏不乐 yàngyàngbùlè ¶시험을 잘 보지 못해 시무룩해졌다 没考好, 不高兴起来
시문(詩文) 명 诗文 shīwén ¶～집 诗文集
시뮬레이션(simulation) 명 模拟实验 mónǐ shíyàn
시:민(市民) 명 市民 shìmín ¶～권 市民权 / ～ 계급 市民阶级 / 서울 ～ 首尔市民 / 공원을 ～에게 무료로 개방하다 公园向市民免费开放
시:발(始發) 명하자 **1** 始发 shǐfā ¶～역 始发站 =[出发站] / 서울 ～ 열차 首尔始发列车 **2** 开始 kāishǐ; 开头 kāitóu **3** (病) 开始 kāishǐ
시:발-점(始發點) 명 出发点 chūfādiǎn; 起点 qǐdiǎn ¶우리는 새로운 역사의 ～에 서 있다 我们站在新的历史起点上
시범(示範) 명하타 示范 shìfàn ¶슛 동작 ～을 보이다 示范投篮动作
시:범-적(示範的) 관명 示范(的) shìfàn(de); 示范性 shìfànxìng
시보(時報) 명 **1** 时事报道 shíshì bàodào **2** 报时 bàoshí
시부(媤父) 명 = 시아버지
시부렁-거리다 자타 嘟囔 dūnang; 啰唆 luōsuo; 叨叨 dāodao = 시부렁대다 ¶그는 걸핏하면 끊임없이 시부렁

거린다 他动不动嘟囔个没完没了 **시부렁-시부렁** 부하자타

시-부모(媤父母) 명 公婆 gōngpó; 公姥 gōnglǎo; 翁姑 wēnggū ¶~를 모시다 侍候公婆

시부모-님(媤父母—) 명 '시부모'的敬词

시:비(施肥) 명하자 『農』 施肥 shīféi

시:비(是非) 명하자타 **1** 是非 shìfēi; 好歹 hǎodǎi ¶~를 가리다 分清是非 **2** 是非 shìfēi; 口舌 kǒushé ¶~를 일으키다 惹起是非

시비(詩碑) 명 诗碑 shībēi

시:비-곡직(是非曲直) 명 是非曲直 shìfēi qūzhí

시:비-조(是非調) 명 挑剔的口气 tiāotide kǒuqì ¶~로 말하다 用挑剔的口气说

시-뻘겋다 형 通红 tōnghóng; 鲜红 xiānhóng; 涨红 zhànghóng ¶얼굴이 온통 ~ 满脸通红 / 시뻘건 태양이 솟아오르다 鲜红的太阳升起

시뻘게-지다 자 变红 biàn hóng ¶얼굴이 ~ 脸面变红

시-뿌옇다 형 白蒙蒙 báiméngméng ¶그곳은 늘 시뿌연 안개로 뒤덮여 있다 那里总是被一层白蒙蒙的雾气笼罩着

시:사(示唆) 명하타 暗示 ànshì; 启发 qǐfā; 启示 qǐshì ¶이 논문은 나에게 ~하는 바가 있다 这篇论文对我很有启发

시사(時事) 명 时事 shíshì ¶~ 뉴스 时事新闻 / ~ 문제 时事问题 / ~ 만평 时事漫评 / ~ 만화 时事漫画 / ~성 时事性 / ~용어 时事用语 / ~ 평론 时事评论 =[时评]

시:사(試寫) 명하타 试映 shìyìng; 试片 shìpiàn ¶~회 试映会

시사-적(時事的) 관명 时事(的) shíshì(de); 时事性(的) shíshìxìng(de)

시:상(施賞) 명하타 发奖 fājiǎng; 颁奖 bānjiǎng ¶~대 发奖台 / ~식 发奖仪式 / 교장 선생님이 성적 우수 학생에게 ~했다 校长为成绩优秀学生发奖

시상(詩想) 명 诗思 shīsī; 诗兴 shīxìng ¶~이 크게 일다 诗兴大发

시샘 명하타 嫉妒 jídù; 妒忌 dùjì; 忌妒 jìdu ¶그녀는 외모 때문에 ~을 받았다 她为外貌遭到嫉妒

시:선(視線) 명 视线 shìxiàn; 眼光 yǎnguāng; 目光 mùguāng ¶날카로운 ~ 锐利的目光 / ~을 끌다 吸引眼光 / ~을 돌리다 转移视线 / ~을 막다 挡住视线 / 그녀의 ~과 마주쳤다 碰到她的视线 / 모두의 ~이 그에게 집중되다 大家的眼光都集中在他身上

시:선(詩選) 명 诗选 shīxuǎn ¶역대 중국 ~ 历代中国诗选

시:설(施設) 명하타 设施 shèshī; 设备 shèbèi ¶통신 ~ 通迅设施 / 의료 ~ 医疗设施 / ~이 낙후하다 设备落后

시설-물(施設物) 명 设备 shèbèi; 设施 shèshī ¶~ 관리 设备管理

시세(時勢) 명 **1** 时势 shíshì; 时务 shíwù; 形势 xíngshì ¶~에 순응하다 顺应时势 **2** 时价 shíjià; 行情 hángqíng ¶주식 ~ 股票行情 / ~가 오르다 上涨行情

시소(seesaw) 명 跷跷板 qiāoqiāobǎn ¶~를 타다 玩跷跷板

시소-게임(seesaw game) 명 『體』 拉锯战 lājùzhàn ¶~을 벌이다 展开拉锯战

시속(時速) 명 时速 shísù ¶최고 ~은 300킬로미터에 달한다 最高时速达三百公里

시:술(施術) 명하자타 施行手术 shīxíng shǒushù ¶의사가 환자에게 ~하다 医生对病人施行手术

시스템(system) 명 『컴』 系统 xìtǒng ¶자동화 ~ 自动化系统

시:승(試乘) 명하타 试乘 shìchéng; 试驾 shìjià; 试乘试驾 shìchéng shìjià ¶자동차 ~ 汽车试乘试驾

시시각각(時時刻刻) 명 时时刻刻 shíshíkèkè ¶산의 날씨가 ~으로 변하고 있다 山区的天气时时刻刻在变化

시시껄렁-하다 형 无聊 wúliáo; 没意思 méi yìsi ¶시시껄렁한 농담 无聊的玩笑

시시덕-거리다 자 嘻嘻哈哈 xīxīhāhā = 시시덕대다 ¶시시덕거리며 웃다 嘻嘻哈哈地笑

시시-때때로(時時—) 부 '때때로'的强调语

시:시비비(是是非非) 명하자타 是是非非 shìshìfēifēi ¶~를 가리다 分清是是非非

시시-콜콜 부하형히부 **1** 小心眼儿 xiǎoxīnyǎnr; 小里小气 xiǎolixiǎoqì **2** 鸡毛蒜皮 jīmáosuànpí; 无关紧要 wúguān jǐnyào; 区区 qūqū; 猥杂 wěizá ¶그녀는 늘 ~한 것 때문에 화를 낸다 她老是为鸡毛蒜皮的东西生气

시시 티브이(CCTV)[closed circuit television] 『電』 = 폐회로 텔레비전

시시-하다 형 **1** 不怎么样 bùzěnmeyàng; 没意思 méi yìsi; 无聊 wúliáo ¶그는 시시한 회사에 들어갔다 他进了不怎么样的公司 **2** 小气 xiǎoqi; 不大方 bùdàfang; 没出息 méi chūxi ¶그가 어떻게 이렇게 시시하게 변했을까? 他怎么变得这么小气呢?

시:식(試食) 명하타 试食 shìshí; 试吃 shìchī ¶고객을 위해 공짜 ~을 준비

했다 为顾客准备了免费试食
시:신(屍身) 명 尸身 shīshēn; 尸首 shīshǒu; 尸体 shītǐ ¶몇 구의 ~을 발견했다 发现了几具尸体
시:-신경(視神經) 명 〖生〗视神经 shìshénjīng
시-아버님(媤—) 명 '시아버지'的敬词
시-아버지(媤—) 명 公公 gōnggong = 시부
시-아주버니(媤—) 명 大伯子 dàbózi
시:안(試案) 명 草案 cǎo'àn; 试行方案 shìxíng fāng'àn ¶~을 잡다 制定草案
시:야(視野) 명 1 视野 shìyě; 眼界 yǎnjiè = 시계(視界) ¶~가 넓다 视野宽阔 / ~가 좁다 眼界不宽 / ~가 탁 트이다 视野豁然开朗 2 视野 shìyě; 眼界 yǎnjiè ¶~를 넓히다 开阔眼界
시:약(試藥) 명 〖化〗试药 shìyào
시어(詩語) 명 诗歌语言 shīgē yǔyán
시-어른(媤—) 명 婆家的尊长 pójiade zūnzhǎng
시-어머니(媤—) 명 婆婆 pópo; 婆母 pómǔ = 시모
시-어머님(媤—) 명 '시어머니'的敬词
시에프(CF)[commercial film] 명 〖言〗电视广告 diànshì guǎnggào; 广告影片 guǎnggào yǐngpiàn
시엠(CM)[commercial message] 명 〖言〗广播广告 guǎngbō guǎnggào; 商业广告 shāngyè guǎnggào
시엠-송(CM song) 명 〖言〗广告歌曲 guǎnggào gēqǔ; 广告歌 guǎnggào-gē
시:연(試演) 명하타 试演 shìyǎn ¶~회 试演会
시:외(市外) 명 市外 shìwài
시:외-버스(市外bus) 명 长途汽车 chángtú qìchē
시:외 전:화(市外電話) 〖信〗长途电话 chángtú diànhuà
시운(時運) 명 时运 shíyùn ¶~이 따르지 않다 时运不济 / ~을 얻지 못하다 不得时运 / ~을 타다 乘时运 / ~이 다하다 用尽时运 / ~이 트이다 走时运
시:-운전(試運轉) 명하타 试车 shìchē; 试开 shìkāi; 试运转 shìyùnzhuǎn ¶작업 전에 ~을 하다 作业前进行试运转
시원섭섭-하다 형 一边高兴一边难舍 yībiān gāoxìng yībiān nánshě; 又高兴又难舍 yòu gāoxìng yòu nánshě ¶그 장난꾸러기를 보내고 나니 ~ 把那个调皮鬼送走了, 又高兴又难舍 **시원섭섭-히** 부
시원-스럽다 형 1 凉快 liángkuai; 凉爽 liángshuǎng; 清爽 qīngshuǎng ¶바람이 아주 시원스럽게 분다 风吹得很凉快 2 豁亮 huòliàng; 豁然 huòrán; 豁然开朗 huòrán kāilǎng ¶집이 널찍하고 ~ 房子又宽敞, 又豁亮 3 (说话、行动等) 爽快 shuǎngkuai; 直爽 zhíshuǎng; 直率 zhíshuài; 痛快 tòngkuài; 干脆 gāncuì ¶그는 일 처리가 아주 ~ 他办事爽快极了 4 一干二净 yīgān'èrjìng; 干干净净 gānganjìngjìng ¶방이 시원스럽게 청소되었다 房间被清洗得一干二净 5 满意 mǎnyì; 满足 mǎnzú 6 (心里) 爽快 shuǎngkuai; 痛快 tòngkuài; 舒畅 shūchàng; 轻松 qīngsōng; 宽爽 kuānshuǎng ¶수영 후에 좀 힘들었지만 마음은 아주 시원스럽게 느껴졌다 游泳后有点累, 但心里觉得爽快了许多 **시원스레** 부
시원-시원 부하형히부 1 爽快(地) shuǎngkuai(de); 直爽(地) zhíshuǎng-(de); 直率(地) zhíshuài(de); 痛快(地) tòngkuài(de); 干脆(地) gāncuì(de) ¶그는 자신의 생각을 ~하게 말했다 他直率地谈了自己的想法 2 爽快(地) shuǎngkuai(de); 痛快(地) tòngkuài(de) ¶의외로 그는 ~하게 동의했다 没想到他竟爽快地同意了 3 (心里) 爽快(地) shuǎngkuai(de); 舒畅(地) shūchàng(de) ¶~하게 속을 털어놓다 爽快地发泄一下
시원찮다 형 1 不痛快 bùtòngkuài; 不怎么好 bùzěnme hǎo; 不怎么样 bùzěnmeyàng ¶일하는 것이 ~ 做事不痛快 2 不舒服 bùshūfu ¶최근에 몸이 ~ 最近身体不太舒服
시원-하다 형 1 凉快 liángkuai; 凉爽 liángshuǎng; 清爽 qīngshuǎng ¶시원한 공기 凉快的空气 / 새벽바람이 아주 ~ 晨风清爽极了 2 (食物) 爽口 shuǎngkǒu ¶시원한 김칫국 爽口的泡菜汤 3 豁然开朗 huòránkāilǎng ¶시원하게 탁 트인 정경 豁然开朗的景象 4 (说话、行动等) 干脆 gāncuì; 爽朗 shuǎnglǎng; 爽快 shuǎngkuai; 直爽 zhíshuǎng; 痛快 tòngkuài ¶그는 성격이 아주 ~ 他性格挺爽快 / 그는 아주 시원하게 허락했다 他答应得十分干脆 5 满意 mǎnyì; 满足 mǎnzú ¶너희들의 이번 일 처리는 영 시원치 않다 你们这次办事很不满意 6 (心里) 宽爽 kuānshuǎng; 爽快 shuǎngkuai; 痛快 tòngkuài; 舒畅 shūchàng ¶일이 다 처리되니 마음이 매우 ~ 事情办好了, 心里爽快多了 **시원-히** 부
시월(←十月) 명 十月 shíyuè ¶~ 이십 일 十月二十号 / ~의 마지막 날 十月的最后一天

시위 명 = 활시위
시:위(示威) 명하자 = 시위운동 ¶~대 示威队伍 / ~행진 示威游行 / 반정부 ~ 反政府示威 / 무력으로 ~를 진압하다 用武力镇压示威民众
시:위-운동(示威運動) 명 示威 shìwēi; 示威游行 shìwēi yóuxíng = 데모 ⊟·시위(示威)
시:음(試飮) 명하타 试饮 shìyǐn ¶포도주를 ~하다 试饮葡萄酒 / ~ 행사를 열다 举行试饮活动
시의(時宜) 명 时宜 shíyí ¶~적절하다 切合时宜 / ~에 맞지 않다 不合时宜
시: 의원(市議員) 〖法〗 市议员 shìyìyuán
시: 의회(市議會) 〖法〗 市议会 shìyìhuì
시이오(CEO)[chief executive officer] 명 〖經〗 首席执行官 shǒuxí zhíxíngguān
시:인(是認) 명하타 认 rèn; 承认 chéngrèn ¶범행을 ~하다 承认罪行 / 자신의 잘못을 ~하다 承认自已的错误
시인(詩人) 명 诗人 shīrén ¶저명한 ~ 著名的诗人 / 낭만파 ~ 浪漫派诗人
시일(時日) 명 **1** 时日 shírì; 时间 shíjiān ¶적어도 일 년의 ~이 필요하다 至少需要一年的时间 **2** 日期 rìqī ¶~을 수개월 늦추다 日期推迟数月
시:작(始作) 명하자타 **1** 开始 kāishǐ; 开头(儿) kāitóu(r); 开端 kāiduān; 起头 qǐtóu ¶~부터 기초를 잘 다져야 한다 从开始就要打好基础 / 좋은 ~은 성공의 절반이다 良好的开端是成功一半 **2** 开 kāi; 起 qǐ; 开始 kāishǐ; 动手 dòngshǒu ¶촬영을 ~하다 开拍 / 날씨가 추워지기 ~했다 天开始凉了 / 피아노를 배우기 ~하다 开始学习钢琴 / 털옷을 짜기 ~하다 动手织毛衣
시작이 반이다 속담 万事开头难; 曲子好唱起头难
시:작(試作) 명하타 试作 shìzuò
시장 명하형 饿 è; 饥 jī ¶~하실 테니어서 드세요 您大概饿了, 请快吃吧
시장이 반찬 속담 饿了吃糠甜如蜜; 饥者甘食, 渴者甘饮
시:장(市長) 명 〖法〗 市长 shìzhǎng
시:장(市場) 명 **1** 市场 shìchǎng; 市 shì ¶동대문 ~ 东大门市场 / 골동품 ~ 古玩市场 / ~에 나오다 上市 **2** 〖經〗 市场 shìchǎng ¶금융 ~ 金融市场 / 국제 ~ 国际市场 / ~ 경제 市场经济 / ~ 점유율 市场占有率 / ~ 조사 市场调查 / 새로운 ~을 개척하다 开拓新市场
시:장 가격(市場價格) 〖經〗 市场价 shìchǎngjià; 市场价格 shìchǎng jiàgé; 市价 shìjià
시장-기(—氣) 명 饿的感觉 ède gǎnjué; 饿意 èyì ¶~를 느끼다 感到饿意
시:장-바구니(市場—) 명 菜篮子 càilánzi; 市场篮子 shìcháng lánzi; 购物篮子 gòuwù lánzi = 장바구니
시:장-성(市場性) 명 〖經〗 市场性 shìchǎngxìng ¶~을 조사하다 调查市场性 / ~이 높다 市场性很高
시-적(詩的) 관명 有诗意的 yǒu shīyìde; 诗意的 shīyìde ¶~ 분위기 诗意的气氛
시절(時節) 명 **1** 时节 shíjié; 季节 jìjié ¶꽃 피는 ~ 开花时节 **2** 时节 shíjié; 时光 shíguāng ¶아름다운 ~ 美好时节 / 이전의 행복했던 ~을 떠올리다 想起以前的幸福时光 **3** 时候 shíhou; 时代 shídài ¶어린 ~ 小时候 / 소년 ~ 少年时代
시점(時點) 명 时点 shídiǎn; 时刻 shíkè ¶결정적인 ~ 关键时刻 / 지금 이 ~에서 现在这个时点上
시:점(視點) 명 **1** 注视点 zhùshìdiǎn **2** 〖美〗 视平线 shìpíngxiàn **3** 〖文〗 (小说的) 视角 shìjiǎo; 视点 shìdiǎn ¶3인칭 ~ 第三人称视角
시:접 명 缝边 féngbiān; 折边 zhébiān ¶~을 넣다 加缝边
시:정(市井) 명 市井 shìjǐng ¶~아치 市井之徒 / ~잡배 市井无赖
시:정(市政) 명 市政 shìzhèng
시:정(是正) 명하타 矫正 jiǎozhèng; 纠正 jiūzhèng; 更正 gēngzhèng; 改正 gǎizhèng; 匡正 kuāngzhèng ¶잘못을 ~하다 矫正错误 / 나쁜 습관을 ~하다 纠正坏习惯
시제(時制) 명 〖語〗 时 shí; 时态 shítài; 时称 shíchēng
시제(時祭) 명 时祭 shíjì; 时享 shíxiǎng
시:제(試製) 명하타 试制 shìzhì ¶~품 试制品
시제(詩題) 명 〖文〗 诗题 shītí
시:조(始祖) 명 **1** 始祖 shǐzǔ ¶한국의 ~는 단군이다 韩国的始祖是檀君 **2** 鼻祖 bízǔ; 开山鼻祖 kāishānbízǔ
시조(時調) 명 〖文〗 时调 shídiào ¶~를 읊다 吟时调
시-조모(媤祖母) 명 = 시할머니
시-조부(媤祖父) 명 = 시할아버지
시:조-새(始祖—) 명 〖鳥〗 始祖鸟 shǐzǔniǎo
시:종(侍從) 명 〖史〗 侍从 shìcóng
시:종(始終) ⊟명하자 始终 shǐzhōng ¶사건의 ~을 조사하다 调查事件的始终 ⊟부 始终 shǐzhōng ¶그 목표는 ~ 변화가 없었다 那个目标始终没有

变化

시:종-일관(始終一貫) 명하자 始终一贯 shǐzhōngyīguàn; 始终如一 shǐzhōngrúyī; 始终不懈 shǐzhōngbùxiè ¶그는 ~ 한마음으로 이 일을 했다 他始终一贯, 一心一意做这份工作

시:주(施主) 〖佛〗 ㊀명 施主 shīzhǔ; 化主 huàzhǔ ㊁명하타 施舍 shīshě; 布施 bùshī ¶공양미를 ~하다 施舍粮米

시중 명하타 照顾 zhàogù; 侍候 shìhòu; 服侍 fúshi; 伺候 cìhou ¶환자의 ~을 들다 服侍病人

시:중(市中) 명 市里 shìli; 市内 shìnèi; 市 shì ¶~ 금리 市场利率 / ~에 자금이 투입되다 市里投入资金

시중-들다 타 照顾 zhàogù; 侍候 shìhòu; 服侍 fúshi; 伺候 cìhou ¶친어머니처럼 여기고 ~ 当作亲生母亲一样侍候

시즌(season) 명 季 jì; 季节 jìjié; 旺季 wàngjì ¶프로 야구 ~ 职业棒球赛季 / 졸업 ~이 되었다 毕业季节来临了

시-집(媤—) 명 婆家 pójia; 婆婆家 pópojiā = 시가(媤家)

시집(詩集) 명 诗集 shījí ¶~을 읽다 看诗集

시집-가다(媤—) 자 出嫁 chūjià; 嫁 jià; 嫁人 jiàrén; 过门 guòmén; 嫁出去 jiàchūqù ¶우리 딸은 2년 전에 시집갔다 我女儿两年前嫁出去了

시집-보내다(媤—) 타 嫁 jià; 嫁女 jiànǚ; 嫁出去 jiàchūqù ¶딸을 ~ 把女儿嫁出去

시집-살이(媤—) 명하자 媳妇的日子 xífùde rìzi; 做媳妇 zuò xífù ¶~는 역시 고되다 媳妇的日子还是不好过

시집-오다(媤—) 자 过门 guòmén; 嫁来 jiàlái

시차(時差) 명 **1** 时间差 shíjiānchā **2** 时差 shíchā ¶서울과 베이징은 한 시간의 ~가 있다 首尔与北京有一个小时的时差 / ~ 적응을 하다 适应时差

시:찰(視察) 명하타 视察 shìchá ¶사고 현장을 ~하다 视察事故现场

시:책(施策) 명하타 措施 cuòshī ¶~을 마련하다 制订措施

시:청(市廳) 명 市政府 shìzhèngfǔ; 市厅 shìtīng; 市政厅 shìzhèngtīng = 시(市)2 ¶~ 공무원 市政府公务员

시:청(視聽) 명하타 收看 shōukàn; 收视 shōushì ¶텔레비전을 ~하다 收看电视

시:청-각(視聽覺) 명 视听 shìtīng ¶~ 자료 视听资料 / ~ 교육 视听教育

시:청-료(視聽料) 명 收看费 shōukànfèi; 收视费 shōushìfèi ¶텔레비전 ~ 电视收看费 / ~를 납부하다 缴纳收看费

시:청-률(視聽率) 명 收看率 shōukànlǜ; 收视率 shōushìlǜ ¶~이 지난주보다 조금 떨어졌다 收视率比上一周有了小幅下跌

시:청-자(視聽者) 명 (电视的) 观众 guānzhòng ¶텔레비전 ~ 电视观众

시:체(屍體) 명 = 송장 ¶세 구의 ~를 발견하다 发现三具尸体

시쳇-말(時體—) 명 流行语 liúxíngyǔ ¶~로 말한다면, 그들은 아주 쿨한 젊은이들이다 用流行语来讲, 他们是些很酷的年轻人

시:초(始初) 명 开端 kāiduān; 开头(儿) kāitóu(r); 开始 kāishǐ; 起头 qǐtóu; 起初 qǐchū; 起首 qǐshǒu ¶전쟁의 ~ 战争的开端

시:추(試錐) 명하타 〖鑛〗 试钻 shìzuān; 钻探 zuāntàn = 보링 ¶~ 작업 试钻工作

시:추-기(試錐機) 명 〖地理〗 钻探机 zuāntànjī; 钻机 zuànjī

시추에이션 코미디(situation comedy) 〖演〗 情景喜剧 qíngjǐng xǐjù; 处境喜剧 chǔjìng xǐjù = 시트콤

시치다 타 绷 bēng ¶이불을 ~ 绷被头

시치미 명 装蒜 zhuāngsuàn; 装 zhuāng; 假装 jiǎzhuāng; 佯装 yángzhuāng; 装糊涂 zhuāng hútu

시치미(를) 떼다[따다] 구 装蒜; 装; 假装; 佯装; 装糊涂 ¶그는 기계를 망가뜨려 놓고도 시치미를 떼고 있다 他弄坏了机器还装蒜

시침(時針) 명 时针 shízhēn ¶~이 5시를 가리키고 있다 时针指着五时

시침-바느질 명하타 假缝 jiǎféng = 가봉

시침-질 명하타 绷 bēng

시-커멓다 형 漆黑 qīhēi; 乌黑 wūhēi; 黑糊糊 hēihūhū ¶사방이 ~ 四周黑糊糊的 / 학생들의 얼굴이 모두 시커멓게 탔다 学生们的脸都晒得漆黑

시커메-지다 자 (变得) 漆黑 qīhēi; 乌黑 wūhēi; 黑糊糊 hēihūhū ¶달이 사라지자 대지가 시커메졌다 月亮消失了, 大地变得黑糊糊的

시큰-거리다 자 酸 suān; 酸痛 suāntòng; 酸疼 suānténg = 시큰대다 ¶허리가 며칠 동안 시큰거렸다 腰背酸痛了好几天 **시큰-시큰** 부하자 ¶손목에 ~한 느낌이 있다 手腕子有酸的感觉

시큰둥-하다 형 **1** 放肆 fàngsì; 傲慢 àomàn ¶태도가 아주 ~ 态度傲慢极了 **2** 不满意 bùmǎnyì; 不顺心 bùshùnxīn ¶시큰둥하게 대답하다 回答得不满意

시큰-하다 형 酸 suān; 酸痛 suāntòng; 酸疼 suānténg ¶허리가 무척 ~ 腰酸极了

시큼-시큼 부하형 酸酸的 suānsuānde

시큼-하다 형 酸 suān; 酸溜溜 suānliūliū ¶그녀는 시큼한 것을 싫어한다 她嫌酸的东西 / 매실이 아주 ~ 青梅酸得很 **시큼-히** 부

시키다 타 1 使 shǐ; 使唤 shǐhuan; 支使 zhīshǐ; 致使 zhìshǐ; 叫 jiào; 让 ràng ¶남에게 시키지 말고 스스로 해라 自己动手做, 不要使别人 / 어머니는 나더러 채소를 사오라고 시키셨다 妈妈叫我去买菜 2 点 diǎn ¶음식을 ~ 点菜

-시키다 접미 使 shǐ; 叫 jiào; 让 ràng ¶적을 항복~ 使敌人投降 / 그들을 만족~ 让他们满意

시트(sheet) 명 1 床单 chuángdān; 被单 bèidān; 褥单 rùdān ¶~를 갈다 更换床单 2 帆布 fānbù

시트르-산(←citric酸) 명 〖化〗 柠檬酸 níngméngsuān; 枸橼酸 jǔyuǎnsuān = 구연산 · 레몬산

시트-커버(seat+cover) 명 座套 zuòtào

시트콤(sitcom) 명 〖演〗 = 시추에이션 코미디

시티 촬영(CT撮影) 〖醫〗 = 컴퓨터 단층 촬영

시-퍼렇다 형 1 碧蓝 bìlán; 蔚蓝 wèilán; 湛碧 zhànbì; 湛蓝 zhànlán ¶바닷물이 ~ 海水碧蓝 2 发青 fāqīng; 铁青 tiěqīng ¶얼굴색이 ~ 脸色铁青 3 (气势) 汹汹 xiōngxiōng ¶서슬이 ~ 气势汹汹 4 (刀刃) 锋利 fēnglì ¶칼날이 ~ 刀刃很锋利

시퍼레-지다 자 发青 fāqīng; 铁青 tiěqīng; 变青 biàn qīng; 变蓝 biàn lán ¶추워서 입술이 ~ 嘴唇冻得发青

시평(詩評) 명 诗评 shīpíng

시폰(chiffon) 명 1 〖手工〗 雪纺绸 xuěfǎngchóu; 雪纺 xuěfǎng ¶~ 블라우스 雪纺村衫 2 戚风 qīfēng; 雪芳 xuěfāng ¶~ 케이크 戚风蛋糕 =[雪芳蛋糕]

시풍(詩風) 명 诗风 shīfēng

시피유(CPU)[central processing unit] 명 〖컴〗 = 중앙 처리 장치

시한(時限) 명 期限 qīxiàn; 限期 xiànqī; 时限 shíxiàn ¶~이 다 되었다 期限已经到了 / ~을 연장하다 延长期限

시한-부(時限附) 명 有限 yǒuxiàn; 有期限 yǒuqīxiàn; 限期 xiànqī; 规定日期 guīdìng rìqī ¶~ 인생 有限的人生 / ~ 근무 有期限服务

시한-폭탄(時限爆彈) 명 计时炸弹 jìshí zhàdàn; 定时炸弹 dìngshí zhàdàn

시-할머니(媤一) 명 丈夫的奶奶 zhàngfude nǎinai = 시조모

시-할아버지(媤一) 명 丈夫的爷爷 zhàngfude yéye = 시조부

시합(試合) 명하타 赛 sài; 比赛 bǐsài; 竞赛 jìngsài ¶달리기 ~ 赛跑 / 축구 ~ 足球比赛 / 누구의 속도가 빠른지 ~해 보자 赛赛谁的速度快 / ~을 시작하다 开展竞赛

시:해(弑害) 명하타 弑 shì; 弑杀 shìshā ¶임금을 ~하다 弑杀君主

시:행(施行) 명하타 1 施行 shīxíng; 实施 shíshī; 实行 shíxíng ¶이 방안은 이미 2년 동안 ~했다 这种方案已经实行两年了 2 〖法〗 施行 shīxíng; 实施 shíshī; 执行 zhíxíng ¶~령 施行令 / 새 법령을 ~하다 实施新法令

시:행-착오(試行錯誤) 명 〖教〗 施误法 shīwùfǎ; 执行错误 zhíxíng cuòwù; 反复试验 fǎnfù shìyàn

시험(試驗) 명하타 1 试 shì; 考 kǎo; 考试 kǎoshì; 测试 cèshì; 测验 cèyàn ¶~ 점수 考分 / 대학 입학 ~ 高考 / ~공부를 하다 准备考试 / ~에 붙다 考上 / ~에 떨어지다 考不上 / ~을 거부하다 罢考 / ~에 참가하다 参加考试 =[应考] / 그의 솜씨를 ~해 보다 试一试他的手艺 2 试 shì; 验 yàn; 试验 shìyàn; 尝试 chángshì ¶제동기의 성능을 ~해 보자 试验一下刹车性能 3 考验 kǎoyàn ¶~을 견뎌 내다 经得起考验

시험-관(試驗官) 명 考官 kǎoguān; 监考 jiānkǎo

시험-관(試驗管) 명 〖化〗 试管 shìguǎn ¶~ 아기 试管婴儿

시험-대(試驗臺) 명 1 (试验用的) 试验台 shìyàntái 2 试验台 shìyàntái ¶우리 상품이 ~에 올라 일거에 성공을 거두었다 我们的产品上了试验台一举成功

시험 문:제(試驗問題) 〖教〗 试题 shìtí; 考题 kǎotí

시험 비행(試驗飛行) 〖航〗 试飞 shìfēi ¶첫 ~을 하다 进行首次试飞

시험-장(試驗場) 명 1 考场 kǎochǎng; 试场 shìchǎng 2 试验场 shìyànchǎng ¶임업 ~ 林业试验场

시험-지(試驗紙) 명 1 考卷 kǎojuàn; 试卷 shìjuàn ¶~를 나눠 주다 发试卷 / ~를 제출하다 交考卷 / ~를 걷다 收考卷 2 〖化〗 试纸 shìzhǐ ¶임신 테스트 ~ 测孕试纸

시화(詩畫) 명 1 诗画 shīhuà ¶~전 诗画展 2 诗配画 shīpèihuà

시:황(市況) 명 市况 shìkuàng; 行情 hángqíng ¶주식 ~ 股份行情 / ~이 좋지 않다 市况不佳

시효(時效) 명 〖法〗 时效 shíxiào ¶~가 이미 지나다 时效已过

시흥(詩興) 명 诗兴 shīxìng

식(式) ㊀명 **1** 规矩 guījǔ **2** = 의식(儀式) **3** 〖數〗 式 shì; 式子 shìzi; 公式 gōngshì; 算式 suànshì = 산식 ¶~을 세우다 立式子 ㊁의명 方式 fāngshì; 式 shì; 样式 yàngshì ¶자기 ~대로 하다 按自己的方式做

-식(式) 접미 **1** 样式 yàngshì; 方式 fāngshì; 式 shì ¶서양~ 복장 西式服装 **2** 仪式 yíshì; 典礼 diǎnlǐ; 式 shì ¶폐막~ 闭幕式 / 개막~ 开幕式 / 결혼~ 结婚仪式

식객(食客) 명 **1** 食客 shíkè; 门客 ménkè **2** 吃闲饭 chī xiánfàn; 吃白饭 chī báifàn ¶친구 집에서 ~으로 있다 在朋友家里吃闲饭

식견(識見) 명 见识 jiànshi; 眼界 yǎnjiè ¶~이 넓다 见识很广 / ~을 넓히다 开阔眼界

식곤-증(食困症) 명 〖醫〗 食困症 shíkùnzhèng; 食后困倦症 shíhòu kùnjuànzhèng; 饭后犯困症 fànhòu fànkùnzhèng

식구(食口) 명 口 kǒu; 家口 jiākǒu; 家眷 jiājuàn ¶너희 집은 ~가 몇 명이니? 你家有几口人?

식권(食券) 명 饭票 fànpiào; 饭券 fànquàn; 餐券 cānquàn ¶~을 가지고 식당에 가서 밥을 먹다 拿着饭票去食堂吃饭

식기(食器) 명 餐具 cānjù; 食具 shíjù; 碗 wǎn ¶~세척기 洗碗机

식다 자 **1** 凉 liáng ¶밥이 아직 식지 않았으니 빨리 먹어라 饭还没凉了, 快吃吧 **2** 消 xiāo; 消退 xiāotuì; 降温 jiàngwēn; 凉 liáng; 变凉 biàn liáng ¶애정이 ~ 爱情变凉 / 열기가 점점 식어 가다 热气渐渐消下去 **3** 消 xiāo; 消退 xiāotuì; 凉 liáng **4** 消 xiāo ¶땀이 ~ 消汗 **5** 无聊 wúliáo

식은 죽 먹기 속담 不费吹灰之力; 易如反掌

식단(食單) 명 食谱 shípǔ ¶~을 짜다 计食谱

식당(食堂) 명 **1** 食堂 shítáng; 餐厅 cāntīng; 饭厅 fàntīng ¶학생 ~ 学生食堂 / 나는 매일 직원 ~에서 밥을 먹는다 我每天都在职工食堂吃饭 **2** 饭馆(儿) fànguǎn(r); 餐厅 cāntīng ¶부근에 ~하나가 새로 개업했다 附近新开了一家餐厅

식당-가(食堂街) 명 餐厅街 cāntīngjiē; 美食城 měishíchéng

식당-차(食堂車) 명 餐车 cānchē; 饭车 fànchē

식대(食代) 명 餐费 cānfèi; 饭钱 fànqián; 饭费 fànfèi ¶~를 지불하다 支付餐费

식도(食道) 명 〖生〗 食管 shíguǎn; 食道 shídào = 밥줄2 ¶~암 食道癌 / ~협착 食道狭窄

식-도락(食道樂) 명 美食乐 měishílè; 口福乐 kǒufúlè

식도락-가(食道樂家) 명 美食家 měishíjiā

식량(食糧) 명 = 양식(糧食) ¶~난 粮荒 / ~을 저장하다 存粮食 / ~이 부족하다 粮食短缺

식료-품(食料品) 명 食品 shípǐn ¶~점 食品商店 / ~을 구입하다 购买食品

식모(食母) 명 女佣 nǚyōng; 家庭厨娘 jiātíng chúniáng

식목(植木) 명하타 植树 zhíshù; 种树 zhòngshù ¶~일 植树日 =[种树节]

식물(植物) 명 〖生〗 植物 zhíwù ¶열대 ~ 热带植物 / ~ 채집 植物采集 / ~도감 植物图鉴 =[植物志] / ~원 植物园 / ~학 植物学

식물 섬유(植物纖維) 〖工〗 = 식물성 섬유

식물-성(植物性) 명 植物性 zhíwùxìng; 植物 zhíwù ¶~ 기름 植物油 / ~ 단백질 植物蛋白质

식물성 섬유(植物性纖維) 〖工〗 植物纤维 zhíwù xiānwéi = 식물 섬유

식물-인간(植物人間) 명 〖醫〗 植物人 zhíwùrén

식민(植民) 명하자 〖政〗 殖民 zhímín ¶~국 殖民国 / ~지 殖民地 / ~ 정책 殖民政策

식별(識別) 명하타 辨认 biànrèn; 识别 shíbié; 监别 jiànbié; 辨别 biànbié ¶진짜와 가짜를 ~하다 识别真假 =[辨别真假] / 여러 사람들 중에서 범인을 ~해 내다 从人群中辨认罪犯

식비(食費) 명 膳费 shànfèi; 饭钱 fànqián; 饭费 fànfèi ¶~를 절약하기 위해 집에서 밥을 해 먹다 为了节约饭钱, 在家里做饭吃

식-빵(食—) 명 面包 miànbāo ¶~ 두 조각을 먹다 吃两片面包

식사(食事) 명하자 饭 fàn; 餐 cān; 饮食 yǐnshí; 饭菜 fàncài; 吃饭 chīfàn; 就餐 jiùcān; 用餐 yòngcān; 用膳 yòngshàn; 用馔 yòngzhuàn ¶아침 ~ 早饭 =[早餐] / 점심 ~ 午饭 =[午餐] / 저녁 ~ 晚饭 =[晚餐] / 한 끼 ~ 一顿饭 / ~ 시간 吃饭时间 / 그에게 ~ 대접을 하다 请他吃饭 / ~를 제공하다 提供饭菜 / 우리 ~하러 가자 咱们去就餐吧

식사-량(食事量) 명 饭量 fànliàng; 食量 shíliàng ¶~을 조절하다 调节饭量

식상(食傷) 명하자 1 腻 nì; 腻烦 nìfan; 腻味 nìwei ¶나는 그런 말들을 듣는 것에 ~했다 这些话我都听腻了 2 〖韓醫〗食伤 shíshāng = 식체
식-생활(食生活) 명 饮食生活 yǐnshí shēnghuó ¶~을 개선하다 改善饮食生活
식성(食性) 명 1 口味 kǒuwèi; 胃口 wèikǒu; 食性 shíxìng ¶개인 ~ 个人口味 / ~이 좋다 胃口好 2 〖動〗食性 shíxìng
식솔(食率) 명 家属 jiāshǔ; 家小 jiāxiǎo; 家眷 jiājuàn ¶~을 거느리고 고향으로 돌아가다 携家眷回老家
식수(食水) 명 食水 shíshuǐ; 饮用水 yǐnyòngshuǐ; 吃水 chīshuǐ ¶~난 吃水难 / ~가 부족하다 食水不足
식순(式順) 명 仪式顺序 yíshì shùnxù ¶~에 따라 식을 진행하다 依据仪式顺序进行仪式
식식 부하타 吁吁 xūxū
식식-거리다 타 吁吁 xūxū = 식식대다 ¶식식거리며 숨을 몰아쉬다 气喘吁吁
식신(食神) 명 〖民〗食神 shíshén
식언(食言) 명하자 食言 shíyán; 失信 shīxìn; 失约 shīyuē ¶~을 일삼다 以食言为业
식염(食塩) 명 食盐 shíyán; 食用盐 shíyòngyán
식염-수(食塩水) 명 1 盐水 yánshuǐ; 食盐水 shíyánshuǐ = 소금물 2 〖藥〗 = 생리 식염수
식욕(食慾) 명 食欲 shíyù ¶~ 부진 食欲不振 / ~ 억제제 抑制食欲药 =[抑制食欲剂] / ~이 왕성하다 食欲旺盛 / ~이 조금도 없다 一点儿食欲也没有 / ~이 감퇴하다 食欲减退
식용(食用) 명하타 食用 shíyòng ¶~ 개구리 食用蛙 / ~ 달팽이 食用蜗牛 / ~ 색소 食用色素 / ~할 수 없는 물고기 不能食用的鱼
식용-유(食用油) 명 食油 shíyóu; 食用油 shíyòngyóu
식육(食肉) 명하타 1 吃肉 chīròu 2 食用肉 shíyòngròu
식은-땀 명 1 盗汗 dàohàn; 冷汗 lěnghàn; 虚汗 xūhàn ¶몸에 ~이 나다 身上冒冷汗 2 冷汗 lěnghàn ¶놀라서 온몸에 ~이 나다 吓出一身冷汗
식음(食飮) 명하타 饮食 yǐnshí; 吃喝 chīhē ¶~을 전폐하다 饮食俱废
식이(食餌) 명 1 = 먹이 2 食物 shíwù
식이 요법(食餌療法) 〖醫〗食物疗法 shíwù liáofǎ; 食疗 shíliáo ¶~을 쓰다 采取食物疗法
식인(食人) 명 食人 shírén; 吃人 chīrén ¶~종 食人族 / ~ 상어 吃人鲨鱼

식자(植字) 명하타 〖印〗排字 páizì ¶~공 排字工
식자-우환(識字憂患) 명 人生识字忧患始 rénshēngshízìyōuhuànshǐ
식장(式場) 명 会场 huìchǎng; 典礼场 diǎnlǐchǎng
식전(式前) 명 式前 shìqián
식전(食前) 명 1 饭前 fànqián ¶~에 꿀 한 숟갈을 먹다 饭前饮用一勺蜂蜜 2 早饭前 zǎofànqián; 一大早 yīdàzǎo ¶~부터 기차역에 가서 줄을 서다 一大早就赶到火车站排队
식-중독(食中毒) 명 〖醫〗食物中毒 shíwù zhòngdú
식지(食指) 명 = 집게손가락
식체(食滯) 명 〖韓醫〗 = 식상2
식초(食醋) 명 醋 cù = 초(醋)
식충(食蟲) 명 1 食虫 shíchóng; 吃虫子 chī chóngzi ¶~ 식물 食虫植物 2 = 식충이
식충-이(食蟲—) 명 饭桶 fàntǒng; 饭袋 fàndài; 饭囊 fànnáng; 菜包 càibāo; 酒囊饭桶 jiǔnáng fàntǒng = 식충2
식-칼(食—) 명 菜刀 càidāo = 부엌칼 ¶가정용 ~ 家用菜刀
식탁(食卓) 명 饭桌 fànzhuō; 餐桌 cānzhuō ¶~ 의자 餐桌椅 / ~을 차리다 摆餐桌
식탁-보(食卓褓) 명 桌布 zhuōbù ¶~를 깔다 铺桌布
식탐(食貪) 명하자 贪食 tānshí; 贪吃 tānchī; 馋 chán ¶그는 ~이 많다 他很贪吃
식판(食板) 명 餐盘 cānpán ¶스테인리스 ~ 不锈钢餐盘
식품(食品) 명 食品 shípǐn; 食物 shíwù ¶~ 가공 食品加工 / ~ 회사 食品公司 / ~ 공학 食品工程学 / ~ 위생 食品卫生 / ~ 첨가물 食品添加剂 / 통조림 ~ 罐头食品 / 기름에 튀긴 ~ 油炸食品 / ~의 영양 성분 食物营养成分
식해(食醢) 명 鲜鱼酱 xiānyújiàng
식혜(食醯) 명 酒酿 jiǔniáng
식후(式後) 명 式后 shìhòu ¶~ 행사 式后活动
식후(食後) 명 饭后 fànhòu ¶이 약은 ~ 30분에 먹어야 한다 这种药应该饭后半小时服用
식후-경(食後景) 명 饭后的景致 fànhòude jǐngzhì ¶금강산도 ~ 金刚山也是饭后的景致
식-히다 타 凉 liáng; 消热 xiāorè; 冷却 lěngquè; 凉快 liángkuai; 休息 xiūxi; 冷静 lěngjìng 《'식다'的使动词》 ¶뜨거운 물을 불어서 ~ 把热水吹凉 / 머리를 ~ 休息头脑 =[使头脑冷静] / 우리 나무 그늘로 가서 잠시 더위를 식

히자 我们到树荫下面去凉快一会儿吧

신[1] 명 鞋 xié = 신발 ¶~을 벗다 脱鞋 / ~을 신다 穿鞋

신[2] 명 兴 xìng; 兴头 xìngtou; 劲 jìn; 兴致 xìngzhì ¶~이 나다 兴高采烈 = [起劲]

신(臣) 一명 = 신하 二대 臣 chén

신(神) 명 **1** 神 shén ¶~에게 빌다 求神 **2**〖宗〗= 하나님

신(이) 내리다 구 降神

신(scene) 명〖演〗**1** (戏剧的) 一场 yīchǎng; 一幕 yīmù **2** (电影的) 场面 chǎngmiàn; 镜头 jìngtóu

신-(新) 접두 新 xīn ¶~기술 新技术 / ~문화 新文化 / ~교육 新教育

신간(新刊) 명하타 新刊 xīnkān; 新出版 xīnchūbǎn; 新书 xīnshū ¶이 책들은 모두 ~이다 这些书都是新刊

신검(身檢) 명 = 신체검사

신격-화(神格化) 명하타 神化 shénhuà ¶황제를 ~하다 把皇帝加以神化

신경(神經) 명 **1**〖生〗神经 shénjīng ¶뇌 ~ 脑神经 / ~과민 神经过敏 / ~쇠약 神经衰弱 / ~ 마비 神经麻痹 / ~세포 神经细胞 / ~ 조직 神经组织 / ~을 자극하다 刺激神经 **2** 神经 shénjīng; 神 shén; 心 xīn ¶~이 곤두서다 神经紧张 / ~이 날카롭다 神经敏锐

신경(을) 쓰다 구 费神; 费心思; 用心思

신경-계(神經系) 명〖生〗神经系统 shénjīng xìtǒng = 신경 계통

신경 계통(神經系統)〖生〗= 신경계

신경-성(神經性) 명 神经性 shénjīngxìng ¶~ 위염 神经性胃炎

신경 안정제(神經安靜劑)〖藥〗= 정신 안정제

신경-전(神經戰) 명 神经战 shénjīngzhàn ¶~을 벌이다 展开神经战

신경 정신과(神經精神科)〖醫〗神经精神科 shénjīng jīngshénkē; 神经科 shénjīngkē; 精神科 jīngshénkē = 정신과

신경-질(神經質) 명 神经质 shénjīngzhì; 脾气 píqi ¶~을 내다 发脾气

신경-통(神經痛) 명〖醫〗神经痛 shénjīngtòng ¶~이 또 도졌다 神经痛又犯了

신고(申告) 명하타 **1** 报 bào; 申报 shēnbào; 申告 shēngào; 呈报 chéngbào ¶출생 ~ 出生申报 / 세관 ~를 하다 报关 / 경찰에 ~하다 报警 **2**〖軍〗报告 bàogào ¶휴가 ~ 休假报告

신고(辛苦) 명하자 辛苦 xīnkǔ; 艰苦 jiānkǔ; 艰辛 jiānxīn ¶온갖 ~를 다 겪다 历尽艰辛

신곡(新曲) 명 新歌 xīngē; 新曲 xīnqǔ ¶~을 내다 发新歌 / ~을 발표하다 发表新歌

신공(神工) 명 神工 shéngōng; 神工鬼斧 shéngōngguǐfǔ

신:관(信管) 명〖軍〗引信 yǐnxìn; 信管 xìnguǎn ¶폭탄의 ~을 제거하다 去掉炸弹的信管

신관(新官) 명 新官 xīnguān ¶~이 부임하다 新官上任

신관(新館) 명 新馆 xīnguǎn ¶기념관 ~ 纪念馆新馆

신구(新舊) 명 新旧 xīnjiù ¶~ 세력 新旧势力 / ~ 교체 新旧交替 / ~의 대비 新旧对比

신규(新規) 명 **1** 新规矩 xīnguīju; 新规则 xīnguīzé **2** 新 xīn; 重新 chóngxīn ¶~ 등록 新登记 / ~로 가입한 회원 新加入的会员 / ~ 거래를 확대하다 扩大新交易

신기(神技) 명 神技 shénjì; 神术 shénshù; 绝技 juéjì ¶~에 가까운 솜씨 接近神术的手艺

신-기다 타 穿 chuān《'신다'的使动词》¶아이에게 작은 신을 억지로 신기다 勉强给孩子穿小鞋

신-기록(新記錄) 명 新纪录 xīnjìlù ¶세계 ~ 世界新纪录 / ~ 보유자 新纪录保持者 / ~을 세우다 创造新纪录 / ~을 깨다 打破新纪录

신:기루(蜃氣樓) 명 **1** 蜃景 shènjǐng; 海市 hǎishì; 蜃楼 shènlóu; 海市蜃楼 hǎishìshènlóu; 蜃市 shènshì **2** = 공중누각

신-기원(新紀元) 명 新纪元 xīnjìyuán ¶~을 열다 开创新纪元

신기-하다(神奇―) 형 神奇 shénqí ¶신기한 모험 세계에 오신 것을 환영합니다 欢迎进入神奇冒险世界

신기-하다(新奇―) 형 新奇 xīnqí ¶신기한 물건 很新奇的东西 / 그는 이곳의 모든 것들이 무척 신기했다 他对这里的一切都觉得格外新奇

신나 명〖化〗'시너'的错误

신년(新年) 명 = 새해 ¶~ 인사를 드리다 拜新年 / ~ 파티를 열다 举办新年晚会

신년-사(新年辭) 명 新年词 xīnniáncí; 新年祝词 xīnnián zhùcí; 新年贺词 xīnnián hècí ¶~를 발표하다 发表新年贺词

신:념(信念) 명 信念 xìnniàn ¶~을 굳히다 坚定信念 / ~에 차다 充满信念 / 확고한 ~을 가지고 있다 抱有坚定的信念

신다 타 穿 chuān ¶양말을 ~ 穿袜子 / 아이가 신을 거꾸로 신었다 孩子把鞋穿反了

신당(神堂) 명 神堂 shéntáng

신-대륙(新大陸) 명〖地理〗新大陆 Xīndàlù = 신세계2 ¶ ~을 발견하다 发见新大陆

신데렐라(Cinderella) 명 〖文〗 灰姑娘 huīgūniang ¶ ~ 콤플렉스 灰姑娘情结 / ~의 꿈을 이루다 达到灰姑娘的理想

신:도(信徒) 명 信徒 xìntú ¶ 천주교 ~ 天主教信徒

신-도시(新都市) 명 新城市 xīnchéngshì; 新都市 xīndūshì ¶ ~를 건설하다 建设新城市

신동(神童) 명 神童 shéntóng ¶ 그는 어려서부터 ~이라고 불렸다 他从小被称为神童

신드롬(syndrome) 명 症候群 zhènghòuqún; 综合征 zōnghézhēng

신-들리다(神—) 자 出神入化 chūshénrùhuà ¶ 신들린 듯한 연기 出神入化的表演

신랄-하다(辛辣—) 형 辛辣 xīnlà ¶ 풍자가 아주 ~ 讽刺非常辛辣 **신랄-히** 부

신랑(新郞) 명 新郎 xīnláng ¶ ~이 아주 잘 생겼다 新郎长得很帅

신령(神靈) 명 〖民〗 神 shén; 神灵 shénlíng

신령-님(神靈—) 명 〖民〗 '신령' 的敬词 ¶ ~께서 우리를 보우하신다 神灵保佑我们

신령-하다(神靈—) 형 神 shén; 神妙 shénmiào; 灵验 língyàn ¶ 신령한 의술 神妙的医术

신록(新綠) 명 新绿 xīnlǜ ¶ ~의 계절 新绿季节

신:뢰(信賴) 명하타 信赖 xìnlài ¶ ~할 만한 친구 值得信赖的朋友 / 고객의 ~를 얻다 赢得顾客的信赖

신:뢰-감(信賴感) 명 信赖感 xìnlàigǎn ¶ ~을 회복하다 恢复信赖感

신:뢰-도(信賴度) 명 〖數〗 可信度 kěxìndù; 可靠度 kěkàodù

신:뢰-성(信賴性) 명 可靠性 kěkàoxìng; 可信性 kěxìnxìng ¶ ~을 잃다 失去可靠性

신-맛 명 酸味 suānwèi; 酸头儿 suāntóur ¶ ~이 나다 带有酸味

신:망(信望) 명하타 信望 xìnwàng; 信任 xìnrèn; 威信 wēixìn; 威望 wēiwàng ¶ ~을 쌓다 树立信望 / 친구들의 ~을 얻다 得到朋友们的信任

신명 명 兴 xìng; 兴头 xìngtou; 兴致 xìngzhì; 劲 jìn ¶ ~을 내다 助兴 / ~이 나다 兴致勃勃

신명(身命) 명 身命 shēnmìng; 躯命 qūmìng ¶ ~을 다하다 竭尽身命

신명(神明) 명 神明 shénmíng; 神灵 shénlíng

신묘(神妙) 명하형 神妙 shénmiào ¶ 기법이 아주 ~하다 技法神妙极了

신:문(訊問) 명하타 **1** 讯问 xùnwèn; 询问 xúnwèn ¶ 환자의 상태를 ~하다 讯问患者的病情 **2** 〖法〗 讯问 xùnwèn; 审讯 shěnxùn; 审问 shěnwèn ¶ 피고를 ~하다 审讯被告

신문(新聞) 명 **1** 新闻 xīnwén **2** 报 bào; 报纸 bàozhǐ ¶ ~ 광고 报纸广告 / ~ 기자 报纸记者 / ~ 구독료 报纸订费 / ~ 배달원 送报员 / 저녁 ~ 晚报 / ~을 읽다 读报 / ~을 배달하다 送报纸 **3** = 신문지

신문-고(申聞鼓) 명 〖史〗 申闻鼓 shēnwéngǔ ¶ ~를 울리다 响申闻鼓

신문-사(新聞社) 명 报社 bàoshè

신문-지(新聞紙) 명 报纸 bàozhǐ = 신문(新聞)3 ¶ ~로 싸다 用报纸包上

신문-팔이(新聞—) 명하자 卖报童 màibàotóng; 报童 bàotóng; 卖报(的) màibào(de)

신-물 명 **1** 酸水 suānshuǐ; 胃酸 wèisuān **2** 厌倦 yànjuàn; 厌腻 yànnì; 腻味 nìwèi; 腻烦 nìfan ¶ 그는 이러한 생활에 ~이 났다 他厌倦这种生活了

신-바람 명 兴冲冲 xìngchōngchōng; 兴高采烈 xìnggāocǎiliè; 兴致勃勃 xìngzhìbóbó; 神气活现 shénqìhuóxiàn ¶ ~이 나서 달려오다 兴冲冲地跑来 / 아이들은 ~ 나게 놀았다 孩子们玩得兴冲冲

신발 명 = 신[1] ¶ ~ 한 짝 一只鞋 / ~ 한 켤레 一双鞋 / ~ 끈 鞋带 / ~ 가게 鞋店

신발-장(—欌) 명 = 신장(—欌)

신발-주머니 명 = 신주머니

신발-창 명 = 신창

신방(新房) 명 新房 xīnfáng; 洞房 dòngfáng = 동방(洞房)2 ¶ 신혼 첫날 밤, 그와 그녀는 ~에 들었다 新婚夜, 他与她进入新房

신변(身邊) 명 人身 rénshēn; 手头 shǒutóu; 身边 shēnbiān; 身上 shēnshang ¶ ~잡기 身边杂记 / ~ 보호 保护人身安全 / ~에 일이 많다 手头的事情很多

신병(身柄) 명 (被保护者的) 本人身体 běnrén shēntǐ; 人身 rénshēn ¶ ~을 확보하다 确保人身

신병(身病) 명 身病 shēnbìng; 疾病 jíbìng; 病 bìng

신병(新兵) 명 新兵 xīnbīng ¶ ~ 훈련 新兵训练

신:봉(信奉) 명하타 信奉 xìnfèng

신부(神父) 명 〖宗〗 神甫 shénfu; 神父 shénfu; 司铎 sīduó

신부(新婦) 명 新娘 xīnniáng; 新娘子 xīnniángzi; 新妇 xīnfù ¶ 그녀는 10월에 ~가 된다 她将于十月当新娘

신:-부전(腎不全) 명 【醫】 肾不全 shènbùquán
신분(身分) 명 身份 shēnfèn; 身分 shēnfèn ¶～ 제도 身份等级制度 / 학생의 ～ 学生身份 / ～에 어울리지 않다 与身份不相称
신분-증(身分證) 명 身份证 shēnfènzhèng; 身份证明书 shēnfèn zhèngmíngshū ¶～을 제시하다 出示身份证
신비(神祕) 명하형 神秘 shénmì ¶～감 神秘感 / ～주의 神秘主义 / ～한 해저 세계 神秘的海底世界 / 안개 속의 산은 아주 ～해 보인다 雾中的山显得十分神秘
신비-롭다(神祕—) 형 神秘 shénmì ¶아름답고 신비로운 섬 美丽又神秘的岛 **신비로이** 부
신비-스럽다(神祕—) 형 神秘 shénmì **신비스레** 부
신:빙(信憑) 명하타 信凭 xìnpíng; 信 xìn ¶～성 可信性 / ～할 만한 자료 可信的资料
신사(神社) 명 神社 shénshè ¶～를 참배하다 参拜神社
신:사(紳士) 명 **1** 绅士 shēnshì; 君子 jūnzǐ ¶기품 있는 ～ 有品格的绅士 **2** 男士 nánshì; 先生 xiānsheng ¶～ 숙녀 여러분! 女士们先生们!
신:사-도(紳士道) 명 绅士风度 shēnshì fēngdù; 君子道 jūnzǐdào ¶～를 발휘하다 发挥绅士风度
신:사-복(紳士服) 명 西服 xīfú; 西装 xīzhuāng ¶～을 입고 출근하다 穿着西服去上班
신:사-적(紳士的) 관명 绅士(的) shēnshì(de); 绅士般的 shēnshì bānde; 彬彬有礼 bīnbīnyǒulǐ; 有礼貌的 yǒu lǐmàode ¶사람이나 사물을 대하는 태도가 ～이다 待人接物彬彬有礼
신:사-협정(紳士協定) 명 绅士协定 shēnshì xiédìng; 君子协定 jūnzǐ xiédìng
신상(身上) 명 个人情况 gèrén qíngkuàng; 经历 jīnglì; 身世 shēnshì ¶자신의 ～에 대해 이야기하다 讲述自己的经历
신상(神像) 명 神像 shénxiàng
신상-명세서(身上明細書) 명 个人情况登记表 gèrén qíngkuàng dēngjìbiǎo; 个人详细资料 gèrén xiángxì zīliào
신-상품(新商品) 명 新产品 xīnchǎnpǐn
신:상-필벌(信賞必罰) 명 信赏必罚 xìnshǎngbìfá
신생(新生) 명하자 新生 xīnshēng ¶～기업 新生企业 / ～ 축구팀 新生足球队
신생-대(新生代) 명 【地理】 新生代 xīnshēngdài
신생-아(新生兒) 명 = 갓난아이 ¶～ 보호실 新生儿监护室
신-석기(新石器) 명 【古】 新石器 xīnshíqì ¶～ 시대 新石器时代
신선(神仙) 명 神仙 shénxiān; 仙人 xiānrén; 仙子 xiānzi; 仙 xiān = 선인(仙人)1 ¶～이 내려오시다 神仙下凡
신선-놀음(神仙—) 명하자 神仙般的日子 shénxiān bānde rìzi; 神仙般的生活 shénxiān bānde shēnghuó
신선놀음에 도낏자루 썩는 줄 모른다 속담 沉迷于游乐, 斧柄烂掉也不晓得
신선-도(新鮮度) 명 新鲜度 xīnxiāndù; 鲜度 xiāndù ¶～를 유지시키다 保持新鲜度 / ～가 아주 높다 鲜度非常高
신선-로(神仙爐) 명 火锅 huǒguō
신선-하다(新鮮—) 형 **1** (食物等) 新鲜 xīnxiān ¶신선한 과일 新鲜的水果 / 채소가 모두 매우 ～ 蔬菜都很新鲜 **2** 新鲜 xīnxiān ¶이 프로그램은 형식이 매우 ～ 这个节目形式很新鲜
신설(新設) 명하타 新设 xīnshè; 新建 xīnjiàn; 新办 xīnbàn; 新开设 xīn kāishè ¶～된 학교 新建的学校 / 교과 과정을 몇 가지 ～하다 新开设几门课
신성(神聖) 명하형 神圣 shénshèng ¶～ 모독 冒渎神圣 / ～ 불가침 神圣不可侵犯 / 생명은 ～한 것이다 生命是神圣的
신성(新星) 명 **1** 【天】 新星 xīnxīng **2** 新星 xīnxīng ¶연예계의 ～ 娱乐圈的新星
신세(身世) 명 **1** 身世 shēnshì; 处境 chǔjìng ¶～ 한탄을 하다 悲叹身世 / 거지 ～가 되다 沦落为气丐的身世 / ～가 처량하다 身世凄凉 **2** 帮助 bāngzhù; 照顾 zhàogù; 观照 guānzhào; 沾光 zhānguāng; 借光 jièguāng ¶당신의 ～를 졌습니다 沾了你的光
신-세계(新世界) 명 **1** 新世界 xīnshìjiè **2** 【地理】 = 신대륙
신-세기(新世紀) 명 新世纪 xīnshìjì
신-세대(新世代) 명 新世代 xīnshìdài; 新一代 xīnyīdài
신세-타령(身世—) 명하자 诉说身世 sùshuō shēnshì ¶그녀는 울면서 나에게 ～을 했다 她一边哭一边向我诉说身世
신-소재(新素材) 명 新材料 xīncáiliào ¶～를 개발하다 开发新材料
신:속-하다(迅速—) 형 迅速 xùnsù ¶동작이 ～ 动作迅速 **신:속-히** 부 ¶～ 행동하다 迅速行动
신수(身手) 명 **1** 气色 qìsè; 神色 shénsè ¶환자의 ～가 많이 좋아졌다 病人的气色好多了 **2** 风采 fēngcǎi; 仪表 yíbiǎo ¶～가 훤하다 风采照人 =[仪

表堂堂]
신수(身數) 명 运 yùn; 运气 yùnqi; 时运 shíyùn; 命 mìng ¶~가 좋다 走运 / ~가 사납다 运气不好 / ~를 보다 算命
신승(辛勝) 명하자 险胜 xiǎnshèng ¶3대 2로 ~을 거두다 以三比二险胜
신-시대(新時代) 명 新时代 xīnshídài
신식(新式) 명 新式 xīnshì ¶~ 여성 新式女性 / ~ 무기 新式武器 / ~ 혼례 新式婚礼
신신-당부(申申當付) 명하타 再三叮嘱 zàisān dīngzhǔ; 一再嘱咐 yīzài zhǔfù; 一再嘱托 yīzài zhǔtuō ¶아버지는 안전에 주의하라고 ~하셨다 父亲一再嘱咐注意安全
신:실(信實) 명하형히부 信实 xìnshí; 诚实 chéngshí ¶사람됨이 ~하다 为人信实
신:앙(信仰) 명하타 信仰 xìnyǎng ¶~심 信仰心 / ~의 자유 信仰的自由
신약(新約) 명 【宗】 **1** 新约 xīnyuē **2** = 신약 성경
신약(新藥) 명 新药 xīnyào ¶~을 개발하다 开发新药
신약 성:경(新約聖經) 【宗】 新约圣书 xīnyuē shèngshū = 신약(新約)2
신어(新語) 명 【語】 新词 xīncí ¶~ 사전 新词词典
신-여성(新女性) 명 新女性 xīnnǚxìng
신열(身熱) 명 发热 fārè; 发烧 fāshāo = 열(熱)1 ¶~이 조금 있다 有点儿发热
신예(新銳) 명 新锐 xīnruì; 新秀 xīnxiù ¶~ 작가 新锐作家
신:용(信用) 명 **1** 信用 xìnyòng ¶~을 잃다 丧失信用 / ~을 지키다 守信用 / ~이 떨어지다 信用下降 **2** 【經】 信用 xìnyòng ¶~ 대출 信用借贷 / ~ 거래 信用交易 / ~ 기관 信用机关 / ~ 등급 信用评级 / ~ 판매 信用贩卖
신:용 금고(信用金庫) 【經】 = 상호 신용 금고
신:용-장(信用狀) 명 【經】 信用证 xìnyòngzhèng
신:용 카드(信用card) 【經】 信用卡 xìnyòngkǎ ¶~로 1200위안을 결제했다 信用卡刷了1200元
신:용 협동조합(信用協同組合) 【經】 信用合作组织 xìnyòng hézuò zǔzhī; 信用公会 xìnyòng gōnghuì
신:우(腎盂) 명 【生】 肾盂 shènyú ¶~염 肾盂炎
신원(身元) 명 个人情况资料 gèrén qíngkuàng zīliào; 个人情况 gèrén qíngkuàng; 身份 shēnfèn ¶~ 보증 身份担保 / ~을 조회하다 查询个人情况资料 / ~을 파악하다 弄清身份
신위(神位) 명 神位 shénwèi; 神主 shénzhǔ ¶조상의 ~를 모시다 供奉祖宗神位
신음(呻吟) 명하자 呻吟 shēnyín ¶~ 소리 呻吟声 / 환자가 병상에서 계속 ~하고 있다 病人在病床上不停地呻吟
신:의(信義) 명 信义 xìnyì ¶~를 지키다 守信义 / ~를 저버리다 背弃信义
신인(新人) 명 新人 xīnrén; 新 xīn ¶~ 가수 新歌手 / ~을 발굴하다 发掘新人
신:임(信任) 명하타 信任 xìnrèn ¶사장이 가장 ~하는 직원 老板最信任的职员 / ~을 얻다 得到信任 / ~을 잃다 失去信任
신임(新任) 명하자 新任 xīnrèn ¶~ 감독 新任主教练 / ~ 시장 新任市长
신입(新入) 명하자 新进 xīnjìn; 新来 xīnlái ¶~ 사원 新进职员 / ~ 회원 新进会员
신입-생(新入生) 명 新生 xīnshēng ¶~ 환영회 新生欢迎会 / ~을 모집하다 招收新生 =[招生]
신:자(信者) 명 信徒 xìntú
신작(新作) 명하타 新作 xīnzuò ¶~ 소설 小说新作 / ~을 발표하다 发表新作
신작-로(新作路) 명 大马路 dàmǎlù; 马路 mǎlù
신-장(—欌) 명 鞋柜 xiéguì = 신발장
신장(伸張) 명하자타 伸张 shēnzhāng; 发展 fāzhǎn; 发扬 fāyáng; 增强 zēngqiáng ¶~률 发展率 / 국력 ~ 增强国力 / 인권을 ~하다 伸张人权
신장(身長·身丈) 명 = 키[1] ¶그는 ~이 1미터 80이다 他身高一米八十 / 두 사람은 ~ 차가 많이 난다 两人身高差距很大
신:장(腎臟) 명 【生】 = 콩팥 ¶~ 결석 肾结石 / ~병 肾脏病 / ~염 肾炎
신장-개업(新裝開業) 명하자타 新张 xīnzhāng; 新装开业 xīnzhuāng kāiyè ¶이 상점은 내일 ~한다 这家商店明日新装开业
신전(神殿) 명 神殿 shéndiàn
신접(新接) 명하자 **1** 新家庭 xīnjiātíng; 成家 chéngjiā ¶~살림 新家庭生活 **2** 新迁居 xīnqiānjū
신정(新正) 명 **1** 新年初 xīnniánchū **2** 元旦 Yuándàn
신-제품(新製品) 명 新制品 xīnzhìpǐn; 新品 xīnpǐn
신:조(信條) 명 **1** 信条 xìntiáo ¶생활 ~ 生活信条 **2** 【宗】 信条 xìntiáo; 教义 jiàoyì
신종(新種) 명 **1** 新 xīn; 新型 xīnxíng; 新类型 xīnlèixíng ¶~ 사기 사건 新诈

骗事 **2** 新品种 xīnpǐnzhǒng

신주(神主) 명 神主 shénzhǔ; 神位 shénwèi; 神牌 shénpái; 位牌 wèipái
신주 모시듯 구 犹如侍奉神主

신-주머니 명 鞋袋 xiédài = 신발주머니

신:중(愼重) 명하형히부 慎重 shènzhòng ¶～한 입장 慎重立场 / 태도가 ～하다 态度慎重 / ～히 처리하다 慎重地处理

신-지식(新知識) 명 新知识 xīnzhīshi

신진(新進) 명하자 新 xīn; 新进 xīnjìn; 新人 xīnrén ¶～ 세력 新势力 / ～ 작가 新进作家

신진-대사(新陳代謝) 명하자 〖生〗新陈代谢 xīnchén dàixiè ¶～를 촉진하다 促进新陈代谢

신-짝 명 **1** 一只鞋 yīzhī xié **2** 鞋 xié

신차(新車) 명 新车 xīnchē ¶～ 발표회 新车发表会

신참(新參) 명하자 **1** 新 xīn; 新进 xīnjìn; 新人 xīnrén ¶～이 우리 팀에 들어왔다 新人参加了我们队 **2** 新到任 xīndàorèn

신-창 명 **1** 鞋底 xiédǐ ¶～이 닳다 鞋底磨坏 **2** 鞋垫 xiédiàn ¶～을 깔다 塞鞋垫 ‖ = 신발창

신-천지(新天地) 명 新天地 xīntiāndì

신첩(臣妾) 대 臣妾 chénqiè

신청(申請) 명하타 申请 shēnqǐng; 请 qǐng ¶허가증을 ～하다 申请许可证 / 장학금을 ～하다 申请奖学金 / 휴가를 ～하다 请假 / 가입을 ～하다 申请加入

신체(身體) 명 身体 shēntǐ; 身子 shēnzi ¶～ 조건 身体条件 / ～의 자유 身体的自由 / ～를 단련하다 锻炼身体 / ～가 튼튼하다 身体结实

신체-검사(身體檢査) 명하자타 身体检查 shēntǐ jiǎnchá; 体格检查 tǐgé jiǎnchá; 健康检查 jiànkāng jiǎnchá; 体检 tǐjiǎn = 신검

신축(伸縮) 명하자타 伸缩 shēnsuō ¶그것은 ～하는 특징을 가지고 있다 它具有可伸缩的特点

신축(新築) 명하타 新建 xīnjiàn; 新盖 xīngài ¶공장을 ～하다 新建工厂

신축-성(伸縮性) 명 **1** 伸缩性 shēnsuōxìng ¶～이 뛰어나다 伸缩性很大 **2** 灵活性 línghuóxìng; 伸缩性 shēnsuōxìng ¶～을 가진 제도 灵活性的制度

신춘(新春) 명 = 새봄

신출-귀몰(神出鬼沒) 명하자형 神出鬼没 shénchūguǐmò ¶그 사람은 ～하여 잡기 어렵다 此人神出鬼没, 很难抓捕

신출-내기(新出—) 명 新手 xīnshǒu; 生手 shēngshǒu ¶그는 ～라서 모든 것에 익숙하지 않다 他是个生手, 一切都不熟悉

신-코 명 鞋鼻 xiébí; 鞋尖 xiéjiān

신:탁(信託) 명하타 **1** 委托 wěituō **2** 〖法〗信托 xìntuō ¶～ 은행 信托银行 / ～ 회사 信托公司 / ～ 통치 委托统治 =[托管]

신토불이(身土不二) 명 身土不二 shēntǔ bù'èr

신통-력(神通力) 명 神通 shéntōng ¶～을 발휘하다 显神通

신통-하다(神通—) 형 **1** 神 shén; 神通 shéntōng ¶신통한 효과 神效 **2** (药效) 灵验 língyàn ¶그 방법은 약을 쓰는 것보다 더욱 ～ 那种方法比用药还灵验 **3** 灵 líng; 好 hǎo; 佳 jiā **4** 不简单 bùjiǎndān; 了不起 liǎobuqǐ ¶고학으로 대학에 진학하다니, 정말 ～ 半工半读考上大学, 真不简单 **신통-히** 부

신-트림 명하자 酸饱嗝儿 suānbǎogér

신파(新派) 명 **1** 新流派 xīnliúpài **2** 〖演〗= 신파극

신파-극(新派劇) 명 〖演〗新派剧 xīnpàijù = 신파2

신판(新版) 명 **1** 新版 xīnbǎn **2** 翻版 fānbǎn

신하(臣下) 명 臣下 chénxià; 臣子 chénzǐ = 신(臣)⊟

신학(神學) 명 〖宗〗神学 shénxué ¶～교 神学校 / ～자 神学家

신-학기(新學期) 명 新学期 xīnxuéqī

신-학문(新學問) 명 新学 xīnxué; 新学问 xīnxuéwen

신형(新型) 명 新型 xīnxíng ¶～ 자동차 新型汽车 / ～ 전투기 新型战斗机

신:호(信號) 명하자타 信号 xìnhào ¶위험 ～ 危险信号

신:호-기(信號旗) 명 信号旗 xìnhàoqí

신:호-기(信號機) 명 〖交〗信号机 xìnhàojī

신:호-등(信號燈) 명 〖交〗信号灯 xìnhàodēng

신:호-탄(信號彈) 명 信号弹 xìnhàodàn

신혼(新婚) 명하자 新婚 xīnhūn ¶～ 생활 新婚生活 / ～ 밤을 보내다 度过新婚之夜

신혼-부부(新婚夫婦) 명 新婚夫妇 xīnhūn fūfù; 新婚夫妻 xīnhūn fūqī

신혼-여행(新婚旅行) 명 新婚旅行 xīnhūn lǚxíng; 蜜月旅行 mìyuè lǚxíng = 밀월여행 · 허니문2

신화(神話) 명 神话 shénhuà ¶그리스 ～ 希腊神话 / 불패의 ～ 不败的神话 / ～를 창조하다 创造神话

신흥(新興) 명하자 新兴 xīnxīng ¶～ 국가 新兴国家 / ～ 세력 新兴势力 / ～ 계급 新兴阶级 / ～ 종교 新兴宗教

싣:다 타 **1** 装 zhuāng; 载 zǎi; 驮 tuó ¶식량을 ~ 装粮食 / 짐을 ~ 载货 / 화물은 이미 차에 실었다 货物已经装在车上了 **2** 乘 chéng; 搭 dā; 坐 zuò; 搭乘 dāchéng; 搭坐 dāzuò ¶기차에 몸을 ~ 搭坐火车 **3** 登 dēng; 登载 dēngzǎi; 载 zǎi; 刊登 kāndēng; 刊载 kānzǎi ¶신문에 광고를 ~ 报纸上登广告

실: 명 线 xiàn ¶~ 한 가닥 一根线 / ~로 꿰매다 用线缝一缝 / ~을 꿰다 穿线 / ~을 감다 绕线

실 가는 데 바늘도 간다 속담 = 바늘 가는 데 실 간다

실(失) 명 失 shī; 损失 sǔnshī ¶득보다 ~이 많다 得不偿失

실:- 접두 微 wēi; 小 xiǎo; 细 xì; 轻 qīng ¶~바람 微风 / ~개천 小溪 / ~가지 细枝

-실(室) 접미 室 shì ¶연구~ 研究室 / 사무~ 办公室

실각(失脚) 명하자 **1** 失足 shīzú **2** 下野 xiàyě; 下台 xiàtái; 失势 shīshì ¶그는 ~하여 권한이 없다 他失势无权

실감(實感) 명하타 真实感 zhēnshígǎn; 实感 shígǎn ¶갈수록 ~이 난다 愈来愈有真实感

실격(失格) 명하자 失格 shīgé; 失去资格 shīqù zīgé; 取消资格 qǔxiāo zīgé; 丧失资格 sàngshī zīgé ¶~패 失格败 / 금지 약물 복용으로 인해 시합에서 ~되다 因服用违禁药物而被取消比赛资格

실:-고추 명 辣椒丝 làjiāosī ¶~를 얹다 放辣椒丝

실:-구름 명 云丝 yúnsī

실권(實權) 명 实权 shíquán ¶~을 장악하다 掌握实权

실:-금 명 **1** 细璺 xìwèn; 细裂痕 xìlièhén **2** 细线 xìxiàn

실기(實技) 명 实技 shíjì; 技能 jìnéng ¶~ 시험 技能测试

실:-낱 명 线条 xiàntiáo

실:낱-같다 형 **1** 很细 hěn xì **2** 微微 wēiwēi; 一丝 yīsī ¶실낱같은 희망 微微的希望 **실:낱같-이** 부

실내(室內) 명 室内 shìnèi ¶~등 室内灯 / ~복 室内便服 / ~악 室内乐 / ~화 室内鞋

실:-눈 명 **1** 细长的眼睛 xìchángde yǎnjing **2** 眯缝眼 mīfengyǎn; 眯缝眼睛 mīfeng yǎnjing ¶웃으면 ~으로 변한다 笑起来变成眯缝眼

실-답다(實—) 형 真实 zhēnshí; 真诚 zhēnchéng; 诚实 chéngshí ¶실답지 않은 행동 不真实的行为

실:-뜨기 명하자 挑花线 tiǎohuāxiàn ¶~를 하다 玩挑花线

실랑이 명하자 **1** 折磨 zhémó **2** = 승강이

실력(實力) 명 **1** 实力 shílì; 功夫 gōngfu; 能力 nénglì ¶영어 ~ 英语实力 / ~자 实力人物 / ~파 实力派 / ~이 탄탄하다 实力雄厚 / ~을 기르다 培养能力 **2** 武力 wǔlì ¶~을 행사하다 行使武力

실례(失禮) 명하자 失礼 shīlǐ; 不礼貌 bùlǐmào; 对不起 duìbuqǐ = 실수2 ¶이유 없이 늦는 것은 ~이다 无故迟到很不礼貌 / ~지만 우체국은 어디에 있습니까? 对不起, 邮局在哪儿?

실례(實例) 명 实例 shílì ¶~를 들다 举出实例 / 아래에 ~로써 설명하다 下面用实例来说明

실-로(實—) 부 = 참으로 ¶너는 ~ 나의 좋은 친구이다 你真是我的好朋友

실로폰(xylophone) 명 『音』 木琴 mùqín ¶~을 치다 弹奏木琴

실록(實錄) 명 实录 shílù ¶~을 편찬하다 编纂实录

실루엣(프silhouette) 명 **1** 『美』 黑色轮廓像 hēisè lúnkuòxiàng **2** 『手工』 衣着 yīzhuó **3** 『演』 侧面影像 cèmiàn yǐngxiàng; 剪影 jiǎnyǐng

실룩 부하자타 抽搐 chōuchù; 抽搦 chōunuò; 痉挛 jìngluán; 抽动 chōudòng ¶얼굴의 근육이 한 차례 ~했다 脸上的肌肉抽搐了一下

실룩-거리다 자타 (一直) 抽搐 chōuchù; 抽动 chōudòng; 抽搦 chōunuò; 痉挛 jìngluán = 실룩대다 ¶입가가 쉴 새 없이 실룩거린다 嘴角不停地抽动

실룩-실룩 부하자타

실리(實利) 명 实利 shílì ¶~를 추구하다 追求实利

실리다[1] 자 '싣다' 的被动词 ¶그녀의 글이 잡지에 실렸다 她的文章登在杂志上了 / 그의 논문이 잡지에 실렸다 他的论文刊登在杂志上

실리다[2] 타 '싣다1' 的使动词

실리카 겔(silica독Gel) 『化』 氧化硅胶 yǎnghuà guījiāo; 硅胶 guījiāo

실리콘(silicon) 명 『化』 = 규소 ¶~밸리 硅谷 / ~ 수지 硅树脂

실리콘(silicone) 명 『化』 = 규소 수지

실린더(cylinder) 명 『機』 气筒 qìtǒng = 기통

실:-마리 명 **1** 线头 xiàntóu **2** 线索 xiànsuǒ; 头绪 tóuxù; 线头 xiàntóu; 端绪 duānxù; 端倪 duānní ¶여러 번 조사했지만 어떤 ~도 찾지 못했다 调查了好几次也没有发现任何线索

실망(失望) 명하자 失望 shīwàng; 灰心 huīxīn; 气馁 qìněi ¶~감 失望感 / 몇 번의 실패를 겪었지만 그녀는 ~하

지 않았다 经过几次的失败, 她没有灰心

실명(失明) 명하자 失明 shīmíng ¶두 눈이 ~하다 双目失明

실명(實名) 명 实名 shímíng; 本名 běnmíng; 真名 zhēnmíng ¶~을 확인하다 确认实名

실무(實務) 명 实务 shíwù; 业务 yèwù ¶무역 ~ 贸易实务 / ~ 능력 业务能力 / ~자 业务人员 / ~에 정통하다 精通业务

실물(實物) 명 **1** 实物 shíwù ¶~ 모형 实物模型 **2**〖經〗现货 xiànhuò; 实物 shíwù = 현물 ¶~ 가격 现货价格 / ~ 자산 实物资产 / ~ 거래 实物交易 = [现货交易]

실:-바람 명 轻风 qīngfēng; 微风 wēifēng

실:-밥 명 **1** 线头 xiàntóu; 针脚 zhēnjiǎo; 线脚 xiànjiǎo ¶~을 뜯다 抽线头 **2** 破丝头 pòsītóu; 废线头 fèixiàntóu

실:-뱀 명〖動〗黄脊游蛇 huángjǐyóushé; 绿瘦蛇 lǜshòushé

실:-버들 명〖植〗细柳 xìliǔ; 垂柳 chuíliǔ

실버-산업(silver產業) 명〖社〗银发产业 yínfà chǎnyè; 老年产业 lǎonián chǎnyè

실버-타운(silver town) 명 老年公寓 lǎonián gōngyù; 老年村 lǎoniáncūn

실비(實費) 명 实际费用 shíjì fèiyong

실:-뿌리 명〖植〗= 수염뿌리

실사(實査) 명하타 实查 shíchá; 清点 qīngdiǎn

실사(實寫) 명하타 实写 shíxiě

실사-구시(實事求是) 명〖哲〗实事求是 shíshìqiúshì

실상(實狀) ㊀명 真相 zhēnxiàng; 实况 shíkuàng ¶일의 ~을 밝히다 弄清事情的真相 / ~을 이해하다 了解真相 ㊁부 = 실제로 ¶보기에는 나쁜 일이지만, ~ 좋은 일이다 看起来是坏事, 其实是好事

실-생활(實生活) 명 实际生活 shíjì shēnghuó; 现实生活 xiànshí shēnghuó ¶~에 응용하다 应用到实际生活去

실성(失性) 명하자 精神失常 jīngshén shīcháng; 发疯 fāfēng; 失心 shīxīn ¶그는 ~해서 사람만 보면 운다 他精神失常, 见人就哭

실세(實勢) 명 **1** 实际势力 shíjì shìlì ¶그가 바로 재계의 ~이다 他就是财界的实际势力 **2** 实际行情 shíjì hángqíng

실소(失笑) 명하자 失笑 shīxiào ¶~를 금할 수가 없다 不禁失笑

실-속(實—) 명 **1** 扎实 zhāshi; 踏实 tāshi **2** 实惠 shíhuì; 实利 shílì ¶~ 있는 가격 实惠价格

실수(失手) 명하자타 **1** 失 shī; 失误 shīwù; 失手 shīshǒu; 不小心 bùxiǎoxīn ¶사소한 ~ 细小失误 / 나는 ~로 화병을 깨뜨렸다 我不小心把花瓶打碎了 **2** = 실례(失禮) ¶너는 그에게 약간 ~했다 你对他有点儿失礼

실-수요(實需要) 명 实际需要 shíjì xūyào ¶~자 实际需要者

실-수익(實收益) 명 实际收益 shíjì shōuyì

실-수입(實收入) 명 实际收入 shíjì shōurù; 实收 shíshōu

실습(實習) 명하타 实习 shíxí; 见习 jiànxí ¶~생 实习生 / 운전 ~을 하다 实习开车

실시(實施) 명하타 实施 shíshī; 实行 shíxíng; 施行 shīxíng ¶신체검사를 ~하다 实行体检

실-시간(實時間) 명 实时 shíshí ¶~ 처리 实时处理

실신(失神) 명하자 失神 shīshén; 昏倒 hūndǎo; 昏迷 hūnmí ¶그는 갑자기 집에서 ~했다 他忽然昏倒在家中

실실 명하자 笑嘻嘻 xiàoxīxī; 嬉皮笑脸 xīpíxiàoliǎn ¶그녀는 ~ 웃으면서 걸어 나왔다 她笑嘻嘻地走出来

실실-거리다 자 笑嘻嘻 xiàoxīxī; 嬉皮笑脸 xīpíxiàoliǎn = 실실대다

실어(失語) 명하자 失语 shīyǔ ¶~증 失语症

실언(失言) 명하자 失言 shīyán; 失口 shīkǒu ¶죄송합니다, 제가 ~을 했군요 对不起, 我失言了

실업(失業) 명하자〖經〗失业 shīyè ¶~률 失业率 / ~자 失业者 / ~ 문제 失业的问题 / ~ 수당 失业救济金 = [失业补助金] / ~ 인구 失业人口 / ~을 줄이다 减少失业

실업(實業) 명하자 实业 shíyè ¶~가 实业家

실업 고등학교(實業高等學校)〖教〗职业高中 zhíyè gāozhōng

실-없다 형 无稽 wújī; 无聊 wúliáo; 不真实 bùzhēnshí; 不真诚 bùzhēnchéng; 不正经 bùzhèngjing **실없-이** 부 ¶그 둘은 ~ 이것도 저것도 아닌 말을 하고 있다 他俩无聊地谈着不三不四的话

실연(失戀) 명하자 失恋 shīliàn ¶~의 아픔 失恋的痛苦 / ~당한 친구를 위로하다 安慰失恋的朋友

실연(實演) 명하자타 **1** 演示 yǎnshì ¶현장에서 ~하다 进行现场演示 **2**〖演〗舞台表演 wǔtái biǎoyǎn ¶그녀는 풍부한 ~ 경험을 가지고 있다 她有着丰富的舞台表演经验

실:-오라기 명 一丝 yīsī; 一根线 yīgēnxiàn ¶~ 하나 걸치지 않고 침대에

눕다 一丝不挂地躺在床上
실온(室溫) 명 室温 shìwēn; 室内温度 shìnèi wēndù ¶~에서 자연 해동시키다 在室温中自然解冻
실외(室外) 명 室外 shìwài; 户外 hùwài ¶~ 테니스장 室外网球场 / ~ 운동 室外运动
실용(實用) 명하타 实用 shíyòng ¶~성 实用性 / ~품 实用品 =[实用物品] / ~화 实用化 / ~주의 实用主义 / ~ 음악 实用音乐 / ~ 사전 实用词典 / ~ 가치 实用价值
실용-문(實用文) 명 应用文 yìngyòngwén
실용-적(實用的) 관명 实用的 shíyòngde ¶~인 기능 实用的功能
실-은(實—) 부 实际上 shíjìshang; 其实 qíshí ¶겉으로 보면 그가 중국인 같지만 ~ 한국 사람이다 看样子他像中国人, 其实他是韩国人
실의(失意) 명하자 失意 shīyì; 消沉 xiāochén; 失望 shīwàng ¶~에 빠지다 陷入失望
실익(實益) 명 实利 shílì; 实惠 shíhuì
실ː-잠자리 명 〖蟲〗 豆娘 dòuniáng
실장(室長) 명 室长 shìzhǎng
실재(實在) 명하자 真实 zhēnshí; 实在 shízài; 存在 cúnzài ¶그는 역사 속에 ~하는 인물이 아니다 他不是历史中的真实人物
실적(實績) 명 (实际的) 成就 chéngjiù; 成绩 chéngjì ¶수출 ~ 出口成绩 / 판매 ~ 销售成绩 / ~에 따라 급여를 주다 按成绩发工资
실전(實戰) 명 实战 shízhàn ¶풍부한 ~ 경험 丰富的实战经验 / ~ 능력을 높이다 提高实战能力
실점(失點) 명하자 失分 shīfēn ¶~을 만회하다 挽回失分
실정(失政) 명하자 政治失策 zhèngzhì shīcè; 政治失误 zhèngzhì shīwù
실정(實情) 명 实情 shíqíng; 真情 zhēnqíng ¶~을 숨기다 隐瞒实情 / ~을 살피다 察实情
실제(實際) ⊟명 实际 shíjì; 真实 zhēnshí ¶~ 상황 实际情况 / ~ 생활 实际生活 / ~ 나이 真实年龄 ⊟부 = 실제로
실제-로(實際—) 부 实际 shíjì; 真实 zhēnshí; 实地 shídì = 실상⊟ · 실제⊟ · 실지⊟ ¶~ 해 보면 그렇게 쉽지는 않다 实际做起来就不那么容易了
실조(失調) 명하자 失调 shītiáo ¶영양 ~ 营养失调
실족(失足) 명하자 失足 shīzú; 失脚 shījiǎo ¶~하여 개천으로 미끄러져 떨어졌다 失足滑落到一河沟内
실존(實存) 명하자 实在 shízài; 存在 cúnzài ¶~주의 存在主义
실종(失踪) 명하자 失踪 shīzōng; 下落不明 xiàluò bùmíng; 生死不明 shēngsǐ bùmíng ¶~자 失踪者 / 재해로 20명이 ~되다 因灾失踪20人
실증(實證) 명하타 实证 shízhèng; 证实 zhèngshí; 证明 zhèngmíng ¶그것은 ~이 안 된 유언비어이다 那是没有实证的流言
실지(實地) ⊟명 **1** 实际 shíjì ¶회사는 인재의 ~ 경험을 특히 중시한다 公司特别注重人才的实际经验 **2** = 현장(現場)1 ¶여러 차례 ~ 답사를 실시하다 多次进行实地调查 ⊟부 = 실제로
실직(失職) 명 失业 shīyè ¶~자 失业者 / ~을 당하다 被失业
실질(實質) 명 实质 shízhì; 实际 shíjì ¶~ 소득 实际所得 / ~ 금리 实际利息
실질-적(實質的) 관명 实质 shízhì; 实质性(的) shízhìxìng(de) ¶~인 기회를 제공하다 提供实质的机会 / ~인 성과를 얻다 取得实质性成果
실책(失策) 명 **1** 失策 shīcè; 失算 shīsuàn; 失误 shīwù **2** 〖體〗 = 에러2 ¶그의 ~으로 팀이 패했다 他的失误造成全队的失败
실천(實踐) 명하타 实践 shíjiàn; 履行 lǚxíng; 实行 shíxíng ¶자신의 약속을 ~하다 履行自己的诺言
실체(實體) 명 **1** 实体 shítǐ; 实质 shízhì; 本质 běnzhì ¶문제의 ~를 파악하다 把握问题的实质 **2** 〖哲〗 本体 běntǐ; 实体 shítǐ
실추(失墜) 명하타 扫地 sǎodì; 丧失 sàngshī ¶명예가 ~되다 名誉扫地
실측(實測) 명하타 实测 shícè ¶~도 实测图 / ~ 조사 实测调查
실컷 부 尽量 jǐnliàng; 尽情 jìnqíng; 够 gòu; 饱 bǎo ¶~ 마시다 喝个够 / ~ 먹다 吃够 / ~ 보다 饱看 / ~ 드세요 请尽量吃吧
실크(silk) 명 丝 sī; 蚕丝 cánsī; 丝绸 sīchóu; 丝织品 sīzhīpǐn; 绸缎 chóuduàn
실크 로드(Silk Road) 〖史〗 = 비단길
실ː-타래 명 线挂 xiànguà
실탄(實彈) 명 实弹 shídàn ¶~ 사격 实弹射击 / ~을 발사하다 发射实弹
실태(實態) 명 实况 shíkuàng; 实情 shíqíng; 实相 shíxiàng ¶~ 보고 实况报告 / 국가 경제의 ~를 조사하다 调查国家经济的实况
실토(實吐) 명하자타 说实话 shuō shíhuà; 说真话 shuō zhēnhuà; 说心话 shuō xīnhuà
실ː-톱 명 钢丝锯 gāngsījù
실투(失投) 명하자 〖體〗 (棒球的) 投球失误 tóuqiú shīwù

실:-파 명 〖植〗 细葱 xìcōng

실:-패 명 线板 xiànbǎn; 绕线板 ràoxiànbǎn; 络子 làozi ¶～에 실을 감다 在线板绕线

실패(失敗) 명하자 失败 shībài ¶～의 원인 失败原因 / ～는 성공의 어머니 失败是成功之母 / 그들은 최대한 노력했지만 결국 ～했다 他们尽了最大的努力, 结果还是失败了

실:-핏줄 명 〖生〗 = 모세 혈관 ¶～이 터지다 毛细血管破裂

실-하다(實―) 형 **1** 结实 jiēshi; 硬棒 yìngbang; 壮实 zhuàngshi ¶몸이 ～ 身体结实 **2** 富裕 fùyù; 富有 fùyǒu ¶그의 집안 살림은 ～ 他家生活很富裕 **3** 饱 bǎo; 饱满 bǎomǎn ¶벼의 알이 ～ 谷粒儿很饱 **실-히** 부

실학(實學) 명 〖史〗 实学 shíxué ¶～운동 实学运动 / ～사상 实学思想 / ～자 实学家 / ～파 实学派

실행(實行) 명하타 **1** 实行 shíxíng; 执行 zhíxíng; 实施 shíshī; 施行 shīxíng ¶새로운 방안을 ～하다 施行新的方案 **2** 〖컴〗 运行 yùnxíng

실향(失鄕) 명하자 失乡 shīxiāng; 失去家乡 shīqù jiāxiāng ¶～민 失乡民

실험(實驗) 명하타 **1** 试验 shìyàn ¶성능을 ～하다 试验性能 **2** 实验 shíyàn ¶～실 实验室 / 화학 ～ 化学实验 / ～도구 实验器具 **3** 尝试 chángshì ¶그는 ～ 삼아 소설을 드라마로 개편하였다 他尝试把小说改编成电视剧

실험-적(實驗的) 관명 试验(的) shìyàn(de); 试验性 shìyànxìng ¶～인 연구 试验性研究 / ～인 단계 试验阶段

실현(實現) 명하타 实现 shíxiàn ¶이상을 ～하다 实现理想 / 자신의 꿈을 ～하다 实现自己的愿望

실형(實刑) 명 〖法〗 实刑 shíxíng ¶～을 선고하다 判实刑

실화(失火) 명하자 失火 shīhuǒ

실화(實話) 명 真人真事 zhēnrénzhēnshì ¶～를 바탕으로 만든 영화 根据真人真事改编的电影

실황(實況) 명 实况 shíkuàng ¶경기 ～ 比赛实况 / ～ 녹화 实况录像 / ～방송 实况广播 / ～ 중계 实况转播

실효(失效) 명하자 失效 shīxiào ¶기간이 지나 ～되다 过期失效

실효(實效) 명 实效 shíxiào ¶～성 实效性 / ～를 거두다 取得实效

싫다 형 **1** 不喜欢 bùxǐhuan; 讨厌 tǎoyàn; 厌烦 yànfán; 厌恶 yànwù; 嫌 xián ¶나는 그가 정말 ～ 我真的不喜欢他 / 나는 내 키가 너무 작은 것이 ～ 我嫌我个子太矮 **2** 不愿意 bùyuànyì; 不要 bùyào; 不想 bùxiǎng; 不肯 bùkěn ¶나는 너를 떠나기가 정말 ～ 我很不愿意离开你

싫어-하다 타 不喜欢 bùxǐhuan; 不爱 bù'ài; 讨厌 tǎoyàn; 厌烦 yànfán; 厌恶 yànwù; 嫌 xián ¶그는 운동을 싫어한다 他不喜欢运动 / 그녀는 치마를 입는 것을 싫어한다 她不爱穿裙子 / 네가 제일 싫어하는 사람은 누구냐? 你最讨厌的人是谁?

싫-증(―症) 명 厌倦 yànjuàn; 厌烦 yànfán; 腻烦 nìfan; 腻 nì; 烦厌 fányàn = 염증(厭症) ¶그는 벌써 이 일에 ～내기 시작했다 他已经厌倦起这工作来了 / 무료한 생활에 ～이 나다 无聊的生活令人厌烦

심(心) 명 **1** (谷物的) 面团 miàntuán **2** 心 xīn ¶나무 ～ 树心 **3** 菜筋 càijīn **4** 衬布 chènbù **5** 芯 xīn ¶연필～ 铅笔芯 **6** 芯子 xīnzi; 捻子 niǎnzi

-심(心) 접미 心 xīn ¶자존～ 自尊心 / 공포～ 恐怖心 / 애국～ 爱国心

심:각-성(深刻性) 명 迫切性 pòqièxìng

심:각-하다(深刻―) 형 深重 shēnzhòng; 严重 yánzhòng; 迫切 pòqiè ¶상황은 우리가 상상한 것보다 훨씬 ～ 情况 比我们想象的严重得多 / 연료문제가 아주 ～ 燃料的问题十分迫切 **심:각-히** 부

심경(心境) 명 心境 xīnjìng; 心绪 xīnxù; 心情 xīnqíng ¶당시의 ～ 当时的心境 / ～의 변화 心情的变化

심근(心筋) 명 〖生〗 心肌 xīnjī ¶～ 경색증 心肌梗塞症

심금(心琴) 명 心弦 xīnxián ¶～을 울리는 이야기 扣人心弦的故事

심기(心氣) 명 心气 xīnqì; 心情 xīnqíng ¶～가 불편하다 心气不顺

심기(心機) 명 心机 xīnjī ¶～일전 心机一转

심:다 타 **1** 种 zhòng; 栽 zāi; 植 zhí; 播 bō; 下 xià ¶꽃을 ～ 种花 / 산에 가서 나무를 ～ 去山上植树 **2** 怀着 huáizhe; 抱着 bàozhe ¶원대한 이상을 ～ 抱着远大理想

심:도(深度) 명 **1** 深度 shēndù ¶바다의 ～를 측량하다 测量海水的深度 **2** 深度 shēndù; 深刻 shēnkè ¶아주 ～ 있게 분석하다 分析得非常深刻

심드렁-하다 형 不乐意 bùlèyì; 不关心 bùguānxīn; 不热情 bùrèqíng; 冷淡 lěngdàn; 冷漠 lěngmò ¶태도가 ～ 态度冷淡 / 그는 심드렁하게 대답했다 他冷淡地回答 **심드렁-히** 부

심란-하다(心亂―) 형 心乱 xīnluàn ¶마음이 몹시 ～ 心乱如麻 **심란-히** 부

심려(心慮) 명하타 担忧 dānyōu; 担心 dānxīn; 忧虑 yōulǜ ¶너무 ～하실 필요 없습니다 不必过分担忧 / 정말 죄송합니다, 또 ～를 끼쳤습니다 实在对不

起, 又让您担心了
심령(心靈) 명 **1** 心灵 xīnlíng; 精神 jīngshén; 内心 nèixīn ¶~ 세계 心灵世界 **2**〖心〗心灵 xīnlíng ¶~술 心灵术 / ~ 현상 心灵现象
심리(心理) 명〖心〗**1** 心理 xīnlǐ ¶~극 心理剧 / ~전 心理战 / ~ 묘사 心理描写 / ~ 요법 心理疗法 / 범죄 ~ 犯罪心理 / 소비자의 ~를 파악하다 抓住消费者的心理 **2** = 심리학
심리(審理) 명하타〖法〗审理 shěnlǐ
심리-학(心理學) 명〖心〗心理学 xīnlǐxué = 심리(心理)2
심-마니 명 采参人 cǎishēnrén
심문(審問) 명하타〖法〗审问 shěnwèn; 审讯 shěnxùn ¶피고를 ~하다 审问被告 / 원고를 ~하다 审讯原告
심미(審美) 명 审美 shěnměi ¶~안 审美眼光
심미-학(審美學) 명〖哲〗= 미학
심방(心房) 명〖生〗心房 xīnfáng
심방(尋訪) 명하타 寻访 xúnfǎng; 造访 zàofǎng ¶댁으로 ~ 가겠습니다 登门造访
심벌즈(cymbals) 명〖音〗大镲 dàchǎ; 钹 bó; 铙钹 náobó
심-보(心—) 명 = 마음보 ¶~가 고약하다 心眼儿坏 / ~가 나쁘다 存心不良
심복(心腹) 명 心腹 xīnfù; 心腹之人 xīnfùzhīrén ¶이 사람이 바로 대통령의 ~이다 这人就是总统的心腹
심:부름 명하자 跑腿儿 pǎotuǐr; 当差 dāngchāi; 帮忙 bāngmáng ¶~ 센터 跑腿儿公司 / 그에게 ~을 시키다 让他跑腿儿
심:부름-꾼 명 跑腿儿的 pǎotuǐrde; 当差的 dāngchāide ¶그는 단지 ~일 뿐이다 他只是个跑腿儿的
심사(心思) 명 **1** 心思 xīnsi ¶~가 불편하다 心思不好 **2** 心术 xīnshù; 心眼儿 xīnyǎnr; 居心 jūxīn ¶~가 바르지 않다 心术不正 / ~가 고약하다 心眼儿坏
심사(가) 사납다 구 心眼儿坏
심사(審査) 명하타 审查 shěnchá ¶철저히 ~하다 彻底审查 / 이 일에 대해서는 엄격하게 ~해야 한다 对这件事要严加审查
심:사-숙고(深思熟考) 명하타 深思熟虑 shēnsīshúlǜ
심산(心算) 명 = 속셈1
심:산(深山) 명 深山 shēnshān
심상(心象) 명 **1**〖文〗心象 xīnxiàng = 이미지1 **2**〖心〗心象 xīnxiàng
심상-하다(尋常—) 형 寻常 xúncháng ¶심상치 않다 不寻常 =[不对劲儿][异常][异乎寻常] / 심상치 않은 행동 不寻常的举动 **심상-히** 부
심성(心性) 명 心性 xīnxìng; 心眼儿 xīnyǎnr; 心地 xīndì ¶~이 곱다 心眼儿美好
심술(心術) 명 **1** 耍脾气 shuǎ píqi《执拗的心眼儿》**2** 心术 xīnshù; 歪心眼儿 wāixīnyǎnr; 坏心眼儿 huàixīnyǎnr; 坏心肠 huàixīncháng ¶그는 ~ 사나운 녀석이다 他是心术不正的家伙
심술-궂다(心術—) 형 心术可恶 xīnshù kěwù; 心眼儿坏 xīnyǎnr huài ¶그녀는 결코 심술궂은 사람이 아니다 她并不是一个心术可恶的人
심술-꾸러기(心術—) 명 讨厌鬼 tǎoyànguǐ; 精灵鬼 jīnglíngguǐ; 轴脾气儿 zhóupíqir = 심술쟁이
심술-부리다(心術—) 자 使坏心眼儿 shǐ huàixīnyǎnr ¶나한테 심술부리지 마라 你别给我使坏心眼儿
심술-쟁이(心術—) 명 = 심술꾸러기
심신(心身) 명 心身 xīnshēn; 身心 shēnxīn ¶~ 미약자 心身微弱者 / ~이 건강하다 心身健康 / ~을 단련하다 锻炼身心
심실(心室) 명〖生〗心室 xīnshì
심:심-산천(深深山川) 명 深邃的山川 shēnsuìde shānchuán
심심-찮다 형 频繁 pínfán ¶다양한 분쟁 사건이 심심찮게 발생하다 各种纠纷事件频繁发生
심심-풀이 명하자 消遣 xiāoqiǎn; 消闲 xiāoxián; 解闷 jiěmèn; 取乐 qǔlè ¶~로 바둑을 두다 下棋消一消闲
심심-하다[1] 형 无聊 wúliáo; 闲着没事 xiánzhe méishì; 没意思 méi yìsi ¶혼자 집에 있으니 정말 ~ 一个人呆在家里, 真没意思 **심심-히**[1] 부
심심-하다[2] 형 (味道) 淡 dàn ¶이 음식은 너무 ~ 这个菜太淡了 **심심-히**[2] 부
심:심-하다(甚深—) 형 深 shēn; 深切 shēnqiè; 深深 shēnshēn; 深挚 shēnzhì ¶심심한 사의를 표하다 深表谢意 / 심심한 경의를 표하다 表示深深的敬意
심:심-히 부
심:야(深夜) 명 深夜 shēnyè; 深更 shēngēng; 半夜 bànyè; 子夜 zǐyè; 三更半夜 sāngēngbànyè ¶~ 프로그램 深夜节目
심약-하다(心弱—) 형 心软 xīnruǎn; 心虚 xīnxū; 脆弱 cuìruò; 薄弱 bóruò ¶심약한 사람 心软的人
심:연(深淵) 명 深渊 shēnyuān ¶~에 큰 물고기가 있다 深渊有大鱼
심:오-하다(深奧—) 형 深奥 shēn'ào; 深邃 shēnsuì; 高深 gāoshēn; 深刻 shēnkè ¶심오한 이치 深邃的道理 / 글의 내용이 아주 ~ 文章内容很深奥

심:의(審議) 명하타 审议 shěnyì ¶~회 审议会 / 법안을 ~하다 审议法案

심장(心臟) 명 **1**〖生〗心 xīn; 心脏 xīnzàng = 염통 ¶~ 마비 心脏麻痹 / ~병 心脏病 / ~ 박동 心脏搏动 / ~수술 心脏手术 / 그의 ~은 격렬하게 뛰고 있다 他的心激烈地跳动着 **2** 心脏 xīnzàng; 中心 zhōngxīn; 中枢 zhōngshū ¶엔진은 자동차의 ~이다 发动机是汽车的心脏

심장-부(心臟部) 명 心脏 xīnzàng ¶서울은 한국의 ~이다 首尔是韩国的心脏

심:장-하다(深長—) 형 深长 shēncháng ¶의미가 ~ 意味深长

심-적(心的) 관명 心理(的) xīnlǐ(de); 内心(的) nèixīn(de) ¶인물의 ~ 변화를 그려 내다 刻画人物的心理变化

심전-도(心電圖) 명〖醫〗心电图 xīndiàntú ¶~ 검사를 하다 做心电图检查

심정(心情) 명 心情 xīnqíng; 心境 xīnjìng ¶나는 그의 ~을 십분 이해한다 我十分理解他的心情 / 괴로운 ~을 털어놓다 倾吐烦闷的心情

심중(心中) 명 = 마음속 ¶어머니의 ~을 헤아리다 摸透母亲的心思

심증(心證) 명〖法〗心证 xīnzhèng ¶~을 굳히다 加深了心证 / 법관은 ~에 의거하여 재판해야 한다 法官应凭依其心证进行裁判

심지(心—) 명 **1** 芯 xīn; 心 xīn; 灯芯 dēngxīn; 灯心 dēngxīn ¶등의 ~를 돋우다 挑灯芯 / ~에 불을 붙이다 点燃灯芯 **2** 引线 yǐnxiàn; 导火线 dǎohuǒxiàn ¶폭약의 ~에 불을 붙이다 点燃炸药的引线 **3** 棉 mián; 布 bù ¶수술한 상처 자리에 ~를 박다 把棉掖在手术伤口

심지(心地) 명 心地 xīndì; 心田 xīntián ¶~가 곱다 心地善良

심지(心志) 명 心志 xīnzhì; 意志 yìzhì ¶~가 굳다 心志坚定

심:지어(甚至於) 부 甚至 shènzhì; 甚而 shèn'ér; 甚而至于 shèn'érzhìyú ¶시간이 오래되어 나는 ~ 그의 이름조차도 잊어버렸다 时间长了, 我甚而连他的名字也给忘了

심취(心醉) 명하자 心醉 xīnzuì; 醉心 zuìxīn; 陶醉 táozuì ¶나는 아름다운 경치에 ~되었다 我为美丽的景色心醉

심:층(深層) 명 深层 shēncéng ¶~ 구조 深层结构 / ~ 분석 深层分析

심통(心—) 명 坏心眼儿 huàixīnyǎnr; 坏心肠 huàixīncháng; 黑心肠 hēixīncháng; 心术 xīnshù ¶그녀는 착한 여자아이라 ~을 부려본 적이 없다 她是个善良的女孩子, 从没有过什么坏心眼儿

심통(心痛) 명하형히부 心痛 xīntòng ¶~한 표정 心痛的表情

심:판(審判) ㊀명하타 **1**〖法〗审判 shěnpàn; 裁判 cáipàn ¶민사 소송 사건을 ~하다 审判民事案件 **2**〖宗〗审判 shěnpàn ¶최후의 ~ 最后的审判 ㊁명〖體〗裁判 cáipàn; 裁判员 cáipànyuán = 심판관3 · 심판원 ¶국제 ~ 国际裁判

심:판-관(審判官) 명 **1**〖法〗裁判 cáipàn; 裁判员 cáipànyuán **2**〖法〗审判官 shěnpànguān **3**〖體〗= 심판㊁

심:판-대(審判臺) 명 **1** 审判台 shěnpàntái ¶~에 오르다 上审判台 **2**〖體〗裁判台 cáipàntái

심:판-원(審判員) 명〖體〗= 심판㊁

심포니(symphony) 명〖音〗= 교향곡

심포지엄(symphosium) 명 研讨会 yántǎohuì; 专题讨论会 zhuāntí tǎolùnhuì; 座谈会 zuòtánhuì ¶~을 열다 开展专题讨论会

심:-하다(甚—) 형 甚 shèn; 厉害 lìhai; 严重 yánzhòng; 过分 guòfèn; 重 zhòng; 深重 shēnzhòng; 要命 yàomìng; 不行 bùxíng ¶그의 병은 또 심해졌다 他的病又严重起来了 / 그의 상처는 아주 ~ 他的伤很重 / 그의 집은 심하게 가난하다 他家穷得要命 **심:-히** 부

심:해(深海) 명 深海 shēnhǎi ¶~ 유전 深海油田

심혈(心血) 명 心血 xīnxuè; 心思和精力 xīnsi hé jīnglì ¶~을 기울이다 费尽心血 =[倾注心血]

심:-호흡(深呼吸) 명하자 深呼吸 shēnhūxī ¶그녀는 몇 번 ~하고 연설하기 시작했다 她深呼吸几下后开始讲话

심:화(深化) 명하자타 深化 shēnhuà; 加深 jiāshēn; 深入 shēnrù ¶양국 간의 갈등이 더욱 ~되었다 两国间的矛盾更加深化了

십(十) 수관 十 shí ¶~ 번 十号 / ~ 미터 十米 / 삼~ 세 三十岁 / ~여 명 十多个人

십 년 묵은 체증이 내리다 속담 扬眉吐气

십 년이면 강산[산천]도 변한다 속담 十年江山变; 十年河东, 十年河西

십간(十干) 명〖民〗十干 shígān; 天干 tiāngān

십계(十誡) 명〖宗〗= 십계명

십-계명(十誡命) 명〖宗〗十诫命 shíjièmìng = 십계 ¶~을 어기다 违反十诫命

십년-감수(十年減壽) 명하자 减寿十年 jiǎnshòu shínián

십년-공부(十年工夫) 명 十年读书

shíniándúshū; 十年寒窗 shíniánhánchuāng
  십년공부 도로 아미타불 속담 十年而谋之, 一朝而弃之; 十年之功废于一旦
십년지계(十年之計) 명 十年之计 shíniánzhījì
십년-지기(十年知己) 명 老朋友 lǎopéngyou
십만(十萬) 수관 十万 shíwàn ¶~ 대군 十万大军 / 참여 인원은 연인원 ~에 달한다 参与人数达到十万人次
십분(十分) 부 十分 shífēn; 充分 chōngfēn; 万分 wànfēn; 非常 fēicháng ¶그녀의 심정을 나는 ~ 이해한다 对于她的心情, 我是十分理解的 / 능력을 ~ 발휘하다 充分地发挥能力
십상 명부 正好 zhènghǎo; 正合适 zhèng héshì; 恰好 qiàhǎo ¶날씨가 좋아 나가 놀기엔 ~ 좋다 天气不冷不热, 正好出去玩儿 / 밖으로 나가 거리 구경하기에는 이런 복장이 ~이다 出门逛街正合适这样的穿法
십시일반(十匙一飯) 명 十匙一饭 shíchíyīfàn
십오-야(十五夜) 명 三五之夜 sānwǔzhīyè; 十五之夜 shíwǔzhīyè ¶~ 밝은 달 三五之夜的明月
십이-월(十二月) 명 **1** 十二月 shí'èryuè **2** = 섣달
십이-지(十二支) 명 〖民〗 地支 dìzhī; 十二支 shí'èrzhī; 十二辰 shí'èrchén
십이지-장(十二指腸) 명 〖生〗 十二指肠 shí'èrzhǐcháng ¶~ 궤양 十二指肠溃疡
십이지장-충(十二指腸蟲) 명 〖動〗 十二指肠钩口线虫 shí'èrzhǐchánggōukǒuxiànchóng; 十二指肠钩虫 shí'èrzhǐchánggōuchóng
십인-십색(十人十色) 명 十人十色 shírén shísè; 各不相同 gèbùxiāngtóng; 各有不同 gèyǒubùtóng
십일-월(十一月) 명 **1** 十一月 shíyīyuè **2** = 동짓달
십일-조(十一條) 명 〖宗〗 十一提成 shíyī tíchéng
십자(十字) 명 十字 shízì
십자-가(十字架) 명 〖宗〗 十字架 shízìjià
  십자가를 지다 구 背十字架; 受罪
십자-군(十字軍) 명 **1** 〖史〗 十字军 shízìjūn ¶~ 기사 十字军骑士 **2** 十字军 shízìjūn ¶평화의 ~ 和平的十字军
십자-로(十字路) 명 = 네거리
십자-수(十字繡) 명 〖手工〗 十字绣 shízìxiù; 挑花(儿) tiǎohuā(r) ¶~ 도안 十字绣图案 / ~를 놓다 绣十字绣
십-장생(十長生) 명 〖民〗 十长生 shíchángshēng
십전-대보탕(十全大補湯) 명 〖韓醫〗 十全大补汤 shíquándàbǔtāng
십종 경:기(十種競技) 〖體〗 十项全能 shíxiàng quánnéng; 十项运动 shíxiàng yùndòng
십중-팔구(十中八九) 명 十之八九 shízhībājiǔ; 十有八九 shíyǒubājiǔ; 十九 shíjiǔ ¶이렇게 늦었으니 그는 ~ 오지 않을 것이다 这么晚了, 他十之八九不来了
십진-법(十進法) 명 〖數〗 十进法 shíjìnfǎ; 十进位制 shíjìnwèizhì; 十进制 shíjìnzhì
십진-수(十進數) 명 〖數〗 十进位数 shíjìnwèishù
십팔-금(十八金) 명 十八金 shíbājīn
십팔-번(十八番) 명 拿手歌曲 náshǒu gēqǔ ¶그의 ~은 아리랑이다 他拿手歌曲是阿里郎
싱겁다 형 **1** 淡 dàn ¶이 음식은 너무 싱거우니 소금을 좀 더 넣어라 这道菜太淡了, 再加点儿盐 / 국이 약간 ~ 汤淡了一些 **2** (烟、酒等) 薄 báo; 不厉害 bùlìhai ¶술맛이 너무 ~ 酒味太薄 **3** 无聊 wúliáo; 乏味 fáwèi ¶싱거운 사람 无聊的人 / 후반전 시합은 더욱 싱거웠다 下半场的比赛更是乏味
싱그럽다 형 清香 qīngxiāng; 芬芳 fēnfāng; 清新 qīngxīn ¶야생화가 싱그러운 향기를 풍긴다 野花散发出一阵阵的清香
싱글(single) 명 **1** 一 yī; 一个 yīge; 单 dān ¶~ 침대 单人床 / ~ 룸 单间 / ~ 매치 一对一比赛 **2** 独身 dúshēn; 单身 dānshēn ¶~ 라이프 独身生活 **3** 〖體〗 = 단식 경기
싱글-거리다 자 微笑 wēixiào; 笑盈盈 xiàoyíngyíng; 笑吟吟 xiàoyínyín = 싱글대다 ¶아이들이 차를 향해 싱글거리며 손을 흔든다 孩子们向车辆微笑招手 **싱글-싱글** 부하자
싱글-벙글 부하자 笑眯眯 xiàomīmī; 笑吟吟 xiàoyínyín ¶남편 이야기를 하면 아내는 늘 ~한다 说起丈夫, 妻子总是笑眯眯的
싱긋 부하자 笑吟吟 xiàoyínyín; 笑盈盈 xiàoyíngyíng; 微笑 wēixiào
싱숭-생숭 부하형 (心绪) 纷乱 fēnluàn; 缭乱 liáoluàn; 不宁 bùníng ¶~한 마음이 겨우 안정되었다 纷乱的心绪才得以平息
싱싱-하다 형 **1** 鲜 xiān; 新鲜 xīnxiān ¶싱싱한 고기 鲜肉 / 싱싱한 과일 鲜果 =[新鲜水果] / 생선이 ~ 鱼很新鲜 **2** 清新 qīngxīn ¶아침 공기가 ~ 早晨空气很新鲜 **3** 茁壮 zhuózhuàng ¶새로 심은 잔디가 싱싱하게 자라고 있다 新

种的草皮正在茁壮生长 **싱싱-히** 부

싱크-대(sink臺) 명 **1** (厨房) 水槽 shuǐcáo; 洗涤槽 xǐdícáo; 污水槽 wūshuǐcáo **2** (实验室) 水池 shuǐchí

싱크로나이즈드 스위밍(synchronized swimming) 〖體〗花样游泳 huāyàng yóuyǒng = 수중 발레

싶다 보형 **1** 想 xiǎng; 愿 yuàn; 愿意 yuànyì; 希望 xīwàng ¶먹고 ~ 想吃 / 사고 ~ 想买 / 가고 ~ 愿意去 / 좋은 성적을 얻고 ~ 希望取得好成绩 **2** 好像 hǎoxiàng; 似乎 sìhū; 也许 yěxǔ ¶좀 많은가 ~ 也许多一点儿 / 그는 이미 가버린 듯 ~ 也许他已经去了 **3** 愿 yuàn; 愿意 yuànyì ¶몸이 건강했으면 ~ 愿身体健康 / 선생님이 되었으면 ~ 愿意当一名老师

싸고-돌다 타 **1** 绕着转 ràozhe zhuǎn; 围着转 wéizhe zhuǎn ¶태양을 중심으로 하여 ~ 以太阳为中心绕着转 **2** 偏袒 piāntǎn; 袒护 tǎnhù; 包庇 bāobì; 庇护 bìhù ¶어느 한쪽이라도 싸고돌아서는 안 된다 不得偏袒任何一方

싸구려 명 次货 cìhuò; 贱货 jiànhuò; 便宜货 piányihuò; 价廉 jiàlián; 低级 dījí; 劣质 lièzhì ¶~ 화장품 劣质化妆品 / ~ 술집 低级酒吧

싸늘-하다 형 **1** 冷 lěng; 凉 liáng; 凉飕飕 liángsōusōu; 冷飕飕 lěngsōusōu; 冷丝丝 lěngsīsī ¶가을이 되자 날씨가 싸늘해졌다 一到秋天, 天气就凉起来了 **2** 冷 lěng; 凉 liáng; 冷淡 lěngdàn; 冷漠 lěngmò; 冷冰冰 lěngbīngbīng ¶싸늘한 기색 冷冷的神情 / 싸늘한 표정 冷漠的表情 **싸늘-히** 부

싸다[1] 타 **1** 包 bāo; 裹 guǒ; 包裹 bāoguǒ ¶종이로 과일을 ~ 用纸把水果包起来 / 붕대로 상처를 ~ 用绷带裹伤口 / 짐을 ~ 包裹行李 **2** 装 zhuāng ¶도시락을 ~ 装盒饭

싸다[2] 타 撒 sā; 拉 lā ¶오줌을 ~ 撒尿 / 똥을 ~ 拉屎

싸다[3] 형 **1** 嘴不严 zuǐbùyán; 嘴快 zuǐkuài; 嘴不稳 zuǐbùwěn ¶그는 친구들 중에서 입이 싼 것으로 유명하다 他嘴不严, 在朋友中是出了名的 **2** 敏捷 mǐnjié; 快捷 kuàijié; 快当 kuàidang ¶반응이 확실히 아주 ~ 反应确实十分敏捷 **3** (火势) 猛烈 měngliè ¶불이 싸게 타다 燃烧得猛烈 **4** (性格) 耿直 gěngzhí ¶그는 성격이 너무 ~ 他性格过于耿直

싸다[4] 형 **1** 便宜 piányi; 低廉 dīlián; 贱 jiàn ¶물건이 ~ 东西便宜 / 바나나가 사과보다 좀 더 ~ 香蕉比苹果便宜一些 / 방세가 ~ 房租低廉 **2** 活该 huógāi ¶욕을 먹어도 ~ 活该挨骂 / 매를 맞아도 ~ 活该被打

싼 것이 비지떡 속담 便宜无好货; 一分钱, 一分货

싸-다니다 자타 跑 pǎo; 瞎跑 xiā pǎo; 瞎逛 xiā guàng; 乱跑 luàn pǎo; 乱窜 luàn cuàn ¶거리를 ~ 在街上瞎逛

싸-돌아다니다 자타 跑 pǎo; 瞎跑 xiā pǎo; 瞎逛 xiā guàng; 跑来跑去 pǎoláipǎoqù; 转来转去 zhuǎnláizhuǎnqù ¶여기저기를 ~ 到处瞎跑

싸라기 명 **1** 碎米 suìmǐ; 米碎 mǐsuì; 米渣子 mǐzhāzi **2** = 싸라기눈

싸라기-눈 명 霰 xiàn; 霰雪 xiànxuě; 雪糁 xuěshēn = 싸라기2

싸락-눈 명 '싸라기눈' 的略词

싸리 명〖植〗= 싸리나무 ¶~비 胡枝子扫帚

싸리-나무 명〖植〗胡枝子 húzhīzi = 싸리 ¶~로 울타리를 치다 用胡枝子树设栅子

싸-매다 타 包扎 bāozā; 缠 chán; 裹 guǒ ¶소독 거즈로 ~ 用消毒纱布包扎 / 상처를 ~ 包扎伤口

싸우다 자 **1** 吵 chǎo; 吵架 chǎojià; 争吵 zhēngchǎo; 打架 dǎjià ¶그 두 사람은 만나기만 하면 싸운다 他们俩一见面就争吵 / 어렸을 때 나는 자주 형과 싸웠다 小时候, 我常常和哥哥打架 **2** 战斗 zhàndòu; 打仗 dǎzhàng; 较量 jiàoliàng ¶그들은 아주 용감하게 싸운다 他们战斗得很勇敢 / 이 두 팀은 한참 싸웠지만 결국 승부를 가리지 못했다 这两队较量了半天, 结果不分胜负 **3** 斗争 dòuzhēng; 战斗 zhàndòu; 奋斗 fèndòu ¶병마와 장기간 ~ 与病魔长期斗争

싸움 명하자 战 zhàn; 战斗 zhàndòu; 斗争 dòuzhēng; 打仗 dǎzhàng; 打架 dǎjià; 争吵 zhēngchǎo ¶~을 시작하다 开战 / 그 ~은 아주 격렬했다 那场战斗非常激烈

싸움은 말리고 흥정은 붙이랬다 속담 婚姻劝拢, 祸祟劝开

싸움-꾼 명 打手 dǎshǒu

싸움-닭 명 战斗鸡 zhàndòujī; 斗架鸡 dòujiàjī

싸움-터 명 战场 zhànchǎng; 疆场 jiāngchǎng; 战地 zhàndì

싸움-판 명 战场 zhànchǎng; 疆场 jiāngchǎng; 战地 zhàndì

싸-이다 자 **1** 被包 bèi bāo; 被围 bèi wéi《'싸다1' 的被动词》¶월병은 여러 모양의 작은 포장에 싸여 있다 月饼被包在不同形状的小包装里 **2** 笼罩 lǒngzhào; 沉浸 chénjìn ¶기쁨에 ~ 沉浸在欢乐中

싸ː-하다 형 辣乎乎 làhūhū; 凉津津 liángjīnjīn; 呛 qiàng ¶목을 싸하게 하는 탄 냄새 呛嗓子的烧焦味

싹[1] 명 **1** 芽 yá; 苗儿 miáor; 萌 méng; 萌芽 méngyá ¶~이 트다 发芽 =[萌芽] / ~이 파릇파릇하다 苗儿青青 **2** 萌芽 méngyá; 苗头 miáotou **3** = 싹수
싹이 노랗다 구 = 싹수(가) 노랗다

싹[2] 부 **1** 咔嚓 kāchā 《用刀或剪子切纸的声音》 ¶~ 베어 버리다 咔嚓砍下来了 **2** 一口气 yīkǒuqì; 一下子 yīxiàzi ¶이 소설이 정말 재미있어서 나는 ~ 다 읽어 버렸다 这篇小说真有意思, 我一口气就看完了 **3** 全部 quánbù; 统统 tǒngtǒng; 完全 wánquán; 彻底 chèdǐ ¶이 문제들은 ~ 다 해결했다 这些问题就统统解决了 / 냉장고에 있는 음식을 ~ 다 먹었다 将冰箱内的食物统统吃光 / 그가 하는 말은 ~ 다 거짓말이다 他说的话完全是谎言 **4** 断然 duànrán; 干脆 gāncuì ¶~ 다 말해 보아라 干脆说吧

싹둑 부 喀嚓 kāchā; 咔嚓 kāchā ¶그가 무를 ~ 잘랐다 喀嚓一声, 萝卜被他切开了

싹둑-거리다 타 喀嚓喀嚓地切 kāchākāchāde qiē; 咔嚓咔嚓地切 kāchākāchāde qiē = 싹둑대다 **싹둑-싹둑** 부 하타

싹-수 명 苗头 miáotou; 出息 chūxi = 싹[1]3 ¶~가 없다 没出息
싹수(가) 노랗다 구 没出息; 毫无希望 = 싹이노랗다

싹수-없다 형 毫无希望 háowú xīwàng; 没出息 méi chūxi **싹수없-이** 부

싹-싹 부 **1** 嚓嚓 cācā ¶그는 몇 번 ~ 하더니 밀가루 피를 가는 국수로 잘랐다 他嚓嚓几下, 将面皮切成了细细的面条 **2** 全部 quánbù; 统统 tǒngtǒng; 彻底地 chèdǐde ¶금메달을 ~ 쓸어 갔다 把金牌全部搂走 **3** 唰唰 shuāshuā; 沙沙 shāshā ¶손을 ~ 비비다 唰唰地搓手 / 용서해 달라고 ~ 빌다 唰唰地求绕

싹싹-하다 형 和气 héqi; 和蔼 hé'ǎi; 和蔼可亲 hé'ǎikěqīn; 亲切 qīnqiè ¶태도가 ~ 态度和蔼

싹-쓸이 명하타 一扫而光 yīsǎo'érguāng ¶나쁜 놈들을 ~해 버리다 把坏蛋们一扫而光

싹-트다 자 发芽 fāyá; 萌芽 méngyá ¶사랑의 씨앗이 두 사람의 마음속에 뿌리를 내리고 ~ 爱情的种子在两个人的心中生根发芽

싼-값 명 低价 dījià; 廉价 liánjià = 저가

쌀 명 米 mǐ; 大米 dàmǐ; 稻米 dàomǐ ¶~가마니 米袋子 / ~겨 米糠 / ~눈 米胚 / ~독 米缸 / ~뒤주 米囤 / ~자루 米袋子 / ~통 米箱 / ~을 씻다 淘米 / ~을 찧다 捣米 =[舂米][打米]

쌀-가게 명 粮店 liángdiàn; 粮坊 liángfáng; 米铺 mǐpù; 干米店 gānmǐdiàn; 米局子 mǐjúzi = 쌀집

쌀-값 명 米价 mǐjià; 粮价 liángjià ¶~이 갑자기 오르다 粮价突然上涨

쌀-뜨물 명 米泔水 mǐgānshuǐ; 淘米水 táomǐshuǐ

쌀-밥 명 米饭 mǐfàn; 大米饭 dàmǐfàn

쌀-벌레 명 **1** 米蛀虫 mǐzhùchóng; 米象 mǐxiàng **2** 不劳而食的人 bùláo'érshíde rén

쌀-보리 명 【植】 裸大麦 luǒdàmài; 稞麦 kēmài; 青麦 qīngmài; 元麦 yuánmài

쌀쌀-맞다 형 冷淡 lěngdàn; 冷冰冰 lěngbīngbīng ¶쌀쌀맞게 대답하다 冷淡地回答 / 그녀는 유독 나에게만 ~ 她唯独对我冷冰冰的

쌀쌀-하다 형 **1** 冷 lěng; 冷丝丝 lěngsīsī; 冷冰冰 lěngbīngbīng; 凉丝丝 liángsīsī; 凉飕飕 liángsōusōu; 冷飕飕 lěngsōusōu ¶나는 방 안이 쌀쌀하다고 느꼈다 我感到屋里冷冰冰的 **2** 冷淡 lěngdàn; 冷冰冰 lěngbīngbīng; 冷嗖嗖 lěngsōusōu ¶그녀는 그에게 유달리 ~ 她对他冷淡得出奇 **쌀쌀-히** 부

쌀-알 명 米粒 mǐlì = 낟알2

쌀-장사 명하자 粮食买卖 liángshí mǎimai; 粮商 liángshāng; 粮行 liángháng

쌀-장수 명 粮商 liángshāng; 粮贩 liángfàn

쌀-죽 명 米粥 mǐzhōu = 흰죽

쌀-집 명 = 쌀가게

쌈[1] 명 饭团 fàntuán; 包饭 bāofàn

쌈:[2] 명하자 '싸움' 的略词

쌈[3] 의명 **1** (针) 包 bāo ¶바늘 한 ~ 一包针 **2** 布匹团 bùpǐtuán **3** (黄金) 百两 bǎiliǎng

쌈:-닭 명 '싸움닭' 的略词

쌈지 명 烟荷包 yānhébāo

쌈짓-돈 명 烟荷包里的钱 yānhébāolide qián 《比喻钱不多》

쌉싸름-하다 형 微苦 wēi kǔ; 有点苦 yǒudiǎn kǔ

쌉쌀-하다 형 微苦 wēi kǔ; 有点苦 yǒudiǎn kǔ ¶맛이 ~ 味道有点苦

쌍(雙) 명 双 shuāng; 对 duì ¶~을 이루다 成对 / 네 ~의 젓가락 四双筷子 / 한 ~의 남녀 一对男女 / 한 ~의 원앙 一对鸳鸯

쌍-가마(雙—) 명 双头旋儿 shuāngtóuxuánr

쌍-곡선(雙曲線) 명 【數】 双曲线 shuāngqūxiàn

쌍-권총(雙拳銃) 명 双枪 shuāngqiāng

쌍-까풀(雙—) 명 = 쌍꺼풀

쌍-꺼풀(雙—) 명 双眼皮 shuāngyǎnpí = 쌍까풀 ¶그녀는 눈이 크고 ~도 예쁘다 她眼睛很大, 双眼皮也很漂亮

쌍-날(雙—) 명 双刃 shuāngrèn
쌍-년 명 骚妇 sāofù; 臭娘们儿 chòuniángmenr; 泼妇 pōfù
쌍-놈 명 坏蛋 huàidàn; 坏家伙 huàijiāhuo; 野汉子 yěhànzi
쌍두-마차(雙頭馬車) 명 双套马车 shuāngtào mǎchē; 双套车 shuāngtàochē
쌍-둥이(雙—) 명 双胞胎 shuāngbāotāi = 쌍생아 ¶~를 낳다 生一对双胞胎 / 그들 두 사람은 아주 닮아서 그야말로 ~ 같다 他们俩长得太像了, 简直像一对双胞胎
쌍떡-잎(雙—) 명 『植』 双子叶 shuāngziyè ¶~식물 双子叶植物
쌍-말 명하자 下流话 xiàliúhuà; 粗话 cūhuà; 脏话 zānghuà ¶그는 나에게 ~을 하였다 他朝我说了一些下流话
쌍무(雙務) 명 双边 shuāngbiān; 双方责任 shuāngfāng zérèn ¶~ 관계 双边关系
쌍-무지개(雙—) 명 双虹 shuānghóng
쌍방(雙方) 명 = 양방 ¶~의 이익을 보호하다 维护双方的利益
쌍벽(雙璧) 명 双璧 shuāngbì
쌍봉-낙타(雙峯駱駝) 명 『動』 双峰骆驼 shuāngfēng luòtuo
쌍생(雙生) 명하자타 双生 shuāngshēng; 生双胞胎 shēng shuāngbāotāi
쌍생-아(雙生兒) 명 = 쌍둥이
쌍-소리 명 下流话 xiàliúhuà; 粗话 cūhuà; 脏话 zānghuà
쌍수(雙手) 명 双手 shuāngshǒu ¶~를 들어 환영하다 举双手欢迎
쌍-스럽다 형 下流 xiàliú; 粗俗 cūsú; 下贱 xiàjiàn; 卑贱 bēijiàn; 卑劣 bēiliè ¶말과 행동이 아주 ~ 言谈举止粗俗不堪 / 그런 쌍스러운 말은 하지 마라 别说那下贱话 **쌍스레** 부
쌍-심지(雙心—) 명 双灯心 shuāngdēngxīn
  쌍심지(를) 켜다 구 两眼冒火
쌍쌍(雙雙) 명 双双对对 shuāngshuāngduìduì; 成双成对 chéngshuāngchéngduì; 一双双 yīshuāngshuāng; 一对对 yīduìduì ¶~의 남녀 双双对对的男女 / 광장에서 많은 사람들이 ~으로 사교춤을 추었다 在广场上很多人成双成对跳起了交谊舞
쌍쌍-이(雙雙—) 부 双双 shuāngshuāng; 双双对对(地) shuāngshuāngduìduì(de); 成双成对(地) chéngshuāngchéngduì(de); 一双一双(地) yīshuāngyīshuāng(de); 一对一对(地) yīduìyīduì(de) ¶원앙이 ~날아가다 鸳鸯双双飞去
쌍-안경(雙眼鏡) 명 『物』 双筒望远镜 shuāngtǒng wàngyuǎnjìng
쌍-알(雙—) 명 双黄蛋 shuānghuángdàn
쌍점(雙點) 명 『語』 冒号 màohào = 콜론
쌍-지팡이(雙—) 명 双拐杖 shuāngguǎizhàng ¶~를 짚고 가다 拄着一双拐杖走
  쌍지팡이(를) 짚고[들고] 나서다 구 坚决反对
쌍-칼(雙—) 명 **1** 双剑 shuāngjiàn; 双刀 shuāngdāo **2** 双剑手 shuāngjiànshǒu; 双刀手 shuāngdāoshǒu
쌍태(雙胎) 명 双胎 shuāngtāi ¶~ 임신 双胎妊娠
쌍화-탕(雙和湯) 명 『韓醫』 双和汤 shuānghétāng
쌓:다 타 **1** 堆 duī; 堆积 duījī; 堆放 duīfàng; 积 jī ¶장작을 난로 옆에 쌓아 두다 把柴火堆在炉子旁 **2** 垒 lěi; 砌 qì; 筑 zhù ¶담을 ~ 砌墙 / 둑을 ~ 筑堤 **3** 奠定 diàndìng; 打下 dǎxià ¶기초 지식을 ~ 打下基础知识 **4** 立 lì; 建立 jiànlì; 积 jī; 积累 jīlěi ¶공을 ~ 立功 / 덕을 ~ 积德 / 경험을 ~ 积累经验
쌓-이다 자 **1** 堆 duī; 积 jī 《'쌓다1'的被动词》 ¶한 무더기의 쓰레기가 길옆에 쌓여 있다 一大批垃圾堆在路边 **2** 垒 lěi; 砌 qì; 筑 zhù 《'쌓다2'的被动词》 ¶담이 높고 두껍게 쌓여 있다 墙垒得又高又厚 **3** 积 jī; 积累 jīlěi; 堆积 duījī ¶피로가 쌓이면 병이 된다 积劳成疾 / 문제가 너무 많이 쌓여 있다 问题堆积得太多
쌔근-거리다 자타 **1** 喘息 chuǎnxī; 气喘 qìchuǎn; 喘吁吁 chuǎnxūxū **2** (安静地) 呼吸 hūxī; 呼呼 hūhū ‖ = 쌔근대다 **쌔근-쌔근** 부하자타 ¶아이는 아직 ~ 자고 있다 小孩儿还在呼呼地睡
쌔:다 자 **1** '쌓이다1 · 2' 的略词 **2** 有的是 yǒudeshì; 多得很 duōdehěn ¶방법은 쌔고 쐤다 方法有的是 / 나보다 조건이 좋은 남자는 쌔고 쐤다 比我条件好的男人多得很
쌕쌕 부하타 呼呼 hūhū 《呼吸的声音》
쌕쌕-거리다 타 呼呼 hūhū = 쌕쌕대다
쌤:-통 명 活该 huógāi ¶그것 참 ~이다 那真是活该了
쌩 부하자 飕 sōu; 嗖 sōu; 啸 xiào ¶~하고 바람이 불었다 飕的一声, 风吹了 / 총알이 ~하고 날아갔다 子弹嗖地飞过
쌩쌩 부하자 飕飕 sōusōu ¶바람이 ~ 불다 风飕飕地刮
쌩쌩-하다 형 **1** 生机勃勃 shēngjībóbó; 朝气蓬勃 zhāoqìpéngbó ¶활력이

충만하고 ~ 充满活力，生机勃勃 **2** 新鲜 xīnxiān；生意盎然 shēngyì'àngrán ¶이 채소는 여전히 ~ 这道蔬菜仍然新鲜

써-내다 타 写出来 xiěchūlái ¶겨울방학을 이용하여 논문을 ~ 用一个寒假把论文写出来

써-넣다 타 填写 tiánxiě；记入 jìrù；写入 xiěrù ¶이름을 ~ 填写名字

써:레 명 耙 bà

써:레-질 명하자 〖農〗耙地 bàdì

써-먹다 타 应用 yìngyòng；运用 yùnyòng；使用 shǐyòng；使 shǐ；用 yòng ¶두 가지 방법 모두 써먹을 수 없다 两种方法都应用不了

썩 부 **1** 快 kuài；立刻 lìkè ¶~ 물러가지 못할까? 还不快滚? **2** 非常 fēicháng；很 hěn；相当 xiāngdāng；怪 guài ¶그는 한국어를 ~ 잘한다 他韩语说得很好

썩다 ㊀자 **1** (有机物) 烂 làn；腐烂 fǔlàn；腐朽 fǔxiǔ；腐败 fǔbài ¶복숭아는 쉽게 썩는다 桃儿容易烂 / 고기가 ~ 肉腐烂 **2** (身体的一部分) 腐烂 fǔlàn；烂 làn ¶이가 ~ 牙齿腐烂 **3** 埋没 máimò ¶인재가 ~ 埋没人才 / 재능이 ~ 埋没才能 **4** (思想) 腐败 fǔbài；腐朽 fǔxiǔ ¶썩은 정신 腐败的精神 / 그들의 사상은 아주 썩었다 他们的思想极为腐朽 **5** 监禁 jiānjìn；蹲 dūn ¶교도소에서 3년을 썩었다 监禁在监狱三年 ㊁자타 焦 jiāo；费 fèi；操 cāo ¶속이 푹푹 ~ 心闷闷地焦 / 너 혼자 속 썩지 말고 모두 함께 상의하자 不要你一个人操心，大家一起商量吧

썩-이다 타 '썩다㊁' 的使动词 ¶그는 정말 속 썩이는 아이이다 他实在是让人操心的孩子

썩-히다 타 **1** 烂 làn；沤烂 òulàn；埋没 máimò 《'썩다㊀1' 的使动词》 ¶풀은 썩히면 비료가 된다 草沤烂了就变成了肥 **2** 埋没 máimò 《'썩다㊀3' 的使动词》 ¶스스로 자신의 재능을 ~ 自己埋没自己的才能

썰:다 타 切 qiē ¶칼로 오이를 ~ 用刀切黄瓜 / 채를 ~ 切成细丝

썰렁-하다 형 **1** 凉 liáng；寒凉 hánliáng；凉丝丝 liángsīsī；凉飕飕 liángsōusōu ¶오늘 아침은 아주 ~ 今天早晨挺凉的 **2** 空荡荡 kōngdàngdàng；空落落 kōngluòluò

썰:-리다 자 切 qiē 《'썰다' 的被动词》 ¶고기가 돌같이 얼어서 썰리지 않는다 肉冻得石头一样，切不动

썰매 명 橇 qiāo；雪橇 xuěqiāo；冰橇 bīngqiāo；雪车 xuěchē ¶~를 타면서 놀다 坐雪橇玩儿

썰-물 명 〖地理〗落潮 luòcháo；退潮 tuìcháo

쏘가리 명 〖魚〗斑鳜 bānguì

쏘다 타 **1** 射 shè；打 dǎ；放 fàng；发射 fāshè ¶활을 ~ 射箭 / 총을 ~ 打枪 / 폭죽을 ~ 放鞭炮 **2** 蜇 zhē ¶말벌이 사람을 ~ 马蜂蜇人 **3** 顶 dǐng；带刺儿 dàicìr ¶너는 어째서 말할 때마다 늘 쏘아 대느냐? 你这个人说话怎么总是带刺儿呢?

쏘-다니다 자타 瞎逛 xiā guàng ¶하루 종일 거리를 ~ 一天到晚在街上瞎逛

쏘시개 명 = 불쏘시개

쏘아-보다 타 瞠视 chēngshì；盯视 dīngshì；怒视 nùshì ¶눈을 부라리며 ~ 怒目瞠视

쏘아-붙이다 자타 顶 dǐng；带刺儿 dàicìr ¶그녀는 말만 하면 쏘아붙이길 좋아한다 她说话就爱带刺儿

쏘이다[1] 타 = 쐬다[1]1

쏘-이다[2] 자 被蜇 bèi zhē 《'쏘다2' 的被动词》 ¶그는 벌에 쏘였다 他被蜂蜇到了

쏙 부 **1** 凹 āo；凸 tū ¶보조개가 ~ 들어가다 酒窝凹进去 **2** 一下 yīxià ¶배추 한 포기를 ~ 뽑다 一墩白菜一下给拔出来了 **3** 轻率地 qīngshuàide ¶선생님이 말씀하시는데 ~ 끼어들다 在老师正在说话时轻率地插嘴

쏙닥-거리다 자타 嘀嘀咕咕 dídigūgū；喁喁私语 yúyúsīyǔ；窃窃私语 qièqièsīyǔ = 쏙닥대다 ¶그들은 쏙닥거리며 끝없이 수다를 떨었다 他们嘀嘀咕咕唠叨个没完 **쏙닥-쏙닥** 부하자타

쏜살-같다 형 飞快 fēikuài；急速 jísù；飞箭般 fēijiàn bān ¶시간이 ~ 时间飞快 **쏜살같-이** 부 ¶차가 ~ 달리다 车急速地奔驰

쏟다 타 **1** 洒 sǎ；撒 sǎ ¶그는 실수로 물을 바닥에 쏟았다 他不小心把水洒在地上了 **2** 倾注 qīngzhù；灌注 guànzhù ¶심혈을 ~ 倾注心血 / 그는 모든 열정을 창작에 쏟았다 他把全部的热情倾注于创作 **3** 倾吐 qīngtǔ；倾诉 qīngsù；吐露 tǔlù ¶억울함을 쏟아 놓다 倾诉出委屈 / 불만을 쏟아 내다 吐露不满 **4** 流 liú；失 shī ¶그는 자주 코피를 쏟는다 他经常流鼻血

쏟아-지다 자 倾泻 qīngxiè；洒落 sǎluò ¶과일이 땅에 가득 쏟아졌다 水果洒落满地

쏠:다 타 咬 yǎo；蛀 zhù；啃 kěn；嗑 kè ¶쥐가 구두를 쏠아 구멍을 냈다 老鼠把皮鞋嗑破了

쏠리다 자 **1** 倾 qīng；斜 xié；倾斜 qīngxié；偏 piān；歪 wāi ¶자동차가 돌 때 내 몸이 왼쪽으로 쏠렸다 汽车拐弯时，我身子向左倾斜了一下 **2** 倾心 qīngxīn；注目 zhùmù；集注 jízhù ¶사

람들의 시선이 나의 오른손으로 쏠렸다 人们的视线集注在我的右手上
쏠쏠-하다 형 还可以 háikěyǐ; 还好 háihǎo; 还行 háixíng ¶수입이 ~ 收入还行 **쏠쏠-히** 부 ¶돈을 ~ 벌다 赚钱赚得还好
쏴 부 **1** 刷刷 shuāshuā; 呼呼 hūhū; 澌澌 sīsī《风雨声》¶바닷바람이 ~ 분다 海风吹得刷刷作声 **2** 哗哗 huāhuā; 刷刷 shuāshuā《水流声》¶물이 ~ 하며 배수관을 따라 밖으로 흘러갔다 水哗哗地顺着排水管往外流
쏴-쏴 부 **1** 澌澌 sīsī; 刷刷 shuāshuā; 呼呼 hūhū《风雨声》¶비가 ~ 내리다 澌澌雨下 **2** 哗哗 huāhuā; 刷刷 shuāshuā《水流声》¶물이 산 위에서 ~흘러 내려온다 水从山上哗哗冲下来
쐐:기[1] 명〖建〗楔子 xiēzi; 尖劈 jiānpī **쐐기(를) 박다[치다]** 구 **1** 事先敲定 **2** 插嘴打岔 **3** 捣乱
쐐:기[2] 명〖蟲〗洋刺子 yángcìzi; 刺蛾 cì'é; 洋辣子 yánglàzi
쐐:기-풀 명〖植〗荨麻 qiánmá
쐬:다[1] 타 **1** 吹 chuī = 쏘이다[1] ¶옥상에서 바람을 ~ 在屋顶上吹风 **2** 听取评价 tīngqǔ píngjià
쐬:다[2] 자 '쏘이다[2]'的略词
쑤군-거리다 자타 唧咕 jīgu; 唧哝 jīnong; 叽咕 jīgu; 打喳 dǎchā; 喁喁私语 yúyúsīyǔ; 窃窃私语 qièqièsīyǔ; 说悄悄话 shuō qiāoqiāohuà = 쑤군대다 ¶그의 주위에 있는 사람들이 쑤군거리기 시작했다 他周围的人们就开始窃窃私语起来 **쑤군-쑤군** 부하자타
쑤다 타 熬 áo; 打 dǎ ¶죽을 ~ 熬粥 / 풀을 ~ 打糨子
쑤시다[1] 자 刺痛 cìtòng; 酸痛 suāntòng; 酸 suān; 发酸 fāsuān ¶온몸이 ~ 全身发酸 / 두 다리가 갑자기 ~ 两腿突然刺痛
쑤시다[2] 타 **1** 捅开 tǒngkāi; 剔 tī; 扎进 zhājìn; 拨弄 bōnong ¶이를 ~ 剔牙 / 화로의 재를 ~ 拨弄炉子的灰 **2** 捅 tǒng ¶벌집을 ~ 捅马蜂窝
쑥[1] 명〖植〗艾草 àicǎo; 蒿 hāo
쑥[2] 부 **1** 凹 āo; 凸 tū; 塌 tā ¶배가 ~ 나오다 肚子凸出来 / 눈언저리가 ~ 들어갔다 眼窝塌下去了 **2** 一下 yīxià ¶무를 ~ 뽑다 萝卜一下给拔出来了
쑥-갓 명〖植〗茼蒿 tónghāo
쑥대-머리 명 蓬头 péngtóu
쑥대-밭 명 **1** 艾草丛生的土地 àicǎo cóngshēngde tǔdì **2** 废墟 fèixū ¶전쟁은 도시를 ~으로 만들었다 一场战争把城市变成了废墟
쑥덕-거리다 자타 窃窃私语 qièqièsīyǔ; 叽叽咕咕 jījigūgū; 喁喁私语 yúyúsīyǔ = 쑥덕대다 ¶그들은 동료와 한참을 쑥덕거렸다 他们和同事叽叽咕咕了半天 **쑥덕-쑥덕** 부하자타
쑥-떡 명 艾糕 àigāo ¶~을 찌다 蒸艾糕
쑥-색(—色) 명 深绿色 shēnlǜsè; 卡其色 kǎqísè
쑥-스럽다 형 不好意思 bùhǎoyìsi; 难为情 nánwéiqíng ¶이렇게 칭찬을 받으니 정말 좀 ~ 受到了这样的表扬, 真有些不好意思 **쑥스레** 부
쓰-기 명〖教〗写 xiě ¶읽기와 ~ 读写
쓰다[1] 타 **1** 写 xiě; 书写 shūxiě ¶글자를 ~ 写字 / 연필로 ~ 用铅笔写 / 자기의 이름을 ~ 写自己的名字 **2** 写 xiě; 写作 xiězuò ¶소설을 ~ 写小说 / 편지를 ~ 写信 / 일기를 ~ 写日记
쓰다[2] 타 **1** 戴 dài ¶안경을 쓴 남자 戴眼镜的男人 / 모자를 ~ 戴帽子 / 가면을 ~ 戴假面具 **2** 打 dǎ; 撑 chēng ¶우산을 ~ 打伞 =[撑伞] **3** 蒙 méng; 蒙受 méngshòu ¶누명을 ~ 蒙冤
쓰다[3] 타 **1** 用 yòng; 使用 shǐyòng; 使 shǐ《表示手段、材料等》¶물을 ~ 用水 / 이 식칼은 이미 10년을 썼다 这把菜刀已经用了十年了 / 나는 이런 기계는 써 보지 않았다 我没使过这种机器 **2** 雇 gù; 佣 yōng ¶사람을 ~ 佣人 / 가정부를 ~ 雇小保姆 **3** 动 dòng ¶머리를 ~ 动脑筋 **4** (力气或努力) 用 yòng; 花 huā; 使 shǐ; 倾注 qīngzhù ¶모든 힘을 다 ~ 倾注全力 **5** (时间或钱财) 花 huā; 用 yòng ¶돈은 이미 다 썼다 钱已用完了 / 그는 삼 년의 시간을 써서 이 소설을 번역했다 他花了三年的时间翻译完了这本小说 **6** (语言) 用 yòng; 使用 shǐyòng; 讲 jiǎng; 操 cāo ¶존댓말을 ~ 用敬语 / 표준어를 ~ 讲普通话 **7** 耍 shuǎ ¶떼를 ~ 耍赖 **8** 请客 qǐngkè ¶오늘은 내가 한턱 쓴다 今天我来请客
쓰다[4] 타 (坟墓) 修造 xiūzào ¶그는 자신을 위해 아주 호화스러운 묘지를 썼다 他为自己修造了一座颇为豪华的坟墓
쓰다[5] 타 (棋) 走 zǒu ¶말을 잘못 ~ 棋走错了
쓰다[6] 형 **1** 苦 kǔ ¶맛이 ~ 味道苦 / 이 약은 좀 ~ 这种药有点儿苦 **2** (胃口) 不好 bùhǎo ¶입맛이 ~ 胃口不好 **3** 痛苦 tòngkǔ; 苦 kǔ ¶쓴 경험 痛苦的经验
쓰다듬다 타 抚 fǔ; 捋 lǚ; 抚摩 fǔmó; 摸 mó; 抚摸 fǔmō ¶머리를 ~ 抚摸头 / 수염을 ~ 捋须
쓰디-쓰다 형 **1** 很苦 hěn kǔ; 极苦 jí kǔ ¶쓰디쓴 약 很苦的药 / 쓰디쓴 커피 极苦的咖啡 **2** 苦 kǔ; 痛苦 tòngkǔ ¶쓰디쓴 경험 痛苦的经验

쓰라리다 형 **1** 火辣辣 huǒlàlà; 火辣辣地疼 huǒlàlàde téng ¶얼굴이 햇볕에 타서 ~ 面部被太阳晒伤, 火辣辣的 / 상처가 ~ 伤口火辣辣地疼 **2** 苦 kǔ; 痛苦 tòngkǔ; 辛酸 xīnsuān ¶쓰라린 경험 痛苦的经验 / 쓰라린 과거 辛酸的过去

쓰러-뜨리다 타 摔倒 shuāidǎo ¶상대방이 그를 ~ 对手将他摔倒

쓰러-지다 자 **1** 倒 dǎo; 摔倒 shuāidǎo; 倒塌 dǎotā; 摔跟头 shuāi gēntou ¶땅에 ~ 倒地 / 그는 쓰러진 나무에 깔려 다쳤다 他被倒下的树木压伤 **2** 倒台 dǎotái; 倒 dǎo; 倒闭 dǎobì; 崩溃 bēngkuì ¶그 회사는 쓰러졌다 那家公司倒了

쓰레기 명 垃圾 lājī ¶~ 봉투 垃圾袋 / ~차 垃圾车 / ~장 垃圾场 / ~를 줍다 捡垃圾 / ~를 함부로 버리지 마라 不要乱扔垃圾 / ~ 분리 수거를 실시하다 实行垃圾分类收集

쓰레기-통(—桶) 명 垃圾箱 lājīxiāng; 垃圾桶 lājītǒng; 果皮箱 guǒpíxiāng ¶쓰레기를 ~에 넣다 把垃圾放进垃圾箱

쓰레-받기 명 簸箕 bòji; 撮箕 cuōjī

쓰르라미 명 〖蟲〗 寒蝉 hánchán; 知了 zhīliǎo; 蜘了 zhīliǎo

쓰리다 형 **1** 火辣辣 huǒlàlà; 火辣辣地疼 huǒlàlàde téng; 杀 shā ¶눈물이 상처에 떨어지자 몹시 ~ 泪水落在伤口上杀得慌 **2** (肚子、胃) 难受 nánshòu ¶배고파서 속이 ~ 肚子饿得难受

쓰-이다[1] 一 자 写 xiě 《'쓰다[1]' 的被动词》 ¶상품 설명서에 쓰여진 내용 写在产品说明书里的内容 二 타 写 xiě 《'쓰다[1]' 的使动词》

쓰-이다[2] 자 '쓰다[3]' 的被动词 ¶기부금은 모두 어디에 쓰입니까? 捐款都被用在哪儿?

쓰임-새 명 用处 yòngchu; 用途 yòngtú ¶~가 광범위하다 用处广泛

쓱 부 **1** 一下 yīxià; 一下子 yīxiàzi ¶눈물을 ~ 닦다 擦一下眼泪 **2** 迅速地 xùnsùde; 很快地 hěn kuàide ¶빠르게 ~ 한 번 보다 迅速地看一眼

쓱싹 부하타 **1** 嚓嚓 cācā 《锯的声音》 **2** 掩饰 yǎnshì; 掩盖 yǎngài ¶잘못을 ~하다 掩饰过失 **3** 抵消 dǐxiāo ¶쌍방이 서로 채무를 지고 있으면 서로 ~할 수 있습니까? 双方互负债务能否相互抵消?

쓱싹-거리다 자타 嚓嚓地锯 cācāde jù = 쓱싹대다 ¶두 사람이 큰톱을 들고 쓱싹거리며 톱질한다 两人举起大锯, 嚓嚓地锯了起来 **쓱싹-쓱싹** 부하자타

쓴-맛 명 **1** 苦味 kǔwèi; 苦头(儿) kǔtóu(r) ¶먹어 보니 약간 ~이 난다 吃起来稍带苦味 **2** 苦头(儿) kǔtou(r) ¶그는 막 창업했을 때 적지 않은 ~을 보았다 他在创业之初, 吃了不少苦头

쓴맛 단맛 다 보았다 속담 饱经风霜; 甜酸苦辣都尝到; 饱尝过酸甜苦辣

쓴-웃음 명 苦笑 kǔxiào ¶그는 ~을 지으면서 한숨을 쉬었다 他苦笑一声, 叹了一口气

쓸개 명 〖生〗 胆 dǎn; 胆囊 dǎnnáng; 苦胆 kǔdǎn = 담(膽)2 · 담낭

쓸개 빠진 놈 속담 没振作精神的家伙

쓸개(가) 빠지다 구 嘴上无毛, 办事不牢

쓸개-즙(—汁) 명 〖生〗 胆汁 dǎnzhī = 담즙

쓸다[1] 타 **1** 扫 sǎo ¶눈을 ~ 扫雪 / 마당을 ~ 扫院子 **2** 抚 fǔ; 抚摩 fǔmó; 摸 mó; 抚摸 fǔmō; 捋 lǚ ¶그는 나의 머리를 쓸고 있다 他抚摸着我的头 **3** 蔓延 mànyán; 席卷 xíjuǎn ¶전쟁의 불길이 이미 전국을 쓸었다 战火已经蔓延到全国 **4** 独揽 dúlǎn; 搂 lōu; 掠 lüè ¶한국 팀이 금메달 세 개를 쓸어 갔다 韩国队独揽三金

쓸다[2] 타 锉 cuò ¶줄로 ~ 用锉刀锉

쓸-데 명 花项 huāxiàng; 用项 yòngxiàng; 用处 yòngchu

쓸데-없다 형 无用 wúyòng; 没用 méiyòng; 没必要 méi bìyào ¶쓸데없는 내용은 말하지 마라 不要谈无用的内容 **쓸데없-이** 부

쓸리다[1] 자 倾斜 qīngxié; 歪 wāi ¶풀이 한쪽으로 쓸렸다 草倾斜在一旁

쓸리다[2] 자 蹭破 cèngpò; 擦破 cāpò; 磨破 mópò ¶다리 살갗이 쓸렸다 腿的皮都蹭破了

쓸-리다[3] 자 扫 sǎo 《'쓸다[1]' 的被动词》 ¶큰길이 깨끗하게 ~ 大道扫得干干净净

쓸-모 명 用处 yòngchu; 用途 yòngtú; 用场 yòngchǎng ¶그것은 아무 ~도 없는 것이다 那是没有任何用处的

쓸모-없다 형 没有用处 méiyǒu yòngchu ¶이것은 쓸모없는 물건에 불과하다 这只不过是没有用处的东西 **쓸모없-이** 부

쓸쓸-하다 형 **1** 寂寞 jìmò; 寂寥 jìliáo; 凄清 qīqīng; 冷清 lěngqīng ¶네가 있기에 나는 쓸쓸하다고 느껴지지 않는다 因为有你, 我不再觉得寂寥 / 집안이 ~ 家里很冷清 **2** 凉飕飕 liángsōusōu; 冷飕飕 lěngsōusōu **쓸쓸-히** 부 ¶그는 혼자 집에서 ~ 시간을 보낸다 他一个人在家里, 寂寞地打发时间

쓸어-버리다 타 清除 qīngchú; 扫除 sǎochú ¶무장 세력의 주요 거점을 ~ 清除武装分子的一个主要据点

씀바귀 명 〖植〗 苦菜 kǔcài

씀씀-이 명 开销 kāixiāo; 花钱 huā

qián ¶나의 한 달 ~를 계산해 보다 算算我的月开销 / ~가 헤프다 花钱大手大脚

씁스름-하다 형 **1** 有点苦 yǒudiǎn kǔ; 稍苦 shāo kǔ; 苦丝丝 kǔsīsī ¶씁스름한 커피 稍苦的咖啡 **2** 有点儿不高兴 yǒudiǎnr bùgāoxìng

씁쓸-하다 형 **1** 有点苦 yǒudiǎn kǔ; 稍苦 shāo kǔ; 苦丝丝 kǔsīsī ¶이 차의 맛은 ~ 这种茶味道稍苦 **2** 有点痛苦 yǒudiǎn tòngkǔ **씁쓸-히** 부

씌다[1] 자 着魔 zháomó

씌:다[2] 자 '쓰이다[1]' 的略词

씌:다[3] 자 '쓰이다[2]' 的略词

씌우다 타 **1** 给戴上 gěi dàishàng; 盖上 gàishàng; 蒙上 méngshàng《'쓰다[2]1' 的使动词》¶아이에게 모자를 ~ 给孩子戴上帽子 **2** 蒙受 méngshòu; 委 wěi《'쓰다[2]3' 的使动词》¶남에게 죄를 ~ 委罪于人

씨[1] 명 **1** 种 zhǒng; 种子 zhǒngzi ¶면화 ~ 棉花的种子 / ~를 뿌리다 播种 =[撒种] **2** 核 hé; 核儿 húr; 籽(儿) zǐ(r); 子(儿) zǐ(r) ¶~ 없는 수박 无子儿西瓜 **3** 种 zhǒng; 血统 xuètǒng ¶~ 좋은 말 良种马 **4** 种子 zhǒngzi ¶혁명의 ~를 뿌렸다 播下了革命的种子

 씨가 마르다 구 绝种

 씨를 말리다 구 斩草除根

씨[2] 명 (布匹) 纬线 wěixiàn

씨(氏) 一명 氏 shì 二의명 先生 xiānsheng; 女士 nǚshì ¶홍길동 ~ 洪吉童先生

-씨(氏) 접미 氏 shì ¶김~와 박~ 金氏和朴氏

씨-눈 명〖生〗= 배(胚)

씨름 명하자 〖體〗摔跤 shuāijiāo ¶~판 摔跤场

씨받-이 명 **1** 留种 liúzhǒng; 采种 cǎizhǒng **2** 代理母 dàilǐmǔ

씨-방(一房) 명〖植〗子房 zǐfáng

씨부렁-거리다 자타 唠叨 láodao; 啰唆 luōsuo; 啰嗦 luōsuo; 嘟囔 dūnang = 씨부렁대다 ¶싫으면 싫은 것이지 뭘 씨부렁거리느냐? 不喜欢就不喜欢, 你嘟囔什么? **씨부렁-씨부렁** 부하자타

씨-실 명 纬线 wěixiàn

씨-알 명 **1** 种卵 zhǒngluǎn **2** 种粒 zhǒnglì **3** (鱼的) 大小 dàxiǎo

씨-암탉 명 配种母鸡 pèizhǒng mǔjī

씨앗 명 种子 zhǒngzi ¶~을 심다 种下种子

씨족(氏族) 명〖社〗氏族 shìzú ¶~ 공동체 氏族公社 / ~ 사회 氏族社会

씩 부 噗哧 pūchī《无声和无聊地一笑的样子》¶~ 웃다 噗哧地笑

-씩 접미 **1** 各 gè ¶매 사람마다 세 개 ~ 나누어 갖다 每人各分三个 **2** 表示'各各' ¶사과 한 개에 얼마~ 합니까? 一个苹果多少钱?

씩씩 부하자타 呼哧呼哧 hūchīhūchī

씩씩-거리다 자타 呼哧呼哧地喘 hūchīhūchīde chuǎn = 씩씩대다 ¶그는 거칠게 씩씩거렸다 他呼哧呼哧地喘着粗气

씩씩-하다 형 雄纠纠 xióngjiūjiū; 雄健 xióngjiàn; 矫健 jiǎojiàn; 刚健 gāngjiàn ¶씩씩한 발걸음 矫健的步伐 / 씩씩하게 걷다 走得雄纠纠

씰룩 부하타 抽动 chōudòng; 抽搐 chōuchù ¶그가 입가를 ~했다 他嘴角抽动了一下

씰룩-거리다 타 (一直) 抽动 chōudòng = 씰룩대다 ¶그는 입가를 씰룩거리면서 말한다 他说起这个嘴角一直抽动着 **씰룩-씰룩** 부하타

씹다 타 **1** 嚼 jiáo; 咀嚼 jǔjué ¶꼭꼭 ~ 细嚼 / 그녀는 껌을 씹고 있다 她嘴里嚼着口香糖 **2** 诽谤 fěibàng; 中伤 zhòngshāng; 说坏话 shuō huàihuà ¶그는 남을 잘 씹는다 他爱说别人的坏话

씻-기다[1] 一자 洗 xǐ《'씻다1' 的被动词》¶마루는 이미 다 씻겼다 地板已经洗刷完毕 二타 洗 xǐ《'씻다1' 的使动词》¶엄마가 아기의 몸을 깨끗이 ~ 妈妈把小孩儿的身体洗干净

씻다 타 **1** 洗 xǐ; 洗刷 xǐshuā; 洗涤 xǐdí; 涮 shuàn; 淘 táo ¶그릇을 ~ 洗碗 / 손을 ~ 洗手 / 쌀을 ~ 淘米 **2** 洗雪 xǐxuě; 洗刷 xǐshuā ¶누명을 ~ 洗雪冤枉 / 오점을 ~ 洗刷污点 **3** 解除 jiěchú; 消除 xiāochú ¶부담을 ~ 解除负担 / 피로를 ~ 解除疲劳

 씻은 듯이 구 一干二净

씽 부하자 (风声) 飕 sōu ¶귓가에 ~하는 바람 소리가 들리다 耳边听到飕飕风声

씽긋 부하자 莞尔 wǎn'ěr《微微笑的样子》¶그녀가 ~ 웃었다 她莞尔一笑

씽긋-거리다 자 笑吟吟 xiàoyínyín; 笑盈盈 xiàoyíngyíng; 笑眯眯 xiàomīmī《微微地笑》= 씽긋대다 **씽긋-씽긋** 부하자

씽-씽 부하자 (风声) 飕飕 sōusōu

씽씽-하다 형 生机勃勃 shēngjībóbó; 蓬勃 péngbó; 旺盛 wàngshèng

ㅇ

아[1] 감 **1** 啊 ā ¶~, 깜짝이야! 啊, 吓倒我了! / ~, 알았다 啊, 知道了 / ~, 휴대폰을 안 가지고 왔다 啊, 我忘了带手机 **2** 唉 āi ¶~, 이 아이는 정말 불쌍하다 唉, 这个孩子真可怜 / ~, 정말 귀찮아 唉, 真麻烦 / ~, 시간이 정말 빨리 간다 唉, 时间过得真快

아[2] 조 用于辅音收尾的名词词干和部分称代词后, 表示称呼 ¶영숙~, 안녕! 英淑, 你好! / 철민~, 같이 학교 가자! 哲民, 我们一起去上课吧!

-아 어미 用于末音节的元音为 '-아, -오' 的动词、形容词词干之后的词尾 ¶이거 받~! 把这个收下吧! / 너는 어디 살~? 你住在哪里?

-아(兒) 접미 **1** 儿 ér《表示小孩子》¶신생~ 新生儿 / 미숙~ 未成熟儿 / 기형~ 畸形儿 **2** 子 zǐ; 儿 ér《表示男儿》¶기린~ 麒麟儿 / 행운~ 幸运儿

아가 명 小宝贝(儿) xiǎobǎobèi(r); 宝贝(儿) bǎobèi(r) ¶~야, 울지 마 宝贝儿, 不要哭

아가리 명 **1** 嘴 zuǐ《'입' 的俗称》¶~ 닥쳐! 闭嘴! **2** (物品的) 口(儿) kǒu(r) ¶병 ~ 瓶口儿 / ~가 좁은 단지 小口儿的坛子

아가미 명 〖動〗 鳃 sāi

아가씨 명 **1** 小姐 xiǎojiě; 姑娘 gūniang ¶저 ~는 회장님 딸이다 那位小姐是总经理的女儿 **2** 小姑子 xiǎogūzi

아관(牙關) 명 牙关 yáguān

아교(阿膠) 명 = 아교풀

아교-풀(阿膠—) 명 阿胶 ējiāo; 驴皮胶 lǘpíjiāo; 骨胶 gǔjiāo; 胶水 jiāoshuǐ = 갖풀 · 아교

아구 명 〖魚〗 '아귀[2]' 的错误

아구-찜 명 '아귀찜' 的错误

아구-창(鵝口瘡) 명 〖醫〗 鹅口疮 ékǒuchuāng; 雪口症 xuěkǒuzhèng

아:군(我軍) 명 我军 wǒjūn ¶~이 승리를 거두다 我军获得胜利

아궁이 명 〖建〗 灶孔 zàokǒng; 灶门 zàomén; 灶坑 zàokēng

아귀[1] 명 **1** 分叉处 fēnchāchù; 叉口 chākǒu ¶구석이 ~가 맞지 않아 계속 소리가 난다 角边有分叉处一直做声 **2** 开口 kāikǒu; 衣襟 yījīn; 衩口 chàkǒu ¶두루마기의 ~ 长袍的开口 **3** 发芽处 fāyáchù; 芽眼 yáyǎn ¶아직 ~가 되지 않았다 在发芽处还没发芽 **4** 弓中腰 gōngzhōngyāo

아귀(가) 맞다 구 够数

아귀(를) 맞추다 구 凑够数

아귀[2] 명 〖魚〗 鮟鱇 ānkāng; 老头儿鱼 lǎotóuryú

아:귀(餓鬼) 명 **1** 〖佛〗 饿鬼 èguǐ; 饿死鬼 èsǐguǐ **2** 饭量大的人 fànliàng dà de rén

아귀-다툼 명 하자 吵嘴 chǎozuǐ; 争吵 zhēngchǎo ¶그들은 자주 ~을 벌인다 他们常常吵嘴

아귀-아귀 부 大口大口地 dàkǒudàkǒude; 馋嘴地 chánzuǐde ¶그들은 ~ 먹기 시작했다 他们大口大口地吃起来了

아귀-찜 명 炖鮟鱇 dùn'ānkāng

아귀-힘 명 握力 wòlì ¶그는 ~이 아주 세다 他握力很强

아기 명 **1** 宝宝 bǎobao; 娃娃 wáwa; 婴儿 yīng'ér; 小孩儿 xiǎoháir ¶~에게 젖을 먹이다 给娃娃喂奶 / ~가 막 말을 배우기 시작했다 小孩儿刚开始学说话 **2** 女儿 nǚ'ér; 媳妇 xífù; 儿媳妇 érxífu ¶우리 ~는 아주 효성스럽다 我的儿媳妇很孝顺

아기-자기 부 하형 **1** 美丽可爱 měilì kě'ài; 小巧玲珑 xiǎoqiǎolínglóng ¶~한 장식품 小巧玲珑的装饰品 / 이 완구점 안에는 ~한 장남감이 많이 있다 这家玩具店里面有很多美丽可爱的玩具 **2** 饶有趣味 ráoyǒuqùwèi; 有趣儿 yǒuqùr; 有意思 yǒu yìsi; 引人入胜 yǐnrénrùshèng ¶여름 방학을 ~하게 보내다 暑假生活得饶有趣味

아까 명 부 刚才 gāngcái; 适才 shìcái ¶그는 ~ 학교에서 돌아왔다 他刚才从学校回来了 / 나는 ~ 점심을 먹었다 我刚才吃午饭了

아까워-하다 타 爱惜 àixī; 舍不得 shěbude ¶돈 쓰는 것을 ~ 很舍不得花钱

아깝다 형 **1** 可惜 kěxī; 惋惜 wǎnxī ¶그렇게 좋은 기회를 놓친다면 정말 아까울 것이다 错过了那么好的机会真的会很可惜 **2** 舍不得 shěbude ¶버리기 ~ 舍不得丢掉 / 자식들이 준 돈을 쓰기 ~ 舍不得花儿女给的钱

아끼다 타 **1** 节约 jiéyuē; 省 shěng; 节省 jiéshěng ¶전기를 ~ 省电 / 생활비를 ~ 节约生活费 / 에너지를 ~ 节省能源 **2** 爱护 àihù; 爱惜 àixī ¶너는 자신을 아껴야 한다 你应该爱护自己 /

시간을 아껴 열심히 생활하다 爱惜时间努力生活

아낌-없다 형 毫不吝惜 háobùlìnxī; 不惜一切 bùxī yīqiè ¶아낌없는 찬미의 말 毫不吝惜赞美之词 **아낌없-이** 부 ¶~ 다른 사람에게 주다 毫不吝惜地送给别人

아나운서(announcer) 명 播音员 bōyīnyuán; 广播员 guǎngbōyuán

아낙 명 **1** 闺房 guīfáng; 内房 nèifáng **2** = 아낙네

아낙-네 명 妇女 fùnǚ; 婆娘 póniáng; 老娘们儿 lǎoniángmen = 아낙2

아날로그(analogue) 명 『物』 模拟 mónǐ; 类似物 lèisìwù; 相似体 xiāngsìtǐ ¶~ 통신 模拟通信 / ~ 손목시계 模拟手表

아내 명 妻子 qīzi; 妻 qī; 太太 tàitai; 爱人 àiren; 老婆 lǎopo = 처(妻)

아냐 감 '아니야' 的略词 ¶"이거 네가 그런 거야?" "~, 나도 몰라" "这是你干的吗?""不是, 我也不知道"

아-녀자(兒女子) 명 **1** 小丫头 xiǎoyātou; 女人 nǚrén 《'여자' 的鄙称》 ¶~라고 무시하지 마라 不要小看女人 **2** 孩子和女子 háizi hé nǚzi ¶~를 먼저 보호해야 한다 要先保护孩子和女子

아뇨 감 '아니요' 的略词

아늑-하다 형 **1** 幽静 yōujìng; 舒适 shūshì; 雅静 yǎjìng ¶아늑한 방 雅静的房间 **2** 暖和 nuǎnhuo ¶아늑한 봄날 暖和的春天 **아늑-히** 부

아니[1] 부 不 bù; 没 méi; 没有 méiyǒu ¶아직 ~ 돌아오다 还没有回来

아니 땐 굴뚝에 연기 날까 속담 无风无起浪

아니[2] 감 **1** 不 bù; 不是 bùshì; 没有 méiyǒu 《表示否定的答应》 ¶"너는 미국인이니?" "~, 나는 미국인이 아니야" "你是美国人吗?" "不, 我不是美国人" **2** 啊 ā 《表示感叹》 ¶~! 그가 벌써 죽었다니! 啊! 他居然已经去世了! **3** 嗯 ńg 《表示疑问》 ¶~, 네가 방금 한 말이 사실이냐? 嗯, 你刚才说的是真的吗?

아니꼽다 형 不顺眼 bùshùnyǎn; 令人作呕 lìngrén zuò'ǒu; 看不惯 kànbuguàn; 讨厌 tǎoyàn ¶그의 거들먹거리는 모습은 정말 ~ 他那么得意扬扬的样子真令人作呕

아니다 형 不是 bùshì ¶그는 내 동생이 ~ 他不是我的弟弟

아닌 밤중에 홍두깨 (내밀듯) 속담 突如其来

아니나 다를까[다르랴] 구 果然; 果不其然; 不出所料

아니-야 감 不是 bùshì; 不对 bùduì; 不 bù; 没有 méiyǒu ¶"미안해, 다 내가 잘못했어" "~, 내 잘못이야" "对不起, 都是我的错" "不, 是我的错误"

아니-오 감 '아니요' 的错误

아니-요 감 不 bù; 不是 bùshì; 没有 méiyǒu ¶"너희 엄마 돌아오셨니?" "~" "你妈妈回来了吗?" "没有"

아니-하다 보동 보형 不 bù; 没 méi; 没有 méiyǒu ¶아무 일도 하지 ~ 什么工作也不做 / 얼굴이 예쁘지 ~ 脸长得不漂亮

아다지오(이adagio) 명 『音』 柔板 róubǎn; 慢板 mànbǎn

아담(Adam) 명 『宗』 亚当 Yàdāng

아:담-하다(雅淡— · 雅澹—) 형 雅致 yǎzhi ¶아담한 서재 雅致的书房 / 집이 ~ 房子很雅致

아동(兒童) 명 儿童 értóng ¶~기 儿童期 / ~ 문학 儿童文学 / ~화 儿童鞋

아동-복(兒童服) 명 童装 tóngzhuāng

아둔-하다 형 笨 bèn; 愚笨 yúbèn; 迟钝 chídùn ¶아둔한 사람 愚笨的人 / 그는 정말 ~ 他真笨

아드-님 명 令郎 lìngláng; 公子 gōngzǐ; 贤郎 xiánláng

아드레날린(adrenaline) 명 『化』 肾上腺素 shènshàngxiànsù

아득-바득 부하자 **1** 固执 gùzhi ¶자신의 의견을 ~ 우기다 固执地坚持自己的意见 **2** 拼命 pīnmìng ¶그는 돈을 벌기 위해 매일 ~ 일을 한다 他为了赚钱每天拼命地工作

아득-하다 형 **1** 遥远 yáoyuǎn; 苍茫 cāngmáng; 远远 yuǎnyuǎn ¶아득한 수평선 遥远的水平线 / 누군가의 노랫소리가 아득하게 들린다 远远地听见有人在唱歌 **2** 很久 hěn jiǔ; 悠久 yōujiǔ ¶이것은 아득한 옛날에 있었던 일이다 这是很久很久以前发生的事 **3** 渺茫 miǎománg ¶우리는 지금 먹고 살 길이 ~ 我们现在生路渺茫 **4** 昏眩 hūnxuàn; 发黑 fāhēi; 发晕 fāyùn; 昏 hūn; 晕眩 yūnxuàn ¶그는 갑자기 정신이 아득해졌다 他忽然觉得一阵昏眩 **아득-히** 부

아들 명 儿子 érzi; 儿 ér; 小子 xiǎozi ¶~을 낳다 生儿子

아들-딸 명 儿女 érnǚ; 子女 zǐnǚ

아들-아이 명 儿子 érzi = 아들자식

아들-자식(—子息) 명 = 아들아이

아등-바등 부하자 拼命 pīnmìng; 挣扎 zhēngzhá ¶돈을 벌기 위해 ~ 애를 쓰다 为了赚钱, 拼命地努力

아라비아(Arabia) 명 『地』 阿拉伯 Ālābó = 아랍 ¶~ 숫자 阿拉伯数字

아랍(Arab) 명 『地』 = 아라비아 ¶~인 阿拉伯人

아랑곳 명하자타 管 guǎn; 理睬 lǐcǎi; 理会 lǐhuì; 介意 jièyì; 在乎 zàihu ¶주

머니 사정은 ~하지 않고 비싼 옷을 사다 不管有没有钱, 就买很贵的衣服 / 내가 울어도 그는 ~하지 않는다 我哭他不在乎

아래 명 **1** 下 xià; 下面 xiàmiàn; 底下 dǐxià ¶~로 가다 往下走 / 커튼을 ~로 내려뜨리다 垂下窗帘 / 나무 ~에 누워 책을 보다 躺在树底下看书 **2** 差 chà; 低 dī; 小 xiǎo ¶그의 성적은 너보다 ~이다 他的成绩比你差 / 그는 너보다 세 살 ~이다 他比你小三岁 **3** 之下 zhīxià; 下 xià ¶선생님의 지도 ~ 우리는 모두 크게 향상되었다 在老师的指导之下, 我们都有了很大的进步 **4** 以下 yǐxià ¶모두들 ~의 내용을 주의 깊게 봐 주세요 请大家注意看以下的内容

아래-옷 명 下身(儿) xiàshēn(r); 下衣 xiàyī; 下装 xiàzhuāng = 아랫도리2 · 하의

아래-위 명 上下 shàngxià = 위아래1 ¶~로 훑어보다 上下打量

아래-쪽 명 下 xià; 下边 xiàbian; 下面 xiàmiàn; 下头 xiàtou ¶~으로 가라앉다 往下沉 / 책상 ~에 두다 放在桌子下面

아래-층(一層) 명 楼下 lóuxià; 下层 xiàcéng = 하층1 ¶~의 세입자 楼下的房客

아래-턱 명 『生』 下颌 xiàhé; 下颚 xià'è; 下巴 xiàba = 하악

아래턱-뼈 명 『生』 下颌骨 xiàhégǔ; 下颚骨 xià'ègǔ; 下巴颏骨 xiàbakēgǔ; 下颏骨 xiàkēgǔ = 하악골

아랫-것 명 手下人 shǒuxiàrén; 下人 xiàrén; 仆人 púrén

아랫-니 명 下牙 xiàyá

아랫-단 명 下摆 xiàbǎi

아랫-도리 명 **1** 下半身 xiàbànshēn; 下身(儿) xiàshēn(r); 下体 xiàtǐ ¶손으로 ~를 가리다 用手遮住下半身 **2** = 아래옷

아랫-마을 명 下村 xiàcūn

아랫-목 명 炕头 kàngtóu

아랫-물 명 **1** 下游 xiàyóu **2** 下级 xiàjí

아랫-배 명 小肚子 xiǎodùzi; 小腹 xiǎofù = 하복(下服) ¶갑자기 ~가 아프기 시작하다 小肚子突然疼起来

아랫-부분(一部分) 명 下部 xiàbù; 下部分 xiàbùfen; 底部 dǐbù

아랫-사람 명 **1** = 손아랫사람 **2** 手下 shǒuxià; 下级 xiàjí; 部下 bùxià ¶~에게 명령하다 命令手下

아랫-입술 명 下唇 xiàchún; 下嘴唇 xiàzuǐchún ¶~을 깨물다 咬下嘴唇

아랫-집 명 楼下邻居 lóuxià línjū

아:량(雅量) 명 雅量 yǎliàng; 宽宏大度 kuānhóngdàdù; 宽宏大量 kuānhóngdàliàng ¶남을 포용하는 ~ 容人的雅量 / ~이 넓다 雅量豁然

아련-하다 형 模糊 móhu; 隐约 yǐnyuē; 依稀 yīxī ¶아련하게 떠오르는 그의 얼굴 依稀浮现来的他的面容 **아련-히** 부

아:령(啞鈴) 명 『體』 哑铃 yǎlíng ¶~체조 哑铃操

아로마(aroma) 명 芳香 fāngxiāng; 香味 xiāngwèi; 香气 xiāngqì ¶~ 치료법 芳香疗法

아로-새기다 타 **1** 精雕 jīngdiāo; 精雕细刻 jīngdiāoxìkè ¶옥에 관세음보살을 ~ 精彫细刻玉体观世音 **2** 铭记 míngjì; 铭刻 míngkè; 牢记 láojì ¶고통을 가슴에 ~ 把痛苦铭记于心

아롱-거리다 자 时隐时现 shíyǐnshíxiàn = 아롱대다 ¶창밖에 검은 그림자가 ~ 窗外有个黑影时隐时现 **아롱-아롱**[1] 부하자

아롱-다롱 부하형 花花绿绿 huāhuālùlù; 五彩缤纷 wǔcǎibīnfēn ¶~한 사탕 종이 花花绿绿的糖纸

아롱-사태 명 牛后肘肉 niúhòuzhǒuròu

아롱-아롱[2] 부하형 五彩缤纷 wǔcǎibīnfēn; 花花搭搭 huāhuadādā; 花花绿绿 huāhuālùlù ¶~한 무지개 五彩缤纷的彩虹

아롱-지다 형 花花绿绿 huāhuālùlù; 五彩缤纷 wǔcǎibīnfēn ¶아롱진 옷 花花绿绿的衣服

아뢰다 타 **1** 禀 bǐng; 禀报 bǐngbào; 禀告 bǐnggào; 敬禀 jìngbǐng ¶사실대로 ~ 据实禀告 / 소인이 아뢸 말씀이 있습니다 小的有一件事情要禀告 **2** 奏 zòu; 演奏 yǎnzòu ¶제례악을 ~ 演奏祭乐

아:류(亞流) 명 **1** 第二流 dì'èrliú; 亚流 yàliú ¶~작 第二流作品 **2** 模仿 mófǎng ¶이것은 한국 문화의 ~에 불과하다 这只不过是韩国文化的模仿

아르바이트(독Arbeit) 명하자 打工 dǎgōng ¶대학생 ~ 大学生打工 / 나는 지금 ~하러 가야한다 我现在要去打工

아르 앤드 비(R&B) 『음』 = 리듬 앤드 블루스

아른-거리다 자 **1** 晃动 huàngdòng; 摇曳 yáoyè ¶그녀의 얼굴이 계속 눈앞에서 ~ 她的脸一直在眼前晃动 **2** 时隐时现 shíyǐnshíxiàn ¶여러 봉우리들이 ~ 诸峰时隐时现 ‖ = 아른대다 **아른-아른** 부하자

아름 의명 **1** 合抱 hébào; 围 wéi ¶나무 굵기가 다섯 ~이다 树大五围 **2** 抱 bào ¶한 ~의 장미를 사다 买一抱玫瑰

아름-답다 형 **1** 美 měi; 美丽 měilì; 漂亮 piàoliang ¶아름다운 꽃 한 다발 一束美丽的花 / 아름다운 동화 美丽的童话 / 그녀는 정말 ~ 她真漂亮 **2** 美好 měihǎo; 善良 shànliáng ¶아름다운 우정 美好的友情 / 아름다운 사랑 美好的爱情

아름-드리 명 合抱 hébào; 一围 yīwéi ¶~ 은행나무 合抱的银杏树

아리다 형 **1** 麻 má; 刺痛 cìtòng ¶고추를 먹었더니 혀가 좀 ~ 吃了辣椒, 舌头有点儿麻 **2** 疼痛 téngtòng ¶손발이 저리고 ~ 手脚麻木疼痛 **3** 心痛 xīntòng ¶사람의 마음을 아리게 하는 이야기 让人心痛的故事

아리땁다 형 娇美 jiāoměi; 漂亮 piàoliang; 美丽 měilì ¶아리따운 아가씨 漂亮的姑娘

아리랑 명 〖音〗 = 아리랑 타령

아리랑 타:령 〖音〗 阿里郎 ālǐláng = 아리랑

아리송-하다 형 = 알쏭하다 ¶그들의 태도는 여전히 ~ 他们的态度依然模糊不清

아리아(이aria) 명 〖音〗 **1** 咏唱 yǒngchàng; 咏叹调 yǒngtàndiào = 영창(詠唱) **2** 抒情小曲 shūqíng xiǎoqǔ

아릿-하다 형 有些麻 yǒuxiē má; 有些刺痛 yǒuxiē cìtòng; 火辣辣 huǒlàlà ¶김치를 먹었더니 혀끝이 좀 ~ 吃了泡菜, 舌尖有点儿火辣辣的

아마 부 也许 yěxǔ; 恐怕 kǒngpà; 大概 dàgài; 可能 kěnéng; 或许 huòxǔ ¶~ 그는 돌아오지 않을 것이다 恐怕他不会回来 / 그들은 ~ 내일 공원에 갈 것이다 他们明天可能去公园

아마(亞麻) 명 〖植〗 亚麻 yàmá; 胡麻 húmá

아마(←amateur) 명 = 아마추어

아마-도 부 '아마' 的强调语

아마추어(amateur) 명 业余 yèyú; 业余爱好者 yèyú àihàozhě = 아마(←amateur) ¶~ 작가 业余作家

아말감(amalgam) 명 〖化〗 汞齐 gǒngqí; 汞合金 gǒnghéjīn

아메바(amoeba) 명 〖生〗 阿米巴 āmǐbā; 变形虫 biànxíngchóng; 阿米巴虫 āmǐbāchóng

아멘(히amen) 감 〖宗〗 阿门 āmén

아몬드(almond) 명 **1** 〖植〗 杏仁 xìngrén; 扁桃 biǎntáo **2** 杏仁 xìngrén; 扁桃仁 biǎntáorén

아:무 ⊟대 **1** 谁 shéi ¶~도 그를 도와주지 않는다 谁也不帮助他 **2** 某 mǒu; 某人 mǒurén ¶김 ~와 장 ~가 만났다 金某人张某人见面了 ⊟관 **1** 某 mǒu; 什么 shénme; 任何 rènhé ¶~ 때나 와도 된다 什么时候都可以来 / 나는 ~ 편에도 속하지 않는다 我不属于任何一方 **2** = 아무런 ¶그 일은 나와 ~ 상관도 없다 那件事跟我毫无相关

아:무-개 대 某 mǒu; 某人 mǒurén ¶어제 이 ~가 그를 찾아왔다 昨天李某人来找他

아:무-것 명 什么 shénme ¶~이나 좋으니 마음대로 골라라 什么都可以, 随便挑吧

아:무래도 부 还是 háishi; 怎么也 zěnme yě ¶나는 ~ 안 가는 게 좋을 것 같다 看来我还是不去好

아:무러면 부 难道 nándào; 怎么可能 zěnme kěnéng ¶~ 내가 너한테 거짓말을 하겠느냐? 难道我跟你说慌吗?

아:무러-하다 형 **1** 不管怎么样 bùguǎn zěnmeyàng; 无论怎么样 wúlùn zěnmeyàng; 不管怎样 bùguǎn zěnyàng ¶나는 아무러하든지 상관없다 不管怎么样我都无所谓 **2** 任何 rènhé; 什么 shénme ¶그는 지금까지 아무러한 설명이 없다 他到现在没有任何解释 **3** 随便 suíbiàn; 马马虎虎 mǎmǎhūhū

아:무런 관 任何 rènhé; 什么 shénme = 아무⊟2 ¶~ 취미도 없다 没有任何爱好 / ~ 소식이 없다 没有任何消息 / ~ 반응이 없다 没有任何反应

아:무렇다 형 **1** '아무러하다1' 的略词 **2** '아무러하다3' 的略词

아:무렴 감 当然 dāngrán = 암 ¶~, 그렇고말고 当然, 是啊

아:무리 ⊟부 **1** 不管 bùguǎn; 无论如何 wúlùn rúhé; 不管怎样 bùguǎn zěnyàng; 再 zài ¶가격이 ~ 비싸도 나는 꼭 그 옷을 살 것이다 不管价格多贵, 我一定要买那件衣服 / ~ 생각해도 그의 이름이 떠오르지 않는다 我再怎么想, 也想不起他的名字 **2** 尽管 jǐnguǎn; 虽然 suīshuō ‖ = 암만 ⊟감 不会吧 bùhuìba; 不会的 bùhuìde ¶~, 그가 살인자일려고 不会吧, 他不会是凶手

아:무-짝 명 哪方面 nǎfāngmiàn; 任何方面 rènhé fāngmiàn; 什么地方 shénme dìfang ¶이 물건은 ~에도 쓸모가 없다 这个东西无论哪方面都毫无用处

아:무-쪼록 부 = 모쪼록 ¶~ 빨리 돌아오세요 请尽可能早点回来

아:무튼 부 无论如何 wúlùn rúhé; 反正 fǎnzhèng; 不管怎(么)样 bùguǎn zěn(me)yàng; 无论怎(么)样 wúlùn zěn(me)yàng; 总之 zǒngzhī; 总而言之 zǒng'éryánzhī; 好歹 hǎodǎi = 어쨌든 · 여하튼 · 하여튼 ¶~ 나는 그를 좋아하지 않는다 反正, 我不喜欢他 / ~ 나는 그의 집에 가지 않을 것이다 反正我不要去他的家

아물다 자 愈合 yùhé; 合口 hékǒu; 封口 fēngkǒu ¶상처가 천천히 ~ 伤口慢慢愈合
아미노-산(amino酸) 명 〖化〗 氨基酸 ānjīsuān
아미타-불(阿彌陀佛) 명 〖佛〗 阿弥陀佛 Ēmítuófó; 弥陀 Mítuó; 弥陀佛 Mítuófó
아밀라아제(독Amylase) 명 〖化〗 淀粉酶 diànfěnméi
아바-마마(一媽媽) 명 父王 fùwáng
아방-궁(阿房宮) 명 〖古〗 阿方宫 Ēfánggōng
아버-님 명 父亲 fùqīn; 令尊 lìngzūn 《'아버지'的敬词》
아버지 명 父亲 fùqīn; 爸爸 bàba; 爹爹 diēdie
아범 명 **1** 他爸 tābà; 他爹 tādiē **2** 老男仆 lǎonánpú
아부(阿附) 명하자 阿谀 ēyú; 阿谄 ēchǎn; 拍马屁 pāi mǎpì; 献媚 xiànmèi; 巴结 bājie; 逢迎 féngyíng; 卖好(儿) màihǎo(r) ¶그는 ~를 매우 잘 한다 他很会拍马屁
아비 명 **1** 父亲 fùqīn; 爸爸 bàba **2** 孩子爸 háizibà; 孩子爹 háizidiē
아비-규환(阿鼻叫喚) 명 阿鼻叫唤 ābíjiàohuàn; 惨叫 cǎnjiào; 惨绝人寰 cǎnjuérénhuán ¶사고 현장은 그야말로 ~의 생지옥이었다 发生事故的现场真是个惨绝人寰的活地狱
아빠 명 爸爸 bàba
아뿔싸 감 唉呀 āiyā; 哎呀 āiyā ¶~, 전화를 잘못 걸었다 哎呀, 我打错了电话 / ~, 지갑을 잃어버렸다 哎呀, 我丢失了钱包
아:사(餓死) 명하자 饿死 èsǐ ¶나는 ~하기 직전이다 我差点饿死了
아삭 부하자타 咔嚓 kāchā; 喀嚓 kāchā; 喀哧 kāchī ¶배를 한 입 ~ 베어 먹다 喀哧吃了一口梨子
아삭-거리다 자타 咔嚓咔嚓地嚼 kāchākāchāde jiáo = 아삭대다 ¶고추가 입안에서 ~ 辣椒塞入嘴里咔嚓咔嚓地嚼 **아삭-아삭** 부하자타
아서라 감 算了吧 suànleba; 别那样 bié nàyàng ¶~, 이미 다 지나간 일이다 算了吧, 反正已经过去的事了
아성(牙城) 명 **1** 牙城 yáchéng **2** 堡垒 bǎolěi ¶단단한 ~을 무너뜨리다 打垮坚固的堡垒
아세톤(acetone) 명 〖化〗 丙酮 bǐngtóng; 二甲基酮 èrjiǎjītóng
아세트-산(←acetic酸) 명 〖化〗 醋酸 cùsuān; 乙酸 yǐsuān = 초산(醋酸)
아수라(阿修羅) 명 〖佛〗 阿修罗 āxiūluó ¶~왕 阿修罗王
아수라-장(阿修羅場) 명 = 수라장 ¶~이 된 화재 피해 현장 乱作一团的受火灾现场
아쉬워-하다 타 依依 yīyī; 可惜 kěxī; 惋惜 wǎnxī ¶만일 네가 가지 않으면 모두들 아쉬워할 것이다 如果你不去, 大家都会觉得很可惜
아쉽다 형 **1** 可惜 kěxī; 舍不得 shěbude; 惋惜 wǎnxī ¶그가 참가하지 않아서 정말 ~ 他没有来参加, 真可惜 **2** 焦急 jiāojí; 发慌 fāhuāng ¶지금 농촌에서는 일손이 모자라 ~ 现在在农村缺手叫人发慌
아스라-하다 형 **1** 高耸 gāosǒng; 辽阔 liáokuò; 遥远 yáoyuǎn ¶아스라한 평원 辽阔的平原 / 아스라한 지평선 遥远的地平线 **2** 隐约 yǐnyuē ¶아스라한 기억 隐约的记忆 **3** 模糊 móhu ¶아스라하게 들려오는 소리 模糊的声音
아스파라거스(asparagus) 명 〖植〗 芦笋 lúsǔn; 石刁柏 shídiāobǎi
아스팔트(asphalt) 명 〖化〗 沥青 lìqīng; 柏油 bǎiyóu; 柏油路 bǎiyóulù = 피치3 ¶~ 도로 柏油路 =[柏油马路] / ~ 포장 铺沥青
아스피린(aspirin) 명 〖藥〗 阿司匹林 āsīpǐlín; 阿司匹林药片 āsīpǐlín yàopiàn
아슬-아슬 부하형 **1** 冷丝丝 lěngsīsī; 冷森森 lěngsēnsēn ¶온몸이 ~한 것이 마치 감전된 것 같다 全身冷丝丝的如同过电一样 **2** 惊险可怕 jīngxiǎn kěpà; 惊险 jīngxiǎn; 紧张 jǐnzhāng ¶~하게 길을 건너다 惊险地过马路 / ~하게 이기다 惊险地赢了
아시아(Asia) 명 〖地〗 亚洲 Yàzhōu; 亚细亚 Yàxìyà; 亚 Yà ¶~인 亚洲人 / ~ 국가 亚洲国家亚
아시아 경:기 대:회(Asia競技大會) 〖體〗 亚洲运动会 Yàzhōu yùndònghuì; 亚运会 Yàyùnhuì = 아시안 게임
아시아 주(Asia州) 〖地〗 亚洲 yàzhōu; 亚细亚洲 Yàxìyàzhōu
아시안 게임(Asian game) 〖體〗 = 아시아 경기 대회
아:씨 명 小姐 xiǎojiě; 少奶奶 shàonǎinai
아야 감 哎哟 āiyō; 哎呀 āiyā ¶~, 네가 내 손을 밟았어! 哎哟, 你踩到我的手了!
아양 명 撒娇 sājiāo; 媚态 mèitài; 献媚 xiànmèi ¶~ 떨다 撒娇
아역(兒役) 명 儿童角色 értóng juésè; 儿童演员 értóng yǎnyuán ¶~ 배우 儿童演员
아연(亞鉛) 명 〖化〗 锌 xīn; 亚铅 yàqiān ¶~판 锌版 =[锌铁板]
아연(啞然) 부하형히부 哑然 yǎrán; 目瞪口呆 mùdèngkǒudāi ¶그녀는 그

사진을 보고 ~하여 소리도 내지 못했다 她看到那张照片哑然无声了

아연-실색(啞然失色) 명하자 哑然失色 yǎrán shīsè; 大惊失色 dàjīngshīsè ¶그의 그런 대담한 행동에 나는 ~했다 他的那大胆的行动让我哑然失色

아:-열대(亞熱帶) 명 〖地理〗 亚热带 yàrèdài; 副热带 fùrèdài = 난대 ¶~ 기후 亚热带气候 / ~ 지역 亚热带地区 / ~ 우림 亚热带雨林

아:열대-림(亞熱帶林) 명 〖地理〗 = 난대림

아예 부 干脆 gāncuì; 全然 quánrán; 千万 qiānwàn; 绝对 juéduì; 本来 běnlái; 根本 gēnběn ¶~ 기대도 안 했다 根本没抱什么期望

아옹-거리다 자 **1** 唠叨 láodao ¶그녀는 한참 동안 아옹거렸지만 효과가 없었다 她唠叨了半天, 没有效果 **2** 争吵 zhēngchǎo; 吵嘴 chǎozuǐ ¶됐다, 너희들 그만 아옹거려라 算了, 你们不要争吵吧 ‖ =아옹대다 **아옹-아옹** 부하자

아옹-다옹 부하자 争执 zhēngzhí; 争吵 zhēngchǎo ¶그들은 만나기만 하면 ~한다 他们一见面就争执

아우 명 弟弟 dìdi

아우르다 타 成对(儿) chéngduì(r); 结伙儿 jiéhuǒr; 成伙儿 chénghuǒr; 结群成对 jiéqúnchéngduì; 筹集 chóují; 配对(儿) pèiduì(r) ¶함께 아울러서 외출하다 一起结群成对地出门

아우성(一聲) 명 呐喊 nàhǎn; 呼声 hūshēng; 惨叫 cǎnjiào; 叫苦 jiàokǔ ¶군중의 ~ 群众呼声

아우성-치다(一聲一) 자 大声号叫 dàshēng háojiào; 大声呼叫 dàshēng hūjiào ¶사람들이 살려 달라고 큰 소리로 아우성쳤다 人们大声呼叫救命

아욱 명 〖植〗 冬葵 dōngkuí; 冬寒菜 dōngháncài; 冬苋菜 dōngxiàncài ¶~국 冬苋菜汤

아울러 부 同时 tóngshí; 兼 jiān; 并且 bìngqiě; 而且 érqiě ¶이 일은 아주 중요하기도 하고 ~ 아주 어렵기도 하다 这件事很重要, 同时也很难做

아웃(out) 명 〖體〗 **1** = 아웃사이드 **2** (棒球的) 出局 chūjú ¶삼진 ~ 三振出局

아웃렛(outlet) 명 品牌折扣店 pǐnpái zhékòudiàn

아웃사이더(outsider) 명 **1** 外人 wàirén; 局外人 júwàirén **2** 〖經〗 非会员 fēihuìyuán

아웃사이드(outside) 명 〖體〗 (球类比赛的) 出界 chūjiè = 아웃1

아웅-다웅 부하자 争吵 zhēngchǎo

아이[1] 명 **1** 孩子 háizi; 小孩(儿) xiǎohái(r); 小孩子 xiǎoháizi ¶유치원에서 ~들과 놀다 在幼稚园跟孩子们玩一玩 **2** 子女 zǐnǚ; 孩子 háizi; 小孩儿 xiǎoháir; 小孩子 xiǎoháizi ¶그들은 ~가 둘 있다 他们有两个孩子 / 그녀는 지난달에 ~를 낳았다 她上个月生了孩子

아이[2] 감 哎呀 āiyā; 哎哟 āiyō ¶~, 넌 왜 전화를 안 받니! 哎呀, 你怎么不接电话呢!

아이고 감 哎呀 āiyā; 哎哟 āiyō ¶~, 답답해 죽겠네! 哎哟, 闷死我了!

아이고-머니 감 唉呀 āiyā; 妈呀 māyā; 天啊 tiān'a ¶~, 소매치기가 내 지갑을 훔쳐 갔어! 唉呀, 小偷偷走了我的钱包! / ~, 아이가 없어졌다! 天啊, 孩子不见了!

아이고머니-나 감 '아이고머니' 的强调语

아이디(ID)[identification] 명 〖信〗 网名 wǎngmíng

아이디어(idea) 명 主意 zhǔyi; 构想 gòuxiǎng; 想法 xiǎngfa; 创意 chuàngyì; 意见 yìjiàn; 点子 diǎnzi; 设想 shèxiǎng ¶~ 상품 创意产品 / 그것 참 좋은 ~구나! 这真是个好主意!

아이디-카드(ID card) [identification card] 명 身份证 shēnfènzhèng

아이-라이너(eye liner) 명 眼线笔 yǎnxiànbǐ; 眼线膏 yǎnxiàngāo; 眼线液 yǎnxiànyè

아이-라인(eye line) 명 眼线 yǎnxiàn ¶~을 그리다 画眼线

아이러니(irony) 명 **1** 〖語〗 = 반어 **2** 〖論〗 反语 fǎnyǔ; 讽刺 fěngcì; 讥讽 jīfěng

아이리스(iris) 명 〖植〗 鸢尾 yuānwěi; 蝴蝶花 húdiéhuā

아이보리(ivory) 명 **1** = 상아색 **2** 象牙纸 xiàngyázhǐ

아이비(ivy) 명 **1** = 아이비리그 **2** 〖植〗 = 담쟁이덩굴

아이비-리그(Ivy league) 명 常春藤联盟 Chángchūnténg Liánméng = 아이비1

아이섀도(eye shadow) 명 眼影 yǎnyǐng ¶~ 브러시 眼影刷 / ~를 바르다 涂眼影

아이-쇼핑(eye+shopping) 명 橱窗购物 chúchuāng gòuwù; 逛商店 guàng shāngdiàn; 浏览商店橱窗 liúlǎn shāngdiàn chúchuāng; 浏览橱窗 liúlǎn chúchuāng = 윈도쇼핑

아이스 링크(ice rink) 〖體〗 = 빙상경기장

아이스-바(ice+bar) 명 冰棍 bīnggùn

아이스박스(icebox) 명 手提冰箱 shǒutí bīngxiāng; 冷藏箱 lěngcángxiāng

아이스-커피(ice+coffee) 명 = 냉커피
아이스-콘(ice+cone) 명 = 아이스크림콘
아이스-크림(ice cream) 명 冰淇淋 bīngqílín; 冰激凌 bīngjīlíng; 冰糕 bīnggāo; 雪糕 xuěgāo ¶딸기 맛 ~ 草莓口味冰淇淋
아이스크림-콘(ice cream cone) 명 **1** 蛋卷冰淇淋 dànjuǎn bīngqílín **2** (装冰淇淋的) 锥形蛋卷 zhuīxíng dànjuǎn ‖ = 아이스콘
아이스-티(ice tea) 명 冰红茶 bīnghóngchá
아이스-하키(ice hockey) 명〖體〗冰球 bīngqiú; 冰球运动 bīngqiú yùndòng = 하키2
아이시[1](IC) 명〖交〗= 인터체인지
아이시[2](IC)[integrated circuit] 명〖컴〗= 집적 회로 ¶~ 카드 集成电路卡
아이엠에프(IMF)[International Monetary Fund] 명〖經〗= 국제 통화 기금
아이오시(IOC)[International Olympic Committee] 명〖體〗= 국제 올림픽 위원회
아이젠(독Eisen) 명〖體〗冰爪 bīngzhuǎ
아이코 감 哎呀 āiyā ¶~, 우산 가져오는 걸 잊어버렸다 哎呀, 我忘了带雨伞
아이콘[1](icon) 명〖宗〗**1** 圣画像 shènghuàxiàng; 圣像 shèngxiàng **2** 偶像 ǒuxiàng ¶새로운 시대의 ~ 新时代的偶像
아이콘[2](icon) 명〖컴〗图标 túbiāo ¶바탕 화면 ~ 桌面图标
아이큐(IQ)[intelligence quotient] 명〖教〗= 지능 지수 ¶그는 ~가 아주 높다 他智商很高
아이템(item) 명〖컴〗条款 tiáokuǎn; 品目 pǐnmù; 项目 xiàngmù ¶관련~ 有关条款
아작 부하자타 咯吱吱 gēzhīzhī ¶아이가 잠잘 때 항상 ~ 이를 간다 孩子睡觉总咯吱吱磨牙
아작-거리다 자타 咯吱吱地响 gēzhīzhīde xiǎng = 아작대다 ¶나는 뼈가 아작거리는 것을 들었다 我听到骨头在咯吱吱地响 **아작-아작** 부하자타
아장-거리다 자타 **1** 姗姗而行 shānshān ér xíng; 姗姗地走 shānshānde zǒu ¶우리 딸이 요즘 아장거리기 시작했다 我女儿最近姗姗地走起来了 **2** 小步慢走 xiǎobù mànzǒu; 小步缓行 xiǎobù huǎnxíng ‖ = 아장대다 **아장-아장** 부하자
아쟁(牙箏) 명〖音〗牙筝 yázhēng
아저씨 명 **1** 叔叔 shūshu; 叔父 shūfù **2** 叔叔 shūshu; 大叔 dàshū ¶저 사람은 우리 이웃집 ~이다 那个人是我们家邻居的叔叔
아전(衙前) 명〖史〗衙前 yáqián; 衙吏 yálì
아:전인수(我田引水) 명 只为自己行事 zhǐ wèi zìjǐ xíngshì; 只为自己着想 zhǐ wèi zìjǐ zhuóxiǎng
아주[1] 부 **1** 非常 fēicháng; 很 hěn; 挺 tǐng; 十分 shífēn ¶~ 오랜 옛날 很久以前 / ~ 난처한 일이 하나 생겼다 发生了一件十分尴尬的事情 / 교통이 ~ 편리하다 交通很方便 **2** 永远 yǒngyuǎn; 完全 wánquán; 彻底 chèdǐ ¶고향을 ~ 떠나다 永远离开故乡 / 우리 두 사람의 성격은 ~ 다르다 我们两个人的性格完全不同 / 나는 이미 그 일을 ~ 잊어버렸다 我已经彻底忘记那件事了
아:주[2] 감 嗬 hē ¶~, 제법이야! 嗬, 真不错啊!
아주까리 명〖植〗= 피마자1
아주머니 명 **1** 伯母 bómǔ; 族母 zúmǔ; 老伯母 lǎobómǔ **2** 太太 tàitai; 夫人 fūrén **3** 阿姨 āyí; 婶子 shěnzi; 大婶(儿) dàshěn(r) ¶우리 집주인은 뚱뚱한 ~이다 我们家房东是一个胖胖的阿姨 **4** 嫂嫂 sǎosao; 嫂子 sǎozi; 大嫂 dàsǎo
아주버니 명 大伯子 dàbǎizi
아줌마 명 阿姨 āyí
아지랑이 명 游丝 yóusī; 地气 dìqì ¶~가 피어오르다 游丝升起来
아지랭이 명 '아지랑이' 的错误
아지트(←러agitpunkt) 명 **1** = 근거지 **2** 巢穴 cháoxué; 黑窝 hēiwō; 巢窟 cháokū; 秘密住所 mìmì zhùsuǒ **3**〖社〗秘密联络站 mìmì liánluòzhàn; 秘密据点 mìmì jùdiǎn
아직 부 **1** 还 hái; 未 wèi; 尚且 shàngqiě ¶그는 ~ 돌아오지 않았다 他还没回来了 / ~까지도 완성하지 못하다 迄今还没完成 **2** 仍然 réngrán; 仍旧 réngjiù; 仍 réng; 一直 yīzhí ¶그녀는 ~도 대답하지 않고 있다 她仍然没有回答
아직-껏 부 至今 zhìjīn; 迄今 qìjīn; 直到现在 zhídào xiànzài 《'아직'的强调语》¶그들은 ~ 아무런 소식이 없다 他们至今没有任何消息 / 나는 ~ 그 일에 대해 생각해 본 적이 없다 我至今对那件事没有考虑过
아:집(我執) 명 **1** 固执己见 gùzhi jǐjiàn **2**〖佛〗我执 wǒzhí
아찔-아찔 부하형 晕晕糊糊 yūnyunhūhū ¶정신이 ~해 호수로 뛰어들다

晕晕糊糊地跳进湖中

아찔-하다 形 晕 yùn；昏眩 hūnxuàn；发黑 fāhēi；发晕 fāyūn；眩晕 xuànyùn；晕眩 yūnxuàn；发眩 fāxuàn ¶머리가 갑자기 ～ 头突然晕 / 눈앞이 ～ 眼前发黑

아차 감 哎呀 āiyā；唉哟 āiyō ¶～, 그의 생일을 깜빡했다 哎呀，我忘记了他的生日

아첨(阿諂) 명하자 阿谀 ēyú；谄媚 chǎnmèi；奉承 fèngcheng；拍马屁 pāi mǎpì；捧屁 pěngpì；献媚 xiànmèi ¶그는 언제나 상사에게 ～한다 他一向对上司奉承

아:취(雅趣) 명 雅趣 yǎqù ¶그는 매우 ～가 있는 사람이다 他是个挺有雅趣的人

아치(arch) 명 〖建〗拱 gǒng；拱形 gǒngxíng；拱门 gǒngmén；弓形 gōngxíng ¶～ 구조 拱形结构

아치-교(arch橋) 명 〖建〗拱形桥 gǒngxíngqiáo；拱桥 gǒngqiáo

아치-형(arch形) 명 拱形 gǒngxíng；弓形 gōngxíng ¶～ 건물 拱形建筑物

아침 명 **1** 早晨 zǎochen；早上 zǎoshang；晨 chén ¶～ 7시 早晨七点 / 내일 ～에 다시 와라 明天早上再来吧 **2** = 아침밥 ¶～ 먹었니? 你吃了早饭吗?

아침-나절 명 早半天 zǎobàntiān；早半晌(儿) zǎobànshǎng(r) ¶오늘 ～에 벼를 다 베어야 한다 今天早半晌把稻谷割干净

아침-노을 명 早霞 zǎoxiá；朝霞 zhāoxiá

아침-놀 명 '아침노을' 的略词

아침-밥 명 早饭 zǎofàn；早餐 zǎocān = 아침2 · 조반 · 조식 ¶나는 ～을 먹지 않는다 我不吃早饭

아침-잠 명 早觉 zǎojiào ¶～을 자다 睡个早觉

아침-저녁 명 = 조석

아카데미(academy) 명 **1** 学院 xuéyuàn；研究院 yánjiūyuàn **2** 学术研究院 xuéshù yánjiūyuàn；科学院 kēxuéyuàn；艺术院 yìshùyuàn **3** 〖史〗柏拉图学园 Bólātú xuéyuán

아카데미-상(academy賞) 명 〖演〗奥斯卡金像奖 Àosīkǎ Jīnxiàngjiǎng

아카시아(acacia) 명 〖植〗洋槐 yánghuái；刺槐 cìhuái ¶～ 꿀 洋槐蜜 / ～ 꽃 洋槐花

아 카펠라(이a cappella) 〖音〗无伴奏合唱 wúbànzòu héchàng；阿卡贝拉 ākǎbèilā；纯人声合唱 chúnrénshēng héchàng；阿卡贝拉人声合唱 ākǎbèilā rénshēng héchàng ¶～ 곡 无伴奏合唱歌曲

아케이드(arcade) 명 **1** 〖建〗连拱廊 liángǒngláng；连环拱廊 liánhuán gǒngláng；拱廊 gǒngláng **2** 拱廊市场 gǒngláng shìchǎng；商场 shāngchǎng ¶지하 ～ 地下商场

아코디언(accordion) 명 〖音〗手风琴 shǒufēngqín

아크(arc) 명 〖物〗 = 아크 방전 ¶～ 용접 电弧焊接

아크릴(←acrylic) 명 **1** 〖手工〗 = 아크릴 섬유 **2** 〖化〗 = 아크릴산 수지

아크릴 물감(←acrylic—) 〖美〗丙烯酸颜料 bǐngxīsuān yánliào

아크릴산 수지(←acrylic酸樹脂) 〖化〗丙烯酸树脂 bǐngxīsuān shùzhī；亚克力 yàkèlì；压克力 yākèlì；聚甲基丙烯酸甲脂 jùjiǎjī bǐngxīsuān jiǎzhí = 아크릴2 · 아크릴 수지

아크릴 섬유(←acrylic纖維) 〖手工〗丙烯酸纤维 bǐngxīsuān xiānwéi；阿克力纤维 ākèlì xiānwéi；阿克力 ākèlì = 아크릴1

아크릴 수지(←acrylic樹脂) 〖化〗 = 아크릴산 수지

아크 방:전(arc放電) 〖物〗电弧 diànhú；弧光 húguāng = 아크

아킬레스-건(Achilles腱) 명 **1** 〖生〗跟腱 gēnjiàn；阿基里斯腱 ājīlǐsījiàn ¶그는 축구를 하다가 ～이 끊어졌다 他踢足球跟腱断了 **2** (致命的) 弱点 ruòdiǎn ¶그것이 그의 ～이다 那就是他的弱点

아테네(Athēnaē) 명 〖文〗雅典娜 Yǎdiǎnnà《罗马神话中智慧的女神》

아토피(atopy) 명 〖醫〗 = 아토피 피부염

아토피 피부염(atopy皮膚炎) 〖醫〗异位性皮肤炎 yìwèixìng pífūyán；异位性皮炎 yìwèixìng píyán = 아토피

아트-지(art紙) 명 〖化〗铜版纸 tóngbǎnzhǐ；美术纸 měishùzhǐ；粉纸 fěnzhǐ；涂料纸 túliàozhǐ

아틀란티스(Atlantis) 명 〖文〗亚特兰蒂斯 Yàtèlándìsī；亚特兰提斯 Yàtèlántísī

아틀리에(프atelier) 명 **1** 画室 huàshì；雕刻室 diāokèshì **2** 摄影室 shèyǐngshì

아티스트(artist) 명 = 예술가

아파트(←apartment) 명 公寓 gōngyù；公寓大楼 gōngyù dàlóu；单元房 dānyuánfáng；楼房 lóufáng ¶고층 ～ 高层公寓 / 임대 ～ 出租公寓 / ～ 단지 公寓住宅小区 / ～ 설계 楼房设计

아파-하다 타 觉着痛 juézhe tòng；叫痛 jiàotòng；叫疼 jiàoténg ¶아이가 주사를 맞고 나서 계속 아파한다 孩子打了针以后一直叫痛

아편(阿片·鴉片) 명 【藥】鸦片 yāpiàn; 阿片 āpiàn; 雅片 yāpiàn; 大烟 dàyān; 烟 yān ¶~굴 大烟窟 / ~쟁이 鸦片鬼 / ~을 피우다 吸鸦片 / 그는 ~에 중독되었다 他吸鸦片上瘾了
아폴로(Apollo) 명 【文】阿波罗 Ābōluó; 太阳神 tàiyángshén
아프다 형 **1** 痛 tòng; 疼 téng ¶손이 ~ 手很痛 / 허리가 ~ 腰很疼 **2** 痛苦 tòngkǔ ¶그 소식을 듣고 그는 마음이 아팠다 听到那个消息, 他感到痛苦
아프리카(Africa) 명 【地】非洲 Fēizhōu ¶~ 국가 非洲国家 / ~인 非洲人
아하 감 啊哈 āhā ¶~, 생각났다! 啊哈, 我想起来了!
아:-한대(亞寒帶) 명 【地理】亚寒带 yàhándài = 냉대(冷帶)
아홉 수관 九 jiǔ
아홉-수(—數) 명 【民】数九数 shǔjiǔshù
아홉-째 수관 第九 dìjiǔ
아:-황산(亞黃酸) 명 【化】亚硫酸 yàliúsuān
아황산-가스(亞黃酸gas) 명 【化】= 이산화 황
아황산-나트륨(亞黃酸독Natrium) 명 【化】亚硫酸钠 yàliúsuānnà
아흐레 명 九天 jiǔtiān = 아흐렛날2
아흐렛-날 명 **1** 第九天 dìjiǔtiān **2** = 아흐레
아흔 수관 九十 jiǔshí
악[1] 명 挣扎 zhēngzhá; 拼命 pīnmìng ¶목적을 이루기 위해 ~을 쓰고 노력하다 为了完成目的, 拼命地努力
악[2] 감 啊 á ¶~, 깜짝이야! 啊, 你吓我一跳!
악(惡) 명 恶 è ¶선과 ~ 善和恶
악-감정(惡感情) 명 恶感 ègǎn ¶그에게 ~을 품다 对他心怀恶感
악곡(樂曲) 명 【音】乐曲 yuèqǔ = 곡(曲)2
악공(樂工) 명 【史】乐工 yuègōng
악귀(惡鬼) 명 恶鬼 èguǐ; 恶魔 èmó; 魔鬼 móguǐ
악극(樂劇) 명 【演】**1** 乐剧 yuèjù **2** 音乐剧 yīnyuèjù = 뮤직 드라마
악극-단(樂劇團) 명 【演】乐剧团 yuèjùtuán = 악단2
악기(樂器) 명 【音】乐器 yuèqì ¶~점 乐器店 / ~를 연주하다 演奏乐器
악다구니 명하자 漫骂 mànmà; 咒骂 zhòumà; 臭骂 chòumà
악단(樂團) 명 **1** 【音】乐团 yuètuán **2** 【演】= 악극단
악담(惡談) 명하자 坏话 huàihuà; 恶语 èyǔ ¶남편 앞에서 아내의 ~을 하다 在丈夫面前说妻子的坏话
악당(惡黨) 명 **1** 恶徒 ètú **2** 恶棍 ègùn; 恶赖 èlài
악대(樂隊) 명 【音】乐队 yuèduì
악덕(惡德) 명하형 道德败坏 dàodé bàihuài; 不道德 bùdàodé ¶~ 기업 不道德的公司
악독(惡毒) 명하형히부 恶毒 èdú; 狠毒 hěndú; 万恶 wàn'è; 凶恶 xiōng'è ¶~한 여자 狠毒的女人
악동(惡童) 명 **1** 坏孩子 huàiháizi **2** = 장난꾸러기
악랄(惡辣) 명하형히부 恶毒 èdú; 毒辣 dúlà; 歹毒 dǎidú ¶~한 수법 恶毒的方法 / 그는 아주 ~한 사람이다 他为人歹毒
악령(惡靈) 명 恶灵 èlíng; 冤魂 yuānhún; 怨鬼 yuànguǐ
악마(惡魔) 명 恶魔 èmó; 恶鬼 èguǐ
악명(惡名) 명 恶名 èmíng; 臭名 chòumíng ¶~ 높은 기업 臭名昭著的企业
악몽(惡夢) 명 恶梦 èmèng; 噩梦 èmèng ¶나는 어젯밤에 ~을 꾸었다 我昨晚做了一场恶梦
악-물다 타 咬紧 yǎojǐn ¶어금니를 ~ 咬紧槽牙
악-바리 명 **1** 泼辣货 pōlàhuò; 厉害的人 lìhaide rén **2** 顽强的人 wánqiángde rén; 坚韧不拔的人 jiānrènbùbáde rén
악법(惡法) 명 恶法 èfǎ; 坏法律 huàifǎlǜ ¶~을 철폐하다 铲除恶法
악보(樂譜) 명 【音】乐谱 yuèpǔ; 曲谱 qǔpǔ; 歌谱 gēpǔ
악사(樂士) 명 【音】乐师 yuèshī; 音乐师 yīnyuèshī
악성(惡性) 명 恶性 èxìng; 性质恶劣 xìngzhì èliè ¶~ 빈혈 恶性贫血 / ~ 종양 恶性肿瘤
악성(樂聖) 명 乐圣 yuèshèng ¶~ 베토벤 乐圣贝多芬
악세사리 명 '액세서리' 的错误
악셀 명 【機】'액셀' 的错误
악수(握手) 명하자 握手 wòshǒu ¶서로 ~를 나누다 相互握手
악-순환(惡循環) 명 恶性循环 èxìng xúnhuán
악습(惡習) 명 恶习 èxí; 坏习惯 huàixíguàn; 恶风陋习 èfēng lòuxí ¶~을 타파하다 革除恶习
악-쓰다 자 生气 shēngqì; 发脾气 fāpíqi; 发火 fāhuǒ; 狠毒 hěndú; 毒辣 dúlà ¶악쓰지 말고 먼저 내 말을 들어라 你不要乱发脾气, 先听我说
악어(鰐魚) 명 【動】鳄鱼 èyú
악어-가죽(鰐魚—) 명 鳄鱼皮 èyúpí ¶~ 지갑 鳄鱼皮钱包 / ~ 가방 鳄鱼皮包
악역(惡役) 명 坏人角色 huàirén juésè; 反面角色 fǎnmiàn juésè

악연(惡緣) 명 恶缘 èyuán; 冤家 yuānjia
악용(惡用) 명하타 滥用 lànyòng; 恶毒地利用 èdúde lìyòng ¶그는 직권을 ~해 아랫사람을 괴롭혔다 他滥用职权, 欺负下级
악의(惡意) 명 恶意 èyì; 恶心 èxīn ¶~를 품다 心怀恶意
악인(惡人) 명 坏人 huàirén; 恶人 èrén
악장(樂章) 명 『音』乐章 yuèzhāng = 파트3
악전(惡戰) 명하자 恶战 èzhàn; 恶仗 èzhàng
악전-고투(惡戰苦鬪) 명하자 恶斗 èdòu; 恶战苦斗 èzhànkǔdòu; 苦战 kǔzhàn
악-조건(惡條件) 명 恶劣条件 èliè tiáojiàn; 不利条件 bùlì tiáojiàn; 坏条件 huàitiáojiàn ¶각종 ~을 극복하다 克服种种坏条件
악질(惡質) 명 恶劣 èliè; 恶性 èxìng; 恶霸 èbà; 坏蛋 huàidàn
악착(齷齪) 명하형히부 **1** 死劲儿 sǐjìnr; 拼命 pīnmìng **2** 度量小 dùliàng xiǎo **3** 毒辣 dúlà; 残酷 cánkù; 狠毒 hěndú
악착-같다(齷齪—) 형 拼命 pīnmìng; 顽强 wánqiáng **악착같-이** 부 ¶돈을 벌기 위해 매일 아침 일찍부터 밤늦게까지 ~ 일하다 为了赚钱, 每天从早上到很晚拼命工作
악처(惡妻) 명 恶妻 èqī; 坏妻子 huàiqīzi
악-천후(惡天候) 명 坏天气 huàitiānqì; 恶劣气候 èliè qìhòu; 恶劣天气 èliè tiānqì ¶~로 인해 경기가 취소되었다 因为天气坏, 比赛被取消了
악취(惡臭) 명 恶臭 èchòu; 臭味 chòuwèi
악-취미(惡趣味) 명 恶癖 èpǐ
악평(惡評) 명하타 坏评 huàipíng; 坏批评 huàipīpíng
악필(惡筆) 명 **1** 拙劣的字 zhuōliède zì; 拙笔 zhuōbǐ **2** 劣质毛笔 lièzhì máobǐ
악-하다(惡—) 형 恶 è; 坏 huài; 恶毒 èdú; 凶恶 xiōng'è; 狠毒 hěndú; 毒辣 dúlà; 凶狠 xiōnghěn ¶악한 사람 凶恶的人 / 그 사람은 갑자기 악하게 변했다 那个人突然变得很凶狠
악행(惡行) 명 恶行 èxíng; 恶迹 èjì; 坏事 huàishì
악화(惡化) 명하자 恶化 èhuà ¶상황이 갑자기 ~되었다 局势骤然恶化
안[1] 명 **1** (物体、空间的) 里 lǐ; 里面 lǐmiàn; 里头 lǐtou; 里边 lǐbian; 内 nèi; 中 zhōng ¶그는 집 ~에 있다 他在屋里 / 교실 ~에는 아무도 없다 教室里没有人 / ~에서 잠시 기다려라 在里面等一下 **2** (一定的范围的) 内 nèi; 以内 yǐnèi; 中 zhōng ¶이 일은 3일 ~에 다 끝내야 한다 这份工作三天内要完成
안[2] 부 不 bù; 没 méi; 没有 méiyǒu ¶~ 먹다 不吃 / 어제는 별로 ~ 추웠다 昨天不太冷 / 꼼짝도 ~ 하다 一动不动
안:(案) 명 **1** = 안건 **2** 方案 fāng'àn
안-간힘 명 全力 quánlì ¶~을 다해 대항하다 全力对抗
안-감 명 **1** (衣服的) 里(儿) lǐ(r); 里子 lǐzi; 衬布 chènbù; 衬垫 chèndiàn **2** (纺织品的) 里(儿) lǐ(r); 里子 lǐzi
안:개 명 雾 wù; 雾气 wùqì; 雾霭 wù'ǎi; 霭 ǎi ¶~비 雾雨 / ~가 자욱하다 雾气弥漫
안:개-꽃 명 『植』满天星 mǎntiānxīng; 霞草 xiácǎo
안:건(案件) 명 案件 ànjiàn; 议案 yì'àn; 案 àn = 안(案)1
안:경(眼鏡) 명 眼镜 yǎnjìng ¶~다리 眼镜腿 / ~알 眼镜片 / ~원 眼镜店 / ~집 眼镜盒 / ~테 眼镜框 / ~을 쓰다 戴眼镜
안:경-잡이(眼鏡—) 명 戴眼镜的人 dài yǎnjìngde rén = 안경쟁이
안:경-쟁이(眼鏡—) 명 = 안경잡이
안:과(眼科) 명 『醫』眼科 yǎnkē ¶~의 眼科医生 / ~ 질병 眼科疾病
안:구(眼球) 명 = 눈알 ¶~ 건조증 眼球干燥症 / ~ 돌출 眼球突出 / ~ 적출 眼球摘除
안:구-은행(眼球銀行) 명 『醫』眼库 yǎnkù
안-기다[1] 자 '안다1' 的被动词
안-기다[2] 타 **1** 给…抱 gěi…bào《'안다1' 的使动词》¶할머니에게 아이를 ~ 给奶奶抱孩子 **2** 使…担负 shǐ…dānfù; 让…担负 ràng…dānfù《'안다3' 的使动词》¶회사에 막대한 손실을 ~ 让公司担负巨大的损失 **3** 使…怀 shǐ…huái; 让…怀 ràng…huái《'안다4' 的使动词》¶나에게 희망을 안겨 주다 让我怀希望 **4** 使…挨 shǐ…ái; 让…挨 ràng…ái ¶그에게 매를 ~ 让他挨打
안:내(案內) 명하타 **1** 介绍 jièshào; 指南 zhǐnán; 服务 fúwù; 查询 cháxún ¶터미널 ~ 车站查询 / 음성 ~ 시스템 声音服务系统 **2** 引导 yǐndǎo; 向导 xiàngdǎo; 带路 dàilù ¶그가 우리를 강당으로 ~했다 他带我们进入礼堂
안:내-도(案內圖) 명 示意图 shìyìtú
안:내-서(案內書) 명 说明书 shuōmíngshū; 指南 zhǐnán
안:내-소(案內所) 명 问讯处 wènxùnchù; 服务台 fúwùtái; 服务站 fúwù-

zhàn; 查询台 cháxúntái

안:내-인(案內人) 명 介绍人 jièshào-rén; 导游 dǎoyóu = 안내자

안:내-자(案內者) 명 = 안내인

안:내-장(案內狀) 명 通知单 tōngzhī-dān; 通知书 tōngzhīshū

안녕(安寧) 一명하형 平安 píng'ān; 安好 ānhǎo 二감하형히부 好 hǎo; 你好 nǐ hǎo

안:다 타 **1** 捧 pěng; 抱 bào ¶할아버지가 손자를 ~ 爷爷抱孙子 **2** 迎着 yíngzhe; 顶着 dǐngzhe; 兜着 dōuzhe ¶바람을 안고 앞으로 걸어가다 迎着风往前走 **3** 担负 dānfù ¶환경 보호의 책임을 ~ 担负环境保护的责任 **4** 怀 huái ¶열정을 품에 ~ 满怀热情 / 자신감을 가득 안고 중국으로 가다 满怀信心去中国

안단테(이andante) 명 〖音〗 行板 xíngbǎn

안달 명하자 焦心 jiāoxīn; 焦急 jiāojí; 焦躁 jiāozào; 着急 zháojí ¶~하지 마라, 분명 문제가 순조롭게 잘 해결될 것이다 你别着急, 问题一定会顺利解决的

안달-복달 명부하자 着急 zháojí; 折腾 zhēteng ¶~하지 마라. 나도 방법이 없다 别着急, 我也没有办法

안:대(眼帶) 명 〖醫〗 眼罩 yǎnzhào ¶의사 선생님이 내 왼쪽 눈에 ~를 씌웠다 医生给我的左眼盖上眼罩

안도(安堵) 명하자 **1** 安堵 āndǔ **2** 放心 fàngxīn; 安心 ānxīn ¶내일 그가 돌아오기 전까지 나는 ~할 수 없다 到明天他回来之前, 我不能放心

안도-감(安堵感) 명 放心 fàngxīn; 安心 ānxīn

안-되다[1] 자 不成 bùchéng ¶불경기라 장사도 잘 안된다 因为经济不景气, 生意也不好

안-되다[2] 형 **1** 可怜 kělián; 惋惜 wǎnxī ¶이 아이는 부모님이 모두 돌아가셨으니 정말 안됐다 这个孩子两亲都去世了, 真可怜 **2** 憔悴 qiáocuì; 难看 nánkàn ¶요즘 그의 얼굴이 좀 안돼 보이던데 무슨 일이라도 있느냐? 最近他的脸有点憔悴, 是不是发生什么事?

안락(安樂) 명하형 安乐 ānlè; 舒适 shūshì ¶~사 安乐死 / ~의자 安乐椅 / 이곳은 비교적 ~하다 这里比较舒适

안료(顔料) 명 颜料 yánliào

안:마(按摩) 명하타 按摩 ànmó = 마사지1 ¶~기 按摩器 / ~사 按摩师 =[按摩员] / ~술 按摩术 / ~ 의자 按摩椅 / ~ 요법 按摩疗法

안마(鞍馬) 명 〖體〗 **1** 鞍马 ānmǎ **2** 鞍马 ānmǎ = 안마 운동

안:마 운:동(鞍馬運動) 〖體〗 = 안마(鞍馬)2

안면(安眠) 명하자 安眠 ānmián; 安息 ānxī ¶~을 방해하다 打扰安眠

안면(顔面) 명 **1** = 얼굴1 **2** 面 miàn; 相识 xiāngshí; 认识 rènshi ¶나는 그와 ~이 없다 我不认识他

안면부지(顔面不知) 명 不认识 bùrèn-shi

안면 신경(顔面神經) 〖生〗 = 얼굴 신경

안:목(眼目) 명 眼光 yǎnguāng; 眼力 yǎnlì ¶너는 정말 ~이 높다 你真有眼光

안:무(按舞) 명하자 〖藝〗 编舞 biānwǔ ¶~가 编舞家 =[编舞师]

안-방(一房) 명 内房 nèifáng; 内室 nèishì ¶그는 ~에서 자고 있다 他在内房睡着

안:배(按排 · 按配) 명하타 安排 ān-pái; 安 ān; 排 pái; 配 pèi; 分配 fēn-pèi; 布局 bùjú ¶일정 ~ 日程安排 / 시간을 ~하다 安排时间

안보(安保) 명하타 **1** 安定 āndìng; 安保 ānbǎo **2** 〖政〗 安全保障 ānquán bǎozhàng ¶국가 ~ 国家安全保障

안부(安否) 명하자 安 ān; 好 hǎo ¶그를 만나면 내 대신 ~ 전해 줘 见到他代我问好

안분-지족(安分知足) 명하자 安分知足 ānfènzhīzú

안빈-낙도(安貧樂道) 명하자 安贫乐道 ānpínlèdào

안-사돈(一査頓) 명 亲家母 qìngjia-mǔ; 亲家妈 qìngjiamā; 亲家娘 qìngjia-niáng = 사돈댁2

안-사람 명 妻子 qīzi; 内人 nèirén; 内子 nèizǐ

안색(顔色) 명 = 얼굴빛 ¶너 ~이 안 좋은데 무슨 일 있어? 你神色不好, 有什么事吗? / ~을 살피다 观察气色

안성-맞춤(安城一) 명 合适 héshì; 正好 zhènghǎo; 恰如其分 qiàrúqífèn ¶길이가 딱 ~이다 长度正合适 / 지금이 여행하기엔 ~이다 现在正好去旅行

안-손님 명 女客人 nǚkèrén

안:수(按手) 명하자 〖宗〗 按手 ànshǒu ¶~ 기도 按手祈祷 / ~를 받다 接受按手

안식(安息) 명하자 安息 ānxī ¶~교 安息教 / ~년 安息年 / ~일 安息日 / ~처 安身之处

안-식구(一食口) 명 **1** 女眷 nǚjuàn **2** 妻子 qīzi; 内人 nèirén; 内子 nèizǐ ¶제 ~는 어제 친정에 가서 아직 돌아오지 않았습니다 我内人昨天去娘家还没回来

안-심 명 里脊 lǐji ¶~살 里脊肉

안심(安心) 명하자 放心 fàngxīn; 安心 ānxīn ¶~하세요, 그는 지금 안전합니다 请放心, 他现在很安全

안쓰럽다 형 担心 dānxīn; 不放心 bùfàngxīn ¶부모님은 외지에서 일하는 자식을 안쓰러워 하신다 父母担心在外地工作的孩子

안:압(眼壓) 명 『生』 眼压 yǎnyā; 眼内压 yǎnnèiyā ¶~계 眼压计 / ~이 높다 眼压高 / ~을 재다 测定眼压

안:약(眼藥) 명 『藥』 眼药 yǎnyào; 眼药水 yǎnyàoshuǐ

안위(安危) 명 安危 ānwēi ¶조국의 ~ 祖国的安危 / 국민의 ~ 国民的安危

안이-하다(安易—) 형 1 简单 jiǎndān; 容易 róngyì ¶안이한 생각 容易的想法 2 安适 ānshì; 舒适 shūshì ¶안이한 태도 安适的态度

안일(安逸) 명하형히부 安逸 ānyì; 松懈 sōngxiè; 安闲 ānxián ¶학습 태도가 나날이 ~해지다 学习态度日益松懈

안장(安葬) 명하타 安葬 ānzàng ¶그의 유해를 가족 묘지에 ~하다 把他的遗体安葬在家族墓地

안:장(鞍裝) 명 1 鞍子 ānzi; 鞍 ān ¶말 등의 ~을 내리다 摘下马背上的鞍子 2 (自行车的) 车坐 chēzuò

안:장-코(鞍裝—) 명 鞍鼻 ānbí; 塌鼻子 tābízi

안전(安全) 명하형히부 安全 ānquán; 保险 bǎoxiǎn ¶~ 관리 安全管理 / ~ 교육 安全教育 / ~ 조치 安全措施 / ~ 설비 安全设备 / ~시설 安全设施 / ~ 장치 安全装置 / ~제일 安全第一 / ~ 표지 安全标志 / ~사고 安全事故 / 이곳은 지금 ~하지 않다 现在这里不安全

안전-거리(安全距離) 명 『交』 1 安全距离 ānquán jùlí 2 安全视距 ānquán shìjù; 停车视距 tíngchē shìjù ¶~를 유지하다 保持安全距离

안전-그물(安全—) 명 = 안전망

안전-띠(安全—) 명 安全带 ānquándài = 안전벨트 ¶자동차 ~ 汽车安全带 / ~를 매다 系上安全带

안전-망(安全網) 명 安全网 ānquánwǎng = 안전그물

안전-면도(安全面刀) 명 保险刀 bǎoxiǎndāo; 安全剃刀 ānquán tìdāo

안전-모(安全帽) 명 安全帽 ānquánmào ¶~를 쓰다 戴安全帽

안전-밸브(安全valve) 명 『機』 = 안전판

안전-벨트(安全belt) 명 = 안전띠

안전-선(安全線) 명 安全线 ānquánxiàn

안전-성(安全性) 명 安全性 ānquánxìng; 安全性能 ānquán xìngnéng ¶~ 테스트 安全性测试 / ~을 검사하다 检查安全性

안전-지대(安全地帶) 명 1 『建』 安全岛 ānquándǎo 2 安全地区 ānquán dìqū; 安全区 ānquánqū

안전-판(安全瓣) 명 『機』 安全阀 ānquánfá = 안전밸브

안전-핀(安全pin) 명 1 安全针 ānquánzhēn; 安全别针 ānquán biézhēn; 别针 biézhēn 2 安全销 ānquánxiāo

안절-부절 부 坐立不安 zuòlìbù'ān; 坐卧不宁 zuòwòbùníng; 坐卧不安 zuòwòbù'ān

안절부절-못하다 자 坐立不安 zuòlìbù'ān; 坐卧不宁 zuòwòbùníng; 坐卧不安 zuòwòbù'ān ¶그는 안절부절못하고 계속 시계만 쳐다보았다 他坐立不安, 一直看了手表

안정(安定) 명하자 1 安定 āndìng; 稳定 wěndìng; 稳固 wěngù; 稳住 wěnzhù; 安生 ānshēng ¶생활이 ~되지 못하다 生活不安定 / 집값을 ~시키다 稳定住房价格 2 『物』 稳定 wěndìng

안정(安靜) 一명하형 安静 ānjìng; 稳定 wěndìng; 安宁 ānníng; 安稳 ānwěn; 平静 píngjìng ¶~감 安定感 / 마음이 아주 ~되다 心里非常安静 二 명하자 镇定 zhèndìng ¶너는 지금 너무 흥분해 있으니 우선 잠시 ~을 취해라 你现在太激动, 先镇定一下

안정-제(安定劑) 명 『藥』 = 정신 안정제

안주(安住) 명하자 1 安居 ānjū 2 满足 mǎnzú; 满意 mǎnyì; 安于 ānyú ¶현실에 ~하다 安于现实

안주(按酒) 명 = 술안주 ¶~를 준비하다 准备酒菜

안-주머니 명 里兜(儿) lǐdōu(r) ¶양복 ~에서 지갑을 꺼내다 从西服的里兜儿拿出钱包来

안-주인(—主人) 명 女主人 nǚzhǔrén; 老板娘 lǎobǎnniáng; 家主婆 jiāzhǔpó

안:중(眼中) 명 眼里 yǎnli; 目中 mùzhōng; 眼中 yǎnzhōng ¶그의 ~에는 너밖에 없다 他的眼里只有你

안-짝 명 1 里边的 lǐbiande ¶~ 문 里边的门 2 将近 jiāngjìn; 约 yuē; 大约 dàyuē ¶그는 스무 살 ~이다 他将近二十岁 / 키가 160센티미터 ~이다 身高大约一米六左右

안짱-걸음 명 内八字步 nèibāzìbù ¶~을 걷다 走内八字步

안짱-다리 명 内八字脚 nèibāzìjiǎo

안-쪽 명 里 lǐ; 里面(儿) lǐmiàn(r); 里头 lǐtou; 里边 lǐbian; 内 nèi; 内侧 nèicè ¶골목 ~ 胡同里面 / ~으로 들어와 기다리세요 到里边等吧

안착(安着) 명하자 **1** 安抵 āndǐ; 平安到达 píng'ān dàodá **2** 安居 ānjū
안-채 명 里屋 lǐwū; 后屋 hòuwū
안치(安置) 명하타 安置 ānzhì; 安放 ānfàng ¶자금을 ~하다 安置资金
안치-실(安置室) 명 = 영안실
안치다 타 (到锅里) 放 fàng ¶우선 쌀을 가마에 안쳐라 先把米放到锅里吧
안타(安打) 명 〖體〗 安打 āndǎ; 安全打 ānquándǎ = 히트⊟
안타까워-하다 타 可惜 kěxī ¶그는 그녀가 죽었다는 소식을 듣고 많이 안타까워했다 他听到她去世的消息, 觉得很可惜
안타깝다 형 难受 nánshòu; 难过 nánguò; 遗憾 yíhàn ¶그가 병에 걸렸다는 얘기를 들으니 무척 ~ 听到他得病了, 我心里很难受 / 정말 안타깝지만 저는 당신의 결혼식에 참석할 수 없습니다 真遗憾, 我不能参加你的婚礼
안테나(antenna) 명 〖物〗 天线 tiānxiàn
안테나-선(antenna線) 명 〖物〗 天线 tiānxiàn
안티(anti) 명 反对 fǎnduì; 反 fǎn
안팎 명 **1** 内外 nèiwài; 里外 lǐwài ¶교실 ~에 학생들이 많이 있다 教室内外都有很多学生 **2** 表里 biǎolǐ ¶~이 다른 사람 表里不一的人 **3** 内外 nèiwài; 里外 lǐwài; 左右 zuǒyòu; 上下 shàngxià ¶3개월 ~ 三个月左右 / 그는 마흔살 ~이다 他有四十岁上下
안:하무인(眼下無人) 명 眼中无人 yǎnzhōngwúrén; 目中无人 mùzhōngwúrén; 目无余子 mùwúyúzǐ; 目空一切 mùkōngyīqiè ¶그는 어떻게 갈수록 ~이냐 他怎么越来越目中无人
앉다 자 **1** 坐 zuò; 坐下 zuòxià; 入座 rùzuò ¶앉으세요 请坐 / 나는 그녀 뒤에 앉았다 我坐在她的后面 **2** 当 dāng; 任 rèn ¶부장 자리에 ~ 被任为部长 / 과장 자리에 ~ 当科长 **3** 积 jī ¶탁자에 먼지가 앉아 있다 桌子上积着灰尘
앉은-걸음 명 蹲着走 dūnzhe zǒu
앉은-뱅이 명 瘫子 tānzi ¶그는 태어날 때부터 ~였다 他从出生时就是一个瘫子
앉은뱅이-걸음 명 蹲着走 dūnzhe zǒu
앉은뱅이-저울 명 台秤 táichèng; 磅秤 bàngchèng
앉은뱅이-책상(—册床) 명 矮桌 ǎizhuō; 小桌 xiǎozhuō
앉은-자리 명 即席 jíxí; 当场 dāngchǎng
앉은-키 명 坐高 zuògāo ¶~를 재다 测量坐高
앉-히다 타 **1** 让…坐 ràng…zuò; 使…坐 shǐ…zuò ¶아이를 무릎에 ~ 让孩子坐在膝盖上 **2** 让…任 ràng…rèn; 让…当 ràng…dāng; 使…任 shǐ…rèn; 使…当 shǐ…dāng ¶어떻게 이런 사람을 부장 자리에 앉힐 수 있습니까? 怎么可以让这样的人当部长啊? **3** 安装 ānzhuāng; 放 fàng ¶최신 설비를 공장에 ~ 把最新设备安装在工厂
않다 타보동보형 不 bù ¶그는 뚱뚱하지 ~ 他不胖 / 그녀는 별로 예쁘지 ~ 她长得不太漂亮
알 명 **1** 〖生〗 蛋 dàn; 卵 luǎn; 子 zǐ ¶개구리 ~ 青蛙蛋 **2** 颗 kē; 粒 lì; 粒子 lìzi ¶팥 한 ~ 一颗红豆 **3** 片 piàn ¶안경~이 깨지다 眼镜片破裂
알갱이 명 粒 lì; 颗粒 kēlì ¶플라스틱 ~ 塑料颗粒 / 밥 ~를 세다 数饭粒
알-거지 명 穷光蛋 qióngguāngdàn; 穷苦的人 qióngkǔde rén; 一贫如洗的人 yīpínrúxǐde rén
알-곡(—穀) 명 粮食 liángshí; 谷物 gǔwù
알:다 타 **1** 知道 zhīdào ¶그는 내 이름을 안다 他知道我的名字 / 그는 이미 오늘이 네 생일이라는 걸 알고 있다 他已经知道今天是你的生日 **2** 明白 míngbai; 懂 dǒng ¶나는 드디어 그의 뜻을 알았다 我终于明白了他的意思 **3** 会 huì ¶그는 운전할 줄 안다 他会开车 **4** 认识 rènshi; 认得 rènde; 熟识 shúshi ¶나는 그를 알지 못한다 我不认识他 / 그들 둘은 잘 아는 친구 사이이다 他们俩是很熟识的朋友 **5** 以为 yǐwéi; 认为 rènwéi ¶나는 오늘이 금요일인 줄 알았다 我以为今天是星期五 / 나는 그가 네 오빠인 줄 알았다 我以为他是你的哥哥 **6** 管 guǎn; 在乎 zàihu ¶이건 네가 알 바 아니다 这不管你的事 / 그가 가든 안 가든 내 알 바 아니다 我不在乎他去还是不去 **7** 斟酌 zhēnzhuó ¶알아서 해석하다 斟酌解释 **8** 认 rèn ¶그는 돈을 쓸 줄만 알고 벌 줄은 모른다 他只认花钱不认赚钱
알게 모르게 구 不知不觉
알다가도 모르다 구 莫名其妙
알데히드(aldehyde) 명 〖化〗 醛 quán ¶~산 醛酸
알딸딸-하다 형 **1** 模模糊糊 mómohúhú; 迷迷糊糊 mímihúhú; 稀里糊涂 xīlihútú **2** 昏沉沉 hūnchénchén; 头昏脑涨 tóuhūnnǎozhàng **3** 微醉 wēizuì; 有点儿醉 yǒudiǎnr zuì ¶몸이 안 좋은지 한 잔만 마셨는데도 알딸딸하게 취하는 것 같다 可能身体不好了, 只喝了一杯好像就有点儿醉了
알뜰-살뜰 명하형히부 勤俭 qínjiǎn ¶~ 살아가다 勤俭地过着日子

알뜰-하다 형 **1** 勤俭 qínjiǎn; 体贴人微 tǐtiērùwēi; 殷实 yīnshí ¶알뜰한 사람이 성공하기 쉽다 勤俭的人容易成功 **2** 精心 jīngxīn; 细心 xìxīn ¶알뜰하게 가족들을 보살피다 细心地照顾家人 **알뜰-히** 부

알라(Allah) 명 〖宗〗安拉 Ānlā; 真主 Zhēnzhǔ = 알라신

알라-신(Allah神) 명 〖宗〗 = 알라

알랑-거리다 자 拍马屁 pāi mǎpì; 阿谀 ēyú; 谄媚 chǎnmèi = 알랑대다 ¶선생님께 알랑거리지 마라 你们不要拍马屁讨好老师 **알랑-알랑** 부하자

알랑-방귀 명 拍马屁 pāi mǎpì; 谄媚 chǎnmèi; 阿谀 ēyú

알랑방귀(를) 뀌다 구 拍马屁; 巴结

알량-하다 형 不怎么好的 bùzěnme hǎode; 不屑一顾的 bùxièyīgùde; 次的 cìde; 没用的 méiyòngde ¶그 알량한 자존심 때문에 이런 기회를 놓치지 마라 不要因为那个没用的自尊心而放弃这次机会

알래스카 주(Alaska州) 〖地〗阿拉斯加 Ālāsījiā

알레그로(이allegro) 명 〖音〗快板 kuàibǎn; 快节奏的 kuàijiézòude

알레르기(독Allergie) 명 〖醫〗过敏 guòmǐn; 过敏性反应 guòmǐnxìng fǎnyìng ¶꽃가루 ~ 花粉过敏 / ~를 일으키다 引起过敏

알레르기-성(독Allergie性) 명 〖醫〗过敏性 guòmǐnxìng; 变应性 biànyìngxìng ¶~ 질환 过敏性疾病 / ~ 비염 过敏性鼻炎 / ~ 체질 过敏性体质 / ~ 피부염 过敏性皮炎

알력(軋轢) 명 (意见) 不合 bùhé; 冲突 chōngtū; 矛盾 máodùn ¶두 종파 간에 ~이 생기다 两个宗派之间发生冲突

알로에(aloe) 명 〖植〗芦荟 lúhuì

알록-달록 부하형 花花绿绿 huāhuālùlù; 花花搭搭 huāhuadādā ¶~한 바지 花花绿绿的裤子

알루미늄(aluminium) 명 〖化〗铝 lǚ; 钢精 gāngjīng ¶~판 铝板

알루미늄-박(aluminium箔) 명 〖化〗铝箔 lǚbó; 铝箔纸 lǚbózhǐ = 알루미늄 포일

알루미늄 포일(aluminium foil) 〖化〗 = 알루미늄박

알-리다 타 告 gào; 告诉 gàosu; 布告 bùgào; 通知 tōngzhī 《'알다1' 的使动词》¶그에게 이 소식을 알리지 마라 不要告诉他这个消息 / 네가 가서 그들에게 알려라 你去通知他们

알리바이(alibi) 명 〖法〗不在现场的证明 bùzài xiànchǎngde zhèngmíng

알ː-맞다 형 合适 héshì; 适合 shìhé; 恰好 qiàhǎo; 符合 fúhé; 切合 qièhé; 恰当 qiàdàng; 适宜 shìyí; 相当 xiāngdāng; 相配 xiāngpèi ¶길이가 꼭 ~ 长度正合适 / 너 마침 알맞게 잘 왔다 你来得恰好 / 자기에게 알맞은 옷을 고르다 挑选适合自己的衣服

알맹이 명 **1** 仁(儿) rén(r) ¶호박씨 ~ 瓜子仁儿 **2** 精华 jīnghuá; 精髓 jīngsuǐ; 核心 héxīn ¶~가 없는 이론 没有精髓的理论

알-몸 명 **1** 裸体 luǒtǐ; 裸身 luǒshēn; 赤身 chìshēn; 赤身裸体 chìshēnluǒtǐ; 光身子 guāngshēnzi = 나체 · 맨몸1 · 전라 ¶~ 사진을 찍다 拍摄裸体照片 **2** 一无所有 yīwúsuǒyǒu; 赤手空拳 chìshǒukōngquán ¶~으로 사업에 뛰어들다 赤手空拳闯商海

알-몸뚱이 명 裸体 luǒtǐ; 光身 guāngshēn; 赤身裸体 chìshēnluǒtǐ

알미늄 명 〖化〗'알루미늄' 的错误

알-밤 명 **1** 栗仁 lìrén **2** 以拳点击头部 yǐ quán diǎnjī tóubù; 用拳头打头 yòng quántou dǎtóu

알-배기 명 **1** (肚里) 有卵的 yǒuluǎnde **2** 内容充实 nèiróng chōngshí

알-배다 자 **1** (肚里) 有卵 yǒuluǎn; 有蛋 yǒudàn **2** 结实 jiēshi

알-뿌리 명 〖植〗球根 qiúgēn = 구근

알-사탕(—沙糖) 명 块儿糖 kuàirtáng; 糖块儿 tángkuàir

알선(斡旋) 명하타 **1** 斡旋 wòxuán; 介绍 jièshào ¶~료 斡旋金 / ~ 수뢰 斡旋受贿 / 그의 ~으로 우리는 문제를 해결했다 由于他的斡旋, 我们解决了问题 **2** 〖法〗调停 tiáotíng; 调解 tiáojiě

알싸-하다 형 辣乎乎 làhūhū; 辣酥酥 làsūsū; 刺鼻 cìbí ¶나는 점심에 알싸하게 매운 요리를 먹었다 我中午吃了辣乎乎的菜

알쏭-달쏭 부하형 **1** 花花绿绿 huāhuālùlù **2** 模模糊糊 mómohūhū ¶그녀의 이름이 ~하니 생각이 안 난다 模模糊糊地, 想不起她的名字

알쏭-하다 형 迷糊 míhu; 迷惑 míhuò; 迷离 mílí; 含糊不清 hánhu bùqīng; 模糊不清 móhubùqīng; 迷离 mílí = 아리송하다

알아-내다 타 认出 rènchū; 探出 tànchū; 探知 tànzhī; 品出 pǐnchū ¶너희는 어떻게 알아냈니? 你们是怎么认出来的? / 적의 소재를 ~ 试探敌人的所在

알아-듣다 타 **1** 听懂 tīngdǒng ¶나는 그의 말을 알아들었다 我听懂了他的话 **2** 听明白 tīngmíngbai; 听出 tīngchū ¶개는 주인의 목소리를 알아들을 수 있다 狗听得出主人的声音

알아-맞추다 타 '알아맞히다' 的错误

알아-맞히다 타 猜 cāi; 猜测 cāicè;

看出 kànchū; 捉摸 zhuōmō ¶선생님께서 언제 오실지 한번 알아맞혀 봐라 你猜老师什么时候来

알아-보다 타 **1** 打听 dǎting; 了解 liǎojiě; 询问 xúnwèn ¶네가 먼저 가서 상황을 알아본 다음 나에게 전화를 해라 你先去了解情况, 然后打电话给我 **2** 分辨 fēnbiàn; 认出 rènchū ¶우리는 오랫동안 보지 못했지만 나는 바로 그의 얼굴을 알아보았다 我们好久没见, 可是我马上认出了他的脸 **3** 知道 zhīdào; 懂得 dǒngde ¶그들은 진상을 알아보지 못했다 他们不知道事情的真相了 **4** 看懂 kàndǒng ¶나는 일본어를 알아볼 수 있다 我可以看懂日文

알아-주다 타 **1** 认定 rèndìng; 给予好评 jǐyǔ hǎopíng ¶상품의 가치를 ~ 认定商品的价值 / 많은 사람들이 이 작품을 알아주었다 很多人都对这个作品给予好评 **2** 了解 liǎojiě; 理解 lǐjiě ¶당신에 대한 그의 마음을 알아주세요 请了解他对你的心 / 제 입장을 알아주세요 请了解我的立场

알아-차리다 타 **1** 注意到 zhùyìdào; 发觉 fājué; 发现 fāxiàn; 觉察到 juécháddào; 看出 kànchū ¶나는 지하철을 탈 때 신용카드가 없어진 것을 알아차렸다 我坐地铁的时候, 发现我的信用卡不见了 **2** = 알아채다 ¶그녀는 그의 생각을 알아차렸다 她猜到他的想法

알아-채다 타 猜到 cāidào; 发觉 fājué; 注意到 zhùyìdào; 理会到 lǐhuìdào; 觉察到 juécháddào; 看出 kànchū = 알아차리다2 ¶그녀는 그의 마음을 알아챘다 她猜到了他的心思

알알-이 부 一粒粒 yīlìlì; 一颗颗 yīkēkē ¶~이 맺힌 눈물 结成一颗颗的泪珠

알-약(一藥) 명 **1** 〖藥〗 = 정제(錠劑) **2** 〖韓醫〗 = 환약

알은-척 명하타 = 알은체

알은-체 명하타 **1** 稍加关心 shāojiā guānxīn **2** 打招呼 dǎ zhāohu; 理 lǐ; 理会 lǐhuì ¶그가 나를 보고 먼저 ~했다 他先向我打了个招呼 ‖ = 알은척

알음-알음 명하자 **1** 认识 rènshi **2** 交情 jiāoqing

알-줄기 명 〖植〗 球茎 qiújīng = 구경(球莖)

알짜 명 **1** 精髓 jīngsuǐ; 精华 jīnghuá ¶~만 뽑아내다 抽出精髓 **2** 真正的 zhēnzhèngde; 道地的 dàodìde

알짱-거리다 자 **1** 讨好卖乖 tǎohǎo màiguāi; 百般阿谀 bǎibān ēyú; 百般奉承 bǎibānfèngchéng; 拍马屁 pāi mǎpì **2** 闲逛 xiánguàng; 悠闲 yōuxián; 逛来逛去 guàngláiguàngqù ‖ = 알짱대다

알짱-알짱 부하자

알-차다 형 实在 shízai; 实 shí; 充实 chōngshí; 饱满 bǎomǎn; 饱 bǎo ¶이번 여름 방학은 아주 알차게 보낸 것 같다 这个暑假感觉过得很充实

알츠하이머-병(Alzheimer病) 명 〖醫〗 阿尔茨海默病 Ā'ěrcíhǎimòbìng; 阿尔茨海默症 Ā'ěrcíhǎimòzhèng; 阿尔茨海默氏症 Ā'ěrcíhǎimòshìzhèng; 老年痴呆症 lǎonián chīdāizhèng

알칼로이드(alkaloid) 명 〖化〗 生物碱 shēngwùjiǎn

알칼리(alkali) 명 〖化〗 碱 jiǎn ¶~ 건전지 碱性电池 =[碱性干电池]

알칼리-성(alkali性) 명 〖化〗 = 염기성 ¶~ 식품 碱性食品 / ~ 토양 碱性土壤 =[碱土]

알코올(alcohol) 명 **1** 〖化〗 酒精 jiǔjīng; 醇 chún ¶~램프 酒精灯 **2** 〖化〗 = 에탄올 **3** 酒 jiǔ; 酒精 jiǔjīng ¶~ 의존증 酒精中毒

알타리-무 명 〖植〗 '총각무' 的错误

알타이 어(Altai語) 〖語〗 阿尔泰语 Ā'ěrtàiyǔ

알타이 어:족(Altai語族) 〖語〗 阿尔泰语系 Ā'ěrtài yǔxì

알토(이alto) 명 〖音〗 **1** 女低音 nǚdīyīn **2** 中音 zhōngyīn

알-토란(一土卵) 명 净芋 jìngyù

알토란 같다 구 殷实; 殷富; 小康; 殷富无忧

알-통 명 突出的肌肉 tūchūde jīròu

알파(그alpha) 명 阿尔法 ā'ěrfǎ

알파벳(alphabet) 명 〖語〗 罗马字母 luómǎ zìmǔ; 字母表 zìmǔbiǎo ¶~순 按字母表顺

알현(謁見) 명하자타 谒见 yèjiàn; 拜见 bàijiàn ¶임금을 ~하다 谒见帝王

앓다 타 **1** 患 huàn; 害 hài; 得 dé ¶폐렴을 ~ 患肺炎 / 한바탕 홍역을 ~ 害了一场麻疹 **2** 伤 shāng; 操心 cāoxīn ¶그 때문에 골치를 앓을 필요 없다 不用为他伤脑筋

앓느니 죽지 속담 长痛不如短痛

앓던 이 빠진 것 같다 속담 如释重负

암: 감 = 아무렴

암:(癌) 명 〖醫〗 癌 ái; 癌症 áizhèng ¶그는 ~에 걸렸다 他得了癌症

암- 접두 **1** (动植物的) 雌 cí; 母 mǔ; 牝 pìn; 草 cǎo ¶~꽃 雌花 / ~토끼 雌兔 / ~사자 雌狮 / ~호랑이 雌虎 **2** (事物的) 母 mǔ; 牝 pìn; 凹 āo; 副 fù ¶~나사 螺母 / ~무지개 副虹 / ~키와 牝瓦

암:-갈색(暗褐色) 명 深褐色 shēnhèsè

암:거(暗渠) 명 〖建〗 暗沟 àngōu; 阴沟 yīngōu

암:-거래(暗去來) 명하타 黑市交易 hēishì jiāoyì; 背地交易 bèidì jiāoyì; 暗盘交易 ànpán jiāoyì; 炒黑市 chǎo hēishì; 非法交易 fēifǎ jiāoyì; 暗地买卖 àndì mǎimai = 암매매

암:기(暗記) 명하타 背诵 bèisòng; 背bèi; 默记 mòjì ¶문장을 ~하다 背文章 / 영어 단어를 ~하다 背诵英语单词

암-꽃 명 〖植〗 雌花 cíhuā; 雌蕊花 círuǐhuā

암-꿩 명 母野鸡 mǔyějī; 雌野鸡 cíyějī = 까투리

암-나사(—螺絲) 명 〖工〗 = 너트

암-내[1] 명 (雌性发情时发出的) 气味 qìwèi ¶발정 난 암캐가 ~를 풍겨 수캐를 유혹하다 发情的母狗发出气味诱惑雄狗

암:-내[2] 명 腋臭 yèchòu; 狐臭 húchòu; 胡臭 húchòu; 狐臊 húsāo; 腋下臭 yèxiàchòu = 액취 ¶~가 심한 사람 有严重腋臭的人 / ~를 없애다 消除腋臭

암-놈 명 雌性 cíxìng; 母的 mǔde

암:-달러(暗dollar) 명 黑市美元 hēishì měiyuán

암:담-하다(暗澹—) 형 暗淡 àndàn; 黑暗 hēi'àn ¶암담한 미래 黑暗的未来 / 암담한 생활 暗淡的生活

암만 부 = 아무리⊟

암만-하다 자 不管怎样 bùguǎn zěnyàng; 还是 háishì ¶암만해도 네가 가서 그를 만나 봐야겠다 我看你还是要去看他

암-말 명 母马 mǔmǎ; 雌马 címǎ; 草马 cǎomǎ

암:-매매(暗賣買) 명하타 = 암거래

암:-매장(暗埋葬) 명하타 暗葬 ànzàng

암모나이트(ammonite) 명 〖動〗 菊石 júshí

암모늄(ammonium) 명 〖化〗 = 암모늄 이온

암모늄 이온(ammonium ion) 〖化〗 铵 ǎn; 铵离子 ǎnlízǐ = 암모늄

암모니아(ammonia) 명 〖化〗 氨 ān; 阿摩尼亚 āmóníyà; 氨气 ānqì

암모니아-수(ammonia水) 명 〖化〗 氨水 ānshuǐ; 氨溶液 ānróngyè; 氨液 ānyè; 氢氧化铵 qīngyǎnghuà'ǎn; 阿摩尼亚水 āmóníyàshuǐ; 一水合氨 yīshuǐhé'ān

암-무지개 명 〖地理〗 = 이차 무지개

암:묵(暗默) 명하자 暗默 ànmò; 默示 mòshì; 默不作声 mòbùzuòshēng; 不公开 bùgōngkāi

암:묵-적(暗默的) 관명 默示(的) mòshì(de); 默不作声(的) mòbùzuòshēng(de) ¶~ 동의 默示同意

암반(巖盤) 명 岩盘 yánpán; 岩盖 yángài

암벽(巖壁) 명 岩壁 yánbì ¶인공 ~ 人工岩壁 / ~ 등반 岩壁运动 =[攀岩] / ~을 오르다 攀登岩壁

암:산(暗算) 명하타 心算 xīnsuàn ¶~ 능력 心算能力

암:살(暗殺) 명하타 暗杀 ànshā ¶~단 暗杀团 / ~자 暗杀者 / 정계 요인을 ~하다 暗杀政界要人

암석(巖石) 명 〖地理〗 岩石 yánshí ¶~층 岩石层

암:-세포(癌細胞) 명 〖醫〗 癌细胞 áixìbāo

암-소 명 母牛 mǔniú; 牝牛 pìnniú

암:송(暗誦) 명하타 背诵 bèisòng ¶우리 모두 교과서 본문을 ~해야 한다 我们都要背诵课文

암-수 명 雄雌 xióngcí; 雌雄 cíxióng; 公母 gōngmǔ = 자웅1 ¶~딴그루 雌雄异株 / ~딴몸 雌雄异体 / ~한그루 雌雄同株 / ~한몸 雌雄同体

암:수(暗數) 명 = 속임수

암:-순응(暗順應) 명 〖生〗 暗适应 ànshìyìng

암-술 명 〖植〗 雌蕊 círuǐ

암:시(暗示) 명하타 暗示 ànshì ¶언어 ~ 语言暗示 / ~ 효과 暗示效果 / ~ 요법 暗示疗法

암:-시세(暗時勢) 명 黑市价 hēishìjià; 黑市价格 hēishì jiàgé; 黑市率 hēishìlǜ; 暗盘 ànpán

암:-시장(暗市場) 명 〖經〗 黑市 hēishì ¶~ 거래 黑市交易 / ~ 상인 黑市商人

암:실(暗室) 명 暗室 ànshì; 暗房 ànfáng ¶지하 ~ 地下暗室

암:암-리(暗暗裏) 명 暗暗 àn'àn; 暗中 ànzhōng; 暗地里 àndìli; 暗地 àndì ¶~에 중요한 일을 진행하다 暗地里进行重要的事

암염(巖鹽) 명 〖鑛〗 石盐 shíyán; 岩盐 yányán

암:영(暗影) 명 暗影 ànyǐng; 黑影 hēiyǐng; 阴影 yīnyǐng ¶불분명한 ~ 模糊不清的暗影

암:운(暗雲) 명 乌云 wūyún; 阴云 yīnyún

암:울(暗鬱) 명하형 暗淡 àndàn; 黑暗 hēi'àn; 长夜漫漫 chángyè mànmàn ¶~한 시절 黑暗的时代

암자(庵子) 명 〖佛〗 庵 ān; 庵子 ānzi

암:-자색(暗紫色) 명 深紫色 shēnzǐsè

암장(巖漿) 명 〖地理〗 = 마그마

암:전(暗轉) 명하자 〖演〗 暗转 ànzhuǎn

암:중(暗中) 명 **1** 黑暗之中 hēi'ànzhīzhōng **2** 暗中 ànzhōng; 暗暗 àn'àn; 暗

地里 àndìli ¶ ~모색 暗中摸索 / ~ 활약 暗中活跃

암:초(暗礁) 명 暗礁 ànjiāo; 礁石 jiāoshí = 초석(礁石) ¶배가 ~에 부딪치다 船舶触碰暗礁

암-치질(—痔疾) 명 〖醫〗 内痔 nèizhì

암캉아지 명 小母狗 xiǎomǔgǒu; 小雌狗 xiǎocígǒu

암캐 명 母狗 mǔgǒu; 雌狗 cígǒu

암컷 명 母的 mǔde; 雌的 cíde; 牝的 pìnde

암키와 명 〖建〗 牝瓦 pìnwǎ; 凹瓦 āowǎ

암탉 명 母鸡 mǔjī; 雌鸡 cíjī; 牝鸡 pìnjī; 婆鸡 pójī; 草鸡 cǎojī

암탕나귀 명 母驴 mǔlǘ; 草驴 cǎolǘ

암퇘지 명 母猪 mǔzhū; 雌猪 cízhū; 牝猪 pìnzhū

암:투(暗鬪) 명하자 暗斗 àndòu; 钩心斗角 gōuxīndòujiǎo

암튼 부 '아무튼' 的略词

암팡-지다 형 短小精悍 duǎnxiǎojīnghàn; 矮小壮实 ǎixiǎo zhuàngshi; 精明强干 jīngmíngqiánggàn; 强悍 qiánghàn ¶암팡진 여인 精明强干的女人 / 그 아이는 아주 ~ 那个小孩短小精悍

암페어(ampere) 의명 〖物〗 安培 ānpéi

암평아리 명 小母鸡 xiǎomǔjī; 小草鸡 xiǎocǎojī; 小雌鸡 xiǎocíjī

암:표(暗票) 명 黄牛票 huángniúpiào ¶ 10만 원을 더 주고 ~ 한 장을 샀다 多出10万元购买了一张黄牛票

암:표-상(暗票商) 명 票贩子 piàofànzi; 黄牛党 huángniúdǎng; 黄牛 huángniú

암:행(暗行) 명하자타 暗行 ànxíng

암:행-어사(暗行御史) 명 〖史〗 暗行御史 ànxíng yùshǐ; 微行御史 wēixíng yùshǐ; 钦差大臣 qīnchāi dàchén = 어사2

암:호(暗號) 명 **1** 密码 mìmǎ; 暗号 ànhào ¶ ~를 해독하다 破译密码 **2** 〖컴〗 = 패스워드 ¶사용자 ~ 用户密码 / ~를 잊어버리다 忘记密码

암:흑(暗黑) 명하형 黑暗 hēi'àn; 天昏地暗 tiānhūndì'àn; 漆黑一团 qīhēiyītuán ¶ ~가 黑暗街 =[黑社会] / ~기 黑暗期 / ~사회 黑暗社会 / ~세계 黑暗世界

압권(壓卷) 명 **1** 压卷 yājuàn **2** 突出的部分 tūchūde bùfen; 最好的部分 zuìhǎode bùfen ¶이 장면이 이 영화의 ~이다 这个场面是这部电影里最好的部分

압도(壓倒) 명하타 压倒 yādǎo; 凌驾 língjià ¶상대를 ~하다 压倒对手

압도-적(壓倒的) 관명 压倒(的) yādǎoxìng(de); 压倒性(的) yādǎoxìng(de) ¶ ~인 지지 压倒性支持 / ~ 승리 压倒性胜利

압력(壓力) 명 **1** 〖物〗 压力 yālì ¶ ~계 压力计 =[压力表] **2** 压力 yālì ¶상부의 ~ 上级的压力

압력-솥(壓力—) 명 高压锅 gāoyāguō; 压力锅 yālìguō

압류(押留) 명하타 〖法〗 扣押 kòuyā; 查封 cháfēng; 封押 fēngyā; 没收 mòshōu ¶ ~ 물품 没收物品 / 법원에 ~된 부동산 被法院查封的房地产 / 재산을 ~하다 扣押财产

압박(壓迫) 명하타 压 yā; 压迫 yāpò ¶ ~ 붕대 压迫绷带 =[压迫带] / 태아가 커서 좌골 신경을 ~한다 胎儿大了压迫坐骨神经

압박-감(壓迫感) 명 压迫感 yāpògǎn; 感到受压迫 gǎndào shòu yāpò; 感到憋闷 gǎndào biēmen

압사(壓死) 명하자 压死 yāsǐ ¶자동차가 개를 ~시켰다 汽车把狗压死了

압송(押送) 명하타 〖法〗 押送 yāsòng; 押解 yājiè ¶범인을 ~하다 押送犯人 / 전쟁 포로를 ~하다 押解战俘

압수(押收) 명하타 〖法〗 扣押 kòuyā; 没收 mòshōu; 查获 cháhuò; 查抄 cháchāo ¶장물을 ~하다 没收脏物 / 경찰이 마약을 ~하다 警察查获毒品

압승(壓勝) 명하자 压倒性胜利 yādǎoxìng shènglì

압연(壓延) 명하타 〖工〗 压延 yāyán; 轧 zhá; 轧钢 zhágāng ¶금속 ~ 金属压延

압연-기(壓延機) 명 〖工〗 压延机 yāyánjī; 轧钢机 zhágāngjī

압운(押韻) 명하자 〖文〗 押韵 yāyùn; 压韵 yāyùn

압정(押釘) 명 图钉 túdīng; 摁钉(儿) èndīng(r)

압지(押紙·壓紙) 명 吸墨纸 xīmòzhǐ

압착(壓榨) 명하타 **1** 压榨 yāzhà ¶ ~기 压榨机 / 원유를 ~하다 压榨原油 **2** 压缩 yāsuō

압축(壓縮) 명하타 压缩 yāsuō ¶ ~기 压缩机 / ~ 도구 压缩工具 / ~ 파일 压缩文件

압출(壓出) 명하타 挤压 jǐyā; 挤出 jǐchū ¶ ~기 挤压机 =[挤出机]

앗 감 啊 ā; 哎呀 āiyā ¶ ~, 우산을 잃어버렸다! 啊, 我丢了雨伞! / ~, 이러다가 기차 시간 늦겠다! 哎呀, 这样赶不上火车了!

앗-기다 타 被抢 bèi qiǎng; 被夺 bèi duó 《'앗다' 的被动词》

앗:다 타 抢 qiǎng; 夺 duó ¶그가 내 돈을 앗아 갔다 他把我的钱抢走了

앙-갚음 명하타 复仇 fùchóu; 报仇

bàochóu; 报复 bàofù = 보복 ¶나는 부모님을 위해서 반드시 ~할 것이다 为父母我一定要报仇

앙고라(Angora) 명 【手工】 安哥拉绒 āngēlāróng; 安哥拉呢 āngēlāní

앙금 명 淀 diàn; 淀粉 diànfěn ¶팥 ~ 红豆淀粉

앙꼬(일anko) 명 豆馅 dòuxiàn; 豆沙 dòushā; 红豆沙 hóngdòushā

앙-다물다 타 紧闭 jǐnbì ¶그녀는 입술을 앙다물고 말을 하지 않았다 她紧闭嘴唇, 没有说话

앙:망(仰望) 명하타 祈望 qíwàng; 盼望 pànwàng; 仰望 yǎngwàng ¶진심으로 ~하다 诚心祈望

앙-버티다 자 支撑 zhīchēng; 坚持 jiānchí ¶그 탁자는 이렇게 큰 압력을 앙버틸 수 없다 那个桌子不能支撑这么重的压力

앙상블(프ensemble) 명 1 统一 tǒngyī; 谐调 xiétiáo 2 (女性的) 整套服装 zhěngtào fúzhuāng 3 【音】 合奏 hézòu; 合唱 héchàng 4 【音】 合奏团 hézòutuán 5 【演】 集体演出 jítǐ yǎnchū

앙상-하다 형 1 松散 sōngsǎn; 不严密 bùyánmì 2 瘦削 shòuxuē ¶그녀의 앙상한 손을 보니 나는 정말 마음이 아프다 看她瘦削的手, 我真心疼 3 凋零 diāolíng ¶앙상한 나뭇가지 凋零的树枝 **앙상-히** 부

앙숙(怏宿) 명 冤家 yuānjia

앙심(怏心) 명 报仇心 bàochóuxīn; 恨 hèn ¶~을 품다 怀恨

앙앙 부하자 哇哇大哭 wāwā dàkū

앙앙-거리다 자 哇哇哭 wāwā kū = 앙앙대다 ¶갓난아이가 막 깨서 ~ 婴儿刚睡醒, 哇哇哭

앙:양(昂揚) 명하타 昂扬 ángyáng; 高昂 gāo'áng; 高涨 gāozhǎng; 高潮 gāocháo ¶투지를 ~하다 高昂斗志

앙증-맞다 형 小巧玲珑 xiǎoqiǎolínglóng ¶앙증맞은 여자아이 长得小巧玲珑的女孩 / 앙증맞은 강아지 小巧玲珑的小狗

앙칼-지다 형 1 拼命 pīnmìng ¶앙칼지게 노력하다 拼命地努力 2 尖锐 jiānruì; 尖利 jiānlì ¶앙칼진 고함 소리가 들리다 听到尖锐的叫声

앙케트(프enquête) 명 意见征询 yìjiàn zhēngxún; 意见调查 yìjiàn diàochá; 问卷调查 wènjuàn diàochá; 通函询证 tōnghán xúnzhèng

앙코르(프encore) 명 (观众或听众提出的) 再来一个 zàilái yīge; 再演一次 zàiyǎn yīcì; 再唱一个 zàichàng yīge; 加演 jiāyǎn

앙큼-하다 형 别有用心 biéyǒuyòngxīn

앙탈 명하자 1 耍赖 shuǎlài; 抵赖 dǐlài ¶여러 사람 앞에서 ~을 부리다 当众耍赖 2 推托 tuītuō; 借故推辞 jiègù tuīcí

앞 명 1 前头 qiántou; 前边 qiánbian; 前面 qiánmiàn ¶~에 서서 보다 站在前头看 / ~에서 말하다 说在前头 2 面前 miànqián ¶그의 ~에서는 모두들 감히 말하지 못했다 在他面前, 大家都不敢说话了 3 前途 qiántú; 前程 qiánchéng; 未来 wèilái; 将来 jiānglái ¶너는 ~으로 무슨 일을 할 것이냐? 你将来要干什么呢? 4 以后 yǐhòu; 往后 wǎnghòu ¶~으로 나는 그를 다시 보고 싶지 않다 以后我不想再看他 / ~으로 나는 유학 갈 준비를 할 것이다 以后我要准备去留学 / 너는 ~으로 나를 찾아오지 마라 你从今以后不要来找我 5 (摆在) 前面 qiánmiàn ¶우리 집 ~에 산이 하나 있다 我们家前面有一座山 6 份(儿) fèn(r) ¶한 사람 ~에 하나씩 每人一份儿 7 收 shōu ¶왕 선생 ~ 王先生收

앞(을) 다투다 구 争先恐后

앞(을) 못 보다 구 1 眼瞎 2 目光短浅; 没有远见

앞이 캄캄하다 구 前途渺茫

앞-가르마 명 中分 zhōngfēn ¶~를 타다 梳中分 / ~를 탄 헤어스타일 中分发型

앞-가림 명하자 分内事 fènnèishì ¶네 ~부터 잘하고 나서 나에게 충고를 해라 你先做好份内事, 然后再对我忠告吧

앞-가슴 명 1 胸 xiōng; 胸膛 xiōngtáng 2 前襟 qiánjīn; 胸襟 xiōngjīn 3 【蟲】 前胸 qiánxiōng

앞 구르기 【體】 前滚 qiángǔn

앞-길 명 1 前面的路 qiánmiànde lù ¶운전할 때 ~을 잘 보다 开车的时候看好前面的路 2 前进的道路 qiánjìnde dàolù ¶내 ~을 막지 마라 不要挡住我前面的路 3 前途 qiántú; 前程 qiánchéng = 앞날2 ¶~이 구만 리 같은 젊은이 前程万里的年轻人 / ~이 가장 창창한 업종 最有前途的行业

앞길이 멀다 구 前程远大; 前途无量

앞-날 명 1 未来 wèilái; 将来 jiānglái ¶아름다운 ~을 기대하다 期待美好的未来 2 = 앞길3 3 余下的日子 yúxiàde rìzi; 余生 yúshēng

앞-날개 명 1 (飞机等的) 前翼 qiányì 2 【蟲】 前翅 qiánchì

앞-니 명 【生】 门牙 ményá; 切牙 qiēyá; 门齿 ménchǐ ¶그는 넘어져서 ~ 하나가 부러졌다 他摔断了一颗门牙 / 위 ~ 4개가 모두 빠졌다 四颗上门牙都掉了

앞-다리 명 前腿 qiántuǐ ¶소의 ~ 牛

的前腿

앞-당기다 타 **1** 拉到前面 lādào qiánmiàn ¶의자를 앞당겨 앉다 把椅子拉到前面来坐 **2** 提前 tíqián; 提早 tízǎo ¶그는 한 시간 앞당겨서 떠났다 他提前一个小时走了 / 3교시 수업을 1교시로 ~ 第三节课提前在第一节上

앞-두다 타 以前 yǐqián; 前夕 qiánxī

앞-뒤 명 前后 qiánhòu = 전후1 ¶~ 공간 前后空间 / ~가 일치하다 前后一致

앞뒤가 맞다 구 有条不紊

앞뒤를 재다[가리다] 구 周密计算; 慎重考虑; 思前想后; 瞻前顾后

앞-뜰 명 前院 qiányuàn = 앞마당

앞-마당 명 = 앞뜰

앞-머리 명 **1** 头的前部 tóude qiánbù ¶~가 약간 부어 오르다 头的前部稍隆起 **2** 面前的头发 miànqiánde tóufa **3** 前头 qiántou ¶~에 쓰다 写在前头

앞-면(—面) 명 前面 qiánmiàn; 正面 zhèngmiàn = 전면(前面)1 ¶물체의 ~ 物体的前面 / 동전의 ~ 硬币的正面

앞-모습 명 正面的样子 zhèngmiànde yàngzi

앞-문(—門) 명 前门 qiánmén; 正门 zhèngmén ¶~으로 들어가다 从前门进去

앞-바다 명 前海 qiánhǎi

앞-바퀴 명 前轮 qiánlún

앞-발 명 **1** 前爪 qiánzhǎo **2** 前脚 qiánjiǎo

앞-부분(—部分) 명 前部 qiánbù; 前面部分 qiánmiàn bùfen

앞-산(—山) 명 前山 qiánshān

앞-서 부 **1** 先 xiān; 前 qián ¶나는 그보다 ~ 숙제를 끝냈다 我先他做完了作业 **2** 上次 shàngcì ¶~ 제기했던 문제 上次提到的问题 **3** 事先 shìxiān; 事前 shìqián ¶~ 시간을 안배하다 事先安排时间

앞-서다 ⊟자 **1** 走在前面 zǒuzài qiánmiàn ¶그가 앞서서 걷고 우리는 그를 따랐다 他走在前面, 我们跟着他 **2** 提前 tíqián; 先 xiān; 在先 zàixiān ¶예정보다 한 달 앞서서 완성했다 提早一个月完成了 / 그들보다 앞서서 예측하다 比他们提前预测 ⊟자타 **1** 超过 chāoguò ¶앞에 있던 선수보다 ~ 超过了前面的选手 **2** (配偶或下辈) 先死 xiānsǐ ¶아들이 부모를 ~ 儿子比父母先死 **3** 领先 lǐngxiān; 抢先 qiǎngxiān; 占先 zhànxiān; 先进 xiānjìn ¶앞선 기술력 先进的技术力量 / 상대 선수가 1점 ~ 对手领先一分 / 다른 학생들보다 그의 체력이 ~ 比别的学生他的体力占先

앞서거니 뒤서거니 구 你追我赶; 时前时后

앞-섶 명 前襟 qiánjīn

앞세우다 타 **1** 让…走在前面 ràng… zǒuzài qiánmiàn; 使…走在前面 shǐ… zǒuzài qiánmiàn; 让…站在前面 ràng… zhànzài qiánmiàn; 使…站在前面 shǐ… zhànzài qiánmiàn 《'앞서다⊟1' 的使动词》 ¶악대를 ~ 让乐队走在前面 **2** 放在首位 fàngzài shǒuwèi; 放在前面 fàngzài qiánmiàn; 摆在首位 bǎizài shǒuwèi ¶일을 하는 데 있어 국민을 ~ 办事把人民放在前面 **3** (儿孙) 失去 shīqù 《'앞서다⊟2' 的使动词》 ¶외동딸을 ~ 失去独生女

앞으로-가 감명 『軍』 向前进 xiàng qián jìn

앞으로-나란히 감명 向前看齐 xiàng qián kànqí

앞-이마 명 额头 étóu; 前额 qián'é; 脑门子 nǎoménzi; 脑门儿 nǎoménr

앞-일 명 未来的事 wèiláide shì ¶~은 누구도 보장하지 못한다 未来的事谁也不敢保证

앞-자락 명 前襟 qiánjīn

앞-자리 명 前座 qiánzuò; 前面(的)座位 qiánmiàn(de) zuòwèi; 前排(的)座位 qiánpái(de) zuòwèi ¶그는 아이를 ~에 앉혔다 他让孩子坐在前座

앞-잡이 명 **1** 前导 qiándǎo **2** 走狗 zǒugǒu; 爪牙 zhǎoyá; 狗腿子 gǒutuǐzi; 马前卒 mǎqiánzú; 鹰犬 yīngquǎn ¶그는 전에 일본군의 ~ 노릇을 했었다 他以前给日军当了走狗

앞장-서다 자 **1** 站在前头 zhànzài qiántou ¶대열에 앞장서서 큰 소리로 노래를 부르다 站在队列的前头大声唱歌 **2** 领头 lǐngtóu; 带头 dàitóu; 打头 dǎtóu ¶앞장서서 개혁을 실행하다 率先带头实行改革

앞-줄 명 **1** 前排 qiánpái; 前列 qiánliè ¶맨 ~에 앉은 사람 坐在最前排的人 / ~에 앉아서 영화를 보다 坐在前排看电影 **2** 前面的线 qiánmiànde xiàn

앞-지르다 타 **1** (由事物的后面) 超过 chāoguò; 赶超 gǎnchāo; 超过去 chāoguòqù ¶속도를 높여 앞차를 ~ 加快速度超过了前辆车先走 **2** (发展、能力等) 赶超 gǎnchāo; 超过去 chāoguòqù; 胜过 shèngguò **3** 提前 tíqián; 提早 tízǎo ¶다른 나라보다 앞질러 발전하다 比其他国家提前发展

앞-집 명 前一家 qiányījiā; 前面邻居 qiánmiàn línjū

앞-쪽 명 前面 qiánmiàn; 前头 qiántou; 前边 qiánbian; 前 qián = 전면(前面)2 · 전방1

앞-차(—車) 명 **1** 前面的车 qiánmiànde chē; 前辆车 qiánliàngchē; 前车 qiánchē **2** 先离开的车 xiānlíkāide chē

앞-치마 명 围裙 wéiqún ¶~를 두르고 음식을 만들다 穿着围裙做菜

앞-표지(—表紙) 명 前封皮 qiánfēngpí; 前封面 qiánfēngmiàn

애:[1] 명 **1** 心 xīn ¶~를 태워서 미안하다 不好意思叫你费心 **2** 心思 xīnsi; 心机 xīnjī ¶다행히 나는 헛되이 ~를 쓰지 않았다 幸好我没有白费心思

애:[2] 명 '아이'' 的略词

애가(哀歌) 명 哀歌 āigē

애:-간장(—肝腸) 명 '애'1' 的强调语 ¶부모님이 자식 때문에 ~을 졸이다 父母为孩子操心

애개 감 **1** 唉 āi; 哎呀 āiyā **2** 哼 hng; 啧 zé ¶~, 그렇게 작은 일 때문에 화낼 필요가 있겠니? 啧, 为了那么点小事何必生气呢?

애개개 감 哎咯咯 āigēgē

애걸(哀乞) 명하자타 乞求 qǐqiú; 哀求 āiqiú; 乞哀 qǐ'āi; 央求 yāngqiú; 央告 yānggào ¶그는 주인에게 ~했다 他向主人乞求了

애걸-복걸(哀乞伏乞) 명하자타 苦苦哀求 kǔkǔ āiqiú ¶그녀는 반지를 돌려달라고 ~했다 她苦苦哀求把戒指还给她

애:견(愛犬) 명하자 宠狗 chǒnggǒu; 爱狗 àigǒu; 宠物狗 chǒngwùgǒu ¶~용품 宠物狗用品

애:견-가(愛犬家) 명 宠狗者 chǒnggǒuzhě; 爱狗者 àigǒuzhě = 애견인

애:견-인(愛犬人) 명 = 애견가

애:교(愛嬌) 명 撒娇 sājiāo; 娇媚 jiāomèi ¶그의 딸은 아주 ~가 많다 他的女儿很会撒娇

애:국(愛國) 명하자 爱国 àiguó ¶~가 爱国歌 / ~심 爱国心 / ~자 爱国者 / ~선열 爱国先烈 / ~지사 爱国志士

애기 명 '아기' 的错误

애기똥-풀 명 〖植〗白屈菜 báiqūcài

애꾸 명 **1** = 애꾸눈 **2** = 애꾸눈이

애꾸-눈 명 独眼 dúyǎn = 애꾸1 · 반소경1

애꾸눈-이 명 独眼龙 dúyǎnlóng = 애꾸2 · 외눈박이

애-꿎다 형 **1** 冤枉 yuānwang; 无辜 wúgū ¶애꿎게 처벌을 받다 无辜地受到惩罚 **2** 毫不相干 háobù xiānggān ¶그는 화가 나서 애꿎은 사람에게 성질을 부렸다 他很生气, 向毫不相干的人发脾气

애:-늙은이 명 小大人儿 xiǎodàrénr

애니메이션(animation) 명 〖演〗动画 dònghuà; 动画片 dònghuàpiàn

애:-달다 자 悲痛 bēitòng; 悲惨 bēicǎn; 苦恼 kǔnǎo ¶그가 병들어 죽었다는 소리를 들으니 마음이 아주 ~ 听说他病死了, 我感到很悲痛

애달프다 형 **1** 焦急 jiāojí; 心焦 xīnjiāo ¶내 애달픈 마음은 아무도 모른다 我这么焦急的心, 谁也不知道 **2** 悲痛 bēitòng; 悲惨 bēicǎn; 苦恼 kǔnǎo ¶애달픈 목소리 悲痛的声音

애달피 부 **1** 焦急地 jiāojíde **2** 悲哀地 bēi'āide ¶그의 이름을 ~ 부르다 悲哀地叫他的名字 / ~ 울다 悲哀地哭泣

애닯다 형 '애달프다' 的错误

애-당초(—當初) 명 最初 zuìchū; 当初 dāngchū ¶~ 나는 너를 좋아하지 않았다 当初我没有喜欢你

애도(哀悼) 명하타 哀悼 āidào ¶~ 기간 哀悼期间 / ~사 哀悼词 / ~식 哀悼仪式 / ~의 뜻을 표하다 表示哀悼

애:독(愛讀) 명하타 爱读 àidú; 耽读 dāndú

애:독-자(愛讀者) 명 热心的读者 rèxīnde dúzhě

애드리브(ad lib) 명 **1** 〖演〗即兴台词 jíxìng táicí **2** 〖音〗即兴演奏 jíxìng yǎnzòu

애드벌룬(adballoon) 명 广告气球 guǎnggào qìqiú

애로(隘路) 명 **1** 隘路 àilù; 隘道 àidào; 狭路 xiálù **2** 困难 kùnnan; 难关 nánguān; 障碍 zhàng'ài; 隘路 àilù ¶~가 생기다 发生困难 / ~를 겪다 经历困难

애:마(愛馬) 명 宠马 chǒngmǎ

애:매(曖昧) 명하형히부 暧昧 àimèi; 含糊 hánhu; 模棱 móléng; 不分明 bùfēnmíng; 不清楚 bùqīngchu; 不明不白 bùmíngbùbái ¶그의 말은 너무 ~하다 他的话太模棱

애:매-모호(曖昧模糊) 명하형 (态度或说话) 暧昧不明 àimèibùmíng; 含糊 hánhu; 模糊 móhu; 模棱 móléng; 不清楚 bùqīngchu; 不分明 bùfēnmíng ¶~한 태도 模糊的态度

애:매-하다 형 无辜 wúgū; 冤枉 yuānwang ¶애매하게 누명을 쓰다 无辜被人冤枉 **애:매-히** 부

애:-먹다 자 辛苦 xīnkǔ; 吃苦头 chī kǔtou; 吃苦 chīkǔ; 心焦 xīnjiāo ¶아이를 찾기 위해 우리는 모두 애먹었다 为了找孩子我们都心焦如焚

애:-먹이다 타 使…辛苦 shǐ…xīnkǔ; 使…吃苦 shǐ…chīkǔ; 叫…心焦 jiào…xīnjiāo 《'애먹다' 的使动词》 ¶이 아이는 정말 부모를 애먹인다 这个孩子真叫父母心焦

애:모(愛慕) 명하타 爱慕 àimù

애:무(愛撫) 명하타 爱抚 àifǔ

애:-물(—物) 명 **1** 讨厌鬼 tǎoyànguǐ **2** 夭折的子女 yāozhéde zǐnǚ

애:물-단지(—物—) 명 '애물' 的鄙称

애-벌 명 初 chū; 初次 chūcì; 第一遍

dìyībiàn; 头一遍 tóuyībiàn = 초벌 ¶～빨래 洗第一遍
애:-벌레 명 〖蟲〗 幼虫 yòuchóng = 유충(幼蟲)
애비 명 '아비' 的错误
애:석(哀惜) 명하형히부 惋惜 wǎnxī; 可惜 kěxī ¶～한 일 惋惜的事情 / 우리는 모두 이번 일을 ～하게 생각한다 我们都为这件事感到惋惜
애-송이 명 毛孩子 máoháizi; 黄口小儿 huángkǒu xiào'ér
애수(哀愁) 명 哀愁 āichóu; 哀伤 āishāng; 忧伤 yōushāng ¶이곳의 풍경은 ～를 자아낸다 这里的风景引起哀愁
애시-당초(—當初) 명 '애당초' 的错误
애:-쓰다 자 费心 fèixīn; 费力 fèilì; 辛苦 xīnkǔ; 吃苦 chīkǔ; 费尽心机 fèijìnxīnjī; 费劲(儿) fèijìn(r); 辛劳 xīnláo ¶오늘 모두 애쓰셨습니다! 今天大家都辛苦了!
애:연-가(愛煙家) 명 烟民 yānmín
애:완(愛玩) 명하타 欣赏 xīnshǎng; 爱玩 àiwán
애:완-견(愛玩犬) 명 宠物狗 chǒngwùgǒu; 伴侣犬 bànlǚquǎn
애:완-동물(愛玩動物) 명 宠物 chǒngwù; 伴侣动物 bànlǚ dòngwù
애:완-용(愛玩用) 명 欣赏用 xīnshǎngyòng; 爱玩用 àiwányòng
애:욕(愛欲) 명 **1** 爱欲 àiyù **2** 情欲 qíngyù
애:용(愛用) 명하타 爱用 àiyòng; 喜欢用 xǐhuan yòng ¶스타들이 ～하는 화장품 明星爱用的化妆品 / 국산품을 ～하다 爱用国货
애원(哀願) 명하타 哀求 āiqiú; 央求 yāngqiú; 央告 yānggào; 苦求 kǔqiú; 恳求 kěnqiú ¶살려달라고 ～하다 哀求救命 / 그는 돈을 돌려 달라고 ～했다 他哀求把钱还给他
애:인(愛人) 명하자 恋人 liànrén; 情人 qíngrén ¶너 ～ 있니? 你有情人吗?
애자(礙子) 명 〖電〗 绝缘子 juéyuánzi
애잔-하다 형 **1** 单薄 dānbó; 瘦弱 shòuruò ¶그녀는 애잔한 얼굴을 들었다 她抬起了瘦弱的脸 **2** 怜悯 liánmǐn; 怜愍 liánmǐn ¶애잔한 눈빛 怜悯的眼神 **애잔-히** 부
애-저녁 명 '애초' 的错误
애절-하다(哀切—) 형 凄切 qīqiè; 悲伤 bēishāng ¶애절한 가사 悲伤的歌词 **애절-히** 부
애:정(愛情) 명 爱 ài; 爱情 àiqíng; 爱意 àiyì ¶～관 爱情观 / ～ 소설 爱情小说 / ～을 느끼다 感到爱
애:주-가(愛酒家) 명 爱酒人 àijiǔrén; 爱酒者 àijiǔzhě
애:증(愛憎) 명 爱憎 àizēng ¶～이 분명하다 爱憎分明
애:지중지(愛之重之) 부하타 疼爱 téng'ài; 爱惜 àixī; 珍爱 zhēn'ài ¶그녀는 남자 친구가 준 반지를 ～한다 她很珍爱男朋友给她的戒指
애:착(愛着) 명하자 热爱 rè'ài; 爱惜 àixī; 依依不舍 yīyībùshě; 恋恋不忘 liànliànbùwàng ¶조국에 ～을 가지다 热爱祖国 / 생활에 ～을 가지다 热爱生活
애:착-심(愛着心) 명 热爱之心 rè'àizhīxīn; 眷恋之情 juànliànzhīqíng; 依依不舍 yīyībùshě; 恋恋不忘 liànliànbùwàng
애:창(愛唱) 명하타 爱唱 àichàng ¶～곡 爱唱曲
애:처(愛妻) 명하자 爱妻 àiqī ¶～가 爱妻者
애처-롭다 형 可怜 kělián; 令人怜悯 lìngrén liánmǐn; 令人心疼 lìngrén xīnténg ¶그녀가 우는 것을 보니 정말 ～ 看她哭泣, 真令人心疼 **애처로이** 부
애:첩(愛妾) 명 爱妾 àiqiè; 宠妾 chǒngqiè
애:청(愛聽) 명하타 爱听 àitīng ¶내가 가장 ～하는 라디오 프로그램 我最爱听的广播节目
애초(—初) 명 最初 zuìchū; 当初 dāngchū; 根本 gēnběn ¶～의 목적을 잊어서는 안 된다 不要忘记当初的目的 / 그는 ～부터 그런 능력이 없었다 他根本没有那种能力
애:칭(愛稱) 명 爱称 àichēng ¶여자 친구에게 ～을 붙여 주다 为女友起爱称
애:-타다 자 心焦 xīnjiāo; 焦虑 jiāolǜ; 焦躁 jiāozào ¶애타는 마음 焦躁的感觉
애:타-심(愛他心) 명 爱他心 àitāxīn; 爱他人之心 àitārénzhīxīn
애:태우다 타 焦急 jiāojí; 心焦 xīnjiāo; 烦躁 fánzào 《'애타다' 的使动词》 ¶애태우며 가족의 소식을 기다리다 焦急地等待亲人的消息
애통(哀痛) 명하자 哀痛 āitòng; 悲痛 bēitòng ¶가족을 잃은 ～함 失去亲人的悲痛 / ～한 눈물 悲痛的眼泪
애틋-하다 형 **1** 悲痛 bēitòng; 哀痛欲绝 āitòngyùjué ¶애틋한 눈물을 흘리다 流悲痛的眼泪 **2** 深情 shēnqíng; 依恋 yīliàn ¶애틋한 마음으로 그를 바라보다 满怀深情望着他
애:-티 명 稚气 zhìqì; 孩子气 háiziqì
애프터-서비스(after service) 명 售后服务 shòuhòu fúwù; 销售后服务 xiāoshòuhòu fúwù = 에이에스 ¶～ 센터 售后服务中心 / ～ 비용 售后服务费

애플-파이(apple pie) 명 苹果馅饼 píngguǒ xiànbǐng; 苹果派 píngguǒpài

애피타이저(appetizer) 명 开胃菜 kāiwèicài; 开胃品 kāiwèipǐn; 开胃小吃 kāiwèi xiǎochī

애:호(愛好) 명하타 爱好 àihào; 嗜好 shìhào ¶미술을 ~하다 爱好美术 / 야구를 ~하다 爱好棒球

애:호(愛護) 명하타 爱护 àihù ¶문화유산을 ~하다 爱护文化遗产

애:호-가(愛好家) 명 爱好者 àihàozhě ¶동물 ~ 动物爱好者 / 음악 ~ 音乐爱好者

애-호박 명 小南瓜 xiǎonánguā; 嫩南瓜 nènnánguā

애환(哀歡) 명 悲欢 bēihuān ¶삶의 ~ 人生的悲欢

액(厄) 명 厄 è; 灾厄 zāi'è

액(液) 명 **1** 液体 yètǐ **2** 液 yè ¶냉각~ 冷却液 / 수정~ 修改液

-액(額) 접미 额 é; 数额 shù'é ¶수출~ 出口额 / 판매~ 销售额

액-땜(厄—) 명하자 去邪 qùxié; 禳灾 rángzāi

액-막이(厄—) 명하자 【民】 去邪 qùxié; 除邪 chúxié

액막이-굿(厄—) 명 【民】 跳大神 tiàodàshén

액면(額面) 명 **1** 匾额面 biǎn'émiàn **2** 票面额 piàomiàn'é; 额面 émiàn; 票面 piàomiàn

액면-가(額面價) 명 【經】 = 액면 가격 ¶~ 만 원의 주식 面值一万元的股票

액면 가격(額面價格) 【經】 面额 miàn'é; 票面额 piàomiàn'é; 票面价格 piàomiàn jiàgé; 额面 émiàn; 面值 miànzhí; 面价 miànjià = 액면가

액면-주(額面株) 명 【經】 面额股票 miàn'é gǔpiào; 面值股票 miànzhí gǔpiào = 액면 주식

액면 주식(額面株式) 명 【經】 = 액면주

액상(液狀) 명 液态 yètài ¶~ 분유 液态奶粉

액세서리(accessory) 명 首饰 shǒushi; 配饰 pèishì; 饰品 shìpǐn ¶~를 착용하다 戴首饰

액센트 명 '악센트' 的错误

액셀(←accelerator) 명 【機】 = 액셀러레이터

액셀러레이터(accelerator) 명 【機】 加速器 jiāsùqì; 加速踏板 jiāsù tàbǎn = 가속 페달 · 액셀

액션(action) 一명 【演】 动作 dòngzuò; 行动 xíngdòng ¶~ 영화 动作片 二감 【演】 开始 kāishǐ

액수(額數) 명 数额 shù'é; 额 é; 量 liàng ¶~가 매우 크다 数额巨大

액운(厄運) 명 厄运 èyùn ¶~이 끊이지 않다 厄运不断

액자(額子) 명 镜框(儿) jìngkuàng(r); 相框 xiàngkuàng; 画框 huàkuàng ¶벽에 큰 ~ 하나가 걸려 있다 墙上挂着一个大镜框

액정(液晶) 명 【物】 液晶 yèjīng ¶~ 텔레비전 液晶电视

액즙(液汁) 명 = 즙

액체(液體) 명 【物】 液体 yètǐ ¶~ 성분 液体成分 / ~ 연료 液体燃料

액취(腋臭) 명 = 암내[2] ¶~증 腋臭症

액화(液化) 명하자타 【物】 液化 yèhuà ¶~ 가스 液化气 / ~열 液化热

액화 석유 가스(液化石油gas) 【化】 液化石油气 yèhuà shíyóuqì = 엘피 가스

액화 천연가스(液化天然gas) 【化】 液化天然气 yèhuà tiānránqì = 엘엔지

앨범(album) 명 **1** = 사진첩 ¶졸업 ~ 毕业影集 **2** = 음반 ¶새 ~을 내다 发行新专辑

앰뷸런스(ambulance) 명 = 구급차 ¶~가 제시간에 현장에 도착하다 救护车及时到达现场

앰풀(ampoule) 명 【醫】 安瓿 ānbù

앰프(←amplifier) 명 【物】 = 증폭기 ¶~ 시설 扩音器设施 / ~를 설치하다 安装扩音器

앳-되다 형 幼小 yòuxiǎo; 年幼 niányòu; 嫩 nèn; 显得年轻 xiǎnde niánqīng; 有孩子气 yǒu háiziqì ¶그녀는 벌써 서른이지만 아주 앳되어 보인다 她已经三十岁了, 不过显得很年轻

앵 부 嗡 wēng 《蚊子或蜂的声音》

앵글(angle) 명 **1** (看事物的) 角度 jiǎodù; 观点 guāndiǎn **2** 【演】 镜头角度 jìngtóu jiǎodù

앵-돌아지다 자 **1** 闹翻脸 nào fānliǎn ¶그녀는 앵돌아져 나가 버렸다 她心里不高兴, 就出去了 **2** 偏向一方 piānxiàng yīfāng

앵두 명 樱桃 yīngtáo ¶~ 같은 입술 樱桃般的嘴唇

앵두-나무 명 【植】 樱桃树 yīngtáoshù; 樱桃 yīngtáo

앵무(鸚鵡) 명 【鳥】 = 앵무새

앵무-새(鸚鵡—) 명 【鳥】 鹦鹉 yīngwǔ; 鹦哥 yīnggē; 能言鸟 néngyánniǎo = 앵무

앵무-조개(鸚鵡—) 명 【貝】 鹦鹉贝 yīngwǔbèi

앵-앵 부하자 嗡嗡 wēngwēng

앵앵-거리다 자 嗡嗡地响 wēngwēngde xiǎng = 앵앵대다 ¶모기가 밤새 앵앵거려서 잠을 잘 수가 없었다 蚊子整夜嗡嗡地响, 让我不能睡觉

앵커(anchor) 명 = 앵커맨
앵커-맨(anchor man) 명 新闻主播 xīnwén zhǔbō; 新闻报道员 xīnwén bàodàoyuán = 앵커
앵클-부츠(ankle boots) 명 短筒靴 duǎntǒngxuē
야:[1] 감 **1** 啊 ā; 呀 yā; 哟 yō ¶~, 오늘 날씨 정말 좋다! 呀, 今天天气真好! **2** 喂 wèi ¶~, 얼른 와서 봐 봐 喂, 快来看呀 ‖ = 얘[1]
야[2] 조 **1** 用于各种形态的体词、谓词、副词、词尾后面, 表示强调 ¶이번에는 꼭 그를 이기고~ 말겠다 这次我一定要打败他 / 이렇게 늦게 와서~ 어떻게 시합을 보러 갈 수 있겠니? 你来得这么晚, 怎么能去看比赛呢? **2** 用于末音节为开音节的名词词干之后, 表示称呼 ¶철수~, 우리랑 같이 놀러 가자! 哲洙, 跟我们一起去玩儿吧!
야:간(夜間) 명 **1** 夜间 yèjiān; 夜 yè; 夜里头 yèlitou ¶~ 경기 夜场比赛 / ~ 근무 夜班 / ~ 비행 夜间飞行 / ~ 대학 夜大学 =[夜大] / ~열차 夜间列车 **2** 〖教〗 = 야간부
야:간-도주(夜間逃走) 명하자 = 야반도주
야:간-부(夜間部) 명 〖教〗 夜间部 yèjiānbù = 야간2
야:간-작업(夜間作業) 명하자 = 밤일1
야:간 학교(夜間學校) 〖教〗 夜间学校 yèjiān xuéxiào; 夜校 yèxiào = 야학교
야:경(夜景) 명 夜景 yèjǐng; 夜色 yèsè ¶홍콩의 ~ 香港夜景 / ~ 사진 夜景照片
야:경(夜警) 명하자 **1** 巡夜 xúnyè **2** = 야경꾼
야:경-꾼(夜警—) 명 巡夜的人 xúnyède rén = 야경(夜警)2
야:곡(夜曲) 명 〖音〗 = 세레나데
야:광(夜光) 명 夜光 yèguāng ¶~ 제품 夜光制品 / ~ 시계 夜光表 / ~찌 夜光鱼漂
야:광-주(夜光珠) 명 夜明珠 yèmíngzhū; 夜光珠 yèguāngzhū; 夜珠 yèzhū
야:구(野球) 명 〖體〗 棒球 bàngqiú ¶~공 棒球 / ~장 棒球场 / ~ 선수 棒球手 / ~ 규칙 棒球规则
야:구-단(野球團) 명 〖體〗 棒球团 bàngqiútuán; 棒球队 bàngqiúduì = 야구팀
야구르트 명 '요구르트' 的错误
야:구 방망이(野球—) 〖體〗 球棒 qiúbàng; 球棍 qiúgùn
야:구-팀(野球team) 명 〖體〗 = 야구단
야:권(野圈) 명 = 야당권
야:근(夜勤) 명하자 夜班 yèbān ¶~을 자주 하다 经常上夜班
야:금(冶金) 명하타 〖工〗 冶金 yějīn ¶~술 冶金术
야금-거리다 타 一点儿一点儿地嚼 yīdiǎnryīdiǎnrde jiáo; 一点儿一点儿地吃 yīdiǎnryīdiǎnrde chī = 야금대다 ¶그녀는 내 옆에서 과자를 야금거렸다 她在我旁边一点儿一点儿地吃饼干 **야금-야금** 부하타
야:기(惹起) 명하타 引起 yǐnqǐ; 惹起 rěqǐ; 引致 yǐnzhì; 导致 dǎozhì; 招惹 zhāore; 勾起 gōuqǐ ¶중대한 문제를 ~하다 引起重大问题 / 사망을 ~하다 导致死亡
야:뇨-증(夜尿症) 명 〖醫〗 夜尿症 yèniàozhèng; 遗尿 yíniào; 尿床 niàochuáng
야누스(Janus) 명 〖文〗 坚钮斯 Jiānniǔsī; 两面神 liǎngmiànshén
야:단(惹端) 명하자 **1** 喧嚷 xuānrǎng; 喧扰 xuānrǎo; 闹腾 nàoteng; 吵闹 chǎonào ¶무슨 일 생겼니? 왜 이리들 ~이야? 发生什么事? 你们为什么这么闹腾? **2** 骂 mà; 说 shuō; 批评 pīpíng ¶그의 아버지는 성적이 좋지 않다고 그에게 ~을 치셨다 他爸爸骂他成绩不好 **3** 糟糕 zāogāo; 糟 zāo; 不得了 bùdéliǎo ¶폭설이 계속되면 ~인데 暴风雪要是还持续下的话就糟糕了
야:단-나다(惹端—) 자 **1** (开心得) 热闹 rènao; 喧哗 xuānhuá; 喧闹 xuānnào **2** 糟 zāo; 糟糕 zāogāo; 不得了 bùdéliǎo ¶야단났다, 여권을 잃어버렸어! 糟了, 我丢了护照! / 세상에! 야단났네! 我的天啊! 不得了了!
야:단-맞다(惹端—) 자 挨骂 ái mà; 挨说 ái shuō; 挨批评 ái pīpíng ¶그는 너무 장난이 심해서 항상 엄마한테 야단 맞는다 他因为太淘气, 老挨妈妈的骂
야:단-법석(惹端—) 명 喧嚷 xuānrǎng; 喧扰 xuānrǎo; 闹腾 nàoteng; 吵闹 chǎonào ¶~ 좀 떨지 마라. 이웃 사람들이 잠을 잘 수가 없다 你们别吵闹, 邻居的人不能入睡
야:단-스럽다(惹端—) 형 喧嚷 xuānrǎng; 闹哄哄 nàohōnghōng ¶많은 여자들이 공항에서 야단스럽게 스타를 환영했다 很多女性在机场闹哄哄地欢迎了明星 **야:단스레** 부
야:단-치다(惹端—) 자타 叱责 chìzé; 骂 mà; 说 shuō; 批评 pīpíng ¶그녀의 어머니는 그녀가 방을 치우지 않았다고 야단쳤다 她妈妈骂她没有收拾房间
야:담(野談) 명 野谈 yětán ¶~가 野谈家
야:당(野黨) 명 在野党 zàiyědǎng ¶~ 의원 在野党议员 / ~ 후보 在野党候

选人

야:당-권(野黨圈) 명 在野圈 zàiyěquān = 야권

야드(yard) 의명 码 mǎ = 마(碼)

야들-야들 부하형 润滑 rùnhuá; 细嫩 xìnèn ¶피부를 ~하게 만들다 使皮肤变得细嫩光滑

야릇-하다 형 奇怪 qíguài; 奇妙 qímiào; 奇异 qíyì; 神秘 shénmì ¶야릇한 사진 奇怪的图片 / 야릇한 표정 奇怪的表情 / 야릇한 기분 奇异的心情

야리-야리 부하형 柔弱 róuruò; 软弱 ruǎnruò; 纤细 xiānxì ¶몸매가 ~한 여자 身材纤细的女性

야:만(野蠻) 명 野蛮 yěmán; 野 yě ¶~성 野蛮性 / ~인 野蛮人 / ~ 행위 野蛮行为 / ~의 민족 野蛮民族

야:만-스럽다(野蠻—) 형 野蛮 yěmán; 野 yě ¶야만스러운 사람 野蛮的人 **야:만스레** 부

야:만-적(野蠻的) 관명 野蛮(的) yěmán(de) ¶~인 행동 野蛮的行动

야-말로 조 才 cái; 才是 cáishì ¶그~ 진정한 챔피언이다 他才是真正的冠军

야:망(野望) 명 野心 yěxīn; 雄心 xióngxīn; 抱负 bàofù ¶정치적 ~ 政治雄心 / 그는 ~이 없다 他没有野心 / 자신의 ~을 이루다 完成自己的野心

야:맹(夜盲) 명 『醫』 = 야맹증

야:맹-증(夜盲症) 명 『醫』 夜盲 yèmáng; 夜盲症 yèmángzhèng; 雀盲眼 qiǎomangyǎn = 야맹

야멸-차다 형 1 只顾自己 zhǐgù zìjǐ; 自私无情 zìsī wúqíng 2 冷淡 lěngdàn; 无情 wúqíng; 冷酷无情 lěngkùwúqíng ¶그는 야멸차게 나의 요구를 거절했다 他冷淡地拒绝了我的要求

야멸-치다 형 1 只顾自己 zhǐgù zìjǐ; 自私无情 zìsī wúqíng 2 冷淡 lěngdàn; 无情 wúqíng; 冷酷无情 lěngkù wúqíng ¶그녀는 그에게 아주 ~ 她对他很冷淡

야무-지다 형 结实 jiēshi; 精明 jīngmíng; 精明强干 jīngmíng qiánggàn; 精干 jīnggàn ¶이 아이는 참 야무지게 생겼다 这孩子长得真结实

야물다 一자 (籽粒等) 饱满 bǎomǎn; 成熟 chéngshú ¶벼가 야물었다 稻穗成熟了 二형 1 精干 jīnggàn; 精明 jīngmíng; 精明强干 jīngmíngqiánggàn ¶그 사람은 아주 ~ 那个人为人精明强干 2 仔细 zǐxì; 节省 jiéshěng ¶그녀는 일 처리가 ~ 她做事很仔细

야물딱-지다 형 '야무지다' 的方言

야:바위 명하자 揩油 kāiyóu; 诈骗 zhàpiàn

야바위(를) 치다 구 1 耍花招 2 偷梁换柱

야:바위-꾼 명 骗子 piànzi; 骗子手 piànzishǒu

야:바위-판 명 揩油 kāiyóu; 骗局 piànjú

야:박-스럽다(野薄—) 형 刻薄 kèbó; 冷酷 lěngkù; 冷毒 lěngdú; 无情 wúqíng; 薄情 bóqíng ¶내 부탁까지 거절하다니 너 정말 야박스럽구나 连我的请求也拒绝, 你真无情 **야:박스레** 부

야:박-하다(野薄—) 형 刻薄 kèbó; 冷酷 lěngkù; 冷毒 lěngdú; 无情 wúqíng; 薄情 bóqíng ¶다른 사람에게 너무 야박하게 굴지 마라 对别人不要太刻薄 **야:박-히** 부

야:반(夜半) 명 = 밤중 ¶~에 우리 집에 도둑이 들었다 半夜我家里进小偷了

야:반-도주(夜半逃走) 명하자 夜间逃走 yèjiān táozǒu = 야간도주 ¶그녀는 내 돈을 훔쳐서 ~했다 她偷了我的钱, 夜间逃走了

야:-밤(夜—) 명 深夜 shēnyè; 半夜 bànyè ¶그들은 ~에 출발했다 他们在半夜出发了

야:-밤중(夜—中) 명 = 한밤중 ¶우리가 돌아왔을 때는 이미 ~인 12시였다 我们回到的时候, 已经是半夜十二点了

야:비-하다(野卑— · 野鄙—) 형 卑鄙 bēibǐ; 卑劣 bēiliè; 卑污 bēiwū; 下流 xiàliú ¶그렇게 하는 것은 너무 ~ 这样做太卑鄙了

야:사(野史) 명 野史 yěshǐ; 野乘 yěshèng; 野录 yělù

야:산(野山) 명 小山岗 xiǎoshāngǎng; 小山坡 xiǎoshānpō

야:상-곡(夜想曲) 명 『音』 = 녹턴

야:생(野生) 명하자 野生 yěshēng ¶~초 野生草 / ~ 동물 野生动物 / ~ 식물 野生植物

야:생-마(野生馬) 명 野生马 yěshēngmǎ; 野马 yěmǎ

야:생-화(野生花) 명 = 들꽃

야:성(野性) 명 野性 yěxìng; 野 yě ¶~녀 野女人 =[野女] / ~을 드러내다 表现出野性

야:성-미(野性美) 명 野性美 yěxìngměi; 野性之美 yěxìngzhīměi; 野性 yěxìng

야:속(野俗) 명하형히부 遗憾 yíhàn; 不够交情 bùgòu jiāoqíng; 无情 wúqíng; 感到别扭 gǎndào bièniu; 埋怨 mányuàn ¶이러한 결과에 대해 그들은 아주 ~하게 생각한다 对于这样的结果, 他们深感到遗憾

야:수(野手) 명 『體』 守场员 shǒuchǎngyuán

야:수(野獸) 명 野兽 yěshòu ¶미녀와

~ 美女与野兽
야:-시장(夜市場) 명 夜市 yèshì
야:식(夜食) 명하자 = 밤참 ¶~을 먹다 吃夜餐
야:심(夜深) 명하형 夜深 yèshēn
야:심(野心) 명 野心 yěxīn ¶~가 野心家 / ~작 野心之作 / 그는 아무런 ~이 없다 他没有任何野心
야:심만만-하다(野心滿滿—) 형 野心勃勃 yěxīnbóbó **야:심만만-히** 부
야:영(野營) 명하자 1 野营 yěyíng; 扎营 zhāyíng; 露营 lùyíng ¶~ 장비 野营装备 2 露营 lùyíng; 野营 yěyíng; 夏令营 xiàlìngyíng ¶~객 露营者 / ~장 露营场 / ~지 露营地
야옹 부 咪咪 mīmī; 喵喵 miāomiāo 《猫叫声》
야옹-거리다 자 (猫) 喵喵地叫 miāomiāode jiào; 咪咪地叫 mīmīde jiào = 야옹대다 **야옹-야옹** 부하자
야옹-이 명 猫 māo; 猫猫 māomāo; 小猫 xiǎomāo
야:외(野外) 명 1 野外 yěwài ¶~ 활동 野外活动 / ~ 운동 野外运动 / ~로 놀러 나가다 到野外去玩 2 露天 lùtiān; 户外 hùwài ¶~ 수업 露天上课 / ~ 결혼식 户外婚礼
야:외-무대(野外舞臺) 명 露天舞台 lùtiān wǔtái; 户外舞台 hùwài wǔtái
야:외 촬영(野外撮影) 〖演〗 = 현지 촬영
야:욕(野慾) 명 1 野心 yěxīn 2 鬼胎 guǐtāi
야위다 자 瘦 shòu; 瘦削 shòuxuē ¶그는 전보다 더 야위었다 他比以前更瘦了
야:유(揶揄) 명하타 倒好儿 dàohǎor; 倒彩 dàocǎi; 揶揄 yéyú; 嘲笑 cháoxiào; 奚落 xīluò ¶다른 사람을 ~하다 揶揄别人
야:유-회(野遊會) 명 野游会 yěyóuhuì; 郊游会 jiāoyóuhuì
야:인(野人) 명 野人 yěrén
야:자(椰子) 명 1 〖植〗 = 야자나무1 2 椰子 yēzi; 椰 yē
야:자-나무(椰子—) 명 〖植〗 1 椰子 yēzi; 椰子树 yēzishù = 야자1 · 야자수 2 = 코코야자
야:자-수(椰子樹) 명 〖植〗 = 야자나무1
야:적(野積) 명하타 露天存储 lùtiān cúnchǔ; 露天堆存 lùtiān duīcún; 在露天堆积 zàilùtiān duījī; 户外贮藏 hùwài zhùcáng
야:적-장(野積場) 명 积场 jīchǎng; 露天堆场 lùtiān duīchǎng; 露天储放场 lùtiān chǔfàngchǎng
야:전(野戰) 명 〖軍〗 野战 yězhàn ¶~군 野战军 / ~복 野战服 / ~ 병원 野战医院 / ~잠바 野战夹克 / ~ 침대 野战床
야:차(夜叉) 명 〖佛〗 夜叉 yèchā
야:참(夜—) 명 = 밤참
야:채(野菜) 명 1 野菜 yěcài 2 蔬菜 shūcài; 菜 cài ¶~류 蔬菜类 / ~샐러드 蔬菜沙拉 / ~ 주스 蔬菜汁 / 무공해 ~ 无公害蔬菜 / 신선한 ~ 新鲜的蔬菜 / ~를 심다 种植蔬菜
야쿠자(일Yakuja[八九三]) 명 日本黑帮 Rìběn Hēibāng; 八九三黑帮 bājiǔsān Hēibāng
야크(yak) 명 〖動〗 牦牛 máoniú
야트막-하다 형 矮矮 ǎi'ǎi; 矮 ǎi ¶야트막한 하늘 矮矮的天空 / 야트막한 탁자 矮矮的桌子 **야트막-이** 부
야:-하다(冶—) 형 粗野 cūyě; 不大方 bùdàfang ¶이 셔츠는 색이 좀 ~ 这件衬衫颜色不够大方
야:학(夜學) 명하자 1 夜学 yèxué 2 夜校 yèxiào 《'야간 학교' 的略词》 ¶~에 다니다 上夜校
야:-학교(夜學校) 명 〖教〗 = 야간 학교
야:-학생(夜學生) 명 夜校学生 yèxiào xuésheng
야:합(野合) 명하자 1 通奸 tōngjiān; 私通 sītōng ¶그의 아내는 외간 남자와 ~했다 他的妻子与人私通了 2 勾结 gōujié; 狼狈为奸 lángbèiwéijiān; 私通 sītōng ¶경찰과 도둑이 ~하다 警贼勾结
야:행(夜行) 명하자 夜行 yèxíng
야:행-성(夜行性) 명 〖動〗 夜行性 yèxíngxìng; 夜间活动的 yèjiān huódòngde ¶~ 동물 夜行性动物
야호 감 唷嗬 yōhē 《登山者相互呼叫声》
야:화(夜話) 명 〖文〗 夜话 yèhuà
약 명 1 (辣椒、烟叶等具有的) 刺激性 cìjīxìng ¶이 고추는 ~이 잔뜩 올랐다 这个辣椒具有很强的刺激性 2 火 huǒ; 脾气 píqi; 上火 shànghuǒ
약(을) 올리다 구 让…生气; 让…发火; 让…火大
약(이) 오르다 구 1 生效; 成熟 2 生气; 发火; 冒火
약(約) 관 约 yuē; 大约 dàyuē; 大概 dàgài; 左右 zuǒyòu ¶학교에서 우체국까지는 ~ 오백 미터쯤 된다 学校离邮局大概五百米左右
약(藥) 명 1 药 yào = 약품1 ¶~값 药费 =[药钱] / 다이어트 ~ 减肥药 / 시간 맞춰 ~을 먹다 按时吃药 2 杀虫剂 shāchóngjì ¶~을 뿌려 모기를 잡다 喷洒杀虫剂杀蚊子 3 擦光油 cāguāngyóu; 油 yóu; 釉药 yòuyào ¶구두에 ~

을 칠하다 往皮鞋上擦油 **4** 毒 dú; 鸦片 yāpiàn ¶그는 전에 종종 ~을 했다 他以前常常吸毒 **5** '건전지'的别称 ¶손목시계가 멈춰서 ~을 갈다 手表停止, 去更换电池
약에 쓰려도 없다 구 一点也没有
약간(若干) 명부 微 wēi; 微微 wēiwēi; 微小 wēixiǎo; 稍 shāo; 稍稍 shāoshāo; 少 shǎo; 点(儿) diǎn(r); 一点(儿) yīdiǎn(r); 一些 yīxiē; 有点(儿) yǒudiǎn(r); 有些 yǒuxiē; 若干 ruògān; 稍微 shāowēi; 略微 lüèwēi; 多少 duōshǎo ¶~의 사람들 若干人 / 얼굴이 ~ 붉다 脸色微红 / 머리가 ~ 어지럽다 头有点晕 / 나는 ~ 배가 고프다 我有些饿了 / 이 글을 ~만 수정해 주세요 请你把这篇文章稍微修改一下
약골(弱骨) 명 **1** 体弱者 tǐruòzhě; 体弱的人 tǐruòde rén **2** 弱骨 ruògǔ; 弱骨头 ruògǔtou
약과(藥果) 명 **1** 蜜麻花 mìmáhuā **2** 算不了什么 suànbùliǎo shénme; 不算什么 bùsuàn shénme; 没什么 méi shénme ¶이 일은 나에게 ~이다 这件事对我来说算不了什么
약관(約款) 명 〖法〗 条款 tiáokuǎn; 规条 guītiáo ¶보험 ~ 保险条款 / 아래의 ~을 자세히 읽어 보세요 请您仔细阅读以下规条
약관(弱冠) 명 弱冠 ruòguàn; 二十岁 èrshí suì ¶그는 ~의 나이에 전기를 발명했다 他二十岁的时候发明了电气
약국(藥局) 명 **1** 药店 yàodiàn; 药房 yàofáng; 药铺 yàopù; 药局 yàojú = 약방1 ¶~에 가서 감기약을 사다 去药铺买感冒药 **2** (医院里的) 药房 yàofáng
약다 형 机灵 jīling; 机伶 jīling; 精灵 jīnglíng; 乖巧 guāiqiǎo ¶약은 아이 机灵的孩子 / 그는 어려서부터 약았다 他从小就乖巧
약대(藥大) 명 〖教〗 '약학 대학'的略词
약도(略圖) 명 略图 lüètú; 示意图 shìyìtú; 位置示意图 wèizhi shìyìtú ¶시험장 ~ 考点位置示意图 / 베이징 주변 ~ 北京周边略图 / 학교 ~ 学校略图
약동(躍動) 명하자 跃动 yuèdòng; 生机盎然 shēngjī àngrán; 沸腾 fèiténg ¶~하는 세계 生机盎然的世界
약력(略歷) 명 简历 jiǎnlì ¶저자 ~ 作者简历 / ~을 소개하다 介绍简历
약령(藥令) 명 药令市 yàolìngshì = 약령시
약령-시(藥令市) 명 = 약령
약리(藥理) 명 〖藥〗 药理 yàolǐ ¶~ 효과 药理效果 / ~ 작용 药理作用
약리-학(藥理學) 명 〖藥〗 药理学 yàolǐxué ¶~자 药理学家
약물(藥物) 명 〖藥〗 药物 yàowù; 药剂 yàojì ¶~ 소독 药物消毒 / ~ 요법 药物疗法 / ~ 내성 药物耐受性 / ~ 알레르기 药物过敏 / ~ 중독 药物中毒
약물 검:사(藥物檢查) 〖體〗 药检 yàojiǎn = 도핑 테스트
약-밥(藥—) 명 八宝饭 bābǎofàn = 약식(藥食)
약방(藥房) 명 **1** = 약국1 **2** 药铺 yàopù
약방에 감초 속담 什么事都参与; 不可缺少的人
약-방문(藥方文) 명 〖藥〗 药方 yàofāng; 药单 yàodān; 处方 chǔfāng = 방문(方文)
약병(藥瓶) 명 药瓶 yàopíng
약-병아리(藥—) 명 = 영계
약봉(藥封) 명 = 약봉지
약-봉지(藥封紙) 명 药包 yàobāo; 药袋儿 yàodàir = 약봉
약분(約分) 명하타 〖數〗 约分 yuēfēn
약-빠르다 형 机灵 jīling; 机伶 jīling; 精灵 jīnglíng; 乖巧 guāiqiǎo ¶약빠른 행동 机灵的行动 / 그 사람은 어려서부터 약빨랐다 那个人从小就乖巧
약사(略史) 명 略史 lüèshǐ; 简史 jiǎnshǐ
약사(藥事) 명 〖法〗 药事 yàoshì ¶~법 药事法 / ~ 관리 药事管理
약사(藥師) 명 药剂师 yàojìshī
약-사발(藥沙鉢) 명 盛药碗 chéngyàowǎn
약삭-빠르다 형 精灵 jīnglíng; 机灵 jīling; 机伶 jīling; 乖巧 guāiqiǎo ¶그 사람은 아주 약삭빠르게 행동한다 那个人做事很机灵
약성(藥性) 명 药性 yàoxìng
약세(弱勢) 명 **1** 弱势 ruòshì **2** 〖經〗 弱势 ruòshì; 走势趋跌 zǒushì qūdiē; 趋跌 qūdiē; 趋疲 qūpí; 疲软 píruǎn; 看跌 kàndiē; 下跌 xiàdiē ¶엔화가 ~를 보이다 日元呈现弱势
약소(弱小) 명하형 弱小 ruòxiǎo ¶~민족 弱小民族 / ~한 나라 弱小的国家
약소-국(弱小國) 명 弱小国家 ruòxiǎo guójiā; 弱小国 ruòxiǎoguó = 약소국가
약소-국가(弱小國家) 명 = 약소국
약속(約束) 명하자타 约 yuē; 约定 yuēdìng; 约言 yuēyán; 诺言 nuòyán ¶~ 시간 约定的时间 / 제시간에 ~ 장소에 도착하다 准时来到约定的地方 / ~을 실천하다 实践约言 / ~을 어기다 违背诺言 / ~을 깨다 打破约定 / 우리는 이번 주 토요일에 같이 영화 보러 가기로 ~했다 我们约定这个星期六一起去看电影

약속 어음(約束—) 〖經〗 期票 qīpiào; 本票 běnpiào
약속-일(約束日) 명 约期 yuēqī; 约定日 yuēdìngrì
약-손(藥—) 명 = 약손가락
약-손가락(藥—) 명 无名指 wúmíngzhǐ; 四拇指 sìmǔzhǐ = 무명지 · 약손 · 약지(藥指)
약-솜(藥—) 명 〖醫〗 = 탈지면
약수(約數) 명 〖數〗 约数 yuēshù
약수(藥水) 명 (有药效的) 矿泉水 kuàngquánshuǐ; 药泉水 yàoquánshuǐ ¶ ~를 뜨러 가다 去打矿泉水
약수-터(藥水—) 명 (有药效的) 矿泉 kuàngquán; 药泉 yàoquán
약-숟가락(藥—) 명 药匙 yàochí
약-술(藥—) 명 药酒 yàojiǔ = 약주1
약술(略述) 명하타 简述 jiǎnshù; 略述 lüèshù; 略叙 lüèxù ¶특징을 ~하다 简述特征
약시(弱視) 명 弱视 ruòshì ¶~를 치료하다 治疗弱视
약식(略式) 명 简式 jiǎnshì; 简易 jiǎnyì; 简略 jiǎnlüè; 简单形式 jiǎndān xíngshì; 略式 lüèshì; 从简 cóngjiǎn ¶ ~ 기소 简式起诉 / ~ 재판 简易审判 / ~ 보고 简易报告 / 결혼식을 집에서 ~으로 치르다 婚礼在家里办, 形式一切从简
약식(藥食) 명 = 약밥
약실(藥室) 명 **1** = 약제실 **2** 〖軍〗 药室 yàoshì
약아-빠지다 형 机灵 jīling; 精灵 jīnglíng; 机伶 jīling; 油头滑脑 yóutóuhuánǎo ¶약아빠진 아이 机灵的孩子
약어(略語) 명 〖語〗 **1** = 준말 **2** 简称 jiǎnchēng
약용(藥用) 명하타 药用 yàoyòng ¶~ 비누 药皂 =[药肥皂] / ~ 식물 药用植物 / ~ 작물 药用作物 / 영지의 ~ 가치 灵芝的药用价值
약육-강식(弱肉强食) 명하자 弱肉强食 ruòròuqiángshí ¶~의 세계 弱肉强食的世界 / ~의 논리 弱肉强食逻辑
약자(弱者) 명 弱者 ruòzhě ¶~를 보호하다 保护弱者
약자(略字) 명 简笔字 jiǎnbǐzì; 简字 jiǎnzì; 简化汉字 jiǎnhuà hànzì; 减笔字 jiǎnbǐzì
약장(藥欌) 명 药柜 yàoguì
약-장사(藥—) 명하자 卖药 màiyào
약-장수(藥—) 명 药商 yàoshāng; 卖药的 màiyàode
약재(藥材) 명 药材 yàocái; 药料 yàoliào ¶ ~ 시장 药材市场
약재-상(藥材商) 명 药材商 yàocáishāng; 药材商店 yàocái shāngdiàn; 药材商人 yàocái shāngrén
약-저울(藥—) 명 = 분칭
약-절구(藥—) 명 药臼 yàojiù
약점(弱點) 명 弱点 ruòdiǎn; 缺点 quēdiǎn; 短处 duǎnchù ¶자신의 ~을 극복하다 克服自己的弱点
약정(約定) 명하자타 约定 yuēdìng; 约好 yuēhǎo; 契约 qìyuē; 商定 shāngdìng; 合同 hétong; 契字 qìzì ¶~서 约定书 / ~ 가격 约定价格 / ~ 기간 契约期间 / ~을 깨다 打破约定
약제(藥劑) 명 药剂 yàojì = 약품3 ¶ 화학 ~ 化学药剂
약제-실(藥劑室) 명 药剂室 yàojìshì = 약실1
약조(約條) 명하타 **1** 约定 yuēdìng; 约好 yuēhǎo ¶그가 먼저 ~를 깼다 是他先打破了约定 / 우리는 이미 ~했다 我们已经约好了 **2** 约条 yuētiáo
약졸(弱卒) 명 弱兵 ruòbīng ¶강한 장수 밑에는 ~이 없다 强将手下无弱兵
약주(藥酒) 명 **1** = 약술(藥—) **2** 酒 jiǔ
약지(藥指) 명 = 약손가락
약진(躍進) 명하자 跃进 yuèjìn ¶지방 경제의 ~ 地方经济的跃进
약체(弱體) 명 **1** 虚弱的身体 xūruòde shēntǐ; 身体虚弱 shēntǐ xūruò; 体弱 tǐruò ¶~로 태어나다 身体生来就虚弱 **2** 弱体 ruòtǐ; 弱队 ruòduì ¶~를 상대하다 对付弱队
약초(藥草) 명 药草 yàocǎo ¶~를 캐다 挖药草
약칭(略稱) 명하타 简称 jiǎnchēng; 略称 lüèchēng
약탈(掠奪) 명하타 掠夺 lüèduó; 打劫 dǎjié; 劫夺 jiéduó; 劫掠 jiélüè; 掠取 lüèqǔ; 抢夺 qiǎngduó; 抢劫 qiǎngjié; 抢掠 qiǎnglüè ¶~자 掠夺者 / ~ 행위 掠夺行为 / 다른 나라에서 ~해 온 문물 从他国掠取的文物 / 재물을 ~하다 掠夺财物
약-탕관(藥湯罐) 명 药罐 yàoguàn = 약탕기2
약-탕기(藥湯器) 명 **1** 汤药碗 tāngyàowǎn **2** = 약탕관
약통(藥桶) 명 药桶 yàotǒng
약품(藥品) 명 **1** = 약(藥)1 **2** 药品质量 yàopǐn zhìliàng **3** = 약제
약-하다(弱—) 형 **1** (力量) 弱 ruò; 虚 xū; 衰弱 shuāiruò; 薄弱 bóruò; 微弱 wēiruò ¶몸이 약한 사람 体弱的人 / 의지가 약한 사람 意志薄弱的人 / 맥박이 ~ 脉搏微弱 **2** 脆弱 cuìruò; 软弱 ruǎnruò; 不结实 bùjiēshi ¶여자들은 약한 남자를 좋아하지 않는다 女人不喜欢脆弱的男人 / 나는 약해지고 싶지 않다 我不想让我自己软弱 **3** 差 chā; 浅薄 qiǎnbó ¶납세 의식이 ~ 纳税意识浅薄

약-하다(藥—) 一자 吃药 chīyào; 用药 yòngyào 二타 当药 dàngyào; 做药 zuòyào

약학(藥學) 명 药学 yàoxué

약학 대:학(藥學大學) 〖教〗药剂学院 yàojì xuéyuàn

약호(略號) 명 略码 lüèmǎ; 简写符号 jiǎnxiě fúhào

약혼(約婚) 명하자 订婚 dìnghūn; 定婚 dìnghūn; 婚约 hūnyuē; 定亲 dìngqīn; 订亲 dìngqīn ¶~반지 订婚戒指 / ~식 订婚仪式 / ~ 예물 订婚礼物 / 그녀는 남자 친구와 이미 ~했다 她跟男友已经订婚了

약혼-녀(約婚女) 명 未婚妻 wèihūnqī

약혼-자(約婚者) 명 订婚者 dìnghūnzhě; 未婚夫 wèihūnfū; 未婚妻 wèihūnqī

약화(弱化) 명하자타 削弱 xuēruò; 弱化 ruòhuà ¶정부의 권력이 ~되다 政府权利弱化 / 적의 의지를 ~시키다 削弱敌人意志 / 왕권이 ~되다 王权弱化

약효(藥效) 명 药效 yàoxiào ¶~가 아주 강하다 药效很强 / ~를 나타내다 发挥药效 / ~가 점점 떨어지다 药效渐渐消失

얄개 명 调皮鬼 tiáopíguǐ

얄-궂다 형 古怪 gǔguài ¶얄궂은 사람 古怪的人

얄-밉다 형 讨厌 tǎoyàn; 可恶 kěwù; 可憎 kězēng ¶나는 그가 ~ 我很讨厌他

얄팍-얄팍 부하형 薄薄的 báobáode ¶호박을 ~하게 썰다 把南瓜切得薄薄的

얄팍-하다 형 1 微薄 wēi báo; 有点薄 yǒudiǎn báo ¶얄팍한 책 微薄的书 / 지갑이 ~ 钱包有点薄 2 浅薄 qiǎnbó; 鼠目寸光 shǔmùcùnguāng **얄팍-히** 부

얇:다 형 1 薄 báo ¶얇은 편지 봉투 薄的信封 2 浅薄 qiǎnbó; 不深 bùshēn

얌전 명 (性格或态度) 斯文 sīwén; 文静 wénjìng; 安详 ānxiáng; 老实 lǎoshi; 温顺 wēnshùn ¶그렇게 ~ 떨지 말고 이리 와서 같이 춤추자! 别那样装斯文, 来这里一起跳舞吧!

얌전-스럽다 형 (性格或态度) 斯文 sīwén; 文静 wénjìng; 安详 ānxiáng; 老实 lǎoshi; 温顺 wēnshùn ¶말하는 것이 매우 얌전스러운 사람 讲话很斯文的人 **얌전스레** 부

얌전-하다 형 (性格或态度) 文静 wénjìng; 斯文 sīwén; 安详 ānxiáng; 温顺 wēnshùn; 老实 lǎoshi ¶얌전한 여자아이 文静的女孩 / 그녀는 아주 얌전하게 걷는다 她走得很安详 / 이 아이는 정말 ~ 这个孩子真温顺 **얌전-히** 부

얌체 명 不要脸的 bùyàoliǎnde; 没良心的 méi liángxīnde; 没有脸面 méiyǒu liǎnmiàn ¶~ 같은 여자 不要脸的女人

양 의명 样子 yàngzi ¶그는 그녀 앞에서 나를 모르는 ~ 내 눈을 피했다 他在她面前装着不认识我的样子, 避开我的眼睛

양(羊) 명 〖動〗 1 羊 yáng ¶어린 ~ 羔羊 2 = 면양

양:(兩) 관 两 liǎng; 两个 liǎngge; 双 shuāng ¶~ 국가 两个国家 / ~ 진영 两阵营 / ~ 팀 两队

양:(胖) 명 牛肚 niúdǔ; 牛胃 niúwèi

양(陽) 명 1 〖物〗 = 양극 2 〖數〗 正 zhèng = 플러스5 3 〖哲〗 阳 yáng 4 〖韓醫〗 阳 yáng

양(量) 명 1 量 liàng; 分量 fènliang; 数量 shùliàng ¶~이 감소하다 数量减少 / ~이 너무 많다 分量太多 2 饭量 fànliàng; 食量 shíliàng

양(孃) 의명 小姐 xiǎojiě ¶이 ~, 이것 좀 출력해 주세요 李小姐, 请把这个打印一下

양-(洋) 접두 洋 yáng; 西 xī ¶~담배 洋烟 / ~의사 西医 / ~약 西药

양:-(養) 접두 养 yǎng; 收养 shōuyǎng ¶~부모 养父母 / ~딸 养女

-양(洋) 접미 洋 yáng ¶태평~ 太平洋 / 인도~ 印度洋

양가(良家) 명 1 良民家 liángmínjiā 2 良家 liángjiā ¶~의 규수 良家闺秀 ‖ = 양갓집

양:가(兩家) 명 两家 liǎngjiā ¶~ 부모님 两家的父母 / ~ 친척 两家的亲戚

양-가죽(羊—) 명 = 양피

양가죽을 쓰다 구 披羊皮

양각(陽刻) 명하타 〖美〗 阳刻 yángkè; 刻阳文 kèyángwén

양갓-집(良家—) 명 = 양가(良家) ¶그녀는 본래 ~ 딸이었다 她本是良家女

양갱(羊羹) 명 羊羹 yánggēng; 红豆甜糕 hóngdòu tiángāo

양:계(養鷄) 명하자 养鸡 yǎngjī ¶~장 养鸡场

양-고기(羊—) 명 = 양육(羊肉)

양곡(糧穀) 명 粮食 liángshi; 粮谷 liánggǔ; 谷物 gǔwù ¶~ 시장 粮食市场 / ~ 수매 가격 粮食收购价格

양-과자(洋菓子) 명 西点 xīdiǎn ¶~점 西点店

양:국(兩國) 명 两国 liǎngguó ¶~ 국민 两国国民 / ~의 수상이 만나다 两国的首相见面

양궁(洋弓) 명 〖體〗 射箭运动 shèjiàn yùndòng; 射箭 shèjiàn

양귀비(楊貴妃) 명 〖植〗 罂粟 yīngsù ¶~꽃 罂粟花

양:극(兩極) 명 **1** 〖物〗 两极 liǎngjí ¶ 지구 자기장의 ~ 地球磁场的两极 **2** 〖地理〗 两极 liǎngjí ¶ 지구의 ~ 地球两极 **3** = 양극단

양극(陽極) 명 〖物〗 阳极 yángjí; 正极 zhèngjí = 양(陽)1 · 양전극 · 플러스3

양:-극단(兩極端) 명 两极 liǎngjí; 两个极端 liǎngge jíduān = 양극(兩極)3

양:극-화(兩極化) 명하자 两极化 liǎngjíhuà; 两极分化 liǎngjí fēnhuà ¶ 세계 경제의 ~ 世界经济的两极化 / ~ 현상이 나타나다 出现两极分化的现象

양기(陽氣) 명 **1** 阳气 yángqì **2** 活气 huóqì; 生气 shēngqì **3** 〖韓醫〗 阳气 yángqì ¶ ~가 부족하다 阳气不足

양-껏(量—) 부 尽量 jǐnliàng ¶ 오늘은 내가 내는 것이니 ~ 먹어라! 今天我请客, 你们尽量吃吧!

양:-날(兩—) 명 两刃 liǎngrèn ¶ ~톱 两刃锯

양:녀(養女) 명 **1** = 수양딸 **2** 〖法〗 养女 yǎngnǚ

양념 명하자 佐料 zuǒliào; 作料 zuòliào; 调料 tiáoliào ¶ ~간장 佐料酱油 / ~병 作料瓶 / ~장 佐料酱 / ~을 치다 放佐料

양-놈(洋—) 명 西洋佬 xīyánglǎo

양:-다리(兩—) 명 两腿 liǎngtuǐ

양다리(를) 걸치다[걸다] 구 脚踏两只船; 脚踩两只船; 骑墙; 两边倒

양:단(兩端) 명 两端 liǎngduān; 两头 liǎngtóu

양:단(兩斷) 명하타 两断 liǎngduàn; 两分 liǎngfēn ¶ 국토 ~의 아픔 国土两断之痛

양:단-간(兩端間) 명부 无论如何 wúlùnrúhé ¶ 참가하든 안 하든 내일까지는 ~에 결정을 해야 한다 参加或不参加, 到明天无论如何要决定

양달(陽—) 명 = 양지(陽地)

양-담배(洋—) 명 洋烟 yángyān; 西洋烟 xīyángyān

양:대(兩大) 관 两大 liǎngdà; 两个大 liǎngge dà ¶ ~ 산맥 两大山脉 / ~ 세력 两大势力

양:도(讓渡) 명하타 **1** 让 ràng ¶ 물건을 다른 사람에게 ~하다 把东西让给别人 **2** 〖法〗 让渡 ràngdù; 转让 zhuǎnràng; 让与 ràngyǔ ¶ ~ 계약 转让合同 / ~ 소득 转让所得 / ~ 소득세 转让所得税 / ~인 让与人 =[转让人] / 채권 ~ 债权让与 / 모든 권리를 을에게 ~하다 所有权利让与乙方 / 자산을 ~하다 让渡资产

양:돈(養豚) 명하자 养猪 yǎngzhū ¶ ~업 养猪业 / ~장 养猪场

양-동이(洋—) 명 白铁桶 báitiětǒng

양:-딸(養—) 명 = 수양딸

양-띠(羊—) 명 〖民〗 属羊 shǔyáng

양력(陽曆) 명 〖天〗 = 태양력 ¶ ~설 阳历新年 / 내 생일은 ~ 3월 10일이다 我的生日是阳历三月十号

양:로(養老) 명하자 养老 yǎnglǎo ¶ ~ 시설 养老设施

양:로-원(養老院) 명 〖社〗 养老院 yǎnglǎoyuàn; 老人院 lǎorényuàn ¶ 부모를 ~에 보내다 把父母送到养老院

양:론(兩論) 명 两论 liǎnglùn ¶ 찬반 ~ 赞反两论

양:립(兩立) 명하자 **1** 并存 bìngcún; 两立 liǎnglì; 共存 gòngcún; 共处 gòngchǔ ¶ 현실 생활에서 선과 악은 언제나 ~한다 现实生活中善与恶总是两立的 **2** 对峙 duìzhì; 对立 duìlì ¶ 의견이 ~되다 意见对立

양말(洋襪 · 洋韈) 명 袜子 wàzi; 袜 wà ¶ ~ 공장 袜厂 / ~목 袜筒(儿) / ~ 두 켤레 两双袜子 / ~ 한 짝이 없어졌다 一只袜子不见了 / ~을 신다 穿袜子 / ~에 구멍이 났다 袜子破了一个洞

양:면(兩面) 명 **1** 双面 shuāngmiàn; 两面 liǎngmiàn ¶ 동전의 ~ 硬币的两面 / ~ 복사 双面复印 / ~ 거울 双面镜 / ~ 인쇄 双面印刷 / ~ 자수 双面锈 / ~테이프 双面胶 **2** 两面 liǎngmiàn ¶ ~성 两面性 / 모든 일에는 다 ~이 있다 凡事都有两面

양명(揚名) 명하자 扬名 yángmíng; 出名 chūmíng; 成名 chéngmíng

양명-학(陽明學) 명 〖哲〗 阳明学 yángmíngxué; 王学 wángxué

양모(羊毛) 명 = 양털 ¶ ~ 스웨터 羊毛毛衣 / ~ 혼방 羊毛混纺

양:모(養母) 명 = 양어머니

양:미-간(兩眉間) 명 眉间 méijiān; 两眉间 liǎngméijiān; 眉头 méitóu; 印堂 yìntáng = 미간 ¶ ~ 주름을 없애다 消除两眉间皱纹 / ~이 좁다 印堂狭窄

양미리 명 〖魚〗 玉筋鱼 yùjīnyú; 银针鱼 yínzhēnyú; 洋丝鱼 yángsīyú; 沙钻鱼 shāzuànyú

양민(良民) 명 良民 liángmín; 良民百姓 liángmín bǎixìng ¶ ~을 학살하다 屠杀良民

양:반(兩班) 명 **1** 〖史〗 两班 liǎngbān; 贵族 guìzú ¶ ~가 两班家 / ~ 계급 两班阶级 **2** 君子 jūnzǐ ¶ 모두들 그가 진짜 ~이라고 한다 大家都说他真是一位君子 **3** 先生 xiānsheng ¶ 우리 집 ~은 지금껏 집안일을 도와준 적이 없다 我先生从来没帮我做家务 **4** 人 rén ¶ 그 ~은 술 마시는 걸 너무 좋아한다 那个人太喜欢喝酒

양:-발(兩—) 명 两脚 liǎngjiǎo ¶ ~을 벌리다 把两脚叉开

양:방(兩方) 명 两方 liǎngfāng; 双方 shuāngfāng = 쌍방 ¶당사자 ~이 협상하다 当事人双方协商
양-배추(洋—) 명 〖植〗 甘蓝 gānlán; 洋白菜 yángbáicài; 卷心菜 juǎnxīncài; 包心菜 bāoxīncài
양-변기(洋便器) 명 座便器 zuòbiànqì; 马桶 mǎtǒng = 좌변기
양:병(養兵) 명하타 养兵 yǎngbīng
양:보(讓步) 명하타 让 ràng; 让步 ràngbù; 谦让 qiānràng ¶~의 미덕 谦让的美德 / 아이에게 ~하다 对孩子让步 / 노인에게 자리를 ~하다 给老人让座
양복(洋服) 명 **1** 西服 xīfú; 西装 xīzhuāng; 洋服 yángfú **2** 男西服 nánxīfú; 西服 xīfú; 西装 xīzhuāng ¶~바지 西服裤子 / ~저고리 西装上衣 / 고급 ~ 高档西服 / 캐주얼 ~ 休闲西服 / ~을 제작하다 制作西装
양복-점(洋服店) 명 服装店 fúzhuāngdiàn; 西服店 xīfúdiàn
양:봉(養蜂) 명하자 养蜂 yǎngfēng ¶~가 养蜂人 / ~업 养蜂业 / ~장 养蜂场
양:부(養父) 명 = 양아버지
양:-부모(養父母) 명 养父母 yǎngfùmǔ ¶~로부터 학대를 받다 遭受养父母虐待 / ~의 유산을 물려받다 继承养父母的遗产
양-부호(陽符號) 명 〖數〗 = 양호(陽號)
양:분(兩分) 명하타 两分 liǎngfēn; 分成两部分 fēnchéng liǎngbùfen
양:분(養分) 명 养分 yǎngfèn; 营养 yíngyǎng = 영양분 ¶필요한 ~을 얻다 获得所需的养分 / ~이 부족하다 养分不够
양산(陽傘) 명 阳伞 yángsǎn; 旱伞 hànsǎn ¶~을 펼치다 撑开阳伞 / ~을 쓰고 길을 걷다 打着阳伞走在马路上 / 안에 있는 ~을 꺼내 펼치다 拿出里面的阳伞撑起来
양산(量産) 명하타 大批生产 dàpī shēngchǎn; 大量生产 dàliàng shēngchǎn; 大批量生产 dàpīliàng shēngchǎn; 批量生产 pīliàng shēngchǎn
양상(様相) 명 样子 yàngzi; 状态 zhuàngtài; 情况 qíngkuàng ¶다양한 ~을 띠다 有多种状态
양상-군자(梁上君子) 명 梁上君子 liángshàng jūnzǐ 《指小偷》
양-상추(洋—) 명 〖植〗 圆生菜 yuánshēngcài; 洋生菜 yángshēngcài; 洋莴苣 yángwōjù
양:생(養生) 명하자타 **1** 养生 yǎngshēng; 保养 bǎoyǎng; 养身 yǎngshēn = 섭생 ¶~의 도리 养生之道 **2** 〖建〗 养护 yǎnghù
양서(良書) 명 好书 hǎoshū
양:서(兩棲) 명하자 两栖 liǎngqī ¶~동물 两栖动物 / ~류 两栖类
양서(洋書) 명 洋书 yángshū
양성(良性) 명 〖醫〗 良性 liángxìng ¶~ 종양 良性肿瘤 / 그의 종양은 ~이다 他的肿瘤是良性的
양:성(兩性) 명 两性 liǎngxìng ¶~ 생식 两性生殖
양성(陽性) 명 **1** 阳的性质 yángde xìngzhì **2** 向阳性 xiàngyángxìng **3** 〖化〗 阳性 yángxìng
양성(陽聲) 명 〖語〗 阳声 yángshēng ¶~ 모음 阳声母音 =[强母音]
양:성(養成) 명하타 **1** 培育 péiyù; 培养 péiyǎng; 造就 zàojiù; 培训 péixùn ¶~ 기관 培训机构 / 인재 ~ 人才培养 / 후계자를 ~하다 培训后继者 **2** 养成 yǎngchéng; 培养 péiyǎng ¶좋은 습관을 ~하다 养成好习惯 / 실력을 ~하다 养成实力
양성 반:응(陽性反應) 〖醫〗 阳性 yángxìng; 阳性反应 yángxìng fǎnyìng
양:성-애(兩性愛) 명 双性恋 shuāngxìngliàn ¶~자 双性恋者
양성-자(陽性子) 명 〖物〗 质子 zhìzǐ = 양자(陽子)
양:-손(兩—) 명 双手 shuāngshǒu; 两手 liǎngshǒu ¶~을 내밀다 伸出两手 / ~으로 쟁반을 받치다 用双手端盘子 / ~을 들어 환영을 표하다 举起双手表示欢迎
양:손-잡이(兩—) 명 左右手都会使的人 zuǒyòushǒu dōu huì shǐde rén
양-송이(洋松栮) 명 〖植〗 洋松茸 yángsōngróng; 洋松口蘑 yángsōng kǒumó = 양송이버섯
양송이-버섯(洋松耳—) 명 〖植〗 = 양송이
양수(羊水) 명 〖醫〗 羊水 yángshuǐ ¶~ 검사 羊水检查 / ~ 과다 羊水过多
양수(揚水) 명하자 抽水 chōushuǐ; 扬水 yángshuǐ ¶~ 시설 抽水设备
양수(陽數) 명 〖數〗 正数 zhèngshù
양수-기(揚水機) 명 扬水机 yángshuǐjī; 抽水机 chōushuǐjī; 水泵 shuǐbèng; 抽水泵 chōushuǐbèng
양순-하다(良順—) 형 温顺 wēnshùn; 温柔 wēnróu ¶이 아이는 정말 ~ 这个孩子真温顺 **양순-히** 부
양식(良識) 명 良识 liángshí; 良知 liángzhī
양식(洋式) 명 = 서양식
양식(洋食) 명 西餐 xīcān; 西菜 xīcài; 西洋菜 xīyángcài ¶~기 西餐餐具 / ~집 西餐厅 / ~ 메뉴 西菜菜单 / ~ 예절 西餐礼仪
양식(様式) 명 **1** 格式 géshi; 形式 xíng-

shì; 样式 yàngshì; 程式 chéngshì = 포맷1 ¶졸업 논문 ~ 毕业论文格式 / 이력서 ~ 履历表样式 **2** 方式 fāngshì; 形式 xíngshì ¶생활 ~ 生活方式 / 표현 ~ 表现形式 **3** (文学、艺术、建筑等的) 形式 xíngshì; 样式 yàngshì; 式 shì ¶건축 ~ 建筑形式 / 고딕 ~ 哥特式

양:식(養殖) 명하타 养殖 yǎngzhí ¶~업 养殖业 / ~장 养殖场 / ~ 기술 养殖技术 / 수산물 ~ 水产养殖

양식(糧食) 명 粮食 liángshi; 口粮 kǒuliáng; 食粮 shíliáng; 粮 liáng = 식량 ¶~을 절약하다 节约粮食

양:식 진주(養殖眞珠) 〖工〗 = 인공 진주

양심(良心) 명 良心 liángxīn; 天良 tiānliáng ¶~선언 良心宣言 / ~도 없는 놈 没良心的家伙 / 자신의 ~에 따라 행동하다 按照自己的良心去办事 / ~의 가책을 받다 受到良心的谴责

양심-범(良心犯) 명 良心犯 liángxīnfàn = 양심수 ¶~의 석방을 요구하다 要求释放良心犯

양심-수(良心囚) 명 = 양심범

양심-적(良心的) 관명 有良心 yǒu liángxīn ¶~인 사람 有良心的人

양:-아들(養—) 명 = 양자(養子)

양:-아버지(養—) 명 养父 yǎngfù = 양부

양-아치 명 **1** '거지'的俗称 **2** 流氓 liúmáng

양:안(兩岸) 명 两岸 liǎng'àn ¶하천 ~에 버드나무가 서 있다 河两岸挺立着垂柳

양약(良藥) 명 良药 liángyào; 好药 hǎoyào ¶~은 입에 쓰나 병에는 이롭다 良药苦口利于病

양약(洋藥) 명 西药 xīyào

양:어(養魚) 명하자 养鱼 yǎngyú ¶~장 养鱼池 =[养鱼场]

양:-어깨(兩—) 명 两肩 liǎngjiān; 两肩膀 liǎngjiānbǎng; 双肩 shuāngjiān; 双肩膀 shuāngjiānbǎng ¶~가 몹시 쑤시다 两肩膀很酸痛

양:-어머니(養—) 명 养母 yǎngmǔ = 양모(養母)

양:여(讓與) 명하타 让与 ràngyǔ; 让 ràng; 过户 guòhù ¶모든 권리를 을에게 ~하다 所有权利让与乙方

양:-옆(兩—) 명 两旁 liǎngpáng

양옥(洋屋) 명 洋房 yángfáng; 洋楼 yánglóu; 西式房子 xīshì fángzi = 양옥집

양옥-집(洋屋—) 명 = 양옥

양:용(兩用) 명하타 两用 liǎngyòng ¶수륙 ~ 水陆两用

양:원(兩院) 명 〖法〗 两院 liǎngyuàn ¶~제 两院制

양:위(讓位) 명하타 让位 ràngwèi = 선양(禪讓)·선위

양유(羊乳) 명 = 양젖

양육(羊肉) 명 羊肉 yángròu = 양고기

양:육(養育) 명하타 养育 yǎngyù; 抚养 fǔyǎng ¶~법 养育法 =[养育方法] / ~비 抚养费 / ~자 抚养者 / 자녀를 ~하다 养育子女

양은(洋銀) 명 白铜 báitóng; 洋银 yángyín; 洋白铜 yángbáitóng

양의(洋醫) 명 **1** 西医 xīyī ¶~를 배우다 学西医 **2** 西医医生 xīyī yīshēng; 西医 xīyī; 洋医 yángyī = 양의사1 **3** 西洋医生 xīyáng yīshēng; 洋医 yángyī = 양의사2

양-의사(洋醫師) 명 **1** = 양의2 **2** = 양의3

양-이온(陽ion) 명 〖化〗 正离子 zhènglízǐ; 阳离子 yánglízǐ

양:익(兩翼) 명 **1** 两翼 liǎngyì; 双翼 shuāngyì ¶비행기의 ~ 飞机的两翼 **2** 〖軍〗 两翼 liǎngyì ¶~에서 적군을 포위하다 从两翼包围敌军

양인(良人) 명 **1** 好人 hǎorén **2** 良人 liángrén

양인(洋人) 명 = 서양인

양:일(兩日) 명 两天 liǎngtiān

양:자(兩者) 명 两者 liǎngzhě; 二人 èrrén; 双方 shuāngfāng ¶~ 간 관계 两者之间关系

양자(陽子) 명 〖物〗 = 양성자 ¶~ 역학 量子力学

양:자(養子) 명 养子 yǎngzǐ = 양아들
 양자(로) 가다 구 当养子
 양자(를) 들이다 구 收养子

양:자-택일(兩者擇一) 명하자 两者择一 liǎngzhě zéyī

양:잠(養蠶) 명하자 〖農〗 养蚕 yǎngcán = 누에치기 ¶~업 养蚕业

양장(洋裝) 명하자타 **1** 洋装 yángzhuāng; 洋式打扮 yángshì dǎban; 西装 xīzhuāng; 西服 xīfú **2** 〖印〗 精装 jīngzhuāng; 洋装 yángzhuāng ¶~본 精装本 =[洋装本]

양장-점(洋裝店) 명 西装店 xīzhuāngdiàn = 의상실2

양재(洋裁) 명하자 洋裁 yángcái ¶~학원 洋裁补习班 / ~의 기초 洋裁的基础 / ~를 배우다 学洋裁

양-재기(洋—) 명 搪瓷器 tángcíqì

양-잿물(洋—) 명 烧咸水 shāoxiánshuǐ; 火咸水 huǒxiánshuǐ

양-적(量的) 관명 量的 liàngde; 数量(的) shùliàng(de); 数量上 shùliàngshàng ¶~ 변화 量的变化 / ~ 규제 数量控制

양-전극(陽電極) 명 〖物〗 = 양극(陽極)

양-전기(陽電氣) 명 【物】正电 zhèngdiàn; 阳电 yángdiàn
양-전자(陽電子) 명 【物】正电子 zhèngdiànzǐ; 阳电子 yángdiànzǐ
양-전하(陽電荷) 명 【物】正电荷 zhèngdiànhè
양-젖(羊—) 명 羊奶 yángnǎi = 양유
양:조(釀造) 명하타 酿造 niàngzào ¶ ~업 酿造业 / ~장 酿造厂 / ~간장 酿造酱油 / ~ 식초 酿造醋 / ~ 기술을 연구하다 研究酿造技术
양주(洋酒) 명 1 西洋酒 xīyángjiǔ 2 洋酒 yángjiǔ ¶도수가 높은 ~를 마시다 喝很烈的洋酒
양:주(釀酒) 명하자 酿酒 niàngjiǔ
양주-잔(洋酒盞) 명 洋酒杯 yángjiǔbēi
양지(陽地) 명 向阳地 xiàngyángdì; 朝阳地 cháoyángdì; 阳地 yángdì = 양달 ¶~ 식물 阳地植物
양지(諒知) 명하타 谅知 liàngzhī
양지-머리 명 牛排肉 niúpáiròu
양지-바르다(陽地—) 형 向阳 xiàngyáng ¶내 방은 양지발라서 겨울에도 그다지 춥지 않다 我的房间向阳, 所以冬天也不太冷
양질(良質) 명 优质 yōuzhì; 良质 liángzhì; 好质量 hǎozhìliàng ¶~의 교육 优质教育 / ~의 서비스 优质服务
양:쪽(兩—) 명 两边 liǎngbiān; 两旁 liǎngpáng; 两头 liǎngtóu ¶도로의 ~ 马路的两头
양철(洋鐵) 명 白铁 báitiě; 镀锌铁 dùxīntiě; 马口铁 mǎkǒutiě ¶~통 白铁桶
양-초(洋—) 명 洋蜡烛 yánglàzhú; 洋蜡 yánglà; 石蜡 shílà ¶~ 두 자루 两支洋蜡烛 / ~를 켜다 点洋蜡
양:측(兩側) 명 1 两下里 liǎngxiàli; 双方 shuāngfāng ¶~이 협상을 진행하다 双方进行协商 2 两侧 liǎngcè; 两旁 liǎngpáng
양치 명하자 刷牙 shuāyá; 漱口 shùkǒu ¶소금으로 ~하다 用盐刷牙
양-치기(羊—) 명 牧羊 mùyáng; 饲羊 sìyáng; 牧羊者 mùyángzhě ¶~ 소년 牧羊少年
양치-식물(羊齒植物) 명 【植】蕨类植物 juélèi zhíwù
양치-질 명하자 刷牙 shuāyá; 漱口 shùkǒu ¶하루에 세 번 ~을 하다 一天刷三次牙
양:친(兩親) 명 双亲 shuāngqīn ¶그는 어렸을 때 ~을 잃었다 他小时候就失去了双亲
양칫-물 명 漱口水 shùkǒushuǐ
양코-배기(洋—) 명 洋鬼子 yángguǐzi
양키(Yankee) 명 美国佬 měiguólǎo
양-탄자(洋—) 명 = 융단
양-털(羊—) 명 羊毛 yángmáo = 양모(羊毛) · 울(wool)1 ¶~ 부츠 羊毛靴 / ~ 이불 羊毛被 / ~을 깎다 剪羊毛
양-파(洋—) 명 【植】洋葱 yángcōng; 葱头 cōngtóu ¶~를 까다 剥洋葱 / ~를 썰다 切洋葱
양판-점(量販店) 명 量贩店 liàngfàndiàn
양:-팔(兩—) 명 两胳膊 liǎnggēbo; 双胳膊 shuānggēbo
양:편(兩便) 명하형 两边 liǎngbiān; 两旁 liǎngpáng; 两头 liǎngtóu; 两侧 liǎngcè; 两处 liǎngchù
양푼 명 铜盆 tóngpén
양품(洋品) 명 洋货 yánghuò; 洋品 yángpǐn ¶~점 洋货店 =[洋品店]
양피(羊皮) 명 羊皮 yángpí = 양가죽 ¶~지 羊皮纸 / ~ 구두 羊皮皮鞋 / ~ 장갑 羊皮手套
양학(洋學) 명 西学 xīxué
양해(諒解) 명하타 谅解 liàngjiě; 原谅 yuánliàng; 体谅 tǐliàng; 担待 dāndài = 이해(理解)3 ¶~ 각서 谅解备忘录 / 서로 ~하다 相互谅解 / 그녀에게 ~를 구하다 求得她的谅解
양행(洋行) 명하자 1 洋行 yángxíng 2 洋行 yángháng
양형(量刑) 명하자 【法】量刑 liàngxíng
양호(良好) 명하형 良好 liánghǎo ¶~한 상태 良好的状态 / 보존 상태가 ~하다 保存良好 / 성적이 ~하다 成绩良好
양호(陽號) 명 【數】正号 zhènghào = 양부호 · 플러스6
양:호-실(養護室) 명 医务室 yīwùshì
양회(洋灰) 명 【建】洋灰 yánghuī; 水泥 shuǐní
얕다 형 1 浅 qiǎn ¶이 강은 매우 ~ 这条河很浅 / 구덩이가 너무 얕게 파졌다 坑挖得太浅了 2 浅薄 qiǎnbó; 疏浅 shūqiǎn; 浅陋 qiǎnlòu; 浅 qiǎn ¶학식이 얕은 사람 学识疏浅的人 / 얕은 관점 浅陋的看法
얕-보다 타 小看 xiǎokàn; 轻视 qīngshì; 看不起 kànbuqǐ; 瞧不起 qiáobuqǐ; 藐视 miǎoshì ¶다른 사람을 ~ 轻视别人 / 그가 어리다고 얕보지 마라 不可小看他年轻
얕보-이다 자 被轻视 bèi qīngshì; 被小看 bèi xiǎokàn 《'얕보다' 的被动词》
얕은-꾀 명 小权术 xiǎoquánshù; 短计 duǎnjì
얕은-맛 명 清味 qīngwèi; 淡味 dànwèi
애:[1] 감 = 야[1]
애:[2] 这个孩子 zhège háizi; 他 tā 《'이 아이' 的略形》 ¶~가 또 안보이는군

他又不见了

애:기 명 '이야기'的略词

어 감 **1** 啊 ā; 唉 ài; 嗨 hāi《表示吃惊或慌张》¶~! 내일 회의에 참석하지 못하는 데 어떡하지? 唉! 明天我不能参加会议, 怎么办呢? / ~! 우산 가져오는 걸 깜박했다 嗨! 我忘了带来雨伞 **2** 哈 hā《表示高兴、悲伤、后悔、赞扬》¶~, 아주 잘했어 哈, 做得很好 **3** 唉 āi《引起注意》¶~! 빨리 와서 이것 좀 봐 봐 唉! 快过来看看这个东西

-어(語) 접미 语 yǔ; 话 huà; 文 wén; 词 cí ¶외래~ 外来词 / 고유~ 固有词 / 프랑스 ~ 法语 / 스페인 ~西班牙语

어:간(語幹) 명〖語〗词干 cígàn

어간-유(魚肝油) 명〖藥〗= 간유

어:감(語感) 명 语感 yǔgǎn ¶~이 좋지 않다 语感不好 / ~이 다르다 语感不一样

어교(魚膠) 명 = 부레풀

어:구(語句) 명 语句 yǔjù; 词句 cíjù

어구(漁具) 명 渔具 yújù; 鱼具 yújù

어군(魚群) 명 鱼群 yúqún; 鱼队 yúduì

어군 탐지기(魚群探知機)〖水〗探鱼仪 tànyúyí; 探鱼器 tànyúqì

어귀 명 口 kǒu; 入口 rùkǒu ¶마을 ~ 村庄口 / 나는 골목 ~에서 그를 세 시간 동안 기다렸다 我在胡同入口等了他三个小时了

어그러-뜨리다 타 **1** 弄歪斜 nòng wāixié ¶문을 ~ 把门弄歪斜 **2** 辜负 gūfù ¶나는 모두의 기대를 어그러뜨릴 수 없다 我不能辜负大家的期望 **3** 违 wéi; 违背 wéibèi; 违反 wéifǎn ¶상도덕을 ~ 违背商业道德 ‖= 어그러트리다

어그러-지다 자 **1** 歪斜 wāixié ¶사고로 입이 ~ 因事故, 口角歪斜 **2** 闹别扭 nào bièniu ¶우리는 사이가 어그러졌다 我们闹别扭了 **3** 猜不中 cāibuzhòng; 出乎 chūhū; 吹 chuī

어:근(語根) 명〖語〗词根 cígēn

어금-니 명〖生〗臼齿 jiùchǐ; 槽牙 cáoyá; 磨牙 móyá = 구치(臼齒)

어금니를 악물다 구 紧咬牙关

어긋-나다 자 **1** 歪斜 wāixié ¶어긋난 톱니바퀴 歪斜的齿轮 **2** 不合 bùhé; 违背 wéibèi; 不符值 bùfúzhí; 辜负 gūfù ¶상도덕에 ~ 违背商业道德 / 축구팬들의 기대에 ~ 辜负了球迷的期望 **3** 不和 bùhé ¶학부모와 학생이 ~ 家长与学生不和

어:기(語氣) 명 语气 yǔqì

어기다 타 违 wéi; 违反 wéifǎn; 违背 wéibèi; 辜负 gūfù; 孤负 gūfù; 违逆 wéinì ¶교통 법규를 ~ 违背交通法规 / 원칙을 ~ 违背原则

어기야 감 = 어기야디야

어기야-디야 감 唉嗨呀 āihāiyā = 어기야

어기여차 감 嗨唷 hāiyō = 어기영차

어기영차 감 = 어기여차

어기적-거리다 자 蹒跚地走 pánshānde zǒu = 어기적대다 ¶아이가 나를 향해 팔을 벌리고 어기적거리며 두 세 걸음 걷다 孩子向我伸开手臂, 蹒跚地走两三步 **어기적-어기적** 부하자

어김-없다 형 不违背 bùwéibèi; 没错 méi cuò; 一定 yīdìng; 必须 bìxū; 正确无误 zhèngquè wúwù **어김없-이** 부 ¶그녀는 오늘도 ~ 올 것이다 她今天也一定会来的 / ~ 제시간에 돌아와야 한다 必须按时回来

어깨 명 肩膀 jiānbǎng; 肩头 jiāntóu; 肩胛 jiānjiǎ; 肩 jiān ¶~선 肩线 / ~솔기 肩缝 / 가방을 ~에 메다 把包子搭在肩上

어깨가 가볍다 구 如释重负

어깨가 무겁다 구 负担很重

어깨가 움츠러들다 구 心中羞愧

어깨가[어깨를] 으쓱거리다 구 堂堂正正; 扬眉吐气

어깨가 처지다[늘어지다] 구 垂头丧气

어깨를 겨누다[겨루다] 구 不相上下

어깨-동무 명하자 **1** 搭肩膀 dā jiānbǎng; 搭肩 dājiān; 勾肩搭背 gōujiān dābèi ¶~를 하고 사진을 찍다 搭肩照相 **2** 竹马之友 zhúmǎzhīyǒu

어깨-뼈 명〖生〗肩胛骨 jiānjiǎgǔ; 琵琶骨 pípagǔ = 견갑골

어깨-춤 명 耸肩舞 sǒngjiānwǔ; 耸肩跳舞 sǒngjiān tiàowǔ ¶이 노래를 들으면 ~이 절로 난다 听这首歌, 就不知不觉地跳耸肩舞

어깻-죽지 명 肩头 jiāntóu; 肩臂 jiānbì

어깻-짓 명하자 动肩 dòngjiān; 耸肩 sǒngjiān ¶그는 너무 즐거워서 ~하며 큰 소리로 노래를 불렀다 他很高兴, 一边耸肩, 一边大声唱歌

어:눌-하다(語訥—) 형 木讷 mùnè; 讷讷 nènè; 讷口 nèkǒu; 口吃 kǒuchī ¶그녀는 말하는 것이 약간 ~ 她说话有些木讷

어느 관 **1** 哪 nǎ; 哪个 nǎge; 哪一个 nǎyīge; 什么 shénme ¶너희는 ~ 나라에서 왔니? 你们是从哪个国家来的? / 너는 ~ 것이 마음에 드니? 你喜欢哪一个? **2** 某 mǒu; 某某 mǒumǒu; 有一个 yǒuyīge; 有一 yǒuyī ¶~ 날 저녁 有一天晚上 / ~ 회사 某某公司 **3** 多少 duōshao; 多 duō; 多么 duōme **4** 什么 shénme; 任何 rènhé

어느-덧 부 不知不觉中 bùzhībùjuézhōng; 不知不觉之间 bùzhībùjuézhījiān; 不觉间 bùjuéjiān; 一晃 yīhuàng ¶~ 봄이 찾아왔다 不知不觉中春天来了

어느-새 부 不一会儿 bùyīhuìr; 不多会儿 bùduōhuìr; 不一时 bùyīshí; 不知不觉间 bùzhībùjuéjiān ¶나는 ~ 그를 사랑하게 되었다 我不知不觉间爱上他了

어:는-점(—點) 명 【物】 冰点 bīngdiǎn; 结冰点 jiébīngdiǎn = 빙점

어댑터(adapter) 명 电源适配器 diànyuán shìpèiqì; 适配器 shìpèiqì; 转接器 zhuǎnjiēqì

어동육서(魚東肉西) 명 鱼东肉西 yúdōngròuxī

어두육미(魚頭肉尾) 명 鱼头肉尾 yútóuròuwěi

어두침침-하다 형 阴暗 yīn'àn; 阴晦 yīnhuì; 暗沉沉 ànchénchén; 阴霾 yīnmái; 阴沉沉 yīnchénchén; 阴森 yīnsēn ¶어두침침한 날씨 阴霾的天气 / 하늘은 어두침침하고 가랑비가 내리고 있다 天阴沉沉的, 下着细雨 **어두침침-히** 부

어두컴컴-하다 형 昏暗 hūn'àn; 黑漆漆 hēiqīqī; 黑洞洞 hēidòngdòng; 黑沉沉 hēichénchén; 昏黑 hūnhēi; 黑乎乎 hēihūhū; 黑黢黢 hēiqūqū ¶하늘이 다시 어두컴컴해졌다 天空又变得昏暗 / 밖은 이미 ~ 外面已是黑漆漆

어둑-어둑 부하형 昏暗 hūn'àn; 昏沉 hūnchén; 黑洞洞 hēidòngdòng; 黑漆漆 hēiqīqī ¶~한 길을 혼자서 걷다 一个人走在黑漆漆的路

어둑-하다 형 昏暗 hūn'àn; 黑蒙蒙 hēiméngméng; 黑洞洞 hēidòngdòng; 黑漆漆 hēiqīqī; 黑沉沉 hēichénchén ¶하늘은 여전히 ~ 天色仍然是黑沉沉的 **어둑-히** 부

어둠 명 昏暗 hūn'àn; 黑暗 hēi'àn; 黑 hēi; 夜幕 yèmù ¶~이 깔리다 夜幕低垂

어둡다 형 **1** 暗 àn; 黑 hēi; 黑暗 hēi'àn ¶어두운 사회 黑暗的社会 / 어두운 복도 黑暗的走廊 **2** (视力、听力) 弱 ruò; 不好 bùhǎo ¶그는 눈이 ~ 他视力不好 / 우리 할머니는 귀가 어두우시다 我奶奶听力不好 **3** 不懂 bùdǒng; 蒙昧 méngmèi ¶그는 이쪽 일에 ~ 他不懂这行业 **4** 阴沉 yīnchén; 灰暗 huī'àn ¶마음이 ~ 心情阴沉 / 그는 얼굴색이 ~ 他面色灰暗 / 피부가 ~ 皮肤灰暗

어디 대 哪里 nǎli; 哪儿 nǎr ¶너는 ~에서 왔니? 你是从哪里来的? / 너희들 ~ 가니? 你们去哪儿? / 오늘 저녁은 ~에서 먹지? 今天晚上在哪儿吃饭呢?

어떠-하다 형 怎么样 zěnmeyàng; 如何 rúhé; 怎样 zěnyàng; 什么样 shénmeyàng ¶일의 결과가 어떠하겠습니까? 事情的结果会如何?

어떤 관 某 mǒu; 谁 shéi; 哪些 nǎxiē; 哪些个 nǎxiēge; 有的 yǒude ¶~ 곳에서는 담배를 피우지 못한다 在有的地方禁止吸烟 / ~ 사람들은 술을 마시지 못한다 有的人不能喝酒

어떻다 형 怎么样 zěnmeyàng; 如何 rúhé; 怎样 zěnyàng; 什么样 shénmeyàng

어려움 명 困难 kùnnan; 难 nán ¶온갖 ~ 万难

어려워-하다 타 **1** 介意 jièyì; 客气 kèqi; 不好意思 bùhǎoyìsi; 敬畏 jìngwèi; 畏惧 wèijù ¶어려워하지 말고 천천히 많이 드세요 别介意, 请慢用 / 상사를 ~ 敬畏上司 **2** 畏难 wèinán; 为难 wéinán ¶수학을 ~ 畏难数学

어려이 부 **1** 难 nán; 困难 kùnnan **2** 介意 jièyì ¶~ 여기지 말고 천천히 많이 드세요 别介意, 请慢用

어련-하다 형 当然 dāngrán 《与疑问式谓语搭配, 表示明确的肯定》 ¶그건 일류 요리사가 만든 음식이니 어련하겠습니까 那是一流的厨师做的菜, 当然会好吃

어렴풋-하다 형 不清楚 bùqīngchu; 模模糊糊 mómohūhū; 模糊 móhu; 模糊不清 móhú bùqīng; 朦胧 ménglóng; 隐约 yǐnyuē; 隐隐约约 yǐnyinyuēyuē; 缥渺 piāomiǎo; 影影绰绰 yǐngyingchuòchuò; 依稀 yīxī; 恍惚 huǎnghū ¶어렴풋한 뒷모습 模模糊糊的背影 / 그는 어렴풋하게 과거의 일을 기억하고 있다 他依稀记得过去的事情

어렵다 형 **1** 难 nán; 不容易 bùróngyì ¶이 문제는 너무 ~ 这个问题太难 **2** 困难 kùnnan; 艰苦 jiānkǔ ¶경제가 ~ 经济困难 / 지금 상황이 아주 ~ 现在的情况十分困难 / 조건이 아주 ~ 条件很艰苦 **3** (脾气) 怪 guài ¶그는 성미가 어려워 사귀기 쉽지 않다 他脾气很古怪, 不好交往

어렵사리 부 难得 nándé; 好容易 hǎoróngyì; 好不容易 hǎobùróngyì

어로(漁撈) 명하타 渔捞 yúlāo; 捕捞 bǔlāo; 捕鱼 bǔyú

어로-기(漁撈期) 명 捕鱼期 bǔyúqī; 渔汛 yúxùn; 鱼汛 yúxùn; 渔汛期 yúxùnqī

어:록(語錄) 명 语录 yǔlù ¶마오쩌둥 ~ 毛泽东语录

어뢰(魚雷) 명 【軍】 鱼雷 yúléi ¶~정 鱼雷艇 / ~를 발사하다 发射鱼雷

어루-만지다 타 **1** 摸 mō; 抚摸 fǔmō;

抚摩 fǔmó; 摩 mó; 抚弄 fǔnòng; 摩弄 mónòng; 摸摸 mōmo ¶내 손을 ～ 抚摩我的手 **2** 抚慰 fǔwèi; 安慰 ānwèi ¶ 상처 입은 마음을 ～ 抚慰受伤的心

어류(魚類) 명 〖動〗 鱼类 yúlèi ¶～ 도감 鱼类图鉴

어:르다 타 **1** 哄 hǒng; 哄逗 hǒngdòu **2** 逗 dòu; 捉弄 zhuōnòng; 戏弄 xìnòng **3** 诱劝 yòuquàn; 引诱 yǐnyòu

어르고 뺨 치기 속담 口蜜腹剑

어:르신 명 = 어르신네

어:르신-네 명 **1** 令尊 lìngzūn; 令大人 lìngdàrén ¶～께서는 네가 여행가는 것에 동의하시니? 令尊同意你去旅行吗? **2** 大爷 dàye; 老爷子 lǎoyézi; 老人家 lǎorenjia; 老太爷 lǎotàiyé ¶～를 모시고 박물관에 가다 陪老爷子去博物馆 ‖= 어르신

어:른 명 **1** 成人 chéngrén; 大人 dàren; 人丁 réndīng ¶그는 이미 커서 ～이 되었다 他已经长大成人了 **2** 尊长 zūnzhǎng; 长辈 zhǎngbèi ¶～께 무례하다 对长辈无礼 / 시댁 ～들을 찾아뵙다 造访婆婆家的尊长 **3** 已婚者 yǐhūnzhě **4** 长老 zhǎnglǎo **5** 令尊 lìngzūn; 令大人 lìngdàrén

어른 뺨치다 구 后生可畏

어른-거리다 자 **1** 隐隐约约 yǐnyinyuēyuē **2** 晃动 huàngdòng ¶눈앞에서 ～ 在眼前晃动 ‖= 어른대다 **어른-어른** 부하자 ¶작고 검은 점이 눈앞에서 ～하다 小黑点在眼前晃动

어:른-스럽다 형 老成 lǎochéng; 老气 lǎoqì ¶나는 네가 아주 어른스러운 것 같다 我是觉得你很老成 **어:른스레** 부

어리광 명하자 娇态 jiāotài; 撒娇 sājiāo; 娇姿 jiāozī ¶그녀는 ～ 부리는 모습이 아주 귀엽다 她撒娇的样子很可爱 / 그녀는 ～을 잘 부린다 她很会撒娇

어리-굴젓 명 辣牡蛎酱 làmǔlìjiàng

어리다[1] 자 **1** (眼泪) 噙 qín; 带 dài **2** 结 jié; 凝 níng; 弥漫 mímàn; 泛 fàn ¶ 성공의 기쁨이 어리어 있다 凝聚着成功的喜悦 / 실패의 아픔이 어리어 있다 弥漫着失败的痛苦

어리다[2] 형 **1** (年龄) 小 xiǎo; 年小 niánxiǎo; 幼 yòu; 幼小 yòuxiǎo; 年幼 niányòu; 少 shào ¶어려서 아는 것이 없다 年幼无知 **2** (年龄比某人) 小 xiǎo

어리둥절-하다 형 迷糊 míhu; 迷茫 mímáng; 蒙在鼓里 méngzàigǔli; 眼花缭乱 yǎnhuāliáoluàn ¶그는 우리를 어리둥절하게 바라보았다 他迷糊地看着我们 **어리둥절-히** 부

어리벙벙-하다 형 含糊不清 hánhu bùqīng; 迷糊 míhu; 眼花缭乱 yǎnhuāliáoluàn ¶말하는 것이 ～ 说话含糊不清 **어리벙벙-히** 부

어리석다 형 愚蠢 yúchǔn; 愚笨 yúbèn; 愚昧 yúmèi; 愚钝 yúdùn ¶어리석은 녀석 愚蠢的家伙 / 어리석은 잘못 愚蠢的错误 / 어리석은 행동 愚蠢的行动 / 그는 좀 ～ 他比较愚钝 / 어리석은 질문을 하다 问愚蠢的问题

어리숙-하다 형 呆傻 dāishǎ; 傻帽儿 shǎmàor; 傻乎乎 shǎhūhū; 傻呵呵 shǎhēhē; 憨厚 hānhou; 傻笨 shǎbèn

어린-나무 명 〖農〗 幼树 yòushù

어린-싹 명 〖植〗 幼芽 yòuyá; 嫩芽 nènyá

어린-아이 명 小孩(儿) xiǎohái(r); 小孩子 xiǎoháizi; 孩子 háizi; 小儿 xiǎo'ér = 소아 · 유아(幼兒)2

어린-애 명 '어린아이' 的略词

어린-양(一羊) 명 〖宗〗 羔羊 gāoyáng

어린-이 명 儿童 értóng; 孩子 háizi; 小孩子 xiǎoháizi; 小孩(儿) xiǎohái(r) ¶～날 儿童节

어린이-집 명 托儿所 tuō'érsuǒ

어린-잎 명 〖植〗 嫩叶 nènyè; 幼叶 yòuyè

어림 명하타 估 gū; 估计 gūjì; 估量 gūliang; 估摸 gūmo ¶내가 ～컨대 그는 내년까지 돌아오지 못할 것이다 我估摸着他到明年不能回来

어림-셈 명하타 估算 gūsuàn; 估计 gūjì ¶이 물품의 가격을 ～해 봐라 你估算一下这个物品的价格

어림-수(一數) 명 估计数 gūjìshù

어림-없다 형 没门儿 méiménr; 没有门儿 méiyǒu ménr; 根本不可能 gēnběn bùkěnéng ¶내 능력으로 그 일을 한다는 것은 ～ 以我的能力, 根本不可能做那件事 **어림없-이** 부

어림-잡다 타 估计 gūjì; 估量 gūliang; 估摸 gūmo ¶가격을 ～ 估摸价格 / 어림잡아 삼백 명 정도가 지진으로 사망했다 估计三百人地震中死亡

어림-짐작(一斟酌) 명하타 估计 gūjì; 估量 gūliang; 估摸 gūmo ¶이번 달 소비량이 ～으로 10톤에 이른다 这个月的消费量估计达到10万吨

어릿-광대 명 小丑 xiǎochǒu; 小艺人 xiǎoyìrén

어마어마-하다 형 **1** 厉害 lìhai; 吓人 xiàrén ¶어마어마하게 높은 아파트 高得吓人的楼房 **2** 可怕 kěpà ¶나는 어제 어마어마한 소식을 들었다 我昨天听到了可怕的消息

어망(漁網 · 魚網) 명 渔网 yúwǎng; 鱼网 yúwǎng ¶～을 치다 撒渔网

어머 감 哎呀 āiyā; 我的妈呀 wǒde māya ¶～, 밖에 눈 온다 哎呀, 外面下雪

了 / ~, 이를 어째? 我的妈呀, 这怎么办?

어머나 감 '어머'的强调语 ¶~, 오늘 그의 생일인 걸 깜빡했다 我的妈呀, 我忘了今天是他的生日

어머니 명 母亲 mǔqīn; 妈妈 māma; 家母 jiāmǔ; 娘 niáng; 妈 mā; 母 mǔ ¶그의 ~ 他的母亲

어머-님 명 '어머니'的敬词

어멈 명 老妈子 lǎomāzi; 管家婆 guǎnjiāpó

어:명(御命) 명 圣旨 shèngzhǐ; 敕命 chìmìng; 君命 jūnmìng; 大命 dàmìng; 诏旨 zhàozhǐ

어-묵(魚—) 명 鱼饼 yúbǐng; 鱼糕 yúgāo

어:문(語文) 명 **1** 语文 yǔwén = 언문 **2** = 어문학

어:-문학(語文學) 명 语文学 yǔwénxué = 어문2

어물(魚物) 명 鱼 yú; 干鱼 gānyú

어물-거리다 자 **1** 磨蹭 móceng ¶거기서 어물거리지 말고 얼른 들어와라! 别在那里磨蹭, 快进来吧! **2** 晃动 huàngdòng ¶벌레 같은 것이 눈앞에서 ~ 小虫子似的东西在眼前晃动 ‖= 어물대다 **어물-어물** 부하자 ¶문 앞에서 ~하며 차마 들어오지 못하다 在门前磨磨蹭蹭的, 不敢进来

어물-전(魚物廛) 명 鱼店 yúdiàn

어물전 망신은 꼴뚜기가 시킨다 속담 一条臭鱼坏了一锅汤

어물쩍 부하자 蒙混 ménghùn; 含混 hánhùn; 浑水摸鱼 húnshuǐmōyú ¶~ 넘어갈 생각하지 마라 你别想蒙混过去

어물쩍-거리다 자 蒙混过去 ménghùnguòqù; 含混过去 hánhùnguòqù; 浑水摸鱼 húnshuǐmōyú; 混过关 hùnguòguān; 含混 hánhùn; 蒙混 ménghùn = 어물쩍대다 ¶너는 '잊어버렸다' 는 한 마디면 그냥 어물쩍거리고 넘길 수 있을 줄 알았니? 你以为一句你 '忘了' 就可以蒙混过去吗? **어물쩍-어물쩍** 부하자

어미 명 **1** 妈 mā; 母 mǔ; 妈妈 māma; 娘 niáng ¶~ 소 母牛 / ~ 호랑이 母老虎 **2** (结婚后有子女的) 女儿 nǚ'ér **3** (公婆指称的) 儿媳妇 érxífu

어:미(語尾) 명 〖語〗 词尾 cíwěi; 语尾 yǔwěi; 后缀 hòuzhuì

어민(漁民) 명 = 어부

어백(魚白) 명 = 이리[1]

어버이 명 父母 fùmǔ ¶~의 은혜 父母的恩惠

어버이-날 명 父母节 Fùmǔjié

어:법(語法) 명 〖語〗 语法 yǔfǎ ¶중국어 ~ 汉语语法

어부(漁夫·漁父) 명 渔人 yúrén; 渔夫 yúfū; 渔民 yúmín; 渔工 yúgōng; 打鱼的 dǎyúde = 어민

어부바 감명하자타 背背 bèibèi; 背我 bèiwǒ

어부지리(漁夫之利) 명 渔人之利 yúrénzhīlì; 渔人得利 yúréndélì; 渔利 yúlì; 渔翁之利 yúwēngzhīlì; 渔翁得利 yúwēng délì

어:불성설(語不成說) 명 不像话 bùxiànghuà; 不成话 bùchénghuà ¶네가 한 말은 완전히 ~이다 你说的简直不成话

어:사(御史) 명 〖史〗 **1** 御史 yùshǐ **2** = 암행어사

어:사-또(御史—) 명 〖史〗 '어사'的敬词

어-산적(漁散炙) 명 烤鱼串 kǎoyúchuàn

어:색-하다(語塞—) 형 **1** 不自然 bùzìran; 尴尬 gāngà; 别扭 bièniu; 难为情 nánwéiqíng; 腼腆 miǎntian ¶어색한 느낌 不自然的感觉 / 그의 태도가 좀 ~ 他的态度有点儿不自然 **2** 生硬 shēngyìng; 不通顺 bùtōngshùn ¶내용이 좀 ~ 内容有些不通顺 / 어색한 부분을 수정하다 修改不通顺的地方 **3** 理屈词穷 lǐqūcíqióng; 难言 nányán; 语塞 yǔsè ¶어색한 변명 难言的借口 **어:색-히** 부

어서 부 **1** 快 kuài; 赶快 gǎnkuài ¶손님이 곧 오시니 ~ 방을 치워라! 客人不久要来, 快点儿收拾房间吧! / ~ 출발합시다! 我们赶快出发吧! **2** 请 qǐng; 欢迎 huānyíng ¶~ 오세요 欢迎光临 / ~ 들어오세요 请进

어서-어서 부 **1** 快快 kuàikuài; 很快 hěn kuài **2** 欢迎 huānyíng; 请 qǐng

어선(漁船) 명 渔船 yúchuán = 고기잡이배·고깃배

어:설프다 형 **1** 散漫 sǎnmàn; 稀疏 xīshū; 疏稀 shūxī; 不自然 bùzìran; 粗 cū ¶그는 어설프지만 열정적인 사람이다 他是一个很散漫而热情的人 **2** 轻率 qīngshuài ¶어설픈 결론 轻率的结论

어:설피 부 **1** 稀疏地 xīshūde; 不自然地 bùzìrande; 生疏地 shēngshūde ¶~ 짠 어망 结得很稀疏的鱼网 **2** 轻率地 qīngshuàide ¶혼자서 ~ 중대한 일을 결정하다 一个人轻率地决定重大的事

어:세(語勢) 명 语势 yǔshì

어셈블러(assembler) 명 〖컴〗 汇编程序 huìbiān chéngxù

어:소(語素) 명 〖語〗 词素 císù

어수룩-하다 형 **1** 憨厚 hānhou; 纯朴 chúnpǔ ¶어수룩한 시골 처녀 纯朴的乡村姑娘 **2** 傻笨 shǎbèn ¶어수룩한 말과 행동 傻笨的言行 **어수룩-이** 부

어수선-하다 형 **1** 乱 luàn; 乱糟糟 luànzāozāo; 散乱 sǎnluàn; 杂乱 záluàn; 纷乱 fēnluàn; 乱七八糟 luànqībāzāo ¶교실이 너무 ~ 教室里太乱了 / 방 안에 옷과 쓰레기들이 어수선하게 널려 있다 房间里到处都是乱糟糟的衣服和垃圾 **2** (心情或气氛) 烦 fán; 烦乱 fánluàn; 乱 luàn; 乱纷纷 luànfēnfēn; 乱腾腾 luànténgténg; 乱糟糟 luànzāozāo ¶그는 지금 마음이 어수선해서 아무 일도 할 수 없다 他现在心烦意乱, 不能做什么工作 **어수선-히** 부

어:순(語順) 명 『語』 词序 cíxù; 语序 yǔxù

어스레-하다 형 昏暗 hūn'àn; 朦胧 ménglóng = 어스름하다 ¶하늘이 다시 어스레해졌다 天空又变得昏暗 **어스레-히** 부

어스름 명 昏暗 hūn'àn ¶저녁 ~이 내리깔린 초원 晚上昏暗的草原

어스름-하다 형 = 어스레하다 **어스름-히** 부

어슬렁-거리다 자타 慢慢走 mànmàn zǒu; 慢吞吞地走 màntūntūnde zǒu = 어슬렁대다 ¶할 일이 없어 밖에 나가 어슬렁거리고 다니다 没有事可做, 就出去到处慢慢走 **어슬렁-어슬렁** 부 하자타 ¶한 무리의 사람들이 나를 보더니 ~ 다가왔다 一群人一看我就慢吞吞地走过来

어슴푸레 부하형 **1** 昏暗 hūn'àn ¶~한 가로등 昏暗的路灯 **2** 隐约 yǐnyuē; 朦胧 ménglóng ¶밖에 사람이 오고 가는 것이 ~하게 보인다 隐约看到有人在外边来回 **3** 模糊 móhu ¶~한 기억 模糊的记忆

어슷-비슷 부하형 差不多 chàbuduō; 差不离 chàbulí; 不相上下 bùxiāngshàngxià ¶그들은 성적이 ~하다 他们成绩不相上下 / 우리는 키가 다 ~하다 我们身高都差不离

어슷-썰기 명 切成斜片 qiēchéng xiépiàn ¶오이를 칼로 ~ 하다 把黄瓜用刀切成斜片

어슷-어슷 부하형 斜 xié; 歪 wāi; 歪斜 wāixié ¶생선에 ~ 칼집을 몇 군데 냈다 鱼身上斜斜地划了几刀

어슷-하다 형 斜 xié; 歪 wāi; 歪斜 wāixié; 歪歪的 wāiwāide ¶호박을 어슷하게 썰다 把南瓜切得歪斜 / 모자를 어슷하게 쓰고 있다 歪戴着帽子

어시스트(assist) 명 『體』 (篮球、足球等的) 助攻 zhùgōng

어-시장(魚市場) 명 鱼市 yúshì; 鱼市场 yúshìchǎng

어:안 명 瞠目结舌 chēngmùjiéshé; 目瞪口呆 mùdèngkǒudāi; 发愣 fālèng; 张口结舌 zhāngkǒujiéshé

어안이 벙벙하다 구 瞠目结舌; 目瞪口呆; 发愣; 张口结舌

어언(於焉) 부 = 어언간

어언-간(於焉間) 부 不觉间 bùjuéjiān; 不知不觉间 bùzhībùjuéjiān = 어언 ¶~ 벌써 새벽 1시가 되었다 不知不觉间已经快凌晨一点了

어업(漁業) 명 渔业 yúyè ¶~ 자원 渔业资源 / ~ 협정 渔业协定 / ~에 종사하다 搞渔业

어여쁘다 형 可爱 kě'ài; 美 měi; 美丽 měilì; 漂亮 piàoliang; 妩媚 wǔmèi; 标致 biāozhì ¶어여쁜 아가씨 美丽的姑娘 / 그의 딸은 아주 어여쁘게 생겼다 他的女儿长得十分妩媚

어여삐 부 可爱(地) kě'ài(de); 美丽(地) měilì(de) ¶모두들 그녀를 아주 ~ 여긴다 大家都觉得她很可爱

어엿-하다 형 堂堂 tángtáng; 当之无愧 dāngzhīwúkuì; 理直气壮 lǐzhíqìzhuàng ¶그는 어엿한 축구왕이다 他是当之无愧的足球王

어:용(御用) 명 御用 yùyòng ¶~ 문인 御用文人 / ~ 기자 御用记者 / ~ 문학 御用文学 / ~ 신문 御用报纸 / ~학자 御用学者

어우러-지다 자 和谐 héxié; 协调 xiétiáo; 和协 héxié ¶잘 어우러지는 사회를 건설하다 建立和谐社会

어우르다 타 并 bìng; 合 hé ¶여럿이서 힘을 어울러 문제를 해결하다 多方合力解决问题

어울리다 자 谐调 xiétiáo; 和谐 héxié; 适合 shìhé; 合适 héshì; 相称 xiāngchèn ¶이 옷은 너에게 잘 어울린다 这件衣服很合适你 / 자기에게 가장 어울리는 상대를 찾다 寻找最适合自己的对象

어:원(語源·語原) 명 『語』 词源 cíyuán; 语源 yǔyuán

어유 감 = 어이구 ¶~, 답답해 죽겠네! 哎呀, 闷死我了! / ~, 오늘 날씨 정말 춥다 唉呀, 今天天气真冷

어육(魚肉) 명 鱼肉 yúròu

어음 명 『經』 票据 piàojù; 期票 qīpiào; 汇票 huìpiào ¶~장 票据册 / ~ 거래 票据买卖 / ~ 인수 票据承兑 / ~ 회수 票据回收 / ~을 매매하다 买卖票据 / ~을 발행하다 开票据

어음 할인(―割引) 『經』 贴现 tiēxiàn; 票据贴现 piàojù tiēxiàn = 할인2

어:의(御醫) 명 『史』 御医 yùyī

어:의(語義) 명 语义 yǔyì; 词义 cíyì ¶~ 분석 语义分析

어이[1] 명 = 어처구니

어이[2] 부하자타 怎么 zěnme; 怎么办 zěnmebàn; 哪能 nǎnéng ¶이 일을 ~ 할꼬? 这该怎么办呢?

어:이³ 감 喂 wèi
어이구 감 哎呀 āiyā; 哎哟 āiyō = 어유 ¶~, 아파 죽겠다! 哎哟, 痛死了!
어이-없다 형 = 어처구니없다 ¶모두들 어이없다는 듯이 그를 보고 있다 大家都无可奈何地看着他 **어이없-이** 부
어이쿠 감 哎呀 āiyā; 哎哟 āiyō
어인 관 怎么 zěnme; 什么 shénme; 何 hé ¶그는 ~ 까닭으로 울고 있는가? 他在哭是什么缘故?
어장(漁場) 명 1 渔区 yúqū 2 〖水〗渔场 yúchǎng ¶동해 ~ 东海渔场
어저께 명부 = 어제
어:전(御前) 명 御前 yùqián ¶~ 회의 御前会议
어정-거리다 자타 慢慢地走 mànmànde zǒu; 磨蹭 móceng = 어정대다 ¶밖에서 어정거리지 말고 얼른 들어와라! 别在外面磨蹭, 快进来吧! **어정-어정** 부하자타
어정쩡-하다 형 1 犹豫不决 yóuyùbùjué ¶그녀는 지금까지도 여전히 어정쩡한 태도를 취하고 있다 她直到现在, 还是犹豫不决 2 模糊 móhu **어정쩡-히** 부
어제 명부 昨天 zuótiān; 昨儿 zuór; 昨日 zuórì; 昨 zuó = 어저께 ¶그는 ~ 중국에서 돌아왔다 他昨天从中国回来了 / ~가 무슨 날이었니? 昨天是什么日子?
어제-오늘 명부 昨天今天 zuótiān jīntiān; 昨今 zuójīn; 最近 zuìjìn; 近来 jìnlái; 这几天 zhè jǐtiān ¶우리는 ~ 무척 바빴다 我们昨天今天都很忙 / 실업 문제는 ~의 일이 아니다 失业问题不是近来的事情
어제-저녁 명 昨晚 zuówǎn; 昨天晚上 zuótiān wǎnshang ¶그는 ~ 전화 한 통을 받았다 他昨晚接到了一个电话
어젯-밤 명 昨夜 zuóyè; 昨晚 zuówǎn; 昨天晚上 zuótiān wǎnshang ¶~에 술을 너무 많이 마셨다 昨晚酒喝得太多了
어:조(語調) 명 1 语调 yǔdiào; 语气 yǔqì; 腔调 qiāngdiào; 声调 shēngdiào ¶그는 친절한 ~로 말했다 他用亲切地语调说了 2 〖語〗 = 억양
어:조-사(語助辭) 명 〖語〗虚词 xūcí
어:족(語族) 명 〖語〗语族 yǔzú; 语系 yǔxì
어종(魚種) 명 鱼种 yúzhǒng ¶진귀한 ~ 珍贵鱼种 / ~이 다양하다 鱼种很多
어죽(魚粥) 명 鱼粥 yúzhōu
어:줍다 형 不灵便 bùlíngbiàn; 不熟练 bùshúliàn
어줍잖다 형 '어쭙잖다' 的错误
어중간(於中間) 명하형히부 1 倒长不短 dàochángbùduǎn; 倒多不少 dàoduōbùshǎo; 怎么也不合适 zěnme yě bùhéshì; 高不成, 低不就 gāobùchéng, dībùjiù ¶길이가 ~하다 长度怎么也不合适 2 犹豫 yóuyù ¶내 말을 듣고 나서도 그는 여전히 ~한 태도를 취했다 听了我的话以后, 他还是犹豫不决
어중-되다 형 不合适 bùhéshì ¶크기가 어중되어 내가 입으면 너무 크고 언니가 입으면 너무 작다 大小不合适, 我穿太大, 姐姐穿太小
어:중이-떠중이 명 乌合之众 wūhézhīzhòng; 阿猫阿狗 āmāo'āgǒu; 牛鬼蛇神 niúguǐshéshén
어지간-하다 형 1 差不多 chàbuduō ¶그만하면 ~ 那样就差不多了 2 相当不错 xiāngdāng bùcuò ¶그는 성격이 어지간해서 다른 사람들과 잘 지낸다 他性格相当不错, 跟别人和睦相处 3 一般 yībān; 普通 pǔtōng ¶그는 키가 ~ 他的个子一般高 / 그녀는 몸매가 ~ 她身材普通 **어지간-히** 부
어지러-뜨리다 타 搞乱 gǎo luàn; 弄乱 nòng luàn; 弄得乱七八糟 nòngde luànqībāzāo = 어지러트리다 ¶그들은 방을 엉망으로 어지러뜨렸다 他们把房间弄得乱七八糟了
어지럼 명 = 현기
어지럼-증(一症) 명 = 현기증
어지럽다 형 1 晕 yūn; 昏 hūn; 晕眩 yūnxuàn; 晕花 yūnhuā ¶그녀는 갑자기 머리가 어지러웠다 她的头突然发昏了 / 잠을 잘 못 자서 머리가 좀 ~ 睡不好觉, 头有点晕 2 混乱 hùnluàn; 乱 luàn; 乱腾 luànteng ¶이 세상은 너무 ~ 这个世界太乱了
어지럽-히다 타 '어지럽다' 的使动词
어지르다 타 搞乱 gǎo luàn; 弄乱 nòng luàn; 弄得乱七八糟 nòngde luànqībāzāo ¶아이들이 금세 방을 엉망으로 어질렀다 孩子们很快就把房间弄得乱七八糟了
어질다 형 仁慈 réncí; 善良 shànliáng; 良善 liángshàn ¶그는 진실하고 어진 사람이다 他是个又老实又善良的人
어질-어질 부하형 发晕 fāyùn; 晕晕糊糊 yūnyunhūhū; 眩晕 xuànyùn
어째서 为什么 wèishénme; 怎么 zěnme ¶내가 ~ 네 대신 거기에 가야 하는 거니? 我为什么要替你去那里呢?
어쨌건 부 不管怎样 bùguǎn zěnyàng; 无论怎样 wúlùn zěnyàng; 无论如何 wúlùnrúhé; 反正 fǎnzheng
어쨌든 부 = 아무튼 ¶사람들이 너를 속일 수도 있지만 ~ 너는 진실해야 한다 人们可能欺骗你, 无论如何, 你要诚实

어쩌고-저쩌고 부하자 说这说那 shuōzhèshuōnà; 说长道短 shuōchángdàoduǎn; 说白道绿 shuōbáidàolǜ

어쩌다[1] 一자타 '어찌하다二' 的略词 二자 什么 shénme; 为什么 wèishénme

어쩌다[2] 一부 1 '어쩌다가一1' 的略词 2 '어쩌다가一2' 的略词 ¶~ 나는 그들이 생각난다 偶尔我想起他们 二 '어찌하다' 的略形

어쩌다가 一부 1 偶然 ǒurán; 不料 bùliào ¶그는 ~ 그가 예전에 쓴 일기를 발견했다 他偶然发现了以前他写的日记 2 偶尔 ǒu'ěr ¶우리는 ~ 한 번씩 만난다 我们偶尔见面 二 '어찌하다가' 的略词

어쩌면 一부 1 可能 kěnéng; 恐怕 kǒngpà ¶~ 그는 안 올지도 모른다 恐怕他不会来 / 그들은 ~ 오늘이 네 생일인 걸 잊었을지 모른다 他们可能忘了今天是你的生日 2 怎么 zěnme; 如何 rúhé ¶너는 ~ 이것도 모르니? 你怎么连这个都不知道呢? 二 怎么办 zěnme bàn; 怎么搞 zěnme gǎo ¶대체 ~ 좋을지 말씀해 주세요 请你告诉我, 我到底怎么办才好

어쩐지 부 不知怎么 bùzhī zěnme; 不知为什么 bùzhī wèishénme; 怪不得 guàibude; 难怪 nánguài ¶~, 그래서 네 몸이 이렇게 좋구나! 怪不得你身体这么好!

어쩜 一부 1 '어쩌면一1' 的略词 2 '어쩌면一2' 的略词 二감 哎呀 āiyā; 我的妈呀 wǒde māya

어쭙잖다 형 不怎么样 bùzěnmeyàng; 没什么了不起 méi shénme liǎobuqǐ; 没什么大不了 méi shénme dàbuliǎo ¶그는 어쭙잖은 능력에 대단히 우쭐해한다 他能力不怎么样, 但很骄傲

어찌 부 1 怎么 zěnme; 哪能 nǎnéng ¶우리가 ~ 네 결혼식에 참석하지 않을 수 있겠니? 我们哪能不去参加你的婚礼呢? 2 别提多… bié tí duō…; 那么 nàme; 太 tài; 很 hěn

어찌나 부 '어찌2' 的强调语 ¶날씨가 ~ 추운지 나가기가 겁난다 天气太冷, 不敢出门

어찌-어찌 부하자 这么这么 zhèmezhème; 这样那样 zhèyàngnàyàng

어찌-하다 一자 怎么 zěnme; 为什么 wèishénme ¶그는 어찌하여 수업에 안 나옵니까? 他为什么不来上课? / 이 일을 어찌하면 좋겠니? 这件事怎么处理才好呢? 二자타 怎么搞 zěnme gǎo; 怎么办 zěnme bàn

어차피(於此彼) 부 反正 fǎnzheng; 不管怎样 bùguǎn zěnyàng; 无论怎样 wúlùn zěnyàng; 无论如何 wúlùnrúhé; 好歹 hǎodǎi; 既然 jìrán ¶~ 그녀는 내일 출국이니 이미 너무 늦었다 反正她明天要出国, 已经太晚了

어처구니 명 无可奈何 wúkěnàihé; 有口难辩 yǒukǒunánbiàn; 啼笑皆非 tíxiàojiēfēi = 어이[1]

어처구니-없다 형 无可奈何 wúkěnàihé; 有口难辩 yǒukǒunánbiàn; 啼笑皆非 tíxiàojiēfēi = 어이없다 ¶어처구니없는 사실 让人有口难辩的事实 / 어처구니없는 대답 令人啼笑皆非的回答 **어처구니없-이** 부

어촌(漁村) 명 渔村 yúcūn

어쿠스틱 기타(acoustic guitar) 〖音〗 原声吉他 yuánshēng jítā

어:투(語套) 명 = 말투

어패-류(魚貝類) 명 鱼贝类 yúbèilèi

어:폐(語弊) 명 语弊 yǔbì; 语病 yǔbìng ¶이 말에는 ~가 있다 这句话有语病

어포(魚脯) 명 鱼脯 yúfǔ

어푸-어푸 부하자 噗噗 pūpū 《落水后吐水声》

어필(appeal) 명하자타 1 呼吁 hūyù; 呼请 hūqǐng 2 〖體〗 (比赛中) 诉诸裁判 sùzhū cáipàn; 抗议裁判 kàngyì cáipàn

어:학(語學) 명 〖語〗 1 语言研究 yǔyán yánjiū 2 = 언어학

어:학-연수(語學研修) 명 语言进修 yǔyán jìnxiū ¶단기 ~ 短期语言进修 / 캐나다에서 ~를 하다 到加拿大进行语言进修

어항(魚缸) 명 鱼缸 yúgāng

어항(漁港) 명 渔港 yúgǎng

어험 감 嗯哼 ǹghēng 《故作威严的咳嗽声》

어:혈(瘀血) 명 〖韓醫〗 瘀血 yūxuè; 瘀 yū; 淤血 yūxuè; 淤 yū ¶~을 풀다 化瘀

어:형(語形) 명 〖語〗 词形 cíxíng ¶~ 변화 词形变化

어획(漁獲) 명하타 捕鱼 bǔyú; 捕获 bǔhuò ¶~기 捕鱼期 / ~량 捕鱼量

어:휘(語彙) 명 词汇 cíhuì; 语汇 yǔhuì ¶기본 ~ 基本词汇 / 상용 ~ 常用词汇

어:휘-력(語彙力) 명 词汇量 cíhuìliàng ¶~ 테스트 词汇量测试

어:휘-집(語彙集) 명 词汇集 cíhuìjí; 词汇大全 cíhuì dàquán

어흥 감 呜呜 wūwū 《老虎吼啸声》

억(億) 수관 亿 yì; 万万 wànwàn ¶몇 ~ 년 전 几亿年前 / 삼십 ~ 인구 三十亿人口

억-누르다 타 抑制 yìzhì; 压抑 yāyì; 遏抑 èyì; 遏制 èzhì ¶감정을 ~ 压抑感情 / 마음속의 분노를 ~ 抑制内心的愤怒

억눌리다 자 '억누르다' 的被动词

억대(億臺) 명 算亿的 suànyìde ¶~의 별장 算亿的别墅 / 그의 재산은 최소한 ~는 될 것이다 他的家产至少是算亿的

억류(抑留) 명하타 扣留 kòuliú; 关押 guānyā; 拘管 jūguǎn ¶불법으로 조업하던 어선을 ~하다 扣留非法捕鱼的渔船

억만(億萬) 관 亿万 yìwàn; 无数 wúshù; 不可估量 bùkěgūliang ¶~금 亿万金钱 / ~년 亿万年 / ~장자 亿万富翁

억:새 명 〖植〗紫芒 zǐmáng ¶~밭 紫芒地

억:새-풀 명 紫芒 zǐmáng

억-세다 형 **1** (植物的叶或茎) 坚韧 jiānrèn; 坚挺 jiāntǐng ¶식물의 줄기가 억세지다 植物的茎坚挺起来 **2** (身体或意志) 坚硬 jiānyìng; 顽强 wánqiáng; 矫健 jiǎojiàn; 坚强 jiānqiáng ¶억센 팔뚝 坚硬的手臂 / 억센 생명 顽强的生命

억수 명 倾盆 qīngpén; 倾盆大雨 qīngpéndàyǔ; 瓢泼 piáopō; 瓢泼大雨 piáopōdàyǔ; 滂沱 pāngtuó ¶비가 ~같이 내리고 있다 下着倾盆大雨

억압(抑壓) 명하타 压抑 yāyì; 压迫 yāpò; 欺压 qīyā; 压制 yāzhì ¶소수 민족을 ~하다 压迫小数民族 / 정권의 ~을 받다 遭到政权的欺压

억양(抑揚) 명하타 〖語〗语调 yǔdiào; 抑扬 yìyáng = 어조2

억울-하다(抑鬱—) 형 冤枉 yuānwang; 委屈 wěiqu ¶나는 정말 너무~ 我真的好冤枉 / 나는 갑자기 아주 억울하게 느껴졌다 我突然觉得很委屈

억장(億丈) 명 高高的 gāogāode

억장이 무너지다 구 悲痛; 难受

억제(抑制) 명하타 抑制 yìzhì; 遏制 èzhì; 抑止 yìzhǐ; 遏止 èzhǐ; 克制 kèzhì; 压制 yāzhì; 节制 jiézhì; 扼制 èzhì ¶~력 抑制力 =[抑止力] / ~제 抑制剂 =[压制剂] / 식욕을 ~하다 抑制食欲 / 소비를 ~하다 抑制消费 / 부동산 가격을 ~하다 抑制房价

억지 명 牵强 qiānqiǎng; 倔强 juéjiàng; 固执 gùzhi; 硬 yìng; 不讲理 bùjiǎnglǐ; 强辩 qiǎngbiàn; 无理 wúlǐ ¶~를 세우다 固执追求 / 상대가 ~ 부리는 것을 나무라다 指责对方不讲理

억지-로 부 勉强 miǎnqiǎng; 强 qiáng; 硬 yìng ¶나는 아침에 ~ 우유를 마셨다 我早上勉强喝了牛奶

억지-스럽다 형 无理 wúlǐ; 不讲理 bùjiǎnglǐ; 牵强 qiānqiǎng; 固执 gùzhi; 倔强 juéjiàng ¶원래 그의 미소는 이렇게 ~ 原来他的笑容如此牵强 **억지스레** 부

억지-웃음 명 硬笑 yìngxiào; 装笑 zhuāngxiào; 勉强笑 miǎnqiǎng xiào

억척 명 顽强 wánqiáng; 倔强 juéjiàng; 泼辣 pōla

억척-스럽다 형 倔强 juéjiàng; 顽强 wánqiáng; 泼辣 pōla ¶억척스러운 여자 倔强的女人 / 억척스러운 정신 顽强不屈的精神 **억척스레** 부

억측(臆測) 명하타 臆测 yìcè; 臆度 yìduó ¶이건 단지 그의 ~일 뿐이다 这只是他的臆测而已

언감생심(焉敢生心) 명 怎么敢 zěnme gǎn; 不敢 bùgǎn

언급(言及) 명하자타 提 tí; 提到 tídào; 提及 tíjí; 提起 tíqǐ; 谈到 tándào; 涉及 shèjí ¶이 상품의 특징에 대해 ~하다 涉及这个产品的特征 / 그들은 심지어 이혼까지 ~하였다 他们甚至还谈到离婚

언니 명 **1** 姐姐 jiějie; 姐 jiě **2** 大姐 dàjiě; 老大姐 lǎodàjiě

언더그라운드(underground) 명 **1** 地下活动 dìxià huódòng; 地下组织 dìxià zǔzhī **2** 〖藝〗反主流 fǎnzhǔliú; 非商业 fēishāngyè; 先锋派 xiānfēngpài

언더웨어(underwear) 명 衬衣 chènyī; 内衣 nèiyī

언덕 명 坡(儿) pō(r); 坡子 pōzi; 小山坡 xiǎoshānpō; 丘陵 qiūlíng; 土岗(子) tǔgǎng(zi) = 구릉

언덕-길 명 坡路 pōlù; 坡道 pōdào ¶~을 오르다 上坡路

언덕-바지 명 坡顶 pōdǐng; 陡坡 dǒupō = 언덕배기

언덕-배기 명 = 언덕바지

언덕-지다 형 成斜坡 chéng xiépō; 坑坑洼洼 kēngkengwāwā; 坎坷不平 kǎnkěbùpíng

언동(言動) 명 言行 yánxíng ¶~을 삼가다 谨慎言行

언뜻 부 猛然 měngrán = 얼핏 ¶길을 걷다 ~ 그의 얼굴이 생각났다 走着走着, 猛然想起了他的脸

언뜻-언뜻 부하자 一晃一晃地 yīhuǎngyīhuǎngde = 얼핏얼핏 ¶눈을 감으면 눈앞에 ~ 그녀의 얼굴이 떠오른다 闭着眼睛, 眼前一晃一晃地出现她的脸

언론(言論) 명 言论 yánlùn ¶~ 기관 言论机构 / ~계 言论界 / ~사 言论公司 / ~ 활동 言论活动 / ~ 자유화 言论自由化

언론-인(言論人) 명 新闻工作者 xīnwén gōngzuòzhě

언문(言文) 명 = 어문(語文)1

언문-일치(言文一致) 명 言文一致 yánwén yīzhì

언밸런스-하다(unbalance—) 형 不平均 bùpíngjūn; 不平衡 bùpínghéng

언변(言辯) 명 口才 kǒucái; 口辩 kǒubiàn; 辩才 biàncái = 구변 ¶자신의 ~을 충분히 발휘하다 充分发挥自己的辩才 / 그녀는 총명하고 ~이 좋다 她聪明而有口辩

언사(言辭) 명 言辞 yáncí; 言词 yáncí

언성(言聲) 명 话音 huàyīn; 声音 shēngyīn; 言声 yánshēng; 嗓门(儿) sǎngmén(r) ¶~을 높이다 提高嗓门儿

언약(言約) 명하타 口头约定 kǒutóu yuēdìng

언어(言語) 명 语言 yǔyán ¶~ 습관 语言习惯 / ~ 학습 语言学习 / ~ 교육 语言教育 / ~ 능력 语言能力 / ~ 사회 语言社会 / ~ 예술 语言艺术

언어-도단(言語道斷) 명 荒谬透顶 huāngmiù tòudǐng; 荒谬绝伦 huāngmiùjuélún; 岂有此理 qǐyǒucǐlǐ

언어-적(言語的) 관명 语言(的) yǔyán(de); 语言性 yǔyánxìng ¶~ 표현 语言表现

언어-학(言語學) 명 〖語〗语言学 yǔyánxué = 어학2 ¶~자 语言学家

언외(言外) 명 言外 yánwài ¶~의 뜻 言外之意

언쟁(言爭) 명하자 = 말다툼 ¶그는 자주 다른 사람과 ~을 벌인다 他常常跟别人争吵

언저리 명 **1** 边(儿) biān(r); 周边 zhōubiān; 边缘 biānyuán; 缘边 yuánbiān; 边沿 biānyán ¶입 ~에 종기가 나다 嘴边长痘 / 입구 ~에서 서성거리다 在门口周边走来走去 **2** (时间或年龄的) 前后 qiánhòu; 上下 shàngxià; 左右 zuǒyòu

언:제 대부 什么时候 shénme shíhou; 何时 héshí ¶너는 ~ 여기 왔니? 你什么时候来这里呢? / 회의는 ~ 시작합니까? 会议什么时候要开始?

언:제-나 부 **1** 总是 zǒngshì; 总 zǒng; 无论什么时候 wúlùn shénme shíhou ¶터미널 안의 승객들은 ~ 많다 车站里面的乘客总是很多 / 그는 ~ 억지를 부린다 他总是不讲道理 **2** 到什么时候才 dào shénme shíhou cái ¶이렇게 돈을 벌어서 ~ 내 집을 살 수 있을까? 这样赚钱, 到什么时候才能买到自己的家呢?

언중-유골(言中有骨) 명 话里有话 huàlǐyǒuhuà; 话中有话 huàzhōngyǒuhuà

언지(言—) 명 '언질' 的错误

언질(言質) 명 话柄 huàbǐng

언질(을) 주다 구 留话柄

언짢다 형 (心情) 不快 bùkuài; 不好 bùhǎo; 不愉快 bùyúkuài; 不舒服 bùshūfu ¶무슨 언짢은 일이라도 있으십니까? 你有什么不快的事? / 그는 마음이 언짢았다 他心里不舒服

언청이 명 兔唇 tùchún; 唇裂 chúnliè; 豁嘴 huōzuǐ; 豁唇子 huōchúnzi

언행(言行) 명 言行 yánxíng; 言谈举止 yántánjǔzhǐ ¶~일치 言行一致 / 학생의 신분에 맞지 않는 ~ 学生的不得体言行

얹다 타 上 shàng; 放 fàng; 搁上 gēshàng ¶나는 조용히 그녀의 어깨에 손을 얹었다 我默默地把手搁在她肩上 / 가스레인지에 냄비를 ~ 把铁锅放在瓦斯炉上

얹혀-살다 자 寄居 jìjū; 寄生 jìshēng; 寄寓 jìyù; 寄人篱下 jìrénlíxià; 靠人过活 kàorén guòhuó ¶그는 어렸을 때부터 큰아버지 댁에 얹혀살았다 他从小就寄居在伯父家里

얹-히다 자 **1** 被放上 bèi fàngshàng 《'얹다' 的被动词》 **2** 寄生 jìshēng; 依赖 yīlài ¶그는 아직 일을 구하지 못해서 부모님께 얹혀 지내고 있다 他还没找工作, 依赖父母生活 **3** = 체하다 ¶밥을 너무 빨리 먹어서 얹힌 것 같다 把饭吃得太快, 好像没消化好

얻:다 타 **1** 得到 dédào; 得 dé ¶교훈을 ~ 得到教训 / 자신이 원하던 결과를 ~ 得了自己想要的结果 **2** 获得 huòdé; 取得 qǔdé; 博得 bódé; 博取 bóqǔ ¶큰 기쁨을 ~ 获得大的欢乐 / 동정을 ~ 博取同情 / 좋은 성적을 ~ 取得好成绩 / 널리 신뢰를 ~ 博得信赖 **3** 借到 jièdào; 租到 zūdào ¶적당한 집을 ~ 租到合适的房子 **4** 娶 qǔ; 嫁 jià ¶그는 좋은 아내를 얻고 싶어한다 他想娶好妻 **5** 患 huàn; 生 shēng ¶그는 며칠 동안 계속 야근하더니 결국 병을 얻었다 他几天一直加班, 终于生病了

얻:어-맞다 자타 挨打 áidǎ ¶너는 왜 가만히 서서 얻어맞기만 하니? 你为什么只是站着挨打?

얻:어-먹다 자타 **1** 吃食 chīshí; 讨吃 tǎochī **2** 挨骂 ái mà; 受骂 shòu mà ¶그는 아버지의 손목시계를 잃어버려서 한차례 욕을 얻어먹었다 他把父亲的手表丢失, 挨了一顿骂

얻:어-터지다 자타 '얻어맞다' 的俗称

얼: 명 魂儿 húnr; 神 shén; 灵魂 línghún

얼간-이 명 傻瓜 shǎguā; 傻子 shǎzi; 呆子 dāizi; 笨蛋 bèndàn; 二百五 èrbǎiwǔ ¶이 ~ 같으니라구! 你, 这个傻瓜!

얼:-갈이 명하타 〖農〗 **1** 冬耕 dōnggēng **2** 冬种的蔬菜 dōngzhòngde shūcài

얼개 명 结构 jiégòu; 构造 gòuzào

얼-결 명 = 얼떨결

얼굴 명 **1** 脸 liǎn; 面 miàn; 面孔 miànkǒng; 脸庞 liǎnpáng; 脸蛋 liǎndàn; 面部 miànbù; 面庞 miànpáng = 안면(顔面)1 ¶~ 윤곽 面部轮廓 / ~ 표정 面部表情 / 아름다운 ~ 漂亮的脸蛋 / 네 ~도 못생긴 건 아니다 你的脸蛋也不难看 **2** 容貌 róngmào; 面容 miànróng ¶준수한 ~ 俊秀的面容 / ~이 예쁘다 容貌很漂亮 **3** 体面 tǐmiàn ¶친구 앞에서 ~이 서지 않다 在朋友面前感到不体面 **4** 表情 biǎoqíng ¶기분 나쁜 ~ 不高兴的表情 / 기쁜 ~을 하다 露出满脸喜悦的表情

얼굴에 똥칠[먹칠]을 하다 구 损坏名誉; 不给面子

얼굴에 철판을 깔다 구 厚颜无耻

얼굴을 내밀다[비치다] 구 露面(儿)

얼굴을 들다 구 有体面 = 낯(을) 들다

얼굴이 두껍다 구 厚颜无耻; 脸皮厚; 厚脸皮 = 낯(이) 두껍다 · 낯가죽(이) 두껍다

얼굴-값 명 体面 tǐmiàn

얼굴-빛 명 脸色 liǎnsè; 神色 shénsè; 面色 miànsè; 气色 qìsè; 容光 róngguāng = 안색 · 얼굴색 ¶그녀는 ~이 창백하다 她面色苍白 / ~을 살피다 观察气色

얼굴-색(—色) 명 = 얼굴빛

얼굴 신경(—神經) 〖生〗 面神经 miànshénjīng; 面部神经 miànbù shénjīng = 안면 신경

얼기-설기 부하형 纠缠 jiūchán; 错综 cuòzōng ¶~ 복잡하게 얽힌 문제를 해결하다 解决错综复杂的问题

얼:다 자 **1** 冻 dòng; 结冰 jiébīng; 上冻 shàngdòng; 封冻 fēngdòng ¶호수가 ~ 湖水结冰 **2** (身体一部分) 冻 dòng; 冻僵 dòngjiāng ¶그의 얼굴과 코는 벌써 빨갛게 얼었다 他的脸和鼻子早就被冻得通红 / 손발이 모두 얼었다 手脚都冻僵了 **3** 发呆 fādāi; 发硬 fāyìng ¶그는 그 소식을 듣고 너무 놀라서 그 자리에 선 채로 얼어 버렸다 他听到那个消息后很吃惊, 站在那里发呆

언 발에 오줌 누기 속담 无济于事

얼떨-결 명 稀里糊涂 xīlihútú = 얼결 ¶그는 ~에 그녀의 요구를 들어준다고 대답했다 他稀里糊涂答应了她的要求

얼떨떨-하다 형 **1** 模模糊糊 mómohūhū; 迷迷糊糊 mímihūhū; 稀里糊涂 xīlihútú ¶전혀 생각지 못한 일이라 얼떨떨한지 그들은 내 얼굴만 바라보았다 因为真没想到, 他们都迷迷糊糊地看着我的脸 **2** 昏沉沉 hūnchénchén; 头昏脑涨 tóuhūnnǎozhàng

얼:-뜨기 명 傻瓜 shǎguā; 呆子 dāizi; 傻子 shǎzi; 糊涂虫 hútuchóng; 木头人儿 mùtourénr

얼:-뜨다 형 傻头傻脑 shǎtóushǎnǎo; 糊里糊涂 húlihútú

얼렁-뚱땅 부하자타 含糊 hánhu; 马马虎虎 mǎmǎhūhū; 敷衍 fūyǎn ¶~ 일을 처리해서는 안 된다 马马虎虎地办事可不行

얼레 명 绕线板 ràoxiànbǎn

얼루기 명 **1** 斑纹 bānwén; 斑点 bāndiǎn **2** 带斑纹的 dàibānwénde

얼룩 명 斑点 bāndiǎn; 花斑 huābān ¶~ 고양이 花斑猫

얼룩-덜룩 부하형 花花搭搭 huāhuadādā; 斑斑点点 bānbandiǎndiǎn

얼룩-말 명 〖動〗 斑马 bānmǎ

얼룩-무늬 명 斑纹 bānwén

얼룩-빼기 명 花花搭搭的 huāhuadādāde; 有斑点的 yǒubāndiǎnde; 有斑的 yǒubānde; 有花斑的 yǒuhuābānde

얼룩-소 명 斑点牛 bāndiǎnniú; 花斑牛 huābānniú

얼룩-송아지 명 小花斑牛 xiǎohuābānniú

얼룩-얼룩 부하형 花花绿绿 huāhuālǜlǜ; 花花搭搭 huāhuadādā; 斑斑 bānbān

얼룩-이 명 '얼루기' 的错误

얼룩-지다 자 有斑纹 yǒu bānwén; 有斑点 yǒu bāndiǎn; 斑斑 bānbān ¶눈물로 얼룩진 얼굴 泪痕斑斑的脸

얼른 부 快 kuài; 赶快 gǎnkuài ¶선생님께서 곧 오시니 ~ 교실로 들어가라! 老师不久要来, 快点儿进教室去吧! / 음식이 다 식겠다. ~ 먹자 菜都凉了, 赶快吃吧

얼른-얼른 부 '얼른' 的强调语

얼-리다 타 '얼다1' 的使动词

얼마 명 **1** 多少 duōshao; 几 jǐ; 几个 jǐge; 多 duō; 多么 duōme 《表示疑问》¶이 사과는 한 근에 ~입니까? 这个苹果多少钱一斤啊? / 오신 지 ~나 되셨나요? 你来多久了? **2** 怎么 zěnme; 尽管 jǐnguǎn; 多少 duōshao 《表示不定的数量、程度》¶~든지 와라! 不管多少次, 随便来吧! **3** 一些 yīxiē; 多 duō; 一会儿 yīhuìr 《表示比较少的数量、程度》

얼마-간(—間) 부 **1** 多少 duōshǎo; 几分 jǐfēn; 或多或少 huòduōhuòshǎo; 若干 ruògān ¶~ 위안을 주다 或多或少给点安慰 **2** 一些时候 yīxiē shíhou; 不一会儿 bùyīhuìr ¶~ 기다리자 그가 정말로 왔다 等了一些时候, 他真的来了

얼마-나 부 多 duō; 多么 duōme; 多少 duōshao ¶네가 온다는 얘기를 듣고 그들이 ~ 기뻐했는지 모른다 听到你要来, 不知道他们多么高兴

얼-버무리다 자타 **1** 含糊 hánhu; 含糊其词 hánhúqící; 支吾 zhīwú; 支吾其词 zhīwúqící ¶얼버무리지 말고 빨리 사실을 말해라 不要含糊其词, 赶快说实话 **2** 混 hùn ¶남은 음식을 모두 얼버무려 놓다 把剩下的菜都混在一起

얼:-빠지다 자 失魂落魄 shīhúnluòpò; 失魂丧魄 shīhúnsàngpò; 失神 shīshén; 呆愣 dāilèng; 没精神 méi jīngshén; 掉魂 diàohún ¶그는 요 며칠 얼빠져 있다 他这几天失魂落魄似的 / 얼빠진 사람처럼 멍하니 앉아 있다 像掉了魂似的呆坐着

얼싸-안다 타 拥抱 yōngbào ¶서로 꽉 ~ 互相紧紧拥抱

얼씨구 감 **1** 哎嗨 āihāi ¶~, 정말 좋구나 哎嗨, 真的好极了 **2** 哎呀 āiyā; 哎哟 āiyō ¶~, 그게 또 무슨 말이냐? 哎哟, 那又是什么话?

얼씨구나 감 '얼씨구' 的强调语

얼씨구-절씨구 감 哎嗨唷哎嗨唷 āihāiyō'āihāiyō

얼씬 부하자 闪现 shǎnxiàn; 晃动 huàngdòng ¶그 집 사람들은 모두 외출했는지 종일 ~하지 않았다 那家的人可能都出去, 整天都没有闪现

얼씬-거리다 자 闪现 shǎnxiàn; 晃动 huàngdòng = 얼씬대다 ¶내 눈앞에서 얼씬거리지 마라 不要在我的眼前晃动 **얼씬-얼씬** 부하자 ¶계속 눈앞에서 ~하다 一直在眼前晃动

얼어-붙다 자 **1** 冻结 dòngjié; 凝冻 níngdòng; 封冻 fēngdòng ¶호수가 얼어붙었다 湖水冻结了 **2** 僵住 jiāngzhù; 惊呆 jīngdāi ¶모두들 무서워서 얼어붙었다 由于害怕大家都吓得僵住了

얼얼-하다 형 **1** 麻辣 málà; 火辣辣 huǒlàlà; 辣乎乎 làhūhū ¶얼얼하게 매운 음식 辣乎乎的菜 **2** (痛得) 火辣辣 huǒlàlà ¶손에 화상을 입어 쓰리고 ~ 手烫伤了, 疼得火辣辣的 **3** 微醉 wēi zuì ¶그는 이미 얼얼하게 취해서 자신이 무슨 말을 하는지도 모른다 他已经微醉, 不知道自己说什么

얼-음 명 冰 bīng ¶~ 조각 冰雕 / ~을 깨다 凿冰 / ~이 매우 두껍게 얼었다 冰结得很厚

얼음-과자 명 冰棍儿 bīnggùnr; 冰棒 bīngbàng = 빙과

얼음-덩이 명 冰块 bīngkuài

얼음-물 명 加冰的水 jiābīngde shuǐ; 冰水 bīngshuǐ

얼음-사탕(一沙糖) 명 冰糖 bīngtáng

얼음-장(一張) 명 冰块 bīngkuài

얼음-주머니 명 〖醫〗 冰囊 bīngnáng; 冰袋 bīngdài

얼음-집 명 = 이글루

얼음-찜질 명하자 冰敷 bīngfū

얼음-판 명 冰场 bīngchǎng

얼쩡-거리다 자 **1** 讨好卖乖 tǎohǎomàiguāi; 百般阿谀 bǎibān ēyú; 百般奉承 bǎibān fèngcheng; 拍马屁 pāi mǎpì **2** 闲逛 xiánguàng; 悠闲 yōuxián; 逛来逛去 guàngláiguàngqù ¶날도 어두워졌으니 얼쩡거리지 말고 집에 가라 天都黑了, 不要闲逛回家去吧 ‖= 얼쩡대다 **얼쩡-얼쩡** 부하자

얼:-차려 명 〖軍〗 体罚 tǐfá

얼추 부 **1** 大概 dàgài; 差不多 chābuduō ¶여기서 학교까지는 ~ 500m쯤 될 것이다 这里离学校大概五百米左右 **2** 快要 kuàiyào; 几乎 jīhū; 差不多 chābuduō ¶일이 ~ 끝났다 工作快要结束了 / ~ 완성되었다 几乎完成了

얼추-잡다 타 估计 gūjì; 估量 gūliang; 大概 dàgài ¶이 옷은 얼추잡아 100 위안 정도 할 것이다 这件衣服估计价值约达100元

얼-치기 명 **1** 四不像 sìbùxiàng; 不伦不类 bùlúnbùlèi **2** 混合物 hùnhéwù **3** 湖涂虫 hútuchóng

얼큰-하다 형 **1** 辣乎乎 làhūhū; 微辣 wēi là ¶오늘은 얼큰한 찌개가 먹고 싶다 今天想喝辣乎乎的汤 **2** 很醉 hěn zuì ¶그는 벌써 얼큰하게 취했다 他已经很醉

얼토당토-아니하다 형 **1** 毫无根据 háowú gēnjù; 荒诞无稽 huāngdànwújī; 荒诞不经 huāngdànbùjīng ¶얼토당토아니한 추측 毫无根据的猜测 / 그가 한 말은 ~ 他说的话是荒诞无稽的 **2** 毫不相干 háobù xiānggān; 风马牛不相及 fēngmǎniú bùxiāngjí; 不着边际 bùzhuóbiānjì ¶얼토당토아니한 사람이 소매치기로 몰리다 毫不相干的人被视为小偷

얼토당토-않다 형 '얼토당토아니하다' 的略词

얼핏 부 = 언뜻

얼핏-얼핏 부 = 언뜻언뜻

얽다[1] 자 **1** (脸) 麻 má ¶그의 얼굴은 살짝 얽었다 他的脸稍有些麻 **2** (物体表面) 有缺陷 yǒu quēxiàn

얽다[2] 타 **1** 捆扎 kǔnzā ¶단단히 얽지 않아 흩어지다 因捆扎不牢而散落 **2** 罗织 luózhī ¶죄명을 ~ 罗织罪名

얽-매다 타 **1** = 얽어매다1 **2** = 얽어매다2 ¶다른 사람의 자유를 ~ 束缚别人的自由

얽매-이다 자 '얽매다' 的被动词

얽어-매다 타 **1** 缠 chán; 捆 kǔn; 捆扎 kǔnzā = 얽매다1 ¶땔감을 ~ 捆扎木柴 **2** 束缚 shùfù; 约束 yuēshù; 桎梏 zhìgù = 얽매다2 ¶돈으로 직원들을

~ 用金钱把员工束缚住

얽히고-설키다 자 缠在一起 chánzài yīqǐ; 绕成一团 ràochéng yītuán

얽-히다 자 **1** 被捆 bèi kǔn; 被缠 bèi chán; 缠 chán; 缠绕 chánrào《'얽다²1' 的被动词》¶연줄이 나뭇가지에 ~ 风筝的丝线被捆在树枝上 / 털실이 한데 얽혀 있다 毛线缠在一起 **2** 被牵连 bèi qiānlián; 关连 guānlián; 相关 xiāngguān《'얽다²2' 的被动词》¶이 반지에 얽힌 이야기 跟这个戒指关连的故事 / 뇌물 사건에 얽혀 들다 被牵连进贿赂事件

엄격(嚴格) 명하형히부 严格 yángé; 严厉 yánlì; 严 yán; 严酷 yánkù ¶규정을 ~히 준수하다 严格遵守规定 / ~하게 통제하다 严格控制

엄금(嚴禁) 명하타 严禁 yánjìn ¶흡연 ~ 严禁吸烟

엄:-니 명 (大象、野猪、老虎等的) 獠牙 liáoyá

엄단(嚴斷) 명하타 严断 yánduàn; 严处 yánchǔ

엄동(嚴冬) 명 严冬 yándōng; 隆冬 lóngdōng

엄동-설한(嚴冬雪寒) 명 数九寒天 shǔjiǔhántiān

엄두 명 (敢做某事的) 念头 niàntóu; 想 xiǎng; 敢 gǎn ¶날이 너무 더워서 밖에 나가 산책할 ~가 안 난다 天气太热了不想去散步 / 그의 안색이 너무 안 좋아서 도와 달라고 할 ~가 안 난다 他的脸色很不好, 不敢要他帮我的忙

엄마 명 妈妈 māma; 妈 mā ¶우리 ~ 我妈妈

엄명(嚴命) 명하타 严令 yánlìng; 严命 yánmìng ¶~을 내리다 下严令 / ~을 받다 受严令

엄밀-하다(嚴密―) 형 严密 yánmì; 严紧 yánjǐn ¶엄밀한 검사를 하다 严密检测 / 방어 체계가 아주 ~ 防御体系非常严密 **엄밀-히** 부

엄벌(嚴罰) 명하타 严罚 yánfá; 严惩 yánchéng; 严厉处罚 yánlì chǔfá ¶불법 주차를 ~하다 严罚违法停车 / 그들을 ~에 처하다 对他们进行严惩 / 그 살인범은 법의 ~을 받았다 那个杀人犯受到了法律的严惩

엄벙-덤벙 부하자 稀里糊涂 xīlihútú; 马马虎虎 mǎmahūhū ¶이런 일은 ~ 처리해서는 안 된다 这种事不可马马虎虎地处理

엄살 명하자 (痛苦或困难时) 装得严重 zhuāngde yánzhòng; 装假 zhuāngjiǎ; 装痛 zhuāngtòng ¶~ 부리지 마라. 안 속는다 你不要装假, 我不会被骗

엄살-떨다 자 (痛苦或困难时) 装得严重 zhuāngde yánzhòng; 装假 zhuāngjiǎ; 装痛 zhuāngtòng ¶그는 사실 그다지 아프지도 않으면서 괜히 엄살떤다 他其实不太痛, 却故意装得很严重

엄살-쟁이 명 装痛的人 zhuāngtòngde rén; 装假的人 zhuāngjiǎde rén

엄선(嚴選) 명하타 严格选择 yángé xuǎnzé; 严格挑选 yángé tiāoxuǎn ¶능력이 출중한 군관을 ~하다 严格挑选能力出众的军官

엄수(嚴守) 명하타 严守 yánshǒu; 严格遵守 yángé zūnshǒu ¶규율을 ~하다 严守纪律 / 시간을 ~하다 严守时间

엄숙-하다(嚴肅―) 형 严肃 yánsù ¶분위기가 매우 ~ 气氛很严肃 / 그는 모두에게 엄숙하게 말했다 他对大家严肃地说 **엄숙-히** 부

엄:습(掩襲) 명하타 **1** 掩袭 yǎnxí; 突然袭击 tūrán xíjī **2** 袭来 xílái ¶공포가 ~하다 恐惧袭来

엄연-하다(儼然―) 형 无可争辩 wúkězhēngbiàn; 无可置辩 wúkězhìbiàn; 明显 míngxiǎn ¶지구가 둥글다는 것은 엄연한 사실이다 地球是圆型的是无可争辩的事实 **엄연-히** 부

엄정(嚴正) 명하형히부 严正 yánzhèng ¶~성 严正性 / 역사 교과서 문제에 대한 ~한 입장 对历史教科书问题的严正立场

엄중(嚴重) 명하형히부 **1** 严重 yánzhòng ¶~ 처벌 严重处罚 / 이것은 아주 ~한 문제이다 这是很严重的问题 **2** 严厉 yánlì ¶그는 내 의견을 ~하게 비판했다 他严厉地批评了我的意见

엄지 명 = 엄지가락

엄지-가락 명 拇指 mǔzhǐ; 大拇指 dàmǔzhǐ = 엄지

엄지-발가락 명 脚拇指 jiǎomǔzhǐ; 拇趾 mǔzhǐ = 장지(將指)

엄지-발톱 명 脚拇指甲 jiǎomǔzhǐjia; 拇趾甲 mǔzhǐjiǎ

엄지-손가락 명 拇指 mǔzhǐ; 大拇指 dàmǔzhǐ; 拇 mǔ

엄지-손톱 명 大拇指甲 dàmǔzhǐjia; 拇指甲 mǔzhǐjia

엄처-시하(嚴妻侍下) 명 惧内 jùnèi; 怕老婆 pà lǎopo; 季常癖 jìchángpǐ; 季常之惧 jìchángzhījù; 妻管严 qīguǎnyán

엄청 부 非常 fēicháng; 好 hǎo; 太 tài; 特别 tèbié; 挺 tǐng; 要命 yàomìng; 极了 jíle; 要死 yàosǐ ¶그녀는 ~ 예쁘다 她非常漂亮 / 음식이 ~ 맵다 饭菜辣得要命

엄청-나다 형 厉害 lìhai; 莫大 mòdà; 天大 tiāndà; 极大 jídà; 很大 hěn dà; 非常 fēicháng; 非常大 fēicháng dà; 特

別 tèbié; 格外 géwài ¶엄청난 거짓말 天大的谎言 / 규모가 ~ 规模极大 / 이 영화는 엄청나게 재미있다 这部电影特别有意思

엄:폐(掩蔽) 명하타 掩蔽 yǎnbì ¶사실을 ~하려 하다 企图掩蔽事实

엄:폐-물(掩蔽物) 명 〖軍〗 掩蔽物 yǎnbìwù; 掩体 yǎntǐ

엄:폐-호(掩蔽壕) 명 〖軍〗 暗堡 ànbǎo; 掩蔽壕 yǎnbìháo = 벙커3

엄:포 명하자타 恐吓 kǒnghè; 威吓 wēihè; 吓唬 xiàhu; 下马威 xiàmǎwēi ¶그녀는 핸드폰으로 문자를 보내 ~를 놓았다 她就用手机发短信恐吓

엄-하다(嚴—) 형 严 yán; 严格 yángé; 严厉 yánlì ¶그의 부모님은 매우 엄하시다 他的父母对他很严格 **엄-히** 부 ¶살인범을 ~ 처벌하다 把杀人犯严厉处罚

엄:호(掩護) 명하타 1 包庇 bāobì; 庇护 bìhù ¶자식을 ~하다 包庇孩子 2 〖軍〗 掩护 yǎnhù ¶~ 사격 掩护射击 / 동료를 ~하다 给同伴做掩护

업(業) 명 1 = 직업 2 任务 rènwu 3 〖佛〗 业 yè

업계(業界) 명 业界 yèjiè; 实业界 shíyèjiè

업그레이드(upgrade) 명하타 〖컴〗 升级 shēngjí

업다 타 1 背 bēi; 背负 bēifù ¶네가 나 대신 아이 좀 업어라 你替我把孩子背下 2 依仗 yīzhàng ¶그는 아버지의 배경을 등에 업고 쉽게 일을 구했다 他依仗父亲的背景容易找到了工作

업어 가도 모르다 구 睡得很死

업데이트(update) 명하타 〖컴〗 (电脑) 更新 gēngxīn

업-둥이 명 拣来的孩子 jiǎnláide háizi; 捡来的孩子 jiǎnláide háizi

업로드(upload) 명 〖컴〗 上传 shàngchuán; 上载 shàngzài

업무(業務) 명 业务 yèwù; 工作 gōngzuò; 事务 shìwù; 营业 yíngyè; 办事 bànshì ¶~ 보고 业务报告 / ~ 시간 工作时间 / ~ 방해 业务妨害 / ~상 과실 业务过失 / 그는 통신 ~에 종사한다 他从事通信业务

업보(業報) 명 〖佛〗 业报 yèbào

업:신-여기다 타 欺负 qīfu; 轻视 qīngshì; 小看 xiǎokàn; 蔑视 mièshì; 藐视 miǎoshì ¶그를 업신여기지 마라 别欺负他

업:신여김 명 欺负 qīfu; 小看 xiǎokàn; 轻视 qīngshì; 蔑视 mièshì; 藐视 miǎoshì ¶많은 사람들의 ~을 받다 受到很多人的轻视

업자(業者) 명 从业者 cóngyèzhě; 业主 yèzhǔ

업적(業績) 명 功业 gōngyè; 业绩 yèjì; 功绩 gōngjì; 事迹 shìjì; 功绪 gōngxù; 实积 shíjī; 业务成果 yèwù chéngguǒ; 业务成绩 yèwù chéngjì ¶빛나는 ~ 光辉的业绩 / ~ 평가 实积评价

업종(業種) 명 行业 hángyè; 部门 bùmén; 门类 ménlèi; 专业 zhuānyè; 类别 lèibié

업체(業體) 명 企业 qǐyè ¶~ 정보 企业信息 / ~ 관리 企业管理 / ~ 자료 企业资料

업-히다 자 1 被背 bèi bēi ¶그녀는 술에 취해 동료에게 업혀서 돌아갔다 她喝醉酒, 被同事背着回去了 2 被依仗 bèi yīzhàng ¶권세에 ~ 被依仗权势

없:다 형 1 没有 méiyǒu; 无 wú ¶갈 곳이 ~ 无处可去 / 할 일이 ~ 无事可做 / 오늘은 수업이 ~ 今天没有课 / 너는 그들을 비판할 자격이 ~ 你没有资格批评他们 / 나는 지금 돈이 ~ 我现在没有钱 2 不 bù; 不能 bùnéng ¶그는 중국어를 알아들을 수가 ~ 他听不懂汉语 3 不在 bùzài ¶그는 지금 집에 ~ 他现在不在家 / 그는 기숙사에 ~ 他不在宿舍里 4 贫穷 pínqióng; 穷 qióng; 贫困 pínkùn ¶그의 집은 비록 없는 살림이지만 그래도 그를 대학에 보냈다 他家虽然很贫困, 但还是让他上大学 5 去世 qùshì ¶그는 이미 이 세상에 ~ 他已经去世了 6 稀少 xīshǎo; 少有 shǎoyǒu ¶그녀는 세상에 없는 미녀이다 她是世上少有的美女

없는 것이 없다 구 应有尽有

없:애다 타 消灭 xiāomiè; 消除 xiāochú; 破除 pòchú; 摒除 bìngchú; 清除 qīngchú; 驱除 qūchú; 取消 qǔxiāo; 打消 dǎxiāo; 散 sǎn; 除去 chúqù ¶여드름을 ~ 消除青春痘 / 잡념을 ~ 摒除杂念 / 기록을 ~ 清除记录 / 흔적을 ~ 清除痕迹 / 입 냄새를 ~ 驱除口臭

없:어-지다 자 消失 xiāoshī; 消退 xiāotuì; 不见 bùjiàn; 没有 méiyǒu ¶그가 갑자기 없어졌다 他突然不见了 / 유일한 희망이 없어졌다 唯一的希望没有了

없:-이 부 1 没有 méiyǒu; 无 wú 2 贫穷 pínqióng; 穷 qióng; 贫困 pínkùn ¶우리는 지금 비록 ~ 살지만 그래도 아주 행복하다 我们现在虽然很贫穷, 但很幸福

엇-갈리다 자 错 cuò; 错过 cuòguò; 分岔 fēnchà; 交叉 jiāochā; 不和 bùhé ¶우리는 늘 이렇게 엇갈린다 我们总是这样错过 / 이곳은 길이 엇갈리는 곳이다 这里是路分岔的地方

엇-나가다 자 1 (线) 斜 xié ¶엇나가지 않게 자르다 剪得不斜 2 闹别扭 nào bièniu ¶더 이상 엇나가지 말고 내

말을 잘 들어라 不要再闹别扭, 好好听我的话

엇비슷-이 부 **1** 差不多地 chàbuduōde **2** 微斜地 wēi xiéde; 歪斜地 wāixiéde ¶탁자를 ~ 놓다 把桌子微斜地放着

엇비슷-하다 형 **1** 相差不多 xiāngchà bùduō; 难分伯仲 nánfēnbózhòng; 差不多 chàbuduō ¶실력이 ~ 实力难分伯仲 **2** 微斜 wēi xié; 歪斜 wāixié ¶의자를 엇비슷하게 놓다 把椅子微斜地放着

엉거주춤 부하자형히부 **1** 缩着腰 suōzhe yāo; 半蹲 bàndūn ¶~한 자세 半蹲姿势 **2** 犹豫 yóuyù; 踌躇 chóuchú; 含糊 hánhu ¶아직도 ~ 결정을 못하고 있으면 어떡하니? 还在犹豫不决, 怎么办呢?

엉겁-결 명 下意识(地) xiàyìshí(de); 猝不及防 cùbùjífáng ¶그때 나는 ~에 다른 사람의 전화번호를 말했다 当时我却下意识地把别人的手机号码说了出来

엉겅퀴 명 〖植〗大蓟 dàjì

엉금-엉금 부하자 慢腾腾 màntēngtēng; 慢吞吞 màntūntūn ¶거북이가 ~ 기어간다 乌龟慢吞吞地爬着

엉기다 자 **1** 凝 níng; 凝固 nínggù; 凝结 níngjié = 엉키다3 ¶기름이 아직 엉기지 않았다 油还没有凝住 **2** 夹杂 jiāzá; 搀杂 chānzá; 含着 hánzhe **3** 笨手笨脚地干活 bènshǒubènjiǎode gànhuó

엉:덩-방아 명 倒蹲儿 dǎodūnr; 跌坐 diēzuò; 一屁股坐下 yīpìgu zuòxià ¶그녀는 ~를 찧었다 她跌坐在地上了

엉:덩-뼈 명 〖生〗屁股骨头 pìgu gǔtou = 엉덩이뼈

엉:덩이 명 屁股 pìgu; 臀 tún; 臀部 túnbù = 둔부 · 히프 ¶엄마가 아이의 ~를 때리다 妈妈拍打孩子的屁股

엉덩이가 가볍다 구 坐下住

엉덩이가 근질근질하다 구 呆不住

엉덩이가 무겁다[질기다] 구 久坐不起 = 궁둥이가 무겁다[질기다]

엉덩이를 붙이다 구 坐下来

엉:덩이-뼈 명 〖生〗 = 엉덩뼈

엉뚱-하다 형 **1** 出格 chūgé; 过分 guòfèn ¶그는 자주 엉뚱한 말을 한다 他常常说过分的话 **2** 意外 yìwài; 想象不到 xiǎngxiàng bùdào; 出乎意料 chūhūyìliào ¶아이가 엉뚱한 질문을 한다 孩子问出乎意料的问题 **3** 毫不相干 háobù xiānggān

엉망 명 乱七八糟 luànqībāzāo; 杂乱无章 záluànwúzhāng; 一塌糊涂 yītàhútú ¶내 생활은 여전히 ~이다 我的生活依旧是乱七八糟

엉망-진창 명 '엉망' 的强调语 ¶그의 방은 정말이지 ~이다 他的房间简直是乱七八糟的

엉성-하다 형 **1** 松散 sōngsǎn; 不严密 bùyánmì; 不结实 bùjiēshi ¶구조가 ~ 结构松散 **2** 瘦削 shòuxuē ¶그녀의 엉성한 얼굴을 보니 나는 정말 마음이 아프다 看她瘦削的脸, 我真心疼 **3** 稀疏 xīshū ¶그는 나날이 엉성해지는 머리카락 때문에 걱정이다 他因越来越稀疏的头发很担心 **4** 不充实 bùchōngshí ¶이 책은 내용이 ~ 这本书内容不充实 **엉성-히** 부

엉엉 부하자 哇 wā; 哇哇 wāwā; 呜 wū; 呜呜 wūwū ¶그녀는 갑자기 ~ 울기 시작했다 她突然哇的一声哭起来了

엉치-뼈 명 〖生〗骶骨 dǐgǔ; 荐骨 jiàngǔ

엉클다 타 弄乱 nòngluàn ¶엉클어 놓은 책 弄乱的书 / 실을 엉클어 놓다 弄乱丝线

엉클어-지다 자 缠在一起 chánzài yīqǐ; 扭结 niǔjié = 엉키다1 ¶털실이 한데 엉클어져 있다 毛线扭结在一起 **2** 乱成一团 luànchéng yītuán = 엉키다2

엉큼-하다 형 别有用心 biéyǒuyòngxīn ¶그는 엉큼하니 상대하지 마라 他肯定别有用心, 不要理他 **엉큼스레** 부

엉키다 자 **1** = 엉클어지다1 **2** = 엉클어지다2 **3** = 엉기다1

엉터리 명 **1** 荒唐 huāngtáng; 荒诞 huāngdàn; 荒唐的人 huāngtángde rén ¶~ 이야기 荒诞的故事 / 그의 말은 진짜 ~다 他的话真荒唐 **2** 蹩脚 biéjiǎo ¶~ 의사 蹩脚的医生 / 이 물건은 딱 봐도 ~이다 这个东西一看就是个蹩脚货 **3** 大概轮廓 dàgài lúnkuò

엊-그저께 명부 几天前 jǐtiān qián; 前几天 qián jǐtiān ¶~ 나는 이발을 했다 几天前我理发了 / ~ 도대체 무슨 일이 있었니? 前几天到底发生了什么事?

엊-그제 명부 '엊그저께' 的略词

엊-저녁 명 '어제저녁' 的略词 ¶~에 그는 갑자기 나를 보러 왔다 昨天晚上他突然来看我

엎다 타 **1** 翻 fān; 扣 kòu **2** 打翻 dǎfān; 翻倒 fāndǎo; 撂倒 liàodǎo; 推翻 tuīfān; 打倒 dǎdǎo ¶화로를 ~ 打翻火炉 / 식용유 한 통을 전부 땅에 ~ 一桶食用油全部打翻在地

엎드리다 자 趴 pā; 卧 wò; 伏 fú; 趴伏 pāfú; 趴下 pāxià; 伏卧 fúwò; 卧倒 wòdǎo ¶그는 땅에 엎드려 반지를 찾고 있다 他趴在地下寻找戒指 / 강아지가 의자 옆에 엎드려 있다 小狗卧着在椅子旁边

엎어-지다 자 1 跌倒 diēdǎo; 摔倒 shuāidǎo; 跌跤 diējiāo; 跌 diē; 扑跌 pūdiē; 栽倒 zāidǎo; 栽跟头 zāi gēntou; 摔跟头 shuāi gēntou ¶그는 빨리 달리다가 엎어졌다 他急速奔跑而跌倒了 / 나는 하마터면 치마를 밟고 엎어질 뻔했다 我差点就踩到裙子跌跤 2 翻倒 fāndǎo; 打翻 dǎfān ¶차 한 대가 고속도로에 엎어지면서 세 명이 다쳤다 一辆汽车在高速公路翻倒, 三个人受伤了

엎-지르다 타 打翻 dǎfān; 打泼 dǎpō; 覆 fù ¶맥주를 ~ 打翻啤酒 / 우유 한 통을 전부 땅에 ~ 一桶牛奶全部打泼在地

엎지른 물 구 覆水难收

엎질러-지다 자 打泼 dǎpō; 倒出 dàochū

엎-치다 ㊀자 趴下 pāxià; 卧倒 wòdǎo ㊁타 '엎다2' 的强调语

엎친 데 덮치다 구 雪上加霜

엎치락-뒤치락 부하자타 反来复去 fǎnláifùqù; 辗转反侧 zhǎnzhuǎnfǎncè; 不相上下 bùxiāngshàngxià; 你争我夺 nǐzhēngwǒduó ¶침대에 누워 ~ 잠을 이루지 못하다 躺在床上, 辗转反侧睡不着

에게 조 1 给 gěi; 向 xiàng 《表示对象》 ¶그~ 전화를 걸다 打电话给他 / 이건 친구~ 줄 것이다 这个要给朋友 / 가족들~ 편지를 쓰다 给家人写信 2 被 bèi; 挨 ái 《表示被动句中的行为主体》 ¶선생님~ 들키다 被老师发现 / 경찰~ 잡히다 被警察抓住 / 엄마~ 맞다 挨妈妈打一顿 3 在 zài 《表示限定的范围》 ¶그 사진은 나~ 있다 那张照片在我这儿

에구 감 '어이구' 的略词 ¶~, 이 강아지 너무 불쌍하다 哎哟, 这只小狗真可怜

에구-에구 감 哎哟哎呀 āiyō'āiyā 《非常悲痛的哭声》 ¶~, 불쌍하기도 하지 哎哟哎呀, 真可怜

에나멜(enamel) 명 1 〖化〗 瓷漆 cíqī; 亮漆 liàngqī; 漆 qī ¶~가죽 漆皮 / ~ 구두 漆皮鞋 2 〖手工〗 = 법랑

에너지(energy) 명 1 能量 néngliàng; 精力 jīnglì; 活力 huólì ¶~가 넘치다 充满活力 2 〖物〗 能 néng; 能量 néngliàng; 能源 néngyuán ¶태양열 ~ 太阳热能 / ~를 절약하다 节约能源

에너지-원(energy源) 명 能源 néngyuán

에누리 명하타 1 谎价 huǎngjià ¶이 상점은 ~가 없다 这家商店没有要谎价 2 砍价 kǎnjià; 还价 huánjià; 打折扣 dǎ zhékòu; 压价 yājià ¶우표를 ~해서 팔다 将邮票打折扣出售 / ~가 너무 심하다 砍价砍得太厉害

에:다 타 挖 wā; 割 gē; 剜 wān ¶내 마음이 칼로 에는 듯이 무척 아프다 我的心就如刀割般的疼痛难忍

에덴(Eden) 명 〖宗〗 伊甸 Yīdiàn; 伊甸园 Yīdiànyuán = 에덴동산

에덴-동산(Eden—) 명 〖宗〗 = 에덴

에델바이스(독Edelweiss) 명 〖植〗 火绒草 huǒróngcǎo; 雪绒花 xuěrónghuā

에:-돌다 타 1 绕弯 ràowān; 绕道 ràodào; 迂回 yūhuí ¶이 길은 가기 나쁘니 에돌아서 가자 这条路不好走, 还是绕道走吧 2 盘旋 pánxuán; 盘绕 pánrào

에:-두르다 타 1 围住 wéizhù; 围上 wéishàng ¶울타리로 ~ 用篱笆围住 2 绕弯子 rào wānzi; 绕圈子 rào quānzi ¶그는 그녀가 화낼까 무서워 에둘러 말했다 他怕她会生气, 就绕着弯子说

에러(error) 명 1 谬误 miùwù; 错误 cuòwù; 谬错 miùcuò 2 〖體〗 (棒球的) 失误 shīwù = 실책2 ¶유격수 ~ 游击手失误 3 〖컴〗 = 오류2

에로(←erotic) 명 性爱 xìng'ài; 色情 sèqíng; 性欲 xìngyù; 好色 hàosè; 黄色 huángsè ¶~ 영화 黄色片 / ~ 배우 色情演员

에로스(Eros) 명 1 〖文〗 爱罗斯 Àiluósī; 爱神 àishén 2 〖天〗 爱神星 àishénxīng; 爱罗斯 àiluósī

에로티시즘(eroticism) 명 〖藝〗 性爱 xìng'ài; 色情 sèqíng

에로틱-하다(erotic—) 형 色情 sèqíng; 黄色 huángsè ¶에로틱한 장면 色情场面

에메랄드(emerald) 명 〖鑛〗 绿宝石 lǜbǎoshí

에세이(essay) 명 〖文〗 = 수필

에센스(essence) 명 精华素 jīnghuásù

에스에프(SF)[science fiction] 명 〖文〗 = 공상 과학 소설 ¶~ 영화 科幻片 =[科幻电影]

에스오에스(SOS) 명 〖信〗 无线电紧急呼救信号 wúxiàndiàn jǐnjí hūjiù xìnhào; 呼救信号 hūjiù xìnhào

에스컬레이터(escalator) 명 电动扶梯 diàndòng fútī; 自动扶梯 zìdòng fútī; 自动楼梯 zìdòng lóutī = 자동계단

에스코트(escort) 명하타 护送 hùsòng; 护卫 hùwèi

에스키모(Eskimo) 명 爱斯基摩 Àisījīmó; 爱斯基摩人 Àisījīmórén

에스트로겐(estrogen) 명 〖生〗 雌激素 cíjīsù

에스프레소(이espresso) 명 意大利浓咖啡 yìdàlì nóngkāfēi; 意式浓缩咖啡 yìshì nóngsuō kāfēi

에어로빅(aerobic) 명 〖體〗 = 에어로빅댄스
에어로빅-댄스(aerobic dance) 명 〖體〗 有氧健身操 yǒuyǎng jiànshēncāo; 有氧舞蹈 yǒuyǎng wǔdǎo = 에어로빅
에어-백(air bag) 명 安全气囊 ānquán qìnáng
에어컨(←air conditioner) 명 空调 kōngtiáo; 空调设备 kōngtiáo shèbèi; 空气调节器 kōngqì tiáojiéqì = 에어컨디셔너
에어컨디셔너(air conditioner) 명 = 에어컨
에어-쿠션(air cushion) 명 气垫 qìdiàn
에어 펌프(air pump) 〖機〗 气泵 qìbèng; 空气泵 kōngqìbèng
에우다 타 **1** 围 wéi; 围绕 wéirào **2** 绕路 ràolù ¶길이 막혀서 에워갈 수밖에 없다 路被挡住, 只好绕路走 **3** 删除 shānchú; 划掉 huádiào ¶관련 사항을 목록에서 ~ 把有关事项在目录上划掉
에워-싸다 타 包围 bāowéi; 围绕 wéirào ¶적군을 ~ 包围敌军
에워싸-이다 자 被包围 bèi bāowéi; 被围绕 bèi wéirào《'에워싸다'的被动词》¶그녀는 공항에서 많은 팬들에게 에워싸였다 她在机场被很多影迷围绕了
에이 감 唉 āi《表示失望断念》¶~, 포기하자 唉, 放弃吧 / ~, 마음대로 해라 唉, 随便吧
에이그 감 唉 āi《表示讨厌或感叹》¶~, 넌 어쩜 이렇게 쉬운 문제도 모를 수가 있니? 唉, 你怎么连这么容易的问题都不知道呢?
에-이다 자 '에다'的被动词
에이디(A.D.)[라Anno Domini] 명 = 기원후
에이스(ace) 명 〖體〗 **1** (扑克的) 尖儿 jiānr ¶하트 ~ 红桃尖儿 **2** 发球得分 fāqiú défēn **3** (棒球的) 王牌投手 wángpái tóushǒu **4** = 홀인원
에이에스(AS) 명 = 애프터서비스
에이전시(agency) 명 代理人 dàilǐrén; 经纪人 jīngjìrén; 经纪公司 jīngjì gōngsī
에이즈(AIDS)[Acquired Immune Deficiency Syndrome] 명 〖醫〗 = 후천 면역 결핍증
에이커(acre) 의명 英亩 yīngmǔ
에이티엠(ATM)[automatic teller machine] 명 〖經〗 自动存取款机 zìdòng cúnqǔkuǎnjī; 自动取款机 zìdòng qǔkuǎnjī
에이형 간:염(A型肝炎) 〖醫〗 = 유행성 간염
에잇 감 嗳 ài《心情不愉快时发出的声音》¶~, 됐다! 더 이상 말하지 마라! 嗳, 算了! 别再说!
에취 부 阿嚏 ātì ¶누군가 ~ 하고 재채기를 했다 有人阿嚏地打喷嚏了
에코(echo) 명 **1** 〖物〗 回波 huíbō **2** 〖電〗 回声 huíshēng
에탄(ethane) 명 〖化〗 乙烷 yǐwán
에탄올(ethanol) 명 〖化〗 乙醇 yǐchún; 酒精 jiǔjīng = 알코올2 · 에틸알코올
에테르(ether) 명 **1** 〖物〗 以太 yǐtài **2** 〖化〗 醚 mí
에티켓(프étiquette) 명 礼仪 lǐyí; 礼节 lǐjié ¶~을 지키다 遵守礼仪
에틸(ethyl) 명 〖化〗 = 에틸기
에틸-기(ethyl基) 명 〖化〗 乙基 yǐjī = 에틸
에틸렌(ethylene) 명 〖化〗 乙烯 yǐxī
에틸-알코올(ethyl alcohol) 명 〖化〗 = 에탄올
에프엠(FM)[frequency modulation] 명 〖物〗 调频 tiáopín ¶~ 방송 调频广播
에피소드(episode) 명 **1** 小故事 xiǎogùshi; 逸事 yìshì ¶나에게 ~를 하나 들려주다 给我听一个小故事 **2** 〖文〗 插话 chāhuà **3** 〖音〗 插曲 chāqǔ = 삽입곡
에필로그(epilogue) 명 **1** 〖文〗 结尾 jiéwěi; 收尾 shōuwěi **2** 〖音〗 尾声 wěishēng
에헴 감 呃吭 èkēng《装斯文或暗示自己来到时的空咳声》
엑기스(←일ekisu) 명 '진액'的错误
엑스-레이(X-ray) 명 〖物〗 **1** = 엑스선 **2** = 엑스선 사진
엑스-선(X線) 명 〖物〗 X 光 X guāng; X 光线 X guāngxiàn; X 射线 X shèxiàn; 爱克斯射线 àikèsī shèxiàn; 爱克斯光 àikèsīguāng; 伦琴射线 lúnqínshèxiàn = 뢴트겐 · 뢴트겐선 · 엑스레이1
엑스선 사진(X線寫眞) 〖物〗 X 光照片 X guāng zhàopiàn; 爱克斯光照片 àikèsīguāng zhàopiàn = 뢴트겐 사진 · 엑스레이2
엑스선 촬영(X線撮影) 〖醫〗 X 光摄影 X guāng shèyǐng; 爱克斯光摄影 àikèsīguāng shèyǐng = 뢴트겐 촬영
엑스트라(extra) 명 〖演〗 = 단역
엑스포(Expo)[Exposition] 명 〖經〗 = 만국 박람회
엔(일en[円]) 의명 日元 Rìyuán
엔간-하다 형 差不多 chàbuduō; 差不离 chàbulí **엔간-히** 부 ¶모두들 ~ 먹었으니 그만 돌아갑시다 大家都吃得差不多了, 回家吧
엔도르핀(endorphine) 명 〖生〗 内啡

肽 nèifēitài
엔지(NG)[No good] 명 〖演〗不行 bùxíng; 不好 bùhǎo; 无用 wúyòng
엔지니어(engineer) 명 **1** 〖工〗工程师 gōngchéngshī; 技师 jìshī **2** 〖交〗= 기관사
엔진(engine) 명 发动机 fādòngjī; 引擎 yǐnqíng ¶자동차 ~ 汽车引擎 / ~오일 发动机润滑油 =[机油] / 100마력 ~ 100马力引擎
엔트리(entry) 명 选手名单 xuǎnshǒu míngdān; 参加人名单 cānjiārén míngdān
엘니뇨(에el Niño) 명 〖地理〗厄尔尼诺 è'ěrnínuò; 厄尔尼诺现象 è'ěrnínuò xiànxiàng; 圣婴现象 shèngyīng xiànxiàng
엘리베이터(elevator) 명 电梯 diàntī; 升降机 shēngjiàngjī ¶~를 타다 坐电梯
엘리트(프élite) 명 精英 jīngyīng ¶~교육 精英教育 / ~를 육성하다 培养精英
엘시디(LCD)[liquid crystal display] 명 〖電〗液晶显示器 yèjīng xiǎnshìqì
엘엔지(LNG)[liquefied natural gas] 명 〖化〗= 액화 천연가스
엘피 가스(LP gas)[liquefied petroleum gas] 〖化〗= 액화 석유 가스
엘피-반(LP盤)[LP: long playing] 명 〖演〗密纹唱片 mìwén chàngpiàn = 엘피판
엘피지(LPG)[liquefied petroleum gas] 명 〖化〗液化石油气 yèhuà shíyóuqì
엘피-판(LP板) 명 〖演〗= 엘피반
엠보싱(embossing) 명 〖手工〗压花 yāhuā; 轧花 yàhuā ¶~ 화장지 压花卫生纸
엠브이피(MVP)[most valuable player] 명 〖體〗最优秀选手 zuìyōuxiù xuǎnshǒu; 最有价值运动员 zuìyǒu jiàzhí yùndòngyuán
엠시(MC)[master of ceremonies] 명 节目主持人 jiémù zhǔchírén; 主持人 zhǔchírén
엠앤드에이(M&A)[merger and acquisition] 명 收购兼并 shōugòu jiānbìng; 企业并购 qǐyè bìnggòu
엠티(MT)[membership training] 명 联谊游 liányìyóu; 联谊活动 liányì huódòng
엥 감 哼 hēng; 哎 āi 《厌烦、后悔、生气、尴尬时发出的声音》 ¶~, 귀찮아 죽겠다 哎, 真烦死我了
엥겔 계:수(Engel係數) 〖經〗恩格尔系数 ēngé'ěr xìshù
여(女) 명 **1** = 여자1 **2** = 여성(女性)
여-(女) 접두 女 nǚ ¶~사장 女经理 / ~선생 女教师 / ~비서 女秘书 / ~기자 女记者 / ~순경 女巡警 / ~의사 女医生
-여(餘) 접미 余 yú; 上 shàng; 多 duō ¶백~ 개 一百多个 / 이십~ 년 二十多年 / 만~ 명 一万余人
여가(餘暇) 명 余暇 yúxiá; 余闲 yúxián; 空暇 kōngxiá; 空闲 kōngxián ¶~시간 余暇时间 / ~ 활동 余闲活动
여간(如干) 부 一般 yībān; 普通 pǔtōng ¶그는 달리는 게 ~ 빠르지 않다 他跑得不一般
여간(이) 아니다 구 不简单
여객(旅客) 명 旅客 lǚkè; 乘客 chéngkè; 客 kè ¶~기 客机 / ~선 客轮 =[客船] / ~ 열차 客车
여:건(與件) 명 条件 tiáojiàn; 环境 huánjìng ¶일정한 자격 ~을 갖추다 具备一定的资格条件 / 이곳의 생활 ~은 좋은 편이다 这里的生活环境是还好的
여걸(女傑) 명 巾帼英雄 jīnguó yīngxióng; 巾帼丈夫 jīnguó zhàngfū; 女中丈夫 nǚzhōng zhàngfū; 女杰 nǚjié
여경(女警) 명 女警 nǚjǐng
여고(女高) 명 〖教〗'여자 고등학교'的略词 ¶~생 女高中生
여공(女工) 명 女工 nǚgōng
여:과(濾過) 명하타 过滤 guòlǜ; 滤过 lǜguò ¶~ 설비 过滤设备 / ~ 장치 过滤装置 / ~기 过滤器
여:과-지(濾過紙) 명 〖化〗= 거름종이
여관(旅館) 명 旅馆 lǚguǎn; 旅舍 lǚshè; 旅店 lǚdiàn; 旅社 lǚshè ¶~비 旅馆费用 / ~에서 밤을 보내다 在旅舍过夜 / ~에 투숙하다 投宿旅馆
여군(女軍) 명 〖軍〗女军 nǚjūn
여권(女權) 명 〖社〗女权 nǚquán ¶~신장 女权伸张 / ~ 운동 女权运动
여권(旅券) 명 护照 hùzhào = 패스4 · 패스포트1 ¶~ 번호 护照号码 / ~기간 연장 护照延期 / ~ 사진 护照照片 / ~을 지참하다 持有护照 / ~을 발급하다 发护照 / ~을 분실하다 遗失护照
여기 대 这里 zhèli; 这儿 zhèr; 此地 cǐdì; 此处 cǐchù; 此 cǐ ¶~가 바로 우리 집이다 这里就是我的家 / 너 ~에서 뭐하고 있니? 你在这儿干什么呢?
여기다 자타 认为 rènwéi; 以为 yǐwéi; 视为 shìwéi; 感到 gǎndào; 看 kàn ¶나는 그가 말한 것이 옳다고 여긴다 我认为他说的是对的 / 스스로를 가볍게 ~ 把自己看得很轻
여기-저기 명 各处 gèchù; 到处 dàochù; 四处 sìchù; 东…西… dōng…xī…

¶~ 쓰레기가 널려 있다 到处都是垃圾

여-남은 수관 十几 shíjǐ ¶나는 사과 ~ 개를 샀다 我买了十几个苹果

여념(餘念) 명 余心 yúxīn; 专心 zhuānxīn ¶훈련에 ~이 없다 专心训练

여느 관 一般 yībān; 普通 pǔtōng; 平常 píngcháng; 别的 biéde ¶그날은 ~ 때와 달랐다 那天跟平常不一样 / 이곳은 ~ 상점과 다르다 这家跟普通商店不一样

여단(旅團) 명 【軍】 旅 lǚ ¶~장 旅长

여:-닫다 타 开了又关 kāile yòu guān; 开关 kāiguān ¶대문을 ~ 开关大门

여:닫-이 명 平开 píngkāi; 平开门 píngkāimén ¶~문 平开门 / ~창 平开窗

여담(餘談) 명 闲话 xiánhuà; 闲谈 xiántán

여:당(與黨) 명 执政党 zhízhèngdǎng; 在朝党 zàicháodǎng

여대(女大) 명 【教】 '여자 대학' 的略词 ¶~생 女大学生

여덟 수관 八 bā ¶~ 살 八岁 / ~ 명 八个人 / ~ 마리 개 八只狗

여덟-째 수관 第八 dìbā; 第八个 dìbāge

여독(旅毒) 명 征尘 zhēngchén ¶~을 풀다 洗征尘

여독(餘毒) 명 余毒 yúdú

여-동생(女同生) 명 妹妹 mèimei

여드레 명 八天 bātiān; 八日 bārì; 八号 bāhào = 여드렛날2

여드렛-날 명 **1** 第八天 dìbātiān **2** = 여드레

여드름 명 痤疮 cuóchuāng; 青春痘 qīngchūndòu; 面疱 miànpào; 酒刺 jiǔcì; 粉刺 fěncì ¶~을 치료하다 治疗痤疮 / ~을 짜다 挤痤疮

여든 수관 八十 bāshí ¶~ 명 八十个人 / ~ 개 八十个 / 그는 올해 ~이다 他今年八十岁

여러 관 许多 xǔduō; 很多 hěn duō; 不少 bùshǎo; 多 duō; 数 shù ¶~ 번 多次 / ~ 사람 很多人 / ~ 가지 일 许多事情 / ~ 문제 许多问题

여러모-로 부 多方面 duōfāngmiàn; 多角度 duōjiǎodù; 几个方面 jǐge fāngmiàn = 다각도로

여러-분 대 大家 dàjiā; 各位 gèwèi; 诸位 zhūwèi; 众位 zhòngwèi ¶시청자 ~ 各位观众朋友 / ~, 안녕하세요! 大家好!

여러해-살이 명 【植】 多年生 duōniánshēng = 다년생 ¶~식물 多年生植物 / ~풀 多年生草本植物 =[多年生草]

여럿 명 很多 hěn duō; 数多 shùduō; 好多 hǎoduō; 很多人 hěn duō rén; 数多人 shùduō rén; 好多人 hǎoduō rén ¶그런 사람들이 요즘 ~ 있다 那样人现在很多 / ~이 같이 영화를 보러 가다 好多人一起去看电影

여력(餘力) 명 余力 yúlì ¶슬퍼할 ~이 없다 没有余力伤悲

여로(旅路) 명 旅途 lǚtú ¶인생의 ~ 人生旅途

여:론(輿論) 명 舆论 yúlùn; 舆情 yúqíng; 民意 mínyì = 공론(公論)3 ¶~이 들끓다 舆论沸腾 / ~을 반영하다 反映舆论

여:론 조사(輿論調査) 【社】 民意测验 mínyì cèyàn; 舆论调查 yúlùn diàochá; 民意调查 mínyì diàochá

여류(女流) 명 女 nǚ; 女性 nǚxìng; 妇女 fùnǚ ¶~ 사상가 女思想家 / ~ 시인 女诗人

여름 명 夏 xià; 夏天 xiàtiān; 夏日 xiàrì; 夏季 xiàjì; 夏令 xiàlìng ¶~철 夏季 / ~밤 夏夜 / ~ 방학 暑假 / ~ 캠프 夏令营 / ~ 학기 夏季学期 / ~휴가 夏季休假 =[夏休假] / 길고 긴 ~ 漫长的夏季

여름-옷 명 = 하복(夏服)

여리다 형 **1** 柔嫩 róunèn; 嫩 nèn; 不结实 bùjiēshi ¶여린 나뭇잎 柔嫩的树叶 / 피부가 ~ 皮肤很嫩 **2** (感情、意志) 薄弱 bóruò; 脆弱 cuìruò; 软弱 ruǎnruò; 软 ruǎn ¶감정이 여린 사람 感情薄弱的人 / 마음이 ~ 心肠软弱 **3** 弱 ruò; 浅 qiǎn ¶여린박 弱拍

여명(黎明) 명 黎明 límíng; 天亮 tiānliàng ¶~기 黎明期

여물 명 草料 cǎoliào; 饲料 sìliào ¶소가 외양간에서 ~을 먹다 牛在牛棚里吃草料

여물다 ㊀자 成熟 chéngshú; 饱满 bǎomǎn = 영글다 ¶옥수수가 ~ 玉米饱满 ㊁형 结实 jiēshi ¶몸이 아주 여문 청년 身体很结实的年轻人

여미다 타 扣好 kòuhǎo; 整好 zhěnghǎo ¶옷깃을 잘 여미고 밖에 나가다 整好衣领出门

여-배우(女俳優) 명 女演员 nǚyǎnyuán; 女伶 nǚlíng = 여우(女優)

여백(餘白) 명 空白 kòngbái ¶~의 미 空白之美 / 약간의 ~을 남기다 留一点空白

여-벌(餘—) 명 多余的 duōyúde; 备用的 bèiyòngde ¶그의 집에는 ~의 밥그릇 하나가 없다 他家里没有一个多余的碗子 / 나는 지금 ~ 옷이 없다 我现在没有备用的衣服

여-보 감 **1** 喂 wèi **2** 爱人 àiren; 亲爱的 qīn'àide 《用于夫妻之间的称呼》

여-보게 감 喂 wèi ¶~, 지금 어디 가

나? 喂, 你现在去哪里?
여-보세요 감 喂 wèi ¶~, 김 선생님 댁에 계십니까? 喂, 金老师在家吗? / ~, 누구 없어요? 喂, 有人在吗?
여복(女福) 명 艳福 yànfú
여-봐라 감 来人啊 láirén'a
여봐란-듯이 부 大摇大摆地 dàyáodàbǎide ¶그들은 ~ 술집에 들어갔다 他们大摇大摆地走进酒吧
여:부(與否) 명 是否 shìfǒu; 与否 yǔfǒu; 能否 néngfǒu ¶안전 ~를 확인하다 确认安全与否 / 임신 ~를 판단하다 判断是否怀孕
여분(餘分) 명 = 나머지1
여비(旅費) 명 路费 lùfèi; 旅费 lǚfèi; 盘费 pánfei; 盘缠 pánchan; 车马费 chēmǎfèi; 川费 chuānfèi; 川资 chuānzī ¶~가 모자라다 旅费不够 / ~를 마련하다 筹备路费
여사(女士) 명 女士 nǚshì
여색(女色) 명 女色 nǚsè; 色 sè ¶~에 빠지다 沉迷于女色 / ~을 탐하다 贪图女色 / ~을 밝히다 好色
여생(餘生) 명 余生 yúshēng; 余年 yúnián ¶그녀와 함께 ~을 보내다 陪她度过余生
여섯 수관 六 liù ¶~ 살 六岁 / ~ 달 六个月 / ~ 시간 六个小时
여섯-째 一수관 第六 dìliù; 第六个 dìliùge ¶~ 딸 第六个女儿 二명 老六 lǎoliù ¶그는 ~이다 他是老六
여성(女性) 명 女性 nǚxìng; 女 nǚ; 妇女 fùnǚ; 女人 nǚrén = 여(女)2 ¶~지 女性杂志 / ~계 女性界 / ~관 女性观 / ~미 女性美 / ~복 女服装 / 아름다운 ~ 漂亮的女性 / 중년 ~ 中年妇女
여성(女聲) 명 1 女声音 nǚshēngyīn 2 〖音〗 女声 nǚshēng ¶~ 합창 女声合唱 / ~ 합창단 女声合唱团
여성-적(女性的) 관명 女性(的) nǚxìng(de); 女人(的) nǚrén(de); 女里女气 nǚlinǚqì; 女气 nǚqì; 脂粉气 zhīfěnqì ¶~인 관점 女人观点 / ~인 남자 女里女气的男人
여성 호르몬(女性hormone) 〖生〗 雌激素 cíjīsù; 女性激素 nǚxìng jīsù
여세(餘勢) 명 余势 yúshì; 势头 shìtou ¶이 ~를 몰아 연승해 나가다 继续这个势头连胜下去
여승(女僧) 명 〖佛〗 女僧 nǚsēng; 尼姑 nígū; 姑子 gūzi
여식(女息) 명 = 딸
여신(女神) 명 女神 nǚshén ¶승리의 ~ 胜利的女神 / 자유의 ~상 自由女神像
여:신(與信) 명 〖經〗 信贷 xìndài ¶~ 계약 信贷合同 / ~ 업무 信贷业务
여실-하다(如實—) 형 如实 rúshí **여실-히** 부 ¶이 영화는 농민들의 현재 상황을 ~ 반영하고 있다 这部电影如实地反映了农民的现状
여심(女心) 명 女人的心 nǚrénde xīn ¶~을 사로잡다 抓住女人的心
여아(女兒) 명 = 여자아이 ¶~복 女童装
여:야(與野) 명 朝野 cháoyě ¶~가 합의를 보다 朝野达成协议
여열(餘熱) 명 余热 yúrè
여왕(女王) 명 女王 nǚwáng; 女皇 nǚhuáng
여왕-개미(女王—) 명 〖蟲〗 蚁后 yǐhòu; 母蚁 mǔyǐ
여왕-벌(女王—) 명 〖蟲〗 蜂王 fēngwáng; 蜂后 fēnghòu
여우 명 1 〖動〗 狐狸 húli 2 狐狸精 húlijīng
여우(女優) 명 = 여배우 ¶~ 주연상 最佳女主角奖
여우-비 명 太阳雨 tàiyángyǔ
여운(餘韻) 명 1 余韵 yúyùn ¶감동의 ~ 感动的余韵 / 시의 ~ 诗之余韵 2 余音 yúyīn ¶긴 ~을 남기다 余音绕梁
여울 명 浅滩 qiǎntān; 浅水滩 qiǎnshuǐtān ¶~목 浅滩口
여위다 자 瘦 shòu; 消瘦 xiāoshòu; 瘦削 shòuxuē ¶그녀는 전보다 많이 여위었다 她比以前瘦了很多
여유(餘裕) 명 1 宽裕 kuānyù; 富余 fùyu; 余裕 yúyù; 敷余 fūyú; 绰绰有余 chuòchuòyǒuyú; 充裕 chōngyù; 从容 cóngróng; 宽 kuān; 宽松 kuānsōng 2 悠闲 yōuxián; 悠游 yōuyóu; 悠闲从容 yōuxiáncóngróng; 从容不迫 cóngróngbùpò
여유-롭다(餘裕—) 형 裕如 yùrú; 充裕 chōngyù
여의다 타 1 失去 shīqù ¶교통사고로 부모를 ~ 因交通事故失去父母 2 嫁 jià; 嫁出去 jiàchūqù ¶큰딸을 ~ 把长女嫁出去
여의-봉(如意棒) 명 金箍棒 jīngūbàng
여의-주(如意珠) 명 摩尼珠 mónízhū; 如意宝珠 rúyìbǎozhū
여의-하다(如意—) 형 如意 rúyì; 顺利 shùnlì ¶상황이 여의치 않다 情况不如意 / 만사가 여의하시기를 기원합니다 祝你万事如意
여인(女人) 명 女人 nǚrén; 妇女 fùnǚ ¶중년의 ~ 中年女人
여인-숙(旅人宿) 명 旅馆 lǚguǎn; 旅社 lǚshè; 旅舍 lǚshè; 旅店 lǚdiàn; 客栈 kèzhàn
여자(女子) 명 1 女子 nǚzǐ; 女人 nǚrén; 女性 nǚxìng; 女 nǚ = 여(女)1 ¶~ 친구 女朋友 / ~ 가수 女歌手 / ~ 화장실 女厕 2 (男子的) 情人 qíngrén;

女人 nǚren; 女朋友 nǚpéngyou

여자 고등학교(女子高等學校) 〖教〗 女子高级中学 nǚzǐ gāojí zhōngxué; 女子高中 nǚzǐ gāozhōng; 女高中 nǚgāozhōng

여자 대:학(女子大學) 〖教〗 女子大学 nǚzǐ dàxué; 女子学院 nǚzǐ xuéyuàn; 女大 nǚdà

여자-아이(女子—) 명 女孩子 nǚháizi; 女孩儿 nǚháir; 女童 nǚtóng = 여아

여자 중학교(女子中學校) 〖教〗 女子初级中学 nǚzǐ chūjí zhōngxué; 女子初中 nǚzǐ chūzhōng; 女初中 nǚchūzhōng

여장(女裝) 명하자 男扮女装 nánbàn nǚzhuāng ¶그는 ~했다 他是男扮女装的

여장(旅裝) 명 行装 xíngzhuāng ¶~을 꾸리다 收拾行装 / ~을 풀다 打开行装

여-장부(女丈夫) 명 女强人 nǚqiángrén; 巾帼丈夫 jīnguózhàngfū; 女将 nǚjiàng

여전-하다(如前—) 형 仍然 réngrán; 依然 yīrán; 如故 rúgù; 如旧 rújiù; 依然如故 yīránrúgù ¶그의 미소는 ~ 他的微笑依然如故 **여전-히** 부 ¶그녀는 ~ 아름답다 她依然很漂亮

여정(旅程) 명 旅程 lǚchéng; 行程 xíngchéng; 旅途 lǚtú ¶인생 ~ 人生的旅程 / 4박 5일의 ~ 五天四夜的行程

여제(女帝) 명 女皇 nǚhuáng; 女帝 nǚdì; 女皇帝 nǚhuángdì

여-종(女—) 명 婢女 bìnǚ; 丫鬟 yāhuan; 丫头 yātou = 계집종

여죄(餘罪) 명 余罪 yúzuì; 残罪 cánzuì ¶그의 ~를 다시 조사하다 对他的余罪重新审查

여-주인공(女主人公) 명 女主人公 nǚzhǔréngōng; 女主角 nǚzhǔjué

여중(女中) 명 〖教〗 '여자 중학교'的略词 ¶~생 女初中生

여지(餘地) 의명 余地 yúdì; 余步 yúbù; 地步 dìbù ¶선택의 ~가 없다 没有选择的余地 / 약간의 ~를 남기다 留点余步

여지-없다(餘地—) 형 毫无余地 háowú yúdì **여지없-이** 부

여진(餘震) 명 〖地理〗 余震 yúzhèn

여:쭈다 타 **1** 禀告 bǐnggào; 告诉 gàosu; 进言 jìnyán; 问 wèn; 告 gào ¶사실대로 ~ 据实禀告 / 성함을 여쭤 봐도 되겠습니까? 我可以问你的名字吗? **2** 请安 qǐng'ān; 问候 wènhòu ‖ = 여쭙다

여:쭙다 타 = 여쭈다 ¶말씀을 여쭙고 용서를 구하다 禀告之后请求原谅

여차여차-하다(如此如此—) 형 = 이러이러하다 **여차여차-히** 부

여차-하다[1](如此—) 형 = 이렇다 **여차-히** 부

여차-하다[2](如此—) 자 情况不好 qíngkuàng bùhǎo; 不妙 bùmiào

여:치 명 〖蟲〗 蝈蝈儿 guōguor; 纺织娘 fǎngzhīniáng; 螽斯 zhōngsī

여타(餘他) 명 其他 qítā; 其它 qítā ¶~ 항목 其它项目

여탕(女湯) 명 女池 nǚchí; 女澡堂 nǚzǎotáng

여태 부 直到现在 zhídào xiànzài; 至今 zhìjīn; 一直 yīzhí; 一向 yīxiàng; 迄今 qìjīn; 从来 cónglái; 还 hái ¶그는 ~ 집에서 자고 있다 他还在家睡觉 / ~까지도 완성하지 못하다 迄今没有完成

여태-껏 부 '여태'的强调语 = 이제껏 ¶너는 ~ 뭐 하다가 이제 오니? 你一直做什么, 现在才来呢? / ~ 문제를 해결하지 못하다 迄今没有解决问题

여파(餘波) 명 余波 yúbō; 影响 yǐngxiǎng ¶지진의 ~ 地震的余波 / 사건의 ~ 事件的影响 / ~가 가라앉지 않다 余波未平

여편-네(女便—) 명 **1** 娘儿们 niángrmen **2** 老婆 lǎopo《鄙称》

여하(如何) 명하형히부 如何 rúhé; 任何 rènhé ¶다함께 한 마음으로 노력하면 ~한 어려움도 극복할 수 있다 大家一心努力, 能够克服任何困难

여하-간(如何間) 부 = 하여간

여하-튼(如何—) 부 = 아무튼

여-학교(女學校) 명 女学校 nǚxuéxiào; 女子学校 nǚzǐ xuéxiào

여-학생(女學生) 명 女学生 nǚxuésheng

여한(餘恨) 명 遗恨 yíhèn; 遗憾 yíhàn ¶지금 죽어도 ~이 없다 现在就是死也没有遗憾了

여행(旅行) 명하타 旅游 lǚyóu; 旅行 lǚxíng; 游 yóu ¶~사 旅行社 / 국내 ~ 国内旅游 / 단체 ~ 团体旅游 / ~ 가방 旅行包 / ~ 일정 旅行日程 / 혼자 ~을 떠나다 一个人去旅游 / 중국으로 ~을 가다 去中国旅行

여행-객(旅行客) 명 旅客 lǚkè; 旅人 lǚrén; 旅行者 lǚxíngzhě

여행-기(旅行記) 명 〖文〗 = 기행문

여행-자(旅行者) 명 旅客 lǚkè; 旅人 lǚrén; 旅行者 lǚxíngzhě

여행자 수표(旅行者手票) 〖經〗 旅行支票 lǚxíng zhīpiào = 티시

여호와(←히Jehovah) 명 〖宗〗 耶和华 Yēhéhuá ¶~의 증인 耶和华见证人

여흥(餘興) 명하자 余兴 yúxìng ¶밤늦게까지 놀고도 ~이 채 가시지 않다

玩到深夜余兴未消
역(役) 명 角 jué; 角色 juésè = 역할2 ¶이번에 그녀는 여왕 ~을 맡았다 这次她要演女王一角
역(逆) 명 反 fǎn; 逆 nì ¶~으로 말하다 反过来说
역(驛) 명 火车站 huǒchēzhàn; 车站 chēzhàn; 站 zhàn = 철도역 ¶~ 대합실 火车站候车室 / ~ 광장 火车站广场 / 다음 ~ 下一站
역-(逆) 접두 逆 nì; 反 fǎn ¶~효과 反效果 / ~방향 反向 / ~이용 反利用
역-겹다(逆—) 형 恶心 ěxin; 讨厌 tǎoyàn; 厌恶 yànwù; 臭 chòu; 难闻 nánwén; 作呕 zuò'ǒu ¶역겨운 냄새 令人作呕的味儿 / 그의 그런 행동은 정말 ~ 他那样的行动实在让人恶心
역경(逆境) 명 逆境 nìjìng; 困难环境 kùnnan huánjìng ¶~을 만나다 遭遇逆境 / ~에 처하다 身处逆境 / ~을 딛고 일어나다 从逆境中站起
역공(力攻) 명하타 全力攻击 quánlì gōngjī ¶~을 퍼붓다 展开全力攻击
역공(逆攻) 명하타 反攻 fǎngōng ¶~을 펼치다 进行反攻
역광(逆光) 명 〖物〗 = 역광선
역-광선(逆光線) 명 〖物〗 逆光 nìguāng = 역광
역군(役軍) 명 主力军 zhǔlìjūn; 骨干 gǔgàn ¶산업 ~ 产业主力军
역기(力技) 명 〖體〗 = 역도
역기(力器) 명 〖體〗 = 바벨 ¶~를 들다 举起杠铃
역내(域內) 명 域内 yùnèi
역대(歷代) 명 历届 lìjiè; 历代 lìdài ¶~ 월드컵 우승국 历届世界杯冠军 / ~ 전적 历届战绩 / ~ 황제 历代皇帝
역도(力道) 명 〖體〗 举重 jǔzhòng = 역기(力技) ¶~ 선수 举重运动员
역동-적(力動的) 관명 充满活力(的) chōngmǎn huólì(de); 活跃 huóyuè(de)
역량(力量) 명 力量 lìliang; 能力 nénglì ¶~이 부족하다 力量不够 / ~을 발휘하다 发挥力量
역력-하다(歷歷—) 형 历历在目 lìlìzàimù; 记忆犹新 jìyìyóuxīn; 清楚 qīngchu **역력-히** 부
역류(逆流) 명하자 反流 fǎnliú; 逆流 nìliú; 回流 huíliú; 倒流 dàoliú ¶~ 현상이 나타나다 出现回流现象
역마-살(驛馬煞) 명 驿马煞 yìmǎshà
역-마차(驛馬車) 명 驿马车 yìmǎchē; 公共马车 gōnggòng mǎchē
역모(逆謀) 명하자 谋反 móufǎn ¶~를 꾸미다 策划谋反 / ~에 가담하다 参加谋反
역무-원(驛務員) 명 (火车站) 站务员 zhànwùyuán
역법(曆法) 명 历法 lìfǎ
역병(疫病) 명 〖醫〗 疫病 yìbìng; 流行病 liúxíngbìng
역부족(力不足) 명하형 力量不够 lìliang bùgòu; 力不胜任 lìbùshèngrèn
역사(力士) 명 力士 lìshì
역사(歷史) 명 历史 lìshǐ; 史 shǐ ¶~가 历史家 / ~ 교육 历史教育 / ~박물관 历史博物馆 / ~ 소설 历史小说 / 반만년의 ~ 半万年历史 / ~를 왜곡하다 歪曲历史 / ~가 유구하다 历史悠久
역사(驛舍) 명 车站建筑 chēzhàn jiànzhù
역사-관(歷史觀) 명 历史观 lìshǐguān; 史观 shǐguān = 사관
역사-극(歷史劇) 명 〖演〗 历史剧 lìshǐjù; 史剧 shǐjù = 사극(史劇)
역사-상(歷史上) 명 历史上 lìshǐshang = 사상(史上)
역사-적(歷史的) 관명 历史(的) lìshǐ(de); 具有历史意义(的) jùyǒu lìshǐ yìyì(de) = 사적(史的) ¶~인 날 具有历史意义的一天 / ~인 사건 具有历史意义的事件
역사-책(歷史冊) 명 历史书 lìshǐshū; 历史书籍 lìshǐ shūjí; 史书 shǐshū
역사-학(歷史學) 명 史学 shǐxué; 历史学 lìshǐxué = 사학(史學) ¶~자 历史学家
역산(逆算) 명하타 逆运算 nìyùnsuàn
역-삼각형(逆三角形) 명 〖數〗 倒三角形 dàosānjiǎoxíng
역서(曆書) 명 历书 lìshū; 历本 lìběn = 책력
역서(譯書) 명 译本 yìběn
역설(力說) 명하자타 强调 qiángdiào ¶그는 회의에서 문제의 심각성을 ~했다 他在会议上强调了问题的严重性
역설(逆說) 명하자 **1** 僻论 pìlùn; 异说 yìshuō **2** 〖論〗 悖论 bèilùn = 패러독스
역성 명하타 袒护 tǎnhù; 庇护 bìhù; 偏袒 piāntǎn; 偏护 piānhù ¶그녀는 자기 아들의 ~을 들었다 她袒护自己的儿子
역성-들다 타 袒护 tǎnhù; 庇护 bìhù; 偏袒 piāntǎn; 偏护 piānhù
역-수입(逆輸入) 명하타 〖經〗 复进口 fùjìnkǒu; 再进口 zàijìnkǒu
역-수출(逆輸出) 명하타 〖經〗 复出口 fùchūkǒu; 再出口 zàichūkǒu
역순(逆順) 명 倒序 dàoxù; 逆序 nìxù ¶~으로 배열하다 按逆序排列
역습(逆襲) 명하타 反攻 fǎngōng; 反袭击 fǎnxíjī; 反击 fǎnjī ¶~을 당하다 遭到反攻
역시(亦是) 부 **1** = 또한1 ¶그녀 ~ 내 친구이다 她也是我的朋友 **2** 果然 guǒrán; 果真 guǒzhēn ¶그는 ~ 천재

로구나 他果然是个天才 **3** 依然 yīrán; 仍然 réngrán; 还是 háishi ¶그녀는 지금도 ~ 뚱뚱하다 她现在还是很胖 **4** 还是 háishi ¶수학은 ~ 어렵다 数学还是很难

역암(礫巖) 명 【地理】 砾岩 lìyán

역용(逆用) 명하타 = 역이용

역원(役員) 명 = 임원

역-이용(逆利用) 명하타 反利用 fǎnlìyòng = 역용

역임(歷任) 명하타 历任 lìrèn ¶교장을 ~하다 历任校长

역자(譯者) 명 译者 yìzhě

역작(力作) 명하타 力作 lìzuò ¶최고의 ~ 最佳力作 / 최신 ~ 最新力作

역장(驛長) 명 站长 zhànzhǎng

역적(逆賊) 명 叛贼 pànzéi; 叛徒 pàntú; 逆贼 nìzéi

역전(逆轉) 명하자타 逆转 nìzhuǎn; 倒转 dàozhuǎn; 扭转 niǔzhuǎn ¶~승 逆转获胜 / ~패 逆转失败 / 상황이 ~되다 情况逆转 / 한국이 ~해서 중국을 이기다 韩国逆转摧毁中国

역전(歷戰) 명하자 身经百战 shēnjīngbǎizhàn ¶~의 용사 身经百战的勇士

역전(驛前) 명 站前 zhànqián ¶~ 광장 站前广场 / ~에서 만나다 站前见面

역점(力點) 명 重点 zhòngdiǎn ¶상품의 질을 향상시키는 데에 ~을 두다 把重点放在提高产品质量上

역정(逆情) 명 脾气 píqi; 气 qì; 火 huǒ ¶그는 갑자기 우리에게 ~을 냈다 他突然对我们发了脾气

역정(歷程) 명 历程 lìchéng ¶인생 ~ 人生历程

역주(力走) 명하자타 尽力跑 jìnlì pǎo; 使劲跑 shǐjìn pǎo

역주(譯註) 명하타 译注 yìzhù

역지사지(易地思之) 명하자 易地而处 yìdì'érchǔ

역풍(逆風) 명 **1** 逆风 nìfēng ¶~이 일다 刮起逆风 **2** 顶风 dǐngfēng

역-하다(逆—) 형 **1** 作呕 zuò'ǒu; 恶心 ěxin ¶그 냄새는 정말 ~ 那个臭味真恶心 **2** 不顺眼 bùshùnyǎn; 讨厌 tǎoyàn

역학(力學) 명 【物】 力学 lìxué

역학(易學) 명 【哲】 易学 yìxué

역학(疫學) 명 【醫】 流行病学 liúxíngbìngxué ¶~ 조사 流行病学调查

역할(役割) 명 **1** 作用 zuòyòng; 角色 juésè ¶~ 분담 角色分担 / 부모의 ~ 父母的作用 **2** = 역(役)

역행(逆行) 명하자타 逆行 nìxíng; 背道而驰 bèidào'érchí; 倒行逆施 dàoxíngnìshī ¶시대의 흐름에 ~하다 逆时代潮流而行

역-효과(逆效果) 명 相反的效果 xiāngfǎnde xiàoguǒ; 反效果 fǎnxiàoguǒ; 反面影响 fǎnmiàn yǐngxiǎng ¶이렇게 하면 ~만 날 수 있다 这下只会造成相反的效果

엮다 타 **1** 编 biān; 捆 kǔn; 编结 biānjié; 编制 biānzhì; 扎 zā ¶바구니를 ~ 编筐子 / 자리를 ~ 编席子 / 울타리를 ~ 扎篱笆 **2** (故事、资料) 编 biān; 编辑 biānjí; 编制 biānzhì; 编写 biānxiě ¶교과서를 ~ 编教科书

엮-이다 자 '엮다' 的被动词

연(年) 명 年 nián; 一年 yīnián ¶~ 강우량 年降雨量

연(延) 관 总共 zǒnggòng ¶이번 공사에 ~ 백여 명이 동원되었다 这次工程动员了总共一百多人

연(鳶) 명 风筝 fēngzheng; 纸鸢 zhǐyuān ¶~을 날리다 放风筝

연(緣) 명 = 연분(緣分) ¶~을 끊다 绝缘

연(蓮) 명 【植】 = 연꽃1

연-(軟) 접두 浅 qiǎn; 淡 dàn ¶~노랑 浅黄色 / ~녹색 浅绿色 / ~갈색 浅褐色

연:가(戀歌) 명 **1** 恋歌 liàngē **2** 【音】 浪漫曲 làngmànqǔ = 로맨스3

연간(年間) 명 年度 niándù; 年间 niánjiān; 全年 quánnián ¶~ 소득 年度所得 / ~ 생산량 全年产量

연감(年鑑) 명 年鉴 niánjiàn

연-거푸(連—) 부 连续 liánxù; 接连 jiēlián; 接二连三 jiē'èrliánsān; 不断 bùduàn ¶~ 사고가 발생하다 不断发生事故 / 그는 술을 ~ 세 잔 마셨다 他连续喝了三杯酒

연결(連結) 명하타 连结 liánjié; 联结 liánjié; 连 lián; 联 lián; 连缀 liánzhuì; 联缀 liánzhuì; 接 jiē; 接通 jiētōng ¶전화 ~ 电话接通 / 컴퓨터 두 대를 한데 ~하다 把两台电脑连起来

연계(連繫·聯繫) 명하타 联系 liánxì; 连结 liánjié ¶~ 방식 连结方式 / ~성 联系性 / 이론이 실제와 ~하다 理论联系实际

연:고(軟膏) 명 【藥】 软膏 ruǎngāo ¶~를 바르다 涂抹软膏

연고(緣故) 명 **1** = 사유(事由) **2** 亲戚故旧 qīnqi gùjiù; 关系 guānxi **3** = 인연1

연고-자(緣故者) 명 关系户 guānxihù; 关系人 guānxirén

연:골(軟骨) 명 【生】 软骨 ruǎngǔ; 脆骨 cuìgǔ = 물렁뼈 ¶~ 손상 软骨损伤 / 무릎 ~ 膝盖软骨 / ~ 조직 软骨组织

연공(年功) 명 年资 niánzī; 资 zī ¶~

서열 论资排辈

연관(聯關) 명하타 联系 liánxì; 关联 guānlián; 关系 guānxi; 相关 xiāngguān; 关 guān ¶이번 일은 그와 ~이 있다 这件事跟他有联系 / 정부의 정책은 국민 생활과 ~이 있다 政府的政策与人民生活有关系

연:구(研究) 명하타 研究 yánjiū; 钻研 zuānyán ¶~가 研究家 / ~비 研究费 / ~소 研究所 / ~실 研究室 / ~원 研究员 / ~회 研究会 / ~ 대상 研究对象 / ~ 개발 研究开发 / ~ 성과 研究成果 / ~ 결과 研究结果 / 그는 고대 중국 문화를 ~한다 他研究古代中国文化

연:-구개(軟口蓋) 명 〖生〗软腭 ruǎn'è ¶~음 软腭音

연:극(演劇) 명하자 **1** 〖演〗戏剧 xìjù; 戏 xì; 剧 jù ¶~계 剧坛 / ~배우 戏剧演员 / ~인 戏剧人 / ~을 공연하다 表演戏剧 / ~ 한 편을 보다 看一场戏剧 **2** 把戏 bǎxì; 鬼把戏 guǐbǎxì ¶내 앞에서 ~할 필요 없다 你们不需要在我面前做什么鬼把戏了

연근(蓮根) 명 〖植〗藕 ǒu; 莲藕 lián'ǒu

연금(年金) 명 〖法〗年金 niánjīn; 养老金 yǎnglǎojīn ¶~ 보험 年金保险 / ~ 제도 年金制度

연:금(軟禁) 명하타 软禁 ruǎnjìn ¶가택 ~ 软禁在家

연:금(鍊金) 명하자 炼金 liànjīn; 冶炼 yěliàn ¶~술 炼金术 / ~술사 炼金术士

연기(延期) 명하타 延期 yánqī; 延迟 yánchí; 推迟 tuīchí; 展期 zhǎnqī; 展缓 zhǎnhuǎn; 缓期 huǎnqī ¶시험이 다음 달로 ~되다 考试延期到下月 / 출국을 ~하다 推迟出国

연기(煙氣) 명 烟 yān; 烟雾 yānwù ¶~가 나다 冒烟

연:기(演技) 명하타 〖演〗演技 yǎnjì; 表演 biǎoyǎn; 演 yǎn ¶~자 演员 / ~파 演技派 / 그의 ~는 정말 끝내준다 他的演技真棒

연-꽃(蓮—) 명 **1** 〖植〗莲 lián; 荷 hé; 荷花 héhuā; 莲花 liánhuā = 연(蓮) **2** 莲花 liánhuā; 荷花 héhuā = 부용1

연-날리기(鳶—) 명하자 放风筝 fàng fēngzheng

연내(年內) 명 年内 niánnèi ¶반드시 ~에 완성해야 한다 必须在年内完成

연년(年年) 명부 = 매해 ¶~ 감소하다 一年年地减少

연년(連年) 명 连年 liánnián

연년-생(年年生) 명 连年出生的 liánnián chūshēngde ¶그들 형제는 ~이다 他们是连年出生的兄弟

연-놈 명 狗男女 gǒunánnǚ

연:단(演壇) 명 讲台 jiǎngtái; 讲坛 jiǎngtán

연-달다(連—) 자 = 잇따르다 ¶연달아 고장이 나다 接连发生故障

연대(年代) 명 年代 niándài ¶~순 年代次序

연대(連帶) 명하자 连带 liándài; 联名 liánmíng; 共同 gòngtóng ¶~ 서명 共同署名 / ~ 의식 共同意识 / ~ 보증 连带保证 / ~ 책임 连带责任

연대(聯隊) 명 〖軍〗团 tuán ¶~장 团长

연대-기(年代記) 명 〖史〗编年史 biānniánshǐ

연대-표(年代表) 명 年表 niánbiǎo = 연표

연도(年度) 명 年度 niándù; 年份 niánfèn ¶졸업 ~ 毕业年度 / 제작 ~ 制作年度

연도(沿道) 명 沿道 yándào; 沿途 yántú; 沿路 yánlù

연동(聯動·連動) 명하자 〖機〗连动 liándòng ¶~ 장치 连动装置

연동(蠕動) 명하자 蠕动 rúdòng ¶~ 운동 蠕动运动

연두(年頭) 명 年初 niánchū; 岁初 suìchū; 新年 xīnnián ¶~교서 新年国情咨文 / ~ 기자 회견 年初记者招待会

연:두(軟豆) 명 **1** = 연두색 **2** = 연둣빛 **3** 〖美〗绿黄 lǜhuáng

연:두-색(軟豆色) 명 豆绿色 dòulǜsè = 연두(軟豆)1

연:둣-빛(軟豆—) 명 淡绿色 dànlǜsè = 연두(軟豆)2 ¶~ 나뭇잎 淡绿色的树叶

연등(燃燈) 명 〖佛〗燃灯 rándēng ¶~회 燃灯会

연락(連絡·聯絡) 명하타 **1** 通知 tōngzhī; 告诉 gàosu; 告知 gàozhī ¶네가 나 대신 그에게 ~해라 你替我通知他一下 **2** 联络 liánluò; 联系 liánxì ¶~방식 联络方式 / ~망 联络网 / 그와 ~을 끊다 和他断绝联系 / 그와 ~이 되지 않는다 跟他联络不上

연락-선(連絡船) 명 轮渡 lúndù; 渡船 dùchuán

연락-처(連絡處) 명 联络处 liánluòchù; 通信地址 tōngxìn dìzhǐ

연령(年齡) 명 = 나이 ¶결혼 ~ 结婚年龄 / ~ 제한 年龄限制 / ~층 年龄层

연례(年例) 명 年例 niánlì; 年 nián ¶~회 年会 / ~행사 年例活动

연로(年老) 명하형 年老 niánlǎo; 上年纪 shàng niánjì ¶~하신 부모님 年老的父母

연료(燃料) 명 燃料 ránliào ¶~봉 燃料棒 / 액체 ~ 液体燃料 / ~비 燃料

费 / ~를 공급하다 供给燃料 / ~를 절약하다 节约燃料

연루(連累 · 緣累) 명하자 〖法〗 株连 zhūlián; 连累 liánlěi; 挂累 guàlěi; 牵累 qiānlěi; 牵连 qiānlián = 연좌(連坐)2 ¶ 다른 사람이 ~되다 连累他人 / 무고한 사람이 ~되다 株连无辜的人

연륜(年輪) 명 **1** 〖植〗 = 나이테 **2** 成熟 chéngshú; 工龄 gōnglíng

연리(年利) 명 年息 niánxī; 年利 niánlì

연립(聯立) 명하자 联合 liánhé; 联立 liánlì ¶ ~ 내각 联合内阁 / ~ 방정식 联立方程 / ~ 정부 联合政府

연:마(研磨 · 練磨 · 鍊磨) 명하타 **1** 研磨 yánmó; 打磨 dǎmó ¶ ~제 研磨剂 / 대리석을 ~하다 研磨大理石 **2** 磨炼 móliàn; 磨练 móliàn; 练 liàn; 锤炼 chuíliàn; 钻研 zuānyán ¶ 무술을 ~하다 练功夫 / 학문을 ~하다 钻研学习 / 자신을 ~하다 锤炼自己

연:마-반(研磨盤) 명 〖工〗 = 연삭기

연막(煙幕) 명 **1** 〖軍〗 烟幕 yānmù ¶ ~탄 烟幕弹 **2** 烟幕 yānmù ¶ ~작전 烟幕弹 / ~전술 烟幕作战

연막(을) 치다 구 掩盖真相

연말(年末) 명 年底 niándǐ; 年末 niánmò; 年终 niánzhōng; 年根(儿) niángēn(r); 年关 niánguān; 年尾 niánwěi; 岁暮 suìmù ¶ ~ 결산 年终结账 / ~ 보너스 年终奖 / ~ 정산 年底结转

연말-연시(年末年始) 명 年下 niánxia

연맹(聯盟) 명하자 联盟 liánméng ¶ ~에 가입하다 加入联盟 / ~을 결성하다 成立联盟

연맹-전(聯盟戰) 명 〖體〗 = 리그전

연-면적(延面積) 명 〖建〗 总面积 zǒngmiànjī

연명(延命) 명하자 度命 dùmìng; 维持生命 wéichí shēngmìng; 苟延残喘 gǒuyáncánchuǎn ¶ 이렇게 해서는 더 이상 ~하기 힘들다 这样不能再维持生命了

연:모(戀慕) 명하타 恋慕 liànmù; 爱慕 àimù ¶ ~하는 마음을 품다 怀爱慕之心

연목구어(緣木求魚) 명하자 缘木求鱼 yuánmùqiúyú

연-못(蓮—) 명 **1** 荷池 héchí; 荷花池 héhuāchí; 荷塘 hétáng; 莲花池 liánhuāchí; 莲池 liánchí **2** = 못[3]

연무(煙霧) 명 烟雾 yānwù

연:미-복(燕尾服) 명 燕尾服 yànwěifú

연민(憐憫 · 憐愍) 명하타 怜悯 liánmǐn ¶ ~을 느끼다 感到怜悯

연발(連發) 명하자타 **1** 接连发出 jiēlián fāchū; 连续 liánxù ¶ 실수를 ~하다 连续失误 / 하품을 ~하다 连续打哈欠 **2** 连发 liánfā; 连放 liánfàng ¶ ~ 장치 连发装置

연-밥(蓮—) 명 莲子 liánzǐ

연방(連方) 부 不断(地) bùduàn(de); 连连 liánlián; 连气(儿) liánqì(r) ¶ 그녀는 나를 향해 ~ 손을 흔들었다 她向我不断地挥手

연방(聯邦) 명 〖政〗 联邦 liánbāng ¶ ~ 은행 联邦银行 / ~ 의회 联邦议会

연배(年輩) 명 **1** 同辈 tóngbèi **2** 年辈 niánbèi ¶ ~가 같다 年辈相当

연변(沿邊) 명 沿线 yánxiàn; 沿边 yánbiān ¶ ~ 지역 沿边地区 / ~ 도로 沿边公路

연별(年別) 명하타 年别 niánbié; 按年 ànnián

연병(練兵 · 鍊兵) 명하자 〖軍〗 练兵 liànbīng ¶ ~장 练兵场

연보(年報) 명 年报 niánbào

연보(年譜) 명 年谱 niánpǔ

연:-보라(軟—) 명 藕荷色 ǒuhésè; 藕合色 ǒuhésè

연봉(年俸) 명 年薪 niánxīn; 年资 niánzī ¶ ~제 年薪制 / 인상된 ~ 提高的年薪 / ~을 책정하다 定年资

연분(緣分) 명 **1** 缘分 yuánfèn ¶ 좋은 ~을 만나다 遇上好缘分 **2** 姻缘 yīnyuán ‖ = 연(緣)

연:-분홍(軟粉紅) 명 浅粉红色 qiǎnfěnhóngsè; 淡粉红色 dànfěnhóngsè ¶ ~ 치마 淡粉红色裙子

연:사(演士) 명 演说者 yǎnshuōzhě; 讲演者 jiǎngyǎnzhě = 변사(辯士)2

연:삭-기(研削機) 명 〖工〗 磨床 móchuáng = 연마반

연:산(演算) 명하타 〖數〗 运算 yùnsuàn ¶ ~ 기호 运算符 / 사칙 ~ 四则运算

연상(年上) 명 (比自己) 年龄大 niánlíng dà; 年长 niánzhǎng ¶ ~의 여자를 좋아하다 喜欢比自己年龄大的女人 / 그녀는 나보다 다섯 살 ~이다 她比我年长五岁

연상(聯想) 명하타 〖心〗 联想 liánxiǎng ¶ ~ 작용 联想作用 / 겨울 하면 눈이 ~된다 一提起冬天就会联想到雪

연서(連署) 명하타 〖法〗 联名 liánmíng; 共同签署 gòngtóng qiānshǔ; 联合签署 liánhé qiānshǔ

연석(連席) 명하자 联席 liánxí ¶ ~회의 联席会议

연:설(演說) 명하자 演说 yǎnshuō; 演讲 yǎnjiǎng; 讲话 jiǎnghuà ¶ 취임 ~ 就职演说 / ~문 演说文 / 그는 회의에서 중요한 ~을 했다 他在会议上发表重要讲话

연:성(軟性) 명 软性 ruǎnxìng

연세(年歲) 명 '나이'的敬词 ¶ ~가 지

긋한 교수님 上了年纪的教授 / ~가 어떻게 되십니까? 您多大年纪了?

연소(燃燒) 명하자 〖化〗燃烧 ránshāo; 燃 rán ¶~기 燃烧器 / ~열 燃烧热 / ~ 장치 燃烧装置 / ~ 설비 燃烧设备 / 지방을 ~하다 燃烧脂肪

연소-자(年少者) 명 年少者 niánshàozhě

연소-하다(年少—) 형 年少 niánshào; 年幼 niányòu; 年轻 niánqīng

연속(連續) 명하자 连续 liánxù; 接连 jiēlián; 连环 liánhuán ¶~성 连续性 / ~ 촬영 连续拍摄 / 며칠 동안 ~으로 야근을 하다 连续几天加班 / ~으로 교통사고가 발생하다 接连发生交通事故

연속-극(連續劇) 명 〖演〗连续剧 liánxùjù

연쇄(連鎖) 명하자타 连锁 liánsuǒ; 连环 liánhuán; 连续 liánxù ¶~ 폭파 连锁爆炸 / ~ 반응 连锁反应 / ~ 살인 사건 连环杀人案 / ~ 충돌 连续相撞 / ~ 테러 사건 连锁恐怖事件

연쇄-점(連鎖店) 명 〖經〗连锁商店 liánsuǒ shāngdiàn; 连锁店 liánsuǒdiàn

연수(年數) 명 = 햇수

연:수(研修) 명하타 进修 jìnxiū ¶교사 ~ 教师进修 / ~생 进修生 / 중국에서 일 년간 ~하다 在中国进修一年

연:수(軟水) 명 〖化〗软水 ruǎnshuǐ = 단물4

연:습(演習) 명하타 演习 yǎnxí; 练习 liànxí ¶~ 경기 练习比赛

연:습(練習·鍊習) 명하타 练习 liànxí; 练 liàn; 训练 xùnliàn ¶타자 ~ 打字练习 / 합창 ~ 合唱训练 / ~ 과정 练习过程 / ~ 문제 练习题 / ~장 训练场 / ~곡 练习曲 / ~장 练习本 / 노래 ~을 하다 练习唱歌

연승(連勝) 명하자 连续胜利 liánxù shènglì; 连续获胜 liánxù huòshèng

연:시(軟柹) 명 软柿 ruǎnshì

연:식(軟式) 명 软式 ruǎnshì

연:식(軟食) 명 软食 ruǎnshí = 반고형식

연신 부 不断(地) bùduàn(de); 连连 liánlián; 连气(儿) liánqì(r) ¶~ 고개를 끄덕거리다 不断地点头

연안(沿岸) 명 沿岸 yán'àn; 近海 jìnhǎi; 沿海 yánhǎi ¶동해 ~ 东海沿岸 / ~ 지역 沿海地区 / ~ 도시 沿海城市

연:애(戀愛) 명하자 恋爱 liàn'ài; 相好 xiānghǎo; 谈情说爱 tánqíngshuō'ài ¶~ 고수 恋爱高手 / ~ 기술 恋爱技术 / ~ 결혼 恋爱结婚 / ~관 恋爱观 / ~질 搞恋爱 / 나는 그와 ~를 하고 있다 我正在跟他谈情说爱

연:애-편지(戀愛便紙) 명 情书 qíngshū

연:약-하다(軟弱—) 형 软弱 ruǎnruò; 脆弱 cuìruò ¶연약한 여자 脆弱的女人 / 그녀는 나이가 들고 나서 많이 연약해졌다 她上了年纪以后变得很软弱

연어(鰱魚) 명 〖魚〗鲢鱼 liányú; 鲢 lián

연:역(演繹) 명하타 〖論〗演绎 yǎnyì ¶~ 추리 演绎 / ~법 演绎法

연:연-하다(戀戀—) 자 恋恋 liànliàn; 眷恋 juànliàn; 留恋 liúliàn; 依恋 yīliàn; 流连 liúlián ¶과거에 ~ 对过去恋恋不忘 / 나는 첫사랑에 조금도 연연하지 않는다 我一点也不眷恋初恋情人 연:연-히 부

연:예(演藝) 명하자 演艺 yǎnyì; 娱乐 yúlè ¶~ 담당 기자 娱乐记者

연:예-계(演藝界) 명 娱乐圈 yúlèquān; 演艺界 yǎnyìjiè; 演艺圈 yǎnyìquān ¶~에 데뷔하다 初入娱乐圈

연:예-인(演藝人) 명 艺人 yìrén; 演艺人员 yǎnyì rényuán

연원(淵源) 명 渊源 yuānyuán ¶~을 캐다 寻找渊源

연월일(年月日) 명 年月日 niányuèrì ¶출생 ~ 出生年月日

연:유(煉乳) 명 炼乳 liànrǔ

연유(緣由) 명하자 = 사유(事由) ¶~를 설명하다 解释缘由 / ~를 묻다 打听缘由

연-이율(年利率) 명 年利率 niánlìlǜ; 年率 niánlǜ

연:인(戀人) 명 恋人 liànrén; 情侣 qínglǚ ¶다정한 ~ 甜蜜恋人 / 그들은 ~ 사이다 他们是恋人关系

연-인원(延人員) 명 人次 réncì; 总计人次 zǒngjì réncì ¶~ 300명 三百个人次

연일(連日) 부명하자 连天 liántiān; 连日 liánrì; 层出不穷 céngchūbùqióng ¶~ 궂은비가 내리다 连天阴雨 / ~ 고온이 계속되다 连日来持续高温

연임(連任) 명하타 连任 liánrèn ¶대통령을 ~하다 连任总统 / ~에 성공하다 成功连任

연-잇다(連—) 자 接连 jiēlián; 连续 liánxù; 接着 jiēzhe; 接上 jiēshang; 接二连三 jiē'èrliánsān ¶각지에서 산불이 연이어 발생하다 各地接连发生森林火灾 / 정치인들이 연이어 습격을 받다 政治家被袭击的事件接二连三

연-잎(蓮—) 명 〖植〗荷叶 héyè

연:자-매(研子—) 명 碾子 niǎnzi

연작(連作) 명하타 1 〖農〗连作 liánzuò 2 〖文〗合作 hézuò; 合著 hézhù

연장 명 工具 gōngjù ¶~을 챙기다 准备工具

연장(年長) 명하형 年长 niánzhǎng; 年

长者 niánzhǎngzhě ¶ ～자 年长者
연장(延長) 명하타 延长 yáncháng; 延续 yánxù; 拖长 tuōcháng; 继续 jìxù ¶ ～선 延长线 / 기한을 ～하다 延长期限 / 수명을 ～하다 延长寿命
연장-전(延長戰) 명 〖體〗 加时赛 jiāshísài; 延时赛 yánshísài
연재(連載) 명하타 连载 liánzǎi ¶ ～만화 连载漫画 / ～물 连载读物 / ～소설 连载小说 / 신문에 소설을 ～하다 在报纸上连载小说
연:적(硯滴) 명 砚滴 yàndī
연:적(戀敵) 명 情敌 qíngdí
연전-연승(連戰連勝) 명하자 连战连捷 liánzhànliánjié; 连战连胜 liánzhànliánshèng
연접(連接) 명하자 连接 liánjiē; 联接 liánjiē ¶ 거실과 주방이 ～해 있다 客厅和餐厅连接在一起 / 대륙에 ～하다 连接大陆
연:정(戀情) 명 恋情 liànqíng
연좌(連坐) 명하자 **1** 静坐 jìngzuò ¶ ～시위 静坐示威 **2**〖法〗 = 연루
연좌(緣坐) 명하자 连坐 liánzuò ¶ ～제 连坐制
연:주(演奏) 명하타 演奏 yǎnzòu; 弹奏 tánzòu; 奏 zòu ¶ 기타 ～ 吉他演奏 / 피아노 ～ 钢琴弹奏 / ～가 演奏家 / ～단 演奏团 / ～법 演奏法 / ～자 演奏者 / ～회 演奏会 / 악기를 ～하다 演奏乐器
연-줄(鳶—) 명 风筝线 fēngzhengxiàn
연-줄(緣—) 명 路子 lùzi; 关系 guānxi; 门路 ménlu; 门子 ménzi ¶ ～을 이용하다 走路子
연중(年中) 명 年中 niánzhōng; 一年里头 yīnián lǐtou; 全年 quánnián ¶ ～강설량 一年里头的降雪量 / ～ 계획 年中的计划
연지(臙脂) 명 **1** 胭脂 yānzhi ¶ ～를 찍다 涂胭脂 **2** 胭红 yānhóng; 胭脂红 yānzhihóng
연:질(軟質) 명 软质 ruǎnzhì
연차(年次) 명 **1** 年度 niándù **2** 年的次序 niánde cìxù
연차 휴가(年次休暇) 〖法〗 年薪休假 niánxīn xiūjià; 年薪假 niánxīnjià
연착(延着) 명하자 晚点 wǎndiǎn; 误点 wùdiǎn; 迟到 chídào ¶ 비행기가 4 시간 ～하다 飞机晚点四个小时
연체(延滯) 명하타 〖法〗 延迟 yánchí; 拖延 tuōyán; 迟延 chíyán; 拖欠 tuōqiàn; 滞纳 zhìnà; 逾期 yúqī; 过期 guòqī ¶ 채무 ～ 债务迟延 / ～ 이자 逾期利息
연:체-동물(軟體動物) 명 〖動〗 软体动物 ruǎntǐ dòngwù
연체-료(延滯料) 명 〖法〗 延期费 yánqīfèi; 迟期费 chíqīfèi; 滞留费 zhìliúfèi
연초(年初) 명 年初 niánchū; 岁初 suìchū
연초(煙草) 명 〖植〗 = 담배1
연:출(演出) 명하타 〖演〗 导演 dǎoyǎn ¶ ～가 导演 / ～자 导演者 / ～을 맡다 担当导演 / 공포 영화를 ～하다 导演恐怖电影
연타(連打) 명하타 连击 liánjī
연:탄(煉炭) 명 〖鑛〗 煤饼 méibǐng; 煤砖 méizhuān; 煤球 méiqiú; 蜂窝煤 fēngwōméi; 煤 méi = 탄(炭)2 ¶ ～ 공장 煤饼厂 / ～난로 蜂窝煤炉 / ～불 煤球火 / ～재 蜂窝煤渣 / ～을 때다 烧煤饼
연통(煙筒) 명 烟筒 yāntong
연패(連敗) 명하자 连败 liánbài; 接连失败 jiēlián shībài
연-평균(年平均) 명 年均 niánjūn ¶ ～증가율 年均增长率
연표(年表) 명 = 연대표
연필(鉛筆) 명 铅笔 qiānbǐ; 笔 bǐ ¶ ～심 铅笔芯 / ～화 铅笔画 / ～깎이 铅笔刀 / ～꽂이 笔筒 / ～ 한 자루 一支铅笔 / ～ 한 다스 一打铅笔
연하(年下) 명 (比自己) 年纪小 niánjì xiǎo; 晚辈 wǎnbèi; 小 xiǎo ¶ 그녀는 나보다 ～이다 她比我年纪小
연하(年賀) 명 贺年 hènián ¶ ～장 贺年卡
연:-하다(軟—) 형 **1** 嫩 nèn; 软 ruǎn ¶ 이 고기는 아주 연하고 맛있다 这个肉又嫩又好吃 **2** (颜色) 浅 qiǎn; 淡 dàn ¶ 연한 녹색 淡绿 / 연한 화장 淡妆 **3** (浓度) 淡 dàn
연한(年限) 명 年限 niánxiàn; 年份 niánfèn ¶ 근무 ～ 工作年限 / 토지 사용 ～ 土地使用年限 / ～이 차다 达到年限
연합(聯合) 명하자타 联合 liánhé; 组合 zǔhé; 联 lián ¶ ～국 联合国 / ～군 联军 / ～ 경영 联合经营 =[联营] / ～작전 联合作战 / ～해서 대항하다 组合对抗
연해(沿海) 명 沿海 yánhǎi ¶ ～ 구역 沿海地区 / ～ 기후 沿海气候
연행(連行) 명하타 逮捕 dàibǔ; 逮走 dàizǒu ¶ 경찰이 피의자를 ～하다 警方逮走嫌疑犯
연:혁(沿革) 명 沿革 yángé; 因革 yīngé
연호(年號) 명 〖史〗 年号 niánhào
연호(連呼) 명하타 连声呼唤 liánshēng hūhuàn; 连声呼喊 liánshēng hūhǎn ¶ 그의 이름을 ～하다 连声呼唤他的名字
연:화(軟化) 명하자타 软化 ruǎnhuà; 变软 biàn ruǎn ¶ ～ 현상 软化现象 / ～증 软化症

연:회(宴會) 명 宴会 yànhuì; 宴 yàn ¶～석 宴席 / ～실 宴会客房 / ～장 宴会厅 / 성대한 ～를 열다 举办盛大的宴会

연후(然後) 명 然后 ránhòu; 之后 zhīhòu ¶우리는 한 잔 더 마신 ～에 집으로 돌아갔다 我们再喝了一杯, 然后回家去了

연휴(連休) 명 连休 liánxiū; 连休假期 liánxiū jiàqī ¶～ 기간 连休期间

열 수관 十 shí ¶～ 시간 十个小时 / ～ 달 十个月 / ～ 명 十个人 / 종이 ～ 장 十张纸

열 길 물속은 알아도 한 길 사람의 속은 모른다 속담 人心隔肚皮; 人心莫测; 知人知面不知心

열 번 찍어 아니 넘어가는 나무 없다 속담 只要功夫深, 铁杵磨成针

열 손가락 깨물어 안 아픈 손가락이 없다 속담 十指连心

열에 아홉 구 十有八九; 十拿九稳

열(列) 명 队 duì; 列 liè; 排 pái ¶이～ 종대 两列纵队 / ～을 지어 행진하다 排队行进

열(熱) 명 1 = 신열 ¶갑자기 ～이 나다 突然发烧 / 점차 ～이 내리다 渐渐退烧 2 『化』 热 rè ¶태양～ 太阳热 / ～화학 热化学 / ～기관 热机 / ～에너지 热能 3 气 qì; 火 huǒ ¶～ 받아 죽겠네! 气死我了! / ～ 내지 마라 你别发火 4 热情 rèqíng; 热诚 rèchéng; 积极性 jījíxìng; 积极 jījí

열(을) 올리다[내다] 구 1 发火; 发热 2 热诚; 热衷

열(이) 오르다 구 1 来劲 2 激愤; 激动

열에 받치다 구 (心中) 冒火; 上火

열강(列強) 명 列强 lièqiáng ¶세계 ～ 世界列强 / ～의 침략 列强的侵略

열거(列擧) 명하타 列举 lièjǔ; 列出 lièchū ¶특징을 일일이 ～하다 把特点一一列举

열광(熱狂) 명하자 狂热 kuángrè; 热烈 rèliè; 疯魔 fēngmó; 入魔 rùmó ¶스타에게 ～하다 对明星狂热 / 극도로 ～하다 极度狂热

열광-적(熱狂的) 관명 狂热(地) kuángrè(de); 热烈(地) rèliè(de) ¶～인 반응 热烈的反应 / 그녀는 그 스타를 ～으로 좋아한다 她狂热地喜欢那个明星

열권(熱圈) 명 『地理』 热层 rècéng

열기(熱氣) 명 1 热气 rèqì; 高温 gāowēn ¶많은 ～를 내뿜다 冒出很多热气 2 热度 rèdù; 热 rè; 烧 shāo 3 热情 rèqíng; 热气 rèqì; 热潮 rècháo; 激动 jīdòng; 激情 jīqíng ¶관객들의 ～가 무대를 가득 채웠다 观众的热情充满了舞台

열-기구(熱氣球) 명 热气球 rèqìqiú

열-나다(熱—) 자 1 发烧 fāshāo; 发热 fārè 2 热衷 rèzhōng ¶열나게 일하다 热衷于工作 3 生气 shēngqì; 发火 fāhuǒ; 气 qì ¶더 이상 나를 열나게 하지 마라 你别再让我生气

열녀(烈女) 명 烈女 liènǚ = 열부 ¶～문 烈女门 / ～비 烈女碑

열:다 타 1 打开 dǎkāi; 开 kāi ¶그는 곧바로 문을 열고 나갔다 他马上打开门出去了 / 파일을 ～ 打开文件 2 开设 kāishè ¶사이트를 ～ 开设网站 / 상점을 ～ 开设商店 3 召开 zhàokāi; 召集 zhàojí; 开 kāi ¶대회를 ～ 召开大会 / 좌담회를 ～ 召开座谈会 / 시합을 ～ 召集比赛 4 开门 kāimén ¶은행은 9시에 문을 연다 银行九点开门 5 开辟 kāipì; 开创 kāichuàng ¶국제 통로를 ～ 开辟国际通道 / 새로운 항로를 ～ 开辟新航路 6 张 zhāng; 开 kāi ¶그는 마침내 입을 열었다 他终于张开嘴说起话来

열대(熱帶) 명 『地理』 热带 rèdài ¶～과실 热带水果 / ～어 热带鱼 / ～ 기후 热带气候 / ～림 热带林 / ～ 식물 热带植物 / ～야 热带夜 / ～ 우림 热带雨林 / ～ 지방 热带地区 / ～성 저기압 热带低气压

열도(列島) 명 『地理』 列岛 lièdǎo ¶일본 ～ 日本列岛

열독(閱讀) 명하타 阅读 yuèdú

열등(劣等) 명하형 劣等 lièděng; 劣 liè; 低等 dīděng; 下等 xiàděng ¶～감 劣等感 / ～생 劣等生 / ～의식 劣等意识

열-띠다(熱—) 형 热烈 rèliè; 激烈 jīliè ¶열띤 경쟁 激烈竞争 / 열띤 분위기 热烈气氛 / 열띤 토론을 벌이다 展开热烈讨论

열람(閱覽) 명하타 阅览 yuèlǎn ¶～실 阅览室 / 도서관에 가서 도서를 ～하다 到图书馆阅览图书

열량(熱量) 명 『物』 热量 rèliàng = 칼로리⊟ ¶～계 热量计 / ～이 낮다 热量低 / ～이 높다 热量高 / ～을 소비하다 消耗热量

열렬-하다(熱烈— · 烈烈—) 형 热烈 rèliè; 热情 rèqíng; 热火 rèhuo ¶열렬한 반응 热烈的反应 / 열렬한 지지 热情支持 **열렬-히** 부 ¶그들은 우리의 방문을 ～ 환영했다 他们热烈地欢迎我们的访问

열-리다[1] 자 (果实) 结 jiē; 结果 jiēguǒ ¶나무에 과일이 잔뜩 열렸다 树上结满了水果

열-리다[2] 자 1 被开 bèi kāi; 被打开 bèi dǎkāi; 被张开 bèi zhāngkāi 《'열다1'的被动词》 ¶문이 갑자기 열렸다 门突然被打开了 2 被开创 bèi kāichuàng;

被开辟 bèi kāipì 《'열다5' 的被动词》¶새로운 시대가 ~ 新时代被开创 / 새로운 노선이 ~ 新的路线被开辟 **3** 被开设 bèi kāishè 《'열다2' 的被动词》 **4** 被召开 bèi zhàokāi; 被召集 bèi zhàojí 《'열다3' 的被动词》¶교류회가 ~ 交流会被召开

열망(熱望) 명하타 热望 rèwàng; 渴望 kěwàng ¶개혁에 대한 ~ 对改革的热望 / 조국의 통일을 ~하다 热望祖国统一

열매 명 果实 guǒshí; 果子 guǒzi; 果(儿) guǒ(r) = 과실(果實)2 ¶~가 열리다 结果

열매(를) 맺다 구 获得成就

열-무 명 小萝卜 xiǎoluóbo ¶~김치 小萝卜泡菜

열반(涅槃) 명하자 〖佛〗 **1** 涅盘 nièpán **2** = 입적(入寂)

열변(熱辯) 명 热烈辩论 rèliè biànlùn; 雄辩 xióngbiàn ¶~을 토하다 展开热烈辩论

열병(熱病) 명 **1** 〖醫〗 热病 rèbìng; 热症 rèzhèng **2** 伤寒 shānghán

열병(閱兵) 명하자 〖軍〗 阅兵 yuèbīng ¶~식 阅兵式

열부(烈婦) 명 = 열녀

열사(烈士) 명 烈士 lièshì ¶혁명 ~ 革命烈士

열사-병(熱射病) 명 〖醫〗 中暑 zhòngshǔ

열상(裂傷) 명 撕裂伤 sīlièshāng; 裂伤 lièshāng

열선(熱線) 명 **1** 〖物〗 = 적외선 **2** 〖電〗 电热线 diànrèxiàn

열성(劣性) 명 **1** 劣性 lièxìng **2** 〖生〗 隐性 yǐnxìng ¶~ 유전자 隐性基因

열성(熱誠) 명 热诚 rèchéng; 热情 rèqíng; 赤诚 chìchéng; 热忱 rèchén ¶일을 할 때는 ~을 가져야 한다 做事要充满热诚

열성-적(熱誠的) 관명 热情 rèqíng; 热心 rèxīn; 热诚 rèchéng; 积极 jījí ¶~인 태도 积极的态度 / 그는 줄곧 나를 ~으로 격려해 주었다 他一直积极地鼓励我

열세(劣勢) 명하형 劣势 lièshì ¶기술상의 ~ 技术上的劣势 / 제도적인 ~ 制度的劣势 / ~를 만회하다 挽回劣势

열:-쇠 명 **1** 钥匙 yàoshi = 키(key)1 ¶만능 ~ 万能钥匙 / ~고리 钥匙环 / 그는 오늘 ~를 잃어버렸다 他今天丢了钥匙 **2** 关键 guānjiàn ¶비밀을 푸는 ~ 揭开秘密的关键

열심(熱心) 명 努力 nǔlì; 认真 rènzhēn; 热心 rèxīn; 用功 yònggōng; 热衷 rèzhōng ¶일에 ~이다 热衷于做工作

—-히 부 ¶열심히 공부하다 努力学习

열악-하다(劣惡—) 형 恶劣 èliè; 差 chà; 劣等 lièděng; 低等 dīděng ¶열악한 조건 恶劣条件 / 환경이 ~ 环境恶劣

열애(熱愛) 명하자타 热恋 rèliàn ¶그들은 지금 ~중이다 他们正在热恋

열어-젖히다 타 敞开 chǎngkāi ¶환기를 위해 그는 문을 열어젖혔다 为了通风, 他把门敞开了

열연(熱演) 명하타 认真演出 rènzhēn yǎnchū; 热心演出 rèxīn yǎnchū

열의(熱意) 명 热情 rèqíng; 热心 rèxīn; 热诚 rèchéng; 热忱 rèchén ¶그는 ~가 부족하다 他缺乏热情

열전(列傳) 명 列传 lièzhuàn

열전(熱戰) 명 **1** 热战 rèzhàn ¶대선 ~ 大选热战 **2** 白热战 báirèzhàn

열-전기(熱電氣) 명 〖物〗 热电 rèdiàn

열-전도(熱傳導) 명 〖物〗 热传导 rèchuándǎo; 导热 dǎorè ¶~율 热传导率

열정(熱情) 명 热情 rèqíng; 热肠 rècháng; 热度 rèdù; 热血 rèxuè; 热心 rèxīn; 干劲 gànjìn; 热忱 rèchén

열정-적(熱情的) 관명 热情(的) rèqíng(de); 热心(的) rèxīn(de); 热忱(的) rèchén(de) ¶그녀는 무대 위에서 아주 ~으로 노래를 불렀다 她在舞台上很热心地唱歌

열중(熱中) 명하자 热衷 rèzhōng; 热中 rèzhōng; 专心 zhuānxīn; 潜心 qiánxīn; 聚精会神 jùjīnghuìshén; 专心致志 zhuānxīnzhìzhì; 专心一致 zhuānxīnyīzhì; 专心致意 zhuānxīn zhìyì; 入迷 rùmí ¶독서에 ~하다 热衷于读书

열차(列車) 명 列车 lièchē ¶~ 시간표 列车时刻表 / ~가 지금 출발한다 列车现在要出发了

열창(熱唱) 명하타 认真唱歌 rènzhēn chànggē; 高唱 gāochàng

열-처리(熱處理) 명하타 〖工〗 热处理 rèchǔlǐ

열탕(熱湯) 명 开水 kāishuǐ ¶~ 소독 开水消毒

열풍(烈風) 명 **1** 烈风 lièfēng; 狂风 kuángfēng **2** 热 rè ¶독서 ~이 일다 兴起读书热

열풍(熱風) 명 热风 rèfēng ¶~로 热风炉

열핵(熱核) 명 〖物〗 热核 rèhé

열혈(熱血) 명 热血 rèxuè ¶~남아 热血男儿 / ~ 청년 热血青年

열화(熱火) 명 热火 rèhuǒ; 热烈 rèliè ¶~와 같은 성원 热烈声援 / ~와 같은 지지를 받다 受到热烈支持

열-효율(熱效率) 명 〖物〗 热效率 rèxiàolǜ

열흘 명 十天 shítiān ¶~ 만에 겨우 일을 마치다 花了十天才做完工作 / ~

뒤에 다시 만납시다! 十天后再会!

엷:다 형 1 薄 báo ¶이 목판은 좀 ~ 这块木板比较薄 2 淡 dàn; 浅 qiǎn ¶ 엷은 화장 淡妆 3 稀薄 xībó ¶엷은 안개 稀薄烟雾 4 (笑容等) 轻微 qīngwēi ¶얼굴에 엷은 미소를 띠다 脸上挂着轻微的笑容

염:(殮) 명하타 装殓 zhuāngliàn ¶시신을 ~하다 装殓尸体

염(鹽) 명 1 = 소금 2【化】盐 yán

염가(廉價) 명 廉价 liánjià; 低价 dījià ¶~ 판매 廉价销售

염기(鹽基) 명【化】碱 jiǎn; 盐基 yánjī

염기-성(鹽基性) 명【化】碱性 jiǎnxìng; 碱 jiǎn = 알칼리성 ¶~ 반응 碱性反应

염도(鹽度) 명 盐度 yándù ¶~를 측정하다 测量盐度

염:두(念頭) 명 = 마음속 ¶늘 그때의 일을 ~에 두다 常把当时的事放在心上

염라-대왕(閻羅大王) 명【佛】阎罗 Yánluó; 阎罗王 Yánluówǎng; 阎王 Yánwang; 阎王爷 Yánwangyé

염:려(念慮) 명하타 挂念 guàniàn; 挂牵 guàqiān; 牵挂 qiānguà; 顾念 gùniàn; 挂心 guàxīn; 挂怀 guàhuái; 挂虑 guàlǜ; 挂记 guàji; 担心 dānxīn; 惦记 diànjì; 惦念 diànniàn ¶자신의 안위를 ~하다 挂念自己的安危 / 다른 사람을 ~하다 顾念他人

염:려-스럽다(念慮—) 형 挂念 guàniàn; 挂牵 guàqiān; 牵挂 qiānguà; 顾念 gùniàn; 挂心 guàxīn; 挂怀 guàhuái; 挂虑 guàlǜ; 挂记 guàji; 担心 dānxīn; 惦记 diànjì; 惦念 diànniàn ¶그는 어머니 건강이 좋지 않음이 매우 염려스러웠다 他很挂念他的妈妈健康不好 **염:려스레** 부

염:력(念力) 명【心】念力 niànlì

염:료(染料) 명 染料 rǎnliào

염:문(艶聞) 명 桃色传闻 táosè chuánwén; 绯闻 fēiwén

염:병(染病) 명 1 '장티푸스' 的俗称 2【醫】= 전염병 —**-하다** 자 染伤寒 rǎn shānghán

염분(鹽分) 명 盐分 yánfèn ¶~ 농도 盐分浓度 / ~이 높다 盐分高 / ~을 줄이다 减少盐分

염:불(念佛) 명하자【佛】念佛 niànfó; 念经 niànjīng

염산(鹽酸) 명【化】盐酸 yánsuān

염:색(染色) 명하타 1 染色 rǎnsè; 染 rǎn ¶~ 공장 染坊 / ~약 染色剂 / 머리를 ~하다 染头发 2【生】染色 rǎnsè

염:색-체(染色體) 명【生】染色体 rǎnsètǐ ¶~ 이상 染色体异常

염:세(厭世) 명하자 厌世 yànshì

염:세-주의(厭世主義) 명【哲】厌世主义 yànshì zhǔyì ¶~자 厌世主义者

염소 명【動】山羊 shānyáng = 산양1

염소(鹽素) 명【化】氯 lǜ ¶~산 氯酸

염:원(念願) 명하타 心愿 xīnyuàn; 意愿 yìyuàn; 愿望 yuànwàng; 夙愿 sùyuàn; 宿愿 sùyuàn; 企望 qǐwàng ¶많은 사람들이 성공을 ~한다 很多人都企望成功

염장(鹽藏) 명하타 腌制 yānzhì; 腌 yān; 腌渍 yānzì ¶~법 腌制法

염전(鹽田) 명 盐田 yántián

염:주(念珠) 명【佛】数珠(儿) shùzhū(r); 念珠 niànzhū

염증(炎症) 명【醫】炎症 yánzhèng; 炎 yán ¶~이 생기다 发炎

염:증(厭症) 명 = 싫증 ¶~을 느끼다 感到厌烦

염치(廉恥) 명 廉耻 liánchǐ ¶그 사람은 ~가 없다 那个人没有廉耻

염치-없다(廉恥—) 형 无廉耻 wúliánchǐ; 无耻 wúchǐ; 不害臊 bùhàisào **염치없-이** 부

염탐(廉探) 명하타 窥探 kuītàn; 窥察 kuīchá; 侦探 zhēntàn; 暗地打听 àndì dǎting; 暗地打探 àndì dǎtàn ¶적의 동태를 ~하다 窥察敌人的动静

염탐-꾼(廉探—) 명 奸细 jiānxi; 侦探 zhēntàn; 侦谍 zhēndié

염통 명【生】= 심장1

염화(鹽化) 명하자【化】氯化 lǜhuà ¶~나트륨 氯化钠 / ~마그네슘 氯化镁 / ~수소 氯化氢 / ~칼륨 氯化钾 / ~칼슘 氯化钙

엽-궐련(←葉卷煙) 명 雪茄 xuějiā; 卷烟 juǎnyān = 시가(cigar)

엽기(獵奇) 명하자 猎奇 lièqí ¶~ 사진 猎奇图片

엽기-적(獵奇的) 관명 猎奇(的) lièqí(de); 猎奇性 lièqíxìng ¶~인 이야기 猎奇的故事 / ~인 살인 사건 猎奇杀人案

엽록-소(葉綠素) 명【植】叶绿素 yèlǜsù

엽록-체(葉綠體) 명【植】叶绿体 yèlǜtǐ

엽서(葉書) 명【信】明信片 míngxìnpiàn = 우편엽서 ¶친구에게 ~를 보내다 给朋友寄明信片

엽전(葉錢) 명 铜钱 tóngqián

엽차(葉茶) 명 叶茶 yèchá

엽총(獵銃) 명 = 사냥총

엿 명 麦芽糖 màiyátáng; 软糖 ruǎntáng; 糖饴 tángyí; 饴糖 yítáng

엿 먹어라 구 倒霉去吧; 够你受的

엿 먹이다 구 暗中算计别人

엿-가락 명 麻花糖 máhuātáng

엿-기름 명 麦芽 màiyá = 맥아
엿-당(—糖) 명 〖化〗麦芽糖 màiyátáng = 맥아당
엿:-듣다 타 偷听 tōutīng; 窃听 qiètīng ¶그는 탁자 밑에 숨어서 우리의 대화를 엿들었다 他躲在桌子下面, 偷听我们的对话
엿:-보다 타 **1** 偷看 tōukàn ¶그의 편지를 ~ 偷看他的信 **2** 觊觎 jìyú; 窥伺 kuīsì ¶기회를 ~ 窥伺机会
엿새 명 六天 liùtiān ¶그는 여행 갔다가 ~ 뒤에 돌아왔다 他去旅游六天之后回来了
엿-장수 명 卖麦芽糖的 mài màiyátángde; 卖糖的 màitángde
엿장수 마음대로[맘대로] 구 随心所欲; 随便
영 부 **1** 完全 wánquán; 全然 quánrán; 根本 gēnběn ¶~ 자신이 없다 完全没有自信 **2** 太 tài; 真 zhēn; 完全 wánquán ¶기분이 ~ 안 좋다 心情太不好
영:(永) 부 = 영영
영(零) 명 零 líng = 제로1 ¶3에서 3을 빼면 ~이다 三减三等于零
영(靈) 명 = 영혼1
영가(靈歌) 명 〖音〗灵歌 línggē ¶흑인 ~ 黑人灵歌
영:감(令監) 명 **1** 令公 lìnggōng **2** 老头子 lǎotóuzi《老夫妻之间妻子称丈夫》**3** 老太爷 lǎotàiye; 老翁 lǎowēng; 老爷子 lǎoyézi; 老先生 lǎoxiānsheng
영감(靈感) 명 灵感 línggǎn; 感悟 gǎnwù ¶~을 얻다 得到感悟 / ~이 떠오르다 浮现灵感
영:감-님(令監—) 명 '영감(令監)' 的敬词
영:결(永訣) 명하자타 永诀 yǒngjué; 永别 yǒngbié ¶~식 永诀式
영계(—鷄) 명 笋鸡 sǔnjī; 幼鸡 yòujī; 大雏鸡 dàchújī = 약병아리
영공(領空) 명 〖政〗领空 lǐngkōng ¶~을 침범하다 侵犯领空
영광(榮光) 명 荣幸 róngxìng; 光荣 guāngróng; 光彩 guāngcǎi; 荣耀 róngyào = 광영 ¶여러분을 알게 되어 매우 ~입니다 认识你们我很荣幸 / 조국에 ~을 돌리다 光荣归于祖国
영광-스럽다(榮光—) 형 荣幸 róngxìng; 光彩 guāngcǎi; 光荣 guāngróng; 荣耀 róngyào ¶이번에 상을 받은 것은 나에게 있어 아주 영광스러운 일이다 这次获奖, 对我来说, 是一件很光荣的事 **영광스레** 부
영:구(永久) 명하형히부 永久 yǒngjiǔ; 永远 yǒngyuǎn; 永恒 yǒnghéng; 恒久 héngjiǔ ¶~불변 永恒不变 =[永远不变] / ~성 永久性 / ~ 보존 永久保存 / ~ 거주 永久居留
영구(靈柩) 명 灵柩 língjiù
영:구-적(永久的) 관명 永久(的) yǒngjiǔ(de); 永久性(的) yǒngjiǔxìng(de) ¶~인 청력 손상 永久性的听力损伤
영구-차(靈柩車) 명 灵车 língchē; 柩车 jiùchē
영:구-치(永久齒) 명 〖生〗恒牙 héngyá
영글다 자 = 여물다⊟
영농(營農) 명하자 农业生产 nóngyè shēngchǎn; 经营农业 jīngyíng nóngyè; 农业管理 nóngyè guǎnlǐ; 务农 wùnóng; 农业开发 nóngyè kāifā ¶~ 자금 农业开发资金 / ~ 기술 农业生产技术
영달(榮達) 명하자 荣达 róngdá; 荣华 rónghuá; 显达 xiǎndá
영도(零度) 명 零度 língdù ¶~ 이상 零度以上
영도(領導) 명하타 领导 lǐngdǎo ¶~자 领导者 / ~력 领导力 / ~ 능력 领导能力
영락(零落) 명하자 **1** 凋零 diāolíng; 零落 língluò; 飘零 piāolíng ¶꽃잎이 ~하다 花叶零落 **2** (势力或家道) 零落 língluò; 破落 pòluò; 没落 mòluò; 凋敝 diāobì ¶집안이 ~하다 家道零落
영락-없다(零落—) 형 毫无疑问 háowú yíwèn; 必定 bìdìng; 必然 bìrán ¶그는 영락없는 왕 선생님의 아들이다 他毫无疑问是王老师的儿子 **영락없-이** 부 ¶번개가 친 뒤에는 ~ 많은 비가 내린다 打雷以后, 必定会下大雨
영령(英靈) 명 英灵 yīnglíng ¶호국 ~ 护国英灵
영롱-하다(玲瓏—) 형 **1** 晶莹 jīngyíng; 皎洁 jiǎojié ¶영롱한 이슬 晶莹的露珠 **2** 清脆 qīngcuì ¶방울 소리가 ~ 铃声清脆 **영롱-히** 부
영리(營利) 명하자 营利 yínglì; 谋利 móulì ¶~ 단체 营利组织 / ~ 법인 营利法人 / ~ 행위 营利行为
영:리-하다(怜悧—·伶俐—) 형 伶俐 línglì; 聪明 cōngming; 乖 guāi; 鬼 guǐ; 机灵 jīling ¶이 아이는 정말 ~ 这个孩子真聪明 / 우리 집 개는 무척 ~ 我家的狗很聪明
영매(靈媒) 명 灵媒 língméi
영:면(永眠) 명하자 永眠 yǒngmián; 长眠 chángmián; 永逝 yǒngshì
영문 명 原因 yuányīn; 原由 yuányóu; 缘故 yuángù; 缘由 yuányóu; 怎么回事 zénme huíshì; 所以然 suǒyǐrán ¶그는 ~도 모른 채 얻어맞았다 他不知道原因就挨打了 / 나도 무슨 ~인지 모르겠다 我也不知道怎么回事
영문(英文) 명 英文 Yīngwén; 英语 Yīngyǔ ¶~ 표기 英文标记 / ~ 소설 英文小说 / ~ 번역 英文翻译 / ~ 이름

英文名字 / ~ 자기소개서 英文自我介绍

영-문법(英文法) 명 〖語〗英语语法 Yīngyǔ yǔfǎ

영물(靈物) 명 灵物 língwù ¶모두들 그 집 고양이가 ~이라고 한다 大家都说那家的猫是灵物

영민-하다(英敏—·潁敏—) 형 聪敏 cōngmǐn ¶영민한 아이 聪敏孩子 **영민-히** 부

영:별(永別) 명하자타 永别 yǒngbié

영-부인(令夫人) 명 尊夫人 zūnfūrén ¶대통령 ~ 第一夫人

영빈(迎賓) 명하자 迎宾 yíngbīn ¶~관 迎宾馆

영사(映寫) 명하타 放映 fàngyìng; 上映 shàngyìng ¶~기 放映机 / ~ 렌즈 放映镜头 / ~실 放映室

영사(領事) 명 〖政〗领事 lǐngshì ¶~업무 领事业务 / ~관 领事馆

영사-막(映寫幕) 명 〖演〗银幕 yínmù = 은막1

영상(映像) 명 **1** 〖物〗映像 yìngxiàng ¶거울에 비친 ~ 镜子里的映像 **2** (脑里的) 印象 yìnxiàng ¶그때의 ~이 지금껏 내 머릿속에 남아 있다 那时的印象至今还在我的脑海里 **3** 影像 yǐngxiàng; 映像 yìngxiàng; 图象 túxiàng ¶~ 매체 影像媒体 / ~ 파일 映像文件

영상(零上) 명 (温度) 零上 língshàng ¶~ 30도 零上三十度

영:생(永生) 명하자 永生 yǒngshēng ¶~불멸 永生不灭 / ~을 얻다 得到永生

영:세(永世) 명하형 永世 yǒngshì; 永久 yǒngjiǔ ¶~ 중립국 永久中立国

영세(零細) 명하형 窘困 jiǒngkùn; 小 xiǎo; 小型 xiǎoxíng ¶~ 기업 小企业 / ~업자 小业主 / ~한 생활 窘困的生活

영세(領洗) 명하자 〖宗〗领洗 lǐngxǐ

영세-민(零細民) 명 贫民 pínmín

영:속(永續) 명하자타 永续 yǒngxù; 永存 yǒngcún; 永久 yǒngjiǔ ¶~성 永续性

영:속-적(永續的) 관명 永久(的) yǒngjiǔ(de); 永存(的) yǒngcún(de) ¶~인 사랑 永久的爱情

영수(領收·領受) 명하타 领受 lǐngshòu; 收款 shōukuǎn; 收到 shōudào

영수(領袖) 명 领袖 lǐngxiù; 首领 shǒulǐng ¶~ 회담 领袖会谈

영수-증(領收證) 명 发票 fāpiào; 收据 shōujù; 收条(儿) shōutiáo(r); 凭单 píngdān; 存执 cúnzhí; 回单(儿) huídān(r); 回条(儿) huítiáo(r); 回执 huízhí ¶~을 끊다 打收据 / ~을 써 주다 开收条

영시(零時) 명 零时 língshí; 零点 língdiǎn

영아(嬰兒) 명 = 젖먹이

영악-스럽다(靈惡—) 형 伶俐 línglì; 机灵 jīling ¶이 아이는 참 ~ 这个孩子好伶俐 **영악스레** 부

영악-하다(靈惡—) 형 伶俐 línglì; 机灵 jīling ¶그는 아주 영악한 사람이다 他是个性格机灵的人

영안-실(靈安室) 명 太平间 tàipíngjiān; 停尸所 tíngshīsuǒ; 停尸间 tíngshījiān; 陈尸所 chénshīsuǒ = 안치실

영약(靈藥) 명 灵药 língyào; 灵丹妙药 língdānmiàoyào; 灵丹圣药 língdānshèngyào; 灵丹 língdān

영양(羚羊) 명 〖動〗羚羊 língyáng; 羚 líng

영양(營養) 명 〖生〗营养 yíngyǎng; 滋养 zīyǎng ¶~ 불균형 营养不均 / ~상태 营养状态 / ~실조 营养失调 / ~학 营养学 / ~식 营养餐 / ~ 부족 营养不足 / ~ 성분 营养成分 / ~이 풍부한 식품 营养丰富的食品 / ~을 보충하다 补充营养 / ~을 섭취하다 摄取营养

영양-가(營養價) 명 〖生〗营养价值 yíngyǎng jiàzhí ¶~가 아주 높은 과일 营养价值很高的水果

영양-분(營養分) 명 = 양분(養分)

영양-사(營養士) 명 营养师 yíngyǎngshī

영양-소(營養素) 명 〖生〗营养素 yíngyǎngsù ¶칠 대 ~ 七大营养素 / 필수 ~ 必需营养素 / ~를 파괴하다 破坏营养素

영양-제(營養劑) 명 〖藥〗营养药 yíngyǎngyào; 营养剂 yíngyǎngjì

영어(英語) 명 〖語〗英语 Yīngyǔ; 英文 Yīngwén ¶~ 교육 英语教育 / 비즈니스 ~ 商务英语 / 그는 ~를 할 줄 모른다 他不会说英语 / ~를 공부하다 学习英语

영업(營業) 명하자 〖經〗营业 yíngyè; 经营 jīngyíng ¶~비 营业费用 / ~ 사원 营业职员 / ~부 营业部 / ~ 정지 停止营业 / ~ 실적 营业业绩 / ~용 자동차 营业用汽车 / ~ 시간 营业时间 / ~ 관리 营业管理 / ~ 전략 营业战略

영업-소(營業所) 명 = 영업장소

영업-장(營業場) 명 = 영업장소

영업-장소(營業場所) 명 营业所 yíngyèsuǒ; 办事处 bànshìchù; 营业场所 yíngyè chǎngsuǒ = 영업소 · 영업장

영역(領域) 명 领域 lǐngyù ¶신의 ~ 神之领域 / ~을 넓히다 扩大领域

영:영(永永) 부 永远 yǒngyuǎn = 영(永) ¶그는 이곳을 ~ 떠났다 他永远离开这里了

영예(榮譽) 명 荣誉 róngyù; 光荣 guāngróng ¶우승의 ~를 누리다 享受冠军荣誉 / ~를 차지하다 获得荣誉

영예-롭다(榮譽—) 형 荣誉 róngyù; 光荣 guāngróng ¶그는 영예로운 죽음을 선택했다 他选择了荣誉的死亡 **영예로이** 부

영욕(榮辱) 명 荣辱 róngrǔ ¶~의 세월 荣辱岁月

영웅(英雄) 명 英雄 yīngxióng ¶민족 ~ 民族英雄 / ~심 英雄心 / ~ 신화 英雄神话 / ~호걸 英雄豪杰

영:원(永遠) 명하형히부 永远 yǒngyuǎn; 永恒 yǒnghéng; 永久 yǒngjiǔ; 永世 yǒngshì; 永 yǒng ¶~불변 永恒不变 / ~무궁 永永无穷 / ~한 친구 永远的朋友 / 우리의 우정은 ~히 변치 않을 것이다 我们的友谊永不变

영위(營爲) 명하타 维持 wéichí; 享受 xiǎngshòu; 创造 chuàngzào ¶삶을 ~하다 创造生活 / 문화생활을 ~하다 享受文化生活

영유(領有) 명하타 领有 lǐngyǒu ¶~권 领有权

영입(迎入) 명하타 迎入 yíngrù ¶신입 회원을 ~하다 迎入新成员

영자(英字) 명 英文字 yīngwénzì; 英文 yīngwén ¶~ 신문 英文报

영장(令狀) 명 1 命令书 mìnglìngshū; 通知书 tōngzhīshū; 令状 lìngzhuàng ¶입대 ~ 入伍通知书 2 〖法〗 拘票 jūpiào; 状 zhuàng; 证 zhèng ¶체포 ~ 逮捕状

영장(靈長) 명 灵长 língzhǎng ¶만물의 ~ 万物灵长

영재(英才) 명 英才 yīngcái ¶~ 교육 英才教育

영-적(靈的) 관명 1 神灵(的) shénlíng(de) ¶~ 존재 神灵的存在 / ~ 세계 神灵世界 2 心灵(的) xīnlíng(de) ¶~ 교감 心灵沟通 / ~인 체험 心灵的体验

영전(靈前) 명 灵前 língqián ¶밤낮으로 ~을 지키다 日夜守候灵前

영점(零點) 명 零分 língfēn; 鸭蛋 yādàn ¶~을 받다 得零分 =[吃鸭蛋] / ~을 주다 给零分

영접(迎接) 명하타 迎接 yíngjiē ¶외국에서 온 손님을 ~하다 迎接从外国来的客人

영:정(影幀) 명 真影 zhēnyǐng

영:주(永住) 명하자 永久居留 yǒngjiǔ jūliú ¶~권 永久居留权

영주(領主) 명 1 = 지주(地主) 2 〖史〗 领主 lǐngzhǔ; 封建主 fēngjiànzhǔ

영지(領地) 명 1 领地 lǐngdì 2 〖法〗 = 영토

영지(靈芝) 명 〖植〗 灵芝 língzhī = 영지버섯

영지-버섯(靈芝—) 명 〖植〗 = 영지(靈芝)

영:차 감 嗨哟 hāiyō; 哼唷 hēngyō 《众人合力时的喊声》

영:창(詠唱·咏唱) 명 〖音〗 = 아리아1

영창(營倉) 명 〖軍〗 (军队的) 禁闭室 jìnbìshì

영토(領土) 명 〖法〗 领土 lǐngtǔ = 영지(領地)2 ¶~ 분쟁 领土争端

영특-하다(英特—) 형 聪明 cōngming 出众 chūzhòng; 英明 yīngmíng ¶이 아이는 정말 ~ 这个孩子真聪明 **영특히** 부

영하(零下) 명 零下 língxià ¶~ 5도 零下五度 / 기온이 ~로 떨어지다 气温降到零下

영합(迎合) 명하자 迎合 yínghé ¶시대의 풍조에 ~하다 迎合时代潮流

영해(領海) 명 〖法〗 领海 lǐnghǎi ¶~권 领海权 / ~ 상공 领海上空

영:향(影響) 명 影响 yǐngxiǎng ¶부정적인 ~ 负面影响 / 태풍의 ~을 받다 受台风的影响

영:향-력(影響力) 명 影响力 yǐngxiǎnglì; 影响度 yǐngxiǎngdù ¶~ 있는 뉴스 有影响力的新闻 / ~을 행사하다 行使影响力

영혼(靈魂) 명 1 灵魂 línghún; 魂灵 húnlíng; 灵 líng; 亡灵 wánglíng; 幽魂 yōuhún = 영(靈)·혼령 2 心灵 xīnlíng; 灵魂 línghún ¶순수한 ~ 纯粹的灵魂

영화(映畫) 명 〖演〗 电影 diànyǐng; 影片 yǐngpiàn; 片子 piānzi; 片 piàn; 影 yǐng ¶~광 影迷 / ~ 평 影评 / ~ 제작 电影制作 / ~감독 电影导演 / ~배우 电影演员 / ~사 电影公司 / 최신 ~ 最新电影 / ~를 찍다 拍电影 / 나는 어제 ~ 한 편을 보았다 我昨天看了一篇电影

영화(榮華) 명 荣华 rónghuá ¶~를 누리다 享受荣华

영화-계(映畫界) 명 〖演〗 电影界 diànyǐngjiè; 影坛 yǐngtán

영화-관(映畫館) 명 电影院 diànyǐngyuàn; 影院 yǐngyuàn ¶~에 가서 영화를 보다 去电影院看电影

영화-롭다(榮華—) 형 荣华 rónghuá ¶영화로운 일생을 마치다 结束荣华的一生 **영화로이** 부

옅다 형 1 浅 qiǎn; 薄 báo ¶옅은 개울 浅沟 2 肤浅 fūqiǎn; 浅薄 qiǎnbó ¶그는 지리에 대한 지식이 매우 ~ 他的地理知识很浅薄 3 不高 bùgāo; 矮 ǎi ¶옅은 하늘 矮的天空

옆 명 旁边 pángbiān; 旁 páng; 边 biān; 侧 cè ¶방금 내 ~에 서 있던 사람 刚才站在我旁边的人

옆-구리 명 肋 lèi; 肋下 lèixià ¶신문

을 ~에 끼다 把报纸夹在肋下

옆-길 명 1 (大路旁的) 小路 xiǎolù 2 走题 zǒutí; 跑题 pǎotí; 离题 lítí

옆-면(—面) 명 侧 cè; 侧面 cèmiàn = 측면1 ¶거울로 ~을 관찰하다 用镜子观察侧面

옆-모습 명 侧貌 cèmào; 侧影 cèyǐng

옆-문(—門) 명 侧门 cèmén

옆-방(—房) 명 隔壁房间 gébì fángjiān; 侧房 cèfáng

옆-얼굴 명 侧脸 cèliǎn

옆-집 명 隔壁 gébì ¶~ 아주머니 隔壁的阿姨

옆-쪽 명 旁 páng; 旁边 pángbiān; 侧边 cèbiān

예:[1] 명 很久以前 hěn jiǔ yǐqián; 昔 xī; 过去 guòqù; 从前 cóngqián ¶~로부터 전해져 내려오는 비방 从很久以前流传下来的秘方

예:[2] 감 = 네[3] ¶~, 맞습니다 对, 你说得没错 / ~? 방금 뭐라고 하셨습니까? 什么? 请刚才说什么?

예:(例) 명 例 lì; 例子 lìzi; 事例 shìlì; 比如 bǐrú; 譬如 pìrú; 比方 bǐfang; 打比 dǎbǐ ¶간단한 ~ 简单的例子 / ~를 들어 설명해 주세요 请举个例子说明

예(禮) 명 1 道理 dàolǐ 2 = 예식1 3 = 예법1

예:각(銳角) 명 〖數〗 锐角 ruìjiǎo ¶~ 삼각형 锐角三边形

예:감(豫感) 명하타 预感 yùgǎn ¶불길한 ~ 不祥的预感 / ~이 적중하다 预感应验 / 자신의 운명을 ~하다 预感到自己的命运

예:견(豫見) 명하타 预见 yùjiàn; 预料 yùliào ¶~할 수 있는 결말 可预见的结局 / 미래를 ~하다 预见未来

예:고(豫告) 명하타 预告 yùgào; 预示 yùshì ¶~편 预告片 / 텔레비전 프로그램 ~ 电视节目预告 / 먹구름은 큰 비를 ~한다 乌云预示着大雨将临

예:금(預金) 명하타 〖經〗 存款 cúnkuǎn; 存 cún; 存钱 cúnqián; 储蓄 chǔxù; 储金 chǔjīn ¶~ 잔고 存款余额 / ~ 업무 储蓄业务 / ~ 이율 存款利率 / ~ 계좌 存款账户 / ~ 담보 存款担保 / ~ 이자 存款利息 / ~ 통장 存折 / ~을 찾다 提存款 =[提款][提取存款]

예:금-자(預金者) 명 储户 chǔhù; 存户 cúnhù; 存款人 cúnkuǎnrén

예:기(銳氣) 명 锐气 ruìqì ¶눈에 ~가 가득하다 眼睛充满锐气

예:기(豫期) 명하타 预期 yùqī; 预料 yùliào; 预想 yùxiǎng ¶~치 못한 결과 预料不到的结果

예:끼 감 哼 hēng; 呸 pēi 《责备人时的声音》 ¶~, 거짓말하지 마라! 呸, 你别撒谎!

예:년(例年) 명 常年 chángnián; 历年 lìnián; 往年 wǎngnián; 例年 lìnián ¶올해 수확량은 ~보다 두 배 증가했다 今年的收获量比往年增加了两倍

예:능(藝能) 명 艺能 yìnéng; 艺 yì ¶~계 艺能界 / ~인 艺人

예-니레 명 六七天 liùqītiān ¶그는 ~ 후에 귀국한다 他要六七天后回国

예-닐곱 수관 六七 liùqī ¶사과 ~ 개를 사다 买六七个苹果

예:단(豫斷) 명하타 预断 yùduàn ¶섣부른 ~ 轻率的预断

예단(禮單) 명 礼单 lǐdān; 礼帖 lǐtiě

예:리-하다(銳利—) 형 锐利 ruìlì; 尖 jiān; 尖锐 jiānruì; 犀利 xīlì ¶예리한 칼끝 锐利的刀锋 / 그는 문제를 예리하게 지적했다 他尖锐地指出问题

예:매(豫買) 명하타 预购 yùgòu ¶기차표를 ~하다 预购火车票

예:매(豫賣) 명하타 预售 yùshòu ¶~ 창구 预售窗口 / ~권 预售票 / ~처 预售处 / ~가 시작되다 开始预售 / ~를 실시하다 实施预售

예:명(藝名) 명 艺名 yìmíng

예:문(例文) 명 例句 lìjù ¶사전 속의 ~ 词典里的例句

예물(禮物) 명 信物 xìnwù ¶결혼 ~ 结婚信物 / 결혼식에서 ~을 교환하다 婚礼上交换信物

예:민-하다(銳敏—) 형 敏锐 mǐnruì; 锐敏 ruìmǐn ¶예민한 감각 敏锐的感觉 / 청각이 ~ 听觉锐敏

예:방(豫防) 명하타 预防 yùfáng; 防治 fángzhì ¶~ 접종 预防接种 / ~ 주사 预防注射 =[预防针] / ~법 豫防法 / 질병을 ~하다 预防疾病 / 범죄를 ~하다 预防犯罪

예배(禮拜) 명하타 〖宗〗 礼拜 lǐbài ¶주일 ~ 主日礼拜 / ~를 보다 做礼拜

예배-당(禮拜堂) 명 〖宗〗 '교회(教會)' 的旧称

예법(禮法) 명 1 礼法 lǐfǎ = 예(禮)3 ¶전통 ~ 传统礼法 / ~을 지키다 守礼法 2 = 예절 ¶동양인의 ~ 东方人的礼节

예:보(豫報) 명하타 预报 yùbào ¶황사 ~ 沙尘预报 / 일기 ~ 天气预报

예복(禮服) 명 礼服 lǐfú ¶결혼 ~ 结婚礼服 / 신랑 ~ 新郎礼服

예불(禮佛) 명하자 〖佛〗 礼佛 lǐfó

예:비(豫備) 명하타 1 预备 yùbèi; 备用 bèiyòng; 后备 hòubèi; 储备 chǔbèi ¶~ 전원 后备电源 / ~ 자금 备用资金 / ~ 식량 备用粮食 / ~지식 预备知识

예:비-군(豫備軍) 명 〖軍〗 预备军 yùbèijūn; 后备军 hòubèijūn

예:비-역(豫備役) 명 『軍』 豫备役 yùbèiyì; 后备役 hòubèiyì

예:쁘다 형 漂亮 piàoliang; 好看 hǎokàn; 美 měi; 清秀 qīngxiù; 标致 biāozhì; 美丽 měilì; 俏丽 qiàolì = 이쁘다 ¶내 여동생은 아주 예쁘게 생겼다 我的妹妹长得很漂亮

예:쁘장-하다 형 漂亮 piàoliang; 好看 hǎokàn; 美 měi; 清秀 qīngxiù; 标致 biāozhì; 美丽 měilì; 俏丽 qiàolì ¶예쁘장한 아가씨 美丽的姑娘

예:사(例事) 명 一般 yībān; 平常事 píngchángshì; 常事 chángshì; 习以为常 xíyǐwéicháng = 상사(常事) ¶함부로 쓰레기를 버리는 것이 ~이다 习以为常地随便抛弃垃圾

예:사-로(例事—) 부 平常 píngcháng; 普通 pǔtōng; 一般 yībān ¶그는 약속에 늦는 것을 ~ 생각한다 他认为约会迟到是一般的事

예:사-롭다(例事—) 형 平常 píngcháng; 普通 pǔtōng; 一般 yībān; 习以为常 xíyǐwéicháng ¶그의 행동이 예사롭지 않다 他的行动不一般 / 이제 이런 일은 이미 예사로운 일이 되었다 现在这种事情已经成了一般的事 **예:사로이** 부

예:산(豫算) 명하타 『經』 预算 yùsuàn ¶정부 ~ 政府预算 / ~ 관리 预算管理 / ~안 预算案 / ~을 정하다 制定预算 / ~을 초과하다 超过预算 / ~을 짜다 编制预算

예:삿-일(例事—) 명 平常事 píngchángshì; 常事 chángshì; 例行之事 lìxíngzhīshì

예:상(豫想) 명하자타 预料 yùliào; 预测 yùcè; 预计 yùjì; 料想 liàoxiǎng; 预想 yùxiǎng; 意料 yìliào ¶~ 문제 预测试题 / 사람들의 ~을 뛰어넘다 超出人们的预料 / 결과를 ~하다 预料到结果 / ~을 완전히 빗나가다 完全出乎意料

예:상-외(豫想外) 명 出乎预料 chūhūyùliào; 出乎意料 chūhūyìliào; 意外 yìwài ¶~의 경기 결과 出乎预料的比赛结果

예:선(豫選) 명하자 预选 yùxuǎn; 预赛 yùsài ¶~ 탈락하다 在预赛中被淘汰

예:선 경:기(豫選競技) 『體』 预赛 yùsài; 预选赛 yùxuǎnsài = 예선전

예:선-전(豫選戰) 명 『體』 = 예선 경기

예:속(隷屬) 명하자 隶属 lìshǔ; 奴役 núyì; 附属 fùshǔ; 附庸 fùyōng ¶~ 관계 隶属关系

예수(←Jesus) 명 『宗』 耶稣 Yēsū ¶~ 그리스도 耶稣基督 / ~회 耶稣会

예수-교(←Jesus教) 명 『宗』 = 기독교

예순 수관 六十 liùshí ¶우리 할머니는 올해 ~이시다 我奶奶今年六十岁了

예:술(藝術) 명 艺术 yìshù ¶~계 艺术界 / ~ 교육 艺术教育 / ~성 艺术性 / ~품 艺术品 / ~ 작품 艺术作品 / ~ 대학 艺术学院 / ~ 영화 艺术片 / 인생은 짧고 ~은 길다 人生短暂, 艺术久长

예:술-가(藝術家) 명 艺术家 yìshùjiā = 아티스트 · 예술인

예:술-인(藝術人) 명 = 예술가

예:술-적(藝術的) 관명 艺术性(的) yìshùxìng(de) ¶~인 작품 有艺术性的作品

예:-스럽다 형 古式 gǔshì; 古老 gǔlǎo; 古色古香 gǔsègǔxiāng ¶예스러운 괘종시계 古式的挂钟 / 예스러운 도시 古老的城市 **예:스레** 부

예:습(豫習) 명하타 预习 yùxí; 预备功课 yùbèi gōngkè ¶수업하기 전에 ~하다 课前预习

예:시(例示) 명하타 举例 jǔlì; 示例 shìlì ¶~ 자료 示例资料

예식(禮式) 명 **1** 仪式 yíshì; 典礼 diǎnlǐ = 예(禮)2 ¶~을 거행하다 举行仪式 **2** = 결혼식 ¶~을 올리다 举行婚礼

예식-장(禮式場) 명 结婚礼堂 jiéhūn lǐtáng; 婚姻礼堂 hūnyīn lǐtáng; 婚礼厅 hūnlǐtīng

예:심(豫審) 명 『法』 预审 yùshěn ¶~을 신청하다 提出预审申请

예:약(豫約) 명하타 预约 yùyuē; 订定 dìng; 预订 yùdìng ¶수술 ~ 手术预约 / 호텔 ~ 酒店预约 / ~금 预订金 =[预约金] / ~자 预约者 / ~ 전화 预订电话 / ~증 预订证 / ~ 번호 预约挂号 / ~ 판매 预约销售 / 비행기표를 ~하다 预订机票 / ~을 취소하다 取消预约

예:언(豫言) 명하자타 预言 yùyán ¶~가 预言家 / ~서 预言书 / ~자 预言者 / ~이 적중하다 预言应验 / 미래를 ~하다 预言未来

예:열(豫熱) 명하타 『工』 预热 yùrè ¶~기 预热器

예:외(例外) 명 例外 lìwài ¶~ 규정 例外规定 / ~가 없다 没有例外 / 너는 ~다 你是一个例外

예:외-적(例外的) 관명 例外(的) lìwài(de) ¶~인 상황 例外的情况

예우(禮遇) 명하자타 礼遇 lǐyù

예의(禮儀) 명 礼貌 lǐmào; 礼仪 lǐyí ¶그는 ~가 없다 他没有礼貌 / ~에 어긋나다 不礼貌 / ~가 바르다 懂礼貌

예의-범절(禮儀凡節) 명 礼节 lǐjié
예인(曳引) 명하타 曳引 yèyǐn ¶~선 曳引船
예:전 명 以前 yǐqián; 过去 guòqù; 从前 cóngqián ¶~에 사귀었던 여자 친구 以前交往过的女朋友 / 몸이 ~만 못하다 身体不如以前
예절(禮節) 명 礼节 lǐjié; 礼貌 lǐmào; 礼 lǐ = 예법2 ¶~을 지키다 遵守礼节 / ~을 중시하다 讲究礼貌
예:정(豫定) 명하자타 预定 yùdìng; 预计 yùjì; 预 yù ¶도착 ~ 시간 预定到达时间 / 출산 ~일 预产期
예:제(例題) 명 例题 lìtí ¶~ 풀이 例题讲解
예:지(豫知) 명하타 预知 yùzhī ¶~몽 预知梦 / ~ 능력 预知能力 / 미래를 ~하다 预知未来
예찬(禮讚) 명하자타 礼赞 lǐzàn; 赞美 zànměi; 歌颂 gēsòng ¶청춘 ~ 青春礼赞
예:측(豫測) 명하자타 预测 yùcè; 预料 yùliào; 估计 gūjì; 逆料 nìliào; 估摸 gūmo; 估量 gūliang; 预想 yùxiǎng; 预计 yùjì ¶결과를 ~하기 어렵다 后果难以逆料
예:치(預置) 명하타 寄存 jìcún; 存入 cúnrù; 存放 cúnfàng ¶은행에 돈을 ~하다 把钱存入银行
예:컨-대(例—) 부 比如 bǐrú; 比如说 bǐrú shuō; 比方 bǐfang; 譬如 pìrú
예:행(豫行) 명하타 预行 yùxíng
예:행-연습(豫行演習) 명 预演 yùyǎn
예:후(豫後) 명 预后 yùhòu ¶~가 좋지 않다 预后不良
옐로-카드(yellow card) 명 〖體〗 黄牌 huángpái; 黄牌警告 huángpái jǐnggào ¶그는 주심에게 ~를 받았다 他被主裁判出示黄牌警告
옛: 관 旧 jiù; 故 gù; 老 lǎo; 古 gǔ; 往 wǎng; 旧日 jiùrì; 往日 wǎngrì ¶~ 친구 老朋友 / ~ 기억 旧日的回忆 / ~ 모습 老样子
옛:-것 명 老的 lǎode; 旧的 jiùde
옛:-날 명 1 很久以前 hěn jiǔ yǐqián; 古来 gǔlái; 古 gǔ; 古代 gǔdài; 古时 gǔshí; 古时候 gǔshíhou ¶아주 먼 ~ 很久很久以前 2 过去 guòqù; 往日 wǎngrì; 往时 wǎngshí; 从前 cóngqián; 往昔 wǎngxī; 昔日 xīrì; 昔时 xīshí ¶몸이 ~ 같지 않다 身体不如从前
 옛날 옛적에 구 古时候; 很久以前
옛:날-이야기 명 故事 gùshi
옛:-말 명 1 古语 gǔyǔ = 고어 ¶~을 공부하다 学习古语 2 古话 gǔhuà; 古语 gǔyǔ ¶~을 인용하다 引用古话 3 旧事 jiùshì; 往事 wǎngshì
옛:-사람 명 古人 gǔrén
옛:-사랑 명 1 旧情 jiùqíng 2 旧情人 jiùqíngrén
옛-스럽다 형 '예스럽다' 的错误
옛:-일 명 往事 wǎngshì; 旧事 jiùshì ¶더 이상 ~에 대해 언급하지 마라 别再提旧事
옛:-적 명 过去 guòqù; 往日 wǎngrì; 往时 wǎngshí; 从前 cóngqián; 往昔 wǎngxī; 昔日 xīrì; 昔时 xīshí
옛:-정(—情) 명 旧情 jiùqíng ¶~을 잊지 못하다 旧情难忘
옛:-집 명 1 老房子 lǎofángzi; 旧房子 jiùfángzi 2 故居 gùjū; 旧居 jiùjū
옛:-터 명 旧址 jiùzhǐ; 遗址 yízhǐ
옜다 감 给 gěi
오: 감 哦 ō; 啊 ā ¶~, 네 말이 맞다 哦, 你说的没错
오:(五) 수관 五 wǔ ¶~ 일 五天 / ~ 년 五年 / ~ 미터 五米
오-가다 자타 来往 láiwǎng ¶도시와 농촌 사이를 ~ 来往城乡间 / 빈번하게 ~ 频繁地来往
오:가-피(五加皮) 명 〖韓醫〗 = 오갈피
오:각(五角) 명 五角 wǔjiǎo ¶~기둥 五角柱 / ~뿔 五角锥 / ~형 五角形
오:갈피 명 〖韓醫〗 五加皮 wǔjiāpí = 오가피
오:갈피-나무 명 〖植〗 五加 wǔjiā
오:감(五感) 명 〖生〗 五感 wǔgǎn
오:곡(五穀) 명 五谷 wǔgǔ ¶~밥 五谷饭 / ~백과 五谷百果
오골-계(烏骨鷄) 명 〖鳥〗 乌骨鸡 wūgǔjī
오:관(五官) 명 〖生〗 五官 wǔguān
오그라-들다 자 蜷缩 quánsuō; 抽 chōu; 缩进法 suōjìnqù; 抽抽儿 chōuchour; 萎缩 wěisuō; 瘪 biě; 凹陷 āoxiàn ¶사지가 ~ 四肢蜷缩 / 냄비 뚜껑이 ~ 锅盖瘪进去了
오그리다 타 1 弄瘪 nòng biě ¶공을 ~ 把气球弄瘪 2 弄弯 nòng wān
오금 명 腘窝 guówō; 腿窝 tuǐwō
 오금이 저리다 구 提心吊胆
오:기(傲氣) 명 傲气 àoqì; 志气 zhìqì ¶~가 나다 长志气 / ~를 부리다 要傲气
오:기(誤記) 명하타 笔误 bǐwù; 写错 xiěcuò ¶책에서 ~를 발견하다 发现书中的笔误
오나-가나 부 总是 zǒngshì; 老是 lǎoshì
오:냐 감 1 嗯 ǹg ¶~, 알았다 嗯, 我知道了 2 好 hǎo; 好的 hǎode
오:냐오냐-하다 자타 娇养 jiāoyǎng; 娇宠 jiāochǒng; 娇惯 jiāoguàn ¶아이를 ~ 娇养宝宝
오-누이 명 兄妹 xiōngmèi; 姐弟 jiědì

오:뉴-월(←五六月) 명 五六月 wǔliùyuè
오뉴월 감기는 개도 아니 걸린다[앓는다] 속담 夏天连狗都不感冒
오늘 一명 1 今天 jīntiān; 今日 jīnrì = 금일1 ¶ ~의 뉴스 今日的新闻 / ~ 밤 今天晚上 =[今晚] / ~이 무슨 요일입니까? 今天星期几? 2 = 오늘날 二부 今天 jīntiān; 今日 jīnrì ¶그는 ~ 출근하지 않았다 他今天没有上班了
오늘-날 명 当今 dāngjīn; 今天 jīntiān; 今日 jīnrì; 如今 rújīn = 오늘一2 ¶ ~의 한국 사회 当今韩国社会
오다 一자 1 来 lái; 到 dào; 到来 dàolái ¶나는 여기 처음 왔다 我首次来这里 / 그들은 아직 오지 않았다 他们还没来了 / 그들은 내일 올 것이다 他们明天将会到来 2 (雨、雪、霜等) 下 xià ¶눈이 ~ 下雪 / 어제 많은 비가 왔다 昨天下了一场大雨 3 (睡觉、疼痛等) 袭来 xílái ¶잠이 ~ 睡意袭来 4 (季节、时期、世道等) 到来 dàolái ¶봄이 왔다 春天到来了 5 由于 yóuyú; 由来 yóulái ¶당뇨병은 주로 영양 과잉에서 온다 糖尿病常常是由于营养过剩 6 (某事、某种局面) 面临 miànlín; 来临 láilín ¶죽을 지경까지 ~ 面临死亡 / 큰 위기가 ~ 面临很大的危机 7 (电) 过 guò; 有 yǒu; 流 liú ¶몸에 전기가 ~ 身体过电 8 到 dào; 到达 dàodá 《某种程度》 ¶물이 무릎까지 ~ 水到膝盖 9 (电话、电报、消息) 打来 dǎlái; 传来 chuánlái ¶내가 막 문을 나섰을 때 전화 한 통이 왔다 我刚出门就有一个电话打来了 10 (某种情况或某个时期) 到 dào ¶이제 와서 싫다고 해도 방법이 없다 到现在说不要也没办法 / 드디어 그의 차례가 ~ 终于轮到他 二보동 表示动作或状态持续下来 ¶그녀는 이곳에서 벌써 20년이나 일해 왔다 她在这里已经工作了二十年 / 하늘이 점점 밝아 ~ 天渐渐亮起来
오도 가도 못하다 구 左右为难
오라 가라 하다 구 麻烦别人
올 것이 오다 구 该发生的终于发生了
왔다 갔다 하다 구 (精神) 时而清醒时而糊涂
오다-가다 부 来回路上 láihuí lùshang ¶ ~ 만나다 来回路上遇见
오:답(誤答) 명하자 错答 cuòdá
오:-대양(五大洋) 명 『地理』 五大洋 wǔdàyáng
오:-대주(五大洲) 명 『地理』 五大洲 wǔdàzhōu
오더(order) 명 订货 dìnghuò
오뎅(일oden[御田]) 명 '어묵' 的错误
오도독 부하자타 1 咯吱 gēzhī; 咯吱咯吱 gēzhīgēzhī 《咬硬物声》 ¶얼음을 ~ 깨물어 먹다 咯吱咯吱地嚼冰块吃 2 嘎巴 gābā; 嘎巴嘎巴 gābāgābā 《小东西折断声》
오도독-거리다 자타 1 咯吱咯吱响 gēzhīgēzhī xiǎng 2 嘎巴嘎巴响 gābāgābā xiǎng ‖ = 오도독대다 **오도독-오도독** 부하자타 ¶아이가 ~ 사탕을 깨물어 먹는다 孩子咯吱咯吱地嚼糖吃
오도독-뼈 명 (牛或猪的) 软骨 ruǎngǔ
오동-나무(梧桐—) 명 『植』 梧桐 wútóng; 梧桐树 wútóngshù; 青桐树 qīngtóngshù
오동통 부하형 矮胖 ǎipàng; 胖乎乎 pànghūhū ¶체형이 ~한 사람 体型矮胖的人 / ~한 얼굴 胖乎乎的脸
오두-막(—幕) 명 窝棚 wōpeng; 窝铺 wōpù
오두막-집(—幕—) 명 窝棚 wōpeng; 窝铺 wōpù
오:두-방정 명 轻狂 qīngkuáng; 轻佻 qīngtiāo
오들-거리다 자타 (因冷或怕而) 索索发抖 suǒsuǒ fādǒu; 哆哆嗦嗦 duōduosuōsuō ¶그는 추워서 온몸을 오들거렸다 他浑身寒冷开始哆哆嗦嗦了
오들-오들 부하자타
오디 명 桑葚 sāngshèn; 桑葚子 sāngshènzi; 桑葚儿 sāngrènr
오디션(audition) 명 (对志愿艺人等的) 面试 miànshì; 试唱 shìchàng; 试演 shìyǎn ¶ ~을 보다 参加试唱
오디오(audio) 명 1 (收音机、电视等的) 音频 yīnpín; 声音 shēngyīn; 音响 yīnxiǎng 2 音响 yīnxiǎng; 音响装置 yīnxiǎng zhuāngzhì ¶ ~ 세트 音响组合
오뚝 부하형 凸起 tūqǐ; 鼓起 gǔqǐ; 隆起 lóngqǐ; 高高 gāogāo ¶코가 ~하다 鼻子高高
오뚝-이 명 不倒翁 bùdǎowēng; 扳不倒儿 bānbùdǎor
오:라기 명 1 (纸、布、线等) 碎条 suìtiáo 2 条 tiáo
오라버니 명 '오빠' 的敬词
오:락(娛樂) 명하자 娱乐 yúlè; 余兴 yúxìng; 游艺 yóuyì
오락-가락 부하자 1 反复来往 fǎnfù láiwǎng; 走来走去 zǒuláizǒuqù ¶문밖에서 ~하다 在门外走来走去 2 (雨或雪) 下下停停 xiàxiàtíngtíng 3 时而清醒时而糊涂 shí'ér qīngxǐng shí'ér hútu
오:락-실(娛樂室) 명 游戏厅 yóuxìtīng; 游戏室 yóuxìshì
오랑우탄(orangutan) 명 『動』 猩猩 xīngxing = 성성이
오랑캐 명 1 夷狄 yídí 2 '이민족' 的鄙称

오래 부 久 jiǔ; 很久 hěn jiǔ; 老 lǎo; 好久 hǎojiǔ; 很长 hěn cháng ¶시간이 ~ 걸리다 需要很长时间 / ~ 기다리셨습니다 让你久等了

오래-가다 자 持久 chíjiǔ; 长久 chángjiǔ ¶그는 장거리 연애는 오래가지 못한다고 생각한다 他认为远距离的恋爱不会持久

오래간-만 명 好久 hǎojiǔ; 难得 nándé ¶~에 오다 难得来到 / ~에 비가 오는구나! 好久才下雨啊!

오래다 형 久 jiǔ; 很久 hěn jiǔ; 好久 hǎojiǔ ¶우리는 헤어진 지 벌써 ~ 我们分手已经很久了

오래-달리기 명 〖體〗长跑 chángpǎo

오래-도록 부 好久 hǎojiǔ; 长久 chángjiǔ; 久久 jiǔjiǔ ¶그를 ~ 기억하다 把他久久记在脑里

오래-되다 형 久远 jiǔyuǎn; 久 jiǔ; 许久 xǔjiǔ ¶오래된 생각 久远的思念 / 오래된 기억 久远的记忆 / 연대가 좀 오래되었다 年代有些久远了

오래-오래 부 好久 hǎojiǔ; 久久 jiǔjiǔ; 许久 xǔjiǔ ¶~ 기다렸지만 나는 결국 그를 만나지 못했다 等了好久, 我还是没看到他

오래-전(一前) 명 很久以前 hěn jiǔ yǐqián; 早 zǎo; 早就 zǎojiù ¶그 일은 이미 ~에 잊어버렸다 那件事我早就忘掉了

오랜 관 老 lǎo; 久 jiǔ; 久远 jiǔyuǎn ¶~ 병 久病 / ~ 세월 久远的岁月

오랜-만 명 '오래간만'的略词 ¶~에 뵙습니다 好久不见了

오랫-동안 명 久久 jiǔjiǔ; 好久 hǎojiǔ; 许久 xǔjiǔ; 老 lǎo; 长久 chángjiǔ ¶~ 연락을 못했다 好久没联系了 / 나는 ~ 일기를 쓰지 않았다 我好久没有写日记了

오렌지(orange) 명 橙子 chéngzi; 橙 chéng ¶~색 橙色 / ~ 주스 橙汁 / 신선한 ~ 鲜橙子

오로라(aurora) 명 〖地理〗极光 jíguāng

오:로지 부하타 只 zhǐ; 光 guāng; 专 zhuān; 专门 zhuānmén; 只是 zhǐshì; 只有 zhǐyǒu ¶그는 ~ 자기 가족만 신경 쓴다 他只顾自己的家人 / 내 눈에는 ~ 너밖에 없다 我的眼里只有你 / 그는 밥도 먹지 않고 ~ 책만 읽는다 他连饭都不吃, 只是看书

오:류(誤謬) 명 **1** 错误 cuòwù; 差错 chācuò; 谬误 miùwù ¶~가 발생하다 发生错误 / ~를 범하다 犯错误 **2** 〖컴〗误差 wùchā; 错误 cuòwù = 에러3 ¶응용 프로그램 ~ 应用程序错误

오:륙(五六) 관 五六 wǔliù ¶~ 년 五六年 / ~ 회 五六次

오:륜-기(五輪旗) 명 〖體〗五环旗 wǔhuánqí = 올림픽기

오르가슴(프orgasme) 명 性高潮 xìnggāocháo; 性乐 xìnglè

오르간(organ) 명 〖音〗风琴 fēngqín

오르골(←네orgel) 명 〖音〗八音盒 bāyīnhé

오르-내리다 자타 **1** 上下 shàngxià; 起落 qǐluò; 升降 shēngjiàng; 上上下下 shàngshàngxiàxià ¶계단을 ~ 上上下下楼梯 **2** 成为话柄 chéngwéi huàbǐng ¶사람들 입에 ~ 成为话柄

오르다 一타 上 shàng; 登 dēng; 爬 pá; 攀登 pāndēng ¶3층에 ~ 上三楼 / 그는 산에 오르는 것을 좋아한다 他喜欢爬山 二자 **1** (地位、级别等) 提高 tígāo ¶과장에서 부장으로 ~ 由科长升为部长 **2** (乘坐的东西上) 骑乘 qíchéng; 上 shàng; 坐上 zuòshàng ¶빨리 차에 오르세요 请快上车 **3** 相当于 xiāngdāngyú; 等于 děngyú; 达到 dádào ¶국제 수준에 ~ 相当于国际水平 **4** 走上 zǒushang ¶주가가 하락길에 ~ 股价走上下降通道 / 레드 카펫에 ~ 走上红地毯 **5** (到岸) 上 shàng; 登 dēng ¶바다거북이 뭍에 올라 알을 낳다 海龟上岸产卵 **6** (肉) 长 zhǎng ¶얼굴에 살이 ~ 脸长肉 **7** 摆上 bǎishang ¶그는 상에 오른 음식을 바라보기만 할 뿐 감히 먹지 못했다 他只看着摆上桌的菜, 不敢动筷 **8** 被议论 bèi yìlùn; 成为话柄 chéngwéi huàbǐng ¶그와 관련된 소문은 금방 모두의 입에 올랐다 有关他的传闻马上就成为大家的话柄 **9** 记载 jìzǎi; 登载 dēngzǎi ¶유명한 잡지에 ~ 登载于有名的杂志 **10** (价格) 上升 shàngshēng; 上涨 shàngzhǎng ¶기름 값이 ~ 油价上升 / 환율이 ~ 汇率上升 / 물가가 ~ 物价上涨 **11** (温度) 上升 shàngshēng ¶온도가 계속해서 ~ 温度继续上升 **12** (成绩、效果) 提高 tígāo ¶수학 성적이 꽤 올랐다 数学成绩提高不少 **13** (醉意等) 有 yǒu ¶맥주 세 병을 마시고 나서야 취기가 올랐다 喝了三瓶啤酒以后才有了醉意

오르지 못할 나무는 쳐다보지도 마라 속담 不作无补之功; 不为无益之事

오르락-내리락 부하자타 上上下下 shàngshàngxiàxià; 上来下去 shàngláixiàqù; 涨落 zhǎngluò ¶종일 엘리베이터를 타고 ~하다 整天都坐在电梯上来下去的 / 유가가 ~하다 油价涨落

오르-막 명 上坡 shàngpō ¶~길 上坡路

오른 관 右 yòu; 右边 yòubian ¶~발 右脚 / ~뺨 右颊 / ~ 다리 右腿

오른-손 명 右手 yòushǒu ¶~을 들다

举起右手

오른손-잡이 명 右撇子 yòupiězi

오른-쪽 명 右 yòu; 右边 yòubian; 右面 yòumiàn; 右方 yòufāng; 右侧 yòucè = 오른편 · 우(右)1 · 우측 ¶~으로 가다 向右边走

오른-팔 명 1 右胳膊 yòugēbo; 右臂 yòubì = 우완 2 膀臂 bǎngbì; 得力助手 délì zhùshǒu ¶그는 내 영원한 ~이다 他是我永远的膀臂

오른-편(—便) 명 = 오른쪽

오름-세(—勢) 명 (股市、物价等) 涨势 zhǎngshì; 涨风 zhǎngfēng; 看涨 kànzhǎng ¶주가가 ~를 보이다 股价看涨

오:리 명 〖鳥〗 鸭子 yāzi; 鸭 yā ¶~털 鸭绒

오:리-걸음 명 鸭步 yābù ¶~을 걷다 走鸭步

오:리-너구리 명 〖動〗 鸭嘴兽 yāzuǐshòu

오리다 타 剪 jiǎn ¶색종이를 ~ 剪彩纸 / 신문에 난 기사를 오려 붙이다 把报纸上的消息剪下来贴上

오:리무중(五里霧中) 명 五里雾 wǔlǐwù; 五里雾中 wǔlǐwùzhōng ¶~에 빠지다 坠入五里雾中

오:리-발 명 1 = 물갈퀴2 2 不认账 bùrènzhàng ¶~을 내밀다 不认账

오리엔테이션(orientation) 명 新生培训 xīnshēng péixùn; 新职员培训 xīnzhíyuán péixùn

오리지널(original) 명 原 yuán; 原本 yuánběn; 最初 zuìchū; 原作 yuánzuò ¶~ 사운드 트랙 原声带 =[原声大碟]

오막(—幕) 명 '오두막' 的略词

오막-살이(—幕—) 명 1 窝棚 wōpeng; 茅屋 máowū; 茅草房 máocǎofáng; 小草房 xiǎocǎofáng 2 窝棚生活 wōpeng shēnghuó

오:만(五萬) 명 许许多多 xǔxuduōduō; 成千上万 chéngqiānshàngwàn; 千万 qiānwàn; 无数 wúshù; 各色各样 gèsègèyàng; 各种各样 gèzhǒnggèyàng ¶~ 가지 생각 许许多多的心思

오:만(傲慢) 명하형 傲慢 àomàn; 傲气 àoqì ¶~불손 傲慢不逊 / 그는 ~하고 예의도 없다 他既傲慢又无礼貌

오:만-상(五萬相) 명 愁眉苦脸 chóuméikǔliǎn

오매-불망(寤寐不忘) 명하타 梦寐难忘 mèngmèinánwàng; 念念不忘 niànniànbùwàng

오:명(汚名) 명 污名 wūmíng; 臭名 chòumíng ¶~을 벗다 洗刷污名 / 무능하다는 ~을 쓰다 背负无能的污名

오목 부하형 凹 āo; 凹陷 āoxiàn ¶~거울 凹面镜 =[凹镜] / ~ 렌즈 凹透镜 / 지면이 ~하다 地面凹陷

오목(五目) 명 〖體〗 五子棋 wǔzǐqí

오목-조목 부하형 1 凹凸不平 āotūbùpíng 2 小巧 xiǎoqiǎo

오목-판(—版) 명 〖印〗 凹版 āobǎn = 요판 ¶~ 인쇄 凹版印刷

오:묘-하다(奧妙—) 형 奥妙 àomiào ¶오묘한 이치 奥妙的原理 / 대자연의 오묘함 大自然的奥妙

오:물(汚物) 명 污物 wūwù; 垃圾 lājī ¶~통 污物桶 / ~을 처리하다 处理污物

오물-거리다 자타 1 (嘴) 慢慢地动 mànmànde dòng ¶아이가 입을 오물거리며 음식을 먹다 孩子慢慢地动嘴吃东西 2 嗫嚅 nièrú; 含糊 hánhu ¶입을 오물거리기만 하고 아무 말이 없다 嘴里嗫嚅无声 ‖ = 오물대다 **오물-오물** 부하자타

오므라-들다 자 1 萎缩 wěisuō ¶다음날 장미꽃이 오므라들었다 第二天玫瑰花就萎缩了 2 凹陷 āoxiàn; 凹进 āojìn; 瘪 biě ¶풍선이 오므라들었다 气球瘪了

오므라이스(←omelet+rice) 명 蛋卷米饭 dànjuǎn mǐfàn

오므리다 타 抿 mǐn; 缩 suō ¶입을 오므리고 한 번 웃다 抿嘴一笑

오믈렛(omelet) 명 煎蛋饼 jiāndànbǐng; 煎蛋卷 jiāndànjuǎn

오:미-자(五味子) 명 1 〖植〗 = 오미자나무 2 〖韓醫〗 五味子 wǔwèizǐ ¶~차 五味子茶

오:미자-나무(五味子—) 명 〖植〗 五味子树 wǔwèizǐshù; 五味子 wǔwèizǐ = 오미자1

오밀-조밀(奧密稠密) 부하형 精细 jīngxì; 精巧 jīngqiǎo; 玲珑 línglóng ¶외관이 ~하고 깜찍하다 外观很精巧别致

오바이트(←overeat) 명하자 呕吐 ǒutù

오:발(誤發) 명하타 走火 zǒuhuǒ ¶~사고 走火事故 / ~탄 走火子弹 / ~된 탄알 走火的子弹

오:-밤중(午—中) 명 = 한밤중 ¶그들은 ~에 출발했다 他们在午夜出发了

오버(over) 명 = 외투

오버액션(overaction) 명 〖演〗 表演过火 biǎoyǎn guòhuǒ

오버타임(overtime) 명 〖體〗 (排球) 四次击球 sìcì jīqiú

오:보(誤報) 명하자타 误报 wùbào; 误传 wùchuán; 错误报道 cuòwù bàodào ¶~를 방지하다 防止误报

오보에(이oboe) 명 〖音〗 双簧管 shuānghuángguǎn

오:복(五福) 명 五福 wǔfú
오붓-하다 형 **1** 和睦 hémù; 恬静 tiánjìng ¶오붓한 오후 티타임 恬静的下午茶时间 **2** 殷实 yīnshí; 小康 xiǎokāng ¶오붓한 살림살이 殷实的家什 **오붓-이** 부
오븐(oven) 명 烤炉 kǎolú; 烤箱 kǎoxiāng ¶~에 구운 빵 在烤箱里烤的面包
오비이락(烏飛梨落) 명 瓜李之嫌 guālǐzhīxián
오빠 명 哥哥 gēge; 哥 gē ¶옆집 ~ 隔壁哥哥
오:산(誤算) 명하타 **1** 算错 suàncuò; 误算 wùsuàn **2** 失算 shīsuàn; 误认为 wùrènwéi; 误以为 wùyǐwéi; 估计错误 gūjì cuòwù
오:색(五色) 명 **1** 五彩 wǔcài; 五色 wǔsè《青、黄、赤、白、黑》¶~기 五色旗 **2** 五彩 wǔcǎi; 五色 wǔsè; 五光十色 wǔguāngshísè; 五颜六色 wǔyánliùsè; 五光十彩 wǔguāng shícǎi ¶~등 五彩灯 / ~꽃이 만개해 있다 五光十色的鲜花盛开着
오:색찬란-하다(五色燦爛—) 형 五彩缤纷 wǔcǎibīnfēn
오:선(五線) 명 『音』 谱表 pǔbiǎo
오:선-지(五線紙) 명 『音』 五线谱纸 wǔxiànpǔzhǐ
오소리 명 『動』 獾 huān; 猪獾 zhūhuān
오손-도손 부하형 亲切 qīnqiè; 和睦 hémù; 多情和睦 duōqíng hémù; 心平气和 xīnpíngqìhé ¶친구들이 모여 ~ 이야기를 나누다 朋友们聚在一起亲切地交谈着
오솔-길 명 小道 xiǎodào; 小径 xiǎojìng; 羊肠小道 yángcháng xiǎodào
오:수(午睡) 명 = 낮잠
오:수(汚水) 명 = 구정물 ¶~ 처리장 污水处理厂 / ~를 배출하다 排出污水
오순-도순 부하형 亲切 qīnqiè; 和睦 hémù; 多情和睦 duōqíng hémù; 心平气和 xīnpíngqìhé ¶그들 부부는 ~ 잘 지낸다 他们夫妻俩和睦地相处
오:순-절(五旬節) 명 『宗』 五旬节 Wǔxúnjié
오스카-상(Oscar賞) 명 『演』 '아카데미상' 的别称
오:심(誤審) 명하자타 错判 cuòpàn ¶시합 중 ~은 피하기 어렵다 比赛中错判是难免的
오:십(五十) 수관 五十 wǔshí ¶~ 년 五十年 / ~ 미터 五十米 / ~ 세 五十岁
오:십-견(五十肩) 명 『醫』 肩周炎 jiānzhōuyán; 五十肩 wǔshíjiān
오:십보-백보(五十步百步) 명 五十步笑百步 wǔshíbù xiào bǎibù ¶그들 둘의 성적은 ~이다 他们两个人的成绩都是五十步笑百步
오싹 부하자 (因冷或害怕) 打寒噤 dǎ hánjìn; 打冷战 dǎ lěngzhan ¶그는 놀라서 온몸이 ~했다 他吓得全身直打寒噤
오싹-거리다 자타 (因寒冷或害怕而一直) 打冷战 dǎ lěngzhan; 打寒噤 dǎ hánjìn = 오싹대다 ¶그는 추위에 몸이 오싹거렸다 他冻得直打冷战 **오싹-오싹** 부하자
오아시스(oasis) 명 绿洲 lǜzhōu ¶사막에서 ~를 발견하다 在沙漠里发现绿洲
오:언(五言) 명 『文』 五言 wǔyán ¶~고시 五言古诗 =[五古] / ~시 五言诗 / ~ 율시 五言律诗 =[五律] / ~절구 五言绝句
오:역(誤譯) 명하타 误译 wùyì
오열(嗚咽) 명하자 呜咽 wūyè; 呜噎 wūyē ¶어머니는 나를 안고 ~하셨다 妈妈抱着我呜咽了
오:염(汚染) 명하자 污染 wūrǎn ¶~도 污染度 / ~물 污染物 / ~원 污染源 / 실내 공기 ~ 室内空气污染 / 환경 ~ 环境污染 / 수질을 ~시키다 造成水质污染
오:용(誤用) 명하타 误用 wùyòng ¶성어를 ~하다 误用成语
오:월(五月) 명 五月 wǔyuè
오월-동주(吳越同舟) 명 吴越同舟 wúyuètóngzhōu
오이 명 『植』 黄瓜 huángguā; 胡瓜 húguā ¶~지 腌黄瓜 / ~냉국 黄瓜冷汤 / ~소박이 夹馅黄瓜泡菜
오이엠(OEM)[Original Equipment Manufacturer] 명 『經』 定牌生产 dìngpái shēngchǎn
오:인(誤認) 명하타 错认 cuòrèn; 误认 wùrèn ¶그는 종종 내 남자 친구로 ~받는다 他经常被错认成我男朋友
오:입(誤入) 명하자 外遇 wàiyù; 外欢 wàihuān; 嫖 piáo
오:입-질(誤入—) 명하자 外遇 wàiyù; 外欢 wàihuān; 嫖 piáo
오:자(誤字) 명 错字 cuòzì; 白字 báizì; 别字 biézì ¶~를 발견하다 发现错字 / ~를 교정하다 纠正错字
오작-교(烏鵲橋) 명 『民』 鹊桥 quèqiáo
오:장(五臟) 명 『韓醫』 五脏 wǔzàng ¶~육부 五脏六腑
오:전(午前) 명 上午 shàngwǔ; 午前 wǔqián; 上半天(儿) shàngbàntiān(r) ¶~반 上午班 / ~ 11시 上午十一点
오:점(汚點) 명 污点 wūdiǎn ¶인생에 ~을 남기다 给人生留下污点

오존(ozone) 명 【化】 臭氧 chòuyǎng ¶ ~층 臭氧层 / ~ 살균기 臭氧杀菌机 / ~ 처리 臭氧处理

오죽 부 多么 duōme; 多 duō ¶시험에 통과하지 못했으니 그가 ~ 실망했을까 没通过考试, 他会多么失望 **--하다** 형 何况 hékuàng ¶어른도 견디기 힘든데 아이는 오죽하겠니? 大人都受不了了, 何况孩子呢?

오죽-이나 부 '오죽'的强调语 ¶그렇게 좋은 선물을 받았으니 그녀가 ~ 기뻐했을까 受到那么好的礼物, 她会多么高兴

오줌 명 尿 niào; 小便 xiǎobiàn ¶~소태 尿频 / 길가에서 ~을 누다 在路边撒尿 / ~이 마렵다 想小便

오줌-보 명 膀胱 pángguāng ¶~가 터질 것 같다 膀胱快要憋爆了

오줌-싸개 명 尿床的孩子 niàochuángde háizi; 尿裤子的孩子 niàokùzide háizi; 尿炕的孩子 niàokàngde háizi

오:중-주(五重奏) 명 【音】 五重奏 wǔchóngzòu

오:지(奧地) 명 边远地区 biānyuǎn dìqū; 偏远地方 piānyuǎn dìfang ¶그녀는 ~에서 일한다 她在边远地区工作

오지-그릇 명 = 도기

오지랖 명 前襟 qiánjīn

오지랖(이) 넓다 구 爱管闲事

오직 부 唯 wéi; 惟 wéi; 唯有 wéiyǒu; 惟有 wéiyǒu; 只 zhǐ; 只有 zhǐyǒu ¶그녀는 ~ 내 말만 듣는다 她只听我的话 / 지금 그의 눈에는 ~ 그녀밖에 없다 现在他的眼里只有她

오:진(誤診) 명하타 【醫】 误诊 wùzhěn ¶~율 误诊率 / 위염을 위암으로 ~하다 把胃炎误诊为胃癌

오징어 명 【動】 墨鱼 mòyú; 鱿鱼 yóuyú; 乌贼 wūzéi ¶마른 ~ 干墨鱼

오:차(誤差) 명 误差 wùchā; 差错 chācuò ¶실험 ~ 实验误差 / 표준 ~ 标准误差 / ~가 크지 않다 误差不大

오:찬(午餐) 명 午餐 wǔcān; 午宴 wǔyàn ¶~회 午宴

오:체(五體) 명 五体 wǔtǐ; 全身 quánshēn ¶~투지 五体投地

오카리나(ocarina) 명 【音】 陶笛 táodí; 奥卡利那笛 àokǎlìnàdí

오케스트라(orchestra) 명 【音】 = 관현악단

오타(誤打) 명하타 打错字 dǎ cuòzì; 错字 cuòzì

오토바이(←auto+bicycle) 명 摩托车 mótuōchē = 모터사이클

오트밀(oatmeal) 명 燕麦粥 yànmàizhōu

오팔(opal) 명 【鑛】 蛋白石 dànbáishí

오퍼(offer) 명 【經】 报价 bàojià; 发价 fājià; 发盘 fāpán ¶~상 报价商

오퍼레이터(operator) 명 操作人员 cāozuò rényuán

오페라(opera) 명 【音】 歌剧 gējù = 가극 ¶~ 극장 歌剧院 / ~ 하우스 歌剧院

오프라인(off-line) 명 【컴】 离线 líxiàn; 下网 xiàwǎng; 脱网 tuōwǎng

오프닝(opening) 명 首场演出 shǒuchǎng yǎnchū

오프사이드(offside) 명 【體】 越位 yuèwèi; 越位犯规 yuèwèi fànguī

오픈 게임(open+game) 【體】 公开赛 gōngkāisài

오픈-카(open car) 명 敞篷车 chǎngpéngchē; 敞车 chǎngchē

오피스텔(←office+hotel) 명 商住两用房 shāngzhù liǎngyòngfáng; 写字楼 xiězìlóu

오한(惡寒) 명 【韓醫】 恶寒 wùhán; 发冷 fālěng ¶감기에 걸려 온몸에 ~이 난다 感冒了浑身觉得发冷

오합지졸(烏合之卒) 명 乌合之众 wūhézhīzhòng; 乌合之卒 wūhézhīzú

오:해(誤解) 명하타 误解 wùjiě; 误会 wùhuì ¶~를 사다 引起误解 / ~를 풀다 消除误解 / ~가 생기다 产生误解 / ~가 깊어지다 误会越陷越深

오:후(午後) 명 下午 xiàwǔ; 午后 wǔhòu; 下半天(儿) xiàbàntiān(r); 过午 guòwǔ ¶~반 下午班 / ~ 4시 下午四点

오히려 부 **1** 反而 fǎn'ér; 反倒 fǎndào; 却 què; 倒 dào; 倒是 dàoshì ¶오래 잘수록 ~ 더 피곤하다 睡得越久反倒越累 / 그녀의 여동생은 ~ 그녀보다 더 늙어 보인다 她的妹妹反而显得比她老 **2** 还 hái; 尚 shàng ¶그곳에 가느니 ~ 안 가는 게 낫다 去那里还不如不去

옥(玉) 명 【鑛】 玉 yù; 玉石 yùshí ¶~비녀 玉簪 / ~가락지 玉戒指 / ~도장 玉石印章

옥에 티 속담 白璧微瑕; 美中不足

옥에도 티가 있다 속담 人无完人; 金无足赤

옥(獄) 명 = 감옥

옥-니 명 内倒牙 nèidǎoyá; 贼牙 zéiyá

옥-돔(玉—) 명 【魚】 方头鱼 fāngtóuyú

옥-동자(玉童子) 명 **1** 玉童 yùtóng; 仙童 xiāntóng **2** 宝宝 bǎobao; 宝贝 bǎobèi ¶그녀는 작년에 ~를 낳았다 她去年生了宝宝

옥문(獄門) 명 狱门 yùmén; 牢门 láomén

옥사(獄死) 명하자 死于狱中 sǐyúyùzhōng; 瘐死 yǔsǐ

옥-살이(獄—) 명하자 = 감옥살이

옥상(屋上) 명 屋顶 wūdǐng; 楼顶 lóudǐng ¶~ 정원 屋顶庭园
옥새(玉璽) 명 玉玺 yùxǐ; 印玺 yìnxǐ
옥색(玉色) 명 玉色 yùsè
옥석(玉石) 명 **1** 玉石 yùshí; 玉 yù **2** 玉石 yùshí; 好坏 hǎohuài ¶~을 구분하다 区分好坏
옥-수수 명 玉米 yùmǐ; 玉蜀黍 yùshǔshǔ; 包米 bāomǐ; 棒子 bàngzi = 강냉이1 ¶~기름 玉米油 / ~수염 玉米须 / ~를 수확하다 收割玉米
옥수숫-대 명 玉米棵子 yùmǐ kēzi
옥신-각신 부명하자 争闹 zhēngnào; 争吵 zhēngchǎo ¶그들 부부는 매일 ~한다 他们夫妻俩每天争吵
옥-양목(玉洋木) 명 漂白布 piǎobáibù
옥외(屋外) 명 屋外 wūwài; 室外 shìwài; 户外 hùwài; 露天 lùtiān; 露天地儿 lùtiāndìr ¶~ 조명등 室外照明灯 / ~ 활동 室外活动 / ~ 무대 露天舞台 / ~ 집회 露天聚会 / ~ 광고 户外广告 / ~등 屋外灯
옥잠-화(玉簪花) 명 〖植〗 玉簪 yùzān; 玉簪花 yùzānhuā; 白萼 bái'è; 白鹤仙 báihèxiān
옥좌(玉座) 명 玉座 yùzuò; 宝座 bǎozuò = 보좌(寶座)1
옥-죄다 타 抽紧 chōujǐn; 杀紧 shājǐn; 捆紧 kǔnjǐn; 勒紧 lēijǐn ¶자금을 ~ 资金抽紧 / 밧줄을 더욱 ~ 把绳子更加抽紧
옥죄-이다 자 '옥죄다' 的被动词
옥중(獄中) 명 狱中 yùzhōng ¶~ 일기 狱中日记
옥체(玉體) 명 **1** 玉体 yùtǐ **2** 贵体 guìtǐ ¶~를 보중하옵소서 请保重贵体
옥타브(octave) 一명 〖音〗 八度音 bādùyīn 二의명 〖音〗 八度 bādù ¶한 ~ 높다 一八度高
옥탑(屋塔) 명 〖建〗 屋塔 wūtǎ ¶~방 屋塔房
옥토(沃土) 명 沃土 wòtǔ; 沃壤 wòrǎng; 肥田 féitián ¶황무지를 ~로 개간하다 把荒地开垦成沃土
옥-토끼(玉—) 명 **1** (月中的) 玉兔 yùtù **2** 白兔 báitù
옥패(玉佩) 명 玉佩 yùpèi
옥편(玉篇) 명 **1** = 자전(字典) **2** 〖書〗 玉篇 yùpiān
옥호(屋號) 명 字号 zìhào; 商店名称 shāngdiàn míngchēng
옥황-상제(玉皇上帝) 명 玉皇大帝 Yùhuáng Dàdì; 玉帝 Yùdì = 천황1
온: 관 全 quán; 全部 quánbù; 全体 quántǐ; 整个 zhěnggè; 满 mǎn; 所有 suǒyǒu ¶~ 세상 全世界 / ~ 직원들 全体职工 / ~ 방 안이 엉망이다 整个房间都是乱七八糟的
온:-갖 관 各种 gèzhǒng; 种种 zhǒngzhǒng; 百 bǎi; 百般 bǎibān; 形形色色 xíngxíngsèsè ¶~ 식품 各种食品 / ~ 형태 种种形态 / ~ 이유를 들어 대답을 거절하다 列出种种理由拒绝答复
온:건(穩健) 명하형히부 稳健 wěnjiàn ¶~파 稳健派 / ~한 외교 정책 稳健的外交政策
온고-지신(溫故知新) 명하자 温故知新 wēngùzhīxīn
온기(溫氣) 명 暖气 nuǎnqì; 热气 rèqì; 暖和 nuǎnhuo ¶~가 가득하다 热气腾腾
온난(溫暖 · 溫煖) 명하형 温暖 wēnnuǎn; 暖和 nuǎnhuo; 暖 nuǎn ¶~ 전선 暖锋 =[暖锋面] / ~한 기후 温暖的气候
온난-화(溫暖化) 명 〖地理〗 暖化 nuǎnhuà ¶지구 ~ 地球暖化
온:당-하다(穩當—) 형 稳当 wěndang; 妥当 tuǒdang; 稳妥适当 wěntuǒ shìdāng; 定当 dìngdāng; 稳妥 wěntuǒ ¶온당한 방법 妥当的做法 / 온당한 선택 稳妥的选择 **온:당-히** 부
온대(溫帶) 명 〖地理〗 温带 wēndài ¶~ 기후 温带气候 / ~ 과일 温带水果 / ~ 계절풍 温带季风
온데간데-없다 형 没有去向 méiyǒu qùxiàng; 不知所向 bùzhī suǒxiàng; 无影无踪 wúyǐngwúzōng ¶방금 전까지 있던 아이가 ~ 刚才还在的孩子, 现在却无影无踪了 **온데간데없-이** 부
온도(溫度) 명 〖物〗 温度 wēndù ¶표면 ~ 表面温度 / ~ 변화 温度变化 / ~를 조절하다 调节温度 / ~를 재다 检测温度 / 정상 ~를 유지하다 保持正常温度
온도-계(溫度計) 명 〖物〗 温度计 wēndùjì; 温度表 wēndùbiǎo; 寒暑表 hánshǔbiǎo; 寒暖计 hánnuǎnjì
온돌(溫突 · 溫堗) 명 **1** 炕 kàng; 暖炕 nuǎnkàng; 火炕 huǒkàng = 방구들 ¶~을 놓다 布装火炕 **2** = 온돌방
온돌-방(溫突房) 명 火炕房 huǒkàngfáng; 暖炕房 nuǎnkàngfáng = 온돌2
온라인(on-line) 명 〖컴〗 联机 liánjī; 联线 liánxiàn; 在线 zàixiàn; 网上 wǎngshàng; 线上 xiànshàng ¶~ 조작 联机操作 / ~ 처리 联机处理 / ~ 시스템 联机系统
온면(溫麵) 명 温面 wēnmiàn
온:-몸 명 全身 quánshēn; 周身 zhōushēn; 浑身 húnshēn; 满身 mǎnshēn = 전신(全身) · 혼신 ¶~이 가렵다 周身瘙痒 / ~이 쑤시고 아프다 浑身酸痛 / ~에 힘이 없다 浑身没劲 / ~에 상처를 입다 全身受伤
온:-밤 명 整夜 zhěngyè; 终夜 zhōng-

yè; 通宵 tōngxiāo; 通夜 tōngyè; 竟夜 jìngyè ¶～을 꼬박 새워 게임을 하다 整夜玩游戏

온상(溫床) 명 1 【農】温床 wēnchuáng ¶～ 재배 温床栽培 2 温床 wēnchuáng ¶범죄의 ～ 犯罪的温床

온수(溫水) 명 = 더운물 ¶～기 热水器 / ～로 목욕을 하다 用温水洗澡

온순-하다(溫順—) 형 温顺 wēnshùn; 温和 wēnhé; 温柔 wēnróu; 婉顺 wǎnshùn; 服贴 fútiē ¶온순한 강아지 温顺的小狗 / 이 아이는 정말 ～ 这个孩子真温顺 / 그녀는 성미가 ～ 她性情很温柔 **온순-히** 부

온:-쉼표(—標) 명 【音】全休止符 quánxiūzhǐfú

온스(ounce) 의명 盎司 àngsī; 盎斯 àngsī; 英两 yīngliǎng; 唡 liǎng

온습-하다(溫濕—) 형 温湿 wēnshī ¶온습한 기후 温湿的气候

온실(溫室) 명 1 温室 wēnshì; 暖房 nuǎnfáng ¶～ 효과 温室效应 / ～에서 재배한 과일 在温室栽培的水果 2 供暖房 gōngnuǎnfáng

온실 속의 화초 구 温室里的花

온아-하다(溫雅—) 형 温雅 wēnyǎ; 温文尔雅 wēnwén'ěryǎ

온유(溫柔) 명하형 温柔 wēnróu ¶～한 미소 温柔的微笑 / 그는 성품이 ～하다 他品性很温柔

온:-음(—音) 명 【音】全音 quányīn ¶～계 全音阶

온:-음표(—音標) 명 【音】全音符 quányīnfú

온:전-하다(穩全—) 형 1 完整 wánzhěng; 完整无缺 wánzhěng wúquē; 完好 wánhǎo ¶온전한 판본 完整的版本 2 健康 jiànkāng; 健全 jiànquán ¶온전한 사상 健全的思想 / 인격이 ～ 人格健全 **온:전-히** 부 ¶잃어버렸던 자전거를 ～ 되찾았다 丢了的车子完整无缺地找回来了

온:-점(—點) 명 【語】句号 jùhào; 句点 jùdiǎn

온정(溫情) 명 温情 wēnqíng ¶～에 넘치는 말을 하다 说洋溢着温情的话

온:-종일(—終日) 명부 整天 zhěngtiān; 终日 zhōngrì; 整日 zhěngrì; 成天 chéngtiān; 一天到晚 yītiāndàowǎn; 从早到晚 cóngzǎo dàowǎn = 종일 ¶그는 ～ 풀이 죽어 있다 他整天无精打采 / 어제는 ～ 눈이 내렸다 昨天终日下了雪

온천(溫泉) 명 1 【地理】温泉 wēnquán; 汤泉 tāngquán ¶～가스 温泉气 / ～ 여관 温泉旅馆 2 = 온천장

온천-물(溫泉—) 명 温泉水 wēnquánshuǐ = 온천수

온천-수(溫泉水) 명 = 온천물

온천-욕(溫泉浴) 명 温泉浴 wēnquányù; 泡温泉 pào wēnquán

온천-장(溫泉場) 명 温泉地 wēnquándì; 温泉地区 wēnquán dìqū = 온천2

온탕(溫湯) 명 汤池 tāngchí; 热水浴池 rèshuǐ yùchí

온:-통 명부 全 quán; 整个 zhěnggè; 全部 quánbù; 完全 wánquán; 满 mǎn; 都 dōu; 一片 yīpiàn ¶～ 거짓말이다 全是谎话 / 그곳에는 ～ 모르는 사람들뿐이다 那里满都是陌生人

온풍(溫風) 명 热风 rèfēng; 温风 wēnfēng; 暖风 nuǎnfēng

온풍-기(溫風器) 명 暖风机 nuǎnfēngjī; 热风取暖器 rèfēng qǔnuǎnqì

온혈(溫血) 명 1 【韓醫】(鹿或獐的)热血 rèxuè 2 【動】温血 wēnxuè

온혈 동:물(溫血動物) 【動】温血动物 wēnxuè dòngwù; 恒温动物 héngwēn dòngwù = 항온 동물

온화-하다(溫和—) 형 1 (天气) 温和 wēnhé; 温暖 wēnnuǎn; 暖和 nuǎnhuo ¶온화한 기후 温暖的气候 / 요 며칠 날씨가 아주 ～ 这几天天气很温暖 2 (性情、态度等) 温和 wēnhé; 和蔼 hé'ǎi; 温柔 wēnróu; 和气 héqi; 和平 hépíng; 和缓 héhuǎn; 温润 wēnrùn ¶온화하게 웃는 얼굴 温润的笑容 / 그는 성격이 ～ 他性格很温和

온후-하다(溫厚—) 형 温厚 wēnhòu; 和气厚道 héqi hòudao ¶그는 인품이 아주 ～ 他的人品很温厚

올:[1] ㊀명 (线或绳的) 条 tiáo; 丝 sī; 线条 xiàntiáo ¶～이 비교적 가늘다 线条比较细 / ～이 나가다 跳丝 ㊁의명 段 duàn; 条 tiáo; 根 gēn ¶털실 한 ～ 一条毛线

올[2] 명 '올해' 的略词 ¶～ 연말 今年年底 / ～ 10월 今年十月

올:- 접두 早熟 zǎoshú ¶～감자 早熟土豆 / ～과일 早熟水果

올가미 명 1 套索 tàosuǒ; 绳套 shéngtào; 圈套 quāntào; 套子 tàozi ¶～를 놓다 安下绳套 / ～를 벗어나다 脱离套索 2 圈套 quāntào; 诡计 guǐjì; 骗局 piànjú; 套(儿) tào(r); 勾当 gòudàng ¶아무래도 우리가 ～에 걸린 것 같다 看来我们上了勾当

올-가을 명 今年秋天 jīnnián qiūtiān; 今秋 jīnqiū

올-겨울 명 今年冬天 jīnnián dōngtiān; 今冬 jīndōng

올-곧다 형 1 正直 zhèngzhí; 直性(儿) zhíxìng(r); 正派 zhèngpài ¶올곧은 품성 正直的品德 2 板正 bǎnzhèng; 笔直 bǐzhí ¶버드나무가 올곧게 자라다 杨树长得笔直

올나이트(all-night) 명 熬夜 áoyè
올-내년(一來年) 명 今明年 jīnmíngnián; 今明两年 jīnmíng liǎngnián
올드-미스(old+miss) 명 = 노처녀
올라-가다 자타 **1** 上去 shàngqù; 登上 dēngshàng; 走上 zǒushàng ¶같이 위층으로 올라가자 一起上楼去吧 / 우리는 마침내 산꼭대기에 올라갔다 我们终于登上了峰顶 / 처음으로 강연대에 ~ 第一次走上讲台 **2** (等级、地位等) 升高 shēnggāo; 上升 shàngshēng; 高升 gāoshēng ¶그는 올해 과장으로 올라갔다 他今年升为科长了 / 등급이 점차 ~ 等级渐渐高升 **3** 溯流而上 sùliú'érshàng; 上溯 shàngsù; 上行 shàngxíng ¶그들은 강물을 따라 거슬러 올라갔다 他们顺着江水, 溯流而上 **4** (从地方向城里) 进 jìn; 上 shàng ¶그녀는 아이를 데리고 서울로 올라갔다 她带领小孩进京了 **5** (价格、数值、温度、物价等) 涨 zhǎng; 上涨 shàngzhǎng; 升 shēng; 升高 shēnggāo; 上升 shàngshēng ¶땅값이 ~ 地价上涨 / 수위가 30미터까지 ~ 水位涨到三十米 / 비가 오자 기온이 올라갔다 雨来了气温升了 **6** (到岸) 登 dēng; 上 shàng ¶뭍으로 올라갈 힘도 없다 连上岸的力气都没有 **7** 振奋 zhènfèn; 旺盛 wàngshèng ¶사기가 ~ 士气旺盛 **8** (成绩、水平等) 提高 tígāo; 上升 shàngshēng; 高 gāo ¶성적이 갈수록 ~ 成绩越来越高 / 수준이 ~ 水平提高了
올라-서다 자 **1** 登上 dēngshàng; 爬上 páshàng ¶산꼭대기에 ~ 登上峰顶 / 무대에 ~ 登上舞台 **2** 踩上 cǎishàng; 踏上 tàshàng ¶탁자 위에 ~ 踩在桌子上 / 돌계단에 ~ 踏上石阶 **3** (等级、地位等) 升 shēng; 提升 tíshēng; 上升 shàngshēng ¶품질이 세 단계 ~ 品质提升三级跳 / 부장으로 ~ 提升为部长
올라-오다 자타 **1** 上来 shànglái; 登上(来) dēngshàng(lái) ¶빨리 올라와라! 快上来吧! / 그가 급하게 뛰어 올라왔다 他急忙跑上来了 **2** 溯流而上 sù-liú'érshàng ¶혼자서 강물을 따라 거슬러 ~ 一个人沿着江水溯流而上 **3** (从地方向城里) 进 jìn; 上 shàng ¶그들은 온 가족이 지난달 서울로 올라왔다 他们全家人上个月进京了
올라-타다 자타 **1** 坐上 zuòshàng; 骑上 qíshàng; 乘上 chéngshàng; 上 shàng ¶차에 ~ 上车 / 열기구에 ~ 乘上热气球 **2** 登上 dēngshàng; 爬上 páshàng; 骑上 qíshàng ¶소 등에 ~ 骑上牛背 / 나뭇가지에 올라타서 과일을 따다 爬上树枝摘果子
올려-놓다 타 **1** 放上去 fàngshàngqù; 置于上面 zhìyú shàngmiàn; 放在…上 fàngzài…shàng ¶꽃병을 탁자 위에 ~ 把花瓶放在桌子上 / 옷을 침대 위에 ~ 把衣服放在床上 **2** 记上 jìshàng; 记 jì ¶그의 이름을 명단에 ~ 把他的名字记在名单 **3** (等级、职位) 提升 tíshēng; 升 shēng; 高升 gāoshēng ¶그를 간부 자리에 ~ 把他提升为干部
올려다-보다 타 **1** 向上看 xiàng shàng kàn; 仰望 yǎngwàng; 仰视 yǎngshì ¶하늘을 ~ 仰望天空 / 무대 위에 있는 사람을 ~ 仰视舞台上的人 **2** 敬仰 jìngyǎng; 瞻仰 zhānyǎng ¶그는 우리가 올려다볼 만한 사람이다 他是值得我们敬仰的人
올록-볼록 부하형 凹凸不平 āotū bùpíng ¶표면이 ~하다 表面凹凸不平
올리고-당(←oligosaccharide糖) 명 〖化〗 低聚糖 dījùtáng; 寡糖 guǎtáng
올리다 타 **1** 提高 tígāo; 提升 tíshēng ¶성적을 ~ 提高成绩 / 온도를 ~ 提升温度 / 소득 수준을 ~ 提高收入水平 / 속도를 ~ 提高速度 **2** 举行 jǔxíng; 上 shàng ¶그들은 어제 결혼식을 올렸다 他们昨天举行了婚礼 **3** 打 dǎ ¶그의 따귀를 한 대 ~ 打他一巴掌 **4** 登记 dēngjì; 登 dēng; 报 bào; 记载 jìzǎi; 刊登 kāndēng ¶호적에 ~ 报户口 / 공고를 ~ 登记公告 / 인터넷 사이트에 광고를 ~ 网站上刊登广告 **5** 盖 gài; 上 shàng ¶지붕에 기와를 ~ 给房顶上瓦 **6** 敬献 jìngxiàn; 呈递 chéngdì; 上 shàng; 进 jìn ¶귀중한 물건을 임금께 ~ 将宝贵的东西呈递给皇上
올리브(olive) 명 〖植〗 橄榄 gǎnlǎn; 油橄榄 yóugǎnlǎn; 洋橄榄 yánggǎnlǎn ¶~유 橄榄油
올리브-색(olive色) 명 橄榄绿 gǎnlǎnlǜ; 橄榄色 gǎnlǎnsè; 暗绿色 ànlǜsè
올림-표(一標) 명 〖音〗 升号 shēnghào; 升半音号 shēngbànyīnhào; 升记号 shēngjìhào = 샤프[2]
올림픽(Olympic) 명 〖體〗 = 국제 올림픽 경기 대회 ¶~ 선수촌 奥运村
올림픽-기(Olympic旗) 명 〖體〗 = 오륜기
올림픽 대:회(Olympic大會) 〖體〗 = 국제 올림픽 경기 대회 ¶~를 개최하다 举办奥运会 / ~에 참가하다 参加奥林匹克
올림픽 위원회(Olympic委員會) 〖體〗 = 국제 올림픽 위원회
올망-졸망 부하형 大大小小 dàdaxiǎoxiǎo; 高高矮矮 gāogao'ǎi'ǎi ¶~한 초등학생들 大大小小的一群小学生
올무 명 (捕禽兽用的) 套索 tàosuǒ; 网套 wǎngtào; 圈套 quāntào ¶함정을

파고 ~를 놓다 设下陷阱, 安下套索 / ~에서 탈출하다 从套索中脱出

올-바로 부 正直地 zhèngzhíde; 正义地 zhèngyìde; 正确地 zhèngquède ¶~ 사용하다 正确地使用 / ~ 선택하다 正确地选择

올-바르다 형 正经 zhèngjing; 正派 zhèngpài; 正直 zhèngzhí; 正确 zhèngquè; 在理 zàilǐ = 똑바르다2 ¶올바른 설명 正确的说明 / 기기를 올바르게 사용하다 正确地使用机器

올-백(all+back) 명 背头 bēitóu; 大背头 dàbēitóu

올-봄 명 今年春天 jīnnián chūntiān; 今春 jīnchūn

올빼미 명 1 〖鳥〗 猫头鹰 māotóuyīng; 鸱鸮 chīxiāo; 夜猫子 yèmāozi 2 夜游神 yèyóushén; 夜猫子 yèmāozi

올-스타(all star) 명 全明星 quánmíngxīng ¶~ 투표 全明星投票 / ~ 게임 全明星赛

올-여름 명 今年夏天 jīnnián xiàtiān; 今夏 jīnxià

올챙이 명 〖動〗 蝌蚪 kēdǒu

올챙이-배 명 大肚子 dàdùzi; 大腹便便 dàfù piánpián

올케 명 嫂嫂 sǎosao; 嫂子 sǎozi

올-해 명 今年 jīnnián = 금년 ¶그는 ~ 졸업이다 他今年要毕业

옭다 타 1 捆紧 kǔnjǐn; 绑紧 bǎngjǐn ¶땔감을 ~ 捆紧木柴 2 套住 tàozhù; 勒住 lèzhù ¶야생 동물을 ~ 套住野生动物 3 骗诱 piànyòu ¶순진한 사람을 ~ 骗诱天真的人 4 拘束 jūshù ¶그들은 죄 없는 사람을 옭아 넣으려 한다 他们要拘束不辜的人

옭-매다 타 1 系紧 jìjǐn; 捆绑 kǔnbǎng ¶끈을 옭매는 것을 잊지 마라 千万别忘了要系紧束带 2 = 옭아매다

옭-매듭 명 死结 sǐjié; 死扣儿 sǐkòur; 死疙瘩 sǐgēda

옭매-이다 자 '옭매다' 的被动词 1 被捆绑 bèi kǔnbǎng ¶올가미에 ~ 被绳套捆绑 2 被缠住 bèi chánzhù ¶다리가 수초에 옭매어 익사하다 被水草缠住脚溺水身亡 3 被诬陷 bèi wūxiàn ¶살인죄에 ~ 被诬陷为杀人罪

옭아-매다 타 1 套住 tàozhù; 勒住 lèzhù; 缠住 chánzhù ¶멧돼지를 ~ 套住野猪 2 罗织罪名 luózhī zuìmíng; 诬陷 wūxiàn ¶억울한 사람을 모반죄로 ~ 把无辜的人诬陷为谋反罪 ‖ = 옭매다2

옮기다 타 1 搬 bān; 挪 nuó; 搬动 bāndòng; 挪动 nuódòng; 搬移 bānyí; 移动 yídòng 《'옮다1' 的使动词》 ¶가구를 ~ 搬家具 / 위치를 ~ 挪动位置 / 탁자를 창문 쪽으로 좀 옮겨라 把桌子朝窗户那边挪动一下 2 挪步 nuóbù; 迈步 màibù ¶발걸음을 집 쪽으로 ~ 向家的方向挪步 3 (把视线或关心) 转 zhuǎn ¶시선을 그에게서 탁자 위의 사진으로 ~ 把视线从他转到桌子上的照片 4 转变 zhuǎnbiàn; 转化 zhuǎnhuà; 付诸 fùzhū ¶생각을 행동에 ~ 把想法转变为行动 / 계획을 실천에 ~ 把计划付诸实践 5 搬迁 bānqiān; 迁移 qiānyí; 搬移 bānyí ¶호적을 현재 거주지로 ~ 将户口迁移到现住地 6 转 zhuǎn; 转换 zhuǎnhuàn; 换 huàn; 更换 gēnghuàn; 过 guò; 调动 diàodòng ¶명의를 ~ 过户 / 직장을 ~ 转换工作单位 7 (把听到的) 传 chuán; 传出去 chuánchūqù ¶이 이야기를 밖으로 옮기지 마라 你别把这些话传出去 8 照写 zhàoxiě; 照画 zhàohuà ¶이 글은 옮겨 쓸 수 없다 这篇文章不能照写 9 传染 chuánrǎn ¶독감을 ~ 传染流感 / 간염을 ~ 传染肝炎 10 翻译 fānyì ¶한국어를 일본어로 ~ 把韩文翻译成日文

옮:다 자 1 转移 zhuǎnyí; 变换 biànhuàn; 换 huàn ¶그는 아랫자리로 옮아 앉았다 他换到下位坐了 2 传 chuán; 传出去 chuánchūqù ¶그 일에 대한 이야기가 입에서 입으로 옮았다 大家都把那些话传出去了 3 传播 chuánbō; 蔓延 mànyán ¶다행히 이번 화재는 다른 곳으로 옮지 않았다 幸好这次火灾没有蔓延到别的地方 4 传染 chuánrǎn; 染 rǎn; 染上 rǎnshàng; 沾染 zhānrǎn ¶수영장에서 피부병이 옮았다 在游泳池染上了皮肤病

옮아-가다 자 1 搬 bān; 搬走 bānzǒu; 迁走 qiānzǒu ¶그들은 베이징으로 옮아갔다 他们搬到北京了 2 传播 chuánbō; 蔓延 mànyán ¶이번 화재는 다른 곳으로 옮아갔다 这次火灾蔓延到别的地方

옮아-오다 자 1 搬 bān; 搬来 bānlái; 迁入 qiānrù ¶광주에서 서울로 ~ 从光州搬到首尔 2 传来 chuánlái; 染上 rǎnshàng ¶나는 어디서 피부병이 옮아 왔는지 모르겠다 我不知道在哪里染上了皮肤病

옳다[1] 형 正确 zhèngquè; 正 zhèng; 合理 hélǐ; 对 duì ¶그가 한 말이 ~ 他说的话是对的

옳다[2] 감 对呀 duìya; 是啊 shì'a ¶~, 네 말이 맞다 是啊, 你说的没错

옳아 감 对呀 duìya; 是啊 shì'a ¶~, 그가 너를 속여서 네가 화를 냈구나 对呀, 他骗了你, 所以你才生他的气

옳지 감 对呀 duìya; 是啊 shì'a; 好 hǎo; 不错 bùcuò ¶~, 이렇게 해야 맞다 对呀, 这样做才对

옴: 명 【醫】疥疮 jièchuāng; 疥癣 jièxuǎn = 개선(疥癬)

옴(ohm) 의명 【物】欧姆 ōumǔ; 欧 ōu《电阻单位》¶ ~의 법칙 欧姆定律

옴니버스(omnibus) 명 【演】 1 选集 xuǎnjí 2 短片集 duǎnpiànjí; 影片集 yǐngpiànjí

옴니버스 영화(omnibus映畫) 【演】(同一主题的) 短片集 duǎnpiànjí; 影片集 yǐngpiànjí

옴짝 부하자타 微动 wēi dòng; 一动 yīdòng; 动弹 dòngtan ¶ 의자에 앉아 ~도 하지 않다 坐在椅子, 一动也不动

옴짝-거리다 자타 微动 wēi dòng; 一动 yīdòng; 动弹 dòngtan = 옴짝대다

옴짝-옴짝 부하자타

옴짝-달싹 부하자타 微动 wēi dòng; 一动 yīdòng; 动弹 dòngtan ¶ 차에 사람이 너무 많아서 ~할 수가 없다 车上人太多, 一动也不能动

옴폭 부하형 深陷 shēnxiàn; 凹陷 āoxiàn ¶ 지면이 ~ 들어가다 地面凹陷

옴폭-옴폭 부하형 坑坑洼洼 kēngkēngwāwā

옵션(option) 명 1 选择权 xuǎnzéquán; 选择自由 xuǎnzé zìyóu; 选择 xuǎnzé 2 【經】 选购权买卖 xuǎngòuquán mǎimai

옷 명 衣服 yīfu; 衣裳 yīshang; 服装 fúzhuāng; 衣 yī = 의복 ¶ ~을 빨다 洗衣服 / ~을 입다 穿衣服 / ~을 벗다 脱衣服 / 나는 오늘 ~을 두 벌 샀다 我今天买了两件衣服

옷-가지 명 一些衣服 yīxiē yīfu; 几件衣服 jǐjiàn yīfu

옷-감 명 衣料 yīliào; 布料 bùliào ¶ ~을 재단하다 裁剪衣料

옷-값 명 衣价 yījià; 衣服费 yīfufèi; 服装费 fúzhuāngfèi ¶ ~을 지불하다 交衣服费

옷-거리 명 装束模样 zhuāngshù múyàng; 穿戴风度 chuāndài fēngdù ¶ 그는 ~가 좋다 他穿戴风度很好

옷-걸이 명 衣架 yījià; 衣钩 yīgōu ¶ 외투를 ~에 걸다 把外套挂在衣架上

옷-고름 명 衣带 yīdài; 袄带 ǎodài; 衣服飘带 yīfu piāodài = 고름[2] ¶ ~을 매다 系上衣带

옷-깃 명 衣领 yīlǐng = 깃[2]1 ¶ 와이셔츠 ~ 衬衫衣领 / ~을 세우다 竖起衣领

옷-단 명 (衣服的) 折边 zhébiān; 窝边 wōbiān = 단[2]

옷-매무새 명 衣着 yīzhuó; 装束 zhuāngshù; 衣冠 yīguān

옷-맵시 명 1 服式 fúshì 2 穿戴风度 chuāndài fēngdù

옷-상자(一箱子) 명 衣箱 yīxiāng

옷-섶 명 衣襟 yījīn = 섶[1] ¶ 시원한 바람이 ~을 날리다 凉风掀起衣襟

옷-소매 명 = 소매

옷-솔 명 衣刷 yīshuā ¶ ~로 먼지를 털다 用衣刷掸掸尘土

옷-자락 명 衣角 yījiǎo; 衣摆 yībǎi ¶ 뜨거운 눈물이 ~을 적시다 热泪打湿衣角

옷-장(一欌) 명 衣柜 yīguì; 衣橱 yīchú

옷-차림 명하자 衣着 yīzhuó; 穿着 chuānzhuó; 穿戴 chuāndài; 打扮 dǎban; 着装 zhuózhuāng = 복장(服裝) ¶ ~으로 그 사람의 성격을 알아보다 从穿着看那个人的性格

옷-치레 명하자 衣着打扮 yīzhuó dǎban ¶ 그는 ~에 매우 신경을 쓴다 他很讲究衣着打扮

옷-핀(一pin) 명 扣针 kòuzhēn; 别针 biézhēn

옹(翁) 명의명 翁 wēng ¶ 고 이철수 ~ 故李哲修翁

옹:-고집(壅固執) 명 顽固 wángù; 死顽固 sǐwángù; 牛脾气 niúpíqi; 非常固执 fēicháng gùzhi ¶ 내 동생은 성격이 아주 ~이다 我的弟弟性子很顽固

옹:고집-쟁이(壅固執一) 명 固执的人 gùzhide rén; 老顽固 lǎowángù

옹골-지다 형 饱满 bǎomǎn; 充实 chōngshí; 丰富 fēngfù ¶ 이 게들은 살도 많고 아주 ~ 这些螃蟹有很多肉, 很饱满 / 매일 하루를 옹골지게 보내다 充实过好每一天

옹골-차다 형 结实 jiēshi; 壮实 zhuàngshi; 饱满 bǎomǎn ¶ 그는 몸이 아주 ~ 他身体很结实 / 구조가 아주 ~ 结构非常结实

옹글다 형 完整 wánzhěng; 整整 zhěngzhěng; 整个儿 zhěnggèr ¶ 옹근 과일 完整的水果

옹:기(甕器) 명 = 옹기그릇

옹:기-그릇(甕器一) 명 陶器 táoqì; 瓦器 wǎqì; 瓦盆 wǎpén = 옹기

옹:기-장이(甕器一) 명 陶工 táogōng; 陶匠 táojiàng; 瓦盆匠 wǎpénjiàng = 도공

옹기-종기 부하형 大大小小 dàdaxiǎoxiǎo; 参差不齐 cēncībùqí; 大小不一 dàxiǎobùyī; 错落不齐 cuòluòbùqí; 错落 cuòluò ¶ 할머니 곁에 ~ 앉아서 옛날이야기를 듣다 错落地围着奶奶坐听故事

옹달-샘 명 小泉 xiǎoquán; 泉井 quánjǐng

옹:립(擁立) 명하타 拥立 yōnglì; 拥戴 yōngdài ¶ 중신들이 선왕의 장자를 왕으로 ~했다 众臣拥立先帝长子为王

옹:벽(擁壁) 명 挡土墙 dǎngtǔqiáng

옹:색-하다(壅塞—) 형 **1** 拮据 jiéjū; 穷酸 qióngsuān; 窄 zhǎi ¶경제 상황이 아주 ~ 经济状况很拮据 **2** 狭窄 xiázhǎi; 狭小 xiáxiǎo ¶장소가 ~ 场所狭小 / 그가 사는 집은 아주 ~ 他住的房子很狭窄 **3** 狭隘 xiá'ài ¶옹색한 생각 狭隘的想法

옹:성(甕城) 명 瓮城 wèngchéng; 月城 yuèchéng

옹알-거리다 자타 **1** 自言自语 zìyánzìyǔ; 嘀咕 dígu ¶그녀는 끊임없이 옹알거린다 她不停地嘀咕 **2** (尚不太会说话的小孩) 咿呀学语 yīyā xuéyǔ; 咿呀说话 yīyā shuōhuà; 哑哑学语 yāyā xuéyǔ; 哑哑说话 yāyā shuōhuà ¶아이가 ~ 孩子咿呀说话 ‖ = 옹알대다 **옹알-옹알** 부하자타

옹알-이 명하자 咿呀学语 yīyā xuéyǔ; 咿呀说话 yīyā shuōhuà; 哑哑学语 yāyā xuéyǔ; 哑哑说话 yāyā shuōhuà ¶우리 집 아기는 2개월이 되었을 때 ~를 시작했다 我家宝宝在两个月的时候就开始咿呀说话了

옹이 명 节子 jiēzi

옹:졸-하다(壅拙—) 형 小气 xiǎoqi; 小心眼儿 xiǎoxīnyǎnr; 狭隘 xiá'ài; 猥琐 wěisuǒ ¶옹졸한 생각 狭隘的想法 / 성격이 ~ 性格狭隘

옹:호(擁護) 명하타 拥护 yōnghù; 维护 wéihù; 支持 zhīchí ¶민주주의를 ~하다 拥护民主主义 / 동료를 ~하다 支持同事

옻 명 漆 qī; 漆毒 qīdú; 漆疮 qīchuāng = 옻칠1

옻-나무 명 〖植〗 漆树 qīshù

옻-닭 명 漆树皮炖鸡 qīshùpí dùnjī

옻-오르다 자 生漆疮 shēng qīchuāng

옻-칠(—漆) 명하자타 **1** = 옻 **2** 漆 qī; 涂漆 túqī = 칠(漆)1

와[1] 부하자 哇 wā 《喧嚷声》 ¶아이들이 ~하고 들어왔다 孩子们哇的一声进来了

와[2] 감 '우아' 的略词

와[3] 조 和 hé; 跟 gēn; 与 yǔ ¶그는 여자 친구~ 헤어졌다 他跟他女朋友分手了 / 나는 그~ 다르다 我跟他不一样 / 이 일은 너~ 무관하다 这件事与你无关 / 나는 연필 두 자루~ 공책 세 권을 샀다 我买了两支铅笔和三本笔记本

와그르르 부하자형 **1** 哗啦 huālā 《倒塌声》 ¶~하는 소리와 함께 집이 무너져 내렸다 哗啦一声, 房子就倒塌了 **2** 咕嘟咕嘟 gūdūgūdū; 咕嘟嘟 gūdūdū 《水沸腾声》 ¶김치찌개가 ~ 끓고 있다 泡菜汤咕嘟咕嘟地开着 **3** 轰隆隆 hōnglōnglōng 《近处雷鸣声》 ¶천둥 번개가 ~ 치다 轰隆隆地打雷闪电了 **4** 哗 huā; 哗啦 huālā ¶많은 사람들이 입구로 ~ 몰리다 很多人都哗地拥向入口

와글-거리다 자 **1** 闹闹哄哄 nàonaohōnghōng; 熙熙攘攘 xīxīrǎngrǎng; 拥挤 yōngjǐ ¶오늘은 휴일이라 길에 사람들이 와글거린다 由于今天放假, 在街上人们熙熙攘攘地走着 **2** (少量水) 滚沸 gǔnfèi; 哗啦 huālā ‖ = 와글대다 **와글-와글** 부하자

와다닥 부하자 一下子 yīxiàzi; 霍地 huòdì 《急跑貌》 ¶깨지는 소리를 듣고 ~ 밖으로 뛰어나오다 听到破碎声, 一下子跑到外边了

와당탕 부하자 啪啦 pālā; 扑通 pūtōng; 乒乓 pīngpāng ¶~하고 유리가 깨졌다 啪啦一声, 玻璃碎了

와당탕-거리다 자 噼里啪啦响 pīlipālā xiǎng; 乒乒乓乓响 pīngpingpāngpāng xiǎng = 와당탕대다 **와당탕-와당탕** 부하자 ¶아이들이 교실에서 ~하며 뛰고 있다 孩子们在教室里乒乒乓乓地跳着

와드득 부하자타 咯吱吱 gēzhīzhī 《啃或弄断硬物的声音》 ¶~ 이를 갈다 咯吱吱磨牙 / ~ 사탕을 깨물다 咯吱吱地咬糖果

와드득-거리다 자타 (啃或弄断硬物时) 咯吱咯吱响 gēzhīgēzhī xiǎng = 와드득대다 **와드득-와드득** 부하자타 ¶아이가 ~ 사탕을 깨물어 먹다 孩子咯吱吱咯吱吱地嚼糖吃

와들-와들 부하자타 (因冷或害怕) 哆嗦 duōsuō; 发抖 fādǒu; 颤抖 chàndǒu ¶추워서 온몸이 ~ 떨린다 冷得浑身发抖 / 그들은 모두 무서워서 ~ 떨기 시작했다 他们都很害怕, 就开始哆嗦

와락 부 一下子 yīxiàzi; 猛地 měngde; 突然 tūrán ¶그는 아이를 ~ 끌어안았다 他突然抱了孩子 / 늑대가 ~ 덤벼들다 狼猛地扑过来

와르르 부하자 **1** 哗啦啦 huālālā; 哗啦 huālā; 稀里哗啦 xīlihuālā 《倒塌声》 ¶돌탑이 ~ 무너졌다 石塔哗啦一声倒塌了 **2** 轰隆隆 hōnglōnglōng 《打雷声》 ¶~ 천둥이 쳤다 轰隆隆地打雷了 **3** 哗啦 huālā 《突然涌出声》 ¶많은 사람들이 ~ 계단으로 몰리다 很多人都哗啦地拥向阶梯

와:병(臥病) 명하자 卧病 wòbìng; 因病卧床 yīnbìngwòchuáng ¶그는 심장병으로 오랫동안 ~ 중이다 他因心脏病长期卧床不起

와사-등(瓦斯燈) 명 = 가스등

와사비(일wasabi[山葵]) 명 '고추냉이' 的错误

와삭 부하자타 沙沙 shāshā; 刷刷 shuāshuā; 瑟瑟 sèsè 《干树叶等摩擦

或破碎声》
와삭-거리다 자타 沙沙响 shāshā xiǎng; 刷刷响 shuāshuā xiǎng; 瑟瑟响 sèsè xiǎng; 刷啦刷啦 shuālāshuālā; 咔嚓咔嚓 kāchākāchā 《干树叶等摩擦或破碎声》 = 와삭대다 ¶바람이 부니 나뭇잎이 와삭거린다 风吹树叶刷刷响 **와삭-와삭** 부하자타 ¶마른 나뭇잎을 밟으니 ~ 소리가 난다 踩到干树叶发出刷啦刷啦的声音
와:신-상담(臥薪嘗膽) 명하자 卧薪尝胆 wòxīnchángdǎn ¶~하며 기회를 기다리다 卧薪尝胆等待机会
와-와 ㊀부 哇啦 wālā; 哇哇 wāwā ¶~ 큰 소리로 외치다 哇哇地大声叫喊 ㊁감 '우아우아' 的略词
와우(蝸牛) 명 『動』 = 달팽이
와우-관(蝸牛管) 명 『生』 = 달팽이관
와이-셔츠(←white+shirts) 명 (西服的) 衬衫 chènshān; 衬衣 chènyī ¶흰색 ~ 白色衬衫
와이어(wire) 명 = 강삭
와이어-로프(wire rope) 명 = 강삭
와이퍼(wiper) 명 雨刮器 yǔguāqì; 雨刷 yǔshuā
와이프(wife) 명 妻子 qīzi; 太太 tàitai; 夫人 fūrén
와인(wine) 명 葡萄酒 pútaojiǔ; 果酒 guǒjiǔ ¶레드 ~ 红葡萄酒 =[红酒]
와인글라스(wineglass) 명 **1** 高脚酒杯 gāojiǎo jiǔbēi **2** 葡萄酒杯 pútaojiǔbēi
와일드-하다(wild—) 형 狂暴 kuángbào; 粗暴 cūbào; 失控 shīkòng ¶그는 성격이 ~ 他性格狂暴
와작-와작 부하자타 咯吱咯吱 gēzhīgēzhī 《嚼泡菜或腌萝卜块的声音》 ¶깍두기를 ~ 씹어 먹다 咯吱咯吱地嚼着腌萝卜吃
와장창 부하자 哗啦 huālā; 哗啦啦 huālālā ¶유리창이 ~하고 깨졌다 哗啦一声, 玻璃窗碎裂了
와전(訛傳) 명하타 讹传 échuán; 误传 wùchuán ¶그의 말은 사람들에 의해 ~되었다 他的话被人们误传了
와중(渦中) 명 **1** 漩涡中 xuánwōzhōng **2** 中 zhōng ¶이야기하는 ~에 전화벨이 울렸다 谈话中, 电话铃响了
와지끈 부하자타 咔嚓 kāchā; 咯吱 gēzhī 《硬物破碎声》 ¶~ 소리와 함께 가로수 한 그루가 바람에 뽑혔다 咔嚓一声一根行道树被风拔出了
와지끈-거리다 자타 咔嚓咔嚓响 kāchākāchā xiǎng; 咯吱咯吱响 gēzhīgēzhī xiǎng = 와지끈대다 **와지끈-와지끈** 부하자타
와트(watt) 의명 『電』 瓦特 wǎtè; 瓦 wǎ
와트-시(watt時) 의명 『物』 瓦特小时 wǎtè xiǎoshí; 瓦时 wǎshí
와플(waffle) 명 华夫饼干 huáfū bǐnggān; 华夫 huáfū; 窝夫 wōfū; 格子饼 gézibǐng
와하하 부 哇哈哈 wāhāhā 《毫无顾忌地大笑声》 ¶그는 큰 소리로 ~ 웃기 시작했다 他哇哈哈大笑起来了
와해(瓦解) 명하자타 瓦解 wǎjiě; 崩溃 bēngkuì ¶제도가 ~되다 制度瓦解 / 체제가 ~되다 体制崩溃
왁스(wax) 명 蜡 là ¶~를 바르다 涂蜡
왁자지껄 부하자형 (许多人聚在一起) 热闹 rènao; 闹嚷 nàorǎng; 叽里呱啦 jīliguālā; 闹哄哄 nàohōnghōng; 嘈杂 cáozá ¶우리는 공항에서 ~하게 그를 환영했다 我们在机场闹哄哄地欢迎了他
왁자-하다 형 **1** 热闹 rènao; 嘈杂 cáozá; 乱哄哄 luànhōnghōng ¶조용하던 마을이 여행객들로 왁자해졌다 原本安静的村庄由于游客的到来而热闹起来 **2** 众说纷纭 zhòngshuōfēnyún; 满城风雨 mǎnchéngfēngyǔ ¶새로 시행되는 제도에 대해 사람들 의견이 ~ 对新实行的制度众说纷纭
완강-하다(頑强—) 형 顽强 wánqiáng; 强硬 qiángyìng; 坚持 jiānchí ¶태도가 ~ 态度强硬 / 혐의를 완강하게 부인하다 坚持否认嫌疑 / 그는 성격이 아주 ~ 他性情很顽强 **완강-히** 부 ¶~ 거부하다 强硬地拒绝
완결(完結) 명하타 完结 wánjié; 完毕 wánbì; 结束 jiéshù ¶~ 소설 完结小说 / ~판 完结版 / 작업을 ~하다 工作完毕
완고-하다(頑固—) 형 顽固 wángù; 犟 jiàng ¶그녀의 아버지는 아주 완고하시다 她的父亲很顽固 **완고-히** 부
완:곡-하다(婉曲—) 형 婉转 wǎnzhuǎn; 婉曲 wǎnqū; 委婉 wěiwǎn ¶완곡하게 거절하다 婉转地拒绝 **완:곡-히** 부 ¶~ 권하다 婉转地劝告
완공(完工) 명하타 完工 wángōng; 完竣 wánjùn; 竣工 jùngōng ¶공사가 제때에 ~되다 建筑工程按时完工
완:구(玩具) 명 = 장난감 ¶~점 玩具店 / 어린이용 ~ 儿童玩具
완:급(緩急) 명 缓急 huǎnjí; 慢快 mànkuài ¶~을 구분하다 分别缓急 / ~을 조절하다 调节慢快
완납(完納) 명하타 缴清 jiǎoqīng; 缴完 jiǎowán; 纳讫 nàqì; 付讫 fùqì; 交清 jiāoqīng ¶학비를 ~하다 缴清学费 / 세금은 이미 전부 ~했다 税款已经全部缴清了
완두(豌豆) 명 『植』 豌豆 wāndòu

완두-콩(豌豆—) 명 豌豆 wāndòu
완:력(腕力) 명 **1** 腕力 wànlì; 臂力 bìlì ¶~기 腕力器 / ~을 증강시키다 增强腕力 **2** 力气 lìqi; 力量 lìliang ¶~으로 남을 굴복시키다 以力气服人
완료(完了) 명하타 完了 wánliǎo; 结束 jiéshù; 完 wán; 完毕 wánbì ¶준비가 ~되다 准备完毕
완리창청(Wanlichangcheng[萬里長城]) 명 〖古〗 = 만리장성
완:만-하다(緩慢—) 형 **1** 缓慢 huǎnmàn; 迟缓 chíhuǎn; 舒缓 shūhuǎn ¶이동 속도가 ~ 移动速度缓慢 / 생장 발육이 ~ 生长发育很缓慢 **2** (坡度) 缓 huǎn; 不陡 bùdǒu; 舒缓 shūhuǎn ¶완만한 산비탈 不陡的山坡 **완:만-히** 부
완미(完美) 명하형 完美 wánměi ¶~한 동작 完美的动作
완벽(完璧) 명하형히부 完善 wánshàn; 完美 wánměi; 十全十美 shíquánshíměi; 完美无缺 wánměiwúquē; 尽善尽美 jìnshànjìnměi ¶세상에 ~한 사람은 없다 世界上没有完美的人 / 문제를 ~히 해결하다 完美无缺地解决问题
완봉(完封) 명하타 **1** 完全封闭 wánquán fēngbì; 完全封锁 wánquán fēngsuǒ **2** 〖體〗 完封 wánfēng ¶~승 完封胜
완불(完拂) 명하타 付讫 fùqì; 交清 jiāoqīng; 如数支付 rúshù zhīfù ¶현금으로 ~하다 现金付讫 / 구입한 집값을 ~하다 付讫购买的房子
완비(完備) 명하타 完备 wánbèi; 齐全 qíquán; 齐备 qíbèi; 备齐 bèiqí ¶주차장 ~ 停车场完备 / 자료를 ~하다 资料齐全
완:상(玩賞) 명하타 玩赏 wánshǎng ¶미술품을 ~하다 玩赏美术品
완성(完成) 명하타 完成 wánchéng; 结束 jiéshù; 成 chéng; 做完 zuòwán ¶~도 完成度 / ~품 完成品 / 지도를 ~하다 完成地图 / 그의 작품이 드디어 ~되었다 他的作品终于做完了
완수(完遂) 명하타 完成 wánchéng; 遂 suì; 尽 jìn; 实现 shíxiàn ¶임무를 ~하다 完成任务
완숙(完熟) 명하자타형 **1** (果实等) 完全成熟 wánquán chéngshú; 完熟 wánshú ¶~한 열매 完全成熟的果实 **2** (人或动物) 成熟 chéngshú ¶~한 여인 成熟的女人 **3** (技术或手艺) 熟练 shúliàn ¶~한 솜씨 熟练的手艺 **4** (把食物) 全熟 quánshú ¶달걀을 ~으로 삶다 把鸡蛋煮到全熟
완승(完勝) 명하자 完胜 wánshèng ¶한국 팀이 5 대 0으로 미국 팀에 ~했다 韩国队以5比0完胜美国队
완역(完譯) 명하타 全译 quányì; 全文翻译 quánwén fānyì ¶소설 ~ 小说全译 / ~본 全译本 / ~판 全译版
완:연-하다(宛然—) 형 **1** 宛然 wǎnrán; 历历 lìlì; 显然 xiǎnrán; 盎然 àngrán ¶가을빛이 ~ 秋色盎然 **2** 宛似 wǎnsì; 宛如 wǎnrú; 相似 xiāngsì **완:연-히** 부 ¶나를 대하는 그의 태도가 ~ 달라졌다 他对我的态度显然变了
완:자 명 丸子 wánzi ¶~탕 丸子汤
완:장(腕章) 명 臂章 bìzhāng; 袖章 xiùzhāng; 袖标 xiùbiāo ¶~을 두르다 戴臂章
완전(完全) 명하형히부 完全 wánquán; 完整 wánzhěng; 完美 wánměi; 完好 wánhǎo; 完善 wánshàn; 全 quán ¶~ 범죄 完全犯罪 / ~ 변태 完全变态 / ~식품 完全营养食品 / ~ 연소 完全燃烧 / ~한 사랑 完整的爱 / ~히 실패하다 完全失败 / 나 역시 ~한 사람은 아니다 我也不是完美的人
완전 군장 〖軍〗 = 완전 무장
완전-무결(完全無缺) 명하형 完美无缺 wánměiwúquē; 完整 wánzhěng; 十全十美 shíquánshíměi; 十全 shíquán; 完好无缺 wánhǎowúquē ¶~한 상태 完美无缺的状态
완전 무:장(完全武裝) 〖軍〗 全副武装 quánfù wǔzhuāng; 严装 yánzhuāng = 완전 군장
완제(完濟) 명하타 偿清债务 chángqīng zhàiwù
완제-품(完製品) 명 成品 chéngpǐn; 制成品 zhìchéngpǐn ¶~을 수입하다 进口成品
완주(完走) 명하타 跑完 pǎowán; 走完 zǒuwán ¶그는 마라톤을 ~했다 他跑完了马拉松
완:충(緩衝) 명하타 缓冲 huǎnchōng ¶~기 缓冲器 / ~ 장치 缓冲装置 / ~재 缓冲材料 / ~제 缓冲剂 / ~ 효과 缓冲效果 / ~ 방법 缓冲方法
완치(完治) 명하타 痊愈 quányù; 治愈 zhìyù; 治好 zhìhǎo ¶~율 治愈率 / 폐결핵이 ~되다 肺结核痊愈
완쾌(完快) 명하자 痊愈 quányù; 复原 fùyuán ¶그는 이미 혼자 걸을 수 있을 정도로 ~되었다 他已经复原到可自己走路
완투(完投) 명하자 〖體〗 (棒球的) 完投 wántóu ¶~승 完投胜
완패(完敗) 명하자 完败 wánbài ¶우리 팀은 홈 팀에게 0 대 3으로 ~했다 我队0比3完败于主队
완:행(緩行) 명하자 **1** 缓行 huǎnxíng; 慢走 mànzǒu **2** = 완행열차
완:행-열차(緩行列車) 명 慢车 mànchē = 완행2

완:화(緩和) 명하타 缓和 huǎnhé; 和缓 héhuǎn ¶병세가 ~되다 病情缓和 / 규제를 ~하다 缓和控制

왈(曰) 부 曰 yuē ¶맹자 ~ 孟子曰

왈가닥 명 男人婆 nánrénpó; 假小子 jiǎxiǎozi

왈가왈부(曰可曰否) 명하타 说三道四 shuōsāndàosì; 说长道短 shuōchángdàoduǎn; 说短论长 shuōduǎnlùncháng; 议论 yìlùn ¶내 결혼에 대해 ~하지 마라 不要对我的婚姻说三道四

왈왈 부하자 汪汪 wāngwāng《狗的叫声》¶개가 ~ 짖다 狗汪汪叫

왈츠(waltz) 명 『音』 华尔兹 huá'ěrzī; 圆舞曲 yuánwǔqǔ; 慢三步 mànsānbù

왈칵 부하자타 **1** 哇(地) wā(de)《呕吐》¶말이 끝나기도 전에 나는 ~ 토하고 말았다 话音未落, 我忍不住哇的一声呕吐起来 **2** 一下子 yīxiàzi; 猛地 měngde ¶그녀가 아이를 ~ 끌어안았다 她猛地抱住了孩子 **3** 哗啦一下子 huālā yīxiàzi《倾泻或涌出》¶눈물이 ~ 쏟아져 나오다 泪水哗啦一下子涌出了眼眶

왕(王) 명 **1** = 임금 **2** 头子 tóuzi; 首 shǒu; 第一 dìyī; 王 wáng ¶봉황은 새 중의 ~이다 凤凰是鸟中之王

왕-(王) 접두 **1** 大 dà; 粗 cū ¶~만두 大包子 / ~못 大钉子 / ~소금 粗盐 **2** 非常 fēicháng; 死 sǐ; 老 lǎo《表示程度很深》¶~고집 死顽固

-왕(王) 접미 王 wáng; 大王 dàwáng ¶석유~ 石油之王 / 발명~ 에디슨 发明大王爱迪生

왕가(王家) 명 王家 wángjiā; 王室 wángshì; 王族 wángzú

왕-개미(王—) 명 『蟲』 **1** 大蚂蚁 dàmǎyǐ **2** 毗蜉 pífú

왕-거미(王—) 명 『蟲』 大腹园蛛 dàfùyuánzhū

왕-겨(王—) 명 稻糠 dàokāng; 砻糠 lóngkāng

왕-고모(王姑母) 명 = 고모할머니

왕-고모부(王姑母夫) 명 = 고모할아버지

왕-고집(王固執) 명 非常固执 fēicháng gùzhi; 死顽固 sǐwángù ¶그는 아주 ~이다 他非常固执

왕-골 명 『植』 莞草 guāncǎo; 营草 yíngcǎo ¶~ 방석 莞草坐垫 / ~자리 莞草席

왕관(王冠) 명 王冠 wángguān; 皇冠 huángguān ¶머리에 ~을 쓰다 头戴王冠

왕국(王國) 명 王国 wángguó ¶스웨덴 ~ 瑞典王国 / 동물의 ~ 动物王国

왕궁(王宮) 명 王宫 wánggōng; 皇宫 huánggōng

왕권(王權) 명 王权 wángquán; 君权 jūnquán ¶~을 강화하다 加强王权

왕녀(王女) 명 王女 wángnǚ; 公主 gōngzhǔ

왕:년(往年) 명 往年 wǎngnián; 往前 wǎngqián; 以往 yǐwǎng; 过去 guòqù; 从前 cóngqián ¶~의 스타 过去的明星 / ~의 모습을 되찾다 恢复过去的样子

왕눈-이(王—) 명 大眼睛 dàyǎnjing; 大眼睛的 dàyǎnjingde

왕도(王道) 명 王道 wángdào ¶~ 정치 王道政治 / 공부에는 ~가 없다 没有学习的王道

왕:래(往來) 명하자타 **1** 来往 láiwǎng; 往来 wǎnglái; 过往 guòwǎng ¶차량의 ~가 매우 빈번하다 车辆往来得很频繁 / ~하는 행인들이 점점 줄어든다 来往的行人渐渐少去 **2** (人和人) 来往 láiwǎng; 往来 wǎnglái; 过往 guòwǎng; 交往 jiāowǎng; 打交道 dǎ jiāodao ¶나는 지금은 그들과 ~하지 않는다 我现在跟他们不来往了 / 그와 편지로 ~하다 和他写信来往

왕릉(王陵) 명 王陵 wánglíng; 皇陵 huánglíng

왕:림(枉臨) 명하자타 光临 guānglín; 来临 láilín; 枉顾 wǎnggù; 枉临 wǎnglín; 枉驾 wǎngjià; 屈驾光临 qūjià guānglín ¶~해 주셔서 감사합니다 谢谢您的光临

왕명(王命) 명 王命 wángmìng; 君命 jūnmìng

왕-방울(王—) 명 大铃 dàlíng

왕:복(往復) 명하타 往复 wǎngfù; 往返 wǎngfǎn ¶~ 비행기 표 往返机票 / ~ 엽서 往返明信片 / 출근하는 데 ~ 세 시간이 걸린다 上班来回三个小时 / 통근 버스가 매일 ~ 운행된다 班车每天往返运行

왕:복-권(往復券) 명 = 왕복표

왕:복-표(往復票) 명 往返票 wǎngfǎnpiào; 双程票 shuāngchéngpiào; 来回票 láihuípiào = 왕복권

왕비(王妃) 명 王妃 wángfēi; 王后 wánghòu = 왕후

왕-새우(王—) 명 『動』 = 대하(大蝦)

왕:생(往生) 명하자 『佛』 往生 wǎngshēng

왕:성(旺盛) 명하형히부 旺盛 wàngshèng; 旺 wàng; 盛 shèng; 充沛 chōngpèi ¶가을에는 식욕이 ~하다 秋天食欲旺盛 / 혈기가 ~하다 血气充沛

왕-세손(王世孫) 명 『史』 王世孙 wángshìsūn; 世孙 shìsūn = 세손

왕-세자(王世子) 명 『史』 王世子 wángshìzǐ; 王太子 wángtàizǐ; 世子 shìzǐ; 太子 tàizǐ = 세자 ¶~비 王太

子妃 =[太子妃]
왕손(王孫) 명 王孙 wángsūn
왕실(王室) 명 王室 wángshì ¶영국 ~ 英国王室
왕왕 부하자 嚎啕 háotáo; 嗡嗡 wēngwēng; 轰隆轰隆 hōnglōnghōnglōng; 嗷嗷 áo'áo ¶스피커 소리가 ~ 울리다 音响开得轰隆轰隆响
왕:왕(往往) 부 往往 wǎngwǎng ¶나는 ~ 그 일이 생각난다 我往往想起那件事
왕왕-거리다 자 嚎叫 háojiào; 嚎啕 háotáo; 嗡嗡 wēngwēng = 왕왕대다 ¶벌이 왕왕거리는 소리가 들리다 听到蜜蜂的嗡嗡声
왕위(王位) 명 王位 wángwèi = 보위(寶位) ¶~를 계승하다 继承王位 / ~에 오르다 登上王位
왕자(王子) 명 王子 wángzǐ ¶어린 ~ 小王子
왕자(王者) 명 **1** = 임금 **2** 第一 dìyī; 权威 quánwēi; 霸主 bàzhǔ ¶축구의 ~ 足球霸主
왕정(王政) 명 **1** 王政 wángzhèng; 帝政 dìzhèng **2** 君主政治 jūnzhǔ zhèngzhì
왕조(王朝) 명 王朝 wángcháo ¶고려 ~ 高丽王朝 / 조선 ~ 朝鲜王朝
왕족(王族) 명 王族 wángzú
왕좌(王座) 명 **1** 王座 wángzuò; 帝位 dìwèi ¶~에 오르다 登上帝位 / ~에서 물러나다 退出王座 **2** 首席 shǒuxí; 魁首 kuíshǒu ¶농구계의 ~ 篮球界的魁首
왕:진(往診) 명하타 出诊 chūzhěn ¶~가방 出诊箱 / ~비 出诊费 / 한밤중에 ~을 가다 半夜出诊
왕창 부 大规模地 dàguīmóde; 多多地 duōduōde ¶그물로 고기를 ~ 잡다 用网大规模地捕鱼 / 돈을 ~ 쓰다 多多地花钱 / 술을 ~ 마시다 多多地喝酒
왕초(王—) 명 乞丐王 qǐgàiwáng; 破烂王 pòlànwáng
왕-태자(王太子) 명 〖史〗 王太子 wángtàizǐ; 太子 tàizǐ = 태자1 ¶~궁 王太子宫 / ~비 王太子妃
왕통(王統) 명 王室血统 wángshì xuètǒng ¶~을 잇다 继承王室血统
왕호(王號) 명 王号 wánghào
왕후(王后) 명 = 왕비
왜: ㊀부 为什么 wèishénme; 为何 wèihé; 怎么 zěnme; 干吗 gànmá; 干什么 gàn shéme ¶너 어제 ~ 안 왔니? 昨天你怎么没来? / 내가 ~ 그에게 사과를 해야 합니까? 我干吗要给他道歉呢? / 나는 그녀가 ~ 우는지 모르겠다 我不知道她为什么哭 ㊁감 那 nà; 那个 nàge ¶너 그 식당 알지? ~, 학교 앞에 있는 식당 말이야 你知道那家餐厅吧? 那个, 在学校对面的餐厅
왜(倭) 명 倭 wō; 日本 Rìběn
왜:가리 명 〖鳥〗 苍鹭 cānglù
왜-간장(倭—醬) 명 日本酱油 Rìběn jiàngyóu
왜곡(歪曲) 명하타 歪曲 wāiqū; 扭曲 niǔqū ¶~된 보도 扭曲的报道 / 고의로 역사를 ~하다 有意地歪曲历史 / 임의로 사실을 ~하다 任意歪曲事实
왜구(倭寇) 명 〖史〗 倭寇 Wōkòu; 日寇 Rìkòu
왜군(倭軍) 명 倭军 Wōjūn
왜냐-하면 부 因为 yīnwèi ¶그는 요즘 기분이 좋지 않다. ~ 여자 친구와 헤어졌기 때문이다 最近他心情不好, 因为跟女朋友分手
왜란(倭亂) 명 **1** 倭乱 Wōluàn **2** 〖史〗 =임진왜란
왜병(倭兵) 명 倭兵 Wōbīng; 小鬼子兵 xiǎoguǐzibīng
왜소-하다(矮小—) 형 矮小 ǎixiǎo ¶체형이 왜소하고 마른 사람 体形矮小瘦弱的人
왜인(倭人) 명 倭人 Wōrén
왜장(倭將) 명 倭将 Wōjiàng
왜적(倭敵) 명 倭敌 Wōdí ¶~을 물리치다 击退倭敌 / ~에 대항하다 抗击倭敌
왜정(倭政) 명 倭政 Wōzhèng; 日帝统治 Rìdì tǒngzhì
왝 부하자 **1** 呱 gū《苍鹭等的叫声》**2** 哇 wā《呕吐声》
왝-왝 부하자 **1** 呱呱 gūgū《苍鹭一连串的叫声》**2** 喂喂 wèiwèi《喊声》**3** 哇哇 wāwā《呕吐声》¶~ 토하다 哇哇地呕吐起来
왝왝-거리다 자 **1** 哇哇 wāwā《呕吐》¶그는 속이 좋지 않아서 왝왝거리며 토했다 他肚子不舒服, 就哇哇地呕吐起来 **2** 呱呱叫 gūgūjiào ‖ = 왝왝대다
왠지 부 不知为什么 bùzhī wèishénme; 不知怎的 bùzhī zěnde; 不知道怎的 bùzhīdao zěnde ¶요즘은 ~ 기분이 좋지 않다 最近不知怎的心情不好
왱 부 **1** 嗡 wēng; 呜 wū《虫飞鸣声或风吹电线声》¶파리가 계속 귓가에서 ~ 하고 날아다닌다 苍蝇一直在耳边嗡地飞着 **2** 呜 wū《消防车、救护车等呼啸而过声》¶구급차가 ~ 소리를 내며 거리를 달려간다 救护车在街上呼啸而过
왱-왱 부하자 **1** 嗡嗡 wēngwēng; 呜呜 wūwū《虫飞鸣声或风吹电线声》¶바람이 불어 전선이 계속 ~ 소리를 낸다 风吹电线一直呜呜响着 / 모기가 ~ 날아 다닌다 蚊子嗡嗡飞着 **2** 呜呜 wūwū《消防车、救护车等呼啸而过声》
왱왱-거리다 자 **1** (虫子等飞时) 嗡嗡

(响) wēngwēng (xiǎng) ¶모기가 계속 귓가에서 왱왱거려서 잠을 잘 수가 없다 蚊子一直在耳边嗡嗡地飞着, 让我睡不着 **2** 呜呜响 wūwū xiǎng《风声》¶ 바람이 불자 전선이 왱왱거린다 风一吹电线就呜呜响着 **3** 呜呜 wūwū《消防车、救护车等呼啸而过声》‖= 왱왱대다

외:(外) 의명 外 wài; 以外 yǐwài; 之外 zhīwài ¶가족 ~의 다른 사람 家人以外的别人 / 그는 사과 ~에 다른 과일은 모두 싫어한다 他除了苹果以外别的水果都不喜欢

외- 접두 **1** 独 dú; 孤 gū《用在名词前》¶~아들 独生儿子 **2** 孤 gū《用在某些副词或动词的前面》¶~따로 孤零零地 / ~떨어지다 孤零零

외:-(外) 접두 **1** 外 wài《表示母系血族》¶~할아버지 外公 / ~할머니 外婆 / ~손녀 外孙女 **2** 外 wài; 外部 wàibù《表示外部》¶~감각 外部感觉

외:가(外家) 명 外婆家 wàipójiā; 外家 wàijiā; 外公外婆家 wàigōngwàipójiā = 외갓집

외:각(外角) 명〖數〗外角 wàijiǎo

외:갓-집(外家—) 명 = 외가 ¶아이는 ~에서 봄 방학을 보낸다 孩子在外家过春假

외:견(外見) 명 = 외관

외-겹 명 单层 dāncéng ¶~ 치마 单层裙子

외겹-실 명 = 외올실

외:경(外徑) 명〖數〗= 바깥지름

외:계(外界) 명 **1** 外界 wàijiè; 外部世界 wàibù shìjiè **2** 外星 wàixīng ¶~에서 온 생물체 从外星来的生物体 **3**〖哲〗客观世界 kèguān shìjiè **4**〖佛〗外界 wàijiè

외:계-인(外界人) 명 外星人 wàixīngrén = 우주인2

외-고집(—固執) 명 犟脾气 jiàngpíqi; 死犟 sǐjiàng; 顽固 wángù ¶그의 ~은 아무도 못 고친다 他的犟脾气谁也不能改

외고집-쟁이(—固執—) 명 固执的人 gùzhide rén; 老顽固 lǎowángù

외:-골격(外骨格) 명〖動〗外骨格 wàigǔgé

외-곬 명 **1** 一条道 yītiáo dào **2** 一个方面 yīge fāngmiàn; 一个方法 yīge fāngfǎ ¶~으로만 생각해선 안 된다 别只考虑一个方面

외:과(外科) 명〖醫〗外科 wàikē ¶~ 의사 外科医生 / ~ 수술 外科手术 / 정형~ 整形外科 / 흉부~ 胸腔外科

외:곽(外廓 · 外郭) 명 **1** 外郭 wàiguō; 外郭城 wàiguōchéng **2** 外围 wàiwéi ¶ 도시 ~ 城市外围 / ~ 지대 外围地段 / ~ 도로 外围道路

외:관(外觀) 명 外观 wàiguān; 外表 wàibiǎo; 外面(儿) wàimiàn(r) = 외견 ¶~이 보기 좋다 外表好看 / ~상 그럭저럭 괜찮다 从外观上看还可以

외:교(外交) 명 **1**〖政〗外交 wàijiāo ¶~관 外交官 / ~단 外交团 / ~부 外交部 / ~ 기관 外交机关 / ~ 능력 外交力 / ~ 사절 外交使节 / ~ 문제 外交问题 / ~ 관계 外交关系 / ~ 문서 外交文件 / ~ 정책 外交政策 **2** 交往 jiāowǎng; 交际 jiāojì; 公关 gōngguān ¶ 성공적인 ~ 成功的交际 / ~ 기술 交际技巧

외:교-적(外交的) 관명 外交性(的) wàijiāoxìng(de); 外交上(的) wàijiāoshang(de) ¶~ 교섭 外交上的交涉

외:구(外寇) 명 = 외적(外敵)

외:국(外國) 명 外国 wàiguó; 国外 guówài; 海外 hǎiwài ¶~ 사람 外国人 / ~ 소설 外国小说 / ~ 친구 外国朋友 / ~ 도서 外国图书 / ~ 영화 外国电影 / ~ 은행 外国银行 / ~ 자본 外国资本 =[外资]

외:국 무:역(外國貿易)〖經〗对外贸易 duìwài màoyì; 海外贸易 hǎiwài màoyì; 国际贸易 guójì màoyì; 外贸 wàimào = 국제 무역 · 대외 무역 · 해외 무역

외:국-산(外國産) 명 外国产 wàiguóchǎn; 外国产品 wàiguó chǎnpǐn ¶~ 담배 外国产香烟 / ~ 화장품 外国产化妆品

외:국-어(外國語) 명 外国语 wàiguóyǔ; 外语 wàiyǔ ¶~ 시험 外语考试 / ~ 교육 外语教育 / ~ 학교 外语学校 / ~를 공부하다 学习外国语

외:국-인(外國人) 명 外国人 wàiguórén; 外人 wàirén = 외인(外人)4 ¶~ 학교 外国人学校

외:국-제(外國製) 명 外国制造 wàiguó zhìzào; 外国制 wàiguózhì; 外国制品 wàiguó zhìpǐn = 외제 ¶~를 사용하다 使用外国制品

외:국-채(外國債) 명〖經〗外债 wàizhài = 외채 ¶~를 상환하다 偿还外债

외:국-환(外國換) 명〖經〗**1** 外汇 wàihuì ¶~ 거래 外汇交易 / ~ 관리 外汇管理 **2** = 외국환 어음

외:국환 시:장(外國換市場)〖經〗外汇市场 wàihuì shìchǎng = 외환 시장 · 환시장

외:국환 어음(外國換—)〖經〗外汇票据 wàihuì piàojù; 外汇 wàihuì = 외국환2 · 외환(外換)

외:국환 은행(外國換銀行)〖經〗外汇银行 wàihuì yínháng = 외환 은행

외:근(外勤) 명하자 外勤 wàiqín ¶～ 업무 外勤工作 / ～ 기자 外勤记者 / ～을 하다 跑外勤

외-기러기 명 孤雁 gūyàn ¶짝 잃은 ～ 失去伴侣的孤雁

외-길 명 独路 dúlù; 孤路 gūlù; 一条路 yītiáo lù ¶～ 인생 独路人生

외길-목 명 孤路口 gūlùkǒu; 独路口 dúlùkǒu

외나무-다리 명 独木桥 dúmùqiáo

외눈-박이 명 ＝ 애꾸눈이

외:다 타 1 反复说 fǎnfù shuō 2 '외우다2' 的略词

외-닫이 명 单扇 dānshàn; 单扇门 dānshànmén ¶～ 창 单扇窗 / ～ 문 单扇门

외:도(外道) 명하자 1 外遇 wàiyù ¶그녀는 마침내 남편이 ～한 사실을 알았다 她终于知道她的丈夫搞外遇的事 2 改行 gǎiháng ¶선생님이 ～하여 모델이 되다 教师改行当模特儿

외-돌토리 명 孤身 gūshēn; 独身 dúshēn; 孑然一身 jiéráníshēn ＝ 외톨박이2 · 외톨이

외동-딸 명 独生女 dúshēngnǚ

외동-아들 명 独生子 dúshēngzǐ; 独子 dúzǐ

외-따로 부 孤零零地 gūlínglíngde; 孤单地 gūdānde; 孤独地 gūdúde ¶그녀는 ～ 문 앞에 서 있다 她孤零零地站在门前

외딴 관 孤零零的 gūlínglíngde; 孤单的 gūdānde; 孤独的 gūdúde

외딴-곳 명 偏僻之地 piānpìzhīdì; 僻壤 pìrǎng ¶인적이 드문 ～ 人迹稀少的偏僻之地

외딴-길 명 偏僻小路 piānpì xiǎolù

외딴-섬 명 孤岛 gūdǎo

외딴-집 명 独户人家 dúhù rénjiā; 偏僻的人家 piānpìde rénjiā

외-딸 명 独生女 dúshēngnǚ ＝ 독녀

외-딸다 자 孤单 gūdān; 孤零零 gūlínglíng ¶동네에서 외딸아 있는 집 远离村里的孤零零的家

외-떡잎 명 〖植〗 单子叶 dānzǐyè ¶～ 식물 单子叶植物

외-떨어지다 자 孤零零 gūlínglíng; 孤单 gūdān ¶외떨어진 시골 학교 孤零零的乡村学校

외:람-되다(猥濫—) 형 冒昧 màomèi; 冒失 màoshi; 无理 wúlǐ ¶외람되지만 하나만 여쭙겠습니다 我要冒昧地问一下 **외:람되-이** 부

외:래(外來) 명 1 外来 wàilái ¶～문화 外来文化 / ～어 外来词 ＝[外来语] / ～ 사상 外来思想 2 门诊 ménzhěn; 门诊病人 ménzhěn bìngrén

외:래-품(外來品) 명 舶来品 bóláipǐn

외:래 환:자(外來患者) 〖醫〗 门诊病人 ménzhěn bìngrén; 门诊患者 ménzhěn huànzhě

외:려 부 '오히려' 的略词

외:로 부 1 向左边 xiàng zuǒbian; 向左 xiàng zuǒ ¶～ 돌아서 앞으로 가다 向左拐往前走 2 倾斜地 qīngxiéde; 颠倒地 diāndǎode

외로움 명 孤单 gūdān; 孤独 gūdú; 寂寞 jìmò ¶～을 느끼다 觉得孤独 / ～을 달래 주다 安慰寂寞

외로이 부 孤单地 gūdānde; 孤独地 gūdúde ¶그들은 자식도 없이 ～ 지낸다 他们没有子女, 孤独地生活

외롭다 형 孤寂 gūjì; 孤独 gūdú; 寂寞 jìmò ¶외로운 나그네 孤独的游客 / 나는 요즘 너무 ～ 我最近觉得很孤独

외-마디 명 1 独节 dújié; 无节 wújié 2 一句 yījù; 一声 yīshēng ¶그녀는 ～ 비명을 지르고는 기절했다 她尖叫了一声就晕倒了

외:면[1](外面) 명 1 ＝ 겉면 2 外貌 wàimào; 外表 wàibiǎo; 外形 wàixíng ¶～만 보고 판단하다 只看外表判断

외:면[2](外面) 명하타 1 背脸 bèiliǎn; 转脸 zhuǎnliǎn; 背过脸去 bèiguòliǎnqù; 转过脸去 zhuǎnguòliǎnqù ¶그녀는 나를 보더니 그냥 ～하고 지나갔다 她一看见我就背着脸从我身边过去了 2 回避 huíbì ¶현실을 ～하다 回避现实 / 사실을 ～하다 回避事实

외:면-적(外面的) 관명 外表(的) wàibiǎo(de); 表面上(的) biǎomiànshang(de) ¶～으로는 보기 좋다 表面上好看

외:모(外貌) 명 外貌 wàimào; 容貌 róngmào ¶그녀는 ～가 아주 빼어나다 她的外貌很出色

외-바퀴 명 独轮 dúlún

외:박(外泊) 명하자 外宿 wàisù; 在外过夜 zàiwài guòyè ¶그는 어제 ～해서 부모님께 꾸중을 들었다 他昨天在外过夜, 被父母骂了一顿

외:-배엽(外胚葉) 명 〖生〗 外胚叶 wàipēiyè

외:-배유(外胚乳) 명 〖生〗 外胚乳 wàipēirǔ

외:벽(外壁) 명 〖建〗 外壁 wàibì; 外墙 wàiqiáng

외:부(外部) 명 1 外部 wàibù; 外面 wàimiàn; 外边 wàibian ¶～ 설비 外部设备 / ～ 환경 外部环境 / ～ 공기가 차다 外边的空气很冷 2 外围 wàiwéi; 外界 wàijiè; 局外 júwài; 外部 wàibù ¶～ 사람 局外人 / ～ 압력 外界压力 / ～ 요소 外界因素 / ～와의 관계를 강화하다 加强与外界的交往

외:부-적(外部的) 관명 外部(的) wàibù(de); 外部性(的) wàixìngbù(de); 外

界(的) wàijiè(de) ¶~ 충격 外部冲击 / ~인 문제 外部性问题

외ː빈(外賓) 명 外宾 wàibīn; 外国客人 wàiguó kèrén ¶~을 접대하다 接待外国客人 / ~에게 환영을 표하다 对外国客人表示欢迎

외ː-사촌(外四寸) 명 舅表兄弟 jiùbiǎo xiōngdì; 舅表姐妹 jiùbiǎo jiěmèi; 舅表 jiùbiǎo ¶~ 형 舅表哥

외ː-삼촌(外三寸) 명 舅舅 jiùjiu; 舅父 jiùfù = 외숙·외숙부

외ː삼촌-댁(外三寸宅) 명 **1** 舅母 jiùmǔ **2** 舅舅家 jiùjiujiā

외ː상 명 赊账 shēzhàng; 赊欠 shēqiàn; 赊 shē; 挂账 guàzhàng ¶~ 사절 概不赊账 / ~으로 물건을 사다 赊欠买东西 / 그는 나에게 돼지고기 두 근을 ~으로 주었다 他给我赊了两斤猪肉

외ː상(外相) 명 『法』 外相 wàixiàng; 外交大臣 wàijiāo dàchén

외ː상(外傷) 명 『醫』 外伤 wàishāng; 创伤 chuàngshāng ¶~ 후 출혈 外伤后出血 / 사고로 ~을 입다 因事故受外伤

외ː상-값 명 赊账 shēzhàng ¶~을 갚다 偿还赊账

외ː상-술 명 喝酒赊账 hējiǔ shēzhàng

외ː선(外線) 명 **1** 外边线 wàibianxiàn; 外侧线 wàicèxiàn **2** 室外电线 shìwài diànxiàn **3** 外线 wàixiàn; 外线电话 wàixiàn diànhuà ¶~ 전화번호 外线号码 / ~이 불통이다 外线不通

외ː설(猥褻) 명하형 猥亵 wěixiè; 淫猥 yínwěi; 淫秽 yínhuì; 黄色 huángsè ¶~물 猥亵物 / ~ 문학 黄色文学 / ~ 행위 猥亵行为

외ː성(外城) 명 外城 wàichéng

외ː세(外勢) 명 **1** 外边形势 wàibian xíngshì **2** 国外势力 guówài shìlì; 外国势力 wàiguó shìlì

외-손 명 一只手 yīzhī shǒu; 单手 dānshǒu

외ː-손녀(外孫女) 명 外孙女(儿) wàisūnnǚ(r)

외ː-손자(外孫子) 명 外孙子 wàisūnzi; 外孙 wàisūn

외ː-손주(外孫—) 명 外孙子外孙女 wàisūnzi wàisūnnǚ

외ː숙(外叔) 명 = 외삼촌

외ː-숙모(外叔母) 명 舅母 jiùmǔ; 舅妈 jiùmā

외ː-숙부(外叔父) 명 = 외삼촌

외ː식(外食) 명하자 在外吃饭 zài wài chīfàn; 上馆子吃饭 shàng guǎnzi chīfàn; 吃馆子 chī guǎnzi ¶그들은 저녁에 종종 ~을 한다 他们晚上常常在外吃饭

외ː신(外信) 명 外电 wàidiàn; 外国通讯 wàiguó tōngxùn ¶~ 기자 外电记者 / ~ 보도 外电报道

외-아들 명 独生子 dúshēngzǐ; 独子 dúzǐ = 독자(獨子)

외ː압(外壓) 명 外压 wàiyā; 外部压力 wàibù yālì ¶~에 굴복하다 屈服外部压力

외ː야(外野) 명 『體』 **1** (棒球的) 外场 wàichǎng; 外野 wàiyě **2** = 외야수 **3** = 외야석

외ː야-석(外野席) 명 『體』 (棒球场的) 露天看台 lùtiān kàntái; 外场观众席 wàichǎng guānzhòngxí = 외야3

외ː야-수(外野手) 명 『體』 (棒球的) 外场手 wàichǎngshǒu; 外野手 wàiyěshǒu = 외야2

외ː양(外樣) 명 = 겉모양

외양-간(—間) 명 牛棚 niúpéng; 牲口棚 shēngkoupéng; 牛圈 niúquān = 우사

외올-실 명 单股线 dāngǔxiàn = 외겹실

외ː용(外用) 명하자 外用 wàiyòng ¶~ 연고 外用软膏 / ~약 外用药

외우다 타 **1** 背下 bèixià; 背 bèi; 记得 jìde; 记 jì; 默记 mòjì ¶암호를 ~ 默记暗号 / 영어 단어 백 개를 ~ 背下一百个英语单词 / 나는 아직도 그의 전화번호를 외우고 있다 我还记得他的电话号码 **2** 背 bèi; 背诵 bèisòng; 念 niàn; 念诵 niànsòng ¶주문을 ~ 念咒 / 염불을 ~ 念佛 / 고시를 ~ 背诵古诗

외ː유(外柔) 명하형 外柔 wàiróu ¶~내강 外柔内刚 =[内刚外柔]

외ː유(外游) 명하자 外国旅行 wàiguó lǚxíng; 出国旅游 chūguó lǚyóu ¶그는 마침내 ~에서 돌아왔다 他终于从外国旅行回来了

외ː-음부(外陰部) 명 『生』 外阴部 wàiyīnbù

외ː이(外耳) 『生』 = 바깥귀

외ː-이도(外耳道) 명 『生』 外耳道 wài'ěrdào ¶~염 外耳道炎

외ː인(外人) 명 **1** (家人以外的) 外人 wàirén **2** (某个范围或组织以外的) 外人 wàirén; 外部人 wàibùrén **3** 局外人 júwàirén; 闲人 xiánrén ¶~ 출입 금지 闲人免进 **4** =외국인

외ː인(外因) 명 **1** 外因 wàiyīn **2** 其他原因 qítā yuányīn

외ː인-부대(外人部隊) 명 外籍雇佣军 wàijí gùyōngjūn; 外籍兵团 wàijí bīngtuán

외-자(—字) 명 单字 dānzì; 单个字 dāngèzì ¶~ 이름 单字名 / ~로 이름을 짓다 单字取名

외ː자(外資) 명 『經』 外资 wàizī; 外国

资本 wàiguó zīběn ¶～ 도입 外资引进 / ～ 기업 外资企业 / ～가 대량으로 우리나라에 들어오다 外资大量进入我国

외:장(外裝) 명 **1** 外装 wàizhuāng; 外部装饰 wàibù zhuāngshì ¶～ 공사 外装工程 **2** 外部设备 wàibù shèbèi

외:-적(外的) 관명 **1** 外部(的) wàibù-(de); 外在(的) wàizài(de) ¶～ 환경 外部环境 / ～ 요인 外部因素 / ～ 조건 外在条件 **2** 肉体(的) ròutǐ(de); 物质(的) wùzhì(de)

외:적(外敵) 명 外敌 wàidí; 外寇 wàikòu ＝ 외구 ¶～에 대항하다 抗击外敌

외:전(外典) 명 **1**〖宗〗伪经 wěijīng **2**〖佛〗外典 wàidiǎn

외:전(外傳) 명 外传 wàizhuàn

외:접(外接) 명하자〖數〗**1** 外接 wàijiē ¶～원 外接圆 **2** 外切 wàiqiē

외:제(外製) 명 ＝ 외국제

외:제-품(外製品) 명 外国制品 wàiguó zhìpǐn; 外国产品 wàiguó chǎnpǐn

외:조(外助) 명 **1** 外部帮助 wàibù bāngzhù **2** 贤外助 xiánwàizhù ¶남편의 ～ 老公的贤外助

외:조(外祖) 명 ＝ 외할아버지

외:-조모(外祖母) 명 ＝ 외할머니

외:-조부(外祖父) 명 ＝ 외할아버지

외:-조부모(外祖父母) 명 外祖父母 wàizǔfùmǔ

외:종(外從) 명 舅表 jiùbiǎo; 舅表兄弟 jiùbiǎo xiōngdì; 舅表姐妹 jiùbiǎo jiěmèi ＝ 외종사촌 ¶～형 舅表兄 / ～형제 舅表兄弟

외:종-사촌(外從四寸) 명 ＝ 외종

외:주(外注) 명하타〖經〗向外订购 xiàngwài dìnggòu; 外部订购 wàibù dìnggòu; 订做 dìngzuò

외-줄 명 单线 dānxiàn; 一条线 yītiáo xiàn; 一根线 yīgēn xiàn ＝ 단선(單線) ¶～을 타다 踩一条线

외:-증조모(外曾祖母) 명 外曾祖母 wàizēngzǔmǔ

외:-증조부(外曾祖父) 명 外曾祖父 wàizēngzǔfù

외:지(外地) 명 外地 wàidì; 外边 wàibian; 外乡 wàixiāng ¶～인 外地人 / ～에서 생활하다 在外地生活 / ～로 돈 벌러 가다 到外地赚钱

외-지다 형 偏僻 piānpì; 偏远 piānyuǎn ¶외진 시골에서 생활하다 在偏僻的乡村生活

외-짝 명 单只 dānzhī; 不成双的 bùchéngshuāngde; 单扇 dānshàn; 一张 yīzhāng; 一条 yītiáo ¶～ 양말 单只袜子 / 나무로 된 ～ 문 木质单扇门

외-쪽 명 **1** 单方 dānfāng; 一方 yīfāng **2** 一块 yīkuài; 一片 yīpiàn; 一瓣 yībàn ¶～ 마늘 一瓣大蒜

외:채(外債) 명〖經〗＝ 외국채 ¶～ 시장 外债市场 / ～ 상환율 外债偿还率

외:척(外戚) 명 **1** 外家亲戚 wàijiā qīnqi; 外戚 wàiqī ¶～ 세력 外戚势力 **2** 外姓亲戚 wàixìng qīnqi

외:출(外出) 명하자 外出 wàichū; 出门 chūmén; 出去 chūqù ¶～복 出门服装 / ～ 준비를 하다 准备出门 / 그는 지금 ～ 중이다 他现在出去外面了

외:출-증(外出證) 명 外出证 wàichūzhèng ¶～을 끊어 주다 发给外出证

외:-출혈(外出血) 명〖醫〗外出血 wàichūxuè

외치다 자타 **1** 喊 hǎn; 喊叫 hǎnjiào; 叫喊 jiàohǎn; 叫 jiào; 呼 hū; 呼喊 hūhǎn; 叫唤 jiàohuan ¶구호를 ～ 喊口号 / 어떤 사람이 밖에서 큰 소리로 외치고 있다 有一个人在外面大声喊叫 **2** 主张 zhǔzhāng; 提倡 tíchàng ¶민주주의를 ～ 主张民主主义 / 자유를 ～ 提倡自由

외:-탁(外—) 명하자 (长相、气质等) 像外家人 xiàng wàijiārén ¶그는 ～을 했다 他长得很像外家人

외톨-박이 명 **1** 独粒 dúlì; 单颗 dānkē **2** ＝ 외돌토리

외-톨이 명 ＝ 외돌토리 ¶나는 더 이상 ～가 아니다 我不再是孑然一身

외:투(外套) 명 外套(儿) wàitào(r); 大衣 dàyī ＝ 오버

외:판(外販) 명하타 外出推销 wàichū tuīxiāo

외:판-원(外販員) 명 推销员 tuīxiāoyuán; 营业员 yíngyèyuán; 售货员 shòuhuòyuán ＝ 세일즈맨

외-팔 명 独臂 dúbì ¶～이 独臂人

외:풍(外風) **1** 贼风 zéifēng ¶～을 차단하다 严防贼风 **2** 外国风俗 wàiguó fēngsú

외:피(外皮) 명 **1** ＝ 겉껍질 **2** ＝ 겉가죽 **3**〖動〗体表 tǐbiǎo

외:-할머니(外—) 명 外婆 wàipó; 外祖母 wàizǔmǔ; 姥姥 lǎolao ＝ 외조모

외-할아버지(外—) 명 外公 wàigōng; 外祖父 wàizǔfù; 姥爷 lǎoye ＝ 외조(外祖) · 외조부

외:항(外航) 명하자〖海〗外航 wàiháng; 出航国外 chūháng guówài ¶～선 外航船

외:항(外項) 명〖數〗外项 wàixiàng

외:해(外海) 명〖地理〗远海 yuǎnhǎi

외:핵(外核) 명〖地理〗外核 wàihé

외:-행성(外行星) 명〖天〗外行星 wàixíngxīng

외:향(外向) 명하자 外向 wàixiàng

외:향-적(外向的) 관명 外向 wàixiàng;

外向型 wàixiàngxíng ¶나는 성격이 비교적 ~이다 我性格比较外向

외:형(外形) 명 外形 wàixíng; 外表 wàibiǎo; 表面 biǎomiàn ¶~도 外形图 / ~ 설계 外形设计 / ~ 구조 外形结构

외:형-적(外形的) 관명 外形(的) wàixíng(de); 表面性(的) biǎomiànxìng(de); 外表(的) wàibiǎo(de) ¶~인 아름다움 表面性的美丽

외:화(外貨) 명 **1** 〖經〗 外汇 wàihuì; 外币 wàibì; 外国货币 wàiguó huòbì ¶~를 낭비하다 浪费外汇 / ~를 벌어들이다 赚来外汇 **2** 外国货 wàiguóhuò; 外货 wàihuò

외:화(外畫) 명 外国电影 wàiguó diànyǐng; 外国影片 wàiguó yǐngpiàn

외:환(外患) 명 外患 wàihuàn; 外忧 wàiyōu

외:환(外換) 명 〖經〗 = 외국환 어음

외:환 시:장(外換市場) 〖經〗 = 외국환 시장

외:환 은행(外換銀行) 〖經〗 = 외국환 은행

왼: 관 左边(儿) zuǒbian(r); 左面 zuǒmiàn; 左 zuǒ ¶~ 손목 左手腕

왼:-발 명 左脚 zuǒjiǎo; 左足 zuǒzú ¶~이 마비되다 左脚麻木

왼:-뺨 명 左颊 zuǒjiá

왼:-손 명 左手 zuǒshǒu

왼:손-잡이 명 左撇子 zuǒpiězi

왼:-쪽 명 左侧 zuǒcè; 左边(儿) zuǒbian(r); 左面(儿) zuǒmiàn(r); 左方 zuǒ-fāng; 左 zuǒ = 왼편 · 좌 · 좌측 ¶그는 내 ~에 섰다 他站在我的左边

왼:-팔 명 左臂 zuǒbì

왼:-편(—便) 명 = 왼쪽

윙 부 嗡 wēng 《小虫飞行时或电线、铁丝等被风刮的响声》 ¶파리가 ~ 하고 날아갔다 苍蝇嗡的一声飞了

윙-윙 부하자 嗡嗡 wēngwēng ¶벌이 계속 귓가에서 ~하고 날아다닌다 蜜蜂一直在耳边嗡嗡地飞着

윙윙-거리다 자 嗡嗡(响) wēngwēng (xiǎng) = 윙윙대다 ¶모기가 윙윙거리며 날다 蚊子嗡嗡地飞着 / 냉장고가 ~ 冰箱嗡嗡响

요[1] 명 褥子 rùzi; 褥 rù ¶~를 깔다 铺褥子

요[2] 관 这 zhè; 这个 zhège ¶~ 근방 这附近 / ~ 녀석 这个家伙 / ~ 며칠 这几天

요(要) 명 要点 yàodiǎn; 要旨 yàozhǐ; 纲要 gāngyào; 关键 guānjiàn ¶~는 네가 언제 오느냐 하는 것이다 关键是你什么时候来

요가(산yoga) 명 瑜伽 yújiā; 瑜珈 yújiā ¶~ 수련을 하다 练瑜伽

요강 명 尿壶 niàohú; 尿罐 niàoguàn; 夜壶 yèhú

요강(要綱) 명 纲要 gāngyào; 大纲 dàgāng; 简章 jiǎnzhāng ¶시험 ~ 考试大纲 / 학생 모집 ~ 招生简章

요-거 대 这个 zhège; 这 zhè ¶요건 뭐지? 这是什么? / 요게 바로 내가 제일 좋아하는 음식이다 这就是我最喜欢的菜

요건(要件) 명 要件 yàojiàn; 必要条件 bìyào tiáojiàn ¶자격 ~ 资格要件 / ~을 갖추다 具备必要条件

요-것 대 **1** 这个 zhège ¶빨리 와서 ~ 좀 봐라! 快来看看这个! / ~ 좀 먹어 봐라, 참 맛있다 吃吃看这个, 很好吃 **2** 这小子 zhè xiǎozi

요격(邀擊) 명하타 邀击 yāojī; 阻击 zǔjī; 要击 yāojī; 拦击 lánjī; 截击 jiéjī ¶~기 阻击机 / ~전 阻击战 / 미사일을 ~하다 阻击导弹

요괴(妖怪) 명하형 **1** 妖怪 yāoguài; 妖魔 yāomó ¶~가 나타났다 妖怪出现了 / 여우가 ~로 변하다 狐狸变成妖怪 **2** 妖邪 yāoxié

요구(要求) 명하타 **1** 要求 yāoqiú; 要 yào ¶~ 사항 要求事项 / ~ 조건 要求条件 / 상대방의 ~를 들어주다 答应对方的要求 / 그들이 나에게 돈을 ~했다 他们跟我要钱了 **2** 〖法〗 要求 yāoqiú ¶증인 출두를 ~하다 要求证人出庭

요구르트(yogurt) 명 酸奶 suānnǎi; 酸牛奶 suānniúnǎi; 酸乳酪 suānrǔlào

요:금(料金) 명 费 fèi; 收费 shōufèi ¶전기 ~ 电费 / 수도 ~ 水费 / 버스 ~ 公共汽车收费 / 택시 ~ 出租汽车费 / 전화 ~ 电话费 / ~을 인상하다 提高收费 / ~을 인하하다 降低收费

요-기 대 这里 zhèli; 这儿 zhèr ¶~ 앉아서 기다려라 你坐在这儿等一下

요기(妖氣) 명 妖气 yāoqì; 邪气 xiéqì

요기(療飢) 명하자 点补 diǎnbu; 点饥 diǎnjī; 垫底儿 diàndǐr; 疗饥 liáojī; 充饥 chōngjī; 垫饥 diànjī ¶라면으로 ~를 하다 用泡面点饥

요긴-하다(要緊—) 형 = 긴요하다 ¶매우 요긴한 물건 很紧要的东西 **요긴-히** 부

요-까짓 관 这么点儿 zhème diǎnr; 才这么个程度 cái zhèmege chéngdù ¶너는 겨우 ~ 일로 나를 찾은 거니? 你是就为了这么点儿事找我的吗?

요-깟 관 '요까짓' 的略词

요-년 대 这个丫头 zhège yātou; 臭丫头 chòuyātou

요-놈 대 **1** 这个家伙 zhège jiāhuo; 这个小子 zhège xiǎozi ¶~이 바로 내 동생을 때린 놈이다 这个家伙就是打我

弟弟的 **2** 这个 zhège ¶ ~이 제일 맛 있어 보인다 看起来这个最好吃

요-다음 명 下次 xiàcì; 此后 cǐhòu; 下 xià ¶ ~ 정류장에서 내리자 到下一站下车吧 / ~에는 내가 밥을 사마 下次我请你吃饭

요-대로 부 这么 zhème; 照这样 zhào zhèyàng; 就这样 jiù zhèyàng; 如此 rúcǐ ¶ ~만 하면 된다 照这样做就可以

요도(尿道) 명 『生』 尿道 niàodào ¶ ~염 尿道炎

요동(搖動) 명하자타 摇动 yáodòng; 晃动 huàngdòng; 震荡 zhèndàng; 摇荡 yáodàng; 摇晃 yáohuàng; 簸荡 bǒdàng; 颠簸 diānbǒ ¶ 배의 ~이 심해서 우리는 모두 뱃멀미를 했다 船摇晃得很厉害, 我们都晕船了

요동-치다(搖動—) 자 摇动 yáodòng; 晃动 huàngdòng; 震荡 zhèndàng; 摇荡 yáodàng; 摇晃 yáohuàng; 簸荡 bǒdàng; 颠簸 diānbǒ ¶ 작은 배가 물 위에서 ~ 小船摇荡在水中

요들(yodel) 명 『音』 岳得尔 yuèdé'ěr; 岳得尔调 yuèdé'ěrdiào ¶ ~송 岳得尔歌

요-따위 관대 这类 zhèlèi; 这一类 zhè yīlèi; 这种 zhèzhǒng; 像这样 xiàng zhèyàng ¶ ~ 것을 어떻게 다른 사람에게 줄 수 있니? 这类东西怎么能给别人呢?

요란(搖亂·擾亂) 명하형히부 **1** 喧闹 xuānnào; 嘈杂 cáozá; 闹哄哄 nàohōnghōng; 哄然 hōngrán; 杂沓 zátà; 响 xiǎng ¶ ~한 폭죽 소리 喧闹的爆竹声 / 코를 ~하게 골다 呼噜打得很响 / ~한 빗소리에 놀라서 깨다 被嘈杂的雨声惊醒了 **2** 刺眼 cìyǎn; 过分 guòfèn ¶ 그녀는 차림새가 너무 ~하다 她打扮得太刺眼

요란-스럽다(搖亂—) 형 **1** 喧闹 xuānnào; 嘈杂 cáozá; 闹哄哄 nàohōnghōng; 哄然 hōngrán; 杂沓 zátà; 响 xiǎng **2** 刺眼 cìyǎn; 过分 guòfèn **요란스레** 부

요람(要覽) 명 要览 yàolǎn; 概况 gàikuàng

요람(搖籃) 명 摇篮 yáolán ¶ ~기 摇篮期 / 영재 양성의 ~ 培养英才的摇篮 / 아기가 ~에서 잠을 자다 宝宝在摇篮里睡觉

요래-조래 부 这事儿那事儿地 zhèshìrnàshìrde; 这样那样地 zhèyàngnàyàngde ¶ ~ 적지 않은 돈을 썼다 这样那样地花了不少钱

요량(料量) 명하타 斟酌 zhēnzhuó; 酌量 zhuóliàng; 思量 sīliàng ¶ 그의 ~껏 처리하다 由他的酌量办理

요러요러-하다 형 这样这样的 zhèyàngzhèyàngde; 如此这般的 rúcǐzhèbānde ¶ 네가 그에게 요러요러한 일이 있었다고 알려 주어라 你就告诉他有这样这样的事

요러조러-하다 형 这样那样的 zhèyàngnàyàngde ¶ 요러조러하게 몇 달이 지났다 这样那样地过了几个月

요러-하다 형 这样(的) zhèyàng(de) ¶ 내가 원하는 것이 바로 요러한 것이다 我要的就是这样的 / 원인은 ~ 原因是这样的

요런[1] 관 这样的 zhèyàngde; 像这样的 xiàng zhèyàngde ¶ ~ 경우 这样的情况 / ~ 사람 像这样的人

요런[2] 감 唉哟 āiyō; 这个 zhège 《惊叹声》 ¶ ~ 개구쟁이! 你这个调皮蛋!

요렇다 형 这样(的) zhèyàng(de)

요령(要領) 명 **1** 要领 yàolǐng; 重点 zhòngdiǎn; 要点 yàodiǎn; 要旨 yàozhǐ ¶ 부자가 되는 ~ 致富要领 / 면접 ~ 面试要领 **2** 诀窍 juéqiào; 窍门 qiàomén ¶ 노래 잘 부르는 ~ 唱歌诀窍 / ~을 터득하다 领会诀窍 / ~을 알다 知道窍门 **3** 小计谋 xiǎojìmóu; 手腕 shǒuwàn; 巧 qiǎo ¶ ~을 쓰다 耍手腕 / ~을 부리다 取巧

요령-부득(要領不得) 명하형 不得要领 bùdé yàolǐng; 抓不住要领 zhuābuzhù yàolǐng

요로(尿路) 명 『生』 尿路 niàolù ¶ ~ 결석 尿路结石

요리[1] 부 这儿 zhèr; 向这儿 xiàng zhèr ¶ 탁자를 ~로 옮겨 주세요 请把桌子搬到这儿

요리[2] 부하자 这样 zhèyàng; 如此 rúcǐ ¶ ~하면 된다 这样做就可以

요리(料理) 명하타 **1** 菜 cài; 菜肴 càiyáo; 料理 liàolǐ ¶ 한국 ~ 韩国菜 / 일본 ~ 日本料理 **2** 烹饪 pēngrèn; 烹调 pēngtiáo; 做菜 zuòcài; 炒菜 chǎocài ¶ ~대 烹饪台 / ~실 烹饪室 / ~책 烹饪书 / ~ 솜씨 做菜的手艺 / ~ 기술 烹饪技术 / 그들은 종종 집에서 ~를 해 먹는다 他们常常在家做菜吃 **3** 料理 liàolǐ; 处理 chǔlǐ ¶ 문제를 잘 ~하다 好好处理问题

요리-법(料理法) 명 烹饪法 pēngrènfǎ; 烹饪方法 pēngrèn fāngfǎ; 做法 zuòfǎ

요리-사(料理師) 명 厨师 chúshī; 烹饪师 pēngrènshī; 大师傅 dàshīfu

요리-조리[1] 부하자 这样那样 zhèyàngnàyàng; 左…右… zuǒ…yòu… ¶ 빚을 갚기 위해 ~ 생각하다 为还债左想右想

요리-조리[2] 부 这儿那儿 zhèrnàr; 处处 chùchù; 到处 dàochù ¶ 그는 ~ 피하기만 하고 나를 만나려 하지 않는다 他到处躲避, 不要看我

요릿-집(料理—) 명 饭馆 fànguǎn; 餐

馆 cānguǎn = 요정(料亭)
요-만 ㊀관 这么个程度 zhèmege chéngdù; 这么点 zhèmediǎn ¶그녀가 ~ 일로 화를 낼 줄은 정말 생각지도 못했다 真没想到她竟然为这么点事生气 ㊁부 就这样 jiù zhèyàng ¶오늘은 ~ 끝내자 今天就这样结束吧
요-만치 명부 = 요만큼
요-만큼 명부 这个程度 zhège chéngdù; 这么些 zhèmexiē = 요만치 ¶그들에게 ~만 주어라 就给他们这么些吧
요만-하다 형 这么个程度 zhèmege chéngdù; 这么些 zhèmexiē; 这样 zhèyàng ¶요만하면 됐다 这样就够了
요맘-때 명 这个时候 zhège shíhou ¶작년 ~ 언니가 아이를 낳았다 去年的这个时候姐姐生了孩子 / 매년 ~가 가장 덥다 每年这个时候最热
요망(妖妄) 명하형 **1** 妖妄 yāowàng; 怪异荒诞 guàiyì huāngdàn ¶~한 일 怪异荒诞的事 **2** 奸滑 jiānhuá; 滑头 huátóu ¶~한 여자 奸滑的女人
요망(要望) 명하타 期待 qīdài; 盼望 pànwàng ¶전화 ~ 期待电话 / 연락 ~ 期待联络
요면(凹面) 명 凹面 āomiàn
요모-조모 명 多方面 duōfāngmiàn; 多个角度 duōge jiǎodù ¶문제를 ~로 생각하다 要多方面地思考问题 / ~로 써먹다 多方面地利用 / ~를 살펴보다 从多个角度观察
요물(妖物) 명 **1** 妖物 yāowù; 怪物 guàiwù **2** 奸邪的人 jiānxiéde rén
요-번(一番) 명 这次 zhècì; 这回 zhèhuí; 这个 zhège ¶~ 시험 这次考试 / ~ 주말 这个周末 / 나는 ~에는 참가하지 않겠다 这次我不要参加
요법(療法) 명 疗法 liáofǎ ¶최면 ~ 催眠疗法 / 물리 ~ 物理疗法 / 자극 ~ 刺激疗法
요부(妖婦) 명 妖妇 yāofù; 妖女 yāonǚ
요사(妖邪) 명하형 妖邪 yāoxié; 狡诈 jiǎozhà 奸诈 jiānzhà
요사(를) 떨다 구 狡诈
요사(를) 부리다 구 狡诈
요사-스럽다(妖邪—) 형 妖邪 yāoxié
요사스레 부
요-사이 명 近来 jìnlái; 最近 zuìjìn; 这程子 zhèchéngzi; 这阵儿 zhèzhènr; 日来 rìlái = 근간(近間) · 금일2 ¶~ 그는 살이 쪘다 他最近胖了 / 나는 ~ 그를 보지 못했다 我最近没有看到他
요산-요수(樂山樂水) 명하자 乐山乐水 yàoshānyàoshuǐ; 喜爱山水 xǐ'ài shānshuǐ
요상-하다 형 '이상하다' 的错误
요-새 명 '요사이' 的略词 ¶~ 어떻게 지내니? 最近过得怎么样?
요새(要塞) 명 『軍』 要塞 yàosài; 关隘 guān'ài ¶안전한 ~ 安全的要塞
요소(尿素) 명 『化』 尿素 niàosù
요소(要所) 명 要地 yàodì; 要冲 yàochōng; 要隘 yào'ài; 关口 guānkǒu ¶병력을 ~에 배치하다 把兵力布置到关口
요소(要素) 명 **1** 要素 yàosù; 因素 yīnsù; 基本成分 jīběn chéngfèn ¶소설의 삼 ~ 小说的三要素 / 생산 ~ 生产要素 / 기본 ~ 基本要素 **2** 『數』 = 원소1
요술(妖術) 명하자 魔术 móshù; 戏法 xìfǎ; 变戏法 biàn xìfǎ ¶~ 피리 魔术笛子 / ~ 거울 魔术镜子 / ~쟁이 魔术师
요식(要式) 명 要式 yàoshì; 正规程式 zhèngguī chéngshì; 规定程式 guīdìng chéngshì
요식-업(料食業) 명 餐饮业 cānyǐnyè; 饮食业 yǐnshíyè
요-실금(尿失禁) 명 『韓醫』 尿失禁 niàoshījìn
요약(要約) 명하타 要略 yàolüè; 概要 gàiyào; 扼要 èyào; 概括 gàikuò ¶내용의 요점을 ~하다 概括内容的要点 / 주제를 ~하다 概括主题
요양(療養) 명하타 疗养 liáoyǎng; 养病 yǎngbìng ¶그는 현재 집에서 ~하고 있다 他现在在家里养病
요양-소(療養所) 명 = 요양원
요양-원(療養院) 명 疗养院 liáoyǎngyuàn; 疗养所 liáoyǎngsuǒ = 요양소
요업(窯業) 명 『工』 窑业 yáoyè; 瓷业 cíyè
요염(妖艶) 명하형 妖艳 yāoyàn; 妖冶 yāoyě; 妖里妖气 yāoliyāoqì; 妖娆 yāoráo; 娇艳 jiāoyàn; 娇媚 jiāomèi ¶~한 자태 妖艳的姿态 / ~하고 섹시한 미녀 妖艳性感的美女
요오드(독Jod) 명 『化』 碘 diǎn ¶~산 碘酸 / ~팅크 碘酊
요요(yoyo) 명 悠悠球 yōuyōuqiú; 悠悠拉线盘 yōuyōu lāxiànpán ¶~ 현상 悠悠球现象 =[反弹现象]
요원(要員) 명 **1** 人员 rényuán; 员 yuán ¶안전 ~ 安全人员 / 기술 ~ 技术人员 **2** 要员 yàoyuán ¶백악관 ~ 白宫要员
요원-하다(遙遠— · 遼遠—) 형 遥远 yáoyuǎn; 辽远 liáoyuán ¶행복은 아직 나에게는 매우 요원한 일이다 幸福离我还很遥远
요인(要人) 명 要人 yàorén ¶정계 ~ 政界要人
요인(要因) 명 要因 yàoyīn; 主要因素 zhǔyào yīnsù; 原因 yuányīn ¶성공 ~ 成功原因 / 심리적 ~ 心理上的原因 / ~을 분석하다 分析要因

요일(曜日) 명 星期 xīngqī; 礼拜 lǐbài ¶오늘이 무슨 ~이냐? 今天星期几?
요-전(一前) 명 此前 cǐqián; 不久前 bùjiǔ qián; 几天前 jǐtiān qián ¶~에 발생한 사건 此前发生的事件 / 나는 ~에 그를 만났었다 我几天前见过他
요-전번(一前番) 명 前一次 qián yīcì; 上一次 shàng yīcì ¶~ 모임 上一次聚会 / ~에 쓴 글 上一次写的文章
요:절(夭折) 명하자 夭折 yāozhé; 早逝 zǎoshì; 夭亡 yāowáng ¶~한 천재 작가 夭折的天才作家 / 그는 교통사고로 ~했다 他因交通事故早逝了
요절(腰絶) 명하자 (笑得) 腰都直不起来 yāo dōu zhíbuqǐlái ¶~ 복통 笑得腰都直不起来了
요절-나다(撓折—) 자 1 破碎 pòsuì; 完蛋 wándàn; 毁坏 huǐhuài; 损坏 sǔnhuài ¶나의 새 휴대폰이 요절났다 我的新手机完蛋了 2 失败 shībài; 完蛋 wándàn ¶중요한 문서를 잃어버렸으니 우리는 이제 요절났다 把重要的文件丢掉, 我们就完蛋了
요절내다(撓折—) 타 '요절나다' 的使动词 1 搞坏 gǎohuài; 弄坏 nònghuài ¶그가 내 컴퓨터를 요절냈다 他把我的电脑弄坏了 2 使之失败 shǐzhī shībài; 使之完蛋 shǐzhī wándàn
요점(要點) 명 要点 yàodiǎn; 重点 zhòngdiǎn ¶~을 파악하다 把握重点 / ~을 정리하다 整理要点
요정(妖精) 명 妖精 yāojīng ¶~처럼 예쁘다 像妖精一样漂亮
요정(料亭) 명 = 요릿집
요:조-숙녀(窈窕淑女) 명 窈窕淑女 yǎotiǎoshūnǚ
요-주의(要注意) 명 要注意 yào zhùyì; 须注意 xū zhùyì ¶그는 ~ 인물이다 他是要注意的人物
요-즈막 명 近来 jìnlái; 最近 zuìjìn ¶~에 그는 많이 늙었다 他最近老了许多
요-즈음 명 近来 jìnlái; 最近 zuìjìn; 这几天 zhè jǐtiān ¶그녀는 ~ 살이 많이 쪘다 她最近胖了不少 / ~ 날씨가 많이 추워졌다 这几天天气很冷了
요-즘 명 '요즈음' 的略词 ¶~엔 학교에서 그녀를 보기 힘들다 最近在学校不容易看到她
요지(要地) 명 要地 yàodì; 重地 zhòngdì ¶이곳을 수도 방위의 ~로 삼다 把这里作为防卫京都的要地
요지(要旨) 명 要旨 yàozhǐ; 要点 yàodiǎn; 要义 yàoyì ¶글의 ~를 파악하다 把握这篇文章的要旨 / 그가 말하려고 하는 ~가 무엇인지 모르겠다 不知道他要说的要点是什么
요지-경(瑤池鏡) 명 西洋景 xīyángjǐng; 西洋镜 xīyángjìng; 拉洋片 lāyángpiàn; 瑶池镜 yáochíjìng
요지부동(搖之不動) 명하자 毫不动摇 háobù dòngyáo; 屹立不动 yìlìbùdòng ¶아무리 설득해도 그녀의 결심은 ~이다 不管怎么说服她, 她的决心毫不动摇
요직(要職) 명 要职 yàozhí ¶~에 오르다 登上要职 / 그는 회사에서 ~을 맡고 있다 他在公司担任要职
요-쪽 대 这里 zhèli; 这边 zhèbiān; 这儿 zhèr ¶~에 앉으세요 请这边坐 / ~으로 가세요 往这边走
요-쯤 명부 这么点 zhèmediǎn; 这么个程度 zhèmege chéngdù; 这样的程度 zhèyàngde chéngdù ¶~ 넣으면 되겠지? 放这么点就可以吧?
요철(凹凸) 명하형 凹凸 āotū ¶~이 많은 도로 凹凸不平的道路
요청(要請) 명하자타 请求 qǐngqiú; 请 qǐng ¶~서 请求书 / 지원을 ~하다 请求支援 / 그의 ~을 거절하다 拒绝他的请求 / 도움을 ~하다 请求帮助
요충(要衝) 명 = 요충지
요충-지(要衝地) 명 要冲 yàochōng; 要害 yàohài; 要地 yàodì = 요충 · 요해지 ¶군사 전략 ~ 军事战略要地
요-컨대(要—) 부 简言之 jiǎnyánzhī; 总之 zǒngzhī; 总而言之 zǒng'éryánzhī ¶~, 나는 그의 생각에 동의하지 않는다 总之, 我不同意他的看法
요통(腰痛) 명 〖醫〗 腰痛 yāotòng ¶나쁜 자세는 ~을 유발할 수 있다 不良姿势可引起腰痛
요트(yacht) 명 游艇 yóutǐng; 帆船 fānchuán
요트 경:기(yacht競技) 〖體〗 赛艇 sàitǐng; 帆船比赛 fānchuán bǐsài = 요트 경주
요트 경:주(yacht競走) 〖體〗 = 요트 경기
요판(凹版) 명 〖印〗 = 오목판
요-하다 타 需要 xūyào; 必需 bìxū; 必要 bìyào ¶주의를 ~ 必要注意 / 도움을 ~ 需要帮助 / 기적을 ~ 需要奇迹
요한 계:시록(←Johannes啓示錄) 〖宗〗 约翰启示录 Yuēhàn Qǐshìlù; 启示录 Qǐshìlù = 계시록 · 묵시록
요한-복음(←Johannes福音) 명 〖宗〗 约翰福音 Yuēhàn Fúyīn
요해(要害) 명 = 요해처
요해-지(要害地) 명 = 요충지
요해-처(要害處) 명 1 要冲 yàochōng; 要隘 yào'ài; 要害 yàohài 2 (身体的) 要害处 yàohàichù; 重要部分 zhòngyào bùfen ‖ = 요해
요행(僥倖 · 徼幸) 명하자형히부 侥幸 jiǎoxìng ¶~ 심리 侥幸心理 / ~을 바라다 期待侥幸

요행-수(僥倖數) 명 侥幸 jiǎoxìng; 走运 zǒuyùn

욕(辱) 명하자 **1** 骂 mà; 骂人 màrén; 骂人(的)话 màrén(de) huà; 咒骂 zhòumà ¶~을 매우 심하게 하다 骂人骂得很厉害 / 모두가 그녀를 늙은 여우라고 ~한다 大家都骂她是个老狐狸 **2** 耻辱 chǐrǔ; 侮辱 wǔrǔ; 羞辱 xiūrǔ; 辱 rǔ ¶사람들 앞에서 큰 ~을 당했다 当众受了很大的侮辱 **3** 辛苦 xīnkǔ; 劳累 láolèi; 吃苦头 chī kǔtou ¶그는 이 일 때문에 크게 ~을 보았다 他为了这件事吃尽了苦头

-욕(慾·欲) 접미 欲 yù ¶명예~ 名誉欲 / 성취~ 成就欲

욕구(欲求·慾求) 명하타 欲求 yùqiú; 欲念 yùniàn; 欲望 yùwàng ¶~ 불만 欲求不满 / 성적 ~를 채우다 满足性欲求 / ~가 점점 커지다 欲求越来越大

욕-되다 형 不光彩 bùguāngcǎi; 蒙受耻辱 méngshòu chǐrǔ; 玷辱 diànrǔ ¶부모를 욕되게 하다 让父母蒙受耻辱

욕망(欲望·慾望) 명하타 欲望 yùwàng ¶성공에 대한 ~ 对成功的欲望 / ~에 사로잡히다 被欲望缠绕

욕-먹다(辱—) 자 挨骂 áimà; 受辱 shòurǔ; 受骂 shòu mà ¶그는 항상 사장에게 욕먹는다 他经常被老板挨骂

욕-바가지(辱—) 명 受气包 shòuqìbāo

욕-보다(辱—) 자 **1** 蒙受耻辱 méngshòu chǐrǔ ¶내가 잘못하면 부모님이 욕보신다 如果我犯错误就父母会蒙受耻辱 **2** 受苦 shòukǔ; 受累 shòulèi; 辛苦 xīnkǔ; 吃苦头 chī kǔtou ¶오늘 모두들 욕보셨습니다 今天让大家都受累了 **3** 被强奸 bèi qiángjiān; 被强暴 bèi qiángbào

욕보-이다(辱—) 타 **1** 侮辱 wǔrǔ; 使之丢脸 shǐzhī diūliǎn 《'욕보다1' 的使动词》 ¶마을 사람들을 ~ 侮辱村民们 / 노인을 ~ 侮辱老人 **2** 使之受苦 shǐzhī shòukǔ; 使之受累 shǐzhī shòulèi 《'욕보다2' 的使动词》 **3** 强奸 qiángjiān 《'욕보다3' 的使动词》 ¶한 여자를 돌아가며 ~ 轮流强奸一个女人

욕설(辱說) 명하자 骂 mà; 骂人 màrén; 骂人(的)话 màrén(de) huà; 咒骂 zhòumà; 谩骂 mànmà = 욕지거리 ¶그들은 화가 나서 우리에게 ~을 퍼부었다 他们很生气, 就对我们破口大骂

욕실(浴室) 명 浴室 yùshì; 洗澡间 xǐzǎojiān

욕심(欲心·慾心) 명 贪心 tānxīn; 贪欲 tānyù; 欲望 yùwàng ¶~이 생기다 起贪心 / ~ 부리지 마라 别起贪心

욕심-꾸러기(欲心—) 명 贪心鬼 tānxīnguǐ = 욕심쟁이

욕심-나다(欲心—) 자 起贪心 qǐ tānxīn; 眼馋 yǎnchán; 眼红 yǎnhóng

욕심-내다(欲心—) 타 '욕심나다' 的使动词

욕심-쟁이(欲心—) 명 = 욕심꾸러기

욕-쟁이(辱—) 명 爱骂人的人 ài màrénde rén

욕정(欲情·慾情) 명 情欲 qíngyù; 性欲 xìngyù; 欲情 yùqíng ¶~을 느끼다 感到情欲 / ~이 일다 起情欲 / ~을 채우다 满足性欲

욕조(浴槽) 명 浴盆 yùpén; 浴缸 yùgāng; 澡盆 zǎopén ¶~에 물을 가득 채우다 在浴盆里放满水

욕-지거리(辱—) 명하자 = 욕설

욕창(褥瘡) 명 『醫』 褥疮 rùchuāng

욕탕(浴湯) 명 = 목욕탕

욕통(浴桶) 명 = 목욕통

용: 명 劲(儿) jìn(r); 力气 lìqi ¶~을 쓰다 使劲儿

용(龍) 명 龙 lóng

용(이) 되다 구 成龙

-용(用) 접미 用 yòng ¶학생~ 学生用 / 업무~ 工作用 / 연습~ 练习用

용:감-무쌍(勇敢無雙) 명하형 勇敢无双 yǒnggǎn wúshuāng; 英勇无比 yīngyǒng wúbǐ

용:감-하다(勇敢—) 형 勇敢 yǒnggǎn ¶용감한 군인 勇敢的军人 / 용감하게 현실을 마주하다 勇敢地去面对现实

용:감-히 부 ¶~ 싸우다 勇敢地战斗

용:건(用件) 명 = 볼일1 ¶~이 없으면 돌아가라 如果没有事, 那就回去吧 / ~만 간단히 말하다 有事, 简单说

용광-로(鎔鑛爐) 명 『工』 熔炉 rónglú

용:구(用具) 명 用具 yòngjù; 工具 gōngjù ¶낚시 ~ 钓鱼用具 / 사무 ~ 办公用具

용궁(龍宮) 명 龙宫 lónggōng

용:기(用器) 명 用器 yòngqì ¶주방 ~ 厨房用器

용:기(勇氣) 명 勇气 yǒngqì ¶~백배 勇气倍增 / ~를 내서 도전하다 鼓起勇气挑战 / ~ 있게 말하다 有勇气地说 / 나는 그녀에게 고백할 ~가 없다 我没有勇气向她表白

용기(容器) 명 容器 róngqì; 盛器 chéngqì ¶플라스틱 ~ 塑料容器

용-꿈(龍—) 명 龙梦 lóngmèng; 梦见龙 mèngjiàn lóng ¶~을 꾸다 做龙梦

용납(容納) 명하타 包容 bāoróng; 容忍 róngrěn; 宽恕 kuānshù; 容纳 róngnà ¶그의 잘못을 ~할 수 없다 不可宽恕他的错误

용:단(勇斷) 명하타 果断 guǒduàn ¶우리는 그의 요구를 거절하기로 ~을 내렸다 我们果断决定了拒绝他的要求

용:달(用達) 명하타 传送 chuánsòng;

递送 dìsòng; 运送 yùnsòng; 送货 sònghuò ¶～업 递送业 / ～차 送货车

용:도(用途) 명 用途 yòngtú; 用场 yòngchǎng; 用处 yòngchu ¶～가 다양하다 用途多样 / ～에 따라 분류하다 按用处分类 / 개인적인 ～로 쓰다 用于私人用途

용:-돈(用—) 명 零花钱 línghuāqián; 零用钱 língyòngqián; 零花(儿) línghuā(r); 零用 língyòng; 零钱 língqián ¶～을 타다 领取零用钱 / ～을 모아 휴대폰을 사다 攒零花钱买手机

용두-사미(龍頭蛇尾) 명 龙头蛇尾 lóngtóushéwěi; 虎头蛇尾 hǔtóushéwěi

용:량(用量) 명 **1** 用量 yòngliàng **2** 剂量 jìliàng ¶～을 지켜 복용하세요 请按照剂量服用

용량(容量) 명 **1** 容量 róngliàng; 容积 róngjī ¶대～ 大容量 / 저장 ～이 그리 크지 않다 存储容量不太大 **2**〖物〗容量 róngliàng **3**〖컴〗容量 róngliàng ¶컴퓨터의 ～이 작아서 이 프로그램을 설치할 수 없다 电脑的容量少, 不能安装这个软件

용:례(用例) 명 用例 yònglì; 例子 lìzi; 实例 shílì ¶～를 들어 설명하다 举个例子说明

용-마루(龍—) 명〖建〗房脊 fángjǐ; 屋脊 wūjǐ

용매(溶媒) 명〖化〗溶媒 róngméi; 溶剂 róngjì = 용해제

용:맹(勇猛) 명하형 勇猛 yǒngměng ¶～한 군인 勇猛的军人 / ～을 떨치다 显示勇猛

용:맹-스럽다(勇猛—) 형 勇猛 yǒngměng ¶용맹스러운 장군 勇猛的将军 **용:맹스레** 부 ¶～ 앞으로 나아가다 勇猛地向前冲去

용모(容貌) 명 容貌 róngmào; 长相 zhǎngxiàng; 相貌 xiàngmào; 容颜 róngyán ¶～가 단정하다 相貌端正 / 그는 ～가 아주 출중하다 他的长相很出色

용:무(用務) 명 = 볼일1 ¶무슨 ～로 나를 찾아왔느냐? 你有什么事来找我?

용:법(用法) 명 用法 yòngfǎ

용:변(用便) 명하자 大小便 dàxiǎobiàn; 解手(儿) jiěshǒu(r) ¶～이 마렵다 想解手 / 아무 데서나 ～을 보다 随地大小便

용:병(用兵) 명하자 用兵 yòngbīng ¶～에 능하다 善于用兵

용병(傭兵) 명하자〖軍〗雇佣军 gùyōngjūn; 雇佣兵 gùyōngbīng; 佣兵 yōngbīng ¶외국인 ～ 外籍雇佣军

용:병-술(用兵術) 명 **1**〖軍〗用兵术 yòngbīngshù; 兵法 bīngfǎ; 用兵 yòngbīng ¶～이 귀신같은 장군 用兵如神的将军 **2**〖體〗用兵术 yòngbīngshù; 用兵 yòngbīng ¶그의 ～이 이번 승리를 이끌어 냈다 他的用兵术主导了这次胜利

용:사(勇士) 명 勇士 yǒngshì; 勇夫 yǒngfū ¶참전 ～ 参战勇士

용상(龍床) 명 龙椅 lóngyǐ; 龙床 lóngchuáng

용:상(聳上) 명〖體〗挺举 tǐngjǔ

용서(容恕) 명하타 饶 ráo; 饶恕 ráoshù; 宽恕 kuānshù; 原谅 yuánliàng ¶나는 절대 그를 ～할 수 없다 我绝对饶不了他 / 그에게 무릎 꿇고 ～를 빌다 给他跪下求饶 / 저의 무례함을 ～해 주세요 请原谅我的无礼

용솟-음(涌—) 명하자 **1** 涌出 yǒngchū; 涌起 yǒngqǐ; 冒出 màochū ¶온천물이 ～하다 涌起温泉水 **2** 奔腾 bēnténg; 沸腾 fèiténg; 滚涌 gǔnyǒng ¶뜨거운 피가 ～하다 热血沸腾

용솟음-치다(涌—) 자 **1** 涌出 yǒngchū; 涌起 yǒngqǐ; 冒出 màochū ¶지하수가 ～ 地下水涌出 **2** 奔腾 bēnténg; 沸腾 fèiténg; 滚涌 gǔnyǒng ¶기쁨이 ～ 喜悦沸腾

용:수(用水) 명 用水 yòngshuǐ ¶공업 ～ 工业用水 / 생활 ～ 生活用水 / 농업 ～ 农业用水

용:수-로(用水路) 명 水渠 shuǐqú; 灌溉水路 guàngài shuǐlù

용수-철(龍鬚鐵) 명 弹簧 tánhuáng = 스프링 ¶～저울 弹簧秤 / ～이 튀어 오르다 弹簧弹起来

용:-쓰다 자 **1** 使劲(儿) shǐjìn(r); 用力 yònglì; 竭尽全力 jiéjìn quánlì ¶임무를 완성하기 위해 ～ 为完成任务竭尽全力 **2** 竭力忍受 jiélì rěnshòu; 强忍 qiǎngrěn

용안(龍顔) 명 龙颜 lóngyán

용암(鎔巖) 명〖地理〗熔岩 róngyán ¶～굴 熔岩洞 / ～ 지대 熔岩区

용액(溶液) 명〖化〗溶液 róngyè = 용해액 ¶완충 ～ 缓冲溶液 / 포화 ～ 饱和溶液

용:어(用語) 명 用语 yòngyǔ ¶인터넷 ～ 网络用语 / 경제 ～ 经济用语 / 의학 ～ 医学用语 / 전문 ～ 专门用语 / 부적절한 ～를 사용하다 使用不恰当的用语

용:언(用言) 명〖語〗谓词 wèicí

용:역(用役) 명〖經〗服务 fúwù; 劳务 láowù ¶～ 회사 劳务公司 / ～을 맡기다 委托劳务

용-오름(龍—) 명〖地理〗水龙卷 shuǐlóngjuǎn

용왕(龍王) 명〖佛〗龙王 lóngwáng

용용 감 要气死吧 yào qìsǐ ba

용용 죽겠지 구 要气死吧
용:의(用意) 명하타 **1** 用意 yòngyì; 愿意 yuànyì; 意 yì; 愿 yuàn ¶나는 그곳에 갈 ~가 있다 我有意去那里 **2** 心里准备 xīnli zhǔnbèi; 决心 juéxīn
용의(容疑) 명 (犯罪) 嫌疑 xiányí ¶~ 차량을 추격하다 追击嫌疑车辆
용의-자(容疑者) 명 〖法〗嫌疑犯 xiányífàn; 嫌疑人 xiányírén; 疑犯 yífàn ¶~를 지목하다 指出嫌疑犯 / ~ 세 명을 체포하다 逮捕三个嫌疑人
용:의주도-하다(用意周到—) 형 周到 zhōudào; 周全 zhōuquán; 考虑周到 kǎolǜ zhōudào; 想得周到 xiǎngde zhōudào ¶그들은 이번 일을 아주 용의주도하게 준비했다 他们把这件事准备得很周到
용이-하다(容易—) 형 容易 róngyì; 易 yì ¶접근이 ~ 容易接近 / 이 세탁기는 사용이 ~ 这台洗衣机使用起来很容易
용인(容忍) 명하타 容忍 róngrěn ¶나는 이런 일을 ~할 수 없다 我不能容忍这种事
용인(容認) 명하타 容许 róngxǔ; 认可 rènkě ¶그들은 이미 이번 활동을 ~했다 他们已经认可了这次活动
용:장(勇將) 명 勇将 yǒngjiàng; 猛将 měngjiàng
용:재(用材) 명 **1** 用材 yòngcái **2** 原材料 yuáncáiliào
용적(容積) 명 **1** 容积 róngjī; 容量 róngliàng ¶~률 容积率 / ~ 단위 容积单位 / ~을 계산하다 计算容积 **2** 〖數〗体积 tǐjī
용접(鎔接) 명하타 〖工〗焊接 hànjiē; 焊 hàn ¶~공 焊接工 =[焊工] / ~기 焊接机 =[焊机] / ~봉 焊条 =[焊棒] / ~ 기술 焊接技术 / 철판을 ~하다 焊接铁板
용:지(用地) 명 用地 yòngdì ¶공업 ~ 工业用地 / ~ 변경을 신청하다 申请用地变更
용:지(用紙) 명 用纸 yòngzhǐ; 专用纸 zhuānyòngzhǐ ¶인쇄 ~ 印刷用纸 / 포장 ~ 包装用纸
용질(溶質) 명 〖化〗溶质 róngzhì = 용해질
용:처(用處) 명 用处 yòngchu; 用途 yòngtú ¶~가 불분명하다 用途不明
용:퇴(勇退) 명하자 勇退 yǒngtuì
용-트림(龍—) 명하자 故意打嗝儿 gùyì dǎgér
용포(龍袍) 명 〖史〗= 곤룡포
용:품(用品) 명 用品 yòngpǐn ¶사무~ 办公用品 / 생활~ 生活用品 / 위생~ 卫生用品 / 주방~ 厨房用品
용:-하다 형 **1** 才华出众 cáihuá chūzhòng; 能干 nénggàn; 有本事 yǒu běnshi ¶용한 의사 才华出众的医生 / 그녀는 솜씨가 아주 ~ 她有本事 **2** 可嘉 kějiā; 难能可贵 nánnéngkěguì; 难得 nándé ¶그렇게 어려운 일을 해내다니 정말 ~ 还完成了那么难的事情实在难能可贵 **3** 幸好 xìnghǎo; 幸亏 xìngkuī ¶용하게 난관을 극복하다 幸好克服难关 **용:-히** 부
용해(溶解) 명하자타 **1** 溶化 rónghuà; 融化 rónghuà ¶소금이 물에 ~되다 盐溶化在水里 **2** 〖化〗溶解 róngjiě
용해(鎔解) 명하자타 〖化〗熔解 róngjiě; 熔化 rónghuà
용해-도(溶解度) 명 〖化〗溶解度 róngjiědù; 溶度 róngdù
용해-액(溶解液) 명 〖化〗= 용액
용해-제(溶解劑) 명 〖化〗= 용매
용해-질(溶解質) 명 〖化〗= 용질
우 부 **1** 哇 wā《蜂拥貌》¶아이들이 ~ 하고 집으로 들어오다 孩子们哇的一声进屋来 **2** 哗哗 huāhuā《风雨交加声》
우:(右) 명 **1** = 오른쪽 ¶~로 나란히! 向右看齐! **2** 〖政〗= 우익5
우각(牛角) 명 = 쇠뿔
우거지 명 菜帮子 càibāngzi; 白菜帮子 báicài bāngzi
우거지다 자 (草木) 茂盛 màoshèng; 茂密 màomì ¶우거진 숲 茂密树林 / 잡초가 ~ 杂草茂盛
우거지-상(—相) 명 愁眉苦脸 chóuméikǔliǎn ¶너는 왜 하루 종일 ~을 하고 있니? 你为什么整天愁眉苦脸?
우거짓-국 명 白菜帮子汤 báicàibāngzitāng
우걱-우걱 부하자 嘎吱嘎吱 gāzhīgāzhī
우격-다짐 명하자타 强迫 qiǎngpò; 硬逼 yìngbī; 硬要 yìngyào ¶그는 ~으로 나를 그곳에 가게 했다 他硬逼我去那里
우:경(右傾) 명하자 右倾 yòuqīng ¶~ 사상 右倾思想 / ~ 세력 右倾势力 / ~적 태도 右倾的态度
우:계(雨季) 명 = 우기
우골(牛骨) 명 = 쇠뼈
우국(憂國) 명하자 忧国 yōuguó; 为国担忧 wèiguó dānyōu ¶~충정 忧国衷情
우국지사(憂國之士) 명 忧国之士 yōuguózhīshì
우국지심(憂國之心) 명 忧国之心 yōuguózhīxīn
우:군(友軍) 명 友军 yǒujūn
우그러-들다 자 **1** 凹陷进去 āoxiànjìnqù; 瘪进去 biějìnqù ¶우그러든 알루미늄 주전자 瘪进去的铝制水壶 / 차문이 다른 차와 부딪쳐 우그러들었다

车门被别的车撞瘪进去 **2** 皱 zhòu；皱巴巴 zhòubābā

우그러-뜨리다 타 弄凹陷 nòng āoxiàn；弄瘪 nòng biě；弄皱 nòng zhòu = 우그러트리다 ¶상자를 ~ 把箱子弄瘪

우그러-지다 자 **1** 凹陷 āoxiàn；瘪 biě ¶풍선이 우그러졌다 气球瘪了 / 냄비가 우그러졌다 锅子瘪进去了 **2** 皱 zhòu；皱巴巴 zhòubābā

우그리다 타 弄弯 nòng wān；弄瘪 nòng biě；弄皱 nòng zhòu ¶종이 상자를 ~ 把纸箱子弄瘪

우글-거리다 자 **1** (水) 沸腾 fèiténg；咕嘟咕嘟 gūdūgūdū ¶국이 ~ 汤咕嘟咕嘟地开着 **2** 拥挤蠕动 yōngjǐ rúdòng；密密麻麻 mìmimámá ¶많은 벌레들이 상자 안에서 ~ 很多虫子在箱子里拥挤蠕动 ‖= 우글대다 **우글-우글** 부하자 ¶식탁 아래 개미가 ~하다 餐桌下面都是密密麻麻的蚂蚁

우글-쭈글 부하형 皱巴巴 zhòubābā ¶할머니의 ~한 얼굴 奶奶的皱巴巴的脸

우:기(雨期) 명 雨季 yǔjì = 우계

우기다 자타 固执 gùzhi；犟 jiàng；硬说 yìshuō ¶그는 자기가 결백하다고 우긴다 他硬说自己清白

우:는-소리 명 叫苦 jiàokǔ；诉苦 sùkǔ ¶내 앞에서 ~ 하지 마라 不要在我面前叫苦

우담-화(優曇華) 명 〖佛〗优昙花 yōutánhuā；优昙华 yōutánhuá

우당탕 부하자 咣当当 guāngdāngdāng；咣当 guāngdāng；空隆隆 kōnglōnglōng ¶쟁반이 ~하고 땅에 떨어졌다 盘子咣当一声掉到地上

우당탕-거리다 자 咣当咣当响 guāngdāngguāngdāng xiǎng；空隆空隆响 kōnglōngkōnglōng xiǎng = 우당탕대다 ¶학생들이 복도에서 우당탕거리며 놀다 学生们咣当咣当地在走廊里玩 **우당탕-우당탕** 부하자

우당탕-퉁탕 부하자 咣咣当当 guāngguāngdāngdāng；空空隆隆 kōngkōnglōnglōng ¶집집마다 ~ 소란스러운 소리가 들린다 家家户户传出咣咣当当的打闹声

우대(優待) 명하타 优待 yōudài；优惠 yōuhuì；优遇 yōuyù ¶~ 가격 优惠价格 / 대학 졸업자를 ~하다 优待大学毕业者

우대-권(優待券) 명 优待券 yōudàiquàn；优惠券 yōuhuìquàn

우동(일udon[饂飩]) 명 乌冬 wūdōng；乌冬面 wūdōngmiàn 《'가락국수'的错误》

우두(牛痘) 명 〖醫〗牛痘 niúdòu ¶~를 놓다 打牛痘

우두둑 부하자타 **1** 嘎吱 gāzhī 《咬断硬物声》¶무를 ~ 씹어 먹다 嘎吱嘎吱地嚼萝卜吃 **2** 咔嚓 kāchā 《突然断裂声》¶사다리가 ~하고 부러졌다 梯子咔嚓一声断了 **3** 嗞 sī 《衣服撕破声》¶옷이 ~하고 찢어지다 嗞的一声衣服撕破了 **4** 咯吱 gēzhī 《折骨节声》¶손가락을 꺾으니 ~ 소리가 난다 折手指发出咯吱咯吱的响声 **5** 笃笃 dǔdǔ 《大雨点落地声》¶빗방울이 땅에 ~ 떨어지다 笃笃的雨点打在地上

우두둑-거리다 자타 **1** (咬断硬物时) 嘎吱嘎吱响 gāzhīgāzhī xiǎng **2** (突然断裂时) 咔嚓咔嚓响 kāchākāchā xiǎng **3** (衣服撕破时) 嗞嗞响 sīsī xiǎng **4** (折骨节时) 咯吱咯吱响 gēzhīgēzhī xiǎng **5** (大雨点落地时) 笃笃响 dǔdǔ xiǎng ‖= 우두둑대다 **우두둑-우두둑** 부하자타

우두머리 명 头子 tóuzi；头(儿) tóu(r)；头目 tóumù；魁首 kuíshǒu ¶조직의 ~ 组织的头目 / ~를 체포하다 逮捕头子

우두커니 부 呆呆地 dāidāide；发愣地 fālèngde ¶~ 문 앞에 서 있다 呆呆地站在门口 / 그녀는 ~ 내 얼굴만 바라보고 있다 她发愣地看着我的脸

우둔(愚鈍) 명하형 愚钝 yúdùn；蠢笨 chǔnbèn ¶머리가 ~하다 头脑蠢笨

우둘-투둘 부하형 凹凸不平 āotū bùpíng

우들-우들 부하자타 哆哆嗦嗦 duōduosuōsuō ¶온몸을 ~ 떨다 全身哆哆嗦嗦地颤抖

우듬지 명 树梢 shùshāo；梢头 shāotóu

우등(優等) 명하자 优等 yōuděng；优秀 yōuxiù ¶~상 优等奖 / ~생 优等生 / ~상장 优等奖状

우뚝 부하형 **1** 高高 gāogāo；突兀 tūwù ¶~ 솟은 산맥 高高耸起的山脉 **2** 突出 tūchū；惹人注目 rěrén zhùmù

우라늄(uranium) 명 〖化〗铀 yóu ¶~광 铀矿

우라-지다 자 要死 yàosǐ；该死 gāisǐ；他妈的 tāmāde ¶우라질 노인네 该死的老头 / 우라지게도 춥구나 冷得要死

우라-질 감 他妈的 tāmāde；该死的 gāisǐde ¶~, 운도 지지리 없지 该死的, 真没有运气

우락-부락 부하형 **1** 凶 xiōng；凶神般地 xiōngshén bānde ¶비록 생긴 건 ~하지만 마음은 아주 부드럽다 虽然外貌长得很凶, 但内心很温柔 **2** 暴躁 bàozào ¶그는 성질이 ~해서 주위에 사람이 없다 他性情很暴躁, 周围没有人

우람-하다 형 雄壮 xióngzhuàng; 魁梧 kuíwú; 雄伟 xióngwěi; 高大 gāodà; 魁伟 kuíwěi ¶그 사람은 체격이 아주 ~ 那个人身材很高大

우:량(雨量) 명 = 강우량 ¶~계 雨量计

우량(優良) 명하형 优良 yōuliáng ¶~ 서비스 优良服务 / ~ 품종 优良品种

우량-아(優良兒) 명 优良儿 yōuliáng'ér

우량-주(優良株) 명 〖經〗 良股 liánggǔ

우러-나다 자 1 浸出 jìnchū; 泡出 pàochū; 泡下来 pàoxiàlái ¶녹차 맛이 진하게 ~ 泡出来的绿茶的味道很浓 2 = 우러나오다

우러-나오다 자 (内心) 发出 fāchū; 出自 chūzì = 우러나다2 ¶이건 진심에서 우러나온 말이다 这是出自真心的话

우러러-보다 타 1 仰望 yǎngwàng; 仰视 yǎngshì; 抬头望 táitóu wàng ¶하늘을 ~ 仰望天空 2 敬仰 jìngyǎng; 仰慕 yǎngmù ¶많은 사람들이 그녀를 우러러본다 很多人仰慕她

우러르다 자타 1 仰望 yǎngwàng; 仰yǎng ¶태산을 우러러 바라보다 仰望泰山 2 敬仰 jìngyǎng; 景仰 jǐngyǎng; 钦仰 qīnyǎng ¶지도자를 우러러 섬기다 敬仰领导

우렁쉥이 명 〖動〗 = 멍게

우렁이 명 〖動〗 田螺 tiánluó; 土螺 tǔluó

우렁-차다 형 1 (声音) 响亮 xiǎngliàng; 嘹亮 liáoliàng; 洪亮 hóngliàng ¶ 맑고 우렁찬 목소리 清晰而嘹亮的声音 / 그의 목소리는 아주 ~ 他的声音很响亮 2 生气勃勃 shēngqìbóbó; 刚强 gāngqiáng

우레 명 = 천둥 ¶~가 치다 打雷

우레탄(urethane) 명 〖化〗 1 乌拉坦 wūlātǎn; 氨基甲酸乙酯 ānjījiǎsuānyǐzhǐ; 聚氨酯 jù'ānzhǐ 2 = 우레탄 고무

우레탄 고무(urethane—) 〖化〗 聚氨酯橡胶 jù'ānzhǐ xiàngjiāo = 우레탄2

우렛-소리 명 = 천둥소리 ¶먼저 번개가 치고 나서 ~가 들리다 先看到闪电后听到雷声

우려(憂慮) 명하타 忧虑 yōulǜ; 担忧 dānyōu; 担心 dānxīn ¶~를 나타내다 表示优虑 / 나는 그의 안전이 ~된다 我很担忧他的安全

우려-내다 타 1 浸出 jìnchū; 泡出 pàochū ¶진한 맛을 ~ 泡出浓味 2 勒索 lèsuǒ; 骗取 piànqǔ ¶다른 사람의 돈을 ~ 勒索别人的金钱

우려-먹다 타 1 泡吃 pàochī; 泡喝 pàohē; 泡饮 pàoyǐn ¶찻잎을 여러 번 ~ 多次泡饮茶叶 / 곰국을 여러 번 ~ 多次泡喝牛骨汤 2 老用 lǎoyòng; 老调重弹 lǎodiàochóngtán

우롱(愚弄) 명하타 愚弄 yúnòng; 捉弄 zhuōnòng ¶소비자를 ~하다 捉弄消费者 / 우리는 그에게 ~을 당했다 我们被他愚弄了

우롱-차(←Wulongcha[烏龍茶]) 명 乌龙茶 wūlóngchá

우뢰 명 '우레' 的错误

우르르 부하자 1 一窝蜂地 yīwōfēngde; 蜂拥 fēngyōng; 哗地 huāde ¶이곳은 수업이 끝나면 학생들이 ~ 몰려든다 这里下课后学生们蜂拥而来 / 많은 사람들이 ~ 계단으로 몰리다 很多人都哗地拥向阶梯 2 咕嘟咕嘟 gūdūgūdū; 哗啦哗啦 huālāhuālā 《水沸腾的声音》 ¶물이 ~ 끓고 있다 水咕嘟咕嘟地开着 3 哗啦啦 huālālā 《堆积物倒塌声》 ¶돌탑이 ~ 무너졌다 石塔哗啦啦倒塌了 4 隆隆 lónglóng; 轰轰 hōnghōng; 轰隆 hōnglōng 《响雷声》 ¶~ 천둥 치는 소리가 들리다 听到隆隆的打雷声

우르릉 부하자 1 轰隆隆 hōnglōnglōng; 轰轰 hōnghōng; 轰隆 hōnglōng; 隆隆 lónglóng 《打雷声》 ¶~ 천둥이 치다 隆隆地打雷 2 哗啦啦 huālālā 《堆积物倒塌声》 ¶돌 무더기가 ~ 무너졌다 石堆哗啦啦倒塌了

우르릉-거리다 자 1 哗啦啦响 huālālā xiǎng 2 轰隆隆响 hōnglōnglōng xiǎng ‖ = 우르릉대다 **우르릉-우르릉** 부하자

우리[1] 명 圈 juàn; 栏 lán; 棚 péng; 兽栏 shòulán; 铁槛 tiějiàn; 兽槛 shòujiàn ¶~에 갇힌 호랑이 关在兽栏里的老虎

우리[2] 대 1 咱们 zánmen; 我们 wǒmen 《包括谈话的对方》 ¶~ 같이 영화 보러 가자 咱们一起去看电影吧 / ~ 언제 다시 만날 수 있니? 我们什么时候能再见面啊? 2 我们 wǒmen 《不包括谈话的对方》 ¶~는 그를 별로 좋아하지 않는다 我们不太喜欢他 / ~ 먼저 갈게 我们先走了 3 我们(的) wǒmen(de); 我(的) wǒ(de) ¶~ 학교 我们学校 / ~ 엄마 我妈妈 / ~ 집 我家 / ~ 나라 我国

우리다 타 1 泡 pào; 沏 qī; 沤 òu; 浸泡 jìnpào ¶차를 ~ 泡茶 / 도라지를 물에 ~ 把桔梗浸泡在水里 2 骗取 piànqǔ; 敲竹杠 qiāo zhúgàng; 勒索 lèsuǒ ¶남의 재산을 ~ 骗取别人的财产

우마(牛馬) 명 牛马 niúmǎ 《牛和马》

우-마차(牛馬車) 명 牛马车 niúmǎchē

우매(愚昧) 명하형 愚昧 yúmèi; 愚蠢 yúchǔn; 愚蒙 yúméng = 우미 ¶~한 사람 愚昧的人

우무 명 琼脂 qióngzhī; 洋菜 yángcài; 石花胶 shíhuājiāo; 洋粉 yángfěn

우묵 부하형 凹陷 āoxiàn; 凹进 āojìn; 陷进去 xiànjìnqu; 洼 wā; 塌陷 tāxiàn ¶ ~ 파인 구덩이 凹进去的土坑 / 이 땅은 너무 ~하다 这块地太洼

우문(愚問) 명 愚蠢问题 yúchǔn wèntí; 愚问 yúwèn ¶ ~현답 愚问贤答 / ~을 하다 提出愚蠢的问题

우물 명 井 jǐng; 水井 shuǐjǐng ¶ ~물 井水 / ~을 하나 파다 打一口井 / 두레박으로 ~에서 물을 긷다 用吊桶从水井里打水

우물 안 개구리 속담 井底之蛙; 坐井观天

우물에 가 숭늉 찾는다 속담 到井边要开水; 操之过急

우물을 파도 한 우물을 파라 속담 莫学灯笼千只眼, 要学蜡烛一条心

우물-가 명 井边 jǐngbiān; 井旁 jǐngpáng ¶ ~에서 빨래를 하다 在井边洗衣服

우물-거리다 자타 1 (闭嘴) 嚼 jiáo ¶ 고기를 우물거리면서 먹는다 嘴巴一动一动地嚼肉吃 2 支支吾吾 zhīzhiwúwú ¶말을 우물거려서 알아듣지 못하겠다 话支支吾吾的, 听不清楚 3 瘪 biě ¶입술을 ~ 瘪嘴唇 4 犹豫 yóuyù; 含糊 hánhu ‖ = 우물대다 **우물-우물** 부하자타

우물-쭈물 부하자타 (言行) 含含糊糊 hánhanhūhū; 含糊不清 hánhu bùqīng; 犹犹豫豫 yóuyouyùyù; 犹豫不定 yóuyùbùdìng ¶ ~하다가 그만 기회를 놓치고 말았다 犹犹豫豫地就把机会给错过了

우뭇-가사리 명 【植】 石花菜 shíhuācài; 海冻菜 hǎidòngcài

우미(愚迷) 명하형 = 우매

우민(愚民) 명 愚民 yúmín; 愚氓 yúméng ¶ ~ 정책 愚民政策

우민-화(愚民化) 명하자타 愚民化 yúmínhuà ¶ ~ 교육 愚民化教育

우:박(雨雹) 명 冰雹 bīngbáo; 雹子 báozi; 雹 báo ¶ ~이 내리다 下雹子

우:발(偶發) 명하자 偶发 ǒufā ¶ ~ 사건 偶发事件 / ~사고 偶发事故

우:발-적(偶發的) 관명 偶发(的) ǒufā(de); 偶发性 ǒufāxìng ¶ ~ 행동 偶发性行为 / ~인 다툼 偶发的矛盾

우:방(友邦) 명 友邦 yǒubāng = 우방국

우:방-국(右邦國) 명 = 우방

우범(虞犯) 명 虞犯 yúfàn ¶ ~자 虞犯者 / ~ 지역 虞犯地区

우범 지대(虞犯地帶) 【法】 犯罪多发地区 fànzuì duōfā dìqū

우:비(雨備) 명 雨具 yǔjù

우사(牛舍) 명 = 외양간

우:산(雨傘) 명 雨伞 yǔsǎn; 伞 sǎn ¶ 접이식 ~ 折叠雨伞 / 삼단 ~ 三折雨伞 / ~대 伞杆 / ~살 伞骨 / ~ 손잡이 伞柄 / ~을 펴다 撑开雨伞 / ~을 쓰다 打伞 / ~을 접다 合起雨伞

우:산-이끼(雨傘—) 명 【植】 地钱 dìqián

우:산 효:과(雨傘效果) 【地理】 阳伞效应 yángsǎn xiàoyìng

우:상(偶像) 명 1 雕像 diāoxiàng; 塑像 sùxiàng ¶나무로 깎아 만든 ~ 用木头刻成的雕像 2 偶像 ǒuxiàng ¶ ~으로 떠받들다 拥戴为偶像 / 그는 젊은이들의 ~이다 他是年轻人的偶像 3 【宗】 偶像 ǒuxiàng ¶ ~을 숭배하다 崇拜偶像

우:상-화(偶像化) 명하타 偶像化 ǒuxiànghuà ¶영웅적 인물을 ~하다 把英雄人物偶像化

우선(優先) 명하자 优先 yōuxiān ¶승객의 안전이 무엇보다 ~이다 乘客的安全优先于一切

우선(于先) 부 1 先 xiān; 首先 shǒuxiān ¶밥 먹기 전에 ~ 손부터 씻어라 吃饭前先洗手 / ~ 그의 생각을 들어보자 首先听听他的想法 2 暂且 zànqiě; 权且 quánqiě; 一时 yīshí ¶밥이 곧 되니 ~ 비스킷으로 요기를 좀 해라 饭马上就好, 你暂且吃点儿饼干充饥吧

우선-권(優先權) 명 优先权 yōuxiānquán; 先得权 xiāndéquán ¶ ~을 가지다 拥有优先权 / ~을 따내다 获得优先权

우선-순위(優先順位) 명 优先顺序 yōuxiān shùnxù; 优先次序 yōuxiān cìxù ¶ ~를 정하다 定出优先顺序 / ~에 따라 처리하다 按优先次序处理

우선-적(優先的) 관명 优先的 yōuxiān(de) ¶근무 경력이 많은 사람을 ~으로 채용하다 工作经验丰富的人优先录用

우설(牛舌) 명 牛舌 niúshé

우성(優性) 명 【生】 优性 yōuxìng

우성 유전자(優性遺傳子) 【生】 优性遗传因子 yōuxìng yíchuán yīnzǐ; 优性遗传基因 yōuxìng yíchuán jīyīn = 우성 인자

우성 인자(優性因子) 【生】 = 우성 유전자

우세(優勢) 명하형 优势 yōushì; 上风 shàngfēng; 优于 yōuyú ¶ ~승 优势胜 / 우리의 전력이 그들보다 ~하다 我们的战力优于他们 / 전반전은 우리 팀이 ~했다 上半场我队占了上风

우송(郵送) 명하타 邮递 yóudì; 邮寄 yóujì; 寄 jì; 邮 yóu ¶항공 ~ 航空邮

递 / 열차 ～ 火车邮寄 / 등기로 ～하다 挂号邮寄
우송-료(郵送料) 명 邮递费 yóudìfèi; 邮费 yóufèi; 邮资 yóuzī; 邮寄费 yóujìfèi ¶항공 ～ 航空邮寄费 / ～를 지불하다 付邮资
우:수(雨水) 명 1 = 빗물 2 雨水 yǔshuǐ《二十四节气之一》
우:수(偶數) 명 = 짝수
우수(憂愁) 명 忧愁 yōuchóu ¶～에 젖은 눈 浸满忧愁的眼睛 / ～에 잠기다 沉浸在忧愁之中
우수(優秀) 명하형 优秀 yōuxiù; 优等 yōuděng; 出色 chūsè ¶～ 상품 优秀产品 / 성적이 ～하다 成绩优秀 / 제품의 질이 모두 ～하다 产品的质量都是优等的
우수리 명 1 (买卖时) 找头 zhǎotou; 找回的钱 zhǎohuíde qián; 找的零钱 zhǎode língqián ¶～는 받지 않을 테니 물건이나 좋은 것으로 주세요 找头不用了, 货要挑好的 2 零数 língshù; 余数 yúshù ¶～가 없이 딱 맞는다 没有余数, 正好
우수-성(優秀性) 명 优秀性 yōuxiùxìng; 优越性 yōuyuèxìng ¶제품의 ～ 产品的优越性
우수수 부하자 1 哗啦 huālā; 哗啦啦 huālālā《物体大量倾泻貌》¶흙벽의 흙이 ～ 떨어지다 哗啦一声, 泥墙土掉了下来 2 簌簌 sùsù《干叶子飘落声貌》¶나뭇잎이 ～ 떨어지다 树叶簌簌地飘落下来
우스개 명 笑话 xiàohuà; 玩笑 wánxiào; 滑稽 huájī; 俏皮动作 qiàopi dòngzuò ¶～를 부리다 开玩笑
우스갯-소리 명 玩笑话 wánxiàohuà; 俏皮话 qiàopihuà; 逗乐的话 dòulède huà ¶실없는 ～를 하다 说些无聊的俏皮话
우스꽝-스럽다 형 滑稽 huájī; 诙谐 huīxié; 好笑 hǎoxiào; 可笑 kěxiào; 笑死 xiàosǐ ¶그는 생김새가 ～ 他长得有些好笑 **우스꽝스레** 부
우:습다 형 1 可笑 kěxiào; 好笑 hǎoxiào; 滑稽 huájī; 笑死 xiàosǐ; 诙谐 huīxié ¶무엇이 우스운지 그녀는 바보처럼 웃기만 한다 不知有什么可笑的, 她净傻笑 2 没什么了不起 méi shénme liǎobuqǐ; 不算什么 bùsuàn shénme; 不值一提 bùzhí yītí ¶국수 서너 그릇 먹는 것쯤이야 우습지 뭐 吃个三四碗面不算什么 3 闹笑话 nào xiàohuà; 出丑 chūchǒu ¶일이 우습게 되었다 事情闹了个笑话
우습게 알다[여기다] 구 不重视; 不当回事
우습지도 않다 구 气死; 气坏

우승(優勝) 명하자형 优胜 yōushèng; 第一名 dìyīmíng; 冠军 guànjūn ¶～ 후보 优胜候补 / ～을 차지하다 获得冠军 / ～을 다투다 争夺冠军 / 경기에서 ～하다 在比赛中获得冠军
우승-기(優勝旗) 명 锦旗 jǐnqí; 优胜旗 yōushèngqí
우승-자(優勝者) 명 = 챔피언
우승-컵(優勝cup) 명 优胜杯 yōushèngbēi; 奖杯 jiǎngbēi ¶～을 수여하다 授予优胜杯
우-시장(牛市場) 명 牛市场 niúshìchǎng; 牛市 niúshì
우:-심방(右心房) 명 『生』 右心房 yòuxīnfáng
우:-심실(右心室) 명 『生』 右心室 yòuxīnshì
우아 감 1 哇 wā《意外地惊喜时发出的声音》¶～, 눈 온다! 哇, 下雪了! / ～, 우리가 이겼다! 哇, 我们赢了! 2 噢 ō《助威的喊声》 3 吁 yū《叫牲口停下的声音》
우아-우아 감 1 哇哇 wāwā《意外的惊喜声》 2 噢噢 ō'ō《助威的喊声》 3 吁吁 yūyū《连接发出叫牲口停住声》
우아-하다(優雅—) 형 优雅 yōuyǎ; 文雅 wényǎ; 典雅 diǎnyǎ; 高雅 gāoyǎ ¶우아한 말씨 优雅的语气 / 우아한 자태 高雅的姿态
우악-스럽다(愚惡—) 형 1 粗鲁 cūlǔ ¶그는 우악스럽게 생겼다 他长得很粗鲁 2 凶恶无知 xiōng'èwúzhī; 愚顽凶暴 yúwán xiōngbào ¶그 사람은 성격이 ～ 那个人性格愚顽凶暴 **우악스레** 부
우악-하다(愚惡—) 형 1 粗鲁 cūlǔ ¶그는 우악하게 생겼다 他长得粗鲁 2 凶恶无知 xiōng'èwúzhī; 愚顽凶暴 yúwánxiōngbào ¶우악한 폭군 凶恶无知的暴君 / 성질이 ～ 性格愚顽凶暴
우:애(友愛) 명 友情 yǒuqíng; 友爱 yǒu'ài; 友好 yǒuhǎo ¶～가 깊다 友情深厚 / 친구 사이의 ～가 돈독하다 朋友之间友情甚笃 **—-하다** 자 友爱 yǒu'ài; 友好 yǒuhǎo
우:언(寓言) 명 『文』 = 우화
우엉 명 『植』 牛蒡 niúbàng
우여-곡절(迂餘曲折) 명 曲折 qūzhé; 迂回曲折 yūhuíqūzhé; 艰难险阻 jiānnánxiǎnzǔ ¶몇 번의 ～을 겪은 끝에 해결을 보다 几经曲折, 终于得到解决
우연(偶然) 명하형히부 偶然 ǒurán ¶～성 偶然性 / ～한 기회 偶然的机会 / ～의 일치 偶然的巧合 =[偶合] / ～히 만나다 偶然碰到
우연-스럽다(偶然—) 형 偶然 ǒurán ¶그들의 만남은 참으로 우연스러운 것이었다 他们的相识实属偶然 **우연스레** 부

우열(優劣) 명 优劣 yōuliè; 上下 shàngxià; 高低 gāodī ¶서로 ~을 다투다 互争高低 / 이 두 작품은 ~을 가리기 어렵다 这两篇作品很难分出高低

우:완(右腕) 명 = 오른팔1 ¶~ 투수 右臂投手

우:왕좌왕(右往左往) 부명하자 东跑西窜 dōngpǎoxīcuàn; 东奔西跑 dōngbēnxīpǎo ¶불이 나자 ~하며 어쩔 줄 모르다 起火后东奔西跑地不知所措

우:-우 감 噢噢 ō'ō《嘲弄声》¶구경꾼들이 ~ 야유를 하다 看热闹的人们噢噢地喝倒彩

우울(憂鬱) 명하형히부 忧郁 yōuyù; 忧闷 yōumèn; 忧愁 yōuchóu; 郁闷 yùmèn; 闷闷不乐 mènmènbùlè; 抑郁不平 yìyùbùpíng ¶대학 시험에 붙지 못하여 몹시 ~하다 没考上大学, 心里很郁闷 / 그는 얼굴이 ~해 보인다 他脸上显得很忧郁

우울-증(憂鬱症) 명 〖醫〗 忧郁症 yōuyùzhèng; 抑郁症 yìyùzhèng ¶~에 걸리다 患忧郁症

우월(優越) 명하형 优越 yōuyuè; 优秀 yōuxiù; 高超 gāochāo ¶~감 优越感 / ~성 优越性 / ~주의 优越主义 / ~한 지위에 있다 处于优越的地位 / 그는 나보다 기술이 ~하다 他技术比我高超

우위(優位) 명 优势 yōushì; 上风 shàngfēng ¶군사적 ~ 军事优势 / ~를 차지하다 占优势 =[占上风][居上风] / ~를 지키다 保持优势

우유(牛乳) 명 牛奶 niúnǎi; 牛乳 niúrǔ ¶~병 牛奶瓶 =[奶瓶]

우유부단(優柔不斷) 명하형 优柔寡断 yōuróuguǎduàn ¶~한 사람 优柔寡断的人

우육(牛肉) 명 = 쇠고기

우윳-빛(牛乳—) 명 乳白色 rǔbáisè ¶~ 피부 乳白色皮肤

우:의(友誼) 명 友谊 yǒuyì; 友情 yǒuqíng; 交情 jiāoqíng ¶~를 다지다 加强友谊

우:의(雨衣) 명 = 비옷

우:-의정(右議政) 명 〖史〗 右议政 yòuyìzhèng

우이-독경(牛耳讀經) 명 对牛弹琴 duìniútánqín; 牛耳诵经 niú'ěrsòngjīng; 当耳边风 dàng'ěrbiānfēng

우:익(右翼) 명 **1** (鸟或飞机的) 右翼 yòuyì; 右边翅膀 yòubian chìbǎng ¶비행기의 ~이 흔들리다 飞机的右翼震动 **2** 〖軍〗 右翼 yòuyì; 右翼部队 yòuyì bùduì ¶적의 ~을 공격하다 攻击敌人的右翼 **3** 〖體〗 (棒球的) 右外场 yòuwàichǎng; 右外野 yòuwàiyě **4** 〖體〗 右翼 yòuyì; 右边锋 yòubiānfēng **5** 〖政〗 (政治或思想上) 右翼 yòuyì; 右派 yòupài; 右倾 yòuqīng = 우(右)2 ¶~ 단체 右翼团体

우:익-수(右翼手) 명 〖體〗 (棒球的) 右外场手 yòuwàichǎngshǒu; 右外野手 yòuwàiyěshǒu

우적-우적 부하자타 **1** 咯吱咯吱 gēzhīgēzhī《嚼硬物的声音》¶김치를 ~ 씹어 먹다 咯吱咯吱地嚼泡菜吃 **2** 嘎吱嘎吱 gāzhīgāzhī《物体受压或摩擦时发出的声音》¶멜대가 눌려서 ~ 소리를 내다 扁担压得嘎吱嘎吱地响

우:정(友情) 명 友情 yǒuqíng; 友谊 yǒuyì ¶~을 맺다 建立友情 / ~이 깊어지다 友情更加深厚

우정(郵政) 명 邮政 yóuzhèng ¶~국 邮政局

우:주(宇宙) 명 宇宙 yǔzhòu; 太空 tàikōng ¶~관 宇宙观 / ~ 개발 宇宙开发 / ~ 기지 太空基地 / ~ 로켓 宇宙火箭 / ~여행 太空旅游 =[星际旅行] / ~ 왕복선 太空穿梭机 =[太空梭][航天飞机]

우:주-복(宇宙服) 명 航天服 hángtiānfú; 宇航服 yǔhángfú; 太空服 tàikōngfú

우:주-선(宇宙船) 명 宇宙飞船 yǔzhòu fēichuán; 太空船 tàikōngchuán; 航天飞船 hángtiān fēichuán; 宇航船 yǔhángchuán

우:주-인(宇宙人) 명 **1** 宇航员 yǔhángyuán; 太空人 tàikōngrén; 航天员 hángtiānyuán **2** = 외계인

우중충 부하형히부 **1** 暗淡 àndàn; 阴暗 yīn'àn; 阴沉沉 yīnchénchén ¶~한 날씨 阴沉沉的天气 **2** (色彩) 不鲜明 bùxiānmíng; 暗淡 àndàn ¶교복 색깔이 ~하다 校服颜色很暗淡

우지(牛脂) 명 = 쇠기름

우지끈 부하자타 咔嚓 kāchā; 喀嚓 kāchā《物体断裂的声音》¶세찬 바람에 나뭇가지가 ~하고 부러졌다 咔嚓一声, 树枝被狂风吹折了

우지끈-거리다 자타 (物体连接断裂时) 咔嚓咔嚓响 kāchākāchā xiǎng = 우지끈대다 **우지끈-우지끈** 부하자타

우지직 부하자타 **1** 哔哔剥剥 bìbibōbō《干麦秸等燃烧声》¶마른 풀이 ~ 소리를 내며 타다 干草哔哔剥剥地烧着 **2** 嗞嗞 sīsī; 哧哧 chīchī《酱汤等遇热蒸发声》**3** 咔嚓 kāchā《干树枝折断声》

우지직-거리다 자타 **1** (干麦秸等燃烧时) 哔哔剥剥响 bìbibōbō xiǎng ¶마른 나뭇가지가 우지직거리며 타고 있다 干树枝哔哔剥剥地燃烧着 **2** (酱汤等遇热蒸发时) 嗞嗞响 sīsī xiǎng; 哧哧响 chīchī xiǎng **3** (干树枝折断时)

咔嚓响 kāchā xiǎng ‖ = 우지직대다 **우지직-우지직** 부하자타

우직-하다(愚直—) 형 愚直 yúzhí; 憨直 hānzhí; 愚顽 yúwán ¶성격이 ~ 性格愚顽

우:-짖다 자 **1** 号叫 háojiào; 嗷叫 áojiào ¶옆집 개가 우짖는 소리에 잠이 깼다 邻居狗的嗷叫声把我弄醒了 **2** (鸟) 啼 tí; 鸣叫 míngjiào ¶숲에서 새들이 우짖고 있다 树林里小鸟们鸣叫着

우쭐 부하자타 **1** 摇晃 yáohuàng; 摇摆 yáobǎi ¶어깨를 우쭐하며 춤을 추다 摇晃着肩膀跳舞 **2** 得意扬扬 déyìyángyáng; 得意 déyì; 自高自大 zìgāozìdà; 自命不凡 zìmìngbùfán ¶선생님의 칭찬에 그는 우쭐하며 웃었다 他听了老师的表扬, 就得意得笑了

우쭐-거리다 자타 **1** 摇曳 yáoyè; 摇荡 yáodàng; 晃动 huàngdòng ¶허수아비가 바람에 ~ 稻草人随风晃动 **2** 大摇大摆 dàyáodàbǎi; 得意 déyì; 得意扬扬 déyìyángyáng ¶그녀의 칭찬은 나를 우쭐거리게 했다 她的称赞让我得意起来 ‖ = 우쭐대다 **우쭐-우쭐** 부하자타

우:천(雨天) 명 下雨天 xiàyǔtiān; 雨天 yǔtiān; 下雨 xiàyǔ ¶~순연 下雨顺延 / ~으로 경기가 연기되다 由于下雨比赛推迟

우체-국(郵遞局) 명 邮局 yóujú; 邮政局 yóuzhèngjú

우체-부(郵遞夫) 명 邮递员 yóudìyuán; 邮差 yóuchāi

우체-통(郵遞筒) 명 邮筒 yóutǒng; 信筒 xìntǒng; 邮箱 yóuxiāng; 信箱 xìnxiāng

우:측(右側) 명 = 오른쪽

우:측-통행(右側通行) 명하자 〖交〗 靠右行走 kàoyòu xíngzǒu; 右侧通行 yòucè tōngxíng

우툴-두툴 부하형 凹凸不平 āotūbùpíng; 高低不平 gāodī bùpíng; 坑坑洼洼 kēngkengwāwā ¶표면이 ~하다 表面凹凸不平

우:파(右派) 명 〖政〗 右派 yòupài; 保守派 bǎoshǒupài

우편(郵便) 명 **1** 邮递 yóudì; 邮寄 yóujì ¶항공 ~ 航空邮寄 **2** = 우편물

우편-료(郵便料) 명 〖信〗 = 우편 요금

우편-물(郵便物) 명 邮件 yóujiàn = 우편2 ¶~을 배달하다 投递邮件

우편 번호(郵便番號) 〖信〗 邮政编码 yóuzhèng biānmǎ; 邮编 yóubiān

우편 사서함(郵便私書函) 〖信〗 = 사서함

우편-엽서(郵便葉書) 명 〖信〗 = 엽서

우편 요:금(郵便料金) 〖信〗 邮费 yóufèi; 邮资 yóuzī = 우편료

우편-집배원(郵便集配員) 명 〖信〗 邮递员 yóudìyuán; 邮差 yóuchāi = 집배원

우편-함(郵便函) 명 信箱 xìnxiāng

우편-환(郵便換) 명 邮政汇票 yóuzhèng huìpiào

우표(郵票) 명 邮票 yóupiào ¶~를 붙이다 贴邮票 / ~를 수집하다 收集邮票

우풍 명 '외풍' 的错误

우피(牛皮) 명 = 쇠가죽

우:향-우(右向右) 감명 〖軍〗 向右转 xiàng yòu zhuǎn

우:현(右舷) 명 右舷 yòuxián

우:호(友好) 명 友好 yǒuhǎo ¶~ 조약 友好条约 / ~ 관계를 맺다 建立友好关系

우:호-적(友好的) 관명 友好(的) yǒuhǎo(de) ¶~인 태도 友好的态度 / ~으로 해결하다 友好地解决

우:화(寓話) 명 〖文〗 寓言 yùyán = 우언 ¶이솝 ~ 伊索寓言 / ~ 소설 寓言小说 / ~집 寓言集

우환(憂患) 명 忧患 yōuhuàn; 困苦 kùnkǔ; 患难 huànnàn ¶집안에 ~이 들다 家里发生忧患

우황(牛黃) 명 〖韓醫〗 牛黄 niúhuáng

우황-청심환(牛黃淸心丸) 명 〖韓醫〗 牛黄清心丸 niúhuáng qīngxīnwán = 청심환2

우회(迂廻 · 迂回) 명하자 迂回 yūhuí; 绕路 ràolù; 绕道 ràodào; 绕远儿 ràoyuǎnr; 绕 rào ¶~ 도로 迂回道路 / ~ 전술 迂回战术 / 길을 ~해서 지나가다 绕道而行 / 이 일에 대한 불만을 ~적으로 표현하다 对这事的不满迂回婉转地说

우:-회전(右回轉) 명하자 右转弯 yòuzhuǎnwān; 向右拐 xiàng yòu guǎi; 往右拐 wǎng yòu guǎi ¶앞 사거리에서 ~해 주세요 请在前面的十字路口往右拐

우:후죽순(雨後竹筍) 명 雨后竹笋 yǔhòuzhúsǔn; 雨后春笋 yǔhòuchūnsǔn

욱 부 **1** 勃然 bórán 《突然生气的样子》 ¶~ 하고 화를 내다 勃然大怒 **2** 哇 wā; 哕 yuě 《呕吐的声音》

욱신-거리다 자 **1** (头或伤口等) 刺痛 cìtòng; 酸痛 suāntòng; 抽着疼 chōuzhe téng ¶상처가 ~ 伤口刺痛 **2** 拥挤 yōngjǐ; 挤成一团 jǐchéng yītuán; 乱哄哄 luànhōnghōng; 拥挤闹哄 yōngjǐnàohōng ‖ = 욱신대다 **욱신-욱신** 부하자 ¶온몸이 ~ 쑤시다 全身一阵阵地酸痛

욱여-넣다 타 塞 sāi ¶그는 장갑을 벗어 호주머니에 욱여넣었다 他把手套脱下来, 塞在口袋里

욱-하다 자 急躁 jízào; 火暴 huǒbào; 暴躁 bàozào ¶욱하는 성미가 있어 걸핏하면 손찌검이다 性子暴躁, 动不动就动手

운:(運) 명 = 운수(運數) ¶~이 트이다 走运气 / ~이 나쁘다 运气不好 / ~이 좋다 运气好 / ~으로 합격하다 凭运气合格

운:(韻) 명 **1**〖文〗= 운자 **2**〖文〗韵 yùn **3**〖語〗韵 yùn

운(을) 달다 구 **1** 押韵 **2** 表示附和赞同对方的话

운(을) 떼다 구 **1** 开始讲话 **2** 悄悄暗示

운:구(運柩) 명하타 运柩 yùnjiù; 搬运棺材 bānyùn guāncái; 搬运灵柩 bānyùn língjiù ¶~차 运柩车 / 장지로 ~하다 把灵柩搬运到葬地

운:동(運動) 명하자타 **1** 运动 yùndòng; 锻炼 duànliàn; 锻炼身体 duànliàn shēntǐ ¶~ 감각 运动感觉 / ~ 기관 运动器官 / 그는 매일 아침 공원에 가서~을 한다 他每天早上去公园锻炼 / 지나친 ~은 몸에 해롭다 过度运动对身体有害 **2** (为某个目的) 运动 yùndòng; 活动 huódòng ¶환경 ~ 环保运动 / 절약 ~ 节约运动 **3** 运动 yùndòng; 体育 tǐyù ¶~모자 运动帽 / 네가 제일 잘하는 ~은 무엇이니? 你最擅长的运动是什么? **4**〖物〗运动 yùndòng ¶빠른 속도로 ~하는 물체 高速运动的物体

운:동-가(運動家) 명 活动家 huódòngjiā ¶인권 ~ 人权活动家

운:동 경:기(運動競技)〖體〗体育比赛 tǐyù bǐsài; 体育 tǐyù; 运动 yùndòng = 스포츠

운:동-권(運動圈) 명〖社〗运动圈 yùndòngquān ¶~ 학생 运动圈里的学生 / ~ 출신 运动圈出身

운:동 기구(運動器具)〖體〗运动器具 yùndòng qìjù; 体育器材 tǐyù qìcái

운:동-량(運動量) 명 运动量 yùndòngliàng ¶~이 부족하다 运动量不足

운:동-복(運動服) 명 = 체육복

운:동-선수(運動選手) 명 运动员 yùndòngyuán; 运动选手 yùndòng xuǎnshǒu = 스포츠맨

운:동 신경(運動神經) **1**〖生〗运动神经 yùndòng shénjīng; 传出神经 chuánchū shénjīng **2** 运动细胞 yùndòng xìbāo ¶~이 매우 발달하다 运动细胞很发达

운:동 에너지(運動energy)〖物〗动能 dòngnéng

운:동-원(運動員) 명 活动家 huódòngjiā ¶선거 ~ 选举活动家

운:동-장(運動場) 명 运动场 yùndòngchǎng; 操场 cāochǎng; 体育场 tǐyùchǎng

운:동-화(運動靴) 명 运动鞋 yùndòngxié; 球鞋 qiúxié

운:동-회(運動會) 명 运动会 yùndònghuì

운두 명 (器皿、鞋帮等的) 高度 gāodù

운:명(運命) 명 命运 mìngyùn; 宿命 sùmìng; 命 mìng; 天命 tiānmìng; 命定 mìngdìng; 天数 tiānshù = 명[1](命)2 · 명운 ¶조국의 ~을 걸머지다 肩负着祖国的命运 / ~에 맡길 수밖에 없다 只能听天由命了

운:명(殞命) 명하자 殒命 yǔnmìng; 故去 gùqù; 死亡 sǐwáng ¶할아버지께서는 80세를 일기로 ~하셨다 爷爷故去了, 享年八十岁

운:명-론(運命論) 명〖哲〗宿命论 sùmìnglùn ¶~자 宿命论者

운:명-선(運命線) 명 命运线 mìngyùnxiàn; 幸运线 xìngyùnxiàn ¶내 ~은 매우 짧다 我的命运线很短

운:명-적(運命的) 관명 命运(的) mìngyùn(de); 宿命(的) sùmìng(de); 必然(的) bìrán(de); 命中注定(的) mìngzhōngzhùdìng(de) ¶~ 만남 命运的邂逅 / ~인 사랑 命中注定的爱情

운모(雲母) 명〖鑛〗云母 yúnmǔ

운:모(韻母) 명〖語〗韵母 yùnmǔ

운무(雲霧) 명 云雾 yúnwù ¶~에 싸인 산봉우리 云雾笼罩的山峰

운:문(韻文) 명〖文〗韵文 yùnwén ¶~체 韵文体

운:반(運搬) 명하타 搬运 bānyùn; 运 yùn; 搬 bān; 运送 yùnsòng ¶~비 搬运费 =[运费] / ~차 搬运车 / 이삿짐 ~ 搬运搬家行李 / 화물을 창고로 ~하다 把货物搬到仓库

운:석(隕石) 명〖鑛〗陨石 yǔnshí

운:세(運勢) 명 运 yùn; 运气 yùnqi; 运情 yùnqíng ¶한 해의 ~ 一年运气

운:송(運送) 명하타 运送 yùnsòng; 运输 yùnshū; 搬运 bānyùn ¶~선 运输船 / ~업 运输业 / 여객 ~ 旅客运输 / 화물 ~ 차량 货物搬运车辆

운:송-료(運送料) 명 = 운임

운:송-비(運送費) 명 = 운임

운:송-장(運送狀) 명 **1** 提货单 tíhuòdān; 提单 tídān; 货票 huòpiào **2** 货物清单 huòwù qīngdān

운:수(運數) 명 运气 yùnqi; 命运 mìngyùn; 运 yùn = 운(運) ¶~가 좋다 运气好 =[走运] / ~가 나쁘다 运气不佳 / ~가 사납다 背运 / ~소관 全靠运气

운:수(運輸) 명하타 运输 yùnshū ¶~업 运输业 / ~ 회사 运输公司

운:신(運身) 명하자 **1** 动弹 dòngtan; 活动身体 huódòng shēntǐ ¶허리를 다쳐 ~이 어렵다 腰受了伤, 不好动弹

2 (随心所欲地) 活动 huódòng; 做事 zuòshì ¶남의 집에 얹혀사는 처지라서 ~하기가 불편하다 寄宿在别人家, 活动不方便
운:영(運營) 명하타 运营 yùnyíng; 经营 jīngyíng; 管理 guǎnlǐ ¶~비 运营费 / ~ 위원회 管理委员会 / 회사를 ~하다 经营公司
운:용(運用) 명하타 运用 yùnyòng ¶자금을 ~하다 运用资金
운운(云云) 명하자타 云云 yúnyún; 说三道四 shuōsāndàosì; 谈论 tánlùn; 议论 yìlùn; 谈 tán ¶지난 일을 더 이상 ~하지 마라 过去的事请不要再谈了
운:율(韻律) 명 〖文〗 韵律 yùnlǜ
운:임(運賃) 명 运费 yùnfèi; 运价 yùnjià; 运资 yùnzī; 运输费 yùnshūfèi = 운송료 · 운송비 ¶~표 运费表 / ~을 인상하다 提高运费 / ~이 비싸다 运费很贵
운:자(韻字) 명 〖文〗 韵字 yùnzì = 운(韻)1
운:전(運轉) 명하타 1 开 kāi; 驾 jià; 开车 kāichē; 驾驶 jiàshǐ; 操作 cāozuò; 操纵 cāozòng ¶초보 ~ 开车新手 / ~면허증 驾驶证 =[驾照] / ~ 경력 驾龄 / 음주 ~ 酒后开车 / 자동차를 ~하다 驾驶汽车 =[开车] / 그는 기계 ~이 능숙하다 他操纵机器非常熟练 2 (资金) 运转 yùnzhuǎn; 周转 zhōuzhuǎn
운:전-기사(運轉技士) 명 '운전사'的敬词 = 기사(技士)
운:전-대(運轉—) 명 驾驶盘 jiàshǐpán; 转向杆 zhuǎnxiànggǎn; 方向盘 fāngxiàngpán; 驾驶杆 jiàshǐgǎn; 操纵杆 cāozònggǎn ¶~를 돌리다 转方向盘
운전대(를) 잡다 구 开车; 驾车
운:전-대(運轉臺) 명 驾驶台 jiàshǐtái; 操纵台 cāozòngtái ¶~에 앉다 坐在驾驶台上
운:전-면허(運轉免許) 명 驾驶执照 jiàshǐ zhízhào; 驾照 jiàzhào ¶~를 따다 拿到驾驶执照
운:전-병(運轉兵) 명 〖軍〗 驾驶兵 jiàshǐbīng
운:전-사(運轉士) 명 司机 sījī; 驾驶员 jiàshǐyuán; 操纵人员 cāozòng rényuán
운:전-석(運轉席) 명 驾驶席 jiàshǐxí
운:전-수(運轉手) 명 '운전사'的鄙称
운:전-자(運轉者) 명 驾驶人 jiàshǐrén
운집(雲集) 명하자 云集 yúnjí; 聚集 jùjí ¶~한 청중 앞에서 선거 유세를 하다 在云集的听众面前进行选举游说
운:치(韻致) 명 雅致 yǎzhi; 情致 qíngzhì; 韵味 yùnwèi ¶정원이 매우 ~ 있다 庭院很雅致
운:필(運筆) 명하자 运笔 yùnbǐ
운:하(運河) 명 运河 yùnhé ¶~를 파다 开凿运河
운:항(運航) 명하자 运航 yùnháng; 航运 hángyùn; 航行 hángxíng ¶태풍으로 ~을 중지하다 由于台风中止航运
운:행(運行) 명하타 1 运行 yùnxíng ¶열차 ~ 시간 列车运行时间 / 버스 ~ 노선 公共汽车运行路线 2 〖天〗 运行 yùnxíng; 运转 yùnzhuǎn ¶천체가 궤도를 따라 ~하다 天体沿着轨道运行
울[1] 명 = 울타리 ¶~을 치다 围上篱笆
울[2] 대 '우리[2]'的略词 ¶~ 어머니 我母亲
울(wool) 명 1 = 양털 2 毛织物 máozhīwù
울:고-불고 부하자 哭哭啼啼 kūkutítí; 哭天抹泪 kūtiānmǒlèi; 号啕大哭 háotáodàkū ¶집에 초상이라도 났나, 왜 이리 ~ 야단이냐? 家里死人了吗, 怎么这么号啕大哭?
울긋-불긋 부하형 五颜六色 wǔyánliùsè; 花花绿绿 huāhuālùlù; 红红绿绿 hónghonglǜlǜ ¶단풍이 온 산을 ~ 물들이다 红叶把整座山染得红红绿绿的
울기(鬱氣) 명 忧郁 yōuyù; 抑郁 yìyù
울:다[1] 자 1 哭 kū; 哭闹 kūnào; 泣 qì; 哭泣 kūqì ¶너 왜 우니? 你为什么哭呢? / 내 남동생은 툭하면 운다 我弟弟动不动就哭 / 울어도 소용없다 哭也没用了 / 아이가 밤에 잠도 안 자고 계속 운다 孩子晚上不睡觉一直哭闹 2 (动物、虫子、风) 鸣叫 míngjiào; 啼 tí; 鸣 míng; 叫 jiào ¶늑대 우는 소리 狼叫的声音 / 귀뚜라미가 ~ 蟋蟀鸣叫 3 (物体被风) 响 xiǎng; 作响 zuòxiǎng ¶바람이 불어 전선이 ~ 风吹电线响 4 (钟、雷等) 响 xiǎng; 鸣 míng ¶기적이 ~ 汽笛鸣响 / 천둥이 ~ 雷响
우는 아이 젖 준다 속담 孩不哭, 娘不奶; 娃子不哭奶不胀
울며 겨자 먹기 속담 恨病吃苦药
울:다[2] 자 (裱糊纸、油纸炕、针线活等) 皱 zhòu; 翘起 qiáoqǐ ¶장판이 울었다 地板革皱了
울-대 명 篱笆桩子 líba zhuāngzi
울뚝-불뚝 부하형 1 (物体的面或皮) 高低不平 gāodī bùpíng; 参差不齐 cēncībùqí; 凹凸不平 āotūbùpíng ¶~한 등근육 凹凸不平的背部肌肉 / ~한 바위 高低不平的岩石 2 (态度) 生硬 shēngyìng; (性情) 粗鲁 cūlǔ; 倔 juè ¶~한 성미 倔脾气
울렁-거리다 자 1 (因吃惊或害怕) 心怦怦跳 xīn pēngpeng tiào ¶놀라서 가슴이 ~ 吓得心怦怦跳 2 恶心 ěxin; 作

呕 zuò'ǒu ¶멀미가 나서 자꾸만 속이 ~ 晕车, 一阵一阵地恶心 **3** (水波) 荡漾 dàngyàng ¶물결이 ~ 水波荡漾 ‖ = 울렁대다 **울렁-울렁** 부하자

울렁-이다 자 **1** 心怦怦跳 xīn pēngpēng tiào **2** 恶心 ěxin ¶뱃멀미로 속이 ~ 晕船了, 觉得恶心 **3** (水波) 荡漾 dàngyàng ¶울렁이는 파도 荡漾的水波

울려-오다 자 (声音) 传来 chuánlái ¶멀리서 울려오는 종소리 远处传来的钟声

울룩-불룩 부하형 鼓鼓 gǔgǔ; 鼓鼓囊囊 gǔgunāngnāng; 凹凸不平 āotūbùpíng; 高低不平 gāodī bùpíng ¶내용물이 많아 배낭이 ~하다 背包里装满了东西, 鼓鼓囊囊的

울리다[1] 자 **1** (物体) 作声 zuòshēng; 作响 zuòxiǎng; 响 xiǎng ¶전화벨이 한참을 울렸지만 받는 사람이 없다 电话铃响了半天都没人接 **2** (声音) 响 xiǎng; 传 chuán ¶그의 목소리가 내 귓가에 울린다 他的声音在我耳边响起 **3** 震 zhèn; 震荡 zhèndàng; 震动 zhèndòng ¶지면이 갑자기 울리기 시작했다 地面突然震动起来了

울-리다[2] 타 **1** 弄哭 nòngkū; 叫…哭 jiào…kū; 让…哭 ràng…kū 《'울다[1]1'的使动词》 ¶누가 아기를 울렸느냐? 是谁弄哭了宝宝? / 그의 그 말이 나를 울렸다 他的那句话让我哭了 **2** 打 dǎ; 鸣 míng; 响 xiǎng 《'울다[1]4'的使动词》 ¶북을 ~ 打鼓 **3** 打动 dǎdòng; 扣动 kòudòng ¶심금을 ~ 扣动心弦

울림 명 回声 huíshēng; 回响 huíxiǎng

울먹-거리다 자 欲哭 yù kū; 想哭 xiǎng kū = 울먹대다 ¶울먹거리는 아이를 달래다 哄欲哭的孩子 **울먹-울먹** 부하자

울먹-이다 자 欲哭 yù kū; 要哭 yào kū ¶길을 잃고 울먹이는 아이 迷路欲哭的孩子

울:며-불며 부하자 哭哭啼啼 kūkutítí; 又哭又叫 yòu kū yòu jiào; 哭天抹泪 kūtiānmǒlèi; 一把鼻涕一把泪 yībǎ bítì yībǎ lèi ¶~ 하소연하다 一把鼻涕一把泪地诉说 / ~ 애원하다 哭哭啼啼地哀求

울:-보 명 爱哭鬼 àikūguǐ

울부짖다 자 哭叫 kūjiào; 哭喊 kūhǎn; 嚎叫 háojiào; 呼啸 hūxiào ¶사람들이 울부짖는 소리가 들려왔다 传来了人们哭喊的声音

울분(鬱憤) 명하형 郁愤 yùfèn; 气愤 qìfèn ¶~을 터뜨리다 发泄气愤 / ~을 참다 忍着郁愤

울:-상(—相) 명 哭相 kūxiàng; 哭脸 kūliǎn ¶~을 짓다 哭丧着脸

울-음 명 哭 kū; 泣 qì; 哭泣 kūqì ¶~을 그치다 停止哭泣 / ~을 터뜨리다 放声大哭

울음-바다 명 一片哭声 yīpiàn kūshēng; 众人痛哭 zhòngrén tòngkū; 哭声震天 kūshēng zhèntiān

울음-보 명 (强忍着的) 哭 kū; 哭泣 kūqì ¶~가 터지다 放声大哭

울음-소리 명 **1** 哭声 kūshēng **2** 啼声 tíshēng; 鸣声 míngshēng; 叫声 jiàoshēng ¶뻐꾸기 ~ 布谷鸟的叫声

울적-하다(鬱寂—) 형 忧郁寂寞 yōuyù jìmò; 郁闷 yùmèn ¶마음이 ~ 心情郁闷 / 울적한 마음을 달랠 길이 없다 忧郁寂寞的心无法劝慰

울짱 명 **1** 栅拦 zhàlan; 木栅 mùzhà = 목책 **2** = 울타리

울창-하다(鬱蒼—) 형 郁郁葱葱 yùyùcōngcōng; 郁郁苍苍 yùyùcāngcāng ¶울창한 숲 郁郁葱葱的树林

울컥 부하자타 **1** 涌上心头 yǒngshàng xīntóu; 涌上来 yǒngshànglai; 一下子 yīxiàzi; 猛地 měngde; 勃然 bórán 《感情突发貌》 ¶~ 부아가 치밀다 心里的气一下子涌上来 **2** 哕 yuě; 哇 wā 《呕吐时嘴里发出的声音》 ¶방금 먹은 것을 ~하고 전부 토했다 哇的一声, 把刚吃的东西全吐了

울컥-거리다 자타 **1** 哕哕欲吐 yuěyuě yùtù; 哕哕作呕 yuěyuě zuò'ǒu **2** 怒不可遏 nùbùkě'è; 勃然大怒 bórán dànù; 怒气冲冲 nùqìchōngchōng ‖ = 울컥대다 **울컥-울컥** 부하자타

울타리 명 篱笆 líba; 栅 zhà; 栅栏 zhàlan = 울[1] · 울짱2 ¶~를 치다 搭篱笆 / ~를 두르다 围栅栏

울툭-불툭 부하형 凹凸不平 āotūbùpíng; 坑坑洼洼 kēngkengwāwā; 参差不齐 cēncībùqí; 坎坷不平 kǎnkěbùpíng

울퉁-불퉁 부하형 高低不平 gāodī bùpíng; 凹凸不平 āotūbùpíng; 坑坑洼洼 kēngkengwāwā; 坎坷不平 kǎnkěbùpíng ¶~한 산길 坎坷不平的山路

울-하다(鬱—) 형 (心情) 忧郁 yōuyù; 郁闷 yùmèn

울혈(鬱血) 명 【醫】 淤血 yūxuè

울화(鬱火) 명 郁火 yùhuǒ; 肝火 gānhuǒ; 怒气 nùqì; 火气 huǒqì ¶~가 터지다 肝火攻心 / ~가 치밀다 郁火上涌

울화-병(鬱火病) 명 【韓醫】 郁火症 yùhuǒzhèng = 화병(火病)

울화-통(鬱火—) 명 郁火 yùhuǒ; 肝火 gānhuǒ; 怒气 nùqì; 火气 huǒqì ¶~이 터지다 大动肝火 =[肝火发作]

움:[1] 명 芽 yá; 蘖 niè = 맹아(萌芽)1 ¶~이 트다 发芽

움:[2] 명 窖 jiào; 地窖 dìjiào; 地窟 dìkū

¶~을 파다 挖窖
움:-막(—幕) 명 = 움막집
움:막-살이(—幕—) 명하자 住窝棚 zhù wōpeng
움:막-집(—幕—) 명 窝棚 wōpeng; 小棚 xiǎopéng = 움막 ¶~을 짓다 盖窝棚 =[搭窝棚]
움직-거리다 자타 动弹 dòngtan; 一动一动 yīdòngyīdòng; 动来动去 dòngláidòngqù = 움직대다 ¶자꾸 몸을 움직거리면 어떻게 사진을 찍겠니? 身体老是一动一动的, 怎么拍照片呢? **움직-움직** 부하자타
움직-이다 자타 **1** 动 dòng; 动弹 dòngtan; 移动 yídòng ¶모두 움직이지 마! 大家都别动! / 다리가 저려 움직일 수가 없다 两腿麻木, 动弹不得 **2** 变动 biàndòng; 动摇 dòngyáo; 改变 gǎibiàn ¶움직일 수 없는 사실 不可改变的事实 / 상대의 마음을 ~ 动摇对方心意 **3** 调动 diàodòng; 发动 fādòng; 指挥 zhǐhuī; 活动 huódòng ¶간첩이 비밀리에 ~ 间谍暗中活动 **4** 开动 kāidòng; 投产 tóuchǎn; 经营 jīngyíng ¶공장을 ~ 经营工场 / 기계를 ~ 开动机器
움직임 명 **1** 动 dòng; 动弹 dòngtan; 动作 dòngzuò ¶그는 ~이 너무 둔하다 他的动作太迟钝 **2** 活动 huódòng; 动向 dòngxiàng; 趋向 qūxiàng; 动态 dòngtài; 动静 dòngjing ¶적의 ~을 살피다 侦察敌人的动静
움:-집 명 窝棚 wōpeng; 窖洞 jiàodòng; 地窖 dìjiào; 窑洞 yáodòng
움:집-살이 명하자 住窝棚 zhù wōpeng; 住窑洞 zhù yáodòng
움쩍 부하자타 动 dòng; 一动 yīdòng ¶문이 안으로 잠겨 있어서 ~도 하지 않는다 门被反锁了, 纹丝不动
움쩍-거리다 자타 一动一动 yīdòngyīdòng; 动弹 dòngtan = 움쩍대다 ¶몸을 ~ 身子一动一动的 **움쩍-움쩍** 부하자타
움쩍-달싹 부하자타 动 dòng; 一动 yīdòng ¶몸이 아파서 ~도 못하고 누워 있다 身子疼得一动也不能动, 只好躺着
움찔 부하자타 缩 suō; 蜷缩 quánsuō; 瑟缩 sèsuō 《因惊吓而缩身体》 ¶~ 놀라다 吓得身体缩了一下
움찔-거리다 자타 **1** 缩 suō; 蜷缩 quánsuō; 瑟缩 sèsuō 《因惊吓而总缩身体》 ¶자고 있는 아이가 나쁜 꿈을 꾸는지 자꾸 몸을 움찔거렸다 睡着的孩子好像做了恶梦, 身体老是一缩一缩的 **2** 慢慢动弹 mànmàn dòngtan; 磨磨蹭蹭 mómocèngcèng ‖ = 움찔대다 **움찔-움찔** 부하자타
움츠러-들다 자 **1** 瑟缩 sèsuō; 蜷缩 quánsuō; 抽动 chōudòng; 缩回 suōhuí ¶근육이 ~ 肌肉抽动 / 날씨가 추워서 몸이 자연히 ~ 因为天气很冷, 身体自然蜷缩起来 **2** 退缩 tuìsuō; 气馁 qìněi; 消沉 xiāochén ¶적군은 아군의 강한 기세에 눌려 움츠러들었다 敌军被我军强大的气势吓得气馁了
움츠러-지다 자 **1** (因害怕或冷) 蜷缩 quánsuō; 缩回 suōhuí ¶바람이 너무 세서 몸이 자연히 ~ 因为风太大, 身体自然蜷缩起来 **2** 退缩 tuìsuō; 气馁 qìněi; 消沉 xiāochén
움츠리다 타 **1** 瑟缩 sèsuō; 蜷缩 quánsuō ¶몸을 움츠려 동굴 안으로 들어가다 蜷缩着身子进到了洞内 **2** 退缩 tuìsuō; 萎靡 wěimǐ
움켜-잡다 타 抓住 zhuāzhù; 握住 wòzhù; 揪住 jiūzhù ¶멱살을 ~ 揪住领口 / 나뭇가지를 꽉 ~ 死死地抓住树枝 / 그는 아이의 손을 움켜잡았다 他紧紧地握住孩子的手
움켜-쥐다 타 **1** 抓住 zhuāzhù; 握住 wòzhù; 抓紧 zhuājǐn ¶주먹을 ~ 握住拳头 / 기둥을 꽉 ~ 死死地抓住柱子 / 그녀는 아버지의 손을 움켜쥐었다 她紧紧地握住父亲的手 **2** 控制 kòngzhì; 掌握 zhǎngwò; 操纵 cāozòng ¶권력을 ~ 掌握权力 / 손아귀에 ~ 掌握在手中 / 남자의 마음을 ~ 操纵男人的心
움큼 의명 把 bǎ; 撮 cuō ¶아이가 사탕을 한 ~ 집었다 小孩抓了一把糖
움키다 타 紧抓 jǐnzhuā; 紧握 jǐnwò ¶매가 병아리를 움키고 하늘로 날아갔다 老鹰抓住小鸡飞上天去了
움:-트다 자 发 fā; 萌 méng; 绽 zhàn; 萌生 méngshēng ¶싹이 ~ 萌芽 / 사랑이 ~ 萌生恋情
움푹 부하형 凹陷 āoxiàn; 深陷 shēnxiàn ¶가운데가 ~ 파이다 中间深陷 / ~ 파인 곳은 다 메워야 한다 深陷进去的地方都得填平
움푹-움푹 부하형 坑坑洼洼 kēngkengwāwā; 高低不平 gāodī bùpíng ¶길이 ~ 파여 걷기 나쁘다 道路坑坑洼洼相当难走
웃-기다 타 **1** 逗笑(儿) dòuxiào(r); 逗乐(儿) dòulè(r); 逗趣(儿) dòuqù(r); 使人发笑 shǐrén fāxiào; 可笑 kěxiào 《'웃다1' 的使动词》 ¶사람을 ~ 逗人发笑 **2** 令人嘲笑 lìngrén cháoxiào; 令人可笑 lìngrén kěxiào ¶웃기는 세상 令人可笑的社会
웃:다 자 **1** 笑 xiào; 发笑 fāxiào ¶웃으며 인사하다 笑着打招呼 / 하하하 크게 ~ 哈哈哈大笑 / 그가 갑자기 큰 소리로 웃기 시작했다 他突然大声笑起来了 **2** 嘲笑 cháoxiào ¶저런 사람이

선생이라니 지나가던 개가 다 웃을 일이다 那种人还当了老师，过路的狗也会嘲笑的
웃는 낯에 침 못 뱉는다 속담 = 웃는 낯에 침 뱉으랴
웃는 낯에 침 뱉으랴 속담 伸手不打笑面人；伸手不打笑脸人；嗔拳不打笑面 = 웃는 낯에 침 못 뱉는다

웃-도리 명 '윗도리2' 的错误

웃-돈 명 **1** 添加钱 tiānjiāqián；加钱 jiāqián ¶구하기 힘든 약이라 ~을 주고 사 왔다 这药很难买到，加了点钱才买来了 **2** (换东西时) 找补的钱 zhǎobude qián

웃-돌다 자타 超出 chāochū；超过 chāoguò；超额 chāo'é ¶최고 기온이 30도를 ~ 最高气温超过三十度 / 수출이 목표를 ~ 出口超过目标

웃-바람 명 漏风 lòufēng = 웃풍 ¶이 집은 ~이 세다 这房子四面漏风

웃어-넘기다 자 一笑了之 yīxiàoliǎozhī；付之一笑 fùzhīyīxiào；一笑置之 yīxiàozhìzhī ¶이 일은 그냥 웃어넘길 일이 아니다 这不是能一笑了之的事

웃-어른 명 长辈 zhǎngbèi；尊长 zūnzhǎng

웃-옷 명 **1** 外衣 wàiyī；罩衣 zhàoyī **2** '윗옷' 的错误

웃-음 명 笑 xiào；笑容 xiàoróng ¶~을 띠다 含笑 =[带笑]

웃음-거리 명 笑料 xiàoliào；笑柄 xiàobǐng；笑话 xiàohuà ¶남의 ~가 되다 成为别人的笑料

웃음-기 명 笑容 xiàoróng ¶~를 띠다 面带笑容

웃음-꽃 명 笑 xiào；笑开花 xiàokāihuā ¶~을 피우다 笑逐颜开

웃음-바다 명 哄堂大笑 hōngtángdàxiào

웃음-보 명 大笑 dàxiào；暴笑 bàoxiào ¶~가 터지다 哈哈大笑

웃음-소리 명 笑声 xiàoshēng ¶방 안에서 그들의 ~가 흘러나온다 房间里传来他们的笑声

웃-자라다 자 徒长 túzhǎng；疯长 fēngzhǎng

웃-통 명 **1** 上身 shàngshēn；上半身 shàngbànshēn ¶~을 드러내다 露出上半身 **2** = 윗옷 ¶~을 벗다 脱上衣

웃-풍(—風) 명 = 웃바람

웅담(熊膽) 명 【韓醫】 熊胆 xióngdǎn

웅대-하다(雄大—) 형 雄大 xióngdà；雄伟 xióngwěi；宏伟 hóngwěi；壮 zhuàng ¶웅대한 뜻을 품다 心怀壮志

웅덩이 명 水坑 shuǐkēng；水洼 shuǐwā ¶~에 빠지다 掉进水坑里

웅변(雄辯) 명 演讲 yǎnjiǎng；辩才 biàncái；雄辩 xióngbiàn ¶청중들 앞에서 ~을 토하다 在听众面前大展辩才

웅변-가(雄辯家) 명 雄辩家 xióngbiànjiā；演说家 yǎnshuōjiā

웅변-대회(雄辯大會) 명 演讲大会 yǎnjiǎng dàhuì；演讲比赛 yǎnjiǎng bǐsài

웅성-거리다 자 闹闹哄哄 nàonaohōnghōng；闹哄哄 nàohōnghōng；哄哄 hōnghōng；人声鼎沸 rénshēngdǐngfèi；人声嘈杂 rénshēng cáozá；喧嚷 xuānrǎng = 웅성대다 ¶사람들의 웅성거리는 소리 人们的喧嚷声 / 사람들이 ~ 人们闹哄哄的 **웅성-웅성** 부하자 ¶영화가 시작되자 ~하던 장내가 일시에 조용해졌다 电影一开始，原本人声鼎沸的场内一下子安静了

웅얼-거리다 자타 自言自语 zìyánzìyǔ；喃喃自语 nánnánzìyǔ；嘟嘟囔囔 dūdunāngnāng；嘟囔 dūnang；嘟哝 dūnong = 웅얼대다 ¶뭘 그렇게 웅얼거리고 있느냐? 你在嘟囔什么呀? **웅얼-웅얼** 부하자타 ¶그는 혼자서 한참을 ~하였다 他一个人自言自语地说了好半天

웅장-하다(雄壯—) 형 雄壮 xióngzhuàng；雄伟 xióngwěi；宏伟 hóngwěi ¶웅장하고 화려한 궁궐 雄伟壮丽的宫殿 **웅장-히** 부

웅크리다 타 蜷 quán；缩 suō；蜷缩 quánsuō；瑟缩 sèsuō ¶날씨가 추워서 몸을 ~ 天气很冷，蜷缩身子 / 그녀는 몸을 웅크리고 침대 위에 앉아 있다 她蜷着身子坐在床上

워: 감 吁 yū《叫牛马停住的声音》

워낙 부 **1** 非常 fēicháng；太 tài；很 hěn ¶~ 바쁘다 太忙 / ~ 길이 험하다 路很险 **2** 原来 yuánlái；本来 běnlái ¶그는 ~ 나쁜 놈이다 他本来就是坏蛋 ‖ = 원체

워낭 명 (牛马笼头上的) 牛铃 niúlíng；马铃 mǎlíng

워드 프로세서(word processor) 【컴】 文字处理软件 wénzì chǔlǐ ruǎnjiàn；字处理机 zìchǔlǐjī

워밍업(warming-up) 명 【體】 = 준비 운동

워:-워 감 吁吁 yūyū

워커(walker) 명 军靴 jūnxuē；军鞋 jūnxié

워크숍(workshop) 명 【教】 研习会 yánxíhuì；研讨会 yántǎohuì

워키토키(walkie-talkie) 명 【信】 对讲机 duìjiǎngjī；步话机 bùhuàjī；步谈机 bùtánjī

워킹 홀리데이(working holiday) 工作度假 gōngzuò dùjià；打工度假 dǎgōng dùjià ¶~ 비자 工作度假签证

원[1] 의명 元 yuán；元韩币 yuán hánbì；韩元 hányuán《韩国货币单位》¶천~

一千元韩币

원² 감 真是的 zhēnshìde; 嗳 āi; 嗐 hài ¶~, 별소리 다 듣겠네 嗐, 岂有此理

원(圓) 명 **1** 圆 yuán; 圆圈 yuánquān; 圆形 yuánxíng ¶~을 그리다 划圆圈 **2** 〖數〗 圆 yuán

원:(願) 명하타 = 소원(所願) ¶~을 풀다 实现愿望 / ~이 풀리다 如愿以偿 / 진심으로 ~하다 心甘情愿

원-(元·原) 접두 原 yuán ¶~작자 原作者 / ~주민 原住民

-원(員) 접미 员 yuán; 士 shì ¶통신~ 通信员 / 연구~ 研究员 / 공무~ 公务员

-원(院) 접미 院 yuàn ¶대학~ 研究生院 / 고아~ 孤儿院 / 양로~ 养老院

-원(園) 접미 园 yuán ¶동물~ 动物园 / 유치~ 幼儿园

원가(原價) 명 〖經〗 **1** 原价 yuánjià; 成本 chéngběn ¶~ 절감 削减成本 / ~에 사다 以原价购买 / ~를 낮추다 降低成本 / ~ 이하로 팔다 低于原价出售 **2** = 매입 원가

원:-거리(遠距離) 명 远距离 yuǎnjùlí; 远程 yuǎnchéng; 长途 chángtú ¶~ 사격 远距离射击 / ~ 신호 远距离信号

원:격(遠隔) 명하형 远隔 yuǎngé; 远距离 yuǎnjùlí

원:격 제:어(遠隔制御) 〖物〗 = 리모트 컨트롤 ¶~ 신호 遥控信号

원:격 조종(遠隔操縱) 〖工〗 远程操控 yuǎnchéng cāokòng; 遥控 yáokòng ¶~ 장치 遥控装置

원:경(遠景) 명 远景 yuǎnjǐng

원고(原告) 명 〖法〗 原告 yuángào; 原告人 yuángàorén ¶~측 변호사 原告方律师

원고(原稿) 명 **1** 稿件 gǎojiàn; 稿 gǎo; 稿子 gǎozi ¶~를 쓰다 写稿 / ~를 출판사에 넘기다 把稿件交给出版社 **2** = 초고(草稿) ¶강연 ~ 演讲底稿

원고-료(原稿料) 명 稿费 gǎofèi = 고료

원고-용지(原稿用紙) 명 原稿纸 yuángǎozhǐ; 稿纸 gǎozhǐ = 원고지

원고-지(原稿紙) 명 = 원고용지

원곡(原曲) 명 原曲 yuánqǔ

원:군(援軍) 명 援军 yuánjūn; 援兵 yuánbīng ¶~을 청하다 请求援军

원:귀(冤鬼) 명 冤鬼 yuānguǐ; 冤死鬼 yuānsǐguǐ; 屈死鬼 qūsǐguǐ

원:근(遠近) 명 远近 yuǎnjìn; 遐迩 xiá'ěr ¶~감 远近感

원:근-법(遠近法) 명 〖美〗 远近法 yuǎnjìnfǎ

원금(元金) 명 〖經〗 本钱 běnqián; 本金 běnjīn ¶~을 날리다 折了本钱

원기(元氣) 명 元气 yuánqì; 精力 jīnglì; 精神 jīngshen; 活力 huólì ¶~ 왕성한 젊은이 精力充沛的年轻人 / ~가 부족하다 元气不足

원-기둥(圓—) 명 〖數〗 圆柱 yuánzhù; 圆柱体 yuánzhùtǐ

원내(院內) 명 院内 yuànnèi

원내 총:무(院內總務) 〖政〗 院内总务 yuànnèi zǒngwù

원년(元年) 명 元年 yuánnián ¶개국 ~ 开国元年

원-님(員—) 명 〖史〗 守令 shǒulìng

원님 덕에 나팔 분다 속담 因利乘便; 因人成事

원단(元旦) 명 元旦 Yuándàn ¶오늘은 ~이라 하루 쉰다 今天是元旦, 放假一天

원단(原緞) 명 料子 liàozi; 布料 bùliào ¶~을 수입해서 옷을 만들다 进口布料做服装

원대(原隊) 명 〖軍〗 原部队 yuánbùduì

원:대-하다(遠大—) 형 远大 yuǎndà; 宏伟 hóngwěi ¶원대한 계획 宏伟的计划 / 원대한 포부를 품다 胸怀远大抱负 **원:대-히** 부

원동-기(原動機) 명 〖物〗 原动机 yuándòngjī; 动力机 dònglìjī

원동-력(原動力) 명 原动力 yuándònglì; 动力 dònglì ¶경제 발전의 ~ 经济发展的原动力 / 물체의 ~ 物体的动力

원두(原頭) 명 原豆 yuándòu; 咖啡豆 kāfēidòu ¶~커피 原豆咖啡 =[现磨咖啡]

원두-막(園頭幕) 명 瓜棚 guāpéng

원-둘레(圓—) 명 〖數〗 = 원주

원-뜻(元—·原—) 명 本意 běnyì; 原意 yuányì

원래(原來·元來) 명부 = 본디 ¶그는 ~ 그런 사람이 아니었다 他本来不是那样的人 / ~의 가격보다 훨씬 비싸다 比原来的价格贵得多

원로(元老) 명 元老 yuánlǎo ¶~대신 元老大臣 / ~ 교수 元老教授 / 정계의 ~ 政界元老

원론(原論) 명 原论 yuánlùn; 基础理论 jīchǔ lǐlùn ¶경제 ~ 经济原论 / ~부터 배우다 从基础理论开始学习

원료(原料) 명 原料 yuánliào ¶~비 原料费

원룸(one-room) 명 〖建〗 = 원룸 아파트

원룸 아파트(one-room←apartment) 〖建〗 一间一套房子 yījiān yītào fángzi; 单间公寓 dānjiān gōngyù = 원룸

원류(源流) 명 **1** (水的) 源流 yuánliú; 源头 yuántóu ¶한강의 ~ 汉江的源头 **2** (事物或现象的) 源流 yuánliú; 源头 yuántóu ¶문학의 ~ 文学的源流

원리(元利) 명 本利 běnlì; 本息 běnxī
원리(原理) 명 原理 yuánlǐ ¶지렛대의 ~ 杠杆原理 / ~를 이해하다 理解原理
원리-금(元利金) 명 〖經〗本利金 běnlìjīn; 本利 běnlì; 本息 běnxī ¶~을 상환하다 偿还本息
원만-하다(圓滿—) 형 **1** 随和 suíhe; 和谐 héxié; 圆融 yuánróng ¶그는 성격이 원만해서 누구하고나 잘 어울린다 他性格随和, 跟谁都合得来 **2** 圆满 yuánmǎn; 完满 wánmǎn ¶원만한 결과를 얻다 取得圆满的结果 **3** 美满 měimǎn ¶원만한 부부 생활 美满的夫妻生活 **원만-히** 부 ¶문제가 ~ 해결되었다 问题完满解决了
원:망(怨望) 명하타 埋怨 mányuàn; 抱怨 bàoyuàn; 怨恨 yuànhèn; 怨望 yuànwàng ¶~의 눈초리 怨恨的目光 / 다른 사람을 ~하다 埋怨他人
원:망-스럽다(怨望—) 형 埋怨 mányuàn; 抱怨 bàoyuàn; 怨恨 yuànhèn ¶그는 자신의 무능함이 원망스러웠다 他怨恨自己的无能 **원:망스레** 부
원맨-쇼(one-man show) 명 独角戏 dújiǎoxì; 独脚戏 dújiǎoxì
원목(原木) 명 原木 yuánmù; 原木材 yuánmùcái ¶~ 가구 原木家具
원문(原文) 명 **1** 原文 yuánwén ¶~을 인용하다 引用原文 **2** = 본문2
원반(圓盤) 명 **1** 圆盘 yuánpán **2** 〖體〗铁饼 tiěbǐng ¶~던지기 掷铁饼
원본(原本) 명 原本 yuánběn; 蓝本 lánběn; 底本 dǐběn ¶~을 보고 베끼다 照着底本抄
원-불교(圓佛敎) 명 〖佛〗圆佛教 Yuánfójiào
원-뿌리(元—) 명 〖植〗主根 zhǔgēn
원-뿔(圓—) 명 〖數〗圆锥 yuánzhuī; 圆锥体 yuánzhuītǐ ¶~형 圆锥形
원사(原絲) 명 〖手工〗原丝 yuánsī; 原纱 yuánshā
원산(原産) 명 原产 yuánchǎn ¶바나나는 열대 ~의 과일이다 香蕉是原产于热带的水果
원산-지(原産地) 명 原产地 yuánchǎndì; 产地 chǎndì ¶~ 표시제 产地标注制度 / 상품의 ~를 밝히다 注明商品的产地
원상(原狀) 명 原状 yuánzhuàng; 原样 yuányàng ¶~ 복구 恢复原状
원색(原色) 명 **1** 原色 yuánsè ¶~ 식물 도감 原色植物图鉴 **2** 亮色 liàngsè; 艳色 yànsè ¶~의 옷을 입다 穿亮色的衣服 **3** 〖美〗原色 yuánsè; 基色 jīsè ¶~판 原色版
원색-적(原色的) 관명 **1** 亮色(的) liàngsè(de); 绚丽 xuànlì ¶그의 미술 작품은 매우 ~이다 他的美术作品色彩非常绚丽 **2** 露骨(的) lùgǔ(de) ¶~ 비난 露骨的指责
원생(院生) 명 院生 yuànshēng
원생-동물(原生動物) 명 〖動〗原生动物 yuánshēng dòngwù
원서(原書) 명 原书 yuánshū; 原文书 yuánwénshū = 원전(原典)2 ¶~ 강독 原书讲读 / 불어 ~ 法语原文书
원:서(願書) 명 报名表 bàomíngbiǎo; 志愿书 zhìyuànshū; 申请书 shēnqǐngshū ¶입사 ~ 应聘报名表 / 입학 ~ 入学报名表 / ~ 접수 受理志愿书 / ~를 내다 提交报名表
원석(原石) 명 **1** 〖鑛〗原矿 yuánkuàng **2** 原石 yuánshí ¶비취 ~을 가공하다 加工翡翠原石
원:성(怨聲) 명 怨声 yuànshēng; 怨言 yuànyán ¶국민들의 ~이 높다 国民怨声载道
원소(元素) 명 **1** 〖數〗元素 yuánsù = 요소(要素)2 **2** 〖化〗元素 yuánsù; 化学元素 huàxué yuánsù = 화학 원소 ¶물질을 ~로 분해하다 把物质分解为元素
원소 기호(元素記號) 〖化〗化学符号 huàxué fúhào; 元素符号 yuánsù fúhào = 원자 기호 · 화학 기호
원소-명(元素名) 명 元素名称 yuánsù míngchēng; 元素名 yuánsùmíng ¶화학 ~ 化学元素名称
원수(元帥) 명 〖軍〗元帅 yuánshuài
원수(元首) 명 〖法〗元首 yuánshǒu
원:수(怨讐) 명 仇人 chóurén; 仇敌 chóudí; 对头 duìtou; 冤家 yuānjia; 仇 chóu ¶돈이 ~다 钱是冤家 / ~를 갚다 报仇 / 은혜를 ~로 갚다 恩将仇报
원수는 외나무다리에서 만난다 속담 冤家路窄; 不是冤家不聚头
원:수-지다(怨讐—) 자 结仇 jiéchóu ¶그들은 원수진 사이처럼 만나기만 하면 싸운다 他们像结了仇似的, 一见面就吵架
원숙-하다(圓熟—) 형 **1** 熟练 shúliàn; 纯熟 chúnshú; 老到 lǎodào; 老练 lǎoliàn ¶원숙한 솜씨 熟练的手艺 / 위기 상황에 원숙하게 대처하다 危机情况下老练地应付 **2** 成熟 chéngshú; 精练 jīngliàn ¶예술적 기량이 더욱 원숙해지다 艺术技巧愈加成熟 **원숙-히** 부
원:숭이 명 〖動〗猴子 hóuzi; 猴(儿) hóu(r); 猿猴 yuánhóu
원숭이도 나무에서 떨어진다 속담 猴子也会从树上掉下来; 猴子也有从树上掉下来的时候
원시(原始 · 元始) 명 **1** 始初 shǐchū; 开始 kāishǐ **2** 原始 yuánshǐ; 原生 yuánshēng ¶~ 상태 原始状态 / ~ 신

앙 原始信仰 / ~ 사회 原始社会 / ~ 시대 原始时代 / ~ 언어 原始语言

원:시(遠視) 명 **1** 〖醫〗 远视 yuǎnshì ¶ ~안 远视眼 / 그는 눈이 ~라서 돋보기를 써야 한다 他眼睛远视, 要戴老花镜了 **2** 远望 yuǎnwàng; 远眺 yuǎntiào

원시-림(原始林) 명 原始林 yuánshǐlín; 原生林 yuánshēnglín = 자연림

원시-인(原始人) 명 **1** 原始人 yuánshǐrén **2** 野蛮人 yěmánrén

원시-적(原始的) 관명 原始(的) yuánshǐ(de) ¶ 인력에 의지하는 것은 너무 ~이다 靠人力那太原始了

원심(原審) 명 〖法〗 原审 yuánshěn ¶ ~ 판결 原审判决 / ~을 깨고 무죄를 선고하다 撤销原审, 宣告无罪

원:심(遠心) 명 〖物〗 离心 líxīn ¶ ~력 离心力 / ~ 분리기 离心分离机

원아(院兒) 명 院童 yuàntóng ¶ 고아원의 ~ 孤儿院的院童

원아(園兒) 명 园童 yuántóng; 幼儿生 yòu'érshēng ¶ 유치원의 ~ 幼儿园的园童 / ~ 모집 招幼儿生

원안(原案) 명 原案 yuán'àn ¶ ~대로 통과되다 以原案通过

원앙(鴛鴦) 명 **1** 〖鳥〗 鸳鸯 yuānyāng; 匹鸟 pǐniǎo = 원앙새 ¶ 한 쌍의 ~ 一对鸳鸯 **2** 鸳鸯 yuānyāng 《比喻和睦的夫妻》 ¶ ~금침 鸳鸯被枕

원앙-새(鴛鴦—) 명 〖鳥〗 = 원앙1

원액(原液) 명 原汁 yuánzhī; 原液 yuányè ¶ 이 음료는 사과 ~을 희석하여 만든 것이다 这饮料是用苹果原液稀释而成的

원야(原野) 명 原野 yuányě ¶ 황막한 ~를 개간하다 开垦荒漠原野

원:양(遠洋) 명 远洋 yuǎnyáng; 远海 yuǎnhǎi ¶ ~ 어선 远洋渔船 / ~ 어업 远洋渔业

원어(原語) 명 原文 yuánwén

원예(園藝) 명 园艺 yuányì ¶ ~가 园艺家 / ~사 园艺师 / ~ 농가 园艺农家

원예-농(園藝農) 명 〖農〗 = 원예 농업

원예 농업(園藝農業) 〖農〗 园艺农业 yuányì nóngyè = 원예농

원예 식물(園藝植物) 〖農〗 园艺植物 yuányì zhíwù = 원예 작물

원예 작물(園藝作物) 〖農〗 = 원예 식물

원유(原油) 명 原油 yuányóu ¶ ~관 原油管道 / ~ 파동 原油动荡 / ~를 정제하다 炼制原油

원음(原音) 명 **1** 原音 yuányīn; 原声 yuánshēng **2** 〖音〗 原音 yuányīn

원인(原人) 명 〖古〗 原人 yuánrén ¶ 베이징 ~ 北京原人

원인(原因) 명하자 原因 yuányīn; 原由 yuányóu; 缘由 yuányóu; 缘故 yuángù; 起因 qǐyīn ¶ ~ 분석 原因分析 / ~ 모를 병 不明原因的病 / 사고의 ~을 규명하다 查明事故的原因

원인(猿人) 명 〖古〗 猿人 yuánrén

원자(元子) 명 〖史〗 元子 yuánzǐ ¶ ~를 세자에 책봉하다 将元子封为太子

원자(原子) 명 〖物〗 原子 yuánzǐ ¶ ~구조 原子结构 / ~가 原子价 / ~량 原子量 / ~ 번호 原子序数

원자-구름(原子—) 명 蘑菇云 móguyún; 蕈状云 xùnzhuàngyún = 원폭운

원자 기호(原子記號) 〖化〗 = 원소 기호

원자-력(原子力) 명 〖物〗 原子能 yuánzǐnéng; 核能 hénéng

원자력 발전(原子力發展) 〖物〗 原子能发电 yuánzǐnéng fādiàn; 核电 hédiàn

원자력 발전소(原子力發展所) 〖電〗 原子能发电站 yuánzǐnéng fādiànzhàn; 核电站 hédiànzhàn; 核能电厂 hénéngdiànchǎng

원자-로(原子爐) 명 〖物〗 原子反应堆 yuánzǐ fǎnyìngduī; 核反应堆 héfǎnyìngduī

원-자재(原資材) 명 原材料 yuáncáiliào ¶ ~를 수입하다 进口原材料

원자-탄(原子彈) 명 〖軍〗 = 원자 폭탄

원자 폭탄(原子爆彈) 〖軍〗 原子弹 yuánzǐdàn; 原爆 yuánbào; 核弹 hédàn = 원자탄 ¶ ~을 투하하다 投下原子弹 / ~이 터지다 核弹爆炸

원자-핵(原子核) 명 〖物〗 原子核 yuánzǐhé = 핵3

원작(原作) 명 **1** 原作 yuánzuò **2** 〖文〗 原作 yuánzuò; 原著 yuánzhù ¶ ~에 충실한 번역 忠实于原著的翻译 / ~을 각색하다 改编原作

원작-자(原作者) 명 = 원저자

원장(元帳) 명 〖經〗 元账 yuánzhàng; 原始总账 yuánshǐ zǒngzhàng; 总账簿 zǒngzhàngbù

원장(院長) 명 院长 yuànzhǎng ¶ 고아원 ~ 孤儿院院长 / 병원 ~ 医院院长

원장(園長) 명 园长 yuánzhǎng ¶ 유치원 ~ 幼儿园园长

원-재료(原材料) 명 原材料 yuáncáiliào

원-저자(原著者) 명 原著者 yuánzhùzhě; 原作者 yuánzuòzhě = 원작자

원:-적외선(遠赤外線) 명 〖物〗 远红外线 yuǎnhóngwàixiàn ¶ ~ 치료기 远红外线治疗仪

원전(原典) 명 **1** 原典 yuándiǎn; 原著 yuánzhù ¶ ~과 대조하다 查对原典 **2** = 원서(原書) ¶ 이 책은 번역본이 ~보다 낫다 这本书, 译本比原书好

원점(原點) 명 **1** 起点 qǐdiǎn; 基点 jīdiǎn ¶승부가 다시 ~으로 돌아가다 胜负又回到起点 **2** 〖數〗(坐标的) 原点 yuándiǎn ¶~을 정하다 定原点

원:정(遠征) 명하자타 **1** 远征 yuǎnzhēng ¶~대 远征队 / 유럽을 ~하다 远征欧洲 **2** 远征 yuǎnzhēng; 客 kè; 客场 kèchǎng ¶~ 팀 客队 / ~ 경기 客场比赛 / 국가 대표 축구팀이 일본을 ~할 계획이다 国家足球队将远征日本

원제(原題) 명 原题 yuántí = 본제2 · 원제목

원-제목(原題目) 명 = 원제

원조(元祖) 명 **1** 元祖 yuánzǔ; 始祖 shǐzǔ; 鼻祖 bízǔ ¶인류의 ~ 人类的始祖 **2** 创始人 chuàngshǐrén; 首创人 shǒuchuàngrén ¶삼계탕의 ~ 参鸡汤的首创人

원:조(援助) 명하타 援助 yuánzhù; 援 yuán; 接济 jiējì ¶경제 ~ 经济援助 / 이재민을 ~하다 接济灾民 / 식량을 ~하다 接济粮食

원:죄(怨罪) 명 因怨恨犯下的罪 yīn yuànhèn fànxiàde zuì

원죄(原罪) 一명하타 免罪 miǎnzuì 二 명 〖宗〗原罪 yuánzuì

원주(圓周) 명 〖數〗圆周 yuánzhōu = 원둘레 ¶~율 圆周率

원주-민(原住民) 명 原住民 yuánzhùmín; 土著 tǔzhù; 土著人 tǔzhùrén; 土著居民 tǔzhù jūmín ¶~이 사는 부락 土著人居住的部落

원-주소(原住所) 명 原住所 yuánzhùsuǒ; 原住址 yuánzhùzhǐ

원-지름(圓—) 명 〖數〗圆径 yuánjìng

원천(源泉) 명 源泉 yuánquán; 源头 yuántóu; 来源 láiyuán ¶한강의 ~ 汉江源头 / 힘의 ~ 力量的源泉

원천-적(源泉的) 관명 源头(的) yuántóu(de); 根源(的) gēnyuán(de); 根本性(的) gēnběnxìng(de) ¶~ 결함 根本性的缺陷 / 부정을 ~으로 막다 不正之风从源头堵起

원체(元體) 부 = 워낙 ¶그는 ~ 건강해서 감기를 앓는 일이 없다 他本来就很健康, 都不患感冒

원초-적(原初的) 관명 原初(的) yuánchū(de); 第一性(的) dìyīxìng(de); 原始(的) yuánshǐ(de); 基本(的) jīběn(de); 首要(的) shǒuyào(de) ¶인간의 ~인 욕망 人类的基本欲望 / ~인 문제 首要问题

원촌(原寸) 명 原尺寸 yuánchǐcun; 原来大小 yuánlái dàxiǎo ¶~ 크기로 그리다 照原尺寸画

원추리 명 〖植〗萱草 xuāncǎo; 忘忧草 wàngyōucǎo

원칙(原則) 명 原则 yuánzé ¶~을 세우다 制定原则 / ~을 따르다 遵守原则

원칙-적(原則的) 관명 原则性 yuánzéxìng; 原则上 yuánzéshang ¶~ 합의 原则性协议 / ~으로 동의하다 原则上同意

원:친(遠親) 명 远亲 yuǎnqīn

원:-컨대(願—) 부 但愿 dànyuàn; 希望 xīwàng ¶~ 이번에는 합격하십시오 但愿这次你能合格

원탁(圓卓) 명 圆桌 yuánzhuō ¶~회의 圆桌会议

원-터치(one touch) 명 一触式 yīchùshì; 单触式 dānchùshì; 单按式 dān'ànshì ¶~ 컨트롤 单触式控制 / 이 제품은 ~로 모든 기능이 작동한다 这种产品都是以单触式启动功能的

원통(冤痛) 명하형히부 冤枉 yuānwang; 冤屈 yuānqū; 冤 yuān ¶나보고 도둑이라니 아무리 생각해도 ~하기 짝이 없다 把我看成小偷, 想想都觉得冤死了

원통-형(圓筒形) 명 圆筒形 yuántǒngxíng

원판(原板) 명 〖演〗底片 dǐpiàn; 原板 yuánbǎn ¶사진의 ~ 照相底片

원판(原版) 명 **1** 原版 yuánbǎn **2** 〖印〗 = 초판(初版) **3** 〖印〗(用以纸模子的) 铅字原版 qiānzì yuánbǎn

원폭(原爆) 명 〖軍〗'원자 폭탄'的略词 ¶~ 피해자 原爆受害者

원폭-운(原爆雲) 명 = 원자구름

원:-풀이(怨—) 명하자 报仇雪恨 bàochóuxuěhèn; 解恨 jiěhèn ¶그는 부친의 죽음에 대한 ~를 하고자 한다 对父亲的死, 他要报仇雪恨

원:-풀이(願—) 명하자 如愿以偿 rúyuànyǐcháng; 实现愿望 shíxiàn yuànwàng ¶자식이 명문 대학에 입학했다니 정말로 ~하셨군요 孩子上了名牌大学, 这可真是如愿以偿了

원피스(one-piece) 명 **1** 连衣裙 liányīqún ¶흰색 ~를 입은 여자 穿着白色连衣裙的女人 **2** 连体 liántǐ ¶~ 수영복 连体泳衣

원:한(怨恨) 명 怨恨 yuànhèn; 痛恨 tònghèn; 仇恨 chóuhèn; 冤仇 yuānchóu; 怨气 yuànqì; 恨 hèn ¶~이 맺히다 结下仇恨 =[结怨] / ~을 품고 죽다 含恨而死

원형(原形) 명 原形 yuánxíng; 原状 yuánzhuàng; 原貌 yuánmào ¶~을 복원하다 恢复原状 / ~을 유지하다 保持原状

원형(圓形) 명 圆形 yuánxíng

원형 경:기장(圓形競技場) 〖古〗圆形竞技场 yuánxíng jìngjìchǎng; 罗马斗

兽场 Luómǎ dòushòuchǎng ＝ 원형 극장1 · 콜로세움
원형 극장(圓形劇場) **1**〖古〗＝ 원형 경기장 **2**〖演〗圆形剧场 yuánxíng jùchǎng
원형 탈모증(圓形脫毛症)〖醫〗斑秃 bāntū; 鬼剃头 guǐtìtóu
원:혼(冤魂) 명 冤魂 yuānhún ¶～을 달래다 抚慰冤魂
원-화(一貨) 명〖經〗韩币 hánbì ¶～의 평가 절하 韩币贬值
원화(原畫) 명 原画 yuánhuà
원활(圓滑) 명하형히부 **1** 顺利 shùnlì; 顺畅 shùnchàng; 畅通无阻 chàngtōngwúzǔ ¶일이 ～하게 진행되다 事情进展得很顺利 / 교통이 ～하다 交通顺畅 / 물자를 ～하게 공급하다 畅通无阻地供给物资 **2** 圆滑 yuánhuá; 纯熟 chúnshú; 和谐 héxié ¶인간관계가 ～하다 人际关系和谐
원흉(元兇) 명 元凶 yuánxiōng; 首恶 shǒu'è; 祸首 huòshǒu ¶전쟁의 ～ 战争的元凶
월(月) 명의명 月 yuè ¶～ 이자 月息 / 오늘은 몇 ～ 며칠입니까? 今天几月几号?
월간(月刊) 명 **1** 月刊 yuèkān **2** ＝ 월간지
월간(月間) 명 月度 yuèdù ¶～ 계획 月度计划 / ～ 경제 동향 月度经济动向
월간-지(月刊誌) 명 月刊杂志 yuèkān zázhì ＝ 월간(月刊)2
월경(月經) 명하자〖生〗月经 yuèjīng; 例假 lìjià; 大姨妈 dàyímā ＝ 달거리 · 멘스 · 생리4 ¶～ 불순 月经失调 ＝[月经不调] / ～ 주기 月经周期 / 나는 ～만 하면 허리가 아프다 我一来月经腰就很疼
월경(越境) 명하자 越境 yuèjìng; 越界 yuèjiè ¶미국인 한 명이 중국에서 ～하여 북한으로 갔다 一个美国人从中国越境到朝鲜
월경-대(月經帶) 명 ＝ 생리대
월경-통(月經痛) 명〖醫〗＝ 생리통
월계(月桂) 명〖植〗＝ 월계수
월계-관(月桂冠) 명 桂冠 guìguān ＝ 계관(桂冠) ¶승리의 ～을 쓰다 戴上胜利的桂冠
월계-수(月桂樹) 명〖植〗月桂 yuèguì; 月桂树 yuèguìshù; 桂 guì ＝ 월계
월광(月光) 명 ＝ 달빛
월광-곡(月光曲) 명〖音〗月光曲 Yuèguāngqǔ; 月光奏鸣曲 Yuèguāng Zòumíngqǔ ＝ 월광 소나타
월광 소나타(月光sonata)〖音〗＝ 월광곡
월권(越權) 명하자 越权 yuèquán ¶～행위 越权行为
월급(月給) 명 月薪 yuèxīn; 薪水 xīnshui; 工资 gōngzī; 月俸 yuèfèng; 工薪 gōngxīn ¶～날 发月薪日 ＝[发薪日][月薪日] / ～봉투 工资袋 / ～쟁이 工薪阶层 ＝[吃薪水的][工薪族] / ～제 月工资制 / 이번 달 ～이 또 올랐다 这个月工资又上涨了 / 월말에 ～을 타다 月底领工资
월남(越南) 명하자 **1** 去南方 qù nánfāng **2** 逃往南韩 táowǎng nánhán ¶그는 한국 전쟁 때 ～했다 他是韩国战争时逃往南韩的
월담(越一) 명하자 越墙 yuèqiáng; 翻墙 fānqiáng ¶～하여 대사관에 난입하다 越墙闯入大使馆
월동(越冬) 명하자 越冬 yuèdōng; 过冬 guòdōng ＝ 겨울나기 ¶～비 过冬费 / ～ 작물 越冬作物 / ～ 준비 过冬准备 / ～ 장비를 갖춘 차량 具有过冬装备的车辆
월드 와이드 웹(World Wide Web)〖컴〗万维网 wànwéiwǎng; 网络 wǎngluò; 网 wǎng ＝ 웹
월드-컵(World Cup) 명〖體〗世界杯 shìjièbēi; 世界杯球赛 shìjièbēi qiúsài; 世界杯赛 shìjièbēisài ¶～ 개최국 世界杯主办国 / ～ 경기장 世界杯赛场 / ～ 축구 世界杯足球赛
월등(越等) 명하형히부 特别 tèbié; 优异 yōuyì; 超级 chāojí; 强得多 qiángdeduō ¶실력이 ～히 뛰어나다 实力特别优异 / 이 학생이 저 학생보다 ～하다 这个学生比那个学生强得多
월령(月齡) 명 **1**〖天〗月龄 yuèlíng **2** (未满周岁的幼儿的) 月龄 yuèlíng
월례(月例) 명 月度定例 yuèdù dìnglì; 每月例行 měiyuè lìxíng ¶～ 행사 每月例行活动
월례-회(月例會) 명 月度例会 yuèdù lìhuì; 月例会 yuèlìhuì ¶～에 참석하다 参加月例会
월리(月利) 명 ＝ 달변(一邊)
월말(月末) 명 月底 yuèdǐ; 月末 yuèmò; 月终 yuèzhōng ¶～고사 月底考试 / ～에는 은행이 몹시 붐빈다 月底时银行非常拥挤
월반(越班) 명하자〖教〗跳级 tiàojí; 跳班 tiàobān ¶그는 성적이 뛰어나 ～했다 他因为成绩优秀而跳级了
월별(月別) 명 月度 yuèdù; 按月 ànyuè ¶～ 생산량 月度产量 / ～ 계획 月度计划
월병(月餠) 명 月饼 yuèbǐng
월부(月賦) 명 分期付款 fēnqī fùkuǎn; 月分期付款 yuè fēnqī fùkuǎn ¶～로 산 컴퓨터 月分期付款买的电脑

월북(越北) 명하자 **1** 去北方 qù běifāng **2** 逃往北韩 táowǎng běihán ¶～작가 逃往北韩的作家

월세(月貰) 명 **1** (房子的) 月租 yuèzū; 月租金 yuèzūjīn; 月房租 yuèfángzū = 사글세1 ¶～로 30만 원을 지불하다 每月交纳房租三十万韩元 **2** = 월세방

월세-방(月貰房) 명 月租房 yuèzūfáng = 사글세2 · 사글셋방 · 월세2

월수(月收) 명 **1** = 월수입 **2** 按月还本付息 ànyuè huánběn fùxī

월-수입(月收入) 명 月收入 yuèshōurù; 月入 yuèrù = 월수1 ¶～이 많다 月收入高 / 너는 ～이 얼마나 되니? 你月收入多少?

월식(月蝕 · 月食) 명하자 〖天〗 月食 yuèshí ¶개기 ～ 月全食 / 부분 ～ 月偏食

월요(月曜) 명 (用在部分名词前) 星期一 xīngqīyī; 礼拜一 lǐbàiyī; 周一 zhōuyī ¶～ 기획 周一企划 / ～ 강좌 周一讲座

월요-병(月曜病) 명 星期一综合症 xīngqīyī zōnghézhèng; 周一疲乏症 zhōuyī pífázhèng

월-요일(月曜日) 명 星期一 xīngqīyī; 礼拜一 lǐbàiyī; 周一 zhōuyī ¶매월 첫 번째 ～ 每个月的第一个星期一 / 나는 ～ 저녁에 회의에 참석해야 한다 我礼拜一晚上要参加会议

월정(月定) 명 月定 yuèdìng; 每月固定(的) měiyuè gùdìng(de) ¶～ 독자 每月固定读者

월중(月中) 명 月中 yuèzhōng; 一个月中 yīgeyuè zhōng ¶～ 행사 月中活动

월차(月次) 명 **1** 月休假 yuèxiūjià ¶～를 내다 请月休假 **2** 〖天〗 月次 yuècì

월차 휴가(月次休暇) 〖法〗 带薪月休假 dàixīn yuèxiūjià

월척(越尺) 명 (钓鱼) 一尺来长的鱼 yīchǐ lái chángde yú ¶～을 낚다 钓上一尺来长的鱼

월초(月初) 명 月初 yuèchū ¶매달 ～ 每个月月初

월-평균(月平均) 명 月均 yuèjūn ¶～ 수입 月均收入

월하(月下) 명 月光之下 yuèguāngzhīxià; 月光下 yuèguāngxià ¶～의 공동묘지 月光下的公墓

월하-노인(月下老人) 명 〖文〗 月下老人 yuèxià lǎorén; 月下老儿 yuèxià lǎor; 月老 yuèlǎo

월하-빙인(月下氷人) 명 〖文〗 媒人 méiren; 月下冰人 yuèxià bīngrén

웨딩-드레스(wedding dress) 명 婚纱 hūnshā; 婚纱礼服 hūnshā lǐfú

웨이브(wave) 명 (头发的) 卷曲 juǎnqū; 烫发 tàngfà

웨이터(waiter) 명 (男)服务员 (nán)fúwùyuán; (男)招待员 (nán)zhāodàiyuán ¶～를 불러 음식을 주문하다 叫服务员来点菜

웨이트리스(waitress) 명 女服务员 nǚfúwùyuán; 女招待员 nǚzhāodàiyuán

웨이트 트레이닝(weight training) 〖體〗 重量训练 zhòngliàng xùnliàn; 负重训练 fùzhòng xùnliàn

웨이퍼(wafer) 명 威化饼 wēihuàbǐng; 威化 wēihuà

웨하스 명 '웨이퍼' 的错误

웩 부 哇 wā 《呕吐声》

웩-웩 부하자 **1** 嗷嗷 áo'áo 《大声喊叫貌》 **2** 哇哇 wāwā 《呕吐声》

웩웩-거리다 자 **1** 嗷嗷地叫 áo'áode jiào ¶누가 한밤중에 이렇게 웩웩거리는 거야? 半夜里谁这么嗷嗷地叫? **2** 哇哇地吐 wāwāde tǔ ¶입덧 때문에 아침마다 ～ 因为害喜, 每天早上哇哇地吐 ‖ = 웩웩대다

웬: 관 **1** 怎样 zěnyàng; 怎么 zěnme ¶～ 영문인지 모르다 不知怎么回事 / 이제 곧 봄인데, ～ 눈이 이렇게 내리는 거지? 快春天了, 怎么下起雪来了? **2** 什么 shénme; 哪 nǎ; 哪来 nǎlái; 干什么 gàn shénme ¶그게 ～ 돈이냐? 那是哪来的钱?

웬 떡이냐 구 这是哪来的福气啊; 飞来之福

웬간-하다 형 '웬만하다' 的错误

웬:-걸 감 不知为何 bùzhī wèihé; 不知怎么搞的 bùzhī zěnme gǎode; 却 què; 谁知 shéizhī; 哪里 nǎli; 哪啊 nǎ'a 《表示否定、怀疑、意外的语气》 ¶잘사는 줄 알았더니 ～, 거지가 되었잖아 原以为生活得不错呢, 谁知却成了乞丐 / ～요, 고마워하기는커녕 화만 내지 뭐예요 哪啊, 他不说谢谢我, 还发火呢

웬:-만큼 부 一般程度 yībān chéngdù; 说得过去 shuōdeguòqù; 还可以 hái kěyǐ; 尚 shàng; 尚可 shàngkě; 差不多 chàbuduō; 差强人意 chāqiángrényì ¶영어를 ～ 한다 英语还可以 =[英语尚可] / ～ 생기다 长相尚可

웬:만-하다 형 说得过去 shuōdeguòqù; 还行 háixíng; 差不多 chàbuduō; 还可以 háikěyǐ; 一般 yībān ¶먹고살기가 ～ 生活还说得过去 / 웬만한 사람은 다 안다 一般人都知道

웬:-일 명 怎么回事 zěnme huíshì; 哪门子的事 nǎménzide shì; 什么风 shénme fēng ¶이게 ～이냐? 这是怎么回事? / ～로 네가 여길 다 왔니? 什么风把你吹来了?

웬지 부 '왠지' 的错误
웰터(welter) 명〖體〗= 웰터급
웰터-급(welter級) 명〖體〗(拳击、摔跤等的) 次中量级 cìzhōngliàngjí = 웰터
웹(web) 명〖컴〗= 월드 와이드 웹
웹 디자이너(web designer)〖컴〗网站设计师 wǎngzhàn shèjìshī
웹-마스터(web master) 명〖컴〗站长 zhànzhǎng; 网络管理员 wǎngluò guǎnlǐyuán
웹 브라우저(web browser)〖컴〗浏览器 liúlǎnqì
웹 사이트(web site)〖컴〗网站 wǎngzhàn
웹 서버(web server)〖컴〗网站服务器 wǎngzhàn fúwùqì; 网站伺服器 wǎngzhàn sìfúqì
웹 페이지(web page)〖컴〗网页 wǎngyè
웽 부 **1** 嗡 wēng《飞虫振翅声》¶벌이 ~ 날아가다 蜜蜂嗡地飞过去 **2** 呜 wū《风吹电线声》¶바람에 전깃줄이 ~하고 운다 电线被风吹得呜呜响
웽-웽 부하자 **1** 嗡嗡 wēngwēng《飞虫振翅声》**2** 呜呜 wūwū《风吹电线声》
웽웽-거리다 자 **1** 嗡嗡响 wēngwēng xiǎng; 嗡嗡叫 wēngwēng jiào ¶모기가 귓전에서 ~ 蚊子在耳边嗡嗡地叫 **2** 呜呜响 wūwū xiǎng; 呜呜叫 wūwū jiào ‖ = 웽웽대다
위 명 **1** 上 shàng; 上边 shàngbian; 上面 shàngmiàn; 上头 shàngtou ¶~를 보다 往上看 / 산 ~에 오르다 爬到山上 / 책상 ~에 있는 그 책은 누구의 것이냐? 桌子上面的那本书是谁的? **2** (文章等的) 上 shàng; 上面 shàngmiàn; 上边 shàngbian ¶구체적인 내용은 ~에서 밝힌 바와 같다 具体的内容如上所述 **3** (地位、年龄、等级、程度等) 上乘 shàngchéng; 高 gāo; 大 dà; 长 zhǎng ¶내가 너보다 한 수 ~다 我比你高一招 / 그는 나이가 나보다 세 살 ~다 他年龄比我大三岁 **4** 加上 jiāshàng; 除此之外 chúcǐzhīwài ¶그 ~에 또 무엇을 바라느냐? 除此之外还指望什么?
위(位) 의명 位 wèi; 名 míng《表示等次、名次》¶종합 순위에서 4~를 차지하다 综合排位占第四位
위(胃) 명〖生〗胃 wèi; 胃脏 wèizàng; 胃部 wèibù = 위장(胃臟) ¶~ 점막 胃黏膜 / ~내시경 胃内窥镜 / ~세척 洗胃 / ~절제술 胃切除术 / ~를 자극하는 약물 刺激胃部的药物 / ~가 안 좋은 사람 胃不好的人
위-경련(胃痙攣) 명〖醫〗胃痉挛 wèijìngluán; 胃绞痛 wèijiǎotòng; 胃痉 wèijìng
위계(位階) 명 **1** 官位 guānwèi; 品级 pǐnjí; 品阶 pǐnjiē **2** 级别 jíbié; 等级 děngjí; 层次 céngcì; 阶级 jiējí ¶~질서 等级序列 / 군대에서는 ~가 분명하다 军队里等级分明
위-궤양(胃潰瘍) 명〖醫〗胃溃疡 wèikuìyáng
위급(危急) 명하형 危急 wēijí ¶상황이 ~하다 情况危急 / 병세가 ~하다 病势危急
위기(危機) 명 危机 wēijī ¶경제 ~ 经济危机 / ~관리 능력 危机处理能力 / ~를 넘기다 摆脱危机 / ~가 닥치다 面临危机
위기-감(危機感) 명 **1** 危机感 wēijīgǎn ¶~이 고조되다 危机感达到高潮 / 일촉즉발의 ~이 감돌다 充满一触即发的危机感 **2**〖哲〗= 위기의식
위기-의식(危機意識) 명〖哲〗危机意识 wēijī yìshí; 危机感 wēijīgǎn = 위기감2 ¶~을 가지다 怀有危机感
위기-일발(危機一髮) 명 千钧一发 qiānjūnyīfà ¶~의 순간 千钧一发之际
위난(危難) 명 危难 wēinàn ¶국가에 ~이 닥치다 国家处于危难中
위닝 샷(winning+shot)〖體〗决胜球 juéshèngqiú
위대-하다(偉大—) 형 伟大 wěidà ¶위대한 인물 伟大人物 / 사랑은 정말 ~ 爱情真伟大
위도(緯度) 명〖地理〗纬度 wěidù ¶~ 변화 纬度变化
위도-선(緯度線) 명〖地理〗= 위선(緯線)
위독-하다(危篤—) 형 (病势) 危重 wēizhòng; 危笃 wēidǔ; 病危 bìngwēi; 危急 wēijí; 垂危 chuíwēi ¶위독한 환자 病危病人 / 병세가 ~ 病情危重
위락(慰樂) 명 娱乐 yúlè; 休闲 xiūxián; 消遣 xiāoqiǎn ¶~ 시설을 갖추다 具有休闲设施
위력(威力) 명 威力 wēilì ¶대자연의 ~ 大自然的威力 / ~을 발휘하다 发挥威力
위력(偉力) 명 伟力 wěilì
위령(慰靈) 명하타 慰灵 wèilíng; 安魂 ānhún ¶~탑 慰灵塔
위령-곡(慰靈曲) 명〖音〗= 레퀴엠
위령-제(慰靈祭) 명 慰灵祭 wèilíngjì; 追悼会 zhuīdàohuì ¶~를 지내다 举行追悼会
위로(慰勞) 명하타 慰劳 wèiláo; 抚慰 fǔwèi; 安慰 ānwèi ¶~금 慰劳金 =[酬劳金] / 대학 입학 시험에 떨어진 동생을 ~하다 安慰高考落榜的弟弟 / 어떻게 그를 ~해야 좋을지 모르겠다 不知

如何安慰他才好

위문(慰問) 명하타 慰问 wèiwèn ¶~금 慰问金 / ~단 慰问团 =[慰问队] / ~편지 慰问信 / ~품 慰问品 / ~ 공연 慰问演出 / 일선 장병들을 ~하다 慰问第一线的士兵们

위민(爲民) 명하자 为民 wèimín; 为百姓 wèibǎixìng ¶~ 정치 为民政治

위반(違反) 명하타 违反 wéifǎn; 违背 wéibèi; 违犯 wéifàn; 触犯 chùfàn = 위배 ¶교통 법규를 ~하다 违反交通规则 / 선거법을 ~하다 触犯选举法

위배(違背) 명하타 = 위반 ¶원칙에 ~되다 违背原则

위법(違法) 명하자 违法 wéifǎ; 犯法 fànfǎ ¶~ 행위 违法行为 / ~ 집회 违法集会 / ~성 违法性

위벽(胃壁) 명 〖生〗 胃壁 wèibì

위병(胃病) 명 〖醫〗 = 위장병(胃臟病)

위병(衛兵) 명 〖軍〗 卫兵 wèibīng; 警卫兵 jǐngwèibīng ¶~소 卫兵室 =[警卫室]

위산(胃酸) 명 〖生〗 胃酸 wèisuān ¶~ 결핍증 胃酸缺乏症 / ~ 과다증 胃酸过多症 / ~이 분비되다 分泌胃酸

위상(位相) 명 **1** 地位 dìwèi ¶~을 높이다 提高地位 **2** 〖物〗 位相 wèixiàng; 相位 xiàngwèi **3** 〖數〗 位相 wèixiàng; 相位 xiàngwèi

위생(衛生) 명 卫生 wèishēng ¶~ 관념 卫生观念 / ~모 卫生帽 / ~ 시설 卫生设施 / ~ 관리 卫生管理 / ~ 상태가 좋지 않다 卫生情况不好 / ~에 신경을 쓰다 讲究卫生

위생-병(衛生兵) 명 〖軍〗 卫生员 wèishēngyuán; 护士兵 hùshìbīng

위생-복(衛生服) 명 卫生服 wèishēngfú; 消毒服 xiāodúfú

위생-저(衛生―) 명 = 소독저

위생-적(衛生的) 관명 卫生 wèishēng ¶이곳의 식기류는 별로 ~이지 않다 这里的餐具不太卫生

위선(僞善) 명하자 伪善 wěishàn; 虚伪 xūwěi ¶~자 伪善者 =[伪君子][假善人] / ~을 벗기다 摆脱伪善

위선(緯線) 명 〖地理〗 纬线 wěixiàn = 위도선

위선-적(僞善的) 관명 伪善(的) wěishàn(de); 虚伪(的) xūwěi(de) ¶~인 정치가 伪善的政治家 / ~인 사람 虚伪的人

위성(衛星) 명 〖天〗 **1** 卫星 wèixīng **2** = 인공위성 ¶~ 방송 卫星广播 / ~ 사진 卫星照片 / ~ 중계 卫星转播 / ~ 통신 卫星通信 / ~을 통해 데이터를 전송하다 通过卫星传输数据

위성 국가(衛星國家) 〖政〗 卫星国 wèixīngguó; 卫星国家 wèixīng guójiā

위성 도시(衛星都市) 〖地理〗 卫星城市 wèixīng chéngshì; 卫星城 wèixīngchéng

위세(威勢) 명 威势 wēishì; 威力 wēilì; 威风 wēifēng; 威 wēi ¶~를 부리다 耍威风 / ~를 떨치다 大发威风

위스키(whiskey) 명 威士忌 wēishìjì

위시(爲始) 명하타 以…为首 yǐ…wéishǒu ¶대통령을 ~하여 고위 공무원들이 한자리에 모이다 以总统为首的高级官员聚集在一起

위신(威信) 명 威信 wēixìn; 威望 wēiwàng ¶~이 서다 树立威信 / ~을 잃다 失去威望 / ~이 땅에 떨어지다 威信扫地

위-아래 명 **1** = 아래위 **2** (地位或年龄) 上下 shàngxià; 高低 gāodī; 大小 dàxiǎo; 老少 lǎoshào = 상하2 ¶~도 모르고 행동하다 做事没大没小的

위안(慰安) 명하타 安慰 ānwèi; 慰安 wèi'ān; 慰藉 wèijiè ¶~으로 삼다 当作慰藉 / 스스로를 ~하다 自我慰安

위안(Yuan[元]) 의명 元 yuán; 块 kuài

위안-부(慰安婦) 명 慰安妇 wèi'ānfù; 随军妓女 suíjūn jìnǚ ¶그녀는 ~로 끌려갔다 她被逼做了慰安妇

위암(胃癌) 명 〖醫〗 胃癌 wèi'ái

위압(威壓) 명하타 威压 wēiyā; 威慑 wēishè; 威吓 wēihè; 威迫 wēipò; 威逼 wēibī ¶~을 가하다 施加威压 / 상대방을 ~하다 威吓对方

위압-감(威壓感) 명 威胁感 wēixiégǎn ¶그의 목소리는 상대방에게 ~을 준다 他的声音给对方造成威胁感

위압-적(威壓的) 관명 威慑(的) wēishè(de); 威吓(的) wēihè(de); 盛气凌人(的) shèngqìlíngrén(de); 威逼(的) wēibī(de) ¶~인 분위기 威慑氛围 / ~인 태도로 사람을 대하다 以盛气凌人的态度对待别人 / 분위기가 너무 ~이다 气氛太威慑了

위액(胃液) 명 〖生〗 胃液 wèiyè

위약(違約) 명하자 违约 wéiyuē; 毁约 huǐyuē; 失约 shīyuē; 爽约 shuǎngyuē ¶~ 행위 违约行为

위약-금(違約金) 명 违约金 wéiyuējīn; 违约罚款 wéiyuē fákuǎn; 罚款 fákuǎn

위엄(威嚴) 명하형 威严 wēiyán; 派头 pàitóu; 威风 wēifēng ¶~을 보이다 摆威风 / ~ 있는 어조로 말하다 用威严的口气说话

위업(偉業) 명 伟业 wěiyè; 大业 dàyè ¶~을 달성하다 成就伟业 / 삼국 통일의 ~을 이룩하다 实现三国统一的大业

위염(胃炎) 명 〖醫〗 胃炎 wèiyán

위용(威容) 명 威容 wēiróng; 威仪 wēi-

yí ¶~을 과시하다 显耀威容
위원(委員) 명 委员 wěiyuán ¶~단 委员团 / ~장 委员长 / ~회 委员会 / 국무 ~ 国务委员 / 편집 ~ 编辑委员 / 연구 ~ 研究委员
위인(偉人) 명 伟人 wěirén ¶세계적인 ~ 世界伟人
위인(爲人) 명 **1** 为人 wéirén ¶그의 ~은 내가 잘 알고 있다 他的为人我很清楚 **2** 人 rén; 家伙 jiāhuo ¶그는 그렇게 꽉 막힌 ~은 아니다 他不是那么古板的人
위인-전(偉人傳) 명 伟人传 wěirénzhuàn; 伟人传记 wěirén zhuànjì = 위인전기
위인-전기(偉人傳記) 명 = 위인전
위임(委任) 명하타 委任 wěirèn; 委托 wěituō; 授予 shòuyǔ ¶~장 委任状 / ~통치 委托统治 / 권리를 다른 사람에게 ~하다 把权利授予别人
위자-료(慰藉料) 명 〖法〗 精神慰抚金 jīngshén wèifǔjīn; 抚恤金 fǔxùjīn; 慰藉金 wèijièjīn; 精神赔偿费 jīngshén péichángfèi ¶이혼 ~ 离婚抚恤金 / 거액의 ~를 청구하다 要求一笔巨额的精神慰抚金
위작(僞作) 명하타 **1** 伪作 wěizuò; 赝品 yànpǐn ¶이 그림은 ~으로 판명되었다 这幅画被验为赝品 **2** 〖法〗 伪作 wěizuò
위장(胃腸) 명 〖生〗 胃肠 wèicháng; 肠胃 chángwèi ¶공복에 산성의 과일을 먹는 것은 ~에 좋지 않다 空腹吃酸性水果对胃肠不好
위장(胃臟) 명 〖生〗 = 위(胃) ¶~에 병이 생겼다 胃脏出了毛病
위장(僞裝) 명하타 **1** 伪装 wěizhuāng; 冒充 màochōng; 假装 jiǎzhuāng; 假 jiǎ ¶~ 결혼 假结婚 / ~ 취업 假就业 / 농부로 ~하다 冒充农民 / 타살을 자살로 ~하다 把他杀案伪装成自杀案 **2** 〖軍〗 伪装 wěizhuāng ¶~복 伪装服
위장-병(胃腸病) 명 〖醫〗 肠胃病 chángwèibìng; 胃肠病 wèichángbìng
위장-병(胃臟病) 명 〖醫〗 胃病 wèibìng = 위병(胃病)
위장-약(胃腸藥) 명 肠胃药 chángwèiyào; 胃肠药 wèichángyào
위장-염(胃腸炎) 명 〖醫〗 肠胃炎 chángwèiyán; 胃肠炎 wèichángyán
위정(爲政) 명하자 为政 wéizhèng; 执政 zhízhèng ¶~자 为政者 =[执政者]
위조(僞造) 명하타 伪造 wěizào; 假造 jiǎzào; 赝 yàn; 假 jiǎ; 伪 wěi ¶~문서 假公文 =[假文件] / ~ 수표 伪支票 =[假支票] / ~ 어음 假票据 / ~죄 伪造罪 / 공문서를 ~하다 伪造公文 / 증명서를 ~하다 伪造证件
위조-지폐(僞造紙幣) 명 假钞 jiǎchāo; 伪钞 wěichāo; 伪币 wěibì; 伪造纸币 wěizào zhǐbì; 假币 jiǎbì = 위폐1
위조-품(僞造品) 명 赝品 yànpǐn; 伪造品 wěizàopǐn
위조 화:폐(僞造貨幣) 〖經〗 伪币 wěibì; 假币 jiǎbì = 위폐2
위주(爲主) 명 为主 wéizhǔ; 着重 zhuózhòng ¶입시 ~의 교육 以应试为主的教育 / 실력 ~로 사람을 뽑다 着重实力选拔人才
위중-하다(危重—) 형 **1** 危重 wēizhòng; 危笃 wēidǔ ¶병세가 ~ 病势危重 **2** 危急 wēijí; 危殆 wēidài ¶사태가 ~ 情势危殆
위증(僞證) 명하자 〖法〗 伪证 wěizhèng ¶~죄 伪证罪 / 증인을 협박하여 ~하게 하다 威胁证人作伪证
위-짝 명 (上下成套物体的) 上一半 shàngyībàn; 上部分 shàngbùfen; 上边的 shàngbiande
위-쪽 명 上边 shàngbian; 上面 shàngmiàn; 上头 shàngtou
위-채 명 上房 shàngfáng; 上间 shàngjiān ¶~에는 집주인이 살고 있다 上房里住着房东
위촉(委囑) 명하타 委托 wěituō; 托付 tuōfù; 拜托 bàituō; 委任 wěirèn ¶그는 지도 위원으로 ~되었다 他被委任为指导委员
위축(萎縮) 명하자 **1** 枯萎 kūwěi **2** 畏缩 wèisuō; 畏怯 wèiqiè; 萎缩 wěisuō; 退缩 tuìsuō ¶어떤 어려움에 직면해도 그는 ~되는 법이 없다 不管遇到什么困难, 他从不畏缩 / 경제가 날로 ~되다 经济日趋萎缩 **3** 〖生〗 萎缩 wěisuō ¶근육이 ~되다 肌肉萎缩
위-출혈(胃出血) 명 〖醫〗 胃出血 wèichūxuè
위-층(—層) 명 上层 shàngcéng; 楼上 lóushàng = 상층1 ¶그는 우리 집 ~에 산다 他住在我家楼上
위치(位置) 명 **1** 位置 wèizhi ¶~ 추적기 位置跟踪器 / 그 가게는 ~가 안 좋아서 장사가 잘 안된다 那家店地理位置不好, 生意很清淡 **2** 地位 dìwèi; 位置 wèizhi ¶여성의 사회적 ~ 女性的社会地位 **—하다** 자 位于 wèiyú ¶그의 별장은 해변에 위치해 있다 他的别墅位于海边
위치 에너지(位置energy) 〖物〗 位能 wèinéng; 势能 shìnéng
위탁(委託) 명하타 委托 wěituō; 拜托 bàituō; 托付 tuōfù ¶~ 가공 委托加工 / ~금 委托金 / ~ 교육 委托教育 / ~ 판매 委托销售 / 전문가에게 회사의 운영을 ~하다 委托专家管理公司
위탁-물(委託物) 명 委托物 wěituō-

wù; 委托品 wěituōpǐn = 위탁품

위탁-생(委託生) 명 〖教〗 = 위탁 학생

위탁-품(委託品) 명 = 위탁물

위탁 학생(委託學生) 〖教〗 委托生 wěituōshēng = 위탁생

위태-롭다(危殆—) 형 危急 wēijí; 危险 wēixiǎn; 危殆 wēidài ¶형세가 ~ 情势危急 / 목숨이 ~ 生命危险 **위태로이** 부 ¶어떤 사람이 벼랑 위에 ~ 서 있다 有人正危险地站在悬崖上

위태위태-하다(危殆危殆—) 형 岌岌可危 jíjíkěwēi; 危在旦夕 wēizàidànxī; 千钧一发 qiānjūnyīfà; 摇摇欲坠 yáoyáoyùzhuì ¶그의 정치적 지위가 ~ 他的政治地位岌岌可危

위태-하다(危殆—) 형 危急 wēijí; 危险 wēixiǎn; 危殆 wēidài; 危在旦夕 wēizàidànxī ¶경기 침체로 회사가 ~ 经济不景气, 公司危在旦夕

위-턱 명 〖生〗 上颚 shàng'è = 상악

위턱-뼈 명 〖生〗 上颚骨 shàng'ègǔ = 상악골

위통(胃痛) 명 〖醫〗 胃痛 wèitòng

위트(wit) 명 机智 jīzhì; 才智 cáizhì; 风趣 fēngqù; 才华 cáihuá ¶~가 넘치다 充满机智 / 그는 ~ 있는 사람이다 他是一个很有风趣的人

위-팔 명 〖生〗 上臂 shàngbì; 大臂 dàbì; 大胳膊 dàgēbo = 상박 · 상완

위패(位牌) 명 牌位 páiwèi; 神主 shénzhǔ; 灵位 língwèi ¶~를 모시다 供奉牌位 / ~를 안치하다 安放灵位

위폐(僞幣) 명 **1** = 위조지폐 ¶~ 사건 假钞事件 / ~를 가려내다 挑出假币 **2** 〖經〗 = 위조 화폐

위풍(威風) 명 威风 wēifēng; 派头 pàitou ¶~이 넘치다 派头十足 / ~을 뽐내다 逞威风 =[摆威风]

위풍-당당(威風堂堂) 명하형 威风凛凛 wēifēnglǐnlǐn; 气势轩昂 qìshì xuān'áng ¶~한 군인 威风凛凛的军人

위-하다(爲—) 타 **1** 为 wèi; 为了 wèile; 为…着想 wèi…zhuóxiǎng ¶조국을 위해 헌신하다 为祖国献身 / 내가 이렇게 하는 것은 모두 너를 위해서이다 我这样做都是为了你 **2** 爱 ài; 爱护 àihù; 疼爱 téng'ài; 宠爱 chǒng'ài ¶그는 강아지를 자식처럼 위한다 他把小狗当成孩子一样宠爱

위-하수(胃下垂) 명 〖醫〗 胃下垂 wèixiàchuí ¶~증 胃下垂症

위해(危害) 명 危害 wēihài ¶~를 가하다 施加危害 / 환경 오염은 사람들의 건강에 ~를 줄 수 있다 污染环境, 会危害人的健康

위해-물(危害物) 명 危险品 wēixiǎnpǐn; 危险物品 wēixiǎn wùpǐn

위헌(違憲) 명하자 〖法〗 违宪 wéixiàn; 违反宪法 wéifǎn xiànfǎ ¶~성 违宪性 / ~ 여부를 심사하다 审判是否违反宪法

위험(危險) 명하형 危险 wēixiǎn; 艰险 jiānxiǎn; 风险 fēngxiǎn ¶~ 수위 危险水位 / ~ 신호 危险信号 / ~인물 危险人物 =[危险分子] / ~에서 벗어나다 脱离危险 / ~을 무릅쓰다 冒着危险 / 이곳은 매우 ~하다 这里很危险 / ~에 처하다 处于危险中

위험-성(危險性) 명 危险性 wēixiǎnxìng; 危险 wēixiǎn ¶화재의 ~이 높다 火灾的危险性大

위험-천만(危險千萬) 명하형 十分危险 shífēn wēixiǎn; 岌岌可危 jíjíkěwēi; 万分险恶 wànfēn xiǎn'è; 危如累卵 wēirúlěiluǎn ¶술을 마시고 물속에 들어가는 것은 아주 ~하다 酒后下水是十分危险的

위협(威脅) 명하타 威胁 wēixié; 吓唬 xiàhu; 恫吓 dònghè; 威吓 wēihè ¶상대방을 ~하다 吓唬对方 / 칼로 ~하며 돈을 요구하다 持刀威胁要钱 / 생명의 ~을 받다 生命受到威胁

위협-사격(威脅射擊) 명 〖軍〗 威胁性射击 wēixiéxìng shèjī

위협-적(威脅的) 관명 威胁的 wēixiéde; 威吓的 wēihède; 吓唬人的 xiàhu rénde ¶~인 말투 威胁的口气 / ~ 분위기 吓唬人的气氛

위화(違和) 명 不协调 bùxiétiáo; 不和谐 bùhéxié ¶집 앞의 대형 마트가 주위 환경에 ~를 일으킨다 家门前的大型超市跟周围环境不协调

위화-감(違和感) 명 不平 bùpíng; 不公 bùgōng; 不公平 bùgōngpíng; 不平衡感 bùpínghénggǎn; 不和谐 bùhéxié ¶~이 들다 心中不平 / ~을 주다 给人不平衡感 / 과소비는 사회에 ~을 조성할 수 있다 高消费会造成社会不和谐氛围

윈도(window) 명 **1** 〖軍〗 金属箔片 jīnshǔ bópiàn **2** 〖컴〗 视窗 shìchuāng; 窗口 chuāngkǒu

윈도쇼핑(window-shopping) 명 = 아이쇼핑

윈드서핑(windsurfing) 명 〖體〗 风帆冲浪 fēngfān chōnglàng; 风帆冲浪运动 fēngfān chōnglàng yùndòng

윈치(winch) 명 〖機〗 绞车 jiǎochē; 卷扬机 juǎnyángjī = 권양기

윗-눈썹 명 上睫毛 shàngjiémáo

윗-니 명 上齿 shàngchǐ; 上牙 shàngyá

윗-대(—代) 명 上代 shàngdài; 前代 qiándài ¶~로부터 물려받은 재산 从上代继承的财产

윗-도리 명 1 上身 shàngshēn; 上体 shàngtǐ ¶~ 근육이 발달된 청년 上身肌肉发达的青年 2 = 윗옷
윗-동네(—洞—) 명 上村 shàngcūn
윗-마을 명 上村 shàngcūn
윗-머리 명 1 头上 tóushang 2 头上面头发 tóu shàngmiàn tóufa 3 上头 shàngtou; 顶端 dǐngduān; 上端 shàngduān
윗-목 명 炕梢 kàngshāo ¶~에서 웅크리고 잠을 자다 在炕梢缩着身子睡觉
윗-몸 명 上半身 shàngbànshēn; 上身 shàngshēn
윗몸 일으키기 【體】 仰卧起坐 yǎngwò qǐzuò
윗-물 명 1 上游 shàngyóu; 上游水 shàngyóushuǐ 2 上级 shàngjí; 高层职员 gāocéng zhíyuán
윗물이 맑아야 아랫물이 맑다 속담 水头不清, 水尾混; 上行下效, 捷如影响; 上梁不正下梁歪
윗-방(—房) 명 上房 shàngfáng; 外屋 wàiwū
윗-배 명 大腹 dàfù; 上腹 shàngfù
윗-부분(—部分) 명 上面 shàngmiàn; 上部 shàngbù
윗-사람 명 1 = 손윗사람 ¶~을 섬기다 服侍长辈 2 上司 shàngsi; 上级 shàngjí ¶~ 눈치를 보다 看上司脸色
윗-어른 명 '웃어른'的错误
윗-옷 명 上衣 shàngyī; 上身(儿) shàngshēn(r); 上装 shàngzhuāng = 상의(上衣)·웃통2·윗도리2 ¶더워서 ~을 벗었다 热得把上衣脱了
윗-입술 명 上唇 shàngchún ¶~을 깨물다 咬着上唇
윗-잇몸 명 上牙床 shàngyáchuáng; 上齿龈 shàngchǐyín
윗-자리 명 1 上席 shàngxí; 上座 shàngzuò; 首座 shǒuzuò = 상석 ¶손님을 ~에 모시다 请客人坐上座 2 高位 gāowèi
윗-집 명 上边邻居 shàngbian línjū
윙 명 嗡 wēng; 轰轰 hōnghōng; 轰隆 hōnglōng 《虫子飞动或机器转动的声音》 ¶진공청소기가 ~ 소리를 내다 吸尘器轰轰作响
윙(wing) 명 【體】 边锋 biānfēng
윙-윙 부하자 嗡嗡 wēngwēng; 轰隆 hōnglōng 《虫子飞动或机器转动的声音》 ¶벌이 ~ 날아다니다 蜜蜂嗡嗡地飞 / 기계가 ~ 돌아가다 机器轰隆轰隆地转动
윙윙-거리다 자 嗡嗡地响 wēngwēngde xiǎng; 隆隆作响 lónglóng zuòxiǎng = 윙윙대다 ¶벌레가 ~ 虫子嗡嗡地响 / 기계가 ~ 机器隆隆作响
윙크(wink) 명하자 挤眼(儿) jǐyǎn(r); 眨一只眼 zhǎ yīzhī yǎn; 眨眼 zhǎyǎn ¶지나가는 여자에게 ~를 하다 向过路的女人挤眼儿
유:(有) 명 有 yǒu ¶무에서 ~를 낳다 从无到有
유:-(有) 접두 有 yǒu ¶~경험자 有经验者 / ~의미 有意义
유:가(有價) 명 有价 yǒujià ¶~ 증권 有价证券
유가(油價) 명 油价 yóujià ¶~가 폭등하다 油价飙涨
유가(儒家) 명 儒家 rújiā
유-가족(遺家族) 명 遗族 yízú; 遗属 yíshǔ; 死者亲属 sǐzhě qīnshǔ; 死者家属 sǐzhě jiāshǔ = 유족 ¶희생자의 ~들이 국가에 보상을 요구하다 死者亲属向国家要求赔偿
유감(遺憾) 명하형 遗憾 yíhàn; 可惜 kěxī; 不满 bùmǎn ¶~을 나타내다 表示遗憾 / 나에게 ~이 있으면 말해라 对我有什么不满的话就说 / 이에 대해 우리는 매우 ~으로 생각한다 对此我们深感遗憾
유감-스럽다(遺憾—) 형 遗憾 yíhàn; 可惜 kěxī; 不称心 bùchènxīn ¶유감스럽게도 나는 그에 대해 아는 바가 없다 可惜的是我对他一无所知 **유감스레** 부
유감-없다(遺憾—) 형 无憾 wúhàn; 毫无遗憾 háowú yíhàn; 心满意足 xīnmǎnyìzú **유감없-이** 부 ¶실력을 ~ 발휘하다 毫无遗憾地发挥实力
유객(遊客) 명 1 游客 yóukè; 游人 yóurén ¶유람선이 ~들로 북적대고 있다 游船上挤满了游人 2 二流子 èrliúzi
유격(遊擊) 명하타 【軍】 游击 yóujī ¶~ 훈련 游击训练
유격-대(遊擊隊) 명 【軍】 游击队 yóujīduì = 게릴라1
유격-수(遊擊手) 명 【體】 (棒球的) 游击手 yóujīshǒu
유격-전(遊擊戰) 명 【軍】 游击战 yóujīzhàn = 게릴라전
유:고(有故) 명하형 因故 yīngù; 有特殊情况 yǒu tèshū qíngkuàng; 有特殊原因 yǒu tèshū yuányīn ¶~ 결석 因故缺席 / 대통령 ~ 시에는 국무총리가 권한을 대행한다 总统有特殊情况时国务总理代行其权利
유골(遺骨) 명 遗骨 yígǔ; 遗骸 yíhái; 骨灰 gǔhuī = 유해(遺骸) ¶~을 묻다 埋葬遗骨 / ~을 강물에 뿌리다 把骨灰撒在江河里
유:공(有功) 명하형 有功 yǒugōng; 有功劳 yǒu gōngláo ¶전쟁에서 ~한 병사에게 훈장을 수여하다 向战争中的有功士兵颁发勋章

유:공-자(有功者) 명 有功者 yǒugōngzhě; 有功劳者 yǒugōngláozhě ¶독립～ 独立运动有功者

유곽(遊廓) 명 妓院 jìyuàn; 烟花巷 yānhuāxiàng; 花街柳巷 huājiēliǔxiàng ¶～에 드나들다 出入妓院

유:관(有關) 명하형 有关 yǒuguān ¶～ 기관에 협조를 요청하다 要求有关部门协助

유:광-지(有光紙) 명 有光纸 yǒuguāngzhǐ

유괴(誘拐) 명하타 拐骗 guǎipiàn; 诱拐 yòuguǎi ¶어린이 ～ 사건 拐骗儿童案 / 어린이를 ～하다 诱拐儿童 / ～를 당하다 遭到拐骗

유괴-범(誘拐犯) 명 〖法〗 拐骗犯 guǎipiànfàn; 诱拐犯 yòuguǎifàn ¶～을 체포하다 逮捕拐骗犯

유교(儒敎) 명 儒教 rújiào ¶～ 문화권 儒教文化圈 / ～를 숭상하다 崇尚儒教

유:구무언(有口無言) 명 有口无言 yǒukǒuwúyán; 哑口无言 yǎkǒuwúyán

유구-하다(悠久—) 형 悠久 yōujiǔ ¶유구한 역사와 전통 悠久的历史和传统 **유구-히** 부

유:권(有權) 명 有权 yǒuquán ¶～ 해석 有权解释

유:권-자(有權者) 명 〖法〗 = 선거인 ¶～들의 지지를 호소하다 号召选民的支持

유글레나(Euglena) 명 〖生〗 眼虫 yǎnchóng; 裸藻 luǒzǎo

유:급(有給) 명 有报酬 yǒu bàochou; 有工资 yǒu gōngzī; 有薪 yǒuxīn; 带薪 dàixīn ¶～ 직원 带薪职员

유급(留級) 명하자 留级 liújí; 重读 chóngdú ¶～생 重读生 =[留级生] / 1학년에 ～되다 重读一年级

유:급 휴가(有給休暇) 〖經〗 带薪休假 dàixīn xiūjià; 有薪假 yǒuxīnjià ¶～ 기간 有薪假期

유:기(有期) 명 = 유기한 ¶～ 징역 有期徒刑

유:기(有機) 명 有机 yǒujī ¶～ 농산물 有机农产品 / ～ 합성 有机合成 / ～ 화학 有机化学

유기(遺棄) 명하타 遗弃 yíqì; 弃 qì ¶～죄 遗弃罪 / 영아를 ～하다 遗弃婴儿 / 시체를 ～하다 遗弃尸体

유기(鍮器) 명 = 놋그릇

유:기-농(有機農) 명 〖農〗 **1** 有机 yǒujī ¶～ 식품 有机食品 / ～ 채소 有机蔬菜 **2** = 유기 농업

유:기 농업(有機農業) 〖農〗 有机农业 yǒujī nóngyè = 유기농2

유:기-물(有機物) 명 **1** 〖生〗 有机物 yǒujīwù = 유기 물질1 **2** 〖化〗 = 유기 화합물

유:기 물질(有機物質) **1** 〖生〗 = 유기물1 **2** 〖化〗 = 유기 화합물

유:기-음(有氣音) 명 〖語〗 送气音 sòngqìyīn

유:기-적(有機的) 관명 有机(的) yǒujī(de) ¶～으로 결합시키다 有机地结合起来

유:기-질(有機質) 명 〖化〗 有机质 yǒujīzhì ¶～ 토양 有机质土壤

유:기-체(有機體) 명 有机体 yǒujītǐ; 机体 jītǐ

유:-기한(有期限) 명하형 有期限 yǒu qīxiàn = 유기(有期)

유:기-형(有期刑) 명 〖法〗 有期刑 yǒuqīxíng

유:기 화:합물(有機化合物) 〖化〗 有机化合物 yǒujī huàhéwù = 유기물2 · 유기 물질2

유:난 명하형히부 特别 tèbié; 异常 yìcháng; 格外 géwài; 分外 fènwài; 古怪 gǔguài; 脾气大 píqi dà ¶머리가 ～히 큰 아이 头异常大的孩子 / 오늘따라 그녀가 ～히 아름답다 今天她格外美丽

유:난-스럽다 형 特别 tèbié; 异常 yìcháng; 格外 géwài; 分外 fènwài; 古怪 gǔguài; 脾气大 píqi dà ¶그는 조금 유난스러운 데가 있는 사람이다 他是有点古怪的人 **유:난스레** 부 ¶달빛이 ～ 밝다 月色格外明亮

유네스코(UNESCO)[United Nations Educational, Scientific and Cultural Organization] 명 〖社〗 联合国教科文组织 Liánhéguó Jiàokēwén Zǔzhī

유년(幼年) 명 幼年 yòunián; 童年 tóngnián ¶～ 시절 幼年时代 =[幼年时期][童年时代] / ～의 추억 童年的回忆

유년-기(幼年期) 명 幼年时期 yòunián shíqī; 儿时 érshí

유념(留念) 명하자타 记住 jìzhù; 留心 liúxīn; 留意 liúyì; 注意 zhùyì ¶건강에 ～하다 注意健康 / 내 말을 ～해라 记住我的话

유:능(有能) 명하형 有能力 yǒu nénglì; 有本领 yǒu běnlǐng; 有才干 yǒu cáigàn; 能干 nénggàn; 得力 délì ¶～한 인재 有才干的人才 / 그는 매우 ～하다 他很能干

유니버시아드(Universiade) 명 〖體〗 世界大学生运动会 Shìjiè Dàxuéshēng Yùndònghuì

유니세프(UNICEF) [United Nations Children's Fund] 명 〖社〗 联合国儿童基金会 Liánhéguó Értóng Jījīnhuì

유니섹스(unisex) 명 (服装、发型等) 不分男女 bùfēn nánnǚ; 不分性别 bùfēn xìngbié; 无性别 wúxìngbié; 男女共

用 nánnǚ gòngyòng; 单性化 dānxìnghuà ¶요즘은 옷차림에서 ～ 스타일이 유행한다 最近不分男女的打扮很流行
유니콘(unicorn) 명 独角兽 dújiǎoshòu
유니-폼(uniform) 명 **1** = 제복 ¶～을 맞추다 定做制服 / ～을 입고 근무하다 穿着制服上班 **2** 运动服 yùndòngfú; 球服 qiúfú ¶붉은색 ～을 입은 한국 축구팀 선수들 穿着红色球服的韩国足球队员
유:-다르다(類—) 형 特别 tèbié; 格外 géwài; 不寻常 bùxúncháng; 与众不同 yǔzhòngbùtóng ¶막내에게 유다른 정을 쏟다 对老小特别疼爱
유:단-자(有段者) 명 有段者 yǒuduànzhě ¶태권도 ～ 跆拳道有段者
유:-달리(類—) 부 特别 tèbié; 格外 géwài; 不寻常 bùxúncháng; 不同一般 bùtóng yībān ¶오늘따라 ～ 까분다 今天格外淘气 / 오늘은 ～ 덥다 今天特别热
유당(乳糖) 명 〖化〗 = 젖당
유당 분해 효:소(乳糖分解酵素) 〖化〗 = 락타아제
유대(紐帶) 명 纽带 niǔdài ¶긴밀한 ～ 관계를 맺다 结成紧密的纽带关系
유대-감(紐帶感) 명 纽带感 niǔdàigǎn ¶민족 공동체의 ～을 형성하다 形成民族共同体的纽带感
유대-교(←Judea教) 명 〖宗〗 犹太教 Yóutàijiào = 유태교
유대-력(←Judea曆) 명 〖天〗 犹太历 yóutàilì = 유태력
유대-인(←Judea人) 명 犹太人 yóutàirén = 유태인
유덕(遺德) 명 遗德 yídé; 遗泽 yízé ¶고인의 ～을 추모하다 追慕故人的遗德
유:덕-하다(有德—) 형 有德 yǒu dé ¶그는 유덕한 사람이라 주변에 그를 따르는 사람이 많다 他是个有德之人, 周边很多人追随他
유도(柔道) 명 〖體〗 柔道 róudào ¶～ 선수 柔道运动员 / ～복 柔道服
유도(誘導) 명하타 **1** 诱导 yòudǎo; 引导 yǐndǎo ¶～ 신문 诱导审问 / 선생님은 학생들이 가능한 한 책을 많이 읽도록 ～하셨다 老师诱导学生尽可能多读书 **2** 〖物〗 = 감응2 **3** 〖生〗 诱导 yòudǎo
유도 미사일(誘導missile) 〖軍〗 = 유도탄
유도-탄(誘導彈) 명 〖軍〗 导弹 dǎodàn; 飞弹 fēidàn = 미사일 · 유도 미사일
유:독(有毒) 명하형 有毒 yǒu dú; 有毒害 yǒu dúhài ¶～ 물질 有毒物质 / ～ 성분 有毒成分 / ～ 폐기물 有毒废料 / 그 물질은 사람에게 매우 ～하다 那种物质对人非常有毒
유독(唯獨 · 惟獨) 부 **1** 唯独 wéidú; 只有 zhǐyǒu; 唯有 wéiyǒu ¶모두 좋아하는데 왜 ～ 너만 싫다고 하니? 大家都喜欢, 怎么只有你说不喜欢? / ～ 너만 반대한다 唯独你一个人反对 **2** 特别 tèbié; 格外 géwài; 异常 yìcháng ¶오늘따라 바람이 ～ 심하게 분다 今天风特别大
유:독 가스(有毒gas) 〖化〗 = 독가스 ¶～에 질식사하다 被毒气窒息而死
유:독-성(有毒性) 명 有毒性 yǒudúxìng; 有毒的 yǒudúde; 毒性 dúxìng ¶～ 물질 毒性物质
유동(流動) 명하자 流动 liúdòng; 流通 liútōng ¶～성 流动性 / ～ 인구 流动人口 / ～ 자금 流动资金 / ～ 자본 流动资本 / ～ 자산 流动资产 / 물의 ～이 거의 없는 늪 几乎没有水流动的沼泽
유동-량(流動量) 명 〖物〗 流量 liúliàng
유동-식(流動食) 명 流食 liúshí; 流质 liúzhì; 软食 ruǎnshí ¶환자에게 ～을 먹이다 喂病人吃流食
유동-적(流動的) 관명 流动(的) liúdòng(de); 机动(的) jīdòng(de); 流动性 liúdòngxìng; 机动性 jīdòngxìng ¶～인 표 机动票 / 시장이 매우 ～이다 市场流动性很大
유두(乳頭) 명 **1** = 젖꼭지1 ¶～ 함몰 乳头内陷 **2** 〖生〗 乳头 rǔtóu
유들-거리다 자 **1** 脸皮厚 liǎnpí hòu; 赖皮赖脸 làipílàiliǎn; 没羞没臊 méixiūméisào; 厚着脸皮 hòuzhe liǎnpí ¶그는 유들거리며 자꾸 내게 귀찮게 군다 他赖皮赖脸的, 老找我麻烦 **2** 油光光 yóuguāngguāng ¶유들거리는 얼굴 油光光的脸 ‖= 유들대다 **유들-유들** 부하형
유락(遊樂) 명하자 游乐 yóulè; 玩乐 wánlè ¶～ 시설 游乐设施 / ～에 빠지다 沉溺于玩乐
유람(遊覽) 명하타 游览 yóulǎn; 游玩 yóuwán; 游 yóu ¶전국을 ～하다 游览全国
유람-객(遊覽客) 명 游客 yóukè; 游人 yóurén
유람-선(遊覽船) 명 游船 yóuchuán; 游艇 yóutǐng; 游舫 yóufǎng ¶한강 ～을 타다 坐汉江游船
유랑(流浪) 명하자타 流浪 liúlàng; 流落 liúluò; 漂泊 piāobó ¶～ 생활 流浪生活 / 각지를 ～하다 漂泊四方
유랑-객(流浪客) 명 = 유랑자
유랑-민(流浪民) 명 **1** 流民 liúmín = 유민(流民) **2** 流浪民族 liúlàng mínzú
유랑-자(流浪者) 명 流浪者 liúlàng-

zhě; 流浪汉 liúlànghàn = 유랑객

유래(由來) 명하자 由来 yóulái; 来由 láiyóu; 来源 láiyuán; 渊源 yuānyuán; 源 yuán ¶~를 찾다 探寻渊源 / ~가 깊다 由来已久 / 면화는 중국에서 ~되었다 棉花源于中国

유럽(Europe) 명 〖地〗 欧洲 Ōuzhōu; 欧罗巴 Ōuluóbā

유럽 연합(Europe聯合) 〖政〗 欧洲联合 Ōuzhōu Liánhé; 欧洲联盟 Ōuzhōu Liánméng; 欧盟 Ōuméng = 이유(EU)

유럽 인종(Europe人種) = 백색 인종

유려-하다(流麗—) 형 流丽 liúlì ¶유려한 필치 流丽的笔调 **유려-히** 부

유:력(有力) 명하형 **1** 有力 yǒulì; 强力 qiánglì; 强劲 qiángjìn; 有势力 yǒu shìlì; 有权势 yǒu quánshì ¶~ 인사 有权势人士 / 그는 ~한 사업가이다 他是具有势力的企业家 **2** 看好 kànhǎo; 可能性大 kěnéngxìng dà ¶그는 가장 ~한 대통령 후보이다 他是最被看好的总统候选人

유:력-시(有力視) 명하타 被看好 bèi kànhǎo; 视为可能性大 shìwéi kěnéngxìng dà ¶5명의 후보자 중에서 그의 당선이 가장 ~된다 在五位候选人中, 他最被看好

유령(幽靈) 명 **1** 幽灵 yōulíng; 亡灵 wánglíng ¶~선 幽灵船 =[鬼船] **2** 鬼 guǐ; 死鬼 sǐguǐ ¶~이 나오다 闹鬼 **3** 虚体 xūtǐ; 虚拟 xūnǐ ¶~ 단체 虚拟组织

유령 도시(幽靈都市) 〖社〗 空城 kōngchéng; 废都 fèidū

유령 인구(幽靈人口) 〖社〗 虚报人口 xūbào rénkǒu

유령-주(幽靈株) 명 〖經〗 **1** 幽灵股 yōulínggǔ; 虚股 xūgǔ **2** 伪股 wěigǔ

유령 회:사(幽靈會社) 皮包公司 píbāo gōngsī; 挂名公司 guàmíng gōngsī

유:례(類例) 명 = 전례 ¶세계에서 ~를 찾아보기 힘든 괴현상 在世界上也难寻先例的怪现状

유:례-없다(類例—) 형 没有先例 méiyǒu xiānlì; 空前 kōngqián; 无先例 wúxiānlì; 前所未有 qiánsuǒwèiyǒu ¶유례없는 호황 前所未有的好景况 / 역사상 유례없는 사건 史无先例的事件 **유:례없-이** 부

유로(Euro) ㊀명 〖經〗 欧元 ōuyuán ㊁의명 欧元 ōuyuán ¶1~는 달러로 얼마입니까? 1欧元等于多少美元?

유:료(有料) 명 收费 shōufèi ¶~ 주차장 收费停车场 / ~ 공연 收费演出 / ~ 도로 收费道路 =[收费公路]

유류(油類) 명 油类 yóulèi; 油 yóu ¶~ 저장 탱크 储油箱 / ~ 수급이 원활하다 油类供应顺畅

유류(遺留) 명하타 遗留 yíliú

유류-품(遺留品) 명 **1** 遗物 yíwù ¶아버지의 ~을 정리하다 整理父亲的遗物 **2** 遗留物 yíliúwù; 遗留物品 yíliú wùpǐn ¶승객의 ~을 보관하다 保管乘客的遗留物

유륜(乳輪) 명 〖生〗 乳晕 rǔyùn

유:리(有利) 명하형 有利 yǒulì; 占便宜 zhàn piányi ¶상황이 우리에게 ~하다 情况对我们有利 / 나는 키가 커서 농구하는 데 ~하다 我个子高, 打篮球占便宜

유리(琉璃) 명 〖化〗 玻璃 bōli ¶~ 조각 玻璃碎片 / ~ 제품 玻璃制品 / ~ 공장 玻璃厂 / ~ 공예 玻璃工艺 / ~관 玻璃管 / ~구슬 玻璃珠子 =[玻璃球] / ~그릇 玻璃器皿 =[玻璃器] / ~문 玻璃门 / ~병 玻璃瓶 / ~칼 玻璃刀 / ~를 깨다 打碎玻璃 / ~를 끼우다 镶玻璃 / ~에 금이 갔다 玻璃有了裂纹

유리(遊離) 명하자 **1** 脱离 tuōlí; 游离 yóulí ¶대중과 ~된 문학 脱离群众的文学 **2** 〖化〗 游离 yóulí

유리 섬유(琉璃纖維) 〖手工〗 玻璃纤维 bōli xiānwéi; 玻璃丝 bōlisī

유:리-수(有理數) 명 〖數〗 有理数 yǒulǐshù

유리-알(琉璃—) 명 **1** 玻璃球 bōliqiú ¶~처럼 반짝이는 눈동자 像玻璃球一样闪烁的眼珠子 **2** 玻璃镜片 bōli jìngpiàn **3** 窗玻璃 chuāngbōli

유리-잔(琉璃盞) 명 玻璃杯 bōlibēi = 글라스

유리-창(琉璃窓) 명 玻璃窗 bōlichuāng ¶~에 김이 서리다 蒸气凝在玻璃窗上 / ~을 닦다 擦玻璃窗

유리-컵(琉璃cup) 명 玻璃杯 bōlibēi ¶~에 물을 따라 마시다 用玻璃杯倒水喝

유리-판(琉璃板) 명 玻璃板 bōlibǎn

유린(蹂躪·蹂躙·蹂蹸) 명하타 蹂躏 róulìn; 糟蹋 zāotà; 糟践 zāojian; 践踏 jiàntà ¶인권을 ~하다 蹂躏人权 / 적군의 발길에 국토가 ~되다 国土遭敌军践踏

유림(儒林) 명 儒林 rúlín

유:망(有望) 명하형 有前途 yǒu qiántú; 有出息 yǒu chūxi; 有望 yǒuwàng ¶~ 산업 有前途的产业 / ~ 직종 有前途的职业 / 금메달 ~ 종목 有望夺金的项目 / 전도가 ~한 청년 有前途的青年

유:망-주(有望株) 명 **1** 〖經〗 看涨股 kànzhǎnggǔ **2** 明日之星 míngrìzhīxīng; 有前途的 yǒuqiántúde ¶마라톤 ~를 발굴하다 发掘有前途的马拉松选手 / 음악계의 ~로 떠오르다 作为音乐界

的明日之星正冉冉升起
유머(humor) 명 幽默 yōumò; 诙谐 huīxié ¶～ 있게 말하다 说话很幽默 / 그는 ～ 감각이 뛰어나다 他很有幽默感
유머러스-하다(humorous—) 형 幽默 yōumò; 滑稽 huájī; 诙谐 huīxié ¶ 유머러스한 사람 很幽默的人
유:명(有名) 명하형 有名 yǒumíng; 知名 zhīmíng; 著名 zhùmíng; 著称 zhùchēng; 驰名 chímíng; 闻名 wénmíng; 名 míng ¶～ 상표 名牌 / ～ 인사 知名人士 / ～ 관광지 著名旅游区 / 온양은 온천으로 ～하다 温阳以温泉闻名
유명(幽明) 명 1 明暗 míng'àn 2 幽明 yōumíng
유명을 달리하다 구 幽明永隔; 死去
유:명-무실(有名無實) 명하형 有名无实 yǒumíngwúshí; 徒有其名 túyǒuqímíng; 徒有虛名 túyǒuxūmíng ¶～한 회사 徒有虛名的公司
유:명-세(有名稅) 명 成名的代价 chéngmíngde dàijià; 名人出项多 míngrén chūxiàng duō; 名人多是非 míngrén duō shìfēi ¶～를 치르다 付出成名的代价
유모(乳母) 명 乳母 rǔmǔ; 奶妈 nǎimā; 奶娘 nǎiniáng ¶～의 손에 자라다 由奶妈带大
유모-차(乳母車) 명 婴儿车 yīng'érchē; 童车 tóngchē; 摇篮车 yáolánchē ¶ 아기를 ～에 태우다 把宝宝放在婴儿车里
유목(遊牧) 명하자 游牧 yóumù ¶～민 游牧民 / ～ 생활 游牧生活 / ～ 민족 游牧民族
유:무(有無) 명 有无 yǒuwú; 有没有 yǒu méiyǒu ¶～상통 互通有无 / 제품의 이상 ～를 판단하다 判断产品质量有没有异常
유물(唯物) 명 〖哲〗 唯物 wéiwù ¶～사관 唯物史观
유물(遺物) 명 1 文物 wénwù ¶ 선사 시대의 ～을 발굴하다 发掘史前时期的文物 2 = 유품 ¶ 돌아가신 할아버지의 ～ 已故爷爷的遗物 3 遗风 yífēng; 遗俗 yísú; 残渣 cánzhā ¶ 구시대의 ～로 여기다 认为是旧时代的遗风
유물-론(唯物論) 명 〖哲〗 唯物论 wéiwùlùn; 唯物主义 wéiwù zhǔyì = 물질주의2
유민(流民) 명 = 유랑민1
유민(遺民) 명 遗民 yímín; 亡国奴 wángguónú
유발(誘發) 명하타 引起 yǐnqǐ; 引发 yǐnfā; 诱发 yòufā ¶ 교통 체증을 ～하다 引起交通堵塞 / 흥미를 ～하다 引起兴趣 / 흡연으로 ～되는 질병 吸烟引发的疾病
유방(乳房) 명 乳房 rǔfáng = 젖2
유방-암(乳房癌) 명 〖醫〗 乳房癌 rǔfáng'ái; 乳癌 rǔ'ái; 乳腺癌 rǔxiàn'ái = 유선암
유방-염(乳房炎) 명 〖醫〗 乳腺炎 rǔxiànyán; 乳房炎 rǔfángyán = 유선염
유배(流配) 명하타 〖史〗 流放 liúfàng; 流配 liúpèi; 放逐 fàngzhú ¶ 반역자가 섬으로 ～되다 叛逆者被流放到岛上
유배-지(流配地) 명 流配地 liúpèidì ¶ ～에서 죽다 死于流配地
유-백색(乳白色) 명 乳白色 rǔbáisè; 乳白 rǔbái ¶～의 피부 乳白色的皮肤
유:별(有別) 명하형히부 有别 yǒubié; 不同 bùtóng ¶ 남녀가 ～하다 男女有别
유:별-나다(有別—) 형 特别 tèbié; 格外 géwài; 各别 gèbié; 怪异 guàiyì = 특별나다 ¶ 성격이 유별난 사람 性格怪异的人 / 그는 음악에 유별난 관심을 가지고 있다 他对音乐格外关心
유보(留保) 명하타 = 보류(保留) ¶ 임금 인상 문제를 잠시 ～하다 提高工资的问题暂时保留
유복-자(遺腹子) 명 遗腹子 yífùzǐ; 暮生儿 mùshengr ¶ 그는 ～로 태어나 아버지의 얼굴도 모른다 他是遗腹子, 父亲什么样都不知道
유:복-하다(有福—) 형 有福 yǒu fú; 有福气 yǒu fúqi ¶ 그는 대단히 유복한 사람이다 他是很有福气的人
유복-하다(裕福—) 형 富裕 fùyù; 优裕 yōuyù; 富足 fùzú ¶ 유복한 가정에서 태어나다 出生在一个富裕的家庭 / 유복한 어린 시절을 보내다 度过富足的儿童时光
유부(油腐) 명 油豆腐 yóudòufu
유:부-남(有婦男) 명 有妇之夫 yǒufùzhīfū
유:부-녀(有夫女) 명 有夫之妇 yǒufūzhīfù
유분(油分) 명 = 기름기1 ¶ 얼굴의 ～을 제거하다 去掉脸上的油
유:-분수(有分數) 명 有分寸 yǒu fēncun ¶ 사람을 무시해도 ～지 瞧不起人也得有个分寸
유브이(UV)[ultraviolet] 명 〖物〗 = 자외선
유:비-무환(有備無患) 명 有备无患 yǒubèiwúhuàn
유빙(流氷) 명 = 성엣장
유:사(有史) 명 有史 yǒushǐ ¶～ 이래 최고의 기록 有史以来的最高纪录
유:사(類似) 명하형 类似 lèisì; 相似 xiāngsì; 类同 lèitóng; 像 xiàng ¶～성 类似性 =[相似性] / ～점 类似点 =[类似之处] / ～ 상표 类似商标 / ～ 종교 类似宗教 / 두 사람은 외모가 ～하

다 两人长得很像 / 그들의 관점은 ~한 점이 많다 他们的观点有很多类似之处

유:사-시(有事時) 명 非常时期 fēicháng shíqī ¶~에 대비하다 防备非常时期

유:사-품(類似品) 명 类似品 lèisìpǐn; 相似品 xiāngsìpǐn; 仿制品 fǎngzhìpǐn ¶~에 주의하세요 请注意仿制品

유:산(有産) 명 有产 yǒuchǎn ¶~ 계급 有产阶级

유산(乳酸) 명 〖化〗 = 젖산

유산(流産) 명하자타 **1** 〖醫〗 流产 liúchǎn; 小产 xiǎochǎn; 小月 xiǎoyuè = 낙태1 ¶습관성 ~ 习惯性流产 **2** 流产 liúchǎn ¶계획이 ~되다 计划流产

유산(遺産) 명 **1** (死者留下的) 遗产 yíchǎn ¶~ 상속 遗产继承 / 막대한 ~을 물려받다 继承巨大遗产 **2** (前代留下的) 遗产 yíchǎn ¶문화~ 文化遗产

유산-균(乳酸菌) 명 〖化〗 乳酸菌 rǔsuānjūn; 乳酸细菌 rǔsuān xìjūn; 奶酸菌 nǎisuānjūn ¶김치에는 많은 ~이 들어 있다 泡菜中含有很多乳酸菌

유산균-음료(乳酸菌飮料) 명 乳酸菌饮料 rǔsuānjūn yǐnliào; 乳酸饮料 rǔsuān yǐnliào

유산 상속세(遺産相續稅) 〖法〗 遗产继承税 yíchǎn jìchéngshuì = 유산세

유산 상속인(遺産相續人) 〖法〗 遗产继承人 yíchǎn jìchéngrén

유산-세(遺産稅) 명 〖法〗 = 유산 상속세

유:산소 운:동(有酸素運動) 〖體〗 有氧运动 yǒuyǎng yùndòng

유산-탄(榴散彈) 명 〖軍〗 榴霰弹 liúxiàndàn; 子母弹 zǐmǔdàn

유:상(有償) 명 有偿 yǒucháng ¶~ 수리 有偿修理 / ~ 서비스 有偿服务 / ~ 분배 有偿分配 / ~ 증자 有偿增资

유:색(有色) 명하형 有色 yǒusè; 有颜色 yǒu yánsè ¶~ 옷감 有色布料

유:색-인(有色人) 명 **1** 有色人 yǒusèrén ¶~을 차별하다 歧视有色人 **2** = 유색 인종

유:색 인종(有色人種) 有色人种 yǒusè rénzhǒng = 유색인2

유생(儒生) 명 儒生 rúshēng ¶성균관 ~ 成均馆儒生

유서(由緖) 명 由来 yóulái; 来历 láilì; 历史 lìshǐ ¶~ 깊은 고장 由来已久的地方 / ~ 있는 가문 有来历的家门

유서(遺書) 명 遗书 yíshū ¶~를 남기다 留下遗书

유:선(有線) 명 有线 yǒuxiàn ¶~ 전화 有线电话 / ~ 통신 有线通信 / ~으로 암호문을 보내다 通过有线传送密文

유선(乳腺) 명 〖生〗 = 젖샘

유:선 방:송(有線放送) 〖信〗 有线广播 yǒuxiàn guǎngbō = 케이블 방송

유선 방:송국(有線放送局) 〖言〗 有线电视台 yǒuxiàn diànshìtái

유선-암(乳腺癌) 명 〖醫〗 = 유방암

유선-염(乳腺炎) 명 〖醫〗 = 유방염

유선-형(流線型) 명 流线型 liúxiànxíng

유:성(有性) 명 〖生〗 有性 yǒuxìng ¶~ 생식 有性生殖

유:성(有聲) 명 有声 yǒushēng; 带声 dàishēng ¶~ 영화 有声电影 =[有声片]

유성(油性) 명 油性 yóuxìng ¶~ 사인펜 油性签字笔 / ~ 페인트 油性涂料

유성(流星) 명 〖天〗 流星 liúxīng ¶~ 하나가 하늘에서 떨어졌다 一颗流星从天上掉了下来

유성-우(流星雨) 명 〖天〗 流星雨 liúxīngyǔ

유:성-음(有聲音) 명 〖語〗 带音 dàiyīn; 浊音 zhuóyīn

유:세(有勢) 명하자형 **1** 有势 yǒushì; 有势力 yǒu shìlì **2** 耍权势 shuǎ quánshì; 专横 zhuānhèng; 摆架子 bǎi jiàzi ¶~를 부리다 耍权势

유세(遊說) 명하자타 游说 yóushuì ¶~문 游说文 / ~장 游说场 / 선거 ~ 选举游说 / ~를 펼치다 展开游说

유-소년(幼少年) 명 幼年和少年 yòunián hé shàonián; 少年 shàonián ¶~ 축구 少年足球

유소-하다(幼少—) 형 幼小 yòuxiǎo; 年幼 niányòu

유속(流速) 명 〖物〗 流速 liúsù ¶이 강의 상류는 ~이 빠르다 这条江的上游流速很快

유:수(有數) 명하형 **1** 屈指可数 qūzhǐkěshǔ; 数得上 shǔdeshàng; 数一数二 shǔyīshǔ'èr ¶국내 ~의 대기업 国内屈指可数的大企业 / 세계 ~의 갑부 世界上数一数二的富翁 **2** 有命数 yǒu mìngshù; 有定数 yǒu dìngshù; 注定 zhùdìng

유수(流水) 명 流水 liúshuǐ ¶세월은 ~와 같다 岁月似流水 =[似水流年]

유수-지(遊水池) 명 〖地理〗 水库 shuǐkù; 蓄水池 xùshuǐchí

유숙(留宿) 명하자 留宿 liúsù; 借宿 jièsù; 暂住 zànzhù ¶친구 집에서 하룻밤 ~하다 在朋友家借宿一夜

유순-하다(柔順—) 형 柔顺 róushùn; 温顺 wēnshùn; 柔和 róuhé ¶말씨가 ~ 口气柔和 / 태도가 ~ 态度温顺 **유순-히** 부

유스타키오-관(Eustachio管) 명 〖生〗 耳咽管 ěryānguǎn; 咽鼓管 yāngǔguǎn; 欧氏管 ōushìguǎn = 이관

유스 호스텔(youth hostel) 〖社〗 青年招待所 qīngnián zhāodàisuǒ; 青年旅社 qīngnián lǚshè; 青年旅馆 qīngnián lǚguǎn; 青年旅舍 qīngnián lǚshè

유:식(有識) 명하형 有知识 yǒu zhīshi; 有学问 yǒu xuéwen; 有识 yǒushí ¶～한 사람 有学问的人 / 그는 매우 ～하다 他很有学问

유신(維新) 명하타 维新 wéixīn ¶～ 정책 维新政策 / ～의 명목으로 군부 독재를 자행하다 以维新为名, 恣意进行军部独裁

유:신-론(有神論) 명 〖哲〗 有神论 yǒushénlùn ¶～자 有神论者

유실(流失) 명하타 流失 liúshī; 冲走 chōngzǒu; 冲塌 chōngtā ¶집이 홍수에 ～되다 房子被洪水冲走

유실(遺失) 명하타 遗失 yíshī; 丢失 diūshī ¶소지품을 ～하다 丢失随身用品

유실-물(遺失物) 명 遗失物品 yíshī wùpǐn; 失物 shīwù ¶～ 보관소 失物保管处

유:실-수(有實樹) 명 果树 guǒshù

유심(唯心) 명 〖哲〗 唯心 wéixīn ¶～론 唯心论

유:심-하다(有心—) 형 留心 liúxīn; 留意 liúyì; 注意 zhùyì **유:심-히** 부 ¶～ 관찰하다 留心观察

유아(幼兒) 명 **1** 幼儿 yòu'ér ¶～ 교육 幼儿教育 =[幼教] / ～기 幼儿期 / ～ 모집 招募幼儿 / ～용 자전거 幼儿用自行车 **2** = 어린아이

유아(乳兒) 명 = 젖먹이 ¶～용품 婴儿用品 / ～용 담요 婴儿用毛毯

유아-독존(唯我獨尊) 명 唯我独尊 wéiwǒdúzūn; 惟我独尊 wéiwǒdúzūn

유아 세:례(幼兒洗禮) 〖宗〗 婴儿洗礼 yīng'ér xǐlǐ; 幼儿洗礼 yòu'ér xǐlǐ

유아-원(幼兒園) 명 幼儿园 yòu'éryuán; 托儿所 tuō'érsuǒ

유압(油壓) 명 〖物〗 油压 yóuyā ¶～계 油压表 / ～기 油压机 / ～식 油压式 / ～ 장치 油压装置 / ～ 펌프 油压泵

유액(乳液) 명 〖化〗 乳液 rǔyè; 奶液 nǎiyè

유:야무야(有耶無耶) 명하타형 不了了之 bùliǎoliǎozhī; 半途而废 bàntú'érfèi ¶사건의 수사가 ～로 끝나다 事件的搜查最后不了了之

유약(釉藥·泑藥) 명 〖手工〗 釉 yòu; 釉子 yòuzi ¶～을 바르다 上釉

유약-하다(幼弱—) 형 幼弱 yòuruò ¶유약한 아이 幼弱的儿童

유약-하다(柔弱—) 형 柔弱 róuruò ¶성품이 ～ 性情柔弱

유언(流言) 명 流言 liúyán; 传言 chuányán ¶갖가지 ～들이 떠돈다 各种各样的流言传开了

유언(遺言) 명하타 遗言 yíyán; 遗嘱 yízhǔ ¶～을 남기다 留下遗言 / 아버지는 내게 꼭 가문을 다시 일으키라고 ～하셨다 父亲留下遗嘱, 让我一定要重振家业

유언-비어(流言蜚語) 명 流言蜚语 liúyánfēiyǔ; 流言飞语 liúyánfēiyǔ; 谣言 yáoyán ¶～를 퍼뜨리다 散布流言蜚语 / ～가 난무하다 谣言四处传开

유언-장(遺言狀) 명 遗嘱 yízhǔ; 遗嘱书 yízhǔshū ¶생전에 ～을 만들다 生前立好遗嘱 / ～의 내용을 고치다 更改遗嘱内容

유업(遺業) 명 遗业 yíyè ¶부친의 ～을 이어받다 继承父亲的遗业

유에프오(UFO)[unidentified flying object] 명 〖物〗 = 미확인 비행 물체

유엔(UN)[United Nations] 명 〖政〗 = 국제 연합 ¶～군 联合国军 / ～기 联合国旗 / ～ 사무국 联合国秘书处 / ～ 사무총장 联合国秘书长 / ～ 총회 联合国大会 =[联大]

유역(流域) 명 流域 liúyù ¶한강 ～ 汉江流域

유연-성(柔軟性) 명 **1** 柔软性 róuruǎnxìng; 柔软度 róuruǎndù; 柔韧性 róurènxìng ¶～이 부족하다 缺乏柔软性 / 그는 ～이 매우 좋다 他身体柔韧性很好 **2** 灵活性 línghuóxìng ¶사고의 ～ 思考的灵活性

유:연-탄(有煙炭) 명 〖鑛〗 有烟煤 yǒuyānméi

유연-하다(柔軟—) 형 柔软 róuruǎn ¶유연한 자세 柔软的姿势 / 몸이 ～ 身体很柔软 **유연-히** 부

유연-하다(悠然—) 형 悠然 yōurán; 从容 cóngróng; 悠闲 yōuxián ¶유연한 태도 悠闲的态度 **유연-히** 부 ¶어려운 상황을 ～ 대처하다 从容地应付困境

유예(猶豫) 명하타 **1** 犹豫 yóuyù; 犹豫不决 yóuyùbùjué ¶지금 사태가 너무나 위급해서 잠시도 일을 ～할 수 없다 目前的事态十分危急, 一刻也不能犹豫 **2** 推迟 tuīchí; 延迟 yánchí; 延期 yánqī; 延缓 yánhuǎn; 宽限 kuānxiàn ¶대출금 상환을 ～시켜 주다 延期偿还贷款 / 3일간의 ～를 주다 宽限三天 **3** 〖法〗 缓期执行 huǎnqī zhíxíng; 延缓 yánhuǎn; 延缓期 yánhuǎnqī ¶기소를 ～하다 延缓起诉

유:용(有用) 명하형 有用 yǒuyòng; 管用 guǎnyòng ¶～성 有用性 / 어린이들에게 ～한 책 对孩子们有用的书 / 이 약은 감기를 치료하는 데 아주 ～하다 这药治感冒很管用

유용(流用) 명하타 挪用 nuóyòng; 转

用 zhuǎnyòng ¶공금 ~ 挪用公款 / 도서 구입비를 여행 경비로 ~하다 把购买图书的费用挪用做旅费

유원-지(遊園地) 명 游乐园 yóulèyuán; 游园地 yóuyuándì; 游览地 yóulǎndì

유월(←六月) 명 六月 liùyuè

유월-절(逾越節) 명 【宗】 逾越节 yúyuèjié

유:유-상종(類類相從) 명하자 以类相从 yǐlèixiāngcóng; 物以类聚 wùyǐlèijù; 物以类聚, 人以群分 wùyǐlèijù, rényǐqúnfēn

유유-자적(悠悠自適) 명하자 悠闲自在 yōuxiánzìzài; 悠然自得 yōuránzìdé; 悠悠自得 yōuyōuzìdé; 悠游自在 yōuyóuzìzài ¶그는 퇴직 후 ~한 생활을 보내고 있다 他退休后过着悠闲自在的生活

유유-하다(悠悠—) 형 **1** 悠悠 yōuyōu; 悠然 yōurán; 从容 cóngróng ¶강물이 ~ 江水悠悠 **2** 遥远 yáoyuǎn; 长久 chángjiǔ; 悠悠 yōuyōu ¶유유한 세월 悠悠岁月 **유유-히** 부 ¶금붕어가 어항 속에서 ~ 헤엄치고 있다 金鱼在鱼缸里悠然地游着

유의(留意) 명하자타 留意 liúyì; 留心 liúxīn; 注意 zhùyì; 留神 liúshén ¶~ 사항 注意事项 / 건강에 ~하다 注意健康

유:-의미(有意味) 명하형 有意义 yǒu yìyì ¶~한 결과 有意义的结果

유:의-어(類義語) 명 【語】 类义词 lèiyìcí; 近义词 jìnyìcí = 비슷한말

유:익(有益) 명하형 有益 yǒuyì ¶이 책은 아이들 교육에 ~하다 这本书有益于教育儿童

유:인(有人) 명 载人 zàirén ¶~ 우주선 载人宇宙飞船

유인(油印) 명하타 【印】 = 등사

유인(誘引) 명하타 引诱 yǐnyòu; 勾引 gōuyǐn; 引逗 yǐndòu; 诱 yòu ¶적을 계곡으로 ~하다 把敌人引诱到溪谷中 / 미끼로 물고기를 ~하다 用鱼饵引诱鱼

유인-물(油印物) 명 油印件 yóuyìnjiàn; 油印品 yóuyìnpǐn; 印刷品 yìnshuāpǐn; 印刷物 yìnshuāwù ¶~ 배포 印刷物分发 / ~을 뿌리다 散发油印物

유:인-원(類人猿) 명 【動】 类人猿 lèirényuán; 人猿 rényuán

유인 작전 (誘引作戰) 【軍】 诱导作战 yòudǎo zuòzhàn; 诱引作战 yòuyǐn zuòzhàn

유일(唯一 · 惟一) 명하형 唯一 wéiyī; 惟一 wéiyī ¶사건의 ~한 목격자 事件的唯一目击者 / ~한 생존자 唯一生存者 / ~한 혈육 唯一的骨肉

유일-무이(唯一無二) 명하형 独一无二 dúyīwú'èr; 唯一的 wéiyīde ¶~의 존재 独一无二的存在 / ~한 기회 唯一的机会

유일-신(唯一神) 명 唯一神 wéiyīshén ¶~ 사상 唯一神思想

유임(留任) 명하자타 留任 liúrèn ¶이번 총회에서 현 회장의 ~ 여부를 결정한다 这次总会上将决定现任会长是否留任

유입(流入) 명하자 流入 liúrù; 流进 liújìn; 注入 zhùrù; 传入 chuánrù ¶외국 자본의 ~ 外国资本的流入 / 공장 폐수가 강으로 ~되다 工厂废水流进河里

유:자(柚子) 명 柚子 yòuzi; 柚 yòu ¶~청 柚子蜜饯 / ~를 따다 摘柚子

유:자-나무(柚子—) 명 【植】 柚 yòu; 柚子树 yòuzishù; 柚子 yòuzi

유-자녀(遺子女) 명 **1** 死者子女 sǐzhě zǐnǚ **2** 烈士子女 lièshì zǐnǚ

유작(遺作) 명 遗作 yízuò ¶고인의 ~ 故人的遗作

유적(遺跡 · 遺蹟) 명 遗迹 yíjì ¶선사 시대의 ~ 先史时期的遗迹 / ~을 발굴하다 发掘遗迹 / ~이 발견되다 遗迹被发现

유적-지(遺跡地) 명 遗址 yízhǐ ¶~를 답사하다 探访遗址

유전(油田) 명 油田 yóutián ¶~ 탐사 探查油田 / 중동 지역에는 ~이 많다 中东地区有很多油田

유전(遺傳) 명하자타 **1** 【生】 遗传 yíchuán ¶~병 遗传病 / ~성 遗传性 / 대머리는 자식에게 ~된다고 한다 听说光头会遗传给子女的 **2** 留传 liúchuán ¶조상으로부터 ~되어 내려온 비방 祖辈留传下来的秘方

유전 공학(遺傳工學) 【生】 基因工程 jīyīn gōngchéng; 遗传工程 yíchuán gōngchéng = 유전자 공학

유전-자(遺傳子) 명 【生】 基因 jīyīn; 遗传因子 yíchuán yīnzi; 遗传基因 yíchuán jīyīn ¶~ 치료 基因治疗 / ~를 감식하다 鉴定基因

유전자 공학(遺傳子工學) 【生】 = 유전 공학

유전자 조작(遺傳子操作) 【生】 转基因 zhuǎn jīyīn; 操纵基因 cāozòng jīyīn ¶~ 식품 转基因食品

유전-적(遺傳的) 관명 【生】 遗传(的) yíchuán(de); 遗传性 yíchuánxìng ¶~ 변이 遗传性变异 / ~인 질병 遗传性疾病

유전-체(遺傳體) 명 【生】 基因组 jīyīnzǔ; 染色体组 rǎnsètǐzǔ = 게놈

유전-학(遺傳學) 명 【生】 遗传学 yíchuánxué

유:정(有情) 명하형히부 **1** 有情 yǒuqíng; 有情意 yǒu qíngyì **2**〖佛〗有情 yǒuqíng; 众生 zhòngshēng

유정(油井) 명〖鑛〗油井 yóujǐng ¶～에서 석유를 채취하다 油井里采石油

유제(乳劑) 명〖化〗乳剂 rǔjì; 乳浊液 rǔzhuóyè; 乳状液 rǔzhuàngyè = 유탁액

유제(油劑) 명〖藥〗油剂 yóujì

유-제품(乳製品) 명 乳制品 rǔzhìpǐn; 奶产品 nǎichǎnpǐn; 乳品 rǔpǐn

유조(油槽) 명 油槽 yóucáo; 油罐 yóuguàn

유조-선(油槽船) 명 油船 yóuchuán; 油轮 yóulún; 油槽船 yóucáochuán

유조-차(油槽車) 명 油罐车 yóuguànchē; 油槽车 yóucáochē; 油车 yóuchē

유족(遺族) 명 = 유가족 ¶사망자 ～에게 보상금을 지급하다 向死者家属支付补偿金

유:종(有終) 명하형 有终 yǒuzhōng; 善终 shànzhōng

유종의 미 구 有终之美; 善始善终 ¶～를 거두다 实现有终之美

유:죄(有罪) 명하형 有罪 yǒuzuì ¶～로 판결하다 判决有罪 / ～를 선고하다 宣判有罪

유:죄 판결(有罪判決) 〖法〗有罪判决 yǒuzuì pànjué ¶～을 내리다 作出有罪判决

유즙(乳汁) 명 = 젖1 ¶～이 분비되다 分泌乳汁

유:지(有志) 명 **1** 有志者 yǒuzhìzhě **2** 乡绅 xiāngshēn; 绅士 shēnshì ¶지역 ～ 地方乡绅

유지(乳脂) 명 **1** = 크림1 **2** 乳脂 rǔzhī; 乳脂肪 rǔzhīfáng = 유지방

유지(油脂) 명〖化〗油脂 yóuzhī ¶공업용 ～ 工业用油脂

유지(維持) 명하타 维持 wéichí; 保持 bǎochí; 维护 wéihù ¶생계 ～ 维持生计 / 현상 ～ 维持现状 / 질서를 ～하다 维持秩序 / 날씬한 몸매를 ～하다 维持苗条身材 / 일정한 거리를 ～하다 保持一定的距离 / 건강을 ～하기 위해 날마다 1시간씩 운동을 하다 为了保持健康, 每天运动一个小时

유지(遺志) 명 遗志 yízhì ¶～를 받들다 遵奉遗志 / ～를 따르다 继承遗志

유-지방(乳脂肪) 명 = 유지(乳脂)2

유지-비(維持費) 명 维修费 wéixiūfèi; 保修费 bǎoxiūfèi; 维持费 wéichífèi ¶이 자동차는 ～가 많이 든다 这种汽车维修费很高

유착(癒着) 명하자 **1** 勾结 gōujié; 勾连 gōulián; 勾通 gōutōng ¶정경 ～ 官商勾结 / 조직 폭력배들이 경찰과 ～하다 黑社会组织跟警察勾结 **2**〖醫〗粘连 zhānlián

유찰(流札) 명하자〖經〗流标 liúbiāo; 落标 luòbiāo ¶이번 공개 입찰은 응찰업체가 없어 ～되었다 这次公开招标因没有单位投标而流标了

유창-하다(流暢—) 형 流畅 liúchàng; 流利 liúlì ¶그는 중국어를 유창하게 구사한다 他汉语说得很流利 **유창-히** 부

유채(油彩) 명〖美〗**1** 油彩 yóucǎi **2** = 유화(油畫)

유채(油菜) 명〖植〗油菜 yóucài; 芸薹 yúntái ¶～꽃 油菜花

유:채-색(有彩色) 명〖美〗有彩色 yǒucǎisè; 彩色 cǎisè

유:책(有責) 명하형 有责任 yǒu zérèn; 有过错 yǒu guòcuò ¶～ 배우자 (离婚) 有过错方

유:추(類推) 명하타 类推 lèituī ¶～ 해석 类推解释 / 이로부터 다음과 같이 ～할 수 있다 由此可以类推如下

유출(流出) 명하자타 **1** 流出 liúchū; 排 pái ¶원유 ～ 流出原油 / 공장 폐수를 바다로 ～하다 把工厂废水排入海里 **2** 外流 wàiliú; 泄漏 xièlòu; 流失 liúshī ¶인재의 해외 ～ 人才外流 / 회사 기밀을 ～하다 泄漏公司机密 / 사전에 정보가 ～되다 事前情报被泄漏

유충(幼蟲) 명〖蟲〗= 애벌레

유취(乳臭) 명 = 젖내

유층(油層) 명〖地理〗油层 yóucéng

유치(乳齒) 명 = 젖니

유치(留置) 명하타 **1** 保管 bǎoguǎn; 存留 cúnliú **2**〖法〗扣押 kòuyā; 扣留 kòuliú; 拘留 jūliú ¶살인 사건의 용의자로 ～되다 作为杀人案的嫌疑犯被拘留

유치(誘致) 명하타 **1** 诱致 yòuzhì; 诱来 yòulái **2** 招揽 zhāolǎn; 招徕 zhāolái; 申办 shēnbàn; 引进 yǐnjìn ¶월드컵 ～ 申办世界杯比赛 / 관광객을 ～하다 招揽游客 / 외국 자본을 ～하다 引进外国资本

유치-원(幼稚園) 명〖教〗幼儿园 yòu'éryuán; 幼稚园 yòuzhìyuán

유치-장(留置場) 명 拘留所 jūliúsuǒ; 看守所 kānshǒusuǒ ¶하룻밤 ～ 신세를 지다 在拘留所住一夜

유치-하다(幼稚—) 형 幼稚 yòuzhì ¶그의 행동은 유치하기 짝이 없다 他的行动幼稚得不得了

유칼리(←eucalyptus) 명〖植〗= 유칼립투스

유칼립투스(eucalyptus) 명〖植〗桉 ān; 桉树 ānshù; 有加利树 yǒujiālìshù; 玉树 yùshù = 유칼리

유쾌-하다(愉快—) 형 愉快 yúkuài; 快乐 kuàilè; 快活 kuàihuo ¶마음이 ～ 心情愉快 / 유쾌하게 웃다 愉快地笑

유쾌-히 부 ¶~ 지내다 过得很愉快
유탁-액(乳濁液) 명 〖化〗 = 유제(乳劑)
유탄(流彈) 명 流弹 liúdàn ¶~에 맞아 희생되다 中流弹牺牲
유태-교(猶太敎) 명 〖宗〗 = 유대교
유태-력(猶太曆) 명 〖天〗 = 유대력
유태-인(猶太人) 명 = 유대 인
유-턴(U turn) 명하자 U 字型转向 U zìxíng zhuǎnxiàng; U 字型转弯 U zìxíng zhuǎnwān; 掉头 diàotóu; 向后拐弯 xiànghòu guǎiwān ¶여기서는 ~이 불가능하다 在这儿是不能掉头的 / 저 앞 사거리에서 ~해 주세요 请在前面的十字路口掉头
유토피아(Utopia) 명 = 이상향
유통(流通) 명하자타 **1** 流通 liútōng ¶공기가 ~되다 空气流通 **2** 周转 zhōuzhuǎn; 流通 liútōng; 流转 liúzhuǎn ¶~ 가격 流通价格 / ~ 경제 流通经济 / 화폐의 ~ 货币流通 / ~ 경로 流通渠道 / ~ 구조 流通结构 / 외국산 농산물이 시중에 ~되다 外国农产品在市场流通
유통 기한(流通期限) 〖經〗 保质期 bǎozhìqī; 保鲜期 bǎoxiānqī; 保存期 bǎocúnqī ¶~이 지났다 过保质期了 / ~을 확인하다 确认保存期 / 화장품의 ~은 얼마나 됩니까? 化妆品的保质期是多久?
유통-량(流通量) 명 流通量 liútōngliàng
유통-망(流通網) 명 流通网 liútōngwǎng; 商业网 shāngyèwǎng ¶~을 넓히다 扩大流通网
유파(流派) 명 流派 liúpài ¶새로운 ~를 형성하다 形成新的流派
유폐(幽閉) 명하타 幽闭 yōubì; 幽禁 yōujìn ¶산간벽지에 ~되다 被幽禁在偏僻山沟里
유포(油布) 명 油布 yóubù
유포(流布) 명하자타 流布 liúbù; 散布 sànbù; 流传 liúchuán ¶유언비어를 ~하다 散布谣言 / 허위 사실을 ~하다 散布虚伪事实
유품(遺品) 명 遗物 yíwù = 유물(遺物)2 ¶부모님의 ~ 父母的遗物
유풍(遺風) 명 遗风 yífēng ¶봉건 시대의 ~ 封建时代的遗风
유-하다(柔—) 형 柔 róu; 柔软 róuruǎn; 柔和 róuhé ¶성격이 ~ 性格柔和
유학(留學) 명하자 留学 liúxué ¶~생 留学生 / ~ 생활 留学生活 / 중국에 ~을 가다 去中国留学
유학(遊學) 명하자 游学 yóuxué; 外地就学 wàidì jiùxué
유학(儒學) 명 儒学 rúxué ¶~자 儒学家
유:한(有限) 명하형히부 有限 yǒuxiàn ¶~ 책임 有限责任 / ~ 회사 有限公司 / 인간의 수명은 ~하다 人的寿命是有限的
유:한(有閑) 명하형 有闲 yǒuxián ¶~ 계급 有闲阶级 / ~마담 有闲夫人 = [阔太太]
유:해(有害) 명하형 有害 yǒuhài ¶~성 有害性 / ~ 물질 有害物质 / ~ 식품 有害食品 / 인체에 ~한 물질 对人体有害的物质
유해(遺骸) 명 = 유골 ¶~를 안치하다 安葬遗骨
유행(流行) 명하자 **1** 〖社〗 流行 liúxíng; 时兴 shíxīng; 时髦 shímáo ¶~을 따르다 赶时髦 / 올해는 짧은 머리가 ~이다 今年短发很流行 / 이미 ~이 지난 스타일 已经不时兴的式样 **2** (疾病) 流行 liúxíng ¶요즘 홍역이 ~하고 있다 最近流行麻疹
유행-가(流行歌) 명 流行歌曲 liúxíng gēqǔ
유행-병(流行病) 명 流行病 liúxíngbìng = 돌림2 · 돌림병 ¶~이 크게 번지다 流行病广泛蔓延
유행-성(流行性) 명 流行性 liúxíngxìng ¶~ 눈병 流行性眼疾
유행성 간:염(流行性肝炎) 〖醫〗 甲型肝炎 jiǎxíng gānyán = 에이형 간염
유행성 감:기(流行性感氣) 〖醫〗 流行性感冒 liúxíngxìng gǎnmào; 流感 liúgǎn = 독감2 · 인플루엔자
유행-어(流行語) 명 流行语 liúxíngyǔ ¶~가 되다 成为流行语
유혈(流血) 명 流血 liúxuè; 浴血 yùxuè ¶~ 사태 流血事件 / ~ 충돌 流血冲突
유혈-극(流血劇) 명 流血惨剧 liúxuè cǎnjù; 浴血斗殴 yùxuè dòu'ōu ¶대낮에 ~이 벌어지다 光天化日下发生流血惨剧
유:형(有形) 명하형 有形 yǒuxíng ¶~ 자산 有形资产
유:형(類型) 명 类型 lèixíng ¶여러 ~의 시험 문제 各种类型的试题 / 사람의 성격을 몇 가지 ~으로 나누다 把人的性格分成几种类型
유:형 문화재(有形文化財) 〖古〗 有形文化遗产 yǒuxíng wénhuà yíchǎn; 有形文物 yǒuxíng wénwù
유:형-물(有形物) 명 有形物 yǒuxíngwù; 实物 shíwù
유혹(誘惑) 명하타 诱惑 yòuhuò; 迷惑 míhuò; 引诱 yǐnyòu; 勾引 gōuyǐn ¶~을 뿌리치다 拒绝诱惑 / ~에 빠지다 陷入诱惑 / 여인에게 ~되다 被女人勾引

유혹-적(誘惑的) 관명 诱惑(的) yòuhuò(de); 诱人(的) yòurén(de) ¶ ~인 자태 诱人的姿态 / ~인 눈길을 보내다 发出诱惑的目光
유화(油畫) 명 〖美〗油画 yóuhuà = 유채(油彩)2
유화(宥和) 명하자 宥和 yòuhé; 宽宥 kuānyòu ¶ ~적인 태도 宽宥的态度 / ~ 정책 宥和政策
유황(硫黃) 명 〖化〗硫黄 liúhuáng; 硫 liú; 硫磺 liúhuáng ¶ ~불 硫黄火 =[硫黄火焰] / ~천 硫黄泉
유:효[1](有效) 명하형히부 有效 yǒuxiào ¶ ~ 기간 有效期 / ~ 사거리 有效射程 / 이 계약은 아직 ~하다 这个合同还有效
유:효[2](有效) 명 〖體〗有效 yǒuxiào
유:효적절-하다(有效適切—) 형 有效而恰当 yǒuxiào ér qiàdàng ¶ 유효적절한 조치를 취하다 采取有效而恰当的措施 / 자원을 유효적절하게 이용하다 有效而恰当地利用资源
유훈(遺訓) 명 遗训 yíxùn ¶ 선친의 ~ 先父的遗训
유휴(遊休) 명 闲置 xiánzhì; 闲散 xiánsǎn; 休闲 xiūxián ¶ ~ 시설 闲置设施 / ~ 설비 闲置设备 / ~ 자금 闲散资金 / ~ 자본 闲散资本 / ~지 休闲地
유흥(遊興) 명하자 游兴 yóuxìng; 游乐 yóulè; 娱乐 yúlè ¶ ~ 시설 娱乐设施 / 마음껏 ~을 즐기다 尽情游乐
유흥-가(遊興街) 명 花花世界 huāhuāshìjiè; 花街柳巷 huājiēliǔxiàng
유흥-비(遊興費) 명 游乐费用 yóulè fèiyòng
유흥-업(遊興業) 명 娱乐业 yúlèyè
유흥업-소(遊興業所) 명 娱乐场所 yúlè chǎngsuǒ ¶ 미성년자들의 ~ 출입을 단속하다 限制未成年人出入娱乐场所
유희(遊戲) 명하자 游戏 yóuxì; 游艺 yóuyì; 玩弄 wánnòng ¶ 친구들과 ~를 즐기다 和朋友们尽情游戏
육(六) 수관 六 liù ¶ ~ 개월 六个月 / ~ 미터 六米
육각(六角) 명 = 육모
육각-형(六角形) 명 〖數〗六边形 liùbiānxíng; 六角形 liùjiǎoxíng
육감(六感) 명 〖心〗第六感觉 dìliù gǎnjué; 第六感 dìliùgǎn; 直觉 zhíjué ¶ 여자의 ~ 女人的第六感觉 / ~으로 알다 靠第六感觉来感悟
육감(肉感) 명 1 肉感 ròugǎn 2 性感 xìnggǎn
육감-적(六感的) 관명 直觉(的) zhíjué(de); 靠第六感觉 kào dìliù gǎnjué; 凭第六感觉 píng dìliù gǎnjué ¶ ~ 판단 靠第六感觉判断
육감-적(肉感的) 관명 性感(的) xìnggǎn(de); 肉感(的) ròugǎn(de) ¶ ~인 여인 性感的女人 / 그녀의 몸매는 매우 ~이다 她的身材很肉感
육갑(六甲) 명하자 1 〖民〗 = 육십갑자 2 蠢举 chǔnjǔ; 蠢事 chǔnshì; 蠢头蠢脑 chǔntóuchǔnnǎo ¶ ~을 떨다 干蠢事
육-개장(肉—醬) 명 辣牛肉汤 làniúròutāng
육계(肉鷄) 명 肉鸡 ròujī; 肉种鸡 ròuzhǒngjī; 肉用鸡 ròuyòngjī
육교(陸橋) 명 1 天桥 tiānqiáo; 过街桥 guòjiēqiáo ¶ ~를 건너다 过天桥 2 高架桥 gāojiàqiáo
육군(陸軍) 명 〖軍〗陆军 lùjūn ¶ ~ 본부 陆军本部
육군 사:관 학교(陸軍士官學校) 〖軍〗陆军军官学校 lùjūn jūnguān xuéxiào; 陆军士官学校 lùjūn shìguān xuéxiào
육-대주(六大洲) 명 〖地理〗六大洲 liùdàzhōu ¶ 오대양 ~로 진출하다 打入五大洋六大洲
육두-문자(肉頭文字) 명 污言秽语 wūyánhuìyǔ; 下流话 xiàliúhuà; 脏话 zànghuà ¶ ~로 남을 욕하다 说脏话骂人
육로(陸路) 명 陆路 lùlù; 旱路 hànlù ¶ ~ 교통 陆路交通 / ~를 이용하다 走旱路
육류(肉類) 명 肉类 ròulèi ¶ ~ 소비가 늘다 肉类消费量增加
육림(育林) 명 育林 yùlín ¶ ~ 사업 育林事业
육면-체(六面體) 명 〖數〗六面体 liùmiàntǐ
육-모(六—) 명 六角 liùjiǎo = 육각
육박(肉薄) 명하자타 逼近 bījìn; 紧逼 jǐnbī; 接近 jiējìn; 近 jìn ¶ 5만 명에 ~하는 관중들 近五万名的观众 / 적진에 ~하다 逼近敌阵
육박-전(肉薄戰) 명 〖軍〗肉搏战 ròubózhàn; 白刃战 báirènzhàn; 肉搏 ròubó ¶ ~을 벌이다 打白刃战
육부(六腑) 명 〖韓醫〗六腑 liùfǔ
육사(陸士) 명 〖軍〗'육군 사관 학교' 的略词
육상(陸上) 명 1 陆地上 lùdìshang; 陆上 lùshang ¶ ~ 운송 陆上运输 / ~ 식물 陆上植物 2 〖體〗 = 육상 경기 ¶ ~ 대회 田径运动会 / ~ 선수 田径运动员
육상 경:기(陸上競技) 〖體〗田径赛 tiánjìngsài; 田径比赛 tiánjìng bǐsài = 육상2
육서(六書) 명 1 六书 liùshū 《汉字造字的理论》 2 六书 liùshū; 六体 liùtǐ 《六种字体》
육서(陸棲) 명하자 陆栖 lùqī ¶ ~ 동물 陆栖动物

육성(肉聲) 명 声音 shēngyīn ¶고인의 ~을 담은 테이프 录有故人声音的磁带
육성(育成) 명하타 培养 péiyǎng; 培育 péiyù ¶기술자를 ~하다 培养技术人员 / 영재를 ~하다 培育英才
육손-이(六—) 명 六指人 liùzhǐrén; 六指儿 liùzhǐr
육송(陸送) 명하타 陆上运输 lùshang yùnshū
육수(肉水) 명 肉汤 ròutāng ¶냉면 ~ 冷面的肉汤
육순(六旬) 명 六旬 liùxún; 花甲 huājiǎ ¶~을 바라보는 나이 将近六旬的年龄 / 나이가 ~에 가깝다 年近花甲
육시(戮屍) 명하타 戮尸 lùshī ¶~를 당하다 被戮尸
육식(肉食) 명하자 肉食 ròushí; 吃肉 chīròu; 吃荤 chīhūn ¶~ 동물 肉食动物 / 그는 ~을 좋아한다 他喜欢吃肉
육신(肉身) 명 = 육체(肉體) ¶~의 고통 肉体的苦痛 / ~이 병들다 身体有病
육십(六十) 수관 六十 liùshí ¶~ 세 六十岁 / ~ 년 六十年
육십-갑자(六十甲子) 명 〖民〗 六甲 liùjiǎ; 六十甲子 liùshí jiǎzǐ = 육갑1
육아(育兒) 명하자 育儿 yù'ér ¶~법 育儿法 =[育儿方法] / ~ 상식 育儿常识 / ~ 일기 育儿日记
육아-낭(育兒囊) 명 〖動〗 育儿袋 yù'érdài; 育儿囊 yù'érnáng
육안(肉眼) 명 = 맨눈 ¶태양의 흑점은 ~으로는 볼 수 없다 太阳的黑子用肉眼是看不到的
육영(育英) 명하자 育英 yùyīng; 育才 yùcái ¶~ 사업 育英事业 / ~ 재단 育英财团
육욕(肉慾) 명 肉欲 ròuyù; 色情 sèqíng; 性欲 xìngyù ¶~을 참다 忍受肉欲 / ~을 일으키다 引起性欲
육용(肉用) 명하타 肉用 ròuyòng; 食肉用 shíròuyòng ¶이 소는 ~이 아니다 这头牛不是肉用的
육우(肉牛) 명 肉牛 ròuniú; 肉用牛 ròuyòngniú
육운(陸運) 명 陆运 lùyùn
육-이오(六二五) 명 〖史〗 = 육이오 전쟁
육이오 사:변(六二五事變) 〖史〗 = 육이오 전쟁
육이오 전:쟁(六二五戰爭) 〖史〗 六·二五战争 liù'èrwǔ zhànzhēng; 韩国战争 Hánguó zhànzhēng; 朝鲜战争 Cháoxiǎn zhànzhēng; 韩战 Hánzhàn = 육이오·육이오 사변·한국 전쟁
육-젓(六—) 명 六月虾酱 liùyuè xiājiàng
육중-하다(肉重—) 형 **1** 笨重 bènzhòng; 粗重 cūzhòng; 沉重 chénzhòng ¶육중한 몸집 笨重的身躯 **2** (声音) 深沉 shēnchén; 低沉 dīchén ¶육중하고 둔탁한 소리 低沉钝重的声音
육즙(肉汁) 명 肉汁 ròuzhī; 肉汤 ròutāng ¶진한 ~ 很浓的肉汁
육지(陸地) 명 **1** = 땅[1]1 **2** 陆地 lùdì; 旱地 hàndì; 陆 lù ¶~면 陆地面 / ~에서 온 사람 从陆地来的人 / ~에 오르다 登陆
육질(肉質) 명 肉质 ròuzhì ¶~이 좋은 쇠고기 具有优良肉质的牛肉
육체(肉體) 명 肉体 ròutǐ; 身体 shēntǐ; 肉身 ròushēn; 身子 shēnzi = 육신 ¶~가 건강해야 정신도 건강하다 身体健康, 精神才健康
육체-관계(肉體關係) 명 肉体关系 ròutǐ guānxi; 性关系 xìngguānxi ¶~를 맺다 发生肉体关系
육체-노동(肉體勞動) 명 体力劳动 tǐlì láodòng
육체-미(肉體美) 명 健身美 jiànshēnměi; 形体美 xíngtǐměi ¶~를 과시하다 炫耀形体美
육체-적(肉體的) 관명 肉体上(的) ròutǐshang(de); 身体上(的) shēntǐshang(de); 肉体(的) ròutǐ(de); 身体(的) shēntǐ(de) ¶~ 쾌락만을 추구하다 一味追求身体上的快感 / ~인 고통을 견디다 忍受肉体上的痛苦
육체-파(肉體派) 명 肉弹派 ròudànpài; 性感型 xìnggǎnxíng ¶~ 여배우 肉弹派女明星
육촌(六寸) 명 **1** 六寸 liùcùn **2** 堂叔伯兄弟 tángshūbó xiōngdì; 堂叔伯姐妹 tángshūbó jiěmèi; 二辈堂兄弟 èrbèi tángxiōngdì; 二辈堂姐妹 èrbèi tángjiěmèi ¶~ 형 二辈堂兄 / ~ 누이 二辈堂妹
육친(肉親) 명 亲骨肉 qīngǔròu; 骨肉 gǔròu; 骨血 gǔxuè; 血亲 xuèqīn ¶~의 정 血亲之情 / ~ 관계 骨肉关系
육탄(肉彈) 명 肉弹 ròudàn ¶~전 肉弹战 / ~ 공격 肉弹攻击 / 적의 탱크를 ~으로 저지하다 用肉弹阻止敌人的坦克
육포(肉脯) 명 肉脯 ròufǔ; 肉干(儿) ròugān(r)
육풍(陸風) 명 〖地理〗 陆风 lùfēng
육필(肉筆) 명 手书 shǒushū; 手迹 shǒujì; 手笔 shǒubǐ; 亲笔 qīnbǐ ¶~의 원고 手迹原稿
육하-원칙(六何原則) 명 六何法 liùhéfǎ 《何事、何人、何时、何地、为何、如何》
육해공-군(陸海空軍) 명 〖軍〗 陆海空军 lùhǎikōngjūn

육회(肉膾) 명 生拌牛肉片 shēngbàn niúròupiàn
윤:(潤) 명 = 윤기 ¶피부에 ~이 나다 皮肤光润 / 가구를 닦아서 ~을 내다 把家具擦得很光亮
윤간(輪姦) 명하타 轮奸 lúnjiān; 轮流强奸 lúnliú qiángjiān ¶세 명의 남자에게 ~을 당하다 遭到三名男子轮奸
윤곽(輪廓) 명 1 (事件的) 轮廓 lúnkuò; 概况 gàikuàng ¶사건의 ~이 서서히 드러나다 案件的轮廓慢慢儿浮出水面 2 (事物的) 轮廓 lúnkuò; 外形 wàixíng ¶~이 뚜렷한 얼굴 轮廓清晰的脸庞
윤:기(潤氣) 명 光泽 guāngzé; 润泽 rùnzé; 光亮 guāngliàng; 润 rùn; 光润 guāngrùn = 윤 ¶~가 흐르는 새까만 머리카락 光泽油亮的乌发 / 얼굴에 ~가 흐르다 面有光泽
윤:-나다(潤—) 자 有光泽 yǒu guāngzé; 光润 guāngrùn; 油光光 yóuguāngguāng; 光亮 guāngliàng; 光 guāng; 润 rùn; 油光 yóuguāng; 发亮 fāliàng ¶그는 항상 반짝반짝 윤나는 구두를 신는다 他总是穿着一双油光发亮的皮鞋
윤:-날(閏—) 명 闰日 rùnrì = 윤일
윤:-내다(潤—) 타 磨光 móguāng; 擦光 cāguāng; 抛光 pāoguāng ¶윤내는 기름 擦光油
윤:년(閏年) 명 〖天〗 闰年 rùnnián
윤:-달(閏—) 명 〖天〗 闰月 rùnyuè = 윤월 ¶금년에는 ~이 있다 今年有闰月
윤락(淪落) 명하자 卖淫 màiyín; 卖身 màishēn ¶~녀 卖淫妇 / ~ 행위 卖淫行为
윤락-가(淪落街) 명 红灯区 hóngdēngqū
윤리(倫理) 명 1 伦理 lúnlǐ ¶~관 伦理观 / ~ 의식 伦理意识 / 기업 ~ 企业伦理 / ~에 어긋나는 행위 与伦理相悖的行为 2 〖哲〗 = 윤리학
윤리-적(倫理的) 관명 伦理(的) lúnlǐ(de); 伦理上(的) lúnlǐshang(de) ¶~ 책임 伦理上的责任
윤리-학(倫理學) 명 〖哲〗 伦理学 lúnlǐxué = 윤리2
윤번(輪番) 명하자 轮番 lúnfān; 轮班 lúnbān; 轮流 lúnliú ¶~제 轮流制 = [轮班制] / ~으로 노래를 부르다 轮流唱歌
윤:색(潤色) 명하타 润色 rùnsè; 润饰 rùnshì ¶소설의 줄거리를 ~하다 对小说的情节加以润饰
윤:월(閏月) 명 〖天〗 = 윤달
윤:일(閏日) 명 = 윤날
윤전(輪轉) 명하자 1 轮转 lúnzhuàn ¶~ 인쇄 轮转印刷 2 〖佛〗 = 윤회2
윤전-기(輪轉機) 명 〖印〗 = 윤전 인쇄기
윤전 인쇄기(輪轉印刷機) 〖印〗 轮转印刷机 lúnzhuàn yìnshuājī; 轮转机 lúnzhuànjī = 윤전기
윤:택(潤澤) 명하형 1 润泽 rùnzé; 光润 guāngrùn; 滋润 zīrùn 2 富裕 fùyù; 富足 fùzú ¶삶이 ~하다 生活富裕 / 그는 ~한 가정에서 자랐다 他生长在一个富足的家庭里
윤:허(允許) 명하타 (国王) 允许 yǔnxǔ; 允诺 yǔnnuò; 允准 yǔnzhǔn; 准许 zhǔnxǔ ¶~를 받다 获得准许 / ~를 내리다 下达允准
윤화(輪禍) 명 车祸 chēhuò; 交通事故 jiāotōng shìgù ¶~를 당하다 遭遇车祸 / ~로 목숨을 잃다 因交通事故而丧命
윤:활(潤滑) 명하형히부 润滑 rùnhuá
윤:활-유(潤滑油) 명 〖工〗 润滑油 rùnhuáyóu; 滑油 huáyóu
윤:활-제(潤滑劑) 명 〖機〗 润滑剂 rùnhuájì; 润滑料 rùnhuáliào; 滑剂 huájì
윤회(輪廻) 명하자 1 轮回 lúnhuí 2 〖佛〗 轮回 lúnhuí; 生死轮回 shēngsǐ lúnhuí; 轮回转生 lúnhuí zhuǎnshēng = 윤전2 ¶~ 사상 轮回思想
-율(率) 접미 率 lǜ; 比 bǐ
율동(律動) 명 1 律动 lǜdòng 2 〖音〗 节奏 jiézòu; 节拍 jiépāi 3 〖體〗 = 율동 체조
율동-감(律動感) 명 律动感 lǜdònggǎn; 节奏感 jiézòugǎn
율동-적(律動的) 관명 有律动(的) yǒu lǜdòng(de); 有节奏(的) yǒu jiézòu(de) ¶~인 동작 有节奏的动作
율동 체조(律動體操) 〖體〗 韵律操 yùnlǜcāo = 율동3
율령(律令) 명 〖法〗 律令 lǜlìng
율무 명 〖植〗 薏苡 yìyǐ ¶~차 薏苡茶
율법(律法) 명 〖宗〗 律法 lǜfǎ ¶여호와의 ~을 준행하다 遵行耶和华的律法
율시(律詩) 명 〖文〗 律诗 lǜshī ¶오언 ~ 五言律诗
융기(隆起) 명하자 隆起 lóngqǐ ¶~ 해안 隆起海岸 / 지각이 ~하다 地壳隆起
융단(絨緞) 명 〖手工〗 地毯 dìtǎn; 绒毯 róngtǎn; 地毡 dìzhān = 양탄자 · 카펫 ¶침실에 ~ 한 장을 깔다 在卧室铺一块地毯
융단 폭격(絨緞爆擊) 〖軍〗 地毯式轰炸 dìtǎnshì hōngzhà; 毯式轰炸 tǎnshì hōngzhà
융모(絨毛) 명 〖生〗 绒毛 róngmáo = 융털2
융비(隆鼻) 명 隆鼻 lóngbí; 高鼻梁 gāobíliáng ¶~술 隆鼻术

융성(隆盛) 명하자 隆盛 lóngshèng; 兴盛 xīngshèng; 兴隆 xīnglóng; 昌盛 chāngshèng; 兴旺 xīngwàng = 흥성 ¶ 불교가 크게 ~하다 佛教大为兴盛
융숭-하다(隆崇—) 형 热诚 rèchéng ¶ 융숭한 대접을 받다 受到热诚款待 **융숭-히** 부
융자(融資) 명하타 融资 róngzī; 贷款 dàikuǎn; 通融资金 tōngróng zījīn ¶기업 ~ 企业融资 / 학자금 ~ 学费贷款 / 은행 ~를 받다 得到银行贷款
융자-금(融資金) 명 贷款 dàikuǎn; 贷款额 dàikuǎn'é; 融资金 róngzījīn ¶집값의 절반은 ~을 받아서 겨우 냈다 房价的一半是拿贷款支付的
융-털(絨—) 명 1 (地毯的) 绒毛 róngmáo 2 〖生〗 = 융모
융통(融通) 명하타 融通 róngtōng; 通融 tōngróng; 周转 zhōuzhuǎn; 借用 jièyòng ¶자금을 ~하다 融通资金 / 그는 나에게서 천 위안을 ~해 갔다 他从我这儿通融了一千块钱
융통-성(融通性) 명 灵活性 línghuóxìng; 伸缩性 shēnsuōxìng; 变通 biàntōng ¶ ~이 없다 没有灵活性 =[死板]
융합(融合) 명하자타 熔合 rónghé; 融合 rónghé; 融和 rónghé; 合成 héchéng ¶ ~ 반응 融合反应 / 산소와 수소가 ~하여 물이 되다 氧和氢合成水
융해(融解) 명하자타 〖化〗 熔化 rónghuà; 熔解 róngjiě; 融化 rónghuà; 融解 róngjiě; 溶化 rónghuà; 溶解 róngjiě ¶ ~ 온도 溶化温度
융해-열(融解熱) 명 〖化〗 熔解热 róngjiěrè; 熔化热 rónghuàrè
융해-점(融解點) 명 〖化〗 = 녹는점
융화(融和) 명하자 融洽 róngqià; 和睦 hémù; 和谐 héxié; 融和 rónghé ¶자연과 ~되어 살아가다 与自然和谐地生活 / 부부간의 감정이 ~되지 않다 夫妻之间感情不融和
윷: 명 〖民〗 尤茨 yóucí; 毂子 gǔzi; 板子 bǎnzi; 掷栖 zhìsì ¶ ~을 던지다 扔尤茨
윷:-가락 명 = 윷짝
윷:-놀이 명하자 〖民〗 尤茨游戏 yóucí yóuxì; 掷尤茨 zhì yóucí; 翻板子游戏 fān bǎnzi yóuxì ¶ ~를 하다 玩尤茨游戏
윷:-말 명 〖民〗 (玩尤茨游戏时用的) 棋子 qízǐ
윷:-짝 명 尤茨 yóucí; 毂子 gǔzi; 板子 bǎnzi = 윷가락
으깨다 타 压碎 yāsuì; 捣碎 dǎosuì; 碾碎 niǎnsuì; 砸碎 zásuì ¶호두를 ~ 压碎核桃 / 삶은 감자를 ~ 捣碎煮熟的土豆
-으나 어미 1 但 dàn; 但是 dànshì; 可 kě; 可是 kěshì 《表示对立、转折》 ¶그는 돈은 있~ 행복하지 못하다 他虽然有钱, 但是并不幸福 2 不管…还是 bùguǎn…háishi 《表示比较》 ¶양복을 입~ 한복을 입~ 모두 잘 어울린다 不管是穿西装还是穿韩服都挺合适 3 表示强调 ¶떫~ 떫은 감 非常涩的柿子 / 좁~ 좁은 방 小小的房间
-으니 어미 表示原因或根据 ¶약속을 했~ 가기 싫어도 갈 수밖에 없다 约好了, 不想去也得去
-으니까 어미 1 表示原因或根据 ¶그렇게 음식을 마구 먹~ 배탈이 나지 像这样乱吃东西, 当然会拉肚子 2 表示揭示说明 ¶자세히 읽~ 참 재미있더라 仔细读了读, 确实挺有意思的
으드득 부하자타 1 咔嚓咔嚓 kāchākāchā; 咯吱咯吱 gēzhīgēzhī 《砸碎硬物声》 ¶사탕을 ~ 깨물다 咯吱咯吱地嚼糖果 2 嘎吱嘎吱 gāzhīgāzhī; 咯咯 gēgē 《咬牙声》 ¶그는 잠을 잘 때 항상 ~이를 간다 他睡觉时老是嘎吱嘎吱地磨牙
으드득-거리다 자타 1 咔嚓咔嚓 kāchākāchā; 咯吱咯吱 gēzhīgēzhī ¶사탕을 으드득거리며 깨물어 먹다 把糖咯吱咯吱地咬碎吃 2 嘎吱嘎吱 gāzhīgāzhī; 咯咯 gēgē ‖ = 으드득대다 **으드득-으드득** 부하자타
으뜸 명 1 第一 dìyī; 头等 tóuděng; 最好 zuì hǎo ¶그의 노래 실력은 전교에서 ~이다 他的唱歌实力数全校第一 2 根基 gēnjī; 根本 gēnběn; 基本 jīběn ¶효도는 윤리의 ~이다 孝道是伦理的根本
으뜸-가다 자 首屈一指 shǒuqūyīzhǐ; 数第一 shǔdìyī; 最好 zuì hǎo ¶으뜸가는 성적 最好的成绩
으뜸-상(—賞) 명 头等奖 tóuděngjiǎng; 一等奖 yīděngjiǎng
으뜸-음(—音) 명 〖音〗 主音 zhǔyīn; 主调音 zhǔdiàoyīn
-으러 어미 表示意图或目的 ¶점심을 먹~ 식당에 가다 去食堂吃午饭 / 새들이 먹이를 찾~ 이리저리 날아다닌다 小鸟们飞来飞去寻找食物
으레 부 1 应当 yīngdāng; 当然 dāngrán ¶명절 때면 ~ 웃어른을 찾아뵈어야 한다 在节日里应当去看看长辈 2 照例 zhàolì; 必然 bìrán; 必定 bìdìng; 总是 zǒngshì ¶그는 퇴근 후에는 ~ 동료들과 술 한잔을 한다 他下班以后, 照例要跟同事们喝上一杯
-으려고 어미 表示目的或意图 ¶사진을 찍~ 공원에 간다 去公园拍照片 / 싹이 돋~ 한다 要发芽了
으례 부 '으레' 的错误
으로 조 1 往 wǎng; 向 xiàng; 去 qù 《表示方向》 ¶동쪽~ 가다 往东走 / 미

국~ 여행을 떠나다 去美国旅游 **2** 经jīng; 从 cóng; 经过 jīngguò; 途经 tújīng; 通过 tōngguò《表示动作的经过路程》¶문틈~ 바람이 들어오다 风从门缝吹进来 / 홍콩~ 해서 미국으로 들어갈 예정이다 预定途经香港去美国 **3** 成 chéng; 转 zhuǎn《表示转成结果》¶자식을 훌륭한 사람~ 키우다 把子女培养成优秀人才 / 비는 오후부터 눈~ 변했다 下午开始雨转雪了 **4** 用 yòng《表示材料》¶흙~ 그릇을 만들다 用泥制作碗 **5** 用 yòng; 拿 ná; 以 yǐ《表示手段、方法、工具等》¶톱~ 나무를 켜다 用锯子拉开木头 / 붓~ 글씨를 쓰다 拿毛笔写字 **6** 因 yīn; 因为 yīnwèi; 为 wèi《表示原因、理由》¶병~ 결석하다 因病缺席 **7** 为 wéi; 作为 zuòwéi; 作 zuò《表示身份、资格、地位、对象》¶회장~ 뽑히다 被选为会长 / 인간~ 어떻게 그럴 수가 있나? 作为人怎能那么做呢? **8** 在 zài; 于 yú《表示时间》¶오늘 중~ 마쳐야 한다 在今天内应当做完

으로-부터 조 从 cóng; 由 yóu《表示行为的出发点》¶남쪽~ 꽃 소식이 전해 오다 从南方传来开花的消息

으로서 조 为 wéi; 作为 zuòwéi; 以 yǐ《表示身份、资格、地位》¶자식~ 마땅히 해야 할 의무 作为子女应尽的义务

으로써 조 用 yòng; 以 yǐ; 拿 ná《表示工具、材料、手段》¶용기와 신념~ 작전에 임하다 以勇气和信念临战

으르다 타 威胁 wēixié; 吓唬 xiàhu; 恐吓 kǒnghè ¶아무리 으르고 달래도 소용이 없다 吓也吓唬了, 哄也哄了, 可是都没用

으르렁 부하자 嗷嗷 áo'áo《咆哮、吼叫声》

으르렁-거리다 자 **1** 咆哮 páoxiào; 吼叫 hǒujiào; 叫嚣 jiàoxiāo ¶호랑이가 ~ 老虎吼叫 **2** 大声争吵 dàshēng zhēngchǎo; 争吵不休 zhēngchǎobùxiū; 吵吵嚷嚷 chǎochǎorǎngrǎng ¶그들은 만나기만 하면 으르렁거린다 他们一见面就争吵个不休 ‖= 으르렁대다

으르렁-으르렁 부하자

으름장 명 威胁 wēixié; 恐吓 kǒnghè; 恫吓 dònghè

으름장(을) 놓다 구 危言耸听; 装腔作势, 借以吓人

으리으리-하다 형 辉煌 huīhuáng; 宏壮 hóngzhuàng; 金碧辉煌 jīnbìhuīhuáng; 雄伟壮丽 xióngwěizhuànglì ¶으리으리한 호화 주택 金碧辉煌的豪宅

-으마 어미 吧 ba《表示约定或许诺》¶그 일은 내가 맡~ 那件事由我来办吧

-으며 어미 **1** 一会儿…一会儿… yīhuìr…yīhuìr…《表示并列》¶읽~ 쓰며 열심히 공부하다 一会儿读一会儿写, 学习很努力 **2** = -으면서1 ¶밥을 먹~ 신문을 보다 边吃饭边看报

-으면 어미 如果 rúguǒ; 要是 yàoshi; …的话 …dehuà《表示假设或希望》¶내일 날씨가 좋~ 소풍을 가겠다 明天天气好的话, 去郊游 / 나도 베이징에 한번 가 볼 수 있~ 얼마나 좋을까! 我要是能去一趟北京多么好啊!

-으면서 어미 **1** 边 biān; 一边 yībiān《表示并存的动作或状态》= -으며2 ¶음악을 들~ 공부를 하다 边听音乐边看书 **2** 却 què《表示转折》¶그는 집에 있~ 없다고 한다 他在家, 却说不在

-으므로 어미 表示原因、根据 ¶돈이 없~ 못 간다 没钱去不了

으스-대다 자 得意忘形 déyìwàngxíng; 摆架子 bǎi jiàzi; 抖起来 dǒuqǐlái ¶그는 요즘 관리가 되더니 으스대기 시작했다 他如今当了官, 摆起架子来了

으스러-뜨리다 타 打破 dǎpò; 打碎 dǎsuì; 弄碎 nòngsuì; 敲碎 qiāosuì = 으스러트리다 ¶호두를 망치로 ~ 用锤子敲碎核桃

으스러-지다 자 破碎 pòsuì; 粉碎 fěnsuì ¶뼈가 ~ 骨头粉碎了

으스스 부하형 冷丝丝 lěngsīsī; 凉嗖嗖 liángsōusōu; 凉丝丝 liángsīsī; 哆嗦 duōsuo ¶추워서 온몸이 ~ 떨린다 冷得浑身直哆嗦 / 새벽 공기가 ~하다 清晨的空气凉丝丝的

으슥-하다 형 **1** 幽暗 yōu'àn; 僻静 pìjìng; 背静 bèijing ¶으슥한 골목길 背静的小巷 **2** 沉静 chénjìng; 寂静 jìjìng ¶밤이 깊어지자 주위가 으슥해졌다 夜深了, 四周沉静下来

으슬-으슬 부하형 冷丝丝 lěngsīsī; 冷嗖嗖 lěngsōusōu; 瑟瑟 sèsè ¶날씨가 ~ 춥다 天气冷嗖嗖的 / 몸이 ~한게 감기가 올 모양이다 身体瑟瑟发冷, 像要感冒

으시-대다 자 '으스대다' 的错误

으쓱 부하자타 **1** 耸肩 sǒngjiān; 耸 sǒng ¶그는 어깨를 ~하며 이해할 수 없다는 표정을 지어 보였다 他耸了耸肩, 现出不可理解的神情 **2** 得意 déyì; 得意扬扬 déyìyángyáng; 神气 shénqì ¶선생님의 칭찬이 나를 ~하게 했다 老师的称赞让我很得意

으쓱-거리다 자타 **1** 耸动 sǒngdòng; 耸肩 sǒngjiān; 耸 sǒng ¶신이 나서 어깨가 저절로 으쓱거렸다 高兴得直耸肩膀 **2** 得意 déyì; 得意扬扬 déyìyángyáng; 神气 shénqì ‖= 으쓱대다 으

쓱-으쓱 부하자타 ¶그는 합격 소식을 듣고서 어깨를 ~하면서 집으로 돌아왔다 听到合格的消息后, 他肩膀一耸一耸地回家来了

으악 감 啊 à; 呀 yā《吓人或惊叫声》 ¶그는 놀라서 ~ 소리를 질렀다 他吓得啊的一声叫起来

으앙 부 哇 wā《婴儿哭声》 ¶잠을 자던 아기가 갑자기 ~ 하고 울기 시작했다 正睡觉的婴儿突然哇地哭了起来

윽박-지르다 타 威逼 wēibī; 吓唬 xiàhu; 逼迫 bīpò ¶잘못한 아이를 ~ 威逼犯错误的孩子

은 조 表示提示叙述或者强调、对照等含意 ¶이 가방~ 누구의 것이냐? 这个书包是谁的? / 너에게도 잘못~ 있다 你也有错 / 인생~ 짧고 예술~ 길다 人生短暂, 艺术永恒

은(銀) 명 『化』 银 yín; 银子 yínzi; 白银 báiyín ¶~가락지 银戒指 / ~귀고리 银耳环 / ~목걸이 银项链

은거(隱居) 명하자 隐居 yǐnjū ¶산중의 작은 암자에 ~하다 隐居在山中的小庙里

은공(恩功) 명 恩 ēn; 恩功 ēngōng ¶부모의 ~을 잊다 忘却父母之恩

은광(銀鑛) 명 『鑛』 1 银矿 yínkuàng 2 银矿石 yínkuàngshí

은괴(銀塊) 명 银块 yínkuài

은-구슬(銀—) 명 银珠 yǐnzhū; 银珠子 yǐnzhūzi

은-그릇(銀—) 명 银器 yǐnqì; 银器皿 yǐnqìmǐn; 银碗 yǐnwǎn

은근(慇懃) 명하형히부 1 幽寂 yōujì ¶달빛이 비치는 마당은 ~하고 아늑해 보인다 月光下的院子显得那么幽寂和宁静 2 深切 shēnqiè; 殷切 yīnqiè ¶~한 배려 深切的关怀 / ~한 기대 殷切的期待 3 暗自 ànzì; 暗中 ànzhōng; 暗暗 àn'àn; 隐含 yǐnhán ¶~히 기다리다 暗中等待 / 속으로 ~히 놀라다 心里暗暗吃惊

은근-슬쩍(慇懃—) 부 悄悄地 qiāoqiāode; 暗自 ànzì; 偷偷地 tōutōude ¶그는 ~ 길에다 휴지를 버렸다 他偷偷地把废纸仍在路上

은닉(隱匿) 명하타 隐匿 yǐnnì; 隐藏 yǐncáng; 窝藏 wōcáng ¶~ 행위 隐匿行为 / 장물을 ~하다 隐匿脏物 / 범인을 ~하다 窝藏罪犯

은닉-죄(隱匿罪) 명 『法』 隐匿罪 yǐnnìzuì; 窝藏罪 wōcángzuì

은덕(恩德) 명 恩德 ēndé ¶~을 입다 蒙受恩德

-은데 어미 1 不过 bùguò; 可 kě; 可是 kěshì; 就是 jiùshì《表示转折》 ¶물건은 좋~ 값이 비싸다 东西好是好, 不过价格贵 2 表示提示 ¶병이 나은 것 같~ 퇴원시켜 주십시오 病差不多痊愈了, 请让我出院吧 3 呀 ya; 啊 a《表示感叹, 并带有等待对方的反应的语气》 ¶집이 좀 작~! 房子有点儿小呀! / 경치 좋~! 风景不错啊!

은-도금(銀鍍金) 명하타 镀银 dùyín

은-돈(銀—) 명 银币 yínbì; 银圆 yínyuán; 银元 yínyuán; 银钱 yínqián = 은화

은둔(隱遁) 명하자 隐遁 yǐndùn; 隐居 yǐnjū ¶~ 생활을 하다 过着隐居生活

은막(銀幕) 명 『演』 1 = 영사막 2 电影界 diànyǐngjiè; 影坛 yǐngtán

은-메달(銀medal) 명 银牌 yínpái ¶~을 따다 获得银牌 / ~을 목에 걸다 把银牌挂在脖子上

은-메달리스트(銀medalist) 명 『體』 银牌得主 yínpái dézhǔ

은-물결(銀—) 명 = 은파

은밀-하다(隱密—) 형 隐秘 yǐnmì; 秘密 mìmì ¶은밀한 계획 隐秘的计划 **은밀-히** 부 ¶이번 일은 매우 ~ 추진되었다 这次的事非常隐密地进行着

은박(銀箔) 명 银箔 yínbó; 银叶子 yínyèzi

은박-지(銀箔紙) 명 银纸 yínzhǐ; 银箔纸 yínbózhǐ; 锡纸 xīzhǐ; 锡箔纸 xībózhǐ ¶남은 음식을 ~에 싸서 집으로 가져가다 剩下的饭菜用锡纸包好, 带回家去

은반(銀盤) 명 1 银盘 yínpán 2 冰场 bīngchǎng ¶~ 위의 요정 冰场上的精灵

은-반지(銀半指) 명 银戒指 yínjièzhi

은발(銀髮) 명 银发 yínfà; 白发 báifà; 白头发 báitóufa ¶~의 노인 银发老人

은-방울(銀—) 명 银铃 yínlíng
  은방울을 굴리는 듯하다 구 (像)银铃般 ¶은방울을 굴리는 듯한 목소리 银铃般的嗓音

은방울-꽃(銀—) 명 『植』 君影草 jūnyǐngcǎo; 银兰 yínlán

은백-색(銀白色) 명 银白色 yínbáisè; 银白 yínbái

은-붙이(銀—) 명 银制品 yínzhìpǐn; 银器 yínqì

은-비녀(銀—) 명 银簪 yínzān; 银钗 yínchāi ¶~를 꽂다 插银簪

은-빛(銀—) 명 银色 yínsè ¶~ 물결 银色水波 / ~ 날개 银色的翅膀

은사(恩師) 명 恩师 ēnshī ¶고교 시절의 ~ 高中时的恩师

은사(恩賜) 명하타 1 恩赐 ēncì 2 恩赐物 ēncìwù

은사(銀絲) 명 银丝 yínsī; 银线 yínxiàn = 은실

은사(隱士) 명 隐士 yǐnshì

은상(銀賞) 명 银奖 yínjiǎng; 亚军 yà-

jūn ¶ ~을 받다 获得银奖
은색(銀色) 명 银色 yínsè
은-세계(銀世界) 명 银白世界 yínbái shìjiè ¶대지가 ~로 변하다 大地变成银白世界
은-세공(銀細工) 명 〖手工〗银制工艺 yínzhì gōngyì; 银细工 yínxìgōng ¶~품 银制工艺品
은-수저(銀—) 명 银匙筷 yínchíkuài; 银匙箸 yínchízhù
은신(隱身) 명하자 隐身 yǐnshēn; 藏身 cángshēn ¶암자에 ~하고 있다 正在小庙里藏身
은신-처(隱身處) 명 隐身处 yǐnshēnchù; 藏身处 cángshēnchù; 窝点 wōdiǎn ¶범인의 ~를 찾아내다 找出犯人的窝点
은-실(銀—) 명 = 은사(銀絲)
은애(恩愛) 명하타 恩爱 ēn'ài; 亲情 qīnqíng
은어(銀魚) 명 〖魚〗香鱼 xiāngyú
은어(隱語) 명 隐语 yǐnyǔ; 行话 hánghuà; 黑话 hēihuà; 暗语 ànyǔ ¶요즘 청소년들이 사용하는 ~는 이해하기 어렵다 最近青少年之间使用的暗语, 很难理解其意
은연-중(隱然中) 명부 暗中 ànzhōng; 暗暗(地) àn'àn(de); 不知不觉中 bùzhībùjuézhōng ¶~에 속내를 드러내다 暗中表露心思
은유(隱喩) 명 〖文〗= 은유법
은유-법(隱喩法) 명 〖文〗隐喻 yǐnyù; 暗喻 ànyù = 은유
은은-하다(殷殷—) 형 隆隆 lónglóng ¶은은한 포성 隆隆的炮声 **은은-히** 부
은은-하다(隱隱—) 형 隐隐 yǐnyǐn; 隐然 yǐnrán; 隐约 yǐnyuē; 隐隐约约 yǐnyinyuēyuē ¶달빛이 창에 은은하게 비치다 月光隐隐约约地照在窗户上 **은은-히** 부 ¶멀리서 ~ 들려오는 종소리 远处隐隐传来的钟声
은인(恩人) 명 恩人 ēnrén ¶생명의 ~ 救命恩人
은자(隱者) 명 隐居者 yǐnjūzhě; 隐士 yǐnshì
은잔(銀盞) 명 银杯 yínbēi; 银盏 yínzhǎn; 银酒杯 yínjiǔbēi ¶~에 술을 따르다 把酒倒在银杯里
은-장도(銀粧刀) 명 银妆刀 yínzhuāngdāo; 银制小刀 yínzhì xiǎodāo
은-쟁반(銀錚盤) 명 银盘 yínpán; 银盘子 yínpánzi; 银托盘 yíntuōpán
은정(恩情) 명 恩情 ēnqíng; 恩惠 ēnhuì ¶이재민에게 ~을 베풀다 向难民施加恩情
은제(銀製) 명 银制 yínzhì; 银 yín ¶~ 수저 银制箸匙
-은지 어미 表示疑惑、情况不明 ¶물이 얼마나 깊~ 알 수가 없다 无法知道水有多深 / 그가 기분이 좋~ 휘파람을 분다 他心情好像不错, 在吹口哨呢
은총(恩寵) 명 恩宠 ēnchǒng ¶하나님의 ~을 받다 得到上帝的恩宠
은-커녕 조 别说 biéshuō 《表示否定某个事实》 ¶천 원~ 백 원도 없다 别说一千元了, 一百元也没有
은택(恩澤) 명 恩泽 ēnzé
은-테(銀—) 명 银边 yínbiān; 银框 yínkuāng ¶~ 안경 银框眼镜
은퇴(隱退) 명하자 退役 tuìyì; 引退 yǐntuì; 隐退 yǐntuì; 退隐 tuìyǐn ¶병을 핑계로 ~하다 称病隐退 / 올림픽 이후 그녀는 ~했다 奥运会以后, 她就退役了
은파(銀波) 명 银波 yínbō; 银涛 yíntāo = 은물결
은-팔찌(銀—) 명 **1** 银手镯 yínshǒuzhuó ¶~를 차다 戴银手镯 **2** 手铐 shǒukào
은폐(隱蔽) 명하타 隐蔽 yǐnbì; 掩蔽 yǎnbì; 掩盖 yǎngài ¶비리를 ~하다 掩盖不正之风
은하(銀河) 명 〖天〗银河 yínhé; 天河 tiānhé; 银汉 yínhàn; 云汉 yúnhàn; 星河 xīnghé ¶~계 银河系
은하-수(銀河水) 명 银河 yínhé; 天河 tiānhé; 云汉 yúnhàn; 星河 xīnghé; 银汉 yínhàn
은행(銀行) 명 **1** 〖經〗银行 yínháng ¶~가 银行家 / ~원 银行职员 / ~장 银行行长 / ~ 창구 银行窗口 / ~ 강도 银行强盗 / ~ 계좌 银行账户 / ~ 담보 银行担保 / ~ 융자 银行融资 / ~ 수표 银行支票 / 돈을 ~에 예금하다 把钱存在银行里 / ~에서 대출을 받다 从银行获得贷款 **2** 库 kù ¶안구 ~ 眼库 / 혈액 ~ 血库
은행(銀杏) 명 银杏 yínxìng; 白果 báiguǒ
은행-나무(銀杏—) 명 〖植〗银杏 yínxìng; 白果 báiguǒ; 银杏树 yínxìngshù; 白果树 báiguǒshù
은혜(恩惠) 명 恩惠 ēnhuì; 恩典 ēndiǎn; 恩情 ēnqíng; 恩 ēn ¶~에 보답하다 报答恩情 / ~를 베풀다 施与恩惠 / ~를 원수로 갚다 恩将仇报
은혜-롭다(恩惠—) 형 恩情深厚 ēnqíng shēnhòu **은혜로이** 부
은혼-식(銀婚式) 명 银婚庆典 yínhūn qìngdiǎn
은화(銀貨) 명 = 은돈
을 조 用于末音节为闭音节的体词后, 构成句子中的宾语 ¶옷~ 벗다 脱衣服 / 책~ 보다 看书 / 밥~ 먹다 吃饭
-을 어미 **1** 表示一般现在时 ¶믿~

사람이 없다 没有可相信的人 / 지금은 사람이 많～ 때다 现在正是人多的时候 2 表示未来时或推测 ¶내일 입～ 옷 明天要穿的衣服 / 갈 사람이 많～ 것이다 要去的人可能很多

-을걸 어미 1 表示后悔或惋惜 ¶준다고 할 때 받～ 给我的时候就该收下来的 2 表示推测 ¶그는 아마 벌써 떠났～ 他大概已经走了

-을게 어미 表示承诺或约定 ¶기다리고 있～ 我等你吧 / 있다가 먹～ 过一会儿就吃

-을까 어미 1 表示推测性和可能性的疑问 ¶그가 그 책을 다 읽었～? 他把那本书看完了吧? 2 表示拿不定的主意 ¶어느 것이 좋～? 哪个好呢?

-을께 어미 '-을게' 的错误

-을래 어미 要 yào; 想 xiǎng《表示意图》¶나는 여기 있～ 我要就呆在这儿 / 너 뭐 먹～? 你想吃什么?

-을수록 어미 越…越… yuè…yuè…《表示正反比例关系》¶많～ 좋다 越多越好 / 이 책은 읽～ 재미있다 这本书越读越有意思

을씨년-스럽다 형 1 阴沉沉 yīnchénchén; 冷清清 lěngqīngqīng; 冷凄凄 lěngqīqī; 阴暗 yīn'àn ¶날씨가 을씨년스러운 게 곧 눈이라도 쏟아질 것 같다 天空阴沉沉的, 像是要下雪 2 穷困潦倒 qióngkùnliáodǎo; 穷困不堪 qióngkùnbùkān ¶을씨년스러운 살림살이 穷困潦倒的生计 **을씨년스레** 부

-을지 어미 表示疑惑、犹豫不决 ¶막차가 있～ 모르겠다 不知末班车过了没有 / 내일 날씨가 좋～ 모르겠다 不知道明天天气好不好

-을지라도 어미 就算 jiùsuàn; 就是 jiùshì; 即使 jíshǐ《表示让步或转折》¶굶어 죽～ 남의 것을 훔쳐서는 안 된다 就是饿死也不能偷别人的东西

-을지언정 어미 宁可 nìngkě《表示让步》¶차라리 굶～ 더 이상 구걸은 못하겠다 宁可挨饿, 也不愿再乞讨了

읊다 타 1 吟咏 yínyǒng; 吟唱 yínchàng; 吟诵 yínsòng ¶시를 한 수 ～ 吟诵一首诗 2 (诗) 作 zuò ¶술을 마시고 시를 ～ 饮酒作诗

읊-조리다 타 吟咏 yínyǒng; 吟唱 yínchàng; 吟诵 yínsòng ¶은은한 달빛 아래서 시 한 수를 ～ 在柔和的月光下吟咏一首诗

음 감 呣 m̀ ¶～, 네 말을 듣고 보니 확실히 그렇구나 呣, 听你这么说, 的确是那样

음(音) 명 1 = 자음(字音) 2 = 소리1 3【音】音 yīn ¶～이 너무 낮다 音太低

음(陰) 명 1【物】= 음극 2【數】负 fù = 마이너스5 3【哲】阴 yīn 4【韓醫】阴 yīn

음으로 양으로 구 明里暗里; 或明或暗地; 公开非公开地 ¶～ 많은 도움을 받다 明里暗里得到许多帮助

음각(陰刻) 명하타【美】阴刻 yīnkè

음감(音感) 명【音】音感 yīngǎn ¶～이 없다 没有音感 / ～이 좋다 音感好

음경(陰莖) 명【生】阴茎 yīnjīng

음계(音階) 명【音】音阶 yīnjiē

음극(陰極) 명【物】阴极 yīnjí; 负极 fùjí = 마이너스2 · 음(陰)1 · 음전극 ¶～관 阴极管

음기(陰氣) 명 阴气 yīnqì

음낭(陰囊) 명【生】阴囊 yīnnáng

음-높이(音—) 명【音】音高 yīngāo

음담(淫談) 명 猥亵话 wěixièhuà; 亵语 xièyǔ; 淫谈 yíntán

음담-패설(淫談悖說) 명 淫词亵语 yíncíxièyǔ; 淫词秽语 yíncíhuìyǔ; 污言秽语 wūyánhuìyǔ; 脏言臭语 zāngyánchòuyǔ; 淫言狎语 yínyánxiáyǔ ¶～을 늘어놓다 说脏言臭语

음대(音大) 명【教】'음악 대학' 的略词

음:독(飮毒) 명하자 服毒 fúdú ¶～자살 服毒自杀 / ～을 결심하다 下决心服毒

음란(淫亂) 명하형 淫乱 yínluàn; 淫秽 yínhuì ¶～ 비디오테이프 淫秽录像带 / ～한 생활 淫乱的生活 / ～한 풍속 淫秽的风俗

음란-물(淫亂物) 명 淫秽物品 yínhuì wùpǐn

음란-죄(淫亂罪) 명【法】聚众淫乱罪 jùzhòng yínluànzuì

음랭-하다(陰冷—) 형 阴冷 yīnlěng ¶음랭한 지하실 阴冷的地下室

음량(音量) 명【音】音量 yīnliàng; 响度 xiǎngdù ¶～을 조절하다 调节音量 / ～이 풍부하다 音量大

음력(陰曆) 명【天】= 태음력 ¶～ 생일 农历生日 / ～ 정월 대보름 阴历正月十五

음력-설(陰曆—) 명 春节 Chūnjié; 年节 niánjié; 年 nián ¶～을 쇠다 过年

음:료(飮料) 명 饮料 yǐnliào; 饮品 yǐnpǐn ¶～를 마시다 喝饮料

음:료-수(飮料水) 명 1 = 음용수 2 饮料 yǐnliào

음률(音律) 명【音】音律 yīnlǜ; 乐律 yuèlǜ

음매 부 哞 mōu《牛叫声》¶소가 ～～ 울다 牛哞哞地叫

음모(陰毛) 명 阴毛 yīnmáo

음모(陰謀) 명하타 阴谋 yīnmóu; 鬼把戏 guǐbǎxì; 圈套 quāntào ¶～를 꾸미다 搞阴谋 / ～에 말려들다 落入圈套

음문(陰門) 명 阴门 yīnmén; 阴户 yīnhù
음미(吟味) 명하타 **1** 吟味 yínwèi **2** 品味 pǐnwèi; 回味 huíwèi; 玩味 wánwèi ¶그의 그 말은 ~해 볼 만하다 他的那句话值得玩味 / 포도주의 향기와 맛을 ~하다 品味葡萄酒的香气和滋味
음반(音盤) 명 唱片 chàngpiàn; 唱片儿 chàngpiānr; 唱盘 chàngpán; 唱碟 chàngdié = 레코드1 · 레코드판 · 앨범 2 · 판(板)⊟4 ¶클래식 ~ 古典音乐唱片 / ~ 판매량 唱片销售量 / ~을 내다 出唱片 / ~을 취입하다 灌唱片 / ~을 제작하다 制作唱片
음:복(飮福) 명하타 饮福 yǐnfú; 吃祭品 chī jìpǐn ¶제사를 지내고 둘러앉아 ~하다 祭祀之后围坐在一起吃祭品
음부(音符) 명【音】 = 음표
음부(陰部) 명【生】 阴部 yīnbù
음-부호(陰符號) 명【數】 = 음호
음산-하다(陰散—) 형 阴沉 yīnchén; 阴森 yīnsēn; 阴冷 yīnlěng; 阴惨 yīncǎn; 阴沉沉 yīnchénchén; 阴凄凄 yīnqīqī; 阴森森 yīnsēnsēn; 鬼森森 guǐsēnsēn ¶날씨가 ~ 天气阴沉 / 음산한 동굴 속 阴森森的山洞里 / 음산한 분위기에 휩싸이다 笼罩着鬼森森的气氛 **음산-히** 부
음색(音色) 명【音】 音色 yīnsè; 音质 yīnzhì ¶부드러운 ~ 柔美的音色 / ~이 곱다 音色美
음서(淫書) 명 淫书 yínshū; 黄色书籍 huángsè shūjí ¶~를 불태우다 焚烧淫书
음성(音聲) 명 **1** 声音 shēngyīn; 嗓音 sǎngyīn ¶귀에 익은 ~ 很耳熟的声音 / 나지막한 ~ 低沉的嗓音 **2**【語】语音 yǔyīn; 话音 huàyīn ¶~ 사서함 语音信箱 / ~ 인식 语音识别 / ~학 语音学
음성(陰性) 명 **1** 阴性 yīnxìng **2** 暗中 ànzhōng; 私下 sīxià; 私下里 sīxiàli; 暗地里 àndìli ¶~ 수입 暗中收入 **3** 消极性 xiāojíxìng; 被动性 bèidòngxìng **4**【醫】 = 음성 반응
음성 기호(音聲記號)【語】音标 yīnbiāo
음성 다중 방:송(音聲多重放送)【言】双语广播 shuāngyǔ guǎngbō
음성 반:응(陰性反應)【醫】阴性反应 yīnxìng fǎnyìng = 네거티브2 · 음성(陰性)4
음성-적(陰性的) 관명 暗中 ànzhōng; 私下 sīxià; 私下里 sīxiàli; 暗地里 àndìli ¶~인 거래 暗中交易 / ~으로 일을 처리하다 私下处理事情
음소(音素) 명【語】 音素 yīnsù ¶~ 문자 音素文字
음속(音速) 명【物】 声速 shēngsù; 音速 yīnsù
음수(陰數) 명【數】 负数 fùshù
음:수(飮水) 명 = 음용수
음:수-대(飮水臺) 명 饮水台 yǐnshuǐtái
음순(陰脣) 명【生】 阴唇 yīnchún
음습-하다(陰濕—) 형 **1** 阴湿 yīnshī ¶버섯은 음습한 곳에서 잘 자란다 蘑菇在阴湿的环境下长得好 **2** 沉闷 chénmèn ¶음습한 기운 沉闷的气氛
음:식(飮食) 명 **1** 饭菜 fàncài; 菜 cài; 饮食 yǐnshí; 膳食 shànshí ¶~을 먹다 吃饭菜 / ~을 장만하다 做饭菜 / ~이 입에 맞다 饭菜很合口味 / ~ 솜씨를 자랑하다 显示做菜手艺 **2** = 음식물
음:식-물(飮食物) 명 食物 shíwù; 吃食 chīshi = 음식2 ¶~ 쓰레기 食物垃圾 / ~이 상하다 食物腐烂
음:식-점(飮食店) 명 饭馆(儿) fànguǎn(r); 馆子 guǎnzi; 餐厅 cāntīng; 餐馆 cānguǎn ¶~에서 식사하다 吃馆子 / ~에 가다 下馆子 / ~을 차리다 开饭馆儿
음악(音樂) 명【音】 音乐 yīnyuè; 乐 yuè ¶~가 音乐家 / ~계 音乐界 = [乐坛] / ~대 乐队 / ~실 音乐室 / ~인 音乐人 / ~ 학교 音乐学校 / ~을 듣다 听音乐 / ~에 맞춰 춤을 추다 伴着音乐跳舞
음악-당(音樂堂) 명 音乐堂 yīnyuètáng; 音乐厅 yīnyuètīng = 콘서트홀
음악 대:학(音樂大學)【教】音乐大学 yīnyuè dàxué
음악-성(音樂性) 명 **1** 音乐性 yīnyuèxìng **2** 音乐素质 yīnyuè sùzhì; 音乐感性 yīnyuè gǎnxìng ¶~이 뛰어나다 音乐素质超群
음악-적(音樂的) 관명 音乐(的) yīnyuè(de) ¶~ 효과 音乐效果 / ~인 요소 音乐因素
음악-회(音樂會) 명 音乐会 yīnyuèhuì = 콘서트1 ¶청소년 ~ 青少年音乐会 / ~를 열다 举行音乐会
음양(陰陽) 명 阴阳 yīnyáng ¶~가 阴阳家 / ~오행설 阴阳五行说
음역(音域) 명【音】 音域 yīnyù = 음폭 ¶~이 넓은 악기 宽音域的乐器
음역(音譯) 명하타【語】音译 yīnyì; 译音 yìyīn ¶~어 音译词
음영(陰影) 명 **1** = 그늘1 ¶~으로 입체감을 나타내다 用阴影显出立体感 **2** 层次 céngcì《色调、音调、情感等的细微差别》¶~이 풍부한 묘사 层次丰富的描写
음:용(飮用) 명하타 饮用 yǐnyòng ¶이 우물의 물은 ~할 수 없다 这口井里的

水不能饮用

음:용-수(飮用水) 명 饮用水 yǐngyòngshuǐ = 음료수1 · 음수(飮水)

음운(音韻) 명 〖語〗 1 音位 yīnwèi 2 音韵 yīnyùn

음운-론(音韻論) 명 〖語〗 音韵论 yīnyùnlùn; 音韵学 yīnyùnxué = 음운학

음운-학(音韻學) 명 〖語〗 = 음운론

음울-하다(陰鬱—) 형 阴郁 yīnyù; 阴沉 yīnchén ¶음울한 기분 阴郁的心情 / 날씨가 ~ 天气阴沉 / 음울한 표정을 짓다 摆着一副阴郁的表情 **음울-히** 부

음유(吟遊) 명하자 吟游 yínyóu ¶~ 시인 吟游诗人

음-이온(陰ion) 명 〖化〗 负离子 fùlízǐ; 阴离子 yīnlízǐ

음자리-표(音—標) 명 〖音〗 谱号 pǔhào ¶높은~ 高音谱号 / 낮은~ 低音谱号

음전(陰電) 명 〖物〗 = 음전기

음-전극(陰電極) 명 〖物〗 = 음극

음-전기(陰電氣) 명 〖物〗 负电 fùdiàn; 阴电 yīndiàn = 음전

음절(音節) 명 〖語〗 音节 yīnjié ¶~ 문자 音节文字

음정(音程) 명 〖音〗 音程 yīnchéng ¶~이 불안하다 音程不稳

음조(音調) 명 音调 yīndiào; 声调 shēngdiào

음:주(飮酒) 명하자 饮酒 yǐnjiǔ; 喝酒 hējiǔ ¶~ 운전 饮酒驾车 =[酒后驾车][酒后开车] / 간밤에 ~가 과했다 昨夜饮酒过度

음:주 측정기(飮酒測定器) 〖機〗 酒精测试仪 jiǔjīng cèshìyí

음지(陰地) 명 背阴地 bèiyīndì; 背阴处 bèiyīnchù; 阴地 yīndì = 응달

음지 식물(陰地植物) 〖植〗 喜阴植物 xǐyīn zhíwù; 阴性植物 yīnxìng zhíwù; 阴地植物 yīndì zhíwù; 阴生植物 yīnshēng zhíwù

음질(音質) 명 音质 yīnzhì ¶시디는 테이프보다 ~이 좋다 激光唱片比磁带音质好

음치(音癡) 명 五音不全 wǔyīnbùquán; 左嗓子 zuǒsǎngzi; 音痴 yīnchī; 音盲 yīnmáng; 声调聋 shēngdiàolóng

음침-하다(陰沈—) 형 1 (为人) 很阴 hěn yīn; 阴险 yīnxiǎn; 有心计 yǒu xīnjì; 城府深 chéngfǔ shēn ¶속이 음침한 사람 城府深的人 / 음침한 표정 阴险的表情 2 (天气) 阴沉 yīnchén; 阴暗 yīn'àn; 阴沉沉 yīnchénchén ¶날씨가 종일 ~ 天气整天阴沉沉的 3 (气氛) 阴森 yīnsēn; 阴森森 yīnsēnsēn; 阴沉 yīnchén ¶음침한 분위기 阴沉的气氛 / 음침한 다락방 阴森的阁楼 **음침-히** 부

음탕-하다(淫蕩—) 형 淫荡 yíndàng; 淫秽 yínhuì; 淫浪 yínlàng; 淫猥 yínwěi ¶음탕한 여자 淫荡女子 / 음탕한 생활에 빠지다 沉溺于淫荡的生活

음파(音波) 명 〖物〗 声波 shēngbō; 音波 yīnbō ¶~ 탐지 声波探测 =[音波探测] / ~ 탐지기 声波探测仪 =[音波探测器]

음폭(音幅) 명 〖音〗 = 음역(音域)

음표(音標) 명 〖音〗 音符 yīnfú = 음부(音符)

음해(陰害) 명하타 暗害 ànhài; 暗算 ànsuàn ¶~ 공작 暗害谋划 / 정적을 ~하다 暗算政敌

음핵(陰核) 명 〖生〗 阴蒂 yīndì; 阴核 yīnhé

음행(淫行) 명하자 淫乱行为 yínluàn xíngwéi ¶~을 저지르다 干出淫乱行为

음향(音響) 명 音响 yīnxiǎng; 声响 shēngxiǎng ¶~ 시설 音响设备 / ~ 신호 音响信号 / ~ 효과 音响效果 =[音效]

음험-하다(陰險—) 형 阴险 yīnxiǎn; 凶险 xiōngxiǎn ¶음험하고 교활한 눈빛 阴险狡诈的眼神

음호(陰號) 명 〖數〗 负号 fùhào = 음부호

음흉(陰凶) 명하형 阴险 yīnxiǎn; 险恶 xiǎn'è; 心黑 xīnhēi; 凶险 xiōngxiǎn ¶~한 웃음 阴险的笑容 / 속이 ~한 사람 心地险恶的人 / ~하게 쳐다보다 用心险恶地望着

읍(邑) 명 1 〖法〗 邑 yì 2 = 읍내

읍(揖) 명하자 揖 yī; 作揖 zuòyī ¶왕에게 ~하다 向王作揖

읍내(邑內) 명 邑内 yìnèi = 읍(邑)2

읍-사무소(邑事務所) 명 邑办事处 yìbànshìchù

읍소(泣訴) 명하자타 泣诉 qìsù; 哭诉 kūsù ¶그는 상부에 선처해 줄 것을 ~했다 他向上级哭诉要求妥善处理事情

-읍시다 어미 吧 ba 《表示劝诱》 ¶같이 먹~ 一起吃吧 / 그의 말을 믿~ 我们就相信他的话吧

응 감 1 嗯 ǹg 《表示答应》 ¶~, 알았어 嗯, 知道了 2 嗯 ńg 《表示疑问》 ¶~? 뭐라고? 嗯? 你说什么? 3 嗯 ňg 《表示不顺心》 ¶~, 그만큼 말했는데 또 늦었니? 嗯, 说了多少遍了, 怎么还迟到了?

응가 ㊀명 屎屎 shǐshǐ; 臭臭 chòuchòu; 便便 biànbiàn 《小儿语言》 ¶엄마, ~ 다 했어요 妈妈, 臭臭拉好了 ㊁감 嗯 ńg; 啊 ā 《催小孩拉屎的话》 ¶자, ~! 来, 嗯!

응:결(凝結) 명하자 〖物〗 凝结 níngjié; 凝 níng ¶수증기가 ～하여 물방울이 되다 蒸气凝结成水珠

응:고(凝固) 명하자 凝固 nínggù; 凝结 níngjié; 凝 níng ¶～점 凝固点 / ～열 凝固热 / ～된 혈액 凝固的血液 / 촛농이 하얗게 ～되다 蜡泪凝固成白色的

응:급(應急) 명하자 应急 yìngjí; 抢救 qiǎngjiù; 急救 jíjiù; 急诊 jízhěn ¶～ 환자 急诊病人 =[急救病人] / ～ 센터 急诊中心 =[急救中心] / ～ 상황 应急情况 / ～ 수술 急诊手术 / ～조치 应急措施

응:급-수단(應急手段) 명 应急手段 yìngjí shǒuduàn; 应急策 yìngjícè ¶～을 강구하다 寻求应急手段

응:급-실(應急室) 명 急诊室 jízhěnshì; 急救室 jíjiùshì

응:급-차(應急車) 명 = 구급차

응:급 처:치(應急處置) 〖醫〗 = 응급치료

응:급 치료(應急治療) 〖醫〗 应急治疗 yìngjí zhìliáo; 急救治疗 jíjiù zhìliáo = 응급 처치

응달 명 = 음지

응달-건조(一乾燥) 명하타 阴干 yīngān

응달-지다 형 成阴 chéngyīn; 背阴 bèiyīn ¶응달진 산비탈 背阴的山坡

응:답(應答) 명하자 应答 yìngdá; 回应 huíyìng; 回答 huídá; 答应 dāying; 对答 duìdá ¶～을 기다리다 等待回应 / 질의에 ～하다 回答问题

응:답-자(應答者) 명 回答者 huídázhě; 应答者 yìngdázhě

응:당(應當) 부하형히부 应该 yīnggāi; 应当 yīngdāng; 当然 dāngrán ¶나는 그저 ～ 해야 할 일을 했을 뿐이다 我只是做了应该做的事情

응:대(應待) 명하타 = 응접

응:대(應對) 명하자 应对 yìngduì; 答话 dáhuà; 应答 yìngdá; 对答 duìdá; 答应 dāying; 回应 huíyìng ¶～할 가치가 없다 不值得回应 / 몇 번 물어보았으나 아무런 ～도 없다 问了好几次都没有应答

응:모(應募) 명하자 应募 yìngmù; 应招 yìngzhāo; 应征 yìngzhēng ¶～권 应募券 / ～ 자격 应募资格 / 신춘문예에 ～하다 应募新春文艺竞赛

응:모-자(應募者) 명 应募者 yìngmùzhě; 应征者 yìngzhēngzhě

응:모-작(應募作) 명 应征作品 yìngzhēng zuòpǐn

응:보(應報) 명 〖佛〗 报应 bàoyìng

응:분(應分) 명하형 妥当 tuǒdang; 应当 yīngdāng; 应分 yīngfèn; 恰如其分 qiàrúqífèn ¶～의 대가를 치르다 付出应当的代价 / ～의 조치를 취하다 采取妥当的措施

응:사(應射) 명하자 对射 duìshè; 回击 huíjī ¶적의 사격에 ～하다 回击敌人

응:석 명하자 娇 jiāo; 娇气 jiāoqì; 娇里娇气 jiāolijiāoqì ¶～을 부리다 撒娇 / ～을 받아 주다 娇惯 / 막내라고 너무 감싸서 ～이 심하다 因是家里老小, 被惯着, 特别娇里娇气

응:석-꾸러기 명 娇气包 jiāoqìbāo

응:석-받이 명 娇气包 jiāoqìbāo; 娇 jiāo ¶～로 자라다 娇生惯养 / 아이를 ～로 키우다 娇惯孩子

응:소(應訴) 명하자 〖法〗 应诉 yìngsù

응:수(應手) 명하자타 〖體〗 (下棋) 还着 huánzhāo; 还步 huánbù ¶상대방의 수에 ～하다 对对方的着数还步

응:수(應酬) 명하자 回应 huíyìng; 应对 yìngduì; 顶嘴 dǐngzuǐ; 顶撞 dǐngzhuàng

응:시(凝視) 명하타 凝视 níngshì; 凝望 níngwàng; 盯 dīng ¶한 곳을 ～하다 凝视一个地方 / 멍하니 창밖을 ～하다 呆呆地凝望窗外

응:시(應試) 명하자 应考 yìngkǎo; 应试 yìngshì; 投考 tóukǎo; 报考 bàokǎo ¶～ 자격 报考资格

응:시-자(應試者) 명 应考者 yìngkǎozhě; 应试者 yìngshìzhě; 投考者 tóukǎozhě; 报考者 bàokǎozhě

응애 부 哇哇 wāwā; 呱呱 gūgū 《婴儿哭声》

응애-응애 부 哇哇 wāwā; 呱呱 gūgū 《婴儿哭声》 ¶아기가 ～ 울다 宝宝哇哇哭叫

응어리 명 **1** 疙瘩 gēda ¶장딴지에 ～가 생기다 腿肚子上长了个疙瘩 / 가슴속에 맺힌 ～를 풀다 解开心中的疙瘩 **2** 果核 guǒhé ¶～를 도려내다 剜掉果核

응어리-지다 자 郁积 yùjī; 积蓄 jīxù ¶가슴에 응어리진 울분 积蓄在心里的忧愤

응얼-거리다 자타 **1** 嘀咕 dígu; 嘀嘀咕咕 dídigūgū ¶응얼거리지 말고 분명히 대답해라 不要嘀嘀咕咕的, 回答清楚点儿 **2** (唱歌或吟诗时) 哼 hēng; 哼唧 hēngji; 哼哼唧唧 hēnghengjījī ¶걸으면서 노래를 ～ 边走边哼着歌曲 ‖ = 응얼대다 **응얼-응얼** 부하자타

응:용(應用) 명하타 应用 yìngyòng; 运用 yùnyòng ¶～과학 应用科学 / ～문제 应用题 / ～ 미술 应用美术 / ～ 프로그램 应用程序 / ～ 능력이 뛰어나다 应用能力超群 / 과학 지식을 실생활에 ～하다 把科学知识应用到实际生活

응:원(應援) 명하타 **1** 助威 zhùwēi; 加

油 jiāyóu ¶~ 소리 加油声 / ~ 구호 助威口号 / 모교의 야구팀을 ~하다 给母校的棒球队助威 / 넌 어느 팀을 ~하니? 你为哪个队加油? **2** 应援 yìngyuán; 声援 shēngyuán; 援助 yuánzhù ¶약자를 ~하다 声援弱者

응:원-가(應援歌) 명 助威歌 zhùwēigē; 拉拉歌 lālāgē

응:원-단(應援團) 명 拉拉队 lālāduì; 助威团 zhùwēituán

응:원-석(應援席) 명 助威席 zhùwēixí

응:원-전(應援戰) 명 助威战 zhùwēizhàn ¶열띤 ~을 펼치다 展开一场激烈的助威战

응:전(應戰) 명하자 应战 yìngzhàn; 迎战 yíngzhàn ¶적의 공격에 ~하다 对敌人的攻击迎战 / ~ 태세를 갖추다 摆好应战姿态

응:접(應接) 명하타 应接 yìngjiē; 接待 jiēdài; 迎接 yíngjiē = 응대(應待) ¶손님을 ~하다 接待客人 / 주인의 ~을 받다 受到主人的接待

응:접-실(應接室) 명 客厅 kètīng; 接待室 jiēdàishì; 会客室 huìkèshì ¶손님을 ~로 안내하다 把客人领到接待室

응:집(凝集) 명하자타 『化』 凝集 níngjí; 凝聚 níngjù; 凝结 níngjié ¶~ 반응 凝聚反应 / 모든 역량을 ~하다 凝聚所有的力量 / 수증기가 ~해서 물방울이 되다 水蒸气凝结成水滴

응:집-력(凝集力) 명 凝聚力 níngjùlì

응:징(膺懲) 명하타 惩戒 chéngjiè; 惩处 chéngchǔ ¶법에 따라 ~하다 依法惩处 / 매국노를 ~하다 惩戒卖国奴

응:찰(應札) 명하자 (应招) 投标 tóubiāo ¶~ 가격 投标价格

응:축(凝縮) 명하자 凝缩 níngsuō; 凝结 níngjié; 冷凝 lěngníng ¶태양에서 떨어져 나온 물질이 ~하여 행성이 되다 从太阳上脱落的物质冷凝成行星

응:축-기(凝縮器) 명 『機』 冷凝器 lěngníngqì

응:축-열(凝縮熱) 명 『化』 冷凝热 lěngníngrè

응:-하다(應—) 자 应 yìng; 答应 dāying; 响应 xiǎngyìng; 接受 jiēshòu; 应答 yìngdá; 回答 huídá ¶도전에 ~ 接受挑战 / 질문에 ~ 回答提问 / 마지못해 협상에 ~ 不得不答应协商 / 그의 요구에 ~ 答应他的要求

응:혈(凝血) 명하자 凝血 níngxuě ¶~ 효소 凝血酵素

의 조 **1** 的 de《表示所属关系》¶나~ 책 我的书 / 그~ 지갑 他的钱包 **2** 的 de《表示主体》¶어머니~ 눈물 母亲的眼泪 / 나라~ 발전 国家的发展 / 그녀~ 부탁을 들어주다 受她的委托 **3** 的 de《表示动作的直接客体》¶질서~ 확립 秩序的确立 / 자연~ 관찰 对自然的观察 **4** 的 de; 之 zhī《表示属性》¶예술~ 고장 艺术之乡 / 불후~ 명작 不朽之作 **5** 表示程度或量 ¶최고~ 기술 最高技术 / 한 컵~ 물 一杯水 **6** 表示比喻的对象 ¶철~ 여인 铁女人 **7** 的 de《表示用途》¶동물~ 먹이 动物的食物

의:(義) 명 **1** 义 yì; 信义 xìnyì ¶~를 행하다 行义 **2** = 도의 **3** 情义 qíngyì ¶~를 중시하다 重情义 **4** 意义 yìyì

의:(誼) 명 = 정의(情誼) ¶형제간의 ~가 좋다 兄弟之间的情谊很深厚

의가 나다 구 伤和气; 有隙

의가사 제대(依家事除隊) 『軍』 因家庭情况退伍 yīn jiātíng qíngkuàng tuìwǔ; 因家务事退伍 yīn jiāwùshì tuìwǔ

의거(依據) 명하자타 **1** 依据 yījù; 依 yī; 凭 píng ¶법에 ~하여 처벌하다 依法处治 **2** 依仗 yīzhàng; 依傍 yībàng; 依靠 yīkào; 依赖 yīlài ¶폭력에 ~하여 일을 해결하다 依靠暴力解决问题

의:거(義擧) 명하자 义举 yìjǔ; 起义 qǐyì ¶안중근 의사의 ~ 安重根义士的义举 / ~를 일으키다 掀起起义

의:견(意見) 명 意见 yìjiàn; 看法 kànfǎ; 见解 jiànjiě ¶~ 차이 意见分歧 / ~을 교환하다 交换意见 / ~을 수렴하다 收敛意见 / ~이 분분하다 意见纷纭 / ~을 제시하다 提出意见 / ~이 충돌하다 闹意见 / 너의 ~대로 하자 照你的意见办吧 / 그들의 ~을 받아들이다 接受他们的意见 / 우리 둘의 ~은 일치하지 않는다 我们俩的看法不一致

의:견-서(意見書) 명 意见书 yìjiànshū

의결(議決) 명하타 议决 yìjué; 决议 juéyì; 讨论表决 tǎolùn biǎojué; 通过 tōngguò = 결의(决議) ¶예산안을 ~하다 议决预算案

의결-권(議決權) 명 『法』 **1** 议决权 yìjuéquán **2** 表决权 biǎojuéquán

의결 기관(議決機關) 『法』 议决机关 yìjué jīguān; 合议机构 héyì jīgòu

의:경(義警) 명 『法』 '의무 경찰' 的略词

의과(醫科) 명 『教』 医科 yīkē

의과 대:학(醫科大學) 『教』 医科大学 yīkē dàxué; 医学院 yīxuéyuàn

의관(衣冠) 명 衣冠 yīguān; 衣帽 yīmào; 穿戴 chuāndài; 衣着 yīzhuó ¶~을 갖추다 备齐衣着 / ~을 정제하다 整整衣冠

의관(醫官) 명 『史』 医官 yīguān

의구-심(疑懼心) 명 疑惧 yíjù; 疑惧之心 yíjùzhīxīn; 疑惧心理 yíjù xīnlǐ ¶~이 들다 产生疑惧 / ~이 생기다 产生疑惧心理 / ~을 떨치다 打消疑惧

의구-하다(依舊—) 형 依旧 yījiù; 仍

旧 rěngjiù ¶산천은 의구한데 인걸은 간 곳 없네 山川依旧, 人杰无觅处 **의구-히** 부

의:군(義軍) 명 = 의병

의:금-부(義禁府) 명 〖史〗 义禁府 yìjīnfǔ

의:기(意氣) 명 **1** 意气 yìqì ¶~가 드높다 意气风发 / ~가 왕성하다 意气旺盛 **2** = 기상(氣像)

의:기(義氣) 명 义气 yìqi

의:기-소침(意氣銷沈) 명하형 意志消沉 yìzhìxiāochén; 萎靡不振 wěimǐbùzhèn; 垂头丧气 chuítóusàngqì; 灰心丧气 huīxīnsàngqì; 低沉 dīchén ¶시험에 떨어져서 그는 몹시 ~했다 考试没通过, 他变得意志消沉

의:기-양양(意氣揚揚) 명하형 意气高昂 yìqìgāo'áng; 意气风发 yìqìfēngfā; 意气扬扬 yìqì yángyáng ¶그는 ~하게 승리의 미소를 지었다 他意气风发, 露出胜利的微笑

의:기-충천(意氣衝天) 명하형 意气冲天 yìqìchōngtiān; 意气风发 yìqìfēngfā

의:기-투합(意氣投合) 명하자 意气相投 yìqìxiāngtóu; 意气相合 yìqìxiānghé; 意气相倾 yìqìxiāngqīng; 情投意合 qíngtóuyìhé ¶그는 처음 만난 사람과 ~하여 함께 여행하기로 했다 他和初次见面的人意气相投, 相约一起去旅行

의:-남매(義男妹) 명 **1** 结拜兄妹 jiébài xiōngmèi; 结拜姐弟 jiébài jiědì; 结义兄妹 jiéyì xiōngmèi; 结义姐弟 jiéyì jiědì; 盟兄妹 méngxiōngmèi; 盟姐弟 méngjiědì **2** 义兄妹 yìxiōngmèi; 义姐弟 yìjiědì

의녀(醫女) 명 〖史〗 医女 yīnǚ

의논(←議論) 명하타 商量 shāngliang; 商讨 shāngtǎo; 商议 shāngyì ¶그 일은 아직 ~된 바 없다 那件事还没商讨过 / 나는 그와 이 일을 ~했다 我跟他商量了这件事

의당(宜當) 부하형히부 宜当 yìdāng; 应当 yīngdāng; 应该 yīnggāi; 理应 lǐyīng; 理所当然 lǐsuǒdāngrán ¶자식은 ~ 부모에게 효도해야 한다 当儿女的应当对父母尽孝心

의대(醫大) 명 〖教〗 '의과 대학' 的略词

의:도(意圖) 명하자타 意图 yìtú; 意向 yìxiàng; 用意 yòngyì; 意旨 yìzhǐ ¶그들의 ~를 간파하다 识破他们的意图 / 네가 이렇게 한 ~가 대체 무엇이냐? 你这样做的意图到底是什么?

의:도-적(意圖的) 관명 有意识(的) yǒuyìshí(de); 有计划(的) yǒujìhuà(de); 故意 gùyì ¶~인 반칙 故意犯规

의례 부 '으레' 的错误

의례(儀禮) 명 = 의식(儀式)

의례-적(儀禮的) 관명 **1** 合乎礼仪(的) héhūlǐyí(de); 礼仪(的) lǐyí(de) ¶~인 결혼식 合乎礼仪的婚礼 **2** 礼节性 lǐjiéxìng ¶~인 방문 礼节性的访问

의론(議論) 명하타 议论 yìlùn

의:-롭다(義—) 형 讲义气 jiǎng yìqi; 正义 zhèngyì ¶의로운 죽음 正义之死 / 의로운 일에 나서다 为正义的事挺身而出 **의:로이** 부

의뢰(依賴) 명하타 委托 wěituō; 托付 tuōfù; 请 qǐng; 托 tuō ¶~서 委托书 / ~인 委托者 =[委托人] / 소송을 ~하다 委托诉讼 / 추천을 ~하다 委托推荐

의료(醫療) 명 医疗 yīliáo; 医务 yīwù ¶~기 医疗器材 / ~법 医疗法 / ~ 보험 医疗保险 / ~ 봉사 义务医疗 / ~비 医疗费 / ~ 기관 医疗机构 / ~ 환경 医疗环境 / ~ 설비 医疗设备 / ~ 시설 医疗设施 / ~ 행위 医务行为 / ~ 사고 医疗事故 / ~ 기술의 발달 医疗技术的发达

의료-계(醫療界) 명 医疗界 yīliáojiè; 医务界 yīwùjiè; 医坛 yītán

의료-인(醫療人) 명 医务工作者 yīwù gōngzuòzhě; 医务人员 yīwù rényuán

의료-진(醫療陣) 명 医疗队 yīliáoduì ¶최고의 ~을 파견하다 派遣最好的医疗队

의류(衣類) 명 服装 fúzhuāng; 衣类 yīlèi ¶동대문 ~ 상가 东大门服装商业街 / 여성 ~ 매장 女性服装销售处

의:리(義理) 명 **1** 道义 dàoyì; 情义 qíngyì; 情理 qínglǐ; 义 yì ¶~를 지키다 信守道义 / ~를 중시하다 重情义 / 그는 ~가 없다 他不讲情义 **2** 结义 jiéyì; 结拜 jiébài

의:모(義母) 명 **1** = 의붓어머니 **2** = 수양어머니 **3** 义母 yìmǔ

의:무(義務) 명 义务 yìwù ¶~ 교육 义务教育 / 병역 ~를 마치다 结束兵役义务 / ~를 다하다 尽义务 / ~를 지다 负义务 / 우리는 환경을 보호해야 할 ~가 있다 我们有义务保护环境

의무(醫務) 명 医务 yīwù ¶~과 医务科

의:무-감(義務感) 명 义务感 yìwùgǎn ¶~이 강하다 义务感很强 / ~을 가지다 具有义务感

의:무 경:찰(義務警察) 〖法〗 义务警察 yìwù jǐngchá

의:무-적(義務的) 관명 义务(的) yìwù(de); 义务性(的) yìwùxìng(de) ¶~인 만남 义务性的见面

의:무-화(義務化) 명하타 义务化 yìwùhuà; 义务 yìwù ¶안전벨트 착용은 이미 ~되었다 系安全带已成义务

의문(疑問) 명하타 疑问 yíwèn; 问号 wènhào ¶~ 대명사 疑问代词 / ~을 제기하다 提出疑问 / ~을 품다 抱有疑问
의문-문(疑問文) 명 〖語〗 疑问句 yíwènjù; 问句 wènjù
의문-부(疑問符) 명 〖語〗 = 물음표
의문 부:호(疑問符號) 〖語〗 = 물음표
의문-스럽다(疑問—) 형 可疑 kěyí; 有疑问 yǒu yíwèn; 疑惑 yíhuò ¶그의 신분이 ~ 他的身份很可疑 **의문스레** 부
의문-시(疑問視) 명하타 怀疑 huáiyí; 可疑 kěyí
의문-점(疑問點) 명 疑点 yídiǎn; 疑端 yíduān ¶풀리지 않는 ~이 아직도 많다 还有不少没解决的疑点
의뭉 명하형 阴险 yīnxiǎn; 有心计 yǒu xīnjì; 城府深 chéngfǔ shēn; 深藏不露 shēncáng bùlù ¶~을 떨다 有心计 / ~한 속셈을 드러내다 露出阴险的用心
의뭉-스럽다 형 阴险 yīnxiǎn; 有心计 yǒu xīnjì; 城府深 chéngfǔ shēn; 深藏不露 shēncáng bùlù ¶의뭉스러운 놈 阴险的家伙 **의뭉스레** 부
의:미(意味) 명하타 **1** 意思 yìsi; 含义 hányì; 意 yì ¶단어의 사전적 ~ 单词在词典上的意思 / 어제 그의 그 말은 무슨 ~일까? 昨天他那句话是什么意思呢? **2** 意味 yìwèi ¶패배란 내게 죽음을 ~한다 败北对我来说就意味着死亡 **3** 意义 yìyì ¶방학을 ~ 있게 보내다 度过有意义的假期
의:미심장-하다(意味深長—) 형 意味深长 yìwèishēncháng ¶의미심장한 표정 意味深长的表情 / 의미심장한 한 마디를 하다 说意味深长的一句话
의:병(義兵) 명 义军 yìjūn; 义兵 yìbīng; 义师 yìshī = 의군 ¶~장 义兵将 / 각지에서 ~이 일어나다 各地义军涌起
의병 제대(依病除隊) 〖軍〗 因病退伍 yīnbìng tuìwǔ
의복(衣服) 명 = 옷 ¶~을 갈아입다 换衣服 / ~을 수선하다 修补衣服
의부(義父) 명 **1** = 의붓아버지 **2** = 수양아버지 **3** 义父 yìfù
의:분(義憤) 명 义愤 yìfèn ¶~을 참지 못하다 忍不住义愤 / 인종 차별에 ~을 느끼다 对种族歧视感到义愤
의:붓-딸 명 继女 jìnǚ
의:붓-아들 명 继子 jìzǐ
의:붓-아버지 명 继父 jìfù; 后父 hòufù; 后爹 hòudiē = 계부 · 의부1
의:붓-어머니 명 继母 jìmǔ; 后妈 hòumā; 后娘 hòuniáng = 계모 · 의모1
의:붓-자식(—子息) 명 继子继女 jìzǐ jìnǚ
의:사(意思) 명 意思 yìsi; 意向 yìxiàng; 心意 xīnyì; 想法 xiǎngfa; 意图 yìtú ¶~ 능력 意思能力 / ~ 표시 意思表达 / ~를 전달하다 传达心意 / 나는 그와 결혼할 ~가 전혀 없다 我没有一点儿要跟他结婚的意图
의:사(義士) 명 义士 yìshì; 义人 yìrén
의사(醫師) 명 医生 yīshēng; 大夫 dàifu; 医师 yīshī ¶소아과 ~ 儿科医生 / 치과 ~ 牙科医生 / ~에게 진찰을 받다 请大夫看病 / ~의 처방에 따라 약을 복용하다 按医生的处方服药
의사(議事) 명하타 议事 yìshì
의사-당(議事堂) 명 议事堂 yìshìtáng; 国会大厦 guóhuì dàshà
의:사-소통(意思疏通) 명하자 沟通 gōutōng ¶나는 외국인과 ~하는 데 어려움이 없다 我跟外国人沟通没问题
의사-일정(議事日程) 명 议事日程 yìshì rìchéng; 议程 yìchéng = 의정(議程)
의상(衣裳) 명 **1** 衣裳 yīshang; 服装 fúzhuāng; 衣着 yīzhuó; 穿戴 chuāndài ¶전통 ~ 传统服装 / ~에 신경을 쓰다 讲究衣着穿戴 **2** 戏装 xìzhuāng ¶배우가 분장실에서 ~을 갈아입다 演员在化妆室里换戏装
의상-실(衣裳室) 명 **1** 更衣室 gēngyīshì; 衣服保管处 yīfu bǎoguǎnchù **2** = 양장점
의서(醫書) 명 医书 yīshū = 의학서
의석(議席) 명 **1** 会议席 huìyìxí **2** 议席 yìxí ¶~수 议席数 / 야당이 다수 ~을 차지하다 在野党占大多数的议席
의성(擬聲) 명 〖文〗 = 의성법
의성-법(擬聲法) 명 〖文〗 拟声法 nǐshēngfǎ; 象声法 xiàngshēngfǎ = 의성
의성-어(擬聲語) 명 〖語〗 象声词 xiàngshēngcí; 拟声词 nǐshēngcí
의:수(義手) 명 假手 jiǎshǒu; 义手 yìshǒu ¶~를 달다 安装假手
의술(醫術) 명 医术 yīshù; 医道 yīdào ¶~가 医术家 / ~이 뛰어나다 医术高明 / ~을 공부하다 学习医道 / ~을 베풀다 施展医术
의식(衣食) 명 衣食 yīshí ¶~이 풍족하다 衣食丰足
의:식(意識) 명 **1** 神志 shénzhì; 知觉 zhījué; 意识 yìshi ¶~을 잃다 失去知觉 / ~이 돌아오다 恢复意识 / ~이 몽롱하다 神志不清 **2** 意识 yìshí; 觉悟 juéwù ¶엘리트 ~ 一流意识 / 환경 보호에 대한 국민의 ~이 높아지다 国民的环境保护意识逐渐提高
의식(儀式) 명 仪式 yíshì; 典礼 diǎnlǐ; 式 shì = 식(式)⊟2 · 의례(儀禮) · 의전 ¶경축 ~ 庆祝典礼 / 성대한 ~을 거행하다 举行隆重的仪式

의:식 구조(意識構造) 〖心〗 意识结构 yìshí jiégòu; 意识构造 yìshí gòuzào ¶ ~를 개선하다 改善意识结构
의:식 불명(意識不明) 〖醫〗 昏迷 hūnmí; 晕迷 yūnmí ¶ ~에 빠지다 陷入昏迷
의:식-적(意識的) 관명 有意识(的) yǒuyìshí(de); 有意(的) yǒuyì(de); 故意(的) gùyì(de) ¶ ~ 행동 有意的行动 / ~으로 피하다 故意躲避
의식주(衣食住) 명 衣食住 yīshízhù ¶ ~ 문제를 해결하다 解决衣食住问题
의:식-하다(意識―) 타 **1** 在乎 zàihu; 在意 zàiyì; 当回事 dàng huíshì ¶ 다른 사람의 시선을 의식하지 마라 你不要在乎别人的视线 / 너는 너무 그를 의식한다 你太把他当回事了 **2** 意识 yìshí; 觉察 juéchá ¶ 그는 최면에 걸려 자기 행동을 의식하지 못했다 他被催眠了, 意识不到自己的行为
의심(疑心) 명하타 疑心 yíxīn; 怀疑 huáiyí; 疑虑 yílǜ ¶ ~을 품다 怀有疑心 / ~이 생기다 起疑心 / 그는 ~이 너무 많다 他疑心太重 / 함부로 남을 ~하다 无缘无故地怀疑他人 / 사장에게 물건을 훔쳤다는 ~을 받다 被老板怀疑偷东西
의심-나다(疑心―) 자 可疑 kěyí; 有疑问 yǒu yíwèn ¶ 그의 행동 중에서 의심나는 부분이 있느냐? 他的行动中有可疑之处吗?
의심-스럽다(疑心―) 형 可疑 kěyí; 怀疑 huáiyí; 令人怀疑 lìngrén huáiyí = 의심쩍다 ¶ 의심스러운 눈빛으로 바라보다 用怀疑的眼光看着 **의심스레** 부
의심-쩍다(疑心―) 형 = 의심스럽다
의아(疑訝) 명하형히부 惊诧 jīngchà; 诧异 chàyì; 惊疑 jīngyí ¶ 나는 그가 혼자 온 사실이 ~했다 我对他独自前来感到诧异
의아-스럽다(疑訝―) 형 惊诧 jīngchà; 诧异 chàyì; 惊疑 jīngyí; 疑惑 yíhuò ¶ 의아스러운 눈으로 쳐다보다 用惊诧的眼光望着 **의아스레** 부
의:안(義眼) 명 假眼 jiǎyǎn; 义眼 yìyǎn
의안(議案) 명 议案 yì'àn ¶ ~을 심의하다 审议议案
의약(醫藥) 명 **1** 医药 yīyào 《医术与药物》 ¶ ~ 분업 医药分开 **2** 药品 yàopǐn
의-약품(醫藥品) 명 医药品 yīyàopǐn; 药品 yàopǐn
의:역(意譯) 명하타 意译 yìyì ¶ ~과 직역 意译与直译
의:연(義捐) 명하타 义捐 yìjuān; 捐献 juānxiàn
의:연-금(義捐金) 명 捐款 juānkuǎn; 捐钱 juānqián ¶ ~을 내다 交捐款
의연-하다(依然―) 형 依然 yīrán; 依旧 yījiù; 仍旧 réngjiù; 如故 rúgù **의연-히** 부
의연-하다(毅然―) 형 毅然 yìrán ¶ 의연한 태도 毅然的态度 **의연-히** 부 ¶ 체력이 달려도 ~ 버티다 体力不支毅然坚持
의-예과(醫豫科) 명 〖教〗 医预系 yīyùxì
의:외(意外) 명 = 뜻밖 ¶ ~의 결과를 가져오다 带来意外的结果 / ~의 행운이 찾아오다 意外的好运降临
의:외-로(意外―) 부 = 뜻밖에 ¶ 시험은 ~ 쉬웠다 考试竟然很容易
의:욕(意欲) 명 意欲 yìyù; 欲望 yùwàng; 意愿 yìyuàn; 热情 rèqíng; 希求 xīqiú ¶ ~을 잃다 失去热情 / 그는 매사에 ~이 넘친다 他事事都很热情
의:욕-적(意欲的) 관명 热情(的) rèqíng(de); 积极(的) jījí(de) ¶ ~으로 일하다 满怀热情地工作
의:용(義勇) 명 义勇 yìyǒng ¶ ~군 义勇军
의용(儀容) 명 仪容 yíróng; 仪表 yíbiǎo
의원(醫院) 명 医院 yīyuàn; 诊疗所 zhěnliáosuǒ ¶ 내과 ~ 内科医院
의원(議員) 명 议员 yìyuán ¶ 야당 ~ 在野党议员 / ~ 총회 议员总会
의원(議院) 명 议院 yìyuàn; 议会 yìhuì; 国会 guóhuì
의원 내:각제(議員內閣制) 〖政〗 议员内阁制 yìyuán nèigézhì = 내각 책임제
의:의(意義) 명 意义 yìyì ¶ 역사적 ~ 历史性意义
의:인(義人) 명 义人 yìrén
의인(擬人) 명하타 拟人 nǐrén
의인-법(擬人法) 명 〖文〗 拟人法 nǐrénfǎ
의인-화(擬人化) 명하타 拟人 nǐrén; 拟人化 nǐrénhuà ¶ 동물을 ~하여 인간 사회를 풍자하다 将动物拟人化, 以讽刺人间社会
의자(椅子) 명 椅子 yǐzi; 椅 yǐ; 凳子 dèngzi ¶ ~에 앉다 坐在椅子上 / ~ 등받이에 기대다 靠在椅背
의:장(意匠) 명 意匠 yìjiàng ¶ ~권 意匠权 / ~ 등록 意匠注册
의장(儀仗) 명 〖史〗 仪仗 yízhàng ¶ ~대 仪仗队
의장(議長) 명 议长 yìzhǎng; 主席 zhǔxí ¶ 국회 ~ 国会议长 / ~국 主席国 / 대회의 ~을 맡다 当大会主席
의:적(義賊) 명 义贼 yìzéi
의전(儀典) 명 = 의식(儀式)
의:절(義絕) 명하자 义绝 yìjué; 绝义 juéyì; 绝交 juéjiāo ¶ 오랜 친구와 ~하

다 和老朋友绝交

의젓-하다 형 庄重 zhuāngzhòng; 稳重 wěnzhòng; 持重 chízhòng ¶아이가 어린 나이에도 의젓해 보인다 小孩子年龄虽少, 看上去却很稳重 / 행동이 의젓하지 못하다 行为不稳重 **의젓-이** 부

의정(議政) 명 〖政〗 '의회 정치'的略词

의정(議程) 명 = 의사일정

의정-서(議定書) 명 〖法〗 议定书 yìdìngshū ¶~에 조인하다 签定议定书

의제(議題) 명 议题 yìtí ¶~로 채택되다 被选为议题

의:족(義足) 명 假足 jiǎzú; 义足 yìzú; 假腿 jiǎtuǐ; 假脚 jiǎjiǎo ¶~을 달다 安假腿

의존(依存) 명하자 依赖 yīlài; 仰赖 yǎnglài; 依靠 yīkào; 依存 yīcún ¶상상에 ~해 소설을 쓰다 依靠想象创作小说 / 다른 사람에게 너무 ~하지 마라 不要太依赖别人

의존-도(依存度) 명 依存度 yīcúndù; 依赖度 yīlàidù

의존 명사(依存名詞) 〖語〗 形式名词 xíngshì míngcí; 依附名词 yīfù míngcí; 依存名词 yīcún míngcí

의존-적(依存的) 관명 依赖性(的) yīlàixìng(de) ¶~ 관계 依赖性关系

의:-좋다(誼—) 형 感情好 gǎnqíng hǎo; 情谊深 qíngyì shēn; 友好 yǒuhǎo ¶의좋은 부부 感情好的夫妻 / 이웃과 의좋게 지내다 和邻里人友好相处

의:중(意中) 명 = 마음속 ¶상대방의 ~을 떠보다 试探对方的心意

의지(依支) 명하자타 靠 kào; 依靠 yīkào; 依托 yītuō; 依仗 yīzhàng; 依赖 yīlài; 仰赖 yǎnglài ¶난간에 몸을 ~하다 把身体靠在栏杆上 / 아들을 ~하고 살다 就靠着儿子生活 / 남에게 의지하지 말고 네 스스로 해라 别依赖别人, 自己办吧

의:지(意志) 명 意志 yìzhì; 毅力 yìlì ¶~박약 意志薄弱 / 불굴의 ~ 不屈的意志 / ~가 강하다 意志坚强 / 자신의 ~를 관철하다 贯彻自己的意志

의:지(義肢) 명 = 인공사지

의지가지-없다(依支—) 형 无依无靠 wúyīwúkào; 孤苦零丁 gūkǔlíngdīng ¶의지가지없는 가련한 신세 无依无靠的凄苦身世 **의지가지없-이** 부

의:지-력(意志力) 명 意志 yìzhì; 意志力 yìzhìlì; 毅力 yìlì ¶~이 강한 사람 意志力很强的人 / ~을 시험하다 考验意志

의처-증(疑妻症) 명 〖心〗 疑妻症 yíqīzhèng ¶~ 환자 患疑妻症的病人

의:치(義齒) 명 假牙 jiǎyá; 义齿 yìchǐ ¶~를 해 박다 装上假牙

의타(依他) 명하자 依赖他人 yīlài tārén; 依靠别人 yīkào biéren

의타-심(依他心) 명 依赖心理 yīlài xīnlǐ ¶~을 버리다 抛掉依赖心理

의탁(依託 · 依托) 명하타 依托 yītuō; 依靠 yīkào; 依赖 yīlài ¶늘그막에 몸을 자식에게 ~하다 老了就依靠子女生活

의태(擬態) 명 拟态 nǐtài ¶~어 拟态词

의:표(意表) 명 意表 yìbiǎo; 意料 yìliào ¶~를 찌르다 出人意表

의-하다(依—) 자 **1** 依 yī; 据 jù; 依据 yījù; 按照 ànzhào; 依靠 yīkào; 通过 tōngguò ¶소문에 의하면 그가 결혼한다고 한다 据说他要结婚了 **2** 因 yīn; 由于 yóuyú ¶전쟁에 의한 재난 因战争引起的灾难

의학(醫學) 명 医学 yīxué; 医 yī ¶~계 医学界 / ~부 医学系 / ~자 医学家 / ~ 상식 医学常识 / ~ 박사 医学博士 / ~이 발달한 나라 医学发达的国家 / ~을 배우다 学医

의학-도(醫學徒) 명 医学徒 yīxuétú; 医学研究者 yīxué yánjiūzhě

의학-서(醫學書) 명 = 의서

의:향(意向) 명 意向 yìxiàng ¶상대방의 ~을 확인하다 确认对方的意向 / 그의 ~을 타진하다 探听他的意向

의:협(義俠) 명 **1** 侠义 xiáyì **2** 义侠 yìxiá; 侠义之士 xiáyìzhīshì

의:협-심(義俠心) 명 侠义之心 xiáyìzhīxīn; 侠义心肠 xiáyì xīncháng ¶~에 불타다 侠义心肠沸腾不已 / ~이 강하다 充满侠义之心

의:형(義兄) 명 **1** 义兄 yìxiōng; 盟兄 méngxiōng **2** 异父兄 yìfùxiōng; 异母兄 yìmǔxiōng

의:-형제(義兄弟) 명 结拜兄弟 jiébài xiōngdì; 义兄弟 yìxiōngdì; 结义兄弟 jiéyì xiōngdì; 盟兄弟 méngxiōngdì; 把兄弟 bǎxiōngdì; 拜把兄弟 bàibǎ xiōngdì ¶~를 맺다 结拜为义兄弟

의혹(疑惑) 명하타 疑惑 yíhuò; 怀疑 huáiyí ¶~을 제기하다 提出疑惑 / ~을 사다 招人疑惑 / ~을 품다 心怀疑惑 / ~이 풀리지 않다 疑惑不解

의회(議會) 명 〖法〗 议会 yìhuì; 国会 guóhuì ¶~를 해산하다 解散议会

의회 정치(議會政治) 〖政〗 议会政治 yìhuì zhèngzhì; 议政 yìzhèng

이[1] 명 〖蟲〗 **1** 虱子 shīzi; 虱 shī ¶머리에 ~가 생기다 头上长虱子了 **2** = 머릿니

이 잡듯이 구 仔细翻找

이[2] 명 **1** 〖生〗 牙 yá; 牙齿 yáchǐ; 齿 chǐ ¶~를 닦다 刷牙 / ~를 뽑다 拔牙 / ~가 아프다 牙疼 / ~를 갈다 磨

牙 / ~가 나다 长牙 **2** (机器、工具等的) 齿(儿) chǐ(r) ¶톱니바퀴의 ~ 齿轮的齿 **3** (器皿口上的) 豁口 huōkǒu; 齿 chǐ

이(가) 갈리다 구 切齿痛恨; 怒不可遏; 义愤填膺

이(가) 빠지다 구 **1** 有缺口; 出豁口; 出缺口 **2** 不完整

이(를) 갈다 구 咬牙切齿

이를 악물다[깨물다/물다] 구 **1** 咬紧牙关 **2** 发愤图强

이³ 의명 人 rén; 位 wèi ¶저기 있는 ~가 누구지? 那边的人是谁呀?

이⁴ 대관 这 zhè; 此 cǐ; 这个 zhège ¶~ 일대 这一带 / ~ 때문에 因此 / ~ 학생 这个学生 / ~ 점 这一点

이 핑계 저 핑계 구 这样那样的借口 ¶~ 대며 오지 않다 找这样那样的借口没有来

이⁵ 조 **1** 表示主语 ¶달~ 매우 밝다 月亮很明亮 / 얼굴~ 너무 못생겼다 脸太难看了 / 봄~ 왔다 春天来了 **2** 以'~ 되다'的形式表示转成 ¶커서 훌륭한 사람~ 되다 长大成为出色的人才 **3** 以'~ 아니다'的形式表示否定 ¶나는 학생~ 아니다 我不是学生

이:(二·貳) 수관 二 èr; 两 liǎng; 贰 èr ¶~ 학년 二年级 / ~ 미터 二米 / ~ 년 两年

이:(里) 명 里 lǐ

-이¹ 접미 把一些谓词变成名词的后缀 ¶높~ 高度 / 깊~ 深度

-이² 접미 附加在部分词根后使之变成副词 ¶나직~ 低低地 / 일일~ 事事 / 낱낱~ 一一地

이:간(離間) 명하타 离间 líjiàn ¶~을 붙이다 挑拨离间

이:간-질(離間—) 명하타 离间 líjiàn ¶그는 나와 친구들을 ~했다 他离间了我和朋友们

이-갈이¹ 명 换牙 huànyá

이-갈이² 명 〖醫〗 磨牙 móyá; 磨牙症 móyázhèng

이감(移監) 명하타 〖法〗 转狱 zhuǎnyù

이-같이 부 这样 zhèyàng ¶그는 ~ 말했다 他这样说了

이-거 대 这 zhè; 这个 zhège ¶내가 찾던 게 바로 ~다 我要找的就是这个 / 이건 누구 거니? 这是谁的? / 이게 바로 진정한 사랑이다 这就是真正的爱

이-것 대 **1** 这 zhè; 这个 zhège ¶~은 무엇이냐? 这是什么? / ~은 중국어 사전이다 这是汉语词典 / ~을 절대로 잊지 마라 这个你千万不要忘记 **2** 这家伙 zhè jiāhuo; 这小子 zhè xiǎozi ¶~이 하루 종일 날 못살게 군다 这家伙一天到晚老缠我

이것-저것 명 这个那个 zhègenàge; 这那 zhènà ¶그에게 ~ 물어보다 向他问这问那

이:견(異見) 명 异见 yìjiàn; 不同见解 bùtóng jiànjiě; 不同意见 bùtóng yìjiàn ¶~이 있는 사람은 손을 드십시오 有不同意见的人请举手

이:골 명 手滑 shǒuhuá; 习惯 xíguàn; 习性 xíxìng; 癖性 pǐxìng ¶~이 나다 习惯成自然

이-곳 대 这儿 zhèr; 这里 zhèli; 此处 cǐ; 此地 cǐdì ¶나는 ~에 음식점을 하나 낼 계획이다 我打算在这儿开一个饭馆

이:공(理工) 명 理工 lǐgōng ¶~ 대학 理工大学

이:과(理科) 명 理科 lǐkē ¶~ 대학 理科大学 / 나는 ~에 소질이 있다 我擅长理科

이:관(耳管) 명 〖生〗 = 유스타키오관

이:교(異教) 명 异教 yìjiào ¶~도 异教徒

이:구-동성(異口同聲) 명 一口同音 yīkǒutóngyīn; 异口同声 yìkǒutóngshēng; 如出一口 rúchūyīkǒu; 众口一词 zhòngkǒu yīcí ¶모두가 ~으로 칭찬하다 大家都异口同声地称赞

이구아나(iguana) 명 〖動〗 鬣蜥 lièxī

이:국(異國) 명 异国 yìguó; 异邦 yìbāng = 이방(異邦) ¶~의 정취를 맛보다 欣赏异国情调

이:국-적(異國的) 관명 充满异国情调 chōngmǎn yìguó qíngdiào ¶~인 외모 充满异国情调的外貌 / ~인 분위기 充满异国情调的气氛

이:권(利權) 명 利权 lìquán ¶두 나라 간의 ~ 다툼이 심하다 两国之间利权冲突激烈

이글-거리다 자 **1** (火势) 旺 wàng; 熊熊 xióngxióng; 炎炎 yányán; 灼热 zhuórè; 炽热 chìrè ¶이글거리는 불길 熊熊烈火 / 이글거리는 태양 炎炎烈日 **2** (神采) 火热热 huǒrèrè; 烧乎乎 shāohūhū; 热乎乎 rèhūhū; 火辣辣 huǒlālā ¶이글거리는 눈빛 火辣辣的目光 ‖ = 이글대다 **이글-이글** 부하자

이글루(igloo) 명 圆顶冰屋 yuándǐng bīngwū; 冰屋 bīngwū; 圆顶雪屋 yuándǐng xuěwū; 雪屋 xuěwū = 얼음집

이:기(利己) 명 利己 lìjǐ; 自私 zìsī; 自私自利 zìsīzìlì

이:기(利器) 명 利器 lìqì ¶문명의 ~ 文明的利器

이기다¹ 一자타 赢 yíng; 打赢 dǎyíng; 胜 shèng; 获胜 huòshèng; 取胜 qǔshèng; 制胜 zhìshèng; 战胜 zhànshèng; 击败 jībài ¶전쟁에서 ~ 打胜仗 / 어제 시합에서 누가 이겼습니까?

昨天的比赛谁赢了? 二타 1 (困难、考验、痛苦等) 克服 kèfú; 战胜 zhànshèng; 抑制 yìzhì; 抵制 dǐzhì ¶어려움을 ~ 克服困难 / 병마를 ~ 战胜病魔 / 유혹을 이기지 못하다 战胜不了诱惑 2 直起 zhíqǐ; 竖起 shùqǐ; 撑起 chēngqǐ ¶술에 취해서 몸을 이기지 못하다 喝醉了酒, 身体撑不起来

이기다[2] 타 1 和 huó; 揉 róu; 搅 jiǎo; 搅拌 jiǎobàn ¶시멘트를 ~ 和水泥 2 捣碎 dǎosuì; 剁碎 duòsuì ¶마늘을 ~ 捣碎大蒜 / 쇠고기를 ~ 把牛肉剁碎 3 捶 chuí ¶빨래를 ~ 捶衣服

이:기-심(利己心) 명 利己之心 lìjǐzhīxīn; 利己心 lìjǐxīn; 自私心 zìsīxīn; 私心 sīxīn ¶~을 극복하다 克服利己之心 / ~이 강하다 私心很重

이:기-적(利己的) 관명 自私(的) zìsī(de); 利己(的) lìjǐ(de) = 이기주의적 ¶~인 행동 自私的行动 / 그는 성격이 ~이라서 남을 도울 줄 모른다 他性格自私, 不知道帮助别人

이:기-주의(利己主義) 명 『哲』 利己主义 lìjǐzhǔyì

이:기주의-적(利己主義的) 관명 = 이기적

이:기주의-자(利己主義者) 명 利己主义者 lìjǐzhǔyìzhě; 自我主义者 zìwǒzhǔyìzhě

이기죽-거리다 자 (唠唠叨叨地) 嘲讽 cháofěng; 挖苦 wāku; 奚落 xīluò = 이기죽대다 **이기죽-이기죽** 부하자

이-까짓 관 这一类 zhèyīlèi; 这样的 zhèyàngde; 这么点儿 zhèmediǎnr 《表示仅仅达到这种程度》 ¶~ 것을 누가 못하겠느냐? 这样的事谁干不了呢?

이-깟 관 '이까짓' 的略词

이끌다 타 1 拉着 lāzhe; 带着 dàizhe; 牵着 qiānzhe; 率领 shuàilǐng ¶아이의 손을 이끌고 가다 拉着孩子的手走 / 가족을 이끌고 서울에 가다 率领全家去首尔 2 = 끌다3 ¶마음을 ~ 吸引人心 / 시선을 이끄는 광고 引人注目的广告 3 导 dǎo; 指引 zhǐyǐn; 指拨 zhǐbō; 引 yǐn ¶팀을 승리로 ~ 把球队引向胜利之路

이끌-리다 자 1 '이끌다1' 的被动词 ¶아이는 엄마 손에 이끌려 병원에 갔다 孩子被妈妈手牵着去了医院 2 '이끌다2' 的被动词 ¶그는 맛있는 냄새에 이끌려 부엌으로 갔다 他被一阵扑鼻的香味儿吸引到了厨房

이끼 명 『植』 苔藓 táixiǎn; 苔 tái; 苔衣 táiyī; 地衣 dìyī; 藓苔 xiǎntái ¶~가 잔뜩 낀 바위 长满苔藓的岩石

이나 조 1 不管 bùguǎn; 不论 bùlùn 《表示选择》 ¶그는 문학~ 음악~ 모두 소질이 있다 不管是文学方面还是音乐方面, 他都有天赋 2 就 jiù 《表示不得已而求其次》 ¶밥이 없으면 술~ 주세요 如果没有饭, 就给酒喝吧 3 才 cái 《表示条件限制》 ¶이것은 경험 있는 사람~ 할 수 있는 일이다 这是只有经验的人才能做的事 4 竟 jìng; 竟然 jìngrán 《表示比想象的多》 ¶운동장에 천 명~ 모였다 操场竟聚集了一千来人 5 表示藐视 ¶그는 돈푼~ 있다고 남을 업신여긴다 ¶他有了几个钱, 就小看别人 6 大概 dàgài 《表示推测、估计》 ¶며칠~ 걸리겠어요? 大概需要多少天? 7 表示强调 ¶그 일은 무척~ 힘들었다 那件事辛苦得很

이-나마 부 连这个 lián zhège; 就这些 jiù zhèxiē ¶~ 없었더라면 어떻게 되었을지 모르겠다 万一连这个都没有的话, 真不知会怎么样了

이-날 명 这天 zhètiān; 这一天 zhè yītiān ¶눈 내리는 크리스마스이브, 우리는 ~ 처음으로 만났다 下雪的圣诞前夜, 我们就在这天第一次见面了

이:남(以南) 명 1 以南 yǐnán ¶낙동강 ~ 지역 洛东江以南的地区 2 = 남한

이-내[1] 관 '나의' 的强调语 ¶~ 마음을 누가 알아줄까 有谁能理解我这颗心啊

이내[2] 부 立刻 lìkè; 当即 dāngjí; 马上 mǎshàng; 立即 lìjí ¶~ 냉정을 되찾다 马上恢复冷静 / 눕자마자 ~ 잠이 들었다 一躺下立即就睡着了

이:내(以內) 명 以内 yǐnèi; 之内 zhīnèi ¶백 명 ~ 一百人以内 / 한 시간 ~ 一个小时以内

이:념(理念) 명 1 理念 lǐniàn; 理想 lǐxiǎng ¶건국 ~ 建国理想 / 정치적 ~ 政治上的理念 2 『哲』 理念 lǐniàn; 观念 guānniàn = 이데아

이-놈 대 这(个)家伙 zhè(ge) jiāhuǒ; 这小子 zhè xiǎozi; 好小子 hǎoxiǎozi ¶~ 두고보자 这家伙, 等着瞧吧

이:농(離農) 명 弃农 qìnóng; 离开农村 líkāi nóngcūn ¶~ 현상 弃农现象

이:뇨(利尿) 명하자 『醫』 利尿 lìniào ¶~ 작용 利尿作用

이:뇨-제(利尿劑) 명 『藥』 利尿剂 lìniàojì; 利尿药 lìniàoyào

이니셜(initial) 명 首字母 shǒuzìmǔ; 大写首字母 dàxiě shǒuzìmǔ = 머리글자1

이닝(inning) 명 『體』 (棒球的) 局 jú ¶정식 야구 경기는 매 경기당 9~이다 正式棒球比赛每场有九局

이다[1] 타 顶 dǐng; 头顶 tóudǐng ¶이불 보따리를 머리에 ~ 把铺盖卷儿顶在头上

이:다[2] 타 (房顶) 盖 gài; 瓦 wà; 苫 shàn ¶기와로 지붕을 ~ 用瓦盖房

顶 / 기와를 ～ 瓦瓦
이-다음 명 下一个 xià yīge; 下一次 xià yīcì; 下面 xiàmiàn; 下 xià ¶～은 누구 차례입니까? 下面该谁了? / 나는 ～ 역에서 내린다 我在下一站下车
이-다지 부 这样 zhèyàng; 这么 zhème; 如此 rúcǐ = 이리도 ¶너는 어찌 ～도 내 마음을 몰라주니? 你怎么这么不懂我的心? / 이 세상은 왜 ～ 불공평할까? 这世上为何如此不公平呢?
이:단(異端) 명 异端 yìduān; 邪说 xiéshuō; 异教 yìjiào ¶～자 异端者 / ～을 배척하다 排斥异端
이:단-적(異端的) 관명 异端(的) yìduān(de) ¶～인 행위 异端的行为 / ～인 종교 异端宗教
이:단 평행봉(二段平行棒) 〖體〗 高低杠 gāodīgàng
이-달 명 本月 běnyuè; 这(个)月 zhè(ge) yuè; 此月 cǐyuè ¶～의 우수 사원 本月优秀员工
이-대로 부 就这样 jiù zhèyàng; 就这么 jiù zhème; 照这样 zhào zhèyàng; 就此 jiùcǐ ¶～ 하다가는 10년이 되어도 못 끝낸다 照这样下去的话, 十年也完成不了 / ～ 끝낼 수는 없다 不能就此结束
이데아(독Idea) 명 〖哲〗 = 이념2
이데올로기(독Ideologie) 명 〖哲〗 意识形态 yìshí xíngtài; 观念形态 guānniàn xíngtài
이동(移動) 명하자타 移动 yídòng; 转移 zhuǎnyí; 迁移 qiānyí; 迁徙 qiānxǐ; 流动 liúdòng; 移 yí ¶인구 ～ 人口流动 / 철새의 ～ 候鸟迁徙 / 차가운 공기가 남쪽으로 ～하다 冷空气向南移动
이:동(異動) 명 (人事或政策) 变动 biàndòng; 调动 diàodòng
이동성 고기압(移動性高氣壓) 〖地理〗 移动性高压 yídòngxìng gāoyā
이동 전:화(移動電話) 〖信〗 移动电话 yídòng diànhuà
이동 통신(移動通信) 〖信〗 移动通信 yídòng tōngxìn; 移动通讯 yídòng tōngxùn
이:두-근(二頭筋) 명 〖生〗 二头肌 èrtóujī
이:두-박근(二頭膊筋) 명 〖生〗 肱二头肌 gōng'èrtóujī
이:득(利得) 명 利得 lìdé; 利益 lìyì; 收益 shōuyì ¶부당한 ～을 취하다 获取不正当利得 / 큰 ～을 보다 获得大收益
이든 조 还是 háishi; 不论 bùlùn; 无论 wúlùn 《表示无条件包括》 = 이든지 ¶오늘～ 내일～ 상관없다 今天还是明天都没关系
이든지 조 = 이든
이듬-해 명 第二年 dì'èrnián; 翌年 yìnián; 次年 cìnián = 익년1 ¶～ 봄 翌年春天 / 혼인한 ～ 婚后第二年
이:등(二等) 명 二等 èrděng; 次等 cìděng; 第二位 dì'èrwèi ¶～ 선실 二等船舱 / ～ 상 二等奖
이:등변 삼각형(二等邊三角形) 〖數〗 等腰三角形 děngyāo sānjiǎoxíng
이:등-병(二等兵) 명 〖軍〗 二兵 èrbīng; 二等兵 èrděngbīng = 이병
이:-등분(二等分) 명하타 二等分 èrděngfēn; 分成两半 fēnchéng liǎngbàn ¶빵을 ～하다 把面包分成两半
이:등분-점(二等分點) 명 〖數〗 中点 zhōngdiǎn = 중점(中點)1
이따 부 = 이따가
이따가 부 等一会儿 děng yīhuìr; 回头 huítóu; 稍后 shāo hòu; 一会儿 yīhuìr; 过一会儿 guò yīhuìr; 待会儿 dāi huìr = 이따 ¶이 문제는 ～ 다시 얘기하자 这个问题回头再说 / ～ 다시 오겠습니다 我待会儿再来
이따금 부 有时 yǒushí; 有时候 yǒushíhou; 偶尔 ǒu'ěr; 时而 shí'ér; 间或 jiànhuò ¶그는 ～ 우리 집에 찾아온다 他有时到我家里来 / ～ 네 생각을 한다 间或想起你
이-따위 대관 这种 zhèzhǒng; 这类 zhèlèi; (像)这样的 (xiàng) zhèyàngde ¶～ 물건은 필요 없다 像这样的东西我不要
이-때 명 这个时候 zhège shíhou; 这时 zhèshí; 这时候 zhè shíhou; 此时 cǐshí ¶바로 ～, 선생님께서 교실로 들어오셨다 就在这时, 老师走进了教室
이때-껏 부 至今 zhìjīn; 到现在 dào xiànzài ¶～ 살아오면서 거짓말을 한 적이 한 번도 없다 活到现在未曾说过一句谎话
이라 조 '이라고1' 的略词
이라고[1] 조 表示引用 ¶가게에 '휴가 중'～ 메모가 붙어 있다 商店门上贴着'休假'的告示
이라고[2] 조 **1** 表示轻视 ¶이것도 옷～ 샀니? 怎么买了这种衣服? **2** 表示理由、根据 ¶선생님～ 무엇이든 다 아나? 是老师, 就什么都懂吗? **3** 表示提示、提出 ¶인정～는 눈곱만큼도 없는 사람 没有一点儿人情味的人
이라도 조 表示假设的让步 ¶아무리 선생님～ 모르는 것이 있다 即使老师也有不知道的
이라든지 조 表示列举 ¶그는 돈～ 명예라든지 하는 것에 연연해하지 않는다 不管是金钱还是名誉, 他都不贪恋
이란 조 表示强调说明的对象 ¶사람～ 겉모양을 보고 아는 것이 아니다

人不是看外表就能了解的
이ː란성 쌍둥이(二卵性雙—) 〖生〗异卵双胞胎 yìluǎn shuāngbāotāi; 异卵双生儿 yìluǎn shuāngshēng'ér; 异卵双生 yìluǎn shuāngshēng; 双卵孪生 shuāngluǎn luánshēng
이랑[1] 명 垄 lǒng; 畦 qí ¶~을 짓다 打畦
이랑[2] 조 **1** 和 hé; 跟 gēn; 与 yǔ《表示举出主要的与同对象》¶오늘 동생~ 싸웠다 今天和弟弟打架了 **2** 和 hé; 跟 gēn; 与 yǔ《表示举出主要的比较对象》¶그는 형~ 많이 닮았다 他跟哥哥长得很像 / 나는 네 형~ 동갑이다 我和你哥哥是同龄人 **3** 和 hé《表示列举主要事物》¶떡~ 과일~ 많이 먹었다 吃了很多米糕和水果什么的
이ː래(以來) 의명 以来 yǐlái; 自从 zìcóng ¶유사 ~ 有史以来 / 지난 여름에 떠나온 ~로 고향 소식을 듣지 못했다 自从去年夏天离开故乡后, 就没有听到故乡的消息
이래라-저래라 指手画脚 zhǐshǒuhuàjiǎo《'이리하여라 저리하여라' 的略形》¶네가 뭔데 남의 일에 ~ 간섭하는 거냐? 你是什么人, 对别人的事指手画脚的?
이래-저래 부 这样那样 zhèyàngnàyàng ¶~ 돈 들어갈 데가 많다 这样那样要用钱的地方很多
이랬다-저랬다 一会儿这样一会儿那样 yīhuìr zhèyàng yīhuìr nàyàng; 反复无常 fǎnfùwúcháng; 忽而这样忽而那样 hū'ér zhèyàng hū'ér nàyàng《'이리하였다가 저리하였다가' 的略形》¶~ 하지 말고 빨리 결정해라 别一会儿这样一会儿那样了, 快作决定吧
이랴 감 驾 jià; 嘚 dā《赶牛马声》
이러나-저러나 一부 反正 fǎnzhèng 二 不管怎样 bùguǎn zěnyàng《'이러하나 저러하나' 的略形》¶이왕 죽을 목숨 ~ 매일반이다 既然横竖都是死, 不管怎样都一样
이러니-저러니 说这说那 shuōzhèshuōnà《'이러하다느니 저러하다느니' 的略形》¶~ 말이 많다 说这说那的, 话很多
이러다 자 **1** '이리하다' 的略词 ¶너 ~ 병나겠다 你这样下去会得病的 / 이러다가는 제시간에 도착하기 어렵겠다 这样下去, 很难按时到达 **2** 这样说 zhèyàng shuō; 这么说 zhème shuō
이러면 这样的话 zhèyàngde huà; 这样 zhèyàng《'이리하면' 或 '이러하면' 的略形》¶~ 곤란하다 这样的话就麻烦了 / 또 ~ 절대 용서하지 않겠다 再这样的话绝不饶恕
이러이러-하다 형 如此如此 rúcǐ rúcǐ; 如此这般 rúcǐ zhèbān = 여차여차하다 ¶사정이 ~ 情况就是如此这般
이러저러-하다 형 这样那样 zhèyàngnàyàng; 这种那种 zhèzhǒngnàzhǒng ¶이러저러한 사정으로 가지 못했다 由于这样那样的原因, 没能去成
이러쿵-저러쿵 부하자 说这说那 shuōzhèshuōnà; 说长道短 shuōchángdàoduǎn; 说白道绿 shuōbáidàolǜ ¶사람들이 그 일에 대해 ~ 떠들어댄다 人们对那件事说这说那, 议论纷纷
이러-하다 형 如此 rúcǐ; 这样 zhèyàng ¶사건의 전모는 ~ 事件的全貌是这样的
이럭-저럭 부하자 **1** 这样那样 zhèyàngnàyàng; 就那么 jiù nàme; 就那样 jiù nàyàng; 好歹 hǎodǎi ¶~ 밥은 먹고 산다 就那么糊口过日子 **2** 不觉 bùjué; 一晃 yīhuàng ¶고향을 떠난 지 ~ 10년이 되었다 离开故乡一晃就是十年了
이런[1] 관 这样的 zhèyàngde; 这种 zhèzhǒng ¶~ 일은 처음 겪어 본다 第一次遇到这样的事情 / ~ 느낌을 너는 이해하지 못할 것이다 这种感觉你不会懂
이런[2] 감 哎呀 āiyā ¶~, 내 정신 좀 봐라 哎呀, 瞧我这记性
이런-저런 관 这样那样的 zhèyàngnàyàngde ¶머릿속이 ~ 생각으로 가득하다 脑海里充满了这样那样的念头
이렇게 这么 zhème; 这样 zhèyàng; 如此 rúcǐ《'이러하게' 的略形》¶그는 웃으며 ~ 말했다 他笑着这么说了 / 그는 ~ 30년을 살아왔다 他这样过了三十年了 / 어차피 ~ 됐으니 차라리 그를 그냥 보내줘라 既然如此, 干脆放他走吧
이렇다 형 这样 zhèyàng; 如此 rúcǐ; 这个样子 zhège yàngzi = 여차하다[1] ¶내가 이럴 줄 알았다 我早就知道会这样 / 요즘 애들이 ~ 现在的孩子就是这个样子
이렇다 저렇다 말이 없다 구 未置可否; 没有表态
이렇-듯 (像)这样 (xiàng) zhèyàng; 如此 rúcǐ《'이러하듯' 的略形》¶~ 착한 아들이 또 있을까? 哪有像这样的好儿子呀?
이레 명 **1** 七天 qītiān = 이렛날2 ¶~ 동안 七天时间 / 난 지 ~ 된 송아지 出生七天的牛犊 **2** = 초이렛날
이렛-날 명 **1** 第七天 dìqītiān ¶그는 첫날부터 ~까지 정신없이 일했다 他从第一天到第七天一直忙着干活儿了 **2** = 이레1 **3** = 초이렛날 ¶내달 ~ 만납시다 下个月初七见面吧
이ː력(履歷) 명 履历 lǚlì; 经历 jīnglì;

阅历 yuèlì ¶그는 학생 운동에 참가한 ~이 있다 他有参加学生运动的经历

이:력-서(履歷書) 명 履历表 lǚlìbiǎo; 履历书 lǚlìshū ¶~를 쓰다 写履历表

이:례(異例) 명 违例 wéilì; 破例 pòlì; 破格 pògé; 打破常规 dǎpò chángguī ¶~의 승진 破格的升职

이:례-적(異例的) 관명 打破常规(的) dǎpò chángguī(de); 破例(的) pòlì(de); 破格(的) pògé(de) ¶~인 행동 打破常规的行为 / 이것은 ~인 조치이다 这是破例的措施

이:론(理論) 명 理论 lǐlùn ¶~가 理论家 / 경제 ~ 经济理论 / ~을 세우다 建立理论 / 그가 제시한 ~은 매우 신선하다 他提出的理论很新鲜

이:론(異論) 명 异论 yìlùn; 异议 yìyì ¶~을 제기하다 提起异议

이:론-적 관명 理论上(的) lǐlùnshang(de) ¶그것은 어디까지나 ~인 가설일 뿐이다 那只不过是理论上的假设而已

이:-롭다(利—) 형 有利 yǒulì; 有益 yǒuyì; 有好处 yǒu hǎochu; 利于 lìyú ¶담배는 몸에 이로울 것이 없다 抽烟对身体没有好处 / 좋은 약은 입에는 쓰지만 병에는 ~ 良药苦口利于病

이루 부 无法 wúfǎ; 怎么也 zěnme yě ¶눈물겨운 사연을 어찌 ~ 다 말할 수 있으랴 那催人泪下的遭遇怎能说得清呢 / 글로는 ~ 다 표현할 수 없다 无法用文字来一一表达

이:루(二壘) 명 〖體〗 **1** 二垒 èrlěi **2** = 이루수

이루다 타 **1** 形成 xíngchéng; 结成 jiéchéng; 构成 gòuchéng; 组成 zǔchéng; 做成 zuòchéng; 造成 zàochéng; 成 chéng ¶선명한 대조를 ~ 形成鲜明的对照 / 교통 혼잡을 ~ 造成交通混乱 / 결혼을 해서 가정을 ~ 结了婚组成了家庭 **2** 实现 shíxiàn; 达到 dádào; 完成 wánchéng; 达成 dáchéng ¶목적을 ~ 达到目的 / 그녀는 소원을 이루었다 她实现了愿望

이:루-수(二壘手) 명 〖體〗 二垒手 èrlěishǒu = 이루(二壘)2

이루어-지다 자 **1** 形成 xíngchéng; 构成 gòuchéng; 组成 zǔchéng; 结成 jiéchéng ¶물은 수소와 산소로 이루어졌다 水是由氢气和氧气构成的 **2** 实现 shíxiàn; 达到 dádào; 达成 dáchéng; 偿 cháng ¶이루어질 수 없는 사랑 完成不了的爱 / 소원이 ~ 愿望实现 / 합의가 ~ 达成协议 / 원하던 대로 ~ 如愿以偿

이:루-타(二壘打) 명 〖體〗 (棒球的) 二垒打 èrlěidǎ

이룩-되다 자 实现 shíxiàn; 形成 xíngchéng; 取得 qǔdé ¶이러한 성과는 하루아침에 이룩되는 것이 아니다 这样的成果不是一朝一夕能取得的

이룩-하다 타 **1** 实现 shíxiàn; 达成 dáchéng; 取得 qǔdé ¶나라와 민족의 번영을 ~ 实现国家和民族的繁荣 **2** 建立 jiànlì; 建成 jiànchéng; 建造 jiànzào ¶낙원을 ~ 建立乐园

이:류(二流) 명 二流 èrliú ¶~ 호텔 二流宾馆 / ~ 극장 二流剧场

이:륙(離陸) 명하자타 (飞机) 起飞 qǐfēi; 离陆 lílù ¶그 비행기는 ~ 직후 추락했다 那架飞机起飞后就坠落了 / 여러 대의 헬기가 동시에 ~하다 多架直升机同时起飞

이:륜-구동(二輪驅動) 명 〖機〗 二轮驱动 èrlún qūdòng

이:륜-마차(二輪馬車) 명 二轮马车 èrlún mǎchē

이:륜-차(二輪車) 명 二轮车 èrlúnchē; 双轮车 shuānglúnchē

이르다[1] 자 **1** (某一地点或时间) 到达 dàodá; 到 dào; 至 zhì; 抵达 dǐdá ¶약속 장소에 ~ 抵达约定地点 / 오늘에 이르러서야 直至今日 **2** 达到 dádào; 到 dào; 至 zhì; 至于 zhìyú ¶국제적인 수준에 ~ 达到国际先进水平

이르다[2] 자타 **1** 告诉 gàosu; 说 shuō ¶그에게 기다리지 말라고 ~ 告诉他别等了 / 옛말에 이르기를 부자는 망해도 삼 년은 간다고 했다 古语说瘦死的骆驼比马大 **2** = 타이르다 **3** 告 gào; 告密 gàomì; 告诉 gàosu; 告状 gàozhuàng; 告发 gàofā; 打小报告 dǎ xiǎobàogào ¶너 계속 이러면 엄마한테 이르겠다 要是你老这样, 我就告诉妈妈去 **4** 称为 chēngwéi; 叫做 jiàozuò ¶이러한 기계를 일러 기중기라고 한다 这种机器叫做起重机

이르다[3] 형 早 zǎo ¶저녁을 먹기에는 아직 ~ 吃晚饭还早呢 / 그는 여느 때보다 이르게 학교에 도착했다 他比平时早到学校了

이른-바 부 所谓 suǒwèi; 所说的 suǒshuōde; 名为 míngwéi = 소위(所謂) ¶이것이 ~ 대표작이란 말인가? 难道这就是所谓代表作?

이를-테면 부 可以说 kěyǐ shuō; 也就是说 yě jiùshì shuō; 换句话说 huàn jù huà shuō ¶내 친구는 ~ 걸어 다니는 사전이다 我朋友可以说是活字典

이름 명 **1** 名称 míngchēng; 名字 míngzi; 名 míng ¶이 꽃의 ~은 무엇입니까? 这花叫什么名字? / 이 학교는 작년에 ~이 바뀌었다 这所学校的名称在去年改变了 **2** (人的) 名字 míngzi; 名 míng ¶아이에게 ~을 지어 주다 给孩子起个名字 / 너는 ~이 뭐니? 你叫什么名字? / 그가 밖에서 네 ~을 부른

다 他在外面叫你的名字 **3** = 성명(姓名) ¶편지 봉투에 ~과 주소를 적다 在信封上写姓名地址 **4** = 명의(名義) ¶회사 ~으로 위로금을 보내다 以公司的名义送抚恤金 **5** 名声 míngshēng; 名气 míngqì; 名誉 míngyù; 名 míng ¶전국에 ~이 알려지다 闻名全国
이름(을) 날리다 구 扬名
이름(을) 팔다 구 利用名义
이름(이) 없다 구 没名气; 无名
이름(이) 있다 구 有名气; 有名

이름-나다 자 出名 chūmíng; 知名 zhīmíng; 著名 zhùmíng; 有名 yǒumíng; 有名声 yǒu míngshēng ¶이름난 신문 有名的报纸

이름-자(一字) 명 名字 míngzi ¶제 ~도 쓸 줄 모르다 连自己的名字都不会写

이름-표(一標) 명 姓名卡 xìngmíngkǎ; 姓名牌儿 xìngmíngpáir; 名签 míngqiān = 명패2 ¶~를 달다 挂好姓名卡

이리[1] 명 鱼白 yúbái = 어백

이리[2] 명 『動』 = 늑대

이리[3] 부 向这边 xiàng zhèbian; 到这儿 dào zhèr; 往这里 wǎng zhèli ¶~ 오세요 请到这儿来
이리 뒤척 저리 뒤척 구 翻来覆去; 辗转反侧
이리 뛰고 저리 뛰다 구 团团转; 奔忙
이리 오너라 구 有人吗? 《昔日有身份的人走访他人时在门外的喊声》

이리-도 부 = 이다지

이리-로 부 '이리[3]' 的强调语 ¶그가 ~ 걸어오고 있다 他正往这儿走来

이리-저리[1] 부하자 这样那样 zhèyàngnàyàng; 如此如彼 rúcǐrúbǐ; 东…西… dōng…xī… ¶~ 핑계를 대다 找这样那样的借口 / 그는 ~ 거짓말을 한다 他东拉西扯地撒谎

이리-저리[2] 부 这里那里 zhèlinàli; 这儿那儿 zhèrnàr; 东…西… dōng…xī… ¶~ 뛰어다니다 东奔西走

이리-하다 자 这样做 zhèyàng zuò; 继续这样 jìxù zhèyàng; 这样下去 zhèyàngxiàqù

이리-하여 부 由此 yóucǐ; 于是 yúshì; 这么着 zhèmezhe ¶~ 그들은 헤어지게 되었다 由此他们分手了

이마 명 额 é; 前额 qián'é; 额头 étóu; 脑门儿 nǎoménr ¶~가 넓은 사람 前额宽的人
이마를 맞대다[마주하다] 구 聚在一起商量

이-만 一관 这样的 zhèyàngde; 这么点 zhèmediǎn ¶~ 일을 가지고 뭘 걱정해 这么点事有什么可担心的 二부하타 就此 jiùcǐ; 到此 dàocǐ; 就到这里 jiù dào zhèli ¶오늘은 ~합시다 今天到此为止吧 / 오늘은 ~ 쓰겠습니다 今天就写到这里

이만-저만 명부하형 平常 píngcháng; 普通 pǔtōng; 寻常 xúncháng; 一般 yībān 《一般用于否定句中》 ¶~한 미인이 아니다 不是普通的美女 / 값이 ~ 비싼 게 아니다 价格不是一般地贵

이-만치 명부 = 이만큼

이-만큼 명부 像这样 xiàng zhèyàng; 这么点儿 zhèmediǎnr; 这么多 zhème duō; 这么大 zhème dà; 这个程度 zhège chéngdù; 这样 zhèyàng; 这么 zhème = 이만치 ¶~ 자라다 长到这个程度 / 모두 쌓아 놓으니 ~이나 되었다 把所有的都堆起来也有这么多

이만-하다 형 这样 zhèyàng; 这么 zhème ¶이만하면 됐다 这样就行了 / 키가 ~ 个子就这么大

이맘-때 명 这个时候 zhège shíhou; 这时候 zhè shíhou ¶내일 ~ 만나자 明天这个时候见吧 / 작년 ~ 졸업했다 去年这个时候毕业的

이맛-살 명 额上皱纹 éshang zhòuwén; 眉头 méitóu ¶~을 찌푸리다 皱眉头

이메일(email)[electronic mail] 명 『컴』 = 전자 우편 ¶~을 보내다 发电子邮件

이며 조 啦 la; 啊 a; 呀 ya 《用于末音节为闭音节的体词后, 表示列举》 ¶그림~ 조각~ 미술품으로 가득 찬 화실 堆满了画呀, 雕塑呀, 美术品的画室

이:면(裏面) 명 **1** = 뒷면 ¶수표의 ~ 支票的背面 **2** 内情 nèiqíng; 内幕 nèimù; 内心 nèixīn ¶한국 정치사의 ~ 韩国政治史的内幕

이면수(一壽) 명 『魚』 '임연수어' 的错误

이:면-지(裏面紙) 명 反面用纸 fǎnmiànyòngzhǐ ¶~를 활용하다 使用反面用纸

이:명(耳鳴) 명 『醫』 = 귀울림

이모(姨母) 명 姨母 yímǔ; 姨妈 yímā; 姨儿 yír

이모-부(姨母夫) 명 姨父 yífu; 姨夫 yífu; 姨丈 yízhàng

이:모-작(二毛作) 명 『農』 两茬复种 liǎngchá fùzhǒng; 一年两茬 yīnián liǎngchá; 两熟制 liǎngshúzhì

이모-저모 명 方方面面 fāngfāngmiànmiàn; 各个方面 gègè fāngmiàn; 翻来复去 fānláifùqù ¶~로 자기 처지를 생각해 보다 翻来复去地思量着自己的处境

이:목(耳目) 명 耳目 ěrmù; 注目 zhùmù ¶~을 피하다 避人耳目 / ~을 끌

다 引人注目
이:목구비(耳目口鼻) 명 耳目口鼻 ěrmùkǒubí; 五官 wǔguān ¶~가 수려하다 五官端正
이:무기 명 1 螭 chī; 螭龙 chīlóng 2 〖動〗蟒 mǎng; 蟒蛇 mǎngshé
이물 명 船头 chuántóu; 船首 chuánshǒu
이:물(異物) 명 异物 yìwù; 杂质 zázhì = 이물질 ¶~감 异物感 / 눈에 ~이 들어갔다 眼里进了异物
이:-물질(異物質) 명 = 이물(異物)
이:미 부 已经 yǐjīng; 业已 yèyǐ; 已 yǐ ¶그는 ~ 세상을 떠났다 他已经去世了 / 나는 ~ 그녀를 잊었다 我已忘了她
이미지(image) 명 1 〖文〗 = 심상1 2 印象 yìnxiàng; 形象 xíngxiàng ¶~ 광고 形象广告 / 좋은 ~를 남기다 留下美好的印象
이미테이션(imitation) 명 仿制品 fǎngzhìpǐn; 仿造品 fǎngzàopǐn; 仿造物 fǎngzàowù; 赝品 yànpǐn
이민(移民) 명하자 移民 yímín ¶~국 移民国家 / ~ 정책 移民政策 / 미국으로 ~ 가다 移民到美国
이민-자(移民者) 명 移民者 yímínzhě; 移民 yímín
이:-민족(異民族) 명 异民族 yìmínzú; 异族 yìzú
이바지 명하자타 1 贡献 gòngxiàn ¶조국 발전에 ~하다 为祖国的发展做出贡献 2 供应 gōngyìng; 供应品 gōngyìngpǐn
이:발(理髮) 명하자 理发 lǐfà; 剃头 tìtóu ¶나는 한 달에 한 번씩 ~을 한다 我一个月理一次发
이:발-관(理髮館) 명 = 이발소
이:발-기(理髮器) 명 理发器 lǐfàqì; 理发推子 lǐfà tuīzi; 剪发器 jiǎnfàqì
이:발-사(理髮師) 명 理发师 lǐfàshī; 理发员 lǐfàyuán
이:발-소(理髮所) 명 理发店 lǐfàdiàn; 理发馆 lǐfàguǎn = 이발관 ¶~에 이발하러 가다 到理发店去理发
이:방(吏房) 명 〖史〗吏房 lìfáng
이:방(異邦) 명 = 이국
이:방-인(異邦人) 명 异邦人 yìbāngrén; 异国人 yìguórén
이-번(—番) 명 这次 zhècì; 这一次 zhè yīcì; 此次 cǐcì; 这回 zhèhuí; 这一回 zhè yīhuí; 这个 zhège = 금번 · 이참 ¶~ 일요일 这个星期天 / ~에는 그가 이길 것이다 这一次他会赢 / ~만은 용서해 주겠다 就饶你这一回
이벤트(event) 명 1 活动 huódòng; 节目 jiémù 2 比赛 bǐsài; 比赛项目 bǐsài xiàngmù
이:변(異變) 명 异变 yìbiàn; 反常 fǎncháng; 突变 tūbiàn; 意外局面 yìwài júmiàn = 변이(變異)1 ¶기상 ~ 气候反常现象 / ~이 발생하다 发生异变 / ~이 속출하다 频频出现意外局面
이:별(離別) 명하자타 离别 líbié; 别离 biélí; 分手 fēnshǒu; 分开 fēnkāi; 分别 fēnbié; 别 bié ¶~가 离别歌 / ~주 离别酒 / ~을 고하다 告别 / 사랑하는 사람과 ~하다 跟心爱的人离别
이:병(二兵) 명 〖軍〗 = 이등병
이:복(異腹) 명 异母 yìmǔ; 同父异母 tóngfù yìmǔ ¶~ 자매 同父异母姐妹 / ~ 누나 同父异母姐姐 / ~ 남매 同父异母兄妹
이:복-동생(異腹—) 명 同父异母弟弟 tóngfù yìmǔ dìdi; 同父异母妹妹 tóngfù yìmǔ mèimei
이:복-형(異腹兄) 명 同父异母哥哥 tóngfù yìmǔ gēge
이:복-형제(異腹兄弟) 명 同父异母兄弟 tóngfù yìmǔ xiōngdì
이부-자리 명 被褥 bèirù; 寝具 qǐnjù; 卧具 wòjù; 铺盖 pūgai = 자리[2]2 ¶~를 펴다 铺被褥 / ~를 개다 叠被褥
이:부-제(二部制) 명 二部制 èrbùzhì ¶~ 학교 二部制学校 / ~ 수업 二部制教学
이:북(以北) 명 1 以北 yǐběi ¶한강 ~ 汉江以北 2 = 북한 ¶~에 두고 온 가족 留在北韩的家属
이-분 대 这位 zhèwèi ¶~은 나의 스승이시다 这位是我的老师
이:분-법(二分法) 명 〖論〗二分法 èrfēnfǎ; 两分法 liǎngfēnfǎ
이:분-쉼표(二分—標) 명 〖音〗二分休止符 èrfēn xiūzhǐfú
이:분-음표(二分音標) 명 〖音〗二分音符 èrfēn yīnfú
이불 명 被子 bèizi; 被 bèi; 被窝 bèiwō ¶오리털 ~ 鸭绒被 / ~을 덮다 盖被子
이불-깃 명 被头 bèitóu
이불-보(—褓) 명 (包被子的) 包袱皮儿 bāofupír
이불-잇 명 被衬 bèichèn
이브(eve) 명 前夕 qiánxī; 前夜 qiányè
이브(Eve) 명 〖宗〗夏娃 Xiàwá
이브닝-드레스(evening dress) 명 女晚礼服 nǚwǎnlǐfú; 女夜礼服 nǚyèlǐfú
이:비인후-과(耳鼻咽喉科) 명 〖醫〗耳鼻喉科 ěrbíhóukē; 耳鼻喉科医院 ěrbíhóukē yīyuàn
이빨 명 牙 yá; 牙齿 yáchǐ 《'이[2]' 的鄙称》
이쁘다 형 = 예쁘다
이:사(理事) 명 〖法〗董事 dǒngshì; 理

事 lǐshì ¶~ 몇 분이 회의를 하고 계신다 几位董事正在开会

이사(移徙) 명하자 搬家 bānjiā; 搬 bān; 迁徙 qiānxǐ; 搬迁 bānqiān; 迁居 qiānjū ¶우리는 어제 ~했다 我们昨天搬家了 / 그 집은 어디로 ~ 갔느냐? 那家搬到哪里去了?

이:사-국(理事國) 명 〖政〗 理事国 lǐshìguó

이:-사분기(二四分期) 명 第二季度 dì'èr jìdù

이:사-장(理事長) 명 董事长 dǒngshìzhǎng; 理事长 lǐshìzhǎng

이:사-회(理事會) 명 〖法〗 董事会 dǒngshìhuì; 理事会 lǐshìhuì

이삭 명 **1** 穗(儿) suì(r); 穗子 suìzi ¶벼 ~ 稻穗 / ~이 패다 抽穗 =[吐穗] **2** (秋收时散落的) 庄稼 zhuāngjia ¶~을 줍다 拾庄稼

이:산(離散) 명하자 离散 lísàn; 失散 shīsàn ¶~가족 离散家属 / 가족이 ~하다 家人离散

이:-산화(二酸化) 명 〖化〗 二氧化 èryǎnghuà

이:산화 탄소(二酸化炭素) 〖化〗 二氧化碳 èryǎnghuàtàn = 탄산가스 ¶~ 중독 二氧化碳中毒

이:산화 황(二酸化黃) 〖化〗 二氧化硫 èryǎnghuàliú = 아황산가스

이:삼(二三) 관 二三 èrsān; 两三 liǎngsān ¶~ 년 两三年 / ~일 两三天 / ~월 二三月

이삿-짐(移徙—) 명 搬家行李 bānjiā xíngli ¶~을 싸다 打点搬家行李

이삿짐-센터(移徙—center) 명 搬家公司 bānjiā gōngsī

이:상(以上) 명 **1** 以上 yǐshàng; 多 duō ¶만 20세 ~ 20周岁以上 / ~은 최근의 조사에 의한 결과이다 以上是根据最近调查的结果 **2** 既然…就… jìrán…jiù…; 一旦…就… yīdàn…jiù… ¶약속한 ~ 반드시 지켜야 한다 既然约好了, 就必须守约 **3** 到此 dàocǐ ¶~으로 저의 보고를 마치겠습니다 我的报告到此为止

이:상(理想) 명 理想 lǐxiǎng ¶원대한 ~을 품다 心怀远大的理想 / 자신의 ~을 실현하다 实现自己的理想

이:상(異狀) 명 异常状态 yìcháng zhuàngtài

이:상(異常) 명하형히부 **1** 异常 yìcháng; 不正常 bùzhèngcháng; 反常 fǎncháng; 失常 shīcháng ¶정신 ~ 精神失常 / ~ 기후 异常气候 **2** 奇怪 qíguài ¶참 ~하다 真奇怪

이:상 고온 현:상(異常高溫現像) 〖地理〗 异常高温 yìcháng gāowēn; 异常高温现像 yìcháng gāowēn xiànxiàng

이:상-스럽다(異常—) 형 奇怪 qíguài; 可疑 kěyí ¶그의 행동이 매우 ~ 他的行动很可疑 **이:상스레** 부

이:상 심리(異常心理) 〖心〗 异常心理 yìcháng xīnlǐ

이:상야릇-이(異常—) 부 怪怪地 guàiguàide; 稀奇古怪地 xīqígǔguàide; 怪里怪气地 guàiliguàiqìde; 怪模怪样地 guàimúguàiyàngde ¶~ 웃다 怪怪地笑

이:상야릇-하다(異常—) 형 怪异 guàiyì; 怪里怪气 guàiliguàiqì; 怪模怪样 guàimúguàiyàng; 怪怪的 guàiguàide; 稀奇古怪 xīqígǔguài = 괴이하다 ¶이상야릇한 표정 怪怪的表情 / 그는 차림새가 ~ 他打扮得怪里怪气

이:상-적(理想的) 관명 理想(的) lǐxiǎng(de) ¶~인 사회 理想的社会

이:상 행동(異常行動) 〖心〗 异常行动 yìcháng xíngdòng; 异动 yìdòng

이:상-향(理想鄕) 명 安乐乡 ānlèxiāng; 乌托邦 wūtuōbāng; 桃源 táoyuán; 世外桃源 shìwàitáoyuán = 유토피아

이:상-형(理想型) 명 理想情人 lǐxiǎng qíngrén; 理想型 lǐxiǎngxíng

이:색(異色) 명 **1** 异色 yìsè 《不同的颜色》 **2** 特别 tèbié; 特殊 tèshū; 奇特 qítè; 不一般 bùyībān; 异样 yìyàng ¶~ 결혼식 奇特的婚礼

이:색-적(異色的) 관명 奇特(的) qítè(de); 异样(的) yìyàng(de) ¶~인 느낌 异样的感觉 / ~인 풍습 奇特的风俗

이-생(—生) 명 今生 jīnshēng; 今世 jīnshì; 现世 xiànshì

이:서(裏書) 명하자 〖法〗 = 배서2 ¶수표에 ~해 주십시오 请在支票背面签字

이:성(理性) 명 理性 lǐxìng; 理智 lǐzhì ¶~을 잃다 失去理性 / ~을 되찾다 恢复理智

이:성(異性) 명 异性 yìxìng ¶~ 친구 异性朋友 / ~ 교제 异性交往 / ~에 대한 호기심 对异性的好奇心

이성에 눈을 뜨다 구 情窦初开; 性意识初萌

이:성-애(異性愛) 명 异性恋 yìxìngliàn; 异性爱 yìxìng'ài ¶~자 异性恋者 =[异性爱者]

이:성-적(理性的) 관명 理性(的) lǐxìng(de); 理智(的) lǐzhì(de) ¶~ 판단 理性的判断 / ~으로 대처하다 理智应付

이:세(二世) 명 **1** 下一代 xiàyīdài **2** 二世 èrshì ¶요한 바오로 ~ 圣保罗二世 **3** (侨胞的) 第二代 dì'èrdài ¶교포 ~ 侨胞第二代 **4** 子女 zǐnǚ; 孩子 háizi ¶~가 생기다 有了孩子

이솝(Aesop) 명 〖人〗 伊索 Yīsuǒ ¶~

우화 伊索寓言
이송(移送) 명하타 转送 zhuǎnsòng; 移交 yíjiāo; 转运 zhuǎnyùn ¶환자를 병원으로 ~하다 把病人转送医院 / 화물을 ~하다 转运货物
이:수(履修) 명하타 修完 xiūwán; 修业 xiūyè; 修 xiū ¶~ 과목 应修课目 / ~ 학점 应修学分 / 그는 대학원에서 박사 과정을 ~했다 他在研究院修完了博士课程
이:순(耳順) 명 耳顺 ěrshùn; 耳顺之年 ěrshùnzhīnián 《指六十岁》
이슈(issue) 명 争议 zhēngyì; 争论点 zhēnglùndiǎn; 论点 lùndiǎn; 议题 yìtí ¶회담의 주요 ~ 会谈的主要议题
이스트(yeast) 명 1 【植】 = 효모균 2 干酵母 gānjiàomǔ
이슥-하다 형 (夜) 深 shēn ¶밤이 ~ 夜很深 **이슥-히** 부
이슬 명 1 露 lù; 露水 lùshui ¶풀잎에 ~이 맺히다 草叶子上挂着露水 2 泪珠 lèizhū ¶눈가에 ~이 맺히다 眼角挂着泪珠
이슬로 사라지다 구 牺牲; 丧命
이슬람(Islam) 명 伊斯兰 Yīsīlán ¶~ 문화 伊斯兰文化
이슬람-교(Islam教) 명 【宗】 伊斯兰教 Yīsīlánjiào; 清真教 Qīngzhēnjiào; 回教 Huíjiào; 回回教 Huíhuíjiào = 회교
이슬람교-국(Islam教國) 명 【宗】 伊斯兰国家 Yīsīlán guójiā; 回教国家 Huíjiào guójiā
이슬람-교도(Islam教徒) 명 【宗】 伊斯兰教徒 Yīsīlánjiàotú; 穆斯林 mùsīlín; 回教徒 Huíjiàotú
이슬람-권(Islam圈) 명 【宗】 伊斯兰文化圈 Yīsīlán wénhuàquān; 回教圈 Huíjiàoquān
이슬-방울 명 露珠 lùzhū
이슬-비 명 毛毛雨 máomáoyǔ; 蒙蒙细雨 méngméng xìyǔ ¶~가 내리다 下毛毛雨
이슬-점(—點) 명 【物】 露点 lùdiǎn
이승 명 阳间 yángjiān; 今生 jīnshēng; 今世 jīnshì; 人世 rénshì; 人世间 rénshìjiān ¶~을 하직하다 离开人世
이식(移植) 명하타 1 移植 yízhí; 移栽 yízāi ¶묘목 ~ 移植树秧儿 2 【醫】 移植 yízhí ¶~ 수술 移植手术 =[移植术] / 피부 ~ 皮肤移植 / 심장을 다른 사람의 몸에 ~하다 把心脏移植到别人的身体里
이:식(利息) 명 = 이자(利子)
이:실직고(以實直告) 명하자타 照实直说 zhàoshí zhíshuō; 以实相告 yǐshí xiānggào; 直言不讳 zhíyánbùhuì ¶살고 싶으면 ~해라 想活命就照实直说
이:심(二審) 명 【法】 二审 èrshěn ¶~ 재판 二审裁判
이:심전심(以心傳心) 명하자 以心传心 yǐxīnchuánxīn; 心连心 xīnliánxīn; 心心相印 xīnxīnxiāngyìn
이:십(二十) 수관 二十 èrshí ¶~ 킬로그램 二十公斤 / ~ 년 二十年
이:십사-금(二十四金) 명 二十四开金 èrshísì kāijīn; 二十四K金 èrshísì K jīn 《指纯金》
이:십사-절기(二十四節氣) 명 二十四节气 èrshísì jiéqì
이:십팔-수(二十八宿) 명 【天】 二十八宿 èrshíbāxiù
이-쑤시개 명 牙签(儿) yáqiān(r) ¶~로 이를 쑤시다 用牙签儿剔牙
이-앓이 명하자 【醫】 = 치통
이앙(移秧) 명하자 【農】 = 모내기
이앙-기(移秧機) 명 插秧机 chāyāngjī
이야 조 用于末音节为闭音节的体词后, 表示强调 ¶며칠 밤 새우는 것쯤~ 견딜 수 있다 熬几天夜, 也能挺下来
이야기 명하자타 1 话 huà; 说话 shuōhuà; 谈话 tánhuà; 谈 tán ¶제 ~를 좀 들어 보세요 请听听我的话 / 쓸데없는 ~하지 마라 别说废话了 2 故事 gùshi ¶아이들에게 손오공 ~를 들려주다 给孩子们讲孙悟空的故事 3 往事 wǎngshì; 经历 jīnglì ¶그는 딸에게 전쟁 후 고생한 ~를 해 주었다 他给女儿讲述了自己战后的苦难经历 4 传言 chuányán; 闲话 xiánhuà; 传闻 chuánwén ¶요즘 그녀에 대한 이상한 ~가 나돌고 있다 最近正在散布着关于她的奇怪传言
이야기-꾼 명 故事大王 gùshi dàwáng
이야기-보따리 명 = 이야깃 주머니
이야기-책(—冊) 명 1 故事书 gùshishū 2 小说 xiǎoshuō
이야깃-거리 명 话题 huàtí; 话柄 huàbǐng; 话料 huàliào; 话把儿 huàbàr; 谈资 tánzī = 토픽1 · 화제2 ¶~가 떨어지다 没有话题了 / 모두의 ~가 되다 成为大家的话柄
이야깃-주머니 명 故事大王 gùshi dàwáng; 话匣子 huàxiázi = 이야기보따리 ¶~를 풀어 놓다 打开话匣子
이야-말로[1] 부 这才是 zhè cáishì ¶~ 내 인생을 바꿀 절호의 기회다 这才是改变我人生的绝佳机会
이야-말로[2] 조 才 cái; 才是 cáishì ¶당신~ 거짓말을 하고 있잖아요 你才撒谎呢
이양(移讓) 명하타 移让 yíràng; 移交 yíjiāo; 转让 zhuǎnràng ¶권리를 ~하다 移让权利 / 정권을 ~하다 移交政权
이어-달리기 명하자 【體】 = 계주
이어-받다 타 继承 jìchéng ¶왕위를

~ 继承王位 / 가업을 ~ 继承家业

이어-서 부 接着 jiēzhe; 随即 suíjí; 继而 jì'ér ¶10분간의 휴식이 끝나고 ~ 회의가 시작되었다 休息十分钟后, 接着开会了 / ~ 예술 공연이 펼쳐졌다 接着进行了文艺演出

이어-지다 자 **1** 连接 liánjiē; 衔接 xiánjiē; 相连 xiānglián; 连 lián ¶이 길은 고속 도로와 이어진다 这条路与高速公路相连 / 이 문장은 앞뒤가 이어지지 않는다 这篇文章前后不衔接 **2** 传承 chuánchéng; 继承 jìchéng ¶비법이 후세에 ~ 秘方传承后世

이어폰(earphone) 명 耳机 ěrjī; 耳塞 ěrsāi ¶~을 끼다 戴耳机 / ~으로 음악을 듣다 用耳机听音乐

이엉 명 草苫子 cǎoshānzi ¶~을 엮다 编草苫子 / ~을 얹다 盖草苫子

이-에 부 因此 yīncǐ; 于是 yúshì; 兹此 zīcǐ ¶성적이 우수하여 ~ 상장을 수여함 成绩优秀, 兹此授予奖状

이여 조 啊 a《用于末音节为闭音节的体词后, 表示感叹或号召的语气》¶하늘~, 조국을 보살피소서 老天啊, 保佑我的祖国吧

이:역(異域) 명 异域 yìyù; 异乡 yìxiāng; 他乡 tāxiāng; 异国 yìguó ¶그는 먼 ~에서 쓸쓸히 숨졌다 他在异国凄凉地死了

이:역-만리(異域萬里) 명 万里异国 wànlǐ yìguó; 异国万里 yìguó wànlǐ; 万里之外 wànlǐzhīwài

이:열치열(以熱治熱) 명하자 以热治热 yǐrèzhìrè

이온(ion) 명 〖化〗离子 lízǐ ¶~ 결정 离子晶体 / ~ 결합 离子键 / ~ 교환 离子交换

이온-화(ion化) 명 〖化〗电离 diànlí; 离子化 lízǐhuà

이완(弛緩) 명하자 弛缓 chíhuǎn; 松弛 sōngchí; 松懈 sōngxiè ¶근육이 ~되다 肌肉松弛

이:왕(已往) 一명 以往 yǐwǎng; 已往 yǐwǎng; 既往 jìwǎng; 过去 guòqù ¶~의 일은 다 잊어라 过去的事就忘了吧 二부 = 이왕에 ¶~ 하는 일이니 잔소리하지 말고 열심히 하자 既然是要做的事, 就少说废话, 好好干吧

이:왕-에(已往―) 부 既然 jìrán = 이왕二 ¶~ 오셨으니 차라도 한잔 하고 가세요 既然来了, 喝杯茶再走吧

이:왕-이면(已往―) 부 既然要… jìrán yào…; 既然如此 jìrán rúcǐ ¶~ 예쁘게 찍어 주세요 既然要拍就拍得漂亮一点儿

이:왕지사(已往之事) 명 往事 wǎngshì; 以往之事 yǐwǎngzhīshì; 已往之事 yǐwǎngzhīshì; 已过之事 yǐguòzhīshì ¶~ 끝난 일을 뭐하러 또 꺼내느냐? 已往之事, 何必再提?

이:외(以外) 명 以外 yǐwài; 之外 zhīwài ¶이곳은 관계자 ~의 사람이 들어올 수 없습니다 这个地方有关人员以外不得人内 / 그는 공부 ~의 일에는 도통 흥미가 없다 他对学习以外的事完全不感兴趣

이:용(利用) 명하타 **1** 利用 lìyòng; 使用 shǐyòng; 用 yòng ¶~도 利用度 / ~률 利用率 / 폐품을 ~하다 利用废品 / 대중교통을 ~하다 利用大众交通工具 / 폐식용유를 ~해서 재생 비누를 만들다 利用废食用油做再生皂 **2** 利用 lìyòng ¶그는 나쁜 사람들에게 ~당했다 他被一些坏人利用了

이:용-자(利用者) 명 用户 yònghù ¶인터넷 ~ 网络用户 / 휴대폰 ~ 手机用户

이울다 자 **1** 枯萎 kūwěi; 凋谢 diāoxiè; 蔫 niān ¶꽃이 이울었다 花凋谢了 **2** 日趋衰弱 rìqū shuāiruò ¶국운이 ~ 国运日趋衰弱 **3** 亏 kuī ¶달도 차면 이운다 月满则亏

이웃 명하자 **1** 邻居 línjū; 近邻 jìnlín; 隔壁 gébì; 街坊 jiēfang ¶~과 거의 왕래가 없다 跟邻居几乎没有来往 **2** 邻 lín; 邻近 línjìn; 附近 fùjìn; 毗连 pílián; 毗邻 pílín ¶~ 나라 邻邦 / 바로 ~에 대형 마트가 들어섰다 就在附近盖了个大型超市

이웃-사촌(―四寸) 명 近邻 jìnlín ¶먼 친척보다 ~이 낫다 远亲不如近邻

이웃-집 명 邻居 línjū; 邻家 línjiā; 隔壁 gébì ¶~에 놀러 가다 到隔壁串门儿

이:원(二元) 명 **1** 二元 èryuán ¶~ 방송 二元播放 / ~ 화합물 二元化合物 **2** 〖數〗二元 èryuán ¶~ 일차 방정식 二元一次方程式

이:월(二月) 명 二月 èryuè

이월(移越) 명하타 结转 jiézhuǎn ¶~금 结转金额 / 잔고를 다음 기로 ~하다 将余额结转下期

이:유(理由) 명 **1** 理由 lǐyóu; 缘故 yuángù; 原因 yuányīn; 原由 yuányóu ¶정당한 ~ 正当的理由 / 아무런 ~ 없이 无缘无故 / 그들은 이러한 ~로 헤어졌다 他们因为这样的理由分手了 **2** 借口 jièkǒu; 托词 tuōcí ¶무슨 ~가 그리도 많으냐? 怎么那么多借口?

이:유(離乳) 명하자타 断奶 duànnǎi; 断乳 duànrǔ

이유(EU)[the European Union] 명 〖政〗 = 유럽 연합

이:유-기(離乳期) 명 〖醫〗断奶期 duànnǎiqī; 断乳期 duànrǔqī

이:유-식(離乳食) 명 断奶食 duànnǎishí; 断奶食品 duànnǎi shípǐn ¶아기에게 ~을 먹이다 给婴儿喂断奶食

이:윤(利潤) 명 利润 lìrùn; 盈利 yínglì; 赚头 zhuàntou ¶~을 남기다 剩下利润 / ~이 남다 有盈利

이:율(利率) 명 利率 lìlǜ; 息率 xīlǜ = 이자율 ¶연 5%의 ~ 年利五厘的息率 / ~을 올리다 提高利率 / ~을 내리다 降低利率 / 이 저금은 ~이 높다 这种储蓄利率高

이:율-배반(二律背反) 명 『論』 二律背反 èrlǜbèifǎn; 二律悖反 èrlǜbèifǎn

이윽고 부 不久 bùjiǔ; 不一会儿 bùyīhuìr; 过了一会儿 guòle yīhuìr; 过了片刻 guòle piànkè ¶해가 나자 ~ 안개가 걷혔다 太阳出来了, 不一会儿雾气就消失了

이음-매 명 接头儿 jiētóur; 接缝 jiēfèng; 接口儿 jiēkǒur ¶~가 풀리다 接头儿松脱了

이음-새 명 '이음매' 的错误

이음-표(一標) 명 『語』 连接号 liánjiēhào

이:의(異意) 명 别的意见 biéde yìjiàn ¶~가 없다 没有别的意见

이:의(異義) 명 异义 yìyì ¶동음~ 同音异义

이:의(異議) 명하자 异议 yìyì; 不同意见 bùtóng yìjiàn ¶~를 제기하다 提出异议

이:의 신청(異議申請) 『法』 (依法) 异议申请 yìyì shēnqǐng; 申请复议 shēnqǐng fùyì

이:익(利益) 명 **1** 利益 lìyì; 好处 hǎochu ¶~ 집단 利益集团 / ~을 도모하다 谋求利益 / 막대한 ~을 얻다 获得极大利益 **2** 『經』 利润 lìrùn; 赢利 yínglì; 盈利 yínglì; 赚头 zhuàntou; 收益 shōuyì ¶이번 거래는 ~이 적다 这回买卖赢利不多

이:익-금(利益金) 명 盈利 yínglì; 赢利 yínglì

이:익 배:당(利益配當) 『經』 利益分配 lìyì fēnpèi; 分配红利 fēnpèi hónglì; 分红 fēnhóng

이:인(異人) 명 **1** 异人 yìrén **2** 别人 biérén **3** 外人 wàirén

이:인-삼각(二人三脚) 명 『體』 两人三脚 liǎngrén sānjiǎo

이:-인칭(二人稱) 명 『語』 第二人称 dì'èr rénchēng

이입(移入) 명하타 移入 yírù; 加入 jiārù; 投入 tóurù ¶개인적인 감정이 ~되다 加入个人感情

이-자(一者) 명 此人 cǐrén; 这人 zhèrén; 这个人 zhège rén

이:자(利子) 명 利息 lìxī; 利钱 lìqián = 이식(利息) ¶이 예금은 연 6%의 ~가 붙는다 这笔存款一年有六厘利息

이:자-세(利子稅) 명 『法』 利息所得税 lìxī suǒdéshuì; 利息税 lìxīshuì

이:자 소:득(利子所得) 『經』 利息所得 lìxī suǒdé; 利息收入 lìxī shōurù

이:자-율(利子率) 명 『經』 = 이율

이:장(里長) 명 里长 lǐzhǎng

이장(移葬) 명하타 移葬 yízàng; 迁葬 qiānzàng; 改葬 gǎizàng

이:재(理財) 명하자 理财 lǐcái ¶그녀는 ~에 밝다 她很会理财

이재(罹災) 명하자 罹灾 lízāi; 受灾 shòuzāi; 遭灾 zāozāi

이재-민(罹災民) 명 灾民 zāimín; 受灾民 shòuzāimín ¶~ 수용소 灾民收容所 / ~을 구제하다 救济灾民

이:적(利敵) 명하자 利敌 lìdí; 资敌 zīdí ¶~ 단체 利敌团体 / ~죄 利敌罪 / ~ 행위 资敌行为

이적(移籍) 명하자 **1** 迁移户籍 qiānyí hùjí; 迁户口 qiān hùkǒu **2** (运动员) 转会 zhuǎnhuì; 转队 zhuǎnduì ¶~료 转会费 / 그는 올 봄에 다른 팀으로 ~되었다 他今年春天转会到别的队

이:전(以前) 명 **1** 以前 yǐqián; 从前 cóngqián; 以往 yǐwǎng; 既往 jìwǎng ¶그는 ~과 완전히 달라졌다 他跟以前完全不一样了 / 그는 ~보다 훨씬 뚱뚱해졌다 他比从前更胖了 **2** 以前 yǐqián; 之前 zhīqián ¶산업 혁명 ~ 产业革命以前

이전(移轉) 명하타 **1** 迁移 qiānyí; 搬迁 bānqiān; 转移 zhuǎnyí ¶사무실을 ~하다 搬迁办公室 **2** 移交 yíjiāo; 转让 zhuǎnràng ¶소유권을 ~하다 移交所有权 / 기술을 ~하다 转让技术

이:점(利點) 명 益处 yìchu; 好处 hǎochu; 长处 chángchu ¶쓰기에 편리한 것이 이 기구의 ~이다 便于使用是这个工具的长处

이:정(里程) 명 里程 lǐchéng; 路程 lùchéng

이:정-표(里程標) 명 路标 lùbiāo; 里程碑 lǐchéngbēi ¶~를 보고 길을 찾다 看路标寻路 / 문학 발전사에 새로운 ~를 세우다 树立文学发展上新的里程碑

이제 명부 **1** 现在 xiànzài; 此刻 cǐkè; 此时 cǐshí; 这时 zhèshí ¶~부터는 거짓말을 하지 마라 从现在起就不要说谎了 / ~라도 늦지 않았다 现在也不晚 **2** 马上 mǎshàng; 立刻 lìkè; 就 jiù; 即将 jíjiāng ¶~ 며칠 후면 졸업이다 再过几天就要毕业了 / 영화가 ~ 곧 시작한다 电影马上就要开演了

이제-껏 부 = 여태껏 ¶이런 일은 ~ 들어본 적이 없다 这种事我从来没听说过

이제나-저제나 부 左等右等 zuǒděng-yòuděng ¶～ 기다렸지만 그는 끝내 오지 않았다 左等右等, 等了半天, 他还是没来

이제-야 부 现在才 xiànzài cái; 这才 zhè cái; 才 cái ¶～ 그의 본색이 드러났다 现在才露出他的真面目 / 너는 어째서 ～ 오는 거냐? 你怎么才来呀?

이젤(easel) 명 【美】 画架 huàjià

이종(姨從) 명 姨表 yíbiǎo; 姨表亲 yíbiǎoqīn = 이종사촌

이종-사촌(姨從四寸) 명 = 이종

이종-형(姨從兄) 명 姨表兄 yíbiǎoxiōng

이종-형제(姨從兄弟) 명 姨表兄弟 yíbiǎo xiōngdì

이주(移住) 명하자 移居 yíjū; 迁居 qiānjū; 迁 qiān ¶해외 ～ 移居海外

이주-민(移住民) 명 移民 yímín

이주-자(移住者) 명 移居者 yíjūzhě; 迁居者 yíjūzhě

이죽-거리다 자 '이기죽거리다' 的略词 = 이죽대다 ¶이의가 있으면 이기죽거리지 말고 직접 얘기해라 有意见就直说, 不要挖苦人 **이죽-이죽** 부하자

이:중(二重) 명 二重 èrchóng; 双重 shuāngchóng; 重 chóng ¶～ 부담 双重负担 / ～ 결혼 重婚 / ～ 가격 双重价格 / ～간첩 双重间谍 / ～ 과세 双重课税 =[双重征税] / ～ 국적 双重国籍

이:중-고(二重苦) 명 双重困难 shuāngchóng kùnnan; 双重苦 shuāngchóngkǔ; 双重苦难 shuāngchóng kǔnan; 双重痛苦 shuāngchóng tòngkǔ ¶그는 파산과 질병의 ～에 시달렸다 他破了产又患了病, 受到双重苦难的折磨

이:중 모:음(二重母音) 【語】 复元音 fùyuányīn; 复合元音 fùhé yuányīn; 复母音 fùmǔyīn

이:중-생활(二重生活) 명 **1** 双重生活 shuāngchóng shēnghuó **2** (一家人) 两地生活 liǎngdì shēnghuó

이:중-성(二重性) 명 两重性 liǎngchóngxìng; 双重性 shuāngchóngxìng; 二重性 èrchóngxìng

이:중-성격(二重性格) 명 双重性格 shuāngchóng xìnggé; 双面性格 shuāngmiàn xìnggé; 矛盾性格 máodùn xìnggé

이:중-인격(二重人格) 명 双重人格 shuāngchóng réngé; 两重人格 liǎngchóng réngé

이:중인격-자(二重人格者) 명 双重人格者 shuāngchóng réngézhě; 有双重人格的人 yǒu shuāngchóng réngéde rén

이:중-적(二重的) 관명 双重(的) shuāngchóng(de); 两面(的) liǎngmiàn(de) ¶～인 태도 双重态度 / ～ 수법 两面手法

이:중-주(二重奏) 명 【音】 二重奏 èrchóngzòu

이:중-창(二重唱) 명 【音】 二重唱 èrchóngchàng

이:중-창(二重窓) 명 【建】 双层窗 shuāngcéngchuāng

이즘(ism) 명 = 주의(主義)

이:지(理智) 명 理智 lǐzhì

이지러-뜨리다 타 弄残缺 nòng cánquē; 打破口子 dǎpò kǒuzi; 败坏 bàihuài; 弄瘪 nòngbiě; 弄皱 nòngzhòu; 皱 zhòu = 이지러트리다 ¶밥공기를 ～ 把饭碗打破个口子

이지러-지다 자 **1** 残缺 cánquē; 缺(儿) quē(r); 残 cán ¶이지러진 달 残月 / 그릇이 ～ 器皿缺口儿 **2** 瘪 biě; 凹陷 āoxiàn ¶탁구공이 이지러졌다 乒乓球瘪了 **3** (表情或行为) 歪 wāi; 歪斜 wāixié; 不正 bùzhèng ¶내 말을 듣고 그는 화가 나서 얼굴이 이지러졌다 听了我的话, 他气得脸都歪了

이:지-적(理智的) 관명 理智 lǐzhì; 有理智 yǒu lǐzhì ¶～인 외모 理智的外貌 / ～인 여성 有理智的女人

이직(移職) 명하자 转职 zhuǎnzhí; 换工作 huàn gōngzuò; 跳槽 tiàocáo ¶～률 转职率 / 더 나은 조건을 찾아 ～하다 为寻求更好的待遇而跳槽

이:진(二陣) 명 【體】 候补队员 hòubǔ duìyuán; 替补队员 tìbǔ duìyuán ¶～ 선수를 기용하다 起用替补队员

이:진-법(二進法) 명 【數】 二进法 èrjìnfǎ; 二进位制 èrjìnwèizhì

이:질(異質) 명 异质 yìzhì; 不同性质 bùtóng xìngzhì

이:질(痢疾) 명 【醫】 痢疾 lìji

이:질-적(異質的) 관명 异质(的) yìzhì(de); 不同性质(的) bùtóng xìngzhì(de) ¶～인 문화 异质文化

이:질-화(異質化) 명하자타 异化 yìhuà

이-쪽 대 这边 zhèbian; 这里 zhèli ¶～으로 오세요 请到这边来 / ～은 남쪽이고 저쪽은 북쪽이다 这边是南那边是北

이쪽-저쪽 명 这边那边 zhèbiannàbian; 这儿那儿 zhèrnàr; 这…那… zhè…nà…; 到处 dàochù ¶～ 진달래꽃이 많이 피었다 这儿那儿地开满了杜鹃花

이-쯤 명부 这个程度 zhège chéngdù; 这份(儿)上 zhèfèn(r)shang; 这儿 zhèr ¶～ 말했으니 그도 알아듣겠지 说到这份儿上, 他也该懂了吧 / 오늘 수업은 ～에서 마치자 今天的课就上到这儿吧

이:차(二次) 명 **1** 二次 èrcì; 次要 cìyào ＝ 부차 ¶～ 에너지 二次能源 2 〖數〗二次 èrcì ¶～ 방정식 二次方程 / ～ 함수 二次函数

이:차 무지개(二次一) 〖地理〗副虹 fùhóng ＝ 암무지개

이:차 산:업(二次産業) 〖經〗第二产业 dì'èr chǎnyè

이:차 성:징(二次性徵) 〖生〗第二性征 dì'èr xìngzhēng; 副性征 fùxìngzhēng

이:-차원(二次元) 명 〖數〗二维 èrwéi

이:차-적(二次的) 관명 次要(的) cìyào(de) ¶～ 과제 次要的课题 / ～인 문제 次要的问题

이:-착륙(離着陸) 명하자 (飞机、飞艇等) 起降 qǐjiàng

이-참 명 ＝ 이번

이:채(異彩) 명 异彩 yìcǎi; 特色 tèsè ¶～를 띠다 大放异彩

이:채-롭다(異彩一) 형 放异彩 fàng yìcǎi; 有特色 yǒu tèsè **이:채로이** 부

이체(移替) 명하자타 1 互替 hùtì; 互换 hùhuàn 2 转账 zhuǎnzhàng; 汇款 huìkuǎn ¶전화 요금을 ～하다 转账电话费

이:층-집(二層一) 명 二层楼房 èrcéng lóufáng; 二层住宅 èrcéng zhùzhái

이:층 침:대(二層寢臺) 双层床 shuāngcéngchuáng

이:치(理致) 명 理 lǐ; 道理 dàolǐ; 情理 qínglǐ; 事理 shìlǐ ¶～에 맞다 合乎道理 / ～를 따지다 搞清事理 / 죄를 지으면 벌을 받는 것은 당연한 ～이다 犯罪受罚是理所当然的事

이퀄(equal) 명 〖數〗等号 děnghào

이큐(EQ)[Emotional Quotient] 명 〖敎〗情商 qíngshāng; 情绪智力 qíngxù zhìlì

이:타(利他) 명 利他 lìtā; 利人 lìrén; 舍己为人 shějǐwèirén ¶～주의 利他主义 / ～ 정신 舍己为人的精神

이:탈(離脫) 명하자타 脱离 tuōlí; 离开 líkāi ¶～자 脱离者 / 부대를 무단 ～하다 擅自离开部队 / 인공위성이 궤도에서 ～하다 人造卫星脱离轨道

이탓-저탓 명하자 怨这怨那 yuànzhè yuànnà; 这个借口那个借口 zhège jièkǒu nàge jièkǒu ¶그는 번번이 약속을 어기면서 ～ 변명을 늘어놓는다 他频频失约, 还找这个借口那个借口

이탤릭(Italic) 명 〖印〗＝ 이탤릭체

이탤릭-체(Italic體) 명 〖印〗斜体 xiétǐ ＝ 이탤릭 ¶～ 글자 斜体字

이-토록 부 到这个程度 dào zhège chéngdù; 这么 zhème; 如此 rúcǐ ¶그녀가 나를 ～ 사랑하는지 몰랐다 没想到她这么爱我

이튿-날 명 第二天 dì'èrtiān; 次日 cìrì; 翌日 yìrì ¶～ 아침 第二天早上

이틀 명 1 两天 liǎngtiān ¶～을 꼬박 굶었다 一连饿了两天 / 그는 담배를 ～에 한 갑씩 피운다 他两天抽一包烟 2 初二 chū'èr

이-틈 명 齿缝 chǐfèng; 牙缝 yáfèng

이파리 명 叶 yè; 叶子 yèzi ¶나무 ～ 树叶 / ～가 무성하다 叶子茂盛

이판-사판 명 绝境 juéjìng; 困境 kùnjìng; 铤而走险 tǐng'érzǒuxiǎn; 进退维谷 jìntuìwéigǔ ¶빚을 갚기 위해 그는 ～으로 은행을 털었다 为了偿还债务, 他竟然铤而走险去抢劫银行

이:팔-청춘(二八青春) 명 二八年华 èrbāniánhuá

이:하(以下) 명 以下 yǐxià; 低 dī ¶18세 ～의 청소년 十八岁以下的青少年 / ～ 생략 以下省略 / 수준 ～의 작품 低水平作品

이:하-선(耳下腺) 명 〖生〗＝ 귀밑샘 ¶～염 腮腺炎

이:학(理學) 명 1 理学 lǐxué ¶～ 박사 理学博士 / ～부 理科学部 / ～자 理学家 2 哲学 zhéxué 3 〖物〗＝ 물리학 4 〖哲〗＝ 성리학

이:합(離合) 명하자 离合 líhé ¶～집산 离合聚散

이-해 명 这一年 zhè yīnián ¶～도 다 저물었다 这一年快要过去了

이:해(利害) 명 利害 lìhài ¶～관계 利害关系 / ～득실 利害得失 / ～를 따지지 않다 不计利害

이:해(理解) 명하타 1 理解 lǐjiě; 理会 lǐhuì; 懂 dǒng; 明白 míngbai; 意会 yìhuì; 领会 lǐnghuì ¶～가 깊다 理解很深 / 나는 정말이지 그의 행동을 ～할 수가 없다 我真的不能理解他的行动 2 理解 lǐjiě ¶많은 사람들이 이 소설을 연애 소설이라고 ～하고 있다 很多人把这部小说理解成爱情小说 3 ＝ 양해 ¶상대방의 ～를 구하다 请求对方谅解

이:해-력(理解力) 명 理解力 lǐjiělì; 理解能力 lǐjiě nénglì ¶～이 부족하다 理解力不够 / ～이 떨어지다 理解能力差

이:해-심(理解心) 명 同理心 tónglǐxīn ¶～이 많다 很有同理心

이:해-타산(利害打算) 명 打算盘 dǎ suànpan; 盘算利害 pánsuàn lìhài ¶그는 정말 ～에 밝다 他真会打算盘

이행(移行) 명하자 过渡 guòdù; 转换 zhuǎnhuàn; 推移 tuīyí ¶시장 경제 체제로의 ～ 단계 向市场经济体制过渡的阶段

이:행(履行) 명하타 履行 lǚxíng; 实践 shíjiàn ¶계약을 ～하다 履行合同 / 약속을～하다 履行诺言

이:형(異形) 명 1 异形 yìxíng; 不同形状 bùtóng xíngzhuàng ¶～관 异形管 2 畸形 jīxíng

이:혼(離婚) 명하자 【法】离婚 líhūn ¶ ~ 사유 离婚理由 / ~ 소송 离婚诉讼 / ~ 합의서 离婚协议书 / ~ 전문 변호사 离婚律师 / ~ 수속을 하다 办理离婚手续 / 그들은 작년에 ~했다 他们去年离婚了

이:혼-남(離婚男) 명 离婚男人 líhūn nánrén; 离婚男 líhūnnán

이:혼-녀(離婚女) 명 离婚女人 líhūn nǚrén; 离婚女 líhūnnǚ

이:혼-율(離婚率) 명 离婚率 líhūnlǜ ¶ 요 몇 년 새에 ~이 10%에 이르렀다 这几年离婚率高达百分之十

이:-화학(理化學) 명 理化学 lǐhuàxué

이:후(已後) 명 = 이후(以後)2

이:후(以後) 명 **1** 今后 jīnhòu; 日后 rìhòu; 往后 wǎnghòu; 以后 yǐhòu ¶ ~로 다시는 그런 말을 하지 마라 今后别再说那种话了 / ~부터는 건강에 유의하세요 往后请保重身体 **2** 以后 yǐhòu = 이후(已後) ¶ 밤 10시 ~에는 절대 밖에 나가지 마라 晚上十点以后千万不要出门 / 그때 ~로 나는 계속 몸이 좋지 않다 从那以后, 我身体一直不好

익년(翌年) 명 **1** = 이듬해 **2** = 내년

익다[1] 자 **1** 熟 shú; 成熟 chéngshú ¶ 잘 익은 수박 熟透的西瓜 / 고기가 푹 ~ 肉煮得烂熟 **2** 晒红 shàihóng ¶ 얼굴이 햇볕에 발갛게 ~ 脸给太阳晒红了 **3** 泡熟 pàoshú; 酿好 niànghǎo ¶ 김치가 알맞게 익었다 泡菜泡熟了 / 술이 다 익었다 酒都酿好了 **4** 正浓 zhèng nóng ¶ 가을이 익어 가고 있는 들판 秋意正浓的田野

익다[2] 형 **1** 熟悉 shúxī; 熟练 shúliàn; 熟 shú ¶ 낯이 ~ 面熟 / 일이 손에 익지 않다 对工作不熟悉 / 이름이 귀에 ~ 这个名字听着耳熟 **2** 惯 guàn; 习惯 xíguàn ¶ 어둠에 눈이 ~ 眼睛习惯了黑暗

익룡(翼龍) 명 【動】翼龙 yìlóng

익명(匿名) 명하자 匿名 nìmíng; 隐名 yǐnmíng; 不记名 bùjìmíng ¶ ~의 편지 匿名信 / ~으로 기부하다 匿名捐款

익모-초(益母草) 명 【植】益母草 yìmǔcǎo; 茺蔚 chōngwèi

익-반죽 명하타 烫面 tàngmiàn

익사(溺死) 명하자 溺死 nìsǐ; 淹死 yānsǐ ¶ ~자 溺死者 =[淹死者] / ~체 溺死的尸体 =[溺尸] / 강에 빠져 ~하다 掉到河里淹死了 / ~ 사고가 발생하다 发生溺死事故

익살 명 滑稽 huájī; 诙谐 huīxié; 逗乐 dòulè; 逗趣 dòuqù ¶ 광대가 ~을 부리다 小丑做出滑稽的动作

익살-꾼 명 滑稽家 huájījiā; 活宝 huóbǎo; 小丑 xiǎochǒu

익살-맞다 형 滑稽 huájī; 诙谐 huīxié; 俏皮 qiàopi; 好逗乐 hào dòulè; 好逗趣 hào dòuqù ¶ 익살맞은 소리 诙谐的话

익살-스럽다 형 滑稽 huájī; 诙谐 huīxié; 俏皮 qiàopi; 好逗乐 hào dòulè; 好逗趣 hào dòuqù ¶ 익살스러운 동작으로 사람들을 웃기다 做出滑稽动作惹人发笑 **익살스레** 부

익숙-하다 형 **1** 熟练 shúliàn; 熟 shú ¶ 익숙한 솜씨 熟练的手艺 / 그는 기계에 매우 ~ 他对机器很熟 **2** 熟悉 shúxī; 熟 shú; 惯 guàn; 习惯 xíguàn ¶ 중국 사정에 ~ 对中国的情况很熟 / 길이 ~ 路很熟悉 / 이곳 생활에 익숙해졌다 对这儿的生活习惯了

익애(溺愛) 명하타 溺爱 nì'ài ¶ 자식을 ~하다 溺爱子女

익일(翌日) 명 翌日 yìrì; 第二天 dì'èrtiān; 次日 cìrì

익조(益鳥) 명 益鸟 yìniǎo

익충(益蟲) 명 益虫 yìchóng

익-히 부 熟悉 shúxī; 熟练 shúliàn ¶ 우리는 ~ 알고 지내는 사이이다 我们之间很熟悉

익-히다[1] 타 **1** 做熟 zuòshú; 烧熟 shāoshú; 煮熟 zhǔshú 《'익다[1]1'的使动词》 ¶ 고기를 ~ 把肉烧熟 **2** 泡熟 pàoshú; 腌透 yāntòu 《'익다[1]3'的使动词》 ¶ 김치를 ~ 把泡菜腌透

익-히다[2] 타 **1** 练熟 liànshú; 练习 liànxí 《'익다[2]1'的使动词》 ¶ 기술을 ~ 练熟技术 / 피아노를 ~ 练习钢琴 **2** 熟悉 shúxī; 熟知 shúzhī; 熟 shú 《'익다[2]2'的使动词》 ¶ 지리를 ~ 熟知地理

인 명 瘾 yǐn; 癖 pǐ ¶ 담배에 ~이 박였다 吸烟上瘾了

인(人) 명 **1** 人 rén ¶ ~의 바다 人海 **2** 人 rén; 名 míng ¶ 십 ~분의 음식을 만들다 做十人份的饭菜

인(仁) 명 【哲】仁 rén

인(印) 명 **1** = 도장(圖章) **2** 印 yìn

인(燐) 명 【化】磷 lín

-인(人) 접미 人 rén; 人员 rényuán; 者 zhě ¶ 원시~ 原始人 / 자연~ 自然人 / 관리~ 管理人员 / 한국~ 韩国人

인가(人家) 명 人家 rénjiā; 人烟 rényān; 住户 zhùhù; 人户 rénhù ¶ ~가 드문 산골 人烟稀少的山沟

인가(認可) 명하타 **1** 许可 xǔkě; 批准 pīzhǔn ¶ 정부의 ~ 政府的批准 / ~를 얻다 获得许可 **2** 【法】认可 rènkě

인간(人間) 명 **1** = 사람 ¶ ~은 생각하는 갈대이다 人是会思维的芦苇 **2** 人间 rénjiān; 凡尘 fánchén; 尘世 chénshì; 人寰 rénhuán ¶ ~에 내려온 선녀 下凡尘的仙女 **3** 为人 wéirén; 人 rén ¶ ~이 어째 그 모양이냐? 为人怎么可

以这样？ **4** 家伙 jiāhuo；东西 dōngxi；小子 xiǎozi ¶이 ～하고는 말도 하기 싫다 懒得跟这小子说话

인간 만사는 새옹지마라 속담 塞翁失马，焉知非福

인간은 만물의 척도 속담 世间万物以人为本

인간 같지 않다 구 = 사람 같지 않다

인간-관계(人間關係) 명 人际关系 rénjì guānxi ¶그는 ～가 안 좋다 他的人际关系不好

인간-문화재(人間文化財) 명 非物质文化遗产传承人 fēiwùzhì wénhuà yíchǎn chuánchéngrén

인간-미(人間味) 명 人味 rénwèi；人情味 rénqíngwèi ¶～가 철철 넘치다 人味很浓

인간-사(人間事) 명 人事 rénshì；人间之事 rénjiānzhīshì；人生万事 rénshēng wànshì

인간-상(人間像) 명 人间形象 rénjiān xíngxiàng ¶바람직한 ～ 所期待的人间形象

인간-성(人間性) 명 **1** 人性 rénxìng ¶～을 회복하다 恢复人性 **2** 为人 wéirén ¶～이 좋다 为人好

인간 세ː계(人間世界) 〖佛〗 人世 rénshì；人世间 rénshìjiān；人间 rénjiān；人类世界 rénlèi shìjiè

인간-쓰레기(人間—) 명 人渣 rénzhā；人渣滓 rénzhāzi；社会渣滓 shèhuì zhāzi

인간-애(人間愛) 명 人间爱 rénjiān'ài

인간-적(人間的) 관명 **1** 人的 rénde；人类的 rénlèide ¶～ 욕망 人的欲望 **2** 有人情味 yǒu rénqíngwèi；像人(的) xiàng rén(de) ¶그는 무척 ～이다 他很有人情味

인감(印鑑) 명 〖法〗 印鉴 yìnjiàn ¶～도장 印鉴章

인감 증명(印鑑證明) 〖法〗 **1** = 인감 증명서 **2** 印鉴证明 yìnjiàn zhèngmíng

인감 증명서(印鑑證明書) 〖法〗 印鉴证明书 yìnjiàn zhèngmíngshū = 인감 증명1

인건-비(人件費) 명 〖經〗 劳力费 láolìfèi；人工费 réngōngfèi

인격(人格) 명 人格 réngé；品格 pǐngé；品质 pǐnzhì ¶～ 수양 人格修养 / 고상한 ～ 高尚的品格 / ～을 모독하다 侮辱人格 / 타인의 ～을 존중하다 尊重他人的人格

인격-적(人格的) 관명 人格(的) réngé(de) ¶～으로 성숙한 사람 人格成熟的人

인견(人絹) 명 〖手工〗 **1** = 인조견 **2** = 인조 견사

인견-사(人絹絲) 명 〖手工〗 = 인조 견사

인계(引繼) 명하타 移交 yíjiāo；交代 jiāodài；接替 jiētì ¶퇴직자의 일을 ～받다 接替退休人员的工作 / 후임자에게 일을 ～하다 把工作移交给后任者

인고(忍苦) 명하자 忍受痛苦 rěnshòu tòngkǔ；受苦 shòukǔ ¶～의 세월 忍受痛苦的岁月

인공(人工) 명 人工 réngōng；人造 rénzào ¶～두뇌 人工头脑 / ～설 人造雪 =[人工雪] / ～ 수분 人工受粉 / ～ 수정 人工授精 =[人工受精] / ～ 지능 人工智能 / ～호 人工湖 / ～ 호수 人工湖 / ～ 폭포 人工瀑布 / ～ 각막 人工角膜 / ～ 강설 人工降雪 / ～ 강우 人工降雨 / ～ 관절 人工关节 =[人造关节] / ～ 교배 人工交配 / ～ 부화 人工孵化 / ～ 분만 人工分娩 / ～ 색소 人工合成色素 / ～ 신장 人工肾脏 =[人造肾脏] / ～ 심장 人工心脏 =[人造心脏]

인공 감미료(人工甘味料) 〖工〗 人工甜味剂 réngōng tiánwèijì；人造甜味添加剂 rénzào tiánwèi tiānjiājì；人造甜味料 rénzào tiánwèiliào

인공-사지(人工四肢) 명 假肢 jiǎzhī；义肢 yìzhī = 의지(義肢)

인공-위성(人工衛星) 명 〖天〗 人造卫星 rénzào wèixīng；卫星 wèixīng = 위성2

인공 유산(人工流產) 〖醫〗 = 임신 중절 수술

인공-적(人工的) 관명 人工(的) réngōng(de)；人造(的) rénzào(de)；人为(的) rénwéi(de) ¶～으로 조성된 숲 人造树林

인공 진주(人工眞珠) 〖工〗 人造珍珠 rénzào zhēnzhū；养殖珍珠 yǎngzhí zhēnzhū = 양식 진주 · 인조 진주

인공 투석(人工透析) 〖醫〗 血液透析 xuèyè tòuxī；人工透析 réngōng tòuxī

인공-호흡(人工呼吸) 명 〖醫〗 人工呼吸 réngōng hūxī

인공호흡-기(人工呼吸器) 명 〖醫〗 人工呼吸器 réngōng hūxīqì；氧气呼吸器 yǎngqì hūxīqì = 산소 호흡기

인과(因果) 명 因果 yīnguǒ ¶～ 관계 因果关系

인과-응보(因果應報) 명 〖佛〗 因果报应 yīnguǒbàoyìng；果报 guǒbào

인광(燐光) 명 **1** 〖化〗 磷光 línguāng **2** 〖物〗 余光 yúguāng

인구(人口) 명 **1** 人口 rénkǒu ¶농업 ～ 农业人口 / ～증가율 人口增加率 / ～ 분포 人口分布 / 유동 ～ 流动人口 / ～ 노령화 人口老龄化 / ～ 문제 人口问题 / ～가 증가하다 人口增加 / 서울의 ～는 천만이 넘는다 首尔的人口越过

一千万 2 人的嘴 rénde zuǐ; 人口 rénkǒu ¶~에 회자되다 脍炙人口
인구 밀도(人口密度) 〖社〗 人口密度 rénkǒu mìdù ¶~가 높다 人口密度很高 / ~가 고르지 않다 人口密度不匀
인구-분포도(人口分布圖) 명 〖社〗 人口地图 rénkǒu dìtú; 人口分布图 rénkǒu fēnbùtú
인구-수(人口數) 명 人口数 rénkǒushù
인구 조사(人口調査) 〖社〗 人口普查 rénkǒu pǔchá; 人口调查 rénkǒu diàochá
인권(人權) 명 〖法〗 人权 rénquán ¶~을 탄압하다 压制人权 / ~을 보호하다 维护人权
인권 유린(人權蹂躪) 〖法〗 侵犯人权 qīnfàn rénquán; 侵害人权 qīnhài rénquán; 蹂躏人权 róulìn rénquán; 践踏人权 jiàntà rénquán = 인권 침해
인권 침해(人權侵害) 〖法〗 = 인권 유린
인근(隣近) 명 邻近 línjìn; 附近 fùjìn ¶~ 도로 邻近公路 / ~ 마을 邻近的村庄 / ~에 소문이 자자하다 附近对传闻议论纷纷
인기(人氣) 명 1 人气 rénqì; 受欢迎 shòu huānyíng; 红 hóng; 热门 rèmén; 吃香 chīxiāng; 吃得开 chīdekāi ¶~상 最具人气奖 / ~인 红人 / ~ 스타 红星 / ~ 순위 人气排行榜 / ~ 가요 热门歌曲 / ~ 상품 热门货 =[热货] / ~를 끌다 走红 / ~ 절정이다 红得发紫 / 이 장난감은 아이들에게 ~가 있다 这个玩具很受孩子们的欢迎 2 气概 qìgài; 意气 yìqì
인-기척(人—) 명하자 人声 rénshēng; 动静 dòngjing; 声息 shēngxī ¶~에 깜짝 놀라다 被人的动静吓了一跳 / 집 안에서 ~이 나다 屋子里有动静
인기-투표(人氣投票) 명하자 人气投票 rénqì tóupiào; 排行榜投票 páihángbǎng tóupiào
인내(忍耐) 명하타 忍耐 rěnnài; 忍受 rěnshòu ¶고통을 ~하다 忍受痛苦
인내-력(忍耐力) 명 耐力 nàilì; 忍耐力 rěnnàilì ¶강인한 ~ 顽强的耐力 / ~이 부족하다 耐力不够
인내-심(忍耐心) 명 耐心 nàixīn; 忍耐心 rěnnàixīn ¶~을 키우다 培养耐心 / 그녀는 ~이 강하다 她很有耐心
인대(靭帶) 명 〖生〗 韧带 rèndài ¶~가 늘어나다 韧带伸长了
인덕(人德) 명 = 인복
인도(人道) 명 = 보도(步道) ¶버스가 ~로 뛰어들다 公交车冲到人行道上
인도(引渡) 명하타 引渡 yǐndù; 移交 yíjiāo; 转让 zhuǎnràng ¶범인 ~를 요청하다 要求引渡罪犯 / 물품을 매수인에게 ~하다 把物品移交给买主
인도(引導) 명하타 引 yǐn; 带 dài; 引导 yǐndǎo; 引领 yǐnlǐng; 带领 dàilǐng ¶길을 ~하다 引路 / 자녀를 바른길로 ~하다 把子女引向正轨
인도-교(人道橋) 명 人行桥 rénxíngqiáo
인도-양(印度洋) 명 〖地〗 印度洋 Yìndùyáng
인도-적(人道的) 관명 人道(的) réndào(de); 人道主义(的) réndào zhǔyì(de) ¶이렇게 하는 것은 ~이지 못하다 这样做很不人道 / ~ 차원에서 해결책을 모색하다 从人道主义的角度寻求解决方法
인도-주의(人道主義) 명 人道主义 réndào zhǔyì = 휴머니즘1
인동(忍冬) 명 〖植〗 忍冬 rěndōng; 金银花 jīnyínhuā = 인동초
인동-초(忍冬草) 명 〖植〗 = 인동
인두 명 1 熨斗 yùndǒu ¶~로 옷을 다리다 用熨斗熨衣服 2 = 납땜인두
인두(人頭) 명 1 人头 réntóu 2 人数 rénshù
인-두겁(人—) 명 人皮 rénpí; 人形 rénxíng; 人样 rényàng
인두겁(을) 쓰다[뒤집어쓰다] 구 披着人皮 ¶인두겁을 쓴 짐승 披着人皮的野兽
인두-세(人頭稅) 명 〖法〗 人头税 réntóushuì; 人口税 rénkǒushuì
인디(indie) 명 〖演〗 独立 dúlì; 独立制作 dúlì zhìzuò ¶~ 밴드 独立乐队
인디고(indigo) 명 〖美〗 靛蓝 diànlán; 靛青 diànqīng; 靛蓝染料 diànlán rǎnliào
인디언(Indian) 명 印第安人 Yìndì'ānrén; 印第安 Yìndì'ān
인라인-스케이트(in-line skate) 명 〖體〗 直排滑轮 zhípái huálún
인력(人力) 명 1 人力 rénlì ¶죽고 사는 일은 ~으로는 안 되는 일이다 生死之事非人力所及 2 人力资源 rénlì zīyuán; 人力 rénlì; 劳动力 láodònglì; 劳务 láowù; 人工 réngōng ¶~시장 劳务市场 / ~을 양성하다 培训人力资源 / ~을 수출하다 出口劳动力
인력(引力) 명 〖物〗 引力 yǐnlì
인력-거(人力車) 명 人力车 rénlìchē; 黄包车 huángbāochē; 洋车 yángchē ¶~를 끌다 拉人力车
인력거-꾼(人力車—) 명 人力车夫 rénlìchēfū; 拉人力车的 lārénlìchēde; 黄包车夫 huángbāochēfū
인력-난(人力難) 명 招工难 zhāogōngnán; 用工荒 yònggōnghuāng; 人工荒 réngōnghuāng; 人力难求 rénlì nánqiú ¶~을 겪다 遭遇用工荒 / ~을 해소하다 解决招工难

인류(人類) 명 人类 rénlèi ¶~애 人类爱 =[人间爱]/~학 人类学/~ 문명 人类文明
인륜(人倫) 명 人伦 rénlún ¶~에 어긋나는 행위 悖逆人伦的行为
인륜-대사(人倫大事) 명 人伦大事 rénlún dàshì; 人生大事 rénshēng dàshì; 终身大事 zhōngshēn dàshì
인망(人望) 명 人望 rénwàng; 声望 shēngwàng ¶~이 높다 声望很高
인맥(人脈) 명 人脉 rénmài; 人际网络 rénjì wǎngluò; 人脉关系 rénmài guānxi ¶~을 형성하다 建立人脉
인면(人面) 명 人面 rénmiàn; 人脸 rénliǎn ¶~수심 人面兽心
인멸(湮滅·堙滅) 명하자타 湮没 yānmò; 湮灭 yānmiè; 湮沉 yānchén ¶증거를 ~하다 湮没证据
인명(人名) 명 人名 rénmíng ¶~록 人名录/~사전 人名词典
인명(人命) 명 人命 rénmìng ¶~재천 人命在天/~ 경시 풍조 轻视人命的风潮/~을 구조하다 救人命
인명-부(人名簿) 명 名簿 míngbù; 花名册 huāmíngcè
인모(人毛) 명 人发 rénfà
인문(人文) 명 人文 rénwén ¶~ 과학 人文科学/~학 人文学
인문-계(人文系) 명 人文系统 rénwén xìtǒng; 文科系统 wénkē xìtǒng
인문-주의(人文主義) 명 『社』 人文主义 rénwén zhǔyì; 人本主义 rénběn zhǔyì = 인본주의·휴머니즘2
인물(人物) 명 **1** 人物 rénwù; 人 rén ¶~ 묘사 人物描写/영웅적인 ~ 英雄人物 **2** 人才 réncái; 伟人 wěirén ¶~이 없다 没有人才/~을 배출하다 人才辈出 **3** 长相 zhǎngxiàng; 容貌 róngmào ¶~이 반반하다 长相标致/~이 훤하다 容貌英俊
인물-값(人物—) 명 外表 wàibiǎo; 长相 zhǎngxiàng 《指与长相符合的行为》 ¶~도 못하다 徒有外表, 没有实才
인물-상(人物像) 명 人像 rénxiàng
인물-평(人物評) 명 人物评价 rénwù píngjià; 人物点评 rénwù diǎnpíng
인물-화(人物畫) 명 『美』 人物画 rénwùhuà
인민(人民) 명 人民 rénmín; 老百姓 lǎobǎixìng; 国民 guómín ¶~ 공화국 人民共和国/~군 人民军/~ 위원회 人民委员会/~재판 人民审判
인민-복(人民服) 명 中山装 zhōngshānzhuāng
인복(人福) 명 得助之福 dézhùzhīfú; 人缘(儿) rényuán(r) = 인덕 ¶너는 정말 ~이 있구나 你真有人缘儿啊
인본(印本) 명 『印』 印本 yìnběn; 版本 bǎnběn
인본-주의(人本主義) 명 『社』 = 인문주의
인부(人夫) 명 人夫 rénfū; 苦力 kǔlì; 小工 xiǎogōng; 壮工 zhuànggōng ¶공사장 ~ 工地苦力/~를 쓰다 雇小工
인분(人糞) 명 人粪 rénfèn ¶~을 거름으로 쓰다 把人粪用做肥料
인사(人士) 명 人士 rénshì ¶각계의 ~ 各界人士/유명 ~ 著名人士
인사[1](人事) 명하자 **1** 招呼 zhāohu; 请安 qǐng'ān; 寒暄 hánxuān; 行礼 xínglǐ; 问安 wèn'ān; 问候 wènhòu ¶선생님께 ~를 여쭙다 向老师问安/모자를 벗고 ~하다 脱帽行礼/그와 ~만 하고 떠났다 和他打了招呼就走了 **2** 互相认识 hùxiāng rènshi ¶두 분은 서로 초면이니 서로 ~ 나누세요 你们两位初次见面, 互相认识一下吧 **3** 礼节 lǐjié; 礼貌 lǐmào
인사[2](人事) 명 **1** 人事 rénshì ¶~를 다하고 천명을 기다리다 尽人事听天命 **2** (工作上的) 人事 rénshì ¶~과 人事科/~권 人事权/~이동 人事调动/~ 개편 人事改编/~ 관리 人事管理/~ 행정 人事行政/~ 파일 人事档案 **3** (人间里的) 人事 rénshì
인사-말(人事—) 명 应酬话 yìngchouhuà; 客套话 kètàohuà; 寒暄 hánxuān ¶몇 마디 ~을 주고받다 彼此寒暄几句
인사불성(人事不省) 명 **1** 不省人事 bùxǐngrénshì; 神志不清 shénzhì bùqīng ¶~이 되도록 술을 마시다 喝酒喝到不省人事 **2** 不懂礼节 bùdǒng lǐjié
인사-성(人事性) 명 礼貌 lǐmào ¶~이 없다 没有礼貌/~이 밝다 懂礼貌
인사이드(inside) 명 『體』 (球) 界内 jiènèi; 线内 xiànnèi; 内侧 nèicè ¶~ 킥 脚内侧踢球 =[脚弓踢球]
인사-치레(人事—) 명하자 客套 kètào; 常套 chángtào; 虚套 xūtào ¶~로 하는 말 客套话
인산(燐酸) 명 『化』 磷酸 línsuān ¶~ 나트륨 磷酸钠
인산-인해(人山人海) 명 人山人海 rénshānrénhǎi ¶여름철만 되면 전국의 해수욕장은 ~가 된다 一到夏天, 全国的海滨浴场人山人海
인삼(人蔘) 명 『植』 人参 rénshēn; 参 shēn = 삼(蔘)2 ¶~주 人参酒/~차 人参茶 =[参茶]/~을 달여 먹다 熬人参吃
인삿-말(人事—) 명 '인사말' 的错误
인상(人相) 명 相貌 xiàngmào; 面相 miànxiàng; 面容 miànróng ¶~을 펴다 面容舒展/~이 험악하다 面相凶恶
인상(을) 쓰다 구 一脸凶狠; 一脸苦

相; 皱眉头
인상(引上) 명하타 **1** 引上 yǐnshàng; 拉上 lāshàng **2** (物价、利息等) 提高 tígāo; 抬高 táigāo; 上涨 shàngzhǎng; 涨价 zhǎngjià; 上调 shàngtiáo ¶금리 ~ 利息上涨 / 임금 ~폭 工资上涨幅度 / 물가가 대폭 ~되다 物价大幅度上涨了 **3** 〖體〗(举重的) 抓举 zhuājǔ
인상(印象) 명 印象 yìnxiàng ¶깊은 ~을 남기다 留下深刻的印象 / 다른 사람에게 좋은 ~을 주다 给别人好印象
인상-적(印象的) 관명 印象深刻 yìnxiàng shēnkè; 印象很深 yìnxiàng hěn shēn; 好印象 hǎoyìnxiàng ¶~인 영화 印象深刻的电影 / 그곳의 경치는 내게 매우 ~이었다 那个地方的景色给我的印象很深
인상-착의(人相着衣) 명 衣着相貌 yīzhuó xiàngmào; 衣着长相 yīzhuó zhǎngxiàng ¶범인의 ~ 犯人的衣着相貌
인상-파(印象派) 명 〖美〗印象派 yìnxiàngpài
인색(吝嗇) 명하형히부 吝啬 lìnsè; 小气 xiǎoqi; 啬刻 sèkè; 抠门儿 kōuménr ¶~한 사람 吝啬鬼 / 돈에 ~하다 对钱很抠门儿 / 칭찬에 조금도 ~하지 않다 夸人一点都不吝啬
인생(人生) 명 **1** 人生 rénshēng ¶~관 人生观 / ~무상 人生无常 / ~철학 人生哲学 / ~의 전환점 人生的转折点 / 내 ~에서 가장 행복했던 순간 我人生中最幸福的时刻 / ~은 짧고 예술은 길다 人生短暂, 艺术无涯 **2** 人 rén ¶그것도 모르다니 정말 불쌍한 ~이로군 连这个也不懂, 真是可怜的人
인생-길(人生—) 명 人生路 rénshēnglù; 人生旅程 rénshēng lǚchéng ¶힘겨운 ~ 艰难的人生旅程
인생-살이(人生—) 명 人间生活 rénjiān shēnghuó; 人的生活 rénde shēnghuó
인선(人選) 명하타 选拔 xuǎnbá ¶총리 ~ 选拔总理 / 파격적인 ~ 破例选拔
인성(人性) 명 人性 rénxìng ¶~ 교육 人性教育
인세(印稅) 명 版税 bǎnshuì ¶~를 받다 收取版税 / ~를 지급하다 支付版税
인솔(引率) 명하타 带领 dàilǐng; 领 lǐng; 带 dài; 率领 shuàilǐng; 引 yǐn ¶~ 책임자 领队负责人 / 학생들을 ~하여 여행을 가다 带领学生们去旅行
인쇄(印刷) 명하타 〖印〗印刷 yìnshuā; 印 yìn ¶신문을 ~하다 印刷报纸
인쇄-공(印刷工) 명 印刷工人 yìnshuā gōngrén; 印工 yìngōng; 印刷工 yìnshuāgōng
인쇄-기(印刷機) 명 〖印〗印刷机 yìnshuājī = 프린터2
인쇄-물(印刷物) 명 印刷品 yìnshuāpǐn; 印刷物 yìnshuāwù; 印件 yìnjiàn
인쇄-소(印刷所) 명 印刷厂 yìnshuāchǎng
인쇄-술(印刷術) 명 印刷术 yìnshuāshù
인쇄-용지(印刷用紙) 명 〖印〗印刷纸 yìnshuāzhǐ = 인쇄지
인쇄 잉크(印刷ink) 〖印〗油墨 yóumò; 印刷墨 yìnshuāmò
인쇄-지(印刷紙) 명 〖印〗 = 인쇄용지
인쇄-체(印刷體) 명 〖印〗印刷体 yìnshuātǐ
인수(引受) 명하타 **1** 接管 jiēguǎn; 接受 jiēshòu; 收取 shōuqǔ; 领收 lǐngshōu ¶공장을 ~하다 接管工厂 / 경영권을 ~하다 接管经营权 / 세관에서 화물을 ~하다 从海关收取货物 **2** 〖經〗承兑 chéngduì ¶~은행 承兑银行
인수(因數) 명 〖數〗因式 yīnshì; 因子 yīnzǐ = 인자(因子)3 ¶~ 분해 因式分解
인수-인(引受人) 명 〖經〗承兑人 chéngduìrén = 인수자2
인수-인계(引受引繼) 명하타 交接 jiāojiē; 接手 jiēshǒu; 接 jiē ¶업무 ~ 业务交接
인수-자(引受者) 명 **1** 接收人 jiēshōurén; 接管者 jiēguǎnzhě **2** 〖經〗 = 인수인
인수-증(引受證) 명 收据 shōujù; 收单 shōudān; 收条儿 shōutiáor
인술(仁術) 명 **1** 医术 yīshù ¶~을 베풀다 施与医术 **2** 仁术 rénshù
인슐린(insulin) 명 〖化〗胰岛素 yídǎosù; 因苏林 yīnsūlín ¶~ 주사를 맞다 打胰岛素针
인스턴트(instant) 명 速食 sùshí; 速溶 sùróng; 速成 sùchéng; 即食 jíshí ¶~ 사랑 速食爱情 / ~ 문화 速食文化
인스턴트-식품(instant食品) 명 方便食品 fāngbiàn shípǐn; 快速食品 kuàisù shípǐn; 速食 sùshí; 即食 jíshí; 速熟食品 sùshú shípǐn = 즉석식품
인스턴트-커피(instant coffee) 명 速溶咖啡 sùróng kāfēi; 即冲咖啡 jíchōng kāfēi
인습(因習) 명 旧习 jiùxí; 陋习 lòuxí ¶~을 타파하다 破除旧习 / ~에 얽매이다 拘于旧习
인식(認識) 명하타 **1** 认识 rènshi; 认知 rènzhī; 了解 liǎojiě; 懂得 dǒngde ¶에이즈에 대한 ~이 부족하다 对艾滋病的认识不足 **2** 〖心〗 = 인지(認知)3

인식 능력(認識能力) **1**〖心〗= 인지 능력 **2**〖哲〗认识能力 rènshi nénglì
인식-론(認識論) 명〖哲〗认识论 rènshilùn
인식-표(認識票) 명〖軍〗随身名签 suíshēn míngqiān; 番号牌 fānhàopái
인신(人身) 명 人身 rénshēn; 人口 rénkǒu
인신-공격(人身攻擊) 명하타 人身攻击 rénshēn gōngjī ¶~을 하다 搞人身攻击 / ~성 댓글을 달다 写带有人身攻击性质的贴子
인신-매매(人身賣買) 명하자 买卖人口 mǎimài rénkǒu; 贩卖人口 fànmài rénkǒu ¶~범 人口贩子 =[人贩子]
인심(人心) 명 **1** 人心 rénxīn; 人情 rénqíng; 心地 xīndì ¶~이 후하다 人情厚道 **2** 民心 mínxīn; 民意 mínyì; 人心 rénxīn ¶~이 흉흉하다 民心惶惶 / ~을 살피다 体察民意
　인심(을) 사다 구 大得人心
　인심(을) 쓰다 구 **1** 助人为乐 **2** 好行小惠
　인심(을) 잃다 구 不得人心; 失去人心
　인심(이) 사납다 구 人心险恶
인애(仁愛) 명하타 仁爱 rén'ài
인양(引揚) 명하타 打捞 dǎlāo; 起吊 qǐdiào ¶침몰선을 ~하다 打捞沉船 / 바닷속 유물을 ~하다 打捞海里遗物
인어(人魚) 명 美人鱼 měirényú; 人鱼 rényú
인연(因緣) 명하자 **1** 缘分 yuánfèn; 因缘 yīnyuán; 缘 yuán = 연고(緣故)3 ¶부부의 ~ 夫妻缘分 / ~이 있으면 다시 만나겠지 有缘的话会再见的 **2** 关系 guānxi ¶부자의 ~을 끊다 断绝父子关系 **3**〖佛〗因缘 yīnyuán
인욕(忍辱) 명 忍辱 rěnrǔ ¶~의 세월을 보내다 过着忍辱负重的生活
인용(引用) 명하타 引用 yǐnyòng; 引 yǐn; 援引 yuányǐn ¶~구 引用句 / ~문 引用文 =[引文] / ~법 引用法 / 성경의 한 구절을 ~하다 引用圣经里的一句话
인용-부(引用符) 명〖語〗= 따옴표
인원(人員) 명 人员 rényuán; 人手 rénshǒu; 成员 chéngyuán ¶~을 감축하다 裁减人员 / ~이 부족하다 人手不足
인원-수(人員數) 명 人数 rénshù = 명수(名數) ¶~를 세다 数人数
인위(人爲) 명 人为 rénwéi; 人工 réngōng ¶~로 된 경치 人工景色
인위-적(人爲的) 관명 人为(的) rénwéi(de); 人工(的) réngōng(de) ¶~인 재해 人为的灾害 / ~으로 조절하다 人为地调整
인육(人肉) 명 **1** 人肉 rénròu **2** (卖淫妇女的) 肉体 ròutǐ
인의(人義) 명 人道 réndào; 道德 dàodé ¶~를 지키다 坚持人道
인의(仁義) 명 仁义 rényì
인의예지(仁義禮智) 명 仁义礼智 rényìlǐzhì
인자(仁者) 명 仁者 rénzhě; 仁人 rénrén
인자(因子) 명 **1** 因素 yīnsù **2**〖生〗基因 jīyīn **3**〖數〗= 인수(因數)
인자요산(仁者樂山) 명 仁者乐山 rénzhělèshān
인자-하다(仁慈—) 형 仁慈 réncí; 慈祥 cíxiáng; 慈爱 cí'ài ¶인자한 노인 慈祥的老人 / 성품이 ~ 品性仁慈
인장(印章) 명 = 도장(圖章) ¶~을 찍다 盖印章
인재(人材) 명 人才 réncái; 人材 réncái ¶~난 人才荒 / ~ 양성 人才培养 / ~가 배출되다 人才辈出 / ~를 발굴하다 发掘人才
인재(人災) 명 人祸 rénhuò ¶천재와 ~ 天灾人祸
인-적(人的) 관명 人(的) rén(de) ¶~ 교류 人的交流 / ~ 담보 保人担保
인적(人跡 · 人迹) 명 人迹 rénjì ¶~이 드물다 人迹稀少 / 거리에 ~이 끊겼다 街上断了人迹
인적 자원(人的資源)〖經〗人力资源 rénlì zīyuán ¶~이 풍부한 나라 人力资源丰富的国家
인절미 명 (切成小方块的) 米糕 mǐgāo; 糯米糕 nuòmǐgāo
인접(隣接) 명하자 邻接 línjiē; 相邻 xiānglín; 邻近 línjìn; 比邻 bǐlín; 毗邻 pílín ¶~ 도시 相邻城市 / ~ 학문 邻近学科
인접-국(隣接國) 명 邻国 línguó
인정(人情) 명 **1** 人之常情 rénzhīchángqíng; 人情 rénqíng ¶돈을 보면 욕심이 나는 것이 ~이다 见钱生欲乃是人之常情 **2** 人情 rénqíng; 情面 qíngmiàn; 同情 tóngqíng; 同情心 tóngqíngxīn; 人情味 rénqíngwèi ¶~이 많은 사람 很有人情味的人 / ~을 베풀다 寄予同情 / ~에 호소하다 求人情 **3** 人心 rénxīn ¶~이 점점 각박해지다 人心渐渐刻薄
인정(仁政) 명 仁政 rénzhèng ¶~을 베풀다 施仁政
인정(認定) 명하타 认 rèn; 认定 rèndìng; 承认 chéngrèn; 认同 rèntóng; 认为 rènwéi ¶잘못을 ~하다 承认错误 / 죄를 ~하다 认罪
인정-머리(人情—) 명 人情 rénqíng; 人情味 rénqíngwèi ¶~가 없다 毫无人情

인정-미(人情味) 명 人情味 rénqíngwèi ¶~가 넘치다 富有人情味

인정-받다(認定—) 타 得到承认 dédào chéngrèn; 被认定 bèi rèndìng ¶업무 능력을 ~ 工作能力得到承认

인정-사정(人情事情) 명 人情 rénqíng; 情面 qíngmiàn ¶~ 볼 것 없다 不用看人情

인정사정-없다(人情事情—) 형 不留情面 bùliú qíngmiàn; 毫不留情 háobù liúqíng; 不顾情面 bùgù qíngmiàn; 无情 wúqíng **인정사정없-이** 부 ¶~ 법에 따라 처리하다 毫不留情地依法处置

인조(人造) 명 人造 rénzào; 人工 réngōng ¶~ 잔디 人工草坪 =[人造草坪]/~ 잔디 구장 人工草坪球场/~ 보석 人造宝石/~ 모피 人造毛皮/~ 대리석 人造大理石

인조 가죽(人造—)〖手工〗人造革 rénzàogé; 人造皮 rénzàopí; 人造皮革 rénzào pígé = 인조 피혁

인조-견(人造絹) 명〖手工〗人造绢 rénzàojuàn; 人造丝绸 rénzào sīchóu = 인견1

인조 견사(人造絹絲)〖手工〗人造丝 rénzàosī; 人丝 rénsī = 인견2 · 인견사

인조 다이아몬드(人造diamond)〖工〗人造钻石 rénzào zuànshí; 人工钻石 réngōng zuànshí; 人造金刚石 rénzào jīngāngshí

인조-석(人造石) 명 **1** 人造石 rénzàoshí **2** 人造宝石 rénzào bǎoshí; 仿造宝石 fǎngzào bǎoshí

인조-인간(人造人間) 명〖機〗= 로봇1

인조 진주(人造眞珠)〖工〗= 인공 진주

인조 피혁(人造皮革)〖手工〗= 인조 가죽

인종(人種) 명 人种 rénzhǒng; 种族 zhǒngzú ¶~ 차별 种族歧视

인종-주의(人種主義) 명〖社〗种族主义 zhǒngzú zhǔyì = 인종 차별주의

인종 차별주의(人種差別主義)〖社〗= 인종주의

인주(印朱) 명 印泥 yìnní; 印色 yìnse ¶~를 찍다 打印泥

인준(認准) 명하타〖法〗批准 pīzhǔn; 认可 rènkě ¶개정안을 ~하다 批准修正案/~을 거부하다 拒绝认可

인중(人中) 명 人中 rénzhōng
 인중이 길다 구 人中长《寿命长》

인증(認證) 명하타〖法〗认证 rènzhèng; 证实 zhèngshí; 证明 zhèngmíng ¶~서 认证书 =[认定书]/품질 ~ 质量认证/이 약의 효능은 이미 충분히 ~되었다 这种药的功效已被证实了

인지(人指) 명 = 집게손가락

인지(印紙) 명 印花 yìnhuā; 印花税票 yìnhuāshuìpiào ¶~세 印花税/~를 붙이다 贴印花

인지(認知) 명하타 **1** 认知 rènzhī; 认rèn ¶그를 자기 자식으로 ~하다 认他为自己子女 **2**〖法〗认可 rènkě **3**〖心〗认知 rènzhī = 인식2

인지 능력(認知能力)〖心〗认知能力 rènzhī nénglì = 인식 능력1

인지-도(認知度) 명 认知度 rènzhīdù ¶~가 낮다 认知度很低/~를 높이다 提高认知度

인지상정(人之常情) 명 人之常情 rénzhīchángqíng ¶불쌍한 사람을 동정하는 것은 ~ 아니겠느냐? 同情可怜的人, 难道不是人之常情吗?

인질(人質) 명 **1** 人质 rénzhì ¶대사가 ~로 잡히다 大使被扣作人质/여자를 ~로 잡다 把女的抓来当人质/~을 석방하다 释放人质 **2** = 볼모2

인질-극(人質劇) 명 人质闹剧 rénzhì nàojù ¶한바탕 ~을 벌이다 制造一场人质闹剧

인척(姻戚) 명 姻亲 yīnqīn ¶나는 그와 ~ 관계이다 我与他有姻亲关系

인체(人體) 명 人体 réntǐ ¶~ 공학 人体工程学 =[人体工学]/~ 구조 人体结构/~ 모델 人体模特/~ 모형 人体模型/~ 생리학 人体生理学/~의 신비 人体的奥秘/~에 해로운 물질 对人体有害的物质/~를 해부하다 解剖人体/~를 탐구하다 探究人体

인출(引出) 명하타 **1** 引出 yǐnchū **2** 提取 tíqǔ; 提 tí; 取 qǔ; 取出 qǔchū ¶예금을 ~하다 提取存款/현금 인출기에서 돈을 ~하다 在提款机取钱

인치(inch) 의명 英寸 yīngcùn ¶40~ 텔레비전 四十英寸的电视机

인칭(人稱) 명〖語〗人称 rénchēng ¶~ 대명사 人称代词

인큐베이터(incubator) 명〖醫〗保育器 bǎoyùqì; 早产婴儿保育箱 zǎochǎn yīng'ér bǎoyùxiāng = 보육기

인터넷(internet) 명〖컴〗互联网 hùliánwǎng; 因特网 yīntèwǎng; 网络 wǎngluò; 网 wǎng ¶~ 방송 网络广播/~ 뱅킹 网上银行/~ 서점 网上书店/~ 쇼핑 网上购物/~ 전화 网络电话/~ 포털 서비스 网络搜索服务/~ 사용자 上网用户/~ 게임 网络游戏/~에 접속하다 上网/~에 유언비어를 퍼뜨리다 在网上散布谣言

인터뷰(interview) 명하타 **1** 采访 cǎifǎng; 走访 zǒufǎng; 专访 zhuānfǎng; 面谈 miàntán; 面试 miànshì ¶수상자를 ~하다 采访获奖者/대통령과 단

독 ~를 갖다 独家专访总统
인터셉트(intercept) 명하타 【體】 抢断球 qiǎngduànqiú; 断传球 duànchuánqiú; 断球 duànqiú = 가로채기
인터체인지(interchange) 명 【交】 互通式立体交叉 hùtōngshì lìtǐ jiāochā; 立体交通枢纽 lìtǐ jiāotōng shūniǔ; 交换道 jiāohuàndào = 나들목 · 아이시1(IC)
인터폰(interphone) 명 对讲电话 duìjiǎng diànhuà; 对讲门铃 duìjiǎng ménlíng; 内部电话 nèibù diànhuà
인턴(intern) 명 1 【醫】 实习医生 shíxí yīshēng; 见习医生 jiànxí yīshēng 2 实习 shíxí; 见习 jiànxí; 实习生 shíxíshēng; 见习生 jiànxíshēng ¶~사원 实习职员 =[实习生][职员实习生] / ~ 채용 공고 实习生招聘公告 / ~을 모집하다 招聘实习生
인테리어(interior) 명 【建】 室内装饰 shìnèi zhuāngshì; 室内布景 shìnèi bùjǐng; 室内装修 shìnèi zhuāngxiū; 装潢 zhuānghuáng ¶~ 디자이너 室内装饰设计师
인텔리(←러intelligentsia) 명 【社】 知识阶层 zhīshi jiēcéng
인파(人波) 명 人潮 réncháo; 人流 rénliú; 人海 rénhǎi ¶~ 속으로 사라지다 消失在人海中 / 광장에 수만의 ~가 모였다 广场上聚集了数万人潮
인편(人便) 명 便人 biànrén; 顺路人 shùnlùrén; 托人 tuōrén ¶~에 보내다 托便人带去 / ~으로 선물을 보내다 托人送去礼物
인품(人品) 명 人品 rénpǐn; 品格 pǐngé ¶고상한 ~ 高尚的人品 / ~이 훌륭하다 人品很好
인프라(←infrastructure) 명 【建】 基础设施 jīchǔ shèshī; 下部构造 xiàbù gòuzào
인플레(←inflation) 명 【經】 = 인플레이션
인플레이션(inflation) 명 【經】 通货膨胀 tōnghuò péngzhàng; 通胀 tōngzhàng; 物价暴涨 wùjià bàozhǎng = 인플레
인플루엔자(influenza) 명 【醫】 = 유행성 감기
인하(引下) 명하타 1 引下 yǐnxià 2 降低 jiàngdī; 降 jiàng; 下调 xiàtiáo ¶가격 ~ 降价 / 금리를 ~하다 降低利率
인-하다(因—) 자 因 yīn; 因为 yīnwèi; 由于 yóuyú ¶부주의로 인한 사고 因不小心而引起的事故
인하-책(引下策) 명 (物价等) 下调政策 xiàtiáo zhèngcè
인해(人海) 명 人海 rénhǎi ¶~ 전술 人海战术
인형(人形) 명 1 娃娃 wáwa; 布娃娃 bùwáwa; 偶人 ǒurén; 木偶 mù'ǒu; 傀儡 kuǐlěi ¶우리 딸은 ~을 가지고 놀기를 좋아한다 我女儿喜欢玩布娃娃 2 人形 rénxíng
인형-극(人形劇) 명 【演】 偶戏 ǒuxì; 木偶戏 mù'ǒuxì; 傀儡戏 kuǐlěixì
인화(引火) 명하자 引火 yǐnhuǒ; 点火 diǎnhuǒ ¶~ 물질 引火物 / 휘발유는 쉽게 ~한다 汽油容易引火
인화(印畫) 명하타 【演】 冲洗 chōngxǐ; 洗 xǐ; 洗印 xǐyìn ¶사진을 ~하다 洗印照片
인화(燐火) 명 1 鬼火 guǐhuǒ 2 = 반딧불1
인화-물(引火物) 명 易燃物 yìránwù; 引火物 yǐnhuǒwù; 火烛 huǒzhú
인화-성(引火性) 명 易燃性 yìránxìng ¶~ 물질 易燃性物品
인화-점(引火點) 명 【化】 引火点 yǐnhuǒdiǎn; 着火点 zháohuǒdiǎn
인화-지(印畫紙) 명 【演】 印相纸 yìnxiàngzhǐ; 感光纸 gǎnguāngzhǐ
인후(咽喉) 명 【生】 咽喉 yānhóu; 喉咙 hóulóng; 喉 hóu ¶~염 咽喉炎 / ~통 咽喉痛
일: 一명하자 活儿 huór; 工作 gōngzuò; 劳动 láodòng; 活计 huóji ¶무슨 ~을 하십니까? 你做什么工作? / ~이 매우 바쁘다 工作忙得很 / 그녀는 번역 ~을 한다 她搞翻译工作 二명 1 事(儿) shì(r); 事情 shìqing ¶무슨 ~로 그를 찾는 것이냐? 你找他有什么事儿? 2 事故 shìgù; 事件 shìjiàn; 事 shì ¶~ 났다 出事了 / ~을 저지르다 惹事 3 经历 jīnglì ¶나는 해외여행을 가 본 ~이 있다 我有过海外旅行的经历 4 方便 fāngbiàn ¶화장실로 ~을 보러 가다 去厕所方便
일(一 · 壹) 수관 一 yī ¶~ 년 一年 / ~ 미터 一米
일 년 열두 달 구 一年到头; 终年; 全年
일(日) 一명 1 星期日 xīngqīrì; 礼拜天 lǐbàitiān; 周日 zhōurì ¶토, ~은 휴식 周六周日休息 2 一日 yīrì; 一天 yītiān ¶~ 삼 회 복용하다 一天服用三次 二의명 日 rì; 天 tiān ¶삼 ~ 동안 계속 비가 내리다 连续三天一直下雨
-일(日) 접미 日 rì; 节 jié ¶기념~ 纪念日 / 공휴~ 公休日
일가(一家) 명 1 = 한집안1 ¶행복한 ~ 幸福的一家 2 亲族 qīnzú; 亲属 qīnshǔ; 同族 tóngzú ¶~가 마을을 이루다 由亲族形成村子 3 一家 yījiā; 一派 yīpài ¶소설가로서 ~를 이루다 作为小说家自成一家
일가-견(一家見) 명 一家之说 yījiā-

zhīshuō; 独到的见解 dúdàode jiànjiě; 主见 zhǔjiàn ¶그는 요리에 ~이 있다 他对烹调有独到的见解

일-가족(一家族) 명 一家子 yījiāzi; 一家 yījiā; 全家 quánjiā ¶~ 네 명이 사망한 사고 一家四人死亡的事故 / ~이 한자리에 모이다 全家团圆

일가-친척(一家親戚) 명 一家亲戚 yījiā qīnqi ¶~이 모두 모이다 一家亲戚都聚在一起

일각(一角) 명 一角 yījiǎo; 一隅 yīyú; 一个角落 yīge jiǎoluò ¶이것은 빙산의 ~에 불과하다 这只不过是冰山一角

일각(一刻) 명 **1** 一刻 yīkè; 十五分钟 shíwǔfēnzhōng **2** 刻 kè; 一刻 yīkè; 分秒 fēnmiǎo ¶~을 다투다 分秒必争 / ~도 지체할 수 없다 刻不容缓

일각-여삼추(一刻如三秋) 명 一刻如三秋 yīkè rú sānqiū

일간(日刊) 명하타 日刊 rìkān; 日报 rìbào ¶~과 월간 日刊和月刊

일간(日間) ㊀명 一天 yītiān; 一日 yīrì ¶~ 작업량 一天工作量 ㊁부 不日 bùrì ¶~ 다시 들르시기를 바랍니다 希望不日再来

일간 신문(日刊新聞) 〖言〗日报 rìbào = 일간지 · 일보(日報)2

일간-지(日刊紙) 명 〖言〗 = 일간 신문 ¶~를 구독하다 订阅日报

일갈(一喝) 명하자 一喝 yīhè; 一喊 yīhǎn

일:-감 명 = 일거리 ¶~이 쌓이다 活儿成堆

일-개(一介) 명 一介 yījiè; 一个 yīge ¶~ 가난한 서생 一介穷书生

일:-개미 명 〖蟲〗工蚁 gōngyǐ

일거(一擧) 명 一举 yījǔ; 一下子 yīxiàzi ¶~에 적을 섬멸하다 一举歼灭敌人 / 문제를 ~에 해결하다 一下子解决问题

일:-거리 명 活(儿) huó(r); 工作 gōngzuò = 일감 ¶~가 많다 活儿多 / ~를 찾다 找工作

일거수-일투족(一擧手一投足) 명 一举手一投足 yījǔshǒu yītóuzú; 一举一动 yījǔyīdòng ¶~을 주시하다 注视一举一动

일거-양득(一擧兩得) 명하자 一举两得 yījǔliǎngdé ¶~의 효과를 가져오다 带来一举两得的效果

일거-일동(一擧一動) 명 一举一动 yījǔyīdòng ¶~을 감시하다 监视一举一动

일격(一擊) 명 一击 yījī ¶상대에게 치명적인 ~을 가하다 给予对手致命一击

일고(一考) 명하타 想一想 xiǎngyixiǎng; 考虑一下 kǎolǜ yīxià ¶~의 가치도 없다 连考虑一下的价值也没有

일고-여덟 수관 七八 qībā ¶~ 살 먹은 아이 七八岁的孩子

일곱 수관 七 qī ¶~ 개의 빵 七个面包 / 둘에 다섯을 더하면 ~이다 二加上五等于七

일곱-째 수관 第七 dìqī ¶~ 사람 第七个人

일과(日課) 명 每日功课 měirì gōngkè; 一天的工作 yītiānde gōngzuò; 一天的功课 yītiānde gōngkè; 日课 rìkè ¶~를 마치다 结束一天的工作 / 텔레비전 보는 것을 하루의 ~로 삼다 把看电视当成每日功课

일과-성(一過性) 명 **1** 一时性的 yīshíxìngde; 一阵风 yīzhènfēng ¶환경보호 운동이 ~에 그쳐서는 안 된다 搞环保运动不能一阵风 **2** 〖醫〗一过性 yīguòxìng

일과-표(日課表) 명 作息时间表 zuòxī shíjiānbiǎo; 日课表 rìkèbiǎo ¶~를 작성하다 制订作息时间表

일관(一貫) 명하자타 一贯 yīguàn; 贯穿 guànchuān ¶정부의 ~된 외교 방침 政府的一贯外交方针 / 태도가 언제나 ~되다 态度始终一贯

일관-성(一貫性) 명 一贯性 yīguànxìng ¶~ 있는 정책 具有一贯性的政策 / ~이 없다 没有一贯性

일괄(一括) 명하타 汇总 huìzǒng; 总括 zǒngkuò; 一揽子 yīlǎnzi; 一律 yīlǜ; 成批 chéngpī ¶~ 보고 汇总报告 / ~ 건의 一揽子建议 / ~ 사퇴 一律辞退 / ~ 처리 成批处理

일괄-적(一括的) 관명 总括(的) zǒngkuò(de); 一揽子(的) yīlǎnzi(de) ¶~ 처리 방식 一揽子的处理办法

일광(日光) 명 = 햇빛 ¶~ 소독 阳光消毒 / ~ 요법 日光疗法 =[阳光疗法]

일광-욕(日光浴) 명하자 日光浴 rìguāngyù; 阳光浴 yángguāngyù; 晒太阳 shàitàiyáng ¶백사장에서 ~을 즐기다 在沙滩享阳光浴

일교-차(日較差) 명 〖地理〗日较差 rìjiàochā; 温差 wēnchā ¶~가 크다 日较差很大

일구다 타 **1** 开 kāi; 垦 kěn; 开垦 kāikěn ¶땅을 ~ 开地 / 황무지를 ~ 开垦荒地 **2** (田鼠等) 翻地 fāndì; 挖土 wātǔ

일구-이언(一口二言) 명하자 出尔反尔 chū'ěrfǎn'ěr; 一口两舌 yīkǒuliǎngshé ¶그는 ~할 사람이 아니다 他不是一口两舌之人

일국(一國) 명 **1** 一国 yīguó ¶~의 군주 一国之君 **2** 全国 quánguó ¶명성이 ~에 자자하다 名声享誉全国

일군(一軍) 명 **1** 全军 quánjūn **2** 〖體〗

(体育比赛中) 甲级队 jiǎjíduì; 一线队 yīxiànduì ¶~ 투수 甲级队投手

일그러-뜨리다 타 弄瘪 nòngbiě; 弄皱 nòngzhòu; 皱 zhòu; 弄歪 nòngwāi = 일그러트리다 ¶그는 미간을 일그러뜨리며 담배를 깊이 빨아들였다 他皱着眉头猛吸了一口烟

일그러-지다 자 瘪 biě; 皱 zhòu

일그러-트리다 타 = 일그러뜨리다

일금(一金) 명 现金 xiànjīn ¶~ 오백만 원을 영수함 兹收到现金五百万元整

일급(一級) 명 1 一级 yījí; 五星级 wǔxīngjí ¶~ 공무원 一级公务员 / ~ 도로 一级公路 / ~비밀 一级秘密 / ~ 호텔 五星级酒店 2 『體』 一级 yījí ¶바둑 ~ 围棋一级

일기(一期) 명 1 一期 yīqī; 第一期 dìyīqī 2 一生 yīshēng; 享年 xiǎngnián ¶그는 40세를 ~로 세상을 떠났다 他去世了, 享年四十岁

일기(日氣) 명 = 날씨

일기(日記) 명 1 日记 rìjì ¶~를 쓰다 写日记 / 다른 사람의 ~를 훔쳐보다 偷看别人的日记 2 = 일기장

일기-도(日氣圖) 명 『地理』 天气图 tiānqìtú

일기 예:보(日氣豫報) 『地理』 天气预报 tiānqì yùbào

일기-장(日記帳) 명 日记本 rìjìběn = 다이어리2 · 일기(日記)2

일-깨우다 타 唤醒 huànxǐng; 启发 qǐfā; 开导 kāidǎo; 提醒 tíxǐng ¶청소년들에게 민족의식을 ~ 对青少年进行民族意识开导

일:-껏 부 好不容易 hǎobùróngyì; 好容易 hǎoróngyì; 难得 nándé ¶그는 ~ 마련한 좋은 기회를 놓쳤다 他错过了难得的好机会

일:-꾼 명 1 劳力 láolì; 人手 rénshǒu ¶공사를 위해 ~을 구하다 为了施工招劳力 / ~이 부족하다 人手不够 2 一把手 yībǎshǒu; 一把好手 yībǎ hǎoshǒu ¶그는 정말 ~이다 他可真是一把好手

일남(一男) 명 一男 yīnán ¶슬하에 ~ 삼녀를 두다 膝下有一男三女

일:-내다 자 闯祸 chuǎnghuò; 闹事 nàoshì ¶그는 일낼 사람이 아니다 他不是个闹事的人

일녀(一女) 명 一女 yīnǚ ¶슬하에 삼남 ~를 두다 膝下有三男一女

일년-근(一年根) 명 『植』 一年根 yīniángēn; 一年生根 yīniánshēnggēn

일년-생(一年生) 명 『植』 = 한해살이

일년생 식물(一年生植物) 『植』 一年生植物 yīniánshēng zhíwù

일념(一念) 명 一心 yīxīn; 一念 yīniàn; 一心一意 yīxīnyīyì; 专心 zhuānxīn ¶~으로 기도하다 专心祈祷 / 그는 성공하겠다는 ~으로 열심히 일했다 他一心为了成功而努力工作

일:다[1] 자 1 发生 fāshēng; 起 qǐ ¶바람이 ~ 起风 / 먼지가 ~ 起灰尘 / 파도가 ~ 起波涛 / 한바탕 파문이 ~ 发生一场风波 / 논란이 ~ 发生争论 2 (向上) 起 qǐ ¶거품이 ~ 起泡沫 / 보풀이 ~ 起毛儿 3 旺 wàng; 吐射 tǔshè ¶불이 잘 ~ 火很旺

일:다[2] 타 1 淘 táo ¶쌀을 ~ 淘米 / 사금을 ~ 淘金 2 簸 bǒ ¶곡식을 ~ 簸谷

일단(一旦) 부 1 先 xiān ¶~ 일을 다 끝내고 나서 다시 얘기하자 先把事儿做完再说 2 暂且 zànqiě; 权且 quánqiě; 姑且 gūqiě ¶~ 그의 의견을 들어보자 暂且听听他的意见吧 3 一旦 yīdàn; 一 yī ¶~ 결정하고 나면 바꿀 수 없다 一旦决定了就不能改变

일단(一段) 명 1 一个台阶 yīge táijiē ¶~을 오르다 爬一个台阶 2 一个段落 yīge duànluò; 一段 yīduàn ¶이야기의 ~ 一段故事 3 (汽车的) 头挡 tóudǎng; 一闸 yīzhá ¶기어를 ~으로 바꾸다 换头挡 4 『體』 (围棋、柔道等的) 初段 chūduàn; 一段 yīduàn ¶바둑 ~에 승단하다 晋升为围棋一段

일-단락(一段落) 명하타 一段落 yīduànluò; 截止 jiézhǐ ¶~을 짓다 告一段落

일당(一黨) 명 同党 tóngdǎng; 团伙 tuánhuǒ ¶도둑과 그의 ~ 小偷和他的同党 / 사기꾼 ~ 骗子团伙

일당(日當) 명 日工资 rìgōngzī; 日薪 rìxīn ¶~을 지불하다 支付日薪

일당 독재(一黨獨裁) 『政』 一党独裁 yīdǎng dúcái; 一党专政 yīdǎng zhuānzhèng

일당백(一當百) 명 以一当百 yǐyīdāngbǎi; 孤胆 gūdǎn ¶~의 용감무쌍한 전사 以一当百的英勇无双的战士

일당-제(日當制) 명 计日工资制 jìrì gōngzīzhì

일대(一大) 관 一大 yīdà ¶~ 혁신 一大革新 / ~ 쾌거 一大壮举

일대(一代) 명 一代 yīdài; 一世 yīshì ¶~ 호걸 一代豪杰 / ~ 영웅 一世之雄

일대(一帶) 명 一带 yīdài ¶이 ~는 치안이 양호하다 这一带治安良好

일대-기(一代記) 명 生平传记 shēngpíng zhuànjì ¶이 ~는 매우 감동적이다 这篇生平传记写得非常感人

일대일(一對一) 명 一对一 yīduìyī ¶~로 만나다 一对一见面 / ~로 교육을

실시하다 进行一对一教育
일도-양단(一刀兩斷) 명하자 一刀两断 yīdāoliǎngduàn
일독(一讀) 명하타 一读 yīdú; 读一下 dúyīxià; 读一读 dúyidú ¶~의 가치도 없는 책 没有读一下的价值
일동(一同) 명 全体 quántǐ; 全 quán ¶직원 ~ 全体职员 / 학생 ~ 全体学生 / ~ 차려! 全体立正!
일등(一等) 명 一等 yīděng; 一流 yīliú; 头等 tóuděng; 第一 dìyī ¶~ 국민 一流国民 / 그는 이번 시험에서 ~을 차지했다 他在这次的考试中得了第一
일등-병(一等兵) 명 【軍】 一等兵 yīděngbīng = 일병
일등-실(一等室) 명 头等舱 tóuděngcāng = 일등칸
일등-칸(一等―) 명 = 일등실
일등-품(一等品) 명 一等品 yīděngpǐn; 头等货 tóuděnghuò
일란성 쌍둥이(一卵性雙―) 【生】 同卵双胞胎 tóngluǎn shuāngbāotāi; 同卵双生儿 tóngluǎn shuāngshēng'ér; 同卵双生 tóngluǎn shuāngshēng; 同卵孪生 tóngluǎn luánshēng; 单卵孪生 dānluǎn luánshēng
일람(一覽) 명하타 **1** 一览 yīlǎn; 一阅 yīyuè; 浏览 liúlǎn ¶서류를 ~하다 浏览文件 **2** 一览 yīlǎn; 便览 biànlǎn ¶문화재 ~ 文化遗产一览
일람-표(一覽表) 명 一览表 yīlǎnbiǎo ¶교과목 ~ 课程一览表
일러두-기 명 凡例 fánlì = 범례(凡例)
일러-두다 타 嘱咐 zhǔfu; 嘱托 zhǔtuō; 叮嘱 dīngzhǔ; 吩咐 fēnfù ¶엄마가 아이에게 문을 잘 잠그라고 ~ 妈妈叮嘱孩子好好锁门
일러-바치다 타 告状 gàozhuàng; 告密 gàomì; 揭发 jiēfā; 打小报告 dǎ xiǎobàogào ¶누나는 내가 거짓말을 했다고 엄마에게 일러바쳤다 姐姐向妈妈告状说我说谎
일러스트(←illustration) 명 = 일러스트레이션
일러스트레이션(illustration) 명 插图 chātú; 图解 tújiě; 说明图 shuōmíngtú = 일러스트
일렁-거리다 자 晃动 huàngdòng; 摇动 yáodòng; 晃荡 huàngdang; 晃来晃去 huàngláihuàngqù = 일렁대다 ¶돛단배가~ 帆船晃动着 **일렁-일렁** 부하자
일렁-이다 자 晃动 huàngdòng; 摇动 yáodòng; 摆动 bǎidòng; 晃荡 huàngdang ¶나뭇가지가 바람에 ~ 树枝迎风摆动
일력(日曆) 명 日历 rìlì ¶~을 넘기다 翻日历
일련(一連) 명 一系列 yīxìliè; 一连串 yīliánchuàn ¶~의 문제 一连串的问题
일련-번호(一連番號) 명 编号 biānhào ¶수표의 ~ 支票的编号 / ~를 매기다 打编号 / ~ 순서에 따라 배열하다 按编号排列
일렬(一列) 명 一列 yīliè; 一排 yīpái; 一路 yīlù ¶~종대 一路纵队 / ~횡대 一路横队 / ~로 서다 站成一排 / ~로 늘어서다 排成一列
일례(一例) 명 一例 yīlì; 一个例子 yīge lìzi ¶~를 들어 설명하다 举一个例子说明
일로 부 '이리로' 的略词
일로(一路) 명 **1** 道路 dàolù; 路 lù ¶성장 ~에 있는 회사 走上发展之路的公司 / 수출이 증가 ~를 걷다 走上出口增加的道路 **2** 一路 yīlù; 一直 yīzhí
일루(一壘) 명 【體】 **1** (棒球的) 一垒 yīlěi **2** = 일루수
일루-수(一壘手) 명 【體】 一垒手 yīlěishǒu = 일루2
일루-타(一壘打) 명 【體】 一垒打 yīlěidǎ = 단타(單打)
일류(一流) 명 一流 yīliú; 第一流 dìyīliú ¶~ 대학 一流大学 / ~ 호텔 第一流饭店 / ~ 기업 一流企业 / ~ 기술 一流的技术
일률(一律) 명 一律 yīlǜ; 一概 yīgài
일률-적(一律的) 관명 一律(的) yīlǜ(de) ¶~으로 대하다 一律对待 / 요금이 ~으로 10% 올랐다 费用一律提高了一成
일리(一理) 명 道理 dàolǐ ¶그의 말에도 ~가 있다 他所说的也有道理
일말(一抹) 명 一点 yīdiǎn; 一抹 yīmǒ; 一丝 yīsī ¶~의 희망 一丝希望 / 그는 이제 그녀에게 ~의 기대도 하지 않는다 他现在对她不存一点期待
일망-무제(一望無際) 명하형 一望无际 yīwàngwújì ¶~의 광야 一望无际的旷野
일망타진(一網打盡) 명하타 一网打尽 yīwǎngdǎjìn ¶범죄자들을 ~하다 把犯罪分子一网打尽
일맥-상통(一脈相通) 명하자 一脉相通 yīmàixiāngtōng
일면(一面) 명하타 **1** 一面 yīmiàn; 一个方面 yīge fāngmiàn; 一个侧面 yīge cèmiàn ¶사물의 ~만을 보고 판단해서는 안 된다 不能只看事物的一个方面就做出判断 **2** 见一面 jiàn yīmiàn; 一次见面 yīcì jiànmiàn ¶나는 예전에 그녀를 ~한 적이 있다 我曾经见过她一面 **3** 第一版 dìyībǎn; 头版 tóubǎn ¶그 사건은 신문의 ~에 실렸다 那个事件登在报纸的头版上

일-면식(一面識) 명 一面之识 yīmiànzhīshí; 一面之交 yīmiànzhījiāo ¶나는 그와 ~이 있을 뿐이다 我和他不过是一面之交罢了

일명(一名) 명 又称 yòu chēng; 又叫 yòu jiào; 别名 biémíng; 别称 biéchēng ¶숭례문은 ~ 남대문이라고도 한다 崇礼门又称南大门

일모-작(一毛作) 명 〖農〗 单季 dānjì; 单作 dānzuò; 一年一收 yīnián yīshōu; 单季农耕 dānjì nónggēng ¶~ 벼 单季稻

일목요연-하다(一目瞭然—) 형 一目了然 yīmùliǎorán ¶일목요연하게 정리된 설명서 整理得一目了然的说明书

일몰(日沒) 명하자 日落 rìluò; 日没 rìmò ¶~ 시간 日落时间

일무-소득(一無所得) 명 一无所得 yīwúsuǒdé; 一无所获 yīwúsuǒhuò

일무-소식(一無消息) 명 杳无音信 yǎowúyīnxìn; 渺无音信 miǎowúyīnxìn; 音信渺茫 yīnxìn miǎománg ¶그는 집을 나간 이후로 ~이다 他离家以后音信渺茫

일문-일답(一問一答) 명하자 一问一答 yīwènyīdá

일미(一味) 명 **1** 一味 yīwèi; 第一味 dìyīwèi; 美味 měiwèi ¶천하 ~ 天下美味 **2** 别有风味 biéyǒufēngwèi ¶그것도 ~로군 那倒也别有风味

일박(一泊) 명하자 一宿 yīxiǔ; 一夜 yīyè; 住一宿 zhù yīxiǔ ¶~ 이 일 两天一宿 =[两天一夜] / 우리는 여관에서 ~을 했다 我们在旅馆住了一宿

일반(一般) 명 **1** 一样 yīyàng; 相同 xiāngtóng; 一般 yībān ¶이러나저러나 죽기는 ~이다 横竖是死, 都一样 **2** 一般 yībān; 普通 pǔtōng ¶~ 가정 一般家庭 / ~ 교육 普通教育 / ~ 여권 普通护照 / 그의 이름을 ~ 사람들은 아직 모른다 他的名字一般人还不知道 **3** 一般人 yībānrén; 大众 dàzhòng; 大家 dàjiā ¶~에게 공개하다 向大众公开 **4** 普遍 pǔbiàn; 一般 yībān ¶~ 상식 一般常识

일반 명사(一般名辭) 〖語〗 一般名词 yībān míngcí; 普通名词 pǔtōng míngcí = 보통 명사

일반-미(一般米) 명 一般米 yībānmǐ

일반-석(一般席) 명 普通席 pǔtōngxí; 普通座位 pǔtōng zuòwèi

일반-성(一般性) 명 一般性 yībānxìng; 普通性 pǔtōngxìng

일반 은행(一般銀行) 〖經〗 普通银行 pǔtōng yínháng = 보통 은행

일반-인(一般人) 명 一般人 yībānrén; 普通人 pǔtōngrén ¶이 박물관은 ~에게도 개방한다 这个博物馆也向普通人开放

일반-적(一般的) 관명 一般 yībān; 普遍 pǔbiàn; 普通 pǔtōng; 通常 tōngcháng; 一般性 yībānxìng; 普遍性 pǔbiànxìng ¶~인 문제 一般性问题 / ~ 현상 普遍现象 / ~인 견해 普通的见解 / ~으로 여자가 남자보다 오래 산다 一般来说, 女人比男人长寿

일반-화(一般化) 명하자타 一般化 yībānhuà; 普遍化 pǔbiànhuà; 普及 pǔjí; 推广 tuīguǎng ¶컴퓨터 사용이 ~되다 电脑的应用变得普及 / 선진 기술을 ~하다 推广先进技术

일발(一發) 명 (枪弹等的) 一发 yīfā ¶포탄 ~ 一发炮弹

일방(一方) 명 单方面 dānfāngmiàn; 单方 dānfāng; 一方 yīfāng; 单边 dānbiān; 单向 dānxiàng; 片面 piànmiàn; 一边 yībiān; 一方面 yīfāngmiàn

일방-적(一方的) 관명 单方面(的) dānfāngmiàn(de); 片面(的) piànmiàn(de); 单面(的) dānmiàn(de); 单边(的) dānbiān(de); 一边倒(的) yībiāndǎo(de) ¶~인 요구 单方面的要求 / ~ 주장 单方面的主张 / ~인 태도 片面的态度 / ~인 경기 一边倒的比赛 / ~인 말 单方面的话 / ~으로 계약을 위반하다 单方面地违反合约

일방-통행(一方通行) 명 单向行驶 dānxiàng xíngshǐ; 单行 dānxíng; 单向交通 dānxiàng jiāotōng; 单向通行 dānxiàng tōngxíng ¶~ 표지판 单行标志牌 / 이 길은 오늘부터 ~이 실시된다 这条路从今天起实行单向行驶

일방통행-로(一方通行路) 명 单行道 dānxíngdào; 单行路 dānxínglù; 单行线 dānxíngxiàn ¶여기는 ~이다 这是一条单行道

일백(一百) 수관 = 백(百) ¶~ 살 노인 百岁老人

일:-벌 명 〖蟲〗 工蜂 gōngfēng

일벌-백계(一罰百戒) 명하자 惩一儆百 chéngyījǐngbǎi; 惩一戒百 chéngyījièbǎi; 惩一警百 chéngyījǐngbǎi; 杀一儆百 shāyījǐngbǎi; 以儆效尤 yǐjǐngxiàoyóu; 杀鸡吓猴 shājīxiàhóu; 杀鸡给猴看 shā jī gěi hóu kàn

일변(一變) 명하자타 一变 yībiàn; 全变 quánbiàn; 大变 dàbiàn ¶태도가 ~하다 态度一变 / 그의 모습이 ~하였다 他的样子全变了

일변-도(一邊倒) 명 一边倒 yībiāndǎo; 一面倒 yīmiàndǎo; 倾斜 qīngxié

일병(一兵) 명 〖軍〗 = 일등병

일보(一步) 명 一步 yībù; 寸步 cùnbù ¶죽기 ~ 직전 离死亡就差一步

일보(日報) 명 **1** 日报道 rìbàodào; 每日报告 měirì bàogào **2** 〖言〗 = 일간

신문

일:-복(一福) 명 干活的福分 gànhuóde fúfen ¶~을 타고나다 天生有干活的福分

일본(日本) 명 〖地〗日本 Rìběn

일본 뇌염(日本腦炎) 〖醫〗日本脑炎 Rìběn nǎoyán; 流行性脑炎 liúxíngxìng nǎoyán

일본-어(日本語) 명 〖語〗日语 Rìyǔ; 日文 Rìwén; 日本话 Rìběnhuà = 일어 ¶~ 입문 교재 日语入门教材

일본-인(日本人) 명 日本人 Rìběnrén

일본-제(日本製) 명 = 일제(日製) ¶~ 전자 제품 日本产电子产品

일부(一部) 명 一部分 yībùfen; 某些 mǒuxiē; 部分 bùfen = 일부분 ¶~ 지역 一部分地区 / 수입의 ~를 저축하다 收入的一部分用来储蓄 / 사건의 ~가 사람들에게 알려지다 案件的一部分被人知晓

일부-다처(一夫多妻) 명 一夫多妻 yīfūduōqī

일부다처-제(一夫多妻制) 명 一夫多妻制 yīfūduōqīzhì; 多妻制 duōqīzhì = 다처제

일:부러 부 **1** 特意 tèyì; 特地 tèdì ¶그는 너를 보러 ~ 왔다 他是特地来看你的 **2** 故意 gùyì; 有意 yǒuyì; 有心 yǒuxīn; 存心 cúnxīn ¶~ 그에게 져주다 故意输给他 / 그는 나를 ~ 모른 척했다 他是有意不理我的

일-부분(一部分) 명 = 일부 ¶신체의 ~ 身体的一部分 / 이것은 ~에 불과하다 这只是一部分罢了

일부-종사(一夫從事) 명하자 从一而终 cóngyī'érzhōng; 一女不事二夫 yīnǚ bùshì èrfū ¶그녀는 ~하지 못하고 후에 개가하였다 她没能从一而终, 后来改嫁了

일분-일초(一分一秒) 명 一分一秒 yīfēn yīmiǎo; 分秒 fēnmiǎo ¶~를 아끼다 珍惜一分一秒

일사(日射) 명 日射 rìshè; 日照 rìzhào

일사-병(日射病) 명 〖醫〗日射病 rìshèbìng; 中暑 zhòngshǔ; 伤暑 shāngshǔ

일사부재리(一事不再理) 명 〖法〗(已判决的案件) 不再受理 bùzài shòulǐ ¶~의 원칙에 위배되다 违背了不再受理的原则

일-사분기(一四分期) 명 第一季度 dìyī jìdù; 首季 shǒujì ¶~ 예산 第一季度预算

일사불란(一絲不亂) 명하형 井井有条 jǐngjǐngyǒutiáo; 有条不紊 yǒutiáobùwěn ¶~하게 명령을 수행하다 有条不紊地执行命令

일사-천리(一瀉千里) 명 一泻千里 yīxièqiānlǐ ¶이야기가 ~로 전개되다 故事一泻千里地展开

일산(日産) 명 **1** 日产量 rìchǎnliàng; 日产 rìchǎn; 每日生产 měirì shēngchǎn ¶이 광산에서 캐내는 석탄의 ~은 5톤이다 这个矿山日产5吨煤炭 **2** 日本产 Rìběnchǎn ¶~ 자동차 日本产汽车

일산화 탄소(一酸化炭素) 〖化〗一氧化碳 yīyǎnghuàtàn ¶~ 중독 一氧化碳中毒

일:-삼다 타 **1** 当事(儿)干 dāng shì(r) gàn; 当成事(儿)干 dāngchéng shì(r) gàn; 以…为业 yǐ…wéiyè ¶일삼아 할 것은 없고 시간 나는 대로 좀 봐 다오 不必当成事儿干, 有空时帮我看一下 **2** 专干 zhuāngàn; 尽干 jìngàn; 专 zhuān ¶다른 사람의 험담을 ~ 专说别人闲话

일상(日常) 명 日常 rìcháng; 平常 píngcháng; 日常生活 rìcháng shēnghuó ¶~용어 日常用语 / ~생활 日常生活 / ~화 日常化

일상다반-사(日常茶飯事) 명 = 다반사

일상-사(日常事) 명 常事 chángshì; 寻常事 xúnchángshì; 平常事 píngchángshì ¶야근은 이미 ~가 되었다 加班已经成了常事

일상-적(日常的) 관명 日常 rìcháng; 平常 píngcháng; 日常性 rìchángxìng ¶~인 일 平常之事 / ~인 업무 日常性工作 / 이 단어는 ~으로 많이 사용된다 这个词平常用得很多

일색(一色) 명 **1** 一色 yīsè ¶산이 초록 ~으로 변하다 山变成一色的草绿色 **2** 绝色 juésè《指美女》**3** 清一色 qīngyīsè ¶이과반은 온통 남학생 ~이다 理科班清一色是男生

일생(一生) 명 一生 yīshēng; 一辈子 yībèizi; 平生 píngshēng; 生平 shēngpíng; 终生 zhōngshēng; 毕生 bìshēng = 평생 ¶~ 동안 잊을 수 없는 추억 毕生难忘的回忆 / 할아버지는 ~을 고생만 하셨다 祖父一辈子没过过好日子 / 그녀는 ~을 독신으로 지냈다 她过了一辈子独身生活

일생-일대(一生一大) 명 一生中最重大的 yīshēngzhōng zuì zhòngdàde; 一生中最重要的 yīshēngzhōng zuì zhòngyàode ¶~의 실수 一生中最重大的失误 / 그는 마침내 ~의 걸작을 완성했다 他终于完成了一生中最重要的杰作

일생-일대(一生一代) 명 一生一世 yīshēngyīshì; 一生 yīshēng ¶~의 기회 一生一世的机会

일생-토록(一生―) 부 = 평생토록 ¶그는 ~ 교육 사업에 힘을 쏟았다 他尽其一生致力于教育事业

일석(一夕) 명 一夕 yīxī; 一个晚上 yīge wǎnshang

일석이조(一石二鳥) 명 一箭双雕 yījiànshuāngdiāo; 一石二鸟 yīshí'èrniǎo ¶ ~의 효과를 얻다 取得一箭双雕的效果

일선(一線) 명 1 一条线 yītiáo xiàn 2 第一线 dìyīxiàn; 最前线 zuìqiánxiàn = 제일선 ¶ ~ 기자 第一线记者 / ~ 교사 第一线教师 3 〖軍〗 = 최전선 ¶ ~ 부대 最前线部队 / ~에서 싸우는 군인 战斗在最前线的军人

일설(一說) 명 一说 yīshuō; 一种说法 yīzhǒng shuōfǎ; 某一种说法 mǒu yīzhǒng shuōfǎ; 另一种说法 lìng yīzhǒng shuōfǎ ¶ ~에 의하면 출토된 이 문물은 신석기 시대의 것이라 한다 据另一种说法，这个出土文物是新石器时代的东西

일성(一聲) 명 一声 yīshēng ¶ ~을 지르다 喊了一声

일세(一世) 명 1 一辈子 yībèizi; 一生 yīshēng; 一世 yīshì ¶ ~를 마치다 结束一生 2 一世 yīshì ¶ ~에 이름을 날리다 扬名一世 / ~를 풍미하다 风靡一世

일ː-소 명 役牛 yìniú; 耕牛 gēngniú

일소(一笑) 명하자타 1 一笑 yīxiào ¶ ~를 터뜨리다 粲然一笑 2 轻蔑地笑 qīngmiède xiào

일소에 부치다 구 一笑置之; 付之一笑; 一笑了之

일소(一掃) 명하타 一扫 yīsǎo; 一扫而光 yīsǎo'érguāng; 彻底清除 chèdǐ qīngchú ¶ 잔재 세력을 ~해 버리다 把残余势力一扫而光

일ː-손 명 1 (干活的) 手 shǒu; 工 gōng; 工作 gōngzuò; 活(儿) huó(r) ¶ ~을 멈추다 停下了手 / ~을 돕다 帮工 2 手头 shǒutóu 《办事的能力》 ¶ ~이 재빠르다 手头利落 3 人手 rénshǒu; 人工 réngōng; 做手 zuòshǒu; 劳力 láolì; 人力 rénlì = 손[1]3 ¶ ~이 부족하다 人手不够 / ~을 구하다 找人手

일손(을) 놓다 구 停手

일손이 잡히다 구 干得顺手; 干得起劲

일수(日收) 명 1 = 일수입 2 印子 yìnzi; 印子钱 yìnziqián; 日利钱 rìlìqián; 拆息钱 chāixīqián ¶ ~를 쓰다 打印子 / ~를 놓다 放印子

일수(日數) 명 日数 rìshù; 天数 tiānshù ¶ 출근 ~ 上班日数 / 수업 ~가 모자라다 上课日数不够 / 임신 ~를 계산해 보다 算一下怀孕天数

일수-놀이(日收一) 명 放印子 fàng yìnzi; 放印子钱 fàng yìnziqián

일-수입(日收入) 명 日收入 rìshōurù = 일수(日收)1

일수-쟁이(日收一) 명 放印子的 fàng yìnzide

일순(一巡) 명하자타 一巡 yīxún; 走一遍 zǒu yībiàn; 转一圈 zhuàn yīquān ¶ 타자가 ~하다 击球手转一圈

일순(一瞬) 명 = 일순간

일순-간(一瞬間) 명 一瞬间 yīshùnjiān; 一刹那 yīchànà; 一转眼 yīzhuǎnyǎn; 一眨眼 yīzhǎyǎn; 转眼间 zhuǎnyǎnjiān = 일순(一瞬) ¶ ~에 일어난 일 一瞬间发生的事 / 화려했던 도시가 ~ 폐허로 변해 버렸다 繁华的城市一瞬就变成了一片废墟

일숫-돈(日收一) 명 印子钱 yìnziqián; 印子 yìnzi ¶ ~을 갚다 还印子钱 / ~을 쓰다 打印子钱

일습(一襲) 명 一套 yītào; 全套 quántào ¶ 세면도구 ~을 준비하다 准备一套洗漱用具

일승일패(一勝一敗) 명 一胜一败 yīshèngyībài ¶ ~의 전적 一胜一败的战绩

일시(一時) ㊀명 1 = 한시(一時)2 ¶ 나는 ~도 마음을 놓을 수 없었다 我一时也放不下心来了 2 同时 tóngshí; 同一时间 tóngyī shíjiān; 一同 yītóng; 一齐 yīqí; 一下子 yīxiàzi = 한때㊀2 ¶ ~에 덤벼들다 同时扑过来 / 우리는 ~에 떠났다 我们在同一时间离开了 / 분위기가 ~에 변하다 气氛一下子变了 ㊁부 一时 yīshí; 临时 línshí; 暂时 zànshí; 暂 zàn = 한때㊁ ¶ ~ 귀국 临时回国 / ~ 정지 暂停 / 연락이 ~ 두절되다 暂时断了联系

일시(日時) 명 日期 rìqī; 时日 shírì ¶ 회의 ~ 开会日期

일시-불(一時拂) 명 〖經〗 一次付清 yīcì fùqīng ¶ 물건값을 ~로 지불하다 货款一次付清

일시-적(一時的) 관명 一时(的) yīshí(de); 暂时(的) zànshí(de); 临时(的) línshí(de) ¶ ~인 증가 临时的增加 / ~인 느낌 一时的感觉 / 이것은 ~인 현상일 뿐이다 这只是暂时现象

일식(日食) 명 日本菜 Rìběncài ¶ ~은 비교적 담백하다 日本菜比较清淡

일식(日蝕·日食) 명하자 〖天〗 日食 rìshí

일식-집(日食一) 명 日本餐厅 Rìběn cāntīng

일신(一身) 명 一身 yīshēn; 个人 gèrén; 自身 zìshēn ¶ ~에 관계되는 문제 与个人有关的问题 / ~의 영달만을 꾀하다 只贪图自身的荣华

일신(一新) 명하자타 一新 yīxīn; 全新 quánxīn ¶ 도시의 면모가 ~하였다 城市的面貌焕然一新了

일신-상(一身上) 명 个人(的) gèrén(de); 与己有关(的) yǔ jǐ yǒuguān(de) ¶ ~의 문제 与己有关的问题 / ~의 이유로 사직하다 由于个人的理由辞职了

일심(一心) 명하자 **1** 一心 yīxīn; 同心 tóngxīn ¶ ~으로 단결하다 团结一心 **2** 专心 zhuānxīn; 一心 yīxīn; 一心一意 yīxīnyīyì ¶ ~으로 기도하다 专心祈祷

일심(一審) 명 〖法〗 第一审 dìyīshěn; 初审 chūshěn = 제일심 ¶ ~에서 무죄 판결을 받다 第一审被判无罪

일심-동체(一心同體) 명 同心同德 tóngxīntóngdé; 一条心 yītiáoxīn; 同心协力 tóngxīnxiélì; 一心同体 yīxīntóngtǐ ¶ 우리는 ~이다 我们是一条心

일쑤 명부 总是 zǒngshì; 总爱 zǒng'ài; 爱 ài; 经常 jīngcháng; 老 lǎo; 动不动 dòngbudòng; 动辄 dòngzhé ¶ 그는 차만 탔다 하면 졸기 ~이다 他只要一坐车就爱打磕睡

일야(日夜) 명 = 밤낮⊟ ¶ ~로 잠만 자다 日夜睡觉

일약(一躍) 부 一跃 yīyuè; 一下子 yīxiàzi ¶ ~ 대스타가 되다 一跃成为大明星

일어(日語) 명 〖語〗 = 일본어

일어-나다 자 **1** 起身 qǐshēn; 站起(来) zhànqǐ(lái); 起来 qǐlái; 起 qǐ ¶ 일어나서 박수를 치다 站起来鼓掌 **2** 起床 qǐchuáng; 起 qǐ; 起来 qǐlái ¶ 매일 아침 6시에 ~ 每天早晨六点起来 / 좀 일찍 일어나라 你早点起床 **3** 发生 fāshēng; 出现 chūxiàn; 发 fā; 出 chū; 爆发 bàofā ¶ 전쟁이 ~ 发生战争 / 혁명이 ~ 爆发革命 **4** 兴起 xīngqǐ; 兴旺 xīngwàng ¶ 회사가 ~ 公司兴旺 / 집안이 ~ 家道兴起 **5** 着 zháo; 起 qǐ ¶ 불이 ~ 着火 / 바람이 ~ 起风

일어-서다 자 **1** 起来 qǐlái; 起身 qǐshēn; 起立 qǐlì; 站起来 zhànqǐlái ¶ 의자에서 일어서서 인사를 하다 从椅子上站起来行礼 / 어른이 오면 자리에서 일어서야 한다 大人来了要从座位上站起来 **2** 兴起 xīngqǐ; 兴旺 xīngwàng ¶ 나라가 ~ 国家兴旺 / 사업이 ~ 生意兴旺起来 **3** 爬起来 páqǐlái; 奋起 fènqǐ ¶ 희망을 가지고 다시 ~ 满怀希望地重新爬起来 / 힘차게 일어서서 저항하다 奋起抵抗

일언(一言) 명하타 一言 yīyán; 一句 yījù ¶ ~의 대꾸도 하지 않다 一言不发

일언-반구(一言半句) 명 一言半语 yīyánbànyǔ; 一言半句 yīyánbànjù; 一言半辞 yīyánbàncí; 片言只语 piànyánzhīyǔ ¶ ~의 사과도 없다 连片言只语的道歉也没有

일언지하(一言之下) 명 一句话 yījù huà; 一口 yīkǒu; 矢口 shǐkǒu ¶ ~에 거절하다 一口拒绝

일:-없다 형 **1** 不必要 bùbìyào; 不要 bùyào; 不用 bùyòng; 用不着 yòngbuzháo; 没事儿 méishìr ¶ 이런 일에 너 같은 사람은 일없으니 돌아가라 这种事用不着你这样的人, 回去吧 **2** 没关系 méiguānxi; 还好 háihǎo ¶ 나는 일없지만 네가 피곤하겠구나 我没关系, 你大概累了吧

일:없-이 부 平白无故地 píngbáiwúgùde; 没有理由地 méiyǒu lǐyóude; 没有目的地 méiyǒu mùdìde; 平白 píngbái; 空 kōng; 白 bái ¶ ~ 거리를 배회하다 没有目的地徘徊徘徊街头 / ~ 시간만 허비하다 空度光阴

일엽-편주(一葉片舟) 명 一叶扁舟 yīyèpiānzhōu; 一叶舟 yīyèzhōu ¶ ~가 물 위를 떠가다 一叶扁舟在水面上浮漾摇曳

일요(日曜) 명 周日 zhōurì; 星期日 xīngqīrì ¶ ~ 신문 周日报 / ~ 모임 星期日聚会

일-요일(日曜日) 명 星期日 xīngqīrì; 星期天 xīngqītiān; 周日 zhōurì; 礼拜天 lǐbàitiān; 礼拜日 lǐbàirì ¶ ~은 집에서 쉰다 星期天在家休息

일용(日用) 명하타 日用 rìyòng ¶ ~ 잡화 日用杂货 / ~할 양식 日用的粮食

일용(日傭) 명 = 날품 ¶ ~ 인부 打短工的人

일용-품(日用品) 명 日用品 rìyòngpǐn ¶ ~ 가게 日用品商店

일원(一元) 명 **1** = 단원(單元)2 **2** 〖數〗 一元 yīyuán

일원(一員) 명 一员 yīyuán; 一个成员 yīge chéngyuán; 一把手 yībǎshǒu ¶ 그는 우리 가족의 ~이다 他是我们家庭的一员

일원(一圓) 명 一带 yīdài ¶ 경기도 ~에 폭설이 내렸다 京畿道一带下了一场大雪

일원-론(一元論) 명 〖哲〗 一元论 yīyuánlùn

일원-화(一元化) 명하자타 一元化 yīyuánhuà ¶ 체제의 ~ 体制的一元化 / 행정 기관이 ~하다 行政机关一元化

일월(一月) 명 **1** 一月 yīyuè ¶ ~ 초 一月初 **2** = 정월

일월(日月) 명 **1** 日月 rìyuè 《太阳与月亮》 ¶ ~의 운행 日月运转 **2** 日月 rìyuè 《岁月》

일월성신(日月星辰) 명 日月星辰 rìyuèxīngchén

일-으키다 타 **1** 扶起 fúqǐ ¶ 태풍에 쓰러진 나무를 일으켜 세우다 扶起被台

风刮倒的树木 / 누워 있는 환자를 ~ 把躺着的病人扶起来 **2** 初创 chūchuàng; 初建 chūjiàn; 创建 chuàngjiàn; 兴办 xīngbàn; 兴起 xīngqǐ ¶새로운 사업을 ~ 创建新事业 / 새로운 학문을 ~ 创建新学问 **3** 引起 yǐnqǐ; 导致 dǎozhì; 造成 zàochéng ¶오해를 ~ 造成误解 / 착각을 ~ 造成错觉 / 복통을 ~ 引起腹痛 / 분쟁을 ~ 引起争议 / 의견 충돌을 ~ 引起意见冲突 **4** 掀起 xiānqǐ; 挑起 tiǎoqǐ; 招惹 zhāorě; 惹 rě ¶거대한 풍랑을 ~ 掀起大风浪 / 전쟁을 ~ 挑起战争 / 그는 자주 문제를 일으킨다 他经常惹事儿 **5** 振兴 zhènxīng ¶경제를 ~ 振兴经济 / 혼자 힘으로 쓰러진 가세를 ~ 以一人之力振兴家门

일이(一二) 관 一二 yī'èr; 一两 yīliǎng ¶나는 ~ 개월 뒤에 이사할 계획이다 我打算在一两个月后搬家

일이-월(一二月) 명 一二月 yī'èryuè ¶내년 ~ 明年一二月

일익(一翼) 명 **1** 一翼 yīyì; 重任 zhòngrèn ¶국방의 ~을 맡다 担负国防的重任 **2** 一部分任务 yībùfen rènwù ¶건설의 ~을 담당하다 担当建设的一部分任务

일익(日益) 부 日益 rìyì ¶현대 과학 기술이 ~ 발전하고 있다 现代科学技术日益发展

일인(一人) 명 一人 yīrén; 单人 dānrén ¶~ 시위 单人示威 / ~ 독재 一人独裁

일인-이역(一人二役) 명 一身二职 yīshēn èrzhí; 身兼二职 shēnjiān èrzhí; (一人) 扮两个角色 bàn liǎngge juésè; (一个演员) 演两个角色 yǎn liǎngge juésè

일인-자(一人者) 명 头号人物 tóuhào rénwù; 第一把手 dìyībǎshǒu; 第一人 dìyīrén ¶정계의 ~가 되다 成为政界的头号人物

일-인칭(一人稱) 명 【語】 第一人称 dìyī rénchēng = 제일 인칭

일인칭 소:설(一人稱小說) 【文】 第一人称小说 dìyī rénchēng xiǎoshuō; 自叙体小说 zìxùtǐ xiǎoshuō

일인칭 시:점(一人稱視點) 【文】 第一人称视点 dìyī rénchēng shìdiǎn; 第一人称视角 dìyī rénchēng shìjiǎo

일일(一日) 명 = 하루1 ¶~ 관광 一日游 / ~을 쉬다 放一天的假

일일(日日) 명부 = 매일 ¶~ 연속극 每日连续剧

일일-생활권(一日生活圈) 명 一日生活圈 yīrì shēnghuóquān

일일여삼추(一日如三秋) 명하형 一日三秋 yīrì sānqiū; 一日如三秋 yīrì rúsānqiū

일일-이(一一一) 부 一一(地) yīyī(de); 一个一个(地) yīgeyīge(de); 一五一十(地) yīwǔyīshí(de) = 하나하나 ¶~ 작별 인사를 하다 一一告别 / ~ 설명하다 一五一十地说明 / ~ 간섭하다 一一干涉

일임(一任) 명하타 听凭 tīngpíng; 完全委托 wánquán wěituō; 完全托付 wánquán tuōfù; 全由…决定 quányóu…juédìng ¶어머니는 집안일을 큰며느리에게 ~하셨다 母亲把家事完全托付给大媳妇

일자[1](一字) 명 **1** 一句话 yījù huà; 短文 duǎnwén ¶~ 서신 一句话的信 **2** 一字 yīzì; 一点儿 yīdiǎnr ¶거기에 대해서는 ~도 아는 바가 없다 对那里的情况一点儿也不了解

일자[2](一字) 명 一字形 yīzìxíng; 一字 yīzì = 일자형 ¶십여 개의 화분들이 베란다에 ~로 놓여 있다 十多个的花盆在阳台上一字摆开

일자(日子 · 日字) 명 = 날짜2 ¶시험 ~ 考试日期 / 회의 ~ 会议日期 / ~를 정하다 定日子

일:-자리 명 工作 gōngzuò; 工作岗位 gōngzuò gǎngwèi; 工作单位 gōngzuò dānwèi; 饭碗(儿) fànwǎn(r); 职业 zhíyè = 직장(職場)2 ¶~를 찾다 找工作 / ~가 부족하다 工作岗位不足 / 어렵사리 ~를 구하다 好不容易找到个饭碗儿

일자-무식(一字無識) 명하형 一字不识 yīzì bùshí; 目不识丁 mùbùshídīng ¶그는 제 이름도 못 쓰는 ~이다 他目不识丁, 连自己的名字也不会写

일자-형(一字形) 명 = 일자[2](一字) ¶~ 주방 一字形厨房

일장(一場) 명 一场 yīchǎng; 一阵 yīzhèn ¶~ 연설을 하다 做了一场演说

일장-기(日章旗) 명 日章旗 rìzhāngqí; 太阳旗 tàiyángqí

일장일단(一長一短) 명 一长一短 yīchángyīduǎn; 有长有短 yǒuchángyǒuduǎn; 有利有弊 yǒulìyǒubì; 各有利弊 gèyǒu lìbì; 各有长短 gèyǒu chángduǎn ¶~이 있어서 결정하기가 어렵다 各有利弊, 难以决定

일장-춘몽(一場春夢) 명 一场春梦 yīchǎng chūnmèng

일장-풍파(一場風波) 명 一场风波 yīchǎng fēngbō ¶~를 일으키다 引起一场风波

일전(一戰) 명하자 一战 yīzhàn; 一场战斗 yīchǎng zhàndòu ¶최후의 ~ 最后一战 / 적과 ~을 벌이다 和敌人展开一场战斗

일전(一轉) 명하자 **1** 一转(儿) yīzhuàn-

(r); 转一圈 zhuàn yīquān ¶지구가 ~하다 地球转一圈 **2** 转变 zhuǎnbiàn; 一变 yībiàn; 一转 yīzhuǎn ¶사태의 ~을 기대하다 期待事态的转变

일전(日前) 명 日前 rìqián; 前几天 qián jǐtiān ¶~에 만난 사람 日前见过的人

일절(一切) 부 一概 yīgài; 完全 wánquán; 绝对 juéduì; 全然 quánrán ¶출입을 ~ 금하다 一概禁止出入 / 발길을 ~ 끊다 完全断绝来往

일점-혈육(一點血肉) 명 一个儿女 yīge érnǚ; 一个子女 yīge zǐnǚ

일정(一定) 명하형히부 一定 yīdìng; 固定 gùdìng; 指定 zhǐdìng ¶~한 방향 一定的方向 / ~ 직업 固定职业 / ~한 장소에 보관하다 保管在指定的场所 / ~ 온도를 유지하다 维持固定的温度

일정(日程) 명 **1** 日程 rìchéng ¶~이 꽉 차다 日程排满了 / 회의 ~을 정하다 安排会议日程 **2** 行程 xíngchéng; 路程 lùchéng ¶오늘 ~은 이 산을 넘는 것이다 今天的行程是翻越这座山

일정-량(一定量) 명 一定量 yīdìngliàng

일정-액(一定額) 명 定额 dìng'é ¶그는 봉급에서 매달 ~을 떼어 저축한다 他从工资中每月抽出定额用来储蓄

일정-표(日程表) 명 日程表 rìchéngbiǎo ¶~에 따라 움직이다 按照日程表活动

일제(一齊) 명 一齐 yīqí; 一同 yītóng; 一举 yījǔ ¶~ 점검 一同检查 / ~ 검거 一举抓获 / ~ 사격 一齐射击

일제(日帝) 명 〖史〗 日本帝国主义 Rìběn dìguó zhǔyì ¶~ 식민 통치 日本帝国主义殖民统治

일제(日製) 명 日本制造 Rìběn zhìzào; 日本产 Rìběnchǎn; 日本生产 Rìběn shēngchǎn = 일본제 ¶~ 핸드폰 日本产手机

일제 강:점기(日帝强占期) 〖史〗 日帝强占期 Rìdì qiángzhànqī

일제 시대(日帝時代) 〖史〗 '일제 강점기' 的旧称

일제-히(一齊―) 부 一齐 yīqí; 一同 yītóng; 齐 qí ¶~ 환호하다 齐声欢呼 / ~ 박수를 치다 一齐鼓掌

일조(日照) 명 日照 rìzhào; 日光照射 rìguāng zhàoshè ¶~권 日照权 / ~량 日照量 / ~ 시간 日照时间 =[日照时数]

일조-일석(一朝一夕) 명 一朝一夕 yīzhāoyīxī; 短时间内 duǎn shíjiān nèi ¶이 문제는 ~에 해결할 수 있는 것이 아니다 这个问题不是一朝一夕能解决的

일족(一族) 명 一族 yīzú; 同族 tóngzú; 全族 quánzú ¶~을 멸하다 诛灭全族

일종(一種) 명 **1** 一种 yīzhǒng ¶안개는 대기 현상의 ~이다 雾是大气现象的一种 **2** 某种 mǒuzhǒng; 一种 yīzhǒng ¶그는 ~의 모욕감을 느꼈다 他感到了某种污辱

일주(一周) 명하타 转…一圈 zhuǎn…yīquān; 绕…一匝 rào…yīzā; 环 huán ¶세계 ~ 环球旅行 / 세계를 ~하다 绕世界一圈 / 자동차가 순환 도로를 ~하다 汽车在这个循环道上转一圈

일주-기(一周忌) 명 小祥 xiǎoxiáng; 周年祭日 zhōunián jìrì ¶~를 기념하다 纪念小祥

일주-년(一周年) 명 一周年 yīzhōunián ¶개업 ~ 행사 开业一周年活动 / 결혼 ~을 기념하다 纪念结婚一周年

일-주일(一周日) 명 一周 yīzhōu; 一(个)星期 yī(ge) xīngqī; 一个礼拜 yīge lǐbài ¶~을 쉬다 休息一周 / 나는 일본에서 ~ 동안 있었다 我在日本呆了一个星期 / 우리는 ~에 한 번씩 만난다 我们一个礼拜见一次面

일:-중독(一中毒) 명 工作狂 gōngzuòkuáng

일지(日誌) 명 日志 rìzhì; 日记 rìjì ¶업무 ~ 工作日志 / ~를 적다 记日志

일직(日直) 명 **1** 值日 zhírì; 值班 zhíbān ¶~을 서다 值日 / 오늘 ~은 나다 今天值班的是我 **2** (上)白班 (shàng) báibān

일-직선(一直線) 명 直线 zhíxiàn ¶~을 긋다 划直线 / ~으로 걷다 走直线

일진(日辰) 명 日辰 rìchén; 日子 rìzi; 一日运气 yīrì yùnqi ¶~이 사납다 日辰不吉利 / 오늘은 ~이 좋다 今天日子好 / 오늘은 영 ~이 더럽군 今日运气好黑哟

일진일퇴(一進一退) 명하자 一进一退 yījìnyītuì ¶~의 접전을 벌이다 展开一进一退的交战

일찌감치 부 早点儿 zǎodiǎnr; 早些 zǎoxiē; 及早 jízǎo; 趁早 chènzǎo; 早早儿 zǎozǎor ¶~ 손을 떼다 趁早罢手 / ~ 자거라 早点儿睡吧 / 오려면 내일 ~ 오너라 要来, 明天早早儿来

일찍 부 = 일찍이1 ¶~ 출발하다 早点儿出发 / ~ 자고 ~ 일어나다 早睡早起 / 회의를 ~ 마치다 提早结束会议

일찍-이 부 **1** 早 zǎo; 早点儿 zǎodiǎnr; 提早 tízǎo; 早早儿 zǎozǎor = 일찍 ¶그는 내일 ~ 집을 나서려 한다 他明天要早早儿出门 **2** 以往 yǐwǎng; 曾 céng; 曾经 céngjīng ¶이것은 우리나라 역사에 ~ 없었던 일이다 这是我国历史上未曾有过的事

일차(一次) 명 **1** 根本 gēnběn; 初始 chūshǐ; 原始 yuánshǐ; 初级 chūjí; 第一 dìyī; 第一个 dìyīge ¶~ 자료 原始资料 / ~ 원인 第一个原因 / ~ 소비자 初级消费者 **2** 〖數〗 一次 yīcì ¶~ 방정식 一次方程 / ~ 함수 一次函数

일차 산:업(一次産業) 〖經〗 第一产业 dìyī chǎnyè; 基本产业 jīběn chǎnyè; 初级产业 chūjí chǎnyè = 제일차 산업

일차 성:징(一次性徵) 〖動〗 第一性征 dìyī xìngzhēng

일차 에너지(一次energy) 〖物〗 一次能源 yīcì néngyuán; 初级能源 chūjí néngyuán

일-차원(一次元) 명 〖數〗 一维 yīwéi

일차-적(一次的) 관명 首要(的) shǒuyào(de) ¶이번 사고의 ~인 원인 这次事故的首要原因 / ~인 책임은 정부에 있다 首要责任在于政府

일착(一着) 명하자 **1** 第一个到达 dìyīge dàodá ¶달리기 경주에서 그가 ~으로 들어왔다 赛跑中他第一个到达终点 **2** 〖體〗 (棋类) 一步 yībù; 一着 yīzhāo ¶후반전에서 잘못된 ~으로 형세가 불리해졌다 在下半局因走错一着棋, 形势变得不利

일처-다부(一妻多夫) 명 一妻多夫 yīqīduōfū

일처다부-제(一妻多夫制) 명 一妻多夫制 yīqīduōfūzhì

일천(一千) 수관 = 천(千)

일천-하다(日淺一) 형 (日子) 浅 qiǎn; 刚开始不久 gāng kāishǐ bùjiǔ ¶역사가 ~ 历史浅 / 경험이 ~ 阅历浅 / 경력이 ~ 资历浅

일체(一切) 一명 **1** 一切 yīqiè; 全部 quánbù; 所有 suǒyǒu; 整个 zhěnggè ¶~의 책임은 내가 진다 一切责任由我承担 / 재산 ~를 학교에 기부하다 把全部的财产捐给学校 **2** 完全 wánquán; 全 quán 二부 概 gài; 全部 quánbù; 全 quán ¶일단 구입해 간 상품은 ~ 교환되지 않는다 货物出门, 概不退换

일체(一體) 명 一体 yītǐ

일체-감(一體感) 명 〖哲〗 一体感 yītǐgǎn

일촉즉발(一觸卽發) 명 一触即发 yīchùjífā; 干柴烈火 gānchái lièhuǒ; 剑拔弩张 jiànbánǔzhāng ¶~의 위기 一触即发的危机 / ~의 초긴장 상태 一触即发的超紧张状态

일축(一蹴) 명하타 断然拒绝 duànrán jùjué; 一口否决 yīkǒu fǒujué; 顶回去 dǐnghuíqù ¶그들은 나의 제안을 ~해 버렸다 他们一口否决了我的提案 / 그의 말을 ~해 버리다 把他的话顶回去

일출(日出) 명하자 日出 rìchū ¶~ 시간 日出时间 / ~은 대략 몇 시에 시작됩니까? 日出大概几点开始? / 산꼭대기에서 ~을 보다 在山顶看日出

일취-월장(日就月將) 명하자 日就月将 rìjiù yuèjiāng; 日益进步 rìyì jìnbù ¶성적이 ~하다 成绩日就月将

일층(一層) 명 = 한층 ¶경계를 ~ 더 강화하다 进一步加强警戒

일치(一致) 명하자 一致 yīzhì ¶의견 ~ 意见一致 / 언행의 ~ 言行一致

일치-단결(一致團結) 명하자 团结一致 tuánjiéyīzhì

일침(一鍼) 명 严厉警告 yánlì jǐnggào; 当头棒喝 dāngtóubànghè; 当头一棒 dāngtóuyībàng; 顶门一针 dǐngményīzhēn ¶~을 맞다 受到严厉警告 / ~을 가하다 给予严厉警告

일컫다 타 **1** 称为 chēngwéi; 叫做 jiàozuò; 称做 chēngzuò ¶사람들은 그를 문화 대통령이라고 일컫는다 人们把他称为文化总统 **2** 誉为 yùwéi ¶예로부터 우리나라는 예의지국이라고 일컬어졌다 自古我国被誉为礼仪之邦

일탈(逸脫) 명하자 逸脱 yìtuō; 脱离 tuōlí; 离开 líkāi; 偏离 piānlí ¶지금의 논제는 본래의 주제에서 ~한 것이다 现在的论题脱离了原来的主题

일:-터 명 **1** 工作场所 gōngzuò chǎngsuǒ; 工作地 gōngzuòdì; 工地 gōngdì = 작업장 **2** = 직장(職場)1 ¶각자의 ~에서 열심히 일하다 在各自的工作岗位上努力工作

일파(一派) 명 一派 yīpài ¶불교의 ~ 佛教的一派 / 독자적인 ~를 이루다 自成一派

일패도지(一敗塗地) 명하자 一败涂地 yībàitúdì ¶적은 ~하여 쫓겨 갔다 敌人被打得一败涂地, 落荒而逃

일편(一片) 명 一片 yīpiàn ¶~의 구름 一片云彩 / ~의 효심 一片孝心

일편-단심(一片丹心) 명 一片丹心 yīpiàndānxīn; 一寸丹心 yīcùndānxīn; 赤胆忠心 chìdǎnzhōngxīn; 一心一意 yīxīnyīyì ¶~으로 그 여자를 사랑하다 一心一意爱那女子

일-평생(一平生) 명 = 한평생 ¶그는 ~ 독신으로 지냈다 他独身过一辈子

일품(一品) 명 一品 yīpǐn; 一等 yīděng; 第一 dìyī; 绝佳 juéjiā ¶맛이 ~이다 味道绝佳

일품-요리(一品料理) 명 **1** 单卖的菜 dānmàide cài; 按菜单点的菜 àn càidān diǎnde cài **2** 上等菜 shàngděngcài

일필-휘지(一筆揮之) 명하자 一挥而就 yīhuī'érjiù; 一挥而成 yīhuī'érchéng ¶그는 ~로 시 한 편을 썼다 他一挥而就, 写下了一首诗

일:-하다 자 工作 gōngzuò; 干活儿 gànhuór; 劳动 láodòng; 做工 zuògōng; 做事 zuòshì ¶공장에서 일하는 사람 在工厂做工的人 / 열심히 ~ 努力工作 / 일하지 않는 자는 먹지 말아야 한다 不劳动者不得食

일행(一行) 명 一行 yīxíng ¶여행단 ~ 旅游团一行 / 우리 ~은 15명입니다 我们一行十五人

일호(一毫) 명 丝毫 sīháo; 毫 háo; 一丝一毫 yīsīyīháo ¶~의 차이도 없다 没有一丝一毫的差别

일화(逸話) 명 逸闻 yìwén; 逸事 yìshì; 逸话 yìhuà; 轶事 yìshì; 奇闻 qíwén; 趣闻 qùwén ¶알려지지 않은 ~를 공개하다 公开一段鲜为人知的逸事

일확-천금(一攫千金) 명하자 一获千金 yīhuòqiānjīn ¶~의 꿈 一获千金的美梦

일환(一環) 명 一环 yīhuán; 一个环节 yīge huánjié; 组成部分 zǔchéng bùfen ¶국토 개발의 ~으로 농촌을 개발하다 把开发农村作为国土开发的一个环节

일회-성(一回性) 명 一次性 yīcìxìng ¶~ 행사 一次性活动 / ~으로 끝나다 一次性就结束

일회-용(一回用) 명 一次性 yīcìxìng ¶~ 젓가락 一次性筷子 / ~ 종이컵 一次性纸杯 / ~ 주사기 一次性注射器

일회-용품(一回用品) 명 一次性用品 yīcìxìng yòngpǐn ¶~을 사용하다 使用一次性用品

일흔 수관 七十 qīshí ¶~이 넘은 할머니 七十多岁的老奶奶 / 그는 ~까지 살았다 他活到了七十岁

일희일비(一喜一悲) 명하자형 一悲一喜 yībēiyīxǐ; 有喜有悲 yǒuxǐyǒubēi; 悲喜交加 bēixǐjiāojiā

읽-기 명 〖教〗 阅读 yuèdú; 读 dú ¶아이에게 ~를 가르치다 教给孩子阅读

읽다 타 **1** 念 niàn; 读 dú ¶소리 내어 ~ 出声念 / 큰 소리로 ~ 大声读 / 이 한자는 어떻게 읽습니까? 这个汉字怎么念? **2** 看 kàn; 读 dú; 阅读 yuèdú ¶책을 ~ 看书 / 편지를 ~ 看信 / 잡지를 ~ 阅读杂志 **3** 琢磨 zuómo; 推想 tuīxiǎng; 推度 tuīduó; 猜度 cāiduó ¶상대방의 마음을 ~ 琢磨对方的心思 **4** 看出 kànchū ¶그의 얼굴에서는 아무 표정도 읽을 수가 없다 从他的脸上看不出任何表情

읽을-거리 명 读物 dúwù; 可读的 kědúde ¶다양한 ~ 多种多样的读物 / ~가 풍부하다 读物非常丰富

읽-히다 一자타 被…读 bèi…dú; 被…看 bèi…kàn 《'읽다' 的被动词》 ¶그녀에게 내 마음이 다 읽힌 듯한 느낌이 들다 有一种好像被她读破心思的感觉 二타 让…读 ràng…dú; 使…读 shǐ…dú; 使…看 shǐ…kàn 《'읽다' 的使动词》 ¶아이들에게 책을 ~ 让孩子们读书

잃다 타 **1** 丢失 diūshī; 失掉 shīdiào; 丢 diū; 弄丢 nòngdiū ¶직장을 ~ 丢工作 / 공원에서 아이를 잃었다 在公园里丢失了孩子 / 버스에서 지갑을 잃었다 在公共汽车上钱包弄丢了 **2** 失去 shīqù; 丧失 sàngshī ¶이성을 ~ 失去理智 / 기억을 ~ 丧失记忆 / 자신감을 ~ 丧失信心 / 일에 흥미를 ~ 对工作失去了兴趣 **3** 迷失 míshī; 迷 mí ¶길을 ~ 迷路 / 방향을 ~ 迷失方向 **4** 丧 sàng; 丧失 sàngshī; 失去 shīqù ¶목숨을 ~ 丧命 / 어려서 부모를 ~ 从小失去父母 **5** (在赛马或赌博中) 输钱 shūqián ¶노름으로 돈을 ~ 赌博输钱

잃어-버리다 타 **1** 丢失 diūshī; 失掉 shīdiào; 丢 diū; 弄丢 nòngdiū **2** 失去 shīqù; 丧失 sàngshī **3** 迷失 míshī; 迷 mí

임 명 心上人 xīnshàngrén; 郎君 lángjūn; 情人 qíngrén ¶~을 그리다 思念情人 / ~을 기다리다 等待郎君

임도 보고 뽕도 딴다 속담 = 뽕도 따고 임도 보고[본다]

임:관(任官) 명하자 **1** 任官 rènguān; 拜官 bàiguān; 任命官职 rènmìng guānzhí; 任命为官 rènmìngwéiguān ¶그는 행정 고시에 합격하여 사무관으로 ~되었다 他通过行政考试, 被任命为事务官 **2** 〖軍〗 授予军衔 shòuyǔ jūnxián; 授衔 shòuxián ¶~식 授衔仪式

임:균(淋菌·痳菌) 명 〖生〗 淋菌 lìnjūn; 淋病双球菌 lìnbìng shuāngqiújūn

임:금 명 国君 guójūn; 君主 jūnzhǔ; 人君 rénjūn; 国王 guówáng; 人主 rénzhǔ = 군왕·왕(王)1·왕자(王者)1 ¶나라의 ~이 되다 成了国家的君主

임:금(賃金) 명 **1** 工资 gōngzī; 工钱 gōngqian; 报酬 bàochou; 薪水 xīnshui ¶~ 명세서 工资单 / ~ 체불 拖欠工资 / ~ 동결 工资冻结 / ~ 수준 工资水平 / ~ 체계 工资体系 / ~이 오르다 涨工资 **2** 〖法〗 租赁金 zūlìnjīn

임:금-님 명 '임금' 的敬词

임:기(任期) 명 任期 rènqī ¶대통령 ~ 总统任期 / ~를 마치다 任期结束

임기-응변(臨機應變) 명하자 随机应变 suíjīyìngbiàn; 见机行事 jiànjīxíngshì; 机变 jībiàn ¶~에 능하다 善于机变 / ~으로 위기를 넘기다 随机应变, 度过危机

임:대(賃貸) 명하타 出租 chūzū; 租赁 zūlìn; 租 zū ¶~ 아파트 出租公寓 / ~ 기간 租赁期 / ~ 계약 租赁合同 / ~권

租赁权 =[出租权] / ~인 出租人 / 주택을 ~하다 租赁房屋

임:대-료(賃貸料) 명 租金 zūjīn; 租费 zūfèi; 出租费 chūzūfèi; 租赁费 zūlìnfèi; 租钱 zūqián ¶~가 매우 비싸다 租金很贵 / ~를 지불하다 支付租费

임:-대차(賃貸借) 명하타 『法』 租借合同 zūjiè hétong; 租约 zūyuē = 임대차 계약

임:대차 계:약(賃貸借契約) 『法』 = 임대차

임마누엘(히Immanuel) 명 『宗』 以马内利 Yǐmǎnèilì

임:명(任命) 명하타 任命 rènmìng ¶~권 任命权 / ~장 任命状 =[任命书] / ~을 받다 接受任命 / 그는 아들을 이 사에 ~하였다 他任命自己的儿子为董事

임:무(任務) 명 任务 rènwu ¶~를 맡다 接受任务 / ~를 완수하다 完成任务 / 그에게 ~를 하나 부여하다 给他一件任务 / 특별 ~를 띠다 身负着特别任务

임박-하다(臨迫—) 자 临近 línjìn; 迫近 pòjìn; 濒临 bīnlín; 临到 líndào; 在即 zàijí ¶약속한 날짜가 ~ 约定的日期迫近 / 졸업이 ~ 毕业在即 / 죽음에 ~ 濒临死亡

임:부(妊婦·姙婦) 명 孕妇 yùnfù; 妊妇 rènfù = 임신부 ¶이 약품은 ~에게 사용이 금지되어 있다 这药品对孕妇禁止使用

임:-산부(妊産婦) 명 孕产妇 yùnchǎnfù

임산 자원(林産資源) 『農』 林业资源 línyè zīyuán

임상(臨床) 명하자 『醫』 **1** 临床 línchuáng ¶~ 실험 临床试验 / ~ 경험 临床经验 / ~ 효과 临床效果 / ~ 치료 临床治疗 / ~ 병리학 临床病理学 **2** = 임상 의학

임상 의학(臨床醫學) 『醫』 临床医学 línchuáng yīxué = 임상2

임석(臨席) 명하자 临席 línxí; 临场 línchǎng; 出席 chūxí; 到席 dàoxí ¶~ 경찰관 临场警官 / 주빈들이 자리에 ~하다 主宾客临席

임시(臨時) 명 临时 línshí; 暂时 zànshí ¶~ 반장 临时班长 / ~ 열차 临时列车 / ~ 국회 临时国会 =[不定期国会] / ~ 정부 临时政府 / ~로 친구 집에서 지내다 暂时住在朋友家 / ~ 거처를 마련하다 按排临时住处

임시-방편(臨時方便) 명 = 임시변통

임시-변통(臨時變通) 명하자 暂时通融 zànshí tōngróng; 临时凑和 línshí còuhe; 暂时将就 zànshí jiāngjiu = 임시방편

임시-적(臨時的) 관명 临时(的) línshí(de) ¶~ 조치 临时措施 / ~ 방법 临时的方法

임시-직(臨時職) 명 临时工 línshígōng; 短工 duǎngōng ¶~을 고용하다 雇用临时工

임:신(妊娠·姙娠) 명하자타 妊娠 rènshēn; 怀孕 huáiyùn; 怀胎 huáitāi; 身孕 shēnyùn; 有身子 yǒu shēnzi; 有孕 yǒuyùn = 잉태1·회임 ¶~ 기간 妊娠期 / ~ 초기 妊娠初期 =[怀孕初期] / ~ 증상 怀孕症状 / ~ 튼살 妊娠纹 / ~ 중독 妊娠中毒症 / 그녀는 ~ 5개월이다 她怀孕五个月了 =[她有五个月的身孕了]

임:신-부(妊娠婦) 명 = 임부

임:신-선(妊娠線) 명 『醫』 妊娠线 rènshēnxiàn

임:신 중절(妊娠中絕) 『醫』 = 임신 중절 수술

임:신 중절 수술(妊娠中絕手術) 『醫』 人工流产 réngōng liúchǎn; 堕胎 duòtāi; 打胎 dǎtāi; 人流 rénliú = 인공 유산·임신 중절

임야(林野) 명 林野 línyě

임업(林業) 명 林业 línyè ¶~ 시험장 林业试验场

임연수어(林延壽魚) 명 『魚』 多线鱼 duōxiànyú

임:용(任用) 명하타 任用 rènyòng; 录用 lùyòng; 聘用 pìnyòng; 聘任 pìnrèn ¶~권 任用权 / 공무원 ~ 시험 公务员录用考试

임:원(任員) 명 高级职员 gāojí zhíyuán; 负责人员 fùzé rényuán; 委员 wěiyuán = 역원 ¶~이 되다 成为高级职员 / 학생회 ~으로 선출되다 被选为学生会委员

임:의(任意) 명 **1** 随意 suíyì; 任意 rènyì; 随便 suíbiàn ¶~로 선택하다 任意选择 / ~대로 돈을 쓰다 随意花钱 **2** 任意 rènyì ¶~의 장소 任意地方 / ~의 시간 任意时间 / ~ 규정 随意规定

임:자[1] 명 主人 zhǔrén; 主儿 zhǔr; 本主儿 běnzhǔr; 物主 wùzhǔ ¶이 물건은 ~가 없다 这东西没有主儿

임자(를) 만나다 구 适逢其主

임:자[2] 대 **1** 你 nǐ ¶이번 일은 ~ 덕에 잘 되었네 托你的福这件事很顺利 **2** 你 nǐ; 老婆子 lǎopózi ¶내가 너무 ~를 고생시켰네 我让你吃苦了

임전(臨戰) 명하자 临战 línzhàn ¶~ 태세 临战状态 / ~ 준비를 하다 准备临战

임전-무퇴(臨戰無退) 명 临阵不退 línzhèn bùtuì; 临战无退 línzhàn wútuì

임종(臨終) 명하자 **1** 临终 línzhōng; 临死 línsǐ ¶할머니는 편안하게 ~을

하셨다 奶奶临终时非常安详 **2** 送终 sòngzhōng; 诀别 juébié ¶아버지의 ~을 지키지 못하다 没能为父亲送终

임:지(任地) 명 任职地 rènzhídì; 工作地 gōngzuòdì; 任所 rènsuǒ = 부임지 ¶~로 떠나다 奔赴工作地

임:직(任職) 명하타 任职 rènzhí

임:-직원(任職員) 명 高低职员 gāodī zhíyuán ¶창립 기념행사에 모든 ~이 참석했다 所有高低职员都参加了纪念创立活动

임:진-왜란(壬辰倭亂) 명 『史』 壬辰倭乱 Rénchénwōluàn = 왜란2

임:질(淋疾·痲疾) 명 『醫』 淋病 lìnbìng

임:차(賃借) 명하타 租借 zūjiè; 租赁 zūlìn ¶~권 租借权 / ~료 租借费 =[租金] / ~인 租借人 =[借主] / 은행 돈을 빌려 사무실을 ~하였다 向银行贷款租借了办公室

임:파(淋巴) 명 『生』 '림프'的音译词

임:파-선(淋巴腺) 명 『生』 '림프선'的音译词

임:파-액(淋巴液) 명 『生』 '림프액'的音译词

임-하다(臨—) 자 **1** 临 lín; 到 dào; 亲临 qīnlín; 莅临 lìlín; 莅 lì 《到达某个地方》 ¶현장에 임하여 참관하다 到现场参观 **2** 面临 miànlín; 面对 miànduì ¶전시에 ~ 面临战争 / 취업난 문제에 ~ 面临就业难的问题 **3** 面向 miànxiàng; 面朝 miàncháo; 临 lín ¶그 산은 대해에 임해 있다 那座山面向大海 **4** 居高临下 jūgāolínxià; 对待 duìdài ¶아랫사람에게 임하는 태도 对待部下的态度 **5** 来临 láilín; 临在 línzài ¶성령이 ~ 圣灵来临

임해(臨海) 명하자 临海 línhǎi; 沿海 yánhǎi; 滨海 bīnhǎi ¶~ 지역 沿海地区 / ~ 도시 滨海城市

입 명 **1** 口 kǒu; 嘴 zuǐ **2** = 입술 **3** 人数 rénshù; 口 kǒu; 嘴 zuǐ

입 밖에 내다 구 说出口; 出口; 说出

입(을) 놀리다 구 多嘴; 耍嘴

입(을) 다물다 구 住口; 住嘴; 闭口; 闭嘴; 绝口

입(을) 떼다 구 开口; 开口说话

입(을) 막다 구 堵嘴; 封嘴

입(을) 맞추다 구 对口径; 统一口径

입(을) 모으다 구 异口同声

입(을) 열다 구 开口说话; 开口

입(이) 가볍다[싸다] 구 嘴不牢; 嘴快; 口快; 嘴松

입만 살다 구 会说不会做; 卖嘴

입만 아프다 구 白费口舌

입에 거미줄 치다 구 穷得吃不上饭

입에 맞다 구 适口; 合口; 可口

입에 발린[붙은] 소리 구 言不由衷; 家道口摆席, 口上热闹

입에 올리다 구 成话柄

입에 침이 마르다 구 赞不绝口

입에 풀칠하다 구 糊嘴糊口

입이 무겁다 구 沉默寡言; 嘴严; 嘴紧; 口紧; 嘴稳

입이 밭다[짧다] 구 挑食; 偏食; 嘴刁; 嘴尖

입-가 명 嘴边 zuǐbiān; 嘴角 zuǐjiǎo; 口角 kǒujiǎo ¶~에 미소를 띠다 嘴边泛起微笑

입-가심 명하자 漱口 shùkǒu; 爽爽口 shuǎngshuǎngkǒu ¶껌을 씹어 ~하다 嚼个口香糖爽爽口

입각(立脚) 명하자 立脚 lìjiǎo; 立足 lìzú; 依据 yījù; 依照 yīzhào ¶사실에 ~해서 말하다 依照事实说话 / 증거에 ~해서 판단을 내리다 依据证据做出判断

입-간판(立看板) 명 (靠在墙上或竖在路边的) 招牌 zhāopái; 立式招牌 lìshì zhāopái ¶가게 입구에 ~이 서 있다 商店门口竖立着一个招牌

입건(立件) 명하타 『法』 立案 lì'àn; 成案 chéng'àn ¶폭력 혐의로 ~되다 以暴力嫌疑成案

입고(入庫) 명하타 入库 rùkù; 进仓 jìncāng; 存仓 cúncāng ¶~량 入库量 / 화물이 모두 ~되었다 货物全部进仓了

입관(入棺) 명하자 入棺 rùguān; 入殓 rùliàn; 装殓 zhuāngliàn ¶시신을 ~하다 将尸体装殓

입교(入校) 명하자 入校 rùxiào; 入学 rùxué; 进入 jìnrù 《进入士官、军官大学等的学校》 ¶~식 入校仪式 / 사관학교에 ~하다 进入军官大学

입교(入敎) 명하자 『宗』 **1** 入教 rùjiào ¶~식 入教仪式 **2** 开始信教 kāishǐ xìnjiào

입구(入口) 명 入口 rùkǒu; 进口(儿) jìnkǒu(r); 门口 ménkǒu ¶동물원 ~에서 만나기로 약속하다 约好在动物园门口碰头

입국(入國) 명하자 入境 rùjìng ¶~ 허가 入境许可 / ~ 수속을 하다 办理入境手续 / ~ 비자를 신청하다 申请入境签证

입국 사증(入國查證) 『法』 = 사증

입궁(入宮) 명하자 入宫 rùgōng; 进宫 jìngōng

입궐(入闕) 명하자 入阙 rùquè; 进宫 jìngōng; 诣阙 yìquè

입금(入金) 명하자타 入款 rùkuǎn; 进款 jìnkuǎn; 进账 jìnzhàng; 进钱 jìnqián; 存款 cúnkuǎn ¶~액 进款额 =[入账额] / 돈이 ~되었는지 확인해 봐라 确认一下进账了没有

입금 전표(入金傳票) 『經』 收款传票 shōukuǎn chuánpiào; 收款票据 shōukuǎn piàojù = 입금표

입금-표(入金票) 명 『經』 = 입금 전표

입-김 명 **1** 气息 qìxī; 哈气 hāqì; 口气 kǒuqì; 气 qì ¶유리창에 ~을 불다 在窗户上哈气 / ~으로 손을 녹이다 哈口气暖暖手 **2** (施加于别人的) 影响力 yǐngxiǎnglì; 说情 shuōqíng ¶~을 넣다 暗中施加影响力 / ~이 세다 影响力很强 / 실력자의 ~이 작용하다 实力派人士的影响力起作用

입-내[1] 명 口技 kǒujì; 学舌 xuéshé; 声音模仿 shēngyīn mófǎng ¶사람의 ~를 낼 수 있는 앵무새 会学舌的鹦鹉

입-내[2] 명 = 구취 ¶~를 제거하다 除去口臭

입다 타 **1** 穿 chuān ¶교복을 ~ 穿校服 / 두꺼운 옷을 입고 있다 穿着厚厚的衣服 **2** 遭受 zāoshòu; 遭到 zāodào; 受到 shòudào; 受 shòu; 蒙受 méngshòu ¶손해를 ~ 遭受损失 / 은혜를 ~ 蒙受恩惠 / 부상을 ~ 受伤 / 타격을 ~ 遭到打击

입단(入團) 명하자 入 rù; 入团 rùtuán; 加入 jiārù; 参加 cānjiā ¶~식 入团式 =[入团仪式] / 보이 스카우트에 ~하다 参加童子军

입-단속(一團束) 명 要求保守秘密 yāoqiú bǎoshǒu mìmì

입-담 명 口才 kǒucái ¶그는 ~이 매우 좋다 他口才很好

입당(入黨) 명하자 入党 rùdǎng; 加入…党 jiārù…dǎng ¶~ 신청서 入党申请书 / 여당에 ~하다 加入执政党

입대(入隊) 명하자 『軍』 入伍 rùwǔ; 参军 cānjūn; 当兵 dāngbīng; 参加…军 cānjiā…jūn; 参加…队 cānjiā…duì; 入…军 rù…jūn; 入…队 rù…duì = 입영(入營) ¶그는 올여름에 ~한다 他今年夏天参军 / 해병대에 ~하다 参加海军陆战队

입-덧 명하자 害喜 hàixǐ; 孕吐 yùntù; 恶阻 èzǔ; 喜病 xǐbìng ¶그녀는 요즘 ~을 한다 她最近害喜了 / ~이 매우 심하다 孕吐挺厉害

입덧(이) 나다 구 害喜

입도-선매(立稻先賣) 명하타 (稻子) 未收先卖 wèishōu xiānmài

입동(立冬) 명 立冬 lìdōng 《二十四节气之一》

입력(入力) 명하타 **1** 『物』 输入功率 shūrù gōnglǜ **2** 『컴』 输入 shūrù ¶패스워드를 ~하다 输入密码 / 문자 ~ 방법 文字输入法

입-막음 명하타 堵嘴 dǔzuǐ; 堵口 dǔkǒu; 封嘴 fēngzuǐ; 不让说出 bùràng shuōchū ¶목격자에게 ~으로 많은 돈을 주다 为了不让目击者说出事实, 给了他很多钱

입-맛 명 **1** 胃口 wèikǒu; 食欲 shíyù; 口 kǒu = 구미(口味) ¶~이 좋다 胃口很好 / ~을 돋우다 增进食欲 / ~이 없다 没有胃口 / ~이 당기다 引起食欲 / ~이 돌다 有胃口 / ~이 떨어지다 倒胃口 **2** 喜好 xǐhào; 胃口 wèikǒu ¶개인의 ~대로 책을 고르다 按个人喜好挑书 / 이 선물은 그녀의 ~에 맞지 않을 것이다 这个礼物可能不对她胃口

입맛(을) 다시다 구 **1** 垂涎欲滴; 垂涎三尺 **2** (难办或不满意时) 咂嘴

입맛대로 하다 구 为所欲为

입-맞춤 명하자 = 키스 ¶달콤한 ~ 甜蜜的吻

입-매 명 嘴型 zuǐxíng; 口型 kǒuxíng; 嘴 zuǐ 《指嘴的模样》 ¶~가 곱다 嘴长得好看

입면(立面) 명 『數』 立面 lìmiàn; 竖面 shùmiàn

입면-도(立面圖) 명 『數』 立面图 lìmiàntú; 竖面图 shùmiàntú

입문(入門) 명하자 **1** 入门 rùmén; 进门 jìnmén; 进入 jìnrù ¶정계에 ~하다 进入政界 **2** 入门 rùmén ¶언어학 ~ 语言学入门 / 사진 ~ 摄影入门 **3** 拜老师 bài lǎoshī; 拜师 bàishī; 拜门 bàimén ¶그는 유명 화가의 문하에 ~하였다 他拜了一个著名画家为老师

입문-서(入門書) 명 入门书 rùménshū; 入门书籍 rùmén shūjí

입-바르다 형 心直口快 xīnzhíkǒukuài; 嘴直 zuǐzhí ¶입바른 소리를 하다가 쫓겨나다 因心直口快被撵出去

입-방아 명 嘴碎 zuǐsuì; 唠叨 láodao

입방아(를) 찧다 구 喋喋不休; 饶舌; 多嘴

입-방정 명 唠唠叨叨 láolaodāodāo ¶~ 좀 그만 떨어라 你就别唠唠叨叨了

입-버릇 명 口头禅 kǒutóuchán; 口头语 kǒutóuyǔ; 口癖 kǒupǐ ¶피곤하다는 말이 그녀의 ~이 되었다 "累死了"成了她的口头语了

입법(立法) 명하타 立法 lìfǎ ¶~권 立法权 / ~ 과정 立法程序 / ~ 회의 立法会议

입법 기관(立法機關) 『法』 立法机关 lìfǎ jīguān = 입법부

입법-부(立法府) 명 『法』 = 입법 기관

입법-화(立法化) 명하자타 立法化 lìfǎhuà

입-병(一病) 명 『醫』 口腔疾病 kǒuqiāng jíbìng; 口疾 kǒují ¶~이 나다 害口疾

입북(入北) 명하자 入北 rùběi; 进入北韩 jìnrù běihán ¶그는 중국을 경유하여 ~하였다 他经过中国进入北韩了

입사(入社) 명하자 进公司 jìn gōngsī;

入公司 rù gōngsī ¶～ 시험 进公司考试 =[招聘考试]/그는 이 회사에 ～한 후로 줄곧 열심히 일한다 他进这个公司以后一直努力地工作

입사(入射) 명하자 〖物〗 入射 rùshè; 投射 tóushè = 투사(投射)2

입산(入山) 명하자 **1** 入山 rùshān; 进山 jìnshān ¶～ 금지 禁止入山/등산객들의 ～을 제한하다 限制登山游客进山 **2** 〖佛〗 出家 chūjiā

입산-수도(入山修道) 명하자 入山修道 rùshān xiūdào; 进山修道 jìnshān xiūdào

입상(入賞) 명하자 得奖 déjiǎng; 获奖 huòjiǎng; 中奖 zhòngjiǎng ¶～ 작품 获奖作品/～ 소감 获奖感想

입상-자(入賞者) 명 得奖者 déjiǎngzhě; 获奖者 huòjiǎngzhě ¶～ 명단을 발표하다 发布获奖者名单

입석(立席) 명 立席 lìxí; 站席 zhànxí; 站票 zhànpiào ¶～ 관중 站票观众

입석-권(立席券) 명 站票 zhànpiào; 站席票 zhànxípiào

입선(入選) 명하자 入选 rùxuǎn ¶～작 入选作品/공모전에서 ～된 작품들 在大奖赛中入选的作品

입성(入城) 명하자 **1** 入城 rùchéng; 进城 jìnchéng ¶성문이 닫히기 전에 ～하다 在城门关闭之前进城 **2** 占领 zhànlǐng ¶공산군이 서울에 ～하다 共产军占领首尔

입소(入所) 명하자 入所 rùsuǒ; 进入 jìnrù ¶～자 入所者 =[进所者]/훈련소에 ～하다 进入训练所

입속-말 명하자 私语 sīyǔ; 悄悄话 qiāoqiāohuà ¶～을 하다 说悄悄话

입수(入手) 명하자타 得到 dédào; 接到 jiēdào; 到手 dàoshǒu; 接获 jiēhuò; 收到 shōudào ¶최근 ～된 정보 最新接获的情报/소식을 ～하다 得到消息

입수(入水) 명하자 入水 rùshuǐ; 进入水中 jìnrù shuǐzhōng; 下水 xiàshuǐ ¶다이빙의 ～ 동작 跳水比赛的入水动作

입술 명 嘴唇 zuǐchún; 唇 chún = 입2 ¶앵두 같은 ～ 樱桃似的嘴唇/～이 트다 嘴唇干裂了

입술에 침이나 바르지 속담 别胡说八道了

입술을 깨물다 구 咬住嘴唇《表示气愤、痛苦、忍耐等感情》

입시(入試) 명 = 입학시험 ¶대학 ～ 人大学考试 =[高考]/～ 제도 高考制度/～ 위주의 교육 高考为主轴的教育

입식(立式) 명 立式 lìshì; 站立式 zhànlìshì ¶～ 부엌 立式厨房

입신(入神) 명하자 出神入化 chūshénrùhuà; 入神 rùshén ¶～의 경지에 이르다 达到出神入化境界

입신(立身) 명하자 立身 lìshēn; 处身 chǔshēn

입신-양명(立身揚名) 명하자 立身扬名 lìshēnyángmíng ¶～의 꿈을 이루다 达到立身扬名的梦想

입신-출세(立身出世) 명하자 立身成名 lìshēn chéngmíng

입실(入室) 명하자 入室 rùshì; 进屋 jìnwū; 进入 jìnrù ¶～ 금지 禁止入室

입-심 명 口舌 kǒushé; 口气 kǒuqì; 嘴皮 zuǐpí; 嘴皮子 zuǐpízi ¶그는 ～이 정말 대단하다 他嘴皮子真厉害

입-씨름 명하자 **1** 费口舌 fèi kǒushé; 好说歹说 hǎoshuōdǎishuō = 말씨름 **2** = 말다툼 ¶그들은 만나기만 하면 ～한다 他们一见面就吵嘴

입-아귀 명 嘴角 zuǐjiǎo; 嘴丫子 zuǐyāzi; 口角 kǒujiǎo ¶～가 찢어지게 웃어 대다 笑得嘴角都裂了

입안(立案) 명하타 立案 lì'àn; 拟订 nǐdìng; 拟制 nǐzhì ¶～ 심사하다 立案审查/정책을 ～하다 拟定政策

입양(入養) 명하타 收养 shōuyǎng; 领养 lǐngyǎng; 抱养 bàoyǎng ¶～ 수속 收养手续/～ 절차 收养程序/해외 ～ 海外领养/고아를 ～하다 收养孤儿

입양-아(入養兒) 명 领养儿 lǐngyǎng'ér ¶해외 ～ 海外领养儿

입영(入營) 명하자 〖軍〗 = 입대 ¶～ 통지서 入伍通知书

입영(立泳) 명하자 = 선헤엄

입욕(入浴) 명하자 入浴 rùyù; 进澡堂 jìn zǎotáng ¶～제 入浴剂

입원(入院) 명하자 入院 rùyuàn; 住院 zhùyuàn; 住医院 zhù yīyuàn ¶～비 住院费/～실 住院室 =[病房]/～ 수속 入院手续 =[住院手续]/～ 환자 住院病人/～ 치료 住阮治疗/부상으로 1개월 ～했다 由于受伤住了一个月的院

입자(粒子) 명 **1** 〖物〗 粒子 lìzǐ **2** 粒子 lìzi; 粒 lì ¶～가 매우 거칠다 粒子很粗

입장(入場) 명하자 入场 rùchǎng; 进场 jìnchǎng ¶～권 入场券 =[门票]/～료 入场费 =[门票钱][门票费]/미성년자 ～ 불가 未成年人不得入场

입장(立場) 명 立场 lìchǎng; 境地 jìngdì; 境况 jìngkuàng ¶난처한 ～에 처하다 处于尴尬的境地/그의 ～에 서서 생각해 보다 站在他的立场上想想

입적(入寂) 명하자 〖佛〗 入寂 rùjì; 入灭 rùmiè = 열반2

입적(入籍) 명하자타 〖法〗 入籍 rùjí; 报户口 bào hùkǒu; 转户口 zhuǎn hùkǒu; 迁入户籍 qiānrù hùjí ¶양자를 호적에 ～하다 把养子迁入户籍

입정 명 **1** 嘴 zuǐ; 口 kǒu **2** '입버릇'的俗称

입정(이) 사납다 구 1 好吃零食 2 嘴臭; 爱说脏话

입주(入住) 명하자 入住 rùzhù; 住进 zhùjìn ¶ ~민 入住居民 / ~자 入住者 / 새 아파트에 ~하다 住进新公寓 / 아파트 ~를 신청하다 申请入住公寓 / 우리 단지는 ~한 지 벌써 2년이 되었다 我们小区已经入住两年了

입-주름 명 嘴角皱纹 zuǐjiǎo zhòuwén

입증(立證) 명하타 立证 lìzhèng; 举证 jǔzhèng; 证明 zhèngmíng; 作证 zuòzhèng ¶자신의 결백을 ~하다 证明自己的清白

입지(立地) 명 1 立地 lìdì ¶ ~가 다르면 수목의 생장에 차이가 있다 立地不同, 树木生长就有差异 2 〖經〗 经济立地 jīngjì lìdì ¶열악한 ~ 조건 恶劣的经济立地条件

입-질 명하자 (钓鱼时) 碰鱼饵 pèng yú'ěr; 戏鱼饵 xì yú'ěr ¶물고기가 ~만 하고 물지 않는다 鱼只是碰鱼饵而不咬

입찰(入札) 명하자 〖經〗 投标 tóubiāo; 招标 zhāobiāo; 出价 chūjià ¶ ~가 投标价 / ~서 投标书 / ~자 投标人 / ~ 공고 招标公告

입-천장(—天障) 명 〖生〗 口盖 kǒugài = 구개

입체(立體) 명 〖數〗 立体 lìtǐ ¶ ~감 立体感 / ~ 모형 立体模型 / ~ 구조 立体结构 / ~ 영화 立体电影

입체 교차(立體交叉) 〖建〗 立体交叉 lìtǐ jiāochā; 立交 lìjiāo ¶ ~ 공사 立交工程

입체 교차로(立體交叉路) 〖建〗 立体交叉路 lìtǐ jiāochālù; 立交路 lìjiāolù

입체 음향(立體音響) 〖音〗 立体声 lìtǐshēng; 立体音响 lìtǐ yīnxiǎng

입체-적(立體的) 관명 1 立体(的) lìtǐ(de); 立体式 lìtǐshì ¶ ~ 표현 수법 立体式表现手法 2 多方面(的) duōfāngmiàn(de); 多层次(地) duōcéngcì(de) ¶ ~ 접근 多方面的接触 / ~으로 조사하다 多层次地调查

입추(立秋) 명 立秋 lìqiū 《二十四节气之一》

입추(立錐) 명하자 立锥 lìzhuī

입추의 여지가 없다 속담 无立锥之地

입춘(立春) 명 立春 lìchūn 《二十四节气之一》 ¶ ~대길 立春大吉

입출(入出) 명 收支 shōuzhī ¶ ~ 명세 收支明细 / ~ 내역 收支细目 / ~이 맞아떨어지다 收支平衡

입-출고(入出庫) 명하타 入出库 rùchūkù ¶ ~ 기록 入出库记录

입출-금(入出金) 명 收支款 shōuzhīkuǎn; 取款存款 qǔkuǎn cúnkuǎn; 存取款 cúnqǔkuǎn ¶ ~이 자유로운 예금 存取款自由的储蓄

입하(入荷) 명하자타 进货 jìnhuò; 上货 shànghuò ¶신상품이 ~되다 新产品上货了

입하(立夏) 명 立夏 lìxià 《二十四节气之一》

입학(入學) 명하자타 入学 rùxué; 上学 shàngxué; 进学 jìnxué ¶ ~금 入学费 / ~률 入学率 / ~식 入学典礼 / ~ 원서 入学申请书 / ~ 선물 入学礼物 / ~ 수속 入学手续 / ~ 정원 入学定额 / 우리 딸은 올해 초등학교에 ~했다 我女儿今年上小学了

입학-생(入學生) 명 新生 xīnshēng ¶ ~을 모집하다 招收新生

입학-시험(入學試驗) 명 入学考试 rùxué kǎoshì = 입시 ¶대학 ~ 大学入学考试 / ~을 통과하다 通过入学考试

입항(入港) 명하자 入港 rùgǎng; 进港 jìngǎng; 进口 jìnkǒu ¶ ~료 入港费 / ~ 신고 入港申报

입헌(立憲) 명하자 立宪 lìxiàn ¶ ~국 立宪制国家 / ~제 立宪制度 =[立宪制] / ~주의 立宪主义 / ~ 군주 立宪君主 / ~ 군주국 君主立宪国 / ~ 군주제 君主立宪制 / ~ 정치 立宪政治

입회(入會) 명하자 入会 rùhuì; 加入 jiārù ¶ ~ 자격 入会资格 / ~ 신청 入会申请 / ~비 入会费

입회(立會) 명하자 在场 zàichǎng; 到场 dàochǎng; 出席 chūxí ¶검사의 ~ 아래 현장 검증을 하다 检察官在场的情况下进行现场检验

입회-인(立會人) 명 〖法〗 见证人 jiànzhèngrén

입-후보(立候補) 명하자 当候选人 dāng hòuxuǎnrén; 参加竞选 cānjiā jìngxuǎn; 应选 yìngxuǎn ¶대통령 선거에 ~하다 参加总统竞选

입후보-자(立候補者) 명 候选人 hòuxuǎnrén; 应选人 yìngxuǎnrén ¶ ~ 명단 候选人名单

입-히다 타 1 给…穿 gěi…chuān; 让…穿 ràng…chuān 《'입다1' 的使动词》 ¶엄마가 아이에게 옷을 ~ 妈妈给孩子穿上衣服 2 使…受(到) shǐ…shòu(dào) 《'입다2' 的使动词》 ¶이번 사고는 인명과 재산에 막대한 손실을 입혔다 这次事故使人员和财产受到严重的损失 3 涂 tú; 抹 mǒ; 镀 dù; 铺 pū ¶색을 ~ 涂色 / 금을 ~ 镀金

잇 명 (被子或枕头的) 套(儿) tào(r); 套子 tàozi ¶이불~ 被套 / 베갯~ 枕套

잇:다 ㅅ타 1 (把两头) 接 jiē; 连接 liánjiē; 接上 jiēshang; 衔接 xiánjiē ¶끊어진 곳을 다시 이어서 쓰다 把断的地方再接起来使用 / 이 다리는 섬과 육지를 이어 주는 역할을 한다 这座桥起

着连接小岛和陆地的作用 2 继承 jìchéng; 承继 chéngjì ¶가업을 ~ 继承家业 / 전통을 ~ 继承传统 囗자 接着 jiēzhe ¶네가 이 책을 다 보면 이어서 내가 보겠다 这本书, 你看完了我接着看

잇:-달다 자 = 잇따르다 ¶잇달아 오다 接踵而来

잇:-닿다 자 连绵 liánmián; 连 lián; 绵延 miányán; 交接 jiāojiē ¶이 길은 바다에 잇닿아 있다 这条路连到大海

잇:-대다 타 接 jiē; 连 lián; 连接 liánjiē; 连结 liánjié ¶책상 두 개를 ~ 把两张桌子接在一起

잇:-따르다 자 跟随 gēnsuí; 跟着 gēnzhe; 接连不断 jiēliánbùduàn; 接连 jiēlián; 接踵 jiēzhǒng = 연달다·잇달다 ¶좋은 일이 ~ 好事接连不断

잇-몸 명 〖生〗 牙床 yáchuáng; 牙龈 yáyín; 齿龈 chǐyín; 牙根 yágēn = 치은 ¶~에서 피가 나다 牙龈出血 / ~이 아프다 牙根疼

잇-새 명 牙缝 yáfèng ¶고기가 ~에 끼었다 肉儿塞牙缝了

잇:-속(利—) 명 利益 lìyì; 自私自利 zìsīzìlì; 利 lì ¶~만 밝히다 只顾得利

잇-자국 명 牙痕 yáhén; 牙印 yáyìn ¶반을 베어 먹은 사과에 선명하게 ~이 남았다 啃了一半的苹果上清楚地留着牙印

있다 囗자형 1 有 yǒu ¶기회가 ~ 有机会 / 이 도자기에는 흠이 ~ 这陶瓷上有个疤 2 在 zài ¶책이 책상 위에 ~ 书在桌子上 / 그는 집에 ~ 他在家 3 具有 jùyǒu; 带有 dàiyǒu ¶그는 어학에 재능이 ~ 他具有语言天赋 4 有钱 yǒuqián ¶있는 집 아이 有钱人家的孩子 5 处于 chǔyú; 处在 chǔzài ¶그는 지금 어려운 처지에 ~ 他现在处于困境之中 / 공사는 마무리 단계에 ~ 工程处于收尾阶段 6 发生 fāshēng; 出现 chūxiàn ¶무슨 일이 있어도 약속 장소에 가야만 한다 无论发生什么事, 也要去约会地点 7 能 néng; 能够 nénggòu; 可以 kěyǐ ¶나는 무슨 일이든 할 수 ~ 我什么事都能够干 / 내일이면 다시 학교에 갈 수 ~ 明天可以重新上学了 囗보동 1 正 zhèng; 在 zài; 正在 zhèngzài 《表示动作的持续》 ¶책을 보고 ~ 正在看书 / 아이들이 놀고 ~ 孩子们在玩 2 着 zhe 《表示状态的持续》 ¶문이 열려 ~ 门开着呢 / 침대에 누워 ~ 床上躺着呢

잉꼬(←일inko[鸚哥]) 명 〖鳥〗 鹦哥 yīngge

잉꼬-부부(←일inko[鸚哥]夫婦) 명 鸳鸯夫妻 yuānyāng fūqī; 恩爱夫妻 ēn'ài fūqī

잉:어 명 〖魚〗 鲤鱼 lǐyú; 鲤 lǐ

잉:여(剩餘) 명 剩余 shèngyú ¶~금 剩余钱 / ~ 물자 剩余物资 / ~ 농산물 剩余农产品 / ~ 가치 剩余价值 / ~ 생산물 剩余产品

잉잉 부하자 咿呀 yīyā; 哼叽 hēngjī 《小孩哭声》 ¶아이가 낯선 사람을 보자 ~ 울기 시작했다 小孩看见生人就哼哼叽叽地哭起来

잉잉-거리다 자 咿呀地哭 yīyāde kū; 哼哼叽叽地哭 hēnghengjījīde kū = 잉잉대다 ¶아이가 잉잉거리며 엄마를 조른다 孩子哼哼叽叽地哭着缠妈妈

잉카(Inca) 명 〖史〗 印加 Yìnjiā ¶~ 문명 印加文明 / ~ 제국 印加帝国

잉크(ink) 명 墨水 mòshuǐ; 油墨 yóumò; 墨 mò ¶~병 墨水瓶

잉크젯 프린터(inkjet printer) 〖컴〗 喷墨打印机 pēnmò dǎyìnjī

잉:태(孕胎) 명하자타 1 = 임신 2 孕育 yùnyù; 怀着 huáizhe ¶그리움을 ~하다 怀着思念之情

잊다 타 1 忘 wàng; 忘记 wàngjì; 遗忘 yíwàng; 忘却 wàngquè ¶서류를 가지고 오는 것을 잊었다 忘了带文件 / 우산을 깜박 잊고 버스에 놓고 왔다 把伞忘在公共汽车里了 2 顾不得 gùbude; 顾不上 gùbushàng ¶그는 일이 바빠서 밥 먹는 것도 잊었다 他忙着工作, 连饭也顾不上吃

잊어-버리다 타 忘 wàng; 忘掉 wàngdiào; 忘记 wàngjì ¶학교에서 배운 것을 깡그리 잊어버렸다 把学校学的知识全忘掉了 / 자신의 본분을 ~ 忘了自己的本分

잊-히다 자 被忘记 bèi wàngjì; 被遗忘 bèi yíwàng; 忘 wàng; 忘掉 wàngdiào; 忘记 wàngjì 《'잊다1' 的被动词》 ¶그녀의 모습이 도무지 잊혀지지 않는다 怎么也忘不了她的模样

잎 명 1 〖植〗 叶子 yèzi; 叶(儿) yè(r) ¶~이 나다 叶子长出来 / ~이 시들다 叶子枯萎了 / ~이 무성하다 叶子茂盛 2 片 piàn ¶나뭇잎이 한 ~ 두 ~ 흩날려 떨어지다 树叶一片一片地飘落 3 '꽃잎' 的别称

잎-꽂이 명 〖農〗 插叶 chāyè

잎-눈 명 〖植〗 叶芽 yèyá

잎-담배 명 叶子烟 yèziyān; 叶烟 yèyān

잎-맥(—脈) 명 〖植〗 叶脉 yèmài

잎-사귀 명 (宽阔的) 叶子 yèzi; 叶(儿) yè(r) ¶배추 ~ 白菜叶

잎-새 명 叶子 yèzi; 叶(儿) yè(r)

잎-자루 명 〖植〗 叶柄 yèbǐng

잎-채소(—菜蔬) 명 叶菜类蔬菜 yècàilèi shūcài

ㅈ

자[1] ㊀명 尺 chǐ; 尺子 chǐzi ¶~로 길이를 재다 用尺子量长度 ㊁의명 尺 chǐ《长度单位》= 척(尺) ¶한 ~의 길이 一尺长度

자[2] 감 喂 wèi; 来吧 láiba; 来 lái; 咳 hāi ¶~, 가자 喂, 走吧 / ~, 우리 노래 부르자 来, 咱们唱歌吧

자[1](字) 명 字 zì; 表字 biǎozì

자[2](字) 명 **1** = 글자 **2** 字 zì; 字数 zìshù ¶200~ 원고지 二百字的稿纸

자(者) 의명 者 zhě; 家伙 jiāhuo ¶일하지 않는 ~는 먹지도 마라 不劳动者不得食

-자(子) 접미 **1** 子 zǐ ¶미립~ 微粒子 / 중성~ 中子 **2** 子 zǐ《古代特指有学问的男人》¶공~ 孔子 / 맹~ 孟子

-자(者) 접미 者 zhě; 家 jiā; 员 yuán; 人员 rényuán ¶기술~ 技术人员 / 편집~ 编辑人员

자가(自家) 명 **1** 自家 zìjiā; 自宅 zìzhái; 自己家 zìjǐ jiā《自己的住宅》**2** 自己 zìjǐ; 自我 zìwǒ ¶~운전 车主自己开车

자가-당착(自家撞着) 명 自相矛盾 zìxiāngmáodùn ¶논문의 관점은 앞뒤가 일치해야지 ~이 되어서는 안 된다 论文观点要前后一致, 可不能自相矛盾

자가-용(自家用) 명 自家车 zìjiāchē; 轿车 jiàochē; 自用汽车 zìyòng qìchē; 自用车 zìyòngchē; 自家汽车 zìjiā qìchē ¶~ 운전 驾驶轿车

자각(自覺) 명하타 领悟 lǐngwù; 觉悟 juéwù; 自觉 zìjué; 认识 rènshi; 觉察 juéchá ¶~ 증상 自觉症状 / 잘못을 저질러 놓고 ~하지 못한다 犯了错误不自觉 / 문제의 심각성을 ~했다 觉悟到了问题的严重性

자간(字間) 명 字距 zìjù; 行距 hángjù ¶~을 조절하다 调节字距 / ~을 넓히다 扩大行距

자갈 명 小石子 xiǎoshízǐ; 卵石 luǎnshí; 砾石 lìshí; 鹅卵石 éluǎnshí ¶정원에 ~을 깔다 园子里铺小石子

자강불식(自強不息) 명하자 自强不息 zìqiángbùxī

자개 명 (加工过的) 贝片 bèipiàn; 螺钿 luódiàn; 螺甸 luódiàn ¶~ 박힌 옷장 嵌贝片的衣柜 / ~장 螺钿衣箱

자:객(刺客) 명 刺客 cìkè ¶일본 ~ 日本刺客

자격(資格) 명 **1** 资格 zīgé ¶~시험 资格考试 / ~ 정지 停止资格 / ~이 모자라다 不够资格 / 그는 회장이 될 ~이 없다 他没有资格当会长 **2** 资历 zīlì; 身份 shēnfèn ¶회원 ~으로 회의에 참가하였다 以会员的身份参加了会议

자격-증(資格證) 명 资格证书 zīgézhèngshū ¶변호사 ~ 律师资格证书 / 교사 ~ 教师资格证书 / ~을 따다 取得资格证书

자격지심(自激之心) 명 自责之心 zìzézhīxīn; 内疚 nèijiù; 自惭 zìcán; 愧疚之心 kuìjiùzhīxīn; 自惭形秽 zìcánxínghuì ¶그녀는 이 일로 많은 ~을 느꼈다 她为此事感到十分内疚 / ~이 강하다 愧疚之心很重

자결(自決) 명하자 **1** 自决 zìjué ¶민족 ~ 民族自决 **2** 自杀 zìshā; 自尽 zìjìn; 自刭 zìjǐng; 轻生 qīngshēng; 自刎 zìwěn ¶황제가 ~했다 皇帝自杀了 / 물에 빠져 ~하다 掉水自尽

자고-로(自古—) 부 = 자고이래로 ¶~ 미인은 박명한다 自古红颜多薄命

자고이래-로(自古以來—) 부 自古 zìgǔ; 自古以来 zìgǔyǐlái; 一向 yīxiàng = 자고로 ¶~ 사람들은 달에 대해 끝없는 환상이 있어 왔다 自古以来, 人们对月亮有着无限的幻想

자괴(自愧) 명하자 自愧 zìkuì

자괴(自壞) 명하자 自然毁坏 zìrán huǐhuài; 自坏 zìhuài

자구(字句) 명 字句 zìjù ¶~를 퇴고하다 推敲字句

자구(自救) 명하자 自救 zìjiù ¶~책 自救方法 / ~ 의식 自救意识 / 단결하여 ~하다 团结自救

자국 명 **1** 痕迹 hénjì; 踪迹 zōngjì; 迹象 jìxiàng ¶눈물 ~을 닦아내다 擦掉眼泪痕迹 **2** 疤痕 bāhén ¶불에 덴 ~ 烫伤疤痕 **3** 足迹 zújì; 脚印(儿) jiǎoyìn(r); 步 bù; 脚步 jiǎobù

자국(을) 밟다 구 追踪; 跟踪

자국(이) 나다 구 有痕迹

자국(自國) 명 本国 běnguó ¶~민 本国人 / 그들은 모두 ~으로 돌아갔다 他们都回到本国了

자궁(子宮) 명 〖生〗子宫 zǐgōng ¶~ 내막염 子宫内膜炎 / ~암 子宫癌 / ~외 임신 子宫外孕 =[宫外孕][异位妊娠]

자그마치 부 (出乎意料地) 多 duō; 不

少 bùshǎo; 可真不少 kězhēnbùshǎo ¶ 오십만 원이라면 몰라도 ~ 이백만 원이야 五十万元韩币还说得过去, 二百万元韩币可真不少
자그마-하다 형 较小 jiào xiǎo; 较矮 jiào ǎi; 稍小 shāo xiǎo; 显小 xiǎnxiǎo; 微小 wēixiǎo; 矮 ǎi ¶키가 ~ 个子较矮
자그만치 부 '자그마치' 的错误
자그맣다 형 '자그마하다' 的略词 ¶그는 몸집이 ~ 他身材较小
자:극(刺戟) 명하타 **1** 刺激 cìjī; 激励 jīlì; 鼓励 gǔlì; 促进 cùjìn ¶~을 받다 受刺激 **2**〖生〗刺激 cìjī; 刺戟 cìjǐ; 激刺 jīcì ¶피부 ~ 皮肤刺激
자:극(磁極) 명〖物〗磁极 cíjí ¶지구의 ~ 地球磁极 / ~ 강도 磁极强度
자:극-제(刺戟劑) 명 刺激剂 cìjìjì; 兴奋剂 xīngfènjì ¶~를 주사하다 注射兴奋剂 / 여행은 생활에 ~가 된다 旅行是生活的一种兴奋剂
자근-거리다 자타 **1** 纠缠不休 jiūchán bùxiū **2** (轻轻地) 压 yā **3** 细嚼 xìjiáo ‖= 자근대다 **자근-자근** 부하자타
자글-거리다 자 咕嘟咕嘟响 gūdūgūdū xiǎng = 자글대다 **자글-자글** 부하자
자금(資金) 명 资金 zījīn ¶유동 ~ 流动资金 / ~난 资金荒 =[资金困难][资金短缺][资金来源困难] / ~을 모으다 筹集资金
자금-거리다 자 牙碜 yáchen = 자금대다 **자금-자금** 부하자
자금-줄(資金―) 명 = 돈줄
자급(自給) 명하타 自给 zìjǐ ¶~자족 自给自足 / 식량을 ~하다 粮食自给
자긍(自矜) 명하자타 自负 zìfù; 自豪 zìháo; 骄傲 jiāo'ào ¶~을 느끼다 感到骄傲
자기(自己) ㊀명 自己 zìjǐ; 自身 zìshēn; 己 jǐ; 自我 zìwǒ ¶~만족 自我满足 =[自满][自满自足] / ~반성 自我反省 / ~모순 自我矛盾 =[自相矛盾] / ~비판 自我批判 =[自我检讨] / ~소개 自我介绍 / ~편 自己人 =[同伙] / ~ 암시 自我暗示 =[自我提醒] / ~중심 自我中心 / ~희생의 정신 自我牺牲精神 / ~의 힘 自己的力量 / ~ 스스로 하다 自己动手 / ~의 일은 ~가 해라 自己的事, 自己做 ㊁대 自己 zìjǐ
자기 배 부르면 남의 배 고픈 줄 모른다 속담 饱汉不知饿汉饥
자기 얼굴[낯]에 침 뱉기 속담 朝自己的脸上吐唾沫
자:기(瓷器·磁器) 명 瓷器 cíqì; 磁器 cíqì
자:기(磁氣) 명〖物〗磁性 cíxìng; 磁 cí ¶~장 磁场 =[磁界]
자:기 부상 열차(磁氣浮上列車)〖交〗磁悬浮列车 cíxuánfú lièchē
자기앞 수표(自己―手票)〖經〗个人支票 gèrén zhīpiào; 本票 běnpiào; 银行支票 yínháng zhīpiào
자꾸[1] 부 总是 zǒngshì; 老是 lǎoshì; 不住地 bùzhùde; 不断地 bùduànde; 接连多次 jiēlián duōcì; 老 lǎo; 总 zǒng; 一个劲儿地 yīgejìnrde ¶~ 잔을 권하다 不住地举杯 / ~ 졸다 一个劲儿地打磕睡 / 너는 왜 ~ 이렇게 말을 듣지 않느냐? 你怎么老是这么不听话?
자꾸[2] 명 '지퍼' 的错误
자꾸-만 부 '자꾸¹' 的强调语
자꾸-자꾸 부 总是 zǒngshì; 老是 lǎoshì
자네 대 你 nǐ《用于平辈之间或对晚辈的称呼》¶~는 왜 이렇게 화를 내는가? 你哪儿来的这么大火儿?
자녀(子女) 명 子女 zǐnǚ; 儿女 érnǚ ¶~를 기르다 抚养子女
자다 ㊀타 睡 shuì; 睡觉 shuìjiào ¶일찍 자고 일찍 일어나다 早睡早起 / 11시에 ~ 11点睡觉 ㊁자 **1** 停 tíng; 平静 píngjìng; 静下来 jìngxiàlái; 停止 tíngzhǐ; 平静下来 píngjìngxiàlái ¶바람이 잔다 风停了 / 물결이 ~ 波浪静下来 **2** (纸牌的某一牌) 压在底下 yāzài dǐxià ¶조커 두 장이 다 밑에 자는군 大小王都压在底下呢 **3** (男女) 同房 tóngfáng; 做爱 zuò'ài
자다가 봉창 두드린다 속담 半夜喊天光
자나 깨나 구 总是; 时时; 老是
자당(慈堂) 명 令堂 lìngtáng; 令慈 lìngcí ¶~께서는 별고 없으시지요? 令堂大人好吧?
자동(自動) 명 自动 zìdòng ¶~문 自动门 / ~식 自动式 / ~화 自动化 / ~저울 自动秤 =[自动磅秤] / 문이 ~으로 열리다 门自动开了
자동-계단(自動階段) 명 = 에스컬레이터
자-동사(自動詞) 명〖語〗自动词 zìdòngcí; 不及物动词 bùjíwù dòngcí; 内动词 nèidòngcí
자동-차(自動車) 명 汽车 qìchē; 机动车 jīdòngchē ¶~ 전용 도로 机动车道 / ~ 운전 면허증 机动车驾驶证
자동-판매기(自動販賣機) 명 自动售货机 zìdòng shòuhuòjī; 无人售货机 wúrén shòuhuòjī; 自动贩卖器 zìdòng fànmàiqì; 自卖机 zìmàijī = 자판기
자두 명 李子 lǐzi
자두-나무 명〖植〗李子树 lǐzishù
자디-잘다 형 极小 jí xiǎo ¶자디잔 모래 极小的沙子

자라 명 【動】 鳖 biē; 甲鱼 jiǎyú ¶ ~구이 鳖炙 / ~처럼 늦게 걷다 像鳖一样走得慢

자라 보고 놀란 가슴 소댕[솥뚜껑] 보고 놀란다 속담 一朝被蛇咬, 十年怕井绳; 挨过蛇咬见鳝跑; 一日被蜂叮, 三日怕苍蝇; 一朝被蛇咬, 十年怕草绳

자라-나다 자 生长 shēngzhǎng; 成长 chéngzhǎng; 长出 zhǎngchū; 长大 zhǎngdà; 养成 yǎngchéng; 滋长 zīzhǎng ¶ 새순이 자라났다 长出了新芽 / 장대하게 ~ 成长壮大 / 무럭무럭 ~ 茁壮成长

자라다 자 **1** 生长 shēngzhǎng; 成长 chéngzhǎng; 长大 zhǎngdà ¶ 그곳에는 추위를 견디는 작물이 자라고 있다 那里生长着耐寒作物 **2** 发展 fāzhǎn; 壮大 zhuàngdà ¶ 세계 제일의 기업으로 ~ 发展到世界第一的企业 **3** 滋长 zīzhǎng ¶ 교만한 감정이 ~ 滋长骄傲的情绪

자라-목 명 **1** 鳖脖子 biēbózi; 短脖子 duǎnbózi **2** 缩进去的脖子 suōjìnqùde bózi; 畏缩的脖子 wèisuōde bózi

자라목(이) 되다 구 收缩; 缩回去

자락 명 **1** 衣角 yījiǎo; 衣边 yībiān; 衣襟 yījīn ¶ ~을 잡다 抓住衣角 **2** 山脚 shānjiǎo; 山根 shāngēn

자랑 명하타 骄傲 jiāo'ào; 自豪 zìháo; 夸耀 kuāyào; 炫耀 xuànyào; 表现自己 biǎoxiàn zìjǐ ¶ ~거리 值得自豪的 =[值得骄傲的] / 우리 학교의 ~ 我们学校的骄傲 / 자신의 성적을 ~하다 夸耀自己的成绩

자랑 끝에 불붙는다 속담 骄必败

자랑-삼다 타 引以自豪 yǐnyǐzìháo; 引以为荣 yǐnyǐwéiróng

자랑-스럽다 형 觉得自豪 juéde zìháo; 引以为荣 yǐnyǐwéiróng; 值得骄傲 zhíde jiāo'ào **자랑스레** 부

자력(自力) 명 自力 zìlì ¶ ~갱생 自力更生 / ~으로 완성하다 自力完成

자료(資料) 명 资料 zīliào; 材料 cáiliào ¶ 연구 ~ 研究资料 / 통계 ~ 统计资料 / ~를 수집하다 搜集资料 / ~가 충분하지 않다 材料不充分

자루[1] 명 **1** 袋子 dàizi; 袋(儿) dài(r); 布袋 bùdài; 口袋 kǒudài ¶ 밀가루 ~ 面粉袋子 **2** 袋 dài ¶ 콩 한 ~ 一袋大豆

자루[2] 명 **1** 柄 bǐng; 把 bǎ; 把柄 bǎbǐng ¶ 칼~ 刀柄 **2** 支 zhī; 把 bǎ; 杆 gǎn ¶ 연필 두 ~ 两支铅笔 / 총 세 ~ 三杆枪 / 우산 한 ~ 一把伞

자르다 타 **1** 剪 jiǎn; 折断 zhéduàn; 切断 qiēduàn; 截断 jiéduàn; 剪断 jiǎnduàn; 砍断 kǎnduàn; 斩 zhǎn; 斩断 zhǎnduàn; 割断 gēduàn ¶ 머리를 짧게 ~ 把头发剪短一点 **2** 撤职 chèzhí; 解雇 jiěgù ¶ 직원을 ~ 解雇职员 **3** 拒绝 jùjué ¶ 무리한 요구를 ~ 拒绝无理要求

자르르 부하형 **1** 滑溜溜 huáliūliū; 油光光 yóuguāngguāng; 光溜溜 guāngliūliū; 光亮亮 guāngliàngliàng; 油光闪亮 yóuguāng shǎnliàng; 油亮 yóuliàng; 滋润 zīrùn; 光滑 guānghuá ¶ 윤기가 ~한 대리석 光滑的大理石 **2** 丝丝拉拉 sīsilālā; 微酸痛 wēi suāntòng; 微酸麻 wēi suānmá; 麻酥酥 másūsū; 麻木 mámù; 酥麻 sūmá; 发木 fāmù ¶ ~한 느낌이 온몸에 퍼졌다 一种酥麻的感觉在我身上扩散

자리[1] 명하자 **1** 位置 wèizhi; 座位 zuòwèi; 席位 xíwèi; 地方 dìfang; 床 chuáng ¶ 그에게 ~ 두 개를 찾아 줄 것을 부탁했다 请他找两个位置 / 앉을 ~가 있다 有地方坐 / 영화 표가 다 팔려서 ~가 하나도 없다 电影票已经卖完, 一个座位也没有了 **2** 场合 chǎnghé; 场所 chǎngsuǒ; 机会 jīhuì **3** 痕迹 hénjì; 印记 yìnjì **4** 职务 zhíwù; 职位 zhíwèi; 地位 dìwèi ¶ 높은 ~에 있다 地位很高 **5** 【數】 位数 wèishù; 位 wèi; 位子 wèizi ¶ 소수점 아래 다섯째 ~ 少数点后五位

자리(가) 잡히다 구 **1** 上轨道 **2** 熟练 **3** (生活) 安定

자리(를) 잡다 구 **1** 占有 **2** 扎根

자리를 뜨다 구 动身; 出发

자리[2] 명 **1** 座垫 zuòdiàn; 席子 xízi; 垫子 diànzi **2** = 이부자리 **3** = 잠자리[1]

자리(를) 보다 구 铺被褥; 躺下欲睡

자리-다툼 명하자 抢位子 qiǎng wèizi; 地位之争 dìwèizhīzhēng; 争地位 zhēng dìwèi; 争权夺利 zhēngquánduólì ¶ 계속하여 ~을 하다 一向争权夺利

자린-고비 명 吝啬鬼 lìnsèguǐ

자립(自立) 명하자 自立 zìlì; 自主 zìzhǔ; 独立 dúlì ¶ ~성 自立性 / ~ 경제 自立经济 / 부모를 떠나 ~하다 离开父母自立 / 아들이 취직을 했으니 ~할 수 있게 되었다 儿子有了工作, 可以自立了

자릿-세(—貰) 명 地盘租金 dìpán zūjīn; 铺位租金 pùwèi zūjīn

자릿-수(—數) 명 **1** 【數】 位 wèi **2** 位数 wèishù; 位 wèi ¶ 전화번호 ~가 늘었다 电话号码升位了

자막(字幕) 명 字幕 zìmù

자만(自慢) 명하자타 自傲 zì'ào; 傲慢 àomàn ¶ ~심 傲慢之心 =[自负心][傲气]

자만(自滿) 명하자 自满 zìmǎn; 骄傲自满 jiāo'ào zìmǎn ¶ ~하는 사람은 발

전할 수가 없다 自满的人不能进步

자매(姉妹) 명 1 姐妹 jiěmèi; 姊妹 zǐmèi 2 姊妹 zǐmèi; 兄弟 xiōngdì; 联属 liánshǔ ¶ ~기관 姊妹机关 =[姊妹机构] / ~ 도시 姊妹城市 / ~ 은행 联属银行 / ~ 학교 姊妹学校

자매-결연(姉妹結緣) 명 1 拜干姐妹 bàigānjiěmèi 2 姊妹 zǐmèi; 友好关系 yǒuhǎo guānxi ¶ ~ 부락 姊妹村

자멸(自滅) 명하자 自灭 zìmiè; 自毁 zìhuǐ; 自取灭亡 zìqǔmièwáng; 不攻自破 bùgōngzìpò; 不打自招 bùdǎzìzhāo ¶ ~책 自取灭亡的计 策 / ~을 초래하다 招致自灭

자멸(自蔑) 명하자 自蔑 zìmiè; 蔑视自己 mièshì zìjǐ; 自我蔑视 zìwǒ mièshì

자명(自鳴) 명하자 自鸣 zìmíng ¶ ~고 自鸣鼓 / ~종 自鸣钟 =[闹钟]

자명-하다(自明—) 형 不言自明 bùyánzìmíng; 不言而喻 bùyán'éryù

자모(字母) 명 『語』 字母 zìmǔ = 낱자 ¶ ~순 字母顺序

자모(慈母) 명 慈母 címǔ

자못 부 很 hěn; 极其 jíqí; 非常 fēicháng; 颇为 pōwéi; 相当 xiāngdāng

자문(自問) 명하자타 自问 zìwèn ¶ ~자답 自问自答

자:문(諮問) 명하타 询问 xúnwèn; 咨询 zīxún; 征求意见 zhēngqiú yìjiàn ¶ ~ 기관 咨询机关 =[咨询机构] / ~ 위원회 咨询委员会 / 생산과 관련된 문제를 ~하다 咨询有关生产的问题

자물-쇠 명 锁 suǒ; 锁头 suǒtou ¶ 그는 자전거에 ~를 채웠다 他把自行车锁上了

자박 부하자 沙沙地 shāshāde《脚步声》¶ 모래톱을 걸으니, 발밑에서 ~ 소리가 난다 走在沙滩上, 脚下沙沙地响

자박(自縛) 명하자 自缚 zìfù; 自我束缚 zìwǒ shùfù

자:반 명 咸鱼 xiányú; 蒸咸鱼 zhēngxiányú; 腌鱼 yānyú ¶ ~ 고등어 咸青花鱼

자발(自發) 명하자 自发 zìfā; 自动 zìdòng; 主动 zhǔdòng

자백(自白) 명하타 口供 kǒugòng; 供 gòng; 招 zhāo; 招供 zhāogòng; 自白 zìbái; 坦白 tǎnbái; 交代 jiāodài; 供认 gòngrèn ¶ 범인은 이미 죄를 ~했다 犯人已将罪行招供了 / 한사코 ~하지 않다 拒不坦白

자본(資本) 명 1 本钱 běnqián; 底子 dǐzi; 资本 zīběn; 老本 lǎoběn ¶ ~가 资本家 =[财主] / 그런 걸 하려면 ~이 많이 있어야 한다 那得本钱够才行 2 『經』 资本 zīběn; 股金 gǔjīn; 资金 zījīn ¶ ~금 资本金 =[资本][资金] / ~주의 资本主义

자부(自負) 명하타 自负 zìfù; 自信 zìxìn; 自豪 zìháo ¶ ~심 自豪感 =[自信心] / 총명하다고 ~하다 自负聪明

자부(慈父) 명 慈父 cífù

자비(自卑) 명하자 自卑 zìbēi ¶ ~심 自卑感

자비(自費) 명 自费 zìfèi; 私费 sīfèi ¶ ~생 自费生 / ~ 유학 自费留学 / 그는 ~로 대학을 마쳤다 他自费读完了大学

자비(慈悲) 명 慈悲 cíbēi ¶ ~심 慈悲心 =[慈善心][慈悲之心][慈心] / ~를 베풀다 发慈悲

자비-롭다(慈悲—) 형 慈善 císhàn; 慈悲 cíbēi ¶ 이 사기꾼은 자비로운 표정을 지어내며 거짓으로 사람을 돕는다 这个骗子装出一副慈善面孔, 假意助人 **자비로이** 부

자빠-뜨리다 타 使摔倒 shǐ shuāidǎo; 打倒 dǎdǎo; 栽倒 zāidǎo = 자빠트리다 ¶ 거의 나를 자빠뜨릴 뻔했다 几乎使我摔倒

자빠-지다 자 1 摔倒 shuāidǎo; 倾倒 qīngdǎo; 仰面倒 yǎngmiàndǎo; 栽倒 zāidǎo ¶ 얼음판에 ~ 摔倒在冰地上 / 잔디에 뒤로 벌렁 ~ 仰面倒在草地上 2 '눕다'的俗称 ¶ 그는 침대에 자빠져 자고 있다 他躺在床上睡着

자빠져도 코가 깨진다 속담 人要倒霉, 喝凉水也塞牙缝 = 재수 없는 놈은 (뒤로) 자빠져도 코가 깨진다

자산(資産) 명 『經』 资产 zīchǎn; 财产 cáichǎn = 자재(資材)1 ¶ 국유 ~ 国有资产 / 잉여 ~ 剩余资产

자산-가(資産家) 명 富有者 fùyǒuzhě; 财东 cáidōng; 大财主 dàcáizhǔ

자살(自殺) 명하자 自杀 zìshā; 自尽 zìjìn; 寻死 xúnsǐ; 凶死 xiōngsǐ ¶ ~ 방조죄 帮助自杀罪 / ~을 기도하다 企图自杀 / 물에 빠져 ~하다 溺水自尽

자살-골(自殺goal) 명 『體』 = 자책골

자:상(刺傷) 명 刺伤 cìshāng

자상-하다(仔詳—) 형 1 仔细 zǐxì; 详细 xiángxì ¶ 선생님께서 자상하게 가르쳐 주시다 老师教得很仔细 2 慈祥 cíxiáng; 祥和 xiánghé; 细心 xìxīn; 无微不至 wúwēibùzhì; 周到 zhōudào; 仔细 zǐxì ¶ 자상한 눈길 慈祥的目光 / 자상한 배려 无微不至的照顾 / 자상하게 손님을 대하다 周到待客 **자상-히** 부 ¶ ~ 설명하다 详细地介绍

자생(自生) 명하자 自生 zìshēng; 自长 zìzhǎng; 自生自长 zìshēngzìzhǎng; 自然生长 zìrán shēngzhǎng; 自然形成 zìrán xíngchéng ¶ ~ 자멸 自生自灭 / ~ 식물 自生植物

자서-전(自敍傳) 명 〖文〗 自传 zìzhuàn; 自序 zìxù ¶~을 쓰다 写自传
자:석(磁石) 명 〖物〗 磁铁 cítiě; 吸铁石 xītiěshí ¶영구 ~ 永久磁铁
자선(慈善) 명하타 慈善 císhàn ¶~가 慈善家 =[善士] / ~ 음악회 慈善音乐会 / ~ 단체 慈善机关 / ~을 베풀다 发慈善 / ~ 사업에 종사하다 从事慈善事业
자선-냄비(慈善—) 명 慈善募捐盒 císhàn mùjuānhé; 慈善小锅 císhàn xiǎoguō ¶구세군의 ~ 救世军的慈善小锅
자성(自省) 명하타 自省 zìxǐng; 自我反思 zìwǒ fǎnsī; 自我反省 zìwǒ fǎnxǐng
자:성(磁性) 명 〖物〗 磁 cí; 磁性 cíxìng ¶~체 磁性材料 / ~을 띠다 带磁性
자세(姿勢) 명 **1** 姿势 zīshì; 姿态 zītài; 体位 tǐwèi; 架势 jiàshi ¶~가 바르다 姿势端正 / ~가 바르지 않다 姿势不正 / 뛰어갈 ~를 취하다 采取跑步姿势 **2** 态度 tàidu; 架子 jiàzi ¶능동적 ~로 일에 임하다 以主动的态度对待工作
자세-하다(仔細—·子細—) 형 仔细 zǐxì; 详细 xiángxì; 细心 xìxīn; 周详 zhōuxiáng; 过细 guòxì ¶설명이 ~ 说明得很详细 / 자세하게 살펴보다 细心察看 **자세-히** 부 ¶~ 보다 仔仔细细地看
자손(子孫) 명 **1** 子孙 zǐsūn《儿子与孙子》 ¶~만대 子孙万代 =[子子孙孙] **2** = 후손 ¶그는 명문의 ~이다 他是名门的后代
자수(字數) 명 字数 zìshù ¶300자 이내로 ~를 제한하다 字数限制在300字以内
자수(自手) 명 **1** 自己的手 zìjǐde shǒu **2** 自力 zìlì; 自己努力 zìjǐ nǔlì; 自己动手 zìjǐ dòngshǒu
자수(自首) 명하자 〖法〗 自首 zìshǒu; 投首 tóushǒu; 投案 tóu'àn ¶경찰에 ~하다 向警方自首
자:수(刺繡) 명하자 绣 xiù; 绣花 xiùhuā; 缂丝 kèsī; 刺绣 cìxiù ¶~를 배우다 学刺绣
자수-성가(自手成家) 명하자 白手起家 báishǒuqǐjiā; 自力更生 zìlìgēngshēng; 自手起家 zìshǒuqǐjiā; 赤手成家 chìshǒuchéngjiā; 平地致富 píngdìzhìfù; 自力成业 zìlìchéngyè ¶그는 마침내 ~했다 他终于白手起家了 / 그는 제로에서 시작해 ~했다 他从零开始, 赤手成家
자:수-틀(刺繡—) 명 = 수틀
자숙(自肅) 명하자 自律 zìlǜ; 自重 zìzhòng ¶잘못을 뉘우치고 ~하다 悔过自律
자술-서(自述書) 명 口供书 kǒugòngshū; 自述书 zìshùshū
자습(自習) 명하타 自修 zìxiū; 自习 zìxí; 自学 zìxué ¶영어 ~서 英语自修读本 / 고등학교 과정을 ~하다 自学高中课程
자승(自乘) 명하타 〖數〗 = 제곱
자승-자박(自繩自縛) 명하자 作茧自缚 zuòjiǎnzìfù; 作法自毙 zuòfǎzìbì; 自做自受 zìzuòzìshòu
자식(子息) 一명 **1** 子息 zǐxī; 儿女 érnǚ; 子女 zǐnǚ; 孩子 háizi; 孩儿 háir ¶~이 둘 있다 有两个孩子 **2** 小宝贝 xiǎobǎobèi; 小宝宝 xiǎobǎobao; 小鬼 xiǎoguǐ《宠爱小孩的称呼》 ¶귀여운 ~ 可爱的小宝宝 二의명 货 huò; 伙 huǒ; 东西 dōngxi; 羔子 gāozi; 货色 huòsè; 小家伙 xiǎojiāhuo; 家伙 jiāhuo; 小子 xiǎozi《对男性轻蔑》 ¶나쁜 ~ 坏小子
자신(自身) 명 自己 zìjǐ; 本身 běnshēn; 自我 zìwǒ; 自身 zìshēn; 一己 yījǐ; 自家 zìjiā; 身己 shēnjǐ ¶그 ~ 他自己 / ~을 돌보지 않다 不顾自己 / 나 ~도 스스로를 믿을 수 없다 我自己也不相信自己了
자신(自信) 명하타 信心 xìnxīn; 自信 zìxìn; 把握 bǎwò; 拿手 náshǒu ¶~감 自信心 / 나는 수영에 ~이 없다 我对游泳没有信心
자신만만-하다(自信滿滿—) 형 满怀信心 mǎnhuái xìnxīn; 信心十足 xìnxīnshízú; 满有信心 mǎnyǒu xìnxīn; 自信 zìxìn; 充满信心 chōngmǎn xìnxīn; 自满 zìmǎn; 扬扬 yángyáng ¶너무 자신만만해 하지 마라 不要太满有信心 / 운동에 ~ 对运动信心十足 **자신만만-히** 부
자아(自我) 명 〖哲〗 自我 zìwǒ; 自己 zìjǐ ¶~실현 自我实现 / ~의식 自我意识 / ~를 찾다 寻找自我
자아-내다 타 引 yǐn; 逗 dòu; 引发 yǐnfā; 触发 chùfā; 导发 dǎofā; 勾起 gōuqǐ; 激起 jīqǐ; 带来 dàilái; 挤出 jǐchū; 引起 yǐnqǐ; 引致 yǐnzhì; 惹起 rěqǐ; 掀起 xiānqǐ; 造出 zàochū; 招 zhāo; 招致 zhāozhì ¶심각한 결과를 ~ 引起严重后果 / 눈물을 ~ 勾起泪水 / 웃음을 ~ 招笑 / 흥미를 ~ 引发兴趣 / 걱정을 ~ 招人烦恼
자애-롭다(慈愛—) 형 慈 cí; 仁 rén; 仁爱 rén'ài; 心善 xīnshàn; 慈爱 cí'ài; 仁慈 réncí; 慈祥 cíxiáng ¶자애로운 눈 慈祥的眼睛 / 어머니는 그에게 무척 ~ 妈妈对他很慈爱 **자애로이** 부
자양(滋養) 명하타 滋养 zīyǎng; 营养 yíngyǎng ¶~분 滋养成分 / ~액 营养

液 / ~제 营养剂 =[补药]
자업-자득(自業自得) 명하자 自作自受 zìzuòzìshòu; 作法自毙 zuòfǎzìbì; 自食其果 zìshíqíguǒ; 自取其咎 zìqǔqíjiù; 咎由自取 jiùyóuzìqǔ; 作茧自缚 zuòjiǎnzìfù; 玩伙自焚 wánhuǒzìfén ¶나쁜 짓을 하는 모든 사람들은 반드시 ~할 것이다 凡是策划作恶的人, 必将自食其果
자연(自然) ㊀명 **1** 自然 zìrán; 天然 tiānrán ¶대~ 大自然 / ~광 自然光 / ~물 自然物 / ~의 법칙 自然规律 =[自然法则][因果律] / ~ 보호 自然保护 / ~인 自然人 / ~재해 自然灾害 / ~ 숭배 自然崇拜 / ~ 증가율 自然增加率 / ~ 현상 自然现象 / ~미가 넘치다 充满着自然美 / ~ 경관을 훼손하다 破坏自然景观 **2** 〖哲〗 自然 zìrán; 自然界 zìránjiè ㊁부 = 자연히
자연-림(自然林) 명 = 원시림
자연-사(自然死) 명하자 自然死亡 zìrán sǐwáng; 自然死 zìránsǐ; 老死 lǎosǐ; 寿终 shòuzhōng
자연-수(自然數) 명 〖數〗 自然数 zìránshù
자연-스럽다(自然—) 형 自然 zìran ¶부~ 不自然 / 자연스러운 현상 自然的现象 / 표정이 ~ 神色自然 / 자연스러운 태도로 말하다 用自然的态度说话 **자연스레** 부
자연-히(自然—) 부 自然 zìrán; 自然而然 zìrán'érrán; 不由得 bùyóude = 자연㊁ ¶~ 알게 될 것이다 自然会知道的
자영(自營) 명하타 自营 zìyíng ¶~농 自营农 / ~업자 自营商
자오-선(子午線) 명 〖天〗 子午线 zǐwǔxiàn; 经线 jīngxiàn
자옥-이 부 弥漫地 mímànde; 腾腾地 téngténgde; 蒙蒙地 méngméngde = 자욱이
자옥-하다 형 弥漫 mímàn; 腾腾 téngténg; 笼罩 lǒngzhào; 弥蒙 míméng; 迷漫 mímàn; 迷蒙 míméng; 白蒙蒙(的) báiméngméng(de) = 자욱하다 ¶연기가 ~ 烟雾弥漫 / 산봉우리에서 자옥한 안개가 피어오른다 山头上升腾起白蒙蒙的雾气
자:외-선(紫外線) 명 〖物〗 紫外线 zǐwàixiàn; 紫外光 zǐwàiguāng; 黑光 hēiguāng = 유브이
자욱-이 부 = 자옥이
자욱-하다 형 = 자옥하다 ¶짙은 연기와 사나운 불길이 전 교실에 ~ 浓烟烈火弥漫了整个教室
자웅(雌雄) 명 **1** = 암수 ¶~ 동체 雌雄同体 **2** 雌雄 cíxióng; 胜负 shèngfù; 胜败 shèngbài; 高下 gāoxià ¶~을 겨루다 决一雌雄
자원(自願) 명하자타 自愿 zìyuàn; 志愿 zhìyuàn ¶~봉사자 志愿服务者 / ~ 입대 自愿入伍 / ~하여 전직을 신청하다 自愿申请调动工作
자원(資源) 명 〖經〗 资源 zīyuán ¶지하~ 地下资源 / ~을 개발하다 开发资源 / 인적 ~이 풍부하다 人力资源丰富
자위(自慰) 명하자 **1** 自慰 zìwèi ¶마음에 ~가 되다 心里感到自慰 **2** = 수음 ¶~ 행위 手淫行为
자위(自衛) 명하타 自卫 zìwèi ¶~권 自卫权 / ~대 自卫队 / ~책 自卫策
자유(自由) 명 自由 zìyóu; 随便 suíbiàn ¶~ 가격 自由价格 / ~ 결혼 自由结婚 =[恋爱结婚] / ~ 경쟁 自由竞争 / ~권 自由权 =[自由权利] / ~ 무역 自由贸易 / ~방임주의 自由放任主义 / ~ 연상 自由联想 / ~연애 自由恋爱 / ~의사 自由意思 / ~ 의지 自由意志 / ~주의 自由主义 / ~화 自由化 / 언론의 ~를 박탈하다 剥夺言论自由
자유-롭다(自由—) 형 自由 zìyóu; 随便 suíbiàn; 自在 zìzài; 超脱 chāotuō; 自由自在 zìyóuzìzài; 无拘无束 wújūwúshù ¶자유로운 분위기 无拘无束的气氛 / 거취가 ~ 来去自由 / 자유롭게 생활하다 自由自在地生活 **자유로이** 부 ¶물에서 ~ 헤엄치다 在水里自由地游来游去
자유-자재(自由自在) 명 自由自在 zìyóuzìzài; 随意 suíyì; 随便 suíbiàn; 自如 zìrú; 随心所欲 suíxīnsuǒyù; 无拘束 wújūshù ¶외국어를 ~로 구사하다 自如地讲外语
자유-투(自由投) 명 〖體〗 罚球 fáqiú ¶~를 던지다 投罚球
자유-형(自由型) 명 〖體〗 **1** (摔跤的) 自由式 zìyóushì **2** (游泳的) 自由泳 zìyǒuyǒng; 爬泳 páyǒng
자율(自律) 명 自律 zìlǜ ¶~권 自律权 / ~적 自律的 / ~을 강화하다 加强自律 / ~ 의식이 강하다 自律意识很强
자율 신경(自律神經) 〖生〗 自主神经 zìzhǔ shénjīng; 植物神经 zhíwù shénjīng
자음(子音) 명 〖語〗 辅音 fǔyīn; 子音 zǐyīn ¶~ 탈락 辅音脱落 / ~ 동화 辅音同化
자음(字音) 명 字音 zìyīn; 读音 dúyīn = 음(音)1
자의(字義) 명 字义 zìyì
자의(自意) 명 自意 zìyì; 随意 suíyì; 自己的意思 zìjǐde yìsi; 自己的想法 zìjǐde xiǎngfa; 个人意见 gèrén yìjiàn ¶~로 사직서를 내다 按自己的意思提

出辞呈
자의(恣意) 명 恣意 zìyì; 恣心 zìxīn; 任意 rènyì; 随便 suíbiàn ¶~로 다른 국가의 내정에 간섭하다 恣意干涉别国内政
자의-성(恣意性) 명 『語』 任意性 rènyìxìng
자-의식(自意識) 명 『心』 自我意识 zìwǒ yìshí; 自己意识 zìjǐ yìshí
자인(自認) 명하타 自己承认 zìjǐ chéngrèn; 自认 zìrèn ¶실수를 ~하다 自认失误
자임(自任) 명하자타 自命 zìmìng; 自封 zìfēng ¶그는 비범한 사람이라 ~한다 他是自命不凡的人 / 스타임을 ~하다 自封为明星
자자손손(子子孫孫) 명 子子孙孙 zǐzǐsūnsūn; 子孙万代 zǐsūnwàndài ¶~ 생활해 오던 곳 子子孙孙续继生活的地方
자:자-하다(藉藉—) 형 广为流传 guǎngwéiliúchuán; 纷纷 fēnfēn ¶그녀가 곧 결혼한다는 소문이 ~ 她就要结婚的消息纷纷传开 **자:자-히** 부
자작(自作) 명하타 **1** 自做 zìzuò; 自制 zìzhì; 自己做的 zìjǐ zuòde; 自造 zìzào; 自作 zìzuò ¶~곡 自作曲 / ~시 自作诗 **2** 自耕 zìgēng ¶~농 自耕农
자작(自酌) 명하자 自饮 zìyǐn; 自酌 zìzhuó; 自斟 zìzhēn; 自斟自酌 zìzhēnzìzhuó; 自酌自饮 zìzhuózìyǐn
자작-극(自作劇) 명 **1** 自己做的戏剧 zìjǐ zuòde xìjù **2** (为了欺骗别人的) 虚伪事件 xūwěi shìjiàn
자잘-하다 형 小小 xiǎoxiǎo; 个儿小 gèr xiǎo; 小些 xiǎoxiē; 很小 hěn xiǎo; 细微 xìwēi; 零碎 língsuì ¶자잘한 변화 细微的变化 / 감자가 ~ 马铃薯都个儿小
자장-가(—歌) 명 催眠曲 cuīmiánqǔ; 催眠歌 cuīmiángē; 摇篮曲 yáolánqǔ; 摇篮歌 yáolángē ¶~를 부르다 唱催眠曲
자장면(←중zhajiangmian[炸醬麵]) 명 炸酱面 zhájiàngmiàn = 짜장면
자장-자장 감 睡吧睡吧 shuìba shuìba
자재(資材) 명 材料 cáiliào; 资材 zīcái; 物料 wùliào ¶~ 관리 材料管理 / 금속 ~ 金属材料 / ~난 材料缺乏 = [材料荒][材料困难] / ~를 구하기 어렵다 资材难筹集
자재(資財) 명 **1** = 자산 **2** 资财 zīcái
자적(自適) 명하자 自适 zìshì; 自若 zìruò; 自在 zìzài
자전(字典) 명 字典 zìdiǎn = 옥편1
자전(自轉) 명하자 『天』 自转 zìzhuàn ¶~축 自转轴 / ~ 주기 自转周期 / 지구 ~ 地球自转
자전-거(自轉車) 명 自行车 zìxíngchē; 脚踏车 jiǎotàchē; 脚车 jiǎochē; 车子 chēzi ¶~를 타다 骑自行车 / ~ 타이어에 바람을 넣다 给自行车打气
자정(子正) 명 零点 língdiǎn; 子夜 zǐyè; 子时 zǐshí ¶~ 종소리가 울리다 零点钟声敲响
자정(自淨) 명하자 自净 zìjìng; 自然净化 zìrán jìnghuà ¶환경의 ~ 작용 环境的自净作用
자제(子弟) 명 **1** 令郎 lìngláng **2** 子弟 zǐdì; 少爷 shàoye; 贵子 guìzǐ ¶부잣집 ~ 膏粱子弟
자제(自制) 명하타 克制 kèzhì; 自制 zìzhì; 自持 zìchí; 控制 kòngzhì; 克己 kèjǐ ¶~력 自制力 =[克制力][自控力] / 흥분을 ~하다 克制兴奋的心情 / ~하기 어렵다 难以自制 / 자신을 ~할 수 없다 无法克制自己 / ~하는 태도를 취하다 采取克制的态度
자조(自照) 명하자 自照 zìzhào; 自省 zìxǐng ¶~ 문학 自照文学
자조(自嘲) 명하자 自嘲 zìcháo ¶자신의 나약함을 ~하다 自嘲自己的懦弱
자족(自足) 명하자타 **1** 自足 zìzú; 自满 zìmǎn; 自己满意 zìjǐ mǎnyì; 自己满足 zìjǐ mǎnzú ¶~감 自足感 **2** 自给自足 zìjǐzìzú
자존(自存) 명하자 **1** 自己的存在 zìjǐde cúnzài **2** 自己生存 zìjǐ shēngcún; 自我生存 zìwǒ shēngcún; 自我存在 zìwǒ cúnzài; 自存 zìcún ¶~권 自存权 =[自己生存权][独立生存权]
자존(自尊) 명하자 自尊 zìzūn ¶~심 自尊心
자주(自主) 명하타 自主 zìzhǔ ¶~국 自主国家 / ~권 自主权 =[自主权利] / ~정신 自主精神 / ~적 해결 방법 自主的解决方法 / ~독립을 실현하다 实现了自主独立
자주 부 常 cháng; 常常 chángcháng; 时常 shícháng; 时时 shíshí; 经常 jīngcháng; 屡次 lǚcì; 接长不短 jiēchángbùduǎn ¶~ 만나다 常见面 / 그는 여기에 ~ 온다 他常常来这儿 / ~ 병이 나다 经常生病 / 앞으로 ~ 우리 집에 놀러 오세요 希望你以后经常到我家来玩儿
자:주-색(紫朱色) 명 紫色 zǐsè; 紫红色 zǐhóngsè
자중(自重) 명하자 自重 zìzhòng; 慎重 shènzhòng; 持重 chízhòng; 矜持 jīnchí ¶말을 ~하다 言谈持重 / 여러분 ~하세요 请你们自重点儿
자중지란(自中之亂) 명 帮内之乱 bāngnèizhīluàn; 内争 nèizhēng; 内讧 nèihòng

자:지 명 阴茎 yīnjīng; 鸡巴 jība; 阳根 yánggēn; 鸟 diǎo

자지러-들다 자 (身体、声音) 瑟缩 sèsuō; 畏缩 wèisuō; 收缩 shōusuō; 蜷缩 quánsuō ¶그는 자지러들며 나를 훑어봤다 他畏缩地打量着我

자지러-지다 자 **1** 瑟缩 sèsuō; 畏缩 wèisuō; 收缩 shōusuō; 蜷缩 quánsuō ¶놀라서 ~ 吓得畏缩 **2** (声音) 节奏快而感人 jiézòu kuài ér gǎnrén; 刺耳 cì'ěr; 凄厉 qīlì ¶자지러지는 자동차 경적 소리 刺耳的汽车喇叭声 / 자지러지는 소음을 내다 发出刺耳的噪音

자진(自進) 명하자 自愿 zìyuàn; 自动 zìdòng; 主动 zhǔdòng ¶~ 신고 自愿申报 / ~ 출마 自愿出马

자질(資質) 명 **1** 材 cái; 资 zī; 材料 cáiliào; 气质 qìzhì; 素质 sùzhì; 素养 sùyǎng; 资质 zīzhì ¶문학적 ~ 文学素养 / 타고난 ~ 天资 / 그는 ~이 뛰어나다 他素质很好 **2** 水平 shuǐpíng; 能力 nénglì ¶업무 ~이 부족하다 缺乏业务能力

자질구레-하다 형 细碎 xìsuì; 细小 xìxiǎo; 鸡毛蒜皮 jīmáosuànpí; 零碎 língsuì; 琐细 suǒxì; 区区 qūqū; 琐碎 suǒsuì; 零七八碎 língqībāsuì; 零星 língxīng; 烦碎 fánsuì; 零零碎碎 línglingsuìsuì ¶자질구레한 일 零碎活儿

자찬(自讚) 명하자타 自夸 zìkuā; 自卖自夸 zìmàizìkuā ¶~할 만한 것이 없다 没有什么可自夸的

자책(自責) 명하자타 自责 zìzé; 内疚 nèijiù; 罪己 zuìjǐ ¶~감 内疚感 / 깊이 ~을 느끼다 深感内疚

자책-골(自責goal) 명 【體】 自杀球 zìshāqiú; 乌龙球 wūlóngqiú = 자살골 ¶그는 ~을 던졌다 他投了个自杀球

자처(自處) 명하자타 自居 zìjū; 自封 zìfēng; 自命 zìmìng ¶학자로 ~하다 自命为学家 / 그는 이제껏 고관으로 ~한 적이 없다 他从不以高官自居

자천(自薦) 명하자 自荐 zìjiàn; 毛遂自荐 máosuìzìjiàn ¶그는 ~하여 교장이 되었다 他自荐当了校长

자청(自請) 명하자타 主动要求 zhǔdòng yāoqiú; 志愿 zhìyuàn; 自愿 zìyuàn ¶노래 부르기를 ~하다 主动要求唱歌

자체(字體) 명 字体 zìtǐ

자체(自體) 명 本身 běnshēn; 本体 běntǐ ¶방법 ~는 결코 나쁘지 않다 方法本身并不坏

자초(自招) 명하타 自招 zìzhāo; 自找 zìzhǎo; 自取 zìqǔ ¶번거로움을 ~하다 自找麻烦 / 실패를 ~하다 自招失败

자초지종(自初至終) 명 原委 yuánwěi; 从头到尾 cóngtóudàowěi; 自始至终 zìshǐzhìzhōng; 从头至尾 cóngtóuzhìwěi; 原原本本 yuányuánběnběn; 起根由头 qǐgēnyóutóu; 三七二十一 sānqī'èrshíyī ¶~을 설명하다 说明原委

자축(自祝) 명하타 自祝 zìzhù; 自庆 zìqìng; 自己庆贺 zìjǐ qìnghè ¶~연 自祝筵 / 그는 자신의 생일을 ~했다 他自庆他的生日

자취 명 痕迹 hénjì; 踪迹 zōngjì; 踪影 zōngyǐng; 影踪 yǐngzōng; 迹象 jìxiàng; 印子 yìnzi; 形迹 xíngjì; 残迹 cánjì; 印迹 yìnjì; 行迹 xíngjì ¶~를 남기다 留下痕迹

자취를 감추다 구 无影无踪; 销声匿迹

자취(自炊) 명하자 自己做饭吃 zìjǐ zuòfàn chī; 自做自吃 zìzuòzìchī; 自炊 zìchuī ¶~생 自炊学生 / 회사 근처에서 ~하다 在公司附近自己做饭吃

자치(自治) 명하자 自治 zìzhì ¶~구 自治区 / ~국 自治国 / ~권 自治权 / ~회 自治会 / ~ 단체 自治团体 / ~ 행정 自治行政 / ~ 활동 自治活动

자칫 부하자 **1** 险 xiǎn; 险些 xiǎnxiē; 稍微不慎 shāowēi bùshèn; 差一点儿 chàyīdiǎnr; 一不小心 yībùxiǎoxīn ¶~ 잘못하면 실수한다 稍微不慎就出差错 / ~ 생명이 위험할 뻔했다 险些危及生命 **2** 稍微 shāowēi; 稍稍 shāoshāo; 稍 shāo; 稍为 shāowéi; 比较 bǐjiào ¶~ 큰 듯하다 稍微大了一点

자칭(自稱) 명하자타 自称 zìchēng ¶아동 문학 작가라 ~하다 自称儿童文学作家

자키(jockey) 명 **1** 骑手 qíshǒu; 职业赛马骑士 zhíyè sàimǎ qíshì **2** 音乐节目播音员 yīnyuè jiémù bōyīnyuán

자타(自他) 명 自己与别人 zìjǐ yǔ biéren; 本人与他人 běnrén yǔ tārén

자태(姿態) 명 姿态 zītài; 姿容 zīróng; 丰姿 fēngzī; 风姿 fēngzī; 身段 shēnduàn; 体态 tǐtài ¶멋진 ~ 潇洒的姿容

자택(自宅) 명 自己的住宅 zìjǐde zhùzhái; 本人的住宅 běnrénde zhùzhái; 自己家 zìjǐ jiā

자퇴(自退) 명하타 自动退出 zìdòng tuìchū; 自退 zìtuì; 自己退出 zìjǐ tuìchū ¶학교를 ~하다 从学校自动退出

자투리 명 **1** 布头(儿) bùtóu(r); 零头(儿) língtóu(r) ¶~천 零头儿衣料 **2** 边角料 biānjiǎoliào; 下脚料 xiàjiǎoliào

자판(字板) 명 【컴】 = 키보드3 ¶컴퓨터 ~을 두드리다 敲电脑键盘

자판-기(自販機) 명 = 자동판매기 ¶커피 ~ 咖啡自卖机

자평(自評) 명하타 自评 zìpíng

자폐-아(自閉兒) 명 自闭儿 zìbì'ér; 自

闭症儿童 zìbìzhèng értóng; 孤独症儿童 gūdúzhèng értóng

자폐-증(自閉症) 명 『醫』 自闭症 zìbìzhèng; 孤独症 gūdúzhèng

자포-자기(自暴自棄) 명하자 自暴自弃 zìbàozìqì; 破罐破摔 pòguànpòshuāi ¶~해서는 안 된다 不要自暴自弃

자폭(自爆) 명하자 自爆 zìbào; 自毁 zìhuǐ ¶~ 행위 自爆行为

자필(自筆) 명하타 亲笔 qīnbǐ; 手迹 shǒujì; 自书 zìshū ¶~ 서명 亲笔签名 / 김 교수님의 ~ 金教授的手迹

자학(自虐) 명하자 自虐 zìnüè; 自我折磨 zìwǒ zhémó; 自残 zìcán ¶~ 행위 自虐行为

자해(自害) 명하타 自残 zìcán; 自伤 zìshāng ¶그는 ~를 한 번 한 적이 있다 他有过一次自伤行为

자해(字解) 명하자 字解 zìjiě; 解字 jiězì

자행(恣行) 명하타 恣行 zìxíng; 放纵 fàngzòng; 放肆 fàngsì; 肆行 sìxíng; 恣意妄为 zìyìwàngwéi ¶학살을 ~하다 肆行屠杀

자형(字形) 명 字形 zìxíng

자형(姊兄) 명 = 매형

자혜-롭다(慈惠—) 형 慈惠 cíhuì; 慈恩 cí'ēn; 恩慈 ēncí; 恩惠 ēnhuì ¶자혜로운 눈길 慈恩的目光 **자혜로이** 부

자화-상(自畫像) 명 『美』 自画像 zìhuàxiàng ¶~을 그리다 画自画像

자화-자찬(自畫自讚) 명하자타 自吹自擂 zìchuīzìléi; 自卖自夸 zìmàizìkuā; 自我吹嘘 zìwǒchuīxū; 老王卖瓜 lǎowángmàiguā ¶~하기를 좋아하다 爱自吹自擂

자-회사(子會社) 명 『經』 子公司 zǐgōngsī; 分公司 fēngōngsī; 附属公司 fùshǔ gōngsī; 附属企业 fùshǔ qǐyè ¶국내외 10개의 ~를 갖고 있다 在国内外拥有十家子公司

자획(字劃) 명 笔画 bǐhuà

작(作) 명 作 zuò; 制造 zhìzào; 制作 zhìzuò; 著作 zhùzuò; 撰述 zhuànshù; 撰著 zhuànzhù ¶윤동주 ~ 尹东柱作

작가(作家) 명 作家 zuòjiā; 作者 zuòzhě; 艺术创造者 yìshù chuàngzàozhě ¶~가 되다 当作家

작고(作故) 명하자 作古 zuògǔ; 离逝 líshì; 去世 qùshì ¶이 선생님은 이미 ~하셨습니다 李先生已经作古了

작곡(作曲) 명하자타 『音』 作曲 zuòqǔ; 谱曲 pǔqǔ ¶~자 作曲者 / ~가 作曲家

작년(昨年) 명 = 지난해 ¶나는 ~ 3월에 입학했다 我去年三月份刚入学

작년-도(昨年度) 명 去年 qùnián; 上年度 shàngniándù ¶~ 식량 총생산량 去年粮食总产

작:다 형 **1** (大小) 小 xiǎo; 低 dī; 细小 xìxiǎo ¶방이 ~ 房间很小 / 생활 범위가 ~ 生活圈子很小 / 나는 그보다 머리 하나가 ~ 我比他低一个头 / 몸집이 ~ 身材非常矮小 **2** (衣服、鞋等) 瘦 shòu ¶이 반바지는 허리 품이 너무 ~ 这条短裤腰身太瘦了 **3** 细小 xìxiǎo; 轻 qīng; 小 xiǎo ¶규모가 ~ 规模很小 **4** 窄 zhǎi; 狭窄 xiázhǎi; 狭小 xiáxiǎo; 褊窄 biǎnzhǎi ¶도량이 ~ 胸怀褊窄

작은 고추가 더 맵다 속담 小椒更辣; 辣椒越小越辣; 人不可貌相, 海水不可斗量

작달막-하다 형 (个子) 矮 ǎi; 矮小 ǎixiǎo; 短小 duǎnxiǎo ¶아이 몸집이 ~ 孩子身体矮小

작당(作黨) 명하자 结党 jiédǎng; 结伙 jiéhuǒ ¶~하여 수업을 빼먹다 结党逃课 / ~하여 약탈하다 结伙抢劫

작대기 명 **1** 支棍 zhīgùn; 长竿 chánggān ¶지게를 ~로 받치다 用支棍支住背架 **2** 线 xiàn; 杠 gàng; 杠子 gàngzi ¶틀린 곳을 ~로 표시하다 错的地方划道杠来表示

작동(作動) 명하자타 运转 yùnzhuǎn; 起动 qǐdòng; 启动 qǐdòng; 发动 fādòng ¶기계가 ~하다 机器启动了 / ~을 멈추다 停止运转

작두 명 铡刀 zhádāo; 铡 zhá

작:디-작다 형 小小 xiǎoxiǎo; 微小 wēixiǎo ¶작디작은 금화 小小的金币

작렬(炸裂) 명하자 炸裂 zhàliè; 炸破 zhàpò; 爆炸 bàozhà ¶원자탄이 ~하다 原子弹爆炸

작명(作名) 명하타 取名 qǔmíng; 命名 mìngmíng; 起名儿 qǐmíngr; 定名 dìngmíng ¶~소 起名店 / 아들에게 ~해 주다 给儿子取名

작문(作文) 명하자 **1** 作文 zuòwén; 造句 zàojù **2** 『教』 做文章 zuò wénzhāng; 作文 zuòwén; 写作 xiězuò ¶나의 ~ 제목은 '나의 봄'이다 我的作文题目是「我的春天」

작물(作物) 명 = 농작물

작별(作別) 명하자타 告辞 gàocí; 离别 líbié; 辞别 cíbié; 告别 gàobié; 分手 fēnshǒu; 送别 sòngbié ¶친구에게 ~을 고하다 告辞朋友 / 그는 엄마와 ~했다 他告别了妈妈

작부(酌婦) 명 陪酒女 péijiǔnǚ; 女招待 nǚzhāodài; 卖笑的 màixiàode

작사(作詞) 명하타 作词 zuòcí ¶~자 作词者 / 그가 ~한 신곡이 전국에 유행하다 他作词的新歌在全国流行

작살¹ 명 鱼叉子 yúchāzi; 鱼叉 yúchā; 渔叉 yúchā; 大叉子 dàchāzi

ㅈ

작살2 명 粉碎 fěnsuì; 破碎 pòsuì; 毁坏 huǐhuài

작살-나다 자 粉碎 fěnsuì; 破碎 pòsuì; 毁坏 huǐhuài ¶유리가 작살났다 玻璃破碎了 / 공공물을 작살내다 毁坏公物

작성(作成) 명하타 做 zuò; 写 xiě; 稿 gǎo; 开具 kāijù; 开 kāi; 制定 zhìdìng; 拟定 nǐdìng; 制订 zhìdìng; 草拟 cǎonǐ; 编制 biānzhì; 起草 qǐcǎo ¶~법 写法 / ~자 制订者 =[开具者] / 초안을 ~하다 拟定草案 / 원고를 ~하다 写稿

작심(作心) 명하자타 决心 juéxīn; 发心 fāxīn ¶금연을 ~하다 决心戒烟 / 다이어트를 하기로 ~하다 决心减肥

작심-삼일(作心三日) 명 没常性 méichángxìng; 没有恒心 méiyǒu héngxīn

작아-지다 자 缩小 suōxiǎo; 减小 jiǎnxiǎo ¶면적이 ~ 面积缩小

작업(作業) 명하자 劳动 láodòng; 工作 gōngzuò; 作业 zuòyè; 操作 cāozuò ¶~ 환경 工作环境 / ~ 조건 工作条件 / ~대 工作台 =[操作台][作台] / ~량 工作量 / ~반 作业班 =[作业组][作业小组] / ~복 作业服 =[工作服][劳动服][工装] / ~모 作业帽 =[工作帽][工帽] / ~ 성과가 매우 뛰어나다 工作成绩极为超越

작업-장(作業場) 명 = 일터1 ¶~에 가다 上工地 / ~이 좁아서 일하기에 불편하다 因为工作场所小窄, 工作不方便

작열(灼熱) 명하자 灼热 zhuórè; 火毒 huǒdú; 焦热 jiāorè ¶~하는 태양 灼热的太阳

작용(作用) 명하자 作用 zuòyòng; 影响 yǐngxiǎng; 功能 gōngnéng ¶광합성 ~ 光合作用 / ~ 반작용의 법칙 作用与反作用定律 / 그것은 어떤 ~을 하나요? 那个起什么作用呢?

작위(作爲) 명 做作 zuòzuò; 虚假 xūjiǎ ¶진실과 ~ 真实与虚假

작위(爵位) 명 1 官位 guānwèi; 职位 zhíwèi 2 爵位 juéwèi

작은- 접두 小 xiǎo; 老 lǎo; 二 èr ¶~딸 小女儿 =[二女儿] / ~아들 小儿子 =[老儿子][二儿子] / ~언니 小姐姐 =[二姐] / ~오빠 小哥 =[二哥] / ~동서 小妯娌 / ~사위 小女婿 =[二女婿] / ~아가씨 小姑 / ~처남 小内弟 / ~형수 小嫂嫂 =[二嫂]

작은-달 명 小月 xiǎoyuè

작은-댁(—宅) 명 '작은집' 的敬词

작은-따옴표(—標) 명 『語』 内引号 nèiyǐnhào; 单引号 dānyǐnhào

작은-마누라 명 妾 qiè; 小老婆 xiǎolǎopo

작은-방(—房) 명 『建』 小内房 xiǎonèifáng; 耳房 ěrfáng; 小里屋 xiǎolǐwū

작은-북 명 『音』 小鼓 xiǎogǔ

작은-아버지 명 叔叔 shūshu; 叔父 shūfù; 胞叔 bāoshū = 숙부

작은-어머니 명 1 叔母 shūmǔ; 婶母 shěnmǔ; 婶子 shěnzi; 婶娘 shěnniáng; 婶婶 shěnshen = 숙모 2 庶母 shùmǔ; 继母 jìmǔ

작은-집 명 1 弟弟家 dìdijiā; 儿子家 érzijiā; 叔叔家 shūshujiā 2 妾家 qièjiā; 小老婆家 xiǎolǎopojiā

작은-창자 명 『生』 小肠 xiǎocháng = 소장(小腸)

작자(作者) 명 1 = 지은이 2 家伙 jiāhuo ¶이 ~는 정말 꼴도 보기 싫다 这家伙真可恶

작작1 부 少 shǎo; 少一点 shǎo yīdiǎn ¶술 좀 ~ 마셔 你少喝酒 / 허튼소리 ~ 해라! 少说废话!

작-작2 부하타 1 嚓嚓 chāchā ¶슬리퍼를 ~ 끌다 嚓嚓地趿了拖鞋 2 嚓嚓 chāchā; 刷刷 shuāshuā ¶신문을 ~ 찢어 버렸다 刷刷地撕了报纸

작전(作戰) 명하자 1 策略 cèlüè; 措施 cuòshī; 方法 fāngfǎ ¶적당한 ~ 适当的方法 / 모든 ~을 다 시도했다 什么方法都试过了 2 『軍』 作战 zuòzhàn; 军事行动 jūnshì xíngdòng; 战术 zhànshù; 战策 zhàncè ¶~ 방침 作战方针 / ~ 계획 作战计划 / ~ 명령 作战命令 / ~ 지역 作战地区

작전 타임(作戰time) 『體』 (篮球、排球比赛中的) 暂停 zàntíng

작정(作定) 명하자타 决定 juédìng; 打算 dǎsuan; 准备 zhǔnbèi; 发狠 fāhěn ¶너는 몇 시에 출발할 ~이니? 你打算几点出发? / 그는 나를 파견 보낼 ~이다 他决定派我去

작태(作態) 명하자 1 作态 zuòtài 2 丑态 chǒutài; 看不上眼的行为 kànbushàngyǎnde xíngwéi ¶그의 ~가 보이다 看见他的丑态

작품(作品) 명 作品 zuòpǐn ¶문학 ~ 文学作品 / ~집 作品集 / ~성 있는 소설 有作品性的小说

작황(作況) 명 『農』 年成 niáncheng; 年景 niánjǐng; 收成 shōucheng ¶올해는 ~이 좋다 今年取得好收成

잔(盞) 명 1 杯子 bēizi; 盅(儿) zhōng(r); 盏 zhǎn; 杯 bēi 2 = 술잔 3 杯 bēi ¶커피 한 ~ 一杯咖啡

잔을 기울이다 구 喝酒 = 술잔을 기울이다

잔을 비우다 구 干杯 = 술잔을 비우다

잔-가시 명 (植物或鱼的) 细刺 xìcì; 小刺 xiǎocì ¶이 생선은 ~가 많다 这种鱼细刺很多 / 손에 ~가 하나 박혔

다 手上扎了一个小刺

잔-가지 명 细枝 xìzhī; 小枝 xiǎozhī

잔-걸음 명 **1** 转来转去 zhuànláizhuànqù; 走来走去 zǒuláizǒuqù ¶그는 ~을 치며 속으로 대사를 외우고 있다 他走来走去地背着台词 **2** 碎步 suìbù; 小步 xiǎobù ¶~으로 빠르게 달리다 小步快跑

잔고(殘高) 명 余额 yú'é; 结余 jiéyú; 下存 xiàcún; 余款 yúkuǎn ¶~가 많지 않다 余额不多 / ~가 5백 위안 남았다 下存5百元

잔금(殘金) 명 **1** 余款 yúkuǎn; 存项 cúnxiàng; 剩款 shèngkuǎn; 余额 yú'é = 잔돈(殘—)1 ¶~이 많지 않다 余款不多 **2** 尾欠 wěiqiàn ¶나는 ~이 아직 남아 있다 我还有点尾欠

잔-기침 명하자 (连声) 轻咳 qīngké ¶나도 모르게 ~을 한 번 했다 我不由自主地轻咳了一声

잔-꾀 명 花招(儿) huāzhāo(r); 小计谋 xiǎojìmóu; 小聪明 xiǎocōngming; 小心眼儿 xiǎoxīnyǎnr; 手段 shǒuduàn ¶~를 부리다 耍小聪明

잔-달음 명 小跑步 xiǎopǎobù; 碎步跑 suìbù pǎo ¶나는 ~을 치며 방으로 들어왔다 我小跑步进屋了

잔당(殘黨) 명 余党 yúdǎng; 余孽 yúniè ¶~을 제거하다 消除余孽

잔-돈 명 零钱 língqián; 小钱 xiǎoqián; 不多的钱 bùduōde qián

잔-돈(殘—) 명 **1** = 잔금1 **2** = 거스름돈

잔디 명 〖植〗草皮 cǎopí; 结缕草 jiélǚcǎo ¶~를 깎다 剪草皮

잔디-밭 명 草坪 cǎopíng; 草地 cǎodì ¶~에 들어가면 안 됩니다 不能进入草坪

잔뜩 부 **1** 满满地 mǎnmǎnde; 满 mǎn; 很多地 hěn duōde ¶식탁에 요리를 ~ 차려 놓았다 满满地摆了一桌子的菜 / 컵에 물을 ~ 부었다 把水倒满了一杯 **2** 狠狠地 hěnhěnde ¶~ 욕하다 狠狠地骂 **3** 非常 fēicháng; 厉害 lìhai; 严重地 yánzhòngde ¶분노가 ~ 치밀다 非常愤怒 / 날씨가 ~ 흐렸다 天阴得很厉害

잔량(殘量) 명 残留量 cánliúliàng; 剩余量 shèngyúliàng ¶채소에 있는 농약 ~ 菜中农药残留量

잔루(殘壘) 명 〖體〗(棒球) 残垒 cánlěi

잔류(殘留) 명하자 残留 cánliú; 残余 cányú ¶이 채소의 ~ 농약은 비교적 적다 这些菜中的残留农药较少

잔-말 명하자 废话 fèihuà; 啰唆 luōsuo; 闲话 xiánhuà; 唠叨 láodao ¶~ 마라 少说废话

잔-무늬 명 细纹 xìwén ¶~ 옷 细纹衣服

잔-물결 명 细波 xìbō; 鳞波 línbō ¶~이 일다 起鳞波

잔반(殘飯) 명 残羹剩饭 cángēngshèngfàn; 剩饭 shèngfàn

잔-병(—病) 명 常患的小病 chánghuànde xiǎobìng; 小病 xiǎobìng

잔병-치레(—病—) 명하자 常患小病 cháng huàn xiǎobìng; 小病不断 xiǎobìng bùduàn ¶어릴 적에 ~가 많았다 小时候小病不断的

잔-뼈 명 **1** 细骨 xìgǔ; 小骨头 xiǎogǔtou **2** 未成人之骨头 wèichéngrénzhīgǔtou

잔뼈가 굵어지다[굳다] 구 长大成人

잔-뿌리 명 〖植〗须根 xūgēn; 侧根 cègēn

잔상(殘像) 명 〖生〗残留影像 cánliú yǐngxiàng; 后像 hòuxiàng

잔-소리 명하자 啰唆 luōsuo; 闲话 xiánhuà; 唠叨 láodao; 啰嗦 luósuo; 数落 shǔluo ¶~ 좀 그만해! 别唠叨! / 언니한테 한바탕 ~를 들었다 被姐姐数落一顿

잔-손 명 零碎活儿 língsuìhuór; 零活儿 línghuór

잔-손질 명하타 勤动手 qíndòngshǒu; 费小功夫 fèixiǎogōngfu; 零碎活儿 língsuìhuór ¶~을 네 번 하다 费了四番手脚

잔-심부름 명 小差事 xiǎochāishi; 使唤 shǐhuan; 差使 chāishi; 打杂儿 dǎzár ¶~꾼 打杂儿的 =[小跑]

잔악(殘惡) 명하형 残忍 cánrěn; 残酷 cánkù; 无情 wúqíng ¶~한 행위 残忍的行为

잔액(殘額) 명 余额 yú'é; 余款 yúkuǎn; 剩额 shèng'é

잔업(殘業) 명 加点 jiādiǎn; 加班 jiābān; 加班工作 jiābān gōngzuò; 加点工作 jiādiǎn gōngzuò ¶~ 수당 加班补贴 =[加班费][加班工资][加班津贴] / 나는 매일 ~을 해야 한다 我每天都要加班

잔여(殘餘) 명 残余 cányú; 剩余 shèngyú

잔인(殘忍) 명하형 残忍 cánrěn; 残酷 cánkù; 残暴 cánbào; 凶毒 xiōngdú; 狠 hěn; 辣 là ¶~성 残忍性 =[残酷性] / ~한 수단 凶毒的手段 / 넌 너무 ~해 你太狠心了

잔인-스럽다(殘忍—) 형 残忍 cánrěn; 残酷 cánkù; 残暴 cánbào; 狠毒 hěndú; 惨毒 cǎndú ¶수법이 ~ 手法惨毒

잔인스레 부

잔-일 명 琐事 suǒshì; 鸡毛蒜皮的事 jīmáosuānpíde shì; 零活儿 línghuór; 细活儿 xìhuór

ㅈ

잔잔-하다 형 **1** 安静 ānjìng; 宁静 níngjìng; 平静 píngjìng; 平息 píngxī ¶잔잔한 호수 平静的湖面 / 물결이 점점 잔잔해졌다 风浪渐渐平息下来了 **2** 低沉 dīchén ¶잔잔한 말소리 低沉的声音 **3** 沉着 chénzhuó **잔잔-히** 부

잔잔-하다(潺潺—) 형 **1** 潺潺 chánchán; 淙淙 cóngcóng; 琤琤 chēngchēng ¶잔잔한 시냇물 潺潺的小溪流 **2** 沥沥 lìlì **잔잔-히** 부 ¶비가 ~ 내리기 시작했다 雨沥沥下起来了 / 물이 ~ 흐르다 潺潺流水

잔재(殘滓) 명 残余 cányú ¶봉건 시대의 ~를 청산하다 消除封建时代的残余

잔-재주 명 小技巧 xiǎojìqiǎo

잔존(殘存) 명하자 残存 cáncún; 残留 cánliú ¶그 기억들은 아직 내 머리 속에 ~하고 있다 那些回忆还残留在我的头脑里

잔-주름 명 细皱纹 xìzhòuwén; 细细的皱纹 xìxìde zhòuwén ¶눈가에 ~이 잡혔다 眼角上有了细细的皱纹

잔챙이 명 最小最差的 zuìxiǎo zuìchàde

잔치 명하자 宴会 yànhuì; 酒席 jiǔxí ¶~를 베풀다 摆酒席

잔칫-날 명 办喜事的日子 bànxǐshìde rìzi

잔칫-상(—床) 명 宴桌 yànzhuō

잔-털 명 毫毛 háomáo

잔학(殘虐) 명하형 残暴 cánbào ¶~한 수단 残暴手段

잔해(殘骸) 명 残骸 cánhái ¶10구의 동물 ~를 발견하였다 发现了10具动物残骸

잔향(殘香) 명 余香 yúxiāng

잔혹(殘酷) 명하형 残忍 cánrěn; 残酷 cánkù ¶~한 방법으로 살해하다 以残忍手段杀害

잘 부 **1** 好好儿 hǎohǎor ¶생일을 ~ 쇠다 好好儿地过个生日 / ~ 돌아와야 해요! 你好好儿地回来呀! **2** 善于 shànyú ¶그는 노래를 ~ 부른다 他善于唱歌 **3** 好 hǎo ¶이 사진은 정말 ~ 찍었다 这张照片拍得真好

잘 자랄 나무는 떡잎부터 안다[알아본다] 속담 人看从小, 马看蹄爪

잘되면 제 탓[복] 못 되면 조상[남] 탓 속담 好事都归花大姐, 坏事全怪傻丫头

잘가닥 부하자타 咔嗒 kādā; 咣当 guāngdāng; 当啷 dānglāng; 叮当 dīngdāng ¶차 문이 ~ 소리를 내며 바로 잠겼다 车门咣当一声就关上了

잘가닥-거리다 자타 (不住地) 咔嗒咔嗒响 kādākādā xiǎng = 잘가닥대다 **잘가닥-잘가닥** 부하자타

잘그락 명 当啷 dānglāng; 叮当 dīngdāng

잘그락-거리다 자타 (不住地) 当啷当啷响 dānglāngdānglāng xiǎng; 叮当叮当响 dīngdāngdīngdāng xiǎng = 잘그락대다 **잘그락-잘그락** 부하자타

잘그랑 부하자타 当啷 dānglāng; 叮当 dīngdāng; 丁零 dīnglíng ¶그는 자동판매기에 ~ 소리를 내며 동전을 넣었다 他往自动售货机里当啷一声就投进钱币

잘그랑-거리다 자타 当啷当啷响 dānglāngdānglāng xiǎng; 叮当叮当响 dīngdāngdīngdāng xiǎng; 丁零丁零响 dīnglíngdīnglíng xiǎng = 잘그랑대다 **잘그랑-잘그랑** 부하자타

잘근-잘근 부 嘎吱嘎吱 gāzhīgāzhī

잘-나가다 자 连连获胜 liánlián huòshèng ¶우리 회사는 요즘 잘나간다 我们公司最近连连获胜

잘-나다 동 **1** 了不起 liǎobuqǐ; 出类拔萃 chūlèibácuì ¶그 사람은 자기가 잘난 줄 알고 줄곧 목에 힘준다 他一向很高傲, 自以为了不起 **2** 英俊 yīngjùn; 漂亮 piàoliang; 长得帅 zhǎngde shuài; 潇洒 xiāosǎ ¶잘난 얼굴 英俊的脸

잘다 형 小 xiǎo; 细 xì ¶빵을 잘게 썰어라 你把面包切成小块吧

잘-되다 자 **1** 好 hǎo; 成 chéng ¶그거 잘됐네, 그럼 내 통역 좀 해 줘 太好了, 那给我当翻译吧 **2** 成功 chénggōng; 升发 shēngfā; 有出息 yǒu chūxi; 巴高望上 bāgāowàngshàng; 发迹 fājì ¶어머니는 내가 잘되기를 바라신다 妈妈希望我能成功 **3** (反讽) 活该 huógāi ¶거 참 잘됐다, 누가 너더러 매일 나가 놀라고 했니! 你活该, 谁让你每天出去玩儿呢!

잘되면 제 탓[복] 못되면 조상[남] 탓 속담 = 못되면 조상 탓(잘되면 제 탓)

잘랑 부하자타 丁零 dīnglíng; 当啷 dānglāng; 叮当 dīngdāng

잘랑-거리다 자타 丁零响 dīnglíng xiǎng; 当啷响 dānglāng xiǎng; 叮当响 dīngdāng xiǎng = 잘랑대다 **잘랑-잘랑** 부하자타

잘래-잘래 부 颤颤巍巍 chànchanwēiwēi; 摇来摇去 yáoláiyáoqù; 摆来摆去 bǎiláibǎiqù; 摇摇 yáoyáo; 摇摇摆摆 yáoyaobǎibǎi; 一摇一摇 yīyáoyīyáo ¶고개를 ~ 흔들다 摇摇头

잘록-하다 형 (长形物体) 局部凹陷 júbù āoxiàn; 腰细 yāoxì; 纤细 xiānxì **잘록-이** 부

잘리다 자 '자르다' 的被动词

잘-못 一명 错误 cuòwù; 错 cuò ¶~을 인정하다 认错 二부 错 cuò ¶사람

을 ~ 봤다 看错人了

잘못-되다 자 …不好了 …buhǎole ¶이 정책이 잘못되면 손실이 많다 这个政策搞不好了, 损失可就很大了

잘-빠지다 형 杰出 jiéchū; 顺 shùn ¶잘빠진 상품 杰出商品 / 그녀는 다리가 잘빠진 아가씨이다 她是个腿顺的小姐

잘-살다 자 过得好 guòde hǎo ¶생활이 하루가 다르게 잘살게 되었다 生活一天比一天过得好了

잘-생기다 동 长得漂亮 zhǎngde piàoliang; 长得英俊 zhǎngde yīngjùn ¶새로 오신 선생님은 잘생기셨다 新来的老师长得很英俊

잘잘[1] 부 滚热 gǔnrè; 滚烫 gǔntàng; 发烫 fātàng; 炙热 zhìrè ¶~ 끓는 아랫목 滚烫的炕头

잘잘[2] 부 油光光 yóuguāngguāng; 油亮油亮 yóuliàngyóuliàng; 油腻腻 yóunìnì ¶기름이 ~ 흐르는 닭구이 油光光的烤火鸡

잘잘[3] 부 潺潺 chánchán ¶물이 ~ 흐르다 潺潺流水

잘잘-거리다 자 逛来逛去 guàngláiguàngqù = 잘잘대다 ¶인터넷 상을 잘잘거리며 누비다 在网上逛来逛去

잘-잘못 명 是非 shìfēi ¶~을 따지다 分清是非

잘-하다 타 **1** 好 hǎo; 乖 guāi ¶그는 나에게 잘한다 他对我好 **2** 干得好 gànde hǎo; 做得好 zuòde hǎo ¶일을 ~ 工作做得很好 **3** 善于 shànyú; 能耐 néngnai; 熟练 shúliàn; 很会 hěn huì ¶축구를 ~ 善于踢足球 **4** 爱 ài; 喜欢 xǐhuan ¶그는 농담을 잘한다 他很爱开个玩笑

잘-해야 부 顶多 dǐngduō; 再好也不过是 zài hǎo yě bùguò shì ¶~ 하루 이틀 욕먹으면 끝난다 顶多被骂个一两天就结束了

잠 명 睡眠 shuìmián; 觉 jiào; 睡觉 shuìjiào; 睡 shuì ¶~이 덜 깨다 还没睡醒 / ~이 부족하다 睡眠不足

잠을 자야 꿈을 꾸지 속담 不睡觉, 没有梦

잠-결 명 似醒非醒时 sìxǐngfēixǐngshí; 蒙胧中 ménglóngzhōng ¶나는 ~에 발자국 소리를 들었다 我蒙胧中听到了脚步声

잠그다[1] 타 闭 bì; 锁 suǒ; 关上 guānshang ¶문을 잠갔다 把门锁上了 / 수도꼭지를 ~ 关上水龙头

잠그다[2] 타 浸 jìn; 泡 pào; 浸泡 jìnpào ¶옷을 물속에 ~ 把衣服泡在水里

잠기다[1] 자 **1** 被锁 bèi suǒ 《'잠그다[1]'的被动词》 ¶문이 잠겼다 门被锁了 **2** 哑 yǎ ¶목이 잠겼다 嗓子都哑了

잠기다[2] 자 **1** 被浸泡 bèi jìnpào 《'잠그다[2]'的被动词》 **2** 陷入 xiànrù; 陶醉 táozuì ¶슬픔 속에 ~ 陷入悲哀之中

잠깐 명부 暂时 zànshí; 一会儿 yīhuìr ¶~ 기다리세요 等一会儿

잠-꼬대 명하자 梦话 mènghuà ¶그는 잠자리에 들자마자 ~를 하기 시작했다 他上了铺, 就开始说梦话了

잠-꾸러기 명 瞌睡虫 kēshuìchóng = 잠보

잠농(蠶農) 명 『農』 = 누에 농사

잠-들다 자 **1** 入睡 rùshuì; 睡着 shuìzháo ¶쿨쿨 ~ 昏昏入睡 **2** 永眠 yǒngmián; 安息 ānxī ¶땅속에 ~ 永眠在地下

잠룡(潛龍) 명 卧龙 wòlóng

잠망-경(潛望鏡) 명 『物』 潜望镜 qiánwàngjìng

잠바(←jumper) 명 = 점퍼

잠-버릇 명 睡觉时的习惯 shuìjiàoshíde xíguàn; 睡相 shuìxiàng ¶~이 나쁘다 睡觉时的习惯不好

잠-보 명 = 잠꾸러기

잠복(潛伏) 명하자 埋伏 máifú ¶~근무 埋伏任务 / 우리는 이미 며칠을 ~하였다 我们已经埋伏了好几天了

잠복-기(潛伏期) 명 『醫』 潜伏期 qiánfúqī

잠수(潛水) 명하자 潜水 qiánshuǐ ¶~병 潜水病 / ~복 潜水服 / ~함 潜水艇 =[潜艇] / 우리 부대는 한 달간의 ~ 훈련을 순조롭게 마쳤다 我们部队为期一个月的潜水训练圆满结束了

잠:시(暫時) 명부 暂时 zànshí; 一会儿 yīhuìr ¶~ 영업을 정지하다 暂时停止营业

잠식(蠶食) 명하타 蚕食 cánshí ¶음료수 시장이 외국 상품에 ~당했다 冷饮市场被外来商品蚕食了

잠언(箴言) 명 箴言 zhēnyán

잠-옷 명 睡衣 shuìyī

잠입(潛入) 명하자 潜入 qiánrù ¶적진에 ~하다 潜入敌阵

잠-자다 자 睡觉 shuìjiào; 睡 shuì ¶그는 잠잘 때 항상 이를 간다 他睡觉时总是磨牙

잠-자리[1] 명하자 床铺 chuángpù; 被褥 bèi rù = 자리[2]3 ¶~를 개다 收拾床铺

잠자리[2] 명 『蟲』 蜻蜓 qīngtíng ¶~채 蜻蜓网

잠자-코 부 不声不响地 bùshēngbùxiǎngde; 默默地 mòmòde; 沉默 chénmò ¶~ 앉아 있다 默默地坐着

잠잠-하다(潛潛—) 형 **1** 平静 píngjìng; 安静 ānjìng ¶사무실이 매우 ~ 办公室里很安静 **2** 不说话 bùshuōhuà

잠잠-히 부

ㅈ

잠재(潛在) 명하자 潜在 qiánzài ¶~ 의식 潜在意识 / ~ 능력 潜在能力
잠재-력(潛在力) 명 潜力 qiánlì; 潜在力量 qiánzài lìliang ¶성장 ~ 成长潜力
잠재우다 타 **1** 使睡觉 shǐ shuìjiào 《'잠자다' 的使动词》 **2** 稳定 wěndìng ¶집값을 ~ 稳定住房价格
잠적(潛跡·潛迹) 명하자 潜踪 qiánzōng; 潜匿 qiánnì; 潜逃 qiántáo ¶회사가 망하고 사장은 ~하다 公司倒闭, 老板潜逃
잠정(暫定) 명하타 临时 línshí; 暂定 zàndìng ¶~ 결론 暂定结论
잠-투정 명하자 闹觉 nàojiào ¶우리 애는 어젯밤 또 ~을 했다 我孩子昨天晚上又闹觉了 / ~이 너무 심하다 闹觉太厉害了
잡-것(雜—) 명 **1** 杂物 záwù **2** 杂种 zázhǒng ¶너 이 ~아! 你这个杂种!
잡곡(雜穀) 명 杂谷 zágǔ ¶~밥 杂谷饭
잡귀(雜鬼) 명 杂鬼 záguǐ
잡념(雜念) 명 胡思乱想 húsīluànxiǎng; 杂念 zániàn ¶~을 버리다 排除杂念
잡-놈(雜—) 명 浑蛋 húndàn; 混蛋 húndàn
잡다[1] 타 **1** 抓 zhuā; 握 wò ¶손을 ~ 握手 **2** 掌握 zhǎngwò ¶정권을 ~ 掌握政权 **3** 抵押 dǐyā ¶부동산을 담보로 ~ 以房产做抵押 **4** 定 dìng ¶호텔을 ~ 定饭店 **5** 捉住 zhuōzhù; 找到 zhǎodào; 挑 tiāo ¶단점을 ~ 挑缺点 / 단서를 ~ 找到线索 **6** 挽留 wǎnliú ¶가려는 손님을 ~ 挽留客人
잡다[2] 타 算 suàn; 估计 gūjì ¶여행 예산을 ~ 估计旅行预算
잡다[3] 타 **1** 屠杀 túshā; 宰 zǎi ¶돼지를 ~ 宰猪 **2** 诬陷 wūxiàn; 找喳儿 zhǎochár; 找茬儿 zhǎochár; 抓辫子 zhuā biànzi; 挑毛病 tiāo máobìng ¶사람 잡지 마라! 你别诬陷我! **3** 扑灭 pūmiè ¶잔불을 ~ 扑灭余火 **4** 安定 āndìng; 安静 ānjìng; 安心 ānxīn; 镇静 zhènjìng; 冷静 lěngjìng ¶어떻게 해도 마음을 잡을 수가 없다 心怎么也安定不下来
잡다[4] 타 **1** 弄直 nòngzhí; 纠正 jiūzhèng; 端正 duānzhèng; 洗心革面 xǐxīngémiàn ¶굽은 철사를 곧게 ~ 弯曲的钢铁弄直了 / 잘못한 말을 바로 ~ 纠正说错的话 **2** 打褶 dǎzhě; 弄褶 nòngzhě ¶주름 두 개를 ~ 打两个褶
잡다-하다(雜多—) 형 杂 zá; 琐屑 suǒxiè ¶잡다한 일 琐屑事
잡담(雜談) 명하자 闲话 xiánhuà; 闲扯 xiánchě ¶~ 그만 해라 闲话少说
잡동사니(雜—) 명 小零杂(儿) xiǎolíngzá(r) ¶이 ~들을 다 갖다 버려라 你把这些小零杂统统地扔掉吧
잡-말(雜—) 명하자 废话 fèihuà; 闲话 xiánhuà ¶~하지 마 少说废话
잡무(雜務) 명 杂务 záwù; 杂事 záshì ¶~에 시달리다 杂事缠身
잡부(雜夫) 명 杂工 zágōng ¶~로 일하다 做杂工
잡-상인(雜商人) 명 小商贩 xiǎoshāngfàn; 小贩 xiǎofàn
잡서(雜書) 명 杂书 záshū
잡수다 타 用 yòng 《'먹다' 的敬词》 ¶진지 잡수세요 请用餐
잡수-시다 타 '잡수다' 的敬词
잡-스럽다(雜—) 형 下流 xiàliú; 卑贱 bēijiàn; 卑鄙 bēibǐ **잡스레** 부
잡식(雜食) 명하타 杂食 záshí ¶~성 杂食性 / ~ 동물 杂食动物
잡아-가다 타 逮捕 dàibǔ; 抓走 zhuāzǒu ¶경찰이 그를 잡아갔다 警察把他抓走了
잡아-내다 타 揪出来 jiūchūlái ¶그가 컴퓨터 바이러스를 잡아냈다 他把电脑病毒揪出来了
잡아-넣다 타 **1** 禁闭 jìnbì; 收禁 shōujìn; 监禁 jiānjìn; 拘 jū; 监押 jiānyā; 收押 shōuyā; 关进 guānjìn ¶그는 그 사기꾼들을 다 감옥에 잡아넣었다 他把那些骗子都关进监牢 **2** 关 guān; 装入 zhuāngrù
잡아-당기다 타 拉 lā; 拽 zhuài ¶옷소매를 ~ 拉衣袖
잡아-들이다 타 **1** 关 guān; 装入 zhuāngrù ¶돼지를 우리 안으로 ~ 把猪关在笼子里 **2** 禁闭 jìnbì; 监禁 jiānjìn; 拘 jū; 监押 jiānyā; 收押 shōuyā; 关进 guānjìn
잡아-떼다 타 **1** 扯下来 chěxiàlái ¶벽위의 광고를 다 ~ 把墙上的广告都扯下来 **2** 否认 fǒurèn ¶그는 모른다고 딱 잡아뗐다 他坚决否认"我不知道"
잡아-매다 타 **1** 拢住 lóngzhù; 捆绑 kǔnbǎng; 系上 jìshang ¶새끼로 장작을 ~ 用绳子把柴火拢住 / 그녀는 손수건으로 머리를 잡아맸다 她用手绢把头发系上了 **2** 绑缚 bǎngfù; 绑住 bǎngzhù; 拴住 shuānzhù ¶새끼 양을 아빠가 꽉 잡아매셨다 爸爸把小羊牢牢地拴住了
잡아-먹다 타 **1** 宰了吃 zǎile chī; 杀了吃 shāle chī ¶소를 ~ 杀了牛吃 **2** 折磨 zhémó; 挖苦 wāku ¶혼인은 정말 사람 잡아먹는 것이다 婚姻真是个折磨人的东西 **3** 消耗 xiāohào; 花 huā ¶시간을 많이 ~ 消耗很长时间
잡아-채다 타 揪 jiū; 拽 zhuài; 拉 lā ¶나는 힘껏 낚싯대를 잡아챘다 我使劲拉起鱼竿了

잡아-타다 타 打 dǎ ¶택시를 ~ 打的
잡음(雜音) 명 1 噪音 zàoyīn ¶도로의 교통 ~을 해결하다 解决道路交通噪音 2 诽谤 fěibàng
잡-일(雜—) 명 杂事 záshì
잡종(雜種) 명 杂种 zázhǒng ¶~개 杂交狗
잡지(雜誌) 명 杂志 zázhì ¶~ 정기 구독 杂志订阅
잡채(雜菜) 명 杂烩菜 záhuìcài
잡초(雜草) 명 杂草 zácǎo ¶~가 무성하다 杂草很茂盛
잡치다 타 1 弄坏 nòng huài; 搞坏 gǎo huài; 搞错 gǎo cuò; 弄错 nòng cuò ¶일을 잡치지 마라 别把事情弄坏 2 扫兴 sǎoxìng; 败兴 bàixìng ¶신 나서 왔다가 기분을 잡쳐서 돌아갔다 乘兴而来扫兴而归
잡탕(雜湯) 명 大杂烩 dàzáhuì; 乱七八糟的 luànqībāzāode
잡-티(雜—) 명 瑕疵 xiácī; 杂痕 záhén
잡화(雜貨) 명 杂货 záhuò ¶~상 杂货商
잡-히다[1] 자 被抓住 bèi zhuāzhù; 被握住 bèi wòzhù 《'잡다1' 的被动词》 ¶꼬리가 잡혔다 被抓住了尾巴
잡-히다[2] 자 1 定 dìng ¶보증 기간이 2년으로 잡혔다 保证期间定为两年 2 被定 bèi dìng ¶결혼 날짜가 잡혔다 被定个结婚日子
잡-히다[3] 자 1 (动物) 被捕获 bèi bǔhuò; 被俘虏 bèi fúlǔ ¶여우가 잡혔다 狐狸被捕获了 2 被找碴儿 bèi zhǎochár; 被找茬儿 bèi zhǎochár; 被抓辫子 bèi zhuā biànzi; 被挑毛病 bèi tiāo máobìng 3 扑灭 pūmiè ¶산불이 잡혔다 山火被扑灭了 4 安定 āndìng; 安静 ānjìng; 安心 ānxīn; 镇静 zhènjìng; 冷静 lěngjìng ¶이렇게 해야 비로소 마음이 잡힌다 这样心才安定下来
잡-히다[4] 자 1 弄直 nòngzhí ¶구부러진 철사가 곧게 ~ 弯曲的铁丝弄直了 2 打褶 dǎzhě; 弄褶 nòngzhě ¶바지 앞쪽엔 주름이 두 줄 잡혀 있다 裤子前面打着两道褶
잡-히다[5] 타 1 抵押 dǐyā; 典当 diǎndàng ¶시계를 저당 잡히고 돈을 빌리다 用手表做抵押来借点钱 2 使握住 shǐ wòzhù
잣: 명 松子(儿) sōngzǐ(r); 海松 hǎisōng ¶~가루 松子面 =[松子粉] / ~기름 松子油
잣:-나무 명 【植】 果松 guǒsōng; 海松 hǎisōng; 红松 hóngsōng
잣-대 명 1 尺子 chǐzi; 标尺 biāochǐ 2 标尺 biāochǐ; 标准 biāozhǔn ¶내 ~에서 보면 按我的标准来看
장:(長) 명 首长 shǒuzhǎng; 头 tóu ¶네가 우리의 ~이다 你是我们的首长
장(張) 의명 张 zhāng; 块 kuài ¶유리 한 ~ 一张玻璃 / 신문 한 ~ 一张报纸
장[1](場) 명 集市 jíshì; 集 jí ¶고무신을 사러 ~에 가다 去集市买双胶鞋
장[2](場) 명 地方 dìfang; 空间 kōngjiān; 场 chǎng ¶만남의 ~ 相见的地方
장[3](場) 의명 【演】 场 chǎng ¶1막 5~ 第一幕五场
장:(腸) 명 【生】 = 창자
장:(醬) 명 1 = 간장(—醬) ¶~을 담그다 做酱油 2 酱 jiàng
장(臟) 명 【生】 = 내장(內臟)
장:(欌) 명 柜子 guìzi; 柜 guì; 架 jià; 笼 lóng ¶귀중품을 ~ 속에 숨겨 놓다 把贵重品藏在柜子里
-장(狀) 접미 证 zhèng; 片 piàn; 信 xìn ¶졸업~ 毕业证 / 연하~ 贺年片 / 감사~ 感谢信
-장(長) 접미 长 zhǎng ¶학교~ 校长 / 위원~ 委员长 / 공장~ 厂长 / 이사~ 董事长
-장(帳) 접미 账 zhàng; 本 běn; 簿 bù ¶매출~ 销售账 / 연습~ 笔记本
-장(場) 접미 场 chǎng; 现场 xiànchǎng ¶야구~ 棒球场 / 수영~ 游泳场 / 공사~ 施工现场
장:가 명 娶妻 qǔqī; 娶 qǔ; 娶亲 qǔqīn; 娶媳妇儿 qǔ xífur
장:가-가다 자 娶妻 qǔqī; 成亲 chéngqīn; 娶 qǔ; 娶亲 qǔqīn; 娶媳妇儿 qǔ xífur = 장가들다
장:가-들다 자 = 장가가다
장:가들-이다 타 '장가들다' 的使动词
장:가-보내다 타 给娶媳妇儿 gěi qǔ xífur
장:갑(掌匣·掌甲) 명 手套 shǒutào ¶~을 끼다 带手套
장갑(裝甲) 명하타 装甲 zhuāngjiǎ; 披甲 pījiǎ; 盔甲 kuījiǎ ¶~차 装甲战车 / ~ 부대 装甲部队
장-거리(長距離) 명 长距离 chángjùlí; 长途 chángtú; 长程 chángchéng; 远程 yuǎnchéng ¶~ 달리기 长距离赛跑 / ~ 전화 长途电话
장고(長考) 명하타 长考 chángkǎo; 深思熟虑 shēnsīshúlǜ; 长时间的考虑 chángshíjiānde kǎolǜ ¶~ 끝에 악수를 두다 长考出臭棋
장:관(壯觀) 명 壮观 zhuàngguān; 伟观 wěiguān; 大观 dàguān ¶산이 온통 단풍으로 뒤덮인 것이 ~이다 满山红叶, 蔚为大观
장:관(長官) 명 【法】 长官 zhǎngguān; 部长 bùzhǎng ¶법무부 ~ 法务部长官

장:교(將校) 명 〖軍〗军官 jūnguān; 将校 jiàngxiào; 将领 jiànglǐng

장구 명 〖音〗长鼓 chánggǔ ¶ ~채 长鼓槌儿

장구(裝具) 명 用具 yòngjù; 工具 gōngjù; 器具 qìjù ¶등산 ~ 登山用具

장군[1](將軍) 명 〖軍〗将军 jiāngjūn = 장성(將星)

장군[2](將軍) 一명하자 〖體〗(象棋中的) 将军 jiāngjūn; 将 jiāng ¶~을 부르다 将军 二감 〖體〗(象棋中的) 将军 jiāngjūn; 将 jiāng

장군 멍군 구 棋逢对手

장군(을) 받다 구 应将

장기(長技) 명 特长 tècháng; 特技 tèjì; 拿手好戏 náshǒuhǎoxì; 本领 běnlǐng ¶~를 자랑하다 炫耀特长 / 노래는 그의 ~이다 唱歌是他的特长

장기(長期) 명 = 장기간 ¶~전 长期战争 =[持久战] / ~화 长期化 / ~ 투숙 长期住宿

장:기(將棋 · 將碁) 명 〖體〗象棋 xiàngqí ¶~판 象棋盘 / ~를 두다 下象棋

장기(臟器) 명 〖生〗脏器 zāngqì; 内脏器官 nèizāng qìguān ¶~ 이식 脏器移植 / ~ 판매를 불허하다 不允许卖脏器

장-기간(長期間) 명 长期 chángqī; 长时间 chángshíjiān; 好久 hǎojiǔ; 许久 xǔjiǔ = 장기(長期) ¶그는 미국에 ~ 체류하였다 他长期逗留在美国

장끼 명 = 수꿩

장난 명하자 1 淘气 táoqì; 玩耍 wánshuǎ; 玩 wán; 顽皮 wánpí; 调皮 tiáopí ¶물~ 玩水 / ~기 玩皮劲 =[淘气劲] / ~ 치다 闹着闭玩儿 2 恶作剧 èzuòjù; 捣蛋 dǎodàn; 戏弄 xìnòng ¶~ 전화 恶作剧电话

장난-감 명 玩具 wánjù; 玩意儿 wányìr = 완구 ¶~ 자동차 玩具汽车 / 난 네 ~이 아니야 我不是你的玩具

장난-꾸러기 명 淘气鬼 táoqìguǐ; 调皮鬼 tiáopíguǐ = 악동2

장:남(長男) 명 = 맏아들 ¶~으로 하여금 가업을 잇게 하다 让长子继承家业

장내(場內) 명 场内 chǎngnèi = 장중 ¶~가 떠들썩해지기 시작했다 场内热闹起来了

장:녀(長女) 명 = 맏딸

장:년(壯年) 명 壮年 zhuàngnián; 壮汉 zhuànghàn ¶청년과 ~ 할 것 없이 모두 채용에 응시했다 不管青年还是壮年都来应聘的

장년(長年) 명 老人 lǎorén; 年长者 niánzhǎngzhě

장:님 명 瞎子 xiāzi; 盲人 mángrén

장님 문고리 잡기 속담 瞎猫碰上死耗子

장단 명 〖音〗节奏 jiézòu; 节拍 jiépāi

장단(을) 맞추다 구 拍马屁

장단(을) 치다 구 按节奏敲鼓

장단(이) 맞다 구 一唱一和

장단(長短) 명 1 长短 chángduǎn ¶이 옷은 ~이 꼭 맞다 这件衣服长短正合适 2 = 장단점

장단-점(長短點) 명 优点和缺点 yōudiǎn hé quēdiǎn; 长短 chángduǎn = 장단(長短)2 ¶~을 분간할 수 없다 分不清长短 / ~을 비교하다 比较优点和缺点

장-닭 명 公鸡 gōngjī; 雄鸡 xióngjī

장:담(壯談) 명하자타 豪言壮语 háoyánzhuàngyǔ; 保证 bǎozhèng ¶~할 수 없다 不能保证 / ~은 했지만 자신이 없다 说了大话却没有把握

장-대(長—) 명 1 长杆 chánggān; 杆子 gānzi 2 = 바지랑대

장대-높이뛰기(長—) 명 〖體〗撑杆跳 chēnggāntiào

장대-비(長—) 명 倾盆大雨 qīngpéndàyǔ; 如注的大雨 rúzhùde dàyǔ

장:대-하다(壯大—) 형 1 魁梧 kuíwú; 壮健 zhuàngjiàn ¶몸이 장대한 노동자 身体魁梧的工人 2 (气概) 强大 qiángdà; 壮大 zhuàngdà; 轩昂 xuān'áng **장:대-히** 부

장대-하다(張大—) 형 张大 zhāngdà; 宏伟 hóngwěi ¶장대한 계획 宏伟的计划

장:도리 명 羊角锤 yángjiǎochuí; 钉锤 dīngchuí

장:-독(醬—) 명 酱缸 jiànggāng ¶~대 酱缸台

장:딴지 명 腿肚子 tuǐdùzi

장땡 명 上策 shàngcè; 第一 dìyī; 最好的 zuìhǎode ¶도망가는 것이 ~이다 逃为上策

장래(將來) 명 1 将来 jiānglái; 前途 qiántú; 前景 qiánjǐng; 未来 wèilái ¶~를 걱정하다 担心前途 2 前途 qiántú; 出息 chūxi; 前程 qiánchéng; 前景 qiánjǐng; 远景 yuǎnjǐng = 전도(前途) ¶~가 밝다 前途无量

장래-성(將來性) 명 前景 qiánjǐng; 前途 qiántú; 出息 chūxi; 有为 yǒuwéi ¶~이 있는 학생 有前途的学生 / ~이 풍부하다 富有前景

장:려(獎勵) 명하타 奖励 jiǎnglì; 勉历 miǎnlì; 激发 jīfā; 鼓起 gǔqǐ ¶저축을 ~하다 奖励存钱

장:렬-하다(壯烈—) 형 壮烈 zhuàngliè ¶장렬하게 전사하다 壮烈战死 **장:렬-히** 부

장:례(葬禮) 명 葬礼 zànglǐ; 葬仪 zàngyí; 殡仪 bìnyí; 丧礼 sānglǐ ¶~비 葬礼费用 / ~식장 葬礼场馆 =[葬礼

堂]/～를 치르다 搞葬礼 =[举行葬礼]/～식에 참석하다 参加葬礼

장:로(長老) 명 **1** 元老 yuǎnlǎo ¶학계의 ～ 学术界的元老 **2**〖宗〗长老 zhǎnglǎo《圣职的一个阶级》¶～교 长老教

장:롱(欌籠) 명 衣柜 yīguì; 衣橱 yīchú = 농(籠)3

장르(프genre) 명〖文〗体裁 tǐcái; 类型 lèixíng; 样式 yàngshì; 风格 fēnggé; 流派 liúpài; 艺术的部门 yìshùde bùmén; 方式 fāngshì

장마 명 黄梅雨 huángméiyǔ; 梅雨 méiyǔ; 霉雨 méiyǔ; 淫雨 yínyǔ; 霖雨 línyǔ; 连阴雨 liányīnyǔ ¶～철 淫雨季节 =[阴雨季节][雨季][梅天]/～가 들다 开始下阴雨/～가 지다 闹连阴雨

장마 전선(—前線)〖地理〗雨季前锋 yǔjì qiánfēng; 梅雨前锋 méiyǔ qiánfēng ¶～이 북상하다 梅雨前锋北上

장막(帳幕) 명 帐篷 zhàngpeng; 帐幕 zhàngmù; 帷幕 wéimù

장만 명하타 筹办 chóubàn; 购置 gòuzhì; 置办 zhìbàn; 筹备 chóubèi; 具备 jùbèi; 置备 zhìbèi ¶결혼 예물을 ～하다 筹办婚礼礼品/컴퓨터를 한 대 ～하다 置备一台电脑

장맛-비 명 黄梅雨 huángméiyǔ; 梅雨 méiyǔ; 霉雨 méiyǔ; 淫雨 yínyǔ; 霖雨 línyǔ; 连阴雨 liányīnyǔ

장면(場面) 명 景象 jǐngxiàng; 情景 qíngjǐng; 景况 jǐngkuàng; 场面 chǎngmiàn ¶퇴폐적인 ～ 颓废的景象/감동적인 ～ 让人感动的场面

장:모(丈母) 명 丈母娘 zhàngmuniáng; 岳母 yuèmǔ; 丈母 zhàngmu

장문(長文) 명 长篇 chángpiān ¶～의 편지 长篇信

장물(贓物) 명〖法〗赃物 zāngwù; 贼赃 zéizāng; 赃货 zānghuò ¶～아비 销赃物的人

장물-죄(贓物罪) 명〖法〗窝赃罪 wōzāngzuì; 销赃罪 xiāozāngzuì

장미(薔薇) 명〖植〗玫瑰 méigui; 蔷薇 qiángwēi ¶～꽃 玫瑰花 =[蔷薇花]

장밋-빛(薔薇—) 명 玫瑰色 méiguisè

장-바구니(場—) 명 = 시장바구니

장발(長髮) 명 长发 chángfà

장방-형(長方形) 명〖數〗= 직사각형

장벽(障壁) 명 **1** 障壁 zhàngbì; 墙 qiáng; 壁 bì ¶～을 쌓다 垒墙/베를린 ～이 허물어졌다 拆毁了柏林墙 **2** 隔阂 géhé; 壁垒 bìlěi; 障碍 zhàng'ài; 阻碍 zǔ'ài; 干扰 gānrǎo ¶무역 ～ 贸易壁垒/언어의 ～ 语言的隔阂/우리 사이의 ～을 허물다 消除我们之间的障碍

장:병(將兵) 명〖軍〗官兵 guānbīng; 指战员 zhǐzhànyuán; 将士 jiàngshì ¶국군 ～ 国军官兵

장:부(丈夫) 명 **1** 成年男子 chéngnián nánzǐ **2** = 대장부

장부(帳簿·賬簿) 명하타 账簿 zhàngbù; 账本 zhàngběn ¶회계 ～ 会计账簿/～에 기입하다 登记账簿

장비(裝備) 명하타 装备 zhuāngbèi; 设备 shèbèi; 配备 pèibèi ¶군사 ～의 현대화 军事装备的现代化

장사 명하자 生意 shēngyi; 买卖 mǎimai; 经商 jīngshāng; 从商 cóngshāng ¶밑천 없는 ～ 没本钱的买卖/～가 잘된다 生意火红

장:사(壯士) 명 大力士 dàlìshì; 力士 lìshì; 壮士 zhuàngshì ¶백두 ～ 白头壮士/한라 ～ 汉拏壮士

장:사(葬事) 명하타 葬礼 zànglǐ; 丧事 sāngshì; 治丧 zhìsāng ¶～ 지내다 举行葬礼 =[办丧事]

장사-꾼 명 贩子 fànzi; 买卖人 mǎimairén

장사-진(長蛇陣) 명 长蛇阵 chángshézhèn; 长龙 chánglóng ¶～을 이루다 排成长蛇阵

장삼-이사(張三李四) 명 张三李四 zhāngsānlǐsì

장삿-속 명 生意眼 shēngyiyǎn; 赚钱的算计 zhuànqiánde suànjì; 商人本色 shāngrén běnsè ¶～이 드러나다 露出商人本色/그는 ～이 밝다 他是个生意眼

장서(藏書) 명하자 藏书 cángshū ¶～를 대학에 기증하다 把藏书捐赠给大学

장:성(長成) 명하자 成长 chéngzhǎng; 长大 zhǎngdà ¶아이들이 모두 ～해서 떠났다 孩子们都长大飞走了/～한 아들이 부모를 모시다 长大成人的儿子赡养父母

장:성(將星) 명〖軍〗= 장군[1](將軍)

장소(場所) 명 场所 chǎngsuǒ; 地点 dìdiǎn; 场地 chǎngdì; 场合 chǎnghé; 去处 qùchù; 地方 dìfang ¶집합 ～ 集合地点/～가 좁다 地方小

장:-손녀(長孫女) 명 = 맏손녀

장수 명 商人 shāngrén; 销售人 xiāoshòurén; 买卖人 mǎimairén; 商贩 shāngfàn ¶채소 ～ 蔬菜商人/생선 ～ 鲜鱼商人

장수(長壽) 명하자 长寿 chángshòu; 老寿 lǎoshòu; 高寿 gāoshòu; 长命 chángmìng ¶～의 비결 长寿秘诀/～를 누리다 享受长寿

장:수(將帥) 명〖軍〗将帅 jiàngshuài

장승 명 **1** 路标 lùbiāo; 里程碑 lǐchéngbēi《站在村口的守护村庄的木像》**2**

细高个儿 xìgāogèr; 细高挑儿 xìgāotiǎor
장-시간(長時間) 명 长时间 chángshíjiān; 多时 duōshí
장식(裝飾) 명하타 装饰 zhuāngshì; 布置 bùzhì; 修饰 xiūshì; 点缀 diǎnzhuì; 装点 zhuāngdiǎn ¶무대 ~ 舞台装饰 / ~물 装饰品 =[饰物] / 단상이 많은 꽃으로 ~되어 있다 台上点缀着许多花 / 크리스마스트리를 ~하다 装饰圣诞树
장신(長身) 명 大个子 dàgèzi; 高个儿 gāogèr ¶~의 사나이 大个子男子 / 키가 2미터가 넘는 ~ 身高超过二米的大个子
장신-구(裝身具) 명 首饰 shǒushi; 饰物 shìwù ¶~로 치장하다 用首饰来打扮
장아찌 명 酱菜 jiàngcài; 咸菜 xiáncài ¶오이 ~ 黄瓜酱菜 / 무 ~ 萝卜酱菜 / 매실 ~ 梅子酱菜
장:악(掌握) 명하타 执掌 zhízhǎng; 掌握 zhǎngwò; 揽 lǎn; 把持 bǎchí ¶주도권을 ~하다 掌握主导权
장안(長安) 명 首都 shǒudū; 京城 jīngchéng ¶~의 뜨거운 화제 京城热门话题
장애(障礙) 명 阻力 zǔlì; 钉子 dīngzi; 障碍 zhàng'ài; 残疾 cánjí; 残废 cánfèi; 残障 cánzhàng ¶~물 障碍物 =[障碍] / ~인 残疾人 =[残障人] / 통신 ~ 通信障碍 / 위장 ~를 개선하다 改善胃肠障碍 / ~를 없애다 拆除障碍物
장어(長魚) 명 〖魚〗 = 뱀장어
장엄(莊嚴) 명하형히부 庄严 zhuāngyán; 粗豪 cūháo; 豪壮 háozhuàng; 宏伟 hóngwěi; 庄重 zhuāngzhòng; 雄壮 xióngzhuàng ¶~한 의식 庄严的仪式
장외(場外) 명 场外 chǎngwài ¶~ 홈런 场外全垒打 / ~ 경기 场外比赛
장:원(壯元·狀元) 명하자 状元 zhuàngyuán; 魁甲 kuíjiǎ ¶~ 급제 状元及第 =[独占鳌头]
장:유-유서(長幼有序) 명 长幼有序 zhǎngyòuyǒuxù
장:의-사(葬儀社) 명 殡仪馆 bìnyíguǎn
장:인(丈人) 명 岳父 yuèfù; 丈人 zhàngren; 妇公 fùgōng
장인(匠人) 명 名匠 míngjiàng; 匠人 jiàngrén; 工匠 gōngjiàng
장:자(長子) 명 = 맏아들 ¶~ 상속 长子继承 / 그는 ~이다 他是个长子
장작(長斫) 명 木柴 mùchái; 劈柴 pǐchai; 柴火 cháihuo ¶~개비 劈柴棍 =[柴把] / ~더미 劈柴垛 / ~불 劈柴火
장장(長長) 명 长长 chángcháng; 整整 zhěngzhěng ¶수술은 ~ 5시간 동안 진행되었다 手术整整进行了5个小时
장전(裝塡) 명하타 〖軍〗 装 zhuāng; 装入 zhuāngrù; 装进 zhuāngjìn ¶총알을 ~하다 装子弹
장점(長點) 명 优点 yōudiǎn; 好处 hǎochù; 所长 suǒcháng; 长处 chángchù
장:정(壯丁) 명 壮丁 zhuàngdīng ¶병사들이 ~을 붙잡다 士兵抓壮丁
장조(長調) 명 〖音〗 长调 chángdiào; 大调 dàdiào
장:-조림(醬—) 명 红焖 hóngmèn; 酱牛肉 jiàngniúròu; 酱肉 jiàngròu
장족(長足) 명 **1** 长腿 chángtuǐ **2** 长足 chángzú; 进展快 jìnzhǎn kuài; 迅急 xùnjí ¶~의 발전 长足的进步
장:중(場中) 명 = 장내
장중-하다(莊重—) 형 庄重 zhuāngzhòng; 端庄 duānzhuāng; 隆重 lóngzhòng; 庄严 zhuāngyán; 雄伟 xióngwěi ¶장중한 개막식 隆重开幕式 **장중-히** 부
장지(長指·將指) 명 = 가운뎃손가락
장:지(將指) 명 = 엄지발가락
장:지(葬地) 명 葬地 zàngdì
장차(將次) 부 将来 jiānglái; 将要 jiāngyào; 今后 jīnhòu; 从今以后 cóng jīn yǐhòu; 未来 wèilái; 以后 yǐhòu ¶단독주택은 ~ 아파트로 변할 것이다 平房将要变成公寓
장착(裝着) 명하타 安装 ānzhuāng; 装 zhuāng ¶에어백이 ~된 차량 安装气囊的车辆
장치(裝置) 명하타 **1** 装置 zhuāngzhì; 装备 zhuāngbèi; 设置 shèzhì; 设备 shèbèi; 装 zhuāng; 安装 ānzhuāng ¶도청 ~ 盗听设备 / 안전 ~ 安全设备 / 폭탄을 ~하다 安装炸弹 **2** 制度 zhìdù; 规则 guīzé; 规矩 guīju; 规章 guīzhāng
장타(長打) 명하타 〖體〗 (棒球) 长打 chángdǎ
장탄(裝彈) 명하타 〖軍〗 装药 zhuāngyào; 装弹 zhuāngdàn; 子弹上膛 zǐdànshàngtáng ¶총알 3발을 ~하다 装三个子弹
장-터(場—) 명 集市 jíshì; 市场 shìchǎng ¶~가 말이 아니게 붐비다 市场上拥挤不堪
장:-티푸스(腸typhus) 명 〖醫〗 伤寒 shānghán; 肠伤寒 chángshānghán
장판(壯版) 명 **1** 油纸炕 yóuzhǐkàng ¶~을 걷었다 掀起了油纸炕 **2** = 장판지 ¶~을 깔다 糊炕油纸
장판-지(壯版紙) 명 炕油纸 kàngyóuzhǐ; 糊炕油纸 húkàngyóuzhǐ = 장판2
장편(長篇) 명 〖文〗 长篇 chángpiān ¶~ 소설 长篇小说 / ~ TV 연속극 长篇电视连续剧
장:풍(掌風) 명 掌风 zhǎngfēng

장:-하다(壯—) 형 **1** 了不起 liǎobuqǐ; 出色 chūsè; 卓越 zhuóyuè; 高尚 gāoshàng; 善良 shànliáng ¶대단히 장한 일 一件很了不起的事情 / 장한 공헌을 하다 做出卓越的贡献 **2** 令人佩服 lìng rén pèifú; 难能可贵 nánnéngkěguì; 自豪 zìháo ¶장하다고 느끼다 感到自豪

장:-히 부

장:학(奬學) 명하자 奖学 jiǎngxué ¶~관 奖学官 / ~금 奖学金 / ~사 奖学士 / ~생 奖学生

장화(長靴) 명 长筒靴 chángtǒngxuē; 套鞋 tàoxié; 靴 xuē; 靴子 xuēzi

장황-하다(張皇—) 형 冗长 rǒngcháng; 冗赘 rǒngzhuì ¶장황한 연설 冗长的演说

잦다[1] 자 **1** (水) 干涸 gānhé; 干 gān; 减小 jiǎnxiǎo ¶물이 다 잦았다 水都干涸了 **2** 平静 píngjìng; 安定 āndìng; 寂静 jìjìng ¶거센 파도가 점점 잦아 온다 汹涌的波涛渐渐寂静起来

잦다[2] 형 频繁 pínfán; 频烦 pínfán; 紧密 jǐnmì; 勤 qín; 经常 jīngcháng ¶잦은 접촉 频繁接触 / 왕래가 ~ 交往频繁

잦아-들다 자 **1** 干涸 gānhé; 慢慢减小 mànmàn jiǎnxiǎo ¶우물이 잦아들었다 水井便干涸了 **2** 减弱 jiǎnruò; 安定 āndìng; 寂静 jìjìng; 安静 ānjìng ¶마침내 사람들을 잦아들게 했다 终于使大家安静下来

잦아-지다[1] 자 **1** 干涸 gānhé; 干 gān; 慢慢减小 mànmàn jiǎnxiǎo **2** 减弱 jiǎnruò; 安定 āndìng; 寂静 jìjìng; 安静 ānjìng

잦아-지다[2] 자 频繁 pínfán; 频烦 pínfán ¶대외적 교류가 나날이 ~ 对外交流日趋频繁

잦은-걸음 명 碎步儿 suìbùr; 快步 kuàibù ¶~으로 걷다 走碎步儿

재[1] 명 灰 huī; 灰烬 huījìn; 炉灰咋儿 lúhuīzhàr ¶난로 ~ 炉灰

재가 되다 구 落空

재[2] 명 岭 lǐng; 山冈 shāngāng; 山岭 shānlǐng

재(齋) 명 『佛』 供 gòng; 供品 gòngpǐn ¶부모님 제사를 위해 ~를 준비하다 为了父母的祭祀, 准备供品

재:-(再) 접두 再 zài; 再次 zàicì; 第二次 dì'èrcì; 重 chóng; 重新 chóngxīn ¶~교육 再教育 / ~검토 重新检查 / ~활용 再使用 / ~방송 重播 / ~배치 重新分配 / ~평가 重新估计 / ~확인 再次核实 / ~발견 重新发现 / ~분류 重新分类 / ~분배 重新分配 / ~조명 重新审查 / ~구성 重新构成

재:-(在) 접두 在 zài; 驻 zhù ¶~향 在家乡 / ~일 驻日 / ~경 향우회 在京同乡会

재:가(再嫁) 명하자 = 개가(改嫁)

재간(才幹) 명 才干 cáigàn; 才能 cáinéng; 能耐 néngnai; 擅长 shàncháng; 手腕(儿) shǒuwàn(r) ¶~을 발휘하다 发挥才干

재:간(再刊) 명하타 『印』 再刊 zàikān; 重刊 chóngkān; 再版 zàibǎn ¶~ 발행하다 再版发行 / ~을 준비하다 准备再版

재갈 명 嚼子 jiáozi; 笼嘴 lóngzui; 马嚼子 mǎjiáozi ¶~을 물리다 带上笼嘴

재:개(再開) 명하타 重开 chóngkāi; 重新开始 chóngxīn kāishǐ; 重新进行 chóngxīn jìnxíng ¶교섭을 ~하다 重开谈判

재:-개발(再開發) 명하타 重新开发 chóngxīn kāifā; 再开发 zài kāifā ¶~ 지역 重新开发地区 / 대규모 ~ 사업을 추진하다 将进行大规模的重新开发工程

재:건(再建) 명하타 再建 zàijiàn; 重建 chóngjiàn; 重修 chóngxiū; 再造 zàizào; 改建 gǎijiàn ¶기차역 ~ 火车站改建

재:-검사(再檢査) 명하타 返检 fǎnjiǎn; 复查 fùchá ¶~를 하다 进行复查

재:-결합(再結合) 명하자 再结合 zàijiéhé; 重新相聚 chóngxīn xiāngjù; 复婚 fùhūn ¶남북 이산가족이 ~하다 南北离散家属重新相聚

재경(財經) 명 财经 cáijīng ¶~ 위원회 财经委员会

재계(財界) 명 财界 cáijiè; 工商界 gōngshāngjiè ¶~ 지도자 财界领导人

재:고(再考) 명하타 再考虑 zài kǎolǜ; 重新考虑 chóngxīn kǎolǜ ¶~의 여지가 없다 没有重新考虑的余地

재:고(在庫) 명 = 재고품

재:고-품(在庫品) 명 库存 kùcún; 存货 cúnhuò; 库存商品 kùcún shāngpǐn = 재고(在庫)

재:교(再校) 명하타 『印』 二校 èrjiào

재:귀(再歸) 명하자 复归 fùguī; 回返 huífǎn; 返回 fǎnhuí; 回归 huíguī ¶연어는 태어난 강으로 ~한다 鲑鱼返回出生的江

재:귀 대:명사(再歸代名詞) 『語』 反身代词 fǎnshēn dàicí

재:귀 동:사(再歸動詞) 『語』 反身动词 fǎnshēn dòngcí

재규어(jaguar) 명 『動』 美洲豹 měizhōubào; 美洲虎 měizhōuhǔ

재기(才氣) 명 才气 cáiqì; 灵气 língqì ¶~가 넘치다 才气横溢

재:기(再起) 명하자 再起 zàiqǐ; 东山再起 Dōngshānzàiqǐ ¶~ 불능 再起不能 / 저는 당신이 ~하기를 희망합니다

我希望你东山再起

재깍[1] 부 快速地 kuàisùde; 干脆地 gāncuìde; 顺利地 shùnlìde; 果断地 guǒduànde ¶~ 대답하다 快速地回答

재깍[2] 부하자타 1 咔嚓 kāchā; 咔哒 kādā; 喀哒 kādā ¶~하고 나무문이 잠겼다 咔哒地锁上了木板门 2 (钟表) 滴答 dīdā; 嘀嗒 dīdā

재깍-거리다 자타 1 咔嚓咔嚓地响 kāchākāchāde xiǎng; 咔咔哒哒地响 kākadādāde xiǎng 2 滴滴答答地响 dīdīdādāde xiǎng; 嘀嘀嗒嗒地响 dīdidādāde xiǎng ‖ = 재깍대다 **재깍-재깍** 부하자타 ¶이 자명종은 여전히 ~ 울리고 있다 这闹钟还滴滴答答地响

재난(災難) 명 灾难 zāinàn; 灾祸 zāihuò; 灾患 zāihuàn; 不幸 bùxìng; 灾害 zāihài; 祸患 huòhuàn; 劫难 jiénàn; 祸殃 huòyāng; 灾 zāi; 厄 è; 难 nàn; 患 huàn; 劫 jié ¶불의의 ~ 不虞之祸 / ~을 당하다 遭受灾难

재능(才能) 명 本事 běnshi; 本领 běnlǐng; 才能 cáinéng; 才华 cáihuá; 才力 cáilì; 才情 cáiqíng; 材 cái; 身手 shēnshǒu; 才干 cáigàn ¶잠재적 ~ 潜在才能 / ~을 펼치다 施展才能 / ~을 드러내다 才华显露出来

재:다[1] 자 夸耀 kuāyào; 大模大样 dàmúdàyàng ¶잴 만한 일 值得夸耀的事

재:다[2] 타 1 量 liáng; 试 shì; 测 cè; 计量 jìliàng; 测量 cèliáng ¶키를 ~ 量身高 2 打量 dǎliang; 衡量 héngliang; 估量 gūliáng; 考虑 kǎolǜ

재:다[3] 타 堆积 duījī; 堆起来 duīqǐlái; 叠起来 diéqǐlái = 쟁이다 ¶고기를 산같이 ~ 把肉堆积如山

재:다[4] 형 1 敏捷 mǐnjié; 灵 líng ¶잰 걸음 敏捷的脚步 / 반응이 ~ 反应敏捷 2 快嘴快舌 kuàizuǐkuàishé

재단(財團) 명 〖法〗 财团 cáituán; 基金会 jījīnhuì ¶~ 법인 财团法人 / 장학 ~ 奖学基金会

재단(裁斷) 명하타 = 마름질 ¶~사 裁衣匠 / 수많은 조각으로 ~하다 裁剪成许多碎片

재덕-겸비(才德兼備) 명하자 才德兼备 cáidéjiānbèi; 才全德备 cáiquándébèi ¶~한 학자 才德兼备的学者

재-떨이 명 烟灰缸 yānhuīgāng; 烟缸 yāngāng

재:래(在來) 명 传统 chuántǒng; 固有 gùyǒu; 原有 yuányǒu; 老式 lǎoshì; 土 tǔ ¶~ 문화 固有文化 / ~ 시설 陈旧的设备 / ~종 土种

재:래-식(在來式) 명 旧式 jiùshì; 老式 lǎoshì; 传统 chuántǒng; 土 tǔ; 常规 chángguī ¶~ 아파트 旧式公寓 / ~ 교육 旧式教育 / ~ 주방 传统厨房

재량(裁量) 명하타 酌量 zhuóliáng; 斟酌 zhēnzhuó

재력(財力) 명 财力 cáilì; 资力 zīlì ¶막강한 ~이 있다 有雄厚的财力

재롱(才弄) 명 逗笑儿 dòuxiàor; 逗 dòu ¶강아지가 ~을 떨다 小狗在逗笑儿

재료(材料) 명 1 材料 cáiliào; 材质 cáizhì; 物料 wùliào; 质料 zhìliào; 材 cái; 料(儿) liào(r) ¶건축 ~ 建筑材料 2 题材 tícái; 素材 sùcái ¶강의의 좋은 ~ 讲演的好素材

재:림(再臨) 명하자 〖宗〗 再次来临 zàicì láilín; 再临 zàilín ¶구세주의 ~ 救主再临

재목(材木) 명 1 材木 cáimù; 木料 mùliào; 木头 mùtou 2 人才 réncái; 人材 réncái ¶국가가 절실히 필요로 하는 ~ 国家急需的人材 / ~을 양성하다 培养人材

재무(財務) 명 财务 cáiwù ¶~를 담당하다 担任财务

재물(財物) 명 财物 cáiwù; 财 cái ¶~을 모으다 存财

재미 명 1 趣 qù; 乐趣 lèqù; 趣味 qùwèi; 兴趣 xìngqù; 意思 yìsi; 味道 wèidao; 意味 yìwèi; 味(儿) wèi(r); 来头(儿) láitou(r); 劲 jìn ¶더 ~가 있다 更有意思 / 갈수록 ~가 있다 越发来劲 / ~를 느끼다 感兴趣 2 收获 shōuhuò; 好结果 hǎo jiéguǒ; 输入 shūrù ¶~가 쏠쏠한 장사 收获好的生意 3 (生活) 情况 qíngkuàng ¶요즘 ~가 어떤가? 你最近情况怎么样?

재미-나다 자 带劲(儿) dàijìn(r); 有劲(儿) yǒujìn(r); 有意思 yǒu yìsi; 有趣(儿) yǒuqù(r); 有兴致 yǒu xìngzhì ¶재미나는 만화 영화 有趣的卡通片

재미-없다 형 1 没意思 méi yìsi; 没劲(儿) méijìn(r); 没趣(儿) méiqù(r); 干燥 gānzào ¶이 일은 정말 ~ 这番工作真没意思 2 没好结果 méi hǎo jiéguǒ; 有害 yǒuhài

재미-있다 형 有意思 yǒu yìsi; 有趣(儿) yǒuqù(r); 有劲(儿) yǒujìn(r); 入味(儿) rùwèi(r); 好玩儿 hǎowánr; 逗 dòu; 来劲(儿) láijìn(r) ¶할수록 ~ 越干越有劲 / 재미있게 놀다 玩得来劲 / 이 영화는 참 ~ 这部电影真有意思

재:발(再發) 명하자타 再起 zàiqǐ; 复发 fùfā; 复犯 fùfàn ¶~ 환자 复发病人 / 심장병이 ~하다 心脏病复发

재:배(栽培) 명하타 栽培 zāipéi; 种植 zhòngzhí; 培植 péizhí; 栽种 zāizhòng; 培育 péiyù ¶수경 ~ 水耕栽培 / 우수한 면화 품종을 ~해 내다 培育出一批棉花优良品种

재벌(財閥) 명 〖經〗 财阀 cáifá ¶~ 그

륨 财阀集团
재:범(再犯) 명하타 **1** 再犯 zàifàn ¶~을 막다 防止再犯 **2**〖法〗再犯 zàifàn
재봉(裁縫) 명하타 缝纫 féngrèn; 裁缝 cáiféng ¶~사 裁缝匠 =[裁缝]/~ 기술 裁缝手艺
재봉-틀(裁縫—) 명 缝纫机 féngrènjī = 미싱
재-빠르다 형 快捷 kuàijié; 轻捷 qīngjié; 迅速 xùnsù; 神速 shénsù; 利索 lìsuo; 利落 lìluo ¶동작이 ~ 手脚利落/재빠르게 현장에 가다 迅速赶到现场 **재빨리** 부
재산(財産) 명 财产 cáichǎn; 财富 cáifù; 财物 cáiwù; 资产 zīchǎn; 财 cái ¶기업 ~ 企业财产/법인 ~ 法人财产/무형 ~ 无形财富/~가 资产家 =[财主][富翁][富人]/~권 财产权 =[产权][财权]/~ 상속 财产继承
재:삼(再三) 부 再三 zàisān; 三番两次 sānfānliǎngcì; 几次三番 jǐcìsānfān; 再三再四 zàisānzàisì ¶~ 설득하다 再三劝说/~ 당부하다 再三叮咛
재색(才色) 명 才貌 cáimào ¶~을 겸비하다 才貌双全 =[才貌两佳][才貌俱全]/~이 출중하다 才貌出众
재:생(再生) 명하자타 **1** 再生 zàishēng; 复生 fùshēng; 重生 chóngshēng; 复苏 fùsū; 修复 xiūfù; 复活 fùhuó ¶~의 길 重生之路 **2** 再生 zàishēng; 更生 gēngshēng ¶~고무 再生橡胶/~솜 更生棉/~ 에너지 再生能源/~지 更生纸/~품 再生品 **3** 再现 zàixiàn
재:선(再選) 명하자타 再度当选 zàidù dāngxuǎn; 再次被选 zàicì bèixuǎn; 连选 liánxuǎn ¶총통으로 ~되다 再度当选总统
재:-선거(再選擧) 명하타〖法〗重新选举 chóngxīn xuǎnjǔ; 改选 gǎixuǎn ¶~를 요구하다 要求重新选举
재:소-자(在所者) 명〖法〗在场者 zàichǎngzhě; 在押犯 zàiyāfàn
재:수(再修) 명하타 复读 fùdú ¶~생 复读生/올해 ~한 것은 결국 헛된 공부가 아니었다 这一年复读总算没白读
재수(財數) 명 运气 yùnqi; 幸运 xìngyùn; 手气 shǒuqì ¶~가 좋다 运气好/~가 좋지 않다 手气不佳/~를 시험해 보다 试试手气 =[碰运气]
재수 없는 놈은 (뒤로) 자빠져도 코가 깨진다 속담 = 자빠져도 코가 깨진다
재수가 옴 붙었다[붙다] 속담 运败如长疥
재:-수술(再手術) 명하타 再次手术 zàicì shǒushù; 重做手术 chóng zuò shǒushù
재스민(jasmine) 명〖植〗茉莉 mòlì ¶~꽃 茉莉花/~차 茉莉花茶
재:-시험(再試驗) 명하타 **1** 重考 chóngkǎo; 复考 fùkǎo ¶시험지에 문제가 있어서 우리는 어쩔 수 없이 ~을 치렀다 因考试卷有问题, 我们不得不复考了 **2** 补考 bǔkǎo
재:심(再審) 명하타〖法〗再审 zàishěn ¶~을 청구하다 请求再审 =[要求再审]/~ 판결이 나다 作出再审判决
재:-심사(再審査) 명하타 重新审查 chóngxīn shěnchá; 再次审查 zàicì shěnchá; 复核 fùhé ¶이 결정을 ~하다 重新审查这一决定
재앙(災殃) 명 祸患 huòhuàn; 祸殃 huòyāng; 灾殃 zāiyāng; 灾祸 zāihuò ¶~을 당하다 遭受灾殃
재:야(在野) 명하자 在野 zàiyě ¶~ 인사 在野人士
재:연(再演) 명하타 重演 chóngyǎn; 返场 fǎnchǎng; 搬演 bānyǎn ¶비극이 ~되는 것을 막다 以防悲剧重演
재:외(在外) 명 在外 zàiwài; 海外 hǎiwài; 国外 guówài ¶~ 동포 海外同胞
재우다[1] 타 让…睡觉 ràng…shuìjiào 《'자다[1]' 的使动词》 ¶아이를 제때 ~ 让宝宝按时睡觉
재우다[2] 타 浸 jìn; 腌 yān ¶소고기를 ~ 腌牛肉
재운(財運) 명 财运 cáiyùn; 财气(儿) cáiqì(r) ¶~이 형통하다 财运亨通/~이 도래할 것이다 将财运临门
재원(才媛) 명 才女 cáinǚ; 才媛 cáiyuán
재원(財源) 명 财源 cáiyuán ¶지방 ~ 地方财源
재:위(在位) 명하자 在位 zàiwèi ¶~ 기간 在位期间
재:임(在任) 명하자 任职 rènzhí; 在任 zàirèn; 在位 zàiwèi ¶~ 기간 在任期间
재자-가인(才子佳人) 명 才子佳人 cáizǐjiārén
재:-작년(再昨年) 명 前年 qiánnián = 전전년
재잘-거리다 자 喋喋 diédié; 刺刺不休 cìcìbùxiū; 絮叨 xùdao = 재잘대다 ¶재잘거리는 두 사람이 뒤에 있어 나는 정말 견디기 힘들다 喋喋不休的两个人在身后, 我实难忍受 **재잘-재잘** 부하자
재:적(在籍) 명하자 在编 zàibiān; 在册 zàicè ¶~생 在册生/~ 인원 在编人员
재정(財政) 명〖經〗**1** 经济状况 jīngjì zhuàngkuàng ¶~ 상태가 좋지 않다 经济状况不佳 **2** 财政 cáizhèng ¶~ 수입 财政收入/~ 예산 财政预算
재주 명 **1** 本领 běnlǐng; 本事 běnshi;

才能 cáinéng; 功夫 gōngfu; 才干 cáigàn; 手艺 shǒuyì ¶~가 뛰어나다 才干出众 / ~를 겨루다 比本事 2 计谋 jìmóu; 计策 jìcè; 机灵 jīling; 着数 zhāoshù ¶온갖 ~를 부리다 耍尽种种计谋

재주-꾼 명 能手 néngshǒu; 硬手(儿) yìngshǒu(r)

재주-넘다 자 翻跟头 fān gēntou

재:중(在中) 명 在内 zàinèi; 内有 nèiyǒu ¶사진 ~ 照片在内

재즈(jazz) 명 〖音〗 爵士乐 juéshìyuè; 爵士 juéshì ¶~곡 爵士舞曲 / ~ 밴드 爵士乐团 / ~ 음악회 爵士音乐会

재:직(在職) 명하자 任职 rènzhí; 在职 zàizhí ¶~ 기간 在职期间 / ~ 노동자 비율 在职工人之比

재질(材質) 명 材质 cáizhì; 质地 zhìdì ¶~이 견고하다 材质坚实 / ~이 우수하다 质地优良 / 서로 다른 ~을 사용하다 采用不同材质

재:차(再次) 명부 再次 zàicì; 再 zài; 再一次 zài yīcì; 再度 zàidù; 一而再地 yī'érzàide; 重 chóng; 重新 chóngxīn; 重又 chóngyòu ¶~ 증명하다 再次证明

재:창(再唱) 명하자 再唱 zàichàng

재채기 명하자 喷嚏 pēntì; 嚏喷 tìpen ¶~하다 打喷嚏

재:천(在天) 명 1 在上天 zài shàngtiān; 在天空 zài tiānkōng ¶~의 영령이시여! 在上天的英灵! 2 由天 yóutiān; 在天 zàitiān ¶인명은 ~이다 人命在天

재:-천명(再闡明) 명하자타 再阐明 zài chǎnmíng ¶자신의 관점을 ~하다 再阐明自己的观点

재첩 명 〖貝〗 河蚬 héxiǎn

재:청(再請) 명하자타 1 再次请求 zàicì qǐngqiú 2 赞同 zàntóng

재촉 명하타 催促 cuīcù; 督促 dūcù; 催逼 cuībī; 催迫 cuīpò ¶빨리 떠날 것을 ~하다 催迫快走

재치(才致) 명 灵机 língjī; 机巧 jīqiǎo; 心眼儿 xīnyǎnr; 灵巧 língqiǎo ¶정말 ~있게 설명했다 解释得真机巧

재킷(jacket) 명 1 夹克 jiākè; 茄克 jiākè ¶가죽 ~ 皮夹克 / 청 ~ 牛仔夹克 2 (唱片的) 套 tào; 护封 hùfēng

재:탕(再湯) 명하타 1 〖韓醫〗 二煎 èrjiān; 再熬 zài'áo; 二和 èrhuò 2 炒冷饭 chǎolěngfàn

재:택-근무(在宅勤務) 명하자 在家办公 zàijiā bàngōng

재-테크(財tech) 명 〖經〗 理财 lǐcái ¶법에 준하여 ~하다 依法理财 / ~에 능하다 善于理财

재:판(再版) 명하타 〖印〗 再版 zàibǎn; 重印 chóngyìn; 重版 chóngbǎn

재판(裁判) 명하타 1 裁断 cáiduàn 2 〖法〗 审判 shěnpàn; 审理 shěnlǐ; 裁判 cáipàn; 提审 tíshěn ¶~관 审判官 / ~장 审判长

재:-판매(再販賣) 명하타 转售 zhuǎnshòu; 再售 zàishòu

재판-소(裁判所) 명 〖法〗 1 审判所 shěnpànsuǒ 2 = 법원

재판-정(裁判廷) 명 〖法〗 = 법정(法廷)

재:편(再編) 명하타 = 재편성

재:-편성(再編成) 명하타 改组 gǎizǔ; 再整编 zàizhěngbiān; 再收编 zàishōubiān = 재편 ¶권력의 ~ 权力的改组

재:학(才學) 명 才学 cáixué ¶~을 겸비하다 才学兼备

재:학(在學) 명하자 上学 shàngxué; 在校 zàixiào ¶~생 在校生 / 슬하에 ~중인 아이 두 명이 있다 膝下有两个上学的孩子

재해(災害) 명 灾害 zāihài; 灾 zāi; 灾祸 zāihuò ¶~ 보상 灾害补偿 / 자연 ~를 당하다 遭受自然灾害 / ~가 빈번하다 灾祸频繁 / ~를 예방하다 预防灾害

재:향 군인(在鄕軍人) 〖軍〗 退伍军人 tuìwǔ jūnrén

재:현(再現) 명하자타 再现 zàixiàn; 重现 chóngxiàn; 再出现 zài chūxiàn ¶예술 형상을 생동감 있게 ~했다 生动地再现了艺术形象

재:혼(再婚) 명하자 再婚 zàihūn; 二婚 èrhūn ¶아이를 위해 ~을 결심하다 为了孩子决定二婚

재화(財貨) 명 〖經〗 财货 cáihuò; 财物 cáiwù; 钱财 qiáncái; 财帛 cáibó ¶~가 부족하다 缺少财货 / ~를 잘 보관하다 保管好财物

재:활(再活) 명하자타 再生 zàishēng; 重生 chóngshēng; 复活 fùhuó ¶간세포의 ~을 촉진시키다 促进肝细胞再生 / 역경 중에서 ~하다 在逆境中重生

재:회(再會) 명하자 再会 zàihuì; 重逢 chóngféng ¶오랫동안 헤어졌다가 ~하다 久别重逢

잼(jam) 명 果酱 guǒjiàng; 果子酱 guǒzijiàng; 酱 jiàng ¶딸기~ 草莓果酱 / 빵에 ~을 바르다 把果酱涂在面包上

잼버리(jamboree) 명 〖社〗 童子军大会 tóngzǐjūn dàhuì; 强普利 qiángpǔlì

잽(jab) 명 〖體〗 (拳击中) 刺拳 cìquán ¶왼손 ~이 여러 차례 상대를 맞히지 못했다 左手刺拳多次打不中对方

잽-싸다 형 快当 kuàidang; 麻利 máli; 快捷 kuàijié; 轻捷 qīngjié; 迅速 xùnsù ¶일하는 것이 아주 ~ 办事非常快当 / 잽싸게 만두를 쌌다 麻利地包起了饺子

잿-더미 명 1 灰烬 huījìn 2 废墟 fèixū ¶도시가 전쟁의 ~로 변했다 都市化为战争的废墟
잿-밥(齋—) 명 〖佛〗斋饭 zhāifàn; 祭品 jìpǐn; 供品 gòngpǐn
잿-빛 명 灰色 huīsè; 灰 huī; 暗灰色 ànhuīsè ¶~ 하늘 灰色天空 / 창밖이 온통 ~이다 窗外一片暗灰色
쟁그랑 부하자타 玎玲 dīnglíng; 当啷 dānglāng; 哐啷 kuānglāng
쟁그랑-거리다 자타 玎玲玎玲响 dīnglíngdīnglíng xiǎng; 当啷当啷响 dānglāngdānglāng xiǎng; 哐啷哐啷响 kuānglāngkuānglāng xiǎng = 쟁그랑대다 **쟁그랑-쟁그랑** 부하자타
쟁기 명 〖農〗犁 lí ¶~질 犁地
쟁론(爭論) 명하자 争论 zhēnglùn; 争辩 zhēngbiàn ¶격렬한 ~ 激烈争论
쟁반(錚盤) 명 盘子 pánzi; 盘(儿) pán(r); 托盘 tuōpán ¶요리 ~ 菜盘子 / ~을 받치고 들어오다 捧着托盘进来
쟁의(爭議) 명하자 〖社〗争议 zhēngyì; 纠纷 jiūfēn; 风潮 fēngcháo ¶~권 争议权 / ~를 일으키다 引起争议
쟁이다 타 = 재다[3]
쟁쟁(錚錚) 부하형 锵 qiāng; 玎玲 dīnglíng ¶갑자기 낙타 방울 소리가 ~ 울렸다 忽然传来玎玲儿下驼铃声
쟁쟁-하다(琤琤—) 형 1 脆响 cuìxiǎng; 响脆 xiǎngcuì; 清脆 qīngcuì; 嘹亮 liáoliàng 2 回响 huíxiǎng; 回荡 huídàng **쟁쟁-히** 부
쟁쟁-하다(錚錚—) 형 响当当 xiǎngdāngdāng ¶쟁쟁한 기업가 响当当的企业家 / 쟁쟁한 배경 响当当的背景
쟁점(爭點) 명 争端 zhēngduān; 争论焦点 zhēnglùn jiāodiǎn ¶주요 ~ 主要争端
쟁취(爭取) 명하타 争取 zhēngqǔ; 夺取 duóqǔ ¶권력을 ~하다 争取权力 / 승리를 ~하다 争取胜利
쟁탈(爭奪) 명하타 争夺 zhēngduó; 争抢 zhēngqiǎng ¶~전 争夺战 / 왕위를 ~하다 争夺王位 / 독점적 지위를 ~하다 争夺垄断地位
저[1] 대 1 我 wǒ; 愚 yú; 在下 zàixià; 区区 qūqū ¶~를 데리고 가 주세요 请您带我去 2 他自己 tā zìjǐ; 她自己 tā zìjǐ **저 먹자니 싫고 남[개] 주자니 아깝다** 속담 食之无味, 弃之可惜
저[2] ㊀대 那 nà; 那个 nàge ㊁관 那 nà; 那个 nàge ¶~거 那个 / ~ 사람 那个人
저:[3] 감 哎 āi; 嗯 ēn ¶~, 사실은 嗯, 其实
저:(著) 명 著 zhù; 著作 zhùzuò
저:-(低) 접두 低 dī ¶~혈압 低血压 / ~금리 低息 =[低利] / ~소득 가정 低收入家庭 / ~임금 低工资 / ~자세 低姿势 / ~층 低层 / ~학년 低年级 =[低学年]
저:가(低價) 명 = 싼값 ¶최~ 最低价 / ~ 판매 廉价出售
저-것 대 1 那个 nàge; 那 nà ¶~은 우리 집이다 那是我家 2 那家伙 nà jiāhuo ¶~도 남자야? 那家伙也算个男人吗? 3 那孩子 nà háizi ¶~이 곧 학교에 간답니다 那孩子快上学了
저:격(狙擊) 명하타 狙击 jūjī; 枪击 qiāngjī ¶~수 狙击兵 =[狙击手] / 적을 ~하다 狙击敌人
저고리 명 (韩服的) 短上衣 duǎnshàngyī; 袄 ǎo; 赤古里 chìgǔlǐ
저-곳 대 那儿 nàr; 那里 nàli; 那边 nàbian
저:금(貯金) 명하타 存款 cúnkuǎn; 存钱 cúnqián; 积蓄 jīxù; 储款 chǔkuǎn; 存银 cúnyín; 储金 chǔjīn; 储币 chǔbì ¶다년간 7만여 위안을 ~하였다 多年积蓄7万多元
저:금-통(貯金筒) 명 储钱罐 chǔqiánguàn; 闷葫芦罐儿 mènhúluguànr
저:금-통장(貯金通帳) 명 存单 cúndān; 存折 cúnzhé; 存款折 cúnkuǎnzhé; 存款单 cúnkuǎndān
저기 대 那儿 nàr; 那里 nàli; 那边 nàbian ¶~가 보아라! 你去那儿吧!
저:-기압(低氣壓) 명 1 〖地理〗低压 dīyā; 低气压 dīqìyā = 저압3 2 低沉 dīchén; 沉闷 chénmèn; 低落 dīluò; 不舒服 bùshūfu; 懊恼 àonǎo; 不愉快的 bùyúkuàide ¶오늘 사장님은 ~이다 今天老板很低沉
저-까짓 관 那么点儿 nàmediǎnr; 那么样的 nàmeyàngde ¶~ 돈 那么点儿钱 / ~ 걸 마시고 취했다고? 喝了那么点儿就醉了呀?
저-나마 부 连那个 lián nàge
저-냥 부 就那样(儿) jiù nàyàng(r); 就那么 jiù nàme
저널(journal) 명 报刊 bàokān; 杂志 zázhì; 定期刊物 dìngqī kānwù
저널리스트(journalist) 명 记者 jìzhě; 新闻工作者 xīnwén gōngzuòzhě; 报人 bàorén; 报刊撰稿人 bàokān zhuàngǎorén
저널리즘(journalism) 명 新闻工作 xīnwén gōngzuò; 报刊出版 bàokān chūbǎn
저녁 명 1 晚上 wǎnshang; 晚 wǎn; 晚间 wǎnjiān 2 = 저녁밥
저녁-때 명 1 傍晚时分 bàngwǎn shífēn; 晚间 wǎnjiān; 夕 xī; 向晚 xiàngwǎn ¶우리 마을이 가까워졌을 때 이미 ~가 되었다 临近我们村子的时候, 已经傍晚时分了 2 吃晚饭的时候 chī-

wǎnfànde shíhou
저녁-밥 명 晚餐 wǎncān; 晚饭 wǎnfàn = 저녁2
저:능-아(低能兒) 명 低能儿 dīnéng'ér; 弱智儿童 ruòzhì értóng
저-다지 부 那样(儿) nàyàng(r); 那么 nàme = 저리도 ¶저 사람은 왜 ~ 화를 낼까? 他干吗那么生气?
저:당(抵當) 명하자타 〖法〗 抵押 dǐyā; 典押 diǎnyā; 典当 diǎndàng ¶~권 抵押权 =[典当权] / ~물 抵押品 / 시계를 ~으로 남기다 留下手表作抵押 / 재산을 ~ 잡다 抵押财产
저-대로 부 就那样(儿) jiù nàyàng(r) ¶~ 두었다간 그는 자연스레 왕따 당할 거야 就那样放任的话, 他自然会孤立又没有市场了
저돌-적(豬突的) 관명 鲁莽 lǔmǎng; 冒失 màoshi; 胡来 húlái; 莽撞 mǎngzhuàng; 横冲直撞 héngchōngzhízhuàng ¶일하는 게 ~이다 办事鲁莽
저-따위 관대 那类 nàlèi; 那伙 nàhuǒ; 那种 nàzhǒng; 那样的 nàyàngde ¶~ 녀석이 알긴 쥐뿔을 알아! 那伙人懂个屁呀!
저런[1] 관 那样的 nàyàngde; 那种 nàzhǒng ¶~ 사람은 절대 안 된다 那种人绝对不行
저런[2] 감 嗬 hē; 啊 ā; 哎呀 āiyā; 天啊 tiān'a ¶~, 너무 심하다 嗬, 好厉害
저렇다 형 那样(儿) nàyàng(r); 那个样子 nàge yàngzi ¶젊은 사람들은 다 ~ 年轻人都那样
저:력(底力) 명 潜力 qiánlì; 潜能 qiánnéng; 底气 dǐqì ¶시장의 ~ 市场潜力 / ~이 있다 具有潜力
저:렴-하다(低廉—) 형 廉价 liánjià; 低廉 dīlián; 便宜 piányi ¶저렴한 수입품 廉价进口品 / 판매 가격이 ~ 售价低廉
저리 부 **1** 那样(儿) nàyàng(r) ¶왜 오는 게 항상 ~ 늦을까? 为什么总来的那样迟 **2** 往那边 wǎng nàbian; 到那边 dào nàbian; 往那儿 wǎng nàr; 到那儿 dào nàr ¶~로 가세요 往那边走
저리다 형 酥麻 sūmá; 麻木 mámù; 木 mù; 麻 má; 发木 fāmù; 麻酥酥(的) másūsū(de) ¶손까지 ~ 手都麻了
저리-도 부 = 저다지
저리-하다 타 那么做 nàme zuò ¶모든 사람이 다 ~ 每个人都那么做 / 왜 저리하려는 것이냐? 为什么要那么做?
저릿-하다 형 有点麻 yǒudiǎn má ¶입술이 ~ 嘴唇有点麻 / 마음이 저릿한 것 같다 心好像有点麻
저-마다 부명 各自 gèzì; 自己 zìjǐ; 个个 gègè ¶우리는 모두 ~의 생활이 있다 我们都有我们自己的生活
저만저만-하다 형 **1** 普通 pǔtōng; 一般的 yībānde ¶저만저만한 정도가 아닌 것 같다 看来不是一般的程度 **2** 就是那个样子 jiùshì nàge yàngzi ¶그 사람 수준은 ~ 人家的水平就是那个样子
저-만치 부명 = 저만큼
저-만큼 부명 那么 nàme; 那样(儿) nàyàng(r); 像那样 xiàng nàyàng; 那么点儿 nàmediǎnr; 那么多 nàme duō; 那么高 nàme gāo; 那么大 nàme dà; 那个程度 nàge chéngdù = 저만치
저만-하다 형 那么 nàme; 那样(儿) nàyàng(r); 像那样 xiàng nàyàng; 那么点儿 nàmediǎnr; 那么多 nàme duō; 那么高 nàme gāo; 那么大 nàme dà; 那个程度 nàge chéngdù
저맘-때 명 那个时候 nàge shíhou ¶아이들은 ~에 다 말을 할 수 있다 小孩子到那个时候都会说话的
저:명(著名) 명하형 著名 zhùmíng; 驰名 chímíng; 知名 zhīmíng; 数得着 shǔdezháo ¶~한 경제학자 著名经济学家 / 중국 국내외에서 ~하다 驰名中外
저물다 자 **1** 日暮 rìmù; 落黑 luòhēi; 天黑 tiānhēi ¶날이 저물어서 돌아오다 日暮而归 / 날이 이미 저물었다 天已落黑 **2** 到年底 dào niándǐ; 过去 guòqù ¶해가 저물 때까지 계속 기다리다 一直等到年底
저물-도록 부 到天黑 dào tiānhēi; 到日暮 dào rìmù ¶아침부터 ~ 걸었다 从早上走到天黑
저미다 타 切 qiē; 削 xuē; 批 pī; 割 gē ¶고기를 얇게 ~ 切肉片儿
저-버리다 타 负 fù; 亏负 kuīfù; 亏 kuī; 辜负 gūfù; 忘记 wàngjì ¶기대를 ~ 辜负期望 / 약속을 ~ 忘记诺言
저벅 부하자 咯噔 gēdēng
저벅-거리다 자 咯噔咯噔响 gēdēnggēdēng xiǎng = 저벅대다 ¶저벅거리는 군화 소리 咯噔咯噔响的军靴声 **저벅-저벅** 부하자
저:번(這番) 명 那回 nàhuí; 上一次 shàngyīcì ¶~보다 더욱 좋다 比上一次更好
저변(底邊) 명 底层 dǐcéng
저:서(著書) 명 著书 zhùshū; 著作 zhùzuò ¶많은 ~를 남기다 留下许多著书
저:속(低俗) 명하형 庸俗 yōngsú; 猥亵 wěixiè; 低俗 dīsú; 粗鄙 cūbǐ; 粗俗 cūsú ¶~한 읽을거리 庸俗的读物 / ~하게 대답하다 猥亵地回答
저:속(低速) 명 低速 dīsù; 慢速 mànsù ¶~ 주행 慢速行驶
저:수-지(貯水池) 명 水库 shuǐkù; 蓄水池 xùshuǐchí; 水池 shuǐchí
저:술(著述) 명하타 著述 zhùshù; 撰

述 zhuànshù; 撰著 zhuànzhù; 纂述 zuǎnshù ¶ ~가 著述家 =[撰述家] / 역사서를 ~하다 撰著史书

저승 명 黄泉 huángquán; 冥府 míngfǔ; 阴间 yīnjiān; 泉下 quánxià; 地府 dìfǔ = 황천

저:압(低壓) 명 **1** 低压力 dīyālì; 低气压 dīqìyā **2** 〖電〗 低压 dīyā; 低电压 dīdiànyā ¶ ~ 전류 低压电流 / ~ 전자제품 低压电器 **3** 〖地理〗 = 저기압1

저:온(低溫) 명 低温 dīwēn ¶ ~ 처리 低温处理

저울 명 秤 chèng ¶ ~눈 秤星 / ~대 秤杆 / ~추 秤锤 =[秤砣] / ~판 秤盘子 / 전자~ 电子秤

저울-질 명하타 **1** 过秤 guòchèng; 称 chēng **2** 掂量 diānliang; 比较 bǐjiào ¶ 자세하게 ~을 한번 하다 细细掂量一番

저:음(低音) 명 低音 dīyīn = 낮은음

저:의(底意) 명 用心 yòngxīn; 居心 jūxīn; 存心 cúnxīn; 内心 nèixīn; 底 dǐ; 作用 zuòyòng ¶ 또 다른 ~가 있다 还别有用心 / 그의 ~가 어디 있느냐? 他的居心何在?

저-이 대 **1** 那个人 nàge rén; 那位 nàwèi ¶ ~가 왜 저래? 那个人为什么这样? **2** 我丈夫 wǒ zhàngfu; 我爱人 wǒ àiren

저:인-망(底引網) 명 〖水〗 拖网 tuōwǎng; 底拖网 dǐtuōwǎng ¶ ~ 어선 拖网渔轮 =[拖网船]

저-자(—者) 대 那个人 nàge rén ¶ ~는 뭐하는 사람인가? 那个人是干什么的?

저:자(著者) 명 著者 zhùzhě; 著作人 zhùzuòrén

저:작(著作) 명하타 著作 zhùzuò; 写作 xiězuò; 撰著 zhuànzhù; 修撰 xiūzhuàn; 文章 wénzhāng ¶ ~자 著作者 / ~물 著作物 / 우수한 ~ 优秀著作 / ~ 수준을 높이다 提高写作水平

저:작-권(著作權) 명 〖法〗 著作权 zhùzuòquán; 版权 bǎnquán ¶ ~을 침해하다 侵害著作权

저잣-거리 명 市井 shìjǐng; 闹市 nàoshì

저:장(貯藏) 명하타 储藏 chǔcáng; 储备 chǔbèi; 储存 chǔcún; 贮藏 zhùcáng; 蓄藏 xùcáng; 藏储 cángchǔ; 贮备 zhùbèi; 积存 jīcún; 存储 cúnchǔ; 存 cún; 储 chǔ; 贮 zhù; 蓄 xù; 藏 cáng; 囤聚 túnjù ¶ 양식 ~ 粮食储藏 / ~실 贮藏室

저-절로 부 自然 zìrán; 自然而然 zìrán'érrán; 自行 zìxíng; 自动 zìdòng; 不由得 bùyóude; 自己 zìjǐ; 自 zì; 不由自主 bùyóuzìzhǔ ¶ 감기가 ~ 나았다 感冒自然而然地就好了 / 그의 손이 ~ 떨렸다 他的手不由自主地颤抖了

저:조(低調) 명하형 **1** 低调 dīdiào **2** 低落 dīluò; 消沉 xiāochén; 低潮 dīcháo; 涩滞 sèzhì; 死气沉沉 sǐqìchénchén ¶ 사기 ~ 士气低落 **3** 低 dī; 不高 bùgāo; 不好 bùhǎo ¶ 기록이 ~하다 纪录不好 / 시청률이 ~하다 收视率很低

저:주(詛呪·咀呪) 명하타 咒 zhòu; 诅咒 zǔzhòu; 发咒 fāzhòu ¶ 침략자를 ~하다 诅咒侵略者

저지(沮止) 명하타 制止 zhìzhǐ; 阻拦 zǔlán; 拦 lán; 遮拦 zhēlán; 阻挡 zǔdǎng; 拦挡 lándǎng; 阻止 zǔzhǐ; 阻断 zǔduàn; 阻碍 zǔ'ài; 抵制 dǐzhì; 抵挡 dǐdǎng; 阻扰 zǔrǎo; 阻留 zǔliú; 遏止 èzhǐ; 截 jié; 截住 jiézhù; 阻截 zǔjié ¶ 자금의 유출을 ~하다 阻止资金外流 / 모든 유혹을 ~할 수 있다 能抵挡一切诱惑

저:-지대(低地帶) 명 洼地 wādì; 凹地 āodì ¶ 물에 잠긴 ~ 渍涝的低洼地区

저지레 명하타 闯祸 chuǎnghuò; 惹祸 rěhuò

저지르다 타 弄出来 nòngchūlái; 惹祸 rěhuò; 造成 zàochéng; 闯祸 chuǎnghuò; 犯 fàn; 干 gàn; 肇 zhào ¶ 일 저지르지 말게 不要惹祸 / 일을 잘 ~ 爱闯祸

저:질(低質) 명 低级 dījí; 劣质 lièzhì ¶ ~ 취미 低级趣味

저-쪽 대 那边 nàbian; 那里 nàli; 那儿 nàr; 彼 bǐ ¶ 옷을 ~에다 널어라 把衣服晾到那边去

저:촉(抵觸) 명하자 触动 chùdòng; 触犯 chùfàn; 违背 wéibèi; 违反 wéifǎn ¶ 개인 이익에 ~되다 触动个人利益 / 법률에 ~되다 违背法律

저:축(貯蓄) 명하타 储备 chǔbèi; 储存 chǔcún; 存钱 cúnqián; 积蓄 jīxù; 储蓄 chǔxù; 贮存 zhùcún; 贮备 zhùbèi; 储积 chǔjī; 积攒 jīzǎn; 积蓄 jīxù; 积贮 jīzhù ¶ 장기 ~ 长期贮存 / ~ 예금 储蓄存款

저:택(邸宅) 명 宅第 zháidì; 大住宅 dàzhùzhái; 宅院 zháiyuàn; 宅子 zháizi; 邸宅 dǐzhái ¶ 호화로운 ~ 豪华大第

저-편(—便) 명 **1** 那边 nàbian ¶ ~에 있는 집 在那边的家 **2** 那派 nàpài ¶ 나는 이편 ~ 나누는 것을 좋아하지 않는다 我不喜欢分这派那派的

저:하(低下) 명하자 降低 jiàngdī; 降落 jiàngluò; 下降 xiàjiàng ¶ 시력 ~ 视力下降 / 판매량이 ~되었다 销售量下降了

저:항(抵抗) 명하자 **1** 抵抗 dǐkàng; 反

抗 fǎnkàng; 对抗 duìkàng; 抗拒 kàngjù; 抵挡 dǐdǎng; 较劲(儿) jiàojìn(r) ¶ 무장 ~ 武装反抗 / ~ 문학 抵抗文学 / ~ 운동 抵抗运动 / ~할 수 없다 不可抗拒 **2** 〖物〗 阻抗 zǔkàng; 阻力 zǔlì **3** 〖物〗 电阻 diànzǔ

저해(沮害) 명하타 妨碍 fáng'ài; 阻碍 zǔ'ài; 作梗 zuògěng; 妨害 fánghài; 障碍 zhàng'ài ¶ 발전을 ~하다 阻碍发展

저희 대 **1** 我们 wǒmen 《'우리'的谦称》 ¶ ~들은 모두 선생님의 학생입니다 我们都是老师您的学生 **2** 他们 tāmen; 那些人 nàxiē rén ¶ ~끼리 나갔다 他们自己出去了

적 의명 …的时候 …de shíhou ¶ 나 어릴 ~ 我小的时候

적(敵) 명 **1** 仇人 chóurén; 仇家 chóujiā; 仇敌 chóudí; 冤头 yuāntóu; 冤家 yuānjia ¶ 나는 나의 ~을 용서할 수 없다 我不能原谅我的仇人 **2** 敌 dí; 敌人 dírén; 对手 duìshǒu; 敌手 díshǒu ¶ 경쟁의 ~ 竞争对手

적개-심(敵愾心) 명 敌忾 díkài; 仇恨 chóuhèn ¶ 공동의 적에게 ~을 불태우다 同仇敌忾

적격(適格) 명하형 够格 gòugé; 合适 héshì; 合格 hégé; 胜任的 shèngrènde ¶ ~자 合适的人 / 부~ 不够格 / 매우 ~하다 满够格

적국(敵國) 명 敌国 díguó; 仇方 chóufāng ¶ ~ 간첩 敌国间谍

적군(敵軍) 명 **1** 敌军 díjūn ¶ ~을 와해시키다 瓦解敌军 **2** (竞赛的) 对方 duìfāng ¶ ~을 대파하다 大破对方

적극(積極) 명 积极 jījí; 热心 rèxīn; 极力 jílì; 主动 zhǔdòng; 能动 néngdòng; 大力 dàlì ¶ ~성 积极性 / ~ 참가하다 积极参加

적금(積金) 명하자타 **1** 储蓄 chǔxù ¶ ~을 타다 领积金 **2** 〖經〗 定期储蓄 dìngqī chǔxù; 零存整付存款 língcún zhěngfù cúnkuǎn

적기(適期) 명 适时 shìshí; 正当时 zhèngdāngshí ¶ ~에 시합을 열다 适时地举办比赛

적기(敵機) 명 敌机 díjī ¶ ~를 격추시키다 击落敌机 / ~가 공습하다 敌机空袭

적나라-하다(赤裸裸—) 형 赤裸裸(的) chìluǒluǒ(de); 精赤 jīngchì; 赤条条(的) chìtiáotiáo(de) ¶ 적나라한 욕망 赤裸裸的欲望 / 적나라하게 폭로하다 赤裸裸地暴露

적다[1] 타 记 jì; 写 xiě; 录 lù; 写下 xiěxià; 记载 jìzǎi; 撰写 zhuànxiě; 记录 jìlù; 书写 shūxiě; 题 tí ¶ 공책에 ~ 记在本子上 / 자신의 느낌을 ~ 写下自己的感受

적:다[2] 형 少 shǎo; 不多 bùduō ¶ 양이 너무 ~ 分量太少了

적당-량(適當量) 명 适量 shìliàng = 적량

적당-하다(適當—) 형 适当 shìdàng; 适宜 shìyí; 合适 héshì; 恰当 qiàdàng; 相当 xiāngdāng; 合宜 héyí; 相宜 xiāngyí; 妥 tuǒ ¶ 적당한 조건 适宜的条件 / 적당한 시기에 방문하다 在适当时候访问 / 너에게 딱 ~ 跟你正合适 =[正适合你] **적당-히** 부

적대(敵對) 명하타 敌对 díduì; 作对 zuòduì ¶ ~ 관계 敌对关系 / ~국 敌对国家 / ~심 敌对心 / ~감을 드러내다 露出敌对感

적대-시(敵對視) 명하타 敌视 díshì; 仇视 chóushì ¶ 부자들을 ~하다 敌视富人 / 서로 ~하다 彼此仇视

적도(赤道) 명 〖地理〗 赤道 chìdào ¶ ~ 해류 赤道海流

적란-운(積亂雲) 명 〖地理〗 积雨云 jīyǔyún

적량(適量) 명 = 적당량

적령(適齡) 명 适龄 shìlíng; 及龄 jílíng

적립(積立) 명하형 积累 jīlěi; 积蓄 jīxù; 积存 jīcún; 攒 zǎn ¶ ~금 积累基金

적막(寂寞) 명하형히부 寂寞 jìmò; 孤独 gūdú; 凄凉 qīliáng ¶ ~감 寂寞感 / ~함을 해소하다 排遣寂寞

적반하장(賊反荷杖) 명 贼喊捉贼 zéihǎnzhuōzéi; 盗憎主人 dàozēngzhǔrén

적발(摘發) 명하타 揭发 jiēfā; 举发 jǔfā; 检举 jiǎnjǔ; 点穿 diǎnchuān; 点破 diǎnpò; 揪出来 jiūchūlái ¶ 타인의 범죄를 ~하다 揭发他人犯罪

적법(適法) 명하형 适法 shìfǎ; 合法 héfǎ; 合规矩 héguīju ¶ ~성 适法性 / ~한 권익 合法权益 / ~한 경쟁 合法的竞争

적분(積分) 명 〖數〗 积分 jīfēn ¶ ~ 방정식 积分方程

적삼 명 衫 shān; 衬衫 chènshān; 单褂 dānguà

적색(赤色) 명 **1** 红色 hóngsè; 赤色 chìsè; 赤 chì; 红 hóng ¶ ~ 잉크 红色墨水 **2** 〖社〗 红色 hóngsè 《象征共产主义的色彩》 ¶ ~ 사상 红色思想 / ~ 테러 赤色恐怖

적선(積善) 명하자 积善 jīshàn; 积德 jīdé; 慈善 císhàn ¶ ~이 화를 면하게 해 준다 积善免灾

적설(積雪) 명 积雪 jīxuě ¶ ~량 积雪量

적성(適性) 명 性向 xìngxiàng; 适应性 shìyìngxìng; 适合性 shìhéxìng; 适合性格 shìhé xìnggé ¶ 자신의 ~에 맞는 직

업을 선택하다 选择适合自己性格的职业
적소(適所) 명 适合的位置 shìhéde wèizhi; 适当的地方 shìdàngde dìfang
적수(敵手) 명 敌手 díshǒu; 对手 duìshǒu; 对头 duìtou ¶가장 강력한 ～ 最强的敌手
적수-공권(赤手空拳) 명 赤手空拳 chìshǒukōngquán ¶～에서 억만장자가 되다 从赤手空拳到亿万富豪
적시(適時) 명 及时 jíshí; 适时 shìshí ¶～에 해결하다 及时解决
적시다 타 打湿 dǎshī; 润湿 rùnshī; 浸湿 jìnshī; 滋润 zīrùn; 濡湿 rúshī; 沁润 qìnrùn; 弄湿 nòngshī; 沾 zhān; 湿 shī; 渍 zì ¶엄마의 눈물이 그의 어깨를 적셨다 妈妈的眼泪弄湿了他衣肩
적시-타(適時打) 명 〖體〗(棒球) 适时安全打 shìshí ānquándǎ
적-신호(赤信號) 명 **1** 〖交〗 红灯 hóngdēng; 红灯信号 hóngdēng xìnhào ¶～에 무단 횡단하다 闯红灯 **2** 红灯 hóngdēng; 危险信号 wēixiǎn xìnhào ¶건강에 ～가 켜지다 发出健康危险信号
적-십자(赤十字) 명 **1** 红十字 hóngshízì **2** 〖社〗 = 적십자사
적십자-사(赤十字社) 명 〖社〗 红十字会 Hóngshízìhuì = 적십자2 ¶재난 지역 사람들을 구호하는 것은 ～의 중요한 업무이다 救灾救济工作是红十字会重要的业务
적:어도 부 至少 zhìshǎo; 起码 qǐmǎ ¶건설 기간은 ～ 5년이 걸린다 建设周期至少要5年
적:어-지다 자 减少 jiǎnshǎo; 变少 biànshǎo; 消损 xiāosǔn ¶수입이 ～ 收入减少
적역(適役) 명 **1** 合适的角色 héshìde juésè; 适当的角色 shìdàngde juésè ¶～을 찾다 寻找一个合适的角色 **2** = 적임자
적외-선(赤外線) 명 〖物〗 红外线 hóngwàixiàn; 红外光 hóngwàiguāng; 赤外线 chìwàixiàn = 열선1
적용(適用) 명하타 适用 shìyòng; 运用 yùnyòng ¶～ 범위 适用范围 / 이론을 현실에 ～하다 理论适用于现实
적운(積雲) 명 〖地理〗 积云 jīyún; 云团 yúntuán; 云头 yúntóu = 뭉게구름
적응(適應) 명하자 适应 shìyìng; 顺应 shùnyìng ¶～력 适应力 =[适应能力] / 시대의 변화에 ～하다 顺应时代变化
적의(敵意) 명 **1** 敌意 díyì ¶부부 사이에 ～가 생겼다 夫妻之间产生了敌意 **2** 歹心 dǎixīn; 歹意 dǎiyì ¶～가 생기다 起歹心
적임(適任) 명 **1** 适合担任 shìhé dānrèn; 适任 shìrèn; 合适的工作 héshìde gōngzuò **2** = 적임자
적임-자(適任者) 명 胜任的人 shèngrènde rén; 适当的人 shìdàngde rén; 妥员 tuǒyuán; 适任者 shìrènzhě; 适宜者 shìyízhě = 적역2 · 적임2 ¶～가 나타나다 出现适当的人 / 신속하게 ～를 파견하다 速派妥员
적자(赤字) 명 赤字 chìzì; 亏损 kuīsǔn; 逆差 nìchā; 透支 tòuzhī ¶～ 기업 亏损企业 / 무역 ～ 贸易赤字
적자(嫡子) 명 嫡子 dízǐ; 嫡嗣 dísì
적자-생존(適者生存) 명 〖生〗 适者生存 shìzhě shēngcún
적:잖다 형 不少 bùshǎo; 不乏 bùfá; 好些 hǎoxiē; 少不了 shǎobuliǎo ¶적잖은 사람들 不少人 / 동정심이 ～ 不乏同情心
적장(敵將) 명 敌将 díjiàng
적재(積載) 명하타 装载 zhuāngzài; 装货 zhuānghuò; 载 zài ¶～량 装载量 / ～ 장치 装货装置 / ～ 차량 装载车
적재-적소(適材適所) 명 适才适所 shìcáishìsuǒ; 各得其所 gèdéqísuǒ; 人尽其才 rénjìnqícái ¶～에 배치하다 适才适所地配置
적재-함(積載函) 명 车厢 chēxiāng
적적-하다(寂寂—) 형 寂寞 jìmò; 孤寂 gūjì; 孤孤单单 gūgudāndān; 寂寂 jìjì; 冷僻 lěngpì; 孤苦伶仃 gūkǔlíngdīng ¶참기 힘든 적적함에 빠져들다 陷入难忍的寂寞 / 아버지는 적적하게 지내신다 父亲孤孤单单过日子 **적적-히** 부
적절-하다(適切—) 형 适当 shìdàng; 适合 shìhé; 适宜 shìyí; 适切 shìqiè; 恰当 qiàdàng; 妥当 tuǒdang; 得当 dédàng; 切实 qièshí; 切当 qièdàng; 贴切 tiēqiè; 妥善 tuǒshàn; 得法 défǎ; 有方 yǒufāng ¶적절한 인물 适当的人物 / 적절하지 않은 언행 不恰当的言行 / 적절하게 가격을 조정하다 适当调整价格 **적절-히** 부
적정(適正) 명하형 适度 shìdù; 合理 hélǐ ¶～ 규모 适度规模
적중(的中) 명하자 射中 shèzhòng; 中 zhòng; 击中 jīzhòng; 命中 mìngzhòng; 准 zhǔn; 灵验 língyàn; 猜对 cāiduì; 猜着 cāizháo; 切中 qièzhòng ¶미사일이 시내의 호텔에 ～했다 导弹击中市内的饭店 / 예상이 ～했다 猜对了 / ～률을 높이다 提高命中率
적지(適地) 명 适宜的地方 shìyíde dìfang ¶조건에 ～인 곳을 선택하다 选择条件适宜的地方
적지(敵地) 명 敌区 díqū; 敌占区 dí-

zhànqū; 敌方地盘 dífāng dìpán

적진(敵陣) 명 敌阵 dízhèn ¶ ~을 격파하다 攻破敌阵

적출(摘出) 명하타 **1** 揭发 jiēfā; 挑出 tiāochū ¶ 위선자의 실체를 ~하다 揭发假冒者的真面目 / 결함을 ~해 내다 挑出毛病 **2** 摘出 zhāichū; 摘除 zhāichú; 取出 qǔchū; 捏出 niēchū ¶ 내장을 ~하다 摘出内脏

적합(適合) 명하형 合适 héshì; 适合 shìhé; 切合 qièhé; 适于 shìyú; 适宜 shìyí; 合宜 héyí; 宜于 yíyú; 相宜 xiāngyí ¶ ~성 合适性 / 초중고생에게 ~한 교재 适合中小学生教材 / 현실에 ~한 선택 切合实际的选择

적-혈구(赤血球) 명 〖生〗红血球 hóngxuèqiú; 赤血球 chìxuèqiú; 红细胞 hóngxìbāo

적화(赤化) 명하자타 〖社〗赤化 chìhuà ¶ ~ 선전 赤化宣传 / 공산당에 의해 ~되었다 被共产党赤化了

적-히다 자 被记 bèi jì 《'적다¹'的被动词》¶ 이름이 칠판에 ~ 名字被记在黑板上

전(前) 一명 **1** 以前 yǐqián; 前 qián ¶ 10일 ~에 十天以前 / 10년 ~에 10年前 **2** 以前 yǐqián; 先前 xiānqián; 从前 cóngqián; 以往 yǐwǎng; 既往 jìwǎng; 往日 wǎngrì; 往昔 wǎngxī; 先头 xiāntóu; 早先 zǎoxiān ¶ ~에 했던 연구 以往的研究 / ~에 만난 적이 있다 以前见过面 二관 **1** 前 qián 《指以前的经历》¶ ~ 장관 前长官 **2** 前 qián; 以前 yǐqián; 先前 xiānqián; 前头 qiántou; 前方 qiánfāng ¶ ~ 학기 前学期

전:(煎) 명 煎饼 jiānbǐng; 煎的 jiānde ¶ ~을 부치다 煎煎饼

전(全) 관 全 quán; 全部 quánbù ¶ ~ 세계 全世界 / ~ 인류 全人类

-전(展) 접미 展 zhǎn ¶ 미술~ 美术展

-전(殿) 접미 殿 diàn ¶ 대웅~ 大雄殿

-전(戰) 접미 战 zhàn; 赛 sài; 比赛 bǐsài ¶ 리그~ 联赛 / 토너먼트~ 淘汰赛

전:가(轉嫁) 명하타 转嫁 zhuǎnjià; 推卸 tuīxiè; 推委 tuīwěi; 委 wěi; 赖 lài; 贷 dài ¶ 부담을 소비자에게 ~하다 将负担转嫁到消费者身上

전각(全角) 명 〖印〗全角 quánjiǎo

전갈(全蠍) 명 〖動〗蝎 xiē; 蝎子 xiēzi ¶ ~자리 天蝎座

전갈(傳喝) 명하타 口信(儿) kǒuxìn(r); 带话(儿) dàihuà(r); 传达 chuándá; 通报 tōngbào; 捎话(儿) shāohuà(r) ¶ 다른 사람의 ~을 전하다 传递别人的口信

전:개(展開) 명하자타 **1** 展现 zhǎnxiàn; 展布 zhǎnbù ¶ 아름다운 풍경이 눈앞에 ~되다 美丽的风景展现在眼前 **2** 开展 kāizhǎn; 展 zhǎn; 展开 zhǎnkāi; 进行 jìnxíng ¶ 비평을 ~하다 开展批评 / 토론을 ~하다 展开讨论

전:격(電擊) 명하타 闪电 shǎndiàn; 突然 tūrán; 意外 yìwài; 突兀 tūwù ¶ ~ 면직되다 突然被免职

전결(專決) 명하타 专断 zhuānduàn; 独断 dúduàn ¶ 모든 안건을 그 혼자 ~하다 由他自己专断所有案件

전경(全景) 명 全景 quánjǐng ¶ 서울 ~을 찍은 사진 拍首尔全景的照片

전경(前景) 명 前景 qiánjǐng

전:경(戰警) 명 〖法〗'전투 경찰'的略词

전:고(典故) 명 典故 diǎngù; 典 diǎn ¶ 원래 이것은 ~가 있다 原来这是有典故的

전곡(全曲) 명 全曲 quánqǔ; 整部曲子 zhěngbù qǔzi ¶ ~ 연주 全曲演奏

전:골 명 锅烧肉菜 guōshāo ròucài; 荤杂烩 hūnzáhuì

전공(專攻) 명하타 **1** 专业 zhuānyè; 专攻 zhuāngōng; 主修 zhǔxiū; 攻读 gōngdú; 专门研究 zhuānmén yánjiū ¶ ~ 수업 主修课 / 영양학을 ~하다 专攻营养学 / 법률을 ~하다 攻读法律 **2** = 전공과목

전공-과목(專攻科目) 명 专业课 zhuānyèkè; 专攻科目 zhuāngōng kēmù; 专修科目 zhuānxiū kēmù; 研究科目 yánjiū kēmù = 전공2 ¶ 반드시 ~을 제대로 공부해야 한다 一定学好专业课

전공-의(專攻醫) 명 〖醫〗专科医生 zhuānkē yīshēng = 수련의

전과(前科) 명 〖法〗前科 qiánkē; 前案 qián'àn; 案底 àndǐ ¶ ~ 삼범 前科三犯 / ~자 有前科者 =[老犯人] / ~가 있는 사람이 또 죄를 지었다 有前科的人又犯罪了

전:과(轉科) 명하자 **1** 〖教〗转系 zhuǎnxì; 转科 zhuǎnkē ¶ ~를 신청하다 申请转系 **2** 〖醫〗转科 zhuǎnkē

전관(前官) 명 前任 qiánrèn; 前任官员 qiánrèn guānyuán ¶ ~예우 前任礼待

전:광-석화(電光石火) 명 电光石火 diànguāngshíhuǒ; 呼息之间 hūxīzhījiān; 展眼之间 zhǎnyǎnzhījiān ¶ ~처럼 지나갔다 如电光石火一样地过去了

전:광-판(電光板) 명 灯光图文屏幕 dēngguāng túwén píngmù; 电光板 diànguāngbǎn; 电动广告 diàndòng guǎnggào ¶ 현대화된 ~ 现代化的电动广告

전교(全校) 명 全校 quánxiào ¶ ~생 全校学生

전:구(電球) 명 电灯泡(儿) diàndēngpào(r); 灯泡(儿) dēngpào(r) ¶ ~를 달다 装灯泡儿 / ~를 갈다 换灯泡

전국(全國) 명 全国 quánguó; 举国 jǔguó; 五湖四海 wǔhúsìhǎi ¶~구 全国选区

전권(全權) 명 全权 quánquán; 一切权力 yīqiè quánlì ¶~을 부여하다 授予全权

전:근(轉勤) 명하자 调任 diàorèn; 调转 diàozhuǎn; 调动 diàodòng; 改任 gǎirèn; 调 diào ¶새로운 근무처로 ~하다 调任新的岗位

전근대-적(前近代的) 관명 前近代性 qiánjìndàixìng; 前近代的 qiánjìndàide; 前现代性 qiánxiàndàixìng; 前现代的 qiánxiàndàide

전기(前期) 명 1 前期 qiánqī 2 前一时期 qiányī shíqī; 前届 qiánjiè; 上届 shàngjiè ¶~ 시합 上届比赛 / ~ 우승자 上届冠军

전기(傳記) 명 传记 zhuànjì; 传 zhuàn ¶위인 ~ 伟人传记

전:기(電氣) 명 〖物〗 电气 diànqì; 电 diàn ¶~ 기구 电器 / ~난로 电炉 = [电暖器] / ~ 담요 电热毯 / ~료 电费 / ~밥솥 电锅

전기-스탠드(電氣stand) 명 台灯 táidēng = 스탠드3

전:깃-불(電氣—) 명 电灯 diàndēng; 电灯光 diàndēngguāng; 电光 diànguāng ¶~을 켜다 打开电灯 / ~을 끄다 关闭电灯

전:깃-줄(電氣—) 명 = 전선(電線)

전-날(前—) 명 1 前一天 qiányītiān; 前日 qiánrì = 전일 2 以前 yǐqián; 从前 cóngqián; 过去 guòqù; 先前 xiānqián; 以往 yǐwǎng; 既往 jìwǎng; 往日 wǎngrì; 往昔 wǎngxī

전-남편(前男便) 명 前夫 qiánfū

전년(前年) 명 = 지난해 ¶물가 상승폭이 ~보다 눈에 띄게 반락했다 物价上涨幅度比去年有明显回落

전념(專念) 명하자 专精 zhuānjīng; 专注 zhuānzhù; 念念不忘 niànniànbùwàng; 下心 xiàxīn; 专心 zhuānxīn; 安心 ānxīn ¶업무에 ~하다 专心搞业务 / 학업에 ~하다 专精学业

전능(全能) 명하형 全能 quánnéng; 万能 wànnéng; 无所不能 wúsuǒbùnéng ¶~하신 하나님 无所不能的上帝

전단(全段) 명 通栏 tōnglán; 全段 quánduàn ¶~ 광고 通栏广告

전단(傳單) 명 传单 chuándān ¶~을 배포하다 散发传单

전-달(前—) 명 = 지난달 ¶~에서야 비로소 출시되었다 上个月才上市

전달(傳達) 명하타 传达 chuándá; 传告 chuángào; 传知 chuánzhī; 传送 chuánsòng; 传递 chuándì; 转达 zhuǎndá; 转告 zhuǎngào; 交 jiāo ¶정보를 ~하다 传达信息 / 상황을 그에게 ~하다 把情况转告给他 / 서류를 그에게 ~하다 把文件传递给他

전담(全擔) 명하타 全部担当 quánbù dāndāng; 全面负责 quánmiàn fùzé; 全部承担 quánbù chéngdān; 全部担 quánbùdān ¶그녀가 관련 업무를 ~하기 시작했다 她把有关业务全部承担起来

전담(專擔) 명하타 专务 zhuānwù; 专门负责 zhuānmén fùzé; 专人 zhuānrén ¶고객의 권익을 보호하는 일을 ~하다 专门负责保护顾客权益事宜

전답(田畓) 명 = 논밭

전:당(殿堂) 명 殿堂 diàntáng ¶예술의 ~ 艺术殿堂

전당 대:회(全黨大會) 〖政〗 全党大会 quándǎng dàhuì ¶~를 열다 举行全党大会

전:당-포(典當舖) 명 当铺 dàngpù; 典铺 diǎnpù ¶시계를 ~에 전당 잡히다 把手表去当铺抵押

전대(前代) 명 前世 qiánshì; 前代 qiándài ¶~의 업적 前代的业绩

전대-미문(前代未聞) 명 前所未闻 qiánsuǒwèiwén; 闻所未闻 wénsuǒwèiwén; 未曾有 wèicéngyǒu; 空前 kōngqián; 破天荒 pòtiānhuāng; 从来没有 cónglái méiyǒu ¶~의 사건이 발생하다 发生前所未闻的事件

전도(全圖) 명 全图 quántú ¶대한민국 ~ 大韩民国全图

전도(前途) 명 = 장래2 ¶~유망한 젊은이 前途有望的年轻人 / ~가 양양하다 前景远大

전도(傳道) 명하타 〖宗〗 传道 chuándào; 传教 chuánjiào; 布道 bùdào ¶~사 传教士 / 각 지역을 다니며 ~하다 周游各城各乡传道

전도(傳導) 명하타 〖物〗 传导 chuándǎo; 导电 dǎodiàn; 传 chuán

전도(顚倒) 명하자타 1 摔倒 shuāidǎo; 跌跤 diējiāo; 跌交 diējiāo; 摔跤 shuāijiāo; 绊倒 bàndǎo 2 颠倒 diāndǎo ¶본말이 ~되다 本末颠倒

전:동(電動) 명하타 电动 diàndòng ¶~차 电动车

전:등(電燈) 명 电灯 diàndēng; 灯头 dēngtóu; 荧光灯 yíngguāngdēng ¶~을 켜다 开电灯

전라(全裸) 명 = 알몸1

전:락(轉落) 명하자 沦落 lúnluò; 堕落 duòluò; 沦为 lúnwéi ¶이류로 ~하다 沦为二流

전:란(戰亂) 명 战乱 zhànluàn ¶~이 끊이지 않다 战乱不停

전:람(展覽) 명하타 展览 zhǎnlǎn; 观展 guānzhǎn; 汇展 huìzhǎn ¶~관 展

览馆 / ～회 展览会
전래(傳來) 명하자 1 传入 chuánrù ¶중국에서 일본으로 ～해 온 것 从中国传入日本的 2 传来 chuánlái; 传下来 chuánxiàlái ¶세대를 거쳐 입에서 입으로 ～된 노래들 世代口头流传下来的那些歌
전ː략(戰略) 명 1 〖軍〗战略 zhànlüè; 战术 zhànshù; 战法 zhànfǎ; 策略 cèlüè; 战策 zhàncè ¶～을 짜다 编制战术 2 战略 zhànlüè; 策略 cèlüè; 计谋 jìmóu; 计略 jìlüè; 方略 fānglüè ¶외교 ～ 外交战略 / ～가 战略家 / ～ 산업 战略产业
전량(全量) 명 全量 quánliàng; 全部数量 quánbù shùliàng; 全部重量 quánbù zhòngliàng; 全部 quánbù ¶생산품 ～을 수출하다 产品全量出口
전력(全力) 명 全力 quánlì; 一力 yīlì; 一心一意 yīxīnyīyì ¶～으로 지지하다 全力支持 / ～을 다하다 全力以赴
전력(前歷) 명 经历 jīnglì; 履历 lǚlì; 来历 láilì; 阅历 yuèlì ¶입원했던 ～을 숨기다 隐瞒住院经历 / 그의 ～은 비교적 화려하다 他的履历比较丰富
전력(專力) 명하자 专力 zhuānlì; 专心致志 zhuānxīnzhìzhì; 一心致力 yīxīnzhìlì ¶농업 발전에 ～하다 一心致力于发展农业
전ː력(電力) 명 〖物〗电力 diànlì; 电功率 diàngōnglǜ
전ː력(戰力) 명 战斗力 zhàndòulì; 战力 zhànlì ¶공군의 ～ 수준 空军战斗力水平
전력-투구(全力投球) 명하자 1 〖體〗(棒球) 全力投球 quánlì tóuqiú 2 全力以赴 quánlìyǐfù; 竭尽全力 jiéjìn quánlì; 开足马力 kāizúmǎlì ¶기업은 생산에 ～해야 한다 企业要开足马力生产
전례(前例) 명 前例 qiánlì; 先例 xiānlì; 旧例 jiùlì; 成例 chénglì; 常规 chángguī; 老例 lǎolì; 向例 xiànglì; 例 lì; 惯例 guànlì =유례 ¶역사상 ～가 없는 변혁 史无前例的变革 / ～를 깨뜨리다 破例
전ː류(電流) 명 〖電〗电流 diànliú
전ː리-품(戰利品) 명 战利品 zhànlìpǐn
전립-선(前立腺) 명 〖生〗前列腺 qiánlièxiàn; 摄护腺 shèhùxiàn ¶～암 前列腺癌
전ː말(顚末) 명 始末 shǐmò; 始终 shǐzhōng; 原委 yuánwěi; 一五一十 yīwǔyīshí; 本末 běnmò; 来龙去脉 láilóngqùmài ¶문제 발생의 ～ 问题发生的来龙去脉
전ː망(展望) 명하타 1 展望 zhǎnwàng; 前瞻 qiánzhān; 眺望 tiàowàng; 瞭望 liàowàng; 瞻望 zhānwàng; 风景 fēngjǐng; 远景 yuǎnjǐng ¶～대 展望台 =[瞭望台] / 강가의 ～이 아주 훌륭하다 河边的风景特别好 2 展望 zhǎnwàng; 预测 yùcè; 预料 yùliào; 预计 yùjì; 瞻念 zhānniàn ¶미래를 ～하다 展望未来
전매(專賣) 명하타 专卖 zhuānmài; 专售 zhuānshòu; 专销 zhuānxiāo; 官卖 guānmài ¶～청 专卖局 / ～품 专卖品 / ～권 专售权 =[专卖权] / ～특허 专卖许可
전면(全面) 명 1 全面 quánmiàn; 全盘 quánpán; 全般 quánbān; 通盘 tōngpán ¶～ 파업 全面罢工 / ～ 개편 全盘改组 2 整版 zhěngbǎn ¶～ 광고 整版广告
전면(前面) 명 1 = 앞면 2 = 앞쪽
전멸(全滅) 명하자 全灭 quánmiè; 全歼 quánjiān; 覆灭 fùmiè; 覆没 fùmò; 就歼 jiùjiān; 殄灭 tiǎnmiè ¶러시아 함대를 ～시키다 全歼俄国舰队
전모(全貌) 명 全貌 quánmào; 全豹 quánbào ¶이 사건의 ～를 이해하다 了解这件事情的全貌
전무(全無) 명하형 全无 quánwú; 毫无 háowú ¶소식이 ～하다 音信全无
전무(專務) ㊀명하타 专任 zhuānrèn; 专门负责处理 zhuānmén fùzé chǔlǐ ㊁명 〖經〗= 전무 이사
전무 이ː사(專務理事) 〖經〗专务董事 zhuānwù dǒngshì; 专务理事 zhuānwù lǐshì = 전무(專務)㊁
전무-후무(前無後無) 명하형 空前绝后 kōngqiánjuéhòu; 独一无二 dúyīwú'èr ¶～한 기적을 창조하다 创下空前绝后的奇迹
전문(全文) 명 全文 quánwén ¶조약의 ～ 条约的全文
전문(專門·顓門) 명하타 专业 zhuānyè; 专门 zhuānmén; 专攻 zhuāngōng; 专做 zhuānzuò ¶～의 专门医生 =[专科医生] / ～ 지식 专门知识 =[专业知识] / ～직 专业职 / ～ 인재를 배양하다 培养专门人才
전문-가(專門家) 명 专家 zhuānjiā; 内行 nèiháng; 行家 hángjia; 老油子 lǎoyóuzi; 懂行 dǒngháng; 里手 lǐshǒu; 在行 zàiháng; 老把式 lǎobǎshi ¶컴퓨터 ～ 电脑专家
전문 대ː학(專門大學) 〖敎〗专科学校 zhuānkē xuéxiào; 大专 dàzhuān ¶～생 大专生
전반(全般) 명 全般 quánbān; 通盘 tōngpán
전반(前半) 명 上半 shàngbàn; 前半 qiánbàn ¶～기 前半期 / ～부 前半部 / 음악회의 ～이 끝났을 때가 되서야 그가 왔다 结束了音乐会的前半时, 他才来了

전반-전(前半戰) 명 〖體〗 上半场 shàngbànchǎng ¶～에 양 팀은 0 대 0이었다 上半场双方踢成零比零

전방(前方) 명 **1** = 앞쪽 ¶～ 500미터 前方500米 / ～을 향해 달려가다 向前方跑去 **2** 〖軍〗 第一线 dìyīxiàn; 前线 qiánxiàn; 前方 qiánfāng; 先头 xiāntóu ¶～에서 지휘하다 指挥在第一线

전번(前番) 명 = 지난번

전:보(電報) 명하자 电报 diànbào; 电讯 diànxùn ¶～를 치다 打电报 / ～를 보내다 发电报 / ～를 받다 收电报

전복(全鰒) 명 〖貝〗 鲍 bào; 鲍鱼 bàoyú ¶～죽 鲍鱼粥 / ～을 양식하다 养鲍鱼 / ～을 잡다 捕捉鲍鱼

전:복(顚覆) 명하자타 **1** 打翻 dǎfān; 翻 fān; 掀翻 xiānfān; 翻覆 fānfù; 翻倒 fāndǎo ¶배를 ～시키다 打翻了船 / 뗏목이 ～될 뻔했다 木筏差点儿翻覆 **2** 推翻 tuīfān; 倾覆 qīngfù; 颠覆 diānfù ¶제국주의를 ～시키다 推翻帝国主义

전:봇-대(電報―) 명 **1** 电线杆 diànxiàngān; 电杆 diàngān = 전신주 ¶～에 부딪히다 撞到电线杆 **2** 大高个子 dàgāogèzi; 长条子 chángtiáozi

전:봇-줄(電報―) 명 电线 diànxiàn ¶참새가 ～에 앉아 있다 麻雀站在电线上

전부(全部) 명부 全都 quándōu; 全部 quánbù; 全数 quánshù; 一共 yīgòng; 一体 yītǐ; 一股脑儿 yīgǔnǎor; 通通 tōngtōng; 统统 tǒngtǒng; 一概 yīgài; 百分之百 bǎifēnzhībǎi ¶～ 다 봤다 全都看完了

전:분(澱粉) 명 = 녹말

전:사(戰士) 명 **1** 列兵 lièbīng; 战士 zhànshì; 战斗员 zhàndòuyuán **2** 劳动者 láodòngzhě ¶산업 ～ 产业劳动者

전:사(戰死) 명하자 战死 zhànsǐ; 阵亡 zhènwáng; 战殁 zhànmò ¶～자 战死者

전:산(電算) 명 〖컴〗 = 컴퓨터 ¶～망 电算网

전생(全生) 명 一生 yīshēng; 终身 zhōngshēn; 一辈子 yībèizi; 平生 píngshēng; 一世 yīshì ¶～을 홀아비 생활을 하다 打一辈子光棍

전생(前生) 명 〖佛〗 前世 qiánshì; 上辈子 shàngbèizi; 上一辈子 shàngyībèizi; 宿世 sùshì ¶～의 인연 前世姻缘

전선(前線) 명 **1** 〖軍〗 前方 qiánfāng; 前线 qiánxiàn ¶～의 붕괴 前线瓦解 **2** 活动领域 huódòng lǐngyù **3** 〖地理〗 前锋 qiánfēng; 锋面 fēngmiàn; 锋 fēng ¶장마 ～ 雨季前锋

전:선(電線) 명 电线 diànxiàn = 전깃줄

전설(傳說) 명 传说 chuánshuō ¶민간 ～ 民间传说 / 호랑이에 관한 ～ 关于老虎的传说

전성-기(全盛期) 명 全盛期 quánshèngqī; 全盛时期 quánshèng shíqī; 高峰时期 gāofēng shíqī; 鼎盛时期 dǐngshèng shíqī ¶나의 ～가 왔다 我的全盛期来了

전성-시대(全盛時代) 명 全盛时代 quánshèng shídài; 黄金时代 huángjīn shídài ¶우리들의 ～ 我们的黄金时代

전세(專貰) 명 包 bāo; 包租 bāozū ¶～기 包机 / 관광버스 한 대를 ～내다 包租一辆大客车

전세(傳貰) 명 **1** 〖經〗 租用 zūyòng **2** = 전세방

전세-방(傳貰房) 명 包房 bāofáng = 전세(傳貰)2

전셋-돈(傳貰―) 명 押金 yājīn; 押租 yāzū ¶～을 받아 내다 收取押金

전셋-집(傳貰―) 명 出租房 chūzūfáng

전소(全燒) 명하자 烧光 shāoguāng; 全烧 quánshāo; 烧毁 shāohuǐ; 全烧掉 quánshāodiào ¶집 전체가 거의 ～되다 整个房子几乎被烧光

전속(全速) 명 = 전속력

전속(專屬) 명하자 专属 zhuānshǔ; 独属 dúshǔ ¶～ 가수 专属歌手

전-속력(全速力) 명 尽速力 jìnsùlì; 开足马力 kāizúmǎlì; 全速 quánsù = 전속(全速) ¶～으로 전진하다 全速前进

전:송(電送) 명하타 电传 diànchuán; 传输 chuánshū; 传真 chuánzhēn ¶서류를 ～하다 电传文件

전:송(轉送) 명하타 转送 zhuǎnsòng ¶무료로 ～하다 免费转送

전수(傳受) 명하타 接受 jiēshòu ¶비법을 ～받다 接受秘诀

전수(傳授) 명하타 传授 chuánshòu; 相传 xiāngchuán; 传 chuán ¶나에게 기술을 ～해 준 사부 传授给我技术的师傅

전:술(戰術) 명 **1** 〖軍〗 战术 zhànshù; 战略 zhànlüè; 战法 zhànfǎ; 兵法 bīngfǎ ¶군사 ～ 军事战法 **2** 战术 zhànshù; 战法 zhànfǎ; 策略 cèlüè; 斗争手段 dòuzhēng shǒuduàn ¶～가 战术家 / 수비 ～ 防守战术 / 축구 ～ 足球战术

전승(全勝) 명하자 全胜 quánshèng ¶～을 거두다 大获全胜

전승(傳承) 명하타 继承 jìchéng; 承接 chéngjiē; 传承 chuánchéng; 师承 shīchéng ¶그는 조상 대대로 전해진 의술을 ～해 발전시켰다 他继承了祖传医术又加以改进

전:시(展示) 명하타 展览 zhǎnlǎn; 展 zhǎn; 陈列 chénliè; 展示 zhǎnshì; 摆列 bǎiliè; 展出 zhǎnchū ¶～실 展厅 /

～장 陈列场 / ～품 展示品 =[展览品][陈列品] / ～회 展览会 =[展示会] / 가구를 ～하다 展览家具

전:시(戰時) 명 战时 zhànshí ¶～ 체제 战时体制

전신(全身) 명 = 온몸 ¶～ 마취 全身麻醉 / ～ 운동 全身运动 / ～이 흠뻑 젖었다 全身被弄得湿淋淋的

전신(前身) 명 前身 qiánshēn ¶문화관광부의 ～은 문화 체육부이다 文化观光部的前身是文化体育部

전:신-주(電信柱) 명 = 전봇대1 ¶～를 세우다 竖电线杆

전심(專心) 명하자 专心 zhuānxīn; 尽心 jìnxīn; 全心全意 quánxīnquányì; 一心一意 yīxīnyīyì; 克意 kèyì; 心心意意 xīnxīnyìyì ¶～으로 사람들을 위해 일하다 全心全意为人民服务

전심-전력(全心全力) 명 全心全意 quánxīnquányì

전심-전력(專心專力) 명하자 专心专力 zhuānxīnzhuānlì; 尽心尽力 jìnxīnjìnlì; 竭尽全力 jiéjìnquánlì; 殚精竭虑 dānjīngjiélǜ ¶세계 평화를 위해 ～하다 为世界和平而竭尽全力

전압(電壓) 명 『電』 电压 diànyā; 电势差 diànshìchā ¶～계 电压计 / ～이 불안정하다 电压不稳定 / 3500볼트의 ～이 발생하였다 产生了3500伏特的电压

전액(全額) 명 全数 quánshù; 总额 zǒng'é; 全部金额 quánbù jīn'é; 全额 quán'é; 扫数 sǎoshù ¶이윤 ～ 利润总额 / ～ 배상 全额赔偿

전야(前夜) 명 前夜 qiányè; 前夕 qiánxī ¶개막 ～ 开幕的前夜 / 설날 ～ 元旦前夕

전:어(錢魚) 명 『魚』 钱鱼 qiányú

전업(專業) 명하자 专业 zhuānyè ¶～주부 专业主妇

전:업(轉業) 명하자 转业 zhuǎnyè; 改变经营 gǎibiàn jīngyíng; 改行 gǎiháng; 改业 gǎiyè ¶금융업으로 ～하다 改行到金融业

전역(全域) 명 全境 quánjìng ¶아시아 ～ 亚洲全境

전:역(轉役) 명하자 (军队) 转役 zhuǎnyì ¶11월에 ～한다 将于11月转役

전:열(電熱) 명 『物』 电热 diànrè ¶～기구 电热器具

전염(傳染) 명하자 **1** 传染 chuánrǎn; 感染 gǎnrǎn; 染沾 rǎnzhān ¶～성 传染性 **2** 沾染 zhānrǎn; 熏染 xūnrǎn; 受影响 shòu yǐngxiǎng ¶나쁜 습관에 ～되다 沾染上不良习气

전염-병(傳染病) 명 『醫』 传染病 chuánrǎnbìng = 염병2 ¶～을 예방하다 预防传染病

전용(專用) 명하타 专用 zhuānyòng; 专有 zhuānyǒu ¶～차 专用汽车 / ～ 철도 专用铁道

전:우(戰友) 명 战友 zhànyǒu ¶～애 战友之爱 =[战友之情]

전:운(戰雲) 명 战云 zhànyún ¶～이 가득하다 战云密布

전원(田園) 명 田园 tiányuán ¶～도시 田园城市 / ～주택 田园住宅

전원(全員) 명 全体 quántǐ; 全员 quányuán; 全体人员 quántǐ rényuán ¶～이 참여하다 全员参与

전:원(電源) 명 『物』 电源 diànyuán; 电力资源 diànlì zīyuán; 电力能源 diànlì néngyuán ¶～이 연결되다 接通电源

전월(前月) 명 = 지난달

전유-물(專有物) 명 专有物 zhuānyǒuwù; 私有物 sīyǒuwù; 占有品 zhànyǒupǐn ¶이것은 네 ～이 아니다 这不是你的专有物

전:율(戰慄) 명하자 战栗 zhànlì; 战抖 zhàndǒu; 冷战 lěngzhan; 冷噤 lěngjìn ¶온몸이 ～하다 浑身战抖

전:이(轉移) 명하자 **1** 转移 zhuǎnyí; 变位 biànwèi; 移转 yízhuǎn ¶기술 ～ 技术转移 **2** 『醫』 (肿瘤、病毒的) 转移 zhuǎnyí; 扩散 kuòsàn ¶암세포 ～를 억제하다 抑制癌细胞扩散

전인-미답(前人未踏) 명 前人未踏 qiánrénwèità ¶～의 영역을 개척하다 开拓前人未踏的领域

전일(前日) 명 = 전날1

전일-제(全日制) 명 全日制 quánrìzhì ¶～ 유치원 全日制幼儿园

전임(前任) 명하자 前任 qiánrèn; 以前的职务 yǐqiánde zhíwù ¶～ 법관 前任法官

전임(專任) 명하타 专任 zhuānrèn; 专职 zhuānzhí; 专差 zhuānchāi ¶～ 강사 专任讲师

전임-자(前任者) 명 前任 qiánrèn; 上任 shàngrèn

전:입(轉入) 명하자 **1** 转入 zhuǎnrù; 转来 zhuǎnlái ¶매 학기마다 새로 ～한 학생이 있다 每个学期都有新转入的学生 **2** 迁入 qiānrù ¶새 거주지로 ～하다 迁入新居

전자(前者) 명 前者 qiánzhě

전:자(電子) 명 『物』 电子 diànzǐ ¶～게시판 电子公告板 / ～사전 电子词典 / ～ 상거래 电子商务 / ～시계 电子表 / ～오락 电子游戏 / ～ 화폐 电子货币

전:자-레인지(電子range) 명 『物』 微波炉 wēibōlú; 电子炉灶 diànzǐ lúzào; 电炉 diànlú; 电灶 diànzào; 电炉子 diànlúzi ¶～를 돌리다 启动微波炉 / ～를 켜다 启动微波炉

전:자 우편(電子郵便) 〖컴〗 电子邮件 diànzǐ yóujiàn; 伊妹儿 yīmèir; 电邮 diànyóu = 메일·이메일 ¶~을 보내다 发送电子邮件 / ~을 받다 收到电子邮件

전작(前作) 명 前作 qiánzuò

전:쟁(戰爭) 명하자 战争 zhànzhēng; 战事 zhànshì ¶~고아 战争孤儿 / ~이 나다 战争爆发

전:쟁-터(戰爭—) 명 战场 zhànchǎng; 战地 zhàndì ¶~에 나가다 参加战场 / 비즈니스 시장은 ~와 같다 商场如战场

전적(全的) 관명 完全 wánquán; 全部 quánbù ¶이것은 ~으로 네 잘못이다 这完全是你的错 / ~으로 지지하다 完全支持

전적(前績) 명 前绩 qiánjì; 前功 qiángōng

전:적(戰績) 명 战绩 zhànjì ¶2승 1무 1패의 ~을 거뒀다 取得二胜一平一负的战绩

전전(前前) ㊀명 很久以前 hěn jiǔ yǐqián; 从前 cóngqián; 早年 zǎonián ¶이 만화 영화는 ~의 것이다 这动画片是很久以前的 ㊁관 前前 qiánqián; 上上 shàngshàng ¶~주 上上星期

전:전(轉轉) 명하자타 转来转去 zhuǎnláizhuǎnqù; 东跑西窜 dōngpǎoxīcuàn ¶집을 떠난 이후 줄곧 몇몇 친구집을 ~했다 离开家后, 一直在几个朋友家转来转去

전:전긍긍(戰戰兢兢) 명하자 战战兢兢 zhànzhànjīngjīng; 战兢兢 zhànjīngjīng; 心惊胆战 xīnjīngdǎnzhàn; 胆战心惊 dǎnzhànxīnjīng ¶~하며 살아가다 战战兢兢地活着

전전-날(前前—) 명 **1** 前两天 qiánliǎngtiān **2** = 그저께

전전-년(前前年) 명 = 재작년

전:전-반측(輾轉反側) 명하자 辗转未眠 zhǎnzhuǎnwèimián; 辗转反侧 zhǎnzhuǎnfǎncè; 转侧 zhuǎncè ¶그는 침대에 누워 ~했다 他躺在床上, 辗转反侧

전제(前提) 명하타 前提 qiántí ¶~ 조건 前提条件 =[先决条件] / 결혼을 ~로 교제하다 以结婚为前提交往

전제 정치(專制政治) 〖政〗 专制政治 zhuānzhì zhèngzhì

전조(前兆) 명 = 징조 ¶지진의 ~ 地震前兆 / 시작하자마자 실패할 ~가 보였다 一开始就能看出失败的前兆来

전조-등(前照燈) 명 (火车、汽车等) 前灯 qiándēng; 车灯 chēdēng; 头灯 tóudēng = 헤드라이트 ¶오토바이 ~ 摩托车前灯

전:족(纏足) 명 缠足 chánzú; 裹脚 guǒjiao ¶~은 고대 중국의 악습이다 缠足乃中国古代陋习

전주(前奏) 명 〖音〗 前奏 qiánzòu

전주(前週) 명 = 지난주

전:주(轉注) 명 〖語〗 转注 zhuǎnzhù 《汉字六书之一》

전지(全紙) 명 〖印〗 整张纸 zhěngzhāngzhǐ; 原大纸 yuándàzhǐ; 全开纸 quánkāizhǐ; 全张 quánzhāng; 满纸 mǎnzhǐ ¶~를 깔다 铺整张纸

전:지(剪枝·翦枝) 명 〖農〗 = 가지치기

전:지(電池) 명 〖電〗 电池 diànchí; 干电池 gāndiànchí ¶충전용 ~ 充电电池

전지-전능(全知全能) 명하형 全知全能 quánzhīquánnéng ¶~한 신 全知全能的神

전:지-훈련(轉地訓鍊) 명 转地训练 zhuǎndì xùnliàn

전직(前職) 명 前职 qiánzhí; 原职业 yuánzhíyè ¶그의 ~은 야구 선수이다 他的原职业是棒球选手

전진(前進) 명하자 前进 qiánjìn; 进展 jìnzhǎn; 上前 shàngqián; 赶前 gǎnqián; 往前走 wǎng qián zǒu ¶몇 걸음 ~하다 赶前几步

전집(全集) 명 全集 quánjí; 合集 héjí ¶아동 문학 ~ 儿童文学全集

전:차(電車) 명 电车 diànchē ¶~를 기다리다 等候电车

전:차(戰車) 명 〖軍〗 坦克 tǎnkè; 装甲车 zhuāngjiǎchē = 탱크2 ¶러시아군 ~가 포격을 시작했다 俄军坦克进行了炮击

전채(前菜) 명 开胃菜 kāiwèicài; 冷盘 lěngpán

전처(前妻) 명 前妻 qiánqī; 前房 qiánfáng; 前室 qiánshì; 前房妻子 qiánfáng qīzi ¶~소생의 자녀를 돌보다 照顾前妻所生的子女

전-천후(全天候) 명 全天气 quántiānqì; 全天候 quántiānhòu ¶~ 헬기 全天候直升机 / ~ 서비스 全天候服务

전철(前轍) 명 前辙 qiánzhé; 履辙 lǚzhé; 覆辙 fùzhé; 复辙 fùzhé ¶~을 밟다 重蹈履辙

전철(電鐵) 명 〖交〗 地铁 dìtiě ¶~역 地铁站 / ~을 타고 등교하다 坐地铁上学

전체(全體) 명 全体 quántǐ; 总体 zǒngtǐ; 整体 zhěngtǐ; 集体 jítǐ ¶~의식을 강화시키다 加强集体意识

전체-주의(全體主義) 명 〖社〗 极权主义 jíquán zhǔyì; 全权主义 quánquán zhǔyì ¶~ 국가 极权主义国家

전초-전(前哨戰) 명 〖軍〗 前哨战 qiánshàozhàn ¶~은 이미 시작되었다 前哨战已经打响

전:축(電蓄) 명 电唱机 diànchàngjī

전:출(轉出) 명하자 1 迁出 qiānchū; 迁移 qiānyí ¶~ 증명서 迁出证明 2 工作调动 gōngzuò diàodòng; 调动工作 diàodòng gōngzuò

전통(傳統) 명 传统 chuántǒng ¶~ 명절 传统节日 / ~문화 传统文化 / ~미 传统美

전:투(戰鬪) 명하자 战斗 zhàndòu; 战役 zhànyì ¶~기 战斗机 =[歼击机] / ~력 战斗力

전:투 경:찰(戰鬪警察) 〖法〗 战斗警察 zhàndòu jǐngchá

전파(傳播) 명하타 传播 chuánbō; 普及 pǔjí; 散布 sànbù ¶대중 ~ 매체 大众传播媒介 / 개인주의 사상을 적극적으로 ~하다 积极传播个人主义思想

전:파(電波) 명 〖物〗 电波 diànbō

전:파 탐지기(電波探知機) 〖物〗 = 레이더 ¶~로 추적하다 用雷达跟踪

전패(全敗) 명하자 全败 quánbài ¶22전 ~의 기록 22场全败的纪录

전편(全篇) 명 全篇 quánpiān; 通篇 tōngpiān

전편(前篇) 명 前篇 qiánpiān; 前集 qiánjí; 上集 shàngjí; 上篇 shàngpiān ¶~ 내용 줄거리 上集内容梗概

전폐(全廢) 명하타 全废 quánfèi; 俱废 jùfèi; 全部废除 quánbù fèichú; 全部撤销 quánbù chèxiāo ¶식음을 ~하다 饮食俱废 / 새로운 법을 ~시켰다 全部废除了新法

전폭(全幅) 명 整个 zhěnggè; 全体 quántǐ; 全面 quánmiàn ¶~ 수용하다 全面接受

전폭-적(全幅的) 관명 完全 wánquán ¶총회의 ~인 지지를 얻어 냈다 得到了总会的完全支持

전표(傳票) 명 传票 chuánpiào; 凭单 píngdān

전:하(殿下) 명 〖史〗 殿下 diànxià

전-하다(傳—) ㊀자 相传 xiāngchuán; 流传 liúchuán ㊁타 1 传达 chuándá; 传递 chuándì; 捎 shāo; 传 chuán ¶물건을 ~ 捎东西 / 사랑을 ~ 传递一份爱心 2 遗留 yíliú; 传给 chuángěi; 传授 chuánshòu ¶몇 년 동안 전해온 낡은 관습을 바꾸었다 改变了多年遗留下来的老习惯

전:학(轉學) 명하자 转学 zhuǎnxué; 转校 zhuǎnxiào ¶~생 转校生 / ~ 수속을 마쳤다 办好了转学手续

전-해(前—) 명 1 = 지난해 2 (某一年的) 前一年 qiányīnián; 上年 shàngnián ¶국내 생산 총액이 ~에 비해 10% 증가하였다 国内生产总值比上年增长了10%

전:해-질(電解質) 명 〖物〗 电解质 diànjiězhì; 电解物 diànjiěwù

전:향(轉向) 명하자 1 转向 zhuǎnxiàng ¶자동차의 ~ 시스템 汽车转向系统 2 转向 zhuǎnxiàng; 转变 zhuǎnbiàn; 变节 biànjié; 转折 zhuǎnzhé ¶농업 사회에서 공업 사회로 ~하다 由农业社会转向工业社会

전혀(全—) 부 全然 quánrán; 完全 wánquán; 毫无 háowú; 根本 gēnběn; 全部 quánbù; 浑然 húnrán ¶~ 보이지 않는다 全然看不到的

전:형(典型) 명 典型 diǎnxíng; 榜样 bǎngyàng; 楷模 kǎimó ¶시대적 ~ 时代的典型

전:형(銓衡) 명하타 招考 zhāokǎo; 择优录取 zéyōulùqǔ; 选考 xuǎnkǎo; 遴选 línxuǎn ¶공개 ~을 거치다 经过公开招考

전:화(電話) 명하자 1 电话 diànhuà ¶~국 电话局 / ~료 电话费 / ~번호 电话号码 / ~번호부 电话号码簿 =[电话簿] / ~벨 电话铃 / ~를 받다 接电话 / ~를 걸다 打电话 / ~를 끊다 挂电话 2 = 전화기

전:화-기(電話機) 명 电话机 diànhuàjī = 전화2 ¶버튼식 ~ 按键电话机 / 화상 ~ 视频电话机

전:화위복(轉禍爲福) 명하자 转祸为福 zhuǎnhuòwéifú; 因祸为福 yīnhuòwéifú

전:환(轉換) 명하자타 转换 zhuǎnhuàn; 转变 zhuǎnbiàn; 转化 zhuǎnhuà; 扭转 niǔzhuǎn; 变换 biànhuàn; 转移 zhuǎnyí; 转折 zhuǎnzhé ¶~점 转折点 / 기분을 ~하다 转换情绪 / 분위기를 ~하다 转换气氛

전횡(專橫) 명하자 专横 zhuānhèng; 权横 quánhèng; 横行 héngxíng; 专横跋扈 zhuānhèngbáhù ¶자신의 특수한 신분을 믿고 ~을 휘두르다 凭借自己的特殊身份专横跋扈

전후(前後) 명하자타 1 = 앞뒤 ¶~ 위치 前后位置 2 左右 zuǒyòu ¶40세 ~ 四十岁左右

절[1] 명 寺庙 sìmiào; 庙宇 miàoyǔ; 寺院 sìyuàn; 佛刹 fóchà; 庙 miào; 僧院 sēngyuàn; 僧舍 sēngshè = 사원(寺院)2 · 사찰(寺刹)

절[2] 명하자 行礼 xínglǐ; 拜 bài; 鞠躬 jūgōng; 磕头 kētóu; 叩头 kòutóu; 敬礼 jìnglǐ ¶손을 모으고 ~을 하다 作揖行礼

절(節) 명 1 分句 fēnjù; 节 jié; 段 duàn 2 〖音〗 节 jié; 段 duàn ¶애국가 1~을 부르다 唱一节爱国歌

절감(切感) 명하타 痛感 tònggǎn; 深感 shēngǎn ¶가정의 중요함을 ~하다 痛感家庭的重要

절감(節減) 명하타 节减 jiéjiǎn; 节省 jiéshěng; 低落 dīluò; 减节 jiǎnjié ¶비용 ~ 费用节减

절개(切開) 명하타 切开 qiēkāi; 剖开 pōukāi; 割 gē; 剖 pōu ¶가슴을 ~하다 把胸膛剖开

절개(節槪 · 節介) 명 气节 qìjié; 节操 jiécāo; 情操 qíngcāo ¶~를 지키다 保持气节

절경(絕景) 명 绝景 juéjǐng; 佳境 jiājìng ¶한국의 ~ 韩国绝景 / 천하 ~ 天下绝景

절교(絕交) 명하자 绝交 juéjiāo; 隔绝 géjué; 断交 duànjiāo; 割袍断义 gēpáoduànyì ¶나는 친구와 ~했다 我和我的朋友绝交了

절구 명 臼 jiù; 石臼 shíjiù

절구-질 명하자 舂 chōng; 捣碓 dǎoduì ¶쌀을 ~하다 舂米

절구-통(—桶) 명 **1** 臼 jiù; 石臼 shíjiù **2** 胖墩儿 pàngdūnr

절굿-공이 명 杵 chǔ

절규(絕叫) 명하자타 高喊 gāohǎn; 疾呼 jíhū; 呐喊 nàhǎn; 叫喊 jiàohǎn; 呼喊 hūhǎn ¶국가를 구하라고 ~하다 呐喊救国

절기(節氣) 명 节气 jiéqì; 节令 jiélìng; 时令 shílìng; 节候 jiéhòu ¶~ 변화에 따라 건강 관리를 잘하다 随节气的变化做好保健养生

절:다[1] 자 **1** 腌渍 yānzì; 腌入味儿 yānrù wèir; 进盐味 jìn yánwèi; 腌透 yāntòu ¶쉽게 절여지다 容易腌入味儿 **2** 渍透 zìtòu; 渍 zì ¶땀에 완전히 절었다 被汗渍透了

절:다[2] 타 蹩 bié; 瘸 qué; 跛 bǒ; 长度不等 chángdù bùděng ¶강아지가 다리를 전다 小狗腿瘸了

절단(切斷 · 截斷) 명하타 断 duàn; 截断 jiéduàn; 折断 zhéduàn; 切割 qiēgē; 切断 qiēduàn; 割断 gēduàn ¶막대기를 ~했다 将棍子折断了

절단-면(切斷面) 명 〖數〗 切面 qiēmiàn; 断面 duànmiàn; 剖面 pōumiàn; 截面 jiémiàn

절대(絕對) 一명 绝对 juéduì ¶~ 권력 绝对权力 / ~다수 绝对多数 / ~ 진리 绝对真理 / ~ 평가 绝对评价 二부 = 절대로 ¶~ 잊지 마라 千万不要忘记 / 너의 요구를 나는 ~ 받아들일 수 없다 你的要求, 我绝对不能接受的

절대-로(絕對—) 부 绝对 juéduì; 千万 qiānwàn; 断然 duànrán; 决 jué = 절대二 ¶~ 안 돼! 绝对不行! / 내일은 ~ 늦지 마라 明天千万别迟到

절대-자(絕對者) 명 〖哲〗 绝对者 juéduìzhě

절대-치(絕對値) 명 〖數〗 = 절댓값

절댓-값(絕對—) 명 〖數〗 绝对值 juéduìzhí = 절대치

절도(節度) 명하자 适度 shìdù; 节制 jiézhì; 分寸 fēncun ¶말을 함에 있어 ~가 있어야 한다 说话要注意分寸

절도(竊盜) 명하타 盗窃 dàoqiè; 偷盗 tōudào; 偷窃 tōuqiè ¶~범 盗窃犯 / ~를 하다 犯盗窃

절뚝-거리다 타 瘸 qué; 跛 bǒ; 踮脚 diǎnjiǎo; 一瘸一拐地走 yīquéyīguǎide zǒu; 一跛一跛地走 yībǒyībǒde zǒu; 一瘸一捌地走 yīquéyībāde zǒu = 절뚝대다 ¶절뚝거리며 차로 돌아오다 一瘸一拐地走回车上 **절뚝-절뚝** 부하타

절뚝발-이 명 跛脚者 bǒjiǎozhě; 瘸子 quézi; 跛子 bǒzi

절레-절레 부하타 摇来摇去地 yáoláiyáoqùde; 摆来摆去地 bǎiláibǎiqùde; 摇摇 yáoyáo; 摇摇摆摆 yáoyaobǎibǎi; 一摇一摇地 yīyáoyīyáode 《摇头的样子》

절로 부 **1** '저절로'的略词 ¶~ 자신의 이야기가 생각났다 不由得想到自己的故事 / 그의 손이 ~ 떨렸다 他的手不由自主地颤抖了 **2** 往那边 wǎng nàbian; 到那边 dào nàbian; 往那儿 wǎng nàr; 到那儿 dào nàr ¶~ 가다 往那边走

절룩-거리다 타 瘸 qué; 踮脚 diǎnjiǎo = 절룩대다 **절룩-절룩** 부하타

절름-거리다 타 瘸 qué; 踮脚 diǎnjiǎo = 절름대다 **절름-절름** 부하타

절름발-이 명 瘸子 quézi; 瘸腿 quétuǐ; 跛子 bǒzi; 跛脚 bǒjiǎo; 拐子 guǎizi

절리(節理) 명 〖地理〗 (岩石的) 节理 jiélǐ

절망(絕望) 명하자 绝望 juéwàng; 断念 duànniàn; 死心 sǐxīn ¶~에 빠지다 陷入绝望 / ~감을 느끼다 感受到绝望感

절묘-하다(絕妙—) 형 绝妙 juémiào; 巧妙 qiǎomiào; 好妙 hǎomiào; 妙不可言 miàobùkěyán ¶절묘한 방법 绝妙方法

절박-감(切迫感) 명 紧迫感 jǐnpògǎn; 迫切感 pòqiègǎn ¶강렬한 ~이 생겼다 产生了一种强烈的迫切感

절박-하다(切迫—) 형 迫切 pòqiè; 急切 jíqiè; 紧迫 jǐnpò; 紧急 jǐnjí; 急迫 jípò; 急促 jícù; 匆促 cōngcù ¶시간이 ~ 时间匆促紧急 / 상황이 ~ 形势迫切

절반(折半) 명하타 一半 yībàn; 对半 duìbàn; 半 bàn; 两半 liǎngbàn; 半截 bànjié = 반절(半折)

절벽(絕壁) 명 绝壁 juébì; 峭壁 qiàobì; 悬岩 xuányán; 崖 yá

절상(切上) 명하타 【經】(货币) 升值 shēngzhí ¶위안화 ~ 人民币升值

절세-가인(絕世佳人) 명 绝世佳人 juéshìjiārén; 绝代佳人 juédàijiārén ¶황진이는 조선 시대의 ~이다 黄真伊是朝鲜时代的绝代佳人

절실-하다(切實—) 형 **1** 强烈 qiángliè ¶절실한 그리움 强烈的思念 **2** 迫切 pòqiè; 急切 jíqiè; 切切 qièqiè; 切要 qièyào; 切身 qièshēn ¶절실한 요구 迫切要求 / 아주 절실해 보인다 显得十分迫切 **절실-히** 부

절약(節約) 명하타 节约 jiéyuē; 节省 jiéshěng; 减省 jiǎnshěng ¶근검~ 勤俭节约 / 경비를 ~하다 节约经费

절-이다 타 腌渍 yānzì; 渍 zì; 腌 yān; 酱 jiàng 《'절다¹' 的使动词》 ¶배추를 ~ 腌渍白菜

절전(節電) 명하자 节电 jiédiàn ¶~ 기술 节电技术 / ~ 설비 节电设备

절절-하다(切切—) 형 切切 qièqiè; 殷切 yīnqiè; 恳切 kěnqiè; 深切 shēnqiè; 诚恳 chéngkěn ¶절절하게 도움을 구하다 恳切求助 **절절-히** 부

절정(絕頂) 명 **1** 山顶 shāndǐng; 顶峰 dǐngfēng; 山巅 shāndiān; 巅峰 diānfēng; 最高峰 zuìgāofēng; 极顶 jídǐng ¶~에 오르다 登上山顶 **2** 高潮 gāocháo; 顶点 dǐngdiǎn; 绝顶 juédǐng; 极点 jídiǎn; 极顶 jídǐng = 정점2 ¶~기 高潮期 =[高潮期间][高峰期][极盛时期] / 시합은 이미 ~에 이르렀다 大赛已经进入高潮 **3** 【文】 扣子 kòuzi; 关子 guānzi; 顶点 dǐngdiǎn; 极点 jídiǎn; 高峰 gāofēng; 高潮 gāocháo = 클라이맥스2

절제(切除) 명하타 切除 qiēchú; 切掉 qiēdiào; 割除 gēchú; 打断 dǎduàn ¶위 ~ 수술 胃切除手术

절제(節制) 명하타 节制 jiézhì; 限制 xiànzhì; 抑制 yìzhì; 克制 kèzhì ¶욕망을 ~하다 节制欲望

절지-동물(節肢動物) 명 【動】 节肢动物 jiézhī dòngwù

절차(節次) 명 次序 cìxù; 顺序 shùnxù; 程序 chéngxù; 手续 shǒuxù; 步骤 bùzhòu ¶~를 중시하다 讲顺序

절차-탁마(切磋琢磨) 명하타 切磋琢磨 qiēcuōzhuómó; 切磋 qiēcuō ¶기예를 ~하다 切磋艺技

절체-절명(絕体絕命) 명 绝地 juédì; 绝境 juéjìng; 绝处 juéchù; 水穷水尽 shuǐqióngshuǐjìn; 绝对绝命 juéduìjuémìng; 走投务路 zǒutóuwúlù; 一筹莫展 yīchóumòzhǎn ¶~의 위기에서 살아나다 绝处逢生

절충(折衷) 명하타 折中 zhézhōng; 交涉 jiāoshè; 调协 tiáoxié; 接洽 jiēqià; 揉合 róuhé ¶~안을 받아들이다 采纳折中方案

절취(竊取) 명하타 窃取 qièqǔ; 偷盗 tōudào; 盗窃 dàoqiè ¶차량을 ~하다 窃取车辆

절치-부심(切齒腐心) 명하자 切齿腐心 qièchǐfǔxīn; 切齿拊心 qièchǐfǔxīn; 切齿痛心 qièchǐtòngxīn; 切齿痛恨 qièchǐtònghèn; 切齿愤恨 qièchǐfènhèn; 咬牙切齿 yǎoyáqièchǐ ¶밤낮으로 ~하다 日夜切齿腐心

절친-하다(切親—) 형 亲密无间 qīnmìwújiàn; 亲密 qīnmì; 至亲 zhìqīn ¶절친한 친구 亲密朋友 **절친-히** 부

절판(絕版) 명하자 绝版 juébǎn ¶이 책은 이미 ~되었다 这本书已绝版了

절편 명 片糕 piàngāo; 切糕 qiēgāo

절하(切下) 명하타 【經】(货币) 贬值 biǎnzhí ¶엔화에 대해 달러가 거의 11% ~되었다 美元对日元贬值近11%

절호(絕好) 명하형 绝好 juéhǎo; 极好 jíhǎo; 最好 zuìhǎo ¶~의 기회 绝好的机会

젊:다 형 **1** 年轻 niánqīng; 年少 niánshǎo ¶젊었을 때 年轻的时候 **2** 旺盛 wàngshèng; 壮旺 zhuàngwàng; 活生生 huóshēngshēng; 生气勃勃 shēngqìbóbó; 方刚 fānggāng; 方壮 fāngzhuàng ¶젊은 혈기 方壮的血气

젊은-이 명 年轻人 niánqīngrén; 青年人 qīngniánrén; 年轻的 niánqīngde; 后生 hòushēng

점(占) 명 卦 guà; 卜 bǔ; 占卜 zhānbǔ; 算卦 suànguà; 算命 suànmìng ¶~을 본 경험이 있다 有算卦的经验

점(點) 一명 **1** 点(儿) diǎn(r); 点子 diǎnzi ¶까만 ~ 黑点子 / ~선 点线 =[虚线] **2** 斑点 bāndiǎn **3** 地方 dìfang; 处 chù ¶좋은 ~ 好处 **4** 看好 kànhǎo; 选定 xuǎndìng ¶내가 이미 ~을 찍어 놓았다 我已经选定了 **5** 【數】 点 diǎn 二의명 **1** 分 fēn ¶백 ~ 一百分 **2** 件 jiàn ¶옷 한 ~ 一件衣服 **3** 块 kuài; 片 piàn ¶회를 한 ~ 먹다 吃一块生鱼片

-점(店) 접미 商店 shāngdiàn; 店 diàn; 铺 pù ¶철물~ 铁铺 / 할인~ 廉价商店

점거(占據) 명하타 **1** 占据 zhànjù = 점령1 ¶우월한 지위를 ~하다 占据优势地位 **2** = 점령2

점검(點檢) 명하타 检查 jiǎnchá; 点验 diǎnyàn; 逐一检查 zhúyī jiǎnchá; 检点 jiǎndiǎn; 查看 chákàn; 查点 chádiǎn ¶안전 생산을 ~하다 检查安全生产

점괘(占卦) 명 【民】 占卦 zhānguà; 卜卦 bǔguà

점도(粘度) 명 【物】 黏度 niándù = 점

성도 ¶~가 크다 黏度高
점등(點灯) 명하자타 点灯 diǎndēng; 开灯 kāidēng ¶나는 ~하는 것을 잊었다 我忘记开灯了
점령(占領) 명하타 1 = 점거1 2 占领 zhànlǐng; 占据 zhànjù; 攻占 gōngzhàn; 霸占 bàzhàn; 陷没 xiànmò = 점거2 ¶수도를 ~하다 占领首都
점막(粘膜) 명 〖生〗 黏膜 niánmó
점멸(點滅) 명하자타 (灯) 明灭 míngmiè; 开和关 kāi hé guān
점보(jumbo) 명 巨型 jùxíng; 巨大 jùdà; 大规模 dàguīmó; 超大型 chāodàxíng ¶~ 사이즈 超大型号
점성(粘性) 명 黏性 niánxìng ¶~이 강한 액체 黏性很强的液体
점성-도(粘性度) 명 〖物〗 = 점도
점수(點數) 명 分 fēn; 分数 fēnshù; 得分 défēn; 评分 píngfēn; 学分 xuéfēn ¶시험 ~ 考试分数 / ~를 매기다 打分数
점:심(點心) 명 1 中午 zhōngwǔ; 正午 zhèngwǔ 2 午饭 wǔfàn; 午餐 wǔcān; 中饭 zhōngfàn = 중식 ¶~시간 午饭时间 =[午饭时] / ~을 거르다 没吃午饭
점:심-나절(點心—) 명 中午时分 zhōngwǔ shífēn ¶눈 깜짝할 사이에 시간이 이미 ~을 지났다 时间转眼已过中午时分
점안-제(點眼劑) 명 〖藥〗 点眼药水 diǎnyǎnyàoshuǐ; 眼药水 yǎnyàoshuǐ
점액(粘液) 명 〖生〗 黏液 niányè ¶환자의 비강을 막고 있던 ~을 제거하다 清除堵塞在病儿鼻腔中的黏液
점:원(店員) 명 店员 diànyuán; 售货员 shòuhuòyuán ¶~을 고용하다 雇用店员
점유(占有) 명하타 占有 zhànyǒu; 据有 jùyǒu ¶~율 占有率 =[份额] / 토지를 ~하다 占有土地 / 중요한 위치를 ~하다 占有重要的位置
점:입-가경(漸入佳境) 명하자 渐入佳境 jiànrùjiājìng
점자(點字) 명 盲文 mángwén; 盲字 mángzì; 点字 diǎnzì ¶~책 盲文书 / ~ 디스플레이 盲文显示器
점:잔 명 端庄 duānzhuāng; 斯文 sīwen; 持重 chízhòng; 文雅 wényǎ; 稳重 wěnzhòng ¶~을 빼다 摆出一副斯文的架子
점:잖다 형 1 稳重 wěnzhòng; 从容 cóngróng; 文雅 wényǎ; 端庄 duānzhuāng; 文静 wénjìng; 斯文 sīwen; 文质彬彬 wénzhìbīnbīn ¶점잖은 자세 端庄的姿势 / 그는 점잖게 말한다 他说得很文雅 2 高雅 gāoyǎ; 高尚 gāoshàng; 典雅 diǎnyǎ ¶그는 옷을 점잖게 입는다 他穿得高雅 **점:잖-이** 부
점-쟁이(占—) 명 占卦的人 zhānguàde rén; 算卦的人 suànguàde rén; 算命先生 suànmìng xiānsheng
점:점(漸漸) 부 渐渐 jiànjiàn; 逐渐 zhújiàn; 越来越 yuèláiyuè ¶인기가 ~ 올라가다 人气逐渐上升 / 날씨가 ~ 추워진다 天气越来越冷了
점:주(店主) 명 店主 diànzhǔ; 店东 diàndōng
점지 명하타 1 (神佛) 神赐 shéncì; 赐子 cìzǐ; 送子 sòngzǐ ¶~해 준 자식 神赐之子 2 预备 yùbèi ¶산신령님이 내게 ~해 주신 산삼 山神爷为我预备的山参
점:진-적(漸進的) 관명 渐进(的) jiànjìn(de) ¶~ 개혁 渐进的改革
점-찍다(點—) 타 心中认定 xīnzhōng rèndìng; 看中 kànzhòng ¶나는 그녀를 나의 아내로 점찍었다 我心中认定她就是我的爱人
점:차(漸次) 부 逐渐 zhújiàn; 渐渐 jiànjiàn; 稍稍 shāoshāo; 逐步 zhúbù; 越来越 yuèláiyuè ¶~ 가까이 다가오다 渐渐走近
점-치다(占—) 타 1 算卦 suànguà; 占卜 zhānbǔ; 算命 suànmìng; 占卦 zhānguà 2 预测 yùcè ¶어느 편이 이길 지 점치기 어렵다 哪方会获胜难以预测
점토(粘土) 명 〖地理〗 胶泥 jiāoní; 黏土 niántǔ
점퍼(jumper) 명 夹克 jiākè; 工作夹克 gōngzuò jiākè = 잠바 ¶레저용 ~ 休闲夹克
점:포(店鋪) 명 店铺 diànpù; 铺子 pùzi; 商店 shāngdiàn; 铺户 pùhù ¶~를 열고 장사를 하다 开店铺做生意
점프(jump) 명하자 1 跳跃 tiàoyuè 2 〖體〗 跳跃竞赛 tiàoyuè jìngsài
점프 볼(jump ball) 〖體〗 (篮球) 争球 zhēngqiú; 跳球 tiàoqiú
점-하다(占—) 타 占据 zhànjù; 占[zhàn
점호(點呼) 명하타 点名 diǎnmíng ¶~를 시작하다 开始点名
점화(點火) 명하자타 点燃 diǎnrán; 点火 diǎnhuǒ; 点着 diǎnzháo; 点 diǎn ¶성화를 ~하다 点圣火
접객(接客) 명하자 迎宾 yíngbīn; 迎接客人 yíngjiē kèrén; 接客 jiēkè; 招待客人 zhāodài kèrén; 待客 dàikè
접견(接見) 명하타 1 接见 jiējiàn; 会见 huìjiàn; 引见 yǐnjiàn ¶~을 요구하다 要求接见 2 〖法〗 会见 huìjiàn; 会面 huìmiàn ¶변호사도 ~이 불허되다 律师都不被允许探视
접경(接境) 명하자 接境 jiējìng; 交界 jiāojiè; 接界 jiējiè; 搭界 dājiè ¶북한과 중국의 ~ 지역 北韩和中国的接境

地区
접근(接近) 명하자 接近 jiējìn; 靠近 kàojìn; 相近 xiāngjìn; 凑近 còujìn; 挨近 āijìn; 近迫 jìnpò; 凑 còu; 拢 lǒng; 迫近 pòjìn; 逼近 bījìn ¶～금지 禁止靠近 / 그에게 ～을 시도하다 试图接近他
접다 타 1 折 zhé; 折叠 zhédié ¶종이학 천 마리를 접었다 折叠了一千只纸鹤 2 合 hé; 收拢 shōulóng ¶우산을 ～ 收拢雨伞 3 收回 shōuhuí; 保留 bǎoliú; 不提 bùtí ¶의견을 ～ 收回意见
접대(接待) 명하타 招待 zhāodài; 接待 jiēdài; 应接 yìngjiē ¶～비 招待费 =[接待费] / 손님을 ～하다 接待客人
접대-부(接待婦) 명 女招待 nǚzhāodài
접두-사(接頭辭) 명 〖語〗 前缀 qiánzhuì; 词头 cítóu; 接头词 jiētóucí
접:때 명부 上次 shàngcì; 前次 qiáncì; 前不久 qiánbùjiǔ; 前几天 qiánjǐtiān ¶～ 그와 만난 적이 있다 前几天跟他见过面
접목(椄木·接木) 명하타 1 接轨 jiēguǐ; 嫁接 jiàjiē ¶동서양 문화를 ～하다 嫁接东西方文化 2 〖農〗 嫁接树木 jiàjiē shùmù; 嫁接的树木 jiàjiēde shùmù
접미-사(接尾辭) 명 〖語〗 后缀 hòuzhuì; 词尾 cíwěi; 接尾词 jiēwěicí
접사(接寫) 명하타 〖演〗 (摄影的) 近摄 jìnshè; 特写 tèxiě ¶내 디지털 카메라는 ～ 기능이 있다 我的数码相机有近摄功能
접사(接辭) 명 〖語〗 词缀 cízhuì
접선(接線) 명하자 1 〖數〗 切线 qiēxiàn 2 接头 jiētóu ¶간첩과 ～하다 跟间谍接头
접속(接續) 명하타 1 连接 liánjiē; 联接 liánjiē; 接续 jiēxù; 连续 liánxù 2 〖컴〗 连接 liánjiē ¶인터넷에 ～하다 连接上网
접속-사(接續詞) 명 〖語〗 连接语 liánjiēyǔ
접수(接受) 명하타 接受 jiēshòu; 采纳 cǎinà; 受理 shòulǐ ¶～증 受理证明书 / ～처 接受处 =[受理处] / 신청서를 ～하다 接受申请书
접시 명 碟子 diézi; 碟(儿) dié(r) ¶～에 땅콩을 가득 담았다 一只碟子里装满了花生
접신(接神) 명하자 〖民〗 着神 zháoshén; 着鬼 zháoguǐ; 神附身 shénfùshēn
접어-놓다 타 不管 bùguǎn; 无论 wúlùn ¶누가 옳고 누가 그른지는 접어놓고, 우리 앞으로 잘 지내자! 不管谁对谁错, 我们以后好好儿过吧!
접어-들다 자 1 (时间) 临近 línjìn; 接近 jiējìn; 逼近 bījìn; 正值 zhèngzhí ¶장마철에 막 ～ 正值梅雨季节 2 进到 jìndào; 进入 jìnrù; 走进 zǒujìn; 踏上 tàshàng ¶산길로 ～ 走进山路
접영(蝶泳) 명 〖體〗 蝶泳 diéyǒng
접-의자(—椅子) 명 折叠椅 zhédiéyǐ; 折椅 zhéyǐ
접전(接戰) 명하자 1 交战 jiāozhàn; 回合 huíhé ¶치열한 ～ 激烈的交战 2 难分胜负的战斗 nánfēn shèngfùde zhàndòu
접종(接种) 명하자타 〖醫〗 接种 jiēzhǒng ¶예방 ～ 预防接种
접지(接地) 명하타 〖電〗 地线 dìxiàn; 接地 jiēdì
접-질리다 자타 扭伤 niǔshāng; 扭筋 niǔjīn; 扭 niǔ; 崴 wǎi ¶다리를 ～ 脚部扭筋
접착(接着) 명하자 附着 fùzhuó; 黏着 niánzhuó ¶～력 黏着力 / ～제 黏着剂
접촉(接触) 명하자타 1 接触 jiēchù; 相碰 xiāngpèng ¶～ 사고 接触交通事故 / 자동차와 ～하다 与一辆小汽车相碰 2 交道 jiāodào; 交友 jiāoyǒu; 见人 jiànrén ¶사람과 ～하는 것을 두려워하다 怕见人
접-하다(接—) 자타 1 连接 liánjiē; 相连 xiānglián; 邻接 línjiē; 接壤 jiērǎng; 接界 jiējiè; 靠 kào ¶해안에 접해 있는 집 靠海边的房子 2 见 jiàn; 见到 jiàndào; 碰头 pèngtóu; 见面 jiànmiàn; 认识 rènshi; 接触 jiēchù; 交往 jiāowǎng ¶그를 ～ 见他 3 听到 tīngdào; 接到 jiēdào; 收到 shōudào; 获悉 huòxī ¶소식을 ～ 听到消息 4 接神 jiēshén
접합(接合) 명하자타 接合 jiēhé; 结合 jiéhé; 接上 jiēshàng ¶한데 ～하다 接合在一起
접-히다 자 被折叠 bèi zhédié (('접다' 的被动词)) ¶그는 접힌 곳을 펼쳤다 他把被折叠的地方打开
젓 명 酱 jiàng; 海物酱 hǎiwùjiàng ¶새우～ 虾酱
젓-가락 명 筷子 kuàizi; 箸 zhù ¶～통 箸笼子 / ～질 动筷子
젓-갈[1] 명 酱 jiàng; 海物酱 hǎiwùjiàng; 海味酱 hǎiwèijiàng
젓-갈[2] 명 '젓가락' 的略词
젓:다 타 1 搅 jiǎo; 搅动 jiǎodòng; 搅拌 jiǎobàn ¶커피를 ～ 搅拌咖啡 2 打 dǎ; 划 huá; 摇 yáo ¶노를 ～ 打桨 3 摇 yáo; 摇动 yáodòng ¶고개를 ～ 摇摇头 4 挥舞 huīwǔ; 挥动 huīdòng; 摇摇摆摆 yáoyaobǎibǎi ¶날개를 ～ 挥动翅膀
정:[1] 명 凿子 záozi; 凿 záo; 錾子 zànzi ¶뾰족한 돌을 ～으로 평평하게 다듬다 一块尖石都用凿子凿平

정:[2] 부 真 zhēn; 实在 shízài; 一定 yīdìng; 肯定 kěndìng ¶~ 먹고 싶으면 먹어라! 你真想吃, 就吃吧!

정(情) 명 心情 xīnqíng; 情 qíng; 感情 gǎnqíng; 情谊 qíngyì; 情意 qíngyì; 情思 qíngsī ¶부부간의 ~ 夫妻之间的感情 / 연민의 ~ 怜惜之情 / ~을 쏟다 钟情 =[倾心][钟爱]

-정(亭) 접미 亭 tíng ¶팔각~ 八角亭

-정(錠) 접미 锭 dìng; 丸 wán; 片 piàn ¶복합 비타민~ 复合维生素丸

정:가(定價) 명하타 定价 dìngjià; 价码(儿) jiàmǎ(r); 标价 biāojià ¶~를 공개하다 公开价码

정:각(正刻) 명 正 zhèng; 整 zhěng ¶저녁 12시 ~ 晚上12点整

정:각(定刻) 명 准时 zhǔnshí; 准点 zhǔndiǎn; 正点 zhèngdiǎn; 定时 dìngshí ¶~에 출발하다 定时出发

정갈-하다 형 干净 gānjìng; 洁净 jiéjìng; 清洁 qīngjié; 整洁 zhěngjié; 干净利落 gānjìnglìluo ¶정갈한 요리 整洁的菜 / 일을 정갈하게 처리하다 做事干净利落 **정갈-히** 부

정감(情感) 명 情感 qínggǎn; 感情 gǎnqíng ¶~ 있는 사람 有情感的人 —**하다** 타 引起情感 yǐnqǐ qínggǎn

정강이 명 胫 jìng; 小腿前侧 xiǎotuǐ qiáncè; 迎面骨 yíngmiàngǔ

정거(停車) 명하자타 = 정차 ¶~장 停车站 =[车站] / 이 열차는 어느 역에서 ~합니까? 这趟列车会在哪些车站停车?

정:격(正格) 명 正确格式 zhèngquè géshì; 标准规格 biāozhǔn guīgé

정결(淨潔) 명하형히부 净洁 jìngjié; 洁净 jiéjìng; 干净 gānjìng; 清洁 qīngjié ¶방을 ~하게 청소하다 把屋子打扫干净

정-겹다(情—) 형 多情 duōqíng; 深情 shēnqíng; 情深 qíngshēn ¶정겨운 장면 深情的镜头 / 너의 목소리가 이처럼 정겹구나! 你的声音如此多情啊!

정경(政經) 명 政治和经济 zhèngzhì hé jīngjì; 政经 zhèngjīng ¶~ 분리의 원칙 政经分离原则

정계(政界) 명 = 정치계 ¶~를 떠나다 离开政治界

정:곡(正鵠) 명 **1** 正鹄 zhènggǔ; 鹄的 gǔdì; 靶心 bǎxīn ¶~을 맞히다 射中靶心 **2** 核心 héxīn; 要害 yàohài ¶~을 찌르다 切中要害

정관(精管) 명 『生』 精管 jīngguǎn; 输精管 shūjīngguǎn = 수정관 ¶~ 수술 输精管手术

정:-관사(定冠詞) 명 『語』 定冠词 dìngguàncí

정교-하다(精巧—) 형 精巧 jīngqiǎo; 精致 jīngzhì; 精美 jīngměi; 精细 jīngxì; 细巧 xìqiǎo; 工巧 gōngqiǎo; 精妙 jīngmiào ¶정교하게 만들다 做得精致 **정교-히** 부

정국(政局) 명 政局 zhèngjú; 世局 shìjú

정권(政權) 명 政权 zhèngquán ¶중앙 ~ 中央政权 / ~을 잡고 있다 握着政权

정:규(正規) 명 正规 zhèngguī; 正则 zhèngzé ¶~ 교육 正规教育 / ~ 직원 正规职员

정:극(正劇) 명 『演』 正剧 zhèngjù

정글(jungle) 명 = 밀림

정글-짐(jungle gym) 명 攀登架 pāndēngjià; 并格木 bìnggémù

정:기(定期) 명 定期 dìngqī ¶~ 예금 定期存款 / ~ 간행물 定期刊行 =[期刊][定期刊物] / ~ 국회 定期国会 / ~ 총회 定期全会 / ~ 휴업 定期停业

정기(精氣) 명 **1** (民族的) 精神 jīngshén; 神志 shénzhì; 精力 jīnglì **2** 生气 shēngqì; 灵气 língqì; 精气 jīngqì; 元气 yuánqì **3** (事物的) 精气 jīngqì ¶산과 물의 ~를 받다 接受山和水的精气

정:기-적(定期的) 관명 定期(的) dìngqī(de) ¶~으로 건강 검진을 하다 定期进行健康检查

정-나미(情—) 명 情 qíng; 情意 qíngyì; 感情 gǎnqíng ¶그에게 ~가 떨어졌다 对他没有了情意

정낭(精囊) 명 『生』 精囊 jīngnáng; 精胞 jīngbāo

정년(停年) 명 退休年龄 tuìxiū niánlíng; 退职年龄 tuìzhí niánlíng ¶법정 ~ 法定退休年龄 / ~이 되다 到退休年龄

정년-퇴직(停年退職) 명하자 退老 tuìlǎo; 退休 tuìxiū

정녕(丁寧 · 叮寧) 부하형히부 一定 yīdìng; 真的 zhēnde; 的确 díquè; 果真 guǒzhēn; 肯定 kěndìng; 分明 fēnmíng ¶그를 ~ 모른단 말인가? 你真的不认识他吗?

정녕-코(丁寧—) 부 '정녕' 的强调语

정담(情談) 명 **1** 贴己话 tiējǐhuà; 热情的话 rèqíngde huà; 亲切的话 qīnqiède huà **2** 真心话 zhēnxīnhuà ¶~을 몇 마디 말하다 说上几句真心话

정:답(正答) 명 正答 zhèngdá; 正确答案 zhèngquè dá'àn; 正确回答 zhèngquè huídá ¶~은 하나밖에 없다 正确答案只有一个

정-답다(情—) 형 亲密 qīnmì; 亲切 qīnqiè; 多情 duōqíng; 和睦 hémù; 深情 shēnqíng; 含情 hánqíng ¶정답게 바라보다 亲切地凝视 / 정답게 대화를 나누다 多情地交谈

정당(政黨) 명 〖政〗 政党 zhèngdǎng; 党 dǎng ＝ 당(黨) ¶～ 대표 政党代表
정:당-방위(正當防衛) 명 〖法〗 正当防卫 zhèngdàng fángwèi; 自我防卫 zìwǒ fángwèi; 自卫 zìwèi
정:당-성(正當性) 명 正当性 zhèngdàngxìng; 合法性 héfǎxìng ¶～을 지니다 具有正当性
정:당-하다(正當—) 형 正当 zhèngdàng; 妥当 tuǒdang; 恰当 qiàdàng; 切当 qièdàng; 适当 shìdàng ¶정당하지 않다 不正当 / 정당한 관계를 유지하다 保持恰当的关系 **정:당-히** 부
정:도(正道) 명 正道 zhèngdào; 正路 zhènglù; 公道 gōngdào; 正途 zhèngtú ¶～를 걷다 走上正道
정도(程度) 명 **1** 程度 chéngdù ¶오염 ～ 污染程度 **2** 左右 zuǒyòu; 上下 shàngxià; 大约 dàyuē ¶20분 ～ 20分钟左右 / 백 명 ～ 大约一百名
정독(精讀) 명하타 精读 jīngdú; 细读 xìdú ¶그는 책 한 권을 진지하게 ～했다 他认真精读了一本书
정:돈(整頓) 명하타 整顿 zhěngdùn; 整理 zhěnglǐ; 收拾 shōushi; 整饬 zhěngchì ¶～된 책상 整理好的桌子
정-들다(情—) 자 有了感情 yǒule gǎnqíng; 产生感情 chǎnshēng gǎnqíng; 钟情 zhōngqíng; 心爱 xīn'ài; 爱上 àishàng ¶너와 정들었다 跟你有了感情了
정-떨어지다(情—) 자 伤感情 shāng gǎnqíng; 恶心 ěxin; 生厌 shēngyàn ¶네가 지금 하는 말은 정말 정떨어진다 你现在说话真让人生厌
정략(政略) 명 政治谋略 zhèngzhì móulüè; 政治策略 zhèngzhì cèlüè; 政略 zhènglüè
정략-결혼(政略結婚) 명 政治婚姻 zhèngzhì hūnyīn; 权宜婚姻 quányí hūnyīn; 政治通婚 zhèngzhì tōnghūn ¶귀족 사이에 ～을 하다 搞贵族之间的政治通婚
정:량(定量) 명 定量 dìngliàng; 公量 gōngliàng; 净重 jìngzhòng; 定额 dìng'é ¶～을 먹이다 定量饲喂 / ～을 초과하다 超过定额
정력(精力) 명 **1** 精力 jīnglì; 气脉 qìmài ¶～이 왕성하다 精力旺盛 **2** 男人性能力 nánrén xìngnénglì
정련(精鍊) 명하타 **1** 千锤百练 qiānchuíbǎiliàn **2** 〖工〗 精炼 jīngliàn; 精冶 jīngyě; 炼矿 liànkuàng ¶～을 거친 금괴 经过精炼的金块
정:렬(整列) 명하자타 排队 páiduì; 排列 páiliè; 整队 zhěngduì
정류-소(停留所) 명 ＝ 정류장
정류-장(停留場) 명 车站 chēzhàn; 停车站 tíngchēzhàn ＝ 정류소
정:리(整理) 명하타 整理 zhěnglǐ; 整顿 zhěngdùn; 收拾 shōushi ¶방을 ～하다 整理房间 / 짐을 ～하다 收拾行李
정:립(定立) 명하타 定立 dìnglì; 建立 jiànlì; 决定 juédìng; 决心 juéxīn; 打定 dǎdìng ¶가치관을 ～하다 建立价值观 / 인생 목표를 ～하다 定立人生目标
정:립(鼎立) 명하자 鼎立 dǐnglì; 鼎足 dǐngzú; 三分鼎足 sānfēndǐngzú ¶삼국 ～ 三国鼎立
정:-말(正—) ㊀명 真话 zhēnhuà; 实话 shíhuà; 真的 zhēnde; 事实 shìshí; 真实 zhēnshí ¶그게 ～이냐? 那是真的吗? ㊁부 ＝ 정말로
정:말-로(正—) 부 真的 zhēnde; 果真 guǒzhēn; 实在 shízài; 确实 quèshí; 好 hǎo; 怪 guài; 简直 jiǎnzhí; 真是 zhēnshi ＝ 정말㊁ ¶나는 ～ 참을 수 없다 我真的受不了
정맥(靜脈) 명 〖生〗 静脉 jìngmài ¶～ 주사 静脉注射
정:면(正面) 명 **1** 对面 duìmiàn; 迎面 yíngmiàn ¶～에서 한 아가씨가 걸어왔다 对面走过来一个姑娘 **2** 前面 qiánmiàn **3** 正面 zhèngmiàn; 劈头 pītóu; 劈脸 pīliǎn; 直接 zhíjiē ¶다른 사람의 의견을 ～으로 반대하다 正面反对别人的意思
정:면-충돌(正面衝突) 명하자 **1** 碰撞 pèngzhuàng; 正面相撞 zhèngmiàn xiāngzhuàng ¶작은 승합차와 큰 화물차가 ～했다 一辆小客车与一辆大货车正面相撞 **2** 正面冲突 zhèngmiàn chōngtū; 抓破脸 zhuāpòliǎn; 顶牛儿 dǐngniúr ¶그와 ～하지 마라 别跟他顶牛儿
정:문(正門) 명 正门 zhèngmén; 大门 dàmén; 前门 qiánmén ¶～으로 들어가다 从正门走进去
정문-일침(頂門一鍼) 명 顶门一针 dǐngményīzhēn; 当头一棒 dāngtóuyībàng; 当头棒喝 dāngtóubànghè ¶～을 놓다 作顶门一针
정물(靜物) 명 静物 jìngwù ¶～화 静物画
정미(精米) 명하타 碾米 niǎnmǐ; 舂米 chōngmǐ; 擦米 cāmǐ ¶～소 碾米厂 ＝ [碾房][碓房]
정밀(精密) 명하형히부 精密 jīngmì; 精致 jīngzhì; 细密 xìmì; 精细 jīngxì ¶～ 분석 精密分析 / ～ 조사 精密调查
정박(碇泊·渟泊) 명하자타 停泊 tíngbó; 停靠 tíngkào; 下碇 xiàdìng; 锚泊 máobó; 泊船 bóchuán ¶부두에 ～하다 停泊在码头
정:-반대(正反對) 명 正相反 zhèngxiāngfǎn; 恰恰相反 qiàqià xiāngfǎn; 完

全相反 wánquán xiāngfǎn ¶~의 결론을 얻다 得到完全相反的结论

정:-반합(正反合) 명 〖哲〗 正反合 zhèngfǎnhé; 正立 zhènglì; 反立和综合 fǎnlì hé zōnghé

정벌(征伐) 명하타 征伐 zhēngfá; 征讨 zhēngtǎo; 讨伐 tǎofá ¶오랑캐를 ~하다 征伐夷狄

정변(政變) 명 政变 zhèngbiàn ¶~을 일으키다 发动政变

정보(情報) 명 消息 xiāoxi; 信息 xìnxī; 声气 shēngqì; 资料 zīliào; 情报 qíngbào ¶교통 ~ 交通消息 / 가격 ~ 사이트 价格信息网 / 군사 ~ 军事情报 / ~ 산업 信息产业 / ~원 情报员 / ~화 사회 信息化社会

정:복(正服) 명 = 제복

정복(征服) 명하타 **1** 征服 zhēngfú; 攻克 gōngkè; 制伏 zhìfú ¶아시아 ~ 征服亚洲 **2** 征服 zhēngfú; 克服 kèfú; 耐受 nàishòu ¶우주 ~ 征服宇宙 **3** 掌握 zhǎngwò ¶10대 암을 ~하다 掌握十大癌症

정부(政府) 명 〖法〗 政府 zhèngfǔ

정부-미(政府米) 명 国产米 guóchǎnmǐ; 政府储备粮 zhèngfǔ chǔbèiliáng; 政府储备米 zhèngfǔ chǔbèimǐ

정분(情分) 명 情分 qíngfèn; 情谊 qíngyì; 感情 gǎnqíng; 交情 jiāoqing ¶~을 나누다 交情谊

정분-나다(情分—) 자 相爱 xiāng'ài; 相好 xiānghǎo

정-붙이다(情—) 자 托心 tuōxīn

정:비(整備) 명하타 **1** 整顿 zhěngdùn; 整理 zhěnglǐ; 整备 zhěngbèi ¶기업 체제를 ~하다 整备企业体制 **2** 整修 zhěngxiū; 维修 wéixiū; 修整 xiūzhěng; 修理 xiūlǐ; 保修 bǎoxiū ¶자동차 ~ 汽车维修 / ~사 维修技师 =[维修工][修理工] / 거리를 ~하다 整修街道

정:-비례(正比例) 명하자 〖數〗 正比例 zhèngbǐlì; 正比 zhèngbǐ; 成正比 chéng zhèngbǐ

정:사(正史) 명 正史 zhèngshǐ ¶이 이야기는 ~에 기록되어 있지 않다 这个故事没有在正史中记载

정사(政事) 명 政事 zhèngshì; 治国 zhìguó; 政务 zhèngwù ¶~에 참여하다 参与政事

정사(情事) 명 **1** 恋爱 liàn'ài **2** 做爱 zuò'ài; 房事 fángshì; 性交 xìngjiāo; 性爱 xìng'ài

정:-사각형(正四角形) 명 〖數〗 正方形 zhèngfāngxíng; 正四边形 zhèngsìbiānxíng

정:-사원(正社員) 명 正工 zhènggōng; 正式职员 zhèngshì zhíyuán; 正式工 zhèngshìgōng ¶~을 모집하다 聘用正式职员

정산(精算) 명하타 细账 xìzhàng; 精算 jīngsuàn ¶세금 ~ 细账税费

정:-삼각형(正三角形) 명 〖數〗 正三角形 zhèngsānjiǎoxíng; 等边三角形 děngbiān sānjiǎoxíng

정:상(正常) 명 正常 zhèngcháng; 正态 zhèngtài; 常态 chángtài; 常规 chángguī ¶국교 ~화 邦交正常化 / ~을 회복하다 恢复正态 / 태아의 발육이 ~이다 胎儿的发育很正常

정상(情狀) 명 情况 qíngkuàng; 状况 zhuàngkuàng; 情景 qíngjǐng; 景况 jǐngkuàng ¶사건의 ~을 조사하다 对案件情况进行调查 / ~을 참작하여 처리하다 根据情况斟酌处理

정상(頂上) 명 **1** 山顶 shāndǐng; 山头 shāntóu; 山巅 shāndiān; 峰巅 fēngdiān; 顶峰 dǐngfēng ¶설악산 ~에 도달하다 到达雪岳山山顶 **2** 最上 zuìshàng; 顶上 dǐngshàng; 头等 tóuděng; 超等 chāoděng; 最高峰 zuìgāofēng; 尖峰 jiānfēng; 高潮 gāocháo; 最高点 zuìgāodiǎn; 至高点 zhìgāodiǎn ¶가요계의 ~에 오르다 登上歌坛高潮 / 세계의 ~에 서다 站在世界的最高点 **3** 首脑 shǒunǎo

정상-급(頂上級) 명 第一流 dìyīliú; 超等 chāoděng; 最优等 zuìyōuděng; 超一流 chāoyīliú; 最高级 zuìgāojí ¶국내 ~ 제품 国内最优等的产品

정:상-아(正常兒) 명 正常儿 zhèngcháng'ér; 正常儿童 zhèngcháng értóng

정상 회:담(頂上會談) 〖政〗 首脑会谈 shǒunǎo huìtán = 수뇌 회담

정:색(正色) 명하자 正色 zhèngsè; 正经 zhèngjing; 板脸 bǎnliǎn; 一本正经 yīběnzhèngjīng; 严肃 yánsù ¶그는 ~을 하고 사절했다 他正色谢绝 / 그가 ~을 하고 나에게 말했다 他正经地对我说

정서(情緖) 명 情绪 qíngxù; 情调 qíngdiào; 情操 qíngcāo; 感情 gǎnqíng; 情致 qíngzhì; 情感 qínggǎn ¶~ 불안 情绪不定 / ~ 장애 情绪障碍 / 비관적 ~ 悲观的情绪

정:석(定石) 명 定式 dìngshì; 固定方式 gùdìng fāngshì; 惯例 guànlì; 老规矩 lǎoguīju ¶당면한 문제를 ~대로 해결하다 面临的问题依定式解决

정선(精選) 명하타 精选 jīngxuǎn; 挑选 tiāoxuǎn; 百里挑一 bǎilǐtiāoyī ¶~된 작품 精选的作品

정:설(定說) 명 定说 dìngshuō; 定论 dìnglùn; 成说 chéngshuō ¶~을 뒤집다 推翻定说

정성(精誠) 명 精心 jīngxīn; 赤诚 chìchéng; 赤心 chìxīn; 诚心 chéngxīn; 真

诚 zhēnchéng; 殷勤 yīnqín; 心意 xīnyì ¶～을 다하다 竭尽诚心 / ～을 표시하다 表达心意

정성-껏(精誠—) 부 赤诚(地) chìchéng(de); 精心(地) jīngxīn(de); 诚心(地) chéngxīn(de) ¶아이를 ～ 보살피다 精心照顾孩子

정성-스럽다(精誠—) 형 诚心 chéngxīn; 真诚 zhēnchéng; 殷勤 yīnqín; 诚心诚意 chéngxīnchéngyì; 精心 jīngxīn ¶정성스럽게 어머니를 봉양하다 诚心诚意地侍奉母亲 **정성스레** 부

정세(政勢) 명 政局 zhèngjú; 局势 júshì ¶복잡한 ～ 复杂的局势 / ～가 안정되다 政局恢复安定

정세(情勢) 명 情势 qíngshì; 形势 xíngshì; 局势 júshì; 风头 fēngtou; 风势 fēngshì; 情形 qíngxíng; 势头 shìtóu; 情况 qíngkuàng; 情状 qíngzhuàng; 形势 xíngshì ¶국제 ～ 国际形势

정수(淨水) 명하타 净水 jìngshuǐ; 滤水 lǜshuǐ ¶～기 净水器 =[滤水器] / ～한 맑은 물 经过滤水的清水

정수(精髓) 명 精髓 jīngsuǐ; 精华 jīnghuá; 精英 jīngyīng ¶한국 문화의 ～ 韩国文化的精华

정:수(整數) 명 〖數〗 整数 zhěngshù

정수리(頂—) 명 头顶 tóudǐng; 脑顶 nǎodǐng; 顶门儿 dǐngménr; 囟门 xìnmén = 꼭대기2 ¶할아버지께서 손자의 ～를 가볍게 쓰다듬고 계신다 爷爷轻轻地抚摸着孙子的头顶

정숙(貞淑) 명하형히부 娴淑 xiánshū; 娴静 xiánjìng; 贤德 xiándé; 贤惠 xiánhuì ¶～한 며느리 一个贤惠的媳妇

정숙(靜肅) 명하형히부 肃静 sùjìng; 安静 ānjìng; 静肃 jìngsù; 沉静 chénjìng ¶그는 ～하게 앉아 있다 他沉静地端坐着

정:시(定時) 명 定时 dìngshí; 准时 zhǔnshí; 按时 ànshí; 准点 zhǔndiǎn ¶～에 출근하다 准时上班

정:식(正式) 명 正式 zhèngshì; 正规 zhèngguī; 正经 zhèngjing ¶～ 절차 正式程序 / ～으로 가입하다 正式加入

정식(定食) 명 定食 dìngshí; 套餐 tàocān; 套菜 tàocài; 客饭 kèfàn ¶비교적 저렴한 ～ 比较便宜的定食

정신(精神) 명 **1** 精神 jīngshén; 心神 xīnshén; 心灵 xīnlíng; 神思 shénsī; 心气(儿) xīnqì(r); 心眼儿 xīnyǎnr; 心绪 xīnxù; 心情 xīnqíng ¶～병 精神病 =[神经病] / ～ 병원 精神病院 / ～ 착란 精神错乱 / 육체와 ～ 肉体与精神 **2** 精神 jīngshén; 神志 shénzhì ¶～력 精神力 =[毅力] / ～을 가다듬다 振作精神 / ～을 못 차리다 神志不清 **3** 精神 jīngshén; 思想 sīxiǎng; 气息 qìxī ¶시대 ～ 时代精神 / 민주주의 ～ 民主主义精神

정신(을) 차리다 구 **1** 振作精神; 提神 ¶정신을 차릴 수 없다 提不起精神 **2** 觉悟; 觉醒 = 정신(이) 들다

정신(이) 들다 구 **1** 清醒; 苏醒; 回神 ¶오래도록 정신이 들지 않다 久久不能回神 **2** = 정신(을) 차리다2

정신(이) 빠지다 구 失神; 不清醒; 掉魂; 神不守舍; 忘神; 发呆; 糊里糊涂; 稀里糊涂

정신(이) 사납다 구 不清醒; 没精神

정신(이) 팔리다 구 不务正业; 疯头疯脑; 迷恋

정신-과(精神科) 명 〖醫〗 = 신경 정신과

정신 안정제(精神安靜劑) 〖藥〗 安定药 āndìngyào; 精神安定药 jīngshén āndìngyào; 安神药 ānshényào = 신경 안정제 · 안정제

정신-없다(精神—) 형 **1** 弄糊涂了 nòng hútule; 没有精神 méiyǒu jīngshén **2** 忙不过来 mángbùguòlái; 忙着 mángzhe **정신없-이** 부 ¶～ 인터넷을 하다 忙着上网

정신 연령(精神年齡) 〖心〗 心理年龄 xīnlǐ niánlíng; 智力年龄 zhìlì niánlíng; 智龄 zhìlíng

정:실(正室) 명 **1** '본처' 的别称 ¶～ 부인 正室妻子 **2** 正房 zhèngfáng; 正屋 zhèngwū

정:액(定額) 명 定额 dìng'é; 限额 xiàn'é; 定数 dìngshù; 额数 éshù ¶～을 초과하다 超出定额

정액(精液) 명 **1** 〖生〗 精液 jīngyè **2** 纯液 chúnyè

정:액-권(定額券) 명 〖交〗 = 정액 승차권

정:액 승차권(定額乘車券) 〖交〗 定额票 dìng'épiào = 정액권 ¶지하철 ～ 地铁定额票

정연-하다(井然—) 형 整齐 zhěngqí; 井然 jǐngrán ¶질서가 ～ 井然有序 **정연-히** 부

정열(情熱) 명 热情 rèqíng; 热忱 rèchén; 激情 jīqíng; 劲头(儿) jìntóu(r); 底气 dǐqì; 热烈 rèliè ¶～을 쏟다 倾注激情

정예(精銳) 명하형 **1** 精锐 jīngruì ¶～ 부대 精锐部队 **2** 精英 jīngyīng ¶소수 ～ 少数精英

정:오(正午) 명 正午 zhèngwǔ; 中午 zhōngwǔ; 晌午 shǎngwu; 午间 wǔjiān ¶～의 태양 晌午的阳光

정:오(正誤) 명하타 勘误 kānwù; 正误 zhèngwù ¶～표 正误表 =[勘误表][刊误表]

정욕(情慾) 명 情欲 qíngyù; 性欲 xìngyù; 色欲 sèyù; 欲火 yùhuǒ; 淫心 yínxīn ¶ ~을 채우다 满足情欲

정:원(定員) 명 定员 dìngyuán; 名额 míng'é; 员额 yuán'é ¶ ~을 넘다 超过定员 / ~을 줄이다 减少员额

정원(庭園) 명 庭院 tíngyuàn; 院落 yuànluò; 院子 yuànzi; 庭园 tíngyuán; 家院 jiāyuàn ¶ ~을 거닐다 漫步庭园

정월(正月) 명 正月 zhèngyuè; 元月 yuányuè; 一月 yīyuè = 일월(一月)2 ¶ ~ 초하루 正月初一 / ~ 15일은 대보름날이다 正月十五为元宵节

정유(精油) 명하타 炼油 liànyóu; 精制石油 jīngzhì shíyóu ¶ ~ 공장 炼油厂

정육-점(精肉店) 명 精肉店 jīngròudiàn; 瘦肉店 shòuròudiàn; 肉店 ròudiàn; 肉铺 ròupù ¶ ~을 열다 开肉铺

정의(正義) 명 正义 zhèngyì; 公道 gōngdào ¶ ~감 正义感 =[正气] / ~를 위해 분신쇄골하다 为公道粉身碎骨

정:의(定義) 명하타 定义 dìngyì ¶ ~를 내리다 下定义

정의(情誼) 명 情谊 qíngyì; 人情 rénqíng; 情爱 qíng'ài = 의(誼) ¶ ~를 맺다 结情谊

정:의-롭다(正義—) 형 正义 zhèngyì; 直 zhí ¶ 정의로운 기개 有正义之气 **정:의로이** 부

정인(情人) 명 情人 qíngrén; 恋人 liànrén; 情侣 qínglǚ; 爱侣 àilǚ ¶ ~을 버리다 抛弃情人

정자(正字) 명 **1** 正字 zhèngzì; 工整的字 gōngzhěngde zì ¶ ~로 또박또박 쓰다 一笔一画写好正字 **2** 楷书 kǎishū; 真书 zhēnshū; 楷体 kǎitǐ; 标准汉字 biāozhǔn hànzì

정자(亭子) 명 亭子 tíngzi

정자(精子) 명 〖生〗 精子 jīngzǐ; 精虫 jīngchóng ¶ ~은행 精子库

정:작 명 要紧的 yàojǐnde; 紧要的 jǐnyàode; 真的 zhēnde; 真正的 zhēnzhèngde; 实际上 shíjìshang ¶ 그는 ~ 기회를 만나도 잡지 못한다 他真的碰到机会, 却抓不住机会

정:장(正裝) 명하자 正装 zhèngzhuāng; 礼服 lǐfú; 制服 zhìfú ¶ ~ 구두 正装鞋 / 그는 늘 ~을 입고 출근한다 他总是穿正装上班

정저-와(井底蛙) 명 井底之蛙 jǐngdǐzhīwā

정-적(靜的) 관명 静态(的) jìngtài(de) ¶ ~인 화면을 촬영하다 拍摄静态画面

정적(靜寂) 명하형히부 寂静 jìjìng; 孤寂 gūjì; 沉寂 chénjì; 静寂 jìngjì ¶ ~을 깨뜨리다 打破沉寂

정전(停電) 명하자 停电 tíngdiàn; 断电 duàndiàn ¶ ~ 사고가 발생하다 发生停电事故

정-전기(靜電氣) 명 〖物〗 静电 jìngdiàn

정절(貞節) 명 贞节 zhēnjié; 贞操 zhēncāo ¶ ~을 더럽히다 沾污贞节 / ~을 빼앗다 夺走贞操 / ~을 지키다 严守贞操

정점(頂點) 명 **1** 顶点 dǐngdiǎn; 尖端 jiānduān; 尖顶 jiāndǐng ¶ 에베레스트 산은 지구의 ~이다 珠穆朗玛峰是地球上顶点 **2** = 절정2 ¶ 분위기가 ~에 이르다 气氛达到了高潮

정정(訂正) 명하타 更正 gēngzhèng; 修正 xiūzhèng; 订正 dìngzhèng; 校正 jiàozhèng; 改正 gǎizhèng ¶ 잘못을 ~하다 订正错误

정:정당당-하다(正正堂堂—) 형 堂堂 tángtáng; 堂堂正正 tángtángzhèngzhèng; 正大光明 zhèngdàguāngmíng; 光明正大 guāngmíngzhèngdà; 光明磊落 guāngmínglěiluò ¶ 정정당당하게 능력에 의지해 일을 하다 堂堂正正地凭真本事办事 **정:정당당-히** 부

정정-하다(亭亭—) 형 (老人身体) 健壮 jiànzhuàng; 健朗 jiànlǎng; 硬朗 yìnglang; 清健 qīngjiàn ¶ 우리 할아버지는 비록 이미 칠순이 넘으셨지만 아직도 정정하시다 我爷爷虽然年纪已过七旬, 可是身体还挺硬朗 **정정-히** 부

정제(精製) 명하타 **1** 精制 jīngzhì **2** 炼制 liànzhì; 提炼 tíliàn; 提制 tízhì; 提纯 tíchún; 精炼 jīngliàn ¶ ~당 精制糖 =[精白糖]

정제(錠劑) 명 〖藥〗 丸药 wányào; 药丸 yàowán; 片剂 piànjì; 药片(儿) yàopiàn(r); 锭剂 dìngjì; 丸药 wányào; 丸剂 wánjì = 알약1 ¶ ~ 3알을 복용하다 服三片药丸

정조(貞操) 명 贞操 zhēncāo; 贞节 zhēnjié; 节操 jiécāo ¶ ~를 중시하다 看重贞操

정:종(正宗) 명 (日本) 清酒 qīngjiǔ = 청주

정:좌(正坐) 명하자 正座 zhèngzuò; 端坐 duānzuò; 正襟危坐 zhèngjīnwēizuò; 危坐 wēizuò ¶ ~하고 움직이지 않다 端坐不动

정:중-하다(鄭重—) 형 庄严 zhuāngyán; 严肃 yánsù; 庄重 zhuāngzhòng; 郑重 zhèngzhòng; 恭谨 gōngjǐn; 端重 duānzhòng ¶ 그는 매우 ~ 他非常恭谨 **정:중-히** 부

정지(停止) 명하자타 停 tíng; 停止 tíngzhǐ; 终止 zhōngzhǐ; 停顿 tíngdùn; 停歇 tíngxiē; 停息 tíngxī; 休止 xiūzhǐ; 止息 zhǐxī; 止 zhǐ ¶ 운행을 ~하다 停止运行

정:직(正直) 명하형히부 正直 zhèngzhí; 老实 lǎoshi; 耿直 gěngzhí; 率真 shuàizhēn; 直性 zhíxìng; 端直 duānzhí ¶~한 사람 正直的人

정진(精進) 명하자 精进 jīngjìn; 专心 zhuānxīn; 专注 zhuānzhù; 专心致志 zhuānxīnzhìzhì; 专心一致 zhuānxīnyīzhì; 努力上进 nǔlìshàngjìn ¶쉬지 않고 ~하다 精进不息 / 학업에 ~하다 专心学习

정차(停車) 명하자타 停车 tíngchē = 정거 ¶오랜 시간 ~하다 停车好长时间

정:착(定着) 명하자 定居 dìngjū; 落户 luòhù ¶너는 어디에 ~하고 싶니? 你要定居在哪里?

정:찰(正札) 명 标价 biāojià; 价签 jiàqiān; 价格标签 jiàgé biāoqiān; 价码标签 jiàmǎ biāoqiān; 价目记号 jiàmù jìhào; 规范标签 guīfàn biāoqiān ¶~ 판매 价签出售 =[明码售货]

정찰(偵察) 명하타 〖軍〗 侦察 zhēnchá; 侦查 zhēnchá; 探查 tànchá ¶~기 侦察机 / 간첩을 파견해 상대를 ~하다 派遣间谍侦察对方

정책(政策) 명 政策 zhèngcè ¶대외 개방 ~을 실행하다 实行对外开放政策

정:처(定處) 명 定处 dìngchù; 定所 dìngsuǒ; 固定住处 gùdìng zhùchù ¶~없이 사방을 떠돌다 没有定处, 四处游离

정:체(正體) 명 原形 yuánxíng; 真相 zhēnxiàng; 真情 zhēnqíng; 真面目 zhēnmiànmù; 本相 běnxiàng; 真正身份 zhēnzhèng shēnfèn; 本来面目 běnlái-miànmù ¶~불명 真相不明 =[身份不明] / ~를 파악할 수 없다 辨不清真面目 / 사기꾼의 ~를 폭로하다 揭发绷子手的真面目

정체(停滯) 명하자 停滞 tíngzhì; 停顿 tíngdùn; 呆滞 dāizhì; 阻滞 zǔzhì; 凝滞 níngzhì; 梗滞 gěngzhì; 僵滞 jiāngzhì ¶교통 ~ 交通停滞

정:체-성(正體性) 명 认同意识 rèntóng yìshí; 本体性 běntǐxìng ¶민족 ~ 民族认同意识

정초(正初) 명 岁初 suìchū; 年初 niánchū; 正月初 zhèngyuèchū

정취(情趣) 명 情趣 qíngqù; 情韵 qíngyùn; 风趣 fēngqù; 情味 qíngwèi; 情致 qíngzhì; 意味 yìwèi; 意境 yìjìng ¶심미적 ~ 审美情趣

정치(政治) 명하자 政治 zhèngzhì ¶~가 政治家 =[政治活动家] / ~권력 政治权力 =[政权] / ~ 이념 政治观念 / ~ 자금 政治资金

정치-계(政治界) 명 政治界 zhèngzhìjiè; 政坛 zhèngtán; 政界 zhèngjiè = 정계 ¶~ 인사 政界人士

정탐(偵探) 명하타 = 탐정 ¶~ 활동 侦探活动 / 다른 사람의 사생활을 ~하다 侦探别人生活的隐私

정:통(正統) 명 1 正统 zhèngtǒng; 正则 zhèngzé; 正宗 zhèngzōng ¶~ 한국요리 正宗韩国料理 2 必准 bìzhǔn; 准确 zhǔnquè; 正确 zhèngquè; 真确 zhēnquè ¶목표를 ~으로 맞히다 准确击中目标

정통(精通) 명하자 精通 jīngtōng; 熟悉 shúxī; 通晓 tōngxiǎo ¶업무 지식에 ~한 사업가 精通业务知识的企业家

정:평(定評) 명 定评 dìngpíng; 定论 dìnglùn ¶~이 있다 有定评

정표(情表) 명하타 表示情谊 biǎoshì qíngyì; 礼品 lǐpǐn ¶반지를 ~로 삼다 戒指作为礼品

정:품(正品) 명 正品 zhèngpǐn; 正版 zhèngbǎn; 正牌 zhèngpái ¶~과 모조품의 판별 正牌冒牌货的辨别

정:-하다(定—) 타 1 定 dìng; 决定 juédìng; 确定 quèdìng ¶약속 장소를 식당으로 ~ 把约会的地点定在餐厅 2 规定 guīdìng; 指定 zhǐdìng; 制定 zhìdìng; 选定 xuǎndìng; 选择 xuǎnzé ¶법률이 정한 기한 法律规定的期限 3 下定决心 xiàdìng juéxīn; 立志 lìzhì; 打定 dǎdìng ¶수술을 받기로 마음을 ~ 下定决心接受手术

정학(停學) 명하타 〖教〗 停学 tíngxué ¶~ 처분을 받다 受到停学处分

정:형(定型) 명 定型 dìngxíng ¶역할의 ~을 깨뜨리다 打破角色的定型

정:형-외과(整形外科) 명 〖醫〗 整形外科 zhěngxíng wàikē; 矫形外科 jiǎoxíng wàikē ¶~ 의사 矫形外科医生

정:혼(定婚) 명하자 订婚 dìnghūn; 订亲 dìngqīn; 定婚 dìnghūn

정화(淨化) 명하타 纯洁化 chúnjiéhuà; 净化 jìnghuà; 纯化 chúnhuà ¶~ 설비 净化设备 / 환경을 ~하다 纯化环境

정화(精華·菁華) 명 精华 jīnghuá; 菁华 jīnghuá; 精髓 jīngsuǐ; 精英 jīngyīng ¶전통 문화의 ~ 传统文化的精华

정화-수(井華水) 명 〖民〗 (清晨汲来的)净井水 jìngjǐngshuǐ ¶~를 떠 놓고 기도하다 打着净井水祝告

정화-조(淨化槽) 명 净化槽 jìnghuàcáo; 净化水槽 jìnghuà shuǐcáo; 化粪池 huàfènchí

정:확(正確) 명하형히부 正确 zhèngquè; 真确 zhēnquè; 准 zhǔn; 准确 zhǔnquè ¶~한 복용 방법 正确用药方法

정확(精確) 명하형히부 精确 jīngquè ¶원인을 ~히 분석하다 精确分析原因

정황(情況) 명 情况 qíngkuàng; 情形 qíngxíng; 情状 qíngzhuàng; 场面 chǎngmiàn; 形景 xíngjǐng ¶~을 상세하게 설명하다 详细说明情况

젖 명 1 乳 rǔ; 奶 nǎi; 奶水 nǎishuǐ; 乳汁 rǔzhī = 유즙 ¶~병 奶瓶 =[哺乳器] / 아기에게 ~을 먹이다 给婴儿喂乳 2 = 유방

젖-가슴 명 乳房 rǔfáng; 胸部 xiōngbù = 가슴4

젖-꼭지 명 1 奶头 nǎitóu; 奶嘴 nǎizuǐ; 乳头 rǔtóu = 유두1 ¶엄마의 ~를 물고 있다 含着母亲的乳头 2 橡皮奶头 xiàngpí nǎitóu; 奶嘴 nǎizuǐ ¶젖병과 ~를 깨끗이 씻고 끓여 소독한 후 사용하다 将奶瓶和橡皮奶头洗净煮沸消毒后使用

젖-내 명 奶味儿 nǎiwèir = 유취

젖내(가) 나다 구 带乳臭; 乳臭未干; 口尚乳臭

젖-니 명 乳齿 rǔchǐ; 暂齿 zànchǐ; 奶牙 nǎiyá = 배냇니 · 유치(乳齒)

젖다[1] 자 1 打湿 dǎshī; 浞 zhuó; 浸jìn; 淋 lín; 发湿 fāshī; 渗 shèn; 浸湿 jìnshī; 淋湿 línshī; 润泽 rùnzé; 湿润 shīrùn ¶눈물에 젖은 베갯잇 被泪水打湿的枕巾 / 그의 눈이 조금 젖었다 他的眼微微有点发湿 2 成性 chéngxìng; 习惯 xíguàn; 成癖 chéngpǐ ¶술에 젖어 산 아버지 嗜酒成癖的父亲 3 听惯 tīngguàn; 耳熟 ěrshú ¶빠른 리듬의 유행가가 귀에 젖었다 听惯了快节奏的流行音乐 4 沉溺 chénnì; 沉浸 chénjìn ¶슬픔에 ~ 沉溺于悲哀

젖다[2] 자 向后倾 xiàng hòu qīng; 后仰 hòu yǎng

젖-당(—糖) 명 〖化〗 乳糖 rǔtáng = 락토오스 · 유당

젖-뜨리다 타 用力后倾 yònglì hòu qīng; 使…后倾 shǐ…hòu qīng; 使…后仰 shǐ…hòu yǎng = 젖트리다 ¶상체를 ~ 用力使上体成后倾

젖-먹이 명 奶孩儿 nǎiháir; 婴儿 yīng'ér; 乳儿 rǔ'ér; 乳婴 rǔyīng; 奶娃 nǎiwá = 영아 · 유아(乳兒) ¶~를 키우다 养一个奶孩儿

젖-산(—酸) 명 〖化〗 乳酸 rǔsuān = 유산(乳酸)

젖-샘 명 〖生〗 乳腺 rǔxiàn = 유선(乳腺)

젖-소 명 奶牛 nǎiniú; 乳牛 rǔniú

젖-히다 타 1 向后倾 xiàng hòu qīng; 后仰 hòu yǎng 《'젖다[2]' 的使动词》 ¶몸을 ~ 身体向后倾 2 推开 tuīkāi; 掀开 xiānkāi; 撩 liāo; 撩起 liāoqǐ ¶치마를 ~ 撩起裙子

제[1] 대 1 我 wǒ ¶~가 소개하겠습니다 我来介绍一下 2 自己 zìjǐ ¶그가 ~ 인생을 살도록 해라 让他过自己的生活

제[2] 1 我的 wǒde 2 自己 zìjǐ

제 꾀에 (제가) 넘어간다 속담 弄巧成拙; 聪明反被聪明误

제 논에 물 대기 속담 肥水不过别人田

제 버릇 개 줄까 속담 蛇入竹桶, 曲形犹在

제가 제 무덤을 판다 속담 搬起石头打自己的脚

제 눈에 안경 구 情人眼里出西施; 看中了是爱物

제:(祭) 명 = 제사

제(劑) 의명 〖韓醫〗 剂 jì ¶약 한 ~ 一剂药

제-(第) 접두 第 dì ¶~일 과 第一课

-제(制) 접미 制 zhì ¶가부장~ 家长制

-제(祭) 접미 祭 jì ¶기우~ 祈雨祭

-제(製) 접미 制 zhì; 造 zào; 产 chǎn ¶한국~ 韩国产 / 외국~ 外国制 =[外国造]

-제(劑) 접미 剂 jì ¶소화~ 消化剂 / 진통~ 镇痛剂

제-각각(—各各) 명부 各各 gègè; 各自 gèzì ¶성격이 ~이다 性格各各都不一样

제-각기(—各其) 명부 各自 gèzì; 分头 fēntóu; 分别 fēnbié ¶~ 각자의 길을 가다 各自走各自的路

제-값 명 妥实价格 tuǒshí jiàgé

제거(除去) 명하타 清除 qīngchú; 消除 xiāochú; 勾除 gōuchú; 排除 páichú; 除去 chúqù; 去掉 qùdiào ¶바이러스를 ~하다 清除病毒

제-격(—格) 명 够格(儿) gòugé(r); 够味儿 gòuwèir; 像样子 xiàngyàngzi; 得体 détǐ; 恰如其分 qiàrúqífèn; 恰到好处 qiàdàohǎochù ¶이렇게 놀아야 ~이다 这样玩才够味儿

제고(提高) 명하타 提高 tígāo; 拔高 bágāo ¶생산 수준을 ~시키다 提高生产水平

제-고장 명 = 본고장

제곱 명하타 〖數〗 自乘 zìchéng; 平方 píngfāng; 乘方 chéngfāng; 乘幂 chéngmì = 자승 ¶~미터 平方米 / ~킬로미터 平方公里

제공(提供) 명하타 提供 tígōng; 供 gōng ¶숙식을 ~하다 提供食宿

제:과(製菓) 명하자 做饼干 zuò bǐnggān; 做糕点 zuò gāodiǎn

제:과-점(製菓店) 명 面包店 miànbāodiàn; 糕饼店 gāobǐngdiàn; 蛋糕店 dàngāodiàn; 面包房 miànbāofáng

제:구(制球) 명 〖體〗 (棒球) 控球 kòngqiú = 컨트롤2 ¶~력 控球力

제-구실 명하자 本分 běnfèn; 分内事 fēnnèishì; 自己的作用 zìjǐde zuòyòng; 自己的事 zìjǐde shì ¶자신의 직분 안에서 ~을 다하다 在自己职份内全力尽自己的事

제:국(帝國) 명 帝国 dìguó ¶대영 ~ 大英帝国 / 로마 ~ 罗马帝国 / ~주의 帝国主义

제군(諸君) 대 诸君 zhūjūn; 诸位 zhūwèi; 各位 gèwèi

제기 명하자 毽子 jiànzi; 毽(儿) jiàn(r) ¶~를 차다 踢毽子

제:기(祭器) 명 祭器 jìqì

제기(提起) 명하타 **1** 提出 tíchū; 提 tí; 建议 jiànyì; 提交 tíjiāo ¶의문을 ~하다 提出疑问 **2** 提起 tíqǐ; 诉辞 sùcí; 打官司 dǎ guānsi ¶기소를 ~하다 提起公诉 / 배상 청구를 ~하다 提起赔偿请求

제:기랄 감 他妈的 tāmāde; 我的天 wǒdetiān; 糟糕 zāogāo ¶~, 우리가 속았어 他妈的, 我们上当了

제-까짓 관 那种货色 nàzhǒng huòsè; 不像样的东西 bùxiàngyàngde dōngxi ¶~ 게 감히 나를 화나게 하다니 那种货色敢让我生气

제-깟 관 '제까짓' 的略词

제-날 명 = 제날짜

제-날짜 명 按时 ànshí; 届时 jièshí; 按日期 ànrìqī; 如期 rúqī = 제날 ¶매월 ~에 월급을 받다 每月按日期拿到薪水

제:단(祭壇) 명 祭坛 jìtán; 坛 tán

제-달 명 按月 ànyuè; 到月 dàoyuè

제대(除隊) 명하자타 退伍 tuìwǔ; 退役 tuìyì; 复员 fùyuán; 转业 zhuǎnyè ¶한 무리의 군인이 곧 ~할 것이다 一批军人就要退伍了

제-대로 부 **1** 符合标准地 fúhé biāozhǔnde; 合乎要求地 héhū yāoqiúde ¶모든 일을 ~ 처리하다 把所有事情符合标准地处理 **2** 得意 déyì; 满意 mǎnyì; 圆满 yuánmǎn ¶~ 먹었다 吃得很满意 **3** 顺利 shùnlì; 妥善 tuǒshàn; 妥当 tuǒdang; 稳妥 wěntuǒ ¶~ 해결하다 得到妥当的解决 **4** 原形态 yuánxíngtài; 原状 yuánzhuàng ¶~ 돌려놓다 恢复原状

제:도(制度) 명 制度 zhìdù; 制 zhì ¶교육 ~ 教育制度 / ~권 制度圈 / 안전관리 ~ 安全管理制度

제:도(製圖) 명하자타 制图 zhìtú; 绘图 huìtú; 打样 dǎyàng; 画图 huàtú ¶~기 制图器 =[绘图器] / ~연필 制图铅笔

제도(諸島) 명 群岛 qúndǎo; 诸岛 zhūdǎo; 各岛 gèdǎo

제:동(制動) 명하자 制动 zhìdòng; 止动 zhǐdòng; 刹车 shāchē; 煞车 shāchē ¶~ 거리 制动距离 =[刹车距离]

제동을 걸다 구 掣肘

제:동-기(製動機) 명 〖機〗 = 브레이크1

제-때 명 及时 jíshí; 按时 ànshí; 准时 zhǔnshí; 适时 shìshí; 按期 ànqī ¶문제가 ~ 해결되다 问题及时解决 / 매일 ~ 출퇴근을 하다 每天按时上下班

제:련(製錬) 명하타 〖工〗 冶炼 yěliàn; 熔炼 róngliàn ¶~소 冶炼厂

제:례(祭禮) 명 祭礼 jìlǐ ¶~를 지내다 举行祭礼

제로(zero) 명 **1** = 영(零) ¶매번 수학 성적이 ~에 가깝다 每次数学成绩总是离零分没多远 **2** 零分 língfēn; 毫无 háowú; 完全没有 wánquán méiyǒu ¶훈련 성과가 ~이다 训练成果是零分 / 반응이 ~이다 毫无反应

제-맛 명 真味 zhēnwèi; 真味道 zhēnwèidao ¶~이 아니다 不是真味 / ~을 느끼다 品尝到真味道

제-멋 명 自己的美丽 zìjǐde měilì; 自己满足 zìjǐ mǎnzú ¶~에 살다 过得自己满足

제멋-대로 부 任意 rènyì; 随便 suíbiàn; 随随便便 suísuibiànbiàn; 擅自 shànzì; 恣意 zìyì; 任恣 rènzì; 任性 rènxìng; 狂放 kuángfàng; 随心所欲 suíxīnsuǒyù; 散漫 sǎnmàn ¶~인 여자아이 任性的女孩 / ~ 지껄이다 随便弄嘴

제-명(一命) 명 天年 tiānnián; 自己的寿命 zìjǐde shòumìng; 生来的命 shēngláide mìng ¶~을 다하다 活到天年

제명(除名) 명하타 除名 chúmíng; 开除 kāichú ¶진작에 그를 ~해야 했어 早就应该开除他了

제목(題目) 명 题目 tímù; 标题 biāotí ¶논문 ~ 论文题目 / ~을 붙이다 起题目 / 신문 ~이 사람들을 자극하다 新闻标题要刺激人们

제:문(祭文) 명 祭文 jìwén

제:물(祭物) 명 **1** = 제수(祭需) ¶~을 바치다 献上祭品 **2** 牺牲品 xīshēngpǐn ¶당파 싸움의 ~이 되다 成了党派之争的牺牲品

제반(諸般) 명 诸般 zhūbān; 各种 gèzhǒng; 各项 gèxiàng; 一切 yīqiè; 诸 zhū; 多般 duōbān; 所有 suǒyǒu; 百般 bǎibān ¶~ 문제에 직면하다 面临诸般问题

제:발 부 千万 qiānwàn; 一定 yīdìng; 务必 wùbì; 求你 qiúnǐ ¶~ 살려 주세요! 千万救命啊! / ~ 저를 풀어 주세요 求你放开我 / ~ 진지하게 대하세요 你千万要认真对待

제방(堤防) 명 堤 dī; 堤坝 dībà; 堰堤 yàndī; 堤防 dīfáng; 堤堰 dīyàn; 水坝 shuǐbà ¶~을 쌓다 筑堤防

제법 부 够好 gòuhǎo; 颇能 pōnéng; 很 hěn; 够 gòu; 相当 xiāngdāng; 颇为 pōwéi; 像样 xiàngyàng ¶이번 여름은 ~ 덥다 这个夏天真是够热的

제보(提報) 명하자타 提供信息 tígōng xìnxī

제:복(制服) 명 制服 zhìfú = 유니폼 1·정복(正服) ¶출근할 때는 ~을 입어야 한다 上班要穿制服

제:본(製本) 명하타 装订 zhuāngdìng; 钉书 dìngshū; 订书 dìngshū = 제책 ¶~이 아주 깔끔하게 되었다 装订得很整齐

제:부(弟夫) 명 妹夫 mèifu

제:분(製粉) 명하타 制粉 zhìfěn; 磨成粉末 móchéng fěnmò; 磨制面粉 mózhì miànfěn; 磨面 mòmiàn; 磨粉 mòfěn ¶~ 공장 制粉厂

제비[1] 명 签(儿) qiān(r); 签子 qiānzi; 阄(儿) jiū(r); 筹 chóu ¶~뽑기 抽签 =[抓阄儿]

제:비[2] 명 〖鳥〗 燕子 yànzi

제:빙(製氷) 명하자 制冰 zhìbīng ¶~ 공장 制冰厂 / ~기 制冰机

제:사(祭祀) 명하자타 祭礼 jìlǐ; 祭祀 jìsì; 奠祭 diànjì = 제(祭) ¶~용품 祭祀用品 / 조상에게 ~하다 祭祀祖先

제:사-상(祭祀床) 명 供案 gòng'àn; 祭桌 jìzhuō; 供桌 gòngzhuō ¶~을 차리다 摆祭桌

제:삼-자(第三者) 명 局外人 júwàirén; 没事人 méishìrén; 外人 wàirén; 第三者 dìsānzhě = 삼자1 ¶~는 논쟁에 끼어들지 마라 第三者不要参与到争论中

제:삿-날(祭祀—) 명 祭日 jìrì ¶오늘은 할아버지 ~이다 今天是爷爷的祭日

제:삿-밥(祭祀—) 명 **1** 上供的饭 shànggòngde fàn; 祭品 jìpǐn; 供品 gòngpǐn **2** 祭祀后吃的饭 jìsì hòu chīde fàn ‖ = 젯밥

제설(除雪) 명하자 除雪 chúxuě; 打雪 dǎxuě; 铲雪 chǎnxuě ¶~ 작업 除雪工作 / ~기 打雪机 / ~차 除雪车

제소(提訴) 명하타 〖法〗 申诉 shēnsù; 控诉 kòngsù; 起诉 qǐsù; 提出诉讼 tíchū sùsòng; 提诉 tísù; 提起诉讼 tíqǐ sùsòng ¶법원에 ~하다 向法院提起诉讼

제:수(弟嫂) 명 弟妇 dìfù; 弟媳 dìxí; 弟妹 dìmèi

제:수(祭需) 명 供品 gòngpǐn; 供物 gòngwù; 祭品 jìpǐn; 祭祀物品 jìsì wùpǐn = 제물1 ¶~를 준비해 신에게 제사 지내다 设办供物以祀神

제스처(gesture) 명 姿态 zītài; 表态 biǎotài; 手势 shǒushì; 姿势 zīshì; 动作 dòngzuò; 表情 biǎoqíng; 身态 shēntài; 身姿 shēnzī; 态度 tàidu ¶다소곳한 ~를 취하다 摆动窈窕的身姿

제습(除濕) 명하자 除湿 chúshī; 去湿 qùshī ¶~기 除湿机

제시(提示) 명하타 **1** 提示 tíshì; 提出 tíchū; 展示 zhǎnshì; 举 jǔ ¶의견을 ~하다 提出意见 **2** 提示 tíshì; 出示 chūshì; 呈示 chéngshì ¶신분증을 ~하다 提示身份证

제-시간(—時間) 명 按时 ànshí; 规定时间 guīdìng shíjiān ¶~에 완성했다 按时完成了

제-아무리 부 无论如何 wúlùn rúhé; 不管怎样 bùguǎn zěnyàng; 就是 jiùshì; 多么 duōme; 怎么 zěnme ¶~ 힘들어도 눈썹을 찌푸린 적이 없다 无论多么的难受也没皱过一下眉

제안(提案) 명하자타 提案 tí'àn; 倡议 chàngyì; 建议 jiànyì ¶~을 받아들이다 接受提案 / 운동회를 한번 하자고 ~하다 倡议举行一次运动会

제:압(制壓) 명하타 压制 yāzhì; 抑制 yìzhì; 制伏 zhìfú; 控制 kòngzhì; 抵制 dǐzhì ¶다른 사람을 ~하다 压制别人 / 공격을 ~하다 控制打击

제야(除夜) 명 年夜 niányè; 除夜 chúyè; 除夕 chúxī; 三十晚上 sānshí wǎnshang ¶~의 종소리 年夜的钟声

제:약(制約) 명하타 制约 zhìyuē; 限制 xiànzhì; 约束 yuēshù; 规约 guīyuē; 裁制 cáizhì ¶신분의 ~을 깨뜨리다 打破身份限制

제:약(製藥) 명하자 制药 zhìyào ¶~ 회사 制药公司 / 선진적인 ~ 기술을 받아들이다 引进先进制药技术

제:어(制御·制馭) 명하타 **1** 控制 kòngzhì; 支配 zhīpèi ¶상대를 ~하다 控制对方 **2** 按捺 ànnà; 稳住 wěnzhù; 按住 ànzhù; 遏止 èzhǐ; 抑制 yìzhì ¶나는 호기심을 ~할 수 없다 我按捺不住好奇心 **3** 操纵 cāozòng; 制御 zhìyù; 控制 kòngzhì ¶~ 장치 制御装置 =[控制装置]

제:왕(帝王) 명 帝王 dìwáng

제:왕 절개 수술(帝王切開手術) 〖醫〗 剖腹产手术 pōufùchǎn shǒushù; 剖腹产 pōufùchǎn

제외(除外) 명하타 除外 chúwài; 除去 chúqù; 除了 chúle; 例外 lìwài ¶나를 ~하고 모두를 유쾌하게 웃었다 除了我, 大家都开心地笑了

제:위(帝位) 명 帝位 dìwèi; 王位 wángwèi ¶~에 오르다 登上帝位 / ~를 계승하다 继承帝位

제육(—肉) 명 猪肉 zhūròu ¶～볶음 炒猪肉
제의(提議) 명하자타 提议 tíyì; 建议 jiànyì; 倡议 chàngyì ¶휴식을 ～하다 提议休息
제:일(第一) 一명 第一 dìyī; 上上 shàngshàng; 一绝 yījué ¶네가 ～이다 你是第一 二부 最 zuì; 顶 dǐng; 最为 zuìwéi ¶내가 ～ 좋아하는 노래 我最喜欢的歌
제:일-가다(第一—) 자 第一 dìyī; 一绝 yījué; 首屈一指 shǒuqūyīzhǐ ¶전 세계에서 ～ 全球首屈一指
제:일-선(第一線) 명 = 일선2
제:일-심(第一審) 명 『法』 = 일심(一審)
제:일 인칭(第一人稱) 『語』 = 일인칭
제:일차 산:업(第一次産業) 『經』 = 일차 산업
제:자(弟子) 명 弟子 dìzǐ; 学生 xuésheng; 门下 ménxià; 徒弟 túdì; 门徒 méntú; 门生 ménshēng = 도제 ¶그는 나의 ～이다 他是我的学生 / ～로 삼다 当徒弟
제-자리 명 **1** 原地 yuándì; 原位 yuánwèi; 原处 yuánchù ¶～에 놓다 放在原地 **2** 正位 zhèngwèi; 原来职务 yuánlái zhíwù ¶～를 지키다 维护原来职务
제자리-걸음 명 **1** 『體』 踏步 tàbù; 原地踏步 yuándì tàbù **2** 停滞不前 tíngzhìbùqián; 没有进展 méiyǒu jìnzhǎn; 毫无起色 háowú qǐsè = 답보 ¶금년 생산력 성장이 ～이다 今年生产力增长停滞不前
제:작(製作) 명하타 制作 zhìzuò; 制造 zhìzào ¶～비 制作费 =[制作成本] / ～진 制作团 =[制作人员] / 만화를 ～하다 制作动画
제:재(製裁) 명하타 **1** 『法』 (在法律上) 制裁 zhìcái; 裁制 cáizhì ¶북한에 경제 ～를 가하다 对朝鲜实施经济制裁 **2** (在道德上) 限制 xiànzhì; 禁止 jìnzhǐ
제재(題材) 명 题材 tícái; 材料 cáiliào
제:전(祭典) 명 庆典 qìngdiǎn; 盛会 shènghuì; 庆祝典礼 qìngzhù diǎnlǐ; 大典 dàdiǎn; 节 jié ¶국제 음악 ～ 国际音乐盛会
제:정(制定) 명하타 制定 zhìdìng; 制订 zhìdìng; 订出 dìngchū ¶법률을 ～하다 制定法律
제-정신(—精神) 명 常态 chángtài; 自己的头脑 zìjǐde tóunǎo; 自己的精神 zìjǐde jīngshén; 神志正常 shénzhì zhèngcháng; 头脑清醒 tóunǎo qīngxǐng ¶～을 잃다 失去常态 / 나는 ～이 아닌 것 같다 我觉得自己的头脑都不是自己的
제:조(製造) 명하타 制造 zhìzào; 制作 zhìzuò; 打造 dǎzào ¶～업 制造业 / 핵무기를 ～하다 制造核武器
제:지(制止) 명하타 制止 zhìzhǐ; 克制 kèzhì; 抑制 yìzhì; 阻止 zǔzhǐ; 禁止 jìnzhǐ; 阻拦 zǔlán ¶폭력을 ～하다 制止暴力
제:지(製紙) 명하자 造纸 zàozhǐ; 制纸 zhìzhǐ ¶～ 공장 制纸厂 / ～ 기술 造纸技术
제-집 명 自家 zìjiā; 自己家 zìjǐ jiā; 自己的家 zìjǐde jiā ¶～ 같은 느낌이 전혀 없다 根本没有一点自己家的感觉 / ～으로 돌아갔다 回自家去了
제-짝 명 (一双中的) 一个 yīge; 一只 yīzhī
제창(齊唱) 명하타 **1** 同声呼喊 tóngshēng hūhǎn **2** 『音』 齐唱 qíchàng ¶학생들이 한 목소리로 애국가를 ～하다 学生们同声齐唱爱国歌
제:책(製冊) 명하타 = 제본
제-철 명 当季 dāngjì; 时令 shílìng; 时宜 shíyí; 节令 jiélìng; 季儿 jìr = 철[1]3 ¶～ 과일 当季水果
제:철(製鐵) 명하자 『工』 炼铁 liàntiě; 冶铁 yětiě ¶～소 炼铁厂 =[钢铁厂]
제초(除草) 명하자 除草 chúcǎo; 耘田 yúntián; 锄草 chúcǎo ¶～제 除草剂
제출(提出) 명하타 提出 tíchū; 提交 tíjiāo ¶사표를 ～하다 提交辞呈
제치다 타 **1** 拿开 nákāi ¶머리카락을 ～ 把头发拿开 **2** 超过 chāoguò; 过 guò ¶많은 사람을 ～ 超过很多人 / 컴퓨터가 사람 머리를 ～ 电脑超过人脑 **3** 搁置 gēzhì; 撇开 piēkāi; 撂在一边 liàozài yībiān ¶집안일을 제쳐 두고 신경 쓰지 않다 撇开家事不管 / 많은 문제가 제쳐졌다 许多问题被搁置起来
제:패(制覇) 명하타 **1** 称霸 chēngbà; 独霸 dúbà ¶세계 ～ 独霸世界 **2** (比赛) 获胜 huòshèng; 夺冠 duóguān; 夺魁 duókuí; 优胜 yōushèng; 摘冠 zhāiguān
제풀-에 부 顺势 shùnshì; 自动 zìdòng; 自己 zìjǐ; 自个儿 zìgèr ¶～ 넘어지다 顺势倒下 / 그는 ～ 지쳐 쓰러질 때까지 계속 울었다 他一直哭, 哭到自己累倒了
제:품(製品) 명하타 制品 zhìpǐn; 产品 chǎnpǐn; 成品 chéngpǐn
제-하다(除—) 타 减 jiǎn; 减去 jiǎnqù; 抵扣 dǐkòu; 扣除 kòuchú ¶월급에서 ～ 从工资中抵扣
제:한(制限) 명하타 限制 xiànzhì; 限 xiàn; 控制 kòngzhì; 框 kuàng ¶～ 속도 限速 / 물가 상승을 엄격하게 ～하다 严格控制物价上涨
제휴(提携) 명하자 携手 xiéshǒu; 连手 liánshǒu; 挂钩 guàgōu; 提携 tíxié; 互

助 hùzhù ¶~ 합작하다 携手合作
제-힘 명 自己的力量 zìjǐde lìliang; 自力 zìlì ¶~으로 문제를 해결하다 依靠自己的力量解决问题
젠:장 감 他妈的 tāmāde; 他娘的 tāniángde; 该死的 gāisǐde
젠체-하다 자 装样子 zhuāng yàngzi; 装模作样 zhuāngmúzuòyàng; 自命不凡 zìmìngbùfán; 怏然自足 yàngránzìzú; 自以为了不起 zìyǐwéi liǎobuqǐ; 逞英雄 chěng yīngxióng
젤: 명부 '제일' 的略词 ¶~ 잘하는 운동 最擅长的运动
젤리(jelly) 명 果冻(儿) guǒdòng(r); 肉冻 ròudòng
젯:-밥(祭—) 명 = 제삿밥
조 명 〖植〗 谷子 gǔzi; 粟 sù
조(兆) 수관 兆 zhào; 万亿 wànyì
조(組) 명 组 zǔ; 班 bān ¶~원 组员 / ~장 组长 / ~를 나누다 分组
조:-(助) 접두 助 zhù; 副 fù ¶~감독 副导演 / ~교수 助教授
조각 명 1 碎片 suìpiàn; 片子 piànzi; 碎块 suìkuài; 破片 pòpiàn; 断片 duànpiàn ¶깨진 유리 ~ 碎裂的玻璃碎片 / 헝겊 ~ 碎块布料 2 条 tiáo; 块 kuài; 片(儿) piàn(r) ¶빵 한 ~을 남기다 留下一块面包
조각(彫刻 · 雕刻) 명하타 〖美〗 雕刻 diāokè; 雕琢 diāozhuó; 雕塑 diāosù ¶~가 雕刻家
조각-나다 자 破碎 pòsuì ¶작은 파편으로 ~ 破碎成细小的碎片
조각-내다 자 破碎 pòsuì ¶작은 덩어리로 ~ 破碎成小块
조각-조각 명부 一片一片 yīpiànyīpiàn; 一块一块 yīkuàiyīkuài; 支离破碎 zhīlípòsuì ¶옷이 ~ 찢겨졌다 衣服被撕成一片一片 / ~ 부수다 一块一块地破碎
조간(朝刊) 명 = 조간신문
조간-신문(朝刊新聞) 명 早报 zǎobào; 晨报 chénbào = 조간
조강지처(糟糠之妻) 명 糟糠之妻 zāokāngzhīqī
조개 명 〖貝〗 贝 bèi
조건(條件) 명 1 条件 tiáojiàn; 状况 zhuàngkuàng ¶신체 ~ 身体条件 2 条件 tiáojiàn; 标准 biāozhǔn ¶결혼 ~ 结婚条件
조곤-조곤 부하형히부 殷勤和耐性地 yīnqín hé nàixìngde ¶~ 따져 묻다 殷勤和耐性地究诘
조공(朝貢) 명하자 〖史〗 朝贡 cháogòng ¶~ 무역 朝贡贸易 / 사신을 파견해 ~하다 遣使朝贡
조:교(助教) 명 1 〖教〗 助教 zhùjiào; 教辅人员 jiàofǔ rényuán ¶~를 채용하다 招聘教辅人员 2 〖軍〗 教官助手 jiàoguān zhùshǒu
조국(祖國) 명 祖国 zǔguó; 母国 mǔguó ¶~ 통일 祖国统一
조그마-하다 형 1 小小的 xiǎoxiǎode; 半点(儿) bàndiǎn(r); 很小 hěn xiǎo; 丁点儿 dīngdiǎnr; 矮小 ǎixiǎo ¶조그마한 아기 丁点儿的小娃娃 / 몸이 ~ 身材矮小 2 小小的 xiǎoxiǎode; 不严重 bùyánzhòng; 不厉害 bùlìhai ¶조그마한 사고 小小的事故
조그맣다 형 '조그마하다' 的略词
조금 ㊀명 1 少量 shǎoliàng; 一点儿 yīdiǎnr; 一些 yīxiē; 一二 yī'èr ¶~밖에 없다 只有少量 2 一会儿 yīhuìr; 稍顷 shāoqǐng; 暂时 zànshí; 片刻 piànkè ¶~만 쉬다 休息一会儿 / ~ 기다렸다 等了稍顷 ㊁부 1 一点儿 yīdiǎnr; 一些 yīxiē; 稍微 shāowēi; 略微 lüèwēi; 稍稍 shāoshāo; 有点儿 yǒudiǎnr ¶가격이 ~ 오르다 价格稍稍上涨 2 一会儿 yīhuìr; 一下 yīxià; 稍稍 shāoshāo ¶~ 쉬고 싶다 想休息一下
조금-씩 부 一点一点地 yīdiǎnyīdiǎnde; 稍稍地 shāoshāode; 少少地 shǎoshǎode; 一点一滴地 yīdiǎnyīdīde ¶~ 바꾸다 一点一点地改变 / ~ 이해하다 一点一滴地了解
조:급-하다(早急—) 형 紧急 jǐnjí; 很急 hěnjí; 仓皇 cānghuáng **조:급-히** 부
조급-하다(躁急—) 형 躁急 zàojí; 急躁 jízào; 着急 zháojí; 烦躁 fánzào; 毛躁 máozao ¶성격이 지나치게 ~ 性情太躁急 **조급-히** 부
조기 명 〖魚〗 黄鱼 huángyú; 黄花鱼 huánghuāyú
조:기(弔旗) 명 1 半旗 bànqí; 吊旗 diàoqí = 반기(半旗) ¶~를 게양하다 升吊旗 2 黑边吊旗 hēibiān diàoqí
조:기(早期) 명 早期 zǎoqī; 早日 zǎorì; 初期 chūqī ¶암은 ~ 발견이 매우 중요하다 癌症的早期发现很重要
조깅(jogging) 명 慢跑 mànpǎo
조끼(←일chokki) 명 坎肩 kǎnjiān; 背心 bèixīn ¶방탄 ~ 防弹背心
조난(遭難) 명하자 遭难 zāonàn; 遇险 yùxiǎn; 遇难 yùnàn; 被难 bèinàn ¶~자 遇难者 / ~을 당하다 遇到遭难
조달(調達) 명하자타 (资金、物资等) 调拨 diàobō; 办置 bànzhì; 筹措 chóucuò ¶자금을 ~하다 调拨资金 / 각종 긴급 물자를 ~하다 办置各种急需物资
조:도(照度) 명 〖物〗 = 조명도
조:력(助力) 명하자타 帮忙 bāngmáng; 协助 xiézhù; 助力 zhùlì; 帮助 bāngzhù ¶너에게 ~을 구할 일이 있다 有件事要请你帮忙

조련(調鍊·調練) 명하타 **1**〖軍〗操练 cāoliàn; 训练 xùnliàn; 教练 jiàoliàn ¶군사를 ～하다 操练人马 **2** 驯 xùn; 驯养 xùnyǎng; 驯兽 xùnshòu ¶～사 驯兽员 / 동물을 ～하다 驯养动物

조령모개(朝令暮改) 명하자 朝令夕改 zhāolìngxīgǎi

조례(條例) 명〖法〗条例 tiáolì; 条规 tiáoguī; 规定 guīdìng; 规则 guīzé; 例条 lìtiáo; 例章 lìzhāng ¶이 ～ 규정에 의하면 据该条例规定

조례(朝禮) 명하자 朝礼 zhāolǐ; 早会 zǎohuì; 早礼 zǎolǐ; 朝会 zhāohuì

조롱(嘲弄) 명하타 嘲弄 cháonòng; 嘲笑 cháoxiào; 作弄 zuònòng; 捉弄 zhuōnòng; 挖苦 wāku; 讥笑 jīxiào; 耍弄 shuǎnòng; 逗弄 dòunong ¶다른 사람의 단점을 ～하다 嘲弄别人短处

조:루(早漏) 명〖醫〗早泄 zǎoxiè; 早泄症 zǎoxièzhèng

조류(鳥類) 명 鸟类 niǎolèi; 飞禽 fēiqín

조류(潮流) 명 **1** 潮流 cháoliú; 海潮运动 hǎicháo yùndòng **2** 潮流 cháoliú; 趋势 qūshì; 趋向 qūxiàng ¶시대적 ～ 时代的潮流

조르다[1] 타 卡 qiǎ; 抃 qiá; 捆紧 kǔnjǐn; 勒紧 lēijǐn ¶목을 ～ 卡脖子 / 허리띠를 ～ 勒紧腰带

조르다[2] 자타 催促 cuīcù; 督促 dūcù; 催逼 cuībī; 催迫 cuīpò; 催讨 cuītǎo ¶빨리 가자고 ～ 催促快去

조르르[1] 부하자 **1** 一溜烟 yīliùyān; 小步快跑 xiǎobù kuàipǎo; 疾步 jíbù《往前快跑》¶～ 달려 나가다 一溜烟跑出去 **2** 潺潺 chánchán; 咕噜 gūlū; 簌簌 sùsù; 淅沥 xīlì; 扑簌簌 pūsùsù; 扑簌 pūsù ¶～ 물 흐르는 소리 潺潺流水声 / 눈물이 ～ 흘러내리다 泪水扑簌簌地流下来 **3** 骨碌碌 gūlūlū; 骨碌骨碌地 gūlūgūlūde; 哧溜 chīliū《滑下去, 滚下去》¶～ 굴러가다 骨碌碌地滚下去

조르르[2] 부하형 成排地 chéngpáide; 成串地 chéngchuànde ¶이가 입안에 ～ 나 있다 这些牙齿成排地长在嘴里 / 야자수가 길 양쪽에 ～ 서 있다 椰树成排地挺立在马路两旁

조리(條理) 명 条理 tiáolǐ; 理路 lǐlù; 脉络 màiluò; 头绪 tóuxù; 伦次 lúncì; 理 lǐ ¶말에 ～가 없다 说话没有条理

조리(調理) 명하타 **1** 调养 tiáoyǎng; 调治 tiáozhì; 调理 tiáolǐ; 护理 hùlǐ ¶산후 ～ 产后护理 / 몸～를 잘해야 한다 要好好调养身体 **2** 做菜 zuòcài; 烹饪 pēngrèn; 烹调 pēngtiáo ¶～법 烹饪法 / ～사 烹饪师

조리-개 명〖演〗光圈 guāngquān ¶～를 맞추다 调节光圈

조립(組立) 명하타 装配 zhuāngpèi; 组装 zǔzhuāng; 配套 pèitào; 攒 cuán ¶～한 자동자 装配出的汽车

조마-조마 부하형 心急 xīnjí; 发虚 fāxū; 提心吊胆 tíxīndiàodǎn; 忐忑不安 tǎntèbù'ān ¶마음이 ～하다 心情忐忑不安

조:만-간(早晚間) 부 早晚 zǎowǎn; 迟早 chízǎo; 即将 jíjiāng; 不久就会 bùjiǔ jiù huì ¶～ 올 것이다 早晚会来

조망(眺望) 명하타 眺望 tiàowàng; 鸟瞰 niǎokàn; 放远 fàngyuǎn ¶남산 타워에 올라 서울을 ～하다 上到南山塔, 眺望首尔

조:명(照明) 명하타 **1** 照明 zhàomíng; 灯光 dēngguāng ¶～ 시설 照明设备 / ～이 켜졌다 灯光亮了 **2**〖演〗舞台灯光 wǔtái dēngguāng; 舞台照明 wǔtái zhàomíng **3** 察看 chákàn; 探看 tànkàn; 审察 shěnchá ¶역사의 진실을 ～하다 察看历史的真相

조:명-도(照明度) 명〖物〗照度 zhàodù; 光照度 guāngzhàodù; 照明度 zhàomíngdù = 조도 ¶실내 ～를 높이다 增加室内照明度

조모(祖母) 명 祖母 zǔmǔ; 奶奶 nǎinai = 할머니1

조목(條目) 명 条 tiáo; 条目 tiáomù; 项目 xiàngmù; 条款 tiáokuǎn; 款目 kuǎnmù = 항목

조목-조목(條目條目) 명부 一条一条 yītiáoyītiáo; 条条 tiáotiáo; 逐条 zhútiáo ¶～ 보다 一条一条地看

조무래기 명 **1** 零碎 língsuì; 零杂 língzá; 杂碎 zásuì; 零头(儿) língtóu(r) **2** 小孩 xiǎohái; 小家伙 xiǎojiāhuo; 小孩子家 xiǎoháizijia ¶～들이 함께 즐겁게 놀다 小家伙们在一起玩得可开心

조:문(弔文) 명 悼词 dàocí; 悼辞 dàocí ¶～을 읽다 念悼辞

조:문(弔問) 명하타 吊丧 diàosāng; 吊唁 diàoyàn; 探丧 tànsāng = 문상 ¶～객 吊丧者 / ～을 가다 去吊丧 / ～을 받다 接受吊唁

조물-조물 부하타 (轻轻地) 揉 róu; 摸 mō; 揉捏 róuniē; 揉搓 róucuo; 摆弄 bǎinòng; 搓弄 cuōnòng; 摸弄 mōnòng ¶손 관절을 가볍게 ～하다 轻轻揉捏手部的关节

조:물-주(造物主) 명 造物主 zàowùzhǔ

조미-료(調味料) 명 调味品 tiáowèipǐn; 调味料 tiáowèiliào; 调料 tiáoliào; 作料(儿) zuòliào(r); 味精 wèijīng ¶～를 넣다 放调味料

조밀-하다(稠密—) 형 稠 chóu; 稠密 chóumì; 浓密 nóngmì; 密集 mìjí; 密密

麻麻 mìmimámá ¶인구가 조밀한 지역 人口稠密区 **조밀-히** 부

조바심 명하자 急躁 jízào; 煎心 jiānxīn; 焦灼 jiāozhuó ¶~을 억누를 수 없다 按捺不住焦灼

조반(朝飯) 명 = 아침밥

조부(祖父) 명 = 할아버지1

조-부모(祖父母) 명 祖父母 zǔfùmǔ; 爷奶 yénǎi

조사(助詞) 명【語】助词 zhùcí

조:사(照射) 명하자타 **1** 照射 zhàoshè; 照耀 zhàoyào ¶태양의 ~ 太阳的照射 **2** 放射 fàngshè; 辐射 fúshè ¶~치료 放射治疗

조사(調查) 명하타 调查 diàochá; 审看 shěnkàn; 审察 shěnchá; 探明 tànmíng; 检查 jiǎnchá; 了解 liǎojiě; 验看 yànkàn ¶~단 调查团 / 상황을 ~하다 审察情况 / 사고 원인을 철저히 ~하다 彻底调查事故原因

조:산(早産) 명하타 早产 zǎochǎn ¶~아 早产儿

조삼모사(朝三暮四) 명 朝三暮四 zhāosānmùsì

조상(祖上) 명 祖上 zǔshàng; 祖先 zǔxiān; 祖宗 zǔzong; 老祖宗 lǎozǔzong; 上代 shàngdài; 上辈 shàngbèi; 先人 xiānrén ¶~이 전해준 유산 祖上传下来的遗产

조서(調書) 명 调查记录 diàochá jìlù; 调查报告 diàochá bàogào; 调查笔录 diàochá bǐlù

조석(朝夕) 명 朝夕 zhāoxī; 朝暮 zhāomù; 晨夕 chénxī = 아침저녁 ¶부모님께 ~으로 문안을 드리다 向父母朝夕请安

조:선(造船) 명하타 造船 zàochuán ¶~ 공업 造船工业

조선(朝鮮) 명【史】朝鲜 Cháoxiǎn

조선-족(朝鮮族) 명 朝鲜族 Cháoxiǎnzú ¶옌벤 ~ 자치구 延边朝鲜族自治州

조:성(造成) 명하타 **1** 造成 zàochéng; 营造 yíngzào; 制造 zhìzào ¶삼림을 ~하다 制造森林 **2** 造成 zàochéng; 产生 chǎnshēng; 形成 xíngchéng; 引起 yǐnqǐ ¶공포 분위기를 ~하다 造成恐怖气氛 / 여론을 ~하다 引起舆论

조세(租稅) 명【法】税款 shuìkuǎn; 税金 shuìjīn; 税收 shuìshōu; 税 shuì = 세(稅)1 · 세금 ¶~부담이 증가하다 税款负担增加

조세-법(租稅法) 명【法】= 세법

조소(彫塑) 명하타【美】塑像 sùxiàng; 塑造 sùzào; 雕塑 diāosù

조소(嘲笑) 명하타 = 비웃음 ¶형제들의 ~를 받다 受到兄弟们的冷笑

조:속-하다(早速—) 형 早日 zǎorì; 尽早 jǐnzǎo; 尽快 jǐnkuài; 快速 kuàisù; 早早 zǎozǎo **조:속-히** 부 ¶~ 끝내다 早日结束

조:수(助手) 명 助手 zhùshǒu; 帮手 bāngshou; 副手 fùshǒu; 下手 xiàshǒu; 手臂 shǒubì ¶나는 그의 ~를 맡았다 我担任他的助手

조:숙(早熟) 명하자형 早熟 zǎoshú ¶성적 ~ 性早熟 / ~한 소녀 早熟少女

조식(朝食) 명 = 아침밥

조신-하다(操身—) 형 正经 zhèngjing; 淑静 shūjìng; 文静 wénjìng; 驯良 xùnliáng; 小心谨慎 xiǎoxīn jǐnshèn ¶말과 행동이 ~ 言语行动小心谨慎

조:실-부모(早失父母) 명하자 幼年早丧父母 yòunián zǎo sàng fùmǔ; 幼年丧父母 yòunián sàng fùmǔ

조:심(操心) 명하자타히부 小心 xiǎoxīn; 当心 dāngxīn; 留心 liúxīn; 注意 zhùyì; 留神 liúshén; 谨慎 jǐnshèn; 小心翼翼 xiǎoxīnyìyì ¶감기 ~해라 当心感冒 / 계단을 내려올 때는 반드시 ~해야 한다 下楼梯一定要小心

조:심-스럽다(操心—) 형 小心 xiǎoxīn; 谨慎 jǐnshèn; 注意 zhùyì; 小心翼翼 xiǎoxīnyìyì **조:심스레** 부 ¶~ 상자를 열다 小心翼翼地打开箱子

조:심-조심(操心操心) 명하자타히부 小心地 xiǎoxīnde; 谨慎地 jǐnshènde; 注意地 zhùyìde; 小心翼翼地 xiǎoxīnyìyìde ¶~ 그에게 다가가다 小心翼翼地向他靠近

조아리다 타 磕头 kētóu; 叩头 kòutóu; 顿首 dùnshǒu; 垂首 chuíshǒu ¶머리를 조아리고 잘못을 인정하다 叩头认错

조약(條約) 명 条约 tiáoyuē; 约款 yuēkuǎn; 公约 gōngyuē; 规约 guīyuē ¶평화 우호 ~ 和平友好条约

조:언(助言) 명하자타 参谋 cānmóu; 指教 zhǐjiào = 도움말 ¶저에게 ~을 좀 해 주세요 请你给我参谋

조:연(助演) 명【演】配角(儿) pèijué(r) ¶비록 ~이지만 연기가 훌륭하다 尽管是配角, 却演得有声有色

조:예(造詣) 명 造诣 zàoyì ¶미술에 ~가 있다 对美术有造诣

조용-조용 부하형히부 静悄悄地 jìngqiāoqiāode; 静静地 jìngjìngde; 悄悄地 qiāoqiāode; 轻轻地 qīngqīngde ¶~ 말하다 轻轻地说 / ~ 문을 열고 들어가다 悄悄地开门进去

조용-하다 형 **1** 寂默 jìmò; 死寂 sǐjì; 悄寂 qiǎojì; 凝寂 níngjì; 悄然 qiǎorán; 沉静 chénjìng ¶조용한 밤 死寂的夜晚 / 아무 소리 없이 ~ 寂默无声 **2** 文静 wénjìng; 从容 cóngróng; 肃静 sùjìng; 娴静 xiánjìng ¶그녀의 성격은 우아하고 ~ 她性格文雅娴静 **3** 平静

píngjìng; 安静 ānjìng ¶조용한 학습 환경 安静的学习环境 4 幽静 yōujìng; 悠闲 yōuxián; 冷落 lěngluò; 清闲 qīngxián; 消闲 xiāoxián ¶조용한 교외의 공원 悠闲的郊野公园 5 悄悄 qiāoqiāo; 隐秘 yǐnmì; 暗自 ànzì **조용-히** 부 ¶~ 문제를 해결하다 悄悄地解决问题

조우(遭遇) 명하자타 遇见 yùjiàn; 遭遇 zāoyù; 遭逢 zāoféng; 遇到 yùdào; 碰上 pèngshàng; 碰见 pèngjiàn; 不期而遇 bùqī'éryù ¶옛 친구를 ~하다 遇见老朋友

조율(調律) 명하타 1 调节 tiáojié; 定弦 dìngxián; 调音 tiáoyīn ¶기타 ~ 吉他定弦 2 调节 tiáojié; 调整 tiáozhěng; 调解 tiáojiě ¶자신의 마음을 잘 ~하다 调节好自己的心态

조:의(弔意) 명 吊唁 diàoyàn; 吊丧 diàosāng ¶~를 표하다 表示吊丧

조:의-금(弔意金) 명 吊慰金 diàowèijīn; 奠仪 diànyí; 丧礼钱 sānglǐqián ¶~을 보내다 致送奠仪

조인(調印) 명하자 1 签字 qiānzì; 签 qiān; 盖章 gàizhāng; 签订 qiāndìng ¶계약서에 ~하다 签订合同 2 〖法〗签字 qiānzì; 签署 qiānshǔ; 签订 qiāndìng ¶양국 상호 불가침 조약에 ~하다 签订两国互不侵犯条约

조:작(造作) 명하타 捏造 niēzào; 编造 biānzào; 伪造 wěizào ¶~극 捏造剧 / 사실을 ~하다 伪造事实

조작(操作) 명하타 操作 cāozuò; 操纵 cāozòng; 驾驶 jiàshǐ ¶컴퓨터로 가전제품을 ~하다 用电脑操纵家电

조잡-하다(粗雜—) 형 粗劣 cūliè; 毛糙 máocao; 粗拉 cūla; 粗糙 cūcāo; 潦草 liáocǎo; 劣质 lièzhì ¶조잡한 상품 粗糙产品 / 포장이 ~ 包装粗劣

조:장(助長) 명하타 助长 zhùzhǎng; 鼓动 gǔdòng; 扇动 shāndòng; 煽动 shāndòng; 煽惑 shānhuò; 调弄 tiáonòng; 调拨 tiáobō; 唆弄 suōnòng ¶범죄를 ~하다 扇动犯罪 / 소비 심리를 ~하다 助长消费心理

조절(調節) 명하타 调节 tiáojié; 调剂 tiáojì; 理顺 lǐshùn; 调整 tiáozhěng ¶온도를 ~하다 调节温度 / 물가를 ~하다 调整物价

조정(朝廷) 명 朝廷 cháotíng; 朝堂 cháotáng ¶~ 중신 朝廷重臣

조정(調停) 명하타 调停 tiáotíng; 调解 tiáojiě ¶분쟁을 ~하다 调解纠纷

조정(調整) 명하타 调整 tiáozhěng ¶생산 구조를 ~하다 调整生产结构

조제(調劑) 명하타 〖藥〗配药 pèiyào; 调剂 tiáojì; 合剂 héjì; 配方 pèifāng ¶약품을 ~하다 调剂药品

조:조-할인(早朝割引) 명하타 (入场券等) 上午折价 shàngwǔ zhéjià; 早场打折 zǎochǎng dǎzhé

조종(操縱) 명하타 1 操纵 cāozòng; 驾 jià; 驾驶 jiàshǐ; 驾御 jiàyù ¶비행기를 ~하다 操纵飞机 2 摆布 bǎibu; 操纵 cāozòng ¶그가 뒤에서 모든 것을 ~하였다 他在幕后操纵了一切

조종-사(操縱士) 명 飞行员 fēixíngyuán; 飞机驾驶员 fēijī jiàshǐyuán = 파일럿1 · 항공사1

조:준(照準) 명하타 照准 zhàozhǔn; 瞄准 miáozhǔn ¶목표물을 ~하다 瞄准目标

조직(組織) 명하타 1 组织 zǔzhī; 组成 zǔchéng; 组建 zǔjiàn; 系统 xìtǒng ¶정부 ~ 政府组织 / ~ 구조 组织结构 / 원소 ~ 元素组成 / ~화 组织化 2 〖生〗组织 zǔzhī ¶신경 ~ 神经组织

조짐(兆朕) 명 先兆 xiānzhào; 征候 zhēnghòu; 征兆 zhēngzhào; 预兆 yùzhào; 兆头 zhàotou; 前兆 qiánzhào ¶~이 나타나다 出现先兆

조차 조 连…也 lián…yě; 连…都 lián…dōu ¶자신이 했던 말~ 잊어버렸다 连自己说过话也忘记了 / 울 기운 ~없다 连哭的力气都没有

조찬(朝餐) 명 早餐 zǎocān; 早饭 zǎofàn

조촐-하다 형 质朴 zhìpǔ; 朴素 pǔsù; 俭朴 jiǎnpǔ; 简练 jiǎnliàn; 简约 jiǎnyuē ¶조촐한 점심 朴素的午餐 / 세간이 모두 ~ 家具都很俭朴 **조촐-히** 부

조치(措置) 명하타 措置 cuòzhì; 措施 cuòshī; 办法 bànfǎ; 处置 chǔzhì; 处理 chǔlǐ; 措手 cuòshǒu ¶긴급 ~ 紧急措置

조카 명 侄子 zhízi; 侄(儿) zhí(r); 侄女(儿) zhínǚ(r)

조커(joker) 명 〖體〗百搭 bǎidā

조:타-수(操舵手) 명 = 키잡이

조:퇴(早退) 명하자 早退 zǎotuì ¶마음대로 ~하다 随意早退

조판(組版) 명하자 〖印〗排版 páibǎn; 拼版 pīnbǎn; 组版 zǔbǎn ¶온라인 ~으로 인쇄를 대체하다 用在线排版取代印刷

조합(組合) 명하타 1 〖法〗合作社 hézuòshè 2 〖法〗工会 gōnghuì; 行会 hánghuì; 组合 zǔhé ¶노동~ 劳动组合 3 组合 zǔhé; 套合 tàohé; 套配 tàopèi ¶여러 방면의 힘을 ~하다 把各方面的力量组合起来

조항(條項) 명 条目 tiáomù; 条款 tiáokuǎn; 款项 kuǎnxiàng; 款 kuǎn ¶법률 ~ 法律条款

조:형(造形) 명하자 造形 zàoxíng; 造型 zàoxíng; 塑造 sùzào ¶동상을 ~하다 塑造铜像

조:화(造花) 명 造花 zàohuā; 人造花 rénzàohuā; 假花 jiǎhuā
조화(調和) 명하자타 调和 tiáohé; 协调 xiétiáo; 和谐 héxié; 配合 pèihe; 相配 xiāngpèi ¶～되기 어렵다 难以调和
조화-롭다(調和—) 형 调和 tiáohé; 谐调 xiétiáo; 和谐 héxié ¶조화롭게 살다 活得和谐 **조화로이** 부
조회(朝會) 명하자 朝会 zhāohuì; 早会 zǎohuì ¶～에 참가하다 参加早会
조:회(照會) 명하타 查询 cháxún; 询问 xúnwèn; 讯问 xùnwèn; 探听 tàntīng ¶사건의 경위를 ～하다 询问案情
족-발(足—) 명 猪爪尖儿 zhūzhuǎjiānr; 猪蹄 zhūtí ¶훈제 ～ 熏制猪蹄 / ～을 썰다 切猪蹄
족보(族譜) 명 族谱 zúpǔ; 家谱 jiāpǔ
족속(族屬) 명 族类 zúlèi; 同族 tóngzú; 一族 yīzú; 一帮 yībāng; 一伙 yīhuǒ; 族属 zúshǔ ¶염치를 모르는 ～ 寡廉鲜耻的族类
족쇄(足鎖) 명하타 **1** 〖史〗 脚镣 jiǎoliào; 绊子 bànzi; 镣 liào ¶사형수에게 ～를 채우다 给死刑犯戴上脚镣 **2** 约束 yuēshù; 拘束 jūshù; 束缚 shùfù; 锁链 suǒliàn; 限制 xiànzhì; 羁缚 jīfù ¶전통 체제의 ～ 传统体制的束缚
족적(足跡·足迹) 명 = 발자취 ¶～을 남기다 留下脚步
족제비 명 〖動〗 黄鼠狼 huángshǔláng; 黄鼬 huángyòu; 黄狼 huángláng
족집게 명 镊子 nièzi; 镊 niè ¶～로 눈썹을 뽑아내다 用镊子镊掉眉毛
족치다 타 折腾 zhēteng; 折磨 zhémó ¶범인을 ～ 折磨犯人
족-하다(足—) 형 足够 zúgòu; 够 gòu; 满足 mǎnzú; 足 zú; 充分 chōngfēn; 充足 chōngzú; 余裕 yúyù ¶시간이 ～ 时间很充分 **족-히** 부
존경(尊敬) 명하타 尊敬 zūnjìng; 敬重 jìngzhòng; 敬仰 jìngyǎng; 恭敬 gōngjìng; 敬 jìng; 尊 zūn ¶내가 가장 ～하는 사람 我最敬仰的人 / ～을 받다 受到尊敬
존귀(尊貴) 명하형 尊贵 zūnguì; 显贵 xiǎnguì; 宝贵 bǎoguì; 高贵 gāoguì ¶～한 손님을 맞이하다 迎接尊贵的客人
존대(尊待) 명하타 以尊敬相待 yǐ zūnjìng xiāngdài; 用敬语相待 yòng jìngyǔ xiāngdài; 尊敬 zūnjìng; 恭敬 gōngjìng ¶아버지에게 ～하여 말하다 对父亲恭敬说
존대-어(尊待語) 명 〖語〗 = 높임말
존댓-말(尊待—) 명 〖語〗 = 높임말 ¶윗사람에게 말할 때는 ～을 사용해야 한다 对长辈说话要用敬语
존득-거리다 자 黏 nián; 艮 gěn; 筋道 jīndao = 존득대다 ¶존득거리는 국수 筋道的面条 **존득-존득** 부하자형
존속(存續) 명하자 存续 cúnxù ¶그의 이름은 수백 년 동안 ～할 것이다 他的名字将数百年地存续下去
존엄(尊嚴) 명하형히부 尊严 zūnyán ¶국가의 주권과 ～을 보호하다 维护国家的主权和尊严
존재(存在) 명하자 **1** 存在 cúnzài; 在 zài ¶우리에게는 아직 약간의 문제가 ～한다 我们还存在一些问题 **2** 存在 cúnzài ¶독보적인 ～ 独一无二的存在
존중(尊重) 명하타히부 尊重 zūnzhòng; 崇尚 chóngshàng; 看得起 kàndeqǐ ¶남의 의견을 ～하다 尊重别人的意见
존칭-어(尊稱語) 명 〖語〗 = 높임말
존폐(存廢) 명 存废 cúnfèi ¶사형의 ～에 대한 논쟁 关于死刑存废的争论
존함(尊銜) 명 大名 dàmíng; 大号 dàhào; 尊姓大名 zūnxìngdàmíng ¶～은 오래전에 들었습니다 久闻大名
졸개(卒—) 명 走卒 zǒuzú; 喽罗 lóuluó; 打手 dǎshou; 狗腿子 gǒutuǐzi; 马前卒 mǎqiánzú; 爪牙 zhǎoyá ¶이 사람은 그 수하의 ～에 불과하다 这人只是他手下的一名走卒
졸깃-졸깃 부하형 黏韧 niánrèn; 柔韧 róurèn; 筋力 jīnlì; 艮艮 gěngěn; 筋道 jīndao; 耐嚼 nàijiáo ¶면을 더 ～하게 하려면 어떻게 하지요? 为了让面更筋道, 怎么办?
졸깃-하다 형 筋道 jīndao; 耐嚼 nàijiáo; 黏韧 niánrèn; 柔韧 róurèn; 筋力 jīnlì; 艮艮 gěngěn; 韧韧 rènrèn ¶졸깃한 오징어포 耐嚼的鱿鱼丝
졸:다[1] 자 打盹儿 dǎdǔnr; 瞌睡 kēshuì; 打瞌睡 dǎ kēshuì ¶소파에 앉아 ～ 坐在沙发上打盹儿
졸:다[2] 자 **1** 熬干 áogān; 煮干 zhǔgān; 煮浓 zhǔnóng; 减少 jiǎnshǎo; 熬煎 áojiān ¶졸아버린 매운탕 熬干的辣鱼汤 / 통 안의 물이 거의 다 졸았다 桶里的水快煮干了 **2** 畏缩 wèisuō
졸도(卒倒) 명하자 昏倒 hūndǎo; 昏厥 hūnjué; 晕倒 yūndǎo; 晕厥 yūnjué; 晕过去 yūnguòqù ¶과로로 ～하다 过劳昏倒
졸라-매다 타 勒紧 lēijǐn; 捆紧 kǔnjǐn; 扎紧 zhājǐn; 系紧 xìjǐn ¶허리띠를 ～ 勒紧腰带 / 끈으로 ～ 用绳子捆紧
졸래-졸래 부하자 冒冒失失地 màomaoshīshīde; 轻轻浮浮地 qīngqingfúfúde; 轻浮地 qīngfúde ¶～ 그를 따르다 冒冒失失地跟从他
졸렬-하다(拙劣—) 형 拙劣 zhuōliè; 拙 zhuō; 庸劣 yōngliè ¶졸렬한 수단 拙劣手段 / 졸렬한 습성 庸劣习性 **졸렬-히** 부

졸:리다¹ 자 困 kùn; 发困 fākùn; 瞌睡 kēshuì; 犯困 fànkùn; 昏昏欲睡 hūnhūnyùshuì ¶그는 졸릴 때면 나가서 하늘의 별을 본다 他发困的时候, 出去看一看天上的星

졸리다² 자 被捆紧 bèi kǔnjǐn; 被缠 bèi chán; 被勒 bèi lēi《'조르다'的被动词》

졸망-졸망 부하형 大大小小地 dàdaxiǎoxiǎode《小巧的东西聚在一块儿的样子》¶~ 소쿠리에 담겨 있는 참외 大大小小地装在筐箩的甜瓜

졸병(卒兵) 명 小卒 xiǎozú; 兵卒 bīngzú; 小兵 xiǎobīng; 士卒 shìzú

졸부(猝富) 명 = 벼락부자 ¶순식간에 ~가 되었다 转眼之间成了暴发户

졸아-들다 자 **1** 收缩 shōusuō; 抽抽儿 chōuchour; 缩 suō; 缩小 suōxiǎo; 抽缩 chōusuō ¶빨아서 졸아든 스웨터 洗完缩小的毛衣 **2** 畏缩 wèisuō

졸아-붙다 자 煮干 zhǔgān; 熬干 áogān; 干涸 gānhé ¶김치찌개가 졸아붙었다 泡菜汤都煮干了

졸업(卒業) 명하타 **1** 毕业 bìyè ¶~식 毕业典礼 / ~장 毕业证书 =[文凭] / 대학을 ~하다 大学毕业 **2** 通晓 tōngxiǎo; 熟知 shúzhī; 精通 jīngtōng; 通达 tōngdá; 掌握 zhǎngwò ¶3살 때 한글을 ~했다 3岁通晓韩文

졸:-음 명 困劲 kùnjìn; 睡意 shuìyì; 困意 kùnyì; 睡魔 shuìmó ¶또 ~이 몰려왔다 困劲儿又上来了

졸:음-운전(—運轉) 명 开车打磕睡 kāichē dǎ kēshuì

졸-이다 타 **1** 熬 áo《'졸다²1'的使动词》¶간장을 ~ 熬酱油 **2** 费心 fèixīn; 焦心 jiāoxīn; 揪心 jiūxīn; 着急 zháojí; 熬煎 áojiān ¶몇 년 이후의 일 때문에 마음을 졸일 필요가 있는가? 何必为好多年以后的事去焦心?

졸작(拙作) 명 **1** 拙劣的作品 zhuōliède zuòpǐn **2** 拙作 zhuōzuò; 拙著 zhuōzhù

졸전(拙戰) 명 笨拙的争斗 bènzhuōde zhēngdòu

졸졸 부 **1** 潺潺 chánchán; 泠泠 línglíng; 淙淙 cóngcóng; 琮琤 cóngchēng; 哗哗 huāhuā ¶맑은 물이 ~ 논으로 흘러 들어가다 清澈的水潺潺流入稻田 **2** 尾随 wěisuí; 步步紧随 bùbù jǐnsuí; 紧紧 jǐnjǐn ¶엄마를 ~ 따라 다니다 紧紧跟着妈妈

졸지(猝地) 명 忽然 hūrán; 猝然 cùrán; 突然 tūrán; 突然间 tūránjiān; 一瞬间 yīshùnjiān; 猛然间 měngránjiān ¶~에 희망이 실망으로 변했다 一瞬间, 希望变为失望

좀¹ 명 **1** 〖蟲〗蠹 dù; 蠹虫 dùchóng; 蛀 zhù; 蛀虫 zhùchóng **2** 蠹虫 dùchóng; 蛀虫 zhùchóng《比喻暗中危害正义事业的人或事物》

좀이 쑤시다 구 痒痒

좀² 부 **1** '조금'的略词 ¶~ 쉬다 稍微休息 **2** 一下 yīxià ¶이것 ~ 맛보세요 你尝一下这个 **3** 多 duō; 多么 duōme; 何其 héqí; 何等 héděng ¶~ 좋으냐! 多么好啊!

좀-도둑 명 小偷(儿) xiǎotōu(r)

좀-먹다 자타 **1** 蛀 zhù; 蛀蚀 zhùshí; 蠹 dù; 虫蛀 chóngzhù; 蠹蚀 dùshí ¶담요가 좀먹었다 毛毯被虫蛀了 **2** 侵害 qīnhài; 腐蚀 fǔshí; 蛀蚀 zhùshí ¶국가를 ~ 蛀蚀国家

좀-생이 명 小心眼儿的人 xiǎoxīnyǎnr de rén; 小肚鸡肠的人 xiǎodùjīchángde rén

좀-스럽다 형 **1** 小 xiǎo; 细小 xìxiǎo; 琐碎 suǒsuì **2** 抠搜 kōusou; 小气 xiǎoqi; 死抠 sǐkōu; 小心眼儿 xiǎoxīnyǎnr; 小手小脚 xiǎoshǒuxiǎojiǎo; 小肚鸡肠 xiǎodùjīcháng ¶여전히 이런 돈을 문제 삼다니 정말 ~ 还在乎这点钱, 真小气 **좀스레** 부

좀:-처럼 부 轻易 qīngyì; 容易 róngyì; 总 zǒng; 怎么也 zěnme yě = 좀체 ¶~ 말하기 어렵다 不轻易说出来 / ~ 잊을 수 없다 怎么也忘不了

좀:-체 부 = 좀처럼

좀-팽이 명 **1** 个矮心窄的人 gè'ǎi xīnzhǎide rén **2** 零碎 língsuì; 微不足道的东西 wēibùzúdàode dōngxi

좁다 형 **1** 窄 zhǎi; 狭窄 xiázhǎi; 窄狭 zhǎixiá; 小 xiǎo; 狭隘 xiá'ài; 浅 qiǎn; 局促 júcù; 狭小 xiáxiǎo ¶좁은 방 狭窄的房间 **2** 窄 zhǎi; 浅短 qiǎnduǎn; 狭隘 xiá'ài ¶좁은 시각을 바꾸다 改变狭隘的看法

좁-다랗다 형 窄 zhǎi; 狭窄 xiázhǎi

좁쌀 명 **1** 小米(儿) xiǎomǐ(r) **2** 小小的 xiǎoxiǎode; 小里小气的 xiǎolixiǎoqìde ¶~ 영감 小里小气的人

좁-히다 타 **1** '좁다1'的使动词 **2** 弄窄 nòngzhǎi《'좁다2'的使动词》¶인도를 ~ 把人行道弄窄 **3** 缩小 suōxiǎo; 缩短 suōduǎn; 减少 jiǎnshǎo; 紧缩 jǐnsuō ¶선진국과의 차이를 ~ 缩小与发达国家的差距

종: 명 **1** 仆 pú; 奴仆 núpú; 听差 tīngchāi **2** 奴才 núcai

종(種) 명 种 zhǒng ¶서너 ~ 三四种

종(鐘) 명 钟 zhōng; 铃 líng; 响铃 xiǎnglíng ¶~소리 钟声

-종(種) 접미 种 zhǒng ¶재래~ 土种

종가(宗家) 명 = 종갓집

종갓-집(宗家—) 명 长房 zhǎngfáng; 嫡长子家门 dízhǎngzǐ jiāmén = 종가 ¶~ 맏며느리 长房的大媳妇

종강(終講) 명하자타 最后一讲 zuìhòu yījiǎng; 停课 tíngkè
종결(終結) 명하타 终结 zhōngjié; 了局 liǎojú; 结束 jiéshù; 完结 wánjié ¶전쟁을 ~짓다 终结战争 / 마침내 내전이 ~되었다 最终结束内战
종교(宗敎) 명 〖宗〗 宗教 zōngjiào; 教 jiào ¶~계 宗教界 / ~인 宗教徒 = [宗教人]
종국(終局) 명 结局 jiéjú; 归结 guījié; 末尾 mòwěi; 最后 zuìhòu ¶~에는 그가 기회를 잡았다 最后他抓住了机会
종:기(腫氣) 명 疮 chuāng; 脓肿 nóngzhǒng ¶~가 나다 形成脓肿
종량-제(從量制) 명 从量制 cóngliàngzhì ¶쓰레기 ~를 실시하다 实施垃圾从量制
종료(終了) 명하자타 终了 zhōngliǎo; 结束 jiéshù; 完成 wánchéng; 完了 wánliǎo ¶작업이 순조롭게 ~되다 工作顺利结束
종:류(種類) 명 种类 zhǒnglèi; 种 zhǒng
종말(終末) 명 终结 zhōngjié; 终尾 zhōngwěi; 最后 zuìhòu; 下场 xiàchǎng; 结局 jiéjú ¶세계 ~에 관한 예언 关于世界终结之预言
종:목(種目) 명 项目 xiàngmù
종무(終務) 명하자 **1** 完成工作 wánchéng gōngzuò **2** 终务 zhōngwù ¶~식 终务式
종사(從事) 명하자 从事 cóngshì ¶교육에 ~하다 从事教育工作
종속(從屬) 명하자 从属 cóngshǔ; 附属 fùshǔ; 主从 zhǔcóng ¶경제적 ~ 经济上的从属 / ~ 관계 主从关系
종속-국(從屬國) 명 〖政〗 从属国 cóngshǔguó; 附属国 fùshǔguó; 属国 shǔguó = 속국
종손(宗孫) 명 宗孙 zōngsūn
종식(終熄) 명하자 告终 gàozhōng; 终止 zhōngzhǐ; 解决 jiějué ¶국제 분쟁이 ~되었다 国际纠纷告终了
종신(終身) 명하자 **1** 终身 zhōngshēn; 一生 yīshēng; 毕生 bìshēng ¶~ 보험 终身保险
종:아리 명 小腿 xiǎotuǐ ¶~를 맞다 小腿挨揍 / ~를 치다 打小腿
종알-거리다 자타 (小声地) 喃喃自语 nánnánzìyǔ; 嘟哝 dūnong; 嘀咕 dígu; 嘟囔 dūnang; 叽叽咕咕 jījigūgū; 叨叨 dāodao = 종알대다 ¶입은 아직 종알거리고 있다 嘴里还在喃喃自语 **종알-종알** 부하자타
종:양(腫瘍) 명 〖醫〗 肿瘤 zhǒngliú
종업-원(從業員) 명 服务员 fúwùyuán; 从业人员 cóngyè rényuán; 工作人员 gōngzuò rényuán; 职工 zhígōng; 职员 zhíyuán
종영(終映) 명하자타 终映 zhōngyìng; 结束放映 jiéshù fàngyìng ¶올해 가장 인기 있었던 영화가 18일에 ~한다 今年最热门的电影18号要终映
종용(慫慂) 명하타 怂恿 sǒngyǒng; 鼓动 gǔdòng; 劝告 quàngào ¶투항을 ~하다 怂恿投降
종이 명 纸 zhǐ ¶~컵 纸杯 / ~봉투 纸袋子
종이 한 장(의) 차이 구 **1** 间隙甚小 **2** 差异甚小
종일(終日) 명부 = 온종일 ¶~ 비가 왔다 终日下了雨
종자(種子) 명 种子 zhǒngzǐ; 种 zhǒng
종-잡다 타 抓头绪 zhuā tóuxù; 摸出头绪 mōchū tóuxù; 猜测 cāicè; 弄清楚 nòng qīngchu ¶종잡을 수 없는 말 弄不清楚的话
종적(蹤跡·蹤迹) 명 踪迹 zōngjì; 行迹 xíngjì; 行踪 xíngzōng; 痕迹 hénjì; 下落 xiàluò ¶~을 남기다 留下痕迹 / ~이 묘연하다 踪迹渺然
종전(從前) 명 从前 cóngqián; 以前 yǐqián ¶그는 ~보다 쾌활하다 他比从前快乐
종점(終點) 명 **1** (火车、公共汽车等) 终点 zhōngdiǎn; 终点站 zhōngdiǎnzhàn ¶본 열차의 ~입니다 是本次列车终点站 **2** 最后 zuìhòu; 终点 zhōngdiǎn ¶근대사의 기점과 ~ 现代史的起点和终点
종족(種族) 명 种族 zhǒngzú
종:종(種種) ㊀명 种种 zhǒngzhǒng ㊁부 = 가끔
종종-거리다 자 碎步急走 suìbù jízǒu; 走小步 zǒu xiǎobù = 종종대다
종종-걸음 명 碎步儿 suìbùr ¶~을 치다 碎步儿走
종지 명 小碗 xiǎowǎn ¶양념장 ~ 酱油小碗
종지-부(終止符) 명 〖語〗 = 마침표
종지부(를) 찍다 구 = 마침표를 찍다
종파(宗派) 명 宗派 zōngpài; 教派 jiàopài
종합(綜合) 명하타 综合 zōnghé ¶~ 병원 综合医院 / ~ 운동장 综合赛场 / 이 몇 가지 이야기를 ~하다 把这几种故事综合起来
종횡-무진(縱橫無盡) 명 纵横 zònghéng; 自由自在 zìyóuzìzài
좇다 타 **1** 追随 zhuīsuí; 跟随 gēnsuí ¶시선이 그녀를 ~ 视线跟随她 **2** 服从 fúcóng; 顺从 shùncóng; 遵循 zūnxún ¶원칙을 ~ 遵循原则 / 부모의 뜻을 ~ 服从父母的意志 **3** 从众 cóngzhòng **4** 追求 zhuīqiú ¶명예를 ~ 追求名誉

좋:다 형 **1** 高兴 gāoxìng; 欢喜 huānxǐ; 愉快 yúkuài ¶기분이 ~ 心情愉快 / 좋아 죽겠다 高兴死了 **2** 美 měi; 美丽 měilì; 漂亮 piàoliang; 美好 měihǎo ¶풍경이 정말 ~ 风景真美 **3** 好 hǎo; 行 xíng; 美 měi; 优秀 yōuxiù; 优良 yōuliáng; 了不起 liǎobuqǐ; 出色 chūsè; 卓越 zhuōyuè; 出众 chūzhòng; 超人 chāorén ¶그는 매우 좋은 기억력을 지녔다 他有超人的记忆力 / 가문이 좋지 않다 家世不好 / 입담이 ~ 口才出众 **4** 智慧 zhìhuì; 机智 jīzhì; 聪慧 cōnghuì; 聪明 cōngming ¶그는 머리가 정말 ~ 他脑子真聪明 **5** 有效 yǒuxiào; 有功效 yǒugōngxiào; 灵 líng ¶건강에 ~ 对健康有效 **6** 正 zhèng; 正经 zhèngjing; 善良 shànliáng; 良善 liángshàn; 和善 héshàn ¶아주 좋은 사람 很正经的人 / 성격이 아주 ~ 性格很善良 **7** 不错 bùcuò; 没关系 méi guānxi; 不要紧 bùyàojǐn; 不在乎 bùzàihu; 行 xíng ¶당신은 이제 가도 ~ 你现在回去也行 **8** 适当 shìdāng; 合适 héshì; 恰当 qiàdàng; 恰好 qiàhǎo ¶길이가 딱 ~ 长短正合适 **9** 喜事 xǐshì; 庆幸 qìngxìng ¶좋은 날 喜事日 **10** 和睦 hémù; 亲近 qīnjìn; 亲密 qīnmì ¶우리는 좋게 잘 지낸다 我们过得很亲密 **11** 喜欢 xǐhuan; 看中 kànzhòng ¶나는 그가 ~ 我喜欢他 **12** 不知廉耻 bùzhī liánchǐ ¶그는 염치가 ~ 他不知廉耻 **13** 真行 zhēn xíng; 真够瞧的 zhēn gòuqiáode; 活该 huógāi《反语》¶꼴 ~ 活该 **14** 容易 róngyì; 轻易 qīngyì; 不难 bùnán; 好 hǎo ¶이 책은 읽기 ~ 这书读起来容易
 좋은 일에 마가 든다 속담 好事多魔

좋:아-하다 타 **1** 爱好 àihào; 喜欢 xǐhuan ¶나는 등산을 아주 좋아한다 我很喜欢爬山 **2** 看中 kànzhòng; 喜欢上 xǐhuanshang; 爱上 àishang ¶그는 그가 좋아하는 아가씨를 만났다 他碰见他爱上的小姐

좌:(左) 명 = 왼쪽

좌:담-회(座談會) 명 座谈会 zuòtánhuì ¶~를 개최하다 举行座谈会

좌:-변기(坐便器) 명 = 양변기

좌:불안석(坐不安席) 명하자 坐不安席 zuòbù'ānxí; 坐立不安 zuòlìbù'ān; 坐卧不安 zuòwòbù'ān

좌:석(座席) 명 坐位 zuòwèi; 座位 zuòwèi; 席位 xíwèi; 坐席 zuòxí ¶지하철에 사람이 많아 ~이 없다 地铁上人较多, 没有坐位

좌:시(坐視) 명하타 坐视 zuòshì ¶부정 행위를 ~하지 않다 不坐视不正行为

좌:우(左右) 명하타 **1** 左右 zuǒyòu; 左和右 zuǒ hé yòu; 左侧和右侧 zuǒcè hé yòucè **2** 左右 zuǒyòu; 摆布 bǎibu; 操纵 cāozòng; 把持 bǎchí ¶자신의 운명을 ~하다 把持自己的命运

좌:우-간(左右間) 부 反正 fǎnzhèng; 不管怎样 bùguǎn zěnyàng; 无论如何 wúlùnrúhé = 좌우지간

좌:우-명(座右銘) 명 座右铭 zuòyòumíng

좌:우-지간(左右之間) 부 = 좌우간

좌:익(左翼) 명 **1** 左翼 zuǒyì **2**〖政〗左翼 zuǒyì; 左派 zuǒpài ¶~ 단체 左翼团体

좌:익-수(左翼手) 명〖體〗(棒球) 左场手 zuǒchǎngshǒu

좌:절(挫折) 명하자 **1** 挫折 cuòzhé ¶~감 挫折感 **2** 失败 shībài; 成为泡影 chéngwéi pàoyǐng; 化为泡影 huàwéipàoyǐng ¶모든 계획이 다 ~되었다 所有的计划都失败了

좌:지우지(左之右之) 명하타 左右 zuǒyòu; 任意摆布 rènyì bǎibu; 操纵 cāozòng; 把持 bǎchí ¶사장이 회사를 ~하다 董事长把持公司 / 환경에 ~되다 被环境任意摆布

좌:천(左遷) 명하자 左迁 zuǒqiān; 降职 jiàngzhí ¶~당하다 被降职了

좌:초(坐礁) 명하자 **1** 搁浅 gēqiǎn; 触礁 chùjiāo ¶배가 ~되었다 船搁浅了 **2** 困境 kùnjìng; 窘境 jiǒngjìng; 难处 nánchù; 搁浅 gēqiǎn; 触礁 chùjiāo ¶개혁이 ~되었다 改革遇到困境

좌:충우돌(左衝右突) 명하자 左冲右突 zuǒchōngyòutū

좌:측(左側) 명 = 왼쪽

좌:파(左派) 명 **1** 左派 zuǒpài **2** 激进派 jījìnpài

좌:판(坐板) 명 摊点 tāndiǎn; 售货摊 shòuhuòtān

좌:표(座標) 명〖數〗坐标 zuòbiāo; 座标 zuòbiāo

좌:-회전(左回轉) 명하자타 左转 zuǒzhuǎn; 往左拐 wǎng zuǒ guǎi; 向左转 xiàng zuǒ zhuǎn; 左转弯 zuǒzhuǎnwān ¶골목에서 나와 ~을 하다 走出马路往左拐

좍 부 一下子 yīxiàzi; 广泛地 guǎngfànde ¶추악한 소문이 멀리까지 ~ 퍼지다 秽闻一下子远扬

죄:(罪) 명 罪 zuì; 罪过 zuìguo; 罪恶 zuì'è ¶~와 벌 罪与罚 / ~의식 罪意识 / ~를 짓다 开罪

죄:-다[1] 자타 **1** 紧 jǐn; 勒紧 lēijǐn; 拉紧 lājǐn; 扎紧 zājǐn; 拧紧 nǐngjǐn ¶바지가 조금 죈다 裤子有点紧 / 나사를 ~ 拧紧螺丝 **2** 揪心 jiūxīn ¶마음을 ~ 揪心

죄:-다[2] 부 全 quán; 都 dōu; 统统 tǒngtǒng; 全部 quánbù; 完全 wánquán

¶～ 먹어 버렸다 都吃光了 / ～ 잡아 들이다 统统抓起来
죄:명(罪名) 명 罪名 zuìmíng
죄:목(罪目) 명 罪名 zuìmíng ¶무슨 ～으로 그를 체포했느냐? 根据什么罪名把他抓起来?
죄:상(罪狀) 명 罪状 zuìzhuàng ¶～을 폭로하다 揭发罪状
죄:송-스럽다(罪悚—) 형 对不起 duìbuqǐ; 抱歉 bàoqiàn; 过意不去 guòyìbùqù **죄:송스레** 부
죄:송-하다(罪悚—) 형 对不起 duìbuqǐ; 抱歉 bàoqiàn; 过意不去 guòyìbùqù **죄:송-히** 부
죄:수(罪囚) 명 囚犯 qiúfàn; 囚徒 qiútú
죄:수-복(罪囚服) 명 = 수의(囚衣)
죄:-스럽다(罪—) 형 心里难过 xīnli nánguò; 抱歉 bàoqiàn; 过意不去 guòyìbùqù; 不过意 bùguòyì **죄:스레** 부
죄:악(罪惡) 명 罪恶 zuì'è
죄:인(罪人) 명 罪人 zuìrén
죄:질(罪質) 명 犯罪性质 fànzuì xìngzhì ¶～이 극도로 나쁜 범죄 행위 犯罪性质极其恶劣的犯罪行为
죄:-짓다(罪—) 자 开罪 kāizuì; 做罪 zuòzuì
죄:책-감(罪責感) 명 罪责 zuìzé
주[1](主) 一명 主 zhǔ; 主要 zhǔyào; 基本 jīběn 二관 主 zhǔ; 主要 zhǔyào; 重要 zhòngyào
주[2](主) 명 〖宗〗 主 zhǔ; 上帝 shàngdì
주(株) 명 〖經〗 **1** = 주식(株式) **2** 股 gǔ ¶일만 ～의 주식 一万股股票
주(週) 명의명 = 주일(週日) ¶이번 ～ 这个星期 / 4～ 四周
주:(註·注) 명 注 zhù; 注文 zhùwén; 注脚 zhùjiǎo; 注释 zhùshì; 注解 zhùjiě ¶～를 달다 附注
-주(主) 접미 主 zhǔ ¶차～ 车主 / 공장～ 厂主 / 고용～ 雇主
주가(株價) 명 〖經〗 股价 gǔjià ¶～ 지수 股价指数 / ～가 폭락했다 股价暴跌 / 주식 시장의 ～가 큰 폭으로 상승하다 股票市场股价大幅度上升
주간(晝間) 명 白天 báitiān; 昼 zhòu; 昼间 zhòujiān; 白日 báirì
주간(週刊) 명하타 **1** 周刊 zhōukān **2** 〖言〗 = 주간지
주간(週間) 명 周间 zhōujiān; 一周时间 yīzhōu shíjiān; 一星期时间 yīxīngqī shíjiān; 七天时间 qītiān shíjiān ¶～ 계획 周间计划
주간-지(週刊誌) 명 〖言〗 周刊 zhōukān; 周刊杂志 zhōukān zázhì = 주간(週刊)2
주객(主客) 명 主客 zhǔkè; 客主 kèzhǔ; 宾主 bīnzhǔ ¶～전도 反客为主 =[喧宾夺主]
주:거(住居) 명하자 居住 jūzhù; 居 jū; 住 zhù; 住宅 zhùzhái = 거주(居住) ¶～지 居住地 / ～ 침입죄 侵入住宅罪 / ～ 환경 居住环境
주걱 명 = 밥주걱
주걱-턱 명 撅下巴 juēxiàba
주검 명 = 송장
주견(主見) 명 主见 zhǔjiàn; 主意 zhǔyì; 主 zhǔ ¶～이 없다 没有主见 / 젊은이는 ～이 있어야 한다 青年需要有主见
주경-야독(晝耕夜讀) 명하자 昼耕夜读 zhòugēngyèdú; 凿壁偷光 záobìtōuguāng
주고-받다 타 交 jiāo; 交往 jiāowǎng; 往来 wǎnglái; 交换 jiāohuàn; 授受 shòushòu ¶말을 ～ 交谈 / 농담을 ～ 交玩笑 / 술잔을 ～ 交换酒杯
주관(主管) 명하타 主管 zhǔguǎn ¶～ 부서 主管部门 / 국가가 ～하는 사업 由国家主管的工作
주관(主觀) 명 主观 zhǔguān; 己意 jǐyì; 主见 zhǔjiàn; 见解 jiànjiě
주권(主權) 명 〖法〗 主权 zhǔquán ¶～ 국가 主权国
주근-깨 명 雀斑 quèbān
주글-주글 부하형 皱瘪瘪 zhòubiěbiě; 皱皱巴巴 zhòuzhoubābā; 皱巴巴 zhòubābā
주기(周忌·週忌) 의명 周忌 zhōujì; 周年忌日 zhōunián jìrì
주기(週期) 명 周期 zhōuqī ¶～성 周期性 / ～율 周期率 / 지구 공전 ～ 地球公转周期
주꾸미 명 〖魚〗 短蛸 duǎnxiāo
주년(周年·週年) 의명 周年 zhōunián ¶결혼 25 ～ 结婚25周年
주:눅 명 退缩 tuìsuō; 畏缩 wèisuō; 怯懦 qiènuò
주다 타 **1** 给 gěi; 授予 shòuyǔ; 予以 yǔyǐ; 送给 sònggěi ¶장학금을 ～ 授予奖学金 / 아이에게 용돈을 ～ 给孩子零用钱 **2** (目光、动作等) 向 xiàng; 投向 tóuxiàng ¶사람들이 나에게 눈길을 주었다 人们的目光投向了我 **3** (心情、情等) 给 gěi; 交 jiāo; 予以 yǔyǐ; 敞开 chǎngkāi; 投入 tóurù ¶나는 너에게 내 마음을 주었다 我给你我的心 **4** 加上 jiāshang; 用 yòng ¶젖 먹던 힘까지 다 ～ 把吃奶的力气都用出来
주당(酒黨) 명 酒徒 jiǔtú; 海量 hǎiliàng; 酒鬼 jiǔguǐ
주도(主導) 명하타 主导 zhǔdǎo; 主管 zhǔguǎn ¶～권 主导权 / ～ 세력 主导势力 / 개혁을 ～하다 主导改革
주도면밀-하다(週到綿密—) 형 周到严密 zhōudàoyánmì; 细致周到 xìzhì-

zhōudào; 周到 zhōudào **주도면밀-히** 부

주동(主動) 명하타 主动 zhǔdòng; 主宰 zhǔzǎi; 主导 zhǔdǎo ¶~자 主动者 / 시위를 ~하다 主动游行

주-되다(主—) 자 主要 zhǔyào; 为主 wéizhǔ ¶주된 목적 主要目的

주:둔(駐屯) 명하자 『軍』 驻 zhù; 驻扎 zhùzhá; 驻屯 zhùtún; 屯驻 túnzhù ¶미군이 한국에 ~하고 있다 美军驻屯在韩国

주둥아리 명 = 주둥이1

주둥이 명 **1** 嘴巴 zuǐba = 주둥아리 **2** 喙 huì

주둥이가 가볍다[싸다] 구 嘴快; 嘴松

주량(酒量) 명 酒量 jiǔliàng

주렁-주렁 부하형 一嘟噜一嘟噜 yīdūluyīdūlu; 累累 léiléi; 一簇簇 yīcùcù; 一挂挂 yīguàguà; 一连串地 yīliánchuànde; 很多 hěn duō ¶~한 포도 一嘟噜一嘟噜的葡萄

주력(主力) 명 主力 zhǔlì ¶~ 선수 主力选手

주:력(注力) 명 致力 zhìlì; 致力于 zhìlìyú ¶신약 개발에 ~하다 致力开发新药

주례(主禮) 명하타 证婚 zhènghūn; 主婚 zhǔhūn; 证婚人 zhènghūnrén; 主婚人 zhǔhūnrén ¶~사 证婚词 / 그의 결혼식에 김 선생님께서 ~를 하셨다 他的婚礼就由金老师当证婚人

주례(를) 서다 구 当证婚人

주-로(主—) 부 主要(地) zhǔyào(de); 都 dōu

주룩-주룩 부하자 哗啦哗啦 huālāhuālā; 哗哗 huāhuā; 淙淙 cóngcóng ¶비가 ~ 내리다 哗哗地下雨

주류(主流) 명 主流 zhǔliú

주류(酒類) 명 酒类 jiǔlèi

주르르 부하자 **1** 很快地 hěn kuàide; 一溜烟 yīliùyān ¶~ 달려 나가다 很快地跑过去 **2** 潺潺 chánchán; 咕噜 gūlū; 簌簌 sùsù; 淅沥 xīlì; 扑簌簌 pūsùsù ¶눈물이 또 ~ 흘러내리다 眼泪又潺潺而下 **3** 骨碌碌 gūlūlū; 哧溜 chīliū ¶산비탈에서 곧장 ~ 굴러 내려오다 骨碌碌从陡坡上直滚下来 **4** 成行 chéngháng ¶많은 사람들이 극장 앞에 ~ 서 있다 很多人成行排在电影院前

주름 명 皱折 zhòuzhé; 皱纹(儿) zhòuwén(r); 褶子 zhězi; 褶(儿) zhě(r); 皱 zhòu ¶~치마 百褶裙 / 피부에 ~이 지다 皮肤皱折 / 옷의 ~을 방지하다 避免衣服皱折

주름-살 명 皱纹(儿) zhòuwén(r); 褶皱 zhězhòu

주름-잡다 타 统管 tǒngguǎn; 控制 kòngzhì

주말(週末) 명 周末 zhōumò; 双休日 shuāngxiūrì ¶즐거운 ~ 되세요! 周末快乐!

주머니 명 **1** 荷包 hébāo; 囊 náng; 口袋(儿) kǒudai(r); 袋子 dàizi **2** 衣袋 yīdài; 衣兜 yīdōu; 口袋(儿) kǒudai(r) = 호주머니

주머니(를) 털다 구 **1** 倾囊 **2** 抢夺

주머니가 가볍다 구 钱少

주먹 명 **1** 拳头 quántou ¶~으로 치다 打一拳头 / ~을 쥐다 握紧拳头 **2** 暴力 bàolì; 暴徒 bàotú; 黑帮 hēibāng ¶~을 쓰다 使用暴力 **3** 握 wò ¶사탕 한 ~ 一握之糖

주먹-구구(—九九) 명 大概的估计 dàgàide gūjì; 粗略估计 cūlüè gūjì; 大致估算 dàzhì gūsuàn

주먹-다짐 명하자 拳打 quándǎ

주먹-밥 명 饭团 fàntuán

주모(主謀) 명하타 主谋 zhǔmóu ¶반란 ~ 叛乱主谋 / ~자 主谋

주:목(注目) 명하타 注目 zhùmù; 关注 guānzhù; 注视 zhùshì ¶~ 받는 사건 引人注目的事件 / ~을 끌다 引起关注

주무르다 타 **1** 揉 róu; 揉捏 róuniē; 揉搓 róucuo; 揉弄 róunòng; 搓 cuō; 按摩 ànmó ¶팔뚝을 ~ 揉弄双臂 **2** 摆布 bǎibu; 操纵 cāozòng; 控制 kòngzhì ¶시장 가격을 ~ 操纵市场价格

주무시다 타 就寝 jiùqǐn; 睡 shuì; 睡觉 shuìjiào

주:문(呪文) 명 『民』 咒文 zhòuwén

주:문(注文) 명하타 **1** 订 dìng; 订购 dìnggòu; 订货 dìnghuò ¶컴퓨터 ~ 电脑订购 **2** 要求 yāoqiú; 托付 tuōfù; 委托 wěituō ¶~을 거절하다 谢绝委托

주물럭-거리다 타 (反复)揉 róu; 摸 mō; 揉捏 róuniē; 揉搓 róucuo; 摆弄 bǎinòng = 주물럭대다 ¶두 발을 ~ 揉搓两脚 **주물럭-주물럭** 부하타

주:민(住民) 명 居民 jūmín ¶~ 등록번호 居民登记号码 / ~ 등록증 居民证

주방(廚房) 명 厨房 chúfáng

주방-장(廚房長) 명 厨师 chúshī; 厨司 chúsī; 大师傅 dàshifu

주번(週番) 명 **1** 直周 zhízhōu; 直星 zhíxīng **2** 直周者 zhízhōuzhě

주범(主犯) 명 主犯 zhǔfàn ¶환경 오염의 ~ 环境污染的主犯

주벽(酒癖) 명 = 술버릇

주:변 명하타 灵活性 línghuóxìng; 变通性 biàntōngxìng ¶~이 없다 缺乏变通性

주변(周邊) 명 周围 zhōuwéi; 周边 zhōubiān ¶~ 환경 周围环境

주부(主婦) 명 家庭妇女 jiātíng fùnǚ;

家庭主妇 jiātíng zhǔfù; 主妇 zhǔfù = 가정주부
주:사(注射) 명하타 〖醫〗 注射 zhùshè; 针 zhēn ¶~기 注射器 / ~를 놓다 打针
주사(酒邪) 명 酒癖 jiǔpǐ; 酒疯 jiǔfēng ¶~를 부리다 撒酒疯
주사위 명 骰子 tóuzi; 色子 shǎizi ¶~를 던지다 掷色子
주사위는 던져졌다 속담 箭已离弦; 已成定局了; 生米已成熟饭了
주색(酒色) 명 酒色 jiǔsè ¶~에 빠지다 沉溺于酒色 / ~을 밝히다 贪恋酒色
주석(主席) 명 主席 zhǔxí ¶국가 ~ 国家主席
주:석(註釋) 명하타 注释 zhùshì; 注解 zhùjiě ¶~을 덧붙이다 加上注释
주선(周旋) 명하타 撮合 cuōhe; 拉线 lāxiàn; 斡旋 wòxuán ¶그가 나에게 면담을 ~해 주었다 他给我拉线面商
주섬-주섬 부하타 一个个地 yīgegede; 一把把地 yībǎbǎde; 一一地 yīyīde ¶~ 옷을 챙기기 시작하다 一把把地收拾起衣服来
주:소(住所) 명 住址 zhùzhǐ; 居址 jūzhǐ; 地址 dìzhǐ; 住所 zhùsuǒ; 住处 zhùchù ¶~록 住址录 =[通信录]
주스(juice) 명 果汁 guǒzhī; 汁 zhī ¶레몬 ~ 柠檬汁
주:시(注視) 명하타 注视 zhùshì; 凝视 níngshì; 瞄 miáo ¶전방을 ~하다 注视前方
주식(主食) 명 主食 zhǔshí ¶~비 主食费
주식(株式) 명 〖經〗 股 gǔ; 股份 gǔfèn; 股票 gǔpiào = 주(株)1 ¶~ 거래 股票交易 =[股票买卖] / ~ 시장 股市 =[股票市场][证券市场] / ~ 투자 参股 / ~회사 股份公司 =[株式会社][股份有限公司] / ~을 발행하다 发行股票
주심(主審) 명 〖體〗 主裁判 zhǔcáipàn
주안-상(酒案床) 명 = 술상
주안-점(主眼點) 명 主要目标 zhǔyào mùbiāo; 重点 zhòngdiǎn ¶~을 두다 注重点 =[着重点][着要点]
주야(晝夜) 명 1 = 밤낮⊟ 2 一个劲儿 yīgejìnr
주어(主語) 명 〖語〗 主语 zhǔyǔ
주어-지다 자 具备 jùbèi; 完备 wánbèi; 具有 jùyǒu; 被赋予 bèi fùyǔ ¶새로운 사명이 ~ 被赋予一种新的使命
주역(主役) 명 1 主角(儿) zhǔjué(r) 2 〖演〗 主角(儿) zhǔjué(r)
주연(主演) 명하자 〖演〗 主演 zhǔyǎn; 主角 zhǔjué
주옥-같다(珠玉—) 형 如珠玉 rú zhūyù; 宝贵 bǎoguì; 贵重 guìzhòng; 尊贵 zūnguì; 漂亮 piàoliang; 姣美 jiāoměi; 秀丽 xiùlì ¶주옥같은 글 如珠玉一般文章 **주옥같-이** 부
주요(主要) 명하형 主要 zhǔyào; 重要 zhòngyào ¶~ 원인 主要原因 / ~ 상품 主要商品
주워-듣다 타 胡乱听 húluàn tīng; 无意听到 wúyì tīngdào ¶주워들은 소문 胡乱听传言
주위(周圍) 명 周围 zhōuwéi; 四周 sìzhōu; 四围 sìwéi ¶~ 환경 周围环境
주유(注油) 명하자 (给车辆) 加油 jiāyóu ¶~소 加油站 =[供油站]
주의(主義) 명 主义 zhǔyì = 이즘 ¶민족~ 民族主义 / 민주~ 民主主义
주:의(注意) 명하자타 1 注意 zhùyì; 关心 guānxīn; 讲究 jiǎngjiu; 留意 liúyì; 留心 liúxīn ¶~력 注意力 / ~를 기울이다 有注意 / ~ 깊게 강의를 듣다 留心听讲 2 警告 jǐnggào; 警示 jǐngshì; 提醒 tíxǐng ¶사람들에게 ~를 주다 向人们发出警告
주인(主人) 명 1 主人 zhǔrén; 物主 wùzhǔ ¶이 물건의 ~을 찾을 수 없다 找不到这东西的主人 2 主人 zhǔrén; 东道 dōngdào ¶~ 역할을 하다 做东道 3 主人 zhǔrén; 老板 lǎobǎn ¶오늘부터 그가 바로 너의 ~이다 从今天起他就是你的老板
주인-공(主人公) 명 1 中心人物 zhōngxīn rénwù 2 主人公 zhǔréngōng; 主人翁 zhǔrénwēng; 主角 zhǔjué ¶영화의 ~ 影片的主人公
주일(主日) 명 〖宗〗 主日 zhǔrì ¶~ 학교 主日学校
주일(週日) 명의명 星期 xīngqī; 礼拜 lǐbài; 周 zhōu = 주(週) ¶삼 ~ 三个星期
주임(主任) 명 主任 zhǔrèn ¶학교의 교무 ~ 学校的教务主任
주:입(注入) 명하타 1 注入 zhùrù ¶약물을 ~하다 注入药物 2 〖教〗 灌输 guànshū; 灌注 guànzhù ¶~ 교육 灌输式教育 =[注入式教育][填鸭式教育] / 교육 내용을 아이들에게 ~시키다 把教育内容灌输给孩子们
주자(走者) 명 1 跑的人 pǎode rén; 奔跑者 bēnpǎozhě 2 〖體〗 跑垒员 pǎolěiyuán
주장(主張) 명하타 主张 zhǔzhāng; 意见 yìjiàn ¶아이도 자신의 ~이 있다 孩子也有自己的主张
주장(主將) 명 〖體〗 队长 duìzhǎng ¶농구부 ~ 篮球队长
주재(主宰) 명하타 主宰 zhǔzǎi; 主持 zhǔchí; 掌管 zhǎngguǎn ¶회의를 ~하다 主持会议

주:재(駐在) 명하자 驻 zhù; 留驻 liúzhù; 驻外 zhùwài ¶～원 驻在员 =[派驻人员] / 미국 ～ 기자 驻美记者

주저(躊躇) 명하자타 踌躇 chóuchú; 犹豫 yóuyù; 迟疑 chíyí; 犹疑 yóuyí; 踟蹰 chíchú ¶～하여 감히 해보지 못하다 很踌躇不敢去尝试

주저리-주저리 부 滔滔 tāotāo ¶～끊임없이 말하다 滔滔不绝地说

주저-앉다 자 **1** 坐蹲 zuòdūn; 就地瘫坐 jiùdì tānzuò; 一屁股坐在地下 yīpìgu zuòzài dìxià ¶주저앉아 통곡하다 就地瘫坐大哭 **2** 塌陷 tāxiàn; 塌 tā; 塌下 tāxià ¶길이 ～ 道路塌陷 / 신발 뒤축이 주저앉았다 鞋后跟被踩塌了 **3** 打退堂鼓 dǎ tuìtánggǔ; 半途而止 bàntú'érzhǐ; 畏缩不前 wèisuōbùqián; 抛弃 pāoqì; 放弃 fàngqì ¶네가 주저앉은 이유는 너의 능력이 부족하기 때문이다 你之所以半途而止, 这是因为你的力量还不够

주전(主戰) 명하자 正选 zhèngxuǎn; 主力 zhǔlì ¶경기에 참가할 ～ 명단을 확정하다 确定参赛正选名单

주전-자(酒煎子) 명 壶 hú

주절-거리다 자타 唠叨 láodao; 絮叨 xùdao; 叨唠 dāolao = 주절대다 **주절-주절** 부하자타

주점(酒店) 명 = 술집

주접-떨다 자 贪婪 tānlán

주접-스럽다 형 **1** 馋 chán; 嘴馋 zuǐchán; 贪嘴 tānzuǐ ¶주접스럽게 훔쳐 먹다 嘴馋偷吃 **2** 贪婪 tānlán **주접스레** 부

주:정(酒酊) 명하자 酒疯 jiǔfēng; 酗酒 xùjiǔ ¶～을 부리다 发酒疯 =[撒酒疯]

주:정-뱅이(酒酊—) 명 醉鬼 zuìguǐ; 醉汉 zuìhàn; 酒鬼 jiǔguǐ = 술주정뱅이

주제 명 (很差的) 处境 chǔjìng; 水平 shuǐpíng; 样子 yàngzi ¶내 ～에 뭘 할 수 있겠어? 我这个样子能作什么呢?

주제(主題) 명 主题 zhǔtí; 本题 běntí; 正题 zhèngtí ¶～곡 主题曲 / ～에서 벗어나다 偏离主题

주제-넘다 형 不自量力 bùzìliànglì; 妄自尊大 wàngzìzūndà; 螳臂当车 tángbìdāngchē; 不自量 bùzìliàng; 自不量力 zìbùliànglì

주종(主從) 명 主从 zhǔcóng; 主次 zhǔcì ¶～ 관계 主从关系

주주(株主) 명 〖經〗股主 gǔzhǔ; 股东 gǔdōng ¶～ 총회 股东年会 =[股东大会]

주:차(駐車) 명하타 停放车辆 tíngfàng chēliàng; 停车 tíngchē ¶～장 停车场 / ～비 停车收费 / ～ 시설 停车设备 / ～금지 禁止停车

주창(主唱) 명하타 倡首 chàngshǒu; 主张 zhǔzhāng; 倡导 chàngdǎo; 带头主张 dàitóu zhǔzhāng; 带头提倡 dàitóu tíchàng ¶사회 개혁을 ～하다 倡首社会改革

주책 명 (毫无主见的) 盲动 mángdòng; 变卦 biànguà; 变心 biànxīn; 肆意乱来 sìyìluànlái ¶사람들이 ～ 부리는 것을 봐줄 수 없다 不能允许人们肆意乱来的

주책-없다 형 不成体统 bùchéngtǐtǒng; 肆意乱来 sìyìluànlái; 不知分寸 bùzhī fēncun; 无主见 wúzhǔjiàn; 欠考虑 qiàn kǎolǜ ¶주책없고 무례한 남자 一个不知分寸的无礼的男人 **주책없-이** 부

주체 명하타 处置 chǔzhì; 处理 chǔlǐ; 操办 cāobàn ¶그는 ～할 수 없을 정도로 돈이 많다 他有太多的钱, 不知怎么处置

주체(를) 못하다 구 累赘棘手; 冗繁难办

주체(主體) 명 主体 zhǔtǐ; 主动 zhǔdòng ¶국가의 ～ 国家的主体 / ～성 主体性

주최(主催) 명하타 主持 zhǔchí; 主办 zhǔbàn ¶～자 主持人 =[主持者][主办者] / 월드컵을 ～하다 主办世界杯足球赛

주축(主軸) 명 脊梁 jǐliang

주춤-거리다 자타 踌躇 chóuchú; 犹豫不决 yóuyùbùjué; 迟迟疑疑 chíchiyíyí; 犹豫 yóuyù; 犹疑 yóuyí = 주춤대다 ¶나는 조금도 주춤거리지 않고 그 소설을 샀다 我毫不踌躇地买下那本小说 **주춤-주춤** 부

주춧-돌 명 〖建〗础石 chǔshí; 奠基石 diànjīshí; 基础 jīchǔ = 모퉁잇돌1 · 초석(礎石)1

주치-의(主治醫) 명 主治大夫 zhǔzhì dàifu; 主治医师 zhǔzhì yīshī; 主治医生 zhǔzhì yīshēng ¶～의 지시를 따르다 听从主治医师的吩咐

주:택(住宅) 명 住宅 zhùzhái; 住房 zhùfáng

주파(走破) 명하타 跑完 pǎowán ¶그녀는 42.195km 전 코스를 ～했다 她跑完42.195公里全程

주파-수(周波數) 명 〖物〗频率 pínlǜ

주:판(籌板 · 珠板) 명 = 수판

주판(을) 놓다 구 = 수판(을) 놓다

주:판-알(籌板—) 명 = 수판알

주행(走行) 명하자 行驶 xíngshǐ; 运行 yùnxíng ¶～ 거리 行驶距离 / 안전성 ～ 시험 可靠性行驶试验 / 고속으로 ～하다 以高速行驶

주행-성(晝行性) 명 〖動〗昼行性 zhòuxíngxìng

주홍-색(朱紅色) 명 朱红色 zhūhóngsè
주황-색(朱黃色) 명 朱黄色 zhūhuángsè
주효(奏效) 명하자 奏效 zòuxiào; 有效 yǒuxiào; 奏功 zòugōng; 见效 jiànxiào
죽 부 **1** 一条线地 yītiáo xiànde; 成行地 chénghángde; 成排地 chéngpáide; 一溜地 yīliūde; 整齐地 zhěngqíde; 齐刷刷地 qíshuāshuāde; 连串地 liánchuànde ¶북쪽으로 ~ 늘어서다 向北成行地排列 **2** 一口气 yīkǒuqì; 一下子 yīxiàzi; 流畅地 liúchàngde; 连续地 liánxùde ¶스무 가지의 요리 이름을 ~ 읊어대다 一口气地说出二十样菜名 **3** 环 huán ¶사방을 ~ 둘러보다 环视四周 **4** 一口气 yīkǒuqì; 一下子 yīxiàzi 《喝的行动》 ¶찬물을 ~ 들이키다 一口气把凉水喝下去 **5** 一直 yīzhí; 连续地 liánxùde ¶~ 해결되지 않았다 一直没有解决
죽(粥) 명 粥 zhōu; 稀饭 xīfàn
  죽 쑤어 개 좋은 일 하였다 속담 为人作嫁
  죽도 밥도 안 되다 구 非驴非马; 四不像
  죽을 쑤다 구 功败垂成
  죽이 되든 밥이 되든 구 不管三七二十一; 不管怎样; 不管是什么; 无论如何
죽기-살기 명 拼命 pīnmìng; 挣命 zhèngmìng; 死命 sǐmìng; 舍命 shěmìng; 没命 méimìng ¶~로 하다 没命地干
죽는-소리 명하자 叫苦 jiàokǔ ¶그는 줄곧 ~를 한다 他叫苦不迭
죽다 ⊟자 **1** 死 sǐ; 亡 wáng; 故 gù; 殁 mò; 死亡 sǐwáng ¶두 사람이 죽고 많은 사람이 다쳤다 死亡两人, 受伤多人 / 그는 무슨 병으로 죽었니? 他是生什么病死的? **2** 拼命 pīnmìng; 没命 méimìng ¶죽도록 일하다 拼命工作 **3** 丧 sàng; 泄 xiè; 无力 wúlì; 沮丧 jǔsàng; 畏缩 wèisuō; 颓萎 tuíwěi; 没生气 méi shēngqì ¶풀이 ~ 泄气 / 기가 ~ 丧气 ⊟보형 死 sǐ ¶배고파 죽겠다 饿死了
  죽고 못 살다 구 太喜欢
  죽기 살기로 구 拼命; 挣命; 死命; 舍命; 没命
  죽으나 사나 구 不论如何; 逼于无奈
  죽을 똥을 싸다 구 千辛万苦; 九死一生
죽마고우(竹馬故友) 명 竹马之交 zhúmǎzhījiāo; 总角之交 zǒngjiǎozhījiāo; 青梅竹马 qīngméizhúmǎ
죽어-나다 자 苦累 kǔlèi; 艰苦 jiānkǔ; 累人 lèirén
죽염(竹鹽) 명 〖藥〗 竹盐 zhúyán
죽-음 명 死 sǐ; 终 zhōng; 死亡 sǐwáng = 사(死) ¶최소 6인이 ~을 당했다 造成至少6人死亡 / ~을 면하다 避免死亡
죽-이다 타 **1** 杀 shā; 弄死 nòng sǐ; 杀头 shātóu; 砍脑袋 kǎn nǎodài; 杀死 shāsǐ 《'죽다⊟1'的使动词》 ¶쏘아 ~ 射杀 / 잡아 ~ 捕杀 / 사람을 ~ 杀死人 / 때려 ~ 打杀死 **2** 沮丧 jǔsàng; 畏缩 wèisuō; 颓萎 tuíwěi; 没生气 méi shēngqì 《'죽다⊟3'的被动词》 ¶그의 기를 ~ 使他感到沮丧 **3** (呼吸声、脚步声等) 压制 yāzhì; 削弱 xiāoruò ¶숨소리를 ~ 压制呼吸声
죽-치다 자 蛰居 zhéjū; 闷在家里 mēnzài jiāli ¶매일 집에서 죽치고 있다 天天闷在家里
준:-결승(準決勝) 명 〖體〗 = 준결승전
준:-결승전(準決勝戰) 명 〖體〗 半决赛 bànjuésài; 复赛 fùsài = 준결승
준:-말 명 〖語〗 略词 lüècí = 약어1
준:법-정신(遵法精神) 명 遵法精神 zūnfǎ jīngshén; 守法精神 shǒufǎ jīngshén
준:비(準備) 명하타 准备 zhǔnbèi; 筹备 chóubèi; 预备 yùbèi ¶~물 准备物品 =[预备物品] / 취업을 ~하다 预备就业
준:비 운:동(準備運動) 〖體〗 热身运动 rèshēn yùndòng; 准备运动 zhǔnbèi yùndòng = 워밍업
준:수(遵守) 명하타 遵守 zūnshǒu ¶법을 ~하다 遵守法律
준:수-하다(俊秀—) 형 帅 shuài; 俊秀 jùnxiù; 优秀 yōuxiù; 秀俊 xiùjùn ¶준수한 젊은이 俊秀的青年
준:엄-하다(峻嚴—) 형 严峻 yánjùn; 严格 yángé; 严厉 yánlì; 严正 yánzhèng; 庄严 zhuāngyán ¶준엄한 시련 严峻考验 / 국제 정치 상황이 매우 ~ 国际政治形势十分严峻 **준:엄-히** 부
준:-우승(準優勝) 명하자 亚军 yàjūn; 第二名 dì'èrmíng ¶~을 차지하다 获得亚军
준:-하다(準—) 자 准 zhǔn; 以…为准 yǐ…wéizhǔn; 按照 ànzhào; 为准 wéizhǔn; 依照 yīzhào; 根据 gēnjù; 依据 yījù ¶규정에 준하여 처리하다 按照规定处理
줄 명 **1** 绳子 shéngzi; 绳(儿) shéng(r) ¶~로 말을 묶다 用绳子拴马 **2** 条纹(儿) tiáowén(r); 纹路 wénlu ¶~이 쳐진 넥타이 条纹领带 **3** 队 duì; 行 háng; 列 liè ¶~을 서다 排队 **4** 排 pái; 行 háng; 列 liè = 행(行) ¶끝에서 세 번째 ~을 읽어라 你读倒数第三行 **5** (社会) 关系 guānxi; 门路 ménlu ¶그

는 ~을 서는 일에 아주 반감을 지니고 있다 他对找关系这样的事情很反感
줄(을) 타다 구 找关系; 靠关系
줄거리 명 情节 qíngjié; 梗概 gěnggài ¶소설의 ~ 小说的情节
줄곧 부 一直 yīzhí; 一向 yīxiàng; 一个劲儿 yīgejìnr; 接连不断地 jiēliánbùduànde; 不停地 bùtíngde ¶몇 년 동안 그의 영화는 ~ 사람들의 주목을 끌었다 近年来他的电影一直十分引人注目
줄기 명 1 〖植〗 梗(儿) gěng(r); 茎 jīng; 干 gàn ¶옥수수 ~ 玉米茎 2 (水的) 流 liú ¶강~ 河流 3 (山的) 脉 mài 4 条 tiáo; 股 gǔ; 支 zhī; 道 dào ¶문틈 사이로 가느다란 몇 ~ 빛이 새어나왔다 从那扇门缝里挤出细细的几条灯光
줄:다 자 1 缩小 suōxiǎo; 缩短 suōduǎn; 减少 jiǎnshǎo; 降低 jiàngdī ¶차이가 ~ 缩小差距 / 면적이 끊임없이 ~ 面积不断缩小 2 (生活) 窘困 jiǒngkùn
줄-다리기 명하자 〖民〗 拔河 báhé ¶~ 경기 拔河比赛
줄어-들다 자 变小 biàn xiǎo; 变少 biàn shǎo; 减少 jiǎnshǎo; 缩小 suōxiǎo; 减轻 jiǎnqīng; 下降 xiàjiàng; 消减 xiāojiǎn ¶경지 면적이 날로 ~ 耕地面积日益减少
줄-이다 타 缩小 suōxiǎo; 减小 jiǎnxiǎo; 裁减 cáijiǎn; 减少 jiǎnshǎo; 缩减 suōjiǎn 《'줄다' 的使动词》 ¶지출을 ~ 缩减开支
줄임-표(—標) 명 〖語〗 省略号 shěnglüèhào; 略号 lüèhào; 删节号 shānjiéhào = 말줄임표 · 생략표
줄-자 명 卷尺 juǎnchǐ; 软尺 ruǎnchǐ
줄줄 부 1 刷刷地 shuāshuāde; 哗哗 huāhuā; 簌簌 sùsù ¶수돗물이 ~ 흐르다 自来水哗哗流淌 / 눈물이 ~ 흐르다 眼泪簌簌往下流 2 流畅地 liúchàngde ¶영어 단어를 ~ 외우다 英语单词流畅地背 3 到处遗落 dàochù yíluò ¶복도에 쓰레기가 ~ 흘려 있다 走廊之中到处遗落着垃圾
줄줄-이 부 1 一条条 yītiáotiáo; 一串串 yīchuànchuàn; 一排排 yīpáipái; 一行行 yīhángháng ¶그 소설은 ~ 어머니에 대한 그리움을 드러내고 있다 那本小说的一行行都表达了对母亲的怀念 2 成排 chéngpái; 成行 chéngháng ¶기러기가 ~ 날다 雁阵成行 3 不断地 bùduànde; 连绵地 liánmiánde ¶사람들이 ~ 이 사이트를 방문한다 人们不断地访问这个网站
줄-짓다 자 1 排队 páiduì; 站队 zhànduì; 列队 lièduì; 成行 chéngháng; 成排 chéngpái ¶새로 지은 집들이 줄지어 늘어서 있다 新建房屋成行排列 2 不断 bùduàn; 陆续 lùxù; 不绝 bùjué; 连绵 liánmián ¶새로운 성원이 줄지어 가입한다 新的成员陆续加入
줄-표(—標) 명 〖語〗 破折号 pòzhéhào
줄행랑-치다 자 逃之夭夭 táozhīyāoyāo
줌 렌즈(zoom lens) 〖演〗 变焦距镜头 biànjiāojù jìngtóu
줍:다 타 1 拾 shí; 拾取 shíqǔ; 捡 jiǎn; 拣 jiǎn; 捡拾 jiǎnshí ¶돈을 ~ 拾钱 / 땔감을 ~ 拾取柴草 2 捡回 jiǎnhuí ¶기차에서 아이 하나를 주워 왔다 从列车上捡回一个婴儿 3 乱取 luàn qǔ ¶이것저것 주워 먹다 乱取吃几个东西
줏-대(主—) 명 主心骨 zhǔxīngǔ; 主见 zhǔjiàn; 主意 zhǔyì ¶~가 없으면 성공할 수 없다 没有主心骨, 就不可能成功
중: 명 〖佛〗 僧 sēng; 和尚 héshang
중이 제 머리를 못 깎는다 속담 自己的刀削不了自己的把
중(中) 一명 1 中等 zhōngděng; 中级 zhōngjí; 中流 zhōngliú ¶그의 성적은 ~이다 他的成绩是中级 2 中号 zhōnghào 二의명 1 里 lǐ; 中 zhōng ¶공기 ~에 떠다니는 냄새 从空气里飘来的气味 2 中 zhōng; 正在…当中 zhèngzài…dāngzhōng ¶회의 ~ 会议中 3 当中 dāngzhōng; 中 zhōng ¶그들 ~ 몇 사람 他们当中有些人 / 꽃 ~의 꽃 花中之花 4 以内 yǐnèi; 到…之前 dào…zhīqián; 在…之前 zài…zhīqián ¶내일 ~으로 이 일을 완성해야 한다 得在明天之前完成这件事
중간(中間) 명 1 中间 zhōngjiān; 中间儿 zhōngjiànr; 之间 zhījiān; 间隔 jiàngé ¶전철역과 은행 ~ 地铁站和银行中间 2 中 zhōng; 当中 dāngzhōng; 正当中 zhèngdāngzhōng ¶강의 ~ 讲课当中 3 正中 zhèngzhōng; 中部 zhōngbù; 正中间 zhèngzhōngjiān; 正当中 zhèngdāngzhōng ¶교실의 ~ 위치에 앉다 坐在教室的正中间
중간-고사(中間考査) 명 〖教〗 期中考 qīzhōngkǎo; 期中考试 qīzhōng kǎoshì
중개(仲介) 명하타 从中介绍 cóngzhōng jièshào; 中介 zhōngjiè; 拉线 lāxiàn ¶~료 中介费 =[介绍费] / 기업의 ~ 작용 企业的中介作用
중견(中堅) 명 中坚 zhōngjiān; 骨干 gǔgàn; 主力 zhǔlì; 中坚分子 zhōngjiān fènzǐ ¶그는 이미 회사의 ~이 되었다 他已经成为公司的中坚
중견-수(中堅手) 명 〖體〗 (棒球) 中场手 zhōngchǎngshǒu; 中外野手 zhōngwàiyěshǒu

중계(中繼) 명하타 **1** 中继 zhōngjì ¶~소 中继站 **2**〖言〗= 중계방송 ¶~차 转播车

중계-방송(中繼放送) 명하타〖言〗转播 zhuǎnbō = 중계2

중고(中古) 명 旧(的) jiù(de); 二手(的) èrshǒu(de) ¶~차 旧货车 =[二手车] / ~ 가구 旧家具

중고-생(中高生) 명 中学生 zhōngxuéshēng

중:-공업(重工業) 명〖工〗重工业 zhònggōngyè

중:구-난방(衆口難防) 명 众口难防 zhòngkǒunánfáng

중국(中國) 명〖地〗中国 Zhōngguó ¶~인 中国人 / ~집 中国餐厅 / ~ 요리 中国菜

중국-어(中國語) 명〖語〗汉语 Hànyǔ; 中文 Zhōngwén; 中国语 Zhōngguóyǔ; 中国话 Zhōngguóhuà = 중어

중:-금속(重金屬) 명〖化〗重金属 zhòngjīnshǔ ¶~ 오염 重金属污染

중급(中級) 명 中级 zhōngjí; 中等 zhōngděng ¶~ 시험에 참가하다 参加中级考试

중기(中期) 명 中期 zhōngqī; 中叶 zhōngyè ¶90년대 ~ 90年代中期

중-남미(中南美) 명〖地〗= 라틴 아메리카

중년(中年) 명 中年 zhōngnián ¶~ 여성 中年妇女

중:-노동(重勞動) 명 重活儿 zhònghuór

중단(中斷) 명하타 中断 zhōngduàn; 中止 zhōngzhǐ; 截断 jiéduàn; 停断 tíngduàn ¶원조를 ~하다 中止援助

중:대(重大) 명하형히부 重大 zhòngdà; 重要 zhòngyào; 严要 yányào; 严重 yánzhòng ¶~사 重大事件 / ~한 의미를 지니고 있다 具有重大的意义

중도(中途) 명 中途 zhōngtú; 半途 bàntú; 半路儿(儿) bànlù(r); 半道儿 bàndàor; 中道 zhōngdào ¶~에 포기하다 中道而废 / ~에 퇴장하다 中途退场

중도(中道) 명 中道 zhōngdào; 中庸之道 zhōngyōngzhīdào ¶~를 걷다 走中道

중도-금(中途金) 명 中期付的款 zhōngqī fùde kuǎn

중독(中毒) 명 中毒 zhòngdú; 癖 pǐ; 瘾 yǐn; 成瘾 chéngyǐn ¶연탄 가스 ~ 煤气中毒 / 알콜 ~ 酒精中毒

중등(中等) 명 中等 zhōngděng; 中级 zhōngjí; 中流 zhōngliú; 中路(儿) zhōnglù(r) ¶~학교 中等学校 =[中学] / ~ 교육 中等教育 / ~ 수준 中级水平

중략(中略) 명하타 中略 zhōnglüè; 中间省略 zhōngjiān shěnglüè

중량(重量) 명 = 무게1

중력(重力) 명〖物〗重力 zhònglì

중류(中流) 명 **1** 中流 zhōngliú; 中游 zhōngyóu ¶한강 ~ 汉江中流 **2** 中等 zhōngděng; 中级 zhōngjí; 中流 zhōngliú ¶~ 생활 수준 中等生活水平 / ~층 中流阶层

중립(中立) 명 中立 zhōnglì; 中道 zhōngdào; 中庸之道 zhōngyōngzhīdào ¶정치적 ~을 유지하다 保持政治中立

중매(仲媒) 명하타 说媒 shuōméi; 做媒 zuòméi; 保媒 bǎoméi; 说亲 shuōqīn ¶많은 사람들이 ~를 했지만 모두 이루어지지 않았다 有许多人来做媒, 但都没有说成

중매는 잘하면 술이 석 잔이고 못하면 뺨이 세 대라 속담 媒人做得好, 两边有吃, 做得不好, 两边受逼

중매(를) 들다 구 说亲; 保媒

중매-결혼(仲媒結婚) 명 介绍结婚 jièshào jiéhūn

중문(中文) 명 中文 Zhōngwén ¶~ 자막을 넣다 配以中文字幕

중반(中盤) 명 **1** (围棋、比赛、选举战等) 中盘 zhōngpán; 中局 zhōngjú ¶국면이 ~에 접어들다 布局到中盘阶段 **2** 中间阶段 zhōngjiān jiēduàn; 中期 zhōngqī ¶80년대 ~ 八十年代中期

중병(重病) 명 重病 zhòngbìng; 危病 wēibìng ¶~에 걸리다 得重病

중복(中伏) 명 中伏 zhōngfú; 二伏 èrfú

중:복(重複) 명하타 重复 chóngfù; 重叠 chóngdié ¶~을 피하다 避免重复

중부(中部) 명 中部 zhōngbù ¶~ 지역 中部地区

중산-층(中産層) 명〖社〗中产阶级 zhōngchǎn jiējí

중상(中上) 명 中上 zhōngshàng ¶우리 집은 ~ 수준이다 我家是个中上等水平

중:상(重傷) 명하자 重伤 zhòngshāng; 重创 zhòngchuāng ¶~을 입다 受重伤

중:생(衆生) 명〖佛〗众生 zhòngshēng

중성(中性) 명 **1** 中性 zhōngxìng; 中间的 zhōngjiānde **2**〖化〗中性 zhōngxìng

중세(中世) 명〖史〗中世纪 zhōngshìjì; 中世 zhōngshì

중소-기업(中小企業) 명〖經〗中小企业 zhōngxiǎo qǐyè

중순(中旬) 명 中旬 zhōngxún; 月中 yuèzhōng

중:시(重視) 명하타 重视 zhòngshì; 赏识 shǎngshí; 注重 zhùzhòng; 看重 kànzhòng ¶과학 기술을 ~하다 重视科技

중식(中食) 명 = 점심

중심(中心) 명 **1** 中心 zhōngxīn; 中央 zhōngyāng; 中间 zhōngjiān ¶~에 서다

站在中心 **2** 中心 zhōngxīn; 核心 héxīn; 基干 jīgàn; 骨干 gǔgàn; 内核 nèihé ¶~ 사상 中心思想 / ~지 中心地区 / ~인물 中心人物 =[核心人物][主要人物][台柱子] **3** 主见 zhǔjiàn; 主心骨(儿) zhǔxīngǔ(r) ¶젊은이는 ~이 있어야 한다 青年需要有主见

중심-가(中心街) 명 闹市区 nàoshìqū; 商业中心 shāngyè zhōngxīn; 大街 dàjiē; 闹区 nàoqū

중:압(重壓) 명하타 重压 zhòngyā; 巨大压力 jùdà yālì ¶~감 重压感 / ~을 견딜 수 없다 受不了重压

중앙(中央) 명 **1** 中央 zhōngyāng; 中心 zhōngxīn; 中间 zhōngjiān; 正中 zhèngzhōng **2** 中枢 zhōngshū; 中央 zhōngyāng ¶~ 도서관 中央图书馆 / ~ 정부 中央政府

중앙-선(中央線) 명 **1** 中心线 zhōngxīnxiàn; 中央线 zhōngyāngxiàn ¶~을 넘다 越中心线 **2** 〖體〗 = 하프 라인 **3** 〖交〗 道路中心线 dàolù zhōngxīnxiàn

중앙 처:리 장치(中央處理裝置) 〖컴〗 中央处理器 zhōngyāng chǔlǐqì = 시피유

중어(中語) 명 〖語〗 = 중국어

중얼-거리다 자타 自言自语 zìyánzìyǔ; 念念有词 niànniànyǒucí; 嘟囔 dūnang = 중얼대다 ¶그는 고개를 흔들며 중얼거렸다 他摇着头, 自言自语道

중얼-중얼 부하자타

중:역(重役) 명 重责 zhòngzé; 重任 zhòngrèn; 要职 yàozhí; 重要职责 zhòngyào zhízé ¶~을 맡다 担任重责

중엽(中葉) 명 中叶 zhōngyè; 中期 zhōngqī ¶19세기 ~ 19世纪中叶

중요(重要) 명하형히부 重要 zhòngyào; 要紧 yàojǐn; 紧要 jǐnyào ¶~성 重要性 / 이것은 매우 ~한 것이다 这是非常要紧的

중용(中庸) 명 **1** 不偏不倚 bùpiānbùyǐ **2** 〖哲〗 中庸 zhōngyōng; 中道 zhōngdào

중이(中耳) 명 〖生〗 中耳 zhōng'ěr

중재(仲裁) 명하타 仲裁 zhòngcái; 排解 páijiě; 调解 tiáojiě; 调停 tiáotíng; 调和 tiáohé; 说和 shuōhe; 劝解 quànjiě ¶분규를 ~하다 排解纠纷

중절-모(中折帽) 명 礼帽 lǐmào

중점(中點) 명 **1** 〖數〗 = 이등분점 **2** 〖語〗 = 가운뎃점

중:점(重點) 명 重点 zhòngdiǎn ¶경제를 외교의 ~으로 삼다 把经济作为外交的重点

중졸(中卒) 初中毕业 chūzhōng bìyè

중:증(重症) 명 重症 zhòngzhèng; 重病 zhòngbìng ¶~ 환자 重症患者

중지(中止) 명하타 停止 tíngzhǐ; 中止 zhōngzhǐ; 中断 zhōngduàn; 休止 xiūzhǐ; 罢休 bàxiū ¶지원을 ~하다 中止援助

중지(中指) 명 = 가운뎃손가락

중:-징계(重懲戒) 명 从重惩戒 cóngzhòng chéngjiè; 从重处罚 cóngzhòng chǔfá ¶법률에 의거하여 ~를 내리다 依法从重处罚

중:창(重唱) 명하자 〖音〗 重唱 chóngchàng

중:책(重責) 명하타 **1** 重担 zhòngdàn; 重任 zhòngrèn; 重负 zhòngfù ¶~을 맡다 承担重任 **2** 重责 zhòngzé; 严厉责备 yánlì zébèi ¶그의 죄를 ~하다 严厉责备他的罪

중:첩(重疊) 명하자 重叠 chóngdié; 重复 chóngfù; 重重 chóngchóng; 叠加 diéjiā

중추(中樞) 명 **1** 中枢 zhōngshū; 枢纽 shūniǔ ¶서울은 교통의 ~이다 首尔是交通中枢 **2** 〖生〗 中枢神经 zhōngshū shénjīng = 중추 신경

중추 신경(中樞神經) 〖生〗 = 중추2

중추-절(仲秋節) 명 中秋 Zhōngqiū; 中秋节 Zhōngqiūjié

중:탕(重湯) 명하타 (将盛有食物的器皿放入沸水中) 加热 jiārè

중:태(重態) 명 病危 bìngwēi; 危重 wēizhòng ¶~에 빠지다 进入病危状态

중-턱(中—) 명 **1** (山等) 中腰 zhōngyāo; 山腰 shānyāo; 半山腰 bànshānyāo ¶산 ~에 오르다 爬到半山腰 **2** (时间或事情的) 中部 zhōngbù; 一半 yībàn ¶9월도 이미 ~을 넘었다 九月也已经过了一半

중퇴(中退) 명하타 〖教〗 中途退学 zhōngtú tuìxué ¶그는 학비를 낼 수 없어서 어쩔 수 없이 ~하였다 他因交不起学费而不得不中途退学

중편 소:설(中篇小說) 〖文〗 中篇小说 zhōngpiān xiǎoshuō

중풍(中風) 명 〖韓醫〗 中风 zhòngfēng; 卒中 cùzhòng; 瘫痪 tānhuàn; 风瘫 fēngtān ¶~에 걸리다 患中风

중-학교(中學校) 명 〖教〗 初中 chūzhōng; 初级中学 chūjí zhōngxué

중학-생(中學生) 명 初中生 chūzhōngshēng; 初中学生 chūzhōng xuéshēng

중:형(重刑) 명 重刑 zhòngxíng ¶~을 선고받다 被判重刑 / ~에 처해지다 处以重刑

중형-차(中型車) 명 〖交〗 中型车 zhōngxíngchē

중화(中華) 명 中华 Zhōnghuá; 中国 Zhōngguó ¶~ 사상 中华思想 / ~ 요리 中国料理 =[中国菜]

중:-환자(重患者) 명 重病号 zhòngbìnghào; 重病患者 zhòngbìng huànzhě; 重患者 zhònghuànzhě ¶~를 병원

으로 이송하다 把重患者送往医院
쥐[1] 명 〖韓醫〗 痉挛 jìngluán; 抽筋 chōujīn ¶손발에 ~가 나다 手足痉挛
쥐[2] 명 〖動〗 鼠 shǔ; 老鼠 lǎoshǔ; 耗子 hàozi
쥐 뜯어먹은 것 같다 속담 表面上有凹凸不平的难看痕迹
쥐 죽은 듯 구 鸦雀无声; 死寂
쥐도 새도 모르게 구 神不知, 鬼不觉
쥐-구멍 명 鼠窟 shǔkū; 老鼠洞 lǎoshǔdòng; 耗子洞 hàozidòng
쥐구멍에도 볕 들 날 있다 속담 日子比树叶儿长; 瓦片也有翻身日
쥐-꼬리 명 极少 jíshǎo; 微不足道 wēibùzúdào; 秋毫之末 qiūháozhīmò ¶~만 한 월급 极少的薪水
쥐:다 타 **1** 抓 zhuā; 握 wò; 执 zhí; 捏 niē; 攥 zuàn; 抓住 zhuāzhù; 握住 wòzhù; 揪住 jiūzhù; 抓紧 zhuājǐn; 握紧 wòjǐn ¶주먹을 ~ 捏拳头 **2** (权力等) 掌握 zhǎngwò; 执掌 zhízhǎng; 主持 zhǔchí ¶권력을 ~ 掌握权力 **3** (证据等) 找到 zhǎodào; 获得 huòdé; 获取 huòqǔ ¶중요한 증거를 ~ 获取重要证据
쥐고 흔들다 구 任意摆布; 随心所欲 = 쥐었다 폈다 하다
쥐었다 폈다 하다 구 = 쥐고 흔들다
쥐:락-펴락 부하타 随意支配 suíyì zhīpèi; 任意使唤 rènyì shǐhuan; 任意摆布 rènyì bǎibu; 操纵 cāozòng; 玩弄 wánnòng ¶그들은 농노를 자신들의 사유 재산으로 여겨 ~한다 他们把农奴当作自己的私有财产随意支配
쥐방울만-하다 형 小巧玲珑 xiǎoqiǎolínglóng
쥐-뿔 명 微不足道 wēibùzúdào; 微乎其微 wēihūqíwēi; 屁 pì
쥐뿔도 모르다 구 一无所知; 屁也不懂
쥐뿔도 없다 구 一无所有; 屁都没有
쥐어-뜯다 타 **1** 扯 chě; 撕 sī; 撕扯 sīchě ¶옷을 ~ 撕扯衣服 **2** 乱拧 luàn níng; 乱掐 luàn qiā; 揪心 jiūxīn; 绞痛 jiǎotòng; 撕扯 sīchě; 揪 jiū; 拧 níng; 掐 qiā ¶가슴에 사무치는 고통이 그녀의 마음을 쥐어뜯고 있다 一阵钻心的疼痛撕扯着她的心
쥐어-박다 타 殴打 ōudǎ; 揍 zòu; 拳打 quándǎ; 捶打 chuídǎ; 敲打 qiāodǎ ¶그는 힘껏 아들의 머리를 쥐어박았다 他用力敲打儿子的头
쥐어-짜다 타 **1** 拧 níng; 榨 zhà; 挤干儿 jǐgānr; 绞 jiǎo; 挤出来 jǐchūlái ¶다 빤 옷을 ~ 挤干儿洗好的衣服 **2** 纠缠 jiūchán; 蘑菇 mógu; 追讨 zhuītǎo ¶채무자를 ~ 追讨债务者 **3** 勉强流泪 miǎnqiǎng liúlèi ¶여자아이가 눈물을 쥐어짜고 있다 女孩勉强地流泪 **4** 想出 xiǎngchū; 挤出来 jǐchūlái; 绞尽脑汁 jiǎojìnnǎozhī; 苦思冥想 kǔsīmíngxiǎng; 凝想 níngxiǎng ¶좋은 아이디어를 ~ 想出好主意
쥐-이다 자 **1** 被抓住 bèi zhuāzhù; 被握住 bèi wòzhù; 被攥住 bèi zuànzhù 《'쥐다1' 的被动词》 ¶내 손에 칼이 한 자루 쥐여 있다 我的手被握住一把刀 **2** 被管 bèi guǎn; 被摆布 bèi bǎibu; 被控制 bèi kòngzhì 《'쥐다2' 的被动词》 ¶아내에게 그렇게 쥐여 있지 마라! 不要被太太管太多!
쥐-포(—脯) 명 干橡皮鱼 gānxiàngpíyú
즈음 의명 时候 shíhou; 大约 dàyuē; 左右 zuǒyòu ¶밥 먹을 ~ 吃饭的时候
즉각(卽刻) 부 即刻 jíkè; 即时 jíshí; 马上 mǎshàng; 立刻 lìkè; 立即 lìjí ¶~ 사람들의 관심을 끌다 即刻引起人们的关注
즉답(卽答) 명하자 立刻回答 lìkè huídá; 即席回答 jíxí huídá; 当场回答 dāngchǎng huídá ¶~을 회피하다 回避立刻回答
즉사(卽死) 명하자 当场死掉 dāngchǎng sǐdiào; 当即死亡 dāngjí sǐwáng; 当场死亡 dāngchǎng sǐwáng = 직사 ¶차 사고가 발생하여 친구가 ~했다 发生车祸, 朋友当场死掉
즉석(卽席) 명 即席 jíxí; 当场 dāngchǎng; 就场 jiùchǎng; 就地 jiùdì ¶~에서 실험하다 当场实验
즉석-식품(卽席食品) 명 方便食品 fāngbiàn shípǐn; 现成食品 xiànchéng shípǐn; 即食食品 jíshí shípǐn; 快餐 kuàicān = 인스턴트식품
즉시(卽時) 명 即时 jíshí; 即刻 jíkè; 立刻 lìkè; 立时 lìshí; 当即 dāngjí; 马上 mǎshàng; 立即 lìjí ¶~ 대답하다 即时回答
즉위(卽位) 명하자 即位 jíwèi; 登极 dēngjí; 登基 dēngjī ¶황제가 20세에 ~하였다 皇帝二十岁即位
즉흥(卽興) 명 即兴 jíxìng ¶~ 연주 即兴演奏 / ~곡 即兴曲
즐거움 명 乐趣 lèqù; 乐事 lèshì; 乐 lè ¶~을 더하다 增添乐趣
즐거워-하다 타 高兴 gāoxìng; 喜欢 xǐhuan ¶젊은이가 이 말을 듣고 매우 ~ 青年听到这句话非常高兴
즐겁다 형 欢喜 huānxǐ; 愉快 yúkuài; 欢愉 huānyú; 欢乐 huānlè ¶마음이 결코 즐겁지 않다 心情并不愉快
즐기다 타 **1** 享受 xiǎngshòu; 愉快度过 yúkuài dùguò ¶청춘을 ~ 享受青春 **2** 爱 ài; 爱好 àihào; 喜爱 xǐ'ài; 喜欢 xǐhuan; 喜闻乐见 xǐwénlèjiàn ¶즐겨 듣

는 노래 喜闻乐见的歌曲

즐비-하다(櫛比—) 형 栉比 zhìbǐ; 林立 línlì; 鳞次栉比 líncìzhìbǐ ¶고층 빌딩이 ~ 高楼林立

즙(汁) 명 汁液 zhīyè; 汁(儿) zhī(r) = 액즙 ¶~을 짜다 绞汁液 / ~을 내다 挤汁液

증가(增加) 명하자타 增 zēng; 长 zhǎng; 增加 zēngjiā; 增多 zēngduō; 增大 zēngdà ¶30% ~하다 增加30% / 해외 여행객이 날로 ~하다 海外旅客日益增多

증감(增減) 명하자타 增减 zēngjiǎn; 消长 xiāozhǎng ¶수입의 ~ 收入的增减

증거(證據) 명 证据 zhèngjù; 左证 zuǒzhèng; 佐证 zuǒzhèng; 凭据 píngjù; 依据 yījù; 凭证 píngzhèng ¶~ 불충분 证据不足 / ~를 내놓아라! 拿证据来!

증거-물(證據物) 명 证据 zhèngjù; 证物 zhèngwù

증권(證券) 명 股票 gǔpiào; 股权 gǔquán; 股份 gǔfèn

증기(蒸氣·烝氣) 명 **1**〖物〗蒸气 zhēngqì **2** = 수증기 ¶물이 끓을 때 뚜껑 위로 ~가 나온다 水开时, 盖子上出现水蒸气

증대(增大) 명하자타 增大 zēngdà; 增多 zēngduō; 增加 zēngjiā; 扩大 kuòdà; 增长 zēngzhǎng ¶수입 ~ 收入增大

증류(蒸溜·烝溜) 명하타 〖物〗蒸馏 zhēngliú ¶~수 蒸馏水

증명(證明) 명하타 印证 yìnzhèng; 证明 zhèngmíng; 证实 zhèngshí; 作证 zuòzhèng; 说明 shuōmíng ¶술의 유해성을 ~하다 证明酒的危害性

증명-사진(證明寫眞) 명 报名照 bàomíngzhào

증명-서(證明書) 명 证明 zhèngmíng; 证明书 zhèngmíngshū; 证书 zhèngshū; 证件 zhèngjiàn ¶성적 ~ 成绩证明书

증발(蒸發·烝發) 명하자 **1**〖物〗蒸 zhēng; 蒸发 zhēngfā ¶수분 ~ 水分蒸发 **2** 失踪 shīzōng; 无影无踪 wúyǐngwúzōng; 蒸发 zhēngfā; 散失 sànshī ¶그들은 ~된 여기자를 함께 찾았다 他们共同寻找一个失踪的女记者

증상(症狀) 명 = 증세 ¶~에 따라 치료를 하다 根据症候进行治疗

증서(證書) 명 〖法〗证书 zhèngshū; 凭单 píngdān; 字据 zìjù; 文凭 wénpíng; 证明 zhèngmíng; 执照 zhízhào; 单据 dānjù

증설(增設) 명하타 增设 zēngshè; 增建 zēngjiàn; 添设 tiānshè ¶관광객 서비스 센터를 ~하다 增设游客服务中心

증세(症勢) 명 症候 zhènghòu; 病情 bìngqíng; 症状 zhèngzhuàng; 病象 bìngxiàng = 증상 ¶질병의 ~ 疾病的症候

증손(曾孫) 명 = 증손자

증손-녀(曾孫女) 명 曾孙女 zēngsūnnǚ; 重孙女 chóngsūnnǚ

증손-자(曾孫子) 명 曾孙 zēngsūn; 重孙 chóngsūn = 증손

증식(增殖) 명하자타 **1** 增殖 zēngzhí; 增加 zēngjiā; 增多 zēngduō; 增长 zēngzhǎng ¶재산 ~ 财富增殖 **2**〖生〗增殖 zēngzhí; 繁殖 fánzhí; 增生 zēngshēng ¶바이러스의 ~ 病毒的繁殖

증언(證言) 명하타 **1** 证言 zhèngyán; 做证 zuòzhèng ¶역사의 ~ 历史的证言 / 그들에게 ~하도록 하다 让他们来做证 **2**〖法〗证言 zhèngyán; 证人的陈述 zhèngrénde chénshù; 证词 zhèngcí ¶증인이 법원에 출석해 ~하다 证人出庭陈述证言

증여(贈與) 명하타 赠与 zèngyǔ; 赠予 zèngyǔ; 赠送 zèngsòng; 赠给 zènggěi ¶~세 赠与税 / 피아노 한 대를 학교에 ~하다 把一台钢琴赠与学校

증오(憎惡) 명하타 憎恨 zēnghèn; 憎恶 zēngwù; 嫌恶 xiánwù; 怨恨 yuànhèn; 恨 hèn; 仇恨 chóuhèn; 憎 zēng; 嫌 xián ¶전쟁을 ~하다 憎恨战争 / ~심이 생기다 生憎恶心

증원(增員) 명하타 增加人员 zēngjiā rényuán; 增员 zēngyuán; 加人 jiārén ¶매년 20%를 ~하다 每年增员20%

증인(證人) 명 **1** 证人 zhèngrén **2**〖法〗证人 zhèngren; 证明人 zhèngmíngrén ¶~이 법정에 출두해 증언하다 证人出庭作证 **3**〖法〗= 보증인 ¶집 담보 대출을 받을 때 ~이 있어야 한다 办房贷一定要找保证人

증정(贈呈) 명하타 赠送 zèngsòng; 呈献 chéngxiàn ¶무료 ~ 免费赠送

증조-모(曾祖母) 명 = 증조할머니

증조-부(曾祖父) 명 = 증조할아버지

증조-할머니(曾祖—) 명 曾祖母 zēngzǔmǔ = 증조모

증조-할아버지(曾祖—) 명 曾祖父 zēngzǔfù = 증조부

증진(增進) 명하타 增进 zēngjìn; 增强 zēngqiáng ¶양국의 우호 관계를 ~하다 增进两国的友好关系

증축(增築) 명하타 增建 zēngjiàn; 扩建 kuòjiàn; 添盖 tiāngài ¶기념관을 ~하다 扩建纪念馆

증편(增便) 명하타 (飞机、船舶、车辆) 增加班次 zēngjiā bāncì ¶버스 ~ 公交车增加班次

증폭(增幅) 명하자타 放大 fàngdà; 长大 zhǎngdà ¶효과를 ~시키다 放大效果

증폭-기(增幅器) 명 〖物〗扩音器 kuòyīnqì; 放大器 fàngdàqì = 앰프

증표(證票) 명 信物 xìnwù; 凭单 píngdān; 单据 dānjù ¶사랑의 ~ 爱情信物

증후(證候) 명 征候 zhēnghòu ¶~가 나타나다 出现征候

증후-군(症候群) 명 〖醫〗 综合症状 zōnghé zhèngzhuàng; 综合症 zōnghézhèng; 症候群 zhènghòuqún ¶만성 피로 ~ 慢性疲劳综合症 / 시험 ~ 考试综合症

지가(地價) 명 地价 dìjià; 地皮价 dìpíjià; 土地价格 tǔdì jiàgé; 土地价值 tǔdì jiàzhí ¶도시의 ~는 여전히 상승세를 유지할 것이다 城市地价仍将保持上升势头

지각(知覺) 명하타 **1** 醒悟 xǐngwù; 领会 lǐnghuì; 觉悟 juéwù ¶나는 영원한 것은 아무 것도 없음을 비로소 ~했다 我才醒悟了, 没有什么东西是永恒的 **2** 认识能力 rènshi nénglì; 辨别事理的能力 biànbié shìlǐde nénglì **3** 〖心〗 知觉 zhījué

지각(遲刻) 명하자 迟到 chídào; 晚到 wǎndào; 来迟 láichí ¶또 ~했다 又迟到了

지갑(紙匣) 명 钱包(儿) qiánbāo(r) ¶흔쾌히 ~을 열다 高兴地打开钱包

지게 명 背架 bèijià ¶~를 지다 背背架

지겹다 형 厌烦 yànfán; 厌腻 yànnì; 厌倦 yànjuàn; 絮烦 xùfan ¶지겨운 표정 厌烦表情 / 나는 이 음식이 이미 지겨워졌다 我这种菜已经厌腻了

지경(地境) 의명 境地 jìngdì; 地步 dìbù; 状况 zhuàngkuàng; 景况 jǐngkuàng; 情形 qíngxing; 境遇 jìngyù ¶진퇴양난의 ~에 처하다 处在进退两难境地 / 너는 어떻게 이 ~에 이르렀냐? 你怎么走到这个地步?

지구(地區) 명 地区 dìqū; 地带 dìdài; 区域 qūyù; 区 qū ¶아시아 태평양 ~ 亚太地区 / 상업 ~ 商业区

지구(地球) 명 〖天〗 地球 dìqiú ¶~ 과학 地球科学 / ~촌 地球村 =[世界村]

지구-력(持久力) 명 持久力 chíjiǔlì; 耐力 nàilì ¶~을 기르다 培养持久力

지구-본(地球―) 명 = 지구의

지구-의(地球儀) 명 地球仪 dìqiúyí = 지구본

지그시 부 **1** 轻轻地 qīngqīngde; 悄悄地 qiāoqiāode ¶~ 눈을 감다 悄悄地闭上眼 / 상대방의 손을 ~ 잡고 있다 轻轻地握着对方的手 **2** 耐心地 nàixīnde; 忍耐下去地 rěnnàixiàqùde; 强忍地 qiǎngrěnde ¶~ 화를 억누르다 耐心地按捺怒气

지그재그(zigzag) 명 = 갈지자형 ¶~로 걷다 走之字形

지극-하다(至極―) 형 真挚 zhēnzhì; 真诚 zhēnchéng; 至诚 zhìchéng; 诚恳 chéngkěn; 无微不至 wúwēibùzhì ¶지극한 효성이 하늘을 감동시켰다 至诚孝顺感天动地 **지극-히** 부

지근-거리다 자 (头) 一揪一揪地痛 yījiūyījiūde tòng; 跳着疼 tiàozhe téng = 지근대다 **지근-지근** 부하자

지글-거리다 자 沸腾 fèiténg; 咕嘟咕嘟 gūdūgūdū 《液体沸腾》 = 지글대다 ¶두부 몇 조각을 지글거리는 냄비 속에 넣었다 把几颗豆腐倒进沸腾的锅里 **지글-지글** 부하자

지금(只今) 명 现在 xiànzài; 此时 cǐshí; 目前 mùqián; 如今 rújīn; 当今 dāngjīn; 时下 shíxià; 眼下 yǎnxià; 现时 xiànshí; 这会儿 zhèhuìr ¶~까지 到目前为止 / ~ 해야할 일이 아주 많다 现在要做的事很多

지금-껏(只今―) 부 从来 cónglái; 至今 zhìjīn; 历来 lìlái; 向来 xiànglái; 直到现在 zhídàoxiànzài; 到现在 dàoxiànzài ¶~ 본 적이 없다 从来没见过

지급(支給) 명하타 支付 zhīfù; 付给 fùgěi ¶그들에게 구제금을 ~하였다 付给他们救济金

지긋-지긋 부하형 讨厌 tǎoyàn; 烦人 fánrén; 腻烦 nìfán; 厌烦 yànfán ¶~한 비 令人厌烦的下雨天

지긋-하다[1] 형 讨厌 tǎoyàn; 烦人 fánrén; 腻烦 nìfán; 厌烦 yànfán

지긋-하다[2] 형 **1** 够岁数儿 gòu suìshùr; 年纪较大而稳重 niánjì jiàodà ér wěnzhòng; 年纪较大 niánjì jiàodà; 上了年纪 shàngle niánjì ¶나이가 지긋한 남자 年纪较大的男人 **2** 耐心 nàixīn; 有恒 yǒuhéng; 持重 chízhòng; 稳重 wěnzhòng ¶지긋하게 앉아 있다 耐心地坐着

지기(知己) 명 = 지기지우

지기지우(知己之友) 명 知己之友 zhījǐzhīyǒu; 知心朋友 zhīxīnpéngyou; 知己 zhījǐ; 知交 zhījiāo; 知音 zhīyīn; 相知 xiāngzhī = 지기

지껄-이다 자 高声说 gāoshēng shuō; 饶舌 ráoshé; 多言 duōyán; 叨唠 dāolao; 喧哗 xuānhuá; 喋喋不休 diédiébùxiū; 多嘴多舌 duōzuǐduōshé ¶욕설을 ~ 高声说脏话

지끈-거리다 자 (头) 酸痛 suāntòng; 酸疼 suānténg = 지끈대다 ¶머리가 지끈거리고 피곤하다 头酸痛, 疲劳 **지끈-지끈** 부하자

지나-가다 一자 **1** (时间) 过去 guòqù; 过 guò; 飞逝 fēishì ¶지나간 일 过去的事情 / 삼십 년의 시간이 이미 지나갔다 三十年的时间已经飞逝了 **2** 不当回事儿 bùdānghuíshìr **3** 没有意义 méiyǒu yìyì; 没有特别的意思 méiyǒu tèbiéde yìsi ¶지나가는 말일 뿐이다 没有意义的话而已 ⊟자타 1 走过 zǒuguò; 过去 guòqù; 过 guò ¶그가 지나간 길 他走过的道路 2 经过 jīngguò; 通过 tōngguò; 穿过 chuānguò; 穿越 chuānyuè; 行经 xíngjīng ¶기차가 대전을 ~ 火车行经大田 / 종로를 지나가면 광화문에 이른다 经过钟路就到光化门 3 过 guò; 闪过 shǎnguò ¶머리를 스쳐 지나가는 생각 脑海闪过的念头

지나다 ⊟자 1 (时间) 过去 guòqù; 过 guò ¶지난 일 过去的事情 =[往事] / 이미 한 시간이 지났다 已经过去一个小时了 2 越限 yuèxiàn; 超过 chāoguò ¶규정된 기한이 ~ 超过规定限期 ⊟타 1 经过 jīngguò; 通过 tōngguò; 路过 lùguò; 走过 zǒuguò ¶그녀의 앞을 ~ 从她面前走过 2 放过 fàngguò; 忽视 hūshì; 轻视 qīngshì ¶그냥 지나갈 수 없는 일 不能忽视的事情

지나치다 ⊟타 1 走过 zǒuguò; 路过 lùguò ¶종로 거리를 ~ 路过钟路大街 2 放过 fàngguò; 忽视 hūshì ¶가정 폭력의 심각성을 지나치지 마라 不要忽视家庭暴力的严重性 ⊟형 过度 guòdù; 过分 guòfèn; 过劲儿 guòjìnr; 过于 guòyú; 超过 chāoguò; 超越 chāoyuè ¶농담이 ~ 开玩笑过分了

지난-날 명 过去 guòqù; 往日 wǎngrì; 昔日 xīrì; 往昔 wǎngxī; 以往 yǐwǎng

지난-달 명 上月 shàngyuè; 上个月 shàngge yuè; 前一个月 qián yīge yuè = 전달(前—) · 전월

지난-밤 명 昨天晚上 zuótiān wǎnshang; 昨晚 zuówǎn; 昨夜 zuóyè = 간밤

지난-번(—番) 명 上一次 shàng yīcì; 上次 shàngcì; 上回 shànghuí; 上趟 shàngtàng; 那回 nàhuí = 먼젓번 · 전번

지난-주(—週) 명 上星期 shàngxīngqī; 上周 shàngzhōu = 전주(前週)

지난-해 명 去年 qùnián; 上年 shàngnián = 작년 · 전년 · 전해1

지:내다 ⊟자 1 过日子 guò rìzi; 度日 dùrì; 生活 shēnghuó; 活命 huómìng; 过活(儿) guòhuó(r) ¶잘 ~ 好好过日子 / 너 어떻게 지내고 있니? 你在怎么生活? 2 相处 xiāngchǔ; 交往 jiāowǎng; 交接 jiāojiē; 结交 jiéjiāo; 打交道 dǎ jiāodao; 相交 xiāngjiāo; 结识 jiéshí ¶그와 친구로 지내다 和他结交为朋友 ⊟타 1 当 dāng; 干 gàn; 从事 cóngshì; 经历 jīnglì; 阅历 yuèlì ¶변호사를 지낸 적이 있다 从事过律师职业 2 举行 jǔxíng; 办 bàn ¶장례를 ~ 办丧事 =[发送] / 차례를 ~ 举行祭祀 3 度过 dùguò; 过 guò ¶신혼 밤을 ~ 度过新婚之夜 / 그와 성탄절을 ~ 跟他一起过圣诞节

지네 명 〖動〗 蜈蚣 wúgōng

지느러미 명 〖動〗 鳍 qí ¶꼬리 ~ 尾鳍

지능(知能) 명 智能 zhìnéng; 智力 zhìlì ¶~ 검사 智力测验 / ~ 발달 智能发展 / ~이 높다 智力很高

지능 지수(知能指數) 〖教〗 智力商数 zhìlì shāngshù; 智商 zhìshāng = 아이큐

지니다 타 1 带 dài; 携 xié; 携带 xiédài; 持有 chíyǒu; 藏 cáng; 有 yǒu ¶몸에 ~ 随身携带 2 具有 jùyǒu; 拥有 yōngyǒu; 赋有 fùyǒu ¶독특한 매력을 ~ 具有独特的吸引力 3 保存 bǎocún; 保持 bǎochí ¶전통문화를 지니고 있다 保存着传统文化 4 铭记 míngjì; 牢记 láojì ¶어머니의 유언을 마음속에 ~ 把母亲的遗嘱牢记心中 5 承担 chéngdān; 担任 dānrèn; 担当 dāndāng ¶역사적 사명을 ~ 承担历史使命 / 중대한 임무를 ~ 担任重大的任务

지다[1] 자 1 (日、月) 落 luò; 归 guī ¶해가 졌다 太阳落了 2 (花、叶) 凋谢 diāoxiè; 萎落 wěiluò; 萎谢 wěixiè; 凋萎 diāowěi; 败谢 bàixiè ¶꽃이 졌다 花儿凋谢了 3 除掉 chúdiào ¶때를 지웠다 除掉污垢

지다[2] 자 1 输 shū; 败 bài; 告负 gàofù; 打输 dǎshū ¶첫 경기에서 졌다 第一场比赛输了 2 败诉 bàisù; 告倒 gàodǎo ¶소송에 ~ 诉讼败诉

지다[3] 자타 1 背阴(儿) bèiyīn(r) ¶그늘 진 곳 背阴的地方 2 结仇 jiéchóu ¶그와 원수를 졌다 跟他结仇了 3 生 shēng; 有 yǒu; 产生 chǎnshēng; 生发 shēngfā ¶얼룩이 졌다 有了污迹 4 下淫雨 xiàyínyǔ

지다[4] 타 1 背对 bēiduì; 背靠 bēikào ¶나무를 지고 바람을 쏘이다 背靠大树乘凉 / 태양을 ~ 背对阳光 2 背 bēi; 驮 tuó; 负 fù ¶배낭을 ~ 背背包 3 欠 qiàn; 负 fù ¶빚을 ~ 负债 4 (责任或任务) 担负 dānfù; 承当 chéngdāng; 承担 chéngdān ¶책임을 ~ 担负责任

지당-하다(至當—) 형 得当 dédàng; 妥当 tuǒdang; 恰当 qiàdàng; 在理 zàilǐ; 理所当然 lǐsuǒdāngrán ¶너의 의견이 ~ 你的意见是妥当的 **지당-히** 부

지대-하다(至大—) 형 至大 zhìdà; 极大 jídà; 最大 zuìdà; 莫大 mòdà ¶지대한 영향을 받다 受极大影响

지덕체(智德體) 명 〖教〗 智德体 zhìdétǐ ¶~를 기르다 培养智德体

지도(地圖) 명 〖地理〗 地图 dìtú ¶~책 地图集

지도(指導) 명하타 指导 zhǐdǎo; 引导

yǐndǎo; 指引 zhǐyǐn; 领导 lǐngdǎo ¶～자 领导者 =[领导][领导人] / ～력 领导力 / ～서 指导书 / ～층 领导层 / ～교수 指导教授 / 기술 ～를 하다 进行技术指导 / 청소년을 ～하다 引导青少年

지독-하다(至毒—) 형 厉害 lìhai; 毒辣 dúlà; 凶 xiōng; 凶毒 xiōngdú; 严厉 yánlì; 狠毒 hěndú; 极其恶毒 jíqí èdú; 极为严重 jíwéi yánzhòng; 极其厉害 jíqí lìhai ¶배가 지독하게 아프다 肚子疼得厉害 / 너 왜 이렇게 지독하니? 你为什么这般狠毒? **지독-히** 부

지동-설(地動說) 명 『天』 地动说 dìdòngshuō; 日心说 rìxīnshuō

지디피(GDP) 명 『經』 = 국내 총생산

지란지교(芝蘭之交) 명 芝兰之交 zhīlánzhījiāo

지랄 명하자 发狂 fākuáng; 发疯 fāfēng; 撒野 sāyě

지략(智略) 명 智谋 zhìmóu; 谋略 móulüè; 智略 zhìlüè; 才略 cáilüè ¶지도자가 지녀야 할 ～을 지니고 있다 具有些领导应有的智略

지ː렁이 명 『動』 蚯蚓 qiūyǐn; 地龙 dìlóng

지렁이도 밟으면[다치면 / 디디면] 꿈틀한다 속담 是人都有三分火

지레 부 先 xiān; 事先 shìxiān; 事前 shìqián; 提早 tízǎo; 提前 tíqián; 预先 yùxiān; 在先 zàixiān ¶～ 겁을 먹다 提前感到恐惧

지레-짐작(—斟酌) 명하타 事先猜 shìxiān cāi; 事先猜测 shìxiān cāicè; 事先揣测 shìxiān chuǎicè; 估计 gūjì; 揣测 chuǎicè; 臆测 yìcè; 推测 tuīcè ¶멋대로 ～하지 마라 不要妄加揣测

지-렛대 명 撬棍 qiàogùn; 杠杆 gànggǎn; 撬棒 qiàobàng; 撬杆 qiàogǎn; 撬杠 qiàogàng = 레버

지령(指令) 명하타 指令 zhǐlìng; 命令 mìnglìng ¶～에 따르다 听从指令 / ～을 내리다 发命令

지로(giro) 명 『經』 直接转账 zhíjiē zhuǎnzhàng ¶～로 요금을 내다 用直接转账的方式付款

지론(持論) 명 一贯的主张 yīguànde zhǔzhāng; 坚持的理论 jiānchíde lǐlùn; 所持主张 suǒchí zhǔzhāng; 所持观点 suǒchí guāndiǎn; 一贯的观点 yīguànde guāndiǎn

지뢰(地雷) 명 『軍』 地雷 dìléi ¶～밭 地雷阵 =[地雷场][雷场] / ～가 폭발하다 爆炸地雷

지루-하다 형 冗长 rǒngcháng; 厌烦 yànfán; 无聊 wúliáo; 闷倦 mènjuàn ¶이 강의는 정말 ～ 这个演讲真冗长

지류(支流) 명 **1** 支流 zhīliú; 汊子 chàzi; 水汊 shuǐchà; 岔流 chàliú ¶청계천은 한강의 ～라고 할 수 있다 清溪川即可算是汉江的支流 **2** = 분파

지르다 타 叫 jiào; 喊叫 hǎnjiào; 叫喊 jiàohǎn; 咆哮 páoxiào; 高呼 gāohū; 呼喊 hūhǎn ¶크게 소리를 ～ 大声喊叫

지름 명 『數』 径 jìng; 圆径 yuánjìng; 直径 zhíjìng

지름-길 명 近路 jìnlù; 抄道(儿) chāodào(r); 捷径 jiéjìng; 便道 biàndào; 便路 biànlù; 近道 jìndào = 첩경 ¶성공의 ～ 成功的捷径 / ～을 질러가다 抄近路

지리(地理) 명 **1** 地理 dìlǐ ¶～학 地理学 / ～ 환경 地理环境 / 두 나라는 ～적으로 거리가 멀다 两国地理上相距遥远 **2** 『民』 = 풍수지리

지리다[1] 타 (屎或尿憋不住而) 遗尿 yíniào; 遗屎 yíshǐ; 撒出一点 sāchūyīdiǎn ¶흥분하여 오줌을 ～ 激动得撒出一点尿

지리다[2] 형 臊 sāo

지린-내 명 臊气 sāoqì ¶～가 나다 闻到一股臊味

지망(志望) 명하자타 志愿 zhìyuàn; 愿望 yuànwàng; 希望 xīwàng ¶가수 ～생 歌手志愿生

지면(地面) 명 = 땅바닥1 ¶～을 고르다 平整地面

지면(紙面) 명 版面 bǎnmiàn ¶～을 할애하여 정부를 비판하다 拿出版面来批判政府

지명(地名) 명 地名 dìmíng ¶～을 짓다 起地名

지명(知名) 명하형 知名 zhīmíng; 有名 yǒumíng ¶～도 知名度

지명(指名) 명하타 指名 zhǐmíng; 点名 diǎnmíng; 提名 tímíng ¶후계자로 ～되다 被指名为继承人

지명 수배(指名手配) 『法』 点名通缉 diǎnmíngtōngjī ¶경찰에 ～된 용의자 被警方点名通缉的嫌疑人

지명 타ː자(指名打者) 『體』 指定击球员 zhǐdìng jīqiúyuán

지목(指目) 명하타 指 zhǐ; 指定 zhǐdìng; 指名 zhǐmíng ¶살인범으로 ～되다 被指为杀人犯

지문(指紋) 명 指纹 zhǐwén; 螺纹 luówén; 罗纹 luówén ¶～ 감식 指纹鉴定 / ～을 찍다 按指纹 / ～을 채취하다 取指纹

지반(地盤) 명 **1** 地表 dìbiǎo; 地面 dìmiàn; 地皮(儿) dìpí(r); 地基 dìjī ¶～이 단단하다 地面好坚硬 / ～이 내려앉다 地表坍塌 **2** = 토대 **3** 基础 jīchǔ; 地盘 dìpán; 基地 jīdì; 根据地 gēnjùdì ¶활동 ～ 活动地盘 / ～을 다지다 打基础

지방(地方) 명 **1** 地方 dìfang; 地区 dìqū ¶동부 ~ 东部地区 / ~색 地方特色 =[乡土特色] / 너는 어느 ~ 사람이냐? 你是什么地方人? **2** 地方 dìfāng ¶~ 자치 地方自治 / ~의 치안 상황 地方社会治安状况

지방(脂肪) 명 〖生〗 脂肪 zhīfáng; 脂 zhī; 油脂 yóuzhī; 脂膏 zhīgāo; 膏脂 gāozhī ¶~간 脂肪肝 / ~ 세포 脂肪细胞 / ~층 脂肪层 / ~을 분해하다 分解脂肪

지배(支配) 명하타 **1** 统治 tǒngzhì; 治理 zhìlǐ ¶~층 统治层 =[统治阶级] **2** 支配 zhīpèi; 控制 kòngzhì; 掌握 zhǎngwò; 主宰 zhǔzǎi ¶스스로가 자신의 운명을 ~하다 自己掌握自己的命运

지배-인(支配人) 명 〖法〗 经理 jīnglǐ

지병(持病) 명 痼疾 gùjí; 顽疾 wánjí; 老病 lǎobìng; 旧病 jiùbìng; 宿疾 sùjí ¶치료하기 어려운 ~ 难以治愈的痼疾

지부(支部) 명 支部 zhībù

지분(持分) 명 份 fèn; 份额 fèn'é ¶나의 ~이 없다 没有我的份

지불(支拂) 명하타 开 kāi; 支 zhī; 付 fù; 支付 zhīfù; 付出 fùchū; 开支 kāizhī; 付给 fùgěi ¶~ 수단 支付手段 / 큰 대가를 ~하다 付出了很大代价

지붕 명 屋顶 wūdǐng; 房顶 fángdǐng; 顶子 dǐngzi ¶~을 수리하다 维修屋顶

지사(支社) 명 分公司 fēngōngsī; 分行 fēnháng ¶해외 ~ 国外分公司 / 상하이에 ~를 설립하다 在上海设立分社

지사(志士) 명 志士 zhìshì ¶애국 ~ 爱国志士

지사(指事) 명 〖語〗 指事 zhǐshì 《汉字六书之一》

지사-제(止瀉劑) 명 〖藥〗 止泻剂 zhǐxièjì; 止泻药 zhǐxièyào = 설사약

지상(地上) 명 **1** 地上 dìshàng; 地面 dìmiàn; 地皮(儿) dìpí(r); 地 dì ¶~파 地波 **2** 人世 rénshì; 世上 shìshàng; 人间 rénjiān; 天下 tiānxià ¶~ 낙원 人间乐园

지-새우다 타 熬夜 áoyè; 通宵达旦 tōngxiāodádàn ¶밤을 지새우는 것은 건강에 해를 끼친다 熬夜会对身体造成损害

지성(至誠) 명하형 至诚 zhìchéng; 真诚 zhēnchéng ¶~으로 돌보다 一片至诚地照顾

지성이면 감천 속담 至诚感天

지성(知性) 명 知性 zhīxìng; 理性 lǐxìng; 理智 lǐzhì ¶~인 知性人 / 훌륭한 ~을 지니다 具有良好的知性

지세(地勢) 명 = 지형

지속(持續) 명하자타 持续 chíxù; 继续 jìxù; 坚持 jiānchí ¶~성 持续性 / 총격이 한 시간 동안 ~되었다 枪击却持续了一个小时

지시(指示) 명하타 **1** 指 zhǐ; 指示 zhǐshì ¶~ 대명사 指示代词 / 나침판이 ~하는 방향 指南针所指的方向 **2** 指示 zhǐshì; 支使 zhīshi; 训示 xùnshì ¶~를 따르다 遵照指示 / 그녀에게 얼음을 가져오라고 ~하다 支使她拿些冰块来

지식(知識) 명 知识 zhīshi; 学识 xuéshí; 见识 jiànshi; 学问 xuéwen ¶기초 ~ 基础知识 / ~수준 知识水平 / ~인 知识人 =[知识分子] / ~을 구하다 求知识

지압(指壓) 명하타 按摩 ànmó; 指压 zhǐyā; 推拿 tuīná

지양(止揚) 명하타 扬弃 yángqì ¶불합리한 모든 규정을 ~하다 扬弃一切不合理的规矩

지어-내다 타 做出来 zuòchūlái; 造出来 zàochūlái; 编 biān; 生造 shēngzào; 编造 biānzào; 捏造 niēzào; 假装 jiǎzhuāng ¶헛소리를 ~ 捏造谰言

지엔피(GNP)[gross national product] 명 〖經〗 = 국민 총생산

지역(地域) 명 地域 dìyù; 地区 dìqū; 区域 qūyù; 地带 dìdài; 区 qū ¶낙후된 ~을 개발하다 开发落后地区

지연(地緣) 명 地缘 dìyuán ¶밀접한 ~ 관계 密切的地缘关系

지연(遲延) 명하타 迟延 chíyán; 推迟 tuīchí; 拖延 tuōyán; 延迟 yánchí; 耽搁 dānge; 迁延 qiānyán; 延搁 yángē ¶고의로 ~시키다 故意拖延

지엽(枝葉) 명 **1** 枝叶 zhīyè **2** 枝节 zhījié; 末节 mòjié; 小节 xiǎojié

지옥(地獄) 명 **1** 〖佛〗 阴司 yīnsī; 地狱 dìyù ¶~에 떨어지다 下地狱 **2** 地狱 dìyù ¶~ 같은 입학시험 可谓地狱般的入学考试

지온(地溫) 명 地温 dìwēn

지용-성(脂溶性) 명 〖化〗 脂溶性 zhīróngxìng ¶~ 비타민 脂溶性维生素

지우-개 명 **1** 擦子 cāzi; 擦儿 cār ¶칠판~ 黑板擦儿 **2** = 고무지우개

지우다[1] 타 抹 mǒ; 擦 cā; 销 xiāo; 消 xiāo; 擦除 cāchú; 去掉 qùdiào; 洗掉 xǐdiào; 删掉 shāndiào; 勾销 gōuxiāo ¶옷의 때를 ~ 洗掉衣服污渍 / 벽의 낙서를 ~ 擦除墙上乱写乱画的

지-우다[2] 타 **1** 搞掉 gǎodiào **2** 使中断 shǐ zhōngduàn; 使断 shǐ duàn ¶아이를 ~ 把孩子搞掉

지-우다[3] 타 使背负 shǐ bēifù; 让…担 ràng…dān; 让…肩 ràng…jiān; 让…背 ràng…bēi; 让…负 ràng…fù; 让…担负 ràng…dānfù ¶그에게 쌀가마니를 ~ 让他背米袋子 / 그에게 책임을 ~ 让

他担起责任

지원(支援) 명하타 支援 zhīyuán; 援助 yuánzhù; 应援 yìngyuán; 帮助 bāngzhù ¶～의 손을 뻗다 伸出援助之手/개발 도상국을 ～하다 支援发展中国家

지원(志願) 명하타 志愿 zhìyuàn; 报名 bàomíng ¶～서 志愿书/～자 志愿者/중문과 ～ 현황 中文系报名情况/많은 사람이 이 활동에 참가하기를～했다 很多人志愿参加了这一活动

지위(地位) 명 地位 dìwèi; 位置 wèizhi ¶주동적 ～를 차지하다 争取主动地位

지은-이 명 作者 zuòzhě; 笔者 bǐzhě; 著者 zhùzhě; 著作人 zhùzuòrén ＝작자1

지인(知人) 명 熟人 shúrén ¶～의 소개로 취직하다 通过熟人介绍找到工作

지장(支障) 명 障碍 zhàng'ài; 妨碍 fáng'ài; 碍事 àishì; 阻碍 zǔ'ài; 挂碍 guà'ài ¶～을 받다 遇到阻碍

지장(指章) 명 指印(儿) zhǐyìn(r); 手印(儿) shǒuyìn(r); 手模 shǒumó; 拇印 mǔyìn ＝ 무인(拇印)·손도장 ¶～을 찍다 盖指印

지저귀다 자 哨 shào; 唧唧喳喳地叫 jījizhāzhāde jiào ¶작은 새 두 마리가 지저귀기 시작했다 两只小鸟唧唧喳喳地叫了起来

지저분-하다 형 1 杂乱 záluàn; 乱七八糟 luànqībāzāo; 杂乱无章 záluànwúzhāng ¶지저분한 몸 肮脏的身体/상품이 지저분하게 쌓여 있다 商品堆得乱七八糟 2 龌龊 wòchuò; 卑鄙 bēibǐ; 秽乱 huìluàn ¶지저분한 행위를 비난하다 谴责卑鄙行为 **지저분-히** 부

지적(指摘) 명하타 1 指明 zhǐmíng; 指出 zhǐchū; 指点 zhǐdiǎn ¶방향을 ～하다 指明方向 2 指摘 zhǐzhāi; 指责 zhǐzé; 批评 pīpíng ¶잘못을 ～하다 指摘错误

지-적(知的) 관명 知识(的) zhīshi(de); 理性(的) lǐxìng(de); 智慧(的) zhìhuì(de); 智力(的) zhìlì(de) ¶～ 수준 智力水平/～ 재산권 知识产权

지점(支店) 명 支店 zhīdiàn; 分店 fēndiàn; 分公司 fēngōngsī; 支行 zhīháng; 分号 fēnhào ¶～은 부산에 있다 分店位于釜山

지점(地點) 명 地点 dìdiǎn ¶지정한 ～에 도달하다 到达指定地点

지조(志操) 명 气节 qìjié; 情操 qíngcāo ¶～를 지키다 坚守气节

지주(支柱) 명 支柱 zhīzhù; 依托 yītuō ¶정신적 ～ 精神上的支柱

지주(地主) 명 地主 dìzhǔ ＝ 영주(領主)1

지지 명 脏 zāng ¶이것은 ～니까 만지지 마 这很脏, 不要摸摸

지지(支持) 명하타 1 支撑 zhīchēng; 顶住 dǐngzhù ¶서까래가 지붕을 ～하다 椽子顶住屋顶 2 支持 zhīchí; 拥护 yōnghù; 赞助 zànzhù; 撑腰 chēngyāo ¶～자 支持者/～를 호소하다 呼吁支持/나는 너의 생각을 ～한다 我支持你的想法

지지(地支) 명 『民』 地支 dìzhī

지-지난 관 上上 shàngshàng ¶～ 토요일 上上星期六

지지다 타 1 熬 áo ¶생선을 ～ 熬鱼 2 煎 jiān ¶빈대떡을 ～ 煎煎饼 3 烙 lào; 烫 tàng; 熨 yùn; 烧 shāo ¶지진 옷을 버려라 把熨烧了的衣服扔掉吧 4 沙疗 shāliáo; 热疗 rèliáo

지지고 볶다 구 1 折磨; 纠缠; 折腾; 磨人 2 烫发 ¶머리를 지지고 볶은 여자 一个烫发的女人

지지리 부 非常 fēicháng; 简直 jiǎnzhí; 真 zhēn; 太 tài ¶～도 못나다 非常没出息

지지-배배 부 叽叽 jījī; 叽叽喳喳 jījizhāzhā; 呢喃 nínán; 啾啾唧唧 jiūjiujījī 《鸟鸣声》 ¶작은 참새가 또 ～ 울기 시작했다 小麻雀又开始叽叽喳喳叫了

지지부진(遲遲不進) 명하자 迟迟不前 chíchíbùqián ¶사업 확장이 ～하다 推广工作迟迟不前

지진(地震) 명 『地理』 地震 dìzhèn ¶～계 地震表 ＝[地震仪]/～대 地震带/～파 地震波/～이 발생하다 发生地震

지질(地質) 명 『地理』 地质 dìzhì; 土质 tǔzhì ¶～ 구조 地质结构/～학 地质学

지질-하다 형 庸俗 yōngsú; 简陋 jiǎnlòu; 寒微 hánwēi; 微不足道 wēibùzúdào ¶인품이 ～ 人品庸俗/지질하게 살다 居住简陋 **지질-히** 부

지참(持參) 명하타 携带 xiédài; 随带 suídài; 带 dài ¶펜과 노트를 ～하다 携带笔和本子

지척(咫尺) 명 咫尺 zhǐchǐ ¶～에 있다 近在咫尺

지천(至賤) 명하형 多的是 duōdeshì; 有的是 yǒudeshì; 丰富 fēngfù; 富裕 fùyù; 随处可见 suíchù kějiàn ¶온 땅에 낙엽이 ～이다 有的是满地的落叶

지천명(知天命) 명하자 1 知道天命 zhīdào tiānmìng 2 五十岁 wǔshísuì

지체 명 门第 méndì; 门阀 ménfá; 出身 chūshēn; 社会地位 shèhuì dìwèi ¶～가 높고 낮음에 따라 관리를 선발한다 根据门阀高下来选官

지체(肢體) 명 肢体 zhītǐ; 四肢和躯干 sìzhī hé qūgàn ¶～부자유아 肢体残疾儿童

지체(遲滯) 명하타 拖延 tuōyán; 耽搁

dānge; 迟延 chíyán; 耽误 dānwu; 迟滞 chízhì; 延迟 yánchí; 延缓 yánhuǎn; 延搁 yángē ¶ 더 이상 ~할 시간이 없다 没有时间再拖延了

지출(支出) 명하타 支出 zhīchū; 支付 zhīfù; 开支 kāizhī; 开销 kāixiāo ¶ 3천 위안을 ~하다 开支三千元

지층(地層) 명 〖地理〗 地层 dìcéng

지:치다 자 累 lèi; 累乏 lèifá; 疲劳 píláo; 疲倦 píjuàn; 疲惫 píbèi; 疲乏 pífá; 劳累 láolèi; 劳乏 láofá; 乏累 fálèi ¶ 모두들 지쳤다 大家都疲倦了

지침(指針) 명 **1** 指针 zhǐzhēn; 指南针 zhǐnánzhēn ¶ 혈압계 ~ 血压计指针 **2** 方针 fāngzhēn; 指南 zhǐnán ¶ 행동 ~ 行动指南

지칭(指稱) 명하타 指称 zhǐchēng; 称呼 chēnghu ¶ 신세대로 ~되는 젊은이 指称新世代的年轻人

지켜-보다 타 观察 guānchá; 注视 zhùshì; 照看 zhàokàn; 照顾 zhàogù ¶ 자세히 ~ 仔细观察

지키다 타 **1** 守卫 shǒuwèi; 坚守 jiānshǒu; 保卫 bǎowèi; 看守 kānshǒu; 守护 shǒuhù; 卫护 wèihù; 保护 bǎohù ¶ 국가의 안전을 ~ 保卫国家安全 **2** 监视 jiānshì; 看守 kānshǒu; 看管 kānguǎn; 注视 zhùshì ¶ 죄인의 행동을 ~ 注视囚犯的行动 / 경찰이 거리를 ~ 警察监视街道 **3** 保持 bǎochí; 坚持 jiānchí; 维持 wéichí ¶ 침묵을 ~ 保持沉默 / 자신의 꿈을 ~ 坚持自己的梦想 **4** 遵守 zūnshǒu ¶ 법률을 ~ 遵守法律

지탄(指彈) 명하타 谴责 qiǎnzé; 指斥 zhǐchì; 指责 zhǐzé; 斥责 chìzé ¶ ~을 받다 受到指责

지탱(支撐) 명하타 支撑 zhīchēng; 撑持 chēngchí; 支持 zhīchí ¶ 두 팔로 온몸을 ~하다 用双手臂支撑全身 / 그녀가 어려운 가정을 ~하고 있다 她撑持着一个苦难的家庭

지팡이 명 杖 zhàng; 手杖 shǒuzhàng; 拐杖 guǎizhàng; 拐棍 guǎigùn

지퍼(zipper) 명 拉链(儿) lāliàn(r); 拉锁(儿) lāsuǒ(r) ¶ ~를 열다 拉开拉锁

지평(地平) 명 **1** 大地平面 dàdì píngmiàn **2** 可能 kěnéng; 可能性 kěnéngxìng; 展望 zhǎnwàng; 前瞻 qiánzhān ¶ 한국 영화의 새 ~을 열다 带来对韩国电影的新展望

지평-면(地平面) 명 〖地理〗 地平面 dìpíngmiàn

지평-선(地平線) 명 地平线 dìpíngxiàn; 天际线 tiānjìxiàn

지폐(紙幣) 명 纸币 zhǐbì; 钞票 chāopiào; 软币 ruǎnbì; 票子 piàozi

지표(地表) 명 地表 dìbiǎo; 地面 dìmiàn; 地皮(儿) dìpí(r) = 지표면

지표(指標) 명 指标 zhǐbiāo; 标志 biāozhì; 标识 biāozhì; 方向标 fāngxiàngbiāo ¶ ~를 세우다 设立指标

지표-면(地表面) 명 = 지표(地表)

지푸라기 명 稻草 dàocǎo

지프(jeep) 명 吉普车 jípǔchē; 吉普卡 jípǔkǎ; 越野车 yuèyěchē = 지프차

지프-차(jeep車) 명 = 지프

지피다 타 生火 shēnghuǒ; 烧火 shāohuǒ; 点燃 diǎnrán ¶ 불을 지펴 차를 끓이다 烧火煮茶

지피에스(GPS)[Global Positioning System] 명 〖信〗 全球定位系统 quánqiú dìngwèi xìtǒng

지피지기(知彼知己) 명하자 知己知彼 zhījǐzhībǐ ¶ ~면 백전백승이다 知己知彼, 百战不殆

지하(地下) 명 **1** 地下 dìxià; 地里 dìli ¶ ~도 地下道路 =[地下通道][地道] / ~상가 地下商场 =[地下商业街] / ~수 地下水 / ~실 地下室 / ~자원 地下资源 =[矿藏] / ~층 地下层 **2** 地下 dìxià; 非法 fēifǎ ¶ ~ 조직 地下组织

지하-철(地下鐵) 명 〖交〗 地铁 dìtiě; 地下铁道 dìxià tiědào ¶ ~역 地铁站

지향(志向) 명하타 志向 zhìxiàng; 志愿 zhìyuàn; 向往 xiàngwǎng ¶ 복지 국가를 ~하다 向往国家福利

지혈(止血) 명하자타 止血 zhǐxuè ¶ ~제 止血剂 / ~을 위해 상처에 붕대를 감다 为了止血, 用绷带缠伤口

지형(地形) 명 地形 dìxíng; 地貌 dìmào; 地势 dìshì = 지세 ¶ ~이 험하다 地形险要

지혜(智慧·知慧) 명 智慧 zhìhuì; 知慧 zhīhuì; 慧心 huìxīn; 心眼儿 xīnyǎnr; 心灵 xīnlíng ¶ ~를 짜내다 想出智慧

지혜-롭다(智慧—) 형 聪明 cōngming; 智慧 zhìhuì; 聪慧 cōnghuì; 机智 jīzhì; 伶俐 línglì; 智 zhì ¶ 지혜로운 사람 聪明的人 / 지혜롭게 처리하다 聪明地解决 **지혜로이** 부

지휘(指揮·指麾) 명하타 **1** 指挥 zhǐhuī ¶ ~관 指挥官 / ~봉 指挥棒 / 사령관의 ~에 따라 적진으로 돌격하다 按司令的指挥向敌阵突击 **2** 〖音〗 指挥 zhǐhuī ¶ ~자 指挥 / 교향악단을 ~하다 指挥交响乐团

직각(直角) 명 〖數〗 直角 zhíjiǎo ¶ ~삼각형 直角三角形 =[直三角形][勾股形] / ~자 直角尺

직감(直感) 명하타 直觉 zhíjué; 直感 zhígǎn ¶ 날카로운 ~ 敏锐的直觉

직-거래(直去來) 명하타 〖經〗 直销 zhíxiāo; 直接交易 zhíjiē jiāoyì; 直接贸易 zhíjiē màoyì; 当场买卖 dāngchǎng mǎimai

직격-탄(直擊彈) 명 直射弹 zhíshèdàn ¶~을 맞다 被直射弹打中
직계(直系) 명 1 嫡系 díxì; 嫡派 dípài; 直系 zhíxì ¶~ 가족 直系亲属 2 嫡系 díxì
직관(直觀) 명하타 〖哲〗直观 zhíguān
직구(直球) 명 〖體〗(棒球) 直球 zhíqiú
직권(職權) 명 职权 zhíquán; 事权 shìquán; 职务权限 zhíwù quánxiàn ¶~ 남용 滥用职权 =[擅权] / ~을 행사하다 行使职权
직급(職級) 명 职级 zhíjí
직녀(織女) 명 织女 zhīnǚ
직녀-성(織女星) 명 〖天〗织女星 zhīnǚxīng; 织女 zhīnǚ
직렬(直列) 명 〖電〗= 직렬연결
직렬-연결(直列連結) 명 〖電〗串联 chuànlián; 级联 jílián = 직렬
직립(直立) 명하자 直立 zhílì ¶~ 동물 直立动物 / ~ 보행 直立行走 / ~ 원인 直立猿人
직매-장(直賣場) 명 直销点 zhíxiāodiǎn; 直销店 zhíxiāodiàn
직면(直面) 명하자타 面对 miànduì; 面临 miànlín; 面向 miànxiàng; 当前 dāngqián; 当头 dāngtóu ¶좌절에 ~하다 面对挫折
직무(職務) 명 职务 zhíwù; 职守 zhíshǒu; 任 rèn; 职 zhí ¶~를 수행하다 执行职务
직물(織物) 명 纺织品 fǎngzhīpǐn; 织物 zhīwù; 织品 zhīpǐn; 布匹 bùpǐ; 布类 bùlèi
직방(直放) 명 立竿见影 lìgānjiànyǐng; 立刻见效 lìkè jiànxiào ¶코 막힘을 ~으로 없앨 수 있다 能立竿见影地消除鼻塞
직분(職分) 명 1 职分 zhífèn ¶교사의 ~을 다하다 尽教师的职分 2 本分 běnfèn ¶각자 ~을 지키다 各守本分
직불 카드(直拂card) 〖經〗支付卡 zhīfùkǎ
직사(直死) 명하자 = 즉사
직-사각형(直四角形) 명 〖數〗矩形 jǔxíng; 长方形 chángfāngxíng; 直四角边形 zhísìjiǎobiānxíng; 直角四边形 zhíjiǎosìbiānxíng = 장방형
직사-광선(直射光線) 명 正照 zhèngzhào; 直射光 zhíshèguāng
직선(直線) 명 直线 zhíxiàn ¶~ 비행 直线飞行
직선-적(直線的) 관명 1 直线的 zhíxiànde 2 直线的 zhíxiànde; 直截了当的 zhíjiéliǎodāngde; 直性的 zhíxìngde ¶잘못을 ~으로 지적하다 直截了当地指出错误
직설-적(直說的) 관명 直说地 zhíshuōde; 直话直说地 zhíhuàzhíshuōde; 直率地 zhíshuàide ¶~으로 비평하다 直话直说地抨击 / ~으로 분노를 표현하다 直率地表现愤怒
직성(直星) 명 性格 xìnggé; 性情 xìngqíng; 脾气 píqi
　직성(이) 풀리다 구 满足; 放心; 安心; 甘心 ¶얼마나 오래 해야 직성이 풀리겠니? 要做多久你才满足?
직속(直屬) 명하자 直属 zhíshǔ; 隶属 lìshǔ ¶~ 기관 直属机构
직속-상관(直屬上官) 명 直属长官 zhíshǔ zhǎngguān; 顶头上司 dǐngtóu shàngsi
직-수입(直輸入) 명하타 直接进口 zhíjiē jìnkǒu ¶해외에서 ~한 의상 从国外直接进口的衣裳
직-수출(直輸出) 명하타 直接出口 zhíjiē chūkǒu; 直接输出 zhíjiē shūchū
직시(直視) 명하타 1 凝视 níngshì ¶전방을 ~하다 凝视前方 2 正视 zhèngshì; 直面 zhímiàn ¶현실을 ~하다 正视现实
직언(直言) 명하자 直言 zhíyán; 直说 zhíshuō; 直话 zhíhuà ¶거리낌없이 ~하다 直言不讳
직업(職業) 명 职业 zhíyè; 行业 hángyè; 工作 gōngzuò; 生业 shēngyè; 饭碗 fànwǎn = 업1 ¶~병 职业病 =[工作病] / 인기 있는 ~ 热门行业
직역(直譯) 명하타 直译 zhíyì ¶~의 방법으로 번역하다 用直译的方法来翻译
직영(直營) 명하타 直销 zhíxiāo; 直接经营 zhíjiē jīngyíng ¶~점 直销店
직원(職員) 명 职员 zhíyuán ¶은행 ~ 银行职员
직위(職位) 명 职位 zhíwèi; 职分 zhífèn ¶~가 낮다 职位低
직유(直喩) 명 〖文〗= 직유법
직유-법(直喩法) 명 〖文〗直喻法 zhíyùfǎ = 직유
직인(職印) 명 公章 gōngzhāng; 单位印章 dānwèi yìnzhāng; 官职印章 guānzhí yìnzhāng ¶~을 찍다 印公章
직장(直腸) 명 〖生〗= 곧은창자
직장(職場) 명 1 工作岗位 gōngzuò gǎngwèi; 工作单位 gōngzuò dānwèi; 车间 chējiān = 일터2 ¶~에서 돌아오다 从工作岗位上回来 2 = 일자리
직장-인(職場人) 명 上班人 shàngbānrén; 上班族 shàngbānzú; 职业人 zhíyèrén
직전(直前) 명 就要…的时候 jiùyào…de shíhou; 之前 zhīqián ¶해가 뜨기 ~ 当太阳出来之前
직접(直接) 一명 直接 zhíjiē; 径直 jìngzhí ¶~ 선거 直接选举 / 화재 발생의 ~ 원인 火灾发生的直接原因 / ~적인

관계가 없다 没有直接的关系 [二][부] 亲自 qīnzì; 亲手 qīnshǒu ¶～ 요리를 하다 亲手做菜

직종(職種) [명] 职别 zhíbié

직진(直進) [명][하자] 一直走 yīzhí zǒu; 一直前进 yīzhí qiánjìn; 立即前往 lìjí qiánwǎng ¶다음 신호등까지 ～하다 一直前进到下一个红绿灯处

직책(職責) [명] 职责 zhízé

직통(直通) [명][하자] **1** 直通 zhítōng; 直接 zhíjiē ¶～ 전화를 개설하다 开设直通电话 / 본사에 ～으로 전화하다 直接打电话给总社 **2** 立时生效 lìshí shēngxiào; 立即见效 lìjí jiànxiào ¶먹으면 ～인 약 吃就立即见效的药 **3** 直通 zhítōng; 直达 zhídá ¶서울에서 목포까지의 ～ 열차를 개통하였다 开通了首尔至木浦的直通列车

직판-장(直販場) [명] 直销场 zhíxiāochǎng

직함(職銜) [명] 官衔 guānxián; 职衔 zhíxián; 头衔 tóuxián; 名衔 míngxián ¶～이 높지 않다 职衔不高

직항(直航) [명][하자] 直航 zhíháng ¶싱가포르로 ～하다 直航新加坡

직행(直行) [명][하자] 直达 zhídá; 直到 zhídào; 直至 zhízhì ¶～버스 直达公共汽车 / ～ 급행 열차 直达快车 / 서울에서 기차를 타고 부산으로 ～하다 从首尔坐火车直达釜山

직후(直後) [명] 刚…之后 gāng…zhīhòu; 之后不久 zhīhòu bùjiǔ; 后脚 hòujiǎo ¶헤어진 ～ 刚分手之后 / 결혼식을 올린 ～ 举行婚礼之后不久

진:(津) [명] 黏液 niányè

진(을) 빼다 [구] 泄气; 困乏; 筋疲力尽

진(이) 빠지다[떨어지다] [구] 精疲力尽; 心灰意冷

진(陣) [명]〖軍〗**1** 阵 zhèn; 军阵 jūnzhèn; 阵地 zhèndì ¶～을 치다 摆阵=[布阵] **2** = 진영1

진(을) 치다 [구] 占位 ¶매일 아침 일찍 일어나 앞줄에 앉아 진을 친다 天天早早起来占位坐第一排

진-(津) [접두] 深 shēn ¶～보라 深青紫色 / ～분홍 深粉红色

-진(陣) [접미] 队 duì; 队伍 duìwu; 阵 zhèn ¶의료～ 医疗队伍 / 장사～ 长蛇阵

진가(眞價) [명] 真正价值 zhēnzhèng jiàzhí

진:갑(進甲) [명] 进甲 jìnjiǎ《六十二岁寿辰》

진공(眞空) [명]〖物〗真空 zhēnkōng ¶～포장 真空包装 / ～ 상태 真空状态 / ～ 청소기 真空吸尘器

진-국(津―) [명] 原汤 yuántāng

진-국(眞―) [명] 真实 zhēnshí; 老实 lǎoshi; 真实人 zhēnshírén; 老实人 lǎoshirén ¶그는 정말 ～이다 他是个老实人

진:군(進軍) [명][하자] 进军 jìnjūn; 进兵 jìnbīng; 出兵 chūbīng ¶적진을 향해 ～하다 朝敌阵进军

진귀-하다(珍貴―) [형] 珍贵 zhēnguì; 可贵 kěguì ¶진귀한 경험을 얻다 得到珍贵的经验

진:급(進級) [명][하자] 升级 shēngjí; 升班 shēngbān; 晋级 jìnjí; 晋升 jìnshēng; 提级 tíjí ¶2학년으로 ～했다 升级到二年级了

진기-하다(珍奇―) [형] 珍奇 zhēnqí; 珍异 zhēnyì ¶진기한 동물 珍奇动物

진노(震怒) [명][하자] 震怒 zhènnù; 大怒 dànù; 嗔怒 chēnnù ¶그를 ～하게 하다 令他大怒

진눈깨비 [명] 雨雪 yǔxuě; 雨夹雪 yǔjiāxuě ¶산간 지역에 ～가 내리겠습니다 山间地区将有雨夹雪

진:단(診斷) [명][하타]〖醫〗诊断 zhěnduàn; 诊病 zhěnbìng; 脉案 mài'àn ¶～서 诊断书 / 병을 ～하다 对疾病作出诊断

진달래 [명]〖植〗杜鹃花 dùjuānhuā; 映山红 yìngshānhóng; 满山红 mǎnshānhóng; 金达莱 jīndálái = 두견화 · 진달래꽃 ¶온 산에 ～가 만발하다 满山开杜鹃花

진달래-꽃 [명]〖植〗= 진달래

진담(眞談) [명][하자] 真言 zhēnyán; 真话 zhēnhuà; 实话 shíhuà; 正话 zhènghuà ¶～을 털어놓다 吐露真言

진:도(進度) [명] 进度 jìndù; 进程 jìnchéng ¶～가 느리다 进度缓慢

진:도(震度) [명]〖地理〗震级 zhènjí ¶～7의 지진이 발생했다 发生了震级7级的地震

진돗-개(珍島―) [명]〖動〗珍岛狗 Zhēndǎogǒu ¶～는 용감하고 두려움을 모르는 것으로 유명하다 珍岛狗还以勇敢、无畏出名

진:동(振動) [명][하자] **1** 振动 zhèndòng; 振荡 zhèndàng; 摆动 bǎidòng ¶소리는 물체의 ～으로 생겨난다 音是由物体的振动产生的 **2** (气味) 强 qiáng ¶악취가 ～한다 恶臭真强

진:동(震動) [명][하자타] 震 zhèn; 震动 zhèndòng; 震荡 zhèndàng; 震撼 zhènhàn ¶지진으로 인해 땅이 ～하기 시작하다 因地震, 大地开始震动

진드기 [명]〖蟲〗蜱 pí; 壁虱 bìshī

진득-거리다 [자] **1** 黏糊糊的 niánhūhūde; 发黏 fānián; 黏糊 niánhu **2** 柔韧 róurèn; 坚韧 jiānrèn; 有韧性 yǒu rènxìng ‖ = 진득대다 **진득-진득** [부][하자형]

진득-하다 형 稳重 wěnzhòng; 沉着 chénzhuó; 持重 chízhòng; 沉着稳重 chénzhuó wěnzhòng ¶진득하게 좀 앉아 있어라 沉着稳重地坐一坐 **진득-이** 부

진딧-물 명 【蟲】 蚜 yá; 蚜虫 yáchóng; 木虱 mùshī; 腻虫 nìchóng

진-땀(津—) 명 大汗 dàhàn ¶줄곧 ~이 흐르다 一直流大汗

진땀(을) 빼다[뽑다/흘리다] 구 冒大汗

진:로(進路) 명 前进道路 qiánjìn dàolù; 进路 jìnlù; 去路 qùlù; 来路 láilù ¶~를 막다 阻挡前进道路

진:료(診療) 명하타 【醫】 诊疗 zhěnliáo; 诊治 zhěnzhì; 门诊 ménzhěn ¶~센터 诊治中心 / ~소 诊疗所 =[诊所]

진:루(進壘) 명하자 【體】(棒球) 进垒 jìnlěi

진리(眞理) 명 真理 zhēnlǐ; 真谛 zhēndì; 至理 zhìlǐ; 真实 zhēnshí; 真相 zhēnxiàng ¶~를 추구하다 追求真理

진맥(診脈) 명하타 【韓醫】 诊脉 zhěnmài; 脉诊 màizhěn; 按脉 ànmài; 切脉 qièmài; 号脉 hàomài

진-면목(眞面目) 명 真面目 zhēnmiànmù; 本色 běnsè; 原形 yuánxíng; 原貌 yuánmào; 真容 zhēnróng; 实相 shíxiāng ¶~을 드러내다 显出真面目

진:물(津—) 명 脓水 nóngshuǐ; 脓汁 nóngzhī ¶~이 나오다 出脓水

진미(珍味) 명 美味 měiwèi ¶~를 맛보다 品尝美味

진배-없다 형 等于 děngyú; 一样 yīyàng; 不亚于 bùyàyú; 不次于 bùcìyú ¶진품과 ~ 不亚于真货 **진배없-이** 부

진범(眞犯) 명 真凶 zhēnxiōng ¶~을 잡았다 抓住真凶了

진:보(進步) 명하자형 **1** 进步 jìnbù; 前进 qiánjìn; 向上 xiàngshàng; 上进 shàngjìn **2** 进步 jìnbù ¶~ 사상 进步思想 / ~주의 进步主义

진본(眞本) 명 真本 zhēnběn; 原本 yuánběn; 原件 yuánjiàn

진부-하다(陳腐—) 형 陈腐 chénfǔ; 陈旧 chénjiù; 迂腐 yūfǔ; 老派 lǎopài; 古老 gǔlǎo; 古板 gǔbǎn; 酸腐 suānfǔ ¶진부한 개념 古老的概念

진-분수(眞分數) 명 【數】 真分数 zhēnfēnshù

진상(眞相) 명 真相 zhēnxiàng; 真情 zhēnqíng; 真面目 zhēnmiànmù; 本相 běnxiàng ¶~을 조사하다 调查真相 / ~이 드러나다 暴露真相

진:상(進上) 명하타 进贡 jìngòng; 进献 jìnxiàn ¶~품 进贡物品 / 보배를 ~하다 进贡宝贝

진솔-하다(眞率—) 형 真率 zhēnshuài; 真诚 zhēnchéng; 直率 zhíshuài; 坦率 tǎnshuài ¶진솔하게 의견을 교환했다 坦率地交换了意见 **진솔-히** 부

진수(眞髓) 명 精髓 jīngsuǐ; 精华 jīnghuá; 真髓 zhēnsuǐ ¶인류 사상의 ~ 人类思想的精髓 / 문학의 ~를 느끼다 体会文学的精华

진수-성찬(珍羞盛饌) 명 山珍海味 shānzhēnhǎiwèi; 珍馐盛馔 zhēnxiūshèngzhuàn; 丰餐美食 fēngcānměishí; 大酒大肉 dàjiǔdàròu; 鸡鸭鱼肉 jīyāyúròu ¶~을 내오다 上珍馐盛馔

진:술(陳述) 명하자타 **1** 陈述 chénshù; 陈说 chénshuō; 申说 shēnshuō; 陈情 chénqíng; 称述 chēngshù; 述说 shùshuō ¶자신의 의견을 ~하다 陈述自己的意见 **2** 【法】 供词 gòngcí ¶경찰측은 이미 관련자에 대한 ~을 기록했다 警方已对有关人员录了供词

진:술-서(陳述書) 명 【法】 供状 gòngzhuàng

진실(眞實) 명하형히부 真实 zhēnshí; 实情 shíqíng; 真相 zhēnxiàng; 忠实 zhōngshí ¶~한 사람 真实的人

진실-로(眞實—) 부 真实 zhēnshí; 真心 zhēnxīn; 真正 zhēnzhèng; 真的 zhēnde; 的确 díquè; 实在 shízài; 着实 zhuóshí; 真格的 zhēngéde ¶~성 真实性 =[可信性] / ~ 깨닫다 真正了解 / ~ 이해한다 真实地了解

진심(眞心) 명 真心 zhēnxīn; 真情 zhēnqíng; 诚意 chéngyì; 诚心 chéngxīn; 本意 běnyì; 衷心 zhōngxīn; 实心 shíxīn; 诚心诚意 chéngxīnchéngyì; 心腹 xīnfù; 赤心 chìxīn ¶~으로 희망한다 衷心希望

진:압(鎭壓) 명하타 镇压 zhènyā; 平息 píngxī; 平定 píngdìng; 抑制 yìzhì; 按捺 ànnà ¶~군 镇压军队 / ~봉 镇压棍子

진:앙(震央) 명 【地理】 震中 zhènzhōng

진액(津液) 명 津液 jīnyè; 汁液 zhīyè

진:열(陣列) 명하타 陈列 chénliè; 陈放 chénfàng; 摆列 bǎiliè; 摆设 bǎishè; 陈设 chénshè ¶~대 陈列台 =[展台][展柜] / ~장 陈列柜 =[橱窗] / 백여 종의 도서가 ~되어 있다 陈列近百种的图书

진영(陣營) 명 **1** 【軍】 阵地 zhèndì; 军营 jūnyíng = 진(陣)2 **2** 阵营 zhènyíng; 壁垒 bìlěi; 营垒 yínglěi ¶보수 ~ 保守阵营

진:원(震源) 명 **1** 【地理】 震源 zhènyuán = 진원지1 ¶지진의 ~ 地震的震源 **2** 事件原因 shìjiàn yuányīn

진:원-지(震源地) 명 **1** 【地理】 = 진원1 **2** 发源地 fāyuándì ¶혁명의 ~ 革

命的发源地
진위(眞僞) 명 真伪 zhēnwěi; 真假 zhēnjiǎ ¶화폐의 ~를 판별하다 辨别货币的真伪
진의(眞意) 명 真意 zhēnyì; 本意 běnyì; 真正意图 zhēnzhèng yìtú ¶~를 찾다 探索真意
진:-일보(進一步) 명하자 进一步 jìnyībù; 更上一层楼 gèng shàng yīcéng lóu ¶~ 발전했다 进一步发展
진:입(進入) 명하자 冲进 chōngjìn; 进入 jìnrù; 走上 zǒushàng ¶적진으로 ~하다 冲进敌阵 / 선진국 대열에 ~하다 进入发达国家行列
진:작 부 早 zǎo; 及早 jízǎo; 趁早 chènzǎo; 早一点 zǎoyīdiǎn = 진즉 ¶사실 ~ 이렇게 했어야 했는데 其实早该这么做了
진:작(振作) 명하자타 振作 zhènzuò; 振奋 zhènfèn; 振兴 zhènxīng ¶사기를 ~시키다 振作士气
진저리 명 **1** 冷噤 lěngjìn; 寒噤 hánjìn; 寒战 hánzhàn; 冷战 lěngzhan ¶~를 치다 打冷噤 **2** 腻人 nìrén; 讨厌 tǎoyàn; 厌倦 yànjuàn ¶~가 나서 도망치고만 싶다 厌倦了只想逃离
진:전(進展) 명하자 进展 jìnzhǎn; 发展 fāzhǎn; 进步 jìnbù; 进程 jìnchéng; 演进 yǎnjìn ¶일에 상당한 ~이 있다 工作很有进步
진정(眞正) 부 真正 zhēnzhèng; 真的 zhēnde; 实在 shízài ¶~ 안 되나요? 真的不可能吗? / ~ 기쁘다 实在高兴
진:정(鎭靜) 명하타 定 dìng; 镇定 zhèndìng; 镇静 zhènjìng; 稳住 wěnzhù; 平服 píngfú; 安定 āndìng ¶~제 镇静剂 / 마음을 ~시키다 镇定一下情绪
진정-하다(眞正—) 형 真 zhēn; 真正 zhēnzhèng ¶진정한 친구 真正的朋友
진주(眞珠·珍珠) 명 珍珠 zhēnzhū; 真珠 zhēnzhū; 珠宝 zhūbǎo; 珠子 zhūzi ¶~ 목걸이 珍珠项链
진:중-하다(鎭重—) 형 稳重 wěnzhòng; 持重 chízhòng; 郑重 zhèngzhòng ¶진중한 태도를 취하다 采取持重的态度 **진:중-히** 부
진:즉(趁卽) 부 = 진작
진:지 명 '밥' 的敬词
진지(陣地) 명 阵地 zhèndì ¶~를 구축하다 构筑阵地
진지-하다(眞摯—) 형 真挚 zhēnzhì; 真诚 zhēnchéng; 认真 rènzhēn; 真切 zhēnqiè; 恳切 kěnqiè; 一本正经 yīběnzhèngjīng ¶진지한 감정 真挚的感情 / 진지하게 고려하다 认真考虑 / 태도가 ~ 态度很真诚
진짜(眞—) 一명 真的 zhēnde; 真货 zhēnhuò; 真品 zhēnpǐn ¶~야 가짜야? 是真的假的? 二부 = 진짜로
진짜-로(眞—) 부 真的 zhēnde; 果真 guǒzhēn; 真正 zhēnzhèng; 确实 quèshí; 实在 shízài; 的确 díquè = 진짜 二 ¶~ 실현되었다 真的实现了 / ~ 유감이다 实在遗憾
진:찰(診察) 명하타 〖醫〗 诊 zhěn; 诊察 zhěnchá; 诊视 zhěnshì; 门诊 ménzhěn; 看病 kànbìng ¶~실 诊室 / 의사가 환자를 ~하는 시간이 지나치게 짧다 医师为患者诊察的时间太短
진:척(進陟) 명하타 进展 jìnzhǎn; 进行 jìnxíng; 演进 yǎnjìn ¶우리 관계는 ~되지 않았다 我们关系没有进展
진:출(進出) 명하자 登上 dēngshàng; 登场 dēngchǎng; 走上 zǒushàng; 步入 bùrù; 进 jìn; 进入 jìnrù; 打进 dǎjìn; 走进 zǒujìn ¶결승에 ~하다 进决赛 / 사회에 ~하다 走上社会 / 중국 시장에 ~하다 打进中国市场
진:취(進取) 명하타 进取 jìnqǔ
진탕(一宕) 부 饱 bǎo; 足 zú; 大 dà; 尽量 jǐnliàng; 充分 chōngfèn; 充足 chōngzú ¶~ 먹고 ~ 마시다 吃足喝饱 =[肥吃海喝][湖吃海喝][大吃大喝] / ~ 놀아 보자 尽量玩吧
진통(陣痛) 명하자 **1** 〖醫〗 阵痛 zhèntòng = 산통(産痛) ¶산모는 평균 180여 차례의 ~을 느낀다 每个产妇平均有180次阵痛 **2** 困难 kùnnan; 枝节 zhījié; 阵痛 zhèntòng; 煎熬 jiān'áo; 痛苦 tòngkǔ ¶~을 겪다 经历阵痛
진:통(鎭痛) 명 〖醫〗 镇痛 zhèntòng; 止痛 zhǐtòng ¶~제 镇痛剂 =[止痛药]
진:퇴-양난(進退兩難) 명 进退两难 jìntuìliǎngnán; 左右为难 zuǒyòuwéinán; 跋前疐后 báqiánzhìhòu; 不上不下 bùshàngbùxià; 不尴不尬 bùgānbùgà; 山穷水尽 shānqióngshuǐjìn ¶그는 사실 ~의 상황에 빠졌다 他实际上陷入了进退维谷的情况
진품(眞品) 명 真品 zhēnpǐn; 真货 zhēnhuò; 原件 yuánjiàn
진-풍경(珍風景) 명 奇景 qíjǐng; 胜景 shèngjǐng; 绝景 juéjǐng ¶이 ~은 마치 한 폭의 유화 같다 这些奇景, 似一幅油画
진-하다(津—) 형 **1** (液体等) 浓 nóng; 酽 yàn ¶이 커피는 너무 ~ 这咖啡太酽了 **2** (颜色) 深 shēn; 暗 àn; 老 lǎo ¶진한 녹색 老绿 / 색이 너무 ~ 颜色太深了 **3** (气味) 冲 chōng; 浓 nóng; 浓烈 nóngliè ¶향기가 ~ 香气浓烈 **4** (感情程度) 浓 nóng; 深 shēn ¶진한 감동 深深的感动
진:학(進學) 명하자 升学 shēngxué; 升入 shēngrù; 上 shàng ¶~률 升学率 / 대학에 ~하다 升入大学

진:행(進行) 명하자타 进行 jìnxíng; 展开 zhǎnkāi ¶실험을 ~하다 进行试验

진:행-자(進行者) 명 主持人 zhǔchírén; 司仪 sīyí ¶텔레비전 프로그램 ~ 电视节目主持人

진:화(進化) 명하자 1 〖生〗 进化 jìnhuà; 演化 yǎnhuà ¶~론 进化论 / 인류의 ~ 과정을 연구하다 研究人类的进化过程 2 发达 fādá; 发展 fāzhǎn ¶언어의 기원과 ~ 语言起源与发展

진:화(鎭火) 명하타 1 镇火 zhènhuǒ; 消火 xiāohuǒ; 救火 jiùhuǒ; 灭火 mièhuǒ; 熄灭 xīmiè ¶물통을 집어 들어 ~하다 拎起水桶救火 2 消沉 xiāochén; 平息 píngxī ¶소문이 결국 ~되었다 传闻终得平息

진-흙 명 1 黄土 huángtǔ ¶~으로 마사지하다 用黄土按摩 2 泥 ní; 泥土 nítǔ ¶아이들은 ~ 장난하기를 좋아한다 小孩子爱玩泥土

진흙-탕 명 泥潭 nítán; 泥坑 níkēng; 泥泞 nínìng; 泥浆 níjiāng; 烂泥 lànní ¶비만 오면 ~이 된다 一下雨就是泥坑

진:흥(振興) 명하자타 振兴 zhènxīng; 振起 zhènqǐ ¶공업을 ~하다 振兴工业

질(質) 명 1 质 zhì; 质量 zhìliàng; 品质 pǐnzhì; 质地 zhìdì ¶수업의 ~을 높이다 提高教学质量 / ~이 떨어지다 质量低劣 2 本质 běnzhì; 本性 běnxìng ¶이 아이는 ~이 나쁘다 这孩子本性不好

질(膣) 명 〖生〗 膣 zhì; 阴道 yīndào

질겁-하다(窒怯—) 자 大吃一惊 dàchīyījīng; 惊恐 jīngkǒng; 吃惊 chījīng; 震恐 zhènkǒng ¶진단 결과에 ~ 诊断结果令人吃惊

질겅-거리다 타 咬嚼 yǎojiáo; 嚼来嚼去 jiáoláijiáoqù = 질겅대다 ¶껌을 질겅거리며 씹다 咬嚼着口香糖 **질겅-질겅** 부하타

질기다 형 1 结实 jiēshi; 耐用 nàiyòng; 耐久 nàijiǔ ¶이 신발은 매우 ~ 这双鞋很结实 2 皮 pí; 艮 gěn; 老 lǎo; 硬 yìng ¶소고기가 너무 ~ 牛肉太老了 3 (寿) 长 cháng ¶사람 목숨이 ~ 人的寿命很长 4 耐性 nàixìng; 没完没了 méiwánméiliǎo; 一个劲儿 yīgejìnr; 有韧劲儿 yǒu rènjìnr; 顽固 wángù ¶옆의 어린아이가 질기게 울고 있다 旁边的一个小孩儿一个劲儿地哭闹着

질끈 부 紧紧地 jǐnjǐnde; 使劲地 shǐjìnde; 牢实地 láoshide ¶내 손이 밧줄에 ~ 묶여 있다 我的手被绳子紧紧地绑住

질녀(姪女) 명 侄女 zhínǚ

질다 형 1 稀 xī; 软 ruǎn ¶밥이 ~ 饭软 2 泞 nìng; 泥泞 nínìng ¶비가 와서 길이 ~ 下了雨, 路很泞

질량(質量) 명 〖物〗 质量 zhìliàng ¶~ 보존의 법칙 质量守恒定律

질러-가다 자타 抄近路 chāo jìnlù; 抄近儿 chāojìnr; 走捷径去 zǒu jiéjìng qù; 抄近道去 chāo jìndào qù; 抄道 chāodào ¶기찻길로 ~ 抄近路走上铁路

질리다 자 1 腻 nì; 腻烦 nìfan; 腻人 nìrén; 腻透了 nìtòule; 厌倦 yànjuàn ¶매일 단조롭게 한 곡만 듣다보니 조금 질렸다 天天单调地听一只曲子, 心里还有些腻烦 2 苍白 cāngbái; 发青 fāqīng ¶하얗게 질려 온몸을 떨다 脸色苍白, 浑身颤抖

질문(質問) 명하자타 问 wèn; 提问 tíwèn; 发问 fāwèn; 询问 xúnwèn; 问难 wènnàn; 问事 wènshì ¶기자의 ~에 답하다 回答了记者的提问

질박-하다(質樸—·質朴—) 형 质朴 zhìpǔ; 俭朴 jiǎnpǔ; 淳朴 chúnpǔ; 平实 píngshí; 粗朴 cūpǔ; 朴素 pǔsù; 朴质 pǔzhì; 无华 wúhuá ¶질박한 언어 平实的语言 **질박-히** 부

질병(疾病) 명 疾病 jíbìng; 疾患 jíhuàn; 症候 zhènghòu; 病患 bìnghuàn; 病症 bìngzhèng = 질환 ¶~을 예방하다 预防疾病

질색(窒塞) 명하자 讨厌 tǎoyàn; 厌恶 yànwù; 嫌 xián ¶나는 정치가 딱 ~이야 我最讨厌政治

질서(秩序) 명 秩序 zhìxù; 伦次 lúncì; 条理 tiáolǐ ¶시장 ~를 지키다 维护市场秩序

질서정연-하다(秩序整然—) 형 整饬 zhěngchì; 秩序井然 zhìxùjǐngrán; 井井有条 jǐngjǐngyǒutiáo ¶질서정연하게 차에 오르다 秩序井然地上车

질소(窒素) 명 〖化〗 氮 dàn

질식(窒息) 명하자 窒息 zhìxī ¶~사 窒息而死 / 열차 안이 비좁아 거의 ~할 것 같다 列车上挤得几乎让人窒息

질의(質疑) 명하타 质疑 zhìyí; 质询 zhìxún ¶~응답 质疑答疑 =[答疑] / ~를 받다 接受质询

질-적(質的) 관명 本质上 běnzhìshang; 质的 zhìde; 质量上 zhìliàngshang ¶~ 변화와 양적 변화 质的变化和量的变化

질주(疾走) 명하자타 奔驰 bēnchí; 奔跑 bēnpǎo; 飞奔 fēibēn; 疾驰 jíchí; 快跑 kuàipǎo ¶신 나게 ~하다 欢快地奔驰

질질 부 1 拖拖拉拉地 tuōtuolālāde ¶냄새나고 찢어진 옷을 입고서 바닥에 ~ 끌며 거리를 걷다 穿着那件又臭又破的衣服, 拖拖拉拉地在街上走着 2 油光光(地) yóuguāngguāng(de); 油亮亮(地) yóuliàngliàng(de); 油腻腻(地)

yóunìnì(de) ¶기름기 ~ 흐르는 살찐 얼굴 油光光的胖脸 **3** 一滴一滴地 yīdīyīdīde; 不断流出 bùduàn liúchū; 簌簌 sùsù ¶눈물을 ~ 흘리다 眼泪簌簌地流下来 **4** 拖拉 tuōlā; 蹭 cèng; 拖延 tuōyán; 蘑菇 mógu; 拖磨 tuōmó ¶그는 일을 할 때 ~ 끌지 않는다 他办事从不拖拉 / 빨리 좀 해, ~ 끌지 말고 快点儿, 别蹭了 **5** 顺从(地) shùncóng(de); 盲目(地) mángmù(de); 没有主见(地) méiyǒu zhǔjiàn(de) ¶~ 끌려 다니다 没有主见被牵着走

질책(叱責) 명하타 叱责 chìzé; 责备 zébèi; 谴责 qiǎnzé; 斥责 chìzé; 斥骂 chìmà ¶~ 받다 受到叱责

질척-거리다 자 泥泞 nínìng; 湿润 shīrùn; 潮湿 cháoshī = 질척대다 **질척-질척** 부하자형

질척-하다 형 泥泞 nínìng; 潮湿 cháoshī ¶질척한 길 泥泞的道路

질타(叱咤) 명하타 叱咤 chìzhà ¶밖에서 ~ 소리가 들렸다 外边响起了叱咤声

질투(嫉妬·嫉妒) 명하타 嫉 jí; 嫉妒 jídù; 忌妒 jìdu; 猜忌 cāijì; 妒忌 dùjì; 妒恨 dùhèn; 羡妒 xiàndù; 红眼 hóngyǎn = 강샘·투기(妬忌) ¶~심 嫉妒心 =[妒忌心] / 다른 사람의 재능을 ~하다 嫉妒别人的才华

질퍽-거리다 자 泥泞 nínìng; 稀 xī = 질퍽대다 **질퍽-질퍽** 부하자형

질퍽-하다 형 泥泞 nínìng; 稀 xī ¶밀가루를 질퍽하게 이기다 把面粉和得很稀 **질퍽-히** 부

질환(疾患) 명 = 질병 ¶~을 앓다 患疾患

짊어-지다 타 **1** 背 bēi ¶가방을 ~ 背着书包 **2** 负 fù; 担负 dānfù; 承担 chéngdān ¶책임을 ~ 担负责任 / 부담을 ~ 承担负担

짐 명 **1** 担 dàn; 担子 dànzi; 货 huò; 行包 xíngbāo; 行李 xíngli ¶~을 싸다 打行李 **2** 担子 dànzi; 责任 zérèn ¶일과 가사라는 이중의 ~ 工作和家务的双重担子 **3** 负担 fùdān; 累赘 léizhui ¶~을 덜다 减轻负担

짐을 벗다 구 解脱; 放包袱

짐을 싸다 구 **1** 作罢 **2** 搬家

짐-꾼 명 挑夫 tiāofū; 脚夫 jiǎofū; 脚力 jiǎolì; 脚行 jiǎoháng; 行李搬运夫 xíngli bānyùnfū; 搬运工 bānyùngōng ¶~이나 대신 짐을 들었다 脚行替我挑着行李

짐승 명 **1** 〖動〗兽 shòu; 畜 chù; 禽兽 qínshòu; 畜生 chùsheng; 牲口 shēngkou; 野兽 yěshòu ¶~을 사냥하다 猎禽兽 / ~만도 못하다 禽兽不如 **2** 畜生 chùsheng; 畜牲 chùsheng《残忍野蛮的人》

짐작(斟酌) 명하타 摸 mō; 估计 gūjì; 估量 gūliang; 预料 yùliào; 推测 tuīcè; 估摸 gūmo ¶경제 손실을 ~하기 어렵다 经济损失难以估计

짐짓 부 故意 gùyì; 假装 jiǎzhuāng; 假意 jiǎyì; 故作 gùzuò ¶~ 모른 체하다 假装不懂

짐-칸 명 货舱 huòcāng; 行李车 xínglichē

집 명 **1** 房 fáng; 屋 wū; 房子 fángzi; 房屋 fángwū ¶~값 房价 / ~을 짓다 盖房子 / ~을 세놓다 出租房子 **2** 家 jiā; 家庭 jiātíng ¶처자식도 ~도 없다 没有妻子, 没有家庭 **3** 鞘 qiào; 匣 xiá; 盒 hé; 套 tào ¶칼을 ~에 넣다 把刀插入刀鞘 **4** 窝 wō; 巢 cháo ¶까치~ 喜鹊窝 / 벌~ 蜂窝 **5** 〖體〗(围棋) 眼 yǎn; 目 mù ¶세 ~을 이기다 胜三目 **6** 户 hù; 家 jiā ¶죽을 파는 가게가 두 ~ 있다 有两家卖粥的小店

집 떠나면 고생이다 속담 离家一里, 不如屋里

집도 절도 없다 속담 无家可归

집에서 새는 바가지는 들에 가도 샌다 속담 本性难改

-집(集) 접미 集 jí ¶시~ 诗集

집-게 명 钳子 qiánzi; 夹子 jiāzi; 镊子 nièzi; 卡子 qiǎzi; 夹剪 jiājiǎn ¶빨래 ~ 衣服夹子

집게-손가락 명 食指 shízhǐ = 검지·식지·인지(人指) ¶엄지손가락과 ~으로 원을 만들다 用大拇指和食指做成一个圆圈

집결(集結) 명하자타 集合 jíhé; 集结 jíjié; 集聚 jíjù ¶회의실에 ~하다 集合在会议室

집계(集計) 명하타 总计 zǒngjì; 合计 héjì; 共计 gòngjì ¶사상자가 70만 명으로 ~되었다 总计伤亡70万多人

집권(執權) 명하자 = 당권 ¶~당 执政党 / ~ 이후 처음으로 미국을 방문하다 执政以来首次访美

집권(集權) 명하자 集权 jíquán ¶중앙~제 中央集权制

집념(執念) 명하자 信念 xìnniàn; 执念 zhíniàn; 执着 zhízhuó; 执意 zhíyì ¶꿋꿋한 정치적 ~을 가지고 있다 具有坚定的政治信念

집다 타 **1** 捡 jiǎn; 拾 shí ¶고개를 숙여 종이를 집어 들었다 低头把纸检了出来 **2** 钳 qián; 夹 jiā ¶젓가락으로 반찬을 ~ 用筷子夹菜 **3** 指名 zhǐmíng ¶잘 모르면서 집어 말하지 마시오 知道得不确实, 就不要指名

집단(集團) 명 集体 jítǐ; 集团 jítuán; 团体 tuántǐ; 团伙 tuánhuǒ; 帮 bāng ¶~행동 集团行动

집-대성(集大成) 명하타 集大成 jídàchéng ¶시학 연구의 ~ 诗学研究的集大成

집-들이 명하자 乔迁宴 qiáoqiānyàn; 搬家宴 bānjiāyàn; 温居 wēnjū; 设乔迁宴 shè qiáoqiānyàn; 乔迁请客 qiáoqiān qǐngkè ¶~에 무슨 선물을 해야 좋나요? 搬家宴送什么礼物好呢?

집무(執務) 명하자 工作 gōngzuò; 办公 bàngōng ¶~ 시간 工作时间

집-문서(—文書) 명 房契 fángqì; 红契 hóngqì; 土地房产所有证 tǔdì fángchǎn suǒyǒuzhèng; 房产证 fángchǎnzhèng

집배-원(集配員) 명 『信』 = 우편집배원

집-사람 명 家里的 jiālide; 屋里的 wūlide; 老婆 lǎopo; 内人 nèiren

집성-촌(集姓村) 명 集姓村 jíxìngcūn ¶~을 형성하다 形成集姓村

집-세(—貰) 명 房租 fángzū ¶~를 내다 支付房租

집시(Gypsy) 명 吉卜赛人 Jíbǔsàirén; 茨冈人 Cígāngrén ¶~처럼 도처를 유랑하다 像吉卜赛人到处流浪

집-안 명 家 jiā; 家庭 jiātíng; 家里 jiāli; 家门 jiāmén = 가내 ¶~ 형편 家里情况 / ~ 분위기가 안 좋다 家里气氛不好

집안-싸움 명 1 自家人吵架 zìjiārén chǎojià; 家庭纠纷 jiātíng jiūfēn; 窝里斗 wōlidòu ¶~이 살인을 초래하다 家庭纠纷导致杀人 2 内战 nèizhàn; 内讧 nèihòng; 同室操戈 tóngshìcāogē ¶당의 ~ 党的内讧

집안-일 명 1 家务 jiāwù; 家事 jiāshì; 家务劳动 jiāwù láodòng ¶~을 하다 搞家务 2 家里的事情 jiālide shìqing

집약(集約) 명하타 概括 gàikuò ¶이 병의 원인은 다음 두 가지로 ~할 수 있다 这疾病的原因可以概括为以下两点

집어-내다 타 1 揪出来 jiūchūlái; 夹出来 jiāchūlái; 掏出来 tāochūlái; 拿出来 náchūlái ¶가방 속에서 책 한 권을 ~ 从书包里拿出来一本书 2 指出来 zhǐchūlái; 查出来 cháchūlái; 指出 zhǐchū; 指点 zhǐdiǎn; 提示 tíshì ¶그의 잘못을 집어내 말하다 把他的错误指出来说

집어-넣다 타 放进 fàngjìn; 送进 sòngjìn; 插入 chārù ¶반찬을 냉장고에 ~ 把菜放进冰箱 / 범인을 유치장에 ~ 把犯人送进看守所

집어-던지다 타 放弃 fàngqì; 抛弃 pāoqì; 抛开 pāokāi ¶일을 ~ 抛弃工作 / 일관된 원칙을 ~ 放弃了一贯的原则

집어-삼키다 타 1 吞 tūn; 吞掉 tūndiào ¶한입에 알약 10개를 ~ 一口吞掉十颗药丸 2 并吞 bìngtūn; 吞并 tūnbìng; 侵吞 qīntūn ¶다른 사람의 돈을 ~ 吞并别人的钱

집어-치우다 타 放弃 fàngqì; 丢掉 diūdiào; 抛弃 pāoqì; 丢弃 diūqì; 作罢 zuòbà; 扔下 rēngxià; 收起 shōuqǐ ¶학업을 ~ 放弃学业 / 쓸데없는 말은 집어치워라! 收起闲话!

집요-하다(執拗—) 형 执拗 zhíniù; 顽固 wángù; 执意 zhíyì; 执着 zhízhuó; 固执 gùzhi ¶성격이 ~ 脾气执拗 / 집요하게 요구하다 执意要求

집적-거리다 자타 挑逗 tiǎodòu; 纠缠 jiūchán; 撩逗 liáodòu; 招惹 zhāorě = 집적대다 ¶여자를 ~ 挑逗女人 **집적-집적** 부하자타

집적 회로(集積回路) 『컴』 集成电路 jíchéng diànlù = 아이시[2]

집-주인(—主人) 명 1 户主 hùzhǔ; 当家人 dāngjiārén; 当家的 dāngjiāde 2 房东 fángdōng; 房主 fángzhǔ

집중(集中) 명하자타 集中 jízhōng ¶~력 集中力 / ~ 호우 暴雨集中 =[局部地区暴雨] / 사람들의 시선이 내 얼굴에 ~되었다 大家的视线集中在我的脸上

집-집 명 家家 jiājiā; 每家 měijiā; 家家户户 jiājiāhùhù; 各家各户 gèjiāgèhù; 挨门 āimén; 挨门挨户 āimén'āihù

집착(執着) 명하자 执着 zhízhuó; 执著 zhízhuó ¶과거의 일에 ~하다 执着过去的事

집필(執筆) 명하타 编写 biānxiě; 执笔 zhíbǐ; 写作 xiězuò ¶영어 교재를 ~하다 编写英语教材

집하(集荷) 명하자 集货 jíhuò; 聚集货物 jùjí huòwù; 集中货物 jízhōng huòwù

집합(集合) 명하자 集合 jíhé; 集聚 jíjù; 会合 huìhé; 聚合 jùhé; 会聚 huìjù

집행(執行) 명하타 1 进行 jìnxíng; 实行 shíxíng ¶각종 사업을 ~하다 进行各种事业 2 『法』 执行 zhíxíng; 施行 shīxíng ¶~ 유예 缓期执行 =[缓刑] / 사형을 ~하다 执行死刑

집회(集會) 명하자 集会 jíhuì; 聚会 jùhuì ¶~를 열다 召开聚会

집-히다 자 1 被抓 bèi zhuā; 被捏 bèi niē 《'집다1'的被动词》 2 被捡 bèi jiǎn; 被拾 bèi shí 《'집다2'的被动词》

짓: 명 勾当 gòudàng ¶나쁜 ~을 하다 搞勾当

짓:-궂다 형 令人不耐 lìngrén bùnài; 令人厌烦 lìngrén yànfán; 烦人 fánrén; 讨人厌 tǎorényàn ¶짓궂은 질문을 하다 提出令人厌烦的问题

짓-누르다 타 1 (用力) 乱压 luàn yā; 狠压 hěn yā 2 (心里上) 压抑 yāyì; 压制 yāzhì; 钳制 qiánzhì; 抑制 yìzhì; 按

捺 ànnà; 控制 kòngzhì ¶욕망을 ~ 压抑欲望 / 언론의 자유를 ~ 钳制言论自由

짓:다 타 **1** 做 zuò; 煮 zhǔ; 烧 shāo ¶밥을 ~ 做饭 **2** (表情) 露出 lùchū; 显出 xiǎnchū; 做出 zuòchū ¶웃음을 ~ 露出笑容 / 울상을 ~ 做出要哭的样子 **3** 写 xiě; 作 zuò; 写作 xiězuò; 编 biān ¶글을 ~ 写文章 / 시를 ~ 作诗 **4** 下 xià; 作 zuò ¶결론을 ~ 下结论 **5** 盖 gài; 建盖 jiàngài; 修建 xiūjiàn; 修盖 xiūgài; 建造 jiànzào; 构造 gòuzào ¶아파트를 ~ 建盖公寓 **6** 种 zhòng; 耕种 gēngzhòng ¶벼농사를 ~ 种稻作 **7** 犯 fàn ¶죄를 ~ 犯罪 **8** 起 qǐ; 命 mìng ¶이름을 ~ 起名 **9** 结 jié; 排 pái; 列 liè ¶무리를 ~ 结队 **10** 配 pèi; 抓 zhuā; 配制 pèizhì ¶약을 ~ 配药

짓-무르다 자 **1** 烂 làn ¶채소가 짓물렀다 蔬菜烂了 **2** 溃烂 kuìlàn; 腐烂 fǔlàn ¶피부가 ~ 皮肤溃烂

짓-밟다 타 **1** 乱踩 luàn cǎi; 践踏 jiàntà ¶잔디를 함부로 짓밟지 마시오 请勿践踏草坪 **2** 蹂躏 róulìn; 糟蹋 zāotà; 糟践 zāojian; 摧残 cuīcán; 践踏 jiàntà ¶인권을 ~ 践踏人权

짓-밟히다 자 '짓밟다'的被动词

징[1] 명 鞋钉 xiédīng; 马掌钉 mǎzhǎngdīng

징[2] 명 〖音〗 锣 luó

징검-다리 명 垫脚石 diànjiǎoshí ¶두 사람의 ~가 되다 当两个人的垫脚石

징계(懲戒) 명하타 惩戒 chéngjiè ¶~를 내리다 予以惩戒

징그럽다 형 狰狞 zhēngníng; 厌恶 yànwù; 恶心 ěxin; 肉麻 ròumá; 令人厌恶 lìngrén yànwù; 令人恶心 lìngrén ěxin ¶징그러운 벌레 令人肉麻的小虫子 / 뱀은 정말 ~ 蛇真恶心

징글-징글 부하형 可憎 kězēng; 肉麻 ròumá; 恶心 ěxin ¶내 머릿속에서 그의 모습이 갈수록 ~하다 在我的脑海里他的面目越来越可憎

징발(徵發) 명하타 征发 zhēngfā; 征调 zhēngdiào ¶남자가 부족해 여자도 ~하다 男人不够, 还征发女子

징벌(懲罰) 명하타 惩罚 chéngfá; 惩戒 chéngjiè; 惩办 chéngbàn; 惩治 chéngzhì ¶법에 따라 ~하다 依法予以惩罚 / 엄하게 ~하다 严加惩办

징병(徵兵) 명하자 〖法〗 征兵 zhēngbīng ¶우리 마을의 건장한 남자들은 이미 ~되었다 我们村的强壮男子已被征兵

징수(徵收) 명하타 征 zhēng; 征收 zhēngshōu; 斂 liǎn; 征取 zhēngqǔ ¶세금을 ~하다 征取税款

징역(懲役) 명 〖法〗 徒刑 túxíng; 徒罪 túzuì ¶무기 ~ 无期徒刑 / 유기 ~ 有期徒刑

징역-살이(懲役—) 명하자 坐牢 zuòláo; 坐监 zuòjiān; 坐狱 zuòyù ¶그는 지금도 ~하고 있다 他现在也在坐狱

징용(徵用) 명하타 〖法〗 征调 zhēngdiào ¶전쟁 발발 때 ~되어 입대했다 战争爆发时被征调入伍了

징조(徵兆) 명 兆 zhào; 征兆 zhēngzhào; 预兆 yùzhào; 兆头 zhàotou; 征候 zhēnghòu; 前兆 qiánzhào; 先兆 xiānzhào = 전조 ¶불길한 ~ 不祥的预兆

징집(徵集) 명하타 征兵 zhēngbīng ¶육군이 인터넷을 통해 ~하다 陆军通过互联网征兵

징징-거리다 자 发牢骚 fā láosao; 发脾气 fā píqi; 蘑菇 mógu = 징징대다 ¶징징거리지 마 别发牢骚

징크스(jinx) 명 **1** 不祥 bùxiáng; 倒霉 dǎoméi; 晦气 huìqì **2** 背运 bèiyùn; 厄运 èyùn ¶우수한 운동선수도 ~에서 벗어나기 어렵다 优秀的运动员也难逃厄运

징표(徵標) 명 标志 biāozhì; 表征 biǎozhēng

징후(徵候) 명 征候 zhēnghòu; 征兆 zhēngzhào; 征象 zhēngxiàng; 兆头 zhàotou ¶말기 위암의 ~ 晚期胃癌的征候 / 비가 내릴~ 有雨的征兆

짖다 자 (狗) 叫 jiào; 啸 xiào; 吠 fèi; 咬 yǎo ¶멀리서 멍멍 하고 개가 짖는 소리가 들려왔다 远处传来汪汪的狗叫声

짙다 형 **1** (色彩) 浓 nóng; 深 shēn; 厚 hòu; 浓密 nóngmì; 浓厚 nónghòu; 凝重 níngzhòng; 浓重 nóngzhòng; 浓烈 nóngliè; 深沉 shēnchén ¶옷 색깔이 너무 ~ 衣服颜色太深 **2** (雾、烟) 浓 nóng; 大 dà; 弥漫 mímàn; 笼罩 lóngzhào; 浓厚 nónghòu ¶새벽안개가 ~ 晨雾弥漫 **3** 茂盛 màoshèng; 密茂 mìmào ¶초목이 ~ 草木茂盛 **4** (毛) 浓重 nóngzhòng ¶눈썹이 ~ 眉毛浓重

짙-푸르다 형 深蓝 shēnlán; 深绿 shēnlǜ; 湛蓝 zhànlán; 叠翠 diécuì; 绿油油 lǜyōuyōu; 葱翠 cōngcuì; 葱绿 cōnglǜ; 青葱 qīngcōng ¶짙푸른 하늘 湛蓝的天空

짚 명 **1** 谷草 gǔcǎo; 秸 jiē; 秸秆 jiēgǎn **2** = 볏짚

짚다 타 **1** 拄 zhǔ; 扶 fú ¶지팡이를 ~ 拄拐杖 **2** (脉) 摸 mō; 诊 zhěn; 号 hào ¶이마를 짚어 보니 열이 좀 났다 摸了摸额头, 觉得有点儿发烧 **3** 指明 zhǐmíng; 指出 zhǐchū ¶우리에게 나아갈 방향을 짚어 주다 为我们指明前进的方向 **4** 推算 tuīsuàn; 估计 gūjì; 猜测

cāicè; 估算 gūsuàn; 估量 gūliáng ¶잘 못 짚었다 估计错了 / 대강의 연대를 짚어 냈다 推算出了大致的年代
짚고 넘어가다 구 辨明是非; 搞清楚
짚-신 명 草鞋 cǎoxié
짚신도 제짝이 있다 속담 每个男人都有自己的女人
짚이다 자 估计到 gūjìdào; 料到 liàodào; 想到 xiǎngdào; 估摸 gūmo ¶마음속에 짚이는 데가 있다 料到心里不妙
짜-내다 타 **1** 榨 zhà; 榨取 zhàqǔ; 挤 jǐ; 拧 níng ¶기름을 ~ 榨油 / 우유를 ~ 挤牛奶 **2** 想出 xiǎngchū; 绞尽脑汁 jiǎojìnnǎozhī ¶좋은 아이디어를 ~ 想出好主意 **3** 压榨 yāzhà; 榨出 zhàchū; 搜刮 sōuguā ¶백성의 피땀을 ~ 搜刮百姓的血汗
짜다[1] 타 **1** (家具等) 做 zuò; 打 dǎ; 制作 zhìzuò ¶탁자를 ~ 做桌子 / 가구를 ~ 打家具 **2** 组织 zǔzhī; 搭 dā; 编 biān ¶조를 ~ 编组 **3** 榨取 zhàqǔ; 挤 jǐ; 拧 níng ¶고름을 ~ 把脓挤出来 **4** 挤 jǐ; 绞 jiǎo; 用尽 yòngjìn ¶온갖 머리를 다 ~ 用尽脑筋 **5** 编织 biānzhī ¶털옷을 ~ 编织毛衣 **6** 流泪 liúlèi; 哭 kū ¶종일 눈물을 ~ 整天流泪
짜다[2] 형 **1** 咸 xián ¶짠 맛 咸味 **2** 吝啬 lìnsè; 刻薄 kèbó ¶그가 자신에게 쓰는 돈은 결코 짜지 않다 他自己身上花钱并不吝啬
짜릿-하다 형 惊心动魄 jīngxīndòngpò ¶짜릿함을 느끼다 觉得惊心动魄
짜-이다 자 **1** '짜다[1]1 · 2 · 5' 的被动词 **2** (结构) 处理 chǔlǐ ¶극의 스토리가 아주 세련되게 짜였다 剧情处理得很洗练
짜임 명 结构 jiégòu; 组织 zǔzhī; 构造 gòuzào; 编织 biānzhī; 架构 jiàgòu; 格局 géjú; 条理 tiáolǐ ¶소설의 ~ 小说的结构
짜장면(←중zhajiangmian[炸醬麵]) 명 = 자장면
짜증 명 怒气 nùqì; 小脾气 xiǎopíqi; 厌烦 yànfán; 反感 fǎngǎn; 肝火 gānhuǒ ¶~을 내다 发怒气 =[动肝火]
짜증-스럽다 형 腻烦 nìfan; 气人 qìrén; 腻味 nìwei ¶사실은 피곤한 게 아니라 ~ 实际上不是疲倦, 而是腻烦
짜증스레 부
짝[1] 명 **1** (一双中的) 只 zhī ¶양말 한 ~ 一只袜子 **2** 伴(儿) bàn(r); 对子 duìzi; 同伴 tóngbàn ¶그와 ~이 되다 跟他做伴儿 **3** '배필' 的俗称 ¶나는 마침내 마음에 쏙 드는 ~을 찾았다 我终于找到了称心如意的伴侣 **4** 非常 fēicháng; 极了 jíle; 无与伦比 wúyǔlúnbǐ ¶반갑기 ~이 없다 高兴极了
짝 잃은 기러기 속담 (孤孤单单的) 鳏夫或寡妇 = 짝 잃은 원앙
짝 잃은 원앙 속담 = 짝 잃은 기러기
짝[2] 의명 **1** 样子 yàngzi; 体统 tǐtǒng ¶그게 무슨 ~이야? 那成什么样子? **2** '쪽[4]' 的错误
짝[3] 의명 **1** 箱 xiāng; 件 jiàn ¶짐 한 ~ 一件行李 **2** (牛、猪等的排骨) 块 kuài ¶소갈비 한 ~ 一块牛排
짝[4] 부 哧 chī; 刺啦 cīlā ¶편지를 ~ 찢다 哧的一声撕下一封信
짝[5] 부 **1** 大开 dàkāi; 裂开 lièkāi; 张开 zhāngkāi ¶입을 ~ 벌리다 张开嘴巴 **2** 紧紧 jǐnjǐn ¶젖은 옷이 몸에 ~ 달라붙다 湿透的衣服紧紧贴在身上
짝[6] 부 (消息) 一瞬间喧传 yīshùnjiān xuānchuán
짝-꿍 명 **1** 同桌 tóngzhuō; 同伴(儿) tóngbàn(r) ¶초등학교 ~ 小学同桌 **2** 挚友 zhìyǒu
짝-사랑 명 单相思 dānxiāngsī; 单恋 dānliàn; 一头儿热 yītóurrè; 暗恋 ànliàn ¶여학생을 ~하다 单恋一个女孩
짝-수(一數) 명 『數』 双数 shuāngshù; 偶数 ǒushù = 우수(偶數)
짝숫-날(一數一) 명 偶日 ǒurì
짝-짓기 명하자 **1** 配对 pèiduì; 套配 tàopèi; 结对子 jiéduìzi; 成双 chéngshuāng; 就伴 jiùbàn; 做伴 zuòbàn **2** 交尾 jiāowěi; 交配 jiāopèi
짝-짝[1] 부하타 吧唧 bāji ¶입맛을 ~ 다시다 吧唧嘴
짝-짝[2] 부 **1** 黏糊糊地 niánhūhūde; 紧紧地 jǐnjǐnde ¶땀 때문에 손에 ~ 달라붙었다 因为汗水黏糊糊地紧贴在手上 **2** 刺啦 cīlā; 嚓嚓 cācā ¶~ 종이를 찢다 刺啦一声撕纸
짝-짝[3] 부하타 啪啪 pāpā; 劈里啪啦 pīlipālā; 劈啪 pīpā; 噼啪 pīpā; 呱唧 guāji ¶~ 손뼉을 치다 啪啪拍手
짝짝-이 명 不成双的 bùchéng shuāngde; 不成对的 bùchéng duìde; 不是一双的 bùshì yīshuāngde; 不是一副的 bùshì yīfùde ¶~ 양말 不成双的袜子
짠-돌이 명 吝啬鬼 lìnsèguǐ; 守财奴 shǒucáinú; 瓷公鸡 cígōngjī; 铁公鸡 tiěgōngjī
짠-지 명 咸菜 xiáncài
짠:-하다 형 不痛快 bùtòngkuài; 不是味儿 bùshìwèir; 不是滋味儿 bùshì zīwèir ¶마음이 ~ 心里不是滋味儿
짤랑 부하자타 当啷 dānglāng; 叮当 dīngdāng; 丁零 dīnglíng; 丁零当郎 dīnglingdānglāng
짤랑-거리다 자타 当啷当啷响 dānglāngdānglāng xiǎng; 叮当叮当响 dīngdāngdīngdāng xiǎng; 叮零当啷响 dīng-

lingdānglāng xiǎng = 짤랑대다 **짤랑-짤랑** 부하자타

짤막-하다 형 稍短 shāo duǎn; 短短 duǎnduǎn; 很短 hěn duǎn ¶짤막한 산문을 짓다 操一个稍短的散文 / 짤막하게 대답하다 短短地回答

짧다 형 **1** 短 duǎn ¶아주 짧은 머리 好短的头发 / 짧은 시간 很短的时间 **2** 暂 zàn; 短暂 duǎnzàn; 短促 duǎncù ¶짧은 휴식 短暂的休息 **3** (想法等) 短浅 duǎnqiǎn; 浅薄 qiǎnbó; 粗浅 cūqiǎn; 肤浅 fūqiǎn ¶생각이 ~ 想法短浅 **4** 尖 jiān; 挑 tiāo ¶입이 ~ 挑吃挑喝

짧아-지다 자 变短 biàn duǎn; 缩短 suōduǎn

짬: 명 空闲 kòngxián; 闲空(儿) xiánkòng(r); 工夫 gōngfu; 暇 xiá; 闲工夫 xiángōngfu; 空当 kòngdāng; 空隙 kòngxì ¶책을 볼 ~이 없다 没有闲工夫看书

짬뽕(←일champon) 一명 炒麻面 chǎomámiàn; 杂拌面 zábànmiàn; 海鲜卤面 hǎixiānlǔmiàn 二명하자 **1** 混合 hùnhé; 混淆 hùnxiáo; 混杂 hùnzá; 翻搅 fānjiǎo ¶광고와 뉴스가 ~되는 현상이 있다 存在着广告与新闻混杂的现象 **2** 混酒 hùnjiǔ; 喝混合酒 hē hùnhéjiǔ ¶술을 ~해서 마시다 喝混酒

짬짬-이 부 有空就 yǒukòng jiù; 抽空 chōukòng; 一有空 yīyǒukòng ¶~ 딸에게 노래를 불러주다 一有空就对着女儿唱歌

짭짤-하다 형 **1** 稍咸 shāo xián; 咸丝丝 xiánsīsī; 咸浸浸 xiánjīnjīn ¶맛이 ~ 口味稍咸 **2** 值得 zhídé; 有价值 yǒu jiàzhí; 充实 chōngshí ¶수입이 ~ 收入有价值 **짭짤-히** 부

짱구 명 南北头 nánběitóu

짱짱-하다 형 刚健 gāngjiàn; 结实 jiēshi; 硬朗 yìnglang ¶짱짱한 노인의 장수 비결 硬朗老人的长寿秘诀

째깍-거리다 자타 滴答滴答响 dīdādīdā xiǎng = 째깍대다 ¶째깍거리는 시계 소리를 들었다 听见了滴答滴答响的钟表声 **째깍-째깍** 부하자타

째:다 타 撕 sī; 撕破 sīpò; 撕开 sīkāi; 裁 cái; 割 gē; 劐 huō; 撕扯 sīchě ¶상처를 ~ 撕开伤口

째려-보다 타 乜斜 miēxie; 斜视 xiéshì ¶고개를 돌려 ~ 扭头乜斜一眼

짹-짹 부하자 喳喳 zhāzhā; 吱吱 zhīzhī; 叽叽喳喳 jījizhāzhā 《鸟鸣声》

짹짹-거리다 자 喳喳叫 zhāzhā jiào; 吱吱叫 zhīzhī jiào; 叽叽喳喳叫 jījizhāzhā jiào = 짹짹대다

쨍 부하형 (阳光) 暴晒 bàoshài; 火辣辣(的) huǒlàlà(de); 毒辣辣 dúlàlà ¶태양이 ~ 내리쬐다 太阳火辣辣地照射

쨍그랑 부하자타 当啷 dānglāng; 啪嚓 pāchā ¶금속이 부딪히는 ~ 소리를 들었다 听见一阵金属碰撞的当啷声

쨍그랑-거리다 자타 当啷当啷响 dānglangdānglāng xiǎng; 啪嚓啪嚓响 pāchāpāchā xiǎng = 쨍그랑대다 **쨍그랑-쨍그랑** 부하자타

쩌렁쩌렁-하다 형 洪亮 hóngliàng; 宏亮 hóngliàng ¶목소리가 ~ 声音洪亮

쩔뚝-거리다 타 跛脚 bǒjiǎo; 跛行 bǒxíng; 一瘸一拐地走 yīquéyīguǎide zǒu = 쩔뚝대다 **쩔뚝-쩔뚝** 부하타

쩔뚝발-이 명 跛子 bǒzi; 瘸子 quézi

쩔쩔-매다 자 手足无措 shǒuzúwúcuò; 惊惶失措 jīnghuángshīcuò; 惊慌失措 jīnghuāngshīcuò; 一筹莫展 yīchóumòzhǎn ¶경험이 없어 ~ 毫无经验, 手足无措

쩝쩝-거리다 타 **1** 舔嘴 tiǎnzuǐ; 舐唇 shìchún; 吧嗒嘴 bāda zuǐ ¶쩝쩝거리며 침을 삼키다 舐唇咽唾 **2** 啧啧咂嘴 zézé zāzuǐ; 吧唧 bāji; 吧嗒嘴 bāda zuǐ ¶밥 먹을 때 쩝쩝거리지 마라 吃饭的时候, 别吧唧吧唧的 ‖ = 쩝쩝대다

쩨쩨-하다 형 吝啬 lìnsè; 小气 xiǎoqì; 小里小气 xiǎolixiǎoqì; 小手小脚 xiǎoshǒuxiǎojiǎo; 小心眼儿 xiǎoxīnyǎnr ¶쩨쩨한 남자 小里小气的男人

쪼가리 명 片(儿) piàn(r); 块(儿) kuài(r) ¶비누 ~ 肥皂片儿 / 사탕 ~ 糖块儿

쪼개다 타 **1** 切 qiē; 劈 pī; 分 fēn; 切开 qiēkāi; 剖开 pōukāi; 划开 huákāi; 劈开 pīkāi; 掰开 bāikāi; 分开 fēnkāi; 割开 gēkāi; 破碎 pòsuì; 裂开 lièkāi ¶사과를 두 조각으로 ~ 把苹果切成两片 / 큰 도끼로 나무를 ~ 用大斧子劈开树木 **2** 节省 jiéshěng; 分配 fēnpèi; 安排 ānpái ¶시간을 ~ 节省时间

쪼개-지다 자 被掰开 bèi bāikāi; 被切开 bèi qiēkāi; 被分开 bèi fēnkāi ¶젓가락이 ~ 筷子被掰开的

쪼그라-지다 자 **1** 干瘪 gānbiě; 蔫巴 niānba; 蔫 niān; 萎蔫 wěiniān; 瘪 biě; 收缩 shōusuō; 萎缩 wěisuō **2** (因减肥) 皱巴巴 zhòubābā; 枯皱 kūzhòu; 皱瘪瘪 zhòubiěbiě ¶할머니의 쪼그라진 손 奶奶枯皱的手

쪼:다 타 啄 zhuó; 琢 zhuó ¶새가 먹이를 ~ 小鸟啄一下饲料 / 돌을 쪼아 옥을 만들다 琢石成玉

쪼들리다 자 受煎熬 shòu jiān'áo; 熬煎 áojiān; 受折磨 shòu zhémó; 受逼迫 shòu bīpò; 受苦 shòukǔ; 受罪 shòuzuì ¶이 한평생 쪼들려 왔다 这辈子都在受煎熬

쪼르르 부하자 **1** 一溜烟 yīliùyān; 小

步快跑 xiǎobù kuàipǎo; 碎步疾走 suìbù jízǒu; 疾步 jíbù ¶두 아이가 엄마를 향해 ~ 달려왔다 两个孩子向妈妈一溜烟地跑过来 **2** 潺潺 chánchán; 咕噜 gūlū; 簌簌 sùsù; 哗哗 huāhuā; 扑簌簌 pūsùsù ¶~ 흐르는 물 潺潺流水 / 눈물이 ~ 뺨을 타고 흐르다 泪水扑簌簌滚落面颊 **3** 哧溜 chīliū; 嗤溜 chīliū ¶미끄럼틀 위에서 ~하고 아래로 미끄러지다 从滑梯上哧溜往下滑 **4** 紧跟 jǐngēn; 紧紧地跟随 jǐnjǐnde gēnsuí; 一个挨一个地 yīge āi yīgede ¶수캐가 암캐의 뒤를 ~ 따르다 公狗紧紧地跟随在母狗的身后

쪽[1] 명 髻 jì; 鬟 huán ¶머리를 올려 ~을 찌다 头绾发髻

쪽[2] 명 页 yè; 面 miàn = 페이지 ¶15 ~ 十五页

쪽[3] 명 의명 片(儿) piàn(r); 块(儿) kuài(r); 瓣(儿) bàn(r) ¶두 ~으로 자르다 切成两片

쪽[4] 명 **1** 面 miàn; 方向 fāngxiàng; 边 biān ¶잠을 잘 때 머리를 어느 ~으로 두어야 좋지요? 睡觉时头应该朝向哪个方向好呢? **2** 方 fāng; 家 jiā; 头 tóu; 方面 fāngmiàn ¶나는 이 ~에 대한 지식이 없다 我没有关于这方面的知识 / 이긴 ~이 서브를 넣다 赢方发球

쪽[5] 부 **1** 多 duō ¶살이 ~ 빠지다 减肥减得多 **2** 叭 bā; 啵 bo ¶~ 하는 뽀뽀 소리 啵一声的亲亲声

쪽[6] 명 '얼굴' 的俗称

쪽을 못 쓰다 구 **1** 不敢出大气 **2** (因着迷而) 迈不动步

쪽-문(—門) 명 便门 biànmén; 小门 xiǎomén; 单扇门 dānshànmén

쪽-박 명 小瓢 xiǎopiáo; 瓢(儿) piáo(r)

쪽박(을) 차다 구 化缘; 行乞; 抱沙锅

쪽-빛 명 = 남빛

쪽-수(—數) 명 = 면수

쪽-지(—紙) 명 纸条 zhǐtiáo; 条子 tiáozi; 字条(儿) zìtiáo(r); 便条(儿) biàntiáo(r); 柬帖 jiǎntiě; 字帖儿 zìtiěr ¶~를 남겨 놓았다 留下纸条

쪽-팔리다 자 丢脸 diūliǎn; 丢人 diūrén; 丢面子 diū miànzi

쫀득-거리다 자 黏 nián; 韧 rèn; 艮 gěn; 筋道 jīndao; 有韧劲 yǒu rènjìn = 쫀득대다 ¶떡이 ~ 年糕有韧劲 **쫀득-쫀득** 부하자형

쫄깃-하다 형 筋道 jīndao; 耐嚼 nàijiáo; 柔韧 róurèn; 筋力 jīnlì; 艮艮 gěngěn; 韧韧 rènrèn ¶먹으니 쫄깃하고 맛있다 吃起来筋力可口

쫄딱 부 全部 quánbù; 一切 yīqiè; 彻底地 chèdǐde; 所有 suǒyǒu; 完全 wánquán; 干干净净地 gānganjìngjìngde; 净尽 jìngjìn ¶내 장사가 ~ 망했다 我的生意彻底地完蛋了

쫄래-쫄래 부하자 冒冒失失地 màomaoshīshīde; 轻轻浮浮地 qīngqingfúfúde; 轻浮地 qīngfúde; 不稳重地 bùwěnzhòngde ¶~ 걸어갔다 冒冒失失地走过去

쫄쫄 부 饥肠辘辘的 jīchánglùlùde ¶계속 ~ 굶다 一直饥肠辘辘的

쫑긋 부 直直(地) zhízhí(de); 支棱(地) zhīleng(de) 《竖耳貌》 ¶두 귀를 ~ 세우고 있다 两耳直直耸着

쫑알-거리다 자타 喃喃自语 nánnánzìyǔ; 嘟哝 dūnong; 嘀咕 dígu; 嘟囔 dūnang; 叽叽咕咕 jījigūgū; 叨叨 dāodao = 쫑알대다 **쫑알-쫑알** 부하자타

쫓겨-나다 자 被撵出去 bèi niǎnchūqù; 被赶走 bèi gǎnzǒu; 被出去 bèi chūqù ¶그는 아무 잘못 없는데 왜 쫓겨나겠어? 他并没有什么错, 为什么会被撵出去?

쫓-기다 자 **1** '쫓다1' 的被动词 **2** 被逼 bèi bī; 被…所逼 bèi…suǒbī; 迫于 pòyú; 被…赶 bèi…gǎn; 被驱使 bèi qūshǐ ¶일에 ~ 迫于工作 / 시간에 ~ 被时间赶 **3** 恐怕 kǒngpà; 害怕 hàipà; 恐惧 kǒngjù; 畏惧 wèijù

쫓다 타 **1** 追 zhuī; 紧跟 jǐngēn; 紧随 jǐnsuí; 追逐 zhuīzhú; 追随 zhuīsuí; 追赶 zhuīgǎn ¶시대 조류를 ~ 紧跟潮流 **2** 逐 zhú; 追逐 zhuīzhú; 驱逐 qūzhú; 打跑 dǎpǎo; 撵走 niǎnzǒu; 赶走 gǎnzǒu; 赶出去 gǎnchūqù; 驱赶 qūgǎn; 轰赶 hōnggǎn; 驱除 qūchú; 赶出 gǎnchū; 打散 dǎsàn ¶파리를 ~ 赶走苍蝇 **3** 赶走 gǎnzǒu; 打退 dǎtuì ¶추위를 ~ 赶走寒冷 / 내 머릿속의 잡념을 ~ 打退我脑中的杂念

쫓아-가다 자타 跟随 gēnsuí; 紧跟 jǐngēn; 赶追 gǎnzhuī; 追上 zhuīshàng; 追赶 zhuīgǎn; 跟着 gēnzhe; 追随 zhuīsuí; 紧随 jǐnsuí; 尾随 wěisuí; 追逐 zhuīzhú ¶선두를 ~ 追上第一 / 나는 급히 걸어 그를 쫓아갔다 我紧走几步, 追上他

쫓아-내다 타 **1** 驱逐 qūzhú; 赶走 gǎnzǒu; 赶跑 gǎnpǎo ¶건달을 ~ 驱逐流氓 **2** 开除 kāichú ¶커닝한 학생을 ~ 开除作弊学生

쫓아-다니다 자타 随从 suícóng; 尾随 wěisuí; 紧跟 jǐngēn; 紧随 jǐnsuí; 追逐 zhuīzhú ¶줄곧 그를 ~ 一直随从他

쫓아-오다 자타 **1** 紧跟来 jǐngēnlái; 追来 zhuīlái; 跟着 gēnzhe; 跟随 gēnsuí **2** 赶来 gǎnlái; 跑来 pǎolái; 赶紧跑 gǎnjǐn pǎo

짝 부하자 广泛地 guǎngfànde; 到处 dàochù《流传甚广貌》¶경찰이 ~ 깔렸다 到处都是警察

쬐:다 一자 照耀 zhàoyào; 照射 zhàoshè; 投射 tóushè; 曝 bào ¶햇빛이 산 위에 ~ 阳光照耀在山上 二타 暴晒 bàoshài; 晾 liàng; 晒 shài; 烤 kǎo; 烤火 kǎohuǒ; 烘 hōng ¶태양 아래서 햇볕을 ~ 在阳光下暴晒 / 우리는 모닥불을 둘러 온기를 쬐었다 我们都围在篝火边烤火起暖

쭈그러-지다 자 **1** 干瘪 gānbiě; 蔫巴 niānba; 蔫 niān; 萎蔫 wěiniān; 瘪 biě; 收缩 shōusuō; 萎缩 wěisuō ¶쭈그러진 모자 干瘪的帽子 **2** 起皱纹 qǐ zhòuwén

쭈그리다 타 **1** 弄瘪 nòngbiě; 压缩 yāsuō **2** 蹲 dūn; 蜷曲 quánqū; 缩 suō; 蜷缩 quánsuō; 蹲伏 dūnfú ¶쭈그리고 앉다 蹲坐

쭈글-쭈글 부하형 皱巴巴(的) zhòubābā(de); 抽抽儿 chōuchour ¶~한 얼굴 皱瘪瘪的脸

쭈뼛-거리다 자 (因害羞) 踌躇 chóuchú; 羞答答地 xiūdādāde; 羞羞答答地 xiūxiudādāde; 扭扭捏捏地 niǔniuniēniēde ¶그는 쭈뼛거리며 나를 보고 말했다 他羞羞答答地看着我说

쭈뼛-하다 一형 尖尖的 jiānjiānde; 耸立 sǒnglì; 高耸 gāosǒng ¶쭈뼛한 코 高耸的鼻子 二자 发毛 fāmáo; 悚然 sǒngrán; 毛骨悚然 máogǔsǒngrán; 寒毛直竖 hánmáo zhí shù; 怯生生 qièshēngshēng ¶나는 병원에 들어서면 쭈뼛해지는 느낌을 받는다 我一进医院就有毛骨悚然的感觉

쭉 부 **1** 直 zhí; 笔直 bǐzhí; 一直 yīzhí ¶~ 뻗은 도로 笔直的道路 **2** 成排成行(地) chéngpáichéngháng(de); 成行(地) chéngháng(de); 成排(地) chéngpái(de); 一溜儿(地) yīliùr(de); 整齐(地) zhěngqí(de); 齐刷刷(地) qíshuāshuā(de); 连串(地) liánchuàn(de) ¶각종 과실수가 ~ 늘어서 있다 各种果树成排成行 **3** 带劲地 dàijìnde; 有力地 yǒulìde ¶~ 쓰다 带劲地写 / ~ 긋다 有力地一划 **4** 一口气(地) yīkǒuqì(de); 流畅地 liúchàngde; 连续地 liánxùde; 一股劲儿地 yīgǔjìnrde ¶물 세 잔을 ~ 들이켰다 一口气喝了三杯水 **5** 环 huán ¶고개를 들어 모두를 ~ 둘러보았다 抬起头来环视着大家 **6** 大方地 dàfangde; 顺畅地 shùnchàngde ¶시구를 ~ 암송하다 很顺畅地背出诗句 **7** 一下 yīxià; 一发 yīfā ¶커버를 ~ 벗기다 一发剥掉外皮儿 **8** 总 zǒng; 一直 yīzhí; 一向 yīxiàng; 向来 xiànglái; 一股劲儿 yīgǔjìnr; 一个劲儿 yīgejìnr ¶그는 요 이틀 동안 ~ 침대에 누워 있었다 他在这两天一直躺在床上

-쯤 접미 左右 zuǒyòu; 前后 qiánhòu ¶3월~ 3月份左右

쯧-쯧 감 吓 hè; 唧 jī; 啧啧 zézé《咂嘴声》

찌 명 = 낚시찌

찌개 명 汤 tāng ¶김치~ 泡菜汤

찌그러-뜨리다 타 **1** 压坏 yāhuài; 踩坏 cǎihuài; 弄瘪 nòngbiě; 弄歪 nòngwāi; 弄塌 nòngtā; 搞坏 gǎohuài; 压瘪 yābiě; 压缩 yāsuō ¶우유곽을 찌그러뜨렸다 牛奶盒压瘪了 **2** 挤眼 jǐyǎn ‖ = 찌그러트리다

찌그러-지다 자 压瘪 yābiě; 弄瘪 nòngbiě; 压缩 yāsuō; 七扭八歪 qīniǔbāwāi; 收缩 shōusuō ¶어제 사준 장난감이 또 찌그러졌다 昨天给买的玩具又给弄瘪了

찌그리다 타 **1** 压坏 yāhuài; 踩坏 cǎihuài; 弄瘪 nòngbiě; 弄歪 nòngwāi; 弄塌 nòngtā; 搞坏 gǎohuài; 压瘪 yābiě; 压缩 yāsuō **2** 挤眼 jǐyǎn; 眯缝 mīfeng; 皱脸 zhòuliǎn; 皱 zhòu ¶나는 작은 눈을 찌그리고 하늘을 바라보았다 我眯缝着小眼望着天

찌꺼기 명 沉淀物 chéndiànwù; 渣滓 zhāzǐ; 滤渣 lǜzhā; 沉渣 chénzhā; 糟粕 zāopò; 残渣 cánzhā ¶음식물 ~ 食物渣滓

찌다[1] 자 发胖 fāpàng; 长肉 zhǎngròu; 长胖 zhǎngpàng; 上膘 shàngbiāo ¶초콜릿을 먹으면 살이 찔까요? 吃巧克力是否会发胖?

찌다[2] 一자 炎热 yánrè; 闷热 mēnrè; 炎炎 yányán ¶푹푹 찌는 여름 炎热夏季 / 찌는 날씨 闷热的天气 二타 蒸 zhēng ¶생선을 ~ 蒸鱼

찌들다 자 **1** 溻 tā; 埋汰 máitai; 渍了油泥 zìle yóuní; 满是油泥 mǎnshì yóuní ¶땀에 찌든 옷 被汗水沤坏的衣服 **2** 受折磨 shòu zhémó; 经受 jīngshòu; 备尝辛苦 bèichángxīnkǔ ¶고통에 ~ 受病痛的折磨

찌르다 타 **1** 刺 cì; 捅 tǒng; 刺戳 cìchuō; 戳 chuō; 扎 zhā; 攮 nǎng; 插 chā ¶주사를 그의 엉덩이에 ~ 把针扎在他的屁股上 **2** 插 chā; 掖 yē; 扎 zhā ¶손을 진흙 속에 깊이 ~ 把手深深扎入泥土 **3** 告诉 gàosu; 告状 gàozhuàng; 告发 gàofā; 密告 mìgào; 密报 mìbào; 告密 gàomì; 举报 jǔbào ¶암표상을 파출소에 찔렀다 把票贩子告发到派出所 **4** 下本儿 xiàběnr; 下本钱 xià běnqián **5** 刺 cì; 触痛 chùtòng; 中 zhòng ¶정곡을 ~ 中肯 **6** 扑 pū; 刺激 cìjī; 激刺 jīcì; 激发 jīfā ¶코를 찌르는 냄새 刺激鼻子的气味

찔러도 피 한 방울 안 나겠다 속담

1 天衣无缝, 周到严密 2 冷酷无情
찌릿-하다 형 麻酥酥 másūsū; 刺痛 cìtòng; 酸痛 suāntòng; 刺激性的 cìjīxìngde ¶찌릿한 느낌 一种麻酥酥的感觉 / 온몸이 ~ 全身酸痛 **찌릿-찌릿** 부하형
찌뿌둥-하다 형 1 不适 bùshì; 不舒服 bùshūfu; 浑身发软 húnshēn fāruǎn ¶감기에 걸려 삭신이 ~ 感冒了, 浑身发软 2 (天气) 阴暗 yīn'àn; 阴森 yīnsēn; 阴沉 yīnchén; 阴沉沉 yīnchénchén ¶하늘이 ~ 天空阴沉
찌-우다 타 '찌다¹' 的使动词
찌푸리다 一타 皱 zhòu; 皱眉 zhòuméi; 给脸子瞧 gěi liǎnzi qiáo ¶기분이 나빠도 찌푸리지 마라 不快乐也不要皱眉 二자 (天气) 阴沉 yīnchén; 阴云密布 yīnyún mìbù; 阴沉沉 yīnchénchén; 低沉 dīchén ¶찌푸린 날씨 阴沉的天气
찍다¹ 타 1 劈 pī; 砍 kǎn; 叉 chā ¶나무를 ~ 砍木材 2 检 jiǎn ¶표를 ~ 检票
찍다² 타 1 沾 zhān; 蘸 zhàn ¶간장을 ~ 蘸酱油 2 印 yìn; 烙 lào; 盖 gài; 打 dǎ; 印刷 yìnshuā; 刷印 shuāyìn; 刷 shuā ¶도장을 ~ 打图章 =[盖印] 3 定 dìng; 指定 zhǐdìng; 指名 zhǐmíng; 指目 zhǐmù ¶그녀를 나의 신붓감으로 ~ 定她为我的新娘 4 照 zhào; 摄取 shèqǔ; 拍 pāi; 拍摄 pāishè ¶사진을 ~ 拍照 / 영화를 ~ 拍摄电影 5 投票 tóupiào ¶저를 찍어주시길 희망합니다 希望给我投票
찍-소리 명 吭声(儿) kēngshēng(r); 吭气(儿) kēngqì(r) ¶~도 못하다 不敢吭声
찍-히다¹ 자타 '찍다¹1' 的被动词
찍-히다² 자타 '찍다²' 的被动词
찐득-거리다 자 黏黏的 niánniánde; 黏黏糊糊的 niánnianhūhūde; 发黏 fānián; 黏糊 niánhu; 黏巴巴 niánbābā; 黏巴 niánba = 찐득대다 **찐득-찐득** 부하자형
찐-만두(—饅頭) 명 蒸饺 zhēngjiǎo
찐-빵 명 馒头 mántou; 包子 bāozi
찔끔 부하자타 1 一点一点地 yīdiǎnyīdiǎnde; 哩哩啦啦地 līlilālāde《液体从容器中一点点溢出貌》¶구멍으로 ~ 새다 从小孔里一点一点地漏下来 2 扑簌 pūsù; 扑簌簌 pūsùsù《流儿滴泪》¶눈물을 ~ 흘리다 扑簌簌掉下眼泪
찔러-주다 타 (背地里) 递给 dìgěi; 交付 jiāofù ¶몰래 돈을 그에게 ~ 偷偷地把钱递给他
찔리다 자타 1 被刺 bèi cì; 被扎 bèi zhā; 被插 bèi chā; 被戳 bèi chuō; 扎刺 zhācì《'찌르다1' 的被动词》¶생선을 먹을 때 가시에 목이 찔렸다 吃鱼时, 嗓子里扎刺了 2 内愧 nèikuì; 负疚 fùjiù; 问心有愧 wènxīnyǒukuì; 受谴责 shòu qiǎnzé《'찌르다4' 的被动词》¶양심에 ~ 受良心谴责
찜 명 1 炖食 dùnshí; 炖肉 dùnròu; 炖菜 dùncài 2 蒸 zhēng; 炖 dùn ¶갈비~ 炖排骨
찜-질 명하자타 热疗 rèliáo; 热敷 rèfū; 热罨 rèyǎn; 沙疗 shāliáo; 冷敷 lěngfū
찜찜-하다 형 歉然 qiànrán; 内疚 nèijiù; 难为情 nánwéiqíng; 过意不去 guòyìbùqù; 歉仄 qiànzè; 心里不踏实 xīnli bùtāshi ¶찜찜한 생각이 들다 感到难为情
찜-통 명 蒸锅 zhēngguō; 笼屉 lóngtì; 蒸笼 zhēnglóng
찜통-더위 명 蒸笼般的 zhēnglóng bānde; 闷热 mēnrè; 炎热 yánrè; 火烧火燎 huǒshāohuǒliǎo ¶이 도시는 낮에 ~이다 这个城市的白天是如蒸笼般的热
찜-하다 형 (把东西或人) 往心里去 wǎng xīnli qù; 主张是自己的 zhǔzhāng shì zìjǐde ¶내가 먼저 그를 찜했다 我先把他往心里去
찝쩍-거리다 자타 1 (工作) 乱开始 luàn kāishǐ; 轻率地开始 qīngshuàide kāishǐ; 冒冒失失地开始 màomaoshīshīde kāishǐ ¶대학 졸업 후에 많은 일을 찝쩍거렸다 大学毕业以后, 冒冒失失地开始了很多工作 2 捣蛋 dǎodàn ‖ = 찝쩍대다 **찝쩍-찝쩍** 부하자타
찝찝-하다 형 放心不下 fàngxīnbùxià; 犯疑 fànyí; 有顾虑 yǒu gùlǜ; 不爽快 bùshuǎngkuai; 不称心 bùchènxīn; 不快慰 bùkuàiwèi ¶마음이 ~ 心情不爽快
찡그리다 타 皱 zhòu; 皱眉 zhòuméi; 给脸子瞧 gěi liǎnzi qiáo ¶찡그린 모습 皱眉的样子
찢-기다 一자 被撕 bèi sī; 被扯 bèi chě《'찢다' 的被动词》¶경기 중에 상대에게 바지가 찢겼다 比赛中被对手撕破裤子 二타 使撕 shǐ sī; 使扯 shǐ chě《'찢다' 的使动词》
찢다 타 撕 sī; 撕破 sīpò; 撕开 sīkāi; 撕毁 sīhuǐ; 扯 chě; 撕扯 sīchě ¶편지를 ~ 撕开信
찢어-지다 자 破 pò; 裂 liè; 破裂 pòliè ¶바지가 찢어졌다 裤子破裂了
찧다 타 1 捣 dǎo; 舂 chōng; 杵 chǔ ¶방아를 ~ 捣碓臼 2 摔 shuāi; 砸 zá ¶발을 ~ 砸脚

ㅊ

차(次) 의명 次 cì; 届 jiè; 度 dù; 轮 lún ¶제일 ~ 세계 대전 第一次世界大战
차(車) 명 **1** 车 chē; 汽车 qìchē ¶~를 타다 乘车 / ~를 몰다 开车 / ~를 세우다 停车 / ~를 갈아타다 换车 **2** 〖體〗(象棋中的) 车 jū
차(差) 명 **1** 差 chā; 差别 chābié; 差距 chājù; 差异 chāyì ¶지역 ~가 크다 地区差异很大 **2** 〖數〗 差 chā; 差数 chāshù ¶10과 3의 ~는 7이다 10和3的差数是7
차(茶) 명 茶 chá; 茶叶 cháyè; 茗 míng ¶~를 마시다 喝茶 / ~를 따르다 倒茶
차감(差減) 명하타 扣除 kòuchú; 扣掉 kòudiào; 减除 jiǎnchú ¶소득세의 ~ 항목 所得税的扣除项目 / 관리비 ~ 扣除管理费
차갑다 형 **1** 凉 liáng; 冷 lěng ¶차가운 밥 冷饭 / 날씨가 ~ 天气凉 **2** 冷冰冰的 lěngbīngbīngde; 冷淡 lěngdàn; 无情 wúqíng ¶차가운 태도 冷淡的态度 / 표정이 ~ 表情冷淡
차고(車庫) 명 车库 chēkù; 车棚 chēpéng
차곡-차곡 부하형히부 **1** 整齐(地) zhěngqí(de); 一点点(地) yīdiǎndiǎn(de) ¶벽돌을 ~ 쌓다 把砖头整齐地垒好 / 마일리지를 ~ 모으다 把积分一点点地积累 **2** = 차근차근 ¶일을 ~ 해 나가다 把工作打理得有头有绪
차관(次官) 명 〖法〗 次长 cìzhǎng; 副部长 fùbùzhǎng
차:관(借款) 명하타 贷款 dàikuǎn; 借债 jièzhài ¶단기 ~ 短期贷款 / 현금 ~ 现金贷款 / 외국에서 1억 달러를 ~했다 从外国贷了一亿美金的款
차관(茶罐) 명 茶壶 cháhú
차:광(遮光) 명하자 避光 bìguāng; 遮光 zhēguāng ¶~막 遮光幕 / ~ 장치 遮光装置
차근-차근 부하형히부 一丝不苟(地) yīsībùgǒu(de); 有条有理(地) yǒutiáoyǒulǐ(de); 有板有眼(地) yǒubǎnyǒuyǎn(de); 有头有绪 yǒutóuyǒuxù; 仔细 zǐxì = 차곡차곡2 ¶~ 말하다 说话有板有眼 / ~ 따라하다 一丝不苟地跟着做
차근-하다 형 认真 rènzhēn; 详细 xiángxì; 仔细 zǐxì ¶차근하게 알려주다 认真地告诉 **차근-히** 부 ¶~ 대답하다 仔细地回答
차기(次期) 명 下次 xiàcì; 下回 xiàhuí; 下届 xiàjiè; 下期 xiàqī ¶~ 공연 안내 下期表演简介 / ~ 휴가 下次休假 / ~ 대선 下届大选
차남(次男) 명 次子 cìzǐ; 次男 cìnán; 二儿子 èr'érzi; 老二 lǎo'èr
차내(車內) 명 车厢内 chēxiāng nèi; 车内 chēnèi ¶~ 광고물 车厢内广告 / ~ 공기가 답답하다 车厢内空气很闷
차녀(次女) 명 次女 cìnǚ; 二女儿 èrnǚ'ér
차다[1] 자 **1** 充满 chōngmǎn; 满 mǎn ¶활기~ 充满活力 / 마음속에 증오감이 ~ 内心充满仇恨 / 정원이 ~ 满员 **2** 达到 dádào; 到 dào ¶빗물이 무릎까지 ~ 雨水到膝盖 **3** 足 zú; 够 gòu ¶달이 ~ 足月
차다[2] 타 **1** 踹 chuài; 踢 tī ¶공을 ~ 踢球 **2** 咂 zā ¶입을 ~ 咂嘴 **3** 甩 shuǎi ¶그녀는 남자 친구를 차 버렸다 她把男朋友给甩了
차다[3] 타 戴 dài; 佩带 pèidài; 挎 kuà ¶시계를 ~ 戴手表 / 안전벨트를 ~ 佩带安全带
차다[4] 형 **1** 冷 lěng; 凉 liáng ¶날씨가 ~ 天气很冷 / 물이 차졌다 水凉了 **2** 冷淡 lěngdàn; 冷酷 lěngkù; 冷漠 lěngmò; 无情 wúqíng ¶그의 태도가 아주 ~ 他的态度很冷淡
차:단(遮斷) 명하타 **1** 断绝 duànjué; 隔断 géduàn; 隔绝 géjué ¶왕래 관계를 ~하다 断绝来往关系 **2** 挡 dǎng; 抵挡 dǐdǎng; 堵截 dǔjié; 防 fáng; 拦住 lánzhù; 遮 zhē; 遮断 zhēduàn; 遮盖 zhēgài ¶통로를 ~하다 拦住通道
차:단-기(遮斷器) 명 断路器 duànlùqì ¶진공 ~ 真空断路器 / 고압 ~ 高压断路器
차:단-기(遮斷機) 명 **1** 拦道木 lándàomù ¶철도 건널목 ~ 铁路拦道木 **2** 路障 lùzhàng ¶~를 설치하여 행인의 통행을 막다 设置路障禁止行人通过
차도(車道) 명 = 찻길
차도(差度 · 瘥度) 명 好转 hǎozhuǎn; 见轻 jiànqīng; 有起色 yǒu qǐsè ¶병세에 ~가 있다 病情有起色
차-돌 명 **1** 〖鑛〗 = 석영 **2** 结实的人 jiēshide rén ¶그는 말하는 거나 일하는 거나 ~같이 야무진 사람이다 他说话办事像白石一样是个结实的人

차돌-박이 명 牛头顶上的肉 niútóudǐngshangde ròu
차등(差等) 명 差等 chàděng
차디-차다 형 很冷 hěn lěng ¶차디찬 얼음물 很冷的冰水
차라리 부 倒不如 dào bùrú; 干脆 gāncuì; 莫如 mòrú; 宁可 nìngkě; 宁肯 nìngkěn; 毋宁 wúnìng; 宁愿 nìngyuàn ¶일찌감치 그에게 말하는 것이 ~ 낫다 莫如趁早和他说了好
차량(車輛) 명 1 车辆 chēliàng; 车 chē ¶~ 번호 车牌号 / ~ 통행을 금지하다 禁止车辆通行 2 车厢 chēxiāng ¶화물 ~ 货车厢
차려-입다 타 衣着光鲜 yīzhuó guāngxiān; 衣着考究 yīzhuó kǎojiū
차:력(借力) 명하자 借力 jièlì ¶~술 借力术 / ~사 借力士
차렵-이불 명 薄棉被 báomiánbèi
차렷 감명하자 【軍】立正 lìzhèng
차례 명 1 次序 cìxù; 顺序 shùnxù ¶~가 뒤바뀌다 次序颠倒 / ~에 따라 안배하다 按次序安排 2 次 cì; 回 huí ¶여러 ~ 반복하다 多次反复
차례(茶禮) 명 祭礼 jìlǐ ¶~를 지내다 举行祭礼
차례-차례(次例次例) 부 按照顺序 ànzhào shùnxù; 先后 xiānhòu; 依次 yīcì ¶~들어가다 依次进去
차로(車路) 명 = 찻길
차륜(車輪) 명 = 차바퀴
차리다 타 1 张罗 zhāngluo; 准备 zhǔnbèi; 做 zuò; 摆 bǎi ¶반찬을 많이 ~ 做很多菜 / 잔칫상을 ~ 摆席 2 抖擞 dǒusǒu; 振作 zhènzuò ¶정신을 ~ 振作起精神 3 注意 zhùyì; 注重 zhùzhòng; 讲究 jiǎngjiu ¶예절을 ~ 注意礼节 / 체면을 ~ 讲究体面 4 猜到 cāidào; 看出 kànchū ¶낌새를 ~ 猜到心意 / 눈치를 ~ 看出苗头 5 拾掇 shíduo; 收拾 shōushi ¶행장을 ~ 收拾行装 6 开设 kāishè; 布置 bùzhì ¶가게를 ~ 开设店铺 7 图 tú ¶욕심을 ~ 图利 8 采取 cǎiqǔ; 想 xiǎng ¶방도를 ~ 想办法
차림 명 穿戴 chuāndài; 打扮 dǎban; 衣着 yīzhuó; 装束 zhuāngshù ¶군복 ~ 军人打扮
차림-새 명 穿戴 chuāndài
차림-표(一表) 명 菜单 càidān; 菜谱 càipǔ
차마 부 不堪 bùkān; 不忍 bùrěn ¶~ 눈 뜨고 볼 수 없다 不忍看 =[不堪入目]
차-멀미(車—) 명 晕车 yùnchē ¶~가 나다 晕车
차:명(借名) 명하자 假名 jiǎmíng ¶~ 계좌 假名户头
차-바퀴(車—) 명 车轮 chēlún = 차륜 ¶~를 갈다 换车轮
차반(茶盤) 명 茶盘 chápán
차별(差別) 명하타 差别 chābié; 歧视 qíshì ¶~ 대우 差别待遇 / ~화 差别化 / ~을 받다 遭受歧视 / 인종 ~을 반대하다 反对种族歧视
차분-차분 부하형히부 有条有理 yǒutiáoyǒulǐ; 有条不紊 yǒutiáobùwěn ¶~ 일하다 有条不紊地进行工作
차분-하다 형 文静 wénjìng ¶차분한 성미 文静的性格 **차분-히** 부
차비(車費) 명 车费 chēfèi; 车钱 chēqián; 车资 chēzī; 车马货 chēmǎhuò = 찻삯 ¶~를 내다 交车费
차석(次席) 명 次位 cìwèi; 第二把手 dì'èrbǎshǒu; 第二席位 dì'èr xíwèi ¶~을 차지하다 居于次位
차선(車線) 명 车道线 chēdàoxiàn; 行车线 xíngchēxiàn; 车道 chēdào ¶~을 긋다 划行车线 / ~을 변경하다 变换车道线
차선-책(次善策) 명 次善 cìshàn; 后策 hòucè; 较善 jiàoshàn ¶~을 마련하다 准备后策
차-세대(次世代) 명 下一代 xiàyīdài ¶~ 인공 합성 기술 下一代人工合成技术
차압(差押) 명하타 【法】'압류' 的错误
차액(差額) 명 差额 chā'é; 差价 chājià ¶장부상의 ~을 메꾸다 弥补账单上的差额
차양(遮陽) 명 1 【建】遮阳 zhēyáng 2 = 챙 ¶~이 달린 모자 有帽舌的帽子
차-오르다 자 上涨 shàngzhǎng ¶냇물이 허리까지 차올랐다 沟水水位上涨达到人的腰部
차:용(借用) 명하타 借用 jièyòng ¶학교 기자재를 ~하다 借用学校的器材
차:용-증(借用證) 명【經】借条 jiètiáo
차원(次元) 명 1 角度 jiǎodù; 水平 shuǐpíng ¶~이 다른 의견 立场不同的意见 2【數】度 dù; 维 wéi ¶3~ 三维
차이(差異) 명 差距 chājù; 差异 chāyì; 出入 chūrù; 差别 chābié ¶~점 差异点 / 성격~ 性格差距 / 조금도 ~가 없다 毫无差别
차이나타운(Chinatown) 명 唐人街 Tángrénjiē
차-이다 자 1 (用脚) 被踢 bèi tī 《'차다²1' 的被动词》 ¶허리를 ~ 腰被踢了 2 (男女之间) 被甩 bèi shuǎi 《'차다²3' 的被动词》 ¶그는 그 여자한테 차였다 他被那个女人甩了
차익(差益) 명 抵销利益 dǐxiāo lìyì ¶~금 抵销利益金
차일(遮日) 명 遮日幕 zhērìmù ¶~을 치다 放下遮日幕

차일-피일(此日彼日) 부하자 一天拖一天 yītiān tuō yītiān; 一拖再拖 yītuōzàituō; 今日复明日 jīnrì fù míngrì ¶회의를 ~ 미루다 会议一拖再拖
차:입(借入) 명하타 借入 jièrù ¶외화를 ~하다 借入外币
차장(次長) 명 次长 cìzhǎng
차장(車掌) 명 列车长 lièchēzhǎng; 车长 chēzhǎng; 车掌 chēzhǎng; 乘务员 chéngwùyuán
차점(次點) 명 次高点 cìgāodiǎn
차-조 명〖植〗大黄米 dàhuángmǐ; 黍米 shǔmǐ; 黏小米 niánxiǎomǐ
차종(車種) 명 车种 chēzhǒng
차주(車主) 명 车主 chēzhǔ
차지 명하타 占 zhàn; 占领 zhànlǐng; 占据 zhànjù; 归为己有 guīwéijǐyǒu ¶우세를 ~하다 占优势/많은 지역을 ~하다 占据大块的盘
차-지다 형 **1** 黏 nián ¶밥이 ~ 饭发黏 **2** 胆大心细 dǎndàxīnxì ¶성미가 차진 사람 胆大心细的人
차질(蹉跌) 명하자 **1** 跌倒 diēdǎo **2** 事与愿违 shìyǔyuànwéi; 不顺 bùshùn; 告吹 gàochuī ¶~이 생기다 事与愿违
차차(次次) 부 **1** 渐渐 jiànjiàn; 遂渐 zhújiàn; 越发 yuèfā = 차츰 ¶총소리가 ~ 잦아지다 枪声渐渐紧起来 **2** 慢慢(地) mànmàn(de); 以后 yǐhòu ¶그 문제는 ~ 이야기합시다 那个问题以后慢慢地谈吧
차창(車窓) 명 车窗 chēchuāng ¶~을 열다 打开车窗
차체(車體) 명 车体 chētǐ; 车身 chēshēn ¶~가 크게 부서졌다 车体都被大大地破坏了
차축(車軸) 명 车轴 chēzhóu; 轮轴 lúnzhóu
차출(差出) 명하타 选拔 xuǎnbá; 挑选 tiāoxuǎn ¶공무원을 ~하다 选拔公务员
차츰 부 = 차차1
차트(chart) 명 **1** 海图 hǎitú **2** 一览表 yīlǎnbiǎo; 图表 túbiǎo ¶공정 ~ 工程图表
차편(車便) 명 趁车来往之便 chèn chē láiwǎngzhībiàn ¶~에 짐을 부치다 趁车来往之便把行李寄去
차표(車票) 명 车票 chēpiào = 승차권 ¶~를 끊다 买车票
차후(此後) 명 以后 yǐhòu; 此后 cǐhòu; 之后 zhīhòu ¶~에 다시 이야기합시다 以后再谈吧
착[1] 부 **1** 紧紧地 jǐnjǐnde ¶새 양복이 몸에 ~ 붙다 新作的西服紧紧地合身 **2** 恰恰 qiàqià ¶요리가 내 입맛에 ~ 맞다 菜恰恰投合我的口味
착[2] 부 **1** 安详地 ānxiángde ¶~ 앉아 있다 安详地坐着 **2** 弯弯 wānwān ¶버드나무 가지가 ~ 늘어졌다 柳枝弯弯垂下来 **3** 软搭搭 ruǎndādā ¶그 소식을 듣자마자 그는 몸이 ~ 쳐졌다 一听那消息他就身体软搭搭的
착[3] 부 应机立断 yìngjīlìduàn ¶마을 사람들은 모두 ~ 돈을 내놓았다 村民们都应机立断地捐款
착각(錯覺) 명하자타 错觉 cuòjué; 想错 xiǎngcuò; 看错 kàncuò ¶~을 일으키다 引起错觉
착공(着工) 명하타 开工 kāigōng; 动工 dònggōng ¶~식 开工典礼/새 공장을 ~하다 开工新工厂
착란(錯亂) 명하자타 错乱 cuòluàn ¶정신 ~ 神经错乱
착륙(着陸) 명하자 降落 jiàngluò; 着陆 zhuólù ¶~지 着陆地点/~점 着陆点/헬리콥터가 ~했다 直升机降落了
착복(着服) 명하타 侵吞 qīntūn; 私吞 sītūn ¶공금을 ~하다 私吞公款
착상(着床) 명하자〖醫〗着床 zhuóchuáng
착상(着想) 명하타 构思 gòusī ¶~이 참신하다 构思新颖
착색(着色) 명하타 染色 rǎnsè; 着色 zhuósè ¶~된 옷감 染色的衣布
착석(着席) 명하자 就席 jiùxí; 落座 luòzuò; 入座 rùzuò; 入坐 rùzuò; 就位 jiùwèi ¶사회자 왼쪽에 ~하다 在主持人左侧落座
착수(着手) 명하자타 动手 dòngshǒu; 开始 kāishǐ; 入手 rùshǒu; 着手 zhuóshǒu ¶새로운 연구 사업에 ~하다 开始新的研究工作
착수-금(着手金) 명 定钱 dìngqián; 定金 dìngjīn; 预付款 yùfùkuǎn; 预付 yùfù
착시(錯視) 명하타〖心〗错视 cuòshì ¶~ 효과 错视效果
착신(着信) 명하자〖信〗来函 láihán; 来信 láixìn ¶~을 알리다 表示收到来信
착실-하다(着實—) 형 **1** 诚实 chéngshí; 敦实 dūnshi; 真实 zhēnshí; 认真 rènzhēn; 踏实 tāshi; 忠厚 zhōnghòu ¶착실한 사람 诚实的人/착실하게 공부하다 认真学习 **2** 足有 zúyǒu; 足足 zúzú ¶20리 산길을 착실하게 걸어와서야 나루터를 찾을 수 있었다 足足走了二十里山路才找到了渡口 **착실-히** 부 ¶그는 ~ 일한다 他认真地劳动
착안(着眼) 명하자 考虑 kǎolǜ; 注目 zhùmù; 着眼 zhuóyǎn ¶눈의 구조에 ~하다 着眼眼睛的构造
착암(鑿巖) 명하자 凿岩 záoyán ¶~기 凿岩机/~선 凿岩船
착오(錯誤) 명하타 错误 cuòwù; 讹误

éwù; 谬误 miùwù ¶~가 생기다 犯错误
착용(着用) 명하타 穿 chuān; 携带 xiédài ¶~감 穿的感觉 / 안전띠를 ~하다 携带安全带
착유(搾乳) 명하자 〖農〗 挤奶 jǐnǎi; 挤乳 jǐrǔ ¶~기 挤奶机
착유(搾油) 명하자 榨油 zhàyóu ¶~기 榨油机
착의(着衣) 명하타 穿上 chuānshàng ¶나는 비옷을 ~했다 我穿上了雨衣
착잡-하다(錯雜—) 형 错杂 cuòzá; 错综复杂 cuòzōngfùzá; 交错 jiāocuò; 心乱如麻 xīnluànrúmá; 杂乱 záluàn; 纵横交错 zònghéngjiāocuò ¶마음이 ~ 心里杂乱 **착잡-히** 부
착지(着地) 명하자 〖體〗 着地 zháodì ¶~ 자세 着地姿势 / ~점 着地点
착착[1] 부 1 紧紧地 jǐnjǐnde ¶젖은 바짓가랑이가 다리에 ~ 들러붙는다 湿漉漉的裤腿紧紧地贴在腿上 2 (口味) 投合 tóuhé ¶요리가 입맛에 ~ 맞는다 菜投合口味 3 乖乖地 guāiguāide; 顺从地 shùncóngde ¶~ 고개를 끄덕이다 顺从地点点头
착착[2] 부 1 (态度) 泰然自若 tàiránzìruò; 安详 ānxiáng 2 弯弯 wānwān; 弯曲 wānqū 《垂下的样子》 ¶~ 늘어진 버들가지 弯弯垂下的柳树枝
착착[3] 부 整整齐齐 zhěngzhengqíqí 《折叠的样子》 ¶이불을 ~ 개다 把被子叠得很整整齐齐
착착(着着) 부 1 挺身而出 tǐngshēn'érchū ¶위기의 순간에 ~ 나서다 为难时刻挺身而出 2 按部就班 ànbùjiùbān; 稳扎稳打 wěnzhāwěndǎ; 有条不紊 yǒutiáobùwěn ¶일은 ~ 진행되고 있다 事情正在有条不紊的进行着 3 整整齐齐地 zhěngzhengqíqíde ¶그는 ~ 글씨를 썼다 他写字写得很整整齐齐
착취(搾取) 명하타 剥削 bōxuē; 盘剥 pánbō; 搜刮 sōuguā; 压榨 yāzhà; 榨取 zhàqǔ ¶경제적 ~ 经济的榨取 / 가난한 사람을 ~하다 剥削穷人
착-하다 형 善良 shànliáng; 和善 héshàn; 乖 guāi ¶착한 아이 乖孩子 / 마음씨가 매우 ~ 心地很善良
착화(着火) 명하자 点火 diǎnhuǒ; 着火 zháohuǒ ¶~열 着火热 / ~점 着火点 / ~ 온도 着火温度 / ~하여 타기 시작하다 着火开始燃烧
찬:(饌) 명 = 반찬
찬:가(讚歌) 명 赞歌 zàngē
찬:-거리(饌—) 명 = 반찬거리 ¶~를 마련하다 买做菜的料
찬:-그릇(饌—) 명 (盛菜的) 餐具 cānjù
찬-기(—氣) 명 寒气 hánqì; 凉气 liángqì; 冷气 lěngqì
찬-김 명 凉气 liángqì
찬:란-하다(燦爛—·粲爛—) 형 灿烂 cànlàn ¶찬란한 문화유산 灿烂文化遗产 / 햇빛이 ~ 阳光灿烂 **찬:란-히** 부
찬-물 명 冷水 lěngshuǐ; 凉水 liángshuǐ = 냉수
찬물을 끼얹다 구 泼冷水
찬:미(讚美) 명하타 赞美 zànměi ¶~가 赞美歌 / 하나님을 ~하다 赞美上帝
찬-바람 명 冷风 lěngfēng ¶~이 불다 刮冷风
찬:반(贊反) 명 赞反 zànfǎn ¶~양론 赞反分裂 / ~ 토론 赞反讨论
찬-밥 명 1 凉饭 liángfàn 2 剩饭 shèngfàn 3 凉饭 liángfàn 《比喻受不到别人关心的人》 ¶~ 신세 冷饭身世
찬-방(—房) 명 = 냉방2
찬-비 명 寒雨 hányǔ; 冷雨 lěngyǔ
찬:사(讚辭) 명 称赞 chēngzàn; 歌颂 gēsòng; 赞词 zàncí; 赞语 zànyǔ ¶~를 보내다 表示称赞
찬:성(贊成) 명하자타 赞成 zànchéng; 赞同 zàntóng; 赞许 zànxǔ ¶~표 赞成票 / ~을 표시하다 表示赞成 / 제안에 ~하다 赞成一个建议
찬:송(讚頌) 명하타 1 赞颂 zànsòng; 赞扬 zànyáng ¶그의 미덕을 ~하다 赞扬他的美德 2 歌颂 gēsòng; 赞颂 zànsòng ¶~가 赞颂歌 / 하나님을 ~하다 赞颂上帝
찬스(chance) 명 机会 jīhuì; 可能性 kěnéngxìng; 运气 yùnqi; 时机 shíjī ¶~를 잡다 抓住时机
찬:양(讚揚) 명하타 歌颂 gēsòng; 叹赞 tànzàn; 赞美 zànměi; 赞赏 zànshǎng; 赞扬 zànyáng ¶그의 업적을 ~하다 赞扬他的业绩
찬:양-대(讚揚隊) 명 〖宗〗 = 성가대
찬:연-하다(燦然—) 형 1 缤纷 bīnfēn; 灿烂 cànlàn; 灿然 cànrán; 璀璨 cuǐcàn; 辉煌 huīhuáng ¶찬연한 햇살 灿烂的阳光 / 오색 ~ 五彩缤纷 2 灿烂 cànlàn; 灿烂辉煌 cànlànhuīhuáng; 辉煌 huīhuáng ¶찬연한 전통문화 灿烂辉煌的传统文化 **찬:연-히** 부 ¶~ 빛나는 업적 灿烂辉煌的业绩
찬:장(饌欌) 명 碗橱 wǎnchú; 碗柜 wǎnguì; 碗架 wǎnjià
찬:조(贊助) 명하타 捐赠 juānzèng; 协助 xiézhù; 赞助 zànzhù ¶특정 후보를 ~하다 协助特定候选人
찬:조-금(贊助金) 명 捐款 juānkuǎn
찬찬-하다[1] 형 沉着 chénzhuó; 过细 guòxì; 慎密 shènmì; 细心 xìxīn; 细仔 xìzǐ; 周密 zhōumì; 仔细 zǐxì ¶그녀는 아주 ~ 她很细仔 / 그는 일하는 것이

～ 他做工作做得很周密 **찬찬-히¹** 부 ¶～ 관찰하다 仔细观察
찬:찬-하다² 형 (动作、态度) 缓慢 huǎnmàn; 慢慢 mànmàn; 悄悄 qiāoqiāo ¶찬찬한 말씨 缓慢的口气 **찬:찬-히²** 부 ¶～ 저쪽에서 걸어오다 缓慢的步子从那边走过来
찬:찬-하다(燦燦—) 형 灿烂 cànlàn; 璀璨 cuǐcàn; 耀眼 yàoyǎn ¶막 떠오른 태양이 바다를 찬찬하게 비춘다 刚出来的太阳把海照得很耀眼 **찬:찬-히** 부
찬탄(讚歎·贊嘆) 명하자타 赞叹 zàntàn ¶그 아이의 영민함에 ～해 마지않다 那个孩子真聪明, 让人赞叹不止
찬:탈(簒奪) 명하타 篡夺 cuànduó ¶왕위를 ～하다 篡夺王位
찬:합(饌盒) 명 餐盒 cānhé
찰- 접두 糯 nuò; 黏 nián ¶～밥 糯米饭 / ～떡 黏糕
찰-거머리 명 1 〖動〗 水蛭 shuǐzhì 2 水蛭 shuǐzhì 《比喻死缠烂打的人》 ¶너 왜 날마다 ～같이 나한테 달라붙니? 你为什么每天像水蛭一样死缠烂打揪着?
찰과-상(擦過傷) 명 擦伤 cāshāng = 찰상
찰그랑 부하자타 当啷 dānglāng ¶열쇠가 ～ 땅에 떨어졌다 钥匙当啷一声掉在地上
찰그랑-거리다 자타 当啷响 dānglāng xiǎng = 찰그랑대다 ¶문밖에서 찰그랑거리는 소리가 났다 从门外边传来了当啷响的声音 **찰그랑-찰그랑** 부하자타
찰-기(—氣) 명 黏 nián; 黏性 niánxìng ¶～ 있는 햅쌀밥 很黏的新黏米饭
찰나(刹那) 명 1 刹那 chànà; 顷刻 qǐngkè; 霎时 shàshí; 瞬间 shùnjiān ¶위험한 ～ 危险的一刹那 2 〖佛〗 刹那 chànà
찰나-적(刹那的) 관명 刹那(的) chànà(de) ¶～ 순간 刹那之间
찰-떡 명 糯米糕 nuòmǐgāo; 黏糕 niángāo
찰떡-궁합(—宮合) 명 天作之合 tiānzuòzhīhé; 相配的姻缘 xiāngpèide yīnyuán
찰랑 부하자타 1 潋滟 liànyàn ¶～한 호수 潋滟的湖水 2 当啷 dānglāng ¶동전을 저금통 속에 넣자 ～ 소리가 났다 把硬币投进储钱罐里, 就发出了当啷的响声
찰랑-거리다 자타 1 潋滟响 liànyàn xiǎng ¶찰랑거리며 흐르는 샘 潋滟响流泉 2 当啷当啷地响 dānglangdānglāngde xiǎng ¶돼지 저금통 속에 동전이 찰랑거렸다 在猪形攒钱罐里的硬币当啷当啷地响了几声 ‖= 찰랑대다 **찰랑-찰랑** 부하자타
찰랑-하다 형 满荡荡 mǎndàngdàng; 盈满 yíngmǎn ¶술잔에 술이 ～ 在酒杯里盈满了酒
찰-밥 명 糯米饭 nuòmǐfàn
찰방 부하자타 扑通 pūtōng ¶물속에 ～ 뛰어들다 扑通地跳进去
찰방-거리다 자타 扑通扑通响 pūtōngpūtōng xiǎng = 찰방대다 ¶아기가 목욕탕 속에서 ～ 小孩儿在浴池里扑通扑通响 **찰방-찰방** 부하자타
찰-벼 명 糯稻 nuòdào
찰상(擦傷) 명 = 찰과상
찰찰 부 满满 mǎnmǎn; 淙淙 cóngcóng; 溢满 yìmǎn ¶그는 술잔이 ～ 넘게 술을 부어 놓았다 他把酒满满地斟在酒杯里
찰카닥 부하자타 咔嗒 kādā ¶창문을 ～ 닫았다 咔嗒一声把窗户关上了
찰카닥-거리다 자타 咔嗒咔嗒地响 kādākādāde xiǎng = 찰카닥대다 ¶차에서 찰카닥거리는 소리가 났다 从小车里发出了咔嗒咔嗒地响声 **찰카닥-찰카닥** 부하자타
찰카당 부하자타 咔嗒 kādā ¶쇠붙이가 ～ 소리를 내다 铁片发出咔嗒地响声
찰카당-거리다 자타 咔嗒咔嗒地响 kādākādāde xiǎng = 찰카당대다 ¶저금통 속에서 찰카당거리는 동전 소리 在攒钱罐里咔嗒咔嗒地响着的硬币声 **찰카당-찰카당** 부하자타
찰칵 부하자타 '찰카닥' 的略词
찰칵-거리다 자타 '찰카닥거리다' 的略词 = 찰칵대다 **찰칵-찰칵** 부하자타
찰-흙 명 黏土 niántǔ
참 一명 真 zhēn 二부 = 참으로 ¶그녀는 ～ 예쁘다 她真漂亮 三감 对了 duìle; 对呀 duìya; 是啊 shì'a; 真的 zhēnde
참가(參加) 명하자 参加 cānjiā; 参与 cānyù; 加入 jiārù ¶～국 参加国 / ～권 参加权 / ～자 参加者 / 경기에 ～하다 参加比赛
참-게 명 〖動〗 河蟹 héxiè; 毛蟹 máoxiè; 螃蟹 pángxiè; 清水蟹 qīngshuǐxiè
참견(參見) 명하자타 1 干涉 gānshè; 干预 gānyù; 管闲事 guǎn xiánshì; 过问 guòwèn ¶쓸데없이 ～하다 多管闲事 2 = 참관 ¶궁을 ～하다 参观宫
참고(參考) 명하타 参考 cānkǎo ¶～란 参考栏 / ～서 参考书 / ～인 参考人 / ～ 자료 参考资料 / ～ 문헌 参考文献 / ～하다 做参考
참관(參觀) 명하자타 参观 cānguān; 观摩 guānmó = 참견2 ¶～인 参观人 / ～ 수업 观摩教学

참극(慘劇) 명 1 〖演〗悲剧 bēijù 2 悲惨事件 bēicǎn shìjiàn; 惨案 cǎn'àn; 惨剧 cǎnjù ¶~이 벌어지다 发生惨剧
참-기름 명 芝麻油 zhīmayóu; 香油 xiāngyóu = 향유(香油)1
참-깨 명 〖植〗芝麻 zhīma ¶~죽 芝麻粥
참-나무 명 〖植〗 = 상수리나무
참:다 타 1 忍 rěn; 忍受 rěnshòu; 忍耐 rěnnài; 忍住 rěnzhù ¶아픔을 ~ 忍受痛苦 / 치밀어 오르는 화를 억지로 ~ 强忍怒火 2 等待 děngdài ¶며칠만 더 참아 주세요 请再等待几天
참-다랑어 명 〖魚〗金枪鱼 jīnqiāngyú = 다랑어 · 참치
참:다-못하다 타 忍不住 rěnbuzhù; 忍受不了 rěnshòubuliǎo ¶나는 참다못해 한마디 했다 我忍不住地说了一句话
참담(慘憺 · 慘澹) 명하형히부 悲惨 bēicǎn; 惨淡 cǎndàn; 凄惨 qīcǎn; 凄凉 qīliáng ¶~한 인생 惨淡的人生 / 그의 희망은 ~히 무너졌다 他的希望崩溃得很悲惨
참-답다 형 认真 rènzhēn; 真正 zhēnzhèng; 真挚 zhēnzhì ¶참다운 사람 认真的人 / 친구들과 참답게 사귀다 跟朋友们真挚地交流
참-되다 형 真 zhēn; 实在 shízài; 真实 zhēnshí; 真正 zhēnzhèng ¶참된 용기 真正的勇气 / 그는 사람이 ~ 他为人挺实在
참되-이 부 诚实地 chéngshíde; 真实地 zhēnshíde ¶~ 살다 诚实地生活
참-뜻 명 真意 zhēnyì; 实质 shízhì; 真正的意思 zhēnzhèngde yìsi
참-말 ⊟명 实话 shíhuà; 真话 zhēnhuà ¶~을 하다 说真话 ⊟부 = 참말로
참말-로 부 真的 zhēnde; 真实的 zhēnshíde = 참말⊟ ¶그가 ~ 퇴직했어? 他真的退休了?
참모(參謀) 명하자 参谋 cānmóu ¶~부 参谋部 / ~장 参谋长 / ~ 장교 参谋将校
참-모습 명 本色 běnsè; 真面目 zhēnmiànmù; 真面貌 zhēnmiànmào
참배(參拜) 명하자타 参拜 cānbài ¶~자 参拜者 / 신사를 ~하다 参拜神社
참변(慘變) 명 惨变 cǎnbiàn ¶~을 당하다 遇到惨变
참-빗 명 篦子 bìzi
참사(慘事) 명 悲惨事件 bēicǎn shìjiàn; 惨案 cǎn'àn; 惨剧 cǎnjù ¶~를 빚어내다 制造惨案
참-사람 명 诚实的人 chéngshíde rén; 老实人 lǎoshirén; 真正的人 zhēnzhèngde rén
참:살(斬殺) 명하타 斩杀 zhǎnshā ¶무고한 사람들을 ~하다 斩杀无辜的人们
참살(慘殺) 명하타 残杀 cánshā; 惨杀 cǎnshā; 屠杀 túshā ¶토비들한테 ~되다 被土匪残杀的
참상(慘狀) 명 惨状 cǎnzhuàng ¶말로 표현하기 어려운 ~ 难以言说的惨状
참-새 명 〖鳥〗麻雀 máquè; 家雀儿 jiāqiǎor
참석(參席) 명하자 参加 cānjiā; 出席 chūxí; 赏光 shǎngguāng; 赏脸 shǎngliǎn ¶~자 参加者 / 무도회에 ~하다 出席舞会
참선(參禪) 명 〖佛〗参禅 cānchán
참:수(斬首) 명하타 砍头 kǎntóu; 斩首 zhǎnshǒu ¶살인범은 ~되었다 杀人犯被斩首
참:수-형(斬首刑) 명 = 참형
참-숯 명 (用栎树等烧成的) 上等木炭 shàngděng mùtàn; 优质炭 yōuzhìtàn
참:신-하다(斬新— · 嶄新—) 형 崭新 zhǎnxīn; 新颖 xīnyǐng ¶참신한 모습 崭新的面貌 / 구상이 매우 ~ 构思很新颖
참여(參與) 명하자 参与 cānyù ¶~ 의식 参与意识 / 세미나에 ~하다 参与研讨会
참-외 명 〖植〗甜瓜 tiánguā
참-으로 부 的确 díquè; 果然 guǒrán; 确实 quèshí; 真的 zhēnde; 实在 shízài; 真 zhēn = 실로 · 참⊟ ¶~ 그렇구나! 的确是这样! / 그 작가는 ~ 노련하다 那位作家的确在行
참을-성(—性) 명 耐心 nàixīn; 耐性 nàixìng; 忍耐性 rěnnàixìng ¶~을 기르다 养成耐性 / 나는 ~이 없다 我没有耐性了
참작(參酌) 명하타 参考 cānkǎo; 参照 cānzhào; 参酌 cānzhuó; 考虑 kǎolǜ; 斟酌 zhēnzhuó ¶각국의 법률을 ~하다 参酌各国法律
참전(參戰) 명하자 参战 cānzhàn ¶~국 参战国
참정(參政) 명하자 参政 cānzhèng; 参与政治 cānyù zhèngzhì ¶~권 参政权 / ~의 권리를 누리다 享受参与政治的权利
참조(參照) 명하타 参考 cānkǎo; 参照 cānzhào ¶사전 ~ 词典参照 / 문헌을 ~하다 参照文献
참-조개 명 〖貝〗 = 바지락
참-조기 명 〖魚〗黄花鱼 huánghuāyú
참치 명 〖魚〗 = 참다랑어
참패(慘敗) 명하자 惨败 cǎnbài; 落花流水 luòhuāliúshuǐ; 一败涂地 yībàitúdì ¶~자 惨败者 / ~를 당하다 遭到惨败
참:-하다 형 1 纯真 chúnzhēn; 文静

wénjìng; 秀气 xiùqi ¶처녀가 ～ 姑娘好秀气 2 好 hǎo; 漂亮 piàoliang; 清秀 qīngxiù ¶참하게 생긴 얼굴 清秀的脸庞儿

참:형(斬刑) 명하타 斩刑 zhǎnxíng = 참수형 ¶～을 당하다 遭到斩刑

참형(慘刑) 명 酷刑 kùxíng; 严刑 yánxíng ¶～을 받다 受到酷刑

참호(塹壕·塹濠) 명 1 〖軍〗 堑壕 qiànháo 2 壕 háo = 호(壕)

참혹(慘酷) 명하형히부 悲惨 bēicǎn; 惨 cǎn; 残酷 cánkù ¶～한 징벌 残酷的惩罚 / ～한 생활 悲惨的生活 / ～히 희생된 영혼을 기리다 纪念悲惨地牺牲的魂灵

참화(慘禍) 명 惨祸 cǎnhuò; 浩劫 hàojié ¶전쟁의 가혹한 ～를 겪다 经受过严重的战争浩劫

참회(懺悔) 명하타 忏悔 chànhuǐ ¶～문 忏悔文 / ～록 忏悔录 / 자신의 죄를 ～하다 忏悔自己的罪行

찹쌀 명 江米 jiāngmǐ; 糯米 nuòmǐ ¶～가루 糯米粉 / ～고추장 糯米辣酱 / ～떡 糯米糕 / ～엿 糯米糖

찻-간(車間) 명 车厢 chēxiāng

찻-값(茶—) 명 茶费 cháfèi; 茶价 chájià; 茶钱 cháqián; 茶资 cházī

찻-길(車—) 명 车道 chēdào; 轨道 guǐdào; 车行道 chēxíngdào = 차도·차로

찻-물(茶—) 명 茶水 cháshuǐ

찻-삯(車—) 명 = 차비 ¶～을 지불하다 付车费

찻-숟가락(茶—) 명 茶匙 cháchí = 티스푼

찻-숟갈(茶—) 명 '찻숟가락' 的略词

찻-잎(茶—) 명 茶叶 cháyè

찻-잔(茶盞) 명 茶杯 chábēi; 茶碗 cháwǎn; 茶盏 cházhǎn

찻-주전자(茶酒煎子) 명 茶壶 cháhú

찻-집(茶—) 명 茶馆 cháguǎn

창 명 1 鞋底 xiédǐ ¶～을 갈다 换鞋底 2 鞋垫 xiédiàn ¶～을 깔다 垫鞋垫

창:(唱) 명하자 〖音〗 唱高音 chànggāoyīn 《民俗音乐清唱之一》

창(窓) 명 = 창문 ¶유리～ 玻璃窗

창(槍) 명 标枪 biāoqiāng 《一种武器》 ¶～을 던지다 掷标枪

-창(廠) 접미 库 kù 《军队的仓库》 ¶병기～ 兵器库 / 군수～ 军需库

창-가(窓—) 명 窗边 chuāngbiān ¶～에 기대서다 靠着窗边站

창:간(創刊) 명하타 创刊 chuàngkān ¶～호 创刊号 / 잡지가 ～되다 杂志创刊

창:건(創建) 명하타 成立 chénglì; 创建 chuàngjiàn; 缔造 dìzào; 建立 jiànlì ¶～자 创建者 / 협회를 ～하다 建立一个社团

창고(倉庫) 명 仓库 cāngkù; 栈 zhàn; 栈房 zhànfáng ¶～지기 受仓库的人 / 지하 ～ 地下仓库 / 군용 ～ 军用仓库

창공(蒼空) 명 = 창천 ¶광활한 ～ 广阔的晴空

창구(窓口) 명 窗口 chuāngkǒu ¶매표 ～ 售票窗口

창궐(猖獗) 명하자 猖獗 chāngjué ¶급성 전염병이 ～하다 瘟疫猖獗

창:극(唱劇) 명 〖演〗 唱剧 chàngjù

창기(娼妓) 명 娼妓 chāngjì

창녀(娼女) 명 卖淫妇 màiyínfù; 卖春女 màichūnnǚ; 娼妇 chāngfù

창:단(創團) 명하자 建团 jiàntuán ¶가무단을 ～하다 建团歌舞团

창:당(創黨) 명하자타 成立党 chénglìdǎng; 创建党 chuàngjiàndǎng; 建党 jiàndǎng ¶정견이 같은 사람들과 ～했다 跟政见一样的人一起建党了

창-대(槍—) 명 矛杆 máogǎn; 枪杆 qiānggǎn

창-던지기(槍—) 명하자 〖體〗 投标枪 tóubiāoqiāng; 标枪 biāoqiāng = 투창

창:도(唱道·倡道) 명하타 倡导 chàngdǎo; 提倡 tíchàng ¶언론의 자유를 ～하다 倡导新闻的自由

창:립(創立) 명하타 创立 chuànglì; 建立 jiànlì ¶～식 创立仪式 / ～자 创立者

창문(窓門) 명 窗 chuāng; 窗户 chuānghu; 窗子 chuāngzi = 창(窓) ¶～턱 窗台 / ～틀 窗框 / ～을 열다 打开窗户 / ～을 닫다 关窗户

창백-하다(蒼白—) 형 惨白 cǎnbái; 苍白 cāngbái; 发青 fāqīng; 煞白 shàbái ¶창백한 얼굴 苍白的脸 **창백-히** 부

창:법(唱法) 명 唱法 chàngfǎ

창사(創社) 명하자 建立公司 jiànlì gōngsī ¶～ 기념 행사 建立公司纪念典礼

창-살(窓—) 명 窗格子 chuānggézi; 窗棂 chuānglíng

창상(創傷) 명 创伤 chuāngshāng; 伤口 shāngkǒu ¶심각한 ～ 严重的创伤 / 흉부의 ～ 胸部创伤

창:설(創設) 명하타 创办 chuàngbàn; 创立 chuànglì; 建立 jiànlì; 新设 xīnshè ¶～자 创立者 / 과학 연구 기구를 ～하다 创立一个科学研究机构

창성(昌盛) 명하자 昌盛 chāngshèng ¶자손이 ～하다 昌盛子孙

창:시(創始) 명하타 创始 chuàngshǐ; 建立 jiànlì; 首创 shǒuchuàng ¶～자 创始人 / 새로운 문학 유파를 ～했다 创始了一个新的文学流派

창:안(創案) 명하타 创议 chuàngyì; 首倡 shǒuchàng; 提案 tí'àn ¶～자 创造

发明者 / 새로운 사업을 ～하다 创议新事业
창:업(創業) 명하타 创业 chuàngyè; 建立 jiànlì ¶～ 투자 创业投资 / ～자 创业者 / 회사를 ～하다 建立公司
창연-하다(蒼然—) 형 **1** 碧蓝 bìlán; 蔚蓝 wèilán ¶창연한 하늘 蔚蓝的天空 **2** 苍苍 cāngcāng ¶모색이 ～ 暮色苍苍 **3** 古色古香 gǔsègǔxiāng ¶유적지의 창연한 경치 古迹古色古香的风景 **창연-히** 부
창-유리(窓琉璃) 명 窗玻璃 chuāngbōli ¶～를 닦다 擦窗玻璃
창:의(創意) 명하자 创见 chuàngjiàn; 创意 chuàngyì; 创议 chuàngyì ¶～력 创意力 / ～성 创意性 / ～가 결여된 연설 缺乏创见的演讲
창:의-적(創意的) 관명 创意(的) chuàngyì(de)
창자 명 〖生〗 肠子 chángzi = 장(腸)
창:작(創作) 명하타 创造 chuàngzào; 创作 chuàngzuò ¶～극 创作剧 / ～력 创作力 / ～물 创作物
창:작-품(創作品) 명 〖藝〗 (文学艺术的) 作品 zuòpǐn ¶～을 발표하다 发表作品
창제(創製 · 創制) 명하타 创造 chuàngzào; 创制 chuàngzhì ¶～자 创造者 / 한글을 ～하다 创制韩文
창:조(創造) 명하타 创举 chuàngjǔ; 创造 chuàngzào; 独创 dúchuàng; 首创 shǒuchuàng ¶～력 创造力 / ～물 创造物 / ～성 创造性 / ～자 创造者 / 하나님이 세상을 ～했다 上帝创造了天地
창:졸(倉卒) 명하형히부 仓猝 cāngcù; 仓促 cāngcù; 匆忙 cōngmáng; 匆卒 cōngzú; 突然 tūrán ¶～하게 결정하면 안 된다 不该仓促下结论 / ～히 뛰어나가다 仓猝地跑出去
창:졸-간(倉卒間) 명 仓猝之间 cāngcù zhījiān; 突然 tūrán ¶～에 당한 일 仓猝之间碰上的事情
창창-하다(蒼蒼—) 형 **1** 碧蓝 bìlán; 蔚蓝 wèilán ¶창창한 바다 碧蓝的海水 / 창창한 하늘 蔚蓝地天空 **2** 远大 yuǎndà ¶앞길이 창창한 청년들 前途远大的青年们 **3** 昏暗 hūn'àn; 昏沉 hūnchén ¶창창한 황혼 昏沉的暮色 **창창-히** 부
창천(蒼天) 명 苍天 cāngtiān; 青天 qīngtiān; 天空 tiānkōng = 창공
창:출(創出) 명하자타 创造 chuàngzào; 创制 chuàngzhì ¶이것은 그가 ～해 낸 방법이다 这个是他创造出来的方法
창-칼(槍—) 명 矛剑 máojiàn
창-턱(窓—) 명 〖建〗 窗台 chuāngtái
창-틀(窓—) 명 〖建〗 窗架 chuāngjià
창-틈(窓—) 명 窗隙 chuāngxì ¶～으로 엿보다 从窗隙里偷看
창포(菖蒲) 명 〖植〗 菖蒲 chāngpú; 蒲 pú ¶～로 머리를 감다 用菖蒲洗头发
창피(猖披) 명하형 丢丑 diūchǒu; 丢脸 diūliǎn; 寒碜 hánchen ¶～를 당하다 丢脸 / 부모에게 ～를 주다 给父母亲丢脸
창피-스럽다(猖披—) 형 惭愧 cánkuì; 丢脸 diūliǎn; 寒碜 hánchen; 难为情 nánwéiqíng ¶그는 창피스러워서 얼굴을 붉혔다 他难为情得红了脸 **창피스레** 부
창호(窓戶) 명 〖建〗 窗户 chuānghu ¶～지 窗户纸
찾다 타 **1** 找 zhǎo ¶일자리를 ～ 找事做 / 원인을 ～ 找原因 **2** 谋求 móuqiú; 探究 tànjiū; 探求 tànqiú; 寻找 xúnzhǎo; 挖掘 wājué; 追寻 zhuīxún ¶인생의 의미를 ～ 追寻人生的意义 / 좋은 방도를 ～ 谋求好的办法 **3** 取 qǔ; 提 tí ¶저금을 ～ 取存款 / 맡겼던 짐을 ～ 提寄存的行李 **4** 访问 fǎngwèn; 来访 láifǎng; 探 tàn ¶옛 친구를 ～ 探旧朋友 **5** 讲究 jiǎngjiu; 贪 tān ¶사사로운 이익만 ～ 只贪私利 / 체면을 ～ 讲究面子 **6** 恢复 huīfù; 回 huí ¶자신감을 ～ 恢复信心
찾아-가다 자타 **1** 访 fǎng; 去见 qùjiàn; 去找 qùzhǎo ¶친구를 ～ 去找朋友 **2** 取 qǔ; 提 tí ¶맡겼던 짐을 ～ 提走寄存的行李
찾아-내다 타 查到 chádào; 发掘 fājué; 搜到 sōudào; 探到 tàndào; 找到 zhǎodào ¶보물을 ～ 探到宝藏 / 범인을 ～ 搜到犯人
찾아-다니다 타 到处寻找 dàochù xúnzhǎo ¶고양이 주인을 ～ 到处寻找猫主人
찾아보-기 명 = 색인
찾아-보다 타 **1** 找到见面 zhǎodào jiànmiàn ¶고향을 떠나기 전에 나는 친구를 찾아보았다 离开故乡以前, 我找到朋友并见了他一面 **2** 查查 cháchá; 查一查 cháyichá ¶모르는 단어가 있거든 사전을 찾아봐야 한다 有不懂的生词, 得查一查词典
찾아-오다 자타 **1** 来找 láizhǎo; 找来 zhǎolái ¶옛날 여자 친구가 또 나를 찾아왔다 以前的女朋友又来找我了 **2** 取来 qǔlái; 提来 tílái ¶우체국에서 소포를 ～ 到邮局取来包裹 **3** 回来 huílái ¶여명이 ～ 黎明回来
채[1] 명 辕 yuán ¶수레의 ～ 车辕
채[2] 명 **1** = 채찍 **2** 木棍 mùgùn; 枝条 zhītiáo ¶～로 때리다 用木棍击打 **3** 槌 chuí; 拍子 pāizi ¶북～ 鼓槌 / 탁구～ 乒乓球拍子

채:[3] 명 (菜的) 丝 sī ¶고추~ 辣椒丝 / ~를 썰다 切丝

채[4] 의명 1 幢 zhuàng; 栋 dòng ¶건물 한 ~ 一幢楼 / 집 한 ~ 一栋房子 2 台 tái ¶장롱 네 ~ 四台衣柜 / 마차 한 ~ 一台马车 3 条 tiáo ¶이불 두 ~ 两条被子 4 束 shù ¶인삼 세 ~ 三束人参

채[5] 부 还没 háiméi; 还未 hái wèi; 尚未 shàng wèi ¶~ 해결되지 않은 문제 尚未解决的问题 / ~ 완성되지 않다 还未完成

채:광(採光) 명하자 采光 cǎiguāng ¶~창 采光窗 / ~이 좋다 采光好

채광(採鑛) 명하자 〖鑛〗 采矿 cǎikuàng ¶~공 采矿工 / ~층 采矿层

채:굴(採掘) 명하타 采掘 cǎijué; 开采 kāicǎi ¶석유 ~ 石油开采 / 광산 ~ 矿山开采

채:권(債券) 명 〖經〗 债券 zhàiquàn ¶~ 시장 债券市场

채:권(債權) 명 〖法〗 债权 zhàiquán ¶~국 债权国 / ~자 债权人 / ~ 담보 债权担保

채:근(採根) 명하자타 1 采根 cǎi gēn 2 溯源 sùyuán; 追根 zhuīgēn; 追溯 zhuīsù ¶민족 문화의 원류를 거슬러 올라가 ~하다 追溯民族文化的源流 3 催促 cuīcù; 督促 dūcù ¶돈을 갚으라고 ~하다 催促付款

채널(channel) 명 1 渠道 qúdào; 通道 tōngdào ¶외교 ~ 外交通道 / 정보 ~ 信息通道 2 〖信〗 频道 píndào; 信道 xìndào ¶텔레비전 ~을 조정하다 调整电视的频道 / ~을 돌리다 换频道

채다[1] 자타 '차이다' 的略词

채다[2] 타 1 拉 lā; 拽 zhuài ¶선원들은 모두 힘껏 로프를 챘다 水手们都用力拽住绳子 2 抓 zhuā; 抢 qiǎng ¶매가 비둘기를 챘다 老鹰抓走一只鸽子 / 옆 사람 손에서 물건을 ~ 从旁人手中抢东西

채다[3] 타 猜得出 cāidechū; 看出 kànchū ¶눈치를 ~ 看出眼色

채:도(彩度) 명 〖美〗 彩度 cǎidù

채:록(採錄) 명하타 采记 cǎijì; 采录 cǎilù ¶~한 자료 采录资料 / 전설을 ~하다 采录传说

채:마(菜麻) 명 1 蔬菜 shūcài 2 = 채마밭

채:마-밭(菜麻—) 명 菜地 càidì; 菜园 càiyuán; 菜园子 càiyuánzi = 채마2

채:무(債務) 명 〖法〗 债务 zhàiwù ¶~국 债务国 / ~ 보증 债务担保 / ~ 불이행 不履行债务 =[违反债务] / ~ 이행 履行债务 / ~자 债务人

채:변(採便) 명하자 (为了检查) 采便 cǎibiàn

채비 명하자타 备 bèi; 准备 zhǔnbèi ¶그들은 휴일을 보낼 ~로 바쁘다 他们正忙于准备去度假

채:산(採算) 명하타 1 合账 hézhàng; 核算 hésuàn; 上算 shàngsuàn ¶~이 맞지 않다 不合账 2 定价 dìngjià ¶판매가를 ~하다 定价售价

채:색(彩色) 명하자타 1 彩色 cǎisè 2 着色 zhuósè

채:석(採石) 명하자 采石 cǎishí ¶~장 采石场

채:소(菜蔬) 명 蔬菜 shūcài; 菜 cài = 남새 ¶~를 심다 种蔬菜 / ~를 다듬다 择菜

채:소-밭(菜蔬—) 명 蔬菜田 shūcàitián = 남새밭

채:송-화(菜松花) 명 〖植〗 午时花 wǔshíhuā; 半支莲 bànzhīlián

채:식(菜食) 명하자 素食 sùshí ¶~가 素食家 / ~주의 素食主义 / ~주의자 素食主义者

채:신 명 '처신' 的鄙称

채:신-머리 명 '처신' 的俗称

채:용(採用) 명하타 采用 cǎiyòng; 雇用 gùyòng; 录用 lùyòng ¶~ 시험 采用考试 / 회사원으로 ~되다 录用为公司职员 / 신기술을 ~하다 采用新技术

채우다[1] 타 锁上 suǒshàng; 扣上 kòushàng ¶문을 ~ 把门锁上 / 벨트를 ~ 扣上带子 / 단추를 ~ 扣上钮扣

채우다[2] 타 镇 zhèn ¶얼음에 채운 소다수 冰镇汽水

채우다[3] 타 1 补充 bǔchōng ¶양식을 ~ 补充粮食 2 凑足 còuzú; 装满 zhuāngmǎn ¶주머니에 물건을 ~ 把袋子装满东西 3 满足 mǎnzú ¶욕망을 ~ 满足欲望 4 满期 mǎnqī ¶임대차 계약 기간을 ~ 租约满期

채우다[4] 타 戴 dài ¶손목시계를 ~ 戴手表 / 수갑을 ~ 戴手铐

채:점(採點) 명하타 打分 dǎfēn; 评分 píngfēn; 评卷 píngjuàn ¶답안지를 ~하다 给考卷打分

채:집(採集) 명하타 采集 cǎijí; 收集 shōují ¶식물을 ~하다 采集植物

채찍 명 鞭子 biānzi; 鞭 biān = 채[2]1 ¶~으로 때리다 拿鞭子抽打 / ~을 휘두르다 挥鞭子

채찍-질 명하자타 1 鞭打 biāndǎ 2 鞭策 biāncè ¶그는 항상 자신을 ~하며 사업을 발전시킨다 他时常鞭策自己，发展事业

채:취(採取) 명하타 1 采掘 cǎijué; 开采 kāicǎi; 挖掘 wājué ¶석유 ~ 石油开采 / 광물을 ~하다 采掘矿物 2 采取 cǎiqǔ ¶지문을 ~하다 采取指纹

채:-칼 명 礤床儿 cǎchuángr

채:탄(採炭) 명하자 〖鑛〗 采煤 cǎiméi

¶~공 采煤工 / ~기 采煤机 / ~량 采煤量 / ~장 采煤场
채:택(採擇) 명하타 采纳 cǎinà; 采取 cǎiqǔ; 采用 cǎiyòng; 选择 xuǎnzé ¶건의가 ~되었다 提议被采纳了 / 새로운 의견을 ~하다 采纳新意见
채팅(chatting) 명〖컴〗网上聊天 wǎngshàng liáotiān; 聊天 liáotiān ¶친구와 ~하다 网上与朋友聊天
채:혈(採血) 명하자 〖醫〗 抽血 chōuxuè
책(冊) 명 **1** 书 shū; 书本 shūběn; 书籍 shūjí = 도서(圖書) · 서적 · 서책 ¶~ 한 권 一本书 / ~을 읽다 看书 **2** 本子 běnzi; 簿册 bùcè; 册 cè; 册子 cèzi
책-가방(冊—) 명 书包 shūbāo ¶~을 메다 背书包
책-갈피(冊—) 명 **1** 书页间 shūyèjiān **2** 书签(儿) shūqiān(r)
책-꽂이(冊—) 명 书架 shūjià ¶책을 ~에 꽂다 把书放到书架里
책략(策略) 명 策略 cèlüè; 计策 jìcè; 谋略 móulüè ¶~가 策略家 / ~을 생각해 내다 想出计策
책력(冊曆) 명 = 역서(曆書)
책망(責望) 명하타 责备 zébèi; 指责 zhǐzé ¶~을 면하다 免除责备 / ~을 받다 受到责备
책명(冊名) 명 书名 shūmíng = 서명(書名)
책무(責務) 명 职务 zhíwù ¶~를 다하다 胜任职务
책문(責問) 명하자타 责问 zéwèn; 质问 zhìwèn ¶가혹한 ~ 苛刻的质问 / 다른 사람을 ~하다 责问某人
책-받침(冊—) 명 写字垫板 xiězì diànbǎn
책방(冊房) 명 = 서점
책-벌레(冊—) 명 书虫 shūchóng; 书迷 shūmí
책봉(冊封) 명하타 〖史〗 册封 cèfēng ¶~식 册封仪
책상(冊床) 명 书桌 shūzhuō; 写字台 xiězìtái; 办公桌 bàngōngzhuō; 桌子 zhuōzi; 桌 zhuō
책상-다리(冊床—) 명하자 跏趺 jiāfū ¶~를 하고 앉다 结跏趺坐
책상-머리(冊床—) 명 案头 àntóu
책상-보(冊床褓) 명 台布 táibù; 桌布 zhuōbù
책임(責任) 명 责任 zérèn; 责 zé ¶~감 责任感 / ~자 责任者 / ~을 피하다 逃避责任
책임-지다 타 承担责任 chéngdān zérèn; 承当 chéngdāng; 承担 chéngdān ¶그 일은 그가 책임지기로 했다 那件事情由他承担责任
책자(冊子) 명 册子 cèzi; 书 shū
책장(冊張) 명 书页 shūyè ¶~을 넘기다 翻书页
책장(冊欌) 명 书橱 shūchú; 书柜 shūguì; 书架 shūjià
책정(策定) 명하타 确定 quèdìng ¶예산을 ~하다 确定预算
책-하다(責—) 타 责备 zébèi; 指责 zhǐzé ¶누군가를 ~ 责备某人
챔피언(champion) 명 冠军 guànjūn = 우승자
챙: 명 檐(儿) yán(r); 帽舌 màoshé = 차양2 ¶모자~ 帽檐儿
챙기다 타 **1** 准备 zhǔnbèi; 收拾 shōushi ¶짐을 ~ 准备行李 / 그릇들을 ~ 收拾餐具 **2** 抽取 chōuqǔ ¶한 몫 ~ 抽取一份
처(妻) 명 = 아내
처:(處) 명 处 chù《行政机构之一》¶교무~ 教务处 / 학생~ 学生处
처가(妻家) 명 妻子家 qīzijiā; 岳母家 yuèmǔjiā = 처갓집
처가-살이(妻家—) 명하자 从妻居 cóngqījū; 倒插门 dàochāmén
처갓-집(妻家—) 명 = 처가
처결(處決) 명하타 处理 chǔlǐ; 处决 chǔjué ¶사건을 ~하다 处理事件
처남(妻男) 명 **1** 大舅子 dàjiùzi; 内兄 nèixiōng **2** 小舅子 xiǎojiùzi
처남-댁(妻男—) 명 舅嫂 jiùsǎo
처-넣다 타 乱放 luàn fàng ¶옷가지를 옷장 안에 ~ 把衣服乱放在衣柜里
처:녀(處女) 명 **1** 处女 chǔnǚ; 姑娘 gūniang; 闺女 guīnü **2** 首次 shǒucì; 处女 chǔnǚ ¶~ 공연 首次演出 / ~ 비행 首次飞行 / ~작 处女作 **3** = 숫처녀
처:녀-막(處女膜) 명〖生〗处女膜 chǔnǚmó
처:단(處斷) 명하타 惩办 chéngbàn; 处决 chǔjué; 处治 chǔzhì ¶매국노를 ~하다 处决卖国贼
처량-하다(凄凉—) 형 凄凉 qīliáng; 凄切 qīqiè; 凄婉 qīwǎn ¶처량한 모습 凄凉的样子 / 처량한 신세 凄凉的身世
처량-히 부 ¶~ 웃다 凄切地笑
처:리(處理) 명하타 办理 bànlǐ; 处理 chǔlǐ; 料理 liàolǐ ¶~법 处理法 / ~장 处理场 / 화학 ~ 化学处理 / 자기의 일을 타당하게 ~하다 把自己的事情料理妥当
처마 명〖建〗房檐 fángyán; 廊檐 lángyán; 屋檐 wūyán
처-먹다 타 **1** 大吃 dàchī ¶게걸스럽게 ~ 狼吞虎咽地大吃 **2** '먹다' 的俗称
처-박다 타 **1** 使劲钉 shǐjìn dìng ¶말뚝을 ~ 使劲钉木桩 **2** 乱塞 luàn sāi ¶

장롱 속에 옷을 ～ 在衣箱里乱塞衣服 **3** 乱钉 luàn dìng ¶누군가 벽에 간판을 처박았다 有人在墙上乱钉广告牌 **4** 呆在 dāizài

처:방(處方) 명 **1** 处方 chǔfāng; 方子 fāngzi; 配方 pèifāng ¶～을 내다 开处方 **2** 方案 fāng'àn ¶사업을 개진하기 위한 좋은 ～ 改进工作的好方案 **3** = 처방전

처:방-전(處方箋) 명 【醫】 处方笺 chǔfāngjiān = 처방3

처:벌(處罰) 명하타 处罚 chǔfá; 处分 chǔfèn ¶～을 받다 受处罚

처:분(處分) 명하타 **1** 处理 chǔlǐ ¶자재를 ～하다 处理材料 **2** 处分 chǔfèn ¶～ 명령 处分令 / 행정 ～ 行政处分

처:사(處事) 명하자 办事 bànshì; 处事 chǔshì ¶공정한 ～ 办事公正

처:서(處暑) 명 处暑 chǔshǔ《二十四节气之一》

처:세(處世) 명하자 处世 chǔshì ¶～술 处世术 / ～의 재능 处世的才能 / ～에 능하다 善于处世

처:소(處所) 명 住处 zhùchù; 住所 zhùsuǒ ¶～를 정하다 定住处

처:신(處身) 명하자 处身 chǔshēn; 立身处世 lìshēnchǔshì ¶～이 바르다 处身端正

처:연-하다(悽然—) 형 凄切 qīqiè; 凄然 qīrán; 凄婉 qīwǎn ¶처연한 가을바람 凄然的秋风 **처:연-히** 부 ¶어머니는 ～ 웃었다 妈妈凄然一笑

처:우(處遇) 명하타 待遇 dàiyù; 相待 xiāngdài ¶동등한 ～ 同等待遇

처음 명 初 chū; 第一次 dìyīcì; 开头 kāitóu; 起始 qǐshǐ; 起头 qǐtóu; 首次 shǒucì ¶～ 보는 물건 第一次看到的东西 / ～부터 끝까지 从开头到最后 / ～ 위치로 돌아오다 回到起始位置

처자(妻子) 명 妻儿 qī'ér; 妻子 qīzǐ = 처자식

처-자식(妻子息) 명 = 처자

처:장(處長) 명 处长 chùzhǎng

처절(凄切) 명하형히부 凄凉 qīliáng; 凄切 qīqiè; 悲凉 bēiliáng ¶울음소리가 ～하다 哭声很凄凉

처:절(悽絕) 명하형히부 凄惨 qīcǎn; 不忍心看 bùrěnxīnkàn; 惨不忍睹 cǎnbùrěndǔ ¶～한 지진 현장 凄惨的地震现场

처제(妻弟) 명 妻妹 qīmèi

처-조카(妻—) 명 内侄 nèizhí

처:지(處地) 명 处境 chǔjìng; 境地 jìngdì; 立场 lìchǎng ¶서로의 ～가 다르다 彼此的处境不同 / ～가 딱하다 境地难堪

처:-지다 자 **1** 低垂 dīchuí; 耷拉 dāla ¶처진 수양버들 가지 低垂的杨柳 / 어깨가 ～ 肩膀耷拉下来 **2** 沉 chén ¶기분이 ～ 心情沉下去 **3** 褴褛 lánlǚ; 磨破 mópò ¶옷이 ～ 衣服磨破了 **4** 掉 diào; 落后 luòhòu ¶행군에서 뒤로 ～ 在行军的队中掉了队

처:참-하다(悽慘—) 형 凄惨 qīcǎn; 凄苦 qīkǔ ¶처참한 모습 凄惨的样子 **처:참-히** 부 ¶그의 계획은 ～ 실패했다 他的计谋凄惨地失败了

처첩(妻妾) 명 妻妾 qīqiè

처:치(處置) 명하타 **1** 处理 chǔlǐ; 处置 chǔzhì ¶응급 ～ 应急处置 / 일을 ～하다 处理事情 **2** 干掉 gàndiào; 除掉 chúdiào; 消除 xiāochú ¶적을 ～하다 干掉敌人

처:-하다(處—) 자타 **1** 处在 chǔzài; 所处 suǒchǔ; 处于 chǔyú ¶혼란한 상태에 ～ 处在混乱状态 / 곤란에 ～ 处于困境 **2** 处罚 chǔfá; 判处 pànchǔ ¶사형에 ～ 判处死刑

처형(妻兄) 명 大姨子 dàyízi

처:형(處刑) 명하타 **1** 处刑 chǔxíng **2** 处死 chǔsǐ ¶～을 선고받다 被判处死

척[1] 의명하보동 装 zhuāng; 装模作样 zhuāngmúzuòyàng = 체[2] ¶모르면서 아는 ～하다 不懂装懂

척[2] 부 紧贴 jǐntiē ¶젖은 셔츠가 몸에 ～ 달라붙다 湿衬衣紧贴在他身上

척[3] 부 **1** 立刻 lìkè; 马上 mǎshàng ¶～ 대답하다 马上答复 **2** 一看 yīkàn ¶～ 보고 그림이 진품이라는 것을 알다 一看就知道画是真品

척(尺) 의명 = 자[1]⊟ ¶5～ 五尺

척(隻) 의명 艘 sōu; 只 zhī ¶배 두 ～ 两只船

척도(尺度) 명 **1** 尺度 chǐdù **2** 尺度 chǐdù; 标准 biāozhǔn; 准绳 zhǔnshéng ¶수질 ～ 水质标准 / 우리 공장장은 판매량으로 행동의 ～를 삼는다 我们的厂长以将来销售量为他行动的准绳

척박-하다(瘠薄—) 형 瘠薄 jíbó; 贫瘠 pínjí; 硗薄 qiāobó; 硗瘠 qiāojí; 瘦 shòu ¶척박한 땅 贫瘠的土地

척수(脊髓) 명 【生】 脊髓 jǐsuǐ = 등골[1]2 ¶～염 脊髓炎

척척[1] 부 **1** 紧紧地 jǐnjǐnde; 紧靠 jǐnkào ¶젖은 옷이 몸에 ～ 들러붙다 湿衣服紧紧地贴在身上 **2** 适口 shìkǒu

척척[2] 부 **1** 从容不迫 cóngróngbùpò; 坦然自若 tǎnránzìruò ¶～ 대답하다 从容不迫地回答 **2** 麻利 máli; 顺利 shùnlì; 顺顺当当 shùnshundāngdāng ¶일이 ～ 풀리다 工作进行得很顺利

척척-박사(—博士) 명 百科博士 bǎikē bóshì; 活词典 huócídiǎn

척척-하다 형 冰凉 bīngliáng; 湿漉漉 shīlùlù ¶비에 젖은 옷이 몸에 붙어 ～ 淋湿的衣服贴在身上冰凉冰凉的

척추(脊椎) 명 『生』 脊椎 jǐzhuī; 脊梁骨 jǐlianggǔ; 脊柱 jǐzhù ¶ ~동물 脊椎动物 / ~염 脊椎炎

천: 명 布 bù; 布匹 bùpǐ; 布料 bùliào ¶ ~을 짜다 织布

천(千) 수관 千 qiān; 一千 yīqiān = 일천 ¶ ~ 마리 학 一千只鹤 / ~ 원 一千块韩币

천:거(薦擧) 명하타 荐举 jiànjǔ; 举荐 jǔjiàn ¶ 적임자를 ~하다 举荐合适的人

천고(千古) 명 千古 qiāngǔ ¶ ~의 수수께끼 千古奇闻

천고마비(天高馬肥) 명 秋高气爽 qiūgāoqìshuǎng

천공(天空) 명 天空 tiānkōng

천공(穿孔) 명하자타 1 穿孔 chuānkǒng; 打眼 dǎyǎn; 凿眼 záoyǎn ¶ ~기 穿孔机 2 『醫』 穿孔 chuānkǒng

천구(天球) 명 『天』 天球 tiānqiú

천국(天國) 명 1 天国 tiānguó 2 『宗』 天国 tiānguó; 天堂 tiāntáng = 천당 · 하늘나라

천군-만마(千軍萬馬) 명 千军万马 qiānjūnwànmǎ

천금(千金) 명 1 万贯财宝 wànguàn cáibǎo 2 千金 qiānjīn; 珍贵的 zhēnguìde ¶ ~ 같은 말 珍贵的话

천기(天機) 명 天机 tiānjī ¶ ~를 누설하다 漏泄天机

천년(千年) 명 千年 qiānnián; 千载 qiānzǎi; 千秋万代 qiānqiūwàndài

천당(天堂) 명 『宗』 = 천국2

천:대(賤待) 명하타 蔑视 mièshì; 欺凌 qīlíng; 歧视 qíshì ¶ ~를 받다 受到歧视

천:덕-꾸러기(賤—) 명 受气包 shòuqìbāo

천도(天道) 명 天道 tiāndào ¶ ~교 天道教

천:도(遷都) 명하자 迁都 qiāndū

천도-복숭아(天桃—) 명 『植』 油桃 yóutáo

천둥 명하자 雷 léi = 우레 ¶ ~이 치다 打雷

천둥-소리 명 雷声 léishēng = 뇌성 · 우렛소리

천륜(天倫) 명 天伦 tiānlún

천리(天理) 명 天理 tiānlǐ

천리-마(千里馬) 명 千里驹 qiānlǐjū

천리-안(千里眼) 명 千里眼 qiānlǐyǎn ¶ ~을 가지다 有千里眼

천막(天幕) 명 营帐 yíngzhàng; 帐幕 zhàngmù; 帐篷 zhàngpeng ¶ ~촌 帐篷村 / ~을 치다 搭帐篷

천만(千萬) 一수관 一千万 yīqiānwàn; 千万 qiānwàn 二명 许多 xǔduō

천만-다행(千萬多幸) 명하형 万幸 wànxìng ¶ 경상만 입은 게 정말 ~이다 受了点轻伤, 真是万幸

천만-에(千萬—) 감 不客气 bùkèqi; 不谢 bùxiè; 好说 hǎoshuō

천명(天命) 명 1 寿数 shòushu; 天年 tiānnián; 天寿 tiānshòu = 천수 ¶ ~을 다하다 天年已满 2 天命 tiānmìng; 真命 zhēnmìng ¶ ~을 따르다 听天命

천:명(闡明) 명하타 阐明 chǎnmíng; 阐述 chǎnshù ¶ 의견을 ~하다 阐明意见

천문(天文) 명 『天』 天文 tiānwén ¶ ~대 天文台 / ~학 天文学 / ~학자 天文学家 / ~에 정통하다 精通天文

천:민(賤民) 명 贱民 jiànmín; 下层人民 xiàcéng rénmín

천:박(淺薄) 명하형 肤浅 fūqiǎn; 浅薄 qiǎnbó ¶ ~하게 웃다 笑得很肤浅

천방-지축(天方地軸) 명부 1 冒冒失失 màomaoshīshī; 慌慌忙忙 huānghuangmángmáng ¶ ~ 달려나가다 慌慌忙忙跑了出 2 惊慌失措 jīnghuāngshīcuò ¶ ~ 도망가다 惊慌失措地逃跑

천벌(天罰) 명 天谴 tiānqiǎn; 天诛 tiānzhū ¶ ~을 받다 遭天谴

천부(天賦) 명 天赋 tiānfù; 天资 tiānzī ¶ ~의 능력 天赋的能力

천부-적(天賦的) 관명 天赋(的) tiānfù(de); 天资(的) tiānzī(de) ¶ ~ 재능이 있다 有天赋的才能

천사(天使) 명 『宗』 天使 tiānshǐ

천상(天常) 부 '천생二' 的错误

천상(天上) 명 天上 tiānshàng

천생(天生) 一명 天性 tiānxìng 二부 1 天生(的) tiānshēng(de); 生来 shēnglái; 天赋(的) tiānfù(de) ¶ 그는 ~ 선생님이다 他是天生老师 2 不得不 bùdébù; 该着 gāizhe ¶ 버스를 놓쳤으니 ~ 걸어가야 되겠다 由于没赶上公共汽车, 我们不得不走着去

천성(天性) 명 天性 tiānxìng ¶ ~이 착하다 天性善良

천수(天壽) 명 = 천명(天命)1 ¶ ~를 다 누리다 尽其天年

천:시(賤視) 명하타 鄙视 bǐshì; 轻视 qīngshì ¶ 근로자를 ~하다 轻视工人

천:식(喘息) 명 『醫』 喘病 chuǎnbìng; 气喘 qìchuǎn

천신-만고(千辛萬苦) 명하자 千辛万苦 qiānxīnwànkǔ ¶ ~ 끝에 성공을 이루었다 历尽千辛万苦取得成功

천심(天心) 명 1 天意 tiānyì ¶ ~을 어기다 违背天意 2 天性 tiānxìng ¶ ~이 착하다 天性善良

천애(天涯) 명 1 天涯 tiānyá ¶ ~까지 따라가다 跟随到天涯 2 举目无亲 jǔmùwúqīn ¶ ~의 고아 举目无亲的孤儿

천양지차(天壤之差) 명 不可同日而语 bùkětóngrì'éryǔ; 天差地别 tiānchādìbié; 天地之别 tiāndìzhībié; 天壤之别 tiānrǎngzhībié; 霄壤之别 xiāorǎngzhībié; 云泥之间 yúnnízhījiān ¶두 사람의 실력이 ~이다 两个人的能力不可同日而语

천연(天然) 명 天然 tiānrán; 自然 zìrán ¶~고무 天然橡胶 / ~가스 天然气 / ~기념물 天然纪念物 / ~색소 天然色素 / ~ 비료 天然肥料 / ~ 섬유 天然纤维 / ~자원 天然资源

천연덕-스럽다(天然—) 형 若无其事 ruòwúqíshì; 泰然自若 tàiránzìruò; 恬然 tiánrán = 천연스럽다 ¶거짓말을 천연덕스럽게 하다 说起谎话来泰然自若 **천연덕스레** 부 ¶~ 행동하다 若无其事地行动

천연-두(天然痘) 명 【醫】天花 tiānhuā ¶~에 걸리다 出天花

천연-색(天然色) 명 天然色 tiānránsè; 彩色 cǎisè

천연-스럽다(天然—) 형 = 천연덕스럽다 **천연스레** 부

천왕-성(天王星) 명 【天】天王星 tiānwángxīng

천운(天運) 명 **1** 天命 tiānmìng; 天运 tiānyùn ¶~이 다하다 天命已尽 **2** 万幸 wànxìng; 幸运 xìngyùn ¶사고를 당해도 상처를 입지 않은 것은 정말 ~이다 遇到事故却没有受伤, 真是幸运啊

천:인(賤人) 명 贱人 jiànrén

천인-공노(天人共怒) 명하자 神人共愤 shénréngòngfèn; 人怨天怒 rényuàntiānnù; 天怒人怨 tiānnùrényuàn ¶~할 만행 神人共愤的野蛮行径

천일-기도(千日祈禱) 명하자 千日祈祷 qiānrì qídǎo

천일-염(天日鹽) 명 天日盐 tiānrìyán

천자(天子) 명 皇帝 huángdì; 天子 tiānzǐ = 천황2

천자-문(千字文) 명 【書】千字文 Qiānzìwén ¶~을 읽다 读千字文

천장(天障) 명 【建】**1** 顶棚 dǐngpéng; 天棚 tiānpéng **2** 天花板 tiānhuābǎn

천재(天才) 명 天才 tiāncái ¶~성 天才性 / ~ 과학자 天才科学家

천재(天災) 명 天灾 tiānzāi ¶~를 입다 遭遇天灾

천재-지변(天災地變) 명 天灾 tiānzāi; 自然灾害 zìrán zāihài ¶~을 당하다 遭遇自然灾害

천적(天敵) 명 【動】天敌 tiāndí ¶고양이는 쥐의 ~이다 猫是鼠的天敌

천정(天井) 명 【建】'천장' 的错误

천주(天主) 명 **1** 【宗】= 하느님2 **2** 【佛】上帝 shàngdì

천주-교(天主教) 명 【宗】= 가톨릭교

천주교-도(天主教徒) 명 【宗】= 가톨릭교도

천지(天地) 명 **1** 天地 tiāndì = 건곤1 ¶~신명 天地神明 / ~가 진동하다 震撼天地 **2** 世界 shìjiè; 天地 tiāndì ¶~에서 가장 유명한 학자 世界上最有名的学者 **3** 都 dōu; 净 jìng; 满 mǎn ¶이 산은 소나무 ~다 这座山上净是松树

천지-간(天地間) 명 世界上 shìjièshang; 天地间 tiāndìjiān

천지-개벽(天地開闢) 명하자 **1** 开天辟地 kāitiānpìdì **2** 天翻地覆 tiānfāndìfù; 翻天复地 fāntiānfùdì

천직(天職) 명 天职 tiānzhí ¶경찰이 그의 ~이다 警察是他的天职

천진(天眞) 명하형 天真 tiānzhēn ¶~한 어린아이 天真的小孩子

천진-난만(天眞爛漫) 명하형 天真烂漫 tiānzhēnlànmàn ¶아이들은 정말 ~하다 孩子们真是天真烂漫

천차만별(千差萬別) 명하형 千差万别 qiānchàwànbié ¶학생들의 시험 성적이 ~이다 学生们的考试成绩真是千差万别的

천:천-하다 형 迟缓 chíhuǎn; 缓慢 huǎnmàn; 缓缓 huǎnhuǎn; 慢慢 mànmàn; 慢腾腾 mànténgténg; 慢吞吞 màntūntūn; 慢悠悠 mànyōuyōu; 冉冉 rǎnrǎn; 徐徐 xúxú ¶천천한 걸음 迟缓的步伐 / 천천한 동작 迟缓的动作 **천:천-히** 부 ¶~ 일어나다 慢慢站起来

천체(天體) 명 【天】天体 tiāntǐ ¶~ 망원경 天体望远镜 / ~ 물리학 天体物理学

천추(千秋) 명 千秋 qiānqiū ¶~의 한 千秋的恨 / ~만대 千秋万代

천치(天癡·天痴) 명 白痴 báichī; 傻瓜 shǎguā; 傻子 shǎzi

천칭(天秤) 명 天平 tiānpíng; 天秤 tiānchèng

천태만상(千態萬象) 명 气象万千 qìxiàngwànqiān; 千姿百态 qiānzībǎitài

천편-일률(千篇一律) 명 千篇一律 qiānpiānyīlǜ ¶강연회가 ~이 되어서는 안 된다 报告会不要搞得千篇一律

천편일률-적(千篇一律的) 관명 千篇一律的 qiānpiānyīlǜde ¶~인 방법 千篇一律的方法

천하(天下) 명 天下 tiānxià; 全世界 quánshìjiè; 天宇 tiānyǔ ¶~무적 天下无敌 / ~제일 天下第一 / ~태평 天下太平 / ~를 다스리다 经纬天下

천:-하다(賤—) 형 **1** 卑贱 bēijiàn; 下贱 xiàjiàn; 下流 xiàliú ¶천한 가문 下贱家门 **2** 难看 nánkàn; 俗气 súqi ¶행실이 ~ 表现俗气

천하-장사(天下壯士) 명 无敌大力士 wúdí dàlìshì
천:해(淺海) 명 浅海 qiǎnhǎi ¶～ 양식 浅海养殖
천행(天幸) 명 万幸 wànxìng; 幸好 xìnghǎo; 天幸 tiānxìng
천혜(天惠) 명 天惠 tiānhuì; 天然 tiānrán ¶～의 땅 天然之国 / ～의 관광 자원 天惠的观光资源
천황(天皇) 명 1 = 옥황상제 2 = 천자(天子) 3 (日本的) 天皇 tiānhuáng
철[1] 명 1 = 계절 ¶～에 따라 피는 꽃 随季节开的花 2 时节 shíjié; 期 qī; 季 jì ¶모내기 ～ 插秧期 / 벼 베기 ～ 水稻收割期 3 = 제철 ¶～ 지난 옷 过季儿的衣服
철[2] 명 懂事 dǒngshì ¶～이 들지 않다 不懂事
철(鐵) 명 1 〖化〗 铁 tiě 2 = 철사
-철(綴) 접미 装订 zhuāngdìng ¶서류～ 装订好的文件 / 신문～ 装订好的报纸
철갑(鐵甲) 명 1 铁甲 tiějiǎ ¶～선 铁甲船 / ～차 铁甲车 2 甲胄 jiǎzhòu; 盔甲 kuījiǎ; 铁甲 tiějiǎ
철갑-모(鐵甲帽) 명 〖軍〗 = 철모
철갑-상어(鐵甲—) 명 〖魚〗 中华鲟 zhōnghuáxún
철강(鐵鋼) 명 〖工〗 = 강철 ¶～업 钢铁业 / ～재 钢铁材
철거(撤去) 명하타 撤离 chèlí; 撤退 chètuì; 撤走 chèzǒu; 拆除 chāichú = 철회2 ¶오래된 집을 모두 ～할 계획이다 计划把老房子全部拆除
철거덕 부하자타 叮当 dīngdāng; 哐 kuāng; 咔嗒 kādā; 咔哒 kādā 《硬物撞击声》 ¶그릇이 가마에～ 부딪치다 碗哐的一声摔在了锅上 / 칼이 땅에 ～ 부딪치다 菜刀叮当一声掉在地上
철거덕-거리다 자타 叮当叮当地响 dīngdāngdīngdāngde xiǎng; 哐哐地响 kuāngkuāngde xiǎng; 咔嗒咔嗒地响 kādākādāde xiǎng; 咔哒咔哒地响 kādākādāde xiǎng = 철거덕대다 ¶오래된 계단을 밟아서 ～ 脚步踩在年久失修的楼梯上发出咔嗒咔嗒地响 **철거덕-철거덕** 부하자타
철거덩 부하자타 哐 kuāng; 哐当 kuāngdāng 《金属碰撞声》 ¶철판이 땅에 ～ 하고 떨어지다 铁板轰隆哐的一声掉在地上
철거덩-거리다 자타 哐哐地响 kuāngkuāngde xiǎng; 哐当哐当地响 kuāngdāngkuāngdāngde xiǎng = 철거덩대다 ¶열쇠 뭉치를 ～ 一串钥匙发出哐当哐当地响 **철거덩-철거덩** 부하자타
철거-민(撤去民) 명 拆迁移民 chāiqiān yímín
철골(鐵骨) 명 1 铁骨 tiěgǔ 《坚硬的骨骼》 2 〖建〗 钢骨 gānggǔ; 钢筋 gāngjīn
철공(鐵工) 명 铁工 tiěgōng; 铁匠 tiějiang ¶～소 铁工厂
철광(鐵鑛) 명 〖鑛〗 1 = 철광석 2 铁矿 tiěkuàng
철-광석(鐵鑛石) 명 〖鑛〗 铁矿石 tiěkuàngshí = 철광1
철교(鐵橋) 명 1 铁桥 tiěqiáo 2 〖交〗 铁路桥 tiělùqiáo
철군(撤軍) 명하자 撤军 chèjūn; 撤兵 chèbīng = 철병 ¶전선에서 ～하다 从前线撤军
철권(鐵拳) 명 铁拳 tiěquán ¶～통치 铁拳统治 / ～을 휘두르다 抡铁拳
철궤(鐵軌) 명 铁轨 tiěguǐ
철궤(鐵櫃) 명 铁柜 tiěguì
철그렁 부하자타 叮当 dīngdāng ¶낮잠을 잘 때 ～ 소리에 깨었다 睡午觉时被叮当叮当的响声吵醒了
철그렁-거리다 자타 叮当叮当地响 dīngdāngdīngdāngde xiǎng = 철그렁대다 ¶철문이 ～ 铁门叮当叮当地响 **철그렁-철그렁** 부하자타
철근(鐵筋) 명 〖建〗 钢筋 gāngjīn; 钢骨 gānggǔ ¶～ 콘크리트 钢筋混凝土 / ～ 건축 钢骨建筑
철기(鐵器) 명 铁器 tiěqì ¶～ 시대 铁器时代 / ～를 쓰다 使用铁器
철-길(鐵—) 명 = 철도
철도(鐵道) 명 铁道 tiědào; 铁路 tiělù = 레일2 · 철길 · 철로 ¶～ 운송 铁路运输 / ～청 铁道厅
철도-역(鐵道驛) 명 = 역(驛)
철두-철미(徹頭徹尾) 부하형 彻头彻尾 chètóuchèwěi; 完全 wánquán ¶국가의 정책을 ～하게 실시하다 完全落实国家的政策
철-들다 자 懂事 dǒngshì; 明事理 míngshìlǐ ¶그 나이가 되면 철들어야 한다 到了那个年纪, 该懂事了
철-딱서니 명 懂事 dǒngshì; 明事理 míngshìlǐ ¶～가 없다 不懂事
철렁 부하자 1 哗啦 huālā 《水冲击声》 ¶욕조의 물이 ～ 넘치다 浴缸里的水哗啦往外溢 2 怦怦 pēngpēng 《心跳》 ¶그 소식을 듣고 가슴이 ～했다 听到那个消息, 心怦怦地跳了起来 3 当啷 dānglāng 《金属碰撞声》 ¶자물쇠가 ～ 소리를 내다 锁子发出当啷声
철렁-거리다 자타 1 荡漾 dàngyàng ¶물결이 철렁거리는 호수 물 微波荡漾的湖水 2 咯噔 gēdēng 《心跳》 ¶가슴이 철렁거리며 내려앉다 他的心咯噔一下 3 当啷当啷地响 dānglāngdānglāngde xiǎng 《金属碰撞声》 ¶열쇠 뭉치가 ～ 一串钥匙当啷当啷地响 ‖ = 철렁대다 **철렁-철렁** 부하자타

철렁-하다 형 **1** 满溢 mǎnyì ¶물 항아리에 물이 ~ 水缸里的水满溢了 **2** 咯噔 gēdēng《心跳》¶가슴이 ~ 心里咯噔一下 **3** 当啷当啷地响 dānglāngdānglāngde xiǎng《金属碰撞声》¶놋그릇이 ~ 铜碗当啷当啷地响

철로(鐵路) 명 = 철도

철리(哲理) 명 哲理 zhélǐ ¶우주의 ~ 宇宙的哲理

철망(鐵網) 명 **1** 铁丝网 tiěsīwǎng **2** = 철조망

철면(凸面) 명 凸面 tūmiàn

철-면피(鐵面皮) 명하형 厚颜无耻 hòuyánwúchǐ; 厚脸皮 hòuliǎnpí; 脸皮厚 liǎnpí hòu; 恬不知耻 tiánbùzhīchǐ ¶~한 녀석 厚颜无耻的家伙

철모(鐵帽) 명【軍】钢盔 gāngkuī = 철갑모 ¶~를 쓰다 戴着钢盔

철-모르다 자 不懂事 bùdǒngshì ¶철모르는 아이들 不懂事的孩子们

철문(鐵門) 명 = 쇠문

철물(鐵物) 명 铁器 tiěqì; 五金 wǔjīn ¶~ 공장 五金工厂 / ~점 五金店 = [五金行]

철버덕 부하자타 哗啦 huālā ¶아이가 ~ 수면을 때렸다 孩子哗啦一声用手掌打了水面

철버덕-거리다 자타 哗啦哗啦 huālāhuālā = 철버덕대다 ¶철버덕거리며 손바닥으로 물을 치다 用手掌哗啦哗啦地拍水 **철버덕-철버덕** 부하자타

철버덩 부하자타 扑通 pūtōng ¶무르익은 감이 ~ 물에 떨어졌다 熟透的柿子扑通一声掉进水里

철버덩-거리다 자타 扑通扑通 pūtōngpūtōng = 철버덩대다 ¶아이들이 수영장에서 철버덩거리며 논다 孩子们在游泳池里扑通扑通地用脚玩水 **철버덩-철버덩** 부하자타

철벅 부하자타 '철버덕' 的略词

철벅-거리다 자타 '철버덕거리다' 的略词 = 철벅대다 **철벅-철벅** 부하자타

철벙 부하자타 '철버덩' 的略词

철벙-거리다 자타 '철버덩거리다' 的略词 = 철벙대다 **철벙-철벙** 부하자타

철벽(鐵壁) 명 铁壁 tiěbì; 铜墙铁壁 tóngqiáng tiěbì

철병(撤兵) 명하자 = 철군

철봉(鐵棒) 명【體】单杠 dāngàng ¶~ 운동 单杠运动

철-부지(—不知) 명 不懂事的 bùdǒngshìde

철분(鐵分) 명 铁质 tiězhì; 铁分 tiěfèn ¶~제 铁分片

철사(鐵絲) 명 铁丝 tiěsī = 철(鐵)2 ¶~를 곧게 펴다 把铁丝拉直 / ~를 구부리다 把铁丝弄弯

철삭(鐵索) 명 铁索 tiěsuǒ

철-새 명【鳥】候鸟 hòuniǎo

철석(鐵石) 명 铁石 tiěshí

철석-같다(鐵石—) 형 铁石 tiěshí; 钢铁般 gāngtiěbān ¶철석같은 신념 钢铁般的信念 / 철석같은 마음 铁石心肠 **철석같-이** 부 ¶~ 굳은 의지 钢铁般坚强的意志

철수(撤收) 명하자타 撤回 chèhuí; 收回 shōuhuí; 撤退 chètuì; 撤走 chèzǒu ¶명령을 ~하다 撤回命令 / 군대를 ~하다 撤回军队

철써덕 부하자타 **1** 啪 pā《水冲击声》¶바닷물이 ~ 바위에 부딪치다 海浪啪的一声拍打在岩石上 **2** 扑通 pūtōng《碰撞声》¶아이가 ~ 넘어졌다 孩子扑通一声摔倒了

철써덕-거리다 자타 **1** 啪啪 pāpā ¶바다의 파도가 철써덕거리며 때린다 大海的波涛啪啪地撞击着 **2** 扑通 pūtōng ¶깃대가 철써덕거리며 물속으로 넘어졌다 旗杆扑通一声掉在水里 ‖ = 철써덕대다 **철써덕-철써덕** 부하자타

철썩 부하자타 '철써덕' 的略词

철썩-거리다 자타 '철써덕거리다' 的略词 = 철썩대다 **철썩-철썩** 부하자타

철야(徹夜) 명하자 = 밤샘 ¶~ 작업 通宵作业 / ~ 조사 彻夜调查

철-없다 형 不懂事 bùdǒngshì; 不晓事 bùxiǎoshì ¶철없는 아이 不懂事的孩子 / 철없는 행동을 하다 做出不懂事的行为 **철없-이** 부 ¶~ 말하다 不懂事地说话

철옹-성(鐵甕城) 명 固若金汤 gùruòjīntāng; 金城汤池 jīnchéngtāngchí; 铜墙铁壁 tóngqiángtiěbì ¶~ 같은 방어 固若金汤的防御

철인(哲人) 명 哲人 zhérén

철인(鐵人) 명 铁人 tiěrén

철자(綴字) 명하자【語】拼写 pīnxiě; 缀字 zhuìzì ¶~법 拼写法

철재(鐵材) 명 铁材 tiěcái; 钢材 gāngcái

철저(徹底) 명하형히부 彻底 chèdǐ; 彻头彻尾 chètóuchèwěi ¶~한 사람 彻底的人 / ~히 조사하다 彻底清查

철제(鐵製) 명 铁制 tiězhì; 铁 tiě ¶~ 의자 铁椅 / ~품 铁制品 / ~기구 铁制工具

철조-망(鐵條網) 명 铁蒺藜 tiějílí; 铁丝网 tiěsīwǎng = 철망2

철쭉 명【植】大字杜鹃 dàzìdùjuān

철창(鐵窓) 명 **1** 铁窗 tiěchuāng **2** 铁窗 tiěchuāng; 监狱 jiānyù ¶~생활 铁窗生活

철창(鐵槍) 명 铁矛 tiěmáo; 铁枪 tiěqiāng

철책(鐵柵) 명 铁栅 tiězhà ¶~을 둘러치고 행인이 들어오지 못하게 하다 铁

栅网围起来, 不让行人进入

철천지원수(徹天之怨讐) 명 不共戴天之仇 bùgòngdàitiānzhīchóu; 死对头 sǐduìtou; 死冤家 sǐyuānjia

철철 부 1 哗啦哗啦 huālāhuālā《液体不断流淌貌》¶피가 ~ 흐르다 鲜血哗啦哗啦地流 2 满满 mǎnmǎn ¶인정이 ~ 넘치는 사람 有同情心满满的人

철철-이 부 每个季节 měige jìjié ¶어머니는 ~ 갈아입을 옷을 다 준비해 놓으셨다 妈妈把每个季节穿的衣服全都准备好了

철칙(鐵則) 명 铁则 tiězé ¶~을 엄격히 지키다 严格遵守铁则

철커덕 부하자타 咔嚓 kāchā《硬物碰撞声》¶자물쇠를 ~ 채우다 咔嚓一声上了锁

철커덕-거리다 자타 咔嚓咔嚓 kāchākāchā = 철커덕대다 ¶낡은 차에서 철커덕거리는 소리가 난다 旧车发出咔嚓咔嚓的声音 **철커덕-철커덕** 부하자타

철커덩 부하자타 哐 kuāng《金属碰撞声》¶철문이 ~ 닫혔다 铁门哐的一声关上了

철커덩-거리다 자타 哐哐 kuāngkuāng《金属碰撞声》= 철커덩대다 ¶누군가 밖에서 자물쇠를 철커덩거리는 소리가 난다 谁在门外碰铁锁发出动哐哐的声音 **철커덩-철커덩** 부하자타

철컥 부하자타 '철커덕'的略词

철컥-거리다 자타 '철커덕거리다'的略词 = 철컥대다 **철컥-철컥** 부하자타

철탑(鐵塔) 명 铁塔 tiětǎ

철통(鐵桶) 명 铁桶 tiětǒng

철통-같다(鐵桶—) 형 固若金汤 gùruòjīntāng; 毫无漏洞 háowú lòudòng; 铜墙铁壁 tóngqiángtiěbì ¶철통같은 방어 铜墙铁壁般的防御 **철통같-이** 부

철판(鐵板) 명 钢板 gāngbǎn; 铁板 tiěbǎn

철퍼덕 부하자타 扑腾 pūtēng ¶그 남학생이 ~ 진흙을 튀겼다 那个男学生扑腾扑腾溅起淤泥

철퍼덕-거리다 자타 扑腾扑腾 pūtēngpūtēng = 철퍼덕대다 ¶진창을 밟아 철퍼덕거렸다 踩着泥水发出了扑腾扑腾的声音 **철퍼덕-철퍼덕** 부하자타

철폐(撤廢) 명하타 撤销 chèxiāo; 废除 fèichú; 取消 qǔxiāo ¶규정의 ~ 规定的撤销 / 불합리한 법률이 ~되다 不合理的法律被废除

철-하다(綴—) 타 订 dìng; 装订 zhuāngdìng ¶신문을 월별로 ~ 把报纸按月装订起来

철학(哲學) 명 哲学 zhéxué ¶고전 ~ 古典哲学 / ~가 哲学家 / ~사 哲学史 / ~자 哲学者

철회(撤回) 명하타 1 撤回 chèhuí; 撤销 chèxiāo; 取消 qǔxiāo; 收回 shōuhuí ¶명령을 ~하다 取消命令 / 제안을 ~하다 撤回提案 2 = 철거

첨: 명 '처음'的略词

첨가(添加) 명하타 添加 tiānjiā; 补充 bǔchōng; 添 tiān ¶~제 添加剂 / ~물 添加物 / 논문에 관련 내용을 ~하다 在论文里添加了相关内容

첨단(尖端) 명 尖端 jiānduān ¶~ 기술 尖端技术 / ~ 분야 尖端领域 / ~ 산업 尖端产业 / ~화 尖端化 / 시대의 ~을 걷다 走在时代尖端

첨벙 부하자타 噗通 pūtōng; 扑通 pūtōng ¶감이 물에 ~ 떨어졌다 柿子噗通一声掉进水里

첨벙-거리다 자타 噗通噗通响 pūtōngpūtōng xiǎng; 扑通扑通响 pūtōngpūtōng xiǎng = 첨벙대다 ¶냇물을 첨벙거리며 건너오다 噗通噗通响地趟过小溪来 **첨벙-첨벙** 부하자타

첨부(添附) 명하타 附 fù; 附加 fùjiā; 补充 bǔchōng ¶참고서에는 그림까지 ~되어 있다 参考书里还附有图片

첨삭(添削) 명하타 删改 shāngǎi; 修改 xiūgǎi; 增删 zēngshān ¶요구에 따라 관련 내용이 ~되었다 根据要求, 相关的内容被删改了

첨예-하다(尖銳—) 형 1 尖锐 jiānruì; 尖利 jiānlì; 锐利 ruìlì ¶칼날을 아주 첨예하게 갈다 把刀刃磨得非常尖锐 2 尖锐 jiānruì; 激烈 jīliè ¶첨예한 모순 尖锐的矛盾

첨탑(尖塔) 명 尖塔 jiāntǎ

첩(妾) 一명 妾 qiè; 小老婆 xiǎolǎopo; 偏房 piānfáng; 二房 èrfáng; 姨太太 yítàitai ¶~을 들이다 纳妾 二대 妾身 qièshēn

첩(貼) 의명 贴 tiē ¶한약 한 ~ 一贴韩药

-첩(帖) 접미 帖 tiè ¶글씨~ 字帖 / 그림~ 画帖

첩경(捷徑) 명 = 지름길

첩보(諜報) 명하타 谍报 diébào ¶~기관 谍报机关 / ~망 谍报网 / ~전 谍报战 / ~활동 谍报活动 / ~원 谍报员

첩자(諜者) 명 = 간첩

첩첩(疊疊) 부하형 重重 chóngchóng; 茂密 màomì; 层叠 céngdié; 重叠 chóngdié; 层层 céngcéng ¶~한 운무 层层的云雾 / 산이 ~하다 层峦层叠

첫 관 第一 dìyī; 首次 shǒucì; 头 tóu; 初 chū ¶~ 공연 首次演出

첫-걸음 명 第一步 dìyībù

첫-날 명 第一天 dìyītiān

첫날-밤 명 初夜 chūyè = 초야(初夜)

첫-눈1 명 一眼 yīyǎn; 一见 yījiàn ¶~에 간파하다 一眼看出 / ~에 반하다

一见钟情
첫-눈[2] 명 初雪 chūxuě
첫-돌 명 第一个生日 dìyīge shēngrì; 一周岁 yīzhōusuì
첫-마디 명 第一句 dìyījù
첫-발 명 第一步 dìyībù
첫-사랑 명 初恋 chūliàn
첫-인상(—印象) 명 初次印象 chūcì yìnxiàng; 第一印象 dìyī yìnxiàng ¶~이 좋다 第一印象很好
첫-째 ㊀수관 第一 dìyī; 头号 tóuhào ㊁명 1 首先 shǒuxiān; 首要 shǒuyào; 最 zuì 2 = 많이1
첫-차(—車) 명 头班车 tóubānchē
청(請) 명하자타 请 qǐng; 请求 qǐngqiú; 托 tuō ¶~을 거절하다 拒绝请求
청각(聽覺) 명 〖生〗 听觉 tīngjué ¶~기관 听觉器官
청강(聽講) 명하타 听讲 tīngjiǎng
청강-생(聽講生) 명 〖教〗 旁听生 pángtīngshēng
청-개구리(青—) 명 〖動〗 青蛙 qīngwā
청결(清潔) 명하형히부 清洁 qīngjié; 洁净 jiéjìng ¶~한 환경 清洁的环境 / 사무 공간이 아주 ~하다 办公空间很清洁 / 피부를 ~히 하다 洁净皮肤
청-교도(清教徒) 명 〖宗〗 清教徒 Qīngjiàotú ¶~주의 清教徒主义 / ~ 혁명 清教徒革命
청구(請求) 명하타 请求 qǐngqiú; 申请 shēnqǐng; 要求 yāoqiú ¶~권 请求权 / ~서 请求书 / ~인 请求人 / 손해 배상을 ~하다 请求损坏赔偿
청국-장(清麴醬) 명 清曲酱 qīngqūjiàng《韩国传统菜料之一》¶~찌개 清曲酱汤
청군(青軍) 명 青军 qīngjūn; 青队 qīngduì
청기(青旗) 명 青旗 qīngqí
청-기와(青—) 명 青瓦 qīngwǎ = 청와
청년(青年) 명 青年 qīngnián ¶~기 青年时期 / ~단 青年团 / ~층 青年层 / ~회 青年会
청동(青銅) 명 〖化〗 青铜 qīngtóng ¶~거울 青铜镜
청동-기(青銅器) 명 〖化〗 青铜器 qīngtóngqì ¶~ 시대 青铜器时代
청둥-오리 명 〖鳥〗 绿头鸭 lǜtóuyā = 물오리
청량-음료(清涼飲料) 명 清凉饮料 qīngliáng yǐnliào
청량-하다(清亮—) 형 清亮 qīngliang; 清脆 qīngcuì ¶목소리가 ~ 嗓音清亮 **청량-히** 부
청량-하다(清涼—) 형 清凉 qīngliáng; 清爽 qīngshuǎng ¶청량한 날씨 清凉的天气 **청량-히** 부

청력(聽力) 명 听力 tīnglì ¶~ 검사 听力检查
청렴(清廉) 명하형 清廉 qīnglián; 廉lián ¶~한 관리 清廉的官员 / ~결백하다 廉洁
청록(青綠) 명 碧绿 bìlǜ; 青绿 qīnglǜ ¶~색 青绿色
청룡(青龍) 명 〖民〗 青龙 qīnglóng
청명-하다(清明—) 형 1 晴朗 qínglǎng ¶청명한 날씨 晴朗的天气 2 清脆 qīngcuì; 清亮 qīngliang ¶청명한 목소리 清亮的嗓音 / 울음소리가 ~ 哭声清脆 3 鲜明 xiānmíng; 清楚 qīngchu ¶청명한 윤곽 清楚的外形
청문-회(聽聞會) 명 〖政〗 听证会 tīngzhènghuì ¶~를 열다 召开听证会 / ~에 참가하다 参加听证会
청-바지(青—) 명 牛仔裤 niúzǎikù ¶~를 입다 穿牛仔裤
청부(請負) 명하타 包工 bāogōng; 承包 chéngbāo; 承揽 chénglǎn ¶~업 包工业 / 프로젝트를 ~하다 承包项目
청빈(清貧) 명하형히부 清贫 qīngpín; 清苦 qīngkǔ ¶~한 생활 清贫的生活
청사(青史) 명 青史 qīngshǐ; 史书 shǐshū ¶~에 길이 이름을 남기다 名垂青史
청사(廳舍) 명 办公楼 bàngōnglóu; 大楼 dàlóu; 大厦 dàshà ¶종합 ~ 综合大厦
청-사진(青寫眞) 명 1 〖演〗 蓝图 lántú; 图纸 túzhǐ 2 蓝图 lántú ¶한국 경제 전망의 ~ 韩国经济前景的蓝图
청산(青山) 명 青山 qīngshān
청산(清算) 명하타 1 付清 fùqīng; 结账 jiézhàng; 清算 qīngsuàn; 清账 qīngzhàng; 算账 suànzhàng ¶관련 비용은 모두 ~되었다 相关的费用全部付清 2 清除 qīngchú; 肃清 sùqīng; 消灭 xiāomiè ¶낡은 제도의 ~ 对旧制度的肃清
청산-가리(青酸加里) 명 氰化钾 qínghuàjiǎ
청산-유수(青山流水) 명 口若悬河 kǒuruòxuánhé; 滔滔不绝 tāotāobùjué
청상(青孀) 명 = 청상과부
청상-과부(青孀寡婦) 명 年轻寡妇 niánqīng guǎfu; 年轻孀妇 niánqīng shuāngfù = 청상
청색(青色) 명 = 파란색
청설-모(青—毛) 명 〖動〗 灰松鼠 huīsōngshǔ
청소(清掃) 명하타 打扫 dǎsǎo; 扫除 sǎochú; 清扫 qīngsǎo = 소제 ¶~부 打扫夫 =[清洁工] / ~차 清扫车 / 방을 ~하다 打扫房间
청소-기(清掃機) 명 吸尘器 xīchénqì ¶진공~ 真空吸尘器

청-소년(青少年) 명 青少年 qīngshàonián
청-솔(青—) 명 苍松 cāngsōng; 青松 qīngsōng = 청송 ¶~가지 青松枝
청송(青松) 명 = 청솔
청수(清水) 명 清水 qīngshuǐ
청수-하다(清秀—) 형 清秀 qīngxiù; 秀丽 xiùlì ¶청수한 용모 清秀的容貌 / 청수한 경치 秀丽的风景
청순(清純) 명하형 纯洁 chúnjié; 清纯 qīngchún ¶~한 얼굴 清纯的面子
청순-가련(清純可憐) 명하형 清纯可爱 qīngchún kě'ài ¶~한 여자 清纯可爱的女孩
청승 명 悲苦 bēikǔ; 可怜 kělián; 凄惨 qīcǎn; 凄楚 qīchǔ; 凄切 qīqiè ¶~을 떨다 凄惨
청승-맞다 형 悲苦 bēikǔ; 可怜 kělián; 凄惨 qīcǎn; 凄楚 qīchǔ; 凄切 qīqiè ¶청승맞은 울음소리 凄惨的哭声
청-신경(聽神經) 명 〖生〗 听觉神经 tīngjué shénjīng
청-신호(青信號) 명 1 〖交〗 绿灯 lǜdēng 2 前途顺利 qiántú shùnlì
청-실(青—) 명 蓝线 lánxiàn
청심-환(清心丸) 명 〖韓醫〗 1 清心丸 qīngxīnwán 2 = 우황청심환
청아-하다(清雅—) 형 清脆 qīngcuì; 清雅 qīngyǎ; 优雅 yōuyǎ ¶청아한 목소리 清脆的嗓音
청약(請約) 명하타 〖法〗 承买 chéngmǎi; 承购 chénggòu; 订购 dìnggòu; 认购 rèngòu ¶~률 订购率 / ~서 认购书 / 주택을 ~하다 认购住宅
청어(青魚) 명 〖魚〗 鲱鱼 fēiyú
청와(青瓦) 명 = 청기와
청-요리(清料理) 명 中餐 zhōngcān; 中国菜 zhōngguócài ¶~집 中国菜馆 / ~를 시키다 点中国菜
청운(青雲) 명 青云 qīngyún ¶~에 뜻을 두다 立志于青云
청원(請願) 명하자타 1 申请 shēnqǐng; 要求 yāoqiú ¶~을 받아들이다 接受要求 2 〖法〗 请愿 qǐngyuàn ¶~권 请愿权 / ~서 请愿书 / ~ 경찰 请愿警察 / 학생들이 정부 관계자에게 ~하다 学生们向政府负责人请愿
청음(清音) 명 1 清音 qīngyīn 2 〖語〗 = 무성음
청자(青瓷·青磁) 명 〖手工〗 青瓷 qīngcí
청장(廳長) 명 〖法〗 厅长 tīngzhǎng ¶국세~ 国税厅长
청-장년(青壯年) 명 青壮年 qīngzhuàngnián
청정(清淨) 명하형히부 干净 gānjìng; 洁净 jiéjìng; 清净 qīngjìng ¶~ 수역 洁净水域 / ~ 작업 清净作业 / 시냇물이 ~하다 溪水清净
청주(清酒) 명 = 정종
청중(聽衆) 명 听众 tīngzhòng ¶~석 听众席 / ~들의 평가 听众们的评价
청진(聽診) 명하타 〖醫〗 听诊 tīngzhěn ¶~기 听诊器 / 의사가 ~하다 医生听诊
청천(青天) 명 青天 qīngtiān
청천(晴天) 명 晴天 qíngtiān ¶~벽력 晴天霹雳
청첩(請牒) 명 = 청첩장
청첩-장(請牒狀) 명 请柬 qǐngjiǎn; 请帖 qǐngtiě = 청첩 ¶~을 보내다 发送请帖
청춘(青春) 명 青春 qīngchūn ¶~ 시절 青春时期 / ~ 남녀 青春男女
청출어람(青出於藍) 명 青出于蓝 qīngchūyúlán
청취(聽取) 명하타 收听 shōutīng; 听取 tīngqǔ ¶~율 收听率 / 라디오를 ~하다 收听收音机 / 남의 의견을 ~하다 听取别人的意见
청취-자(聽取者) 명 听众 tīngzhòng
청-치마(青—) 명 牛仔裙 niúzǎiqún
청탁(請託) 명하자타 请托 qǐngtuō; 委托 wěituō ¶~을 받다 接受请托 / 원고를 ~하다 请托原稿
청-포도(青葡萄) 명 〖植〗 青葡萄 qīngpútao
청풍(清風) 명 清风 qīngfēng ¶~명월 清风明月
청-하다(請—) 타 1 请求 qǐngqiú; 求 qiú; 要求 yāoqiú; 要 yào ¶만남을 ~ 要求见面 / 도움을 ~ 请求帮助 2 聘请 pìnqǐng; 请 qǐng; 邀请 yāoqǐng ¶생일 파티에 친구들을 ~ 邀请朋友们参加生日晚会 3 想 xiǎng ¶잠을 ~ 想睡觉
청혼(請婚) 명하자 求婚 qiúhūn ¶~을 받다 被求婚 / ~을 거절하다 拒绝求婚
체[1] 명 筛子 shāizi ¶밀가루를 ~에 한 번 치다 把面粉用筛子筛一遍
체[2] 의명하보동 = 척[1] ¶알면서도 모르는 ~하다 明明知道却装做不知
체감(體感) 명하타 体感 tǐgǎn; 体验 tǐyàn ¶~ 온도 体感温度 / 현장의 분위기를 ~하다 体验现场的气氛
체격(體格) 명 体格 tǐgé ¶건장한 ~ 强壮的体格 / 왜소한 ~ 偏瘦的体格
체결(締結) 명하타 缔结 dìjié; 订 dìng; 订立 dìnglì; 签订 qiāndìng ¶계약을 ~하다 签订合同 / 협력 조약을 ~하다 签订合作条约
체계(體系) 명 体系 tǐxì; 体制 tǐzhì; 系统 xìtǒng ¶교육 ~ 教育体制 / 서비스 ~ 服务系统 / ~성 系统性 / ~적 系统的 / ~화 体系化 / ~가 없다 不成体制
체구(體軀) 명 = 몸집 ¶~가 크다 身

材高大
체급(體級) 명 〖體〗 体重分级 tǐzhòng fēnjí
체기(滯氣) 명 食滞 shízhì
체납(滯納) 명하타 拖欠 tuōqiàn; 滞纳 zhìnà ¶~금 滞纳金 / ~액 滞纳金额 / ~자 拖欠者 / 근로자의 임금을 ~하다 拖欠工人工资
체내(體內) 명 体内 tǐnèi ¶~ 기생 体内寄生 / ~ 수정 体内受精
체념(諦念) 명하타 断念 duànniàn; 死心 sǐxīn; 想开 xiǎngkāi ¶나는 그에 대해 이미 ~하였다 我已经对他死心了
체득(體得) 명하타 1 体会 tǐhuì; 体味 tǐwèi ¶관련 기술을 ~하다 体会相关技术 2 领会 lǐnghuì ¶성현의 말씀을 ~하다 领会圣贤的话语
체력(體力) 명 体力 tǐlì ¶~단련 锻炼体力 / ~장 体力场 / ~검사 体力检查 / ~이 없다 没有体力
체류(滯留) 명하자 逗留 dòuliú; 滞留 zhìliú = 체재(滯在) ¶미국에 ~하다 滞留在美国
체리(cherry) 명 〖植〗 = 버찌
체면(體面) 명 面子 miànzi; 体面 tǐmiàn ¶~을 세우다 顾全体面 / ~이 없다 丢面子 / ~을 차리다 讲面子
체면-치레(體面—) 명하자 = 면치레 ¶~로 하는 말 装门面的话
체벌(體罰) 명하타 体罚 tǐfá ¶~을 받다 受到体罚
체불(滯拂) 명하타 拖欠 tuōqiàn; 滞纳 zhìnà ¶~금 拖欠金 / ~ 임금 拖欠工资 / 임금이 ~되다 工资被拖欠
체-세포(體細胞) 명 〖生〗 体细胞 tǐxìbāo
체스(chess) 명 〖體〗 国际象棋 guójì xiàngqí
체신(遞信) 명 邮递 yóudì; 邮电 yóudiàn; 邮政 yóuzhèng ¶~ 업무 邮政业务 / ~부 邮政部
체액(體液) 명 〖生〗 体液 tǐyè
체언(體言) 명 〖語〗 体词 tǐcí
체온(體溫) 명 体温 tǐwēn ¶~계 体温计 / ~ 조절 体温调节 / ~이 높다 体温高 / ~이 낮다 体温低
체외(體外) 명 体外 tǐwài ¶~ 수정 体外受精 / ~ 순환 体外循环
체육(體育) 명 体育 tǐyù ¶~계 体育界 / ~관 体育馆 / ~ 대회 体育大会 / ~ 수업 体育课
체육-복(體育服) 명 运动服 yùndòngfú = 운동복
체인(chain) 명 1 = 쇠사슬 2 轮胎链 lúntāiliàn; 车胎链 chētāiliàn; 胎链 tāiliàn 3 (自行车的) 链子 liànzi; 链条 liàntiáo 4 连锁商店 liánsuǒ shāngdiàn; 连锁 liánsuǒ; 连锁店 liánsuǒdiàn
체재(滯在) 명하자 = 체류
체재(體裁) 명 体裁 tǐcái; 体式 tǐshì = 체제1
체적(體積) 명 〖數〗 = 부피
체제(體制) 명 1 = 체재(體裁) 2 体系 tǐxì; 体制 tǐzhì; 制度 zhìdù ¶조직 ~ 组织体制 / 사상 ~ 思想体系 / 정치 ~ 政治体制 3 〖生〗 体系 tǐxì
체조(體操) 명하자 〖體〗 体操 tǐcāo; 操 cāo ¶~ 경기 体操比赛
체중(體重) 명 = 몸무게 ¶~계 体重秤 / ~을 측정하다 测体重 / ~을 줄이다 减少体重
체증(滯症) 명 1 〖韓醫〗 积食 jīshí; 停食 tíngshí 2 交通堵塞 jiāotōng dǔsè ¶교통 ~을 빚다 引起了交通堵塞
체-질 명하자 过筛子 guò shāizi ¶모래를 ~하다 沙子过筛子
체질(體質) 명 1 体质 tǐzhì ¶~을 개선하다 改善体质 / ~이 허약하다 体质虚弱 2 性质 xìngzhì; 特点 tèdiǎn ¶우리 ~에 맞지 않는 외국 사상 对我们性质不合适的外国思想
체취(體臭) 명 体香 tǐxiāng; 体臭 tǐchòu ¶심한 ~ 强烈的体臭 / ~를 제거하다 除体臭
체크(check) 명하타 1 打钩 dǎgōu 2 = 물표 3 方格 fānggé; 方格图案 fānggé tú'àn; 格子 gézi ¶~무늬 格子纹
체크아웃(check-out) 명 (在旅馆) 退房手续 tuìfáng shǒuxù
체크인(check-in) 명 1 (在旅馆) 报到 bàodào; 登记 dēngjì 2 (在飞机) 登机手续 dēngjī shǒuxù
체통(體統) 명 体面 tǐmiàn; 体统 tǐtǒng ¶~을 지키다 保持体面 / ~을 잃다 有失体面 / ~을 버리다 丢掉体统
체포(逮捕) 명하타 〖法〗 逮捕 dàibǔ; 捉拿 zhuōná ¶~령 逮捕令 / 용의자를 ~하다 捉拿嫌疑犯
체-하다(滯—) 자 积食 jīshí; 伤食 shāngshí; 停食 tíngshí; 滞食 zhìshí; 没消化好 méixiāohuàhǎo = 얹히다3 ¶너무 많이 먹어서 체했다 吃得太多, 伤食了
체험(體驗) 명하타 体验 tǐyàn ¶~담 体验谈 / ~자 体验者 / 농촌 생활을 ~하다 体验农村生活
체형(體形) 명 体形 tǐxíng ¶표준 ~ 标准体形 / ~을 유지하다 保持体形
체형(體型) 명 体型 tǐxíng ¶비만형 ~ 肥胖体型 / ~에 맞는 옷을 입다 穿和体型相符的衣服
첼로(이cello) 명 〖音〗 大提琴 dàtíqín
첼리스트(cellist) 명 大提琴手 dàtíqínshǒu; 大提琴演奏者 dàtíqín yǎnzòuzhě
쳇-바퀴 명 筛体 shāitǐ

쳐-내다 타 打扫 dǎsǎo; 清扫 qīngsǎo; 掏 tāo ¶화장실을 ~ 清扫厕所

쳐:다-보다 타 **1** 仰视 yǎngshì; 仰望 yǎngwàng ¶먼 곳을 ~ 仰望远方 / 별이 총총한 하늘을 ~ 仰望星空 **2** 凝视 níngshì; 注视 zhùshì ¶앞을 ~ 凝视前方 / 개미를 ~ 注视蚂蚁 **3** 依赖 yīlài; 依附 yīfù ¶남편만 ~ 只依赖丈夫

쳐:-들다 타 举 jǔ; 昂起 ángqǐ; 撑起 chēngqǐ; 举起 jǔqǐ; 抬起 táiqǐ ¶손을 ~ 举手 / 무거운 돌을 ~ 抬起重重的石头 / 부끄러움에 고개를 쳐들지 못하다 因为害羞, 抬不起头来

쳐-들어가다 타 打进去 dǎjìnqù; 攻进去 gōngjìnqù; 进攻 jìngōng ¶적진으로 ~ 进攻敌营

쳐-들어오다 타 打进来 dǎjìnlái; 攻进来 gōngjìnlái; 进犯 jìnfàn; 侵犯 qīnfàn; 侵入 qīnrù ¶수만의 군사들이 쳐들어오고 있다 数万军队攻进来

쳐-부수다 타 摧毁 cuīhuǐ; 打败 dǎbài; 打垮 dǎkuǎ; 击败 jībài; 击溃 jīkuì ¶침략자를 ~ 击溃侵略者

쳐-주다 타 **1** 换算 huànsuàn; 折合 zhéhé; 折算 zhésuàn ¶그 골동품은 가격을 쳐줄 수 없다 那个古董无法折算价格 **2** 认定 rèndìng ¶일인자로 ~ 认定能手

초 명 蜡烛 làzhú; 洋蜡 yánglà ¶~를 켜다 点蜡烛

초(初) 의명 初 chū ¶20세기 ~ 二十世纪初 / 이번 달 ~ 这个月初

초(秒) 의명 秒 miǎo ¶3시 30분 50~ 三点三十分五十秒 / 30~ 안에 출발하겠다 三十秒内出发

초(醋) 명 = 식초

초가(草家) 명 草屋 cǎowū; 茅草屋 máocǎowū; 茅屋 máowū = 초가집 · 초옥

초-가을(初—) 명 初秋 chūqiū; 孟秋 mèngqiū

초가-집(草家—) 명 = 초가

초-간장(醋—醬) 명 酱油醋 jiàngyóucù = 초장(醋醬)1

초-겨울(初—) 명 初冬 chūdōng; 孟冬 mèngdōng

초경(初經) 명 初潮 chūcháo

초고(草稿) 명 草底儿 cǎodǐr; 草稿 cǎogǎo; 初稿 chūgǎo; 底稿 dǐgǎo = 원고(原稿)2 ¶~를 작성하다 打草稿 / ~를 수정하다 修改初稿

초-고속(超高速) 명 超高速 chāogāosù ¶~ 네트워크 超高速网络 / ~ 인터넷 시대 超高速因特网时代 / ~ 다운로드 超高速下载

초-고추장(醋—醬) 명 糖醋辣椒酱 tángcù làjiāojiàng = 초장(醋醬)2

초-고층(超高層) 명 超高层 chāogāocéng ¶~ 건물 超高层建筑 / ~ 빌딩 超高层大楼

초과(超過) 명하자타 超 chāo; 超出 chāochū; 超额 chāo'é; 超过 chāoguò ¶~ 근무 超时工作 / ~량 超量 / ~ 생산 超产 / ~액 超额 / ~ 이윤 超额利润 / 예산을 ~했다 超过了预算

초교(初校) 명 〖印〗 初校 chūjiào

초급(初級) 명 初级 chūjí ¶~ 중국어 初级汉语 / ~반 初级班

초기(初期) 명 初期 chūqī; 早期 zǎoqī ¶임신 ~ 怀孕初期 / ~ 증상 初期症状 / ~ 작품 初期作品

초년(初年) 명 **1** 年轻时期 niánqīng shíqī **2** 初年 chūnián ¶신혼 ~ 시절 新婚初年时期

초년-병(初年兵) 명 新兵 xīnbīng ¶~ 훈련 新兵训练

초년-생(初年生) 명 生手 shēngshǒu; 新手 xīnshǒu ¶막 사회에 뛰어든 ~ 刚步入社会的生手

초-능력(超能力) 명 〖心〗 超能力 chāonénglì ¶~을 발휘하다 发挥超能力

초단(初段) 명 **1** 第一阶段 dìyī jiēduàn **2** 〖體〗 初段 chūduàn

초대(初代) 명 第一任 dìyīrèn; 首任 shǒurèn ¶~ 시장 第一任市长 / ~ 주석 首任主席

초대(招待) 명하타 招待 zhāodài; 邀请 yāoqǐng ¶~권 招待券 / ~석 招待席 / ~연 招待宴会 / ~장 邀请函 / ~전 招待展 / 친구를 집으로 ~하다 招待朋友来家作客

초-대형(超大型) 명 超大型 chāodàxíng; 超级大型 chāojí dàxíng; 顶级大型 dǐngjí dàxíng ¶~ 백화점 顶级大型百货商场 / ~ 선박 超级大型船舶 / ~ 오페라 超大型歌剧

초두(初頭) 명 **1** 初头 chūtóu ¶새해 ~ 新年初头 / 21세기 ~ 二十一世纪初头 **2** 开头 kāitóu ¶~ 부분 开头部分

초등(初等) 명 初等 chūděng ¶~ 교육 初等教育

초등-학교(初等學校) 명 〖教〗 小学 xiǎoxué

초등-학생(初等學生) 명 小学生 xiǎoxuéshēng

초라-하다 형 寒酸 hánsuān; 困窘 kùnjiǒng; 寒碜 hánchen; 穷困 qióngkùn ¶초라한 집 寒酸的家 / 행색이 ~ 样子困窘 / 실적이 ~ 业绩寒碜 **초라-히** 부

초래(招來) 명하타 惹起 rěqǐ; 引起 yǐnqǐ; 引致 yǐnzhì; 造成 zàochéng; 招致 zhāozhì; 招来 zhāolái ¶손실을 ~하다 造成损失 / 심각한 문제를 ~하다 引起严重的问题

초로(初老) 명 初老 chūlǎo

초록(抄錄) 명하타 抄录 chāolù; 抄写 chāoxiě ¶강연 내용을 ~하다 抄录演讲内容
초록(草綠) 명 1 = 초록색 2 = 초록빛
초록-빛(草綠—) 명 草绿色 cǎolǜsè = 초록2
초록-색(草綠色) 명 草绿色 cǎolǜsè = 초록1
초롱 명 灯笼 dēnglóng ¶~불 灯笼火 / ~을 켜다 点灯笼 / ~을 들다 提灯笼
초롱-초롱 부하형히부 晶莹 jīngyíng; 闪闪 shǎnshǎn; 闪闪灼灼 shǎnshanzhuózhuó; 灼灼 zhuózhuó ¶~히 엄마를 바라보는 아기 闪闪望着妈妈的孩子 / 아이의 눈이 ~ 빛나다 孩子的眼睛晶莹地发光
초립(草笠) 명 草笠 cǎolì; 草帽 cǎomào
초막(草幕) 명 草棚 cǎopéng; 草篷 cǎopéng; 草舍 cǎoshè
초-만원(超滿員) 명 爆满 pàomǎn; 摩肩接踵 mójiānjiēzhǒng; 肩摩踵接 jiānmózhǒngjiē ¶~ 열차 摩肩接踵的列车 / 이 차는 이미 ~이다 这辆车上的人已经肩摩踵接了
초면(初面) 명 初会 chūhuì; 初次见面 chūcì jiànmiàn ¶나와 그는 ~이다 我和他初会
초목(草木) 명 草木 cǎomù ¶~이 무성하다 草木繁茂
초미(焦眉) 명 迫在眉睫 pòzàiméijié; 燃眉之急 ránméizhījí ¶~ 문제 燃眉之急的问题 / ~의 큰일 燃眉之急的大事
초-미립자(超微粒子) 명 【物】 超微粒子 chāowēilìzǐ
초-바늘(秒—) 명 = 초침
초반(初盤) 명 第一盘 dìyīpán; 首盘 shǒupán ¶~의 승부가 중요하다 首盘的胜负很重要 / ~에는 거래가 부진했다 首盘交易无进展
초-밥(醋—) 명 寿司 shòusī
초-벌(初—) 명 = 애벌 ¶~ 번역 初次翻译 / ~ 지도 初次指导
초범(初犯) 명 初犯 chūfàn
초병(哨兵) 명 哨兵 shàobīng ¶~이 보초를 서다 哨兵站岗
초보(初步) 명 初步 chūbù ¶~ 단계 初步阶段 / ~ 수준 初步水平 / ~ 지식 初步的知识
초보-자(初步者) 명 生手 shēngshǒu; 新手 xīnshǒu
초복(初伏) 명 初伏 chūfú; 头伏 tóufú
초본(抄本) 명 抄本 chāoběn; 手抄本 shǒuchāoběn ¶성경 ~ 圣经抄本
초-봄(初—) 명 初春 chūchūn; 开春 kāichūn; 孟春 mèngchūn; 早春 zǎochūn
초빙(招聘) 명하타 聘请 pìnqǐng; 招聘 zhāopìn ¶전문가를 ~하다 招聘专家
초산(初産) 명하자 初产 chūchǎn; 生头一胎 shēng tóuyītāi; 头产 tóuchǎn ¶~의 산모 初产的产妇
초산(醋酸) 명 【化】 = 아세트산 ¶빙~ 领醋酸 / ~연 醋酸铅
초상(初喪) 명 初丧 chūsāng; 丧事 sāngshì ¶~을 치르다 办丧事
초상(肖像) 명 画像 huàxiàng; 肖像 xiàoxiàng ¶인물 ~ 人物肖像 / ~권 肖像权 / ~화 肖像画
초상-집(初喪—) 명 丧家 sāngjiā
초생-달(初生—) 명 '초승달'的错误
초서(草書) 명 【藝】 草书 cǎoshū; 草体 cǎotǐ = 흘림
초석(礁石) 명 = 암초 ¶산호 ~ 珊瑚礁石 / 거대한 ~ 巨大的礁石 / ~ 해안 暗礁海岸
초석(礎石) 명 1 【建】 = 주춧돌 2 奠基石 diànjīshí; 根基 gēnjī; 基础 jīchǔ; 基石 jīshí ¶~을 다지다 打基础
초성(初聲) 명 【語】 初声 chūshēng
초소(哨所) 명 岗哨 gǎngshào; 哨所 shàosuǒ ¶해안 ~ 海岸哨所 / 경비 ~ 警戒哨所
초-소형(超小型) 명 超小型 chāoxiǎoxíng; 超迷你型 chāomǐnǐxíng ¶~ 카메라 超迷你型相机
초속(秒速) 명 秒速 miǎosù
초순(初旬) 명 = 상순
초승-달(初—) 명 上弦月 shàngxiányuè; 新月 xīnyuè ¶~이 하늘에 떠 있다 一轮新月挂在空中
초식(草食) 명 草食 cǎoshí; 食草 shícǎo ¶~ 공룡 食草恐龙 / ~ 동물 草食动物 / ~성 草食性
초심(初心) 명 1 初心 chūxīn 2 = 초심자
초심-자(初心者) 명 生手 shēngshǒu; 新手 xīnshǒu = 초심2
초안(草案) 명하타 草案 cǎo'àn; 初步计划 chūbù jìhuà ¶~을 작성하다 拟定草案
초야(初夜) 명 = 첫날밤
초야(草野) 명 草野 cǎoyě; 穷乡僻壤 qióngxiāngpìrǎng ¶~에 묻혀 살다 埋没于草野
초-여름(初—) 명 初夏 chūxià; 孟夏 mèngxià
초연(初演) 명하타 初演 chūyǎn
초연(硝煙) 명 硝烟 xiāoyān ¶전쟁터에 ~이 자욱하다 战场上硝烟弥漫
초연-하다(超然—) 형 超然 chāorán; 超脱 chāotuō ¶초연한 삶 超脱的生活
초연-히 부

초옥(草屋) 명 = 초가

초원(草原) 명 草原 cǎoyuán ¶끝없이 넓은 ~ 辽阔的草原

초월(超越) 명하타 超出 chāochū; 超越 chāoyuè ¶디지털 시대를 ~하다 超越数码时代 / 자신의 능력을 ~하다 超出自己的能力

초유(初乳) 명〖生〗初乳 chūrǔ

초-음속(超音速) 명〖物〗超声速 chāoshēngsù; 超音速 chāoyīnsù ¶~ 전투기 超音速战斗机

초-음파(超音波) 명〖物〗超声波 chāoshēngbō; 超音波 chāoyīnbō ¶~ 세척기 超音波清洗机

초-이레(初—) 명 '초이렛날' 的略词

초-이렛날(初—) 명 初七 chūqī = 이레2 · 이렛날3

초인(超人) 명 超人 chāorén

초인-종(招人鐘) 명 门铃 ménlíng ¶~이 울렸다 门铃响了 / ~을 누르다 按门铃 / ~을 설치하다 安装门铃

초임(初任) 명 初任 chūrèn ¶~ 교사 初任教师

초입(初入) 명하자 **1** 入口 rùkǒu ¶극장의 ~에는 많은 사람들이 모였다 剧场的入口聚集了很多人 **2** 初次 chūcì; 开头 kāitóu ¶장마 ~ 雨季开头 **3** 第一次进入 dìyīcì jìnrù

초-자연(超自然) 명 超自然 chāozìrán ¶~론 超自然论 / ~적 超自然的 / ~현상 超自然现象

초장(初場) 명 **1** (集市的) 开市 kāishì **2** 开端 kāiduān; 开初 kāichū; 开始 kāishǐ; 开头 kāitóu; 起初 qǐchū ¶~부터 일이 잘 안된다 刚开始事情就不顺利

초장(醋醬) 명 **1** = 초간장 **2** = 초고추장

초-저녁(初—) 명 **1** 傍晚 bàngwǎn; 初夜 chūyè; 黄昏 huánghūn ¶~의 경치가 아름답다 傍晚的景色很美 **2** 开端 kāiduān; 开始 kāishǐ; 开头 kāitóu; 起初 qǐchū ¶~부터 잘 처리했어야 되는데 刚开始的时候就应该好好处理

초-절임(醋—) 명 醋腌 cùyān ¶오이~ 醋腌黄瓜

초점(焦點) 명 **1** 焦点 jiāodiǎn ¶사건의 ~ 事件的焦点 / 문제의 ~을 흐리다 把问题的焦点弄模糊了 **2**〖物〗焦点 jiāodiǎn ¶~ 거리 焦点距离 / ~이 맞다 焦点对头

초조(焦燥) 명하형히부 烦躁 fánzào; 焦急 jiāojí; 焦灼 jiāozhuó; 焦躁 jiāozào ¶~한 얼굴 烦躁的脸色 / 마음이 ~하다 心情烦 躁 / ~히 결과를 기다리다 焦急地等待结果

초-주검(初—) 명 半死 bànsǐ; 半死不活 bànsǐbùhuó ¶맞아서 ~에 이르렀다 被打了个半死不活

초지(初志) 명 初心 chūxīn; 初意 chūyì; 初志 chūzhì; 初衷 chūzhōng ¶~일관 初志一贯 / ~를 잊지 않다 不忘初衷

초지(草地) 명 草地 cǎodì

초진(初診) 명하타 初诊 chūzhěn ¶~ 환자 初诊病人 / ~ 결과 初诊结果

초짜(初—) 명 生手 shēngshǒu; 新手 xīnshǒu

초창(草創) 명하타 草创 cǎochuàng; 初创 chūchuàng ¶~기 草创时期 / ~에 온갖 어려움과 고생을 겪다 历尽草创的艰辛

초청(招請) 명하타 聘请 pìnqǐng; 请 qǐng; 邀请 yāoqǐng; 招请 zhāoqǐng ¶~장 邀请信 / ~을 받다 接受邀请 / 변호사를 ~하다 聘请律师

초췌-하다(憔悴— · 顦顇—) 형 枯悴 kūcuì; 憔悴 qiáocuì ¶초췌한 얼굴 憔悴的面色 / 행색이 ~ 形貌枯悴

초침(秒針) 명 秒针 miǎozhēn = 초바늘 ¶~이 멈췄다 秒针停了

초콜릿(chocolate) 명 巧克力 qiǎokèlì; 巧古力 qiǎogǔlì; 朱古力 zhūgǔlì ¶~ 케이크 巧克力蛋糕

초크(chalk) 명 **1**〖手工〗划粉 huàfěn **2**〖體〗巧克粉 qiǎokèfěn

초탈(超脫) 명하자타 超脱 chāotuō ¶삶과 죽음을 ~하다 超脱生死

초토(焦土) 명 **1** 焦土 jiāotǔ ¶마을이 폭탄에 ~가 되었다 村子被炸成了焦土 **2** 灰烬 huījìn

초토-화(焦土化) 명하자타 焦土化 jiāotǔhuà ¶생태계가 ~될 위기에 처했다 生态系处于焦土化的危机之中

초-특급(超特級) 명 超特级 chāotèjí ¶~ 태풍 超特级台风 / ~ 지진 超特级地震

초-파리(醋—) 명〖蟲〗果蝇 guǒyíng

초판(初—) 명 初场 chūchǎng; 初期 chūqī; 第一场 dìyīchǎng ¶~ 경기 第一场比赛 / ~ 작업 初期操作

초판(初版) 명〖印〗初版 chūbǎn = 원판(原版)2 ¶~본 初版本

초-하루(初—) 명 = 초하룻날

초-하룻날(初—) 명 (农历) 初一 chūyī = 초하루

초행(初行) 명하자 **1** 初行 chūxíng ¶~이라 낯선 곳이 두렵다 初行, 很怕陌生的地方 **2** = 초행길

초행-길(初行—) 명 初次走的路 chūcì zǒude lù = 초행2

초혼(初婚) 명하자 初婚 chūhūn

촉(鏃) 명 笔尖 bǐjiān; 尖 jiān ¶만년필 ~ 钢笔尖

촉각(觸角) 명〖動〗= 더듬이

촉각(觸覺) 명〖生〗触感 chùgǎn; 触

觉 chùjué = 촉감2 ¶~이 예민하다 触觉敏感
촉감(觸感) 명 1 = 감촉 ¶손에 만져지는 ~이 좋다 摸在手里的感觉很好 2〖生〗= 촉각(觸覺)
촉구(促求) 명하타 催 cuī; 催促 cuīcù; 促使 cùshǐ ¶국제 협력을 ~하다 促使进行国际合作
촉망(屬望·囑望) 명하자타 期望 qīwàng; 希望 xīwàng; 瞩望 zhǔwàng ¶~ 받는 감독 有希望的导演 / 꿈이 이루어지기를 ~하다 期望梦想成真
촉매(觸媒) 명〖化〗触媒 chùméi; 催化 cuīhuà; 催化剂 cuīhuàjì ¶~ 반응 催化反应 / ~ 작용 催化作用
촉박(促迫) 명하형 仓促 cāngcù; 紧迫 jǐnpò ¶시간이 ~하다 时间紧迫
촉발(觸發) 명하자 1 触发 chùfā ¶사건을 ~하다 触发事件 2 引爆 yǐnbào ¶~ 장치 引爆装置
촉-새 명 1〖鳥〗灰头鹀 huītóuwū 2 轻佻的人 qīngtiāode rén
촉수(觸手) 명하타 1〖動〗触手 chùshǒu ¶불가사리의 ~ 海星的触手 2 着手 zhuóshǒu
촉수(觸鬚) 명〖蟲〗触角 chùjiǎo; 触须 chùxū
촉진(促進) 명하타 促进 cùjìn; 加速 jiāsù ¶경제 성장을 ~시키다 促进经济生长
촉촉-하다 형 潮湿 cháoshī; 发潮 fācháo; 湿润 shīrùn; 湿漉漉 shīlùlù ¶눈이 ~ 眼睛湿润了 / 땅이 ~ 土地湿漉漉的 **촉촉-이** 부
촌:(寸) 의명 1 寸 cùn ¶그와 나는 8~이다 他和我是八寸 2 寸 cùn ¶길이 5~ 长度五寸
촌:(村) 명 村 cūn; 农村 nóngcūn; 乡村 xiāngcūn; 乡下 xiāngxia
촌:각(寸刻) 명 = 촌음
촌:-구석(村—) 명 1 村旮旯儿 cūngālár; 乡僻 xiāngpì; 乡曲 xiāngqǔ = 시골구석 2 '촌(村)'的鄙称
촌:극(寸劇) 명 1〖演〗独幕剧 dúmùjù; 小戏(儿) xiǎoxì(r) 2 闹剧 nàojù ¶한 바탕의 ~이 마침내 끝났다 一场闹剧终于结束了
촌:-놈(村—) 명 1 村夫 cūnfū; 土包子 tǔbāozi; 乡巴佬儿 xiāngbalǎor; 乡下人 xiāngxiarén 2 村夫俗子 cūnfūsúzǐ
촌:-뜨기(村—) 명 村夫 cūnfū; 土包子 tǔbāozi; 乡巴佬儿 xiāngbalǎor; 乡下人 xiāngxiarén
촌:락(村落) 명 村落 cūnluò; 村庄 cūnzhuāng
촌:부(村夫) 명 村夫 cūnfū
촌:부(村婦) 명 村妇 cūnfù
촌:-사람(村—) 명 1 乡下人 xiāngxiarén 2 粗人 cūrén
촌:수(寸數) 명 辈分 bèifen; 辈数 bèishù ¶그녀의 ~는 나보다 낮다 她的辈分比我小
촌:-스럽다(村—) 형 土里土气 tǔlitǔqì ¶옷을 촌스럽게 입었다 衣服穿得土里土气 / 외모를 보니 ~ 外表看上去有些土里土气 **촌:-스레** 부
촌:음(寸陰) 명 片刻 piànkè; 寸阴 cùnyīn; 寸刻 cùnkè = 촌각 ¶~도 떨어지지 않는다 寸刻不离
촌:장(村長) 명 村长 cūnzhǎng
촌:지(寸志) 명 1 寸心 cùnxīn 2 贿赂 huìlù
촌:-티(村—) 명 土里土气 tǔlitǔqì; 土气 tǔqì = 시골티 ¶~ 나는 스타일 土里土气的打扮
촌:평(寸評) 명하타 短评 duǎnpíng ¶시사 ~ 时事短评
촐랑-거리다 자 1 咣啷咣啷 guānglāngguānglāng; 晃荡 huàngdang ¶대야의 물이 ~ 盆里的水晃荡 2 淘气 táoqì; 轻浮 qīngfú; 调皮 tiáopí ¶언행이 위선적이고 촐랑거린다 言行很虚伪轻浮 ‖= 촐랑대다 **촐랑-촐랑** 부하자
촐랑-이 명 轻佻鬼 qīngtiāoguǐ; 淘气鬼 táoqìguǐ
촐싹-거리다 자타 1 吊儿郎当 diào'erlángdāng; 大大咧咧 dàdaliēliē ¶남자가 그렇게 촐싹거려서 어디에 쓰겠니? 男人这么吊儿郎当, 有什么用的? 2 不平静 bùpíngjìng; 激动 jīdòng ¶촐싹거리는 심정 激动的心情 / 마음이 ~ 心里很不平静 ‖= 촐싹대다 **촐싹-촐싹** 부하자타
촘촘-하다 형 密 mì; 密致 mìzhì; 细密 xìmì ¶올이 매우 ~ 线条儿很密 **촘촘-히** 부 ¶매우 ~ 짜다 编得很密
촛-농(—膿) 명 烛泪 zhúlèi ¶~이 흘러내리다 烛泪流下
촛-대(—臺) 명 蜡台 làtái; 烛台 zhútái
촛-불 명 烛火 zhúhuǒ; 烛光 zhúguāng
총(銃) 명 枪 qiāng; 枪械 qiāngxiè; 枪支 qiāngzhī ¶~ 한 자루 一枝枪
총:(總) 관 共 gòng; 一共 yīgòng; 总共 zǒnggòng ¶~ 열 사람이다 总共十个人 / ~ 얼마예요? 共多少钱? / 너희들은 ~ 몇 명이니? 你们一共有多少人?
총:각(總角) 명 1 小伙子 xiǎohuǒzi; 总角 zǒngjiǎo 2 = 숫총각
총:각-김치(總角—) 명 小萝卜泡菜 xiǎoluóbo pàocài
총:각-무(總角—) 명〖植〗小萝卜 xiǎoluóbo
총:-감독(總監督) 명하타 总监督 zǒngjiāndū
총검(銃劍) 명 1 刀和枪 dāo hé qiāng;

刀枪 dāoqiāng; 枪刺 qiāngcì = 총칼 **2** 武力 wǔlì
총검-술(銃劍術) 명 〖軍〗 刺枪法 cìqiāngfǎ
총격(銃擊) 명하타 枪击 qiāngjī ¶~사건 枪击事件 / ~을 받다 遭枪击
총격-전(銃擊戰) 명 枪战 qiāngzhàn
총:-결산(總決算) 명 **1** 了结 liǎojié ¶걱정거리를 ~하다 了结了心事 **2** 〖經〗 总决算 zǒngjuésuàn
총:계(總計) 명 总计 zǒngjì ¶~를 내다 拿出总计
총:괄(總括) 명하타 总括 zǒngkuò; 综合 zōnghé; 总结 zǒngjié ¶~ 평가 综合平价 / 의견을 ~하다 总结意见
총구(銃口) 명 枪口 qiāngkǒu; 枪眼 qiāngyǎn
총기(銃器) 명 枪械 qiāngxiè; 枪支 qiāngzhī
총기(聰氣) 명 **1** 聪颖 cōngyǐng; 灵气 língqì ¶~ 있는 여자아이 聪颖的小姑娘 **2** 好记性 hǎo jìxìng ¶~ 있는 사람 好记性的人
총-대(銃—) 명 枪杆(儿) qiānggǎn(r); 枪杆子 qiānggǎnzi
총:독(總督) 명 总督 zǒngdū ¶~부 总督府
총:-동원(總动員) 명하타 总动员 zǒngdòngyuán
총:량(總量) 명 总量 zǒngliàng
총:력(總力) 명 全力 quánlì; 一切力量 yīqiè lìliang ¶~을 다하다 尽全力
총:론(總論) 명 **1** 总论 zǒnglùn **2** 前言 qiányán; 绪论 xùlùn; 序论 xùlùn
총:리(總理) 명하타 **1** 总管 zǒngguǎn; 总理 zǒnglǐ **2** 〖法〗 = 국무총리
총명(聰明) 명하형 聪明 cōngming ¶~한 아이 聪明的孩子 / 그녀는 매우 ~하다 她很聪明
총:무(總務) 명 总务 zǒngwù ¶~과 总务科 / ~부 总务处
총:-반격(總反擊) 명하타 总反攻 zǒngfǎngōng; 总反击 zǒngfǎnjī ¶~을 시작하다 开始总反击
총-부리(銃—) 명 枪口 qiāngkǒu; 枪眼 qiāngyǎn
총:-사령(總司令) 명 〖軍〗 = 총사령관
총:-사령관(總司令官) 명 〖軍〗 总司令官 zǒngsīlìngguān = 총사령
총살(銃殺) 명하타 枪杀 qiāngshā ¶~당하다 被枪杀
총상(銃傷) 명 枪伤 qiāngshāng ¶~을 치료하다 治疗枪伤
총:선(總選) 명 〖法〗 总选 zǒngxuǎn; 总选举 zǒngxuǎnjǔ
총성(銃聲) 명 = 총소리
총-소리(銃—) 명 枪声 qiāngshēng = 총성
총:수(總帥) 명 统帅 tǒngshuài
총:수(總數) 명 总数 zǒngshù
총:아(寵兒) 명 宠儿 chǒng'ér ¶시대의 ~ 时代宠儿
총-알(銃—) 명 枪弹 qiāngdàn; 枪子儿 qiāngzǐr; 枪支弹药 qiāngzhī dànyào; 子弹 zǐdàn = 총탄
총알-받이(銃—) 명 炮灰 pàohuī
총:애(寵愛) 명하타 宠爱 chǒng'ài; 宠幸 chǒngxìng ¶선생님이 ~하는 학생 老师宠爱的学生 / ~를 얻다 赢得宠爱
총:액(總額) 명 总额 zǒng'é
총:-영사(總領事) 명 〖法〗 总领事 zǒnglǐngshì
총:장(總長) 명 **1** 总长 zǒngzhǎng **2** 〖教〗 (综合大学的) 校长 xiàozhǎng
총:재(摠裁) 명 总裁 zǒngcái ¶회사의 ~ 公司的总裁 / ~의 결정 总裁的决定
총:점(總點) 명 总分 zǒngfēn
총-질(銃—) 명하자 打枪 dǎqiāng; 放枪 fàngqiāng; 射击 shèjī
총채 명 掸子 dǎnzi
총:책(總責) 명 = 총책임자
총:-책임(總責任) 명 总责任 zǒngzérèn ¶이번 과실의 ~은 제가 지겠습니다 这次过失的总责任由我自己负责
총:-책임자(總責任者) 명 总负责人 zǒngfùzérén = 총책
총총 부하형히부 璀璨 cuǐcàn ¶~ 빛나는 별 璀璨的星星
총총(悤悤) 부하형히부 匆匆 cōngcōng; 匆忙 cōngmáng ¶이만 ~ 붓을 놓겠습니다 到这里, 匆匆下笔
총총-거리다 자 匆匆忙忙 cōngcongmángmáng; 急急忙忙 jíjimángmáng = 총총대다 ¶그는 골목길로 총총거리며 걸어갔다 他匆匆忙忙走进胡同里
총총-걸음 명 疾步 jíbù; 快步 kuàibù ¶~으로 걷다 快步行走
총총-들이(蔥蔥—) 부 满满地 mǎnmǎnde; 茂密地 màomìde; 密密麻麻地 mìmimámáde ¶하늘에 별이 ~ 박혀 있다 天空密密麻麻地镶嵌着星星
총총-하다 형 璀璨 cuǐcàn ¶총총한 별들 璀璨的星空 **총총-히** 부 ¶밤 하늘의 별이 ~ 빛난다 夜晚天空上的星星很璀璨
총총-하다(悤悤—) 형 匆匆 cōngcōng; 匆忙 cōngmáng ¶그는 편지 한 장 쓸 겨를도 없이 총총하게 가버렸다 他匆忙地走了, 连写一封信的时间也没有 **총총-히** 부 ¶그는 ~ 떠났다 他匆匆地离开了
총총-하다(蔥蔥—) 형 茂密 màomì; 郁郁葱葱 yùyùcōngcōng ¶총총한 삼림 郁郁葱葱的树林 **총총-히** 부 ¶잡초가

물풀처럼 ~ 자라다 杂草像水草一样生长得很茂密
총총-하다(叢叢—) 형 密密麻麻 mìmimámá ¶젓가락이 총총하게 쌓여 있다 筷子密密麻麻地堆在一起 **총총-히** 부 ¶밭에 채소가 ~ 자란다 地里的蔬菜长得密密麻麻
총:칙(總則) 명 总则 zǒngzé
총:칭(總稱) 명하타 泛称 fànchēng; 统称 tǒngchēng; 总称 zǒngchēng ¶수생식물의 ~ 水生植物的总称
총-칼(銃—) 명 = 총검1
총탄(銃彈) 명 = 총알
총:통(總統) 명하타 1 总管 zǒngguǎn 2 总统 zǒngtǒng
총:판(總販) 명하타 1 专卖 zhuānmài; 专销 zhuānxiāo 2 专卖商场 zhuānmài shāngchǎng; 专销商店 zhuānxiāo shāngdiàn
총:평(總評) 명 总评 zǒngpíng
총포(銃砲) 명 1 枪 qiāng 2 〖軍〗 枪支和火炮 qiāngzhī hé huǒpào
총:합(總合) 명하타 一共 yīgòng; 总和 zǒnghé; 总计 zǒngjì ¶성적 ~ 成绩总和
총:회(總會) 명 全会 quánhuì; 总会 zǒnghuì
총:획(總劃) 명 总笔画数 zǒngbǐhuàshù
촬영(撮影) 명하타 摄影 shèyǐng ¶기념 ~ 纪念摄影 / 야외 ~ 野外摄影 / ~가 摄影家 / ~ 감독 摄影导演 / ~실 摄影室
촬영-기(撮影機) 명 摄影机 shèyǐngjī = 카메라2
최:강(最强) 명 最强 zuìqiáng
최:고(最高) 명 1 最高 zuìgāo ¶~가 最高价 / ~액 最高额 / ~ 온도 最高温度 2 最好 zuìhǎo ¶~ 성적 最好成绩 / ~ 상태 最好状态
최:-고급(最高級) 명 最高级 zuìgāojí; 最上等 zuìshàngděng
최:고-봉(最高峯) 명 最高峰 zuìgāofēng; 顶峰 dǐngfēng
최:-고조(最高潮) 명 顶峰 dǐngfēng; 最高潮 zuìgāocháo
최:근(最近) 명 最近 zuìjìn ¶~의 일 最近的事情
최:단(最短) 명하형 最短 zuìduǎn ¶~ 거리 最短距离 / ~ 시간 最短时间
최:대(最大) 명하형히부 最大 zuìdà ¶~ 흡수량 最大吸收量 / ~ 수출액 最大出口额 / ~치 最大值
최:대-한(最大限) 명 = 최대한도
최:대-한도(最大限度) 명 最大限度 zuìdà xiàndù = 최대한 ¶~에 달하다 达到了最大限度
최루-탄(催淚彈) 명 催泪弹 cuīlèidàn
최면(催眠) 명 催眠 cuīmián ¶~술 催眠术 / ~ 요법 催眠疗法
최면-제(催眠劑) 명 〖藥〗 = 수면제
최:상(最上) 명 最高 zuìgāo; 最优 zuìyōu; 最上 zuìshàng ¶~급 最上级 = [最高级]
최:선(最善) 명 1 最好 zuìhǎo ¶~의 방법 最好的办法 =[最上策] 2 最大努力 zuìdà nǔlì; 竭诚 jiéchéng ¶~을 다해 서비스하겠습니다 竭诚为您服务
최:소(最少) 명하형 1 最少 zuìshǎo ¶~와 최다 最少和最多 2 最年轻 zuì niánqīng; 最少 zuìshào
최:소(最小) 명하형 最小 zuìxiǎo ¶~와 최대 最小和最大
최:신(最新) 명 最新 zuìxīn ¶~ 유행 스타일 最新流行时尚
최:악(最惡) 명 最恶劣 zuì èliè; 最坏 zuì huài ¶~의 상황 最坏的情况 / ~의 환경 最恶劣的环境
최:-우수(最優秀) 명 最优秀 zuìyōuxiù; 最佳 zuìjiā ¶~ 선수 最优秀选手
최:저(最低) 명 最低 zuìdī ¶~가 最低价 =[最廉价] / ~ 기온 最低气温 / ~ 생활비 最低生活费 / ~ 임금 最低工资
최:적(最適) 명하형 最合适 zuì héshì; 最适当 zuì shìdàng; 最适合 zuì shìhé ¶~의 시기 最适当的时期
최:-전방(最前方) 명 〖軍〗 = 최전선
최:-전선(最前線) 명 〖軍〗 前线 qiánxiàn; 最前线 zuìqiánxiàn = 일선3 · 최전방
최:종(最終) 명 最后 zuìhòu; 最末 zuìmò; 最终 zuìzhōng ¶~ 결과 最终结果 / ~ 발표 最后发表
최:초(最初) 명 最初 zuìchū
최:하(最下) 명 最低 zuìdī; 最下 zuìxià ¶~ 등급 最低等
최:혜-국(最惠國) 명 〖法〗 最惠国 zuìhuìguó ¶~ 대우 最惠国待遇
최:후(最後) 명 最后 zuìhòu; 最末 zuìmò ¶~통첩 最后通牒 / ~의 만찬 最后的晚餐
추(錘) 명 1 秤锤 chèngchuí; 秤砣 chèngtuó 2 钟摆 zhōngbǎi
추가(追加) 명하타 追加 zhuījiā ¶예산을 ~하다 追加预算
추격(追擊) 명하타 追打 zhuīdǎ; 追击 zhuījī ¶소매치기를 ~했다 追打了逃离的小偷儿
추계(秋季) 명 秋季 qiūjì; 秋天 qiūtiān ¶~ 운동회 秋季运动会
추구(追求) 명하타 追求 zhuīqiú ¶완벽함을 ~하다 追求完美 / 이상을 ~하다 追求理想
추궁(追窮) 명하타 追究 zhuījiū; 追查 zhuīchá; 追问 zhuīwèn ¶책임을 ~하

다 追查责任
추기-경(樞機卿) 명 『宗』 红衣主教 hóngyī zhǔjiào
추녀(醜女) 명 丑女 chǒunǚ
추다 타 跳 tiào ¶춤을 ~ 跳舞
추대(推戴) 명하타 推举 tuījǔ; 拥戴 yōngdài ¶유능한 사람을 우리의 반장으로 ~해야 한다 应该把能干的人推举成我们的班长
추돌(追突) 명하자타 追尾 zhuīwěi ¶~사고 追尾事故
추락(墜落) 명하자 1 跌落 diēluò; 坠落 zhuìluò ¶~사 坠落死亡 / 비행기가 바다로 ~하였다 飞机坠落到海里 2 下降 xiàjiàng ¶권위가 ~하다 权威下降
추레-하다 형 寒酸 hánsuān; 穷酸 qióngsuān ¶추레한 스타일 寒酸的打扮
추론(推論) 명하타 推论 tuīlùn ¶고대 유물을 통해 고대인들의 삶을 ~하다 通过古代遗物而推论古代人的生活方式
추리(推理) 명하타 1 推理 tuīlǐ ¶~력 推理能力 / ~ 소설 推理小说 / 사건 현장의 증거를 통해 사건 정황을 ~하다 通过事件现场的证据而推理事件情况 2 『論』 推理 tuīlǐ ¶귀납 ~ 归纳推理
추리닝(←training) 명 运动服 yùndòngfú
추리다 타 挑出 tiāochū; 挑选 tiāoxuǎn; 选择 xuǎnzé; 摘出 zhāichū ¶적합한 방법을 ~ 选择适合的方法
추모(追慕) 명하타 追慕 zhuīmù ¶돌아가신 분을 ~하다 追慕死者
추방(追放) 명하타 1 驱除 qūchú ¶부패를 ~하다 驱除腐败 2 『法』 驱逐出境 qūzhú chūjìng
추산(推算) 명하자타 估计 gūjì; 估算 gūsuàn; 推测 tuīcè ¶산불의 피해액이 수천억 원으로 ~되었다 山火的损害额估计几千亿韩元
추상-적(抽象的) 관명 抽象(的) chōuxiàng(de) ¶~인 개념 抽象的概念 / ~이고 난해한 논조 抽象的、艰涩的论调
추상-화(抽象畫) 명 『美』 抽象画 chōuxiànghuà
추석(秋夕) 명 中秋节 Zhōngqiūjié = 한가위 ¶음력 팔월 십오일은 ~이다 阴历八月十五日是中秋节
추세(趨勢) 명 趋势 qūshì ¶세계적 ~ 世界的趋势
추수(秋收) 명하자타 『農』 秋收 qiūshōu = 가을걷이 ¶~ 감사절 秋收感恩节
추스르다 타 1 往上提 wǎng shàng tí ¶치마를 ~ 把裙子往上提 2 收拾 shōushi ¶감정을 ~ 收拾感情
추신(追伸 · 追申) 명하타 又及 yòují ¶~을 덧붙이다 附加又及
추앙(推仰) 명하타 推崇 tuīchóng; 推重 tuīzhòng ¶대중의 ~을 받다 受到大众的推崇
추어(鰍魚 · 鰌魚) 명 『魚』 = 미꾸라지1
추억(追憶) 명하타 回忆 huíyì; 追忆 zhuīyì ¶첫사랑을 ~하다 回忆初恋
추월(追越) 명하타 超车 chāochē ¶~금지 禁止超车
추위 명 寒 hán; 冷 lěng ¶~를 타다 怕冷
추잡-하다(醜雜—) 형 (言行) 丑陋 chǒulòu; 卑鄙 bēibǐ ¶추잡한 짓 丑陋的行径
추적(追跡) 명하타 1 跟踪 gēnzōng; 追踪 zhuīzōng ¶~자 追踪者 / 범인을 ~하다 跟踪犯人 2 追寻 zhuīxún ¶행방을 ~하다 追寻下落
추정(推定) 명하타 推定 tuīdìng
추종(追從) 명하자타 1 尾随 wěisuí; 追随 zhuīsuí 2 随波逐流 suíbōzhúliú
추진(推進) 명하타 促进 cùjìn; 前进 qiánjìn; 推动 tuīdòng; 推进 tuījìn ¶중점 ~ 사항 重点推进事项 / 과감한 개혁을 ~하다 推动果断的改革政策
추천(推薦) 명하타 举荐 jǔjiàn; 推荐 tuījiàn; 推举 tuījǔ ¶~ 도서 推荐图书 / ~서 推荐书 / 친구에게 ~하다 给朋友推荐
추첨(抽籤) 명하타 抽签 chōuqiān ¶~으로 정하다 以抽签决定
추출(抽出) 명하타 抽出 chōuchū; 提取 tíqǔ ¶샘플을 ~하다 抽出样品
추측(推測) 명하타 推测 tuīcè; 推想 tuīxiǎng
추켜-세우다 타 1 竖立 shùlì; 竖起 shùqǐ ¶기를 ~ 把旗子竖起来 / 눈썹을 모두 추켜세웠다 眉毛都竖起来了 2 '치켜세우다2' 的错误
추켜-올리다 타 拔起 báqǐ; 举起 jǔqǐ; 提起 tíqǐ ¶양손을 ~ 举起两只手
추태(醜態) 명 丑态 chǒutài; 丑相 chǒuxiàng
추파(秋波) 명 秋波 qiūbō ¶~를 던지다 暗送秋波
추풍(秋風) 명 = 가을바람
추-하다(醜—) 형 丑行 chǒuxíng; 丑陋 chǒulòu
추행(醜行) 명하타 1 丑行 chǒuxíng 2 强奸 qiángjiān ¶어떤 주정꾼이 전철 안에서 여자를 ~했다 有个酒鬼在地铁上强奸妇女
추후(追後) 명 后 hòu; 以后 yǐhòu; 过后 guòhòu; 事后 shìhòu; 随后 suíhòu = 후(後)2 ¶~에야 비로소 알다 过后才知道 / ~에 다시 그를 찾아가라 过后你再去找他

축 부 下垂 xiàchuí; 低垂 dīchuí ¶무력하게 ~ 늘어진 팔 无力下垂的手臂 / 버드나무 가지들이 수면 위에 ~ 늘어져 있다 一些柳枝低垂在水面上
축가(祝歌) 명 颂歌 sònggē; 赞歌 zàngē ¶~를 부르다 歌唱颂歌
축구(蹴球) 명 〖體〗 足球 zúqiú ¶~ 경기 足球比赛 / ~장 足球场
축구-공(蹴球—) 명 足球 zúqiú ¶~을 차다 踢足球 / ~이 네트 안으로 들어갔다 足球进网了
축-나다(縮—) 자 **1** 减少 jiǎnshǎo; 缺了 quēle; 缺少 quēshǎo; 少了 shǎole **2** 消瘦 xiāoshòu
축배(祝杯) 명 祝酒 zhùjiǔ ¶승리를 기념하며 ~를 들다 为了纪念胜利祝酒
축복(祝福) 명하타 祝福 zhùfú ¶친구들의 ~ 속에서 결혼식을 올렸다 在朋友们的祝福里举行了婚礼
축사(畜舍) 명 牲口棚 shēngkoupéng
축사(祝辭) 명하자 贺词 hècí; 祝词 zhùcí; 祝辞 zhùcí ¶대통령의 새해 ~ 总统的新年贺词
축산-업(畜産業) 명 畜牧业 xùmùyè; 养畜业 yǎngxùyè ¶~에 종사하다 从事畜牧业
축소(縮小) 명하타 缩减 suōjiǎn; 缩小 suōxiǎo ¶면적을 ~하다 缩减面积
축약(縮約) 명하타 缩略 suōlüè ¶이야기 줄거리를 ~하다 缩略故事情节
축이다 타 弄湿 nòng shī; 润 rùn ¶목을 ~ 润嗓子
축적(蓄積) 명하자타 积累 jīlěi; 积蓄 jīxù; 蓄积 xùjī ¶자금 ~ 资金积累 / 경험을 ~하다 积累经验
축제(祝祭) 명 庆典 qìngdiǎn ¶~를 열다 举行庆典
축조(築造) 명하타 建造 jiànzào; 修筑 xiūzhù; 筑造 zhùzào ¶성벽을 ~하다 筑造城墙
축축-하다 형 潮湿 cháoshī; 湿漉漉 shīlùlù ¶축축한 공기 潮湿的空气
축하(祝賀) 명하타 道贺 dàohè; 庆贺 qìnghè; 祝贺 zhùhè ¶승진을 ~하다 祝贺晋升 / 생일을 ~하다 庆贺生日
춘계(春季) 명 春季 chūnjì; 春期 chūnqī
춘곤-증(春困症) 명 春困症 chūnkùnzhèng
춘추(春秋) 명 **1** 春秋 chūnqiū ¶~복 春秋服 **2** 春秋 chūnqiū 《对老人年纪的尊称》 ¶춘부장께선 ~가 어떻게 되셨나? 令尊的春秋多少?
춘풍(春風) 명 = 봄바람
춘하추동(春夏秋冬) 명 春夏秋冬 chūnxiàqiūdōng ¶이곳은 ~ 사계절이 뚜렷하다 这个地方春夏秋冬四季都很分明
출가(出家) 명하자 〖佛〗 出家 chūjiā ¶그는 깨달음을 얻고자 하는 뜻을 품고 ~하였다 他抱着得道的意念而出家了
출가(出嫁) 명하자 出嫁 chūjià ¶이씨의 둘째 딸이 ~했다 老李家的二女儿昨天出嫁了
출강(出講) 명하자 出讲 chūjiǎng ¶지방으로 ~하다 到外地出讲
출격(出擊) 명하자타 出击 chūjī ¶~ 명령을 받다 接到出击命令
출결(出缺) 명 **1** 出席和缺席 chūxí hé quēxí **2** 出勤和缺勤 chūqín hé quēqín
출고(出庫) 명하타 **1** 出库 chūkù; 提货 tíhuò **2** 上市 shàngshì ¶~ 가격 上市价格
출구(出口) 명 出口 chūkǒu ¶~는 오른쪽입니다 出口在右边
출국(出國) 명하자 出国 chūguó; 出境 chūjìng ¶~ 수속 出境手续
출근(出勤) 명하자 出勤 chūqín; 上班 shàngbān ¶전철을 타고 ~하다 坐地铁上班
출금(出金) 명하자타 取款 qǔkuǎn ¶현금 인출기에서 5백 위안을 ~했다 从自动取款机取款了五百块
출납(出納) 명하타 出纳 chūnà ¶~원 出纳员
출동(出動) 명하자 出动 chūdòng
출두(出頭) 명하자 出面 chūmiàn; 出头 chūtóu ¶그가 ~하여 그 일을 해결하였다 他出面解决了那件事情
출렁-거리다 자 **1** 荡漾 dàngyàng ¶푸른 물결이 출렁거리는 바다 碧波荡漾的大海 **2** 心潮荡漾 xīncháo dàngyàng ¶그녀는 그를 보자마자 가슴이 출렁거렸다 她一看他就心潮荡漾 ‖ = 출렁대다 **출렁-출렁** 부하자
출력(出力) 명하타 〖컴〗 输出 shūchū
출루(出壘) 명하자 〖體〗 (棒球) 出垒 chūlěi
출마(出馬) 명하자 出马 chūmǎ ¶그는 이번 국회 의원 선거에 ~했다 他出马了这次国会会员选举
출몰(出沒) 명하자 出没 chūmò ¶왜적의 ~ 倭敌的出没 / 저곳은 자주 귀신이 ~한다 那个地方经常有鬼魂出没
출발(出發) 명하자 **1** 出发 chūfā ¶~ 지점 出发地点 / 오후 6시에 ~한다 下午六点出发 **2** 起步 qǐbù; 开始 kāishǐ ¶새로운 인생의 ~ 新的人生起步
출사(出寫) 명하자 外出拍照 wàichū pāizhào
출산(出産) 명하타 = 해산(解産) ¶~의 기쁨 分娩的欢喜
출산 휴가(出産休暇) 〖法〗 产假 chǎnjià
출생(出生) 명하자 出生 chūshēng ¶~의 신비 出生的神秘 / ~ 신고 出生登记 =[出生申报]

출석(出席) 명하자 出席 chūxí ¶회의에 ~하다 出席会议

출세(出世) 명하자 出世 chūshì《出仕做官, 立身成名》

출소(出所) 명하자 出狱 chūyù

출시(出市) 명하타 上市 shàngshì ¶신제품이 ~되다 新商品上市

출신(出身) 명 出身 chūshēn ¶프롤레타리아 ~ 无产阶级出身 / 양반 ~ 两班出身 / 그는 노동자 ~이다 他的出身是工人

출연(出演) 명하자 扮演 bànyǎn; 表演 biǎoyǎn; 演出 yǎnchū; 出演 chūyǎn; 出场 chūchǎng ¶~자 表演者 =[演出者] / ~료 出场费 =[片酬] / 우정 ~ 友情出演 / 영화에 ~하다 出演电影

출입(出入) 명하자타 出入 chūrù; 进出 jìnchū ¶~구 出入口 / ~국 出入境 / ~이 잦다 出入频繁 / 이 문으로 ~하다 从这个门出入

출장(出張) 명하자 出差 chūchāi ¶지방으로 ~을 가다 出差去地方

출전(出典) 명 出典 chūdiǎn; 出处 chūchù

출전(出戰) 명하자 出战 chūzhàn; 上阵 shàngzhèn ¶이번 월드컵에 ~하다 出战此次世界杯赛

출제(出題) 명하타 出题 chūtí; 命题 mìngtí ¶시험 대강의 범위 안에서 ~하다 在考试大纲的范围内出题 / 10개 문제를 ~하였다 出了十道题

출중-하다(出衆—) 형 出众 chūzhòng; 与众不同 yǔzhòngbùtóng ¶출중한 인물 出众的人物 **출중-히** 부

출처(出處) 명 出处 chūchù; 来源 láiyuán ¶전고의 ~ 典故的出处 / ~를 밝히다 标明出处

출출-하다 형 饿 è ¶배가 출출하니 뭘 좀 먹자 肚子饿, 吃东西吧 **출출-히** 부

출토(出土) 명하자타 出土 chūtǔ ¶~품 出土品 / 수많은 도자기가 ~되었다 出土了大量的陶瓷

출-퇴근(出退勤) 명하자 上下班 shàngxiàbān ¶~ 러시아워 上下班尖峰 / 지하철을 타고 ~하다 乘坐地铁上下班

출판(出版) 명하타 出版 chūbǎn ¶~사 出版社 / 그림책을 ~하다 出版画册

출품(出品) 명하자타 (产品或作品) 展出 zhǎnchū; 参展 cānzhǎn ¶전시장에 ~하다 在展厅里展出

출하(出荷) 명하타 出货 chūhuò; 发货 fāhuò ¶~ 가격 发货价格

출항(出航) 명하자 出航 chūháng ¶배가 항구에서 ~하다 船只从港口出航 / 비행기가 ~하다 飞机出航

출현(出現) 명하자 出现 chūxiàn ¶영웅의 ~ 英雄的出现

출혈(出血) 명하자 **1** 出血 chūxuè; 流血 liúxuè ¶과다 ~ 失血过多 **2** 亏本 kuīběn; 赔本 péiběn; 损失 sǔnshī ¶~ 판매 亏本出售 / 자본이 더 이상 ~되는 것을 막아야 한다 要阻挡资本更加的损失

춤 명 舞 wǔ; 舞蹈 wǔdǎo ¶~을 추다 跳舞

춤-곡(—曲) 명 『音』 舞曲 wǔqǔ = 무곡·무도곡

춤-추다 자 跳舞 tiàowǔ ¶노래를 부르며 ~ 边唱歌边跳舞

춥다 형 冷 lěng; 寒冷 hánlěng ¶날씨가 매우 ~ 天气很冷

충격(衝擊) ㊀명 (物理上) 冲击 chōngjī ㊁명하타 (精神上) 冲动 chōngdòng; 打击 dǎjī; 震动 zhèndòng ¶~을 받다 受到打击 / ~을 주다 给予打击

충격-적(衝擊的) 관명 令人震惊(的) lìngrén zhènjīng(de); 激动人心(的) jīdòngrénxīn(de) ¶~인 소식 激动人心的消息 / ~인 사건 令人震惊的事件

충고(忠告) 명하자타 劝 quàn; 劝告 quàngào; 劝诫 quànjiè; 忠告 zhōnggào; 忠言 zhōngyán ¶~를 받다 接受忠告 / 그가 열심히 공부하도록 ~하다 劝告他好好学习

충당(充當) 명하타 补充 bǔchōng; 充 chōng ¶이 돈을 여비로 ~하다 这钱补充旅费

충돌(衝突) 명하자 **1** 碰 pèng; 撞 zhuàng; 碰撞 pèngzhuàng ¶두 대의 자동차가 서로 ~하다 两辆汽车彼此碰撞 **2** 冲突 chōngtū ¶의견 ~ 意见冲突

충동(衝動) 명하타 冲动 chōngdòng; 感触 gǎnchù; 激动 jīdòng ¶~구매 冲动购买 / ~을 느끼다 感到激动

충만(充滿) 명하자형히부 充满 chōngmǎn; 满 mǎn ¶사랑이 ~하다 充满爱意

충분-조건(充分條件) 명 『論』 充分条件 chōngfèn tiáojiàn

충분-하다(充分—) 형 充分 chōngfèn; 充足 chōngzú; 十足 shízú; 足够 zúgòu ¶세 시간이면 ~ 三个小时就足够 **충분-히** 부 ¶~ 이해하다 充分理解

충성(忠誠) 명하자 忠诚 zhōngchéng; 诚心诚意 chéngxīnchéngyì; 尽心尽力 jìnxīnjìnlì ¶~된 마음 忠诚的心灵 =[忠心] / 국가에 ~하다 对国家忠诚

충성-스럽다(忠誠—) 형 忠诚 zhōngchéng; 诚心诚意 chéngxīnchéngyì; 尽心尽力 jìnxīnjìnlì ¶충성스러운 신하 忠诚的臣下 **충성스레** 부

충신(忠臣) 명 忠臣 zhōngchén ¶~열사 忠臣烈士

충실(充實) 명하형히부 充实 chōngshí ¶내용이 ~하다 内容充实

충실(忠實) 명하형히부 忠实 zhōngshí ¶가정에 ~하다 忠实于家庭 / ~히 모시다 忠实地侍奉

충언(忠言) 명하자 忠言 zhōngyán ¶~은 귀에 거슬린다 忠言逆耳

충원(充員) 명하타 补充人员 bǔchōng rényuán

충전(充填) 명하타 **1** 充填 chōngtián; 填补 tiánbǔ; 填充 tiánchōng; 装填 zhuāngtián ¶수소를 ~하다 填充氢气 **2** 充 chōng ¶교통 카드를 ~하다 充公交卡

충전(充電) 명하자타 **1** 【物】 充电 chōngdiàn ¶~기 充电器 / 휴대폰이 ~되었다 手机充完电了 **2** 充电 chōngdiàn ¶많이 쉬고 몸을 ~해야 한다 要多休息给身体充电

충족(充足) 명하타형히부 **1** 充足 chōngzú; 满足 mǎnzú ¶욕구를 ~하다 满足欲求 / 생활의 수요를 ~하다 满足生活需要 **2** 富裕 fùyù; 富足 fùzú ¶~한 생활 富足的生活

충직(忠直) 명하형 忠直 zhōngzhí ¶주인에게 ~한 하인 对主人忠直的仆人

충치(蟲齒) 명 蛀齿 zhùchǐ; 龋齿 qǔchǐ

췌:장(膵臟) 명 【生】 胰 yí; 胰腺 yíxiàn; 胰脏 yízàng ¶~암 胰腺癌 / ~액 胰液 / ~염 胰腺炎

취:객(醉客) 명 醉鬼 zuìguǐ; 酒客 jiǔkè

취:급(取扱) 명하타 **1** 办理 bànlǐ; 处理 chǔlǐ; 管理 guǎnlǐ ¶문제의 ~ 问题的处理 / 이 회사는 위생 용품을 ~한다 这家公司管理卫生用品 **2** 对待 duìdài; 看待 kàndài ¶역적으로 ~하다 当叛徒看待

취:기(醉氣) 명 酒气 jiǔqì; 醉气 zuìqì ¶애주가의 ~ 酒仙的醉气

취:득(取得) 명하타 获得 huòdé; 取得 qǔdé ¶운전 면허증을 ~하다 取得驾驶执照

취:득-세(取得稅) 명 【法】 购置税 gòuzhìshuì

취:미(趣味) 명 爱好 àihào; 嗜好 shìhào; 业余 yèyú ¶내 ~는 등산이다 我的爱好是爬山

취:사(炊事) 명하자 炊事 chuīshì; 做饭 zuòfàn ¶~도구 炊事用具 / ~병 炊事兵

취:사(取捨) 명하타 取舍 qǔshě ¶~선택 取舍选择

취:소(取消) 명하타 撤销 chèxiāo; 取消 qǔxiāo ¶공연이 ~되다 演出被取消 / 주문을 ~하다 取消订单 / 계약을 ~하다 撤销合同

취:약(脆弱) 명하형 脆弱 cuìruò; 弱 ruò; 不稳 bùwěn ¶신용 기반이 ~하다 信用基础脆弱

취:업(就業) 명하자 = 취직 ¶~률 就业率 / ~할 만한 자리를 찾다 寻找可以就业的岗位

취:임(就任) 명하자 到职 dàozhí; 就职 jiùzhí; 就任 jiùrèn ¶~식 就职典礼 =[就职仪式] / ~ 연설 就职演讲 / 새로 ~한 부장 新就职的部长

취:재(取材) 명하자 取材 qǔcái; 采访 cǎifǎng ¶~ 기자 采访记者 / 관심이 있는 문제에 대하여 ~하다 就关心的问题进行采访

취:조(取調) 명하타 审问 shěnwèn; 审讯 shěnxùn ¶용의자를 ~하다 审问嫌疑人

취:지(趣旨) 명 主旨 zhǔzhǐ; 宗旨 zōngzhǐ; 旨趣 zhǐqù ¶글의 ~ 文章的宗旨

취:직(就職) 명하자 就业 jiùyè = 취업 ¶~난 就业难

취:침(就寢) 명하자 就寝 jiùqǐn; 入寝 rùqǐn ¶일찍 ~하다 早早就寝

취:하(取下) 명하타 撤消 chèxiāo ¶소송을 ~하다 撤消诉讼

취:-하다(取—) 타 **1** 采用 cǎiyòng; 采取 cǎiqǔ **2** 取得 qǔdé ¶좋은 성적을 ~ 取得好成绩 **3** 采取 cǎiqǔ ¶적극적인 태도를 ~ 采取积极的态度

취:-하다(醉—) 자 **1** 醉 zuì ¶술에 ~ 喝醉酒 **2** 陶醉 táozuì ¶사랑에 ~ 陶醉在爱情之中 / 음악에 ~ 陶醉在音乐之中

취:학(就學) 명하자 就学 jiùxué; 入学 rùxué; 上学 shàngxué ¶~ 연령이 된 어린이들이 모두 ~하다 达到入学年龄孩子全部上学

취:합(聚合) 명하타 聚合 jùhé ¶재료를 ~하다 聚合材料

취:향(趣向) 명 情趣 qíngqù; 志趣 zhìqù ¶~이 같다 情趣相同

측(側) 의명 侧 cè; 方 fāng ¶우리 ~ 我方

측량(測量) 명하타 测 cè; 测量 cèliáng ¶~기 测量仪 / 산의 높이를 ~하다 测量山的高度

측면(側面) 명 **1** = 옆면 ¶~ 촬영 侧面摄影 / ~에서 공격하다 从侧面打击 **2** 一面 yīmiàn; 方面 fāngmiàn; 角度 jiǎodù ¶소극적 ~ 消极的一面 / 여러 ~으로 생각하다 从几个角度考虑

측은(惻隱) 명하형히부 恻隐 cèyǐn; 怜悯 liánmǐn; 同情 tóngqíng ¶~한 생각이 들다 生恻隐之情 / ~히 지켜보다 怜悯地注视

측은지심(惻隱之心) 명 【哲】 恻隐之心 cèyǐnzhīxīn ¶사람의 ~을 불러일으키다 激起别人的恻隐之心

측정(測定) 명하타 测定 cèdìng; 测量 cèliáng ¶~값 测量值 / 강의 폭을 ~하다 测定江河的宽度 / 혈압을 ~하다 测量血压

층(層) 명 1 层 céng ¶대기~ 大气层 / 이 건물은 15~이다 这座楼有十五层 2 等级 děngjí

층계(層階) 명 阶梯 jiētī; 楼梯 lóutī ¶ ~를 내려오다 走下楼梯

층-지다(層—) 자 参差不齐 cēncībùqí

층층-이(層層—) 부 1 层层 céngcéng; 每层 měicéng ¶~ 다 전등불이 환하다 每层楼都灯火辉煌 2 一叠一叠 yīdiéyīdié ¶옷장 안에는 반듯하게 갠 옷들이 ~ 쌓여 있다 衣柜里放着一叠一叠的衣服

치 의명 份儿 fènr ¶이틀 ~ 两天的份儿

치고-받다 자 (相互) 斗殴 dòu'ōu ¶ 그녀가 남편과 ~ 她和丈夫斗殴 / 친구들끼리 치고받고 싸우다 朋友之间相互斗殴

치골(恥骨) 명 〖生〗 耻骨 chǐgǔ

치과(齒科) 명 〖醫〗 牙科 yákē

치과-의(齒科醫) 명 〖醫〗 牙科医生 yákē yīshēng; 牙医 yáyī ¶~에게 진료를 받다 得到牙科医生的诊治

치국(治國) 명하자 治国 zhìguó

치근덕-거리다 자타 纠缠 jiūchán = 치근덕대다 ¶그 아이는 항상 어머니에게 치근덕거린다 那个孩子总是纠缠着妈妈 **치근덕-치근덕** 부하자타

치다[1] 자 1 (雨、雪、风、霜) 刮 guā; 卷 juǎn; 下 xià ¶빗발이 ~ 下大雨 / 눈보라가 ~ 刮大风雪 2 荡 dàng; 翻滚 fāngǔn ¶물결이 ~ 波浪翻滚 3 打 dǎ ¶천둥이 ~ 打雷

치다[2] 타 1 抽打 chōudǎ; 打 dǎ; 揍 zòu ¶뺨을 ~ 打耳光 / 찰떡을 ~ 打糯米糕 2 击 jī; 擂 léi; 拍 pāi; 敲 qiāo; 敲打 qiāodǎ; 弹 tán; 鼓 gǔ ¶피아노를 ~ 弹钢琴 / 북을 ~ 敲鼓 / 손뼉을 ~ 鼓掌 3 打击 dǎjī; 攻打 gōngdǎ; 击 jī; 讨伐 tǎofá ¶적을 ~ 打击敌人 4 打 dǎ ¶탁구를 ~ 打乒乓球 5 (通讯) 打 dǎ; 拍 pāi ¶전보를 ~ 拍电报 6 扇动 shāndòng; 摇 yáo ¶꼬리를 ~ 摇尾巴 7 过 guò; 沙 shà; 筛 shāi ¶모래를 ~ 筛沙子 8 割 gē; 砍 kǎn ¶풀을 ~ 割草 / 목을 ~ 砍脖子 9 撒 sǎ; 上 shàng; 施 shī ¶물을 ~ 撒水 / 기계에 기름을 ~ 给机器上油 10 放 fàng; 搁 gē ¶간장을 ~ 放酱油 / 식초를 ~ 放醋 11 钉 dìng ¶못을 ~ 钉钉子 12 画 huà ¶줄을 ~ 画线 13 估价 gūjià; 计算 jìsuàn; 算 suàn ¶하루에 10페이지씩 읽는다고 쳐도 열흘이면 다 읽을 수 있다 就算一天读十页，十天也能读完 14 凡是 fánshì; 无论 wúlùn ¶우리 학교 학생치고 그를 모르는 사람이 없다 凡是我们学校的学生，没有不认识他的 15 算 suàn; 占 zhān ¶점을 ~ 占卜 16 骗 piàn ¶그가 친구에게 사기를 ~ 他给朋友骗了 17 考 kǎo ¶시험을 ~ 考试

치다[3] 타 1 挂 guà ¶문발을 ~ 挂门帘 2 放 fàng; 撒 sǎ ¶그물을 ~ 撒网 3 搭 dā; 搭盖 dāgài; 张搭 zhāngdā; 支 zhī ¶천막을 ~ 搭帐篷 4 砌 qì ¶울타리를 ~ 砌围墙 5 布下 bùxià; 摆开 bǎikāi ¶경비진을 ~ 布下警戒网 6 拉上 lāshang; 牵上 qiānshang ¶철조망을 ~ 拉上铁丝网 7 结 jié ¶거미줄을 ~ 结蜘蛛网 8 缠 chán; 打 dǎ; 围 wéi ¶병풍을 ~ 围屏风

치다[4] 타 繁殖 fánzhí; 生 shēng; 孵 fū ¶새끼를 ~ 生崽子 / 가지를 ~生枝

치다[5] 타 撞 zhuàng ¶차가 사람을 ~ 汽车撞人

치료(治療) 명하타 治疗 zhìliáo; 治 zhì; 疗 liáo ¶~ 효과 疗效 / ~법 治疗法 / 질병을 ~하다 治疗疾病

치루다 타 '치르다' 的错误

치르다 타 1 付 fù; 付出 fùchū; 交付 jiāofù ¶밥값을 ~ 支付餐费 2 考 kǎo ¶ 시험을 ~ 考试 3 办 bàn; 治 zhì ¶상을 ~ 治丧 / 일을 ~ 办事

치마 명 裙子 qúnzi; 裙 qún ¶주름 ~ 百褶裙 / ~를 입다 穿裙子

치매(癡呆) 명하형 〖醫〗 痴呆 chīdāi; 痴呆症 chīdāizhèng ¶노인성 ~ 老年性痴呆 / ~ 환자 痴呆症患者

치:명(致命) 명하자 致命 zhìmìng ¶~타 致命打 / ~상 致命伤

치:명-적(致命的) 관명 致命(的) zhìmìng(de) ¶~인 오류 致命的错误

치밀-하다(致密—) 형 精细 jīngxì; 细致 xìzhì; 周密 zhōumì ¶치밀한 분석 细致的分析 **치밀-히** 부 ¶~ 연구한 후 계획을 짜다 经过周密研究后制定计划

치부(恥部) 명 可耻的事 kěchǐde shì; 羞耻的部分 xiūchǐde bùfen ¶이것은 그에게 ~이다 这对他来说是可耻的事

치:부(置簿) 명하자타 1 记账 jìzhàng ¶장부를 만들어 ~하다 建立帐簿记账 2 认为 rènwéi; 看成 kànchéng ¶사람들은 그를 겁쟁이로 ~한다 人们认为他是胆小鬼

치:사-량(致死量) 명 〖藥〗 致死量 zhìsǐliàng

치사-하다(恥事—) 형 肮脏 āngzāng; 卑鄙 bēibǐ; 卑劣 bēiliè; 不要脸 bùyàoliǎn; 厚脸皮 hòuliǎnpí; 可耻 kěchǐ; 下流 xiàliú ¶그 여자는 극도로 치사했다 那个女人不要脸到了极点

치석(齒石) 명 〖醫〗 齿垢 chǐgòu; 齿石 chǐshí; 牙垢 yágòu; 牙石 yáshí

치-솟다 자 **1** 冲上 chōngshàng; 往上冒 wǎng shàng mào; 蹿 zuān ¶불꽃이 하늘까지 ~ 火焰蹿到空中 / 파도가 높이 ~ 波浪蹿得老高 **2** 涌 yǒng ¶분노가 ~ 怒气涌了上来

치수(一數) 명 长短 chángduǎn; 尺码(儿) chǐmǎ(r); 尺寸 chǐcun ¶~를 재다 量尺寸

치아(齒牙) 명 牙齿 yáchǐ ¶~ 마모증 牙齿磨耗症 / ~의 교합 牙齿咬合

치안(治安) 명하자타 治安 zhì'ān ¶~을 유지하다 维持治安

치약(齒藥) 명 牙膏 yágāo ¶~을 짜다 挤牙膏

치어-걸(cheer girl) 명 女拉拉队员 nǚlālāduìyuán

치어-리더(cheer leader) 명 拉拉队长 lālāduìzhǎng

치열(熾烈) 명하형히부 炽烈 chìliè; 激烈 jīliè ¶~한 전투 激烈的战斗 / 경쟁이 ~하다 竞争激烈

치욕(恥辱) 명 可辱 kěrǔ; 耻辱 chǐrǔ; 羞耻 xiūchǐ ¶~을 당한 그녀는 길거리에서 통곡했다 蒙受耻辱的她在街边痛哭 / ~에 휩싸이다 蒙受耻辱

치우다 타 **1** 放 fàng; 搁 gē; 搬 bān ¶화장품을 서랍으로 ~ 把化妆品放进抽屉里 **2** 收拾 shōushi; 整顿 zhěngdùn ¶방을 ~ 收拾房间 / 책상을 ~ 收拾书桌

치우-치다 자 偏 piān; 倾斜 qīngxié; 偏重 piānzhòng ¶왼쪽으로 ~ 朝左侧倾斜 / 한쪽으로 ~ 偏重一面

치유(治癒) 명하타 痊愈 quányù; 治愈 zhìyù ¶상처를 ~하다 痊愈伤口

치은(齒齦) 명 〖生〗 = 잇몸

치-이다[1] 자 被纠缠 bèi jiūchán; 缠 chán ¶잡다한 일에 ~ 琐事缠身 / 이상한 남자에 ~ 被奇怪的男人纠缠

치-이다[2] 자 被撞 bèi zhuàng 《'치다[5]'的被动词》 ¶자동차에 ~ 被车撞了

치장(治粧) 명하타 打扮 dǎban; 化装 huàzhuāng; 装扮 zhuāngbàn; 妆点 zhuāngdiǎn; 装饰 zhuāngshì; 妆饰 zhuāngshì ¶예쁘게 ~하다 打扮得漂漂亮亮

치:중(置重) 명하자 侧重 cèzhòng ¶형식에 ~하다 侧重于形式

치즈(cheese) 명 干酪 gānlào; 乳酪 rǔlào ¶~를 빵에 바르다 把乳酪抹在面包上

치질(痔疾) 명 〖醫〗 痔疮 zhìchuāng ¶~ 수술 痔疮手术

치켜-뜨다 타 瞪 dèng ¶눈을 ~ 瞪眼

치켜-세우다 타 **1** 竖起来 shùqǐlái ¶코트의 깃을 ~ 把外套的领子竖起来 **2** 夸奖 kuājiǎng

치킨(chicken) 명 = 닭튀김

치통(齒痛) 명 〖醫〗 齿痛 chǐtòng; 齿疼 chǐténg; 牙疼 yáténg; 牙痛 yátòng = 이앓이

치:환(置換) 명하타 〖數〗 代换 dàihuàn; 代入 dàirù; 置换 zhìhuàn ¶숫자를 ~하다 置换数字

칙칙-폭폭 부 呼哧呼哧 hūchīhūchī ¶기차가 ~ 지나간다 火车呼哧呼哧地跑过去

칙칙-하다 형 发暗 fā'àn; 黑暗 hēi'àn ¶칙칙한 색깔 发暗的颜色

친-(親) 접두 **1** 亲 qīn; 亲生 qīnshēng ¶~부모 亲生父母 / ~딸 亲生女儿 / ~아들 亲生儿子 / ~형제 亲兄弟 / ~언니 亲姐姐 / ~형 亲哥哥 / ~남매 亲姐弟 =[亲兄妹] **2** 亲 qīn ¶~할아버지 亲爷爷 / ~삼촌 亲叔叔 **3** 亲 qīn ¶~미 亲美

친구(親舊) 명 **1** 朋友 péngyou; 好友 hǎoyǒu ¶오랜 ~ 老朋友 / 친한 ~ 亲密的朋友 **2** 家伙 jiāhuo; 老兄 lǎoxiōng

친구 따라[친해] 강남 간다 속담 随朋友去江南

친근-하다(親近―) 형 亲近 qīnjìn; 亲密 qīnmì **친근-히** 부 ¶~ 지내다 过得很亲密

친모(親母) 명 = 친어머니

친목(親睦) 명하형 和睦 hémù; 亲睦 qīnmù ¶~을 도모하다 谋求亲睦

친밀(親密) 명하형히부 亲近 qīnjìn; 亲密 qīnmì ¶~한 관계 亲密的关系 / 그들은 아주 ~하다 他们非常亲密 / ~감이 생기다 萌生亲密感

친부(親父) 명 = 친아버지

친분(親分) 명 交情 jiāoqing; 友谊 yǒuyì ¶~을 맺다 结交情 =[结交] / ~이 두텁다 交情深厚

친선(親善) 명하형 亲善 qīnshàn; 友好 yǒuhǎo; 友谊 yǒuyì ¶~ 경기 友谊赛 / ~을 도모하다 谋求友好

친속(親屬) 명 = 친족1

친숙(親熟) 명하형히부 亲密 qīnmì; 熟识 shúshí ¶~한 사이 亲密关系

친-아버지(親―) 명 生父 shēngfù = 생부 · 친부

친애(親愛) 명하타 亲爱 qīn'ài ¶~하는 친구 여러분! 亲爱的朋友们!

친-어머니(親―) 명 生母 shēngmǔ = 생모 · 친모

친일-파(親日派) 명 亲日派 qīnrìpài ¶~를 처단하다 处决亲日派

친자(親子) 명 = 친자식 ¶~ 확인 亲子鉴定

친-자식(親子息) 명 亲生儿女 qīnshēng érnǚ; 亲子女 qīnzǐnǚ = 친자

친절(親切) 명하형히부 亲切 qīnqiè;

殷勤 yīnqín ¶그녀는 ~하다 她为人亲切 / 손님을 ~하게 대한다 对待客人很殷勤
친정(親庭) 명 娘家 niángjia ¶~ 식구 娘家人 / ~에 가다 走娘家
친족(親族) 명 **1** 亲族 qīnzú = 친속 **2**〖法〗亲属 qīnshǔ ¶직계 ~ 直系亲属 / 방계 ~ 旁系亲属
친척(親戚) 명 亲戚 qīnqi
친친 부 紧紧 jǐnjǐn; 牢牢 láoláo《缠绕的样子》 = 칭칭 ¶붕대로 상처를 ~ 동여매다 用绷带紧紧地把伤口包扎起来
친필(親筆) 명 亲笔 qīnbǐ ¶~ 편지 亲笔信
친-하다(親—) 형 亲近 qīnjìn; 亲密 qīnmì ¶친한 친구 亲密的朋友 / 그들 둘은 매우 ~ 他们两人很亲密
친-히(親—) 부 = 몸소 ¶~ 가르치다 亲自教导
칠(七) 수관 七 qī ¶~ 개월 七个月 / ~ 년 七年 / ~ 미터 七米
칠(漆) 명하타 **1** = 옻칠2 **2** 漆 qī; 上 shàng; 涂 tú; 刷 shuā ¶도료를 ~하다 刷涂料 / 예쁘게 ~을 하다 刷得很漂亮
칠순(七旬) 명 七十岁 qīshí suì; 七旬 qīxún ¶~ 잔치 七旬宴会 / ~이 된 늙은이 已经七十岁的老人
칠십(七十) 수관 七十 qīshí
칠월(七月) 명 七月 qīyuè
칠전팔기(七顚八起) 명하자 七颠八起 qīdiānbāqǐ
칠칠-맞다 형 利落 lìluo; 利索 lìsuo ¶행동거지가 칠칠맞지 못하다 举止不利落
칠판(漆板) 명 黑板 hēibǎn = 흑판 ¶~지우개 黑板擦子 / 분필로 ~에 글자를 쓰다 用粉笔在黑板上写字
칠흑(漆黑) 명 漆黑 qīhēi ¶~ 같은 어둠 속에 숨다 躲藏在漆黑一团的黑暗中
침 명〖生〗唾液 tuòyè; 口水 kǒushuǐ; 唾沫 tuòmo = 타액 ¶~을 뱉다 吐唾液
침 발린 말 속담 花言巧语
침(을) 삼키다[흘리다] 구 咽唾沫; 流唾沫
침이 마르다 구 赞不绝口
침(針) 명 **1** = 바늘2 **2**〖植〗= 가시4
침(鍼) 명〖韓醫〗(针灸用的) 针 zhēn ¶~을 놓다 打针
침:공(侵攻) 명하타 侵略攻击 qīnlüè gōngjī; 入侵 rùqīn ¶적들의 ~ 敌人的入侵 / 남의 나라를 ~하다 入侵别人的国家
침:구(寢具) 명 寝具 qǐnjù
침:대(寢臺) 명 床 chuáng ¶일인용 ~ 单人床 / ~ 시트 床单 / ~ 하나를 사다 买一张床
침:략(侵略) 명하타 侵略 qīnlüè ¶다른 나라의 수도를 ~하다 侵略别国的首都
침몰(沈沒) 명하자 沉没 chénmò; 吞没 tūnmò; 陷没 xiànmò; 淹没 yānmò ¶어선이 바다에 ~하다 渔船沉没在大海里
침묵(沈默) 명하자 不做声 bùzuòshēng; 沉默 chénmò; 静默 jìngmò; 吞声 tūnshēng; 哑默 yǎmò ¶~시위 沉默示威 / 그는 ~했다 他沉默不语
침:범(侵犯) 명하타 侵犯 qīnfàn ¶이웃 나라를 ~하다 侵犯邻国 / 사생활을 ~하다 侵犯私人生活
침-샘 명〖生〗唾液腺 tuòyèxiàn
침:수(浸水) 명하자 浸水 jìnshuǐ; 水涝 shuǐlào ¶~지 浸水地 / 집이 ~되다 房子浸水
침:식(侵蝕) 명하타 侵蚀 qīnshí ¶외래문화가 전통문화를 ~하다 外来文化侵蚀传统文化
침:식(浸蝕) 명하타〖地理〗浸蚀 jìnshí ¶빙하 ~ 冰河浸蚀
침:실(寢室) 명 寝室 qǐnshì; 卧房 wòfáng; 卧室 wòshì = 동방(洞房)1
침울-하다(沈鬱—) 형 忧郁 yōuyù ¶마음이 ~ 心情忧郁 **침울-히** 부 ¶~ 대답하다 忧郁地回答
침:입(侵入) 명하자타 窜犯 cuànfàn; 侵入 qīnrù; 入侵 rùqīn ¶세균 ~ 细菌侵入 / 다른 나라의 영토를 ~하다 侵入别国的领土
침전(沈澱) 명하자 **1** 沉渣 chénzhā **2**〖化〗沉淀 chéndiàn
침착[1](沈着) 명하자 (色素) 沉着 chénzhuó ¶색소가 ~하다 色素沉着
침착[2](沈着) 명하형히부 安静 ānjìng; 安稳 ānwěn; 沉稳 chénwěn; 沉着 chénzhuó; 从容 cóngróng; 慢条斯理 màntiáosīlǐ; 镇定 zhèndìng; 镇静 zhènjìng ¶표정이 ~하다 表情沉着 / ~하게 행동하다 举止沉着
침체(沈滯) 명하자 呆滞 dāizhì; 停滞 tíngzhì ¶~기 停滞期 / 경제의 ~ 经济的停滞 / 교통이 ~되다 交通停滞
침침-하다(沈沈—) 형 **1** 暗 àn; 阴沉 yīnchén; 昏暗 hūn'àn ¶방 안이 ~ 房间里昏暗 **2** 模糊 móhu ¶눈이 ~ 眼睛模糊
침:탈(侵奪) 명하타 掠夺 lüèduó; 侵夺 qīnduó ¶남의 재물을 ~하다 掠夺别人的财物
침통(沈痛) 명하형히부 沉痛 chéntòng ¶~한 마음 沉痛的心情
침:투(浸透) 명하자 浸透 jìntòu; 渗透 shèntòu ¶~ 작전 渗透作战 / 물에 ~된 수건 被水浸透的毛巾

침팬지(chimpanzee) 명 【動】 黑猩猩 hēixīngxing

침:해(侵害) 명하타 侵犯 qīnfàn; 侵害 qīnhài ¶인권을 ~하다 侵犯人权

칩거(蟄居) 명하자 蛰居 zhéjū ¶~ 생활 蛰居生活 / 산에서 ~하다 蛰居山中

칫-솔(齒—) 명 牙刷 yáshuā ¶자동~ 自动牙刷

칫솔-질(齒—) 명하자 刷牙 shuāyá ¶칫솔로 ~을 하다 用牙刷刷牙

칭송(稱頌) 명하타 称颂 chēngsòng; 称赞 chēngzàn; 颂扬 sòngyáng; 誉 yù; 赞颂 zànsòng; 赞扬 zànyáng ¶~이 자자하다 称赞不绝 / 그의 용감함을 ~하다 赞扬他的勇敢

칭얼-거리다 자 哭闹 kūnào = 칭얼대다 ¶사탕을 사달라고 ~ 哭闹着要买糖

칭찬(稱讚) 명하타 称赞 chēngzàn ¶선생님은 그가 열심히 공부한다고 ~하셨다 老师称赞他认真学习

칭칭 부 = 친친 ¶~ 묶다 绑得牢牢的

칭-하다(稱—) 타 称 chēng; 称为 chēngwéi; 叫做 jiàozuò ¶황제로 ~ 称帝

칭호(稱號) 명 称号 chēnghào ¶그는 영웅 ~를 받았다 他获得了英雄的称号

ㅋ

카나리아(canaria) 명 【鳥】 金丝雀 jīnsīquè

카네이션(carnation) 명 【植】 康乃馨 kāngnǎixīn

카누(canoe) 명 划艇 huátǐng; 皮划艇 píhuátǐng; 独木舟 dúmùzhōu

카니발(carnival) 명 【宗】 = 사육제

카드(card) 명 **1** 卡片 kǎpiàn; 卡 kǎ ¶ 생일 ~ 生日卡 / 크리스마스 ~ 圣诞卡 / ~를 보내다 送卡片 **2** 卡 kǎ ¶ 진찰 ~ 病历卡 / 신용 ~ 信用卡 / ~를 긁다 刷卡 **3** 纸牌 zhǐpái; 扑克牌 pūkèpái ¶ ~놀이를 하다 玩扑克牌

카드뮴(cadmium) 명 【化】 镉 gé

카디건(cardigan) 명 开襟衫 kāijīnshān

카랑-카랑 부하형 (声音) 响亮 xiǎngliàng; 清脆 qīngcuì ¶ 목소리가 ~하다 声音很清脆

카레(←curry) 명 **1** 咖喱 gālí ¶ ~ 가루 咖喱粉 **2** = 카레라이스

카레-라이스(←curried rice) 명 咖喱饭 gālífàn = 카레2

카로틴(carotin) 명 【化】 胡萝卜素 húluóbosù

카르텔(독Kartell) 명 【經】 卡特尔 kǎtè'ěr; 企业联合 qǐyè liánhé

카리스마(charisma) 명 【社】 领袖魅力 lǐngxiù mèilì; 超凡魅力 chāofán mèilì; 感召力 gǎnzhàolì ¶ ~가 있는 정치가 有超凡魅力的政治家

카메라(camera) 명 **1** 【演】 = 사진기 **2** = 촬영기

카메라맨(cameraman) 명 **1** 摄影师 shèyǐngshī **2** 摄影记者 shèyǐng jìzhě

카메라 앵글(camera angle) 【演】 摄影角度 shèyǐng jiǎodù; 相机角度 xiàngjī jiǎodù

카메오(라cameo) 명 【演】 客串 kèchuàn; 串演 chuànyǎn

카멜레온(chameleon) 명 【動】 变色龙 biànsèlóng; 避役 bìyì

카바레(프cabaret) 명 卡巴莱 kǎbālái

카본(carbon) 명 【化】 碳 tàn

카세트(cassette) 명 **1** 盒式磁带录音机 héshì cídài lùyīnjī **2** = 카세트테이프

카세트-테이프(cassette tape) 명 盒式磁带 héshì cídài = 카세트2

카-센터(car+center) 명 汽车修理厂 qìchē xiūlǐchǎng

카스텔라(프castella) 명 长崎蛋糕 chángqí dàngāo

카스트(caste) 명 【社】 种姓制度 zhǒngxìng zhìdù

카약(kayak) 명 **1** 【體】 皮艇 pítǐng **2** 皮船 píchuán

카오스(그chaos) 명 【哲】 混沌 hùndùn; 混乱 hùnluàn ¶ ~ 이론 混沌理论

카우보이(cowboy) 명 牛仔 niúzǎi ¶ ~모자 牛仔帽

카운슬러(counselor) 명 = 상담원

카운슬링(counseling) 명 咨询 zīxún; 商谈 shāngtán

카운터(counter) 명 柜台 guìtái; 账台 zhàngtái

카운트다운(countdown) 명 **1** 倒计数 dàojìshù; 倒读数 dàodúshù; 倒数 dàoshù **2** 倒计时 dàojìshí

카지노(이casino) 명 卡西诺 kǎxīnuò; 卡西诺赌场 kǎxīnuò dǔchǎng

카카오(에cacao) 명 可可豆 kěkědòu; 可可 kěkě ¶ ~나무 可可树

카키-색(khaki色) 명 卡其 kǎqí; 卡其色 kǎqísè

카탈로그(catalog) 명 目录 mùlù; 目录册 mùlùcè; 目录簿 mùlùbù

카톨릭 명 【宗】 '가톨릭' 的错误

카툰(cartoon) 명 卡通 kǎtōng; 卡通画 kǎtōnghuà; 漫画 mànhuà

카트(cart) 명 手推车 shǒutuīchē

카페(프café) 명 咖啡厅 kāfēitīng; 咖啡馆 kāfēiguǎn; 茶馆 cháguǎn

카페인(caffeine) 명 【化】 咖啡因 kāfēiyīn; 咖啡碱 kāfēijiǎn; 茶素 chásù

카페테리아(에cafeteria) 명 自助餐厅 zìzhù cāntīng

카펫(carpet) 명 【手工】 = 융단 ¶ ~을 깔다 铺地毯

카-폰(car phone) 명 汽车电话 qìchē diànhuà

카-풀(car pool) 명 【交】 汽车共享 qìchē gòngxiǎng; 汽车合用组织 qìchē héyòng zǔzhī

카피(copy) 명하타 **1** = 복사(複寫)1 **2** 广告文案 guǎnggào wén'àn; 广告文字 guǎnggào wénzì

카피라이터(copywriter) 명 撰稿人 zhuàngǎorén; 广告文编写人 guǎnggàowén biānxiěrén

칵테일(cocktail) 명 鸡尾酒 jīwěijiǔ ¶ ~파티 鸡尾酒会

칸 명 **1** 格(儿) gé(r) **2** 空格 kònggé; 格子 gézi = 박스2 **3** 间 jiān ¶침실 세 ~ 三间卧室
칸나(canna) 명 『植』 美人蕉 měirénjiāo; 昙华 tánhuá
칸-막이 명하타 隔间 géjiān; 隔断 géduàn; 隔板 gébǎn; 隔扇 géshan
칸타타(이cantata) 명 『音』 康塔塔 kāngtǎtǎ; 大合唱 dàhéchàng
칼[1] 명 刀 dāo; 刀子 dāozi ¶~자국 刀痕 =[刀疤][刀伤疤] / ~ 한 자루 一把刀 / ~을 갈다 磨刀 / ~로 베다 用刀割 / ~로 썰다 用刀切
칼로 물베기 속담 利刀切水不断
칼(을) 맞다 구 挨刀; 遇刺
칼[2] 명 『史』 枷 jiā ¶~을 씌우다 带上枷
칼-국수 명 刀切面 dāoqiēmiàn; 切面 qiēmiàn
칼-날 명 刀口 dāokǒu; 刀刃 dāorèn ¶~이 무뎌지다 刀口钝了
칼-등 명 刀背 dāobèi
칼라(collar) 명 衣领 yīlǐng; 领(儿) lǐng(r); 领子 lǐngzi
칼럼(column) 명 专栏 zhuānlán; 时评 shípíng
칼럼니스트(columnist) 명 专栏作家 zhuānlán zuòjiā
칼로리(calorie) 一의명 『物』 卡路里 kǎlùlǐ ¶백 ~ 一百卡路里 二명 = 열량
칼륨(독Kalium) 명 『化』 钾 jiǎ
칼-바람 명 刺骨寒风 cìgǔ hánfēng
칼-부림 명하자 挥刀 huīdāo; 耍刀 shuǎdāo
칼슘(calcium) 명 『化』 钙 gài
칼-자루 명 刀把儿 dāobàr; 刀把子 dāobàzi; 剑柄 jiànbǐng; 刀柄 dāobǐng
칼자루(를) 잡다[쥐다] 구 执牛耳
칼-잡이 명 操刀者 cāodāozhě; 剑客 jiànkè
칼-질 명하자타 使刀 shǐdāo; 操刀 cāodāo
칼-집 명 鞘 qiào; 刀鞘 dāoqiào; 剑鞘 jiànqiào ¶칼을 ~에 꽂다 把刀插入刀鞘
칼칼-하다 형 **1** 渴 kě ¶나는 목이 칼칼함을 느꼈다 我感到口渴 **2** 辣 là; 呛嗓子 qiàng sǎngzi
캄캄 부하형히부 **1** 漆黑 qīhēi **2** 全然不知 quánrán bùzhī
캐:-내다 타 **1** 挖 wā; 掘 jué; 开采 kāicǎi; 采 cǎi ¶암석을 ~ 开采岩石 **2** 追问 zhuīwèn; 寻根问底 xúngēnwèndǐ; 寻根究底 xúngēnjiūdǐ; 盘问 pánwèn; 盘诘 pánjié
캐:다 타 **1** 挖 wā; 掘 jué ¶나물을 ~ 挖野菜 **2** 究问 jiūwèn; 追 zhuī
캐디(caddie) 명 『體』 球童 qiútóng
캐러멜(caramel) 명 焦糖 jiāotáng; 卡拉梅尔奶糖 kǎlāméi'ěr nǎitáng
캐럴(carol) 명 圣诞颂歌 shèngdàn sònggē; 圣诞歌 shèngdàngē
캐럿(carat) 의명 **1** 克拉 kèlā **2** 开 kāi
캐리커처(caricature) 명 讽刺漫画 fěngcì mànhuà; 讽刺画 fěngcìhuà
캐릭터(character) 명 **1** (小说、戏剧里的) 人物 rénwù; 性格 xìnggé; 特征 tèzhēng; 角色 juésè ¶~ 묘사 人物描写 / 전형적인 ~ 典型人物 **2** (漫画、电影等的) 角色 juésè; 动漫角色 dòngmàn juésè; 漫画角色 mànhuà juésè ¶만화 ~ 漫画角色 / ~ 디자인 动漫角色设计
캐:-묻다 타 追问 zhuīwèn; 寻根问底 xúngēnwèndǐ; 寻根究底 xúngēnjiūdǐ; 盘问 pánwèn; 盘诘 pánjié
캐미솔(camisole) 명 妇女贴身背心 fùnǚ tiēshēn bèixīn
캐비닛(cabinet) 명 文件柜 wènjiànguì
캐스터(caster) 명 广播员 guǎngbōyuán; 员 yuán ¶기상 ~ 天气预报员 / 뉴스 ~ 新闻广播员
캐스터네츠(castanets) 명 『音』 响板 xiǎngbǎn
캐스팅(casting) 명하타 『演』 角色分配 juésè fēnpèi
캐시미어(cashmere) 명 羊绒 yángróng; 开司米 kāisīmǐ
캐주얼(casual) 명 休闲服 xiūxiánfú; 轻便服装 qīngbiàn fúzhuāng **—-하다** 형 轻便 qīngbiàn; 便 biàn; 非正式 fēizhèngshì ¶캐주얼한 옷 轻便的衣服
캐주얼-슈즈(casual shoes) 명 休闲鞋 xiūxiánxié
캐주얼-웨어(casual wear) 명 休闲服 xiūxiánfú; 休闲服装 xiūxián fúzhuāng; 便装 biànzhuāng
캑 부 喀 kā 《咯出梗塞物的声音》 ¶목에 걸린 사탕을 ~ 하고 내뱉었다 把卡在喉咙里的糖喀的一声咯了出来
캑캑-거리다 자 发出喀喀声 fāchū kākāshēng = 캑캑대다 ¶개가 목에 무엇이 걸렸는지 캑캑거린다 狗喉咙被什么卡住了, 发出喀喀声
캔(can) 명 **1** 罐头 guàntou; 听 tīng ¶~ 커피 听咖啡 **2** 听 tīng ¶맥주 세 ~ 三听啤酒
캔디(candy) 명 = 사탕1
캔버스(canvas) 명 『美』 帆布 fānbù; 油画布 yóuhuàbù
캠퍼스(campus) 명 校园 xiàoyuán ¶대학 ~ 大学校园 / ~ 커플 校园情侣
캠페인(campaign) 명 (政治或社会的) 活动 huódòng; 运动 yùndòng ¶환경 보호 ~ 环保运动

캠프(camp) 명 营 yíng; 野营 yěyíng; 宿营 sùyíng ¶~에 참가하다 参加野营

캠프파이어(campfire) 명 营火 yínghuǒ; 营火会 yínghuǒhuì

캠핑(camping) 명하자 野营 yěyíng; 露营 lùyíng; 露营生活 lùyíng shēnghuó ¶~카 露营车 =[房车] / ~을 가다 去野营

캡(cap) 명 帽子 màozi

캡슐(capsule) 명 胶囊 jiāonáng

캥거루(kangaroo) 명 〖動〗 袋鼠 dàishǔ

커녕 조 不用说 bùyòngshuō; 别说 biéshuō; 甭说 béngshuō ¶바빠서 전화는 ~ 메일 한 통 보내지 못했다 太忙了, 不用说电话, 连一封邮件也没发

커닝(cunning) 명하타 作弊 zuòbì; 考试作弊 kǎoshì zuòbì ¶~ 페이퍼 考试作弊纸 =[小抄儿]

커:-다랗다 형 大 dà; 很大 hěn dà; 巨大 jùdà ¶커다란 손실 巨大的损失 / 몸집이 ~ 身子很大 / 눈을 커다랗게 뜨다 瞪着大眼睛

커리큘럼(curriculum) 명 〖教〗 = 교과 과정

커뮤니케이션(communication) 명 交流 jiāoliú; 交往 jiāowǎng; 沟通 gōutōng

커미션(commission) 명 佣金 yòngjīn; 手续费 shǒuxùfèi; 代办费 dàibànfèi

커버(cover) 명 罩子 zhàozi; 套子 tàozi; 套(儿) tào(r); 外皮 wàipí ¶~를 씌우다 盖罩子 **--하다** 타 弥补 míbǔ; 覆盖 fùgài

커브(curve) 명 **1** 曲线 qǔxiàn; 拐弯(儿) guǎiwān(r); 拐角(儿) guǎijiǎo(r) **2** 〖體〗 (棒球) 曲线球 qūxiànqiú

커서(cursor) 명 〖컴〗 光标 guāngbiāo

커-지다 자 变大 biàn dà; 大起来 dàqǐlái; 增大 zēngdà; 扩大 kuòdà; 严重 yánzhòng ¶세력이 ~ 势力扩大 / 문제가 점점 ~ 问题越来越严重

커텐 명 '커튼'的错误

커트(cut) 명하타 **1** 剪 jiǎn; 割 gē **2** 剪发 jiǎnfà; 短发 duǎnfà

커트-라인(cut+line) 명 及格线 jígéxiàn

커튼(curtain) 명 窗帘(儿) chuānglián(r); 帘子 liánzi; 门帘 ménlián; 窗幔 chuāngmàn ¶~을 열다 拉开窗帘 / ~을 치다 拉上窗帘

커틀릿(cutlet) 명 炸肉排 zháròupái

커플(couple) 명 情侣 qínglǚ; 一对 yīduì; 对 duì ¶~ 반지 对戒 / ~ 시계 对表

커피(coffee) 명 咖啡 kāfēi ¶아이스~ 冰咖啡 / ~색 咖啡色 / ~숍 咖啡厅 / ~포트 咖啡壶 / ~ 잔 咖啡杯 / ~를 마시다 喝咖啡 / ~를 끓이다 煮咖啡 / ~를 타다 沏咖啡

컨디션(condition) 명 身体状况 shēntǐ zhuàngkuàng; 健康状况 jiànkāng zhuàngkuàng ¶~을 조절하다 调节身体状况

컨베이어(conveyor) 명 〖機〗 传送装置 chuánsòng zhuāngzhì; 传送带 chuánsòngdài; 输送带 shūsòngdài

컨설턴트(consultant) 명 〖經〗 顾问 gùwèn; 咨询 zīxún

컨설팅(consulting) 명 〖經〗 咨询 zīxún ¶~ 회사 咨询公司

컨테이너(container) 명 集装箱 jízhuāngxiāng; 货柜 huòguì ¶~ 트럭 集装箱卡车

컨트롤(control) 명하타 **1** 控制 kòngzhì; 支配 zhīpèi ¶감정을 ~하지 못하다 控制不住感情 **2** 〖體〗 = 제구

컬러(color) 명 **1** 彩色 cǎisè; 颜色 yánsè ¶~ 사진 彩色照片 / ~텔레비전 彩色电视机 =[彩电] / ~ 필름 彩色胶卷 / ~복사기 彩色复印机 **2** 特色 tèsè; 色彩 sècǎi ¶예술적 ~ 艺术特色

컬러풀-하다(colorful—) 형 = 다채롭다 ¶컬러풀한 옷 多彩的衣服

컬컬-하다 형 **1** 渴 kě ¶목이 좀 컬컬해서 맥주나 한잔 했으면 좋겠다 口有点儿渴, 来杯啤酒就好了 **2** 沙哑 shāyǎ; 粗声粗气 cūshēngcūqì ¶컬컬한 목소리 沙哑的声音

컴맹(←computer盲) 명 电脑盲 diànnǎománg

컴백(comeback) 명하자 重返 chóngfǎn; 回归 huíguī

컴컴-하다 형 **1** 黑 hēi; 黑洞洞 hēidòngdòng; 黑乎乎 hēihūhū; 黑漆漆 hēiqīqī; 幽暗 yōu'àn; 漆黑 qīhēi ¶컴컴한 밤길 黑乎乎的夜路 **2** 阴险 yīnxiǎn; 心黑 xīnhēi

컴퍼스(compass) 명 **1** 圆规 yuánguī; 两脚规 liǎngjiǎoguī **2** = 보폭

컴퓨터(computer) 명 〖컴〗 电脑 diànnǎo; 计算机 jìsuànjī; 电算 diànsuàn = 전산 ¶~ 게임 电脑游戏 / ~ 그래픽스 电脑制图 / ~ 바이러스 电脑病毒 / ~를 켜다 启动电脑 / ~ 한 대를 사다 买一台电脑

컴퓨터 단:층 촬영(computer斷層撮影) 〖醫〗 计算机体层摄影 jìsuànjī tǐcéng shèyǐng; CT摄影 CT shèyǐng = 시티 촬영

컵(cup) 명 **1** 杯子 bēizi; 杯 bēi ¶~에 우유를 따르다 把牛奶倒进杯子里 **2** 杯 bēi ¶콜라를 한 ~ 마시다 喝一杯可乐

컷(cut) ㊀명 **1** 〖演〗 场面 chǎngmiàn **2** 〖印〗 插图 chātú ㊁감 〖演〗 停拍 tíngpāi

케라틴(keratin) 명 〖化〗角蛋白 jiǎodànbái; 角朊 jiǎoruǎn
케이블(cable) 명 **1** 缆绳 lǎnshéng; 缆索 lǎnsuǒ; 电缆 diànlǎn **2** 钢丝绳 gāngsīshéng **3** 〖電〗缆 lǎn
케이블 방:송(cable放送) 〖信〗 = 유선 방송
케이블-카(cable car) 명 〖交〗缆车 lǎnchē; 电缆车 diànlǎnchē ¶ ~를 타다 坐缆车
케이블 티브이(cable TV) 〖言〗有线电视 yǒuxiàn diànshì
케이스¹(case) 명 盒 hé; 匣 xiá; 箱子 xiāngzi; 套 tào ¶ 담배 ~ 烟盒 / 핸드폰 ~ 手机套
케이스²(case) 명 情况 qíngkuàng; 境遇 jìngyù; 事例 shìlì; 场合 chǎnghé ¶ ~에 따라서 방안을 세우다 根据情况制订方案
케이오(KO)[knockout] 명하자 〖體〗击倒 jīdǎo ¶ ~ 승 击倒获胜
케이크(cake) 명 蛋糕 dàngāo ¶ 생일 ~ 生日蛋糕 / 칼로 ~를 자르다 拿刀切蛋糕
케익 명 '케이크' 的错误
케일(kale) 명 〖植〗羽衣甘蓝 yǔyī gānlán
케첩(ketchup) 명 番茄酱 fānqiéjiàng; 西红柿酱 xīhóngshìjiàng ¶ ~을 뿌리다 放番茄酱
케케-묵다 형 陈旧 chénjiù; 陈腐 chénfǔ; 陈朽 chénxiǔ ¶ 케케묵은 이야기 陈腐的故事
케톤(ketone) 명 〖化〗酮 tóng
켕기다 자 **1** 绷紧 bēngjǐn ¶ 줄이 ~ 绳子绷紧了 **2** 心虚 xīnxū; 害怕 hàipà ¶ 커닝할 때 뒤가 ~ 作弊的时候心虚
켜 명 叠 dié; 层 céng ¶ 낙엽이 여러 ~로 쌓였다 落叶堆积了好几层
켜다¹ 타 **1** 点 diǎn; 开 kāi ¶ 촛불을 ~ 点蜡烛 / 성냥불을 ~ 点火柴 / 등불을 ~ 开灯 **2** 开 kāi; 打开 dǎkāi ¶ 라디오를 ~ 开收音机 / 컴퓨터를 ~ 开电脑
켜다² 타 **1** 锯 jù ¶ 톱으로 나무를 ~ 用锯锯木头 **2** 拉 lā ¶ 바이올린을 ~ 拉小提琴
켜다³ 타 伸 shēn ¶ 기지개를 ~ 伸懒腰
켤레 의명 双 shuāng ¶ 구두 한 ~ 一双皮鞋 / 양말 두 ~ 两双袜子
코¹ 명 **1** 鼻子 bízi; 鼻 bí ¶ 매부리~ 鹰勾鼻 / 납작~ 塌鼻梁 / ~가 막히다 鼻子不通 / ~를 후비다 挖鼻子 **2** = 콧물 ¶ ~를 흘리다 流鼻涕 / ~를 풀다 擤鼻涕 **3** 鼾 hān; 呼噜 hūlu ¶ ~를 골다 打呼噜 =[打鼾] **4** (鞋、袜的) 尖儿 jiānr; 尖头 jiāntóu ¶ 고무신의 ~ 胶鞋尖头 / 버선~ 布袜尖儿
코에 걸면 코걸이 귀에 걸면 귀걸이 속담 嘴巴两张皮, 咋说咋有理; 嘴巴两胡皮, 反正能使唤
코 묻은 돈 구 孩子们的小钱
코가 꿰이다 구 听人穿鼻; 被抓把柄
코가 납작해지다 구 威信扫地; 丢尽面子
코가 높다 구 趾高气扬; 摆架子
코가 비뚤어지게[비뚤어지도록] 구 一醉方休
코² 명 **1** 网目 wǎngmù; 网眼 wǎngyǎn **2** (打毛衣等时) 针 zhēn ¶ 몇 ~를 빠뜨렸다 漏了几针
코-감기(—感氣) 명 〖醫〗鼻子感冒 bízi gǎnmào = 콧물감기
코-끝 명 鼻尖 bíjiān; 鼻端 bíduān; 鼻准 bízhǔn
코끼리 명 〖動〗大象 dàxiàng
코냑(←프cognac) 명 干邑 gānyì; 干邑白兰地 gānyì báilándì; 科涅克白兰地 kēnièkè báilándì
코너(corner) 명 **1** 角(儿) jiǎo(r); 角落 jiǎoluò; 拐角(儿) guǎijiǎo(r); 边角 biānjiǎo ¶ ~를 돌다 绕拐角 **2** 专柜 zhuānguì ¶ 아동복 ~ 儿童专柜 / 스포츠용품 ~ 体育用品专柜 **3** 〖體〗角 jiǎo
코너-킥(corner kick) 명 〖體〗角球 jiǎoqiú
코드(chord) 명 〖音〗 **1** = 화음 **2** 和弦 héxián
코드(code) 명 〖컴〗代号 dàihào; 代码 dàimǎ
코드(cord) 명 〖電〗软线 ruǎnxiàn
코디(←coordination) 명 = 코디네이션
코디네이션(coordination) 명 (化妆、服装、首饰等的) 搭配 dāpèi; 服饰搭配 fúshì dāpèi = 코디
코디네이터(coordinator) 명 服装搭配师 fúzhuāng dāpèishī; 服饰搭配师 fúshì dāpèishī; 搭配师 dāpèishī
코-딱지 명 鼻屎 bíshǐ; 鼻垢 bígòu ¶ ~를 파내다 挖出鼻屎
코란(Koran) 명 〖宗〗可兰经 kělánjīng
코러스(chorus) 명 **1** 〖音〗 = 합창1 **2** = 합창단 **3** = 합창대 **4** 齐声 qíshēng
코로나(corona) 명 **1** 〖天〗日冕 rìmiǎn **2** 〖物〗电晕 diànyùn
코르덴(←corded velvetee) 명 灯芯绒 dēngxīnróng; 条绒 tiáoróng ¶ ~ 바지 灯芯绒裤
코르셋(corset) 명 紧身胸衣 jǐnshēn xiōngyī; 紧身褡 jǐnshēndā
코르크(cork) 명 **1** 软木 ruǎnmù; 木栓 mùshuān ¶ ~ 마개 软木塞 **2** 软木塞 ruǎnmùsāi
코-맹맹이 명 齉鼻儿 wèngbír; 齉鼻子 wèngbízi

코미디(comedy) 명 **1** 〖演〗= 희극1 ¶~ 영화 喜剧电影 =[喜剧片] **2** = 희극2

코미디언(comedian) 명 〖演〗= 희극 배우

코믹(comic) 명하형 喜剧(的) xǐjù-(de); 滑稽(的) huájī(de)

코-바늘 명 钩针(儿) gōuzhēn(r); 勾针 gōuzhēn ¶~뜨기 钩针编织 / ~로 모자를 뜨다 用钩针钩帽子

코발트(cobalt) 명 〖化〗钴 gǔ ¶~그린 钴绿 / ~블루 钴蓝

코브라(cobra) 명 〖動〗眼镜蛇 yǎnjìngshé

코-빼기 명 '코[1]' 的俗称

코빼기도 못 보다 구 连个人影都没有

코-뼈 명 〖生〗鼻骨 bígǔ

코뿔-소 명 〖動〗犀牛 xīniú = 무소

코사인(cosine) 명 〖數〗余弦 yúxián

코스(course) 명 **1** 路线 lùxiàn ¶산책 ~ 散步路线 / 등산 ~ 登山路线 / 여행 ~ 旅行路线 **2** 一道菜 yīdàocài; 套餐 tàocān **3** 课程 kèchéng ¶한국어 연수 ~ 韩国语进修课程 **4** 〖體〗跑道 pǎodào ¶운동선수들이 ~를 따라 열심히 달리고 있다 运动员们沿着跑道奋力奔跑

코스닥(KOSDAQ)[Korea Securities Dealers Automated Quotations] 명 〖經〗高斯达克 Gāosīdákè

코스모스(cosmos) 명 〖植〗波斯菊 bōsījú

코알라(koala) 명 〖動〗树袋熊 shùdàixióng; 考拉 kǎolā; 树熊 shùxióng

코-앞 명 **1** 眼皮底下 yǎnpí dǐxia; 眼底下 yǎndǐxia; 眼前 yǎnqián; 眼皮子底下 yǎnpízi dǐxia ¶사장님 ~에서 컴퓨터 게임을 하다 在老板眼皮底下玩电脑游戏 **2** 咫尺 zhǐchǐ; 眼前 yǎnqián ¶대선이 ~에 다가왔다 大选近在咫尺

코요테(coyote) 명 〖動〗郊狼 jiāoláng

코-웃음 명 冷笑 lěngxiào; 嗤笑 chīxiào

코웃음(을) 치다 구 嗤之以鼻

코일(coil) 명 〖電〗线圈(儿) xiànquān-(r); 绕组 ràozǔ; 线包 xiànbāo

코-주부 명 大鼻子 dàbízi

코치(coach) 명하타 **1** 教练 jiàoliàn; 训练 xùnliàn; 指导 zhǐdǎo **2** 〖體〗教练 jiàoliàn ¶농구 ~ 篮球教练

코칭-스태프(coaching staff) 명 〖體〗教练组 jiàoliànzǔ; 教练阵营 jiàoliàn zhènyíng

코카인(cocaine) 명 〖化〗可卡因 kěkǎyīn; 古柯碱 gǔkējiǎn

코코넛(coconut) 명 〖植〗椰子 yēzi

코코아(cocoa) 명 **1** 可可粉 kěkěfěn **2** 可可茶 kěkěchá

코코-야자(coco椰子) 명 〖植〗椰子树 yēzishù = 야자나무2

코크스(cokes) 명 〖鑛〗焦炭 jiāotàn; 焦 jiāo

코-털 명 鼻毛 bímáo ¶~을 뽑다 拔鼻毛

코트(coat) 명 大衣 dàyī; 外套 wàitào; 风衣 fēngyī ¶반~ 短大衣

코트(court) 명 〖體〗球场 qiúchǎng

코팅(coating) 명하타 〖化〗涂层 túcéng; 压膜 yāmó; 贴胶 tiējiāo ¶~막 涂层膜 / ~기 涂层机 / ~ 처리 涂层处理 / ~된 사진 被压膜的照片

코-피 명 鼻血 bíxuè; 鼻红 bíhóng ¶~가 나다 出鼻血

코-흘리개 명 **1** 鼻涕鬼 bítìguǐ **2** 毛孩子 máoháizi

콕 부 一下 yīxià ¶바늘로 ~ 찌르다 用针刺了一下

콘(cone) 명 锥形蛋卷 zhuīxíng dànjuǎn; 蛋卷 dànjuǎn ¶아이스크림 ~ 蛋卷冰淇淋

콘도(condo) 명 = 콘도미니엄

콘도르(에condor) 명 〖鳥〗秃鹰 tūyīng

콘도미니엄(condominium) 명 度假公寓 dùjià gōngyù = 콘도

콘돔(condom) 명 避孕套 bìyùntào; 保险套 bǎoxiǎntào; 阴茎套 yīnjīngtào

콘서트(concert) 명 **1** = 음악회 **2** 〖音〗演唱会 yǎnchànghuì; 演奏会 yǎnzòuhuì

콘서트-홀(concert hall) 명 〖音〗= 음악당

콘센트(←concentic plug) 명 〖電〗插座 chāzuò = 플러그 소켓 ¶플러그를 ~에 꽂다 把插头插进插座

콘크리트(concrete) 명 〖建〗混凝土 hùnníngtǔ ¶철근 ~ 钢筋混凝土 / ~ 공사 混凝土工程 / ~ 믹서 混凝土搅拌机 / ~ 포장 混凝土铺路

콘크리트 못(concrete—) 〖工〗水泥钉 shuǐnídīng; 钢钉 gāngdīng

콘택트-렌즈(contact lens) 명 〖醫〗隐形眼镜 yǐnxíng yǎnjìng; 接触镜 jiēchùjìng = 렌즈2 ¶~를 끼다 戴隐形眼镜

콘테스트(contest) 명 比赛 bǐsài; 竞赛 jìngsài; 比赛会 bǐsàihuì; 竞争 jìngzhēng ¶요리 ~ 烹饪比赛

콘트라베이스(contrabass) 명 〖音〗低音提琴 dīyīn tíqín = 더블 베이스

콘-플레이크(cornflakes) 명 玉米片 yùmǐpiàn

콜-걸(call girl) 명 应召妓女 yìngzhào jìnǚ; 应召女郎 yìngzhào nǚláng

콜드 게임(called game) 〖體〗有效比赛 yǒuxiào bǐsài

콜드-크림(cold cream) 명 冷霜 lěngshuāng; 冷膏 lěnggāo

콜드-파마(←cold+permanent) 명 冷烫 lěngtàng

콜라(cola) 명 可乐 kělè ¶코카 ~ 可口可乐 / 펩시 ~ 百事可乐 / ~를 마시다 喝可乐

콜라겐(collagen) 명 〖生〗 胶原蛋白 jiāoyuán dànbái

콜라주(프collage) 명 〖美〗 拼贴艺术 pīntiē yìshù; 拼贴画 pīntiēhuà

콜레라(cholera) 명 〖醫〗 霍乱 huòluàn ¶~균 霍乱菌

콜레스테롤(cholesterol) 명 〖化〗 胆固醇 dǎngùchún ¶~ 수치 胆固醇值 / ~을 낮추다 降低胆固醇

콜로세움(라Colosseum) 명 〖古〗 = 원형 경기장

콜로이드(colloid) 명 〖化〗 胶体 jiāotǐ; 胶质 jiāozhì ¶~ 용액 胶体溶液

콜록 부하타 吭吭 kēngkēng; 咯儿咯儿 kārkār

콜록-거리다 타 吭吭地咳嗽 kēngkēngde késou = 콜록대다 **콜록-콜록** 부하타

콜론(colon) 명 〖語〗 = 쌍점

콜타르(coal-tar) 명 〖化〗 煤焦油 méijiāoyóu = 타르2

콜-택시(call taxi) 명 应召的士 yìngzhào díshì

콤마(comma) 명 〖語〗 = 반점²(半點)

콤바인(combine) 명 〖農〗 康拜因 kāngbàiyīn; 谷物联合收割机 gǔwù liánhé shōugējī

콤비(←combination) 명 1 配角(儿) pèijué(r); 搭档 dādàng 2 组合服装 zǔhé fúzhuāng

콤팩트(compact) 명 (有镜) 粉盒 fěnhé

콤팩트-디스크(compact disk) 명 〖物〗 激光唱片 jīguāng chàngpiàn; 光盘 guāngpán = 시디¹

콤플렉스(complex) 명 〖心〗 自卑感 zìbēigǎn; 自卑心理 zìbēi xīnlǐ; 自卑情绪 zìbēi qíngxù

콧-구멍 명 鼻孔 bíkǒng ¶~을 후비다 抠鼻孔 / ~에서 코피가 나다 从鼻孔里出鼻血

콧-기름 명 鼻子油 bíziyóu

콧-김 명 鼻息 bíxī

콧-날 명 鼻梁(儿) bíliáng(r); 鼻梁子 bíliángzi ¶오뚝 솟은 ~ 挺拔的鼻梁儿

콧-노래 명 哼歌 hēnggē; 哼唱 hēngchàng; 哼小调 hēng xiǎodiào; 哼小曲 hēng xiǎoqǔ ¶~를 흥얼거리다 哼小调

콧-대 명 鼻梁(儿) bíliáng(r); 鼻梁子 bíliángzi

콧-등 명 鼻梁(儿) bíliáng(r); 鼻梁子 bíliángzi

콧-물 명 鼻涕 bítì = 코¹2 ¶~을 흘리다 流鼻涕

콧물-감기(—感氣) 명 〖醫〗 = 코감기

콧-방귀 명 哼鼻子 hēng bízi
　콧방귀를 뀌다 구 嗤之以鼻

콧-방울 명 鼻翅(儿) bíchì(r); 鼻翼 bíyì

콧-소리 명 = 비음 ¶노래를 부를 때 자꾸 ~가 난다 唱歌的时候总是有鼻音

콧-수염(—鬚髥) 명 髭 zī; 髭胡 zīhú; 小胡子 xiǎohúzi ¶~을 깎다 刮髭胡 / ~을 기르다 留小胡子

콧-잔등 명 鼻梁(儿) bíliáng(r); 鼻洼 bíwā

콩¹ 명 〖植〗 豆子 dòuzi; 豆(儿) dòu(r)
　콩 심은 데 콩 나고 팥 심은 데 팥 난다 속담 种豆得豆, 种瓜得瓜; 种李不得桃, 种瓜不得豆
　콩으로 메주를 쑨다 하여도 곧이듣지 않는다 속담 说豆饼是黄豆做的也不信

콩² 부 通 tōng《小东西掉在硬地板上撞击的声音》

콩-가루 명 1 豆面(儿) dòumiàn(r); 黄豆粉 huángdòufěn 2 破灭 pòmiè; 搞砸 gǎozá

콩-고물 명 豆面(儿) dòumiàn(r) ¶~을 묻힌 찰떡 蘸豆面儿的黏糕

콩-국 명 豆浆 dòujiāng; 豆汁(儿) dòuzhī(r)

콩-국수 명 豆浆面(儿) dòujiāngmiàn(r)

콩-기름 명 豆油 dòuyóu; 大豆油 dàdòuyóu ¶~을 짜다 榨豆油

콩-깍지 명 豆荚皮 dòujiápí; 豆皮儿 dòupír

콩-깻묵 명 豆饼 dòubǐng

콩-꼬투리 명 豆荚 dòujiá

콩-나물 명 豆芽(儿) dòuyá(r); 豆芽菜 dòuyácài; 黄豆芽 huángdòuyá ¶~국 豆芽儿汤 / ~시루 豆芽盆 / ~을 무치다 拌豆芽菜

콩닥-거리다 자타 1 咚咚 dōngdōng《小重物掉在地板上的样子》 2 怦怦跳 pēngpēng tiào ¶가슴이 ~ 心怦怦跳 ‖ = 콩닥대다 **콩닥-콩닥** 부하자타

콩-대 명 豆秸 dòujiē; 豆萁 dòuqí

콩-떡 명 豆糕 dòugāo; 豆面儿糕 dòumiànrgāo

콩-밥 명 豆饭 dòufàn; 大豆饭 dàdòufàn
　콩밥(을) 먹다 구 坐牢
　콩밥(을) 먹이다 구 使坐牢; 让坐牢

콩-밭 명 豆子地 dòuzidì; 豆地 dòudì ¶~에 농약을 뿌리다 给豆子地喷洒农药

콩-비지 명 豆腐渣 dòufuzhā

콩-알 명 豆粒 dòulì; 豆子 dòuzi

콩-자반 명 酱黄豆 jiànghuángdòu =

공장
콩-장(一醬) 명 = 콩자반
콩-콩 부 **1** 咚咚 dōngdōng《连续击鼓发出的声音》 **2** 怦怦 pēngpēng
콩콩-거리다 자타 **1** 咚咚响 dōngdōng xiǎng **2** 怦怦跳 pēngpēng tiào ‖ = 콩콩대다
콩쿠르(프concours) 명 竞赛 jìngsài; 比赛 bǐsài; 表演会 biǎoyǎnhuì ¶피아노 ~ 钢琴比赛 / 무용 ~ 舞蹈竞赛
콩트(프conte) 명 『文』 微型小说 wēixíng xiǎoshuō
콩팥 명 『生』 肾脏 shènzàng; 肾 shèn; 腰子 yāozi = 신장(腎臟) ¶~의 기능이 떨어지다 肾脏功能下降
콱 부 **1** 咣 guāng; 一下子 yīxiàzi《形容用力碰撞或刺扎貌》 ¶기둥에 ~ 부딪치다 咣地撞到柱子上 / 그는 문을 ~ 닫아 버렸다 他咣的一声关上了门 **2** 完全 wánquán; 紧 jǐn; 紧紧 jǐnjǐn ¶출구가 ~ 막혔다 出口完全被堵住了 **3** 哗 huā《猛地翻过来或倒出貌》 ¶물을 ~ 쏟아 버렸다 水哗地倒出来了
콸콸 부하자 哗哗 huāhuā; 哗啦哗啦 huālāhuālā; 轰轰 hōnghōng; 汩汩 gǔgǔ ¶약수가 땅에서 ~ 솟아 나오다 矿泉水从地里哗哗地冒出来 / 피가 ~ 나오다 血汩汩外流
쾅 부 **1** 哐 kuāng; 砰 pēng; 咕咚 gūdōng; 嘎啦 gālā; 梆啷 bānglāng ¶문을 ~ 닫았다 哐的一声关上了门 / ~ 하고 5층에서 떨어졌다 砰的一声, 从五楼掉下来了 **2** 轰 hōng ¶폭탄이 ~ 터졌다 轰的一声, 炸弹爆炸了
쾅-쾅 부 **1** 砰砰 pēngpēng **2** 隆隆 lónglóng; 轰隆 hōnglōng ¶멀리서 계속 ~ 소리가 들리다 从远处不断传来隆隆的声音
쾅쾅-거리다 자타 **1** 砰砰响 pēngpēng xiǎng; 砰砰作声 pēngpēng zuòshēng **2** 隆隆响 lónglóng xiǎng; 隆隆作声 lónglóng zuòshēng ‖ = 쾅쾅대다
쾌감(快感) 명 快感 kuàigǎn; 快意 kuàiyì; 快心 kuàixīn ¶~을 느끼다 感受到快感
쾌거(快擧) 명 壮举 zhuàngjǔ; 快事 kuàishì ¶그들은 우승의 ~를 이뤄냈다 他们实现了优胜这一壮举
쾌-남아(快男兒) 명 快男 kuàinán; 好汉 hǎohàn
쾌락(快樂) 명하형 快乐 kuàilè; 享乐 xiǎnglè ¶~주의 快乐主义 / 정신적 ~ 精神快乐 / 개인의 ~을 추구하다 追求个人享乐
쾌속(快速) 명하형 快速 kuàisù; 高速度 gāosùdù ¶~ 냉각 快速冷却 / ~ 질주 快速疾走 / ~선 快速船
쾌속-정(快速艇) 명 快艇 kuàitǐng
쾌유(快癒) 명하자 痊愈 quányù; 全愈 quányù ¶조속한 ~를 빕니다 祝你早日痊愈
쾌재(快哉) 명 快哉 kuàizāi; 称快 chēngkuài ¶속으로 ~를 부르다 心中称快
쾌적-하다(快適—) 형 舒适 shūshì; 痛快 tòngkuai; 舒服 shūfu; 爽快 shuǎngkuai; 爽畅 shuǎngchàng; 快意 kuàiyì ¶쾌적한 주거 환경을 조성하다 创造舒适的居住环境
쾌조(快調) 명 顺利 shùnlì; 顺手 shùnshǒu ¶~의 4연승 顺利的四连胜
쾌차(快差) 명하자 痊愈 quányù; 全愈 quányù ¶그는 아직 ~하지 않았다 他还没有痊愈
쾌청-하다(快晴—) 형 晴朗 qínglǎng; 晴明 qíngmíng; 爽朗 shuǎnglǎng; 响晴 xiǎngqíng ¶쾌청한 하늘 响晴的天空 / 날씨가 ~ 天气晴朗
쾌활-하다(快活—) 형 快活 kuàihuo; 开朗 kāilǎng; 愉快 yúkuài; 明快 míngkuài; 明朗 mínglǎng ¶쾌활한 성격 开朗的性格 **쾌활-히** 부
쾨쾨-하다 형 臭 chòu; 有馊味 yǒu sōuwèi ¶쾨쾨한 냄새가 코를 찌르다 臭味刺鼻
쿠데타(프coup d'État) 명 政变 zhèngbiàn; 武装政变 wǔzhuāng zhèngbiàn ¶~가 일어나다 发生政变
쿠션(cushion) 명 坐垫(儿) zuòdiàn(r); 靠垫 kàodiàn; 椅垫 yǐdiàn; 垫子 diànzi ¶자동차 ~ 汽车靠垫 / 소파 ~ 沙发坐垫儿
쿠키(cookie) 명 曲奇 qūqí; 曲奇饼 qūqíbǐng; 曲奇饼干 qūqí bǐnggān; 甜饼干 tiánbǐnggān; 小甜饼 xiǎotiánbǐng ¶~를 굽다 烘烤曲奇
쿠폰(coupon) 명 **1** 联券 liánquàn; 联票 liánpiào **2** 礼票 lǐpiào; 券 quàn; 票券 piàoquàn; 赠券 zèngquàn ¶할인 ~ 打折券
쿡 부 噗 pū; 一下 yīxià; 用力 yònglì; 捅 tǒng ¶칼로 ~ 찌르다 用刀刺了一下
쿨쿨 부하자 呼呼 hūhū; 呼噜呼噜 hūlūhūlū ¶~ 자다 呼呼地睡
쿵 부 **1** 咕咚 gūdōng; 咕噔 gūdēng; 嘭 pēng; 扑腾 pūtēng《重物掉在地上的声音》 ¶아이가 ~ 하고 나무에서 떨어졌다 孩子扑腾一声从树上掉下来 / ~ 하고 길가에 있는 나무가 쓰러졌다 嘭一声巨响, 路边的大树倒了 **2** 轰 hōng ¶폭탄 소리가 멀리서 ~ 하고 울리다 从远处传来轰的炮弹声
쿵쾅 부하자타 **1** 轰隆 hōnglong《炮声或爆炸声》 **2** 咚咚 dōngdōng《鼓声》 **3** 咕咚 gūdōng; 咕噔 gūdēng《重物碰撞声》 **4** 蹬蹬 dēngdēng《跺脚声》

쿵쾅-거리다 자타 1 轰隆轰隆 hōnglōnghōnglōng 2 咚咚 dōngdōng 3 咕咚 gūdōng; 嘭 pēng; 扑腾 pūtēng; 咯噔 gēdēng《重物碰撞声》 4 蹬蹬 dēngdēng《跺脚声》 ‖ = 쿵쾅대다 **쿵쾅-쿵쾅** 부하자타

쿵-쿵 부하자타 1 咕咚咕咚 gūdōnggūdōng; 咕噔咕噔 gūdēnggūdēng《硬地板上掉重物的声音》 2 咚咚 dōngdōng《鼓声》

쿵쿵-거리다 자타 1 咕咚咕咚 gūdōnggūdōng; 咕噔咕噔 gūdēnggūdēng 2 咚咚 dōngdōng ‖ = 쿵쿵대다

쿵후(←중gongfu[功夫]) 명 〖體〗 功夫 gōngfu

쿼터(quarter) 의명 〖體〗 节 jié ¶방금 1~가 끝났다 刚才第一节结束了

퀭-하다 형 凹陷 āoxiàn; 陷进 xiànjìn; 凹下 āoxià ¶며칠 아팠더니 눈이 다 퀭해졌다 病了几天, 眼睛都凹陷下去了

퀴즈(quiz) 명 猜谜 cāimí; 谜语 míyǔ; 竞猜 jìngcāi; 智力竞赛 zhìlì jìngsài ¶~ 쇼 智力竞赛节目

퀴퀴-하다 형 臭 chòu; 有馊味 yǒu sōuwèi; 臭烘烘(的) chòuhōnghōng(de); 臭乎乎(的) chòuhūhū(de) ¶방 안에서 퀴퀴한 냄새가 난다 房间里有一股臭乎乎的的味儿

큐(cue) 명 1 〖言〗 提示 tíshì; 暗示 ànshì; 示意 shìyì; 信号 xìnhào 2 〖體〗 (台球的) 球杆 qiúgān

큐피드(Cupid) 명 〖文〗 丘比特 Qiūbǐtè; 爱神 àishén

크-기 명 大小 dàxiǎo; 个头儿 gètóur; 个儿 gèr ¶~가 딱 맞다 大小正合 / ~를 조절하다 调节大小

크나-크다 형 巨大 jùdà; 非常大 fēicháng dà ¶크나큰 고통 巨大的痛苦 / 크나큰 기회 巨大的机会

크다 一형 1 (大小) 大 dà; 高 gāo ¶눈이 큰 아이 大眼睛的孩子 / 키가 매우 ~ 个子很高 / 글씨를 좀 크게 쓰거라 字写得大一点 2 巨大 jùdà; 大 dà; 浩大 hàodà; 壮大 zhuàngdà ¶큰 부자 大富翁 / 규모가 ~ 规模浩大 / 도량이 ~ 度量很大 3 严重 yánzhòng; 重大 zhòngdà; 重 zhòng ¶문제가 커졌다 问题严重了 / 부담이 ~ 负担很重 4 (声音) 大 dà; 高 gāo ¶목소리가 ~ 嗓音高 5 肥 féi; 肥大 féidà; 大 dà ¶바지가 ~ 裤子很肥 6 深 shēn ¶그는 나에 대한 오해가 너무 ~ 他对我的误解太深了 二자 长大 zhǎngdà; 成长 chéngzhǎng ¶이 아이는 몇 년 동안 많이 컸다 这孩子在几年间长大了许多

크라프트-지(kraft紙) 명 牛皮纸 niúpízhǐ

크래커(cracker) 명 薄脆饼干 báocuì bǐnggān; 薄脆饼 báocuìbǐng; 咸饼干 xiánbǐnggān

크레용(프crayon) 명 〖美〗 蜡笔 làbǐ; 蜡棒 làbàng ¶~화 蜡笔画 / ~으로 그림을 그리다 用蜡笔画画

크레이프(crepe) 명 绉纱 zhòushā; 绉绸 zhòuchóu

크레인(crane) 명 〖機〗 = 기중기

크레파스(←일kurepasu) 명 〖美〗 蜡笔 làbǐ; 蜡棒 làbàng

크로뮴(chromium) 명 〖化〗 铬 gè; 克罗米 kèluómǐ

크로스바(crossbar) 명 〖體〗 1 (球门的) 横木 héngmù 2 (跳高的) 横杆 hénggān ¶~를 넘다 越过横杆

크로스-컨트리(cross-country) 명 〖體〗 越野赛 yuèyěsài; 越野 yuèyě

크로케(프croquet) 명 〖體〗 槌球 chuíqiú

크로켓(프croquette) 명 炸丸子 zháwánzi; 炸肉丸 zháròuwán; 炸肉饼 zháròubǐng

크로키(프croquis) 명 〖美〗 速写 sùxiě; 速写画 sùxiěhuà

크루저(cruiser) 명 巡洋舰 xúnyángjiàn

크루즈 미사일(cruise missile) 〖軍〗 巡航导弹 xúnháng dǎodàn; 巡航飞弹 xúnháng fēidàn = 순항 미사일

크리스마스(Christmas) 명 〖宗〗 = 성탄절 ¶메리 ~ 圣诞快乐 / ~ 선물 圣诞礼物 / ~ 음악 圣诞音乐

크리스마스-이브(Christmas Eve) 명 平安夜 píng'ānyè; 圣诞前夜 shèngdàn qiányè; 圣诞节前夕 Shèngdànjié qiánxī

크리스마스-카드(Christmas card) 명 圣诞贺卡 shèngdàn hèkǎ; 圣诞卡 shèngdànkǎ; 圣诞节贺卡 Shèngdànjié hèkǎ

크리스마스 캐럴(Christmas carol) 〖音〗 圣诞颂歌 shèngdàn sònggē; 圣诞节颂歌 Shèngdànjié sònggē

크리스마스-트리(Christmas tree) 명 圣诞树 shèngdànshù

크리스천(Christian) 명 = 기독교인

크리스털(crystal) 명 1 〖鑛〗 = 수정(水晶) 2 〖工〗 = 크리스털 글라스

크리스털 글라스(crystal glass) 〖工〗 水晶玻璃 shuǐjīng bōli = 크리스털2

크리켓(cricket) 명 〖體〗 板球 bǎnqiú

크릴(krill) 명 〖動〗 磷虾 línxiā

크림(cream) 명 1 奶油 nǎiyóu; 乳脂 rǔzhī; 乳油 rǔyóu = 유지(乳脂)1 ¶~빵 奶油面包 / ~소스 奶油沙司 / ~수프 奶油稀汤 / ~치즈 奶油奶酪 =[奶油干酪] 2 面霜 miànshuāng; 霜

shuāng ¶~을 바르다 抹面霜
큰-기침 명하자 大声咳嗽 dàshēng késou
큰-길 명 大路 dàlù; 马路 mǎlù; 公路 gōnglù; 大道 dàdào = 대로(大路) ¶~가 大路边 / 이 ~을 따라서 가면 학교가 보인다 沿着这条大路走就能看到学校
큰-누나 명 大姐 dàjiě
큰-달 명 大月 dàyuè; 大建 dàjiàn; 大尽 dàjìn
큰-댁(—宅) 명 1 '큰집' 的敬词 2 正妻 zhèngqī; 正室 zhèngshì
큰-돈 명 大笔钱 dàbǐqián; 大财 dàcái ¶~을 벌었다 赚了一大笔钱 / ~을 썼다 花了一大笔钱
큰-따님 명 大女儿 dànǚ'ér
큰따옴-표(—標) 명 〖語〗 双引号 shuāngyǐnhào
큰-딸 명 = 맏딸 ¶~은 책임감이 강하다 大女儿责任心强
큰-마누라 명 大老婆 dàlǎopo
큰-마음 명 痛下决心 tòngxià juéxīn; 最大的决心 zuìdàde juéxīn; 大志 dàzhì ¶이일은 ~을 먹지 않으면 하기가 쉽지 않다 做这件事, 不痛下决心的话, 不那么容易
큰-맘 명 '큰마음' 的略词
큰-며느리 명 = 맏며느리
큰-못 명 〖建〗 大钉 dàdīng; 大钉子 dàdīngzi = 대못
큰-물 명 大水 dàshuǐ; 洪水 hóngshuǐ = 홍수1 ¶~이 지다 发大水
큰-북 명 1 大鼓 dàgǔ 2 〖音〗 低音鼓 dīyīngǔ
큰-불 명 大火 dàhuǒ ¶~을 놓다 放大火 / ~이 나다 起大火
큰-비 명 大雨 dàyǔ ¶~가 내렸다 下了大雨
큰-사람 명 大人物 dàrénwù; 大器 dàqì; 大才 dàcái ¶~이 되다 成为大人物 / 자식을 ~으로 키우다 把孩子培养成大器
큰-사위 명 = 맏사위
큰-살림 명하자 大家庭生活 dàjiātíng shēnghuó
큰-상(—床) 명 大桌菜 dàzhuōcài ¶~을 차리다 摆一大桌菜
큰-소리 명하자 大话 dàhuà; 牛皮 niúpí; 牛 niú ¶종일 일은 안 하고 ~만 치다 整天不干实事, 只说大话
큰소리-치다 자 说大话 shuō dàhuà; 吹牛 chuīniú; 吹牛皮 chuī niúpí; 放大炮 fàng dàpào; 夸海口 kuā hǎikǒu; 大吹法螺 dàchuīfǎluó ¶큰소리치기 좋아하는 사람 爱吹牛的人
큰-손 명 〖經〗 大户 dàhù; 大款爷 dàkuǎnyé
큰-손녀(—孫女) 명 = 맏손녀
큰-손자(—孫子) 명 = 맏손자
큰-아들 명 = 맏아들
큰-아버지 명 伯父 bófù; 伯伯 bóbo; 大伯子 dàbǎizi; 大伯 dàbó; 大爷 dàye = 백부
큰-아이 명 老大 lǎodà; 大孩子 dàháizi
큰-어머니 명 伯母 bómǔ; 大妈 dàmā; 大娘 dàniáng; 大伯娘 dàbóniáng = 백모
큰-언니 명 大姐 dàjiě
큰-오빠 명 大哥 dàgē
큰-일[1] 명 1 大事 dàshì; 大事情 dàshìqing ¶~을 하려면 작은 일부터 시작해야 한다 要想成大事, 必须从小事做起 2 糟 zāo; 糟糕 zāogāo; 不得了 bùdéliǎo ¶~ 났다! 糟了! ‖ = 대사(大事)1
큰-일[2] 명 大事 dàshì; 喜事 xǐshì = 대사(大事)2 ¶~을 치르다 办大事
큰-절 명하자 大礼 dàlǐ ¶부모님께 ~을 올리다 向父母行大礼
큰-집 명 1 大房 dàfáng; 伯父家 bófùjiā ¶~에서 자라다 在伯父家长大 2 长房 chángfáng
큰코-다치다 자 吃大亏 chī dàkuī; 大惹其祸 dàrěqíhuò
큰-형(—兄) 명 = 맏형
큰-형수(—兄嫂) 명 大嫂 dàsǎo
클라리넷(clarinet) 명 〖音〗 单簧管 dānhuángguǎn; 黑管 hēiguǎn; 克拉管 kèlāguǎn ¶~을 불다 吹单簧管
클라이맥스(climax) 명 1 顶点 dǐngdiǎn; 最高峰 zuìgāofēng; 高潮 gāocháo ¶~ 장면 高潮镜头 / ~에 이르다 达到顶点 2 〖文〗 = 절정3
클래식(classic) 명 〖音〗 = 고전 음악 ¶~ 감상 古典音乐欣赏
클랙슨(klaxon) 명 警笛 jǐngdí; 喇叭 lǎba ¶시끄러운 ~ 소리 刺耳的警笛声 / ~이 길게 울리다 警笛长鸣
클러치(clutch) 명 〖機〗 1 离合器 líhéqì 2 = 클러치 페달 ¶~를 밟다 踩离合器踏板
클러치 페달(clutch pedal) 〖機〗 离合器踏板 líhéqì tàbǎn = 클러치2
클럽(club) 명 1 俱乐部 jùlèbù ¶스포츠 ~ 运动俱乐部 / 독서 ~ 读书俱乐部 2 〖體〗 = 골프채
클레임(claim) 명 〖經〗 索赔 suǒpéi ¶~을 제기하다 要求索赔
클렌징(cleansing) 명 洁肤 jiéfū; 清洁 qīngjié ¶~크림 清洁霜
클로렐라(chlorella) 명 〖植〗 小球藻 xiǎoqiúzǎo; 绿藻 lǜzǎo
클로버(clover) 명 1 〖植〗 = 토끼풀 2 〖體〗 草花 cǎohuā
클로즈업(close-up) 명하타 〖演〗 特

写 tèxiě; 特写镜头 tèxiě jìngtóu ¶인물의 얼굴을 ~하다 人物脸部特写

클론(clone) 명 【生】克隆 kèlóng

클리닉(clinic) 명 诊所 zhěnsuǒ; 门诊室 ménzhěnshì; 门诊 ménzhěn ¶비만 ~ 肥胖门诊

클릭(click) 명하타 【컴】单击 dānjī ¶마우스로 ~하다 用鼠标单击

클립(clip) 명 曲别针 qūbiézhēn; 回形针 huíxíngzhēn; 别针 biézhēn

큼지막-하다 형 极大 jídà; 很大 hěn dà ¶큼지막한 간판이 눈에 들어오다 一个极大的牌子映入眼帘 **큼지막-이** 부

큼직-하다 형 极大 jídà; 很大 hěn dà; 粗大 cūdà ¶큼직한 해바라기꽃 极大的向日葵 **큼직-이** 부

큼직-큼직 부하형 大块大块 dàkuài-dàkuài ¶무를 ~하게 썰다 把萝卜切成大块大块的

킁킁 명하타 吭吭 kēngkēng; 呼哧呼哧 hūchīhūchī ¶코를 ~하다 鼻子吭吭着

킁킁-거리다 타 吭吭 kēngkēng; 呼哧呼哧 hūchīhūchī = 킁킁대다 ¶코를 자꾸 ~ 鼻子总是呼哧呼哧的

키[1] 명 个子 gèzi; 个儿 gèr; 身高 shēngāo; 身长 shēncháng = 신장(身長) ¶~가 크다 个子高 / ~가 작다 身高矮小 / ~를 재다 量身高 / ~가 많이 자랐다 个儿长高了许多

키 크고 싱겁지 않은 사람 없다 속담 十个儿大, 十个俗气

키[2] 명 簸箕 bòji ¶~로 쌀을 까부르다 用簸箕簸大米

키[3] 명 舵 duò; 艄 shāo ¶~를 잡다 掌舵

키(key) 명 **1** = 열쇠1 **2** 关键 guānjiàn ¶그는 이 문제의 ~를 쥐고 있다 他抓住了这个问题的关键 **3** 键盘 jiànpán

키-꺽다리 명 = 키다리

키-다리 명 高个子 gāogèzi; 高个儿 gāogèr; 细高挑儿 xìgāotiǎor = 꺽다리·키꺽다리

키득 부하자 扑哧 pūchī; 哧哧 chīchī ¶참다못해 ~ 웃었다 忍不住扑哧一声笑了

키득-거리다 자 扑哧 pūchī; 哧哧 chīchī = 키득대다 **키득-키득** 부하자

키보드(keyboard) 명 **1** = 건반 **2** 【音】电子琴 diànzǐqín **3** 【컴】键盘 jiànpán = 자판

키-순(―順) 명 按个子高矮 àn gèzi gāo'ǎi; 按个子 àn gèzi; 按高矮顺序 àn gāo'ǎi shùnxù ¶~으로 자리를 배정하다 按个子排座位

키스(kiss) 명하자 吻 wěn; 接吻 jiēwěn; 亲嘴 qīnzuǐ; 亲 qīn = 입맞춤 ¶~ 신 接吻镜头 / 이별의 ~ 离别吻 / 나는 그녀의 볼에 ~를 했다 我在她的腮上吻了一下

키우다 타 抚养 fǔyǎng; 养 yǎng; 培养 péiyǎng; 培育 péiyù; 哺育 bǔyù; 养育 yǎngyù 《'크다⊟' 的使动词》 ¶아이를 ~ 抚养孩子 / 고양이를 ~ 养猫

키 워드(key word) 【컴】关键字 guānjiànzì; 关键词 guānjiàncí ¶~를 입력하다 输入关键字 / ~를 검색하다 搜索关键词 / ~를 사용하다 使用关键词

키위(kiwi) 명 猕猴桃 míhóutáo; 奇异果 qíyìguǒ

키-잡이 명 舵手 duòshǒu; 掌舵 zhǎngduò = 조타수

키-질 명하타 簸簸箕 bǒ bòji

키친-타월(kitchen towel) 명 厨房纸 chúfángzhǐ; 厨房纸巾 chúfáng zhǐjīn

키-포인트(key+point) 명 要点 yàodiǎn; 重点 zhòngdiǎn; 着眼点 zhuóyǎndiǎn; 要领 yàolǐng ¶문장의 ~를 파악하다 掌握文章的要点

키-홀더(key holder) 명 钥匙扣 yàoshikòu

킥(kick) 명하자타 【體】踢 tī; 踢球 tīqiú

킥복싱(kickboxing) 명 【體】自由搏击 zìyóu bójī

킥-킥 부하자 嗤嗤 chīchī

킥킥-거리다 자 嗤嗤地笑 chīchīde xiào = 킥킥대다

킬러(killer) 명 杀手 shāshǒu; 杀人者 shārénzhě; 凶手 xiōngshǒu

킬로(kilo) 의명 **1** = 킬로그램 ¶한 달에 10~를 빼다 一个月减十公斤 **2** = 킬로미터 ¶30~를 걷다 走三十公里路

킬로그램(kilogram) 의명 公斤 gōngjīn; 千克 qiānkè = 킬로1

킬로리터(kiloliter) 의명 千升 qiānshēng ¶물 10~ 十千升水

킬로미터(kilometer) 의명 公里 gōnglǐ; 千米 qiānmǐ = 킬로2

킬로바이트(kilobyte) 의명 【컴】千字节 qiānzìjié

킬로볼트(kilovolt) 의명 【物】千伏特 qiānfútè

킬로암페어(kiloampere) 의명 【物】千安培 qiān'ānpéi

킬로와트(kilowatt) 의명 【物】千瓦 qiānwǎ

킬로칼로리(kilocalorie) 의명 【物】千卡 qiānkǎ; 大卡 dàkǎ

킬로헤르츠(kilohertz) 의명 【物】千赫 qiānhè

킹-사이즈(king-size) 명 超大型 chāodàxíng; 超大号 chāodàhào ¶~ 침대 超大号床

킹-코브라(king cobra) 명 【動】眼镜王蛇 yǎnjìngwángshé

ㅌ

타(他) 一명 他人 tārén; 人家 rénjiā 二관 别的 biéde ¶~ 지역 别的地区

타(打) 의명 打 dá ¶연필 한 ~ 一打铅笔 / 맥주 반 ~ 半打啤酒

타:개(打開) 명하타 打开 dǎkāi; 克服 kèfú ¶경제 불황을 ~하다 打开经济箫条

타:개-책(打開策) 명 活路 huólù

타:격(打擊) 명하타 **1** 打击 dǎjī; 捶打 chuídǎ ¶머리를 ~하다 打击头部 **2** 打击 dǎjī; 冲击 chōngjī ¶적에게 치명적인 ~을 가하다 给敌人以致命的打击 **3** 〖體〗(棒球) 打击 dǎjī; 击球 jīqiú = 배팅

타:결(妥結) 명하타 妥协 tuǒxié; 妥 tuǒ ¶일은 이미 잘 ~되었다 事情已经商量妥了

타계(他界) 一명 别的世界 biéde shìjiè 二명하자 去世 qùshì; 逝世 shìshì; 死亡 sǐwáng; 过世 guòshì; 死 sǐ ¶아버지는 작년에 ~하셨다 父亲去年去世了

타고-나다 타 生来 shēnglái; 生就 shēngjiù; 天赋 tiānfù; 天生 tiānshēng ¶타고난 성격 生来的性情 / 고운 목소리를 ~ 天生好听的声音

타:구(打球) 명하자 〖體〗打球 dǎqiú

타국(他國) 명 他国 tāguó; 别国 biéguó; 异国 yìguó ¶그는 아버지를 따라 ~으로 갔다 他随父亲迁往异国

타깃(target) 명 标的 biāodì; 目标 mùbiāo; 靶子 bǎzi ¶그들을 ~으로 삼다 把他们作为靶子

타다[1] 자 **1** 烧 shāo; 燃烧 ránshāo ¶나무토막이 탔다 木头烧了 **2** 晒黑 shàihēi ¶피부가 햇볕에 탔다 皮肤晒黑了 **3** 焦 jiāo; 煳 hú ¶빵이 탔다 面包烤煳了 **4** 焦急 jiāojí; 焦灼 jiāozhuó ¶속이 ~ 内心焦灼 **5** 枯萎 kūwěi ¶보리싹이 탔다 麦苗枯萎了

타다[2] 一자타 乘 chéng; 骑 qí; 坐 zuò; 蹬 dèng; 搭 dā ¶차를 ~ 乘车 / 배를 ~ 坐船 二타 **1** 攀 pān; 攀登 pāndēng ¶높은 산을 ~ 攀登高峰 **2** 趁 chèn; 乘 chéng ¶기회를 ~ 乘机会 **3** 溜冰 liūbīng; 滑冰 huábīng ¶스케이트를 ~ 滑冰

타다[3] 타 冲 chōng; 对 duì; 放 fàng; 加 jiā; 搁 gē; 沏 qī; 泡 pào; 调 tiáo ¶국에 소금을 조금 탔다 汤里搁点儿盐 / 녹차를 ~ 泡绿茶

타다[4] 타 领 lǐng; 得 dé; 得到 dédào ¶장학금을 ~ 领奖学金

타다[5] 타 **1** 分 fēn; 开 kāi ¶가르마를 ~ 分头发 **2** 开 kāi; 剖开 pōukāi ¶박을 ~ 开葫芦

타다[6] 타 弹 tán; 拉 lā ¶가야금을 ~ 弹伽倻琴

타다[7] 一자타 爱 ài ¶때를 잘 ~ 爱脏污 二타 **1** 犯 fàn ¶옻을 ~ 犯漆 **2** 怕 pà ¶부끄럼을 ~ 怕羞 / 추위를 ~ 怕冷

타닥-거리다 자타 **1** 轻轻地掸 qīngqīngde dǎn ¶타닥거리며 먼지를 털다 轻轻地掸去灰尘 **2** (疲乏时) 一拖一拖地走 yìtuōyìtuōde zǒu ¶타닥거리며 집을 향해 걷다 一拖一拖地往家走 ‖ = 타닥대다 **타닥-타닥** 부하자타

타:당-성(妥當性) 명 妥当性 tuǒdàngxìng; 恰当性 qiàdàngxìng

타:당-하다(妥當—) 형 妥当 tuǒdàng; 恰当 qiàdàng; 适当 shìdàng; 得当 dédàng ¶그 의견은 ~ 那个意见妥当

타:도(打倒) 명하타 打倒 dǎdǎo ¶매국노를 ~하다 打倒卖国贼

타-동사(他動詞) 명 〖語〗及物动词 jíwù dòngcí; 他动词 tādòngcí

타:락(墮落) 명하자 堕落 duòluò; 流为下道 liúwéi xiàdào ¶청소년을 ~시키는 유혹이 많다 使青少年堕落的诱惑很多

타래 명 **1** 绞 jiǎo; 绺(儿) liǔ(r); 辫子 biànzi; 团 tuán ¶실~ 线团 / 마늘 ~ 蒜辫子 **2** 绞 jiǎo; 绺(儿) liǔ(r); 辫子 biànzi; 团 tuán ¶실 한 ~ 一绺儿丝线

타력(他力) 명 他力 tālì; 外力 wàilì

타:력(打力) 명 〖體〗打击力 dǎjīlì

타:령 명 **1** 念叨 niàndao ¶그는 늘 돈 ~이다 他经常念叨钱 **2** 〖音〗打令谣 dǎlìngyáo; 打令 dǎlìng ¶아리랑~ 阿里郎打令

타르(tar) 명 〖化〗**1** 焦油 jiāoyóu; 溚 tǎ; 黑油 hēiyóu **2** = 콜타르

타-민족(他民族) 명 外族 wàizú; 别的民族 biéde mínzú

타:박 명하타 说三道四 shuōsāndàosì; 指责 zhǐzé; 斥责 chìzé; 怪 guài; 赖 lài; 指斥 zhǐchì ¶~을 받다 受怪 / ~을 놓다 说三道四

타박-거리다 자 轻轻地走路 qīngqīngde zǒulù; 一拖一拖地走路 yìtuōyìtuōde zǒulù = 타박대다 ¶타박거리며 길을 걷다 一拖一拖地走路 **타박-타박** 부

ㅌ

하자 ¶그 아가씨는 지친 걸음으로 ~ 걸어갔다 那个小姐以精疲的步伐一拖一拖地走路

타:박-상(打撲傷) 명 挫伤 cuòshāng; 殴伤 ōushāng; 撞伤 zhuàngshāng; 碰伤 pèngshāng ¶전신에 ~을 입다 全身撞伤

타사(他社) 명 别的公司 biéde gōngsī

타:산(打算) 명하타 打算 dǎsuan; 估计 gūjì; 算计 suànji; 盘算 pánsuan ¶~이 빠르다 算计得很精

타:산-적(打算的) 관명 善于打算 shànyú dǎsuan ¶그는 언제나 ~이다 他总是善于打算

타산지석(他山之石) 명 他山之石 tāshānzhīshí ¶~으로 삼다 他山之石, 可以为错

타살(他殺) 명하타 他杀 tāshā ¶~의 흔적이 있다 有他杀的痕迹

타:성(惰性) 명 惰性 duòxìng ¶~적 惰性的 / ~에 젖다 处于惰性 / ~을 극복하다 克服惰性 / ~을 버리다 抛弃惰性

타:수(打數) 명 〖體〗 击球数 jīqiúshù

타:-악기(打樂器) 명 〖音〗 打击乐器 dǎjī yuèqì; 敲击乐器 qiāojī yuèqì

타:액(唾液) 명 〖生〗 = 침

타-오르다 자 **1** 燃烧起来 ránshāoqǐlái ¶마른 장작이 ~ 干柴燃烧起来 **2** 焦急 jiāojí; 焦灼 jiāozhuó ¶그는 하루 종일 애가 타올랐다 他整天焦灼了

타올 명 '타월' 的错误

타:원(楕圓) 명 〖數〗 椭圆 tuǒyuán ¶~형 椭圆形

타월(towel) 명 毛巾 máojīn

타율(他律) 명 他律 tālǜ

타:율(打率) 명 〖體〗 击球率 jīqiúlǜ

타의(他意) 명 **1** 别的意思 biéde yìsi; 他意 tāyì ¶그가 한 말은 ~가 없다 他说的没有他意 **2** 别人的意志 biérende yìzhì ¶~에 의해 사직하다 以别人的意志为辞职了

타이(tie) 명 = 넥타이

타-이르다 타 告诫 gàojiè; 劝 quàn; 劝说 quànshuō; 劝导 quàndǎo; 规劝 guīquàn; 开导 kāidǎo = 이르다[2]2 ¶차근차근 ~ 谆谆告诫

타이머(timer) 명 定时器 dìngshíqì; 计时器 jìshíqì

타이밍(timing) 명 时机 shíjī; 定时 dìngshí; 时候 shíhou ¶~이 안 좋다 不是时候 / ~이 좋다 时机合适

타이어(tire) 명 轮胎 lúntāi; 车胎 chētāi; 轮带 lúndài; 外胎 wàitāi ¶~에 공기를 넣다 给轮胎打气 / ~ 바람이 새다 车胎漏气

타이트-스커트(tight skirt) 명 紧身裙 jǐnshēnqún

타이트-하다(tight—) 형 **1** 紧 jǐn; 瘦 shòu ¶이 옷은 너무 ~ 这件衣服太瘦了 **2** 严格 yángé ¶훈련이 ~ 训练很严格

타이틀(title) 명 **1** 标题 biāotí; 题目 tímù ¶뉴스 ~ 新闻标题 **2** 〖體〗 = 선수권 ¶~전 锦标赛 / ~을 획득하다 获得锦标 **3** 〖演〗 字幕 zìmù

타이프(type) 명 = 타자기

타이핑(typing) 명하타 打字 dǎzì

타인(他人) 명 他人 tārén; 别人 biéren; 别人家 biérenjia; 人家 rénjia

타일(tile) 명 〖建〗 磁砖 cízhuān; 瓷砖 cízhuān; 花砖 huāzhuān ¶~을 깔다 铺瓷砖

타임(time) 명 〖體〗 **1** 时间 shíjiān ¶~을 재다 计时间 **2** = 타임아웃 ¶감독이 ~을 요구하다 教练要求暂停

타임-머신(time machine) 명 时间机器 shíjiān jīqì; 时光机器 shíguāng jīqì

타임아웃(time-out) 명 〖體〗 暂停 zàntíng = 타임2

타임-캡슐(time capsule) 명 时间囊 shíjiānnáng; 时间舱 shíjiāncāng

타입(type) 명 型 xíng; 类型 lèixíng; 样儿 yàngr; 姿态 zītài; 式样 shìyàng

타:자(打字) 명하타 打字 dǎzì ¶그는 ~를 매우 빠르게 친다 他打字打得很快

타:자(打者) 명 〖體〗 击球员 jīqiúyuán; 击球手 jīqiúshǒu

타:자-기(打字機) 명 打字机 dǎzìjī = 타이프

타:자-수(打字手) 명 打字员 dǎzìyuán

타:작(打作) 명하타 〖農〗 打场 dǎcháng ¶우리는 ~하느라 바쁘다 我们忙着打场

타:전(打電) 명하타 打电报 dǎ diànbào; 拍电报 pāi diànbào ¶아버지에게 ~하다 打电报给家父

타:점(打點) 명 〖體〗 得分 défēn

타:조(駝鳥) 명 〖鳥〗 鸵鸟 tuóniǎo

타:종(打鐘) 명하자 敲钟 qiāozhōng; 打钟 dǎzhōng

타지(他地) 명 外地 wàidì; 别的地方 biéde dìfang

타지다 자 绽开 zhànkāi ¶옷소매가 ~ 衣袖绽开

타:진(打診) 명하타 **1** 〖醫〗 叩诊 kòuzhěn ¶~기 叩诊机 / 흉부를 ~하다 叩诊胸部 **2** 探听 tàntīng; 试探 shìtan ¶상대방의 의향을 ~하다 探听对方的意向

타:진(打盡) 명하타 全部抓住 quánbù zhuāzhù; 打尽 dǎjìn ¶살아남은 적들을 일망~하다 把残余的敌人一网打尽

타:파(打破) 명하타 打破 dǎpò; 破除 pòchú; 除破 chúpò ¶관례를 ~하다 打破惯例 / 미신을 ~하다 破除迷信

타향(他鄕) 명 他乡 tāxiāng; 异乡 yìxiāng; 外乡 wàixiāng

타향-살이(他鄕—) 명하자 客居 kèjū; 流落他乡 liúluò tāxiāng

타협(妥協) 명하자타 妥协 tuǒxié; 和解 héjiě; 迁就 qiānjiù; 调和 tiáohé ¶~안 妥协方案 / ~점 妥协点 / ~의 여지가 전혀 없다 毫无妥协的余地

탁 부 1 啪 pā; 吧嗒 bādā; 咔 kā; 啪嚓 pāchā; 啪嗒 pādā; 啪啦 pāla ¶책상을 ~ 치다 啪的一声拍桌子 2 突然 tūrán; 猛然 měngrán ¶맥이 ~풀리다 突然没劲儿了 3 呸 pēi ¶침을 ~ 뱉다 呸的一声吐出口水 4 豁然 huòrán; 豁亮 huòliàng ¶사방이 ~ 트이다 四处豁然开朗

탁견(卓見) 명 高见 gāojiàn; 卓见 zhuójiàn ¶그의 제안은 정말 ~이다 他的提案真是卓见

탁구(卓球) 명 〖體〗 乒乓球 pīngpāngqiú ¶~공 乒乓球 / ~대 乒乓球台 / ~채 乒乓球拍 / ~장 乒乓球场 / ~를 치다 打乒乓球

탁발(托鉢) 명하자 〖佛〗 托钵 tuōbō; 化缘 huàyuán ¶~승 化缘和尚

탁본(拓本) 명하타 拓本 tàběn; 拓印 tàyìn; 拓片 tàpiàn ¶그는 ~을 몇 장 떴다 他做了几张拓片

탁상(卓上) 명 桌上 zhuōshang; 台式 táishì; 台 tái; 桌 zhuō ¶~ 달력 台历 / ~시계 桌钟 =[座钟] / ~일기 台式日历

탁상-공론(卓上空論) 명하자 纸上谈兵 zhǐshàngtánbīng; 纸上空谈 zhǐshàngkōngtán

탁송(託送) 명 托运 tuōyùn ¶~ 수속 托运手续 / ~ 수화물 托运行李 / ~ 화물 托运货物 / ~ 회사 托运公司 / 화물을 ~하다 托运行李

탁아(託兒) 명 托儿 tuō'ér ¶~소 托儿所

탁월-하다(卓越—) 형 卓越 zhuóyuè; 卓然 zhuórán; 卓绝 zhuójué; 杰出 jiéchū ¶탁월한 재능 卓越的才能

탁자(卓子) 명 桌子 zhuōzi; 桌儿 zhuōr

탁주(濁酒) 명 = 막걸리

탁-탁 부하자타 1 啪啪 pāpā ¶손뼉을 ~ 치다 啪啪鼓掌 2 闷闷地 mēnmēnde ¶숨이~ 막히다 闷闷地透不过起来 3 呸呸 pēipēi ¶침을 ~ 뱉다 呸呸吐出唾沫

탁-하다(濁—) 형 1 (水、空气) 混浊 hùnzhuó; 污浊 wūzhuó; 浑浊 húnzhuó ¶공기가 ~ 空气混浊 2 (声音、颜色) 混浊 hùnzhuó; 粗 cū ¶색이 ~ 色泽混浊

탄:(炭) 명 〖鑛〗 1 = 석탄 2 = 연탄

탄:(彈) 명 弹 dàn

탄:-가루(炭—) 명 煤末子 méimòzi

탄:갱(炭坑) 명 〖鑛〗 煤坑 méikēng; 煤井 méijǐng; 矿井 kuàngjǐng

탄:광(炭鑛) 명 〖鑛〗 煤矿 méikuàng = 석탄광 ¶~촌 煤矿村 / ~을 개발하다 开采煤矿

탄-내 명 焦味儿 jiāowèir; 糊味儿 húwèir; 焦糊味儿 jiāohúwèir ¶부엌에서 ~가 나다 厨房里有焦味儿

탄:도(彈道) 명 〖軍〗 弹道 dàndào ¶~ 미사일 弹道导弹

탄:두(彈頭) 명 弹头 dàntóu ¶핵~ 核弹头

탄:-띠(彈—) 명 〖軍〗 弹带 dàndài

탄:력(彈力) 명 1 弹力 tánlì; 弹性 tánxìng ¶피부가 ~을 잃었다 皮肤失去了弹力 2 反应很快 fǎnyìng hěn kuài; 机动灵活 jīdòng línghuó ¶~ 있는 성격 反应很快的性格 3 〖物〗 弹力 tánlì

탄:력-성(彈力性) 명 〖物〗 弹性 tánxìng ¶이 공은 ~이 좋다 这个球弹性优良

탄:로(綻露) 명하타 败露 bàilù; 暴露 bàolù; 被发现 bèi fāxiàn; 露马脚 lòu mǎjiǎo ¶비밀이 ~ 났다 秘密败露了

탄:복(歎服·嘆服) 명하자타 佩服 pèifú; 叹服 tànfú; 钦佩 qīnpèi; 钦敬 qīnjìng; 钦服 qīnfú; 敬佩 jìngpèi ¶그의 행동에 ~하다 对他的行为感到钦服

탄사(歎辭·嘆辭) 명 感叹的话 gǎntànde huà

탄:산(炭酸) 명 〖化〗 碳酸 tànsuān ¶~음료 碳酸饮料

탄:산-가스(炭酸gas) 명 〖化〗 = 이산화 탄소

탄:산-수(炭酸水) 명 〖化〗 碳酸水 tànsuānshuǐ; 苏打水 sūdáshuǐ = 소다수

탄:생(誕生) 명하자타 诞生 dànshēng ¶~석 诞生石 / ~일 诞生日 / ~지 诞生地 / 신흥 공업 도시가 ~하다 诞生新兴工业城市

탄:성(彈性) 명 〖物〗 弹性 tánxìng

탄:성(歎聲·嘆聲) 명 1 叹息声 tànxīshēng 2 感叹声 gǎntànshēng; 赞叹声 zàntànshēng ¶~을 지르다 发出赞叹声

탄:소(炭素) 명 〖化〗 碳 tàn; 碳素 tànsù

탄:수화-물(炭水化物) 명 〖生〗 碳水化合物 tànshuǐhuàhéwù

탄:식(歎息·嘆息) 명하자타 叹息 tànxī; 叹气 tànqì ¶하늘을 쳐다보고 ~하다 仰天叹息

탄:신(誕辰) 명 诞辰 dànchén

탄:-알(彈—) 명 〖軍〗 弹儿 dànr; 弹子 dànzǐ; 子弹 zǐdàn; 弹丸 dànwán = 탄환1

탄ː압(彈壓) 명하타 弹压 tányā; 镇压 zhènyā; 高压 gāoyā ¶정부의 ~에 저항하다 对政府的弹压抗拒
탄ː약(彈藥) 명 弹药 dànyào ¶~고 弹药库 / ~통 弹药筒
탄ː원(歎願·嘆願) 명하자타 请愿 qǐngyuàn; 哀求 āiqiú; 祈求 qíqiú ¶~서 请愿书 / 그의 구명을 ~하다 为求他的性命进行请愿
탄ː전(炭田) 명 【鑛】 煤田 méitián; 炭田 tàntián ¶~을 탐사하다 勘探煤田
탄젠트(tangent) 명 【數】 正切 zhèngqiē
탄ː창(彈倉) 명 【軍】 弹仓 dàncāng; 弹匣 dànxiá; 弹槽 dàncáo; 弹盘 dànpán ¶~을 갈다 转盘枪弹匣
탄ː탄-대로(坦坦大路) 명 平坦大道 píngtǎndàdào; 康庄大道 kāngzhuāngdàdào; 坦坦大路 tǎntǎndàlù
탄탄-하다[1] 형 1 结实 jiēshi ¶그는 어려서부터 탄탄하게 생겼다 他从小长得很结实 2 牢固 láogù; 坚固 jiāngù; 健壮 jiànzhuàng; 硬朗 yìnglang ¶집을 지을 때는 반드시 기초를 탄탄하게 해야 한다 盖房子时, 地基一定要打得牢固 **탄탄-히**[1] 부
탄ː탄-하다[2](坦坦—) 형 1 平坦 píngtǎn; 平坦宽广 píngtǎnkuānguǎng ¶지세가 ~ 地势平坦 2 顺畅 shùnchàng ¶그의 인생길은 ~ 他的人生道路很顺畅 **탄ː탄-히**[2] 부
탄ː피(彈皮) 명 【軍】 弹壳 dànké
탄ː핵(彈劾) 명하타 【法】 弹劾 tánhé ¶대통령을 ~하다 弹劾总统
탄ː화(炭化) 명하자 【化】 碳化 tànhuà; 碳 tàn ¶~물 碳化物
탄ː환(彈丸) 명 1 = 탄알 2 炮弹 pàodàn
탄ː흔(彈痕) 명 弹痕 dànhén ¶도처에 ~이 있다 到到处处都是弹痕
탈ː 명 1 假面具 jiǎmiànjù; 假面 jiǎmiàn; 面具 miànjù = 가면·마스크1 ¶~을 쓰다 带假面具 2 外衣 wàiyī; 假面 jiǎmiàn ¶양의 ~을 쓴 늑대 带羊假面的狼
탈ː(頉) 명 1 事故 shìgù; 事(儿) shì(r); 变故 biàngù; 问题 wèntí ¶별 ~ 없을 거다 不会出事儿 2 病 bìng ¶비위생적인 음식을 먹으면 ~이 나기 쉽다 吃不卫生的东西容易生病 3 毛病 máobìng; 缺点 quēdiǎn ¶그는 성질이 급한 것이 ~이다 他的毛病是性急
탈-것 명 交通工具 jiāotōng gōngjù; 代步 dàibù
탈고(脫稿) 명 脱稿 tuōgǎo ¶원고의 ~ 稿件的脱稿
탈곡(脫穀) 명하자 1 脱粒 tuōlì; 脱谷 tuōgǔ ¶~기 脱谷机 2 砻 lóng; 砻谷 lónggǔ
탈골(脫骨) 명하자 【醫】 = 탈구 ¶그의 왼쪽 어깨가 ~되었다 他的左肩脱臼了
탈구(脫臼) 명하자 【醫】 脱臼 tuōjiù; 脱位 tuōwèi = 탈골
탈당(脫黨) 명하자타 脱党 tuōdǎng; 退党 tuìdǎng ¶대통령이 ~을 선언했다 总统宣布脱党了
탈락(脫落) 명하자 落榜 luòbǎng; 落选 luòxuǎn; 淘汰 táotài ¶예선에서 ~하다 在预选中落选
탈렌트 명 '탤런트' 的错误
탈루(脫漏) 명하타 遗漏 yílòu; 脱落 tuōluò; 漏 lòu ¶세금을 ~하다 漏税
탈모(脫毛) 명하자 1 脱毛 tuōmáo; 脱发 tuōfà 2 【醫】 脱发症 tuōfàzhèng
탈모(脫帽) 명하자 脱帽 tuōmào; 摘帽子 zhāi màozi ¶실내에서는 ~해야 한다 屋子里得脱帽
탈ː-바가지 명 假面具 jiǎmiànjù ¶~를 쓰다 戴假面具
탈ː-바꿈 명하자타 变 biàn; 蜕变 tuìbiàn; 变样 biànyàng ¶현대적인 도시로 ~하다 变样一个现代化城市
탈색(脫色) 명하타 1 脱色 tuōsè ¶~가공 脱色加工 / ~제 脱色剂 2 退色 tuìshǎi; 掉色 diàoshǎi; 脱色 tuōsè; 落色 làoshǎi; 走色 zǒushǎi ¶옷이 ~되었다 衣服掉色了
탈선(脫線) 명하자 1 脱轨 tuōguǐ ¶열차가 ~되었다 火车脱轨了 2 出轨 chūguǐ; 越轨 yuèguǐ ¶청소년의 ~행위 青少年出轨的行为
탈세(脫稅) 명하타 【法】 偷税 tōushuì; 漏税 lòushuì; 逃税 táoshuì; 漏捐 lòujuān ¶~액 偷税额 / ~자 偷税人
탈수(脫水) 명하자타 脱水 tuōshuǐ ¶~기 脱水机
탈수-증(脫水症) 명 【醫】 脱水症 tuōshuǐzhèng; 脱水症状 tuōshuǐ zhèngzhuàng; 失水症 shīshuǐzhèng
탈영(脫營) 명하자타 【軍】 逃出兵营 táochū bīngyíng; 开小差 kāi xiǎochāi ¶군인 한 명이 총기를 휴대하고 ~했다 一个军人带着枪逃出兵营了
탈영-병(脫營兵) 명 【軍】 逃兵 táobīng; 逃军 táojūn
탈옥(脫獄) 명하자타 越狱 yuèyù; 逃狱 táoyù; 逃监 táojiān ¶~수 越狱犯 / 그가 또 ~했다 他又越狱了
탈의(脫衣) 명하자 脱衣 tuōyī; 更衣 gēngyī
탈의-실(脫衣室) 명 更衣室 gēngyīshì
탈자(脫字) 명 漏字 lòuzì; 缺字 quēzì ¶이 글에는 ~가 많다 这篇文章漏字很多

탈장(脫腸) 명하자 〖醫〗 疝气 shànqì; 小肠串气 xiǎocháng chuànqì; 赫尔尼亚 hè'ěrníyà

탈주(脫走) 명하자 逃走 táozǒu; 逃跑 táopǎo ¶~자 逃走者 / 그는 틈을 봐서 ~했다 他乘隙逃跑了

탈지(脫脂) 명 脱脂 tuōzhī ¶~분유 脱脂奶粉 / ~유 脱脂奶

탈지-면(脫脂綿) 명 〖醫〗 脱脂棉 tuōzhīmián = 소독면 · 약솜

탈진(脫盡) 명하자 精疲力竭 jīngpílìjié; 筋皮力尽 jīnpílìjìn; 精皮力尽 jīngpílìjìn ¶~ 상태에 빠지다 陷入精疲力竭的状态

탈출(脫出) 명하자타 逃脱 táotuō; 脱逃 tuōtáo; 逃出 táochū ¶그가 ~했다 他脱逃了

탈출-구(脫出口) 명 太平门 tàipíngmén; 逃生门 táoshēngmén

탈:-춤 명 〖藝〗 假面舞 jiǎmiànwǔ ¶~을 추다 跳假面舞

탈취(脫臭) 명하자 除臭 chúchòu ¶~제 除臭剂

탈취(奪取) 명하타 夺取 duóqǔ; 抢夺 qiǎngduó; 掠夺 lüèduó ¶다른 사람의 재산을 ~하다 夺取他人财产

탈탈 부 1 轻轻地掸 qīngqīngde dǎn ¶그녀는 이부자리의 먼지를 ~ 털었다 她把被子上的灰尘轻轻地掸掉 2 全部翻出来 quánbù fānchūlái ¶그는 지갑의 돈을 ~ 털었다 他把钱包的钱全部翻出来了 3 哐啷哐啷 kuānglāngkuānglāng; 唧叮咕咚 jīdīnggūdōng; 唧咚咕咚 jīdōnggūdōng ¶자동차가 ~ 소리를 내며 가다 汽车哐啷哐啷响地过去了

탈탈-거리다 자타 1 拖着沉重的步伐 tuōzhe chénzhòngde bùfá ¶그가 탈탈거리며 작업장에서 돌아왔다 他拖着沉重的步伐从工地回来了 2 哐啷哐啷 kuānglāngkuānglāng; 唧叮咕咚 jīdīnggūdōng; 唧咚咕咚 jīdōnggūdōng ¶삼륜차 하나가 탈탈거리며 지나갔다 一辆三轮车唧叮咕咚地过去了 ‖ = 탈탈대다

탈퇴(脫退) 명하자타 脱离 tuōlí; 退出 tuìchū ¶노조를 ~하다 脱离工会

탈피(脫皮) 명하자타 1 〖動〗 蜕皮 tuìpí ¶뱀이 ~했다 蛇蜕皮了 2 摆脱 bǎituō; 打破 dǎpò ¶구태로부터 ~하다 打破旧框框

탈환(奪還) 명하타 夺回 duóhuí; 夺还 duóhuán ¶진지를 ~하다 夺回阵地

탐(貪) 명 贪 tān; 贪心 tānxīn ¶~이 나다 起贪心

탐관(貪官) 명 贪官 tānguān

탐관-오리(貪官汚吏) 명 贪官污吏 tānguānwūlì; 赃官 zāngguān

탐구(探究) 명하타 探究 tànjiū; 探求 tànqiú; 研究 yánjiū; 钻研 zuānyán; 探索 tànsuǒ; 探讨 tàntǎo ¶원인을 ~하다 探究原因 / 진리를 ~하다 探求真理

탐구-심(探究心) 명 钻劲儿 zuānjìnr ¶그는 ~이 강하다 他钻劲儿大

탐-나다(貪—) 자 贪 tān; 起贪心 qǐ tānxīn; 眼馋 yǎnchán; 眼热 yǎnrè; 眼红 yǎnhóng; 垂涎 chuíxián ¶탐나는 물건 让人眼红的东西

탐-내다(貪—) 타 贪求 tānqiú; 贪图 tāntú; 贪 tān; 图 tú ¶재물을 ~ 贪图财物

탐닉(耽溺) 명하자 耽于 dānyú; 沉溺 chénnì ¶주색에 ~하다 耽于酒色

탐독(耽讀) 명하타 1 耽读 dāndú ¶그는 하루 종일 소설을 ~했다 他整天耽读小说了 2 好读 hàodú; 爱读 àidú

탐문(探問) 명하타 探问 tànwèn; 寻问 xúnwèn ¶그의 상황을 ~하다 探问他的情况

탐방(探訪) 명하타 1 探询 tànxún 2 探访 tànfǎng; 采访 cǎifǎng ¶~기 探访记 / ~ 기사 采访报道 / ~ 기자 采访记者 / 미개 사회의 생활을 ~하다 探访未开化社会的生活

탐사(探査) 명하타 勘探 kāntàn; 探勘 tànkān ¶~단 勘探团 / ~대 勘探队 / 지질을 ~하다 勘探地质

탐색(探索) 명하타 探索 tànsuǒ; 探看 tànkàn; 试探 shìtàn ¶레이더로 고기 떼를 ~하다 用雷达探索鱼群

탐색-전(探索戰) 명 刺探战 cìtànzhàn

탐-스럽다(貪—) 형 令人可爱 lìngrén kě'ài; 讨人喜欢 tǎorén xǐhuan ¶열매가 탐스럽게 달렸다 结果结得讨人喜欢 **탐스레** 부

탐욕(貪慾) 명 贪婪 tānlán; 贪欲 tānyù

탐욕-스럽다(貪慾—) 형 贪婪 tānlán; 贪欲 tānyù ¶그는 탐욕스러운 눈빛으로 그녀를 쳐다보았다 他以贪婪的眼神看了她 **탐욕스레** 부

탐정(探偵) 명하타 侦探 zhēntàn = 정탐 ¶~ 소설 侦探小说

탐조(探照) 명하타 探照 tànzhào

탐조-등(探照燈) 명 探照灯 tànzhàodēng = 서치라이트

탐지(探知) 명하타 探测 tàncè; 探知 tànzhī; 探明 tànmíng; 探索 tànsuǒ; 探 tàn ¶~견 嗅探犬 / ~기 探索机 / 음모를 ~하다 探明阴谋

탐탁-스럽다 형 令人满意 lìngrén mǎnyì; 令人喜爱 lìngrén xǐ'ài; 称心如意 chènxīnrúyì ¶그는 그 일이 ~ 他觉得那个工作令人满意 **탐탁스레** 부

탐탁-하다 형 令人满意 lìngrén mǎnyì; 令人喜爱 lìngrén xǐ'ài; 称心如意 chènxīnrúyì **탐탁-히** 부

탐험(探險) 명하타 探险 tànxiǎn ¶~가

探险家 / ~대 探险队 / ~ 소설 探险小说 / 아프리카를 ~하다 到非洲去探险
탑(塔) 명 塔 tǎ ¶기념~ 纪念塔
탑승(搭乘) 명하자 搭乘 dāchéng; 登机 dēngjī; 上 shàng ¶~ 수속 登机手续 / 비행기에 ~하다 搭乘飞机
탑승-객(搭乘客) 명 乘客 chéngkè
탑승-권(搭乘券) 명 机票 jīpiào; 搭乘票 dāchéngpiào
탑재(搭載) 명하타 搭载 dāzài; 装载 zhuāngzài; 装上 zhuāngshàng ¶비행선은 무기를 ~할 수 있다 飞船能搭载武器
탓 명하타 1 (产生否定现象的) 原因 yuányīn; 因为 yīnwèi ¶머리가 어지러운 것은 열이 나는 ~이다 头晕是因为发烧 2 责怪 zéguài; 怪 guài; 埋怨 mányuàn; 责备 zébèi ¶이 일은 그를 ~하지 마라 这件事, 别责怪他
탕[1] 의명 趟 tàng ¶이 차는 하루에 세 ~ 뛴다 这辆车一天跑三趟
탕[2] 부 砰 pēng; 哐 kuāng; 啪 pā; 吧 bā ¶~~~ 총 세 발을 쐈다 吧吧吧打了三枪
탕:[1](湯) 명 1 (祭祀时用的) 汤 tāng 2 '국' 的敬词
탕:[2](湯) 명 1 塘 táng; 浴池 yùchí 2 澡堂 zǎotáng
-탕(湯) 접미 1 汤 tāng ¶계란~ 蛋花汤 2 汤药 tāngyào; 汤 tāng ¶십전대보~ 十全大补汤药
탕:감(蕩減) 명하타 豁免 huòmiǎn ¶농민들이 소작료의 ~을 요구하다 农民要求豁免地租
탕수-육(←糖水肉) 명 糖醋肉 tángcùròu
탕:아(蕩兒) 명 浪子 làngzǐ = 탕자
탕:약(湯藥) 명 【韓醫】 汤药 tāngyào; 汤剂 tāngjì = 탕제
탕:자(蕩子) 명 = 탕아
탕:제(湯劑) 명 【韓醫】 = 탕약
탕:진(蕩盡) 명하타 挥霍 huīhuò; 挥霍干净 huīhuò gānjìng ¶많은 유산을 모두 ~했다 挥霍干净了很多的遗产
탕-탕 부하자타 砰砰 pēngpēng; 劈里啪啦 pīlipālā; 轰轰 hōnghōng ¶~ 문 두드리는 소리 砰砰的敲门声
탕탕-거리다 자타 砰砰 pēngpēng; 劈里啪啦 pīlipālā; 轰轰 hōnghōng = 탕탕대다 ¶탕탕거리는 폭죽 소리가 끊임없이 일어나다 劈里啪啦的鞭炮声就此起彼伏
태(胎) 명 【生】 胎 tāi
태:(態) 명 1 = 맵시 2 样子 yàngzi; 姿态 zītài; 体态 tǐtài; 形 xíng ¶그녀는 ~가 아름답다 她姿态很漂亮
태고(太古) 명 太古 tàigǔ; 远古 yuǎngǔ; 上古 shànggǔ
태교(胎教) 명하자 胎教 tāijiào
태권(跆拳) 명 【體】 = 태권도
태권-도(跆拳道) 명 【體】 跆拳道 táiquándào = 태권
태극(太極) 명 【哲】 太极 tàijí
태극-권(太極拳) 명 【體】 太极拳 tàijíquán
태극-기(太極旗) 명 太极旗 Tàijíqí
태기(胎氣) 명 胎气 tāiqì ¶~가 있다 有了胎气
태내(胎內) 명 胎腹 tāifù; 胎内 tāinèi ¶~에 있는 아기 在胎内的宝宝
태:도(態度) 명 态度 tàidu; 架子 jiàzi; 姿态 zītài; 作风 zuòfēng ¶학습 ~ 学习态度 / 그는 ~가 아주 의젓하다 他态度很大方
태동(胎動) 명하자 1 【醫】 胎动 tāidòng ¶아기의 ~을 느꼈다 感觉到了宝宝的胎动 2 胎动 tāidòng; 抬头 táitóu; 酝酿 yùnniàng ¶신시대의 ~ 新时代的胎动
태만(怠慢) 명하형히부 懒惰 lǎnduò; 怠惰 dàiduò; 怠慢 dàimàn ¶내 남편은 너무 ~하다 我爱人很怠惰
태몽(胎夢) 명 胎梦 tāimèng ¶~을 꾸다 做胎梦
태반(太半) 명 大半 dàbàn; 一大半儿 yīdàbànr; 过半 guòbàn; 多半 duōbàn; 强半 qiángbàn ¶우리 반 학생은 ~이 지방에서 왔다 我们班学生多半是从地方来的
태반(胎盤) 명 【生】 胎盘 tāipán
태-부족(太不足) 명하형 太不够 tài bùgòu; 十分不足 shífēn bùzú; 太不足 tài bùzú; 很不够 hěn bùgòu ¶지금 있는 목재로만 창고를 짓자면 ~이다 只用现有的木材要盖仓库, 那太不够了
태산(泰山) 명 1 高山 gāoshān 2 万分 wànfēn; 重重 chóngchóng; 多如牛毛 duōrúniúmáo ¶할 일이 ~이다 要做的事多如牛毛
태생(胎生) 명하자 1 生 shēng; 出生 chūshēng ¶~지 出生地 / 그는 농촌 ~이다 他出生于农村 2 【生】 胎生 tāishēng
태:세(態勢) 명 态势 tàishì; 气势 qìshì ¶물 샐 틈 없는 경계 ~ 水泄不通的警戒态势
태아(胎兒) 명 【生】 胎儿 tāi'ér
태양(太陽) 명 【天】 太阳 tàiyáng; 阳 yáng ¶~계 太阳系 / ~광 太阳光 / ~열 太阳能 / ~이 뜨다 太阳升起
태양-력(太陽曆) 명 【天】 太阳历 tàiyánglì; 阳历 yánglì = 양력
태어-나다 자 生 shēng; 出生 chūshēng; 诞生 dànshēng ¶너는 몇 년도에 태어났니? 你是哪年出生的? / 나는 베이징에서 태어났다 我生于北京
태업(怠業) 명하자 1 【社】 怠工 dài-

gōng ¶노동자들이 ~ 행위를 하다 工人们展开怠工行动 **2** 磨洋工 móyánggōng; 怠业 dàiyè

태연(泰然) 명하형히부 泰然 tàirán; 坦然 tǎnrán; 从容 cóngróng; 镇静 zhènjìng ¶표정이 ~하다 神情坦然

태연-스럽다(泰然—) 형 泰然 tàirán; 坦然 tǎnrán; 从容 cóngróng ¶태연스러운 표정 坦然的表情 **태연스레** 부

태연-자약(泰然自若) 명하형 泰然自若 tàiránzìruò; 坦然自若 tǎnránzìruò ¶태도가 ~하다 态度泰然自若

태엽(胎葉) 명 发条 fātiáo; 弦 xián ¶~을 감다 上弦

태우다[1] 타 **1** 烧 shāo 《'타다[1]1' 的使动词》 ¶편지를 ~ 烧信 **2** (皮肤) 晒 shài 《'타다[1]2' 的使动词》 ¶바닷가에서 피부를 ~ 在沙滩晒皮肤 **3** 煳 hú; 焦 jiāo 《'타다[1]3' 的使动词》 ¶밥을 ~ 饭烧煳了 **4** 焦急 jiāojí; 焦心 jiāoxīn 《'타다[1]4' 的使动词》 ¶부모님 속을 ~ 让父母焦急

태우다[2] 타 **1** 上 shàng; 搭 dā; 载 zài 《'타다[2]㊀' 的使动词》 ¶손님을 ~ 搭客 **2** 搭 dā; 驮 tuó ¶말이 사람을 ~ 马驮着人

태음-력(太陰曆) 명 〖天〗 太阴历 tàiyīnlì; 阴历 yīnlì; 农历 nónglì; 夏历 xiàlì = 음력

태자(太子) 명 〖史〗 **1** = 왕태자 **2** = 황태자

태중(胎中) 명 孕期 yùnqī

태초(太初) 명 太初 tàichū

태클(tackle) 명하자타 〖體〗 抢截球 qiǎngjiéqiú; 铲球 chǎnqiú

태평(太平·泰平) 명하형히부 **1** 太平 tàipíng; 平安 píng'ān ¶~성대 太平盛世 / ~을 누리다 享受太平 **2** 不愁 bùchóu ¶그는 대학에 떨어졌어도 ~이다 他没考上大学也不愁

태평-양(太平洋) 명 〖地〗 太平洋 Tàipíngyáng

태풍(颱風) 명 〖地理〗 台风 táifēng ¶~의 경로 台风路径 / ~의 눈 台风眼

택배(宅配) 명 快递 kuàidì; 送货上门 sònghuò shàngmén

택시(taxi) 명 出租汽车 chūzū qìchē; 的士 díshì; 计程车 jìchéngchē; 出租车 chūzūchē

택일(擇一) 명하자 选择一个 xuǎnzé yīge; 取一 qǔyī ¶양자~ 二者取一

택일(擇日) 명하타 〖民〗 择吉 zéjí

택지(宅地) 명 地皮 dìpí; 宅基 zháijī ¶~를 공급하다 供给地皮

택-하다(擇—) 타 选 xuǎn; 挑 tiāo; 选择 xuǎnzé; 挑选 tiāoxuǎn ¶빠른 길을 ~ 选择捷径

탤런트(talent) 명 (电视剧) 演员 yǎnyuán

탬버린(tambourine) 명 〖音〗 铃鼓 línggǔ; 手鼓 shǒugǔ

탭 댄스(tap dance) 〖藝〗 踢踏舞 tītàwǔ

탯-줄(胎—) 명 〖生〗 脐带 qídài ¶~을 자르다 剪断脐带

탱고(tango) 명 〖藝〗 探戈 tàngē; 探戈舞 tàngēwǔ

탱자 명 臭枯 chòujié; 枸橘 gōujú; 枳 zhǐ ¶~나무 臭枯

탱크(tank) 명 **1** 桶 tǒng; 罐 guàn; 槽 cáo **2** 〖軍〗 = 전차(戰車)

탱탱 부하형 **1** 鼓鼓 gǔgǔ; 饱满 bǎomǎn ¶배가 ~하다 肚子胀鼓鼓的 **2** 有弹力 yǒu tánlì ¶피부가 ~하다 皮肤有弹力

터[1] 명 **1** 地基 dìjī; 地方 dìfang ¶~를 닦다 打地基 **2** 基础 jīchǔ **3** 地方 dìfang; 场所 chǎngsuǒ; 场 chǎng; 地 dì; 处 chù ¶빨래~ 洗衣处 / 놀이~ 游乐场

터[2] 의명 **1** 要 yào; 打算 dǎsuan ¶나는 오늘부터 연습을 시작할 ~이다 我打算今天开始练习 **2** 情况 qíngkuàng

터널(tunnel) 명 隧道 suìdào; 坑道 kēngdào

터-놓다 타 **1** 打开 dǎkāi; 敞开 chǎngkāi; 扒开 bākāi; 解开 jiěkāi ¶대문을 ~ 打开大门 **2** 解除 jiěchú; 解禁 jiějìn; 开放 kāifàng ¶금지령을 ~ 解除禁令 **3** 开诚布公 kāichéngbùgōng; 开诚相见 kāichéngxiāngjiàn; 肝胆相照 gāndǎnxiāngzhào; 敞开 chǎngkāi ¶나와 그녀는 터놓고 지내는 친구 사이이다 我和她是肝胆相照的朋友

터덜-거리다 자타 **1** 拖着疲乏的腿走 tuōzhe pífáde tuǐ zǒu ¶그는 한밤중에야 터덜거리며 집으로 걸어 돌아왔다 他半夜才拖着疲乏的腿走回家来了 **2** 哐啷哐啷 kuānglāngkuānglāng; 唧叮咕咚 jīdīng gūdōng; 唧咚咕咚 jīdōng gūdōng ‖= 터덜대다 **터덜-터덜** 부하자타

터:득(攄得) 명하타 体会 tǐhuì; 领会 lǐnghuì; 领悟 lǐngwù; 悟出 wùchū ¶비결을 스스로 ~하다 自觉地领悟诀窍

터:-뜨리다 타 **1** 弄破 nòngpò; 裂开 lièkāi; 爆破 bàopò ¶풍선을 ~ 把气球弄破 **2** 放声 fàngshēng ¶그는 폭소를 터뜨렸다 他放声大笑了 **3** 发泄 fāxiè ¶그는 듣자마자 불만을 터뜨렸다 他一听就发泄不满了

터럭 명 **1** 毛发 máofà **2** 一毛 yīmáo; 毫发 háofà

터무니 명 根据 gēnjù; 理由 lǐyóu

터무니-없다 형 荒唐 huāngtáng; 荒谬 huāngmiù; 荒诞 huāngdàn ¶터무니없는 거짓말 荒唐的谎话 **터무니없-이** 부

터미널(terminal) 명 终点 zhōngdiǎn; 终点站 zhōngdiǎnzhàn; 总站 zǒngzhàn

터벅-거리다 자 一拖一拖地走 yītuō-yītuōde zǒu; 踢达 tīdá = 터벅대다 ¶ 그는 맨발로 터벅거리며 걷기 시작했다 他踢达踢达地踱起步来 **터벅-터벅** 부하자

터부(taboo) 명 禁忌 jìnjì; 忌讳 jìhuì

터부룩-하다 형 蓬蓬 péngpéng; 蓬松 péngsōng; 乱蓬蓬 luànpéngpéng ¶ 터부룩한 머리 乱蓬蓬的头发 **터부룩-이** 부

터빈(turbine) 명 〖機〗 涡轮机 wōlúnjī; 透平机 tòupíngjī

터울 명 差 chà; 相差 xiāngchà ¶ 우리 삼 형제는 모두 세 살 ~이다 我们三兄弟相差都三岁

터전 명 **1** 地基 dìjī; 基座 jīzuò ¶ ~을 닦다 打地基 **2** 基地 jīdì; 根基 gēnjī; 根据地 gēnjùdì ¶ 생활의 ~ 生活的根据地

터줏-대감(—主大監) 명 老资格 lǎozīgé; 土地爷 tǔdìyé

터:지다 자 **1** 裂 liè; 裂开 lièkāi ¶ 입술이 ~ 嘴唇裂开 **2** 破 pò; 开线 kāixiàn; 绽线 zhànxiàn ¶ 바짓가랑이가 ~ 裤脚开线 **3** (战争、问题) 发生 fāshēng; 爆发 bàofā ¶ 전쟁이 ~ 战争爆发 / 문제가 ~ 发生问题 **4** 爆炸 bàozhà; 爆裂 bàoliè ¶ 가스통이 ~ 煤气罐爆炸 **5** 暴露 bàolù; 泄露 xièlù; 泄漏 xièlòu ¶ 비밀이 ~ 秘密暴露 **6** 挨打 áidǎ; 挨揍 áizòu ¶ 터지지 않으면 욕먹으니, 이거 못살겠네! 不挨打就挨骂, 这日子怎么过! **7** (笑、哭) 放声 fàngshēng; 响起 xiǎngqǐ; 爆发出 bàofāchū; 轰起来 hōngqǐlái ¶ 웃음이 ~ 爆发出笑声 **8** 流 liú; 涌 yǒng; 涌出 yǒngchū ¶ 코피가 ~ 鼻血涌出来

턱[1] 명 **1** 下巴 xiàba; 下巴颏儿 xiàbakēr ¶ ~을 괴다 托着下巴 **2** 〖生〗 颌 hé; 下颌 xiàhé ¶ ~관절 下颌关节

턱[2] 명 坎儿 kǎnr ¶ 앞쪽 길에 ~이 진 곳이 있다 前面有一道土坎儿

턱[3] 명 请客 qǐngkè ¶ 오늘 내가 너희들에게 한 ~ 낼게 今天我请你们客

턱[4] 의명 理由 lǐyóu; 原因 yuányīn ¶ 그가 그렇게 할 ~이 없다 他没有理由做那样的

턱[5] 부 **1** 完全 wánquán ¶ 마음을 ~ 놓다 完全放心 **2** 泰然自若地 tàiránzìruòde ¶ 그는 사람들 앞에 ~ 나서서 노래를 불렀다 他泰然自若地在群众面前唱歌 **3** 一下子 yīxiàzi ¶ 그가 나의 목덜미를 ~ 잡았다 他一下子握住了我的后颈 **4** 软不拉塌地 ruǎnbùlātāde ¶ 방바닥에 ~ 쓰러지다 软不拉塌地倒在地板上 **5** 突然 tūrán ¶ 엔진이 ~ 멎었다 引擎突然停了

턱-걸이 명하자 **1** 〖體〗 引体向上 yǐntǐ xiàngshàng; 悬垂 xuánchuí **2** 好不容易 hǎobùróngyì ¶ 그는 ~로 대학에 들어갔다 他好不容易才考上了大学

턱-밑 명 眼前 yǎnqián; 眼皮底下 yǎnpí dǐxià; 鼻子底下 bízi dǐxià; 近处 jìnchù ¶ ~에서 생긴 일도 그는 모른다 眼皮底下发生的事他都不知道

턱-받이 명 围嘴(儿) wéizuǐ(r); 口水兜 kǒushuǐdōu

턱-뼈 명 〖醫〗 颌骨 hégǔ; 颏骨 kēgǔ

턱-수염(—鬚髥) 명 下巴胡子 xiàba húzi

턱시도(tuxedo) 명 晚礼服 wǎnlǐfú; 无尾礼服 wúwěilǐfú; 塔士多 tǎshìduō

턱-없다 형 **1** 毫无根据 háowú gēnjù; 荒谬 huāngmiù; 荒诞 huāngdàn; 不合理 bùhélǐ ¶ 턱없는 소리 荒谬的话 **2** 过分 guòfèn ¶ 턱없는 생활 过分的生活 **턱없-이** 부

턱-지다 자 有坎儿 yǒu kǎnr

턱-턱 부하자타 **1** 爽爽快快地 shuǎngshuangkuàikuàide; 痛痛快快地 tòngtongkuàikuàide ¶ 일을 ~ 해내다 痛痛快快地办事 **2** 喘吁吁 chuǎnxūxū ¶ 숨이 ~ 막히는 날씨 气喘吁吁的天气

털 명 **1** 毛 máo ¶ ~을 밀다 刮毛 / ~이 나다 长出毛 **2** = 털실

털-가죽 명 毛皮 máopí; 皮张 pízhāng = 모피

털-갈이 명하자 换毛 huànmáo; 脱毛 tuōmáo

털-게 명 〖動〗 猬蟹 wèixiè

털-구멍 명 毛孔 máokǒng = 모공

털-끝 명 **1** 毛尖 máojiān **2** 丝毫 sīháo; 秋毫 qiūháo; 一丁点儿 yīdīngdiǎnr ¶ 그는 ~만큼의 동정심도 없다 他连一丁点儿的同情心也没有

털:다 타 **1** 掸 dǎn; 拂 fú; 抖搂 dǒulou ¶ 먼지를 ~ 掸尘土 **2** 倾 qīng; 罄 qìng ¶ 있는 대로 다 털어 주식을 사다 罄其所有买股票 **3** 抢 qiǎng; 夺 duó; 抢夺 qiǎngduó; 抢劫 qiǎngjié ¶ 도둑놈이 집 안의 물건을 모두 털어 갔다 小偷把家里的东西全抢走了 **4** 想开 xiǎngkāi; 扫除 sǎochú

털-리다 자타 抢夺 qiǎngduó; 抢劫 qiǎngjié (《'털다3'的被动词》) ¶ 그는 소매치기에게 지갑을 털렸다 他把钱包被小偷抢夺了

털-모자(—帽子) 명 **1** 皮帽子 pímàozi; 毛皮帽 máopímào **2** 毛线帽子 máoxiàn màozi

털-목도리 명 **1** 毛皮围巾 máopí wéijīn **2** 毛线围巾 máoxiàn wéijīn; 毛围巾 máowéijīn ¶ ~를 두르다 围毛围巾

털버덕 부하자타 **1** 吧嗒 bādā ¶ 상자

가 물에 ~ 떨어졌다 箱子吧嗒一声掉在水里 **2** 扑通 pūtōng ¶길가에 ~ 주저앉다 扑通就随便坐在路边
털-보 명 毛人 máorén
털-복숭이 명 毛茸茸的 máoróngróngde
털-신 명 毛皮鞋 máopíxié
털-실 명 毛线 máoxiàn; 绒线 róngxiàn = 털2 ¶~로 스웨터를 짜다 用毛线织毛衣
털썩 부하자 **1** 扑腾 pūténg ¶그는 땅바닥에 ~ 주저앉았다 他扑腾一屁股坐在地上 **2** 哗啦 huālā ¶~하고 담벽이 무너졌다 哗啦一声, 墙倒了
털어-놓다 타 **1** 开诚布公 kāichéng bùgōng; 开怀畅谈 kāihuáichàngtán; 和盘托出 hépántuōchū; 吐露 tǔlù; 倾诉 qīngsù ¶자기의 생각을 몽땅 ~ 把自己的想法和盘托出 **2** 全部拿出 quánbù náchū; 倾 qīng ¶동전을 ~ 全部拿出铜钱
털-옷 명 毛皮衣 máopíyī; 毛衣 máoyī
털털-하다 형 **1** 随和 suíhe; 随便 suíbiàn; 豪爽 háoshuǎng ¶그는 성격이 ~ 他性格很随和 **2** 普通 pǔtōng; 一般 yībān ¶이 물건은 품질이 ~ 这个东西质量很普通的 **털털-히** 부
텀벙 부하자타 扑通 pūtōng; 噗通 pūtōng ¶강물에 ~ 빠졌다 噗通的一声掉在河里了
텀벙-거리다 자타 扑通 pūtōng; 噗通 pūtōng = 텀벙대다 ¶텀벙거리며 바다로 뛰어들다 扑通一声跳下海 **텀벙-텀벙** 부하자타
텀블링(tumbling) 명 = 공중제비
텁수룩-하다 형 蓬松 péngsōng; 毛茸茸 máoróngróng; 乱蓬蓬 luànpéngpéng; 又长又密 yòu cháng yòu mì ¶수염이 ~ 胡子长得又长又密 **텁수룩-이** 부
텁텁-하다 형 **1** 发涩 fāsè; 扎嘴 zhāzuǐ; 不爽口 bùshuǎngkǒu ¶감이 ~ 柿子发涩 **2** 发涩 fāsè ¶눈이 ~ 眼珠儿发涩 **3** 随便 suíbiàn ¶그는 성격이 ~ 他性格很随便
텃-밭 명 小菜园 xiǎocàiyuán; 宅旁地 zháipángdì ¶~을 가꾸다 经营小菜园
텃-새 명 【鳥】 留鸟 liúniǎo
텃-세(—勢) 명하자 欺生 qīshēng ¶~가 심하다 欺生很严重
텅 부 空 kōng; 空空 kōngkōng; 空荡荡 kōngdàngdàng ¶방이 ~ 비어 있다 屋子空荡荡的
텅스텐(tungsten) 명 【化】 钨 wū
텅-텅 부 空 kōng; 空空 kōngkōng; 空荡荡 kōngdàngdàng ¶~ 비어 있는 버스 空荡荡的巴士
테 명 **1** 箍 gū ¶금~ 金箍 **2** 边 biān ¶검은 ~를 두른 모자 镶上黑边的帽子 **3** 框(儿) kuàng(r) ¶안경~ 眼镜框儿
테너(tenor) 명 【音】 **1** 男高音 nángāoyīn; 男高音歌手 nángāoyīn gēshǒu **2** 次中音 cìzhōngyīn
테니스(tennis) 명 【體】 网球 wǎngqiú ¶~공 网球 / ~ 라켓 网球拍子 / ~장 网球场
테두리 명 **1** 箍 gū; 边 biān ¶쇠테로 ~를 단단히 두르다 用铁箍箍住了 **2** 范围 fànwéi; 界限 jièxiàn ¶문제의 ~ 안에서 토론합시다 在问题的范围之内讨论吧
테라스(terrace) 명 【建】 露台 lùtái; 平台 píngtái; 阳台 yángtái
테러(terror) 명 **1** 恐怖 kǒngbù; 惊骇 jīnghài; 恐怖行动 kǒngbù xíngdòng ¶~단 恐怖集团 **2** 【政】 = 테러리즘
테러리스트(terrorist) 명 恐怖分子 kǒngbù fènzǐ; 恐怖主义者 kǒngbù zhǔyìzhě
테러리즘(terrorism) 명 【政】 恐怖主义 kǒngbù zhǔyì = 테러리즘
테마(독Thema) 명 【文】 主题 zhǔtí; 题目 tímù; 题 tí ¶~ 뮤직 主题音乐 / ~ 소설 主题小说 / ~송 主题歌 / 이 작품의 ~는 청춘이다 这个作品的主题是青春
테스트(test) 명하타 试验 shìyàn; 检查 jiǎnchá; 测验 cèyàn ¶엔진의 성능을 ~하다 测验引擎的性能
테이블(table) 명 桌子 zhuōzi; 桌 zhuō
테이프(tape) 명 **1** 带子 dàizi; 彩带 cǎidài; 布带 bùdài; 线带 xiàndài **2** 胶布 jiāobù; 胶带 jiāodài ¶셀로판 ~ 透明胶带 **3** 磁带 cídài; 胶带 jiāodài ¶새로 나온 ~ 新版磁带
테크닉(technic) 명 技巧 jìqiǎo; 技术 jìshù; 手法 shǒufǎ
텍스트(text) 명 **1** 原文 yuánwén; 正文 zhèngwén; 课文 kèwén **2** 【語】 课本 kèběn; 文本 wénběn
텐트(tent) 명 帐蓬 zhàngpeng; 帐幕 zhàngmù ¶~를 치다 搭帐蓬
텔레마케팅(telemarketing) 명 【經】 电话销售 diànhuà xiāoshòu; 电话营销 diànhuà yíngxiāo
텔레비전(television) 명 电视 diànshì; 电视机 diànshìjī ¶~을 보다 看电视
텔레파시(telepathy) 명 【心】 心灵感应 xīnlíng gǎnyìng; 通灵 tōnglíng; 传心术 chuánxīnshù
템포(이tempo) 명 **1** 速度 sùdù; 进行速度 jìnxíng sùdù **2** 【音】 节奏 jiézòu; 节拍 jiépāi
토굴(土窟) 명 = 땅굴2
토기(土器) 명 陶器 táoqì ¶~를 굽다 烧陶器 / ~를 만들다 制陶器

토기-장이(土器—) 명 土匠 tǔjiàng; 陶匠 táojiàng
토끼 명 〖動〗兔子 tùzi; 兔 tù
토끼-풀 명 〖植〗三叶草 sānyècǎo; 车轴草 chēzhóucǎo = 클로버1
토너(toner) 명 〖컴〗墨粉 mòfěn; 碳粉 tànfěn
토너먼트(tournament) 명 〖體〗淘汰赛 táotàisài; 落选赛 luòxuǎnsài; 擂台赛 lèitáisài
토네이도(tornado) 명 〖地理〗龙卷风 lóngjuǎnfēng; 陆龙卷 lùlóngjuǎn; 大旋风 dàxuànfēng
토닥-거리다 타 梆梆敲打 bāngbāng qiāodǎ; 啪啪拍 pāpā pāi = 토닥대다 ¶그가 나의 등을 토닥거리며 말했다 他啪啪拍着我的背说 **토닥-토닥** 부하타
토-담(土—) 명 土墙 tǔqiáng
토담-집(土—) 명 〖建〗土房子 tǔfángzi
토대(土臺) 명 地基 dìjī; 基础 jīchǔ; 地盘 dìpán; 底子 dǐzi; 根基 gēnjī = 지반2 ¶이 집은 ~가 단단하다 这房子根基很牢靠
토라지다 자 闹别扭 nào bièniu; 不高兴 bùgāoxìng ¶토라진 표정 不高兴的神情
토란(土卵) 명 〖植〗芋 yù; 芋艿 yùnǎi; 芋头 yùtou ¶~국 芋艿汤
토:로(吐露) 명하타 吐露 tǔlù; 抒发 shūfā; 表露 biǎolù; 倾吐 qīngtǔ; 倾诉 qīngsù ¶홍분되는 마음을 ~하다 吐露出兴奋的心情
토:론(討論) 명하타 讨论 tǎolùn ¶~장 讨论场 / ~회 讨论会 / 열렬한 ~을 전개하다 展开热烈的讨论
토마토(tomato) 명 〖植〗西红柿 xīhóngshì; 番茄 fānqié ¶~소스 番茄沙司 / ~ 주스 番茄汁 / ~케첩 番茄酱
토막 명 **1** 片段 piànduàn; 部分 bùfen; 一段 yīduàn ¶생애의 한 ~ 生平的一部分 **2** 段 duàn; 段子 duànzi ¶나무 세 ~ 三段木头 / 글 한~ 一段文章 **3** 块 kuài ¶고기 한 ~一块肉
토막-토막 명부 一块一块 yīkuàiyīkuài ¶고등어를 ~ 자르다 把青花鱼切成一块一块的
토목(土木) 명 〖建〗土木 tǔmù ¶~ 공사 土木工程
토-박이(土—) 명 = 본토박이 ¶그는 이곳 ~이다 他是这儿土生土长的
토벌(討伐) 명하타 讨伐 tǎofá; 征伐 zhēngfá; 征讨 zhēngtǎo; 剿 jiǎo ¶반란군을 ~하다 讨伐叛军
토사(土沙 · 土砂) 명 沙土 shātǔ
토:사(吐瀉) 명하자 吐泻 tùxiè ¶~곽란 吐泻霍乱 / ~가 나다 生吐泻
토사구팽(兔死狗烹) 명 兔死狗烹 tùsǐgǒupēng
토산-물(土產物) 명 土产 tǔchǎn; 土产品 tǔchǎnpǐn
토산-품(土產品) 명 土产 tǔchǎn; 土产品 tǔchǎnpǐn
토성(土星) 명 〖天〗土星 tǔxīng
토성(土城) 명 土城 tǔchéng ¶~을 쌓다 筑土城
토속(土俗) 명 土俗 tǔsú ¶~ 음식 土俗食物
토스(toss) 명하자타 〖體〗二传 èrchuán; 垫二传 diàn'èrchuán
토스터(toaster) 명 烤面包机 kǎomiànbāojī
토스트(toast) 명 烤面包 kǎomiànbāo; 土司 tǔsī
토시 명 **1** (防寒) 手笼 shǒulóng **2** (工作) 套袖 tàoxiù ¶~를 끼고 있다 戴着套袖
토실-토실 부하형 胖乎乎 pànghūhū ¶~한 얼굴 胖乎乎的脸盘
토양(土壤) 명 土壤 tǔrǎng ¶~이 비옥하다 土壤肥沃
토-요일(土曜日) 명 星期六 xīngqīliù; 礼拜六 lǐbàiliù; 周六 zhōuliù
토우(土偶) 명 〖古〗土偶 tǔ'ǒu
토:의(討議) 명하타 商量 shāngliang; 商议 shāngyì; 讨论 tǎolùn; 研究 yánjiū ¶진지하게 ~하다 认真地讨论 / 회의를 열어 ~하다 开会研究
토익(TOEIC)[Test of English for International Communication] 명 托业 tuōyè
토인(土人) 명 **1** 土人 tǔrén; 土著 tǔzhù **2** 野蛮人 yěmánrén
토장(土醬) 명 = 된장1
토종(土種) 명 当地种 dāngdìzhǒng
토종-닭(土種—) 명 当地鸡 dāngdìjī
토지(土地) 명 土地 tǔdì ¶척박한 ~ 贫瘠的土地
토질(土質) 명 土质 tǔzhì; 土性 tǔxìng
토착(土着) 명하자 土著 tǔzhù ¶~민 土著民 / ~화 土著化
토크 쇼(talk show) 〖言〗访谈节目 fǎngtán jiémù; 脱口秀 tuōkǒuxiù
토플(TOEFL)[Test of English as a Foreign Language] 명 托福 tuōfú
토픽(topic) 명 **1** = 화제1 **2** = 이야깃거리 ¶해외 ~ 海外话题
토:-하다(吐—) 타 **1** 吐 tù; 呕 ǒu; 呕吐 ǒutù = 게우다 ¶국수를 다 토했다 把面条全都吐出来了 **2** 吐 tǔ《长出来或露出来》¶누에가 실을 토하기 시작했다 蚕开始吐丝了 **3** 吐 tǔ; 吐露 tǔlù; 吐话 tǔhuà ¶울분을 ~ 吐一口不平之气 / 진실을 토해내다 吐露真情
토:혈(吐血) 명하자 〖醫〗吐血 tùxiě
토호(土豪) 명 土豪 tǔháo

톡 부 **1** 突 tū ¶～불거진 금붕어 눈 突出来的金鱼眼 **2** 啪 pā ¶어깨를 ～치다 啪一声拍了肩膀 **3** 噼啪 pīpā ¶콩이 ～튀다 豆子噼啪地爆裂 **4** 叭 bā ¶활줄이 ～끊어지다 叭一声弓弦断了 **5** 冷淡 lěngdàn ¶한마디 ～쏘다 冷淡地顶了一句 **6** 刺激 cìjī ¶～쏘는 맛 刺激的味道

톡톡-하다 형 **1** 结实 jiēshi; 厚厚 hòuhòu ¶톡톡한 천 结实的布 **2** 浓 nóng ¶고기 국물이 ～肉汤很浓 **3** 好好 hǎohǎo; 丰盛 fēngshèng ¶음식을 톡톡하게 차리다 丰盛地准备饭菜 **4** 狠狠 hěnhěn ¶톡톡하게 욕하다 狠狠地骂 **톡톡-히** 부

톤(ton) 의명 **1** 吨 dūn **2** 容积吨 róngjīdūn; 装载吨 zhuāngzàidūn

톤(tone) 명 **1** 音调 yīndiào; 音色 yīnsè ¶그는 독특한 ～을 가지고 있다 他具有独特的音色 **2** 〖美〗 色调 sèdiào **3** 〖音〗 乐音 yuèyīn

톨 의명 颗 kē; 粒 lì ¶밤 세 ～三颗栗子

톨게이트(tollgate) 명 收费站 shōufèizhàn; 收费卡门 shōufèi qiǎmén

톱 명 锯 jù; 锯子 jùzi ¶전기～ 电锯 / ～으로 자르다 用锯切割

톱(top) 명 **1** 首位 shǒuwèi; 首席 shǒuxí; 第一 dìyī; 最高 zuì gāo ¶우리 반에서는 그가 성적이 ～이다 我们班里他成绩最高 **2** = 머리기사 ¶～뉴스 头条新闻息

톱-날 명 锯齿(儿) jùchǐ(r)

톱-니 명 **1** 锯齿 jùchǐ; 锯牙 jùyá **2** 〖植〗 锯齿 jùchǐ

톱니-바퀴 명 齿轮 chǐlún; 牙轮 yálún = 기어1

톱-밥 명 锯末(儿) jùmò(r); 锯屑 jùxiè

톱-스타(top+star) 명 最佳明星 zuìjiā míngxīng; 最佳演员 zuìjiā yǎnyuán

톱-질 명하타 锯 jù; 拉锯 lājù ¶나무 토막을 ～하다 锯木头

톳[1] 명 〖植〗 羊栖菜 yángqīcài

톳[2] 의명 把 bǎ; 束 shù ¶김 세 ～을 사다 买了三把紫菜

통[1] 명 **1** (白菜等的) 大小 dàxiǎo **2** 颗 kē ¶배추 세 ～三颗白菜

통[2] 명 **1** 筒(儿) tǒng(r); 腿(儿) tuǐ(r) ¶소매～이 좁다 袖筒儿窄 **2** (腰和腿的) 粗细 cūxì **3** 度量 dùliàng; 胆量 dǎnliàng ¶그는 ～이 크다 他胆量大

통[3] 의명 因为 yīnwèi ¶장마 ～에 물난리를 겪다 因为梅雨, 受水灾

통[4] 부 根本 gēnběn; 完全 wánquán; 一点(儿) yīdiǎn(r) ¶～모르겠다 根本不知道

통(桶) 명 **1** 桶 tǒng; 槽 cáo; 筒 tǒng ¶물～ 水桶 **2** 桶 tǒng ¶석유 한 ～一桶石油

통(通) 의명 **1** 封 fēng ¶편지 한 ～一封信 **2** 份 fèn; 张 zhāng; 纸 zhǐ ¶계약서 두 ～两份合同 **3** 次 cì ¶전화가 몇 ～왔었다 来过几次电话

통- 접두 整 zhěng ¶～마늘 整蒜

-통(通) 접미 通 tōng; 行家 hángjiā ¶중국～ 中国通

통:감(痛感) 명하타 痛感 tònggǎn ¶노력이 아직 부족함을 ～하다 痛感努力还不够

통:계(統計) 명하타 统计 tǒngjì ¶～자료 统计资料 / ～조사 统计调查 / ～청 统计机关 / ～학 统计学 / 생산량을 ～내다 统计产量

통고(通告) 명하자타 通知 tōngzhī; 通告 tōnggào ¶～장 通知单 / 조약의 파기를 상대국에게 ～하다 通知对方废除条约

통:곡(痛哭·慟哭) 명하자 痛哭 tòngkū; 恸哭 tòngkū; 号啕 háotáo ¶대성～하다 号啕痛哭 / 흐느껴 울며 ～하다 失声恸哭

통과(通過) 명하자타 **1** 通过 tōngguò; 经过 jīngguò; 穿过 chuānguò ¶열차가 터널을 ～하다 火车通过隧道 **2** 通过 tōngguò ¶필기시험에 ～하다 通过笔试 **3** 通过 tōngguò ¶법안이 의회에서 ～됐다 法案在议会通过了

통관(通關) 명하타 〖法〗 报关 bàoguān; 结关 jiéguān; 通关 tōngguān ¶～신고서 报关单 / ～수속을 밟다 办报关手续

통근(通勤) 명하자 上班 shàngbān ¶지하철로 ～하다 利用地铁上班

통금(通禁) 명 = 통행금지

통기(通氣) 명하자 = 통풍

통기-구(通氣口) 명 通风口 tōngfēngkǒu; 通气孔 tōngqìkǒng

통-기타(筒guitar) 명 筒吉他 tǒngjítā

통-깨 명 整粒芝麻 zhěnglì zhīma

통-나무 명 原木 yuánmù ¶～집 原木房子

통념(通念) 명 一般概念 yībān gàiniàn ¶사회 ～을 깨다 打破社会的一般概念

통달(通達) 명하자타 精通 jīngtōng; 贯通 guàntōng ¶여러 언어에 ～하다 精通多种语言

통-닭 명 整鸡 zhěng jī; 全鸡 quán jī

통독(通讀) 명하타 通读 tōngdú ¶원고를 한번 ～했다 把原稿通读了一遍

통:렬-하다(痛烈—) 형 尖锐 jiānruì; 激烈 jīliè; 猛烈 měngliè; 严厉 yánlì ¶통렬한 비판을 제기하다 提出尖锐的批评 / 그는 나를 통렬하게 비난했다 他猛烈地抨击了我 **통:렬-히** 부

통로(通路) 명 **1** 通道 tōngdào; 通路 tōnglù; 走道 zǒudào ¶이 철로는 동서

를 횡단하는 ~가 되었다 这条铁路成了横贯东西的一条通道 **2** 途经 tújīng; 通路 tōnglù ¶실업 문제를 해결하는 ~는 많다 解决失业问题的途经很多

통보(通報) 명하타 通报 tōngbào; 通知 tōngzhī; 报告 bàogào ¶~하다 发出通报 / 일의 상황을 상세하게 ~하다 详细地报告工作情况

통사(通史) 명 通史 tōngshǐ ¶중국 ~ 中国通史

통-사정(通事情) 명하자 恳求 kěnqiú; 恳请 kěnqǐng; 哀告 āigào; 说情 shuōqíng ¶여러 번 ~하다 再三恳求

통산(通算) 명하타 总计 zǒngjì; 共计 gòngjì ¶~ 세 번의 우승을 차지했다 总计取得了三回冠军

통상(通商) 명하자 通商 tōngshāng ¶~조약 通商条约 / ~협정 通商协定 / 주변 국가와 ~하다 与周围国家通商

통상(通常) 명부 通常 tōngcháng; 平常 píngcháng ¶그는 ~ 아침 6시에 일어난다 他通常早上6点起床

통-성명(通姓名) 명하자 互通姓名 hùtōng xìngmíng; 互相认识 hùxiāng rènshi ¶서로 ~이나 합시다 互相认识一下

통속(通俗) 명 通俗 tōngsú ¶~극 通俗话剧 / ~ 소설 通俗小说 / ~적 通俗的

통:솔(統率) 명하타 统率 tǒngshuài; 指挥 zhǐhuī ¶~력 指挥能力 / 군대를 ~하다 统率军队

통:수-권(統帥權) 명 〖法〗 统帅权 tǒngshuàiquán

통신(通信) 명하자 **1** 通信 tōngxìn ¶서로 ~하다 互相通信 **2** 通信 tōngxìn; 通迅 tōngxùn ¶~기 通迅机器 / ~망 通迅网 / ~병 通迅兵 / ~사 通迅社 / ~원 通信员 / ~이 두절되다 通信杜绝 **3** 通迅 tōngxùn ¶그는 신문에 그 ~을 발표했다 他在报纸上发表了那篇通迅

통역(通譯) 명하자타 翻译 fānyì; 译 yì; 口译 kǒuyì ¶그녀는 내 ~이다 她是我的翻译 / 우리들은 프랑스 어를 모르기에 선생님이 우리를 위하여 ~해 주셨다 我们不懂法语, 老师为我们翻译

통역-관(通譯官) 명 翻译官 fānyìguān

통용(通用) 명하자타 通用 tōngyòng; 通行 tōngxíng ¶~어 通用语 / ~ 화폐 通用货币 / 영어는 많은 국가에서 ~된다 英语在很多国家通行

통운(通運) 명하타 运输 yùnshū ¶~회사 运输公司

통-으로 부 整个儿地 zhěnggèrde; 囫囵 húlún ¶~ 삼키다 整个儿地吞下去

통:일(統一) 명하타 **1** 统一 tǒngyī ¶~국가 统一国家 **2** 统一 tǒngyī; 一致 yīzhì ¶~성 统一性 / 의견의 ~ 意见的统一 **3** 〖哲〗 统一 tǒngyī

통장(通帳) 명 **1** 存折 cúnzhé; 折子 zhézi ¶저금~ 存款折子 **2** 〖經〗 购买证 gòumǎizhèng

통:제(統制) 명하타 统制 tǒngzhì; 控制 kòngzhì; 管制 guǎnzhì ¶~권 控制权 / ~력 控制能力 / 물가를 ~하다 统制物价 / 감정을 ~하다 控制感情

통-조림(桶—) 명 罐头 guàntou ¶~통 罐头盒儿 / 과일 ~ 水果罐头

통:증(痛症) 명 疼痛 téngtòng; 痛症 tòngzhèng ¶~이 심하다 痛症很重

통지(通知) 명하자타 通知 tōngzhī; 知会 zhīhuì; 知照 zhīzhào; 通告 tōnggào ¶~서 通知书 / 구두로 ~하다 口头通知

통지-표(通知表) 명 〖教〗 成绩单 chéngjìdān

통-째 부 囫囵 húlún; 整个(儿) zhěnggè(r); 全部 quánbù ¶~ 삼키다 囫囵着吞下去

통:찰(洞察) 명하타 洞察 dòngchá ¶~력 洞察力 / 모든 것을 ~하는 눈빛 洞察一切的目光

통첩(通牒) 명하타 通牒 tōngdié ¶최후~을 보내다 递交最后通牒

통:치(統治) 명하타 统治 tǒngzhì; 治理 zhìlǐ ¶~ 계급 统治阶级 / ~자 统治者 / ~권 统治权 / ~ 기관 统治机关 / 국가를 ~하다 治理国家

통칭(通稱) 명하타 通称 tōngchēng; 泛称 fànchēng

통:칭(統稱) 명하타 统称 tǒngchēng ¶양식은 곡물과 콩류 그리고 고구마 종류의 ~이다 粮食是谷物豆类和薯类的统称

통:쾌(痛快) 명하형 痛快 tòngkuài ¶정말 ~하다 实在痛快 **통:쾌-히** 부

통:탄(痛歎·痛嘆) 명하타 痛叹 tòngtàn ¶이 일은 참으로 ~할 일이다 这件事简直是痛叹的

통통 부하형 胖乎乎 pànghūhū ¶발이 ~ 부었다 脚子胖乎乎肿起来

통통-배 명 摩托船 mótuōchuán; 小汽船 xiǎoqìchuán

통틀-어 부 一共 yīgòng; 总共 zǒnggòng; 统共 tǒnggòng; 通通 tōngtōng; 全部 quánbù ¶~ 얼마입니까? 一共多少钱? / 이 공장에는 ~ 300명의 노동자가 있다 这个工厂总共有300名工人

통:-폐합(統廢合) 명하타 裁并 cáibìng ¶분리된 기구를 ~하다 裁并分支机构

통풍(通風) 명하자 通风 tōngfēng; 通气 tōngqì; 透风 tòufēng; 透气 tòuqì = 통

기 ¶～구 通风孔 / ～기 通风器 / ～설비 通风设备 / ～창 通风窗

통-하다(通—) 자타 1 通 tōng; 打通 dǎtōng ¶전화가 ～ 电话打通 2 相通 xiāngtōng; 沟通 gōutōng; 疏通 shūtōng ¶서로의 생각이 ～ 沟通彼此的思想 3 通往 tōngwǎng; 通向 tōngxiàng; 通 tōng ¶이 도로는 베이징으로 통한다 这条公路通往北京 4 通过 tōngguò; 经过 jīngguò ¶국제 서점을 통해 잡지를 몇 권 주문했다 通过国际书店订几份杂志 5 精通 jīngtōng ¶그는 경제에 ～ 他精通经济 6 通 tōng; 通顺 tōngshùn ¶이 글은 문장이 통하지 않는다 这篇文章写得不通 7 连接 liánjiē; 接通 jiētōng ¶이 다리는 양안의 몇몇 주요 도로를 통하게 한다 这座大桥连接两岸的几条要道

통학(通學) 명하자 走读 zǒudú; 通学 tōngxué ¶～생 走读生 / 그는 걸어서 ～한다 他走路通学

통:합(統合) 명하타 合并 hébìng; 归并 guībìng ¶두 대학이 ～되었다 两所大学合并了

통행(通行) 명하자타 通行 tōngxíng; 往来 wǎnglái ¶～료 通行费 / ～증 通行证 / 우측～ 靠右边通行 / 이 길은 공사중이라 ～할 수 없다 这条街在修路, 不能通行

통행-금지(通行禁止) 명 禁止通行 jìnzhǐ tōngxíng = 통금

통행-인(通行人) 명 行人 xíngrén

통화(通貨) 명 【經】 通货 tōnghuò ¶～량 通货量 / ～안정 通货稳定

통화(通話) 명하자 1 通话 tōnghuà ¶～량 通话量 / 큰형님과 ～했다 跟大哥通话了 2 个 gè; 次 cì ¶한 ～는 3분이다 一次通话三分钟

통화-료(通話料) 명 电话费 diànhuàfèi

퇴:각(退却) 명하자타 1 退却 tuìquè; 撤退 chètuì ¶안전하게 ～하다 安全退却 2 退还 tuìhuán ¶뇌물을 그들에게 ～하다 把贿物退还给他们

퇴:거(退去) 명하자 1 迁移住址 qiānyí zhùzhǐ; 搬家 bānjiā ¶～ 명령 搬家令 2 迁移户口 qiānyí hùkǒu ¶～ 신고 迁移户口呈报

퇴고(推敲) 명하타 推敲 tuīqiāo; 推排 tuīpái ¶～를 거듭하다 反复推敲

퇴:교(退校) 명하타 = 퇴학

퇴:근(退勤) 명하자 下班 xiàbān ¶그는 오후 6시에 ～한다 他下午六点下班

퇴:근-길(退勤—) 명 下班的路 xiàbānde lù

퇴:로(退路) 명 退路 tuìlù ¶적의 ～를 끊다 截断敌人的退路

퇴:물(退物) 명 1 被退出来的人 bèi tuìchūláide rén 2 被退回的东西 bèi tuìhuíde dōngxi

퇴:보(退步) 명하자 退步 tuìbù ¶외국어는 계속해서 공부하지 않으면 ～한다 外语要是不继续学习, 就会退步

퇴비(堆肥) 명 【農】 堆肥 duīféi; 土粪 tǔfèn

퇴:사(退社) 명하자타 1 下班 xiàbān 2 退职 tuìzhí; 搁下 gēxià ¶그는 일신상의 이유로 ～했다 他由于个人的情况从公司退了职

퇴:색(退色 · 褪色) 명하자 退色 tuìshǎi; 褪色 tuìshǎi; 掉色 diàoshǎi; 捎色 shāoshǎi; 走颜色 zǒu yánsè

퇴:실(退室) 명하자타 退房 tuìfáng

퇴:역(退役) 명하자 退伍 tuìwǔ; 退役 tuìyì ¶～군인 退伍军人

퇴:원(退院) 명하자타 出院 chūyuàn ¶그는 내일 ～한다 他明天出院

퇴:위(退位) 명하자 退位 tuìwèi ¶고종 황제는 작년에 ～하였다 高宗皇帝去年退位了

퇴:임(退任) 명하자 退任 tuìrèn; 退休 tuìxiū

퇴:장(退場) 명하자 1 退场 tuìchǎng; 退出 tuìchū; 退席 tuìxí ¶회의장에서 ～하다 退出会场 2 退场 tuìchǎng; 下场 xiàchǎng; 下台 xiàtái ¶남자 주인공이 ～하다 男主角退场

퇴적(堆積) 명하자타 1 堆积 duījī; 积累 jīlěi ¶～물 堆积物 / ～층 堆积层 / 강바닥에 토사가 ～되다 泥沙堆积在河底 2 【地理】 = 퇴적 작용

퇴적 작용(堆積作用) 【地理】 沉积作用 chénjī zuòyòng; 冲积作用 chōngjī zuòyòng = 퇴적2

퇴:직(退職) 명하자타 退职 tuìzhí; 退休 tuìxiū; 下岗 xiàgǎng ¶～금 退休金 / 정년～ 到龄退职 / ～연금 退休费

퇴:진(退陣) 명하자 1 退阵 tuìzhèn; 撤退 chètuì 2 下台 xiàtái ¶정계 ～을 요구하다 要求政界下台

퇴:-짜(←退字) 명 拒绝 jùjué ¶～ 놓다 拒绝 / ～ 맞다 遭拒绝

퇴:출(退出) 명하자 1 退出 tuìchū ¶회의장에서 ～하다 退出会场 2 【經】 退出 tuìchū ¶부실 기업은 ～해야 한다 要退出不良企业

퇴:치(退治) 명하타 扫除 sǎochú; 消除 xiāochú; 消灭 xiāomiè; 扑灭 pūmiè ¶쥐를 ～하다 扑灭老鼠

퇴폐(頹廢) 명하자 1 衰颓 shuāituí; 衰飒 shuāisà; 衰败 shuāibài; 衰退 shuāituì ¶경제가 ～하다 经济衰退 / 정신이 ～하다 精神衰败 2 颓废 tuífèi; 颓败 tuíbài ¶～문학 颓废文学 / ～적 颓废的 / ～주의 颓废主义

퇴:학(退學) 명하타 退学 tuìxué; 出校

chūxiào; 开除 kāichú = 퇴교 ¶~ 처분을 받다 受到退学处分
퇴:화(退化) 명하자 退化 tuìhuà ¶날개가 ~했다 翅膀退化
툇:-마루(退—) 명 【建】廊台 lángtái
투(套) 의명 **1** 口气 kǒuqì; 口吻 kǒuwěn; 话口 huàkǒu ¶말하는 ~ 口气 **2** 样子 yàngzi; 方式 fāngshì; 一套 yītào; 格式 géshì ¶편지 ~로 쓴 글 用写信的方式写的文章
투견(鬪犬) 명하자 斗狗 dòugǒu; 斗犬 dòuquǎn = 개싸움
투고(投稿) 명하타 投稿 tóugǎo ¶~란 投稿栏
투과(透過) 명하타 透过 tòuguò ¶~성 透过性 / ~율 透过率 / 햇빛이 유리창을 ~하였다 阳光透过窗玻璃
투구 명 盔 kuī; 胄 zhòu ¶갑옷과 ~ 甲胄
투구(投球) 명하자 【體】投球 tóuqiú ¶일루에 ~하다 向一垒投球
투기(投棄) 명하타 扔掉 rēngdiào; 抛弃 pāoqì; 抛开 pāokāi ¶쓰레기를 ~하다 扔掉垃圾
투기(投機) 명하자 投机 tóujī ¶~성 投机性 / ~심 投机心 / ~업자 投机业者 / 이 사람은 전문적으로 ~를 일삼는다 这个人专门会搞投机
투기(妬忌) 명하자 = 질투 ¶~가 생기다 起了嫉妒心
투기-꾼(投機—) 명 炒家 chǎojiā
투덜-거리다 자 嘟哝 dūnong; 嘟囔 dūnang = 투덜대다 ¶그는 혼자 거기에서 종일 투덜거렸다 他独自在那儿嘟囔了半天 **투덜-투덜** 부하자
투망(投網) 명하자 撒网 sāwǎng ¶~으로 고기를 잡다 用撒网捕鱼
투매(投賣) 명하타 【經】倾销 qīngxiāo; 抛售 pāoshòu ¶물건을 매입하여 지방에 ~하다 购进货物来向地方抛售
투명(透明) 명하형 **1** 【物】透明 tòumíng; 透光 tòuguāng ¶~도 透明度 / ~체 透明体 / ~한 유리 透明的玻璃 **2** 透明 tòumíng ¶이 회사는 ~하다 这家公司很透明
투박-하다 형 **1** 粗 cū; 粗笨 cūbèn; 粗重 cūzhòng ¶투박한 손 粗手 **2** 粗 cū; 粗暴 cūbào; 粗鲁 cūlǔ ¶그의 성격은 매우 ~ 他的性情粗暴极了
투병(鬪病) 명하자 抗病 kàngbìng ¶~ 생활 抗病生活
투사(投射) 명하자타 **1** 投射 tóushè **2** 【物】= 입사(入射) ¶~ 광선 投射光线 / ~율 投射率
투사(鬪士) 명 战士 zhànshì ¶독립운동 ~ 独立运动战士
투서(投書) 명하타 检举信 jiǎnjǔxìn; 检举 jiǎnjǔ; 匿名信 nìmíngxìn; 黑信 hēixìn ¶~함 匿名信箱 / ~를 쓰다 写匿名信
투수(投手) 명 【體】投手 tóushǒu
투숙(投宿) 명하자 投宿 tóusù ¶하룻밤 ~하다 投宿一个晚上
투시(透視) 명하타 **1** 透视 tòushì **2** 【心】透视 tòushì ¶~력 透视力 **3** 【醫】透视 tòushì
투신(投身) 명하자 **1** 投身 tóushēn; 献身 xiànshēn ¶교육 사업에 ~하다 献身教育事业 **2** 投 tóu; 跳 tiào ¶빌딩에서 ~하여 자살하다 跳楼自杀了
투약(投藥) 명하타 下药 xiàyào; 配药 pèiyào; 投药 tóuyào ¶환자에게 ~하다 给患者下药
투영(投影) 명하타 **1** 投影 tóuyǐng **2** 【數】射影 shèyǐng **3** 投影 tóuyǐng
투옥(投獄) 명하타 入狱 rùyù; 监禁 jiānjìn; 下狱 xiàyù ¶범인을 ~하다 把犯人监禁起来
투우(鬪牛) 명하자 斗牛 dòuniú ¶~사 斗牛士 / ~장 斗牛场
투입(投入) 명하타 **1** 投 tóu; 装 zhuāng; 掷 zhì ¶동전을 ~하다 投硬币 / 상자에 ~하다 装在箱子里 **2** 投入 tóurù ¶인력을 ~하다 投入人力 / 자금을 ~하다 投入资金
투자(投資) 명하자 投资 tóuzī ¶~율 投资率 / ~자 投资者 / 그는 학교 설립에 ~하려고 한다 他打算投资办一所学校
투쟁(鬪爭) 명하자 斗争 dòuzhēng; 争斗 zhēngdòu; 战斗 zhàndòu ¶~심 斗争精神 / 적과 우리 쌍방은 격렬하게 ~했다 敌我双方斗争得激烈
투정 명하자타 耍赖 shuǎlài; 缠 chán; 挑 tiāo; 挑捡 tiāojiǎn ¶~을 부리다 耍赖
투지(鬪志) 명 斗志 dòuzhì
투창(投槍) 명하자 【體】= 창던지기
투척(投擲) 명하타 投掷 tóuzhì; 投 tóu ¶수류탄을 ~하다 投掷手榴弹
투철-하다(透徹—) 형 透彻 tòuchè; 彻底 chèdǐ ¶그는 각종 가능성에 대하여 투철한 분석을 했다 他对各种可能作了透彻的分析 **투철-히** 부
투-포환(投砲丸) 명 【體】= 포환던지기
투표(投票) 명하자 投票 tóupiào ¶~권 投票权 / ~소 投票站 / ~율 投票率 / ~자 投票者 / ~함 投票箱 / 당신은 누구에게 ~했습니까? 你投谁的票?
투피스(two-piece) 명 女式两件套 nǚshì liǎngjiàntào; 套裙 tàoqún
투하(投下) 명하타 **1** 投 tóu; 投掷 tóuzhì ¶폭탄 ~ 投掷炸弹 **2** 投入 tóurù ¶자금을 ~하다 投入资金

투합(投合) 명하자 投合 tóuhé; 相投 xiāngtóu ¶의기가 ~하다 意气投合
투항(投降) 명하자 投降 tóuxiáng; 降服 xiángfú ¶적에게 ~하다 投降敌人
투혼(鬪魂) 명 斗志 dòuzhì ¶불굴의 ~을 발휘하다 发挥不屈的斗志
툭 부 1 啪 pā ¶~ 하며 끊어지다 啪的一声断了 2 气鼓鼓地 qìgǔgǔde ¶그에게 한마디 ~ 쏘아주다 气鼓鼓地顶他一句 3 拍 pāi ¶그의 어깨를 ~ 치다 轻轻一拍他的肩膀 4 突出 tūchū ¶눈이 ~ 튀어나온 남자 眼睛突出的男子汉
툭-하면 부 动不动 dòngbudòng; 一动 yīdòng ¶~ 화를 낸다 动不动就生气
툴툴-거리다 자 嘟囔 dūnang; 咕哝 gūnong = 툴툴대다 ¶그는 일이 뜻대로 되지 않는다고 툴툴거린다 他因为事不顺心而嘟囔
퉁 명 顶 dǐng; 碰 pèng; 拒绝 jùjué ¶~을 맞다 碰了顶子
퉁명-스럽다 형 倔 juè; 干倔 gànjuè; 生硬 shēngyìng; 不和气 bùhéqì ¶태도가 너무 ~ 态度太生硬 **퉁명스레** 부
퉁소 명『音』洞箫 dòngxiāo
퉁퉁 부하형 1 胖乎乎 pànghūhū ¶~한 얼굴 胖乎乎的脸 2 肿 zhǒng ¶울어서 눈이 ~ 부었다 哭得眼睛都肿了
퉤 부하타 呸 pēi ¶가래를 ~ 뱉다 呸的一声吐痰
튀각 명 油炸 yóuzhá
튀-기다[1] 타 1 拨 bō; 拨动 bōdòng; 拨拉 bōla ¶물방울을 ~ 拨拉水 2 拨 bō = 퇭기다2 ¶주판알을 ~ 拨算盘珠儿 3 弹 tán ¶손가락으로 가볍게 ~ 用手指轻轻地弹
튀기다[2] 타 1 炸 zhá ¶만두를 ~ 炸油饺子 2 膨 péng ¶옥수수를 ~ 膨玉米
튀김 명 炸 zhá; 油炸的 yóuzháde
튀다 자 1 暴 bào; 迸 bèng ¶불꽃이 사방으로 ~ 火星儿乱迸 2 溅 jiàn; 飞溅 fēijiàn ¶침이 ~ 唾沫飞溅 3 弹 tán ¶공이 잘 튄다 球弹得好 4 逃走 táozǒu; 逃跑 táopǎo ¶도둑이 튀었다 小偷逃跑了
튀-밥 명 1 米花 mǐhuā 2 炸米饭 zhámǐfàn
튀어-나오다 자 1 突出 tūchū; 凸出 tūchū; 隆起 lóngqǐ ¶이마가 ~ 额头突出 2 跳出来 tiàochūlái ¶사람이 불쑥 ~ 一个人突然跳出来
튕기다 자타 1 弹 tán; 跳 tiào ¶구슬을 ~ 弹球儿 2 = 튀기다[1]2
튜브(tube) 명 1 管 guǎn; 筒 tǒng 2 (包装牙膏等的) 软管 ruǎnguǎn 3 内胎 nèitāi 4 救生圈 jiùshēngquān
튤립(tulip) 명『植』郁金香 yùjīnxiāng
트다 자 1 龟裂 jūnliè; 皲裂 jūnliè; 皴 cūn ¶손이 모두 텄다 一双手都皴了 2 发 fā; 萌 méng ¶싹이 ~ 发芽 3 亮 liàng; 发白 fābái ¶동이 ~ 天亮
트라이앵글(triangle) 명『音』三角铁 sānjiǎotiě
트랙터(tractor) 명 1 拖拉机 tuōlājī; 牵引车 qiānyǐnchē 2『航』牵引式飞机 qiānyǐnshì fēijī
트럭(truck) 명 运货汽车 yùnhuò qìchē; 卡车 kǎchē; 载货汽车 zàihuò qìchē; 载重汽车 zàizhòng qìchē
트럼펫(trumpet) 명『音』小号 xiǎohào
트럼프(trump) 명 扑克 pūkè; 扑克牌 pūkèpái ¶~ 놀이를 하다 玩儿扑克
트렁크(trunk) 명 1 皮箱 píxiāng; 大衣箱 dàyīxiāng 2 (汽车) 行李箱 xínglixiāng
트레이너(trainer) 명 1 教练 jiàoliàn ¶그는 우리의 ~이다 他是我们的教练 2 驯兽师 xúnshòushī ¶그는 호랑이를 잘 다루는 ~이다 他是一个善于驯虎的驯兽师
트레이닝(training) 명 训练 xùnliàn; 练习 liànxí; 锻炼 duànliàn; 运动 yùndòng ¶군사 ~ 军事训练 / 업무 ~ 业务训练 / ~복 训练服
트로피(trophy) 명 奖杯 jiǎngbēi; 优胜杯 yōushèngbēi
트리오(trio) 명『音』1 三重奏 sānchóngzòu; 三重唱 sānchóngchàng 2 三人组 sānrénzǔ
트:림 명하자 饱嗝儿 bǎogér; 嗝儿 gér ¶~을 하다 打饱嗝儿
트-이다 자 1 开朗 kāilǎng; 开通 kāitōng ¶시야가 탁 ~ 眼界豁然开朗 / 물길이 ~ 河道开通 2 开阔 kāikuò; 开豁 kāihuò; 开通 kāitong; 开朗 kāilǎng; 明 míng ¶그는 생각이 트인 사람이다 他是一个思想开阔的人 3 转 zhuǎn; 走 zǒu ¶운이 ~ 转运
트집 명 碴儿 chár ¶~을 잡다 抓碴儿
특가(特價) 명 特价 tèjià
특강(特講) 명하자 专题课 zhuāntíkè ¶오늘 학교에 ~이 있다 今天学校里有一个专题课
특권(特權) 명 特权 tèquán ¶~ 계급 特权阶级 / ~층 特权阶层 / ~을 누리다 享有特权
특근(特勤) 명하자 加班 jiābān; 加点 jiādiǎn ¶~ 수당 加班费 / ~을 하다 加班加点
특급(特急) 명 特快 tèkuài ¶~ 열차 特快列车 =[特别快车][特快]
특급(特級) 명 特级 tèjí ¶~ 호텔 特级酒店
특기(特技) 명 特技 tèjì; 专长 zhuān-

cháng; 特长 tècháng; 绝活(儿) juéhuó(r); 绝技 juéjì ¶그의 ~는 무엇이지요? 他的专长是什么?
특기(特記) 명하자 特别记载 tèbié jìzǎi ¶~ 사항 特别记载事项
특단(特段) 명 特别 tèbié ¶~의 조치를 취하다 采取特别的措施
특대(特大) 명 特大 tèdà
특등(特等) 명 特等 tèděng ¶~실 特等舱 / ~품 特等品 / ~상 特等奖
특례(特例) 명 特例 tèlì
특례-법(特例法) 명 『法』 = 특별법
특명(特命) 명하타 1 特命 tèmìng ¶~을 내리다 下特命 2 任命 rènmìng ¶각부 장관을 ~하다 任命各部部长
특무(特務) 명 特务 tèwù
특별(特別) 명하형히부 特别 tèbié; 特地 tèdì; 特意 tèyì; 专程 zhuānchéng; 专门 zhuānmén ¶~한 서비스 特别的服务 / 그의 목소리는 아주 ~하다 他的声音很特别
특별-나다(特別—) 형 = 유별나다
특별-법(特別法) 명 『法』 特别法 tèbiéfǎ = 특례법
특별-석(特別席) 명 专席 zhuānxí; 包厢 bāoxiāng; 雅座 yǎzuò = 특석
특보(特報) 명하타 特别报道 tèbié bàodào
특사(特使) 명 特使 tèshǐ; 专使 zhuānshǐ ¶외국에 ~를 파견하다 向外国派遣特使
특사(特赦) 명하타 『法』 特赦 tèshè
특산(特産) 명 特产 tèchǎn ¶~물 特产
특상(特賞) 명 特别奖 tèbiéjiǎng; 特奖 tèjiǎng ¶~을 받다 得特别奖
특색(特色) 명 特色 tèsè; 特点 tèdiǎn ¶민족 ~ 民族特色 / ~이 하나도 없다 毫无特点
특석(特席) 명 = 특별석
특선(特選) 명 1 精选 jīngxuǎn ¶자동차용품 ~ 汽车用品精选 2 特选 tèxuǎn ¶~된 작품 特选作品
특설(特設) 명하타 特设 tèshè ¶~ 무대 特设舞台
특성(特性) 명 特性 tèxìng; 特点 tèdiǎn; 特征 tèzhēng
특수(特殊) 명하형 特殊 tèshū; 特别 tèbié ¶~ 문자 特殊文字 / ~성 特殊性 / ~ 학교 特殊学校 / 상황이 비교적 ~하다 情况比较特殊
특수(特需) 명 『經』 特需 tèxū ¶설날 ~ 春节的特需
특실(特室) 명 特等室 tèděngshì
특약(特約) 명하타 特约 tèyuē ¶외국 회사와 ~ 계약을 맺다 和外国公司订特约合同
특용(特用) 명하타 特殊用途 tèshū yòngtú; 特用 tèyòng ¶~ 작물 特用作物
특유(特有) 명하형 特有 tèyǒu ¶민족 ~의 전통 民族特有的传统
특이(特異) 명하형 1 特异 tèyì; 特殊 tèshū; 特别 tèbié; 奇异 qíyì ¶~성 特异性 / ~점 特异点 / 작가의 표현 수법이 매우 ~하다 作者的表现手法相当特异 2 特异 tèyì; 突出 tūchū; 优秀 yōuxiù ¶그는 ~한 재능을 지녔다 他具有特异的才能
특전(特典) 명 1 特别恩典 tèbié ēndiǎn; 优待 yōudài; 优遇 yōuyù ¶~을 입다 蒙受特别的恩典 2 特别仪式 tèbié yíshì 3 特别规则 tèbié guīzé
특정(特定) 명하형 特定 tèdìng ¶~인 特定人 / ~한 위치 特定的位置 / ~한 환경 特定的环境
특제(特製) 명하타 特制 tèzhì ¶~품 特制品
특종(特種) 명 1 特种 tèzhǒng ¶~ 공예품 特种工艺 2 『言』 = 특종 기사
특종 기사(特種記事) 『言』 特迅 tèxùn; 独家新闻 dújiā xīnwén = 특종2
특진(特診) 명하자 特诊 tèzhěn
특집(特輯) 명 专集 zhuānjí; 专刊 zhuānkān; 特辑 tèjí; 特刊 tèkān
특집-호(特輯號) 명 专号 zhuānhào; 特刊 tèkān
특징(特徵) 명하타 特征 tèzhēng; 特点 tèdiǎn; 特色 tèsè ¶~짓다 规定特征 / 이런 배의 ~은 수분이 많다는 것이다 这种梨的特点是水分多
특출-하다(特出—) 형 特出 tèchū; 出众 chūzhòng; 超群 chāoqún; 超卓 chāozhuó; 卓越 zhuóyuè ¶무예가 ~ 武艺超群
특파(特派) 명하타 特派 tèpài ¶현지에 기자를 ~하다 特派记者前往该地
특허(特許) 명하타 1 特许 tèxǔ 2 『法』 专利 zhuānlì; 专利权 zhuānlìquán ¶~권 专利权 / ~증 专利证 / ~품 专利品 / 신제품의 ~를 얻다 取得新制品的专利
특혜(特惠) 명 优惠 yōuhuì; 特惠 tèhuì ¶~를 주다 给予优惠
특효(特效) 명 特效 tèxiào ¶~약 特效药
특-히(特—) 부 特 tè; 特别 tèbié; 尤其 yóuqí ¶올해는 ~ 춥다 今年特别冷
튼실-하다(—實—) 형 结实 jiēshi; 壮实 zhuàngshi ¶그의 아들은 정말 튼실하게 자랐다 他的儿子长得真结实
튼튼-하다 형 1 结实 jiēshi; 壮实 zhuàngshi; 健壮 jiànzhuàng; 健康 jiànkāng; 强健 qiángjiàn ¶몸과 마음이 ~ 体魄强健 2 坚固 jiāngù; 结实 jiēshi;

坚实 jiānshí ¶안경테가 매우 ~ 眼镜架结实得多 **튼튼-히** 부

틀 명 **1** 模型 móxíng ¶~을 짜다 做模型 **2** 框 kuàng; 边框 biānkuàng; 架子 jiàzi ¶문~ 门框 / 골격의 ~ 骨头架子 **3** 框框(儿) kuàngkuang(r); 框子 kuàngzi ¶낡은 ~의 제한을 깨다 打破老框框的限制 **4** 架子 jiàzi ¶~이 잡히다 有架子 **5** 机 jī; 机器 jīqì ¶베~ 纸布机

틀-니 명 假牙 jiǎyá; 托牙 tuōyá ¶~를 끼우다 装假牙

틀다 타 **1** 扭 niǔ; 转 zhuǎn ¶몸을 ~ 扭身子 **2** 拧 nǐng **3** 打开 dǎkāi ¶텔레비전을 ~ 打开电视 **4** 挽 wǎn ¶상투를 ~ 挽髻 **5** 盘 pán ¶뱀이 똬리를 틀고 있다 蛇盘做一堆 **6** 弹 tán ¶솜을 ~ 弹棉花

틀리다 ㊀자타 错 cuò; 不对 bùduì; 错误 cuòwù; 差 chà ¶틀린 글자 错字 / 너의 의견은 틀렸다 你的意见不对了 ㊁자 **1** 不能 bùnéng; 不行 bùxíng ¶오늘은 집에 가기 틀렸다 今天不能回家 **2** 坏 huài; 不好 bùhǎo; 不行 bùxíng ¶심사가 ~ 心眼儿坏

틀림-없다 형 准确 zhǔnquè; 没错 méicuò; 肯定 kěndìng ¶내 추측은 정말 ~ 我的估计准确极了 / 이 말은 조금도 ~ 这话一点也没错 **틀림없-이** 부 ¶행복한 날은 ~ 올 것이다 幸福的日子必定会到来 / 이 일은 ~ 그가 한 것이다 这事无疑是他干的

틀어-넣다 타 拧进 nǐngjìn ¶나사못을 ~ 把螺丝钉拧进去

틀어-막다 타 塞 sāi; 堵 dǔ; 塞住 sāizhù; 堵住 dǔzhù ¶코를 ~ 塞鼻孔

틀어-박다 타 塞 sāi; 塞进 sāijìn

틀어-박히다 자 闷 mēn; 呆 dāi; 杜门 dùmén ¶집에만 틀어박혀 있다 闷在家里

틀어-잡다 타 紧握 jǐnwò; 狼抓 lángzhuā ¶총대를 ~ 紧握枪杆子

틀어-쥐다 타 握 wò; 握有 wòyǒu; 掌握 zhǎngwò ¶그는 돈을 틀어쥐고 있다 他握有资本

틀어-지다 자 **1** 翘 qiáo; 弯曲 wānqū ¶표지가 ~ 书皮翘起来了 **2** 别扭 bièniu ¶마음이 ~ 心里别扭 **3** 坏了 huàile; 完了 wánle; 糟了 zāole ¶사이가 ~ 关系坏了 / 일이 ~ 事情糟了

틈 ㊀명 **1** 缝(儿) fèng(r); 缝隙 fèngxì; 隙 xì; 裂缝 lièfèng; 裂隙 lièxì; 空隙 kòngxì ¶문~ 门缝儿 / ~이 생기다 裂开缝儿 **2** 隙 xì; 缝 fèng ¶공장장은 노동자와 ~이 있다 厂长和工人有隙 **3** 隙 xì; 缝 fèng ¶~을 노리다 乘隙 / ~만 있으면 끼어들다 见缝插针 ㊁의명 = 겨를

틈-새 명 小裂缝 xiǎolièfèng; 缝(儿) fèng(r)

틈-타다 타 趁 chèn; 乘 chéng ¶적이 방심한 때를 틈타서 공격하다 趁敌人不备急袭

틈틈-이 부 **1** 一有空 yī yǒu kòng; 一有工夫 yī yǒu gōngfu ¶~ 악기를 배우다 一有空就学习乐器 **2** 每个缝隙 měige fèngxì ¶~ 진흙으로 바르다 用泥糊住每个缝隙

티[1] 명 **1** 尘土 chéntǔ; 尘埃 chén'āi ¶눈에 ~가 들어가다 眼睛里进了尘土 **2** 瑕 xiá; 瑕疵 xiácī; 毛病 máobìng ¶옥의 ~ 玉石的瑕疵 / ~ 없이 맑고 깨끗하다 毫无瑕疵地纯洁

티[2] 명 气 qì; 色 sè ¶아이~ 孩子气 / 얼굴에 기뻐하는 ~가 가득하다 喜色满面

티격-태격 부하자 争吵 zhēngchǎo; 吵闹 chǎonào; 吵嘴 chǎozuǐ; 争嘴 zhēngzuǐ ¶부부가 ~하다 夫妻吵嘴

티끌 명 **1** 尘 chén; 尘埃 chén'āi; 灰尘 huīchén = 분진 ¶~ 하나 묻지 않다 一尘不染 **2** 丝毫 sīháo ¶~만큼도 차이가 없다 丝毫不差

티셔츠(T-sthirts) 명 T 恤 T xù; T 恤衫 T xùshān

티스푼(teaspoon) 명 = 찻숟가락

티시(TC)[Traveler's check] 명 〖經〗 = 여행자 수표

티켓(ticket) 명 **1** 票 piào; 券 quàn **2** 证明书 zhèngmíngshū; 许可证 xǔkězhèng

팀(team) 명 小组 xiǎozǔ; 团体 tuántǐ; 队 duì; 团队 tuánduì ¶국가 대표 ~ 国家代表队

팀워크(teamwork) 명 团队精神 tuánduì jīngshén; 全队配合 quánduì pèihé

팁(tip) 명 小费 xiǎofèi; 小账 xiǎozhàng

ㅍ

파 명〖植〗葱 cōng ¶~ 한 뿌리 一根葱

파(派) 명 **1** 派 pài; 派系 pàixì ¶여러 ~로 나뉘다 分成几派 **2** = 파계(派系)

파(이fa) 명〖音〗发 fā

-파(波) 접미 波 bō ¶전자~ 电磁波 / 충격~ 冲击波

파:격(破格) 명하자 破格 pògé; 破例 pòlì ¶~적 破格的 / ~ 조건 破格条件

파견(派遣) 명하타 派遣 pàiqiǎn ¶~국 派遣国 / ~군 派遣军 / ~단 派遣团 / 조사단을 ~하다 派遣考察团

파:경(破鏡) 명 **1** 破镜子 pò jìngzi **2** 残月 cányuè **3** 离婚 líhūn; 分手 fēnshǒu ¶그들 부부는 ~을 맞았다 他们夫妻离婚了

파계(派系) 명 派系 pàixì = 파(派)2

파:계(破戒) 명하자〖佛〗破戒 pòjiè ¶~승 破戒僧

파고-들다 자타 **1** 钻进去 zuānjìnqù ¶쥐가 짚더미 속으로 ~ 老鼠钻进草堆里去 **2** 渗透 shèntòu ¶향기가 가슴을 ~ 香味渗透肺腑 **3** 进入 jìnrù ¶외국 시장에 ~ 进入国外市场 **4** 追查 zhuīchá; 钻研 zuānyán ¶진상을 ~ 追查真相 **5** 钻进怀里 zuānjìn huáili ¶젖먹이가 엄마 품에 ~ 婴儿钻进妈妈怀里

파:괴(破壞) 명하타 破坏 pòhuài ¶~력 破坏力 / ~자 破坏者 / 환경 ~ 环境破坏 / 사회 질서를 ~하다 破坏社会秩序

파:국(破局) 명하자 崩溃 bēngkuì; 破产的局面 pòchǎnde júmiàn ¶~을 맞다 濒临崩溃 / ~에 처하다 处于破产的局面

파급(波及) 명하타 波及 bōjí; 牵涉 qiānshè; 遍及 biànjí; 传播 chuánbō ¶~ 효과 波及效果 / 금융 위기가 전 세계에 ~되었다 金融危机波及全世界

파:기(破棄) 명하타 **1** 废弃 fèiqì ¶묵은 서류를 ~하다 废弃旧文件 **2** 废除 fèichú; 取消 qǔxiāo ¶동맹을 ~하다 取消同盟 **3**〖法〗撤消 chèxiāo ¶원심을 ~하다 撤消原审

파-김치 명 淹葱咸菜 yāncōng xiáncài **파김치(가) 되다** 구 精疲力尽; 力尽精疲

파-내다 타 掏出 tāochū; 挖出 wāchū; 开采 kāicǎi ¶귀지를 ~ 掏出耳垢 / 석탄을 ~ 开采煤矿

파노라마(panorama) 명 **1** 全景 quánjǐng; 全景画 quánjǐnghuà; 幻景画 huànjǐnghuà ¶~ 사진기 全景照相机 **2** 活动画景 huódòng huàjǐng; 回转画 huízhuǎnhuà ¶한 폭의 ~가 그녀의 눈앞에 펼쳐졌다 一幅回转画在她眼前展示出来

파다 타 **1** 挖 wā; 掘 jué; 刨 páo ¶구덩이를 ~ 挖坑 **2** 探索 tànsuǒ ¶사건의 진상을 ~ 探索事情的真相 **3** 刻 kè ¶도장을 ~ 刻印章 **4** 钻研 zuānyán; 专心 zhuānxīn ¶공부를 ~ 专心学习 **5** 挖 wā; 剪 jiǎn ¶목둘레선을 깊이 ~ 剪深衣领 **6** 吸 xī; 吮 shǔn ¶아기가 젖을 ~ 小孩儿吮乳

파다-하다(播多—) 형 传开 chuánkāi; 传遍 chuánbiàn ¶소문이 ~ 消息传开 **파다-히** 부

파닥-거리다 자타 **1** 扑噜扑噜 pūlupūlu《小鸟振翅声貌》¶새가 날개를 ~ 鸟扑噜扑噜翅膀 **2** 扑腾扑腾 pūtengpūteng《鱼跃声貌》‖ = 파닥대다 **파닥-파닥** 부하자타

파닥-이다 자타 **1** (小鸟) 扑棱扑棱 pūlengpūleng ¶작은 새 한 마리가 날개를 ~ 一只小鸟直在扑棱扑棱翅膀 **2** (小鱼) 扑腾扑腾 pūtengpūteng

파도(波濤) 명 **1** 波浪 bōlàng; 波涛 bōtāo; 浪潮 làngcháo ¶~가 거세다 波涛汹涌 **2** 波浪 bōlàng; 浪潮 làngcháo《指巨大的社会现象》¶개혁의 ~가 거세게 일다 改革浪潮此起彼伏

파도-치다(波濤—) 자 翻起波涛 fānqǐ bōtāo; 起波浪 qǐ bōlàng; 起波涛 qǐ bōtāo ¶파도치는 바다 起波浪的海 / 개혁의 물결이 ~ 改革浪潮起波涛

파도-타기(波濤—) 명 冲浪运动 chōnglàng yùndòng; 滑浪 huálàng = 서핑

파동(波動) 명 **1** 水波 shuǐbō **2** 动荡 dòngdàng; 风波 fēngbō ¶석유 ~ 石油风波 / 정치~ 政治动荡 **3**〖物〗震动在介质中的传播过程 **4**〖經〗指具有周期性的变化

파라다이스(paradise) 명 理想乡 lǐxiǎngxiāng; 乐园 lèyuán

파라솔(프parasol) 명 阳伞 yángsǎn

파:락-호(破落戶) 명 破落户 pòluòhù

파란(波瀾) 명 **1** = 파랑(波浪) **2** 风波 fēngbō; 波澜 bōlán ¶학계에 ~이 일다 学术界掀起波澜

파란-만장(波澜万丈) 명하형 波澜起伏 bōlánqǐfú; 波涛汹涌 bōtāo xiōngyǒng ¶그는 ~한 일생을 살았다 他度过波澜起伏的一生
파란-불 명 绿灯 lǜdēng
파란-색(—色) 명 蓝色 lánsè = 청색
파랑 명 蓝色 lánsè
파랑(波浪) 명 波浪 bōlàng; 波澜 bōlán = 파란1 ¶달빛 아래 비단처럼 반짝이는 ~ 月下丝绸般闪光的波浪
파랑-새 명【鳥】青鸟 qīngniǎo
파:랗다 형 绿 lǜ; 蓝 lán ¶파란 하늘 蓝天
파래 명【植】海青菜 hǎiqīngcài; 石莼 shíchún
파:래-지다 자 发青 fāqīng ¶추워서 얼굴이 ~ 冻得面孔发青
파:-렴치(破廉耻) 명하형 无耻 wúchǐ; 恬不知耻 tiánbùzhīchǐ ¶~한 无耻之徒 / ~ 행위 无耻的行为
파:렴치-범(破廉耻犯) 명【法】不道德犯罪 bùdàodé fànzuì; 不道德罪犯 bùdàodé zuìfàn
파르르 부하자 1 咕嘟咕嘟 gūdūgūdū《沸腾貌》¶국이 ~ 끓기 시작한다 汤咕嘟咕嘟地开了 2 勃然 bórán ¶엄마가 ~ 성을 내신다 妈妈勃然大怒 3 微微地 wēiwēide ¶촛불이 ~ 떨리다 烛光微微地颤动
파르스름-하다 형 浅绿 qiǎnlǜ; 浅蓝 qiǎnlán; 淡绿 dànlǜ; 淡蓝 dànlán = 파릇하다 ¶파르스름한 새싹 浅绿的新芽
파릇-파릇 부하형 青葱葱 qīngcōngcōng; 绿葱葱 lǜcōngcōng ¶새싹이 ~ 돋아나다 冒出青葱葱地嫩芽
파릇-하다 형 = 파르스름하다
파:리 명【蟲】1 苍蝇 cāngying; 蝇 yíng; 蝇子 yíngzi ¶똥~ 粪蝇 / ~채 蝇拍子 2 家蝇 jiāyíng
파리-하다 형 瘦削 shòuxuē ¶파리한 얼굴 瘦削的脸
파:마(←permanent) 명하타 烫发 tàngfà
파-먹다 타 1 挖着吃 wāzhe chī ¶호미로 감자를 ~ 用薅锄挖着吃 2 蛀食 zhùshí ¶벌레가 호박을 ~ 虫子蛀食南瓜 3 光吃 guāngchī; 不劳而食 bùláo'érshí ¶그는 일하지 않고 파먹기만 바란다 他只想不劳而食
파:면(罷免) 명하타 罢免 bàmiǎn; 免职 miǎnzhí; 罢黜 bàchù ¶회장 직무에서 ~시키다 罢免总经理职务
파:멸(破滅) 명하자 破灭 pòmiè; 衰败 shuāibài; 灭亡 mièwáng ¶적군의 ~ 敌军的灭亡
파문(波紋) 명 1 水纹 shuǐwén; 波纹 bōwén; 波浪 bōlàng ¶수면에 ~이 일었다 水面起了波纹 2 波状花纹 bōzhuàng huāwén 3 反响 fǎnxiǎng; 影响 yǐngxiǎng ¶이 일은 전 세계에 ~을 일으켰다 这件事引起了全世界的反响
파-묻다 타 1 掩埋 yǎnmái; 埋藏 máicáng ¶땅속에 수많은 문화재를 파묻었다 在地下埋藏了许多文物 2 隐藏 yǐncáng ¶비밀을 ~ 隐藏秘密
파벌(派閥) 명 派系 pàixì; 派别 pàibié ¶~ 싸움 派系纠葛
파별(派別) 명하타 派别 pàibié; 分派 fēnpài ¶~을 나누지 않다 不分派别
파병(派兵) 명하타 派兵 pàibīng
파-뿌리 명 葱胡子 cōnghúzi《比喻白发》¶검은 머리가 ~가 되다 黑头发变成葱胡子
파:산(破産) 명하자 破产 pòchǎn ¶그는 ~ 직전이다 他快要破产了
파:상(破傷) 명하자타 破伤 pòshāng ¶~풍 破伤风 / ~을 입다 被破伤
파생(派生) 명하자 派生 pàishēng ¶~어 派生词 / ~적 派生的 / 본의에서 많은 의미가 ~되다 由本义派生出很多意义
파:손(破損) 명하자타 破损 pòsǔn; 损坏 sǔnhuài ¶~된 탁자 破损的桌子
파수(把守) 명하타 1 把守 bǎshǒu; 看守 kānshǒu ¶요새를 ~하다 把守关隘 2 = 파수꾼
파수-꾼(把守—) 명 看守 kānshǒu = 파수2
파스텔(pastel) 명【美】彩色蜡笔 cǎisè làbǐ
파슬리(parsley) 명【植】欧芹 ōuqín; 荷兰芹 hélánqín
파시스트(fascist) 명 法西斯主义者 fǎxīsī zhǔyìzhě
파시즘(fascism) 명 法西斯主义 fǎxīsī zhǔyì
파악(把握) 명하타 认识 rènshi; 了解 liǎojiě; 领会 lǐnghuì ¶상황을 ~하다 了解情况
파:업(罷業) 명하자【社】罢工 bàgōng ¶~에 참여하다 参加罢工
파:열(破裂) 명하자 破裂 pòliè; 分裂 fēnliè ¶내장 ~ 内脏破裂 / ~음 破裂音
파우더(powder) 명 化妆粉 huàzhuāngfěn; 粉 fěn ¶얼굴에 ~를 바르다 脸上擦化妆粉
파운데이션(foundation) 명 粉底霜 fěndǐshuāng
파운드(pound) 의명 1 英镑 yīngbàng《英国的货币单位》2 磅 bàng《重量单位》
파울(foul) 명【體】犯规 fànguī
파워(power) 명 力量 lìliang; 权力 quánlì

파이(pie) 명 派 pài; 馅饼 xiànbǐng ¶ 호박 ~ 南瓜派
파이팅(fighting) 감 加油 jiāyóu
파이프(pipe) 명 1 管 guǎn; 导管 dǎoguǎn; 钢管 gāngguǎn ¶~를 설치하다 安装钢管 2 烟斗 yāndǒu ¶그는 담배~를 가볍게 떨었다 他经经地弹香烟烟斗
파인애플(pineapple) 명 〖植〗 菠萝 bōluó; 凤梨 fènglí ¶~ 주스 菠萝汁
파:일(file) 명 = 서류철
파일럿(pilot) 명 1 = 조종사 2 引航员 yǐnhángyuán
파자마(pajamas) 명 1 睡衣 shuìyī; 睡衣裤 shuìyīkù 2 宽松裤 kuānsōngkù《印度人穿的宽松的裤子》
파장(波長) 명 1 〖物〗 波长 bōcháng 2 反应 fǎnyìng; 后果 hòuguǒ ¶그 문제는 큰 ~을 불러 일으켰다 那件事引起了强烈反应
파:장(罷場) 명하자 1 收盘 shōupán; 收市 shōushì ¶거래소가 ~하다 交易所收盘 2 收场 shōuchǎng; 结束 jiéshù
파-전(—煎) 명 葱肉煎饼 cōngròu jiānbing; 葱饼 cōngbǐng
파종(播種) 명하타 〖農〗 播种 bōzhòng; 种植 zhòngzhí ¶~기 播种机
파-죽음 명 半死不活 bànsǐbùhuó ¶그는 하루 종일 여기저기 뛰어다니느라 ~이 되었다 他整天跑来跑去, 累得半死不活
파:죽지세(破竹之勢) 명 势如破竹 shìrúpòzhú
파:지(破紙) 명 废纸 fèizhǐ
파:직(罷職) 명하타 撤职 chèzhí; 免职 miǎnzhí ¶~ 공고 撤职公告 / ~ 명단 撤职名单 / ~ 통지 免职通知
파:찰-음(破擦音) 명 〖語〗 塞擦音 sècāyīn
파출-부(派出婦) 명 钟点家政妇 zhōngdiǎn jiāzhèngfù; 计日打杂女佣 jìrì dǎzá nǚyōng
파출-소(派出所) 명 1 派出机构 pàichū jīgòu 2 〖法〗 派出所 pàichūsuǒ
파충-류(爬蟲類) 명 爬虫类 páchónglèi
파카(parka) 명 派克大衣 pàikè dàyī; 风雪大衣 fēngxuě dàyī
파트(part) 명 1 部分 bùfen; 要素 yàosù ¶중요 ~ 重要的部分 / 기본 ~ 基本要素 2 〖音〗 声部 shēngbù 3 〖音〗 = 악장
파트너(partner) 명 1 伙伴 huǒbàn; 同伙 tónghuǒ; 同伴 tóngbàn ¶~를 찾다 寻找同伴 2 配偶 pèi'ǒu
파티(party) 명 宴会 yànhuì; 社会集会 shèhuì jíhuì; 晚会 wǎnhuì; 派对 pàiduì ¶생일 ~ 生日宴会 / ~에 참가하다 参加宴会
파:편(破片) 명 破片 pòpiàn; 碎片 suìpiàn ¶유리 ~ 玻璃破片
파:-하다(罷—) 자타 结束 jiéshù; 完成 wánchéng ¶회의는 이미 파했다 会议已经结束了
파-헤치다 타 1 扒开 bākāi; 挖开 wākāi ¶손으로 땅굴을 ~ 用手把地洞扒开 2 揭开 jiēkāi ¶드디어 비밀을 파헤쳤다 终于揭开了秘密
파:혼(破婚) 명하자타 退亲 tuìqīn; 解除婚约 jiěchú hūnyuē; 退婚 tuìhūn
팍 부 1 用力 yònglì ¶~ 찌르다 用力刺 2 有气无力地 yǒuqìwúlìde
팍팍 부 1 用力地 yònglìde ¶가슴을 ~ 찌르다 用力地刺到胸部 2 无力地 wúlìde ¶바닥에 ~ 넘어지다 无力地跌倒在地 3 深深地 shēnshēnde ¶걸을수록 진흙에 ~ 빠지다 越走越深深地陷进泥土去
팍팍-하다 형 1 (腿) 沉重 chénzhòng ¶발걸음이 ~ 步伐沉重 2 (食品) 发面 fāmiàn; 发渣 fāzhā ¶감자가 ~ 马铃薯很发面
판 一명 场 chǎng; 局面 júmiàn; 场面 chǎngmiàn; 场合 chǎnghé; 场所 chǎngsuǒ ¶난장~ 乱场 二의명 1 局 jú ¶이~사~ 死局 2 局 jú; 盘 pán ¶바둑 한 ~ 一局围棋
판(板) 一명 1 = 널빤지 2 盘 pán ¶바둑~ 围棋盘 3 〖印〗 = 판(版) 4 = 음반 二의명 盘 pán《30个鸡蛋为一盘》¶계란 한 ~ 一盘鸡蛋
판(版) 명 〖印〗 版 bǎn = 판(板)3 ¶초~ 第一版 / 개정~ 修订版
판(瓣) 명 1 〖植〗 = 꽃잎 2 〖生〗 = 판막 3 〖機〗 活门 huómén
-판(版·判) 접미 开本 kāiběn《纸张尺寸规格》¶대형~ 大型开本 / 타블로이드~ 四开本
판-가름 명하타 判断 pànduàn; 明辨 míngbiàn
판각(板刻) 명하타 〖印〗 刻板 kèbǎn; 雕版 diāobǎn
판각-본(板刻本) 명 〖印〗 板刻本 bǎnkèběn; 雕版本 diàobǎnběn; 刻本 kèběn; 木版 mùbǎn = 각판(刻板)·목판(木版)·판본
판결(判決) 명하자타 判决 pànjué; 裁决 cáijué ¶~문 判决书 / ~을 기다리다 等待判决
판권(版權) 명 1 〖法〗 版权 bǎnquán ¶~은 원작자가 가진다 版权归原作者所有 2 〖印〗 = 판권장
판권-장(版權張) 명 〖印〗 版权页 bǎnquányè = 판권2
판다(panda) 명 〖動〗 熊猫 xióngmāo; 猫熊 māoxióng

판단(判斷) 명하타 判断 pànduàn ¶~력 判断力 / 네 ~이 옳다 你的判断对

판도(版圖) 명 **1** 版图 bǎntú ¶~를 넓히다 扩大版图 **2** 势力范围 shìlì fànwéi ¶정계의 ~가 크게 달라졌다 政界的势力范围发生了极大的变动

판독(判讀) 명하타 判读 pàndú; 解读 jiědú ¶위성 사진 ~ 卫星图像判读

판-돈 명 赌注 dǔzhù; 赌资 dǔzī

판례(判例) 명 〖法〗 判例 pànlì; 案例 ànlì ¶~법 判例法

판로(販路) 명 销路 xiāolù ¶~를 뚫다 撕开了销路

판막(瓣膜) 명 〖生〗 瓣膜 bànmó = 판(瓣)2

판매(販賣) 명하타 贩卖 fànmài; 销售 xiāoshòu ¶~가 销售价格 / ~량 销售量 / 채소를 ~하다 贩卖蔬菜

판매-액(販賣額) 명 销售额 xiāoshòu'é = 매상(賣上)2 · 매상고 · 매상액

판매-원(販賣員) 명 售货员 shòuhuòyuán

판명(判明) 명하타 判明 pànmíng; 辨明 biànmíng ¶진상을 ~하다 判明真相

판-박이(版—) 명 **1** 毫无变化 háowú biànhuà; 死板 sǐbǎn ¶~ 직원은 창의력이 부족하다 死板员工缺乏创意 **2** 一模一样 yīmúyīyàng ¶이 아이는 할아버지와 ~이다 这孩子和他爷爷一模一样 **3** 印刷 yìnshuā; 印刷品 yìnshuāpǐn ¶잡지를 ~하다 印刷杂志

판별(判別) 명하타 判别 pànbié; 辨别 biànbié; 鉴别 jiànbié ¶적합한 ~ 규칙을 세우다 建立一个合适的判别规则

판본(版本 · 板本) 명 〖印〗 = 판각본

판사(判事) 명 〖法〗 审判员 shěnpànyuán; 审判官 shěnpànguān

판-세(—勢) 명 局势 júshì; 局面 júmiàn

판-소리 명 〖音〗 说唱 shuōchàng; 清唱 qīngchàng

판이-하다(判異—) 형 迥异 jiǒngyì; 迥然不同 jiǒngránbùtóng ¶판이한 성격 迥然不同的性格

판자(板子) 명 = 널빤지

판자-때기(板子—) 명 '판자' 的俗称

판자-촌(板子村) 명 棚户区 pénghùqū

판잣-집(板子—) 명 木板房 mùbǎnfáng; 棚户 pénghù

판촉(販促) 명 促销 cùxiāo ¶~물 促销物 / ~ 활동 促销活动

판-치다 자 霸道 bàdào ¶곳곳에서 ~ 到处横行霸道

판판-하다 형 平坦 píngtǎn ¶판판한 도로 平坦的道路 **판판-히** 부

판화(版畫) 명 〖美〗 版画 bǎnhuà

팔 명 手臂 shǒubì; 胳膊 gēbo

팔(八) 수관 八 bā

팔각(八角) 명 八角 bājiǎo ¶~정 八角亭 / ~형 八角形

팔-걸이 명 **1** (椅子) 扶手 fúshou ¶의자 양 옆의 ~ 椅子两边的扶手 **2** 〖體〗 (摔跤) 手扳腿 shǒubāntuǐ

팔-꿈치 명 〖生〗 胳膊肘 gēbozhǒu

팔다 타 **1** 卖 mài; 出售 chūshòu; 出卖 chūmài ¶각종 물건을 ~ 卖各种东西 **2** (注意力) 分散 fēnsàn; 溜号 liūhào ¶정신을 딴 데 ~ 精神分散 **3** 毁坏 huǐhuài ¶남의 이름을 ~ 毁坏别人的名誉 **4** (粮食) 买 mǎi ¶밥을 하려고 쌀을 팔아 오다 买大米回来做饭

팔-다리 명 胳膊腿 gēbotuǐ; 四肢 sìzhī ¶~에 힘이 없다 四肢没有力气

팔도(八道) 명 八道 bādào ¶~강산 八道江山

팔-등신(八等身) 명 八头身 bātóushēn; 八等身 bāděngshēn; 标准身材 biāozhǔn shēncái ¶~ 미녀 八头身美女

팔딱 부하자타 一蹦 yībèng; 一跳 yītiào ¶깜짝 놀라 ~ 뛰다 吓了一跳

팔딱-거리다 자타 **1** 直蹦 zhíbèng; 直跳 zhítiào ¶그녀의 가슴이 ~ 她的心直跳 **2** 蹦蹦跳跳 bèngbengtiàotiào ¶이 아이는 하루종일 팔딱거린다 这孩子整天蹦蹦跳跳的 **3** 进进出出 jìnjìnchūchū ¶끊임없이 ~ 不断地进进出出 **4** 轻易生气 qīngyì shēngqì ‖= 팔딱대다 **팔딱-팔딱** 부하자타

팔뚝 명 小臂 xiǎobì; 小胳膊 xiǎogēbo

팔랑-개비 명 **1** 风车 fēngchē = 바람개비 · 풍차2 **2** 轻浮的人 qīngfúde rén ¶~와는 사귀지 마라 别跟轻浮的人交往

팔레트(프palette) 명 〖美〗 调色板 tiáosèbǎn

팔-리다 자 '팔다' 的被动词 ¶자전거가 ~ 自行车被卖掉了 / 술과 여자에 정신이 ~ 沉溺于酒色

팔-목 명 手腕 shǒuwàn

팔방-미인(八方美人) 명 **1** 绝色佳人 juésè jiārén ¶그녀는 ~이라 할 만하다 她称得上绝色佳人 **2** 全才 quáncái; 八斗才 bādǒucái ¶그녀는 뭐든지 할 수 있는 ~이다 她是什么都会的全才

팔-베개 명하자 枕胳膊 zhěn gēbo ¶~를 베다 枕胳膊

팔-불출(八不出) 명 饭囊衣架 fànnángyījià; 酒囊饭袋 jiǔnángfàndài; 笨瓜 bènguā; 傻瓜 shǎguā; 愚人 yúrén; 蠢材 chǔncái ¶그는 ~이다 他是个蠢材

팔순(八旬) 명 八旬 bāxún ¶~ 노인 八旬老人

팔-심 명 臂力 bìlì ¶그는 ~이 아주 세다 他臂力很大

팔십(八十) 수관 八十 bāshí ¶그는 올

해 ~세이다 他今年八十岁
팔-씨름 명하자 掰腕子 bāi wànzi
팔아-먹다 타 1 卖掉 màidiào; 出卖 chūmài ¶집을 ~ 把房子卖掉 2 (注意力) 不集中 bùjízhōng; (精力) 分散 fēnsàn ¶정신을 딴 데 ~ 注意力不集中 3 (粮食) 买 mǎi ¶콩을 ~ 买大豆吃
팔월(八月) 명 八月 bāyuè
팔자(八字) 명 八字 bāzì; 命运 mìngyùn ¶사람 ~는 아무도 모른다 一个人的命运谁都不知道
팔자-걸음(八字—) 명 八字步 bāzìbù
팔짝 부하자타 1 一蹦一跳 yībèngyītiào 2 一下子 yīxiàzi ¶아이가 공중으로 ~ 뛰어올랐다 孩子一下子跳到空中
팔짝-거리다 자타 1 一蹦一跳 yībèngyītiào 2 一下子 yīxiàzi ‖= 팔짝대다
팔짝-팔짝 부하자타
팔짱 명 1 袖手 xiùshǒu 2 抱臂 bàobì
팔찌 명 手镯 shǒuzhuó
팔촌(八寸) 명 堂房叔伯兄弟 tángfáng shūbó xiōngdì
팔팔 부 1 噗噗 pūpū; 咕嘟咕嘟 gūdūgūdū ¶물이 ~ 끓고 있다 水噗噗地开着 2 滚烫 gǔntàng; 滚烫滚烫 gǔntànggǔntàng ¶~ 끓는 청춘 滚烫的青春 3 扑棱扑棱 pūlēngpūlēng ¶~ 뛰는 신선한 생선 扑棱扑棱直跳的新鲜的鱼
팔팔-하다 형 1 活泼 huópo; 朝气勃勃 zhāoqìbóbó ¶팔팔한 젊은이 朝气勃勃的小伙子 2 急躁 jízào ¶그는 성미가 아주 ~ 他性格很急躁
팔푼-이(八—) 명 饭囊衣架 fànnángyījià; 酒囊饭袋 jiǔnángfàndài; 笨瓜 bènguā; 傻瓜 shǎguā; 愚人 yúrén; 蠢材 chǔncái
팝송(pop song) 명 〖音〗欧美流行歌曲 Ōu Měi liúxíng gēqǔ; 欧美歌曲 Ōu Měi gēqǔ
팝콘(popcorn) 명 爆玉米花 bàoyùmǐhuā
팡 부 砰 pēng; 轰 hōng ¶풍선이 ~ 하고 터졌다 气球砰地爆炸了
팥 명 〖植〗小豆 xiǎodòu ¶~떡 小豆糕 / ~알 小豆粒 / ~죽 小豆粥
패:(敗) 一명하자타 打败 dǎbài; 失败 shībài 二의명 败 bài
패[1](牌) 명 1 牌 pái; 牌子 páizi; 标牌 biāopái ¶~를 떼다 掉牌 2 (纸牌的) 点数 diǎnshù
패[2](牌) 명 团伙 tuánhuǒ; 群体 qúntǐ; 帮派 bāngpài ¶~를 짜다 结成团伙
패:가(敗家) 명하자 倾家荡产 qīngjiādàngchǎn; 家破 jiāpò ¶~망신 家破人亡
패-거리(牌—) 명 一伙 yīhuǒ; 一党 yīdǎng
패:권(霸權) 명 霸权 bàquán ¶~을 두고 다투다 争夺霸权
패:기(霸氣) 명 霸气 bàqì ¶~가 부족하다 缺乏霸气
패널(panel) 명 1 〖建〗壁板 bìbǎn 2 〖美〗油画板 yóuhuàbǎn; 板面油画 bǎnmiànyóuhuà 3 〖法〗陪审员 péishěnyuán
패:다[1] 자 (穗) 抽 chōu; 出 chū ¶벼에서 이삭이 패어 나왔다 水稻抽出稻穗来了
패:다[2] 타 猛打 měng dǎ; 殴打 ōudǎ ¶이유 없이 다른 사람을 ~ 无故殴打他人
패:다[3] 타 砍 kǎn ¶장작을 ~ 砍柴
패대기-치다 타 大摔大扔 dàshuāidàrēng ¶책상 위의 물건을 ~ 把桌子上的东西大摔大扔
패랭이-꽃 명 〖植〗石竹 shízhú; 天菊 tiānjú
패러다임(paradigm) 명 范式 fànshì
패러독스(paradox) 명 〖論〗 = 역설(逆說)2
패러디(parody) 명하타 〖文〗 1 诙谐模仿 huīxié mófǎng 2 诙谐模仿作品 huīxié mófǎng zuòpǐn
패:륜(悖倫) 명하형 悖伦 bèilún; 乱伦 luànlún ¶~아 乱伦者
패:망(敗亡) 명하자 败亡 bàiwáng ¶전왕조의 ~ 원인 前朝败亡的原因
패:물(佩物) 명 佩物 pèiwù; 佩饰 pèishì
패:배(敗北) 명하자 1 败北 bàiběi; 失败 shībài ¶~자 失败者 / ~주의 失败主义 / 이번 전투에서 우리는 철저하게 ~했다 这场战斗中我们彻底败北了 2 = 패주
패:색(敗色) 명 败势 bàishì; 败北的迹象 bàiběide jìxiàng ¶~이 짙다 败势已定
패션(fashion) 명 1 (新的) 样式 yàngshì; 样子 yàngzi ¶독특한 ~ 独特的样式 2 流行 liúxíng; 时兴 shíxīng; 时髦 shímáo ¶새로운 ~ 新的时髦
패션-모델(fashion model) 명 时装模特儿 shízhuāng mótèr = 모델3
패션-쇼(fashion show) 명 时装表演 shízhuāng biǎoyǎn
패:소(敗訴) 명하자 〖法〗败诉 bàisù ¶법원이 법에 의거해 ~를 판결하다 法院依法判决败诉
패스(pass) 명하자타 1 通过 tōngguò; 合格 hégé; 及格 jígé ¶입학시험에 ~했다 通过了入学考试 2 通行证 tōngxíngzhèng 3 乘车票 chéngchēpiào; 票 piào ¶무료 ~ 免费乘车票 / 지하철 월정기 ~ 地铁月票 4 = 여권(旅券) 5 〖體〗传球 chuánqiú ¶~가 비교적 정

확하다 传球准确性较高
패스워드(password) 명 【컴】 密码 mìmǎ = 암호2
패스트-푸드(fast food) 명 快餐 kuàicān; 快餐食品 kuàicān shípǐn ¶~점 快餐店
패스포트(passport) 명 1 = 여권(旅券) 2 通行证 tōngxíngzhèng
패-싸움(牌―) 명 群架 qúnjià; 派别斗争 pàibié dòuzhēng ¶그들은 ~을 했다 他们搞了派别斗争
패:자(敗者) 명 败者 bàizhě
패:자(霸者) 명 1 霸王 bàwáng; 王者 wángzhě; 称霸 chēngbà ¶춘추 시대의 ~春秋时代的霸王 2 无敌者 wúdízhě ¶씨름판의 ~ 斛场的无敌者
패:잔(敗殘) 명하자 残 cán; 残余 cányú ¶~병 残兵
패:전(敗戰) 명하자 战败 zhànbài ¶~국 战败国
패:주(敗走) 명하자 溃逃 kuìtáo = 패배2 ¶적군이 모두 ~했다 敌军都溃逃了
패:지(敗紙) 명 废纸 fèizhǐ; 破纸 pòzhǐ ¶~를 줍다 捡废纸
패키지(package) 명 【信】 1 包裹 bāoguǒ 2 打包 dǎbāo; 包装 bāozhuāng
패턴(pattern) 명 1 型 xíng; 模型 móxíng ¶소비 ~ 消费模型 2 模范 mófàn; 榜样 bǎngyàng 3 花样 huāyàng; 图案 tú'àn ¶유행 ~ 流行图案
팩(pack) 명 1 箱 xiāng; 袋(儿) dài(r); 包装容器 bāozhuāng róngqì ¶비닐 ~ 塑料袋 2 护肤霜 hùfūshuāng; 香脂 xiāngzhī
팩스(fax) 명 【信】 = 팩시밀리
팩시밀리(facsimile) 명 【信】 传真机 chuánzhēnjī = 팩스
팬(fan) 명 1 电扇 diànshàn ¶~이 멈췄다 电扇停了 2 (体育、文艺等的) 迷 mí ¶오늘은 축구~들이 많이 왔다 今天来了很多球迷
팬-레터(fan letter) 명 影迷来信 yǐngmí láixìn; 球迷来信 qiúmí láixìn
팬지(pansy) 명 【植】 三色紫罗兰 sānsè zǐluólán
팬티(←panties) 명 内裤 nèikù; 裤衩(儿) kùchǎ(r) ¶삼각~ 三角内裤
팬티-스타킹(panty stocking) 명 连袜裤 liánwàkù; 连裤袜 liánkùwà
팸플릿(pamphlet) 명 1 小册子 xiǎocèzi 2 小论文 xiǎolùnwén
팻-말(牌―) 명 标志牌 biāozhìpái; 木牌 mùpái
팽 부 1 滴溜溜 dīliūliū ¶풍차가 ~ 하고 한번 돌다 风车滴溜溜地一转 2 一涨 yīzhàng; 天旋地转地 tiānxuándìzhuànde ¶내 친구가 ~ 하고 땅에 넘어졌다 我的朋友天旋地转地倒在了地上 3 盈眶 yíngkuàng ¶그는 사형을 선고받은 뒤에 눈물이 ~ 돌았다 他被判死刑后眼泪盈眶
팽개-치다 타 扔 rēng; 抛 pāo ¶옷을 침대 위에 ~ 把衣服扔在床上
팽그르르 부하자 1 滴溜溜 dīliūliū ¶팽이가 ~ 돌다 陀螺滴溜溜地转 2 发晕 fāyùn; 眩晕 xuànyùn ¶머리가 갑자기 ~ 돌다 头突然发晕
팽배(澎湃·彭湃) 명하자 澎湃 péngpài; 高涨 gāozhǎng ¶열정이 ~하다 热情高涨
팽이 명 陀螺 tuóluó ¶~를 치다 抽陀螺
팽창(膨脹) 명하자 1 (数量、势力、范围) 膨胀 péngzhàng ¶통화 ~ 通货膨胀 / 인구 ~ 人口膨胀 2 (体积) 膨胀 péngzhàng ¶금속은 열을 받으면 ~한다 金属受了热就会膨胀
팽팽-하다 형 1 紧 jǐn; 紧绷绷 jǐnbēngbēng ¶활시위가 ~ 弓弦多紧绷绷的 2 不相上下 bùxiāngshàngxià; 旗鼓相当 qígǔxiāngdāng ¶팽팽한 경기 旗鼓相当的比赛 3 (脾气) 乖戾 guāilì 4 紧张 jǐnzhāng ¶팽팽한 분위기 紧张的氛围 **팽팽-히** 부
팽팽-하다(膨膨―) 형 富有弹性 fùyǒu tánxìng ¶얼굴 피부가 ~ 面部皮肤富有弹性 **팽팽-히** 부
퍼-내다 타 舀出 yǎochū; 淘出 táochū ¶웅덩이의 물을 ~ 舀出坑水
퍼덕-거리다 자타 1 扑棱 pūleng; 扑棱扑棱 pūlengpūleng ¶참새가 퍼덕거리며 날아오르다 麻雀扑棱地飞起来 2 扑腾 pūteng; 扑腾扑腾 pūtengpūteng ‖ = 퍼덕대다 **퍼덕-퍼덕** 부하자타
퍼덕-이다 자타 1 扑棱 pūleng; 扑棱扑棱 pūlengpūleng ¶까치가 날개를 ~ 喜雀扑棱着翅膀 2 扑腾 pūteng; 扑腾扑腾 pūtengpūteng
퍼:-뜨리다 타 传播 chuánbō; 传布 chuánbù; 散布 sànbù; 扩散 kuòsàn = 퍼트리다 ¶정보를 ~ 传播信息 / 소문을 ~ 散布风闻
퍼뜩 부하형 1 忽然 hūrán; 突然 tūrán; 一下子 yīxiàzi ¶아이 생각이 ~ 나다 突然想孩子 2 忽然 hūrán; 突然 tūrán ¶허허벌판에 ~ 불빛이 나타났다 无边平原里突然出现了一点火光 3 忽然 hūrán; 突然 tūrán ¶그는 ~ 정신을 차렸다 他突然回神了
퍼뜩-퍼뜩 부하형 忽然 hūrán; 突然 tūrán ¶재작년 일이 ~ 생각났다 突然想起前年的事
퍼렇다 형 深蓝 shēnlán; 深绿 shēnlǜ; 发青 fāqīng ¶퍼런 혹 发青的大包
퍼레이드(parade) 명 行列 hángliè;

队列 duìliè; 游行 yóuxíng ¶축하 ~ 祝贺队列

퍼레-지다 자 变蓝 biàn lán; 变绿 biàn lǜ; 变青 biàn qīng ¶입술이 ~ 变青嘴唇

퍼-먹다 타 大吃 dàchī; 狼吞虎咽 lángtūnhǔyàn ¶그는 게 눈 감추듯 밥을 다 퍼먹었다 他狼吞虎咽地吃完饭了

퍼-붓다 一자 1 (大雨) 倾盆 qīngpén; 倾泻 qīngxiè; (大雪) 纷纷 fēnfēn ¶하루 종일 비가 ~ 倾盆大雨下了一整天 2 瞌睡 kēshuì; 发困 fākùn 二타 1 浇 jiāo; 泼 pō; 倾倒 qīngdào ¶물을 ~ 泼水 2 (大骂) 破口 pòkǒu; 横加 héngjiā ¶그는 아주 화가 나서 우리에게 욕을 퍼부었다 他很生气, 向我们破口大骂了 3 猛烈射击 měngliè shèjī ¶기관총을 맹렬히 ~ 机枪向猛烈射击

퍼석-하다 형 酥脆 sūcuì; 松脆 sōngcuì ¶땅콩이 매우 ~ 花生很松脆

퍼센트(percent) 의명 百分率 bǎifēnlǜ; 百分比 bǎifēnbǐ = 프로(←네pro-cent) ¶60~ 百分率六十

퍼센티지(percentage) 명 = 백분율

퍼즐(puzzle) 명 难题 nántí; 迷 mí; 猜迷 cāimí; 智力游戏 zhìlì yóuxì; 测智游戏 cèzhì yóuxì

퍼:지다 자 1 宽大 kuāndà; 宽阔 kuānkuò ¶바짓가랑이가 ~ 裤腿宽大 2 发胖 fāpàng; 长胖 zhǎngpàng 3 扩展 kuòzhǎn; 扩散 kuòsàn; 传播 chuánbō; 流布 liúbù; 蔓延 mànyán ¶불길이 사방으로 ~ 火势向四面扩展 4 增多 zēngduō; 发展 fāzhǎn; 繁盛 fánshèng ¶신종업이 무한히 ~ 新业务无限繁盛 5 烂熟 lànshú; 发胀 fāzhàng ¶떡국을 너무 끓여 ~ 粘糕汤煮得烂熟

퍼-지르다 자타 1 随便伸 suíbiàn shēn; 伸开腿坐 shēnkāi tuǐzuò ¶구석에 퍼질러 앉다 伸开腿坐在一个角落里 2 破口 pòkǒu; 横加 héngjiā ¶욕설을 ~ 破口大骂

퍼:-트리다 타 = 퍼뜨리다

퍽[1] 부 1 扑地 pūde ¶~ 한 대 치다 扑地一打 2 瘫软地 tānruǎnde ¶그는 ~ 쓰러졌다 他瘫软地倒下了 3 咕唧地 gūjīde ¶진흙 구덩이에 ~ 빠지다 咕唧地陷进泥坑

퍽[2] 부 很 hěn; 颇为 pōwéi; 相当 xiāngdāng ¶이 옷은 너에게 ~ 잘 어울린다 这件衣服很适合你

퍽-퍽 부 1 扑扑地 pūpūde ¶그의 옷을 ~ 털다 扑扑地掸他的衣服 2 瘫软地 tānruǎnde ¶그의 몸이 ~ 넘어지다 他的身躯瘫软地倒下 3 咕唧地 gūjīde ¶발이 진흙 속에 ~ 빠지다 脚咕唧地陷干泥地里

퍽퍽-하다 형 1 松散 sōngsǎn; 酥散 sūsǎn ¶국수가 매우 ~ 面条很松散 2 乏力 fálì ¶온 몸이 ~ 全身乏力

펀드(fund) 명 『經』 资金 zījīn; 基金 jījīn ¶~ 매니저 基金经理 / ~ 정보 资金信息 / 투자 ~ 投资基金

펄 명 = 개펄

펄떡 부하자타 1 扑棱 pūlēng ¶물고기가 ~ 뛰어오르다 鱼扑棱跳起来 2 怦怦 pēngpēng

펄떡-거리다 자타 1 扑棱 pūleng; 扑棱扑棱 pūlengpūleng ¶방금 잡힌 큰 물고기가 ~ 刚被抓的大 鱼扑棱 2 (气得) 团团转 tuántuánzhuàn 3 出出进进 chūchujìnjìn ¶고급 승용차가 ~ 高档次的轿车出出进进 4 怦怦直跳 pēngpēng zhí tiào ¶가슴이 ~ 心怦怦直跳 ‖ = 펄떡대다 **펄떡-펄떡** 부하자타

펄떡-이다 자타 1 扑棱 pūleng; 扑棱扑棱 pūlengpūleng 2 (气得) 团团转 tuántuánzhuàn 3 出出进进 chūchujìnjìn 4 怦怦直跳 pēngpēng zhí tiào

펄럭-거리다 자타 飘扬 piāoyáng; 飘舞 piāowǔ; 飘荡 piāodàng = 펄럭대다 ¶오성홍기가 바람에 ~ 五星红旗迎风飘扬 **펄럭-펄럭** 부하자타

펄럭-이다 자타 飘扬 piāoyáng; 飘舞 piāowǔ; 飘荡 piāodàng ¶만국기가 바람에 ~ 万国旗迎风飘荡

펄쩍 부하자타 1 哗啦 huālā 《开门声》 ¶문을 ~ 열다 哗啦地开门 2 腾地一下 téngde yīxià; 哗啦一下 huālā yīxià ¶관중들이 ~ 일어나다 观众们腾地一下站起来 3 忽然 hūrán ¶나는 정신이 ~ 들었다 我忽然清醒瞭

펄쩍-거리다 자타 1 哗啦 huālā 《开门声》 2 一蹿一蹿地跳 yīcuānyīcuānde tiào ‖ = 펄쩍대다 **펄쩍-펄쩍** 부하자타

펄펄 부 1 滚烫地 gǔntàngde ¶국이 ~ 끓기 시작하다 汤滚烫地开起来 2 呼啦呼啦 hūlāhūlā ¶국기가 바람에 ~ 날리다 国旗被风飘得呼啦呼啦

펄펄-하다 형 1 急躁 jízào; 急霍霍的 jíhuòhuòde ¶내 성격은 아주 ~ 我的性格很急躁 2 朝气蓬勃 zhāoqìpéngbó; 生气勃勃 shēngqìbóbó ¶기운이 펄펄한 젊은이 朝气蓬勃的青年人

펄프(pulp) 명 『化』 纸浆 zhǐjiāng

펌프(pump) 명 1 水泵 shuǐbèng 2 『物』 唧筒泵 jītǒngbèng

펑 부 砰 pēng; 嘣 pēng 《炸裂声》 ¶~ 하고 유리가 깨졌다 砰的一声, 玻璃碎了

펑크(←puncture) 명 1 (车胎) 爆裂 bàoliè ¶운전 중에 타이어가 ~나다 开车中车胎爆裂了 2 失场 shīchǎng ¶방송에 ~를 내다 失场广播

펑퍼짐-하다 형 又圆又宽 yòu yuán yòu kuān; 平缓 pínghuǎn ¶펑퍼짐한

언덕 平缓的陵丘 / 그녀는 몸매가 ~ 她身态又圆又宽

펑-펑 부하자타 1 哗哗 huāhuā ¶ ~ 쏟아지는 물 哗哗喷出的水 2 (雪) 纷纷 fēnfēn; (水) 哗哗 huāhuā ¶ 큰 눈이 ~ 내리고 있다 大雪纷纷下着 3 (钱财) 挥霍 huīhuò ¶ 재산을 ~ 쓰다 挥霍钱财

페널티(penalty) 명 〖體〗 罚分 fáfēn

페널티 골(penalty goal) 〖體〗 1 (足球) 点球罚中 diǎnqiú fázhòng 2 (橄榄球) 罚球得分 fáqiú défēn

페달(pedal) 명 (缝纫机、钢琴等的) 踏板 tàbǎn; (自行车的) 脚蹬子 jiǎodēngzi

페미니즘(feminism) 명 〖社〗 女权主义 nǚquán zhǔyì; 男女平等主义 nánnǚ píngděng zhǔyì

페스트(pest) 명 〖醫〗 鼠疫 shǔyì; 瘟疫 wēnyì; 黑死病 hēisǐbìng = 흑사병

페스티벌(festival) 명 庆祝活动 qìngzhù huódòng

페이(pay) 명 工资 gōngzī; 薪水 xīnshui; 报酬 bàochou

페이스(pace) 명 〖體〗 步调 bùdiào; 步速 bùsù; 步度 bùdù ¶ ~를 유지하다 保持步调 / ~를 조절하다 调整步调

페이지(page) 명 = 쪽[2]

페인트(paint) 명 〖化〗 油漆 yóuqī; 涂料 túliào ¶ 무독성 ~ 无毒油漆

펜(pen) 명 1 笔 bǐ; 钢笔 gāngbǐ 2 = 펜촉 3 写作活动 xiězuò huódòng ¶ 그는 이미 ~을 놓았다 他已停写作活动

펜-대(pen—) 명 笔杆 bǐgān

펜던트(pendant) 명 垂饰 chuíshì ¶ 목에 ~를 걸다 颈上挂着一个垂饰

펜싱(fencing) 명 〖體〗 击剑 jījiàn

펜-촉(pen鏃) 명 笔尖 bǐjiān = 펜2

펜치(←pinchers) 명 〖工〗 钳子 qiánzi; 铁钳 tiěqián

펜팔(pen pal) 명 笔友 bǐyǒu; 通信朋友 tōngxìn péngyou

펠리컨(pelican) 명 〖鳥〗 鹈鹕 tíhú

펭귄(penguin) 명 〖鳥〗 企鹅 qǐ'é

펴-내다 타 1 发行 fāxíng; 发刊 fākān ¶ 산문집을 ~ 发行散文集 2 伸展 shēnzhǎn; 展开 zhǎnkāi ¶ 이 두루마리 그림을 펴내어 보자 把这轴画儿展开看看

펴낸-이 명 发行人 fāxíngrén

펴다 타 1 铺开 pūkāi; 打开 dǎkāi; 展开 zhǎnkāi ¶ 날개를 ~ 展开翅膀 2 展平 zhǎnpíng; 弄平 nòngpíng ¶ 젖은 책을 ~ 把湿了的书弄平 3 伸直 shēnzhí; 弄直 nòngzhí ¶ 두 다리를 앞으로 ~ 两腿向前伸直 4 舒展 shūzhǎn; 舒张 shūzhāng ¶ 근육과 피부를 ~ 舒展肌肤 5 扩大 kuòdà; 扩充 kuòchōng ¶ 세력을 ~ 扩充势力 6 施行 shīxíng; 推行 tuīxíng ¶ 국민을 위한 정책을 ~ 施行为民政策

펴-지다 자 1 展平 zhǎnpíng; 打开 dǎkāi; 展开 zhǎnkāi ¶ 이 책이 자동으로 펴졌다 这本书自动打开了 2 好转 hǎozhuǎn ¶ 그들은 최근 살림이 조금 펴졌다 他们的生活最近有点好转了

편(便) ㊀명 方 fāng; 帮 bāng; 派 pài; 边 biān; 伙 huǒ; 方面 fāngmiàn ¶ ~을 가르다 分派 ㊁의명 1 方向 fāngxiàng; 面 miàn; 边 biān ¶ 맞은 ~ 对面 2 (利用车、船、飞机等) 乘便 chéngbiàn; 乘机 chéngjī; 借机 jièjī; 就便 jiùbiàn; 乘 chéng ¶ 동생이 가는 ~에 보냈다 乘妹妹前往之便捎去了 3 算是 suànshì ¶ 그는 착한 ~이다 他算是善良

편(篇) 의명 1 篇 piān ¶ 글 한 ~ 一篇文章 / 제1~ 第一篇 2 首 shǒu ¶ 시 한 ~ 一首诗

편견(偏見) 명 偏见 piānjiàn ¶ ~을 가지다 存偏见 / ~을 버리다 消除偏见

편곡(編曲) 명하타 〖音〗 编曲 biānqǔ

편년(編年) 명 编年 biānnián ¶ ~사 编年史 / ~체 编年体

편도(片道) 명 1 单程 dānchéng ¶ ~ 비행기 표 单程机票 2 单方面 dānfāngmiàn

편도-선(扁桃腺) 명 〖生〗 扁桃腺 biǎntáoxiàn; 扁桃体 biǎntáotǐ

편두-통(偏頭痛) 명 〖醫〗 偏头痛 piāntóutòng; 偏脑疼 piānnǎoténg

편-들다(便—) 타 偏袒 piāntǎn; 袒护 tǎnhù ¶ 학생을 ~ 偏袒学生

편람(便覽) 명 便览 biànlǎn; 手册 shǒucè ¶ 논문 ~ 论文便览 / ~도 便览图

편력(遍歷) 명하타 1 遍踏 biàntà; 周游 zhōuyóu ¶ 세계를 ~하다 周游世界 2 阅历丰富 yuèlì fēngfù; 无不经历 wúbùjīnglì ¶ 남성 ~ 男性交往阅历丰富

편리(便利) 명하형 便利 biànlì; 方便 fāngbiàn ¶ 교통이 ~하다 交通方便

편린(片鱗) 명 片断 piànduàn; 一斑 yībān ¶ 기억 속 ~ 记忆中片断

편-먹다(便—) 타 成为一伙 chéngwéi yīhuǒ ¶ 몇 사람이 편먹고 함께 놀다 几个人成为一伙, 一起玩

편모(偏母) 명 寡母 guǎmǔ

편모-슬하(偏母膝下) 명 寡母膝下 guǎmǔ xīxià; 侍奉寡母 shìfèng guǎmǔ ¶ ~에서 컸다 在寡母膝下长大

편백(偏柏) 명 〖植〗 偏柏 biǎnbǎi = 노송나무

편법(便法) 명 简便方法 jiǎnbiàn fāngfǎ; 捷径 jiéjìng

편벽-하다(偏僻—) 형 1 偏向 piānxiàng; 偏心 piānxīn; 不公正 bùgōngzhèng ¶ 교사는 어떤 학생만을 편벽해

서는 안 된다 老师不能偏向某个学生 **2** 偏僻 piānpì ¶편벽한 마을 偏僻的乡村

편성(編成) 명하타 **1** 组编 zǔbiān; 编制 biānzhì; 编造 biānzào ¶예산을 ~하다 编造预算 **2** 编辑 biānjí; 编排 biānpái; 编纂 biānzuǎn ¶광고 ~ 广告编排

편수(編修) 명하타 编修 biānxiū; 编辑 biānjí ¶그림을 ~하다 编修图片

편승(便乘) 명하자 **1** 搭乘 dāchéng ¶여동생이 운전하는 차에 ~하다 搭乘妹妹驾驶的车辆 **2** 顺应 shùnyìng ¶시류에 ~하다 顺应时代潮流

편식(偏食) 명하타 偏食 piānshí; 挑食 tiāoshí ¶아이가 음식을 ~하다 孩子吃饭挑食

편안(便安) 명하형히부 舒服 shūfu; 舒适 shūshì ¶나는 이곳에서 아주 ~히 지낸다 我在这里住得很舒服

편애(偏愛) 명하타 偏爱 piān'ài ¶남자아이만 ~하다 偏爱男孩

편육(片肉) 명 肉片 ròupiàn

편의(便宜) 명 便宜 biànyí; 便利 biànlì; 方便 fāngbiàn ¶그들에게 ~를 봐주다 给他们便宜

편의-점(便宜店) 명 便利店 biànlìdiàn; 便利商店 biànlì shāngdiàn

편입(編入) 명하자타 **1** 插编 chābiān **2** 编入 biānrù; 插班 chābān ¶~생 插班生

편자 명 **1** 马掌 mǎzhǎng; 马蹄铁 mǎtítiě = 철제(鐵蹄) **2** 网巾带子 wǎngjīn dàizi

편자(編者) 명 编者 biānzhě

편저(編著) 명하타 编著 biānzhù

편제(編制) 명하타 编制 biānzhì ¶조직의 ~ 组织的编制 / ~표 编制表

편주(片舟·扁舟) 명 扁舟 piānzhōu; 小舟 xiǎozhōu

편중(偏重) 명하자타 偏重 piānzhòng; 侧重 cèzhòng ¶한 과목에만 ~하다 偏重一门课

편지(便紙·片紙) 명 信 xìn; 书信 shūxìn; 信函 xìnhán; 书简 shūjiǎn; 书札 shūzhá; 书函 shūhán; 书牍 shūdú = 서간·서신·서찰·서한 ¶~지 信纸 / ~ 한 통을 받았다 收到了一封书信

편직(編織) 명 〖手工〗 编织 biānzhī ¶~물 编织物

편집(編輯) 명하타 编辑 biānjí; 剪辑 jiǎnjí; 剪接 jiǎnjiē ¶~국 编辑局 / ~부 编辑部 / ~원 编辑人员 / ~자 编辑人 / 사진 ~ 图片编辑

편집-장(編輯長) 명 主编 zhǔbiān; 主笔 zhǔbǐ; 总编辑 zǒngbiānjí

편차(偏差) 명 〖數〗 偏差 piānchā

편찬(編纂) 명하타 编纂 biānzuǎn ¶~위원회 编纂委员会 / 역사서 ~ 历史读本编纂

편찮다(便—) 형 **1** 不舒适 bùshūshì; 不舒服 bùshūfu ¶마음이 ~ 心里不舒服 **2** (身体)不适 bùshì; 生病 shēngbìng; 病痛 bìngtòng ¶선생님께서 편찮으시다 老师生病了

편파(偏頗) 명하형 偏颇 piānpō; 不公正 bùgōngzhèng; 不公平 bùgōngpíng; 偏向 piānxiàng ¶~성 偏颇性 / ~적 偏颇的 / ~ 보도 偏颇报道

편평-하다(扁平—) 형 平坦 píngtǎn; 扁平 biǎnpíng ¶엉덩이가 아주 ~ 臀部很扁平 **편평-히** 부

편-하다(便—) 형 **1** 舒适 shūshì; 舒服 shūfu; 舒坦 shūtan ¶그녀와 함께 있으면 마음이 아주 ~ 跟她在一起, 我觉得挺舒服 **2** 便利 biànlì; 方便 fāngbiàn ¶이렇게 하면 훨씬 ~ 这样就方便多了

편향(偏向) 명하자 偏向 piānxiàng; 偏差 piānchā ¶서구 문화에 ~되다 偏向于西方文化

편협(偏狹·褊狹) 명하형 狭隘 xiá'ài; 度量小 dùliàng xiǎo ¶속이 좁고 ~하다 心胸狭窄度量小

펼치다 타 **1** 打开 dǎkāi; 翻开 fānkāi; 铺开 pūkāi; 展开 zhǎnkāi ¶신문을 ~ 打开报纸 / 이불을 ~ 铺开被子 **2** 开展 kāizhǎn; 展现 zhǎnxiàn; 实现 shíxiàn ¶꿈을 ~ 实现梦想 / 투쟁을 ~ 开展斗争

폄:훼(貶毁) 명하타 诋毁 dǐhuǐ; 诽谤 fěibàng ¶동료를 ~하다 诋毁同行

평(坪) 의명 坪 píng ¶토지 백 ~ 土地一百坪

평:(評) 명하타 评定 píngdìng; 评价 píngjià; 评论 pínglùn ¶이 상품에 대한 사람들의 ~이 좋다 人们对这个商品的评价很好

평가(評價) 명하타 评价 píngjià; 评定 píngdìng; 估价 gūjià ¶신용 ~ 信用评价 / 정확한 ~가 필요하다 需要正确的估价

평각(平角) 명 〖數〗 平角 píngjiǎo

평균(平均) 명하타 **1** 平均 píngjūn ¶~값 平均值 / ~ 기온 平均气温 / ~ 수명 平均寿命 / ~ 연령 平均年龄 / 수확된 토란이 ~ 4kg 이상이다 收获的芋头每个平均4公斤以上 **2** 〖數〗 平均值 píngjūnzhí = 평균치

평균-대(平均臺) 명 〖體〗 平台 píngtái; 平衡木 pínghéngmù = 평형대

평균-치(平均値) 명 〖數〗 = 평균2

평년(平年) 명 **1** 平年 píngnián; 一般年景 yībān niánjǐng **2** 〖天〗 (历法上的)平年 píngnián ¶~과 윤년 平年和闰年

평년-작(平年作) 명 〖農〗 平年收成

píngnián shōucheng = 평작1 ¶ ~에 속하다 属平年收成
평등(平等) 명하형 平等 píngděng ¶ ~권 平等权 / ~ 조약 平等条约
평-론(評論) 명하타 评论 pínglùn ¶ ~가 评论家 / ~계 评论界 / ~집 评论集 / 학술 사상을 과학적으로 ~하다 科学地评论学术思想
평면(平面) 명 **1** 平面 píngmiàn ¶ ~도 平面图 **2** 〖數〗 平面 píngmiàn
평민(平民) 명 平民 píngmín; 庶民 shùmín; 百姓 bǎixìng; 黎民 límín
평-발(平—) 명 扁平足 biǎnpíngzú
평방(平方) 명 平方 píngfāng
평범-하다(平凡—) 형 平凡 píngfán; 平常 píngcháng; 平淡 píngdàn; 平庸 píngyōng; 凡庸 fányōng ¶ 평범한 내용 平淡的内容 / 외모가 ~ 外貌平凡 **평범-히** 부
평복(平服) 명 = 평상복
평상(平床·平牀) 명 平板床 píngbǎnchuáng ¶ 그는 ~에 누워 책을 보고 있다 他在平板床上躺着看书
평상(平常) 명부 = 평상시
평상-복(平常服) 명 便服 biànfú; 休闲服 xiūxiánfú = 평복
평상-시(平常時) 명 平常 píngcháng; 平时 píngshí; 平素 píngsù = 상시2 · 평상(平常) · 평소 · 평시 · 평일 ¶ 그는 ~ 말을 잘 하지 않는다 他平时不爱说话
평생(平生) 명 = 일생 ¶ ~ 변치 않다 一生不变 / ~ 모르다 一辈子都不知道 / ~ 참회하다 终生忏悔
평생-토록(平生—) 명 终身 zhōngshēn; 一辈子 yībèizi; 终生 zhōngshēng; 一生 yīshēng = 일생토록 ¶ ~ 후회하다 终身后悔
평서-문(平敍文) 명 〖語〗 陈述句 chénshùjù = 서술문
평서-형(平敍形) 명 〖語〗 叙述形 xùshùxíng = 서술형
평소(平素) 명 = 평상시
평시(平時) 명 = 평상시
평안(平安) 명하형히부 平安 píng'ān; 无恙 wúyàng ¶ 마음의 ~을 잃다 心理失平安 / 집안이 ~하다 全家平安
평야(平野) 명 平野 píngyě; 平原 píngyuán
평온(平穩) 명하형히부 平稳 píngwěn; 平静 píngjìng; 宁静 níngjìng ¶ ~한 날들 平稳的日子 / ~을 유지하려고 노력하다 努力保持平静
평원(平原) 명 平原 píngyuán; 原野 yuányě
평:의(評議) 명하타 评议 píngyì ¶ ~원 评议员 / ~회 评议会 / ~를 하다 进行评议
평이-하다(平易—) 형 平易 píngyì; 容易 róngyì; 通俗 tōngsú ¶ 시험 문제가 ~ 考试问题平易
평일(平日) 명 = 평상시
평작(平作) 명 〖農〗 **1** = 평년작 **2** 无垄耕作 wúlǒng gēngzuò
평:점(評點) 명 **1** 着重点 zhuózhòngdiǎn **2** 评分 píngfēn ¶ 이번 학기 ~은 4.0이다 本学期的评分是4.0 **3** 评定物价 píngdìng wùjià
평:정(平定) 명하타 平定 píngdìng; 平息 píngxī ¶ 내부 반란을 ~하다 平息内部叛乱
평:정(評定) 명하타 评定 píngdìng; 鉴定 jiàndìng ¶ 성능을 ~하다 评定性能
평지(平地) 명 平地 píngdì
평탄(平坦) 명하형히부 **1** 平坦 píngtǎn ¶ ~한 도로 平坦的道路 **2** 坦然 tǎnrán; 平静 píngjìng ¶ 마음의 ~을 잃다 心思失平静 **3** 顺利 shùnlì ¶ 업무 과정이 ~하다 业务过程顺利
평:판(評判) 명하타 **1** 评论 pínglùn; 评价 píngjià; 评判 píngpàn ¶ 정확한 ~ 正确的评论 **2** 声价 shēngjià; 声闻 shēngwén ¶ 그에 대한 ~이 그다지 좋지 않다 人们对他的声价不太好
평평-하다(平平—) 형 **1** 平坦 píngtǎn ¶ 바닥이 ~ 地板平坦 **2** 平凡 píngfán; 平平常常 píngpingchángcháng ¶ 얼굴이 ~ 面子平平常常 **평평-히** 부
평행(平行) 명하자 **1** 平行 píngxíng ¶ 하늘과 땅의 ~ 天和地的平行 **2** 〖數〗 平行 píngxíng
평행-봉(平行棒) 명 〖體〗 双杠 shuānggàng
평행-선(平行線) 명 **1** 〖數〗 平行线 píngxíngxiàn = 평행 직선 **2** 平行线 píngxíngxiàn ¶ 우리의 사랑은 ~이다 我们的爱情是一条平行线
평행 직선(平行直線) 〖數〗 = 평행선1
평형(平衡) 명하형 **1** 平衡 pínghéng; 均衡 jūnhéng ¶ 수입과 지출의 ~ 收支平衡 **2** 〖物〗(力系的) 平衡 pínghéng
평형-대(平衡臺) 명 〖體〗 = 평균대
평화(平和) 명하형 **1** 和平 hépíng ¶ 지구의 ~ 地球的和平 **2** 和睦 hémù; 安宁 ānníng ¶ 가정 ~ 家庭和睦
평화-롭다(平和—) 형 和平 hépíng; 和睦 hémù ¶ 평화로운 마을 和平的村庄 **평화로이** 부
폐:(肺) 명 〖生〗 = 허파
폐:(弊) 명 **1** = 폐단 **2** 麻烦 máfan; 打扰 dǎrǎo ¶ 너에게 ~ 끼치고 싶지 않다 我不想麻烦你
폐:가(廢家) 명하자 **1** 废屋 fèiwū; 废宅 fèizhái ¶ 사람이 살지 않는 ~ 一个没人住的废屋 **2** 绝户 juéhu; 绝后 juéhòu; 断后 duànhòu; 绝门 juémén ¶ 그

녀는 ~한 부인이다 她是个绝户老奶

폐:간(廢刊) 명하타 停刊 tíngkān ¶다음 주 월요일부터 ~한다 从下个星期一起停刊

폐:강(閉講) 명하타 停讲 tíngjiǎng; 停课 tíngkè ¶~ 통지를 하다 发出停课通知

폐:-결핵(肺結核) 명 〖醫〗 肺结核 fèijiéhé

폐:경(閉經) 명 〖醫〗 闭经 bìjīng ¶~기 闭经期

폐:관(廢館) 명하타 闭馆 bìguǎn; 封馆 fēngguǎn ¶도서관이 ~되다 图书馆闭馆

폐:광(廢鑛) 一명하타 停止开矿 tíngzhǐ kāikuàng 二명 废矿 fèikuàng

폐:교(廢校) 명하타 停止办学 tíngzhǐ bànxué; 关闭学校 guānbì xuéxiào; 停办学校 tíngbàn xuéxiào ¶~ 조치를 내리다 下停止办学措施

폐:기(廢棄) 명하타 **1** 废弃 fèiqì ¶~물 废弃物 / ~ 처분 废弃处理 **2** 废除 fèichú ¶조약을 ~하다 废除条约

폐:단(弊端) 명 弊端 bìduān; 弊病 bìbìng; 诡病 guǐbìng = 폐(弊)1 ¶시험의 ~ 考试的弊端 / 전자 상거래의 ~ 电子商务的弊端

폐:렴(肺炎) 명 〖醫〗 肺炎 fèiyán

폐막(閉幕) 명하자타 闭幕 bìmù ¶영화제가 ~하다 电影节闭幕

폐:물(廢物) 명 **1** 废物 fèiwù; 废品 fèipǐn ¶~을 처리하다 处置废物 **2** 废物 fèiwu

폐:병(肺病) 명 **1** 〖醫〗 肺病 fèibìng **2** 肺结核 fèijiéhé

폐:부(肺腑) 명 **1** 肺腑 fèifǔ; 内心 nèixīn ¶그의 말이 나의 ~를 파고들었다 他的话沁人我的肺腑 **2** 〖生〗 = 허파

폐:사(斃死) 명하자 毙命 bìmìng; 死亡 sǐwáng ¶수십 마리의 가축이 ~했다 死亡了许多家畜

폐:쇄(閉鎖) 명하타 闭锁 bìsuǒ; 关闭 guānbì; 封闭 fēngbì ¶출입구를 ~하다 关闭出入口

폐:습(弊習) 명 **1** 陋习 lòuxí **2** 陋俗 lòusú; 坏风气 huàifēngqì; 歪风 wāifēng

폐:암(肺癌) 명 〖醫〗 肺癌 fèi'ái

폐:업(廢業) 명하자타 停业 tíngyè ¶식당을 ~하다 停业食堂

폐:인(廢人) 명 **1** 废人 fèirén; 残废人 cánfèirén **2** 被遗弃的人 bèi yíqìde rén

폐:장(閉場) 명하자타 (会场、剧场等处) 清场 qīngchǎng; 关门 guānmén ¶~ 시간 关门时间

폐:점(閉店) 명하자타 **1** 闭店 bìdiàn **2** 停业 tíngyè

폐:지(廢止) 명하타 废止 fèizhǐ; 废除 fèichú ¶관련 법규를 ~하다 废止有关法规

폐:지(廢紙) 명 废纸 fèizhǐ

폐:차(廢車) 명 废车 fèichē ¶~장 废车场

폐:품(廢品) 명 废品 fèipǐn

폐:-하다(廢—) 타 **1** 废止 fèizhǐ; 废除 fèichú ¶관련 법규를 ~ 废止有关法规 **2** 停止 tíngzhǐ; 废止 fèizhǐ ¶학업을 ~ 停止学业 **3** 废弃 fèiqì ¶폐해진 토지를 신도시로 바꾸다 一片被废弃的土地将变成新城 **4** 废黜 fèichù ¶국왕을 ~ 废黜国王

폐:해(弊害) 명 弊害 bìhài; 弊病 bìbìng ¶제도의 ~ 制度的弊病

폐:허(廢墟) 명 废墟 fèixū ¶정원이 ~로 변하다 园林变成废墟

폐:-활량(肺活量) 명 〖醫〗 肺活量 fèihuóliàng

폐:회(閉會) 명하자타 闭会 bìhuì; 散会 sànhuì ¶~사 闭会词 / ~를 선포하다 宣布散会

폐:회로 텔레비전(閉回路television) 〖電〗 闭路电视 bìlù diànshì = 시시 티브이

포(包) 명 = 부대(負袋)

포(砲) 명 〖軍〗 = 대포(大砲)1

포(脯) 명 肉干 ròugān; 脯 fǔ

포개다 타 摞 luò; 叠 dié ¶옷을 ~ 把衣服摞起来

포격(砲擊) 명하타 炮击 pàojī ¶적의 진지를 ~하다 敌人阵地炮击

포:경(包莖) 명 〖醫〗 包茎 bāojīng ¶~ 수술 包茎手术

포경(捕鯨) 명하자 = 고래잡이

포경-선(捕鯨船) 명 捕鲸船 bǔjīngchuán = 고래잡이배

포고(布告 · 佈告) 명하타 **1** 布告 bùgào ¶학생 모집 ~ 招生布告 **2** 宣告 xuāngào; 公布 gōngbù ¶올림픽 조직위원회는 입장권 가격을 ~했다 奥组委公布了门票价格

포:괄(包括) 명하타 包括 bāokuò; 总括 zǒngkuò ¶상술한 내용을 ~하다 包括上述的内容

포:교(布教) 명하타 传教 chuánjiào ¶~ 활동 传教活动

포구(浦口) 명 浦口 pǔkǒu; 入海口 rùhǎikǒu

포구(砲口) 명 = 포문

포근-하다 형 **1** 柔软 róuruǎn; 柔和 róuhé ¶포근한 담요 柔软的毯子 **2** 温和 wēnhé; 温暖 wēnnuǎn ¶포근한 날씨 温暖的天气 **3** 温馨 wēnxīn; 安宁 ānníng ¶포근한 집 温馨的家 **포근-히** 부 ¶어머니가 나를 ~ 안아주셨다 妈妈温和地包我一下

포기 명 根 gēn; 棵 kē ¶풀 한 ~ 없다 一根草也没有

포:기(抛棄) 명하타 **1** 抛弃 pāoqì; 作罢 zuòbà ¶진학을 ~하다 作罢升学 **2** 放弃 fàngqì ¶양육권을 ~하다 放弃养育权
포대(包袋) 명 = 부대(負袋)
포대(砲臺) 명 【軍】炮台 pàotái
포대기 명 襁褓 qiǎngbǎo = 강보 ¶아이가 ~에 싸여 있다 孩子裹在襁褓中
포도(葡萄) 명 【植】葡萄 pútao ¶~나무 葡萄藤 / ~주 葡萄酒
포동-포동 부하형 胖乎乎 pànghūhū ¶~한 작은 손 胖乎乎的小手
포럼(forum) 명 公开讨论 gōngkāi tǎolùn; 付诸讨论 fùzhū tǎolùn
포:로(捕虜) 명 俘虏 fúlǔ
포르노(←pornography) 명 色情作品 sèqíng zuòpǐn; 色情描写 sèqíng miáoxiě
포르르 부하자 **1** 沙沙 shāshā ¶낙엽이 ~거리다 落叶沙沙响 **2** 扑棱扑棱 pūlengpūleng ¶작은 새가 ~ 날다 小鸟扑棱扑棱地飞 **3** 潺潺 chánchán ¶~물 흐르는 소리를 들었다 听见潺潺流水的声音
포:만(飽滿) 명하형 饱满 bǎomǎn; 胀满 zhàngmǎn ¶~감 饱满感 / ~을 느끼다 感到饱满
포말(泡沫) 명 = 물거품1
포맷(format) 명 **1** = 양식(樣式)1 **2** 【컴】初始化 chūshǐhuà; 格式化 géshìhuà
포목(布木) 명 布匹 bùpǐ; 布 bù
포문(砲門) 명 炮口 pàokǒu = 포구(砲口)
포물-선(抛物線) 명 【數】抛物线 pāowùxiàn
포:박(捕縛) 명하타 捕缚 bǔfù ¶범인을 ~하다 捕缚犯人
포병(砲兵) 명 【軍】炮兵 pàobīng
포:복(抱腹) 명하자 = 포복절도
포복(匍匐) 명하자 匍匐 púfú ¶~ 자세를 유지하다 保持着匍匐的姿态
포:복-절도(抱腹絕倒) 명하자 捧腹大笑 pěngfùdàxiào; 捧腹弯腰 pěngfùwānyāo = 포복(抱腹) ¶사람을 ~하게 하는 유머 让人捧腹大笑的幽默
포:부(抱負) 명 抱负 bàofù ¶인생의 ~ 人生的抱负
포상(褒賞) 명하타 褒奖 bāojiǎng ¶~을 받다 得到褒奖
포:섭(包攝) 명하타 **1** 包摄 bāoshè; 包容 bāoróng; 吸收 xīshōu ¶적군들을 ~하다 吸收敌人 **2** 【論】包含 bāohán; 从属 cóngshǔ ¶고래는 포유동물에 ~된다 鲸从属于哺乳动物
포성(砲聲) 명 炮声 pàoshēng
포:수(捕手) 명 【體】(棒球的) 接球手 jiēqiúshǒu; 接球员 jiēqiúyuán
포:수(砲手) 명 **1** 猎手 lièshǒu; 猎人 lièrén **2** 炮手 pàoshǒu
포스터(poster) 명 广告画 guǎnggàohuà; 宣传画 xuānchuánhuà; 传单 chuándān; 海报 hǎibào ¶영화 ~ 电影海报
포:승(捕繩) 명 警绳 jǐngshéng
포:식(飽食) 명하타 饱食 bǎoshí ¶한 끼 ~하다 饱食了一顿
포신(砲身) 명 炮身 pàoshēn
포:악(暴惡) 명하형 残暴 cánbào; 暴虐 bàonüè; 酷虐 kùnüè ¶~한 영웅 残暴的英雄
포:악-스럽다(暴惡—) 형 残暴 cánbào; 暴虐 bàonüè; 酷虐 kùnüè ¶포악스러운 행태 残暴的行为 **포:악스레** 부
포:옹(抱擁) 명하타 拥抱 yōngbào ¶이별의 ~ 分手的拥抱
포:용(包容) 명하자타 包容 bāoróng; 容纳 róngnà; 包涵 bāohán; 宽容 kuānróng ¶~력 包容能力 / ~성 包涵性 / 모성애는 모든 것을 ~할 수 있다 母爱可以包容一切
포:위(包圍) 명하타 包围 bāowéi ¶~망 包围网 / 도시를 ~하다 包围城市
포:유(哺乳) 명하타 哺乳 bǔrǔ ¶~기 哺乳期 / ~류 哺乳类
포:육(哺育) 명하타 哺育 bǔyù ¶~ 과정 哺育过程
포인트(point) 一명 **1** 要点 yàodiǎn; 关键 guānjiàn **2** 【體】分 fēn; 得分 défēn **3** 【交】转辙器 zhuǎnzhéqì 二의명 【印】点 diǎn; 磅 bàng
포자(胞子) 명 【植】= 홀씨
포장(包裝) 명하타 包装 bāozhuāng; 包裹 bāoguǒ ¶~지 包装纸 / 선물을 ~하다 包装礼物
포장(鋪裝) 명하타 铺修 pūxiū; 铺路 pūlù; 铺装 pūzhuāng ¶~도로 铺装道路 / 길을 ~하다 铺修路
포장(褒章) 명 【法】褒章 bāozhāng ¶~을 수여하다 授予褒章
포장-마차(布帳馬車) 명 **1** 帐篷马车 zhàngpeng mǎchē **2** 流动餐饮车 liúdòng cānyǐnchē
포:졸(捕卒) 명 【史】捕役 bǔyì; 捕快 bǔkuài
포즈(pose) 명 姿势 zīshì; 姿态 zītài ¶우아한 ~ 幽雅的姿态 / ~를 취하다 摆姿势
포지션(position) 명 **1** 【體】位置 wèizhi ¶중요한 ~ 重要的地位 **2** 【音】和弦位置 héxián wèizhi **3** 【音】(弦乐) 把位 bàwèi
포:착(捕捉) 명하타 捕捉 bǔzhuō; 抓住 zhuāzhù; 把握 bǎwò ¶유리한 기회를 ~하다 抓住有利机会
포커(poker) 명 【體】扑克 pūkè; 扑克

游戏 pūkè yóuxì; 扑克牌戏 pūkè páixì ¶~를 치다 打扑克
포크(fork) 명 叉子 chāzi; 餐叉 cānchā; 肉叉 ròuchā
포크 댄스(folk dance) 〖體〗 传统舞蹈 chuántǒng wǔdǎo; 民间舞蹈 mínjiān wǔdǎo
포크 송(folk song) 〖音〗 美国民歌 Měiguó míngē
포탄(砲彈) 명 〖軍〗 炮弹 pàodàn ¶~을 발사하다 发射炮弹
포:탈(逋脫) 명하타 1 潜逃 qiántáo; 逃脱 táotuō ¶파산 신청 후 돈을 가지고 ~하다 申请破产后携款潜逃 2 逃税 táoshuì ¶교묘한 세금 ~ 방법 巧妙的逃税方法
포플러(poplar) 명 〖植〗 = 미루나무
포:학(暴虐) 명하형 暴虐 bàonüè; 残暴 cánbào ¶~한 행위 暴虐的行为
포:학-무도(暴虐無道) 명하형 暴虐无道 bàonüèwúdào; 残暴无道 cánbàowúdào ¶~한 왕 暴虐无道的王
포함(包含) 명하자타 包含 bāohán; 包括 bāokuò ¶그를 ~해 모두 다섯 명이다 包括他一共五个人
포화(砲火) 명 1 炮火 pàohuǒ 2 火力 huǒlì
포:화(飽和) 명 1 饱和 bǎohé ¶영화 시장은 이미 ~되었다 电影市场已饱和 2 〖物〗 饱和 bǎohé ¶~ 지방 饱和脂肪
포환(砲丸) 명 1 炮弹 pàodàn 2 〖體〗 铅球 qiānqiú
포환-던지기(砲丸—) 명 〖體〗 掷铅球 zhìqiānqiú = 투포환
포:획(捕獲) 명하타 1 捕获 bǔhuò ¶야생 동물을 ~해서는 안 된다 不能捕获野生动物 2 俘虏 fúlǔ; 抓获 zhuāhuò ¶적군을 ~하다 俘虏敌军
포효(咆哮) 명하자 咆哮 páoxiāo ¶천지가 ~하다 天地咆哮 / 호랑이가 ~하다 老虎咆哮
폭 부 1 熟熟地 shúshúde ¶그는 ~ 잠들었다 他熟熟地睡着了 2 有力地 yǒulìde ¶바늘로 ~ 찌르다 用针有力地扎 3 严严实实 yányanshíshí ¶자신을 ~ 싸다 把自己裹得严严实实的 4 透 tòu; 烂 làn ¶~ 삶은 닭 炖烂的鸡 5 深深地 shēnshēnde ¶돌이 아래로 ~ 가라앉다 石头深深地往下沉了 6 无力地 wúlìde; 一下子 yīxiàzi ¶그는 정신을 잃고 ~ 쓰러졌다 他一下子晕倒了 7 多 duō ¶밥을 ~ 퍼주다 多舀饭 8 团团 tuántuán ¶수증기가 ~ 일어나다 蒸气团团上升
폭(幅) 명 1 = 너비 ¶이 방은 ~이 아주 넓다 这间房间宽度很大 2 交际面 jiāojìmiàn; 影响面 yǐngxiǎngmiàn ¶그는 ~이 넓은 교제를 한다 他交际面很广 3 幅 fú ¶그림 한 ~ 一幅画
폭격(爆擊) 명하타 〖軍〗 轰炸 hōngzhà ¶~기 轰炸机 / 무차별 ~ 无区别轰炸
폭군(暴君) 명 暴君 bàojūn
폭-넓다(幅—) 형 广泛 guǎngfàn; 广广 guǎng ¶폭넓은 협력을 유지하고 있다 保持着广泛的合作
폭도(暴徒) 명 暴徒 bàotú; 歹徒 dǎitú
폭동(暴動) 명 〖法〗 暴动 bàodòng ¶무장 ~ 武装暴动 / ~을 야기하다 引起暴动 / ~을 진압하다 镇压暴动
폭등(暴騰) 명하자 (物价) 暴涨 bàozhǎng; 猛涨 měngzhǎng ¶밀가루 가격이 ~하다 小麦粉价暴涨
폭락(暴落) 명하자 (物价) 暴跌 bàodiē; 暴落 bàoluò ¶주가가 ~하다 股票暴跌
폭력(暴力) 명 暴力 bàolì ¶~단 暴力集团
폭로(暴露) 명하자타 暴露 bàolù; 揭露 jiēlù ¶비밀을 ~하다 暴露隐私
폭리(暴利) 명 暴利 bàolì ¶~를 얻다 得到暴利 / ~를 남기다 剩下暴利
폭발(暴發) 명하자 1 (感情) 爆发 bàofā ¶화가 ~하다 怒气爆发 2 暴发 bàofā; 突发 tūfā ¶내란이 ~하다 暴发内乱
폭발(爆發) 명하자 爆发 bàofā; 爆炸 bàozhà ¶~물 爆炸物 / 화산 ~ 火山爆发 / 노트북 컴퓨터가 ~하다 笔记本电脑爆炸
폭삭 부 1 瘫软地 tānruǎnde; 无力地 wúlìde ¶이 소식을 듣고 그녀는 ~ 주저앉아 버렸다 听到这个消息, 她无力地坐下了 2 透顶 tòudǐng; 不像样子 bùxiàng yàngzi ¶몇 년 동안 못 본 사이에 그는 ~ 늙었다 几年没见, 他老得不像样子了 3 完全 wánquán; 全都 quándōu ¶그는 ~ 망했다 他完全破家了 4 一下子 yīxiàzi ¶유리잔이 ~ 깨지다 玻璃杯一下子碎了
폭설(暴雪) 명 暴雪 bàoxuě
폭소(爆笑) 명하자 大笑 dàxiào; 放声大笑 fàngshēngdàxiào ¶그의 우스갯소리를 듣고 그들은 모두 ~를 터뜨렸다 听了他的笑话, 他们都放声大笑了
폭식(暴食) 명하타 暴食 bàoshí ¶~증 暴食症
폭신-폭신 부하형 柔韧 róurèn; 软绵绵(的) ruǎnmiánmián(de) ¶~한 소파 柔韧的沙发
폭신-하다 형 柔韧 róurèn; 柔软而有弹性 róuruǎn ér yǒu tánxìng ¶감촉이 ~ 手感柔软而有弹性 **폭신-히** 부
폭약(爆藥) 명 〖化〗 炸药 zhàyào
폭언(暴言) 명하자 粗暴的话 cūbàode huà

폭염(暴炎) 명 酷暑 kùshǔ
폭우(暴雨) 명 暴雨 bàoyǔ
폭음(暴飮) 명하타 暴饮 bàoyǐn
폭정(暴政) 명 暴政 bàozhèng
폭주(暴走) 명하자 飞驰 fēichí; 奔驰 bēnchí ¶오토바이의 ~ 摩托车的飞驰
폭주-족(暴走族) 명 暴走族 bàozǒuzú
폭죽(爆竹) 명 爆竹 bàozhú; 鞭炮 biānpào ¶~을 터뜨리다 放鞭炮
폭탄(爆彈) 명 『軍』 炸弹 zhàdàn; 爆炸弹 bàozhàdàn ¶~ 하나가 터졌다 一颗炸弹爆炸了
폭탄-선언(爆彈宣言) 명 爆炸性宣言 bàozhàxìng xuānyán; 炸弹宣言 zhàdàn xuānyán
폭탄-주(爆彈酒) 명 炸弹酒 zhàdànjiǔ
폭파(爆破) 명하타 爆破 bàopò ¶빌딩을 ~하다 爆破大楼
폭포(瀑布) 명 = 폭포수
폭포-수(瀑布水) 명 瀑布 pùbù = 폭포
폭-폭 부 1 一下一下地 yīxiàyīxiàde ¶젓가락으로 두부를 ~ 찌르다 用筷子一下一下地扎豆腐 2 烂熟 lànshú ¶감자를 ~ 삶다 把土豆煮得烂熟 3 一陷一陷地 yīxiànyīxiànde ¶해변에서 ~ 빠지며 걷다 在海边一陷一陷地走 4 满满地 mǎnmǎnde ¶가장 좋아하는 과일을 크림에 ~ 올렸다 把最爱的水果满满地堆上奶油的表面 5 纷纷扬扬地 fēnfenyángyángde ¶아름다운 눈꽃이 ~ 날리다 美丽的雪花纷纷扬扬地飘落
폭풍(暴風) 명 暴风 bàofēng ¶~우 暴风雨 / ~이 몰아치다 暴风怒吹
폭행(暴行) 명하타 1 暴行 bàoxíng ¶~을 가하다 施加暴行 2 强暴 qiángbào; 强奸 qiángjiān
폴더(folder) 명 『컴』 文件夹 wénjiànjiā
폴싹 부하자 1 (烟尘) 暴扬地 bàoyángde; 团团地 tuántuánde ¶먼지를 ~ 날리며 집을 부수다 尘土暴扬地拆房子 2 无力地 wúlìde ¶~ 주저앉다 无力地坐下 3 厉害 lìhai
폴싹-거리다 자 1 (烟尘) 团团升起 tuántuán shēngqǐ ¶푸른 연기가 ~ 青烟团团升起 2 无力地 wúlìde ‖ = 폴싹대다 **폴싹-폴싹** 부하자
폴짝 부하자타 1 忽地 hūdì ¶~ 문을 열다 忽地开门 2 嗖的一下 sōude yīxià ¶담을 ~ 뛰어넘다 嗖的一下跳过墙
폴짝-거리다 자타 1 忽地 hūdì 2 嗖的一下 sōude yīxià ¶메뚜기가 폴짝거리며 날다 蚱蜢嗖的一下飞 ‖ = 폴짝대다 **폴짝-폴짝** 부하자타
폴폴 부 1 纷纷扬扬地 fēnfenyángyángde ¶먼지가 ~ 날리다 灰尘纷纷扬扬地飘落下来 2 滚滚 gǔngǔn ¶물이 ~ 끓다 水滚滚地开
퐁당 부 扑通 pūtōng; 噗通 pūtōng; 咕咚 gūdōng ¶돌멩이가 ~ 물에 빠졌다 石头扑通掉进河里
퐁-퐁 부하자타 1 咕嘟 gūdū 《液体从小孔中外流声》 ¶폐수가 ~ 밖으로 내뿜어지다 臭水咕嘟地向外冒 2 嘣嘣 bēngbēng; 嘭嘭 pēngpēng 《发动机声》 ¶옆에 있는 차가 ~ 소리를 내다 旁边的汽车嘣嘣响
표(表) 명 1 表 biǎo; 表格 biǎogé ¶~를 작성하다 填表 2 表 biǎo; 表文 biǎowén = 표문 3 = 표적(表迹)
표(票) 一명 1 票 piào ¶~를 사다 买票 2 票 piào ¶~를 얻기 위해 공약을 남발하다 为了得到票, 乱放公约 二의명 票 piào ¶백 ~를 얻다 获得一百票
표(標) 명하타 1 字迹 zìjì ¶이것은 당신이 예전에 써 놓은 ~이다 这是你以前写的字迹 2 标记 biāojì; 记号 jìhao ¶기억하기 쉽게 ~를 해두다 为了容易记住, 做个标记 3 特征 tèzhēng; 特点 tèdiǎn ¶~가 많이 나다 特征很明显 4 = 표지(標紙)
표결(表決) 명하타 表决 biǎojué ¶~권 表决权 / 그들은 곧바로 ~에 들어가기로 결정했다 他们决定直接进行表决
표결(票決) 명하타 投票决定 tóupiào juédìng ¶그가 제출한 안건을 ~에 부치다 把他提出的案件投票决定
표고 명 『植』 香菇 xiānggū = 표고버섯
표고-버섯 명 『植』 = 표고
표구(表具) 명하타 装裱 zhuāngbiǎo; 裱褙 biǎobèi ¶~사 装裱师 / ~점 装裱铺 / 그림을 ~하다 装裱画儿
표기(表記) 명하타 1 (在表面做) 标记 biāojì; 标志 biāozhì ¶~된 주소로 이전하다 迁移到标记的地址 2 (对文字的) 注音 zhùyīn; 标音 biāoyīn; 转写 zhuǎnxiě ¶로마자로 ~하다 用罗马字转写
표기(標記) 명하타 标记 biāojì ¶빨간 펜으로 ~하다 用红笔加标记
표독-스럽다(慓毒—) 형 凶狠 xiōnghěn; 狠毒 hěndú ¶그녀는 아주 ~ 她很凶狠 **표독스레** 부
표류(漂流) 명하자타 漂流 piāoliú ¶~기 漂流记 / ~선 漂流船
표리부동(表裏不同) 명하형 表里不一 biǎolǐbùyī; 表里不同 biǎolǐbùtóng ¶사람됨이 ~해서는 안 된다 做人不能表里不一
표면(表面) 명 表面 biǎomiàn; 外表 wàibiǎo; 外部 wàibù ¶~적 外表上 / ~화

表面化 / ~에 나타나다 出现在表面上
표명(表明) 명하타 表明 biǎomíng; 表白 biǎobái ¶반대 의사를 ~하다 表明反对意见
표문(表文) 명 = 표(表)2
표방(標榜) 명하타 1 标榜 biāobǎng ¶남녀평등을 ~하다 标榜男女平等 2 褒扬 bāoyáng
표백(漂白) 명하타 漂白 piǎobái ¶~분 漂白粉 / ~제 漂白剂 / 셔츠를 ~하다 漂白衬衫
표-범(豹—) 명 〖動〗 豹 bào
표본(標本) 명 1 榜样 bǎngyàng; 尺子 chǐzi ¶벤처 기업의 ~이 되다 成了风险企业的榜样 2 〖生〗 标本 biāoběn ¶곤충 ~ 昆虫标本 3 〖數〗 标本 biāoběn; 样品 yàngpǐn ¶임상 ~ 조사 临床标本检验
표본-실(標本室) 명 标本室 biāoběnshì; 样品室 yàngpǐnshì
표본 추출(標本抽出) 〖數〗 = 샘플링
표상(表象) 명 1 = 본보기1 ¶학생들의 ~이 되다 成了学生们的榜样 2 象征 xiàngzhēng ¶한민족의 ~ 韩民族的象征 3 〖心〗 表象 biǎoxiàng ¶기억 ~ 记忆表象 / 상상 ~ 想象表象
표시(表示) 명 表示 biǎoshì; 表达 biǎodá; 表现 biǎoxiàn; 表明 biǎomíng ¶불만을 ~하다 表示不满
표시(標示) 명하타 标示 biāoshì; 标明 biāomíng; 标出 biāochū ¶원산지 ~ 产地标示 / 횡단보도를 ~하다 标出人行横道线
표식(表式) 명 标记 biāojì; 记号 jìhao; 符号 fúhào ¶기업 ~ 企业标记
표어(標語) 명 标语 biāoyǔ ¶안전 ~ 安全标语 / 기업 문화 ~ 企业文化标语
표음(表音) 명하자 〖語〗 表音 biǎoyīn ¶~ 문자 表音文字
표의(表意) 명하자 〖語〗 表意 biǎoyì ¶~ 문자 表意文字
표적(表迹) 명 痕迹 hénjì; 形迹 xíngjì = 표(表)3
표적(標的) 명 标的 biāodì; 目标 mùbiāo; 靶子 bǎzi ¶~물 标的物 / 다른 사람의 ~이 되다 给别人当靶子
표절(剽竊) 명하타 剽窃 piāoqiè; 抄袭 chāoxí ¶해외 논문을 ~하다 剽窃国外论文
표정(表情) 명 表情 biǎoqíng; 神情 shénqíng ¶만족스러운 ~ 满足的神情
표제(標題·表題) 명 1 书名 shūmíng ¶~를 정하다 定下书名 2 题目 tímù; 标题 biāotí ¶논문의 ~ 论文的题目
표제-어(標題語) 명 1 标题语 biāotíyǔ ¶뉴스 ~ 新闻标题语 2 〖語〗 (工具书) 词条 cítiáo ¶~ 목록 词条目录
표주-박(瓢—) 명 水瓢 shuǐpiáo
표준(標準) 명 1 标准 biāozhǔn ¶~시 标准时 / ~화 标准化 / ~에 부합하다 符合标准 2 平均 píngjūn ¶몸무게가 ~에 못 미치다 体重不够平均
표준-말(標準—) 명 〖語〗 = 표준어
표준-어(標準語) 명 〖語〗 标准语 biāozhǔnyǔ; 规范语 guīfànyǔ = 표준말
표지(表紙) 명 1 封皮 fēngpí; 封面 fēngmiàn = 책뚜껑 ¶~ 디자인 封面设计 2 书签 shūqiān
표지(標紙) 명 字据 zìjù = 표(標)4
표지(標識) 명 标志 biāozhì; 标识 biāozhì ¶통행금지 ~ 禁止通行标志 / ~등 标志灯 / ~판 标识牌
표창(表彰) 명하타 表彰 biǎozhāng; 表扬 biǎoyáng ¶~을 받다 受到表扬
표창(鏢槍) 명 镖枪 biāoqiāng ¶~을 던지다 射镖枪
표창-장(表彰狀) 명 表彰奖状 biǎozhāng jiǎngzhuàng
표출(表出) 명하타 表露 biǎolù; 流露 liúlù; 现出 xiànchū ¶성숙한 매력을 ~하다 流露出成熟的魅力
표층(表層) 명 表层 biǎocéng; 外层 wàicéng
표피(表皮) 명 1 〖動〗 表皮 biǎopí 2 〖植〗 表皮 biǎopí
표-하다(表—) 타 表示 biǎoshì; 表达 biǎodá; 致以 zhìyì ¶미국 정부는 한국에 대해 분명한 지지를 표했다 美国政府向韩国表示明确支持
표-하다(標—) 타 做标记 zuò biāojì; 做记号 zuò jìhao ¶펜으로 ~ 拿笔做标记
표현(表現) 명하타 表示 biǎoshì; 表达 biǎodá; 表现 biǎoxiàn ¶~력 表现力 / 자신의 감정을 ~하다 表达自己的感情
푯-대(標—) 명 标杆 biāogān; 标柱 biāozhù ¶나무 위에 ~를 세우다 树上搭着一根标杆
푯-말(標—) 명 标桩 biāozhuāng ¶~을 설치하다 设置标桩
푸 부 噗 pū ¶~ 하고 내뱉다 噗的一声吐出来
푸근-하다 형 1 柔软 róuruǎn; 柔韧 róurèn ¶푸근한 스웨터 柔软的毛衣 2 和暖 hénuǎn; 温暖 wēnnuǎn ¶오늘 날씨가 아주 ~ 今天天气很温暖 3 温馨 wēnxīn; 安宁 ānníng ¶푸근한 가정 温馨的家庭 **푸근-히** 부
푸념 명하타 牢骚 láosāo; 埋怨 mányuàn ¶쉬지 않고 ~을 늘어놓다 不停地发牢骚
푸다 타 1 舀 yǎo; 盛 shèng ¶국을 ~ 舀汤 2 汲 jí ¶아침에 물을 푸러 가다 早上去汲水

푸-대접(一待接) 명하타 冷落 lěngluò; 怠慢 dàimàn = 냉대(冷待)·박대1 ¶외지인을 ~하다 冷落外地人

푸드덕 부하자타 扑棱 pūleng ¶새들이 날개를 ~ 하며 날아갔다 一些鸟扑棱着翅膀飞过去

푸드덕-거리다 자타 直扑棱 zhí pūleng; 扑棱 pūleng; 扑棱扑棱 pūlengpūleng = 푸드덕대다 ¶날개를 몇 차례 ~ 翅膀直扑棱几下 **푸드덕-푸드덕** 부하자타

푸들(poodle) 명 【動】 贵宾犬 guìbīnquǎn; 卷毛狗 juánmáogǒu

푸딩(pudding) 명 布丁 bùdīng

푸르다 형 1 绿 lǜ; 蓝 lán; 青 qīng ¶푸른 바다 蓝蓝的海水 2 正盛 zhèng shèng; 有锐气 yǒu ruìqì ¶서슬이 ~ 气势正盛

푸르뎅뎅-하다 형 灰蓝 huīlán; 灰绿 huīlǜ; 灰青 huīqīng ¶푸르뎅뎅한 얼룩 灰蓝斑

푸르디-푸르다 형 蓝蔚蔚 lánwèiwèi; 深绿 shēnlǜ; 深蓝 shēnlán; 湛蓝 zhànlán ¶푸르디푸른 하늘에 구름 한 점 없다 蓝蔚蔚的天上没有一丝白云

푸르스름-하다 형 淡绿 dànlǜ; 淡蓝 dànlán; 淡青 dànqīng ¶푸르스름한 얼굴 淡青的面子

푸르죽죽-하다 형 发青 fāqīng ¶안색이 ~ 脸色有点儿发青

푸릇-푸릇 부하형 青青 qīngqīng; 绿绿 lǜlǜ; 蓝蓝 lánlán ¶~한 초원 青青的草原

푸석-푸석 부하형 1 疏松 shūsōng; 松软 sōngruǎn; 松脆 sōngcuì ¶나는 ~한 비스킷을 좋아한다 我喜欢疏松的饼干 2 浮肿 fúzhǒng; 发虚 fāxū ¶너 얼굴이 왜 이렇게 ~하니? 你的脸怎么这么浮肿?

푸석-하다 형 1 疏松 shūsōng; 松软 sōngruǎn; 松脆 sōngcuì ¶이 비스킷은 아주 ~ 这个饼干很疏松 2 浮肿 fúzhǒng; 发虚 fāxū ¶그는 병으로 오래 입원해서 얼굴이 푸석해졌다 他得病住院了很久, 脸也浮肿了

푸성귀 명 蔬菜 shūcài

푸시시 부하형 = 부스스

푸줏-간(一間) 명 肉铺 ròupù; 肉店 ròudiàn

푸지다 형 多 duō; 丰盛 fēngshèng ¶음식을 푸지게 준비하다 准备了丰盛的菜

푸짐-하다 형 充足 chōngzú; 丰盛 fēngshèng ¶음식이 아주 ~ 饭菜很丰盛
푸짐-히 부

푹 부 1 酣 hān; 熟 shú; 深 shēn ¶세 시간을 ~ 자다 酣睡三小时 2 使劲地 shǐjìnde; 用力的 yònglìde ¶칼로 ~ 찌르다 用刀使劲地扎 3 严实 yánshí ¶~ 덮지 않은 맨홀 뚜껑을 찼다 踩到一个盖得不严实的井盖 4 烂 làn; 熟 shú ¶닭고기를 ~ 삶다 把鸡肉煮得烂熟 5 深深地 shēnshēnde ¶눈구덩이에 발이 ~ 빠졌다 脚深深地陷入雪坑里 6 瘫软地 tānruǎnde; 无力地 wúlìde ¶그가 ~ 쓰러졌다 他无力地晕倒了 7 多 duō ¶죽을 ~ 떠 주다 给多舀粥 8 低 dī; 低低 dīdī ¶고개를 ~ 숙이다 头低得很低

푹석 부하형 1 无力 wúlì; 瘫软 tānruǎn ¶오래된 집이 ~ 내려앉았다 旧屋无力地倒塌了 2 疏松 shūsōng; 松散 sōngsàn ¶뼈가 ~하다 骨质疏松

푹신-푹신 부하형 松软 sōngruǎn; 柔软 róuruǎn; 软绵绵 ruǎnmiánmián ¶~한 소파 软绵绵的沙发

푹신-하다 형 松软 sōngruǎn; 柔软 róuruǎn; 柔和 róuhé; 绵软 miánruǎn ¶이 카펫은 매우 ~ 这种毛毡特别松软
푹신-히 부

푹-푹 부 1 扑哧扑哧地 pūchīpūchīde ¶젓가락으로 감자를 ~ 찌르다 用筷子扑哧扑哧地捅土豆 2 深深地 shēnshēnde ¶눈구덩이에 발이 ~ 빠진다 脚深深地陷入雪坑里 3 纷纷地 fēnfēnde ¶눈이 ~ 내리다 雪纷纷地飘落 4 闷热 mēnrè ¶~ 찌는 여름 闷热的夏天

푼: 의명 1 分 fēn《货币单位》¶나는 지금 돈이 한 ~도 없다 我现在一分钱也没有 2 分 fēn《重量单位》¶나는 한 돈 일 ~ 짜리 인삼을 샀다 我买了一钱一分人参 3 分 fēn《长度单位》¶세 치 한 ~ 三寸一分 4 分 fēn《百分比单位》¶1할 3~의 이율 一成三分的利率

푼:-돈 명 零钱 língqián; 小钱 xiǎoqián

푼:수(一數) 명 蠢货 chǔnhuò; 傻瓜 shǎguā

푼:푼-이 부 一分一分地 yīfēnyīfēnde ¶~ 모으다 一分一分地攒起来

풀[1] 명하자 糨糊 jiànghu; 糨子 jiàngzi ¶생쌀을 끓여 ~을 쑤다 生米煮成糨糊

풀[2] 명 草 cǎo ¶~을 베다 割草

풀[3] 명 活力 huólì; 气势 qìshì; 朝气 zhāoqì ¶~이 죽다 没有活力

풀(pool) 명 = 수영장

풀-기(一氣) 명 1 糨性 jiàngxìng; 黏性 niánxìng ¶~를 제거하다 去掉糨性 2 气势 qìshì; 朝气 zhāoqì; 活力 huólì; 锐气 ruìqì ¶요즘 우리 아들이 ~가 없다 最近我儿子没有朝气

풀다 타 1 解开 jiěkāi; 打开 dǎkāi ¶선물 보따리를 ~ 打开红封包 2 消除

xiāochú; 雪洗 xuěxǐ ¶긴장을 ~ 消除紧张 **3** 成就 chéngjiù; 了却 liǎoquè ¶죽기 전에 소원을 ~ 在死前了却心愿 **4** 解 jiě; 解开 jiěkāi ¶난제를 ~ 解开难题 **5** 解除 jiěchú ¶봉쇄를 ~ 解除封锁 **6** 派出 pàichū; 出动 chūdòng; 放出去 fàngchūqù ¶사람을 ~ 把人员放出去 **7** 擤 xǐng ¶힘껏 코를 ~ 用力擤鼻涕 **8** 解释 jiěshì; 解答 jiědá ¶학술 용어를 ~ 解释学术用语 **9** 掺入 chānrù; 化 huà; 泡 pào ¶국에 소금을 ~ 汤里掺入食盐 **10** 开垦 kāikěn ¶농지를 ~ 开垦农田

풀-독(—毒) 명 草毒 cǎodú ¶다리에 ~이 오르다 腿中了草毒

풀-리다 자 **1** 解开 jiěkāi; 打开 dǎkāi ¶짐이 다 풀렸다 行李都解开了 **2** 消除 xiāochú; 解消 jiěxiāo ¶의혹이 풀렸다 消除了疑惑 **3** 和缓 héhuǎn; 缓解 huǎnjiě ¶3월이 되자 날이 ~ 到了三月, 天气和暖起来 **4** 解除 jiěchú ¶금지령이 ~ 解除禁止令 **5** 解决 jiějué ¶어려운 문제가 드디어 풀렸다 难题终于解决了 **6** 溶解 róngjiě; 掺和 chānhuo; 化解 huàjiě ¶설탕이 물에 ~ 糖掺和在水中 **7** 失神 shīshén ¶그는 눈이 풀렸다 他眼睛失神了

풀무 명 风箱 fēngxiāng ¶~질 拉风箱

풀-벌레 명 草虫 cǎochóng

풀-빛 명 = 풀색

풀-색(—色) 명 草绿色 cǎolǜsè = 풀빛

풀-숲 명 草丛 cǎocóng

풀썩 부하자 飞飞扬扬 fēifēiyángyáng; 团团 tuántuán ¶먼지가 ~ 날렸다 尘土飞飞扬扬地飘起了

풀썩-거리다 자 (烟、灰) 团团升起 tuántuán shēngqǐ = 풀썩대다 ¶스모그가 ~ 烟雾团团升起 **풀썩-풀썩** 부하자

풀어-내다 타 **1** 解开 jiěkāi; 破开 pòkāi ¶얽힌 실타래를 ~ 解开乱蓬蓬的绞纱 **2** 解决 jiějué ¶풀기 어려운 수학 문제를 ~ 解决难以解决的数学问题

풀어-놓다 타 派遣 pàiqiǎn; 出动 chūdòng ¶해상 자위대를 ~ 派遣海上自卫队

풀어-지다 자 **1** 散开 sànkāi; 被解开 bèi jiěkāi ¶어려운 문제가 의외로 쉽게 풀어졌다 难题居然容易地被解开了 **2** 解消 jiěxiāo; 消除 xiāochú; 解除 jiěchú ¶통제가 ~ 消除管制 **3** 松弛 sōngchí; 懈怠 xièdài ¶피부 근육이 풀어졌다 皮肤的肌肉松弛了 **4** (天气) 暖和 nuǎnhuo; 变暖 biàn nuǎn ¶날씨가 점점 ~ 天气渐渐暖和起来 **5** 泡开 pàokāi; 溶解 róngjiě ¶찻잎이 천천히 ~ 茶叶慢慢泡开 **6** 失神 shīshén ¶그는 눈이 풀어졌다 他眼睛失神了

풀이 명하타 **1** 解释 jiěshì; 说明 shuōmíng; 注释 zhùshì; 诠释 quánshì ¶단어 의미에 대한 ~ 对词义的说明 **2** 〖數〗 解 jiě

풀-잎 명 草叶 cǎoyè

풀잎-피리 명 草笛 cǎodí = 풀피리

풀-장(pool場) 명 = 수영장

풀-칠(—漆) 명하자 **1** 抹糨糊 mǒ jiànghu **2** 糊口 húkǒu ¶지금은 입에 ~만 할 수 있으면 좋겠다 现在只要能糊口, 就好了

풀-코스(full course) 명 **1** 盛餐 chéngcān **2** (马拉松的) 全程 quánchéng

풀풀 부 **1** 轻盈地 qīngyíngde ¶산등성이에 ~ 오르다 轻盈地登上山冈 **2** 滚滚地 gǔngǔnde ¶물이 ~ 끓다 水滚滚地开 **3** 纷纷扬扬地 fēnfenyángyángde ¶하늘에서 눈이 ~ 내리기 시작했다 天上纷纷扬扬地下起了雪

풀-피리 명 = 풀잎피리

품[1] 명 **1** 胸围 xiōngwéi ¶이 옷은 ~이 작다 这件衣服的胸围不宽 **2** 怀抱 huáibào; 怀中 huáizhōng ¶아이가 엄마의 ~에 안기다 孩子投进妈妈的怀中

품[2] 명 工夫 gōngfu; 工 gōng ¶이 일은 열흘의 ~이 들고 나서야 완성되었다 这件事用了十天的工夫才完成了

-품(品) 접미 品 pǐn ¶필수~ 必需品 / 화장~ 化妆品

품:격(品格) 명 **1** 品格 pǐngé; 品德 pǐndé ¶고상한 ~ 高尚的品格 **2** 品位 pǐnwèi ¶~이 높은 사람 品位高的人士

품:귀(品貴) 명하형 短货 duǎnhuò; 缺货 quēhuò ¶~ 현상 短货现象

품:다 타 **1** 带着 dàizhe; 携带 xiédài ¶작은 칼을 ~ 携带小刀 **2** 怀有 huáiyǒu; 抱有 bàoyǒu; 含有 hányǒu ¶딴마음을 ~ 怀有异心 **3** 抱 bào; 搂 lǒu ¶어머니가 아이를 ~ 妈妈抱小孩 **4** 孵 fū ¶닭이 알을 ~ 母鸡孵卵

품:명(品名) 명 品名 pǐnmíng

품:목(品目) 명 品目 pǐnmù

품:사(品詞) 명 〖語〗 词类 cílèi

품-삯 명 工钱 gōngqian

품:성(品性) 명 品性 pǐnxìng ¶고결한 ~ 高尚的品性

품:성(稟性) 명 禀性 bǐngxìng ¶솔직한 ~ 直率的禀性

품-속 명 怀里 huáili; 怀中 huáizhōng = 회중1 ¶엄마의 ~ 妈妈的怀里

품-앗이 명하자 换工 huàngōng

품:위(品位) 명 品格 pǐngé; 品德 pǐndé ¶~가 높다 品格高

품:절(品切) 명하자 脱销 tuōxiāo ¶물건이 모두 ~되다 东西全部脱销

품:종(品種) 명 品种 pǐnzhǒng ¶불량 ~ 不良品种

품질(品質) 명 品质 pǐnzhì; 质量 zhìliàng ¶이 상품은 ~이 아주 좋다 这个商品的质量很不错
품-팔이 명하자 打短工 dǎ duǎngōng; 卖小工 mài xiǎogōng ¶~해서 돈을 벌다 打短工赚钱
품팔이-꾼 명 短工 duǎngōng; 零工 línggōng
품:평(品評) 명하타 品评 pǐnpíng ¶~회 品评会 / 음악 ~ 音乐品评 / ~을 진행하다 进行品评
품:행(品行) 명 品行 pǐnxíng
풋- 접두 1 未熟的 wèishúde; 青 qīng ¶~고추 青辣椒 / ~과일 青果 / ~사과 青苹果 2 生疏的 shēngshūde; 未熟练的 wèishúliànde ¶~솜씨 未熟练的手艺
풋-내 명 1 青菜味 qīngcàiwèi ¶유채기름의 ~를 제거하다 去菜油中的青菜味 2 幼稚 yòuzhì; 雅气 yǎqì ¶~ 나는 견해 幼稚的观点
풋-내기 명 1 新手 xīnshǒu 2 生手 shēngshǒu
풋볼(football) 명 【體】 1 足球 zúqiú ¶~ 시합 足球比赛 2 = 럭비 풋볼
풋-사랑 명 不深的爱情 bùshēnde àiqíng
풋-콩 명 毛豆 máodòu
풋풋-하다 형 新鲜 xīnxiān; 清新 qīngxīn ¶풋풋한 느낌 新鲜的感觉
퐁 부하자 1 砰 pēng ¶~ 터지다 砰的一声爆了 2 扑通 pūtōng ¶돌멩이가 물에 ~ 빠지다 石头扑通一声掉进河里
풍(風) 명 【韓醫】 风 fēng ¶그는 ~을 맞았다 他中风了
-풍(風) 접미 风潮 fēngcháo; 样式 yàngshì ¶복고~ 复古风潮
풍격(風格) 명 风格 fēnggé; 风采 fēngcǎi; 品格 pǐngé
풍경(風景) 명 1 = 경치 ¶아름다운 ~ 优美的风景 2 【美】 = 풍경화
풍경(風磬) 명 风铃 fēnglíng
풍경-화(風景畫) 명 【美】 风景画 fēngjǐnghuà = 풍경(風景)2
풍광(風光) 명 = 경치
풍금(風琴) 명 【音】 风琴 fēngqín ¶~을 치다 弹风琴
풍기(風紀) 명 风纪 fēngjì ¶~ 수칙 风纪守则 / ~ 문란죄 风纪紊乱罪
풍기다 자타 1 散发 sànfā ¶좋은 냄새를 ~ 散发着好香 2 洋溢 yángyì ¶성탄 분위기를 ~ 洋溢着圣诞气氛 3 扬 yáng; 簸 bǒ ¶콩을 풍기는 데 두 사람이 필요하다 扬豆需要两个人
풍년(豐年) 명 丰收 fēngshōu; 丰年 fēngnián
풍덩 부 扑通 pūtōng ¶오리 한 마리가 강으로 ~ 뛰어들었다 一只鸭子扑通跳进小河里
풍덩-거리다 자타 扑通扑通地响 pūtōngpūtōngde xiǎng = 풍덩대다 ¶아이들이 풍덩거리며 개울을 건넌다 孩子们渡过小溪扑通扑通地响 **풍덩-풍덩** 부하자타
풍뎅이 명 【蟲】 金龟子 jīnguīzǐ; 丽金龟 lìjīnguī
풍랑(風浪) 명 风浪 fēnglàng
풍력(風力) 명 1 风力 fēnglì 2 (人的) 感化力 gǎnhuàlì; 威力 wēilì 3 风力 fēnglì; 风能 fēngnéng ¶~계 风力计 / ~ 발전 风力发电 / ~을 이용하다 利用风力
풍로(風爐) 명 火炉 huǒlú; 炉子 lúzi; 风炉 fēnglú = 곤로
풍류(風流) 명 风流 fēngliú; 风雅 fēngyǎ ¶~를 즐기다 喜好风流
풍만-하다(豐滿—) 형 1 丰足 fēngzú; 丰富 fēngfù ¶풍만한 관광 자원 丰富的观光资源 2 丰满 fēngmǎn ¶풍만한 엉덩이 丰满的臀部
풍모(風貌) 명 风貌 fēngmào; 风度 fēngdù ¶당당한 ~ 堂堂的风貌
풍문(風聞) 명 风闻 fēngwén; 风传 fēngchuán; 传闻 chuánwén; 谣言 yáoyán; 风声 fēngshēng = 풍설 ¶~이 나돌다 风闻传开
풍물(風物) 명 1 = 경치 2 风物 fēngwù; 景物 jǐngwù 3 【音】 民族乐器 mínzú yuèqì
풍물-패(風物牌) 명 农乐队 nóngyuèduì
풍미(風味) 명 1 风味 fēngwèi ¶베이징 ~ 北京风味 2 风致 fēngzhì ¶상하이 여자는 ~가 있고 애교스럽다 上海女人是风致的、娇柔的
풍미(風靡) 명하타 风靡 fēngmǐ ¶전 세계를 ~하다 风靡全球
풍미-하다(豐美—) 형 丰满美丽 fēngmǎn měilì; 丰艳 fēngyàn ¶풍미한 여인을 바라보다 看着丰满美丽的女人
풍부-하다(豐富—) 형 丰富 fēngfù; 富有 fùyǒu ¶그는 경험이 ~ 他经验很丰富 **풍부-히** 부
풍비-박산(風飛雹散) 명하자 支离破碎 zhīlípòsuì; 风流云散 fēngliúyúnsàn ¶집안이 ~ 나다 家庭支离破碎
풍상(風霜) 명 1 风和霜 fēng hé shuāng 2 风霜 fēngshuāng ¶~을 겪다 饱经风霜
풍선(風扇) 명 风扇 fēngshàn
풍선(風船) 명하타 1 = 기구(氣球) 2 = 고무풍선 ¶~을 불다 吹气球
풍설(風說) 명 = 풍문
풍성(豐盛) 명하형히부 丰盛 fēngshèng; 富裕 fùyù ¶~한 점심 식사 丰盛的午餐

풍속(風俗) 명 **1** 风俗 fēngsú ¶～이 다르다 风俗不同 **2** 风尚 fēngshàng; 风气 fēngqì ¶시대의 ～을 설명하다 阐释时代的风尚
풍속(風速) 명 风速 fēngsù ¶～계 风速计
풍속-도(風俗圖) 명 『美』 风俗画 fēngsúhuà = 풍속화
풍속-화(風俗畫) 명 『美』 = 풍속도
풍수(風水) 명 『民』 **1** 风水 fēngshuǐ ¶～를 보다 看风水 **2** 形家 xíngjiā; 大风水 dàfēngshuǐ; 风水先生 fēngshuǐ xiānsheng
풍수-설(風水說) 명 『民』 **1** 风水说 fēngshuǐshuō **2** = 풍수지리
풍수-지리(風水地理) 명 『民』 风水地理 fēngshui dìlǐ = 지리2 · 풍수설2 · 풍수지리설
풍수-지리설(風水地理說) 명 『民』 = 풍수지리
풍습(風習) 명 风习 fēngxí; 风尚 fēngshàng
풍식(風蝕) 명 『地理』 = 풍식 작용
풍식 작용(風蝕作用) 『地理』 风蚀 fēngshí = 풍식
풍악(風樂) 명 『音』 民乐 mínyuè
풍압(風壓) 명 『物』 风压 fēngyā ¶～계 风压表
풍요(豐饒) 명하형 丰裕 fēngyù; 富裕 fùyù; 丰饶 fēngráo; 富足 fùzú ¶～한 생활 수준 富裕的生活水平
풍요-롭다(豐饒—) 형 丰饶 fēngráo; 富足 fùzú ¶풍요로운 시간을 보내다 度过富足的时间
풍우(風雨) 명 风雨 fēngyǔ = 비바람
풍운(風雲) 명 **1** 风云 fēngyún **2** 时机 shíjī; 机遇 jīyù ¶～을 기다리다 等待时机 **3** 风云 fēngyún ¶난세의 ～ 乱世风云
풍운-아(風雲兒) 명 风云人物 fēngyún rénwù
풍월(風月) ㊀명 **1** 清风明月 qīngfēng míngyuè ¶～을 즐기다 享受清风明月 **2** 散学的知识 sǎnxuéde zhīshi ¶이것은 ～에 지나지 않는다 这只是个散学的知识 ㊁명하자 吟风弄月 yínfēng nòngyuè ¶～하며 천하를 주유하다 吟风弄月行天下
풍자(諷刺) 명하타 讽刺 fěngcì ¶～극 讽刺剧 / ～소설 讽刺小说 / ～적 讽刺的 / ～와 유머 讽刺与幽默 / 정책의 불합리를 ～하다 讽刺政策的不合理
풍전-등화(風前燈火) 명 风中之烛 fēngzhōngzhīzhú ¶그의 목숨은 마치 ～와 같다 他的生命犹如风中之烛
풍조(風潮) 명 潮流 cháoliú; 风气 fēngqì ¶시대의 ～에 역행하다 抗拒时代潮流
풍족-하다(豐足—) 형 丰足 fēngzú; 丰饶 fēngráo; 富足 fùzú ¶풍족한 생활을 추구하다 追求丰足的生活 **풍족-히** 부
풍진(風塵) 명 **1** 风尘 fēngchén **2** 世俗 shìsú; 风尘 fēngchén ¶～을 겪다 经历世俗 **3** 战尘 zhànchén
풍차(風車) 명 **1** 风车 fēngchē **2** = 팔랑개비1
풍채(風采) 명 风采 fēngcǎi; 丰采 fēngcǎi ¶그는 ～가 좋다 他风采不凡
풍취(風趣) 명 **1** 景致 jǐngzhì ¶영미 문화가 농후한 ～ 英美文化浓厚的景致 **2** = 풍치(風致)
풍치(風致) 명 风致 fēngzhì = 풍취2 ¶호반의 ～를 즐기다 玩赏湖边的风致
풍치(風齒) 명 『韓醫』 风火牙 fēnghuǒyá
풍토(風土) 명 **1** 风土 fēngtǔ; 水土 shuǐtǔ ¶～병 风土病 / 중국의 ～ 中国的风土 **2** 风情 fēngqíng; 世态 shìtài ¶정치 ～ 政治风情 / 업계 ～ 行业风情
풍파(風波) 명 **1** 风浪 fēnglàng; 风波 fēngbō; 波澜 bōlán ¶～가 크게 일다 风浪大起 **2** 风浪 fēnglàng; 风波 fēngbō; 波澜 bōlán ¶집안에 ～가 끊이지 않다 家庭里老起风波
풍향(風向) 명 『地理』 风向 fēngxiàng ¶～계 风向器
풍화(風化) 명하자 『地理』 = 풍화 작용
풍화 작용(風化作用) 『地理』 风化作用 fēnghuà zuòyòng = 풍화
퓨마(puma) 명 『動』 美洲狮 měizhōushī
퓨즈(fuse) 명 『電』 保险丝 bǎoxiǎnsī ¶～가 끊어졌다 保险丝烧断了
프라이(fry) 명하타 油煎 yóujiān; 油炸 yóuzhá
프라이버시(privacy) 명 隐私 yǐnsī; 私生活 sīshēnghuó
프라이팬(frypan) 명 油煎锅 yóujiānguō; 平底锅 píngdǐguō
프랑(프franc) 의명 法郎 fǎláng
프랜차이즈(franchise) 명 『經』 特许经营体系 tèxǔ jīngyíng tǐxì; 特许经营 tèxǔ jīngyíng
프러포즈(propose) 명하자타 求婚 qiúhūn ¶자신이 좋아하는 여자에게 ～하다 向自己喜欢的女孩子求婚
프런트(front) 명 (宾馆的) 前台 qiántái; 总服务台 zǒngfúwùtái
프로[1](←네procent) 의명 = 퍼센트
프로[2](←professional) 명 职业(的) zhíyè(de); 专业(的) zhuānyè(de); 专家 zhuānjiā = 프로페셔널 ¶그는 ～ 바둑기사이다 他是职业围棋手
프로그래머(programmer) 명 『컴』 程

序编制员 chéngxù biānzhìyuán
프로그래밍(programming) 명 【컴】 编制程序 biānzhì chéngxù; 编程 biānchéng
프로그램(program) 명 **1** 节目 jiémù ¶이번 주 TV ~ 예고 本周电视节目预告 **2** 节目单 jiémùdān ¶음악회 ~ 音乐会节目单 **3** 【컴】 程序 chéngxù ¶~ 개발 程序开发
프로덕션(production) 명 【演】 制片厂 zhìpiànchǎng
프로듀서(producer) 명 【演】 制作者 zhìzuòzhě; 制片人 zhìpiànrén; 演出人 yǎnchūrén; 导演 dǎoyǎn
프로 야:구(←professional野球) 【體】 职棒 zhíbàng; 职业棒球 zhíyè bàngqiú
프로젝트(project) 명 **1** 项目 xiàngmù; 工程项目 gōngchéng xiàngmù ¶자원 개발 ~ 资源开发项目 **2** 研究课题 yánjiū kètí ¶지도 교수와 토론한 뒤에 ~를 확정하다 和指导老师讨论后确定研究课题
프로판(propane) 명 【化】 丙烷 bǐngwán ¶~가스 丙烷瓦斯
프로페셔널(professional) 명 = 프로[2]
프로펠러(propeller) 명 (飞机、轮船上的) 推进器 tuījìnqì; 螺旋桨 luóxuánjiǎng
프로포즈 명 '프러포즈' 的错误
프로필(profile) 명 **1** (头部的) 侧面像 cèmiànxiàng; 侧脸 cèliǎn; 旁脸 pángliǎn; 旁影儿 pángyǐngr ¶~ 사진 侧脸照片 **2** 传略 zhuànlüè; 简介 jiǎnjiè; 简历 jiǎnlì; 人物简介 rénwù jiǎnjiè ¶인물 ~ 人物传略
프롤레타리아(프prolétariat) 명 【社】 无产者 wúchǎnzhě; 劳动者 láodòngzhě
프롤로그(prologue) 명 **1** 【文】 = 서시 **2** 【演】 序幕 xùmù; 开场白 kāichǎngbái
프리랜서(free-lancer) 명 自由工作者 zìyóu gōngzuòzhě
프리미엄(premium) 명 【經】 **1** 付加款 fùjiākuǎn; 加价 jiājià; 报酬 bàochou; 佣金 yōngjīn; 溢价 yìjià **2** 升水 shēngshuǐ; 高水 gāoshuǐ
프리즘(prism) 명 【物】 棱镜 léngjìng
프린터(printer) 명 **1** 【컴】 打印机 dǎyìnjī ¶레이저 ~ 激光打印机 / 컬러 ~ 彩色打印机 **2** 【印】 = 인쇄기
프린트(print) 명하타 **1** 印刷 yìnshuā ¶회의 결정 사항을 ~하다 印刷会议决定事项 **2** 蜡染 làrǎn **3** 【演】 拷贝 kǎobèi; 正片 zhèngpiàn
플라스크(flask) 명 【化】 烧瓶 shāopíng; 长颈玻璃瓶 chángjǐng bōlípíng
플라스틱(plastic) 명 【化】 可塑性物质 kěsùxìng wùzhì; 塑料 sùliào; 合成树脂 héchéng shùzhī
플라타너스(platanus) 명 【植】 悬铃木 xuánlíngmù
플래시(flash) 명 **1** = 손전등 **2** 【演】 闪光灯 shǎnguāngdēng **3** 注目 zhùmù; 注视 zhùshì ¶~를 받다 受到注目
플랫(flat) 명 【음】 = 내림표
플랫폼(platform) 명 站台 zhàntái; 月台 yuètái
플러그(plug) 명 **1** 插头 chātóu; 插销 chāxiāo **2** 【機】 点火栓 diǎnhuǒshuān
플러그 소켓(plug socket) 【電】 = 콘센트
플러스(plus) 명하타 **1** 【數】 = 더하기 ¶1 ~ 1은 2이다 一加一等于二 **2** 剩余 shèngyú; 有益 yǒuyì ¶단체 생활 경험은 나에게 ~가 되었다 团体生活的经验对我是有益的 **3** 【物】 = 양극(陽極) **4** 【數】 = 덧셈 부호 **5** 【數】 = 양(陽)2 **6** 【數】 = 양호(陽號) **7** 【醫】 阳 yáng; 正 zhèng; 阳性 yángxìng ¶~ 반응 阳性反应
피 명 【生】 血 xuè; 血 xiě; 血液 xuèyè = 혈액 ¶상처에서 ~가 나다 伤口出血
피:-(被) 접두 被 bèi; 受 shòu ¶~선거권 被选举权
피겨 스케이팅(figure skating) 【體】 花样滑冰 huāyàng huábīng
피:격(被擊) 명하자 被击 bèi jī; 被袭击 bèi xíjī ¶미국 대사관이 어제 ~당했다 美国大使馆昨天被袭击了
피:고(被告) 명 【法】 被告 bèigào; 被告人 bèigàorén ¶~인 被告人 / 형사 사건의 ~ 刑事案件的被告
피-고름 명 【醫】 脓血 nóngxuè
피곤(疲困) 명하형 疲倦 píjuàn; 疲乏 pífá; 疲劳 píláo; 累 lèi; 疲 pí; 乏 fá ¶~을 풀다 消疲倦
피골-상접(皮骨相接) 명하자 皮包骨 píbāogǔ; 瘦骨嶙峋 shòugǔlínxún; 骨瘦如柴 gǔshòurúchái ¶병이 들어 ~하다 病得皮包骨
피:난(避難) 명하자 避难 bìnàn ¶~길 避难中 / ~살이 避难生活 / ~지 避难地 / ~처 避难处
피:난-민(避難民) 명 难民 nànmín; 逃难百姓 táonàn bǎixìng
피날레(이finale) 명 **1** 【演】 最后一场 zuìhòu yīchǎng; 终场 zhōngchǎng **2** 【音】 终曲 zhōngqǔ
피-눈물 명 血泪 xuèlèi = 혈루 ¶~을 흘리다 流血泪
피다 자 **1** 开 kāi ¶꽃이 ~ 开花 **2** 出落 chūluo; 出挑 chūtiao; 发育 fāyù ¶그녀는 몰라볼 정도로 얼굴이 피었다 她出落得我差点儿认不出来了 **3** 燃烧

ránshāo ¶불이 ~ 火燃烧起来 **4** 长zhǎng ¶곰팡이가 ~ 长霉 **5** 好转 hǎozhuǎn ¶형편이 피기 시작하다 情况开始好转

피:동(被動) 명 **1** 被动 bèidòng; 协从 xiécóng **2** 〖語〗被动 bèidòng ¶~사 被动词 / ~형 被动形

피둥-피둥 부하형 **1** 胖乎乎 pànghūhū ¶딸아이가 ~ 살찌다 女儿长得胖乎乎的 **2** 不听话地 bùtīnghuàde ¶이 애는 말도 안 듣고 ~ 놀 생각만 한다 这个孩子不听话地总是想玩

피-딱지 명 血痂 xuèjiā

피-땀 명 **1** 血和汗 xuè hé hàn **2** 血汗 xuèhàn; 心血 xīnxuè ¶~ 흘려 번 돈 血汗钱

피-똥 명 血便 xuèbiàn = 혈변

피라미 명 〖魚〗鲦鱼 tiáoyú; 小鲤鱼 xiǎolǐyú

피라미드(pyramid) 명 〖古〗金字塔 jīnzìtǎ

피:란(避亂) 명하자 避乱 bìluàn; 逃难 táonàn ¶많은 사람이 이곳으로 ~했다 到这里避乱的人很多

피:랍(被拉) 명 被…劫持 bèi…jiéchí; 被…绑架 bèi…bǎngjià ¶오늘 아침 네 명의 여성이 테러분자에게 ~되었다 今天早上四名女人被恐怖分子劫持了

피력(披瀝) 명하타 发表 fābiǎo; 披沥 pīlì; 公开 gōngkāi ¶자신의 의견을 ~하다 发表自己的意见

피로(疲勞) 명하형 疲劳 píláo; 疲倦 píjuàn ¶만성 ~ 慢性疲劳 / ~감 疲劳感 / ~를 풀다 消除疲劳

피로-연(披露宴) 명 宴会 yànhuì; 喜筵 xǐyán; 喜宴 xǐyàn

피:뢰-침(避雷針) 명 〖物〗避雷针 bìléizhēn

피륙 명 布匹 bùpǐ

피:리 명 〖音〗笛子 dízi

피마자(蓖麻子) 명 〖植〗**1** 蓖麻 bìmá = 아주까리 **2** 蓖麻子 bìmázǐ ¶~유 蓖麻子油

피망(프piment) 명 〖植〗青椒 qīngjiāo; 柿子椒 shìzijiāo

피-맺히다 자 彻骨 chègǔ ¶피맺힌 괴로움 彻骨的痛苦

피-멍 명 淤血 yūxuè; 血茧 xuèjiǎn ¶~ 든 손 带着血茧的手

피-바다 명 血泊 xuèpō; 血海 xuèhǎi

피-범벅 명 血肉模糊 xuèròumóhu ¶그는 ~이 되도록 맞았다 他被打得血肉模糊

피:-보험자(被保險者) 명 〖法〗被保险人 bèibǎoxiǎnrén

피:복(被服) 명 被服 bèifú; 服装 fúzhuāng ¶~을 지급하다 发给服装

피:복(被覆) 명하타 被覆 bèifù ¶~ 처리 被覆处理

피부(皮膚) 명 〖生〗皮肤 pífū ¶~과 皮肤科 / ~병 皮肤病 / ~암 皮肤癌

피부-색(皮膚色) 명 肤色 fūsè

피-붙이 명 血肉 xuèròu; 亲骨肉 qīngǔròu ¶~를 찾다 找寻亲骨肉

피비린-내 명 血腥味(儿) xuèxīngwèi(r) ¶~를 맡다 闻到血腥味儿

피:사-체(被寫體) 명 拍摄对象 pāishè duìxiàng; 被照射体 bèizhàoshètǐ

피:살(被殺) 명 被杀害 bèi shāhài; 被杀 bèi shā ¶~자 被杀者 / 대통령이 어젯밤 ~되었다 总统昨天晚上被杀害了

피상-적(皮相的) 관명 表面 biǎomiàn; 外表 wàibiǎo; 肤浅 fūqiǎn; 皮毛 pímáo; 皮相 píxiàng ¶~으로 알고 있다 略知皮毛

피:서(避暑) 명하자 避暑 bìshǔ ¶~객 避暑客 / ~지 避暑地 / 여름엔 많은 사람들이 ~를 간다 夏天很多人都去避暑

피:소(被訴) 명하자 〖法〗被起诉 bèi qǐsù; 被告 bèi gào ¶잡지사가 ~되다 杂志社被起诉

피:-수식어(被修飾語) 명 〖語〗中心词 zhōngxīncí

피스톤(piston) 명 **1** 〖機〗活塞 huósāi ¶자동차 ~ 汽车活塞 **2** 〖音〗(铜管乐器上的) 活塞阀键 huósāi fájiàn

피:습(被襲) 명하타 被袭击 bèi xíjī ¶~당한 우주 비행사 被袭击的宇航员

피시(PC)[personal computer] 명 〖컴〗= 개인용 컴퓨터

피식 부하자 嗤 chī ¶~ 웃다 嗤笑

피:신(避身) 명하자 躲 duǒ; 避身 bìshēn; 躲避 duǒbì ¶~처 避身所 / 안전지대로 ~하다 躲到安全地带去

피아노(piano) 명 〖音〗钢琴 gāngqín ¶~를 치다 弹钢琴

피아니스트(pianist) 명 〖音〗钢琴家 gāngqínjiā; 钢琴演奏者 gāngqín yǎnzòuzhě

피앙세(프fiancé) 명 未婚夫 wèihūnfū

피어-나다 자 **1** 开 kāi; 长出 zhǎngchū ¶개나리꽃이 ~ 开迎春花 **2** (火) 着起来 zháoqǐlái; 烧旺 shāowàng ¶불이 모락모락 ~ 火一缕一缕地着起来 **3** 苏醒 sūxǐng; 复苏 fùsū ¶그가 마침내 혼미함에서 피어났다 他终于从昏迷中苏醒过来 **4** 好转 hǎozhuǎn; 好起来 hǎoqǐlái ¶집안 살림이 점차 ~ 家里的生活渐渐好起来

피어-오르다 자 **1** 升腾 shēngténg; 升飞 shēngfēi ¶불꽃이 ~ 火焰升腾 **2** 缭绕 liáorào

피에로(프pierrot) 명 〖演〗丑角 chǒujiǎo; 小丑 xiǎochǒu

피-우다 타 1 生 shēng; 点 diǎn《'피다3' 的使动词》¶불을 ~ 点火 2 抽 chōu; 吸 xī ¶담배를~ 吸烟 3 闹 nào; 引起 yǐnqǐ ¶소란을 ~ 引起骚乱 4 散发 sànfā ¶썩은 내를 ~ 散发臭味儿

피:의-자(被疑者) 명 〖法〗 嫌疑人 xiányírén

피:임(避妊) 명하자 〖醫〗 避孕 bìyùn ¶~약 避孕药

피자(이pizza) 명 比萨饼 bǐsàbǐng; 比萨 bǐsà; 匹萨饼 pǐsàbǐng; 意大利馅饼 Yìdàlì xiànbǐng

피장-파장 명 彼此彼此 bǐcǐbǐcǐ; 半斤八两 bànjīnbāliǎng; 不上不下 bùshàngbùxià; 不相上下 bùxiāngshàngxià; 差不多 chàbuduō ¶외모로 말하자면 그녀들은 ~이다 从外貌上来说, 她们是不相上下的

피:-조물(被造物) 명 被造物 bèizàowù

피-죽(—粥) 명 稗子粥 bàizizhōu

피지(皮脂) 명 〖生〗 皮脂 pízhī

피:지배 계급(被支配階級) 〖社〗 被统治阶级 bèitǒngzhì jiējí

피:차(彼此) 명 彼此 bǐcǐ ¶그들은 ~ 깊이 신뢰한다 他们彼此深信

피:차-간(彼此間) 명 彼此之间 bǐcǐ zhījiān; 相互间 xiānghùjiān

피:차-일반(彼此一般) 명 彼此一样 bǐcǐ yīyàng; 彼此彼此 bǐcǐbǐcǐ ¶우리 모두 ~이다 我们都彼此一样

피치(pitch) 명 1 工作效率 gōngzuò xiàolǜ ¶일의 ~를 올리다 提高工作效率 2 〖體〗 投球 tóuqiú 3 〖化〗 = 아스팔트 ¶~를 깔다 铺沥青

피크(peak) 명 顶点 dǐngdiǎn; 顶峰 dǐngfēng; 高峰 gāofēng ¶원유 가격이 이미 ~에 달했다 原油的价格已达到顶峰

피클(pickle) 명 酸菜 suāncài; 酸黄瓜 suānhuánggua; 泡黄瓜 pàohuángguā

피-투성이 명 浑身是血 húnshēn shì xuè ¶그는 온몸이 ~가 되어 길가에 누워 있다 他浑身是血躺在路边

피폐(疲弊) 명하자 疲惫 píbèi; 衰竭 shuāijié; 疲弱 píruò; 衰落 shuāiluò ¶심신이 ~하다 身心疲惫 / 날로~해지다 日趋衰落

피:폭(被爆) 명하자 被炸 bèi zhá ¶외국 대사관이 ~되다 外国大使馆被炸

피하(皮下) 명 〖生〗 皮下 píxià ¶~ 지방 皮下脂肪

피:-하다 타 1 避 bì; 躲避 duǒbì ¶엄마의 추궁을 ~ 躲避妈妈的追问 2 避 bì; 躲避 duǒbì; 逃避 táobì; 避开 bìkāi ¶내 눈을 ~ 逃避我的眼睛 3 避 bì; 躲避 duǒbì ¶비를 ~ 避雨 4 躲避 duǒbì; 避免 bìmiǎn; 避开 bìkāi ¶지하실로 몸을 ~ 躲避在地下室

피:해(被害) 명하자 被害 bèihài; 受害 shòuhài; 受损 shòusǔn; 损失 sǔnshī ¶~액 被害额 / ~자 被害人 / ~를 입다 受到损失

피혁(皮革) 명 皮革 pígé

픽 부 1 无力地 wúlìde ¶그는 ~ 주저앉았다 他无力地坐下来了 2 噗哧 pūchī; 扑哧 pūchī ¶그는 ~ 한 번 웃고는 떠났다 他噗哧一笑就走了 3 扑哧 pūchī; 噗哧 pūchī ¶바람이 ~ 새어 나오다 风扑哧地漏出来 4 啪 pā ¶새끼줄이 ~ 소리를 내며 끊어졌다 麻索啪的一声断了

픽션(fiction) 명 〖文〗 = 허구2

핀(pin) 명 1 针 zhēn; 大头针 dàtóuzhēn 2 〖體〗 (保龄球) 球柱 qiúzhù 3 〖體〗 (高尔夫球) 标号旗杆 biāohào qígān

핀셋(프pincette) 명 小钳子 xiǎoqiánzi; 镊子 nièzi

핀잔 명하타 抢白 qiǎngbái; 面斥 miànchì; 呲(儿) cī(r)

필(疋) 의명 匹 pǐ; 疋 yǎ ¶명주 두 ~ 两匹绸子

필(匹) 의명 匹 pǐ; 头 tóu ¶말 한 ~ 一匹马

필경(畢竟) 부 毕竟 bìjìng; 终于 zhōngyú; 终究 zhōngjiū; 终归 zhōngguī ¶그날은~ 온다 那一天终究来临

필기(筆記) 명하타 笔记 bǐjì ¶~장 笔记本

필기-구(筆記具) 명 = 필기도구

필기-도구(筆記道具) 명 书写用具 shūxiě yòngjù = 필기구

필기-시험(筆記試驗) 명 〖教〗 笔试 bǐshì

필기-체(筆記體) 명 书写体 shūxiětǐ; 手写体 shǒuxiětǐ

필답(筆答) 명하자 笔答 bǐdá ¶질문에 ~하다 有问笔答

필독(必讀) 명하타 必读 bìdú ¶~서 必读书

필두(筆頭) 명 1 笔头 bǐtóu; 笔尖 bǐjiān 2 首 shǒu; 负责人 fùzérén; 主持者 zhǔchízhě ¶그를 ~로 많은 과학자들이 밤낮으로 연구하고 있다 以他为首的很多科学家日以继夜地进行研究

필력(筆力) 명 1 笔力 bǐlì = 필세 2 写文章的能力 xiě wénzhāngde nénglì ¶그는 ~이 좋다 他写文章的能力很强

필로폰(Philophon) 명 〖藥〗 脱氧麻黄碱 tuōyǎng máhuángjiǎn = 히로뽕

필름(film) 명 1 胶卷(儿) jiāojuǎn(r); 软片 ruǎnpiàn ¶카메라에 ~을 넣다 照相机里装胶卷 2 〖演〗 电影胶片 diànyǐng jiāopiàn; 胶片 jiāopiàn; 影片 yǐngpiàn

필명(筆名) 명 **1** 笔名 bǐmíng ¶내 ~은 뚱보이다 我的笔名是胖子 **2** 文笔的名声 wénbǐde míngshēng ¶그는 외부에서 ~이 여전히 좋다 他文笔的名声在外面还是好的
필법(筆法) 명 笔法 bǐfǎ
필사(必死) 명하자 拼死 pīnsǐ; 拼命 pīnmìng ¶~의 다이어트 拼死减肥
필사(筆寫) 명하타 抄写 chāoxiě; 手抄 shǒuchāo ¶~본 手抄本 / ~체 手抄体
필사-적(必死的) 관명 拼死 pīnsǐ; 拼命 pīnmìng; 死命 sǐmìng ¶~으로 저항하다 拼死抵抗
필생(畢生) 명 = 한평생(限平生) ¶~의 원수 毕生仇敌 / ~의 대사업 毕生的大事业
필세(筆勢) 명 = 필력1
필수(必修) 명 必修 bìxiū ¶~과목 必修科目
필수(必須) 명 必须 bìxū; 必要 bìyào; 必备 bìbèi ¶~조건 必备条件
필수(必需) 명 必需 bìxū ¶~품 必需品
필순(筆順) 명 笔顺 bǐshùn ¶한자의 ~ 汉字的笔顺
필승(必勝) 명하자 必胜 bìshèng ¶~을 다짐하다 决心一定要必胜
필시(必是) 부 必然 bìrán; 一定 yīdìng; 必定 bìdìng ¶~ 그에게 많은 단점이 있을 것이다 一定是他有许多缺点
필연(必然) 一명하형 必然 bìrán ¶~성 必然性 / 우연 중의 ~ 偶然中的必然 二부 必然 bìrán; 必定 bìdìng; 一定 yīdìng ¶이것은 ~ 현실에 적합하지 않다 这必然是不切实际的
필연-적(必然的) 관명 必然(的) bìrán(de) ¶~ 결과 必然的结果
필요(必要) 명하형 必要 bìyào; 需要 xūyào ¶~ 물품 必要物品 / ~성 必要性
필자(筆者) 명 笔者 bǐzhě; 作者 zuòzhě
필적(匹敵) 명하자 匹敌 pǐdí ¶~할 수가 없다 无法匹敌
필적(筆跡) 명 笔迹 bǐjì; 字迹 zìjì
필체(筆體) 명 = 서체
필치(筆致) 명 笔致 bǐzhì; 笔锋 bǐfēng; 笔触 bǐchù; 笔调 bǐdiào ¶예리한 ~ 锋利的笔调
필터(filter) 명 **1** 过滤器 guòlǜqì ¶공기 ~ 空气过滤器 **2** 滤光器 lǜguāngqì; 滤色器 lǜsèqì **3** 过滤嘴 guòlǜzuǐ ¶~담배 过滤嘴香烟
필통(筆筒) 명 笔筒 bǐtǒng; 笔盒 bǐhé
필-히(必—) 부 必须 bìxū; 一定 yīdìng; 必定 bìdìng ¶귀중품은 ~ 휴대하세요 请必须携带贵重品
핍박(逼迫) 一명하타 逼迫 bīpò; 强迫 qiǎngpò ¶~을 받다 受逼迫 二명하형 急迫 jípò; 危急 wēijí; 紧逼 jǐnbī ¶회사의 재정 상황이 ~해지다 公司的财政情况很危急
핏-기(—氣) 명 血色 xuèsè ¶~가 돌다 有血色
핏-대 명 青筋 qīngjīn ¶~를 올리며 크게 화내다 青筋暴起, 大发雷霆
핏-덩어리 명 **1** 血块 xuèkuài **2** 新生婴儿 xīnshēng yīng'ér ¶~를 버리다 抛弃新生婴儿
핏-발 명 血丝 xuèsī ¶~이 서다 带血丝
핏-빛 명 血色 xuèsè; 血红 xuèhóng
핏-자국 명 血迹 xuèjì ¶셔츠에 ~이 있다 衬衫上有血迹
핏-줄 명 **1** 【生】 = 혈관 **2** = 혈통 ¶같은 ~ 同一血缘
핑[1] 부 **1** 快速地转 kuàisùde zhuàn ¶그가 내 손을 잡아당기고는 몸을 ~ 돌렸다 他拉起我的手, 快速地转了个身 **2** 突然眩晕 tūrán xuànyùn ¶머리가 ~ 돌다 头突然眩晕 **3** 滴溜溜 dīliūliū ¶눈물이 눈가에서 ~ 돌다 泪珠在眼眶中滴溜溜地打转
핑[2] 부 嗖 sōu ¶총알이 머리 위를 ~ 날아가다 子弹嗖地从头上飞过
핑계 명하자타 借口 jièkǒu; 托辞 tuōcí; 推脱 tuītuō ¶~를 찾다 找借口
핑그르르 부 **1** 滴溜溜地 dīliūliūde ¶눈가에 눈물이 ~ 돌다 泪珠在眼眶中滴溜溜地转 **2** 晕晕忽忽地 yūnyunhūhūde ¶며칠 잠을 못 잤더니 머리가 ~ 돈다 因为几天没睡, 头晕晕忽忽地转
핑글-핑글 부 咕噜咕噜 gūlūgūlū ¶팽이가 ~ 돌다 陀螺咕噜咕噜地转
핑크(pink) 명 粉红色 fěnhóngsè
핑-핑[1] 부하자 轱辘轱辘 gūlugūlu ¶물통이 ~ 굴러가다 水桶轱辘轱辘地转
핑핑[2] 부 嗖嗖地 sōusōude ¶총알이 ~ 그의 곁을 날아가다 子弹嗖嗖地从他的身边飞过

ㅎ

하[1] [부] 哈 hā ¶추워서 ~ 하고 손에 입김을 불다 冷得往手心里哈气

하[2] [감] 嗬 hē; 咳 hāi ¶~, 이 젊은이 정말 대단하군! 嗬, 这小伙子真了不起!

하:(下) [명] **1** 下 xià; 下边 xiàbian **2** 下等 xiàděng; 下 xià; 次 cì

-하(下) [접미] 下 xià; 之下 zhīxià ¶지도~ 指导下 / 원칙~ 原则下

하:강(下降) [명][하][자] 下降 xiàjiàng; 降低 jiàngdī; 降落 jiàngluò = 강하1 ¶~ 기류 下降气流 / ~ 비행 下降飞行 / 온도가 ~하다 温度降低

하:객(賀客) [명] 贺客 hèkè

하:계(下界) [명] 下界 xiàjiè; 人间 rénjiān

하:계(夏季) [명] = 하기 ¶~ 훈련 夏季训练

하고 [조] **1** 和 hé; 跟 gēn; 与 yǔ《表示联合关系》¶형~ 누나는 놀러 갔어요 哥哥和姐姐都出去玩了 **2** 和 hé《引进共同行动的对象》¶나는 지금까지 그녀~ 연극을 본 적이 없다 我从来没和她一起看过戏 **3** 和 hé; 跟 gēn; 与 yǔ《引进比较的对象》¶너의 생각은 우리들~ 아주 다르다 你的想法和我们很不相同

하고-많다 [형] 非常多 fēicháng duō; 很多很多 hěn duō hěn duō; 众多 zhòngduō ¶하고많은 사람 众多人 / 하고많은 문제 很多很多问题

하:관(下顴) [명] 下巴 xiàba

하:교(下校) [명][하][자] 下学 xiàxué; 放学 fàngxué ¶학생들이 ~하자 학교는 매우 조용해졌다 学生放学了, 学校安静多了

하:굣-길(下校—) [명] 下学路 xiàxué lù; 放学路 fàngxué lù; 下学回家路 xiàxué huíjiā lù

하구(河口) [명] 河口 hékǒu; 江口 jiāngkǒu

하:권(下卷) [명] 下卷 xiàjuàn; 下册 xiàcè

하:극상(下剋上) [명][하][자] 下斗上 xiàdòushàng; 下陵上替 xiàlíngshàngtì; 晚辈居上 wǎnbèijūshàng; 以下反上 yǐxiàfǎnshàng

하:급(下級) [명] 下级 xiàjí; 下等 xiàděng ¶~ 관청 下级官厅 / ~반 下级班

하:급-생(下級生) [명] 低年级学生 dīniánjí xuésheng; 低班生 dībānshēng

하:급-자(下級者) [명] 下级 xiàjí; 下属 xiàshǔ

하:기(夏期) [명] 夏季 xiàjì = 하계(夏季) ¶~ 휴가 夏季假日 / ~ 휴업 夏季停业

하나 [一][수] 一 yī ¶~, 둘, 셋 一, 二, 三 / ~ 더하기 넷은 다섯이다 一加四等于五 [二][명] **1** 唯一 wéiyī; 唯独 wéidú; 单一 dānyī ¶그는 나의 ~밖에 없는 친구이다 他是我唯一的朋友 **2** 一心 yīxīn ¶~로 단결하다 团结一心 **3** 之一 zhīyī ¶이것은 그의 작품 중의 ~이다 这是他的作品之一 **4** 一点(儿) yīdiǎn(r) ¶~도 모르겠다 一点也不知道

하나-같다 [형] 全都 quándōu; 一样 yīyàng; 一致 yīzhì; 一色 yīsè **하나같-이** [부]

하나-님 [명]〖宗〗上帝 shàngdì = 신(神)2

하나-하나 [부] = 일일이 ¶~ 원문과 대조하다 一一对照原文

하:녀(下女) [명] 下女 xiànǚ; 女佣 nǚyōng; 女仆 nǚpú

하느-님 [명]〖宗〗**1** 上帝 shàngdì; 上天 shàngtiān; 老天爷 lǎotiānyé **2** 天主 tiānzhǔ; 上帝 shàngdì = 천주1

하느작-거리다 [자] 轻轻摆动 qīngqīng bǎidòng = 하느작대다 ¶버드나무가 바람에 ~ 杨柳梢迎风轻轻摆动 **하느작-하느작** [부][하][자]

하늘 [명] **1** 天 tiān; 天空 tiānkōng; 苍穹 cāngqióng ¶푸른 ~ 蓝天 / ~땅 天地 / ~빛 天色 **2** 老天 lǎotiān ¶~은 스스로 돕는 자를 돕는다 老天不负有心人 **3**〖宗〗天国 tiānguó

하늘-가 [명] 天际 tiānjì; 天边 tiānbiān

하늘-거리다 [자][타] 轻轻摆动 qīngqīng bǎidòng = 하늘대다 ¶커튼이 ~ 帘子轻轻摆动 **하늘-하늘** [부][하][자][타]

하늘-나라 [명]〖宗〗= 천국2

하늘-소 [명]〖蟲〗天牛 tiānniú

하늘하늘-하다 [형] 柔软 róuruǎn; 软绵绵 ruǎnmiánmián ¶하늘하늘한 비단 柔软的绸缎

하늬 [명] = 하늬바람

하늬-바람 [명] 西风 xīfēng = 하늬

하다[1] [一][타] **1** 做 zuò; 作 zuò; 干 gàn; 进行 jìnxíng ¶숙제를 ~ 做作业 / 일을 ~ 干活 / 토론을 ~ 进行讨论 **2** 做

zuò; 打 dǎ ¶밥을 ～ 做饭 / 나무를 ～ 打柴 **3** 带 dài ¶웃는 얼굴을 ～ 带着笑容 **4** 抽烟 chōuyān; 喝酒 hējiǔ ¶동료와 술을 ～ 和同事喝酒 **5** 戴 dài ¶목걸이를 ～ 戴项链 **6** 当 dāng ¶그는 학급에서 반장을 하고 있다 他在班当班长 ㊁자 **1** 值 zhí ¶이 가죽 구두는 한 켤레에 오십 위안 한다 这双皮鞋值五十块钱 **2** 用在时间词后, 表示到达一定的时间 ¶내년 3월쯤 해서 나는 중국에 갈 생각이다 明年三月左右, 我准备去中国 **3** 提到 tídào; 要说 yàoshuō; 说到 shuōdào ¶그 일을 꺼내기만 하면 그는 재미있어한다 一提到那件事他就觉得好笑 **4** 说 shuō ¶그도 우리의 의견이 아주 좋다고 한다 他也说我们的意见很好

하다[2] 보동 **1** 让 ràng; 叫 jiào; 使 shǐ ¶청소를 하게 ～ 叫人打扫 **2** 想 xiǎng; 要 yào《用于'-면'、'-으면'等的形式后, 表示愿望》¶그를 좀 만났으면 한다 要是见到他就好了 **3** 得 děi; 应该 yīnggāi《用于'-어야'等的形式后, 表示当为性、必要性》¶성공하려면 노력해야 한다 想成功就得努力 **4** 肯 kěn; 想 xiǎng; 要 yào《用于'-려'的形式后, 表示意图、欲望》¶밥을 안 먹으려 한다 不肯吃饭

하다[3] 보형 用于形容词后面, 表示强调 ¶예쁘기도 ～ 还挺好看的

하다-못해 부 哪怕 nǎpà; 至少 zhìshǎo; 实在不行 shízài bùxíng ¶～ 밤을 새우더라도 이 숙제들을 마쳐야 한다 哪怕一夜不睡, 也要把这些作业做完

하:단(下段) 명 **1** (文章) 下段 xiàduàn ¶신문의 ～ 报纸的下段 **2** 下层 xiàcéng; 下端 xiàduān ¶책꽂이의 ～ 书架的下层

하:달(下達) 명하타 下达 xiàdá ¶명령을 ～하다 下达命令

하:대(下待) 명하타 慢待 màndài; 怠慢 dàimàn ¶～를 받다 受到怠慢

하도 부 很 hěn; 太 tài; 极 jí; 非常 fēicháng ¶말이 ～ 빨라서 잘 듣지 못했다 说得太快, 没听清楚

하드 디스크(hard disk) 〖컴〗 硬盘 yìngpán; 硬磁盘 yìngcípán

하드보드(hardboard) 명 硬纸板 yìngzhǐbǎn; 硬纤维板 yìngxiānwéibǎn

하드웨어(hardware) 명 〖컴〗 硬件 yìngjiàn

하:등(下等) 명 下等 xiàděng; 次等 cìděng; 低等 dīděng ¶～ 동물 低等动物 / ～ 식물 低等植物

하등(何等) 명 任何 rènhé; 一点 yīdiǎn ¶이렇게 할 ～의 이유도 없다 没有任何理由这样做

하:락(下落) 명하자 下跌 xiàdiē; 下降 xiàjiàng; 降低 jiàngdī ¶주가 ～ 股市下跌 / 물가 ～ 物价下跌 / 제조 원가가 ～하다 制造成本下降

하:례(賀禮) 명하자타 贺礼 hèlǐ ¶신년 ～ 新年贺礼

하루 명 **1** 一天 yītiān; 一日 yīrì = 일일(一日) ¶～는 24시간이다 一天是二十四小时 **2** 整天 zhěngtiān; 终日 zhōngrì ¶～ 종일 바쁘다 整天忙碌 **3** 有一天 yǒu yītiān; 某一天 mǒu yītiān ¶～는 동료가 갑자기 찾아왔다 有一天, 同事突然找来

하루-건너 부 隔日 gérì = 하루걸러 ¶～ 한 번 가다 隔日去一次

하루-걸러 부 = 하루건너

하루-빨리 부 早日 zǎorì; 尽快 jǐnkuài; 尽早 jǐnzǎo = 하루속히 ¶～ 건강을 되찾으시기를 기원합니다 望早日康复

하루-살이 명 **1** 〖蟲〗 蜉蝣 fúyóu **2** 过一天算一天 guò yītiān suàn yītiān; 得过且过 déguòqiěguò ¶절대로 ～ 삶을 살지 마라 千万不要过一天算一天

하루-속히(—速—) 부 = 하루빨리

하루-아침 명 一旦 yīdàn; 一朝 yīzhāo; 很快 hěn kuài ¶～에 망하다 一朝覆亡

하루-치 명 一日的份额 yīrìde fèn'é ¶～를 배급 타다 领到一日的份额

하루-하루 명부 一天天 yītiāntiān; 天天 tiāntiān; 日日 rìrì; 一天比一天 yītiān bǐ yītiān ¶병세가 ～ 호전되다 病情一天天地好转

하룻-강아지 명 **1** 初生小狗 chūshēng xiǎogǒu **2** 新手 xīnshǒu

하룻강아지 범 무서운 줄 모른다 속담 初生牛犊不怕虎

하룻-밤 명 **1** 一夜 yīyè; 一晚 yīwǎn ¶～을 투숙하다 住一夜 **2** 某天晚上 mǒutiān wǎnshang

하:류(下流) 명 **1** 下游 xiàyóu; 下流 xiàliú **2** 下层 xiàcéng ¶～층 下层阶级

하류(河流) 명 河流 héliú

하:릴-없다 형 **1** 束手无策 shùshǒuwúcè; 无可奈何 wúkěnàihé **2** 肯定 kěndìng; 没错 méicuò **하:릴없-이** 부 ¶지갑을 도둑맞아서 그는 ～ 멍하니 있었다 钱包被人偷走了, 他束手无策地愣在那儿

하마(河馬) 명 〖動〗 河马 hémǎ

하마터면 부 差点儿 chàdiǎnr; 差一点儿 chàyīdiǎnr; 险些 xiǎnxiē ¶～ 넘어질 뻔했다 差一点儿摔倒了

하:명(下命) 명하자타 **1** 尊命 zūnmìng ¶～을 받들다 听从尊命 **2** 下令 xiàlìng ¶범인 체포를 ～하다 下令逮捕罪犯

하모니(harmony) 명 〖음〗 = 화성(和聲)

하모니카(harmonica) 명 【音】 口琴 kǒuqín ¶~를 불다 吹口琴
하물며 부 何况 hékuàng ¶제 나라의 말도 제대로 배우려면 많은 노력이 필요한데, ~ 외국어를 배우는 데 있어서랴? 学好本国语言尚且要花很大力气, 何况学外语呢?
하:-반기(下半期) 명 下半期 xiàbànqī
하:-반부(下半部) 명 下半部 xiàbànbù
하:-반신(下半身) 명 下半身 xiàbànshēn
하:복(下腹) 명 = 아랫배 ¶~부 下腹部
하:복(夏服) 명 夏服 xiàfú; 夏装 xiàzhuāng; 夏衣 xiàyī = 여름옷 ¶~을 입고 등교하다 穿夏衣上学
하:부(下部) 명 **1** 下部 xiàbù; 下面的部分 xiàmiànde bùfen **2** 下属 xiàshǔ; 下级 xiàjí ¶~ 조직 下级组织
하:사(下士) 명 【軍】 下士 xiàshì
하:사(下賜) 명하타 下赐 xiàcì; 赐予 cìyǔ ¶공신에게 말 한 필을 ~하다 向功臣下赐一匹马
하:사-관(下士官) 명 【軍】 士官 shìguān
하:산(下山) 명하자 下山 xiàshān ¶~할 때 길을 잃었다 下山时迷路了
하:선(下船) 명하자 下船 xiàchuán
하소연 명하타 诉苦 sùkǔ; 诉说 sùshuō ¶~할 데가 없다 无处诉苦 / 고충을 ~하다 诉说苦衷
하:수(下水) 명 下水 xiàshuǐ; 脏水 zāngshuǐ; 污水 wūshuǐ ¶~구 下水沟 / ~처리장 污水处理厂 / 생활 ~ 生活污水
하수(河水) 명 河水 héshuǐ; 江水 jiāngshuǐ
하:수-관(下水管) 명 = 수채통
하:수-도(下水道) 명 下水道 xiàshuǐdào = 수도2
하:수-인(下手人) 명 **1** 凶手 xiōngshǒu **2** 帮凶 bāngxiōng; 走狗 zǒugǒu ¶~ 노릇을 하다 当帮凶
하:수-통(下水筩) 명 = 수채통
하:숙(下宿) 명하자 寄居 jìjū; 寄宿 jìsù ¶~방 寄宿房 / ~비 寄宿费 / ~생 寄宿生 / ~집 寄宿处
하:순(下旬) 명 下旬 xiàxún ¶이번 달 ~ 本月下旬
하:악(下顎) 명 【生】 = 아래턱
하:악-골(下顎骨) 명 【生】 = 아래턱뼈
하안(河岸) 명 河岸 hé'àn; 江岸 jiāng'àn ¶~ 단구 河岸段丘
하:야(下野) 명하자 下野 xiàyě; 下台 xiàtái ¶국민의 요구로 대통령이 ~했다 国民的要求下, 总统下台了
하얀-색(—色) 명 白色 báisè
하양 명 **1** 白色 báisè **2** 白色颜料 báisè yánliào
하:얗다 형 白 bái; 雪白 xuěbái ¶하얀 치아 雪白的牙齿 / 하얀 눈 白雪
하:애-지다 자 变白 biàn bái; 发白 fābái ¶며칠 앓더니 얼굴이 하애졌다 病了几天, 脸都变白了
하여-간(何如間) 부 无论如何 wúlùnrúhé; 反正 fǎnzhèng = 여하간 ¶~ 사실은 어디까지나 사실이다 无论如何, 事实总是事实
하여-금 부 令 lìng; 使 shǐ; 使得 shǐde; 让 ràng ¶이 생각은 그로 ~ 모든 어려움을 잊게 해주었다 这个想法使得他忘记一切困难
하여-튼(何如—) 부 = 아무튼
하역(荷役) 명하타 装卸 zhuāngxiè ¶~부 装卸工人 / ~ 작업 装卸工作 / 화물을 ~하다 装卸货物
하염-없다 형 **1** 茫然 mángrán; 呆呆的 dāidāide ¶하염없는 눈빛 茫然的眼神 **2** 止不住的 zhǐbùzhùde ¶하염없는 눈물 止不住的眼泪 **하염없-이** 부 ¶먼 산을 ~ 바라보다 茫然地望着远山
하:옥(下獄) 명하타 下狱 xiàyù; 送进监狱 sòngjìn jiānyù ¶죄인들을 모두 ~시키다 把罪人都下狱了
하와(Hawwāh) 명 【宗】 夏娃 Xiàwá
하원(下院) 명 【政】 下院 xiàyuàn; 下议院 xiàyìyuàn; 众议院 zhòngyìyuàn
하:위(下位) 명 下位 xiàwèi; 下级 xiàjí; 下等 xiàděng ¶~ 개념 下位概念 / ~권 下位圈 / ~직 下级
하:의(下衣) 명 = 아래옷
하이넥(←high necked collar) 명 高领 gāolǐng
하이-라이스(←일hayasi영rice) 명 牛肉烩饭 niúròu huìfàn
하이라이트(highlight) 명 **1** 精彩场面 jīngcǎi chǎngmiàn ¶축구 경기의 ~를 방영하다 播放足球比赛的精彩场面 **2** 【美】 强光 qiángguāng
하이에나(hyena) 명 【動】 鬣狗 liègǒu; 袋狼 dàiláng
하이킹(hiking) 명하자 远足 yuǎnzú; 步行 bùxíng; 徒步旅行 túbù lǚxíng
하이픈(hyphen) 명 【語】 = 붙임표
하이-힐(←high heeled shoes) 명 (女式) 高跟鞋 gāogēnxié = 힐
하:인(下人) 명 仆人 púrén; 下人 xiàrén; 用人 yòngren
하자(瑕疵) 명 瑕疵 xiácī; 缺点 quēdiǎn ¶~가 있다 有瑕疵
하잘것-없다 형 微不足道 wēibùzúdào; 不足挂齿 bùzúguàchǐ ¶하잘것없는 일 不足挂齿的小事 **하잘것없-이** 부
하중(荷重) 명 **1** (货物的) 重量 zhòng-

liàng 2 〖物〗 荷重 hèzhòng; 负荷 fùhè; 荷载 hèzài; 承重 chéngzhòng ¶ 허용 ~ 容许荷载
하:지(下肢) 명 〖生〗 下肢 xiàzhī
하:지(夏至) 명 夏至 xiàzhì
하지만 부 可是 kěshì; 但是 dànshì; 然而 rán'ér; 但 dàn; 可 kě; 却 què ¶ 그는 여러 차례 실패했다. ~ 결코 상심하지 않는다 他虽然失败了很多次, 然而并不灰心
하:직(下直) 명하자타 1 辞别 cíbié; 拜别 bàibié; 告别 gàobié ¶ 그는 아버지께 ~을 고하고 떠났다 他向父亲告别后就动身了 2 离开 líkāi; 离别 líbié
하:질(下質) 명 次等 cìděng; 次品 cìpǐn; 次货 cìhuò
하:차(下車) 명하자 下车 xiàchē ¶ 승객이 ~하다 乘客下车
하찮다 형 无关紧要 wúguānjǐnyào; 鸡毛蒜皮 jīmáosuànpí; 微不足道 wēibùzúdào; 不足轻重 bùzúqīngzhòng; 不值一提 bùzhíyītí ¶ 하찮은 일에 마음을 쓰다 用心于无关紧要的事 **하찮-이** 부
하천(河川) 명 河川 héchuān; 河 hé ¶ ~이 범람하다 河川泛滥
하청(河請) 명하타 〖法〗 转包 zhuǎnbāo ¶ 법에 의거해 ~을 맡다 依法采取转包
하:체(下體) 명 下体 xiàtǐ; 下身 xiàshēn
하:층(下層) 명 1 = 아래층 2 下层 xiàcéng; 低层 dīcéng ¶ ~ 계급 下层阶级
하치-장(荷置場) 명 1 货场 huòchǎng; 货仓 huòcāng 2 场 chǎng ¶ 쓰레기 ~ 垃圾场
하키(hockey) 명 〖體〗 1 曲棍球 qūgùnqiú 2 = 아이스하키
하트(heart) 명 〖體〗 红心 hóngxīn
하:편(下篇) 명 下篇 xiàpiān
하품 명하자 哈欠 hāqian ¶ ~을 하다 打哈欠
하프(harp) 명 〖音〗 竖琴 shùqín
하프 라인(half line) 〖體〗 中线 zhōngxiàn = 중앙선2
하프 타임(half time) 〖體〗 中场休息 zhōngchǎng xiūxi
하필(何必) 부 何必 hébì ¶ ~이면 이렇게 극단적인 방법으로 항의를 할게 뭐람 何必用这种极端的方法以示抗议呢
하하 부하자 哈哈 hāhā ¶ 그는 ~ 웃으면서 말했다 他哈哈地笑着说
하:한(下限) 명 下限 xiàxiàn ¶ ~선 下限线
하:행(下行) 명하자 下去 xiàqù; 下行 xiàxíng ¶ ~선 下行线 / ~ 열차 下行列车

하:향(下向) 명하자 1 向下 xiàngxià; 下降 xiàjiàng ¶ ~ 조정 下降调整 2 衰落 shuāiluò; 衰退 shuāituì ¶ 전통 산업 경제가 ~되고 있다 传统产业经济在走向衰落 3 (物价) 下跌 xiàdiē ¶ 통화 수축이 나타날 때 물가는 ~된다 当出现通货紧缩时, 物价下跌
하:혈(下血) 명하자 下血 xiàxuè; 子宫出血 zǐgōng chūxuè; 崩症 bēngzhèng; 血崩 xuèbēng
학(鶴) 명 〖鳥〗 鹤 hè = 두루미
-학(學) 접미 学 xué; 学科 xuékē ¶ 경제~ 经济学 / 물리~ 物理学
학계(學界) 명 学界 xuéjiè; 学术界 xuéshùjiè ¶ 정계와 ~ 政界和学界
학과(學科) 명 〖教〗 学 xué; 学科 xuékē; 专业 zhuānyè ¶ ~ 과정 学科课程
학과(學課) 명 〖教〗 课程 kèchéng
학과-목(學科目) 명 〖教〗 课 kè; 科目 kēmù; 教学科目 jiàoxué kēmù
학교(學校) 명 〖教〗 学校 xuéxiào; 学院 xuéyuàn; 学 xué; 校 xiào = 학원(學院)1 ¶ ~ 급식 学校提供饮食 / ~장 校长 / ~를 세우다 建立学校 / ~를 다니다 上学
학구(學究) 명 1 (学问) 深研 shēnyán; 学习 xuéxí ¶ ~열 学习热 / ~파 好学派 2 学究 xuéjiū; 书呆子 shūdāizi
학군(學群) 명 〖教〗 学群 xuéqún
학급(學級) 명 〖教〗 班 bān; 班级 bānjí ¶ ~ 담임 班主任 / ~ 문고 班级文库 / ~을 편성하다 编班
학기(學期) 명 〖教〗 学期 xuéqī
학기말 고:사(學期末考査) 〖教〗 = 학기말 시험
학기말 시험(學期末試驗) 〖教〗 期末考试 qīmò kǎoshì; 大考 dàkǎo = 학기말 고사
학내(學內) 명 学校内部 xuéxiào nèibù
학년(學年) 명 〖教〗 1 学年 xuénián ¶ ~제 学年制 / 한 ~은 두 개의 학기로 나뉘어져 있다 一学年分成两个学期 2 年级 niánjí ¶ 오 ~ 삼 반 五年级三班 / 그녀는 대학교 3~ 학생이다 他是大学三年级学生
학년말 고:사(學年末考査) 〖教〗 = 학년말 시험
학년말 시험(學年末試驗) 〖教〗 学年末考试 xuéniánmò kǎoshì = 학년말 고사
학당(學堂) 명 1 = 글방 2 〖史〗 学堂 xuétáng; 学校 xuéxiào
학대(虐待) 명하타 虐待 nüèdài ¶ 그들은 잔인한 ~를 받았다 他们遭到了残忍的虐待
학도(學徒) 명 1 = 학생 ¶ 청년 ~ 青年学徒 / ~병 学生兵 2 学徒 xuétú
학력(學力) 명 学力 xuélì ¶ ~ 검사 学

力测验 / ~을 평가하다 平价学力
학력(學歷) 명 学历 xuélì ¶~이 높다 学历很高
학령(學齡) 명 〖教〗 **1** 学龄 xuélíng ¶~ 아동 学龄儿童 **2** 学龄期 xuélíngqī
학명(學名) 명 〖生〗 学名 xuémíng ¶식물의 ~ 植物的学名
학문(學問) 명하자 学问 xuéwen ¶~을 갈고닦다 切磋学问 / ~이 깊다 学问渊博
학번(學番) 명 **1** 学号 xuéhào ¶~에 따라 출석을 부르다 按学号点名 **2** 级 jí ¶그는 중문과 94 ~이다 他是中文系94级
학벌(學閥) 명 **1** 母校的地位 mǔxiàode dìwèi ¶~이 좋다 母校的地位很高 **2** 学阀 xuéfá; 学派 xuépài ¶~의 폐단을 제거하다 消除学阀弊端
학보(學報) 명 学报 xuébào ¶~를 발행하다 发行学报
학부(學部) 명 (大学的) 学院 xuéyuàn; 系 xì ¶외국어 ~ 外文系
학-부모(學父母) 명 家长 jiāzhǎng ¶~회 家长会
학-부형(學父兄) 명 家长 jiāzhǎng
학비(學費) 명 学费 xuéfèi = 학자금 ¶~를 내다 交学费
학사(學士) 명 〖教〗 学士 xuéshì ¶~ 논문 学士论文 / ~모 学士帽 / ~ 학위 学士学位
학사(學事) 명 〖教〗 教务 jiàowù
학살(虐殺) 명하타 虐杀 nüèshā; 屠杀 túshā; 惨杀 cǎnshā; 残杀 cánshā ¶~자 屠杀者 / 유태인을 잔인하게 ~하다 残忍地虐杀犹太人
학생(學生) 명하타 学生 xuésheng; 生 shēng; 学徒 xuétú; 学员 xuéyuán = 학도1 ¶~과 学生科 / ~복 学生服 / ~ 운동 学生运动 / ~증 学生证 / ~회 学生会
학설(學說) 명 学说 xuéshuō ¶자신의 ~을 세우다 建立自己的学说
학수-고대(鶴首苦待) 명하타 翘首企望 qiáoshǒuqǐwàng; 翘首以待 qiáoshǒuyǐdài; 鹤望 hèwàng; 翘企 qiáoqǐ; 翘盼 qiáopàn; 翘望 qiáowàng; 翘待 qiáodài ¶승리를 ~하다 翘首企望胜利
학술(學術) 명 学术 xuéshù ¶~계 学术界 / ~어 学术语 / ~원 学术院 / ~지 学术杂志 / ~회의 学术会议 / ~ 논문 学术论文
학습(學習) 명하타 学习 xuéxí ¶~ 단원 学习单元 / ~서 学习书 / ~ 지도 学习指导 / ~ 활동 学习活动 / ~ 태도가 진지하다 学习态度很认真 / ~ 자료를 찾다 搜寻学习资料
학식(學識) 명 学识 xuéshí ¶~이 넓다 学识渊博
학업(學業) 명 学业 xuéyè ¶순조롭게 ~을 마치다 顺利完成学业
학연(學緣) 명 学缘 xuéyuán ¶~과 지연 学缘和地缘
학예(學藝) 명 学艺 xuéyì ¶~회 学艺会
학용-품(學用品) 명 文具 wénjù; 学用品 xuéyòngpǐn; 学习用品 xuéxí yòngpǐn
학우(學友) 명 学友 xuéyǒu; 校友 xiàoyǒu; 同学 tóngxué; 同窗 tóngchuāng ¶~회 学友会
학원(學院) 명 〖教〗 **1** = 학교 **2** 补习班 bǔxíbān; 培训学校 péixùn xuéxiào ¶영어 ~ 英语补习班
학원(學園) 명 〖教〗 **1** 学园 xuéyuán; 学校 xuéxiào **2** 校园 xiàoyuán
학위(學位) 명 〖教〗 学位 xuéwèi ¶~ 논문 学位论文 / ~을 따다 获得学位
학자(學者) 명 学者 xuézhě ¶저명한 ~ 著名学者
학자-금(學資金) 명 = 학비
학장(學長) 명 学长 xuézhǎng; 院长 yuànzhǎng
학적(學籍) 명 〖教〗 学籍 xuéjí
학적-부(學籍簿) 명 〖教〗 = 생활 기록부
학점(學點) 명 〖教〗 学分 xuéfēn ¶~제 学分制 / ~을 따다 取得学分
학정(虐政) 명 虐政 nüèzhèng; 苛政 kēzhèng; 暴政 bàozhèng ¶국왕의 ~은 농민 봉기를 불러일으켰다 国王的虐政导致了农民起义
학제(學制) 명 〖教〗 学制 xuézhì ¶4년 ~ 四年学制
학질(瘧疾) 명 〖醫〗 = 말라리아
학질-모기(瘧疾—) 명 〖蟲〗 疟蚊 nüèwén
학창(學窓) 명 学校 xuéxiào; 学生 xuésheng ¶~ 생활 学校生活 / ~ 시절 学生时代
학칙(學則) 명 校规 xiàoguī; 学规 xuéguī ¶~을 위반하다 违反校规
학통(學統) 명 学统 xuétǒng ¶~을 이어받다 继承学统
학파(學派) 명 学派 xuépài
학풍(學風) 명 **1** 学风 xuéfēng ¶자유스러운 ~을 조성하다 营造自由的学风 **2** 校风 xiàofēng ¶~이 엄하다 校风严谨
학회(學會) 명 学会 xuéhuì
한 관 **1** 一 yī ¶~ 학기 一学期 / ~ 달 一个月 / ~ 사람 一个人 **2** 大约 dàyuē ¶~ 2천 명 大约两千名 / ~ 석 달 걸린다 大约需要三个月 **3** 某 mǒu; 有一 yǒuyī; 有一个 yǒu yīge ¶~ 기자의 보도에 의하면 据某记者报道

한:(恨) 명하타 恨 hèn; 怨恨 yuànhèn ¶천추의 ~ 成千古恨 / ~이 뼈에 사무치다 恨人骨髓 / 마음속에 ~을 품다 心怀怨恨

한:(限) 명하자 **1** 限 xiàn; 限度 xiàndù ¶글자 수는 600자에 ~한다 限字600字 **2** 限 xiàn ¶슬프기가 ~이 없다 伤心得无限 **3** 宁肯…也 nìngkěn…yě ¶죽는 ~이 있어도 끝까지 싸우다 宁肯死亡也战斗到底

한- 접두 **1** 大 dà ¶~길 大路 **2** 盛 shèng; 正 zhèng ¶~여름 盛夏 / ~낮 正午 / ~복판 正中 **3** 一 yī; 同 tóng ¶~마음 同心 / ~패 一伙

한-가득 부하형히부 满 mǎn ¶잔에 ~ 맥주를 따랐다 杯子上倒满了啤酒

한-가락 명 两下子 liǎngxiàzi; 两手 liǎngshǒu; 一手 yīshǒu ¶~ 하다 有两下子

한가-롭다(閑暇—) 형 闲 xián; 悠闲 yōuxián; 闲暇 xiánxiá ¶퇴직한 후의 생활이 ~ 退休后的日子悠闲 **한가로이** 부

한-가운데 명 正中 zhèngzhōng; 正中间 zhèng zhōngjiān; 正当中 zhèngdāngzhōng; 中心 zhōngxīn; 中央 zhōngyāng ¶~에 위치하다 位于正中

한-가위 명 = 추석

한가-하다(閑暇—) 형 闲 xián; 空闲 kòngxián; 清闲 qīngxián; 悠闲 yōuxián; 闲暇 xiánxiá ¶한가한 시간을 보내다 过着闲工夫 **한가-히** 부

한갓 부 只 zhǐ; 只是 zhǐshì; 只不过是 zhǐbùguòshì; 仅仅是 jǐnjǐn shì ¶그는 ~ 이름 없는 선수에 불과하다 他只不过是一位不知名的选手

한갓-지다 형 安闲 ānxián; 清闲 qīngxián; 清静 qīngjìng; 安静 ānjìng; 闲适 xiánshì; 背静 bèijing ¶한갓지고 자유로운 곳 安闲自在的地方

한-걸음 명 一步 yībù; 一下子 yīxiàzi; 一口气 yīkǒuqì ¶~에 집으로 달려가다 一口气跑到家

한-겨울 명 严冬 yándōng; 盛冬 shèngdōng

한결 부 更 gèng; 更加 gèngjiā; 更进一步 gèng jìnyībù ¶~ 예뻐 보인다 显得更加漂亮

한결-같다 형 **1** 始终如一 shǐzhōngrúyī; 始终不渝 shǐzhōngbùyú; 始终一贯 shǐzhōngyīguàn ¶한결같은 태도 始终不渝的态度 **2** 一致 yīzhì ¶의견이 ~ 意见一致 **한결같-이** 부 ¶모든 사람이 ~ 반대하다 大家一致反对

한:계(限界) 명 限 xiàn; 界限 jièxiàn; 限界 xiànjiè; 限度 xiàndù; 界线 jièxiàn; 边际 biānjì ¶~선 限界线 / ~성 界限性 / ~가 모호하다 界限模糊 / 능력의 ~를 알다 认识能力的界限

한-고비 명 关 guān; 关头 guāntóu; 紧要关头 jǐnyào guāntóu; 关键时刻 guānjiàn shíkè ¶~를 넘기다 度过难关头

한-구석 명 一角 yījiǎo; 一个角落 yīge jiǎoluò ¶탁자의 ~에 연하장이 놓여 있다 在桌子的一角, 放着一张的贺卡

한:국(韓國) 명 〖地〗 = 대한민국 ¶~계 韩国血统 / ~사 韩国史 / ~산 韩国产 / ~인 韩国人

한:국-어(韓國語) 명 〖語〗 韩国语 Hánguóyǔ; 韩语 Hányǔ

한:국 전:쟁(韓國戰爭) 〖史〗 = 육이오 전쟁

한-군데 명 一处 yīchù; 一处地方 yīchù dìfang; 一个地方 yīge dìfang ¶모두들 ~에 모여 있다 大家聚在一处

한:글 명 韩国文字 Hánguó wénzì; 韩文 Hánwén ¶~날 韩国文字节

한기(寒氣) 명 **1** 寒意 hányì; 寒气 hánqì ¶한겨울의 ~가 몸에 사무치다 深冬寒意逼人 **2** 〖韓醫〗 寒症 hánzhèng; 发冷 fālěng ¶온몸에 ~가 들다 感到浑身发冷

한-길[1] 명 大路 dàlù; 大街 dàjiē; 公路 gōnglù

한-길[2] 명 一条路 yītiáo lù

한꺼번-에 부 一下子 yīxiàzi; 一块儿 yīkuàir; 一起 yīqǐ; 一举 yījǔ; 同时 tóngshí ¶일이 ~ 닥치다 事情凑到一块儿

한:-껏 부 尽量 jǐnliàng; 尽情 jìnqíng; 尽力 jìnlì; 尽可能 jǐnkěnéng ¶~ 예쁘게 화장하다 尽量打扮得漂漂亮亮的

한-끝 명 一头 yītóu; 一端 yīduān

한-나절 명 半天 bàntiān; 半日 bànrì = 반일(半日) ¶~이 걸려서야 집에 도착할 수 있었다 花半天的时间才能到家

한-날 명 同一天 tóngyītiān; 同日 tóngrì

한날-한시(—時) 명 同日同时 tóngrì-tóngshí ¶우리는 ~에 태어났다 我们是同日同时出生的

한-낮 명 中午 zhōngwǔ; 正午 zhèngwǔ

한낱 관 只不过是 zhǐbùguòshì; 只是 zhǐshì; 仅仅是 jǐnjǐn shì ¶그것은 ~ 빙산의 일각에 불과하다 那只不过是冰山一角而已

한-눈 명 **1** 一看 yīkàn; 一见 yījiàn; 一眼 yīyǎn ¶~에 반하다 一见钟情 **2** 一览 yīlǎn ¶~에 다 보다 一览无余

한:눈-팔다 자 心不在焉 xīnbùzàiyān ¶그는 수업할 때 늘 한눈판다 他上课的时候常常心不在焉

한-달음 명 一口气 yīkǒuqì; 一气儿 yīqìr ¶그는 ~에 달려 집으로 돌아갔다 他一口气跑回了家

한담(閑談) 명하자 闲谈 xiántán; 闲话 xiánhuà; 闲扯 xiánchě; 闲聊 xiánliáo ¶~을 하다 说闲话

한대(寒帶) 명 『地理』 寒带 hándài ¶~ 기후 寒带气候 / ~림 寒带林

한-더위 명 盛暑 shèngshǔ; 酷热 kùrè; 酷暑 kùshǔ; 炎署 yánshǔ; 炎热 yánrè

한-데[1] 명 一处 yīchù; 一处地方 yīchù dìfang; 一个地方 yīge dìfang ¶~ 모이다 聚在一处

한:-데[2] 명 露天 lùtiān; 外边 wàibian; 野外 yěwài = 노천 · 바깥2 · 밖4 ¶~서 식사하다 餐在露天

한데[3] 부 但是 dànshì; 可是 kěshì; 然而 rán'ér; 但 dàn; 可 kě ¶너는 나를 사랑해도 된다. ~ 너무 사랑하지는 마라 你可以爱我, 但是不要太爱我

한:도(限度) 명 限 xiàn; 限度 xiàndù ¶최대~ 最大限度 / 최저~ 最低限度 / ~액 限额 / ~를 초과하다 超过限度

한-동갑(一同甲) 명 = 동갑1

한-동네 명 同村 tóngcūn

한-동안 명 一时 yīshí; 一度 yīdù; 一阵 yīzhèn ¶~ 유행하다 流行一时

한-두 관 一两个 yīliǎngge; 一两 yīliǎng ¶~ 달 一两月 / ~ 시간 一两个小时

한-둘 수 一两个 yīliǎngge ¶문제가 뜻밖에 ~이 아니다 问题竟然不是一两个

한들-거리다 자타 摇摇晃晃 yáoyaohuànghuàng = 한들대다 ¶풀꽃이 ~ 草花摇摇晃晃 **한들-한들** 부하자타

한-때 一명 1 一度 yīdù; 一时 yīshí ¶~의 욕심 一时贪心 2 = 일시(一時)一2 二부 = 일시(一時)三

한랭(寒冷) 명하형 寒冷 hánlěng; 冷 lěng ¶~대 寒冷地带 / ~ 전선 冷锋

한:량(限量) 명 限 xiàn; 限量 xiànliàng

한:량-없다(限量—) 형 无限 wúxiàn; 无量 wúliàng; 无比 wúbǐ ¶그는 사장이 되어 기쁘기가 ~ 他当老板喜悦无比 **한:량없-이** 부 ¶사랑이란 ~ 용서하고 받아들이는 것이다 爱是无限地宽容和接纳

한류(寒流) 명 『地理』 寒流 hánliú

한-마디 명 一句 yījù; 一句话 yījùhuà; 一言 yīyán; 一语 yīyǔ ¶~로 말하자면 一言以蔽之

한-마을 명 同村 tóngcūn

한-마음 명 同心 tóngxīn; 一心 yīxīn; 齐心 qíxīn ¶모두가 ~이 되다 同心同德

한-목소리 명 齐声 qíshēng; 异口同声 yìkǒutóngshēng; 众口一词 zhòngkǒuyīcí ¶~로 칭찬하다 齐声称赞

한-몫 명 一份儿 yīfènr; 一把 yībǎ; 一股 yīgǔ ¶~ 잡다 捞一把

한:문(漢文) 명 汉文 Hànwén ¶~체 汉文文体 / ~학 汉文文学 / ~을 배우다 学习汉文

한물 명 (蔬菜、鱼等) 旺季 wàngjì

한물-가다 자 1 过旺季 guò wàngjì ¶사과는 이미 한물갔다 苹果已经过了旺季 2 过时 guòshí ¶그것은 이미 한물간 기술이다 那已经是过时的技术

한:-민족(韓民族) 명 韓民族 Hánmínzú

한-밑천 명 一大笔钱 yīdàbǐqián; 一笔老本 yībǐlǎoběn; 大本钱 dàběnqián ¶~ 잡다 捞得一大笔钱

한-바탕 명부 一阵 yīzhèn; 一场 yīcháng; 一通 yītōng; 一气 yīqì ¶~ 울다 哭一阵 / 비가 ~ 내렸다 下了一阵雨

한:-반도(韓半島) 명 韩半岛 Hánbàndǎo; 朝鲜半岛 Cháoxiǎn bàndǎo

한-발 부 一步 yībù ¶상대보다 ~ 앞서다 比对手领先一步

한:발(旱魃) 명 旱魃 hànbá; 干旱 gānhàn ¶여름과 가을 사이에 ~이 심하다 夏秋之间, 旱魃为虐

한-밤 명 = 한밤중

한-밤중(一中) 명 半夜 bànyè; 深夜 shēnyè; 午夜 wǔyè; 子夜 zǐyè; 半夜三更 bànyèsāngēng; 深更半夜 shēngēngbànyè = 반야(半夜) · 야밤중 · 오밤중 · 한밤

한-방(一房) 명 1 同一房间 tóngyī fángjiān ¶나는 그와 ~에서 기거한다 我跟他住在同一房间 2 满屋子 mǎnwūzi ¶향기가 ~ 가득하다 满屋子都是香

한방(韓方) 명 『韓醫』 1 中医 zhōngyī 2 中医处方 zhōngyī chǔfāng

한:방-약(韓方藥) 명 『韓醫』 = 한약

한:방-의(韓方醫) 명 『韓醫』 = 한의사

한-배 명 1 同窝 tóngwō ¶~의 새끼 돼지 同窝仔猪 2 同胎 tóngtāi ¶성격이 아주 다른 ~의 형제 一对性格迥异的同胎兄弟

한-번(一番) 명 1 一次 yīcì; 一回 yīhuí ¶~ 해보다 试一次 2 一旦 yīdàn ¶~ 파괴되면 회복하기 어렵다 一旦破坏很难恢复 3 有一次 yǒu yīcì; 有时间 yǒu shíjiān ¶언제 ~ 놀러 오세요 有一次来玩吧

한:복(韓服) 명 韩服 Hánfú

한-복판 명 中心 zhōngxīn; 正中 zhèngzhōng; 正中央 zhèngzhōngyāng; 正中间 zhèngzhōngjiān

한:사-코(限死—) 부 偏要 piānyào; 死 sǐ; 拼命 pīnmìng; 非得 fēiděi; 极力

jílì; 矢口 shǐkǒu; 执意 zhíyì ¶～ 반대하다 极力反对 / ～ 아니라고 잡아떼다 矢口否认

한산-하다(閑散—) 형 **1** 冷清 lěngqing; 清淡 qīngdàn; 冷落 lěngluò ¶거래가 ～ 交易冷落 **2** 幽静 yōujìng; 僻静 pìjìng; 冷清 lěngqīng; 冷静 lěngjìng; 背静 bèijing ¶한산한 공원 幽静的公园 **한산-히** 부

한-세상(—世上) 명 **1** 一生 yīshēng; 一辈子 yībèizi ¶～ 뜻을 이루지 못했다 一生坎坷 **2** 好日子 hǎorìzi ¶열심히 일하면 ～은 반드시 올 것이다 努力工作, 好日子一定会来到

한센-병(Hansen病) 명 〖醫〗 '나병' 的别称

한솥-밥 명 一锅饭 yīguōfàn ¶～을 먹다 吃一锅饭

한-순간(—瞬間) 명 一瞬 yīshùn; 一转眼 yīzhuǎnyǎn; 一展眼 yīzhǎnyǎn ¶～에 십 년이 지나갔다 一转眼, 十年过去

한-술 명 一勺 yīsháo; 一点点 yīdiǎndiǎn

 한술 더 뜨다 구 更厉害; 反倒; 反而

한-숨[1] 명 **1** 一口气 yīkǒuqì ¶～ 돌리다 松一口气 **2** 一会儿 yīhuìr ¶～ 자다 睡一会儿

한-숨[2] 명 叹气 tànqì; 叹息 tànxī ¶길게 ～을 쉬었다 长叹了一口气

한숨-에 부 一口气 yīkǒuqì ¶전부 ～ 마시다 一口气饮尽

한숨-짓다 자 叹气 tànqì; 叹息 tànxī; 嗟叹 jiētàn ¶그는 늘 우거지상으로 한숨짓는다 他经常愁眉苦脸, 唉声叹气

한:-스럽다(恨—) 형 抱恨 bàohèn; 抱怨 bàoyuàn; 怀恨 huáihèn; 埋怨 mányuàn ¶자신의 세심하지 못함을 한스러워하다 埋怨自己的粗心

한-시(—時) 명 **1** 同时 tóngshí **2** 一时 yīshí; 一刻 yīkè; 片刻 piànkè = 일시(一時)⊟1 ¶～도 늦출 수 없다 一时不等一时

 한시가 급하다 구 刻不容缓; 紧急

한:시(漢詩) 명 〖文〗 **1** 汉文诗 Hànwénshī **2** 汉诗 Hànshī

한-시름 명 一桩心事 yīzhuāng xīnshì ¶마침내 ～ 놓았다 终于一桩心事了

한시-바삐(—時—) 부 尽快 jǐnkuài; 尽早 jǐnzǎo ¶～ 결정을 내려야만 한다 一定要尽快做出决定

한식(寒食) 명 寒食 hánshí

한:식(韓食) 명 韩食 Hánshí; 韩国饮食 Hánguó yǐnshí; 韩国菜 Hánguócài

한심-스럽다(寒心—) 형 寒心 hánxīn; 寒碜 hánchen; 可怜 kělián ¶한심스러울 정도로 천박하다 浅薄得令人可怜 **한심스레** 부

한심-하다(寒心—) 형 寒心 hánxīn; 寒碜 hánchen; 不像话 bùxiànghuà; 不像样 bùxiàngyàng; 可怜 kělián ¶뜻밖에 이런 결말이라니 정말 ～ 居然如此这般结局, 真令人寒心

한:약(韓藥) 명 〖韓醫〗 中药 zhōngyào = 한방약 ¶～방 中药房

한:약-재(韓藥材) 명 〖韓醫〗 中药材 zhōngyàocái; 药材 yàocái

한:-없다(限—) 형 无限 wúxiàn; 无穷 wúqióng; 无边 wúbiān; 无际 wújì; 无已 wúyǐ; 无止境 wúzhǐjìng ¶이 업종의 발전 잠재력은 ～ 这种行业的发展潜力无限 **한:없-이** 부

한-여름 명 盛夏 shèngxià

한-옆 명 一边 yībiān; 一旁 yīpáng ¶그는 ～에 앉아 신문을 본다 他坐在一边看报纸

한:옥(韓屋) 명 韩式房屋 Hánshì fángwū

한:우(韓牛) 명 〖動〗 韩牛 hánniú; 韩国牛 Hánguóniú

한:의(韓醫) 명 **1** 中医 zhōngyī **2** = 한의사

한:-의사(韓醫師) 명 〖韓醫〗 中医 zhōngyī; 中医大夫 zhōngyī dàifu; 中医生 zhōngyīshēng = 한방의 · 한의2

한:-의원(韓醫院) 명 〖韓醫〗 中医院 zhōngyīyuàn

한:-의학(韓醫學) 명 〖韓醫〗 中医学 zhōngyīxué

한:인(韓人) 명 韩国人 Hánguórén

한-입 명 **1** 一张嘴 yīzhāng zuǐ **2** 一口 yīkǒu ¶～에 다 먹었다 一口吃完了

한:자(漢字) 명 汉字 Hànzì ¶～어 汉字词

한-자리 명 **1** 同席 tóngxí; 同桌 tóngzhuō; 同座 tóngzuò ¶회장 부부는 ～에 앉아 있다 会长夫妇坐在同席 **2** 官 guān ¶～ 하다 做官

한-잔(—盞) 명하자 一杯 yībēi; 杯 bēi ¶우리 술이나 ～할까? 咱们喝杯酒好不好?

 한잔 걸치다 구 喝一点酒

 한잔 내다 구 请一杯酒

한-잠 명 一觉 yījiào ¶～ 자다 睡一觉

한:재(旱災) 명 旱灾 hànzāi

한적-하다(閑寂—) 형 闲寂 xiánjì; 清闲 qīngxián; 萧闲 xiāoxián ¶한적한 교외 闲寂的郊外 **한적-히** 부

한:정(限定) 명하타 限定 xiàndìng; 限制 xiànzhì ¶～판 限定版 / ～ 금액을 초과하다 超过限定金额

한-주먹 명 一拳 yīquán ¶머리를 ～ 맞았다 头部挨了一拳

한-줄기 명하자 **1** 一阵 yīzhèn; 一场 yīcháng ¶어제 ～ 비가 내렸다 昨天下了一场雨 **2** 一个系统 yīge xìtǒng

한:증-막(汗蒸幕) 명 桑拿房 sāngnáfáng; 桑拿浴室 sāngná yùshì
한:지(韓紙) 명 韩纸 Hánzhǐ
한직(閑職) 명 **1** 闲职 xiánzhí ¶좌천되어 ~의 근무지로 보내지다 遭左迁而被调到闲职的岗位上 **2** 冷板凳 lěngbǎndèng ¶~에 있다 坐冷板凳
한-집 명 **1** 同一家 tóngyījiā ¶~에 살다 住在同一家 **2** = 한집안1 **3** = 한집안2
한-집안 명 **1** 一家 yījiā = 일가1 · 한집2 ¶~ 식구 一家人 **2** (本家亲戚) 一家人 yījiārén = 한집3 ¶설 쇨 때 ~이 한곳에 모인다 过年就是一家人团圆
한-쪽 명 一边 yībiān; 一方 yīfāng; 一头 yītóu = 한편⊟2 ¶~에 서 있다 站在一边
한-차례 명 一场 yīcháng; 一阵 yīzhèn; 一圈 yīquān; 一轮 yīlún ¶비가 ~ 내리다 下一场雨 / ~ 둘러보다 逛一圈
한-참 명 半天 bàntiān; 大半天 dàbàntiān; 老半天 lǎobàntiān; 好一会儿 hǎoyīhuìr ¶~ 기다렸다 等了半天 / 모두들 ~ 웃었다 大家笑了老半天
한창 ⊟명 盛 shèng; 旺 wàng; 旺盛 wàngshèng ¶꽃이 ~이다 花盛开 / 인기가 제법 ~이다 人气颇为旺盛 ⊟부 正 zhèng; 正在 zhèngzài ¶그들은 지금 ~ 회의를 하고 있는 중이다 他们现在正开会呢
한창-때 명 当年 dāngnián; 正盛 zhèngshèng; 血气方刚 xuèqìfānggāng
한-철 명 旺季 wàngjì ¶지금은 조기가 ~이다 现在是黄花鱼的旺季
한-층(一層) 부 更加 gèngjiā; 更为 gèngwéi; 进一步 jìnyībù = 일층 ¶경쟁은 ~ 더 격렬해질 것이다 竞争将更加激烈 / 형의 병세는 ~ 더 악화되었다 哥哥的病情进一步恶化了
한-칼 명 一刀 yīdāo ¶~에 베어 버리다 一刀割下去
한:탄(恨歎 · 恨嘆) 명하타 叹 tàn; 叹息 tànxī; 叹气 tànqì; 嗟叹 jiētàn ¶길게 ~하다 唉声叹气
한-턱 명하자 请客 qǐngkè
한턱-내다 자 请客 qǐngkè ¶상금을 받자 동료들이 나에게 한턱내라고 떠들어댔다 奖金发下来, 有些同事吵着让我请客
한테 조 用于体词后, 表示对象 ¶이것은 형~ 보낼 선물이다 这是送哥哥的礼物
한테-로 조 用于体词后, 表示方向 ¶집에서 나~ 몇 벌의 옷을 붙여왔다 家里给我寄来几件衣服
한테-서 조 用于体词后, 表示出处 ¶선생님~ 참고서 한 권을 빌렸다 从老师那儿借了一本参考书
한-통속 명 一伙 yīhuǒ; 一帮 yībāng; 同伙 tónghuǒ; 一鼻孔出气 yī bíkǒng chūqì ¶시민에게 붙잡힌 남자는 도둑과 ~이다 被市民抓住的男人是小偷的同伙
한-판 명 **1** 一盘 yīpán; 一局 yījú; 一场 yīchǎng ¶장기를 ~ 두다 下一盘棋 **2** 〖體〗 (柔道比赛的) 全胜 quánshèng
한-패(一牌) 명 一伙 yīhuǒ; 同伙 tónghuǒ; 一帮 yībāng; 一派 yīpài ¶사실상 그들은 모두 ~이다 其实他们都是一伙儿的
한-편(一便) ⊟명 **1** 一伙 yīhuǒ; 同伙 tónghuǒ; 一帮 yībāng; 一派 yīpài ¶그 역시 우리와 ~이다 他也是和我们一伙的 **2** = 한쪽 **3** 一面 yīmiàn; 一边 yībiān ¶~으로는 고맙기도 하고 ~으로는 부담스럽기도 하다 一面感谢, 一面负担 ⊟부 另一方面 lìngyīfāngmiàn
한-평생(一平生) 명 一生 yīshēng; 平生 píngshēng; 一辈子 yībèizi = 일평생 ¶그는 조국의 미래를 위하여 ~ 노력했다 他为祖国的前途奋斗了一生
한:-평생(限平生) 부 终生 zhōngshēng; 终身 zhōngshēn; 一辈子 yībèizi; 至死 zhìsǐ = 필생 ¶~ 뜻을 이루지 못하다 终生不得志
한-풀 명 (激昂的) 气势 qìshì; 势头 shìtóu ¶~ 꺾이다 气势低落
한:-풀이(恨—) 명하자 解恨 jiěhèn; 解仇 jiěchóu; 雪恨 xuěhèn
한:-하다(限—) 자 限 xiàn; 限定 xiàndìng; 限制 xiànzhì; 限于 xiànyú ¶일정한 범위 내에 ~ 限制在一定的范围之内
한해-살이 명 〖植〗 一年生 yīniánshēng = 일년생 ¶~풀 一年生植物
할(割) 의명 成 chéng ¶우리 팀의 평균 타격률은 3~ 1푼 4리이다 我们队的平均打击率三成一四
할거(割據) 명하자 割据 gējù ¶군웅 ~의 국면이 형성되다 形成群雄割据的局面
할당(割當) 명하타 分配 fēnpèi; 分担 fēndān; 分摊 fēntān; 摊派 tānpài ¶~량 分配量 / ~액 分配额 / ~제 分配制 / 임무를 ~하다 分担任务
할딱-거리다 자타 **1** 气喘吁吁 qìchuǎnxūxū ¶할딱거리며 뛰어오다 气喘吁吁地跑过来 **2** (鞋) 松 sōng ‖ = 할딱대다 **할딱-할딱** 부하자타
할딱-이다 자타 **1** 气喘吁吁 qìchuǎnxūxū ¶그는 할딱이며 3층으로 달려갔다 他气喘吁吁跑到三楼 **2** (鞋) 松 sōng

할렐루야(히hallelujah) 명 〖宗〗哈利路亚 Hālìlùyà
할로겐(독Halogen) 명 〖化〗卤 lǔ; 卤素 lǔsù ¶~전구 卤素灯泡
할리우드(Hollywood) 명 〖地〗好莱坞 Hǎoláiwù
할망구 명 老太婆 lǎotàipó; 老婆子 lǎopózi
할머니 명 **1** 祖母 zǔmǔ; 奶奶 nǎinai = 조모 **2** 奶奶 nǎinai; 老奶奶 lǎonǎinai; 老大娘 lǎodàniang; 老太太 lǎotàitai
할머-님 명 '할머니' 的敬词
할멈 명 **1** 老太婆 lǎotàipó; 老妪 lǎoyù; 老媪 lǎo'ǎo **2** 老婆子 lǎopózi
할미 명 **1** '할멈1' 的鄙称 **2** 奶奶 nǎinai《对孙子、孙女的奶奶的自称》
할미-꽃 명 〖植〗白头翁 báitóuwēng
할미-새 명 〖鳥〗鹡鸰 jílíng
할복(割腹) 명하자 剖腹 pōufù ¶~자살 剖腹自杀
할부(割賦) 명하타 分期付款 fēnqī fùkuǎn; 分期支付 fēnqī zhīfù; 摊付 tānfù ¶~금 摊付款 / ~ 판매 分期付款销售
할아버-님 명 '할아버지' 的敬词
할아버지 명 **1** 祖父 zǔfù; 爷爷 yéye = 조부 **2** 爷爷 yéye; 老爷爷 lǎoyéye; 老大爷 lǎodàye; 老太爷 lǎotàiyé
할아범 명 **1** 老头子 lǎotóuzi **2** 老奴 lǎonú
할아비 명 **1** '할아범1' 的鄙称 **2** 爷爷 yéye《对孙子、孙女的爷爷的自称》
할애(割愛) 명하타 割爱 gē'ài; 抽出 chōuchū; 舍得 shěde ¶시간을 ~하다 抽出时间
할인(割引) 명하타 **1** 折扣 zhékòu; 打折 dǎzhé; 打折扣 dǎ zhékòu; 折价 zhéjià; 减价 jiǎnjià; 降价 jiàngjià ¶~율 折扣率 / ~점 折扣商店 / 현금이면 ~해 준다 要是现钱, 打折扣 **2** 〖經〗= 어음 할인
할증(割增) 명하타 加价 jiājià; 提价 tíjià; 附加 fùjiā ¶~료 附加费 / 야간에는 1위안이 ~된다 夜间加价1元
할퀴다 타 **1** 挠破 náopò; 抓破 zhuāpò ¶나는 그의 얼굴을 할퀴었다 我把他的脸挠破了 **2** 横扫 héngsǎo; 席卷 xíjuǎn ¶태풍이 섬을 ~ 台风横扫岛
핥다 타 **1** 舐 shì; 舔 tiǎn ¶혀를 내밀어 여기저기 ~ 把舌头伸出东舔西舔 **2** (光线、视线等) 掠过 lüèguò
함:(函) 명 **1** 箱子 xiāngzi; 盒子 hézi ¶책을 ~에 넣었다 把书装在一只箱子里 **2** 彩礼箱 cǎilǐxiāng ¶오늘은 ~을 보내는 날이다 今天是送彩礼箱的日子
함구(緘口) 명하자 缄口 jiānkǒu; 结口 jiékǒu ¶그는 어제 일에 대해 ~하고 있다 对昨天的事他缄口
함구-령(緘口令) 명 缄口令 jiānkǒulìng ¶~을 내리다 下缄口令
함께 부 一起 yīqǐ; 一块儿 yīkuàir; 一同 yītóng; 一道 yīdào; 共 gòng; 共同 gòngtóng ¶우리는 어려서부터 ~ 자랐다 我们从小一起长大
함:**대**(艦隊) 명 〖軍〗舰队 jiànduì
함:**락**(陷落) 명하자타 **1** 陷 xiàn; 陷落 xiànluò; 陷没 xiànmò **2** 陷落 xiànluò; 陷没 xiànmò; 失陷 shīxiàn ¶영토의 대부분이 ~되었다 领土大片陷落
함량(含量) 명 含量 hánliàng ¶중금속 ~ 重金属含量
함:**몰**(陷沒) 명하자 **1** 沉陷 chénxiàn; 下沉 xiàchén; 陷没 xiànmò ¶지면이 ~되기 시작하다 地面开始下沉 **2** (因灾难) 灭亡 mièwáng
함박 명 **1** = 함지박 **2** = 함박꽃
함박-꽃 명 芍药花 sháoyaohuā = 함박2
함박-눈 명 鹅毛大雪 émáo dàxuě
함부로 부 随便 suíbiàn; 随意 suíyì; 胡 hú; 乱 luàn; 胡乱 húluàn; 轻意 qīngyì; 冒然地 màoránde; 贸然地 màoránde ¶~ 말하다 随便说
함석 명 〖工〗白铁 báitiě; 洋铁 yángtiě; 马口铁 mǎkǒutiě; 镀锌铁 dùxīntiě ¶~지붕 白铁屋顶 / ~집 白铁屋顶房 / ~판 白铁皮
함:**선**(艦船) 명 舰船 jiànchuán
함:**성**(喊聲) 명 喊声 hǎnshēng ¶~을 지르다 叫喊声
함:**수**(函數) 명 〖數〗函数 hánshù ¶~관계 函数关系 / ~ 방정식 函数方程式 / ~표 函数表
함양(涵養) 명하타 涵养 hányǎng; 培养 péiyǎng; 修养 xiūyǎng ¶도덕심을 ~하다 涵养道德 / 애국심을 ~하다 培养爱国心
함유(含有) 명하타 含 hán; 含有 hányǒu ¶~량 含量 / 담배에 ~된 니코틴 香烟中含有的尼古丁 / 풍부한 단백질을 ~하다 含有丰富的蛋白质
함자(銜字) 명 尊姓大名 zūnxìngdàmíng; 大号 dàhào ¶선생님의 ~는 어떻게 되십니까? 请问先生尊姓大名?
함:**장**(艦長) 명 舰长 jiànzhǎng
함:**정**(陷穽·檻穽) 명 陷阱 xiànjǐng; 罗网 luówǎng; 圈套 quāntào ¶~을 만들다 制造陷阱 / ~에 빠지다 陷入罗网
함:**정**(艦艇) 명 〖軍〗舰艇 jiàntǐng
함지 명 **1** 独木盆 dúmùpén **2** = 함지박
함지-박 명 木盆 mùpén = 함박1 · 함지2
함초롬-하다 형 整齐美观 zhěngqí měiguān; 湿漉漉 shīlùlù ¶그녀의 모습이 ~ 她的影子湿漉漉的 **함초롬-히** 부

함축(含蓄) 명하타 1 包含 bāohán 2 含蓄 hánxù; 蕴含 yùnhán ¶~미 含蓄美 / ~성 含蓄性 / 진실성을 ~하다 含蓄真实性

함흥-차사(咸興差使) 명 泥牛入海 níniúrùhǎi; 杳如黄鹤 yǎorúhuánghè

합(合) 명 『數』 合 hé; 合数 héshù

합(盒) 명 盒 hé

합격(合格) 명하자 1 及格 jígé; 合格 hégé; 考上 kǎoshàng; 考中 kǎozhòng ¶~률 合格率 / ~선 合格线 / ~자 合格者 / ~품 合格品 / 시험에 ~하다 考试及格 2 合格 hégé ¶이 제품의 품질은 모두 ~이다 这批产品质量都合格

합계(合計) 명하타 合计 héjì; 共计 gòngjì; 总共 zǒnggòng ¶두 항목의 ~는 20이다 两项合计20

합공(合攻) 명하타 合攻 hégōng ¶적을 ~하다 合攻敌人

합금(合金) 명 『化』 合金 héjīn ¶~강 合金钢 / ~철 合金铁

합기-도(合氣道) 명 『體』 合气道 héqìdào

합당(合黨) 명하자 合党 hédǎng ¶~을 선포하다 宣布合党

합당-하다(合當—) 형 适当 shìdàng; 合适 héshì; 恰当 qiàdàng; 妥当 tuǒdang ¶합당한 시기 恰当的时机 **합당-히** 부

합동(合同) 명하자 1 联合 liánhé; 联席 liánxí ¶~ 작전 联合作战 2 『數』 全等 quánděng; 重叠 chóngdié

합류(合流) 명하자 合流 héliú; 汇合 huìhé; 会合 huìhé; 汇流 huìliú ¶여기는 한류와 난류의 ~ 지점이다 这里是寒流与暖流的合流点

합리(合理) 명하형 合理 hélǐ ¶~성 合理性 / ~화 合理化

합리-적(合理的) 관명 合理的 hélǐde ¶~인 선택을 하다 作出合理的选择

합리-주의(合理主義) 명 『哲』 理性主义 lǐxìng zhǔyì

합반(合班) 명하자 合班 hébān; 并班 bìngbān ¶두 반이 ~하여 수업하다 两个班合班上课

합방(合邦) 명하자타 合邦 hébāng; 国家合并 guójiā hébìng

합법(合法) 명하형 合法 héfǎ ¶~성 合法性 / ~적 合法的 / ~화 合法化 / ~투쟁 合法斗争

합병(合兵) 명하타 合兵 hébīng

합병(合倂) 명하자타 合并 hébìng = 병합 ¶이 두 기업은 ~되었다 这两家企业合并了

합병-증(合倂症) 명 『醫』 并发症 bìngfāzhèng; 合并症 hébìngzhèng; 副疾 fùjí

합본[1](合本) 명하자 『經』 = 합자

합본[2](合本) 명하자타 『印』 1 合订 hédìng ¶~하여 출판하다 合订出版 2 合订本 hédìngběn; 合订册 hédìngcè

합산(合算) 명하타 合算 hésuàn; 合计 héjì ¶각 항목의 지출을 ~하다 把各项支出合算

합석(合席) 명하자 同席 tóngxí; 同桌 tóngzhuō ¶~하여 식사하다 同桌而食

합선(合線) 명하자 『電』 短路 duǎnlù ¶전선의 ~으로 화재가 나다 因电线短路引起火灾

합성(合成) 명하자타 1 合成 héchéng ¶~법 合成法 / ~ 사진 合成照片 / ~어 合成词 2 『化』 合成 héchéng ¶~고무 合成橡胶 / ~ 섬유 合成纤维 / ~세제 合成洗涤剂 / ~수지 合成树脂 / ~ 피혁 合成皮革 / ~염료 合成染料

합세(合勢) 명하자 合力 hélì; 协力 xiélì; 联合 liánhé

합숙(合宿) 명하자 1 集体住宿 jítǐ zhùsù 2 集体生活 jítǐ shēnghuó ¶학교의 ~에 적응하다 适应学校的集体生活

합숙-소(合宿所) 명 集体宿舍 jítǐ sùshè

합승(合乘) 명하자타 合乘 héchéng = 승합 ¶승객들이 택시에 ~하다 乘客合乘一辆出租车

합심(合心) 명하자 齐心 qíxīn; 一条心 yītiáoxīn; 同心 tóngxīn; 同心同德 tóngxīntóngdé; 同心合意 tóngxīnhéyì ¶상하가 ~하여 노력하다 上下齐心努力

합의(合意) 명하자 1 同意 tóngyì; 合意 héyì; 意见一致 yìjiàn yīzhì ¶~에 이르다 达成合意 2 『法』 合意 héyì

합의(合議) 명하타 1 协商 xiéshāng; 协议 xiéyì; 合议 héyì ¶~의 결과가 만족스럽다 协议的结果令人满意 2 『法』 合议 héyì; 协议 xiéyì

합의-점(合意點) 명 一致的观点 yīzhìde guāndiǎn ¶쌍방이 ~에 도달하지 못하다 双方无法达成一致的观点

합일(合一) 명하자타 合一 héyī

합자(合資) 명하자 『經』 合资 hézī = 합본[1](合本) ¶~회사 合资公司 / ~ 경영 合资经营

합작(合作) 명하자 合作 hézuò; 协作 xiézuò ¶~품 合作作品 / 아주 성공적으로 ~하다 合作得极为成功

합장(合掌) 명하타 『佛』 合掌 hézhǎng; 双手合十 shuāngshǒu héshí; 合十 héshí ¶~하며 절하다 合掌鞠躬

합장(合葬) 명하타 合葬 hézàng ¶할아버지와 할머니는 함께 ~되셨다 爷爷和奶奶是合葬在一起的

합주(合奏) 명하타 『音』 合奏 hézòu ¶~곡 合奏曲 / ~단 合奏团 / 기악 ~ 器乐合奏 / 아버지와 아들이 함께 ~

하다 父子俩在一起合奏
합죽-이 명 瘪嘴子 biězuǐzi
합죽-하다 형 瘪嘴 biězuǐ
합창(合唱) 명하타 1 〖音〗 合唱 héchàng = 코러스1 ¶ ~곡 合唱曲 2 合唱 héchàng ¶ 선생님이 선창한 후에 우리가 ~한다 先由老师领唱, 然后我们合唱
합창-단(合唱團) 명 合唱团 héchàngtuán = 코러스2
합창-대(合唱隊) 명 合唱队 héchàngduì = 코러스3
합체(合體) 명하자타 1 合体 hétǐ; 合一 héyī ¶ 두 로봇이 ~하다 两个机器人合体 2 同心合意 tóngxīnhéyì; 同心同德 tóngxīntóngdé
합치(合致) 명하자 一致 yīzhì ¶ 전문가와 권위 있는 매체의 ~된 호평을 받았다 得到了专家、权威媒体的一致好评
합-치다(合—) 자타 合 hé; 协 xié; 同 tóng; 合并 hébìng; 加 jiā ¶ 힘을 ~ 合力 / 모두가 마음을 ~ 同心同德 / 두 회사가 ~ 两个公司合并
합판(合板) 명 = 베니어합판
합-하다(合—) 자타 1 合 hé; 合并 hébìng ¶ 남은 음식을 한 그릇에 ~ 把剩下的饭菜合并到一个碗里 2 合 hé; 符合 fúhé ¶ 규격에 합하지 않는 생산품 不合规格的产品
핫-뉴스(hot news) 명 热门消息 rèmén xiāoxi; 热门新闻 rèmén xīnwén; 最新消息 zuìxīn xiāoxi
핫도그(hot dog) 명 热狗 règǒu
핫라인(hot line) 명 〖信〗 热线 rèxiàn; 直通电话 zhítōng diànhuà
핫-바지 명 1 棉裤 miánkù 2 乡下人 xiāngxiarén; 愚人 yúrén ¶ 제발 나를 ~로 만들지 마라 千万别把我当成乡下人
핫-케이크(hot cake) 명 烤饼 kǎobǐng; 薄煎饼 báojiānbǐng
핫-팬츠(hot pants) 명 热裤 rèkù; 超短裤 chāoduǎnkù
항:(項) 명 1 项 xiàng ¶ 회의에서는 2개 ~의 결의를 토론했다 会议讨论了两项决议 2 = 사항 3 〖數〗 项 xiàng
항:-(抗) 접두 抗 kàng ¶ ~균 抗菌 / ~암제 抗癌药物
-항(港) 접미 港 gǎng ¶ 무역~ 贸易港
항:간(巷間) 명 巷 xiàng; 小巷 xiǎoxiàng ¶ ~에 떠도는 소문 小巷传闻
항:거(抗拒) 명하자 抗拒 kàngjù; 抵抗 dǐkàng ¶ 독재 정권에 ~하다 抵抗独裁政权
항:고(抗告) 명하타 〖法〗 上诉 shàngsù; 抗告 kànggào ¶ ~심 上诉审
항:공(航空) 명하자 航空 hángkōng ¶ ~권 航空券 / ~법 航空法 / ~사 航空公司 / ~ 사진 航空摄影 / ~ 연료 航空燃料
항:공-기(航空機) 명 飞机 fēijī
항:공-사(航空士) 명 1 = 조종사 2 领航员 lǐnghángyuán
항:공 우편(航空郵便) 〖信〗 航空邮政 hángkōng yóuzhèng; 航空邮件 hángkōng yóujiàn; 航空信 hángkōngxìn; 航空信件 hángkōng xìnjiàn = 항공편1
항:공-편(航空便) 명 1 〖信〗 = 항공우편 2 乘飞机 chéng fēijī
항:구(港口) 명 港口 gǎngkǒu ¶ ~ 도시 港口城市
항구-하다(恒久—) 형 恒久 héngjiǔ; 持久 chíjiǔ; 永久 yǒngjiǔ ¶ 항구한 사실 恒久的事实
항:균(抗菌) 명 抗菌 kàngjùn ¶ ~성 抗菌性 / ~ 작용 抗菌作用
항등-식(恒等式) 명 〖數〗 恒等式 héngděngshì
항렬(行列) 명 辈 bèi; 辈分 bèifen; 辈行 bèiháng; 辈数儿 bèishùr ¶ 같은 ~ 同辈 / ~을 따지다 论辈分 / ~이 높다 辈分大
항례(恒例) 명 = 상례(常例)
항:로(航路) 명 1 (船) 航路 hánglù; 航线 hángxiàn; 航道 hángdào ¶ 정기 ~ 定期航路 2 (飞机) 航路 hánglù; 航线 hángxiàn ¶ 국제 ~ 国际航路 / ~를 이탈했다 脱离了航线
항:만(港灣) 명 港湾 gǎngwān
항:명(抗命) 명하자 抗命 kàngmìng ¶ ~죄 抗命罪
항:목(項目) 명 = 조목 ¶ 중요한 ~ 重要的项目
항문(肛門) 명 〖生〗 肛门 gāngmén; 粪门 fènmén
항:변(抗卞) 명하타 = 항의
항변(抗辯) 명하자 1 抗辩 kàngbiàn ¶ 끝까지 ~하다 抗辩到底 2 〖法〗 抗辩 kàngbiàn ¶ 제기된 민사 소송에 대해 ~하다 对提起的民事诉讼进行抗辩
항복(降伏 · 降服) 명하자 降服 xiángfú; 降伏 xiángfú; 投降 tóuxiáng; 归服 guīfú ¶ 적에게 ~하다 向敌人投降
항상(恒常) 부 老 lǎo; 总 zǒng; 老是 lǎoshi; 总是 zǒngshì; 常 cháng; 常常 chángcháng; 经常 jīngcháng; 时时 shíshí; 时常 shícháng ¶ ~ 칭찬을 받다 常受表扬 / 그는 ~ 늦는다 他老是迟到
항:생-제(抗生劑) 명 〖藥〗 抗生素 kàngshēngsù
항성(恒星) 명 〖天〗 恒星 héngxīng ¶ ~계 恒星系 / ~년 恒星年 / ~시 恒星时 / ~ 주기 恒星周期

항:소(抗訴) 명하자 【法】 上诉 shàngsù ¶ ~권 上诉权 / ~심 上诉审 / ~인 上诉人 / ~장 上诉状 / ~를 기각하다 驳回上诉
항:속(航速) 명 航速 hángsù ¶ 최고 ~은 30노트에 달한다 最高航速达30节
항:속(航續) 명하자 续航 xùháng ¶ ~력 续航力 / ~ 시간 续航时间
항수(恒數) 명 【數】 常数 chángshù
항시(恒時) 一명 = 상시1 二부 老 lǎo; 总 zǒng; 老是 lǎoshì; 总是 zǒngshì; 常 cháng; 常常 chángcháng; 经常 jīngcháng; 时时 shíshí; 时常 shícháng ¶ 그는 ~ 지각이다 他时常迟到
항심(恒心) 명 恒心 héngxīn
항아리(缸—) 명 缸 gāng
항:암(抗癌) 명 抗癌 kàng'ái ¶ ~제 抗癌剂 / ~ 치료 抗癌治疗
항온(恒溫) 명 = 상온1
항온 동:물(恒溫動物) 【動】 = 온혈동물
항:원(抗原·抗元) 명 【生】 抗原 kàngyuán
항:의(抗議) 명하자타 抗议 kàngyì = 항변(抗卞) ¶ 판결에 ~하다 向裁判抗议
항:일(抗日) 명하자 抗日 kàngrì ¶ ~전쟁 抗日战争 / ~ 운동에 투신하다 投身抗日活动
항:쟁(抗爭) 명하자 抗争 kàngzhēng ¶ ~을 벌이다 进行抗争
항:전(抗戰) 명하자 抗战 kàngzhàn ¶ ~ 의지를 고무하다 鼓舞抗战意志
항:진(航進) 명하자 航进 hángjìn; 航往 hángwǎng ¶ 배가 일정한 항로를 따라 ~하다 船沿着一定的航线航进
항:체(抗體) 명 【生】 抗体 kàngtǐ = 면역체
항:해(航海) 명하타 航海 hánghǎi ¶ ~력 航海历 / ~술 航海技术 / ~ 일지 航海日记 / ~표 航海表
항:해-사(航海士) 명 【海】 领航员 lǐnghángyuán; 领航 lǐngháng
항:행(航行) 명하자타 航行 hángxíng ¶ 안전 항속으로 ~하다 以安全航速航行
해 一명 **1** 日 rì; 太阳 tàiyáng ¶ ~가 뜨다 日出 / ~가 지다 日落 **2** 年 nián; 岁 suì ¶ ~가 바뀌다 年过去 **3** 日 rì; 白天 báitiān; 白昼 báizhòu ¶ 여름에는 ~가 길다 夏季白天长 二의명 年 nián ¶ 올~ 그는 50세이다 今年他50岁了
해:(害) 명하타 害 hài; 祸害 huòhài; 损害 sǔnhài; 伤害 shānghài ¶ 흡연은 몸에 ~가 된다 吸烟对身体有害
해:(解) 명 **1** 【數】 解 jiě **2** 【數】 解答 jiědá; 答案 dá'àn **3** 【文】 解 jiě ¶ ~를 달다 注解
해:갈(解渴) 명하자 **1** 解渴 jiěkě ¶ 물 한 잔 마시면 ~이 된다 喝一杯水能解渴 **2** 缓解旱情 huǎnjiě hànqíng ¶ 이번 비는 ~에 확실한 도움이 되었다 这次降雨对缓解旱情有一定帮助
해:결(解決) 명하타 解决 jiějué ¶ ~사 解决士 / ~책 解决办法 / 분쟁을 ~하다 解决纠纷
해:고(解雇) 명하타 【社】 解雇 jiěgù; 解聘 jiěpìn; 辞退 cítuì; 开除 kāichú; 炒鱿鱼 chǎo yóuyú ¶ 직원을 ~하다 解雇职员
해골(骸骨) 명 **1** 骸 hái; 骨骼 gǔgé **2** 骸骨 háigǔ; 骷髅 kūlóu
해골-바가지(骸骨—) 명 骷髅 kūlóu
해괴망측-하다(駭怪罔測—) 형 稀奇古怪 xīqígǔguài; 怪诞不经 guàidànbùjīng; 离奇古怪 líqígǔguài; 古里古怪 gǔligǔguài ¶ 해괴망측한 이야기 稀奇古怪的故事 **해괴망측-히** 부
해괴-하다(駭怪—) 형 骇怪 hàiguài; 怪异 guàiyì; 离奇 líqí; 古怪 gǔguài ¶ 생각이 좀 ~ 想法离奇一点 **해괴-히** 부
해:구(海狗) 명 【動】 = 물개
해:군(海軍) 명 【軍】 海军 hǎijūn ¶ ~기지 海军基地 / ~력 海军实力 / ~ 함선 海军舰船 / ~ 부대 海军部队
해:군-복(海軍服) 명 海军服 hǎijūnfú = 세일러복1
해:금(奚琴) 명 【音】 奚琴 xīqín
해꼬지 명 '해코지' 的错误
해:난(海難) 명 海难 hǎinàn ¶ ~ 구조 海难救助 / ~ 사고를 당하다 遭遇海难事故
해:-내다 타 **1** 战胜 zhànshèng **2** 做到 zuòdào; 做出 zuòchū; 完成 wánchéng ¶ 그들은 회사를 위해 큰일을 해냈다 他们为公司做出大事
해:녀(海女) 명 海女 hǎinǚ
해-님 명 太阳 tàiyáng
해:달(海獺) 명 【動】 海獭 hǎitǎ
해:답(解答) 명하자타 解答 jiědá; 答案 dá'àn = 답2 ¶ ~란 解答栏 / ~서 解答书 / ~지 解答纸 / ~집 解答集 / ~을 찾았다 找到了答案 / 정확한 ~을 얻다 得到正确答案
해당(該當) 명하자 **1** 适合 shìhé; 符合 fúhé; 相应 xiāngyìng; 恰当 qiàdàng ¶ ~되는 답을 찾다 找到恰当的答案 **2** 该 gāi; 有关 yǒuguān ¶ ~ 기업 该企业 / ~ 기관 有关机关 / ~자 有关人员
해:당-화(海棠花) 명 【植】 海棠 hǎitáng
해:독(害毒) 명 毒害 dúhài = 독(毒)4 ¶ 불량스러운 인터넷 게임이 청소년에게 ~을 끼쳤다 不良网游毒害了青少年

해:독(解毒) 명하자 解毒 jiědú ¶~제 解毒剂 / ~ 작용을 가지고 있다 具有解毒作用
해:독(解讀) 명하타 **1** 释读 shìdú **2** 解读 jiědú; 释义 shìyì ¶~기 解读器 / 암호를 ~하다 解读暗号
해-돋이 명 日出 rìchū
해:동(解凍) 명하자타 解冻 jiědòng; 化冻 huàdòng ¶냉동된 고기를 ~하다 冷藏的肉类解冻
해:로(海路) 명 海路 hǎilù
해로(偕老) 명하자 偕老 xiélǎo ¶백년 ~하길 기원합니다 祝愿白头偕老
해:-롭다(害—) 형 有害 yǒuhài ¶흡연은 건강에 ~ 吸烟有害健康 **해:로이** 부
해롱-거리다 자 调皮 tiáopí; 顽皮 wánpí; 轻浮 qīngfú = 해롱대다 ¶술에 취해 그는 해롱거리며 웃었다 喝醉了酒, 他调皮地笑起来 **해롱-해롱** 부하자
해:류(海流) 명 〖地理〗 海流 hǎiliú
해:리(海里) 의명 海里 hǎilǐ ¶바다에서의 거리는 90~이다 海上距离90海里
해:마(海馬) 명 〖動〗 海马 hǎimǎ
해-마다 부 每年 měinián; 年年 niánnián ¶수입이 ~ 올라가다 收入年年提高
해-맑다 형 白净 báijìng; 白皙 báixī ¶해맑은 얼굴 白净的脸庞
해머(hammer) 명 锤 chuí; 铁锤 tiěchuí
해:면(海綿) 명 〖動〗 **1** 海绵动物 hǎimián dòngwù **2** 海绵 hǎimián
해:명(解明) 명하타 阐明 chǎnmíng; 讲明 jiǎngmíng; 解释 jiěshì; 弄清 nòngqīng ¶납득할 만한 ~을 듣지 못하다 未得到令人信服的阐明
해:몽(解夢) 명하자타 解梦 jiěmèng; 圆梦 yuánmèng; 详梦 xiángmèng ¶점쟁이를 찾아가 ~하다 找算命先生解梦
해-묵다 자 陈 chén; 陈年 chénnián ¶해묵은 식량 陈粮 / 해묵은 술 陈年老酒 / 해묵은 감정 陈年感情
해:물(海物) 명 = 해산물
해-바라기 명 〖植〗 向日葵 xiàngrìkuí; 葵花 kuíhuā
해박-하다(該博—) 형 该博 gāibó; 赅博 gāibó; 渊博 yuānbó; 广博 guǎngbó ¶학문이 ~ 学问该博 **해박-히** 부
해:발(海拔) 명 海拔 hǎibá ¶~ 고도 海拔高度 / ~ 500미터 정도의 산 海拔500米左右的山
해:방(解放) 명하타 解放 jiěfàng ¶~감 解放感 / ~구 解放区 / ~ 전쟁 解放战争 / ~ 운동 解放运动 / 힘든 사무에서 ~되다 从繁重的事务中解放出来

해:법(解法) 명 解法 jiěfǎ ¶정확한 ~을 찾아내다 找出正确的解法
해:변(海邊) 명 = 바닷가
해:병(海兵) 명 〖軍〗 **1** 海军战士 hǎijūn zhànshì; 海军士兵 hǎijūn shìbīng **2** 海军陆战队士兵 hǎijūn lùzhànduì shìbīng
해:병-대(海兵隊) 명 〖軍〗 海军陆战队 hǎijūn lùzhànduì
해:부(解剖) 명하타 **1** 〖生〗 解剖 jiěpōu = 해체3 ¶~도 解剖图 / ~ 표본 解剖标本 / ~학 解剖学 / 동물을 ~하다 解剖动物 / 시체를 ~하여 사인을 규명하다 解剖尸体, 查明死因 **2** 解剖 jiěpōu; 剖解 pōujiě; 剖析 pōuxī ¶사회 현상을 ~하다 解剖社会现象 / 사건을 ~하다 剖析案件
해:빙(解氷) 명하자 **1** 解冻 jiědòng; 融化 rónghuà ¶강이 ~하기 시작했다 江开始解冻了 **2** (国际紧张局势) 解冻 jiědòng; 缓和 huǎnhé ¶양국의 긴장된 형세는 ~되었다 两国的紧张局势有所缓和
해:산(解産) 명하타 分娩 fēnmiǎn; 生产 shēngchǎn; 临盆 línpén; 产 chǎn; 生孩子 shēng háizi = 분만 · 출산 ¶~달 分娩月 / 아이를 ~하다 生产孩子
해:산(解散) 명하자타 **1** 散 sàn; 解散 jiěsàn ¶대열을 ~하다 散队 **2** 解散 jiěsàn ¶대통령이 국회를 ~했다 总统解散了议会
해:산-물(海産物) 명 海产 hǎichǎn; 海产品 hǎichǎnpǐn; 海物 hǎiwù; 海味 hǎiwèi = 해물
해:삼(海蔘) 명 〖動〗 海参 hǎishēn
해:상(海上) 명 海上 hǎishàng ¶~ 무역 海上贸易 / ~ 운송 海上运输
해:상 경찰(海上警察) 〖法〗 = 수상 경찰
해:상-도(解像度) 명 〖電〗 清晰度 qīngxīdù; 解析度 jiěxīdù; 解像度 jiěxiàngdù; 分辨率 fēnbiànlǜ
해서(楷書) 명 〖藝〗 楷书 kǎishū
해석(解釋) 명하타 解释 jiěshì ¶단어의 뜻을 ~하다 解释词义 / 원인을 과학적으로 ~하다 科学地解释原因
해:설(解說) 명하타 解说 jiěshuō; 讲解 jiǎngjiě ¶뉴스 ~ 新闻解说 / ~자 解说员 / ~이 아주 자세하다 讲解特别仔细
해:소(解消) 명하타 解消 jiěxiāo; 解除 jiěchú; 消除 xiāochú ¶오해가 마침내 ~되었다 误解终于解消了 / 스트레스를 ~하다 消除压力
해:수(海水) 명 = 바닷물 ¶~면 海水面 / ~욕 海水浴 / ~욕장 海水浴场
해-시계(—時計) 명 〖天〗 日晷 rìguǐ; 日规 rìguī

해:신(海神) 명 海神 hǎishén
해쓱-하다 형 苍白 cāngbái ¶얼굴이 ~ 脸色苍白
해:악(害惡) 명 罪恶 zuì'è
해:안(海岸) 명 海岸 hǎi'àn; 海滨 hǎibīn ¶~선 海岸线
해:약(解約) 명하타 解约 jiěyuē; 退约 tuìyuē ¶~ 신청을 하다 递交解约申请
해:양(海洋) 명 海洋 hǎiyáng ¶~ 경찰대 海洋警察队 / ~ 기상대 海洋气象台 / ~학 海洋学 / ~ 공원 海洋公园 / 풍부한 ~ 자원 丰富的海洋资源
해:역(海域) 명 海域 hǎiyù
해:연(海燕) 명 〖鳥〗海燕 hǎiyàn
해:열(解熱) 명하자 解热 jiěrè; 退烧 tuìshāo; 退热 tuìrè ¶~제 解热剂 / ~ 진통제 解热镇痛药 / 이 약은 ~에 매우 도움이 된다 这药对于退烧很有帮助
해오라기 명 〖鳥〗夜鹭 yèlù
해:왕-성(海王星) 명 〖天〗海王星 hǎiwángxīng
해:외(海外) 명 海外 hǎiwài ¶~ 방송 海外广播 / ~ 시장 海外市场 / ~ 여행 海外旅行 / ~ 동포 海外同胞 / ~유학 海外留学
해:외 무:역(海外貿易) 〖經〗 = 외국무역
해:운(海運) 명 〖交〗海运 hǎiyùn; 海上运输 hǎishàng yùnshū ¶~업 海运业 / ~ 회사 海运公司
해:이(解弛) 명하형 松懈 sōngxiè; 松弛 sōngchí; 松散 sōngsǎn; 懈弛 xièchí; 涣散 huànsǎn ¶기강이 ~해지다 纪律松懈
해:일(海溢) 명하자 〖地理〗海溢 hǎiyì; 海啸 hǎixiào ¶~을 일으키다 引起大海啸
해:임(解任) 명하타 解职 jiězhí; 解聘 jiěpìn; 解除 jiěchú; 免职 miǎnzhí; 撤职 chèzhí; 罢官 bàguān; 卸任 xièrèn ¶~장 解职书 / 오늘 그는 ~되었다 如今他遭解职
해:장(←解酲) 명하자 解酲 jiěchéng; 解酒 jiějiǔ; 醒酒 xǐngjiǔ ¶~국 解酲汤 / ~술 解醒酒
해:저(海底) 명 海底 hǎidǐ ¶~ 광물 海底矿物 / ~ 터널 海底隧道 / ~ 세계 海底世界 / ~ 케이블 海底电缆
해:적(海賊) 명 海贼 hǎizéi; 海盗 hǎidào ¶~선 海盗船 / ~이 출몰하다 海盗出没
해:적-판(海賊版) 명 盗版 dàobǎn
해:전(海戰) 명 〖軍〗海战 hǎizhàn ¶~을 벌이다 展开海战
해:제(解除) 명하타 1 解除 jiěchú; 免职 miǎnzhí ¶직위를 ~하다 解除职位 2 解除 jiěchú ¶계엄령이 ~되었다 进行了解除戒严令 3 〖法〗解除 jiěchú ¶노동 계약을 ~하다 解除劳动合同
해:조(海藻) 명 〖植〗海藻 hǎizǎo; 海草 hǎicǎo
해:-지다 자 磨破 mópò; 穿破 chuānpò ¶구두가 ~ 鞋磨破了
해:직(解職) 명하타 解职 jiězhí; 解聘 jiěpìn; 免职 miǎnzhí ¶~ 통지서 解职通知书 / ~ 처분을 내리다 给予免职处分
해:체(解體) 명하자타 1 (团体、组织等) 解体 jiětǐ; 解散 jiěsàn ¶~에 직면하다 面临解体 2 解体 jiětǐ; 拆开 chāikāi; 拆卸 chāixiè ¶컴퓨터를 ~하다 拆开电脑 3 〖生〗 = 해부1
해:초(海草) 명 〖植〗海草 hǎicǎo; 海藻 hǎizǎo
해:충(害蟲) 명 害虫 hàichóng
해:-치다(害—) 타 1 伤 shāng; 危害 wēihài; 损害 sǔnhài ¶건강을 ~ 危害身体健康 / 주민의 이익을 ~ 损害居民利益 2 伤害 shānghài; 杀害 shāhài; 害 hài; 伤 shāng ¶사람을 ~ 害人
해:-치우다 타 1 做完 zuòwán; 干完 gànwán ¶미뤄두었던 일을 ~ 把耽误的事情做完 2 除掉 chúdiào; 杀掉 shādiào; 干掉 gàndiào ¶적을 ~ 干掉敌人
해커(hacker) 명 〖컴〗黑客 hēikè
해:-코지(害—) 명하자타 害人 hàirén; 害 hài; 伤害 shānghài; 打黑枪 dǎ hēiqiāng; 穿小鞋 chuān xiǎoxié
해:탈(解脫) 명하자 1 解脱 jiětuō; 摆脱 bǎituō 2 〖佛〗解脱 jiětuō; 涅槃 nièpán ¶번뇌에서 ~하다 解脱烦恼
해:파리 명 〖動〗海蜇 hǎizhé; 水母 shuǐmǔ
해:풍(海風) 명 = 바닷바람
해프닝(happening) 명 偶发事件 ǒufā shìjiàn
해피-엔드(happy end) 명 〖藝〗美满结局 měimǎn jiéjú
해:-하다(害—) 형 害 hài; 伤 shāng; 伤害 shānghài; 危害 wēihài ¶사람을 ~ 害人 / 사회의 치안을 ~ 危害社会治安
해학(諧謔) 명 谐谑 xiéxuè; 诙谐 huīxié; 滑稽 huájī; 幽默 yōumò ¶~극 谐谑剧 / ~ 소설 谐谑小说 / ~적 诙谐的
해:협(海峽) 명 〖地理〗海峡 hǎixiá
해:후(邂逅) 명하자 邂逅 xièhòu ¶거리를 걷다가 뜻밖에 옛 친구와 ~하다 走在大街上不期而然与老朋友邂逅
핵(核) 명 1 (事物的) 核 hé; 核心 héxīn 2 〖軍〗 = 핵무기 ¶~폭탄 核炸弹 3 〖物〗 = 원자핵 ¶~ 실험 核实验 / ~연료 核燃料 / ~폐기물 核废弃物 4

〖生〗核 hé = 세포핵 5 (核果中心的) 核 hé 6〖地理〗核 hé; 地球核 dìqiúhé

핵-가족(核家族) 명 小家庭 xiǎojiātíng; 核心家庭 héxīn jiātíng = 소가족2

핵-무기(核武器) 명〖軍〗核武器 héwǔqì; 核 hé = 핵2

핵심(核心) 명 核心 héxīn; 中心 zhōngxīn; 要害 yàohài; 骨干 gǔgàn ¶문제의 ~을 찌르다 打中问题的要害

핸드백(hand bag) 명 (女用) 手提包 shǒutíbāo

핸드볼(handball) 명〖體〗手球 shǒuqiú

핸드 브레이크(hand brake)〖機〗手制动杆 shǒuzhìdònggǎn; 手刹车 shǒushāchē; 手闸 shǒuzhá

핸드-크림(hand cream) 명 护手霜 hùshǒushuāng

핸드-폰(hand+phone) 명〖信〗= 휴대 전화

핸들(handle) 명 1 (汽车) 驾驶盘 jiàshǐpán; 方向盘 fāngxiàngpán ¶~을 조종하다 操纵驾驶盘 2 (自行车) 把(儿) bǎ(r); 把手 bǎshǒu; 拉手 lāshou ¶~을 잡다 握车把

핸디캡(handicap) 명 1〖體〗差点 chàdiǎn; 障碍 zhàng'ài 2 不利条件 bùlì tiáojiàn ¶~을 극복하다 克服不利条件

핸섬-하다(handsome—) 형 帅 shuài; 英俊 yīngjùn; 漂亮 piàoliang; 萧洒 xiāosǎ ¶핸섬한 남자 英俊的男人

핼쑥-하다 형 憔悴 qiáocuì; 瘦弱 shòuruò; 苍白 cāngbái ¶그의 얼굴이 아주 핼쑥해 보인다 他的脸显得很苍白

햄(ham) 명 火腿 huǒtuǐ

햄버거(hamburger) 명 汉堡包 hànbǎobāo

햄스터(hamster) 명〖動〗仓鼠 cāngshǔ

햅쌀 명 新米 xīnmǐ ¶~밥 新米饭

햇- 접두 新的 xīnde

햇-과일 명 新下来的水果 xīn xiàláide shuǐguǒ

햇-무리 명 日晕 rìyùn

햇-병아리 명 1 (刚孵化的) 小鸡 xiǎojī; 雏鸡 chújī 2 雏儿 chúr; 生手 shēngshǒu; 新手 xīnshǒu ¶그는 이전의 ~가 아니다 他不是以前的雏儿了

햇-볕 명 阳光 yángguāng; 太阳 tàiyáng = 볕

햇-빛 명 阳 yáng; 阳光 yángguāng; 日光 rìguāng; 太阳 tàiyáng = 일광

햇-살 명 阳光 yángguāng; 太阳光线 tàiyáng guāngxiàn

햇-수(—數) 명 年头儿 niántóur; 年数 niánshù; 年份 niánfèn = 연수(年數) ¶내가 서울에 온 것은 ~로 벌써 4년이다 我来首尔已经有四个年头儿了

행(行) 명 = 줄4 ¶~을 바꾸다 另起一行

-행(行) 접미 开往 kāiwǎng; 到 dào; 至 zhì ¶서울~ 고속버스 开往首尔的高速大巴

행각(行脚) 명하자 1〖佛〗行脚 xíngjiǎo; 云游 yúnyóu 2 (四处) 流窜 liúcuàn; 游走 yóuzǒu ¶애정 ~을 벌이다 游走爱情 / 사기 ~을 일삼다 到处流窜行骗

행간(行間) 명 1 行距 hángjù; 行间距 hángjiānjù ¶~을 넓히다 扩大行距 2 言外之意 yánwàizhīyì; 字里行间 zìlǐhángjiān ¶~의 뜻을 파악하다 掌握字里行间的意思

행군(行軍) 명하자〖軍〗行军 xíngjūn ¶야간 ~ 夜间行军

행글라이더(hang-glider) 명 悬挂式滑翔机 xuánguàshì huáxiángjī

행글라이딩(hang-gliding) 명〖體〗悬挂式滑翔运动 xuánguàshì huáxiáng yùndòng

행동(行動) 명하자 行动 xíngdòng; 行为 xíngwéi; 举动 jǔdòng ¶~거지 行为举止 / ~대 行动队 / ~반경 行动半径 / ~ 지침 行动指南 / ~이 느리다 行动缓慢

행락(行樂) 명하자 行乐 xínglè; 游乐 yóulè; 娱乐 yúlè ¶~철 娱乐季节

행락-객(行樂客) 명 游客 yóukè; 游人 yóurén

행랑(行廊) 명 门房(儿) ménfáng(r); 下房(儿) xiàfáng(r)

행랑-살이(行廊—) 명하자 当奴仆 dāng núpú; 当用人 dāng yòngren; 当下人 dāng xiàrén

행랑-아범(行廊—) 명 老男仆 lǎonánpú; 老男佣 lǎonányōng

행랑-어멈(行廊—) 명 老女仆 lǎonǚpú; 老女佣 lǎonǚyōng; 老妈子 lǎomāzi

행랑-채(行廊—) 명 下屋 xiàwū

행려(行旅) 명하자 行旅 xínglǚ; 游子 yóuzi; 旅客 lǚkè ¶~병자 行旅病人

행렬(行列) 명하자 1 行列 hángliè; 队伍 duìwǔ ¶군인들의 ~이 지나가다 军人队伍走过去了 2〖數〗行列 hángliè; 矩阵 jǔzhèn

행로(行路) 명 1 道路 dàolù; 大道 dàdào ¶~에 버려진 아이 被遗弃在道路的儿童 2 行程 xíngchéng; 旅程 lǚchéng; 历程 lìchéng ¶험난한 인생 ~ 艰难的人生旅程

행방(行方) 명 去向 qùxiàng; 下落 xiàluò; 踪迹 zōngjì ¶~불명 下落不明 / ~이 묘연하다 下落不明 / ~을 감추다 隐藏踪迹

행보(行步) 명하자 **1** 步子 bùzi; 步伐 bùfá; 脚步 jiǎobù; 步行 bùxíng ¶~를 맞추다 调整步伐 **2** (行进的) 路 lù ¶ 작가로서 그의 ~는 순탄한 편이었다 他的作家之路算是平坦顺利的 **3** 行商 xíngshāng

행:복(幸福) 명하형 幸福 xìngfú ¶~감 幸福感 / ~을 빌다 祝幸福 / ~을 누리다 享受幸福

행사(行事) 명하자 典礼 diǎnlǐ; 活动 huódòng ¶~에 참여하다 参加活动

행사(行使) 명하타 行使 xíngshǐ; 动用 dòngyòng ¶권력 ~ 行使权力 / 묵비권을 ~하다 行使缄默权

행상(行商) ㊀명하자 = 도붓장사 ¶~을 다니다 流动贩卖 ㊁명 = 도붓장수

행상-인(行商人) 명 = 도붓장수

행색(行色) 명 行色 xíngsè; 行装 xíngzhuāng; 穿戴 chuāndài; 着装 zhuózhuāng; 衣着 yīzhuó ¶~이 남루하다 衣着寒酸

행선-지(行先地) 명 目的地 mùdìdì ¶~를 정하다 定下目的地

행성(行星) 명 〖天〗 行星 xíngxīng = 혹성

행세(行世) 명하자 **1** 处世 chǔshì; 做人 zuòrén; 为人 wéirén **2** 自居 zìjū; 自封 zìfēng; 假冒 jiǎmào; 假充 jiǎchōng; 冒充 màochōng ¶작가 ~를 하다 自封为作家

행세(行勢) 명하자 有权有势 yǒuquányǒushì; 耍权势 shuǎ quánshì; 作威作福 zuòwēizuòfú

행수(行數) 명 行数 hángshù ¶~를 줄이다 减少行数

행실(行實) 명 品行 pǐnxíng; 操行 cāoxíng ¶~이 나쁜 처녀 品行不端的姑娘

행:여(幸—) 부 或许 huòxǔ; 也许 yěxǔ; 兴许 xīngxǔ ¶~ 남이 볼까 두렵다 或许怕别人看到

행:여-나(幸—) 부 '행여' 的强调语

행:운(幸運) 명 幸运 xìngyùn; 好运 hǎoyùn; 运气 yùnqi; 福分 fúfen; 福气 fúqi ¶~아 幸运儿 / ~을 빌다 祈求好运

행위(行爲) 명 行为 xíngwéi; 行动 xíngdòng; 行径 xíngjìng; 所做所为 suǒzuòsuǒwéi ¶범죄 ~ 犯罪行为 / ~ 규범 行为规范 / 자신이 한 ~에 책임을 지다 为自己的所做所为负责

행인(行人) 명 行人 xíngrén ¶~에게 길을 묻다 向行人问路

행장(行裝) 명 行装 xíngzhuāng; 行李 xíngli ¶~을 꾸리다 整理行装

행적(行跡 · 行迹 · 行績) 명 **1** 业绩 yèjì; 事迹 shìjì ¶고귀한 ~ 高贵业绩 **2** 行迹 xíngjì; 行踪 xíngzōng; 轨 guǐjì ¶~이 묘연하다 杳无行踪

행정(行政) 명 **1** 行政 xíngzhèng ¶~관 行政官员 / ~ 구역 行政区域 / ~권 行政权 / ~ 기관 行政机关 / ~법 行政法 / ~부 行政府 / ~ 소송 行政诉讼 / ~ 단위 行政单位 **2** 〖軍〗 军务 jūnwù 军事管理 jūnshì guǎnlǐ

행주 명 抹布 mābù; 擦布 cābù; 擦桌布 cāzhuōbù ¶~로 식탁을 훔치다 用抹布擦饭桌

행주-치마 명 围裙 wéiqún ¶~를 두르다 系上围裙

행진(行進) 명하자 **1** 游行 yóuxíng; 行进 xíngjìn; 进行 jìnxíng ¶~곡 进行曲 / 구호를 외치며 ~하다 喊着口号行进 **2** 连续进行 liánxù jìnxíng; 持续出现 chíxù chūxiàn ¶무역 흑자 ~이 계속되다 持续出现贸易赤字

행차(行次) 명하자 出行 chūxíng; 驾到 jiàdào; 驾临 jiàlín ¶어떤 분의 ~인가? 是哪位大驾出行?

행태(行態) 명 行为 xíngwéi ¶그릇된 음주 ~ 不好的饮酒行为

행패(行悖) 명하자 撒野 sāyě; 撒泼 sāpō; 耍赖 shuǎlài; 耍流氓 shuǎ liúmáng; 耍野蛮 shuǎ yěmán ¶남에게 ~를 부리다 对人撒野

행-하다(行—) 타 做 zuò; 搞 gǎo; 办 bàn; 举行 jǔxíng; 施行 shīxíng; 实行 shíxíng; 实践 shíjiàn; 举办 jǔbàn ¶업무를 ~ 搞业务 / 의식을 ~ 举行仪式

향:(向) 명 (房屋等的) 面向 miànxiàng; 朝向 cháoxiàng

향(香) 명 **1** = 향기 **2** 香 xiāng ¶~을 피우다 烧香

향긋-하다 형 清香 qīngxiāng; 馨香 xīnxiāng ¶향긋한 냄새가 난다 有一股清香味儿 **향긋-이** 부

향기(香氣) 명 香 xiāng; 香气 xiāngqì; 香味(儿) xiāngwèi(r); 气味 qìwèi = 향(香)1 ¶은은한 ~ 隐隐的香气 / ~를 맡다 闻香

향기-롭다(香氣—) 형 芬芳 fēnfāng; 芳香 fāngxiāng; 馨香 xīnxiāng ¶향기로운 꽃 芬芳的花朵 **향기로이** 부

향-나무(香—) 명 〖植〗 圆柏 yuánbǎi; 桧柏 guìbǎi; 刺柏 cìbǎi

향낭(香囊) 명 香囊 xiāngnáng; 香袋 xiāngdài

향-내(香—) 명 香味 xiāngwèi; 香气 xiāngqì = 향취 ¶~가 방 안에 가득하다 房间里充满香气

향:년(享年) 명 享年 xiǎngnián ¶~ 90세로 별세하다 告别人世, 享年九十岁

향:락(享樂) 명하타 娱乐 yúlè; 享乐 xiǎnglè ¶~ 산업 娱乐业 / ~에 빠지다 沉溺于享乐中

향로(香爐) 명 香炉 xiānglú ¶~에 향을 피우다 在香炉里烧香
향료(香料) 명 香料 xiāngliào
향리(鄕里) 명 乡里 xiānglǐ; 故里 gùlǐ; 故乡 gùxiāng
향:방(向方) 명 去向 qùxiàng; 方向 fāngxiàng; 去处 qùchù; 走向 zǒuxiàng; 趋向 qūxiàng ¶여론의 ~을 가늠해 보다 揣测舆论的走向
향:배(向背) 명 向背 xiàngbèi; 背向 bèixiàng ¶민심의 ~를 지켜보다 关注民心向背
향-불(香—) 명 香火 xiānghuǒ
향:상(向上) 명하자타 向上 xiàngshàng; 长进 zhǎngjìn; 上进 shàngjìn; 提高 tígāo; 进步 jìnbù; 进取 jìnqǔ ¶성적이 ~되다 成绩有长进 / 생활 수준을 ~시키다 提高生活水平
향:수(享受) 명하타 **1** 享受 xiǎngshòu; 享福 xiǎngfú ¶자유를 ~하다 享受自由 **2** 鉴赏 jiànshǎng; 欣赏 xīnshǎng; 玩赏 wánshǎng
향수(香水) 명 香水 xiāngshuǐ ¶~를 뿌리다 洒香水
향수(鄕愁) 명 乡愁 xiāngchóu; 思乡 sīxiāng; 乡思 xiāngsī ¶~병 思乡病 / ~에 젖다 沉浸在乡愁中
향신-료(香辛料) 명 香辛料 xiāngxīnliào; 香辣调料 xiānglà tiáoliào
향연(香煙) 명 **1** 香烟 xiāngyān **2** 香烟 xiāngyān; 纸烟 zhǐyān
향:연(饗宴) 명 飨宴 xiǎngyàn; 宴会 yànhuì; 筵席 yánxí ¶~을 베풀다 设宴会
향유(享有) 명하타 享有 xiǎngyǒu; 拥有 yōngyǒu; 受用 shòuyòng; 享受 xiǎngshòu ¶문화생활을 ~하다 享受文化生活
향유(香油) 명 **1** = 참기름 **2** 香水 xiāngshuǐ; 香精 xiāngjīng
향응(饗應) 명하타 款待 kuǎndài ¶~을 베풀다 设宴款待
향촌(鄕村) 명 乡村 xiāngcūn; 乡里 xiānglǐ
향취(香臭) 명 = 향내
향토(鄕土) 명 乡土 xiāngtǔ; 乡村 xiāngcūn; 乡里 xiānglǐ; 乡间 xiāngjiān; 地方 dìfāng ¶~ 문학 乡土文学 / ~색 乡土特色 / ~ 음식 乡村菜肴
향:-하다(向—) 자타 **1** 朝 cháo; 往 wǎng; 向 xiàng; 朝着 cháozhe; 望着 wàngzhe; 向着 xiàngzhe; 朝向 cháoxiàng ¶남쪽을 향해 걸어가다 朝南走 / 빛나는 미래를 향하여 전진하다 朝着灿烂的未来前进 **2** 前往 qiánwǎng; 前去 qiánqù ¶대표단은 이미 제네바를 향해 출발했다 代表团已动身前往日内瓦 **3** 对 duì; 望 wàng; 给 gěi; 跟 gēn; 照 zhào ¶그는 나를 향해 웃었다 他对我笑了一笑
향:후(向後) 명 往后 wǎnghòu; 此后 cǐhòu; 今后 jīnhòu; 以后 yǐhòu ¶~ 대책을 논의하다 讨论以后的对策
허 감 嘿 hēi; 嗬 hē; 咳 hāi ¶~, 큰일 났구나! 嗬, 出大事了!
허(虛) 명 = 허점
허가(許可) 명하타 许可 xǔkě; 准许 zhǔnxǔ; 允许 yǔnxǔ; 批准 pīzhǔn ¶~장 许可证 / 영업 ~ 经营许可 / ~를 받다 获得允许
허겁-지겁 부하자 慌慌张张 huānghuangzhāngzhāng; 慌忙 huāngmáng; 慌忙急促 huāngmángjícù; 手忙脚乱 shǒumángjiǎoluàn; 惊慌失措 jīnghuāngshīcuò ¶~ 달려나가다 慌忙急促地跑过去 / ~ 옷을 챙겨 입다 手忙脚乱地穿上衣服
허공(虛空) 명 空中 kōngzhōng; 虚空 xūkōng ¶~ 속으로 사라지다 消失在空中
허구(虛構) 명하타 **1** 虚构 xūgòu; 虚拟 xūnǐ; 编造 biānzào; 子虚乌有 zǐxūwūyǒu ¶~성 虚构性 / ~적 虚构的 / 소문은 ~로 밝혀졌다 传闻被证实为子虚乌有 **2** 〖文〗 虚构 xūgòu = 픽션
허구-하다(許久—) 형 许久 xǔjiǔ; 长久 chángjiǔ ¶허구한 세월 长久的岁月
허기(虛飢) 명 饥饿 jī'è; 饿 è; 饥 jī ¶~증 饥饿感 / ~를 느끼다 感到饥饿
허기-지다(虛飢—) 자 **1** 饥饿 jī'è; 饥肠辘辘 jīchánglùlù ¶허기진 배를 채우다 填充饥饿的肚子 **2** 如饥似渴 rújīsìkě; 渴望 kěwàng; 渴求 kěqiú ¶공부에 허기진 사람 对学习如饥似渴的人
허깨비 명 幻影 huànyǐng; 虚幻 xūhuàn; 幻觉 huànjué = 헛것2 ¶~가 보이다 呈现幻影
허니문(honeymoon) 명 **1** = 밀월 **2** = 신혼여행
허다-하다(許多—) 형 许多 xǔduō; 很多 hěn duō; 无数 wúshù; 多得很 duōdehěn ¶불황으로 도산한 공장이 ~ 因不景气倒闭的工厂多得很 **허다-히** 부
허덕-거리다 자 **1** 气喘吁吁 qìchuǎnxūxū ¶허덕거리며 뛰어오다 气喘吁吁地跑过来 **2** 挣扎 zhēngzhá; 折腾 zhēteng; 受苦 shòukǔ; 受困 shòukùn ¶기아선상에서 ~ 在饥饿线上挣扎 ‖ = 허덕대다 **허덕-허덕** 부하자
허덕-이다 자 **1** 气喘吁吁 qìchuǎnxūxū ¶숨이 차서 허덕이며 산 정상에 오르다 气喘吁吁地登上山顶 **2** 挣扎 zhēngzhá; 折腾 zhēteng ¶가난에 ~ 在贫困中挣扎

허둥-거리다 자 慌张 huāngzhāng; 慌 huāng; 慌神儿 huāngshénr; 慌忙 huāngmáng; 惊慌失措 jīnghuāngshīcuò; 手忙脚乱 shǒumángjiǎoluàn = 허둥대다 ¶허둥거리는 발걸음 慌张的脚步 **허둥-허둥** 부하자

허둥-지둥 부하자 慌慌张张 huānghuangzhāngzhāng; 急急忙忙 jíjimángmáng; 慌神儿 huāngshénr; 惊慌失措 jīnghuāngshīcuò; 手忙脚乱 shǒumángjiǎoluàn ¶~ 달아나다 慌慌张张地逃跑

허드레 명 零杂(儿) língzá(r)

허드렛-일 명 杂活儿 záhuór; 下手活儿 xiàshǒuhuór; 杂工 zágōng

허락(許諾) 명하타 允许 yǔnxǔ; 准许 zhǔnxǔ; 应许 yīngxǔ; 答应 dāying ¶~을 구하다 请求准许 / 외출을 ~하다 允许外出

허랑방탕-하다(虛浪放蕩—) 형 虚浮放荡 xūfú fàngdàng; 放荡形骸 fàngdàng xínghái ¶허랑방탕한 생활 虚浮放荡的生活 **허랑방탕-히** 부

허례(虛禮) 명하자 虚礼 xūlǐ; 虚体面 xūtǐmiàn; 虚面子 xūmiànzi; 假客气 jiǎkèqi ¶~허식 虚礼矫饰 / ~만 차리는 사람 只会假客气的人

허름-하다 형 **1** 破旧 pòjiù; 褴褛 lánlǚ ¶허름한 술집 破旧的酒吧 **2** 便宜 piányi; 不值钱 bùzhíqián; 一文不值 yīwénbùzhí ¶허름한 양복 不值钱的西服

허리 명 腰 yāo; 腰板(儿) yāobǎn(r) ¶~둘레 腰围 / ~띠 腰带 / ~뼈 腰骨 / ~춤 腰间 / ~가 쑤시다 腰酸 / ~를 펴다 伸腰 / ~를 굽혀 인사하다 弯腰行礼

허리케인(hurricane) 명 〖地理〗 飓风 jùfēng; 狂风 kuángfēng

허망(虛妄) 명하형 **1** 虚妄 xūwàng; 荒谬 huāngmiù; 荒诞无稽 huāngdànwújī ¶~한 말 荒诞无稽的话 **2** 空虚 kōngxū; 虚无 xūwú; 虚无缥缈 xūwú piāomiǎo ¶세월의 ~을 깨닫다 领会岁月的虚无

허무(虛無) 명하형히부 **1** 虚无 xūwú; 空虚 kōngxū; 虚无缥缈 xūwú piāomiǎo ¶~감 虚无感 / ~주의 虚无主义 / ~한 인생 虚无缥缈的人生 / 삶에 대한 ~를 느끼다 觉得人生虚无缥缈 **2** 莫名其妙 mòmíngqímiào; 荒唐 huāngtáng ¶경기에서 ~하게 지다 比赛莫名其妙地输了

허무맹랑-하다(虛無孟浪—) 형 荒诞 huāngdàn; 荒诞无稽 huāngdànwújī; 荒谬绝伦 huāngmiùjuélún; 虚无缥缈 xūwú piāomiǎo; 子虚乌有 zǐxūwūyǒu ¶허무맹랑한 이야기 荒诞的故事

허물[1] 명 **1** (皮肤的) 表皮 biǎopí; 浮皮 fúpí; 皮 pí ¶~이 벗겨지다 脱皮 **2** 蜕 tuì; 皮 pí ¶뱀의 ~ 蛇蜕 / 매미의 ~ 蝉蜕

허물[2] 명 **1** 失误 shīwù; 过失 guòshī; 过错 guòcuò ¶남의 ~을 덮어 주다 掩盖别人的过错 **2** 话柄 huàbǐng

허물다 타 拆 chāi; 拆除 chāichú; 拆毁 chāihuǐ; 破坏 pòhuài ¶벽을 ~ 拆墙

허물어-뜨리다 타 拆掉 chāidiào; 拆除 chāichú; 拆毁 chāihuǐ; 毁掉 huǐdiào ¶집을 ~ 把房子拆毁

허물어-지다 자 塌 tā; 塌下去 tāxiàqù; 倒下去 dǎoxiàqù; 倒塌 dǎotā; 坍塌 tāntā = 허물어트리다 ¶토담이 비에 허물어졌다 土墙被雨淋塌了

허물-없다 형 没有隔阂 méiyǒu géhé; 亲密无间 qīnmìwújiàn; 融洽 róngqià; 融洽无间 róngqiàwújiàn; 毫不见外 háo bù jiànwài ¶허물없는 친구 亲密无间的好友 **허물없-이** 부 ¶이웃과 ~ 지내다 和邻里相处很融洽

허밍(humming) 명 〖音〗 哼 hēng; 哼唱 hēngchàng

허벅-다리 명 大腿 dàtuǐ

허벅-살 명 大腿肌肉 dàtuǐ jīròu

허벅지 명 大腿 dàtuǐ

허비(虛費) 명하타 白费 báifèi; 浪费 làngfèi; 虚费 xūfèi ¶시간을 ~하다 浪费时间 / 쓸데없는 일에 돈만 ~했다 尽把钱浪费在没用的事上

허사(虛事) 명 = 헛일 ¶모든 일이 ~가 되었다 所有的事都泡汤了

허사(虛辭) 명 **1** 〖語〗 虚词 xūcí **2** 假话 jiǎhuà

허상(虛像) 명 虚像 xūxiàng; 假象 jiǎxiàng ¶~에 사로잡히다 沉迷于假象中

허세(虛勢) 명 架子 jiàzi; 虚架子 xūjiàzi ¶~를 부리다 摆虚架子

허송(虛送) 명하타 虚度 xūdù; 白过 báiguò ¶술과 노름으로 세월을 ~하다 终日饮酒赌博, 虚度岁月

허송-세월(虛送歲月) 명하자 虚度光阴 xūdù guāngyīn; 虚度时光 xūdù shíguāng; 旷日废时 kuàngrìfèishí ¶~을 보내다 虚度光阴

허수(虛數) 명 〖數〗 虚数 xūshù

허수-아비 명 **1** 稻草人 dàocǎorén; 草人 cǎorén ¶논두렁의 ~ 田埂上的稻草人 **2** 木偶 mù'ǒu; 傀儡 kuǐlěi ¶~ 정권 傀儡政权

허술-하다 형 **1** 破旧 pòjiù; 褴褛 lánlǚ; 寒碜 hánchen ¶허술한 옷차림 衣裳褴褛 **2** 不周到 bùzhōudào; 不细致 bùxìzhì; 松松垮垮 sōngsongkuǎkuǎ ¶손님 대접이 ~ 招待客人不周到 **3** 松懈 sōngxiè; 粗粗拉拉 cūculālā; 粗枝大叶 cūzhīdàyè; 马马虎虎 mǎmǎhūhū ¶이 지역은 경비가 ~ 这个地区警备松

懈 **허술-히** 부

허스키(husky) 명하형 沙哑 shāyǎ; 嘶哑 sīyǎ ¶~한 목소리의 가수 声音沙哑的歌手

허식(虛飾) 명하자 虚饰 xūshì; 矫饰 jiǎoshì; 粉饰 fěnshì ¶~을 버리다 抛弃虚伪粉饰

허실(虛實) 명 1 虚实 xūshí ¶상대의 ~을 파악하다 摸清对手的虚实 2 真伪 zhēnwěi; 真假 zhēnjiǎ ¶~이 드러나다 露出真假

허심(虛心) 명하자형히부 坦率 tǎnshuài; 直率 zhíshuài ¶속마음을 ~하게 털어놓다 把心思坦率地说出来

허심-탄회(虛心坦懷) 명하형 虚心坦怀 xūxīn tǎnhuái; 胸怀坦荡 xiōnghuái tǎndàng; 开诚布公 kāichéngbùgōng; 坦率 tǎnshuài ¶~한 대화 开诚布公的谈话

허약(虛弱) 명하형 虚弱 xūruò; 脆弱 cuìruò; 单薄 dānbó; 孱弱 chánruò ¶~체질 虚弱的体质 / 그 아이는 몸이 ~하다 那个孩子身体孱弱

허여-멀겋다 형 1 白皙 báixī; 白净 báijing ¶허여멀건 속살을 드러내다 露出白净的肌肤 2 稀 xī ¶허여멀건 죽 稀粥

허여-멀쑥하다 형 清秀白皙 qīngxiù báixī ¶허여멀쑥한 얼굴 清秀白皙的脸

허여멀쑥-히 부

허영(虛榮) 명 虚荣 xūróng ¶~심 虚荣心 / ~에 들뜬 여자 好虚荣的女人

허:옇다 형 1 发白 fābái; 花白 huābái; 煞白 shàbái; 皑皑 ái'ái ¶수염이 ~ 胡须花白 2 许许多多 xǔxuduōduō; 数不清 shǔbuqīng ¶동네 사람들이 허옇게 몰려나와 소리를 질렀다 许许多多的村里人都纷涌过来高喊

허:예-지다 자 变白 biàn bái; 发白 fābái ¶나이가 들어 머리가 ~ 年纪大了, 头发变白

허욕(虛慾) 명 贪心 tānxīn; 馋心 chánxīn ¶~을 부리다 馋心大动

허용(許容) 명하타 1 容许 róngxǔ; 许可 xǔkě; 容忍 róngrěn; 容受 róngshòu; 允许 yǔnxǔ ¶~량 容许量 / 이 건물에서는 흡연이 ~되지 않는다 这幢楼里不允许吸烟 2 〖體〗 让 ràng ¶한 골을 ~하다 让了一个球

허우대 명 (魁梧的) 身材 shēncái; 身架儿 shēnjiàr; 身子骨儿 shēnzigǔr; 体躯 tǐqū ¶~가 좋다 身材魁梧

허우적-거리다 자타 挣扎 zhēngzhá; 乱扑腾 luàn pūteng = 허우적대다 ¶물에 빠져 ~ 掉进水里乱扑腾 **허우적-허우적** 부하자타

허울 명 外表 wàibiǎo; 外貌 wàimào; 外观 wàiguān; 表面 biǎomiàn ¶~은 그럴듯하다 外表像那么回事

허위(虛僞) 명 虚假 xūjiǎ; 虚伪 xūwěi ¶~ 진단서 虚假诊断书 / ~ 증언 虚假证明

허장-성세(虛張聲勢) 명하자 虚张声势 xūzhāngshēngshì; 装腔作势 zhuāngqiāngzuòshì; 弄势 nòngshì ¶~로 적을 속이다 虚张声势蒙骗敌人

허전-하다 형 1 空虚 kōngxū; 空落落 kōngluòluò; 空荡荡 kōngdàngdàng; 若有所失 ruòyǒusuǒshī ¶마음이 ~ 心里空落落的 2 松松垮垮 sōngsōngkuǎkuǎ

허전-히 부

허점(虛點) 명 空子 kòngzi; 弱点 ruòdiǎn; 薄弱环节 bóruò huánjié; 可乘之隙 kěchéngzhīxì = 허(虛) ¶~을 찌르다 钻空子 / ~이 드러나다 暴露出弱点

허탈(虛脫) 명하형 虚脱 xūtuō; 无力 wúlì; 惘然 wǎngrán; 惆怅 chóuchàng ¶~한 기분 虚脱的心情 / ~하게 웃다 无力地笑

허탕 명하자 徒劳 túláo; 落空 luòkōng; 一无所得 yīwúsuǒdé; 白费劲儿 báifèijìnr

허탕(을) 치다 구 徒劳无功; 一无所得

허투루 부 随便 suíbiàn; 马马虎虎 mǎmǎhūhū; 胡乱 húluàn; 心不在焉 xīnbùzàiyān ¶~ 말하다 随便说话 / 그의 말이 ~ 들리지 않는다 他的话听上去不像虚套子

허튼 관 废 fèi; 没有礼貌 méiyǒu lǐmào; 无赖 wúlài; 鲁莽 lǔmǎng; 粗鲁 cūlǔ ¶~소리 废话 / ~ 놈 无赖家伙

허파 명 〖生〗 肺 fèi; 肺脏 fèizàng = 폐(肺) · 폐부2 ¶~ 꽈리 肺泡

허풍(虛風) 명 虚夸 xūkuā; 吹嘘 chuīxū; 吹牛 chuīniú; 吹牛皮 chuī niúpí; 夸口 kuākǒu ¶~쟁이 吹牛大王 / ~을 떨다 吹牛

허-하다(許—) 타 许可 xǔkě; 允许 yǔnxǔ; 许诺 xǔnuò ¶외국인 노동자들에게 입국을 ~ 允许外籍劳工入境

허-하다(虛—) 형 1 虚弱 xūruò; 孱弱 chánruò ¶몸이 ~ 身体虚弱 2 空 kōng ¶밥을 굶어 배 속이 ~ 没吃饭, 肚子空空的 3 空虚 kōngxū ¶마음이 ~ 心里空虚

허허[1] 부하자 呵呵 hēhē; 哈哈 hāhā 《笑声》 ¶~하고 크게 웃다 呵呵大笑

허허[2] 감 咳 hāi; 唉 ài; 哎 āi; 啊呀 āyā ¶~, 이거 야단났군 啊呀, 不得了了

허허-벌판 명 茫茫原野 mángmáng yuányě; 无边平原 wúbiān píngyuán; 无际野原 wújì yěyuán

허허실실(虛虛實實) 명 虚虚实实 xūxushíshí; 真真假假 zhēnzhenjiǎjiǎ

허황-되다(虛荒—) 형 = 허황하다 ¶

허황된 말 荒谬的言词 / 생각이 ～ 想法很荒唐

허황-하다(虚荒—) 형 荒唐 huāngtáng; 荒谬 huāngmiù; 荒诞无稽 huāngdànwújī = 허황되다 ¶허황한 꿈 荒唐的梦想 **허황-히** 부

헉 부하자 嗬 hē; 咳 hāi ¶～ 소리를 지르며 쓰러졌다 发出咳的一声倒下了

헉-헉 부하자타 哼哧 hēngchī; 呼哧 hūchī; 吭哧 kēngchi ¶～ 숨을 몰아쉬다 呼哧呼哧地喘气

헉헉-거리다 자타 哼哧哼哧 hēngchīhēngchī; 吭哧吭哧 kēngchikēngchi; 呼哧呼哧 hūchīhūchī = 헉헉대다 ¶숨을 헉헉거리며 산을 오르다 呼哧呼哧地爬上山

헌: 관 旧 jiù; 陈旧 chénjiù; 破旧 pòjiù; 破烂 pòlàn ¶～ 옷 旧衣服

헌:금(獻金) 명하자타 **1** 捐款 juānkuǎn; 捐钱 juānqián; 捐献 juānxiàn; 赠款 zèngkuǎn ¶～을 내다 捐款 **2**〖宗〗捐款 juānkuǎn

헌:납(獻納) 명하타 捐 juān; 献 xiàn; 献捐 xiànjuān; 捐献 juānxiàn ¶평생 모은 재산을 국가에 ～하다 把一生的积蓄都捐献给国家

헌:법(憲法) 명〖法〗宪法 xiànfǎ ¶～ 기관 宪法机关 / ～ 소원 宪法诉愿 / ～ 재판소 宪法裁判所

헌:병(憲兵) 명〖軍〗宪兵 xiànbīng

헌:신(獻身) 명하자 献身 xiànshēn; 投身 tóushēn; 忘我 wàngwǒ ¶사회봉사 활동에 ～하다 投身于社会公益活动

헌:-신짝 명 破鞋 pòxié; 旧鞋 jiùxié; 敝屣 bìxǐ

헌신짝 버리듯 구 弃之如敝屣

헌:장(憲章) 명 宪章 xiànzhāng ¶국제 연합 ～ 国际联合宪章

헌:정(憲政) 명〖政〗宪政 xiànzhèng; 立宪政治 lìxiàn zhèngzhì

헌:-책(—册) 명 旧书 jiùshū; 二手书 èrshǒushū ¶～방 旧书店

헌칠-하다 형 颀长 qícháng; 修长 xiūcháng; 魁梧帅气 kuíwu shuàiqi ¶키가 헌칠한 청년 身材颀长的青年 **헌칠-히** 부

헌:혈(獻血) 명하자 献血 xiànxuè ¶～자 献血人 / ～증 献血证 / ～ 운동에 동참하다 参加献血运动

헌:화(獻花) 명하자 献花 xiànhuā ¶고인의 영전에 ～하다 在故人灵前献花

헐-값(歇—) 명 廉价 liánjià; 贱价 jiànjià; 低价 dījià ¶～에 사들이다 廉价购买 / ～에 팔다 廉价出售

헐겁다 형 松 sōng; 松动 sōngdòng; 不紧 bùjǐn ¶줄이 헐겁게 묶이다 绳子捆得不紧

헐:다[1] 자 **1** 溃疡 kuìyáng; 溃烂 kuìlàn; 烂 làn ¶입안이 ～ 嘴里溃疡 **2** 破旧 pòjiù; 陈旧 chénjiù; 破烂 pòlàn; 旧 jiù ¶천막이 너무 헐었다 那布棚太破旧了

헐:다[2] 타 **1** 拆 chāi; 拆毁 chāihuǐ ¶집을 ～ 拆房子 **2** 破开 pòkāi; 开始用 kāishǐ yòng; 动用 dòngyòng ¶백만 원짜리 수표를 ～ 开始用百万韩元的支票 **3** 毁谤 huǐbàng; 诽谤 fěibàng; 诋毁 dǐhuǐ

헐떡-거리다 자타 **1** 气喘 qìchuǎn; 气喘嘘嘘 qìchuǎnxūxū ¶헐떡거리며 뒤좇아가다 气喘吁吁地追赶上去 **2** (鞋等) 松 sōng; 松动 sōngdòng ‖ = 헐떡대다 **헐떡-헐떡** 부하자타

헐떡-이다 자타 **1** 气喘 qìchuǎn; 气喘吁吁 qìchuǎnxūxū ¶그는 숨을 헐떡였다 他气喘吁吁的 **2** (鞋等) 松 sōng; 松动 sōngdòng

헐:-뜯다 타 诋毁 dǐhuǐ; 中伤 zhòngshāng; 诽谤 fěibàng; 贬低 biǎndī ¶뒤에서 남을 ～ 背后中伤他人

헐렁-거리다 자 **1** 松动 sōngdòng; 松 sōng; 肥大 féidà ¶모자가 커서 좀 헐렁거린다 帽子大, 戴在头上松松的 **2** (言行) 轻浮 qīngfú; 浪荡 làngdàng; 浮漂 fúpiāo ‖ = 헐렁대다 **헐렁-헐렁** 부하자 ¶～한 옷을 걸치다 穿着肥大的衣服

헐렁-하다 형 **1** 松 sōng; 松动 sōngdòng; 宽松 kuānsōng; 宽大 kuāndà; 肥大 féidà ¶옷이 ～ 衣服肥肥的 **2** (言行) 轻浮 qīngfú; 浪荡 làngdàng; 浮漂 fúpiāo ¶헐렁한 말투로 말하다 用轻浮的口气说 **헐렁-히** 부

헐레-벌떡 부하타 气喘吁吁地 qìchuǎnxūxūde; 上气不接下气地 shàngqì bùjiē xiàqìde; 哼哧哼哧地 hēngchīhēngchīde ¶～ 뛰어가다 气喘吁吁地跑

헐-리다 자 被拆开 bèi chāikāi; 被拆毁 bèi chāihuǐ 《'헐다[2]1' 的被动词》¶집이 ～ 房子被拆毁

헐:-벗다 一자 衣着褴褛 yīzhuó lánlǚ; 穿不暖 chuānbùnuǎn ¶헐벗고 굶주리는 백성 吃不饱穿不暖的老百姓 二타 光秃秃 guāngtūtū ¶산과 들이 ～ 山野光秃秃的

험:난-하다(險難—) 형 **1** 艰难 jiānnán; 艰险 jiānxiǎn ¶험난한 세상 艰险的世道 **2** 险阻 xiǎnzǔ; 险峻 xiǎnjùn ¶험난한 산길 险峻的山路

험:담(險談) 명하타 诽谤 fěibàng; 诋毁 dǐhuǐ ¶～을 늘어놓다 进行诽谤

험:상-궂다(險狀—) 형 凶恶 xiōng'è; 狰狞 zhēngníng ¶생김새가 아주 ～ 长相很凶恶

험:상-스럽다(險狀—) 형 凶恶 xiōng'è; 狰狞 zhēngníng ¶험상스러운 눈 凶恶的眼睛 **험:상스레** 부

험:악-스럽다(險惡—) 형 恶劣 èliè; 凶险 xiōngxiǎn; 险恶 xiǎn'è; 凶恶 xiōng'è; 凶狠 xiōnghěn ¶분위기가 갑자기 험악스러워졌다 气氛突然变得凶险 **험:악스레** 부

험:악-하다(險惡—) 형 **1** (山势、天气、道路等) 险恶 xiǎn'è; 恶劣 èliè; 险峻 xiǎnjùn; 艰险 jiānxiǎn ¶산세가 ~ 山势险峻 **2** (气氛、形势、局面等) 恶劣 èliè; 险恶 xiǎn'è; 凶险 xiōngxiǎn ¶분위기가 ~ 气氛很恶劣 **3** (人心、性格、态度、面目等) 凶恶 xiōng'è; 残暴 cánbào; 凶狠 xiōnghěn ¶험악한 얼굴 凶恶的面目

험:준-하다(險峻—) 형 险峻 xiǎnjùn; 陡峻 dǒujùn; 陡峭 dǒuqiào ¶험준한 암벽을 기어오르다 攀登陡峭的岩壁

험:-하다(險—) 형 **1** 险峻 xiǎnjùn; 险要 xiǎnyào; 崎岖 qíqū ¶지형이 ~ 地势崎岖 **2** 凶险 xiōngxiǎn; 险恶 xiǎn'è; 恶劣 èliè ¶험한 날씨 恶劣的天气 **3** 凶 xiōng; 凶狠 xiōnghěn; 可怕 kěpà ¶인상이 험한 사나이 面目凶狠的男子 **4** 粗鲁 cūlǔ; 鲁莽 lǔmǎng; 莽撞 mǎngzhuàng ¶말씨가 ~ 说话粗鲁 / 차를 험하게 몰다 莽撞地开车 **5** 寒酸 hánsuān; 粗劣 cūliè ¶험한 음식 粗劣的饭食 / 험한 차림새 寒酸的衣着 **6** 悽惨 qīcǎn ¶험한 꼴을 당하다 遭遇凄惨 **7** 艰难 jiānnán; 艰巨 jiānjù; 粗 cū; 粗重 cūzhòng ¶험한 농사일 粗重的农活 **험:-히** 부

헛- 접두 白 bái; 虚 xū; 空 kōng ¶~걸음 白跑 / ~수고 白辛苦 / ~살다 白活 / 나이를 ~먹다 空长年纪

헛-간(—間) 명 堆房 duīfang; 库房 kùfáng

헛-갈리다 자 = 헷갈리다

헛-걸음 명하자 白跑 báipǎo; 白走 báizǒu; 冤枉路 yuānwanglù ¶~ 치다 走冤枉路

헛-것 명 **1** = 헛일 **2** = 허깨비

헛-고생(—苦生) 명하자 白辛苦 báixīnkǔ; 白费劲儿 báifèijìnr; 白受累 báishòulèi; 徒劳无益 túláo wúyì

헛구역-질(—嘔逆—) 명하자 干吐 gāntù; 干呕 gān'ǒu

헛-기침 명하자 干咳 gānké; 干咳嗽 gānkésou; 假嗽 jiǎsòu ¶~으로 목청을 가다듬다 干咳嗽一声来清清嗓子

헛-다리 명 落空 luòkōng; 泡汤 pàotāng ¶~를 짚다 落空

헛-돈 명 冤枉钱 yuānwangqián

헛-돌다 자 空转 kōngzhuàn; 空跑 kōngpǎo ¶진창에서 바퀴가 ~ 轮子在泥泞中打滑空转

헛-되다 형 **1** 白 bái; 白费 báifèi; 无用 wúyòng; 徒劳 túláo; 空 kōng ¶헛된 일 白费劲的事 **2** 虚妄 xūwàng; 荒唐 huāngtáng; 荒诞 huāngdàn ¶헛된 꿈 荒诞的梦 **헛되-이** 부 ¶~ 시간을 보내다 白白地耗费时间

헛-디디다 타 失足 shīzú; 踩空 cǎikōng; 失脚 shījiǎo ¶발을 헛디뎌 물에 빠지다 失足落水

헛물-켜다 자 终归徒劳 zhōngguī túláo; 白费劲儿 báifèijìnr

헛-발 명 踏空 tàkōng; 踩空 cǎikōng; 失足 shīzú; 失脚 shījiǎo ¶~을 디디다 一脚踩空

헛발-질 명하자 踢不中 tībuzhòng

헛-배 명 (发胀的) 肚子 dùzi ¶소화가 잘 안 되어 ~가 부르다 消化不好, 肚子发胀

헛-소리 명하자 **1** (无意识状态下说的) 胡话 húhuà; 谵语 zhānyǔ ¶~를 하다 打谵语 **2** 空话 kōnghuà; 大话 dàhuà; 胡言乱语 húyánluànyǔ ¶~를 늘어놓다 空话连篇

헛-소문(—所聞) 명 谣言 yáoyán; 谣传 yáochuán; 风闻 fēngwén; 风言风语 fēngyánfēngyǔ ¶~을 퍼뜨리다 散布谣言

헛-손질 명하자 **1** (神志不清时) 手乱动 shǒuluàn dòng ¶꿈을 꾸는지 아이가 허공 중에 ~을 했다 孩子好像在做梦, 手在空中乱动 **2** 失手 shīshǒu; 手没准儿 shǒu méizhǔnr ¶상대편 선수는 힘이 빠졌는지 ~이 잦다 对手好像没劲了, 频频失手

헛-수고 명하자 白辛苦 báixīnkǔ; 白费劲 báifèijìn; 徒劳 túláo

헛-스윙(—swing) 명 〖體〗 挥棒落空 huībàng luòkōng

헛-웃음 명 **1** 干笑 gānxiào; 假笑 jiǎxiào ¶그는 어색한 ~을 지었다 他干笑了一下, 显得很不自然 **2** (无奈地) 笑 xiào ¶그는 그 소식을 듣고서 ~만 지었다 听到那个消息, 他只是笑了笑

헛-일 명하자 徒劳 túláo; 白干 báigàn; 泡影 pàoyǐng; 泡汤 pàotāng = 허사(虛事)·헛것1 ¶모든 노력이 다 ~로 돌아가다 一切努力都化为泡影

헛-짚다 타 **1** 失脚 shījiǎo; 踩空 cǎikōng ¶발을 헛짚어 넘어질 뻔하다 一脚踩空, 差点儿跌倒 **2** 看错 kàncuò; 认错 rèncuò; 估计错 gūjìcuò ¶나는 그를 범인으로 헛짚고 있었다 我把他看错成了罪犯

헛헛-하다 형 **1** (觉得) 腹中空虚 fùzhōng kōngxū ¶속이 ~ 感到腹中空虚 **2** (觉得) 空虚 kōngxū; 惆怅 chóuchàng

¶오늘은 괜스레 마음이 헛헛하여 일이 손에 잡히지 않는다 今天心里莫名地惆怅, 做不好事儿 **헛헛-이** 부
헝:겊 명 布块 bùkuài; 布片 bùpiàn; 碎布 suìbù
헝클다 타 弄乱 nòngluàn; 搅混 jiǎohun; 搅乱 jiǎoluàn; 使纠结 shǐ jiūjié; 使绕上 shǐ ràoshang; 使纷乱 shǐ fēnluàn ¶실을 헝클어 놓다 把线弄乱一团
헝클어-뜨리다 타 弄乱 nòngluàn; 搅混 jiǎohun = 헝클어트리다 ¶아이가 털실을 헝클어뜨렸다 孩子把毛线弄乱了
헝클어-지다 자 乱 luàn; 搞乱 gǎoluàn; 蓬乱 péngluàn; 纷乱 fēnluàn; 纠结 jiūjié; 绕上 ràoshang ¶일이 ~ 事情乱套了 / 마음이 ~ 思绪纷乱 / 실이 ~ 线纠结在一起
헤[1] 부 咧嘴(笑) liězuǐ (xiào) ¶입을 ~ 벌리고 웃다 咧嘴笑了
헤[2] 감 嗐 hài ¶~, 이 일을 어쩐다? 嗐, 这怎么办呢?
헤:다 자 挣扎 zhēngzhá; 挣脱 zhēngtuō ¶우리 회사는 경제 쇠퇴기에서 헤어 나오고 있다 我公司在挣札着走出经济衰退期
헤드라이트(headlight) 명 = 전조등
헤드라인(headline) 명 (报刊的) 标题 biāotí; 头版头条新闻 tóubǎn tóutiáo xīnwén
헤드폰(headphone) 명 (头戴式) 耳机 ěrjī
헤딩(heading) 명 『體』 (足球的) 头球 tóuqiú; 顶球 dǐngqiú ¶~슛 头球射门 / ~으로 패스하다 用顶球传球
헤로인(heroine) 명 『藥』 海洛因 hǎiluòyīn; 白面儿 báimiànr; 白粉 báifěn ¶~ 중독 海洛因中毒
헤르츠(Hertz) 의명 『物』 赫兹 hèzī; 赫 hè
헤매다 자타 **1** 徘徊 páihuái; 流落 liúluò; 流浪 liúlàng ¶낯선 거리를 ~ 流落陌生街头 **2** 挣扎 zhēngzhá; 濒 bīn ¶환자가 사경을 ~ 患者濒死
헤모글로빈(hemoglobin) 명 『生』 血红蛋白 xuèhóng dànbái; 血红素 xuèhóngsù; 血色素 xuèsèsù = 혈색소
헤-벌리다 타 张开 zhāngkāi ¶입을 헤벌리고 웃다 张开着嘴笑
헤-벌어지다 자 咧开 liěkāi ¶좋아서 입이 ~ 高兴得咧开了嘴
헤벌쭉 부하타형 (口、嘴) 咧着 liězhe; 张着 zhāngzhe; 合不拢 hébulóng ¶칭찬을 듣자 그의 입은 ~ 벌어졌다 听到赞美声, 他咧开了嘴
헤비-급(heavy級) 명 『體』 重量级 zhòngliàngjí
헤비-메탈(heavy metal) 명 『音』 重金属音乐 zhòngjīnshǔ yīnyuè
헤:아리다 타 **1** 数 shǔ; 计 jì ¶수가 헤아릴 수 없이 많다 不可胜数 **2** 猜测 cāicè; 揣摸 chuǎimo; 揣摩 chuǎimó; 揣测 chuǎicè ¶상대방의 심중을 ~ 揣摩对方的心思 **3** 理解 lǐjiě; 谅解 liàngjiě; 体谅 tǐliàng; 估量 gūliang; 酌量 zhuóliang ¶남의 고충을 ~ 体谅别人的苦衷
헤어-나다 자타 解脱 jiětuō; 摆脱 bǎituō; 挣脱 zhēngtuō ¶가난에서 ~ 摆脱贫困
헤어-드라이어(hair dryer) 명 吹风机 chuīfēngjī; 电吹风 diànchuīfēng
헤어브러시(hairbrush) 명 发刷 fàshuā
헤어스타일(hairstyle) 명 发型 fàxíng; 发式 fàshì; 头型 tóuxíng
헤어-스프레이(hair spray) 명 喷发定形剂 pēnfādìngxíngjì; 发胶 fàjiāo
헤어-지다 자 **1** 离开 líkāi; 分手 fēnshǒu; 分开 fēnkāi; 分别 fēnbié; 离别 líbié ¶나는 그녀와 헤어졌다 我和她分手了 **2** 裂 liè; 皲裂 jūnliè ¶추위에 입술이 헤어졌다 冻得嘴唇裂开了
헤엄 명하자 游泳 yóuyǒng; 游水 yóushuǐ ¶그는 ~을 잘 친다 他游泳游得很好
헤엄-치다 자 游泳 yóuyǒng; 游 yóu; 游水 yóushuǐ ¶수영장에서 ~ 在游泳池里游泳
헤집다 타 扒 bā; 刨 páo; 扒拉 bāla; 拨开 bōkāi ¶그는 구경꾼들을 헤집고 안으로 비집고 들어갔다 他拨开看热闹的人群, 自己挤了进去
헤치다 타 **1** 扒开 bākāi; 拨开 bōkāi; 挖开 wākāi; 破 pò; 冲 chōng ¶무덤을 ~ 挖开坟墓 / 배가 물살을 헤쳐 나가다 船破浪而行 **2** 散开 sànkāi; 解散 jiěsàn; 拆开 chāikāi ¶사람들을 헤쳐서 보내다 解散人群 **3** 解开 jiěkāi; 敞开 chǎngkāi ¶가슴을 풀어 ~ 把胸口敞开 **4** 克服 kèfú; 战胜 zhànshèng ¶온갖 고난을 ~ 克服一切困难
헤:프다 형 **1** 不禁用 bùjīn yòng; 不耐用 bùnàiyòng; 不经用 bùjīngyòng; 费 fèi ¶무른 비누는 ~ 松软的肥皂不耐用 **2** 手松 shǒusōng; 大手大脚 dàshǒudàjiǎo ¶돈을 헤프게 쓰다 花钱大手大脚 **3** (嘴) 不严 bùyán; 快 kuài; 碎 suì ¶입이 헤픈 사람 嘴不严的人 **헤:피** 부
헤-헤 부하자 嘿嘿 hēihēi; 嘻嘻 xīxī ¶~ 웃다 嘻嘻地笑
헤헤-거리다 자 直嘿嘿笑 zhí hēihēi xiào = 헤헤대다
헥타르(hectare) 의명 公顷 gōngqǐng
헬-기(←helicopter機) 명 = 헬리콥터
헬렐레 부하자 (因酒醉而) 踉踉跄跄地

liàngliangqiàngqiàngde; 东倒西歪地 dōngdǎoxīwāide ¶그는 술을 마시고 ~하며 정신을 차리지 못한다 他喝了酒就东倒西歪地不醒人事

헬륨(helium) 명【化】氦 hài

헬리콥터(helicopter) 명 直升机 zhíshēngjī; 直升飞机 zhíshēng fēijī = 헬기 ¶~를 조종하다 操作直升机

헬멧(helmet) 명 安全帽 ānquánmào; 防护帽 fánghùmào ¶~을 벗다 脱掉安全帽 / ~을 쓰다 戴安全帽

헬스-클럽(health club) 명 健身房 jiànshēnfáng

헷-갈리다 자 混淆 hùnxiáo; 错乱 cuòluàn; 分不清 fēnbuqīng; 弄糊涂 nòng hútu; 搞乱 gǎoluàn = 헛갈리다 ¶그의 말은 나를 헷갈리게 했다 他的话把我弄糊涂了

헹-가래 명 (把人) 抛到空中 pāodào kōngzhōng

헹구다 타 **1** 涮 shuàn; 冲洗 chōngxǐ; 涮洗 shuànxǐ; 漂洗 piǎoxǐ ¶빨래를 깨끗이 ~ 把衣物漂洗干净 **2** 漱 shù ¶입을 ~ 漱口

혀 명 舌 shé; 舌头 shétou ¶~로 핥다 用舌头舔 / ~를 내밀다 伸出舌头

혀-끝 명 舌尖 shéjiān; 舌端 shéduān ¶~소리 舌尖音 / ~으로 맛을 보다 用舌尖品味

혀-뿌리 명 舌根 shégēn ¶~소리 舌根音

혁대(革帶) 명 皮带 pídài; 皮腰带 píyāodài ¶~를 끄르다 松开皮腰带

혁명(革命) 명하자타 革命 gémìng; 变革 biàngé ¶산업 ~ 工业革命 / ~가 革命家 / ~을 일으키다 闹革命

혁신(革新) 명하타 革新 géxīn; 改革 gǎigé ¶기술 ~ 技术革新 / ~안 革新方案 / ~적 革新的 / ~주의 革新主义

혁혁-하다(赫赫—) 형 赫赫 hèhè; 显赫 xiǎnhè ¶혁혁한 공적 赫赫功绩 / 혁혁한 전과를 올리다 立下显赫战功 **혁혁-히** 부

현:(現) 관 现 xiàn; 现在 xiànzài ¶~정권 现政权 / ~ 상태 现状态

현(絃) 명【音】弦 xián

현:격(懸隔) 명하형히부 悬殊 xuánshū; 显著 xiǎnzhù ¶~한 차이 悬殊的差别

현:관(玄關) 명 门口 ménkǒu; 家门口 jiāménkǒu; 门廊 ménláng; 门道 méndào ¶~에서 손님을 맞다 在门口迎接客人 / ~에 들어서다 走进门廊

현:관-문(玄關門) 명 房子大门 fángzi dàmén; 大门 dàmén

현:금(現金) 명【經】现金 xiànjīn; 现款 xiànkuǎn; 现钞 xiànchāo ¶~가 现金交易价 / ~ 인출 카드 现金卡

현:금 인출기(現金引出機) 【經】自动提款机 zìdòng tíkuǎnjī = 시디[2]

현:기(眩氣) 명 晕眩 yūnxuàn = 어지럼

현:기-증(眩氣症) 명 发晕 fāyùn; 晕头晕脑 yūntóuyūnnǎo; 头晕 tóuyūn; 眩晕 xuànyùn; 头晕眼花 tóuyūnyǎnhuā = 어지럼증

현답(賢答) 명 贤答 xiándá ¶우문~ 愚问贤答

현:대(現代) 명 现代 xiàndài ¶~ 무용 现代舞 / ~ 문학 现代文学 / ~ 문명 现代文明 / ~식 现代式 / ~인 现代人 / ~ 의학 现代医学 / ~ 여성 现代女性 / ~화 现代化

현:란-하다(絢爛—) 형 绚烂 xuànlàn; 绚丽 xuànlì; 绚丽多彩 xuànlìduōcǎi; 灿烂 cànlàn ¶현란한 무대 의상 绚丽多彩的舞台服装 **현:란-히** 부

현명(賢明) 명하형히부 贤明 xiánmíng; 英明 yīngmíng; 明智 míngzhì ¶~한 지도자 英明的领导者 / ~하게 대처하다 明智地应付

현모-양처(賢母良妻) 명 贤妻良母 xiánqīliángmǔ

현무-암(玄武巖) 명【地理】玄武岩 xuánwǔyán

현:물(現物) 명【經】= 실물2 ¶~ 거래 现货交易

현미(玄米) 명 糙米 cāomǐ ¶~밥 糙米饭

현:미-경(顯微鏡) 명【物】显微镜 xiǎnwēijìng

현:상(現狀) 명 现状 xiànzhuàng; 现况 xiànkuàng ¶~ 유지 维持现状 / ~을 파악하다 掌握现况

현:상(現象) 명 现象 xiànxiàng ¶열대야 ~ 热带夜现象 / 피부 노화 ~ 皮肤老化现象

현:상(現像) 명하타【演】(照片) 洗 xǐ; 冲洗 chōngxǐ; 显影 xiǎnyǐng ¶필름을 ~하다 洗胶卷

현:상(懸賞) 명하타 悬赏 xuánshǎng ¶~금 悬赏金 / ~ 수배를 하다 悬赏缉拿

현:세(現世) 명 现世 xiànshì

현손(玄孫) 명 玄孙 xuánsūn ¶~녀 玄孙女 / ~부 玄孙媳

현:수-막(懸垂幕) 명 横幅 héngfú; 宣传条幅 xuānchuán tiáofú

현:-시대(現時代) 명 现时代 xiànshídài; 当今 dāngjīn

현:-시점(現時點) 명 此时 cǐshí; 此刻 cǐkè; 现时 xiànshí

현:실(現實) 명 现实 xiànshí ¶~성 现实性 / ~주의 现实主义 / ~화 现实化 / ~을 직시하다 直面现实 / 그는 ~에 만족한다 他满足于现实

현:실-적(現實的) 관명 现实(的) xiànshí(de); 现实性(的) xiànshíxìng(de) ¶ ~인 문제 现实性问题

현악(絃樂) 명 『音』 弦乐 xiányuè ¶~기 弦乐器 / ~ 삼중주 弦乐三重奏

현:안(懸案) 명 悬案 xuán'àn

현:역(現役) 명 1 『軍』 现役 xiànyì ¶ ~ 군인 现役军人 / ~으로 입대하다 现役入伍 2 现职 xiànzhí; 在位 zàiwèi; 在职 zàizhí ¶~ 배우 现职演员

현인(賢人) 명 贤人 xiánrén; 贤者 xiánzhě; 贤才 xiáncái = 현자

현자(賢者) 명 = 현인

현장(現場) 명 1 现场 xiànchǎng; 当地 dāngdì; 实地 shídì = 실지㊁2 · 현지1 ¶유적 발굴 ~ 遗址发掘现场 2 现场 xiànchǎng = 현지2 ¶사건 ~ 案件现场 3 工地 gōngdì = 현지3 ¶건설 ~ 建筑工地

현:재(現在) 명부 现在 xiànzài; 目前 mùqián; 如今 rújīn ¶~ 완료 现在完成 / ~ 진행 现在进行 / 그는 ~ 병원에 입원 중이다 他现在在医院住院

현:저-하다(顯著—) 형 显著 xiǎnzhù; 明显 míngxiǎn ¶변화가 ~ 变化显著

현:저-히 부 ¶인구가 ~ 증가하다 人口明显增加

현:존(現存) 명하자 现存 xiàncún; 现有 xiànyǒu ¶~하는 인물 现有人物

현:-주소(現住所) 명 1 现住址 xiànzhùzhǐ; 现住所 xiànzhùsuǒ ¶지원서에 ~를 기입하다 在志愿表上填写现住所 2 现状 xiànzhuàng; 现况 xiànkuàng ¶남북 관계의 ~ 南北关系的现状

현:지(現地) 명 1 = 현장1 ¶~인 当地人 / ~ 시간 当地时间 / ~를 답사하다 实地探访 2 = 현장2 ¶사건 ~ 事故现场 / ~ 조사 现场考察 3 = 현장3

현:지 촬영(現地撮影) 『演』 现场拍摄 xiànchǎng pāishè; 外景拍摄 wàijǐng pāishè = 로케 · 로케이션 · 야외 촬영

현:직(現職) 명 现职 xiànzhí; 现任 xiànrèn; 在职 zàizhí ¶~ 경찰 在职警察

현:찰(現札) 명 现金 xiànjīn; 现钞 xiànchāo ¶~로 계산하다 用现金结账

현:판(懸板) 명 匾额 biǎn'é ¶~을 달다 挂匾额

현:품(現品) 명 现货 xiànhuò

현학(衒學) 명 炫学 xuànxué; 炫弄学问 xuànnòng xuéwen; 炫耀学识 xuànyào xuéshí ¶~자 炫学者 / ~적 炫耀学识的

현:행(現行) 명하자 现行 xiànxíng ¶~범 现行犯 / ~법 现行法律 / 수입 관세를 ~대로 유지하다 维持现行的进口关税

현:혹(眩惑) 명하타 眩惑 xuànhuò; 迷惑 míhuò; 迷住 mízhù ¶미사여구로 사람의 마음을 ~하다 以美词丽句迷住人心

현:황(現況) 명 现况 xiànkuàng; 现状 xiànzhuàng ¶~ 보고 现况报告 / 수해 복구 ~ 水灾区的复原现状

혈(穴) 명 1 『民』 穴 xué 2 『韓醫』 穴 xué; 穴位 xuéwèi; 经穴 jīngxué; 穴道 xuédào

혈관(血管) 명 『生』 血管 xuèguǎn = 핏줄1 ¶~계 血管系统 / ~ 주사 血管注射

혈기(血氣) 명 血气 xuèqì; 精力 jīnglì ¶~가 왕성하다 血气方刚

혈뇨(血尿) 명 『醫』 尿血 niàoxiě

혈당(血糖) 명 『生』 血糖 xuètáng ¶~ 검사 血糖检查

혈루(血淚) 명 = 피눈물

혈류(血流) 명 血流 xuèliú

혈맥(血脈) 명 1 = 혈통 2 『生』 血脉 xuèmài; 血管 xuèguǎn = 맥5

혈맹(血盟) 명하자 血盟 xuèméng; 歃血为盟 shàxuèwéiméng ¶~ 관계 血盟关系 / ~을 맺다 结下血盟

혈변(血便) 명 = 피똥

혈색(血色) 명 血色 xuèsè; 气色 qìsè; 脸色 liǎnsè ¶~이 좋다 气色好

혈색-소(血色素) 명 『生』 = 헤모글로빈

혈서(血書) 명 血书 xuèshū ¶~를 쓰다 写血书

혈세(血稅) 명 血汗税钱 xuèhàn shuìqián

혈소판(血小板) 명 『生』 血小板 xuèxiǎobǎn

혈안(血眼) 명 眼红 yǎnhóng; 急眼 jíyǎn; 拼命 pīnmìng

혈안이 되다 구 红了眼; 拼命

혈압(血壓) 명 『生』 血压 xuèyā ¶~계 血压计 / ~을 재다 量血压 / ~이 조금 높다 血压高一点儿

혈액(血液) 명 『生』 = 피 ¶~ 검사 血液检查 / ~ 순환 血液循环

혈액-형(血液型) 명 『生』 血型 xuèxíng

혈연(血緣) 명 血缘 xuèyuán; 亲缘 qīnyuán ¶~관계 血缘关系 / ~과 지연 血缘和地缘

혈우-병(血友病) 명 『醫』 血友病 xuèyǒubìng

혈육(血肉) 명 血肉 xuèròu; 骨肉 gǔròu; 亲骨肉 qīngǔròu; 亲生骨肉 qīnshēng gǔròu ¶~ 관계 血肉关系 / ~의 정 骨肉之情 / 슬하에 ~이 없다 膝下没有自己的骨肉

혈장(血漿) 명 『生』 血浆 xuèjiāng

혈전(血戰) 명하자 血战 xuèzhàn ¶~을 벌이다 展开血战

혈족(血族) 명 血族 xuèzú; 血亲 xuèqīn; 亲族 qīnzú; 亲人 qīnrén ¶헤어졌던 ~을 다시 만나다 分离的亲人重逢团圆
혈청(血清) 명 〖生〗 血清 xuèqīng ¶~검사 血清检查 / ~요법 血清疗法
혈통(血統) 명 血统 xuètǒng; 系谱 xìpǔ = 핏줄2 · 혈맥1
혈투(血鬪) 명하자 血斗 xuèdòu; 血战 xuèzhàn; 死战 sǐzhàn; 搏斗 bódòu ¶~를 벌이다 展开搏斗
혈혈-단신(孑孑單身) 명 孑然一身 jiéranyīshēn; 茕茕孑立 qióngqióngjiélì; 孤身一人 gūshēnyīrén ¶그는 전쟁 때 ~으로 월남했다 战争时他孤身一人投奔南韩
혈흔(血痕) 명 血痕 xuèhén; 血迹 xuèjì ¶~을 지우다 擦去血迹 / ~이 남다 血迹残留
혐오(嫌惡) 명하타 嫌恶 xiánwù; 厌恶 yànwù; 憎恶 zēngwù; 憎恨 zēnghèn ¶~감 嫌恶感 / 나는 전쟁을 ~한다 我憎恨战争
혐의(嫌疑) 명하타 〖法〗 嫌疑 xiányí ¶~자 嫌疑犯 / ~를 받다 遭到嫌疑
협객(俠客) 명 侠客 xiákè; 武侠 wǔxiá
협곡(峽谷) 명 峡谷 xiágǔ
협공(挾攻) 명하타 夹攻 jiāgōng; 夹击 jiājī ¶~ 작전 夹攻作战
협궤(狹軌) 명 〖交〗 窄轨 zhǎiguǐ; 狭轨 xiáguǐ ¶~ 열차 窄轨列车
협동(協同) 명하자 协同 xiétóng; 协力 xiélì; 协作 xiézuò; 联合 liánhé ¶~심 协作精神 / ~ 작전 协同作战 / ~적 协同的 / ~ 작업 联合作业
협력(協力) 명하자 协作 xiézuò; 协力 xiélì; 合作 hézuò ¶상호 ~ 相互协作 / ~을 요청하다 邀请合作
협박(脅迫) 명하타 胁迫 xiépò; 威迫 wēipò; 威胁 wēixié; 威逼 wēibī; 恐吓 kǒnghè ¶~장 威胁信 / ~을 당하다 受到威胁
협상(協商) 명하타 协商 xiéshāng; 磋商 cuōshāng ¶임금 ~ 协商薪资 / ~을 벌이다 进行协商
협소-하다(狹小—) 형 狭小 xiáxiǎo; 窄小 zhǎixiǎo; 狭窄 xiázhǎi ¶집이 매우 ~ 家很狭小
협심-증(狹心症) 명 〖醫〗 心绞痛 xīnjiǎotòng; 狭心症 xiáxīnzhèng
협약(協約) 명하타 协约 xiéyuē; 协定 xiédìng ¶~을 맺다 缔结协约
협연(協演) 명하자 〖音〗 合演 héyǎn; 协演 xiéyǎn; 协奏 xiézòu ¶관현악단과의 ~ 与管弦乐团的协奏
협의(協議) 명하타 协议 xiéyì; 协商 xiéshāng; 商议 shāngyì; 商谈 shāngtán; 洽谈 qiàtán ¶~안 协议案 / ~를 거쳐서 결정하다 经过协商决定
협의(狹義) 명 狭义 xiáyì ¶~로 해석하다 狭义的解释
협잡(挾雜) 명하자 欺骗 qīpiàn; 诈骗 zhàpiàn; 敲诈 qiāozhà; 欺诈 qīzhà ¶~꾼 诈骗犯 / ~배 诈骗团伙 / ~질 诈骗
협정(協定) 명하타 **1** 协定 xiédìng; 协议 xiéyì; 公约 gōngyuē; 合议 héyì ¶휴전 ~ 停战协定 / ~ 가격 协定价格 / ~ 무역 协定贸易 / ~을 체결하다 签定协议 **2** 协商决定 xiéshāng juédìng
협조(協助) 명하자타 协助 xiézhù; 帮助 bāngzhù; 合作 hézuò ¶~를 요청하다 请求协助
협조(協調) 명하자 协调 xiétiáo ¶~적 协调的 / 노사의 ~ 劳使协调
협주(協奏) 명하자 〖音〗 协奏 xiézòu ¶~곡 协奏曲
협찬(協贊) 명하타 赞助 zànzhù ¶이번 공연은 방송사의 ~으로 진행되었다 这次演出是在电视台的赞助下举办的
협회(協會) 명 协会 xiéhuì ¶작가 ~ 作家协会
혓-바늘 명 舌乳头 shérǔtóu ¶~이 돋다 长舌乳头
혓-바닥 명 **1** 舌面 shémiàn ¶~을 데었다 烫了舌面 **2** 舌头 shétou ¶~을 내밀다 把舌头伸出来
형(兄) ㊀명 哥 gē; 哥哥 gēge; 兄 xiōng; 兄长 xiōngzhǎng ㊁의명 老兄 lǎoxiōng; 大哥 dàgē ¶이 ~, 한 가지 부탁이 있소 老兄, 我有一事相求
형(刑) 명 〖法〗 = 형벌
-형(形) 접미 形 xíng ¶계란~ 蛋形 / 삼각~ 三角形
-형(型) 접미 型 xíng; 式样 shìyàng; 样式 yàngshì; 款式 kuǎnshì ¶최신~ 最新式样 / 기본~ 基本型
형광(螢光) 명 **1** = 반딧불1 **2** 〖物〗 荧光 yíngguāng ¶~등 荧光灯 / ~ 물질 荧光物质
형구(刑具) 명 刑具 xíngjù
형국(形局) 명 形势 xíngshì; 局面 júmiàn; 局势 júshì ¶~이 우리에게 불리하다 形势对我们不利
형기(刑期) 명 〖法〗 刑期 xíngqī ¶~를 마치고 출소하다 服刑期满出狱
형-님(兄—) 명 **1** 哥 gē; 哥哥 gēge; 兄长 xiōngzhǎng **2** 嫂子 sǎozi
형량(刑量) 명 刑量 xíngliàng
형벌(刑罰) 명하타 〖法〗 刑罚 xíngfá; 惩办 chéngbàn = 형(刑) ¶죄인에게 ~을 내리다 对犯人处以刑罚
형법(刑法) 명 〖法〗 刑法 xíngfǎ; 刑律 xínglǜ
형부(兄夫) 명 姐夫 jiěfu
형사(刑事) 명 〖法〗 **1** 刑事 xíngshì ¶

~ 사건 刑事案件 / ~ 재판 刑事裁判 **2** 刑警 xíngjǐng; 刑事警察 xíngshì jǐngchá; 便衣警察 biànyī jǐngchá ¶~기동대 刑警机动队

형상(形狀) 명 **1** = 형상(形象)1 **2** 情况 qíngkuàng; 情形 qíngxing

형상(形象·形像) 명하타 **1** 形象 xíngxiàng ¶기괴한 ~ 怪异的形象 **2** 形容 xíngróng; 描写 miáoxiě; 刻画 kèhuà

형색(形色) 명 **1** 衣着 yīzhuó; 穿戴 chuāndài; 穿着 chuānzhuó ¶초라한 ~의 나그네 衣着破旧的旅人 **2** 脸色 liǎnsè ¶~이 초췌해 보이다 脸色显得很憔悴

형성(形成) 명하타 形成 xíngchéng ¶인격 ~ 人格的形成 / 가치관을 ~하다 形成价值观

형성(形聲) 명 『語』 形声 xíngshēng 《汉字六书之一》 ¶~ 문자 形声字

형세(形勢) 명 **1** 生活状况 shēnghuó zhuàngkuàng; 生活情况 shēnghuó qíngkuàng ¶~가 차츰 나아지다 生活状况慢慢好起来 **2** 形势 xíngshì; 情势 qíngshì; 局势 júshì ¶~가 불리하다 形势大为不利

형수(兄嫂) 명 嫂子 sǎozi

형식(形式) 명 形式 xíngshì ¶~론 形式论 / ~미 形式美 / ~주의 形式主义 / ~화 形式化 / ~을 따지다 讲究形式 / ~에 얽매이다 拘泥于形式

형식(型式) 명 型 xíng; 型式 xíngshì ¶앞바퀴 구동 ~ 前轮驱动型式

형식-적(形式的) 관명 形式(的) xíngshì(de); 虚浮 xūfú; 走形式 zǒu xíngshì; 搞花架子 gǎo huājiàzi

형언(形言) 명하타 形容 xíngróng; 言状 yánzhuàng ¶말로 ~하기 어렵다 难以用语言形容

형용(形容) 명하타 形容 xíngróng ¶~구 形容句 / ~사 形容词 / ~하기 어렵다 难以形容

형이상(形而上) 명 『哲』 形而上 xíng'érshàng ¶~학 形而上学 / ~학적 形而上学的

형이하(形而下) 명 『哲』 形而下 xíng'érxià ¶~학 形而下学 / ~학적 形而下学的

형장(刑杖) 명 刑杖 xíngzhàng

형장(刑場) 명 『法』 = 사형장

형적(形迹·形跡) 명 形迹 xíngjì; 痕迹 hénjì; 踪影 zōngyǐng; 踪迹 zōngjì ¶~을 감추다 隐藏踪迹

형제(兄弟) 명 兄弟 xiōngdì ¶~자매 兄弟姐妹

형질(形質) 명 『生』 形质 xíngzhì ¶우량 ~ 优良形质 / ~이 우수하다 形质优良

형체(形體) 명 形体 xíngtǐ; 外形 wàixíng; 形态 xíngtài ¶일정한 ~가 없다 没有固定的形态

형태(形態) 명 形态 xíngtài; 形式 xíngshì ¶~론 形态论 / 전투 ~를 갖추다 形成战斗形态

형태-소(形態素) 명 『語』 音位 yīnwèi; 形态素 xíngtàisù

형통(亨通) 명하자 亨通 hēngtōng; 顺利 shùnlì; 如意 rúyì ¶만사가 ~하기를 바랍니다 祝万事如意

형판(型板) 명 『工』 型板 xíngbǎn

형편(形便) 명 **1** 情形 qíngxing; 情况 qíngkuàng; 形势 xíngshì ¶어떻게 할지는 ~을 봐서 정하자 如何办理, 到时候看情形再说 **2** 生活 shēnghuó; 家道 jiādào; 家境 jiājìng ¶~이 어렵다 家境很困难

형편-없다(形便—) 형 不像样 bùxiàngyàng; 不像话 bùxiànghuà; 差劲 chàjìn; 糟糕 zāogāo ¶사람 됨됨이가 ~ 为人太不像话 / 그녀의 요리 솜씨는 정말 ~ 她的厨艺真是糟糕了 **형편없-이** 부

형평(衡平) 명 公平 gōngpíng; 平衡 pínghéng; 均衡 jūnhéng; 衡平 héngpíng ¶~성 公平性 / ~에 어긋난 처사 不公平地处事

형형색색(形形色色) 명 形形色色 xíngxíngsèsè; 各种各样 gèzhǒnggèyàng; 五花八门 wǔhuābāmén ¶~의 옷차림 各种各样的穿戴

혜:성(彗星) 명 **1** 『天』 彗星 huìxīng; 扫帚星 sàozhouxīng **2** 彗星 huìxīng; 新星 xīnxīng ¶음악계의 ~ 音乐界的新星

혜:안(慧眼) 명 慧眼 huìyǎn

혜:택(惠澤) 명 惠泽 huìzé; 恩泽 ēnzé; 恩惠 ēnhuì; 优惠 yōuhuì; 实惠 shíhuì; 沾光 zhānguāng; 受好处 shòu hǎochu ¶자연의 ~ 自然的恩惠 / ~을 주다 给予优惠

호[1] 부 哈 hā ¶입김을 ~ 불다 哈地呵气

호[2] 감 嗬 hē ¶~, 정말 대단하군요! 嗬, 真了不起!

호:(戶) 명의명 户 hù; 家 jiā ¶50~가량 되는 마을 约有五十户的村子

호(弧) 명 『數』 弧 hú; 弧线 húxiàn

호(湖) 명 湖 hú ¶영랑~ 永郎湖

호:[1](號) 명 **1** 号 hào; 别号 biéhào ¶~를 짓다 起号 / ~를 부르다 称别号 **2** 闻名 wénmíng; 出名 chūmíng; 有名 yǒumíng ¶세상에 ~가 나다 闻名于世

호:[2](號) 의명 **1** 号 hào; 室 shì ¶1~차 一号车 **2** (刊物的) 期 qī ¶이번 ~ 这一期 **3** (印刷铅字的) 号 hào ¶5~활자 五号铅字 **4** (画布的) 号 hào ¶큰 ~의 유화 大号油画

호(壕) 명 = 참호2
호(濠) 명 濠 háo; 濠沟 háogōu; 护城河 hùchénghé
호-(好) 접두 好 hǎo ¶ ~경기 好景气 / ~시절 好时节
-호(號) 접미 号 hào《指飞机、船、火车等的称号》¶ 새마을~ 新村号 / 무궁화~ 木槿花号
호:가(呼價) 명하타 要价 yàojià ¶ 천만 원을 ~하는 모피 코트 一件要价一千元韩币的毛皮大衣
호:각(號角) 명 哨子 shàozi ¶ ~을 불다 吹哨子
호:감(好感) 명 好感 hǎogǎn ¶ ~을 사다 产生好感 / 서로 ~을 갖다 互有好感
호강 명하자 享福 xiǎngfú; 享清福 xiǎngqīngfú; 安逸 ānyì; 养尊处优 yǎngzūnchǔyōu ¶ ~을 누리다 享清福 / ~하며 자라다 养尊处优中长大
호강-스럽다 형 豪华 háohuá; 荣华 rónghuá; 安逸 ānyì; 富裕 fùyù; 养尊处优 yǎngzūnchǔyōu ¶ 호강스러운 생활 养尊处优的生活 **호강스레** 부
호객(呼客) 명하자 叫客 jiàokè; 拉客 lākè ¶ ~ 행위 拉客行为
호걸(豪傑) 명 豪杰 háojié; 好汉 hǎohàn
호:-경기(好景氣) 명 【經】 好景 hǎojǐng; 好景气 hǎo jǐngqì; 很景气 hěn jǐngqì; 繁荣 fánróng = 호황2 ¶ 근래에 드문 ~ 近来少有的好景
호:구(戶口) 명 户口 hùkǒu ¶ ~를 조사하다 调查户口
호:구(虎口) 명 1 虎口 hǔkǒu ¶ ~를 벗어나다 脱离虎口 2 傻瓜 shǎguā ¶ 넌 날 ~로 아니? 你把我当傻瓜?
호구(糊口·餬口) 명하자 糊口 húkǒu; 勉强度日 miǎnqiǎng dùrì ¶ 그 월급으로는 우리 네 식구 ~도 어렵다 那点工资, 我们家四口都难以糊口
호구지계(糊口之計) 명 = 호구지책
호구지책(糊口之策) 명 糊口之策 húkǒuzhīcè; 糊口之计 húkǒuzhījì; 谋生之道 móushēngzhīdào = 호구지계·호구책 ¶ ~을 강구하다 寻找糊口之策
호구-책(糊口策) 명 = 호구지책
호:국(護國) 명하자 护国 hùguó; 卫国 wèiguó ¶ ~ 영령 护国英灵 / ~ 불교 护国佛教
호:기(好期) 명 好时期 hǎoshíqī; 佳期 jiāqī = 호시기
호:기(好機) 명 好机会 hǎojīhuì; 良机 liángjī = 호기회 ¶ ~를 잡다 抓住好机会
호:기(浩氣) 명 = 호연지기
호기(豪氣) 명 1 豪气 háoqì; 豪情 háoqíng; 豪爽 háoshuǎng ¶ ~를 떨치다 豪情奔放 2 傲气 àoqì; 骄傲 jiāo'ào ¶ ~를 부리다 傲气十足
호기-롭다(豪氣—) 형 1 豪放 háofàng; 豪迈 háomài; 豪爽 háoshuǎng ¶ 호기롭게 생긴 청년 生性豪爽的青年 2 傲慢 àomàn; 傲气 àoqì ¶ 호기롭게 술집으로 들어가다 他傲慢地走进酒店 **호기로이** 부
호:기-심(好奇心) 명 好奇心 hàoqíxīn ¶ ~이 많다 好奇心强 / ~을 유발하다 引起好奇心
호:-기회(好機會) 명 = 호기(好機)
호:남(好男) 명 好男 hǎonán
호도-하다(糊塗—) 타 掩盖 yǎngài; 隐瞒 yǐnmán; 掩饰 yǎnshì ¶ 현실을 ~하다 掩盖事实 / 사건의 진상을 ~하다 隐瞒事情的真相
호되다 형 厉害 lìhai; 严厉 yánlì; 狠狠 hěnhěn; 猛烈 měngliè ¶ 호되게 꾸짖다 严厉斥责
호두(胡桃) 명 核桃 hétao; 胡桃 hútáo ¶ ~과자 核桃饼干 / ~나무 核桃树 / ~엿 核桃仁饴糖 / ~를 깨먹다 砸核桃吃
호들갑 명 轻浮 qīngfú; 胡闹 húnào; 轻举妄动 qīngjǔwàngdòng ¶ ~을 떨다 胡闹
호들갑-스럽다 형 轻浮 qīngfú ¶ 옆집 여자는 호들갑스럽기 그지없다 隔壁家的女人轻浮得很 **호들갑스레** 부
호-떡(胡—) 명 烧饼 shāobing; 糖烧饼 tángshāobing ¶ ~을 사 먹다 买烧饼吃
호떡-집(胡—) 명 烧饼铺 shāobingpù; 糖烧饼铺 tángshāobingpù
호락-호락 부하형 好对付 hǎo duìfu; 好欺负 hǎo qīfu; 轻易 qīngyì; 容易 róngyì; 简单 jiǎndān ¶ ~하지 않은 상대 不好对付的对手
호:랑-나비(虎狼—) 명 【蟲】 凤蝶 fèngdié; 金凤蝶 jīnfèngdié = 호접
호:랑-이(虎狼—) 명 【動】 虎 hǔ; 老虎 lǎohǔ = 범
호:령(號令) 명하타 1 命令 mìnglìng; 号令 hàolìng ¶ 천하를 ~하다 号令天下 2 斥责 chìzé; 怒斥 nùchì; 呵斥 hēchì ¶ 노기 띤 음성으로 부하들을 ~하다 怒气冲冲地呵斥手下 3 口令 kǒulìng
호롱 명 煤油灯壶 méiyóu dēnghú
호롱-불 명 油灯 yóudēng; 煤油灯 méiyóudēng
호루라기 명 哨子 shàozi = 휘슬 ¶ ~를 불다 吹哨子
호르몬(hormone) 명 【生】 激素 jīsù; 荷尔蒙 hé'ěrméng
호른(독Horn) 명 【音】 法国号 fǎguóhào; 圆号 yuánhào

호리다 타 1 迷惑 míhuò; 迷住 mízhù; 诱惑 yòuhuò ¶남자를 ~ 诱惑男人 2 诱骗 yòupiàn; 勾引 gōuyǐn; 拐 guǎi ¶남을 호려서 이익을 얻다 勾引别人谋取利益
호리-병(—瓶) 명 葫芦瓶 húlupíng
호리병-박(—瓶—) 명 〖植〗葫芦 húlu
호리-하다 형 细长 xìcháng; 细挑 xìtiao; 苗条 miáotiao ¶몸매가 ~ 身材细长
호리-호리 부|하형 细长 xìcháng; 清瘦 qīngshòu; 细挑 xìtiao ¶~한 몸매 清瘦的身材
호명(呼名) 명|하타 呼名 hūmíng; 点名 diǎnmíng; 叫名 jiàomíng ¶~을 하면 크게 대답하세요 点名时请大声回答
호모(homo) 명 (男) 同性恋 tóngxìngliàn; 同性恋者 tóngxìngliànzhě
호미 명 锄 chú; 锄头 chútou; 铁锄 tiěchú
호:-밀(胡—) 명 〖植〗黑麦 hēimài
호:박 명 〖植〗南瓜 nánguā ¶~꽃 南瓜花 / ~씨 南瓜子 / ~엿 南瓜饴糖 / ~죽 南瓜粥
호:박(琥珀) 명 〖鑛〗琥珀 hǔpò
호반(湖畔) 명 = 호숫가 ¶~의 도시 湖滨城市
호방-하다(豪放—) 형 豪放 háofàng ¶호방한 기상 豪放的气象 / 호방하게 웃다 豪放地大笑 **호방-히** 부
호:별(戶別) 명 按户 ànhù; 挨门 āimén; 挨户 āihù; 挨家 āijiā ¶~ 방문 挨家拜访
호:봉(號俸) 명 级别工资 jíbié gōngzī; 定岗年薪 dìnggǎng niánxīn ¶~이 꽤 높다 级别工资较高
호사(好事) 명|하자 1 好事 hǎoshì ¶~다마 好事多魔 2 好事 hàoshì ¶~가 好事者
호사(豪奢) 명|하자 豪奢 háoshē; 奢侈 shēchǐ; 奢华 shēhuá ¶분수에 넘치는 ~를 부리다 过分地豪华奢侈
호사-스럽다(豪奢—) 형 豪奢 háoshē; 豪华奢侈 háohuá shēchǐ; 豪华 háohuá; 华丽 huálì ¶호사스러운 생활 豪华奢侈的生活 / 호사스럽게 차려 입다 穿着华丽 **호사스레** 부
호:상(好喪) 명 喜丧 xǐsāng; 天年丧 tiānniánsāng; 寿终丧 shòuzhōngsāng
호:색(好色) 명|하자 好色 hàosè
호:색-한(好色漢) 명 = 색한1
호소(呼訴) 명|하자타 呼吁 hūyù; 陈诉 chénsù; 诉苦 sùkǔ; 诉冤 sùyuān ¶~문 呼吁文 / 억울한 사정을 ~하다 陈诉冤情
호:소(號召) 명 号召 hàozhào; 呼吁 hūyù ¶단결을 ~하다 呼吁团结
호:소-력(呼訴力) 명 号召力 hàozhàolì
호:송(護送) 명|하타 1 护送 hùsòng ¶~원 护送员 / ~차 护送车 / 금괴를 ~하다 护送金块 2 押送 yāsòng ¶~되어 법정으로 간 피의자 被押送上法庭的嫌疑人
호:수(戶數) 명 户数 hùshù
호수(湖水) 명 〖地理〗湖 hú; 湖水 húshuǐ; 湖泊 húpō
호:수(號數) 명 1 号 hào; 号数 hàoshù; 号码 hàomǎ ¶~를 확인하다 认清号码 2 〖美〗号 hào; 尺寸 chǐcun
호숫-가(湖水—) 명 湖畔 húpàn; 湖滨 húbīn; 湖边 húbiān = 호반
호스(hose) 명 胶皮管 jiāopíguǎn; 塑料管 sùliàoguǎn; 软管 ruǎnguǎn; 水管 shuǐguǎn
호스티스(hostess) 명 女招待员 nǚzhāodàiyuán; 女招待 nǚzhāodài
호스피스(hospice) 명 〖醫〗临终关怀 línzhōng guānhuái; 善终服务 shànzhōng fúwù; 临终关怀护士 línzhōng guānhuái hùshi
호:-시기(好時期) 명 = 호기(好期)
호:-시절(好時節) 명 好时节 hǎoshíjié; 好时期 hǎoshíqī; 好时光 hǎoshíguāng
호:시-탐탐(虎視眈眈) 명|하타 虎视眈眈 hǔshìdāndān ¶~ 기회를 노리다 对机会虎视眈眈
호:신(護身) 명|하타 护身 hùshēn; 防身 fángshēn ¶~술 护身术 / ~용 护身用 / ~을 위해 유도를 배우다 为防身学习柔道
호언-장담(豪言壯談) 명|하자 豪言壮语 háoyánzhuàngyǔ; 豪语 háoyǔ
호:연지기(浩然之氣) 명 浩然之气 hàoránzhīqì = 호기(浩氣)
호:연-하다(浩然—) 형 浩然 hàorán; 浩瀚 hàohàn ¶호연한 기상 浩然的气象 **호:연-히** 부
호:외(號外) 명 号外 hàowài; 号外刊 hàowàikān ¶~를 발행하다 发行号外刊
호우(豪雨) 명 豪雨 háoyǔ; 大雨 dàyǔ ¶~ 경보 豪雨警报 / ~ 주의보 豪雨注意报
호:위(護衛) 명|하타 护卫 hùwèi; 警卫 jǐngwèi; 保卫 bǎowèi ¶~대 护卫队 / ~ 병사 警卫兵 / ~ 차량이 뒤따르다 警卫车辆紧随其后
호응(呼應) 명|하자 1 响应 xiǎngyìng; 照应 zhàoying; 回应 huíyìng; 回响 huíxiǎng ¶수많은 사람들의 ~을 얻다 获得广大人民的响应 2 〖語〗呼应 hūyìng
호:의(好意) 명 好意 hǎoyì; 善意 shànyì; 好心 hǎoxīn ¶당신의 ~에 감사드립니다 谢谢你的好意 / 남의 ~를 저버리다 辜负人家的好意

호:의-호:식(好衣好食) 명하자 好衣好食 hǎoyīhǎoshí; 甘衣好食 gānyīhǎoshí; 锦衣玉食 jǐnyīyùshí
호:인(好人) 명 好人 hǎorén
호:적(戶籍) 명 户籍 hùjí; 户口 hùkǒu ¶~ 등본 户籍誊本 / ~부 户籍簿 / ~ 초본 户籍抄本 / ~에 올리다 编入户口 / ~을 말소하다 销户口 / ~을 옮기다 迁户口
호:전(好轉) 명하자 好转 hǎozhuǎn; 见好 jiànhǎo ¶병세가 ~되다 病情好转
호:전-적(好戰的) 관명 好战(的) hàozhàn(de); 好战性(的) hàozhànxìng(de) ¶~인 태도 好战态度
호접(胡蝶·蝴蝶) 명 〖蟲〗 = 호랑나비
호젓-하다 형 1 寂静 jìjìng; 肃静 sùjìng; 僻静 pìjìng ¶호젓한 산길 僻静的山路 2 孤寂 gūjì; 孤单 gūdān ¶호젓한 나날 孤单的日子 **호젓-이** 부
호:조(好調) 명 好形势 hǎoxíngshì; 好势头 hǎoshìtóu; 顺利 shùnlì; 顺当 shùndang ¶경기가 ~를 보이다 经济出现好势头
호:주(戶主) 명 〖法〗 户主 hùzhǔ; 当家的 dāngjiāde; 一家之长 yījiāzhīzhǎng
호-주머니(胡—) 명 = 주머니2
호출(呼出) 명하타 传呼 chuánhū; 召唤 zhàohuàn; 呼叫 hūjiào; 呼出 hūchū; 传唤 chuánhuàn; 叫出 jiàochū ¶과장을 ~하다 呼叫课长
호치키스(Hotchkiss) 명 '스테이플러' 的别称
호칭(呼稱) 명하타 称呼 chēnghu; 称号 chēnghào ¶국왕을 황제로 ~하다 称呼国王为皇帝
호쾌-하다(豪快—) 형 豪爽 háoshuǎng; 豪放 háofàng ¶호쾌한 웃음소리 豪爽的笑声 **호쾌-히** 부
호탕-하다(豪宕—) 형 豪放 háofàng; 豪爽 háoshuǎng; 爽朗 shuǎnglǎng ¶호탕한 기질 豪放的气质 / 성격이 ~ 性格豪爽
호텔(hotel) 명 宾馆 bīnguǎn; 饭店 fàndiàn; 酒店 jiǔdiàn
호통 명하자타 大声斥责 dàshēng chìzé; 呵斥 hēchì; 责备 zébèi; 斥责 chìzé ¶화가 나서 아들에게 ~을 치다 生气得大声斥责儿子
호:평(好評) 명하타 好评 hǎopíng; 称许 chēngxǔ ¶비평가들의 ~을 받다 深受评委好评
호프(독Hof) 명 1 扎啤 zhāpí; 生啤酒 shēngpíjiǔ; 鲜啤酒 xiānpíjiǔ 2 啤酒屋 píjiǔwū; 啤酒店 píjiǔdiàn
호:피(虎皮) 명 虎皮 hǔpí
호형-호제(呼兄呼弟) 명하자 称兄道弟 chēngxiōngdàodì ¶나는 그와 ~하는 사이이다 我跟他是称兄道弟的关系
호:혜(互惠) 명 互惠 hùhuì; 互利 hùlì ¶~ 조약 互惠条约 / ~ 평등 平等互惠
호-호[1] 부하타 呼呼 hūhū ¶추워서 손을 ~ 불다 很冷, 呼呼地哈着手
호-호[2] 부하자 呵呵 hēhē; 嘻嘻 xīxī ¶~ 웃다 嘻嘻地笑
호호-백발(皜皜白髮) 명 皓皓白发 hàohàobáifà; 白发苍苍 báifàcāngcāng ¶~ 노인 白发苍苍的老人
호화(豪華) 명하형 豪华 háohuá ¶~ 별장 豪华别墅 / ~ 사치 풍조 豪华奢侈的风潮
호화-롭다(豪華—) 형 豪华 háohuá ¶호화로운 저택 豪华住宅 **호화로이** 부
호화-스럽다(豪華—) 형 豪华 háohuá **호화스레** 부
호화찬란-하다(豪華燦爛—) 형 豪华耀眼 háohuáyàoyǎn; 豪华美丽 háohuá měilì ¶호화찬란하게 꾸며 놓은 호텔 装饰豪华美丽的宾馆
호:환(互換) 명하타 互换 hùhuàn ¶~성 互换性 / 이 기기는 다른 회사 제품과 ~이 가능하다 这部机器可以和其他公司的产品互换
호:황(好況) 명 1 高涨 gāozhǎng; 旺市 wàngshì; 好景 hǎojǐng ¶경기가 ~을 누리다 景气高涨 2 〖經〗 = 호경기
호흡(呼吸) 명하자타 1 呼吸 hūxī; 吸 xī ¶~기 呼吸器官 / ~ 곤란 呼吸困难 / ~ 운동 呼吸运动 / ~ 조절 调整呼吸 2 步调 bùdiào; 合拍 hépāi ¶~이 잘 맞다 彼此很合拍
혹 명 1 瘤 liú; 瘤子 liúzi; 赘瘤 zhuìliú ¶목에 커다란 ~이 나 있다 脖子上有一个大瘤子 2 鼓包 gǔbāo; 包 bāo; 肿块 zhǒngkuài ¶머리를 부딪쳐 큰 ~이 생겼다 撞得头上起了个大包 3 累赘 léizhui; 负担 fùdān; 包袱 bāofu ¶전과 기록이 평생 ~처럼 붙어 다닌다 犯罪前科的记录就像包袱一样伴随一生 4 隆肉 lóngròu ¶등에 ~이 하나인 낙타 背上有一个隆肉的骡驼
혹(或) 부 1 = 혹시 2 = 간혹
혹독-하다(酷毒—) 형 酷毒 kùdú; 严酷 yánkù; 毒辣 dúlà; 残酷 cánkù; 狠毒 hěndú ¶혹독한 현실 严酷的现实 / 혹독하게 야단을 치다 狠毒地批评 **혹독-히** 부
혹사(酷使) 명하타 驱使 qūshǐ; 驱遣 qūqiǎn; 过度用 guòdù yòng ¶눈을 ~하다 过度用眼睛
혹서(酷暑) 명 酷暑 kùshǔ; 酷热 kùrè
혹성(惑星) 명 〖天〗 = 행성
혹세(惑世) 명하자 惑世 huòshì; 乱世 luànshì ¶~무민 惑世诬民
혹시(或是) 부 1 万一 wànyī; 如果 rúguǒ; 若是 ruòshì; 要是 yàoshi; 就是

jiùshì ¶~ 일이 잘 안되더라도 너무 실망하지 마라 万一事情不顺利, 也不要太失望 2 或许 huòxǔ; 或是 huòshì; 或者 huòzhě; 也许 yěxǔ; 说不定 shuōbudìng; 没准儿 méizhǔnr; 不一定 bùyīdìng ¶~ 내일 떠나게 될지도 모르겠습니다 没准儿明天就走 ‖ = 혹(或)1 · 혹여 · 혹자㊁

혹시-나(或是—) 부 '혹시' 的强调语

혹심-하다(酷甚—) 형 酷甚 kùshèn; 极甚 jíshèn; 极度 jídù; 极为 jíwéi; 严重 yánzhòng; 深重 shēnzhòng ¶혹심한 가뭄 피해 严重旱灾 **혹심-히** 부

혹여(或如) 부 = 혹시

혹여-나(或如—) 부 '혹여' 的强调语

혹-은(或—) 부 或 huò; 或者 huòzhě ¶내일 ~ 모레 올 것입니다 明天或者后天来

혹자(或者) ㊀명 有人 yǒurén; 有的人 yǒude rén ㊁부 = 혹시

혹평(酷評) 명하타 酷评 kùpíng; 苛评 kēpíng; 严厉批评 yánlì pīpíng ¶평론가의 ~을 받다 遭到评论家的严厉批评

혹-하다(惑—) 자 沉迷 chénmí; 迷惑 míhuò; 着迷 zháomí ¶그는 노름에 혹해서 전 재산을 날렸다 他沉迷在赌博中, 把全部财产挥霍一空

혹한(酷寒) 명 酷寒 kùhán; 严寒 yánhán ¶~을 견디다 忍受严寒

혼(魂) 명 灵魂 línghún; 魂魄 húnpò; 精神 jīngshén

혼(이) 나가다 구 失魂落魄

혼기(婚期) 명 婚龄 hūnlíng; 婚期 hūnqī ¶~를 놓친 처녀 错过婚期的姑娘

혼-나다(魂—) 자 1 要命 yàomìng; 够呛 gòuqiàng; 吃苦头 chī kǔtou; 受罪 shòuzuì ¶무서워서 혼났다 害怕得要命 2 挨骂 áimà; 挨整 áizhěng; 受责备 shòu zébèi; 挨批评 ái pīpíng ¶선생님께 혼났다 挨老师骂了

혼-내다(魂—) 타 教训 jiàoxùn; 整治 zhěngzhì; 骂 mà; 责备 zébèi; 批评 pīpíng ¶선생님은 소란 피우는 아이를 혼내셨다 老师把捣乱的孩子教训了一顿

혼담(婚談) 명 议论婚事 yìlùn hūnshì; 谈婚论嫁 tánhūnlùnjià; 提亲 tíqīn; 提亲事 tí qīnshì ¶~이 오가다 进行谈婚论嫁

혼:돈(混沌 · 渾沌) 명하형 混沌 hùndùn; 混乱 hùnluàn ¶~에 빠지다 陷于混沌状态

혼:동(混同) 명하타 混同 hùntóng; 混淆 hùnxiáo ¶~하기 쉬운 상표 容易引起混淆的商标

혼:란(混亂) 명하형 混乱 hùnluàn; 错乱 cuòluàn; 杂乱 záluàn; 纷扰 fēnrǎo ¶~기 混乱期 / ~한 틈을 타서 물건을 훔치다 趁混乱之际偷走东西

혼:란-스럽다(混亂—) 형 混乱 hùnluàn; 混杂 hùnzá; 杂乱 záluàn ¶혼란스러운 거리의 간판들 杂乱无序的街头招牌 **혼:란스레** 부

혼란-하다(昏亂—) 형 昏乱 hūnluàn; 昏头昏脑 hūntóuhūnnǎo; 昏聩 hūnkuì; 混乱 hùnluàn ¶정신이 ~ 神志昏聩

혼령(魂靈) 명 = 영혼1

혼례(婚禮) 명 = 결혼식 ¶~복 婚礼服 / ~를 올리다 举行婚礼

혼례-식(婚禮式) 명 = 결혼식

혼미(昏迷) 명하형 昏迷 hūnmí; 迷糊 míhu; 昏聩 hūnkuì; 神志不清 shénzhìbùqīng; 混沌不明 hùndùnbùmíng ¶정신이 ~하다 神志不清

혼:방(混紡) 명하타 混纺 hùnfǎng ¶~ 직물 混纺织物

혼백(魂魄) 명 = 넋1 ¶~을 위로하다 告慰灵魂

혼비(婚費) 명 婚事费用 hūnshì fèiyong; 结婚费用 jiéhūn fèiyong = 혼수(婚需)2

혼비백산(魂飛魄散) 명하자 魂飞魄散 húnfēipòsàn; 魄散魂飞 pòsànhúnfēi; 失魂落魄 shīhúnluòpò ¶~하여 달아나다 失魂落魄地逃走

혼사(婚事) 명 婚事 hūnshì; 喜事 xǐshì

혼삿-길(婚事—) 명 婚事 hūnshì; 婚嫁之路 hūnjiàzhīlù ¶~이 막히다 婚嫁之路堵了

혼:선(混線) 명하자 1 串线 chuànxiàn; 串话 chuànhuà ¶요즘 전화가 자주 ~된다 最近打电话经常串线 2 混乱 hùnluàn; 混杂 hùnzá; 茫无头绪 mángwútóuxù ¶일에 ~을 빚다 工作茫无头绪

혼:성(混成) 명하자타 混合 hùnhé; 混成 hùnchéng; 合成 héchéng ¶~ 팀 混合队

혼:성(混聲) 명 『音』 混声 hùnshēng ¶~ 합창 混声合唱

혼수(昏睡) 명 1 昏睡 hūnshuì 2 『醫』 昏迷 hūnmí ¶~상태 昏迷状态

혼수(婚需) 명 1 嫁妆 jiàzhuang = 혼수품 ¶~를 장만하다 准备嫁妆 2 = 혼비

혼수-품(婚需品) 명 = 혼수(婚需)1

혼:숙(混宿) 명하자 (男女) 合住 hézhù; 混住 hùnzhù

혼:식(混食) 명하타 (五谷杂粮) 混食 hùnshí; 杂食 záshí ¶~을 장려하다 提倡混食杂粮

혼:신(渾身) 명 = 온몸 ¶~의 힘을 쏟다 使尽浑身之力

혼약(婚約) 명하자 婚约 hūnyuē; 定婚 dìnghūn ¶~을 맺다 定婚约

혼:연(渾然) 부하형히부 浑然 húnrán

¶～일체 浑然一体 / ～일치 浑然一致
혼:욕(混浴) 명하자 (男女) 混浴 hùnyù
혼:용(混用) 명하타 混用 hùnyòng ¶한글과 한자를 ～하다 韩文和汉字混用
혼인(婚姻) 명하자 婚姻 hūnyīn; 结婚 jiéhūn; 嫁娶 jiàqǔ ¶～ 신고 结婚登记 / ～ 서약 婚姻誓约
혼자 명부 单独 dāndú; 独自 dúzì; 一个人 yīge rén ¶～ 집을 지키다 独自看家 / ～ 여행을 가다 一个人去旅行
혼자-되다 자 丧偶 sàng'ǒu; 守寡 shǒuguǎ ¶어머니는 젊어서 혼자되어 자식들만 바라보며 사셨다 母亲早年守寡, 一心指望儿女成才
혼:잡(混雜) 명하형 拥挤 yōngjǐ; 挨挤 āijǐ; 混乱 hùnluàn; 混杂 hùnzá ¶교통 ～ 交通拥挤 / 출퇴근 시간이 ～하다 上下班高峰期混乱
혼:잡-스럽다(混雜—) 형 拥挤 yōngjǐ; 挨挤 āijǐ; 混乱 hùnluàn ¶버스 터미널은 귀성객으로 혼잡스러웠다 汽车站挤满了归乡的旅客, 一片混乱 **혼:잡스레** 부
혼잣-말 명하자 自言自语 zìyánzìyǔ; 喃喃自语 nánnánzìyǔ; 独白 dúbái
혼전(婚前) 명 婚前 hūnqián ¶～ 동거 婚前同居
혼:전(混戰) 명하자 混战 hùnzhàn ¶두 팀이 ～을 벌이다 两个队进行混战
혼절(昏絕) 명하자 晕倒 yūndǎo; 昏厥 hūnjué; 晕厥 yūnjué ¶아들의 사고 소식을 듣고 어머니는 ～하셨다 听到儿子出事的消息, 母亲一下子就晕倒了
혼쭐-나다(魂—) 자 1 挨骂 áimà; 挨整 áizhěng 2 (漂亮得) 令人断魂 lìngrén duànhún
혼쭐-내다(魂—) 타 教训 jiàoxùn; 整治 zhěngzhì; 骂 mà; 责备 zébèi; 批评 pīpíng
혼처(婚處) 명 结婚对象 jiéhūn duìxiàng ¶마땅한 ～가 생겼다 有了合适的结婚对象
혼:탁(混濁·渾濁·溷濁) 명하형 1 混浊 hùnzhuó; 浑浊 húnzhuó ¶강물이 매우 ～하다 河水很混浊 2 混乱 hùnluàn; 昏乱 hūnluàn ¶～한 사회 混乱社会
혼:합(混合) 명하타 混 hùn; 混合 hùnhé; 搅合 jiǎohé; 交融 jiāoróng; 夹杂 jiāzá ¶～물 混合物 / ～액 混合液 / 고르게 서로 ～하다 均匀地混合
혼:혈(混血) 명하자 1 混血 hùnxuè 2 ＝ 혼혈아
혼:혈-아(混血兒) 명 混血儿 hùnxuè'ér ＝ 혼혈2
홀(hall) 명 大厅 dàtīng; 礼堂 lǐtáng; 会堂 huìtáng
홀- 접두 单 dān; 单身 dānshēn; 独 dú ¶～몸 单身 / ～어머니 单身母亲
홀가분-하다 형 1 轻松 qīngsōng; 轻爽 qīngshuǎng; 轻便 qīngbiàn; 松心 sōngxīn; 轻快 qīngkuài ¶홀가분한 기분 轻松的心情 / 문제가 해결되어 마음이 ～ 问题解决了, 心里轻爽 2 好对付 hǎo duìfu; 不在话下 bùzàihuàxià
홀가분-히 부 ¶가족이 없던 그는 ～ 외국으로 떠날 수 있었다 他没有成家, 可以轻轻松松地前往外国
홀대(忽待) 명하타 怠慢 dàimàn; 慢待 màndài; 冷待 lěngdài; 待理不理 dàilǐbùlǐ ¶고객을 ～하다 怠慢客人
홀딱 부 1 一下子 yīxiàzi; 完全 wánquán ¶여자에게 ～ 반하다 被女人完全给迷住 2 光 guāng; 光光 guāngguāng; 光秃秃 guāngtūtū; 光溜溜 guāngliūliū; 精光 jīngguāng ¶옷을 ～ 벗고 목욕하다 脱光衣服洗澡 / 그는 노름으로 돈을 ～ 날렸다 他赌博, 把钱都输得光光的 3 大翻 dàfān ¶옷장을 ～ 뒤집다 大翻衣柜
홀랑 부 1 光 guāng; 光光 guāngguāng; 秃秃 tūtū; 精光 jīngguāng; 光溜溜 guāngliūliū ¶머리가 ～ 벗어지다 头发掉得精光 2 嗖地一下 sōude yīxià ¶바람에 모자가 ～ 벗겨지다 帽子嗖地一下被风刮走了 3 完全 wánquán; 光 guāng ¶노름으로 전 재산을 ～ 날려 버렸다 把全部财产都赌光了
홀로 부 单独 dāndú; 独自 dúzì; 孑然 jiérán ¶～ 외롭게 살아가는 노인 独自一人孤独地生活的老人
홀로그램(hologram) 명 『物』 全息图 quánxītú
홀리다 자 被诱惑 bèi yòuhuò; 被迷惑 bèi míhuò ¶마치 홀린 사람처럼 그곳에 멍청히 서 있다 像是被迷惑了的人一样傻傻地站在那儿
홀-몸 명 独身 dúshēn; 单身 dānshēn; 孤身 gūshēn ＝ 단신(單身)1
홀-소리 명 『語』 ＝ 모음
홀-수(—數) 명 『數』 单数 dānshù; 奇数 jīshù ＝ 기수(奇數)·홑수2
홀-씨 명 『植』 孢子 bāozǐ; 胞子 bāozǐ ＝ 포자
홀-아비 명 鳏夫 guānfū
홀-어미 명 单身母亲 dānshēn mǔqīn
홀연(忽然) 부하형히부 忽然 hūrán; 突然 tūrán ¶～ 종적을 감추다 突然隐藏踪迹
홀인-원(hole in one) 명 『體』 (高尔夫球的) 一杆进洞 yīgān jìndòng ＝ 에이스4
홀짝 부 1 一口气 yīkǒuqì ¶술을 ～ 마셔 버리다 一口气把酒喝完 2 一下子 yīxiàzi ¶도랑을 ～ 뛰어 건너다 一下子跃过水沟 3 吭吭地 kēngkēngde ¶코를 ～ 들이마시다 鼻子吭吭地抽气

홀짝-거리다 자타 1 一口一口地喝 yīkǒuyīkǒude hē ¶물만 ~ 只是一口一口地喝水 2 (把鼻涕) 不停地抽 bùtíngde chōu ¶코를 ~ 不停地抽鼻涕 ‖ = 홀짝대다 **홀짝-홀짝** 부하자타

홀쭉-이 명 瘦子 shòuzi

홀쭉-하다 형 1 瘦 shòu; 细瘦 xìshòu ¶홀쭉한 얼굴 瘦脸 2 瘪 biě; 干瘪 gānbiě ¶한 끼 굶었더니 배가 홀쭉해졌다 饿了一顿饭, 肚子瘪瘪的 **홀쭉-히** 부

홀쭉-홀쭉 부하형 瘦瘦 shòushòu; 瘦不拉叽 shòubulājī ¶아이들이 제대로 먹지 못해 ~하다 孩子们没好好吃上东西, 都瘦瘦的

훌훌 부 1 翩翩 piānpiān ¶나비가 ~ 날아갔다 蝴蝶翩翩地飞去了 2 呼呼 hūhū ¶뜨거운 국물을 ~ 불며 마신다 呼呼地吹着热汤喝 3 咕噜咕噜 gūlūgūlū ¶그는 차를 ~ 들이마셨다 他咕噜咕噜地把茶喝了下去 4 呼呼地 hūhūde ¶씨앗을 ~ 뿌리다 呼呼地撒播种子 5 随随便便 suísuibiànbiàn ¶옷을 ~ 벗어젖히다 随随便便地脱下衣服 6 轻轻地 qīngqīngde ¶옷에 묻은 흙을 ~ 털다 轻轻地掸掉衣服上的土

홈 명 槽 cáo; 槽子 cáozi ¶나무에 ~을 파다 在木头上挖槽子

홈(home) 명 〖體〗 = 홈 베이스

홈 게임(home game) 〖體〗 主场比赛 zhǔchǎng bǐsài = 홈경기

홈-경기(home競技) 명 〖體〗 = 홈 게임

홈-구장(home球場) 명 〖體〗 = 홈 그라운드

홈-그라운드(home ground) 명 〖體〗 主场 zhǔchǎng = 홈구장

홈런(home run) 명 〖體〗 本垒打 běnlěidǎ; 全垒打 quánlěidǎ ¶~을 날리다 击本垒打

홈 베이스(home base) 〖體〗 本垒 běnlěi = 홈(home)

홈 쇼핑(home shopping) 〖經〗 家庭购物 jiātíng gòuwù

홈인(home+in) 명하자 〖體〗 返回本垒 fǎnhuí běnlěi

홈-통(-桶) 명 1 引水筒 yǐnshuǐtǒng; 檐沟 yángōu; 水落管 shuǐluòguǎn; 雨水管 yǔshuǐguǎn 2 凹槽 āocáo

홈 팀(home team) 〖體〗 主场队 zhǔchǎngduì; 东道主队 dōngdàozhǔduì

홈페이지(homepage) 명 〖컴〗 主页 zhǔyè; 首页 shǒuyè

홉 의명 合 gě ¶두 ~들이 소주 两合的烧酒

홍-당무(紅唐-) 명 1 〖植〗 = 당근 2 大红脸 dàhóngliǎn ¶칭찬을 듣자 그녀의 얼굴은 금방 ~가 되어 버렸다 听到表扬, 她的脸顿时变成了大红脸

홍두깨 명 1 卷衣棒 juǎnyībàng; 棒槌 bàngchui 2 牛臀尖肉 niútúnjiānròu 3 (漏耕的) 地垄 dìlǒng

홍등(紅燈) 명 红灯 hóngdēng ¶~가 红灯街

홍보(弘報) 명하타 宣传 xuānchuán; 介绍 jièshào ¶~ 활동 宣传活动 / 관광 명소를 해외에 ~하다 向国外介绍旅游胜地

홍삼(紅蔘) 명 〖韓醫〗 红参 hóngshēn ¶~차 红参茶

홍상(紅裳) 명 红裳 hóngshāng; 红裙 hóngqún

홍색(紅色) 명 红色 hóngsè

홍수(洪水) 명 1 = 큰물 ¶~가 나다 发大水 2 洪流 hóngliú ¶정보의 ~ 信息洪流

홍시(紅柹) 명 软柿子 ruǎnshìzi; 熟柿 shúshì

홍-실(紅-) 명 红线 hóngxiàn

홍안(紅顔) 명 红颜 hóngyán ¶~의 미소년 红颜美少年

홍어(洪魚 · 魟魚) 명 〖魚〗 斑鳐 bānyáo

홍역(紅疫) 명 〖醫〗 麻疹 mázhěn; 疹子 zhěnzi ¶~을 앓다 患麻疹

홍옥[1](紅玉) 명 〖植〗 红玉苹果 hóngyù píngguǒ

홍옥[2](紅玉) 명 〖鑛〗 = 루비

홍익(弘益) 명하타 1 大益 dàyì; 大利 dàlì 2 广益 guǎngyì; 弘益 hóngyì; 补益 bǔyì ¶~인간 弘益人间

홍-일점(紅一點) 명 1 万绿丛中一点红 wànlǜcóngzhōng yīdiǎnhóng 2 唯一的女性 wéiyīde nǚxìng ¶그녀는 우리 과의 ~이다 她是我们系唯一的女性

홍조(紅潮) 명 1 红潮 hóngcháo; 红晕 hóngyùn; 潮红 cháohóng ¶얼굴에 ~를 띠다 脸上泛起红晕 2 海潮 hǎicháo

홍조(紅藻) 명 〖植〗 = 홍조류

홍조-류(紅藻類) 명 〖植〗 红藻类 hóngzǎolèi = 홍조(紅藻)

홍차(紅茶) 명 红茶 hóngchá

홍채(虹彩) 명 〖生〗 虹膜 hóngmó

홍학(紅鶴) 명 〖鳥〗 火烈鸟 huǒlièniǎo; 红鹳 hóngguàn

홍합(紅蛤) 명 〖貝〗 红蛤 hónggé; 贻贝 yíbèi

홑- 접두 单 dān ¶~바지 单裤 / ~이불 单被 / ~치마 单裙子

홑-문장(-文章) 명 〖語〗 = 단문(單文)

홑-소리 명 〖語〗 = 단음(單音)

홑-수(-數) 명 1 = 단수(單數)1 2 〖數〗 = 홀수

홑-청 명 被套 bèitào; 被头 bèitóu

화:(火) 명 火 huǒ; 怒 nù; 气 qì; 火气 huǒqì; 怒气 nùqì; 脾气 píqi ¶~를 내다 发火 / ~를 풀다 消气

화:(禍) 명 祸 huò; 祸殃 huòyāng; 祸害 huòhài; 灾祸 zāihuò ¶ ~를 입다 受祸 / ~를 피하다 避免祸害
-화(化) 접미 化 huà ¶ 자동~ 自动化 / 국유~ 国有化 / 현대~ 现代化
-화(畫) 접미 画 huà ¶ 풍경~ 风景画 / 서양~ 西洋画
-화(靴) 접미 靴 xuē; 鞋 xié ¶ 실내~ 室内鞋 / 등산~ 登山鞋 / 운동~ 运动鞋
화:가(畫家) 명 画家 huàjiā
화강-암(花崗巖) 명 【地理】 花岗岩 huāgāngyán
화:공(畫工) 명 画工 huàgōng; 画匠 huàjiàng
화관(花冠) 명 1 【植】 = 꽃부리 2 花冠 huāguān = 화관족두리
화관-족두리(花冠—) 명 = 화관2
화교(華僑) 명 华侨 huáqiáo
화:구(火口) 명 1 灶门 zàomén; 灶孔 zàokǒng 2 火口 huǒkǒu; 火嘴 huǒzuǐ; 喷口 pēnkǒu 3 【地理】 火口 huǒkǒu; 喷火口 pēnhuǒkǒu
화:구(畫具) 명 画具 huàjù
화:근(禍根) 명 祸根 huògēn; 祸胎 huòtāi; 祸因 huòyīn; 孽根 niègēn ¶ ~을 남기다 留下祸根 / ~을 제거하다 铲除祸根
화:급(火急) 명하형히부 火急 huǒjí ¶ 상황이 아주 ~하다 情况万分火急
화:기(火氣) 명 1 = 불기운 ¶ ~가 갈수록 세진다 火势越着越大 2 郁火 yùhuǒ; 心火 xīnhuǒ ¶ 그것은 ~를 가시게 하는 효능이 있다 它有散郁火的功用 3 火 huǒ; 火气 huǒqì; 怒气 nùqì
화:기(火器) 명 1 【軍】 火器 huǒqì = 화병(火兵)1 2 火盆 huǒpén
화기(和氣) 명 1 和畅 héchàng; 和煦 héxù 2 和气 héqi ¶ 쌍방의 ~가 깨졌다 伤了双方的和气
화기애애-하다(和氣靄靄—) 형 和洽 héqià; 和谐 héxié; 和悦 héyuè; 和和气气 héheqìqì; 和蔼可亲 hé'ǎikěqīn; 蔼然可亲 ǎiránkěqīn ¶ 분위기가 아주 ~ 气氛十分和谐
화끈 부하형 1 火辣辣 huǒlàlà; 热烘烘 rèhōnghōng; 热辣辣 rèlàlà ¶ 그는 갑자기 얼굴이 ~함을 느꼈다 他顿时感到脸上火辣辣的 2 激热 jīrè; 热烈 rèliè; 火辣辣 huǒlàlà ¶ ~한 배우 火辣辣的演员
화끈-거리다 자 火辣辣 huǒlàlà; 热烘烘 rèhōnghōng; 热辣辣 rèlàlà; 发烫 fātàng = 화끈대다 ¶ 볼이 ~ 脸颊发烫 화끈-화끈 부하자
화:-나다(火—) 자 发火 fāhuǒ; 发怒 fānù; 生气 shēngqì; 可气 kěqì ¶ 그의 행동이 그녀를 화나게 하였다 他的举动让她发火了
화:-내다(火—) 자 发火 fāhuǒ; 发怒 fānù; 生气 shēngqì; 发脾气 fā píqi ¶ 그는 걸핏하면 화낸다 他动不动就发火
화냥-년 명 淫妇 yínfù; 婊子 biǎozi; 养汉的 yǎnghànde; 偷情女 tōuqíngnǚ
화:농(化膿) 명하자 【醫】 化脓 huànóng ¶ ~균 化脓菌
화단(花壇) 명 花坛 huātán
화:단(畫壇) 명 画坛 huàtán; 美术界 měishùjiè
화답(和答) 명하자타 和答 hédá
화대(花代) 명 1 赏钱 shǎngqián 2 嫖娼费用 piáochāng fèiyong; 嫖妓费用 piáojì fèiyong ¶ ~를 지불하다 支付嫖娼费用
화:덕(火—) 명 1 大火炉 dàhuǒlú 2 炉台 lútái
화두(話頭) 명 话头 huàtóu; 话题 huàtí
화들짝 부하자 猛然 měngrán; 一跳 yītiào ¶ ~ 놀라다 猛然一惊
화랑(花郞) 명 【史】 花郎 huāláng ¶ ~도 花郎道
화:랑(畫廊) 명 画廊 huàláng
화려-하다(華麗—) 형 1 华丽 huálì; 华美 huáměi ¶ 옷차림이 ~ 衣着华丽 2 (生活) 华丽 huálì ¶ 화려한 삶 华丽人生 화려-히 부
화:력(火力) 명 1 火力 huǒlì ¶ ~발전소 火力发电厂 2 【軍】 火力 huǒlì ¶ 항공모함의 ~이 강력하다 航母作火力强大
화:로(火爐) 명 火炉 huǒlú; 火盆 huǒpén
화:롯-가(火爐—) 명 炉边 lúbiān; 炉旁 lúpáng = 노변(爐邊)
화류-계(花柳界) 명 花柳界 huāliǔjiè; 花国 huāguó
화:마(火魔) 명 火魔 huǒmó ¶ ~와 싸우다 与火魔展开战斗
화:면(畫面) 명 画面 huàmiàn; 屏幕 píngmù ¶ ~이 선명하다 画面清晰
화목(和睦) 명하형 和睦 hémù ¶ ~한 가정 和睦的家庭 / 모두가 ~하게 지내다 大家都和睦相处
화문(花紋) 명 = 꽃무늬
화문-석(花紋席) 명 花席 huāxí
화:물(貨物) 명 【經】 货物 huòwù; 货 huò ¶ ~선 货轮 / ~ 열차 运货列车 / ~차 货车
화:방(畫房) 명 1 = 화실 2 画店 huàdiàn
화:법(畫法) 명 画法 huàfǎ
화법(話法) 명 【語】 引用法 yǐnyòngfǎ
화:병(火兵) 명 【軍】 1 = 화기(火器)1 2 火器军 huǒqìjūn
화:병(火病) 명 【韓醫】 = 울화병

화:보(畫報) 명 画报 huàbào
화:복(禍福) 명 祸福 huòfú
화분(花盆) 명 花盆 huāpén
화분(花粉) 명 【植】 = 꽃가루
화:사첨족(畫蛇添足) 명 画蛇添足 huàshétiānzú = 사족(蛇足)
화사-하다(華奢—) 형 花哨 huāshao; 鲜艳 xiānyàn; 绚丽 xuànlì ¶색상이 화사한 옷 颜色鲜艳的衣服
화:산(火山) 명 【地理】 火山 huǒshān ¶~재 火山灰 / ~ 활동 火山作用 / ~이 분출하다 火山喷发
화살 명 箭 jiàn; 矢 shǐ = 살²4 ¶~대 箭杆 / ~촉 箭镞 / ~을 쏘다 射箭
화살-표(—標) 명 箭头 jiàntóu; 箭头符号 jiàntóu fúhào
화:삽(火鍤) 명 = 부삽
화:상(火傷) 명 火伤 huǒshāng; 烧伤 shāoshāng; 烫伤 tàngshāng ¶~을 입다 烫火伤
화:상(畫像) 명 **1** 画像 huàxiàng **2** 脸 liǎn **3** 小子 xiǎozi; 家伙 jiāhuo ¶너 이 ~아, 어떻게 한 거야? 你这小子, 怎么搞的? **4** 画面图像 huàmiàn túxiàng
화색(和色) 명 和颜悦色 héyányuèsè ¶얼굴에 ~이 돌다 脸上和颜悦色
화:석(化石) 명 【地理】 化石 huàshí ¶공룡 ~ 恐龙化石 / ~ 연료 化石燃料
화:석(火石) 명 = 부싯돌
화:-선지(畫宣紙) 명 画宣纸 huàxuānzhǐ
화:성(火星) 명 【天】 火星 huǒxīng
화성(和聲) 명 【音】 和声 héshēng = 하모니 ¶~법 和声法
화:성-암(火成巖) 명 【地理】 火成岩 huǒchéngyán
화:소(畫素) 명 【電】 画素 huàsù; 像素 xiàngsù ¶300만 ~의 사진기 三百万画素相机
화수분 명 聚宝盆 jùbǎopén
화술(話術) 명 = 말재주
화:신(化身) 명하자 **1** 【佛】 化身 huàshēn **2** 化身 huàshēn ¶그녀는 미의 ~이다 她是美的化身
화:실(畫室) 명 画室 huàshì = 화방1
화씨(華氏) 명 【物】 华氏 huáshì ¶~ 온도계 华氏温度计 / ~ 90도 华氏90度
화:약(火藥) 명 火药 huǒyào ¶~고 火药库
화엄-경(華嚴經) 명 【佛】 华严经 Huáyánjīng
화엄-종(華嚴宗) 명 【佛】 华严宗 Huáyánzōng
화:염(火焰) 명 火焰 huǒyàn ¶~ 방사기 火焰喷射器 / ~병 火焰瓶 / ~이 뿜어 나오다 冒出火焰
화-요일(火曜日) 명 星期二 xīngqī'èr; 礼拜二 lǐbài'èr; 周二 zhōu'èr
화원(花園) 명 **1** 花园 huāyuán **2** 花店 huādiàn
화음(和音) 명 【音】 和音 héyīn = 코드(chord)1
화이트칼라(white-collar) 명 白领 báilǐng; 白领阶层 báilǐng jiēcéng
화:인(火因) 명 火因 huǒyīn ¶~은 조사중이다 火因正在调查中
화장(化粧) 명하자 化妆 huàzhuāng; 打扮 dǎban ¶~기 化妆痕迹 / ~대 化妆台 / ~품 化妆品 / ~을 고치다 修整化妆
화:장(火葬) 명하타 火葬 huǒzàng ¶~터 火葬场
화장-비누(化粧—) 명 = 세숫비누
화장-실(化粧室) 명 洗手间 xǐshǒujiān; 卫生间 wèishēngjiān
화장-지(化粧紙) 명 卫生纸 wèishēngzhǐ; 手纸 shǒuzhǐ
화:재(火災) 명 火灾 huǒzāi ¶~가 발생하다 发生火灾
화:적(火賊) 명 = 불한당1
화:전(火田) 명 【農】 火田 huǒtián ¶~민 火田民 / ~을 일구다 开火田
화전(花煎) 명 花煎饼 huājiānbing
화제(話題) 명 **1** 题目 tímù; 论题 lùntí = 토픽1 **2** = 이야깃거리 ¶~를 바꾸다 转变话题
화젯-거리(話題—) 명 话题 huàtí ¶유행하는 ~ 流行的话题
화:질(畫質) 명 画质 huàzhì
화:집(畫集) 명 = 화첩1
화창-하다(和暢—) 형 和畅 héchàng; 晴和 qínghé ¶날씨가 맑고 ~ 天气晴好和畅 **화창-히** 부
화:첩(畫帖) 명 **1** 画帖 huàtiè; 画谱 huàpǔ; 画册 huàcè = 화집 **2** 图画本 túhuàběn
화초(花草) 명 花草 huācǎo; 花卉 huāhuì = 화훼1
화초-밭(花草—) 명 花草园 huācǎoyuán; 花园 huāyuán
화촉(華燭) 명 **1** 婚烛 hūnzhú; 华烛 huázhú; 花烛 huāzhú **2** 蜡烛 làzhú; 花烛 huāzhú
화친(和親) 명하자 **1** 和亲 héqīn; 友好相处 yǒuhǎo xiāngchǔ **2** (国家之间)和亲 héqīn; 友好 yǒuhǒo ¶~정책을 실행하다 实行和亲政策
화:통(火—) 명 = 울화통
화투(花鬪) 명하자 【體】 纸牌 zhǐpái ¶~를 치다 玩纸牌
화판(花瓣) 명 【植】 = 꽃잎
화평(和平) 명하형히부 **1** 和睦 hémù **2** 和平 hépíng
화:폐(貨幣) 명 【經】 货币 huòbì = 금전(金錢)2

화포(花砲) 명 花炮 huāpào ¶~를 쏘다 放花炮
화:폭(畫幅) 명 画幅 huàfú ¶벽에 작은 ~이 걸려 있다 墙上挂着小画幅
화:-풀이(火—) 명하자 出气 chūqì; 泄气 xièqì; 解气 jiěqì; 撒气 sāqì ¶그는 늘 나에게 ~한다 他经常拿我出气
화:풍(畫風) 명 画风 huàfēng ¶~이 특이하다 画风别致
화:필(畫筆) 명 画笔 huàbǐ
화:-하다 형 (口里) 辛凉 xīnliáng
화:-하다(化—) 자 化 huà; 化为 huàwéi; 变为 biànwéi ¶위험한 것이 안전한 것으로 ~ 化险为夷 / 얼음이 모두 물로 화했다 冰都化成水了
화:학(化學) 명 〖化〗 化学 huàxué ¶~공업 化学工业 / ~ 무기 化学武器 / ~반응 化学反应 / ~ 비료 化学肥料 / ~섬유 化学纤维 / ~자 化学家 / ~조미료 化学调料
화:학 기호(化學記號) 〖化〗 = 원소 기호
화:학 원소(化學元素) 〖化〗 = 원소2
화:합(化合) 명하자 〖化〗 化合 huàhé ¶~물 化合物
화:합(和合) 명하자 和合 héhé; 和谐 héxié
화해(和解) 명하자 和解 héjiě; 和好 héhǎo ¶부부가 ~하다 夫妻和解
화:형(火刑) 명 火刑 huǒxíng; 焚刑 fénxíng
화:환(花環) 명 花环 huāhuán; 花圈 huāquān
화훼(花卉) 명 1 = 화초 2 〖美〗 花卉 huāhuì
확 부 猛 měng; 猛然 měngrán; 突然 tūrán; 霍地 huòdì; 一下子 yīxiàzi ¶고개를 ~ 돌리다 猛一回头 / 바람이 ~ 불었다 突然吹起了风
확고-부동(確固不動) 명하형 确定不移 quèdìngbùyí; 坚定不移 jiāndìngbùyí; 确凿不移 quèzáobùyí ¶~한 입장 确定不移的立场
확고-하다(確固—) 형 坚定 jiāndìng; 确定 quèdìng; 确凿 quèzáo; 确切 quèqiè; 确实 quèshí ¶의지가 아주 ~ 意志坚定得很 **확고-히** 부
확답(確答) 명하타 确切的回答 quèqiède huídá ¶~을 얻지 못했다 没有得到一个确切的回答
확대(擴大) 명하타 扩大 kuòdà; 扩展 kuòzhǎn; 扩张 kuòzhāng ¶세력을 ~하다 扩大势力
확대-경(擴大鏡) 명 〖物〗 放大镜 fàngdàjìng
확률(確率) 명 〖數〗 概率 gàilǜ; 几率 jīlǜ; 或然率 huòránlǜ
확립(確立) 명하타 确立 quèlì ¶새로운 법률 제도를 ~하다 确立新法律制度
확보(確保) 명하타 确保 quèbǎo; 保证 bǎozhèng; 取得 qǔdé ¶안전을 ~하다 确保安全 / 용지를 ~하다 确保用地
확산(擴散) 명하자 1 扩散 kuòsàn ¶핵무기의 ~을 방지하다 防止核武器扩散 2 〖物〗 扩散 kuòsàn
확성-기(擴聲器) 명 扩音器 kuòyīnqì; 扩音机 kuòyīnjī = 스피커
확신(確信) 명하타 确信 quèxìn; 坚信 jiānxìn ¶나는 이 일이 그가 한 것이 아니라고 ~한다 我确信这件事不是他干的
확실-성(確實性) 명 确实性 quèshíxìng; 确凿性 quèzáoxìng; 确切性 quèqièxìng
확실-시(確實視) 명하타 认定 rèndìng ¶이 일은 그가 한 것이 ~된다 认定这件事是他干的
확실-하다(確實—) 형 确实 quèshí; 确凿 quèzáo; 切实 qièshí; 确切 quèqiè ¶확실한 증거 确实的证据 **확실-히** 부
확연-하다(確然—) 형 确然 quèrán; 确实 quèshí; 确凿 quèzáo; 确切 quèqiè ¶확연한 사실 确然的事实 **확연-히** 부
확인(確認) 명하타 1 确认 quèrèn; 证实 zhèngshí ¶신분을 ~하다 确认身份 2 〖法〗 确认 quèrèn ¶법정은 그들의 범죄 사실을 ~했다 法庭确认了他们的犯罪事实
확장(擴張) 명하타 扩张 kuòzhāng; 扩大 kuòdà; 扩展 kuòzhǎn ¶세력을 ~하다 扩张势力
확정(確定) 명하타 确定 quèdìng; 定局 dìngjú ¶~적 确定的 / 출발 시간이 아직 ~되지 않았다 出发时间还没确定
확증(確證) 명하자타 确证 quèzhèng; 确据 quèjù; 明证 míngzhèng ¶충분한 ~을 얻지 못하다 不能得到充分的确证
확충(擴充) 명하타 扩充 kuòchōng ¶군비를 ~하다 扩充军备
확-확 부 1 (风) 一阵阵 yīzhènzhèn; 一股股 yīgǔgǔ ¶얼굴에 바람이 ~ 불어댄다 一阵阵风刮在脸上 2 (火焰) 熊熊地 xióngxióngde ¶횃불의 불꽃이 ~ 타고 있다 火炬上的火焰熊熊地燃烧着 3 一阵阵 yīzhènzhèn; 一股股 yīgǔgǔ ¶나는 오른쪽 얼굴이 ~ 달아오름을 느꼈다 我觉得右边的脸庞一阵阵地发烫
환(丸) 명 〖韓醫〗 1 = 환약 2 丸 wán; 粒 lì; 颗 kē
환:(換) 명 〖經〗 1 汇 huì; 汇兑 huìduì ¶외국~ 外国汇兑 2 = 환전2
환:각(幻覺) 명하자타 〖心〗 幻觉 huàn-

jué ¶～ 증상 幻觉症状 / ～제 幻觉剂 / ～이 일어나다 出现幻觉

환:갑(還甲) 명 花甲 huājiǎ; 六十大寿 liùshí dàshòu; 六十周岁 liùshí zhōusuì = 회갑

환:갑-잔치(還甲—) 명 花甲宴 huājiǎyàn = 회갑연

환경(環境) 명 1 环境 huánjìng ¶～ 오염 环境污染 / ～ 호르몬 环境激素 / ～을 보호하다 保护环境 2 环境 huánjìng《周围的情况和条件》¶학습 ～ 学习环境 / 작업 ～ 工作环境

환경-미화원(環境美化員) 명 环卫工人 huánwèi gōngrén

환:골-탈태(換骨奪胎) 명하자 换骨夺胎 huàngǔduótāi

환관(宦官) 명 『史』 = 내시

환군(還軍) 명하자 回师 huíshī = 회군

환궁(還宮) 명하자 回銮 huíluán; 还宫 huángōng

환급(還給) 명하타 还给 huángěi; 退还 tuìhuán; 回扣 huíkòu ¶돈을 나에게 ～해 주세요 把钱还给我吧

환급-금(還給金) 명 还付款 huánfùkuǎn

환:기(喚起) 명하타 唤起 huànqǐ ¶주의를 ～시키다 唤起注意

환:기(換氣) 명하타 换气 huànqì; 通风 tōngfēng; 透风 tòufēng ¶창을 열어 ～하다 开窗换气

환:난(患難) 명 患难 huànnàn ¶～을 극복하다 克服患难

환담(歡談) 명하자 畅谈 chàngtán ¶그들은 저녁때까지 ～을 나눴다 他们畅谈到晚上

환대(歡待) 명하타 款待 kuǎndài; 款接 kuǎnjiē; 热情接待 rèqíng jiēdài; 热情招待 rèqíng zhāodài ¶어젯밤 동료의 집에서 정성 어린 ～를 받았다 昨晚在同事家受到了热情款待

환등(幻燈) 명 幻灯 huàndēng ¶～기 幻灯机

환락(歡樂) 명하자 欢乐 huānlè ¶～ 속으로 들어가다 置身于欢乐之中

환락-가(歡樂街) 명 娱乐街 yúlèjiē

환:매(換買) 명하타 易货 yìhuò

환매(還買) 명하타 回购 huígòu; 返购 fǎngòu ¶～를 일삼다 频回购

환매(還賣) 명하타 回销 huíxiāo; 返销 fǎnxiāo ¶제품을 국제 시장에 ～했다 将产品回销至国际市场

환:멸(幻滅) 명 幻灭 huànmiè ¶～감 幻灭感 / ～을 느끼다 感到幻灭

환:부(患部) 명 患处 huànchù ¶～에 바르다 涂抹患处

환:불(還拂) 명하타 退 tuì; 退还 tuìhuán; 退款 tuìkuǎn; 付还 fùhuán ¶이 옷이 저에게 어울리지 않는데, ～해 줄 수 있나요? 这件衣服不合适, 可不可以退钱?

환:산(換算) 명하타 折 zhé; 折合 zhéhé; 折算 zhésuàn; 换算 huànsuàn ¶1달러는 중국 돈 얼마로 ～합니까? 1美元折合多少人民币?

환:상(幻想) 명 幻想 huànxiǎng ¶～곡 幻想曲 / ～에 빠지다 耽于幻想

환생(還生) 명하자 复生 fùshēng; 复活 fùhuó ¶사람이 죽으면 ～할 수 없는 것이다 人死了不能复生

환:성(喚聲) 명 喊叫声 hǎnjiàoshēng

환성(歡聲) 명 欢声 huānshēng; 欢呼声 huānhūshēng ¶～으로 떠들썩하다 欢声鼎沸

환송(還送) 명하타 退回 tuìhuí; 回远 huíyùn = 반송(返送)·회송

환송(歡送) 명하타 欢送 huānsòng ¶～연 欢送宴 / ～회 欢送会 / 손님을 ～하다 欢送客人

환수(還收) 명하타 回收 huíshōu; 收回 shōuhuí ¶전부 ～했다 全部回收了

환:승(煥乘) 명하자 换乘 huànchéng; 中转 zhōngzhuǎn ¶～역 换乘站 / 지하철로 ～하다 换乘地铁

환:-시장(換市場) 명 『經』 = 외국환 시장

환심(歡心) 명 欢心 huānxīn ¶～을 사다 讨欢心

환약(丸藥) 명 『韓醫』 丸药 wányào; 丸剂 wánjì; 锭剂 dìngjì; 药丸 yàowán = 알약2·환(丸)1·환제

환:-어음(換—) 명 『經』 汇票 huìpiào

환:영(幻影) 명 1 幻影 huànyǐng; 幻象 huànxiàng; 幻觉 huànjué ¶～에 시달려 잠을 잘 수 없다 被幻影所困扰无法睡眠 2 『心』 幻象 huànxiàng; 幻影 huànyǐng; 幻觉 huànjué 3 幻想 huànxiǎng

환영(歡迎) 명하타 欢迎 huānyíng ¶～회 欢迎会 / 열렬한 ～을 받았다 受到了热烈的欢迎

환원(還元) 명하자타 1 还原 huányuán; 复原 fùyuán ¶이윤을 사회에 ～하다 把利润还原于社会 2 『化』 还原 huányuán 3 『宗』 还原 huányuán; 死亡 sǐwáng

환:율(換率) 명 『經』 汇率 huìlǜ; 汇价 huìjià; 兑换率 duìhuànlǜ

환:자(患者) 명 患者 huànzhě; 病人 bìngrén ¶～를 돌보다 照顾患者

환:장(換腸) 명하자 发疯 fāfēng ¶～하겠네! 要发疯了!

환:전(換錢) 명하타 『經』 1 汇款 huìkuǎn 2 换 huàn; 换钱 huànqián; 兑换 duìhuàn; 汇兑 huìduì = 환(換)2 ¶달러를 중국 돈으로 ～하다 用美元换人

民币

환:절-기(換節期) 명 换季期 huànjìqī; 季节之交 jìjiézhījiāo ¶～에는 감기를 조심해야 한다 换季期要注意感冒

환제(丸劑) 명 【韓醫】 = 환약

환:청(幻聽) 명 【心】 幻听 huàntīng ¶～에 시달리다 被幻听折磨

환:풍-기(換風機) 명 排气扇 páiqìshàn; 抽风机 chōufēngjī; 换气扇 huànqìshàn

환:-하다 형 **1** 亮 liàng; 明亮 míngliàng; 开朗 kāilǎng ¶실내가 아주 ～ 室内格外明亮 **2** 广阔 guǎngkuò; 宽广 kuānguǎng; 宽阔 kuānkuò ¶시야가 ～ 视野宽广 **3** 明显 míngxiǎn ¶환한 흔적을 남기다 留下明显的痕迹 **4** (长相) 漂亮 piàoliang; 秀气 xiùqi; 娟秀 juānxiù ¶아주 환하게 생겼다 长得十分漂亮 **5** 开朗 kāilǎng; 明朗 mínglǎng ¶안색이 평소보다 더욱 ～ 神色比平常还开朗 **6** (稍辣) 爽口 shuǎngkǒu ¶간식이 아주 환한데 박하 맛이다 小吃很爽口, 是薄荷味的 **7** 光明 guāngmíng ¶앞날이 ～ 前途光明

환호(歡呼) 명하자 欢呼 huānhū ¶～성 欢呼声 / 큰 소리로 ～하다 大声欢呼

환희(歡喜) 명하자 欢喜 huānxǐ; 欢娱 huānyú ¶～의 눈물을 흘리다 流出欢喜的泪水

활 명 **1** 弓 gōng **2** 绷弓子 bēnggōngzi **3** 【音】 琴弓 qíngōng

활강(滑降) 명하타 滑降 huájiàng; 下滑 xiàhuá

활개 명 **1** (伸开的) 翅膀 chìbǎng **2** (伸开的) 胳臂 gēbei; 胳膊 gēbo

활극(活劇) 명 【演】 武剧 wǔjù; 武戏 wǔxì; 武打片 wǔdǎpiàn

활기(活氣) 명 活气 huóqì; 活力 huólì; 生机 shēngjī; 生气 shēngqì; 朝气 zhāoqì ¶이 학생들은 모두 ～가 있다 这些学生们都很有活力 / 문단은 다시 한 줄기 ～를 되찾았다 文坛又恢复了一派生机

활기-차다(活氣—) 형 生气勃勃 shēngqìbóbó; 朝气勃勃 zhāoqìbóbó; 朝气蓬勃 zhāoqìpéngbó; 活跃 huóyuè ¶그는 활기찬 젊은이이다 他是个朝气蓬勃的年轻人

활달-하다(豁達—) 형 豁达 huòdá ¶천성이 ～ 天性豁达

활동(活動) 명하자 **1** (身体) 活动 huódòng; 行动 xíngdòng ¶천천히 ～하다 轻微地活动 **2** 活动 huódòng ¶～가 活动家 / 체육 ～ 体育活动 / 장내에서는 시위나 정치 ～을 할 수 없다 场内不能进行示威或政治活动 **3** 【生】 活动 huódòng ¶이것은 그의 대뇌가 ～을 시작했음을 나타낸다 这表示他的大脑开始活动起来

활동-력(活動力) 명 活动力 huódònglì; 活动能力 huódòng nénglì

활동-적(活動的) 관명 活跃的 huóyuède; 有活力的 yǒu huólìde ¶～인 소녀 有活力的少女

활력(活力) 명 活力 huólì; 生机 shēngjī ¶～소 活力素 / ～이 넘치다 生机盎然

활로(活路) 명 活路 huólù; 生路 shēnglù ¶역경에서 ～를 찾다 从逆境中找活路

활발-하다(活潑—) 형 **1** 活泼 huópo; 活跃 huóyuè ¶이 아이는 정말 ～ 这孩子真活泼 **2** 活跃 huóyuè ¶상담은 활발하게 진행되고 있다 商谈正在活跃地进行着

활보(闊步) 명하타 阔步 kuòbù ¶앞을 향하여 ～하다 阔步向前

활석(滑石) 명 【鑛】 滑石 huáshí

활성(活性) 명 【化】 活性 huóxìng ¶～탄 活性炭

활성-화(活性化) 명하자타 **1** 促进 cùjìn; 推动 tuīdòng ¶사회의 발전을 ～시키다 把社会的发展推动起来 **2** 【化】 活化 huóhuà; 活性化 huóxìnghuà; 激活 jīhuó

활-시위 명 弓弦 gōngxián = 시위 ¶～를 당기다 拉弓弦

활-쏘기 명 射箭 shèjiàn

활약(活躍) 명하자 活跃 huóyuè ¶그는 줄곧 탁구계에서 ～하고 있다 他一直活跃在乒坛上

활어(活魚) 명 活鱼 huóyú; 活鲜鱼 huóxiānyú

활엽(闊葉) 명 【植】 阔叶 kuòyè ¶～수 阔叶树

활용(活用) 명하타 **1** 活用 huóyòng; 运用 yùnyòng; 应用 yìngyòng; 利用 lìyòng ¶이 방법이 가장 보편적으로 ～되고 있다 这种方法应用得最为普遍 **2** 【語】 活用 huóyòng ¶일본어 동사 ～ 日语动词活用

활자(活字) 명 【印】 活字 huózì; 铅字 qiānzì ¶～본 活字本 / ～체 活字体 / ～를 주조하다 铸活字

활주(滑走) 명하타 滑行 huáxíng; 滑跑 huápǎo ¶비행기가 활주로에서 ～하기 시작하다 飞机开始在跑道滑行

활주-로(滑走路) 명 跑道 pǎodào

활-집 명 弓袋 gōngdài; 弓衣 gōngyī

활짝 부 **1** (门) 大 dà; 敞 chǎng ¶문을 ～ 열다 大开门 **2** 豁然 huòrán ¶기차가 ～ 트인 벌판으로 진입하다 火车进入豁然开阔的平原 **3** (翅膀) 大 dà ¶날개를 ～ 펼치다 把翅膀大大张开 **4** (花) 盛 shèng ¶국화가 ～ 피었다 菊花盛开了 **5** (天气) 豁然 huòrán ¶음침

한 하늘이 ~ 트이다 阴沉的天空豁然开朗 6 (脸) 满 mǎn; 敞 chǎng ¶~ 웃다 满面笑容

활판(活版) 명 〖印〗 活版 huóbǎn; 活字版 huózìbǎn

활-화산(活火山) 명 〖地理〗 活火山 huóhuǒshān

활활 부 1 (火焰) 熊熊 xióngxióng ¶~ 타오르는 성화 熊熊燃烧的圣火 2 哗哗地 huāhuāde ¶부채를 ~ 부치고 있다 哗哗地扇着扇子 3 翩翩 piānpiān ¶나비가 ~ 날다 蝴蝶翩翩飞翔 4 (脱衣) 利索地 lìsuode ¶그는 몸에 걸친 옷을 ~ 벗어 버렸다 他把身上的衣服利索地脱下来了 5 (脸) 一阵阵 yīzhènzhèn; 一股股 yīgǔgǔ ¶얼굴이 ~ 달아오르다 脸一阵阵地发红

활황(活況) 명 好况 hǎokuàng; 好景 hǎojǐng; 牛市 niúshì ¶증시의 ~ 股市好况

홧:-김(火—) 명 气头上 qìtóushang ¶그는 ~에 사람을 쳤다 他在气头上把人揍了

황 명 蹩脚 biéjiǎo ¶그의 영어 수준은 정말 ~이다 他英语水平真蹩脚

황-갈색(黃褐色) 명 黄褐色 huánghèsè

황-고집(黃固執) 명 老顽固 lǎowángù; 死顽固 sǐwángù; 死固执 sǐgùzhi; 固执不通 gùzhi bùtōng ¶사람은 좋은데 약간 ~이다 为人不错, 有点固执不通

황공-하다(惶恐—) 형 惶恐 huángkǒng; 惶悚 huángsǒng ¶칭찬을 받으니 황공하여 몸둘 바를 모르겠다 得到夸奖, 不胜惶恐 **황공-히** 부

황구(黃狗) 명 = 누렁이

황국(皇國) 명 皇国 huángguó

황궁(皇宮) 명 皇宫 huánggōng

황금(黃金) 명 1 黄金 huángjīn; 金子 jīnzi 2 金钱 jīnqián; 钱财 qiáncái ¶~ 만능주의 金钱万能主义 / ~이 만능은 아니다 金钱不是万能的 3 黄金 huángjīn《比喻宝贵》¶~기 黄金时期 / 이런 ~ 같은 기회를 당신은 잡았습니까? 这样黄金般的机会, 你抓住了吗?

황금-빛(黃金—) 명 金色 jīnsè; 金光 jīnguāng

황급-하다(遑急—) 형 遑急 huángjí; 遑遽 huángjù; 慌速 huāngsù; 急不可待 jíbùkědài ¶황급한 표정이 바로 풀어졌다 一脸遑急的神情顿时松弛了 **황급-히** 부 ¶~ 배에서 내리다 慌速下船

황녀(皇女) 명 皇女 huángnǚ; 公主 gōngzhǔ

황달(黃疸) 명 〖韓醫〗 黄疸 huángdǎn; 黄胆 huángdǎn

황당무계-하다(荒唐無稽—) 형 荒诞无稽 huāngdànwújī; 荒诞不经 huāngdànbùjīng ¶황당무계한 소문 荒诞不经的传闻

황당-하다(荒唐—) 형 荒唐 huāngtáng; 荒诞 huāngdàn ¶황당한 행동 荒唐的举动 / 이 헛소문들은 정말 너무 ~ 这些谣言实在荒唐透了

황도(黃桃) 명 〖植〗 黄蜜桃 huángmìtáo

황도(黃道) 명 〖天〗 黄道 huángdào

황동(黃銅) 명 〖工〗 = 놋쇠

황량-하다(荒涼—) 형 荒凉 huāngliáng ¶황량한 땅 荒凉的土地

황막-하다(荒漠—) 형 荒漠 huāngmò ¶황막한 사막 지대 荒漠的戈壁 / 대지가 ~ 大地荒漠

황망(慌忙) 명하형히부 慌忙 huāngmáng ¶~하게 뒤로 물러서다 慌忙地往后退

황무-지(荒蕪地) 명 荒地 huāngdì

황사(黃沙·黃砂) 명 1 黄砂 huángshā; 黄沙 huángshā 2 〖地理〗 沙尘暴 shāchénbào

황산(黃酸) 명 〖化〗 硫酸 liúsuān

황:-새 명 〖鳥〗 白鹳 báiguàn; 鹳 guàn

황색(黃色) 명 黄色 huángsè

황성(皇城) 명 皇城 huángchéng; 京都 jīngdū; 帝都 dìdū

황-소 명 黄牛 huángniú

황소-개구리 명 〖動〗 牛蛙 niúwā

황소-고집(—固執) 명 = 쇠고집 ¶~을 부리다 发牛脾气

황송-하다(惶悚—) 형 惶悚 huángsǒng; 惶恐 huángkǒng ¶황송해서 어찌해야 할지 모르겠다 使我惶悚不知所措

황야(荒野) 명 荒野 huāngyě; 荒原 huāngyuán

황위(皇位) 명 皇位 huángwèi ¶~에 오르다 登上皇位

황-인종(黃人種) 명 黄色人种 huángsè rénzhǒng; 黄种人 huángzhǒngrén; 黄种 huángzhǒng

황제(皇帝) 명 皇帝 huángdì; 皇 huáng ¶~ 폐하 皇帝陛下

황족(皇族) 명 皇族 huángzú

황천(黃泉) 명 = 저승 ¶~객 黄泉客 / ~길 黄泉路

황-태자(皇太子) 명 〖史〗 皇太子 huángtàizǐ = 태자2

황태자-비(皇太子妃) 명 皇太子妃 huángtàizǐfēi

황토(黃土) 명 黄土 huángtǔ

황폐(荒廢) 명하자 1 荒废 huāngfèi; 荒芜 huāngwú ¶~한 논밭 荒废的田地 2 (精神或生活) 荒废 huāngfèi; 荒芜 huāngwú ¶~한 생활 荒废的生活

황혼(黃昏) 명 黄昏 huánghūn ¶~기 黄昏期 / ~이 다가오다 黄昏来临
황홀(恍惚·慌惚) 명하형히부 **1** 恍惚 huǎnghū; 迷人 mírén; 入胜 rùshèng ¶~한 광경 恍惚的光景 **2** 恍惚 huǎnghū; 人迷 rùmí; 着迷 zháomí ¶~감 恍惚感 / ~경 恍惚境 / 나는 ~한 세계 속으로 빠져들었다 我陷入了一种恍惚的世界里
황후(皇后) 명 皇后 huánghòu
홰[1] ㊀명 **1** (鸟、鸡等) 栖木 qīmù ¶동틀 무렵 새벽닭이 ~에서 소리 내어 운다 破晓的晨鸡在栖木上啼鸣 **2** = 홰대 ㊁의명 遍 biàn《公鸡叫的次数》¶닭이 세 ~ 울었다 鸡叫三遍了
홰[2] 명 火把 huǒbǎ; 火炬 huǒjù ¶마을 사람들이 ~에 불을 붙여 그를 찾았다 村民们点起火把寻找他
홰-치다 자 扑翅 pūchì; 拍翅 pāichì ¶닭이 홰치며 날다 鸡扑翅而飞
홱 부 **1** 敏捷地 mǐnjiéde; 迅速地 xùnsùde; 利落地 lìluode ¶그녀는 몸을 ~ 돌려 딸의 손을 잡았다 她敏捷地转身抓着女儿的手 **2** 霍地 huòdì; 猛然 měngrán; 一下子 yīxiàzi ¶문을 ~ 열다 霍地打开门 **3** 猛力 měnglì ¶돌을 ~ 던지다 猛力投掷石块 **4** 呼地 hūde ¶사나운 바람이 ~ 불어왔다 一阵很猛的风呼地刮过来
홱-홱 부 **1** 敏捷地 mǐnjiéde; 迅速地 xùnsùde; 利落地 lìluode ¶쓰레기를 길가로 ~ 쓸다 把垃圾利落地扫到路边 **2** 霍地 huòdì; 猛然 měngrán; 一下子 yīxiàzi **3** 猛力 měnglì ¶떠 온 물을 ~ 뿌리다 把打来的水有猛力浇下去 **4** 呼地 hūde
횃-대 명 衣架 yījià = 홰[1]㊀2
횃-불 명 火把 huǒbǎ; 火炬 huǒjù; 炬火 jùhuǒ
횅댕그렁-하다 형 空荡荡 kōngdàngdàng; 空落落 kōngluòluò = 횅하다3 ¶집 안이 ~ 屋子里空落落的
횅-하다 형 **1** 精通 jīngtōng; 通达 tōngdá; 通晓 tōngxiǎo ¶지리에 ~ 通晓地理 **2** 通畅 tōngchàng; 畅通 chàngtōng ¶도로가 ~ 道路通畅 **3** = 횅댕그렁하다
회(回) 의명 回 huí; 届 jiè; 局 jú; 次 cì ¶제23~ 정기 학술 대회 第二十三回定期学术大会 / 제32~ 졸업식 第三十二届毕业典礼
회:(會) 명하자 会 huì; 团体 tuántǐ; 组织 zǔzhī ¶~를 만들다 成立组织
회:(膾) 명 生鱼片 shēngyúpiàn ¶참치 ~ 金枪鱼生鱼片 **—하다** 타 切生鱼片 qiē shēngyúpiàn
-회(會) 접미 会 huì ¶환영~ 欢迎会 / 동창~ 同学会
회갈-색(灰褐色) 명 灰褐色 huīhèsè
회갑(回甲) 명 = 환갑
회갑-연(回甲宴) 명 = 환갑잔치
회:개(悔改) 명하타 悔改 huǐgǎi ¶~의 눈물 悔改的眼泪 / 신 앞에서 ~하다 在神面前悔改
회:견(會見) 명하자타 会见 huìjiàn; 会晤 huìwù ¶~을 가지다 举行会见
회:계(會計) ㊀명하타 **1** 会计 kuàijì; 核算 hésuàn; 出纳 chūnà ¶~사 会计师 / ~ 장부 会计账册 / ~학 会计学 / 재무 ~ 财务会计 / 그가 ~ 업무를 책임지고 있다 他负责会计工作 **2** 支付 zhīfù ¶~를 치르다 加以支付 ㊁명 会计 kuàijì; 会计员 kuàijìyuán
회고(回顧) 명하타 回顾 huígù; 回首 huíshǒu; 回想 huíxiǎng; 回忆 huíyì ¶~록 回忆录 / 어린 시절을 ~하다 回顾童年
회:관(會館) 명 馆 guǎn; 会馆 huìguǎn; 礼堂 lǐtáng = 회당
회교(回敎) 명〖宗〗回教 huíjiào = 이슬람교 ¶~국 回教国家 / ~도 回教徒
회군(回軍) 명하자타 = 환군
회귀(回歸) 명하자 回归 huíguī; 返回 fǎnhuí ¶~년 回归年 / ~선 回归线 / ~성 回归本能 / 새를 자연으로 ~시키다 让鸟回归自然
회:기(會期) 명 会期 huìqī; 会议期间 huìyì qījiān
회:담(會談) 명하자 会谈 huìtán ¶~이 순조롭게 진행되다 会谈进行得顺利
회답(回答) 명하자 回答 huídá; 回复 huífù; 答复 dáfù; 回话 huíhuà; 回信 huíxìn = 답3 ¶선생님의 질문에 ~하다 回答老师的提问
회:당(會堂) 명 =회관
회:동(會同) 명하자 会同 huìtóng ¶쌍방이 규정된 기일에 따라 ~하여 처리한다 由双方依规定的日期会同办理
회람(回覽) 명하타 传阅 chuányuè ¶~판 传阅板
회랑(回廊·廻廊) 명〖建〗**1** 长房子 chángfángzi **2** 回廊 huíláng
회로(回路) 명 **1** 回路 huílù; 归路 guīlù **2**〖物〗电路 diànlù
회-백색(灰白色) 명 灰白色 huībáisè
회벽(灰壁) 명하자 石灰墙 shíhuīqiáng
회:보(會報) 명 会报 huìbào
회복(回復·恢復) 명하타 恢复 huīfù; 复原 fùyuán ¶~기 恢复期 / 건강을 ~하다 恢复健康
회부(回附) 명하타 提交 tíjiāo; 交付 jiāofù ¶재판에 ~하여 심사 평가하다 提交裁判审评
회:비(會費) 명 会费 huìfèi ¶~를 납부하다 缴纳会费

회:사(會社) 명 〖經〗 公司 gōngsī ¶무역 ~ 贸易公司 / ~원 公司职员 / ~를 경영하다 经营一家公司

회상(回想) 명하타 回想 huíxiǎng; 回顾 huígù; 回忆 huíyì; 回味 huíwèi ¶지난 일을 ~하다 回想往事

회색(灰色) 명 灰色 huīsè

회생(回生) 명하자 = 소생(蘇生)

회선(回線) 명 〖電〗 电话线路 diànhuà xiànlù ¶~을 늘리다 增加电话线路

회송(回送) 명하타 = 환송(還送)

회수(回收) 명하타 回收 huíshōu ¶자금을 ~하다 回收资金

회수-권(回數券) 명 回数票 huíshùpiào; 联票 liánpiào

회:식(會食) 명하자 聚餐 jùcān; 会餐 huìcān ¶회의 후에 ~이 있다 会后有聚餐

회신(回信) 명하자타 回信 huíxìn; 复回 fùhuí; 复函 fùhán; 回电 huídiàn ¶오늘 마침내 그의 ~을 받았다 今天终于收到他的回信

회:심(會心) 명 会心 huìxīn; 得意 déyì ¶~작 会心之作 / ~의 미소를 짓다 露出了会心的微笑

회오리 명 回旋 huíxuán; 盘旋 pánxuán

회오리-바람 명 〖地理〗 旋风 xuànfēng; 龙卷风 lóngjuǎnfēng = 선풍1

회오리-치다 자 (感情、气势等) 振奋 zhènfèn ¶경쟁 중에 회오리치는 격정을 느끼다 在竞争中感受振奋的激情

회:원(會員) 명 会员 huìyuán ¶~국 会员国 / ~증 会员证

회유(回遊) 명하자 〖魚〗 回游 huíyóu ¶해양 생물의 ~ 통로 海洋生物的回游通道

회유(懷柔) 명하타 怀柔 huáiróu ¶~전술 怀柔战术

회:의(會意) 명 〖語〗 会意 huìyì 《汉字六书之一》

회:의(會議) 명하자 会 huì; 会议 huìyì ¶~록 会议记录 / ~실 会议室 / ~를 열다 开会

회의(懷疑) 명하타 1 怀疑 huáiyí ¶~를 품다 抱怀疑 2 〖哲〗 怀疑 huáiyí

회임(懷妊 · 懷姙) 명하자 = 임신

회:자(膾炙) 명하자 脍炙人口 kuàizhìrénkǒu ¶그는 사람들 사이에 많이 ~되는 가곡을 창작했다 他创作出了不少脍炙人口的歌曲

회:장(會長) 명 1 会长 huìzhǎng ¶협회의 ~ 协会会长 2 董事长 dǒngshìzhǎng ¶이사회 회의는 ~이 소집하고 주재한다 董事会会议由董事长召集和主持

회:장(會場) 명 会场 huìchǎng

회전(回轉 · 廻轉) 명하자타 1 绕着转 ràozhe zhuàn 2 转 zhuǎn; 回转 huízhuǎn; 旋转 xuánzhuǎn ¶~목마 回转木马 / ~문 旋转门 / ~ 속도 转速 / ~의자 转椅 / ~ 초밥집 回转寿司店 / 달이 지구를 돌며 ~하다 月亮绕着地球转 3 〖經〗 (资金) 周转 zhōuzhuǎn ¶현금의 회수는 자금의 ~을 빠르게 했다 现金的回收加快了资金的周转

회중(懷中) 명 1 = 품속 2 = 마음속

회중-시계(懷中時計) 명 怀表 huáibiǎo

회중-전등(懷中電燈) 명 = 손전등

회진(回診) 명하타 查病房 chá bìngfáng; 病房回诊 bìngfáng huízhěn ¶의사가 와서 ~하다 医生来查病房

회첩(回帖 · 回貼) 명 回信 huíxìn

회-청색(灰青色) 명 灰青色 huīqīngsè

회초리 명 戒尺 jièchǐ; 枝条鞭子 zhītiáo biānzi ¶~로 손바닥을 때리다 用戒尺打手心

회춘(回春) 명하자 1 回春 huíchūn 2 回春 huíchūn 3 返老还童 fǎnlǎohuántóng

회충(蛔蟲) 명 〖蟲〗 蛔虫 huíchóng ¶~약 蛔虫药

회:칙(會則) 명 会则 huìzé; 会章 huìzhāng

회포(懷抱) 명 心情 xīnqíng; 心怀 xīnhuái; 心意 xīnyì ¶~를 풀다 解除心情

회피(回避) 명하타 回避 huíbì; 躲 duǒ; 躲避 duǒbì ¶우리는 이 일의 책임을 ~해서는 안 된다 我们不能回避这件事的责任

회한(回翰) 명 = 답장

회:한(悔恨) 명하타 悔恨 huǐhèn ¶~의 눈물을 흘리다 流下悔恨的泪水

회:합(會合) 명하자 1 会合 huìhé; 聚会 jùhuì; 会集 huìjí ¶여기는 우리가 ~하는 곳이다 这里是我们会集的地方 2 〖化〗 缔合 dìhé

회항(回航 · 廻航) 명하자타 1 巡回航行 xúnhuí hángxíng 2 回航 huíháng; 归航 guīháng; 返航 fǎnháng ¶본국으로 ~하다 向本国返航

회화(會話) 명하자 会话 huìhuà; 对话 duìhuà ¶~체 会话体 / 영어 ~ 英语会话 / 일상 ~를 배우다 学习日常会话

회:화(繪畫) 명 〖美〗 绘画 huìhuà

획 부 霍地 huòdì; 猛地 měngde; 倏地 shūdì; 突然 tūrán ¶그는 몸을 ~ 돌리더니 앞으로 걸어갔다 他霍地转身, 向前面走去

획(劃) 명 笔 bǐ; 笔画 bǐhuà ¶이 글자는 4~이다 这个字有四笔

획을 긋다 구 划定

획기-적(劃期的) 관명 划时代的 huàshídàide ¶이것은 ~인 사건이다 这是划时代的事件

획득(獲得) 명하타 获得 huòdé; 得到 dédào; 取得 qǔdé ¶우승을 ~했다 获得冠军
획수(劃數) 명 笔画数 bǐhuàshù ¶한자의 ~ 汉字的笔画数
획순(劃順) 명 笔顺 bǐshùn ¶한자의 ~ 汉字的笔顺
획일-적(劃一的) 관명 1 划一(的) huàyī(de) ¶~인 사고 划一的思考 2 整齐的 zhěngqíde
획일-주의(劃一主義) 명 划一主义 huàyī zhǔyì
획일-하다(劃一——) 형 1 划一 huàyī 2 整齐 zhěngqí
획책(劃策) 명하타 策划 cèhuà; 划策 huàcè ¶반란을 ~하다 策划叛乱
횟수(回數) 명 回数 huíshù; 次数 cìshù ¶출석한 ~ 出席的次数
횟:-집(膾—) 명 生鱼片店 shēngyúpiàndiàn
횡(橫) 명 = 가로㊀
횡격-막(橫膈膜·橫隔膜) 명 【生】 横膈膜 hénggémó
횡단(橫斷) 명하타 1 横断 héngduàn; 横切 héngqiē ¶~면 横断面 2 横过 héngguò; 横穿 héngchuān; 横渡 héngdù; 横贯 héngguàn; 横越 héngyuè ¶도로를 ~하다 横过马路
횡단-보도(橫斷步道) 명 人行横道 rénxínghéngdào
횡대(橫隊) 명 横队 héngduì ¶2열 ~ 二列横队
횡도(橫道) 명 1 横道 héngdào = 횡로 2 错路 cuòlù
횡령(橫領) 명하타 非法占有 fēifǎ zhànyǒu; 私吞 sītūn; 贪污 tānwū ¶공금 ~ 贪污公款
횡로(橫路) 명 = 횡도1
횡문(橫文) 명 1 横文 héngwén 2 = 가로글씨
횡문(橫紋) 명 = 가로무늬
횡사(橫死) 명하자 横死 hèngsǐ; 死于非命 sǐyúfēimìng ¶객지에서 ~하다 横死异乡
횡서(橫書) 명 = 가로쓰기
횡선(橫線) 명 = 가로줄
횡설수설(橫說竪說) 명하자 乱说 luàn shuō; 胡说八道 húshuōbādào; 胡言乱语 húyánluànyǔ; 信口雌黄 xìnkǒucíhuáng; 语无伦次 yǔwúlúncì ¶~하지 마라 不要乱说
횡재(橫財) 명하자 横财 hèngcái; 洋财 yángcái ¶크게 ~를 하다 大发横财
횡-적(橫的) 관명 横向 héngxiàng ¶~ 관계 横向关系 / ~ 교류 横向交流
횡포(橫暴) 명하형 横暴 hèngbào; 粗暴 cūbào; 蛮横 mánhèng ¶~를 부리다 蛮横无理
횡행(橫行) 명하자 1 横行 héngxíng; 侧行 cèxíng 2 横行霸道 héngxíngbàdào; 恣意妄为 zìyìwàngwéi ¶폭력이 ~하는 불법 시위 暴力横行霸道的非法示威
효:(孝) 명 孝 xiào; 孝顺 xiàoshùn; 孝敬 xiàojìng
효:과(效果) 명 效果 xiàoguǒ; 效力 xiàolì; 效应 xiàoyìng; 功效 gōngxiào; 作用 zuòyòng ¶치료 ~ 治疗效果 / 음향 ~ 音响效果 / ~를 거두다 获得效果 / ~가 없다 没有功效
효:과-적(效果的) 관명 有效(的) yǒuxiào(de); 有成效(的) yǒuchéngxiào(de) ¶~인 방법 有效的方法
효:녀(孝女) 명 孝女 xiàonǚ
효:능(效能) 명 效 xiào; 效能 xiàonéng; 效力 xiàolì; 功效 gōngxiào ¶약의 ~ 药的效力 / ~이 있다 有效 / ~이 사라지다 效力消失
효:도(孝道) 명하자 孝 xiào; 孝道 xiàodào; 孝敬 xiàojìng; 孝顺 xiàoshùn ¶부모에게 ~하다 孝敬父母
효:력(效力) 명 1 效力 xiàolì; 效果 xiàoguǒ; 功效 gōngxiào; 效验 xiàoyàn; 收效 shōuxiào ¶약의 ~ 药的效力 2 【法】 效 xiào; 效力 xiàolì ¶~을 상실하다 失效 / ~이 발생하다 生效
효:모(酵母) 명 【植】 = 효모균
효:모-균(酵母菌) 명 【植】 酵母菌 jiàomǔjūn = 이스트1 · 효모
효:부(孝婦) 명 孝妇 xiàofù
효:성(孝誠) 명 孝顺 xiàoshùn; 孝心 xiàoxīn ¶~이 지극하다 孝心至极
효:소(酵素) 명 【化】 酵素 jiàosù; 酶 méi
효시(嚆矢) 명 1 嚆矢 hāoshǐ 2 嚆矢 hāoshǐ; 先河 xiānhé; 先声 xiānshēng; 鸣镝 míngdí; 响箭 xiǎngjiàn ¶이것이 국문 소설의 ~이다 这是国文小说的先河
효:심(孝心) 명 孝心 xiàoxīn ¶~이 지극하다 孝心至诚
효:용(效用) 명 1 效用 xiàoyòng; 效能 xiàonéng; 功能 gōngnéng; 功效 gōngxiào ¶약의 ~ 药的功效 2 功用 gōngyòng; 用处 yòngchù; 用途 yòngtú ¶다른 ~은 없다 没有其他的功用 3 效益 xiàoyì ¶경제적 ~ 经济效益
효:율(效率) 명 效率 xiàolǜ ¶~적 效率的 / ~이 좋은 기계 高效率的机器 / ~이 떨어지다 效率下降
효:자(孝子) 명 孝子 xiàozǐ
효:행(孝行) 명 孝行 xiàoxíng ¶~이 지극하다 极尽孝行
효:험(效驗) 명 效 xiào; 效验 xiàoyàn; 效果 xiàoguǒ; 效力 xiàolì ¶~이 없다 没有效力

후 부 噗 pū ¶~ 하고 담배 연기를 내뿜다 噗的一声吐出烟气

후:(後) 명 **1** 后 hòu; 以后 yǐhòu; 之后 zhīhòu ¶한 시간 ~에 다시 그에게 전화를 걸다 一个小时后再给他打电话 **2** = 추후 ¶~에 다시 연락하마 以后我再跟你联系吧

후각(嗅覺) 명 【生】 嗅觉 xiùjué ¶~을 자극하다 刺激嗅觉

후:견(後見) 명 【法】 保护 bǎohù; 监护 jiānhù ¶~인 保护人

후:계(後繼) 명하자 后继 hòujì; 继承 jìchéng; 接班 jiēbān ¶~자 后继者

후광(後光) 명 **1** 【佛】 光环 guānghuán; 圆光 yuánguāng; 佛光 fóguāng ¶~이 비치다 佛光普照 **2** 沾光 zhānguāng; 借光 jièguāng ¶그는 아버지의 ~으로 출세하였다 他沾了父亲的光, 出人头地了

후:궁(後宮) 명 【史】 后宫 hòugōng; 后妃 hòufēi; 妃嫔 fēipín; 妃子 fēizi

후:기(後記) 명하타 后记 hòujì ¶편집 ~ 编辑后记

후:기(後期) 명 后期 hòuqī ¶집권 ~ 掌权后期

후끈 부하형 暖烘烘 nuǎnhōnghōng; 热呼呼 rèhūhū; 火辣辣 huǒlālā ¶얼굴이 ~ 달아오르다 脸上火辣辣的

후끈-거리다 자 热烘烘 rèhōnghōng; 热呼呼 rèhūhū; 火辣辣 huǒlālā = 후끈대다 ¶방 안이 ~ 屋子里热烘烘的 **후끈-후끈** 부하자타

후:년(後年) 명 后年 hòunián

후다닥 명하자 一骨碌 yīgūlu; 匆匆 cōngcōng; 一股劲(儿) yīgǔjìn(r); 一溜烟(儿) yīliùyān(r) ¶~ 도망치다 一溜烟儿地逃跑了

후:대(後代) 명 后代 hòudài; 后世 hòushì ¶깨끗한 자연환경을 ~에 물려주어야 한다 应该把干净的自然环境留给后世

후:덕(厚德) 명하형 厚德 hòudé; 厚道 hòudao; 憨厚 hānhòu ¶마음이 선량하고 ~하다 心底善良厚道

후덥지근-하다 형 闷热 mēnrè ¶오늘은 날씨가 ~ 今天天气闷热

후:두(後頭) 명 【生】 后脑 hòunǎo; 后脑勺 hòunǎosháo

후두(喉頭) 명 【生】 喉头 hóutóu ¶~염 喉头炎

후드득 부하자 **1** 哗哗剥剥 huāhuabōbō ¶솥 속에서 깨가 ~ 소리를 내며 튀기 시작했다 芝麻在锅里哗哗剥剥地开始爆了 **2** 劈里啪啦 pīlipālā ¶멀리서 폭죽 터지는 소리가 ~ 들려오다 从远处传来劈里啪啦的爆竹声 **3** 哗啦哗啦 huālāhuālā; 滴滴嗒嗒 dīdidādā ¶~ 빗방울이 떨어지다 哗啦哗啦地下起雨来了

후드득-거리다 자 **1** 哗哗剥剥地响 huāhuabōbōde xiǎng **2** 劈里啪啦地响 pīlipālāde xiǎng **3** 哗啦哗啦地响 huālāhuālāde xiǎng; 滴滴嗒嗒地响 dīdidādāde xiǎng ‖ = 후드득대다 **후드득-후드득** 부하자

후들-거리다 자타 发抖 fādǒu; 发软 fāruǎn; 颤抖 chàndǒu = 후들대다 ¶다리가 후들거려 걸을 수가 없다 两腿发软, 走不了路 **후들-후들** 부하자타

후딱 부 很快地 hěn kuàide; 忽然 hūrán; 匆匆 cōngcōng ¶밥을 ~ 먹어치우다 匆匆把饭吃完

후딱-후딱 부 很快地 hěn kuàide; 匆匆 cōngcōng; 忽然 hūrán ¶일을 ~ 해치우다 匆匆把活儿干完

후레-자식(—子息) 명 王八蛋 wángbādàn; 杂种 zázhǒng

후려-갈기다 타 鞭打 biāndǎ; 抽打 chōudǎ; 猛击 měng jī; 猛打 měng dǎ ¶홧김에 주먹으로 ~ 一生气就用拳头猛打

후려-치다 타 抽打 chōudǎ; 猛打 měng dǎ; 狠打 hěn dǎ ¶그의 따귀를 ~ 抽打他的耳光

후련-하다 형 **1** 舒服 shūfu ¶토하고 나니 속이 ~ 吐了以后胃里舒服了 **2** 舒畅 shūchàng; 舒心 shūxīn; 畅快 chàngkuài; 爽快 shuǎngkuai; 轻松 qīngsōng ¶마음이 아주 ~ 心情格外舒畅 **후련-히** 부

후:렴(後斂) 명 【音】 副歌 fùgē

후루루 부하자 嘟嘟 dūdū; 嘟噜嘟噜 dūludūlu ¶호루라기를 ~ 불다 把杏核哨儿嘟嘟地吹

후루룩 부하자타 **1** 扑棱 pūlēng ¶산새 한 마리가 ~ 날아올랐다 一只山鸟扑棱地飞了起来 **2** 呼噜 hūlū; 呼噜呼噜 hūlūhūlū ¶국물을 단숨에 ~ 들이마시다 把汤汁呼噜呼噜地一口气喝了下去

후루룩-거리다 자타 **1** 扑棱 pūlēng **2** 呼噜地喝 hūlūde hē; 呼噜噜地喝 hūlūlūde hē ‖ = 후루룩대다 **후루룩-후루룩** 부하자타

후:륜(後輪) 명 后轮 hòulún ¶~ 구동차 后轮驱动车

후리다 타 **1** 追赶 zhuīgǎn; 追逐 zhuīzhú; 追捕 zhuībǔ ¶수리가 병아리를 후리려 한다 老鹰要追逐小鸡 **2** 抽打 chōudǎ; 鞭打 biāndǎ ¶그의 몸을 세차게 ~ 狠狠地抽打他的身子 **3** 抢夺 qiǎngduó; 窃取 qièqǔ ¶그 지주는 남의 재물을 후려 먹었다 那个地主抢夺他人的财物 **4** 迷惑 míhuò; 诱骗 yòupiàn ¶여자를 ~ 诱骗妇女 **5** 割 gē; 削 xiāo; 刨 bào ¶대패로 모서리를 ~ 用

刨子刨去棱角
후:면(後面) 명 后面 hòumiàn; 后边 hòubian
후:문(後門) 명 后门 hòumén
후:문(後聞) 명 传闻 chuánwén; 续闻 xùwén; 丑闻 chǒuwén ¶선거 결과가 조작이라는 ~이 나돌다 传出操纵选举结果的丑闻
후:미(後尾) 명 后尾儿 hòuyǐr; 末尾 mòwěi ¶행렬의~ 队伍的末尾
후미-지다 형 1 弯曲 wānqū 2 背静 bèijing; 幽深 yōushēn; 深邃 shēnsuì; 僻静 pìjìng ¶후미진 골목 幽深的小巷
후:박-하다(厚朴—) 형 厚道朴实 hòudao pǔshí ¶후박한 시골 인심이 그립다 怀念乡村里厚道朴实的人情
후:반(後半) 명 后半 hòubàn; 下半 xiàbàn ¶19세기 ~ 十九世纪后半 / 삼십 대 ~ 三十岁后半 / ~부 后半部 / ~전 下半场
후:발(後發) 명하자타 1 后出发 hòuchūfā; 后起 hòuqǐ ¶~ 기업 后起企业 2 后射击 hòushèjī
후:발-대(後發隊) 명 后出发的队伍 hòuchūfāde duìwu; 后发队伍 hòufā duìwu
후:방(後方) 명 后方 hòufāng; 后勤 hòuqín ¶~ 근무 后勤工作
후:배(後輩) 명 1 后辈 hòubèi; 晚辈 wǎnbèi 2 学弟 xuédì; 学妹 xuémèi ¶대학 ~ 大学学弟
후보(候補) 명 1 (选举中的) 候选人 hòuxuǎnrén ¶~를 사퇴하다 辞掉候选人之位 2 预备 yùbèi; 候补 hòubǔ; 替补 tìbǔ ¶~생 候补生 / ~ 선수 替补运动员 3 (获奖时的) 候选人 hòuxuǎnrén; 提名 tímíng ¶우승 ~ 冠军候选人
후보-자(候補者) 명 候选人 hòuxuǎnrén
후:불(後拂) 명하타 后付 hòufù; 后付款 hòufùkuǎn
후비다 타 1 抠 kōu; 掏 tāo; 挖 wā ¶코를 ~ 抠鼻子 / 귀를 ~ 掏耳 2 探究 tànjiū; 究根 jiūgēn
후:사(厚謝) 명하자 厚谢 hòuxiè; 重谢 zhòngxiè
후:사(後事) 명 1 (以后的) 事 shì; 事情 shìqing ¶~는 내가 책임지겠다 以后的事情, 由我来负责 2 后事 hòushì; 身后事 shēnhòushì ¶친구에게 ~를 부탁하다 把后事托给朋友
후:사(後嗣) 명 后嗣 hòusì; 后裔 hòuyì; 后胤 hòuyìn
후:생(厚生) 명 福利 fúlì; 厚生 hòushēng ¶~비 福利费 / ~ 복지 사업 福利厚生之业
후:세(後世) 명 1 后世 hòushì; 后代 hòudài ¶~에 전하다 传给后代 2 〖佛〗 来世 láishì
후:속(後續) 명하자 后续 hòuxù; 接续 jiēxù ¶~ 조치 后续措施
후:손(後孫) 명 后裔 hòuyì; 后代 hòudài; 子孙 zǐsūn = 손(孫) · 자손2 · 후예 ¶~에게 물려주다 传给子孙后代
후:송(後送) 명하타 1 送往后方 sòng wǎng hòufāng ¶부상병을 병원으로 ~하다 把伤兵送往后方医院 2 以后送 yǐhòu sòng; 过后送 guòhòu sòng
후:식(後食) 명하타 1 后吃 hòuchī 2 尾食 wěishí; 甜点 tiándiǎn; 饭后甜点 fànhòu tiándiǎn; 饭后餐 fànhòucān
후:실(後室) 명 后室 hòushì; 后妻 hòuqī ¶~을 들이다 娶后妻
후:안-무치(厚顔無恥) 명하형 强颜 qiǎngyán; 无耻 wúchǐ; 皮赖 pílài; 没脸皮 méi liǎnpí; 死皮赖脸 sǐpílàiliǎn; 没皮没脸 méipíméiliǎn; 脸皮厚 liǎnpí hòu ¶~한 녀석 死皮赖脸的家伙
후:예(後裔) 명 = 후손
후:원(後苑) 명 后苑 hòuyuàn; 御苑 yùyuàn ¶창덕궁 ~ 昌德宫后苑
후:원(後援) 명하타 后援 hòuyuán; 赞助 zànzhù; 援助 yuánzhù; 支援 zhīyuán ¶~회 后援会 / 재정적 ~을 받다 接受财政援助
후:원(後園) 명 后园 hòuyuán; 后花园 hòuhuāyuán
후:유-증(後遺症) 명 后遗症 hòuyízhèng
후:의(厚意) 명 厚意 hòuyì ¶친구의 ~에 감사하다 感谢朋友的一番厚意
후:의(厚誼) 명 厚谊 hòuyì; 深厚友谊 shēnhòu yǒuyì ¶~를 다지다 巩固深厚友谊
후:일(後日) 명 改日 gǎirì; 以后 yǐhòu; 日后 rìhòu; 后日 hòurì ¶~ 다시 만납시다 改日再见
후:일-담(後日談 · 後日譚) 명 回首叙述 huíshǒu xùshù
후:임(後任) 명 后任 hòurèn; 继任 jìrèn ¶~자 继任人
후:자(後者) 명 后者 hòuzhě ¶전자와 ~ 前者和后者
후작(侯爵) 명 侯爵 hóujué
후줄근-하다 형 1 (纸张、布匹类潮湿后) 湿漉漉 shīlùlù ¶옷이 비에 젖어 ~ 衣服被雨淋得湿漉漉的 2 疲乏无力 pífá wúlì; 疲软无力 píruǎn wúlì ¶계속되는 비로 기분이 ~ 雨连绵下断, 让人疲软无力 **후줄근-히** 부
후:진(後進) 명하자 1 后退 hòutuì; 倒退 dàotuì ¶~ 기어 后退齿轮 / ~할 때는 뒤쪽을 꼭 확인해야 한다 倒退车时一定要注意后方 2 落后 luòhòu; 不发达 bùfādá ¶~국 不发达国家 / ~성

落后性 / ~ 상태 落后状态 3 后人行者 hòurùhángzhě; 后辈 hòubèi; 晚辈 wǎnbèi; 后来者 hòuláizhě ¶~ 교육 对后人行者的教育
후:처(後妻) 명 后妻 hòuqī ¶~를 들이다 娶后妻
후:천 면:역 결핍증(後天免疫缺乏症) 〖醫〗 艾滋病 àizībìng; 获得性免役缺陷综合症 huòdéxìng miǎnyì quēxiàn zōnghézhèng = 에이즈
후:천-적(後天的) 관명 1 后天性(的) hòutiānxìng(de) ¶~인 습성 后天性的习气 2 〖哲〗 后天性(的) hòutiānxìng(de); 经验性(的) jīngyànxìng(de)
후추 명 胡椒 hújiāo ¶~나무 胡椒树
후춧-가루 명 胡椒粉 hújiāofěn; 胡椒面儿 hújiāomiànr
후텁지근-하다 형 十分闷热 shífēn mēnrè; 闷热无比 mēnrè wúbǐ ¶후텁지근한 여름밤 闷热无比的夏夜 **후텁지근-히** 부
후:퇴(後退) 명하자 1 后退 hòutuì; 退 tuì; 撤退 chètuì; 倒退 dàotuì ¶전략적 ~ 战略上的撤退 2 〖建〗 后屋 hòuwū
후:편(後篇) 명 后篇 hòupiān; 下集 xiàjí; 下册 xiàcè; 下卷 xiàjuàn
후:-하다(厚—) 형 1 宽厚 kuānhòu; 敦厚 dūnhòu; 厚道 hòudao ¶인심이 ~ 人心很敦厚 2 厚 hòu; 厚实 hòushi 3 丰厚 fēnghòu; 优厚 yōuhòu; 不吝啬 bùlìnsè ¶보수가 ~ 报酬很丰厚
후:학(後學) 명 1 后学 hòuxué ¶~을 양성하다 培养后学 2 学问 xuéwen
후:환(後患) 명 后患 hòuhuàn ¶~을 두려워하다 害怕后患
후:회(後悔) 명하타 悔 huǐ; 后悔 hòuhuǐ; 悔恨 huǐhèn ¶~막급 后悔莫及 / ~ 없는 삶을 살다 过无悔的一生
후-후 부하타 呼呼 hūhū ¶더운물을 ~ 불며 마시다 把开水呼呼地吹着喝
후후-거리다 타 呼呼地 hūhūde = 후후대다 ¶뜨거운 차를 후후거리면서 마시다 把热茶呼呼地吹着喝
후:-후년(後後年) 명 = 내후년
훅 부하타 1 呼 hū; 噗 pū ¶촛불을 ~ 불어 끄다 噗的一声把烛火吹灭了 2 呼噜 hūlū ¶국물을 ~ 들이켜다 把汤汁呼噜一下子喝下去 3 嗖地 sōude; 迅速地 xùnsùde ¶방문을 열자 찬 바람이 ~ 불어왔다 一打开房门, 冷风就嗖地吹进来
훈:(訓) 명 训 xùn
훈:계(訓戒) 명하자타 训诫 xùnjiè; 教训 jiàoxùn ¶아버지의 ~를 마음에 새기다 把父亲的训诫铭记在心
훈:고-학(訓詁學) 명 训诂学 xùngǔxué
훈기(薰氣) 명 热乎气 rèhūqì; 暖烘烘的气 nuǎnhōnghōngde qì ¶방 안의 ~ 屋里的热乎气
훈-김(薰—) 명 1 热气 rèqì; 暖烘烘的气 nuǎnhōnghōngde qì ¶주전자에서 ~이 새어 나오다 水壶里冒着热气 2 借光 jièguāng; 荫泽 yīnzé
훈:련(訓練·訓鍊) 명하타 1 训练 xùnliàn; 练习 liànxí; 演习 yǎnxí; 演练 yǎnliàn; 操练 cāoliàn ¶군사 ~ 军事训练 / 민방위 ~ 民防卫训练 / ~병 训练兵 / ~소 训练所 / 엄격하게 ~하다 严格地训练 2 培训 péixùn ¶직업 ~ 职业培训
훈:민-정음(訓民正音) 명 〖語·書〗 训民正音 Xùnmínzhèngyīn
훈:방(訓放) 명하타 训诫释放 xùnjiè shìfàng; 训诫赦免 xùnjiè shèmiǎn ¶그 사건의 단순 가담자는 모두 ~되었다 那起事件中的从犯都经过训诫被释放了
훈:수(訓手) 명하타 1 支着儿 zhīzhāor; 支嘴儿 zhīzuǐr ¶내기 장기니까 ~ 두지 마라 这是在下棋打赌, 你别支着儿 2 着数 zhāoshù
훈:시(訓示) 명하자타 训示 xùnshì; 训导 xùndǎo; 教导 jiàodǎo; 告诫 gàojiè ¶교장 선생님은 그에게 ~하셨다 校长向他训示
훈연(燻煙) 명하타 烟熏 yānxūn ¶오징어를 ~하여 만든 제품 把鱿鱼烟熏后制成的食品
훈:육(訓育) 명하타 训育 xùnyù ¶학생을 ~하다 训育学生
훈:장(訓長) 명 学堂老师 xuétáng lǎoshī
훈제(燻製) 명하타 熏制 xūnzhì ¶~품 熏制品 / ~ 연어 熏制鲑鱼
훈:화(訓話) 명 训词 xùncí; 训话 xùnhuà ¶교장 선생님의 ~ 校长的训话
훈훈-하다(薰薰—) 형 1 温馨 wēnxīn; 温煦 wēnxù; 温暖 wēnnuǎn; 暖融融 nuǎnróngróng; 暖烘烘 nuǎnhōnghōng; 暖呼呼 nuǎnhūhū ¶방 안이 ~ 房间里暖烘烘的 2 欣慰 xīnwèi; 舒心 shūxīn; 暖融融的 nuǎnróngróngde ¶훈훈한 미소 欣慰的笑容 **훈훈-히** 부
훌라후프(Hula-Hoop) 명 呼拉圈 hūlāquān
훌렁 부 1 光光(地) guāngguāng(de) ¶이마가 ~ 벗어진 사내 额头掉得光光的男人 2 松松(地) sōngsōng(de) ¶살이 빠져 반지가 손가락에 ~ 들어간다 瘦了, 戒指很松地套进了手指
훌륭-하다 형 优秀 yōuxiù; 出色 chūsè; 卓越 zhuóyuè; 可观 kěguān; 了不起 liǎobuqǐ; 棒 bàng ¶훌륭한 업적을 거두다 取得卓越的业绩 **훌륭-히** 부
훌쩍 부 1 倏地 shūdì; 纵身 zòngshēn

¶가볍게 ~ 도랑을 뛰어넘다 轻轻地纵身跳过了水沟 2 (喝光) 一下子 yīxiàzi; 一口气 yīkǒuqì ¶술을 ~ 들이켜다 把酒一下子喝下去 3 呼噜 hūlū; (鼻涕) 抽 chōu; 吸溜 xīliu ¶콧물을 ~ 들이마시다 吸溜了一下鼻子 4 忽然 hūrán; 飘然 piāorán ¶어디론가 ~ 떠나고 싶다 想就此飘然离去

훌쩍-거리다 ㊀타 一口一口地喝 yīkǒuyīkǒude hē; 抽吸 chōuxī; 吸溜 xīliu ¶콧물을 ~ 抽吸鼻涕 ㊁자 抽搭 chōuda; 抽泣 chōuqì; 抽噎 chōuyē; 抽咽 chōuyè ¶얼굴을 가리고 계속 ~ 捂着脸不停地抽搭 ‖= 훌쩍대다 **훌쩍-훌쩍** 부하타

훌쩍-이다 ㊀타 一口一口地喝 yīkǒuyīkǒude hē; 抽吸 chōuxī; 吸溜 xīliu ㊁자 抽搭 chōuda; 抽噎 chōuyē; 抽泣 chōuqì

훌훌 부 1 翩翩地 piānpiānde; 轻盈地 qīngyíngde ¶새가 하늘을 ~ 날아가다 鸟在天上翩翩地飞 2 刷刷地 shuāshuāde ¶씨앗을 ~ 뿌리다 刷刷地撒播种子 3 轻轻地 qīngqīngde ¶먼지를 ~ 털다 轻轻地掸掉灰尘 4 随随便便地 suísuibiànbiànde; 一件一件地 yījiànyījiànde ¶옷을 ~ 벗고 물속에 뛰어들었다 把衣服一件一件地脱掉, 跳进水里 5 咕嘟咕嘟地 gūdūgūdūde; 呼噜呼噜地 hūlūhūlūde ¶그녀는 물에 밥을 말아 ~ 들이켰다 她把饭泡在水里咕嘟咕嘟地咽了下去 6 呼呼地 hūhūde ¶장작이 ~ 타오르다 劈柴呼呼地烧起来

훑다 타 1 捋 luō; 撸 lū ¶벼 이삭을 ~ 捋稻穗 2 过目 guòmù; 浏览 liúlǎn ¶그는 신문의 내용을 처음부터 차근차근 훑어 내려갔다 他把报纸上的内容从头到尾一一浏览了一遍

훑어-보다 타 1 过目 guòmù; 浏览 liúlǎn ¶신문을 죽 ~ 把报纸浏览了一遍 2 打量 dǎliang; 端详 duānxiáng ¶심부름꾼의 위아래를 한번 ~ 对来人上下打量了一番

훔쳐-보다 타 偷看 tōukàn; 偷眼看 tōuyǎn kàn; 窥视 kuīshì ¶먼발치서 여인의 얼굴을 ~ 从远处窥视女人的脸

훔치다 타 1 拭 shì; 擦 cā; 揩 kāi ¶걸레로 방 안을 ~ 用抹布擦房间地板 2 偷 tōu; 窃取 qièqǔ; 偷窃 tōuqiè; 偷盗 tōudào ¶남의 지갑을 ~ 偷别人的钱包

훗:-날(後—) 명 日后 rìhòu; 以后 yǐhòu; 后来 hòulái; 他日 tārì; 改天 gǎitiān ¶~을 기약하다 期以他日

훤칠-하다 형 1 修长 xiūcháng; 颀长 qícháng ¶훤칠하게 생긴 남자 长得修长的男子 2 辽阔 liáokuò; 宽阔 kuānkuò ¶이마가 ~ 前额宽阔 **훤칠-히** 부

훤:-하다 형 1 亮 liàng; 明亮 míngliàng; 发亮 fāliàng ¶동쪽 하늘이 ~ 东方的天色明亮 2 开阔 kāikuò; 广阔 guǎngkuò ¶훤하게 트인 들판 一片广阔的田野 3 熟 shú; 熟悉 shúxī; 熟知 shúzhī ¶그는 내부 사정에 ~ 他对内部的情况非常熟悉 4 五官端正 wǔguānduānzhèng; 长得好看 zhǎngde hǎokàn; 清秀 qīngxiù ¶훤하게 잘생긴 청년 长相清秀的青年 **훤:-히** 부

훨씬 부 更 gèng; 更加 gèngjiā; …得多 …deduō; …得很 …dehěn; 远远 yuǎnyuǎn ¶이것이 ~ 낫다 这个倒好得多

훨훨 부 1 翩翩 piānpiān; 翩然 piānrán; 轻盈地 qīngyíngde ¶학이 ~ 날다 鹤翩翩飞翔 2 呼扇呼扇地 hūshānhūshānde ¶~ 부채질을 한다 呼扇呼扇地扇扇子 3 轻松地 qīngsōngde; 敏捷地 mǐnjiéde; 呼啦呼啦地 hūlāhūlāde ¶옷을 ~ 벗어 던지다 呼啦呼啦地脱掉衣服 4 熊熊 xióngxióng ¶불이 ~ 타오르다 火熊熊燃烧起来

훼:방(毁謗) 명하타 1 毁谤 huìbàng; 诽谤 fěibàng ¶~꾼 诽谤者 / ~을 놓다 诽谤阻挠 2 妨碍 fáng'ài; 阻挡 zǔdǎng; 捣乱 dǎoluàn; 打扰 dǎrǎo; 打搅 dǎjiǎo; 阻挠 zǔnáo ¶남의 일에 ~을 놓지 마라 不要妨碍别人的事

훼:손(毁損) 명하타 1 毁损 huǐsǔn; 损害 sǔnhài; 损坏 sǔnhuài; 损伤 sǔnshāng; 破坏 pòhuài ¶자연을 ~하다 破坏自然 2 玷污 diànwū; 玷辱 diànrǔ; 污损 wūsǔn ¶명예를 ~ 玷辱别人名誉

휑뎅그렁-하다 형 空荡荡 kōngdàngdàng; 空洞洞 kōngdòngdòng ¶급우들이 모두 돌아간 교실은 ~ 同学们都回家了, 教室里空荡荡的

휑-하다 형 1 精通 jīngtōng; 通晓 tōngxiǎo; 谙熟 ānshú; 洞悉 dòngxī 2 畅通无阻 chàngtōngwúzǔ

휘 부 1 呼 hū ¶바람이 ~ 불다 风呼呼地吹 2 嘘 xū; 呼 hū ¶한숨을 ~ 내쉬다 嘘地一声叹了口气 3 环 huán ¶주위를 ~ 한 번 돌아보다 环顾四

휘-갈기다 타 1 乱抽 luàn chōu; 抽打 chōudǎ ¶뺨을 ~ 抽打耳光 2 乱扫射 luàn sǎoshè ¶기관총을 ~ 机枪乱扫射 3 乱写 luàn xiě ¶글씨를 휘갈겨 쓰다 乱写一气

휘-감다 타 缠 chán; 绕 rào; 缠绕 chánrào; 缭绕 liáorào; 围绕 wéirào; 萦绕 yíngrào ¶붕대로 팔을 ~ 用绷带缠着胳膊

휘-날리다 ㊀자 飘动 piāodòng; 飘扬 piāoyáng; 招展 zhāozhǎn ¶깃발이 바람에 ~ 旗子迎风飘扬 ㊁타 1 纷飞

fēnfēi; 飞舞 fēiwǔ; 挥舞 huīwǔ; 飞扬 fēiyáng ¶먼지가 ~ 尘土飞扬 **2** (名) 扬 yáng; 驰 chí ¶전국에 명성을 ~ 驰名全国

휘다 ⊟자 弯 wān; 打弯 dǎwān; 弯曲 wānqū ¶등이 휘도록 열심히 일했다 干活干得背都弯了 ⊟타 **1** 压弯 yāwān; 弄弯 nòngwān ¶댓살을 휘어 모형 비행기를 만들다 把竹片压弯了做飞机模型 **2** 使之屈服 shǐzhīqūfú

휘-돌다 자타 绕 rào; 蜿蜒 wānyán; 萦绕 yíngrào; 环绕 huánrào ¶강물이 산굽이를 휘돌아 흐르다 江水绕过山弯蜿蜒流去

휘-두르다 타 **1** 挥 huī; 挥动 huīdòng; 挥舞 huīwǔ; 抡 lūn; 抡动 lūndòng; 耍 shuǎ ¶주먹을 ~ 挥拳头 **2** 滥用 lànyòng; 强行 qiángxíng; 耍横 shuǎhèng ¶권력을 ~ 滥用权力

휘-둥그렇다 형 (眼睛瞪得) 瞪圆 dèngyuán ¶놀라서 눈이 휘둥그렇게 되었다 惊讶得瞪圆了眼睛

휘둥그레-지다 자 睁大眼睛 zhēng dà yǎnjing ¶그녀는 놀라서 눈이 휘둥그레졌다 她惊讶得睁大眼睛

휘-말다 타 **1** 卷起 juǎnqǐ; 席卷 xíjuǎn ¶그는 달력을 둘둘 휘말아 들고 갔다 他卷起挂历, 拿了就走 **2** 弄湿弄脏 nòngshī nòngzāng

휘말-리다 타 **1** '휘말다1' 的被动词 **2** 卷入 juǎnrù ¶염문에 ~ 被卷入艳闻事件

휘몰아-치다 자 (风雨、风雪) 猛刮 měngguā; 吹打 chuīdǎ; 起 qǐ ¶눈보라가 ~ 起暴风雪

휘발(揮發) 명하자 挥发 huīfā ¶~성 挥发性

휘발-유(揮發油) 명 『化』 = 가솔린

휘슬(whistle) 명 = 호루라기 ¶~을 불다 吹哨子

휘어-잡다 타 **1** 握住 wòzhù; 揪住 jiūzhù; 抓住 zhuāzhù ¶멱살을 ~ 揪住领口 **2** 控制 kòngzhì; 掌握 zhǎngwò; 制服 zhìfú; 管住 guǎnzhù; 扣紧 kòujǐn ¶청중을 휘어잡는 아름다운 선율 扣紧听众心弦的美妙旋律 / 민심을 ~ 控制民心

휘어-지다 자 弯 wān; 打弯 dǎwān; 弯曲 wānqū ¶낚싯대가 휘어졌다 钓鱼杆弯了

휘영청 부하형 明朗 mínglǎng; 皎洁 jiǎojié; 溶溶 róngróng ¶달이 ~ 밝다 月光皎洁

휘장(揮帳) 명 帷帐 wéizhàng; 幔帐 mànzhàng ¶~을 치다 挂帷帐

휘장(徽章) 명 徽章 huīzhāng

휘-젓다 타 **1** 搅动 jiǎodòng; 搅和 jiǎohuo; 搅拌 jiǎobàn ¶찻숟갈로 커피를 ~ 用茶匙搅拌咖啡 **2** 挥 huī; 摇动 yáodòng; 甩 shuǎi ¶두 팔을 휘저으며 길을 걷다 甩着两个胳膊走路 **3** 弄乱 nòngluàn; 打乱 dǎluàn; 搅混 jiǎohun

휘청-거리다 자타 **1** 踉跄 liàngqiàng; 蹒跚 pánshān; 打晃 dǎhuàng; 趔趄 lièqie ¶취해서 발이 ~ 醉得脚步踉跄 **2** 颤动 chàndòng; 颤悠 chànyōu; 晃悠 huàngyou ¶나뭇가지가 바람에 ~ 树枝在风中颤悠地摇摆着 ‖ = 휘청대다 **휘청-휘청** 부하자타

휘파람 명 口哨(儿) kǒushào(r) ¶~을 불다 吹口哨儿

휘하(麾下) 명 麾下 huīxià; 管下 guǎnxià; 所属 suǒshǔ

휘호(揮毫) 명하타 挥毫 huīháo; 挥笔 huībǐ ¶선생님이 난을 ~하다 老师挥笔画了一幅兰

휘황찬란-하다(輝煌燦爛—) 형 **1** 辉煌灿烂 huīhuángcànlàn; 辉煌明亮 huīhuángmíngliàng ¶휘황찬란한 조명 辉煌明亮的照明 **2** 招摇 zhāoyáo; 矫揉造作 jiǎoróuzàozuò ‖ = 휘황하다

휘황-하다(輝煌—) 형 = 휘황찬란하다 **휘황-히** 부

휘-휘[1] 부 **1** 一圈圈地 yīquānquānde 《颤绕的样子》 **2** 呼啦呼啦地 hūlāhūlāde; 呼呼地 hūhūde 《挥动貌或搅动的样子》 ¶지팡이를 ~ 내두르다 呼呼地挥着拐杖

휘-휘[2] 부 呼呼 hūhū; 萧瑟 xiāosè ¶바람이 ~ 불다 风呼呼地吹

휙 부 **1** 迅速 xùnsù; 急 jí ¶고개를 ~ 돌리다 迅速转过头去 **2** 呼 hū ¶찬 바람이 ~ 불다 冷风呼地一下吹过来 **3** 嗖 sōu; 飕 sōu ¶칼을 ~ 잡아 뽑다 嗖地一声抽出一把刀来

휙-휙 부 **1** 呼呼 hūhū ¶북풍이 ~ 몰아치다 北风呼呼地刮 **2** 迅速 xùnsù; 急 jí ¶많은 사람들의 얼굴이 영화 필름처럼 ~ 지나가다 许多人的脸像电影的胶片一样迅速而过

휠체어(wheelchair) 명 轮椅 lúnyǐ ¶전동 ~ 电动轮椅

휩싸다 타 **1** 包裹 bāoguǒ; 包扎 bāozā **2** 吞噬 tūnshì; 裹住 guǒzhù; 围住 wéizhù; 笼罩 lóngzhào ¶불길이 전체 건물을 ~ 火龙吞噬了整栋楼房 / 불안한 생각이 마음을 ~ 一个不安的念头笼罩心头 **3** 笼罩 lóngzhào ¶안개가 대지를 ~ 大雾笼罩着大地 **4** 笼罩 lóngzhào

휩싸-이다 자 笼罩 lóngzhào 《'휩싸다' 的被动词》 ¶죽음의 공포에 ~ 笼罩着死亡的恐怖

휩쓸다 타 **1** 席卷 xíjuǎn ¶전염병이 도시를 ~ 传染病一下子席卷了整个城市 **2** 横行 héngxíng; 横行霸道 héngxíngbàdào ¶ 불량배들이 거리를 휩쓸고 다닌다 不良分子横行街头 **3** 独占 dúzhàn; 席卷 xíjuǎn ¶ 영화상의 각 부문 상을 휩쓸었다 席卷了电影奖的全部奖项

휩쓸-리다 자 **1** 被席卷 bèi xíjuǎn; 被横扫 bèi héngsǎo 《'휩쓸다1 · 2'的被动词》 ¶ 파도에 ~ 被波浪席卷 **2** 被卷进 bèi juǎnjìn; 被连累 bèi liánlěi; 被卷入 bèi juǎnrù ¶ 성가신 사건에 ~ 被卷入麻烦事件中

휴가(休暇) 명 休假 xiūjià; 假 jià; 假期 jiàqī ¶ ~철 休假期

휴강(休講) 명하자 停课 tíngkè; 停讲 tíngjiǎng ¶ 하루 ~하다 停课一天

휴게(休憩) 명하자 休憩 xiūqì; 休息 xiūxi ¶ ~소 休息处 / ~실 休息室 / ~ 시설 休憩设施

휴경(休耕) 명하타 休耕 xiūgēng ¶ ~지 休耕地

휴관(休館) 명하자타 闭馆 bìguǎn; 休息 xiūxi; 停止开放 tíngzhǐ kāifàng ¶ 도서관은 매주 월요일 ~이다 图书馆每逢星期一休息

휴교(休校) 명하자타 **1** 暂时停课 zànshí tíngkè ¶ ~ 조치를 취하다 决定暂时停课 **2** 罢课 bàkè ¶ 학생들이 ~를 했다 学生们罢课了

휴대(携帶) 명하타 携带 xiédài; 带 dài ¶ ~품 携带品 / ~가 간편하다 便于携带

휴대 전:화(携帶電話) 【信】 手机 shǒujī; 移动电话 yídòng diànhuà; 手提电话 shǒutí diànhuà = 핸드폰 · 휴대폰

휴대-폰(携帶phone) 명 【信】 = 휴대 전화

휴머니스트(humanist) 명 人道主义者 réndàozhǔyìzhě; 人文主义者 rénwénzhǔyìzhě

휴머니즘(humanism) 명 **1** = 인도주의 **2** 【社】 = 인문주의

휴면(休眠) 명하자 【生】 休眠 xiūmián ¶ ~ 상태에 들어가다 进入休眠状态

휴무(休務) 명하자 休息 xiūxi; 休业 xiūyè; 工休 gōngxiū ¶ 토요일은 ~이다 周六休息

휴식(休息) 명하자 休息 xiūxi; 休憩 xiūqì; 歇息 xiēxi ¶ ~ 시간 休息时间 / ~이 필요하다 需要休息

휴양(休養) 명하자 休养 xiūyǎng; 疗养 liáoyǎng; 休养生息 xiūyǎngshēngxī; 修生养息 xiūshēngyǎngxī ¶ ~ 시설 疗养设施 / ~지 休养地

휴업(休業) 명하자 休业 xiūyè; 停业 tíngyè ¶ 임시 ~ 暂时停业 / 금일 ~ 本日休业

휴일(休日) 명 休息日 xiūxirì; 公休日 gōngxiūrì

휴전(休戰) 명하자 【軍】 休战 xiūzhàn; 停战 tíngzhàn; 停火 tínghuǒ ¶ ~선 停战线 / ~ 협정 停战协定

휴정(休廷) 명하자 【法】 休庭 xiūtíng ¶ 30분간 ~합니다 休庭三十分钟

휴지(休止) 명하자 休止 xiūzhǐ; 中断 zhōngduàn

휴지(休紙) 명 **1** 废纸 fèizhǐ **2** 卫生纸 wèishēngzhǐ; 手纸 shǒuzhǐ

휴지-통(休紙桶) 명 垃圾箱 lājīxiāng; 垃圾桶 lājītǒng; 废纸篓 fèizhǐlǒu ¶ ~을 설치하다 摆放垃圾箱

휴직(休職) 명하자 休职 xiūzhí; 停职 tíngzhí ¶ 작년에 임신한 후에 바로 ~했다 去年怀孕后就休职了

휴진(休診) 명하자 停诊 tíngzhěn

휴학(休學) 명하자 【教】 休学 xiūxué; 停学 tíngxué ¶ 경제 사정으로 일 년 ~하다 因经济困难休学一年

휴항(休航) 명하자 (船) 停运 tíngyùn; (飞机) 停飞 tíngfēi ¶ 여객선이 태풍으로 ~하다 客轮因台风停运

흉 명 **1** = 흉터 ¶ 그는 얼굴에 ~이 있다 他脸上有一道伤疤 **2** 缺点 quēdiǎn; 毛病 máobìng; 瑕疵 xiácī; 短处 duǎnchù ¶ 남 ~을 보지 마라 不要揭别人的短处

흉가(凶家) 명 凶宅 xiōngzhái; 凶房 xiōngfáng; 鬼屋 guǐwū

흉계(凶計 · 兇計) 명 阴谋 yīnmóu; 诡计 guǐjì; 把戏 bǎxì; 鬼把戏 guǐbǎxì ¶ ~를 꾸미다 搞阴谋 / ~에 빠지다 陷入诡计

흉금(胸襟) 명 胸襟 xiōngjīn; 胸怀 xiōnghuái; 心胸 xīnxiōng; 襟怀 jīnhuái ¶ ~을 털어놓다 坦白心胸

흉기(凶器 · 兇器) 명 **1** 凶器 xiōngqì ¶ ~로 위협하다 用凶器威胁 **2** 治丧用品 zhìsāng yòngpǐn

흉내 명 模仿 mófǎng; 仿效 fǎngxiào; 效法 xiàofǎ; 学 xué ¶ 남의 목소리를 ~ 내다 模仿别人的嗓音

흉년(凶年) 명 荒年 huāngnián; 灾荒 zāihuāng; 凶年 xiōngnián; 歉年 qiànnián

흉물(凶物 · 兇物) 명 **1** 丑八怪 chǒubāguài **2** 阴险的人 yīnxiǎnde rén

흉물-스럽다(凶物—) 형 **1** 狰狞 zhēngníng; 狞恶 níng'è; 丑陋 chǒulòu ¶ 얼굴 생김새가 ~ 相貌狰狞 **2** 阴险 yīnxiǎn

흉물스레 부

흉-보다 타 说坏话 shuō huàihuà; 揭短 jiēduǎn; 取笑 qǔxiào ¶ 남을 ~ 说别人坏话

흉부(胸部) 명 【生】 胸部 xiōngbù

흉상(胸像) 명 【美】 胸像 xiōngxiàng; 上半身像 shàngbànshēnxiàng; 半身像 bànshēnxiàng

흉악(凶惡 · 兇惡) 명하형히부 **1** 凶恶 xiōng'è; 凶横 xiōnghèng; 凶狠 xiōnghěn ¶~한 강도 凶恶的强盗 **2** 凶相 xiōngxiàng; 狰狞 zhēngníng ¶~하게 생긴 얼굴 长得狰狞的面孔

흉악-범(凶惡犯) 명 凶犯 xiōngfàn

흉작(凶作) 명 歉收 qiànshōu; 荒歉 huāngqiàn

흉-잡다 타 揭短 jiēduǎn; 挑刺儿 tiāocìr; 找毛病 zhǎo máobìng; 挑不是 tiāo bùshi ¶며느리를 ~ 挑儿媳的刺儿

흉조(凶兆) 명 凶兆 xiōngzhào; 恶兆 èzhào

흉조(凶鳥 · 兇鳥) 명 凶鸟 xiōngniǎo

흉측(凶測 · 兇測) 명하형 凶恶 xiōng'è; 丑恶 chǒu'è; 丑陋 chǒulòu; 歹毒 dǎidú ¶~한 웃음 凶恶的笑容

흉-터 명 伤疤 shāngbā; 伤痕 shānghén; 疤痕 bāhén = 흉1

흉포-하다(凶暴— · 兇暴—) 형 凶暴 xiōngbào; 残暴 cánbào; 凶悍 xiōnghàn ¶흉포한 사나이 凶悍的男子 **흉포-히** 부

흉-하다(凶—) 형 **1** 凶 xiōng; 不吉利 bùjílì ¶흉한 꿈을 꾸다 做不吉利的梦 **2** 丑 chǒu; 难看 nánkàn ¶몰골이 아주 ~ 样子非常难看 **3** 凶恶 xiōng'è; 凶暴 xiōngbào

흉-허물 명 缺点 quēdiǎn; 错误 cuòwù

흉흉-하다(洶洶—) 형 **1** 汹汹 xiōngxiōng; 汹涌 xiōngyǒng **2** (人心) 惶惶 huánghuáng **흉흉-히** 부

흐-느끼다 자 抽泣 chōuqì; 抽搭 chōuda; 抽咽 chōuyè ¶비보를 듣고 ~ 听到不幸的消息抽咽了起来

흐느낌 명 抽泣 chōuqì; 抽搭 chōuda; 抽咽 chōuyè

흐느적-거리다 자 **1** 飘舞 piāowǔ; 颤悠 chànyou; 摇摆 yáobǎi; 摇曳 yáoyè ¶버들이 바람에 ~ 柳枝迎风飘舞 **2** 扭 niǔ; 扭摆 niǔbǎi ¶그는 힘이 없는지 다리가 흐느적거렸다 他像是无力, 两腿扭来扭去 ‖ = 흐느적대다 **흐느적-흐느적** 부하자

흐드러-지다 형 **1** 令人喜爱 lìngrénxǐ'ài; 讨人喜欢 tǎorénxǐhuan; 舒心 shūxīn; 欣慰 xīnwèi ¶흐드러진 웃음소리 欣慰的笑声 **2** 朵朵争艳 duǒduǒzhēngyàn; 争相夺艳 zhēngxiāngduóyàn ¶개나리가 흐드러지게 피었다 迎春花朵朵争艳

흐르다 자 **1** 过 guò; 流逝 liúshì ¶세월이 흘러 백발이 되었다 岁月流逝, 青丝变白发 **2** 往下掉 wǎng xià diào; 掉下 diàoxià; 下坠 xiàzhuì ¶양말이 자꾸 아래로 흐른다 袜子老往下掉 **3** 流 liú; 流动 liúdòng; 流出 liúchū ¶땀이 ~ 流汗 **4** 走偏向 zǒupiānxiàng; 陷入 xiànrù ¶화제가 점점 다른 곳으로 흐르다 话题渐渐走偏向别处 **5** 游动 yóudòng; 飘游 piāoyóu; 飘动 piāodòng 浮动 fúdòng ¶바람 따라 흐르는 흰 구름 随风飘游的白云 **6** 显得 xiǎnde; 呈现 chéngxiàn; 显现 xiǎnxiàn ¶옷차림에 촌티가 ~ 穿戴显得很土气 **7** 油亮 yóuliàng; 发亮 fāliàng ¶피부에 윤기가 ~ 皮肤发亮 **8** 响起 xiǎngqǐ; 流淌 liútǎng ¶카페에는 조용한 음악이 흐르고 있다 咖啡屋里流淌着安静的音乐 **9** (电) 通 tōng ¶고압 전류가 ~ 通着高压电 **10** 漏 lòu ¶자루 속의 쌀이 좀 흘렀다 袋子里的米漏了点儿

흐름 명 **1** 流 liú; 流子 liúzi; 流淌 liútǎng ¶강물의 ~ 江水的流淌 **2** 潮流 cháoliú ¶역사의 ~ 历史的潮流

흐리다[1] 타 **1** 弄浑 nònghún; 弄浊 nòngzhuó; 搅浑 jiǎohún ¶물을 ~ 把水搅浑 **2** 模糊 móhu ¶말끝을 ~ 话尾模糊不清 **3** (脸) 沉下 chénxià ¶낯빛을 흐리며 말하다 沉下脸来说 **4** 抹黑 mǒhēi; 败坏 bàihuài; 玷污 diànwū ¶학교 분위기를 ~ 败坏学校风气

흐리다[2] 형 **1** 模糊 móhu; 含糊 hánhu; 不清楚 bùqīngchu ¶기억이 ~ 记忆模糊 **2** 浑浊 húnzhuó ¶강물이 ~ 河水浑浊 **3** 模糊 móhu ¶글씨가 ~ 字迹模糊 **4** 糊涂 hútu ¶셈이 흐린 사람 糊涂的人 **5** 阴沉 yīnchén; 暗淡 àndàn ¶날씨가 ~ 天气阴沉 **6** 阴沉 yīnchén ¶얼굴빛이 ~ 脸色阴沉 **7** 暗 àn; 昏暗 hūn'àn; 暗淡 àndàn ¶달빛이 ~ 月光暗淡

흐리멍덩-하다 형 **1** 恍恍惚惚 huǎnghuanghūhū; 迷迷糊糊 mímihūhū; 朦朦胧胧 méngmenglónglóng; 昏昏沉沉 hūnhunchénchén ¶정신이 ~ 精神迷迷糊糊的 **2** 糊涂 hútu; 昏头昏脑 hūntóuhūnnǎo; 稀里糊涂 xīlihútú ¶그는 일 처리가 ~ 他做事稀里糊涂的 **3** 模糊不清 móhubùqīng; 含糊不清 hánhubùqīng ¶기억이 ~ 记忆模糊不清 **흐리멍덩-히** 부

흐리터분-하다 형 **1** 阴晦 yīnhuì; 昏暗 hūn'àn; 沉敏 chénmǐn ¶하늘이 ~ 天空昏昏暗暗的 **2** 不爽快 bùshuǎngkuai; 模棱两可 móléngliǎngkě; 龌龊 wòchuò; 拖泥带水 tuōnídàishuǐ ¶흐리터분한 성격 拖泥带水的性格 **흐리터분-히** 부

흐릿-하다 형 稍阴沉 shāo yīnchén; 有些模糊 yǒuxiē móhu; 稍浑浊 shāo húnzhuó; 隐隐 yǐnyǐn; 隐约 yǐnyuē ¶흐릿한 불빛 有些模糊的灯光

흐물-흐물 부하형 **1** 烂糊糊 lànhuhu ¶~해지도록 고기를 삶다 把肉煮得烂糊糊的 **2** 软软地 ruǎnruǎnde; 酥酥地

sūsūde
흐뭇-이 부 满意地 mǎnyìde; 满足地 mǎnzúde ¶~ 바라보다 满意地看着
흐뭇-하다 형 满足 mǎnzú; 满意 mǎnyì; 心满意足 xīnmǎnyìzú; 惬意 qièyì; 欣慰 xīnwèi ¶흐뭇한 미소 心满意足的微笑
흐지-부지 부하타형 不了了之地 bùliǎoliǎozhīde; 含糊不清地 hánhubùqīngde ¶토론은 ~ 끝났다 讨论不了了之地结束了
흐트러-뜨리다 타 弄洒 nòngsǎ; 弄散 nòngsàn; 弄乱 nòngluàn =흐트러트리다 ¶닭이 모이를 흐트러뜨렸다 鸡把饲料弄洒了
흐트러-지다 자 分散 fēnsàn; 散开 sànkāi; 四散 sìsàn; 散乱 sànluàn; 散 sàn ¶대오가 흐트러졌다 队伍散了/정신이 ~ 精神散乱
흐흐 부하자 嘿嘿 hēihēi; 嘻嘻 xīxī 《笑声》¶~하고 웃다 嘻嘻地笑
흑 부하자 哼 hēng 《抽泣声》
흑(黑) 명 = 검은색
흑-갈색(黑褐色) 명 黑褐色 hēihèsè
흑막(黑幕) 명 黑幕 hēimù; 内幕 nèimù ¶~을 폭로하다 暴露黑幕
흑-맥주(黑麥酒) 명 黑啤酒 hēipíjiǔ
흑발(黑髮) 명 黑发 hēifà
흑백(黑白) 명 **1** 黑白 hēibái ¶~ 사진 黑白照片/~ 영화 黑白电影/~텔레비전 黑白电视 **2** 是非 shìfēi; 好坏 hǎohuài ¶~이 분명하다 是非分明/법정에서 ~을 가리다 在法庭上辨明是非 **3** 黑人和白人 hēirén hé báirén
흑사-병(黑死病) 명 【醫】= 페스트
흑-사탕(黑砂糖) 명 = 흑설탕
흑색(黑色) 명 = 검은색
흑-설탕(黑雪糖) 명 红糖 hóngtáng = 흑사탕
흑심(黑心) 명 黑心肠 hēixīncháng; 黑心 hēixīn ¶~을 품다 怀着黑心肠
흑연(黑鉛) 명 【鑛】黑铅 hēiqiān; 石墨 shímò
흑인(黑人) 명 黑人 hēirén
흑-인종(黑人種) 명 黑色人种 hēisè rénzhǒng; 黑人种 hēirénzhǒng
흑자(黑字) 명 **1** 黑色的字 hēisède zì **2** 盈余 yíngyú; 顺差 shùnchā ¶무역수지 ~ 贸易顺差
흑점(黑點) 명 **1** 黑点 hēidiǎn **2** 【天】(太阳) 黑子 hēizǐ; 日斑 rìbān
흑판(黑板) 명 = 칠판
흑-흑 부하자 **1** 哼哼 hēnghēng; 哼哼叽叽 hēnghengjījī ¶~ 흐느끼다 哼哼叽叽地抽咽 **2** 吓吓 hèhè
흔들-거리다 자타 摇晃 yáohuàng; 晃动 huàngdòng; 摇摆 yáobǎi = 흔들대다 ¶바람에 등잔불이 ~ 油灯火在风中晃动
흔들다 타 **1** 挥 huī; 摇动 yáodòng; 挥动 huīdòng; 挥舞 huīwǔ ¶손을 ~ 挥手 **2** 震撼 zhènhàn ¶학계를 흔들어 놓은 논문 震撼学界的论文 **3** 打动 dǎdòng; 动摇 dòngyáo; 扣动 kòudòng ¶민심을 ~ 动摇民心 **4** 操纵 cāozòng ¶정계를 마음대로 흔드는 권력자 随心所欲地操纵政界的权势人物
흔들-리다 자 摇动 yáodòng; 颠簸 diānbǒ; 动 dòng ¶바람에 흔들리는 나뭇가지 被风吹得摇动的树枝/돈에 마음이 ~ 见钱心动
흔들-의자(—椅子) 명 摇椅 yáoyǐ
흔적(痕迹·痕跡) 명 痕迹 hénjì; 踪迹 zōngjì; 形迹 xíngjì; 印迹 yìnjì ¶~을 남기다 留下痕迹/~을 없애다 消除印迹
흔쾌-하다(欣快—) 형 欣喜 xīnxǐ; 欣快 xīnkuài; 痛快 tòngkuài; 爽快 shuǎngkuai ¶그는 나의 요구를 흔쾌하게 받아들였다 他痛快地答应了我的要求 **흔쾌-히** 부
흔-하다 형 常见 chángjiàn; 多得很 duōdehěn; 有的是 yǒudeshì; 不稀罕 bùxīhan; 常有 chángyǒu ¶흔한 이름 常见的名字/요즘은 딸기가 ~ 最近草莓多得很 **흔-히** 부
흘겨-보다 타 斜视 xiéshì; 斜眼看 xiéyǎn kàn; 乜斜 miēxié ¶남의 얼굴을 ~ 斜眼看人家的脸
흘금 명하타 悄悄一瞟 qiāoqiāo yīpiǎo ¶~ 돌아보다 悄悄一瞟地回头看
흘금-거리다 타 悄悄地瞟 qiāoqiāode piǎo = 흘금대다 ¶여자를 흘금거렸다 悄悄地瞟了女子 **흘금-흘금** 부하타
흘긋 부하타 **1** 瞟 piǎo ¶옆자리에 앉은 사람을 ~ 보다 瞟了坐在旁边的人一眼 **2** (在眼中) 一现 yīxiàn; 一闪 yīshǎn
흘긋-거리다 타 一瞟一瞟 yīpiǎoyīpiǎo; 一瞥一瞥 yīpiēyīpiē = 흘긋대다 **흘긋-흘긋** 부하타
흘기다 타 斜视 xiéshì; 斜睨 xiénì; 白瞪 báidèng; 瞟 piǎo ¶그녀는 나한테 눈을 흘겼다 她斜睨着我
흘깃-거리다 타 一瞟一瞟 yīpiǎoyīpiǎo; 一瞥一瞥 yīpiēyīpiē = 흘깃대다 **흘깃-흘깃** 부하타
흘끔 부하타 悄悄地瞟 qiāoqiāode piǎo ¶~ 곁눈질하여 보다 悄悄地瞟一下
흘끔-거리다 타 瞟 piǎo; 斜眼看 xiéyǎn kàn = 흘끔대다 ¶그녀가 곁눈질로 나를 흘끔거렸다 她偷偷地瞟了我几下 **흘끔-흘끔** 부하타
흘끗 부하자타 **1** 瞟 piǎo ¶~ 한 번 쳐다보다 瞟了一眼 **2** 一闪 yīshǎn; 一现 yīxiàn ¶그의 뒷모습이 ~ 보였다

看见了他的背影一闪

흘끗-거리다 타 一瞟一瞟 yīpiǎoyīpiǎo = 흘끗대다 **흘끗-흘끗** 부하타

흘낏-거리다 타 一瞟一瞟 yīpiǎoyīpiǎo = 흘낏대다 **흘낏-흘낏** 부하타

흘러-가다 자 **1** 流 liú; 流走 liúzǒu ¶강물이 바다로 ~ 河水流向大海 **2** 流走 liúzǒu ¶구름이 ~ 云流走了 **3** 流逝 liúshì; 流走 liúzǒu; 过去 guòqù ¶시간이 ~ 时间流走 **4** 走漏 zǒulòu; 泄漏 xièlòu ¶비밀이 인터넷상으로 ~ 机密在网上走漏

흘러-나오다 자 **1** 流出 liúchū ¶바위 틈에서 샘물이 ~ 泉水从岩石缝里流出来 **2** 传出 chuánchū ¶라디오에서 아름다운 음악이 ~ 从广播里传出美妙的乐曲

흘러-내리다 자타 **1** 流下 liúxià; 往下流 wǎng xià liú; 往下淌 wǎng xià tǎng ¶눈물이 주르륵 ~ 泪水哗哗地流下 **2** 滑下 huáxià; 往下掉 wǎng xià diào ¶바지가 커서 자꾸 흘러내린다 裤子太大, 老是往下掉

흘러-넘치다 자타 **1** 溢 yì; 漾 yàng; 溢出 yìchū ¶강물이 댐에서 ~ 河水溢出水坝 **2** 充满 chōngmǎn; 洋溢 yángyì ¶기백이 ~ 充满气魄

흘려-듣다 타 当耳旁风 dāng'ěrpángfēng; 当耳边风 dāng'ěrbiānfēng ¶내 말을 흘려듣지 마라 不要把我的话当耳边风

흘리다 타 **1** 流 liú ¶피를 ~ 流血 **2** 撒 sǎ; 洒 sǎ ¶물을 ~ 水洒 **3** 丢 diū; 丢失 diūshī; 遗失 yíshī ¶돈을 자주 ~ 常常丢钱 **4** 潦草地写 liáocǎode xiě; 涂写 túxiě ¶진료 기록에 몇 마디 흘려 쓰다 在病历上潦草地写几句 **5** 当耳旁风 dāng'ěrpángfēng; 当耳边风 dāng'ěrbiānfēng ¶내 말을 흘리지 말고 귀담아들어라 别把我的话当耳旁风, 好好记在心上 **6** 分多次付 fēnduōcìfù ¶집값을 흘려서 갚다 分多次付房款 **7** 漏 lòu; 泄露 xièlòu; 走漏 zǒulòu ¶정보를 ~ 走漏风声 **8** (笔触) 淡化 dànhuà

흘림 명 【藝】 = 초서

흙 명 土 tǔ ¶황토 ~ 黄土 / 찰~ 黏土 / ~더미 土堆 / ~구덩이 土坑 / ~덩어리 土块 / ~먼지 土灰 / ~벽 土壁 / ~벽돌 土砖 / ~빛 土色

흙-장난 명하자 玩泥 wánní; 玩土 wántǔ ¶~은 이제 그만해라 不要再玩泥土了

흙탕-물(—湯—) 명 泥水 níshuǐ; 污泥 wūní

흠 감 **1** 哼 hēng ¶~, 나쁜 놈 哼, 混蛋 **2** 嗯 ňg ¶~, 이번에도 일등을 했구나 嗯, 这次又得了第一

흠:(欠) 명 **1** 缺损 quēsǔn; 口子 kǒuzi; 疵点 cīdiǎn; 疤 bā ¶아이들이 가구에 ~을 내었다 孩子们把家具弄了个疤 **2** 瑕疵 xiácī; 污点 wūdiǎn ¶이 물건은 품질은 좋은데 비싼 게 ~이다 这东西质量不错, 污点就是太贵 **3** 缺点 quēdiǎn; 缺陷 quēxiàn ¶~이 없는 사람은 없다 没有人没有缺点

흠모(欽慕) 명하타 钦慕 qīnmù; 敬慕 jìngmù; 仰慕 yǎngmù; 景仰 jǐngyǎng ¶선생님에 대한 ~ 对老师的敬慕

흠뻑 부 **1** 充分地 chōngfènde; 足足地 zúzúde; 充足地 chōngzúde ¶화분에 물을 ~ 주다 给花盆浇充足的水 **2** 淋透 líntòu; 湿透 shītòu; 淋湿 línshī; 沉浸 chénjìn ¶비에 옷이 ~ 젖었다 衣服被雨淋透了

흠씬 부 **1** 充足地 chōngzúde; 充分地 chōngfènde; 足足地 zúzúde; 深深地 shēnshēnde ¶맑은 공기를 ~ 들이마셨다 深深地吸了一口新鲜的空气 **2** 痛 tòng; 透 tòu ¶~ 두들겨 맞다 被人痛打一顿

흠:**-잡다**(欠—) 타 挑毛病 tiāo máobìng; 挑剔 tiāotì ¶흠잡을 데가 전혀 없는 인물 无可挑剔的人物

흠:**-집**(欠—) 명 伤疤 shāngbā; 疤痕 bāhén; 伤痕 shānghén; 瑕疵 xiácī ¶얼굴에 ~이 생겼다 脸上留下了伤疤

흠칫 부하자타 一跳 yītiào; 一抖 yīdǒu; 一震 yīzhèn; 一激灵 yījīling ¶놀라서 몸을 ~하다 吓了一跳

흡사(恰似) 부하형히부 恰似 qiàsì; 恰便似 qiàbiànsì; 恰如 qiàrú ¶저녁노을이 ~ 한 폭의 그림 같다 晚霞恰如一幅图画

흡수(吸收) 명하타 **1** 吸 xī; 吸收 xīshōu; 吸取 xīqǔ; 摄取 shèqǔ ¶~력 吸力 / ~성 吸收性 / 수분을 ~하다 吸收水分 **2** 吸收 xīshōu; 接收 jiēshōu ¶자금을 ~하다 吸收资金 **3** 【物】 吸收 xīshōu **4** 【生】 吸收 xīshōu

흡연(吸煙) 명하자 吸烟 xīyān; 抽烟 chōuyān = 끽연 ¶~실 吸烟室 / ~은 몸에 해롭다 吸烟对身体有害

흡인(吸引) 명하타 吸引 xīyǐn ¶~력 吸引力

흡입(吸入) 명하타 吸入 xīrù ¶~구 吸入口 / ~기 吸入器 / ~ 장치 吸入装置 / 유독성 기체를 ~하다 吸入有毒性气体

흡족(洽足) 명하형히부 充足 chōngzú; 足够 zúgòu ¶마음이 ~하다 心情充足

흡착(吸着) 명하자 **1** 吸附 xīfù; 附着 fùzhuó ¶~력 附着力 / ~제 吸附剂 **2** 【化】 吸附 xīfù

흡혈(吸血) 명하타 吸血 xīxuè ¶~ 곤충 吸血昆虫

흡혈-귀(吸血鬼) 명 吸血鬼 xīxuèguǐ
흥 부 哼 hēng ¶코를 ~ 풀다 擤鼻涕哼
흥:(興) 명 兴 xìng; 兴致 xìngzhì; 兴头 xìngtou; 兴趣 xìngqù ¶~을 깨뜨리다 扫兴 / ~을 돋우다 助兴 / ~이 나다 起兴
흥건-하다 형 淋漓 línlí ¶땀이 ~ 大汗淋漓 **흥건-히** 부
흥:-겹다(興—) 형 高兴 gāoxìng; 愉快 yúkuài; 兴致勃勃 xìngzhìbóbó; 兴高采烈 xìnggāocǎiliè ¶일이 아주 ~ 事情感到非常高兴
흥망(興亡) 명 兴亡 xīngwáng; 兴衰 xīngshuāi ¶~성쇠 兴亡盛衰
흥:미(興味) 명 兴味 xìngwèi; 兴致 xìngzhì; 兴趣 xìngqù
흥:미-롭다(興味—) 형 有兴味 yǒu xìngwèi; 有兴致 yǒu xìngzhì; 感兴趣 gǎn xìngqù ¶경기가 ~ 比赛有兴味
흥:미진진-하다(興味津津—) 형 津津有味 jīnjīnyǒuwèi; 饶有兴致 ráoyǒuxìngzhì; 兴味盎然 xìngwèi'àngrán; 兴致勃勃 xìngzhìbóbó ¶흥미진진하게 공연을 보다 津津有味地看演出
흥분(興奮) 명하자 1 兴奋 xīngfèn; 激动 jīdòng ¶~을 가라앉히다 消失兴奋 2 〖生〗 兴奋 xīngfèn
흥성(興盛) 명하자 = 융성 ¶가업이 점차 ~하기 시작하다 家业逐渐兴隆起来
흥얼-거리다 자타 1 哼 hēng ¶경쾌한 노래를 ~ 哼着轻快的歌 2 自言自语 zìyánzìyǔ ‖ = 흥얼대다 **흥얼-흥얼** 부하자타
흥정 명하타 1 买卖 mǎimai; 生意 shēngyi; 交易 jiāoyì ¶최고 가격에 ~되다 买卖最高价格 2 (价钱) 讨价还价 tǎojiàhuánjià; 要价还价 yàojiàhuánjià ¶~을 벌이다 进行讨价还价
흥청-거리다 자 1 兴致勃勃 xìngzhìbóbó; 兴味盎然 xìngwèi'àngrán; 趾高气扬 zhǐgāoqìyáng ¶먹고 마시며, 밤새도록 ~ 边吃边喝, 整夜兴致勃勃 2 挥霍 huīhuò; 大手大脚 dàshǒudàjiǎo; 挥金如土 huījīnrútǔ ¶흥청거리며 돈을 쓰다 大手大脚花钱 3 颤动 chàndòng; 颤悠 chànyōu ‖ = 흥청대다 **흥청-흥청** 부하자
흥청-망청 부하자 1 兴致勃勃地 xìngzhìbóbóde ¶~ 먹고 마시며 놀다 兴致勃勃地吃喝着玩 2 挥霍地 huīhuòde; 大手大脚地 dàshǒudàjiǎode ¶~ 돈을 쓰다 挥霍地花钱
흥:취(興趣) 명 兴趣 xìngqù; 兴致 xìngzhì; 兴味 xìngwèi
흥-하다(興—) 자 兴盛 xīngshèng; 兴旺 xīngwàng; 昌盛 chāngshèng; 繁荣 fánróng ¶사업이 ~ 事业昌盛
흥행(興行) 명하타 演出 yǎnchū; 上映 shàngyìng; 卖艺 màiyì ¶~에 실패하다 演出失败
흩-날리다 자타 飘 piāo; 纷飞 fēnfēi; 飞散 fēisàn; 飘洒 piāosǎ ¶눈송이가 ~ 雪花儿飘
흩다 타 散开 sànkāi ¶곡식을 ~ 谷物散开
흩-뜨리다 타 1 散 sàn ¶머리카락을 등에 ~ 让头发散披于背 2 (态度、心态、姿势等) 不正 bùzhèng; 不端正 bùduānzhèng ¶자세를 ~ 姿势不端正
흩-뿌리다 자타 1 (雨、雪等) 散布 sànbù; 散播 sànbō ¶간간이 눈이 흩뿌리고 있다 零星的雪散布着 2 散播 sànbō; 散发 sànfā ¶전단을 ~ 散发传单
흩어-지다 자 散 sàn; 分散 fēnsàn; 散开 sànkāi; 飘散 piāosàn; 散布 sànbù ¶나의 가족은 전국에 흩어져 있다 我的家族分散在全国
희곡(戲曲) 명 〖文〗 1 戏剧 xìjù; 剧本 jùběn; 脚本 jiǎoběn 2 戏剧 xìjù ¶~ 예술 戏剧艺术
희귀-종(稀貴種) 명 稀有品种 xīyǒu pǐnzhǒng; 珍稀品种 zhēnxī pǐnzhǒng
희귀-하다(稀貴—) 형 稀有 xīyǒu; 稀奇 xīqí; 珍贵 zhēnguì ¶희귀한 동물 稀奇的动物
희극(喜劇) 명 1 〖演〗 喜剧 xǐjù; 滑稽剧 huájījù 2 闹剧 nàojù ¶어제의 모든 것은 그야말로 ~이다 昨天的一切简直就是一个闹剧 ‖ = 코미디
희극 배우(喜劇俳優) 〖演〗 喜剧演员 xǐjù yǎnyuán = 코미디언
희끄무레-하다 형 1 白净 báijing ¶희끄무레한 얼굴 白净的脸 2 泛白 fànbái; 昏黄 hūnhuáng; 微白 wēi bái; 白濛濛 báiméngméng ¶달빛이 ~ 月色昏黄
희끗-희끗 부하자형 斑白 bānbái; 花白 huābái ¶양쪽 귀밑머리가 ~하다 两鬓花白
희다 형 白 bái; 皓 hào; 白色 báisè ¶흰 눈 白雪 / 흰 이빨 皓齿 / 피부가 ~ 皮肤很白
희로애락(喜怒哀樂) 명 喜怒哀乐 xǐnù'āilè
희롱(戲弄) 명하타 戏弄 xìnòng; 戏耍 xìshuǎ; 玩弄 wánnòng ¶그를 한바탕 ~하다 把他戏弄了一番 / ~을 당하다 被戏弄
희망(希望) 명하자타 1 希望 xīwàng; 愿望 yuànwàng ¶~을 품다 怀着希望 / ~에 부풀다 充满了愿望 2 希望 xīwàng; 期望 qīwàng; 期待 qīdài; 盼望 pànwàng ¶~이 없다 没希望 / ~이

있다 有期望
희망-적(希望的) 관명 有希望的 yǒu xīwàngde ¶우리의 미래는 아직 ~이다 我们的远景还是有希望的
희-멀겋다 형 **1** 白净 báijing; 白皙 báixī ¶희멀건 얼굴 白净的脸 **2** 稀 xī; 稀溜溜 xīliūliū ¶죽이 ~ 稀饭稀溜溜
희미-하다(稀微—) 형 模糊 móhu; 微茫 wēimáng; 朦胧 ménglóng; 隐约 yǐnyuē ¶달빛이 ~ 月光微茫 / 의식이 ~ 意识模糊
희박-하다(稀薄—) 형 **1** 稀薄 xībó ¶산소가 ~ 氧气稀薄 **2** 淡薄 dànbó; 薄弱 bóruò; 缺乏 quēfá ¶안전 의식이 ~ 安全意识淡薄 **3** 小 xiǎo ¶비가 올 가능성은 매우 ~ 下雨可能性很小
희번덕-거리다 타 **1** 直翻眼白 zhí fān yǎnbái ¶눈을 부릅뜨고 ~ 瞪大眼睛直翻眼白 **2** 直翻腾 zhí fānténg ‖ = 희번덕대다 **희번덕-희번덕** 부하타
희-뿌옇다 형 灰白 huībái ¶희뿌연 연기 灰白的烟
희비(喜悲) 명 喜悲 xǐbēi; 悲喜 bēixǐ
희사(喜捨) 명하타 **1** 捐款 juānkuǎn; 捐赠 juānzèng; 施舍 shīshě ¶사회 공익 사업에 거액을 ~하다 社会公益事业捐款巨额 **2** 喜舍 xǐshě; 施舍 shīshě ¶자비로 ~하는 마음 慈悲喜舍的心
희색(喜色) 명 喜色 xǐsè; 喜气 xǐqì; 悦色 yuèsè ¶~이 넘쳐흐르다 洋溢着喜气
희생(犧牲) 명하자타 牺牲 xīshēng; 献身 xiànshēn; 捐躯 juānqū; 捐身 juānshēn ¶~물 牺牲物 / ~자 牺牲者 / ~정신 牺牲精神 / 국난을 위해 ~하다 捐躯赴国难
희석(稀釋) 명하타 〖化〗稀释 xīshì; 冲淡 chōngdàn ¶농약에 물을 넣어 ~시키다 农药加点水冲淡
희소(稀少) 명하형 稀少 xīshǎo ¶~가치 稀少价值 / ~성 稀少性
희-소식(喜消息) 명 好消息 hǎo xiāoxi; 喜信 xǐxìn; 喜讯 xǐxùn
희열(喜悅) 명하자 喜悦 xǐyuè ¶~을 느끼다 感到喜悦
희한-하다(稀罕—) 형 稀罕 xīhan; 稀奇 xīqí; 罕有 hǎnyǒu; 罕见 hǎnjiàn ¶희한한 일 罕有的事
희희-낙락(喜喜樂樂) 명하자 欣欣喜喜 xīnxinxǐxǐ; 欢欢喜喜 huānhuanxǐxǐ; 喜喜乐乐 xǐxilèlè ¶~하며 설을 쇠다 欢欢喜喜过大年
흰-개미 명 〖蟲〗白蚁 báiyǐ
흰-곰 명 〖動〗 = 북극곰
흰-나비 명 〖蟲〗粉蝶 fěndié
흰-떡 명 大米年糕 dàmǐ niángāo
흰-말 명 = 백마
흰-머리 명 白发 báifà
흰-밥 명 白米饭 báimǐfàn = 백반(白飯)1
흰-소리 명하자 大话 dàhuà; 胡话 húhuà; 吹牛 chuīniú ¶~를 늘어놓다 说大话
흰-쌀 명하자 大米 dàmǐ; 白米 báimǐ = 백미(白米)
흰-옷 명 白衣 báiyī; 素服 sùfú = 백의1
흰-자 명 = 흰자위
흰-자위 명 **1** 蛋清 dànqīng; 蛋白 dànbái; 卵白 luǎnbái ¶~와 노른자위 蛋清和蛋黄 **2** 〖生〗白眼珠 báiyǎnzhū ‖ = 흰자
흰-죽(—粥) 명 = 쌀죽
흰-쥐 명 〖動〗白鼠 báishǔ
히 ㊀부 嘻 xī《无聊地笑的声音》㊁감 嘿 hēi《冷笑声》
히로뽕(←일hiropon) 명 〖藥〗 = 필로폰
히스테리(독Hysterie) 명 〖醫〗癔病 yìbìng; 歇斯底里 xiēsīdǐlǐ ¶~를 일으키다 癔病发作
히아신스(hyacinth) 명 〖植〗风信子 fēngxìnzi; 洋水仙 yángshuǐxiān
히죽 부하자 咧嘴 liězuǐ《满意地微笑的样子》= 히죽이 ¶~ 웃다 咧着嘴笑
히죽-거리다 자 一直咧着嘴笑 yīzhí liězhe zuǐ xiào = 히죽대다 ¶그는 바보처럼 끊임없이 히죽거린다 他像个傻瓜一样一直咧着嘴笑个不停 **히죽-히죽** 부하자
히죽-이 부 = 히죽
히치하이크(hitchhike) 명 搭便车 dābiànchē; 搭便车旅行 dābiànchē lǚxíng
히터(heater) 명 暖气 nuǎnqì; 取暖器 qǔnuǎnqì ¶~를 켜다 打开暖气
히트(hit) ㊀명하자 成功 chénggōng ¶이것은 ~ 상품이다 这是件成功的商品 ㊁명 〖體〗 = 안타
히프(hip) 명 = 엉덩이
힌두-교(Hindu教) 명 〖宗〗印度教 Yìndùjiào
힌트(hint) 명 暗示 ànshì; 示意 shìyì; 提示 tíshì
힐(heel) 명 = 하이힐
힐끔 부하타 一瞟 yīpiǎo
힐끔-거리다 타 一瞟一瞟 yīpiǎoyīpiǎo = 힐끔대다 **힐끔-힐끔** 부하타
힐끗 부하자타 **1** 一瞟 yīpiǎo ¶몸을 돌려 ~ 보다 转身一瞟 **2** 一闪 yīshǎn ¶~ 보다 看一闪
힐끗-거리다 자타 **1** 一瞟一瞟 yīpiǎoyīpiǎo **2** 一闪一闪 yīshǎnyīshǎn ‖ = 힐끗대다 **힐끗-힐끗** 부하타
힐난(詰難) 명하타 诘难 jiénàn; 责难 zénàn ¶~을 받다 遭到诘难
힐책(詰責) 명하타 诘责 jiézé; 责骂 zé-

mà ¶~을 당하다 受到责骂

힘 명 1 力 lì; 劲(儿) jìn(r); 力量 lìliang; 力气 lìqi ¶~이 없다 没有劲儿/전신의 ~을 쏟아 내다 使出全身的力气 2 帮助 bāngzhù ¶여러분의 ~이 필요하다 需要得到大家的帮助 3 力量 lìliang; 力气 lìqi; 能力 nénglì ¶~을 발휘하다 发挥力量 4 势力 shìlì; 权力 quánlì; 实力 shílì ¶정치적인 ~ 政治权力 5 力 lì; 力量 lìliang; 效力 xiàolì ¶약의 ~에 의지하다 依靠药力 6 力量 lìliang; 力气 lìqi ¶아는 것이 ~이다 知识就是力量 7 武力 wǔlì; 暴力 bàolì ¶반드시 ~으로 빼앗긴 땅을 되찾아야 한다 一定要用武力收复失地 8 限度 xiàndù ¶~이 되는 한 자신의 잠재력을 발휘하다 最大限度发挥出自己的潜力 9 〖物〗 力 lì ¶전기의 ~ 电力

힘-겹다 형 力不胜任 lìbùshèngrèn ¶힘겨운 일 力不胜任的活

힘-껏 부 尽力 jìnlì; 用力 yònglì ¶~밀다 用力地推

힘-내다 자 用力 yònglì; 使劲 shǐjìn; 加油 jiāyóu ¶힘내라고 외치다 叫喊加油

힘-닿다 자 力所能及 lìsuǒnéngjí ¶힘닿는 데까지 일하다 做些力所能及的事情

힘-들다 형 1 费力 fèilì; 费劲 fèijìn; 吃力 chīlì ¶걷기가 ~ 走路费力 2 难 nán ¶아픔은 참기 ~ 疼痛难耐 3 费事 fèishì; 麻烦 máfan ¶이 임무는 너무 ~ 这种任务太费事

힘-들이다 자 1 用力 yònglì; 努力 nǔlì ¶너무 힘들여 써서 종이가 찢어졌다 写得太用力, 把纸划破了 2 用心 yòngxīn; 努力 nǔlì ¶이런 작은 일들에 힘들이지 마세요 别在这些小事上用心

힘-세다 형 力气大 lìqi dà; 劲头儿大 jìntóur dà; 力量大 lìliang dà ¶그는 키는 작지만 힘은 세다 他个子小, 劲头儿大

힘-쓰다 자 1 努力 nǔlì ¶공부하는 데 ~ 努力学习 2 帮助 bāngzhù ¶그를 위해 모두들 힘써 주세요 为了他大家应该帮助 3 尽力 jìnlì; 竭力 jiélì ¶임무에 ~ 竭力任务

힘-없다 형 1 无力 wúlì; 没劲儿 méijìnr; 乏力 fálì ¶온몸에 힘이 없다 浑身没劲儿 2 无能 wúnéng; 无能为力 wúnéngwéilì; 没有能力 méiyǒu nénglì ¶힘없는 자 无能的人 **힘없-이** 부

힘-입다 자 借助 jièzhù; 得益 déyì ¶행운은 노력에 힘입어야 비로소 효과가 나타난다 运气要借助于努力才能生效

힘-주다 자 1 用力 yònglì; 使劲 shǐjìn; 用劲 yòngjìn ¶힘주어 머리를 감다 用力地洗头发 2 着重 zhuózhòng; 强调 qiángdiào ¶힘주어 지적하다 着重指出

힘-줄 명 〖生〗 筋 jīn; 腱 jiàn

힘-차다 형 充满力量 chōngmǎn lìliang; 雄健 xióngjiàn; 雄纠纠 xióngjiūjiū ¶힘찬 발걸음 充满力量地脚步 / 필치가 ~笔力雄健

부록

- 세계 각 국가 및 수도명 / 936
- 세계 주요 지명 / 946
- 세계 주요 인명 / 950
- 각종 스포츠 명칭 / 952
- 한어 병음 자모와 한글 대조표 / 954

세계 각 국가 및 수도명

국가명		수도명	
한국어 (영어)	중국어	한국어 (영어)	중국어
가나 (Ghana)	加纳 Jiānà	아크라 (Accra)	阿克拉 Ākèlā
가봉 (Gabon)	加蓬 Jiāpéng	리브르빌 (Libreville)	利伯维尔 Lìbówéi'ěr
가이아나 (Guyana)	圭亚那 Guīyànà	조지타운 (Georgetown)	乔治敦 Qiáozhìdūn
감비아 (Gambia)	冈比亚 Gāngbǐyà	반줄 (Banjul)	班珠尔 Bānzhū'ěr
과테말라 (Guatemala)	危地马拉 Wēidìmǎlā	과테말라 (Guatemala City)	危地马拉城 Wēidìmǎlāchéng
그레나다 (Grenada)	格林纳达 Gélínnàdá	세인트조지스 (Saint George's)	圣乔治 Shèngqiáozhì
그루지야[조지아] (Georgia)	格鲁吉亚 Gélǔjíyà	트빌리시 (Tbilisi)	第比利斯 Dìbǐlìsī
그리스 (Greece)	希腊 Xīlà	아테네 (Athens)	雅典 Yǎdiǎn
기니 (Guinea)	几内亚 Jǐnèiyà	코나크리 (Conakry)	科纳克里 Kēnàkèlǐ
기니비사우 (Guinea-Bissau)	几内亚比绍 Jǐnèiyàbǐshào	비사우 (Bissau)	比绍 Bǐshào
나미비아 (Namibia)	纳米比亚 Nàmǐbǐyà	빈트후크 (Windhoek)	温得和克 Wēndéhékè
나우루 (Nauru)	瑙鲁 Nǎolǔ	야렌 (Yaren)	亚伦 Yàlún
나이지리아 (Nigeria)	尼日利亚 Nírìlìyà	아부자 (Abuja)	阿布贾 Ābùjiǎ
남아프리카 공화국 (Republic of South Africa)	南非共和国[南非] Nánfēi Gònghéguó [Nánfēi]	프리토리아 (Pretoria)	比勒陀利亚 Bǐlètuólìyà
네덜란드 (Netherlands)	荷兰 Hélán	암스테르담 (Amsterdam)	阿姆斯特丹 Āmǔsītèdān
네팔 (Nepal)	尼泊尔 Níbó'ěr	카트만두 (Kathmandu)	加德满都 Jiādémǎndū
노르웨이 (Norway)	挪威 Nuówēi	오슬로 (Oslo)	奥斯陆 Àosīlù
뉴질랜드 (New Zealand)	新西兰 Xīnxīlán	웰링턴 (Wellington)	惠灵顿 Huìlíngdùn
니제르 (Niger)	尼日尔 Nírì'ěr	니아메 (Niamey)	尼亚美 Níyàměi

니카라과 (Nicaragua)	尼加拉瓜 Níjiālāguā	마나과 (Managua)	马那瓜 Mǎnàguā
대한민국 (Republic of Korea)	大韩民国[韩国] Dàhánmínguó [Hánguó]	서울 (Seoul)	首尔[汉城] Shǒu'ěr [Hànchéng]
덴마크 (Denmark)	丹麦 Dānmài	코펜하겐 (Copenhagen)	哥本哈根 Gēběnhāgēn
도미니카 (Dominica)	多米尼克 Duōmǐníkè	로조 (Roseau)	罗索 Luósuǒ
도미니카 공화국 (Dominican Republic)	多米尼加共和国 Duōmǐníjiā Gònghéguó	산토도밍고 (Santo Domingo)	圣多明各 Shèngduōmínggè
독일 (Germany)	德国 Déguó	베를린 (Berlin)	柏林 Bólín
동티모르 (East Timor)	东帝汶 Dōngdìwén	딜리 (Dili)	帝力 Dìlì
라오스 (Laos)	老挝 Lǎowō	비엔티안 (Vientiane)	万象 Wànxiàng
라이베리아 (Liberia)	利比里亚 Lìbǐlǐyà	몬로비아 (Monrovia)	蒙罗维亚 Méngluówéiyà
라트비아 (Latvia)	拉脱维亚 Lātuōwéiyà	리가 (Riga)	里加 Lǐjiā
러시아 (Russia)	俄罗斯 Éluósī	모스크바 (Moscow)	莫斯科 Mòsīkē
레바논 (Lebanon)	黎巴嫩 Líbānèn	베이루트 (Beirut)	贝鲁特 Bèilǔtè
레소토 (Lesotho)	莱索托 Láisuǒtuō	마세루 (Maseru)	马塞卢 Mǎsàilú
루마니아 (Rumania)	罗马尼亚 Luómǎníyà	부크레슈티 (Bucharest)	布加勒斯特 Bùjiālèsītè
룩셈부르크 (Luxembourg)	卢森堡 Lúsēnbǎo	룩셈부르크 (Luxembourg)	卢森堡市 Lúsēnbǎoshì
르완다 (Rwanda)	卢旺达 Lúwàngdá	키갈리 (Kigali)	基加利 Jījiālì
리비아 (Libya)	利比亚 Lìbǐyà	트리폴리 (Tripoli)	的黎波里 Dílíbōlǐ
리투아니아 (Lithuania)	立陶宛 Lìtáowǎn	빌뉴스 (Vilnius)	维尔纽斯 Wéi'ěrniǔsī
리히텐슈타인 (Liechtenstein)	列支敦士登 Lièzhīdūnshìdēng	파두츠 (Vaduz)	瓦杜兹 Wǎdùzī
마다가스카르 (Madagascar)	马达加斯加 Mǎdájiāsījiā	안타나나리보 (Antananarivo)	塔那那利佛 Tǎnànàlìfó
마셜 제도 (Marshall Islands)	马绍尔群岛 Mǎshào'ěr Qúndǎo	마주로 (Majuro)	马朱罗 Mǎzhūluó

마케도니아 (Macedonia)	马其顿 Mǎqídùn	스코페 (Skopje)	斯科普里 Sīkēpǔlǐ
말라위 (Malawi)	马拉维 Mǎlāwéi	릴롱궤 (Lilongwe)	利隆圭 Lìlóngguī
말레이시아 (Malaysia)	马来西亚 Mǎláixīyà	쿠알라룸푸르 (Kuala Lumpur)	吉隆坡 Jílóngpō
말리 (Mali)	马里 Mǎlǐ	바마코 (Bamako)	巴马科 Bāmǎkē
멕시코 (Mexico)	墨西哥 Mòxīgē	멕시코시티 (Mexico City)	墨西哥城 Mòxīgēchéng
모나코 (Monaco)	摩纳哥 Mónàgē	모나코 (Monaco)	摩纳哥城 Mónàgēchéng
모로코 (Morocco)	摩洛哥 Móluògē	라바트 (Rabat)	拉巴特 Lābātè
모리셔스 (Mauritius)	毛里求斯 Máolǐqiúsī	포트루이스 (Port Louis)	路易港 Lùyìgǎng
모리타니 (Mauritania)	毛里塔尼亚 Máolǐtǎníyà	누악쇼트 (Nouakchott)	努瓦克肖特 Nǔwǎkèxiàotè
모잠비크 (Mozambique)	莫桑比克 Mòsāngbǐkè	마푸투 (Maputo)	马普托 Mǎpǔtuō
몬테네그로 (Montenegro)	黑山共和国 Hēishān Gònghéguó	포드고리차 (Podgorica)	波德戈里察 Bōdégēlǐchá
몰도바 (Moldova)	摩尔多瓦 Mó'ěrduōwǎ	키시너우 (Kishinev)	基希讷乌 Jīxīnèwū
몰디브 (Maldives)	马尔代夫 Mǎ'ěrdàifū	말레 (Male)	马累 Mǎlèi
몰타 (Malta)	马耳他 Mǎ'ěrtā	발레타 (Valletta)	瓦莱塔 Wǎláitǎ
몽골 (Mongolia)	蒙古 Měnggǔ	울란바토르 (Ulan Bator)	乌兰巴托 Wūlánbātuō
미국 (United States of America)	美国 Měiguó	워싱턴 (Washington, D.C.)	华盛顿 Huáshèngdùn
미얀마 (Myanmar)	缅甸 Miǎndiàn	네피도 (Nay Pyi Taw)	内比都 Nèibǐdū
미크로네시아 (Micronesia)	密克罗尼西亚 Mìkèluóníxīyà	팔리키르 (Palikir)	帕利基尔 Pàlìjī'ěr
바레인 (Bahrain)	巴林 Bālín	마나마 (Manama)	麦纳麦 Màinàmài
바베이도스 (Barbados)	巴巴多斯 Bābāduōsī	브리지타운 (Bridgetown)	布里奇敦 Bùlǐqídūn
바티칸 시국 (Vatican City State)	梵蒂冈城国[梵蒂冈] Fàndìgāngchéngguó[Fàndìgāng]	바티칸시티 (Vatican City)	梵蒂冈城 Fàndìgāngchéng

바하마 (Bahamas)	巴哈马 Bāhāmǎ	나소 (Nassau)	拿骚 Násāo
방글라데시 (Bangladesh)	孟加拉国 Mèngjiālāguó	다카 (Dhaka)	达卡 Dákǎ
베냉 (Benin)	贝宁 Bèiníng	포르토노보 (Porto Novo)	波多诺伏 Bōduōnuòfú
베네수엘라 (Venezuela)	委内瑞拉 Wěinèiruìlā	카라카스 (Caracas)	加拉加斯 Jiālājiāsī
베트남 (Vietnam)	越南 Yuènán	하노이 (Hanoi)	河内 Hénèi
벨기에 (Belgium)	比利时 Bǐlìshí	브뤼셀 (Brussels)	布鲁塞尔 Bùlǔsāi'ěr
벨라루스 (Belarus)	白俄罗斯 Bái'éluósī	민스크 (Minsk)	明斯克 Míngsīkè
벨리즈 (Belize)	伯利兹 Bólìzī	벨모판 (Belmopan)	贝尔莫潘 Bèi'ěrmòpān
보스니아 헤르체고비나 (Bosnia and Herzegovina)	波斯尼亚和黑塞 哥维那[波黑] Bōsīníyà hé Hēi- sàigēwéinà[Bōhēi]	사라예보 (Sarajevo)	萨拉热窝 Sàlārèwō
보츠와나 (Botswana)	博茨瓦纳 Bócíwǎnà	가보로네 (Gaborone)	哈博罗内 Hābóluónèi
볼리비아 (Bolivia)	玻利维亚 Bōlìwéiyà	수크레 (Sucre)	苏克雷 Sūkèléi
부룬디 (Burundi)	布隆迪 Bùlóngdí	부줌부라 (Bujumbura)	布琼布拉 Bùqióngbùlā
부르키나파소 (Burkina Faso)	布基纳法索 Bùjīnàfǎsuǒ	와가두구 (Ouagadougou)	瓦加杜古 Wǎjiādùgǔ
부탄 (Bhutan)	不丹 Bùdān	팀푸 (Thimphu)	廷布 Tíngbù
북마리아나 제도 (Northern Mariana Islands)	北马里亚纳群岛 Běimǎlǐyànà Qúndǎo	사이판 (Saipan)	塞班岛 Sàibāndǎo
북한 (North Korea)	朝鲜[北韩] [北朝鲜] Cháoxiǎn[Běihán] [Běicháoxiǎn]	평양 (Pyongyang)	平壤 Píngrǎng
불가리아 (Bulgaria)	保加利亚 Bǎojiālìyà	소피아 (Sofia)	索非亚 Suǒfēiyà
브라질 (Brazil)	巴西 Bāxī	브라질리아 (Brasilia)	巴西利亚 Bāxīlìyà
브루나이 (Brunei)	文莱 Wénlái	반다르스리브가완 (Bandar Seri Begawan)	斯里巴加湾市 Sīlǐbājiāwānshì

사모아[서사모아] (Samoa)	萨摩亚 Sàmóyà	아피아 (Apia)	阿皮亚 Āpíyà
사우디아라비아 (Saudi Arabia)	沙特阿拉伯 Shātè'ālābó	리야드 (Riyadh)	利雅得 Lìyǎdé
산마리노 (San Marino)	圣马力诺 Shèngmǎlìnuò	산마리노 (San Marino)	圣马力诺 Shèngmǎlìnuò
상투메 프린시페 (São Tomé and Príncipe)	圣多美和普林西比 Shèngduōměi hé Pǔlínxībǐ	상투메 (São Tomé)	圣多美 Shèngduōměi
세네갈 (Senegal)	塞内加尔 Sàinèijiā'ěr	다카르 (Dakar)	达喀尔 Dákā'ěr
세르비아 (Serbia)	塞尔维亚 Sài'ěrwéiyà	베오그라드 (Beograd)	贝尔格莱德 Bèi'ěrgéláidé
세이셸 (Seychelles)	塞舌尔群岛 Sàishé'ěr Qúndǎo	빅토리아 (Victoria)	维多利亚 Wéiduōlìyà
세인트루시아 (Saint Lucia)	圣卢西亚 Shènglúxīyà	캐스트리스 (Castries)	卡斯特里 Kǎsītèlǐ
세인트빈센트 그레나딘 (Saint Vincent and the Grenadines)	圣文森特和 格林纳丁斯 Shèngwénsēntè hé Gélínnàdīngsī	킹스타운 (Kingstown)	金斯敦 Jīnsīdūn
세인트키츠 네비스 (Saint Kitts and Nevis)	圣基茨和尼维斯 Shèngjīcí hé Níwéisī	바스테르 (Basseterre)	巴斯特尔 Bāsītè'ěr
소말리아 (Somalia)	索马里 Suǒmǎlǐ	모가디슈 (Mogadishu)	摩加迪沙 Mójiādíshā
솔로몬 제도 (Solomon Islands)	所罗门群岛 Suǒluómén Qúndǎo	호니아라 (Honiara)	霍尼亚拉 Huòníyàlā
수단 (Sudan)	苏丹 Sūdān	하르툼 (Khartoum)	喀土穆 Kātǔmù
수리남 (Suriname)	苏里南 Sūlǐnán	파라마리보 (Paramaribo)	帕拉马里博 Pàlāmǎlǐbó
스리랑카 (Sri Lanka)	斯里兰卡 Sīlǐlánkǎ	콜롬보 (Colombo)	科伦坡 Kēlúnbō
스와질란드 (Swaziland)	斯威士兰 Sīwēishìlán	음바바네 (Mbabane)	姆巴巴内 Mǔbābānèi
스웨덴 (Sweden)	瑞典 Ruìdiǎn	스톡홀름 (Stockholm)	斯德哥尔摩 Sīdégē'ěrmó
스위스 (Switzerland)	瑞士 Ruìshì	베른 (Bern)	伯尔尼 Bó'ěrní
스페인[에스파냐] (Spain)	西班牙 Xībānyá	마드리드 (Madrid)	马德里 Mǎdélǐ
슬로바키아 (Slovakia)	斯洛伐克 Sīluòfákè	브라티슬라바 (Bratislava)	布拉迪斯拉发 Bùlādísīlāfā

슬로베니아 (Slovenia)	斯洛文尼亚 Sīluòwénníyà	류블랴나 (Ljubljana)	卢布尔雅那 Lúbù'ěryǎnà
시리아 (Syria)	叙利亚 Xùlìyà	다마스쿠스 (Damascus)	大马士革 Dàmǎshìgé
시에라리온 (Sierra Leone)	塞拉利昂 Sàilālì'áng	프리타운 (Freetown)	弗里敦 Fúlǐdūn
싱가포르 (Singapore)	新加坡 Xīnjiāpō	싱가포르 (Singapore)	新加坡城 Xīnjiāpōchéng
아랍 에미리트 (United Arab Emirates)	阿拉伯联合酋长国 Ālābó Liánhé Qiúzhǎngguó	아부다비 (Abu Dhabi)	阿布扎比 Ābùzhābǐ
아르메니아 (Armenia)	亚美尼亚 Yàměiníyà	예레반 (Yerevan)	埃里温 Āilǐwēn
아르헨티나 (Argentina)	阿根廷 Āgēntíng	부에노스아이레스 (Buenos Aires)	布宜诺斯艾利斯 Bùyínuòsī'àilìsī
아메리칸사모아 (American Samoa)	美属萨摩亚 [东萨摩亚] Měishǔsàmóyà [Dōngsàmóyà]	파고파고 (Pago Pago)	帕果帕果 Pàguǒpàguǒ
아이슬란드 (Iceland)	冰岛 Bīngdǎo	레이캬비크 (Reykjavik)	雷克雅未克 Lèikèyǎwèikè
아이티 (Haiti)	海地 Hǎidì	포르토프랭스 (Port-au-Prince)	太子港 Tàizǐgǎng
아일랜드 (Ireland)	爱尔兰 Ài'ěrlán	더블린 (Dublin)	都柏林 Dūbólín
아제르바이잔 (Azerbaijan)	阿塞拜疆 Āsàibàijiāng	바쿠 (Baku)	巴库 Bākù
아프가니스탄 (Afghanistan)	阿富汗 Āfùhàn	카불 (Kabul)	喀布尔 Kābù'ěr
안도라 (Andorra)	安道尔 Āndào'ěr	안도라라베야 (Andorra la Vella)	安道尔城 Āndào'ěrchéng
알바니아 (Albania)	阿尔巴尼亚 Ā'ěrbāníyà	티라나 (Tirana)	地拉那 Dìlānà
알제리 (Algeria)	阿尔及利亚 Ā'ěrjílìyà	알제 (Algiers)	阿尔及尔 Ā'ěrjí'ěr
앙골라 (Angola)	安哥拉 Āngēlā	루안다 (Luanda)	罗安达 Luó'āndá
앤티가 바부다 (Antigua and Barbuda)	安提瓜和巴布达 Āntíguā hé Bābùdá	세인트존스 (Saint John's)	圣约翰 Shèngyuēhàn
에스토니아 (Estonia)	爱沙尼亚 Àishāníyà	탈린 (Tallinn)	塔林 Tǎlín
에콰도르 (Ecuador)	厄瓜多尔 Èguāduō'ěr	키토 (Quito)	基多 Jīduō

에리트레아 (Eritrea)	厄立特里亚 Èlìtèlǐyà	아스마라 (Asmara)	阿斯马拉 Āsīmǎlā
에티오피아 (Ethiopia)	埃塞俄比亚 Āisài'ébǐyà	아디스아바바 (Addis Ababa)	亚的斯亚贝巴 Yàdìsīyàbèibā
엘살바도르 (El Salvador)	萨尔瓦多 Sà'ěrwǎduō	산살바도르 (San Salvador)	圣萨尔瓦多 Shèngsà'ěrwǎduō
영국 (United Kingdom)	英国 Yīngguó	런던 (London)	伦敦 Lúndūn
예멘 (Yemen)	也门 Yěmén	사나 (Sanaa)	萨那 Sànà
오만 (Oman)	阿曼 Āmàn	무스카트 (Muscat)	马斯喀特 Mǎsīkātè
오스트레일리아 [호주] (Australia)	澳大利亚 Àodàlìyà	캔버라 (Canberra)	堪培拉 Kānpéilā
오스트리아 (Austria)	奥地利 Àodìlì	빈 (Vienna)	维也纳 Wéiyěnà
온두라스 (Honduras)	洪都拉斯 Hóngdūlāsī	테구시갈파 (Tegucigalpa)	特古西加尔巴 Tègǔxījiā'ěrbā
요르단 (Jordan)	约旦 Yuēdàn	암만 (Amman)	安曼 Ānmàn
우간다 (Uganda)	乌干达 Wūgāndá	캄팔라 (Kampala)	坎帕拉 Kǎnpàlā
우루과이 (Uruguay)	乌拉圭 Wūlāguī	몬테비데오 (Montevideo)	蒙得维的亚 Méngdéwéidìyà
우즈베키스탄 (Uzbekistan)	乌兹别克斯坦 Wūzībiékèsītǎn	타슈켄트 (Tashkent)	塔什干 Tǎshígān
우크라이나 (Ukraine)	乌克兰 Wūkèlán	키예프 (Kyiv[Kiev])	基辅 Jīfǔ
이라크 (Iraq)	伊拉克 Yīlākè	바그다드 (Baghdad)	巴格达 Bāgédá
이란 (Iran)	伊朗 Yīlǎng	테헤란 (Tehran)	德黑兰 Déhēilán
이스라엘 (Israel)	以色列 Yǐsèliè	예루살렘 (Jerusalem)	耶路撒冷 Yēlùsālěng
이집트 (Egypt)	埃及 Āijí	카이로 (Cairo)	开罗 Kāiluó
이탈리아 (Italy)	意大利 Yìdàlì	로마 (Rome)	罗马 Luómǎ
인도 (India)	印度 Yìndù	뉴델리 (New Delhi)	新德里 Xīndélǐ
인도네시아 (Indonesia)	印度尼西亚 Yìndùníxīyà	자카르타 (Jakarta)	雅加达 Yǎjiādá
일본 (Japan)	日本 Rìběn	도쿄 (Tokyo)	东京 Dōngjīng

자메이카 (Jamaica)	牙买加 Yámǎijiā	킹스턴 (Kingston)	金斯敦 Jīnsīdūn
잠비아 (Zambia)	赞比亚 Zànbǐyà	루사카 (Lusaka)	卢萨卡 Lúsàkǎ
적도 기니 (Equatorial Guinea)	赤道几内亚 Chìdào Jǐnèiyà	말라보 (Malabo)	马拉博 Mǎlābó
중국 (China)	中国 [中华人民共和国] Zhōngguó[Zhōnghuá Rénmín Gònghéguó]	베이징 (Beijing)	北京 Běijīng
중앙아프리카 공화국 (Central African Republic)	中非共和国[中非] Zhōngfēi Gònghéguó [Zhōngfēi]	방기 (Bangui)	班吉 Bānjí
지부티 (Djibouti)	吉布提 Jíbùtí	지부티 (Djibouti)	吉布提市 Jíbùtíshì
짐바브웨 (Zimbabwe)	津巴布韦 Jīnbābùwéi	하라레 (Harare)	哈拉雷 Hālāléi
차드 (Chad)	乍得 zhàdé	은자메나 (N' Djamena)	恩贾梅纳 Ēnjiǎméinà
체코 (Czech Republic)	捷克 Jiékè	프라하 (Prague[Praha])	布拉格 Bùlāgé
칠레 (Chile)	智利 Zhìlì	산티아고 (Santiago)	圣地亚哥 Shèngdìyàgē
카메룬 (Cameroon)	喀麦隆 Kāmàilóng	야운데 (Yaounde)	雅温得 Yǎwēndé
카보베르데 (Cape Verde)	佛得角 Fódéjiǎo	프라이아 (Praia)	普拉亚 Pǔlāyà
카자흐스탄 (Kazakhstan)	哈萨克斯坦 Hāsàkèsītǎn	아스타나 (Astana)	阿斯塔纳 Āsītǎnà
카타르 (Qatar)	卡塔尔 Kǎtǎ'ěr	도하 (Doha)	多哈 Duōhā
캄보디아 (Cambodia)	柬埔寨 Jiǎnpǔzhài	프놈펜 (Phnom Penh)	金边 Jīnbiān
캐나다 (Canada)	加拿大 Jiānádà	오타와 (Ottawa)	渥太华 Wòtàihuá
케냐 (Kenya)	肯尼亚 Kěnníyà	나이로비 (Nairobi)	内罗毕 Nèiluóbì
코모로 (Comoros)	科摩罗 Kēmóluó	모로니 (Moroni)	莫罗尼 Mòluóní
코스타리카 (Costa Rica)	哥斯达黎加 Gēsīdálíjiā	산호세 (San Jose)	圣何塞 Shènghésài
코트디부아르 (Cote d'Ivoire)	科特迪瓦 Kētèdíwǎ	야무수크로 (Yamoussoukro)	亚穆苏克罗 Yàmùsūkèluó

콜롬비아 (Colombia)	哥伦比亚 Gēlúnbǐyà	보고타 (Bogota)	波哥大 Bōgēdà
콩고 (Congo)	刚果 Gāngguǒ	브라자빌 (Brazzaville)	布拉柴维尔 Bùlācháiwéi'ěr
콩고 민주 공화국 (Democratic Republic of the Congo)	刚果民主共和国 Gāngguǒ Mínzhǔ Gònghéguó	킨샤사 (Kinshasa)	金沙萨 Jīnshāsà
쿠바 (Cuba)	古巴 Gǔbā	아바나 (Havana)	哈瓦那 Hāwǎnà
쿠웨이트 (Kuwait)	科威特 Kēwēitè	쿠웨이트 (Kuwait City)	科威特城 Kēwēitèchéng
쿡 제도 (Cook Islands)	库克群岛 Kùkè Qúndǎo	아바루아 (Avarua)	阿瓦鲁阿 Āwǎlǔ'ā
크로아티아 (Croatia)	克罗地亚 Kèluódìyà	자그레브 (Zagreb)	萨格勒布 Sàgélèbù
키르기스스탄 [키르기스] (Kyrgyzstan)	吉尔吉斯斯坦 Jí'ěrjísīsītǎn	비슈케크 (Bishkek)	比什凯克 Bǐshíkǎikè
키리바시 (Kiribati)	基里巴斯 Jīlǐbāsī	타라와 (Tarawa)	塔拉瓦 Tǎlāwǎ
[illegible]프로스 ([illegible]prus)	塞浦路斯 Sàipǔlùsī	니코시아 (Nicosia)	尼科西亚 Níkēxīyà
[illegible]태국] ([illegible]ailand)	泰国 Tàiguó	방콕 (Bangkok)	曼谷 Màngǔ
[illegible]지키스탄 (Tajikistan)	塔吉克斯坦 Tǎjíkèsītǎn	두샨베 (Dushanbe)	杜尚别 Dùshàngbié
탄자니아 (Tanzania)	坦桑尼亚 Tǎnsāngníyà	도도마 (Dodoma)	多多马 Duōduōmǎ
터키 (Turkey)	土耳其 Tǔ'ěrqí	앙카라 (Ankara)	安卡拉 Ānkǎlā
토고 (Togo)	多哥 Duōgē	로메 (Lome)	洛美 Luòměi
통가 (*Tonga*)	汤加 *Tāngjiā*	누쿠알로파 (Nuku'alofa)	努库阿洛法 Nǔkù'āluòfǎ
투르크메니스탄 (Turkmenistan)	土库曼斯坦 Tǔkùmànsītǎn	아슈하바트 (Ashgabad)	阿什哈巴德 Āshìhābādé
투발루 (Tuvalu)	图瓦卢 Túwǎlú	푸나푸티 (Funafuti)	富纳富提 Fùnàfùtí
튀니지 (Tunisia)	突尼斯 Tūnísī	튀니스 (Tunis)	突尼斯市 Tūnísīshì
트리니다드 토바고 (Trinidad and Tobago)	特立尼达和多巴哥 Tèlìnídá hé Duōbāgē	포트오브스페인 (Port of Spain)	西班牙港 Xībānyágǎng
파나마 (Panama)	巴拿马 Bānámǎ	파나마 (Panama City)	巴拿马城 Bānámǎchéng

파라과이 (Paraguay)	巴拉圭 Bālāguī	아순시온 (Asuncion)	亚松森 Yàsōngsēn
파키스탄 (Pakistan)	巴基斯坦 Bājīsītǎn	이슬라마바드 (Islamabad)	伊斯兰堡 Yīsīlánbǎo
파푸아 뉴기니 (Papua New Guinea)	巴布亚新几内亚 Bābùyà Xīnjǐnèiyà	포트모르즈비 (Port Moresby)	莫尔兹比港 Mò'ěrzībǐgǎng
페루 (Peru)	秘鲁 Bìlǔ	리마 (Lima)	利马 Lìmǎ
포르투갈 (Portugal)	葡萄牙 Pútáoyá	리스본 (Lisbon)	里斯本 Lǐsīběn
폴란드 (Poland)	波兰 Bōlán	바르샤바 (Warsaw)	华沙 Huáshā
푸에르토리코 (Puerto Rico)	波多黎各 Bōduōlígè	산후안 (San Juan)	圣胡安 Shènghú'ān
프랑스 (France)	法国 Fǎguó	파리 (Paris)	巴黎 Bālí
프랑스령 폴리네시아 (French Polynesia)	法属波利尼西亚 Fǎshǔ Bōlìníxīyà	파페에테 (Papeete)	帕皮提 Pàpítí
피지 (Fiji)	斐济 Fěijì	수바 (Suva)	苏瓦 Sūwǎ
핀란드 (Finland)	芬兰 Fēnlán	헬싱키 (Helsinki)	赫尔辛基 Hè'ěrxīnjī
필리핀 (Philippines)	菲律宾 Fēilùbīn	마닐라 (Manila)	马尼拉 Mǎnílā
헝가리 (Hungary)	匈牙利 Xiōngyálì	부다페스트 (Budapest)	布达佩斯 Bùdápèisī

세계 주요 지명

*수도 및 우리나라 지명 제외

가와사키(Kawasaki) 川崎 Chuānqí
가자(Gaza) 加沙 Jiāshā
갈릴리(Galilee) 加利利 Jiālìlì
갠지스 강(Ganges江) 恒河 Héng Hé
고비 사막(Gobi沙漠) 戈壁沙漠 Gēbì Shāmò
괌 섬(Guam－) 关岛 Guān Dǎo
광저우(Guangzhou) 广州 Guǎngzhōu
교토(Kyôto) 京都 Jīngdū
규슈(Kyûsyû) 九州 Jiǔzhōu
그랜드 캐니언(Grand Canyon) 大峡谷 Dàxiágǔ
그리니치(Greenwich) 格林威治 Gélínwēizhì
그린란드(Greenland) 格陵兰岛 Gélínglán Dǎo
나가노(Nagano) 长野 Chángyě
나가사키(Nagasaki) 长崎 Chángqí
나고야(Nagoya) 名古屋 Mínggǔwū
나이아가라 폭포(Niagara瀑布) 尼亚加拉瀑布 Níyàjiālā Pùbù
나일 강(Nile江) 尼罗河 Níluó Hé
나폴리(Napoli) 那不勒斯 Nàbùlèsī
난징(Nanjing) 南京 Nánjīng
네바다 주(Nevada州) 内华达州 Nèihuádá Zhōu
노르망디(Normandie) 诺曼底 Nuòmàndǐ
노스캐롤라이나 주(North Carolina州) 北卡罗来纳州 Běikǎluóláinà Zhōu
뉴멕시코 주(New Mexico州) 新墨西哥州 Xīnmòxīgē Zhōu
뉴올리언스(New Orleans) 新奥尔良 Xīn'ào'ěrliáng
뉴욕(New York) 纽约 Niǔyuē
뉴저지 주(New Jersey州) 新泽西州 Xīnzéxī Zhōu
뉴칼레도니아 섬(New Caledonia－) 新喀里多尼亚岛 Xīnkālǐduōníyà Dǎo
뉴햄프셔 주(New Hampshire州) 新罕布什尔州 Xīnhǎnbùshí'ěr Zhōu
니스(Nice) 尼斯 Nísī
댈러스(Dallas) 达拉斯 Dálāsī
덴버(Denver) 丹佛 Dānfó
디트로이트(Detroit) 底特律 Dǐtèlǜ
라스베이거스(Las Vegas) 拉斯维加斯 Lāsīwéijiāsī
라싸(Lasa) 拉萨 Lāsà
라인 강(Rhein江) 莱茵河 Láiyīn Hé
로드아일랜드 주(Rhode Island州) 罗得岛州 Luódédǎo Zhōu
로스앤젤레스(Los Angeles) 洛杉矶 Luòshānjī
로잔(Lausanne) 洛桑 Luòsāng
로키 산맥(Rocky山脈) 落基山脉 Luòjī Shānmài
로테르담(Rotterdam) 鹿特丹 Lùtèdān
루이지애나 주(Louisiana州) 路易斯安那州 Lùyìsī'ānnà Zhōu
리버풀(Liverpool) 利物浦 Lìwùpǔ
리비아 사막(Libya沙漠) 利比亚沙漠 Lìbǐyà Shāmò
리옹(Lyon) 里昂 Lǐ'áng
리우데자네이루(Rio de Janeiro) 里约热内卢 Lǐyuērènèilú
리치먼드(Richmond) 里士满 Lǐshìmǎn
마르세유(Marseille) 马赛 Mǎsài
마리아나 제도(Mariana諸島) 马里亚纳群岛 Mǎlǐyànà Qúndǎo
마이애미(Miami) 迈阿密 Mài'āmì
마카오(Macao) 澳门 Àomén
마케도니아(Macedonia) 马其顿 Mǎqídùn
매사추세츠 주(Massachusetts州) 马萨诸塞州 Mǎsàzhūsài Zhōu
맨체스터(Manchester) 曼彻斯特 Mànchèsītè
맨해튼(Manhattan) 曼哈顿 Mànhādùn
메릴랜드 주(Maryland州) 马里兰州 Mǎlǐlán Zhōu
메카(Mecca) 麦加 Màijiā
메콩 강(Mekong江) 湄公河 Méigōng Hé
멜버른(Melbourne) 墨尔本 Mò'ěrběn
멤피스(Memphis) 孟菲斯 Mèngfēisī
몬태나 주(Montana州) 蒙大拿州 Méngdàná Zhōu
몬테카를로(Monte Carlo) 蒙特卡洛 Méngtèkǎluò

몬트리올(Montreal) 蒙特利尔 Méngtèlì'ěr
뮌헨(München) 慕尼黑 Mùníhēi
미네소타 주(Minnesota州) 明尼苏达州 Míngnísūdá Zhōu
미시간 주(Michigan州) 密歇根州 Mìxiēgēn Zhōu
미시시피 주(Mississippi州) 密西西比州 Mìxīxībǐ Zhōu
미주리 주(Missouri州) 密苏里州 Mìsūlǐ Zhōu
밀라노(Milano) 米兰 Mǐlán
밀워키(Milwaukee) 密尔沃基 Mì'ěrwòjī
바덴바덴(Baden Baden) 巴登巴登 Bādēngbādēng
바르샤바(Warszawa) 华沙 Huáshā
바르셀로나(Barcelona) 巴塞罗那 Bāsàiluónà
발리 섬(Bali-) 巴厘岛 Bālí Dǎo
발칸 반도(Balkan半島) 巴尔干半岛 Bā'ěrgàn Bàndǎo
밴쿠버(Vancouver) 温哥华 Wēngēhuá
버뮤다 제도(Bermuda諸島) 百慕大群岛 Bǎimùdà Qúndǎo
버밍엄(Birmingham) 伯明翰 Bómínghàn
버지니아 주(Virginia州) 弗吉尼亚州 Fújíníyà Zhōu
버클리(Berkeley) 伯克利 Bókèlì
베니스(Venice) 威尼斯 Wēinísī
베들레헴(Bethlehem) 伯利恒 Bólìhéng
베르사유(Versailles) 凡尔赛 Fán'ěrsài
보스턴(Boston) 波士顿 Bōshìdùn
본(Bonn) 波恩 Bō'ēn
볼티모어(Baltimore) 巴尔的摩 Bā'ěrdìmó
브로드웨이(Broadway) 百老汇 Bǎilǎohuì
브루클린(Brooklyn) 布鲁克林 Bùlǔkèlín
브뤼셀(Brussel) 布鲁塞尔 Bùlǔsài'ěr
브리즈번(Brisbane) 布里斯班 Bùlǐsībān
블라디보스토크(Vladivostok) 符拉迪沃斯托克 Fúlādíwòsītuōkè; 海参崴 Hǎishēnwǎi
사우스캐롤라이나 주(South Carolina州) 南卡罗来纳州 Nánkǎluóláinà Zhōu
사이판 섬(Saipan-) 塞班岛 Sàibān Dǎo
사하라 사막(Sahara沙漠) 撒哈拉沙漠 Sāhālā Shāmò
사할린(Sakhalin) 库页岛 Kùyè Dǎo; 萨哈林岛 Sàhālín Dǎo
삿포로(Sapporo) 札幌 Zháhuǎng
상파울루(São Paulo) 圣保罗 Shèngbǎoluó
상하이(Shanghai) 上海 Shànghǎi
샌디에이고(San Diego) 圣迭戈 Shèngdiégē
샌프란시스코(San Francisco) 旧金山 Jiùjīnshān; 三藩市 Sānfān Shì; 圣弗朗西斯科 Shèngfúlǎngxīsīkē
선전(Shenzhen) 深圳 Shēnzhèn
세부(Cebu) 宿务 Sùwù
세인트루이스(Saint Louis) 圣路易斯 Shènglùyìsī
센 강(Seine江) 塞纳河 Sāinà Hé
센트럴 파크(Central Park) 中央公园 Zhōngyāng Gōngyuán
소렌토(Sorrento) 索伦托 Suǒlúntuō
수에즈(Suez) 苏伊士 Sūyīshì
스칸디나비아 반도(Scandinavia半島) 斯堪的纳维亚半岛 Sīkāndìnàwéiyà Bàndǎo
스코틀랜드(Scotland) 苏格兰 Sūgélán
시드니(Sydney) 悉尼 Xīní
시베리아(Siberia) 西伯利亚 Xībólìyà
시안(Xian) 西安 Xī'ān
시애틀(Seattle) 西雅图 Xīyǎtú
시칠리아(Sicilia) / 시실리(Sicily) 西西里岛 Xīxīlǐ Dǎo
시카고(Chicago) 芝加哥 Zhījiāgē
신시내티(Cincinnati) 辛辛那提 Xīnxīnnàtí
실리콘 밸리(Silicon Valley) 硅谷 Guīgǔ
쓰시마 섬(Tsushima-) 对马岛 Duìmǎ Dǎo
아라비아 사막(Arabia沙漠) 阿拉伯沙漠 Ālābó Shāmò
아마존 강(Amazon江) 亚马孙河 Yàmǎsūn Hé
아비뇽(Avignon) 阿维尼翁 Āwéiníwēng
아이다호 주(Idaho州) 爱达荷州 Àidá-

hé Zhōu
아이오와 주(Iowa州) 艾奥瓦州 Àiʼàowǎ Zhōu; 爱荷华州 Àihéhuá Zhōu
아칸소 주(Arkansas州) 阿肯色州 Ākěnsè Zhōu
안나푸르나(Annapurna) 安纳布尔纳峰 Ānnàbùʼěrnà Fēng
안데스 산맥(Andes山脈) 安第斯山脉 Āndìsī Shānmài
알래스카 주(Alaska州) 阿拉斯加州 Ālāsījiā Zhōu
알프스 산맥(Alps山脈) 阿尔卑斯山脉 Āʼěrbēisī Shānmài
애리조나 주(Arizona州) 亚利桑那州 Yàlìsāngnà Zhōu
애틀랜타(Atlanta) 亚特兰大 Yàtèlándà
앨라배마 주(Alabama州) 亚拉巴马州 Yàlābāmǎ Zhōu
얄타(Yalta) 雅尔塔 Yǎʼěrtǎ
양쯔 강(Yangzi江) 长江 Cháng Jiāng
에게 해(Aegean海) 爱琴海 Àiqín Hǎi
에든버러(Edinburgh) 爱丁堡 Àidīngbǎo
에베레스트 산(Everest山) 珠穆朗玛峰 Zhūmùlǎngmǎfēng
에인트호번(Eindhoven) 埃因霍温 Āiyīnhuòwēn
오리건 주(Oregon州) 俄勒冈州 Élègāng Zhōu
오사카(Oosaka) 大阪 Dàbǎn
오클라호마 주(Oklahoma州) 俄克拉何马州 Ékèlāhémǎ Zhōu
오클랜드(Oakland) 奥克兰 Àokèlán
오키나와 섬(Okinawa–) 冲绳岛 Chōngshéng Dǎo
오하이오 주(Ohio州) 俄亥俄州 Éhàiʼé Zhōu
오호츠크 해(Okhotsk海) 鄂霍次克海 Èhuòcìkè Hǎi
옥스퍼드(Oxford) 牛津 Niújīn
올림포스 산(Olympos山) 奥林匹斯山 Àolínpǐsī Shān
요코하마(Yokohama) 横滨 Héngbīn
요하네스버그(Johannesburg) 约翰内斯堡 Yuēhànnèisībǎo
우랄 산맥(Ural山脈) 乌拉尔山脉 Wūlāʼěr Shānmài

월 가(Wall街) 华尔街 Huáʼěr Jiē
웨스트버지니아 주(West Virginia州) 西弗吉尼亚州 Xīfújíníyà Zhōu
위스콘신 주(Wisconsin州) 威斯康星州 Wēisīkāngxīng Zhōu
윈체스터(Winchester) 温切斯特 Wēnqiēsītè
유타 주(Utah州) 犹他州 Yóutā Zhōu
유프라테스 강(Euphrates江) 幼发拉底河 Yòufālādǐ Hé
이구아수 폭포(Iguaçú瀑布) 伊瓜苏大瀑布 Yīguāsū Dàpùbù
인더스 강(Indus江) 印度河 Yìndù Hé
인도차이나 반도(Indo-China半島) 中南半岛 Zhōngnán Bàndǎo
인디애나 주(Indiana州) 印第安纳州 Yìndìʼānnà Zhōu
일리노이 주(Illinois州) 伊利诺斯州 Yīlìnuòsī Zhōu
잉글랜드(England) 英格兰 Yīnggélán
자바 섬(Java–) 爪哇岛 Zhǎowā Dǎo
잘츠부르크(Salzburg) 萨尔茨堡 Sàʼěrcíbǎo
제네바(Geneva) 日内瓦 Rìnèiwǎ
제노바(Genova) 热那亚 Rènàyà
조지아 주(Georgia州) 佐治亚州 Zuǒzhìyà Zhōu
주룽 반도(Jiulong半島) 九龙半岛 Jiǔlóng Bàndǎo
찰스턴(Charleston) 查尔斯顿 Cháʼěrsīdùn
체르노빌(Chernobyl) 切尔诺贝利 Qiēʼěrnuòbèilì
취리히(Zürich) 苏黎世 Sūlíshì
카리브 해(Carib海) 加勒比海 Jiālèbǐ Hǎi
카사블랑카(Casablanca) 卡萨布兰卡 Kǎsàbùlánkǎ
칸(Cannes) 戛纳 Jiánà
캄차카 반도(Kamchatka半島) 堪察加半岛 Kānchájiā Bàndǎo
캔자스 주(Kansas州) 堪萨斯州 Kānsàsī Zhōu
캘거리(Calgary) 卡尔加里 Kǎʼěrjiālǐ
캘리포니아 주(California州) 加利福尼亚州 Jiālìfúníyà Zhōu; 加州 Jiā Zhōu
컬럼비아(Columbia) 哥伦比亚 Gēlúnbǐyà

케이프타운(Cape Town) 开普敦 Kāipǔdūn
케임브리지(Cambridge) 剑桥 Jiànqiáo
켄터키 주(Kentucky州) 肯塔基州 Kěntǎjī Zhōu
코르시카 섬(Corsica-) 科西嘉岛 Kēxījiā Dǎo
콜로라도 주(Colorado州) 科罗拉多州 Kēluólāduō Zhōu
쾰른(Köln) 科隆 Kēlóng
쿠스코(Cuzco) 库斯科 Kùsīkē
쿤룬 산맥(Kunlun山脈) 昆仑山脉 Kūnlún Shānmài
퀘벡(Quebec) 魁北克 Kuíběikè
크림 반도(Krym半島) 克里米亚半岛 Kèlǐmǐyà Bàndǎo
클리블랜드(Cleveland) 克里夫兰 Kèlǐfūlán
킬리만자로 산(Kilimanjaro山) 乞力马扎罗山 Qǐlìmǎzhāluó Shān
테네시 주(Tennessee州) 田纳西州 Tiánnàxī Zhōu
텍사스 주(Texas州) 得克萨斯州 Dékèsàsī Zhōu
템스 강(Thames江) 泰晤士河 Tàiwùshì Hé
톈진(Tianjin) 天津 Tiānjīn
토론토(Toronto) 多伦多 Duōlúnduō
토리노(Torino) 都灵 Dūlíng
티그리스 강(Tigris江) 底格里斯河 Dǐgélǐsī Hé
티베트(Tibet) 西藏 Xīzàng
파미르 고원(Pamir高原) 帕米尔高原 Pàmǐ'ěr Gāoyuán
팔레스타인(Palestine) 巴勒斯坦 Bālèsītǎn
페루자(Perugia) 佩鲁贾 Pèilǔjiǎ
페르시아 만(Persia灣) 波斯湾 Bōsī Wān
펜실베이니아 주(Pennsylvania州) 宾夕法尼亚州 Bīnxīfǎníyà Zhōu
포츠담(Potsdam) 波茨坦 Bōcítǎn
포틀랜드(Portland) 波特兰 Bōtèlán
폴리네시아(Polynesia) 波利尼西亚 Bōlìníxīyà
프랑크푸르트(Frankfurt) 法兰克福 Fǎlánkèfú
프린스턴(Princeton) 普林斯顿 Pǔlínsīdùn
플로리다 주(Florida州) 佛罗里达州 Fóluólǐdá Zhōu
피닉스(Phoenix) 菲尼克斯 Fēiníkèsī
피렌체(Firenze) 佛罗伦萨 Fóluólúnsà; 翡冷翠 Fěilěngcuì
피츠버그(Pittsburgh) 匹兹堡 Pǐzībǎo
필라델피아(Philadelphia) 费拉德尔菲亚 Fèilādé'ěrfēiyà; 费城 Fèichéng
하얼빈(Harbin) 哈尔滨 Hā'ěrbīn
하와이(Hawaii) 夏威夷 Xiàwēiyí
하이델베르크(Heidelberg) 海德堡 Hǎidébǎo
할리우드(Hollywood) 好莱坞 Hǎoláiwù
함부르크(Hamburg) 汉堡 Hànbǎo
항저우(Hangzhou) 杭州 Hángzhōu
헤이그(Hague) 海牙 Hǎiyá
호놀룰루(Honolulu) 火奴鲁鲁 Huǒnúlǔlǔ; 檀香山 Tánxiāngshān
호치민(Ho Chi Minh) 胡志明 Húzhìmíng
홋카이도(Hokkaidô) 北海道 Běihǎidào
홍콩(Hong Kong) 香港 Xiānggǎng
황허 강(Huanghe江) 黄河 Huáng Hé
후지 산(Huji山) 富士山 Fùshì Shān
후쿠시마(Fukushima) 福岛 Fú Dǎo
후쿠오카(Fukuoka) 福冈 Fúgāng
휴스턴(Houston) 休斯敦 Xiūsīdūn
히로시마(Hiroshima) 广岛 Guǎng Dǎo
히말라야 산맥(Himalaya山脈) 喜马拉雅山脉 Xǐmǎlāyǎ Shānmài

세계 주요 인명

*우리나라 및 중국 인명 제외

간디(Gandhi) 甘地 Gāndì
갈릴레이(Galilei) 伽利略 Gālìlüè
고갱(Gauguin) 高更 Gāogēng
고흐(Gogh) 梵高 Fàngāo
괴테(Goethe) 歌德 Gēdé
그리그(Grieg) 格里格 Gélǐgé
그림 형제(Grimm兄弟) 格林兄弟 Gélín Xiōngdì
나이팅게일(Nightingale) 南丁格尔 Nándīnggé'ěr
나폴레옹(Napoléon) 拿破仑 Nápòlún
네로(Nero) 尼禄 Nílù
노벨(Nobel) 诺贝尔 Nuòbèi'ěr
누르하치(Nurhachi) 努尔哈赤 Nǔ'ěrhāchì
뉴턴(Newton) 牛顿 Niúdùn
니체(Nietzsche) 尼采 Nícǎi
닉슨(Nixon) 尼克松 Níkèsōng
다빈치(da Vinci) 达·芬奇 Dá fēnqí
다윈(Darwin) 达尔文 Dá'ěrwén
단테(Dante) 但丁 Dàndīng
데카르트(Descartes) 笛卡儿 Díkǎ'ěr
도스토옙스키(Dostoevsky) 陀思妥耶夫斯基 Tuósītuǒyēfūsījī
도요토미 히데요시(Toyotomi Hideyoshi) 丰臣秀吉 Fēngchén Xiùjí
도플러(Doppler) 多普勒 Duōpǔlè
디즈니(Disney) 迪斯尼 Dísīní
디킨스(Dickens) 狄更斯 Dígēngsī
라이트 형제(Wright兄弟) 莱特兄弟 Láitè Xiōngdì
라파엘로(Raffaello) 拉斐尔 Lāfěi'ěr
랭보(Rimbaud) 兰波 Lánbō
레닌(Lenin) 列宁 Lièníng
레마르크(Remarque) 雷马克 Léimǎkè
렘브란트(Rembrandt) 伦布兰特 Lúnbùlántè
로댕(Rodin) 罗丹 Luódān
록펠러(Rockefeller) 洛克菲勒 Luòkèfēilè
루소(Rousseau) 卢梭 Lúsuō
루스벨트(Roosevelt) 罗斯福 Luósīfú
루터(Luther) / 마틴 루터(Martin Luther) 路德 Lùdé
르누아르(Renoir) 雷诺阿 Léinuò'ā
링컨(Lincoln) 林肯 Línkěn
마르코 폴로(Marco Polo) 马可·波罗 Mǎkě Bōluó
마르크스(Marx) 马克思 Mǎkèsī
마호메트(Mahomet) 穆罕默德 Mùhǎnmòdé
만델라(Mandela) 曼德拉 Màndélā
맥아더(MacArthur) 麦克阿瑟 Màikè'āsè
멘델(Mendel) 孟德尔 Mèngdé'ěr
멘델스존(Mendelssohn) 门德尔松 Méndé'ěrsōng
모네(Monet) 莫奈 Mònài
모딜리아니(Modigliani) 莫迪利安尼 Mòdílì'ānní
모스(Morse) 莫尔斯 Mò'ěrsī
모차르트(Mozart) 莫扎特 Mòzhātè
몬드리안(Mondriaan) 蒙得里安 Méngdélǐ'ān
무솔리니(Mussolini) 墨索里尼 Mòsuǒlǐní
미켈란젤로(Michelangelo) 米开朗基罗 Mǐkāilǎngjīluó
바그너(Wagner) 瓦格纳 Wǎgénà
바흐(Bach) 巴赫 Bāhè
베르디(Verdi) 威尔第 Wēi'ěrdì
베토벤(Beethoven) 贝多芬 Bèiduōfēn
벨(Bell) 贝尔 Bèi'ěr
브람스(Brahms) 勃拉姆斯 Bólāmǔsī
비발디(Vivaldi) 维瓦尔第 Wéiwǎ'ěrdì
비스마르크(Bismarck) 俾斯麦 Bǐsīmài
빌 게이츠(Bill Gates) 比尔·盖茨 Bǐ'ěr Gàicí
생텍쥐페리(Saint-Exupéry) 圣埃克苏佩里 Shèng'āikèsūpèilǐ
샤갈(Chagall) 夏卡尔 Xiàkǎ'ěr
세르반테스(Cervantes) 塞万提斯 Sàiwàntísī
셰익스피어(Shakespeare) 莎士比亚 Shāshìbǐyà
소크라테스(Socrates) 苏格拉底 Sūgélādǐ

솔로몬(Solomon) 所罗门 Suǒluómén
쇼팽(Chopin) 肖邦 Xiāobāng
쇼펜하우어(Schopenhauer) 叔本华 Shūběnhuá
슈만(Schumann) 舒曼 Shūmàn
슈바이처(Schweitzer) 施韦泽 Shīwéizé
슈베르트(Schubert) 舒伯特 Shūbótè
스탈린(Stalin) 斯大林 Sīdàlín
스탕달(Stendhal) 司汤达 Sītāngdá
스티브 잡스(Steve Jobs) 史蒂夫·乔布斯 Shǐdìfū Qiáobùsī
스피노자(Spinoza) 斯宾诺莎 Sībīnnuòshā
시저(Caesar) 凯撒 Kǎisā
아라파트(Arafat) 阿拉法特 Ālāfǎtè
아르키메데스(Archimedes) 阿基米德 Ājīmǐdé
아리스토텔레스(Aristoteles) 亚里士多德 Yàlǐshìduōdé
아보가드로(Avogadro) 阿伏加德罗 Āfújiādéluó
아이젠하워(Eisenhower) 艾森豪威尔 Àisēnháowēi'ěr
아인슈타인(Einstein) 爱因斯坦 Àiyīnsītǎn
안데르센(Andersen) 安徒生 Āntúshēng
에디슨(Edison) 爱迪生 Àidíshēng
엥겔(Engel) 恩格尔 Ēngé'ěr
오이디푸스(Oedipus) 俄狄浦斯 Édípǔsī
워싱턴(Washington) 华盛顿 Huáshèngdùn
이솝(Aesop) 伊索 Yīsuǒ
이토 히로부미(Itô Hirobumi) 伊藤博文 Yīténg Bówén
잔 다르크(Jeanne d'Arc) (圣女)贞德 (shèngnǚ) Zhēndé
차이콥스키(Tchaikovsky) 柴可夫斯基 Cháikěfūsījī
찰리 채플린(Charles Chaplin) 查理·卓别林 Chálǐ Zhuóbiélín
처칠(Churchill) 邱吉尔 Qiūjí'ěr
칭기즈 칸(Chingiz Khan) 成吉思汗 Chéngjísīhàn
카네기(Carnegie) 卡内基 Kǎnèijī
카뮈(Camus) 加缪 Jiāmiù
카프카(Kafka) 卡夫卡 Kǎfūkǎ
칸트(Kant) 康德 Kāngdé
칼뱅(Calvin) 加尔文 Jiā'ěrwén
케네디(Kennedy) 肯尼迪 Kěnnídí
케플러(Kepler) 开普勒 Kāipǔlè
코페르니쿠스(Copernicus) 哥白尼 Gēbáiní
콜럼버스(Columbus) 哥伦布 Gēlúnbù
쿠빌라이(Khubilai) 忽必来 Hūbìlái
퀴리 부인(Curie夫人) 居里夫人 Jūlǐ Fūren
테레사 수녀(Teresa修女) 特蕾莎修女 Tèlěishā Xiūnǚ
톨스토이(Tolstoi) 托尔斯泰 Tuō'ěrsītài
파브르(Fabre) 法布尔 Fǎbù'ěr
파스칼(Pascal) 帕斯卡 Pàsīkǎ
파스퇴르(Pasteur) 巴斯德 Bāsīdé
페스탈로치(Pestalozzi) 裴斯泰洛齐 Péisītàiluòqí; 裴斯塔洛齐 Péisītǎluòqí
푸시킨(Pushkin) 普希金 Pǔxījīn
퓰리처(Pulitzer) 普利策 Pǔlìcè; 普里策 Pǔlǐcè
프로이트(Freud) 弗洛伊德 Fúluòyīdé
플라톤(Platon) 柏拉图 Bólātú
피카소(Picasso) 毕加索 Bìjiāsuǒ
피타고라스(Pythagoras) 毕达哥拉斯 Bìdágēlāsī
하이든(Haydn) 海顿 Hǎidùn
헤겔(Hegel) 黑格尔 Hēigé'ěr
헤르만 헤세(Hermann Hesse) 赫尔曼·黑塞 Hè'ěrmàn Hēisāi
헤밍웨이(Hemingway) 海明威 Hǎimíngwēi
헨델(Händel) 亨德尔 Hēngdé'ěr
헬렌 켈러(Helen Keller) 海伦·凯勒 Hǎilún Kǎilè
히치콕(Hitchcock) 希区柯克 Xīqūkēkè
히틀러(Hitler) 希特勒 Xītèlè
히포크라테스(Hippocrates) 希波克拉底 Xībōkèlādǐ

각종 스포츠 명칭

도 剑道 jiàndào
이트볼 门球 ménqiú
마 赛马 sàimǎ
프 高尔夫球 gāo'ěrfūqiú
투[복싱] 拳击 quánjī
대 오종 경기 现代五项 xiàndài wǔxiàng
르딕 경기 北欧两项 Běi Ōu liǎngxiàng
구 篮球 lánqiú
이빙 跳水 tiàoshuǐ
구 台球 táiqiú
스 스포츠 体育舞蹈 tǐyù wǔdǎo
산 登山 dēngshān
비 橄榄球 gǎnlǎnqiú
프팅[급류타기] 漂流 piāoliú
슬링 摔跤 shuāijiāo
러스케이트 轮滑 lúnhuá
지 无舵雪橇 wúduò xuěqiāo
식축구 美式橄榄球 Měishì gǎnlǎnqiú
둑 围棋 wéiqí
이애슬론 冬季两项 dōngjì liǎngxiàng; 现代冬季两项 xiàndài dōngjì liǎngxiàng
배구 排球 páiqiú
배드민턴 羽毛球 yǔmáoqiú
번지 점프 蹦极跳 bèngjítiào; 蹦极 bèngjí
보디빌딩 健美运动 jiànměi yùndòng
볼링 保龄球 bǎolíngqiú
봅슬레이 有舵雪橇 yǒuduò xuěqiāo; 雪车 xuěchē
비치 발리볼 沙滩排球 shātān páiqiú
사격 射击 shèjī
사이클 自行车赛 zìxíngchēsài
산악자전거(MTB) 山地车 shāndìchē
세팍타크로 藤球 téngqiú
소프트볼 垒球 lěiqiú
쇼트 트랙 短道速滑 duǎndào sùhuá
수구 水球 shuǐqiú
수상 스키 滑水 huáshuǐ
수영 游泳 yóuyǒng
-배영 仰泳 yǎngyǒng
-자유형 自由泳 zìyóuyǒng
-접영 蝶泳 diéyǒng
-평영 蛙泳 wāyǒng
-혼영 混合泳 hùnhéyǒng
수중 발레[싱크로나이즈드 스위밍] 花样游泳 huāyàng yóuyǒng; 水上芭蕾 shuǐshàng bālěi
스노보드 单板滑雪 dānbǎn huáxuě
스카이다이빙 跳伞运动 tiàosǎn yùndòng
스켈레톤 俯式冰橇 fǔshì bīngqiāo
스쿼시 壁球 bìqiú
스키 滑雪 huáxuě
-스키 점프 跳台滑雪 tiàotái huáxuě
-알파인 스키 高山滑雪 gāoshān huáxuě
-크로스컨트리(스키) 越野滑雪 yuèyě huáxuě
-프리스타일 스키 自由式滑雪 zìyóushì huáxuě
스케이트보드 滑板 huábǎn
스케이팅 滑冰 huábīng
-스피드 스케이팅 速度滑冰 sùdù huábīng
-피겨 스케이팅 花样滑冰 huāyàng huábīng
스킨 다이빙 轻装潜水 qīngzhuāng qiánshuǐ; 潜泳 qiányǒng
승마 马术 mǎshù
아이스하키 冰球 bīngqiú
암벽 등반[록클라이밍] 攀岩 pānyán
야구 棒球 bàngqiú
양궁 射箭 shèjiàn
역도 举重 jǔzhòng
-용상 挺举 tǐngjǔ
-인상 抓举 zhuājǔ
오토바이 경주 摩托车赛 mótuōchēsài
요트 帆船 fānchuán
우슈 武术 wǔshù
윈드서핑 风帆冲浪 fēngfān chōnglàng; 帆板 fānbǎn
유도 柔道 róudào